Lille
BELGIQUE
LUX.
AISNE
Reims
LORRAINE
Metz
MOSELLE
Épernay
PARIS
MARNE
Châlons-en-Champagne
BAS-RHIN
Toul
Nancy
Strasbourg
SEINE-ET-MARNE
MEURTHE-ET-MOSELLE
CHAMPAGNE
ALSACE
Troyes
HAUTE-MARNE
Moselle
Yonne
AUBE
Seine
Colmar
Les Riceys
Marne
Rhin
Auxerre
Chablis
YONNE
HAUT-RHIN
CÔTE-D'OR
Saône
BOURGOGNE
Dijon
Besançon
NIÈVRE
Beaune
Doubs
CHER
Nevers
Arbois
SUISSE
VALLÉE DE LA LOIRE
SAÔNE-ET-LOIRE
JURA
JURA
ALLIER
Mâcon
AIN
BEAUJOLAIS
Rhône
HAUTE-SAVOIE
Villefranche-sur-Saône
BUGEY
Annecy
Roanne
LOIRE
RHÔNE
Lyon
SAVOIE
LYONNAIS
Chambéry
PUY-DE-DÔME
Vienne
SAVOIE
Allier
Loire
Rhône
ISÈRE
ITALIE
CANTAL
ARDÈCHE
Valence
DRÔME
VALLÉE DU RHÔNE
Die
HAUTES-ALPES
Lot
Montélimar
AVEYRON
SUD-OUEST
GARD
ALPES-DE-HAUTE-PROVENCE
VAUCLUSE
Avignon
ALPES-MARITIMES
Nîmes
Patrimonio
Bastia
Nice
Montpellier
BOUCHES-DU-RHÔNE
Aix-en-Provence
Draguignan
HÉRAULT
PROVENCE
HAUTE-CORSE
Béziers
Marseille
VAR
Narbonne
CORSE
Toulon
LANGUEDOC-ROUSSILLON
Ajaccio
CORSE-DU-SUD
Perpignan
MER MÉDITERRANÉE
Banyuls-sur-Mer

LE GUIDE HACHETTE DES VINS

Sélection 2017

LES VIGNERONS DE L'ANNÉE

Alsace
- Sylvain Hertzog 24

Lorraine
- Marie-Geneviève et Norbert Molozay (Ch. de Vaux) 25

Beaujolais
- David Duthel (Dom. Ruet) 26

Bordelais
- Matthieu Cuvelier (Clos Fourtet) 27
- Jean-Christophe Mau (Ch. Brown) 28

Bourgogne
- Jérôme Castagnier (Dom. Castagnier) 29
- Olivier Fichet (Dom. Fichet) 30

Champagne
- Fabrice Rosset (Deutz) 31
- Bruno Paillard 32

Jura
- Pauline et Géraud Fromont (Dom. des Marnes blanches) 33

Savoie
- Michel Quenard (Dom. André et Michel Quenard) 34

Languedoc
- Rémi Duchemin (Le Plan de l'Homme) 35

Roussillon
- Brigitte Verdaguer (Dom. de Rancy) 36

Provence
- Patricia Ortelli (Ch. La Calisse) 37

Corse
- Simon Andréani (Dom. Fiumicicoli) 38

Sud-Ouest
- Jean-Luc Baldès (Clos Triguedina) 39
- Fabien Cardetti (Dom. de Lescure) 40

Vallée de la Loire
- Jean-Hubert Lebreton (Dom. des Rochelles) 41
- Florian Roblin 42

Vallée du Rhône
- Frédéric Coulon (Dom. de Beaurenard) 43
- Stéphane Pichat 44

TABLE DES CARTES

Alsace 47

Lorraine 109

Beaujolais 115

Bordelais 166-167
- Blayais et Bourgeais 202
- Le Libournais 222
- Entre Garonne et Dordogne 281
- Région des Graves 297
- Médoc et Haut-Médoc 319
- Les vins blancs liquoreux 357

Bourgogne 371
- Chablisien 392
- Côte de Nuits 420
- Côte de Beaune 463
- Chalonnais 532
- Mâconnais 548

Champagne 578-579

Jura 670

Savoie et Bugey 684

Languedoc 700-701

Roussillon 788

Poitou-Charentes 835

Provence 846-847

Corse 879

Sud-Ouest 892-893

Vallée de la Loire 974-975
- Région nantaise 979
- Anjou et Saumur 999
- Touraine 1037
- Centre 1093

Vallée du Rhône
- Partie septentrionale 1171
- Partie méridionale 1196-1197

Luxembourg 1252

SOMMAIRE

Mode d'emploi 6
Tableau des symboles 8
Du nouveau au Guide Hachette 9
Comment identifier un vin ? 10
Lire l'étiquette 12
Acheter : les circuits d'achats 14
Conserver son vin 16
Les millésimes 18
La dégustation 20
Les vignerons de l'année 24

La sélection des vins

● **L'ALSACE ET LA LORRAINE** 45

L'Alsace 46
La Lorraine 109

● **LE BEAUJOLAIS ET LE LYONNAIS** 113

Le Beaujolais et le Lyonnais 114

● **LE BORDELAIS** 161

Les appellations régionales du Bordelais 164
Le Blayais et le Bourgeais 202
Le Libournais 221
Entre Garonne et Dordogne 278
La région des Graves 293
Le Médoc 313
Les vins blancs liquoreux 354

● **LA BOURGOGNE** 367

Les appellations régionales de Bourgogne 370
Le Chablisien 390
La Côte de Nuits 419
La Côte de Beaune 462
La Côte chalonnaise 531
Le Mâconnais 548
Les IGP de la Bourgogne 570

● **LA CHAMPAGNE** 572

La Champagne 573

● **LE JURA, LA SAVOIE ET LE BUGEY** 668

Le Jura 669
La Savoie et le Bugey 683

● **LE LANGUEDOC ET LE ROUSSILLON** 697

Le Languedoc 698
Les IGP du Languedoc 769
Le Roussillon 787
Les vins doux naturels du Roussillon 809
Les IGP du Roussillon 825

● **LE POITOU ET LES CHARENTES** 833

Le Poitou et les Charentes 834

● **LA PROVENCE ET LA CORSE** 843

La Provence 844
La Corse 878

● **LE SUD-OUEST** 891

Le piémont du Massif central 892
La moyenne Garonne 912
Le Bergeracois et Duras 918
Le piémont pyrénéen 940
Les IGP du Sud-Ouest 960

● **LA VALLÉE DE LA LOIRE ET LE CENTRE** 971

Les appellations régionales du Val de Loire 973
La région nantaise 978
Anjou-Saumur 997
La Touraine 1034
Les vignobles du Centre 1092
Les IGP de la Vallée de Loire 1130

● **LA VALLÉE DU RHÔNE** 1137

Les appellations régionales de la vallée du Rhône 1139
La vallée du Rhône septentrionale 1169
La vallée du Rhône méridionale 1195
Les vins doux naturels de la vallée du Rhône 1242
Les IGP de la vallée du Rhône 1244

● **LE LUXEMBOURG** 1250

Les vins du Luxembourg 1251

Annexes

Index des appellations 1259
Index des producteurs 1263
Index des vins 1291

LE GUIDE HACHETTE DES VINS : MODE D'EMPLOI

Quels vins sont dégustés ?

Chaque édition est entièrement nouvelle : les vins sélectionnés ont été dégustés dans l'année. Le Guide remet ainsi tous les ans les compteurs à zéro pour déguster le dernier millésime mis en bouteilles. Le vin n'étant pas un produit industriel, chaque nouveau millésime possède des caractéristiques propres. Un producteur peut avoir très bien réussi une année et moins bien la suivante… ou l'inverse ! De plus, chaque année, de nouveaux producteurs s'installent ou arrivent aux commandes de domaines existants. Le Guide vous fait découvrir les meilleurs d'entre eux.

Comment les vins sont-ils dégustés ?

Les vins sont dégustés à l'aveugle. Les dégustateurs ne connaissent ni le nom du producteur, ni celui du vin ou de la cuvée qu'ils goûtent. Cela leur permet de s'affranchir de paramètres subjectifs, tels que la notoriété du domaine ou l'esthétique de l'étiquette. Les jurés connaissent seulement l'appellation et le millésime qu'ils jugent.

Qui déguste les vins ?

Les dégustateurs sont des professionnels du monde du vin (œnologues, négociants, courtiers, sommeliers…). Ils possèdent tous les repères pour juger de la qualité d'un vin et maîtrisent le vocabulaire de la dégustation, ce qui leur permet de bien décrire les vins et donc d'apporter au lecteur l'information la plus complète possible.

Comment sont notés les vins ?

Les vins sont décrits (couleur, qualités olfactives et gustatives) et notés par les jurés sur une échelle de 0 à 5.

Note du dégustateur	Qualité du vin	Note finale du vin
0	**vin à défaut**	**éliminé**
1	**petit vin ou vin moyen**	**éliminé**
2	**vin réussi**	**cité (sans étoile)**
3	**vin très réussi**	★
4	**vin remarquable**	★★
5	**vin exceptionnel**	★★★

Les notes doivent être comparées au sein d'une même appellation. Il est en effet impossible de juger des appellations différentes avec le même barème.

Pourquoi certaines étiquettes sont-elles reproduites et non les autres ?

L'étiquette signale un coup de cœur ♥ décerné à l'aveugle par les jurys à une cuvée. Elle est reproduite librement, sans qu'aucune participation financière directe ou indirecte ne soit demandée au producteur concerné. De même, la présentation des vins aux dégustations du Guide par les producteurs est entièrement gratuite.

Pourquoi certains vins ne sont-ils pas dans le Guide ?

Des vins connus, parfois même réputés, peuvent être absents de cette édition : soit parce que les producteurs ne les ont pas présentés, soit parce qu'ils ont été éliminés.

À quoi correspondent les durées de garde indiquées dans les notices ?

Ces temps de garde sont donnés par les dégustateurs, sous réserve de bonnes conditions de conservation, et sont indicatifs. Ils ne correspondent en aucune façon à une « date limite de consommation », mais au moment où l'on estime que le vin peut commencer à être bu pour être apprécié pleinement (apogée). Certains vins gardent en effet toutes leurs qualités des années après avoir atteint leur apogée (on parle alors de longévité).

Et le plaisir dans tout cela ?

Nous n'oublions pas que le vin est fait pour être bu à table, en bonne compagnie, et qu'une bouteille raconte une histoire qui dépasse le cadre strict de la dégustation technique. C'est pourquoi, une fois la dégustation terminée et l'anonymat levé par nos équipes, le Guide prend plaisir, pour chaque vin retenu, à parler des hommes et des femmes qui le font, des terroirs et des paysages, des meilleurs moments pour le découvrir et des plats pour le mettre en valeur.

AVERTISSEMENTS

• La dégustation à la propriété est bien souvent gratuite. On n'en abusera pas : elle représente un coût non négligeable pour le producteur qui ne peut ouvrir ses vieilles bouteilles.

• Les amateurs qui conduisent un véhicule n'oublieront pas qu'ils ne doivent pas boire le vin, mais le recracher comme le font les professionnels. Si des crachoirs ne sont pas spontanément proposés dans les caves, vous pouvez en demander.

• Les prix présentés sous forme de fourchette (pour les vins, gîtes ruraux et chambres d'hôtes) sont soumis à l'évolution des cours et donnés sous toutes réserves.

• Le pictogramme V signale les producteurs pratiquant la vente à la propriété. Toutefois, certains vins sélectionnés ont parfois une diffusion quasi confidentielle. S'ils ne sont pas disponibles au domaine, nous invitons le lecteur à les rechercher auprès des cavistes (en ville ou en ligne), des grandes surfaces et des négociants, ou sur les cartes des restaurants.

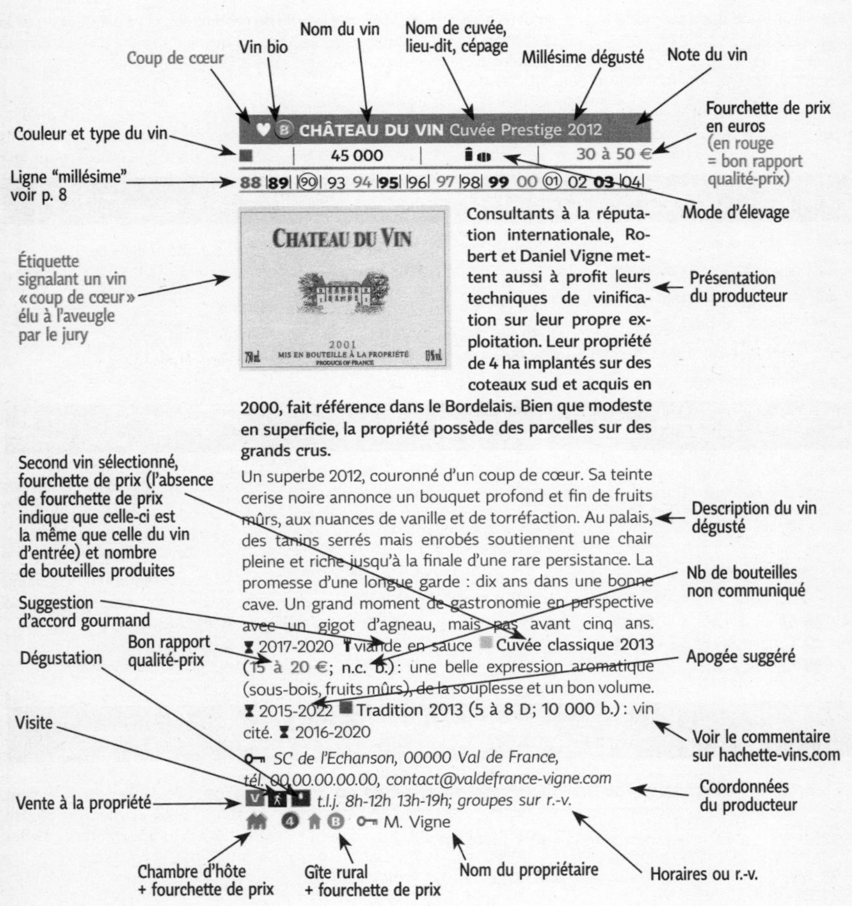

SYMBOLES UTILISÉS DANS LE GUIDE

LES VINS

La reproduction d'une étiquette et le symbole ♥ signalent un « coup de cœur » décerné à l'aveugle par les jurys.

★★★ vin exceptionnel

★★ vin remarquable

★ vin très réussi

vin réussi (cité sans étoile)

2009 millésime ou année du vin dégusté

- Ⓑ vin biologique
- vin blanc sec tranquille
- vin blanc doux tranquille
- vin rouge tranquille
- vin rosé tranquille
- vin blanc effervescent
- vin demi-sec effervescent
- vin rosé effervescent

50 000, 12 500... nombre moyen de bouteilles du vin présenté

- élevage en cuve
- élevage en fût
- apogée suggéré
- accord gourmand

LES PRODUCTEURS

- V vente à la propriété
- dégustation à la propriété
- conditions de visite (r.-v. = sur rendez-vous)
- adresse du producteur
- nom du propriétaire, si différent de celui figurant dans l'adresse
- gîte rural
- chambres d'hôtes

n.c. information non communiquée

LES PRIX

• Les prix (prix moyen de la bouteille en France par carton de 12) sont donnés sous toutes réserves.
L'indication de la fourchette de prix en rouge signale un bon rapport qualité/prix.

- 5 €	5 à 8 €	8 à 11 €	11 à 15 €	15 à 20 €	20 à 30 €	30 à 50 €	50 à 75 €	75 à 100 €	+ 100 €

• Chambres d'hôtes
Prix moyen par nuit en haute saison

- ➊ = - de 50 €
- ➋ = 51 à 65 €
- ➌ = 66 à 80 €
- ➍ = 81 à 100 €
- ➎ = + de 100 €

• Gîte rural
Prix moyen par semaine en haute saison

- Ⓐ = - de 300 €
- Ⓑ = 301 à 400 €
- Ⓒ = 401 à 500 €
- Ⓓ = 501 à 600 €
- Ⓔ = + de 600 €

LES MILLÉSIMES

(82) **83 85 |86| 89** |90| 91 92 93 **|95| |96|** 97 **98 99 00** (01) 02 **03** 04 **05**

83 01 les millésimes en rouge sont prêts (01 = millésime 2001)

99 05 les millésimes en noir sont à garder (05 = millésime 2005)

|95| 02 les millésimes en noir entre deux traits verticaux sont prêts pouvant attendre

83 95 les meilleurs millésimes sont en gras

(90) les millésimes exceptionnels sont dans un cercle

Les millésimes indiqués n'impliquent pas une disponibilité à la vente chez le producteur. On pourra les trouver aussi chez les cavistes ou les restaurateurs.

DU NOUVEAU AU GUIDE HACHETTE

Pour notre 33e édition, exit les rosés, qui ont droit à leur Guide Hachette des rosés. Autre innovation de taille cet automne, un service d'achat en ligne des vins sélectionnés par nos dégustateurs, à partir de notre site *hachette-vins.com.*

Ce tout nouveau Guide Hachette, la 33e édition, a légèrement perdu du poids, car nous avons décidé de consacrer un guide dédié aux seuls vins rosés, disponible en librairie depuis le mois de mai Les vins de cette couleur disparaissent donc de cette édition de septembre, à l'exception des champagnes et autres effervescents rosés, ainsi que de quelques vins de liqueur, des vins dont la consommation ne connaît pas de pic à la belle saison.

Autre nouveauté, et non des moindres, dans l'univers du Guide Hachette: la possibilité prochaine (à partir de mi-septembre, espérons-nous) pour les amateurs d'acheter les vins sélectionnés par nos dégustateurs sur notre site hachette-vins.com.

Ce nouveau service s'inscrit, lui aussi, dans une évolution profonde des modes d'achat du vin. Le web est aujourd'hui la plus grande cave du monde et chaque année, en France, les ventes on ligne progressent de 7 à 10 % selon les différentes études, avec un bond de 35 % en 2014 et une augmentation attendue de quelque 50 % en 2016! Le plus consulté des guides français, qui a son site depuis 2009, se devait d'aller jusqu'au bout de sa logique de guide d'achat.

Nous espérons ainsi satisfaire nos lecteurs qui nous disent combien il leur est parfois difficile d'accéder aux vins que nous avons sélectionnés, en raison de l'éloignement géographique, les vins de propriété étant peu présents dans les circuits d'achat classiques, et notamment en grande distribution.

Selon le principe de la vente directe du producteur au consommateur, l'idée est donc de rapprocher nos lecteurs/internautes des vignerons, en donnant la possibilité à ces derniers de proposer à la vente sur notre site leurs cuvées retenues.

En ligne de mire: un choix national, varié et très qualitatif, des frais de port réduits, des achats facilités par la possibilité de panacher les commandes - un opérateur regroupant en une seule livraison les commandes réalisées auprès de plusieurs producteurs. Nous avons choisi le meilleur spécialiste du e-commerce du vin et de la logistique pour fournir ce service, qui offre tous les avantages du Net sans l'un de ses principaux inconvénients: l'absence (parfois, souvent?) de caution clairement identifiée.

Et soyez rassurés, rien ne change dans nos principes de dégustations, indépendantes, à l'aveugle et plus rigoureuses que jamais.

COMMENT IDENTIFIER UN VIN ?

Les rayons des cavistes et des grandes surfaces offrent une large palette de vins français, voire étrangers. Cette variété, qui fait le charme du vin pour l'amateur averti, rend aussi le choix difficile et déroute le néophyte : la France produit à elle seule plusieurs dizaines de milliers de vins qui ont tous des caractères propres. Leur carte d'identité ? L'étiquette. Les pouvoirs publics, français et désormais européens, et les instances professionnelles se sont attachés à la réglementer. Capsules et bouchons complètent l'identification.1

LES CATÉGORIES DE VIN

L'étiquette indique l'appartenance du vin à l'une des catégories réglementées en France : vin de France (ex-vin de table), indication géographique protégée IGP (ex-vin de pays), appellation d'origine contrôlée (AOC, AOP pour l'UE).

L'appellation d'origine protégée

La classe reine, celle de tous les grands vins. L'étiquette porte obligatoirement la mention « Appellation X protégée », parfois « X appellation protégée ». Si l'appellation porte le nom d'une entité géographique (région, ensemble de communes, commune, parfois lieu-dit), cette seule provenance ne suffit pas à la définir. Pour bénéficier de l'AOC, un vin doit provenir d'une aire délimitée, caractérisée par ses sols et son climat, plantée de cépages spécifiques cultivés et vinifiés selon les traditions régionales. C'est ce que l'on appelle les « usages locaux, loyaux et constants ».

L'appellation d'origine vin délimité de qualité supérieure

Une catégorie supprimée en 2011, naguère antichambre de l'appellation d'origine contrôlée, et soumise sensiblement aux mêmes règles. Nombreux il y a trente ans, les VDQS ont souvent accédé à l'AOC.

Du domaine et du terroir à l'étiquette.

LA RÉFORME DE LA CLASSIFICATION DES VINS

Mise en place en 2009, cette réforme a entraîné trois changements importants, concernant chaque étage de la pyramide qualitative. Les vins de table sont devenus vins de France, mais ils ont surtout gagné, au-delà du droit de porter comme étendard le nom de notre pays, ce qui n'est pas rien, la possibilité d'afficher cépage(s) et millésime. Deux mentions en général perçues comme qualitatives, ici autorisées pour les vins du bas de l'échelle : on peut légitimement s'interroger sur la pertinence de cette modification réglementaire. Les vins de pays (VDP) sont devenus des IGP, indications géographiques protégées. Un bouleversement majeur puisque auparavant les VDP faisaient partie de la même catégorie que les vins de table ; ils entrent dorénavant dans la famille des vins avec indication géographique, qui comprend également les AOC/AOP. Un changement qui leur donne des droits (protection juridique du nom comme les AOP, appellation d'origine protégée) mais aussi des devoirs : démonstration à faire de leur lien à l'origine et mise en place de procédures de contrôle renforcées. En 2011, les 150 VDP alors existants ont vu leur nombre se réduire à 75. Enfin, les AOP sont depuis cette réforme soumises à de nouveaux modes de contrôle, la tant décriée dégustation systématique d'agrément étant supprimée au profit de contrôles moins fréquents mais plus proches du produit commercialisé. On attendra pour voir l'efficacité de ces nouvelles mesures sur la qualité des vins.

Les IGP/vins de pays

Ils portent le nom de leur lieu de naissance, mais ne sont pas des AOC. La différence ? Les vins de pays ne font pas l'objet d'une délimitation parcellaire, en fonction des types de sol ; ils sont issus de cépages dont la liste est définie réglementairement ; cette liste est plus large que pour les AOC. En un mot, leur rapport au terroir est moins fort. L'étiquette précise la provenance géographique du vin. On lira donc « Indication géographique protégée » (IGP) suivie du nom d'une région (ex : Val de Loire), d'un département (ex : Ardèche) ou d'une zone plus restreinte (ex : Cité de Carcassonne).

Les vins de France

Sans provenance géographique affichée, ils peuvent être issus de coupages, c'est-à-dire de mélanges de vins de plusieurs régions. Cela en fait en général des vins assez standard – sans surprise mais sans personnalité. Si les vins de France sont souvent des produits d'entrée de gamme commercialisés en gros volumes, il existe aussi des vins de table de propreté – souvent « vins d'auteurs » élaborés hors des canons de l'appellation. Depuis une récente réforme, ces vins sont autorisés à afficher millésime et nom des cépages.

LE RESPONSABLE LÉGAL DU VIN

L'étiquette doit permettre d'identifier le vin et son responsable légal en cas de contestation. Le dernier intervenant dans l'élaboration du vin est celui qui le met en bouteilles ; ce sont obligatoirement son nom et son adresse qui figurent sur l'étiquette. Il peut s'agir d'un négociant, d'une coopérative ou d'un propriétaire-récoltant. Dans certains cas, ces renseignements sont confirmés par les mentions portées au sommet de la capsule de surbouchage.

LA MISE EN BOUTEILLES

L'étiquette mentionne si le vin a été mis en bouteilles à la propriété. L'amateur exigeant ne tolérera que les mises en bouteilles au domaine, à la propriété ou au château. Les formules « Mis en bouteilles dans la région de production, mis en bouteilles par nos soins, mis en bouteilles dans nos chais, mis en bouteilles par x (x étant un intermédiaire) », pour exactes qu'elles soient, n'apportent pas la garantie d'origine que procure la mise en bouteilles à la propriété où le vin a été vinifié.

LE MILLÉSIME

La mention du millésime, année de naissance du vin, c'est-à-dire de la vendange, n'est pas obligatoire. Elle est portée soit sur l'étiquette, soit sur une collerette collée au niveau de l'épaule de la bouteille. Les vins issus d'assemblage de différentes années ne sont pas millésimés. C'est le cas de certains champagnes et crémants, ou encore de certains vins de liqueur et vins doux naturels. À noter que l'Europe s'est alignée sur la règle en vigueur dans certains pays tiers, selon laquelle il suffit que 85 % du vin soit d'un millésime donné pour que l'étiquette puisse afficher le millésime.

LA CAPSULE

La plupart des bouteilles sont coiffées d'une capsule de surbouchage (capsule représentative de droits ou CRD) qui porte généralement une vignette fiscale, preuve que les droits de circulation auxquels toute boisson alcoolisée est soumise ont été acquittés. Cette vignette permet aussi de déterminer le statut du producteur (propriétaire ou négociant) et la région de production. Elle est verte pour les AOC, bleue pour les vins de pays. En l'absence de capsule fiscalisée, les bouteilles doivent être accompagnées d'un document délivré par le producteur.

LE BOUCHON

Les producteurs de vins de qualité ont éprouvé le besoin de marquer leurs bouchons, car si une étiquette peut être décollée et remplacée frauduleusement, le bouchon, lui, demeure ; l'origine du vin et le millésime y sont ainsi étampés.

LIRE L'ÉTIQUETTE

Sur les étiquettes, les indications foisonnent. Protection de l'origine géographique, de l'environnement, de la santé publique, exigence de traçabilité, souci de marketing : tous ces impératifs successifs les ont fait proliférer. Obligatoires ou facultatives, ces mentions donnent des indices sur le style du vin.

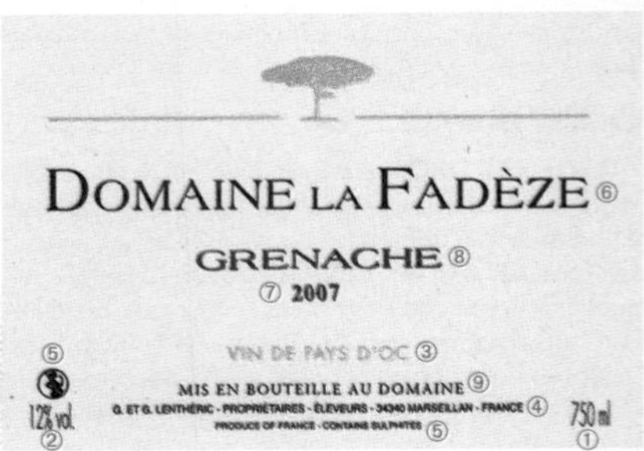

LES MENTIONS OBLIGATOIRES

Obligatoires pour toutes les catégories de vins, ces mentions suffisent à ce que le vin soit légalement mis en vente :

Volume

① La contenance standard d'une bouteille de vin est de 75 cl.

Degré alcoolique

② Cette mention contribue à apprécier le style du vin ; à 11 % vol. ou moins, c'est un vin léger ; à 13 % vol. ou plus, c'est un vin corsé et chaleureux.

Catégorie de vin

③ Elle indique la place du vin dans une hiérarchie réglementaire : vin de France, indication géographique protégée, vin d'appellation (AOC). Pour ces deux dernières catégories, elle informe aussi sur la provenance géographique du vin.

Embouteilleur

④ Le nom et l'adresse du responsable légal du vin permettent d'éventuelles réclamations.

Mentions sanitaires

⑤ La réglementation européenne a fait ajouter la mention «Contient des sulfites» lorsque le vin contient plus de 10 mg/l de SO2 (cas fréquent, le soufre étant un antiseptique et un antibactérien utile pour la bonne conservation du vin, et le seuil autorisé bien supérieur) ; les pouvoirs publics français imposent par ailleurs depuis 2007 une mise en garde à l'adresse des femmes enceintes.

LES MENTIONS FACULTATIVES

La marque et le domaine

⑥ Pour personnaliser le vin, nombre de producteurs lui donnent une marque : marque commerciale ou, notamment chez les récoltants, nom familial. Les termes de «château» ou «domaine» sont assimilés à des marques.

Le millésime

⑦ Souvent indiqué, il n'est pas pour autant obligatoire (*voir* p. précédente). Cette mention est fort utile, car elle permet d'évaluer les perspectives de garde en fonction de la cotation régionale des millésimes.

Le cépage

⑧ La mention du cépage est autorisée pour les vins de pays et certains vins d'appellation. Comme pour le millésime, l'Union européenne a adopté la règle des «85/15» : elle permet désormais d'indiquer le nom du cépage, même si 15 % du vin provient d'une autre variété.

Mise en bouteilles à la propriété

⑨ Un gage d'authenticité. Les caves coopératives, considérées comme le prolongement de la propriété, ont le droit d'utiliser cette mention. En Champagne, plusieurs sigles indiquent le statut du metteur en bouteilles, par exemple RM pour récoltant-manipulant (un vigneron), NM pour négociant-manipulant ou CM pour coopérative de manipulation (*voir* chapitre «Champagne»).

Classements

Dans certaines régions, il existe des classements officiels. En Bordelais (Médoc, Graves, Saint-Émilion, Sauternes), ce sont les propriétés et les châteaux qui sont classés. En Bourgogne, ce sont les terroirs : premiers ou grands crus, qui sont des lieux-dits (appelés localement *climats*). L'Alsace a également ses grands crus (terroirs classés), et la Champagne, ses premiers et grands crus (communes classées).

Bio

Jusqu'en 2012, faute d'accord à l'échelle européenne sur un cahier des charges en matière de vinification biologique, il n'y avait pas de «vin bio», seulement des «vins issus de raisins de l'agriculture biologique» (ou «de raisins biologiques» ou «cultivés en agriculture biologique»). Une telle mention, ainsi que le nom ou le numéro d'agrément de l'organisme certificateur qui vérifie le respect du cahier des charges, éventuellement accompagnée du logo AB, garantissaient une agriculture biologique (il faut cependant noter que certains domaines prestigieux pratiquent une viticulture bio sans le signaler). En 2012, un règlement européen a été publié. En conséquence, à partir de ce millésime, les mentions du type «vin issu de raisins de l'agriculture biologique» ne seront plus autorisées. Elles seront remplacées par le terme de «vin biologique» - à condition évidemment que les producteurs respectent la nouvelle réglementation pour l'élaboration de leurs vins –, accompagné du logo européen et du numéro de code de l'organisme certificateur. Le logo français AB reste facultatif.

Style de vins

D'autres mentions renseignent sur le style de vins, sur son élaboration. Certaines sont traditionnelles et ont un caractère officiel : «vendanges tardives» (vin blanc moelleux d'Alsace), «sélection de grains nobles» (liquoreux d'Alsace ou d'Anjou), «vin jaune», «vin de paille» (vins originaux du Jura), «méthode traditionnelle» (effervescent résultant d'une seconde fermentation en bouteille). Autres précisions réglementées, le dosage d'un champagne (extra-brut, brut, demi-sec, etc.), qui indique son caractère plus ou moins sec ; en blanc, la mention «sec» ou «doux», utile lorsque l'appellation produit les deux types de vins ; le terme «sur lie», appliqué au muscadet ; l'adjectif «ambré», pour un rivesaltes blanc, tandis que le «tuilé» est rouge. Non réglementées mais utiles, les mentions de l'élevage en fût de chêne, de l'absence de filtration, de soufre, etc. On se référera aux chapitres de chaque région pour une explication détaillée de ces mentions.

Nom de cuvée

⑩ On peut trouver sur l'étiquette des noms de lieux-dits, de communes ou de régions qui précisent la provenance : ce sont là des mentions réglementées. Cuvée Prestige, Vieilles Vignes, cuvée au nom des enfants du vigneron : ces mentions identifient un vin, mais elles ne garantissent pas une qualité supérieure. Si vous voulez acquérir une cuvée distinguée par le Guide, notez non seulement le nom du vin, mais aussi, s'il y a lieu, le nom de la cuvée et toutes les mentions qui figurent à côté du nom principal.

ÉTIQUETTE, CONTRE-ÉTIQUETTE, COLLERETTE

Si de nombreuses bouteilles comportent une étiquette unique, où figurent toutes les mentions obligatoires et facultatives, l'usage de la contre-étiquette se répand. Soit elle ne porte que des mentions facultatives (description du vin, conseils pour la température de service et les accords gourmands), soit elle affiche tout ou partie des mentions légales et obligatoires. Dans ce dernier cas, l'étiquette la plus visible a une fonction avant tout esthétique et porte des mentions succintes (marque, nom de cuvée, de commune). L'étiquette légale, placée «au dos» de la bouteille, ressemble à une contre-étiquette. Elle n'en comprend pas moins des précisions essentielles et mérite une lecture attentive. Certaines bouteilles portent une collerette, qui indique en général le millésime si celui-ci ne figure pas sur l'étiquette.

ACHETER : LES CIRCUITS D'ACHATS

En grande surface, chez le caviste, le producteur... Les circuits de distribution du vin sont multiples, chacun présentant ses avantages. À chaque consommateur de trouver la formule qui lui convient.

CHEZ LE PRODUCTEUR

La vente directe permet-elle de faire des économies ? Pas nécessairement, car les producteurs veillent à ne pas concurrencer leurs diffuseurs. Nombre de châteaux bordelais, quand ils vendent aux particuliers, proposent ainsi leurs crus à des prix supérieurs à ceux pratiqués par les détaillants. D'autant que les revendeurs obtiennent, grâce à des commandes massives, des prix plus intéressants que le particulier. En résumé, on achètera sur place les vins de producteurs dont la diffusion est limitée, et non les vins de grands châteaux, sauf millésimes rares ou cuvées spéciales.

L'achat à la propriété, un moyen de découvrir les secrets du vin.

La visite au producteur apporte bien d'autres satisfactions que celle d'une simple bonne affaire : on découvre un paysage, un terroir, des méthodes de travail ; on comprend les relations étroites qui existent entre un homme et son vin.
Sur les routes des Vins, on se souviendra du slogan : « Celui qui conduit est celui qui ne boit pas. » Les producteurs prévoient des crachoirs pour permettre aux conducteurs de goûter comme le font les professionnels.

EN CAVE COOPÉRATIVE

Les coopératives regroupent des producteurs d'une aire géographique donnée : une commune ou une zone plus large. Les adhérents apportent leur raisin et les responsables techniques se chargent du pressurage, de la vinification, de l'élevage et de la commercialisation. L'instauration de chartes de qualité avec les vignerons et la possibilité d'élaborer des cuvées selon la qualité spécifique de chaque livraison de raisin ou selon une sélection de terroirs ouvrent aux meilleures coopératives le secteur des vins de qualité, voire de garde.

CHEZ LE NÉGOCIANT

Le négociant, par définition, achète des vins pour les revendre, mais il est souvent lui-même propriétaire de vignobles : il peut donc agir en producteur et commercialiser sa production, ou bien vendre le vin de producteurs indépendants sans autre intervention que le transfert (cas des négociants bordelais qui ont à leur catalogue des vins mis en bouteilles au château), ou encore signer un contrat de monopole de vente avec une unité de production. Le négociant-éleveur assemble des vins de même appellation fournis par divers producteurs et les élève dans ses chais. Il est ainsi le créateur du produit à double titre : par le choix de ses achats et par l'assemblage qu'il exécute. Le propre d'un négociant est de diffuser, donc d'alimenter les réseaux de vente qu'il ne doit pas concurrencer en vendant chez lui ses vins à des prix très inférieurs.

CHEZ LE CAVISTE

Pour le citadin, c'est le mode d'achat le plus facile et le plus rapide, le plus sûr également lorsque le caviste est qualifié. Il existe nombre de boutiques spécialisées dans la vente de vins de qualité, indépendantes ou franchisées. Qu'est-ce qu'un bon caviste ? C'est celui qui est équipé pour entreposer les vins dans de bonnes conditions et qui sait choisir des vins originaux de producteurs amoureux de leur métier. En outre, le bon détaillant saura conseiller l'acheteur, lui faire découvrir des vins que celui-ci ignore et lui suggérer des accords gastronomiques.

EN GRANDE SURFACE

Aujourd'hui, nombre de grandes surfaces possèdent un rayon spécialisé bien équipé, où les bouteilles sont couchées et souvent classées par région. L'amateur y trouve – notamment en hypermarché – une large gamme, des vins de table aux crus prestigieux. Seuls les appellations confidentielles et les vins de petites propriétés sont moins représentés. Les foires aux vins des grandes surfaces proposent une offre élargie. Si celles de printemps misent plutôt sur les vins d'été à boire jeunes, celles d'automne présentent une importante sélection de crus renommés et de garde à des prix intéressants, même si les grands millésimes des domaines les plus prestigieux ne sont pas toujours disponibles. On consultera au préalable les catalogues, Guide en main, pour repérer cuvées et millésimes, et l'on viendra dès l'ouverture – voire en avant-première.

DANS LES CLUBS

Quantité de bouteilles, livrées en cartons ou en caisses, arrivent directement chez l'amateur grâce aux clubs qui offrent à leurs adhérents un certain nombre d'avantages. Le choix est assez vaste et comporte parfois des vins peu courants. Il faut toutefois noter que beaucoup de clubs sont des négociants.

DANS LES FOIRES ET SALONS

Organisés périodiquement dans les villes, foires et salons permettent aux amateurs de rencontrer un grand nombre de vignerons et de goûter certaines de leurs cuvées sans aller sur le lieu de production. L'offre est abondante, et l'atmosphère souvent conviviale – à condition d'éviter les heures d'affluence... Mieux vaut préparer sa visite, aidé du Guide.

LES VENTES AUX ENCHÈRES

Ces ventes sont organisées par des commissaires-priseurs assistés d'un expert. Il importe de connaître l'origine des bouteilles. Si elles proviennent d'un grand restaurant ou de la riche cave d'un amateur, leur conservation est probablement parfaite, ce qui n'est pas toujours le cas si elles constituent un regroupement de petits lots divers. Les bouteilles dont le niveau n'atteint plus que le bas de l'épaule, ou d'une teinte « usée » (bronze pour les blancs, brune pour les rouges) ont sûrement dépassé leur apogée.

ACHETER EN PRIMEUR

Le principe est simple : acquérir un vin avant qu'il ne soit élevé et mis en bouteilles, à un prix supposé inférieur à celui qu'il atteindra à sa sortie de la propriété. Les souscriptions sont ouvertes pour un volume contingenté et pour un temps limité, généralement au printemps et au début de l'été qui suivent les vendanges. Elles sont organisées par les propriétaires, par des sociétés de négoce et des clubs de vente de vins. L'acheteur s'acquitte de la moitié du prix convenu à la commande et s'engage à verser le solde à la livraison des bouteilles, c'est-à-dire de douze à quinze mois plus tard. Ainsi, le producteur s'assure des rentrées d'argent rapides, et l'acheteur réalise une bonne opération... lorsque le cours des vins augmente !

On réalise rarement de bonnes affaires dans les grandes appellations, qui intéressent des restaurateurs. En revanche, les appellations moins connues, moins recherchées par les professionnels, sont parfois très abordables.

SUR INTERNET

Les cavistes en ligne donnent souvent quelques informations sur les bouteilles qu'ils vendent, voire sur les vignobles ou sur la dégustation, sans aller jusqu'au conseil personnalisé dont on peut bénéficier chez les meilleurs détaillants. Comme les clubs, ils font des offres commerciales (dégustations, visites). On privilégiera les sites connus, qui proposent des dispositifs de paiement sécurisé. On s'assurera des délais de livraison et l'on vérifiera si les prix sont intéressants en prenant en compte le coût du transport.

LES GRANDES BOUTEILLES

NOM DE LA BOUTEILLE	EN CHAMPAGNE	EN BORDELAIS
Magnum	2 bouteilles (1,5 l)	2 bouteilles (1,5 l)
Double magnum		4 bouteilles (3 l)
Jéroboam	4 bouteilles (3 l)	6 bouteilles (4,5 l)
Mathusalem	8 bouteilles (6 l)	12 bouteilles (9 l)
Salmanazar	12 bouteilles (9 l)	
Balthazar	16 bouteilles (12 l)	
Nabuchodonosor	20 bouteilles (15 l)	20 bouteilles (15 l)

CONSERVER SON VIN

À l'inverse de la grappe de raisin avide de la lumière solaire, le vin recherche l'ombre. Il mûrit dans un lieu sombre et frais, protégé des vibrations et des odeurs. Il lui faut une atmosphère assez humide sans excès, suffisamment aérée mais à l'abri des courants d'air, et il redoute particulièrement les brusques changements de températures. Faute d'une cave enterrée idéale pour le stockage, ces exigences conduiront souvent à réaliser des aménagements divers, voire à opter pour une solution alternative.

AMÉNAGER SA CAVE

Une bonne cave est un lieu clos, sombre, à l'abri des trépidations et du bruit, exempt de toute odeur, protégé des courants d'air mais bien ventilé, d'un degré hygrométrique de 75 % et surtout d'une température stable, la plus proche possible de 11 ou 12 °C.

Les caves citadines présentent rarement de telles caractéristiques. Il faut donc, avant d'entreposer du vin, améliorer le local : établir une légère aération ou, au contraire, obstruer un soupirail trop ouvert ; humidifier l'atmosphère, en déposant une bassine d'eau contenant un peu de charbon de bois, ou l'assécher par du gravier tout en augmentant la ventilation ; tenter de stabiliser la température en posant des panneaux isolants ; éventuellement, monter les casiers sur des blocs en caoutchouc pour neutraliser les vibrations. Si toutefois une chaudière se trouve à proximité ou si des odeurs de mazout se répandent dans le local, celui-ci ne fera jamais une cave satisfaisante.

ÉQUIPER SA CAVE

L'expérience prouve qu'une cave est toujours trop petite. Le rangement des bouteilles doit donc être rationnel. Le casier à bouteilles classique, à un ou deux rangs, offre bien des avantages : il est peu coûteux et permet un accès facile à l'ensemble des flacons.

Malheureusement, ce casier à alvéoles est volumineux au regard du nombre de bouteilles logées. Si l'on possède une grande quantité de flacons, notamment lorsqu'on achète les mêmes références en quantités importantes, il faut empiler les bouteilles pour gagner de la place. Afin de séparer les piles pour avoir accès aux différents vins, on montera des casiers à compartiments pouvant contenir 24, 36 ou 48 bouteilles en pile, sur deux rangs. Si la cave n'est pas humide à l'excès, si le bois ne pourrit pas, il est possible d'élever des casiers en planches. Il sera nécessaire de les surveiller, car des insectes peuvent s'y installer, qui attaquent les bouchons et rendent les bouteilles couleuses. Les constructeurs proposent aujourd'hui nombre de casiers à compartiments, fixes, empilables et modulables, dans les matériaux les plus divers.

Deux instruments indispensables complètent l'aménagement de la cave : un thermomètre à maxima et minima, et un hygromètre.

RANGER SES BOUTEILLES

Dans la mesure du possible, on entreposera les vins blancs près du sol, les vins rouges au-dessus ; les vins de garde dans les rangées (ou casiers) du fond, les moins accessibles ; les bouteilles à boire, en situation frontale. Si les bouteilles achetées en cartons ne doivent pas demeurer dans leur emballage, celles livrées en caisses de bois peuvent y être conservées un temps, notamment si l'on envisage de revendre le vin. Néanmoins, les caisses prennent beaucoup de place et sont une proie aisée pour les pilleurs de caves. Il faut donc surveiller régulièrement leur état. On repérera casiers et bouteilles par un système de notation (alphanumérique par exemple), à reporter sur le livre de cave.

CONSTITUER SA CAVE

Constituer une cave demande de l'organisation. Au préalable, on évaluera le budget dont on dispose et la capacité de sa cave. Il est utile aussi d'estimer dans les grandes lignes sa consommation annuelle. Ensuite, il convient d'acquérir des vins n'évoluant pas pareil, afin qu'ils n'atteignent pas tous en même temps leur apogée. Et pour ne pas boire toujours les mêmes, fussent-ils les meilleurs, on a intérêt à élargir sa sélection afin de disposer de bouteilles adaptées à différentes occasions et préparations culinaires. Plus le nombre de bouteilles est restreint, plus il faut veiller à les renouveler.

VINS À BOIRE, VINS À ENCAVER

Souhaite-t-on consommer ses vins sur une courte période ou suivre leur évolution dans le temps ? La démarche sera différente. Si l'on recherche une bouteille prête à boire, on privilégiera les bouteilles à boire jeunes ou de courte garde : vins primeurs (de type beaujolais nouveau), vins de pays ou d'appellation régionale. Faut-il écarter les appellations prestigieuses, les vins de garde ? Non, mais on se tournera vers des millésimes à évolution rapide – ces « petits » millésimes qui ont l'avantage d'être prêts plus tôt. Il est difficile de trouver sur le marché de grands vins parvenus à leur apogée. Certains cavistes ou propriétaires en proposent, mais à un prix évidemment très élevé. Lorsqu'on souhaite conserver ses vins dans l'espoir de les voir se bonifier, mieux vaut être très sélectif dans le choix des producteurs et acquérir les meilleurs millésimes (*voir* tableau des millésimes pages suivantes).

PAS DE CAVE ?

Si l'on ne dispose pas de cave ou que celle-ci est inutilisable, plusieurs solutions sont possibles :

– acheter une armoire à vin, dont la température et l'hygrométrie sont automatiquement maintenues ;

– construire de toutes pièces, en retrait dans son appartement, un lieu de stockage dont la température varie sans à-coups et ne dépasse pas 16 °C. Plus la température est élevée, plus le vin évolue rapidement. Or, un vin qui atteint rapidement son apogée dans de mauvaises conditions de garde ne sera jamais aussi bon que s'il avait vieilli lentement dans une cave fraîche ;

– acquérir une cave en kit, à installer dans son logement, ou faire aménager une cave préfabriquée que l'on dispose en général sous la maison. Ces espaces, qui pallient l'absence de cave enterrée, représentent un investissement plus lourd qu'une armoire à vins.

QUAND FAUT-IL BOIRE LE VIN ?

Les vins évoluent de manières très différentes. Ils atteignent leur apogée après une garde plus ou moins longue : de un à vingt ans. Quant à la phase d'apogée, elle varie de quelques mois pour les vins à boire jeunes, à plusieurs décennies pour quelques rares grandes bouteilles. Le temps de garde varie selon l'appellation – et donc selon le cépage, le terroir et de la vinification. La qualité du millésime influe aussi sur la conservation : un petit millésime peut évoluer deux ou trois fois plus rapidement qu'un autre millésime d'une même appellation. Néanmoins, il est possible d'évaluer le potentiel de garde des vins selon leur origine géographique. À chacun, ensuite, d'ajuster cette garde en fonction des conditions de conservation dans sa cave et de sa connaissance des millésimes.

LES MILLÉSIMES

Les vins de qualité sont millésimés à l'exception des vins de liqueur, de certains vins doux naturels et de nombreux effervescents élaborés par assemblage de plusieurs années. Dans ce cas, la qualité du produit dépend du talent de l'assembleur, mais ces vins ne gagnent pas à vieillir. Des conditions météorologiques au moment de la maturation et de la récolte, la qualité des millésimes varie selon les régions viticoles et selon les producteurs.

QU'EST-CE QU'UN GRAND MILLÉSIME ?

Il est généralement issu de faibles rendements, même si de bonnes conditions climatiques engendrent parfois l'abondance et la qualité, comme en 1989 et en 1990. Le grand millésime résulte souvent de vendanges précoces. Dans tous les cas, il a été élaboré à partir de raisins parfaitement sains, exempts de pourriture.

Peu importe les conditions météorologiques qui ont marqué le début du cycle végétatif : on peut même soutenir que des incidents tels que gel ou coulure (chute de jeunes baies avant maturation) ont des conséquences favorables puisqu'ils diminuent le nombre de grappes par pied. En revanche, la période qui s'étend du 15 août aux vendanges est capitale : un maximum de chaleur et de soleil est alors nécessaire. L'année 1961 demeure le grand millésime du xxe s. A contrario, les années 1963, 1965 et 1968 furent désastreuses, parce qu'elles cumulèrent froid et pluie, d'où une absence de maturité et un fort rendement en raisins gorgés d'eau. Pluie et chaleur ne valent guère mieux, car leur conjonction favorise la pourriture ; 1976 – le grand millésime potentiel du sud-ouest de la France – en a pâti. Quant à la canicule de 2003, elle a parfois grillé le raisin et produit des vins lourds.

COMMENT LIRE UN TABLEAU DE COTATION ?

Il est d'usage de résumer la qualité des millésimes dans des tableaux de cotation, mais il faut en connaître les limites. Ces notes, des moyennes, ne prennent pas en compte les microclimats, pas plus que les efforts de tris de raisins à la vendange ou les sélections des vins en cuve. On peut élaborer un excellent vin dans une année cotée zéro.

Propositions de cotation (de 0 à 20)

	Alsace	Beaujolais	Bordeaux rouge	Bordeaux liquoreux	Bordeaux sec	Bourgogne rouge	Bourgogne blanc	Champagne	Jura (vin jaune)	Languedoc-Roussillon	Provence rouge	Sud-Ouest rouge	Sud-Ouest blanc liquoreux	Loire rouge	Loire blanc liquoreux	Rhône (nord)	Rhône (sud)
1945	20		20	20	18	20	18	20					19				
1946	9		14	9	10	10	13	10					12				
1947	17		18	20	18	18	18	18					20				
1948	15		16	16	16	10	14	11					12				
1949	19		19	20	18	20	18	17					16				
1950	14		13	18	16	11	19	16					14				
1951	8		8	6	6	7	6	7					7				
1952	14		16	16	16	16	18	16					15				
1953	18		19	17	16	18	17	17					18				
1954	9	9	10			14	11	15					9				
1955	17	13	16	19	18	15	18	19					16				
1956	9	6	5										9				
1957	13	11	10	15		14	15						13				
1958	12	7	11	14		10	9						12				
1959	20	13	19	20	18	19	17	17					19				
1960	12	5	11	10	10	10	7	14					9				
1961	19	16	20	15	16	18	17	16					16				
1962	14	13	16	16	16	17	19	17					15				
1963		6					10										
1964	18	8	16	9	13	16	17	18					16				
1965					12								8				
1966	12	11	17	15	16	18	18	17					15				
1967	14	13	14	18	16	15	16						13				

	Alsace	Beaujolais	Bordeaux rouge	Bordeaux liquoreux	Bordeaux sec	Bourgogne rouge	Bourgogne blanc	Champagne	Jura (vin jaune)	Languedoc-Roussillon	Provence rouge	Sud-Ouest rouge	Sud-Ouest blanc liquoreux	Loire rouge	Loire blanc liquoreux	Rhône (nord)	Rhône (sud)
1968																	
1969	16	14	10	13	12	19	18	16					15				
1970	14	13	17	17	18	15	15	17					15				
1971	18	15	16	17	19	18	20	16					17				
1972	9	6	10		9	11	13						9				
1973	16	7	13	12		12	16	16					16				
1974	13	8	11	14		12	13	8					11				
1975	15	7	18	17	18		11	18					15				
1976	19	16	15	19	16	18	15	15					18				
1977	12	9	12	7	14	11	12	9					11				
1978	15	12	17	14	17	19	17	16					17				
1979	16	13	16	18	18	15	16	15					14				
1980	10	10	13	17	18	12	12	14					13			15	
1981	17	14	16	16	17	14	15	15					15				
1982	15	12	18	14	16	14	16	16			17	17	15	14		14	15
1983	20	17	17	17	16	15	16	15	16			16	18	12		16	16
1984	15	11	13	13	12	13	14	5		13		10		10		13	15
1985	19	16	18	15	14	17	17	17	17	18	17	17	17	16	16	17	16
1986	10	15	17	17	12	12	15	12	17	15	16	16	16	13	14	15	13
1987	13	14	13	11	16	12	11	10	16	14	14	14		13		16	12
1988	17	15	16	19	18	16	14	18	16	17	17	18	18	16	18	17	15
1989	16	16	18	19	18	16	18	16	17	16	16	17	17	20	19	18	16
1990	18	14	18	20	17	18	16	18	18	17	16	16	18	17	20	19	19
1991	13	15	13	14	13	14	15	11		14	13	14		12	9	15	13
1992	15	9	12	10	14	15	17	12		13	9	9		14		11	16
1993	13	11	13	8	15	14	13	12		14	11	14	14	13	12	11	14
1994	12	14	14	14	17	14	16	12		12	10	14	15	14	12	14	11
1995	12	16	16	18	17	14	16	16	17	15	15	15	16	17	17	15	16
1996	13	14	15	18	16	17	18	19	18	13	14	14	13	17	17	15	13
1997	16	13	14	18	14	14	17	15	16	13	13	13	16	16	16	14	13
1998	13	13	15	16	14	15	14	13	14	17	16	16	13	14		18	18
1999	10	11	14	17	13	13	12	15	17	15	16	14	10	12	10	16	14
2000	12	12	18	10	16	11	15	15	16	16	14	14	13	16	13	17	15
2001	13	11	15	17	16	13	16	9		16	14	16	18	13	16	17	11
2002	11	10	14	18	16	17	17	17	14	12	11	15	14	14	10	8	9
2003	12	15	15	18	13	17	18	14	17	15	13	14	17	15	17	16	14
2004	13	12	14	10	17	13	15	16	13	15	15	13	15	14	10	12	16
2005	15	18	18	17	18	19	18	14	17	15	12	16	17	16	18	16	18
2006	12	12	14	16	14	14	16	15	15	15	16	13	15	10	10	16	15
2007	16	14	14	17	15	12	13	13	14	16	14	12	14	12	13	15	18
2008	14	14	15	16	15	14	15	16		15	12	13	12	15	12	14	14
2009	15	18	18	18	19	17	16	15		15	14	18	17	17	14	18	16
2010	14	16	18	18	19	16	17	14		18	14	15	12	17	16	16	15
2011	15	15	16	17	15	14	15	13		15	16	14	13	15	15	14	14
2012	16	14	14	12	14	14	15	18		16	14	15	13	13	10	15	15
2013	15	15	11	17	13	14	15	14		17	13	13	15	15	13	15	15
2014	13	16	16	16	17	16	16	14		15	13	15	14	17	16	13	13
2015	16	17	18	18	17	18	16	17		17	15	16	17	16	15	19	19

LA DÉGUSTATION

Pour l'amateur, savoir déguster, c'est découvrir toutes les facettes du vin en trois étapes : l'œil, le nez, la bouche. Simple exercice de frime, manifestation de snobisme ? Parfois, mais surtout on comprend et on apprécie mieux tout ce que l'on parvient à traduire en mots, ses sensations par exemple. Cela demande un petit effort, mais le plaisir que l'on peut en retirer en vaut la peine. En tout état de cause, déguster doit rester un jeu, un moment de partage.

LES CONDITIONS IDÉALES

Le cadre

Pour une bonne dégustation, mieux vaut être dans une pièce bien éclairée (lumière naturelle ou éclairage ne modifiant pas les couleurs, dit lumière du jour), sans odeurs parasites telles que parfum, fumée (tabac ou cheminée), plat cuisiné ou fleurs. La température ne doit pas dépasser 18-20 °C. Si l'on déguste le vin pour lui-même, le meilleur moment est avant les repas (le matin vers 11 h, l'après-midi vers 18 h). À table, autour d'un plat, le vin révélera une facette de sa personnalité différente mais tout aussi – voire plus – intéressante.

Le verre

Le verre est comme un outil pour le dégustateur. Il est primordial qu'il soit le mieux adapté possible. Un vin ne s'exprimera pas aussi bien – voire pas du tout – dans un verre à moutarde que dans un verre à pied. Un verre incolore, afin que la robe du vin soit bien visible, et si possible fin. Sa forme sera celle d'une tulipe légèrement refermée pour mieux retenir les arômes. Son corps sera séparé du pied par une tige : ainsi, le vin ne se réchauffera pas lorsqu'on tiendra le verre par son pied et pourra facilement être agité pour s'oxygéner et révéler son bouquet. La forme du verre a une telle influence sur l'appréciation olfactive et gustative du vin que l'Association française de normalisation (Afnor) et les Instances internationales de normalisation (Iso) ont adopté, après étude, un type de verre qui offre de bonnes garanties d'efficacité, appelé verre INAO. L'Union des œnologues de France a également mis au point des verres à dégustation.

LES ÉTAPES DE LA DÉGUSTATION

La dégustation fait successivement appel à la vue, à l'odorat et au goût – et même au sens tactile, par l'entremise de la bouche, sensible à la température, à la consistance et à la présence de gaz.

L'œil

L'examen de la robe (ensemble des caractères visuels), marquée par le cépage d'origine et le mode d'élaboration, est riche d'enseignements. Il porte sur :
– La limpidité. Aujourd'hui, les vins mis sur le marché sont limpides. Tout au plus peut-on trouver de petits cristaux de bitartrates (insolubles), précipitation que connaissent les vins victimes d'un coup de froid ; leur qualité n'en est pas altérée. On détermine la transparence (vin rouge) en inclinant son verre sur un fond blanc, nappe ou feuille de papier.
– La nuance de la robe. Le mode d'élaboration a parfois une influence sur la teinte : les vins blancs élevés en fût ont souvent une teinte plus foncée. La couleur de la robe informe surtout sur l'âge du vin et sur son état de conservation. La teinte des vins blancs jeunes, jaune pâle, présente parfois des reflets

TEMPÉRATURES DE SERVICE

Grands vins rouges de Bordeaux à leur apogée	16-17 °C
Grands vins rouges de Bourgogne à leur apogée	15-16 °C
Grands vins rouges avant leur apogée, vins rouges de qualité	14-16 °C
Grands vins blancs secs	12-14 °C
Vins rouges légers, fruités, jeunes	11-12 °C
Vins primeurs et rosés	10 °C
Vins blancs secs vifs et légers	10-12 °C
Champagnes, crémants, vins effervescents	8-9 °C
Vins liquoreux	8-9 °C

DÉGUSTER POUR ACHETER

Lorsqu'on déguste un vin dans une perspective d'achat, il faut s'assurer qu'on l'apprécie dans de bonnes conditions. On évitera de le goûter au sortir d'un repas, après l'absorption d'eau-de-vie, de café, de chocolat ou de bonbons à la menthe, ou encore après avoir fumé. Attention aux aliments qui modifient la sensibilité du palais, comme le fromage ou les noix (ces dernières améliorent les vins).

Si l'on souhaite acquérir un vin pour le conserver, on se rappellera que ce sont l'alcool, l'acidité et, pour les rouges, la présence des tanins et la bonne qualité qui assurent la garde.

verts. Avec l'âge, elle fonce, devient jaune d'or, puis cuivrée, voire bronzée. Ces teintes ambrées, normales pour un vin liquoreux, doivent alerter pour un vin sec : il a sans doute dépassé son apogée. Quant aux vins rouges, leur robe affiche des nuances violettes lorsqu'ils sont jeunes. Des reflets orangés ou brique annoncent un vin évolué, qu'il ne faut pas tarder à boire.

– L'intensité de la couleur. On ne confondra pas intensité et nuance (le ton) de la robe. Une couleur claire reflète parfois un vin dilué. Mais l'intensité de la couleur est aussi fonction du cépage : en rouge, par exemple, le cabernet-sauvignon, la syrah et le tannat donnent des robes plus profondes que le pinot noir. Elle peut aussi varier en fonction de la vinification : une macération courte donne des robes légères, une cuvaison longue, des robes foncées, signe d'une plus forte extraction. La robe légère n'est pas forcément un défaut pour un vin gouleyant à boire jeune : pour juger, on tiendra compte du type du vin.

– Les larmes ou jambes. Il s'agit des écoulements que le vin forme sur la paroi du verre quand on l'anime d'un mouvement rotatif pour humer les arômes. Les larmes traduisent la présence de glycérol, un composé visqueux au goût sucré qui se forme pendant la fermentation et qui donne au vin son onctuosité (le « gras » du vin).

Le nez

Deuxième étape de la dégustation, l'examen olfactif permet aux dégustateurs professionnels de détecter certains défauts rédhibitoires, telles la piqûre acétique ou l'odeur du liège moisi (goût de bouchon). Pour les amateurs, heureusement, il ne s'agit la plupart du temps que de démêler des impressions plus agréables. Le nez du vin rassemble un faisceau de parfums en mouvance permanente, dont les effluves se présentent successivement selon la température et l'aération. On commencera par humer ce qui se dégage du verre immobile, puis on imprimera au vin un mouvement de rotation : l'air fait alors son effet et d'autres parfums apparaissent. Les composants aromatiques du vin s'expriment selon leur volatilité. Il s'agit en quelque sorte d'une évaporation du vin, ce qui explique que la température de service soit si importante : trop froide, les arômes ne s'expriment pas ; trop chaude, ils s'évaporent trop rapidement, s'oxydent, et les parfums très volatils disparaissent, tandis que ressortent des éléments aromatiques lourds. La qualité d'un vin est fonction de l'intensité et de la complexité du bouquet. Le vocabulaire relatif aux arômes est riche, car il procède par analogie. Divers systèmes de classification des arômes ont été proposés ; pour simplifier, retenons les familles florale, fruitée, végétale (ou herbacée), épicée, balsamique, animale, empyreumatique (en référence au feu), minérale, lactée et la pâtisserie.

Qualificatifs se rapportant à l'examen visuel de la robe

Nuances		Intensité	Limpidité
Blancs	jaune clair, paille, or, ambré	Légère Soutenue Intense Foncée Profonde	Opaque Louche Voilée Cristalline
Rosés	églantine, œil-de-perdrix, saumon, rose, framboise, grenadine		
Rouges	rubis, cerise, pivoine, pourpre, grenat, violet		

Les principales familles d'arômes	
Florale	Fleurs blanches (aubépine, jasmin, acacia...), tilleul, violette, iris, pivoine, rose
Fruitée	Fruits rouges (cerise, fraise, framboise, groseille), noirs (cassis, mûre, myrtille), jaunes (pêche, abricot, mirabelle), blancs (pomme, poire, pêche blanche), exotiques (fruit de la Passion, mangue, ananas, litchi), agrumes (citron, pamplemousse, orange, mandarine)
Végétale	Herbe, fougère, mousse, sous-bois, champignon, humus, garrigue
Épicée	Poivre, gingembre, cannelle, vanille, girofle, réglisse
Balsamique	Résine, pin, térébenthine, santal
Animale	Viande, gibier, musc, fourrure, cuir
Empyreumatique	Brûlé, fumé, grillé, toasté, torréfié (café, cacao), caramel, tabac, foin séché
Minérale	Pierre à fusil, graphite, pétrole, iode
Pâtisserie	Brioche, miel
Lactée	Beurre frais, crème

La bouche

Une faible quantité de vin est mise en bouche. Pour permettre sa diffusion dans l'ensemble de la cavité buccale, on aspire un filet d'air. À défaut, le vin est simplement mâché. Dans la bouche, il s'échauffe et diffuse de nouveaux éléments aromatiques, recueillis par la voie rétronasale qui utilise le passage reliant le palais aux fosses nasales – étant entendu que les papilles de la langue ne sont sensibles qu'aux quatre saveurs élémentaires : l'amer, l'acide, le sucré et le salé. Voilà pourquoi une personne enrhumée ne peut goûter un vin, la voie rétronasale étant inopérante.

Outre les quatre saveurs élémentaires, la bouche est sensible à la température du vin, à sa viscosité, à la présence ou à l'absence de gaz carbonique et à l'astringence (effet tactile : absence de lubrification par la salive et contraction des muqueuses sous l'action des tanins).

Les degrés de l'acidité

Manque	Satisfaisant			Excès
Plat Mou	Tendre	Frais Vif	Nerveux	Vert, mordant Agressif

Les degrés du sucré

Absence	Satisfaisant			Excès
Sec	Tendre Souple	Doux Moelleux	Liquoreux	Sirupeux, pommadé Lourd

Les degrés de la puissance alcoolique

Manque	Satisfaisant			Excès
Pauvre Mince	Léger	Généreux Vineux	Puissant Chaleureux Capiteux	Alcooleux Brûlant

Les tanins (vins rouges)

Absence	Présence harmonieuse			Présence excessive
Gouleyant, souple	Soyeux, velouté, fondu	Construit, structuré	Charpenté, tannique, solide, viril	Rustique, anguleux, grossier, astringent, âpre, séchant, dur, acerbe

S'EXERCER À LA DÉGUSTATION

Comment commencer ? Il existe dans le commerce des flacons d'arômes qui aident à développer son nez. On peut organiser chez soi des séances d'entraînement, avec jeux de reconnaissance de parfums et dégustations de vins. On apprend beaucoup en comparant : on choisira pour commencer des couples de vins très différents, comme un bourgogne (cépage chardonnay) et un sancerre (cépage sauvignon) en blanc ; un pomerol (dominante de merlot) et un côte-rôtie (syrah) en rouge, ou encore un vin boisé et un autre non boisé. On s'intéressera au goût des aliments ainsi qu'à l'harmonie des vins et des mets. Les passionnés s'inscriront à des stages proposés par de multiples organismes.

C'est en bouche que se révèlent l'équilibre, l'harmonie, l'élégance ou, au contraire, le caractère de vins mal bâtis. L'harmonie des vins blancs et rosés s'apprécie à leur équilibre entre acidité et alcool pour les vins secs, acidité et moelleux (sucre) pour les vins doux. Pour les vins rouges, elle tient à l'équilibre entre l'acidité, l'alcool et les tanins. Ces éléments supportent sa richesse aromatique ; un grand vin se distingue par sa construction rigoureuse et puissante, quoique fondue, par son ampleur et par sa complexité aromatique.

Après cette analyse en bouche, le vin est avalé. Le dégustateur se concentre alors pour mesurer sa persistance aromatique, appelée aussi longueur en bouche. Plus le vin est riche en arômes, plus il est dense et séveux, plus il tapisse les muqueuses du palais et prolonge l'excitation des sens. En somme, plus un vin est long, plus il est estimable. Cette mesure (exprimée en secondes ou caudalies) ne porte que sur la longueur aromatique, à l'exclusion des éléments de structure du vin (acidité, amertume, sucre et alcool).

LA RECONNAISSANCE D'UN VIN

La dégustation consiste le plus souvent à apprécier un vin. Est-il grand, moyen ou petit ? Si son origine est précisée, on cherche parfois à savoir s'il est conforme à son type.

Quant à la dégustation d'identification, ou de reconnaissance, c'est un jeu de société. Elle demande un minimum d'informations. On peut reconnaître un cépage, par exemple le cabernet-sauvignon. Mais de quel pays provient-il ? L'identification des grandes régions françaises est possible, mais il est difficile d'être plus précis : si l'on propose six verres de vin en précisant qu'ils représentent les six appellations communales du Médoc (listrac, moulis, margaux, saint-julien, pauillac, saint-estèphe), combien y aura-t-il de sans-faute ?

Une expérience classique prouve la difficulté de la dégustation de reconnaissance : le dégustateur, les yeux bandés, goûte en ordre dispersé des vins rouges peu tanniques et des vins blancs non aromatiques, de préférence élevés dans le bois. Il doit simplement distinguer le blanc du rouge : il est très rare qu'il ne se trompe pas !

LES ACCORDS METS ET VINS

En France, le vin se déguste le plus souvent à table. S'il n'y a pas de vérité absolue pour l'alliance des mets et des vins, il existe quelques règles simples qui permettent de mettre en valeur aussi bien le plat que le vin et d'éviter quelques rares incompatibilités. Pour choisir le vin d'accompagnement, on tiendra compte non seulement de l'ingrédient principal de la recette, de ses arômes et de sa texture, mais aussi de sa préparation (cru ou cuit), son mode de cuisson (grillé, rôti, bouilli ou mijoté), des assaisonnements, des sauces et des garnitures qui peuvent modifier son goût.

ALSACE // Alsace gewurztraminer

SYLVAIN HERTZOG

Sylvain Hertzog est un incontournable du Guide. Au cours de sa déjà longue carrière, ce fils d'un modeste viticulteur-ouvrier des potasses d'Alsace, arrivé en 1977 sur le domaine qu'il dirige depuis vingt-cinq ans, a agrandi son vignoble tout en progressant en qualité, témoin ses coups de cœur, qui se concentrent au cours de la dernière décennie. Il s'emploie à mettre en valeur ses vignes situées sur les terroirs d'Obermorschwihr, au sud de Colmar. Sa cuvée Sainte-Cécile, un moelleux issu de gewurztraminer récolté à haute maturité, lui vaut son septième coup de cœur.

Qu'est-ce qui distingue la cuvée Sainte-Cécile du reste de vos vins?

S. H. C'est une cuvée de gewurztraminer avec une évolution vers les vendanges tardives. Quand j'ai commencé il y a vingt-cinq ans, nous récoltions cette cuvée systématiquement le 22 novembre, jour de la Sainte-Cécile, pour obtenir des raisins en surmaturation. Avec le changement climatique, nous sommes obligés de récolter un peu plus tôt. Aujourd'hui, nous vendangeons cette cuvée plutôt début novembre, voire fin octobre. On conserve des notes exotiques, de litchi, et aussi de rose.

Quelles étaient les conditions de vendanges pour ce millésime 2014?

S. H. C'est un millésime où nous avons connu, comme d'autres vignobles, la présence de la drosophile asiatique. Cette mouche, qui s'attaque aux baies rouges et grises, abîmait les raisins et nous a conduits à récolter plus tôt. Cette cuvée est vendangée à la main par une équipe de retraités, des locaux habitués du domaine. Cela nous permet d'arrêter les vendanges lorsque les conditions ne sont pas bonnes et de les reprendre quelques jours plus tard.

Quelles sont les caractéristiques du terroir?

S. H. Cette cuvée provient du lieu-dit Bildstoecklé, même s'il ne s'affiche pas sur l'étiquette. Un terroir argilo-calcaire, ancien fond marin, bénéficiant d'expositions sud, sud-est. Le pinot gris ou le gewurztraminer réussissent merveilleusement bien sur ce type de sol. Nous exploitons 3 ha sur ce lieu-dit de 28 ha, délimité sur 4 communes.

Quelles sont les grandes lignes de votre travail?

S. H. Le vin, c'est avant tout un équilibre. Il a une colonne vertébrale qui est l'acidité. L'alcool et le sucre se greffent autour. Je recherche toujours l'équilibre entre ces éléments, ce qui ne veut pas dire qu'avec la cuvée Sainte-Cécile le rapport est toujours le même. Si un millésime présente une acidité plus forte, nous cherchons à arrêter les fermentations un peu plus tôt pour garder davantage de sucre au détriment de l'alcool.

Comment ce vin est-il élaboré en cave?

S. H. Nous procédons à un pressurage pneumatique des raisins, puis ensemençons avec des levures contrôlées, le tout en cuves Inox thermorégulées. Nous poursuivons avec un élevage sur lies assez long, jusqu'en avril-mai: cela apporte du gras. La fermentation est stoppée par le froid ou par soutirage.

Sur le millésime 2014 la cuvée affiche à 35 g/l de sucre: le vin est relativement riche, mais sans excès. Ce millésime 2014 s'est finalement bien prêté à la surmaturation?

S. H. On peut dire que nous l'avons réussi... C'est déjà pas mal (rires). Ce n'est pas évident partout. En Alsace, nous avons énormément de microclimats tout au long des 140 km de la route des Vins. Nous sommes entre la vallée de Munster et celle de Guebwiller. Selon les conditions de l'arrière-saison, soit nous avons du brouillard, soit il est ailleurs, en fonction du vent. On ne peut jamais généraliser en Alsace. Il faut composer, travailler avec notre terroir et... avoir un peu de chance...

« Le vin est avant tout un équilibre. Il a une colonne vertébrale qui est l'acidité. »

♥ **HERTZOG** Gewurztraminer Sainte-Cécile 2014 ★★★

SYLVAIN HERZOG,
18, rte du Vin,
68420 Obermorschwihr,
tél. 0389493193,
sylvainhertzog@wanadoo.fr

LORRAINE // Moselle

MARIE-GENEVIÈVE ET NORBERT MOLOZAY

Château de Vaux

Avec le Château de Vaux, focus sur un vignoble remontant à l'empire romain, qui comptait plusieurs centaines d'hectares à l'aube du XXᵉs. pour tomber à 3 ha en 1985 et renaître grâce à des passionnés. Comme Marie-Geneviève et Norbert Molozay, ambassadeurs de choix pour la jeune appellation moselle, la plus septentrionale de France, reconnue en 2011. Le couple d'œnologues a repris en 1999 le château de Vaux. Il en a triplé la superficie (15 ha aujourd'hui) tout en optant pour la biodynamie. Il signe des cuvées ambitieuses de pinot noir, et des vins blancs, telle cette cuvée des Gryphées qui leur vaut leur sixième coup de cœur.

Pourquoi le choix de la biodynamie pour cultiver vos vignes? Qu'est-ce que cette démarche apporte à vos vins?

M.-G. et N. M. Au départ, ce choix n'a pas été fait pour les vins. En 2009 nous sommes passés au bio pour ne plus utiliser de produits dangereux pour notre propre santé. Avec l'expérience, nous observons que les vignes sont plus enracinées, qu'elles expriment mieux le terroir. Nous élaborons plutôt des vins de terroir que des vins de cépages.

Gustativement, comme cela s'exprime-t-il?

M.-G. et N. M. Vous retrouvez des vins avec davantage de minéralité, une personnalité, et surtout plus de régularité d'un millésime à l'autre malgré les variations climatiques.

Cette approche a-t-elle des incidences sur votre manière de vinifier?

M.-G. et N. M. Il n'y a pas eu de bouleversement dans notre façon de faire. Nous sommes simplement moins interventionnistes; nous utilisons moins de soufre, par exemple.

La cuvée Les Gryphées a obtenu un coup de cœur pour le millésime 2015. S'agit-il d'une sélection parcellaire?

M.-G. et N. M. Non, c'est un assemblage de différents cépages vinifiés individuellement. Une gryphée est un petit fossile en forme d'huître courbe que l'on trouve dans nos sols: le calcaire à gryphées. C'est une cuvée qui est mise en bouteille assez tôt et qui exprime à la fois ses cépages et le terroir. On y retrouve les cépages auxerrois, muller-thurgau, pinot gris et une petite touche de gewurztraminer.

Cet assemblage vise-t-il à apporter davantage de complexité?

M.-G. et N. M. Oui, tout à fait. Nous avons une grande variété de cépages en Moselle. Ils sont très complémentaires. L'auxerrois apporte un côté frais, très « fruits blancs », des notes de pamplemousse mais peu de structure. Le muller-thurgau donne des arômes beaucoup plus abricotés, avec du gras, de la douceur en bouche. Le pinot gris confère aussi de la structure et aide le tout à se garder. Le gewurztraminer est là essentiellement pour ses arômes. L'assemblage est beaucoup plus fin, plus équilibré, que chaque vin pris individuellement.

« Ne plus utiliser de produits dangereux pour notre propre santé. »

C'est un vin qui se conserve ou qu'il faut boire rapidement?

M.-G. et N. M. Il est à boire dans les deux ou trois ans. Il peut se garder, mais va évoluer sur des arômes très différents, sur des notes de fruits secs.

Parlons du millésime 2015, exceptionnel par son ensoleillement. Comment l'avez-vous abordé?

M.-G. et N. M. 2015 est l'un de nos millésimes « simples » en matière de culture de la vigne. Les vins sont riches, puissants. Les vignes n'ont pas souffert du tout. 2015 est un millésime phare de la décennie.

♥ CH. DE VAUX
Les Gryphées 2015 ★★★ B

*CH. DE VAUX,
4, pl. Saint-Rémi, 57130 Vaux,
tél. 03 87 60 20 64,
norbert57@orange.fr*

BEAUJOLAIS // Morgon

DAVID DUTHEL

Domaine Ruet

Le Beaujolais a connu des hauts et des bas ces vingt dernières années. Rien de tel au domaine Ruet. Celui-ci est même régulièrement distingué par le Guide Hachette pour sa grande constance qualitative. Le très prometteur millésime 2015 n'est logiquement pas passé inaperçu... Exposé d'un savoir-faire.

Millésime solaire: éviter la surmaturité

Jean-Paul Ruet a passé la main à son gendre David Duthel en 2010. Les générations se suivent, mais la marque de fabrique du domaine reste. Celle d'une valeur sûre. Son premier coup de cœur date des débuts de notre Guide et du millésime 1984... Depuis bien d'autres ont suivi. David Duthel et son épouse Katy, aujourd'hui aux commandes d'une vingtaine d'hectares, ont remarquablement négocié le millésime 2015. « Beaucoup de personnes pensaient que ce millésime ressemblerait à 2003 (le millésime de la canicule, ndlr). Ce n'est pas le cas. La vigne n'a pas connu de stress comme alors. Des producteurs ont décidé de vendanger un peu tôt à mon goût. Nous avons commencé le 1er septembre pour avoir une bonne maturité et une bonne concentration. La contrepartie, ce sont des rendements plus faibles, mais les vins ont plus d'ampleur et de densité. On a récolté juste avant la surmaturité », expose David Duthel. Côté cave, le vigneron insiste sur l'attention réclamée par ce millésime, un tel profil de vins pouvant engendrer des déviations. La nature, même quand elle est généreuse, doit être domptée.

L'alliance du fruité beaujolais et d'une belle concentration

Les caractéristiques habituelles de la production du domaine, un fruité intense, très croquant, allié à une bonne concentration, s'ajoutent aux qualités intrinsèques de cette année particulièrement solaire. La technique de macération carbonique, traditionnelle en Beaujolais, a été mise en œuvre. Une petite partie des raisins a toutefois été égrappée (20 % par exemple sur la cuvée de morgon Les Grands Cras). Il n'y a pas de systématisme dans l'approche de David Duthel, vigneron pragmatique. « L'égrappage n'est pas une nécessité. Pour moi les vins égrappés sont un peu plus lourds, manquent d'éclat.

« Nous travaillons les sols pour accentuer encore l'expression du terroir de chaque cuvée. C'est comme cela que l'on affirmera davantage l'identité du domaine. »

Dans des millésimes plus difficiles, l'égrappage permet de sélectionner davantage les raisins. C'est un outil plutôt qu'une méthode. » Les vins sont ensuite élevés en cuve pour être mis en bouteille avant les vendanges suivantes.

Accentuer l'expression du terroir

Le morgon élu coup de cœur provient du lieu-dit Les Grands Cras, un terroir situé au sud de l'appellation. Son sol à la fois riche et caillouteux engendre des vins amples, montrant une petite minéralité qui leur donne du caractère. « C'est un des vins les plus charnus que nous produisons, avec un grain particulier », précise David Duthel.
À l'avenir, le vigneron souhaite placer la barre un peu plus haut encore. Les axes de travail sont définis. Le principal: le travail des sols, pour accentuer encore l'expression du terroir de chaque cuvée. « C'est comme cela que l'on affirmera davantage l'identité du domaine », conclut David Duthel.

♥ DOM. RUET
Les Grands Cras 2015 ★★

DOM. RUET,
Voujon, 69220 Cercié,
tél. 04 74 66 85 00,
ruet.beaujolais@orange.fr

BORDELAIS // Saint-émilion 1er grand cru classé B

MATTHIEU CUVELIER

Clos Fourtet

Les Cuvelier et le vin, c'est une histoire récente, qui débute en 2001 quand Philippe Cuvelier, homme d'affaires à succès, acquiert les 20 ha du Clos Fourtet à Saint-Émilion. À trente-huit ans, Matthieu Cuvelier, son fils, gère les propriétés de la famille, dont ce joyau du Clos Fourtet, un clos à la bourguignonne, à deux pas de l'église collégiale de Saint-Émilion. Après une sérieuse reprise en main, la régénération du vignoble, le cru, doté d'un cuvier flambant neuf achevé en 2012, affiche une régularité sans faille, dans un style tout en suavité et en élégance.

Quelle est la spécificité du vignoble du Clos Fourtet ?

M. C. On est situé sur le point culminant du plateau de Saint-Émilion, côté ouest. Ici, le socle calcaire est presque affleurant, avec une épaisseur de sols entre 40 cm et 1 m maximum. Ce sont donc des sols fins et pauvres, contraignants pour la vigne mais pas trop, car le calcaire joue aussi un rôle de régulateur hydrique qui fonctionne à la manière d'une éponge, capable de drainer l'eau en période humide, et de la remonter par capillarité en période de sécheresse et de stress hydrique.

Quel type de viticulture avez-vous adopté ?

M. C. Le but n'est pas la certification, et on souhaite conserver un peu de marge de manœuvre, mais cela fait six ans que l'on travaille en viticulture d'inspiration biologique avec notre directeur technique, Tony Ballu, et le double concours de Stéphane Derenoncourt et de Jean-Claude Berrouet, deux consultants très complémentaires, qui nous apportent un point de vue précieux. On peut dire que le vignoble est travaillé à 95 % en bio, et qu'un tiers du vignoble est en biodynamie. C'est une expérimentation en cours, on juge sur pièce, sans dogmatisme. Il est toujours difficile de dresser un bilan sans protocole, mais visuellement, quand on va dans le vignoble, la vigne est plus belle, en bonne santé, et la fréquence des maladies semble s'être atténuée.

On loue souvent la délicatesse des vins du Clos Fourtet. C'est un choix délibéré ?

M. C. C'est d'abord le reflet de notre terroir calcaire qui naturellement donne des vins plutôt délicats, crayeux et minéraux. Et c'est aussi par goût. On ne cherche pas à produire des vins *show off*, démonstratifs mais des vins que l'on a personnellement envie de boire, digestes et délicats. La rondeur du merlot est toujours flatteuse dans les vins jeunes, mais ce sont aussi des vins structurés qui vieillissent bien. En cave, on travaille avec de petits contenants et on privilégie les pigeages qui permettent d'extraire avec précision chaque lot. Côté bois, on a aussi évolué, en baissant la proportion de bois neuf à 65 %.

« On ne cherche pas à produire des vins démonstratifs, mais des vins que l'on a envie de boire. »

♥ CLOS FOURTET 2013 ★★★

*CLOS FOURTET,
1, Châtelet-Sud,
33330 Saint-Émilion,
tél. 05 57 24 70 90,
closfourtet@closfourtet.com*

JEAN-CHRISTOPHE MAU

Château Brown

Issu d'une longue lignée de négociants, Jean-Christophe Mau a fait un détour par la finance avant de revenir à ses premières amours, la vigne et le vin. Diplômé de la Faculté d'Œnologie de Bordeaux, il reprend en 2005 les rênes du Château Brown, dont sa famille est copropriétaire avec les Dirkzwager. Depuis, par petites touches, il peaufine chaque année un peu plus la qualité de ses vins, dans les deux couleurs.

Retour aux sources

« La gestion et la comptabilité, j'en ai fait quelques années, mais ce n'était pas pour moi. Gérer un domaine, faire des vins, oui, ça, c'est ma passion ». Jean-Christophe Mau avait trente-trois ans quand il a pris en charge le château Brown. Auparavant, il avait fait ses armes dans la maison de négoce familiale Yvon Mau – l'une des plus importantes de la place de Bordeaux, fondée en 1897, intégrée en 2001 au géant catalan de la bulle Freixenet – et au château Preuillac, dans le Médoc. Il a toujours un pied dans l'un et l'autre, mais c'est bien à Léognan qu'il passe l'essentiel de son temps. Brown est une jolie chartreuse, en bordure de forêts, établie sur un domaine de plus de 60 ha, dont 30 plantés en vignes, ancienne propriété au XIXe s. d'un marchand de biens écossais, John Lewis Brown. « On a cherché longtemps », se souvient Jean-Christophe. « On voulait un domaine en bon état, d'un seul tenant, et c'est un peu le hasard qui nous a amenés ici. » Celui-ci faisant bien les choses, le château Brown est devenu une des très belles adresses de l'appellation.

« Un bon vin, c'est une foule de détails »

Jean-Christophe Mau a maintenu l'équipe en place, et a progressivement mis sa patte sur les pratiques, dans le vignoble et au chai. « Ça n'a pas été une révolution mais des petits pas, des ajustements progressifs. Un bon vin, c'est une foule de détails »: taille précise, enherbement, travail des sols, élimination des insecticides et herbicides, contrôle des rendements, meilleure maturité des raisins, travail pointu sur le choix des barriques, élevages sur lies pour limiter les apports en soufre... Les choix toujours mûris par l'expérience ont rapidement porté leur fruit, et la critique n'est logiquement pas restée insensible au charme des vins du château, qui mettent en valeur la pureté du fruit, l'équilibre et la fraîcheur.

Haute précision

Sur les quelque 30 ha de vignes, 26 sont dédiés aux cépages rouges. Et si le château doit ses premiers succès à ses vins rouges, les blancs (5 ha), vinifiés et élevés en fût, sont au diapason. « Le travail est différent. Dans la vigne, c'est moins exigeant, mais il faut jouer les équilibristes, trouver la bonne maturité, conserver la fraîcheur tout en soignant la maturité des arômes. En cave, il faut être précis, chirurgical. » Ainsi, on ne récolte pas au même moment les hauts et les bas d'une même parcelle. « Je me laisse beaucoup de latitude dans les assemblages qui sont ajustés chaque année en fonction du millésime », même si le sauvignon domine et imprime sa trame fraîche et fruitée aux cuvées. Depuis les millésimes 2008, Jean-Christophe Mau avoue avoir trouvé son style avec des vins qui ont gagné en volume et en structure. Des vins qui ont aussi trouvé leur public. Trois fois de suite coup de cœur, sur les millésimes 2012, 2013 et 2014 (sans oublier le 2005): les dégustateurs du Guide Hachette ne diront pas le contraire...

« Je me laisse beaucoup de latitude dans les assemblages qui sont ajustés chaque année en fonction du millésime. »

♥ CH. BROWN blanc 2014 ★★

CH. BROWN,
Jean-Christophe Mau,
5, allée John-Lewis-Brown,
33850 Léognan,
tél. 0556870810,
contact@chateau-brown.com

BOURGOGNE // Clos-de-la-roche et chambertin

« Faire du clos-de-la-roche ou du clos-vougeot, c'est comme interpréter de grands compositeurs. »

JÉRÔME CASTAGNIER
Domaine Castagnier

Il est devenu musicien professionnel pour « fuir » le domaine familial, pourtant fort bien situé en Côte de Nuits, terre de grands crus surnommée « les Champs-Élysées de la Bourgogne ». Jérôme Castagnier est finalement revenu en Bourgogne en 2004 avec un regard neuf et une vraie passion pour le vin.

Silence dans les rangs...

Trompettiste à la musique de la Garde républicaine pendant cinq ans, Jérôme Castagnier connaît bien les pavés des Champs-Élysées. Mais ce sont aujourd'hui les rangs de vignes, ceux de la Côte de Nuits en particulier, qu'il fréquente avec le plus d'assiduité. Normal, direz-vous, pour un fils de vigneron de Morey-Saint-Denis. Pas tant que ça. « Longtemps, j'ai fui le domaine de mes parents. Ils étaient toute la journée dans les vignes et le soir ils recevaient leurs clients. J'ai passé beaucoup de soirées seul. » Jérôme est fils unique. Dès que l'opportunité de partir de chez lui s'est présentée, il l'a saisie. Sa passion pour la musique lui en a donné l'occasion. Conservatoires de Dijon, puis de Paris, il sera trompettiste professionnel. Pendant cinq ans, il accueille les chefs d'État, défile le 14 juillet, joue la Marseillaise dans les rencontres sportives, donne des concerts, etc.

Vigneron, une vocation tardive

Le vin le rattrape finalement à la suite d'échanges avec des amis. L'un d'entre eux le marque plus particulièrement. « C'est un amateur de grands vins et il m'a fait découvrir le métier de vigneron sous un angle différent. » Jérôme Castagnier est à un tournant dans tous les domaines de sa vie. Il décide donc de revenir en 2004 sur le domaine familial. Il se forme en alternance au CFPPA (centre de formation pour adultes) de Beaune, tout en restant musicien avec le statut d'intermittent. Son premier véritable millésime sera 2005, mené avec son père. Il apporte vite un nouveau souffle au domaine: les installations sont entièrement revues et il prend en main les vinifications. Une transition d'autant plus accélérée que son père tombe gravement malade. Jérôme Castagnier est aujourd'hui à la tête de 4 ha de vignes, dont deux situés en grand cru, qui lui permettent de proposer une belle palette de prestigieux clos-de-la-roche, clos-saint-denis, bonnes-mares, charmes et latricières-chambertin, clos-de-vougeot. Depuis 2007, il complète sa gamme par des achats de raisins (c'est le cas du chambertin grand cru, coup de cœur cette année). Les vins du négoce sont vendus sous le nom Jérôme Castagnier.

Mettre des grands noms en musique

Jérôme Castagnier est particulièrement enthousiasmé par ses 2014, fruit d'un travail acharné. « Cette année-là, j'ai fait trois vendanges: vendanges vertes, roses et rouges. » Traduction: les vignes étaient très généreuses et il fallait éliminer des raisins à différents stades de maturation pour obtenir maturité et concentration optimales. Un millésime effectivement salué par les experts du Guide Hachette.

Sa conclusion: « Faire du clos-de-la-roche ou du clos-vougeot, c'est comme interpréter de grands compositeurs. Mon chouchou, le clos-saint-denis, c'est du Mozart. Un vin qui n'est pas exubérant, mais qui montre beaucoup de grâce, de distinction. La musique est facile mais c'est la mélodie qui en fait un chef-d'œuvre. »

♥ DOM. CASTAGNIER
2014 ★★★

♥ JÉRÔME CASTAGNIER
2014 ★★★

JÉRÔME CASTAGNIER,
20, rue des Jardins,
21220 Morey-Saint-Denis,
tél. 03 80 34 31 62,
jeromecastagnier@yahoo.fr

BOURGOGNE // Mâcon Burgy

OLIVIER FICHET

Domaine Fichet

Créé il y a quarante ans tout juste, le domaine Fichet, sorti de la coopérative, est devenu un domaine phare du Mâconnais. Une position qui n'est en rien le fruit du hasard. Les deux frères Fichet montrent la voie à tout le sud de la Bourgogne. Dépourvu de premiers crus et de grands crus, le Mâconnais a souvent misé sur les vins d'entrée de gamme. Choix des terroirs, élevages sous bois, Olivier Fichet connaît de remarquables réussites en traitant ses vins d'appellations régionales comme des « grands blancs ».

Quelles sont les caractéristiques de la cuvée de Mâcon-Burgy Les Verchères 2013?

O. F. Burgy est un petit village situé au nord du Mâconnais, à 10 km de notre siège. Ce sont des vignes que j'ai achetées en 2005. Dès la première année, la cuvée a obtenu un coup de cœur, tout comme le millésime 2007; le 2009 et le 2011 ont été notés deux étoiles. C'est une cuvée qui plaît beaucoup.

Comment se présente le terroir?

O. F. Les sols sont argilo-calcaires et le terroir a pour particularité d'être orienté nord-ouest, avec une configuration en cirque. Cela produit un microclimat. Malgré cette exposition a priori peu favorable, les températures restent assez chaudes et nous obtenons de très belles maturités. Le chardonnay s'y plaît. Les vignes, peu productives, ont soixante-six ans. En 2013, nous avons récolté cette parcelle le 12 octobre, ce qui est tardif par rapport aux millésimes récents.

Quels sont vos grands principes de vinification?

O. F. Après pressurage pneumatique, le jus est mis à fermenter en totalité en fût avec un pourcentage de 20 % de fût neuf. Certaines années, la fermentation malolactique est bloquée, pour préserver de la fraîcheur – ce qui n'a pas été le cas pour le 2013. Les fermentations peuvent être longues, jusqu'à six mois, car nous ne levurons pas.

Le domaine est devenu une référence de l'appellation mâcon. Quel est le secret de cette réussite?

O. F. Notre idée est de mettre en avant nos terroirs, même si nous sommes uniquement en appellation régionale. Cela passe par une sélection des parcelles, par des vinifications en fût, comme si les vins étaient des crus. Nous avons pris ce risque: il a fallu investir pour mettre tout cela en place. En 1999, nous avons lancé notre première cuvée de prestige, le mâcon-Igé La Cra, élevé entièrement en fût. C'était un essai. Nous l'avons commercialisée plus de deux fois au prix d'un mâcon classique: 80 F (15,50 €) au lieu de 25 à 35 F (4,85 à 6,80 €).

« Notre idée est de mettre en avant nos terroirs. »

Une montée en gamme bien accueillie?

O. F. La cuvée s'est vendue très rapidement, bien plus que nous l'espérions. L'année suivante, nous avons décidé d'en produire 10000 bouteilles. Les vins de l'appellation mâcon sont trop souvent considérés comme des vins de comptoir. Les terroirs productifs ont été davantage encouragés que les terroirs qualitatifs. Nous avons décidé de ne plus laisser ces meilleurs terroirs de côté, mais au contraire de les défricher et de les replanter. C'est ce que nous faisons avec La Cra par exemple. Cette vigne représente 2 ha, nous souhaitons l'étendre sur 5 ha prochainement.

♥ DOM. FICHET
Burgy Les Verchères 2013 ★★

DOM. FICHET,
651, rte d'Azé, Le Martoret,
71960 Igé,
tél. 0385333046,
domaine-fichet@wanadoo.fr

CHAMPAGNE // Champagne millésimé

« De la séduction et de l'élégance, sans frivolité. »

FABRICE ROSSET

Champagne Deutz

Fondée en 1838, la maison Deutz cultive la constance, l'élégance et un certain classicisme champenois. Des valeurs incarnées par son président Fabrice Rosset, à la barre depuis 1996, qui semble faire corps avec cette maison ayant construit sa réputation sur la finesse singulière de ses champagnes.

Du champagne dans les veines

« Le champagne coule dans mes veines », s'amuse Fabrice Rosset. Pour ce natif d'Épernay qui a fait toute sa carrière au sein des maisons, Roederer puis Deutz, cela semble une évidence. Mais comme tout vrai passionné, c'est aussi un amateur éclectique qui a tiré de son expérience du monde le goût de la diversité, ce dont témoigne sa cave. Peu importe le flacon, pourvu qu'il y ait « l'authenticité, la typicité et le respect des terroirs d'origine », des valeurs cardinales qui sont aussi celles qu'il a promues au sein de la maison Deutz.

Le réveil de la belle

En 1996, quand il prend la direction de cette vénérable maison, il hérite d'une marque prestigieuse mais assoupie. « C'était une Belle au bois dormant », qu'il a fallu réveiller en douceur – « avec beaucoup de respect pour tout ce qui a précédé et en prenant en compte son ADN » insiste Fabrice Rosset. Malgré vingt ans d'une présidence très féconde, il a la modestie de celui qui n'est que de passage « sur scène ». « La maison existe depuis 1838. Je suis un intermittent du spectacle qui aura posé sa pierre à l'édifice. ». Ou plutôt de solides fondations, car Deutz jouit aujourd'hui d'une belle image, entre classicisme et élégance, avec une gamme très cohérente qui puise principalement dans les grands terroirs situés dans un rayon de 30 km autour d'Aÿ.

Séduction et élégance

Le style de Deutz, c'est avant tout la quête « de séduction et d'élégance », mais en aucun cas de « frivolité », car « le champagne est un vin à part entière, sérieux et exigeant. ». Le credo de la maison, c'est le soin à porter aux approvisionnements, « 75 % dans les grands et premiers crus et le recours exclusif aux vins de cuvée », et aussi l'absence de bois dans la vinification ou l'élevage, le choix des fermentations malolactiques systématiques et un long vieillissement sur lattes. Tous les vins de la gamme, soit neuf cuvées, sont construits autour de cette élégance qui s'incarne dans la finesse des textures, la pureté de fruit et la vinosité toujours aérienne des vins. Le brut de la maison (Classic) en est une belle illustration, mais « on insiste pour conserver cette harmonie, y compris dans les cuvées les plus puissantes ». La cuvée William Deutz, avec sa puissance contenue, sa complexité, sa profondeur et son dynamisme, lui donne raison.

DEUTZ, 16, rue Jeanson, 51160 Aÿ, tél. 03 26 56 94 00, france@champagne-deutz.fr

CHAMPAGNE // Champagne millésimé

« Constitué en trente ans, notre vignoble compte 32 ha, dont 12 en grand cru. »

BRUNO PAILLARD

Champagne Bruno Paillard

Issu d'une famille implantée en Champagne depuis des générations, Bruno Paillard a créé sa maison en 1981, à vingt-sept ans. Déterminé, fin dégustateur, ambitieux pour sa marque, il n'a eu besoin que de deux décennies pour en faire une signature respectée, synonyme de champagnes à la fois délicats et énergiques. Dans cette aventure à succès, Laurent Guyot, son chef de cave, l'accompagne depuis 1993, et sa fille Alice depuis 2008.

Qu'est ce qui fait la spécificité des champagnes Bruno Paillard?

B. P. C'est d'abord notre vignoble. Constitué en trente ans, il compte 32 ha, dont 12 en grands crus, répartis en 90 parcelles. Elles sont toutes travaillées en organique, avec des sols labourés, en vue d'obtenir cette minéralité crayeuse qui structure mes vins. Ensuite dès l'origine de la maison, nous avons utilisé exclusivement la première presse du raisin, la plus pure. Enfin, des élevages très longs et une forte proportion de vins de réserve nous permettent de pratiquer des dosages très réduits: tous nos vins sont des extra-bruts. La spécificité de mes vins, c'est aussi cette recherche de l'alliance entre pureté, éclat et longueur.

Quel type de viticulture appliquez-vous dans le vignoble?

B. P. Notre vignoble fournit 55 à 60 % de nos approvisionnements. Nous avons une sensibilité à la viticulture biologique (adoptée dans notre domaine de Provence, le château des Sarrins, en agriculture biologique certifiée). En Champagne, c'est plus compliqué d'être totalement bio, mais l'esprit est là: les sols sont travaillés à la charrue et aucun herbicide n'est utilisé. De manière générale, le but est de vendanger des raisins en parfait état sanitaire, qui « extraient » la minéralité crayeuse exceptionnelle de la Champagne.

Quelques mots sur la cuvée N.P.U.?

B. P. C'est la grande cuvée de la maison, vinifiée et élevée à 100 % en fût, uniquement dans les meilleures années. Une composition de chardonnays et de pinots noirs provenant exclusivement de grands crus. Il résulte d'un long travail de sélection au cours duquel nous passons en revue plusieurs fois nos 425 fûts pour ne retenir que quelques-uns des meilleurs. L'idée de cette cuvée c'est aussi de laisser du temps au temps: dix mois de fût avant la mise en bouteille, suivie d'une maturation sur lies d'au moins dix ans. Le fût ayant apporté de la puissance aux vins mais aussi des tanins, ce long temps de repos en bouteille assouplit les textures, apporte de la complexité tout en conservant la fraîcheur du vin. C'est un champagne qui évolue de manière exceptionnelle, non seulement en bouteille, mais aussi dans le verre. Il a fallu au moins douze ans pour créer une cuvée N.P.U. – Nec Plus Ultra –, il faut savoir prendre du temps pour la déguster...

♥ BRUNO PAILLARD
N.P.U 2003 ★★

Champagne
BRUNO PAILLARD
N.P.U. 2003
"Nec Plus Ultra"

CHAMPAGNE BRUNO PAILLARD, av. de Champagne, 51100 Reims 03 23 36 20 22, info@brunopaillard.com

JURA // Côtes-du-jura

PAULINE ET GÉRAUD FROMONT

Domaine des Marnes blanches

Pauline et Géraud Fromont se sont rencontrés sur les bancs de l'école en BTS « viti-œno » à Davayé près de Mâcon. C'est à la Percée du Vin Jaune de Vincelles en 2008 qu'ils se sont retrouvés après avoir passé leur diplôme d'œnologue, l'une à Dijon, l'autre à Reims. Depuis, ils ne se sont plus quittés et dans la foulée, ils ont créé leur domaine, décidé de faire du bio et des enfants. Ils ont aujourd'hui 11 ha en côtes-du-jura dans le Sud-Revermont, deux petits garçons, Gustin (six ans), Hippolyte (trois ans), et une petite fille, Cassandre, qui vient de naître. Ils élaborent avec passion les deux types de vins jurassiens, floraux et traditionnels. Entretien avec Géraud Fromont.

« La culture bio n'est pas incompatible avec l'œnologie. »

Pauline et vous, êtes œnologues. N'est-ce pas un paradoxe de vous être convertis au bio ?

G. F. Pas du tout. La culture bio n'est pas incompatible avec l'œnologie. Il faut simplement savoir ce que l'on veut. Quand je préparais mon diplôme d'œnologue à Reims, j'ai effectué huit mois de stage dans une grosse maison de Champagne. Je pompais du vin du matin au soir et je mettais des produits pour améliorer des jus de deuxième taille. Ça m'a beaucoup perturbé. Ce n'est pas ainsi que je concevais le métier. En intervenant, on déplace toujours l'équilibre du vin. Les cuvées qui se portent bien se font toutes seules. Puis, au gré de mes rencontres avec Pascal Clairet à Arbois, Jean-François Ganevat à Rotalier, Marcel Richaud à Cairanne, j'ai appris à découvrir les vins naturels. On est en bio depuis 2010. On utilise des levures indigènes, on ne soutire pas, mais on intervient sur la température. C'est très important d'avoir une cave thermorégulée.

Vous élaborez des vins blancs ouillés et des vins blancs sous voile. Quelle est votre approche de ces deux modes de vinification ?

G. F. Tout se passe au moment des assemblages. On veut des vins blancs ouillés (élevés comme la plupart des vins, à l'abri de l'air, ndlr) pour apprécier la différence que chaque parcelle apporte. Ainsi la cuvée Les Molattes, sur marnes blanches, donne des vins droits, floraux et charnus. Tandis que la parcelle En Levrette, plus calcaire, fait des vins plus minéraux. En revanche, dans notre gamme « Empreinte », proposant des vins élevés trois ans sous voile, on ne reconnaît pas le parcellaire. Nous tenons à proposer ces deux types de vins. Comme nous commercialisons presque la moitié de nos vins à l'export, au Japon et aux États-Unis, les deux tiers de nos vins blancs sont ouillés, car leur caractère floral ou fruité est plus accessible. Mais nous avons à cœur de conserver notre patrimoine en continuant à élever des vins dans la plus pure tradition pour notre clientèle locale. J'aime le côté mystérieux des vins élevés sous voile. On n'a pas encore tout à fait percé le secret du vin jaune. Ils impliquent chaque fois une prise de risques. En 2011, les savagnins ont bien pris le voile, ils ont été typés tout de suite. Ceux de la gamme « Empreinte » sont restés quatre ans en fût dans une cave sèche. C'est peut-être la raison de leur finesse…

Le pinot, le poulsard et le trousseau représentent le cinquième de votre production. Quel type de vins rouges recherchez-vous ?

G. F. Des vins rouges faciles à boire, aux tanins souples ! On vinifie nos rouges comme dans le Beaujolais. On sature les cuves en gaz carbonique naturel à partir de la fermentation du crémant, on dépose les raisins cueillis en grappes entières, on ferme la cuve, puis au bout de quinze jours, on presse. Dès que la fermentation alcoolique est terminée, on entonne pour dix mois. Jamais de fût neuf bien sûr.

Un rêve ? Des projets ?

G. F. Le plus gros du boulot, c'est la vigne. Je rêve d'avoir de superbes vignes. Comme nous n'avons pas de parents vignerons, nous avons repris un vignoble que nous restructurons petit à petit. Nous avons déjà arraché 3 ha. Dans dix ans, nous aurons toutes les conditions pour faire encore de meilleurs vins. Pour l'instant, on se lève à 5 heures, on se couche à 23 heures. On ne s'arrête jamais. Mais à aucun moment on ne regrette d'être passé en bio. C'est notre santé, c'est celle de nos enfants.

♥ **DOM. DES MARNES BLANCHES**
Savagnin Empreinte 2011 ★★

DOM. DES MARNES BLANCHES,
Pauline et Géraud Fromont,
3, Les Carouges,
39190 Sainte-Agnès
tél. 03 84 25 19 66
contact@marnesblanches.com

SAVOIE // Savoie Arbin mondeuse

MICHEL QUENARD

Domaine André et Michel Quenard

Voici à Chignin, en Savoie, un domaine emblématique où trois générations se côtoient dans les vignes et à la cave. André, le grand-père, quatre-vingt-neuf ans, conduit encore le tracteur, Michel dirige le domaine et préside le Syndicat des Vins de Savoie. Ses deux fils, Guillaume et Romain, imposent le retour de la charrue et leur vision de vins francs, digestes et peu sulfités. Le domaine? 26 ha et toute la palette des vins de Savoie, des chignins subtils aux mondeuses rondes et fruitées, en passant par les élégants bergerons, sans oublier les crémant-de-savoie, issus de jacquère et peu dosés, une nouvelle appellation dont Michel a été la cheville ouvrière.

Vous êtes avant tout réputé pour vos savoie Chignin Bergeron et vous assurez que Torméry est le terroir de prédilection de la roussanne.

M. Q. Oui, le coteau de Torméry, à Chignin, offre à ce beau cépage, qui vient de la vallée du Rhône septentrionale, l'une de ses meilleures expressions. La présence de la roussanne est attestée dans la région dès le XIXᵉs. et c'est sur ce coteau à très forte pente, situé au pied de la montagne La Savoyarde, qu'elle s'épanouit le mieux. Le climat est idéal: la vigne exposée plein sud, bien ventilée, est rarement malade; le sol très pierreux en surface contient en profondeur une forte proportion d'argiles qui retiennent l'eau et alimentent les raisins. Quand je me suis installé en 1976, nous avons construit des terrasses sur l'une des parcelles les plus escarpées, inclinées à 60 %. On nous a pris pour des fous. Tout le monde pensait que ça allait se casser la figure. C'est aujourd'hui l'une de nos plus belles vignes, elle donne un bergeron à la fois fin et puissant.

C'est le deuxième coup de cœur que vous obtenez pour votre Arbin mondeuse. Avez-vous un secret?

M. Q. Nous avons eu l'occasion de reprendre une partie du domaine Trosset, très réputé pour ses mondeuses. Première récolte en 2013, premier coup de cœur. Il faut reconnaître que le terroir d'Arbin, près de Montmélian, est le berceau de la mondeuse. Ce coteau abrupt, adossé au massif des Bauges, est exposé au sud-ouest; il possède une géologie particulière: ce sont des terres brunes, ferrugineuses et profondes, tapissées de cailloux biseautés, coupants et drainants. Nous travaillons les sols au treuil avec une charrue au bout du câble. Nous laissons très peu de raisins sur le cep; nous n'égrappons que 20 % de la vendange et nous ne faisons cuver que dix jours pour éviter de révéler le caractère végétal du cépage: c'est peut-être ça le secret. Et aussi l'élevage partiel en foudre et en demi-muid, parce que la mondeuse a tendance à « réduire ». Cette micro-oxygénation naturelle lui fait du bien et patine ses tanins. À Arbin plus qu'ailleurs, la mondeuse est soyeuse et épicée. C'est un vin rouge élégant et très digeste.

« Mon rêve: une appellation mondeuse-de-savoie. »

Vos deux fils ont intégré l'entreprise. Ont-ils modifié votre façon de travailler?

M. Q. Pas vraiment, il y a une véritable continuité. Ils sont encore plus exigeants que moi, ils vont plus loin, à la vigne comme à la cave. Ils sont très soucieux de préserver la biodiversité des sols et la fraîcheur des vins. Pas de surmaturité, peu de sulfites. Ils surveillent les raisins et les vins à la loupe. J'avoue que nos vins ont gagné en finesse.

Vous avez beaucoup œuvré pour l'appellation crémant-de-savoie. Avez-vous d'autres projets?

M. Q. Bien sûr! Mon souhait serait de voir naître une appellation à part entière pour ce grand cépage savoyard qu'est la mondeuse. Tout comme on a roussette-de-savoie, on aurait « mondeuse-de-savoie », avec une déclinaison de crus: Arbin, Saint-Jean-de-la-Porte, Chignin, Chautagne, Jongieux. Cela impliquerait de limiter les rendements, car la mondeuse a tendance à produire beaucoup. Un sacré défi!

♥ DOM. ANDRÉ ET MICHEL QUENARD Arbin Mondeuse Terres brunes 2015 ★★★

ANDRÉ ET MICHEL QUENARD, Torméry, 73800 Chignin, tél. 04 79 28 12 75, contact@am-wquenard.fr

LANGUEDOC // Terrasses-du-larzac

« Je suis resté un néophyte dans l'âme. »

RÉMI DUCHEMIN

Le Plan de l'Homme

Rémi Duchemin est venu du Pic Saint-Loup s'établir au pied du causse du Larzac, dans les ruffes qui peignent de rouges les paysages et les schistes noirs où il choie ses syrahs et ses grenaches. Son coup de cœur coïncide avec la promotion de ce terroir du Languedoc en appellation autonome.

Nouvelle vie

Rémi Duchemin fut durant quinze ans au Mas Mortiès un vigneron comblé qui collectionnait les coups de cœur. Un père ingénieur à Grenoble, des parents épris des Alpes, rien ne le prédisposait à la vigne. Il entreprit une carrière de réalisateur de films, à Paris. Mais au fond, le retour à la terre le tentait. Sa sœur avait trouvé sa voie et élevait des chèvres au-dessus de Bourg d'Oisans. « Nous avons mis ensemble nos envies », dit Rémi. Et ils arrivèrent au Mas Mortiès. « Un terroir comme le Pic Saint-Loup permet de limiter les risques. On a fait des très beaux vins, très vite ». Mais quand son associé de beau-frère est parti à la retraite, Rémi s'est dit qu'il devait passer à autre chose, ailleurs. Commencer une nouvelle vie.

Le Plan de l'Orme

En 2009, il s'est réinstallé dans les Terrasses du Larzac. Le Plan de l'Homme, à l'origine, c'est le Plan de l'Om, *de l'orme*, en occitan. Au pied du causse du Larzac, l'entraide est une façon de vivre, et à Saint-Jean-de-la-Blaquière il a trouvé des vignerons très solidaires et encourageants. « Je suis resté un néophyte dans l'âme. J'étais curieux de savoir si j'étais capable de faire de bons vins ailleurs qu'à Mortiès ». Au Plan de l'Homme, la propriété est très morcelée, les sols très différents: schistes, grès, galets roulés près des ruisseaux et ruffes, roches de couleur brique rouge, qui teintent les paysages et les maisons des villages autour du lac Salagou. Chaque parcelle est un terroir qui parle d'une voix particulière.

Les terroirs des Terrasses

Au Plan de l'Om, dans les ruffes, les jeunes grenaches engendrent des vins frais et croquants. Aux Serres de Bourles, dans les schistes noirs, les grenaches de cinquante ans perdus dans la garrigue donnent des vins très mûrs, confiturés. Au Camp de Barral, au bord de la rivière Marguerite, se trouvent de vieux carignans et une ancienne variété de cinsault, l'œillade; ils donnent des vins dans l'air du temps, frais et fruités. Le cœur de la Cuvée Alpha vient d'une parcelle de syrah de 60 ares, au Rouveyret. « Pour l'Alpha, la syrah en macération carbonique donne des vins très expressifs, d'une belle profondeur. ». Le domaine produit aussi des blancs. Particularité, les roussannes fermentent en fût d'acacia. Ajoutons que Rémi Duchemin est un adepte du bio: « Le climat méditerranéen nous apporte une sécurité et les armes de l'agriculture bio sont largement suffisantes ».

♥ PLAN DE L'HOMME
Alpha 2013 ★★★

*LE PLAN DE L'HOMME,
15, av. Marcellin-Albert,
34725 Saint-Félix-de-Lodez,
tél. 04 67 44 02 21,
contact@plandelhomme.fr*

ROUSSILLON // IGP Côtes catalanes rancio sec

BRIGITTE VERDAGUER

Domaine de Rancy

De génération en génération, la famille Verdaguer, installée dans la vallée de l'Agly, dans le Roussillon viticole, s'est transmis la passion des rancios secs et le savoir-faire qui l'accompagne. Le domaine est cette année distingué pour son cheval de bataille, originalité parmi les originalités du pays catalan: des vins secs aux arômes de noix issus d'un long élevage oxydatif.

Pourquoi défendez-vous les rancios secs avec autant de passion?

B. V. C'est un vin qui fait partie de la culture catalane. Chaque année dans le Roussillon, le 15 août, nous cuisinions la langouste au rancio sec. C'est un vin qui se transmet de génération en génération, mais qui n'était pas commercialisé en bouteille. Le grand-père avait un petit fût de rancio sec dont on se servait pour la cuisine, pour boire à l'apéritif sur les anchois, sur le jambon sec, les fromages, etc. Malheureusement, ce vin est tombé dans l'oubli. Il n'avait pas d'existence légale. Je me suis battue pendant des années pour le faire reconnaître. Nous avons formé une association que j'ai présidée pendant huit ans. En 2011, nous avons réussi à obtenir l'IGP rancio sec.

Sentez-vous un attrait renouvelé pour ce type de vin chez les amateurs?

B. V. Oui, il y a une demande pour ce type de produits originaux, qui sortent des sentiers battus. Ce n'est pas facile de se faire connaître, mais quand c'est le cas, les clients sont fidèles. Ce n'est pas plus mal...

Qui sont vos clients?

B. V. Des gens qui aiment les vins du Jura, de Jerez ou qui apprécient les whiskies très secs.

Quand les raisins sont-ils récoltés?

B. V. Fin septembre. Il faut au minimum quinze degrés.

Quelles sont les spécificités de ce vin, en commençant par le terroir?

B. V. Nous sommes dans la vallée de l'Agly, sur des terroirs argilo-calcaires plantés de macabeu, le cépage blanc traditionnel catalan. Nos vignes sont vieilles et nous récoltons manuellement le raisin en surmaturité. Nous travaillons sans filet: il n'existe pas de levure sélectionnée (fournie par le commerce, ndlr) pour faire fermenter ce type de vin. Il faut beaucoup de patience: les fermentations s'arrêtent parfois et repartent l'année d'après... Une fois le vin complètement sec, nous le laissons vieillir dans de vieux fûts. Il s'élève tranquillement, au contact de l'air, pour obtenir l'oxydation recherchée. Nous laissons toujours un tiers du fût vide.

« Le rancio sec est un vin qui se transmet de génération en génération, mais qui n'avait pas d'existence légale. Je me suis battue pendant des années pour le faire reconnaître. »

Combien de temps l'élevage se poursuit-il?

B. V. Il faut une dizaine d'années avant commercialisation.

Sur le plan gustatif comment caractérisez-vous les rancios secs?

B. V. Les arômes de noix sont typiques des rancios, sur les vins doux comme sur les vins secs. Ils s'accompagnent de toute une panoplie de fruits secs comme la figue et de notes de caramel. Mais il y a de la fraîcheur aussi...

♥ DOM. DE RANCY
Macabeu ★★★

DOM. DE RANCY
Brigitte et Jean-Hubert Verdaguer,
8, pl. du 8-mai-1945,
66720 Latour-de-France,
tél. 04 68 29 03 47,
info@domaine-rancy.com

PROVENCE // Coteaux-varois-en-provence

« On ne pourrait pas avoir cette complexité si nous n'étions pas en bio. »

PATRICIA ORTELLI

Château La Calisse

Sur un coup de cœur, Patricia Ortelli a acquis le Château La Calisse et ses vignes en appellation coteaux-varois-en-provence. Depuis 1991, elle bonifie ses terroirs argilo-calcaires en pratiquant une viticulture méticuleuse et sans concession. Sur son terroir d'altitude frais et bien venté, elle défend la place des cépages blancs.

Les clés de la cave

« Petite, j'étais chargée de la cave de mon père. C'est moi qui avais la clé », se souvient Patricia Ortelli. Il en faut parfois peu pour susciter une vocation tenace... À trente ans, cette diplômée de l'école du Louvre, ex-gardienne de la cave paternelle, se prend de passion pour un domaine provençal. Le Château La Calisse est alors proposé aux enchères. « C'est surtout la beauté du site qui m'a inspirée », explique la vigneronne. On la comprend aisément: sur ces pentes de la commune de Pontevès s'épanouissent le lavandin, les oliviers, les amandiers, quand ce ne sont pas des chèvres qui paissent allégrement. Sans oublier la vigne bien sûr. Nous sommes en 1991 et voilà Patricia Ortelli à la tête de la propriété. Elle décide de passer un brevet en viticulture et œnologie à Hyères.

Entre soleil et mistral

« J'ai vite compris que l'on pouvait faire quelque chose d'intéressant de ce terroir ». Le potentiel est là et le travail ne manque pas pour mettre valeur ces terres où se mêlent l'argile et le calcaire (dolomie du jurassique). Les ceps s'enracinent à plus de 400 m d'altitude sur cette colline provençale. Là le soleil et le mistral soufflent le chaud et le froid. Idéal pour les blancs. Aussi quand Patricia Ortelli apprend qu'un blanc a obtenu un coup de cœur, elle n'est pas surprise. « Les premiers cépages que j'ai plantés étaient des blancs. J'ai toujours beaucoup cru aux blancs sur nos terroirs », poursuit-elle.

Agriculture biologique et pureté aromatique

Dès ses premiers pas, la néovigneronne n'a pas hésité à faire des choix sans concession. Elle a arraché et replanté le vignoble. Les rangs sont orientés nord-sud plutôt qu'est-ouest et certaines parcelles du domaine n'avaient jamais vu la vigne. Le cap a été mis sans tarder sur l'agriculture biologique. « C'était très mal vu à l'époque. Je pense pourtant que les produits utilisés ont des incidences sur les arômes des vins. On ne pourrait pas avoir cette complexité si nous n'étions pas en bio ». La certification est obtenue dès 1996. La cuvée distinguée fait la part belle au rolle, cépage typique des bords de la Méditerranée. « C'est un grand cépage quand il est bien maîtrisé, c'est-à-dire cultivé à rendements limités et travaillé manuellement. » C'est le cas au Château La Calisse, où les rendements ne dépassent pas 35 hl/ha et où les vendanges sont effectuées à la main en petites caisses. Une démarche de sélection parcellaire permet de récolter les grappes à la bonne maturité et de vinifier les cuvées selon les microterroirs du domaine. « En assemblant, en sélectionnant les parcelles, on parvient à trouver des équilibres, tout en favorisant la rondeur et la finesse aromatique », souligne Patricia Ortelli. Ce 2015 est la parfaite illustration du profil recherché.

♥ CH. LA CALISSE
Patricia Ortelli 2015 ★★

CH. LA CALISSE,
RD 560, 83670 Pontevès,
tél. 04 94 77 24 71,
contact@chateau-la-calisse.fr

CORSE // Corse Sartène

SIMON ANDRÉANI

Domaine Fiumicicoli

Félix Andréani avait créé le vignoble dans le Sartenais, au sud-ouest de la Corse. Son fils Simon a pris la relève. Père et fils défendent avec ferveur les cépages traditionnels de l'Île de Beauté.

Le Sartenais est un bel endroit pour planter des vignes…

S. A. Il y avait autrefois 1000 ha de vignes à Sartène. Notre domaine côtoie la route qui va de Sartène à Propriano, fréquentée par les visiteurs qui vont admirer les aiguilles de Bavella, au-dessus de Zonza, ou le pont génois de Spinacavallu, en contrebas de chez nous. En bordure de notre vignoble coule le Fiumicicoli, le « petit fleuve » en corse, un affluent du Rizzanesi qui descend des montagnes. La rivière nous a donné son nom.

Votre père Félix a créé le vignoble…

S. A. Il est natif de Propriano et comme bien d'autres ici, sa famille possédait un petit lopin sur les hauteurs, quelques pieds de vigne et des arbres fruitiers. Il avait commencé comme professeur de mathématiques dans l'île, mais il s'est vite aperçu que ce n'était pas sa vocation, que ses attaches terriennes étaient plus fortes. Et à partir de 1964, il a décidé d'acheter des terres et d'y planter les cépages corses: niellucciu, sciaccarellu, vermentinu, à contre-courant à l'époque. Les rapatriés qui arrivaient plantaient plutôt des cinsaults et des carignans. En 1978, mon père a quitté la coopérative et signé sa première vinification. Je suis arrivé en 1983 et j'ai fait mon tour de Corse, pour placer nos vins. Les premières médailles sont arrivées.

Et la propriété s'est agrandie…

S. A. Nous avions environ 45 ha, attenants à la cave, au lieu-dit Pulmona. Un terroir de granit et de schistes, donnant des vins très minéraux. Et il y a dix ans, nous avons racheté encore 28 ha de vignes abandonnées dans la vallée de l'Ortollu, sur des terres plus légères, plus aérées, plus argileuses. Et densifié les plantations à 5500 pieds/ha.

« Le vermentinu fait des vins très fins et explosifs. »

Et vous êtes passés au bio…

S. A. Nous sommes près de la mer, dans une vallée bien ventilée, et mon père faisait du bio depuis toujours, sans le savoir. Il ne désherbait pas, n'utilisait que la bouillie bordelaise. Jamais il n'a revendiqué un label. Mais je me suis aperçu durant mes tournées que les clients réclamaient ce label. Alors nous avons fait les démarches et nous sommes en bio certifié depuis 2007.

Les dégustateurs ont souligné le feu d'artifice aromatique de vos blancs…

S. A. Le vermentinu fait des vins très fins et explosifs, avec des arômes de fleurs et d'amande. On l'assemble parfois avec le bianco gentile, un vieux cépage traditionnel. Les blancs sont vinifiés au plus simple: vendange refroidie, macération pelliculaire, pressurage, puis fermentation. Pour garder le fruit le plus pur.

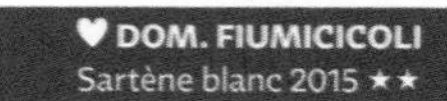

DOM. FIUMICICOLI,
rte de Leire,
20100 Sartène,
tél. 04 95 77 10 20,
domainefiumi-contact@orange.fr

SUD-OUEST // Cahors

« Cahors ne doit pas être assimilé à un vin de cépage, le malbec, si qualitatif soit-il. »

JEAN-LUC BALDÈS

Clos Triguedina

Figure de proue du vignoble cadurcien, Jean-Luc Baldès consacre son énergie à la valorisation et à l'expression qualitative des terroirs engendrant le célèbre « vin noir ». Quitte à passer parfois pour un trublion peu enclin à suivre les caprices des modes. Deux objectifs le motivent : élaborer des vins élégants et s'attacher à « sortir Cahors par le haut ». Il aspire à la reconnaissance de grands crus au sein de cette appellation.

L'influence bourguignonne

De ses études viticoles à Beaune, complétées d'une formation commerciale suivie d'une expérience comme maître de chai au Château Coutet à Barsac, Jean-Luc Baldès ne conserve que de bons souvenirs. Et de grands enseignements. « L'étude des *climats* bourguignons m'a surtout fait comprendre qu'au-delà des cépages, chaque terroir imprimait au vin sa personnalité. » De là découle une approche moins soucieuse des installations modernes et sophistiquées, des performances techniques que de la vigne et du terroir, avec interrogations et remises en question.

Le parcellaire à la loupe

« Je ne suis qu'un agent de transmission d'une culture paysanne et patrimoniale qui, bien avant moi, détenait des savoirs. Je les recueille avec respect. Ils soulèvent des questions pertinentes. Il n'y a pas de limite tranchée entre ce qu'ils enseignent et ce que j'accomplis ou projette. » Il explique, à propos des vins classés d'après leur terroir, les raisons d'un travail de longue haleine entrepris sur les sélections parcellaires de Triguedina. À l'instar de nombre de vignerons de l'appellation, la perspective d'une création de « grands crus » de Cahors stimule les efforts de Jean-Luc Baldès. « C'est toute la question du niveau de Cahors qui se trouve ainsi posée. Cahors ne doit pas être assimilé à un vin de cépage, le malbec, si qualitatif soit-il. Le consommateur perçoit ces interrogations. Il comprend la nécessité de faire surgir des grands crus ». Pragmatique et lucide, le vigneron ajoute que le projet aura besoin de « l'appui des réseaux sociaux et de la communication. Les idées feront leur chemin. Question de patience ». Contrairement à ce que l'on dit parfois à son sujet, Jean-Luc Baldès avoue une grande sensibilité à la critique. « À moi d'être assez intelligent pour rebondir favorablement ».

Haute couture et petites mains

Les coups de cœur du Guide ? « Du bonheur ! C'est la reconnaissance du travail accompli dans un métier à risques. » Et parce que le grand vin est fait d'une multitude de détails assemblés, Jean-Luc Baldès souligne qu'il ne doit pas être le seul à recevoir lauriers et récompenses. Un produit de haute couture, c'est le résultat de l'activité d'indispensables petites mains qui, elles aussi, méritent des encouragements.

♥ CLOS TRIGUEDINA
Élégant malbec 2014 ★★

JEAN-LUC BALDÈS,
Les Poujols,
46 700 Vire-sur-Lot,
tél. 05 65 21 30 81
contact@jlbaldes.com

SUD-OUEST // Fronton

FABIEN CARDETTI

Domaine de Lescure

Un de ces vignerons dont on décèle les qualités dès les premiers échanges. Pas la moindre once de vanité ne transpire chez Fabien Cardetti. Ce jeune producteur de Labastide-Saint-Pierre, village du Frontonnais, tout attaché qu'il soit à la polyculture, cultivant la noisette à côté des céréales, a agrandi le vignoble familial. Un vignoble choyé, à en juger par son troisième coup de cœur en fronton, qui fait de Fabien l'un des vignerons à suivre de l'appellation.

Depuis quelques années vous avez pris place, Fabien Cardetti, dans le peloton de tête des cracks du Fronton. En avez-vous pris conscience ?

F. C. Oui et non... Mais puisque vous le dites, je vous répondrai que ce n'est pas dû qu'à mon seul mérite.

Vraiment ?

F. C. Oui. Je dois beaucoup aux enseignements patients prodigués autour de moi. Aux vignerons qui m'entourent... On s'entend bien à Fronton. Et puis, il y a la tradition familiale...

Pouvez-vous préciser ?

F. C. Quand j'ai pris en mains les destinées du domaine de Lescure, en 2008, nous avons agrandi la partie réservée à la vigne, la portant à 28 ha. Mon père, Jean-Marie, élevait aussi des bovins. Le domaine s'organisait, un peu comme aujourd'hui, autour d'une polyculture qui permettait de ne pas mettre tous ses œufs dans le même panier. Sans en être vraiment conscient, j'étais imprégné des expériences de plusieurs générations. Celles de mon père et de mon grand-père, François, arrivé ici en 1923. Il venait de Cuneo, dans le Piémont italien. J'ai toujours entendu dire qu'il était un très bon viticulteur. Mes études, un bac pro « culture œno » et un BTS « commerce », ont complété ce vécu.

À vous écouter, vous donnez l'impression d'être surtout animé d'une sorte de pragmatisme raisonné.

F. C. Le ressenti est primordial. J'aime engranger les connaissances pratiques: celles du terrain, celles des contacts directs. Même s'il m'arrive de me croire noyé dans l'incertitude. Loin de m'angoisser, cela me stimule. Comme, par exemple, être confronté aux difficultés liées aux terroirs de boulbènes, si sensibles aux aléas climatiques. Ces terrains occupent l'essentiel du domaine. Il faut donc être capable de réagir. Vite... Il en va de même quand se présente le temps des assemblages. Pas question de faire alors confiance à la seule négrette (le cépage principal de Fronton, ndlr), cépage pour lequel j'ai une affection toute particulière. Les cépages complémentaires de l'appellation – et c'est tant mieux – ont aussi voix au chapitre. Tout est question de dosage, d'intuition, de sensibilité. C'est que la nature ne se laisse pas domestiquer facilement. Elle peut, à tout moment, réserver des surprises...

« Tout est question de dosage, d'intuition, de sensibilité. »

Bonnes ou mauvaises...

F. C. Je fais tout pour qu'elles soient bonnes.

Elles peuvent s'accompagner de récompenses. Un coup de cœur, par exemple...

F. C. Je vis cela comme un moment unique... Comment l'interpréter ? Est-ce une récompense de mon travail ? Ou ce coup de cœur relève-t-il d'une sorte de miracle ? Mes pensées sont chahutées, mes projets dynamisés, mes forces décuplées.

♥ DOM. DE LESCURE
Instant présent 2014 ★★

FABIEN CARDETTI,
151, chem. de Lescure,
82370 Labastide-Saint-Pierre,
tél. 05 63 30 55 45
domainedelescure@orange.fr

VALLÉE DE LA LOIRE // Anjou-villages-brissac et coteaux-de-l'aubance

« Je ne sens pas de différence gustative entre un vin travaillé en bio et un vin de l'agriculture raisonnée. »

JEAN-HUBERT LEBRETON

Domaine des Rochelles

Au sommet de son art, Jean-Hubert Lebreton continue d'engranger les coups de cœur. Il fait coup double cette année, avec deux cuvées du millésime 2014 : en blanc moelleux, un coteaux-de-l'aubance ; en rouge, sa cuvée sous bois d'anjou-villages-brissac. Une appellation haut de gamme de l'Anjou rouge, dont le vigneron est un remarquable ambassadeur, mettant en relief le cabernet-sauvignon. L'année 2014 a marqué l'étape finale vers la conversion au bio.

Qu'est-ce qui a été déterminant pour obtenir les meilleurs vins possibles cette année?

J.-H. L. Le 2014 fait partie des beaux millésimes chez nous. Le début de saison a été assez pluvieux puis un beau temps, plus chaud, s'est mis en place jusqu'au mois d'octobre. Il nous a permis d'avoir des maturités intéressantes. Les vins rouges développaient naturellement de la structure et il fallait faire attention de ne pas extraire trop de tanins en vinification. L'idée était de préserver des milieux de bouche voluptueux.

Les raisins sont donc restés sains jusqu'aux vendanges?

J.-H. L. Oui. Pour les vins moelleux, il fallait simplement les laisser mûrir tranquillement. Quand on a une base comme 2014, les choses sont assez faciles. Pour les rouges, nous les avons laissé macérer en chapeau immergé pendant trente-deux jours pour progressivement apporter la structure. Les raisins ont « mijoté », sans laisser de tanins agressifs.

Vous n'êtes donc pas surpris de voir deux de vos vins au sommet?

J.-H. L. Non. Pour le coteaux-de-l'aubance, nous sommes sur des terroirs d'ardoise. Les millésimes avec de l'eau en début de saison et un temps chaud par la suite sont idéaux. La vigne ne souffre pas pendant l'été d'un manque d'eau qui peut bloquer les maturités.

Un mot sur le terroir des Millerits qui s'est une nouvelle fois distingué?

J.-H. L. Les Millerits est un terroir de schistes rosés à brique – de l'ardoise en fait. Il donne une minéralité très forte. La roche est friable, il y a de la terre, mais pas trop. C'est important pour le cabernet-sauvignon, car si le régime hydrique est trop sec, les maturités se bloquent. S'il y a trop de terre, le vin prend un côté végétal. C'était autrefois des champs de millet.

Pourquoi ce choix de l'agriculture biologique? A-t-il une incidence sur vos vins?

J.-H. L. Personnellement je ne sens pas de différence, gustativement, entre un vin travaillé en bio et un vin issu de la lutte raisonnée. Peut-être un peu plus d'acidité, de minéralité sur les blancs… C'est une démarche qui pour moi est davantage environnementale. Le plus important était de ne plus désherber chimiquement. Le travail du sol permet de faire plonger les racines plus profondément et d'avoir des vignes moins tributaires du temps, des aléas climatiques. C'est une culture vouée à évoluer.

Comment avez-vous eu ce déclic bio?

J.-H. L. La femme de notre chef de culture est apicultrice. On souhaite contribuer à préserver, notamment, les abeilles.

♥ DOM. DES ROCHELLES
Les Millerits 2014 ★★

♥ DOM. DES ROCHELLES
Ambre de Roche 2014 ★★

DOM. DES ROCHELLES,
49320 Saint-Jean-des-Mauvrets,
tél. 02 41 91 92 07,
jy.a.lebreton@wanadoo.fr

VALLÉE DE LA LOIRE // Coteaux-du-giennois

« Je préfère de longues cuvaisons avec peu d'extraction pour avoir des vins structurés mais avec des tanins fins. »

FLORIAN ROBLIN

Son grand-père cultivait un petit bout de vigne mais ce sont ses amis du lycée qui l'ont convaincu d'embrasser le métier de vigneron. Florian Roblin s'est lancé il y a dix ans. Son succès l'incite à voir un peu plus grand… En misant sur les coteaux-du-giennois, appellation créée en 1998, qui s'affirme au sein des vins du Centre-Loire, à côté des sancerre et autres pouilly-fumés.

Des céréales à la vigne

Les terrains familiaux étaient en appellation coteaux-du-giennois. Ils n'attendaient que la volonté d'un jeune homme passionné pour accueillir de nouveaux ceps. « Du temps de mon grand-père, tout le monde avait son petit bout de vigne dans le village. Mon grand-père aimait bien faire son vin. Point à la ligne. Ce sont mes amis au lycée agricole et viticole de Cosne-sur-Loire qui m'ont fait changer de voie. C'est là que j'ai tout appris ». Des amis issus de familles vigneronnes de tout le Centre-Loire: Sancerre, Pouilly, etc. De visite de cave en visite de cave, le jeune homme est conquis par le monde du vin. Lui qui ne se destinait jusqu'alors qu'à la reprise de l'exploitation familiale, céréalière. Florian Roblin passe un BTS et fait des stages chez des producteurs de référence, comme François Villard (Condrieu) ou Alphonse Mellot (Sancerre). En 2006, il commence les plantations, avec le sauvignon; en 2010, c'est au tour des rouges avec une nette dominante de pinot noir (80 %). Aujourd'hui encore, le domaine reste modeste: 3 ha et autant de cuvées. Champs Gibault, en blanc et en rouge, et Coulée des Moulins en blanc uniquement.

Des plantations à très hautes densités, comme dans les grands crus

Le terroir de Champs Gibault, exposé plein sud, est composé d'argiles à silex reposant sur de la craie; celui de Coulée des Moulins est constitué de terres blanches, sur la craie également. Les vignes sont plantées à haute densité – plus de 10 000 pieds par hectare – pour que les ceps se concurrencent, s'enracinent profondément. Leur production est plus facile à maîtriser et les rendements n'excèdent pas 30 à 40 hl/ha selon les années. Pas davantage qu'un grand cru ! Les raisins sont soigneusement sélectionnés à la vigne comme à la cave, où ils passent sur table de tri.

Les rouges sont égrappés et mis en cuve pendant un mois. « Je préfère de longues cuvaisons avec peu d'extraction pour avoir des vins structurés mais avec des tanins fins », explique Florian Roblin. L'élevage se poursuit en fût pendant une dizaine de mois. Les blancs sont mis à fermenter et élevés en cuve uniquement.

Croissance en vue

Le millésime 2014 n'a laissé que de bons souvenirs au jeune vigneron: les raisins étaient à bonne maturité, frais et concentrés. « C'est un super millésime que je place dans mon trio de tête avec 2012 et 2010. » On notera d'ailleurs que le 2012 a valu un coup de cœur au Champs Gibault blanc.

De quoi inciter Florian Roblin à poursuivre les plantations dans la parcelle de Champ Gibault. L'objectif est d'atteindre à terme 7 ha, en favorisant le sauvignon. De quoi ancrer davantage encore les coteaux-du-giennois parmi les AOC qui comptent dans le Centre-Loire.

♥ FLORIAN ROBLIN
Champ Gibault 2014 ★★

*FLORIAN ROBLIN,
11, rue des Saint-Martin, Maimbray,
45630 Beaulieu-sur-Loire,
tél. 06 61 35 96 69,
domaine.roblin@orange.fr*

VALLÉE DU RHÔNE // Châteauneuf-du-pape

FRÉDÉRIC COULON

Domaine de Beaurenard

Héritiers d'une lignée enracinée à Châteauneuf-du-Pape depuis la fin du XVIIe s., implantés aussi à Rasteau, les frères Coulon collectionnent les coups de cœur. Alors que de nombreux collègues s'en tiennent aux principaux cépages de l'appellation, grenache en tête, ils restent fidèles à la tradition des treize cépages traditionnels, y compris les plus rares.

Vignerons à Châteauneuf depuis le règne du Roi Soleil

Daniel et Frédéric Coulon ont suivi Paul et Régine et leurs aïeux qui se sont succédé depuis sept générations au domaine de Beaurenard. Un acte notarié de 1695 mentionne un « Bois Renard », devenu plus tard Beaurenard. C'est dire l'ancienneté du lieu-dit et de ses vignerons. Si les limites du domaine ont varié au fil du temps, rectifiées au gré des successions, des partages et remembrements familiaux, le cœur des vignes reste ancré à Châteauneuf-du-Pape. La propriété compte une vingtaine de parcelles disséminées aux quatre coins de l'appellation, aux quartiers Beaurenard, Cabrière, la Crau et La Nerthe. Si l'on ajoute aux 32 ha en châteauneuf-du-pape 25 ha en rasteau et 6 en côtes-du-rhône, la surface du domaine totalise une bonne soixantaine d'hectares.

Tous les terroirs de Châteauneuf

On retrouve à Beaurenard les quatre terroirs caractéristiques de Châteauneuf-du-Pape. Ils s'entremêlent sur certaines pièces. Aux galets roulés du Rhône, typiques de l'appellation, qui emmagasinent le jour la chaleur du soleil pour la restituer la nuit, s'ajoutent les éclats de calcaires des terres blanches, propices aux blancs, les grès rouges de Cabrière, et les sols sablonneux de La Nerthe. À Rasteau, le terroir argilo-calcaire repose sur un sous-sol d'argiles bleues; le vignoble en terrasses et en coteaux est exposé au plein sud.

La symphonie des treize cépages

Comme les desserts de Noël de la table provençale, les cépages castelpapaux sont – en principe – au nombre de treize (si l'on regroupe les versions qui existent en noir et en blanc). Aux quatre variétés principales, grenache, syrah, mourvèdre et cinsault, s'ajoutent les counoise, muscardin, vaccarèse, terret en rouge, et cinq autres cépages blancs, dont quelques grappes entrent parfois dans la cuve des rouges. Sachant que des cépages rouges présentent des variantes légères de couleurs, les 13 sont au bout du compte 18 ! « Un gage de complexité et de synergies, dit Frédéric Coulon, c'est la force et la chance de l'AOC ».

« Les treize cépages de Châteauneuf-du-Pape, un gage de complexité. »

Un vin de conservatoire

Les Coulon ont aménagé à Beaurenard une parcelle-conservatoire des treize cépages. Des bois de vieux ceps revivent et se revivifient sur de jeunes porte-greffes: une manière de perpétuer un patrimoine. « Chaque cep est un individu différent, explique Frédéric, mieux qu'un clone de pépinière ». Une cuvée de 5000 bouteilles sortira à l'automne de ce conservatoire. Ajoutons que les Coulon sont adeptes de la biodynamie; ils prodiguent les soins à la vigne en fonction des « jours-fleurs », des « jours-fruits », des « jours-feuilles » et des « jours-racines », tiennent compte des cycles planétaires, et ont recours aux tisanes de plantes. Stimuler les défenses naturelles de la plante et la vie microbienne, plutôt que d'employer des produits chimiques.

♥ DOM. DE BEAURENARD
Boisrenard 2014 ★★

DOM. DE BEAURENARD
10, av. Pierre-de-Luxembourg
84230 Châteauneuf-du-Pape,
tél. 04 90 83 71 79,
paul-coulon@beaurenard.fr

VALLÉE DU RHÔNE // Côte-rôtie

STÉPHANE PICHAT

Domaine Stéphane Pichat

Ils sont peu nombreux, les vignerons à contribuer au lustre retrouvé des étroits vignobles pentus de la Côte rôtie. Depuis 2000, un nouveau nom s'est ajouté à ce cercle fermé. Celui de Stéphane Pichat, qui a redonné vie au domaine fondé par ses arrière-grands-parents. Cinq hectares qui lui permettent de bichonner ses terroirs. Ses deux coups de cœur successifs en côte-rôtie ont braqué le projecteur sur ce jeune vigneron, qui tire le meilleur de ses très vieilles syrahs.

« Jamais le bois ne passe devant le vin. »

Pour vous, tout a commencé en Californie ?

S. P. Après mes études au Lycée viticole de Beaune, je suis parti en stage durant six mois dans la Sonoma Valley, au domaine Kunde. C'est à cette époque que j'ai rencontré ma femme Sandrine qui, elle aussi, était en stage, chez Gallo. Sa famille possédait une propriété en côtes-de-castillon et la mienne, quelques rangs dans la vallée du Rhône. Mon père en avait hérité; il était fonctionnaire électricien, il y faisait un peu de maraîchage et vendait ses raisins au négoce. Quand je me suis installé en 2000, il n'y avait qu'un hectare, nous avons acheté des vignes, des terrains, planté, et nous possédons à présent presque 5 ha.

Ce sont de petites parcelles, comme des *climats* bourguignons ?

S. P. La plus grande, qui donne le Champon's, du nom du lieu-dit, est la vigne originelle de la famille, agrandie, qui compte maintenant 3 ha. Là, les parcelles s'appellent Champon, Plomb et Grande Place; c'est un terroir de schistes décomposés, *arzel* en patois local, riche en oxydes de fer, appelé aussi la Côte Brune. La seconde, baptisée Loëss, est composée d'alluvions éoliennes du Rhône, et couvre un hectare; elle est plantée de 10 % de viognier aux côtés de la syrah, sur les parcelles de Cognet, la Gérine et Fongeant. En condrieu, la parcelle se nomme La Caille; ce sont des limons sableux au plein sud, qui portent les viogniers. En 2016, j'y ai planté un peu de marsanne et de roussanne pour mes vins de pays.

Et Les Grandes Places, qui ont eu un coup de cœur l'an dernier ?

S. P. Elles proviennent d'une sélection parcellaire: de vieilles vignes dans l'arzel, un demi-hectare de syrah d'un âge plus que vénérable, entre soixante-dix et quatre-vingts ans. Ses vins, tout en finesse, offrent une structure importante qui permet une longue garde, au-delà de quinze ans. Les vins de Champon's, nés sur des sols très acides qui influent sur l'expression aromatique sont, eux aussi, très tanniques. Le Loëss est davantage un vin gourmand, sur le fruit.

Et pour chacune de ces cuvées, un travail particulier en cave ?

S. P. On vinifie parcelle par parcelle, pour essayer d'exacerber les parfums. Pour le Loëss, on intervient très peu, pour laisser s'exprimer le côté fruité. Pour le Champon's, il y a plus de travail en cave, des pigeages et des remontages fréquents. Pour Les Grandes Places, on pratique la vendange entière, pour apporter plus de fraîcheur. Le vin est élevé dans 100 % de bois neuf, en barriques de 400 litres, durant vingt-quatre à trente mois. Il a besoin du bois pour le dompter, mais jamais le bois ne passe devant le vin.

♥ DOM. PICHAT
Champon's 2014 ★★★

DOM. DE PICHAT
6, chem. de la Viallière,
69420 Ampuis,
tél. 04 74 48 37 23,
info@domainepichat.com

L'Alsace et la Lorraine

• L'ALSACE

SUPERFICIE : 15 500 ha
PRODUCTION : 1 150 000 hl
TYPES DE VINS : Blancs (secs majoritairement, moelleux et liquoreux), effervescents (25 %), rouges ou rosés (10 %)
CÉPAGES :
Blancs : riesling, pinot blanc, gewurztraminer, pinot gris, auxerrois, sylvaner, muscats, chasselas, klevener de Heiligenstein
Rouges : pinot noir

• LA LORRAINE

SUPERFICIE : 100 ha
PRODUCTION : 4 200 hl
TYPES DE VINS : Blancs secs, rosés (vins gris) et rouges tranquilles
CÉPAGES :
Blancs : auxerrois, muller-thurgau, pinot blanc, pinot gris
Rouges et rosés : gamay, pinot noir

L'ALSACE

Vendus dans leur bouteille élancée appelée «flûte», les vins d'Alsace, blancs en majorité, s'identifient par leur cépage : la plupart d'entre eux sont aujourd'hui élaborés à partir d'une seule variété. La région fournit aussi de beaux vins de terroir, en particulier les grands crus, et des effervescents, les crémant-d'alsace.

À l'abri des Vosges. Le vignoble alsacien s'étire sur plus de 170 km, de Thann au sud à Marlenheim au nord, avec à l'extrême nord un îlot limitrophe de l'Allemagne, près de Wissembourg. Il a déserté la plaine pour se concentrer sur les collines qui bordent à l'est le massif vosgien. Les Vosges arrêtent l'humidité océanique, si bien que l'Alsace est l'une des régions les moins arrosées de France, malgré des orages estivaux.

Une mosaïque de sols. La géologie crée une grande diversité de terroirs. La présence d'un champ de failles à la limite du massif ancien et de la plaine du Rhin, fossé d'effondrement, explique que chaque village compte de nombreux types de sols: granites, gneiss, grès, calcaires, marnes, argiles, sables... Chaque cépage s'y exprime différemment.

Une histoire mouvementée. Ce n'est qu'au Moyen Âge que le vignoble alsacien prend son essor, sous l'influence des évêchés et des abbayes, puis des villes. Le XVI[e]s. est un âge d'or. Les riches maisons de style Renaissance, qui font l'attrait des communes viticoles, témoignent de la prospérité de ce temps où les vins d'Alsace étaient exportés dans toute l'Europe.

La guerre de Trente Ans (1618-1648), avec son cortège de pestes et de famines, ruine durablement la viticulture. La paix revient à la fin du Grand Siècle dans une Alsace devenue française; le vignoble s'étend, mais privilégie les cépages communs. Il couvre 30 000 ha en 1828, puis décline à la fin du XIX[e]s., concurrencé par les vins du Midi et ravagé par le phylloxéra. Vers 1948, sa surface est tombée à 9 500 ha.

Après 1945, il bénéficie de la croissance économique et adopte le cadre français des AOC. Les coopératives, apparues précocement en Alsace, représentent aujourd'hui 41 % du marché, à côté des négociants, souvent propriétaires de vignes (39 %), et des vignerons indépendants (20 %).

Des cépages aromatiques. En Alsace, l'expression des arômes est favorisée par la maturation lente des raisins sous des climats tempérés et frais. Le goût des vins dépend largement du cépage et l'une des particularités de la région est de nommer les siens d'après leur variété d'origine. Le seul cépage rouge, le pinot noir, couvre moins de 10 % des surfaces. Les autres variétés sont le riesling, le pinot blanc, l'auxerrois, le gewurztraminer, le pinot gris, le sylvaner et, plus rares, les muscats, le chasselas, le klevener de Heiligenstein et le chardonnay (pour les effervescents).

L'AOC alsace. Elle représente 72 % de la production. L'étiquette porte le nom du cépage, sauf pour les rares vins d'assemblage (edelzwicker). À côté des vins blancs secs, majoritaires, on trouve des vins plus ou moins tendres, des moelleux et des liquoreux. Le pinot noir est vinifié en rouge et en rosé.

L'AOC crémant-d'alsace. Elle désigne les vins effervescents de la région, issus de la méthode traditionnelle.

LA PREMIÈRE ROUTE DES VINS

La création dès 1953 de la route des Vins d'Alsace a fait de l'Alsace une pionnière en matière de tourisme viticole. Tout au long de l'année, de nombreuses manifestations se déroulent dans les localités qui la jalonnent: foires aux vins (Guebwiller, Ammerschwihr, Ribeauvillé, Barr, Molsheim, Colmar), fêtes des vendanges, marchés de Noël... On citera l'activité de la confrérie Saint-Étienne, née au XIV[e]s. et restaurée en 1947.

VENDANGES TARDIVES ET SÉLECTIONS DE GRAINS NOBLES

Les premières sont des moelleux issus de vendanges surmûries, les secondes des liquoreux issus de vendanges atteintes par la pourriture noble. Ces vins sont soumis à des conditions de production rigoureuses (et en particulier, pour les raisins, à une richesse en sucre minimale très élevée). Ils sont obligatoirement issus de «cépages nobles»: gewurztraminer, riesling, pinot gris et muscat.

Les 51 AOC alsace grand cru. Ce sont de rares vins de terroir (4 % de la production) portant l'empreinte de leur lieu de naissance. Officiellement délimités à partir de 1975, souvent de réputation très ancienne, ils bénéficient de sols, de pentes et d'expositions privilégiés. Ils sont essentiellement réservés aux cépages riesling, gewurztraminer, pinot gris et muscat.

Les dénominations communales et les lieux-dits. Apparus en 2011, ce sont des communes ou secteurs réputés : Blienschwiller et Côtes de Barr (pour le sylvaner), Ottrott, Rodern et Saint-Hippolyte (pour le pinot noir), Wolxheim et Scherwiller (pour le riesling), Heiligenstein (pour le klevener), Côte de Rouffach, Vallée Noble et Val Saint-Grégoire. Des noms de lieux-dits cadastrés, mais non classés en grand cru, peuvent aussi apparaître sur l'étiquette. Tous ces vins sont soumis à des conditions de production plus exigeantes.

L'Alsace

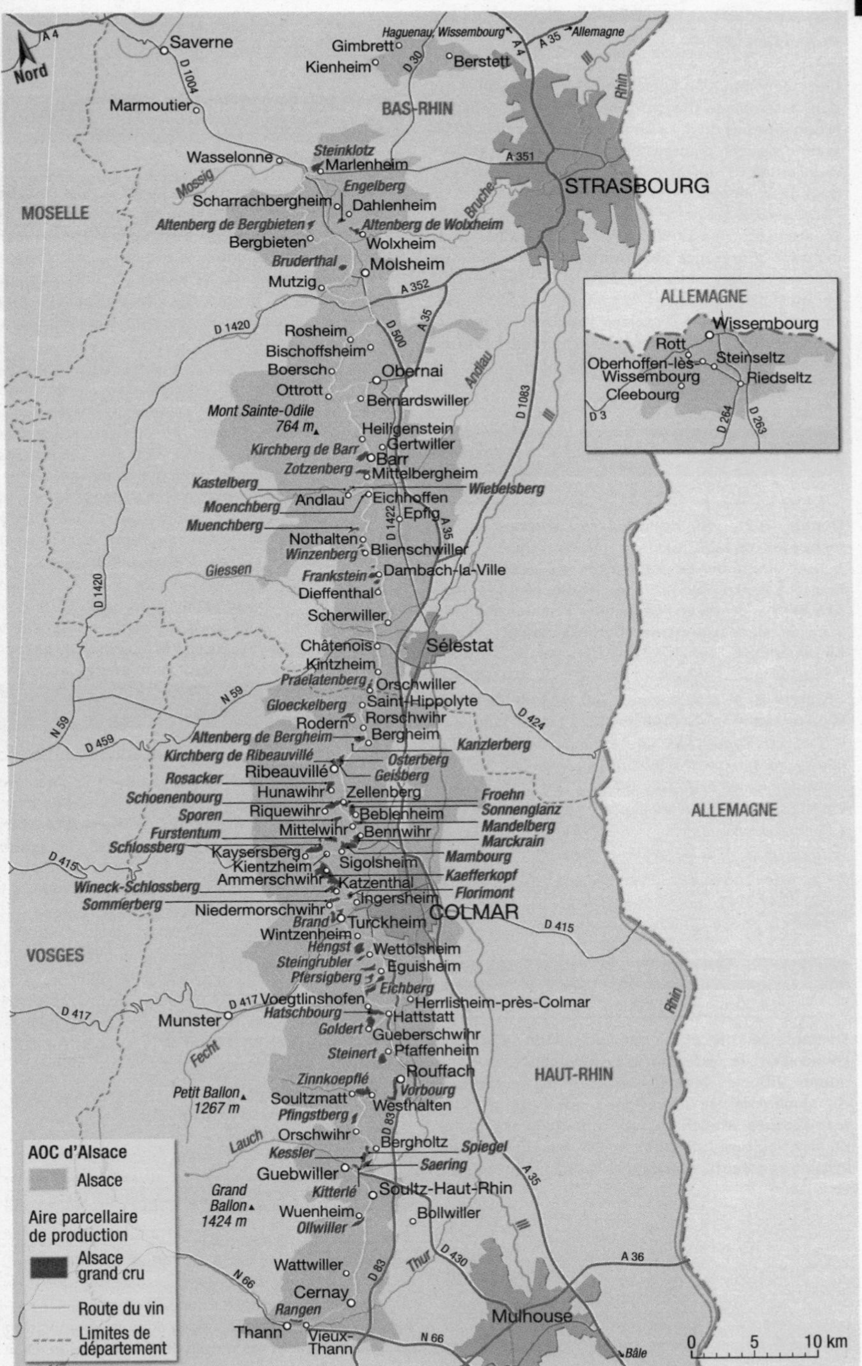
Nord
Saverne
Marmoutier
Wasselonne
Gimbrett
Kienheim
Haguenau, Wissembourg
Berstett
Allemagne
BAS-RHIN
Steinklotz
Marlenheim
STRASBOURG
Engelberg
Scharrachbergheim
Dahlenheim
Altenberg de Bergbieten
Altenberg de Wolxheim
Bergbieten
Wolxheim
Bruderthal
Molsheim
Mutzig
MOSELLE
Mossig
Bruche
Rhin
Rosheim
Bischoffsheim
Boersch
Obernai
Ottrott
Bernardswiller
Mont Sainte-Odile
764 m
Heiligenstein
Kirchberg de Barr
Gertwiller
Barr
Zotzenberg
Mittelbergheim
Kastelberg
Wiebelsberg
Moenchberg
Andlau
Eichhoffen
Muenchberg
Epfig
Nothalten
Winzenberg
Blienschwiller
Giessen
Frankstein
Dambach-la-Ville
Dieffenthal
Scherwiller
Châtenois
Sélestat
Kintzheim
Praelatenberg
Orschwiller
Gloeckelberg
Saint-Hippolyte
Rodern
Rorschwihr
Altenberg de Bergheim
Bergheim
Kanzlerberg
Kirchberg de Ribeauvillé
Osterberg
Ribeauvillé
Geisberg
Rosacker
Hunawihr
Zellenberg
Froehn
Schoenenbourg
Sonnenglanz
Sporen
Riquewihr
Beblenheim
Mandelberg
Furstentum
Mittelwihr
Bennwihr
Marckrain
Schlossberg
Kaysersberg
Mambourg
Sigolsheim
Kientzheim
Kaefferkopf
Ammerschwihr
Katzenthal
Wineck-Schlossberg
Florimont
Ingersheim
Sommerberg
Niedermorschwihr
COLMAR
Brand
Turckheim
Wintzenheim
Hengst
Wettolsheim
Steingrubler
Eguisheim
Pfersigberg
Eichberg
Voegtlinshofen
Herrlisheim-près-Colmar
Hatschbourg
Hattstatt
Munster
Goldert
Gueberschwihr
Fecht
Steinert
Pfaffenheim
Rouffach
Zinnkoepflé
Vorbourg
Petit Ballon
1267 m
Soultzmatt
Westhalten
Pfingstberg
Orschwihr
Lauch
Bergholtz
Spiegel
Kessler
Saering
Guebwiller
Grand Ballon
1424 m
Kitterlé
Soultz-Haut-Rhin
Wuenheim
Bollwiller
Ollwiller
Wattwiller
Thur
Cernay
Rangen
Thann
Vieux-Thann
Mulhouse
Bâle
VOSGES
HAUT-RHIN
ALLEMAGNE
Ill
Andlau
ALLEMAGNE
Wissembourg
Rott
Steinseltz
Oberhoffen-lès-Wissembourg
Riedseltz
Cleebourg
AOC d'Alsace
Alsace
Aire parcellaire de production
Alsace grand cru
Route du vin
Limites de département
0
5
10 km

ALSACE EDELZWICKER

Production : 23 080 hl

Cette dénomination ancienne désigne les vins issus d'un assemblage (*Zwicker* en alsacien) de cépages. N'oublions pas qu'il y a un siècle, les parcelles du vignoble alsacien plantées d'une seule variété étaient rares. Aujourd'hui, on utilise le terme «edelzwicker» pour désigner tout assemblage de cépages blancs de l'AOC alsace, qui peuvent être vinifiés ensemble ou séparément. On a ajouté l'adjectif *Edel* (noble) pour marquer la présence plus fréquente aujourd'hui de cépages nobles, tels que le riesling, le gewurztraminer ou le pinot gris, dans sa composition. Particulièrement apprécié des Alsaciens, l'edelzwicker est servi en carafe dans la plupart des winstubs. Le terme de «gentil» désigne aussi traditionnellement des vins d'assemblage.

JEAN-CLAUDE KOEHLER ET FILS
L'Alliance des nobles 2014 ★

| 6300 | 5 à 8 € |

Depuis 1621, de nombreuses générations de vignerons se sont succédé sur ce domaine situé à une vingtaine de kilomètres au sud de Colmar – à l'entrée de la Vallée Noble, réputée pour son climat préservé. La famille Koehler exploite 7 ha de vignes, dont des parcelles en grand cru Zinnkoepflé.

L'Alliance des nobles? Celle de cépages réputés «nobles» en Alsace: le muscat (40 %), le pinot gris et le gewurztraminer. Ce mariage donne un nez complexe et fort aromatique, avec une gamme marquée par les fleurs, les agrumes et les aromates, et une bouche d'une grande richesse, équilibrée par une finale fraîche. Pour l'apéritif et des hors-d'œuvre riches. 2016-2019 samoussa aux légumes

EARL JEAN-CLAUDE KOEHLER ET FILS, 7, rue de Soultzmatt, 68250 Westhalten, tél. 03 89 47 01 23, info@vins-koehler.fr V *t.l.j. 8h-12h 13h-18h; dim. sur r.-v.*

CHARLES MULLER ET FILS Traenheim 2013

| 4000 | 11 à 15 € |

Domaine de 11 ha établi dans un village de la Couronne d'Or de Strasbourg, groupement des communes viticoles les plus proches de la capitale régionale. Héritier d'une lignée remontant à 1580, Jean-Jacques Muller, installé en 1985, est passé de la viticulture raisonnée au bio (certification en 2011). Ses enfants, Marjorie et Nathan, l'ont rejoint en 2014.

Un edelzwicker original: il provient d'un assemblage de trois pinots (auxerrois, gris et noir, ce dernier vinifié en blanc) issus d'un terroir marneux. Après un élevage de dix-huit mois sur lies en foudre, le vin apparaît jaune doré, assez fermé au nez, un rien végétal et légèrement boisé. Cette touche boisée revient au palais où le vin s'affirme avec puissance et une légère astringence. Du caractère. 2016-2019 truite aux amandes

CHARLES MULLER ET FILS, 43, impasse de la Fontaine, 67310 Traenheim, tél. 03 88 50 38 04, earlcharlesmuller@hotmail.fr V r.-v.

JEAN ET GUILLAUME RAPP
Les Larmes de Thor 2014 ★

| 3600 | 5 à 8 € |

Vignerons et éleveurs de père en fils depuis 1764, les Rapp sont installés à Dorlisheim, au sud-ouest de Strasbourg. L'exploitation s'est spécialisée à partir des années 1960 et une nouvelle cave, plus vaste, a été aménagée en 2004, à l'arrivée de Guillaume, qui exploite 10 ha. La plupart des vins du domaine sont élevés en foudres, dont certains sont plus que centenaires.

Le nom étrange de cette cuvée a été inspiré à Jean et Guillaume Rapp par l'ancien nom de leur commune, Dorlisheim, qui s'appelait au Moyen Âge Thorolvesheim, « Près de la forêt de Thor », Thor étant un dieu germanique de la foudre, protecteur des paysans. Le gewurztraminer s'allie au muscat à parité dans ce vin à la robe pâle et lumineuse. Très marqué par le second cépage, le nez s'ouvre sur des notes végétales et muscatées. La bouche est souple, assez riche, rafraîchie par une finale alerte et fruitée. 2016-2019 poisson à la thaïlandaise

JEAN ET GUILLAUME RAPP, 1, fg des Vosges, 67120 Dorlisheim, tél. 03 88 38 28 43, vins-rapp@wanadoo.fr V *t.l.j. sf lun. dim. 8h-12h 13h30-18h*

DOM. PHILIPPE SOHLER
Reine des vins d'Alsace 2014

| 1570 | 11 à 15 € |

Depuis 1997, Philippe Sohler exploite le domaine familial – 11 ha autour de Nothalten, au sud de Barr. Il propose plusieurs vins de terroir: lieux-dits Fronholz, Heissenberg, Zellberg, Clos Rebberg et grand cru Muenchberg.

Une cuvée dédiée à Marine Sohler, fille cadette du vigneron, élue en 2014 Reine des vins d'Alsace, alors qu'elle terminait ses études d'ingénieur. Trois cépages (riesling, pinot gris et muscat) en provenance des meilleurs terroirs du domaine. Cela donne un joli nez de fleurs et de fruits blancs, assorti d'une touche muscatée, un palais frais et persistant, avec un joli retour des fleurs en finale. À déboucher à l'apéritif ou avec du poisson. 2016-2018 dos de cabillaud aux asperges

DOM. PHILIPPE SOHLER, 80A, rte des Vins, 67680 Nothalten, tél. 03 88 92 49 89, contact@sohler.fr V *r.-v.*

ALSACE CHASSELAS OU GUTEDEL

Il y a une quarantaine d'années, ce cépage occupait encore plus de 20 % du vignoble. Aujourd'hui, ce taux est tombé à 1 %. Le chasselas donne un vin aimable, léger et souple, en raison d'une acidité modérée. Il entre essentiellement dans la composition de l'edelzwicker et, de ce fait, cette appellation ne se trouve que très rarement sur le marché.

KRESS-BLÉGER ET FILS Cuvée Aurélien 2014 ★

■ | 700 | 5 à 8 €

Situé au pied du Haut-Kœnigsbourg, ce domaine familial s'est lancé dans la vente en bouteilles en 1983. Sa surface est passée de 4,5 ha à 14 ha aujourd'hui. Jean-Luc Kress, aux commandes depuis 2007, dispose d'une palette de terroirs diversifiée, entre Wettolsheim et Saint-Hippolyte.

Le chasselas est devenu très rare en Alsace. En voici une microcuvée, née sur les graves de la Hardt: robe jaune pâle, nez franc et typé, floral et fruité, avec une touche d'amande grillée, bouche ample et équilibrée à la jolie finale. Pour une entrée ou un fromage doux, comme il vous plaira. ⧗ 2016-2018 🍴 soufflé au fromage

⊶ EARL KRESS-BLÉGER ET FILS, 10, rue du Pinot-Noir, 68590 Rodern, tél. 03 89 73 03 21, kressj-bleger@wanadoo.fr V t.l.j. 9h-12h 14h-18h ❷

DOM. DE LA VIEILLE FORGE
Vieilles Vignes 2014 ★

■ | 1500 | 5 à 8 €

Fort de son diplôme d'œnologue, Denis Wurtz fait revivre depuis 1998 le domaine de ses grands-parents à Beblenheim, dont le nom évoque le métier de l'un de ses aïeuls. Installé dans une maison à colombages du XVIe s., il exploite 10 ha de vignes près de Riquewihr, avec des parcelles en grand cru.

Denis Wurtz chérit ce cépage qui tend à disparaître en Alsace et qui était le préféré de sa grand-mère. Issue de vignes de quarante ans, cette cuvée jaune clair aux reflets verts séduit par ses notes de fleurs blanches et par sa fraîcheur, associée à une bonne ampleur et à une finale chaleureuse. Un vin d'apéritif. ⧗ 2016-2018 🍴 gougères

⊶ DOM. DE LA VIEILLE FORGE, 5, rue de Hoen, 68980 Beblenheim, tél. 03 89 86 01 58, domainevieilleforge68@orange.fr V r.-v. ❸ ⊶ Denis Wurtz

ALSACE GEWURZTRAMINER

Superficie : 2 897 ha / Production : 172 116 hl

Le cépage qui est à l'origine de ce vin est une forme particulièrement aromatique de la famille des traminers. Un traité publié en 1551 le désigne déjà comme une variété typiquement alsacienne. Celle-ci atteint dans ce vignoble un optimum de qualité, ce qui lui a conféré une réputation unique dans la viticulture mondiale. Son vin est corsé, bien charpenté, sec ou moelleux, et caractérisé par un bouquet merveilleux, plus ou moins puissant selon les situations et les millésimes. Le gewurztraminer, qui a une production relativement faible et irrégulière, est un cépage précoce aux raisins très sucrés.

JEAN-BAPTISTE ADAM
Sélection de grains nobles 2013 ★

■ | 1500 | 🍾 | 30 à 50 €

Sise à Ammerschwihr, important village viticole au nord-ouest de Colmar, cette maison a fêté son quatre centième anniversaire en 2014. Ses caves du XVIIe s. abritent d'anciens foudres de chêne encore en usage. Elle associe une structure de négoce et un domaine exploité en biodynamie.

La robe jaune d'or laissant des larmes sur les parois du verre annonce la couleur: on a affaire à un liquoreux. Le nez, encore discret, dévoile à l'aération des notes d'agrumes confits. La belle attaque ouvre sur un palais puissant et gras, alliant les arômes de litchi et de mangue du cépage à des arômes persistants d'abricot et d'orange confits. La texture voluptueuse est vivifiée par une fraîcheur bienvenue. Ce vin devrait gagner en expression avec le temps. (Sucres résiduels: 215 g/l.) ⧗ 2017-2026 🍴 financiers à l'orange

⊶ JEAN-BAPTISTE ADAM, 5, rue de l'Aigle, 68770 Ammerschwihr, tél. 03 89 78 23 21, jbadam@jb-adam.fr V t.l.j. 8h30-12h 14h-18h

DOM. ALLIMANT-LAUGNER
Gewurztraminer Vendanges tardives 2012

■ | 3000 | 🍾 | 20 à 30 €

Établie dans le vignoble depuis le XVIIIe s., la famille Allimant a un ancêtre célèbre, Antoine, qui suivit Napoléon dans toutes ses campagnes, puis acheta des vignes sur les côtes du Haut-Kœnigsbourg. Agrandi par l'alliance entre les Allimant et les Laugner, le domaine (12 ha sur trois communes) est conduit depuis 1984 par Hubert Laugner, rejoint en 2013 par son fils Nicolas.

Le millésime 2012 a été délicat pour les vendanges tardives et les volumes sont assez faibles. Celles-ci méritent d'être citées: le nez intense mêle la rose et le litchi aux agrumes confits – pamplemousse, bergamote et orange. Les fruits secs et le miel s'ajoutent à cette palette dans un palais franc en attaque, ample et gras, concentré avec finesse. (Sucres résiduels: 58 g/l.) ⧗ 2016-2022 🍴 feuilletés au roquefort

⊶ ALLIMANT-LAUGNER, 10, Grand-Rue, 67600 Orschwiller, tél. 03 88 92 06 52, alaugner@terre-net.fr V t.l.j. sf dim. 9h-12h 13h-18h ❺

FRANÇOIS BLÉGER Vieilles Vignes 2014 ★

■ | 4000 | 🛢 | 11 à 15 €

Originaires de Suisse, les Bléger sont arrivés en 1562 à Saint-Hippolyte, au pied du Haut-Kœnigsbourg. Alors que ses parents vendaient leur vin en vrac au négoce, François Bléger – qui avait étudié la sociologie avant de se former à la viticulture – s'est lancé dans la mise en bouteilles à son installation, en 1996. Il dispose de 7 ha répartis dans quatre communes.

Les vignes ont plus de quarante-cinq ans. Elles ont donné naissance à un moelleux fort séduisant: robe jaune paille, nez bien ouvert sur le miel, l'abricot et les agrumes confits légèrement poivrés, palais souple en attaque, puissant, long et intensément fruité, alliant fruits frais et confits. À déguster de l'apéritif au dessert. (Sucres résiduels: 55 g/l.) ⧗ 2016-2020 🍴 kouglof

⊶ FRANÇOIS BLÉGER, 63, rte du Vin, 68590 Saint-Hippolyte, tél. 03 89 73 06 07, domaine.bleger@wanadoo.fr V r.-v. ❷

JEAN BOESCH ET PETIT-FILS Vallée noble 2014

■	1097	🍾	8 à 11 €

C'est à Soultzmatt, village situé au pied du grand cru Zinnkoepflé, au sud du vignoble, que Jean Boesch, de vieille souche vigneronne, crée le domaine en 1962. Son petit-fils Denis l'accompagnait enfant dans les vignes. Il en a pris les rênes en 2002; le vignoble couvre aujourd'hui 9 ha.

Terroir de choix, la Vallée Noble est une dénomination communale qui s'affiche sur l'étiquette pour certains cépages comme le gewurztraminer. Un moelleux doré, mariant au nez le litchi et les épices caractéristiques du cépage à des notes d'abricots confits. Tout aussi aromatique, ample et gras, le palais finit sur une pointe d'amertume agréable. Une belle harmonie. (Sucres résiduels: 32 g/l.) ⧗ 2016-2020 ▾ tarte aux abricots

EARL JEAN BOESCH ET PETIT-FILS, 1, rue Wagenbourg, 68570 Soultzmatt, tél. 03 89 47 00 87, jean.boesch@wanadoo.fr V t.l.j. *9h-12h 13h30-19h; dim. sur r.-v.* B

FRANÇOIS BRAUN ET FILS
Cuvée Sainte-Cécile 2013

■	10800	◍	8 à 11 €

Une famille enracinée depuis le XVIe s. à Orschwihr. En polyculture jusqu'au début du XXe s., le domaine a débuté la mise en bouteilles avec François Braun, après la Seconde Guerre mondiale. Installés au début des années 1980, Pascal et Philippe exploitent aujourd'hui 21 ha de vignes (avec des parcelles dans deux grands crus) et des vergers.

La cuvée Sainte-Cécile est issue de raisins surmûris. Vendangé à la mi-octobre 2013, le gewurztraminer a engendré un moelleux léger au nez d'agrumes et de fruits exotiques très mûrs et à la bouche dans le même registre, à la fois suave et très fraîche. (Sucres résiduels: 21 g/l.) ⧗ 2016-2020 ▾ poire au roquefort

FRANÇOIS BRAUN ET FILS, 19, Grand-Rue, 68500 Orschwihr, tél. 03 89 76 95 13, francois-braun@orange.fr V *t.l.j. sf dim. 9h-12h 14h-17h*

BURGHART-SPETTEL
Sélection de grains nobles 2013 ★★

■	2000	◍	30 à 50 €

Le domaine est implanté entre Colmar et Riquewihr, dans le village viticole de Mittelwihr connu pour sa colline des Amandiers. Héritier d'une tradition remontant au XIXe s., Bertrand Spettel, rejoint par Jérôme en 2009, exploite près de 14 ha de vignes répartis sur sept communes, avec des parcelles dans trois grands crus.

D'un millésime peu propice au liquoreux, ces vignerons ont tiré une sélection de grains nobles d'une rare harmonie. D'un or légèrement ambré, ce 2013 mêle au nez le miel, les fruits exotiques et les agrumes confits, avec la nuance rôtie de la pourriture noble. Des arômes de pêche, de mangue, de miel, de coing et de mandarine s'épanouissent dans un palais ample, riche et puissant, tonifié par une finale fraîche et persistante. (Sucres résiduels: 142 g/l.) ⧗ 2016-2026 ▾ fondant au chocolat et à l'orange

BURGHART-SPETTEL, 9, rte du Vin, 68630 Mittelwihr, tél. 03 89 47 93 19, burghart-spettel@wanadoo.fr V *t.l.j. sf dim. 10h-18h* G

CLOS SAINTE-APOLLINE
Bollenberg Vendanges tardives Grains gelés 2012 ★★

■	1260	◍	50 à 75 €

Hôtel, restaurant, produits du terroir, vignoble: toute la famille Meyer s'active au service du vin et de la bonne chère. Créé en 1887, son domaine couvre aujourd'hui 25 ha à l'entrée de la Vallée Noble, entre Rouffach et Guebwiller. Apolline, Benoît et Francis Meyer se sont installés en 2010. Pour mieux mettre en valeur le coteau du Bollenberg, site protégé au microclimat méditerranéen, ils ont engagé la conversion bio de la propriété.

Grains gelés? Une version alsacienne de ce que l'on appellerait Eiswein (vin de glace) outre-Rhin (la mention n'existe pas en Alsace). Les raisins ont été récoltés à -7 °C le 13 décembre 2012. L'eau ayant gelé, les raisins sont très concentrés. Il en résulte un vin or pâle, au nez intense d'agrumes et d'abricots confits, frais en attaque, ample, puissant et persistant, tendu par une fine acidité. La finale est marquée par une noble amertume et par un plaisant retour des agrumes. Une vendange tardive proche d'un liquoreux. (Sucres résiduels: 76,5 g/l.) ⧗ 2016-2026 ▾ tarte à l'orange

CLOS SAINTE-APOLLINE, Dom. du Bollenberg, 68250 Westhalten, tél. 03 89 49 60 04, info@bollenberg.com V *t.l.j. 8h30-19h* *Meyer*

CHARLES FAHRER Vieilles Vignes 2014

■	4000	🍾	5 à 8 €

De vieille souche vigneronne, Charles Fahrer a lancé son étiquette en 1965 et transmis son exploitation à son fils en 1988. Aujourd'hui, Thierry et Nathalie Fahrer cultivent 7,5 ha de vignes disséminés sur une trentaine de parcelles en contrebas du Haut-Kœnigsbourg, y compris dans le grand cru Praelatenberg.

Récolté à la mi-octobre, le gewurztraminer à l'origine de cette cuvée a engendré un vin très typé, au nez bien ouvert sur les fruits jaunes, la mangue et la rose. Au palais, les arômes montent en puissance, évoquant les agrumes et l'abricot sec. Frais en attaque, ce vin est bien équilibré, à mi-chemin du sec et du moelleux: il pourra accompagner un repas. (Sucres résiduels: 38 g/l.) ⧗ 2016-2019 ▾ canard laqué

CHARLES FAHRER, 5-7, Grand-Rue, 67600 Orschwiller, tél. 03 88 92 08 25, charles.fahrer@evc.net V *t.l.j. 8h-12h 13h-18h* B

RENÉ FLECK Sélection de grains nobles 2013 ★

■	2282	20 à 30 €

En 1995, après ses études d'œnologie et un long stage aux États-Unis, Nathalie, la plus jeune des filles de René Fleck, reprend l'exploitation familiale. Elle vinifie tandis que son mari, Stéphane Steinmetz,

travaille à la vigne. Situé à Soultzmatt, au pied du grand cru Zinnkoepflé, le domaine compte 8 ha, dont 4 ha en grands crus.

Un liquoreux doré, au nez discret portant l'empreinte du cépage (rose, litchi, fruits exotiques) et celle de la surmaturation (abricot et agrumes confits). Dans le même registre, le palais se déploie avec rondeur et ampleur. De la concentration et de la finesse. (Sucres résiduels: 117 g/l.) ⧗ 2016-2026 🍴 toasts au foie gras

⊶ DOM. RENÉ FLECK ET FILLE, 27, rue d'Orschwihr, 68570 Soultzmatt, tél. 03 89 47 01 20, renefleck@orange.fr V t.l.j. 8h30-11h45 13h30-18h30; dim. sur r.-v.

DOM. HENRI FLORENCE ET FILS
Vieilles Vignes 2013 ★

	1500		8 à 11 €

Claude Florence travaille depuis 1988 sur le domaine familial créé en 1947, dont il a pris la tête en 2002. Il exploite 10 ha autour d'Ammerschwihr, gros bourg viticole au nord-ouest de Colmar, ainsi que dans les villages voisins. Dans sa cave, les foudres de bois traditionnels côtoient quelques cuves Inox.

Jaune clair, ce gewurztraminer reste sur sa réserve au nez, mais sa structure parle pour lui et annonce un potentiel intéressant. Puissant et ample, tendu par une belle acidité, il laisse poindre en bouche des arômes de fruits exotiques et de fruits jaunes. Il gagnera en expression au cours des mois à venir et fera un beau vin d'apéritif. (Sucres résiduels: 25 g/l.) ⧗ 2017-2020 🍴 sucettes au foie gras

⊶ DOM. HENRI FLORENCE ET FILS, 1, rue des Merles, 68770 Ammerschwihr, tél. 03 89 78 26 32, claude.florence0210@orange.fr V t.l.j. 8h30-11h30 13h30-18h; dim. sur r.-v.

JEAN GEILER Inspiration Terroirs 2014 ★★

	35300		8 à 11 €

Fondée en 1926 par 36 vignerons, la coopérative d'Ingersheim, proche de Colmar, compte 175 adhérents et vinifie le fruit d'un vignoble de 390 ha dans le Haut-Rhin, avec des parcelles dans neuf grands crus. Jean Geiler est sa marque. Son siège abrite un musée du Vigneron et une salle accueillant expositions et événements culturels.

À la robe jaune doré répond un nez intense de rose, de litchi et de mangue. D'une belle fraîcheur en attaque, le palais se révèle gras, ample et soyeux et déploie de plaisants arômes de fruits jaunes surmûris. La finale est saline, délicatement épicée. Un moelleux fort harmonieux. (Sucres résiduels: 20 g/l.) ⧗ 2020-2022 🍴 crevettes à l'aigre-douce

⊶ CAVE JEAN GEILER, 45, rue de la République, 68040 Ingersheim, tél. 03 89 27 90 27, vin@geiler.fr V t.l.j. 9h-12h 14h-18h

JEAN-PAUL GERBER Vieilles Vignes 2014

	2500		8 à 11 €

Année mémorable, 1968 marque pour Jean-Paul et Charlotte Gerber le début de l'indépendance avec les premières mises en bouteilles à la propriété. En 1987, Dany et Annick ont pris le relais. La famille exploite environ 10 ha aux environs de Dambach-la-Ville, cité fortifiée riche d'un vaste vignoble.

Un moelleux réservé mais bien construit: robe jaune d'or intense, nez discret sur les fruits exotiques et les épices, palais puissant, gras et long, à la finale persistante soulignée par une belle fraîcheur. (Sucres résiduels: 20 g/l.) ⧗ 2017-2020 🍴 munster au cumin

⊶ EARL JEAN-PAUL ET DANY GERBER, 16, rue Théophile-Bader, 67650 Dambach-la-Ville, tél. 03 88 92 41 84, dany@vinsgerber.fr V r.-v.

JEAN-CLAUDE GUETH
Sélection de grains nobles 2013 ★

	900		20 à 30 €

Une famille établie depuis deux siècles à Gueberschwihr, au sud de Colmar. Installés en 1970, Jean-Claude et Bernadette Gueth commercialisent leurs vins dès 1982. Aujourd'hui, le domaine couvre 8 ha et leur fille, Muriel Gueth-Biéchy, vinifie depuis 1996.

L'intensité de la robe, d'un jaune d'or aux reflets cuivrés, annonce celle des parfums d'agrumes et de fruits jaunes confits, rehaussés de notes de coing et de pain d'épice. L'attaque ample ouvre sur un palais riche, généreux et pourtant très équilibré, où s'épanouissent avec persistance les arômes de fruits confits du nez. Un liquoreux que l'on pourra déguster pour lui-même et sur la durée. (Sucres résiduels: 140 g/l.) ⧗ 2016-2026 🍴 foie gras et chutney de mangue

⊶ DOM. JEAN-CLAUDE GUETH, 3, rue de la Source, 68420 Gueberschwihr, tél. 03 89 49 33 61, cave@vin-alsace-gueth.com V r.-v.

MATERNE HAEGELIN ET FILLES Tradition 2014

	10735	8 à 11 €

Depuis 1986, Régine Garnier est à la tête du domaine familial mis en valeur par son père Materne Haegelin. Situé dans le tronçon sud de la route des Vins, le vignoble (18 ha) est implanté principalement en coteaux, sur des terroirs différents.

Robe jaune d'or brillant, nez franc et typé, entre agrumes et fruits jaunes, palais gras et persistant, aux arômes de fruits exotiques (mangue) rehaussés d'une touche de pain d'épice. Aromatique, de bonne tenue, ce moelleux léger pourra accompagner un repas. (Sucres résiduels: 13 g/l.) ⧗ 2017-2020 🍴 filet mignon de porc à la mangue

⊶ SAS MATERNE HAEGELIN, 45-47, Grand-Rue, 68500 Orschwihr, tél. 03 89 76 95 17, vins@materne-haegelin.fr V t.l.j. 8h30-18h30; dim. 10h-12h mai-sept. ⊶ Régine Garnier

BRUNO HERTZ Réserve 2014

	1300		8 à 11 €

La famille Hertz cultive la vigne depuis le XVIIIe s., vit du vin depuis le début du XXe s. et a pignon sur rue dans le centre historique de la cité médiévale d'Eguisheim, au sud de Colmar. Installé en 1979, Bruno Hertz, œnologue, exploite 6 ha, dont plusieurs parcelles en grand cru (Pfersigberg, Rangen).

Un gewurztraminer discret au nez, franc, droit, équilibré, à la finale un rien amère. Son côté sec lui permettra d'accompagner de nombreux plats, asiatiques en particulier. (Sucres résiduels: 11,3 g/l.) ⧗ 2016-2018 ¥ salade de poulet à la citronnelle

⊶ BRUNO HERTZ, 9, pl. de l'Église, 68420 Eguisheim, tél. 03 89 41 81 61, contact.bruno@lesvinshertz.fr V r.-v.

♥ HERTZOG Sainte-Cécile 2014 ★★

	3500		8 à 11 €

Un domaine de 8 ha établi au sud-ouest de Colmar, à Obermorschwihr, village connu pour son clocher à colombages. Installé en 1977 sur l'exploitation familiale, Sylvain Hertzog a attiré plus d'une fois l'attention grâce à certaines de ses cuvées, couronnées comme la grenouille qui orne parfois ses étiquettes.

Cette cuvée a enchanté les dégustateurs. Sa robe jaune soutenu, son superbe bouquet aux nuances d'agrumes et d'abricots confits, de fruits exotiques, de coing et de miel, son palais conjuguant puissance, ampleur, richesse, élégance et arômes persistants de rose et de fruits exotiques évoquent une vendange tardive. On pourra déguster ce vin pour lui-même ou le servir de l'apéritif au dessert. (Sucres résiduels: 35 g/l.) ⧗ 2019-2023 ¥ canard à l'ananas **Bildstoecklé 2014 ★★ (5 à 8 €; 7000 b.)** : de ce lieu-dit argilo-calcaire, un des meilleurs terroirs d'Obermorschwihr, Sylvain Hertzog tire une fois de plus un gewurztraminer remarquable: robe or intense, nez raffiné de fruits surmûris, bouche à l'unisson, à la fois puissante, ample et élégante, miellée et saline, d'une grande fraîcheur. Excellent à l'apéritif, ce vin trouvera aussi sa place à table. (Sucres résiduels: 25 g/l.) ⧗ 2018-2022 ¥ gambas caramélisées

⊶ SYLVAIN HERTZOG, 18, rte du Vin, 68420 Obermorschwihr, tél. 03 89 49 31 93, sylvainhertzog@wanadoo.fr V *t.l.j. sf dim. 9h-19h* 3

MICHEL HEYBERGER 2014 ★

	5400		5 à 8 €

Vignerons depuis 1900, les Heyberger se sont établis dans une maison à colombages au centre de Saint-Hippolyte. Rémy a pris la suite de son père en 2015. Il cultive 9,5 ha en contrebas du Haut-Kœnigsbourg, à la limite des deux départements d'Alsace.

Dans le verre, un bouquet de fleurs, de la fleur du verger à la rose: pas de doute, c'est un gewurztraminer. À l'unisson du nez, le palais déploie une matière ronde, riche, suave et bien fondue, tendue par une fraîcheur tonique qui confère à cette bouteille équilibre et longueur. Un vin étoffé et élégant, épicé comme il se doit. (Sucres résiduels: 30 g/l.) ⧗ 2016-2021 ¥ tarte aux pêches

⊶ EARL MICHEL HEYBERGER, 4, rue de l'Ancien-Abattoir, 68590 Saint-Hippolyte, tél. 03 89 73 00 78, michel.heyberger@sfr.fr V *r.-v.*

HOSPICES DE COLMAR 2013

	10000		11 à 15 €

Géré depuis 1980 par Jean-Rémy Haeffelin, rejoint par son fils Nicolas, le domaine a été fondé en 1895 par Chrétien Oberlin, célèbre ampélographe. Il dispose en propre de 35 ha (dont le vignoble des Hospices, qui remonte à 1255), avec des parcelles dans plusieurs grands crus, et complète sa production par une activité de négoce.

Or clair, un moelleux au nez d'agrumes et d'épices et au palais suave et corsé, vivifié par une finale fraîche aux nuances d'agrumes confits. Cette sensation de fraîcheur sera plaisante à l'apéritif et sur de nombreux fromages. (Sucres résiduels: 18,5 g/l.) ⧗ 2016-2020 ¥ gougères au munster

⊶ DOM. VITICOLE DE LA VILLE DE COLMAR, 2, rue du Stauffen, 68000 Colmar, tél. 03 89 79 11 87, cave@domaineviticolecolmar.fr V *t.l.j. sf dim. 9h30-12h30 14h-18h ⊶ Grands Chais de France*

HUNOLD Côte de Rouffach 2014

	5200		5 à 8 €

De vieille souche vigneronne, Bruno Hunold et son épouse Andrée ont repris le domaine familial en 1984. Aujourd'hui, ce sont leurs filles Sylvie et Valérie et leurs gendres Michel et Thierry qui conduisent le domaine, étendu sur 13 ha autour de Rouffach, au sud de Colmar.

Or pâle, ce vin laisse de belles jambes sur les parois du verre. Discrètement fruité au nez, il s'oriente vers l'ananas. Les fruits exotiques (litchi, fruit de la Passion) s'affirment dans une bouche équilibrée et fraîche, à la plaisante finale florale et épicée. La puissance est mesurée, mais l'harmonie réelle. À déboucher dès l'apéritif. (Sucres résiduels: 27 g/l.) ⧗ 2017-2022 ¥ cromesquis au munster

⊶ EARL BRUNO HUNOLD, 29, rue Aux-Quatre-Vents, 68250 Rouffach, tél. 03 89 49 60 57, info@bruno-hunold.com V *r.-v.*

GEORGES KLEIN Dynastia 2014 ★★

	6000		8 à 11 €

La famille Klein, vigneronne depuis 1620 au pied du Haut-Kœnigsbourg, a créé en 1956 ce domaine conduit depuis 1991 par Auguste et Véronique Klein. Après des études aux États-Unis et en Russie, Jean a rejoint ses parents. Certifiée Haute Qualité Environnementale depuis 2014, l'exploitation dispose de 12,50 ha de vignes.

Vendangé le 10 octobre, le gewurztraminer a engendré une cuvée jaune doré mêlant au nez le miel, la cire d'abeille et les fruits confits. À ces parfums marqués par la surmaturation répond un palais très rond, suave, gras et ample, où l'on retrouve le miel et les fruits jaunes confits, rehaussés d'épices douces comme la cardamome. D'une réelle harmonie, ce moelleux peut se déguster pour lui-même tout en pouvant tenir tête à des mets corsés. (Sucres résiduels: 30 g/l.) ⧗ 2018-2024 🍴 poulet à l'indienne

⊶ *EARL GEORGES KLEIN, 10, rte du Vin, 68590 Saint-Hippolyte, tél. 03 89 73 00 28, geoklein@wanadoo.fr* V r.-v.

ALBERT KLUR
Rosenberg Vendanges tardives 2012 ★

	1530		20 à 30 €

Les deux frères Nicolas et Guillaume Klur ont repris en 2003 le domaine familial, qui a son siège à Katzenthal, village enserré dans un vallon près de Colmar. Réparti dans quatre communes proches de la préfecture du Haut-Rhin (outre Katzenthal, Ammerschwihr au nord, Wettolsheim et Eguisheim au sud), leur vignoble compte des parcelles dans trois grands crus.

Dans le verre, de brillants reflets or; au nez, une farandole complexe de parfums fruités: pêche, abricot, mirabelle, agrumes confits évoquant la pourriture noble, relevés de touches de poivre. Des arômes qui persistent dans une bouche ample, riche et persistante, tonifiée par une finale fraîche et longue. De l'élégance et du potentiel. (Sucres résiduels: 90 g/l.) ⧗ 2017-2026 🍴 foie gras poêlé aux mirabelles

⊶ *ALBERT KLUR, 61, rue d'Ammerschwihr, 68230 Katzenthal, tél. 03 89 27 22 51, vinsalbertklur@orange.fr* V *t.l.j. 9h-18h; dim. 9h-12h*

CLÉMENT KLUR 2013

	3000		11 à 15 €

Les Klur sont vignerons depuis le XVIIᵉs., mais c'est en 1999 que Clément Klur a créé le domaine, qui couvre 7 ha autour de Katzenthal, village enserré dans un vallon près de Colmar. Ici, tout est bio et «écolo»: la conduite de la vigne (biodynamie), la cave, la vinification et jusqu'aux logements de vacances. Sur place, un bistrot à la belle saison et des ateliers variés.

Le gewurztraminer est souvent vinifié en moelleux. Ce n'est pas le cas de celui-ci: un vin sec à la robe jaune-vert, au nez très expressif et bien typé de fruits exotiques (mangue et litchi). La bouche est plus réservée, plus austère. (Sucres résiduels: 4,9 g/l.) ⧗ 2016-2018 🍴 poisson mariné au gingembre

⊶ *CLÉMENT KLUR, 105, rue des Trois-Épis, 68230 Katzenthal, tél. 03 89 80 94 29, info@klur.net* V *r.-v.*

KOEHLY Hahnenberg 2014

	8600		8 à 11 €

Dans les années 1930, la famille Koehly pratiquait la polyculture-élevage et vendait le produit de ses 50 ares de vignes à la coopérative. Jean-Marie Koehly, installé en 1976, a spécialisé la propriété familiale. Aujourd'hui, il exploite avec son fils Joseph, qui l'a rejoint en 2015, un vignoble de 23 ha répartis sur sept communes, à cheval sur les deux départements alsaciens.

Sur le Hahnenberg, basse pente d'une montagne entre Kintzheim et Châtenois, les Koelhy cultivent plusieurs cépages. Vendangé le 20 octobre, ce gewurztraminer a engendré un vin jaune d'or, au nez intense d'abricot sec et de pêche confite évoquant la surmaturation. Le palais, à l'unisson, est souple en attaque, onctueux, suave et puissant, avec un retour des fruits jaunes très mûrs en finale. Pour les becs sucrés. (Sucres résiduels: 22 g/l.) ⧗ 2017-2020 🍴 brochettes d'abricots

⊶ *EARL KOEHLY, 64, rue du Gal-de-Gaulle, 67600 Kintzheim, tél. 03 88 82 09 77, jean-marie.koehly@wanadoo.fr* V *t.l.j. 9h-18h*

LOBERGER Vieilles Vignes 2014 ★

	4000		11 à 15 €

Au service du vin depuis 1617, la famille est établie dans la partie méridionale du vignoble, à 5 km de Guebwiller et à 20 km au sud de Colmar. Jean-Jacques Loberger prend la tête du domaine en 1987 et engage sa conversion bio (certification en 2012). Il exploite en biodynamie 8 ha et dispose de parcelles dans les grands crus locaux.

De vieux pieds de gewurztraminer (soixante ans) sont à l'origine de ce vin sec à la robe soutenue, au nez intense, tout en fruits surmûris: agrumes, abricot, pêche et fruits exotiques, nuancés d'une touche de coing. Le palais, typé et long, dans le même registre, affiche un début d'évolution. Une jolie cuvée à son apogée. (Sucres résiduels: 4 g/l.) ⧗ 2016-2018 🍴 cassolette de gambas au curry

⊶ *DOM. LOBERGER, 10, rue de Bergholtz-Zell, 68500 Bergholtz, tél. 03 89 76 88 03, contact@loberger.fr* V *t.l.j. sf dim. 8h30-12h 13h30-18h*

MARZOLF Vieilles Vignes 2014

	1866		8 à 11 €

Viticulteurs depuis 1730, les Marzolf se sont établis en 1904 à Gueberschwihr, village aussi connu pour son clocher roman de grès rose que pour l'ancienneté de son vignoble. Après Paul et René, Denis, installé en 1985, conduit l'exploitation, qui comprend des parcelles dans le grand cru local, le Goldert.

Une robe jaune paille, un nez franc mais réservé, aux notes discrètes de fruits jaunes. Franche à l'attaque, la bouche mise davantage sur son intensité et sa finesse que sur l'exubérance de ses arômes. Malgré les sucres résiduels, il ne penche pas le moins du monde vers la rondeur et paraît sec. (Sucres résiduels: 42 g/l.) ⧗ 2016-2020 🍴 munster

⊶ *EARL MARZOLF, 9, rte de Rouffach, 68420 Gueberschwihr, tél. 03 89 49 31 02, vins@marzolf.fr* V *t.l.j. 9h-12h30 14h-18h30*

METZ-GEIGER 2014 ★

	1500		8 à 11 €

Au sud de Barr, le gros village d'Epfig s'étend jusqu'à la plaine et se flatte de posséder, avec 560 ha, le plus vaste vignoble d'Alsace. Parmi ses nombreux vignerons, les Metz-Geiger perpétuent un domaine fondé en 1930. Ils exploitent 7,5 ha.

Un gewurztraminer tout en fraîcheur. Si la robe est jaune d'or, le nez évoque les agrumes, alliés à des nuances typées de rose, de litchi et de mangue, avec une pointe épicée. Soulignée par des notes d'agrumes confits, la fraîcheur se retrouve en bouche, équilibrant le côté corsé et gras caractéristique du cépage. Une finale poivrée conclut la dégustation. (Sucres résiduels: 15,2 g/l.) ⧗ 2017-2020 ▼ curry de poisson thaï

EARL METZ-GEIGER, 9, rue Fronholz, 67680 Epfig, tél. 03 88 85 54 94, domainemetzgeiger@gmail.com t.l.j. 8h30-12h 13h30-19h

DOM. DU MITTELBURG
Sélection de grains nobles 2013

	3000		20 à 30 €

Il ne reste que quelques pierres du «château du centre» (Mittelburg) qui a donné son nom au domaine, situé au sud de Colmar. Plus intéressants sont les calcaires et argilo-calcaires des terroirs de Pfaffenheim, village où sont établis les Martischang depuis le XVIIIᵉs. Michel a pris la succession d'Henri en 2007.

Or clair, ce liquoreux encore réservé s'ouvre sur les parfums variétaux du gewurztraminer, rose, litchi et mangue, accompagnés de notes de surmaturation évoquant le miel et l'abricot. Dans le même registre miellé, le palais, souple en attaque, ample et onctueux, penche vers la richesse et la rondeur, rafraîchi par une finale acidulée et épicée. (Sucres résiduels: 140 g/l.) ⧗ 2017-2026 ▼ bredele

EARL HENRI MARTISCHANG ET FILS, 15, rue du Fossé, 68250 Pfaffenheim, tél. 03 89 49 60 83, vin.h.martischang@free.fr t.l.j. 8h-12h 14h-18h; dim. sur r.-v.

RENTZ ET FILS Le Bourg 2014 ★

	9000		11 à 15 €

Descendant d'une lignée vigneronne remontant au XVIIIᵉs., Edmond Rentz vend son vin en bouteilles dès 1936. Son fils Raymond étend la propriété et transmet en 1995 à Patrick un domaine de 20 ha réparti sur cinq communes au cœur de la route des Vins: Bergheim, Ribeauvillé, Hunawihr, Zellenberg, Riquewihr.

Une robe jaune intense, un nez encore discret, qui s'ouvre à l'aération sur des notes de rose et d'abricot sec. Les fruits mûrs, la pêche et le miel s'épanouissent dans une bouche ample, souple et bien équilibrée, à la finale assez longue et épicée. Fromage ou dessert? (Sucres résiduels: 38 g/l.) ⧗ 2018-2022 ▼ tarte aux pêches

RENTZ ET FILS, 7, rte du Vin, 68340 Zellenberg, tél. 03 89 47 90 17, info@edmondrentz.com t.l.j. sf dim. 8h-12h 14h-18h

DOM. DU CH. DE RIQUEWIHR
Les Sorcières 2012 ★

	28000		11 à 15 €

Dès le XVIᵉs., les familles Dopff et Irion ont pignon sur rue à Riquewihr. La maison est installée dans l'ancien château (1549) des princes de Wurtemberg. En 1945, René Dopff prend en main sa destinée. Il partage le domaine du Château de Riquewihr en cinq vignobles spécialisés dans un cépage: les Murailles, les Sorcières, les Maquisards, les Amandiers et les Tonnelles. L'exploitation comprend 27 ha, dont un bon tiers en grands crus.

À la robe jaune clair répond un nez complexe et frais, sur la violette et les agrumes confits, rehaussé d'une touche de minéralité. La bouche, dans le droit fil, dévoile en attaque une vivacité soulignée par un léger perlant. On y retrouve les agrumes et, en finale, les épices caractéristiques du cépage. Un gewurztraminer bien construit et alerte, qui pourra être débouché dès l'apéritif. (Sucres résiduels: 16 g/l.) ⧗ 2016-2020 ▼ gyozas

DOPFF ET IRION, 1, cour du Château, 68340 Riquewihr, tél. 03 89 47 92 51, contact@dopff-irion.com r.-v.

DOM. SAINT-RÉMY Rosenberg 2014 ★★

	n.c.		8 à 11 €

Héritier d'une lignée vigneronne remontant à 1725, Philippe Ehrhart a rejoint en 1999 son père François sur le domaine, dont le siège se trouve à Wettolsheim, gros bourg viticole à l'ouest de Colmar. L'exploitation, plus de 20 ha répartis sur dix communes, est conduite en biodynamie certifiée.

Du Rosenberg, coteau situé au sud de leur commune, les Ehrhart ont tiré un gewurztraminer d'une grande fraîcheur. Or pâle dans le verre, ce vin délivre de jolies notes de fruits jaunes frais – pêche et abricot – qui s'épanouissent en bouche. Souple en attaque, ample et concentré, il est tendu par une vivacité saline qui lui donne de l'allonge et du dynamisme. De l'harmonie et du potentiel. (Sucres résiduels: 24,7 g/l.) ⧗ 2016-2022 ▼ foie gras poêlé aux pêches

EARL FRANÇOIS ET PHILIPPE EHRHART, 34, rte d'Eguisheim, 68920 Wettolsheim, tél. 03 89 80 60 57, vins@domainesaintremy.com t.l.j. sf dim. 9h-12h 13h30-18h30

JEAN-PAUL SCHAFFHAUSER
Sélection de grains nobles 2013 ★★

	2910		20 à 30 €

Jean-Paul Schaffhauser a débuté la mise en bouteilles en 1984. Il a transmis son domaine en 1996 à Catherine et Jean-Marc. Ces derniers exploitent près de 11 ha de vignes réparties sur autant de villages autour de Wettolsheim, près de Colmar, et achètent aussi du raisin à des viticulteurs de la commune. Dans leur gamme, des vins de terroirs (grands crus Hengst et Steingrubler, notamment).

D'un jaune d'or intense, ce liquoreux, encore réservé, s'ouvre sur la rose et les fruits exotiques et sur des notes évoquant la pourriture noble: miel, fruits jaunes et agrumes confits. Ce côté confit et miellé se prolonge dans une bouche concentrée, ample et généreuse à souhait, qui finit sur des notes d'épices douces. Déjà fort harmonieux, ce liquoreux s'épanouira et gagnera en fondu au cours des prochaines années. (Sucres résiduels: 136 g/l.) ⧗ 2016-2026 ▼ terrine de foie gras

SARL JEAN-PAUL SCHAFFHAUSER, 8, rte du Vin, 68920 Wettolsheim, tél. 03 89 79 99 97, schaffhauser.jpaul@free.fr
V t.l.j. sf dim. 8h30-12h 14h-18h30

DOMAINES SCHLUMBERGER
Sélection de grains nobles Cuvée Anne 2012 ★★★

■ | 701 | | 50 à 75 €

Sous l'Empire, les Schlumberger se constituent un vignoble dans la région de Guebwiller, au sud de l'Alsace, prenant la suite des abbés de Murbach, qui avaient mis en valeur ce vignoble avant la Révolution. Sans doute le plus vaste domaine de la région: 120 ha plantés sur des coteaux escarpés, dont une partie est conduite en biodynamie, la moitié étant en grand cru.

Un modèle de liquoreux: d'un or brillant aux reflets ambrés, ce 2012 laisse sur les parois du verre des larmes qui annoncent sa puissance. À cette robe éclatante répond un nez admirable par son intensité et sa complexité: on respire dans le verre les fruits exotiques (mangue, fruit de la Passion), les fruits jaunes, les agrumes confits et même une touche de noisette. Tout aussi aromatique, le palais brille par son ampleur, sa puissance, sa longueur et son gras, sans se départir d'une réelle élégance. De la matière, de la finesse, du potentiel (les dix ans indiqués pourront sûrement être dépassés). (Sucres résiduels: 167 g/l.) ⧗ 2016-2026 🍷 Tatin d'abricots ■ **Vendanges tardives Cuvée Christine 2013 ★ (30 à 50 €; 8 415 b.)** : d'abord discret, le nez s'ouvre sur des arômes typés de litchi et de mangue, puis de fruits jaunes et d'agrumes confits. Cette richesse aromatique se confirme dans un palais riche, voluptueux et gras, vivifié par une longue finale citronnée. (Sucres résiduels: 104 g/l.) ⧗ 2016-2026 🍷 pêche pochée verveine-citron

DOMAINES SCHLUMBERGER, 100, rue Théodore-Deck, BP 10, 68500 Guebwiller, tél. 03 89 74 27 00, mail@domaines-schlumberger.com
V t.l.j. sf dim. 8h-18h (ven. 17h); sam. sur r.-v.

B DOM. SEILLY
Schenkenberg Vieilles Vignes 2014 ★

■ | 10 000 | | 20 à 30 €

Du fondateur, tonnelier sous le Second Empire, à l'exploitant actuel, l'œnologue Marc Seilly, installé depuis 1987, chaque génération a contribué à forger ce domaine. Aujourd'hui, 12 ha en bio (certifiés en 2012) autour de la petite cité bas-rhinoise d'Obernai.

Né sur un coteau pentu dominant Obernai, ce gewurztraminer vieil or traduit la surmaturation dans ses arômes de miel, d'abricots et d'agrumes confits. Dans le même registre aromatique, le palais s'impose par son opulence, son gras, sa suavité et son ampleur moelleuse, qui évoquent une vendange tardive. (Sucres résiduels: 25 g/l.) ⧗ 2018-2022 🍷 roquefort

DOM. SEILLY, 18, rue du Gal-Gouraud, 67210 Obernai, tél. 03 88 95 55 80, export@seilly.fr
V t.l.j. 9h-12h 14h-18h

JEAN SIEGLER PÈRE ET FILS Vieilles Vignes 2014

■ | 2100 | | 11 à 15 €

Un Balthazar Siegler naquit à Mittelwihr en 1643; quant au domaine, il remonte à 1784. Aujourd'hui, Marie-Josée, Hugues et Stève-Jean exploitent 11 ha autour de la même commune. Le cru précoce du Mandelberg, ou colline des Amandiers, est leur fleuron.

Vieilles Vignes? Soixante ans. Elles ont engendré un moelleux d'un jaune doré intense, qui s'ouvre à l'aération sur des senteurs de miel et d'agrumes confits. Après une attaque fraîche, le palais se déploie avec richesse, ampleur et chaleur sur des notes de fruits jaunes et de fruits exotiques, avant de finir sur une pointe d'amertume évoquant l'orange amère. (Sucres résiduels: 38 g/l.) ⧗ 2018-2022 🍷 kouglof aux oranges confites

CLOS DES TERRES BRUNES, Jean Siegler, 26, rue des Merles, 68630 Mittelwihr, tél. 03 89 47 90 70, jean.siegler@wanadoo.fr V t.l.j. 8h-12h 13h30-19h

B DOM. AIMÉ STENTZ
Sélection de grains nobles 2013 ★★★

■ | 900 | | 30 à 50 €

Fondé en 1919, ce domaine de 14 ha (en bio depuis 2010), situé à la périphérie ouest de Colmar, est dirigé depuis 2014 par Marc Stentz (petit-fils d'Aimé), secondé aux vinifications par son père Étienne. Le vignoble compte cinquante-cinq parcelles sur cinq communes et cinq grands crus.

D'un or ambré brillant, ce liquoreux séduit d'emblée par son nez puissant d'agrumes et d'abricots confits, nuancé de notes de fruits de la Passion. La bouche concentrée et riche montre une ampleur voluptueuse, en harmonie avec des arômes de miel, de fruits jaunes et de fruits exotiques confits et avec la finale sur la rose poivrée et le miel. Une fraîcheur sous-jacente assure une rare harmonie à cette bouteille et lui garantit une longue vie. On pourra la déguster pour elle-même. (Sucres résiduels: 146 g/l.) ⧗ 2016-2026 🍷 salade d'agrumes aux épices

AIMÉ STENTZ, 37, rue Herzog, 68920 Wettolsheim, tél. 03 89 80 63 77, vins.stentz@calixo.net
V t.l.j. sf dim. 9h-12h 14h-18h

ANTOINE STOFFEL
Sélection de grains nobles 2011 ★★★

■ | 2000 | | 20 à 30 €

Cité médiévale préservée au plan circulaire, Eguisheim se flatte d'être le berceau du vignoble alsacien. Établie à quelques pas du centre, Annick Stoffel, la fille d'Antoine, est installée depuis 1990 à la tête du domaine familial, qui couvre 8 ha.

Après cinq ans, ce 2011 montre des reflets ambrés dans sa robe et apparaît expansif au nez, déployant une riche palette évoquant la surmaturation: fruits exotiques, fruits jaunes et agrumes confits, notes miellées. L'attaque opulente et suave ouvre sur un palais voluptueux, puissant, bien fondu et persistant, qui a gardé les nuances de litchi et de rose typées du raisin à côté de notes confites. Un vin d'exception qui pourra être apprécié seul. (Sucres résiduels: 120 g/l.) ⧗ 2016-2026 ▼ fondant au chocolat cœur maracudja

⊶ *ANTOINE STOFFEL, 21, rue de Colmar, 68420 Eguisheim, tél. 03 89 41 32 03, domaine@antoinestoffel.com* V *t.l.j. sf dim. 9h-12h 14h-18h*

DOM. DE LA VIEILLE FORGE 2014

■	3500	🍾	8 à 11 €

Fort de son diplôme d'œnologue, Denis Wurtz fait revivre depuis 1998 le domaine de ses grands-parents à Beblenheim, dont le nom évoque le métier de l'un de ses aïeuls. Installé dans une maison à colombages du XVI[e]s., il exploite 10 ha de vignes près de Riquewihr, avec des parcelles en grand cru.

Une robe or aux reflets verts, un nez qui se cherche encore. Le fruit s'affirme en bouche, sur des notes de fruits jaunes, de mangue et une touche de coing. Un vin bien construit, franc et typé, qui demande un peu de temps pour s'épanouir. (Sucres résiduels: 13 g/l.) ⧗ 2018-2021 ▼ poulet rôti aux agrumes

⊶ *DOM. DE LA VIEILLE FORGE, 5, rue de Hoen, 68980 Beblenheim, tél. 03 89 86 01 58, domainevieilleforge68@orange.fr* V *r.-v.*

JEAN-MICHEL WELTY Cuvée Aurélie 2014 ★

■	5400	🍾	11 à 15 €

Champion de taille (Sécateur d'or en 2013), Jérémy Welty a rejoint son père Jean-Michel. Ce dernier s'était installé en 1984 sur l'exploitation familiale, dont les lointaines origines remontent à 1738. Implanté à Orschwihr, à 25 km au sud de Colmar, au pied de la colline du Bollenberg, le vignoble (10 ha) bénéficie d'un climat très sec. Il est en conversion vers la biodynamie.

Un moelleux doré à souhait, au nez bien ouvert et tonique, sur la pêche, l'orange et la mandarine. Une même fraîcheur marque l'attaque, relayée par des sensations de puissance et de rondeur suave, sur des notes de fruits exotiques et de rose, puis on retrouve la vivacité dans une longue finale sur les agrumes. Un vin très équilibré que l'on pourra servir de l'apéritif au dessert. (Sucres résiduels: 45 g/l.) ⧗ 2017-2022 ▼ mousse à l'orange

⊶ *JEAN-MICHEL WELTY, 24, Grand-Rue, BP 15, 68500 Orschwihr, tél. 03 89 76 09 03, vinswelty@gmail.com* V *t.l.j. 8h30-11h30 13h30-18h30; dim. sur r.-v.*

WOLFBERGER Sélection de grains nobles 2013 ★

■	11 000	🍾	20 à 30 €

La coopérative d'Eguisheim, créée en 1902 près de Colmar, compte aujourd'hui 450 adhérents et vinifie 8 % de la superficie du vignoble alsacien, soit environ 1 200 ha, dont quinze grands crus.

Un liquoreux très élégant, mêlant au nez des senteurs de rose et de litchi typées du gewurztraminer et des parfums miellés et confits évocateurs de la surmaturation. La bouche suit la même ligne aromatique et dévoile une réelle harmonie: riche, concentrée et ample, elle échappe à toute lourdeur, tendue par une fine fraîcheur qui lui donne du dynamisme et souligne sa longue finale délicatement épicée. De la finesse. (Sucres résiduels: 126 g/l.) ⧗ 2016-2026 ▼ bredele

⊶ *WOLFBERGER, 6, Grand-Rue, 68420 Eguisheim, tél. 03 89 22 20 20, contact@wolfberger.com* V *t.l.j. 8h-12h 14h-18h*

ALBERT ZIEGLER Trilogie 2014 ★

■	4460	🍾	11 à 15 €

En 1988, Christine Ziegler et Michel Voelklin s'installent sur le domaine familial, puis en prennent les rênes dix ans plus tard. L'exploitation compte aujourd'hui 19 ha autour d'Orschwihr, au sud du vignoble, sur des coteaux réputés qui jouissent d'un microclimat très préservé (Bollenberg, grand cru Pfingstberg).

Le millésime 2011 de cette cuvée provenant de trois terroirs différents (d'où son nom) avait obtenu un coup de cœur. Le 2014 n'est pas sans ressemblance avec son aîné: robe profonde, jaune d'or, parfums de fleurs blanches, de miel d'acacia, de cire d'abeille, qui se nuancent de rose après aération; palais ample et gras, dans le même registre, équilibré par une belle fraîcheur. Un moelleux harmonieux, à servir de l'apéritif au dessert. (Sucres résiduels: 33 g/l.) ⧗ 2017-2022 ▼ canard laqué

⊶ *EARL ALBERT ZIEGLER, 10, rue de l'Église, 68500 Orschwihr, tél. 03 89 76 01 12, ziegler.voelklin@wanadoo.fr* V *t.l.j. 8h-12h 13h-19h*

ALSACE KLEVENER-DE-HEILIGENSTEIN

Superficie : 42 ha / Production : 2 893 hl

Le klevener-de-heiligenstein n'est autre que le vieux traminer (ou savagnin rose) connu depuis des siècles en Alsace. Il a fait place progressivement à sa variante épicée ou gewurztraminer dans l'ensemble de la région, mais il est resté vivace à Heiligenstein et dans cinq communes voisines. Ses vins sont originaux, à la fois très bien charpentés, élégants et discrètement aromatiques.

PAUL DOCK Cuvée Tradition 2014

■	5000	8 à 11 €

Héritier d'une lignée installée au XVIII[e]s. à Heiligenstein, au pied du mont Sainte-Odile, Paul Dock a fondé son domaine en 1972. Le vignoble s'étend sur 8 ha et le klevener-de-heiligenstein représente 35 % de sa production. Patrick est venu rejoindre son père il y a plusieurs années.

Ce vin attire par sa robe éclatante et son nez évoquant la surmaturation, aux nuances de fruits jaunes et d'épices. On retrouve ce côté épicé dans un palais puissant et bien équilibré par une pointe de fraîcheur en finale. (Sucres résiduels : 8 g/l.) ⧗ 2016-2018 ▼ fricassée de poulet à la crème ■ **Cuvée Prestige 2014 (11 à 15 €; 1300 b.)** : vin cité.

PAUL DOCK ET FILS, 55, rue Principale, 67140 Heiligenstein, tél. 03 88 08 02 49, vinsdock@orange.fr V *t.l.j. sf dim. 10h-12h 13h30-18h*

DOM. DOCK Instant douceur 2014

	1000		11 à 15 €

L'exploitation conduite par Christian Dock se transmet de père en fils depuis 1870 et couvre 12 ha. Elle est installée à Heiligenstein, village perché sur un coteau dominé par le mont Sainte-Odile. Le klevener-de-heiligenstein est la spécialité de la propriété.

Instant douceur? Un moelleux, comme son nom l'indique. De la douceur, ce 2014 n'en manque pas, il est net, franc, bien construit, mais son expression est timide, discrètement fruitée. Il ne fait pas oublier le 2009, somptueux coup de cœur, mais accompagnera dignement une viande blanche. (Sucres résiduels: 45 g/l.) 2016-2018 filet mignon aux mirabelles

CHRISTIAN DOCK, 20, rue Principale, 67140 Heiligenstein, tél. 03 88 08 02 69, cdock@wanadoo.fr V *t.l.j. 8h-12h 14h-18h*

HABSIGER Cuvée Opulence 2014 ★

	3500		11 à 15 €

Paul et Simone Habsiger se sont établis en 1967 à Gertwiller, village proche de Barr réputé pour son pain d'épice. Ils ont abandonné la polyculture-élevage au milieu des années 1980. Installé en 1992, leur fils Alain dispose d'une exploitation à taille humaine (près de 10 ha) qu'il ne cherche pas à agrandir et d'une maison à colombages de 1733 coiffée d'un nid de cigognes.

Le savagnin rose à l'origine de ce moelleux a été vendangé fin novembre. Après un élevage de huit mois dans le bois, il revêt une robe or pâle et délivre des parfums puissants d'abricot sec et de pêche confite. Suave en attaque, il est (effectivement) opulent, gras et corsé, mais cette opulence reste harmonieuse. On aime ses parfums de fruits jaunes – mirabelle, abricot, un soupçon de coing – qui persistent en finale, nuancés d'une touche grillée. De l'élégance. (Sucres résiduels: 37 g/l.) 2017-2020 poulet aux abricots

ALAIN HABSIGER, 15, rue Principale, 67140 Gertwiller, tél. 03 88 08 22 46, contact.alsace@wanadoo.fr V *t.l.j. 9h-12h 13h30-19h*

JEAN ET HUBERT HEYWANG
Cuvée particulière 2014

	2400		11 à 15 €

Située au pied du mont Sainte-Odile, dans le village de Heiligenstein renommé pour son cépage klevener, une exploitation fondée en 1955 par Jean Heywang et dirigée depuis 1990 par son fils Hubert. Couvrant 7 ha, elle a obtenu en 2011 la certification bio.

Un klevener demi-sec issu des plus vieilles vignes de la propriété, âgées de quarante-cinq ans. Une robe d'or cristalline, un nez discret de fruits jaunes. Le palais reste sur sa réserve, mais il est franc et bien équilibré. Viande blanche ou poisson, un plat en sauce blanche devrait lui convenir. (Sucres résiduels: 11,5 g/l.) 2016-2020 blanquette de lotte

DOM. HEYWANG, 7, rue Principale, 67140 Heiligenstein, tél. 03 88 08 91 41, contact@heywang-vins.fr V *t.l.j. sf dim. 9h-12h 13h30-19h*

DOM. DANIEL RUFF
Schwendehiesel Vieilles Vignes 2014 ★

	9000		8 à 11 €

Un domaine de 15 ha situé au pied du mont Sainte-Odile, dans le pays de Barr. Si son savoir-faire s'étend à d'autres variétés, Daniel Ruff y cultive avec ferveur le klevener, cépage fétiche de Heiligenstein qui a valu au village une dénomination communale.

Une cuvée bien connue de nos lecteurs. Elle naît des ceps plantés par le grand-père, toujours actif à quatre-vingt-dix ans! Or brillant, le millésime 2014 offre un nez frais et bien ouvert sur l'aubépine et les agrumes. On retrouve les agrumes dans une attaque fraîche, puis le vin se développe avec rondeur, tendu par une fine acidité; la finale persistante est marquée par une jolie note d'abricot frais. (Sucres résiduels: 14 g/l.) 2018-2020 poularde à la crème **Schwendehiesel Number One 2014 ★ (11 à 15 €; 3000 b.)** : un klevener moelleux, comme le montrent sa robe jaune d'or éclatant et son nez mûr et fin aux nuances de mirabelle. Tout aussi intense, la bouche séduit par sa richesse, son ampleur et sa persistance. Un vin typé et racé, qui n'a pas dit son dernier mot. Il s'accordera aussi bien à la cuisine chinoise qu'aux recettes à la crème. (Sucres résiduels: 26 g/l.) 2017-2021 lotte à l'armoricaine

DOM. DANIEL RUFF, 64, rue Principale, 67140 Heiligenstein, tél. 03 88 08 10 81, ruffvigneron@wanadoo.fr V *t.l.j. 8h-12h 13h30-18h30*

ALSACE MUSCAT

Superficie : 351 ha / Production : 18 487 hl

Deux variétés de muscat servent à élaborer ce vin sec et aromatique qui donne l'impression de croquer du raisin frais. Le premier, dénommé de longue date muscat d'Alsace, n'est autre que celui que l'on connaît mieux sous le nom de muscat blanc à petits grains (parfois dénommé muscat de Frontignan). Comme il est tardif, on le réserve aux meilleures expositions. Le second, plus précoce et de ce fait plus répandu, est le muscat ottonel.

A. L. BAUR Les Jardins de Jeanne 2014

	2100		5 à 8 €

Balcon dominant sur la plaine d'Alsace, Vœgtlinshoffen, au sud-est de Colmar, réunit de très beaux terroirs et concentre des talents, comme ceux de Régine Baur, qui exploite avec son beau-frère Dominique Pierrat un domaine de 7 ha, avec des parcelles dans le grand cru Hatschbourg.

Jaune pâle aux reflets argentés, un vin au nez discret mais élégant, sur les fleurs blanches, les agrumes et le raisin muscat. S'il n'est pas des plus complexes, il apparaît bien typé, rectiligne et frais, marqué en finale par une légère pointe d'amertume aux accents de citron vert. (Sucres résiduels: 6,8 g/l.) ⧗ 2016-2018 🍴 saumon mariné à l'aneth

A. L. BAUR, 4, rue Roger-Frémeaux, 68420 Vœgtlinshoffen, tél. 03 89 49 30 97, albauralsace@orange.fr V 🚶 🍷 *r.-v.* 🏠 Ⓑ

RENÉ BOHN FILS 2014

	1400	🍾	5 à 8 €

Cette famille vigneronne du pays de Barr se flatte d'être la plus ancienne de Blienschwiller, faisant remonter sa lignée au XVᵉs. Un ancêtre fut hussard de Napoléon et René Bohn maire de la commune pendant vingt-quatre ans après 1945. Dirigée depuis 1988 par Rémy Bohn, la propriété couvre 7,5 ha.

Le type même du muscat d'Alsace: un vin bien sec et parfumé. Robe claire, nez intensément fruité, évoquant le raisin muscat et la fleur de sureau, attaque ample, palais vif et rectiligne, tout aussi aromatique que l'olfaction, pointe citronnée agréable en finale. (Sucres résiduels: 2,1 g/l.) ⧗ 2016-2018 🍴 daurade à la citronnelle

RENÉ BOHN FILS, 67, rte des Vins, 67650 Blienschwiller, tél. 03 88 92 41 33, r.bohn@ovh.fr V 🚶 🍷 *r.-v.*

Ⓑ DOM. BROBECKER 2014 ★

	1200	5 à 8 €

Pascal Joblot a repris en 1997 les rênes du domaine qui porte le nom de son beau-père. L'agriculture raisonnée a précédé la conversion bio, engagée en 2009. Bien que modeste en superficie (4 ha), la propriété possède des parcelles sur les deux grands crus d'Eguisheim.

Un muscat d'Alsace jeune et bien typé: robe jaune-vert, nez discrètement muscaté, attaque tonique, sur la fleur de sureau et les agrumes, finale assez longue et citronnée. (Sucres résiduels: 5 g/l.) ⧗ 2016-2018 🍴 feuilleté aux asperges

DOM. BROBECKER, 3, pl. de l'Église, 68420 Eguisheim, tél. 06 87 52 80 72, pascal.joblot@free.fr V 🍷 *r.-v.* 🏠 Ⓑ *Pascal Joblot*

♥ DOM. MAURICE GRISS Muscat 2014 ★★★

	1100	5 à 8 €

En 2004, Josiane Griss, jusqu'alors responsable administrative et financière, décide de reprendre la propriété familiale: 8,5 ha autour d'Ammerschwihr, au nord-ouest de Colmar, avec une parcelle dans le grand cru Kaefferkopf. Elle espère que sa fille Marion suivra ses traces.

D'un jaune pâle brillant, la robe est celle de tous les muscats d'Alsace. Mais quelle présence ici! Quelle complexité! Au nez, du fruit de la Passion, des agrumes et toutes les composantes aromatiques du cépage. La bouche, à l'unisson, montre son harmonie dès l'attaque: de l'ampleur, de l'étoffe, des arômes intenses (les agrumes encore, les fleurs blanches) aussi élégants que persistants. Un muscat à croquer. (Sucres résiduels: 3,5 g/l.) ⧗ 2016-2020 🍴 nems de crevettes aux asperges

DOM. MAURICE GRISS, 1, rte du Vin, 68770 Ammerschwihr, tél. 03 89 47 14 53, griss@free.fr V 🚶 🍷 *t.l.j. 8h-12h 13h30-19h* 🏠 Ⓑ

DOM. RENÉ ET MICHEL KOCH 2014 ★

	1800	🍾	5 à 8 €

Georges Koch a inauguré la vente directe en 1958. René lui a succédé en 1970, rejoint en 1996 par Michel. Depuis 2006, ce dernier tient les rênes du domaine qui couvre 12 ha autour de Nothalten, village-rue du pays de Barr. Son fleuron: le riesling du grand cru local, le Muenchberg.

Un nez discret mais délicat et caractéristique du cépage muscat. On retrouve ces arômes bien typés évoquant les agrumes dans une bouche à l'attaque agréable, de belle tenue et de bonne longueur. (Sucres résiduels: 3 g/l.) ⧗ 2016-2018 🍴 quiche aux asperges

EARL RENÉ ET MICHEL KOCH, 5, rue de la Fontaine, 67680 Nothalten, tél. 03 88 92 41 03, contact@vin-koch.fr V 🚶 🍷 *r.-v.* 🏠 Ⓑ

SCHERB 2014 ★

	1900	🍾	5 à 8 €

On trouve plusieurs vignerons au nom de Scherb autour du clocher roman de grès rose de Gueberschwihr. Michel et Annick exploitent 22 ha de vignes autour de ce pittoresque village viticole au sud de Colmar.

Or pâle, ce muscat au nez élégant et bien typé dévoile un palais franc en attaque, ample et rond, où s'épanouissent des arômes persistants de raisin frais, d'orange et de mangue. Pour l'apéritif. (Sucres résiduels: 4,8 g/l.) ⧗ 2016-2018 🍴 mini-rouleaux de printemps

EARL ANNICK ET MICHEL SCHERB, 16, rue Haute, 68420 Gueberschwihr, tél. 03 89 49 26 82, scherb.michel@orange.fr V 🚶 🍷 *t.l.j. 8h-18h*

VINCENT SPANNAGEL Cuvée Prestige 2014 ★

	800	🛢	8 à 11 €

Une famille enracinée à Katzenthal depuis la fin du XVIᵉs. Le domaine (11 ha aujourd'hui) a été constitué en 1959 par André Spannagel, qui a passé le relais à son fils Vincent en 1982, rejoint en 2013 par Patrice. Emblème du village, le donjon du Wineck, entouré de vignes, a donné son nom au grand cru granitique où la famille cultive avec bonheur les quatre cépages nobles.

D'un or pâle étincelant, ce vin affiche un nez intense, caractéristique du cépage, aux nuances de mangue. En bouche, il se distingue par son ampleur et par la puissance de ses arômes de fleurs de sureau, de poire et d'agrumes, qui prennent en finale une nuance de mandarine. Une certaine richesse permettra de le servir avec des desserts, s'ils sont peu sucrés. (Sucres résiduels: 9 g/l.) ⧗ 2016-2018 ¥ salade de fruits exotiques

VINCENT SPANNAGEL, 82, rue du Vignoble, 68230 Katzenthal, tél. 03 89 27 52 13, domainespannagelv@orange.fr V t.l.j. 9h-12h 14h-18h

DOM. STIRN Tradition 2014

	2200		8 à 11 €

Odile et Fabien Stirn se sont installés en 1999 sur le vignoble familial créé au XIXᵉs. Œnologues, ils ont repris les vinifications au domaine. Leurs parcelles sont disséminées entre Beblenheim et Turckheim, si bien qu'ils disposent d'une belle mosaïque de terroirs, avec des parcelles dans cinq grands crus (Brand, Mambourg, Sonnenglanz, Schlossberg et Marckrain).

Or pâle, ce vin se distingue par un nez intense et suave, sur les agrumes et le muscat bien mûrs. Souple en attaque, étoffé et chaleureux au palais, il développe des arômes mûrs et bien typés d'abricot et d'agrumes en harmonie avec sa rondeur. Une finale fraîche sur le citron tonifie l'ensemble. (Sucres résiduels: 7 g/l.) ⧗ 2016-2018 ¥ munster jeune

DOM. STIRN, 3, rue du Château, 68240 Sigolsheim, tél. 03 89 47 30 58, domainestirn@free.fr V t.l.j. 9h-12h 14h-17h30; dim. sur r.-v. D

ALSACE PINOT BLANC OU KLEVNER

Superficie : 3 303 ha / Production : 267 672 hl

Sous ces deux dénominations (la seconde étant un vieux nom alsacien), le vin de cette appellation peut provenir de deux cépages: le pinot blanc vrai et l'auxerrois blanc. Ce sont des variétés assez peu exigeantes, capables de donner des résultats remarquables dans des situations moyennes, car leurs vins allient agréablement fraîcheur, corps et souplesse. Dans la gamme des vins d'Alsace, le pinot blanc représente le juste milieu et il n'est pas rare qu'il surclasse certains rieslings.

A.L. BAUR Cuvée Louis 2014 ★

	2500		5 à 8 €

Balcon dominant sur la plaine d'Alsace, Vœgtlinshoffen, au sud-est de Colmar, réunit de très beaux terroirs et concentre des talents, comme ceux de Régine Baur, qui exploite avec son beau-frère Dominique Pierrat un domaine de 7 ha, avec des parcelles dans le grand cru Hatschbourg.

Pinot blanc? De l'auxerrois en fait, mais les variétés sont très proches. Une cuvée aux jolis arômes fruités évoquant la pêche blanche et les fruits confits. On retrouve les fruits blancs dans une bouche fraîche en attaque, structurée et persistante. ⧗ 2016-2019 ¥ gratin de fruits de mer

A. L. BAUR, 4, rue Roger-Frémeaux, 68420 Vœgtlinshoffen, tél. 03 89 49 30 97, albauralsace@orange.fr V r.-v. B

AGATHE BURSIN Pinot blanc Parad'Aux 2014 ★★

	1800		5 à 8 €

Œnologue, Agathe Bursin a réalisé son rêve: reprendre les vinifications sur le domaine familial, qui apportait ses raisins à la coopérative depuis la mort de son arrière-grand-père. Installée en 2001, elle exploite avec passion et méticulosité le petit vignoble qu'elle agrandit peu à peu (5,6 ha). Elle propose des vins de terroir, issus notamment du grand cru Zinnkoepflé.

Signée par une vigneronne perfectionniste, cette cuvée mi-pinot blanc, mi-auxerrois a enchanté les dégustateurs. On loue son nez expressif aux nuances d'agrumes, légèrement brioché, et surtout son remarquable équilibre en bouche: attaque franche, développement tout en rondeur et jolie finale florale et fruitée. ⧗ 2016-2019 ¥ tarte à l'oignon

AGATHE BURSIN, 11, rue de Soultzmatt, 68250 Westhalten, tél. 03 89 47 04 15, agathe.bursin@wanadoo.fr V r.-v.

DOM. HENRI FLORENCE ET FILS 2014 ★

	2000		- de 5 €

Claude Florence travaille depuis 1988 sur le domaine familial créé en 1947, dont il a pris la tête en 2002. Il exploite 10 ha autour d'Ammerschwihr, gros bourg viticole au nord-ouest de Colmar, ainsi que dans les villages voisins. Dans sa cave, les foudres de bois traditionnels côtoient quelques cuves Inox.

Issue d'un terroir de graves, cette cuvée constituée principalement d'auxerrois rassemble toutes les qualités du cépage: intense et bien fruitée au nez, elle se révèle riche mais bien équilibrée au palais, d'une persistance notable. Une belle matière et de la finesse. ⧗ 2016-2020 ¥ croûte aux champignons

DOM. HENRI FLORENCE ET FILS, 1, rue des Merles, 68770 Ammerschwihr, tél. 03 89 78 26 32, claude.florence0210@orange.fr V t.l.j. 8h30-11h30 13h30-18h; dim. sur r.-v.

FRITZ-SCHMITT Auxerrois 2014

	4500		5 à 8 €

Établi à Ottrott au pied du mont Sainte-Odile et à l'ouest d'Obernai, Bernard Schmitt a repris en 1993 le domaine de René Fritz, où il travaille aujourd'hui avec son fils Antoine. S'il cultive tous les cépages d'Alsace, il met l'accent sur le pinot noir, variété introduite dans son village au XIIᵉs. par des bénédictins venus de Bourgogne.

S'il s'y entend en pinot noir, Antoine Schmitt sait aussi vinifier le blanc, témoin cet auxerrois issu d'un terroir argilo-calcaire. Un vin caractéristique de son cépage, avec son nez intensément fruité, sa bouche souple, bien équilibrée entre une petite rondeur et une bonne fraîcheur. ⧗ 2016-2019 ¥ blanquette de poisson citronnée

FRITZ-SCHMITT, 1, rue des Châteaux, 67530 Ottrott, tél. 03 88 95 98 06, fritzschmitt@wanadoo.fr V t.l.j. 9h-18h B

MATERNE HAEGELIN ET FILLES
Auxerrois Tradition 2014 ★

| 6145 | 5 à 8 € |

Depuis 1986, Régine Garnier est à la tête du domaine familial mis en valeur par son père Materne Haegelin. Situé dans le tronçon sud de la route des Vins, le vignoble (18 ha) est implanté principalement en coteaux, sur des terroirs différents.

Cet auxerrois d'origine argilo-calcaire offre un nez assez discret mais agréable, évoquant la pêche. Sa belle attaque ouvre sur un palais harmonieux, où les sucres résiduels (12,5 g/l) sont bien équilibrés par une grande fraîcheur. ⧗ 2016-2019 🍴 sauté de veau aux girolles

SAS MATERNE HAEGELIN, 45-47, Grand-Rue, 68500 Orschwihr, tél. 03 89 76 95 17, vins@materne-haegelin.fr t.l.j. 8h30-18h30; dim. 10h-12h mai-sept. Régine Garnier

MARCEL LICHTLÉ FILS 2014 ★★

| 2640 | 5 à 8 € |

Le fils de Marcel Lichtlé, c'est Yves, à la tête depuis 1988 de l'exploitation familiale: un peu plus de 5 ha dans les environs d'Ammerschwihr, la plus importante commune viticole du Haut-Rhin, au nord-ouest de Colmar.

D'origine argilo-calcaire, cet auxerrois offre un nez intensément fruité. Après une attaque vive, soulignée par un léger perlant, le vin affiche une matière étoffée et fraîche, de fins arômes d'acacia teintés de miel et une finale vive et persistante. Une harmonie remarquable. ⧗ 2016-2019 🍴 daurade au four

MARCEL LICHTLÉ FILS, 5, pl. de la Sinne, 68770 Ammerschwihr, tél. 03 89 47 16 12, marcel.lichtle.fils@wanadoo.fr r.-v.

JEAN RAPP Muhlweg Auxerrois 2014 ★

| 5500 | 5 à 8 € |

Vignerons et éleveurs de père en fils depuis 1764, les Rapp sont installés à Dorlisheim, au sud-ouest de Strasbourg. L'exploitation s'est spécialisée à partir des années 1960 et une nouvelle cave, plus vaste, a été aménagée en 2004, à l'arrivée de Guillaume, qui exploite 10 ha. La plupart des vins du domaine sont élevés en foudres, dont certains sont plus que centenaires.

Issu d'un terroir argilo-calcaire, cet auxerrois n'est pas inconnu de nos lecteurs. Le 2014 apparaît très typé avec son nez expressif et élégant, entre fleurs et fruits blancs, et sa bouche tout aussi fruitée, bien équilibrée entre sucres résiduels et fraîcheur. ⧗ 2016-2019 🍴 fricassée de poulet

JEAN ET GUILLAUME RAPP, 1, fg des Vosges, 67120 Dorlisheim, tél. 03 88 38 28 43, vins-rapp@wanadoo.fr t.l.j. sf lun. dim. 8h-12h 13h30-18h

B EDMOND SCHUELLER Petits Grains 2014 ★

| 2000 | 5 à 8 € |

Au pied des trois donjons qui dominent le vignoble de Husseren-les-Châteaux, point culminant de la route des Vins au sud de Colmar, Damien Schueller, installé en 1999, exploite le domaine (5,5 ha) patiemment constitué par son père Edmond, ancien salarié viticole. La propriété est en bio certifié depuis 2013.

Fort appréciée l'an dernier, cette cuvée reprend du service et ne démérite pas. Il s'agit de vieux pieds d'auxerrois souffreteux, plantés sur un terroir argilo-calcaire, qui donnent de petites baies très concentrées. Le 2014 séduit par ses parfums de fleurs blanches et d'abricot. Sa belle attaque dévoile un vin à la fois riche et pur, où l'abricot se teinte de fraîches notes citronnées. ⧗ 2016-2019 🍴 tourte alsacienne

VINS EDMOND SCHUELLER, 26, rte du Vin, 68420 Husseren-les-Châteaux, tél. 03 89 49 32 60, info@alsace-schueller.com r.-v.

DOM. SPECHT Pinot blanc 2014

| 3200 | 5 à 8 € |

Créé en 1955 par Alfred Specht, le domaine a été repris en 1978 par ses fils Jean-Paul et Denis. Les vignerons sont aujourd'hui à la tête de 11,5 ha et disposent de plusieurs parcelles dans le grand cru de leur village, le Mandelberg.

Originaire d'un terroir argilo-calcaire, ce pinot blanc associe au nez la pêche et la fleur blanche. En bouche, il montre une fraîcheur tonique qui fera bon ménage avec le porc et la charcuterie. ⧗ 2016-2019 🍴 palette à la diable

DOM. JEAN-PAUL ET DENIS SPECHT, 2, rue des Églises, 68630 Mittelwihr, tél. 03 89 47 90 85, domainespecht-mit@orange.fr t.l.j. sf dim. 8h30-12h 13h30-18h

CAVE DE TURCKHEIM
Pinot blanc Collection Terroirs 2014 ★

| 26000 | 5 à 8 € |

Fondée en 1955, cette coopérative d'importance propose des vins haut de gamme en volumes intéressants, tels les grands crus (neuf références, avec le Brand de Turckheim en vedette) ou les vendanges tardives.

Né sur un terroir de graves, ce pinot blanc apparaît déjà très expressif au nez: on respire dans le verre les fleurs et les fruits blancs, avec une touche citronnée. Le palais, dans le droit fil, est vif, intense, légèrement perlant. Un vin tonique et bien typé. ⧗ 2016-2019 🍴 fish and chips

CAVE DE TURCKHEIM, 16, rue des Tuileries, 68230 Turckheim, tél. 03 89 30 23 60, info@cave-turckheim.com t.l.j. 9h-12h 14h-18h

JEAN-PAUL WASSLER Pinot blanc 2014 ★

| 2800 | 5 à 8 € |

Installé depuis 1990 à la tête du vignoble familial, Marc Wassler cultive 12 ha de vignes sur les terroirs de Blienschwiller, de Dambach-la-Ville et d'Epfig et dispose de parcelles dans deux grands crus.

Un pinot blanc né sur un terroir de grès rose des Vosges et vinifié sans levurage. Déjà fort expressif et franc au nez, floral, fruité et légèrement brioché, il attaque avec souplesse, se développe avec rondeur et tient bien en bouche. Une belle harmonie. ⧗ 2016-2019 🍴 quiche au saumon

EARL JEAN-PAUL WASSLER FILS, 1, rte d'Epfig, 67650 Blienschwiller, tél. 03 88 92 41 53, marc.wassler@wanadoo.fr V r.-v.

FERNAND ZIEGLER Pinot blanc 2014 ★

	2100	5 à 8 €

Installée à Hunawihr, village emblématique de l'Alsace avec son église fortifiée, la famille cultive la vigne depuis 1634. C'est avec Fernand Ziegler, en 1961, qu'elle s'est lancée dans la vente en bouteilles. Daniel, qui a pris le relais en 1983, exploite plus de 7 ha.

Né sur un terroir argilo-calcaire, un vin au nez bien ouvert et séduisant, entre poire, pêche blanche et citron. Ce côté citronné tonifie le palais, floral, subtil et élégant. Ne manquant pas d'étoffe tout en laissant une impression de finesse, cette bouteille pourra être débouchée dès l'apéritif. ⧗ 2016-2019 🍷 croûte au fromage

EARL FERNAND ZIEGLER ET FILS, 7, rue des Vosges, 68150 Hunawihr, tél. 03 89 73 64 42, fernand.ziegler@wanadoo.fr V r.-v. B

ALSACE PINOT GRIS

Superficie : 2 355 ha / Production : 165 954 hl

La dénomination locale tokay qui fut donnée au pinot gris pendant quatre siècles ne laisse pas d'étonner, puisque cette variété n'a jamais été utilisée en Hongrie orientale... Selon la légende, le tokay aurait été rapporté de ce pays par le général Lazare de Schwendi, grand propriétaire de vignobles en Alsace. Son aire d'origine semble être, comme celle de tous les pinots, le territoire de l'ancien duché de Bourgogne. Ce cépage a connu une expansion spectaculaire. Le pinot gris peut produire un vin capiteux, très corsé, plein de noblesse, susceptible de remplacer un vin rouge sur les plats de viande. Lorsqu'il est somptueux comme en 1989, 1990 ou 2000, années exceptionnelles, c'est l'un des meilleurs accompagnements du foie gras.

B **JEAN-BAPTISTE ADAM** Letzenberg 2013

	3000		15 à 20 €

Sise à Ammerschwihr, important village viticole au nord-ouest de Colmar, cette maison a fêté son quatre centième anniversaire en 2014. Ses caves du XVIIe s. abritent d'anciens foudres de chêne encore en usage. Elle associe une structure de négoce et un domaine exploité en biodynamie.

Coteau pentu dominant Ingersheim, le Letzenberg bénéficie de sols rouges marno-calcaires riches en galets. Il a engendré un moelleux plaisant et bien typé: robe d'un doré intense, arômes compotés de fruits jaunes, un rien fumés, bouche un peu mince mais agréable, toujours fruitée. (Sucres résiduels: 19 g/l) ⧗ 2016-2019 🍷 toasts pomme-foie gras

JEAN-BAPTISTE ADAM, 5, rue de l'Aigle, 68770 Ammerschwihr, tél. 03 89 78 23 21, jbadam@jb-adam.fr V *t.l.j. 8h30-12h 14h-18h*

DOM. PIERRE ADAM
Katzenstegel Cuvée Théo 2014 ★

	7000		11 à 15 €

Une exploitation fondée en 1948 par Pierre Adam à Ammerschwihr, important bourg viticole au nord-ouest de Colmar. Elle s'est notablement agrandie: Rémy Adam, à la tête de la propriété depuis 1996, dispose de 16 ha de vignes, avec des parcelles dans deux grands crus: le Kaefferkopf d'Ammerschwihr et le Schlossberg, situé dans le village voisin de Kientzheim.

À l'ouest d'Ammerschwihr, le Katzenstegel est un coteau exposé plein sud, aux sols de sables granitiques. Il a valu à Pierre Adam un coup de cœur l'an dernier. Le 2014 est très réussi. Comme son devancier, il s'agit d'un moelleux. La robe est dorée, le nez élégant et floral, mâtiné de sous-bois. Les fruits confits, le miel et le coing s'épanouissent dans un palais franc en attaque, gras et chaleureux, qui finit sur une touche d'orange amère. (Sucres résiduels: 30 g/l) ⧗ 2016-2022 🍷 saint-jacques au beurre d'agrumes

DOM. PIERRE ADAM, 8, rue du Lt-Louis-Mourier, 68770 Ammerschwihr, tél. 03 89 78 23 07, info@domaine-adam.com V *t.l.j. 8h-12h 13h30-19h* 4 C

B **LAURENT BANNWARTH** Tradition 2014 ★★

	3770		8 à 11 €

Établi à 10 km au sud de Colmar, Laurent Bannwarth constitue le domaine à partir des années 1950, construit la cave en 1968 et transmet le tout en 1987 à son fils Stéphane. Ce dernier adopte la biodynamie et obtient en 2007 la certification bio. Gîtes, camping, vignoble de 12 ha et vinifications, autant d'occupations pour toute la famille.

Récolté début octobre, ce pinot gris a engendré un vin d'un bel or, au nez de fruits jaunes confits assortis d'une touche fumée. D'une grande tenue, le palais est ample, riche et concentré, tout en restant sec et bien équilibré, tendu par une fine acidité qui souligne la persistance de la finale. Une réelle élégance. (Sucres résiduels: 8,6 g/l) ⧗ 2016-2022 🍷 poulet aux girolles

LAURENT BANNWARTH, 9, rue Principale, rte du Vin, 68420 Obermorschwihr, tél. 03 89 49 30 87, laurent@bannwarth.fr V r.-v. B

BAUMANN Lieu-dit Altenbourg 2014 ★

	5549		5 à 8 €

Le domaine Baumann, ses bâtiments d'exploitation et ses 15 ha de vignes ont été rachetés en 2006 par les Sparr, vignerons-négociants au service du vin depuis 1634. La famille dispose après ce rachat de 30 ha en propre. Aujourd'hui, 90 % de la production est exportée.

Issu d'un coteau marno-calcaire de Sigolsheim, ce vin affiche une robe jaune d'or, prélude à un nez très mûr d'agrumes confits, d'abricot et de mangue et à un palais dans le droit-fil, puissant en attaque, gras, généreux, gourmand et persistant. De grande tenue, ce pinot gris au caractère demi-sec pourra être débouché à l'apéritif comme au repas. (Sucres résiduels: 17,2 g/l) ⧗ 2016-2022 🍷 saint-jacques au curry

BAUMANN RIQUEWIHR, 8, av. Méquillet, 68340 Riquewihr, tél. 03 89 47 92 14, info@domaine-vin-alsace.com t.l.j. 9h-12h 14h-17h30 Pierre Sparr

JEAN-PHILIPPE ET FRANÇOIS BECKER
Rimelsberg 2014 ★

	5200		11 à 15 €

Établie à Zellenberg près de Riquewihr, une exploitation dont les origines remontent à 1610, aujourd'hui gérée par deux frères, Jean-Philippe et Jean-François Becker. Ces vignerons disposent en propre de 10 ha, en bio certifié depuis 2001.

Des reflets verts brillants dans une robe jaune clair; un nez discrètement fruité et légèrement fumé. Le palais, dans le droit-fil, est franc en attaque, consistant et de bonne longueur. Encore fermé, ce 2014 ne manque pas de réserves. Moelleux léger, il saura trouver sa place à table. (Sucres résiduels: 20 g/l) ⧗ 2016-2022 🍷 poulet rôti aux pêches

GAEC JEAN-PHILIPPE ET FRANÇOIS BECKER, 2, rte d'Ostheim, 68340 Zellenberg, tél. 03 89 47 87 56, jphilippebecker@aol.com r.-v.

JEAN BOESCH ET PETIT-FILS Vallée Noble 2014

	1173		11 à 15 €

C'est à Soultzmatt, village situé au pied du grand cru Zinnkoepflé, au sud du vignoble, que Jean Boesch, de vieille souche vigneronne, crée le domaine en 1962. Son petit-fils Denis l'accompagnait enfant dans les vignes. Il en a pris les rênes en 2002; le vignoble couvre aujourd'hui 9 ha.

Les habits d'or de ce moelleux, né sur les coteaux pentus de la Vallée Noble, annoncent des parfums marqués par la surmaturité, aux accents d'agrumes, de pêche et d'abricots confits et un palais puissant, riche et gras, légèrement évolué, dans le même registre aromatique. Une pointe de fraîcheur acidulée tonifie l'ensemble. (Sucres résiduels: 41 g/l) ⧗ 2016-2019 🍷 toasts au foie gras

EARL JEAN BOESCH ET PETIT-FILS, 1, rue Wagenbourg, 68570 Soultzmatt, tél. 03 89 47 00 87, jean.boesch@wanadoo.fr t.l.j. 9h-12h 13h30-19h; dim. sur r.-v.

CAMILLE BRAUN Lippelsberg 2014

	3200		8 à 11 €

Héritier d'une lignée remontant au XVIIe s., Camille Braun a spécialisé et développé l'exploitation à partir de 1960. Le vignoble familial est essentiellement situé dans le tronçon sud de la route des Vins. Christophe Braun, installé en 1985, a converti ses 15 ha au bio (certification en 2008) et travaille en biodynamie. Il a plusieurs coups de cœur à son actif.

Ce pinot gris fermenté en fût de bois et vinifié en sec provient d'un coteau d'Orschwihr aux sols calcaro-gréseux, en contrebas du grand cru Pfingstberg. Jaune clair aux reflets verts, il laisse timidement filtrer quelques senteurs de fruits jaunes. Souple en attaque, il est corsé et assez long, marqué en finale par une pointe citronnée. (Sucres résiduels: 7,7 g/l) ⧗ 2017-2020 🍷 blanquette de lotte

CAMILLE BRAUN, 16, Grand-Rue, 68500 Orschwihr, tél. 03 89 76 95 20, cbraun@camille-braun.com t.l.j. sf dim. 9h-12h 13h30-18h30

CLOS SAINTE-APOLLINE
Bollenberg Cuvée Sélection 2014 ★★

	9000		11 à 15 €

Hôtel, restaurant, produits du terroir, vignoble: toute la famille Meyer s'active au service du vin et de la bonne chère. Créé en 1887, son domaine couvre aujourd'hui 25 ha à l'entrée de la Vallée Noble, entre Rouffach et Guebwiller. Apolline, Benoît et Francis Meyer se sont installés en 2010. Pour mieux mettre en valeur le coteau du Bollenberg, site protégé au microclimat méditerranéen, ils ont engagé la conversion bio de la propriété.

D'un jaune pâle aux brillants reflets dorés, ce vin s'ouvre sur d'élégants parfums fumés accompagnés de miel, de figue et d'abricot confits. Souple en attaque, gras, puissant et ample, il est tendu par une fine acidité qui lui donne beaucoup de finesse et d'allonge. (Sucres résiduels: 12 g/l) ⧗ 2018-2022 🍷 escalope à la crème et au citron

CLOS SAINTE-APOLLINE, Dom. du Bollenberg, 68250 Westhalten, tél. 03 89 49 60 04, info@bollenberg.com t.l.j. 8h30-19h Meyer

HENRI EHRHART Grande Réserve 2014 ★

	40000		8 à 11 €

Établie à Ammerschwihr, important bourg viticole proche de Colmar, la famille Ehrhart possède 7 ha en propre. Elle a créé en 1978 une structure de négoce et, forte de ses connaissances de producteur-récoltant, privilégie l'achat de raisins provenant des domaines environnants. Cyrille et Sophie Ehrhart ont pris les rênes de la maison en 2012.

Un domaine souvent retenu pour ses pinots gris. D'un jaune doré intense, celui-ci séduit par la fraîcheur de son nez mêlant l'acacia et le citron. Franc en attaque, il reste un peu sur sa réserve pour l'heure, mais se montre gras et bien équilibré. On pourra le déboucher dès l'apéritif. (Sucres résiduels: 19 g/l) ⧗ 2017-2020 🍷 aspic de poulet au foie gras

HENRI EHRHART, quartier des Fleurs, 68770 Ammerschwihr, tél. 03 89 78 23 74, he@henri-ehrhart.com

J. FRITSCH Lieu-dit Altenburg 2014

	1500	5 à 8 €

Installé dans le petit bourg fortifié de Kientzheim, Joseph Fritsch prend en 1977 la suite d'une lignée de vignerons remontant à 1703. Il agrandit l'exploitation, aménage une cuverie moderne et transmet en 2010 à son fils Pascal 9,5 ha: pas moins de quarante

parcelles disséminées dans quatre communes, avec des vignes dans deux grands crus.

Issu d'un coteau argilo-calcaire au nord de Kientzheim, ce moelleux or pâle libère des senteurs bien typées de pêche et d'abricot confits mâtinés de sous-bois. Bien construit, de bonne longueur, il reste élégant tout au long de la dégustation grâce à une belle fraîcheur qui équilibre son gras et son ampleur. On pourra le déboucher dès l'apéritif. (Sucres résiduels: 34,9 g/l) ⧗ 2016-2020 🍷 mini-burgers au foie gras

EARL JOSEPH FRITSCH, 31, Grand-Rue, 68240 Kientzheim, tél. 03 89 78 24 27, contact@joseph-fritsch.com
V t.l.j. 10h-12h 14h-18h; dim. sur r.-v.

ROLLY GASSMANN
Réserve Rolly Gassmann 2012 ★

| 11000 | | 15 à 20 € |

Domaine né de l'union de Marie-Thérèse Rolly avec Pierre Gassmann, établis à Rorschwihr, village dominé par le Haut-Kœnigsbourg. Héritiers de lignées remontant au XVIIes., ces vignerons ont constitué un vaste domaine de 52 ha. Pierre Gassmann élabore de multiples cuvées, vinifiées par lieux-dits et types de sol.

Assemblage de deux bons terroirs de Rorschwihr plantés de jeunes vignes, ce 2012 arbore une jolie robe paille dorée. Ses parfums intenses associent le sous-bois et les fruits jaunes. On retrouve ces arômes dans un palais franc et bien équilibré, à la finale saline. Pour l'apéritif comme pour la table. (Sucres résiduels: 30 g/l) ⧗ 2020-2022 🍷 ris de veau au caramel d'agrumes

ROLLY GASSMANN, 2, rue de l'Église, 68590 Rorschwihr, tél. 03 89 73 63 28, rollygassmann@wanadoo.fr
V t.l.j. sf dim. 9h-12h 13h30-18h

DOM. GROSS Cuvée Christine 2014 ★

| 3040 | | 11 à 15 € |

La famille Gross est établie à Gueberschwihr, village vigneron cossu au beau clocher roman, situé au sud de Colmar. Louis Gross fonde le domaine en 1956, son fils Henri l'exploite et le transmet en 1980 à Rémy, rejoint par son fils Vincent. Ces derniers tirent le meilleur du grand cru local. Ils exploitent leurs 9 ha de vignes en biodynamie (certification bio en 2014).

Récolté le 12 octobre, le pinot gris a engendré cette cuvée jaune d'or et au nez bien ouvert sur la surmaturation: abricot compoté et agrumes confits. Ample, puissante, riche, tout en rondeur, la bouche penche vers le sucre, mais elle reste équilibrée et séduit par son côté gourmand. On pourra déguster ce moelleux pour lui-même, à l'apéritif. (Sucres résiduels: 18 g/l) ⧗ 2016-2022 🍷 feuilletés pomme foie gras

DOM. GROSS, 11, rue du Nord, 68420 Gueberschwihr, tél. 03 89 49 24 49, vins.gross@wanadoo.fr
V r.-v.

DOM. JEAN-MARIE HAAG Breitenberg 2014

| 1350 | | 11 à 15 € |

À l'origine, un lopin entretenu le dimanche par le grand-père de Jean-Marie Haag, ouvrier des mines de potasse. Aujourd'hui, une propriété de 6,5 ha au cœur de la Vallée Noble, à 20 km au sud de Colmar. De beaux vins de terroir, notamment les gewurztraminers nés sur le grand cru Zinnkoepflé, majestueux coteaux abrités par le Grand et le Petit Ballon.

Né sur un des coteaux de Soultzmatt, de nature gréseuse, ce pinot gris doit être sollicité pour livrer ses arômes. À la mise en bouche, le constat est le même: la matière est de qualité, mais le vin reste sur sa réserve. À attendre et/ou à carafer. Après quoi, ce vin de style demi-sec s'entendra avec nombre de mets. (Sucres résiduels: 20 g/l) ⧗ 2018-2022 🍷 carré de veau aux champignons

JEAN-MARIE HAAG, 17, rue des Chèvres, 68570 Soultzmatt, tél. 03 89 47 02 38, jean-marie.haag@wanadoo.fr V r.-v.

BERNARD HAEGELIN Bollenberg 2014 ★★

| 7390 | | 8 à 11 € |

Bernard Haegelin a commencé la mise en bouteilles en 1976. À partir de 1992, il a passé le relais à ses fils Christian et Michel. Ces derniers exploitent 10 ha au sud de la route des Vins, notamment sur la colline sèche du Bollenberg et les pentes du Pfingstberg. Après des essais, ils ont adopté la démarche biodynamique.

Le Bollenberg d'où provient cette cuvée est une colline calcaire abritée, orientée au sud, dont le sommet est occupé par une lande sèche où l'on trouve des plantes rares, de type méditerranéen. Ses pentes sont favorables à la surmaturation des raisins – caractère que l'on ressent en humant ce vin or pâle aux arômes de fruits jaunes confits, nuancés d'une touche fumée. On retrouve les fruits très mûrs, rehaussés d'épices, dans un palais gras et persistant, auquel une belle fraîcheur confère un équilibre remarquable. (Sucres résiduels: 22 g/l) ⧗ 2016-2022 🍷 canard à l'orange

SCEA BERNARD HAEGELIN, 26, rue de l'Église, 68500 Orschwihr, tél. 03 89 76 14 62, bernard.haegelin@wanadoo.fr V t.l.j. 8h-19h; sam. 9h-18h; dim. sur r.-v.

HALBEISEN Vieilles Vignes 2014 ★

| 1400 | | 11 à 15 € |

L'héritage vigneron de la famille Halbeisen remonte à 1737, date de l'installation à Bergheim de cette famille originaire du Sundgau, près de Bâle. À la tête de 14 ha, Aurélien perpétue la tradition et participe à l'œnotourisme grâce à un bar à vin, à un hôtel-restaurant et à un spa.

Une robe jaune doré brillant pour ce pinot gris au nez puissant de fruits jaunes très mûrs et de miel, soulignés d'une touche fumée fort agréable. Le palais? Corsé, gras et long, tonifié par une arête acide bienvenue. Un beau vin sec à marier avec volailles et viandes blanches. (Sucres résiduels: 13 g/l) ⧗ 2016-2022 🍷 pâté de lapin chaud en croûte

HALBEISEN, 3, rte du Vin, 68750 Bergheim, tél. 03 89 73 63 81, info@halbeisen-vins.com V t.l.j. 10h-12h 13h30-18h30

HARTWEG Pinot gris 2014 ★★

	10700		5 à 8 €

Fondée au nord de Colmar en 1930, cette exploitation est conduite depuis 1972 par Jean-Paul Hartweg, rejoint par son fils Franck en 1996. Le tandem exploite autour du joli village de Beblenheim un vignoble de 9,5 ha dont les fleurons sont en grand cru (Sonnenglanz, Mandelberg).

Ces vignerons se sont distingués plus d'une fois avec leur pinot gris. Celui-ci donne une idée de leur savoir-faire en la matière. D'un or pâle brillant, il offre un nez tout en finesse où les fleurs blanches voisinent avec la poire, les agrumes et une touche fumée. Les fruits mûrs et le coing s'épanouissent dans un palais consistant et gras, marqué en finale par une note confite et poivrée. Remarquable expression du millésime, ce vin pourra se déguster pour lui-même. (Sucres résiduels: 19 g/l) ⧗ 2016-2022 ¥ feuilletés aux poires et roquefort

JEAN-PAUL ET FRANK HARTWEG, 39, rue Jean-Macé, 68980 Beblenheim, tél. 03 89 47 94 79, frank.hartweg@free.fr V t.l.j. sf dim. 9h-11h45 14h-17h45; sam. sur r.-v.

HERTZOG Cuvée particulière 2014

	9000		5 à 8 €

Un domaine de 8 ha établi au sud-ouest de Colmar, à Obermorschwihr, village connu pour son clocher à colombages. Installé en 1977 sur l'exploitation familiale, Sylvain Hertzog a attiré plus d'une fois l'attention grâce à certaines de ses cuvées, couronnées comme la grenouille qui orne parfois ses étiquettes.

Jaune paille, un pinot gris original par ses parfums d'abricot sec assortis de touches grillées, comme par son palais ample, dominé par des sensations de rondeur suave, où l'on retrouve en finale la torréfaction. (Sucres résiduels: 18 g/l) ⧗ 2016-2022 ¥ filet mignon aux pêches

EARL SYLVAIN HERTZOG, 18, rte du Vin, 68420 Obermorschwihr, tél. 03 89 49 31 93, sylvainhertzog@wanadoo.fr V t.l.j. sf dim. 9h-19h

HUEBER Vieilles Vignes 2014 ★

	10000		5 à 8 €

Fondé en 1936, ce domaine de 11 ha a son siège au milieu des vignes, à l'entrée de Riquewihr, la cité viticole la plus visitée de la région. Installé en 1996, Valentin Hueber a étudié la sommellerie et suivi les traces de son père en développant l'œnotourisme sur la propriété.

D'un jaune paille aux reflets dorés, ce pinot gris de style demi-sec dévoile au nez des senteurs bien typées de sous-bois, de mousse et de fruits jaunes confits. Le palais est, lui aussi, caractéristique du cépage: suave en attaque, ample et gras, il déploie d'intenses arômes de coing, tendu par une acidité discrète qui s'affirme en finale, sur des notes d'ananas et d'agrumes légèrement épicés. Une réelle harmonie. (Sucres résiduels: 19 g/l) ⧗ 2016-2022 ¥ foie gras poêlé aux agrumes

JEAN-PAUL HUEBER ET FILS, 6, rte de Colmar, 68340 Riquewihr, tél. 03 89 47 92 30, jeanpaul.hueber68@orange.fr V t.l.j. 9h-12h 13h-18h

BRUNO HUNOLD Côte de Rouffach 2014

	3300		8 à 11 €

De vieille souche vigneronne, Bruno Hunold et son épouse Andrée ont repris le domaine familial en 1984. Aujourd'hui, ce sont leurs filles Sylvie et Valérie et leurs gendres Michel et Thierry qui conduisent le domaine, étendu sur 13 ha autour de Rouffach, au sud de Colmar.

Jaune clair aux reflets verts, ce pinot gris a été vinifié en sec; fin et frais au nez, il dévoile des nuances d'agrumes teintées de minéralité. Les fruits mûrs s'affirment dans un palais vif en attaque, net et rectiligne, sans excès d'ampleur mais bien équilibré. (Sucres résiduels: 18,3 g/l) ⧗ 2016-2021 ¥ noix de Saint-Jacques à la crème

EARL BRUNO HUNOLD, 29, rue Aux-Quatre-Vents, 68250 Rouffach, tél. 03 89 49 60 57, info@bruno-hunold.com V r.-v.

ALBERT KLUR Hinterburg 2014 ★

	2400		8 à 11 €

Les deux frères Nicolas et Guillaume Klur ont repris en 2003 le domaine familial, qui a son siège à Katzenthal, village enserré dans un vallon près de Colmar. Réparti dans quatre communes proches de la préfecture du Haut-Rhin (outre Katzenthal, Ammerschwihr au nord, Wettolsheim et Eguisheim au sud), leur vignoble compte des parcelles dans trois grands crus.

Issu d'un terroir granitique, ce moelleux or pâle s'ouvre sur de délicats arômes de pêche et d'abricot. Le coing s'ajoute à cette gamme dans un palais assez puissant, ample et persistant, qui privilégie la finesse grâce à une belle tension. Un vin élégant que l'on peut déguster pour lui-même, à l'apéritif, ou servir tout au long du repas. (Sucres résiduels: 40 g/l) ⧗ 2016-2020 ¥ tarte fine aux poires

ALBERT KLUR, 61, rue d'Ammerschwihr, 68230 Katzenthal, tél. 03 89 27 22 51, vinsalbertklur@orange.fr V t.l.j. 9h-18h; dim. 9h-12h

ANNE DE LAWEISS Altenbourg Le Vieux Village 2014 ★

	15000		8 à 11 €

Né en 1997 de la fusion des caves de Westhalten et de Bennwihr et de la maison Heim (fondée en 1765), le groupe Bestheim a absorbé la cave Divinal d'Obernai (2012), puis la cave de Kientzheim-Kaysersberg (2015). Opérateur de premier plan en Alsace, il vinifie 1 385 ha.

Anne de Laweiss est une marque de la cave de Kientzheim-Kaysersberg destinée à la grande distribution. Ici, un pinot gris provenant d'un terroir calcaire et marneux. Moelleux léger, ce vin jaune doré séduit par son nez expressif, fin et typé, entre fleurs blanches, mangue et abricot confit. Ample, riche, gras, corsé et long, il montre aussi une réelle élégance. (Sucres résiduels: 13,2 g/l) 2016-2021 tourte au poulet

ANNE DE LAWEISS, 3, rue du Gal-de-Gaulle, 68630 Bennwihr, tél. 03 89 49 09 29 V r.-v. SCVB

DOM. DU MANOIR Clos du Letzenberg 2014 ★

	1676		8 à 11 €

En 1979, Jean-Francis Thomann, fils d'un petit viticulteur d'Ingersheim, a repris le Clos du Letzenberg, aménagé en 1852 sur un coteau escarpé dominant la vallée de la Fecht, puis laissé à l'abandon après 1914. Il a fini par lâcher son travail à la banque et a impliqué ses proches dans l'aventure. La famille a restauré les murs de soutènement en pierre sèche, défriché, planté et bichonne aujourd'hui 10 ha de vignes.

D'un jaune doré, ce moelleux libère des arômes intenses de pêche, d'abricot et de coing que l'on retrouve en bouche. Gras, ample, puissant, de bonne longueur, il offre une belle matière, équilibrée par une fraîcheur bienvenue. La finale est marquée par une agréable pointe d'amertume. Typé, ce pinot gris pourra accompagner un repas. (Sucres résiduels: 34 g/l) 2016-2021 foie gras poêlé à la gelée de coing

SCEA DOM. DU MANOIR, 56, rue de la Promenade, 68040 Ingersheim, tél. 03 89 27 23 69, thomann@terre-net.fr V *t.l.j. sf dim. 10h-12h 14h-18h; sur r.-v. aux vendanges* Thomann

CHRISTOPHE RIEFLÉ Côte de Rouffach 2014

	1500		8 à 11 €

De vieille souche vigneronne, Christophe Rieflé a créé son exploitation en 2003, avec chai et cuverie. Premier millésime vinifié en 2005 et de nombreuses sélections dans le Guide. Il exploite 15,5 ha autour de Pfaffenheim, à 15 km au sud de Colmar.

Jaune pâle, ce moelleux s'ouvre sur des senteurs toniques d'agrumes et de pêche fraîche. Il est puissant, bien équilibré entre richesse et fraîcheur, de bonne longueur. (Sucres résiduels: 40 g/l) 2016-2020 fricassée de poulet

CHRISTOPHE RIEFLÉ, 32 A, rue de la Lauch, 68250 Pfaffenheim, tél. 06 86 17 27 42, christopheriefle@aol.com V *t.l.j. sf dim. 8h-12h 13h-18h* B

SCHEIDECKER ET FILS Réserve 2014 ★

	3300		8 à 11 €

Philippe Scheidecker, rejoint en 2013 par son fils Laurent, est établi à Mittelwihr, commune viticole située au nord-ouest de Colmar. Le vignoble familial comporte des parcelles dans trois grands crus: Froehn, Sporen et Mandelberg.

De couleur paille dorée, ce moelleux offre un nez intense et complexe, sur les fleurs blanches, les fruits jaunes et le sous-bois. Le palais, à l'unisson, apparaît puissant, ample, gras et long, riche d'arômes d'abricot et d'agrumes confits. On apprécie l'équilibre apporté par une finale fraîche. Une belle présence. (Sucres résiduels: 26 g/l) 2016-2022 tarte fine aux abricots

EARL SCHEIDECKER ET FILS, 13, rue des Merles, 68630 Mittelwihr, tél. 03 89 49 01 29 V *t.l.j. 10h-12h 14h-18h*

SCHERB Sélection de grains nobles 2011 ★

	1931		20 à 30 €

L'Alsace est pionnière en matière d'œnotourisme. Vignerons depuis quatre générations, à la tête d'un domaine de près de 15 ha, les Scherb gèrent depuis soixante ans un restaurant, auquel ils ont ajouté un hôtel. Au sous-sol, la cave de vinification. Les vignerons accueillent aussi les visiteurs dans leur cave du XIIIes. située au cœur du pittoresque village de Gueberschwihr.

Séduisante par sa robe profonde, cette sélection de grains nobles 2011 est restée sur le fruit. Le miel s'associe au fruit confit et à la poire dans une bouche ample et riche à souhait, à la fois ronde et longue. Une bouteille qui mérite encore de vieillir. (Sucres résiduels: 184 g/l.) 2018-2026 gâteau aux poires et au chocolat

SCEA BERNARD SCHERB ET FILS, 3, rue Basse, 68420 Gueberschwihr, tél. 03 89 49 33 82, vins.scherb@orange.fr V *t.l.j. 8h30-12h 14h-18h*

DOM. SCHOEPFER Lieu-dit Hohrain 2014 ★★

	2000		5 à 8 €

Installé en 2006 dans l'ancienne cour de l'abbaye de Marbach, au cœur de la cité médiévale d'Eguisheim, Vincent Schoepfer perpétue une lignée vigneronne remontant à 1656. En 2012, un peu à l'étroit, il a construit un nouveau vendangeoir et une cuverie thermorégulée.

Provenant d'un coteau d'Eguisheim aux sols graveleux et calcaires, ce pinot gris a été vinifié en sec. D'un jaune clair aux reflets dorés, il évoque au nez la surmaturation, avec ses senteurs de coing, d'agrumes et d'abricot confits. On retrouve ces arômes dans un palais ample, gras et long. (Sucres résiduels: 7,5 g/l) 2016-2022 suprême de poulet sauce foie gras

DOM. MICHEL SCHOEPFER, 43, Grand-Rue, 68420 Eguisheim, tél. 03 89 41 09 06, domaine.schoepfer@gmail.com V *t.l.j. sf dim. 8h30-11h 14h-18h*

B **EDMOND SCHUELLER** Réserve 2014 ★

	2700	8 à 11 €

Au pied des trois donjons qui dominent le vignoble de Husseren-les-Châteaux, point culminant de la route des Vins au sud de Colmar, Damien Schueller, installé en 1999, exploite le domaine (5,5 ha) patiemment constitué par son père Edmond, ancien salarié viticole. La propriété est en bio certifié depuis 2013.

Un pinot gris entre sec et moelleux, jaune pâle. Nez délicat, discrètement floral, bouche élégante, à la fois ample et fraîche, aux arômes de fruits jaunes. Encore réservé, ce vin offre une belle matière; il devrait gagner en intensité et en complexité au cours des mois à venir. (Sucres résiduels: 19 g/l) 2017-2022 blanquette de veau

VINS EDMOND SCHUELLER, 26, rte du Vin, 68420 Husseren-les-Châteaux, tél. 03 89 49 32 60, info@alsace-schueller.com V r.-v. 2 B

DOM. DE LA TOUR Pinot gris 2014 ★

5400		5 à 8 €

Installé en 1985, Jean-François Straub a pris la suite avec son épouse Anne-Marie d'une lignée de vignerons et de tonneliers remontant à 1510. Il a passé la main en 2005 à son fils Jean-Sébastien. Fort de 15 ha de vignes, le domaine s'est équipé d'une cuverie moderne, tout en conservant ses foudres traditionnels.

Une robe claire aux reflets dorés engageants, un nez tout en finesse, plus centré sur la fleur blanche, une bouche plus fruitée (agrumes, fruits jaunes, mirabelle), équilibrée, de bonne longueur. Polyvalent, ce vin sec appréciera particulièrement la volaille. (Sucres résiduels: 6,8 g/l) 2016-2022 fricassée de poulet aux champignons

DOM. DE LA TOUR, 35, rte des Vins, 67650 Blienschwiller, tél. 03 88 92 48 72, contact@vins-straub.fr V r.-v. 2 B

B **DOM. LAURENT VOGT** Barrique 2014 ★

950		11 à 15 €

Une maison vigneronne du XVIIIᵉs. cossue et typique, dans la partie du vignoble proche de Strasbourg. Laurent et Marie-Anne Vogt ont spécialisé et agrandi le domaine. Thomas et Sylvie Vogt ont pris le relais en 1998 et engagé la conversion bio des 11 ha de vignes (certification en 2013).

Un élevage en barrique peu courant en Alsace pour cette microcuvée de pinot gris vinifiée en sec: robe jaune doré, nez marqué par la surmaturation, entre fruits jaunes et agrumes très mûrs, palais ample et gras, teinté d'une pointe d'amertume en finale. Pour la table. (Sucres résiduels: 4 g/l) 2017-2022 sot-l'y-laisse de dinde au curry

DOM. LAURENT VOGT, 4, rue des Vignerons, 67120 Wolxheim, tél. 03 88 38 81 28, thomas@domaine-vogt.com V t.l.j. 8h-12h 13h-18h; dim. sur r.-v.

CH. WAGENBOURG
Sélection de grains nobles 2012 ★

1000	20 à 30 €

À 25 km au sud de Colmar, Soultzmatt s'étire le long de la Vallée Noble, ainsi désignée en raison des sept châteaux qui la gardaient. De ces forteresses, une seule est restée debout: Wagenbourg, acquise par la famille Klein, établie dans le village en 1605. Bien abritées par les plus hauts reliefs des Vosges, les vignes (10,8 ha) sont exploitées depuis 1987 par Jacky et Mireille Klein.

Le microclimat sec de la Vallée Noble permet d'obtenir des vins liquoreux, comme celui-ci, qui développe au nez comme en bouche des arômes de miel, de fruits confits et d'abricot. Un vin riche, ample et persistant, qui échappe à toute lourdeur grâce à une belle acidité. (Sucres résiduels: 150 g/l.) 2016-2026 tarte fine aux abricots

EARL JOSEPH ET JACKY KLEIN, Ch. Wagenbourg, 68570 Soultzmatt, tél. 03 89 47 01 41, chateauwagenbourg@orange.fr V t.l.j. sf dim. 8h-12h 13h30-18h B

JEAN-PAUL WASSLER Fronholz 2014 ★

1000		8 à 11 €

Installé depuis 1990 à la tête du vignoble familial, Marc Wassler cultive 12 ha de vignes sur les terroirs de Blienschwiller, de Dambach-la-Ville et d'Epfig et dispose de parcelles dans deux grands crus.

Un pinot gris issu du Fronholz, terroir réputé d'Epfig, exposé au sud-ouest. Vinifié en sec, ce 2014 n'en affiche pas moins une robe soutenue, jaune doré, à laquelle répond un nez chaleureux sur les fruits jaunes et la mirabelle macérée. Le palais, à l'unisson, est richement fruité, puissant, gras et persistant. Parfait à l'apéritif ou en entrée. (Sucres résiduels: 16 g/l) 2016-2022 mirabelles farcies au foie gras

EARL JEAN-PAUL WASSLER FILS, 1, rte d'Epfig, 67650 Blienschwiller, tél. 03 88 92 41 53, marc.wassler@wanadoo.fr V r.-v.

♥ B **XAVIER WYMANN** Équilibre 2014 ★★

2200		8 à 11 €

Le grand-père de Jean-Luc Schaerlinger a misé sur la viticulture après la Seconde Guerre mondiale. Il a d'abord vendu son raisin, puis son vin en vrac avant de se lancer dans les années 1960 dans la mise en bouteilles. L'actuel vigneron a pris la suite de son oncle en 1996; il cultive 6,5 ha de vignes autour de Ribeauvillé. Le domaine est conduit en bio certifié depuis 2004.

Le 21 octobre 2014, au moment de récolter ce pinot gris, Jean-Luc Schaerlinger a dû opérer un tri drastique en raison d'attaques de pourriture acide (saleté de drosophile...). Les vendangeurs ont dû jeter au sol un tiers des grappes. Bien lui en a pris. La petite cuvée qu'il a pu élaborer, vinifiée en sec, a recueilli tous les suffrages. Les dégustateurs louent les reflets dorés de sa robe, son nez évoquant la surmaturation (fruits jaunes confits, coing) et surtout son remarquable équilibre en bouche: de la puissance, de la fraîcheur, de la persistance et du caractère. Une cuvée bien nommée! (Sucres résiduels: 6 g/l) 2016-2022 terrine de saint-jacques

XAVIER WYMANN, 41, rue de la Fraternité, 68150 Ribeauvillé, tél. 03 89 73 66 83, vins.wymann@yahoo.fr V r.-v.

DOM. ZINCK Terroir 2014

3000		11 à 15 €

Philippe Zinck, rejoint par Pascale, a repris en 1997 le vignoble fondé en 1964 par son père Paul autour de la vieille cité médiévale d'Eguisheim. L'ayant agrandi (20 ha, avec des parcelles dans quatre grands crus),

il mise sur l'export. La lutte raisonnée a précédé la conversion progressive au bio, engagée en 2011.

Dans la vallée de la Loire, on parlerait d'un «sec tendre». Vinifié en sec, ce pinot gris aux reflets dorés possède tout de même pas mal de sucres résiduels. Du verre montent des senteurs bien typées de fruits jaunes (abricot) et d'agrumes. On retrouve ce fruité flatteur dans un palais tout en rondeur suave, équilibré par une belle fraîcheur. On pourra déboucher cette bouteille dès l'apéritif. (Sucres résiduels: 15 g/l) ⧗ 2016-2021 ⚲ copeaux de comté

DOM. PHILIPPE ZINCK, 18, rue des Trois-Châteaux, 68420 Eguisheim, tél. 03 89 41 19 11, info@zinck.fr V t.l.j. 9h-12h 14h-18h

B MAISON ZOELLER Cuvée réservée 2014 ★

■	5000		5 à 8 €

Installé dans une maison à colombages du XVes., ce domaine perpétue une tradition remontant à 1600. Le vignoble est implanté à Wolxheim, village réputé pour son riesling, à l'ouest de Strasbourg; il compte 11 ha, avec des parcelles dans le grand cru local. Mathieu Zoeller, installé en 1990, est passé à la lutte raisonnée (1995), puis au bio (certification en 2013).

D'aspect très mûr avec ses reflets dorés, ce pinot gris pourtant sec mêle au nez les fleurs blanches et le sous-bois. Tout aussi expressif au palais, chaleureux, ample et long, il développe des arômes fruités plus mûrs qu'à l'olfaction, équilibrés par une belle fraîcheur. Puissant, il sera parfait pour la table. (Sucres résiduels: 7 g/l) ⧗ 2019-2023 ⚲ risotto aux champignons

EARL MAISON ZOELLER, 14, rue de l'Église, 67120 Wolxheim, tél. 03 88 38 15 90, vins.zoeller@wanadoo.fr V t.l.j. sf dim. 9h-12h 13h30-19h

ALSACE PINOT NOIR

Superficie : 1 509 ha / Production : 108 326 hl

L'Alsace est surtout réputée pour ses vins blancs; mais sait-on qu'au Moyen Âge les rouges y occupaient une place considérable? Après avoir presque disparu, le pinot noir (le meilleur cépage rouge des régions septentrionales) a connu une notable expansion. On connaît bien le type rosé ou rouge léger, vin agréable, sec et fruité, susceptible d'accompagner une foule de mets comme d'autres rosés. Cependant, la tendance est à élaborer un véritable vin rouge de garde à partir de ce cépage.

FRÉDÉRIC ARBOGAST ET FILS Geierstein 2014 ★

■	1200		8 à 11 €

Installé en 2003 à Westhoffen, dans la partie septentrionale du vignoble alsacien, à 25 km de Strasbourg, Frédéric Arbogast perpétue une lignée vigneronne remontant à 1601. Il est établi au centre du village, près de l'église Saint-Martin, et travaille 17 ha en lutte raisonnée. Il vinifie sans levurage.

Un pinot noir issu d'un terroir calcaire, élevé dix mois en fût. La robe est intense et profonde, le nez décline les fruits rouges et noirs: framboise, mûre, cerise noire, soulignées d'un boisé fin. Dans le même registre, le palais, bien structuré, construit sur des tanins serrés et soyeux, finit sur une note épicée. De la tenue. ⧗ 2017-2022 ⚲ tournedos

DOM. FRÉDÉRIC ARBOGAST, 3, pl. de l'Église, 67310 Westhoffen, tél. 06 45 58 94 95, frederic@vignoble-arbogast.fr V r.-v.

B PIERRE ARNOLD Élevé en pièces 2013 ★

■	1900		8 à 11 €

Cette propriété familiale a pignon sur rue au cœur de la cité fortifiée de Dambach-la-Ville. Création en 1711, premières mises en bouteilles en 1926, certification bio en 2012. À la tête du domaine depuis 1986, Pierre Arnold cultive 8 ha, avec des parcelles sur le grand cru de sa commune, le Frankstein, aux sols granitiques. Formé en Côte-d'Or, il élève certains de ses vins dans des pièces bourguignonnes.

Un élevage de vingt mois sous bois pour ce vin paré d'une robe noire aux reflets violets. Aussi intense qu'élégant, le nez se partage entre fruits noirs et boisé aux nuances d'épices douces et de grillé. Avec son attaque fraîche, ses tanins veloutés et sa finale persistante qui laisse un sillage de fruits noirs et de vanille, c'est un vin harmonieux qui montre du caractère. ⧗ 2016-2020 ⚲ entrecôte grillée

PIERRE ARNOLD, 16, rue de la Paix, 67650 Dambach-la-Ville, tél. 03 88 92 41 70, alsace.pierre.arnold@orange.fr V t.l.j. 9h-19h; dim. sur r.-v. E

FRANÇOIS BLÉGER
Rouge de Saint-Hippolyte Silbergrub 2014

■	3700		11 à 15 €

Originaires de Suisse, les Bléger sont arrivés en 1562 à Saint-Hippolyte, au pied du Haut-Kœnigsbourg. Alors que ses parents vendaient leur vin en vrac au négoce, François Bléger – qui avait étudié la sociologie avant de se former à la viticulture – s'est lancé dans la mise en bouteilles à son installation, en 1996. Il dispose de 7 ha répartis dans quatre communes.

Classique par sa robe et par son nez fruité, un peu timide, ce rouge est agréable en bouche, où il concilie souplesse et ce qu'il faut d'étoffe. Une petite nervosité à l'attaque n'est pas pour déplaire. Un vin qui porte l'empreinte du millésime et de son terroir granitique. ⧗ 2016-2020 ⚲ terrine de gibier

FRANÇOIS BLÉGER, 63, rte du Vin, 68590 Saint-Hippolyte, tél. 03 89 73 06 07, domaine.bleger@wanadoo.fr V r.-v. 2

B BOECKEL Les Terres rouges 2014 ★

■	1000		20 à 30 €

Occupant une maison Renaissance typique de Mittelbergheim, superbe village vigneron proche de Barr, la famille Boeckel est enracinée dans la région depuis quatre siècles. Frédéric Boeckel devient marchand de vins en 1853. Ses descendants, Jean-Daniel

et Thomas, qui sont aussi négociants, exploitent en propre 24 ha de vignes entre Obernai et Andlau, dont plusieurs parcelles en grand cru. Une partie du vignoble est en bio certifié (depuis 2013).

Les Terres rouges (Rotland) constituent un terroir argilo-calcaire riche en oxyde de fer, inclus dans le Zotzenberg. Elles ont donné naissance à un vin qui évoque la cerise noire tant par sa couleur que par son fruité, nuancé des notes grillées et vanillées de la barrique. Souple et riche en attaque, ce pinot noir dévoile une bonne matière, encore marquée par l'élevage en finale. Il gagnera en harmonie avec la garde. ⧗ 2018-2023 🍷 pavé de biche rôti aux airelles

⊶ DOM. BOECKEL, 2, rue de la Montagne, 67140 Mittelbergheim, tél. 03 88 08 91 02, boeckel@boeckel-alsace.com V ▮ *r.-v.*

DOM. DUSSOURT
Rouge d'Alsace Élevé en barrique Réserve Prestige 2013 ★

■	2085	(barrique)	15 à 20 €

Officier des armées de Louis XIV, le premier Dussourt fait souche en Alsace à la fin du XVIIe s. et ses descendants ne tardent pas à s'intéresser au vin. André débute la vente en bouteilles en 1964 avant de passer le relais à son fils Paul en 1987. Couvrant près de 12 ha, le vignoble est implanté à Scherwiller, village proche de Sélestat reconnu en dénomination communale pour son riesling.

La robe profonde aux reflets grenat invite à plonger le nez dans le verre; on découvre alors de plaisantes notes florales et fruitées, mâtinées de l'empreinte grillée de la barrique. La bouche puissante et persistante, charpentée par des tanins encore fermes, finit par des notes de cacao. Du potentiel. ⧗ 2017-2022 🍷 pavé de bœuf sauce chocolat

⊶ DOM. DUSSOURT, 2, rue de Dambach, 67750 Scherwiller, tél. 03 88 92 10 27, domaine.dussourt@orange.fr V 🚶 ▮ *t.l.j. sf dim. 8h30-12h 13h30-18h*

Ⓑ DOM. EBLIN-FUCHS
Rouge de Zellenberg Réserve exceptionnelle 2014

■	3000	(barrique)	11 à 15 €

Établis à Zellenberg, petit village perché voisin de Riquewihr, José, Henri et Christian Eblin sont les héritiers d'une lignée de vignerons remontant au XIIIe s. Ils conduisent en biodynamie leur domaine: 10 ha répartis dans six communes, avec des parcelles dans quatre grands crus.

D'un pourpre soutenu, cette cuvée, issue d'un terroir de marnes ferrugineuses, offre un nez de fruits rouges mûrs, légèrement boisé. En bouche, elle séduit par ses arômes de cerise noire, par sa fraîcheur et sa puissance. Une légère amertume de jeunesse ne devrait pas tarder à s'estomper. Pour des viandes blanches ou du petit gibier. ⧗ 2017-2021 🍷 carré de porc aux pruneaux

⊶ DOM. EBLIN-FUCHS, 19, rte des Vins, 68340 Zellenberg, tél. 03 89 47 91 14, alsace@eblin-fuchs.com V 🚶 ▮ *r.-v.* 🏠 Ⓑ

FLESCH 2014 ★

■	2000	(cuve)	5 à 8 €

Établie à Pfaffenheim, village viticole situé à une quinzaine de kilomètres au sud de Colmar, près de Rouffach, cette famille se consacre à la viticulture depuis trois générations. Jean-Luc Flesch assure depuis 1998 la continuité du domaine qu'il conduit en culture raisonnée.

Un pinot noir aussi intense à l'œil qu'au nez, aux arômes de fruits rouges et de grillé. La bouche riche et longue est structurée par des tanins fins et serrés qui se fondront avec le temps et assureront à cette bouteille une bonne garde. ⧗ 2018-2024 🍷 civet de lièvre

⊶ EARL FRANÇOIS FLESCH ET FILS, 20, rue du Stade, 68250 Pfaffenheim, tél. 03 89 49 66 36, vins@flesch.fr V 🚶 ▮ *t.l.j. 9h-12h 13h30-18h; sam. dim. sur r.-v.*

Ⓑ CHARLES FREY Quintessence 2013 ★

■	4000	(barrique)	15 à 20 €

Originaires de Suisse, les Frey se sont installés à Dambach-la-Ville au XVIIe s. Charles et Dominique ayant engagé en 1998 la conversion bio du domaine, la famille exploite aujourd'hui ses 14 ha en biodynamie. En 2010, elle a fait construire une cave bioclimatique (régulations hygrométrique et thermique passives).

Cette cuvée de pinot noir n'est pas inconnue de nos lecteurs (le 2009, notamment, avait fait grande impression). Son successeur s'habille d'une robe profonde. Malgré un élevage de deux ans en fût, c'est la griotte qui domine l'olfaction. Le palais déploie des tanins soyeux. De la finesse et de l'équilibre. ⧗ 2017-2021 🍷 faisan en cocotte

⊶ DOM. CHARLES FREY, 1, rue du Pinot-Blanc, 67650 Dambach-la-Ville, tél. 03 88 92 41 04, contact@charlesfrey.fr V 🚶 ▮ *r.-v.*

FREY-SOHLER Réserve 2014

■	4860	8 à 11 €

Établis à Scherwiller, près de Sélestat, Damien et Nicolas Sohler ont pris la tête en 1998 d'un domaine de 30 ha dont ils complètent la production par une activité de négoce. Ils cultivent des vignes dans plusieurs lieux-dits, dont le grand cru Frankstein, terroir granitique autour du village voisin de Dambach-la-Ville.

De couleur rubis, c'est le pinot traditionnel d'Alsace, léger, friand et tout en fruits rouges du premier coup de nez à la finale. ⧗ 2016-2018 🍷 palette à la diable

⊶ FREY-SOHLER, 72, rue de l'Ortenbourg, 67750 Scherwiller, tél. 03 88 92 10 13, contact@frey-sohler.fr V 🚶 ▮ *r.-v.* 🏠 Ⓑ

Ⓑ DOM. LAURENCE ET PHILIPPE GREINER
Les Cerisiers 2014

■	3000	(cuve)	8 à 11 €

Philippe Greiner a repris en 1988 l'exploitation familiale, qui dispose aujourd'hui de près de 10 ha autour de Riquewihr, avec des parcelles dans les deux grands crus de la commune. Avec son épouse

Laurence, il a quitté la coopérative et s'est lancé avec brio dans la vinification en 2005. L'exploitation est conduite en bio depuis 2009.

D'un rouge clair aux reflets d'évolution, ce pinot offre un nez fruité, légèrement poivré, et une bouche vive et friande, à l'unisson de nez. Un vin à apprécier sur son fruit. ⌛ 2016-2018 🍷 chou rouge aux châtaignes

DOM. LAURENCE ET PHILIPPE GREINER, 16, rue des Prés, 68340 Riquewihr, tél. 03 89 86 04 68, philippe@domaine-greiner.fr V r.-v.

♥ B GSELL 2014 ★★★

■ | 5000 | | 8 à 11 €

La propriété, acquise en 1821 par la famille, est aujourd'hui conduite en bio par Nathalie et Julien Gsell. Elle couvre 9 ha autour d'Orschwihr, gros village viticole au sud de la route des Vins, et comprend des parcelles dans des terroirs réputés, comme le Bollenberg et les grands crus Pfingstberg et Spiegel.

Si les deux cuvées de pinot noir de l'exploitation ont été l'une comme l'autre très appréciées, c'est la cuvée classique qui décroche le coup de cœur. Née sur argilo-calcaire, élevée dix mois en fût, elle est tout aussi intense à l'œil qu'au nez, où la griotte mûre s'allie à un fin boisé bien fondu. La bouche, à l'unisson, s'impose par sa présence, son intensité, son équilibre et sa longueur. ⌛ 2016-2021 🍷 tagliata de bœuf ■ **Cuvée P 2013 ★★ (15 à 20 €; 900 b.)** B : cuvée P? Cherchez le grand cru des environs (mention «grand cru» à laquelle le pinot noir n'a pas droit). Il s'agit du Pfingstberg, aux sols marno-gréseux. Ce vin porte l'empreinte du terroir et de l'élevage de dix-huit mois en fût: robe rouge profond, nez boisé aux nuances chocolatées et vanillées, structure puissante et dense. ⌛ 2018-2023 🍷 daube de canard

JOSEPH GSELL, 26, Grand-Rue, 68500 Orschwihr, tél. 03 89 76 95 11, joseph.gsell@wanadoo.fr V *t.l.j. sf dim. 8h30-11h30 13h30-17h30* B

B DOM. LÉON HEITZMANN
Élevé en barrique Cuvée Anne-Marie 2014

■ | 1200 | | 11 à 15 €

Six générations se sont succédé sur ce domaine dont le siège est proche de la célèbre tour des Fripons, à Ammerschwihr. Conduit en bio depuis 2006 et en biodynamie depuis 2008, le vignoble couvre 12 ha répartis sur cinq communes, avec des parcelles dans deux grands crus voisins: le Kaefferkopf et le Schlossberg.

Un élevage de huit mois en barrique pour cette cuvée dont la robe rubis annonce une certaine légèreté. La suite confirme cette impression, mais le vin est agréable: nez franc et complexe, sur la fraise très mûre et les petits fruits rehaussés d'une touche vanillée, attaque fraîche et tanins bien fondus. ⌛ 2016-2019 🍷 steak maître d'hôtel

DOM. LÉON HEITZMANN, 2, Grand-Rue, 68770 Ammerschwihr, tél. 03 89 47 10 64, leon.heitzmann@wanadoo.fr V *t.l.j. sf dim. 8h-12h 13h30-18h*

BRUNO HUNOLD Côte de Rouffach 2014 ★★

■ | 2600 | | 5 à 8 €

De vieille souche vigneronne, Bruno Hunold et son épouse Andrée ont repris le domaine familial en 1984. Aujourd'hui, ce sont leurs filles Sylvie et Valérie et leurs gendres Michel et Thierry qui conduisent le domaine, étendu sur 13 ha autour de Rouffach, au sud de Colmar.

La Côte de Rouffach est un bon terroir qui bénéficie d'une dénomination communale. C'est le lieu de naissance de ce pinot grenat intense aux reflets rubis, au nez de fruits rouges et noirs légèrement macérés, mâtinés des notes grillées de l'élevage. Dans le même registre, le palais est souple, ample et chaleureux, un peu sauvage. ⌛ 2017-2021 🍷 magret aux cerises

EARL BRUNO HUNOLD, 29, rue Aux-Quatre-Vents, 68250 Rouffach, tél. 03 89 49 60 57, info@bruno-hunold.com V *r.-v.*

JACQUES ILTIS
Saint-Hippolyte Vieilles Vignes 2013 ★★★

■ | 2000 | | 8 à 11 €

Établis à la limite des deux départements alsaciens, au pied du château du Haut-Kœnigsbourg, Benoît et Christophe Iltis, les fils de Jacques, conduisent depuis 1999 le domaine familial: 12 ha de vignes et une cave recelant d'anciens foudres de chêne légués par des ancêtres tonneliers.

Le pinot noir excelle sur les terroirs granitiques de Saint-Hippolyte, ce qui a valu à ce village une dénomination communale pour ses vins rouges. Né de vignes de quarante-cinq ans, ce 2013 arbore une robe soutenue et délivre des parfums intenses de griotte un peu confite. Il s'impose par sa puissance, sa charpente, son équilibre et sa persistance. Un grand rouge d'Alsace. ⌛ 2018-2023 🍷 civet de sanglier ■ **Saint-Hippolyte 2013 ★ (8 à 11 €; 5000 b.)** : la cuvée classique offre tout ce que l'on attend du pinot noir: une robe rubis brillant, des arômes de fruits rouges qui s'affirment dans un palais agréable par son équilibre et sa finesse. ⌛ 2017-2021 🍷 rosbif

DOM. JACQUES ILTIS ET FILS, 1, rue Schlossreben, 68590 Saint-Hippolyte, tél. 03 89 73 00 67, jacques.iltis@iltis.fr V *t.l.j. 8h-12h 14h-18h; sam. dim. sur r.-v.*

KARCHER Cuvée du Commandeur 2014 ★

■ | 4800 | | 8 à 11 €

Fondée en 1956 et exploitée depuis 1991 par Georges et Nathalie Karcher, cette propriété a son siège au cœur du vieux Colmar, à deux pas de la zone piétonne, dans une ferme de 1602. Une grande partie des 10 ha de vignes est implantée sur des terroirs de graves de la Hardt, au nord-ouest de la ville.

Une cuvée à la mémoire du père. Robe pourpre aux reflets violets, nez fin, reflet du terroir graveleux de la Hardt, sur la quetsche au sirop et la crème de cassis, avec une touche de clou de girofle. Agréable en attaque, la bouche est d'une bonne tenue. Ses tanins fermes, un peu sévères, s'assoupliront au cours des deux à trois prochaines années. ⧗ 2019-2022 ▼ faux-filet grillé

⊶ *DOM. ROBERT KARCHER ET FILS, 11, rue de l'Ours, 68000 Colmar, tél. 03 89 41 14 42, info@vins-karcher.com* V ⚐ ▪ *t.l.j. 8h-12h 14h-19h; dim. 8h-12h* ⌂ Ⓔ

RENÉ KIENTZ FILS 2013 ★

■	4 000	⦀	8 à 11 €

Établis à Blienschwiller, petit village viticole au sud de Barr, les Kientz font remonter leur arbre généalogique à 1500. André Kientz, installé en 1985, a été rejoint par sa fille en 2007. La famille conduit son vignoble en lutte raisonnée. Son fleuron: des vignes dans le grand cru Winzenberg.

Né sur un terroir granitique, ce pinot a séjourné dix-huit mois dans le bois. Un élevage qui souligne de touches chocolatées ses parfums de cerise et de mûre sans étouffer le fruit. La bouche, à l'unisson, se montre charpentée mais harmonieuse, construite sur des tanins déjà veloutés. Les fruits noirs s'attardent en finale. Déjà agréable, ce vin pourra se garder. ⧗ 2016-2021 ▼ magret de canard grillé

⊶ *RENÉ KIENTZ FILS, 51, rte des Vins, 67650 Blienschwiller, tél. 03 88 92 49 06, alsacekientz@wanadoo.fr* V ⚐ ▪ *r.-v.*

Ⓑ JEAN-LOUIS ET FABIENNE MANN Chemin du soleil 2014 ★

■	1500	⦀	15 à 20 €

Fabienne et Jean-Louis Mann ont repris les vignes familiales en 1982: d'abord coopérateurs, ils se sont mis à leur compte en 1998. Conversion au bio (certification en 2008), puis en 2009 à la biodynamie, à l'arrivée du fils Sébastien. Aujourd'hui, 12,5 ha, des parcelles disséminées entre Katzenthal et Eguisheim, au nord et au sud de Colmar, avec des vignes dans neuf lieux-dits et deux grands crus. En ligne de mire: l'expression du terroir.

D'un rouge soutenu, cette cuvée apparaît très marquée par la barrique, mais le boisé est flatteur et laisse percer des notes de fruits rouges et de violette. L'attaque souple ouvre sur un palais riche et bien construit, à la longue finale sur le fruit. ⧗ 2017-2021 ▼ civet de lapin

⊶ *EARL JEAN-LOUIS MANN, 11, rue du Traminer, 68420 Eguisheim, tél. 03 89 24 26 47, vinsmann@gmail.com* V ⚐ ▪ *r.-v.*

DOM. DU MANOIR Clos du Letzenberg Barrique 2014 ★

■	591	⦀	8 à 11 €

En 1979, Jean-Francis Thomann, fils d'un petit viticulteur d'Ingersheim, a repris le Clos du Letzenberg, aménagé en 1852 sur un coteau escarpé dominant la vallée de la Fecht, puis laissé à l'abandon après 1914. Il a fini par lâcher son travail à la banque et a impliqué ses proches dans l'aventure. La famille a restauré les murs de soutènement en pierre sèche, défriché, planté et bichonne aujourd'hui 10 ha de vignes.

Les sols argilo-calcaires et l'exposition sud ont marqué cette microcuvée, qui s'ouvre progressivement sur des notes de violette, de crème de fruits rouges et d'encens. On retrouve cette complexité dans un palais consistant, soyeux, à la finale fraîche et réglissée. ⧗ 2016-2021 ▼ magret de canard au cassis

⊶ *SCEA DOM. DU MANOIR, 56, rue de la Promenade, 68040 Ingersheim, tél. 03 89 27 23 69, thomann@terre-net.fr* V ▪ *t.l.j. sf dim. 10h-12h 14h-18h; sur r.-v. aux vendanges*

HUBERT MEYER Élevé en fût du chêne 2014 ★

■	1850	⦀ ▮	8 à 11 €

Les Meyer se succèdent de père en fils depuis 1722. Hubert a développé la vente en bouteilles, Pierre l'a rejoint en 2009 avant de prendre la tête de l'exploitation en 2014. Les 11 ha du domaine sont répartis sur des terroirs variés, autour de Blienschwiller et des communes voisines de Dambach-la-Ville, Nothalten et Epfig, au sud de Barr.

Une robe rubis profond, un nez fin aux nuances de fruits rouges et de boisé épicé, mâtiné de touches animales. Souple en attaque, la bouche puissante, aux tanins fondus, finit sur des notes de cerise au kirsch. Une bouteille prête à passer à table. ⧗ 2016-2019 ▼ rôti de bœuf

⊶ *HUBERT MEYER, 34, rte des Vins, 67650 Blienschwiller, tél. 03 88 92 47 33, contact@vins-hubert-meyer.fr* V ⚐ ▪ *t.l.j. sf dim. 8h-12h 13h-18h* ⌂ Ⓑ

DOM. FRÉDÉRIC MOCHEL 2013 ★

■	4 600	⦀	8 à 11 €

Une famille installée en 1669 à l'ouest de Strasbourg après la guerre de Trente Ans. Guillaume Mochel a pris en 2001 les rênes de la propriété après des stages qui l'ont mené jusqu'en Nouvelle-Zélande. Sur les 10 ha du domaine, la moitié est implantée dans le grand cru Altenberg de Bergbieten.

Un vin très équilibré, tant au nez, où les fruits rouges forment une belle alliance avec un boisé bien dosé, qu'au palais, franc en attaque, gras et ample, épicé en finale. À boire ou à garder. ⧗ 2016-2021 ▼ entrecôte

⊶ *DOM. FRÉDÉRIC MOCHEL, 56, rue Principale, 67310 Traenheim, tél. 03 88 50 38 67* V ⚐ ▪ *r.-v.*

MOLTÈS Terroir 2014 ★★

■	4 500	⦀	11 à 15 €

Un domaine de 25 ha implanté à une dizaine de kilomètres au sud de Colmar. Antoine Moltès commercialise les premiers vins en 1925, Roland explore les terroirs. Installés au tournant de ce siècle, Stéphane et Mickaël ont aménagé un nouveau chai, se

sont orientés graduellement vers le bio, engageant la conversion du vignoble en 2012. Ils ont plusieurs coups de cœur à leur actif.

Né sur argilo-calcaire, ce pinot noir, dans la lignée des deux derniers millésimes, se distingue une fois de plus par sa concentration. La robe est profonde, cerise noire. Le nez intense s'ouvre sur des parfums de fruits rouges compotés accompagnés d'un boisé grillé très présent. Après une attaque fraîche, le vin s'impose par sa richesse, sa puissance, son gras et sa persistance. Le fût prend encore le pas sur le fruit, mais on a affaire à une bouteille de garde. ⧗ 2018-2026 ¥ côte de bœuf

DOM. MOLTÈS, 8, rue du Fossé, 68250 Pfaffenheim, tél. 03 89 49 60 85, domaine@vin-moltes.com V *r.-v.*

B MURÉ V 2013 ★

■	5800		20 à 30 €

Cette maison de haute renommée, conduite par une famille établie à Rouffach en 1650, est située en contrebas du fameux Clos Saint-Landelin, planté par des moines dès le haut Moyen Âge et fleuron du domaine depuis 1935 (12 ha cultivés en bio, à l'extrémité sud du grand cru Vorbourg). Secondé par ses enfants Véronique et Thomas, René Muré a repris en 1976 le vignoble de 25 ha.

Le Vorbourg est un terroir qui ne peut s'afficher comme grand cru sur les étiquettes que lorsque la cuvée provient du riesling, du gewurztraminer, du pinot gris ou du muscat. Pour ce pinot noir, il se laissera deviner par l'initiale «V», selon une pratique répandue parmi les vignerons alsaciens. Le terroir a-t-il marqué de son empreinte cette cuvée? On perçoit d'abord l'élevage, au travers des fines notes grillées du nez. C'est peut-être le terroir qui confère au vin un caractère chaleureux. Un ensemble souple et charmeur. ⧗ 2017-2021 ¥ civet de sanglier

DOM. DU CLOS SAINT-LANDELIN, Véronique et Thomas Muré, rte du Vin, 68250 Rouffach, tél. 03 89 78 58 00, domaine@mure.com V *r.-v.*

B JOSEPH RUDLOFF Cuvée Nicolas 2014 ★

■	4000		11 à 15 €

Fernand Engel, le fondateur; son fils Bernard, l'exploitant; Xavier Baril, le gendre et l'œnologue, Amélie, sa fille, et aussi les petits-enfants: quatre générations se côtoient sur ce domaine très régulier en qualité, situé au pied du Haut-Kœnigsbourg. Entre Kintzheim et Bergheim, pas moins de 65 ha répartis sur 150 parcelles, en bio certifié (biodynamie) depuis 2003. Deux étiquettes: Fernand Engel et Joseph Rudloff.

Des reflets orangés dans la robe rubis, des arômes subtils et complexes de fruits rouges et d'épices, un palais soyeux et gras, aux nuances de liqueur et de réglisse. ⧗ 2018-2022 ¥ pintade en cocotte

DOM. FERNAND ENGEL, 1, rte du Vin, 68590 Rorschwihr, tél. 03 89 73 77 27, f-engel@wanadoo.fr V *t.l.j. sf dim. 8h-11h30 13h-18h*

B DOM. SAINT-RÉMY
Rosenberg Cuvée Florian 2014 ★

■	5800		8 à 11 €

Héritier d'une lignée vigneronne remontant à 1725, Philippe Ehrhart a rejoint en 1999 son père François sur le domaine, dont le siège se trouve à Wettolsheim, gros bourg viticole à l'ouest de Colmar. L'exploitation, plus de 20 ha répartis sur dix communes, est conduite en biodynamie certifiée.

Une cuvée qui «pinote» à souhait, avec ses arômes de cerise et de groseille et sa bouche fraîche, soyeuse et fruitée, un rien amère en finale. ⧗ 2016-2019 ¥ terrine de volaille

EARL FRANÇOIS ET PHILIPPE EHRHART, 34, rte d'Eguisheim, 68920 Wettolsheim, tél. 03 89 80 60 57, vins@domainesaintremy.com V *t.l.j. sf dim. 9h-12h 13h30-18h30*

SCHLEGEL-BOEGLIN V 2012 ★★

■	3000		11 à 15 €

Les parents de Jean-Luc Schlegel ont fondé le domaine en 1971 à Westhalten, à l'entrée de la Vallée Noble. Ce dernier, installé en 1991, exploite 13 ha de vignes, avec plusieurs parcelles dans les grands crus Zinnkoepflé et Vorbourg.

Ils sont plusieurs vignerons de Rouffach ou de Westhalten à planter du pinot noir dans le Vorbourg, terroir réputé dont les pentes sont exposées au sud ou au sud-est – même s'ils n'ont pas l'autorisation d'apposer la mention «alsace grand cru Vorbourg» sur l'étiquette. Ici, un 2012 grenat profond, aux notes intenses de mûre, de cassis et de pruneau soulignées d'une touche boisée et épicée. Complexe, soyeux et tendre, ce vin est déjà à son meilleur. ⧗ 2016-2021 ¥ coq au vin

DOM. SCHLEGEL-BOEGLIN, 22 A, rue d'Orschwihr, 68250 Westhalten, tél. 03 89 47 00 93, schlegel-boeglin@wanadoo.fr V *r.-v.*

SCHOENHEITZ Herrenreben 2014 ★

■	3100		15 à 20 €

Wihr-au-Val est le dernier village viticole quand on remonte la vallée de Munster. Ses coteaux, exposés plein sud, avaient périclité après 1945. Dans les années 1970, Henri Schoenheitz a commencé à les replanter. Prénommé également Henri, son fils continue son œuvre. Il a vendu ses premières bouteilles en 1980 et met en valeur aujourd'hui un coquet domaine de 16 ha.

La «vigne des seigneurs» (Herrenreben) était la propriété des seigneurs de Ribeaupierre au XVe s. De ce terroir granitique, Henri Schoenheitz tire une cuvée qui a intéressé une fois de plus les dégustateurs. Malgré sa robe sombre, ce 2014 offre un nez tout en finesse, entre fruits rouges mûrs et léger boisé vanillé. La griotte s'épanouit dans un palais franc et frais en attaque, bien construit sur des tanins déjà soyeux. ⧗ 2017-2021 ¥ rôti de bœuf

HENRI SCHOENHEITZ, 1, rue de Walbach, 68230 Wihr-au-Val, tél. 03 89 71 03 96, cave@vins-schoenheitz.fr V *t.l.j. sf dim. 9h-12h 14h-19h*

DOM. SCHOEPFER Amaury 2013 ★★

■ | 500 | | 11 à 15 €

Installé en 2006 dans l'ancienne cour de l'abbaye de Marbach, au cœur de la cité médiévale d'Eguisheim, Vincent Schoepfer perpétue une lignée vigneronne remontant à 1656. En 2012, un peu à l'étroit, il a construit un nouveau vendangeoir et une cuverie thermorégulée.

Cette cuvée a pour principal défaut son caractère confidentiel. Les chanceux qui pourront mettre la main dessus apprécieront ses parfums de fruits rouges et de mûre, soulignés de notes toastées, sa bouche franche en attaque aux tanins de velours et à la finale poivrée et réglissée. 2017-2022 entrecôte grillée

DOM. MICHEL SCHOEPFER, 43, Grand-Rue, 68420 Eguisheim, tél. 03 89 41 09 06, domaine.schoepfer@gmail.com
V *t.l.j. sf dim. 8h30-11h 14h-18h*

B EDMOND SCHUELLER Terres chaudes 2014

■ | 2600 | 8 à 11 €

Au pied des trois donjons qui dominent le vignoble de Husseren-les-Châteaux, point culminant de la route des Vins au sud de Colmar, Damien Schueller, installé en 1999, exploite le domaine (5,5 ha) patiemment constitué par son père Edmond, ancien salarié viticole. La propriété est en bio certifié depuis 2013.

Ces « terres chaudes » sont précoces et conviennent au pinot noir. Le cépage a donné ici naissance à un vin rouge cerise, au nez discrètement fruité, retenu pour sa bonne tenue en bouche, avec une attaque souple et une longue finale. 2016-2021 bœuf bourguignon

VINS EDMOND SCHUELLER, 26, rte du Vin, 68420 Husseren-les-Châteaux, tél. 03 89 49 32 60, info@alsace-schueller.com V *r.-v.* 2 B

JEAN-MARC SIMONIS 2014

■ | 2100 | | 5 à 8 €

Héritier d'une lignée de viticulteurs remontant à 1660, Jean-Marc Simonis gère depuis 1993 le domaine familial implanté aux environs d'Ammerschwihr, à 8 km au nord-ouest de Colmar. Ce sont ses grands-parents qui ont débuté la vente en bouteilles. Le propriétaire choie particulièrement le grand cru local, le Kaefferkopf.

Ce pinot noir a été pour l'essentiel vinifié en foudre, 15 % des vins ayant séjourné dans du bois neuf. L'objectif, ne laisser qu'une empreinte boisée discrète, est pleinement atteint: la robe rouge clair, le nez encore fermé, la bouche plus expressive et plus complexe, bien équilibrée entre le fruit et les tanins, dessinent les contours d'un vin flatteur, qui sera bientôt prêt. 2017-2020 fricassée de poulet aux champignons

JEAN-PAUL SIMONIS ET FILS, 1, rue des Chasseurs-Besombes-et-Brunet, 68770 Ammerschwihr, tél. 03 89 47 13 51, jmsimonis@orange.fr
V *t.l.j. sf dim. 8h-12h 13h30-18h*

DOM. JEAN SIPP Osmose 2013 ★★

■ | 2000 | | 20 à 30 €

Établi dans une demeure Renaissance qui appartint jadis à la puissante famille des Ribeaupierre, seigneurs de Ribeauvillé, Jean-Guillaume Sipp perpétue depuis 2010 avec brio une tradition viticole inaugurée en 1654 par son ancêtre porteur du même prénom. Il dispose de 24 ha de vignes, avec des parcelles dans plusieurs crus renommés (Altenberg de Bergheim, Kirchberg de Ribeauvillé…).

Cette cuvée de pinot noir prend ses habitudes dans le Guide. Le 2013 a particulièrement séduit. Sa robe profonde annonce un nez puissant mariant les fruits rouges, le cassis et la violette à des nuances boisées que l'on retrouve au palais. C'est un vin charpenté, d'un rare équilibre, à la longue finale vanillée. 2017-2021 gigue de chevreuil

JEAN SIPP, 60, rue de la Fraternité, 68150 Ribeauvillé, tél. 03 89 73 60 02, domaine@jean-sipp.com
V *t.l.j. sf dim. 9h-12h 14h-17h30* 4 D

VONVILLE
Rouge d'Ottrott Cuvée Stéphane 2014 ★

■ | 7600 | | 15 à 20 €

En 2002, Stéphane Vonville a rejoint Jean-Charles sur ce domaine fondé en 1830 au pied du mont Sainte-Odile. Alors qu'en Alsace 90 % des vins sont blancs, le pinot noir représente 75 % de leurs 13 ha de vignes. Il faut dire que la propriété est implantée à Ottrott, village bas-rhinois connu depuis neuf cents ans pour ses vins rouges, qui bénéficie – depuis 2011 – d'une dénomination communale pour ce cépage. La démarche du vigneron est proche du bio, sans certification.

Une robe soutenue, presque noire; un nez chaleureux, sur la cerise et la mûre, nuancé de notes grillées. Une attaque agréable ouvre sur un palais structuré et persistant, tendu par une fine acidité. De la délicatesse et de la profondeur. 2017-2022 bœuf en daube

VONVILLE, 4, pl. des Tilleuls, 67530 Ottrott, tél. 03 88 95 80 25, info@vins-vonville.com
V *t.l.j. 9h-12h 14h-18h30* B

STÉPHANE WANTZ Éden 2013

■ | 1800 | | 11 à 15 €

D'origine autrichienne, les Wantz ont fait souche à Mittelbergheim en 1550. Nos lecteurs connaissent leurs vins sous le nom d'Alfred Wantz, qui a développé le domaine après la Seconde Guerre mondiale (10,5 ha aujourd'hui). Ingénieur agronome et œnologue, Stéphane, le petit-fils de ce dernier, a créé une gamme à son nom.

Éden? Le nom de la cuvée fait référence à l'état originel du raisin, que le vigneron entend préserver par une vinification peu interventionniste (mise en bouteille sans filtration). Paré d'une robe intense parcourue de reflets violets, ce 2013 est encore fermé au nez, mais il affiche sa richesse et sa puissance en bouche – ainsi que l'empreinte des fûts et foudres de l'élevage. 2017-2023 daube de canard

DOM. ALFRED WANTZ, 61, rue de la Montagne, 67140 Mittelbergheim, tél. 03 88 08 91 43, stephane.wantz@wanadoo.fr
t.l.j. sf dim. 10h-12h 14h-18h

ALSACE RIESLING

Superficie : 3 376 ha / Production : 247 952 hl

Le riesling est le cépage rhénan par excellence, et la vallée du Rhin, son berceau. Il s'agit d'une variété tardive pour la région, dont la production est régulière et bonne. Le riesling alsacien est souvent sec, ce qui le différencie d'une façon générale de son homologue allemand. Ses atouts résident dans l'harmonie entre son bouquet délicat, son corps et son acidité assez prononcée mais extrêmement fine. Or, pour atteindre cette qualité, il doit provenir d'une bonne situation. Le riesling a essaimé dans de nombreux autres pays viticoles, où la dénomination riesling, sauf s'il est précisé « riesling rhénan », n'est pas totalement fiable : une dizaine d'autres cépages ont été ainsi baptisés dans le monde !

ALLIMANT-LAUGNER 2014 ★

	9500		5 à 8 €

Établie dans le vignoble depuis le XVIII^e^s., la famille Allimant a un ancêtre célèbre, Antoine, qui suivit Napoléon dans toutes ses campagnes, puis acheta des vignes sur les côtes du Haut-Kœnigsbourg. Agrandi par l'alliance entre les Allimant et les Laugner, le domaine (12 ha sur trois communes) est conduit depuis 1984 par Hubert Laugner, rejoint en 2013 par son fils Nicolas.

Un nez discret mais délicat et bien typé, partagé entre les agrumes et une touche minérale. Ces arômes s'affirment dans un palais tenu par une belle fraîcheur, marqué en finale par une touche d'amertume : ce que l'on attend d'un alsace riesling. (Sucres résiduels : 4 g/l.) ⧗ 2016-2020 ¥ buisson de langoustines

ALLIMANT-LAUGNER, 10, Grand-Rue, 67600 Orschwiller, tél. 03 88 92 06 52, alaugner@terre-net.fr
t.l.j. sf dim. 9h-12h 13h-18h

B ANSTOTZ ET FILS Westerweingarten 2014 ★

	1800		8 à 11 €

Un domaine implanté à 25 km à l'ouest de Strasbourg. Début de la mise en bouteilles en 1950 ; installation de Marc Anstotz en 1980 ; aujourd'hui, 15 ha en bio certifié (2012) et de beaux vins, notamment les rieslings de terroir. En 2014, les vignerons ont quitté leur ferme de 1580 pour s'établir dans des locaux plus vastes et fonctionnels. Ils ont bien sûr emporté sur le nouveau site les anciens foudres de bois aux verrous sculptés.

D'un jaune pâle aux reflets verts, ce riesling originaire d'un terroir marneux s'ouvre sur des notes complexes d'agrumes (pamplemousse rose) nuancées de touches fumées et minérales. Vif à l'attaque, bien structuré et long, il est tendu par une fine acidité. Un riesling consistant et de belle tenue qui gagnera en fondu avec le temps. (Sucres résiduels : 3,2 g/l.) ⧗ 2017-2022 ¥ cabillaud sauce citron

EARL ANSTOTZ ET FILS, 11, rue des Hirondelles, 67310 Balbronn, tél. 03 88 50 30 55, christine.anstotz@wanadoo.fr
t.l.j. sf dim. 9h-12h 13h30-18h

JACKY BAUER ET FILS Réserve 2014

	3200		5 à 8 €

Domaine créé par Jacky Bauer en 1976. Son fils Jérôme, qui vinifie, prend le relais en 1999, rejoint par son frère Gilles, chargé des vignes. Son vignoble couvre 13 ha, disséminés dans cinq communes entre Wettolsheim, près de Colmar, et Westhalten, à 20 km plus au sud. Parmi les terroirs exploités, trois grands crus : Hatschbourg, Steingrubler et Zinnkoepflé.

Or clair, ce riesling originaire d'un terroir argilo-calcaire doit être aéré pour livrer des notes d'agrumes mûrs. Souple et rond en attaque, bien équilibré, il finit sur une légère amertume. (Sucres résiduels : 2,3 g/l.) ⧗ 2016-2020 ¥ poulet au riesling

JACQUES BAUER ET FILS, 14, rue Saint-Michel, 68420 Herrlisheim-près-Colmar, tél. 03 89 49 22 92, jeromebauer.vins@gmail.com
t.l.j. sf dim. 9h-12h 14h-17h30

PIERRE ET FRÉDÉRIC BECHT Lieu-dit Stierkopf Christine 2014

	4700		8 à 11 €

Pierre Becht et son fils Frédéric sont établis à Dorlisheim, village viticole jouxtant Molsheim, à 25 km à l'ouest de Strasbourg. Ils exploitent 20 ha de vignes, pour moitié dans leur village et pour l'autre au lieu-dit Stierkopf, près de Mutzig.

Ce riesling aux reflets verts est né sur un coteau dominant la ville de Molsheim. Reflétant son origine marno-calcaire, il apparaît encore fermé au nez, libérant quelques notes végétales et exotiques, nuancées de touches de torréfaction. Les agrumes et les épices s'ajoutent à cette palette dans une bouche franche à l'attaque, bien équilibrée entre rondeur et acidité. (Sucres résiduels : 6 g/l.) ⧗ 2016-2020 ¥ filets de sole au beurre citronné

PIERRE ET FRÉDÉRIC BECHT, 26, fg des Vosges, 67120 Dorlisheim, tél. 03 88 38 18 22, info@domaine-becht.com

B BECKER Kronenbourg 2014 ★★

	3200	11 à 15 €

Établie à Zellenberg près de Riquewihr, une maison dont les origines remontent à 1610, aujourd'hui gérée par deux frères, Jean-Philippe et Jean-François Becker. Ces vignerons-négociants disposent en propre de 18 ha (dont environ 4 ha en grands crus), auxquels s'ajoutent des achats de raisins bio dans les environs. Domaine en bio certifié depuis 2001.

Kronenbourg? C'est (aussi) un terroir viticole, de nature argilo-marneuse, qui prolonge le grand cru Schœnenbourg de Riquewihr vers Zellenberg. Il a engendré un riesling aux arômes d'agrumes (citron vert et pamplemousse) présents au nez comme en bouche. Un riesling très typé, remarquable par sa structure, sa droiture et sa persistance. Parfait pour les produits de la mer. (Sucres résiduels: 9 g/l.) ⧗ 2016-2024 ☕ bar au four

SAS JEAN BECKER, 4, rte d'Ostheim, 68340 Zellenberg, tél. 03 89 47 90 16, vinsbecker@aol.com V ⚲ ▮ *r.-v.* 🏠 Ⓔ

FRANCIS BECK ET FILS
Lieu-dit Hertenstein Cuvée Louis 2014 ★★

	2500	▮	11 à 15 €

Installé en 1974 sur le domaine familial proche de l'église romane Sainte-Marguerite, Francis Beck quitte la coopérative et fonde son domaine avec son épouse Monique. Leur fils Julien, œnologue, les rejoint en 2004. Le vignoble familial s'étend aujourd'hui sur près de 10 ha autour d'Epfig, important village viticole proche de Barr.

Un remarquable riesling né d'un terroir sablonneux et caillouteux. Si la robe apparaît pâle, le nez est intense, mêlant la pierre à fusil, la verveine, la pêche et les fleurs blanches. La mise en bouche révèle une superbe matière, encore marquée par des sucres résiduels qui se fondront avec le temps. Un vin élégant, persistant et promis à un bel avenir. (Sucres résiduels: 12 g/l.) ⧗ 2017-2024 ☕ huîtres gratinées

FRANCIS BECK ET FILS, 79, rue Sainte-Marguerite, 67680 Epfig, tél. 03 88 85 54 84, vins@francisbeck.com V ⚲ ▮ *t.l.j. 9h-12h 14h-19h; dim. sur r.-v.* 🏠 Ⓐ

FRANÇOIS BLÉGER Le Bouquet de Clémence 2014

	3200	◍	8 à 11 €

Originaires de Suisse, les Bléger sont arrivés en 1562 à Saint-Hippolyte, au pied du Haut-Kœnigsbourg. Alors que ses parents vendaient leur vin en vrac au négoce, François Bléger – qui avait étudié la sociologie avant de se former à la viticulture – s'est lancé dans la mise en bouteilles à son installation, en 1996. Il dispose de 7 ha répartis dans quatre communes.

Vendangé début octobre, un riesling jaune paille au nez d'agrumes et de fruits exotiques légèrement confits. Souple en attaque, assez rond, il finit sur une légère pointe d'amertume qui n'est pas pour déplaire. (Sucres résiduels: 2,3 g/l.) ⧗ 2016-2020 ☕ sole grillée

FRANÇOIS BLÉGER, 63, rte du Vin, 68590 Saint-Hippolyte, tél. 03 89 73 06 07, domaine.bleger@wanadoo.fr V ⚲ ▮ *r.-v.* 🏠 ❷

DOM. BOHN Schieferberg 2009

	4200	◍	8 à 11 €

Reichsfeld est situé au fond d'un vallon, au sud de Barr. Les Bohn y sont vignerons depuis trois siècles. Ils exploitent un vignoble de 8 ha qui appartint jadis aux cisterciens de la proche abbaye de Baumgarten.

Vieille famille, vieilles vignes (soixante-dix ans) et vieux millésime (2009), élevé onze mois en foudre. Le terroir d'altitude schisteux (Schieferberg), rare en Alsace, est propice au riesling. Celui-ci est donc très particulier: sa robe à reflets dorés traduit l'âge; son nez complexe associe les fruits exotiques à des notes d'épices douces (clou de girofle, vanille), d'encens et de grillé; sa bouche franche en attaque est tenue par une vive acidité qui lui permettra de se garder encore. (Sucres résiduels: 8 g/l.) ⧗ 2016-2020 ☕ coquilles Saint-Jacques

DOM. BOHN, 1, chem. du Leh, 67140 Reichsfeld, tél. 03 88 85 58 78, bohn.bernard@gmail.com V ⚲ ▮ *r.-v.* 🏠 ❸

Ⓑ PAUL BUECHER Rosenberg 2014 ★

	3000	▮	8 à 11 €

D'origine suisse, la famille Buecher s'est établie près de Colmar après la guerre de Trente Ans. Après Paul Buecher, qui a vendu en 1959 les premiers vins en bouteilles, se sont succédé Henri, Jean-Marc, puis Jérôme, à la tête du domaine depuis 2004. L'exploitation, agrandie à chaque génération, est passée de 5 à 30 ha, s'est étendue dans les grands crus et convertie au bio.

Ce riesling aux reflets verts est né sur le Rosenberg, coteau aux sols argilo-calcaires. D'abord sur sa réserve, il s'ouvre sur des senteurs délicates de fleurs blanches, d'agrumes et de fruits exotiques, arômes complétés en bouche par une touche minérale. Nerveux à l'attaque, il montre un bel équilibre entre une certaine souplesse et une acidité mûre qui souligne sa persistance. Une pointe d'amertume plaisante marque la finale. Un beau vin de poisson. (Sucres résiduels: 1 g/l.) ⧗ 2016-2020 ☕ médaillons de lotte aux agrumes

PAUL BUECHER, 15, rue Sainte-Gertrude, 68920 Wettolsheim, tél. 03 89 80 64 73, vins@paul-buecher.com V ⚲ ▮ *t.l.j. sf dim. 8h-12h 14h-18h*

CAVE DE CLÉEBOURG Eselsforch 2014 ★

	10800	▮	8 à 11 €

La cave de Cléebourg a été fondée en 1946 pour sauver le vignoble situé à l'extrémité nord de l'Alsace, à la limite de l'Allemagne et à 80 km du tronçon principal de la route des Vins. La coopérative vinifie les vendanges de près de 200 ha de vignes implantés dans les villages proches de Wissembourg.

Issu d'un coteau plein sud, ce riesling à la robe dorée délivre de délicates notes d'acacia. Le citron mûr et la pêche entrent en scène dans un palais franc à l'attaque, gras, tendu par une belle fraîcheur. La finale sur le citron confit laisse le souvenir d'un vin à la fois puissant et élégant. À marier avec tous les poissons, crus, frits ou en sauce. (Sucres résiduels: 7,5 g/l.) ⧗ 2016-2024 ☕ matelote de poissons

CAVE VINICOLE DE CLÉEBOURG, rte du Vin, 67160 Cléebourg, tél. 03 88 94 50 33, info@cave-cleebourg.com V ⚲ ▮ *t.l.j. 8h-12h 14h-18h; dim. à partir de 10h*

DOM. DE LA VILLE DE COLMAR
Clos Saint-Jacques 2013 ★★

	20000		5 à 8 €

Géré depuis 1980 par Jean-Rémy Haeffelin, rejoint par son fils Nicolas, le domaine a été fondé en 1895 par Chrétien Oberlin, célèbre ampélographe. Il dispose en propre de 35 ha (dont le vignoble des Hospices, qui remonte à 1255), avec des parcelles dans plusieurs grands crus, et complète sa production par une activité de négoce.

Le Clos Saint-Jacques est un vignoble de 10,5 ha d'un seul tenant situé sur un terroir d'alluvions en plein Colmar. Il a donné naissance à un riesling de toute beauté. Le nez complexe mêle d'intenses fragrances florales (acacia, tilleul et genêt) aux agrumes. Le zeste de citron et le pamplemousse s'affirment dans une bouche structurée, fraîche et longue. Un vin typé, intense et fin, à déboucher dès l'apéritif. (Sucres résiduels: 7 g/l.) ⧗ 2017-2024 🍴 tartare de daurade aux agrumes

⊶ DOM. VITICOLE DE LA VILLE DE COLMAR, 2, rue du Stauffen, 68000 Colmar, tél. 03 89 79 11 87, cave@domaineviticolecolmar.fr
V t.l.j. sf dim. 9h30-12h30 14h-18h ⊶ GCF

DIETRICH Lanzenberg 2014 ★

	3000	8 à 11 €

La famille cultive la vigne depuis 1620, mais il a fallu attendre le début des années 1960 pour que Laurent Dietrich abandonne la polyculture et se lance dans la vente en bouteilles. Son fils Michel exploite 18 ha autour de la cité fortifiée de Dambach-la-Ville et de villages proches (Dieffenthal, Itterswiller et Albé).

Un nez intensément fruité et très frais, sur la pêche blanche et le citron. On retrouve la pêche mûre dans une attaque franche, qui ouvre sur un palais gras et structuré, tendu par une fine acidité, à la finale tonique et citronnée. Un riesling élégant et typé. (Sucres résiduels: 4,1 g/l.) ⧗ 2016-2022 🍴 blanquette de lotte

⊶ MICHEL DIETRICH, 3, rue des Ours, 67650 Dambach-la-Ville, tél. 03 88 92 41 31, dietrich.michel@wanadoo.fr
V t.l.j. sf dim. 9h-12h 13h-19h

PAUL DOCK ET FILS Cuvée Cathy 2014

	1200	11 à 15 €

Héritier d'une lignée installée au XVIII[e]s. à Heiligenstein, au pied du mont Sainte-Odile, Paul Dock a fondé son domaine en 1972. Le vignoble s'étend sur 8 ha et le klevener-de-heiligenstein représente 35 % de sa production. Patrick est venu rejoindre son père il y a plusieurs années.

Un riesling moelleux issu de raisins à surmaturité: robe jaune doré, en harmonie avec des senteurs d'agrumes confits et d'abricot, et une bouche charmeuse, souple et ronde sans lourdeur, marquée en finale par une pointe d'amertume. À déboucher à l'apéritif. (Sucres résiduels: 89 g/l.) ⧗ 2016-2022 🍴 toasts au foie gras

⊶ PAUL DOCK ET FILS, 55, rue Principale, 67140 Heiligenstein, tél. 03 88 08 02 49, vinsdock@orange.fr
V t.l.j. sf dim. 10h-12h 13h30-18h

DOM. DREYER 2014

	4000		5 à 8 €

Établi à Eguisheim, Robert Dreyer développe le vignoble; son fils Jean-Pierre, installé en 1976, met les premiers vins en bouteilles. Aujourd'hui, avec son frère Claude, il exploite un domaine de quelque 10 ha, composé de quarante parcelles réparties sur cinq communes.

Un nez discrètement floral, sur les fleurs blanches; les agrumes se mêlent aux fleurs dans une bouche fine et alerte en attaque, bien équilibrée entre souplesse et fraîcheur. (Sucres résiduels: 5 g/l.) ⧗ 2016-2020 🍴 flétan à la crème citronnée

⊶ DOM. ROBERT DREYER ET FILS, 17, rue de Hautvillers, 68420 Eguisheim, tél. 03 89 23 12 18, vignoble.dreyer@wanadoo.fr
V r.-v.

Ⓑ EBLIN-FUCHS Riesling Zellenberg 2014 ★

	8000		8 à 11 €

Établis à Zellenberg, petit village perché voisin de Riquewihr, José, Henri et Christian Eblin sont les héritiers d'une lignée de vignerons remontant au XIII[e]s. Ils conduisent en biodynamie leur domaine: 10 ha répartis dans six communes, avec des parcelles dans quatre grands crus.

Un riesling né sur les marnes de Zellenberg. À la robe soutenue aux reflets dorés répond un nez complexe mêlant l'abricot et la mangue, qui prennent en bouche des accents confits. Le palais n'a cependant rien de moelleux: gras et mûr, il est tendu par une fine acidité minérale qui donne du tonus à la finale. Un vin élégant. (Sucres résiduels: 3 g/l.) ⧗ 2016-2020 🍴 noix de Saint-Jacques sauce curry

⊶ DOM. EBLIN-FUCHS, 19, rte des Vins, 68340 Zellenberg, tél. 03 89 47 91 14, alsace@eblin-fuchs.com V r.-v. Ⓑ

JEAN-PAUL ECKLÉ 2014

	4000		5 à 8 €

Établi près de Colmar, dans le village de Katzenthal blotti dans un vallon et dominé par le donjon du Wineck, Emmanuel Ecklé exploite depuis 1996 les 9,5 ha du domaine familial. Une valeur sûre, notamment pour ses rieslings du Wineck-Schlossberg et du lieu-dit Hinterburg.

Sa robe pâle aux reflets verts signe sa jeunesse. Encore fermé, le nez laisse poindre des senteurs délicates de fleurs blanches, d'agrumes, d'ananas et de mirabelle. Une attaque incisive ouvre sur un palais nerveux de bout en bout, à la fois floral et minéral, de bonne longueur. À déboucher dès maintenant sur des fruits de mer ou à attendre pour permettre à son acidité de se fondre. (Sucres résiduels: 6 g/l.) ⧗ 2016-2020 🍴 huîtres

JEAN-PAUL ECKLÉ ET FILS, 29, Grand-Rue, 68230 Katzenthal, tél. 03 89 27 09 41, eckle.jean-paul@wanadoo.fr
t.l.j. sf dim. 9h-12h 13h30-18h

HENRI EHRHART Cuvée Prestige 2014 ★

	36000		5 à 8 €

Établie à Ammerschwihr, important bourg viticole proche de Colmar, la famille Ehrhart possède 7 ha en propre. Elle a créé en 1978 une structure de négoce et, forte de ses connaissances de producteur-récoltant, privilégie l'achat de raisins provenant des domaines environnants. Cyrille et Sophie Ehrhart ont pris les rênes de la maison en 2012.

Un riesling à la robe lumineuse et aux parfums intenses d'orange et de mandarine. Ces agrumes mûrs se retrouvent dans une attaque souple et ronde, relayée par une acidité minérale qui étire la finale légèrement épicée. Une très belle harmonie entre le nez et la bouche. (Sucres résiduels: 6 g/l.) 2016-2020 filet de julienne sauce mandarine

HENRI EHRHART, quartier des Fleurs, 68770 Ammerschwihr, tél. 03 89 78 23 74, he@henri-ehrhart.com

ANDRÉ EHRHART 2014

	6000		5 à 8 €

La famille Ehrhart cultive la vigne depuis 1910, mais c'est André Ehrhart qui spécialise le domaine et débute la vente en bouteilles en 1959. Son fils Antoine le rejoint en 1980 et prend le relais en 1991. L'exploitation, établie près de Colmar, compte 10 ha, avec des parcelles dans trois grands crus.

Un nez élégant et bien typé avec ses arômes frais d'agrumes et d'ananas. Bien équilibré, le palais n'est pas des plus longs, mais son acidité fine et agréable est caractéristique du cépage. Ce riesling fera son office sur les entrées et les produits de la mer. (Sucres résiduels: 3,6 g/l.) 2016-2020 choucroute de poissons

DOM. ANDRÉ EHRHART ET FILS, 68, rue Herzog, 68920 Wettolsheim, tél. 03 89 80 66 16, ehrhart.andre@neuf.fr
t.l.j. sf dim. 8h-12h 14h-18h30

FAHRER-ACKERMANN Terroir du Haut-Kœnigsbourg 2014 ★★

	3500		5 à 8 €

En 1999, Vincent Ackermann, salarié viticole, rachète l'exploitation de son employeur, située au pied du Haut-Kœnigsbourg, et, cinq ans plus tard, une maison datée de 1709 sise à Rorschwihr pour aménager des chambres d'hôtes. Son domaine couvre 10 ha.

Planté sur des sols granitiques, comme ceux des coteaux du Haut-Kœnigsbourg, le riesling engendre des vins expressifs et élégants comme celui-ci. Certains dégustateurs ont suggéré qu'on lui attribue un coup de cœur, charmés par ses senteurs fraîches d'orange mûre, de jasmin et de fleur de sureau, puis par sa bouche dans le droit fil, tendre, ronde sans lourdeur, également très florale, marquée en finale par des notes d'orange amère. De la délicatesse et du caractère. (Sucres résiduels: 11 g/l.) 2016-2022 blanquette de lotte **Lieu-dit Hofreben 2014 ★ (8 à 11 €; 4000 b.)** : issu d'un terroir granitique, un riesling moelleux, au nez fruité et élégant, sur la poire williams et l'orange, nuancé de notes réglissées. Ample et tout en finesse, il mérite d'attendre pour gagner en fondu. (Sucres résiduels: 19 g/l.) 2018-2024 risotto aux saint-jacques

DOM. FAHRER-ACKERMANN, 10, rte du Vin, 68590 Rorschwihr, tél. 03 89 73 83 69, vincent.ackermann@wanadoo.fr
r.-v.

DOM. CHARLES FREY Vieilles Vignes 2014

	6000		11 à 15 €

Originaires de Suisse, les Frey se sont installés à Dambach-la-Ville au XVIIe s. Charles et Dominique ayant engagé en 1998 la conversion bio du domaine, la famille exploite aujourd'hui ses 14 ha en biodynamie. En 2010, elle a fait construire une cave bioclimatique (régulations hygrométrique et thermique passives).

Les arènes granitiques de Dambach-la-Ville sont propices au riesling. Voyez celui-ci, issu de vignes de cinquante ans: déjà bien ouvert au nez, il mêle la pêche blanche, le citron confit, des notes grillées et minérales. Très expressif en bouche, floral, il est typé, droit, marqué en finale par une pointe d'amertume de bon aloi. (Sucres résiduels: 7,5 g/l.) 2016-2020 vol-au-vent aux crustacés

DOM. CHARLES FREY, 1, rue du Pinot-Blanc, 67650 Dambach-la-Ville, tél. 03 88 92 41 04, contact@charlesfrey.fr *r.-v.*

ROLLY GASSMANN Kappelweg de Rorschwihr 2014

	8000		15 à 20 €

Domaine né de l'union de Marie-Thérèse Rolly avec Pierre Gassmann, établis à Rorschwihr, village dominé par le Haut-Kœnigsbourg. Héritiers de lignées remontant au XVIIe s., ces vignerons ont constitué un vaste domaine de 52 ha. Pierre Gassmann élabore de multiples cuvées, vinifiées par lieux-dits et types de sol.

Issu d'un terroir de marnes calcaires, ce riesling intéresse par son nez complexe et fin, déclinant l'ananas, le café vert et des notes minérales. Dans le même registre, le palais se développe avec ampleur avant de finir sur une touche d'orange amère. Pour des viandes blanches ou des poissons en sauce. (Sucres résiduels: 25 g/l.) 2017-2020 volaille braisée aux poires **Réserve Millésime 2014 (11 à 15 €; 12000 b.)** : vin cité.

ROLLY GASSMANN, 2, rue de l'Église, 68590 Rorschwihr, tél. 03 89 73 63 28, rollygassmann@wanadoo.fr
t.l.j. sf dim. 9h-12h 13h30-18h

HALBEISEN Bühel 2014

	2800		8 à 11 €

L'héritage vigneron de la famille Halbeisen remonte à 1737, date de l'installation à Bergheim de cette

famille originaire du Sundgau, près de Bâle. À la tête de 14 ha, Aurélien perpétue la tradition et participe à l'œnotourisme grâce à un bar à vin, un hôtel-restaurant et un spa.

Vous recherchez des rieslings très secs (*bone dry*, diraient les Anglais)? Passez votre chemin, comme ce dégustateur qui trouve celui-ci «trop charmeur». Il s'agit en effet d'un moelleux, récolté en octobre sur un coteau calcaire: robe tirant sur le doré, nez d'orange confite et d'angélique, avec une note de café torréfié, bouche à l'unisson, tout en rondeur et en suavité, réveillée en finale par une pointe acidulée. (Sucres résiduels: 41 g/l.) ⧗ 2016-2020 🍴 tarte à l'orange

HALBEISEN, 3, rte du Vin, 68750 Bergheim, tél. 03 89 73 63 81, info@halbeisen-vins.com
V t.l.j. 10h-12h 13h30-18h30 ③

KAMM Vieilles Vignes 2014

	2000		5 à 8 €

Fondé en 1905, ce domaine compte aujourd'hui 6,5 ha autour de Dambach-la-Ville, important village viticole fortifié situé entre Bar et Sélestat. Comme de nombreux producteurs alsaciens, Jean-Louis Kamm et son fils Éric – qui conduit la propriété depuis 2005 – ont franchi le pas: ils ont engagé en 2010 la conversion bio de leur vignoble, jusqu'alors exploité en lutte raisonnée.

Le terroir granitique de Dambach-la-Ville favorise le riesling. Ici, des ceps de soixante-dix ans plantés par le grand-père, vendangés à la mi-octobre. Conforme à son origine, le vin est très expressif, minéral et légèrement toasté. Si l'attaque est fraîche, le palais, gras, penche vers la douceur et demande à se fondre. Des sensations acidulées soulignées par des arômes d'agrumes et de citronnelle apportent du dynamisme en finale. (Sucres résiduels: 7 g/l.) ⧗ 2018-2020 🍴 poulet à la citronnelle

JEAN-LOUIS ET ÉRIC KAMM, 59, rue du Mal-Foch, 67650 Dambach-la-Ville, tél. 03 88 92 49 03, jl.kamm@orange.fr V t.l.j. 8h-18h; dim. sur r.-v.

CH. LEIPP-LEININGER Lieu-dit Degis 2014 ★

	2000		8 à 11 €

Ce domaine familial est établi à Barr, petit centre viticole proche du mont Sainte-Odile, et a son siège dans une maison vigneronne cossue du XVIIIes. Luc Leininger le conduit depuis 1981 et a engagé en 2010 la conversion bio de ses 10 ha de vignes.

Cette exploitation a fait sensation l'an dernier avec un riesling 2013. Ce 2014 n'est pas mal du tout. Il provient d'un coteau marno-calcaire et gréseux dominant Barr à l'ouest du grand cru Kirchberg. Il séduit par son nez intense, entre agrumes et fleurs blanches. Rond à l'attaque, il est marqué par une belle vivacité qui lui permettra d'évoluer dans le bon sens. Ses arômes d'agrumes se teintent de quelques notes vanillées. (Sucres résiduels: 5 g/l.) ⧗ 2016-2022 🍴 blanquette de veau

LEIPP-LEININGER, 11, rue du Dr-Sultzer, 67140 Barr, tél. 03 88 08 95 98, info@leipp-leininger.com
V t.l.j. 8h-12h 13h15-18h30

ANDRÉ LORENTZ Grande Réserve 2014 ★

	20000		5 à 8 €

Fondée en 1824 par Martin Klipfel, cette maison de Barr est restée dans la même famille en prenant de l'envergure. Gérée par Jean-Louis Lorentz et ses filles Anne-Sophie, Marie et Amélie, elle associe une structure de négoce et un important domaine (40 ha, dont 15 ha en grand cru). Deux étiquettes: Klipfel et André Lorentz, pour l'export et la grande distribution.

André Lorentz, fils du négociant Gustave Lorentz de Bergheim, a épousé une Klipfel, développé l'entreprise de Barr et donné son nom à une gamme de vins. Celui-ci affiche une robe intense aux reflets jaune d'or. Plus discret, le nez délivre à l'aération de plaisantes senteurs d'acacia et d'agrumes. Tonique en attaque, le palais est construit sur une belle trame acide soulignée par des notes citronnées persistantes. Un riesling bien typé qui accompagnera aussi bien le poisson que les viandes blanches. (Sucres résiduels: 5 g/l.) ⧗ 2016-2020 🍴 sole meunière

KLIPFEL, 6, av. du Dr-Marcel-Krieg, 67140 Barr, tél. 03 88 58 59 00, alsacewine@klipfel.com
V t.l.j. 10h-12h 14h-18h; f. janv.
Jean-Louis Lorentz

JEAN-LOUIS ET FABIENNE MANN Altengarten 2014 ★

	2000		15 à 20 €

Fabienne et Jean-Louis Mann ont repris les vignes familiales en 1982: d'abord coopérateurs, ils se sont mis à leur compte en 1998. Conversion au bio (certification en 2008), puis en 2009 à la biodynamie, à l'arrivée du fils Sébastien. Aujourd'hui, 12,5 ha, des parcelles disséminées entre Katzenthal et Eguisheim, au nord et au sud de Colmar, avec des vignes dans neuf lieux-dits et deux grands crus. En ligne de mire: l'expression du terroir.

Pfersigberg, Ortel, Steinweg, Altengarten, les Mann proposent plusieurs rieslings issus de terroirs différents. Ce dernier lieu-dit, aux sols riches en éboulis gréseux et siliceux, est situé en contrebas du grand cru Eichberg d'Eguisheim. Le 2014, comme son aîné, a séduit les dégustateurs. Intense à l'œil comme au nez, très floral, c'est un vin très sec, bien équilibré, puissant et long. (Sucres résiduels: 1 g/l.) ⧗ 2016-2020 🍴 terrine de poisson

EARL JEAN-LOUIS MANN, 11, rue du Traminer, 68420 Eguisheim, tél. 03 89 24 26 47, vinsmann@gmail.com V r.-v.

DOM. FRANÇOIS MEYER Thal Vieilles Vignes 2013

	1200		5 à 8 €

Depuis le XVIes., on ne compte plus les générations de Meyer qui se sont succédé dans le village viticole de Blienschwiller, au sud du Bas-Rhin. La famille est attachée aux traditions, notamment aux foudres traditionnels, ce qui n'a pas empêché Pierre-Yves d'aller explorer les vignobles australiens avant de prendre la suite de François en 2002 sur l'exploitation (11 ha).

Ces vignerons cultivent le riesling sur plusieurs terroirs différents: déjà retenu l'an dernier, celui du Thal naît de vignes de soixante-dix ans plantées sur des sols argileux. Le nez discret associe le pamplemousse, le citron et la pêche blanche. On retrouve ces arômes dans une bouche franche en attaque, structurée, de bonne longueur, bien équilibrée entre rondeur et acidité. (Sucres résiduels: 4 g/l.) ⧗ 2016-2020 ♈ coq au riesling

PIERRE-YVES MEYER, 5, rue du Winzenberg, 67650 Blienschwiller, tél. 06 76 04 75 41, vins.francois.meyer@free.fr V r.-v.

DOM. MEYER-FONNÉ Pfoeller 2013 ★

	2100		15 à 20 €

Félix Meyer exploite avec brio plus de 15 ha de vignes en bio non certifié et vinifie dans le même esprit. Son domaine s'étend sur sept communes: il peut donc jouer sur une grande palette de terroirs, et notamment sur cinq grands crus.

Provenant d'un terroir calcaire, ce 2013 s'ouvre lentement, libérant à l'aération des notes minérales, déjà «pétrolées», associées à des touches de torréfaction. Franc en attaque, puis rond, il est équilibré par une vivacité saline soulignée par des arômes d'agrumes et des notes balsamiques. Un ensemble structuré et frais qui mérite d'attendre encore un peu. (Sucres résiduels: 7 g/l.) ⧗ 2017-2020 ♈ cassolette d'écrevisses

DOM. MEYER-FONNÉ, 24, Grand-Rue, 68230 Katzenthal, tél. 03 89 27 16 50, felix@meyer-fonne.com V r.-v.

MOELLINGER Sélection 2014

	6500		5 à 8 €

Joseph Moellinger s'est lancé dans la mise en bouteilles en 1945. Depuis 1997, son petit-fils Michel conduit l'exploitation, qui couvre 14 ha autour de Wettolsheim, grosse bourgade qui jouxte Colmar au sud-ouest. Il détient des parcelles dans plusieurs grands crus.

Issu d'un terroir sablo-limoneux, ce riesling jaune pâle offre un profil bien marqué, frais, acidulé et citronné du premier coup de nez jusqu'à la finale saline: tout ce qu'il faut pour les produits de la mer. (Sucres résiduels: 7,7 g/l.) ⧗ 2016-2020 ♈ tartare de saint-jacques

JOSEPH MOELLINGER ET FILS, 6, rue de la 5e-Division-Blindée, 68920 Wettolsheim, tél. 03 89 80 62 02, vins.moellinger@sfr.fr V *t.l.j. 8h-12h 13h30-19h; dim. sur r.-v.*

DOM. MOLTÈS Terre d'Apollon 2014 ★

	7000		8 à 11 €

Un domaine de 25 ha implanté à une dizaine de kilomètres au sud de Colmar. Antoine Moltès commercialise les premiers vins en 1925, Roland explore les terroirs. Installés au tournant de ce siècle, Stéphane et Mickaël ont aménagé un nouveau chai, se sont orientés graduellement vers le bio, engageant la conversion du vignoble en 2012. Ils ont plusieurs coups de cœur à leur actif.

À la robe or pâle aux reflets verts répond un nez tout en fraîcheur citronnée, précis et minéral, évoquant le silex. Le palais, dans le droit fil, attaque avec vivacité et garde cette fraîcheur jusqu'en finale, sur des notes de pamplemousse, d'orange et de citron. Un riesling plaisant et bien typé, fait pour les produits de la mer. (Sucres résiduels: 6 g/l.) ⧗ 2016-2020 ♈ tourteau mayonnaise

DOM. MOLTÈS, 8, rue du Fossé, 68250 Pfaffenheim, tél. 03 89 49 60 85, domaine@vin-moltes.com V r.-v.

MAISON PETTERMANN Cuvée de l'Ours 2014 ★

	8000		8 à 11 €

1928: fondation du domaine et premières vinifications par Fernand Pettermann; 1964: son fils Roland se lance dans la vente en bouteilles. Depuis 2004, Didier, le petit-fils du fondateur, est à la tête de la propriété: pas moins de 20 ha, autour de Dambach-la-Ville.

Cuvée de l'Ours? Cet animal est le symbole de la petite cité médiévale de Dambach-la-Ville, réputée pour ses terroirs granitiques qui engendrent notamment des rieslings de haute expression. Ici, un vin d'un jaune pâle lumineux, au nez intense de fleurs blanches, de silex, légèrement mentholé. Élégant et charmeur en bouche, il conjugue rondeur onctueuse et une fraîcheur tonique soulignée par une finale citronnée. À déboucher dès l'apéritif. (Sucres résiduels: 10 g/l.) ⧗ 2016-2024 ♈ noix de Saint-Jacques à la crème

MAISON PETTERMANN, 9, rue de Dieffenthal, 67650 Dambach-la-Ville, tél. 03 88 92 42 01, contact@maison-pettermann.fr V r.-v.

RAYMOND RENCK Burgreben 2014

	1400		5 à 8 €

Créé en 1961 par Raymond Renck, un domaine situé à Beblenheim, à 3 km de Riquewihr. Il est conduit depuis 1996 par Colette et Gérard Schillinger-Renck, qui disposent de 5,3 ha et cultivent plusieurs parcelles dans des grands crus voisins comme le Sonnenglanz.

Un nez d'une grande fraîcheur, sur les agrumes et des notes minérales évoquant la pierre à fusil. La bouche, à l'unisson, est franche en attaque, bien équilibrée entre rondeur et vivacité tonique, de bonne longueur. (Sucres résiduels: 6,6 g/l.) ⧗ 2016-2020 ♈ sole grillée

EARL RAYMOND RENCK, 11, rue de Hoen, 68980 Beblenheim, tél. 03 89 47 91 59 V *t.l.j. sf dim. 8h-12h 14h-19h*

CAVE DE RIBEAUVILLÉ
Lieu-dit Mühlforst Réserve 2014

	2200		8 à 11 €

L'économie sociale s'étant développée précocement en Alsace, comme en Rhénanie, la Cave de Ribeauvillé, fondée en 1895, est la plus ancienne coopérative de France. Pour vinifier les 235 ha de ses adhérents, elle a investi dans une nouvelle gamme de pressoirs. À sa carte, huit grands crus et de nombreux vins de terroir.

Coteau argilo-marneux dominant Ribeauvillé, le Muhlforst a engendré un riesling bien typé de ce terroir par son nez discret, mêlant les agrumes et l'acacia à une touche de pierre à fusil. Souple en attaque, consistant et d'une belle vivacité, il finit sur une note minérale. (Sucres résiduels: 5 g/l.) ⧗ 2016-2020 🍴 choucroute

CAVE DE RIBEAUVILLÉ, 2, rte de Colmar, 68150 Ribeauvillé, tél. 03 89 73 61 80, cave@cave-ribeauville.com V t.l.j. 9h-12h 14h-18h

CHRISTOPHE RIEFLÉ 2014 ★★

	2000		5 à 8 €

De vieille souche vigneronne, Christophe Rieflé a créé son exploitation en 2003, avec chai et cuverie. Premier millésime vinifié en 2005 et de nombreuses sélections dans le Guide. Il exploite 15,5 ha autour de Pfaffenheim, à 15 km au sud de Colmar.

Reflétant son origine argilo-calcaire, ce riesling offre un nez discrètement floral, tout en finesse, sur l'acacia. On aime son attaque, son palais puissant, aromatique, dont la grande vivacité est équilibrée par ce qu'il faut de rondeur, et sa longue finale acidulée aux accents de groseille à maquereau. (Sucres résiduels: 5 g/l.) ⧗ 2016-2020 🍴 turbot beurre blanc au riesling

CHRISTOPHE RIEFLÉ, 32 A, rue de la Lauch, 68250 Pfaffenheim, tél. 06 86 17 27 42, christopheriefle@aol.com V *t.l.j. sf dim. 8h-12h 13h-18h*

JOSEPH RUDLOFF Vieilles Vignes 2014

	10 000		8 à 11 €

Fernand Engel, le fondateur; son fils Bernard, l'exploitant; Xavier Baril, le gendre et l'œnologue, Amélie, sa fille, et aussi les petits-enfants: quatre générations se côtoient sur ce domaine très régulier en qualité, situé au pied du Haut-Kœnigsbourg. Entre Kintzheim et Bergheim, pas moins de 65 ha répartis sur 150 parcelles, en bio certifié (biodynamie) depuis 2003. Deux étiquettes: Fernand Engel et Joseph Rudloff.

Né sur un terroir marno-calcaire, un riesling flatteur et tout en légèreté. Joli nez de genêt, puis de citron confit, bouche tonique et citronnée. Peu de longueur, mais du fruit. (Sucres résiduels: 8 g/l.) ⧗ 2016-2018 🍴 tarte à l'oignon

DOM. FERNAND ENGEL, 1, rte du Vin, 68590 Rorschwihr, tél. 03 89 73 77 27, f-engel@wanadoo.fr V *t.l.j. sf dim. 8h-11h30 13h-18h*

GILBERT RUHLMANN FILS
Rittersberg Cru de terroir granitique 2014

	3000		8 à 11 €

Fondée en 1958 par Gilbert Ruhlmann et exploitée aujourd'hui par la deuxième génération – Guy et Pascal Ruhlmann –, l'exploitation s'étend sur 14 ha autour de Scherwiller, pittoresque village traversé par un ruisseau, près de Sélestat. Elle a son siège dans un corps de ferme du XVIIIe s.

Un nez discrètement floral (acacia), avec un soupçon de sous-bois. Une attaque franche, une bouche équilibrée entre souplesse et fine acidité, des arômes intéressants (mandarine, pêche, nuances balsamiques, herbes aromatiques et touches minérales) et ce qu'il faut de longueur. Un « vin de terroir », selon un dégustateur. (Sucres résiduels: 7 g/l.) ⧗ 2016-2019 🍴 quiche au saumon

GILBERT RUHLMANN FILS, 31, rue de l'Ortenbourg, 67750 Scherwiller, tél. 03 88 92 03 21, vin.ruhlmann@terre-net.fr V *t.l.j. 9h-11h45 13h30-19h*

DOM. RUNNER 2014

	6100		5 à 8 €

Dirigé par François Runner depuis 1997, ce domaine familial créé en 1935 couvre 12 ha autour de Pfaffenheim, au sud de Colmar, avec des vignes dans le grand cru local, le Steinert.

Issu d'un terroir argilo-calcaire, un riesling au nez délicat d'agrumes, teinté de minéralité. L'attaque est vive et typée; la bouche, sans avoir une structure imposante, possède suffisamment de tenue et de fraîcheur pour remplir son office avec les entrées et les poissons. (Sucres résiduels: 5 g/l.) ⧗ 2016-2020 🍴 choucroute de la mer

DOM. FRANÇOIS RUNNER ET FILS, 1, rue de la Liberté, 68250 Pfaffenheim, tél. 03 89 49 62 89, francoisrunner@aol.com V *t.l.j. 8h-12h 13h-19h*

DOM. DU SACRÉ CŒUR 2013 ★

	12 000	5 à 8 €

Dagobert? Le roi mérovingien avait un palais et des vignes dans cette contrée située au nord de la route des Vins, à une vingtaine de kilomètres de Strasbourg. Fondée en 1952, la coopérative de Traenheim rassemble 940 ha, ce qui ne l'empêche pas de proposer une gamme de vins de terroir. Elle travaille en association avec la Cave de Turckheim.

Provenant d'un terroir argilo-marneux, ce riesling vinifié par la coopérative de Traenheim offre tout ce que l'on attend de ce cépage: un nez bien ouvert et citronné, un palais intense, ample et structuré par une franche acidité soulignée par des arômes d'agrumes, une finale saline et longue. Il s'accordera avec de nombreux mets. (Sucres résiduels: 3,6 g/l.) ⧗ 2016-2022 🍴 pavé de sandre aux spaetzle

CAVE DU ROI DAGOBERT, 1, rte de Scharrachbergheim, 67310 Traenheim, tél. 03 88 50 69 00, dagobert@cave-dagobert.com V *t.l.j. 9h-19h*

DOM. JOSEPH SCHARSCH Wolxheim 2013 ★

	3450		5 à 8 €

Enracinée depuis 1755 à Wolxheim, non loin de Strasbourg, la famille Scharsch a relancé le vignoble et repris la mise en bouteilles en 1976. Installé à sa tête en 2011, Nicolas Scharsch exploite en bio certifié plus de 12 ha. Le fleuron de la propriété est le riesling du grand cru Altenberg.

Réputé de longue date pour ses rieslings, le village de Wolxheim bénéficie aujourd'hui d'une dénomination communale qui s'affiche sur les étiquettes. Digne de cette réputation, ce vin séduit par son expression florale intense (acacia) teintée d'une minéralité naissante, puis par sa bouche vive, ample, structurée et persistante. (Sucres résiduels: 5,7 g/l.) 2016-2022 tartare de saint-jacques

DOM. JOSEPH SCHARSCH, 12, rue de l'Église, 67120 Wolxheim, tél. 03 88 38 30 61, cave@domaine-scharsch.com V r.-v. A

♥ SCHEIDECKER ET FILS 2014 ★★★

	4000		5 à 8 €

Philippe Scheidecker, rejoint en 2013 par son fils Laurent, est établi à Mittelwihr, commune viticole située au nord-ouest de Colmar. Le vignoble familial comporte des parcelles dans trois grands crus: Froehn, Sporen et Mandelberg.

Né au cœur de la route des Vins sur un terroir argilo-calcaire, ce riesling récolté le 1er octobre a emporté l'adhésion. Sa robe aux reflets dorés annonce des parfums intenses et complexes de surmaturation: raisin très mûr, buis, puis miel de sapin et pâte d'amandes. Le citron confit, le pamplemousse rose, la pêche et l'abricot entrent en scène dans un palais puissant, ample, concentré et harmonieux, qui reste sec. La longue finale saline et citronnée achève de convaincre. Un vin de gastronomie et de garde. (Sucres résiduels: 9 g/l.) 2016-2026 médaillons de homard sauce agrumes

EARL SCHEIDECKER ET FILS, 13, rue des Merles, 68630 Mittelwihr, tél. 03 89 49 01 29 V *t.l.j. 10h-12h 14h-18h*

DOM. PAUL SCHNEIDER Vieilles Vignes 2014 ★

	6000	5 à 8 €

Héritier d'une lignée remontant à 1663, Luc Schneider est établi au cœur d'Eguisheim, dans l'ancienne cour dîmière du grand prévôt de la cathédrale de Strasbourg. Son vignoble couvre 13 ha au sud de Colmar, avec des parcelles dans plusieurs grands crus.

Son terroir de naissance, marno-calcaire, n'empêche pas ce riesling d'offrir un nez très expressif, mêlant avec élégance l'acacia et les agrumes. Une élégance qui se retrouve au palais: attaque vive et complexe, dans le même registre que l'olfaction, bouche tonique, de belle tenue, finale délicatement citronnée. (Sucres résiduels: 5,8 g/l.) 2017-2022 tomme de brebis

EARL SCHNEIDER, 1, rue de l'Hôpital, 68420 Eguisheim, tél. 03 89 41 50 07, vins.paul.schneider@wanadoo.fr V *t.l.j. 9h-12h 14h-18h* C

MAURICE SCHUELLER Vieilles Vignes 2014

	4200		8 à 11 €

Une famille d'origine suisse installée au sud de Colmar après la guerre de Trente Ans. Le grand-père de l'actuel producteur acquiert la propriété dans les années 1930, son fils Maurice développe la mise en bouteilles en 1966 et passe le relais à Marc Schueller en 1994. Le domaine compte 7,4 ha, avec comme fleuron des vignes dans le grand cru Goldert.

Issu d'un terroir argilo-gréseux, ce riesling au nez de pêche et d'abricot apparaît rond en bouche, marqué en finale par une note d'amande amère. Un peu empâté pour l'heure par les sucres résiduels masquant une fraîcheur pourtant présente, il devrait évoluer dans le bon sens: à attendre. (Sucres résiduels: 9,5 g/l.) 2017-2020 jarret aux navets confits

EARL MAURICE SCHUELLER, 17, rue Basse, 68420 Gueberschwihr, tél. 03 89 49 31 80, marc@vins-schueller.com V *t.l.j. sf dim. 8h30-12h 14h-18h* C

ALINE ET RÉMY SIMON Vieilles Vignes 2014 ★★

	1800		5 à 8 €

Installés dans la maison des grands-parents datant de 1772, Aline et Rémy Simon exploitent depuis 1996 le petit vignoble familial situé au pied du Haut-Kœnigsbourg, à la limite des deux départements alsaciens: 2 ha à l'origine, 7 ha aujourd'hui.

Des vignes de cinquante ans plantées sur un terroir calcaro-gréseux pour ce riesling moelleux plaisant par sa complexité: ses parfums de citron vert s'orientent à l'aération vers des notes plus mûres d'ananas, de mangue et de mirabelle, teintées de minéralité. La forte teneur en sucre n'alourdit pas le vin, qui se montre ample en bouche, d'une belle finesse, aussi aromatique qu'au nez. Un vin encore très jeune. (Sucres résiduels: 21 g/l.) 2017-2023 foie gras poêlé aux agrumes

DOM. ALINE ET RÉMY SIMON, 12, rue Saint-Fulrade, 68590 Saint-Hippolyte, tél. 03 89 73 04 92, alineremy.simon@wanadoo.fr V *t.l.j. 9h-12h30 13h30-19h* 2 B

JEAN SIPP Hagel Les Terrasses du clos Hautes densités 2014 ★

	1000		20 à 30 €

Établi dans une demeure Renaissance qui appartint jadis à la puissante famille des Ribeaupierre, seigneurs de Ribeauvillé, Jean-Guillaume Sipp perpétue depuis 2010 avec brio une tradition viticole inaugurée en 1654 par son ancêtre porteur du même prénom. Il dispose de 24 ha de vignes, avec des parcelles dans plusieurs crus renommés (Altenberg de Bergheim, Kirchberg de Ribeauvillé...).

Cette cuvée d'origine granitique provient d'un coteau très pentu, aménagé en terrasses, en contrebas des châteaux dominant Ribeauvillé. Hautes densités? 9 600 pieds à l'hectare: un moyen de diminuer les rendements au cep. Un riesling typé et racé: nez citronné et racé, bouche à l'unisson, ample, équilibrée, à la finale fraîche et de bonne longueur. (Sucres résiduels: 3,6 g/l.) ⧗ 2016-2020 🍴 sandre à la crème

JEAN SIPP, 60, rue de la Fraternité, 68150 Ribeauvillé, tél. 03 89 73 60 02, domaine@jean-sipp.com V t.l.j. sf dim. 9h-12h 14h-17h30 4 D

SIPP-MACK Vieilles Vignes 2013 ★

10000		8 à 11 €

En 1959, François Sipp, de Ribeauvillé, épouse Marie-Louise Mack, du village voisin d'Hunawihr. Son fils Jacques rencontre Laura, diplômée de l'université Davis en Californie, lors de ses années de formation aux États-Unis. Leur fille Carolyn a rejoint l'exploitation, qui couvre 24 ha (en bio certifié depuis 2013). Les Sipp sont aussi négociants.

Plantées sur argilo-calcaires, des vignes de quarante ans ont engendré ce riesling d'un jaune intense, mariant au nez le citron jaune, une touche minérale et un soupçon de sous-bois. On retrouve les agrumes et la minéralité dans une bouche tendue par une acidité fraîche et plaisante. La finale intense et citronnée laisse le souvenir d'un vin élégant et typé. (Sucres résiduels: 3,4 g/l.) ⧗ 2016-2021 🍴 sole grillée

SIPP-MACK, 1, rue des Vosges, 68150 Hunawihr, tél. 03 89 73 61 88, contact@sippmack.com V t.l.j. sf dim. 9h-12h 14h-18h C *Jacques Sipp*

SPITZ ET FILS Réserve 2014 ★★

4000		8 à 11 €

Un grand-père vigneron-restaurateur, un père directeur d'école; Dominique Spitz choisit la viticulture. Il s'installe en 1983, développe le domaine à Blienschwiller et dans plusieurs villages environnants (12 ha aujourd'hui), construit la cave en 1993. En 2012, son fils Marc prend sa succession.

Né sur un terroir granitique, ce riesling jaune doré s'ouvre sur des parfums engageants de fleurs blanches et d'abricot frais. Velouté et souple en attaque, il est marqué par une pointe de sucres résiduels qui laisse l'acidité à l'arrière-plan. Il formera une belle alliance avec les poissons cuisinés et devrait bien évoluer. (Sucres résiduels: 12,8 g/l.) ⧗ 2016-2022 🍴 cabillaud sauce thaï

SPITZ ET FILS, 2 et 4, rte des Vins, 67650 Blienschwiller, tél. 03 88 92 61 20, vinspitzalsace@orange.fr V t.l.j. 8h30-11h30 14h-19h 3

STRAUB Vieilles Vignes 2014 ★

3200		5 à 8 €

Installé en 1980 sur le domaine familial, entre Barr et Sélestat, Jean-Marie Straub cultive 7 ha de vignes autour de Blienschwiller, dont plusieurs parcelles dans le grand cru local, le Winzenberg. Dans sa cave voûtée de 1714 s'alignent les foudres traditionnels en bois.

Le riesling donne des vins de belle expression sur les sols granitiques de Blienschwiller. Comme celui-ci, qui séduit par son nez vif et bien ouvert sur la pêche, prélude à une bouche alerte, droite, équilibrée et longue. Sa fraîcheur fera merveille avec les poissons grillés et même avec certains fromages. (Sucres résiduels: 4,5 g/l.) ⧗ 2016-2020 🍴 chèvres chauds sur salade

JEAN-MARIE STRAUB, 61, rte des Vins, 67650 Blienschwiller, tél. 03 88 92 40 42, jean-marie.straub@wanadoo.fr V r.-v.

DOM. DE LA TOUR Schieferberg 2014 ★

2000		8 à 11 €

Installé en 1985, Jean-François Straub a pris la suite avec son épouse Anne-Marie d'une lignée de vignerons et de tonneliers remontant à 1510. Il a passé la main en 2005 à son fils Jean-Sébastien. Fort de 15 ha de vignes, le domaine s'est équipé d'une cuverie moderne, tout en conservant ses foudres traditionnels.

Ce domaine dispose de beaux terroirs propices au riesling, parmi lesquels le Schieferberg, aux sols schisteux. Il a donné un riesling au nez intense, vif et minéral, sur les fleurs blanches, les agrumes et la groseille à maquereau, arômes qui se prolongent en bouche. De l'attaque franche à la finale alerte et citronnée, le vin ne se départit pas de cette fraîcheur élégante qu'on aime trouver dans les rieslings. (Sucres résiduels: 6 g/l.) ⧗ 2016-2021 🍴 huîtres gratinées **Vieilles Vignes 2014 (5 à 8 €; 5300 b.)** : vin cité.

DOM. DE LA TOUR, 35, rte des Vins, 67650 Blienschwiller, tél. 03 88 92 48 72, contact@vins-straub.fr V r.-v. 2 B

♥ **CAVE DE TURCKHEIM** Vieilles Vignes 2014 ★★

15000		5 à 8 €

Fondée en 1955, cette coopérative d'importance propose des vins haut de gamme en volumes intéressants, tels les grands crus (neuf références, avec le Brand de Turckheim en vedette) ou les vendanges tardives.

Les dégustateurs ont plébiscité ce riesling né sur un terroir de graves. Si la robe jaune pâle brillant aux reflets verts est classique, le vin sort du lot par ses parfums complexes mêlant l'acacia, les agrumes et des touches minérales. Dans une belle continuité avec le nez, le palais conjugue ampleur et vivacité. De l'attaque tonique à la longue finale tendue par une fine acidité, il fait montre d'une réelle élégance. (Sucres résiduels: 5,2 g/l.) ⧗ 2016-2022 🍴 langoustines à la citronnelle

CAVE DE TURCKHEIM, 16, rue des Tuileries, 68230 Turckheim, tél. 03 89 30 23 60, info@cave-turckheim.com V t.l.j. 9h-12h 14h-18h

VORBURGER 2014 ★

3000		5 à 8 €

Vignerons à Vœgtlinshoffen, village dominant la plaine d'Alsace au sud-ouest de Colmar, les Vorburger vendent leur vin en bouteilles depuis les

années 1950. Aujourd'hui, Jean-Pierre et Philippe exploitent le vignoble en bio certifié.

Né sur un terroir argilo-calcaire, ce riesling s'annonce par un nez discrètement floral (acacia) qui commence à se teinter d'une touche minérale. De l'attaque vive à la finale longue et citronnée, il dévoile d'emblée une étoffe solide, tendue par une acidité élégante soulignée par des arômes d'agrumes. Un vin de belle tenue qui n'a pas atteint sa pleine expression. (Sucres résiduels: 5,5 g/l.) ⧗ 2017-2022 🍴 crabe farci

⊶ EARL JEAN-PIERRE VORBURGER ET FILS, 3, rue de la Source, 68420 Vœgtlinshoffen, tél. 03 89 49 35 52, jean.pierre.vorburger68@gmail.com V r.-v.

CH. WAGENBOURG Sélection Klein 2014 ★

■ | 7000 | 5 à 8 €

À 25 km au sud de Colmar, Soultzmatt s'étire le long de la Vallée Noble, ainsi désignée en raison des sept châteaux qui la gardaient. De ces forteresses, une seule est restée debout: Wagenbourg, acquise par la famille Klein, établie dans le village en 1605. Bien abritées par les plus hauts reliefs des Vosges, les vignes (10,8 ha) sont exploitées depuis 1987 par Jacky et Mireille Klein.

Né sur argilo-calcaire, ce riesling libère d'intenses parfums évoquant le zeste de citron et l'orange amère. On retrouve les agrumes, mandarine en tête et citron confit en finale, dans un palais marqué par une petite rondeur qui ne nuit pas à son élégance. Ce vin, qui n'a pas atteint sa pleine expression, accompagnera avantageusement les poissons cuisinés. (Sucres résiduels: 9 g/l.) ⧗ 2017-2024 🍴 tagliatelles aux deux saumons

⊶ EARL JOSEPH ET JACKY KLEIN, Ch. Wagenbourg, 68570 Soultzmatt, tél. 03 89 47 01 41, chateauwagenbourg@orange.fr V *t.l.j. sf dim. 8h-12h 13h30-18h* 🏠 Ⓑ

FERNAND ZIEGLER Clos Saint-Ulrich 2014 ★★

■ | 3400 | 8 à 11 €

Installée à Hunawihr, village emblématique de l'Alsace avec son église fortifiée, la famille cultive la vigne depuis 1634. C'est avec Fernand Ziegler, en 1961, qu'elle s'est lancée dans la vente en bouteilles. Daniel, qui a pris le relais en 1983, exploite plus de 7 ha.

Le Clos Saint-Ulrich est un vignoble pentu aux sols d'arènes granitiques, situé en contrebas du château Saint-Ulrich qui domine Ribeauvillé. Un bon terroir pour le riesling, témoin ce 2014 aux parfums complexes, frais et élégants de citron, de pamplemousse et d'ananas. Dans le même registre aromatique, la bouche intense et longue est construite sur une franche acidité, mais loin d'être agressive, elle laisse une impression flatteuse. Agréable dès maintenant avec des fruits de mer, ce vin évoluera bien. (Sucres résiduels: 4 g/l.) ⧗ 2016-2021 🍴 salade de homard

⊶ EARL FERNAND ZIEGLER ET FILS, 7, rue des Vosges, 68150 Hunawihr, tél. 03 89 73 64 42, fernand.ziegler@wanadoo.fr V *r.-v.* 🏠 Ⓑ

ALSACE SYLVANER

Superficie : 1 376 ha / Production : 108 268 hl

Les origines du sylvaner sont très incertaines, mais son aire de prédilection a toujours été limitée au vignoble allemand et à celui du Bas-Rhin en France. C'est un cépage extrêmement intéressant grâce à son rendement et à sa régularité de production. Son vin est d'une grande fraîcheur, assez acide, doté d'un fruité discret. On trouve en réalité deux types de sylvaner sur le marché. Le premier, de loin supérieur, provient de terroirs bien exposés et peu enclins à la surproduction. Le second est un vin sans prétention, agréable et frais.

Ⓑ LAURENT BANNWARTH 2014 ★

■ | 1860 | 🍾 | 5 à 8 €

Établi à 10 km au sud de Colmar, Laurent Bannwarth constitue le domaine à partir des années 1950, construit la cave en 1968 et transmet le tout en 1987 à son fils Stéphane. Ce dernier adopte la biodynamie et obtient en 2007 la certification bio. Gîtes, camping, vignoble de 12 ha et vinifications, autant d'occupations pour toute la famille.

Vinifié sans sulfites (sauf au moment de la mise en bouteilles), ce sylvaner libère de discrets effluves de fleurs blanches et de fruits jaunes. La mise en bouche révèle un vin structuré et d'une grande fraîcheur, qui finit sur des notes de fruits mûrs. Un vin de repas. ⧗ 2016-2020 🍴 aile de raie aux câpres

⊶ LAURENT BANNWARTH, 9, rue Principale, rte du Vin, 68420 Obermorschwihr, tél. 03 89 49 30 87, laurent@bannwarth.fr V *r.-v.* 🏠 Ⓑ

♥ MARIE-CLAIRE ET PIERRE BORÈS Schieferberg Perles rares 2013 ★★★

■ | 1400 | 🍾 | 11 à 15 €

Au sud de Barr, le village de Reichsfeld est situé en pleine montagne, au fond d'un vallon encaissé abrité par l'Ungersberg, point culminant du Bas-Rhin: le cadre de vie de Marie-Claire et Pierre Borès, installés en 1988. Le couple exploite ses 10 ha de vignes sur les coteaux abrupts du Schieferberg – l'un des rares terroirs de schistes d'Alsace.

L'alliance du sylvaner et de terres chaudes, schisteuses, engendre un vin original et d'une grande noblesse. La robe jaune d'or et la palette fruitée complexe (agrumes, ananas, figue, fruits confits) annoncent la couleur: on n'a pas affaire à un vin sec, mais à un moelleux (76 g/l de sucres résiduels). Des notes grillées (café, chocolat) complètent la gamme aromatique dans une bouche suave et riche, tendue par une fraîcheur citronnée qui confère à cette bouteille harmonie et longueur. ⧗ 2016-2022 🍴 foie gras poêlé

MARIE-CLAIRE ET PIERRE BORÈS, 15, lieu-dit Leh, 67140 Reichsfeld, tél. 03 88 85 58 87, vinsbores@wanadoo.fr V r.-v.

DOM. DUSSOURT Blienschwiller 2014 ★

	2535		8 à 11 €

Officier des armées de Louis XIV, le premier Dussourt fait souche en Alsace à la fin du XVIIᵉs. et ses descendants ne tardent pas à s'intéresser au vin. André débute la vente en bouteilles en 1964 avant de passer le relais à son fils Paul en 1987. Couvrant près de 12 ha, le vignoble est implanté à Scherwiller, village proche de Sélestat reconnu en dénomination communale pour son riesling.

Classique par sa robe jaune clair et par ses senteurs de foin coupé, un vin souple en bouche, équilibré par une finale fraîche, un rien amère, aux accents de pamplemousse. 2016-2019 terrine de lapin

DOM. DUSSOURT, 2, rue de Dambach, 67750 Scherwiller, tél. 03 88 92 10 27, domaine.dussourt@orange.fr V *t.l.j. sf dim. 8h30-12h 13h30-18h*

GOETTELMANN 2014 ★★

	894	- de 5 €

Après ses études, Michel Goettelmann a fait des stages qui l'ont mené jusqu'en Californie et en Nouvelle-Zélande, puis a rejoint en 1986 le domaine familial. Il en a pris la direction en 1991 et a effectué sa première mise en bouteilles en 1995. Aujourd'hui, il exploite plus de 8 ha autour de Châtenois et de Scherwiller, près de Sélestat.

Un vin qu'il faut aérer pour qu'il dévoile ses parfums de fleurs blanches et de fruits mûrs. Si le nez est discret, le vin se signale par son ampleur et sa richesse, équilibrées par ce qu'il faut de fraîcheur, et par la longueur de sa finale, avec un plaisant retour des fruits mûrs. Une puissance qui destine ce sylvaner à la table. 2016-2021 matelote de poissons

MICHEL GOETTELMANN, 27 A, rue des Goumiers, 67730 Châtenois, tél. 03 88 82 12 40, mgoettelmann@wanadoo.fr V *t.l.j. 8h-12h 13h-19h; dim. 9h-12h 14h-18h*

BRUNO HERTZ 2014

	1400		5 à 8 €

La famille Hertz cultive la vigne depuis le XVIIIᵉs., vit du vin depuis le début du XXᵉs. et a pignon sur rue dans le centre historique de la cité médiévale d'Eguisheim, au sud de Colmar. Installé en 1979, Bruno Hertz, œnologue, exploite 6 ha, dont plusieurs parcelles en grand cru (Pfersigberg, Rangen).

Un sylvaner sec à souhait: nez intense, sur les agrumes et les fruits mûrs, teinté de minéralité, attaque vive, bouche aux arômes de fruits jaunes, longue finale fraîche et mentholée. Parfait avec les produits de la mer et certains fromages (chèvre). 2016-2019 bulots mayonnaise

BRUNO HERTZ, 9, pl. de l'Église, 68420 Eguisheim, tél. 03 89 41 81 61, contact.bruno@lesvinshertz.fr V r.-v.

DOM. JEAN-CLAUDE KOEHLER ET FILS Vieilles Vignes 2014

	2730		- de 5 €

Depuis 1621, de nombreuses générations de vignerons se sont succédé sur ce domaine situé à une vingtaine de kilomètres au sud de Colmar – à l'entrée de la Vallée Noble, réputée pour son climat préservé. La famille Koehler exploite 7 ha de vignes, dont des parcelles en grand cru Zinnkoepflé.

Un sylvaner né sur les pentes du Zinnkoepflé, majestueux coteaux classés en grand cru – s'il est planté en cépages nobles comme le riesling et le gewurztraminer. Un terroir propice à la surmaturité, laquelle transparaît légèrement au nez, complexe, bien ouvert et élégant. Au palais, ce vin se distingue par son volume et par son gras, avec un côté un peu beurré. 2016-2019 choucroute

EARL JEAN-CLAUDE KOEHLER ET FILS, 7, rue de Soultzmatt, 68250 Westhalten, tél. 03 89 47 01 23, info@vins-koehler.fr V *t.l.j. 8h-12h 13h-18h; dim. sur r.-v.*

DOM. LANDMANN La Quintessence Vieilles Vignes 2014 ★

	6000		8 à 11 €

Après avoir travaillé comme cadre dans une banque pendant une dizaine d'années, Armand Landmann revient sur ses terres en 1992. Il rénove l'ancienne demeure, regroupe les vignes de son père et de sa tante pour constituer un domaine de 12 ha, avec des parcelles dans deux grands crus. Le siège de la propriété est à Nothalten, près de Barr.

La robe jaune plutôt soutenu annonce un nez mûr et complexe, partagé entre fruits jaunes et fleurs blanches. Dans le droit fil, le palais dévoile une rondeur et une richesse soulignées par la présence de sucres résiduels (14 g/l). La finale longue, aromatique et saline, marquée par de beaux amers, laisse une impression d'équilibre. 2016-2020 blanquette de veau

EARL ARMAND LANDMANN, 74, rte du Vin, 67680 Nothalten, tél. 03 88 92 41 12, armand-landmann@yahoo.fr V *t.l.j. 8h-12h 14h-19h*

B SEPPI LANDMANN Cuvée Z 2014

	1250		15 à 20 €

Figure du vignoble alsacien, Seppi Landmann a quitté la coopérative en 1982 et agrandi son domaine (22 ha aujourd'hui). Il s'est fait un nom en mettant en valeur ses terroirs de la Vallée Noble et du Zinnkoepflé. En 2011, il a passé le relais à Thomas et Paul Rieflé, vignerons à Pfaffenheim, qui ont engagé la conversion bio du vignoble (certification en 2014). Ce spécialiste des liquoreux reste présent en tant que consultant pour les cuvées signées de son nom.

Déjà connu des lecteurs, voici un «grand cru» qui ne peut s'afficher comme tel. En effet, pour le sylvaner, un seul terroir du Bas-Rhin autorise la prestigieuse mention. Le grand cru Zinnkoepflé ne se laisse deviner sur l'étiquette que par un «Z» destiné aux initiés comme vous. Élevé en foudre sur lies fines, le vin arbore une robe jaune doré. Le nez est très floral, légèrement vanillé. Une attaque vive et une fraîcheur marquée équilibrent une bouche généreuse et un rien épicée – peut-être la signature du terroir argilo-calcaire. ⧗ 2016-2020 ¥ rôti de porc

⊶ SEPPI LANDMANN, 7, rue du Drotfeld, 68250 Pfaffenheim, tél. 03 89 47 09 33, contact@seppi-landmann.fr V t.l.j. sf dim. 9h-12h 14h-18h B ⊶ Rieflé

METZ-GEIGER 2014 ★

	1400		5 à 8 €

Au sud de Barr, le gros village d'Epfig s'étend jusqu'à la plaine et se flatte de posséder, avec 560 ha, le plus vaste vignoble d'Alsace. Parmi ses nombreux vignerons, les Metz-Geiger perpétuent un domaine fondé en 1930. Ils exploitent 7,5 ha.

Sa jeunesse transparaît tant dans les reflets verts de la robe que dans la réserve du nez, discrètement fruité. Droit, précis, c'est un vin typé du cépage jusque dans sa finale fraîche. Fait pour les produits de la mer. ⧗ 2016-2019 ¥ huîtres

⊶ EARL METZ-GEIGER, 9, rue Fronholz, 67680 Epfig, tél. 03 88 85 54 94, domainemetzgeiger@gmail.com V t.l.j. 8h30-12h 13h30-19h

JEAN-MARIE SOHLER Les Clefs du Paradis 2014

	1000		15 à 20 €

Jean-Marie Sohler et son fils Hervé exploitent leur vignoble (10 ha) autour de Blienschwiller, village viticole au sud de Barr, où la famille est installée depuis plusieurs siècles. Dans leur cave de 1563, ils élèvent les vins dans les foudres traditionnels.

À Blienschwiller, il existe un lieu-dit appelé Paradies, d'où le nom de cette cuvée. Un sylvaner récolté en forte surmaturité (35 g/l de sucres résiduels), ce que ne manquent pas de relever nos dégustateurs: robe très dorée, nez riche, bouche suave, puissante et structurée, teintée d'une note de sous-bois. Un sylvaner original, moelleux, à carafer et à servir à l'apéritif. ⧗ 2016-2021 ¥ toasts au foie gras

⊶ JEAN-MARIE ET HERVÉ SOHLER, 16, rue du Winzenberg, 67650 Blienschwiller, tél. 03 88 92 42 93, jeanmarie.sohler@orange.fr V r.-v. E

FERDINAND WOHLEBER 2014 ★

	20000		5 à 8 €

Fondée en 1824 par Martin Klipfel, cette maison de Barr est restée dans la même famille en prenant de l'envergure. Gérée par Jean-Louis Lorentz et ses filles Anne-Sophie, Marie et Amélie, elle associe une structure de négoce et un important domaine (40 ha, dont 15 ha en grand cru). Deux étiquettes: Klipfel et André Lorentz, pour l'export et la grande distribution.

Une robe pâle aux reflets verts, un nez discret d'agrumes. En bouche, l'équilibre penche vers la fraîcheur, avec une finale longue et tonique: un sylvaner bien typé, à marier aux produits de la mer. ⧗ 2016-2019 ¥ carpaccio de bar

⊶ KLIPFEL, 6, av. du Dr-Marcel-Krieg, 67140 Barr, tél. 03 88 58 59 00, alsacewine@klipfel.com V t.l.j. 10h-12h 14h-18h; f. janv. ⊶ Jean-Louis Lorentz

ALSACE GRAND CRU

Superficie : 850 ha / Production : 43 278 hl

Dans le but de promouvoir les meilleures situations du vignoble, un décret de 1975 a institué l'appellation «alsace grand cru», liée à un certain nombre de contraintes plus rigoureuses en matière de rendement et de teneur en sucre. Une appellation réservée au gewurztraminer, au pinot gris, au riesling et au muscat, jusqu'au décret de mars 2005 qui autorise l'introduction du sylvaner, en assemblage avec le gewurztraminer, le pinot gris et le riesling dans le grand cru altenberg-de-bergheim, et en remplacement du muscat dans le grand cru Zotzenberg. Les terroirs, délimités, produisent le nec plus ultra des vins d'Alsace. En 1983, un décret a défini un premier groupe de 25 lieux-dits admis dans cette appellation. Il a été complété par trois décrets en 1992, 2001 et 2007. Avec le Kaefferkopf, reconnu en 2007, le vignoble d'Alsace compte 51 grands crus, répartis sur 47 communes. Leurs surfaces sont comprises entre 3 ha et 80 ha et leur terroir présente une certaine homogénéité géologique.

B JEAN-BAPTISTE ADAM
Kaefferkopf Riesling Vielles Vignes 2013

	4000		15 à 20 €

Sise à Ammerschwihr, important village viticole au nord-ouest de Colmar, cette maison a fêté son quatre centième anniversaire en 2014. Ses caves du XVIIes. abritent d'anciens foudres de chêne encore en usage. Elle associe une structure de négoce et un domaine exploité en biodynamie.

Provenant de la partie granitique du grand cru, ce riesling intéresse par son nez puissant, dominé par les fleurs blanches, les agrumes et la minéralité. Sa franche acidité lui donne du relief. Une réussite pour ce millésime délicat. (Sucres résiduels: 5,7 g/l.) ⧗ 2017-2020 ¥ tourteau mayonnaise

⊶ JEAN-BAPTISTE ADAM, 5, rue de l'Aigle, 68770 Ammerschwihr, tél. 03 89 78 23 21, jbadam@jb-adam.fr V t.l.j. 8h30-12h 14h-18h

BAUMANN-ZIRGEL
Schœnenbourg Riesling Cuvée Arthur 2014 ★

	1300		15 à 20 €

Benjamin et Valérie Zirgel ont repris l'exploitation familiale en 2008 et engagé la conversion bio du vignoble (certification en 2016), qui se déploie sur les coteaux environnant le village de Mittelwihr, au

LES CINQUANTE ET UN GRANDS CRUS ALSACIENS

Grands crus	Communes	Surface délimitée (ha)
Altenberg-de-bergbieten	Bergbieten (67)	30
Altenberg-de-bergheim	Bergheim (68)	35
Altenberg-de-wolxheim	Wolxheim (67)	31
Brand	Turckheim (68)	58
Bruderthal	Molsheim (67)	18
Eichberg	Eguisheim (68)	57
Engelberg	Dahlenheim, Scharrachbergheim (67)	14
Florimont	Ingersheim, Katzenthal (68)	21
Frankstein	Dambach-la-Ville (67)	56
Froehn	Zellenberg (68)	14
Furstentum	Kientzheim, Sigolsheim (68)	30
Geisberg	Ribeauvillé (68)	8
Gloeckelberg	Rodern, Saint-Hippolyte (68)	23
Goldert	Gueberschwihr (68)	45
Hatschbourg	Hattstatt, Vœgtlinshoffen (68)	47
Hengst	Wintzenheim (68)	76
Kaefferkopf	Ammerschwihr (68)	71
Kanzlerberg	Bergheim (68)	3
Kastelberg	Andlau (67)	6
Kessler	Guebwiller (68)	28
Kirchberg-de-barr	Barr (67)	40
Kirchberg-de-ribeauvillé	Ribeauvillé (68)	11
Kitterlé	Guebwiller (68)	25
Mambourg	Sigolsheim (68)	62
Mandelberg	Mittelwihr, Beblenheim (68)	22
Marckrain	Bennwihr, Sigolsheim (68)	53
Moenchberg	Andlau, Eichhoffen (67)	12
Muenchberg	Nothalten (67)	18
Ollwiller	Wuenheim (68)	36
Osterberg	Ribeauvillé (68)	24
Pfersigberg	Eguisheim, Wettolsheim (68)	74
Pfingstberg	Orschwihr (68)	28
Praelatenberg	Kintzheim (67)	18
Rangen	Thann, Vieux-Thann (68)	19
Rosacker	Hunawihr (68)	26
Saering	Guebwiller (68)	27
Schlossberg	Kientzheim (68)	80
Schœnenbourg	Riquewihr, Zellenberg (68)	53
Sommerberg	Niedermorschwihr, Katzenthal (68)	28
Sonnenglanz	Beblenheim (68)	33
Spiegel	Bergholtz, Guebwiller (68)	18
Sporen	Riquewihr (68)	23
Steinert	Pfaffenheim, Westhalten (68)	38
Steingrubler	Wettolsheim (68)	23
Steinklotz	Marlenheim (67)	40
Vorbourg	Rouffach, Westhalten (68)	72
Wiebelsberg	Andlau (67)	12
Wineck-schlossberg	Katzenthal, Ammerschwihr (68)	27
Winzenberg	Blienschwiller (67)	19
Zinnkoepflé	Soultzmatt, Westhalten (68)	68
Zotzenberg	Mittelbergheim (67)	36

Exposition	Sols	Cépages de prédilection
S.-E.	Marnes dolomitiques du keuper	Riesling, gewurztraminer
S.	Sols marno-calcaires caillouteux d'origine jurassique	Gewurztraminer
S.-S.-O.	Terroir du lias, marno-calcaires riches en cailloutis	Riesling
S.	Granite	Riesling, gewurztraminer
S.-E.	Marno-calcaires caillouteux du muschelkalk	Riesling, gewurztraminer
S.-E.	Marnes mêlées de cailloutis calcaires ou siliceux	Gewurztraminer, puis riesling, pinot gris
S.	Calcaires du muschelkalk	Gewurztraminer
S. et E.	Marno-calcaires recouverts d'éboulis calcaires du bathonien et du bajocien	Gewurztraminer, puis riesling
S.-E.	Arènes granitiques	Riesling
S.	Marnes schisteuses	Gewurztraminer
S.	Sols bruns calcaires caillouteux	Gewurztraminer, puis riesling
S.	Marnes dolomitiques du muschelkalk	Riesling
S.-E.	Sols bruns à dominante sableuse de grès vosgien	Gewurztraminer, pinot gris
E.	Marnes riches en cailloutis calcaires	Gewurztraminer
S.-E.	Marnes	Gewurztraminer, pinot gris, muscat
S.-E.	Marno-calcaires oligocènes	Gewurztraminer, pinot gris
E. et S.-E.	Sols bruns d'origine granitique, calcaire ou gréseuse	Gewurztraminer, assemblages
S. et S.-O.	Marno-calcaires	Riesling, gewurztraminer
S.	Schistes caillouteux	Riesling
S.-E.	Sable de grès rose et matrice argileuse	Gewurztraminer
S.	Calcaires du jurassique moyen	Gewurztraminer, riesling, pinot gris
S.-S.-O.	Marnes dolomitiques	Riesling
S.-O.	Grès	Riesling
S.	Marno-calcaires	Gewurztraminer
S.-S.-E.	Marno-calcaires oligocènes	Riesling, gewurztraminer
E.	Marno-calcaires	Gewurztraminer
S.	Sols limono-sableux du quaternaire	Riesling
S.	Terroirs sablonneux du permien	Riesling
S.-S.-E.	Marnes caillouteuses	Riesling
E.-S.-E.	Sols triasiques assez marneux	Gewurztraminer, puis riesling
S.-E.	Sols caillouteux calcaires de l'oligocène	Gewurztraminer, puis riesling
S.-E.	Grès et calcaires du buntsandstein et du muschelkalk	Riesling
E.-S.-E.	Sables gneissiques	Riesling
S.	Sols volcaniques	Pinot gris, riesling
E.-S.-E.	Marnes et calcaires du muschelkalk	Riesling
S.-E.	Sols marno-sableux avec cailloutis	Riesling
S.	Arènes granitiques	Riesling
S. et S.-E.	Marnes du keuper recouvertes de calcaires coquilliers	Riesling
S.	Arènes granitiques	Riesling
S.-E.	Conglomérats et marnes de l'oligocène	Gewurztraminer, pinot gris
E.	Marnes de l'oligocène et sables gréseux du trias	Gewurztraminer
S.-E.	Sols marneux du lias	Gewurztraminer
E.	Cailloutis calcaires oolithiques	Gewurztraminer, pinot gris
S.	Marnes oligocènes	Gewurztraminer, riesling, pinot gris
S.	Marnes recouvertes d'éboulis calcaires du muschelkalk	Riesling, gewurztraminer
S.-S.-E.	Marno-calcaires	Gewurztraminer, puis riesling, pinot gris
S.	Sables gréseux triasiques	Riesling
S. et S.-E.	Granite	Riesling
S.-S.-E.	Arènes granitiques	Riesling
S.	Terroir calcaro-gréseux	Gewurztraminer
S.	Calcaires jurassiques et conglomérats marno-calcaires de l'oligocène	Riesling, sylvaner

cœur de la route des Vins. Le domaine, d'une superficie de 10 ha, comprend des parcelles dans quatre grands crus.

Coteau pentu dominant Riquewihr, le Schœnenbourg se caractérise par des sols marno-calcaires et gypseux propices à l'expression du riesling. Encore discret, celui-ci s'ouvre à l'aération sur des notes de fleurs blanches et d'agrumes. Sa minéralité s'affirme dans une bouche fraîche et longue, belle expression du terroir dolomitique. (Sucres résiduels: 3 g/l.) ⧗ 2017-2026 🍴 matelote

BAUMANN-ZIRGEL, 5, rue du Vignoble, 68630 Mittelwihr, tél. 03 89 47 90 40, baumann-zirgel@wanadoo.fr V *t.l.j. 8h30-12h 13h-18h30; dim. sur r.-v.* B

LÉON BAUR Eichberg Pinot gris 2014 ★

	1500	11 à 15 €

Fondé en 1738, ce domaine familial établi au cœur de la cité médiévale d'Eguisheim s'étend sur 10 ha répartis dans plusieurs communes. À sa tête depuis quarante ans, Jean-Louis Baur a été rejoint en 2010 par sa fille Caroline. Adossée à l'ancien rempart du village, la cave abrite des cuves modernes en Inox et des foudres de chêne.

Le pinot gris réussit bien sur ce grand cru d'Eguisheim aux sols marno-calcaires, qui bénéficie d'un microclimat particulièrement sec. Il a donné naissance à un vin jaune doré, qui mêle au nez le sous-bois et les fruits jaunes confits. Souple en attaque, ce 2014 est équilibré, riche sans être moelleux, malgré ses arômes évoquant les fruits confits et même la pâte d'amandes. La finale assez longue est marquée par une légère et agréable amertume. (Sucres résiduels: 11,7 g/l.) ⧗ 2016-2022 🍴 poulet en croûte d'amande et orange

EARL JEAN-LOUIS BAUR, 22, rue du Rempart-Nord, 68420 Eguisheim, tél. 03 89 41 79 13, jean-louis.baur@terre-net.fr V *t.l.j. 9h-12h 13h30-18h30* B

CAVE DE BEBLENHEIM
Sonnenglanz Pinot gris 2014

	33100	11 à 15 €

Créée en 1952 au cœur de la route des Vins, près de Riquewihr, la cave vinifie aujourd'hui le fruit de quelque 300 ha répartis sur cinq communes et propose quatre grands crus de Beblenheim et des communes voisines. Baron de Hoen est une de ses marques.

La cave de Beblenheim exploite plusieurs hectares sur le Sonnenglanz, grand cru délimité dans le village. Exposé au sud-est, ce terroir bénéficie d'un ensoleillement qui lui vaut son nom («Rayon de soleil»). Le pinot gris prospère sur ses sols marno-calcaires. Ici, un vin aux reflets or, qui s'ouvre sur les fleurs blanches, puis sur les fruits jaunes et l'orange. Il ne s'impose pas par sa puissance, mais plaît par sa fraîcheur et son fruité gourmand. À déboucher dès l'apéritif. (Sucres résiduels: 25 g/l.) ⧗ 2016-2022 🍴 pâté de lapin en croûte

SICA BARON DE HOEN, 20, rue de Hoen, 68980 Beblenheim, tél. 03 89 47 90 02, info@cave-beblenheim.com V *t.l.j. sf sam. dim. 9h-12h 14h-18h*

HUBERT BECK Frankstein Pinot gris 2014 ★

	7800	11 à 15 €

Faisant remonter son arbre généalogique à 1596, la famille Beck est aussi ancienne que les maisons à pignons de la vieille cité fortifiée de Dambach-la-Ville où elle est établie. Exerçant une double activité de production et de négoce, elle s'appuie sur un vignoble en propre de 35 ha, avec des parcelles dans le grand cru local, le Frankstein.

Cette maison possède une belle vigne (2,4 ha) de pinot gris sur ce grand cru granitique. Le vigneron en a tiré un moelleux au nez intense de pêche, d'abricot sec et de miel. Un vin ample, riche, puissant et bien équilibré, de bonne longueur, que l'on pourra déboucher à l'apéritif. (Sucres résiduels: 31,4 g/l.) ⧗ 2022-2024 🍴 toasts au foie gras

HUBERT BECK, 34, rue du Mal-Foch, 67650 Dambach-la-Ville, tél. 03 88 92 41 86, alsace.beck@free.fr *t.l.j. sf dim. 9h-12h 14h-19h*

DOM. JEAN-MARC BERNHARD
Wineck-Schlossberg Riesling 2014

	5000	11 à 15 €

Fondé en 1802, le domaine avait développé une activité de négoce à partir de 1850. En 1982, Jean-Marc Bernhard a préféré redevenir vigneron. Avec près de 11 ha répartis sur cinq communes, la famille dispose d'une belle palette de terroirs et détient des parcelles dans six grands crus. Aux commandes depuis 2000, Frédéric, œnologue, pratique la biodynamie (domaine en conversion).

Le vigneron exploite une belle parcelle du Wineck-Schlossberg situé dans son village. Les sols granitiques de ce grand cru favorisent le riesling. D'un jaune soutenu, celui-ci séduit par la délicatesse de son nez partagé entre les fleurs blanches et la bergamote. Ample et gras, tendu par une acidité saline, le palais révèle une belle matière qui n'a pas atteint sa pleine harmonie. (Sucres résiduels: 5 g/l.) ⧗ 2017-2020 🍴 buisson de langoustines

DOM. JEAN-MARC BERNHARD, 21, Grand-Rue, 68230 Katzenthal, tél. 03 89 27 05 34, vins@jeanmarcbernhard.fr V *r.-v.*

♥ B **ÉMILE BEYER**
Eichberg Riesling 2014 ★★

	4100	20 à 30 €

Dès la fin du XVIe s., on retrouve des Beyer à Eguisheim, cité fortifiée au sud de Colmar. Lucas Beyer achète les premières parcelles à la Révolution; son fils acquiert au cœur du village l'hôtellerie où le domaine a son siège. Depuis 1997, Christian Beyer exploite les 17 ha de la propriété, qui compte des par-

celles dans les grands crus Eichberg et Pfersigberg. Le domaine est en bio certifié depuis 2014.

Situé au pied des trois châteaux du haut Eguisheim, ce grand cru bénéficie d'un climat particulièrement sec et chaud. Christian Beyer en a tiré un riesling qui a fait l'unanimité. Le nez doit être aéré pour livrer des arômes de fleurs blanches et d'orange confite. C'est surtout au palais que ce vin s'impose, par sa puissance et son acidité musclée mais parfaitement fondue. Un vin harmonieux et persistant qui se bonifiera pendant une décennie. (Sucres résiduels: 5 g/l.) ⧗ 2017-2026 🍷 bar en croûte de sel ■ **Pfersigberg Riesling 2014 ★ (20 à 30 €; 4300 b.)** Ⓑ : un riesling né sur le Pfersigberg, ou «coteau des pêchers»: un terroir marno-calcaire, abrité et chaud. Nez complexe de fleurs blanches et d'agrumes, palais vif, minéral et long. Le 2012 avait été élu coup de cœur. (Sucres résiduels: 5 g/l.) ⧗ 2017-2020 🍷 blanquette de lotte

⊶ ÉMILE BEYER, 7, pl. du Château, 68420 Eguisheim, tél. 03 89 41 40 45, info@emile-beyer.fr V 🚶 ■ *r.-v.*

Ⓑ BIECHER & SCHAAL Rosacker Riesling 2014 ★

■	6880	🍾	15 à 20 €

Une maison créée en 2011 par Olivier Biecher et Julien Schaal. Le premier, négociant, a voulu faire revivre la cave familiale à Saint-Hippolyte, remontant au XVIIᵉs. Quant au second, il vinifie depuis 1999 et jongle entre les vignobles alsaciens et le domaine qu'il a créé en Afrique du Sud. Les vins, élaborés à partir d'achats de raisins, sont surtout des grands crus.

Le Rosacker de Hunawihr est majoritairement planté de riesling. Il passe pour donner des vins complexes et aromatiques. C'est bien le cas de celui-ci, au nez d'acacia, d'aubépine et de bergamote. En bouche, ce vin associe une fraîcheur saline et une légère surmaturation. De la personnalité, de la profondeur et du potentiel. (Sucres résiduels: 4,2 g/l.) ⧗ 2016-2026 🍷 sole grillée

⊶ BIECHER & SCHAAL, 35, rte du Vin, 68590 Saint-Hippolyte, tél. 03 89 73 00 14, info@biecher-schaal.com

ANDRÉ BLANCK ET SES FILS
Furstentum Gewurztraminer 2013 ★★

■	4000		11 à 15 €

Établie dans le centre historique de Kientzheim, cette propriété a son siège dans l'ancienne cour des chevaliers de Malte, voisine du château Schwendi et du musée du Vin. Les Blanck cultivent la vigne depuis 1675 et Michel et Charles, fils d'André, perpétuent ce savoir-faire sur les 15 ha de l'exploitation.

Le Furstentum est situé à l'entrée de la vallée de Kaysersberg, à cheval sur Kientzheim et Sigolsheim. Né sur ce coteau pentu, ce gewurztraminer affiche une robe jaune d'or, prélude à un nez mûr, complexe, intensément fruité et miellé, où la pêche et l'abricot jouent avec le litchi, la mangue et le miel. Dans une belle continuité aromatique, la bouche conjugue richesse, ampleur et finesse. De l'harmonie et du caractère. (Sucres résiduels: 54 g/l.) ⧗ 2016-2026 🍷 fondant au chocolat cœur de mangue ■ **Schlossberg Riesling 2014 ★ (11 à 15 €; 7500 b.)** : le riesling du Schlossberg est sans doute le cheval de bataille du domaine. C'est le cépage favori de ce terroir granitique de Kientzheim. Après un 2013 élu coup de cœur, le 2014 ne démérite pas. Au nez, des fleurs blanches, des fruits jaunes et une touche minérale. En bouche, de la puissance, du gras, un côté gourmand et rond équilibré par une finale énergique. Une grande matière issue de raisins parfaitement mûrs. (Sucres résiduels: 5,8 g/l.) ⧗ 2016-2021 🍷 saint-jacques à la crème

⊶ EARL ANDRÉ BLANCK ET FILS, Ancienne Cour des Chevaliers de Malte, 68240 Kientzheim, tél. 03 89 78 24 72, charles.blanck@free.fr V 🚶 ■ *t.l.j. sf dim. 8h-12h 14h-18h*

FRANÇOIS BOHN
Florimont Gewurztraminer
Vendanges tardives 2013 ★★★

■	400	🍾	15 à 20 €

Ancien apporteur de raisins installé à Ingersheim, à l'ouest de Colmar, François Bohn s'est lancé avec brio dans la vinification en 1998. Son vignoble couvre 11 ha et compte plusieurs parcelles en grand cru (Florimont, Sommerberg, Mambourg).

On connaît ses grands crus Sommerberg et Mambourg. On découvre cette vigne en Florimont, terroir marno-calcaire où prospère le gewurztraminer. Hélas, la cuvée est confidentielle. Récolté le 5 novembre 2013 – un millésime peu propice aux liquoreux –, le raisin a engendré un vin jaune d'or, tout en fruits confits (fruits jaunes, coing, fruits exotiques), qui conjugue puissance, richesse et élégance. Un vin impressionnant par sa longueur, qui se suffit à lui-même. (Sucres résiduels: 140 g/l.) ⧗ 2016-2026 🍷 kouglof

⊶ FRANÇOIS BOHN, 24, lieu-dit Langmatten, 68040 Ingersheim, tél. 03 89 27 31 27, vinsfrancoisbohn@orange.fr V 🚶 ■ *r.-v.*

DOM. DU BOUXHOF
Marckrain Pinot gris 2014 ★★

■	1600	🍾	11 à 15 €

Implantée au milieu des vignes, cette propriété aux imposants bâtiments, une ancienne abbaye cistercienne, a été acquise en 1925 par la famille Edel, au service du vin depuis le XVIIIᵉs. Jean-Michel Edel est à la tête du domaine depuis 1987: 8,5 ha de vignes et des vergers dont les fruits sont distillés.

Le pinot gris se plaît sur les sols marno-calcaires du grand cru Marckrain, qui bénéficie du microclimat très sec des environs de Colmar. Cela nous vaut un vin doré qui, avec son nez riche, miellé et confit, évoque la pourriture noble. Ses notes d'abricot et de figue s'épanouissent dans un palais vif en attaque, riche, ample, rond et gourmand, tendu par une belle acidité qui lui confère finesse et allonge. (Sucres résiduels: 38 g/l.) ⧗ 2022-2024 🍷 tajine de poulet aux abricots

⊶ FRANÇOIS EDEL ET FILS, Dom. du Bouxhof, 68630 Mittelwihr, tél. 03 89 47 90 34, edel.bouxhof@online.fr V 🚶 ■ *t.l.j. 9h-12h30 13h30-19h* 🏠 ③ 🏠 Ⓑ

DOM. BRUCKER Ollwiller Muscat 2014

| 1860 | | 8 à 11 € |

Dominé par le Ballon des Vosges et le Vieil-Armand – où les combats firent rage pendant la Première Guerre mondiale –, Wuenheim est situé à l'extrémité méridionale de la route du Vin. Germain Brucker y a créé un vignoble en 1956, conduit depuis dix ans par son fils Thomy, qui exploite des parcelles dans deux grands crus et propose aussi des eaux-de-vie de fruits.

Ce terroir marno-gréseux est l'un des plus méridionaux de la route des Vins. Thomy Brucker en a tiré un muscat moelleux d'un doré lumineux, au nez élégant de menthe et d'eucalyptus. La bouche confirme ces arômes, qui l'emportent sur ceux du raisin. Sa belle tenue, sa fraîcheur – un «réveille-papilles», écrit une dégustatrice – assurent un bel avenir à ce vin jeune, qui devrait développer de nouveaux arômes. (Sucres résiduels: 20 g/l.) ⧗ 2016-2022 🍷 quiche aux légumes

EARL DOM. VITICOLE BRUCKER, 2, rte de Cernay, 68500 Wuenheim, tél. 03 89 76 73 54, domaine.brucker@free.fr *t.l.j. 8h-12h 13h30-19h*

DOM. ERNEST BURN
Goldert Gewurztraminer Clos Saint-Imer
Vendanges tardives 2013 ★★

| 2000 | | 20 à 30 € |

De vieille souche vigneronne, Ernest Burn s'est attelé à partir de 1932 à la reconstitution, parcelle après parcelle, du vénérable Clos Saint-Imer, ancienne propriété des évêques de Bâle située en haut du grand cru Goldert. Aujourd'hui, ses fils, Francis et Joseph, exploitent 10 ha (dont 5 ha pour le seul Clos Saint-Imer).

Goldert? On pourrait se risquer à traduire «Côte d'or». Un terroir pentu, argilo-calcaire, très propice au gewurztraminer. De couleur vieil or, celui-ci enchante par son nez complexe associant les fruits jaunes confits, le coing et une touche de tabac. La bouche, à l'unisson, évoque elle aussi la surmaturation. Elle est riche, ample, consistante et longue. Sucre, alcool, acidité, tout est fondu à souhait: l'harmonie même. (Sucres résiduels: 96 g/l.) ⧗ 2024-2026 🍷 foie gras compotée de mangue

DOM. ERNEST BURN, 8, rue Basse, 68420 Gueberschwihr, tél. 03 89 49 20 68, contact@domaine-burn.fr *t.l.j. sf dim. 9h-12h 14h-18h*

AGATHE BURSIN Zinnkoepflé Pinot gris 2014

| 2000 | | 15 à 20 € |

Œnologue, Agathe Bursin a réalisé son rêve: reprendre les vinifications sur le domaine familial, qui apportait ses raisins à la coopérative depuis la mort de son arrière-grand-père. Installée en 2001, elle exploite avec passion et méticulosité le petit vignoble qu'elle agrandit peu à peu (5,6 ha). Elle propose des vins de terroir, issus notamment du grand cru Zinnkoepflé.

Un pinot gris qui demande à être aéré pour libérer son fruité évocateur d'abricot, rehaussé de notes grillées. Puissant et ample, équilibré par une belle fraîcheur, le palais est marqué en finale par un agréable retour des fruits jaunes et du grillé. (Sucres résiduels: 23 g/l.) ⧗ 2016-2022 🍷 caille aux raisins

AGATHE BURSIN, 11, rue de Soultzmatt, 68250 Westhalten, tél. 03 89 47 04 15, agathe.bursin@wanadoo.fr *r.-v.*

D DE COLMAR Pfingstberg Gewurztraminer 2012

| n.c. | | 11 à 15 € |

Géré depuis 1980 par Jean-Rémy Haeffelin, rejoint par son fils Nicolas, le domaine a été fondé en 1895 par Chrétien Oberlin, célèbre ampélographe. Il dispose en propre de 35 ha (dont le vignoble des Hospices, qui remonte à 1255), avec des parcelles dans plusieurs grands crus, et complète sa production par une activité de négoce.

Coteau pentu dominant Orschwihr, au sud de la route des Vins, le Pfingstberg se caractérise par des sols marno-calcaires et gréseux. Le lieu de naissance de ce moelleux d'un jaune intense, aux parfums francs de rose («on se croit dans une roseraie!»), assortis de notes de mangue, de pêche, d'abricot et d'orange. En bouche, ce vin séduit par sa matière ample, sans excès de sucres, ce qui lui permettra d'accompagner un repas. (Sucres résiduels: 19,5 g/l.) ⧗ 2016-2020 🍷 gambas pochées au poivre, riz thaï

DOM. VITICOLE DE LA VILLE DE COLMAR, 2, rue du Stauffen, 68000 Colmar, tél. 03 89 79 11 87, cave@domaineviticolecolmar.fr *t.l.j. sf dim. 9h30-12h30 14h-18h* GCF

DOPFF AU MOULIN
Brand Gewurztraminer 2013 ★★

| 8365 | | 15 à 20 € |

Une célèbre maison de négoce sise à Riquewihr. Les Dopff ont associé leur nom aux métiers du vin à partir de 1574 et se sont établis dans la cité au XVIIe s. Après quatre générations de maîtres tonneliers, Jean Dopff s'installe comme courtier en vins. La société détient en propre l'un des plus vastes domaines de la région: 63 ha (dont 12 ha en grand cru).

Le millésime précédent avait décroché un coup de cœur. Récolté à la même date, sur ce même coteau granitique dominant Turckheim, le 2013 offre une remarquable expression dans un millésime plus difficile: robe jaune d'or, en harmonie avec un nez élégant ouvert sur la rose et les fruits confits (abricot, orange, fruit de la Passion...). Cette richesse et cette complexité contribuent à l'harmonie d'une bouche puissante, ample et ronde, équilibrée par une fine acidité. De la présence. (Sucres résiduels: 28 g/l.) ⧗ 2016-2022 🍷 canard à l'orange

DOPFF AU MOULIN, 2, av. Jacques-Preiss, 68340 Riquewihr, tél. 03 89 49 09 69, domaines@dopff-au-moulin.fr *t.l.j. 10h-18h*

♥ DOPFF ET IRION
Schoenenbourg Riesling 2012 ★★★

38000 | 15 à 20 €

Dès le XVIe s., les familles Dopff et Irion ont pignon sur rue à Riquewihr. La maison est installée dans l'ancien château (1549) des princes de Wurtemberg. En 1945, René Dopff prend en main sa destinée. Il partage le domaine du Château de Riquewihr en cinq vignobles spécialisés dans un cépage: les Murailles, les Sorcières, les Maquisards, les Amandiers et les Tonnelles. L'exploitation comprend 27 ha, dont un bon tiers en grands crus.

Coteau pentu aux sols argilo-marneux et gypsifères dominant Riquewihr, le Schœnenbourg est très propice au riesling. Ici, un 2012 excellent et prêt à passer à table: jaune soutenu aux reflets dorés, bien ouvert au nez, il dévoile une minéralité marquée accompagnée d'arômes floraux et balsamiques. Quant à la bouche, elle est d'une rare harmonie, avec son attaque ronde relayée par une fraîcheur minérale, typée du terroir, et sa finale longue et gourmande. (Sucres résiduels: 15 g/l.) ⧗ 2016-2022 🍴 cassolette de langouste

DOPFF ET IRION, 1, cour du Château, 68340 Riquewihr, tél. 03 89 47 92 51, contact@dopff-irion.com V r.-v.

DOM. ANDRÉ EHRHART ET FILS
Hengst Pinot gris Sélection Élise 2014 ★

2200 | 11 à 15 €

La famille Ehrhart cultive la vigne depuis 1910, mais c'est André Ehrhart qui spécialise le domaine et débute la vente en bouteilles en 1959. Son fils Antoine le rejoint en 1980 et prend le relais en 1991. L'exploitation, établie près de Colmar, compte 10 ha, avec des parcelles dans trois grands crus.

Les vignes du Hengst s'étagent au sud de Wintzenheim et face à Colmar. La famille Ehrhart y cultive une parcelle de pinot gris à l'origine de ce vin aux reflets dorés. Le nez discret, surtout grillé, laisse percer des notes de fruits mûrs et de sous-bois. L'attaque franche est relayée par des impressions de rondeur suave, sur des notes de fruits jaunes. (Sucres résiduels: 23,7 g/l.) ⧗ 2016-2022 🍴 tourte vigneronne

DOM. ANDRÉ EHRHART ET FILS, 68, rue Herzog, 68920 Wettolsheim, tél. 03 89 80 66 16, ehrhart.andre@neuf.fr
V *t.l.j. sf dim. 8h-12h 14h-18h30*

B DOM. FERNAND ENGEL
Altenberg de Bergheim Gewurztraminer 2014 ★

5000 | 15 à 20 €

Fernand Engel, le fondateur; son fils Bernard, l'exploitant; Xavier Baril, le gendre et l'œnologue, Amélie, sa fille, et aussi les petits-enfants: quatre générations se côtoient sur ce domaine très régulier en qualité, situé au pied du Haut-Kœnigsbourg. Entre Kintzheim et Bergheim, pas moins de 65 ha répartis sur 150 parcelles, en bio certifié (biodynamie) depuis 2003. Deux étiquettes: Fernand Engel et Joseph Rudloff.

Le gewurztraminer se plaît sur les sols marno-calcaires de l'Altenberg de Bergheim. De ce coteau plein sud, ces vignerons ont trié des raisins botrytisés (50 %) et passerillés à l'origine de cette cuvée. Un caractère que l'on perçoit à la dégustation, même si le nez n'est pas très ouvert; on y décèle le coing, la rose fanée et les agrumes rehaussés d'épices. Franc en attaque, persistant, le vin associe une réelle concentration à une fraîcheur soulignée par des nuances d'agrumes. Déjà fort agréable, il n'atteindra son apogée que dans quelques années. (Sucres résiduels: 76 g/l.) ⧗ 2017-2026 🍴 tatin d'oranges

DOM. FERNAND ENGEL, 1, rte du Vin, 68590 Rorschwihr, tél. 03 89 73 77 27, f-engel@wanadoo.fr
V *t.l.j. sf dim. 8h-11h30 13h-18h*

♥ CAVE LES FAÎTIÈRES
Praelatenberg Riesling 2014 ★★

8600 | 11 à 15 €

Rebaptisée Les Faîtières, la cave vinicole d'Orschwiller, fondée en 1957, s'approvisionne dans trois villages situés en contrebas du château du Haut-Kœnigsbourg: Orschwiller, Kintzheim et Saint-Hippolyte (130 ha au total). C'est aussi le nom de sa marque.

Dominant Kintzheim au nord, le coteau du Praelatenberg se caractérise par des sols siliceux (gneiss) qui accentuent l'expression minérale du riesling. Celui-ci, jaune paille, affirme d'emblée son intensité dans ses arômes d'agrumes (citron, bergamote) et de fleurs blanches. La minéralité se révèle à l'aération et se prolonge au palais. Gras, déjà épanoui, ce vin est construit sur une fine acidité qui met en valeur ses arômes floraux et lui donne beaucoup d'allant. Une pointe d'amertume donne une touche originale à la finale. (Sucres résiduels: 7 g/l.) ⧗ 2017-2022 🍴 carpaccio de saint-jacques

LES FAÎTIÈRES, 3, rte du Vin, 67600 Orschwiller, tél. 03 88 92 09 87, cave@cave-orschwiller.fr
V *t.l.j. 10h-12h 14h-19h*

DOM. RENÉ FLECK ET FILLE
Zinnkoepflé Riesling 2014 ★★

1100 | 11 à 15 €

En 1995, après ses études d'œnologie et un long stage aux États-Unis, Nathalie, la plus jeune des filles de René Fleck, reprend l'exploitation familiale. Elle vinifie, tandis que son mari, Stéphane Steinmetz, travaille à la vigne. Situé à Soultzmatt, au pied du grand cru Zinnkoepflé, le domaine compte 8 ha, dont 4 ha en grands crus.

Encore discret au nez, ce riesling s'épanouit à l'aération sur des arômes d'agrumes et de pêche. Suave et rond en attaque, généreux, il est équilibré par une arête acide et saline qui étire la finale et lui confère beaucoup d'allant. Une remarquable harmonie entre le nez et la bouche. (Sucres résiduels: 17 g/l.) ⧗ 2018-2022 ▼ gambas flambées ■ **Zinnkoepflé Muscat 2014 ★ (11 à 15 €; 565 b.)** : une microcuvée (le muscat est rare, surtout en grand cru): nez muscaté intense, entre jasmin et fruits jaunes, palais ample et long, d'une rondeur suave équilibrée par une belle acidité. (Sucres résiduels: 23 g/l.) ⧗ 2016-2022 ▼ salade d'oranges

⊶ DOM. RENÉ FLECK ET FILLE, 27, rue d'Orschwihr, 68570 Soultzmatt, tél. 03 89 47 01 20, renefleck@orange.fr V ⚑ ▪ *t.l.j. 8h30-11h45 13h30-18h30; dim. sur r.-v.* ⌂ G

MAISON MARCEL FREYBURGER
Kaefferkopf Gewurztraminer 2014 ★

■ | 3000 | ◍ | 11 à 15 €

Située dans le centre du village d'Ammerschwihr, important bourg viticole au nord-ouest de Colmar, l'exploitation est conduite depuis 1996 par Christophe, fils de Marcel Freyburger. Elle a doublé sa superficie depuis les origines et s'étend aujourd'hui sur 7 ha, entre bas de pente et coteaux, avec des parcelles dans le Kaefferkopf, le grand cru local.

Issu de la partie argilo-calcaire du grand cru, ce moelleux or intense apparaît fermé au nez, discrètement minéral. Le fruit est davantage présent au palais. Un vin qui intéresse par sa structure riche et ample, équilibrée par une belle trame acide, et par sa finale élégante, minérale et épicée. Il devrait profiter d'une aération. (Sucres résiduels: 35 g/l.) ⧗ 2016-2022 ▼ feuilletés au roquefort

⊶ MARCEL FREYBURGER, 13, Grand-Rue, 68770 Ammerschwihr, tél. 03 89 78 25 72, marcel.freyburger@orange.fr
V ⚑ ▪ *t.l.j. sf dim. 9h-12h 13h30-18h*

J. FRITSCH Schlossberg Riesling 2014 ★

■ | 5100 | 8 à 11 €

Installé dans le petit bourg fortifié de Kientzheim, Joseph Fritsch prend en 1977 la suite d'une lignée de vignerons remontant à 1703. Il agrandit l'exploitation, aménage une cuverie moderne et transmet en 2010 à son fils Pascal 9,5 ha: pas moins de quarante parcelles disséminées dans quatre communes, avec des vignes dans deux grands crus.

Le riesling occupe la part du lion dans l'encépagement du Schlossberg, terroir granitique dominant Kientzheim. Celui-ci s'annonce par un nez élégant et bien ouvert sur le pamplemousse et le citron, avec des touches miellées plus évoluées. Ample, riche et généreux au palais, il est mûr, avec une minéralité marquée. Il semble à son apogée. (Sucres résiduels: 11,8 g/l.) ⧗ 2016-2019 ▼ escalope au citron

⊶ EARL JOSEPH FRITSCH, 31, Grand-Rue, 68240 Kientzheim, tél. 03 89 78 24 27, contact@joseph-fritsch.com
V ▪ *t.l.j. 10h-12h 14h-18h; dim. sur r.-v.*

♥ DOM. FRITZ
Mambourg Gewurztraminer
Sélection de grains nobles 2013 ★★★

■ | 2350 | ▮ | 30 à 50 €

Créé en 1958, ce domaine implanté à Sigolsheim, au nord-ouest de Colmar, est conduit par Thierry Fritz, qui a succédé en 2006 à son père Daniel. Il a son siège dans un ancien moulin, aménagé à la fin des années 1960 en cave à vins. Le vignoble de 8 ha comprend plusieurs parcelles en grand cru Mambourg.

Les Fritz tirent régulièrement de beaux moelleux ou liquoreux de ce coteau plein sud dominant leur village. Avec un octobre 2013 maussade, l'affaire s'annonçait délicate. Mettant à profit quatre jours de beau temps qui ont concentré les grains, les vignerons ont récolté rapidement leur parcelle, le dernier jour d'octobre. Le résultat? Un liquoreux qui leur vaut leur troisième coup de cœur. Pour l'or brillant de la robe, la finesse et la complexité du nez, sur la rose, les fruits exotiques (litchi, mangue, fruit de la Passion) et les fruits confits. Et pour sa bouche ample, puissante et persistante, tendue par une belle fraîcheur. On pourra apprécier pour lui-même ce vin d'une rare élégance. (Sucres résiduels: 136 g/l.) ⧗ 2016-2026 ▼ fondant au chocolat

⊶ DOM. FRITZ, 3, rue du Vieux-Moulin, 68240 Sigolsheim, tél. 03 89 47 11 15, domaine.fritz@orange.fr V ⚑ ▪ *t.l.j. 8h-19h* ⌂ E

Ⓑ PAUL GASCHY
Pfersigberg Gewurztraminer 2013 ★

■ | 1552 | ▮ | 11 à 15 €

Les premières bouteilles ont été commercialisées en 1964 sous le nom de Paul Gaschy. Bernard a spécialisé l'exploitation en 1974; Hervé, aux commandes depuis 2001, a construit une nouvelle cuverie et engagé la conversion bio de son vignoble (certification en 2012). Il conduit près de 9 ha au sud-ouest de Colmar et détient des parcelles dans trois grands crus.

À cheval sur Eguisheim et Wettolsheim, le Pfersigberg est un grand cru marno-calcaire propice au gewurztraminer. Celui-ci, jaune clair brillant, est discret et frais au nez, entre agrumes et fruits exotiques. En bouche, sa puissance, sa rondeur, sa longue finale et ses arômes de fruits secs et confits (abricot et agrumes) évoquent un liquoreux. (Sucres résiduels: 69 g/l.) ⧗ 2016-2022 ▼ soufflé à la mandarine

⊶ PAUL GASCHY, 16, Grand-Rue, 68420 Eguisheim, tél. 03 89 41 67 34, info@vins-paul-gaschy.fr
V ⚑ ▪ *r.-v.* ⌂ B

JEAN GEILER Florimont Riesling 2014

■ | 15612 | ▮ | 8 à 11 €

Fondée en 1926 par 36 vignerons, la coopérative d'Ingersheim, proche de Colmar, compte 175 adhérents

et vinifie le fruit d'un vignoble de 390 ha dans le Haut-Rhin, avec des parcelles dans neuf grands crus. Jean Geiler est sa marque. Son siège abrite un musée du Vigneron et une salle accueillant expositions et événements culturels.

Précoce, ce grand cru d'Ingersheim bénéficie à tous les cépages. Ici, un riesling or pâle montrant de belles larmes sur les parois du verre. Le nez mûr associe le citron et l'orange confite à des touches minérales et torréfiées. Nerveuse, vive et droite, mentholée en finale, la bouche a le profil d'un riesling récolté sur un sol argilo-calcaire. Du potentiel. (Sucres résiduels: 6,4 g/l.) ⧗ 2017-2022 🍴 huîtres chaudes gratinées

CAVE JEAN GEILER, 45, rue de la République, 68040 Ingersheim, tél. 03 89 27 90 27, vin@geiler.fr V t.l.j. 9h-12h 14h-18h

DOM. ARMAND GILG Zotzenberg Sylvaner 2014

	5920		11 à 15 €

Famille d'origine autrichienne établie à Mittelbergheim depuis 1601; encore plus anciennes (XVIe s.) sont les caves abritant de vieux foudres sculptés. Un domaine régulier en qualité de 28,5 ha, dont plus de 5 ha dans les grands crus Zotzenberg et Moenchberg.

Le coteau du Zotzenberg est le seul grand cru à admettre le sylvaner. Il a donné ici un vin au nez discret, qui montre sa noble origine par son ampleur et sa puissance. Encore réservé et marqué par une pointe de sucres résiduels, c'est un sylvaner de garde qui s'affirmera au cours des prochaines années. (Sucres résiduels: 9 g/l.) ⧗ 2017-2022 🍴 tourte vigneronne **Moenchberg Riesling 2014 (11 à 15 €; 5290 b.)** : vin cité.

DOM. ARMAND GILG, 2, rue Rotland, 67140 Mittelbergheim, tél. 03 88 08 92 76, info@domaine-gilg.com V t.l.j. 8h-12h 13h30-18h; sam. 17h; dim. 9h-11h30

PAUL GINGLINGER Pfersigberg Riesling 2014 ★

	4400		15 à 20 €

Domaine fondé en 1610 à 5 km au sud de Colmar, dans la cité médiévale d'Eguisheim. Michel Ginglinger, fils de Paul et œnologue diplômé, en a pris la tête en 2000 après avoir exercé ses talents comme maître de chai, en Bourgogne, en Afrique du Sud et au Chili. Il exploite 12 ha (avec des parcelles dans deux grands crus) et a engagé la conversion bio de son vignoble.

Comme l'an dernier, le vigneron a très bien vinifié ses riesling et gewurztraminer du Pfersigberg. Le premier, expressif, libère des notes de citron vert et de fruit de la Passion, prélude à une bouche fraîche, puissante, saline, construite sur une franche acidité. Un vin de garde complexe et harmonieux qu'il convient d'attendre. (Sucres résiduels: 1 g/l.) ⧗ 2018-2024 🍴 plateau de fruits de mer **Pfersigberg Gewurztraminer 2014 ★ (15 à 20 €; 3700 b.)** : un vin doré aussi intense à l'œil qu'au nez, typé et complexe, mêlant rose, litchi, pêche et abricot. Souple à l'attaque, une bouche ample, consistante et persistante, tendue par une belle fraîcheur. Du caractère et de l'élégance. (Sucres résiduels: 30 g/l.) ⧗ 2016-2022 🍴 canard laqué **Eichberg Pinot gris 2014 ★ (15 à 20 €; 4000 b.)** : issu de l'Eichberg, autre grand cru d'Eguisheim, un pinot gris aux parfums de fruits jaunes (pêche) qui se nuancent de sous-bois à l'aération. Frais en attaque, à la fois ample et tonique, c'est un vin harmonieux, de bonne longueur. (Sucres résiduels: 15 g/l.) ⧗ 2016-2022 🍴 caille aux raisins

PAUL GINGLINGER, 8, pl. Charles-de-Gaulle, 68420 Eguisheim, tél. 03 89 41 44 25, info@paul-ginglinger.fr V r.-v.

B PIERRE-HENRI GINGLINGER
Pfersigberg Gewurztraminer 2013

	1500	11 à 15 €

Établi dans la vieille cité d'Eguisheim, au sud de Colmar, ce domaine familial dont les origines remontent à 1610 a son siège dans une maison de 1684. Mathieu Ginglinger a succédé en 2003 à son père Pierre-Henri et a engagé la conversion bio de l'exploitation. Après avoir acquis des vignes à l'extrême sud de la route des Vins, il dispose aujourd'hui de 15 ha (avec des parcelles dans trois grands crus).

Né sur les pentes du Pfersigberg, un des deux grands crus d'Eguisheim, ce gewurztraminer libère d'abord des notes d'épices, puis des fragrances délicates de rose et de fruits exotiques. Dans le même registre aromatique, le palais souple, gras et puissant penche légèrement vers les sucres, équilibré par une fraîcheur bienvenue. (Sucres résiduels: 30 g/l.) ⧗ 2016-2022 🍴 salade de fruits exotiques **Ollwiller Pinot gris 2013 (11 à 15 €; 4400 b.)** B : vin cité.

DOM. PIERRE-HENRI GINGLINGER, 33, Grand-Rue, 68420 Eguisheim, tél. 03 89 41 32 55, contact@vins-ginglinger.fr V t.l.j. 9h30-12h 13h30-18h30

HENRI GROSS
Goldert Gewurztraminer Vendanges tardives 2012 ★

	n.c.		20 à 30 €

La famille Gross est établie à Gueberschwihr, village vigneron cossu au beau clocher roman, situé au sud de Colmar. Louis Gross fonde le domaine en 1956, son fils Henri l'exploite et le transmet en 1980 à Rémy, rejoint par son fils Vincent. Ces derniers tirent le meilleur du grand cru local. Ils exploitent leurs 9 ha de vignes en biodynamie (certification bio en 2014).

Au-dessus de Gueberschwihr, le Goldert est un grand cru marno-calcaire propice au gewurztraminer. Récolté le dernier jour d'octobre, celui-ci offre tout ce que l'on attend de vendanges tardives: une robe vieille or, un nez de fruits confits et de fruits secs (abricot, datte, figue), un palais à l'unisson, ample, opulent sans lourdeur grâce à une fine acidité rehaussée par une pointe d'agrumes. Alliant richesse et finesse, il pourra être dégusté pour lui-même. (Sucres résiduels: 84 g/l.) ⧗ 2016-2024 🍴 foie gras aux figues

DOM. GROSS, 11, rue du Nord, 68420 Gueberschwihr, tél. 03 89 49 24 49, vins.gross@wanadoo.fr V r.-v.

DOM. JEAN-MARIE HAAG
Zinnkoepflé Gewurztraminer Vendanges tardives 2013

	770		20 à 30 €

À l'origine, un lopin entretenu le dimanche par le grand-père de Jean-Marie Haag, ouvrier des mines de potasse. Aujourd'hui, une propriété de 6,5 ha au cœur de la Vallée Noble, à 20 km au sud de Colmar. De beaux vins de terroir, notamment les gewurztraminers nés sur le grand cru Zinnkoepflé, majestueux coteaux abrités par le Grand et le Petit Ballon.

Le Zinnkoepflé se prête à l'élaboration de moelleux et liquoreux, dont ce domaine propose régulièrement des vins de grande tenue. Ici, des vendanges tardives d'un millésime 2013 qui en a fourni fort peu. Le nez plutôt discret s'ouvre sur les fruits exotiques (litchi, mangue) et les fruits jaunes bien mûrs. Les fruits confits s'affirment dans un palais ample, gras, onctueux et de bonne longueur, marqué en finale par une noble amertume. (Sucres résiduels: 103 g/l.) ⧗ 2016-2026 🍷 foie gras aux pommes caramélisées

⊶ JEAN-MARIE HAAG, 17, rue des Chèvres, 68570 Soultzmatt, tél. 03 89 47 02 38, jean-marie.haag@wanadoo.fr V r.-v.

VIGNOBLE HAEFFELIN Eichberg Pinot gris 2013 ★

	1200	8 à 11 €

Héritier d'une lignée de vignerons remontant à 1770, Daniel Haeffelin s'est installé en 1987 sur le domaine (16 ha) et a été rejoint en 2012 par ses fils Sébastien et Damien. En 1993, il a transféré l'exploitation hors des murs d'Eguisheim, tout en maintenant le caveau de vente au cœur de la pittoresque cité médiévale.

Un bel ambassadeur de ce grand cru d'Eguisheim, coteau bien exposé au sud-est, qui portait déjà des vignes au XIes.: nez ouvert sur les fruits jaunes confits et le miel, nuancés de touches de pierre à fusil et torréfaction. Palais franc en attaque, ample et rond, équilibré par une bonne acidité, marqué en finale par une petite touche d'amertume agréable. Déjà plaisant, ce pinot gris sera à son meilleur dans deux ou trois ans. (Sucres résiduels: 26,6 g/l.) ⧗ 2016-2022 🍷 filet mignon aux pêches

⊶ VIGNOBLE DANIEL HAEFFELIN, 35, Grand-Rue, 68420 Eguisheim, tél. 03 89 23 32 43, vins.alsace. haeffelindaniel@wanadoo.fr

ANDRÉ HARTMANN
Hatschbourg Pinot gris Armoirie Hartmann 2014 ★

	2000		11 à 15 €

La famille Hartmann est établie depuis 1640 au village de Vœgtlinshoffen, «Balcon de l'Alsace» perché sur un coteau, à quelque 10 km au sud de Colmar. Son domaine de 9 ha comprend plusieurs parcelles dans le grand cru Hatschbourg.

Sur ce grand cru marno-calcaire, ces vignerons cultivent avec bonheur gewurztraminer et pinot gris. Cette année, c'est ce dernier qui occupe le devant de la scène. Au nez, un délicat fruité légèrement toasté. Au palais, un très bel équilibre, une texture fondue et de jolis arômes de fruits jaunes et de sous-bois. Un ensemble harmonieux. (Sucres résiduels: 18 g/l.) ⧗ 2018-2024 🍷 escalope de veau comtoise

⊶ ANDRÉ HARTMANN, 11, rue Roger-Frémeaux, 68420 Vœgtlinshoffen, tél. 03 89 49 38 34, andre.hartmann@free.fr V *t.l.j. sf dim. 9h-12h 14h-18h*

Ⓑ CHRISTIAN ET VÉRONIQUE HEBINGER
Eichberg Gewurztraminer Sélection de grains nobles 2013 ★★

	1500		20 à 30 €

Le domaine s'est spécialisé après 1945. Aujourd'hui, Christian et Véronique Hebinger, établis à Eguisheim depuis 1985 et rejoints par Denis, cultivent leurs 11 ha autour de la petite cité médiévale et vers Wintzenheim, en biodynamie (certification bio en 2009). Leurs fleurons: des parcelles en grand cru (Hengst, Eichberg, Pfersigberg).

Au sud d'Eguisheim, l'Eichberg est le grand cru le plus sec de la région de Colmar, qui se distingue par la faiblesse de ses précipitations. Même en 2013, millésime difficile, les Hebinger ont réussi à en tirer une sélection de grains nobles. Récolté le 30 octobre, ce gewurztraminer or intense séduit par ses superbes arômes de fruits confits (mangue, abricot, mandarine...) et de miel. Dans le même registre, la bouche brille par son équilibre, souple en attaque, ample, généreuse et persistante. De la finesse. (Sucres résiduels: 137 g/l.) ⧗ 2016-2026 🍷 fondant au chocolat

⊶ EARL CHRISTIAN ET VÉRONIQUE HEBINGER, 14, Grand-Rue, 68420 Eguisheim, tél. 03 89 41 19 90, hebinger.christian@wanadoo.fr V *t.l.j. sf dim. 8h-12h 13h-18h*

DOM. HERING
Kirchberg de Barr Pinot gris 2013

	2500		15 à 20 €

Depuis 1858, cinq générations se sont succédé sur ce domaine installé au centre de Barr. Jean-Daniel Hering, œnologue, a pris en 1999 les rênes de l'exploitation. Sur les 10,5 ha que couvre le vignoble, la moitié est implantée dans le Kirchberg, le grand cru dominant la ville. Après douze ans de viticulture raisonnée, la propriété a engagé sa conversion bio en 2011.

De couleur paille dorée, un pinot gris séduisant, tant par son nez puissant mêlant l'abricot, la mirabelle et les agrumes confits à des notes grillées que par l'élégance de son palais ample, fondu et frais en finale. Il n'a manqué à ce joli moelleux qu'un peu de longueur pour décrocher l'étoile. (Sucres résiduels: 25 g/l.) ⧗ 2016-2022 🍷 toasts au foie gras

⊶ DOM. HERING, 6, rue du Dr-Sultzer, 67140 Barr, tél. 03 88 08 90 07, jdhering@wanadoo.fr V *r.-v.*

Ⓑ ALBERT HERTZ Eichberg Riesling 2013 ★

	2000		15 à 20 €

Fondé en 1843 et dirigé par Albert Hertz depuis 1977, ce domaine a son siège dans l'avenue circulaire qui

ceinture la cité médiévale d'Eguisheim. Il est conduit en biodynamie depuis 2008 et mise particulièrement sur les grands crus, qui représentent 27 % de son vignoble.

Issu d'un grand cru solaire, ce riesling offre, même dans un millésime difficile, une grande richesse: la robe dorée laisse des larmes épaisses sur les parois du verre; le nez s'ouvre sur d'intenses parfums de fleurs blanches, puis de fruits confits (pamplemousse, ananas et pêche). On croque la pêche de vigne dans une bouche puissante et opulente, marquée par les sucres mais harmonieuse. (Sucres résiduels: 6 g/l.) ⧗ 2016-2022 🍴 turbot sauce hollandaise

ALBERT HERTZ, 3, rue du Riesling, 68420 Eguisheim, tél. 03 89 41 30 32, info@alberthertz.com V t.l.j. sf dim. 9h-12h 13h30-19h

HIRTZ Zotzenberg Sylvaner 2014 ★

■	1060	▮	8 à 11 €

Établis dans l'un des plus pittoresques villages du Bas-Rhin, près de Barr, Edy et Élisabeth Hirtz conduisent depuis 1992 le domaine familial: près de 9 ha, avec des parcelles dans le grand cru local. Ici, pas de foudres de bois, mais des cuves Inox, plus à même de préserver le potentiel aromatique des cépages, selon le vigneron.

Dominant le village de Mittelbergheim, le Zotzenberg est le seul grand cru où le sylvaner a droit de cité. Celui-ci montre d'emblée sa richesse: robe jaune d'or, nez intense alliant les fleurs blanches, le zeste d'orange et la mirabelle, bouche dans le même registre, ample et riche, encore très marquée par des sucres résiduels, finale fraîche et épicée. (Sucres résiduels: 14,2 g/l.) ⧗ 2016-2022 🍴 pâté en croûte

EDY HIRTZ, EARL du Rotland, 13, rue Rotland, 67140 Mittelbergheim, tél. 03 88 08 47 90, edy.hirtz@orange.fr V t.l.j. 9h-12h 14h-18h

HORCHER Kaefferkopf Riesling 2014 ★★

■	700	▮	11 à 15 €

Domaine situé au cœur de la route des Vins, près de Riquewihr. À sa création en 1930, il ne comptait que 1 ha de vignes. Alfred Horcher en a pris les commandes en 1981 et l'a transmis en 2014 à Thomas et Lise. La propriété couvre 11 ha disséminés sur quarante parcelles, dont certaines en grands crus (Mandelberg, Sporen et Kaefferkopf).

Une microcuvée issue de la partie granitique du Kaefferkopf: nez élégant de fleurs blanches, de citron confit nuancés de notes «pétrolées», bouche harmonieuse, ample et puissante, dont la douceur marquée est équilibrée par une belle acidité, finale longue et minérale. (Sucres résiduels: 14 g/l.) ⧗ 2018-2025 🍴 crabe farci ■ **Mandelberg Gewurztraminer 2014 (11 à 15 €; 1700 b.)** : vin cité.

LISE HORCHER, 8, rue du Vignoble, 68630 Mittelwihr, tél. 03 89 47 93 26, info@horcher.fr V r.-v.

MARCEL HUGG
Altenberg de Bergheim Riesling 2014

■	18 000	20 à 30 €

Établi dans le bourg fortifié de Bergheim, ce vigneron-négociant dispose en propre de plus de 10 ha de vignes, avec des parcelles dans le grand cru local Altenberg.

À la robe jaune pâle répond un nez discret, qui demande à être aéré pour révéler de fraîches notes de pêche. La bouche est vive et légère. Un vin jeune, qui n'a pas encore révélé son potentiel. (Sucres résiduels: 4,4 g/l.) ⧗ 2017-2021 🍴 choucroute

MARCEL HUGG, 21, rte de Sélestat, 68750 Bergheim, tél. 03 89 73 63 27, info@marcelhugg.com V r.-v.

BERNARD HUMBRECHT Goldert Muscat 2013 ★

■	640	▮	11 à 15 €

À Gueberschwihr, au sud de Colmar, le visiteur est impressionné par les maisons vigneronnes aussi anciennes que cossues, comme la demeure Renaissance à pignon de Jean-Bernard Humbrecht. La lignée remonte à 1620, les mises en bouteilles à 1968. En 2016, Jean Humbrecht, ingénieur en agriculture, a rejoint son père Jean-Bernard sur le domaine, qui couvre 9 ha.

Quelques pieds de muscats dans le grand cru Goldert sont à l'origine de cette microcuvée aux parfums de violette, de miel, d'orange et de grillé et à la bouche moelleuse et ample. Parfait pour un dessert fruité. (Sucres résiduels: 45 g/l.) ⧗ 2016-2022 🍴 salade de fruits

EARL JEAN-BERNARD HUMBRECHT ET FILS, 10, pl. de la Mairie, 68420 Gueberschwihr, tél. 03 89 49 31 42, vins.bernard.humbrecht@orange.fr V t.l.j. 8h-12h 13h-18h; dim. 10h-12h 14h-18h

CAVE VINICOLE DE HUNAWIHR
Rosacker Riesling 2014 ★

■	12 000	▮	11 à 15 €

Fondée en 1954 au cœur de la route des Vins, la cave de Hunawihr regroupe majoritairement des viticulteurs de ce village. La coopérative vinifie le fruit de 210 ha et propose une large gamme de vins (dont cinq grands crus). Elle a quatre marques: Peter Weber, L'Unabelle, Armand Schreyer et Kuhlmann-Platz (ancienne maison de négoce rachetée en 1985).

La cave de Hunawihr exploite 40 % du grand cru local, le Rosacker, dédié principalement au riesling. Celui-ci offre un nez expressif et élégant, sur les agrumes, avec de la minéralité à l'arrière-plan. Franche à l'attaque, nette et précise, citronnée, la bouche dévoile une salinité reflétant le terroir argilo-calcaire. Un vin déjà plaisant, qui ne manque pas de potentiel. (Sucres résiduels: 10 g/l.) ⧗ 2016-2022 🍴 saumon à l'oseille

CAVE VINICOLE DE HUNAWIHR, 48, rte de Ribeauvillé, 68150 Hunawihr, tél. 03 89 73 61 67, boutique@cave-hunawihr.com V t.l.j. 8h-12h30 14h-18h; f. sam. dim. janv.-mars

KIENTZ Winzenberg Riesling 2013

| 2500 | | 11 à 15 € |

Établis à Blienschwiller, petit village viticole au sud de Barr, les Kientz font remonter leur arbre généalogique à 1500. André Kientz, installé en 1985, a été rejoint par sa fille en 2007. La famille conduit son vignoble en lutte raisonnée. Son fleuron: des vignes dans le grand cru Winzenberg.

Les sols granitiques du Winzenberg sont particulièrement propices au riesling. Dans sa robe cristalline, celui-ci apparaît très jeune: nez essentiellement fruité, bouche puissante et ronde, traversée par une acidité vive. Sa persistance devrait permettre à ce vin de se bonifier au cours des cinq prochaines années. (Sucres résiduels: 5 g/l.) 2017-2022 saumon fumé

RENÉ KIENTZ FILS, 51, rte des Vins, 67650 Blienschwiller, tél. 03 88 92 49 06, alsacekientz@wanadoo.fr V r.-v.

DOM. HENRI KLÉE Wineck-Schlossberg Riesling 2014 ★

| 4500 | | 8 à 11 € |

Urbain Klée, né au XVIe s., aurait acquis les premières vignes en 1624... Henri Klée se lance dans la vente directe au milieu du siècle dernier. Philippe lui succède en 1985 et Martin prépare la relève. Le vignoble couvre 10 ha aux environs de Katzenthal, à l'ouest de Colmar. Une propriété bien connue de nos lecteurs.

Né du grand cru de Katzenthal, aux sols granitiques, ce riesling séduit par ses arômes de fleurs blanches (sureau), de pêche et de fruits exotiques. En bouche, sa grande fraîcheur est soulignée par un léger perlant et par des arômes de pamplemousse. La finale laisse une impression de plénitude. Un vin prometteur à attendre. (Sucres résiduels: 5 g/l.) 2018-2022 crevettes citronnelle gingembre

EARL HENRI KLÉE, 11, Grand-Rue, 68230 Katzenthal, tél. 03 89 27 03 81, contact@vins-klee-henri.com V r.-v. G

ALBERT KLÉE Wineck-Schlossberg Riesling 2014 ★

| 1100 | | 11 à 15 € |

En 1624, Urbain Klée cultivait la vigne à Katzenthal, village proche de Colmar. Installés en 1978, Albert et Odile Klée ont passé le relais en 2014 à leur fils Jean-François, ingénieur agronome et œnologue, ancien directeur technique au Ch. Léoville Las Cases. Leur propriété couvre 5 ha, avec des parcelles dans les grands crus Wineck-Schlossberg et Kaefferkopf.

Issu d'arènes granitiques sur argilo-calcaire, ce gewurztraminer moelleux s'annonce par une robe jaune doré et par un nez aussi flatteur que complexe: dans le verre, on respire la rose, puis les fruits jaunes, la mangue, le fruit de la Passion et la pâte d'abricots. Ces arômes s'épanouissent dans un palais franc en attaque, riche et ample, très équilibré et persistant. (Sucres résiduels: 31 g/l.) 2016-2022 salade de fruits exotiques **Kaefferkopf Gewurztraminer 2013 (11 à 15 €; 3100 b.)** : vin cité.

ALBERT KLÉE, 13, Grand-Rue, 68230 Katzenthal, tél. 03 89 27 25 27, vinsklee@free.fr V *t.l.j. 9h-12h 13h-18h30; dim. sur r.-v.*

RAYMOND ET MARTIN KLEIN Zinnkoepflé Gewurztraminer 2014

| 8000 | | 8 à 11 € |

Les Klein se succèdent de père en fils depuis 1785. Installés à Soultzmatt, à 23 km au sud de Colmar, au débouché de la Vallée Noble, ils disposent de 15 ha de vignes, avec des parcelles en grand cru Zinnkoepflé et Vorbourg, et d'une cave où s'alignent des foudres centenaires.

Le Zinnkoepflé est un coteau pentu et bien abrité, propice à la surmaturation. Un caractère perceptible dans ce moelleux aux reflets dorés, mêlant au nez la rose, le miel, la pêche jaune au sirop, la mirabelle et les fruits confits. Dans le même registre, la bouche montre un bel équilibre entre ampleur suave et acidité tonique. (Sucres résiduels: 18 g/l.) 2018-2020 munster

RAYMOND ET MARTIN KLEIN, 61, rue de la Vallée, 68570 Soultzmatt, tél. 03 89 47 01 76, klein3.martin@wanadoo.fr V *t.l.j. sf dim. 9h-11h30 14h-18h* B

KLIPFEL Kirchberg de Barr Clos Zisser Gewurztraminer Vendanges tardives 2013

| 8000 | | 20 à 30 € |

Fondée en 1824 par Martin Klipfel, cette maison de Barr est restée dans la même famille en prenant de l'envergure. Gérée par Jean-Louis Lorentz et ses filles Anne-Sophie, Marie et Amélie, elle associe une structure de négoce et un important domaine (40 ha, dont 15 ha en grand cru). Deux étiquettes: Klipfel et André Lorentz, pour l'export et la grande distribution.

Ces vendanges tardives or intense proviennent d'un terroir exploité en monopole au sein du grand cru Kirchberg de Barr, un terroir argilo-calcaire propice au gewurztraminer. Elles mêlent au nez des parfums exotiques (fruit de la Passion, ananas et mangue) et des notes de surmaturation (coing, gelée de pomme, abricot confit). Souple et rond en attaque, gras et onctueux, le palais est tendu par une belle fraîcheur qui lui donne de l'élégance. (Sucres résiduels: 85 g/l.) 2016-2026 roquefort

KLIPFEL, 6, av. du Dr-Marcel-Krieg, 67140 Barr, tél. 03 88 58 59 00, alsacewine@klipfel.com V *t.l.j. 10h-12h 14h-18h; f. janv.*
Jean-Louis Lorentz

DOM. ALBERT KLUR Wineck-Schlossberg Riesling 2014 ★

| 1950 | | 8 à 11 € |

Les deux frères Nicolas et Guillaume Klur ont repris en 2003 le domaine familial, qui a son siège à Katzenthal, village enserré dans un vallon près de Colmar. Réparti dans quatre communes proches de la

préfecture du Haut-Rhin (outre Katzenthal, Ammerschwihr au nord, Wettolsheim et Eguisheim au sud), leur vignoble compte des parcelles dans trois grands crus.

Les Klur ont tiré du grand cru de leur village, aux sols granitiques, un moelleux léger. Vendangé en octobre, ce riesling aux reflets vieil or offre un nez élégant, mêlant nuances grillées, confites et minérales. La bouche ample et généreuse est équilibrée par une acidité saline qui lui donne du dynamisme. (Sucres résiduels: 12 g/l.) ⧗ 2017-2022 🍷 homard grillé

⊶ ALBERT KLUR, 61, rue d'Ammerschwihr, 68230 Katzenthal, tél. 03 89 27 22 51, vinsalbertklur@orange.fr
V t.l.j. 9h-18h; dim. 9h-12h Ⓑ

Ⓑ GUSTAVE LORENTZ
Altenberg de Bergheim Gewurztraminer Vieilles Vignes 2013 ★★

■ | 16000 | 20 à 30 €

Fondée en 1836, cette maison de négoce a son siège au cœur de Bergheim. Elle dispose en propre d'un important vignoble (33 ha) conduit en bio certifié depuis 2012. Elle a particulièrement investi dans le grand cru local, l'Altenberg de Bergheim, dont elle exploite 12 ha, et obtenu le premier coup de cœur du Guide dans cette AOC: un riesling 1976.

D'un jaune soutenu aux reflets dorés, un moelleux au nez complexe: l'acacia et la rose côtoient les fruits exotiques, les fruits confits (figue) et les épices (clou de girofle, cannelle, poivre). Dans la continuité du nez, la bouche brille par son équilibre: les sucres sont bien fondus, l'alcool apporte sa générosité avec mesure et l'acidité étire la finale. Parfait avec des plats relevés. (Sucres résiduels: 23 g/l.) ⧗ 2016-2022 🍷 tajine de poulet ■ **Altenberg de Bergheim Riesling Vieilles Vignes 2014 (20 à 30 €; 18000 b.)** Ⓑ : vin cité.

⊶ GUSTAVE LORENTZ, 91, rue des Vignerons, 68750 Bergheim, tél. 03 89 73 22 22, info@gustavelorentz.com
V t.l.j. sf dim. 10h-12h 14h-18h

Ⓑ DOM. ALBERT MANN
Furstentum Riesling 2014

■ | 3200 | 🍾 | 20 à 30 €

Héritiers d'une tradition viticole remontant au milieu du XVIIe s., Maurice et Jacky Barthelmé sont établis aux portes de Colmar. Ils cultivent en biodynamie les 21 ha de leur domaine, qui s'éparpille en une centaine de parcelles travaillées comme autant de petits jardins. Ils mettent en valeur cinq grands crus.

Le coteau très escarpé du Furstentum, exposé au sud-sud-ouest, est un terroir chaud, voire solaire. Il a donné naissance à ce riesling moelleux au nez charmeur mêlant les agrumes à une légère minéralité. L'attaque ronde est relayée par une fine acidité qui donne du dynamisme à ce vin à la finale longue et saline. (Sucres résiduels: 37 g/l.) ⧗ 2016-2020 🍷 gambas grillées

⊶ DOM. ALBERT MANN, 13, rue du Château, 68920 Wettolsheim, tél. 03 89 80 62 00, vins@albertmann.com V r.-v.

Ⓑ ALBERT MAURER Moenchberg Riesling 2013

■ | 3800 | 🛢 | 8 à 11 €

En 1960, Albert Maurer a créé ce vignoble à Eichhoffen, près d'Andlau. Il a passé le relais en 2003 à Philippe, qui exploite près de 17 ha autour de cette commune et dans trois villages voisins. La conversion bio de la propriété, engagée en 2005, a débouché sur une certification en 2010.

Le riesling domine l'encépagement de ce grand cru limono-gréseux en pente douce, à cheval sur Andlau et Eichhoffen. Celui-ci, au nez discret, entre aubépine et minéralité, intéresse plus par sa finesse que par sa puissance. Il associe une fraîcheur minérale soulignée par des notes d'agrumes et une certaine suavité. (Sucres résiduels: 2 g/l.) ⧗ 2016-2020 🍷 coquilles Saint-Jacques ■ **Moenchberg Pinot gris 2013 (8 à 11 €; 4000 b.)** Ⓑ : vin cité.

⊶ ALBERT MAURER, 11, rue du Vignoble, 67140 Eichhoffen, tél. 03 88 08 96 75, vinsmaurer@free.fr
V t.l.j. sf dim. 8h-12h 13h30-18h Ⓒ

HUBERT MEYER
Winzenberg Gewurztraminer 2013 ★

■ | 1500 | 🍾 | 11 à 15 €

Les Meyer se succèdent de père en fils depuis 1722. Hubert a développé la vente en bouteilles, Pierre l'a rejoint en 2009 avant de prendre la tête de l'exploitation en 2014. Les 11 ha du domaine sont répartis sur des terroirs variés, autour de Blienschwiller et des communes voisines de Dambach-la-Ville, Nothalten et Epfig, au sud de Barr.

Le Winzenberg domine le village de ce vigneron. Ses sols granitiques ont donné naissance à un moelleux délicatement floral (rose, acacia) et épicé (cannelle). De jolis arômes de mangue et d'ananas s'épanouissent dans une bouche ample et ronde. Peu de longueur, mais une légèreté qui a ses vertus à l'apéritif ou à table. (Sucres résiduels: 21 g/l.) ⧗ 2016-2020 🍷 samoussa de poulet épicé ■ **Winzenberg Riesling 2014 (8 à 11 €; 1600 b.)** : vin cité.

⊶ HUBERT MEYER, 34, rte des Vins, 67650 Blienschwiller, tél. 03 88 92 47 33, contact@vins-hubert-meyer.fr
V t.l.j. sf dim. 8h-12h 13h-18h Ⓑ

MEYER-FONNÉ
Kaefferkopf Gewurztraminer 2014

■ | 1000 | 🍾 | 11 à 15 €

Félix Meyer exploite avec brio plus de 15 ha de vignes en bio non certifié et vinifie dans le même esprit. Son domaine s'étend sur sept communes: il peut donc jouer sur une grande palette de terroirs, et notamment sur cinq grands crus.

Félix Meyer cultive plusieurs cépages sur ce grand cru qui jouxte son village. Le gewurztraminer, récolté à la mi-octobre, a donné un vin aux reflets dorés qui s'ouvre sur des parfums d'abricots et de pêche compotés ou confits relevés d'épices. Ces arômes s'épanouissent dans un palais franc en attaque, puissant, aussi rond que long. Un moelleux gourmand que l'on pourra servir à l'apéritif. (Sucres résiduels: 25 g/l.) ⧗ 2016-2022 🍴 nuggets de poulet à l'indienne

⊶ DOM. MEYER-FONNÉ, 24, Grand-Rue, 68230 Katzenthal, tél. 03 89 27 16 50, felix@meyer-fonne.com V r.-v.

Ⓑ DOM. MITTNACHT FRÈRES
Rosacker Gewurztraminer 2012

■	1150	🍾	15 à 20 €

À l'entrée de Hunawihr, près de Ribeauvillé, un caveau lumineux aux lignes épurées: le siège du domaine de Marc et Christophe Mittnacht. Les deux cousins, œnologues installés en 1995, conduisent ensemble en biodynamie le vignoble créé en 1962 par leurs parents: 22,5 ha répartis sur trois communes, avec des parcelles dans deux grands crus.

Ces vignerons cultivent trois cépages sur le grand cru de leur village. Ici, un gewurztraminer récolté à la mi-octobre 2012. Il en résulte un moelleux au nez intense et fin mêlant la rose ancienne à des notes de surmaturation: mangue, abricot sec, orange confite. Le palais, à l'unisson, apparaît ample et gras, confit et poivré, tendu par une acidité minérale. (Sucres résiduels: 52 g/l.) ⧗ 2016-2021 🍴 munster fermier

⊶ DOM. MITTNACHT FRÈRES, 27, rte de Ribeauvillé, 68150 Hunawihr, tél. 03 89 73 62 01, mittnacht.freres@gmail.com
V *t.l.j. sf dim. 10h-12h 13h-18h*

DOM. FRÉDÉRIC MOCHEL
Altenberg de Bergbieten Riesling Cuvée Henriette 2012 ★

■	6500	🛢	15 à 20 €

Une famille installée en 1669 à l'ouest de Strasbourg après la guerre de Trente Ans. Guillaume Mochel a pris en 2001 les rênes de la propriété après des stages qui l'ont mené jusqu'en Nouvelle-Zélande. Sur les 10 ha du domaine, la moitié est implantée dans le grand cru Altenberg de Bergbieten.

Si Guillaume Mochel cultive trois cépages sur ce grand cru, le riesling est le roi de ce terroir et cette cuvée est souvent présente en bonne place. Un 2012 vendangé le 18 octobre: robe dorée lumineuse, nez avenant où s'entremêlent le citron, le miel d'acacia et des touches muscatées, bouche à l'unisson, bien équilibrée entre une acidité fine qui signe le terroir gypsifère et un corps plein, généreux et suave, finale persistante. Ce vin peut encore se bonifier. (Sucres résiduels: 4 g/l.) ⧗ 2017-2026 🍴 cassolette de langoustines

⊶ DOM. FRÉDÉRIC MOCHEL, 56, rue Principale, 67310 Traenheim, tél. 03 88 50 38 67 V *r.-v.*

MOELLINGER Steingrubler Riesling 2014 ★

■	2200	🛢	8 à 11 €

Joseph Moellinger s'est lancé dans la mise en bouteilles en 1945. Depuis 1997, son petit-fils Michel conduit l'exploitation, qui couvre 14 ha autour de Wettolsheim, grosse bourgade qui jouxte Colmar au sud-ouest. Il détient des parcelles dans plusieurs grands crus.

Le Steingrubler s'étage à l'ouest de Wettolsheim. Récolté sur ses pentes, ce riesling encore discret montre un début de complexité dans ses senteurs de fleurs blanches et d'agrumes rehaussées d'une touche de sous-bois. Après une attaque ronde, la bouche se développe avec finesse et équilibre sur des notes minérales. Du potentiel. (Sucres résiduels: 7,3 g/l.) ⧗ 2016-2022 🍴 choucroute de la mer

⊶ JOSEPH MOELLINGER ET FILS, 6, rue de la 5e-Division-Blindée, 68920 Wettolsheim, tél. 03 89 80 62 02, vins.moellinger@sfr.fr
V *t.l.j. 8h-12h 13h30-19h; dim. sur r.-v.*

Ⓑ CHARLES MULLER ET FILS
Altenberg de Bergbieten Riesling 2013

■	2500	🛢	15 à 20 €

Domaine de 11 ha établi dans un village de la Couronne d'Or de Strasbourg, groupement des communes viticoles les plus proches de la capitale régionale. Héritier d'une lignée remontant à 1580, Jean-Jacques Muller, installé en 1985, est passé de la viticulture raisonnée au bio (certification en 2011). Ses enfants Marjorie et Nathan l'ont rejoint en 2014.

Un riesling né sur un des grands crus les plus « nordistes » de la route des Vins, bénéficiant d'une exposition au sud et au sud-est. À la robe intense, jaune doré, répond un nez généreux, complexe et surmûri, sur le citron confit et les fruits jaunes, rehaussé de notes muscatées. Après une attaque vive, le vin développe un beau volume et une minéralité saline, reflet du terroir. (Sucres résiduels: 6 g/l.) ⧗ 2017-2025 🍴 filet de flétan sauce agrumes

⊶ CHARLES MULLER ET FILS, 43, impasse de la Fontaine, 67310 Traenheim, tél. 03 88 50 38 04, earlcharlesmuller@hotmail.fr
V *r.-v.*

Ⓑ MURÉ
Vorbourg Clos Saint-Landelin Pinot gris Vendanges tardives 2012 ★

■	800	🍾	30 à 50 €

Cette maison de haute renommée, conduite par une famille établie à Rouffach en 1650, est située en contrebas du fameux Clos Saint-Landelin, planté par des moines dès le haut Moyen Âge et fleuron du domaine depuis 1935 (12 ha cultivés en bio, à l'extrémité sud du grand cru Vorbourg). Secondé par ses enfants Véronique et Thomas, René Muré a repris en 1976 le vignoble de 25 ha.

À l'extrémité méridionale du grand cru Vorbourg, le Clos Saint-Landelin, aménagé en terrasses et exposé au sud-sud-est, constitue le fleuron de la famille Muré. Sa situation se prête à l'obtention de vins moelleux et liquoreux, comme ce pinot gris mêlant au nez la noisette grillée, le miel d'acacia, la réglisse et une note iodée. Dans le même registre, la bouche séduit moins par sa richesse que par sa vivacité qui lui confère un très bel équilibre. (Sucres résiduels: 110 g/l.) ⧗ 2016-2024 🍴 foie gras

⊶ DOM. DU CLOS SAINT-LANDELIN, Véronique et Thomas Muré, rte du Vin, 68250 Rouffach, tél. 03 89 78 58 00, domaine@mure.com V *r.-v.*

GÉRARD NICOLLET ET FILS
Zinnkoepflé Pinot gris 2014 ★

| 3200 | | 8 à 11 € |

Reconstitué en 1920 après le phylloxéra, ce domaine est situé dans la Vallée Noble, à environ 20 km au sud de Colmar. Gérard Nicollet commence la vente en bouteilles dans les années 1960. Installé en 2004, Marc exploite avec sa compagne Sara 13,5 ha de vignes, dont plusieurs parcelles en grand cru Zinnkoepflé.

Majestueux coteaux dominant Soultzmatt, le Zinnkoepflé favorise l'obtention de vins moelleux comme ce pinot gris qui séduit par sa très belle tenue: riche, ample, rond et gras, ce vin bien fruité est traversé par une fraîcheur tonique qui étire la finale et indique un potentiel intéressant. Les dégustateurs le verraient bien servi avec une tarte aux fruits. (Sucres résiduels: 45 g/l.) ⧗ 2016-2022 🍴 tarte aux pêches

DOM. NICOLLET, 33, rue de la Vallée, 68570 Soultzmatt, tél. 03 89 47 03 90, vinsnicollet@wanadoo.fr V t.l.j. sf dim. 9h-12h 14h-18h

DOM. DE L'ORIEL
Sommerberg Riesling Arnaud 2014 ★

| 1000 | | 20 à 30 € |

Établie à Niedermorschwihr, à l'ouest de Colmar, la famille Weinzorn, attachée au vignoble depuis près de quatre siècles, a pour demeure un ancien corps de ferme montrant un superbe oriel Renaissance en grès sculpté. Claude Weinzorn est à la tête du domaine depuis 1995.

Avec sa pente à 45 %, le coteau du Sommerberg semble plonger sur le village de Niedermorschwihr. Exposé plein sud, ce «mont de l'Été» aux sols granitiques favorise le riesling. Né de ceps de plus d'un demi-siècle, celui-ci séduit par son nez à la fois généreux et précis d'aubépine et de pamplemousse, rehaussé de notes grillées. Après une attaque fraîche, le vin apparaît à la fois rond et salin. De bonne garde, il gagnera en fondu et en expression avec le temps. (Sucres résiduels: 15 g/l.) ⧗ 2017-2021 🍴 huîtres gratinées

GÉRARD WEINZORN ET FILS, 133, rue des Trois-Épis, 68230 Niedermorschwihr, tél. 03 89 27 40 55, oriel.weinzorn@sfr.fr V t.l.j. 9h-12h 14h-18h; dim. sur r.-v.

PFAFF Steinert Pinot gris 2013

| 33000 | | 11 à 15 € |

Sélection parcellaire, vendanges manuelles majoritaires et vinifications exigeantes ont permis à la Cave de Pfaffenheim, créée en 1957, de bénéficier d'une belle notoriété. Forte des 270 ha de ses adhérents, la coopérative propose un large éventail de cuvées, notamment plusieurs grands crus de Pfaffenheim et du voisinage, tous situés au sud de Colmar.

Le pinot gris se plaît sur les sols calcaires et pierreux du grand cru de Pfaffenheim. Ce terroir est réputé pour l'intensité et la fraîcheur des vins qu'il engendre. C'est bien le profil de ce 2013 d'un jaune doré intense, qui s'ouvre sur le chèvrefeuille, puis la pêche et la poire, arômes qui se prolongent au palais. Vif en attaque, il garde cette ligne de fraîcheur jusqu'à la finale légèrement minérale. À ouvrir dès l'apéritif. (Sucres résiduels: 30 g/l.) ⧗ 2016-2023 🍴 brochettes de canard aux pêches

CAVE DES VIGNERONS DE PFAFFENHEIM, 5, rue du Chai, 68250 Pfaffenheim, tél. 03 89 78 08 08, cave@pfaffenheim.com V t.l.j. 9h-12h 14h-18h

ANDRÉ REGIN
Altenberg de Wolxheim Riesling 2014 ★

| 1800 | | 8 à 11 € |

À la tête du domaine familial depuis 1988, André Regin exploite un peu plus de 9 ha autour de Wolxheim. Ce village proche de Strasbourg est célèbre de longue date pour son riesling.

Ce cru «nordiste» aux sols marno-calcaires bénéficie d'un microclimat très sec. Il est particulièrement réputé pour ses rieslings. Celui-ci séduit par son nez intense et précis où s'entremêlent les agrumes, l'abricot frais et une pointe minérale. Très sec et persistant au palais, épicé et fruité, il associe le pamplemousse et l'expression minérale du terroir qui devrait s'affirmer dans les prochaines années. (Sucres résiduels: 2,3 g/l.) ⧗ 2016-2021 🍴 vitello tonnato

EARL DOM. ANDRÉ REGIN, 4, rue de la Forge, 67120 Wolxheim, tél. 03 88 38 17 02, andre.regin@wanadoo.fr V r.-v.

EDMOND RENTZ Froehn Pinot gris 2014

| 2600 | | 11 à 15 € |

Descendant d'une lignée vigneronne remontant au XVIIIe s., Edmond Rentz vend son vin en bouteilles dès 1936. Son fils Raymond étend la propriété et transmet en 1995 à Patrick un domaine de 20 ha réparti sur cinq communes au cœur de la route des Vins: Bergheim, Ribeauvillé, Hunawihr, Zellenberg, Riquewihr.

Le village perché de Zellenberg, où sont établis ces vignerons, domine ce grand cru bien exposé au sud-sud-est. Il a donné naissance à un pinot gris au nez grillé, qui attire surtout l'attention par sa bouche souple à l'attaque, miellée, riche et puissante, laissant augurer un potentiel intéressant. Ses arômes de fruits jaunes s'affirmeront au cours des prochaines années. (Sucres résiduels: 35 g/l.) ⧗ 2017-2026 🍴 foie gras

EARL EDMOND RENTZ, 7, rte du Vin, 68340 Zellenberg, tél. 03 89 47 90 17, info@edmondrentz.com V t.l.j. sf dim. 8h-12h 14h-18h

B RIEFFEL Zotzenberg Sylvaner 2014

| 1800 | | 11 à 15 € |

Installé dans le superbe village de Mittelbergheim, Julien Rieffel commence la mise en bouteilles en 1946. André agrandit le domaine et le transmet en 1996 à son fils Lucas Rieffel qui engage la conversion bio. Le vignoble de 10 ha s'étend aux deux bourgs voisins: Barr, au nord, et Andlau, au sud. Il comprend des parcelles dans trois grands crus.

Vignoble en forme de cuvette dominant Mittelbergheim, le Zotzenberg se caractérise par des sols argilo-calcaires qui donnent des vins corpulents, de bonne garde. Y compris le sylvaner, traditionnellement cultivé sur ce coteau et admis par exception en grand cru. Jaune doré, celui-ci, encore fermé mais franc, libère de discrètes notes de fleurs blanches. Sa bouche bien équilibrée concilie ampleur et fraîcheur. (Sucres résiduels: 2 g/l.) ⧗ 2016-2022 🍴 palette à la diable

ANDRÉ RIEFFEL, 11, rue Principale, 67140 Mittelbergheim, tél. 03 88 08 95 48, andre.rieffel@wanadoo.fr V r.-v.

ⓑ ÉRIC ROMINGER
Zinnkoepflé Riesling Les Sinneles 2014

	2600		15 à 20 €

Situé dans la Vallée Noble, au sud de Colmar, le domaine a été créé en 1970 par le père d'Éric Rominger. Ce dernier en a pris les rênes en 1986 et s'est rapidement distingué dans le Guide. Aujourd'hui, 13 ha exploités en biodynamie, dont plus du tiers en grand cru (Saering et surtout Zinnkoepflé, majestueux coteau plein sud culminant à plus de 400 m).

Éric Rominger avait obtenu la grappe de bronze du Guide pour son riesling grand cru Zinnkoepflé 1996. Après sa disparition prématurée à la fin de l'année 2014, son épouse Claudine Sutter, qui continue son œuvre, a présenté un riesling de même origine. Une robe jaune d'or, des arômes délicats de fleurs blanches et d'agrumes, teintés de miel d'acacia, et un palais puissant à la finale chaleureuse traduisent une vendange de belle maturité. (Sucres résiduels: 6 g/l.) ⧗ 2017-2021 🍴 coq au riesling

DOM. ÉRIC ROMINGER, 16, rue Saint-Blaise, 68250 Westhalten, tél. 03 89 47 68 60, vins-rominger.eric@orange.fr

ⓑ MARTIN SCHAETZEL
Kaefferkopf Gewurztraminer 2014

	n.c.		15 à 20 €

Maison de vignerons-négociants fondée en 1803. Au début des années 1930, Martin Schaetzel se lance dans la vente en bouteilles. Son neveu Jean, œnologue et formateur, reprend l'affaire en 1979. Il exploite en biodynamie ses 12 ha de vignes en propre (conversion bio en 1997).

Or pâle, ce gewurztraminer au nez discret, entre rose et notes épicées, dévoile au palais des notes de surmaturation évoquant la pêche et l'abricot, en harmonie avec sa souplesse et sa rondeur. À déboucher dès l'apéritif. (Sucres résiduels: 20 g/l.) ⧗ 2016-2020 🍴 crevettes sauce aigre-douce **Schlossberg Riesling 2014 (20 à 30 €; n.c.)**: vin cité.

MARTIN SCHAETZEL, 15 C, rte du Vin, 68240 Kientzheim, tél. 03 89 47 11 39, contact@martin-schaetzel.com V r.-v.

EDGARD SCHALLER Mandelberg Riesling 2014

	2100		11 à 15 €

La famille Schaller fait remonter son arbre généalogique à 1609. Les ancêtres étaient charpentiers et tonneliers. Le domaine s'est spécialisé en viticulture au début du siècle dernier. Aujourd'hui, Patrick et Charles Schaller exploitent 8,5 ha à Mittelwihr et dans trois villages voisins, au cœur de la route des Vins.

Le Mandelberg, ou «coteau des Amandiers», est le grand cru de Mittelwihr. Comme son nom l'indique, il se signale par sa précocité. Il a engendré un riesling encore discret au nez, qui s'ouvre à l'aération sur des senteurs de fleurs blanches et d'agrumes. Agrumes que l'on retrouve dans un palais net, droit, incisif, équilibré par une petite rondeur. Du potentiel. (Sucres résiduels: 8 g/l.) ⧗ 2017-2022 🍴 blanquette de lotte

EARL EDGARD SCHALLER ET FILS, 1, rue du Château, 68630 Mittelwihr, tél. 03 89 47 90 28, edgard.schaller@wanadoo.fr V *t.l.j. 9h-12h 14h30-18h30*

ⓑ LOUIS SCHERB ET FILS Goldert Riesling 2014

	2300	8 à 11 €

La famille est établie à Gueberschwihr depuis 1690. Louis Scherb vend son vin en tonneau avant guerre, ses fils Joseph et André développent la vente en bouteilles dans les années 1970. Installée en 2002, la troisième génération, avec Agnès Burner et son mari, exploite 12 ha - en bio certifié depuis 2013.

Le coteau du Goldert s'étage au-dessus du village de Gueberschwihr. Les Scherb y ont récolté un riesling encore sur sa réserve, qui libère après aération des notes de citron vert et de pierre à fusil. L'attaque ronde est vite relayée par une franche acidité. Un vin jeune et prometteur, qui mérite d'attendre. (Sucres résiduels: 14,4 g/l) ⧗ 2017-2022 🍴 coquilles Saint-Jacques gratinées

LOUIS SCHERB ET FILS, 1, rte de Saint-Marc, 68420 Gueberschwihr, tél. 03 89 49 30 83, louis.scherb@wanadoo.fr V *t.l.j. sf dim. 8h-12h 13h30-18h30*

THIERRY SCHERRER Kaefferkopf Riesling 2013

	1700		5 à 8 €

Les parents de Thierry Scherrer, apporteurs de raisins à la coopérative, ont constitué le vignoble au nord-ouest de Colmar, autour d'Ammerschwihr, important bourg viticole. Ce dernier, œnologue diplômé, a travaillé pour des négociants alsaciens et allemands avant de reprendre en 1993 l'exploitation familiale de 8,5 ha, qui comprend des parcelles dans le grand cru local, le Kaefferkopf.

Ce riesling provient de la partie granitique du Kaefferkopf. Discret au nez, il dévoile à l'aération des notes d'agrumes (citron, pamplemousse et orange confite) et d'abricot frais. L'attaque incisive est relayée par des impressions de rondeur, avant une finale nerveuse. (Sucres résiduels: 6 g/l.) ⧗ 2017-2021 🍴 poulet au citron

THIERRY SCHERRER, 1, rue de la Gare, 68770 Ammerschwihr, tél. 03 89 47 15 86, thierry.scherrer@wanadoo.fr V r.-v.

SCHLEGEL-BOEGLIN
Zinnkoepflé Riesling 2013 ★★

| 3700 | | 11 à 15 € |

Les parents de Jean-Luc Schlegel ont fondé le domaine en 1971 à Westhalten, à l'entrée de la Vallée Noble. Ce dernier, installé en 1991, exploite 13 ha de vignes, avec plusieurs parcelles dans les grands crus Zinnkoepflé et Vorbourg.

Jean-Luc Schlegel tire une fois de plus un bon parti de ce majestueux coteau très abrité. Voyez ce riesling d'un or profond. Le nez, complexe, alliant fruité (agrumes, fruits jaunes) et minéralité, fait ressortir toute l'alchimie qui existe entre un terroir argilo-calcaire et le riesling. La bouche est tendue jusqu'en finale par une acidité mûre. Le miel de tilleul et la bergamote confite soulignent la grande maturité du raisin. Une réelle harmonie. (Sucres résiduels: 8 g/l.) ⏳ 2016-2022 🍷 turbot sauce hollandaise ■ **Zinnkoepflé Pinot gris 2014 ★★ (11 à 15 €; 1300 b.)** : le Zinnkoepflé favorise la surmaturation. Le vigneron en a tiré un remarquable pinot gris moelleux. Si l'on apprécie son nez très ouvert sur les fruits jaunes et les agrumes confits, assortis de notes d'amande grillée, c'est surtout sa structure en bouche qui enchante: particulièrement riche, ample et puissant, presque liquoreux, ce vin fait aussi preuve d'une rare élégance, grâce à une fraîcheur minérale qui lui donne de l'allant et souligne sa persistance. Il se bonifiera encore dans les années à venir. (Sucres résiduels: 50 g/l.) ⏳ 2017-2026 🍷 munster fermier

DOM. SCHLEGEL-BOEGLIN, 22 A, rue d'Orschwihr, 68250 Westhalten, tél. 03 89 47 00 93, schlegel-boeglin@wanadoo.fr V *r.-v.*

DOMAINES SCHLUMBERGER
Kessler Gewurztraminer 2013 ★

| 6700 | | 20 à 30 € |

Sous l'Empire, les Schlumberger se constituent un vignoble dans la région de Guebwiller, au sud de l'Alsace, prenant la suite des abbés de Murbach, qui avaient mis en valeur ce vignoble avant la Révolution. Sans doute le plus vaste domaine de la région: 120 ha plantés sur des coteaux escarpés, dont une partie est conduite en biodynamie, la moitié étant en grand cru.

Le gewurztraminer offre une très belle expression sur ce grand cru aux sols d'origine gréseuse. Récolté le dernier jour d'octobre, il a engendré ici un moelleux aussi intense à l'œil qu'au nez, mêlant la rose ancienne, le litchi, les fruits jaunes et les agrumes confits. On retrouve cette intensité aromatique dans un palais ample, onctueux, puissant et harmonieux. Une expression raffinée de la surmaturation. (Sucres résiduels: 46 g/l.) ⏳ 2016-2026 🍷 tarte fine aux abricots

DOMAINES SCHLUMBERGER, 100, rue Théodore-Deck, BP 10, 68500 Guebwiller, tél. 03 89 74 27 00, mail@domaines-schlumberger.com V *t.l.j. sf dim. 8h-18h (ven. 17h); sam. sur r.-v.*

FRANÇOIS SCHMITT
Pfingstberg Riesling Paradis 2014 ★

| 1200 | | 11 à 15 € |

Descendant d'une lignée d'agriculteurs établis dans la partie sud du vignoble, François Schmitt reprend en 1972 la ferme familiale dotée de 3 ha de vignes. Il achète des parcelles bien situées (Pfingstberg, Bollenberg, puis Zinnkoepflé) et se lance dans la vinification. Installé en 1998, son fils Frédéric exploite 13 ha. Il a engagé graduellement la conversion bio du vignoble à partir de 2005.

Le riesling est très présent sur le grand cru d'Orschwihr, terroir aux sols marno-calcaires et gréseux réputé pour donner des vins ciselés et frais. Celui-ci, or soutenu, laisse des larmes sur les parois du verre et mêle l'ananas confit, les agrumes et des touches iodées. La bouche offre à la fois du volume, de la salinité et de beaux amers. Un vin encore jeune, doté d'un excellent potentiel, qui gagnera en expression avec le temps. (Sucres résiduels: 6,5 g/l.) ⏳ 2017-2025 🍷 gambas sautées à l'ananas

FRANÇOIS SCHMITT, 19, rte de Soultzmatt, 68500 Orschwihr, tél. 03 89 76 08 45, info@francoisschmitt.fr V *t.l.j. 8h-12h 13h30-19h; dim. sur r.-v.*

B DOM. MAURICE SCHOECH
Kaefferkopf Riesling 2014

| 2500 | | 15 à 20 € |

Pépiniéristes, sommeliers, courtiers, vignerons, les Schoech sont au service du vin depuis 1650. Aujourd'hui, Sébastien et Jean-Léon Schoech exploitent 11 ha aux environs d'Ammerschwihr, importante cité viticole qui ouvre chaque année le cycle des foires aux vins en avril. Ils détiennent des parcelles dans deux grands crus et ont obtenu en 2014 la certification bio de leur vignoble.

Né dans la partie granitique du grand cru, ce riesling laisse deviner à l'aération une certaine complexité dans sa palette mêlant la pêche, les agrumes et le sous-bois. La bouche fruitée et assez longue se développe tout en finesse autour d'une minéralité prononcée. Ce vin jeune au très bon potentiel de garde devrait acquérir une étoile à l'ancienneté. (Sucres résiduels: 8 g/l.) ⏳ 2017-2022 🍷 choucroute de la mer

DOM. MAURICE SCHOECH, 4, rte de Kientzheim, 68770 Ammerschwihr, tél. 03 89 78 25 78, domaine.schoech@free.fr V *t.l.j. sf dim. 8h-12h 13h30-18h* D

DOM. SCHOFFIT
Rangen Riesling Clos Saint-Théobald Schistes 2013 ★

| 5220 | | 20 à 30 € |

À la tête d'un domaine de 17 ha, la famille Schoffit ne se contente pas de son vignoble autour de Colmar. Son fleuron – le Clos Saint-Théobald, qui lui a valu de nombreux coups de cœur – se trouve à l'extrémité méridionale de la route des Vins, dans le grand cru Rangen de Thann. Un terroir d'origine volcanique, aux sols pierreux, sombres et chauds, aux pentes vertigineuses, accueillantes aux gewurztraminer, riesling et pinot gris.

Or vert intense, ce riesling dévoile une légère surmaturation au nez, avec ses parfums de fleurs blanches, de tilleul et de citron confit. On retrouve le citron, allié au pamplemousse et aux fruits exotiques, dans un palais intense, bien équilibré entre une certaine ampleur et une acidité minérale qui étire la finale. Du potentiel. (Sucres résiduels: 2 g/l.) ⧗ 2016-2026 ¥ bar au four ■ **Rangen Pinot gris Clos Saint-Théobald 2012 ★ (20 à 30 €; 4000 b.)** : le pinot gris domine l'encépagement du Rangen où il prend généralement des tons surmûris. C'est bien le cas de ce 2012 or brillant, au nez mêlant la pêche, la mandarine et l'abricot confits et les fruits secs. La bouche, tout en fruit confit, de bonne longueur, concilie puissance, richesse et élégance. (Sucres résiduels: 46 g/l.) ⧗ 2022-2024 ¥ foie gras ■ **Rangen Pinot gris Clos Saint-Théobald Vendanges tardives 2010 ★ (30 à 50 €; 1780 b.)** : robe dorée, nez complexe et riche dominé par le coing et l'abricot, palais puissant, profond, frais, à l'unisson du nez avec ses arômes de miel, de figue et de fruits confits: un vin concentré qui pourra affronter le temps. (Sucres résiduels: 130 g/l.) ⧗ 2016-2026 ¥ tarte tatin

DOM. SCHOFFIT, 68, Nonnenholzweg, 68000 Colmar, tél. 03 89 24 41 14, domaine.schoffit@free.fr V ⚑ ■ *r.-v.*

DOM. J.-L. SCHWARTZ
Muenchberg Riesling 2011 ★

■	2200	▮	11 à 15 €

Créé en 1960, ce domaine installé à Itterswiller, petit village bas-rhinois très fleuri, est conduit par Jean-Luc Schwartz depuis 1982. Ses 9 ha de vignes sont disséminés dans neuf communes, sur des terroirs très variés. L'exploitation a obtenu sa certification bio en 2013.

La «montagne des moines» a été mise en valeur par les cisterciens dès le XIIᵉs. Ses sols anciens, chauds, gréseux et volcaniques, conviennent parfaitement au riesling. Ici, un 2011 au nez déjà évolué, mêlant les agrumes, le miel et des notes minérales. Dans la même tonalité aromatique, la bouche offre une attaque minérale et une structure assez ronde. (Sucres résiduels: 7 g/l.) ⧗ 2016-2020 ¥ fromage de chèvre

DOM. J.-L. SCHWARTZ, 75, rte des Vins, 67140 Itterswiller, tél. 03 88 85 51 59, jean-luc@domaine-schwartz.com V ⚑ ■ *t.l.j. 9h30-19h; dim. 9h30-13h*

Ⓑ DOM. FERNAND SELTZ
Zotzenberg Riesling 2013 ★

■	1900	▮	15 à 20 €

Michel Seltz est établi à Mittelbergheim, village aussi connu pour ses maisons vigneronnes d'époque Renaissance que pour son coteau du Zotzenberg, classé en grand cru. Sur ce terroir de choix, il cultive plusieurs cépages. Le domaine est exploité en bio certifié depuis 2010.

Un nez intense et frais sur le pamplemousse, les fruits exotiques, la menthe et l'aspérule. Attaque vive et tonique, développement généreux et gourmand, finale persistante, sapide et minérale: une belle expression de ce terroir argilo-calcaire. (Sucres résiduels: 2,5 g/l.) ⧗ 2016-2021 ¥ plateau de fruits de mer

EARL FERNAND SELTZ ET FILS, 42, rue Principale, 67140 Mittelbergheim, tél. 03 88 08 93 92, seltz.michel@wanadoo.fr V ⚑ ■ *r.-v.*

Ⓑ ÉTIENNE SIMONIS
Kaefferkopf Riesling 2014 ★★

■	2000	▮	11 à 15 €

Des Simonis cultivaient déjà la vigne au XVIIᵉs. Le domaine actuel a été constitué par René Simonis, qui a obtenu les premières distinctions dans le Guide et passé le relais en 1996 à Étienne. Ce dernier exploite les 7 ha de la propriété en biodynamie certifiée depuis 2011. En vue, ses rieslings et gewurztraminers du Kaefferkopf.

Issu de sols granitiques, ce riesling or soutenu offre une expression exubérante: la mangue se mêle à la goyave, puis, après aération, apparaissent des notes minérales et iodées. Ample et ronde en attaque, tout aussi aromatique que le nez, la bouche évolue tout en finesse, tendue par une acidité citronnée et saline qui souligne sa persistance. (Sucres résiduels: 7 g/l.) ⧗ 2017-2025 ¥ langoustines thaï

ÉTIENNE SIMONIS, 2, rue des Moulins, 68770 Ammerschwihr, tél. 03 89 47 30 79, simonis.etienne@gmail.com V ⚑ ■ *t.l.j. sf dim. 9h-12h 13h30-18h*

JEAN-PAUL SIMONIS ET FILS
Kaefferkopf Assemblage 2014 ★

■	2000	◍	8 à 11 €

Héritier d'une lignée de viticulteurs remontant à 1660, Jean-Marc Simonis gère depuis 1993 le domaine familial implanté aux environs d'Ammerschwihr, à 8 km au nord-ouest de Colmar. Ce sont ses grands-parents qui ont débuté la vente en bouteilles. Le propriétaire choie particulièrement le grand cru local, le Kaefferkopf.

Le Kaefferkopf est l'un des rares grands crus à autoriser les vins d'assemblage: ici, deux tiers de gewurztraminer pour un tiers de riesling. Le premier cépage lègue à cette cuvée son ampleur et ses arômes expansifs de rose, de pivoine, de litchi et de mangue, présents au nez comme en bouche. Le second est sans doute à l'origine du profil tonique et acidulé de la finale, sur le citron vert. Une bouteille parfaite pour l'apéritif. (Sucres résiduels: 13,4 g/l.) ⧗ 2016-2021 ¥ samoussas aux légumes

JEAN-PAUL SIMONIS ET FILS, 1, rue des Chasseurs-Besombes-et-Brunet, 68770 Ammerschwihr, tél. 03 89 47 13 51, jmsimonis@orange.fr V ⚑ ■ *t.l.j. sf dim. 8h-12h 13h30-18h*

DOM. JEAN SIPP
Kirchberg de Ribeauvillé Riesling 2014

■	5000	◍	15 à 20 €

Établi dans une demeure Renaissance qui appartint jadis à la puissante famille des Ribeaupierre, seigneurs de Ribeauvillé, Jean-Guillaume Sipp perpétue depuis 2010 avec brio une tradition viticole inaugurée en 1654 par son ancêtre porteur du même prénom. Il dispose de 24 ha de vignes, avec des parcelles dans plusieurs crus renommés (Altenberg de Bergheim, Kirchberg de Ribeauvillé...).

Le riesling est majoritaire sur le coteau du Kirchberg de Ribeauvillé. Reflet de ce terroir marno-calcaire, ce 2014, encore fermé, nécessite une aération pour révéler des arômes de citron, de noisette et de fleurs blanches. Quant à la bouche, elle apparaît charnue, ample et puissante. Un vin jeune et prometteur qui ne se révélera pleinement qu'après quelques années en cave. (Sucres résiduels: 5 g/l.) ⧗ 2018-2024 🍷 homard à la nage

JEAN SIPP, 60, rue de la Fraternité, 68150 Ribeauvillé, tél. 03 89 73 60 02, domaine@jean-sipp.com
t.l.j. sf dim. 9h-12h 14h-17h30

J.M. SOHLER Winzenberg Riesling 2014

1300 | 8 à 11 €

Jean-Marie Sohler et son fils Hervé exploitent leur vignoble (10 ha) autour de Blienschwiller, village viticole au sud de Barr, où la famille est installée depuis plusieurs siècles. Dans leur cave de 1563, ils élèvent les vins dans les foudres traditionnels.

Issu du grand cru granitique dominant Blienschwiller, ce riesling apparaît très jeune, tant au nez, discrètement floral, qu'en bouche. L'attaque ronde est relayée par une bonne vivacité qui étire la finale et lui donne de l'énergie. Ce vin s'exprimera pleinement d'ici trois ans. (Sucres résiduels: 4 g/l.) ⧗ 2017-2020 🍷 poulet au riesling

JEAN-MARIE ET HERVÉ SOHLER, 16, rue du Winzenberg, 67650 Blienschwiller, tél. 03 88 92 42 93, jeanmarie.sohler@orange.fr
r.-v.

DOM. BRUNO SORG
Pfersigberg Pinot gris 2012 ★★

2200 | 15 à 20 €

Constitué en 1965 à partir des apports familiaux de Bruno Sorg et de son épouse, le domaine, conduit aujourd'hui par François, couvre 11,5 ha, avec deux pôles: à Ingersheim, à l'ouest de Colmar, et à Eguisheim, au sud, où se trouvent les bâtiments de vinification et le caveau de dégustation. Il dispose de parcelles dans trois grands crus.

Le «coteau des Pêchers» est l'un des grands crus d'Eguisheim. Un terroir chaud et sec, qui a engendré ce moelleux jaune soutenu, au nez intense, typé et suave de fruits jaunes et d'agrumes très mûrs, voire compotés. En bouche, c'est un vin puissant, ample et gras, à la longue finale vivifiée par une pointe de fraîcheur. À déboucher dès l'apéritif. (Sucres résiduels: 16 g/l.) ⧗ 2016-2024 🍷 canapés au foie gras

EARL BRUNO SORG, 8, rue Mgr-Stumpf, 68420 Eguisheim, tél. 03 89 41 80 85, bruno.sorg@wanadoo.fr *t.l.j. sf dim. 9h-12h 14h-18h*

PAUL SPANNAGEL
Kaefferkopf Pinot gris 2014

2000 | 15 à 20 €

Le premier de la lignée vivait en 1598 à Katzenthal, village lové dans un vallon à quelques kilomètres à l'ouest de Colmar. Paul Spannagel se lance dans la vente en bouteilles en 1960. Depuis 1988, ce sont Yves et Claudine Spannagel, rejoints en 2011 par Jérôme et Marie, qui perpétuent l'exploitation (7,5 ha avec des parcelles dans deux grands crus).

Un nez discret de fleurs blanches et de fruits jaunes, une bouche ample et ronde, fruitée et miellée, marquée par les sucres résiduels. Un moelleux léger, pour les entrées. (Sucres résiduels: 29 g/l.) ⧗ 2016-2022 🍷 tourte au foie gras **Wineck-Schlossberg Riesling 2013 (15 à 20 €; 1800 b.)** : vin cité.

DOM. PAUL SPANNAGEL, 1, Grand-Rue, 68230 Katzenthal, tél. 03 89 27 01 70, paul.spannagel@gmail.com
t.l.j. sf dim. 9h-12h 14h-18h

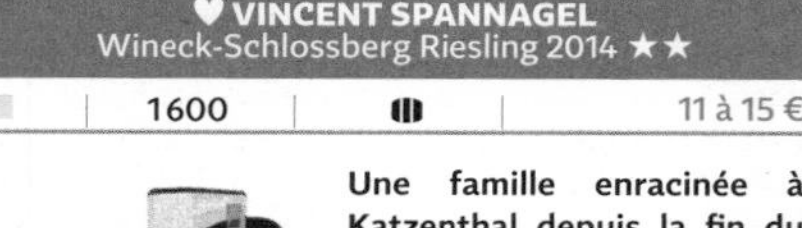

♥ VINCENT SPANNAGEL
Wineck-Schlossberg Riesling 2014 ★★

1600 | 11 à 15 €

Une famille enracinée à Katzenthal depuis la fin du XVIe s. Le domaine (11 ha aujourd'hui) a été constitué en 1959 par André Spannagel, qui a passé le relais à son fils Vincent en 1982, rejoint en 2013 par Patrice. Emblème du village, le donjon du Wineck, entouré de vignes, a donné son nom au grand cru granitique où la famille cultive avec bonheur les quatre cépages nobles.

Ce vin a tiré le meilleur parti des sols granitiques du grand cru de Katzenthal, propices au riesling. La robe or laissant des larmes sur les parois du verre traduit une belle maturité. Ce caractère se confirme au nez, qui déploie une large palette dominée par les agrumes, l'abricot et la verveine. Ample, traversée par une acidité fine et longue, la bouche a particulièrement impressionné les dégustateurs. La finale persistante et saline laisse une sensation d'harmonie. (Sucres résiduels: 6 g/l.) ⧗ 2017-2025 🍷 homard grillé

VINCENT SPANNAGEL, 82, rue du Vignoble, 68230 Katzenthal, tél. 03 89 27 52 13, domainespannagelv@orange.fr
t.l.j. 9h-12h 14h-18h

CHARLES SPARR Brand Pinot gris 2014 ★★

3360 | 15 à 20 €

Vignerons et négociants, les Sparr sont au service du vin depuis 1634. En 2007, Pierre Sparr et son fils Charles ont quitté un temps la maison familiale de Sigolsheim pour s'installer à Riquewihr, avant de revenir en 2016 à Sigolsheim. Planté majoritairement en coteau, leur vignoble couvre 30 ha (en conversion bio, avec la biodynamie en ligne de mire).

Planté sur le coteau granitique, pentu et solaire dominant la ville de Turckheim, le pinot gris a engendré un vin de la même veine qu'un 2013 élu coup de cœur l'an dernier. La robe dense, or jaune, annonce un nez mûr alliant l'abricot sec, l'orange sanguine, la réglisse et la noisette grillée. Ces arômes se confirment dans un palais souple en attaque, ample, gras et suave, rafraîchi par une acidité bienvenue. Un grand vin qui n'a pas dit son dernier mot. (Sucres résiduels: 9,4 g/l.) ⧗ 2016-2024 🍷 canard à l'orange

SAS CHARLES SPARR, 2, rue de la Première-Armée, 68240 Sigolsheim, tél. 03 89 47 92 14, info@charles-sparr.com t.l.j. 9h-12h 14h-17h30

DOM. JEAN-PAUL ET DENIS SPECHT
Mandelberg Riesling 2014 ★

	2000		11 à 15 €

Créé en 1955 par Alfred Specht, le domaine a été repris en 1978 par ses fils Jean-Paul et Denis. Les vignerons sont aujourd'hui à la tête de 11,5 ha et disposent de plusieurs parcelles dans le grand cru de leur village, le Mandelberg.

Mandelberg, ou «côte des Amandiers». Un grand cru connu pour sa précocité. Ses sols argilo-calcaires ont donné naissance à un riesling au teint pâle et lumineux et au nez élégant, discrètement minéral et citronné. Souple en attaque, la bouche est tenue par une belle acidité. Un vin cohérent, issu d'une vinification précise, qui s'épanouira d'ici trois ans. (Sucres résiduels: 10 g/l.) 2017-2020 curry de poisson

DOM. JEAN-PAUL ET DENIS SPECHT, 2, rue des Églises, 68630 Mittelwihr, tél. 03 89 47 90 85, domainespecht-mit@orange.fr t.l.j. sf dim. 8h30-12h 13h30-18h

DOM. STIRN Brand Gewurztraminer 2014

	1629		11 à 15 €

Odile et Fabien Stirn se sont installés en 1999 sur le vignoble familial créé au XIXᵉs. Œnologues, ils ont repris les vinifications au domaine. Leurs parcelles sont disséminées entre Beblenheim et Turckheim, si bien qu'ils disposent d'une belle mosaïque de terroirs, avec des parcelles dans cinq grands crus (Brand, Mambourg, Sonnenglanz, Schlossberg et Marckrain).

Son exposition au sud et au sud-est et ses sols granitiques font du Brand, coteau dominant Turckheim, un terroir chaud et précoce. Ce gewurztraminer, lui, demandera un peu de temps pour s'exprimer pleinement. Discret au nez, il laisse poindre de délicates notes de rose, de fruits jaunes, d'écorces d'agrumes et d'épices. Cette palette confite se poursuit dans une bouche ronde, fondue, concentrée et élégante qui finit sur de beaux amers. (Sucres résiduels: 33 g/l.) 2017-2022 poulet tikka

DOM. STIRN, 3, rue du Château, 68240 Sigolsheim, tél. 03 89 47 30 58, domainestirn@free.fr t.l.j. 9h-12h 14h-17h30; dim. sur r.-v.

WILLM
Kirchberg de Barr Clos Gaensbrœnnel Gewurztraminer 2013

	15660		11 à 15 €

Fondée à Barr en 1896, cette maison de négoce est aujourd'hui dans le giron du groupe Wolfberger.

Inclus dans le grand cru Kirchberg de Barr, le Clos Gaensbrœnnel – 3 ha d'argilo-calcaires – est planté de gewurztraminer. Son vin libère des fragrances délicates de rose, puis des notes plus mûres de pêche, d'abricot et d'agrumes confits. La bouche, dans le même registre, offre une attaque ronde, un développement suave, équilibrés par une finale fraîche sur les agrumes. Un moelleux gourmand et élégant. (Sucres résiduels: 33 g/l.) 2016-2022 foie gras poêlé chutney de mangue

ALSACE WILLM, 6, Grand-Rue, 68420 Eguisheim, tél. 03 89 41 24 31, contact@alsace-willm.com r.-v.

W. WURTZ Mandelberg Riesling 2014

	1800	8 à 11 €

En 1990, Christian Wurtz a pris la succession de l'exploitation familiale créée en 1952 à Mittelwihr, au cœur du vignoble alsacien. La commune abrite le grand cru Mandelberg, terroir bien abrité et précoce où ce vigneron exploite plusieurs parcelles.

Issu d'un grand cru aux sols marno-calcaires, ce riesling offre un nez réservé mais franc, centré sur les fleurs blanches et les agrumes. Droit et précis, bien construit, suave en finale, c'est un beau vin de terroir traduisant une vendange à parfaite maturité. (Sucres résiduels: 11 g/l.) 2016-2020 tourte au riesling

EARL WILLY WURTZ ET FILS, 6, rue du Bouxhof, 68630 Mittelwihr, tél. 03 89 47 93 16, famille.wurtz@wanadoo.fr r.-v.

ZIEGLER-MAULER
Schlossberg Riesling Les Murets 2014

	1400		11 à 15 €

Créé au début des années 1960, ce domaine implanté au cœur de la route des Vins a commencé à vendre son vin en bouteilles au cours de la décennie suivante. À la tête de l'exploitation depuis 1996, Philippe Ziegler conduit ses 5 ha de vignes selon une démarche proche du bio, sans certification.

Les sols granitiques du Schlossberg favorisent le riesling qui prédomine dans ce grand cru. Cultivé en terrasses retenues par des murets (d'où le nom de la cuvée), le cépage a été vendangé à la mi-octobre. Il en résulte une robe dense, jaune doré, un nez généreux, aux notes de surmaturation rappelant la mandarine confite, et un côté moelleux en bouche, équilibré par une fraîcheur saline qui étire la finale. (Sucres résiduels: 8 g/l.) 2016-2022 sandre au beurre d'orange

DOM. ZIEGLER-MAULER FILS, 2, rue des Merles, 68630 Mittelwihr, tél. 03 89 47 90 37, vins.zieglermauler@orange.fr r.-v.

CRÉMANT-D'ALSACE

Superficie : 3 017 ha / Production : 235 705 hl

La reconnaissance de cette appellation, en 1976, a donné un nouvel essor à la production de vins effervescents élaborés selon la méthode traditionnelle, qui existait depuis longtemps à une échelle réduite. Les cépages qui peuvent entrer dans la composition du crémant-d'alsace sont le pinot blanc, l'auxerrois, le pinot gris, le pinot noir, le riesling et le chardonnay.

PIERRE ET FRÉDÉRIC BECHT
Chardonnay 2013 ★★

	8000	5 à 8 €

Pierre Becht et son fils Frédéric sont établis à Dorlisheim, village viticole jouxtant Molsheim, à 25 km à l'ouest de Strasbourg. Ils exploitent 20 ha de vignes, pour moitié dans leur village et pour l'autre au lieu-dit Stierkopf, près de Mutzig.

Cette cuvée de chardonnay magnifie le crémant-d'alsace. Très élégante à l'œil avec sa bulle fine et ses reflets dorés, elle charme avec ses parfums intenses de fleurs blanches et de mirabelle, complétés en bouche de touches empyreumatiques. Vive en attaque, tonique jusqu'en finale, harmonieuse et persistante, elle conjugue structure et finesse. À déboucher dès l'apéritif. ⧗ 2016-2019 ¥ tartare de saint-jacques

PIERRE ET FRÉDÉRIC BECHT, 26, fg des Vosges, 67120 Dorlisheim, tél. 03 88 38 18 22, info@domaine-becht.com

BESTHEIM Grand Prestige 2012 ★★

	60000	11 à 15 €

Né en 1997 de la fusion des caves de Westhalten, d'Obernai et de Bennwihr, et de la vénérable maison de négoce Heim, fondée en 1765, le groupe Bestheim est un opérateur de premier plan en Alsace, vinifiant quelque 700 ha.

Élaborée dans les règles de l'art, avec un vieillissement de vingt-six mois sur lattes (bien plus long que le minimum requis pour les crémants), cette cuvée Grand Prestige, même issue de pinot blanc, peut en remontrer aux plus grands effervescents: bulle fine et élégante, jolis reflets rosés, nez finement floral, palais vif et tonique. ⧗ 2016-2019 ¥ huîtres ● **Heim Impérial ★ (5 à 8 €; 120 000 b.)** : du pinot blanc et de l'auxerrois, un élevage de dix-huit mois sur lattes pour ce crémant à la mousse fine et persistante, partagé au nez entre l'abricot et des notes grillées, ample et bien fondu au palais. Une cuvée gourmande, pour l'apéritif comme pour la table. ⧗ 2016-2019 ¥ bouchées à la reine

BESTHEIM CAVE DE WESTHALTEN, 52, rte de Soultzmatt, 68250 Westhalten, tél. 03 89 49 09 29, vignobles@bestheim.com V r.-v.

BOTT FRÈRES QV Paul 2013

	10000		8 à 11 €

Au service du vin depuis 1835, les Bott sont aujourd'hui vignerons et négociants à Ribeauvillé. Trois générations gèrent la maison main dans la main.

Composé à 100 % d'auxerrois, ce crémant a séduit: bulle fine et légère, nez intense de pêche, de mangue et de fleurs blanches, nuancé d'une touche de pâtisserie et de miel, palais ample et charnu, avec ce qu'il faut de fraîcheur pour assurer l'équilibre. Il saura se tenir à table. ⧗ 2016-2018 ¥ poisson sauce citronnée

BOTT FRÈRES, 13, av. du Gal-de-Gaulle, 68150 Ribeauvillé, tél. 03 89 73 22 50, vins@bott-freres.fr V *t.l.j. 9h-12h 14h-18h*

(B) VIGNOBLE DES DEUX LUNES
Poussière d'étoiles 2013 ★

	5000		15 à 20 €

Installées à Wettolsheim, aux portes de Colmar, Amélie Buecher et sa sœur Cécile (septième génération) ont repris en 2009 le vignoble familial: anciennement Buecher-Fix, rebaptisé Vignoble des Deux Lunes pour traduire leur démarche bio et biodynamique.

Né sur un terroir granitique, du pinot noir, comme il se doit, ce crémant rosé à la robe intense présente un nez expressif, sur la groseille. Vif en attaque, structuré, vineux, il finit sur une légère touche d'amertume. À servir dès l'apéritif. ⧗ 2016-2017 ¥ brochettes de fruits

VIGNOBLE DES DEUX LUNES, 21, rue Sainte-Gertrude, 68920 Wettolsheim, tél. 03 89 30 12 80, contact@2lunes.fr V *r.-v.*

JEAN-PAUL ECKLÉ 2013

	10000		5 à 8 €

Établi près de Colmar, dans le village de Katzenthal blotti dans un vallon et dominé par le donjon du Wineck, Emmanuel Ecklé exploite depuis 1996 les 9,5 ha du domaine familial. Une valeur sûre, notamment pour ses rieslings du Wineck-Schlossberg et du lieu-dit Hinterburg.

Issue d'un assemblage de terroirs et de cépages (80 % de pinot blanc et 20 % de riesling), cette cuvée d'une belle tenue de mousse s'annonce par un nez délicat de fleurs blanches. Vive en attaque, elle est fraîche, voire nerveuse, légèrement saline. Pour l'apéritif, le poisson, la charcuterie. ⧗ 2016-2018 ¥ friture d'éperlans

JEAN-PAUL ECKLÉ ET FILS, 29, Grand-Rue, 68230 Katzenthal, tél. 03 89 27 09 41, eckle.jean-paul@wanadoo.fr V *t.l.j. sf dim. 9h-12h 13h30-18h*

PAUL FAHRER 2014 ★

	3148		5 à 8 €

En 1938, Marcel Fahrer s'installe dans l'ancienne résidence du bailli de la forteresse du Haut-Kœnigsbourg; il effectue les premières mises en bouteilles en 1950. Paul le rejoint vingt ans plus tard, spécialise l'exploitation et élabore ses premiers crémants en 1980. Dirigé depuis 2009 par son fils Jean-Yves, œnologue, le domaine compte 6,5 ha de vignes.

Le pinot noir à l'origine de cette cuvée a été vinifié par pressurage direct. Il en résulte un rosé pâle aux reflets saumonés, au nez discret mais droit et bien typé de fruits rouges et au palais vif, structuré et persistant. ⧗ 2016-2017 ¥ carpaccio de saumon

PAUL FAHRER, 3, pl. de la Mairie, 67600 Orschwiller, tél. 03 88 92 86 57, vins@paulfahrer.fr V *r.-v.*

JOSEPH FREUDENREICH ET FILS
Blanc de noirs 2013 ★★★

	4150		8 à 11 €

Des ancêtres se sont installés en 1737 à Eguisheim, cité médiévale où la famille reçoit les visi-

teurs dans une ancienne cour dîmière. Joseph Freudenreich vend son vin en bouteilles dès 1900 pour les ouvriers des mines de potasse. Son petit-fils Marc commence à vinifier en 1978, prend la tête du domaine dix ans plus tard. Il a été rejoint par sa fille Amélie en 2015. Le vignoble familial est implanté autour d'Eguisheim et de Saint-Hippolyte.

Ce blanc de noirs longuement élevé sur lattes a enchanté les dégustateurs: sa bulle légère et persistante anime une robe traversée de reflets dorés; son nez offre un fruité mûr et complexe où ressort la pêche. Vif en attaque, le palais monte en puissance et se déploie avec ampleur, tendu en finale par une belle fraîcheur qui lui donne tonus et allonge. De l'élégance et de la tenue. ⧗ 2016-2019 🍴 poularde au crémant

⊶ JOSEPH FREUDENREICH ET FILS, 3, cour Unterlinden, 68420 Eguisheim, tél. 03 89 41 36 87, info@joseph-freudenreich.fr
V t.l.j. 8h-12h 13h-19h ④

J. FRITSCH Cuvée Clément 2014 ★

●	2500	5 à 8 €

Installé dans le petit bourg fortifié de Kientzheim, Joseph Fritsch prend en 1977 la suite d'une lignée de vignerons remontant à 1703. Il agrandit l'exploitation, aménage une cuverie moderne et transmet en 2010 à son fils Pascal 9,5 ha: pas moins de quarante parcelles disséminées dans quatre communes, avec des vignes dans deux grands crus.

Issue d'un assemblage harmonieux d'auxerrois (dominant) et de riesling, cette cuvée dédiée au fils du vigneron a tout pour plaire: sa robe or blanc traversée d'un train de bulles fines, ses arômes délicats de fruits jaunes et son ampleur en bouche. Un joli crémant d'apéritif. ⧗ 2016-2019 🍴 gougères

⊶ EARL JOSEPH FRITSCH, 31, Grand-Rue, 68240 Kientzheim, tél. 03 89 78 24 27, contact@joseph-fritsch.com
V t.l.j. 10h-12h 14h-18h; dim. sur r.-v.

GINGLINGER-FIX 2013 ★

●	14500	🍾	8 à 11 €

La tradition vigneronne remonte à 1610 dans cette famille établie à Vœgtlinshoffen, village veillé par les Trois Châteaux, au sud de Colmar. En 2016, André Ginglinger a passé le relais à sa fille Éliane, œnologue, et à son fils Hubert, ingénieur viticole. Le tandem exploite 7,5 ha de vignes selon une démarche bio, sans certification.

Pas moins de quatre cépages composent cette cuvée: auxerrois (43 %), chardonnay, riesling et pinot gris. Dans la petite cave à crémants des producteurs, le remuage a été réalisé sur pupitre, à l'ancienne. Élégant et expressif, ce crémant est délicatement floral au nez comme en bouche. Il est charnu, frais et harmonieux. ⧗ 2016-2019 🍴 dos de cabillaud à la nage

⊶ GINGLINGER-FIX, 38, rue Roger-Frémeaux, 68420 Vœgtlinshoffen, tél. 03 89 49 30 75, info@ginglinger-fix.fr V r.-v.

DOM. HAEGI 2012

●	6300	🍾	8 à 11 €

Boulangers de père en fils, les Haegi sont devenus vignerons en 1949 après le mariage de Charles avec la fille d'un viticulteur du village. Depuis 1985, c'est Daniel qui conduit les 9 ha de l'exploitation, situés à Mittelbergheim et dans le village voisin d'Eichhoffen. Il cultive trois cépages sur le Zotzenberg, grand cru local.

Ce crémant rosé ne donne pas dans le pastel: le rose, bien soutenu, tirant sur le carmin, couronné d'une belle mousse, annonce un nez puissant tout en fruits rouges. Une touche de grillé vient nuancer les notes de fraise dans un palais souple et équilibré. ⧗ 2016-2017 🍴 soupe de fraises

⊶ DOM. HAEGI, 33, rue de la Montagne, 67140 Mittelbergheim, tél. 03 88 08 95 80, info@haegi.fr
V t.l.j. sf dim. 9h-12h 13h30-18h ① Ⓑ

HANSMANN 2010 ★★

●	2300	5 à 8 €

Installés dans le superbe village de Mittelbergheim, les Hansmann se succèdent sur le domaine familial depuis 1732. En 1900, l'épouse de Karl Hansmann en hérite, en tirant à la courte paille avec ses frères. Son fils Carl est tonnelier et vigneron. Depuis 2006, Frédéric Hansmann est à la tête des 7 ha de l'exploitation.

Né d'un assemblage de pinot blanc (dominant) et de pinot noir, élevé deux ans sur lattes, un superbe crémant: la robe jaune dorée est parcourue d'un cordon de bulles fines et persistantes, le nez s'ouvre sur des arômes floraux, beurrés et toastés. C'est surtout en bouche que cette cuvée s'impose, mariant puissance et élégance. ⧗ 2016-2019 🍴 feuilletés au sésame

⊶ FRÉDÉRIC HANSMANN, 66, rue Principale, 67140 Mittelbergheim, tél. 03 88 08 07 44, contact@vinhansmann.com V t.l.j. sf dim. 8h-12h 14h-18h

♥ HAULLER Le Quatre 2011 ★★

●	23774	🍾	11 à 15 €

Cité de caractère au cachet médiéval, Dambach-la-Ville est aussi une importante commune viticole où la maison Hauller a son siège. À l'origine, un domaine familial et une tonnellerie, et depuis 1956, un négoce, devenu partenaire du groupe Intermarché. La maison a engagé nombre d'investissements destinés à l'élaboration et au stockage des effervescents (2013).

Le Quatre? Il assemble quatre terroirs et quatre cépages (pinot blanc surtout, auxerrois, pinot gris et un soupçon de chardonnay). En outre, il est dosé à 4 g/l – peu, donc, c'est le dosage d'un extra-brut. Ajoutons, ce qui ne gâte rien, qu'il a vieilli trois ans sur lattes. Cette élaboration confère à cette cuvée une élégance remarquable. Ce raffinement se traduit d'entrée par la finesse de la bulle parcourant la robe dorée, se confirme au nez par la complexité des arômes fruités et floraux (avec en bouche des notes fumées et toastées) et au palais par de la fraîcheur et une grande persistance. ⧗ 2016-2019 ▾ cabillaud sauce agrumes

⊶ *JEAN HAULLER ET FILS, 3, rue de la Gare, 67650 Dambach-la-Ville, tél. 03 88 92 40 21, contact@hauller.fr* V ▮ *r.-v.*

CAVE DE HUNAWIHR Calixte ★★

● | 40000 | ▮ | 8 à 11 €

Fondée en 1954 au cœur de la route des Vins, la cave de Hunawihr regroupe majoritairement des viticulteurs de ce village. La coopérative vinifie le fruit de 210 ha et propose une large gamme de vins (dont cinq grands crus). Elle a quatre marques: Peter Weber, L'Unabelle, Armand Schreyer et Kuhlmann-Platz (ancienne maison de négoce rachetée en 1985).

Un rosé en tout point remarquable: élégant à l'œil par sa tenue de mousse et sa couleur saumonée aux reflets orangés, il offre un nez complexe, entre fruits rouges et nuances grillées; franche en attaque, nerveuse en finale, tout aussi fruitée, la bouche affiche puissance et fraîcheur. De la droiture et de la finesse. ⧗ 2016-2019 ▾ langoustines rôties aux agrumes ● **Kuhlmann-Platz ★ (8 à 11 €; 40000 b.)** : une belle tenue de mousse pour ce crémant rosé à la robe saumonée, au nez tout en fruits rouges, équilibré et frais. On le choisira aussi bien pour l'apéritif que pour le repas. ⧗ 2016-2019 ▾ billes de melon ● **Peter Weber (8 à 11 €; 150000 b.)** : vin cité.

⊶ *CAVE VINICOLE DE HUNAWIHR, 48, rte de Ribeauvillé, 68150 Hunawihr, tél. 03 89 73 61 67, boutique@cave-hunawihr.com* V ▮ *t.l.j. 8h-12h30 14h-18h; f. sam. dim. janv.-mars*

HUBERT KRICK 2013

● | 13500 | ▮▮ | 5 à 8 €

Installée à Wintzenheim – en alsacien, le « village des vignerons » –, à la périphérie ouest de Colmar, une vieille famille d'agriculteurs qui a misé sur la viticulture au cours de la seconde moitié du siècle dernier. Hubert Krick agrandit l'exploitation qu'il transmet en 2008 à ses enfants Philippe, Pierre et Marie, cette dernière œnologue. Aujourd'hui, près de 14 ha de vignes répartis sur cinq communes.

Issu d'un terroir de graves, ce crémant privilégie l'auxerrois, assemblé à 10 % de chardonnay. Après un repos de vingt-quatre mois sur lattes, il laisse apprécier sa belle tenue de mousse, ses arômes intenses et élégants de fleurs blanches et de miel d'acacia, légèrement mentholés, et sa bouche fraîche et persistante, qui donne une impression de légèreté. ⧗ 2016-2019 ▾ saumon en croûte

⊶ *HUBERT KRICK, 93, rue Clemenceau, 68920 Wintzenheim, tél. 03 89 27 00 01, contact@vins-krick.fr* V ▮ ▮ *t.l.j. sf dim. 10h-12h 13h30-18h; sam. 11h-17h* ⌂ Ⓒ

LUTZ 2012 ★★

● | 1000 | ▮▮ | 5 à 8 €

Implanté à Bourgheim, petit village à l'est de la route des Vins, le domaine pratique la mise en bouteilles depuis le début des années 1970. En 1999, Rémy Lutz a pris la tête de l'exploitation; il dispose de 8 ha de vignes et d'une cave de 1696.

Issue d'un terroir argilo-calcaire, cette cuvée dosée en demi-sec (33 g/l.) assemble auxerrois et pinot blanc. Elle a connu le bois. Les jurés louent à l'envi ses arômes de fruits jaunes nuancés de légères touches fumées, son palais souple et moelleux en attaque, d'une grande persistance. L'équilibre même. ⧗ 2016-2020 ▾ sorbet aux mirabelles

⊶ *DOM. RÉMY LUTZ, 9, Grand-Rue de la Kirneck, 67140 Bourgheim, tél. 03 88 08 95 63, vins.lutz@orange.fr* V ▮ ▮ *t.l.j. sf dim. 9h-12h 17h30-19h*

Ⓑ DOM. MERSIOL 2013

● | 8500 | ▮ | 8 à 11 €

Viticulteurs depuis plus de deux siècles à Dambach-la-Ville, les Mersiol ont commercialisé leurs premières bouteilles en 1946. Couvrant aujourd'hui 12 ha (dont plus du quart en grand cru), le domaine est conduit en bio par la nouvelle génération (Stéphane depuis 2000, son frère Christophe depuis 2006).

À son aise sur les granites de Dambach-la-Ville, le riesling apporte sa pierre (30 %) à cette cuvée, complété par de l'auxerrois (40 %), du pinot noir et du chardonnay. On apprécie la bulle fine, la complexité des arômes de fruits blancs mâtinés de notes toastées, qui se prolongent dans une bouche fraîche. ⧗ 2016-2019 ▾ sandre au beurre blanc

⊶ *MERSIOL, 13, rte du Vin, 67650 Dambach-la-Ville, tél. 03 88 92 40 43, info@domaine-mersiol.fr* V ▮ ▮ *t.l.j. 8h30-12h 13h30-18h; dim. sur r.-v.*

♥ JEAN RAPP 2013 ★★★

● | 8000 | ▮ | 5 à 8 €

Vignerons et éleveurs de père en fils depuis 1764, les Rapp sont installés à Dorlisheim, au sud-ouest de Strasbourg. L'exploitation s'est spécialisée à partir des années 1960 et une nouvelle cave, plus vaste, a été aménagée en 2004, à l'arrivée de Guillaume, qui exploite 10 ha. La plupart des vins du domaine sont élevés en foudres, dont certains sont plus que centenaires.

Auxerrois et pinot blanc nés sur argilo-calcaires composent cette cuvée, modèle de crémant-d'alsace. Les dégustateurs, unanimes, saluent sa robe dorée animée d'une bulle fine et plus encore la complexité de son nez fruité et toasté; complexité qui se prolonge dans un palais tonique et persistant. Pour l'apéritif et les produits de la mer. ⧗ 2016-2019 ▾ tartare de saint-jacques

⊶ *JEAN ET GUILLAUME RAPP, 1, fg des Vosges, 67120 Dorlisheim, tél. 03 88 38 28 43, vins-rapp@wanadoo.fr*
t.l.j. sf lun. dim. 8h-12h 13h30-18h

CHRISTOPHE RIEFLÉ 2013 ★

4500 | | 5 à 8 €

De vieille souche vigneronne, Christophe Rieflé a créé son exploitation en 2003, avec chai et cuverie. Premier millésime vinifié en 2005 et de nombreuses sélections dans le Guide. Il exploite 15,5 ha autour de Pfaffenheim, à 15 km au sud de Colmar.

Un bel exemple de ce que peut donner le pinot blanc, cépage qui contribue largement (et dans cette cuvée à 100 %) aux crémant-d'alsace: élégante par sa bulle fine et abondante et ses reflets dorés, cette cuvée séduit au nez par sa gamme aromatique mêlant fleurs blanches, fruits jaunes, notes grillées et briochées. Son équilibre et sa fraîcheur aérienne en font un excellent vin d'apéritif. ⧗ 2016-2019 ⫯ tuiles au parmesan

⊶ *CHRISTOPHE RIEFLÉ, 32 A, rue de la Lauch, 68250 Pfaffenheim, tél. 06 86 17 27 42, christopheriefle@aol.com*
t.l.j. sf dim. 8h-12h 13h-18h

ROBERT ROTH Brut 1845 2013 ★

9500 | | 5 à 8 €

Une lignée d'agriculteurs-viticulteurs-éleveurs, établie depuis 1845 à Soultz-Haut-Rhin, à l'extrémité sud de l'Alsace. Vers 1950, Victor Roth développe la vente des vins; Robert agrandit le domaine, qu'il transmet à Christophe et Patrick en 1986; œnologue, Victor, l'arrière-petit-fils, a rejoint l'exploitation. Abrité par le Grand Ballon d'Alsace, le vignoble couvre 13,5 ha.

Issue de pur pinot blanc cultivé sur argilo-calcaire, vieillie dix-huit mois sur lattes, cette cuvée se distingue par une effervescence bien nourrie et élégante. Son nez floral s'épanouit sur de puissants arômes de fruits jaunes que l'on retrouve dans un palais ample et puissant, équilibré par une belle fraîcheur. Pour l'apéritif comme pour la table, y compris pour des desserts fruités. ⧗ 2016-2020 ⫯ filet mignon aux pêches

⊶ *DOM. ROBERT ROTH, 38 A, rte de Jungholtz, 68360 Soultz-Haut-Rhin, tél. 03 89 76 80 45, domaine-robertroth@orange.fr*
t.l.j. sf dim. 9h-12h 14h-19h

M. SCHERB 2012

7900 | | 5 à 8 €

On trouve plusieurs vignerons au nom de Scherb autour du clocher roman de grès rose de Gueberschwihr. Michel et Annick exploitent 22 ha de vignes autour de ce pittoresque village viticole au sud de Colmar.

Une cuvée issue d'un assemblage dominé par l'auxerrois, complété par le pinot blanc. Dans le verre, une mousse fine et abondante parcourt la robe jaune pâle, laissant monter des arômes discrètement fruités et briochés. En bouche, une belle matière souple, vineuse et bien équilibrée. ⧗ 2016-2019 ⫯ verrines d'écrevisses

⊶ *EARL ANNICK ET MICHEL SCHERB, 16, rue Haute, 68420 Gueberschwihr, tél. 03 89 49 26 82, scherb.michel@orange.fr* *t.l.j. 8h-18h*

STINTZI 2009 ★★

7000 | 5 à 8 €

Husseren-les-Châteaux, village haut perché au sud de Colmar, est à un saut de puce de Rouffach, où se trouve le lycée viticole. Olivier Stintzi n'a pas eu à aller bien loin pour faire ses études, mais il a voyagé ensuite jusqu'à la Napa Valley pour voir la vigne pousser sous d'autres climats. Il est installé depuis 2004 sur l'exploitation agrandie et spécialisée par ses parents (8 ha).

Issue d'un terroir argilo-calcaire, cette cuvée est le fruit d'un assemblage d'auxerrois (90 %) et de chardonnay. Il s'agit d'un 2009, d'où la robe dorée à souhait, traversée d'une bulle fine, le nez gourmand, sur les fruits jaunes et des nuances toastées, prélude à un palais aussi complexe que puissant. Un beau souvenir d'une année solaire. ⧗ 2016-2019 ⫯ pêche rôtie

⊶ *GÉRARD STINTZI, 29, rue Principale, 68420 Husseren-les-Châteaux, tél. 03 89 49 30 10, gerard.stintzi@wanadoo.fr*
t.l.j. sf dim. 10h-12h 14h-18h

JEAN WACH 2013 ★

15000 | 5 à 8 €

Une propriété bas-rhinoise située à Andlau, village niché dans la vallée du même nom et bien connue pour son abbatiale. La famille Wach y cultive 10 ha de vignes, avec des parcelles dans deux grands crus.

Issue d'un terroir marno-calcaire, cette cuvée privilégie l'auxerrois, le pinot blanc et le riesling faisant l'appoint. Un crémant élégant à l'œil comme au nez – sur les fleurs blanches et la pêche –, net au palais, frais et finement floral. On pensera à lui pour l'apéritif ou les fruits de mer. ⧗ 2016-2019 ⫯ aspic de saint-jacques

⊶ *JEAN WACH ET FILS, 16 A, rue du Mal-Foch, 67140 Andlau, tél. 03 88 08 09 73, raph.wach@wanadoo.fr*
t.l.j. 9h-12h30 14h-18h30; dim. sur r.-v.

JEAN WEINGAND ★

125000 | 5 à 8 €

Originaire de Suisse, établie à Vœgtlinshoffen en 1720, la famille Cattin se spécialise dans la viticulture dès 1850. L'exploitation prospère à partir de 1978, avec Jacques et son frère Jean-Marie: le domaine s'agrandit (60 ha), tandis que se développe une structure de négoce qui s'approvisionne sur près de 200 ha. Ingénieur agronome, Jacques (du même prénom que son père) a rejoint l'affaire en 2007. Autre étiquette: Jean Weingand.

Issue d'une sélection de terroirs argilo-calcaires, cette cuvée affiche une robe dorée flatteuse parcourue d'une bulle légère. Bien typée par ses notes de fruits jaunes et de brioche beurrée, c'est le produit d'une belle matière.

Pour l'apéritif, les entrées ou les desserts fruités. ⧗ 2016-2019 ▼ vol-au-vent

⊶ *CATTIN FRÈRES, 19, rue Roger-Frémeaux, 68420 Vœgtlinshoffen, tél. 03 89 49 30 21, contact@cattin.fr* V *t.l.j. sf dim. 8h-12h 14h-18h*

WUNSCH ET MANN
Cuvée traditionnelle 2014 ★

	27529	5 à 8 €

Les Mann cultivent la vigne depuis 1793. Créée en 1948 à Wettolsheim près de Colmar, la maison Wunsch et Mann exploite 25 ha de vignes qu'elle complète par une activité de négoce. Depuis 2008, elle travaille en bio (certification en 2011).

Une cuvée de pur pinot blanc: robe élégante, or blanc, parcourue d'une bulle fine, nez engageant, sur la fleur blanche, la pêche et l'abricot, palais frais et harmonieux, où l'on retrouve les fruits jaunes de l'olfaction. Pour l'apéritif ou les desserts fruités peu sucrés. ⧗ 2016-2019 ▼ salade de pêche

⊶ *WUNSCH ET MANN, 2, rue des Clefs, 68920 Wettolsheim, tél. 03 89 22 91 25, wunsch-mann@wanadoo.fr* V *t.l.j. sf dim. 8h-12h 13h30-18h30*

ZEYSSOLFF 2014 ★★

	6500		8 à 11 €

Fondée en 1778 à Gertwiller, cette maison abrite des foudres anciens dont l'un, sculpté, figura à l'Exposition universelle de Paris en 1900. Elle a développé dans la cité du pain d'épice un petit temple de la gastronomie: épicerie fine, caveau-musée et bar à manger ouvert en 2015. Elle complète la production de son vignoble par une affaire de négoce.

Yvan Zeyssolff a convaincu avec cette cuvée mariant pinot noir (40 %) et auxerrois. Très flatteuse à l'œil par sa bulle fine et sa robe dorée, elle est fruitée et toastée au nez. C'est en bouche qu'elle révèle toute sa complexité, ainsi qu'un équilibre remarquable: attaque franche, matière riche et finale tendue par une belle fraîcheur. ⧗ 2016-2019 ▼ salade de fruits

⊶ *G. ZEYSSOLFF, 156, rte de Strasbourg, 67140 Gertwiller, tél. 03 88 08 90 08, yvan@zeyssolff.com* V *r.-v.*

LA LORRAINE

Les vignobles des Côtes de Toul et de la Moselle restent les deux seuls témoins d'une viticulture lorraine autrefois florissante par son étendue, supérieure à 30 000 ha en 1890. Elle l'était aussi par sa notoriété. Les deux vignobles connurent leur apogée à la fin du XIXᵉs.

Dès cette époque, plusieurs facteurs se conjuguèrent pour entraîner leur déclin: la crise phylloxérique, qui introduisit l'usage de cépages hybrides de moindre qualité; la crise économique viticole de 1907; la proximité des champs de bataille de la Première Guerre mondiale; l'industrialisation de la région, à l'origine d'un formidable exode rural. Ce n'est qu'en 1951 que les pouvoirs publics reconnurent l'originalité de ces vignobles. En 2011, les vins-de-moselle sont devenus AOC sous le nom de moselle.

CÔTES-DE-TOUL

Superficie : 57 ha / Production : 2 544 hl (85 % rouge et rosé)

Situé à l'ouest de Toul et du coude caractéristique de la Moselle, le vignoble a accédé à l'AOC en 1998. Il couvre le territoire de huit communes qui s'échelonnent le long d'une côte résultant de l'érosion de couches sédimentaires du Bassin parisien. On y rencontre des sols de période jurassique composés d'argiles oxfordiennes, avec des éboulis calcaires en notable quantité, très bien drainés et exposés au sud ou au sud-est. Le climat semi-continental, qui renforce les températures estivales, est favorable à la vigne. Toutefois, les gelées de printemps sont fréquentes. Le gamay domine toujours, bien qu'il régresse sensiblement au profit du pinot noir. L'assemblage de ces deux cépages produit des vins gris caractéristiques, obtenus par pressurage direct. Le pinot noir seul, vinifié en rouge, donne des vins corsés et agréables; l'auxerrois d'origine locale, en progression constante, des vins blancs tendres.

VINCENT LAROPPE Auxerrois 2015 ★★

■ | 12000 | ▮ | 5 à 8 €

Les descendants du vigneron du château de Bruley sont restés attachés aux productions locales, vins et eaux-de-vie. Depuis François Laroppe, au XVIIIᵉs., de nombreuses générations se sont succédé. Plus près de nous, Marcel, artisan de la renaissance du vignoble toulois, et Michel, œnologue comme son fils Vincent. Ce dernier a repris la maison en 2003: 21 ha de vignes et une structure de négoce. Une valeur sûre.

À un souffle du coup de cœur, cette cuvée se présente dans une belle robe jaune scintillante. Au nez, elle dévoile d'intenses et très élégantes notes florales, accompagnées de nuances exotiques dans une bouche ronde, soyeuse et longue, sous-tendue par une fine fraîcheur. Un auxerrois complet et racé, qui vieillira bien. ⧗ 2016-2021 ▼ quiche aux fruits de mer ■ **Pinot noir**

La Chaponière 2014 ★ **(11 à 15 €; 5300 b.)** : quelques notes d'évolution accompagnent la cerise noire dans ce vin à la fois structuré et élégant, équilibré et long. ⧗ 2019-2023 ▼ baron d'agneau

VINCENT LAROPPE, 253, rue de la République, 54200 Bruley, tél. 03 83 43 11 04, contact@domaine-laroppe.fr

V ▮ *t.l.j. sf dim. 9h-12h 14h-18h* 2

Lorraine

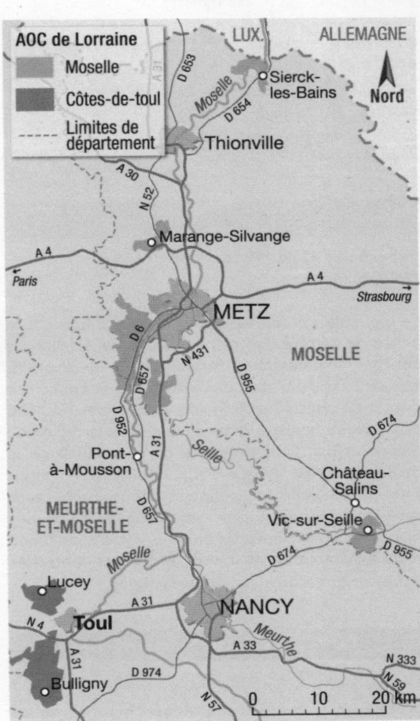

♥ DOM. RÉGINA Pinot noir Cuvée aux chênes Élevé en fût de chêne 2014 ★★

■ | 5640 | | 5 à 8 €

Isabelle et Jean-Michel Mangeot (décédé en 2015) ont repris une vigne de 1,6 ha à Bruley en 1997, un an avant la promotion du côtes-de-toul en AOC. Leur domaine a connu une réelle extension (14 ha aujourd'hui) et acquis une belle notoriété.

Plus qu'un coup de cœur... Jean-Michel Mangeot, propriétaire du domaine et aussi président de l'appellation depuis 2008, nous a quittés prématurément en juillet 2015. C'est lui qui a vinifié ce superbe pinot noir et nous laisse à travers lui le souvenir d'un grand vigneron. Rouge intense et brillant, sa Cuvée aux chênes ne cache pas ses neuf mois de barrique à travers un beau boisé vanillé, mais n'en oublie pas pour autant le fruit, la cerise en l'occurrence. En bouche, même harmonie : le merrain accompagne sans fausse note les fruits rouges, épaulé par des tanins soyeux et fondus. Bâti pour durer. ⧗ 2019-2026 🍴 paleron aux cèpes ■ **Pinot noir 2015 (5 à 8 €; 6600 b.)** : vin cité.

DOM. RÉGINA, 350, rue de la République, 54200 Bruley, tél. 06 80 33 43 77, contact@domaineregina.com V r.-v. *J.-M. Mangeot*

MOSELLE

Superficie : 42 ha / Production : 1 648 hl (55 % blanc)

Le vignoble s'étend sur les coteaux qui bordent la vallée de la Moselle; ceux-ci ont pour origine les couches sédimentaires formant la bordure orientale du Bassin parisien. L'aire délimitée se concentre autour de trois pôles principaux: le premier au sud et à l'ouest de Metz, le deuxième dans la région de Sierck-les-Bains, le troisième dans la vallée de la Seille, autour de Vic-sur-Seille. La viticulture est influencée par celle du Luxembourg tout proche, avec ses vignes hautes et larges et sa dominante de vins blancs secs et fruités. En volume, cette appellation reste très modeste et son expansion est contrariée par l'extrême morcellement de la région.

DOM. LES BÉLIERS Rubis 2015 ★★

■ | 3000 | | 11 à 15 €

Créée en 1983 par Michel et Robert Maurice sur les coteaux oubliés d'Ancy, en amont de Metz, cette propriété (5,4 ha aujourd'hui) est gérée depuis 2008 par Alain et Ève Maurice, cette dernière étant l'œnologue. Une approche agro-forestière, à forte inspiration biologique et biodynamique, est ici privilégiée.

À une robe rouge profond répond un nez intense et fin de fruits rouges (cerise, fraise) que l'élevage en demi-muid a préservé d'un excès de bois. En bouche, du volume, du fruit toujours, de la rondeur et de beaux tanins soyeux et mûrs. ⧗ 2017-2021 🍴 rôti de bœuf ■ **Pinot gris 2015 ★ (8 à 11 €; 3000 b.)** : un joli nez à dominante beurrée et fruitée, relayé par un palais rond et soutenu, vivifié par une belle fraîcheur, ce pinot gris plaît par son harmonie. ⧗ 2016-2019 🍴 cassolette de fruits de mer ■ **La Vigne aux oiseaux 2015 (8 à 11 €; 3000 b.)** : vin cité. ■ **Nina 2014 (8 à 11 €; 1800 b.)** : vin cité.

DOM. LES BÉLIERS, 3, pl. Foch, 57130 Ancy-sur-Moselle, tél. 03 87 30 90 07, domaine-beliers@orange.fr V r.-v. *Ève Maurice*

B LEGRANDJACQUES Les 5 Vignes 2015 ★★

■ | 2000 | 5 à 8 €

Un domaine de poche (2 ha) constitué par Benoît Legrandjacques en 2000 sur la rive gauche de la Moselle. Les caves sont situées dans un ancien village vigneron, à une dizaine de kilomètres de Metz. Le producteur aime assembler les cépages et a converti son vignoble au bio.

Trois cépages (auxerrois, pinot gris et riesling) pour ces 5 Vignes. Une belle robe d'or habille ce vin au nez discret mais élégant de fruits jaunes mâtinés de nuances minérales, calcaires. Le palais se révèle très équilibré, offrant de la matière, de la fraîcheur et un fruité exotique et persistant. De bonne garde assurément. ⧗ 2017-2022 🍴 tagliatelles aux saint-jacques

LEGRANDJACQUES, 22, rue de l'École-Centrale, 57160 Rozérieulles, tél. 03 87 60 24 38, lgj@sfr.fr V r.-v.

LES ROUGES TERRES 2015

■ | 400 | | 8 à 11 €

Après des études en hôtellerie et restauration, puis une formation en vins et spiritueux, Rémi Gauthier, fils et frère de vigneron, s'est installé en 2014 sur un vignoble de 1,7 ha (en cours de conversion au bio), sur la commune de Vic-sur-Seille, dont il est originaire.

Un pur auxerrois né au lieu-dit les Rouges Terres. Au nez, de discrètes notes florales. La bouche suit la même ligne aromatique et présente un caractère suave et vineux. Il manque un brin de fraîcheur pour atteindre l'étoile. ⧗ 2016-2019 🍴 sandre au beurre blanc ■ **2015 (8 à 11 €; 640 b.)** : vin cité.

RÉMI GAUTHIER, 3, rue du Palais, 57630 Vic-sur-Seille, tél. 06 23 45 63 31, r.gauthier54@gmail.com V r.-v.

CLAUDE SONTAG L'Auxerrois 2015 ★★

■ | 6000 | 5 à 8 €

La petite ville de Contz-les-Bains épouse le cours sinueux de la Moselle, aux confins du Luxembourg et de l'Allemagne. Les coteaux bordant la rivière sont couverts de vignes. Claude Sontag, aux commandes du domaine familial depuis 2006, y exploite 5 ha, en conversion bio.

D'une belle teinte jaune clair aux reflets gris, ce vin livre un bouquet intense de fruits jaunes, de coing et de fruits exotiques. Arômes que l'on retrouve avec la même intensité dans une bouche riche et ronde, équilibrée par une juste acidité. ⧗ 2016-2019 ¥ koulibiac ■ **Pinot gris 2015 ★★ (8 à 11 €; 3000 b.)** : une couleur or intense, des arômes soutenus de fruits exotiques et de fleurs blanches, un palais très fruité, mûr, ample et rond. Un vin gourmand et expressif. ⧗ 2016-2019 ¥ cuisses de grenouilles ■ **Le Barrique 2014 ★ (8 à 11 €; 5000 b.)** : douze mois de demi-muids pour ce vin au nez puissant, fruité (fruits noirs) et fumé, de bonne densité et un brin animal en bouche. ⧗ 2017-2020 ¥ gigue de chevreuil

CLAUDE SONTAG, 5, rue Saint-Jean, 57480 Contz-les-Bains, tél. 03 82 83 68 48, claude.sontag@gmail.com V ✝ ▮ *r.-v.*

DOM. DU STROMBERG Rêveries 2015 ★

■	n.c.	▮	n.c.

Dans ce domaine du pays des Trois Frontières, aux confins du Luxembourg et de l'Allemagne, l'alambic fonctionne aux côtés du pressoir. La mirabelle de Lorraine est une des spécialités du domaine, qui couvre 8,5 ha. Quant aux vins de Jean-Marie Leisen, à la tête de l'exploitation depuis 2000, ils figurent souvent en bonne place dans le Guide.

La robe est jaune, ornée de reflets verts. Le nez, expressif, associe notes vanillées et fumées. Le palais, s'il aurait supporté un peu plus de vivacité, plaît par sa rondeur, son gras, son boisé harmonieux et ses notes florales. ⧗ 2016-2020 ¥ poularde à la crème ■ **Müller-Thurgau 2015 (5 à 8 €; 6000 b.)** : vin cité.

DOM. DU STROMBERG, J.-M. Leisen, T. Caboz, B. Petit, 19-23, Grand-Rue, 57480 Petite-Hettange, tél. 03 82 50 10 15, j.marie.leisen@wanadoo.fr V ✝ ▮ *t.l.j. 9h30-12h 14h-19h; dim. sur r.-v.*

♥ B **CH. DE VAUX** Les Gryphées 2015 ★★★

■	20000	▮	5 à 8 €

Marie-Geneviève Molozay, descendante d'une lignée de négociants de Metz, est œnologue; Norbert Molozay a été «vinificateur volant», mettant son expertise en vinification au service de nombreux vignobles de France et du Nouveau Monde. Ils ont repris l'exploitation de ce domaine où l'on produisait du Sekt (mousseux) à l'époque allemande. S'ils proposent des bulles, c'est surtout par leurs vins tranquilles ambitieux qu'ils ont assuré une belle notoriété à cette propriété du pays messin, exploitée en bio et qui couvre aujourd'hui 14 ha.

Toujours au sommet de l'appellation, le domaine signe à nouveau un blanc de haut vol avec cette cuvée bien connue des lecteurs, née de quatre cépages: gewurztraminer, pinot gris, auxerrois et muller-thurgau. Dans le verre, un vin d'un seyant jaune d'or, au nez puissant de fruits mûrs mâtinés de fines nuances florales. Un caractère exotique caractérise le palais, ample, soyeux, long et plein de fraîcheur. ⧗ 2016-2019 ¥ sole meunière ■ **Clos 2014 ★★ (15 à 20 €; 5300 b.)** Ⓑ : un pur pinot noir qui frôle le coup de cœur. Ses atouts: une robe rouge profond et intense; un boisé harmonieux, vanillé et épicé, qui laisse s'exprimer les fruits, rouges et mûrs, un palais puissant, tannique, dense et corsé. Un vin robuste et de longue garde. ⧗ 2019-2026 ¥ côte de bœuf aux cèpes ■ **Hautes Bassières 2015 ★ (11 à 15 €; 30000 b.)** Ⓑ : à un nez plaisant et frais, sur les fruits rouges, répond une bouche tout aussi dynamique et fruitée, délicate et souple, portée par des tanins fins. ⧗ 2017-2019 ¥ bœuf bourguignon

CH. DE VAUX, 4, pl. Saint-Rémi, 57130 Vaux, tél. 03 87 60 20 64, norbert57@orange.fr V ✝ ▮ *r.-v.* *Molozay*

IGP CÔTES DE LA MEUSE

DOM. DE COUSTILLE Auxerrois 2015 ★

■	6700	▮	- de 5 €

Ce domaine de 7 ha est conduit depuis 1996 par Jean Philippe. Outre l'élaboration de vins rouges et blancs, l'exploitation s'est également spécialisée dans les eaux-de-vie à la mirabelle de Lorraine, à la quetsche, au marc et aux poires williams.

Ce vin limpide aux reflets verts dévoile un nez fin et frais de fruits exotiques. En bouche, il plaît par sa générosité, sa douceur et son intensité aromatique, à l'unisson du bouquet. Harmonieux. ⧗ 2016-2017 ¥ cabillaud sauce agrumes ■ **Pinot noir Élevé en fût de chêne 2014 (- de 5 €; 8000 b.)** : vin cité.

SCEA DE COUSTILLE, 23, Grande-Rue, 55300 Buxerulles, tél. 03 29 89 33 81, jean.philippe55@orange.fr V ✝ ▮ *r.-v.* *Jean Philippe*

DOM. DE LA GOULOTTE 2014

■	8000	▯ ▮	- de 5 €

Un petit domaine de 6,3 ha conduit de père en fils depuis deux siècles, depuis 1979 par Philippe et Évelyne Antoine.

Une robe grenat soutenu habille ce vin finement bouqueté autour de la fraise et du cassis. Arômes que l'on retrouve avec intensité dans un palais vif et tannique. Prévoir une petite garde. ⧗ 2017-2020 ¥ entrecôte marchand de vin ■ **2015 (- de 5 €; 3600 b.)** : vin cité.

PHILIPPE ET EVELYNE ANTOINE, Dom. de la Goulotte, 6, rue de l'Église, 55210 Saint-Maurice-sous-les-Côtes, tél. 03 29 89 38 31, domainedelagoulotte@orange.fr V ✝ ▮ *t.l.j. 8h-12h 13h30-18h30*

DOM. DE GRUY Auxerrois 2015

■	3300	▮	- de 5 €

Situé à proximité du lac de Madine, au pied des vergers de mirabelles, ce petit domaine de 4,5 ha est conduit par Laurent Degenève depuis 1986. Il s'est également spécialisé dans les eaux-de-vie à la mirabelle de Lorraine.

Un vin limpide et pâle, orné de reflets orangés. Le nez, discret, évoque les fruits blancs frais à l'agitation. En bouche, une même discrétion aromatique et un côté vineux et suave. Plutôt gourmand dans l'ensemble. ⧗ 2016-2017 🍴 quiche lorraine

DOM. DE GRUY, 7, rue des Lavoirs, 55210 Creuë, tél. 03 29 89 30 67, laurent.degeneve@wanadoo.fr V r.-v.

DOM. DE MONTGRIGNON
Pinot gris-Auxerrois 2015 ★

	12000		- de 5 €

Régulièrement présent dans le Guide, ce domaine de 8,5 ha a participé à la relance du vignoble meusien dans les années 1970 et notamment des vins de Billy-sous-les-Côtes, renommés dès le début du XIVᵉs. La famille de Renaud Pierson y exploite la vigne depuis deux cent cinquante ans.

Pinot gris et auxerrois font jeu égal dans cette cuvée jaune pâle aux reflets nacrés. Le nez, expressif et fin, évoque les agrumes. En bouche, du gras, de l'intensité et de belles notes exotiques. ⧗ 2016-2018 🍴 feuilleté au saumon ■ **Pinot noir Vieilles Vignes Élevé en fût de chêne 2014 (5 à 8 €; 2500 b.)** : vin cité.

DOM. DE MONTGRIGNON, 6, ch. des Vignes, 55210 Billy-sous-les-Côtes, tél. 03 29 89 58 02, info@domaine-montgrignon.com V r.-v.

Ⓑ DOM. DE MUZY
Les Marpaux Vieilles Vignes 2015 ★★

	4500	5 à 8 €

Jean-Marc Liénard a fait renaître à partir de 1982 le vignoble de son père et de son grand-père, planté sur les côtes meurtries par la Grande Guerre, au cœur du village de Combres-sous-les-Côtes: quelque 11 ha de vignes aujourd'hui, conduits en biodynamie, auxquels s'ajoutent des vergers. Une référence incontournable en IGP Côtes de Meuse, qui a vu revenir en 2011 la nouvelle génération avec Thibaud et Angélique, *wine makers* en Nouvelle-Zélande.

Les Marpaux? Le surnom des habitants du village d'Herbeville, où a vu le jour cette cuvée née de ceps d'auxerrois de trente-cinq ans. Un vin limpide, jaune clair, au nez de belle intensité, sur les fruits exotiques mûrs et la pêche. Le palais est à la fois frais, puissant, structuré et très concentré, porté sur des senteurs minérales et fruitées. ⧗ 2016-2019 🍴 poule au pot ■ **Pinot noir 2014 ★ (5 à 8 €; 14000 b.)** Ⓑ : une robe rouge soutenu, un nez à la fois intense et élégant, fruité et boisé (chocolat et café), l'approche est séduisante, et la suite au niveau, avec une bouche tannique et racée, vanillée et fruitée. ⧗ 2017-2020 🍴 baron d'agneau

DOM. DE MUZY, 3, rue de Muzy, 55160 Combres-sous-les-Côtes, tél. 03 29 87 37 81, info@domainedemuzy.fr V r.-v. *Liénard*

Le Beaujolais et le Lyonnais

• LE BEAUJOLAIS

SUPERFICIE : 18 400 ha
PRODUCTION : 1 000 000 hl
TYPES DE VINS : Rouges très majoritairement, quelques blancs secs et rosés.
SOUS-RÉGIONS : aires des dix crus (au nord), des beaujolais-villages (autour des crus) et des beaujolais (au sud de Villefranche-sur-Saône principalement).
CÉPAGES :
Rouges : gamay noir à jus blanc
Blancs : chardonnay

• LE LYONNAIS

SUPERFICIE : 300 ha
PRODUCTION : 17 000 hl
TYPES DE VINS : rouges (80 %), blancs secs et rosés.
CÉPAGES :
Rouges : gamay noir à jus blanc
Blancs : chardonnay, aligoté

LE BEAUJOLAIS ET LE LYONNAIS

À l'est de la Saône, entre Mâcon et Lyon, le Beaujolais est rattaché officiellement à la Bourgogne viticole. Il affirme pourtant sa personnalité par ses paysages vallonnés, par son habitat plus dispersé et par un cépage presque exclusif, le gamay, qui lègue aux vins un fruité pimpant. Si une promotion dynamique a rendu le beaujolais nouveau célèbre dans le monde entier, la région propose aussi des vins plus étoffés et complexes: les beaujolais, les beaujolais-villages et les dix crus.

Du vignoble de Lyon au beaujolais nouveau. Si le vignoble de Juliénas, selon la tradition, remonte aux légions de Jules César, les premières mentions écrites de vignobles ne sont pas antérieures au Xes. Le Beaujolais ne trouve son nom et n'apparaît dans l'Histoire qu'avec les sires de Beaujeu, qui se taillent un fief à partir de cette époque. La viticulture prend son essor aux XVIIes. et XVIIIes. quand des nobles et notables lyonnais, notamment des soyeux, plantent des vignobles qu'ils confient à des métayers. Ces vins trouvent un débouché facile à Lyon, mais la plupart d'entre eux doivent attendre le développement du réseau ferré pour s'écouler à Paris. Dans les années 1930, ils ont suffisamment d'identité pour être reconnus en AOC, et pendant les deux guerres, des journalistes parisiens repliés à Lyon les découvrent et contribuent à leur notoriété. Autorisée en 1951, la vente en primeur du beaujolais connaît un succès planétaire qui atteint son apogée dans les décennies 1980 et 1990.

Du beaujolais aux crus. À la base de la pyramide des appellations, l'AOC beaujolais fournit près de la moitié de la production du vignoble et presque les deux tiers des «nouveaux». L'appellation beaujolais-villages forme un trait d'union entre le beaujolais et les crus. Comme les crus, les vins naissent sur des roches anciennes, notamment des arènes granitiques. Un peu plus d'un tiers s'écoule en vin primeur, mais l'AOC fournit aussi des vins plus étoffés. Les crus, qui constituent le sommet de la pyramide, sont au nombre de dix. On trouve du nord au sud : saint-amour ; juliénas ; moulin-à-vent ; chénas ; fleurie; chiroubles; morgon; régnié; côte-de-brouilly et brouilly.

Beaujolais nord, Beaujolais sud. Le climat du Beaujolais est semi-continental et très capricieux. Les monts du Beaujolais, auxquels s'adosse le vignoble, font écran à l'humidité océanique. Les hivers sont rudes et les étés chauds, ponctués d'orages et d'épisodes de grêle; le couloir Saône-Rhône apporte des influences méditerranéennes. Le vignoble est planté entre 190 et 550 m d'altitude. Au nord, de Mâcon à Villefranche-sur-Saône, les reliefs, plutôt doux, présentent des formes arrondies. C'est la région des roches anciennes (granites, porphyre, schistes, diorites) et des sables (arènes granitiques), domaine des crus et des beaujolais-villages. Le sud, de Villefranche-sur-Saône à Lyon, est marqué par des reliefs plus accusés. Les terrains sont d'origine sédimentaire, argilo-calcaires – les «pierres dorées», qui donnent à l'habitat une belle couleur ocre. C'est la zone de l'AOC beaujolais.

LE BEAUJOLAIS NOUVEAU

L'arrivée du «nouveau», chaque troisième jeudi de novembre, reste un événement annuel, célébré jusqu'au Japon. Ce vin de primeur représente encore un petit tiers des volumes. Lorsqu'il est élaboré de façon naturelle, c'est un vin rouge tendre et gouleyant, résultat d'une macération semi-carbonique courte, de l'ordre de quatre jours, favorisant souplesse et fruité pimpant.

Le règne du gamay. L'encépagement du Beaujolais se réduit pratiquement au gamay noir à jus blanc (99%), le chardonnay fournissant les rares blancs. La majorité des vins rouges de la région sont élaborés selon le principe de la vinification beaujolaise ou macération semi-carbonique, technique qui consiste en une courte macération des grappes de raisin entières, une partie de la fermentation s'accomplissant à l'intérieur de la baie. Il en résulte une structure peu tannique et une palette très fruitée. Les crus du Beaujolais, s'ils portent la marque du gamay, varient selon les terroirs. Certains d'entre eux, tels le morgon et le moulin-à-vent, peuvent vieillir quelques années. Les vignerons élaborent d'ailleurs certaines cuvées à la bourguignonne en éraflant les raisins, en les faisant macérer plus longtemps et en les élevant en fût.

LE MÉTAYAGE

L'une des caractéristiques du vignoble beaujolais, héritée du passé mais bien vivante, est le métayage : la récolte et certains frais sont partagés par moitié entre l'exploitant et le propriétaire, ce dernier devant fournir les terres, le logement, le cuvage avec le gros matériel de vinification, les produits de traitement, les plants. Le vigneron, ou métayer, possède l'outillage pour la culture, assure la main-d'œuvre, honore les dépenses dues aux récoltes, veille au parfait état des vignes. Aujourd'hui encore, une part non négligeable des surfaces est exploitée de cette façon.

Le Beaujolais

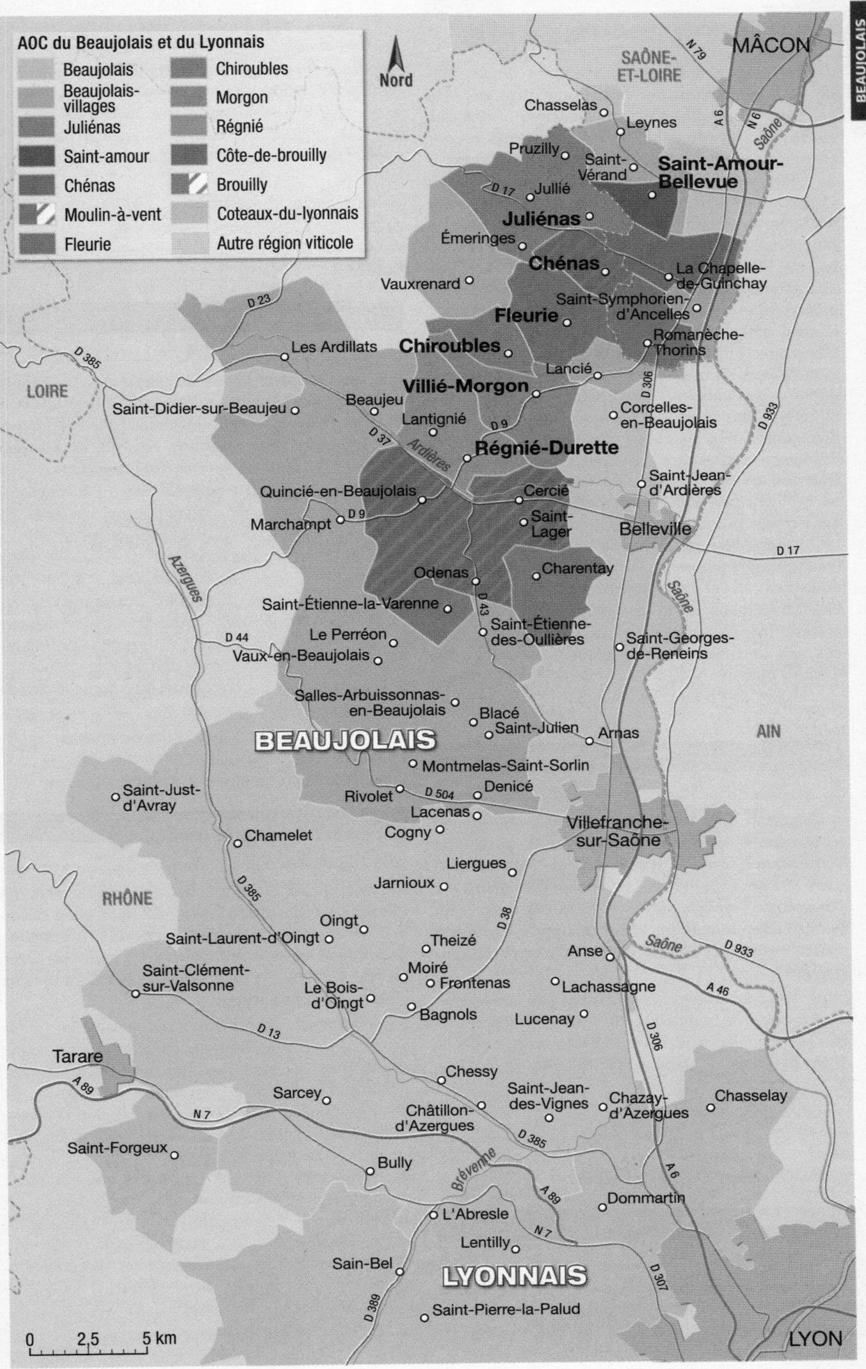

BEAUJOLAIS

Superficie : 5 983 ha / Production : 247 660 hl

L'appellation beaujolais fournit près de la moitié de la production du vignoble et près de 75 % des primeurs; elle est principalement localisée au sud de Villefranche. À côté des vins rouges et rosés, quelques blancs sont élaborés à partir du chardonnay, notamment dans le canton de La Chapelle-de-Guinchay, zone de transition entre les terrains siliceux des crus et ceux, calcaires, du Mâconnais. Dans le secteur des Pierres dorées, au sud de Villefranche et à l'est du Bois-d'Oingt, les vins rouges ont des arômes plus fruités que floraux, parfois nuancés de pointes végétales; colorés, charpentés, un peu rustiques, ils se conservent assez bien. Dans la partie haute de la vallée de l'Azergues, vers l'ouest, on retrouve les roches cristallines qui donnent des vins avec de la mâche et des accents minéraux, ce qui les fait apprécier un peu plus tardivement. Enfin, les zones plus en altitude offrent des vins vifs, plus légers en couleur, mais aussi plus frais les années chaudes. Le beaujolais supérieur ne provient pas d'un terroir délimité spécifique; il est surtout produit dans l'AOC beaujolais. L'appellation peut être revendiquée pour des vins dont les moûts présentent, à la récolte, une richesse en équivalent alcool de 0,5 % vol. supérieure à ceux de l'AOC beaujolais, les raisins provenant de parcelles sélectionnées et contrôlées avant la récolte. Tous ces vins sont dégustés traditionnellement dans les « pots » beaujolais, flacons de 46 cl à fond épais qui garnissent les « bouchons » lyonnais.

DOM. BOURBON Charme d'Automne 2015 ★

■ | 10000 | ▮ | 5 à 8 €

À vingt-huit ans, Jean-Luc Bourbon a abandonné le transport routier pour rejoindre le village de son enfance, dans la partie sud du Beaujolais. Il s'est installé en 2001 sur le domaine fondé en 1939 par son grand-père, après s'être fait la main sur... le muscadet. Il exploite 10 ha de vignes plantées à forte densité, en coteaux : l'assurance de petits rendements.

Issue de 5 ha plantés de vignes âgées d'un demi-siècle, cette cuvée offre tout ce que l'on attend d'un beaujolais : des arômes intenses et frais de petits fruits, cassis et fraise en tête, et une bouche friande aux tanins soyeux. ⧗ 2016-2019 ⲯ saucisson cuit

⊶ DOM. BOURBON,
10, imp. des Vignes, lieu-dit Le Marquison,
69620 Theizé, tél. 04 74 71 14 13,
domaine-bourbon@orange.fr V r.-v.

CHERMETTE 2015 ★

■ | 5000 | 5 à 8 €

Dominique Chermette a repris en 1985 le domaine familial constitué en 1958 au pays des Pierres dorées, au sud du vignoble. Sur ses 7 ha de vignes, il élabore essentiellement des beaujolais.

Né d'un peu plus d'un demi-hectare de chardonnay, ce beaujolais blanc offre un bouquet floral et citronné et se montre rond, généreux, assez long et très équilibré en bouche. ⧗ 2016-2019 ⲯ carpaccio de saint-jacques ■ **Dominique Chermette Vieilles Vignes 2014 ★ (5 à 8 €; 8000 b.)** : ces vieilles vignes ont soixante ans. Un vin abouti, au nez discret mais franc de fruits noirs, à la bouche charnue, adossée à des tanins soyeux, légèrement réglissés. ⧗ 2016-2019 ⲯ Œufs en meurette

⊶ DOMINIQUE CHERMETTE,
Le Barnigat, 69620 Saint-Laurent-d'Oingt,
tél. 04 74 71 20 05, dominique.chermette@wanadoo.fr
V *r.-v.*

CLOCHEMERLE 2015 ★★

■ | 90000 | ▮ | 5 à 8 €

Issu d'une longue lignée de vignerons, Christophe Coquard a vinifié sur trois continents et travaillé pour plusieurs négociants du Beaujolais, avant de lancer en 2005 sa propre structure adossée au domaine familial situé dans le pays des Pierres dorées.

« Un beau vin, à recommander. » Telle est la conclusion de nos dégustateurs qui ont fait très bon accueil à cette cuvée à la robe profonde, au nez complexe, entre fruits noirs et épices, et à la bouche d'une fort belle tenue, aromatique, fondue, équilibrée et longue. ⧗ 2017-2019 ⲯ coq au vin ■ Brouilly **Collection Christophe Coquard 2015 ★ (8 à 11 €; 65000 b.)** : un vin typé et prometteur qui demande à s'ouvrir. Le nez, entre petits fruits rouges et notes florales, est encore discret mais la bouche, bien construite, laisse présager une heureuse évolution. ⧗ 2017-2021 ⲯ onglet à l'échalote

⊶ MAISON COQUARD, 86, rue Manon-Rolland,
Le Boîtier, 69620 Theizé, tél. 04 74 71 11 59,
contact@maison-coquard.com V *r.-v.*

COTEAUX DE LA ROCHE 2015 ★★

■ | 5000 | ▮ | 5 à 8 €

Antoine Viland, établi à Létra, au cœur du pays des Pierres dorées, cultive environ 12 ha. Il vend désormais en bouteilles la majeure partie de sa production et propose aussi le cru chénas. Ce jeune vigneron installé en 2007 est un adepte des macérations longues en grappes entières.

Antoine Viland a récolté cette parcelle de 80 ares en fin de vendanges pour obtenir une maturité optimale des raisins. Une bonne idée : son beaujolais blanc est riche, profond et complexe. Le nez intense et vif associe les agrumes, l'ananas et une touche végétale, tandis que les fruits blancs s'épanouissent en bouche, où l'on trouve ampleur et longueur. ⧗ 2016-2019 ⲯ volaille à la crème ■ **Vieilles Vignes 2015 ★ (5 à 8 €; 4000 b.)** : né de vignes âgées de soixante-dix ans, un beaujolais aux arômes de fruits confits, de kirsch, de réglisse et de poivre. Ce côté surmûri typique des 2015 se retrouve dans une bouche tannique, puissante, de bonne longueur et d'une profondeur peu courante dans l'appellation. ⧗ 2016-2019 ⲯ bœuf bourguignon

⊶ ANTOINE VILAND, La Roche, 69620 Létra,
tél. 04 74 71 54 46, vilandantoine@orange.fr V *r.-v.*

DOM. LA CRUISILLE 2014

■ | 8000 | | 5 à 8 €

Hubert et Vincent Laverrière se sont associés en 1986, après le départ à la retraite de leur père. Dix ans plus tard, ils ont créé la marque et commencé la vente directe. Ils disposent d'un domaine de 19 ha où ils ont introduit chardonnay et pinot noir afin de diversifier leur gamme.

Issu de vignes de soixante ans plantées sur argilo-calcaire, ce beaujolais a séduit par ses arômes de fruits rouges bien mûrs et par sa texture bien soyeuse: ce que l'on attend de l'appellation. ⧗ 2016-2019 ¥ assiette de charcuterie

HUBERT ET VINCENT LAVERRIÈRE, GAEC de la Cruisille, rue de la Treille, 69620 Theizé, tél. 04 74 71 29 58, gcruisil@terre-net.fr V r.-v.

CH. DE L'ÉCLAIR Pierres dorées 2015 ★★

■ | 6500 | 8 à 11 €

Ancienne propriété de Victor Vermorel, industriel, inventeur du pulvérisateur de bouillie bordelaise (appelé l' «Éclair») et sénateur du Rhône au début du XXᵉs. Le château et son vignoble d'une vingtaine d'hectares appartiennent aujourd'hui à la Sicarex, un organisme d'État dont le rôle est de poursuivre des recherches en matière de viticulture et de vinification.

Issu d'une parcelle de chardonnay d'un hectare et demi, ce beaujolais blanc, malgré le caractère solaire du millésime 2015, dévoile une belle fraîcheur aromatique dans son nez franc de pêche blanche. La bouche aromatique et persistante confirme cette remarquable réussite. ⧗ 2016-2019 ¥ filet de cabillaud aux agrumes ■ **Chénas Le Bucher 2014 ★ (8 à 11 €; 5300 b.)** : un vin très harmonieux. Les douze jours de macération en grappes entières lui ont apporté des parfums intenses de cassis. L'élevage en cuve de neuf mois met bien en valeur ses qualités. Charnu, rond, construit sur des tanins enrobés, gourmand avec ses arômes de cerise noire et de cassis, voilà un «vin plaisir» par excellence. ⧗ 2016-2020 ¥ suprême de volaille

CH. DE L'ÉCLAIR, 905, rte du Château-de-l'Éclair, 69400 Liergues, tél. 04 74 02 22 40, amandine.piret@vignevin.com V *r.-v.* *Sicarex*

EMMANUEL FELLOT 2014 ★

■ | n.c. | | 8 à 11 €

Emmanuel Fellot a pris la suite de son père en 1991 sur l'exploitation familiale, fondée en 1829. Il compte au nombre des rares vignerons à mener de front viticulture (20 ha de vignes) et élevage – il possède un troupeau de vaches rustiques élevées en plein air. Dans sa gamme, des beaujolais, beaujolais-villages, brouilly et côte-de-brouilly.

La parcelle de 50 ares de chardonnay à l'origine de cette cuvée a été plantée il y a quinze ans. Un vin séduisant tant par ses parfums de miel d'acacia que par sa bouche d'une belle fraîcheur. ⧗ 2016-2019 ¥ fromage de chèvre

EMMANUEL FELLOT, Pierre-Filant, 69640 Rivolet, tél. 06 77 81 68 87, fellotmanu@gmail.com V *r.-v.*

DOM. DE FOND-VIEILLE Pierres dorées Cuvée Tradition 2015 ★

■ | 3000 | 5 à 8 €

À la tête de 14 ha au cœur des Pierres Dorées, Dominique Guillard a créé ce domaine en 2001, en reprenant des vignes familiales confiées jusqu'alors à la coopérative. Il a fait construire un cuvage, un caveau de dégustation et une salle de réception dans l'architecture du pays.

Une cuvée parfaitement représentative de son appellation, et assez fraîche pour un 2015. Le nez associe la pêche de vigne et la groseille, petite baie qui s'allie à la pivoine dans une bouche gourmande, construite sur des tanins arrondis. ⧗ 2016-2019 ¥ steack tartare ■ **Pierres dorées 2014 ★ (5 à 8 €; 3000 b.)** : les dégustateurs sont séduits mais intrigués par les arômes de ce chardonnay qui «sauvignonne» presque au nez avec ses touches de buis et de fruits exotiques (ananas); on trouve aussi, plus classiques, la fleur blanche et les fruits blancs. Quant à la bouche, avec sa rondeur et ses arômes de pêche, elle rappelle le viognier à un juré. Original. ⧗ 2016-2019 ¥ saint-jacques à la crème

DOMINIQUE GUILLARD, 62, chem. de Fond-Vieille, 69620 Oingt, tél. 04 74 71 11 74, guillarddominique@orange.fr V *r.-v.*

DOM. GIRIN Coteaux du Razet Vieilles Vignes 2015

■ | 5000 | | 5 à 8 €

Constitué à partir de 1890 dans la région des Pierres dorées, au sud du vignoble, ce domaine s'est agrandi au fil des générations. Aujourd'hui, il compte 28 ha, exploités depuis 1978 par Henri Girin, rejoint en 1990 par son frère Bernard. En 2016, avec Thibaut, revenu de Nouvelle-Zélande, la cinquième génération s'est installée sur l'exploitation.

Né de vignes de soixante ans, ce beaujolais provient d'un terroir granitique, ce qui n'est pas courant dans cette appellation. Il porte surtout la marque du millésime dans sa couleur sombre, ses arômes de fruits noirs bien mûrs et dans son palais épais, ample et gras. ⧗ 2016-2019 ¥ poulet rôti

DOM. GIRIN, Aucherand, 69620 Saint-Vérand, tél. 06 83 53 46 64, vinsgirin@domainegirin.fr V *t.l.j. 9h-12h 14h-19h*

CAVE DE GLEIZÉ Tradition 2015

■ | 5000 | | - de 5 €

Fondée en 1932 et installée à l'emplacement d'un ancien prieuré, cette coopérative est l'une des plus anciennes du Beaujolais. Elle vinifie les 200 ha de vignes cultivés par ses adhérents.

Des notes de cassis, de mûre et de fruits rouges se succèdent au nez. La bouche, charnue, garde cette intensité aromatique qui traduit une macération préfermentaire à chaud, suivie d'une macération carbonique. ⧗ 2016-2019 ¥ sauté de poulet crème de cassis ■ **Cuvée Prestige 2015 (5 à 8 €; 5000 b.)** : vin cité.

CAVE COOPÉRATIVE DE GLEIZÉ, 1471, rue de Tarare, 69400 Gleizé, tél. 04 74 68 39 49, cave.vinicole.gleize@wanadoo.fr V *t.l.j. sf dim. 9h-12h 14h-18h30*

DOM. DE GRANDE FERRIÈRE 2014 ★

	2600		5 à 8 €

Julien Nesme a rejoint son père Martial sur l'exploitation familiale qui couvre 15 ha, avec des parcelles en morgon. Martial est un passionné de mécanique et de vieux tracteurs, qu'il expose dans son domaine.

Une petite parcelle de 40 ares de chardonnay est à l'origine de ce vin au nez finement floral et minéral. Le palais ample et gras, aux arômes d'amande, confirme la belle maturité des raisins dans un millésime pourtant délicat. ⧗ 2016-2019 ▾ quenelles gratinées

JULIEN NESME, 831, rte des Rochons, 69220 Saint-Jean-d'Ardières, tél. 04 74 66 18 92, nesme.julien@orange.fr V *t.l.j. 8h-12h 13h30-19h*

♥ LES GRANDS ROUVRES 2015 ★★★

	6000		5 à 8 €

Fils de Pierre et Cécile Durdilly (Dom. les Gryphées), Guillaume Durdilly s'est installé en 2006 comme fermier sur 7 ha de vignes en coteau, d'un seul tenant, au pays des Pierres dorées, au lieu-dit Longessaigne. En 2015, il s'est installé dans le secteur des crus, à la Chapelle-de-Guinchay. Il peut ainsi ajouter du chénas à sa gamme de beaujolais et de beaujolais-villages.

Cette cuvée provient des parcelles que Guillaume Durdilly a conservées à Sainte-Paule, au lieu-dit Longessaigne (le 2014 avait été sélectionné, ainsi que plusieurs millésimes antérieurs). Le nez, d'abord discret, développe à l'aération des notes complexes de mûre, de tabac et une touche de minéralité. C'est en bouche que ce vin s'impose, par son excellente structure – ses tanins, bien extraits, sont à la fois serrés et souples – et par sa finale très persistante. ⧗ 2016-2019 ▾ gâteau de foie de volaille **2015 ★ (5 à 8 €; 3800 b.)** : ce blanc au nez de fleurs du verger, un peu beurré, a su conserver de la fraîcheur et de la netteté dans un millésime solaire. ⧗ 2016-2018 ▾ andouillette sauce moutarde

GUILLAUME DURDILLY, 2001, RD 906 Pontanevaux, Cidex 125, 71570 La Chapelle-de-Guinchay, tél. 06 74 63 57 82, guillaumedurdilly@yahoo.fr V *r.-v.*

DOM. DU GRAND LIÈVRE Tradition 2015 ★

	17000	5 à 8 €

Installés dans le pays des Pierres dorées depuis le début du XXe s., les Bouteille sont vignerons et pépiniéristes viticoles. Ils disposent aujourd'hui de 27 ha de vignes en Beaujolais et en Lyonnais. Philippe Bouteille a été rejoint récemment par son fils.

Le nez associe les épices et les fruits noirs (cassis, mûre) avec netteté mais sans exubérance. Plus démonstrative, assez confiturée, la bouche se montre ample, structurée et persistante. ⧗ 2016-2019 ▾ poulet rôti

BOUTEILLE FRÈRES, 1480, rte des Pierres-Dorées, 69380 Saint-Jean-des-Vignes, tél. 06 07 04 53 01, bouteillefreres@gmail.com V *t.l.j. sf dim. 8h-12h 14h-18h*

VIGNOBLE GRANGE-NEUVE 2015 ★★

	10800		5 à 8 €

Installé en 1979 sur le domaine familial, Denis Carron est à la tête de 18 ha dans le pays des Pierres dorées, au sud du vignoble. Pour élaborer ses cuvées, il dispose de l'ancienne cuverie d'un négociant qui y vinifiait la production de plusieurs viticulteurs locaux.

Élevé en foudre après une vinification semi-carbonique de douze jours environ, ce 2015 séduit par ses arômes de fruits rouges, de pivoine et de réglisse, puis par ses tanins veloutés qui tapissent le palais, laissant une sensation d'harmonie. ⧗ 2016-2019 ▾ jambon braisé

DENIS CARRON, 185, chem. des Brosses, 69620 Frontenas, tél. 04 74 71 70 31, carroncolette@live.fr V *r.-v.*

DOM. DES JOSÉPHINS Cœur de Millésime 2014 ★

	2000		5 à 8 €

En 1979, Gérard Presle reprend des terres familiales au pays des Pierres dorées; il agrandit et spécialise le domaine, abandonnant cerisiers, céréaliculture et élevage ovin. Il rencontre Jean-François Pluvinage, un Parisien, opticien, qui veut changer de vie et se forme à la viticulture. En 2012, les deux hommes s'associent. Ils sont à la tête de 25 ha de vignes.

Issu de vignes de soixante ans, ce 2014 est qualifié de «vin plaisir» par nos jurés, qui apprécient ses arômes élégants de fruits noirs et de poivre et surtout sa belle structure, ronde avec ce qu'il faut de fraîcheur. ⧗ 2016-2019 ▾ tendrons de veau braisés

DOM. DES JOSÉPHINS, 444, chem. des Fûts, 69480 Marcy-sur-Anse, tél. 06 07 25 28 51, lesjosephins@hotmail.fr V *r.-v.*

B CH. DE LAVERNETTE Les Vignes de la Roche 2014 ★

	14000		8 à 11 €

Ancienne propriété des moines de Tournus, le domaine, aux confins du Mâconnais et du Beaujolais, a été acquis par la famille en… 1596. Descendant des Lavernette, Bertrand de Boissieu quitte la coopérative en 1988; son fils Xavier prend le relais en 2007. Il pra-

tique la biodynamie depuis 2005 (certifiée en 2010). Sur ses 12 ha de vignes, il produit des vins du Beaujolais, du bourgogne générique et des pouilly-fuissé.

Le château élève ses blancs longuement, seize mois pour ce 2014, en cuve et sur lies. Il en résulte un vin complexe, mêlant les fruits blancs à une touche végétale. La bouche présente un bel équilibre, son gras évoquant un blanc sudiste. ⧗ 2016-2019 🍴 matelote de poisson

⊶ CH. DE LAVERNETTE, La Vernette, 71570 Leynes, tél. 03 85 35 63 21, chateau@lavernette.com V t.l.j. sf sam. dim. 8h-12h 13h30-18h ⊶ De Boissieu

DOM. DE LA MANTELLIÈRE Cuvée Alysse 2015

■ | 2000 | 🍾 | 5 à 8 €

Implanté au pays des Pierres dorées, le domaine est dans la famille de Christophe Braymand depuis cinq générations. Ce dernier, installé en 1996, exploite 13 ha.

Un vin d'une grande ampleur en bouche et à la finale d'une belle pureté. Un manque d'expression aromatique le pénalise toutefois au moment de la dégustation. Avec quelques mois de garde sans doute… ⧗ 2017-2019 🍴 gratin de fruits de mer

⊶ CHRISTOPHE BRAYMAND, chem. de Tanay, 69620 Légny, tél. 06 86 63 46 29, domainemantelliere@yahoo.fr V r.-v.

DOM. DU MOULIN BLANC Vieilles Vignes 2015 ★

■ | 3000 | 🍾 | 5 à 8 €

Ancien coureur cycliste, fils et petit-fils de viticulteur, Alain Germain est revenu au vignoble et a créé une exploitation au pays des Pierres dorées avec son épouse Danielle. Aujourd'hui, la totalité de la production de leurs 3 ha est écoulée en vente directe.

Issus d'un terroir argilo-calcaire, les raisins ont macéré longuement en cuve pour livrer un vin puissant mais au toucher agréable en bouche grâce à des tanins fondus. La finale affiche une bonne longueur. ⧗ 2016-2019 🍴 andouillette

⊶ ALAIN ET DANIÈLE GERMAIN, 1180, rte des Crières, 69380 Charnay, tél. 04 78 43 98 60, domaine-du-moulin-blanc@wanadoo.fr V r.-v.

MOULIN DES VERNY Les Pierres dorées 2015 ★★

■ | 30000 | 🍾 | - de 5 €

La cave du Beau Vallon de Theizé et celle des Vignerons de Liergues ont décidé de s'unir en 2009: Oedoria est leur marque commune. Cette nouvelle entité dispose de 840 ha (pour à peu près autant d'adhérents), essentiellement situés au sud du vignoble, à l'ouest de Villefranche-sur-Saône.

Une macération à chaud a donné ce vin au profil gourmand et harmonieux. Le nez exhale des arômes complexes de fruits frais acidulés et de petites fleurs. Un vin de plaisir qui sera prêt à déguster sans attendre. ⧗ 2016-2019 🍴 charcuterie ■ **Accords majeurs Vieilles Vignes 2015 ★ (5 à 8 €; 12000 b.)** : un beaujolais très aromatique, aux multiples expressions: cassis, épices, fruits rouges. Des tanins souples et une trame fraîche assurent à la bouche un caractère croquant. Pourquoi pas dès l'apéritif? ⧗ 2016-2019 🍴 minis hamburgers

⊶ OEDORIA, 25, rte de Cottet, Le Beauvallon, 69620 Theizé, tél. 04 74 71 48 00, contact@oedoria.com V r.-v.

DOM. D'OUILLY 2015 ★

■ | 1500 | 🍾 | - de 5 €

Valérie et Jean-Claude Pignard sont à la tête de ce vaste domaine (21 ha), dans la famille depuis trois générations. Le domaine a longtemps fait de la vente au négoce sa priorité. Aujourd'hui, il se tourne vers la vente aux particuliers.

Un beaujolais d'une grande générosité aromatique sur le cassis, la mûre et la fraise. Au palais, une matière ronde et charnue vient flatter les papilles. La macération en vendanges entières menée par Jean-Claude Pignard a fait mouche. ⧗ 2016-2019 🍴 bœuf bourguignon

⊶ SCEA DU DOM. D' OUILLY, 778, rte des Maisons-Neuves, 69400 Arnas, tél. 04 74 68 06 07, jcv.pignard@orange.fr V r.-v. ⊶ Pignard

Ⓑ **DOM. PAIRE** 2015 ★

■ | 3000 | 🍾 | 5 à 8 €

Descendant d'une lignée enracinée dans la région depuis 1600, Jean-Jacques Paire cultive 10 ha près des pittoresques villages de Ternand et d'Oingt, dans la partie sud du vignoble. Installé en 1981, il a converti son vignoble à la bio en 2009. Au domaine, une exposition permanente est consacrée à l'histoire du vin en Beaujolais.

Une petite parcelle sur terroir granitique a donné ce beaujolais à l'expression généreuse de fruits rouges. Une matière souple et persistante assure du plaisir en bouche. Un beaujolais gourmand et harmonieux. ⧗ 2016-2019 🍴 grillade de porc

⊶ DOM. PAIRE, Les Ronzières, 69620 Ternand, tél. 04 74 71 35 72, domainepaire@gmail.com V r.-v. Ⓔ

DOM. DU PERCHOIR Vieilles Vignes 2015 ★

■ | 13866 | 🍾 | 5 à 8 €

Le domaine a été créé en 1946 par les parents d'Emmanuel Mandrillon, qui l'a repris en 1986. Couvrant 40 ha, il est situé sur le plateau calcaire qui domine le village de Liergues, dans la partie sud du Beaujolais.

Un vin ample, riche et aux tanins fins en bouche. Des arômes de fruits rouges confits et juteux montent au nez. Un beaujolais qui s'annonce comme un beau classique du millésime 2015. ⧗ 2016-2019 🍴 terrine de lapin

⊶ EARL DU PERCHOIR, 552, rte de la Crête-de-Chalier, 69400 Liergues, tél. 06 81 20 82 82, emmanuel.mandrillon@wanadoo.fr V r.-v.

LE PÈRE LA GROLLE 2015

■ | 55000 | 5 à 8 €

Fondée en 1912, la maison beaujolaise Pellerin est aujourd'hui dans le giron du groupe Boisset. Elle distribue des vins du Beaujolais et du Languedoc-Roussillon.

Le compère de Guignol a laissé son nom à une bien belle cuvée en 2015. Le nez n'est pas théâtral, évoquant des arômes épicés, de cerise et de réglisse. La bouche fait, pour sa part, preuve d'une belle présence et ravit le public. ⧗ 2016-2019 ♈ côte de veau

PÈRE LA GROLLE, Dom. et Ch. Pellerin, 403, rte de Saint-Vincent, 69430 Quincié-en-Beaujolais, tél. 04 74 69 09 61

CH. DES PERTONNIÈRES Coteau Belle-Vue 2015 ★★

■ | 80 000 | 🍾 | 5 à 8 €

Les lointaines origines de ce château remontent à 1512. Aujourd'hui, il regroupe trois domaines (Les Tonnelières, La Prébende et le Coteau Belle-Vue) et 45 ha au total, répartis dans huit communes, gérés par les trois frères Damien, Julien, Paul Dupeuble, rejoints par Stéphane, fils de Damien.

Un nez finement épicé déploie des notes de poivre mais aussi un caractère minéral. Les tanins sont soyeux au palais. Un vin charmeur en diable issu d'une fermentation à basse température et d'une macération sur une dizaine de jours. ⧗ 2016-2019 ♈ volaille à la crème

DUPEUBLE PÈRE ET FILS, Ch. des Pertonnières, 69620 Le Breuil, tél. 04 74 71 68 40, contact@beaujolaisdupeuble.com V t.l.j. sf dim. 8h30-19h

DOM. DE ROCHE CATTIN La Pierre à Feu 2014 ★

■ | 1600 | 🍾 | 5 à 8 €

Gabriel Devay a commercialisé en 1955 les premières bouteilles de ce domaine familial conduit depuis 1987 par Florence et Jean-Gabriel Devay. Leur vignoble couvre aujourd'hui 15 ha dans la partie sud du Beaujolais.

Mis à macérer en grappes entières pendant dix jours, les raisins ont donné un beaujolais d'une bonne harmonie d'ensemble. La gourmandise de sa texture répond à des arômes de fruits frais. Le tout s'exprime avec finesse et élégance. ⧗ 2016-2019 ♈ pâté de foie ■ **Les Vieilles Vignes de Roche Cattin 2014 (5 à 8 €; 3000 b.)** : vin cité.

FLORENCE ET JEAN-GABRIEL DEVAY, 10, chem. du Guéret, 69210 Bully, tél. 04 74 01 01 48, devay.jeangabriel@libertysurf.fr V *t.l.j. sf dim. 8h-12h30 13h30-19h; f. mi-août*

DOM. DE ROTISSON Cuvée Fruitée 2015

■ | 7000 | 🍾 | 5 à 8 €

Un domaine créé en 1920 et acquis en 1998 par Didier Pouget. Couvrant 20 ha dans le pays des Pierres dorées, il fait preuve de régularité, en rouge et en blanc, et propose non seulement des beaujolais, mais aussi les AOC régionales bourguignonnes.

Le nez est flatteur, sur les épices (vanille, poivre). La bouche se montre ronde et bien équilibrée, mais d'une longueur assez moyenne. ⧗ 2016-2019 ♈ apéritif

SCEA DOM. DE ROTISSON, 363, rte de Conzy, 69210 Saint-Germain-Nuelles, tél. 04 74 01 23 08, didier.pouget@domaine-de-rotisson.com V *t.l.j. 9h-12h30 14h-17h30; dim. sur r.-v.*
Didier Pouget

SAINT-PRÉ 2015 ★

■ | 3000 | 🍾 | 5 à 8 €

Cette exploitation familiale implantée au sud de Villefranche-sur-Saône, dans la partie méridionale du Beaujolais, existe depuis plusieurs générations. À sa tête depuis 1987, Jean-Michel Coquard cultive 21,5 ha de vignes.

Du potentiel et une bonne complexité: la petite parcelle de chardonnay du domaine (35 ares) a donné une cuvée harmonieuse et longue en bouche, à la fois ronde et fraîche. ⧗ 2016-2019 ♈ poisson grillé

JEAN-MICHEL COQUARD, 540, chem. du Neyra, 69480 Pommiers, tél. 04 74 62 20 73, coquard.jean-michel@wanadoo.fr V *r.-v.*

DOM. SÈVE 2015 ★★

■ | 3000 | 🍾 | 5 à 8 €

Installé en 1993 sur le domaine familial, Laurent Sève représente la quatrième génération. Son vignoble de 15 ha est implanté autour du Bois d'Oingt, sur les coteaux des Pierres dorées.

Un très joli chardonnay aux notes aromatiques envoûtantes dès les premières sensations olfactives. Il évoque la pêche et le miel avec intensité mais sans aucune lourdeur. Une texture friande et équilibrée s'affirme au palais. ⧗ 2016-2019 ♈ fromage à pâte molle

LAURENT SÈVE, av. du 8-Mai, 69620 Le Bois-d'Oingt, tél. 06 89 86 34 91, laurent.seve69@orange.fr V *r.-v.*

CH. TALANCÉ Grand Millésime 2015 ★

■ | 8000 | 🍾 | 5 à 8 €

Benoît Proton de la Chapelle a pris en 2003 les commandes de ce château situé au sud du vignoble, où l'on produit du vin depuis 1580. Ses ancêtres, qui portaient la noble charge d'« officier du gobelet », ont pu faire goûter leurs vins à Louis XIV, au régent et à Louis XV. Le domaine actuel couvre 50 ha, dont 17,5 ha de vignes.

Pour Benoît Proton de la Chapelle, la qualité du millésime ne fait pas doute: une année « gorgée de soleil et de nature exceptionnelle ». Nos jurés abondent, soulignant la puissance et l'expression aromatique sur le fruit noir confituré de cette cuvée. ⧗ 2016-2019 ♈ entrecôte

GFA DOM. DE TALANCÉ, 277, rte de Talancé, 69640 Denicé, tél. 06 85 42 59 04, benoit.proton@gmail.com V *r.-v.*

TERRA ICONIA 2015 ★★

■ | 70 000 | 🍾 | 5 à 8 €

Créée en 1961, la Cave beaujolaise du Bois-d'Oingt est désormais nommée Vignerons des Pierres dorées. Elle regroupe depuis 2010 trois coopératives (Le Bois-d'Oingt, Saint-Vérand et Saint-Laurent-d'Oingt) et dispose de 540 ha. Sa marque principale, Terra Iconia, rend hommage avec ses cuvées Terre d'Oingt à ce superbe village situé dans la partie sud du vignoble.

Cette cuvée issue d'une macération est un hommage très réussi au village d'Oingt: son harmonie est remarquable, sa bouche, bâtie sur des tanins soyeux, s'allonge et persiste. L'aromatique est intense. ⧗ 2016-2019 🍴 tournedos ■ **La Rose pourpre Vieilles Vignes 2015 ★★** (5 à 8 €; **50000 b.**) : une cuvée issue d'une sélection de vieilles vignes sur une superficie de 50 ha. La richesse et la puissance sont au rendez-vous, avec un très bel équilibre en prime. Le tout assure un bon potentiel de garde à l'ensemble. ⧗ 2016-2020 🍴 andouillette grillée

⊶ VIGNERONS DES PIERRES DORÉES, Le Bady, 69620 Saint-Vérand, tél. 04 74 71 62 81, contact@vigneronsdespierresdorees.com r.-v.

DOM. DE LA TOUR DES BANS 2015 ★

■	30000	🍾	5 à 8 €

Raphaël Blanco conduit depuis 1981 le domaine de la Tour des Bans, qui est une métairie du Ch. de Pizay, vaste propriété de 75 ha dans le Beaujolais.

Un vin charnu, suave qui fait la démonstration du caractère solaire du millésime 2015. Sa palette aromatique est très riche au nez, sur une dominante de fruits noirs. Il est de surcroît doté d'une belle perspective de garde. ⧗ 2016-2020 🍴 navarin d'agneau

⊶ RAPHAËL BLANCO, Pizay, 69220 Saint-Jean-d'Ardières, tél. 04 74 66 26 10, contact@vins-chateaupizay.com t.l.j. sf dim. 8h30-12h30 13h30-17h ⊶ Pizay

DOM. DU CH. DE LA VALETTE Edelweiss 2014

■	2500	🍾	8 à 11 €

Jean-Pierre Crespin s'est installé en 1983 au pied du mont Brouilly avec sa femme Isabelle. Il cultive aujourd'hui un domaine de 14 ha essentiellement constitué de vieilles vignes, et propose les deux crus du secteur: brouilly (6,5 ha) et côte-de-brouilly.

Jean-Michel Crespin a arraché une petite parcelle (30 ares) de vignes rouges pour planter du chardonnay. Pour nommer le vin qui en est issu, il a trouvé le nom d'une petite fleur montagnarde qui évoque à la fois la couleur blanche et la rareté. Si ce blanc n'est pas des plus longs, nos jurés ont apprécié son profil aromatique élégant et son équilibre en bouche. ⧗ 2016-2018 🍴 tartare de saint-jacques

⊶ DOM. DU CH. DE LA VALETTE, 21, rte de Saint-Georges, 69220 Charentay, tél. 04 74 66 81 96, jp.crespin@wanadoo.fr r.-v. ⊶ Jean-Pierre Crespin

BEAUJOLAIS-VILLAGES

Superficie : 4 418 ha
Production : 185 348 hl (99 % rouge et rosé)

Le beaujolais-villages provient de 38 communes situées au nord du vignoble, dans une zone comprise dans sa quasi-totalité entre la zone des beaujolais et celle des crus. Le mot « villages » a été adopté en 1950 pour remplacer la multiplicité des noms de communes qui pouvaient être ajoutés à l'appellation beaujolais sur l'étiquette aux fins de distinguer des productions considérées comme supérieures. Une écrasante majorité de producteurs a opté pour cette mention qui favorise la commercialisation, même si 30 communes – celles dont le nom ne correspond pas à celui d'un des crus – gardent le droit, pour éviter toute confusion, d'ajouter leur nom à celui de beaujolais. Les beaujolais-villages se rapprochent des crus et en ont les contraintes culturales (taille en gobelet ou en éventail, cordon simple ou double charmet, degré initial des moûts supérieur de 0,5 % vol. à celui des beaujolais). Originaires de sables granitiques, ils sont rouge vif, fruités, gouleyants: les têtes de cuvée des vins primeurs. Nés sur les terrains granitiques, plus en altitude, ils présentent une belle vivacité qui permet une consommation dans l'année, voire une petite garde. Entre ces deux extrêmes, toutes les nuances sont possibles, mais les vins allient toujours finesse, arômes et corps.

DOM. BEL AVENIR La Chapelle 2015

■	6000	5 à 8 €

Cécile et Alain Dardanelli ont pris en 1977 la suite des deux générations précédentes sur le domaine familial, constitué à partir de 1920. Avec 18 ha, il offre une large gamme de crus: moulin-à-vent, chénas, saint-amour, juliénas, fleurie, morgon, régnié et aussi des appellations régionales.

Ce beaujolais-villages libère des parfums intenses aux nuances de cerise confiturée et de réglisse. La bouche est puissante, structurée par des tanins arrondis. Un vin harmonieux, reflet du millésime et d'une thermovinification pratiquée pour exalter les arômes. ⧗ 2016-2019 🍴 sauté de veau

⊶ ALAIN ET CÉCILE DARDANELLI, 1087, Le Bel Avenir, 71570 La Chapelle-de-Guinchay, tél. 03 85 36 75 02, domaine.bel.avenir@wanadoo.fr r.-v.

DANIEL BOUCHACOURD Les Plaisances 2015 ★★

■	3000	🛢	5 à 8 €

Établi sur les coteaux de Saint-Julien, à l'ouest de Villefranche-sur-Saône, Daniel Bouchacourd a repris en 1991 l'exploitation créée par ses parents en 1960. Il exploite en beaujolais-villages rouge et blanc et en brouilly un vignoble de 13,5 ha riche en parcelles de très vieilles vignes.

Un beaujolais-villages né d'une parcelle de 1 ha située sur le coteau de Saint-Julien, commune où le domaine est établi, et d'une vendange égrappée, avec passage sous bois. Le séjour de six mois en fût n'est guère perceptible dans ce vin à la robe profonde et au nez expressif, mêlant les fruits rouges et noirs très mûrs. La bouche est très concentrée, charpentée, parfaitement équilibrée. ⧗ 2016-2020 🍴 coq au vin

⊶ DANIEL BOUCHACOURD, lieu-dit Espagne, 69640 Saint-Julien, tél. 06 30 94 07 19, bouchacourd-daniel@neuf.fr r.-v. 3

♥ DOM. DU BREUIL 2015 ★★

■ | 1500 | | 5 à 8 €

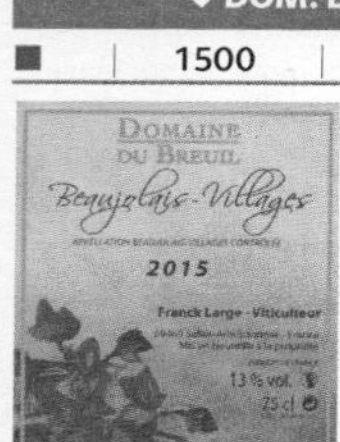

Des générations de métayers se sont succédé sur l'exploitation avant que Franck Large, d'abord vigneron sous ce même statut, ne devienne propriétaire du domaine. Établi à 100 m du superbe prieuré roman de Salles-Arbuissonnas, le domaine compte aujourd'hui 12,5 ha en beaujolais-villages, avec des parcelles en brouilly.

Une vinification traditionnelle beaujolaise a été mise en œuvre par Franck Large pour obtenir ce beaujolais-villages d'une remarquable élégance. Le nez est délicatement floral et fruité. Après une attaque franche, la bouche se déploie avec finesse, ampleur et persistance, étayée par une puissante charpente tannique. Les arômes évoquent les fruits rouges et noirs. De la profondeur. ⧗ 2016-2021 🍴 volaille rôtie

⊶ FRANCK LARGE, 197, rue du Breuil, 69460 Salles-Arbuissonnas, tél. 04 74 60 51 00, francklarge@domainedubreuil.fr V r.-v.

DOM. BURNICHON Harmony 2014

■ | 3500 | | 5 à 8 €

Représentant la troisième génération, Daniel et Marie-Claude Burnichon exploite ce vignoble familial depuis 1976. Des vignes d'un âge respectable (cinquante ans), cultivées sur 2 ha de sols granitiques.

Issu d'une macération semi-carbonique de huit jours, ce 2014 offre un nez discret, mêlant les fruits rouges et le cassis. Beaucoup plus aromatique en bouche, intensément fruité, il bénéficie de tanins élégants et caressants, un peu plus fermes en finale. ⧗ 2016-2019 🍴 paupiettes de veau

⊶ MARIE-CLAUDE BURNICHON, 914, rte de Varennes, 69430 Quincié-en-Beaujolais, tél. 06 87 34 67 88, daniel.burnichon@orange.fr V r.-v.

DOM. ANDRÉ COLONGE ET FILS 2015 ★★★

■ | 53000 | 5 à 8 €

Ici, on est vigneron de père en fils depuis 1789. Serge Colonge, qui a pris la suite de son père André, travaille avec la génération suivante, celle de Samuel et de Landry (arrivé en 2006). Le trio exploite un vaste domaine de 35 ha, sur quatre appellations et deux crus, fleurie et brouilly.

Une vinification semi-carbonique avec une macération de plus de dix jours pour ce vin salué pour sa richesse, qui s'est placé sur les rangs au moment du vote pour un coup de cœur. Des arômes francs de fruits noirs, cassis en tête, nuancés de notes de fruits secs, se succèdent au nez. La bouche est particulièrement ample, riche et charpentée – «une énorme structure». Si le millésime n'est pas étranger à cette réussite, il faut souligner le travail du domaine. Un réel potentiel de garde pour l'appellation. ⧗ 2017-2021 🍴 entrecôte ■ Brouilly **Gorge de Loup 2014 ★ (5 à 8 €; 15600 b.)** : un 2014 très bien réussi: nez intense de fruits frais, où ressort la framboise, nuancé de violette, et bonne vivacité en bouche. ⧗ 2017-2020 🍴 potée

⊶ DOM. ANDRÉ COLONGE ET FILS, rue des Terres-Dessus, 69220 Lancié, tél. 04 74 04 11 73, contact@domaine-andre-colonge-et-fils.com V t.l.j. 9h-12h 14h-19h; dim. sur r.-v.

DOM. DE LA CROIX SAUNIER Sélection Vieilles Vignes 2014 ★

■ | 1200 | | 5 à 8 €

Installé en 1974 sur l'exploitation familiale, à l'ouest de Villefranche-sur-Saône, Jean-Jacques Dulac est à la tête de 10,6 ha, un beau patrimoine de vieilles vignes, dont certaines sont centenaires. À sa carte, du beaujolais et du beaujolais-villages.

Un 2014 au nez friand, entre fruits rouges frais et fruits noirs. Franc à l'attaque, fruité, il ne manque pas de potentiel, comme en témoigne sa bouche structurée et persistante. Les tanins, un peu fermes, demandent à se fondre. ⧗ 2017-2021 🍴 onglet grillé

⊶ JEAN-JACQUES DULAC, 188, rue des Bruyères, 69640 Denicé, tél. 04 74 67 34 00, jj.dulac@wanadoo.fr V t.l.j. 8h-20h

GÉRARD CROZET Vieilles Vignes 2015 ★★★

■ | 1200 | | 5 à 8 €

Gérard Crozet a pris en 1994 la suite des deux générations précédentes à la tête de l'exploitation familiale, implantée à Salles-Arbuissonnas. Le vignoble couvre 8 ha dans l'aire des beaujolais-villages.

Des vignes âgées de soixante-quinze ans sont à l'origine de cette cuvée alliant richesse et maturité sans aucune lourdeur. Des arômes de fruits noirs (myrtille) légèrement confiturés s'expriment au nez. Au palais, les tanins sont à la fois fins et denses. ⧗ 2017-2021 🍴 côte de veau

⊶ EARL GÉRARD CROZET, La Folie, chem. de la Météorite, 69460 Salles-Arbuissonnas, tél. 04 74 67 58 30, gecrozet@wanadoo.fr V t.l.j. sf dim. 10h-12h 13h30-18h

MICHÈLE ET FRANÇOIS DESCOMBES Les Millerands 2015 ★

■ | 8000 | | 5 à 8 €

Quatre générations se sont succédé sur cette propriété fondée en 1920, dotée d'une cave voûtée et de foudres de bois. François Descombes, à son installation en 1978, s'est bien gardé de jeter le vieux pressoir Marmonier à cliquet qui lui permet de réaliser des pressurages doux. Il exploite 8 ha en beaujolais-villages et en moulin-à-vent.

Cette cuvée est issue de vieilles vignes qui produisent de petits raisins appelés millerands: la promesse d'une vendange plus concentrée. Ces baies ont engendré un vin au nez puissant de fruits noirs, mûre et cassis en tête, et à la bouche gourmande, structurée par des tanins serrés, encore un peu sévères en finale. ⧗ 2017-2020 🍴 paupiettes de veau

MICHÈLE ET FRANÇOIS DESCOMBES, 428, chem. de Bel-Air, 69430 Lantignié, tél. 06 67 75 39 55, descombesfrancois@orange.fr V r.-v.

GEORGES DUBŒUF Cœur de Presse 2015 ★★★

■	22400		5 à 8 €

Rejoint par Franck, Georges Dubœuf est toujours à la tête de l'affaire de négoce-éleveur qu'il a créée en 1964 et qui a largement contribué à la notoriété du Beaujolais. La société travaille avec de nombreux vignerons et coopératives et réalise 75 % de son chiffre d'affaires à l'international. Georges Dubœuf est aussi pionnier en matière d'œnotourisme avec son œonoparc (Hameau Georges Dubœuf) aménagé en 1993 dans l'ancienne gare de Romanèche-Thorins.

Une fois la fermentation terminée les raisins sont pressés. C'est le jus de presse qui s'écoule, le plus qualitatif, appelé « paradis » en Beaujolais. Il a été sélectionné par la maison pour obtenir ce vin aux arômes très expressifs de sirop de cassis et de griotte et au palais puissant, concentré et équilibré. ⧗ 2016-2020 🍴 jambon braisé ■ Juliénas **Ch. des Capitans 2014 ★★ (8 à 11 €; 15800 b.)** : issue d'un vignoble de près de 7 ha implanté au lieu-dit des Capitans, cette cuvée a bénéficié pour 20 % des volumes d'un élevage de dix mois en fût de chêne. Le boisé est perceptible à la dégustation, mais subtil et bien fondu. Il s'exprime par des nuances de vanille et de noisette, associées à une matière fondue et patinée. ⧗ 2016-2019 🍴 entrecôte grillée

LES VINS GEORGES DUBŒUF, 208, rue de Lancié, 71570 Romanèche-Thorins, tél. 03 85 35 34 20, gduboeuf@duboeuf.com V *t.l.j 10h-18h*

GÉRARD DUCROUX 2015 ★

■	3200		5 à 8 €

Ses ancêtres se sont établis au début du XIXᵉs. le long de l'ancienne voie romaine Lyon-Autun. Installé en 1977 avec quelques vignes en morgon et en villages, Gérard Ducroux cultive aujourd'hui 8,5 ha et partage son cuvage avec son fils qui se prépare à lui succéder.

Une robe intense et profonde; un nez franc, tout aussi intense, sur les fruits rouges, cerise en tête. Cette présence se retrouve au palais, où ce vin se distingue par sa puissance, sa structure tannique serrée et sa longueur. ⧗ 2017-2020 🍴 rôti de bœuf

GÉRARD ET MIREILLE DUCROUX, Saint-Joseph-en-Beaujolais, 69910 Villié-Morgon, tél. 04 74 69 90 14, gducroux@wanadoo.fr V *r.-v.*

CH. D'ÉMERINGES
Vieilles Vignes 2014

■	4000		5 à 8 €

Les sombres toitures d'ardoise du château d'Émeringes, de style Napoléon III, tranchent sur l'ocre des toits des maisons paysannes tapies à son pied. Ingénieur agronome et œnologue, Pierre David, son propriétaire, exploite 15,3 ha sur des pentes aux sols de sable granitique, bien exposées au sud-est.

Des senteurs délicates de fleurs du verger, de pêche blanche et des touches minérales montent du verre. D'une belle vivacité, la bouche évoque davantage les agrumes, citron et pamplemousse. Pour ouvrir l'appétit. ⧗ 2016-2019 🍴 feuilletés au saumon

PIERRE DAVID, Ch. d'Émeringes, au bourg, 69840 Émeringes, tél. 09 61 58 18 40, chateau-emeringes@orange.fr V *r.-v.* E

DOM. DES GRANDES BRUYÈRES 2015 ★★

■	24000		5 à 8 €

Jean-Pierre Teissèdre exploite une bonne vingtaine d'hectares. En Beaujolais, il exploite le domaine des Grandes Bruyères, siège de l'exploitation, et celui des Vieilles Cadoles, en morgon. En Mâconnais, il a acquis le domaine des Teppes de Chatenay. Tous ces vignobles sont conduits en bio certifié.

Une robe profonde, aux reflets violets, à laquelle répond un nez intense et complexe, sur les fruits mûrs et la crème de cassis. Ample, puissante et concentrée, étayée par des tanins encore marqués, la bouche laisse envisager une bonne évolution en cave. De la présence. ⧗ 2017-2021 🍴 rôti de veau aux champignons

JEAN-PIERRE TEISSÈDRE, 69460 Saint-Étienne-des-Oullières, tél. 04 74 03 48 02, jp-teissedre.earl@wanadoo.fr V *t.l.j. 9h-12h 14h-18h; dim. sur r.-v.* 5

DOM. DE LA GRANGE MÉNARD
Coteaux des Pierres rouges 2015 ★

■	10000		5 à 8 €

Succédant à deux générations de vignerons, Guy et Evelyne Pignard débutent en 1983 avec 2 ha de vignes. Ils en exploitent aujourd'hui 27, après avoir pris la suite des parents de Guy sur leurs deux domaines: la Grange Ménard, près de Villefranche-sur-Saône, qui fournit des appellations régionales; et le domaine de Tempéré, à Chiroubles. Ce dernier vit naître l'ampélographe Victor Pulliat, qui y mena des recherches contre le phylloxéra.

Une belle cuvée issue de près de 3 ha, qui offre dès aujourd'hui beaucoup de plaisir à la dégustation. Par sa fraîcheur, son élégance et ses notes de fruits rouges et noirs, elle fait honneur au cépage gamay. ⧗ 2016-2019 🍴 saucisson brioché ■ **Dom. de Tempéré 2015 ★ (5 à 8 €; 5000 b.)** : une cuvée issue d'un hectare et demi de vignes de soixante ans. Discret au nez, ce vin ample et chaleureux, étayé par de puissants tanins, apparaît doté d'un bon potentiel de garde. ⧗ 2017-2021 🍴 bavette à l'échalote ■ Chiroubles **2015 (5 à 8 €; 8200 b.)** : vin cité.

ÉVELYNE ET GUY PIGNARD, Dom. de la Grange-Ménard, 69400 Arnas, tél. 04 74 62 87 60, pignard.guy@orange.fr V *r.-v.*

DOM. DU GUELET Subtils Vieilles Vignes 2015 ★

■	11000		5 à 8 €

Installés depuis 1994 à Rivolet, à l'ouest de Villefranche-sur-Saône, Christine et Didier Puillat ont constitué un vignoble qui compte aujourd'hui 11 ha, implanté sur les terrains granitiques (beaujolais-villages) et sur des

argilo-calcaires (beaujolais); ils élaborent leurs vins dans une cave voûtée en pierres dorées typique du Beaujolais, datant de 1791.

Bien nommée, c'est la cuvée principale du domaine (6 ha) et elle présente un profil agréable dès aujourd'hui. D'attaque franche, la bouche offre une texture fine, adossée à des tanins enrobés. Le fruit rouge frais s'exprime avec intensité. ⧗ 2016-2019 🍴 rôti de veau

⊶ CHRISTINE ET DIDIER PUILLAT, Le Fournel, 69640 Rivolet, tél. 04 74 67 34 05, domaine.du.guelet@free.fr V ⚑ ▪ *r.-v.*

RICHARD JAMBON Cuvée 12 M 2014 ★★

■	1450	◍	11 à 15 €

Richard Jambon représente la quatrième génération au domaine de la Paillardière, fondé en 1825 dans la partie nord du Beaujolais. Installé en 1997, il a élargi la palette des crus du domaine, qui sur 11 ha propose désormais, outre les appellations régionales, du morgon, du moulin-à vent et du brouilly.

Un nom énigmatique pour cette cuvée: 12 M. Entendre: douze mois en fût de chêne. Un élevage dont a su pleinement profiter ce joli beaujolais blanc, qui ne dévoile pas pour autant un boisé ostentatoire, se contentant d'offrir un nez complexe, entre agrumes et fleurs blanches. Une fraîcheur et une pureté qui se confirment en bouche. ⧗ 2016-2021 🍴 ravioles de chèvre frais

⊶ RICHARD JAMBON, La Condemine, 69220 Corcelles-en-Beaujolais, tél. 04 74 06 40 24, richard.jambon1@numericable.com V ⚑ ▪ *r.-v.*

VINCENT LACONDEMINE Tradition 2014 ★

■	7000	🛢	5 à 8 €

Les Lacondemine sont vignerons de père en fils en Beaujolais depuis 1876. Georges Lacondemine crée l'exploitation actuelle en 1962. À son décès en 1978, son fils Vincent en reprend les rênes. Il exploite aujourd'hui un vignoble de 3 ha.

Des vignes d'un demi-siècle et une macération semi-carbonique de dix jours ont engendré cette cuvée tout en fruits rouges acidulés, à la bouche fraîche et d'une belle finesse, construite sur des tanins soyeux. ⧗ 2016-2019 🍴 saucisson cuit

⊶ VINCENT LACONDEMINE, Le Moulin, 69430 Beaujeu, tél. 04 74 04 82 77, vincent.lacondemine@wanadoo.fr V ⚑ ▪ *t.l.j. 8h-13h 15h-19h30; f. 10-25 août*

CÉDRIC ET PATRICE MARTIN Les Petites Gagères 2014 ★★

■	2400	🛢	5 à 8 €

Cédric et Patrice Martin exploitaient leurs vignes individuellement avant de décider en 2012 de mutualiser leurs structures viticoles respectives, au départ à la retraite de leurs parents Sylvaine et Jean-Jacques. Ils ont ainsi créé un domaine de 12 ha de vieilles vignes de chardonnay et de gamay, qui propose des vins du Mâconnais et du Beaujolais.

Les ceps de gamay à l'origine de ce 2014 ont soixante ans. Avec ses notes d'épices, de torréfaction et de fruits noirs frais, le nez fait preuve d'une belle profondeur et d'une grande complexité. La bouche n'est pas en reste, franche à l'attaque, ronde, de bonne longueur, marquée en finale par un retour des fruits noirs. ⧗ 2016-2019 🍴 sauté de veau ■ Juliénas **Cédric et Patrice Martin 2014 (8 à 11 €; 4000 b.)** : vin cité.

⊶ SCEV CÉDRIC ET PATRICE MARTIN, 192, rte du Stade, Les Verchères, 71570 Chânes, martinpatris@club-internet.fr V ⚑ ▪ *r.-v.*

JULIEN ET CHLOÉ MATHON-GOBIRA Manganese 2015 ★

■	4800	🛢	5 à 8 €

Six générations se sont succédé sur cette exploitation créée en 1873 à Saint-Julien, au nord-ouest de Villefranche-sur-Saône, et conduite depuis 2013 par Julien et Chloé Mathon-Gobira. Le vignoble s'étend sur 6 ha en beaujolais et en beaujolais-villages.

Des vignes de soixante-cinq ans plantées sur schiste et granite sont à l'origine de cette cuvée qui laisse percevoir d'emblée sa profondeur et son intensité. Des senteurs puissantes de fruits noirs se déploient au nez et se confirment en bouche, au sein d'une matière à la fois ronde, acidulée et structurée, dont la finale gagnera à s'arrondir. ⧗ 2017-2020 🍴 andouillette

⊶ JULIEN MATHON, 87, ch. de la Roche, 69640 Saint-Julien, tél. 06 65 32 56 93, pourjulien@orange.fr V ⚑ ▪ *r.-v.*

CH. DE POUGELON 2015 ★

■	25000	5 à 8 €

Le château de Pougelon est situé à Quincié-en-Beaujolais, sur le terroir des beaujolais-villages, à l'ouest du mont Brouilly.

Le nez livre de discrètes notes de fruits noirs bien mûrs. Une réserve qui n'empêche pas de percevoir la profondeur aromatique de cette cuvée. Les tanins font preuve d'une grande finesse, laissant une sensation veloutée et gourmande. Et ce 2015 offre de la fraîcheur qui équilibre ses rondeurs. ⧗ 2016-2020 🍴 terrine de gibier

⊶ CH. POUGELON, 403, rte de Saint-Vincent, 69430 Quincié-en-Beaujolais, tél. 04 74 69 09 61

DOM. CHRISTOPHE RENARD 2015 ★★

■	5000	🛢	5 à 8 €

Fils et petit-fils de vigneron, Christophe Renard exploite 12 ha au sein du vaste vignoble du château de la Carelle (120 ha). Il y est métayer, c'est-à-dire qu'il donne la moitié de sa récolte au comte Durieu de la Carelle, à l'instar de onze autres collègues. Il commercialise le reste sous son nom.

Deux hectares de vignes âgées de soixante-dix ans ont livré un vin au nez de confiture de mûres, de fruits noirs et d'épices et au palais puissant, ample et opulent: toutes les qualités du millésime 2015. ⧗ 2017-2021 🍴 pigeon rôti ■ **Fût de chêne 2014 ★ (5 à 8 €; 1000 b.)** : une vendange égrappée et un élevage en fût pendant douze mois. Le chêne ne transparaît guère dans le vin où la fraîcheur du gamay s'exprime avec droiture en bouche comme au nez. ⧗ 2016-2019 ¥ civet de lapin

⊶ *CHRISTOPHE RENARD, 361, La Carelle, 69460 Saint-Étienne-des-Oullières, tél. 06 88 56 69 49, renard-christophe@orange.fr* V *t.l.j. sf dim. 9h-12h 15h-20h; f. 1-20 août* ⊶ *GFA La Carelle*

CAVE DE SAINT-JULIEN 2015 ★★★

■	6000		5 à 8 €

Créée en 1988, cette coopérative vinifie aujourd'hui 287 ha. Petite structure, comme on en voit de moins en moins, elle voit cependant augmenter les surfaces dont elle dispose. Une cave régulièrement en vue dans ces pages.

Avec son nez de cerise très mûre agrémenté d'une pointe épicée, ce vin se montre plaisant dès la première approche. En bouche, il enchante par sa texture ronde et ses tanins fondus qui lui donnent un caractère particulièrement gourmand. Proposé pour un coup de cœur, un 2015 très flatteur et tout en fruit, qui confirme la qualité de cette cave. ⧗ 2017-2021 ¥ tournedos ■ Brouilly **2015 ★★ (5 à 8 €; 2000 b.)** : une remarquable réussite pour la cave avec cette petite cuvée de brouilly provenant de 44 ares de vieilles vignes; un vin à la texture soyeuse et au nez épicé, sur le poivre et le thym. ⧗ 2016-2019 ¥ fricassée de lapin

⊶ *CAVE COOPÉRATIVE DE SAINT-JULIEN, 45, rue du Cep, 69640 Saint-Julien, tél. 04 74 67 57 46, cave.stjulien@wanadoo.fr* V *r.-v.*

DOM. DE THULON 2015 ★

■	8000		8 à 11 €

Métayers du château de Thulon pendant vingt ans, René et Annie Jambon ont acheté en 1987 les terres qu'ils travaillaient. En 2002, leurs enfants les ont rejoints: Laurent, œnologue, et Carine, qui travaille à la commercialisation. Le domaine, agrandi, compte 17 ha en morgon, chiroubles et beaujolais-villages.

Plantés sur un peu moins d'un hectare, il y a treize ans, les chardonnays ont donné naissance à un vin aux notes minérales et citronnées d'une belle subtilité. Une délicatesse que l'on retrouve en bouche avec longueur et fraîcheur. ⧗ 2016-2019 ¥ gougères

⊶ *CARINE ET LAURENT JAMBON, 2, chem. de Thulon, 69430 Lantignié, tél. 04 74 04 80 29, carine@thulon.com* V *r.-v.*

▶ BROUILLY ET CÔTE-DE-BROUILLY

Superficie : 1 597 ha / Production : 71 188 hl

Deux appellations placées sous la protection de la colline de Brouilly où s'élève une chapelle construite sous le Second Empire et dédiée à la Vierge pour implorer sa protection des vignes contre l'oïdium. Le vignoble de l'AOC côte-de-brouilly, installé sur les pentes du mont, repose sur des granites et des schistes très durs, vert-bleu, dénommés «cornes-vertes» ou diorites. Cette montagne serait un reliquat de l'activité volcanique du primaire, à défaut d'être, selon la légende, le résultat du déchargement de la hotte d'un géant ayant creusé la Saône... La production est répartie sur quatre communes: Odenas, Saint-Lager, Cercié et Quincié. L'appellation brouilly, elle, ceinture la montagne en position de piémont. Elle s'étend sur les communes déjà citées et déborde sur Saint-Étienne-la-Varenne et Charentay; sur la commune de Cercié se trouve le terroir bien connu de la Pisse-Vieille.

BROUILLY

Superficie : 1 300 ha / Production : 66 450 hl

DOM. DU BARVY Élevé en fût de chêne 2014 ★

■	1000		8 à 11 €

Dominique Bouillard a pris en 1982 les rênes de l'exploitation familiale implantée au sud du mont Brouilly. Elle exploite seule 7,6 ha de vignes et élabore des vins en appellations brouilly, côte-de-brouilly et beaujolais-villages (dans les trois couleurs).

Cette cuvée a été élevée pendant sept mois en fût de chêne après une vinification semi-carbonique. Elle garde l'empreinte du chêne mais le boisé, délicat, laisse au premier plan le fruit, qui s'exprime sur des notes de prune. La bouche est généreuse et fondue. ⧗ 2016-2019 ¥ fricassée de canard

⊶ *DOM. DU BARVY, 289, rte de la Chaize, 69460 Odenas, tél. 06 08 23 01 42, domaine.du.barvy@gmail.com* V *r.-v.* ⊶ *Mme Bouillard*

DOM. DE BEL-AIR Briante 2015 ★

■	25000		8 à 11 €

Dans la famille Lafont depuis plusieurs générations, cette propriété perchée sur la colline de Bel Air domine la vallée de l'Ardières: des bâtiments de granite bleu construits en 1849, des caves voûtées et un vignoble de 24 ha, avec des parcelles dans cinq crus. À sa tête depuis 1986, Jean-Marc Lafont a créé une structure de négoce à son nom pour compléter sa gamme.

Issue de vignes de quarante ans, la cuvée traditionnelle du domaine a été vinifiée après un égrappage partiel des raisins. Sa palette aromatique est d'une belle fraîcheur, sur les fleurs et les fruits rouges. Une fraîcheur que l'on retrouve dans une bouche étoffée, de belle longueur. ⧗ 2017-2021 ¥ poule faisane rôtie

⊶ *JEAN-MARC ET ANNICK LAFONT, Dom. de Bel-Air, 69430 Lantignié, tél. 04 74 04 82 08, jmlafont@dombelair.com* V *r.-v.*

GILBERT CHETAILLE 2014 ★★

■	3500		5 à 8 €

Établi à l'ouest du mont Brouilly, Gilbert Chetaille a repris en 2005 le domaine familial avec l'ambition de vendre du vin à la propriété. Il a agrandi en 2010 son exploitation, laquelle atteint 7,5 ha aujourd'hui. Quatre crus figurent à sa carte: brouilly, côte-de-brouilly, moulin-à-vent et morgon.

D'une couleur soutenue, un 2014 agréable, croquant, à la fois ample et frais, où les fruits noirs, cassis et mûre, jouent les premiers rôles. Un caractère minéral en finale lui ajoute un surcroît de personnalité. ⧗ 2016-2019 🍷 entrecôte marchand de vin ■ Côte-de-brouilly **2014** ★ (5 à 8 €; **4400 b.**) : une belle cuvée qui privilégie la fraîcheur et l'harmonie aux dépens de la puissance. Les tanins sont fondus et l'on trouve une pointe de minéralité également perçue dans le brouilly du même millésime. ⧗ 2016-2019 🍷 lapin en cocotte

⊶ GILBERT CHETAILLE,
1041, rte des Hauts-de-Chavanne,
69430 Quincié-en-Beaujolais,
tél. 06 73 58 86 17,
gilbert.chetaille@orange.fr V 🚶 ! *r.-v.*

DOM. CHEVALIER-MÉTRAT 2014 ★

■ | 4500 | 🍾 | 5 à 8 €

Exploité en métayage à partir de 1956 par Michel Chevalier, ce domaine a été acquis en 1987 par sa fille Marie-Noëlle et son époux Sylvain Métrat. Leurs 12 ha de vignes couvrent le versant sud de la colline de Brouilly.

Avec son nez riche et aromatique, sur le fruit confit rehaussé d'une pointe de réglisse, cette cuvée affirme haut et fort son appartenance au terroir de Brouilly. La bouche est ronde et bien équilibrée. ⧗ 2017-2021 🍷 fricassée de volaille

⊶ SYLVAIN MÉTRAT,
374, chem. du Roux,
69460 Odenas, tél. 04 74 03 50 33,
domainechevaliermetrat@wanadoo.fr V 🚶 ! *r.-v.*

♥ DOM. DES CHEVALIERS 2015 ★★

■ | 42600 | 5 à 8 €

Rebaptisée Les Vins Aujoux, l'ancienne Société vinicole beaujolaise a étendu son rayon d'action au cours du siècle dernier en s'alliant avec d'autres sociétés (Jacques Depagneux, Joannès Chanut). Elle propose des vins du Mâconnais et du Beaujolais en provenance de domaines partenaires.

Discrètes mais d'une grande pureté, des fragrances de fleurs et de mûre s'échappent du verre. La bouche, d'une rare persistance, est construite sur des tanins d'une finesse remarquable. La puissance et la suavité propres aux 2015 sont sensibles, mais sans lourdeur. De la matière, du fond, de l'élégance: un excellent ambassadeur de l'appellation et du millésime. ⧗ 2017-2021 🍷 lapin chasseur ■ **Belle Grâce 2015** ★ (5 à 8 €; **100000 b.**) : un brouilly harmonieux et plein, au nez charmeur, entre rose et cerise noire. Une petite fermeté tannique en finale incite à la patience. ⧗ 2018-2021 🍷 bœuf bourguignon ■ Moulin-à-vent **Belle Grâce Le Plaisir... et vous ? 2015 (5 à 8 €; 60000 b.)** : vin cité.

⊶ JOANNÈS CHANUT,
La Bâtie, 71570 La Chapelle-de-Guinchay,
tél. 03 85 23 83 50, aujoux@aujoux.fr

CLOS DE PONCHON Pisse-Vieille 2014 ★

■ | 13500 | 5 à 8 €

Florent Dufour s'est installé en 1998 sur le domaine familial qu'il n'a eu de cesse d'agrandir. Il dispose aujourd'hui d'une coquette exploitation de 18 ha avec six crus à sa carte (chiroubles, morgon, brouilly, morgon, moulin-à-vent et régnié, ce dernier représentant 8 ha).

Des notes surprenantes de pêche et d'abricot s'expriment avec finesse et intensité au nez. La bouche se montre charpentée par de solides tanins, dont la fermeté ne nuit pas à l'harmonie d'ensemble de cette cuvée: on lui laissera un peu de temps pour s'arrondir. ⧗ 2017-2021 🍷 bavette grillée

⊶ DOM. DUFOUR PÈRE ET FILS,
Ponchon, 69430 Régnié-Durette, tél. 04 74 04 35 46,
florent-dufour@wanadoo.fr V 🚶 ! *r.-v.*

COLLIN-BOURISSET
Les Terres bleues 2015 ★★

■ | 20000 | 11 à 15 €

Établie à l'extrémité sud du Mâconnais, cette maison de négoce bien connue a pignon sur rue depuis 1821. Elle sélectionne des cuvées parmi les appellations mâconnaises et beaujolaises. Elle est aujourd'hui très implantée sur les marchés lointains, comme la Chine.

Ce brouilly fait une très belle synthèse entre concentration, fruit et équilibre. Au nez, qui allie la cerise, la griotte et les fruits noirs. Et en bouche, qui concilie rondeur et fraîcheur. Le plaisir est pour aujourd'hui, et aussi pour demain. ⧗ 2016-2021 🍷 ragoût de queue de bœuf ■ Beaujolais-villages **Dom. des Hospices civils de Lyon 2015 (8 à 11 €; 10000 b.)** : vin cité.

⊶ COLLIN-BOURISSET, 1846, rte Nationale 6,
71570 La-Chapelle-de-Guinchay, tél. 03 85 36 57 25,
bienvenue@collinbourisset.com
V ! *t.l.j. sf sam. dim. 9h-12h 14h-17h; f. août*
⊶ Xavier Barbet

DOM. DE COLONAT Clos Reisser 2015 ★★

■ | 6000 | 🍾 | 8 à 11 €

Les Collonge cultivent la vigne depuis le XVIIᵉs. En 1828, un ancêtre, ancien maréchal ferrant, achète le domaine actuel. Conduite depuis 1977 par Bernard et Christine Collonge, rejoints en 2009 par leur fils Thomas, l'exploitation familiale s'étend sur 16 ha, avec des parcelles en morgon, fleurie, chiroubles, régnié, moulin-à-vent et brouilly.

Après égrappage et vinification, ce 2015 a été élevé en cuve pour garder le fruit du gamay. L'objectif est atteint, puisqu'il se distingue par ses intenses parfums de fruits noirs, de prune et d'épices, qui se prolongent dans une bouche ample, concentrée, de belle longueur. ⧗ 2017-2021 🍷 pavé de bœuf au poivre

⊶ DOM. DE COLONAT,
Bernard et Thomas Collonge, Saint-Joseph,
69910 Villié-Morgon, tél. 04 74 69 91 43,
thomas@domaine-de-colonat.fr
V 🚶 ! *t.l.j. sf dim. 8h-17h30*

FLORENCE ET DIDIER CONDEMINE
Pisse-Vieille 2015 ★

■ | 10000 | | | 5 à 8 €

À la suite des deux générations précédentes, Florence et Didier Condemine, installés en 1991, exploitent un vignoble appartenant pour l'essentiel aux Hospices de Beaujeu. Leur domaine couvre aujourd'hui 12,5 ha et leur permet de proposer du régnié et du brouilly, une cuvée de morgon et du beaujolais-villages rosé.

C'est la cuvée principale du domaine et c'est une réussite. Le nez se dévoile avec une belle intensité sur des notes de fruits noirs et une touche kirschée. On retrouve ces arômes dans un palais rond, fondu et bien équilibré, à la finale soyeuse. ⧗ 2016-2021 🍴 tablier de sapeur

EARL FLORENCE ET DIDIER CONDEMINE, La Martingale, 69220 Cercié, tél. 04 74 66 72 24, didier.condemine@wanadoo.fr V *r.-v.*

JEAN-CHARLES DUFOUR
Cuvée Fût de chêne 2014 ★

■ | 1500 | | | 5 à 8 €

Un domaine de 9 ha principalement situé en appellation brouilly. Installé en 1999, Jean-Charles Dufour s'est découvert une vocation de vigneron à quatorze ans en séjournant chez un cousin viticulteur qui lui a appris le métier.

Ce brouilly a séjourné pendant six mois en fût. Le chêne apporte des notes raffinées d'épices et de vanille, sans étouffer le fruit. En bouche, le vin, étoffé et rond, a parfaitement assimilé le bois; les notes d'élevage y accompagnent des nuances persistantes de fruits mûrs. ⧗ 2016-2021 🍴 côtes d'agneau grillées

JEAN-CHARLES DUFOUR, 690, rte de Polanche, 69220 Saint-Lager, tél. 04 74 66 81 79, jean-charles.dufour@wanadoo.fr V *r.-v.*

PHILIPPE DUPOND Côtes de Nervers 2015 ★★

■ | 18000 | | 8 à 11 €

Une maison de négoce établie à Cercié-en-Beaujolais, qui propose une large gamme de crus de la région. Hervé Dupond est à sa tête.

Un vin qui demande à se patiner car la finale est un peu ferme. Tous les éléments d'une future belle bouteille sont réunis: la complexité et l'élégance de la palette aromatique (myrtille, cassis), la finesse de la texture et la longueur. ⧗ 2017-2021 🍴 rôti de porc

PHILIPPE DUPOND, Côtes de Nervers, Garanche, 69220 Charentay, tél. 04 74 66 77 80, p.dupond@sfr.fr

DOM. DE LA GARENNE 2015 ★

■ | 25000 | | | 5 à 8 €

Marc Goguet s'est installé en 1971 au sud-est du mont Brouilly, créant un domaine qui atteint aujourd'hui les 24 ha et dont la gestion est à présent assurée par sa fille Isabelle.

Le nez est intense, explosif même, panier de petits fruits rouges et noirs, avec une touche florale. Après une très belle attaque, le vin se déploie avec puissance et persistance, étayé par des tanins un peu fermes en finale. ⧗ 2017-2021 🍴 entrecôte

EARL MARC GOGUET, Dom. de la Garenne, 69220 Charentay, tél. 04 74 03 48 32, contact@domaine-goguet.com V *r.-v.*

DOM. DU GRAND FOUDRE
Élevage traditionnel 2015 ★

■ | 24000 | | | 5 à 8 €

La cave voûtée de ce domaine viticole remonte à 1770; elle abrite de vieux foudres des années 1920 (pour les plus anciens), soigneusement entretenus par la quatrième génération de viticulteurs à la tête de la propriété. Le vignoble couvre 10 ha en brouilly et côte-de-brouilly.

Un vin élevé en foudre, évidemment. Au nez, des notes gourmandes et suaves de caramel et de miel se mêlent à des senteurs fruitées. La mise en bouche dévoile une matière élégante, raffinée, qui offre aussi de la densité, avec une structure tannique bien présente. Un ensemble harmonieux. ⧗ 2016-2020 🍴 filet mignon de porc au miel

DOM. DU GRAND FOUDRE, Les Sigaux, 69460 Odenas, domrollandsigaux@orange.fr V *t.l.j. sf dim. 9h-19h Rolland-Sigaux*

CH. DE GRANDMONT 2014

■ | 4500 | | | 8 à 11 €

Domaine d'un seul tenant, d'origine monastique, exploité de longue date par les Brac de La Perrière, notables lyonnais très investis dans le vignoble beaujolais. Il est géré depuis 1992 par Jean Brac de La Perrière, propriétaire-récoltant, épaulé par Laurent Santailler et Christopher Piper, œnologue britannique. En bio certifié depuis 2015.

Des vignes de cinquante ans, des raisins égrappés et une macération de près de deux semaines pour ce vin au nez élégant de fruits noirs, rehaussé d'une touche florale. Dans le même registre aromatique, la bouche est expressive et fraîche, de bonne longueur. Un beau représentant du millésime 2014. ⧗ 2016-2021 🍴 brie de Meaux

CH. DE GRANDMONT, 337, imp. de Grammont, 69460 Blacé, tél. 04 74 67 59 04, laurentsantailler@chateaudegrandmont.com V *t.l.j. sf dim. 8h-12h 14h-18h Jean Brac de la Perrière*

DOM. DE LA GRUME Grain d'Expression 2014

■ | 3000 | | 8 à 11 €

Nicolas Boudeau a repris en 2006, au sud du mont Brouilly, une exploitation de 6 ha qui lui permet un travail artisanal. Il produit deux cuvées de brouilly et du beaujolais-villages.

Pour élaborer ce vin issu de vignes de soixante-dix ans, Nicolas Boudeau a pratiqué une vinification à la bourguignonne avec un égrappage de la moitié des raisins et des pigeages. Complexe au nez, tout en rondeur, lisse et soyeux, ce 2014 offre aussi une bonne longueur. ⧗ 2016-2019 🍴 paupiettes de veau

NICOLAS BOUDEAU, 375, rte des Jacquets, 69460 Odenas, tél. 04 74 03 13 85, nicolas-boudeau@orange.fr V *r.-v.*

AGNÈS ET PIERRE-ANTHELME PEGAZ
Plaisirs de Pégase 2014 ★

■ | 5000 | | 5 à 8 €

Propriété créée en 1860 au sud-est du mont Brouilly par l'aïeul Justin Dutraive, vigneron et historien local. Agrandie au fil des générations, elle compte aujourd'hui 10 ha. Après le départ à la retraite en 2009 de Pierre-Anthelme Pegaz, sa conjointe Agnès, biologiste médicale dans une première vie, conduit l'exploitation.

Une cuvaison de dix jours en grappes entières a permis d'obtenir ce brouilly structuré et puissant. Des qualités plutôt rares dans le millésime 2014. La palette aromatique évoque les fruits à noyau et le kirsch. ⧗ 2016-2021 🍴 volaille rôtie

AGNÈS PEGAZ, 469, rte de Belleville, 69220 Charentay, tél. 04 74 66 82 34, vinspegaz@wanadoo.fr V r.-v.

DOM. DE LA PERDRIX ROUGE 2014

■ | 1450 | | 8 à 11 €

Représentant la quatrième génération sur l'exploitation, Gilles Chanay s'est installé en 1986 comme métayer sur 10 ha. À partir de 2005, il a hérité des vignes de ses parents, si bien qu'il dispose aujourd'hui de 18 ha en beaujolais-villages et brouilly. S'il vend une bonne partie de sa récolte au négoce, il souhaite développer la vente directe.

Né de vignes âgées d'un demi-siècle, un brouilly typé et élégant. Les fruits rouges et des notes florales montent du verre et accompagnent une bouche charnue et longue. ⧗ 2017-2021 🍴 côte à l'os

CHANAY, Le Trève, 150, rte de Buyon, 69460 Saint-Étienne-des-Oullières, tél. 04 27 49 37 64, gilles.chanay@gmail.com V r.-v.

ROBERT PERROUD
L'Enfer des Balloquets 2015 ★★

■ | 30000 | | 11 à 15 €

Héritier d'une lignée de vignerons remontant à la Révolution, Robert Perroud, installé en 1990, au sud du mont Brouilly, cultive 14 ha en viticulture très raisonnée. Avec son frère, il a planté dans la partie sud du Beaujolais des parcelles qu'il conduit en bio certifié.

Surnommé l'« Enfer » par les vendangeurs, le redoutable coteau des Balloquets, avec sa pente à 40 %, a inspiré le nom de cette cuvée. Les coupeurs de raisins pourront se consoler en se disant que leur peine n'a pas été perdue. Le vin s'annonce par d'intenses notes de fraise, de framboise et de fruits noirs. Il montre une remarquable profondeur, une belle structure et de la fraîcheur tout au long de la dégustation. ⧗ 2017-2021 🍴 fricassée de poulet ■ **Saburin Pollen 2014 (11 à 15 €; 5000 b.)** : vin cité.

ROBERT PERROUD, Les Balloquets, 69460 Odenas, tél. 06 15 12 28 42, robertperroud@orange.fr V r.-v.

♥ CH. DE PIERREUX 2015 ★★

■ | 106000 | | 8 à 11 €

Les caves du château de Pierreux, campé au milieu des vignes au sud du mont Brouilly, datent du XVIIᵉs. De son passé médiéval la bâtisse a gardé deux tours, qui lui donnent un cachet gothique. La maison Mommessin (Boisset) exploite les 98 ha de vignes.

Si Alain Dugoujard pratique une vinification semi-carbonique beaujolaise, il égrappe ses raisins à 100 % comme en Bourgogne. Son 2015 a charmé nos dégustateurs, tant par ses arômes de fruits noirs et de cerise bigarreau que par son palais d'un équilibre remarquable, construit sur des tanins fins et enrobés à souhait. ⧗ 2017-2021 🍴 faisan en cocotte ■ **Ch. de Briante 2015 (8 à 11 €; 80000 b.)** : vin cité.

SCEV CH. DE PIERREUX, Pierreux, 69460 Odenas, tél. 04 74 03 18 30, dugoujard.a@chateaudepierreux.com V r.-v.

DOM. DE PONCHON 2015

■ | 5000 | | 5 à 8 €

Yves Durand représente la quatrième génération sur ce domaine qu'il conduit depuis 1983. Établi à Régnié-Durette, il exploite 15 ha et propose trois crus produits de part et d'autre de l'Ardières: du régnié et du morgon au nord de la rivière et du brouilly au sud.

Issu de vignes âgées d'un demi-siècle, ce brouilly demande un peu d'aération pour libérer des notes minérales et épicées. Plus fruité au palais, il dévoile une belle étoffe, encore ferme en finale. ⧗ 2017-2019 🍴 tourte à la viande

YVES DURAND, Les Braves, 69430 Régnié-Durette, tél. 06 86 96 87 26, domainedeponchon@orange.fr V r.-v.

DOM. DE LA ROCHE SAINT-MARTIN 2015 ★

■ | 9000 | | 5 à 8 €

Jean-Jacques Béréziat, bien connu des lecteurs du Guide, a pris en 1979 les commandes de ce domaine situé au pied du mont Brouilly. Il dispose de 10 ha de vignes, dont une partie importante (6,3 ha) sur sables et alluvions nourrit ses vins de Brouilly.

Une fermentation semi-carbonique en vendanges entières assez courtes (8 à 10 jours) a donné ce vin d'une belle finesse aromatique, qui développe des notes de violette tout au long de la dégustation. Sa bouche élégante est au diapason. ⧗ 2016-2019 🍴 magret de canard aux cerises

SCEA JEAN-JACQUES BÉRÉZIAT, 1079, rte de Briante, 69220 Saint-Lager, tél. 04 74 66 85 39, jjbereziat@wanadoo.fr V r.-v.

DOM. ROLLAND 2015 ★

■ | 10000 | 11 à 15 €

La maison Ferraud, créée en 1882, est une affaire familiale de négoce-éleveur, spécialisée en vins du Beaujolais et du Mâconnais, qui se transmet depuis cinq générations.

Le nez d'une belle intensité libère de fines senteurs de mûre et de réglisse, une touche florale ajoutant à sa complexité. La bouche séduit par son élégante fraîcheur, sa structure étoffée et ses tanins enrobés. ⏳ 2016-2020 🍴 pieds de porc panés

P. FERRAUD ET FILS,
31, rue du Mal-Foch, BP 60194,
69823 Belleville Cedex, tél. 04 74 06 47 60,
ferraud@ferraud.com V ▮ *r.-v.*

CELLIER DES SAINT-ÉTIENNE 2015 ★★

■ | 10000 | ▮ | 5 à 8 €

Créée en 1957, cette coopérative est issue de la fusion des caves de Saint-Étienne-des-Oullières et de Saint-Étienne-la-Varenne. Elle reçoit les raisins de 420 ha répartis sur une dizaine de communes. Aux commandes des vinifications, le maître de chai Emmanuel Gaillard.

Une macération préfermentaire à chaud et un égrappage à 70 % a permis d'obtenir ce brouilly qui a suscité un concert d'éloges. On aime la robe très sombre, et plus encore la complexité de son nez, centré sur le fruit noir et les épices. La bouche puissante, aromatique, construite sur des tanins soyeux, confirme ces bonnes impressions. ⏳ 2016-2021 🍴 râble de lapin ■ Beaujolais-villages **Cellier des Saint-Étienne 2015 ★★ (5 à 8 €; 10000 b.)** : issu d'un terroir granitique, ce beaujolais-villages évoque au nez la crème de cassis et la confiture de mûres. Dans le même registre, la bouche équilibrée et persistante déploie une matière ronde, d'une ampleur rare dans cette appellation. ⏳ 2016-2021 🍴 pâté en croûte

CELLIER DES SAINT-ÉTIENNE,
rue du Beaujolais, 69460 Saint-Étienne-des-Oullières,
tél. 04 74 03 43 69, vignes-saveurs@wanadoo.fr
V ▮ ▮ *t.l.j. 9h30-12h30 15h-19h*

CH. DE SAINT-LAGER 2015 ★

■ | 26000 | ▮ | 5 à 8 €

Le château de Pizay exploite un vaste domaine de 75 ha et commercialise par ailleurs sous cette étiquette un brouilly issu d'un vignoble de 8,5 ha, anciennes terres de la baronnie de Saint-Lager sur le flanc est du mont Brouilly.

C'est l'unique cuvée vendue sous le nom de ce château. Elle affiche la puissance du millésime 2015 avec élégance et fait preuve d'une belle longueur. ⏳ 2018-2021 🍴 lapin à la moutarde

CH. DE SAINT-LAGER,
69220 Saint-Lager, tél. 04 74 66 26 10,
contact@vins-chateaupizay.com
V ▮ *t.l.j. sf dim. 8h30-12h30 13h30-17h*

DOM. DE SERMEZY Saint-Pierre 2014 ★

■ | 10000 | ▮ | 5 à 8 €

Patrice Chevrier a succédé en 1984 à quatre générations de vignerons et construit un cuvage. Il a agrandi au fil des ans le domaine familial dans les appellations chiroubles, brouilly puis fleurie, et planté syrah, viognier et pinot noir. Il exploite aujourd'hui 15 ha de vignes.

On ne sait pas si ce Saint-Pierre ouvre les portes du paradis. En attendant, il nous fait préférer le vin d'ici à l'au-delà, pour reprendre le trait de Pierre Dac. Le nez, tout en finesse, associe les fleurs et les fruits rouges. La bouche ample est aussi ronde que longue. Une belle étoile. ⏳ 2017-2021 🍴 coq au vin ■ Chiroubles **Cadole de Grille Midi 2014 ★ (5 à 8 €; 10000 b.)** : Patrice Chevrier a particulièrement bien négocié ses 2014, à en juger par ce chiroubles né de vignes de soixante-dix ans, au nez floral et épicé et à la bouche tendre, soyeuse, harmonieuse et longue. ⏳ 2017-2020 🍴 fraises au vin

PATRICE CHEVRIER,
lieu-dit Sermezy, 69220 Charentay, tél. 04 74 66 86 55,
pchevrier@free.fr V ▮ ▮ *r.-v.*

SIGNÉ VIGNERONS 2015 ★★

■ | 60000 | ▮ | 5 à 8 €

Deux des plus grandes coopératives de la région, l'une à l'extrême sud du Beaujolais (Bully) et l'autre plus au nord (Quincié), dans la zone des beaujolais-villages et des crus, se sont unies en 2010, constituant Signé Vignerons: une entité forte de quelque 1 700 ha de vignes, qui vinifie plus de 10 % de la production de la région. Chaque cave continue néanmoins de vinifier séparément ses vins. Le négociant Louis Tête a rejoint le groupement en 2012. La structure de commercialisation, Agamy (anagramme de gamay) inclut même depuis 2015 les caves des Coteaux du Lyonnais et des Vignerons foréziens.

Une cuvée particulièrement séduisante. La robe dense tire sur le noir; le nez très fin associe les fruits rouges confits, la pivoine et le tabac. La bouche, à l'unisson, se montre riche et suave – mais sans mollesse –, harmonieuse et longue. ⏳ 2017-2021 🍴 tournedos ■ Chiroubles **Les Chopins 2015 ★ (5 à 8 €; 35000 b.)** : de ce lieu-dit de l'appellation, la cave a tiré un 2015 de bonne complexité, sur les fruits rouges et noirs. Campé sur de solides tanins, ce vin n'offre pas le profil délicat du chiroubles et offre un potentiel de garde intéressant. ⏳ 2017-2021 🍴 civet de lapin ■ Beaujolais-villages **2015 ★ (5 à 8 €; 120000 b.)** : un nez discret, d'une belle finesse, entre fleurs et cassis, un palais franc, concentré et rond, aux tanins enrobés. ⏳ 2016-2019 🍴 steak tartare ■ Beaujolais **Louis Tête Les Sableux 2015 ★ (5 à 8 €; 80000 b.)** : un beaujolais né de sables granitiques: nez frais de fruits rouges et d'épices, bouche gourmande et persistante, aux tanins fondus: une belle étoile. ⏳ 2016-2019 🍴 rôti de porc

SIGNÉ VIGNERONS,
69430 Quincié-en-Beaujolais, tél. 04 37 55 50 10,
contact@agamy.fr V ▮ ▮ *r.-v.*

DOM. DE TANTE ALICE
Pisse-Vieille 2015 ★★

■ | 8000 | 🍾 | | 5 à 8 €

Jean-Paul Peyrard a créé en 1988 son domaine à Saint-Lager, au pied de la colline de Brouilly. Après avoir doublé graduellement la surface de son vignoble, il exploite 13 ha, avec des parcelles dans trois crus (régnié, brouilly, côte-de-brouilly).

Quatre bons hectares de vignes âgées d'un demi-siècle sont à l'origine de ce brouilly qui a fait l'unanimité. Jean-Paul Peyrard a procédé à un égrappage des raisins suivi d'une cuvaison de douze jours. Le vin charme par ses arômes floraux intenses et raffinés, marqués par la pivoine, et confirme sa séduction en bouche, où il se montre charnu, harmonieux et long. ⧗ 2017-2021 🍷 carré d'agneau

⊶ DOM. DE TANTE ALICE, 96, rte de la Grand-Raie, 69220 Saint-Lager, tél. 04 74 66 89 33, contact@domaine-tantealice.com V 🚶 ⬛ *r.-v.* 🏠 ❸ *⊶ Jean-Paul Peyrard*

DOM. BENOÎT TRICHARD 2015 ★

■ | 10000 | 🍾 | | 8 à 11 €

Cette exploitation familiale porte le nom de son fondateur, qui a rassemblé en 1951 des vignes autour du mont Brouilly. Elle n'a cessé de s'étendre pour atteindre aujourd'hui 11 ha, avec des parcelles dans les crus brouilly, côte-de-brouilly et moulin-à-vent. Ce sont les fils de Benoît Trichard, Michel et Pierre, qui conduisent le domaine depuis 1977.

Issus de vignes âgées de soixante-dix ans, les raisins à l'origine de ce brouilly ont fait l'objet d'un égrappage partiel et ont fermenté avec des levures indigènes. Les arômes de mûre confiturée et de myrtille s'affirment dans un palais puissant, accompagnant de solides tanins. Un trait acidulé donne du tonus et de l'allonge à la finale. ⧗ 2018-2022 🍷 lapin aux pruneaux

⊶ DOM. BENOÎT TRICHARD, 307, rue de l'Église, 69460 Odenas, tél. 04 74 03 40 87, dbtrichard@orange.fr V 🚶 ⬛ *r.-v.*

DOM. VALLETTE 2015

■ | 10000 | 🍾 | | 8 à 11 €

Non loin de la voie verte beaujolaise, qui relie pour le plaisir des promeneurs Beaujeu à Saint-Jean-d'Ardières, le domaine, fondé en 1939, est conduit depuis 1982 par Robert Vallette (la troisième génération). Ce dernier a développé la vente directe. Il exploite 13 ha de vignes et propose notamment du brouilly, du régnié et du morgon.

Robert Vallette a donné naissance à un brouilly aux parfums de fruits rouges d'une belle délicatesse, mis en valeur par une matière ronde et équilibrée. Pour se faire plaisir sans tarder. ⧗ 2016-2019 🍷 caille rôtie aux raisins

⊶ ROBERT VALLETTE, Les Bruyères, 69220 Cercié-en-Beaujolais, tél. 04 74 66 84 07, info@domaine-vallette.com V 🚶 ⬛ *r.-v.*

CÔTE-DE-BROUILLY

Superficie : 320 ha / Production : 15 455 hl

DOM. BARON DE L'ÉCLUSE
Vieilles Vignes 2014 ★★

■ | 5000 | 🍾 | | 8 à 11 €

Cette propriété familiale de 5,5 ha de vignes d'un seul tenant couvre les pentes sud-est du mont Brouilly. Après avoir vinifié plusieurs années dans divers pays du Nouveau Monde, Jean-François Pegaz, œnologue, a succédé en 2015 à son oncle qui assurait la conduite de l'exploitation depuis 1971. Il vinifie à la bourguignonne avec égrappage.

Égrappés à 70 % puis mis à cuver pendant quatorze jours, les raisins issus de vignes de soixante-dix ans ont engendré un vin parfaitement typé de son terroir par son caractère minéral et poivré et par sa bouche charpentée et fraîche, qui lui confère un bon potentiel de vieillissement. ⧗ 2018-2022 🍷 terrine de sanglier ■ **Les Garances 2014 ★ (11 à 15 €; 2300 b.)** : une extraction poussée (20 jours) suivie d'un élevage d'un an en fût pour cette cuvée issue d'une sélection parcellaire. Si le boisé se fait sentir par des notes grillées, la bouche est harmonieuse et longue. ⧗ 2018-2021 🍷 civet de lapin

⊶ JEAN-FRANÇOIS PEGAZ, Montée de l'Écluse, 69460 Odenas, tél. 06 40 57 19 94, baron.delecluse2@orange.fr V 🚶 ⬛ *r.-v.* 🏠 Ⓔ

DOM. DE BERGIRON 2015 ★

■ | 4000 | 🍾 | | 5 à 8 €

Jean-Luc Laplace produit essentiellement du côte-de-brouilly et du brouilly sur son domaine de 11 ha. Les deux cuvées, régulièrement en vue dans ces pages, naissent sur un terroir assez similaire, caillouteux, plus argileux pour le premier, davantage sableux et limoneux pour le second.

Une cuvée vinifiée dans la tradition beaujolaise, avec des raisins non égrappés et immergés dans leur jus pendant la cuvaison. Il en résulte un vin tout en fruit et en rondeur, aux arômes intenses de cassis, qui ne manque pas pour autant d'étoffe. ⧗ 2017-2021 🍷 faisan en cocotte ■ Brouilly **2015 ★** (5 à 8 €; 5000 b.) : comme le côte-de-brouilly du domaine, ce brouilly au nez de fleurs et de groseille privilégie l'expression du fruit. Léger mais pimpant, joyeux et délicat. ⧗ 2016-2021 🍷 échine de porc rôtie

⊶ JEAN-LUC ET ÉLIANE LAPLACE, 85, rte de Pizay, 69220 Saint-Lager, tél. 04 74 66 88 42, jl.laplace@wanadoo.fr V 🚶 ⬛ *r.-v.*

DOM. DES CORINDONS 2015 ★

■ | n.c. | 5 à 8 €

Un jeune domaine, constitué en 2013 par Vincent Denis qui a acheté plusieurs parcelles sur la commune de Saint-Lager, à l'est du mont Brouilly. Celui-ci en confie l'exploitation au Dom. Jambon père et fils implanté dans le même village.

Issue d'une vinification beaujolaise et d'une macération d'une douzaine de jours, cette cuvée dévoile des arômes de pêche au nez comme en bouche. Sa solide structure tannique en fait un beau vin de garde. ⧗ 2019-2024 🍴 poulet de Bresse aux morilles

DVA, 2, chem. de la Carrière, 69690 Bessenay
Vincent Denis

DOM. CRÊT DES GARANCHES 2015 ★

■ | 2000 | | 8 à 11 €

À Odenas, au sud du mont Brouilly, Sylvie Dufaitre-Genin produit du brouilly et côte-de-brouilly. Cette viticultrice, dont les ancêtres étaient déjà présents dans le village en 1752, cultive 11,6 hectares en viticulture raisonnée.

Le nez s'ouvre sur des parfums de fruits rouges et d'épices. La cerise noire ressort dans une bouche ronde et charnue, construite sur des tanins soyeux, à la finale réglissée et mentholée. Une belle expression du millésime. ⧗ 2017-2021 🍴 civet de lapin

SYLVIE DUFAITRE-GENIN,
Dom. Crêt des Garanches,
69460 Odenas, tél. 06 80 00 69 18,
sylvie.dufaitre-genin@wanadoo.fr
V *t.l.j. sf dim. 9h-17h; f. août*

DOM. DE LA CROIX DE SAINT-CYPRIEN 2015 ★★

■ | 25000 | 8 à 11 €

Fondée en 1912, la maison beaujolaise Pellerin est aujourd'hui dans le giron du groupe Boisset. Elle distribue des vins du Beaujolais et du Languedoc-Roussillon.

Domaine dans l'orbite de la maison Pellerin. Un vin engageant par sa large palette associant la minéralité, les fruits noirs et une touche fumée. Quant à la bouche, elle convainc non seulement par sa force tannique mais aussi par son élégance. ⧗ 2018-2022 🍴 terrine de sanglier

DOM. SAINT-CYPRIEN, 403, rte Saint-Vincent,
69430 Quincié-en-Beaujolais, tél. 04 74 69 09 61
François Paquet

DOM. DIT BARRON 2014

■ | 2500 | | 8 à 11 €

Le « dit Barron » est un ancêtre vigneron qui reçut ce nom pour avoir remplacé à la guerre le fils d'un baron, à l'époque où les conscrits pouvaient s'acheter des remplaçants. Gilles Aujogues, installé en 1994 avec son épouse Muriel au pied du mont Brouilly, exploite 12 ha, dont quatre crus.

Un demi-hectare d'une vigne de cinquante ans a donné naissance à cette cuvée bien équilibrée malgré des tanins un peu austères. L'expression aromatique de ce 2014 séduit par sa fraîcheur et sa finesse. ⧗ 2018-2021 🍴 andouillette

MURIEL ET GILLES AUJOGUES,
Les Bruyères, 69220 Cercié-en-Beaujolais,
tél. 04 74 66 87 59, gilles.aujogues@wanadoo.fr
V *r.-v.*

DOM. DU FOUR À PAIN 2015

■ | n.c. | | 5 à 8 €

Implanté à Saint-Lager, à l'est du mont Brouilly, le domaine est détenu par la même famille depuis trois générations. Ayant servi dans la cavalerie en 1914, le grand-père de l'actuel propriétaire avait recours aux chevaux pour travailler les vignes.

Élaboré selon la méthode de vinification semi-carbonique, avec une partie des raisins égrappés, ce côte-de-brouilly affiche une robe profonde; si ses parfums de mûre sont discrets, la mise en bouche révèle une belle structure. La puissance du millésime 2015 s'exprime sans réserve et permet à cette bouteille de voir l'avenir sereinement. ⧗ 2018-2021 🍴 pièce de bœuf rôtie

SCI DE L'ÉCLUSE, L'Écluse, 69220 Saint-Lager,
tél. 04 74 66 82 09 V *r.-v.*

DOM. DES FOURNELLES 2015 ★

■ | 8000 | | 5 à 8 €

Guillaume Dumontet a repris en 2015 une partie des 10,4 ha cultivés par ses beaux-parents, Bernadette et Alain Bernillon. Implanté sur le versant sud-est du mont Brouilly, le vignoble entoure une maison typiquement beaujolaise datant de 1860, construite en pierres bleues du mont Brouilly.

Le jury a apprécié la complexité aromatique de cette cuvée à la robe profonde, vinifiée en grappes entières. Le nez mêle la pivoine, les fruits rouges frais et les épices. La bouche ronde ne manque pas de fraîcheur, qualité qui fait défaut à certains 2015: un vin flatteur et élégant. ⧗ 2017-2021 🍴 pigeon aux petits pois ■ Brouilly **2015 (5 à 8 €; 2000 b.)** : vin cité.

GUILLAUME DUMONTET, 137, montée de Godefroy, 69220 Saint-Lager, tél. 06 79 17 27 53, domainedesfournelles@outlook.fr V *r.-v.*

DOM. DU GRIFFON 2015 ★

■ | 10000 | | 5 à 8 €

En 1974, Jean-Paul et Guillemette Vincent ont créé cette exploitation au pied du mont Brouilly, dans l'ancien presbytère de Saint-Lager. Ils ont patiemment agrandi leur domaine, constitué en majorité de vieilles vignes. Après la retraite de Jean-Paul, Guillemette a pris la tête de l'exploitation (8 ha aujourd'hui).

Le domaine pratique la macération préfermentaire à chaud pour extraire davantage de fruit et de couleur. Objectif atteint: la robe est profonde; le nez monte en puissance, sur des notes de myrtille; la bouche bien structurée, encore ferme, appelle la garde. ⧗ 2018-2023 🍴 sabodet à la beaujolaise

GUILLEMETTE VINCENT, 391, rte des Brouilly, 69220 Saint-Lager, tél. 04 74 66 85 06, domainedugriffon@wanadoo.fr V *r.-v.*

DOM. LAGNEAU Vieilles Vignes 2014 ★★

■ | 4000 | | 8 à 11 €

Les Lagneau vivent à la même adresse, mais le père (Gérard), la mère (Jeannine) et le fils (Didier) signent chacun leurs bouteilles. L'exploitation familiale est

née de 4 ha de vignes transmis par le grand-père, Antoine Monney. Installé en 1999 à vingt ans, Didier a pris les rênes du domaine en 2002.

Vinifié en vendanges entières puis élevé en cuve, un 2014 au nez flatteur et complexe de confiture de fraises et d'épices, à la bouche fraîche à l'attaque, ronde, riche et corsée. Une belle complexité pour ce vin qui sera abordable assez jeune. ⧗ 2016-2019 ¥ brie de Meaux

DIDIER LAGNEAU, 941, rte d'Huire, 69430 Quincié-en-Beaujolais, tél. 06 07 05 97 66, dilagneau@wanadoo.fr V t.l.j. sf dim. 9h-12h 14h-19h

♥ DOM. DE LA MERLETTE 2015 ★★

■ | 5000 | | 5 à 8 €

Héritiers d'une lignée beaujolaise remontant à 1640, Marie-Claire et René Tachon ont constitué leur domaine en 1977, à Vaux-en-Beaujolais, village autrement connu sous le nom de «Clochemerle» grâce au roman de Gabriel Chevallier. Ils exploitent 17 ha en beaujolais-villages et en côte-de-brouilly.

Ce 2015 a enchanté les dégustateurs: à la fois intense et subtil, le nez se partage entre pivoine et violette, avec une pointe végétale qui apporte de la fraîcheur et un surcroît de complexité. Les tanins sont bien présents, mais font patte de velours. Un vin intense, ample et d'une harmonieuse rondeur, à l'image du millésime. ⧗ 2016-2021 ¥ coq au vin

MARIE-CLAIRE ET RENÉ TACHON, Le Sottizon, 69460 Vaux-en-Beaujolais, tél. 04 74 03 24 80, info@tachon.fr V r.-v.

JEAN-GUILLAUME PASSOT 2014

■ | 1400 | | 5 à 8 €

Héritier de nombreuses générations de vignerons (cinq du côté paternel et du côté maternel), Jean-Guillaume Passot a passé un BTS «Viti-Œno» et s'est installé en 2005 sur 80 ares en côte-de-brouilly. Le domaine compte aujourd'hui 3,66 ha répartis sur les crus brouilly, côte-de-brouilly et morgon.

Une macération d'une quinzaine de jours et un élevage de onze mois en cuve ont mis en évidence les spécificités de l'appellation: le vin dévoile une belle structure, tout en exprimant des notes épicées avec intensité. ⧗ 2017-2020 ¥ bavette grillée

JEAN-GUILLAUME PASSOT, Les Pillets, 69910 Villié-Morgon, tél. 09 53 44 11 81, jgpassot@yahoo.fr V r.-v.

OLIVIER PÉZENNEAU Le Quélat 2015 ★

■ | 1500 | | 8 à 11 €

Installé à Lacenas dans le pays des Pierres dorées, Olivier Pézenneau, vigneron trentenaire, a repris en 2015 ce domaine de 6 ha implanté sur les flancs du mont Brouily, au départ à la retraite de son précédent propriétaire. Cette acquisition porte à 13 ha la superficie de son exploitation.

Le Quélat est le lieu-dit sur lequel Olivier Pézenneau exploite les vignes (1,13 ha) mises à contribution pour cette cuvée. Avec ses arômes gourmands de fraise compotée et de mûre que l'on retrouve en bouche, son palais riche et généreux, c'est un vin élégant et flatteur. ⧗ 2017-2021 ¥ lapin aux pruneaux

OLIVIER PÉZENNEAU, 1350, rte du Morgon, 69640 Lacenas, tél. 06 14 19 02 65, vins@olivier-pezenneau.com V r.-v.

DOM. DE LA POYEBADE 2015

■ | 7000 | 8 à 11 €

Installé depuis 1987, Marc Duvernay représente la quatrième génération de vignerons à la tête de cette exploitation familiale de 6 ha située au pied du mont Brouilly et constituée de vieilles vignes. Il propose des brouilly et côte-de-brouilly.

Issu d'une vinification traditionnelle beaujolaise, ce 2015 s'ouvre sur des notes de pivoine et de petits fruits rouges frais. Riche, corsé, épicé, il ne manque pas de potentiel. ⧗ 2017-2021 ¥ bœuf bourguignon

MARC ET FABIENNE DUVERNAY, 2231, rte de Beaujeu, La Poyebade, 69460 Odenas, tél. 04 74 03 51 55, marc.duvernay@orange.fr V r.-v.

FLORENT RUDE Dodo 2015 ★★

■ | n.c. | | 11 à 15 €

Formé au travail de la vigne auprès de son oncle, Florent Rude a constitué son exploitation en 2011. De son domaine de Quincié, il contemple le mont Brouilly. Il cultive 9 ha et propose des morgon, régnié, brouilly, côte-de-brouilly et beaujolais-villages.

Un hommage de Florent à son grand-père surnommé Dodo... Ce Dodo-là est un bel oiseau, à l'envergure des plus respectables. Le nez tout en finesse exprime les fruits noirs rehaussés d'une pointe minérale. La bouche persistante s'appuie sur des tanins serrés. Puissance et élégance. ⧗ 2018-2022 ¥ faisan en cocotte ■ Brouilly **2015 (8 à 11 €; 7700 b.)** : vin cité.

FLORENT RUDE, 55, rue Bouchon, 69430 Quincié-en-Beaujolais, tél. 06 09 63 30 89, rude-florent@sfr.fr V r.-v.

CH. THIVIN Cuvée Godefroy 2014 ★

■ | 1500 | | 11 à 15 €

Le domaine est une ancienne possession des chanoines de Belleville. Il a été vendu comme bien national et acheté par M. Thivin, avocat au Parlement, qui lui légua son nom. En 1877, un fermier en acquit 2 ha: Zaccharie Geoffray, l'ancêtre de Claude, l'actuel propriétaire. Œuvrant pour la promotion des crus locaux, la famille reçut des personnalités des Arts et des Lettres, telles que Colette en 1947. Niché à flanc de coteau au pied du mont Brouilly, l'exploitation compte aujourd'hui 25 ha.

Une parcelle de 70 ares de vignes presque centenaires, plantées au lieu-dit Godefroy. Elles ont engendré en 2014 un côte-de-brouilly d'une belle minéralité en bouche comme au nez. Des notes florales complètent la gamme aromatique de ce vin assez étoffé et d'une grande fraîcheur. ⧗ 2017-2021 🍴 tourte à la viande

⊶ *CLAUDE GEOFFRAY, Ch. Thivin, 630, rte du Mont-Brouilly, 69460 Odenas, tél. 04 74 03 47 53, geoffray@chateau-thivin.com* V *t.l.j. sf dim. 9h-12h 13h30-19h*

CHÉNAS

Superficie : 249 ha / Production : 9 564 hl

D'après la légende, ce lieu était autrefois couvert d'une immense forêt de chênes. Un bûcheron, constatant le développement de la vigne plantée naturellement par quelque oiseau, se mit en devoir de défricher pour introduire la noble plante; celle-là même qui s'appelle aujourd'hui le «gamay noir». Situé aux confins du Rhône et de la Saône-et-Loire, dans les communes de Chénas et de La Chapelle-de-Guinchay, le chénas est l'une des plus petites AOC du Beaujolais. Nés à l'ouest, sur des terrains pentus et granitiques, ses vins sont colorés et puissants, avec des arômes floraux (rose et violette); ils rappellent les moulin-à-vent produits sur la plus grande partie des terroirs de la commune. Issus du secteur plus limoneux et moins accidenté de l'est, ils présentent une charpente plus ténue.

CH. DU BOIS DE LA SALLE Tradition 2015 ★

■ | 15000 | 🍾 | 5 à 8 €

La Cave des Grands Vins de Juliénas-Chaintré résulte de l'union, en 2013, des coopératives de Juliénas (Beaujolais) et de Chaintré (Mâconnais), fondées respectivement en 1960 et en 1928, et situées à 6 km l'une de l'autre. La nouvelle entité compte 290 ha de vignes, chaque cave gardant sa structure de vinification et son identité propres.

La cave de Juliénas s'est installée en 1960 au Ch. du Bois de la Salle, ancien prieuré du XVIIIe s. Elle propose cinq crus du Beaujolais, comme ce chénas, issu d'un vignoble de 4 ha. Robe presque noire aux reflets violines; nez intense, chaleureux et pourtant assez subtil, sur les fruits noirs très mûrs, voire confiturés; attaque fruitée et palais d'une plaisante suavité: un vin de plaisir immédiat, qui pourra cependant se garder. ⧗ 2016-2021 🍴 volaille rôtie

⊶ *CAVE GRANDS VINS JULIÉNAS-CHAINTRÉ, Ch. du Bois de la Salle, 69840 Juliénas, tél. 04 74 04 41 66, contact@julienaschaintre.fr* V *t.l.j. 10h-12h 14h-18h*

♥ CH. BONNET Expression du Terroir 2015 ★★

■ | 50000 | 8 à 11 €

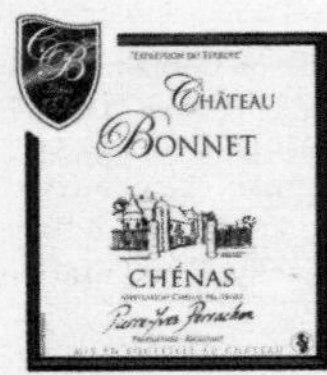

Aux confins de la Bourgogne et du Beaujolais, ce château tire son nom du sieur Bonnet, échevin de la ville de Mâcon, qui y fit bâtir en 1630 une gentilhommière où séjourna plus tard Lamartine. Acquis par les Perrachon en 1973, le domaine compte 22 ha de vignes. Pierre-Yves Perrachon, à sa tête depuis 1988, a été rejoint en 2013 par sa fille Charlotte, œnologue. Il s'est associé en outre avec un vigneron du Mâconnais pour compléter son exploitation d'une structure de négoce, Bourgogne Sélect.

Les Perrachon n'ont pas hésité à prolonger la cuvaison de ce chénas une vingtaine de jours, principalement en grappes entières, pour extraire ces tanins vigoureux mais de belle qualité. La robe, presque noire, traversée de reflets violets, annonce une superbe concentration, qui se confirme dans des parfums intenses et complexes, entre fruits noirs, réglisse et légère minéralité. Le palais, à l'unisson, se montre puissant, structuré, frais et long. Déjà élégante, cette bouteille gagnera à être attendue pour donner le meilleur d'elle-même. ⧗ 2018-2022 🍴 grenadin de veau ■ Juliénas **Vieilles Vignes 2015 ★ (8 à 11 €; 20000 b.)** : une cuvaison de quinze jours pour le juliénas du château. La richesse et l'harmonie sont au rendez-vous: robe profonde, nez discret mais déjà complexe, sur la pivoine, les épices, palais droit, structuré et long aux arômes de mûre. ⧗ 2018-2021 🍴 lapin chasseur ■ Moulin-à-vent **Vieilles Vignes 2015 ★ (8 à 11 €; 20000 b.)** : un moulin-à-vent proposé par Bourgogne Sélect, le négoce d'Azé. Robe sombre, nez intense de fruits rouges et d'épices, bouche consistante et longue, reflétant une année solaire mais gardant une agréable fraîcheur. La vinification beaujolaise semi-carbonique y est sûrement pour quelque chose. ⧗ 2018-2021 🍴 pâté en croûte

⊶ *CH. BONNET, EARL Vins Py Perrachon, Les Paquelets, 71570 La Chapelle-de-Guinchay, tél. 03 85 36 70 41, pierre-yves@chateau-bonnet.fr* V *t.l.j. sf dim. 10h-17h*

CH. DE DURETTE 2015

■ | n.c. | 5 à 8 €

En 2006, Jean Joly, un entrepreneur liégeois qui avait fait son voyage de noces à Saint-Amour, achète la propriété Fustier à Régnié-Durette, fait construire un cuvier, triple la surface du domaine, trouve des associés. Disparu en avril 2014, il laisse une exploitation de 27 ha, avec des parcelles dans sept crus (essentiellement en régnié), dirigée par Marc Theissen.

Les raisins ont été égrappés à 75 % et vinifiés en cuve Inox pour livrer ce chénas grenat profond. Un vin qu'il faut solliciter pour qu'il consente à livrer des arômes de cassis. Après une attaque ronde, des tanins austères prennent le dessus en finale. ⧗ 2018-2021 🍴 bœuf bourguignon

⊶ *SCEA CH. DE DURETTE, Chez le-Bois, 69430 Régnié-Durette, tél. 04 74 04 20 13, info@chateaudedurette.eu* V *r.-v.* ⊶ *Famille Joly*

JEAN GEORGES ET FILS 2014 ★

■ | 2700 | 🍾 | 5 à 8 €

Héritier d'une longue lignée de vignerons, Franck Georges dirige depuis 1993 cette exploitation de près de 9 ha répartis sur trois crus : fleurie, chénas et moulin-à-vent.

Vinifié en grappes entières pendant dix jours, ce chénas 2014 a conservé tous ses parfums; il déploie une farandole de fruits rouges (framboise, groseille) et noirs (cerise, cassis) qui s'épanouissent dans un palais rond en attaque, adossé à des tanins fondus: une réelle harmonie. ⧗ 2016-2021 🍷 jambon braisé

JEAN GEORGES ET FILS, Le Bourg, 69840 Chénas, tél. 04 74 04 48 21, jean-georges-et-fils@ovh.fr **V** *r.-v.*

DOM. DES PIERRES 2014 ★

■ | 10 000 | | 5 à 8 €

Jean-François Trichard a repris en 2005 l'exploitation de son oncle Georges, bien connu de nos premiers lecteurs. Installé à La Chapelle-de-Guinchay, en Saône-et-Loire, il a un pied en Beaujolais et un autre en Bourgogne, produisant sur 13,5 ha du chénas, du saint-amour, du mâcon-Chaintré et du pouilly-fuissé.

Le nez développe d'élégantes notes de framboise et de violette. La bouche est ronde et gourmande, étayée par des tanins fondus qui donnent une texture très harmonieuse. Un vin racé. ⧗ 2016-2019 🍷 tournedos ■ Saint-amour **2015 (8 à 11 €; 25 000 b.)** : vin cité.

JEAN-FRANÇOIS TRICHARD, 2347, rte de Juliénas, 71570 La Chapelle-de-Guinchay, tél. 03 85 23 19 93, trichardjf@orange.fr **V** *t.l.j. 8h-18h; dim.sur r.-v.*

DOM. DES PIVOINES
Sélection de Vieilles Vignes 2015 ★★

■ | 13 000 | | 8 à 11 €

Ce domaine, vinifié par la cave coopérative du château. de Chénas, est la propriété de Patrick Thévenet, qui a choisi la pivoine, arôme emblématique du chénas, pour baptiser son domaine.

Didier Rageot, l'œnologue, a vinifié ce chénas selon la tradition beaujolaise, qui met en avant le fruit. Le 2015 offre un profil un peu différent du 2014 (décrit l'an dernier), tout en légèreté florale. Sa palette aromatique intense mêle la cerise et le cassis bien mûrs. Rond et fruité à l'attaque, ample et long, le palais déroule des tanins enrobés qui laissent une sensation de plénitude. ⧗ 2017-2021 🍷 gigot d'agneau

DOM. DES PIVOINES, 71570 La Chapelle-de-Guinchay *Patrick Thévenet*

DOM. DES ROSIERS 2015 ★★

■ | 5 000 | | 8 à 11 €

Le nom de ce domaine lui vient de ses anciens propriétaires parisiens. La famille Charvet a racheté les terres en 1975 et l'a conservé. Elle exploite 3 crus: saint-amour, chénas, moulin-à-vent. Gérard Charvet signe aussi des cuvées de son nom.

La robe très profonde annonce la couleur. Le nez, tout aussi intense, associe les fruits noirs, les fleurs et la réglisse. Dans le même registre aromatique, ce chénas s'impose par son équilibre en bouche, conjuguant la puissance et l'onctuosité du millésime et une pointe d'acidité qui lui confère une réelle élégance. Un coup de cœur fut mis aux voix. ⧗ 2018-2022 🍷 civet de lapin ■ Moulin-à-vent **2015 ★★ (5 à 8 €; 20 000 b.)** : un beau doublé pour le domaine des Rosiers avec ce moulin-à-vent 2015 au nez intense de fruits noirs (myrtille) et au palais ample, gras et long, construit sur des tanins à la fois serrés et soyeux. ⧗ 2018-2021 🍷 pavé de bœuf grillé

MONIQUE CHARVET, Les Rosiers, 69840 Chénas, tél. 04 74 04 48 62, gerard.charvet@orange.fr **V** *t.l.j. sf dim. 10h-12h 14h-18h*

CHIROUBLES

Superficie : 334 ha / Production : 13 157 hl

Le plus haut des crus du Beaujolais s'étend sur une seule commune perchée à près de 400 m d'altitude, dans un site en forme de cirque aux sols constitués de sable granitique léger et maigre. Issu de gamay comme les autres crus, le chiroubles, considéré comme le plus «féminin» des crus du Beaujolais, est élégant, fin, peu chargé en tanins, charmeur, avec des arômes de violette. Rapidement prêt, il rappelle parfois le fleurie ou le morgon, crus limitrophes. Chiroubles est aussi la petite patrie du grand ampélographe Victor Pulliat, né en 1827, dont les travaux consacrés à l'échelle de précocité et au greffage des espèces de vigne ont contribué à mettre un terme à la crise phylloxérique; pour parfaire ses observations, le savant avait rassemblé dans son domaine de Tempéré plus de 2 000 variétés! La fête des Crus, organisée en avril, rappelle son souvenir.

FRÉDÉRIC BERNE Les Terrasses 2014 ★

■ | 2 100 | | 11 à 15 €

Né en 1985 au beau milieu de la campagne beaujolaise, fils d'artisan et petit-fils de paysan, Frédéric Berne s'est senti attiré par la vigne. Il a d'abord travaillé comme salarié avant de s'installer à son compte, prenant environ 4 ha en métayage au château des Vergers: 3 ha de beaujolais-villages, 64 ares de morgon et 60 ares de chiroubles. Un vignoble en conversion bio.

C'est le premier millésime de Frédéric Berne et la réussite est déjà au rendez-vous avec ce chiroubles vinifié en grappes entières, à la beaujolaise: au nez, du fruit rouge et du boisé; en bouche, une séduisante rondeur et une persistance nettement au-dessus de la moyenne. Une cuvée accessible dès aujourd'hui. ⧗ 2016-2019 🍷 planche de charcuterie

FRÉDÉRIC BERNE, Les Vergers, 69430 Lantignié, tél. 06 83 46 05 06, fredericberne69@hotmail.fr **V** *r.-v.*

PATRICK BOULAND Vieilles Vignes 2015 ★

■ | 6 000 | | 5 à 8 €

Patrick Bouland dirige depuis 1982 ce domaine bien connu des habitués du Guide. Avec sa femme Claudie, il est installé sur 13,5 ha de vignes dans les appellations morgon, chiroubles, fleurie et beaujolais.

Un chiroubles encore dans sa prime jeunesse, qui semble taillé pour vieillir harmonieusement quelques années à en juger par ses tanins assez fermes en finale. Ce vin est cependant déjà plaisant avec ses arômes de fruits rouges et de cassis bien mûrs et son ampleur en bouche. ⧗ 2017-2021 🍷 tartare de bœuf

PATRICK BOULAND, 77, montée des Rochauds, 69910 Villié-Morgon, tél. 04 74 69 16 20, patrick.bouland@free.fr V r.-v.

♥ DOM. DE LA CHAPONNE La Forge 2015 ★★

■ | 3500 | 5 à 8 €

Cette exploitation familiale dispose de 14 ha et d'une maison typiquement beaujolaise à Villié-Morgon. Installé en 1987, Laurent Guillet s'est agrandi et propose du chiroubles et du morgon.

La Forge? Une cuvée créée en 2009 en l'honneur des parents de Laurence Guillet, l'épouse du producteur, qui étaient forgerons et vignerons à Chiroubles. Distinguée dans les trois millésimes précédents, elle obtient cette année l'unique coup de cœur de l'appellation. Vinifée à la beaujolaise, en grappes entières, elle offre un nez gourmand, sur les fruits noirs et les épices. Après une attaque tout en nuances, des tanins soyeux se déploient avec ampleur et onctuosité, caressant le palais jusqu'en finale. ⧗ 2017-2021 🍴 râble de lapin

LAURENT GUILLET, 70, montée des Gaudets, 69910 Villié-Morgon, tél. 04 74 69 15 73, domaine-chaponne@wanadoo.fr V *t.l.j. 8h-19h*

STEEVE CHARVET 2014

■ | 8000 | 8 à 11 €

Installé en 2010, Steeve Charvet représente la cinquième génération sur ce domaine de Chiroubles, qui couvre aujourd'hui 7 ha. Son grand-père pratiquait l'élevage et cultivait 4 ha; son père Armand a débuté la vente en bouteilles. Outre le chiroubles, le vigneron propose du morgon et du beaujolais.

Steeve Charvet pratique des vinifications sur des raisins éraflés, avec une douzaine de jours de macération. Il en résulte un nez de fruits noirs confiturés, voire macérés dans l'eau-de-vie, et une bouche aux tanins souples et élégants. ⧗ 2016-2019 🍴 boulettes de viande sauce tomate

STEEVE CHARVET, 2255, rte de Chiroubles, 69115 Chiroubles, tél. 06 50 20 71 25, charvet-steeve@orange.fr V *r.-v.*

DOM. DUFOUX Cuvée réservée 2014 ★

■ | 4000 | 5 à 8 €

Une exploitation familiale conduite par Guy Morin depuis 1983, rejoint en 2012 par son fils Olivier. Le tandem exploite 10 ha de vignes et propose les crus chiroubles et morgon. Deux étiquettes: Domaine Morin et Domaine Dufoux.

Les fruits des bois et quelques notes végétales s'expriment au nez. Les fruits rouges s'affirment dans une bouche aux tanins un peu fermes, qui laissent percevoir un certain potentiel. ⧗ 2016-2020 🍴 terrine campagnarde ■ **Dom. Morin 2015 ★ (5 à 8 €; 47600 b.)** : un joli chiroubles au nez de fruits rouges bien mûrs, d'un bel équilibre, construit sur des tanins ronds. L'ensemble donne déjà une sensation de finesse. ⧗ 2016-2019 🍴 brie

EARL GUY ET OLIVIER MORIN, 60, rte des Bois, 69115 Chiroubles, tél. 04 74 69 13 29, guy.morin@terre-net.fr V *t.l.j. 9h-20h* *Jeanne Dufoux*

DOM. DE FONTRIANTE 2014

■ | 3000 | 5 à 8 €

Jacky Passot est installé à Villié-Morgon dans le hameau de Fontriante, au sud-est de Chiroubles. Régulièrement mentionné dans le Guide, il est également métayer du château de Raousset depuis une quarantaine d'années. Ses vins sont d'ailleurs élaborés au château.

Une vinification à la beaujolaise a donné naissance à cette cuvée mêlant les fleurs et les fruits noirs, au nez comme en bouche. Le palais est rond, un peu austère en finale. ⧗ 2017-2019 🍴 filet mignon de porc

JACKY PASSOT, Fontriante, 69910 Villié-Morgon, tél. 04 74 69 10 03, jacky.passot@orange.fr V *r.-v.*

LAURENT GAUTHIER Vieilles Vignes 2015 ★

■ | 8500 | 8 à 11 €

Un Benoît Gauthier taillait déjà la vigne à Chiroubles en 1720. Laurent Gauthier, installé en 1983, a été rejoint par ses fils Jason et Elie, qui représentent la septième génération sur ce domaine dont les origines remontent à 1834. Ils exploitent 23 ha en morgon, chiroubles, régnié, brouilly et beaujolais-villages.

Une cuvée issue d'un terroir d'un hectare et demi, planté de gamay âgé de soixante ans. Elle est bien typée chiroubles par ses fines notes de fruits rouges et par sa texture tout en rondeur. ⧗ 2016-2019 🍴 andouillette ■ Morgon **Grands Cras Vieilles Vignes 2015 ★ (8 à 11 €; 35000 b.)** : issu d'un terroir réputé qui jouxte au sud et à l'est la Côte du Py, ce vin né de vignes de soixante-quinze ans a fait l'objet d'une cuvaison de quinze jours et d'un élevage mi-cuve mi-fût. Au nez, c'est le fruit qui domine, sur des tons de cerise, de griotte d'une belle intensité. Croquante à l'attaque, la bouche s'adosse à des tanins solides et serrés qui font de ce 2015 un bel ambassadeur de son millésime. ⧗ 2017-2021 🍴 bavette à l'échalote

EARL LAURENT GAUTHIER, Morgon-le-Bas, 69910 Villié-Morgon, tél. 04 74 04 26 57, laurentgauthiervins@orange.fr V *r.-v.*

DOM. DES GÉNÉRATIONS 2015 ★

■ | 14000 | 5 à 8 €

Fabien Collonge, qui a pris la suite de son père André en 1997, vit en hauteur, sur les contreforts des monts du Beaujolais (Le Truges, son hameau, culminant à 450 m). Fondé en 1892, le domaine familial, rebaptisé Domaine des Générations, compte 15 ha de vignes en morgon, chiroubles et beaujolais.

Une grande harmonie se dégage de ce chiroubles à la couleur très dense – le millésime – et aux tanins fondus. Le nez intense évoque le cassis. Souplesse et finesse sont les deux qualités qui lui assurent l'adhésion du jury.

2016-2020 rôti de veau ■ Morgon **Vieilles Vignes 2015 (5 à 8 €; 16 000 b.)** : vin cité.

FABIEN COLLONGE, Le Truges, 69910 Villié-Morgon, tél. 06 30 02 63 18, f.collonge@orange.fr r.-v.

DOM. DE LA GROSSE PIERRE 2014

■ | 35 000 | | 5 à 8 €

Un domaine familial fondé en 1953, et mené depuis 1982 par Alain Passot. Ce dernier exploite 11 ha en appellation chiroubles essentiellement, et en fleurie et en morgon.

Des notes de petits fruits rouges, bien typées de l'appellation, s'expriment avec intensité. Un chiroubles tendre, plus rond que vif, qui laisse une impression de légèreté. Il est fait pour maintenant. 2016-2018 terrine de volaille

ALAIN PASSOT, 409, rte de la Grosse-Pierre, 69115 Chiroubles, tél. 04 74 69 12 17, apassot@orange.fr r.-v. 3

DOM. JONCY 2014 ★

■ | 5 000 | | 5 à 8 €

Un domaine avec vue sur le mont Brouilly. Jean-Paul Joncy s'y est installé en 1979, relayé en 2002 par son fils Guillaume. Le vignoble couvre 24 ha, avec des parcelles en côte-de-brouilly, morgon, régnié, chiroubles et beaujolais-villages.

Issu de vignes de soixante ans et d'une vinification traditionnelle beaujolaise, ce 2014 séduit par ses arômes de griotte auxquels répond une bouche élégante, pleine de vivacité, qui ne manque pas pour autant de profondeur. 2016-2019 entrecôte grillée

DOM. JONCY, 249, rte du Chavagnon, 69430 Quincié-en-Beaujolais, tél. 04 74 04 33 29, domaine.joncy@orange.fr *t.l.j. 9h-12h 14h-19h; sam. dim. sur r.-v.*

ELENA ET GÉRARD MÉZIAT-BELOUZE
Vieilles Vignes 2015

■ | 4 000 | 8 à 11 €

Elena et Gérard Méziat-Belouze sont à la tête de cette propriété de 7,7 ha implantée à Chiroubles. Outre des vins de cette appellation, ils proposent du morgon et du beaujolais rouge et rosé.

Une cuvée très colorée, aux reflets violines, issue de vignes âgées de soixante-dix ans et plus. Son nez aussi intense que complexe a séduit. Ses notes de fruits noirs et rouges confiturés, d'épices et de cacao se confirment dans une bouche puissante, de bonne longueur. 2016-2019 osso bucco

EARL MÉZIAT-BELOUZE, 79, impasse de Rochefort, 69115 Chiroubles, tél. 04 74 69 10 79 r.-v.

DOM. PASSOT 2014

■ | 25 000 | | 5 à 8 €

Rémy et Dominique Passot sont à la tête de ce domaine depuis 1989. En 2014, ils se sont groupés avec famille et amis pour racheter au Château de Raousset 6 ha de vignes sur 3 crus (chiroubles, fleurie, morgon), doublant la superficie de l'exploitation (10,6 ha).

Pour cette cuvée, 60 % des raisins ont été égrappés. Un 2014 mêlant au nez comme en bouche les fleurs, les petits fruits rouges et les épices, bien construit et assez vif au palais. 2016-2019 onglet grillé

DOM. PASSOT, 237, rte de Douby, 69115 Chiroubles, tél. 04 74 69 16 19, remy@domaine-passot.com r.-v.

DOM. DU PRESSOIR FLEURI Vieilles Vignes 2015 ★

■ | 5 400 | | 8 à 11 €

Franck Brunel a repris en 2001 avec son épouse Sandrine le domaine de son beau-père, dont les origines remontent à 1789. Les 10 ha de vignes sont répartis dans trois crus: chiroubles, morgon et fleurie, auxquels s'ajoutent des parcelles en beaujolais blanc et en beaujolais-villages (dédiées au rosé).

La macération semi-carbonique beaujolaise a donné un chiroubles bien typé, c'est-à-dire jouant la carte de la fraîcheur et de la finesse, sur des arômes de groseille et de fruits rouges. Le chaleureux millésime 2015 ne l'a pas détourné de ces qualités. 2016-2019 rôti de veau

BRUNEL-MÉZIAT, 95, rue de la Bascule, 69115 Chiroubles, tél. 04 74 04 23 12, dom.pressoir.fleuri@terre-net.fr *t.l.j. 8h-19h*

DOM. DE VAVRIL Cuvée de Chatenay 2014

■ | 1 000 | | 5 à 8 €

Salarié viticole jusqu'en 2001 puis prestataire de services, Jean-Luc Ducruix s'est installé en 2005 à Beaujeu, sur 9 ha, sur des coteaux dominant le village, exposés plein sud. À sa carte, du beaujolais-villages, du morgon, du chiroubles, du régnié et du côte-de-brouilly.

Ce chiroubles 2014 s'ouvre sur les fruits noirs et les épices. On retrouve le fruit dans une attaque ronde, avant que des tanins un peu vifs ne prennent le dessus en finale. L'ensemble reste plaisant. 2016-2019 côtes de porc grillées

JEAN-LUC DUCRUIX, lieu-dit Vavril, 69430 Beaujeu, tél. 09 82 21 12 21, jlducruix69@gmail.com r.-v. 5

FLEURIE

Superficie : 914 ha / Production : 34 630 hl

Posée au sommet d'un mamelon totalement planté de gamay, une chapelle semble veiller sur le vignoble: c'est la Madone de Fleurie, qui marque l'emplacement du troisième cru du Beaujolais par ordre d'importance, après le brouilly et le morgon. L'aire d'appellation ne s'échappe pas des limites communales, et sa géologie est assez homogène, avec des sols constitués de granites à grands cristaux qui donnent au vin finesse et élégance. Certains aiment le fleurie frais, d'autres le servent à 14-15 °C. Ce vin entre traditionnellement dans la préparation de l'andouillette à la beaujolaise. Printanier, il charme par ses arômes aux tonalités d'iris et de violette.

Certains terroirs aux noms évocateurs figurent sur l'étiquette: La Rochette, La Chapelle-des-Bois, Les Roches, Grille-Midi, La Joie-du-Palais...

DOM. DE BEL-AIR Granits roses 2014 ★★

■ | 12000 | | 8 à 11 €

Dans la famille Lafont depuis plusieurs générations, cette propriété perchée sur la colline de Bel-Air domine la vallée de l'Ardières: des bâtiments de granite bleu construits en 1849, des caves voûtées et un vignoble de 21 ha, avec des parcelles dans cinq crus. À sa tête depuis 1985, Jean-Marc Lafont a créé une structure de négoce à son nom pour compléter sa gamme.

Issue d'une vinification en vendange entière, cette cuvée demande un peu d'aération pour déployer une palette aromatique complexe dominée par les fruits rouges bien mûrs (cerise, pêche de vigne) avec une touche minérale. Son ampleur laisse augurer un très bon potentiel de garde. ⧗ 2017-2021 ⟟ brie de Meaux

⊶ *BEL-AIR, Domaine de Bel-Air, 69430 Lantignié, tél. 04 74 04 82 08, jmlafont@dombelair.com* V r.-v.

DOM. DE LA BOURONIÈRE Cuvée traditionnelle 2014 ★

■ | 40000 | | 8 à 11 €

Installé en 1987 sur le domaine familial, Fabien de Lescure exploite en agriculture raisonnée ce vignoble de 11 ha autour de Fleurie.

Une vinification à la beaujolaise avec cuvaison de douze jours a permis d'obtenir un vin franc à l'attaque, souple et persistant, aux arômes intenses de cerise et de framboise, rehaussés d'une élégante touche de pivoine. Le profil accompli d'un «vin plaisir». ⧗ 2016-2019 ⟟ petit salé aux lentilles

⊶ *FABIEN DE LESCURE, Les Labourons, 69820 Fleurie, tél. 04 74 69 82 13, bouroniere@wanadoo.fr* V r.-v.

CAVE DU CH. DE CHÉNAS Cœur de Granit 2015 ★★

■ | 30000 | 8 à 11 €

Fondée en 1934, cette coopérative dispose des 217 ha de ses adhérents. La cave a su marier tradition et modernité: les caves voûtées du XVIIe s. voient vieillir en fût de chêne une partie des moulin-à-vent et chénas (cuvées Cœur de Granit et Thesaurus Vinum) et cohabitent avec les cuves Inox thermorégulées de conception moderne. La cave propose de nombreux crus du Beaujolais.

Ce sont toutes les qualités du millésime 2015 qui s'expriment ici sans réserve. La puissance liée à la haute maturité des raisins se ressent dès le premier coup de nez à travers des notes de griotte à l'eau-de-vie. En bouche, elle se traduit par une matière ample et par des tanins enrobés. Une générosité qui va de pair avec un rare équilibre. ⧗ 2016-2021 ⟟ civet de lièvre ■ Moulin-à-vent **Cave du Ch. de Chénas Cœur de Granit 2015 ★ (8 à 11 €; 30000 b.)** : doté d'un support tannique riche et soyeux, un moulin-à-vent séduisant, tant par la complexité de sa palette aromatique sur les fruits noirs confiturés que par sa bouche étayée de tanins denses et soyeux, suave et longue. Du potentiel. ⧗ 2018-2024 ⟟ noisettes de chevreuil

⊶ *CAVE DU CH. DE CHÉNAS, 69840 Chénas* V r.-v.

CAVE DU CH. DES LOGES Prestige 2015 ★★

■ | 25000 | | 5 à 8 €

Née en 1958, cette petite coopérative, qui regroupe 150 viticulteurs exploitant 400 ha de vignes, est une valeur sûre du Guide. Elle a acheté dès ses débuts le château des Loges, une belle propriété du XVIIIe s. dans le parc de laquelle elle a construit ses chais.

Un fleurie qui joue la carte de la finesse et de l'élégance. Des qualités appréciables, car le millésime 2015 lui a tout de même apporté une certaine ampleur. Sa palette complexe associe la fraise écrasée et les fruits confits. ⧗ 2017-2020 ⟟ poulet rôti ■ Beaujolais-villages **Cave du Ch. des Loges Prestige 2015 ★★ (5 à 8 €; 34000 b.)** : une belle réussite que ce beaujolais-villages fin, complexe et flatteur, à la bouche harmonieuse et persistante. Il saura vieillir. ⧗ 2017-2020 ⟟ râbles de lapin

⊶ *CAVE DU CH. DES LOGES, 69460 Le Perreon, tél. 04 74 03 22 83, caveduperreon@wanadoo.fr* V *t.l.j. 8h-12h 13h30-17h30*

ALAIN CHAMBARD 2015 ★

■ | 10000 | | 8 à 11 €

Fils et petit-fils de viticulteur, Alain Chambard conduit depuis 1993 cette exploitation de 10 ha installée en appellation juliénas. À sa carte, outre le juliénas, figurent les crus fleurie et chénas, ainsi que des beaujolais-villages.

Après une vinification beaujolaise traditionnelle de douze jours, suivie d'un élevage en cuve et en fût, ce 2015 exprime les arômes de fruits noirs caractéristiques d'un gamay très mûr, soulignés en bouche d'un léger boisé. Il tapisse le palais de son étoffe ample aux tanins souples et affables. ⧗ 2017-2021 ⟟ rôti de porc ■ Juliénas **Alain Chambard 2015 (5 à 8 €; 5000 b.)** : vin cité.

⊶ *ALAIN CHAMBARD, Les Pins, 69840 Emeringes, tél. 06 72 64 11 79, chambardalain@live.fr* V r.-v.

PIERRE-MARIE CHERMETTE Poncié 2014 ★

■ | 30000 | | 11 à 15 €

Œnologue, Pierre-Marie Chermette a repris en 1982 le domaine familial situé dans le pays des Pierres dorées et la cave construite par son arrière-grand-père, où s'alignent les foudres. Dès son installation, il va à l'encontre de l'inclination d'alors pour les «nouveaux» au goût de banane, évite levurage et chaptalisation. Après avoir agrandi son exploitation dans la région des crus, il dispose de 35 ha.

Une macération semi-carbonique durant une dizaine de jours a permis d'obtenir une cuvée d'une réelle élégance, au nez de violette et de petits fruits rouges et aux tanins d'une grande finesse. Élevé en foudre. ⧗ 2016-2020 ⟟ navarin d'agneau

⊶ *PIERRE-MARIE CHERMETTE, Dom. du Vissoux, Le Vissoux, 69620 Saint-Vérand, tél. 04 74 71 79 42, domaineduvissoux@chermette.fr* V r.-v.

DOM. CHIGNARD Les Moriers 2014 ★

■ | 35000 | | 8 à 11 €

Cédric Chignard, à la tête d'un vignoble de 10 ha, représente la quatrième génération de viticulteurs sur le domaine. Il a pris la suite de son père Michel et vinifie, comme lui, en grappes entières.

Le domaine exploite 6 ha dans ce terroir des Moriers d'où provient ce 2014. Le vin dévoile au nez des arômes de petits fruits rouges (cerise, griotte) bien mûrs que l'on retrouve dans une bouche bien équilibrée, à la fois fraîche et ronde. 2016-2019 saucisson brioché

CÉDRIC CHIGNARD, Le Point-du-Jour, 69820 Fleurie, tél. 04 74 04 11 87, domaine.chignard@wanadoo.fr V *r.-v.*

JULIEN ET RÉMI CLÉMENT Vieilles Vignes 2014

■ | 3000 | | 8 à 11 €

Julien Clément a rejoint son père Rémi en 2006 sur le domaine familial qui couvre 11 ha autour de Fleurie. La nouvelle génération développe la vente directe à la propriété.

Des vignes de soixante-dix ans plantées sur un terroir granitique ont engendré ce vin d'une structure assez légère mais d'une belle complexité (fruits rouges, touche d'orange) tout au long de la dégustation. 2016-2019 poulet rôti

JULIEN ET RÉMI CLÉMENT, Les Laverts, 69820 Fleurie, tél. 04 74 69 80 19, clement.julien-remi@wanadoo.fr V *t.l.j. 10h-19h*

DOM. DU CLOS DES GARANDS
Tradition Les Garants 2014 ★

■ | 4000 | | 8 à 11 €

En 2004, Audrey Chartron a pris la suite de sa mère à la tête de ce domaine familial d'un seul tenant d'environ 6 ha, créé en 1947. Son vignoble en coteaux est exposé au sud-sud-ouest.

C'est la cuvée principale du domaine, élaborée à partir de vignes d'une quarantaine d'années, vinifiée à 80 % en raisin entier. Le nez, sur les fruits rouges, est plutôt discret. En bouche, ce vin séduit par ses tanins assez fondus et par sa persistance. 2016-2019 jambon à l'os braisé

DOM. DU CLOS DES GARANDS, Les Garants, 69820 Fleurie, tél. 04 74 69 80 01, closdesgarands@orange.fr V *t.l.j. 9h-18h* 5

DOM. DES COMBIERS La Cadole 2014 ★

■ | 4000 | | 8 à 11 €

Pour aller à Vauxrenard, commune de l'aire des beaujolais-villages où est établi ce domaine familial, il faut franchir une ligne de crête au nord-ouest de Fleurie. Laurent Savoye, qui a pris en 2006 la succession de son père Yves, exploite 9 ha en beaujolais-village et en fleurie.

Laurent Savoye a recours à une vinification à la beaujolaise pour élaborer cette cuvée qui porte le nom des petites cabanes en pierre que l'on trouve dans les vignes. Expressif au nez (fruits rouges, griotte) et gouleyant au palais, de bonne longueur, ce 2014 offre un profil typique de son appellation. 2016-2019 pintade en cocotte

LAURENT SAVOYE, Les Combiers, 69820 Vauxrenard, tél. 04 74 04 11 06, savoyelaurent@gmail.com V *r.-v.*

DOM. DE LA CÔTE DES GARANTS 2015 ★

■ | 18000 | 8 à 11 €

Fondée en 1912, la maison beaujolaise Pellerin est aujourd'hui dans le giron du groupe Boisset. Elle distribue des vins du Beaujolais et du Languedoc-Roussillon

Issue de vendanges égrappées, ce 2015 séduit par son nez extraverti, tout en fruits rouges, et par sa bouche puissante et ronde, à la finale persistante sur la cerise. 2017-2021 bœuf bourguignon

HENRI DU VILLARD, La Treille, 69820 Fleurie

CAVE DES GRANDS VINS DE FLEURIE 2015 ★★★

■ | 45000 | | 5 à 8 €

Fondée en 1927, cette cave a eu à sa tête pendant près de quarante ans la première femme présidente de coopérative: Marguerite Chabert. Aujourd'hui principal producteur de fleurie (un tiers du volume), elle vinifie les quelque 300 ha de vignes de ses 300 adhérents. Outre les fleurie, elle propose plusieurs crus du Beaujolais.

Toute la puissance et la générosité du millésime 2015 s'allient dans ce fleurie issu d'une vinification semi-carbonique: attaque d'une rare franchise, tanins fondus soulignant la finale persistante, arômes de petits fruits, cette cuvée laisse une sensation d'harmonie tout au long de la dégustation. 2017-2020 pièce de bœuf ■ **Présidente Marguerite Intense 2015 ★★ (8 à 11 €; 15000 b.)** : cette cuvée aux arômes de fruits rouges et de cassis, issue d'un hectare de terroir granitique et vinifiée pendant douze à quinze jours, joue la carte de la puissance et de la persistance. 2017-2021 faisan en cocotte ■ **La Madone 2015 ★ (5 à 8 €; 30000 b.)** : le terroir de la Madone est le plus célèbre de l'appellation fleurie. La cave en exploite 5 ha, à l'origine de cette cuvée à la texture souple et à l'expression aromatique à la fois intense et fine, sur les fruits rouges et noirs. 2017-2020 fricassée de poulet

CAVE DES PRODUCTEURS DE FLEURIE, rue des Vendanges, 69820 Fleurie, tél. 04 74 04 11 70, commercial@cavefleurie.com V *r.-v.*

DOM. DE FONTABAN 2015 ★

■ | 2500 | | 5 à 8 €

Établi à Juliénas, Jean-Marc Bessone a suivi les traces des deux générations précédentes et s'est installé en 1982 sur le domaine familial. Il dispose de 7,7 ha répartis sur trois crus : Juliénas, Fleurie et Saint-Amour.

La macération à la beaujolaise pratiquée au domaine a donné ici un vin très abouti. On aime l'intensité de ses arômes de fruits rouges et l'harmonie de son palais aux tanins fondus. 2016-2019 épaule d'agneau farcie

JEAN-MARC BESSONE, Le Trêve, 69840 Juliénas, tél. 04 74 04 45 50, jean-marc-bessone@wanadoo.fr r.-v.

JEAN GEORGES ET FILS Les Rochaux 2014

■	2130	🍾	8 à 11 €

Héritier d'une longue lignée de vignerons, Franck Georges dirige depuis 1993 cette exploitation de près de 9 ha répartis sur trois crus : fleurie, chénas et moulin-à-vent.

Le nez s'ouvre à l'aération sur une plaisante gamme aromatique à dominante de fruits noirs : mûre, myrtille, cassis. Après une attaque franche, une texture souple et soyeuse tapisse le palais. Une finale épicée conclut la dégustation. ⧗ 2016-2020 🍷 côte à l'os

JEAN GEORGES ET FILS, Le Bourg, 69840 Chénas, tél. 04 74 04 48 21, jean-georges-et-fils@ovh.fr r.-v.

DOM. DE LEYRE-LOUP 2014 ★★

■	8525	🍾	8 à 11 €

Un domaine de 10 ha constitué graduellement par Christophe Lanson. En 1993, il achète 6 ha en morgon puis reprend en 2010 une exploitation de près de 3 ha en fleurie. En 2015, il se lance dans la production des blancs. Parallèlement, il a rénové le cuvage et créé un chai d'élevage en fût.

Christophe Lanson a cherché à tirer le maximum de ce millésime 2014 (égrappage partiel et longue macération semi-carbonique). L'objectif est atteint avec cette cuvée d'une grande intensité aromatique, sur les fruits rouges acidulés, et d'une superbe densité en bouche. ⧗ 2017-2021 🍷 lapin à la moutarde ■ Morgon **2014 ★ (5 à 8 €; 8355 b.)** : douceur et rondeur sont les adjectifs les plus souvent employés par nos dégustateurs pour décrire cette cuvée aux puissants arômes de fruits rouges, dont le côté gourmand ne se dément pas en bouche. ⧗ 2016-2019 🍷 ragoût de queues de bœuf

CHRISTOPHE LANSON, 20, rue de l'Oratoire, 69300 Caluire, tél. 06 82 17 03 02, christophe.lanson@domaine-de-leyre-loup.fr r.-v.

DOM. MANOIR DU CARRA Clos de la Dîme 2015 ★

■	8000	🍾	8 à 11 €

Dans la famille depuis 1850, le domaine compte aujourd'hui 34 ha et propose du beaujolais-villages et des crus (fleurie, brouilly, moulin-à-vent, juliénas). Frédéric et Damien Sambardier ont pris le relais de Jean-Noël, leur père. Ils limitent le levurage, sulfitent en fonction du millésime, pratiquent des vinifications parcellaires.

Égrappés à 100 % après la récolte, les raisins issus d'un terroir de fleurie ont donné un vin élégant, grâce à ses arômes floraux, qui sont de la partie aussi bien au nez qu'en bouche, et à son palais souple et d'une bonne persistance. ⧗ 2016-2019 🍷 foie de veau ■ Juliénas **En Bottière 2015 ★ (8 à 11 €; 7000 b.)** : issu d'une parcelle sur terroir schisteux de près d'un hectare et demi, un 2015 associant au nez les petits fruits mûrs au chocolat. La bouche gourmande montre de belles rondeurs et une vivacité qui étire la finale. ⧗ 2017-2020 🍷 volaille rôtie

DAMIEN SAMBARDIER, Manoir du Carra, 69640 Denice, tél. 04 74 67 38 24, jfsambardier@manoir-du-carra.com r.-v. 4

DOM. LOÏC MARION
La Madone Cuvée Prestige 2014 ★★

■	700	🍾	11 à 15 €

Un domaine situé en plein cœur du village de Fleurie et conduit depuis 2011 par Loïc Marion, qui représente la troisième génération à la tête de cette exploitation familiale. Les 9,5 ha qu'il cultive sont essentiellement situés dans le cru de la commune.

Un fleurie issu d'une parcelle d'un hectare et demi située sur le célèbre coteau de la Madone. Vinifié en vendange entière, il libère des fragrances expressives de pivoine et de petits fruits. Sa texture veloutée et sa longueur emportent l'adhésion. Excellent, typé, mais très confidentiel… ⧗ 2017-2021 🍷 carré de veau aux champignons ■ **Dom. Marion 2014 (8 à 11 €; 1330 b.)** : vin cité.

LOÏC MARION, Les 4 Vents, 69820 Fleurie, tél. 06 73 73 40 60, loicmarion@orange.fr r.-v.

DOM. DES NUGUES 2014 ★★

■	37000	🍾	11 à 15 €

Acquise en 1976 par Gérard Gelin, cette propriété a été reprise en 2005 par son fils Gilles, qui a développé le domaine grâce à l'achat de vignes en AOC fleurie. À sa création, la propriété comptait 0,9 ha. Après achats successifs et locations, elle s'étend aujourd'hui sur 30 ha.

Une macération semi-carbonique a été mise en œuvre pour ce fleurie salué pour son remarquable équilibre. Sa palette aromatique est dominée par les fruits rouges. Avec des tanins marqués mais dénués d'aspérités et sa finale persistante, ce vin laisse une sensation de profondeur. ⧗ 2017-2021 🍷 pintade rôtie ■ Beaujolais-villages **2015 ★ (8 à 11 €; 10800 b.)** : un peu plus d'un hectare de chardonnay planté sur argilo-calcaire a donné naissance à ce blanc aux notes intenses d'agrumes et à la bouche ample et généreuse. ⧗ 2017-2019 🍷 quenelles de brochet

SAS GILLES GELIN, 40, rue de la Serve, Les Pasquiers, 69220 Lancié, tél. 04 74 04 14 00, gilles-gelin@orange.fr r.-v.

DOM. PARDON 2015 ★

■	30000	🍾	8 à 11 €

Établis depuis 1820 dans la capitale historique du Beaujolais, les Pardon sont négociants et vignerons, à la tête de 12 ha en propre. La maison est dirigée par Éric Pardon, pour la partie technique, et par son frère Jean-Marc qui commercialise les vins de leurs deux propriétés (en beaujolais-villages, régnié et fleurie) et ceux qu'ils sélectionnent chez leurs partenaires.

Vinifiée en macération carbonique avec un égrappage à 80 % des raisins, voici une belle cuvée, à la fois souple et structurée, appréciée également pour son nez de fruits rouges relevés de réglisse et de poivre. ⧗ 2016-2019 🍷 filet mignon de porc aux groseilles ■ Régnié **Cuvée Tim 2015 ★ (5 à 8 €; 5000 b.)** : portant le nom du fils d'Éric Pardon, une cuvée issue d'un terroir d'un hectare et de raisins presque totalement éraflés. Délicatement florale au nez, elle montre la même finesse en bouche. ⌛ 2016-2019 🍴 hamburger maison

PARDON ET FILS, La Chevalière, 69430 Beaujeu, tél. 04 74 04 86 97, contact@pardonetfils.com V *t.l.j. sf sam. dim. 8h-12h 13h30-18h; f. août*

DOM. DU PETIT PUITS 2015 ★★★

■ | 5000 | | 5 à 8 €

Établi sur les hauteurs de Chiroubles, ce domaine se transmet depuis quatre générations. Gilles Méziat en a pris les rênes en 1980. Son vignoble est implanté pour l'essentiel dans ce village, mais la propriété propose aussi les appellations morgon, fleurie et beaujolais-villages.

Une cuvée qui a su conjuguer la générosité et la puissance du 2015 sans pour autant oublier la finesse en chemin. La robe se montre dense et brillante. Des arômes de cassis et de fruits rouges se développent au nez, agrémentés d'une touche de violette. À la fois dense et fraîche, la bouche s'impose aussi par son élégance et sa persistance. Du bonheur. ⌛ 2017-2021 🍴 pigeon rôti

GILLES MÉZIAT, 179 route du Verdy, 69115 Chiroubles, tél. 04 74 69 15 90, gilles-meziat@orange.fr V *t.l.j. 8h-12h 13h-19h*

CH. DE RAOUSSET Grille-Midi 2015 ★★

■ | 20000 | | 8 à 11 €

Les origines de ce domaine, dans la même famille depuis 1930, remontent à 1761. Le domaine actuel a été constitué par Gaston de Raousset qui réunit des parcelles en chiroubles, morgon et fleurie – 35 ha de vignes. La propriété, aujourd'hui aux mains de quatre de ses héritiers, est dirigée par Axel Joubert.

Le château exploite 10 ha dans le terroir Grille-Midi, situé à mi-coteau et exposé au sud-est. Vinifiée en grappes entières, la vendange 2015 a engendré un vin d'une très grande générosité. Des notes intenses de fruits rouges et noirs frais, de violette et de poivre se développent au nez. La bouche s'impose par sa puissance et par son harmonie. Élevé en foudre. ⌛ 2018-2021 🍴 râble de lapin ■ Chiroubles **Bel-Air 2014** ★★ (**8 à 11 €; 30000 b.**) : la puissance et la suavité sont à l'œuvre tout au long de la dégustation. Le nez généreux, explosif, déploie une belle palette aromatique : violette, fruits noirs très mûrs, épices. Les tanins sont fondus à souhait. Élevé en foudre. ⌛ 2018-2021 🍴 saucisson brioché

CH. DE RAOUSSET, 21, rte de Verchère, 69115 Chiroubles, tél. 04 74 69 17 28, info@chateauderaousset.com V *t.l.j. 8h-12h 14h-18h; sam. dim. sur r.-v.*

TERRE DES MORIERS 2014 ★

■ | 12111 | | 8 à 11 €

Un tout jeune domaine de 2 ha acquis en 2013 et restauré par Sylvain Bothereau. Ce dernier, architecte, est passionné par les paysages viticoles, si bien construits, et rêvait de se faire vigneron. Il a eu le coup de foudre pour cette propriété à mi-coteau, avec vue sur le Mont-Blanc. Expression du terroir et petits rendements sont ses maîtres-mots.

Le terroir des Moriers est ici à la hauteur de sa réputation. Il est à l'origine d'un vin plein, complexe et subtil, de bonne longueur, au nez floral et poivré, assorti d'une touche de griotte. ⌛ 2017-2021 🍴 entrecôte ■ **Dom. Terre des Moriers Vieilles Vignes 2014 (11 à 15 €; 2556 b.)** : vin cité.

BOTHEREAU, Les Moriers, 69820 Fleurie, tél. 06 85 35 48 67, terredesmoriers@gmail.com V *r.-v.*

CH. DE LA TERRIÈRE 2014 ★

■ | | 1980 | | 8 à 11 €

Un château du XIII[e]s. face au mont Brouilly et un vignoble sur un sous-sol de porphyre exposé plein sud. Le vigneron Henri Plasse, aidé de son œnologue conseil Frédéric Maignet, veille à la qualité des vins, et d'importants travaux de rénovation ont été menés en cuverie.

Un fleurie séduisant, tant par ses arômes de fruits rouges intenses et frais que par ses tanins soyeux apportant en bouche une agréable sensation de douceur. La finale montre une bonne persistance. ⌛ 2017-2020 🍴 volaille de Bresse rôtie ■ Brouilly **2015** ★ **(11 à 15 €; 39 700 b.)** : un vin flatteur dès le premier nez, où se mêlent des senteurs de cassis et une touche florale, rehaussées d'épices. ⌛ 2016-2019 🍴 steak tartare

TERROIRS ET TALENTS, La Terrière, 69220 Cercié, tél. 04 74 66 77 80, info@terroirs-et-talents.fr V *r.-v.*

JULIÉNAS

Superficie : 578 ha / Production : 24 503 hl

Un cru impérial d'après l'étymologie : Juliénas tiendrait en effet son nom de Jules César, de même que Jullié, l'une des quatre communes qui composent l'aire géographique de l'appellation (avec Émeringes et Pruzilly, cette dernière se trouvant en Saône-et-Loire). Implanté sur des terrains granitiques à l'ouest et sur des terrains sédimentaires avec alluvions anciennes à l'est, le gamay engendre des vins bien charpentés, riches en couleur, appréciés au printemps après quelques mois de conservation. Gaillards et espiègles, ceux-ci sont à l'image des fresques qui ornent le caveau de la vieille église, au centre du bourg. Dans cette chapelle désaffectée est remis, chaque année à la mi-novembre, le prix Victor-Peyret à l'artiste, peintre, écrivain ou journaliste, qui a le mieux «tasté» les vins du cru; celui-ci reçoit alors 104 bouteilles : 2 par week-end...

DOM. DE L'ANCIEN RELAIS Vieille Vigne 2014

■ | 7000 | | 5 à 8 €

Bien connu pour ses saint-amour et ses juliénas, ce domaine est installé dans un ancien relais de poste doté d'une cave voûtée datant de 1399. Il a été fondé en 1946 par André Poitevin. En 1995, son gendre

Jean-Yves Midey, ancien cuisinier, l'a repris avec son épouse Marie-Hélène et en a porté la superficie de 4 à 8,5 ha.

Jean-Yves Midey assemble plusieurs parcelles de vieux gamay pour élaborer cette cuvée. Encore très réservé au nez, ce 2014 mérite d'être cité pour sa texture agréable. ⧗ 2017-2019 ▼ bœuf bourguignon

⊶ EARL ANDRÉ POITEVIN, 1115, Les Chamonards, 71570 Saint-Amour-Bellevue, tél. 03 85 37 16 03, earlandrepoitevin@wanadoo.fr V r.-v. ⊶ J.-Y. et M.-H. Midey

PASCAL AUFRANC Probus 2014 ★

■	5000		11 à 15 €

Installé en 1992 en appellation chénas, Pascal Aufranc exploite un vignoble de coteau d'un seul tenant qu'il a agrandi vers les AOC juliénas et fleurie en 2005: le domaine compte aujourd'hui 11 ha.

Cette cuvée rend hommage à l'empereur romain qui aurait implanté l'ancêtre du gamay sur les terres beaujolaises à la fin du III[e]s. Probus est aussi resté dans les annales pour avoir rapporté l'édit de Domitien qui limitait l'essor du vignoble gaulois. Le vin s'exprime avec beaucoup de franchise au nez, sur des notes de fruits rouges et noirs. Quant à la bouche, bien structurée, un peu sévère en finale, elle montre une belle tenue. ⧗ 2017-2020 ▼ bavette à l'échalote

⊶ PASCAL AUFRANC, en Remont, 69840 Chénas, tél. 04 74 04 47 95, pascal.aufranc@orange.fr V r.-v.

DOM. DE BOIS DE CHAT 2014 ★

■	5500		8 à 11 €

Après avoir exercé sept ans comme maître de chai dans deux caves coopératives, Jérémy Bally, à trente ans, a voulu s'installer à son compte. Par ailleurs batteur dans un groupe de musiciens, il a constitué en 2014 ce petit domaine (4 ha) avec vue sur le Mont Blanc en AOC Juliénas uniquement, plus précisément sur le terroir « Au bois de Chat ».

Un nouveau nom dans le Guide : Jérémy Bally, qui nous a soumis son premier millésime. Une macération traditionnelle, avec un minimum d'interventions, a donné ce juliénas aux arômes élégants de fraise, de fleurs et d'épices, qui conjugue finesse et ampleur. ⧗ 2017-2020 ▼ rôti de bœuf

⊶ JÉRÉMY BALLY, Les Bois de Chat, 69840 Jullié, tél. 06 63 49 24 35, jeremy.bally@wanadoo.fr V r.-v.

ODILE ET PATRICK LE BOURLAY 2015

■	4000	8 à 11 €

Ce domaine se partage entre l'exploitation viticole (brouilly, juliénas, bourgogne blanc et rouge ainsi que des vins de marsanne et de gamaret, hors appellation) et l'accueil des touristes en maison d'hôtes. Ses vins sont élaborés à Vauxrenard, dans le cuvage du château du Thil datant de 1850.

Un juliénas issu de vignes âgées d'un demi-siècle. Par son expression aromatique nette et élégante, sur la framboise et les fruits noirs, il montre la bonne maîtrise technique de Patrick Le Bourlay, son vinificateur. Souple à l'attaque, gourmand, il offre une finale longue et chaleureuse. ⧗ 2016-2019 ▼ pieds de porc panés ■ Beaujolais-villages **EARL Bourlay 2014 (5 à 8 €; 6000 b.)** : vin cité.

⊶ EARL BOURLAY, Foretal, 69820 Vauxrenard, tél. 04 74 69 90 44, le.bourlay@wanadoo.fr V r.-v. 2

DOM. DES BRUYÈRES Les Capitans 2015 ★★

■	3000		5 à 8 €

Acquis par le père de l'actuel vigneron en 1982, ce domaine a vendu sa production en vrac jusqu'en 2001 à une maison de négoce suisse. L'arrivée de Nicolas Durand, qui a acquis une précieuse expérience dans la maîtrise du froid en vinification, a permis de tester dès 1993 les techniques de macération préfermentaire à chaud, qu'il continue d'utiliser.

De vieux gamays de quatre-vingt-dix ans implantés sur une parcelle de 90 ares située dans un lieu-dit schisteux et granitique ont engendré cette cuvée gourmande à souhait. Ce caractère flatteur résulte de la finesse et du soyeux des tanins ainsi que d'arômes intenses de petits fruits épicés, cerise en tête, qui montent du verre et persistent longtemps en bouche. ⧗ 2017-2020 ▼ rôti de sanglier à la confiture ■ Saint-amour **2015 ★★ (8 à 11 €; 3200 b.)** : gourmand et harmonieux, ce saint-amour est apprécié pour ses arômes francs de fruits noirs mûrs et pour sa bouche équilibrée, consistante et bien construite qui permet d'envisager l'avenir sereinement. ⧗ 2017-2020 ▼ entrecôte

⊶ NICOLAS ET SANDRINE DURAND, 502, rte de Saint-Amour, 71570 La Chapelle de Guinchay, tél. 03 85 36 55 16, nicolas.durand41@orange.fr V r.-v.

♥ CASTEL DU COTOYANT 2015 ★★

■	32000		5 à 8 €

Castel du Cotoyant est le nom d'un vin issu d'un vignoble exploité en métayage par Stéphane Mahuet. Un producteur en contrat avec la maison mâconnaise Mommessin, qui le conseille et diffuse la cuvée. La propriétaire est Marlène Polfiet, du village voisin de Pruzilly, où se trouve le cuvage. Stéphane Mahuet détient aussi des vignes en fermage et en propre: au total, il exploite 34 ha, en juliénas surtout, et en saint-amour.

Un juliénas qui réalise la synthèse idéale entre maturité et élégance. Le nez dévoile des notes fines de fruits noirs et d'épices. Une complexité que l'on retrouve dans une bouche charnue, étayée par des tanins marqués. Autant de caractéristiques qui en font l'un des juliénas les plus typés de la dégustation. ⧗ 2017-2021 🍴 lapin chasseur

⊶ *STÉPHANE MAHUET, Les Berthets, 69840 Juliénas, tél. 04 74 06 76 99*

♥ DOM. DE LA CAVE LAMARTINE Côte de Bessay 2014 ★★

■ | 15 000 | | 8 à 11 €

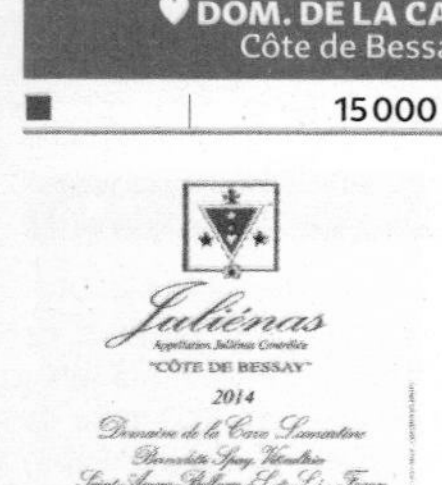

Commandé par une demeure du XVIIIᵉs., ce domaine situé à Saint-Amour-Bellevue fut autrefois la propriété de la famille du poète Lamartine, originaire du Mâconnais voisin. Il est aujourd'hui conduit par Bernadette Spay (domaine Hamet-Spay). Le vignoble couvre 11 ha, dont près de 7 ha consacrés à la cuvée Vers l'Église, un terroir bien exposé près de l'église de Saint-Amour.

Des vignes de soixante ans exposées au sud, sur les flancs de la colline de Bessay, ont donné des raisins d'une belle maturité. Bernadette Spay les a vinifiés à la beaujolaise, en macération semi-carbonique, et a obtenu cette cuvée d'une remarquable complexité aromatique. Les notes de cassis, de fraise, de noisette et de violette se succèdent au nez et se prolongent dans une bouche ample aux tanins fondus. Un modèle de «vin plaisir». ⧗ 2016-2019 🍴 filet mignon de porc ■ Saint-amour **Dom. de la Cave Lamartine Vers l'Église 2015 ★★ (8 à 11 €; 31 000 b.)** : né sur un terroir exposé au sud, un saint-amour gourmand et plein de charme, au fruité généreux (fruits noirs) et à la bouche dense et soyeuse. De l'harmonie et un certain potentiel. ⧗ 2017-2020 🍴 poulet fermier rôti

⊶ *BERNADETTE SPAY, Vers l'Église, 71510 Saint-Amour-Bellevue, tél. 03 85 37 12 88, info@hamet-spay.fr* V 🚶 ▪ *t.l.j. 8h30-12h 14h-18h30; dim. sur r.-v.*

DOM. CHÂTAIGNIER DURAND Vieilles Vignes 2015 ★★

■ | 8 000 | 🛢 | 8 à 11 €

Jean-Marc Monnet s'est installé en 1981. À cheval sur le Mâconnais et le Beaujolais, son domaine propose en blanc du saint-véran et en rouge deux crus du Beaujolais: chiroubles et juliénas.

La parcelle d'un hectare et demi plantée de vignes de soixante-cinq ans semble tirer parti de tous les millésimes: son vin a décroché deux coups de cœur et certains dégustateurs auraient bien couronné ce 2015. Il a particulièrement bien réagi à une année exceptionnellement ensoleillée. Des notes de myrtille, de cerise et d'épices s'élèvent du verre. Une matière suave, structurée par des tanins denses, enveloppe le palais. Du potentiel. ⧗ 2017-2021 🍴 entrecôte marchand de vin

⊶ *JEAN-MARC MONNET, Les Brucherats, 69840 Juliénas, tél. 06 17 52 70 38, monnet.jm@free.fr* V 🚶 ▪ *r.-v.*

DOM. DU CORSAIRE Régis Le Colloëc 2015 ★

■ | 1 400 | 🛢 | 8 à 11 €

Breton et Malouin, Régis Le Colloëc, aide-soignant durant quinze ans, a eu le coup de foudre pour Juliénas... et une Juliénatonne. En 2013, après une année de reconversion, il a «mis le cap sur le Beaujolais, dans le respect des traditions». Que les vents lui soient favorables...

Un vin complexe en devenir, issu d'une petite parcelle de gamay visiblement récolté à maturité idéale. Au nez, des notes de fruits noirs confits, de cerise, une touche boisée et mentholée. En bouche, une matière puissante et dense, tonifiée par une belle fraîcheur. ⧗ 2017-2021 🍴 poule faisane

⊶ *RÉGIS LE COLLOËC, hameau de Vaux, 69840 Juliénas, tél. 06 80 21 28 81, domaine.korser@hotmail.com* V 🚶 ▪ *r.-v.*

DOM. DE LA CREUZE NOIRE Le Clos 2014

■ | 8 000 | 🍾 | 8 à 11 €

Ce domaine familial de 17 ha est à Leynes, village situé entre Beaujolais et Mâconnais. À sa tête depuis 1985, Christine et son époux Dominique Martin, rejoints par leur fils Loïc en 2013, le conduisent en lutte raisonnée. Le vignoble est réparti entre les AOC bourguignonnes et beaujolaises.

Terroir très pentu, Le Clos bénéficie d'une exposition au sud-ouest. La famille Martin en a tiré un vin intéressant tant par son nez de fruits rouges, d'épices et de boisé que par la finesse de ses tanins. ⧗ 2016-2019 🍴 filet mignon en croûte

⊶ *DOMINIQUE ET CHRISTINE MARTIN, La Creuze noire, 71570 Leynes, tél. 03 85 37 46 43, domainemartin.dcn@gmail.com* V 🚶 ▪ *t.l.j. sf dim. 8h-12h 14h-18h*

FRANCK JUILLARD Vieilles Vignes 2015

■ | 20 000 | 🍾 | 8 à 11 €

Entré à quatorze ans à l'école de viticulture, Franck Juillard, fils de vigneron, a constitué son propre domaine en 1992 à l'âge de vingt-deux ans, débutant avec 3,5 ha pour parvenir à 8 ha aujourd'hui. Une valeur sûre en saint-amour et en juliénas.

Un 2015 qui sera à déguster sans trop tarder pour apprécier pleinement son nez intense mêlant fruits rouges, prune et noyau et son palais rond, d'une belle souplesse: un profil flatteur, sans aspérités. ⧗ 2016-2019 🍴 entrecôte charolaise

⊶ *FRANCK JUILLARD, Les Capitans, 69840 Juliénas, tél. 04 74 04 42 56, fjuillard69@icloud.com* V 🚶 ▪ *r.-v.* 🏠 ③

CH. DE JULIÉNAS Cuvée Prestige 2014 ★

■ | 10 000 | 🛢 | 8 à 11 €

Thierry Condemine se flatte d'exploiter le plus grand vignoble de l'appellation juliénas, avec 40 ha presque entièrement dédiés à ce cru (1 ha de fleurie et une parcelle en moulin-à-vent). Acquis par son arrière-grand-père en 1907, le domaine entoure

un magnifique château, dont l'origine remonte au XIIIᵉs. et aux sires de Beaujeu. Le cuvage date du XVIIIᵉs.

Une cuvée Prestige issue d'une sélection des plus vieilles vignes du domaine (soixante-dix ans en moyenne, avec des ceps de plus de cent ans). Le vin se distingue par son élégance et sa finesse. Un caractère végétal noble s'exprime au nez et les tanins s'affirment en souplesse. Élevé en foudre. ⧗ 2017-2020 🍴 terrine de sanglier

⊶ THIERRY CONDEMINE, Le château de Juliénas, 69840 Juliénas, tél. 04 74 04 49 98, thierrycondemine@chateaudejulienas.com V 🚶 🍷 *t.l.j. sf dim. 10h-12h 14h-18h*

DOM. MATRAY Vieilles Vignes 2014

■ | 7000 | 🛢 | 5 à 8 €

En 1988, Lilian Matray a pris la suite de quatre générations. Il exploite avec Sandrine le domaine familial de 14 ha, sis à Juliénas. Célia, la fille du couple, a rejoint l'exploitation.

De vieux ceps de soixante-quinze ans ont engendré cette cuvée vinifiée en vendanges entières et élevée dix mois en fût. Un vin appréciable par son nez de fruits bien mûrs, relevé d'épices, et par sa bouche bien équilibrée, épicée et boisée. ⧗ 2017-2020 🍴 terrine de gibier

⊶ EARL LILIAN ET SANDRINE MATRAY, Les Paquelets, 69840 Juliénas, tél. 04 74 04 45 57, domaine.matray@wanadoo.fr V 🚶 🍷 *t.l.j. 8h-20h; dim. 8h-13h*

DOM. DE LA MILLERANCHE 2015

■ | 18000 | 🍾 | 8 à 11 €

Au XVIIIᵉs., la famille Corsin était installée à Jullié. Huit générations de vignerons et deux familles sont à l'origine de ce domaine conduit depuis 1997 par Sylvain Roussot et Jérôme Corsin. Le vignoble couvre 10 ha en AOC juliénas et beaujolais-villages.

Jérôme Corsin a fait macérer ses raisins partiellement égrappés pendant une petite quinzaine de jours pour obtenir ce vin puissant et riche, au nez harmonieux, floral et épicé. ⧗ 2017-2020 🍴 steak tartare

⊶ JERÔME CORSIN ET SYLVAIN ROUSSOT, 283, rue de l'Église, 69840 Jullié, tél. 06 81 27 32 55, milleranche.corsin@wanadoo.fr V 🚶 🍷 *r.-v.* 🏠 Ⓑ

DOM. DU MOULIN BERGER Vayolette 2015 ★★

■ | 9300 | | 8 à 11 €

D'abord salarié (en 1973) sur les vignes de ce domaine, Michel Laplace les exploite en métayage à partir de 1976 avant d'en devenir propriétaire en 1998. En 2014, il a pris sa retraite et transmis à ses fils Romain et Cyril un vignoble de 18 ha à cheval sur le Mâconnais et le Beaujolais.

Issu de vignes de soixante-cinq ans plantées sur un terroir argilo-calcaire, un vin de garde, puissant et harmonieux, aux arômes très nets de fruits rouges et de poivre. Un juliénas bien typé. ⧗ 2018-2021 🍴 sabodet à la beaujolaise

⊶ DOM. DU MOULIN BERGER, Vignobles Laplace, Le Moulin Berger, 71570 Saint-Amour-Bellevue, tél. 03 85 37 41 57, scev-vignobles-laplace@orange.fr V 🍷 *r.-v.*

LES VIGNERONS DU PRIEURÉ Chevalier Saint-Vincent 2015 ★★

■ | 50000 | 🍾 | | - de 5 €

Filiale de l'Union des caves coopératives de Juliénas et de Chaintré, nouvel ensemble regroupant 290 ha de vignoble, Les Vignerons du Prieuré sont installés à Juliénas, au château du Bois de la Salle. La structure distribue de nombreux crus en Beaujolais et en Mâconnais.

La vinification semi-carbonique traditionnelle à la beaujolaise a mis en évidence les arômes de fruits noirs bien mûrs (cassis et mûre) qui caractérisent souvent la palette des 2015. Les tanins sont fermes, encore vifs mais de belle qualité. Ce vin remarquable devrait encore gagner en harmonie avec le temps. ⧗ 2018-2021 🍴 fricassée de poulet aux champignons ■ Beaujolais-villages **Fleur de Cuvée 2015 ★ (- de 5 €; 40000 b.)** : au nez, des fruits frais et quelques touches végétales. Franchise, finesse, fraîcheur pour la bouche: la puissance du millésime a été domptée pour donner une cuvée élégante. ⧗ 2016-2019 🍴 pâté de tête ■ Saint-amour **Réserve des Angelots 2015 (5 à 8 €; 25000 b.)** : vin cité.

⊶ LES VIGNERONS DU PRIEURÉ, Ch. du Bois de la Salle, 69840 Juliénas, tél. 04 74 04 41 66, contact@julienaschaintre.fr V 🚶 🍷 *t.l.j. 10h-12h 14h-18h*

BERNARD SANTÉ Vieilles Vignes 2015 ★

■ | 6000 | 🍾 | 11 à 15 €

Bernard Santé s'est installé en 1980 à Juliénas, où son grand-père cultivait la vigne avant la Seconde Guerre mondiale. Il exploite 11 ha aujourd'hui, avec des parcelles en juliénas, chénas et moulin-à-vent.

Située sur les hauteurs de l'appellation, la parcelle a été acquise en 2009. Vinifiés en grappes entières pendant neuf jours, les raisins ont donné une cuvée à la texture particulièrement soyeuse. Une finesse qui s'accompagne d'une belle expression aromatique sur les fruits rouges. ⧗ 2017-2020 🍴 filet de biche

⊶ BERNARD SANTÉ, 3521, rte de Juliénas, 71570 La-Chapelle-de-Guinchay, tél. 03 85 33 82 81, earl.sante-bernard@wanadoo.fr V 🚶 🍷 *r.-v.*

THORIN Terres de Galène 2015

■ | 30000 | | 8 à 11 €

Fondée en 1843 par une vieille famille du Beaujolais, cette maison de négoce, qui s'approvisionne auprès de 450 viticulteurs, est maintenant une filiale du groupe Boisset. Elle décline dans sa gamme les différentes « terres » du Beaujolais, qui donnent leur nom à ses cuvées (silice, granite, schiste noir).

Un vin facile à boire, que l'on débouchera sans trop tarder, pour apprécier pleinement ses arômes de petits fruits rouges. ⧗ 2016-2019 🍴 ragoût de queues de bœuf

⊶ MAISON THORIN, 403, rte de Saint-Vincent, 69430 Quincié-en-Beaujolais, tél. 04 74 69 09 61

DOM. DE LA VIEILLE ÉGLISE 2015 ★

■ | 16400 | 🍾 | 11 à 15 €

L'un des six domaines exploités en propre par la maison Jean Loron, qui a pris le nom de l'ancêtre, viticulteur à Chénas en 1711. Créée en 1821, l'affaire est aujourd'hui gérée par un descendant du fondateur, Xavier Barbet. Le domaine de la Vieille Église couvre 13,5 ha en AOC juliénas.

Le nez plutôt discret libère des parfums de fruits confiturés, nuancés de touches de torréfaction. Présents mais dénués d'agressivité, les tanins donnent de l'ampleur et de la consistance à ce juliénas de bonne garde. ⧗ 2018-2021 🍴 faisan en cocotte à la forestière

⊶ GFA DE LA VIEILLE ÉGLISE, Granger, 69840 Juliénas, tél. 03 85 36 81 20, vinloron@loron.fr

CELLIER DE LA VIEILLE ÉGLISE 2014 ★

■ | 10500 | 🍾 | 8 à 11 €

Sous l'impulsion de Victor Peyret, négociant en vins, l'ancienne église de Juliénas, désaffectée depuis 1868, a été transformée en 1954 en un caveau de dégustation décoré de fresques bachiques. Dans ce sanctuaire de l'AOC est remis tous les ans le prix Victor-Peyret au meilleur chantre (journaliste, artiste...) du cru. Sous le nom de Cellier de la Vieille Église, une association de producteurs revendique un statut de négociant.

Ce 2014 s'exprime avec fraîcheur sur des arômes de framboise, de fleurs et d'épices. La mise en bouche révèle un vin de garde, un peu austère et fermé pour l'heure, solidement campé sur des tanins qui lui permettront d'évoluer dans le bon sens au cours des prochaines années. ⧗ 2018-2021 🍴 andouillette au vin rouge **■ Cuvée Fût de chêne 2014 ★ (8 à 11 €; 2600 b.)** : son caractère boisé n'a pas échappé à nos dégustateurs, qui soulignent les notes épicées (vanille, clou de girofle) caractéristiques de l'élevage. Un boisé bien marié qui contribue à l'harmonie du vin. ⧗ 2018-2021 🍴 côtelettes de chevreuil

⊶ CELLIER DE LA VIEILLE ÉGLISE, Association des Producteurs du cru Juliénas, 69840 Juliénas, tél. 04 74 04 42 98, cellierdejulienas@laposte.net
V 🚶 ■ t.l.j. sf mar. 10h30-12h30 15h-18h30; f. janv.-fev.

DOM. DU VIEUX CERISIER 2015 ★

■ | 25000 | 8 à 11 €

Fondée en 1912, la maison beaujolaise Pellerin est aujourd'hui dans le giron du groupe Boisset. Elle distribue des vins du Beaujolais et du Languedoc-Roussillon.

D'une expression aromatique franche et nette au nez (cassis, mûre, épices douces), ce 2015 annonce d'emblée son caractère gourmand. Des tanins fins confirment au palais son profil séducteur. ⧗ 2017-2019 🍴 souris d'agneau confite

⊶ DOMAINES ET CHÂTEAUX PELLERIN, Dom. du Vieux Cerisier, 403, rte de Saint-Vincent, 69430 Quincié-en-Beaujolais, tél. 04 74 69 09 61

MORGON

Superficie : 1 114 ha / Production : 51 231 hl

Le deuxième cru en importance après le brouilly est localisé sur une seule commune, celle de Villié-Morgon. Le gamay y engendre des vins robustes, généreux, fruités, évoquant la cerise, le kirsch et l'abricot. Ces caractéristiques sont dues aux sols issus de la désagrégation de schistes à prédominance basique, imprégnés d'oxyde de fer et de manganèse, que les vignerons désignent par les termes de « terre pourrie ». Des vins qui présentent ces qualités on dit qu'ils « morgonnent ». Non loin de l'ancienne voie romaine reliant Lyon à Autun, la colline du Py, croupe aux formes parfaites culminant à 300 m d'altitude, fournit l'archétype des vins de l'appellation. Cette Côte du Py est sans doute le plus connu des cinq *climats* de l'AOC. Vin de garde (jusqu'à dix ans les meilleures années), le morgon peut prendre des allures de bourgogne. La commune de Villié-Morgon se flatte d'avoir été la première à se préoccuper de l'accueil des amateurs de vins du Beaujolais : ouvert en 1953, son caveau, aménagé dans les caves du château de Fontcrenne, peut recevoir plusieurs centaines de personnes.

DOM. DE LA BÊCHE Cuvée Vieilles Vignes 2015 ★

■ | 50000 | 🍾 | 5 à 8 €

Bien connu des lecteurs du Guide, un domaine constitué en 1848. À sa tête depuis 1985, Olivier Depardon (septième génération) propose, sur ses 22,5 ha, à côté du morgon, du régnié et du beaujolais-villages.

Un morgon déjà séducteur : nez expansif, entre cassis et cerise ; bouche à l'unisson, aromatique, souple et fondue tout au long de la dégustation. Élevé en foudre. ⧗ 2017-2021 🍴 entrecôte ■ Régnié **2015 ★ (5 à 8 €; 15000 b.)** : au nez, des notes vanillées s'associent harmonieusement avec une expression de fruits noirs ⧗ 2017-2021 🍴 paupiettes de veau

⊶ OLIVIER DEPARDON, Dom. de la Bêche, BP 18, 69910 Villié-Morgon, tél. 04 74 69 15 89, depardon.olivier.morgon@wanadoo.fr V 🚶 ■ r.-v.

VIGNERONS DE BEL-AIR Hiver gourmand 2015 ★★

■ | 36000 | 🍾 | 5 à 8 €

Créée en 1929, la cave coopérative de Bel-Air, installée non loin du secteur des crus, près de Belleville, a fusionné en 2008 avec celle de Chiroubles. Forte de 250 producteurs, qui vinifient 650 ha, elle propose la plupart des AOC du Beaujolais ainsi que des AOC régionales bourguignonnes.

Issue d'une vinification traditionnelle beaujolaise, suivie d'un élevage en cuve pendant cinq mois, cette cuvée laisse d'emblée percevoir sa densité à travers sa robe intense aux reflets violines. Riche et puissante, elle devrait très bien évoluer. ⧗ 2018-2021 🍴 sauté de sanglier ■ Brouilly **Été Indien 2015 ★ (5 à 8 €; 48000 b.)** : des notes délicates de fruits noirs (cassis) assurent à ce brouilly une bonne expression aromatique. Un vin assez riche, étayé par des tanins marqués mais soyeux. ⏳ 2016-2020 🍷 entrecôte

VIGNERONS DE BEL AIR, 131, rue Henri-Fessy, 69220 Saint-Jean-d'Ardières, tél. 04 74 06 16 08, pmorx@vignerons-belair.com r.-v.

VIGNOBLES BULLIAT Cuvée du Colombier 2014

■	10000		5 à 8 €

Noël, c'est le père, installé en 1978, et Loïc, le fils, arrivé en 2005. À l'origine, 4 ha; aujourd'hui, 28 ha, avec un tiers en pleine propriété, répartis sur huit appellations, dont cinq crus. Une petite partie du domaine est passée au bio, le reste est conduit en culture raisonnée.

Un vin résultant de l'assemblage de trois cuvées issues d'une macération longue et d'un égrappage partiel. Le nez évoque les fruits compotés, la prune et le kirsch. Dans le même registre, la bouche se montre ronde et suave. ⏳ 2016-2019 🍷 volaille rôtie

VIGNOBLES BULLIAT, 50, imp. du Colombier, 69910 Villié-Morgon, tél. 04 74 69 13 51, bulliat.noel@orange.fr r.-v.

FRANCK CHAVY Les Granites roses 2015 ★

■	15000		8 à 11 €

Fils et petit-fils de vignerons, Franck Chavy s'est installé en 1991 sur quelques hectares de morgon. Par le biais de rachats et de métayages, il a agrandi son domaine, lequel compte aujourd'hui 9,2 ha, tout en prenant ses marques dans le Guide, dont il est une valeur sûre. Un palmarès auquel contribuent sans doute des vignes plantées à haute densité (10 000 pieds/ha) et des macérations longues.

Issue de 3,5 ha de vignes âgées de soixante-cinq ans, ce morgon annonce d'emblée sa concentration: la robe montre une belle profondeur, tout comme le nez aux nuances de fruits noirs confits, de gelée de mûre et d'épices. Une densité qui se confirme en bouche avec, en prime, des tanins fondus. Déjà agréable, il ne manque pas de potentiel. ⏳ 2017-2021 🍷 magret de canard aux cerises

FRANCK CHAVY, Lachat, 69430 Régnié-Durette, tél. 06 07 16 18 85, franck.vinchavy@wanadoo.fr r.-v.

CYRILLE CHAVY Cuvée Vieilles Vignes 2015 ★

■	7000		5 à 8 €

Un domaine fondé en 1850. Le grand-père Antoine était vigneron et tonnelier. Dans le Guide, de nombreuses étoiles distinguent Henri (le père), puis ses fils. Cyrille, le frère de Franck, a souhaité voler de ses propres ailes en louant, puis en achetant, un vignoble de 6 ha dont il tire des beaujolais-villages, régnié et morgon.

Des ceps de quatre-vingts ans sont à l'origine de ce morgon qui a connu le bois. À une robe profonde, aux reflets violets, répond un nez de cerise, de cassis et de réglisse. D'une belle richesse, la bouche s'appuie sur de solides tanins qui demandent à s'arrondir. ⏳ 2017-2020 🍷 pavé de bœuf

CYRILLE CHAVY, Les Mulins, 69910 Morgon, tél. 06 70 79 52 43, cyrille.chavy@orange.fr r.-v.

DOM. DE COLETTE Le Charme de Colette 2014 ★

■	n.c.		8 à 11 €

Vigneron précoce, Jacky Gauthier s'est installé en 1980 à seulement dix-sept ans, en demandant à ses parents de l'émanciper. Son domaine, implanté sur des coteaux exposés au sud-est, s'étend sur 14,5 ha, avec des parcelles dans quatre crus (moulin-à-vent, régnié, morgon et fleurie).

L'égrappage a été partiel (50 %) pour cette cuvée issue du terroir les Charmes. Franc et net, le nez mêle notes minérales, épices et fruits noirs. Des tanins délicats assurent une grande harmonie à l'ensemble. Le 2010 avait obtenu un coup de cœur. ⏳ 2017-2020 🍷 brie de Meaux ■ Régnié **Sélection Vieilles Vignes 2014 (5 à 8 €; n.c.)** : vin cité.

JACKY GAUTHIER, Dom. de Colette, 4245, rte de Saint-Joseph, 69430 Lantignié, tél. 04 74 69 25 73, domainedecolette@wanadoo.fr r.-v.

DOM. DU COTEAU VERMONT Climat Corcelette 2015 ★

■	4000		5 à 8 €

Installé à Villié-Morgon dans un domaine offrant un beau point de vue sur la vallée de la Saône, Bernard Gonin représente la troisième génération sur cette exploitation familiale qui compte 9 ha.

Cette cuvée, qui représente la moitié de la superficie du domaine, provient d'un terroir proche de Chiroubles. Elle s'exprime avec intensité et complexité. Des notes de fruits rouges frais, framboise en tête, caractérisent sa palette aromatique. Dans le même registre, la bouche est bien équilibrée, longue et fraîche. ⏳ 2017-2020 🍷 caille rôtie aux raisins ■ Chiroubles **Climat Corcelette 2015 ★ (5 à 8 €; 3000 b.)** : un nez intense, sur la fraise, la framboise et le cassis confiturés, avec une touche réglissée; une bouche dans le même registre, ample et ronde, aux tanins soyeux. ⏳ 2016-2019 🍷 travers de porc au barbecue

BERNARD GONIN, Le Truges, 69910 Villié-Morgon, tél. 04 74 69 12 97, gonin.b@wanadoo.fr r.-v.

DOM. DE LA COUR PROFONDE 2014

■	5000		8 à 11 €

Cyril et Patricia Revollat se sont installés en 1998 sur le domaine familial dont ils ont porté la superficie à 10,5 ha. Leur maison de la fin du XIXe s. est bâtie sur sept caves voûtées en pierre du pays.

Une fermentation semi-carbonique a été mise en œuvre pour obtenir cette cuvée au nez de fruits noirs et à la bouche gourmande, étayée par des tanins fins, plus fermes et vifs en finale. ⏳ 2018-2021 🍷 andouillette sauce moutarde

PATRICIA ET CYRIL REVOLLAT, La Cour Profonde, 740, rte de la Grosse-Pierre, 69115 Chiroubles, tél. 04 74 69 13 72, revollat.cyril@wanadoo.fr t.l.j. 9h-19h

FLORENT DESCOMBE 2015

■ | 990 | | 5 à 8 €

L'entreprise familiale est née en 1905 et, cinq générations plus tard, elle continue son chemin. Florent Descombe sélectionne la gamme de plus de 150 références de la maison de négoce, qui propose des vins de marque ou de propriétés partenaires.

Une vinification semi-carbonique et un élevage de six mois en cuve ont préservé toute la générosité du millésime dans ce vin au nez intense de fruits noirs. ⧗ 2017-2021 ¥ civet de lapin

VINS DESCOMBE, 462, rte du Beaujolais, 69460 Saint-Étienne-des-Oullières, tél. 04 74 03 41 73, info@vins-descombe.com V t.l.j. sf sam. dim. 8h15-12h 14h-17h

PIERRE DUPOND
Côte du Py Vieilles Vignes 2014 ★

■ | 20000 | | 8 à 11 €

Une maison de négoce établie à Cercié-en-Beaujolais, qui propose une large gamme de crus de la région. Hervé Dupond est à sa tête.

Trois qualités majeures se remarquent dans cette cuvée: richesse, concentration et équilibre. Le tout s'exprime avec finesse tout au long de la dégustation. Au nez comme en bouche, des notes de fruits noirs et rouges sont soulignées d'un léger boisé bien intégré. ⧗ 2018-2021 ¥ lapin chasseur

PIERRE DUPOND, La Terrière, 69220 Cercié, tél. 04 74 66 77 80 V r.-v.

JEAN-MICHEL DUPRÉ 1935 Vieilles Vignes 2014 ★

■ | 4000 | | 8 à 11 €

Perché au-dessus de Beaujeu, aux Ardillats, à l'entrée de la route du haut Beaujolais, Jean-Michel Dupré a créé son domaine pratiquement de toutes pièces, à partir de 1989, des 2 ha transmis par son père. Il a transformé la ferme paternelle en cuvage et acquis des parcelles de vignes en contrebas. Aujourd'hui, il conduit 14 ha de vieilles vignes et propose du morgon, du régnié et du beaujolais-villages.

1935? L'année de plantation des vignes sur ce terroir des Grands Cras. Des vignes vraiment vieilles, dont Jean-Michel Dupré a tiré un vin d'une grande harmonie, bâti sur des tanins fins. Son expression aromatique est intense, sur la prune et la pêche de vigne. ⧗ 2018-2021 ¥ faisan à la forestière

JEAN-MICHEL DUPRÉ, Ranfray, 69330 Les Ardillats, tél. 06 80 43 20 72, j.dupre7@orange.fr V r.-v. 2 B

FLACHE SORNAY Cote de Granits 2014

■ | 5800 | | 8 à 11 €

Corinne et Vincent Flache ont pris la tête en 2001 de cette exploitation familiale transmise de génération en génération. Ils exploitent un vignoble d'une dizaine d'hectares, situé au cœur du cru Morgon.

Vincent Flache vinifie de manière traditionnelle, en favorisant des macérations longues de dix à quinze jours. Il a sélectionné une parcelle de 1,5 ha pour cette cuvée élevée dix mois en demi-muid. Un vin ample, au nez de belle intensité, alliant fruits noirs et notes chocolatées. Élevé en foudre. ⧗ 2018-2021 ¥ râble de lapin aux raisins ■ **2014 (5 à 8 €; 15000 b.)** : vin cité.

FLACHE SORNAY, 633, rue Ronsard, 69910 Villié-Morgon, tél. 04 74 04 26 70, vincent.flache@wanadoo.fr V r.-v.

DOM. GAGET Côte du Py 2014 ★★

■ | 25000 | | 8 à 11 €

Maurice Gaget a constitué l'exploitation en 1980 en achetant 4 ha au château de Pizay et en construisant l'année suivante un cuvage. Il l'a agrandie et transmise en 1999 à son fils Mikaël, qui dispose aujourd'hui de 11 ha de vignes en morgon, en fleurie et en beaujolais-villages. Le domaine a son siège sur la Côte du Py, terroir réputé de Morgon.

Un très beau morgon, tout en finesse et en fraîcheur, d'une rare complexité, qui tire la quintessence des qualités du millésime 2014 et les met en valeur avec une grande harmonie. Sa palette aromatique associe la cerise et les épices, avec une touche florale. Le palais friand s'appuie sur des tanins soyeux et élégants. ⧗ 2017-2020 ¥ poulet rôti

DOM. GAGET, La Côte-du-Py, Morgon, 69910 Villié-Morgon, tél. 04 74 04 20 75, domainegaget@orange.fr V r.-v. *Mikaël Gaget*

DOM. DOMINIQUE GOUILLON
Grand Cras 2014 ★★

■ | n.c. | | 8 à 11 €

Proche du château de La Palud, ce domaine a été créé en 1983 par Danielle Gouillon. Il est aujourd'hui dirigé par son fils Dominique qui exploite 12 ha en beaujolais-villages et sur les crus morgon, côte-de-brouilly et brouilly. La cave, rénovée en 2001, est installée dans une demeure typique du XIXᵉs.

Une petite parcelle de 60 ares de vignes âgées d'un demi-siècle a engendré ce 2014 remarquable, tant par son expression aromatique intense sur les fruits noirs et les épices que par son harmonie et sa puissance en bouche. ⧗ 2019-2022 ¥ bavette grillée

DOMINIQUE GOUILLON, 1320, rte de la Palud, 69430 Quincié-en-Beaujolais, tél. 06 87 48 39 09, gouillon.dominique@orange.fr V r.-v. 4

MICHEL GUIGNIER Vieilles Vignes 2014 ★★

■ | 20000 | | 8 à 11 €

Installé en 1989, Michel Guignier a débuté sur un petit domaine cultivé en bio depuis de nombreuses années. L'exploitation compte aujourd'hui 12,5 ha complété d'une structure de négoce; la moitié est en bio, l'autre en conversion. Sur son domaine, il vinifie des morgon, des régnié et des chiroubles.

Issu de 4 ha en conversion bio – des vignes de soixante ans – ce vin vinifié en grappes entières puis élevé six mois en fût se distingue par la finesse de son nez, sur les fruits noirs. En bouche, il concilie richesse et ampleur avec une rare harmonie. ⧗ 2017-2021 ꝟ jarret de porc braisé ■ **Bio-Vitis 2014 ★ (8 à 11 €; 11 000 b.)** Ⓑ : un morgon « bio » issu de vieilles vignes. L'élevage de six mois en fût se perçoit par des touches épicées mais n'empêche pas le raisin de s'exprimer avec intensité, sur les petits fruits rouges et le cassis. La bouche est assez longue et la rondeur des tanins ajoute de l'agrément à l'ensemble. ⧗ 2017-2020 ꝟ pavé de bœuf aux champignons

⊶ MICHEL GUIGNIER,
SARL Les Améthystes, Les Fûts, 69430 Régnié-Durette,
tél. 06 23 94 85 21, michel.guignier@wanadoo.fr
r.-v.

DOM. DE HAUTE MOLIÈRE
Le Misanthrope 2014 ★

■	2700		5 à 8 €

Cette propriété dispose de 9 ha de vignes implantées sur des coteaux pentus et disséminées dans trois communes. Elle propose deux crus: fleurie et morgon. Jean-François Patissier, qui représente la sixième génération, en a pris la tête en 1998.

Le Misanthrope ? On songerait plutôt au Philinthe de la pièce, car cette cuvée élevée à 30 % en fût n'a rien d'atrabilaire... Son nez, des plus avenants, s'ouvre sur des notes de cassis et de fruits rouges d'une belle intensité. Quant à la bouche, elle se distingue par son équilibre et la souplesse de ses tanins. À ne surtout pas boire seul en ruminant dans son coin, mais à déboucher avec de vrais amis. ⧗ 2017-2021 ꝟ confit de canard

⊶ JEAN-FRANÇOIS PATISSIER,
Le Bourg, 69820 Vauxrenard, tél. 04 26 74 40 33,
jfpatissier@gmail.com r.-v.

DOM. D'HERVELYNE 2014 ★★

■	8400		5 à 8 €

En 1969, Michel et Christiane Rampon s'installent sur l'exploitation familiale dominant les coteaux de l'Ardières. Leur fils Hervé les rejoint en 1991, tandis que le domaine s'agrandit grâce aux vignes laissées par les grands-parents partant à la retraite (8,5 ha aujourd'hui en régnié, morgon et villages).

Une vinification en grappes entières pendant une dizaine de jours a permis d'obtenir ce 2014 au nez épicé, bien campé sur des tanins solides, qui a su conserver la fraîcheur du millésime. ⧗ 2018-2021 ꝟ saucisson brioché

⊶ EARL MICHEL RAMPON ET FILS,
La Tour Bourdon, 69430 Régnié-Durette,
tél. 04 74 04 32 15, gaec.rampon@wanadoo.fr
t.l.j. 8h-19h

GUÉNAËL JAMBON
Côte du Py Vieilles Vignes 2014 ★★

■	5000		11 à 15 €

Guénaël Jambon est à la tête de ce domaine implanté au cœur de la Côte du Py, le terroir le plus connu de l'AOC morgon. Il dispose d'une vingtaine d'hectares dans cette appellation, ainsi qu'en fleurie et en beaujolais-villages

Un morgon issu de vénérables vignes de soixante-quinze ans, dont les raisins ont été pour moitié égrappés. Après un élevage mi-cuve mi-fût, il apparaît à la fois puissant et subtil. Ses arômes intenses associent les fruits rouges et noirs aux notes fumées et toastées du merrain. La finale montre une belle persistance. Un vin à laisser se patiner, sauf si on aime les vins boisés. ⧗ 2019-2023 ꝟ tournedos Rossini ■ **Côte du Py Réserve 2014 ★ (5 à 8 €; 30 000 b.)** : une cuvée vinifiée en grappes entières et élevée en cuve. Ses tanins sont encore marqués, mais l'intensité de ses arômes de framboise et la longueur de la finale rendent optimiste sur son évolution. ⧗ 2018-2021 ꝟ coq au vin

⊶ GUÉNAËL JAMBON, Morgon-le-Haut,
69910 Villié-Morgon, tél. 06 03 49 73 06,
guenael-jambon@wanadoo.fr r.-v.

DOMINIQUE JAMBON 2015 ★★

■	n.c.		5 à 8 €

Dominique Jambon, installé en 1983 sur un métayage en beaujolais-villages, a repris des vignes familiales en 1995, puis du morgon, et construit un cuvage (2003). Il exploite aujourd'hui 9,5 ha, dont 0,5 ha de chardonnay, et tient beaucoup à ses vignes anciennes plantées à haute densité (10 000 pieds/ha), même si elles exigent beaucoup de travail.

Avec une telle concentration et cette complexité, ce morgon, issu d'une macération semi-carbonique de dix jours, est promis à un bel avenir. La robe tire sur le noir. Noirs sont aussi les petits fruits que l'on respire dans le verre. Dès l'attaque, la bouche fait sentir sa richesse. La finesse des tanins et la persistance de la finale achèvent de convaincre. ⧗ 2018-2021 ꝟ pintade rôtie ■ **Régnié 2015 ★ (5 à 8 €; 7 000 b.)** : la puissance du millésime 2015 et son côté gourmand sont au rendez-vous. Des notes de cassis intenses imprègnent ce vin riche et harmonieux, aux tanins plus marqués en finale. ⧗ 2017-2020 ꝟ bœuf bourguignon

⊶ DOMINIQUE JAMBON, 152, chem. de la Croix-d'Arnas, 69430 Lantignié, tél. 04 74 04 80 59, dominique.jambon@wanadoo.fr r.-v.

DOM. DE JAVERNIÈRE 2015 ★

■	15 000		5 à 8 €

Héritier de quatre générations de vignerons installés à Villié-Morgon, Hervé Lacoque travaille dès l'âge de dix-sept ans sur l'exploitation; il débute avec 4 ha en métayage, y ajoute 2 ha en fermage, avant de reprendre intégralement en 2000 le domaine de son père, Noël. Après achat de parcelles, sa propriété couvre plus de 10 ha.

Issu d'une vinification traditionnelle en vendange entière, ce 2015 a fait l'objet d'une cuvaison de neuf à dix jours, suivie d'un élevage en cuve. Il développe des arômes puissants d'épices et de petits fruits bien mûrs et séduit tout au long de la dégustation par son équilibre et son intensité. ⧗ 2018-2022 ꝟ côtelettes d'agneau

HERVÉ LACOQUE, Javernière, 69910 Villié-Morgon, tél. 04 74 04 26 64 V r.-v.

♥ DOM. CHARLES JENNY
Vieilles Vignes 2015 ★★

■ | 35000 | | 5 à 8 €

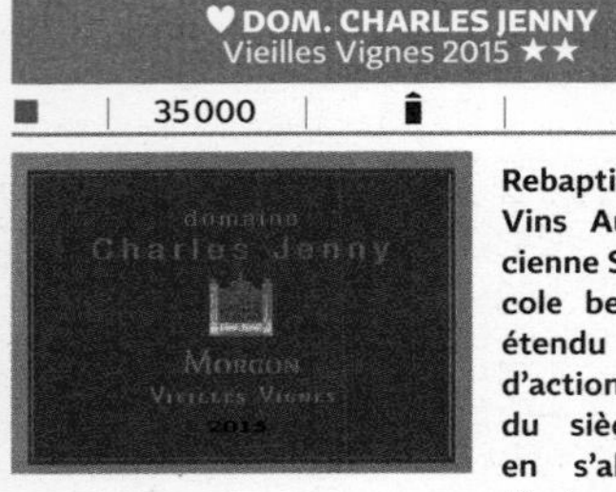

Rebaptisée Les Vins Aujoux, l'ancienne Société vinicole beaujolaise a étendu son rayon d'action au cours du siècle dernier en s'alliant avec d'autres sociétés (Jacques Depagneux, Joannès Chanut). Elle propose des vins du Mâconnais et du Beaujolais en provenance de domaines partenaires.

Joannès Chanut est l'une des maisons entrées dans l'orbite des vins Aujoux dans les années 1990. Quant au domaine Charles Jenny, c'est une exploitation partenaire de la maison pour le morgon. Son 2015 a emporté tous les suffrages. Un large éventail d'arômes – violette, épices, cerise, mûre confiturée, notes minérales – se déploie au nez; puis une matière ample, suave et parfaitement équilibrée s'empare avec douceur du palais. La texture est soyeuse et la longueur remarquable. ⌛ 2018-2023 🍴 pigeon rôti ■ Moulin-à-vent **Dom. de Long Cours 2015 ★★** (5 à 8 €; **30000 b.**) : un vin dont la générosité se perçoit dès l'approche; la robe est sombre, le nez évoque les fruits rouges et noirs confits. À la fois dense et soyeuse, la bouche présente un équilibre remarquable entre l'acidité et les tanins. Une bouteille qui saura se tenir dans le temps. ⌛ 2019-2023 🍴 civet de marcassin

JOANNÈS CHANUT, La Batie, 71570 La-Chapelle-de-Guinchay, tél. 03 85 23 83 50, aujoux@aujoux.fr t.l.j. 9h-12h 14h-18h

DOM. DU MARGUILLIER 2015 ★

■ | n.c. | | 5 à 8 €

Représentant la sixième génération sur le domaine, Christophe Sornay a pris les rênes de l'exploitation en 2003, à la disparition de son père Noël. Il conduit 12 ha de vignes en appellations beaujolais, morgon et régnié.

Les raisins ont été récoltés sur une superficie de 4,7 ha avant d'être égrappés pour moitié au moment de la vinification. Le nez monte en puissance à l'aération, libérant des notes de fruits noirs rehaussées d'épices. Une certaine puissance se dégage en bouche. Elle incite à la patience. ⌛ 2019-2022 🍴 civet de lièvre

EARL CHRISTOPHE SORNAY, 312, rue Baudelaire, 69910 Villié-Morgon, tél. 06 80 87 89 32, domainedesgaudets@orange.fr V r.-v.

DOM. DES MARRANS Corcelette 2014 ★★

■ | 10000 | | 11 à 15 €

Créé en 1970 à Fleurie par Jean-Jacques et Liliane Mélinand à partir de vignes familiales, le domaine a été repris par leur fils Mathieu en 2009. Celui-ci, qui a vinifié auparavant en Australie et en Nouvelle-Zélande, conduit aujourd'hui 20 ha de vignes répartis sur six appellations, dont quatre crus. Une valeur sûre.

Vigneron talentueux, Mathieu Mélinand nous gratifie une nouvelle fois d'une très belle cuvée issue du terroir Corcelette. Un vin d'une grande élégance au nez de framboise, de violette et d'épices, à la bouche bien construite et longue, qui finit sur des notes de kirsch. Un morgon bien typé. Élevé en foudre. ⌛ 2019-2023 🍴 volaille de Bresse

DOM. DES MARRANS, Les Marrans, 69820 Fleurie, tél. 04 74 04 13 21, domainedesmarrans@wanadoo.fr V r.-v. 3 *Mathieu Mélinand*

DOMINIQUE MOREL 2015 ★

■ | 15000 | | 8 à 11 €

En 1900, M. Besson, l'arrière-grand-père, s'établit à Émeringes. Cet inventeur du premier filtre-presse cultivait 2 ha auxquels il adjoignit une distillerie et une tonnellerie. Installés en 1991, Dominique Morel, œnologue, et son épouse Christine exploitent aujourd'hui 18 ha, avec des parcelles dans six crus.

Fraise, framboise, cassis...: la bouche est un panier de fruits rouges et noirs. Dans le même registre, la bouche conjugue ampleur et concentration. Le potentiel de garde est évident. ⌛ 2019-2023 🍴 pintade aux tomates

SAS VINS DOMINIQUE MOREL, Les Chavannes, 69840 Émeringes, tél. 06 86 87 87 19, gry-sablon@orange.fr V *t.l.j. sf dim. 8h-18h*

DOM. DU PENLOIS 2014

■ | 24000 | | 8 à 11 €

Quatre générations de vignerons se sont succédé depuis 1922 à la tête de ce domaine. Maxence Besson, héritier de cette lignée, exploite 28 ha répartis sur plusieurs appellations (beaujolais, beaujolais-villages, morgon, juliénas et moulin-à-vent).

La vendange, égrappée, a macéré pendant quinze jours pour donner ce morgon aux notes de cassis et de myrtille intenses qui se prolongent au palais. En bouche, après une attaque souple, des tanins plutôt serrés font sentir leur présence en finale. ⌛ 2017-2020 🍴 filet de bœuf

BESSON, Dom. du Penlois, 215, rue du Penlois, 69220 Lancié, tél. 04 74 04 13 35, domaine@penlois.fr V *r.-v.*

LAURENT PERRACHON Corcelette 2015 ★★

■ | 12000 | | 5 à 8 €

Viticulteurs à Juliénas depuis le début du XVII[e]s., les Perrachon ont acheté en 1877 le château de la Bottière, puis le domaine des Perelles à Romanèche-Thorins (moulin-à-vent). À son installation en 1989, Laurent Perrachon a acquis le domaine des

Mouilles, puis des parcelles en morgon, fleurie et saint-amour: en tout 27 ha, avec des vignes dans six crus. Avec Maxime et Adrien, la nouvelle génération a rejoint le domaine en 2016.

Pour ce morgon, un égrappage pour moitié et une macération de quatorze jours. Il en résulte un vin à la robe profonde et au nez discret, sur le cassis, qui campe sur une structure tannique assez austère. La puissance et la concentration souvent rencontrées dans le millésime sont bien au rendez-vous. À laisser vieillir. ⌛ 2018-2022 🍴 filet de biche ■ Moulin-à-vent **Dom. des Perelles 2015 ★ (8 à 11 €; 10000 b.)** : un moulin-à-vent vinifié à 50 % en vendange entière et macéré deux semaines avec pigeages journaliers. Il offre une expression typique du millésime, avec des arômes de fruits noirs bien mûrs et une bouche solide, chaleureuse et tannique. Du potentiel. ⌛ 2018-2022 🍴 bœuf en daube

⊶ LAURENT PERRACHON, Les Mouilles, 69840 Juliénas, tél. 04 74 04 40 44, laurent@vinsperrachon.com V t.l.j. 9h-12h 14h-19h

CH. DE PIZAY Les Sybarites 2014 ★

■ | 20000 | | 8 à 11 €

Le premier château de Pizay, qui dépendait des sires de Beaujeu, a été construit vers 970. Remanié à la Renaissance et au XIXe s., doté au XVIIe de jardins dessinés par Le Nôtre et en 1818 d'une vaste cave voûtée, transformé en hôtel 4 étoiles au siècle dernier, il a bien changé depuis l'époque féodale. Avec 75 ha de vignes, c'est l'un des grands domaines de la région, exploité pour une partie en faire-valoir direct, pour l'autre en métayage.

Les Sybarites font référence à six barriques, plus précisément six foudres créés par six tonneliers différents dans lesquels a été élevée cette cuvée. Elle présente une belle harmonie entre le nez et la bouche. La fraise, la framboise, la myrtille et des notes vanillées et épicées s'expriment avec finesse. Le palais rond s'appuie sur des tanins élégants. ⌛ 2016-2019 🍴 suprême de pintade aux champignons ■ Beaujolais **2015 (8 à 11 €; 80000 b.)** : vin cité.

⊶ CH. DE PIZAY, 69220 Saint-Jean-d'Ardières, tél. 04 74 66 26 10, contact@vins-chateaupizay.com V t.l.j. sf dim. 8h30-12h30 13h30-17h

DOM. ROCHETTE Côte du Py 2015 ★

■ | 15000 | | 8 à 11 €

Matthieu Rochette s'est installé avec son père Joël en 2009. Ce dernier est décédé en septembre 2015, mais son épouse Chantal a repris le flambeau comme co-gérante de l'exploitation, qui compte près de 15 ha. Le domaine propose du beaujolais-villages, ainsi que les crus brouilly, côte-de-brouilly, régnié et morgon.

Le domaine exploite une belle parcelle en Côte de Py, terroir réputé de Morgon: presque 5 ha de vignes âgées de quarante-cinq ans. Après une longue cuvaison de douze jours et un élevage en cuve, ce vin au nez intensément fruité se distingue par sa richesse et son ampleur. ⌛ 2017-2021 🍴 côte de bœuf

⊶ DOM. MATTHIEU ROCHETTE, Le Chalet, 69430 Régnié-Durette, tél. 04 74 04 35 78, vinsdomainerochette@orange.fr V r.-v.

♥ DOM. RUET Les Grands Cras 2015 ★★

■ | 10000 | | 8 à 11 €

Fondé en 1926 au nord du mont Brouilly, ce domaine familial couvre 21 ha, avec des parcelles dans quatre crus: brouilly, côte-de-brouilly, régnié et morgon. Une valeur sûre du Beaujolais: le premier coup de cœur fut un 1984 et bien d'autres ont suivi. David Duthel a pris les rênes de l'exploitation en 2010.

Les Grands Cras est un terroir d'un hectare trente au sud de l'appellation, qui a la réputation de donner des vins puissants et minéraux. Le domaine Ruet y dispose de vignes de soixante ans dont les raisins sont vinifiés en macération semi-carbonique qui se prolonge dix-neuf jours. Le 2015 brille par sa concentration au palais et par sa générosité aromatique, et obtient un nouveau coup de cœur – le neuvième pour ce domaine. Les tanins encore un peu marqués en finale achèveront de se polir avec le temps. ⌛ 2021-2026 🍴 rôti de bœuf ■ Brouilly **Voujon 2015 ★★ (8 à 11 €; 35000 b.)** : David Duthel a parfaitement négocié ce millésime 2015 avec un brouilly aux notes de fruits noirs confits rehaussées d'une délicate touche florale. La bouche, à l'unisson, se montre harmonieuse, riche et longue, marquée en finale par une touche de réglisse. ⌛ 2017-2021 🍴 tendrons de veau caramélisés

⊶ DOM. RUET, Voujon, 69220 Cercié, tél. 04 74 66 85 00, ruet.beaujolais@orange.fr V t.l.j. sf dim. 8h30-12h 14h-17h ⊶ David Duthel

DOM. CHRISTOPHE SAVOYE Cuvée Noémie 2015

■ | 5000 | | 8 à 11 €

Sophie et Christophe Savoye, installés à Chiroubles depuis 1991, ont pris la suite de cinq générations. Ils exploitent 15,5 ha répartis dans les AOC chiroubles et morgon – de vieilles vignes d'une cinquantaine d'années.

D'une parcelle de 1,5 ha, Christophe Savoye a obtenu un vin au nez intense, sur les fruits noirs, qui séduit par son ampleur. ⌛ 2016-2019 🍴 filet de bœuf

⊶ CHRISTOPHE SAVOYE, 11, rte de la Grosse-Pierre, 69115 Chiroubles, tél. 04 74 69 11 24, christophe.savoye@laposte.net V t.l.j. sf dim. 9h-12h 13h30-19h

DOM. CHRISTIAN ET MICHÈLE SAVOYE Vieilles Vignes 2015 ★

■ | 6000 | | 5 à 8 €

Christian et Michèle Savoye ont créé en 1991 cette exploitation, qui couvre aujourd'hui 7 ha sur les

quatre communes de Vauxrenard, Villié-Morgon, Juliénas et Chiroubles, si bien qu'ils peuvent proposer une large gamme d'appellations du Beaujolais. Les vignes sont cultivées en gobelet sur des coteaux pentus.

Des arômes nets de poivre montent du verre. Un caractère épicé que le jury retrouve aussi en bouche, le tout bien mis en valeur par des tanins fins et une finale persistante. De l'harmonie et du caractère. ⧗ 2018-2021 ¥ sabodet à la beaujolaise

⊶ DOM. CHRISTIAN ET MICHÈLE SAVOYE, Les Combiers, 69820 Vauxrenard, savoye.christian@wanadoo.fr V r.-v.

DOM. DES SOUCHONS Côte du Py 2015 ★

■	10270	🍾	15 à 20 €

Grands Vins Sélection est un négociant assembleur, créateur de cuvées. Depuis 1988, la société est spécialisée dans le négoce et l'embouteillage de vins pour la grande distribution. Elle présente aussi des vins de domaines partenaires.

Le domaine insiste sur la qualité et la maturité des raisins pour produire un vin de caractère. À l'évidence, ces deux conditions ont été réunies dans le millésime 2015. Des notes de fruits noirs et d'épices s'expriment avec intensité au nez. La cerise s'ajoute à cette palette dans un palais étoffé, ample et rond. ⧗ 2017-2020 ¥ pintade en cocotte ■ Beaujolais **Dom. des Souchons Clos Saint-Roch 2015 (- de 5 €; 58800 b.)** : vin cité.

⊶ GRANDS VINS SÉLECTION, 696, rte de Champagnard, 69220 Saint-Jean-d'Ardières, tél. 04 74 66 57 24, cgubian@grandsvinsselection.fr V r.-v.

MOULIN-À-VENT

Superficie : 717 ha / Production : 26 192 hl

Le « seigneur » des crus du Beaujolais fut l'un des premiers, dès 1924, à avoir été délimité – par un jugement du tribunal civil de Mâcon qui lui donna aussi le droit d'utiliser le nom de moulin-à-vent. Il campe sur les coteaux de deux communes, Chénas, dans le Rhône, Romanèche-Thorins, en Saône-et-Loire. Le moulin qui symbolise l'appellation se dresse à une altitude de 240 m au sommet d'un mamelon, au lieu-dit Les Thorins. Le gamay noir s'enracine dans des sols peu profonds d'arènes granitiques. Riche en éléments minéraux tels que le manganèse, ce terroir apporte aux vins une couleur rouge profond, un arôme rappelant l'iris, un bouquet et un corps qui, quelquefois, font qu'on les compare à leurs cousins bourguignons de la Côte-d'Or. S'il peut être apprécié dans les premiers mois de sa naissance, le moulin-à-vent supporte une garde de quelques années (jusqu'à dix ans dans les grands millésimes). Selon un rite traditionnel, chaque millésime est porté aux fonts baptismaux, d'abord à Romanèche-Thorins (fin octobre), puis dans tous les villages et, début décembre, dans la « capitale ».

♥ **DOM. AUCŒUR**
Tradition Vieilles Vignes 2015 ★★

■	20000	5 à 8 €

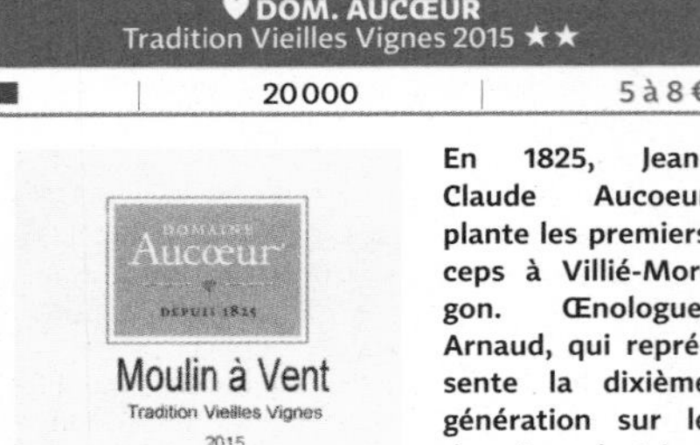

En 1825, Jean-Claude Aucoeur plante les premiers ceps à Villié-Morgon. Œnologue, Arnaud, qui représente la dixième génération sur le domaine, s'est installé en 2008 avec Mélanie. Une activité de négoce complète la production de l'exploitation familiale et lui permet de proposer une belle palette de neuf crus.

Des vignes d'une soixantaine d'années plantées sur un terroir de 3 ha sont à l'origine de cette cuvée dont la robe très profonde annonce une rare concentration. Le nez évoque la myrtille, la crème de cassis et les épices avec beaucoup d'intensité. La bouche est riche, adossée à des tanins élégants. Le millésime parle... ⧗ 2018-2021 ¥ pintade en cocotte ■ **Tradition Vieilles Vignes 2015 (5 à 8 €; 75000 b.)** : vin cité.

⊶ DOM. AUCŒUR, rte de Fleurie, 69910 Villié-Morgon, tél. 04 74 04 16 89, arnaudaucoeur@yahoo.fr V r.-v.

JEAN BARONNAT 2014 ★★★

■	n.c.	8 à 11 €

Fondée en 1920 par Jean Baronnat, c'est l'une des dernières affaires familiales encore indépendantes du Beaujolais. Elle est dirigée depuis 1985 par Jean-Jacques Baronnat, petit-fils du fondateur. La maison, bien implantée dans le Beaujolais, mais aussi en Bourgogne, a étendu sa gamme de vins au sud de la France. Une habituée du Guide.

La vinification à la beaujolaise aboutit ici à un vin couvert d'éloges, proposé pour un coup de cœur. Les dégustateurs saluent ses parfums intenses de fruits rouges et d'épices, sa bouche gourmande et concentrée qui finit sur des notes persistantes de fraise des bois et de fumée. De l'étoffe et du fruit. ⧗ 2017-2020 ¥ tajine d'agneau aux pruneaux ■ Beaujolais-villages **Le Bois de la Fée 2015 (5 à 8 €; n.c.)** : vin cité.

⊶ JEAN BARONNAT, 491, rte de Lacenas, 69400 Gleizé, tél. 04 74 68 59 20, info@baronnat.com V r.-v.

VINS DES BROYERS 2014 ★

■	2000	🛢	8 à 11 €

Fondé en 1710, le château des Broyers a trouvé sa vocation viticole en 1823. Au XIXe s., son activité de négoce rayonnait sur le nord de l'Europe. Laissé à l'abandon dans les années 1990, il a été restauré, avec à sa tête Pierre Coquard, responsable des 2 ha de vignes et du négoce, qui propose des vins du Beaujolais et du Mâconnais.

Un 2014 très séduisant par son nez complexe mêlant les fruits noirs (cassis en tête) et un boisé épicé. Rond, charnu et équilibré, il offre une finale persistante où l'on retrouve les fruits noirs, alliés à la vanille et à la réglisse. Un vin flatteur qui ne manque pas de personnalité. ⧗ 2018-2021 🍴 pigeon rôti

VINS DES BROYERS, 1333, rte de Juliénas, 71570 La Chapelle-de-Guinchay, tél. 03 85 36 57 37, jmbataillard@vinsdesbroyers.fr V r.-v. *Coquard*

♥ DOM. DE CHÊNEPIERRE 2015 ★★

■	6500		8 à 11 €

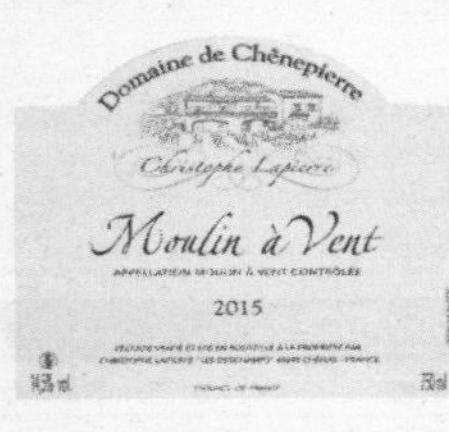

Christophe Lapierre a pris en 2008 les rênes de l'exploitation familiale, le domaine de Chênepierre (10 ha répartis entre chénas, moulin-à-vent et beaujolais-villages), après le départ à la retraite de ses parents. La moitié de ses surfaces est vinifiée par la coopérative de Chénas (sous l'étiquette «Dom. Christophe Lapierre») et l'autre moitié au domaine (sous l'étiquette «Dom. de Chênepierre»).

Le domaine exploite une superficie non négligeable dans l'appellation: 3,5 ha. Christophe Lapierre a su en tirer le meilleur parti. Issu d'une vinification traditionnelle beaujolaise et d'un élevage mi-cuve mi-fût, ce 2015 affiche une robe violet sombre et un nez chaleureux, sur le cassis macéré, typique du millésime. C'est en bouche qu'il s'impose, par sa concentration, sa densité et sa longue finale sur les fruits noirs et les épices. Les raisins étaient à l'évidence très mûrs et de grande qualité. ⧗ 2019-2026 🍴 entrecôte charolaise ■ **Vieilles Vignes 2015 ★★** (**5 à 8 €; 2500 b.**) : issu de vignes d'un demi-siècle et élevé en fût, ce 2015 affiche une robe très profonde. Le prélude à un nez sur la cerise noire confite, la mûre et la myrtille, en harmonie avec une bouche onctueuse, puissante, charpentée et longue. Une rare harmonie. ⧗ 2019-2022 🍴 bœuf en daube

CHRISTOPHE LAPIERRE, Les Deschamps, 69840 Chénas, tél. 03 85 36 70 74, lapierre-christophe@wanadoo.fr V *t.l.j. 8h-12h 14h-18h*

LA CLOSERIE MARJO 2015 ★

■	10000		8 à 11 €

La famille Marjo a acquis en 2011 une petite propriété en moulin-à-vent (près de 6 ha) implantée à Chénas. Elle confie sa vendange à la coopérative de Chénas.

Une vinification traditionnelle beaujolaise a été mise en œuvre pour cette cuvée par l'œnologue de la «coop», Didier Rageot. Une belle réussite tant la puissance et la rondeur du millésime 2015 s'expriment ici avec harmonie. Les tanins séduisent par leur fondu et la finale par sa longueur. Les arômes? À l'unisson de l'ensemble: chaleureux, évoquant la mûre avec un soupçon de sous-bois. ⧗ 2018-2021 🍴 coq au vin

DOM. CLOSERIE MARJO, 69840 Chénas

DOM. DE LA CÔTE DES CHANORIERS 2015

■	1000		8 à 11 €

Après la disparition brutale de son père, Gaël Fromenté a repris le domaine familial en 2001. Il a porté à 12 ha la superficie de l'exploitation, ajoutant à ses parcelles de saint-amour et de juliénas des vignes en moulin-à-vent, chénas et beaujolais-villages.

Les raisins ont été égrappés à 60 % pour donner cette cuvée prometteuse. Une texture riche et généreuse lui assure une belle présence au palais. L'ensemble est puissant et devra s'affiner avec le temps. ⧗ 2019-2021 🍴 onglet à l'échalote

GAËL FROMENTÉ, 31, les Poquelets, 71570 La Chapelle-de-Guinchay, tél. 06 74 51 29 61, gael.fromente@bbox.fr V *r.-v.*

DOM. DESPERRIER Cuvée des Greneriers 2014 ★

■	6000		8 à 11 €

Depuis quatre générations, la famille Desperrier est implantée à Romanèche-Thorins. Serge Desperrier a pris les rênes du domaine en 1990. Il exploite aujourd'hui 6 ha de vignes, essentiellement en AOC moulin-à-vent.

Un moulin-à-vent issu du terroir des Greneriers, exposé au sud-sud-est, dont le domaine possède un hectare planté de vignes de cinquante ans. Au terme d'une vinification à la beaujolaise et d'un séjour de neuf mois en fût, ce 2014 mêle au nez les fruits rouges mûrs et les épices. Après une attaque ronde et fraîche, les tanins s'affirment en fin de bouche. Un ensemble très équilibré. ⧗ 2017-2020 🍴 bœuf bourguignon

EARL DOM. DESPERRIER, La Pierre, Cidex 911, 227, rue de la Cascade, 71570 Romanèche-Thorins, tél. 03 85 35 55 05, dom.desperrier@wanadoo.fr V *r.-v.*

HENRY FESSY Champ de Cour 2014

■	4000		15 à 20 €

Installée au cœur de l'appellation brouilly depuis 1888, la maison Henry Fessy compte aujourd'hui 70 ha de vignes implantées en majorité sur les crus du Beaujolais. Elle a été reprise en 2008 par la célèbre maison de négoce bourguignonne Louis Latour.

Un 2014 élevé douze mois en fût. Le nez expressif mêle agréablement les fruits rouges, cerise en tête, la pivoine, une touche de tabac et des notes toastées. La bouche franche dispose d'un bon support acide. Il n'a manqué à cette bouteille qu'un peu de longueur pour obtenir une étoile. ⧗ 2016-2021 🍴 tourte à la viande

LES VINS HENRY FESSY, 644, rte de Bel-Air, 69220 Saint-Jean-d'Ardières, contact@henryfessy.com V *r.-v.* *Louis Latour*

DOM. DE FORÉTAL 2015 ★★

■	12500		8 à 11 €

Installé en 1998, Jean-Yves Perraud, issu d'une lignée enracinée à Vauxrenard depuis le XVII[e]s., a auparavant

exploré le vaste monde viticole et fait ses gammes en Alsace et aux États-Unis. Il a agrandi le domaine (8 ha) et développé l'accueil (du gîte d'étape à la chambre d'hôtes).

Un vin au fort potentiel, qui concilie avec bonheur l'onctuosité apportée par la grande maturité du millésime 2015 et une belle fraîcheur aromatique et gustative, soulignée par des notes franches de cassis et par une finale acidulée. ⧗ 2018-2022 🍴 carré d'agneau ■ Beaujolais-villages **2015 (5 à 8 €; 6000 b.)** : vin cité.

⊶ JEAN-YVES PERRAUD, Forétal, 69820 Vauxrenard, tél. 04 74 69 97 48, jyperraud@wanadoo.fr V t.l.j. 9h-12h30 13h30-19h

DOM. DAVID GEORGES 2014 ★★

■ | 1500 | | 5 à 8 €

David Georges a démarré comme coopérateur, puis il a gravi les échelons jusqu'à devenir vice-président de la cave. À l'âge de quarante ans, en 2010, il a pris la succession de son père sur le domaine familial constitué il y a quatre générations. Il exploite 8 ha.

Un 2014 issu d'une vinification en vendanges entières. La cuvaison de douze jours avec grillage (technique d'immersion du chapeau) a été suivie d'un séjour de dix mois en fût. Le résultat a convaincu le jury: la robe est intense, le nez marie harmonieusement les fruits rouges acidulés, le cassis à un boisé fumé et toasté. Le fruit ressort dans une bouche à la fois ample et fraîche, pleine de mâche, au boisé bien fondu, adossée à des tanins serrés et enrobés. ⧗ 2018-2026 🍴 faisan en cocotte

⊶ DAVID GEORGES, 328, rue des Thorins, 71570 Romanèche-Thorins, tél. 03 85 33 87 69, david.georgesmav@orange.fr V r.-v.

DOM. DES GRANDES VIGNES 2014 ★

■ | 3266 | | 5 à 8 €

Jean-Claude Nesme et ses enfants sont établis sur la colline de Brouilly. Quatre générations se sont succédé sur ce domaine qui compte aujourd'hui près de 11 ha, avec des parcelles dans quatre crus du Beaujolais: brouilly, côte-de-brouilly, régnié, morgon.

Un joli moulin-à-vent, déjà agréable à déguster. Les notes de petits fruits rouges et de poivre sont bien typées de l'appellation. Une matière élégante et assez souple se déploie au palais, où la framboise fait alliance avec la fraise des bois. ⧗ 2016-2019 🍴 filet mignon de porc

⊶ DOM. DES GRANDES VIGNES, 90, impasse du Puits, 69430 Quincié-en-Beaujolais, tél. 04 74 04 31 02, contact@ddgv.com V r.-v. ⊶ Hervé Nesme

LES GRANDS CRUS BLANCS 2015 ★★

■ | 6900 | | 8 à 11 €

Créée en 1929, la Cave des Grands Crus blancs a scellé l'union des vignerons de deux villages voisins: Vinzelles et Loché. Surtout présente dans le Mâconnais, elle propose aussi des crus du Beaujolais. Élaborés par un jeune œnologue, Jean-Michel Atlan, ses vins figurent régulièrement dans le Guide.

La Cave des Grands Crus blancs montre qu'elle sait aussi produire de bien jolis rouges. À l'image de ce moulin-à-vent issu d'une cuvaison longue et d'un élevage de neuf mois en fût. Au nez, de la cerise noire très mûre, du cassis et de la myrtille, rehaussés d'une pointe de réglisse. Dans le même registre aromatique gourmand, le palais s'impose par sa puissance, son élégance et sa persistance. ⧗ 2017-2021 🍴 dinde rôtie ■ Saint-amour **Quintessence 2015 ★★ (8 à 11 €; 3000 b.)** : une superbe cuvée où la puissance du millésime est remarquablement mise en valeur. Au nez, les parfums de fruits rouges sont à la fois intenses et délicats, et l'élevage sous bois peu perceptible. Puissante, ronde, aromatique et longue, la bouche laisse une rare sensation d'harmonie. Un finaliste du coup de cœur. ⧗ 2018-2022 🍴 tournedos

⊶ CAVE DES GRANDS CRUS BLANCS, 2367, rte des Allemands, 71680 Vinzelles, tél. 03 85 27 05 70, contact@lesgrandscrusblancs.com V t.l.j. 8h30-12h30 13h30-19h

DOM. LES GRYPHÉES 2014

■ | 6000 | | 5 à 8 €

Ce domaine de 14 ha tire son nom de mollusques fossiles présents dans le secteur des Pierres dorées, où il est implanté. À sa tête, Pierre et Cécile Durdilly, installés en 1973, ont été rejoints par leur fils Guillaume en 2007. Ils font le grand écart entre le Bois-d'Oingt, où est implantée la cuverie, et la région septentrionale des crus, où ils ont acquis des parcelles.

«Le soleil brille toute l'année sur cette parcelle de soixante ans», souligne Pierre Durdilly. La rondeur et la souplesse du vin, construit sur des tanins fins et soyeux, semble confirmer le caractère solaire de ce terroir. Le nez est discret, entre fruits rouges et épices, et la persistance moyenne, mais l'ensemble est flatteur. ⧗ 2016-2019 🍴 jarret de porc braisé

⊶ PIERRE DURDILLY, 2, rte de Saint-Laurent, 69620 Le Bois-d'Oingt, tél. 04 74 72 49 93, domainelesgrypheesl@wanadoo.fr V r.-v.

DOM. HAMET-SPAY Les Terres rouges 2014 ★

■ | 3500 | | 11 à 15 €

Madeleine et François Spay eurent... onze enfants! L'un d'entre eux, Paul, hérita du domaine (Dom. de la Cave Lamartine), et à la génération suivante, Christophe Spay et sa sœur Rachel Hamet constituèrent en 2005 leur exploitation, sur 12 ha: moulin-à-vent, juliénas, saint-amour et, en blanc, pouilly-fuissé, le Mâconnais étant voisin du cru saint-amour.

Issu d'une macération carbonique en grappes entières, suivi d'un élevage en cuve de huit mois et de six mois en fût, ce 2014 séduit par la complexité de sa palette aromatique: petits fruits rouges acidulés, épices et notes fumées. Au palais, le soyeux des tanins est souligné par une trame acide bien intégrée: une image plaisante d'un millésime fort différent de son successeur. ⧗ 2018-2022 🍴 faisan en cocotte

⊶ SCEV DOM. HAMET-SPAY, Le Plâtre-Durand, 71570 Saint-Amour-Bellevue, tél. 03 85 37 15 42, info@hamet-spay.fr V t.l.j. 9h-12h 14h-19h

CH. DES JACQUES Clos du Grand Carquelin 2014 ★

■	5000	◖◗	20 à 30 €

Propriété de la famille Thorins jusqu'en 1996, ce domaine de 86 ha a été repris par la maison beaunoise Louis Jadot pour en faire son fer de lance dans le Beaujolais. L'objectif est de mettre en valeur les différents terroirs de moulin-à-vent, morgon et fleurie. Cyril Chirouze a pris la tête du château en 2015.

Le château des Jacques vinifie ses crus à la bourguignonne (éraflage et élevage en fût intégral). Il en va ainsi pour ce 2014 issu d'un clos de 4 ha. Un vin dont on apprécie la finesse et la complexité de la palette aromatique, faite de pivoine, de réglisse et d'épices. Le palais inspire confiance, solidement charpenté, boisé et vanillé. ⧗ 2018-2021 ¥ fricassée de canard

⊶ CH. DES JACQUES, 147, rue des Jacques, 71570 Romanèche-Thorins, tél. 03 85 35 51 64, chateau-des-jacques@wanadoo.fr V ⚑ ■ *r.-v. ⊶ Louis Jadot*

DOM. LABRUYÈRE
Cœur de Terroirs Vieilles Vignes 2014 ★

■	39 000	◖◗ ⛉	11 à 15 €

Après avoir fait fortune dans la grande distribution, les Labruyère ont investi dans le vin, rachetant en 1988 des parts dans le Dom. Jacques Prieur, à Meursault. Depuis 2008, ils ont aussi renoué avec leurs racines beaujolaises: un ancêtre s'était installé en 1850 aux Thorins, dont le monopole réputé du Clos du Moulin-à-Vent. Édouard Labruyère a repris la propriété en main, ne gardant toutefois que les plus belles parcelles. Le vignoble compte aujourd'hui 14 ha.

Pour ce moulin-à-vent issu de vignes d'un demi-siècle, Nadine Gublin, l'œnologue, a opté pour une vinification à la bourguignonne (raisins 100 % éraflés). Après un séjour de douze mois dans le chêne, le nez est épicé, avec un fruit sous-jacent. La bouche apparaît particulièrement profonde et séveuse, construite sur une trame de tanins serrés. Une petite garde s'impose. ⧗ 2018-2021 ¥ pintade en cocotte

⊶ DOM. LABRUYÈRE, 310, rue des Thorins, 71570 Romanèche-Thorins, tél. 03 85 20 38 18, info@domaines-labruyere.com V ⚑ ■ *r.-v.*

CH. DU MOULIN-À-VENT
Les Terrasses du Château 2014 ★

■	34 000	◖◗ ⛉	11 à 15 €

Après un parcours dans l'édition de logiciels, Jean-Jacques Parinet a racheté en 2009 le Ch. du Moulin-à-Vent à la famille Flornoy-Bloud, qui en était propriétaire depuis cent ans. Sur ce domaine de 37 ha (dont un tiers a été replanté), il suit une démarche bio, sans certification.

Ce vin qui a connu le bois présente un nez discrètement épicé et anisé. Les fruits rouges percent dans un palais d'une belle rondeur, construit sur des tanins souples et fins. L'harmonie d'un vin bien né. ⧗ 2017-2021 ¥ entrecôte grillée

⊶ CH. DU MOULIN-À-VENT, 4, rue des Thorins, 71570 Romanèche-Thorins, tél. 03 85 35 50 68, info@chateaudumoulinavent.com V ⚑ ■ *r.-v. ⊶ Édouard Parinet*

LE NID Rochegrés 2014

■	2500	◖◗	15 à 20 €

Anciennement dénommé Dom. du Petit Chêne, ce vignoble en moulin-à-vent a été repris en 2012 par Paul Lardet, industriel à la tête d'une entreprise de métallurgie fabricant du matériel de cuverie. Ce dernier l'a rebaptisé Le Nid en 2014 et le conduit avec ses trois enfants en agriculture raisonnée. Le domaine s'étend sur 6 ha.

L'honorable successeur d'un 2013 élu coup de cœur. Un 2014 vinifié pour moitié en vendange entière et élevé quatorze mois en fût. Le nez se montre complexe, de légères notes boisées venant mettre en valeur un fruité fin et net. Franche, construite sur des tanins fins et déjà fondus, cette cuvée est un bel ambassadeur de son appellation. ⧗ 2017-2021 ¥ mijoté de queue de bœuf

⊶ FAMILLE LARDET, 51, rue des Champs-de-Cour, Le Moulin-à-Vent, 71570 Romanèche-Thorins, tél. 04 74 66 62 01, contact@lenid.fr V ⚑ ■ *r.-v.*

CH. PORTIER
Clos Portier Monopole 2015 ★

■	2000	◖◗ ⛉	20 à 30 €

Ingénieur et œnologue, Denis Chastel-Sauzet est le propriétaire du moulin emblématique du Dom. de Moulin-à-Vent et, depuis 2006, du château Portier, une bâtisse au toit de tuiles vernissées construite au XIXᵉs. Avec ces deux vignobles, il est à la tête d'un domaine de 25 ha.

Ce terroir de 50 ares est un monopole de Denis Chastel-Sauzet depuis 2006. Élevé en fût pendant un an, son vin affiche une robe dense et profonde; il libère des arômes de fruits cuits et épicés qui se prolongent dans une bouche très structurée. Du potentiel. ⧗ 2018-2022 ¥ chili con carne

⊶ SCV CH. PORTIER, 1765, rte de Moulin-à-Vent, 71570 Romanèche-Thorins, tél. 06 84 84 71 01, moulinavent.com@gmail.com V ⚑ ■ *t.l.j. 9h-12h30 13h30-19h; groupes sur r.-v.* 🏠 ⑤ ⌂ Ⓓ *⊶ Denis Chastel-Sauzet*

DOM. DU PRIEURÉ SAINT-ROMAIN 2015 ★

■		n.c.	8 à 11 €

Fondée en 1843 par une vieille famille du Beaujolais, cette maison de négoce, qui s'approvisionne auprès de 450 viticulteurs, est maintenant une filiale du groupe Boisset. Elle décline dans sa gamme les différentes «terres» du Beaujolais, qui donnent leur nom à ses cuvées (silice, granite, schiste noir…).

Un vin coloré, riche et intense, qui porte les caractéristiques d'un millésime 2015 exceptionnellement ensoleillé. Le nez, complexe, déploie des notes de fruits noirs à l'alcool. Un peu de garde ne pourra que lui être bénéfique. ⧗ 2019-2021 ¥ filet de biche

⊶ BRUNO PIN, 232, rte de Fleurie, Les Bulands, 71570 Romanèche-Thorins

DOM. DU P'TIT VERGER 2015

■ | 10 000 | 🍾 | 8 à 11 €

Conduit par Pascal Gonot, un domaine de 4 ha, qui avait autrefois un petit verger en son cœur. Les raisins sont vinifiés par la Cave de Chénas.

Une parcelle de 2,5 ha de vignes âgées d'un demi-siècle a donné naissance à cette cuvée généreuse. La bouche séduit par sa rondeur et son équilibre. La cerise, la mûre et la framboise sont au rendez-vous. ⧗ 2018-2021 ⫯ bœuf braisé

⊶ DOM. DU P'TIT VERGER, 71570 Romanèche-Thorins
⊶ Pascal Gonot

DOM. DE ROCHEGRÈS Rochegrès 2014 ★★

■ | 6 000 | ⊕ | 20 à 30 €

Avec l'acquisition de ce domaine en 2014, la maison Albert Bichot (Beaune) s'implantait dans les crus du Beaujolais. Le vignoble compte 3,5 ha de très vieilles vignes (soixante-dix ans et plus) sur des sols de granite rose.

Issu d'un terroir composé de grès (d'où son nom), ce 2014 a été vinifié à la bourguignonne dans des cuves de bois par les équipes de la maison Bichot. Franc, élégant, bien ouvert sur des notes de fraise mûre, ce vin est aussi plein de promesses. ⧗ 2018-2021 ⫯ civet de lièvre

⊶ DOM. DE ROCHEGRÈS, Maison Albert Bichot, 6 bis, bd Jacques-Copeau, 21200 Beaune, tél. 03 80 24 37 37

DOM. RICHARD ROTTIERS 2014 ★★

■ | 15 000 | ⊕ | 15 à 20 €

Richard Rottiers s'est installé en 2007 sur 3 ha de vieilles vignes et a engagé la conversion bio de son domaine en 2012. Il est aujourd'hui à la tête de 6 ha en moulin-à-vent et beaujolais-villages.

C'est la vinification en vendanges entières qu'a privilégiée Richard Rottiers pour cette cuvée, élevée six mois en fût. Le résultat est convaincant: la bouche est gourmande, bien structurée, étayée par des tanins soyeux, le boisé est bien marié et des notes de fruits noirs s'expriment tout au long de la dégustation. ⧗ 2019-2024 ⫯ sauté de sanglier

⊶ DOM. RICHARD ROTTIERS, La Sambinerie, 71570 Romanèche-Thorins, tél. 03 85 35 22 36, contact@domainerichardrottiers.com V 🚶 ⛨ *r.-v.*

DOM. DE LA TOUR DU BIEF 2014 ★★

■ | 6 000 | ⊕ | 11 à 15 €

Ce domaine, créé en 1644, fait partie des piliers de l'appellation. Il doit son nom à un terroir de Moulin-à-Vent. Il est conduit par la famille Parinet, également à la tête du Ch. de Moulin-à-Vent depuis 2012.

Un vin d'une belle intensité aromatique, sur les épices douces, la vanille et les fruits rouges. La bouche s'appuie sur des tanins élégants. Un élevage sous bois pendant seize mois, à l'évidence parfaitement maîtrisé, lui assure aussi beaucoup d'harmonie. ⧗ 2019-2022 ⫯ sauté de lapin

⊶ DOM. DE LA TOUR DU BIEF, La Tour du Bief, 69840 Chénas, tél. 03 85 35 50 68, info@chateaudumoulinavent.com
⊶ Édouard Parinet

LE VIEUX DOMAINE Les Vérillats 2015 ★

■ | 5 000 | ⊕🍾 | 8 à 11 €

Créé en 1890 et installé dans l'ancien presbytère de Chénas, le Vieux Domaine est bien connu de nos anciens lecteurs: il a obtenu trois coups de cœur. Thomas Kuhnel l'a acheté à la famille Joseph en 2009. Il met en valeur un beau vignoble de 9 ha – 8 ha en moulin-à-vent et le reste en chénas.

Issu d'un hectare de vignes de soixante-dix ans et vinifié en vendanges entières, ce 2015 affiche une robe sombre, qui annonce des arômes intenses et complexes de fruits noirs et de pivoine. La bouche, dans le droit fil, montre une grande densité. Un vin bien construit, aux tanins déjà élégants. ⧗ 2018-2021 ⫯ côte de bœuf

⊶ THOMAS KUHNEL, Le Vieux-Bourg, 69040 Chénas, tél. 06 32 08 94 75, thomas.kuhnel@orange.fr V 🚶 ⛨ *r.-v.*

DOM. DE LA VIGNE ROMAINE 2015 ★★

■ | 7 000 | 🍾 | 8 à 11 €

Thierry Gimaret conduit depuis 1990 cette exploitation de Romanèche-Thorins où l'on trouve les vestiges d'une *villa* gallo-romaine. Il confie à la cave du Ch. de Chénas le fruit de sa récolte et à la maison Dubœuf le soin de commercialiser ses vins.

Une statuette votive romaine a été retrouvée dans cette parcelle d'environ 2 ha, qui livre une cuvée des plus prometteuses. Le nez complexe associe minéralité, épices et fruits noirs bien mûrs. La bouche persistante, d'une grande richesse, déploie des tanins veloutés. Du potentiel. ⧗ 2019-2022 ⫯ faisan en cocotte à la forestière

⊶ DOM. DE LA VIGNE ROMAINE, 71570 Romanèche-Thorins ⊶ Thierry Gimaray

RÉGNIÉ

Superficie : 368 ha / Production : 16 256 hl

Officiellement reconnu en 1988, le plus jeune des crus s'insère entre le morgon au nord et le brouilly au sud, confortant ainsi la continuité des limites entre les dix appellations locales beaujolaises. À l'exception de 5,9 ha sur la commune voisine de Lantignié, il est totalement inclus dans le territoire de la commune de Régnié-Durette, autour de la curieuse église aux clochers jumeaux qui symbolise l'appellation. Orienté nord-ouest/sud-est, le vignoble s'ouvre largement au soleil levant et à son zénith, ce qui lui a permis de s'implanter à une altitude entre 300 et 500 m. Le gamay s'enracine dans un sous-sol sablonneux et caillouteux – le terroir s'inscrit dans le massif granitique dit de Fleurie. On trouve aussi quelques secteurs à tendance argileuse. Aromatiques, fruités et floraux,

charnus et souples, les régnié sont souvent qualifiés de rieurs et de féminins.

DOM. DES BRAVES
Macrinus Cuvée Anne-Virginie 2015 ★★

■ | 4000 | 11 à 15 €

Salariés viticoles, puis propriétaires à partir de 1903, les Cinquin sont installés au hameau des Braves à Régnié-Durette. Paul, champion cycliste amateur et ami des coureurs du Tour de France, a laissé en 1983 le guidon à la sixième génération : Franck et Anne-Virginie. À leur carte, les crus régnié et morgon, des beaujolais-villages et des rosés.

La cuvée porte le nom d'un empereur romain dont l'effigie est représentée sur une pièce trouvée par Anne-Virginie Cinquin. Au nez, des notes de confitures de mûres s'allient à une touche florale. La bouche apparaît charpentée, un peu ferme, mais construite sur des tanins de qualité. ⌛ 2018-2021 🍴 entrecôte marchand de vin ■ Beaujolais-villages **Dom. de Braves 2015 (5 à 8 €; 4000 b.)** : vin cité.

⊶ SCEA FRANCK CINQUIN, Les Braves, 69430 Régnié-Durette, tél. 04 74 69 05 32, franck.cinquin@wanadoo.fr V r.-v.

DOM. DU COLOMBIER Vieilles Vignes 2015

■ | 2500 | 🍾 | 5 à 8 €

Paul Desplace conduit depuis 1981 un domaine de 15 ha établi à Régnié-Durette. Outre le régnié, il propose les crus chiroubles et morgon, du beaujolais-villages rouge et blanc. Il cultive aussi, hors appellation, un cépage rouge suisse, le gamaret.

Dans un registre puissant reflétant un gamay très mûr, ce régnié n'est pas le plus consensuel. Mais le jury a apprécié une certaine finesse aromatique au nez et sa densité au palais. ⌛ 2016-2019 🍴 planche de charcuterie ■ Beaujolais-villages **2015 (5 à 8 €; 1300 b.)** : vin cité.

⊶ PAUL DESPLACE, Le Colombier, 69430 Régnié-Durette, tél. 06 83 31 07 81, paul.desplace@gmail.com V *r.-v.*

FLORENCE ET DIDIER CONDEMINE 2015 ★★

■ | 3000 | 🍾 | 5 à 8 €

À la suite des deux générations précédentes, Florence et Didier Condemine, installés en 1991, exploitent un vignoble appartenant pour l'essentiel aux Hospices de Beaujeu. Leur domaine couvre aujourd'hui 12,5 ha et leur permet de proposer du régnié et du brouilly, une cuvée de morgon et du beaujolais-villages rosé.

Un vin d'une grande intensité tout au long de la dégustation. Le nez s'ouvre sur des notes de fruits très mûrs et de pivoine, avec une touche de bonbon anglais. La bouche aromatique et bien structurée séduit par sa persistance et par sa texture soyeuse. ⌛ 2016-2020 🍴 terrine de lapin

⊶ EARL FLORENCE ET DIDIER CONDEMINE, La Martingale, 69220 Cercié, tél. 04 74 66 72 24, didier.condemine@wanadoo.fr V *r.-v.*

RÉGINE ET DIDIER COSTE-LAPALUS 2015

■ | 4000 | 🍾 | 5 à 8 €

En 1999, Régine et Didier Coste-Lapalus ont décidé de reprendre les vignes familiales louées jusqu'alors à un fermier. Les parcelles situées au sud de Régnié offrent une splendide vue sur les Alpes.

Vinifié à la beaujolaise, ce régnié ne s'impose pas par sa concentration ni par sa puissance. Il mise sur sa souplesse en bouche et sur son côté gourmand qui lui permettra de se placer facilement à table, et même à l'apéritif, autour de charcuteries. ⌛ 2016-2019 🍴 foie de veau

⊶ RÉGINE ET DIDIER COSTE-LAPALUS, 280, chem. des Bruyères, 69430 Régnié-Durette, tél. 04 74 04 38 04, lapalus.rd@wanadoo.fr V *r.-v.*

DOM. DU COTEAU DE VALLIÈRES
Vallières 2015 ★★

■ | 5000 | 🍾 | 5 à 8 €

Prenant la suite des deux générations précédentes, Lucien Grandjean s'est installé en 1979 avec Lydie. Il a agrandi progressivement le vignoble familial, prenant des parcelles en métayage et en fermage. Aujourd'hui, il est en mesure de proposer quatre crus : régnié, morgon, fleurie, moulin-à-vent.

Vallières est un terroir pentu, sur lequel s'accrochent les vieux ceps de gamay de cinquante ans à l'origine de cette cuvée. Le 2015 se distingue par sa longueur et son équilibre, laissant s'exprimer la puissance du millésime avec classe. Les arômes ? Élégants et variés : fruits rouges, fruits noirs, touches florales. ⌛ 2017-2021 🍴 filet mignon de veau

⊶ LUCIEN & LYDIE GRANDJEAN, Vallières, 69430 Régnié-Durette, tél. 04 74 69 24 92, grandjean.lucien@wanadoo.fr V *t.l.j. 8h-20h*

DOM. DU CRÊT D'ŒILLAT 2015 ★★

■ | 5000 | 🍾 | 5 à 8 €

Représentant la cinquième génération à la tête de ce domaine fondé en 1900, Jean-François Matray s'est installé en 1986. Ses 10,5 ha de vignes sont répartis entre les appellations régnié, morgon et beaujolais-villages (rosé).

C'est la cuvée principale de la maison. La vinification a été menée pour moitié en prémacération à chaud. Un fruit bien mûr s'exprime au nez. Ample et élégante, la bouche laisse une sensation d'harmonie. ⌛ 2016-2020 🍴 volaille rôtie ■ Morgon **2015 (5 à 8 €; 2000 b.)** : vin cité.

⊶ EARL DU CRÊT D'ŒILLAT, 116, chaussée d'Erpent, 69430 Régnié-Durette, tél. 04 74 04 38 75, j.matray@numericable.com V *r.-v.* ⊶ *Jean-François Matray*

JEAN-PIERRE DUCROUX 2015 ★

■ | 2000 | 🍾 | 5 à 8 €

Jean-Pierre Ducroux a pris la suite des deux générations précédentes et s'est installé en 1989 sur le domaine implanté dans un hameau de Villié-Morgon.

Il exploite 16 ha de vignes en AOC morgon, régnié et beaujolais-villages.

Jean-Pierre Ducroux pratique la vinification en grappes entières. Une méthode beaujolaise qu'il maîtrise bien, livrant un régnié aux notes de fruits rouges (groseille, framboise). La bouche, franche à l'attaque, harmonieuse et souple avec ce qu'il faut de tanins, ne déçoit pas. Bonne garde assurée. ⧗ 2017-2021 🍴 terrine de foie de volaille

JEAN-PIERRE DUCROUX, lieu-dit Saint-Joseph, 69910 Villié-Morgon, tél. 04 74 69 91 96, ducroux-jeanpierre@orange.fr V r.-v.

DOM. GAUDET 2014

■ | 4000 | | 5 à 8 €

Jean-Michel Gaudet a pris en 1988 la tête d'une exploitation familiale créée en 1947. Il conduit 7 ha de vignes et propose du régnié, du beaujolais-villages rouge et rosé et du beaujolais blanc.

Sur un peu plus de 2 ha de terroir granitique, le domaine a produit un régnié aromatique, aux nuances de cerise et d'épices. Sa texture est légère et équilibrée. ⧗ 2016-2019 🍴 râble de lapin

JEAN-MICHEL GAUDET, La Haute-Plaigne, 69430 Régnié-Durette, tél. 04 74 69 21 66, jeanmichelgaudet@orange.fr V r.-v.

JEAN-MARC LAFOREST 2015 ★

■ | 40000 | 5 à 8 €

Vigneron comme son père et son grand-père, Jean-Marc Laforest a pris les rênes en 1973 d'un domaine qui compte aujourd'hui 19 ha. Il travaille avec ses deux fils qui s'apprêtent à prendre la relève en 2016. L'exploitation propose les crus brouilly, côte-de-brouilly et régnié ainsi que du beaujolais-villages.

Un régnié qui retient l'attention par son palais à la fois élégant et riche, étayé par des tanins déjà fondus. Autant de qualités qui promettent une évolution harmonieuse. ⧗ 2017-2020 🍴 jambon persillé

JEAN-MARC LAFOREST, chez Le Bois, 69430 Régnié-Durette, tél. 04 74 04 35 03, jean-marc.laforest@wanadoo.fr V *t.l.j. sf dim. 8h-20h*

DOM. ALAIN MERLE Passion Terroir 2015 ★

■ | 6000 | | 5 à 8 €

Située sur l'ancienne voie romaine menant de Lyon à Autun, l'exploitation a vue sur des lieux emblématiques du Beaujolais: le mont Brouilly au sud, la côte du Py à l'est et les deux clochers de l'église de Régnié-Durette à l'ouest. Conduite depuis 1989 par Alain Merle, elle couvre 11 ha et propose des morgon, régnié, beaujolais-villages et beaujolais (blancs).

Cette cuvée développe des arômes puissants de cassis et d'épices, avec une touche florale. Des arômes que l'on retrouve dans un palais d'une rondeur harmonieuse. ⧗ 2016-2019 🍴 côte de veau

ALAIN MERLE, Les Bois, 69430 Régnié-Durette, tél. 04 74 66 70 72, ol1-merle@orange.fr V *t.l.j. sf dim. 8h-12h 14h-18h*

DOM. TANO PÉCHARD Les Bruyères 2 2015 ★

■ | n.c. | | 8 à 11 €

Patrick Péchard, installé en 1982, a donné à son exploitation le nom de son père Antoine – «Tano» pour les copains –, disparu en 1984. Implanté sur la colline de Durette, le domaine bénéficie d'un panorama à 360° et son vignoble couvre plus de 11,5 ha. Un spécialiste du régnié.

Le nez dévoile une palette aromatique plaisante et typique du millésime, dominée par les fruits noirs. La bouche, elle aussi, reflète l'année solaire, par sa texture souple et chaleureuse. ⧗ 2016-2019 🍴 bœuf bourguignon

PATRICK ET GHISLAINE PÉCHARD, Aux Bruyères, 69430 Régnié-Durette, tél. 04 74 04 38 89, tanopechard@wanadoo.fr V *r.-v.*

DOM. DE LA ROCHE THULON 2015 ★

■ | 7000 | | 5 à 8 €

Pascal Nigay, installé en 1990 sur le domaine familial, conduit 10 ha et vinifie trois crus (régnié, morgon et côte-de-brouilly), ainsi que du beaujolais-villages. Cet habitué du Guide défend une approche à l'ancienne avec des vignes plantées à haute densité (10 000 pieds/ha) et taillées en gobelet.

Le 2014 avait décroché un coup de cœur. Son successeur ne démérite pas. Des arômes puissants de fruits mûrs s'épanouissent au nez. Des tanins de bonne constitution emplissent la bouche dès l'attaque. La générosité en alcool du millésime se fait également sentir. Un vin riche et structuré, qui saura vieillir. ⧗ 2018-2021 🍴 andouillette au saint-marcellin ■ Côte-de-brouilly **2015 (5 à 8 €; 1500 b.)** : vin cité.

PASCAL NIGAY, 18, chem. de Thulon, 69430 Lantignié, tél. 04 74 69 23 14, nigay.pascal.chantal@wanadoo.fr V *r.-v.*

DOM. DE VALLIÈRES 2015 ★

■ | 7000 | | 5 à 8 €

Laurent et Didier Trichard, deux frères, ont secondé leur père Bernard à partir de 2001 avant de lui succéder. Ils exploitent 15 ha en régnié (surtout) et en beaujolais-villages.

Laurent et Didier Trichard estiment que leur cuvée 2015 sera l'une des meilleures de leur carrière. Riche, bâti sur des tanins soyeux, ce régnié laisse une sensation de souplesse et de finesse. De quoi apporter de l'eau au moulin des frères Trichard. ⧗ 2017-2020 🍴 civet de lapin ■ Beaujolais-villages **2014 ★ (5 à 8 €; 1000 b.)** : rond et équilibré, voilà un joli spécimen du millésime 2014. Arômes de cerises et d'épices, bouche harmonieuse et longue, construite sur des tanins un peu fermes, retour épicé. ⧗ 2016-2019 🍴 rognons de veau

GAEC BERNARD, LAURENT ET DIDIER TRICHARD, La Haute-Plaigne, 69430 Régnié-Durette, tél. 04 74 04 39 52, gaec.trichard.bld@hotmail.fr V *t.l.j. 8h-20h*

CH. DES VERGERS Vieilles Vignes 2014

■	3800	5 à 8 €

En 1990, Georges Yemeniz et sa sœur Blanche de Romefort héritent de cette propriété viticole de 12 ha que commande un château construit en 1870 par un soyeux lyonnais. Ils font appel au jeune métayer Jean-Luc Prolange, qui devient régisseur et vinificateur du domaine. Une grande partie du vignoble se situe sur le *climat* Crêt d'Œillat jouxtant le cru morgon.

Issu d'un assemblage de trois cuvées, ce vin exprime avec netteté le caractère frais et fruité du millésime, ainsi que des notes épicées. Au palais, la finesse de la texture lui donne de l'élégance. ⧗ 2016-2019 ⫯ saucisson brioché

⊶ YEMENIZ DE ROMEFORT, Les Vergers, 69430 Régnié-Durette, tél. 04 74 04 36 05, g.yemeniz@orange.fr V r.-v.

SAINT-AMOUR

Superficie : 319 ha / Production : 15 659 hl

Ce vin au nom séducteur a conquis de nombreux consommateurs étrangers, et une très grande part des volumes produits alimente le marché extérieur. Le visiteur pourra le découvrir dans le caveau créé en 1965 au lieu-dit Le Plâtre-Durand, avant de continuer sa route vers l'église et la mairie qui, au sommet d'un mamelon, dominent la région. À l'angle de l'église, une statuette rappelle la conversion du soldat romain qui donna son nom à la commune. Des peintures, aujourd'hui disparues, d'une maison du hameau des Thévenins, qui auraient témoigné de la joyeuse vie menée pendant la Révolution dans cet « hôtel des Vierges », expliqueraient, elles aussi, le nom du village... Incluse dans le département de Saône-et-Loire, l'appellation est délimitée sur des sols argilo-siliceux décalcifiés de grès et de cailloutis granitiques, faisant la transition entre les terrains purement primaires au sud et les terrains calcaires au nord, qui portent les AOC saint-véran et mâcon. Deux « tendances œnologiques » ici: l'une favorise une cuvaison longue dans le respect des traditions beaujolaises, qui confère aux vins nés sur les roches granitiques le corps nécessaire pour la garde; l'autre, de type primeur, donne des vins consommables plus tôt.

DOM. DU CLOS DU FIEF Les Capitans 2015 ★

■	6200	▮	8 à 11 €

Françis Tête, tonnelier et régisseur de cave, a créé l'exploitation. Son fils Raymond a débuté la vente en bouteilles, Michel et Françoise ont développé le domaine, qui couvre aujourd'hui 17,5 ha – en beaujolais-villages, saint-amour et juliénas. L'arrivée de Sylvain en 2015 marque le passage à la quatrième génération.

Les Capitans? Un lieu-dit de l'appellation. Le domaine a pratiqué une cuvaison longue, dix-sept jours, pour extraire le meilleur de ses raisins. Objectif atteint, puisque le nez se montre à la fois fin et puissant, à dominante de cerise, et la bouche équilibrée, dans un style délicat. ⧗ 2016-2020 ⫯ civet de lapin

⊶ MICHEL ET SYLVAIN TÊTE, Les Gonnards, 69840 Juliénas, tél. 04 74 04 41 62, domaine@micheltete.com V *t.l.j. sf dim. 8h-12h30 14h-19h*

DOM. LES CÔTES DE LA ROCHE 2015 ★

■	6000	5 à 8 €

Sylvain Descombes a repris en 2012 la propriété fondée en 1973 par ses parents Gérard et Joëlle sur les hauteurs de Juillié. Fort de 8 ha de beaujolais-villages acquis auprès du châtelain de la Roche, le domaine s'est agrandi dans divers crus au fil des années. Il compte aujourd'hui 22 ha et propose des juliénas, chénas, moulin-à-vent et saint-amour.

Dans un style délicat – un bel exploit vu le côté solaire du millésime 2015 –, ce vin joue la carte de la séduction. Floral, élégant, féminin, diraient certains. Tout en finesse, il ne manque cependant pas d'étoffe. ⧗ 2017-2020 ⫯ carré d'agneau

⊶ SYLVAIN DESCOMBES, Les Préaux, 69840 Jullié, tél. 06 85 25 29 57, descombes_sylvain@orange.fr V *r.-v.*

DOM. DE LA CROIX CARRON 2015

■	60270	8 à 11 €

Daniel et Fabien Adoir sont à la tête de ce domaine de près de 9 ha en saint-amour. La maison Joseph Pellerin, fondée en 1912 et passée dans le giron de la famille Boisset, assure la distribution de leurs vins.

Le nez s'ouvre sur des notes de framboise, de fraise des bois et de fruits noirs. Une matière souple aux rondeurs avenantes se déploie en bouche. Un « vin plaisir » par excellence. ⧗ 2016-2019 ⫯ filet mignon de porc aux champignons

⊶ DANIEL ET FABIEN ADOIR, Les Chamonards, 71570 Saint-Amour, tél. 03 85 36 51 54 V *r.-v.*

DOM. DU HAUT-PONCIÉ 2014 ★

■	6000	▮	8 à 11 €

Dominant la vallée de la Saône, ce domaine avec vue sur les Alpes a été acheté en 1960 à un négociant suisse par la famille de Patrick Tranchand, lequel conduit l'exploitation depuis 1983. Le vignoble compte 16 ha répartis entre l'appellation beaujolais et trois crus: fleurie, moulin-à-vent et saint-amour.

Patrick Tranchand a vinifié cette cuvée en grappes entières pendant une douzaine de jours. Il en résulte un vin au nez floral et fruité (fruits noirs), séduisant par sa bouche à la fois gourmande, ronde, bien structurée et persistante, qui laisse une sensation de plénitude. ⧗ 2017-2021 ⫯ saucisson brioché

⊶ SCEA PATRICK TRANCHAND, Dom. du Haut-Poncié, 69820 Fleurie, tél. 06 87 07 51 25, tranchand.patrick@orange.fr V *t.l.j. 8h-19h; dim. sur r.-v.*

JEAN LORON Les Grandes Amours 2015 ★★

■ | 26666 | 11 à 15 €

Aux origines de la maison, Jean Loron, vigneron né dans le Beaujolais en 1711. Son petit-fils Jean-Marie fonda en 1821 un commerce d'expédition de vins. Aujourd'hui dirigée par la huitième génération, l'entreprise familiale est propriétaire de plusieurs domaines, comme le château de la Pierre (régnié, brouilly), ceux de Fleurie, de Bellevue (morgon), les domaines des Billards (saint-amour) et de la Vieille Église (juliénas).

Grandes Amours? Le nom de cette cuvée n'est pas usurpé, car les dégustateurs trouvent bien des charmes à ce millésime: un nez complexe et riche sur les fruits rouges et noirs, où ressortent la framboise et le cassis, une bouche ample et harmonieuse aux tanins fins et soyeux. Des amours durables: ce vin se bonifiera au cours des prochaines années. ⧗ 2017-2021 ♈ suprême de pintade aux champignons ■ Brouilly **Les Thibaults 2015 ★ (11 à 15 €; 26666 b.)** : un vin déjà agréable, qui demande un peu de temps pour s'ouvrir. Ce qu'il laisse entrevoir – de fins arômes de fruits noirs, de fleurs et de réglisse et un palais savoureux et minéral – suffit déjà à convaincre les palais exigeants. ⧗ 2017-2022 ♈ faisan en cocotte ■ Moulin-à-vent **Hospices civils de Romanèche Thorins 2014 ★ (15 à 20 €; 26666 b.)** : à partir de 1926, la maison a reçu l'exclusivité de la production et de la commercialisation de cette cuvée historique. La matière est riche, dense, mais un peu sur la réserve aujourd'hui. Patience. ⧗ 2017-2021 ♈ bœuf bourguignon

⊶ MAISON JEAN LORON, 1846, RN 6, 71570 Pontanevaux, tél. 03 85 36 81 20, vinloron@loron.fr V ▪ *t.l.j. sf dim. 9h-12h 14h-17h; f. août ⊶ Xavier Barbet*

GAËL MARTIN En Pressins 2014 ★

■ | 2200 | ▮ | 5 à 8 €

Installé en 2004 à l'âge de dix-neuf ans, Gaël Martin est établi en Mâconnais, aux confins du Beaujolais. Son vignoble de près de 20 ha est à cheval sur les deux régions, si bien qu'il propose aussi bien du bourgogne blanc et du saint-véran que du juliénas et du saint-amour.

Cette cuvée s'ouvre d'emblée sur des notes de fruits rouges bien mûrs et de pruneau. Dans le même registre aromatique, la bouche séduit par son équilibre et sa longueur. ⧗ 2016-2019 ♈ planche de charcuterie

⊶ GAËL MARTIN, Les Truges, 71570 Saint-Vérand, tél. 03 85 40 64 22, martin.gael0669@orange.fr V ▪ ▪ *r.-v.*

DOM. GEOFFREY MARTIN La Gagère 2014 ★★

■ | 1400 | ◧ | 11 à 15 €

Issu d'une lignée de vignerons, Geoffrey Martin s'est installé sur 6,5 ha en 2012 à Leynes, aux confins du Mâconnais et du Beaujolais.

Un saint-amour vinifié à la bourguignonne: égrappé à 100 %, mis à macérer neuf jours, il a fermenté en fût où il a séjourné onze mois. Le résultat: un vin remarquable par sa puissance et sa complexité, où le fruit commence à percer derrière les notes d'élevage. Il gagnera toutefois à attendre. ⧗ 2017-2021 ♈ pièce de bœuf rôtie

⊶ GEOFFREY MARTIN, La Creuze-Noire, 71570 Leynes, tél. 06 24 81 76 02, geo89mar@live.fr V ▪ ▪ *t.l.j. sf sam. dim. 8h-18h*

DOM. DU MOULIN BERGER 2015 ★

■ | 7500 | ▮ | 8 à 11 €

D'abord salarié (en 1973) sur les vignes de ce domaine, Michel Laplace les exploite en métayage à partir de 1976 avant d'en devenir propriétaire en 1998. En 2014, il a pris sa retraite et transmis à ses fils Romain et Cyril un vignoble de 18 ha à cheval sur le Mâconnais et le Beaujolais.

Une robe profonde, un nez fruité à la fois intense et subtil, aux nuances de cassis: voilà une présentation de bon augure. L'attente est comblée par une bouche puissante, harmonieuse, ronde et longue. ⧗ 2017-2021 ♈ terrine de lapin

⊶ DOM. DU MOULIN BERGER, Vignobles Laplace, Le Moulin Berger, 71570 Saint-Amour-Bellevue, tél. 03 85 37 41 57, scev-vignobles-laplace@orange.fr V ▪ *r.-v.*

DOM. DE LA PIROLETTE 2014

■ | 20000 | 11 à 15 €

Remontant à 1600, le domaine de 15 ha, implanté en saint-amour, tirerait son nom de la pirole, plante vivace à fleurettes blanches à laquelle on prête des vertus diurétiques. Voilà belle lurette que les propriétaires successifs ont préféré y faire pousser de la vigne. Les derniers en date, depuis 2013, sont les Barbet, bien connus en Beaujolais.

Un 2014 franc, agréable, qui montre déjà quelques signes d'évolution et exprime des arômes de fruits rouges compotés et confits. Pour se faire plaisir sans attendre. ⧗ 2016-2018 ♈ pavé de bœuf

⊶ GFA DOM. DE LA PIROLETTE, Le bourg, 71570 Saint-Amour-Bellevue, tél. 03 85 37 15 00 ⊶ Barbet

♥ DOM. DES PRÉAUX 2015 ★★

■ | 15000 | 8 à 11 €

Implanté en saint-amour, un des domaines commercialisés par Thorin. Fondée en 1843 par une vieille famille du Beaujolais, cette maison de négoce est maintenant une filiale du groupe Boisset.

Paré d'une robe soutenue, ce saint-amour a charmé les dégustateurs par ses senteurs de fruits noirs bien mûrs et de noyau d'une grande netteté. La mise en bouche a emporté leur adhésion: on loue la texture gourmande de cette cuvée, son gras, ses rondeurs et ses tanins soyeux qui accompagnent la dégustation jusqu'à la finale persistante et fraîche. ⧗ 2017-2020 ♈ coq au vin

⊶ HERVÉ BUIS, Les Préaux, 71570 Saint-Amour V *r.-v.*

TRÉNEL 2014

■ | 9000 | 🍾 | 11 à 15 €

En 1928, Claude-Henri Trénel crée un commerce de liqueurs de fruit à Charnay-lès-Mâcon. Il se tourne ensuite vers l'achat de raisins. Son fils André lui succède à la tête de cette maison de négoce finalement rachetée en 2015 par Michel Chapoutier.

Les raisins ont macéré pendant quatorze jours en grappes entières pour donner cette cuvée aux arômes intenses de fruits rouges. La bouche n'est pas un monstre de puissance, mais le plaisir est au rendez-vous. ⧗ 2016-2019 🍴 bourguignon de joue de bœuf ■ Chiroubles **2014 (11 à 15 €; 9000 b.)** : vin cité.

TRÉNEL, 33, chem. de Buéry, 71850 Charnay-lès-Mâcon, tél. 03 85 34 48 20, contact@trenel.com V ! *t.l.j. sf sam. dim. 9h-12h 14h-17h; f. 1-15 août*

DOM. DES TROIS PLAISIRS 2015 ★★

■ | 2500 | 🍾 | 5 à 8 €

Héritier de quatre générations de vignerons, Fabien Adoir, installé à Saint-Amour-Bellevue, propose deux vins dans cette appellation: le Dom. de la Croix Carron (qu'il conduit avec son frère Daniel), bien connu de nos lecteurs, et ce Dom. des Trois Plaisirs, créé en 2004, qui dispose de 8,5 ha.

Les trois plaisirs? Celui de l'œil, à la vue de la robe profonde, presque noire. Celui du nez, qui hume les senteurs intenses et fines de cerise mûre et de cassis qui montent du verre. Plaisir du palais, enfin, à déguster ce vin à la fois structuré, puissant et très harmonieux. Ajoutons celui de l'attente, car la finale encore un peu ferme et tannique ne manquera pas de s'arrondir. Un vin profond. ⧗ 2017-2021 🍴 épaule d'agneau farcie

EARL LES TROIS PLAISIRS, Le Mas-des-Tines, 71570 Saint-Amour-Bellevue, tél. 06 32 37 97 59, fabien.adoir@sfr.fr V ! *r.-v.*

♥ DOM. DE TROIZELLE 2015 ★★

■ | 3000 | 🍾 | 5 à 8 €

Installé en 1983 sur le domaine familial (9 ha) établi dans l'aire du juliénas, Jean-François Perraud propose également du saint-amour et du moulin-à-vent.

Le 30 août 2015, date des vendanges, le gamay était bien mûr. Les raisins ont été partiellement égrappés avant d'être vinifiés. Le résultat a enchanté le jury: une robe profonde, un nez à la fois intense et d'une grande finesse, sur les fruits rouges, griotte en tête, une bouche puissante, ronde et longue, à la texture caressante et délicate. «Le vin de la Saint-Valentin», conclut un dégustateur: coup de cœur ! ⧗ 2017-2021 🍴 rôti de veau aux chanterelles

JEAN-FRANÇOIS PERRAUD, Les Belins, 69840 Jullié, tél. 06 81 36 30 96, jean.francois-perraud@wanadoo.fr V ! *r.-v.*

COTEAUX-DU-LYONNAIS

Superficie : 370 ha
Production : 12 950 hl (90 % rouge et rosé)

La vigne, qui s'étendait sur plus de 12 000 ha dans les monts du Lyonnais durant la seconde moitié du XIXᵉs., a fortement décliné avec la crise phylloxérique et l'expansion de l'agglomération lyonnaise, pour ne plus couvrir que quelques îlots répartis sur quarante-neuf communes, dans une région de polyculture et d'arboriculture: aux confins du Beaujolais et au nord-ouest de Lyon, ainsi qu'au sud-ouest de la capitale du Rhône. La production est assurée par la coopérative de Sain-Bel et par plusieurs domaines particuliers. Dans ce paysage vallonné aux sols variés (granites, roches métamorphiques, roches sédimentaires, alluvions), les influences méditerranéennes sont plus prononcées que dans le Beaujolais ; pourtant, le relief, plus ouvert aux aléas climatiques des types océanique et continental, limite l'implantation de la vigne à moins de 500 m d'altitude et l'exclut des expositions au nord. Les meilleures situations se trouvent au niveau du plateau. Les coteaux-du-lyonnais ont été consacrés AOC en 1984. Les vins rouges et rosés, majoritaires, les fruités et gouleyants, proviennent du gamay vinifié selon la méthode beaujolaise; les vins blancs, du chardonnay et de l'aligoté.

Ⓑ LE BOUC ET LA TREILLE
Réserve de la Tour 2015 ★

□ | 4200 | 🍾 | 8 à 11 €

À l'origine en polyculture (farine, pain et vin), ce domaine s'est scindé en 2014 en deux entités. Le Bouc et la Treille se consacre désormais exclusivement au vin. Le vignoble de 9 ha est conduit par deux associés : Stéphane Vier (aux vinifications) et Yves Aubry (à la culture), rejoints par Florie Brunet en 2016. La viticulture est bio depuis le millésime 2010 et les cuvées sont vinifiées sur le site de l'ancien château de Poleymieux (brûlé en 1789).

Issu d'un terroir argilo-calcaire, ce chardonnay conjugue harmonieusement la rondeur et la fraîcheur. L'élevage en cuve durant cinq mois a permis de préserver une belle expression aromatique évoquant les fruits jaunes et les fruits exotiques. ⧗ 2016-2019 🍴 filet de cabillaud en papillote

LE BOUC ET LA TREILLE, 82, chem. de la Tour-Risler, 69250 Poleymieux-au-Mont-d'Or, tél. 06 60 21 59 22, leboucetlatreille@sfr.rf V ! *r.-v.*

DOM. DU CLOS SAINT-MARC
Le Grand Clos 2014 ★

■ | 5000 | 🍾 | 8 à 11 €

Quatre associés sont aux commandes de ce grand domaine de 24 ha consacré majoritairement au gamay (20 ha) et constitué en 1983 au sud-ouest de Lyon. Le plus important vignoble de l'AOC coteaux-du-lyonnais.

Récolté sur des ceps âgés de quatre-vingts ans, le gamay a fait l'objet d'une longue macération visant à en extraire toutes les qualités. L'objectif est atteint car cette cuvée bien équilibrée, aux arômes floraux et épicés, séduit par son ampleur et sa richesse. ⧗ 2016-2019 🍴 boudin aux pommes

⊶ *DOM. DU CLOS SAINT-MARC, 60, rte des Fontaines, 69440 Taluyers, tél. 04 78 48 26 78, contact@clos-st-marc.com* V 🚶 ! *r.-v.*

CAVE DES COTEAUX DU LYONNAIS
Village de l'année 2015 ★★

■ | 12000 | 🍾 | 5 à 8 €

Créée en 1956 à la limite des AOC coteaux-du-lyonnais et beaujolais, la coopérative de Sain-Bel (aujourd'hui Cave des Coteaux du Lyonnais) vinifie les vendanges des 190 ha cultivés par ses adhérents dans tous les secteurs de l'appellation.

Le Village de l'année ? Une cuvée issue d'une sélection parcellaire de gamay pratiquée dans un village différent chaque année. Ce 2015 provient ainsi de 6 ha de gamay récolté à Taluyers, au sud-ouest de Lyon. Les raisins sont égrappés et la cuvaison se prolonge durant seize jours. Le vin charme par sa palette aromatique associant le cassis à des notes florales et minérales. Rond et élégant, il finit sur des tanins fermes qui ne nuisent pas à son harmonie générale. ⧗ 2017-2020 🍴 rôti de porc ■ **Benoît Maillard Réserve du Grand Prieur 2015 ★ (5 à 8 €; 50 000 b.)** : la cuvée porte le nom d'un prieur de l'abbaye de Savigny (proche de Sain-Bel) qui, au Moyen Âge, avait la réputation d'être un fin connaisseur des vins de la région. Celui-ci aurait certainement obtenu son agrément. Il se montre puissant et riche, tant par ses arômes vineux de fruits rouges que par sa texture généreuse. ⧗ 2017-2019 🍴 civet de lapin

⊶ *CAVE DES COTEAUX DU LYONNAIS, RD 389, 69210 Sain-Bel, tél. 04 74 01 11 33, contact@coteauxdulyonnaislacave.com* V 🚶 ! *t.l.j. 9h30-12h30 14h-19h*

♥ B RÉGIS DESCOTES Prestige 2014 ★★

■ | 7200 | 🛢 | 8 à 11 €

Héritier d'une lignée vigneronne remontant au XVIIe s., Régis Descotes, installé en 1986 sur le domaine familial, au sud de Lyon, a pratiqué la lutte raisonnée avant d'engager en 2010 la conversion bio de ses 10 ha de vignes (certification en 2013).

Les chardonnays à l'origine de ce blanc ont été récoltés à parfaite maturité. Après pressurage, le moût a fermenté directement en fût de chêne, selon la méthode bourguignonne. Le boisé vanillé de l'élevage, présent au nez, s'accompagne de fines notes florales et minérales. Une attaque nette ouvre sur une bouche harmonieuse, tendue par une belle vivacité qui lui assure équilibre et longueur. Un vin complexe et complet. Parfait pour des crustacés et autres fruits de mer délicats et cuisinés. ⧗ 2017-2019 🍴 cassolette d'écrevisses

⊶ *RÉGIS DESCOTES, 16, av. du Sentier, 69390 Millery, tél. 06 07 32 05 80, contact@regisdescotes.com* V 🚶 ! *r.-v.*

DOM. MAZILLE DESCOTES
Vieilles Vignes 2015 ★★

■ | 8000 | 🍾 | 5 à 8 €

Situé à Millery, à 15 km au sud de Lyon, ce domaine de 8,5 ha dirigé par Anne Mazille est né du regroupement en 2009 de deux propriétés familiales anciennes.

Michel Descotes a pratiqué une macération semi-carbonique (méthode beaujolaise) pour cette cuvée de gamay. Il a obtenu un vin riche, qui s'appuie sur une solide assise tannique à la trame serrée. Le support idoine pour des arômes floraux intenses, d'une belle élégance. ⧗ 2017-2019 🍴 tournedos

⊶ *DOM. MAZILLE DESCOTES, 8 bis, rue du 8-Mai, 69390 Millery, tél. 04 26 65 91 17, anne.mazille@numericable.com* V 🚶 ! *t.l.j. sf dim. 17h30-19h; sam. 10h-19h*

DOM. DE PETIT FROMENTIN
Probus Mont Dour 2015 ★★

■ | 6000 | 🛢🍾 | 5 à 8 €

En 1994, Franck Decrenisse a pris la suite d'André sur ce domaine implanté dans le secteur du mont d'Or, aux portes de Lyon. Du haut de ses vignes, on a une vue imprenable sur la basilique de Fourvière. L'exploitation compte 17 ha.

Probus est un empereur romain très célébré dans les vignobles lyonnais : il a donné son nom à un ancêtre du gamay. Les raisins ont été égrappés à 90 % et l'élevage mi-cuve mi-fût s'est prolongé un an. Il en résulte une cuvée très concentrée, dont la texture a tiré profit de l'élevage pour gagner en rondeur et en harmonie. Cette générosité marque aussi la palette aromatique, sur les fruits noirs bien mûrs relevés d'épices. ⧗ 2017-2020 🍴 paleron de bœuf

⊶ *FAMILLE DECRENISSE, 911, le Petit-Fromentin, 69380 Chasselay, tél. 04 72 18 94 67, franck@vinsdecrenisse.com* V 🚶 ! *r.-v.*

Le Bordelais

SUPERFICIE : 117 500 ha
PRODUCTION : 5 700 000 hl
TYPES DE VINS : rouges majoritairement, puis blancs secs, moelleux et liquoreux, rosés et quelques effervescents.
SOUS-RÉGIONS : Blayais-Bourgeais, Libournais, Entre-deux-Mers, Graves, Médoc, Côtes.
CÉPAGES :
Rouges : merlot (plus de 60 %), suivi du cabernet-sauvignon (25 %), du cabernet franc (11 %) et dans une très faible proportion des malbec, petit verdot, carmenère.
Blancs : sémillon (53 %), suivi du sauvignon (38 %), de la muscadelle (6 %), du colombard, de l'ugni blanc.

LE BORDELAIS

Partout dans le monde, Bordeaux représente l'image même du vin. Pourtant, aujourd'hui, il faut des fêtes à grand spectacle, comme « Bordeaux fête le vin », ou des manifestations professionnelles de dimension mondiale, telle Vinexpo, pour le rappeler. Difficile de trouver l'empreinte de Bacchus dans une ville désertée par les alignements de barriques sur le port ou devant les grands chais du négoce, partis vers la périphérie. Toutefois, si le vin s'est effacé du paysage urbain, il demeure un pilier de l'économie aquitaine, et le Bordelais constitue le plus vaste vignoble d'appellation de France. Les crus classés et grands châteaux lui donnent son aura, mais l'amateur y trouvera à tous les prix une riche palette de vins de toutes couleurs et de tous les styles.

Le claret médiéval

Paradoxalement, le vin fut connu avant... la vigne : dans la première moitié du Iers. av. J.-C. (avant même l'arrivée des légions romaines en Aquitaine), des négociants campaniens commençaient à vendre du vin aux Bordelais. D'une certaine façon, c'est par le vin que les Aquitains ont fait l'apprentissage de la romanité. Au Iers. de notre ère, la vigne est apparue. Mais il fallut attendre la montée sur le trône d'Angleterre d'Henri Plantagenêt, marié à Aliénor d'Aquitaine, pour assister au développement du marché britannique. Le jour de la Saint-Martin (en novembre), une flotte considérable quittait le port de Bordeaux pour livrer en Angleterre le vin de l'année, le claret.

L'essor des châteaux et des crus

Affaiblis sur le marché anglais par le rattachement de la Guyenne à la France, puis par la concurrence des vins d'autres pays et d'autres boissons à la mode (thé, café, chocolat), les vins de Bordeaux retrouvent leur place au début du XVIIIes. par l'intermédiaire des *new french clarets*, des vins aptes au vieillissement grâce à de nouvelles techniques : utilisation du soufre comme antiseptique, clarification par collage, soutirage, mise en bouteilles.
Ces progrès au chai et la constitution des crus par une sélection rigoureuse des terroirs aboutit à l'apogée du XIXes. que symbolise, en 1855, le célèbre classement impérial des vins du Médoc et du Sauternais.

Surmonter les crises

Dans la seconde moitié du XIXes. et la première moitié du XXes., les maladies de la vigne (oïdium, mildiou et phylloxéra), puis les crises économiques et les guerres mondiales mettent à mal le monde du vin, le point d'orgue étant apporté par le gel de 1956.

Un nouvel âge d'or

D'abord timidement à partir des années 1960, puis de façon plus éclatante dans les années 1980, la prospérité est heureusement revenue, notamment grâce à une remarquable amélioration de la qualité et à l'intérêt porté, dans le monde entier, aux grands vins. Générale dans les années 1980-2000, la prospérité cède la place à une situation plus contrastée avec le changement de millénaire : si l'émergence des vins du Nouveau Monde accroît la concurrence, l'apparition de nouveaux marchés, notamment en Chine, ouvre d'intéressantes perspectives. Mais tous les crus pourront-ils en profiter ?

Un climat océanique tempéré

Le vignoble bordelais est organisé autour de la Garonne, la Dordogne et leur estuaire commun, la Gironde. Ces axes fluviaux créent des conditions favorables à la culture de la vigne : le climat de la région bordelaise est relativement tempéré (moyennes annuelles 7,5 °C minimum, 17 °C maximum), et le vignoble protégé de l'Océan par la forêt de pins des Landes. Les gelées d'hiver sont exceptionnelles (1956, 1958, 1985), mais une température inférieure à -2 °C sur les jeunes bourgeons (avril-mai) peut entraîner leur destruction, comme en 1991. Un temps froid et humide au moment de la floraison (juin) peut provoquer la coulure (avortement des grains). Ces deux accidents engendrent des pertes de récolte et expliquent la variation des volumes d'une année sur l'autre. En revanche, la qualité de la récolte suppose un temps chaud et sec de juillet à octobre, tout particulièrement pendant les quatre dernières semaines précédant les vendanges (globalement, 2 000 heures de soleil par an). Le climat bordelais est assez humide (900 mm de précipitations annuelles), particulièrement au printemps. Mais les automnes sont réputés, et de nombreux millésimes ont été sauvés par une arrière-saison exceptionnelle; les grands vins de Bordeaux n'auraient jamais pu exister sans cette circonstance heureuse.

Une géologie variée

La vigne est cultivée en Gironde sur des sols de natures très diverses. La plupart des grands crus de vin rouge sont établis sur des alluvions gravelo-sableuses siliceuses; des calcaires à astéries, des molasses et même des sédiments argileux. Les vins blancs secs sont produits indifféremment sur des nappes alluviales gravelo-sableuses, des calcaires à astéries et des limons ou molasses. Dans tous les cas, les mécanismes naturels ou artificiels (drainage) de régulation de l'alimentation en eau constituent des facteurs essentiels de qualité. S'il peut exister des crus de même réputation de haut niveau sur des roches-mères différentes, les caractères aromatiques et gustatifs des vins sont influencés par la nature des sols. La distribution des cépages, qui est souvent fonction des caractères du terroir, explique en partie ces variations.

Cépages et assemblages

Les vins de Bordeaux ont toujours été produits à partir de plusieurs cépages ayant des caractéristiques complémentaires. En rouge, le merlot et les cabernets sont les principales variétés. Les seconds donnent des vins d'une solide structure tannique, mais qui doivent attendre plusieurs années pour atteindre leur qualité optimale; en outre, si le cabernet-sauvignon résiste bien à la pourriture, c'est un cépage tardif qui connaît parfois des difficultés de maturation. Le merlot engendre des vins plus souples, d'évolution plus rapide; plus précoce, il mûrit bien, mais il est sensible à la coulure, à la gelée et à la pourriture. Pour les vins blancs, le cépage essentiel est le sémillon, qui apporte gras et rondeur. Cette variété est surtout complétée par le sauvignon, cépage prisé pour sa fraîcheur et sa puissance aromatique, parfois complété par la délicate muscadelle. On trouve encore parfois dans certaines zones le colombard, et l'ugni blanc, en retrait.

Une vigne bien soignée

La vigne est conduite en rangs palissés, avec une densité de ceps à l'hectare très variable. Elle atteint 10 000 pieds dans les grands crus du Médoc et des Graves; elle se situe à 4 000 pieds dans les plantations classiques de l'Entre-deux-Mers. Les densités élevées entraînent une diminution de la récolte par pied, ce qui est propice à la maturité; en revanche, elles augmentent les frais de plantation et de culture, et peuvent favoriser la propagation de la pourriture. La vigne est l'objet, tout au long de l'année, de soins attentifs.

Vins de propriété et vins de négoce

La mise en bouteilles à la propriété se fait depuis longtemps dans les grands crus. Depuis trois décennies, elle s'est développée dans tous les vignobles, notamment grâce à l'intervention des centres et laboratoires œnologiques. Actuellement la grande majorité des vins est élevée, vieillie et stockée par la production. La vente directe par la propriété s'est largement répandue, parfois au détriment des caves coopératives qui continuent cependant à tenir un rôle important, notamment grâce à la constitution d'unions. Les quelque quarante-cinq coopératives regroupent 40 % des récoltants girondins et assurent 25 % de la production. Enfin, le négoce conserve toujours un rôle important (70 % de la commercialisation bordelaise) dans la distribution, en particulier à l'exportation, grâce à ses réseaux bien implantés depuis longtemps.

Une dimension culturelle

L'importance de la viticulture dans la vie régionale est considérable, puisque l'on estime qu'un Girondin sur six dépend directement ou indirectement des activités viti-vinicoles. Mais dans ce pays gascon qu'est le Bordelais, le vin n'est pas seulement une ressource économique. C'est aussi et surtout un fait de culture. Derrière chaque étiquette se cachent tantôt des châteaux à l'architecture de rêve, tantôt de simples maisons paysannes, mais toujours des vignes et des chais où travaillent des hommes apportant, avec leur savoir-faire, leurs traditions et leurs souvenirs. Les confréries vineuses (Jurade de Saint-Émilion, Commanderie du Bontemps du Médoc et des Graves, Connétablie de Guyenne, etc.) organisent régulièrement des manifestations à caractère folklorique pour promouvoir les vins de Bordeaux; leur action est coordonnée au sein du Grand Conseil du vin de Bordeaux.

L'EFFET MILLÉSIME

Les grands millésimes ne manquent pas à Bordeaux. Citons pour les rouges les 2005, 1995, 1990, 1982, 1975, 1961 ou 1959, et aussi les 2009, 2000, 1989, 1988, 1985, 1983, 1981, 1979, 1978, 1976, 1970 et 1966, sans oublier, dans les années antérieures, les superbes 1955, 1949, 1947, 1945, 1929 et 1928. La viticulture bordelaise dispose de terroirs exceptionnels, et elle sait les mettre en valeur par la technologie la plus raffinée qui puisse exister, désormais mise en œuvre aussi dans bien des pays du Nouveau Monde. Si la notion de qualité des millésimes est relativement moins marquée dans le cas des vins blancs secs, elle reprend toute son importance avec les vins liquoreux, pour lesquels les conditions du développement de la pourriture noble sont essentielles.

➡ LES APPELLATIONS RÉGIONALES DU BORDELAIS

Toute la Gironde viticole

Ont droit à l'appellation régionale bordeaux tous les vins produits dans les terroirs à vocation viticole du département de la Gironde (l'aire délimitée exclut la zone sablonneuse située à l'ouest et au sud – la lande, vouée depuis le XIXᵉs. à la forêt de pins). Moins célèbres que les appellations communales (pauillac, pomerol, sauternes...), tous ces bordeaux n'en constituent pas moins quantitativement la première appellation de la Gironde.

Variété des origines

L'impressionnante surface du vignoble entraîne une certaine diversité de caractères, même si tous les vins utilisent les mêmes cépages bordelais. Certains bordeaux proviennent de secteurs de la Gironde n'ayant droit qu'à la seule appellation bordeaux, comme les régions de palus proches des fleuves, ou quelques zones du Libournais (communes de Saint-André-de-Cubzac, de Guîtres, de Coutras...). D'autres naissent dans des régions ayant droit à une appellation plus spécifique, mais peu connue, et le producteur préfère alors commercialiser ses vins sous l'appellation régionale. D'autres au contraire sont issus de crus situés dans des appellations communales prestigieuses. L'explication réside alors dans le fait que l'appellation spécifique ne s'applique qu'à une seule couleur (rouge pour les médoc ou blanc pour les entre-deux-mers, par exemple), alors que beaucoup de propriétés en Gironde produisent plusieurs types de vins (notamment des rouges et des blancs); les autres productions sont donc commercialisées en appellation régionale.

Variété des types

La variété est surtout celle des types de vins, qui conduit à parler au pluriel des appellations bordeaux: celles-ci comportent des vins rouges (bordeaux et bordeaux supérieurs, ces derniers plus puissants), des rosés et des clairets, des vins blancs (bordeaux secs et bordeaux supérieurs, ces derniers moelleux) et des effervescents (crémant-de-bordeaux blancs ou rosés). Les vins de base à l'origine de ces productions élaborées selon la méthode traditionnelle sont obligatoirement issus de l'aire d'appellation bordeaux; de même, c'est dans la région de Bordeaux que doit être effectuée la deuxième fermentation en bouteille (prise de mousse).

BORDEAUX

Superficie : 39 415 ha
Production : 1 699 000 hl

♥ CH. BADIE LA FORÊT 2014 ★★

■ | 100000 | 🍾 | - de 5 €

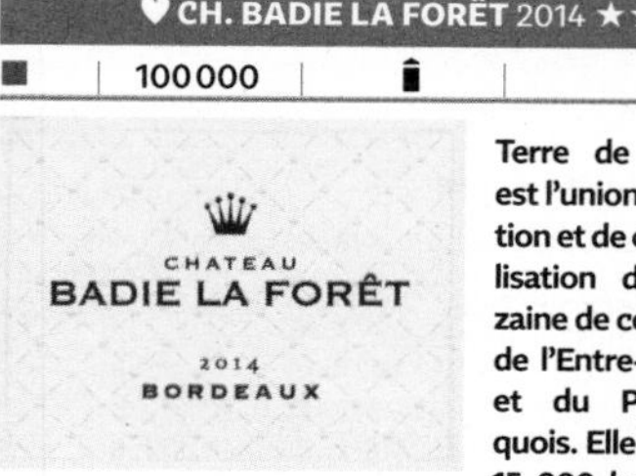

Terre de Vignerons est l'union de production et de commercialisation d'une quinzaine de coopératives de l'Entre-deux-Mers et du Pays Duraquois. Elle représente 15 000 ha de vignes et 1 500 coopérateurs, dont les raisins sont accueillis sur dix-neuf sites de production. Un acteur de poids de la coopération girondine.

Le merlot à l'honneur avec cette cuvée composée de ce seul cépage. Le nez, complexe et intense, associe la confiture de mûre, l'écorce d'orange et des notes briochées. Une attaque ample et charnue introduit un palais dense, suave, généreux, bien structurée par des tanins vigoureux mais sans dureté. Un bordeaux complet et de bonne garde. ⧗ 2018-2021 🍴 travers de porc ■ **Ch. Couat 2014 ★★** (- de 5 €; **66 600 b.**) : un vin expressif (cassis, airelles, pruneaux), tendre, charnu, sphérique en bouche, étayé par des tanins soyeux, plus serrés en finale, le gage d'une bonne évolution. ⧗ 2017-2021

⊶ TERRE DE VIGNERONS,
17-19, rte des Vignerons,
33790 Landerrouat, tél. 05 56 61 33 73,
a.mauro@terredevignerons.com

CH. BARON BERTIN Prestige 2014

■ | 53000 | 🛢 | 8 à 11 €

Les Garzaro sont établis depuis le début du XXᵉs. sur la commune de Baron au Ch. le Prieur, ancienne dépendance de l'abbaye de la Sauve. Pierre-Étienne, Jean David et Silvain conduisent aujourd'hui un ensemble de 70 ha dans l'Entre-deux-Mers et 10 ha dans le Libournais, répartis sur plusieurs crus et sept AOC.

Le merlot (80 %) et les deux cabernets sont à l'origine de ce vin fruité et boisé avec mesure, souple, rond et léger en bouche. Un bordeaux simple et efficace, qui respecte le fruit. ⧗ 2016-2019 🍴 entrecôte

⊶ VIGNOBLES GARZARO,
Ch. Le Prieur, 39, rte de Branne, 33750 Baron,
tél. 05 56 30 16 16, contact@vignoblesgarzaro.com
V t.l.j. sf dim. 8h-12h30 13h-17h; sam. sur r.-v.

CH. BASTIAN Réserve 2014 ★

■ | 36000 | 🛢 | 5 à 8 €

Également propriétaires du Ch. d'Eyran (pessac-léognan), dans leur famille (de Sèze) depuis 1796, Stéphane et Brigitte Savigneux ont acquis en 1984 le Ch. Bastian en AOC bordeaux, une ancienne métairie

de l'abbaye de Rivet, à Auros, qui étend son vignoble sur 10 ha.

Le merlot (50 %) et les deux cabernets composent un vin harmonieux, porté sur les fruits noirs et le grillé de la barrique à l'olfaction. Le palais, à l'unisson, se montre souple, rond et soyeux, adossé à des tanins tendres et mûrs. ⧗ 2017-2020 🍷 coq au vin

o– SCEA CH. D' EYRAN (CH. BASTIAN), 8, chem. du Château, 33650 Saint-Médard-d'Eyrans, tél. 05 56 65 51 59, stephane@savigneux.com V r.-v. *o– Savigneux*

CH. BELVUE La Cabane 2014

■ | 1300 | 🍾 | 11 à 15 €

Michel et Yvette Roure, issus d'une famille d'agriculteurs, acquièrent leurs premières vignes en 1971: 7 ha d'une propriété à l'abandon, 63 ha en AOC bordeaux aujourd'hui. Laurent a rejoint ses parents en 1991 et signé sa première vinification sur le millésime 1999.

Cette cuvée 100 % malbec doit son nom à une petite cabane située au milieu des vignes qui servait autrefois d'abri aux vignerons. Dans le verre, un vin sur les fruits très mûrs et les épices douces, au palais concentré, riche et suave. ⧗ 2017-2020 🍷 confit d'oie

o– CH. BELVUE, 1, Belvue, 33540 Saint-Félix-de-Foucaude, tél. 06 07 99 59 20, contact@chateaubelvue.com V *r.-v.* *o– Laurent Roure*

♥ **CH. BOIS PERTUIS** 2014 ★★

■ | 376382 | 🍾 | 5 à 8 €

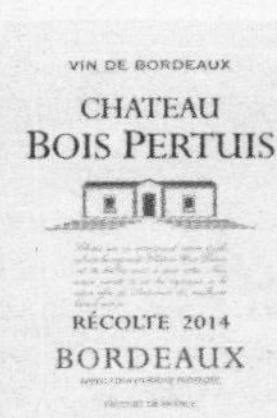

La Société fermière des Grands Crus de France est la structure spécialisée dans le Bordelais du groupe Grands Chais de France. Son œnologue Vincent Cachau vinifie le fruit de quinze propriétés, représentant 390 ha dans les différentes AOC bordelaises.

Le Ch. Bois Pertuis se situe à Saint-Christophe-de-Double, dans une région appelée autrefois «Les Hauts de Saint-Émilion», et jouxte la forêt de Double, réputée pour ses chênes merrains utilisés pour la fabrication des tonneaux. Dans le verre, un bordeaux puissamment bouqueté autour des fruits rouges bien mûrs relevés d'épices, dense, ample et gras en bouche, épaulé par une belle trame de tanins veloutés. Un vin à la fois corpulent et tendre, qui vieillira favorablement. ⧗ 2018-2022 🍷 daube d'agneau ■ **Ch. Haut Mouleyre 2014 ★★ (5 à 8 €; 184 033 b.)** : un vin fruité, réglissé et épicé, généreux, riche et bien structuré en bouche. De quoi voir venir pour un bon séjour en cave. ⧗ 2018-2022 ■ **Ch. de Mons 2014 ★★ (5 à 8 €; 36 822 b.)** : un vin centré sur les fruits cuits (cerise, figue), ample, suave et chaleureux en bouche. Un bordeaux solaire. ⧗ 2017-2021

o– STÉ FERMIÈRE DES GRANDS CRUS DE FRANCE 33460 Lamarque, tél. 05 57 98 07 20

Ⓑ **CH. DE BOUILLEROT** Essentia Privilège 2014 ★

■ | 1600 | 🛢 | 11 à 15 €

Un domaine de 8 ha conduit en bio, dans la même famille depuis 1935 et quatre générations, régulièrement à l'honneur pour son Palais d'or liquoreux en côtes-de-bordeaux-saint-macaire et pour ses bordeaux rouges. Thierry Bos est aux commandes depuis 1990.

Mi-merlot mi-cabernet-sauvignon, ce bordeaux délicat, d'un abord discret, s'ouvre progressivement sur des nuances florales, fruitées et boisées (moka). En bouche, de la souplesse, de la douceur, du charnu et de jolis tanins tout en finesse. ⧗ 2017-2021 🍷 civet de lièvre ■ **Cep d'antan 2014 (8 à 11 €; 2800 b.)** Ⓑ : vin cité.

o– THIERRY BOS, 8, Lacombe, 33190 Gironde-sur-Dropt, tél. 05 56 71 46 04, info@bouillerot.com V *t.l.j. sf dim. 9h-12h 14h-18h*

LE BORDELAIS

CH. BOUTIN ARNAUD 2014

■ | 13600 | 🍾 | - de 5 €

Un cru de 187 ha situé à proximité des AOC lalande-de-pomerol et fronsac, propriété depuis cinq générations de la famille Faure et conduit depuis 1991 par Michel Faure.

Une large majorité (90 %) de merlot dans ce vin bien fruité au nez comme en bouche, étayé par des tanins de belle facture qui lui permettront de bien vieillir. ⧗ 2018-2021 🍷 lapereau en terrine

o– CH. BOUTIN ARNAUD, 8, chem. des Fades, 33133 Galgon, tél. 05 57 74 37 60, contact@boutinarnaud.com V *r.-v.* *o– Michel Faure*

CH. DE LA BOUYÈRE 2014 ★

■ | 60000 | 🍾 | - de 5 €

La maison de négoce Compagnie médocaine des Grands Crus est une filiale d'Axa Millésimes (l'entité viticole du groupe d'assurances), qui propose des vins de marque et de domaines dans une soixantaine d'AOC bordelaises.

Le Ch. de la Bouyère est propriété de la famille Queyrens, établie à Donzac. Son bordeaux 2014 dévoile au nez des nuances de cuir frais, de pruneau, de violette et d'œillet. Une attaque élégante ouvre sur un palais ample, rond et soyeux, plus strict et serré en finale. ⧗ 2017-2020 🍷 poulet basquaise

o– COMPAGNIE MÉDOCAINE DES GRANDS CRUS, 7, rue Descartes, 33295 Blanquefort, tél. 05 56 95 54 95, bau.c@medocaine.com o– Axa

CH. BRIOT 2014

■ | 300000 | 🍾 | 5 à 8 €

En 1858, la famille Ducourt s'établit au Ch. des Combes, à Ladaux, petit village au sud-est de Bordeaux. C'est sous l'impulsion d'Henri Ducourt, installé en 1951 et relayé depuis par ses enfants et petits-enfants, que le vignoble familial prend son essor, pour atteindre aujourd'hui 450 ha répartis sur treize châteaux

Le Bordelais

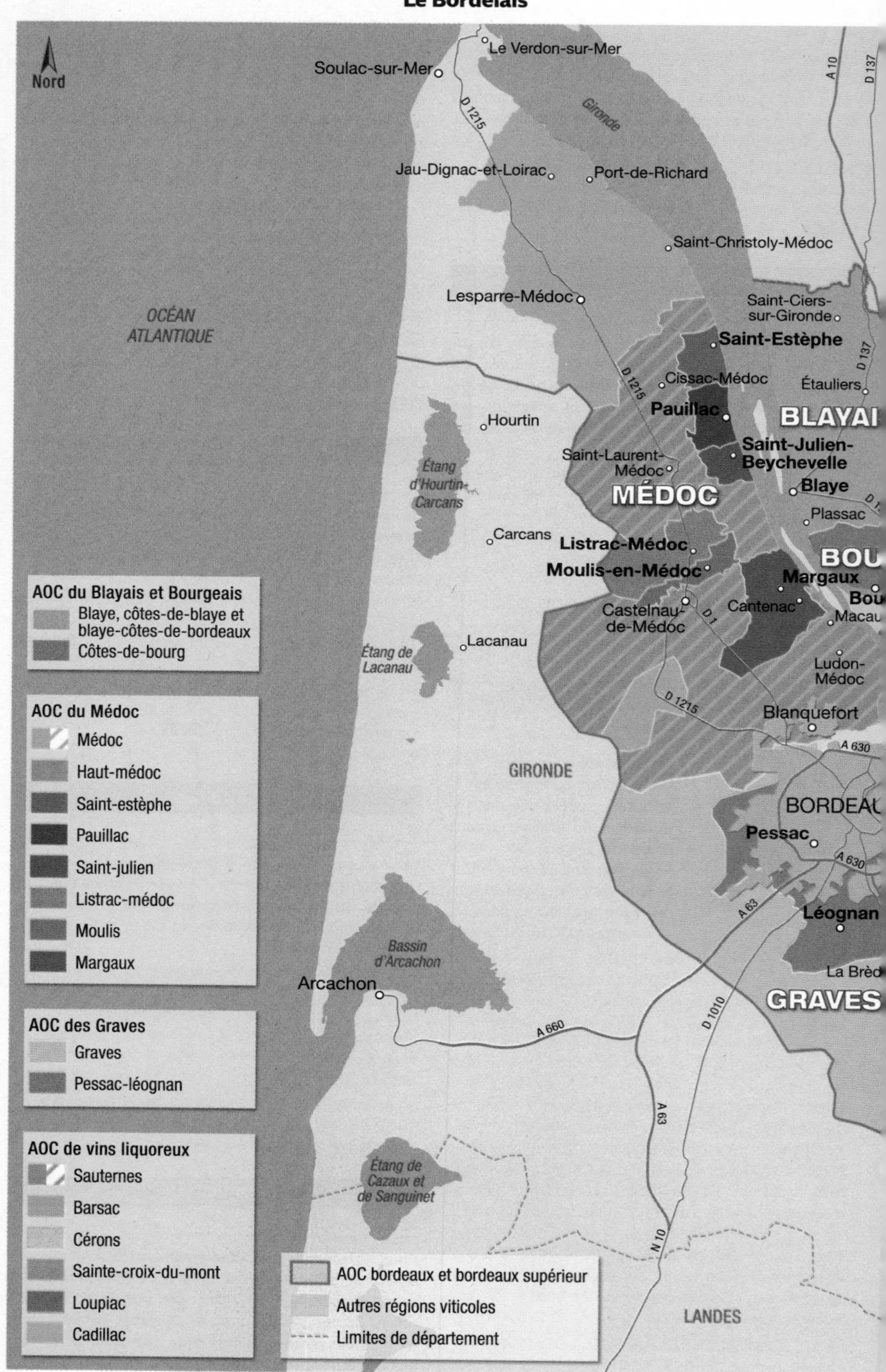

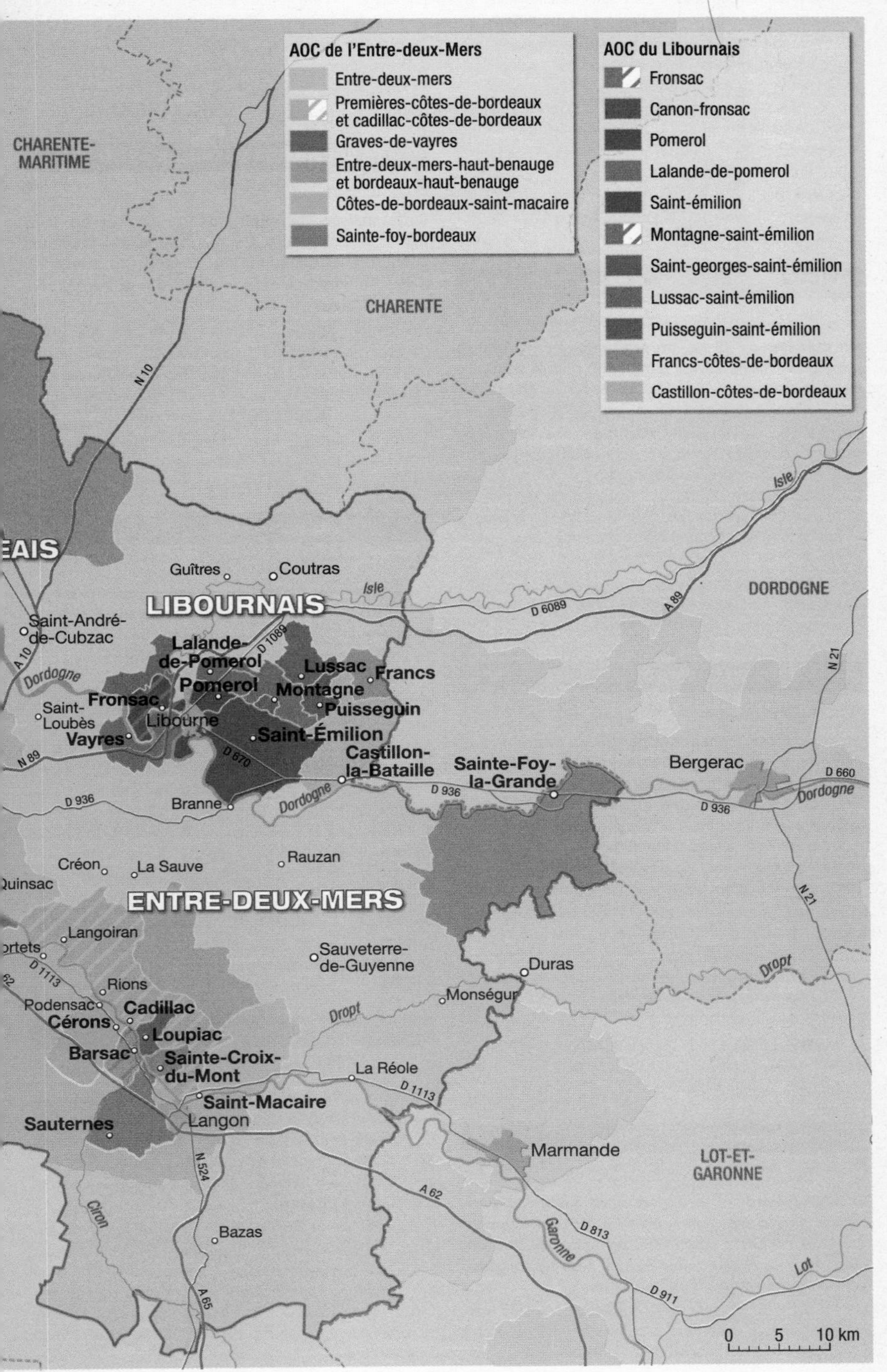
AOC de l'Entre-deux-Mers
Entre-deux-mers
Premières-côtes-de-bordeaux et cadillac-côtes-de-bordeaux
Graves-de-vayres
Entre-deux-mers-haut-benauge et bordeaux-haut-benauge
Côtes-de-bordeaux-saint-macaire
Sainte-foy-bordeaux
AOC du Libournais
Fronsac
Canon-fronsac
Pomerol
Lalande-de-pomerol
Saint-émilion
Montagne-saint-émilion
Saint-georges-saint-émilion
Lussac-saint-émilion
Puisseguin-saint-émilion
Francs-côtes-de-bordeaux
Castillon-côtes-de-bordeaux
CHARENTE-MARITIME
CHARENTE
DORDOGNE
LOT-ET-GARONNE
LIBOURNAIS
ENTRE-DEUX-MERS
Guîtres
Coutras
Isle
Saint-André-de-Cubzac
Lalande-de-Pomerol
Lussac
Francs
Pomerol
Montagne
Fronsac
Puisseguin
Saint-Loubès
Libourne
Vayres
Saint-Émilion
Castillon-la-Bataille
Sainte-Foy-la-Grande
Bergerac
Branne
Dordogne
Créon
La Sauve
Rauzan
Langoiran
Sauveterre-de-Guyenne
Duras
Rions
Podensac
Cadillac
Cérons
Loupiac
Barsac
Sainte-Croix-du-Mont
Monségur
Dropt
La Réole
Saint-Macaire
Sauternes
Langon
Marmande
Bazas
Ciron
Garonne
Lot
N 10
A 10
N 89
D 1089
D 670
D 936
D 6089
A 89
N 21
D 660
D 1113
N 524
A 62
A 65
D 813
D 911
0 5 10 km

dans l'Entre-deux-Mers et le Saint-Émilionnais. Un ensemble dirigé par Philippe Ducourt depuis 1980.

Un château de l'Entre-deux-Mers, propriété des Ducourt depuis 1980, établi dans un joli paysage pastoral: petits bois propices à la chasse et à la cueillette, lac pour les pêcheurs, vignes en pentes douces. Dans le verre, un bordeaux simple et de bon aloi, fruité et épicé, souple et rond. Pour un plaisir immédiat. ⧗ 2016-2018 🍴 bavette à l'échalote

⊶ *VIGNOBLES DUCOURT, 18, rte de Montignac, 33760 Ladaux, tél. 05 57 34 54 00, ducourt@ducourt.com* V *r.-v.*

CH. DE CAPPES Élevé en fût de chêne 2014 ★★

■	6600	◍	8 à 11 €

Un domaine de 33 ha, propriété des Boulin depuis cinq générations, dirigé par Cédric depuis 2010. De bons bordeaux régionaux et côtes-de-bordeaux-saint-macaire secs et doux.

Cet assemblage classique merlot-cabernet-sauvignon (60-40) se dévoile avec parcimonie au premiez nez, puis l'aération libère les fruits, noirs et mûrs, sur un fond boisé élégant. La bouche reste sur ces tonalités et offre beaucoup de matière, de gras et une belle solidité autour de tanins au grain fin et soyeux. Une bouteille de garde. ⧗ 2019-2023 🍴 côte de bœuf

⊶ *EARL BOULIN, 4, Bidalet, 33490 Saint-André-du-Bois, tél. 06 08 91 48 58, chateaudecappes@laposte.net* V 🚶 ■ *r.-v.*

Ⓑ CH. DU CHAMP DU MOULIN 2014

■	5000	◍	8 à 11 €

Michel Liessi, responsable d'exploitation sur diverses propriétés à Châteaneuf-du-pape, Mercurey, Chablis ou encore Sauternes, a créé en parallèle son propre domaine à partir de 1991. Après avoir porté ses raisins à la coopérative, il a créé son chai en 2013 dans lequel il vinifie le fruit de 13 ha de vignes convertis au bio dès 2000 (certification en 2013) et aujourd'hui sur la voie de la biodynamie.

Première apparition dans ces pages pour Michel Liessi avec un 2014 expressif (fruits noirs, nuances boisées fines). On retrouve le fruit, intense et frais, dans une bouche alerte, structurée par de bons tanins. Un vin un peu fugace mais harmonieux et dynamique. ⧗ 2017-2021 🍴 rôti de veau aux champignons

⊶ *MICHEL LIESSI, Ch. du Champ du Moulin, 33190 Fossés-et-Baleyssac, tél. 05 57 31 00 85, contact@liessi.com* V 🚶 ■ *r.-v.*

Ⓑ CH. CHAVRIGNAC 2014

■	n.c.	🛢	5 à 8 €

En 2015, Gérard Lobre, expert en viticulture et œnologie, reprend avec son épouse Sandrine le vignoble fondé dans l'Entre-deux-Mers par la famille Bouron, cultivé en agriculture biologique dès les origines (1964), étendu aujourd'hui sur 32 ha.

Un soupçon (5 %) de petit verdot accompagne le merlot (45 %) et les cabernets dans ce vin plutôt discret à l'olfaction, mais bien constitué en bouche à travers une matière de bonne densité et une charpente solide, pour ne pas dire sévère. Prometteur. ⧗ 2018-2021 🍴 cuisse de canard confite

⊶ *SCEA BIO-VINS 1964, 3, Chavignac, 33190 Fossés-et-Baleyssac, tél. 05 56 61 70 50, contact.chavrignac@bio-vins1964.fr* V 🚶 ■ *r.-v.*

LES CHEVALIERS DE SAINT-MARTIN 2014

■	500000	- de 5 €

Cette maison de négoce a été fondée en 1828 par Jules Lebègue à Cantenac, près de Margaux, puis s'est installée à Saint-Émilion, au milieu du XXᵉs. Aujourd'hui dans le giron d'Antoine Moueix (groupe Advini).

On perçoit d'emblée une bonne maturité des raisins dans ce vin ouvert sur des arômes généreux de fruits noirs confiturés. Un fruité mûr prolongé par une bouche souple et ronde, aux tanins doux. Un bordeaux sur la gourmandise. ⧗ 2016-2019 🍴 tajine de veau

⊶ *JULES LEBÈGUE, rte du Milieu, lieu-dit Mede, 33330 Saint-Émilion, tél. 05 57 55 58 09, caroline.charbonnier@amoueix.fr* ⊶ *Advini*

CHEVAL QUANCARD Réserve 2014 ★★

■	45000	◍	5 à 8 €

Propriétaire de nombreux crus et acteur majeur du négoce bordelais, Cheval Quancard a été fondé par Pierre Quancard en 1844, sous le nom de Quancard et Fils. La maison est toujours dirigée par ses descendants.

Cette cuvée se distingue d'emblée par son bouquet complexe mêlant notes fumées et toastées, senteurs des sous-bois, fruits rouges et touches giboyeuses. De la bouche, on aime son attaque souple, puis son côté étoffé, charnu et gras, son boisé racé et ses tanins solides. Un bordeaux à la fois charmeur et corpulent. ⧗ 2018-2022 🍴 épaule d'agneau ■ **Prestige de Bordes 2014 ★ (5 à 8 €; 24000 b.)** : un vin généreusement bouqueté (fruits noirs mûrs, boisé grillé), corsé et vigoureux en bouche. ⧗ 2018-2021

⊶ *CHEVAL QUANCARD, ZI La Mouline, 4, rue du Carbouney, BP 36, 33565 Carbon-Blanc Cedex, tél. 05 57 77 88 88, chevalquancard@chevalquancard.com* V 🚶 ■ *r.-v. (au Ch. de Bordes)*

CLOS CARMELET 2014 ★

■	1333	◍ 🛢	5 à 8 €

Un petit cru familial de 3 ha conduit depuis 2004 par Gilles Hébrard (troisième génération): un ensemble de parcelles situées sur les coteaux de la rive droite de la Garonne, voisin du château Carmelet. Les vins sont élevés et conservés dans une ancienne carrière d'extraction de pierre de taille.

Une petite surface de 20 ares de merlot est à l'origine de ce bordeaux nécessairement confidentiel. Petit mais costaud: robe sombre, nez généreux de fruits noirs mûrs sur fond torréfié, bouche d'un gros volume, aux tanins vigoureux mais bien enrobés par une chair tendre et ronde. Un vin trapu, goûteux et corsé. ⧗ 2018-2022 🍴 fricassée d'agneau aux épices

Beauséjour, Saint-André), en saint-émilion grand cru (Du Barry, Tour Renaissance) et en AOC régionales (Rambaud, Grands Ormes). Tout le vignoble est en conversion bio.

Né principalement (85 %) des plus vieux ceps de merlot du domaine, ce vin associe sans fausse note le bois et le raisin à l'olfaction. Le merrain marque plus la bouche, fraîche et assez sévère pour l'heure. Une petite garde apportera l'harmonie. ⧗ 2017-2020 ¥ pavé de bœuf

⊶ SCEA VIGNOBLES DANIEL MOUTY, 19, rte de Merlande, BP 5, 33350 Sainte-Terre, tél. 05 57 84 55 88, contact@vignobles-mouty.com V r.-v.

CH. LA RAME 2014 ★

■	20000		5 à 8 €

Implantée à Sainte-Croix depuis huit générations, la famille Armand fait partie des institutions locales pour ses liquoreux renommés. Elle y conduit deux crus (dans un esprit bio, sans certification): la Caussade et la Rame, son fleuron, dont les vins étaient déjà réputés au XIXᵉs. Angélique et Grégoire Armand ont pris la suite de leur père Yves en 2009.

Si les vins doux font la renommée du domaine, ses rouges s'illustrent avec autant de régularité. Merlot et cabernets à parts égales dans ce bordeaux sombre et profond, très épicé (clou de girofle) et fruité, long, dense et suave en bouche, avec en soutien de beaux tanins fondus. ⧗ 2017-2021 ¥ sauté de veau

⊶ GFA CH. LA RAME, 33410 Sainte-Croix-du-Mont, tél. 05 56 62 01 50, dgm@wanadoo.fr V *t.l.j. 9h-12h 13h30-17h30; sam. dim. sur r.-v.*

CH. ROC DE LEVRAUT 2014 ★★

■	100000		5 à 8 €

À chaque génération, une nouvelle pierre à l'édifice. En 1932, Marcel Ballarin crée le domaine à partir de 5 ha de vignes blanches. Son fils Roger le porte à 10 ha, plante des vignes rouges et lance la vente en bouteilles. Son petit-fils Rémi, installé en 2001, a fortement développé l'export (80 %) et conduit aujourd'hui un vignoble de 30 ha.

Fruits mûrs (cassis notamment) et nuances épicées et réglissées composent le bouquet généreux et très avenant de cet assemblage merlot-cabernet-sauvignon (65-35). Passé une attaque tout en souplesse, le palais dévoile un volume imposant, renforcé par une solide trame tannique qui pousse loin la finale, ronde et corsée. Une bouteille appréciable aussi bien jeune que patinée par le temps. ⧗ 2017-2022 ¥ goulash

⊶ SCEA VIGNOBLES BALLARIN, quartier Saint-Romain, 33540 Sauveterre-de-Guyenne, remi.ballarin@wanadoo.fr V r.-v.

CH. LA ROCHE DE BROUE 2014 ★

■	53000		5 à 8 €

Acquis en 1949 par Jean Debart et planté en vignes en 1960 par son fils Jean-Lou, ce domaine est situé dans la verdoyante vallée de la Gamage. Jean-Daniel et Xavier Debart co… …ujourd'hui une vaste propriété de 120 ha … ha de vignes en AOC bordeaux et bordeau… …périeur. Deux étiquettes: Cablanc et Roche de Broue.

Les deux cabernets à parts égales sont associés au merlot (60 %) dans ce 2014 expressif et généreux (fruits mûrs, épices douces, notes de… whisky). La bouche est riche, suave, corsée tout en restant d'une belle finesse de texture et de tanins. Du caractère et de l'élégance. ⧗ 2017-2021 ¥ bœuf Strogonoff

⊶ SCEA CH. CABLANC, 2, Cablanc, 33350 Saint-Pey-de-Castets, tél. 05 57 40 52 20, cablanc@chateaucablanc.com V r.-v.
⊶ Famille Debart

CH. LA ROCHE SAINT-JEAN 2014

■	15000		- de 5 €

Un domaine créé à l'orée du XXᵉs. mais spécialisé en viticulture seulement en 1973. Depuis 1998, Jérôme Pauquet a pris le relais de son grand-père et de son père à la tête d'un vignoble de 27 ha.

D'un beau rouge profond, ce bordeaux livre un bouquet tout en fruits frais à dominante de cassis. Dans le droit fil, le palais plaît par sa souplesse et sa fraîcheur. Pas un monstre de structure certes, mais un vin plaisant et gouleyant. ⧗ 2016-2019 ¥ cannelloni

⊶ EARL VIGNOBLES PAUQUET, N 24, Le Bourg, 33190 Camiran, tél. 06 03 88 62 02, jerome.pauquet@wanadoo.fr V r.-v.

CH. ROQUES MAURIAC Damnation 2014

■	15000		15 à 20 €

À l'époque où il a lancé les premières foires aux vins (1973), Édouard Leclerc a acheté des vignobles dans l'Entre-deux-Mers, développés par sa fille Hélène Levieux jusqu'en 2002 puis dirigés par son petit-fils Vincent et aujourd'hui par Sylvie, l'épouse de ce dernier. Trois châteaux: Labatut, Lagnet et Roques-Mauriac, 100 ha au total.

Cette cuvée s'affiche dans une robe sombre qui annonce un vin de matière. Au nez, les fruits mûrs se marient aux notes empyreumatiques et épicées de la barrique. En bouche, toujours ces arômes boisés, intenses et grillés, du volume aussi, beaucoup de gras et des tanins puissants. Un bordeaux vineux et riche, à laisser mûrir sagement. ⧗ 2019-2023 ¥ daube de bœuf

⊶ GFA LES 3 CHÂTEAUX, Lagnet, 33350 Doulezon, tél. 05 57 40 51 84, contact@les3chateaux.com V *t.l.j. sf sam. dim. 9h-12h30 14h30-18h*
⊶ Sylvie Levieux

CH. ROUGIER 2014

■	60000		- de 5 €

Après ses études d'œnologie, Jean-Christophe Lobre s'est installé en 1995 à la tête du vignoble créé en 1974 par ses parents Jean-Pierre et Paulette. Il conduit aujourd'hui un vaste domaine de 70 ha et poursuit ainsi une tradition familiale qui remonte à 1735.

Du verre montent des notes fines de petits fruits rouges rehaussés de poivre. On retrouve ces arômes dans une

LE BORDELAIS

bouche ronde et consis… …paulée par un bon support tannique qui montre …peu plus les muscles en finale. Prévoir un peu d'attente. ⧗ 2018-2021 🍷 souris d'agneau

⊶ *EARL VIGNOBLES J.-C. LOBRE, lieu-dit Jamin, 33580 Rimons, tél. 05 56 71 55 10, vinslobre@free.fr* *r.-v.*

CH. DE ROUQUETTE 2014 ★

■ | 45 000 | | 8 à 11 €

Établis à Loupiac depuis huit générations, les Darriet exploitent plusieurs crus (64 ha en tout) sur les deux rives de la Garonne. Leurs rouges sont de qualité, mais ils possèdent aussi un réel savoir-faire en matière de vin blanc, doux comme sec – Philippe Darriet, l'œnologue, est chercheur à la faculté de Bordeaux et spécialiste du sauvignon.

Rouquette est un cru ancien situé sur le plateau de Loupiac – on en trouve trace dès 1732 – acquis par les Darriet en 1962, sur lequel sont produits aussi bien des liquoreux que des vins rouges. Ici, un bordeaux au nez intense et bien agencé entre boisé chocolaté et fruits (framboise, cassis), souple et frais en attaque, rond et soyeux en bouche, épaulé par des tanins aimables et fondus. ⧗ 2017-2020 🍷 magret de canard aux cerises

⊶ *SC J. DARRIET, Ch. Dauphiné-Rondillon, 33410 Loupiac, tél. 05 56 62 61 75, contact@vignoblesdarriet.fr* *t.l.j. sf sam. dim. 8h30-12h30 14h-18h*

CH. ROUX DE BEAUCES 2014 ★

■ | 125 000 | - de 5 €

La famille Roux (Yannick, Hélène et leur fils Romain) est installée dans l'Entre-deux-Mers depuis 1978. Outre ses Ch. Laforêt, Haut Philippon, Roux de Beauces et Tuileries, auxquels s'ajoute depuis 2013 le médocain Taffard de Blaignan, elle propose une large gamme issue de son négoce.

Merlot et cabernet-sauvignon font jeu égal dans ce vin sombre et profond, puissamment et élégamment bouqueté, sur les fruits noirs, la griotte, l'amande douce et la violette. Une belle attaque pure et droite introduit un palais très frais, très souple, très fruité, très harmonieux. Un bordeaux croquant et craquant. ⧗ 2016-2020 🍷 brick au bœuf ■ **Ch. les Tuileries 2014** ★ (**- de 5 €; 600 000 b.**) : un joli nez sur les fruits mûrs et les épices et une bouche à la fois ronde et bien structurée par des tanins présents sans dureté. Un bordeaux équilibré et facile d'accès. ⧗ 2017-2021 ■ **Ch. Laforêt 2014** ★ (**- de 5 €; 38 000 b.**) : une dominante des deux cabernets dans ce vin finement fruité à l'olfaction (griotte notamment), un brin épicé aussi, rond et soyeux en bouche, avec des tanins souples qui renforcent son côté aimable. ⧗ 2017-2020

⊶ *SCEA VIGNOBLES ROUX, 1, Beaucés, 33540 Gornac, tél. 05 56 61 98 93, vignoblesroux@orange.fr*

CH. LA SABLIÈRE FONGRAVE 2014 ★★

■ | 76 000 | | - de 5 €

Couvrant 125,57 ha, dont 74 ha de vignes, dans l'Entre-deux-Mers et la région de Cadillac, ce cru appartient à la famille Icard depuis sa fondation en 1790. À sa tête depuis 1994, Jean-Christophe Icard. Plusieurs étiquettes ici: L'Orangerie, La Sablière Fongrave, et même des «produits sous licence» signés par le célèbre dessinateur belge Philippe Geluck, créateur du personnage *Le Chat*.

Merlot (70 %) et cabernet-sauvignon mariés pour le meilleur dans ce bordeaux d'un beau rouge profond, au nez fin de petits fruits rouges sur fond d'épices douces. La bouche est sincère, nette et longue, bâtie sur des tanins fermes sans dureté, bien enrobés par une chair dense. De belles perspectives pour la garde tout en offrant déjà d'excellentes garanties. ⧗ 2017-2022 🍷 bœuf marengo ■ **Ch. de l'Orangerie 2014** ★ (**- de 5 €; 228 000 b.**) : fruits mûrs et épices au nez, attaque suave et tendre, palais riche et bien structuré, une bouteille bien construite. ⧗ 2017-2020

⊶ *SCEA VIGNOBLES ICARD, Ch. de l'Orangerie, 33540 Saint-Félix-de-Foncaude, tél. 05 56 71 53 67, orangerie@chateau-orangerie.com*

Ⓑ CH. DES SEIGNEURS DE POMMYERS 2013 ★★

■ | 51 600 | | 8 à 11 €

Les Piva, après avoir vinifié en Italie, se sont établis en 1924 dans l'Entre-deux-Mers, d'abord en métayage puis en fermage, avant d'acquérir en 1961 le Ch. Pouchaud-Larquey, puis le Ch. des Seigneurs de Pommyers en 1989. Jean-Luc Piva, aujourd'hui épaulé par ses enfants, s'est converti au bio dès 1984.

Également appelé «Castrum de Pommyers», ce château fut jusqu'à la Révolution française un village fortifié entouré de 416 m de remparts. Côté vin, un bordeaux très élégant, ciselé autour du fruit (cassis, mûre, cerise) au nez comme en bouche. Une attaque fraîche et ferme introduit un palais ample et alerte, aux tanins bien dosés. Une jolie finale florale et aérienne conclut la dégustation avec finesse. ⧗ 2016-2021 🍷 volaille aux cèpes

⊶ *SCEA PIVA, Ch. des Seigneurs de Pommyers, 33540 Saint-Félix-de-Foncaude, tél. 05 56 71 65 16, piva.chateau@orange.fr* *r.-v.*

CH. THIEULEY 2014 ★

■ | 130 000 | | 5 à 8 €

L'histoire viticole des Courselle débute en 1949 avec l'achat du Ch. Thieuley, non loin de la Sauve-Majeure, par André Courselle. Sous l'impulsion de Francis et, depuis 2004, de ses filles Sylvie et Marie, le vignoble s'étend aujourd'hui sur 80 ha et trois crus: Thieuley, une référence en bordeaux, Ch. Saint-Genès, destiné à l'export, et Clos Sainte-Anne, 5 ha de graves à Capian.

Vinification en petits cuves thermo-régulées, puis élevage de 30 % du vin en cuve béton, 20 % en foudre et 50 % en barriques de un à trois ans. Le résultat: un bordeaux harmonieux de bout en bout, en robe sombre, au nez bien ajusté entre notes boisées (grillé) et fruitées (fruits noirs), au palais volumineux, soyeux et riche, équipé de tanins serrés de bonne garde. ⧗ 2018-2022 🍷 rôti de chevreuil aux airelles

⊶ *VIGNOBLES COURSELLE, 560, rte de Grimard, 33670 La Sauve, tél. 05 56 23 00 01, contact@thieuley.com* *r.-v.*

CH. TIRE PÉ 2013 ★

■ | 12000 | | 8 à 11 €

Hélène et David Barrault ont repris en 1997 une parcelle de vieilles vignes en coteaux, dans le secteur du sud langonnais, à laquelle ils ont redonné vie. À la tête de 13,5 ha aujourd'hui, en bio certifié depuis 2014, ils visent avant tout des vins sur le fruit. Tire Pé? Le nom du domaine renvoie aux efforts que produisaient autrefois les bêtes de somme pour monter à la propriété et qui se soulageaient en «tirant le pet»...

Le seul merlot est à l'œuvre dans ce 2013 bien fruité (cassis mûr) à l'olfaction, un brin végétal aussi. Une ligne aromatique qui s'agrémente d'une fine touche de violette dans une bouche fraîche et alerte, épaulée d'une bonne charpente tannique. Un bordeaux énergique. ⧗ 2017-2020 ▼ jambon braisé à l'os

BARRAULT, Ch. Tire Pé, 33190 Gironde-sur-Dropt, tél. 05 56 71 10 09, tirepe@wanadoo.fr V r.-v.

CH. TOUR CHAPOUX 2014

■ | 50000 | | 5 à 8 €

En 1967, Claude et Simone Comin ont établi leur domaine à l'emplacement d'une ancienne commanderie des Templiers du XIIIe s. En 2013, leur fille Sylvie a pris seule les commandes du vignoble: 105 ha dans l'Entre-deux-Mers (85 ha en rouge, 20 ha en blanc) et des vins souvent en bonne place, dans les deux couleurs.

La dégustation de ce 2014 débute par un joli nez floral et fruité (fruits rouges), certes plutôt discret mais fin. Elle se poursuit par une bouche elle aussi peu prolixe en arômes mais plaisante par sa fraîcheur et sa souplesse. Plus sévère, la finale appelle toutefois une petite garde. ⧗ 2017-2020 ▼ bavette à l'échalote

COMIN, Ch. la Commanderie, 33790 Saint-Antoine-du-Queyret, tél. 05 56 61 31 98 V r.-v.

CH. TOUR DE BIGORRE Élevé en fût de chêne 2014 ★★

■ | 678000 | | - de 5 €

Un domaine familial fondé en 1929 par le grand-père de Jean-Claude Pardine, installé ici depuis 1976: 7 ha de vignes à sa création, 90 ha aujourd'hui.

Une belle robe noire et profonde habille ce vin de prime abord plutôt timide, plus expansif à l'aération autour de parfums de grenadine et autres fruits rouges qui laissent le boisé très en retrait. En bouche, mêmes sensations fruitées, croquantes et fraîches qui s'harmonisent parfaitement avec une texture ronde, douce et soyeuse, étayée par de beaux tanins souples. ⧗ 2016-2020 ▼ fricassée de veau aux champignons

SCEA DE BIGORRE, Bigorre, 33540 Mauriac, tél. 05 56 71 52 44, jean-claude.pardine@wanadoo.fr r.-v.

CH. TOUR DE BIOT 2014 ★

■ | 70000 | | - de 5 €

Gilles Grémen est un habitué du Guide, souvent en vue pour ses bordeaux rouges. Héritier d'une longue lignée vigneronne, il a repris en 1986 le domaine familial et exploite aujourd'hui 20 ha de vignes.

Après une petite période d'absence dans ces pages, revoilà la Tour de Biot. Les amateurs des vins du domaine ne seront pas déçus par cette cuvée au nez frais et fin de violette, d'amande et de fruits rouges, à la bouche fruitée, très ronde et charnue, bâtie sur des tanins souples et soyeux. Un joli «vin plaisir», à déguster dans sa jeunesse. ⧗ 2016-2019 ▼ poulet rôti

EARL LA TOUR-ROUGE, 2, la Tour-Rouge, 33220 La Roquille, tél. 06 86 08 60 95, gilles.gremen@orange.fr V r.-v.

♥ CH. TOUR DE MIRAMBEAU Cuvée Passion 2014 ★★

■ | 40000 | | 20 à 30 €

Installé dans l'Entre-deux-Mers sur un plateau calcaire et veillé par une vénérable tour se dressant au milieu des plus vieilles vignes de la famille, c'est le domaine historique de la famille Despagne, à la tête de nombreux crus et d'un vaste ensemble de 300 ha. Une valeur sûre.

Bis repetita pour cette cuvée Passion élue coup de cœur dans sa version 2012. Le 2014 propose le même assemblage dominé nettement par le merlot (82 %, les deux cabernets en appoint). Dans le verre, des points communs avec son aîné également: même robe intense et profonde, même bouquet soutenu, sur les fruits noirs mûrs, les épices et le merrain torréfié, même bouche suave, riche et dense, aux tanins mûrs et soyeux. Un très beau bordeaux de garde, qui associe puissance et douceur. ⧗ 2018-2023 ▼ épaule d'agneau rôtie ■ **Rauzan Despagne Le Grand Vin 2014 ★★ (20 à 30 €; 12000 b.)** : à un souffle du coup de cœur, cette autre propriété des Despagne propose un 2014 plein de subtilité à l'olfaction (fruits rouges et noirs, épices douces, violette, notes torréfiées), aussi large que long en bouche, charnu et très bien charpenté par des tanins fins et frais. ⧗ 2018-2023 ■ **Lion Beaulieu Le Premier Vin 2014 ★ (20 à 30 €; 10000 b.)** : à un bouquet généreux de fruits mûrs et de grillé répond un palais dense et gras, puissant et encore sous l'emprise du bois. ⧗ 2019-2024 ■ **Ch. Mont-Pérat 2014 ★ (15 à 20 €; 240000 b.)** : dominé par la barrique au nez, un bordeaux plus équilibré en bouche autour d'une matière suave et riche et des tanins élégants. De bonne garde assurément. ⧗ 2018-2022 ■ **Bel Air Perponcher Premier Vin 2014 (20 à 30 €; 12000 b.)** : vin cité.

SCEA DE LA RIVE DROITE, Le Touyre, 33420 Naujan-et-Postiac, tél. 05 57 84 55 08, contact@despagne.fr V r.-v.
SAS Despagne

VIGNAC 2014

■ | 150000 | | 5 à 8 €

Une jeune maison de négoce créée en 2009 par Fabien Gross, présente sur différents vignobles français, qui

vise des «créations haute couture» et du «prêt-à-consommer».

Dominée par le cabernet, cette cuvée dévoile des parfums harmonieux de fruits noirs et d'épices douces. En bouche, c'est souple, rond, bien équilibré, sans heurt jusqu'à la finale un brin fugace mais très fruitée. Un bordeaux aimable. ⧗ 2016-2019 🍴 brochette bœuf et poivron

⊶ DOMAINES PIERRE CHAVIN, 2, bd Jean-Bouin, 34500 Béziers, tél. 04 67 90 12 60, commercial@pierre-chavin.com

CH. VIRCOULON 2014

■ | 90000 | - de 5 €

Propriété familiale (quatre générations) proche de Castillon-la-Bataille et voisine du Bergeracois, autrefois tournée vers la polyculture, entièrement dédiée à la vigne depuis sa reprise en 1983 par Patrick Hospital.

Les deux cabernets et le merlot à parts égales (30 % chacun) et une pointe de malbec sont assemblés dans ce vin fruité, poivré et réglissé au nez, franc, frais et ferme en bouche. Un bordeaux net et sans bavure, qui pourra vieillir un peu. ⧗ 2017-2020 🍴 fricassée de lapin

⊶ PATRICK HOSPITAL, Vircoulon, 33220 Saint-Avit-de-Soulège, tél. 05 57 41 05 99

♥ VOILÀ Petit Verdot 2014 ★★

■ | 15000 | 🍾 | 8 à 11 €

Le Belge Émile De Schepper a investi dans le vignoble bordelais à partir de 1950. En plus de sa maison de négoce (De Mour), la famille exploite aussi aujourd'hui une cinquantaine d'hectares en propre: en Médoc, le Ch. Haut-Breton Larigaudière (margaux), le Ch. Tayet et le Ch. Lacombe Cadiot (bordeaux supérieur); en saint-émilion, Tour Baladoz et Croizille.

Cette cuvée originale issue de la partie négoce met à l'honneur le petit verdot, cépage rarement utilisé en solo. La robe est sombre et profonde, le nez riche et complexe, sur les fruits noirs et rouges bien mûrs, la réglisse et une pointe plus fraîche de... garrigue. Un côté solaire que l'on retrouve dans une bouche charnue en diable, ronde et suave mais jamais lourde et toujours élégante, soutenue par des tanins polis et veloutés. Une vraie gourmandise qui joue pleinement la carte du fruit. ⧗ 2016-2020 🍴 moussaka ■ **Cadiot Cabernet-sauvignon 2014 ★ (5 à 8 €; 15000 b.)** : un joli vin au nez fin et fruité, tendre et rond en bouche. Un bordeaux sphérique et bien en chair. ⧗ 2016-2020 ■ **Cadiot Petit Verdot 2014 ★ (8 à 11 €; 12000 b.)** : une petite touche animale aux côtés des fruits rouges pour l'olfaction; un palais charnu et rond, aux tanins sages et arrondis. ⧗ 2016-2020 ■ **Cadiot Merlot 2014 (8 à 11 €; 18000 b.)** : vin cité.

⊶ SCEA CH. HAUT-BRETON LARIGAUDIÈRE, 3, rue des Anciens-Combattants, 33460 Soussans, tél. 05 57 88 94 17, contact@de-mour.com
V 🚶 ▪ r.-v. ⊶ De Schepper

BORDEAUX BLANC

Superficie : 6 740 ha / Production : 418 650 hl

CH. DES ANTONINS 2015 ★

□ | 17000 | 5 à 8 €

Geoffroy de Roquefeuil a renoué à partir de 1985 avec la tradition viticole des Antonins, frères hospitaliers de Saint-Antoine qui occupèrent cet ancien couvent du XIIIe au XVIII[e]s., et a progressivement reconstitué le domaine monastique (27 ha aujourd'hui). Le domaine fait partie de l'Association des vins d'abbayes.

Sauvignon (70 %) et sémillon composent un blanc très charmeur et très équilibré. Le nez associe les agrumes, les fruits exotiques et de gourmandes notes briochées. Une complexité que l'on retrouve dans une bouche à la fois riche, ample et fraîche, étirée dans une jolie finale minérale et fumée. ⧗ 2016-2019 🍴 escalope de veau au citron

⊶ GEOFFROY DE ROQUEFEUIL, Le Couvent, 33190 Pondaurat, tél. 05 56 61 00 08, roquefeuil@chateau-des-antonins.com
V 🚶 ▪ r.-v. 🏠 E

CH. ARGADENS 2015 ★

□ | 28000 | 🍾 | 5 à 8 €

Sur l'une des croupes les plus hautes de la région, à Saint-André-du Bois, s'étend cette propriété de 40 ha d'un seul tenant. Elle a été acquise en 2002 par la maison de négoce Sichel, fondée en 1883 et restée familiale (également propriétaire des châteaux Palmer, Angludet et Trillol dans les Corbières). Les frères Sichel l'ont renommée Argadens en référence à la famille noble fondatrice du domaine au XIII[e]s.

Le nez, fin et expressif, convie le genêt, le pamplemousse et la pêche. En bouche, le vin se montre intense dès l'attaque, gras, dense et volumineux, stimulé par une fine acidité qui pousse loin la finale. Un ensemble très harmonieux. ⧗ 2016-2019 🍴 volaille en sauce □ **Sirius 2015 ★ (5 à 8 €; 80000 b.)** : un joli nez floral (acacia), fruité (pamplemousse) mentholé, une bouche équilibrée, fraîche et persistante. ⧗ 2016-2019

⊶ MAISON SICHEL, 19, quai de Bacalan, 33000 Bordeaux, tél. 05 56 63 50 52, ventes-france@sichel.fr

LES HAUTS DE BEL-AIR 2015

□ | 500000 | - de 5 €

Savas (Société d'approvisionnement de vins d'alcools et de spiritueux) est une maison de négoce fondée en 1978, présidée par Évelyne Courriades, qui propose des vins de marque en AOC bordeaux.

Un blanc plaisant par ses arômes harmonieux d'agrumes et de fleurs blanches agrémentés d'une petite note fumée. Dans le droit fil, le palais se montre souple, frais et alerte. Simple et de bon aloi, tout indiqué pour l'apéritif. ⧗ 2016-2018 🍴 toasts de saumon

SAVAS, 110, rue Achard, 33300 Bordeaux, tél. 05 56 92 62 96, violaine.cifuentes@savas-sa.fr

CH. BELLE-GARDE 2015 ★

	30000		- de 5 €

Bordeaux ou bordeaux supérieur, rouge, blanc ou rosé, Éric Duffau vinifie avec brio les AOC régionales. Il a repris en 1979 le domaine familial situé dans l'Entre-deux-Mers, sur la rive gauche de la Garonne. Son vignoble de 46 ha est situé pour l'essentiel sur des coteaux faisant face à Saint-Émilion.

Cet assemblage classique entre le sauvignon (80 %) et le sémillon l'est moins dans le verre par son côté muscaté repéré au nez comme en bouche. Cette dernière est appréciée pour son volume et son équilibre entre fraîcheur, rondeur et fine sucrosité. Atypique mais très réussi. ⧗ 2016-2019 🍴 quiche aux fruits de mer

SC VIGNOBLES ÉRIC DUFFAU, 2692, rte de Moulon, 33420 Génissac, tél. 05 57 24 49 12, duffau.eric@wanadoo.fr V r.-v.

CH. BENEYT Grande Réserve 2015 ★★

	2000		8 à 11 €

Perpétuant le domaine familial, Joël Vrignaud (cinquième génération) est installé depuis 1994. Il exploite 12 ha de vignes sur les coteaux escarpés de la rive droite de la Garonne, dans l'aire des cadillac-côtes-de-bordeaux.

Dans la famille des bordeaux blancs passés sous bois, ce 2015 est des plus réussis. On aime son bouquet complexe et harmonieux qui associe aux fruits jaunes un boisé fondu et des nuances minérales, tout autant que sa bouche riche, dense, ample et longue. Un vin intense et élégant, fruit d'un élevage très bien mené. ⧗ 2017-2021 🍴 rôti de veau aux asperges

JOËL VRIGNAUD, 2, les Graves-Ouest, 33410 Rions, tél. 06 09 28 59 54, joelvrignaud@orange.fr V r.-v. B

B SAUVIGNON BY BEYNAT 2015 ★★

	8800		5 à 8 €

Nathalie Boyer et Alain Tourenne ont repris en 2008 ce cru créé en 1917 par Léonard Nebout, quincaillier de son état; ils ont converti au bio les 14 ha de vignes dédiés aux castillon, saint-émilion et bordeaux dans les trois couleurs. Un domaine très régulier en qualité.

La version 2013 de cette cuvée obtint un coup de cœur; sa «petite sœur» 2015 a postulé pour la même distinction. Ses atouts: une palette olfactive complexe et variée (fleurs blanches, citron, litchi, cire d'abeille), beaucoup de fraîcheur et de tension en bouche, mais aussi de la chair et du gras pour arrondir les angles, et une belle finale sur le fruit. Complet et dynamique. ⧗ 2016-2019 🍴 mi-cuit de bonite

SCEA CH. BEYNAT, 23 bis, Ch. Beynat, 33350 Saint-Magne-de-Castillon, tél. 05 57 40 01 14, mail@chateaubeynat.com V *t.l.j. 8h-19h; sam. dim. sur r.-v. Boyer et Tourenne*

CH. DE BONHOSTE Cuvée Prestige 2015 ★

	15000		8 à 11 €

Sylvaine et Yannick Fournier ont pris en 2005 la suite de leurs parents, Bernard et Colette, qui ont constitué leur domaine en 1977 à partir de vignes familiales: 66 ha aujourd'hui, dont une petite partie en Bergeracois. Bonhoste, en Gironde, est implanté sur la rive gauche de la Dordogne, en face de Saint-Émilion. La cave est creusée dans la roche et l'exploitation certifiée Haute qualité environnementale.

Un soupçon de sauvignon blanc et de muscadelle accompagne le sauvignon gris dans ce vin fermenté et élevé en barrique. Au nez, des arômes de raisins mûrs, de mangue, de brioche et de grillé. En bouche, une attaque souple et vive, beaucoup de matière et un volume certain renforcés par un boisé savamment dosé. Un blanc structuré, qui vieillira harmonieusement. ⧗ 2017-2021 🍴 filet mignon de veau aux girolles

FAMILLE FOURNIER, Ch. de Bonhoste, 33420 Saint-Jean-de-Blaignac, tél. 05 57 84 12 18, contact@chateaudebonhoste.com V *t.l.j. 8h30-18h30* 5

LA BOTTIÈRE Cuvée Prestige Réserve 2015

	66667		8 à 11 €

Acteur important de la place de Bordeaux, Cordier-Mestrezat Grands Crus est né en 2000 de la fusion de deux vénérables maisons de négoce bordelaises: la maison Cordier, fondée en 1886 par Désiré Cordier, et la maison Mestrezat, créée en 1815. En 2015, le groupe coopératif InVivo, géant de l'agroalimentaire, a pris le contrôle de cette entité et opéré une scission de Mestrezat (réservé aux grands crus) et de Cordier (dédié aux vins de marque et autres châteaux).

Les deux tiers de ce vin ont été élevés en barriques neuves de chêne français. Cela lui confère des arômes beurrés et grillés assez soutenus au nez comme en bouche, qui vont renforcer une matière riche et ronde. Une petite touche de fraîcheur en arrière-plan maintient l'équilibre. ⧗ 2017-2020 🍴 vol-au-vent

CORDIER, 109, rue Achard, BP 154, 33042 Bordeaux Cedex, tél. 05 56 11 29 00, contact@cordier-wines.com In Vivo

CLUB DES SOMMELIERS Cuvée Éleonore Élevé en fût de chêne 2015

	30000		- de 5 €

L'une des marques de l'importante maison de négoce Cheval Quancard, fondée en 1844 par Pierre Quancard et aujourd'hui présente dans tout le vignoble bordelais.

Les amateurs de blancs boisés trouveront chaussure à leur pied avec cette cuvée issue de sémillon, sauvignon et muscadelle. Un vin très toasté et fumé au nez, rond, gras et suave en bouche, avec en soutien ce même boisé soutenu. Le fruit est pour l'heure en retrait, mais le temps devrait lui ouvrir la porte. ⧗ 2017-2020 🍴 tourte au poulet

PIERRE DUMONTET, ZI La Mouline, 4, rue du Carbouney, BP 36, 33565 Carbon-Blanc Cedex, tél. 05 57 77 88 88 r.-v.

CH. LES COMBES 2014

1600 | 8 à 11 €

Les Borderie exploitent 48 ha: en bordeaux supérieur avec Les Gravières de la Brandille, créées en 1963 dans le secteur de Coutras, au nord du Libournais; en lussac et en bordeaux avec Les Combes, dans la famille depuis la fin du XIXes.; et en lalande, avec le Ch. Vieille Dynastie, acquis en 2011. Frédéric Borderie est aux commandes depuis 2005.

Le seul sémillon, fermenté et élevé en fût, est à l'origine de ce vin au nez puissamment boisé (grillé, vanille) au nez comme en bouche, dense, gras et rond. Un mariage réussi entre le cépage et la barrique. 2017-2020 tourte aux champignons

EARL VIGNOBLES BORDERIE, 117, rue de la République, 33230 Saint-Médard-de-Guizières, tél. 05 57 69 83 01, jpborderie@wanadoo.fr r.-v.

CH. LA COMMANDERIE DU BARDELET 2015

60000 | - de 5 €

Installé en 1969 dans l'Entre-deux-Mers comme jeune agriculteur, Jean-Dominique Petit a, au fil des ans, agrandi la propriété familiale, qui atteint aujourd'hui 70 ha. Ses bordeaux sont régulièrement présents dans le Guide.

On ressent bien toute la maturité du millésime dans ce vin issu à 90 % de sauvignon. Si le nez exprime bien la fraîcheur typique du cépage (agrumes, buis), le palais se montre lui très gras, suave et rond, avec une acidité en retrait. Mais l'ensemble reste plaisant et harmonieux. 2016-2018 sole meunière

SCEA JEAN-DOMINIQUE PETIT, Ch. Haut-Rieuflaget, 33790 Saint-Antoine-du-Queyret, tél. 05 56 61 33 78, haut-rieuflaget@wanadoo.fr r.-v.

CH. CÔTE MONTPEZAT
Cuvée Compostelle 2014

6403 | 11 à 15 €

Le Calaisien Dominique Bessineau est établi dans le Libournais depuis 1989 avec le Ch. Côte Montpezat (30 ha en castillon), ancien relais de poste de 1620 situé sur le chemin de Compostelle, auquel se sont ajoutés en 1991 les 6 ha de puisseguin du Ch. Haut-Bernat.

Les deux sauvignons et le sémillon à parts quasi égales sont assemblés dans ce vin vinifié et élevé en barriques. À un nez discret, sur les fruits blancs et un boisé fondu, succède une bouche bien équilibrée entre le raisin et le merrain, entre le gras et l'acidité. 2016-2019 escalope de veau à la crème

SAS DES VIGNOBLES BESSINEAU, 8, Brousse, 33350 Belvès-de-Castillon, tél. 05 57 56 05 55, bessineau@cote-montpezat.com r.-v.

B CH. LA CROIX DE ROCHE
Collection privée 2015 ★★

2000 | 8 à 11 €

Situé en Libournais sur un plateau argilo-sableux dominant la rive droite de l'Isle, le cru a été acquis en 1981 par Isabelle et François Maurin. Après avoir vinifié en Afrique du Sud et au Liban, leur fils Raphaël les a rejoints en 2002. Les 20 ha de vignes sont conduits en bio certifié.

Unanimement salué pour son équilibre, ce 2015 libère à l'olfaction des arômes bien mariés de boisé grillé, de vanille et de fruits blancs. On retrouve cette association harmonieuse dans un palais long, gras et rond, qui laisse une belle impression de douceur et de plénitude. Ou quand le bois est au service du vin. 2017-2021 filet de sole crème et champignons

EARL LA CROIX DE ROCHE, 17, rte de Marze, 33133 Galgon, tél. 05 57 84 38 52, chateau-la-croix-de-roche@wanadoo.fr t.l.j. sf sam. dim. 9h-12h30 13h30-19h; f. janv.-fév. Maurin

CH. DOISY-DAËNE 2014 ★

31484 | 15 à 20 €

Si Doisy Daëne possède un beau terroir (18,2 ha) de sables rouges et de graviers, c'est plus encore par ses méthodes de travail que le cru se distingue, ce depuis son acquisition par Georges Dubourdieu en 1924. De 1945 à 2000, Pierre, son fils, rêvant d'un vin sans soufre, a multiplié les expérimentations. Depuis 2000, Denis, troisième du nom, professeur à la faculté de Bordeaux et consultant de renommée internationale, a orienté ses recherches, tant universitaires que personnelles, sur les arômes et notamment les précurseurs d'arômes.

Le seul sauvignon, fermenté en barriques renouvelées par cinquième, puis élevé en fût pendant huit mois, est à l'œuvre dans ce vin. Le résultat est un bordeaux expressif et bien typé, sur le buis, le bourgeon de cassis et les agrumes à l'olfaction, vif en attaque, plus suave et soyeux dans sa progression, épaulé par un boisé bien intégré qui soutient sans les étouffer les arômes variétaux du cépage. 2016-2020 tarte chèvre et asperges

EARL PIERRE ET DENIS DUBOURDIEU, Ch. Doisy-Daëne, 33720 Barsac, tél. 05 56 62 96 51, reynon@orange.fr r.-v.

B CH. JEAN FAUX 2014 ★

n.c. | 15 à 20 €

L'une des plus anciennes propriétés du canton de Pujols (ferme fortifiée du XVIes., chartreuse du XVIIes., parc paysager du XVIIIes.) dans la vallée de la Dordogne; rachetée en 2002 par Pascal et Chrystel Collotte. Vignoble de 13 ha, en bio certifié depuis 2011.

Vinifié et élevé huit mois en barrique, ce 2014 livre un bouquet généreux et engageant de fruits jaunes confits, de miel, d'acacia et de grillé. Une attaque vive et active précède un palais gras et bien tenu par un boisé fin, sans que l'expression du fruit (le citron notamment) n'en pâtisse. Un ensemble harmonieux et déjà très charmeur. 2016-2019 risotto terre-mer

PASCAL COLLOTTE, Ch. Jean Faux, 33350 Sainte-Radegonde, tél. 05 57 40 03 85, jf@chateaujeanfaux.com r.-v.

CH. FAYAU 2015

	35000	- de 5 €

Établis depuis près de deux siècles à Cadillac, les Médeville, également négociants, sont à la tête d'un vaste ensemble de 160 ha répartis sur une quinzaine de crus au sud de Bordeaux. Ch. Fayau est le berceau de la famille, acquis en 1826: un vignoble de 41 ha, en grande partie planté sur les coteaux entourant la cité des ducs d'Épernon.

Le sauvignon représente la moitié de l'assemblage (40 % pour le sémillon, 10 % pour la muscadelle) et c'est lui qui imprime sa marque si reconnaissable à ce bordeaux pimpant. Au nez, des notes de buis, de bourgeon de cassis et d'agrumes. En bouche? Des notes de buis, de bourgeon de cassis et d'agrumes, et la fraîcheur caractéristique du cépage. Parfait pour un apéritif sous la tonnelle. 2016-2017 tartare de poisson

JEAN MÉDEVILLE ET FILS, Ch. Fayau, 33410 Cadillac, tél. 05 57 98 08 08, medeville@medeville.com *t.l.j. sf sam. dim. 9h-12h 14h-17h*

CH. GAYON 2015

	21300		5 à 8 €

Un cru de 30 ha commandé par une gentilhommière du XVIIIe s. aménagée en gîte, acquise en 1969 par les Crampes, dont les aïeux étaient auparavant métayers sur ces terres. Une bonne référence en saint-macaire et en bordeaux.

Mi-sémillon mi-sauvignon, ce 2015 dévoile un nez harmonieux de fruits mûrs, de brioche et de boisé vanillé. Les six mois de barrique lèguent aussi leurs arômes dans une bouche souple, tendre et équilibrée, stimulée par une pointe d'amertume en finale. 2016-2019 joues de lotte à la crème

CRAMPES, 6, Ch. Gayon, 33490 Caudrot, tél. 05 56 62 81 19, contact@chateau-gayon.com *t.l.j. 8h-12h 14h-18h*

CH. LA GRANDE CLOTTE 2014 ★

	4200		20 à 30 €

Ce petit vignoble se situe au cœur de l'appellation lussac-saint-émilion, confié en fermage à partir de 1992 à Michel Rolland par la famille Malaterre. Originalité du domaine: outre ses 7 ha dédiés aux vins rouges, une micro-parcelle de 1 ha est réservée aux cépages blancs à l'origine d'un confidentiel bordeaux sec.

Une goutte de raisins blancs dans un océan de vignes rouges. Cette cuvée née des deux sauvignons, du sémillon et de la muscadelle s'ouvre sur un nez flatteur de fruits exotiques, de pamplemousse et de buis. En bouche, elle affiche une fraîcheur minérale et citronnée qui lui confère une belle énergie, tandis que le bois et ses notes fumées et toastées (fermentation et élevage en barriques) apportent un surcroît de rondeur, de structure et de complexité sans étouffer le fruit. 2017-2021 ris de veau à la crème

SCEA MALATERRE-ROLLAND, Ch. la Grande Clotte, 33570 Lussac, tél. 05 57 51 52 43, contact@rollandcollection.com *r.-v.*

♥ CH. DU GRAND MOUËYS 2015 ★★

	13500		5 à 8 €

Très vaste propriété (170 ha dont 50 de vignes) commandée par un château néogothique, ce domaine s'étend sur trois collines. Selon la légende, il aurait appartenu aux Templiers qui y auraient caché un trésor. La famille Bömers, qui le détenait depuis 1989, l'a vendu en 2012 à Jinshan Zhang, fondateur du groupe chinois Ningxiahong, qui entend en faire un pôle d'œnotourisme et lui rendre son lustre d'antan.

Le nouveau propriétaire affirme vouloir créer à travers sa propriété bordelaise «une plate-forme d'échanges culturels entre la France et la Chine». Son blanc 2015 est tout indiqué pour rapprocher les peuples. Un vin «pédagogique» qui assemble les trois cépages blancs principaux de la région – sauvignon blanc (80 %), sémillon et muscadelle – et qui a fermenté en barriques. Au nez, le boisé, toasté et fumé, reste à sa place, en soutien du fruit (pêche, agrumes). Le palais se révèle très équilibré et complet: beaucoup de volume, une texture souple et soyeuse, un merrain «sur-mesure», un fruité large, une fraîcheur stimulante et une longue finale épicée qui apporte un supplément de nerf et d'âme. 2017-2021 curry de lotte

SCA LES TROIS COLLINES, 242, rte de Créon, 33550 Capian, tél. 05 57 97 04 40, chai@grandmoueys.com *r.-v.* *Ningxiahong*

DOM. DES GRAVES D'ARDONNEAU 2015 ★

	60000		5 à 8 €

Un domaine incontournable du Blayais, en rouge comme en blanc. La famille Rey écrit son histoire viticole depuis 1763 sur les terres du hameau d'Ardonneau. Installé en 1981 à la tête de 60 ha, Christian Rey a été rejoint en 2005 par son fils Laurent et par sa fille Fanny en 2008.

On connaît le talent des Rey en matière de vin blanc (plusieurs coups de cœur dans cette couleur, en bordeaux sec et en blaye-côtes-de-bordeaux); ils le démontrent une fois de plus avec ce 2015 né de sauvignon et de colombard (10 %). Un vin très intense à l'olfaction, sur le grillé de la barrique, les fleurs blanches, les fruits très mûrs et la cire d'abeille. Une intensité aromatique et un caractère surmaturé que l'on retrouve dans une bouche ample, suave et longue, traversée par une vivacité mesurée mais bienvenue. 2016-2019 lasagnes de saumon

EARL SIMON REY ET FILS, Ardonneau, 33620 Saint-Mariens, tél. 05 57 68 66 98, gravesdardonneau@wanadoo.fr V t.l.j. sf dim. 8h30-12h30 14h30-19h

CH. GUICHOT 2015

13333	- de 5 €

Fort de son atavisme vigneron et de son expérience acquise dans de grands domaines, Sébastien Petit s'est installé en 2008 sur 19 ha dans l'Entre-deux-Mers: des vignes exposées plein sud autour d'une bâtisse du XVIIe s. et de dépendances du XIXe s.

Sauvignon (80 %) et muscadelle forment un duo complémentaire dans ce vin équilibré, centré à l'olfaction sur les agrumes et les fleurs blanches, avec une touche minérale en appoint. La bouche apparaît vive et tonique, florale et fruitée elle aussi. Un bordeaux facile d'accès à boire sur le fruit. 2016-2017 tartare de crevettes

SÉBASTIEN PETIT, Ch. Guichot, 33790 Saint-Antoine-du-Queyret, tél. 06 19 92 33 34, petitsebastienlasauvegarde@wanadoo.fr V *r.-v.*

CH. GUITERONDE
Élevé en fût de chêne 2014

10000		15 à 20 €

L'ordre des religieuses des Annonciades, fondé en 1501 par Jeanne de Valois, reine de France (épouse de Louis XII), possédait les terres de Guiteronde au XVIe s. L'histoire raconte que ce sont ces religieuses qui ont créé le fameux cannelé bordelais. Depuis 2005, une nouvelle équipe dirigeante est aux commandes d'un vignoble de 13 ha, situé aux portes de Bordeaux, à Villenave d'Ornon.

Ce pur sauvignon a connu le fût pendant treize mois. Il en ressort avec le nez discret, légèrement végétal et boisé sans excès, plus ouvert sur les agrumes dans une bouche franche et fraîche, de bonne longueur. 2016-2019 quenelles de brochet

SCEA DU CH. GUITERONDE, chem. de Guiteronde, 33140 Villenave-d'Ornon, tél. 05 56 87 73 20, agnes.nguyen-milley@derichebourg.com V *r.-v.*

CH. HAUT MEYREAU 2015 ★

n.c.	8 à 11 €

Ce vaste domaine, passé de 2 ha en 1802, sa date de fondation, à 76 ha aujourd'hui, est établi aux portes de Libourne, sur la petite commune de Dardenac. La sixième génération de viticulteurs (Jean-Pierre Derouet) est actuellement aux commandes.

Quelques nuances amyliques de bonbon anglais accompagnent les agrumes et les fruits exotiques dans ce 2015 de belle facture. S'y ajoutent des notes d'épices douces dans une bouche ample, douce, voluptueuse, très souple. Un vin généreux et tendre. 2016-2019 escalope de veau aux asperges

SCEA CH. HAUT MEYREAU, 1, lieu-dit Goumin, 33420 Dardenac, tél. 05 56 23 71 92, contact-scea.chm@orange.fr V *r.-v.* *Derouet*

CH. HAUT RIAN 2015 ★

80000		5 à 8 €

Isabelle, Champenoise d'origine, et Michel Dietrich, œnologue alsacien, tous deux enfants de vignerons, avaient envie d'ailleurs: à la fin de leurs études, ils partent six ans en Australie s'occuper des vignobles de la maison Rémy Martin. En 1988, ils s'installent à Rions, petite cité fortifiée du XIVe s. pour créer leur propre structure. Aujourd'hui à la tête d'un vignoble de 80 ha, ils se distinguent avant tout par leurs blancs secs.

Le sémillon domine d'une courte tête dans l'assemblage (40 % de sauvignon) de ce vin élégant et équilibré. Les fleurs et les fruits blancs s'associent à des notes minérales pour composer un bouquet tout en finesse. La bouche, dans le droit fil, affiche une belle fraîcheur aux accents du terroir (argilo-calcaire) qui met en valeur une matière riche, soyeuse et souple. 2016-2019 bar rôti au laurier frais

EARL MICHEL DIETRICH, 10, La Bastide, 33410 Rions, tél. 05 56 76 95 01, chateauhautrian@wanadoo.fr V *t.l.j. sf sam. dim. 9h-12h 14h-17h*

L'INSTANT BORDEAUX 2015 ★

100000		5 à 8 €

Héritiers d'une lignée établie à Saint-Émilion depuis plusieurs siècles, le comte Léo de Malet Roquefort et son fils Alexandre sont propriétaires du château la Gaffelière, 1er grand cru classé B; ils ont acquis en 1999 le château Armens, dans la même appellation, et ont fondé en 1995 une maison de négoce qui propose des saint-émilion et des bordeaux sous différentes marques (Léo de la Gaffelière, Les Hauts de la Gaffelière, L'instant).

Le duo classique sauvignon-sémillon compose cet Instant Bordeaux. Un boisé sensible et élégant imprime le ton de la dégustation dès le premier nez, à travers de jolies notes grillées et vanillées. Le palais, à l'unisson, se montre gras, ample et corpulent, souligné par une pointe de vivacité bien dosée. Les amateurs de blancs boisés pourront en profiter dès l'automne, mais on peut aussi patienter quelques années. 2016-2020 sauté de veau crème et champignons

CH. ARMENS, BP 12, Champs-du-Rivalon, 33330 Saint-Émilion, tél. 05 57 56 40 81, m.deval@malet-roquefort.com

CH. LABATUT Cuvée Prestige 2015

n.c.	- de 5 €

À l'époque où il a lancé les premières foires aux vins (1973), Édouard Leclerc a acheté des vignobles dans l'Entre-deux-Mers, développés par sa fille Hélène Levieux jusqu'en 2002 puis dirigés par son petit-fils Vincent et aujourd'hui par Sylvie, l'épouse de ce dernier. Trois châteaux: Labatut, Lagnet et Roques-Mauriac, 100 ha au total.

Une belle intensité se dégage de ce vin à l'olfaction: pamplemousse, fruits exotiques, buis, cire d'abeille. En bouche, c'est frais, souple et équilibré, sans chichi. Parfait pour l'apéritif. 2016-2017 bouquet de crevettes

GFA LES 3 CHÂTEAUX, Lagnet, 33350 Doulezon, tél. 05 57 40 51 84, contact@les3chateaux.com t.l.j. sf sam. dim. 9h-12h30 14h30-18h
Sylvie Levieux

CH. LAMOTHE-VINCENT Intense 2015 ★

	24000		5 à 8 €

Un vaste cru de 92 ha dans l'Entre-deux-Mers, fondé en 1920 par les arrière-grands-parents. Ses atouts: un chai très moderne et les compétences complémentaires de Christophe Vincent (aux vignes) et de Fabien (au chai). Saint Vincent les inspire, dit-on, mais ce sont plutôt leur formation technique poussée et leur exigence qui font de ce domaine une référence en bordeaux et bordeaux supérieur.

Ce 100 % sauvignon blanc tire du cépage des arômes bien typés d'agrumes, de buis et d'abricot. La bouche se révèle ample et généreuse en fruit, soulignée par une fine fraîcheur aux tonalités végétales et minérales. L'ensemble est équilibré entre caractère variétal, maturité du raisin et apport du terroir. 2016-2019 penne aux fruits de mer

SCEA VIGNOBLES VINCENT, 3, chem. Laurenceau, 33760 Montignac, tél. 05 56 23 96 55, info@lamothe-vincent.com r.-v.

EOS DU CH. DE LUGAGNAC 2014

	20742		11 à 15 €

Commandé par un château féodal datant des XIe et XIIIes., partiellement remanié au XVIIes., ce cru de l'Entre-deux-Mers est l'une des valeurs sûres en appellations régionales. Propriété de la famille Bon à partir de 1969, il est passé sous pavillon chinois en 2012. Le vignoble est en cours de conversion bio.

C'est un sauvignon (90 %) et un sémillon bien mûrs qui sont à l'origine de cette cuvée élevée six mois en barriques. Au nez, des notes gourmandes de fruits secs et de fruits jaunes confits. Dans la continuité, la bouche laisse une impression intense de sucrosité et de gras avec en soutien un boisé fumé. Atypique et généreux. 2016-2019 poularde à la crème

SCEA DU CH. DE LUGAGNAC, 33790 Pellegrue, tél. 05 56 61 30 60, contact@lugagnac.com Yi Gao

BLANC DE LYNCH-BAGES 2014

	n.c.		5 à 8 €

Le nom de ce cru associe celui des négociants irlandais propriétaires au XVIIIes. et celui d'un hameau situé aux portes sud de Pauillac. Son succès résulte, depuis les années 1930, du travail continu de trois générations de Cazes: Jean-Charles, André et Jean-Michel. La part de ce dernier, qui a passé la main à son fils Jean-Charles, est essentielle. Sa réussite est liée à la qualité des vins, nés d'un vaste vignoble de 100 ha, et aussi à une vraie stratégie de développement, incluant un négoce et des infrastructures touristiques (hôtel-restaurant, commerces...).

Une étiquette prestigieuse pour ce blanc médocain né des trois cépages blancs bordelais plantés sur des graves garonnaises. Après six mois de barrique, le vin apparaît assez réservé mais d'une complexité naissante (notes grillées, coing, buis, fleurs blanches), franc et frais en bouche. Un bordeaux discret mais fringant. 2016-2020 coquilles Saint-Jacques

DOM. JEAN-MICHEL CAZES, Ch. Lynch-bages, 33250 Pauillac, tél. 05 56 73 24 00, infochato@lynchbages.com r.-v.

CH. MAGONDEAU 2015 ★

	5200		5 à 8 €

Maître Puiffe de Magondeau, notaire à Libourne et ancien propriétaire, a donné son nom à ce cru de Saillans, entré en 1934 dans la famille d'Olivier Goujon. Ce dernier, représentant la troisième génération, s'est installé en 1989 à la tête d'un vignoble de 18 ha.

Les deux sauvignons (dont 70 % de gris) composent un bordeaux franc et pimpant, ouvert sur les agrumes et les fleurs blanches à l'olfaction, au palais fin, frais et friand, étiré dans une jolie finale pleine de vivacité. Tout indiqué pour les produits de la mer. 2016-2019 huîtres et crépinettes

CH. MAGONDEAU, 1, le port de Saillans, 33141 Saillans, tél. 05 57 84 32 02, vignoblesgoujon@gmail.com t.l.j. 9h-12h Olivier Goujon

CH. MAISON NOBLE Cuvée Maurice 2015 ★

	3500		8 à 11 €

Appartenant à une ancienne famille de tonneliers cognacais et de viticulteurs, Jean-Bertrand Marqué a quitté à trente-cinq ans le monde de l'expertise comptable pour renouer en 2012 avec l'héritage familial et reprendre ce cru de 20 ha situé au nord de Pomerol.

Maurice, le grand-père de Jean-Bertrand Marqué, fut une aide précieuse et un grand soutien dans tous les projets du vigneron. «Mon bébé», affirme ce dernier à propos de ce 100 % sauvignon vendangé manuellement, entièrement vinifié en barrique neuve et élevé cinq mois en fût. Au nez, le vin s'exprime sur les fleurs blanches, les agrumes, le litchi et le bois frais. En bouche, il se montre très rond, suave et gras, avec de beaux amers qui viennent titiller les papilles en finale. Un bordeaux généreux et gourmand. 2016-2019 blanquette de veau

SCEA CH. MAISON NOBLE, 1, Maison-Noble, 33230 Maransin, tél. 06 17 66 56 33, jmarque@chateau-maisonnoble.com r.-v.

CH. MALAGAR 2015 ★

	20000		5 à 8 €

Est-il besoin de rappeler que ce domaine fut «la résidence secondaire principale» de François Mauriac, acquis par son arrière-grand-père en 1843? Classé Monument historique, il est aussi un lieu de culture vivante ouvert au public. Son vignoble (26 ha) que la maison Cordier avait acquis en 1990 appartient depuis 2004 à Jean Merlaut, propriétaire de Gruaud-Larose à Saint-Julien.

Ce 2015 fait la part belle au sémillon (75 %), mais ce sont des notes de buis bien sauvignonnées qui apparaissent au premier nez, bientôt complétées d'agrumes, de rose et d'une fine touche miellée. En bouche, il se montre gras, volumineux et rond – la marque du sémillon –, mais le sauvignon « ne lâche pas l'affaire » et apporte sa vivacité caractéristique. Au final, une belle expression des deux cépages et un vin équilibré. ⌛ 2016-2019 🍴 ballottines de volaille sauce agrumes

CH. MALAGAR, 45, rte de Dudon, 33880 Baurech, tél. 05 56 21 37 24, infos@chateau-malagar.com r.-v. *Jean Merlaut*

CH. MALBAT 2015

| | 30 000 | | 5 à 8 € |

Dans la même famille depuis 1865, ce cru est conduit depuis 1997 par Fabienne, Daniel et Martine Rochet. Établi sur la rive droite de la Garonne, à l'extrémité sud-est du vignoble girondin, il s'étend aujourd'hui sur 85 ha.

Les sauvignons blancs et gris font jeu égal dans ce bordeaux d'un bon classicisme. Les fleurs blanches et les agrumes composent un bouquet discret mais plaisant. On retrouve ces arômes avec un peu plus d'intensité dans une bouche équilibrée, conjuguant rondeur et fraîcheur, et d'une longueur honorable. ⌛ 2016-2019 🍴 poisson en papillote

EARL ROCHET, 5, Malbat, 33190 La Réole, tél. 05 56 61 02 42, contact@chateaumalbat.com V r.-v.

♥ PAVILLON BLANC DU CH. MARGAUX 2014 ★★

| | n.c. | | + de 100 € |

Le blanc de Margaux existe depuis le XIXᵉ s.; ce « vin blanc de sauvignon » est devenu « Pavillon blanc » en 1920, et son étiquette n'a pas changé depuis. Un vin né du seul sauvignon, planté sur une douzaine d'hectares d'une ancienne parcelle de graves.

2014, année « paisible » après le difficile et contrasté millésime 2013: hiver très doux et pluvieux, printemps dans la normalité, avec une floraison rapide et homogène, un mois de juillet sans surprise, mais un mois d'août très frais qui a fait traîner la véraison en longueur, avec heureusement peu de pluie. Puis le temps estival de septembre a apporté la chaleur et engendré une vendange sereine. En résumé, du froid en août qui a permis de conserver un niveau d'acidité impeccable et de la chaleur en septembre qui a favorisé la maturité des baies. Tout l'inverse de 2013 en somme… Dans le verre, cela se traduit par un blanc admirable d'élégance et d'intensité. La robe est cristalline, lumineuse, le nez expressif, complexe et très frais, sur les agrumes, l'orange amère, le chèvrefeuille et un doux vanillé. En bouche, le vin prend des airs quasi bourguignons (l'effet sans doute des bâtonnages réguliers) avec un gras, une richesse et un volume remarquables, mis en valeur par une fraîcheur délicate, aux accents épicés (gingembre) et citronnés (*lemon curd*). Un bordeaux déjà savoureux et très prometteur, né dans un écrin magnifique: le tout nouveau chai conçu par Norman Forster. ⌛ 2017-2022 🍴 risotto à la truffe blanche

CH. MARGAUX BP 31, 33460 Margaux, tél. 05 57 88 83 83, chateau-margaux@chateau-margaux.com

CH. DES MILLE ANGES Cuvée royale 2015 ★

| | 6000 | | - de 5 € |

Situé à l'emplacement d'un ancien couvent de religieuses assomptionnistes, ce domaine a connu très tôt une vocation viticole que perpétue depuis 1996 Heather van Ekris. Le vignoble couvre 24 ha sur des pentes argilo-calcaires et graveleuses bien exposées.

Né des deux sauvignons (dont 80 % de blanc), ce bordeaux se montre d'emblée expressif avec ses arômes de boisé toasté et de fruits blancs. Un équilibre chêne-raisin que prolonge avec élégance une bouche intense, énergique, pleine de fraîcheur, qui s'arrondit et s'attendrit en finale. Un ensemble bien construit et sans aspérité. ⌛ 2016-2019 🍴 calamars farcis

HEATHER VAN EKRIS, 1, Milonge Ouest, 33490 Saint-Germain-de-Graves, tél. 05 56 76 41 04, sarlmilleanges@gmail.com

CH. MONTAUNOIR 2015 ★

| | 9000 | | 5 à 8 € |

Avec son époux Philippe Durand, Geneviève Ricard-Durand est établie depuis 1999 sur le vignoble familial, acquis en 1966 par son grand-père: 27 ha de vignes et plusieurs étiquettes – les châteaux de Vertheuil, Montaunoir et Grand Pique-Caillou – en appellations régionales et en sainte-croix-du-mont.

Fruit d'un assemblage original mi-muscadelle mi-sauvignon gris, ce 2015 dévoile après une courte aération un nez généreux de fruits secs et de fleurs blanches. En bouche, c'est la fraîcheur qui domine, apportant une belle énergie et de la persistance. ⌛ 2016-2019 🍴 tagliatelles aux fruits de mer

SCEA DES VIGNOBLES RICARD, Ch. de Vertheuil, 33410 Sainte-Croix-du-Mont, tél. 05 56 62 02 70, vignobles.ricard@free.fr V r.-v. A

CH. MONTET 2015

| | 10 000 | | 5 à 8 € |

Depuis sept générations, cette vaste propriété de 60 ha couvrant les coteaux argilo-calcaires dominant la vallée de la Dordogne, face à Saint-Émilion, est transmise de mère en fille, avec à sa tête depuis 2006 Marie-Christine Renier Labouille. Deux étiquettes: Haut Guillebot et Montet.

Mi-sauvignon mi-sémillon, cette cuvée évoque le bonbon acidulé, le buis, les fleurs blanches et le citron. En bouche, elle se montre fraîche, souple, fruitée, de bonne longueur. Un vin simple et équilibré à boire sur le fruit. ⌛ 2016-2017 🍴 saumon fumé

SCEA CH. HAUT GUILLEBOT, 8, Guillebot, 33420 Lugaignac, tél. 05 57 84 53 92, chateau@chateauhautguillebot.com r.-v. *Labouille*

CH. MONTLAU 2015

	6000		- de 5 €

Le Ch. Montlau est situé sur un ancien site gallo-romain dominant la vallée de la Dordogne. Armand Schuster de Ballwil, arrivé à la tête de la propriété en 1970, et son fils y conduisent un vignoble de 25 ha, dont 3 ha sont réservés aux cépages blancs.

Le trio classique sauvignon-sémillon-muscadelle est à l'origine de ce vin plaisant par son fruité soutenu au nez comme en bouche (fruits exotiques, pêche), agrémenté d'une petite note amylique, et par sa rondeur affable. Un peu fugace mais harmonieux. 2016-2017 cabillaud en papillote

ARMAND SCHUSTER DE BALLWIL, Ch. Montlau, 33420 Moulon, tél. 05 57 84 50 71, contact@chateau-montlau.com *t.l.j. sf sam. dim. 10h-17h*

LES AMANTS DE MONT-PÉRAT 2014 ★★

	11000		8 à 11 €

Une ancienne place forte remaniée au XIXe s., qui commande un vaste vignoble de 100 ha d'un seul tenant acquis en 1998 par les Despagne (Rauzan-Despagne, Bel Air Perponcher, Tour de Mirambeau, Lion Beaulieu). Un cru régulier en qualité et très réputé en Chine depuis que le vin a été comparé à… un concert de Freddie Mercury dans le célèbre manga *Les Gouttes de Dieu*.

À partir de 2003, les Despagne ont identifié sur le domaine des parcelles propices à la production de vins sur le fruit, plus accessibles, comme la cuvée Les Amants. De fait, ce 2014 (85 % de sauvignon avec le sémillon en appoint) n'est pas avare en arômes fruités: pamplemousse, zeste de citron, fruits exotiques. Elle n'est pas non plus en reste côté fraîcheur avec une bouche pleine de peps de bout en bout, arrondie par un joli gras qui lui donne un caractère soyeux. Un bordeaux harmonieux, tonique et élégant. 2016-2019 tarte au chèvre **Ch. Tour de Mirambeau Réserve 2015 ★ (8 à 11 €; 43000 b.)** : au nez, des fleurs blanches et des fruits exotiques mûrs avec une petite note végétale pas désagréable; en bouche, de la vivacité et du gras, un bon volume et de la persistance. 2016-2019 **Ch. Rauzan Despagne Réserve 2015 ★ (8 à 11 €; 10000 b.)** : des notes d'agrumes et de buis signent la marque du sauvignon (60 % de l'assemblage) dans ce vin ample, souple et rond, avec une pointe d'acidité bien dosée en appoint. 2016-2019 **Villa Le Lucat 2015 (5 à 8 €; 12000 b.)** : vin cité.

SCEA MONT-PÉRAT, Le Touyre, 33420 Naujan-et-Postiac, tél. 05 57 84 55 08, contact@despagne.fr r.-v. *Despagne*

CH. NINON Cuvée Anna 2014 ★

	600		5 à 8 €

Un domaine commandé par une girondine de la fin du XIXe s., qui étend ses 29,5 ha de vignes sur les communes de Grézillac, Lugaignac et Daignac, au cœur de l'Entre-deux-Mers. Installé en 2001, Frédéric Roubineau a pris la suite de son père Pierre en 2010.

Une micro-parcelle (10 ares) plantée de sauvignon blanc est à l'origine de cette cuvée ultra confidentielle. Les rares amateurs qui pourront y goûter apprécieront sans doute sa complexité (litchi, miel, fleurs blanches, vanille), son caractère très rond et suave, son volume et sa longue finale épicée. 2016-2019 poulet à la crème

ROUBINEAU, 5, Tenot, 33420 Grézillac, tél. 06 03 04 82 74, frederic.roubineau@aliceadsl.fr r.-v.

GRAND CLASSIQUE DU CH. DE L'ORANGERIE 2015 ★

	37300	5 à 8 €

Couvrant 125,57 ha, dont 74 ha de vignes, dans l'Entre-deux-Mers et la région de Cadillac, ce cru appartient à la famille Icard depuis sa fondation en 1790. À sa tête depuis 1994, Jean-Christophe Icard. Plusieurs étiquettes ici: L'Orangerie, La Sablière Fongrave, et même des «produits sous licence» signés par le célèbre dessinateur belge Philippe Geluck, créateur du personnage *Le Chat*.

Les deux sauvignons, le sémillon et la muscadelle sont assemblés dans cette cuvée expressive, à dominante d'agrumes (pamplemousse, citron). Suivant le même tempo fruité, la bouche apparaît fraîche, ample et persistante. Un bon classique. 2016-2019 fromage de chèvre

SCEA VIGNOBLES ICARD, Ch. de l'Orangerie, 33540 Saint-Félix-de-Foncaude, tél. 05 56 71 53 67, orangerie@chateau-orangerie.com

CH. PENEAU II Sauvignons 2015

	40000		- de 5 €

Ce domaine créé en 1904 est géré depuis 1996 par Dany et Michel Douence et leurs enfants. Les 30 ha de vignes sont cultivés en lutte raisonnée.

Cette cuvée qui associe à parts égales les deux sauvignons avait obtenu un coup de cœur dans sa version 2009. Le 2015 a de bons arguments à faire valoir, à commencer par son nez intense et exotique, sur la mangue et le fruit de la Passion. Le palais se révèle rond, gras et tendre; on y retrouve les fruits exotiques, mais aussi l'abricot et les fleurs blanches. Il lui manque juste un soupçon de fraîcheur pour décrocher l'étoile. 2016-2019 colombo de poisson

DANY DOUENCE, SCEA Ch. Peneau, 747, Les Faures, 33550 Haux, tél. 05 56 23 05 10, douencedany@yahoo.fr *t.l.j. 9h-12h 14h-18h; dim. sur r.-v.*

CH. PENIN 2014

	18000		5 à 8 €

L'une des valeurs sûres des appellations régionales, avec plusieurs coups de cœur à son actif. Un cru de 42 ha établi sur un terroir de graves, sur la rive gauche de la Dordogne, face à Saint-Émilion. Fondé par la famille Carteyron en 1854, il est dirigé depuis 1982 par Patrick, œnologue.

Issu des deux sauvignons (dont 65 % de blanc) et de sémillon, ce bordeaux livre un bouquet... muscaté (rose, raisin frais), agrémenté de nuances florales et citronnées. Des arômes prolongés par une bouche souple et légère, étayée par un boisé fondu. ⧗ 2016-2019 ♈ soufflé au crabe

PATRICK CARTEYRON, 39, impasse Couponne, 33420 Génissac, tél. 05 57 24 46 98, vignoblescarteyron@orange.fr V t.l.j. sf dim. 8h30-12h 14h-18h; sam. sur r.-v.

PERTIGNAS EN BLANC Priolet 2015 ★

	15000		5 à 8 €

Un domaine de 35 ha de l'Entre-deux-Mers sorti de la cave coopérative en 1998. À sa tête, Pierre Gauthier, rejoint par son fils Vincent en 2003.

Exposition peu ensoleillée, sol froid et pauvre de tuf et d'argile jaune, le lieu-dit Priolet a tout pour plaire aux cépages blancs, au sauvignon pour cette cuvée. Au nez, des notes florales (chèvrefeuille, acacia) et fruitées (fruits jaunes, agrumes) soutenues, que l'on perçoit avec la même intensité dans un palais long et équilibré, ni trop riche ni trop vif. ⧗ 2016-2019 ♈ paëlla

GAUTHIER, 23, Le Bourg, 33420 Saint-Vincent-de-Pertignas, tél. 06 08 26 85 38, vincent.gauthier608@orange.fr V r.-v. 2

CH. PIERRAIL Cuvée Prestige 2014 ★

	17400		11 à 15 €

Aux confins du Bergeracois, un vrai château (XVIIe s., tours carrées, toiture à la Mansart) devenu un grand château du vin depuis que la famille Demonchaux, qui l'a acquis en 1970, préside à sa destinée. Incontournable en bordeaux supérieur, très sûr aussi en bordeaux rouge ou blanc. La propriété dispose d'un vaste vignoble de 75 ha (et autant de vergers et de noyers).

Vinifiée et élevée en barriques de chêne, cette cuvée née du seul sauvignon dévoile des parfums intenses et complexes d'agrumes, de buis, de fruits jaunes et de fleurs blanches. Un caractère bien sauvignonné qui s'agrémente de nuances minérales et fumées dans une bouche fraîche, fine et longue. ⧗ 2016-2019 ♈ acras de légumes

EARL CH. PIERRAIL, 33220 Margueron, tél. 05 57 41 21 75, alice.pierrail@orange.fr V r.-v. *Famille Demonchaux*

PREMIUS 2015

	50000		5 à 8 €

L'une des marques d'Yvon Mau, l'une des plus importantes maisons de négoce de la place de Bordeaux, fondée en 1897 et propriété depuis 2001 du géant catalan de la bulle, Freixenet.

«Sauvignon» indique l'étiquette, mais le sémillon est aussi de la partie, à hauteur de 15 % dans l'assemblage de ce vin simple et efficace: de plaisantes notes d'agrumes et de fleurs blanches, une fraîcheur de bon aloi, de la souplesse et une longueur appréciable. ⧗ 2016-2017 ♈ brochettes gambas et ananas

SA YVON MAU, rue Sainte-Pétronille, 33190 Gironde-sur-Dropt, tél. 05 56 61 54 54

R DE RIEUSSEC 2015 ★★

	n.c.		15 à 20 €

Ancien domaine du couvent des Carmes de Langon, le Ch. Rieussec est établi sur une position élevée à l'ouest de la commune de Fargues, dont il est le seul 1er cru. Sa tour carrée domine une croupe de graves située à la même hauteur que son voisin immédiat, Yquem. Sa renommée, solidement ancrée, lui vaut d'accéder au rang de 1er cru classé en 1855. De nombreux propriétaires se succèdent à sa tête jusqu'en 1984, date de son achat par les Domaines Barons de Rothschild (Lafite à Pauillac). Cette acquisition a apporté d'importants moyens techniques, financiers et humains à cette vaste unité de 110 ha, dont 68 de vignes.

À un début d'hiver 2014-2015 doux et sec a succédé un mois de février plus froid qui a remis les choses en place. Le printemps fut chaud et très sec, un peu stressant au niveau hydrique, puis vinrent les pluies de juin, favorables à une belle floraison, relayées par un temps solaire jusqu'à mi-août et une fin d'été plus fraîche qui a accompagné tranquillement la maturation des baies. Vendangés entre le 2 et le 9 septembre, le sémillon (62 %) et le sauvignon ont donné naissance à un blanc expressif et gourmand, ouvert sur les fleurs blanches, les agrumes légèrement confits, la crème vanillée et une touche variétale de buis très discrète. Un beau mariage aromatique que prolonge un palais parfaitement équilibré, aussi large que long, à la fois corpulent, suave et très frais, tendu par la vivacité du sauvignon. ⧗ 2017-2022 ♈ blanquette de lotte au lait de coco

CH. RIEUSSEC, 34, rte de Villandraut, 33210 Fargues, tél. 05 57 98 14 14, rieussec@lafite.com V r.-v.

CH. ROC MEYNARD Vinifié en barriques 2015

	3000		8 à 11 €

En 1987, Philippe Hermouet s'est installé sur les terres familiales: 35 ha d'un seul tenant, répartis en deux crus: le Clos du Roy, cru de 4 ha à Saillans (fronsac), et Roc Meynard, 28 ha dans la commune voisine de Villegouge. Plantations et rachats de vignes ont porté l'ensemble à 40 ha, à l'origine de quatre étiquettes en fronsac, bordeaux supérieur et bordeaux.

Ce 100 % sauvignon a passé six mois en barriques et cela se sent, nettement, à travers des notes toastées et vanillées puissantes. Un legs du merrain que l'on retrouve dans une bouche souple, suave et tendre, presque crémeuse. À attendre un peu pour que le bois se fonde. ⧗ 2017-2020 ♈ colombo de porc

HERMOUET, Ch. Clos du Roy, 33141 Saillans, tél. 05 57 55 07 41, contact@vignobleshermouet.com V t.l.j. sf sam. dim. 8h30-12h00 13h30-16h30

CH. ROQUEFORT Cuvée Roq' 2015 ★

	150000	5 à 8 €

Dans l'Entre-deux-Mers, le promontoire de Roquefort fut un ancien oppidum gaulois. Après le rachat de

la propriété en 1976 par l'industriel Jean Bellanger, un chai très moderne aménagé en partenariat avec la faculté d'œnologie de Bordeaux a vu le jour. Premières vinifications en 1987. Aujourd'hui, un vaste domaine (86 ha) conduit avec talent par Frédéric Bellanger depuis 1995. Ce dernier dirige également le Ch. Domi-Cours, acquis en 2002: 20 ha sur la commune de Cours-les-Bains, en terres bazadaises.

Assemblage classique de sauvignon (85 %) et de sémillon, cette cuvée s'ouvre doucement sur les agrumes, les fruits jaunes mûrs, le miel et les fleurs blanches. En bouche, elle propose un bel équilibre entre le fruit, le gras et une acidité contenue. Cela donne un vin élégant et harmonieux, d'une bonne complexité. ⧗ 2016-2019 🍷 crevettes créoles

CH. ROQUEFORT, lieu-dit Roquefort, 33760 Lugasson, tél. 05 56 23 97 48, mscl@chateau-roquefort.com V t.l.j. 9h-12h30 14h-17h30

CH. LA ROSE SAINT-GERMAIN 2015 ★

110000	5 à 8 €

En 1858, la famille Ducourt s'établit au château des Combes, à Ladaux, petit village au sud-est de Bordeaux. C'est sous l'impulsion d'Henri Ducourt, installé en 1951 et relayé depuis par ses enfants et petits-enfants, que le vignoble familial prend son essor, pour atteindre aujourd'hui 450 ha répartis sur treize châteaux dans l'Entre-deux-Mers et le Saint-Émilionnais. Un ensemble dirigé par Philippe Ducourt depuis 1980.

Rose Saint-Germain est le domaine familial de Simone Ducourt, épouse d'Henri, hérité de son père Georges en 1971. Il doit son nom du lieu-dit à La Rose où il est implanté, sur la commune de Romagne, non loin des vestiges de l'église Saint-Germain de Campet. Dans le verre, un pur sauvignon blanc discrètement floral et fruité, franc et frais en bouche, arrondi par une petite sucrosité et une touche plus chaleureuse en finale. ⧗ 2016-2019 🍷 cabillaud au lait de coco **Ch. Larroque 2015 ★ (5 à 8 €; 50000 b.)** : la propriété de la fille d'Henri Ducourt, Marie-Christine Boyer de la Giroday, 60 ha de vignes acquis en 1979 et commandés par un château du XIVᵉs. À un joli nez sauvignonné (buis, agrumes) mâtiné de nuances pâtissières succède un palais frais, fruité et acidulé qui ne manque pas de gras. ⧗ 2016-2019

VIGNOBLES DUCOURT, 18, rte de Montignac, 33760 Ladaux, tél. 05 57 34 54 00, ducourt@ducourt.com V r.-v. GFA de Redon

CH. DE SEGUIN 2015 ★

13000	- de 5 €

Un domaine régulier en qualité que cette vaste unité (120 ha de vignes) située dans l'Entre-deux-Mers. En 2013, il a été racheté à des négociants scandinaves par la famille Mottet (Ch. la France).

Un joli nez brioché, floral (rose) et fruité (agrumes) ouvre la dégustation. Celle-ci se poursuit sur un rythme soutenu et équilibré: du fruit, une texture fine et souple, de la fraîcheur, un gras mesuré et une bonne longueur. Pas d'exubérance ici, mais de l'élégance et de la finesse. ⧗ 2016-2019 🍷 terrine de poisson à l'estragon **Sauvignon de Seguin 2015 (- de 5 €; 200000 b.)** : vin cité.

SC DU CH. DE SEGUIN, 33360 Lignan-de-Bordeaux, tél. 05 57 97 19 81, nathalie.lagrue@bwine-bordeaux.com V r.-v. Mottet

CH. SUAU 2015 ★

48000	5 à 8 €

Ancien pavillon de chasse du duc d'Épernon (1554-1642), ce domaine doit son nom à la famille Suau, propriétaire des lieux au XVIIᵉs. Après avoir souvent changé de mains au XXᵉs., il est entré en 1985 dans la famille Bonnet et étend son vignoble sur 66 ha conduits en bio. En 2014, Bachus Investments est devenu actionnaire du domaine.

Cet assemblage sauvignon-sémillon-muscadelle s'ouvre sur de délicates notes d'abricot et de fleurs blanches. La bouche se montre douce et riche sans lourdeur, une acidité fondue venant lui apporter de l'équilibre et du nerf. ⧗ 2016-2019 🍷 zarzuela

SCEA DU CH. SUAU, 600, Suau, 33550 Capian, tél. 05 56 72 19 06, froguiez@iag-es.com V r.-v.

CH. TALBOT Caillou blanc 2014

24500	20 à 30 €

Portant le nom du connétable gouverneur de la Guyenne anglaise battu à Castillon-la-Bataille en 1453, ce château situé sur une croupe de graves, au centre de l'appellation saint-julien, se donne modestement des airs de grosse maison bourgeoise raffinée et confortable, sans souci ostentatoire. Tout autour, se déploie un vaste vignoble de 106 ha d'un seul tenant, à l'origine de saint-julien élégants et bien typés, d'une grande régularité dans la qualité. Un cru acquis par Désiré Cordier en 1917, conduit aujourd'hui par son arrière-petite-fille Nancy et son mari Jean-Paul Bignon, qui en ont confié la direction générale à Jean-Pierre Marty.

Si l'on connaît bien le grand vin de Talbot, son blanc nous est moins familier. Il fut créé par Georges Cordier, le grand-père de Nancy, à partir d'une large dominante de sauvignon, 75 % pour le 2014. Un vin qui s'annonce par des arômes bien sauvignonnés de buis, d'agrumes et de fleurs blanches sur un fond boisé. La bouche apparaît franche et fraîche, bien structurée par le merrain et persistante sur le fruit. Un bordeaux déjà aimable et une belle évolution en perspective. ⧗ 2016-2021 🍷 sot-l'y-laisse de dinde

CH. TALBOT, 33250 Saint-Julien-Beychevelle, tél. 05 56 73 21 50, chateau-talbot@chateau-talbot.com r.-v. Nancy Bignon-Cordier

CH. TIMBERLAY 2015 ★

35000	5 à 8 €

Héritier d'une longue lignée vigneronne, Robert Giraud a créé son négoce en 1975 et possède plusieurs crus en AOC régionales et en saint-émilion: un ensemble de 150 ha, dont près de 105 pour le Ch. Timberlay, berceau de la famille situé sur le sommet du coteau de Montalon, à Saint-André-de-Cubzac. Philippe Giraud conduit la maison depuis 1995.

LE BORDELAIS

Si le sémillon se voit offrir une part importante de l'assemblage (40 %), c'est bien le sauvignon qui imprime sa marque à l'olfaction intense de ce vin: buis, bourgeon de cassis, agrumes. En bouche, l'équilibre est de mise: les mêmes arômes qu'au nez, du volume, une texture fine, une fraîcheur soutenue et une petite sucrosité qui arrondit le tout. ⧗ 2016-2019 🍷 pot-au-feu de poisson

ROBERT GIRAUD, Dom. de Loiseau, 33240 Saint-André-de-Cubzac, tél. 05 57 43 01 44, france@robertgiraud.com V *t.l.j. sf sam. dim. 9h-12h 14h-16h*

CH. DES TOURTES Le Duo 2015

	15 000		- de 5 €

Lise et Philippe Raguenot ont créé le Ch. des Tourtes en 1967, un cru régulier en qualité qui couvre 70 ha de vignes, auxquels s'ajoutent depuis 1998 les 26 ha du Ch. Haut Beyzac (haut-médoc). Aux commandes depuis 1997: les filles des fondateurs, Emmanuelle et Marie-Pierre, et leurs maris Daren Miller et Éric Lallez. À noter aussi la production de crémant.

D'une intensité moyenne mais harmonieux, le nez de ce 2015 conjugue des arômes classiques de pamplemousse, de fruits exotiques et d'acacia. Le palais est souple et rond, presque moelleux à mi-parcours, vivifié par une finale plus fraîche et tonique. Pour un plaisir simple et immédiat. ⧗ 2016-2017 🍷 beignets de crevettes

EARL RAGUENOT-LALLEZ-MILLER, 30, Le Bourg, 33820 Saint-Caprais-de-Blaye, tél. 05 57 32 65 15, contact@vignoblesraguenot.fr V *t.l.j. sf dim. 9h-12h 14h-17h30*

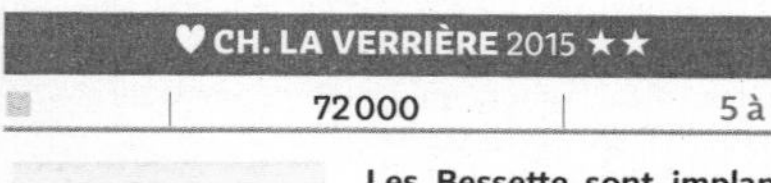

♥ CH. LA VERRIÈRE 2015 ★★

	72 000	5 à 8 €

Les Bessette sont implantés depuis plusieurs générations à Landerrouat, où ils ont acquis le Ch. La Verrière, créé en 1900 aux confins du Lot-et-Garonne. Restructuré dans les années 1960 par André Bessette, relayé à partir de 1999 par son fils Alain, ce cru de 60 ha s'est imposé comme une référence en appellations régionales. Autre étiquette de la famille Bessette: le Ch. Bailloux-Rival, acquis en 2005.

Le millésime 2015 rejoint ses devanciers de 2010 et 2012 au palmarès des coups de cœur du domaine en bordeaux blanc. Un pur sauvignon brillant à tous les sens du terme, ouvert sur des arômes fins et harmonieux de fruits exotiques, de buis et de genêt. Mais c'est son équilibre admirable en bouche qui fait la différence, entre une acidité bien présente mais contenue et une matière riche sans mollesse qui apporte beaucoup de volume et d'onctuosité. Une longue finale sur les fruits exotiques conclut la dégustation en beauté. ⧗ 2016-2019 🍷 raviole de saumon à la coriandre

EARL ANDRÉ BESSETTE, 8, La Verrière, 33790 Landerrouat, tél. 05 56 61 39 56, alainbessette@orange.fr V *r.-v.*

♥ CH. YQUEM Y 2013 ★★★

	n.c.		+ de 100 €

Depuis 2004, ce vin est produit régulièrement par Yquem. Il est issu des mêmes parcelles que le grand vin, seules diffèrent les conditions de récolte car Y est un vin blanc sec provenant essentiellement de parcelles de sauvignon complétées par du sémillon bien mûr.

2013, l'année des extrêmes, marquée par un fort contraste entre le printemps – très frais et humide (qui rappelle 1932), avec une floraison étalée, gage de complexité – et l'été – si chaud et si sec, qui rappelle 1947 ou 1949 – explique Francis Mayeur, le méticuleux directeur technique d'Yquem, dont les archives climatologiques constituent une véritable mine d'or et un formidable outil de travail. La première quinzaine de septembre, froide, permet de maintenir une grande fraîcheur des raisins, et une bonne pluie provoque un premier développement de la pourriture noble sur des sémillons (30 % du vin) parfaitement mûrs. La fenêtre de tir pour les vendanges du blanc sec, assez humides dans l'ensemble, est serrée: il pleut, les rares éclaircies sont à saisir, et le botrytis se développe vitesse grand V. Finalement, le Y se révèle légèrement suave, délicat, d'une rondeur et d'un volume admirables, mais sans jamais céder à la lourdeur; au contraire, le palais laisse une impression de grande fraîcheur et de dynamisme, renforcée par de beaux amers en finale. Et quelle expression aromatique: ananas, pamplemousse, pêche blanche, petite touche beurrée, touche variétale de buis, pointe mentholée… Un air de famille évident avec le «grand frère» liquoreux par son élégance et son équilibre irréprochables. ⧗ 2018-2022 🍷 ris de veau et pointes d'asperges

SA DU CH. D' YQUEM, 33210 Sauternes, tél. 05 57 98 07 07, info@yquem.fr *r.-v.*

BORDEAUX SUPÉRIEUR

À LA GLOIRE DU CHAT 2014 ★★

	302 000		5 à 8 €

Couvrant 125,57 ha, dont 74 ha de vignes, dans l'Entre-deux-Mers et la région de Cadillac, ce cru appartient à la famille Icard depuis sa fondation en 1790. À sa tête depuis 1994, Jean-Christophe Icard. Plusieurs étiquettes ici: L'Orangerie, La Sablière Fongrave, et même des «produits sous licence» signés par le célèbre dessinateur belge Philippe Geluck, créateur du personnage *Le Chat*.

«Cette bouteille, c'est tout moi. Sa beauté physique n'a d'égale que sa subtilité intérieure. Et les amateurs boivent nos paroles», dit le Chat sur l'étiquette signée

Philippe Geluck. Dans le verre, c'est un vin puissant et intense que l'on découvre, bâti pour durer autour d'un fruité large et généreux (fruits rouges et noirs cuits) agrémenté d'épices douces et de réglisse, et d'une bouche riche et corpulente, aux tanins massifs et énergiques. ⌛ 2018-2024 🍴 osso buco ■ **Ch. de l'Orangerie Grande Cuvée 2014 ★ (8 à 11 €; 72000 b.)** : au nez, des notes de fruits rouges, d'humus et de sous-bois; en bouche, une attaque ferme et tannique, un fruité net et précis, une matière dense et une pointe d'acidité qui propulsent ce vin vers un avenir radieux. ⌛ 2018-2023

SCEA VIGNOBLES ICARD, Ch. de l'Orangerie, 33540 Saint-Félix-de-Foncaude, tél. 05 56 71 53 67, orangerie@chateau-orangerie.com

CH. DES ANTONINS 2014

■	80000	🍾	5 à 8 €

Geoffroy de Roquefeuil a renoué à partir de 1985 avec la tradition viticole des Antonins, frères hospitaliers de Saint-Antoine qui occupèrent cet ancien couvent du XIIIe au XVIIIes., et a progressivement reconstitué le domaine monastique (27 ha aujourd'hui). Le domaine fait partie de l'Association des vins d'abbayes.

Il faudra encore un peu de temps pour que ce vin trouve son équilibre. Mais les promesses sont là: nez certes encore un peu discret mais harmonieux de fruits noirs et d'épices, bouche souple et suave en attaque, qui évolue vers des tanins sévères, fermes et frais qui doivent se patiner. Patience… ⌛ 2018-2022 🍴 entrecôte marchand de vin

GEOFFROY DE ROQUEFEUIL, Le Couvent, 33190 Pondaurat, tél. 05 56 61 00 08, roquefeuil@chateau-des-antonins.com V r.-v.

CH. DE L'AUBRADE 2014 ★

■	60000	🍾	5 à 8 €

Après ses études d'œnologie, Jean-Christophe Lobre s'est installé en 1995 à la tête du vignoble créé en 1974 par ses parents Jean-Pierre et Paulette. Il conduit aujourd'hui un vaste domaine de 70 ha et poursuit ainsi une tradition familiale qui remonte à 1735.

Les cabernets ont la part belle (40 % de sauvignon, 20 % de franc) aux côtés du merlot dans cette cuvée d'un beau classicisme, ouverte sur un fruité franc un brin épicé. Passé une attaque souple, le vin, dense et volumineux, monte en puissance, porté par des tanins fermes. ⌛ 2017-2021 🍴 poulet aux cèpes ■ **Élevé en fût de chêne 2014 (5 à 8 €; 50000 b.)** : vin cité.

EARL VIGNOBLES J.-C. LOBRE, lieu-dit Jamin, 33580 Rimons, tél. 05 56 71 55 10, vinslobre@free.fr V r.-v.

CH. AU VIGNOBLE 2014 ★

■	80000	🍾	5 à 8 €

La maison de négoce Yvon Mau s'est associée à Hubert de Boüard, co-propriétaire du Ch. Angélus, 1er grand cru classé A de saint-émilion, et œnologue-conseil de renommée internationale, pour signer des cuvées de terroir, au style fruité et accessible.

Cette cuvée, créée en 2012 sous la houlette de l'incontournable Hubert de Boüard, atteint son objectif de vin fruité et facile d'accès. Merlot et cabernet-sauvignon à parts égales composent un 2014 flatteur par ses arômes frais de fruits noirs (myrtille, cassis, cerise noire) et par son palais dense et charnu, bâti sur des tanins bien extraits et sur une pointe d'acidité pleine de jeunesse. ⌛ 2017-2020 🍴 onglet à l'échalote

SA YVON MAU, rue Sainte-Petronille, 33190 Gironde-sur-Dropt, tél. 05 56 61 54 54

CH. BARDOS 2014

■	98900		- de 5 €

Sovex Grands Châteaux est une maison de négoce créée en 1982 par Justin Onclin, qui commercialise aussi bien des grands crus classés et des crus bourgeois que ses propres marques.

Ce vin issu d'une propriété familiale de l'Entre-deux-Mers (17 ha conduits par Jean-Baptiste Cante) est bien ouvert sur des notes fondues de noyau, de fruits rouges frais et d'épices douces. Une trame aromatique prolongée par une bouche équilibrée, souple et fraîche, aux tanins mûrs et ronds. À ouvrir sans trop attendre. ⌛ 2016-2019 🍴 hamburger

SOVEX GRANDS CHÂTEAUX, 20, rue André-Marie-Ampère, 33565 Carbon-Blanc Cedex, tél. 05 56 77 81 00

CH. LES BAZILLES 2013

■	6000	🍾	- de 5 €

Située au nord du Libournais, au confluent de l'Isle et de la Dronne, cette petite exploitation familiale (7 ha environ), a été achetée en 1978 par Pierre Battiston qui l'a transmise en 1993 à son fils Armand.

« Bien typé merlot », propose un dégustateur qui a le nez (et le palais) fin. Le cépage phare du Libournais entre à hauteur de 70 % dans ce 2013 bien réussi dans ce millésime ô combien difficile. Au nez, des petits fruits rouges mûrs, voire confits. En bouche, de la souplesse, la rondeur caractéristique du merlot, renforcée par des tanins bien fondus. Un vin simple et « pas prise de tête ». ⌛ 2016-2019 🍴 fromage à pâte dure

ARMAND BATTISTON, 26, Sablon, 33230 Les Peintures, tél. 06 22 38 38 09, bazilles@wanadoo.fr V r.-v.

CH. BELLE-GARDE L'Excellence 2014 ★

■	12000	🛢	8 à 11 €

Bordeaux ou bordeaux supérieur, rouge, blanc ou rosé, Éric Duffau vinifie avec brio les AOC régionales. Il a repris en 1979 le domaine familial situé dans l'Entre-deux-Mers, sur la rive gauche de la Garonne. Son vignoble de 46 ha est situé pour l'essentiel sur des coteaux faisant face à Saint-Émilion.

Mi-merlot mi-cabernet-sauvignon, ce 2014 livre un bouquet généreux de fruits noirs à l'alcool agrémentés d'une note originale de bonbon anglais. Ce fruité mûr persiste dans une bouche souple, ronde et charnue, aux tanins fins et fondus. Une bonne allonge en finale conclut agréablement la dégustation de cette bouteille déjà très harmonieuse. ⧗ 2016-2019 🍷 coq au vin

SC VIGNOBLES ÉRIC DUFFAU, 2692, rte de Moulon, 33420 Génissac, tél. 05 57 24 49 12, duffau.eric@wanadoo.fr V *r.-v.*

CH. BELLEVUE PEYCHARNEAU 2013 ★

■ | 31200 | | 5 à 8 €

Un vignoble de 15 ha établi sur les hauteurs de Saint-Foy-la-Grande, à l'est de l'Entre-deux-Mers: 7 ha sur un plateau rocheux dominant la vallée de la Dordogne et le reste sur des coteaux très pentus.

Le domaine signe un 2013 d'autant plus réussi que le millésime fut des plus compliqué, pour les vignerons du Bordelais. La robe sombre annonce un vin expressif, ample et dense, dans lequel bois (vanille, café torréfié) et raisin (fruits rouges) font très bon ménage, dans lequel la structure tannique est bien en place et la finale de belle longueur. Un avenir prometteur. ⧗ 2018-2022 🍷 baron d'agneau à la boulangère

SCEA BELLEVUE PEYCHARNEAU, rue de la Commanderie, 33220 Pineuilh, tél. 06 82 28 44 50, info@bellevue-peycharneau.fr V *r.-v. Onillon*

CH. DE BLEYZAC 2014 ★

■ | 20000 | | 5 à 8 €

En 2013, Franck Noguiez a repris et entièrement restructuré un domaine laissé à l'abandon depuis quelques années, le Ch. de Langalerie, qui était au XIXᵉs., avant le phylloxéra, le plus gros producteur de Saint-Quentin-de-Caplong. Autre étiquette produite sur la propriété: Ch. de Bleyzac.

Pour sa première récolte, le vigneron n'a pas été gâté en termes de millésime... Et pourtant son 100 % merlot a de beaux arguments à faire valoir. Une belle couleur grenat pour commencer, un nez élégant de baies noires finement épicées, un palais ample, gras et rond, renforcé en douceur par des tanins souples, extraits avec justesse, et prolongé par une jolie finale pleine de fraîcheur et de fruit. Un domaine à suivre... ⧗ 2016-2020 🍷 côtelettes d'agneau

SCEA CH. DE LANGALERIE, lieu-dit Langalerie, 33220 Saint-Quentin-de-Caplong, fnoguiez@iag-es.com

CH. BOIS DE FAVEREAU
Cuvée Jean-Jules Élevé en fût de chêne 2014 ★

■ | 48000 | | 5 à 8 €

Un cru diffusé par J.J. Mortier, négoce familial bordelais fondé en 1889 et passé un siècle plus tard dans le giron d'une société japonaise tout en gardant son autonomie.

Établie dans l'Entre-deux-Mers, la famille Galineau exploite la vigne depuis quatre générations. Situé au point culminant de la commune de Pellegrue (125 m), son domaine s'étend sur 56 ha. Diffusé par la maison Mortier, son 2014 est intense, puissant et aromatique, ouvert sur les fruits noirs, les épices, la vanille et le merrain bien chauffé, ample, corsé et bien charpenté. ⧗ 2017-2021 🍷 volaille aux cèpes ■ **Ch. Bellevue Claribès 2014 (5 à 8 €; 55500 b.)** : vin cité.

J.J. MORTIER ET CIE, 62, bd Pierre-Premier, 33000 Bordeaux, tél. 05 56 51 13 13, mortier@mortier.com

CH. BOIS-MALOT Tradition 2014 ★

■ | 20000 | | 8 à 11 €

Les Meynard ont acquis leur domaine viticole en 1916, aux Valentons, sur la commune de Saint-Loubès, non loin de l'agglomération bordelaise. Nommé Clos des Valentons à l'origine, puis Ch. des Valentons-Canteloup, le vignoble s'agrandit en 1973 avec le Ch. Bois-Malot, contigu à la propriété familiale. Aux commandes depuis 1980, Jacques Meynard conduit aujourd'hui 30 ha de vignes et 3 ha de poiriers plantés après le grand gel de 1956. Une valeur sûre en bordeaux sec et en bordeaux supérieur.

La tradition est respectée: comme toujours ici, les cabernets (cabernet-sauvignon 45 %, cabernet franc 15 %) sont majoritaires dans l'assemblage. Cela donne un vin bien équilibré, entre un fruité mûr et un boisé fin, entre une matière ronde et souple, des tanins serrés au grain soyeux et une belle fraîcheur finale. Une bouteille qui s'appréciera dans sa jeunesse comme après quelques années en cave. ⧗ 2017-2022 🍷 selle d'agneau

EARL MEYNARD, 133, rte des Valentons, 33450 Saint-Loubès, tél. 05 56 38 94 18, bois.malot@free.fr V *t.l.j. sf dim. 8h-12h 13h30-19h; sam. 8h-12h*

CH. BOLAIRE 2013 ★★

■ | 25000 | | 11 à 15 €

L'homme d'affaires Vincent Mulliez, disparu en 2010, avait acheté en 2004 dans la partie sud du Médoc les châteaux Bolaire (bordeaux supérieur), Belle-Vue et Gironville (haut-médoc) devenus des valeurs sûres. Ses héritiers ont repris le flambeau.

Commandé par un château édifié en 1860 sur une ancienne île de la Garonne, rattachée à la terre à l'époque médiévale, Bolaire étend son vignoble sur des palus bien drainés, avec pour originalité de privilégier le petit verdot. Ce dernier compose 55 % de ce 2013, complété de merlot et de cabernet-sauvignon. Dans le verre, un vin très expressif, au nez fin et frais centré sur la cerise et le moka. La bouche attaque en souplesse, puis gagne en volume et en puissance, épaulée par des tanins caressants, un boisé élégant et une belle fraîcheur. Une bouteille à suivre. ⧗ 2018-2022 🍷 carré d'agneau aux cèpes

SC DE LA GIRONVILLE, 69, rte de Louens, 33460 Macau, tél. 05 57 88 19 79, contact@chateau-belle-vue.fr V *t.l.j. sf sam. dim. 9h-12h 13h-17h30 Isabelle Mulliez*

CH. DE BONHOSTE 2013

■ | 30000 | | 5 à 8 €

Sylvaine et Yannick Fournier ont pris en 2005 la suite de leurs parents, Bernard et Colette, qui ont constitué leur domaine en 1977 à partir de vignes

familiales: 66 ha aujourd'hui, dont une petite partie en Bergeracois. Bonhoste, en Gironde, est implanté sur la rive gauche de la Dordogne, en face de Saint-Émilion. La cave est creusée dans la roche et l'exploitation certifiée Haute qualité environnementale.

Le fût a légué des parfums torréfiés qui ne gênent pas l'expression du fruit, rouge et frais. S'y ajoute une touche de réglisse dans une bouche souple et légère, aux tanins fondus et discrets. Pas un monstre certes (c'est un 2013…), mais un vin bien équilibré, sans esbroufe, cohérent avec le millésime et d'ores et déjà plaisant. ⧗ 2016-2019 🍴 grillades au barbecue

⊶ FAMILLE FOURNIER, Ch. de Bonhoste, 33420 Saint-Jean-de-Blaignac, tél. 05 57 84 12 18, contact@chateaudebonhoste.com V t.l.j. 8h30-18h30

BRUIGNAC PREMIUM 2014 ★

■	5540		11 à 15 €

Situé au nord de l'Entre-deux-Mers, ce domaine de 30 ha (dont seulement 2,4 de vignes) doit son nom à un imposant donjon carré, construit en 1300. Il jouxte un manoir, construit en 1480 après la bataille de Castillon. Restée pendant plus de six siècles aux mains d'une même famille, la propriété a été reprise en 2007 par la Québécoise Louise-Aimée Dufour, qui a aménagé un chai, arraché les parcelles de cabernet-sauvignon (défaut de maturité) pour planter du cabernet franc. Premières vendanges et vinifications en 2008.

Le merlot (67 %) et le cabernet franc sont associés dans ce vin au nez profond et généreux de fruits confiturés, d'épices et de vanille sur un fond mentholé. Le palais offre beaucoup d'ampleur et d'intensité, adossé à des tanins serrés et une fine acidité qui apporte du nerf et de l'allonge. Un vin sérieux et droit, bâti pour une bonne garde. ⧗ 2018-2023 🍴 civet de lapin

⊶ SARL LADIMEX, Bruignac, 33350 Bossugan, tél. 05 57 40 39 79, dufourla@ladimex.ca V r.-v. ⊶ Louise-Aimée Dufour

CH. CHAPELLE D'ALIÉNOR Sélection Maracan 2014 ★★

■	50000		5 à 8 €

De vieille souche saint-émilionnaise, Aliénor et Alexandre de Malet Roquefort (dont le père est propriétaire du Ch. la Gaffelière, 1er grand cru classé B de Saint-Émilion) ont franchi en 2001 la Dordogne, séduits par le Ch. Chapelle Maracan, qu'ils ont acquis et rebaptisé. Une ancienne chapelle veille sur ce cru d'une vingtaine d'hectares à dominante de merlot, implanté sur des coteaux argilo-calcaires, face à la jurade et aux côtes-de-castillon.

Cette cuvée à dominante de merlot (60 %) a emporté l'adhésion pour son fruité pimpant (cerise, grenadine) qui anime le nez comme la bouche. On aime aussi la fraîcheur et le dynamisme qui s'en dégagent et qui apportent du fond et du volume à ce vin bien épaulé par des tanins fins et soyeux. Un ensemble à la fois élégant, alerte et généreux. ⧗ 2018-2022 🍴 sauté de veau au chorizo

⊶ CH. CHAPELLE D'ALIÉNOR, Champs du Rivalon, BP 12, 33330 Saint-Émilion, tél. 05 57 56 40 81, j.thies@vignoblesmaletroquefort.com ⊶ De Malet Roquefort

CH. CILORN 2014 ★

■	18500	5 à 8 €

François et Maria-Dolorès Linard, couple d'ingénieurs en agroalimentaire, ont acquis en 2001 le Ch. La Claymore, du celte *ClaimhMhor*, la grande épée des Highlanders: le domaine fut une zone de garnison des troupes écossaises lors de la bataille de Castillon. Le vignoble couvre aujourd'hui 52 ha répartis sur trois AOC: lussac (Claymore et Moulin de Fontmurée), montagne (Flaunys) et bordeaux (Cilorn).

Le seul merlot est à l'œuvre dans cette cuvée qui porte le nom d'un dragon dans une légende celte. Dans le verre, un «vin de raisins», franc et sincère, ample, frais et bien fruité (framboise, mûre), structuré par des tanins fins et serrés. ⧗ 2017-2021 🍴 navarin d'agneau

⊶ FRANÇOIS LINARD, SCEA Claymore, Maison-Neuve, 33570 Lussac, tél. 05 57 74 67 48, contact@laclaymore.fr V t.l.j. sf sam. dim. 9h-12h 14h-16h

CLOS MONICORD 2014 ★

■	10000		15 à 20 €

Reprise en 2000 par le Néerlandais Josephus Bakx, marié à la Bordelaise Mireille Lambert, la propriété, située au nord-ouest de Fronsac, s'est agrandie: 16 ha aujourd'hui. À noter l'originalité des étiquettes créées par Audrey, fille des propriétaires et plasticienne.

Au nez, on découvre un vin très fruité et plaisant, agrémenté de notes légèrement épicées et un brin animales. La bouche, à l'unisson, se révèle d'une rondeur suave en attaque, ample et veloutée, étayée par des tanins fins et serrés et par de beaux amers en finale. ⧗ 2017-2021 🍴 entrecôte

⊶ JOSEPHUS BAKX, SCEA Monicord, 15, Le Bourg, 33240 Vérac, tél. 05 57 84 36 99, info@closmonicord.com V r.-v.

CH. CLOS MOULIN PONTET 2014 ★★

■	28534	5 à 8 €

Éric et Sophie Meynaud conduisent depuis 1998 une vaste propriété de 100 ha dont le siège est situé à Landerrouat, à la limite du Lot-et-Garonne. Deux étiquettes à la carte des vins: Clos Moulin Pontet et Franc Couplet.

Le merlot (52 %) et les deux cabernets font jeu quasi égal dans ce vin un peu fermé de prime abord, qui s'ouvre à l'aération sur un beau fruité épicé. Mais c'est en bouche qu'il impose son caractère bien trempé à travers un volume certain, renforcé par une solide structure de tanins serrés et par une chair dense et ferme. Un avenir radieux s'ouvre à lui. ⧗ 2018-2022 🍴 magret de canard

⊶ EARL CH. FRANC COUPLET, rte de Laussac, 33790 Landerrouat, tél. 05 56 61 34 10, eric.meynaud@wanadoo.fr V r.-v. ⊶ Meynaud

CH. LE CONSEILLER 2014

■	18000		11 à 15 €

Fils de Jean-François Janoueix, Jean-Philippe Janoueix s'est d'abord installé à Lalande (Ch. Chambrun, vendu à Silvio Denz) avant de créer en 2001 le Ch. La

LE BORDELAIS

Confession à Saint-Émilion, réunion des châteaux Barreau et Haut-Pontet. Il produit aussi du bordeaux supérieur (Croix Mouton et Le Conseiller) et du pomerol (Sacré Cœur, en fermage).

Le merlot se plaît sur les terres argilo-limoneuses de ce domaine acquis en 1997. Il est seul maître à bord dans ce 2014 ouvert sur des notes élégantes de griotte confite finement vanillée. Le palais se montre rond, gras et juteux, de corpulence moyenne mais bien équilibré, d'une longueur très honorable et tenu par des tanins fins. ⧗ 2017-2021 Ψ tourte à la viande

CH. CROIX-MOUTON, 83, cours des Girondins, 33500 Libourne, tél. 05 57 48 13 13, contact@jpjdomaines.com

CH. DE LA COUR D'ARGENT 2014 ★

■ | 130000 | | 8 à 11 €

Denis Barraud, œnologue, s'est installé en 1971 à la tête du vignoble familial, constitué à la fin du XIXᵉs. Un bel ensemble de 36 ha répartis sur les deux rives de la Dordogne et sur plusieurs crus – 7 ha en saint-émilion et saint-émilion grand cru (Les Gravières, Lynsolence) et 29 ha en AOC régionales (La Cour d'Argent) – et des vins qui retiennent régulièrement l'attention des dégustateurs.

Ce cru, un pied sur les argilo-calcaires de Génissac, l'autre sur les sols sablo-graveleux de Saint-Sulpice-de-Faleyrens, est propriété des Barraud depuis 1883 et quatre générations. Son chai est établi sur les quais de Branne, où accostaient autrefois les gabares chargées en barriques de vin (le film de Christian Sirol, *La rivière Espérance*, fut en partie tourné au domaine). Dans le verre, un beau 2014 à très forte dominante de merlot (95 %). Des notes de fruits bien mûrs, des nuances empyreumatiques et une pointe végétale très agréable composent un bouquet fin et complexe. En bouche, des tanins solides épaulent une matière ample, dense et généreuse. L'ensemble est de très bonne tenue et vieillira bien. ⧗ 2018-2021 Ψ rôti de bœuf

SCEA DES VIGNOBLES DENIS BARRAUD, 355, port de Branne, Ch. des Gravières, 33330 Saint-Sulpice-de-Faleyrens, tél. 05 57 84 54 73, denis.barraud@wanadoo.fr V r.-v.

DOM. DE COURTEILLAC 2013

■ | 54000 | | 8 à 11 €

Fils de viticulteur saint-émilionnais (Ch. Larmande), Dominique Meneret fut négociant en vin pendant trente ans avant d'acquérir cette propriété en 1998, qu'il a restructuré à la vigne (28 ha) et au chai.

À l'aération, apparaissent des notes fraîches de fraise des bois et de cerise, tandis que le bois reste très discret. Le palais est rond, de bonne ampleur, les tanins sont enrobés et tendres, épaulés par une fine acidité bienvenue. Un 2013 équilibré et élégant qui pourra s'apprécier dès la sortie du Guide. ⧗ 2016-2020 Ψ hachis parmentier

SCEA DOM. DE COURTEILLAC, 2, Courteillac, 33350 Ruch, tél. 05 57 83 18 18, domaine-de-courteillac@orange.fr V r.-v. *Dominique Meneret*

CH. LA COURTIADE 2014 ★

■ | 33000 | | 5 à 8 €

Univitis est une coopérative regroupant 230 adhérents et 2 000 ha dans le «grand Sud-Ouest» viticole. Elle propose une large gamme de vins de marque et de propriétés dans une quinzaine d'AOC, à laquelle s'ajoute le Ch. les Vergnes acquis en 1986 (130 ha près de Sainte-Foy).

Assemblage classique de merlot (65 %) et des cabernets, ce vin dévoile un nez intense et élégant de fruits frais et de fruits mûrs (fraise, cerise) saupoudrés de notes florales et épicées. Souple, tendre et charnu, le palais s'appuie sur de jolis tanins enrobés et légers et sur une bonne finale fraîche et énergique. Le plaisir dans la simplicité. ⧗ 2016-2019 Ψ hamburger ■ **Ch. Bellevue 2014 (- de 5 €; 33000 b.)** : vin cité.

SCA UNIVITIS, 1, rue du Gal-de-Gaulle, 33220 Les Lèves-et-Thoumeyragues, tél. 05 57 56 02 02, univitis@univitis.fr V *t.l.j. sf lun. dim. 9h-12h30 14h30-19h*

CH. DE CROIGNON 2013

■ | 3000 | | 5 à 8 €

En 2013, quatre amis de longue date et amoureux du vin acquièrent cette propriété de 5 ha. Depuis, une quarantaine d'investisseurs les ont rejoints pour développer ce cru conduit sous la houlette de Jérôme Ducloux, arrivé en 2015.

Le seul merlot compose ce vin plaisant, au nez frais et intense de fruits rouges et d'épices grillées. Suivant la même ligne fruitée et épicée, la bouche se montre légère, souple et ronde, bien dans le ton du millésime. Un vin facile d'accès et prêt à boire. ⧗ 2016-2018 Ψ boulettes de bœuf à la tomate

EARL HAUT DE CROIGNON, 18, chem. de la Vidane, 33750 Croignon, tél. 06 75 33 60 72, cindy.ducloux@orange.fr V *t.l.j. 8h-12h 14h-18h* *Ducloux*

CH. L'ESCART Cuvée Omar Khayyam 2014

■ | 6000 | | 15 à 20 €

Ancienne étape sur le chemin de Saint-Jacques-de-Compostelle, ce domaine proche de Bordeaux est dédié à la vigne depuis 1752. Un cru de 30 ha d'un seul tenant sur Saint-Loubès, exploité en biodynamie certifiée.

La cuvée prestige du cru, dédiée à Omar Khayyam, poète, mathématicien et astronome persan au XIIᵉs. et grand amateur de vin. Aux côtés du merlot (85 %), un peu des deux cabernets et une touche de petit verdot. Le résultat est un vin expressif (fruits rouges, épices), rond, presque crémeux, de bonne densité, soutenu par une trame tannique équilibrée. ⧗ 2017-2021 Ψ bœuf bourguignon

CH. L' ESCART, 70, chem. Couvertaire, BP 8, 33450 Saint-Loubès, tél. 05 56 77 53 19, contact@chateaulescart.com V *t.l.j. sf sam. dim. 9h30-12h 13h30-18h; f. 10 août-10 sept.* *Gérard Laurent*

EXPERT CLUB 2014 ★

■ | 100000 | - de 5 €

Cette maison de négoce a été fondée en 1828 par Jules Lebègue à Cantenac, près de Margaux,

puis s'est installée à Saint-Émilion, au milieu du XXe s. Aujourd'hui dans le giron d'Antoine Moueix (groupe Advini).

Une belle harmonie caractérise ce 2014 ouvert sur les fruits rouges mûrs et le cassis. Un fruité soutenu que ne renie pas le palais, rond et soyeux, bâti sur des tanins fondus et offrant une bonne allonge en finale. Un vin honnête et sérieux, « qui ne se prend pas pour ce qu'il n'est pas », conclut un dégustateur. À boire sur le fruit. ⧗ 2016-2020 ♈ rôti de veau aux herbes

⊶ JULES LEBÈGUE, rte du Milieu, lieu-dit Mede, 33330 Saint-Émilion, tél. 05 57 55 58 09, caroline.charbonnier@amoueix.fr ⊶ Advini

CH. LA FAVIÈRE 2014

■	60000	◍	8 à 11 €

Fondé à la fin du XVIIIe s. par un notable bordelais sur les terrasses de l'Isle au nord du Libournais, le cru a été racheté en 2010 par un couple de Russes amoureux du bordeaux, l'homme d'affaires Stanislav Zingerenko et son épouse Natalia. Le vignoble couvre 18 ha.

La profondeur de la robe annonce un vin de caractère. De fait, à un bouquet intense et généreux de fruits noirs à maturité (myrtille, mûre), de vanille et de grillé répond une bouche solide, pour ne pas dire austère, que le temps apaisera. ⧗ 2018-2021 ♈ rôti de biche

⊶ CH. LA FAVIÈRE, 32, rue Antoine-de-Saint-Exupéry, 33660 Saint-Seurin-sur-Isle, tél. 05 57 49 72 08, contact@lafaviere.fr V r.-v. ⊶ Zingerenko

CH. FÉRET-LAMBERT 2014 ★

■	60000	◍	11 à 15 €

Depuis 1997, Henri Féret, courtier en vins, associé avec son beau-frère Olivier Sulzer, vigneron à Saint-Émilion (Ch. la Bonnelle), redonne son lustre à ce domaine de 24 ha acquis en 1930 par son arrière-grand-père Charles Féret, éditeur du célèbre *Bordeaux et ses vins*.

Le merlot (85 %) et les deux cabernets composent une jolie cuvée, séduisante par son bouquet complexe et généreux de fruits noirs mûrs, de pruneau, de noyau de cerise, de moka et de pain grillé. La bouche apparaît ample, chaleureuse et ronde, adossée à des tanins soyeux et un boisé bien dosé, avant de déployer une longue finale, fine, fraîche et élégante. Un vin déjà très harmonieux, construit aussi pour durer. ⧗ 2017-2022 ♈ joues de bœuf confites au vin

⊶ SCEA SULZER-FÉRET, Dom. de Lambert, 33420 Grézillac, tél. 05 57 47 15 12, feret-lambert@orange.fr V r.-v. 3

FLEUR SAINT-ANTOINE 2014 ★★

■	80000		5 à 8 €

Propriétaire de vignes depuis plus de deux siècles, la famille Aubert – aujourd'hui les frères Alain, Daniel et Jean-Claude, épaulés par leurs enfants – exploite 300 ha et de nombreux domaines du Bordelais, essentiellement en Libournais, avec pour fleuron le Ch. la Couspaude, grand cru classé de Saint-Émilion depuis 1996, acquis en 1908.

Cette cuvée, qui associe le merlot (70 %) et le cabernet franc, conjugue puissance, complexité, équilibre et élégance. Elle s'ouvre sur un bel éclat aromatique fait de fruits noirs, de notes de sous-bois, de girofle et de cuir. En bouche, elle offre beaucoup de chair et de tension, de profondeur et d'intensité, structurée par des tanins frais et serrés. Un vin racé, qui pourra se faire oublier en cave. ⧗ 2019-2025 ♈ tournedos Rossini ■ **Ch. Saint-Antoine 2014** ★ **(- de 5 €; 120000 b.)** : la cuvée principale du domaine est un vin très expressif (bacon, épices, notes fumées, cassis mûr), généreux, suave et persistant, étayé par des tanins d'une aimable souplesse. Gourmand. ⧗ 2017-2021

⊶ VIGNOBLES AUBERT, Ch. la Couspaude, 33330 Saint-Émilion, tél. 05 57 40 15 76, vignobles.aubert@wanadoo.fr

CH. DE GARDEGAN 2014

■	18200	◍	8 à 11 €

François-Thomas Bon a acquis en 2012 cette propriété qui n'avait pas produit de vin depuis les années 1980. Il a rénové les chais, acheté des parcelles et engagé la conversion bio de ses 11 ha de vignes.

Il faudra du temps à ce pur merlot pour que se fondent les tanins, encore sévères, et le boisé, encore un peu dominant. Mais le potentiel est là: une belle cuvée aromatique, puissante et complexe avec ses notes d'épices, de cassis, de poivre, de menthol et d'œillet, une structure solide, du gras et de la densité. Elle gagnera son étoile en cave. ⧗ 2018-2023 ♈ rôti de bœuf

⊶ CH. LA GRÂCE FONRAZADE, rte de Jaquemeau, 33330 Saint-Émilion, tél. 06 70 02 81 67, persevero@lagracefonrazade.com V r.-v. ⊶ François-Thomas Bon

CH. GAYON 2014

■	40000	◍	5 à 8 €

Un cru de 30 ha commandé par une gentilhommière du XVIIIe s. aménagée en gîte, acquise en 1969 par les Crampes, dont les aïeux étaient auparavant métayers sur ces terres. Une bonne référence en saint-macaire et en bordeaux.

Le merlot et les deux cabernets (dont seulement 5 % de cabernet franc) font jeu égal dans ce vin d'un abord très discret et qui demande à être aéré pour révéler ses arômes de fruits noirs (cassis et mûre) et d'épices. Plus franche, l'attaque est énergique et fruitée; elle ouvre sur un palais bien structuré, encore un peu strict en finale. Le temps fera son œuvre. ⧗ 2018-2021 ♈ gigot d'agneau

⊶ CRAMPES, 6, Ch. Gayon, 33490 Caudrot, tél. 05 56 62 81 19, contact@chateau-gayon.com V r.-v. 5

GRAMAN
Cuvée Terroir Élevé en fût de chêne 2014 ★

■	13300	◍	- de 5 €

La cave de Landerrouat appartient au groupe Terre de Vignerons, union de production et de commercialisation d'une quinzaine de coopératives de l'Entre-deux-Mers et du Pays Duraquois, qui

représente 15 000 ha de vignes et 1 500 coopérateurs, dont les raisins sont accueilis sur dix-neuf sites de production. Un acteur de poids de la coopération girondine.

Si cette cuvée à dominante de merlot (88 %, le cabernet franc en appoint) se montre encore un peu timide au nez (fruits noirs, boisé cacaoté à l'aération), elle affiche un caractère bien trempé en bouche à travers des tanins solides sans dureté et un boisé ajusté qui lui confèrent de la densité et du volume. Belle finale sur le fruit mûr. ⧗ 2018-2022 🍴 carré d'agneau au pesto

⊶ *SCA LES VIGNERONS DE LANDERROUAT-DURAS-CAZAUGITAT-LANGOIRAN, 33790 Landerrouat, tél. 05 56 61 31 21, sclement47@orange.fr*

CH. GRAND RENOM 2014 ★

■ | 45000 | ◍ | 8 à 11 €

Une propriété acquise en 1990 par la maison Antoine Moueix (groupe Advini depuis 2006). Couvrant 38 ha, le cru est implanté dans l'Entre-deux-Mers, sur les coteaux argilo-calcaires d'Eynesse qui bordent la Dordogne.

Le cabernet franc (15 %) accompagne le merlot dans ce 2014 équilibré, puissant et complexe, qui s'affiche dans une robe vive et intense. Des fruits noirs, des notes d'épices et de croûte de pain composent un nez très expressif. La bouche est ample, corsée, charnue, le boisé bien présent mais racé, le tanin fin et serré, la finale longue et épicée. Bon vieillissement en perspective. ⧗ 2018-2022 🍴 cannellonis d'agneau

⊶ *CH. GRAND RENOM, rte du Milieu, 33330 Saint-Émilion, tél. 05 57 55 58 00, benoit.coq@amoueix.fr* ⊶ *Antoine Moueix*

GRAVES DU BARRY 2014

■ | 6000 | 5 à 8 €

Créée en 1938, la très qualitative cave des producteurs réunis de Puisseguin-Lussac-Saint-Émilion s'illustre régulièrement dans ces pages. Elle représente aujourd'hui quelque 200 adhérents et 1 200 ha de vignes.

Un nez intense de fruits rouges mûrs titillés par une pointe d'épices douces ouvre la dégustation sous de bons auspices. La suite confirme: certes la structure n'est pas des plus imposantes, mais c'est rond et généreux en bouche, les saveurs fruitées et épicées sont toujours là, et l'ensemble est harmonieux. ⧗ 2016-2019 🍴 paupiettes d'agneau au lard

⊶ *VIGNERONS DE PUISSEGUIN-LUSSAC-SAINT-ÉMILION, 1, lieu-dit Durand, D 17, 33570 Puisseguin, tél. 05 57 55 50 40, accueil@vplse.com* V 🚶 🍷 *r.-v.*

CH. GUILLAUME BLANC Cuvée du Consul 2014 ★

■ | 20000 | ◍ | 5 à 8 €

Ce cru important (65 ha) du pays foyen, aux confins du Périgord, porte le nom de son propriétaire au XVIII[e]s., consul de Sainte-Foy-la-Grande. Acheté en 1992 par le négociant girondin GRM, il a été entièrement rénové et fait preuve d'une belle régularité en bordeaux supérieur.

Le merlot et les deux cabernets à parité dans cette cuvée bien connue des lecteurs. Au nez, des notes chocolatées et résineuses voisinent avec de gourmandes senteurs de fruits rouges confiturés. En bouche, le vin attaque en souplesse, se fait suave, rond et séveux, épaulé en douceur par des tanins enrobés qui apportent un joli toucher soyeux, à peine bousculé par une finale un brin plus stricte. Déjà harmonieuse, cette bouteille évoluera bien. ⧗ 2017-2021 🍴 filet mignon de veau aux cèpes

⊶ *GRM, ZAE de l'Arbalestrier, 33220 Pineuilh, tél. 05 57 41 91 50, ecastano@grm-vins.fr* V 🚶 🍷 *r.-v.*

HAUSSMANN 2014

■ | 20000 | ◍ | 5 à 8 €

Le vignoble Cardarelli a été créé en 1953 à Massugas, entre Castillon-la-Bataille et Sainte-Foy-la-Grande, par d'anciens métayers viticoles. Ce sont depuis 1990 leurs trois petits-fils, épaulés de leurs épouses, qui conduisent ce vaste ensemble de 480 ha répartis sur plusieurs crus.

Cette gamme Haussmann a été créée en 2009 dans le cadre du partenariat des vignobles Cardarellli avec la société de négoce Châteaux en Bordeaux dirigée par Pierre Jean Larraqué. Ce 2014 couleur sombre dévoile d'intenses senteurs empyreumatiques, goudronnées et vanillées. Un boisé soutenu que l'on retrouve dans une bouche ronde, riche et vineuse, épaulée par des tanins bien en place. Encore en devenir. ⧗ 2018-2021 🍴 épaule d'agneau au four

⊶ *SCEA CARDARELLI, La Borne-Nord, 33790 Massugas, tél. 06 29 38 88 55, cardarellilabo@hotmail.fr*

♥ CH. HAUT DAMBERT Élevé en fût de chêne 2014 ★★

■ | 24000 | ◍ | 8 à 11 €

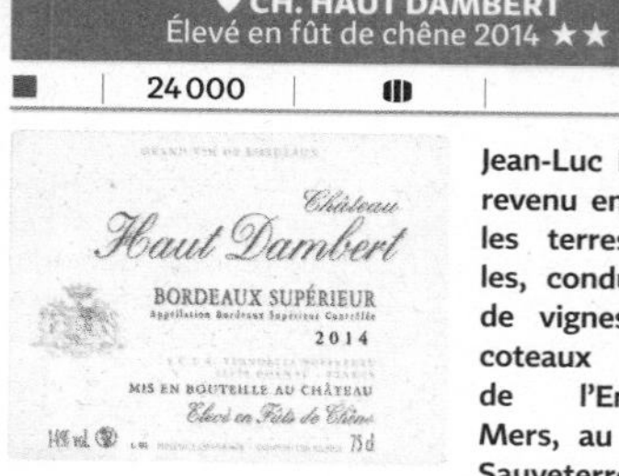

Jean-Luc Buffeteau, revenu en 1998 sur les terres familiales, conduit 29 ha de vignes sur les coteaux vallonnés de l'Entre-deux-Mers, au cœur du Sauveterrois, dans les communes de Castelviel et Gornac. Il y produit deux étiquettes, La Grande Métairie et Haut Dambert.

Aux côtés du merlot (20 %), ce sont de vieux ceps de cabernet-sauvignon bien exposés au sud-sud-ouest et vendangés en légère surmaturité qui sont à l'origine de ce beau vin de caractère. Un caractère affirmé qui se devine dès la robe, intense et profonde, et se vérifie à l'olfaction, riche et généreuse, portée sur les fruits confits (mûre, pruneau, cassis) et les épices douces. Le palais est bien épaulé par un boisé fondu et par des tanins denses et puissants, mais qui restent soyeux et apportent beaucoup de volume. Encore un peu de patience et cette bouteille sera à son apogée. ⧗ 2018-2022 🍴 paleron en cocotte

VIGNOBLES BUFFETEAU, lieu-dit Dambert, 33540 Gornac, tél. 05 56 61 97 59, jean.buffeteau@gmail.com V r.-v.

CH. HAUT-GAUSSENS 2014 ★

■ | 30000 | | 5 à 8 €

Situé au nord-ouest du Fronsadais, un cru de 15 ha. Après Daniel Lhuilier, le fondateur du domaine en 1941, et Michel, la troisième génération est aux commandes depuis 2001, avec Stéphane et Delphine.

Une forte dominante de merlot (90 %) dans ce vin un peu fermé au premier nez, plus ouvert après quelques tours de verre sur un joli fruité de cerise confite mâtiné de rose et d'épices. Une attaque souple et charnue introduit un palais puissant, généreux et vineux bâti sur une solide trame tannique associée à une pointe d'acidité qui apporte du nerf. Un vin prometteur. ⧗ 2018-2021 rôti de porc boulangère

SCEA CH. HAUT-GAUSSENS, 4, Les Gaussens, 33240 Vérac, tél. 06 17 57 48 45, chateauhautgaussens@orange.fr V *r.-v.* *Lhuillier*

CH. HAUT GUILLEBOT Cuvée Prestige 2014

■ | 14000 | | 8 à 11 €

Depuis sept générations, cette vaste propriété de 60 ha couvrant les coteaux argilo-calcaires dominant la vallée de la Dordogne, face à Saint-Émilion, est transmise de mère en fille, avec à sa tête depuis 2006 Marie-Christine Renier Labouille. Deux étiquettes: Haut Guillebot et Montet.

Merlot (60 %) et cabernet franc sont assemblés dans ce vin élevé longuement en barriques, pendant dix-huit mois. Le merrain est très perceptible dès le premier nez à travers d'intenses notes cacaotées et épicées qui masquent pour l'heure le fruit (confiture de fraises). En bouche, l'équilibre bois-raisin est plus équilibré, avec en soutien de bons tanins soyeux. Un peu d'attente sera nécessaire pour un fondu optimal. ⧗ 2018-2022 entrecôte grillée

SCEA CH. HAUT GUILLEBOT, 8, Guillebot, 33420 Lugaignac, tél. 05 57 84 53 92, chateau@chateauhautguillebot.com V *r.-v.* *Labouille*

CH. HAUT-LANDON 2014 ★

■ | 60000 | | - de 5 €

Jean-François Réaud dirige depuis les années 1980 le Ch. le Grand Moulin, dont les 40 ha de vignes s'étendent au cœur de l'appellation blaye-côtes-de-bordeaux, complétés par une activité de négoce.

Un vin issu de la partie négoce, né de merlot (85 %) et des deux cabernets. Le nez est puissant et complexe avec de jolies notes épicées qui composent harmonieusement avec le fruit. La bouche se révèle fruitée, corsée, dense et veloutée, équipée de tanins fins et prolongée par une belle et longue finale renouant avec les épices. Un vin à l'avenir prometteur. ⧗ 2018-2022 tajine d'agneau

SAS ROBIN, 1289, av. de la Liberté, 33820 Saint-Aubin-de-Blaye, tél. 05 57 32 62 06, mr@grandmoulin.com *Jean-François Réaud*

CH. HAUT NADEAU 2013 ★

■ | 92000 | | - de 5 €

Depuis plus d'un siècle, Ginestet est l'une des principales maisons de négoce bordelaises, aujourd'hui intégrée au groupe Taillan. Pour l'une de ses marques phares, déclinée en cinq AOC, elle a choisi comme emblème le mascaron, masque sculpté décorant de nombreuses façades de Bordeaux.

Largement dominé par le merlot (90 %, le cabernet-sauvignon faisant l'appoint), ce vin dévoile un bouquet riche de mûre, de réglisse, de violette et de cacao. Une belle maturité que l'on perçoit aussi dans un palais au fruité éclatant, ample, rond, généreux et fondu, prolongé par une finale bien épicée. ⧗ 2016-2020 empanadas au bœuf épicé

MAISON GINESTET, 19, av. de Fontenille, 33360 Carignan-de-Bordeaux, tél. 05 56 68 81 82, vincent.pensivy@ginestet.fr V *r.-v.* *Taillan*

CH. HAUT NIVELLE Prestige Élevé en fût de chêne 2014 ★★

■ | 40000 | | 5 à 8 €

Situé dans la vallée de l'Isle, au nord-est du Libournais, ce domaine avait été laissé à l'abandon dans les années 1960 après une série de gels désastreux (dont celui de 1956). Il a été acquis en 1979 par la famille Le Pottier qui l'a reconstitué. Il couvre aujourd'hui 31 ha.

Cette cuvée – dont les millésimes 2005 et 2011 obtinrent un coup de cœur – fait la part belle au merlot (80 %). La profondeur de sa robe annonce une belle richesse olfactive: amande douce, vanille, pruneau, fruits noirs bien mûrs, touche mentholée. On retrouve cette maturité dans une bouche kirschée, vanillée et toastée, ample, grasse et onctueuse, adossée à des tanins fins et soyeux. Une bouteille déjà très harmonieuse que l'on pourra laisser vieillir sereinement. ⧗ 2017-2022 tajine de bœuf aux pruneaux ■ **Ch. Puy Favereau 2014 (- de 5 €; 40000 b.)** : vin cité.

SCEA LES DUCS D'AQUITAINE, 2, rte de Cornemps, 33660 Saint-Sauveur-de-Puynormand, tél. 05 57 69 69 69, vignobles@lepottier.com V *r.-v.* *Le Pottier*

CH. HAUT PHILIPPON 2014 ★

■ | 75000 | - de 5 €

La famille Roux (Yannick, Hélène et leur fils Romain) est installée dans l'Entre-deux-Mers depuis 1978. Outre ses Ch. Laforêt, Haut Philippon, Roux de Beauces et Tuileries, auxquels s'ajoute depuis 2013 le médocain Taffard de Blaignan, elle propose une large gamme issue de son négoce.

Ce vin s'annonce par une belle robe profonde et un nez intense et franc de violette, de fruits rouges et d'épices douces. La bouche, très fruitée, plaît par sa rondeur, sa douceur, ses tanins veloutés, quoique encore un peu

LE BORDELAIS

sévères en finale. Jolie finale vivifiée par une pointe d'acidité qui apporte du dynamisme et de la longueur. Un peu de garde s'avère nécessaire pour harmoniser l'ensemble. 2018-2021 jarret de veau aux tomates confites

SCEA VIGNOBLES ROUX, 1, Beaucés, 33540 Gornac, tél. 05 56 61 98 93, vignoblesroux@orange.fr

CH. HAUT POUGNAN Élevé en fût de chêne 2014 ★

| 20000 | | 5 à 8 € |

Jean Gueridon conduit depuis 1990 un domaine familial de 50 ha, créé en 1852 sur les coteaux de la rive droite de la Garonne, au cœur de l'Entre-deux-Mers. Une valeur sûre des AOC bordeaux et entre-deux-mers avec ses deux étiquettes: le Ch. Haut Pougnan, fief d'origine, et le Ch. les Moutins, acquis en 1995.

Fruits noirs, réglisse, petite note crémeuse, l'approche de ce 2014 est aimable et avenante. En bouche, le vin apparaît souple en attaque, ample, gras et soyeux, étoffé par des tanins veloutés et fins. La finale est plus sévère mais l'ensemble reste harmonieux et prometteur. 2018-2021 tendrons de veau à la tomate

SCEA CH. HAUT POUGNAN, 6, chem. de Pougnan, 33670 Saint-Genès-de-Lombaud, tél. 05 56 23 06 00, haut.pougnan@gmail.com V *t.l.j. 9h-12h 13h-17h*

GRAND JUAN DU CH. HAUT-RIEUFLAGET 2014 ★

| 40000 | | 5 à 8 € |

Installé en 1969 dans l'Entre-deux-Mers comme jeune agriculteur, Jean-Dominique Petit a, au fil des ans, agrandi la propriété familiale, qui atteint aujourd'hui 70 ha. Ses bordeaux sont régulièrement présents dans le Guide.

Le nez, complexe et riche, mêle fruits noirs à l'eau-de-vie, pruneau et senteurs de sous-bois. À l'unisson, la bouche est puissante et chaleureuse, dotée de tanins vigoureux qui garantissent un beau potentiel de vieillissement. 2018-2023 tajine d'agneau aux pruneaux

SCEA JEAN-DOMINIQUE PETIT, Ch. Haut-Rieuflaget, 33790 Saint-Antoine-du-Queyret, tél. 05 56 61 33 78, haut-rieuflaget@wanadoo.fr V *r.-v.*

B CH. JEAN FAUX 2013 ★

| 15000 | | 15 à 20 € |

L'une des plus anciennes propriétés du canton de Pujols (ferme fortifiée du XVIes., chartreuse du XVIIes., parc paysager du XVIIIes.) dans la vallée de la Dordogne; rachetée en 2002 par Pascal et Chrystel Collotte. Vignoble de 13 ha, en bio certifié depuis 2011.

Né de merlot (80 %) et de cabernet franc, ce 2013 dévoile au nez un doux mélange de fruits frais et de boisé délicat agrémenté d'une touche de cuir et de truffe. Le palais, élégant et racé, affiche un bel équilibre entre une trame tannique à la fois fine et solide, une acidité bien dosée et un bon boisé qui ne cache pas le fruit. Prometteur. 2018-2021 parmentier de canard

PASCAL COLLOTTE, Ch. Jean Faux, 33350 Sainte-Radegonde, tél. 05 57 40 03 85, jf@chateaujeanfaux.com V *r.-v.*

CH. JEAN-MATHIEU 2014

| 4000 | | 8 à 11 € |

Delphine Violeau-Brasseur, viticultrice discrète, s'est installée en 2011 à Libourne, sur 5,5 ha de vignes. Elle signe deux étiquettes: Ch. La Paillette et Ch. Jean-Mathieu.

Ce 2014 s'appuie sur une dominante de cabernet franc (60 %, avec le merlot en complément). Au nez, des arômes discrets mais bien mariés de fruits noirs et de vanille. La bouche offre un bon déroulement autour de notes de griotte, d'un boisé ajusté et d'une solide charpente tannique, pour l'heure assez austère. Encore un peu de patience. 2018-2021 gigot d'agneau

DELPHINE VIOLEAU-BRASSEUR, 8 bis, chem. du Roy, 33500 Libourne, tél. 06 08 01 76 23, dbrasseur33@orange.fr V *r.-v.*

CH. LABATUT Grande Réserve 2014

| 60000 | | 8 à 11 € |

À l'époque où il a lancé les premières foires aux vins (1973), Édouard Leclerc a acheté des vignobles dans l'Entre-deux-Mers, développés par sa fille Hélène Levieux jusqu'en 2002 puis dirigés par son petit-fils Vincent et aujourd'hui par Sylvie, l'épouse de ce dernier. Trois châteaux: Labatut, Lagnet et Roques-Mauriac, 100 ha au total.

Une cuvée associant classiquement le merlot (60 %) au cabernet franc. À un nez intense d'épices, de caramel salé, de cuir et de fruits noirs confiturés succède une bouche riche, puissante, tannique, encore assez stricte en finale, qui promet un bon vieillissement. 2018-2022 sauté de biche

GFA LES 3 CHÂTEAUX, Lagnet, 33350 Doulezon, tél. 05 57 40 51 84, contact@les3chateaux.com V *t.l.j. sf sam. dim. 9h-12h30 14h30-18h*
Sylvie Levieux

CH. LACOMBE CADIOT 2014 ★★

| n.c. | | 5 à 8 € |

Le Belge Émile De Schepper a investi dans le vignoble bordelais à partir de 1950. En plus de sa maison de négoce (De Mour), la famille exploite aussi aujourd'hui une cinquantaine d'hectares en propre: en Médoc, le Ch. Haut-Breton Larigaudière (margaux), le Ch. Tayet et le Ch. Lacombe Cadiot (bordeaux supérieur); en saint-émilion, Tour Baladoz et Croizille.

Une robe noire et profonde habille ce vin ouvert sans réserve sur les fruits noirs, les épices et le brûlé de la barrique. Une approche engageante, puissante, que prolonge un palais volumineux et plein de saveurs fruitées et toastées, adossé à des tanins bien présents mais onctueux. Une jolie bouteille taillée pour la garde et une viande de caractère. 2018-2023 civet de lièvre **Ch. Tayet Cuvée Prestige 2014 ★ (8 à 11 €; n.c.)** : merlot, cabernet-sauvignon et petit verdot pour cette cuvée équilibrée, qui marie judicieusement le fruit et le bois et affiche une belle structure tannique, ferme sans excès. 2017-2022

SCEA CH. HAUT-BRETON LARIGAUDIÈRE, 3, rue des Anciens-Combattants, 33460 Soussans, tél. 05 57 88 94 17, contact@de-mour.com V r.-v.
De Schepper

CH. LAMOTHE-VINCENT Héritage 2014 ★★★

■	80000		8 à 11 €

Un vaste cru de 92 ha dans l'Entre-deux-Mers, fondé en 1920 par les arrière-grands-parents. Ses atouts: un chai très moderne et les compétences complémentaires de Christophe Vincent (aux vignes) et de Fabien (au chai). Saint Vincent les inspire, dit-on, mais ce sont plutôt leur formation technique poussée et leur exigence qui font de ce domaine une référence en bordeaux et bordeaux supérieur.

Une robe noire comme la nuit habille ce vin d'une grande puissance, né de merlot (80 %) et de cabernet-sauvignon. Puissant mais élégant et fin. Le nez est intense et complexe: cerise noire confite, figue, moka, vanille, amande, note fumée... La bouche impressionne par sa matière très dense et charnue, par sa charpente tannique à la fois robuste et soyeuse, sans aucune agressivité, par son boisé racé et par sa longue, très longue finale réglissée. Monumental et de grande garde. ⏳ 2019-2026 filet de cerf aux champignons ■ **Le Grand Rossignol 2014 ★ (15 à 20 €; 10000 b.)** : le seul merlot (planté sur la parcelle du Grand Rossignol) compose cette cuvée pleine de générosité et de fruits mûrs, riche, vineuse et puissante, aux tanins veloutés. ⏳ 2018-2023

SCEA VIGNOBLES VINCENT, 3, chem. Laurenceau, 33760 Montignac, tél. 05 56 23 96 55, info@lamothe-vincent.com V r.-v.

CH. LARRONDE DESORMES 2014 ★

■	26000		8 à 11 €

Situé dans le haut Médoc, en amont de Margaux, le vignoble est implanté sur les palus de la basse terrasse de la Gironde, à quelques centaines de mètres du fleuve. Y naissent des bordeaux supérieurs de qualité sous la houlette de son directeur Claude Gaudin.

Née de vieilles vignes de merlot (60 %), cabernet franc (30 %) et petit verdot, cette cuvée est un vin dense et puissant, au fruité intense, noir et mûr mâtiné de touches vanillées. Vigoureuse dès l'attaque, offrant beaucoup de matière, la bouche se montre pour l'heure très tannique, mais savoureuse et pleine de promesses. ⏳ 2019-2024 rôti de canard aux pruneaux

SC CH. LARONDE DESORMES, 19, av. de la Libération, 33460 Macau, tél. 05 57 88 07 64, vitigestion@vitigestion.com V r.-v.
M. Tessandier

CH. LARROQUE Élevé en fût de chêne 2014 ★

■	300000		8 à 11 €

En 1858, la famille Ducourt s'établit au château des Combes, à Ladaux, petit village au sud-est de Bordeaux. C'est sous l'impulsion d'Henri Ducourt, installé en 1951 et relayé depuis par ses enfants et petits-enfants, que le vignoble familial prend son essor, pour atteindre aujourd'hui 450 ha répartis sur treize châteaux dans l'Entre-deux-Mers et le Saint-Émilionnais. Un ensemble dirigé par Philippe Ducourt depuis 1980.

Larroque est la propriété de la fille d'Henri Ducourt, Marie-Christine Boyer de la Giroday, 60 ha de vignes acquis en 1979 et commandés par un château du XIVes. Dans le verre, un 2014 dominé d'une courte tête par le cabernet-sauvignon (52 %). Le nez associe des notes de roncier, de fruits rouges frais et de violette. La bouche, bien équilibrée, se montre fraîche, ample et tannique. Un vin encore dans la fougue de sa jeunesse; l'avenir lui appartient. ⏳ 2018-2022 épaule d'agneau au four

VIGNOBLES DUCOURT, 18, rte de Montignac, 33760 Ladaux, tél. 05 57 34 54 00, ducourt@ducourt.com V r.-v.
Mme Boyer de la Giroday

B CH. LASSIME Cuvée Rambaud 2014 ★

■	26000		5 à 8 €

Un domaine conduit de père en fils par la famille Lainé depuis 1874. Le vignoble, en bio certifié depuis 2013, s'étend sur 11 ha dans l'Entre-deux-Mers, non loin de la butte de Launay, point culminant de la Gironde.

Un nez prometteur et concentré, aux nuances fruitées (fruits rouges confits), florales et torréfiées, ouvre la dégustation. Une belle harmonie caractérise la bouche, dense, généreuse, bâtie sur des tanins mûrs et ronds et vivifiée par une fine fraîcheur aux accents réglissés et acidulés. ⏳ 2017-2021 mijoté d'agneau aux épices

LAINÉ PÈRE ET FILS, Rambaud, 33790 Cazaugitat, tél. 05 56 71 80 80, info@chateau-lassime.com V r.-v.

CH. LAUDUC Prestige 2014 ★

■	30000		5 à 8 €

Conduit par les frères Régis et Hervé Grandeau, ce cru familial fondé en 1930, naguère dédié à la production de lait, de raisins de table et de fruits, étend son vignoble de 100 ha sur les plus hauts coteaux argilo-calcaires et graveleux de Tresses, à une dizaine de kilomètres de Bordeaux. Un domaine régulier en qualité.

Cette cuvée Prestige (75 % de merlot) dévoile un nez vineux et intense dominé par le merrain (notes de résineux, de tabac et de sous-bois). Un boisé racé que l'on retrouve en soutien d'un palais riche et suave, solidement arrimé à ses tanins, fermes et fins, épaulé en finale par une bonne acidité qui apporte du nerf et de l'allonge. ⏳ 2018-2021 cuisse de canard sauce barbecue

VIGNOBLES GRANDEAU, 5, chem. de Lauduc, 33370 Tresses, tél. 05 57 34 43 56, m.grandeau@lauduc.fr V *t.l.j. sf sam. dim. 9h-17h30*

CH. LAURENCE 2013 ★★

■	3000		15 à 20 €

Fils d'ouvrier viticole, directeur technique au Ch. la Fleur de Boüard (Hubert de Boüard, lalande-de-pomerol) et consultant avec ce même Hubert de

Boüard auprès d'une soixantaine de châteaux dans le Bordelais et à l'étranger, Philippe Nunes a acheté en 2005 un microcru de 38 ares en montagne-saint-émilion, le Clos Bertineau puis, en 2012, le Château la Laurence dans l'Entre-deux-Mers: 6,6 ha de merlot sur argilo-calcaires.

La Laurence est un petit cours d'eau qui sépare Montussan et Saint-Sulpice-et-Cameyrac, où sont situées les vignes de merlot à l'origine de ce vin superbe, qui fait suite à un 2012 élu coup de cœur dans l'édition précédente; une réussite d'autant plus méritoire qu'elle s'opère dans un millésime des plus compliqués. La couleur intense et profonde interpelle pour un 2013 et annonce un vin de matière. Le bouquet, net et puissant, marie les fruits noirs, la griotte, le café torréfié et l'amande douce. Le palais, tout aussi expressif, apparaît souple en attaque, puis dense et riche, porté par des tanins mûrs et fins. Un beau et long retour aromatique fruité et épicé laisse la bouche fraîche. ⧗ 2018-2023 🍷 noix de joue de bœuf sauce vin

SCEA VIGNOBLES DE LA LAURENCE, 5, rte des Mimosas, 33450 Montussan, tél. 06 81 99 37 32, contact@chateaulaurence.fr V r.-v. *Philippe Nunes*

LÉO BY LÉO 2014

■	100 000	5 à 8 €

Héritiers d'une lignée établie à Saint-Émilion depuis plusieurs siècles, le comte Léo de Malet Roquefort et son fils Alexandre sont propriétaires du château la Gaffelière, 1er grand cru classé B; ils ont acquis en 1999 le château Armens, dans la même appellation, et ont fondé en 1995 une maison de négoce qui propose des saint-émilion et des bordeaux sous différentes marques (Léo de la Gaffelière, Les Hauts de la Gaffelière, L'instant).

Premier millésime pour cette nouvelle cuvée de la maison Malet Roquefort. Un 100 % merlot plaisant par son bouquet fin de fruits rouges mûrs et de noisette comme par son palais souple, léger, élancé, fruité et épicé. Un vin convivial et prêt à boire. ⧗ 2016-2019 🍷 tartare de bœuf

MAISON MALET ROQUEFORT, BP 12, Champs-du-Rivalon, 33330 Saint-Émilion, tél. 05 57 56 40 80, m.deval@malet-roquefort.com

EOS DU CH. DE LUGAGNAC 2014

■	7 200		15 à 20 €

Commandé par un château féodal datant des XIe et XIIIes., partiellement remanié au XVIIes., ce cru de l'Entre-deux-Mers est l'une des valeurs sûres en appellations régionales. Propriété de la famille Bon à partir de 1969, il est passé sous pavillon chinois en 2012. Le vignoble est en cours de conversion bio.

Une cuvée bien connue des lecteurs, dont les versions 2009 et 2010 notamment firent sensation et obtinrent un coup de cœur. Le 2014, plus modeste, offre de bons atouts: un nez discret mais harmonieux de violette, de cassis et de boisé torréfie (vingt-quatre mois de fût), et un palais rond, ample, charnu et plein, encadré par des tanins soyeux. Une pointe animale le pénalise un peu, mais une petite aération lui rendra son fruit. ⧗ 2017-2022 🍷 civet de chevreuil

SCEA DU CH. DE LUGAGNAC, 33790 Pellegrue, tél. 05 56 61 30 60, contact@lugagnac.com *Yi Gao*

CH. MAISON NOBLE SAINT-MARTIN 2014 ★

■	120 000		5 à 8 €

Les origines de cette propriété de l'Entre-deux-Mers remontent au XIVes. Le château a été détruit pendant la Révolution. Aujourd'hui, 75 ha de vignes permettent à Bertrand Gonzalez de proposer des appellations régionales et de l'Entre-deux-Mers.

Si le boisé est encore bien présent ici, le vin a bien su se l'approprier. Très intense, sur des notes de fruits noirs et de cacao, le nez offre un beau mariage du merrain et du raisin. Concentrée, corpulente, structurée par des tanins fins, riche en fruits mûrs, la bouche affiche une puissance certaine mais bien apprivoisée. Une pointe d'acidité apporte une fraîcheur appréciable en finale. ⧗ 2018-2022 🍷 rôti d'agneau au paprika

SARL CH. MAISON NOBLE SAINT-MARTIN, 1, Maison Noble, 33540 Saint-Martin-du-Puy, tél. 05 56 71 86 53, maison.noble@orange.fr V r.-v. 4

CH. MAJOUREAU Cuvée Hyppos 2014 ★

■	10 000		5 à 8 €

L'une des belles étiquettes en saint-macaire, également présente en AOC régionales. Un cru de 38 ha, propriété des Delong depuis cinq générations, en polyculture jusqu'en 1981, date de la première mise en bouteilles. Mathieu, désormais épaulé par sa sœur Émeline, est aux commandes depuis 2002, avec l'agriculture biologique en ligne de mire.

Dominée par le merlot (90 %, avec le cabernet franc en complément), cette cuvée dévoile un nez complexe et gourmand de fruits rouges et noirs sur un fond boisé bien intégré. Une attaque ample prélude à une bouche tout en rondeur suave, renforcée par des tanins veloutés et d'agréables notes torréfiées qui signent un élevage élégant et savamment dosé. Un vin bien en chair, tendre et harmonieux. ⧗ 2017-2022 🍷 involtini de veau au romarin

FAMILLE DELONG, 1, Majoureau, 33490 Caudrot, tél. 05 56 62 81 94, familledelong@hotmail.com V r.-v.

CH. DE MARSAN 2014 ★

■	100 000		5 à 8 €

Paul Gonfrier, rapatrié d'Algérie, rachète au début des années 1960 le Ch. de Marsan, terre noble fondée au XVIIes. sur la rive droite de la Garonne: le berceau des domaines familiaux. Ses fils Philippe et Éric suivent ses traces après 1985. Aujourd'hui, pas moins de 400 ha et douze châteaux.

Si le nez de ce 2014 est un peu éteint, il dévoile à l'aération un prometteur fruité mûr et épicé. La bouche est harmonieuse, franche et longue, bâtie sur des tanins encore un peu sévères mais très élégants. Un vin sincère et promis à une belle évolution. ⧗ 2017-2021 🍷 gigot d'agneau

SCEA GONFRIER FRÈRES, Ch. de Marsan, BP 7, 33550 Lestiac-sur-Garonne, tél. 05 56 72 14 38, contact@vignobles-gonfrier.fr V t.l.j. 9h-17h30; sam. dim. sur r.-v.

CH. MORILLON 2014 ★★

■	7000		11 à 15 €

Établi dans le Blayais, le Ch. Morillon, belle chartreuse du XVIIIe s., a été construit sur les ruines d'un château féodal du XIIIe s., dans lequel séjourna Saint Louis en 1242. Installés en 2004, Jean-Marie et Chantal Mado y conduisent, en bio certifié depuis 2007, un vignoble de 20 ha.

Une petite parcelle d'un hectare de merlot est à l'origine de ce 2014 haut en couleur. La robe est profonde et dense, le nez intense et généreux, sur les petits fruits mûrs (groseille, framboise, cassis), les épices douces et la violette. Une approche des plus gourmandes qui précède un palais tout aussi savoureux, ample, puissant, chaleureux, aux tanins du bois et du raisin mûrs et fondus, avec en filigrane une fine fraîcheur qui cisèle le vin jusqu'en finale et lui donne une grande allonge. ⌛ 2017-2023 🍷 pavé de bœuf sauce vigneronne

SCEA CHANTAL ET JEAN-MARIE MADO, 1, Morillon, 33390 Campugnan, tél. 06 76 41 14 18, jmm@chateau-morillon.com V r.-v.

CH. LA MOTHE DU BARRY Cuvée Design 2014 ★★

■	15000		8 à 11 €

Jean Duffau vend en bouteilles dès 1970. Joël, qui travaille depuis 1985 avec son père, a pris le relais en 1999. Il ne s'interdit pas les avancées techniques, tout en engageant en 2010 la conversion bio du cru (40 ha). Ses deux étiquettes – Les Arromans et La Mothe du Barry – sont incontournables en bordeaux et en entre-deux-mers.

De 3 ha de terre argilo-calcaire plantés du seul merlot, Joël Duffau extrait une cuvée qui porte beau dans sa robe intense et sombre. Une intensité à laquelle fait écho un nez bien ouvert sur les fruits noirs et un bon bois chauffé, grillé et vanillé, et un palais rond et suave, aux tanins de velours. Un vin riche et savoureux, élégant et racé. ⌛ 2017-2022 🍷 agneau de sept heures

JOËL DUFFAU, 2, Les Arromans, 33420 Moulon, tél. 05 57 74 93 98, joel.duffau@aliceadsl.fr V t.l.j. sf dim. 8h-12h 14h-19h 5

CH. NAUDY 2014 ★★

■	12000		5 à 8 €

Proche de la Réole, aux confins sud-est du vignoble girondin, ce petit vignoble familial (2,5 ha) exposé plein sud offre un joli point de vue sur la Garonne. Professeur d'agronomie, de viticulture et d'œnologie, Bernard Vincent a abandonné l'enseignement pour mettre en pratique ses connaissances sur cette propriété reprise en 1990.

Coup de cœur dans le millésime 2013, le domaine signe un 2014 qui associe les mêmes cépages que son aîné mais dans des proportions légèrement différentes: merlot à 62 %, cabernet-sauvignon à 28 % et petit verdot à 10 %. Même cuvaison longue et même élevage d'un an en barriques et même résultat emballant: au nez, de jolies notes de fruits frais et de fruits plus confits sur un fond boisé très fondu; bouche fruitée, ronde, tendre et soyeuse, aux tanins aimables et fins, un brin plus marqués en finale. Déjà très harmonieuse, cette bouteille évoluera bien. ⌛ 2017-2023 🍷 selle d'agneau en croûte d'herbes

VINCENT BERNARD, 1 Terrefort, 33190 Montagoudin, tél. 05 56 57 06 41, bernardvincent33@hotmail.com V r.-v.

CH. DE PARENCHÈRE Cuvée Raphaël 2013 ★

■	45000		8 à 11 €

Aux confins des départements de la Gironde et de la Dordogne, un château de style périgourdin, construit en 1570 par Pierre de Parenchère, gouverneur de la région de Sainte-Foy-la-Grande, et un vaste domaine (65 ha de vignes), régulier en qualité. Raphaël Gazaniol, viticulteur rapatrié du Maroc, l'a acquis en 1958 et transmis à son fils Jean, rejoint en 2006 par Julia – la troisième génération.

Une cuvée souvent en vue dans ces pages – la version 2011 fut coup de cœur. Le 2013 a fait belle impression dans un millésime à haut risque. Au nez, des arômes très élégants de raisins frais, de violette et de boisé fin aux tonalités d'amande grillée. En bouche, beaucoup de corps et de volume, des tanins bien arrimés, au grain fin et serré, et une pointe de fraîcheur qui souligne le tout et augure une belle évolution en cave. ⌛ 2018-2024 🍷 magret de canard au piment

CH. DE PARENCHÈRE, Dom. de Parenchère, BP 57, 33220 Ligueux, tél. 05 57 46 04 17, info@parenchere.com V r.-v. *Wine Yard SA*

CH. PENIN 2014 ★

■	80000		5 à 8 €

L'une des valeurs sûres des appellations régionales, avec plusieurs coups de cœur à son actif. Un cru de 42 ha établi sur un terroir de graves, sur la rive gauche de la Dordogne, face à Saint-Émilion. Fondé par la famille Carteyron en 1854, il est dirigé depuis 1982 par Patrick, œnologue.

Une belle expression fruitée et confite se dégage du verre à travers des notes de cassis mûr et de figue sèche. Le palais, souple et harmonieux, bâti sur des tanins caressants, prolonge ce fruité intense avec plus de fraîcheur et un brin d'épices en complément. Une bouteille sincère et expressive que l'on pourra ouvrir sans trop attendre. ⌛ 2017-2020 🍷 hamburger

PATRICK CARTEYRON, Ch. Penin, 39, impasse Couponne, 33420 Génissac, tél. 05 57 24 46 98, vignoblescarteyron@orange.fr V t.l.j. sf dim. 8h30-12h 14h-18h; sam. sur r.-v.

CH. PERTIGNAS Cuvée Spéciale 2014 ★

■ | 15000 | | 8 à 11 €

Un domaine de 35 ha de l'Entre-deux-Mers sorti de la cave coopérative en 1998. À sa tête, Pierre Gauthier, rejoint par son fils Vincent en 2003.

Pas de bois et une base de raisins très mûrs (merlot à 55 % et cabernet-sauvignon) pour cette cuvée élaborée uniquement les bonnes années. 2014 fut un bon millésime pour les Gauthier et cela se ressent dans le verre à travers une belle expression de fruits rouges, de fraise écrasée notamment, prolongée avec persistance par une bouche ample, généreuse, fraîche et soyeuse, aux tanins souples et bien policés. ⧗ 2017-2021 ▼ confit de canard

GAUTHIER, 23, Le Bourg, 33420 Saint-Vincent-de-Pertignas, tél. 06 08 26 85 38, vincent.gauthier608@orange.fr V ✶ ■ *r.-v.* ❷

PETIT SOLEIL 2013 ★

■ | 9000 | | 8 à 11 €

Un manoir du XV[e]s. et un vignoble situé sur la rive gauche de la Garonne, face à Saint-Émilion. Ce dernier, important avant la crise phylloxérique, ne couvre plus que 6 ha, mais ses vins sont remarqués depuis la fin des années 1990. La qualité perdure après le rachat du cru en 2004 par un médecin allemand, Michael Hallek, qui pratique une viticulture proche du bio.

Le second vin de la propriété (merlot à 95 % avec un soupçon de cabernet franc) a été unanimement apprécié pour son équilibre. Au nez, les fruits rouges mûrs voisinent sans fausse note avec un boisé élégant et judicieusement ajusté. Même sensation d'harmonie dans une bouche ample, douce, généreuse et persistante, étayée par des tanins aimables et ronds. ⧗ 2017-2021 ▼ bœuf bourguignon

CH. LE PIN BEAUSOLEIL, 33420 Saint-Vincent-de-Pertignas, tél. 05 57 84 02 56, lepin.beausoleil@wanadoo.fr V ✶ ■ *r.-v.* *SCEA Mivida*

CH. PEYNAUD 2014 ★

■ | 50000 | | 5 à 8 €

Issu d'une longue lignée de vignerons, Régis Chaigne, ingénieur agronome installé en 1992, exploite un bel ensemble viticole de 43 ha (35 ha de rouge et 7 ha de blanc) sur les communes de Saint-Laurent-du-Bois, Cantois, Saint-Martial, Saint-Pierre-de-Bat et Gornac.

Ce vin plein et harmonieux est issu de merlot (70 %) et de cabernet-sauvignon. Très expressif par son nez de fruits mûrs (prune, cassis) et d'épices, il déploie une belle matière ample, suave et ronde, épaulée par des tanins bien enrobés, et une longue finale fruitée. ⧗ 2017-2020 ▼ onglet à l'échalote

VIGNOBLES CHAIGNE ET FILS, Ch. Ballan-Larquette, 33540 Saint-Laurent-du-Bois, tél. 05 56 76 46 02, regis@chaigne.fr V ✶ ■ *r.-v.*

CH. PIERRAIL Les Hauts de Naudon 2014 ★

■ | 60000 | | 5 à 8 €

Aux confins du Bergeracois, un vrai château (XVII[e]s., tours carrées, toiture à la Mansart) devenu un grand château du vin depuis que la famille Demonchaux, qui l'a acquis en 1970, préside à sa destinée. Incontournable en bordeaux supérieur, très sûr aussi en bordeaux rouge ou blanc. La propriété dispose d'un vaste vignoble de 75 ha (et autant de vergers et de noyers).

La parcelle Naudon à l'origine de ce vin est plantée en merlot (90 %) et en cabernet franc. Si le nez est encore un peu fermé et un brin animal, on sent poindre un beau fruité, noir et frais, à l'agitation. La bouche, vineuse sans lourdeur grâce à une fine fraîcheur en soutien, ample et bien charpentée, se révèle plus expansive. Un bel avenir en perspective. ⧗ 2018-2022 ▼ carré de veau au romarin ■ **2014 (8 à 11 €; 213000 b.)** : vin cité.

EARL CH. PIERRAIL, 33220 Margueron, tél. 05 57 41 21 75, alice.pierrail@orange.fr V ✶ ■ *r.-v.* *Demonchaux*

Ⓑ CH. DE PIOTE 2014

■ | 10000 | | 5 à 8 €

Un domaine familial repris en 1998 par Virginie Aubrion, à la tête d'un vignoble de 14 ha qu'elle a rénové et agrandi et qu'elle conduit en bio et en biodynamie.

Ce vin semble viser clairement la légèreté et le fruit, et c'est réussi. Au nez comme en bouche, les fruits rouges rehaussés d'épices sont bien présents; le palais se montre souple et frais, épaulé par des tanins fondus et discrets. Pour un plaisir immédiat. ⧗ 2016-2019 ▼ assiette de charcuterie

VIRGINIE AUBRION, Ch. de Piote, 33240 Aubie-Espessas, tél. 05 57 43 96 10, chateau.piote-aubrion@wanadoo.fr V ✶ ■ *r.-v.*

QUEYNAC 2013

■ | 10000 | | 5 à 8 €

Stéphane Gabard a repris en 1999 avec son épouse Paola la propriété familiale établie dans la vallée de l'Isle, au nord de Fronsac. Son vignoble de 41 ha est dédié aux appellations régionales, qu'il propose sous les étiquettes Ch. La Gabarre, Ch. Croix de Queynac et Queynac.

Après douze mois de barrique, ce 2013 s'ouvre sur un boisé torréfié et vanillé bien mené qui laisse sa part aux fruits, rouges et mûrs. Le palais s'appuie lui aussi sur un élevage sensible mais bien dosé, qui épaule une structure tannique ferme et vigoureuse, encore assez austère. ⧗ 2018-2022 ▼ côte de bœuf

EARL VIGNOBLES GABARD, 25, rte de Cavignac, 33133 Galgon, tél. 05 57 74 30 77, vignobles.gabard@gmail.com V ✶ ■ *t.l.j. sf dim. 9h-12h30 14h-18h; sam. 9h-12h*

CH. LES RAMBAUDS Cuvée Crème de fût 2014 ★

■ | 15000 | | 5 à 8 €

Domaine viticole constitué en 1912 par les grands-parents de Bernard Cazade, non loin de la Réole, à l'extrême sud-est du vignoble girondin. Les premières bouteilles sont vendues en 1968. Installé en 1985, le vigneron actuel expérimente le bio sur une partie de ses 40 ha de vignes.

Le nom de cette cuvée annonce la couleur. Et pourtant, si le bois est bien présent à travers de fines notes toastées et vanillées, le fruit n'est pas en reste (cerise, cassis). Il en va de même en bouche où bois et fruit font bon ménage, où le vin se montre ample et rond, soutenu par des tanins mûrs et fondus. ⧗ 2016-2020 ▼ rôti de veau aux champignons

⊶ EARL DES RAMBAUDS, 1, Les Rambauds, 33190 Fossés-et-Baleyssac, tél. 05 56 61 72 72, vignoblesrambauds@hotmail.fr V ⚲ ▮ *t.l.j. sf sam. dim. 9h15-17h ⊶ Bernard Cazade*

♥ CH. RECOUGNE 2014 ★★

■ | 430 000 | ▮ | 5 à 8 €

Ce domaine réputé situé dans le Fronsadais, au nord de Libourne, est propriété de la famille Milhade depuis 1938. Xavier Milhade a aujourd'hui passé la main à ses enfants Marc et Élodie, qui ont la charge de ce vignoble de coteaux, étendu sur 70 ha.

Recougne vient du latin *terra recognita* («terre reconnue»); si l'on ne découvre pas que l'on produisait du bon vin sur le domaine, à l'aveugle, les dégustateurs ont reconnu un grand vin et sa dominante de merlot (77 %), perceptible par des arômes gourmands en diable de fruits noirs, de violette, d'épices et de réglisse. Une présence perceptible aussi par cette rondeur caractéristique qui imprime sa marque à une bouche intense, dense, ample, veloutée, aux tanins à la fois fermes et fins. En soutien, une pointe de fraîcheur apporte un surcroît de nerf et une allonge magnifique. Ne pas attendre cette vraie bouteille de garde serait pécher, mais qu'il est tentant d'y succomber... ⧗ 2019-2026 ▼ gigot d'agneau ail et romarin ■ **Ch. Montcabrier 2014 (5 à 8 €; 60 000 b.)** : vin cité.

⊶ EARL RECOUGNE, 1, rte de Savignac, 33133 Galgon, tél. 05 57 50 33 33, contact@chateau-recougne.fr V ⚲ ▮ *r.-v. ⊶ Xavier Milhade*

♥ CH. ROBERPEROTS Cuvée Olivia Élevé en fût de chêne 2014 ★★

■ | 33 300 | ◍ | - de 5 €

Terre de Vignerons est l'union de production et de commercialisation d'une quinzaine de coopératives de l'Entre-deux-Mers et du Pays Duraquois. Elle représente 15 000 ha de vignes et 1 500 coopérateurs, dont les raisins sont accueillis sur dix-neuf sites de production. Un acteur de poids de la coopération girondine.

Cette cuvée Olivia, née des seuls cabernets (dont 76 % de la version sauvignon), n'en est pas à son premier coup d'éclat: les millésimes 2010 et 2012 ont eux aussi obtenu un coup de cœur. Le 2014 est un vin sombre, profond et généreusement bouqueté sur la pâte de fruits rouges, le café et les épices douces. La bouche, à l'unisson, est riche, consistante, charnue, bien assistée par des tanins solides et un boisé racé qui renforce et complexifie le vin sans l'écraser. ⧗ 2018-2024 ▼ épaule d'agneau à la broche

⊶ TERRE DE VIGNERONS, 17-19, rte des Vignerons, 33790 Landerrouat, tél. 05 56 61 33 73, a.mauro@terredevignerons.com

CH. ROC DE LEVRAULT 2014 ★★

■ | 80 000 | ▮ | 5 à 8 €

À chaque génération, une nouvelle pierre à l'édifice. En 1932, Marcel Ballarin crée le domaine à partir de 5 ha de vignes blanches. Son fils Roger le porte à 10 ha, plante des vignes rouges et lance la vente en bouteilles. Son petit-fils Rémi, installé en 2001, a fortement développé l'export (80 %) et conduit aujourd'hui un vignoble de 30 ha.

À l'intensité de la robe, sombre tirant vers le noir, fait écho celle d'un bouquet généreux de fruits noirs et rouges mûrs mâtinés d'épices. Un écho qui résonne aussi dans un palais ample et rond, soyeux et puissant, aux tanins fermes et denses. Encore plein de fougue, ce vin devra patienter en cave avant d'atteindre son apogée. ⧗ 2018-2024 ▼ baeckeoffe de gibier

⊶ SCEA VIGNOBLES BALLARIN, quartier Saint-Romain, 33540 Sauveterre-de-Guyenne, remi.ballarin@wanadoo.fr V ⚲ ▮ *r.-v.* ⌂ Ⓑ

CH. LA SAUVEGARDE Champs de Beneyteau 2014 ★

■ | 10 000 | ▮ | - de 5 €

Chasse, cèpes et vigne composent l'environnement de ce domaine de 29 ha isolé au milieu des bois et commandé par une bastide du XIXᵉs. À sa tête depuis 1998, Sébastien Petit, souvent en vue pour ses vins d'appellations régionales.

Un joli nez, net et sans bavure, associe les fruits rouges à la violette. On retrouve ces sensations dans une bouche longue, ample et très équilibrée, ronde et fraîche à la fois, offrant une belle mâche autour de tanins fondus. ⧗ 2017-2021 ▼ rôti de bœuf ■ **2014 (- de 5 €; 10 000 b.)** : vin cité.

⊶ SCF LA SAUVEGARDE, Ch. la Sauvegarde, 33790 Soussac, tél. 05 56 61 33 78, haut-rieuflaget@wanadoo.fr V ⚲ ▮ *r.-v.* ⌂ Ⓓ

CH. DE SEGUIN Cuvée Carpe Diem 2014 ★

■ | 20 800 | ◍▮ | 8 à 11 €

Un domaine régulier en qualité que cette vaste unité (120 ha de vignes) située dans l'Entre-deux-Mers. En 2013, il a été racheté à des négociants scandinaves par la famille Mottet (Ch. la France).

Cette cuvée Carpe Diem est issue du seul merlot. Elle offre un nez très expressif et gourmand de coco, de résine, de réglisse et de fruits rouges. Une attaque franche ouvre sur une bouche bien équilibrée, ronde, suave et généreuse sans manquer de fraîcheur et soutenue par des tanins fondus et un boisé qui sait rester discret. ⧗ 2018-2022 ▼ burger d'agneau

SC DU CH. DE SEGUIN, 33360 Lignan-de-Bordeaux, tél. 05 57 97 19 81, nathalie.lagrue@bwine-bordeaux.com r.-v. Famille Mottet

LA SOURCE DU CH. DE SOURS 2013 ★

	9000		8 à 11 €

Le Ch. de Sours est entouré de 80 ha de vignes. Cette belle demeure fut édifiée par les comtes de Richemont ayant eux-mêmes planté les premiers ceps. Acquis par le Britannique Martin Krajewski en 2004, il vient d'être revendu en février 2016 au milliardaire chinois Jack Ma, fondateur du géant du commerce en ligne Alibaba.

Ce pur merlot très réussi, a fortiori dans ce millésime difficile, dévoile un nez intense de fruits frais finement boisés et agrémentés de notes d'humus et de truffe. Bien équilibré en bouche, il s'appuie sur un boisé mesuré et sur des tanins jeunes et frais avant de s'étirer dans une jolie finale ample et alerte. 2018-2021 faisan aux raisins

SCEA CH. DE SOURS, Le Sours, 33750 Saint-Quentin-de-Baron, tél. 05 57 24 10 81, valerie@chateaudesours.com r.-v.

CH. TURCAUD Cuvée Majeure 2014 ★

	19400		8 à 11 €

Un cru de 50 ha fondé en 1973 par Simone et Maurice Robert, conduit avec le même talent depuis 2009 par leur fille Isabelle et son époux Stéphane Le May. Abandon progressif du désherbage chimique, rendements limités, approche parcellaire pour chaque cuvée: un travail de précision au service des AOC régionales et des entre-deux-mers.

Si le boisé est encore sensible dans cette cuvée associant merlot (60 %) et cabernet-sauvignon, c'est un bon boisé élégant qui laisse le fruit respirer. En bouche, il accompagne sans l'écraser une structure tannique ferme sans dureté, qui promet une bonne évolution à la garde. 2018-2022 baron d'agneau

EARL VIGNOBLES ROBERT, Ch. Turcaud, 1033, rte de Bonneau, 33670 La Sauve, tél. 05 56 23 04 41, chateau-turcaud@wanadoo.fr r.-v.

CH. VERGNES-BEAULIEU 2014

	25000		8 à 11 €

Univitis est une coopérative regroupant 230 adhérents et 2 000 ha dans le «grand Sud-Ouest» viticole. Elle propose une large gamme de vins de marque et de propriétés dans une quinzaine d'AOC, à laquelle s'ajoute le Ch. les Vergnes acquis en 1986 (130 ha près de Sainte-Foy).

Âtre de cheminée, toast grillé, tabac, le nez de ce 2014 respire le bois. Un boisé intense qui anime aussi le palais, chaleureux, suave, bien structuré et vivifié par une pointe d'acidité bienvenue. Un vin encore en prise de bois mais prometteur. 2018-2021 carré d'agneau

SCA UNIVITIS, 1, rue du Gal-de-Gaulle, 33220 Les Lèves-et-Thoumeyragues, tél. 05 57 56 02 02, univitis@univitis.fr t.l.j. sf dim. lun. 9h-12h30 14h30-19h

CH. VERMONT Réserve 2014

	50000		5 à 8 €

Commandée par un ravissant château du XIXe s. entouré de 40 ha de vignes, cette propriété de l'Entre-deux-Mers appartient à la même famille depuis les années 1880. C'est depuis 2010 la quatrième génération – Élisabeth et son mari David Labat – qui est aux commandes.

Dédiée à l'unique merlot, une cuvée harmonieuse, ouverte sur des notes d'amandes, de cerises au kirsch, de réglisse et de grillé. En bouche, un bon fruité, de la fraîcheur et du soyeux. Une petite dureté tannique marque la finale et appelle une courte garde. 2017-2020 bavette à l'échalote

EARL CH. VERMONT, 33760 Targon, tél. 05 56 23 90 16, chateauvermont@chateau-vermont.fr r.-v.

CH. LA VERRIÈRE 2014 ★★

	250000		5 à 8 €

Les Bessette sont implantés depuis plusieurs générations à Landerrouat, où ils ont acquis le Ch. La Verrière, créé en 1900 aux confins du Lot-et-Garonne. Restructuré dans les années 1960 par André Bessette, relayé à partir de 1999 par son fils Alain, ce cru de 60 ha s'est imposé comme une référence en appellations régionales. Autre étiquette de la famille Bessette: le ch. Bailloux-Rival, acquis en 2005.

Plutôt sauvage, ce 2014 à dominante de merlot s'ouvre sur des notes giboyeuses et sur le cuir avec une forte touche épicée et quelques nuances de moka. La bouche, ample, généreuse, consistante et corsée, aux tanins soyeux et mûrs, le classe dans la catégorie «supérieure» des bordeaux supérieurs. Un très beau classique, déjà harmonieux tout en offrant de belles promesses. 2017-2022 osso bucco

EARL ANDRÉ BESSETTE, 8, La Verrière, 33790 Landerrouat, tél. 05 56 61 39 56, alainbessette@orange.fr r.-v.

CH. VIRCOULON 2014 ★

	58666	- de 5 €

Propriété familiale (quatre générations) proche de Castillon-la-Bataille et voisine du Bergeracois, autrefois tournée vers la polyculture, entièrement dédiée à la vigne depuis sa reprise en 1983 par Patrick Hospital.

Un joli nez généreux et fruité de fraise cuite annonce un vin gourmand. Et de la gourmandise, on en retrouve en bouche, où le vin se fait ample, rond, souple et velouté, avant de montrer plus de fermeté en finale que le temps amadouera. 2017-2021 magret grillé

PATRICK HOSPITAL, Vircoulon, 33220 Saint-Avit-de-Soulège, tél. 05 57 41 05 99

CRÉMANT-DE-BORDEAUX

Production : 19 560 hl (85 % blanc)

AOC depuis 1990, le crémant-de-bordeaux est élaboré selon les règles très strictes de la méthode

traditionnelle – communes à toutes les appellations de crémant – à partir de cépages classiques du Bordelais, blancs comme noirs. Les crémants sont généralement blancs mais ils peuvent aussi être rosés.

RÉ2,5 MY BRÈQUE ★

| 3000 | | 5 à 8 € |

En 1927, Rémy Brèque, professeur de violon, crée près de Saint-André-de-Cubzac une maison de négoce spécialisée dans les bulles bordelaises, mettant à profit les anciennes carrières souterraines de Saint-Gervais. La quatrième génération poursuit son œuvre et signe désormais des vins bio.

Fruit d'un assemblage à parts sensiblement égales de sauvignon, sémillon et muscadelle, ce brut bio dévoile des arômes délicats et complexes de rose blanche, de fruits jaunes, de citron et de fruits exotiques. Une attaque légèrement réglissée ouvre sur une bouche bien équilibrée, grasse et tendre avec en soutien une pointe d'acidité bien sentie. Joli retour floral en finale. 2016-2018 verrines saumon et fromage frais

RÉMY BRÈQUE, 8, rue du Commandant-Cousteau, 33240 Saint-Gervais, tél. 05 57 43 10 42, remy.breque@orange.fr r.-v.

CHARME D'ALIÉNOR ★

| 200000 | 5 à 8 € |

Créée en 2007 dans l'Entre-deux-Mers, l'Union de Guyenne regroupe les coopératives de Saint-Pey-Génissac et de Sauveterre-Blasimon. Elle a le double statut de récoltant et de négociant.

Mi-merlot mi-cabernet, cette cuvée pâle aux reflets abricotés dévoile des arômes de mangue mûre et de pêche de vigne. Une attaque crémeuse annonce un palais suave et tendre, équilibré par une fine acidité aux tonalités d'agrumes. 2016-2018 salade de fruits

UNION DE GUYENNE, 15, le Bourrassat, 33540 Sauveterre-de-Guyenne, tél. 05 56 71 10 04, p.mondin@uniondeguyenne.fr t.l.j. sf dim. lun. 9h-12h 14h-18h

JAILLANCE Cuvée de l'Abbaye ★★

| 130000 | | 8 à 11 € |

Cette coopérative fondée en 1950 est l'acteur principal du Diois viticole: 224 adhérents pour quelque 1 100 ha de vignes (dont 14 % cultivés en bio), soit plus de 70 % de la production locale. La cave s'est aussi développée dans le Bordelais, où elle produit du crémant-de-bordeaux.

Ce pur merlot se présente dans une robe cristalline très élégante. Une élégance qui annonce celle du bouquet, ouvert sur les petits fruits rouges, le cassis et une touche mentholée. En bouche, de la fraîcheur à revendre, renforcée par une belle trame minérale et acidulée. Un crémant plein de fougue et de jeunesse. 2016-2019 tarte aux fraises ★ **(5 à 8 €; 130000 b.)** : un 100 % sémillon élégant, ample et harmonieux, sur les fruits blancs et le pain grillé. 2016-2019

LA CAVE DE DIE JAILLANCE, 355 av. de la Clairette, 26150 Die, tél. 04 75 22 30 00, info@jaillance.com t.l.j. 9h-12h30 14h30-19h

♥ LATEYRON Centenaire ★★★

| n.c. | 5 à 8 € |

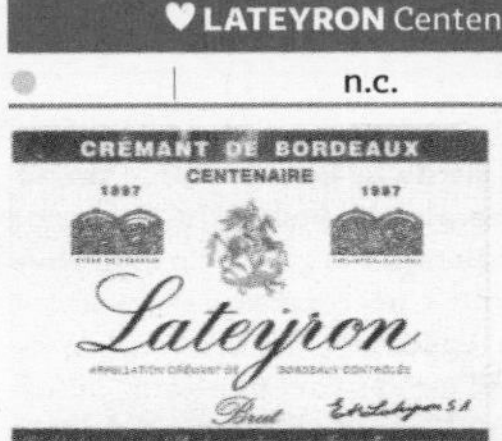

Une vieille famille du Saint-Émilionnais. Établie au nord de Montagne sur le site des célèbres moulins de Calon, la maison s'est spécialisée, dès sa fondation en 1897 par l'avant-gardiste Jean-Abel, dans la prise de mousse, sans négliger ses rouges tranquilles. Depuis 2009, elle est conduite en bio par Corinne Lateyron et son frère Lionel.

On ne compte plus les coups de cœur obtenus par cette vénérable maison de négoce qui érige une fois de plus la bulle bordelaise au sommet. Ici, une bulle très fine qui anime un crémant jaune pâle et brillant, d'une grande finesse et d'une réelle complexité olfactives: fleurs blanches, fruits jaunes légèrement confits, mangue, ananas, touche épicée... Une complexité prolongée par une bouche d'une puissance et d'un volume impressionnants, avec toujours cette finesse de bulle qui caresse le palais sans le brusquer et une fraîcheur parfaitement dosée qui souligne l'ensemble et allonge la finale. 2016-2020 risotto aux fruits de mer **Abel Brut nature 2010 ★★ (11 à 15 €; n.c.)** : le premier millésime pour cette cuvée qui rend hommage au fondateur, à deux doigts du coup de cœur. Un brut non dosé vieilli trois ans sur lattes et issu d'une association de plusieurs parcelles de vieilles vignes de sémillon et d'un peu de cabernet franc (20 %). Au nez, un côté gourmand et flatteur de brioche, de pain frais et d'épices douces, que l'on retrouve avec intensité dans une bouche à la fois ample, souple, fraîche et élégante. 2016-2020 ★ **(5 à 8 €; n.c.)** : une jolie robe saumonée, un nez frais, fruité (cerise, groseille), floral (œillet) et mentholé, un palais souple et suave, presque crémeux, mais sans jamais céder à la lourdeur grâce au soutien d'une fine acidité. 2016-2019

LATEYRON, Ch. Tour-Calon, 33570 Montagne-Saint-Émilion, tél. 05 57 74 62 05, lateyron@orange.fr r.-v.

PHILIPPE RAGUENOT Extra-brut

| 6000 | | 5 à 8 € |

Lise et Philippe Raguenot ont créé le Ch. des Tourtes en 1967, un cru régulier en qualité qui couvre 70 ha de vignes, auxquels s'ajoutent depuis 1998 les 26 ha du Ch. Haut Beyzac (haut-médoc). Aux commandes depuis 1997: les filles des fondateurs, Emmanuelle et Marie-Pierre, et leurs maris Daren Miller et Éric Lallez. À noter aussi la production de crémant.

Si l'on connaît bien les vins rouges du domaine, on en sait moins sur son crémant. Ici, un extra-brut 100 % sémillon, offrant une belle mousse et une bulle nerveuse, au nez discret mais fin de rose blanche; une touche florale à laquelle fait écho un palais frais et persistant. 2016-2018 gougères au comté

EARL RAGUENOT-LALLEZ-MILLER, 30, Le Bourg, 33820 Saint-Caprais-de-Blaye, tél. 05 57 32 65 15, contact@vignoblesraguenot.fr t.l.j. sf dim. 9h-12h 14h-17h30

➔ LE BLAYAIS ET LE BOURGEAIS

Blayais et Bourgeais, deux pays (plus de 9 000 ha) aux confins charentais de la Gironde que l'on découvre toujours avec plaisir. Peut-être en raison de leurs sites historiques, de la grotte de Pair-Non-Pair (avec ses fresques préhistoriques, presque dignes de celles de Lascaux), de la citadelle de Blaye (inscrite, avec d'autres fortifications, au patrimoine mondial par l'Unesco en 2008) ou de celle de Bourg, ou des châteaux et autres anciens pavillons de chasse. Mais plus encore parce que de cette région très vallonnée se dégage une atmosphère intimiste apportée par de nombreuses vallées, qui contraste avec l'horizon presque marin des bords de l'estuaire. Pays de l'esturgeon et du caviar, c'est aussi celui d'un vignoble qui, depuis les temps gallo-romains, contribue à son charme particulier. Pendant longtemps, la production de vins blancs a été importante; jusqu'au début du XXe s., ils étaient utilisés pour la distillation du cognac. Mais aujourd'hui, ils sont réservés à une production d'AOC bordelaises.

On distingue deux grands groupes: celui de Blaye, aux sols assez diversifiés (calcaires, sables, argilo-calcaires), et celui de Bourg, géologiquement plus homogène (argilo-calcaires et graves).

Le Blayais et le Bourgeais

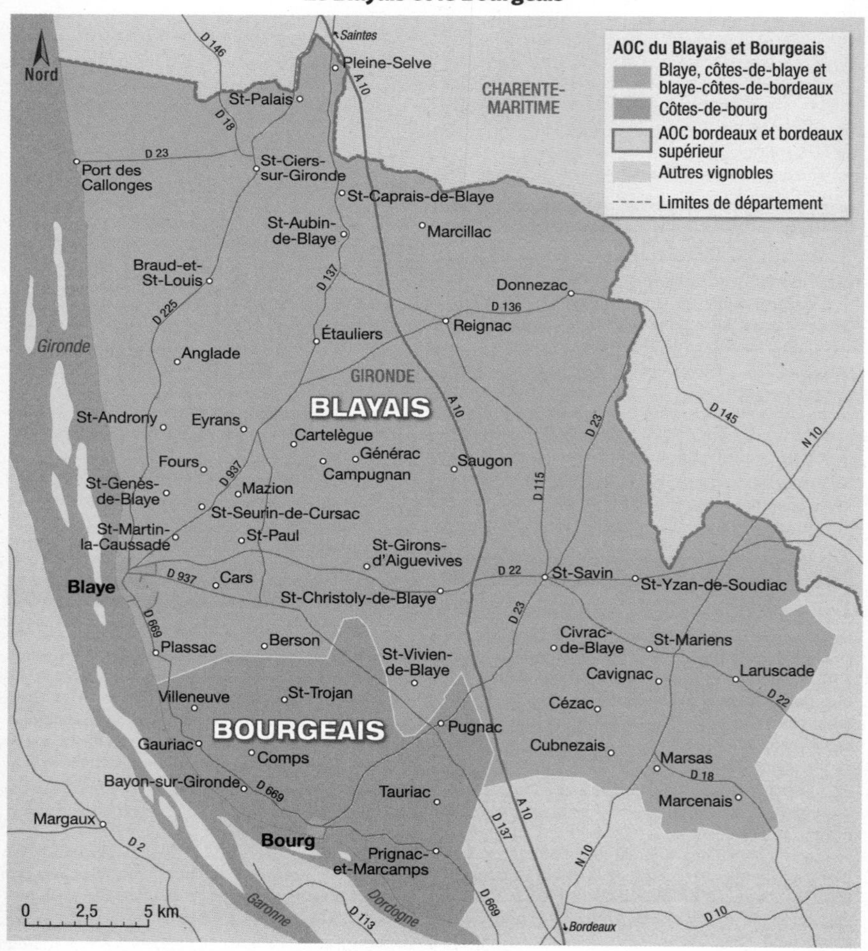

BLAYE

Superficie : 49 ha / Production : 2 100 hl

L'appellation, qui tire son nom de la fière citadelle construite par Vauban et qui s'étend dans trois cantons autour de la cité, connaît un regain d'intérêt depuis qu'en 2000 une nouvelle charte qualitative encourage la production de vins rouges charpentés et de garde, élevés dix-huit mois minimum.

CH. BEL-AIR LA ROYÈRE 2014 ★

■ | 15000 | ⊕ | 20 à 30 €

Corinne Chevrier-Loriaud et son mari Xavier, originaires des Charentes, ont acquis en 1992 13 ha de vignes répartis sur plusieurs parcelles du plateau argilo-calcaire de Cars et à l'origine de trois étiquettes: Les Ricards, Bel-Air La Royère et Bourjaud. Depuis que son mari s'occupe du bien public (conseiller général), Corinne Chevrier-Loriaud conduit seule le domaine, devenu l'une des belles références du Blayais.

Après un élevage luxueux de vingt-deux mois en barrique, ce vin né de merlot (65 %) et de malbec livre un bouquet naissant mais déjà profond de raisin mûr, d'épices, de réglisse et de boisé torréfié. Chaleureux, puissant, bien serré et solidement charpenté, le palais est bien dans le ton de l'appellation, stimulé par une belle finale minérale. De grande garde assurément. ⧗ 2019-2028 🍴 gigot d'agneau

⊶ *CHEVRIER-LORIAUD,*
1, lieu-dit Les Ricards, 33390 Cars,
tél. 05 57 42 91 34, chateau.belair.la.royere@wanadoo.fr
V 🚶 🍷 *t.l.j. sf dim. 9h-12h 13h-18h*

CH. LE CÔNE Vieilles Vignes 2014 ★★

■ | 13300 | ⊕ | 8 à 11 €

Situé à quelques centaines de mètres de la Citadelle, le vignoble des Lepage-Macé (50 ha) fut la propriété du duc de Saint-Simon, auquel Louis XIV rendit plusieurs fois visite et dont il appréciait aussi le vin, dit-on. Trois étiquettes blayaises ici: les châteaux Marquis de Vauban, la Voile d'or et le Cône.

Né des plus vieilles vignes de merlot (85 %), cabernet et petit verdot, ce vin a tout d'un grand. Robe dense et profonde, nez concentré et très intense, sur les baies noires et un beau boisé toasté, bouche chaleureuse, puissante, suave, aux tanins denses et soyeux, longue finale sur les fruits confiturés. La promesse d'une heureuse évolution en cave. ⧗ 2019-2028 🍴 coq au vin

⊶ *SCEA LEPAGE-MACÉ, rte des Cônes,*
33390 Blaye, tél. 05 57 42 80 37, contact@decancave.fr
V 🚶 🍷 *t.l.j. 9h-12h 14h-19h*

CH. MONCONSEIL GAZIN Grande Réserve 2013 ★★

■ | 4000 | ⊕ | 11 à 15 €

En 1989, Jean-Michel Baudet a pris la suite de son père Michel à la tête d'un vignoble regroupant trois propriétés familiales: Monconseil-Gazin, son fleuron (on raconte que Charlemagne y aurait tenu conseil après une bataille contre les Sarrasins), Ricaud et La Petite Rauque.

Un beau vin de caractère comme il se doit dans l'appellation. Robe grenat soutenu, nez puissant de fruits noirs mûrs et de réglisse agrémentés de notes briochées et d'une fine minéralité. On retrouve cette touche «terroitée» (pierre à fusil) dans une bouche ample et concentrée, aux tanins suaves et veloutés. ⧗ 2019-2026 🍴 daube de bœuf

⊶ *VIGNOBLES MICHEL BAUDET,*
15, rte de Compostelle, 33390 Plassac, tél. 05 57 42 16 63,
chateau@monconseilgazin.com
V 🚶 🍷 *t.l.j. sf dim. 9h30-12h30 14h-18h*

♥ CH. LES PIERRÈRES 2014 ★★

■ | 8660 | ⊕ | 8 à 11 €

Catherine et Sylvain Bordenave, relayés depuis 2003 par leurs fils Alexandre et Vincent, ont fait des Châteaux Haut-Canteloup et les Pierrères des références incontournables du Blayais. À leur disposition, un beau vignoble de 50 ha: 30 ha de vignes rouges dans la commune de Fours et 20 ha de vignes blanches à Saint-Palais-de-Blaye.

Cinquième coup de cœur pour ce cru depuis le millésime 2007 ! Une valeur (très) sûre qui s'impose ici avec un 2014 associant 20 % de malbec au merlot. Une seyante robe foncée aux reflets violines de jeunesse annonce la puissance et l'élégance du bouquet, ouvert sur les fruits noirs, la réglisse, l'amande grillée et le café. La bouche ? Tout en puissance contrôlée, chaleureuse, dense et corsée, bâtie sur des tanins à la fois très serrés et très fins. Une longue vie à l'ombre de la cave en perspective. ⧗ 2019-2030 🍴 filet de bœuf sauce café

⊶ *EARL BORDENAVE ET FILS,*
8, chem. de la Palanque, 33390 Fours,
tél. 09 61 43 19 25, chateau-hautcanteloup@wanadoo.fr
V 🚶 🍷 *t.l.j. sf dim. 8h-12h 14h-18h*

CH. LA RAZ CAMAN 2013 ★

■ | 40000 | ⊕ | 8 à 11 €

Une ancienne terre noble, propriété au XVIIe s. du chevalier seigneur de la Raz Caman, entrée en 1857 dans la famille de Jean-François Pommeraud. Ce dernier, installé en 1973, a donné une nouvelle vie à ce vignoble, qui s'étend aujourd'hui sur 40 ha.

Un beau représentant de l'appellation dans un millésime très compliqué. À une robe profonde répond un bouquet intense de fruits rouges et noirs sur un fond chocolaté et réglissé. Passé une attaque souple et fraîche, la bouche apparaît riche et concentrée, adossée à des tanins fins. Un vin très équilibré et déjà fort charmeur. ⧗ 2018-2026 🍴 lamproie à la bordelaise

⊶ *SCEV VIGNOBLES POMMERAUD,*
4, Ch. la Raz Caman, 33390 Anglade, tél. 05 57 64 41 82,
raphael.pommeraud@larazcaman.com
V 🚶 🍷 *r.-v.* 🏠 Ⓔ

L'ATTRIBUT DES TOURTES 2014 ★★

■ | 13000 | | 11 à 15 €

Lise et Philippe Raguenot ont créé le Ch. des Tourtes en 1967, un cru régulier en qualité qui couvre 70 ha de vignes, auxquels s'ajoutent depuis 1998 les 26 ha du Ch. Haut Beyzac (haut-médoc). Aux commandes depuis 1997: les filles des fondateurs, Emmanuelle et Marie-Pierre, et leurs maris Daren Miller et Éric Lallez. À noter aussi la production de crémant.

À un souffle du coup de cœur en blaye-côtes-de-bordeaux, le domaine signe un blaye tout aussi admirable. La robe est noire et intense, l'annonce d'un vin de matière et de concentration, ouvert sur un bouquet complexe (épices, cacao, amande, réglisse). Très riche, très puissant, très long, le palais est «monumental», renforcé par un boisé racé et des tanins soyeux qui glissent sous la langue. Bâti pour une grande garde. ⧗ 2020-2030 🍷 civet de lièvre

EARL RAGUENOT-LALLEZ-MILLER, 30, Le Bourg, 33820 Saint-Caprais-de-Blaye, tél. 05 57 32 65 15, contact@vignoblesraguenot.fr V t.l.j. sf dim. 9h-12h 14h-17h30

BLAYE-CÔTES-DE-BORDEAUX

Superficie : 6 490 ha
Production : 335 000 hl (95 % rouge)

L'appellation produit des vins rouges assemblant merlot, cabernet-sauvignon, cabernet franc et malbec ainsi que quelques blancs, qui associent sauvignon, sémillon et muscadelle. Les seconds sont en général secs, et on les sert en début de repas, alors que les rouges, puissants et fruités, de moyenne garde, accompagnent les viandes et les fromages.

CH. L'ABBAYE 2015 ★

□ | 5800 | | 5 à 8 €

Ce vignoble de 21,5 ha entoure les vestiges d'une abbaye du XIIe s., qui abritait l'ordre des Prémontrés et servait de relais sur la route de Saint-Jacques-de-Compostelle. Dans la même famille depuis 1936, il est aujourd'hui exploité par Stéphane et Myriam Rossignol.

Un pur sauvignon assez confidentiel mais très réussi. Au nez, un joli fruité mûrs d'agrumes et de fruits exotiques (litchi, kiwi). En bouche, toujours de l'exotisme, beaucoup de gras et de rondeur. Un beau représentant de ce millésime solaire. ⧗ 2016-2019 🍷 moules farcies

SCEA VIGNOBLES ROSSIGNOL-BOINARD, 2, l'Abbaye, 33820 Pleine-Selve, tél. 05 57 32 64 63, s.boinard.abbaye@orange.fr V r.-v. 2 B

CH. ANGLADE-BELLEVUE Cuvée Prestige 2014 ★★

■ | 20000 | | 5 à 8 €

Une valeur sûre du Blayais que ce domaine fondé en 1953 par Michel Mège, vinifié en coopérative jusqu'en 1993. Aujourd'hui, les fils Alain et Bruno conduisent un vignoble de 50 ha répartis sur les communes d'Anglade et de Générac.

Le merlot mène la danse (90 %) aux côtés des deux cabernets dans ce vin qui a concouru pour le coup de cœur. Ses arguments: une belle couleur sombre, un nez suave de fruits des bois et de café, une bouche ample, riche et tout en rondeur, portée par des tanins soyeux et fins et un boisé fondu. Une vraie gourmandise, tendre et caressante. ⧗ 2019-2024 🍷 daube de bœuf ■ **Cuvée Passion 2014 (5 à 8 €; 6666 b.)** : vin cité.

SCEA MÈGE FRÈRES, Les Lamberts, 33920 Générac, tél. 05 57 64 73 28, scea-mege@mege-freres.fr V r.-v.

ENRICO BERNARDO 2014 ★

■ | 30000 | | - de 5 €

Depuis plus d'un siècle, Ginestet est l'une des principales maisons de négoce bordelaises, aujourd'hui intégrée au groupe Taillan. Pour l'une de ses marques phares, déclinée en cinq AOC, elle a choisi comme emblème le mascaron, masque sculpté décorant de nombreuses façades de Bordeaux.

Ancien meilleur sommelier du monde, Enrico Bernardo apporte sa solide caution à ce 100 % merlot élaboré par la maison Ginestet. Le nez apparaît très intense et riche, sur les fruits rouges, les épices, la réglisse et le chocolat. La bouche laisse la même sensation de puissance: chaleureuse, concentrée, solidement charpentée par des tanins à la fois denses et doux qui renforcent son caractère généreux. Un beau vin de garde, déjà très harmonieux et gourmand. ⧗ 2018-2026 🍷 tournedos de thon Rossini

MAISON GINESTET, 19, av. de Fontenille, 33360 Carignan-de-Bordeaux, tél. 05 56 68 81 82, vincent.pensivy@ginestet.fr V r.-v. *Taillan*

CH. BERTHENON Cuvée Chloé 2014 ★

■ | 16100 | | 11 à 15 €

En 1986, Thérèse Ponz-Szymanski et son mari Thierry quittent respectivement le monde de la pétrochimie et de l'agroalimentaire pour reprendre le vignoble familial, acquis par le grand-père de Thérèse en 1950. Ils conduisent aujourd'hui un vignoble de 37 ha.

Chloé est la fille des propriétaires. Dans le verre, un assemblage merlot-cabernet-sauvignon (80-20) passé dix-huit mois en barriques neuves aux grains extra-fins et cela se sent: un boisé intense mais racé accompagne les fruits noirs mûrs et de figue. Un côté chaleureux et boisé que l'on retrouve dans une bouche puissante, tannique, corsée. Prometteur. ⧗ 2019-2026 🍷 civet de lièvre

GFA HENRI PONZ, Ch. Berthenon, 3, Le Barrail, 33390 Saint-Paul, tél. 05 57 42 52 24, info@chateauberthenon.com V r.-v.

CH. BOIS-VERT Cuvée Prestige Élevé en fût de chêne 2014 ★

■ | 16900 | | 8 à 11 €

L'une des belles références du Blayais. Un domaine de 29,6 ha dont les premières vignes furent plantées en 1956, conduit depuis quatre générations par la famille Penaud. Arrivé sur l'exploitation en 1978, Patrick Penaud est aux commandes depuis 1986.

Un assemblage classique de merlot (80 %) et de cabernet-sauvignon passé en barrique pendant douze mois: un tiers en fût neuf, un tiers en fût d'un vin, un tiers en fût de deux vins. La robe est sombre, intense, et le nez encore un peu fermé, mais l'on sent poindre une intéressante complexité à l'aération (mûre, cassis, épices douces). Le palais se révèle chaleureux, vigoureux, encore très sévère mais racé. Un solide potentiel de garde. ⧗ 2019-2026 🍴 côte de bœuf ■ **2015 (5 à 8 €; 15000 b.)** : vin cité.

⊶ PATRICK PENAUD, 12, Bois-Vert, 33820 Saint-Caprais-de-Blaye, tél. 05 57 32 98 10, p.penaud.boisvert@gmail.com V r.-v.

Ⓑ CH. LA BRAULTERIE DE PEYRAUD Cuvée Prestige 2014 ★

■ | 25000 | | 5 à 8 €

Un domaine blayais de 38 ha converti au bio, conduit en famille par Marie-Hélène Lapouméroulie au chai et son frère Olivier David à la vigne.

Merlot (65 %), malbec (30 %) et un soupçon de cabernet-sauvignon sont associés dans ce vin qui mêle au nez les fruits noirs mûrs, le pruneau, la vanille et le grillé. En bouche, une attaque souple ouvre sur une matière riche et dense, renforcée par des tanins massifs. Patience. ⧗ 2019-2026 🍴 carré d'agneau

⊶ SARL LA BRAULTERIE MORISSET, 1, Les Graves, 33390 Berson, tél. 05 57 64 39 51, braulterie@wanadoo.fr V t.l.j. 9h-12h 14h-18h30; sam. dim. sur r.-v.

CH. LA BRETONNIÈRE Excellence 2014

■ | 13000 | | 8 à 11 €

Stéphane Heurlier est arrivé du Nord de la France en 1992. Ce fils de céréalier a acheté deux propriétés, le Ch. la Bretonnière et le Ch. Tour de Guiet, s'est entouré de spécialistes et, après vingt ans de restructuration du vignoble (15 ha) et la construction d'un nouveau chai, il produit aujourd'hui ses vins.

Après quatorze mois de fût, ce 2014 livre un bouquet dominé par le merrain et ses notes de caramel et de chocolat. On les retrouve dans un palais charnu, suave et d'un bon volume, un tantinet plus strict en finale. L'ensemble reste harmonieux et pourra s'apprécier malgré tout assez jeune. ⧗ 2018-2021 🍴 sauté d'agneau aux épices

⊶ STÉPHANE HEURLIER, 1, La Bretonnière, 33390 Mazion, tél. 05 57 64 59 23, sheurlier@cegetel.net V r.-v. ⊶ EARL La Bretonnière

CH. CAILLETEAU BERGERON Tradition 2015 ★

■ | 30000 | | 5 à 8 €

Marie-Pierre Dartier et son frère Pierre-Charles se sont installés en 1992 sur le domaine familial de Cailleteau Bergeron, créé par leurs grands-parents en 1933. Un vignoble qu'ils ont étendu à 50 ha, comprenant deux autres crus: Ch. Clos Mansio et Ch. Perrin.

Sauvignon blanc (80 %) et sauvignon gris sont assemblés dans ce vin élevé sur lies en cuve Inox pendant cinq mois. D'abord un peu sur la réserve, il s'ouvre à l'agitation sur le litchi et les fruits blancs. Plus expressive, la bouche offre un beau volume, du gras et du charnu, mais aussi de la fraîcheur et du croquant. Un ensemble très équilibré. ⧗ 2016-2019 🍴 fromage de chèvre ■ **Élevé en fût de chêne 2014 (5 à 8 €; 95000 b.)** : vin cité.

⊶ CH. CAILLETEAU BERGERON, 24, Bergeron, 33390 Mazion, tél. 05 57 42 11 10, info@cailleteau-bergeron.com V t.l.j. 9h-12h 14h-18h; sam. dim. sur r.-v. ⊶ Dartier

CH. LES CHAUMES Malbec 2014

■ | 2700 | | 11 à 15 €

Cette ancienne propriété est entrée dans la famille Parmentier en 1965. En 2014, après de nombreuses expériences en Californie, Australie, Bourgogne, Provence ou encore dans la vallée du Rhône, Anne Parmentier, œnologue, a repris le flambeau, à la tête aujourd'hui d'un vignoble de 22 ha.

Premier millésime pour Anne Charpentier et une belle réussite. D'une vigne de malbec de quarante ans plantée sur le terroir le plus calcaire du domaine elle extrait ce vin ouvert sur les fruits mûrs, le cacao et des nuances animales. On retrouve tout cela dans une bouche souple en attaque, suave et ronde, déjà à bonne maturité. ⧗ 2017-2021 🍴 paleron en sauce

⊶ SCEA LES CHAUMES, Ch. les Chaumes, 33390 Fours, tél. 06 27 84 18 06, aparmentier@hotmail.fr V t.l.j. 14h-19h ⊶ Anne Parmentier

CH. LE CHAY Élevé en fût de chêne 2014 ★★

■ | 12000 | | 5 à 8 €

Les Raboutet cultivent la vigne à Berson depuis cinq générations. Didier et Sylvie, installés en 1983, conduisent aujourd'hui un vignoble de 38 ha répartis entre les 20 ha argilo-calcaires du Ch. le Chay (Blayais) et les 18 ha argilo-graveleux du Ch. Groleau (Bourgeais).

Le merlot (70 %) et le malbec associés pour le meilleur dans cette cuvée proposée en coup de cœur. Un vin bien élevé, boisé avec élégance au nez comme en bouche (belles nuances torréfiées et vanillées), franc et net en attaque, ample, suave et dense, étayé par des tanins ronds et veloutés. Un ensemble homogène, bien architecturé. ⧗ 2018-2022 🍴 gigot d'agneau aux cèpes

⊶ DIDIER RABOUTET, Le Chay, 33390 Berson, tél. 05 57 64 39 50, lechay@wanadoo.fr V t.l.j. 9h-12h 14h-19h

♥ CH. LA CROIX SAINT-PIERRE 2014 ★★

■ | 70000 | | 5 à 8 €

Les Carreau conduisent la vigne à Cars depuis 1832 et sept générations. Le vignoble s'étend sur 82 ha et plusieurs domaines – L'Escadre, Les Petits Arnauds, Croix Saint-Jean et Clairac –, conduits aujourd'hui par les cousins Sébastien et Nicolas, qui se sont formés à l'étranger aux techniques modernes de vinification.

Après un 2013 admirable, élu coup de cœur dans la précédente édition, les Carreau signent un 2014 du même niveau. Même assemblage de merlot (70 %), cabernet-sauvignon (20 %) et malbec et même sensation d'harmonie. Belle robe dense et intense, bouquet élégant sur le toast grillé et la griotte mûre, bouche fondue, ample, suave et soyeuse, portée par un boisé racé et des tanins mûrs et fins: un vin complet. ⧗ 2018-2023 🍷 selle d'agneau

⊶ VIGNOBLES CARREAU SÉLECTION, Ch. les Petits Arnauds, 33390 Cars, tél. 05 57 42 36 57, info@vignobles-carreau.com V t.l.j. sf sam. dim. 8h-12h 14h-17h; f. sem. du 15 août

CH. DUBRAUD 2014

■ | 20000 | | 8 à 11 €

Les Vidal – Alain le Provençal et Céline la Vendéenne – tombent sous le charme de ce domaine qui «vivotait» et qu'ils achètent en 1998 à des Anglais. Leur vignoble couvre aujourd'hui 25 ha.

Un assemblage classique de merlot (80 %) et des deux cabernets pour ce vin assez réservé à l'olfaction (quelques notes d'épices douces et de fruits noirs). La bouche s'avère plus expressive, sur les fruits bien mûrs, ronde, douce, de bonne longueur. Un peu plus stricte, la finale appelle une petite garde. ⧗ 2017-2020 🍷 rôti de veau aux pruneaux

⊶ CH. DUBRAUD, 17, Dubraud, 33920 Saint-Christoly-de-Blaye, tél. 05 57 42 45 30, contact@chateaudubraud.com V r.-v. ⊶ Vidal

B CH. FLORIMON 2014 ★

■ | 6000 | | 5 à 8 €

Cet important vignoble de 23 ha, essentiellement situé en bordeaux supérieur, a longtemps appartenu à la famille de Louis Marinier, grand responsable professionnel de la viticulture bordelaise. En 2014, il a été acquis par Shengyi Wang.

Un boisé conquérant, toasté et vanillé, des fruits noirs, une touche de poivron, le nez de ce 2014 donne envie de poursuivre. Le palais attaque avec tonicité puis se fait ample, dense et vigoureux, porté par de bons tanins de garde et une intense fraîcheur. Du caractère et du potentiel. ⧗ 2019-2026 🍷 civet de marcassin

⊶ SAS DOM. FLORIMOND, Dom. Florimond-la-Brède, 33390 Berson, tél. 05 57 64 39 07, contact@chateauflorimond.com V r.-v.

CH. GARREAU 2014

■ | 25000 | | 11 à 15 €

La famille Guez, à l'origine propriétaire à Bergerac, a acquis en 1995 ce cru situé à cheval sur Blaye et Bourg, dédié à la vigne depuis le début du XIXᵉ s. François Guez est aux commandes depuis 2009, sa mère officiant toujours pour les vendanges.

Merlot (60 %) et cabernet-sauvignon composent un vin expressif, sur les fruits noirs, la vanille, les épices et le cuir. La bouche est bien construite, souple en attaque, plus tannique et puissante dans son développement. ⧗ 2018-2022 🍷 entrecôte bordelaise

⊶ SCEA CH. GARREAU, 33710 Pugnac, tél. 05 57 68 90 75, contact@chateaugarreau.com V r.-v.

CH. LES GATINES Réserve 2014 ★

■ | 30000 | | 8 à 11 €

Alliance Bourg, regroupement des coopératives de Pugnac, de Tauriac, de Lansac et d'Aubie, propose une gamme étendue de vins dans les AOC du Blayais et du Bourgeais, ainsi qu'en appellations régionales.

Le boisé est encore dominant dans ce vin, mais un bon boisé toasté et vanillé, qui laisse poindre à l'aération quelques nuances florales. En bouche, une attaque souple ouvre sur une matière riche et tannique, renforcée elle aussi par un boisage soutenu mais élégant. Un bon potentiel de garde en perspective. ⧗ 2019-2024 🍷 côte de bœuf ■ **Ch. Seguin Élevé en fût de chêne 2014 ★ (8 à 11 €; 141300 b.)** : une belle étoile pour un vin équilibré entre fruité soutenu et boisé épicé, dense, gras et plein en bouche. ⧗ 2019-2024

⊶ SCV ALLIANCE BOURG, 18, Bellevue, 33710 Pugnac, tél. 05 57 68 81 01, alliancebourg@orange.fr V t.l.j. 9h-12h 14h-18h

CH. CAMILLE GAUCHERAUD Élevé en fût de chêne 2014 ★★

■ | 40000 | | 8 à 11 €

Si les Gaucheraud exploitent la vigne depuis 1880 et cinq générations, Benoît Latouche est le premier à vinifier le raisin qu'il produit. Camille Gaucheraud, tonnelier, était son bisaïeul, auquel il a rendu hommage en créant ce domaine en 1999, étendu aujourd'hui sur 40 ha.

Une belle explosion de fruits rouges mûrs ouvre la dégustation de cet assemblage merlot-cabernet-sauvignon, agrémenté d'un bon boisé toasté. Une impression d'élégance et de douceur caractérisent le palais lui aussi intensément fruité, ample et rond, épaulé par des tanins fondus et soyeux. Une personnalité attachante et sincère. ⧗ 2018-2022 🍷 rôti de bœuf sauce madère □ **2015 ★ (5 à 8 €; 13000 b.)** : un pur sauvignon très expressif, sur la pêche, l'ananas, l'iris et le beurre, gras, suave, dense et généreux en bouche, soutenu par un boisé bien fondu. Un beau représentant du millésime. ⧗ 2016-2019

⊶ GFA DES BARRIÈRES, 1, Les Barrières, 33620 Laruscade, tél. 05 57 68 64 54, contact@camille-gaucheraud.com V t.l.j. sf dim. 9h-12h 14h-18h ⊶ Latouche

DOM. DES GRAVES D'ARDONNEAU Cuvée Prestige 2015 ★

□ | 16000 | | 5 à 8 €

Un domaine incontournable du Blayais, en rouge comme en blanc. La famille Rey écrit son histoire viticole depuis 1763 sur les terres du hameau d'Ardonneau. Installé en 1981 à la tête de 60 ha, Christian Rey a été rejoint en 2005 par son fils Laurent et par sa fille Fanny en 2008.

Né de sauvignon (90 %) et de colombard, cette cuvée a séjourné sept mois en fût et cela se remarque dès le premier nez, intensément boisé (cèdre, vanille), mais sans pour autant étouffer le fruit (litchi, pêche, abricot). Un boisé qui imprime sa marque aussi en bouche, où l'on découvre un vin dense, séveux, suave et long, vivifié par une belle fraîcheur en finale. À attendre un peu pour que le merrain se fonde, mais de belles promesses. ⧗ 2017-2020 ¥ tourte au saumon ■ **Cuvée Prestige Élevé en fût de chêne 2014 ★ (5 à 8 €; 60000 b.)** : un boisé discret accompagne les fruits mûrs au nez comme en bouche dans ce vin apprécié pour son aimable rondeur, sa structure souple et fondue et son équilibre. ⧗ 2018-2022

EARL SIMON REY ET FILS, Ardonneau, 33620 Saint-Mariens, tél. 05 57 68 66 98, gravesdardonneau@wanadoo.fr V t.l.j. sf dim. 8h30-12h30 14h30-19h

CH. HAUT BOURCIER Élevé en fût de chêne 2014

■ | 67000 | | 5 à 8 €

Un vignoble 100 % familial: Philippe Bourcier, le père, est aux commandes des vinifications, Anne-Marie, la mère, à la comptabilité, les fils Laurent et Thomas à la vigne, Caroline la fille à la communication et au commercial. Ensemble, ils ont agrandi le domaine, (38 ha aujourd'hui), créé leur chai en 1999 et quitté la coopérative la même année.

Issu de merlot (80 %), cabernet-sauvignon (10 %), malbec et petit verdot (5 % chacun), ce vin livre un bouquet intense de fruits rouges, d'épices et de bois frais. En bouche, il se montre équilibré, ferme et consistant, bâti sur des tanins de bonne extraction et prolongé par une finale encore assez austère. Il gagnera son étoile en cave. ⧗ 2019-2023 ¥ côte de bœuf

BOURCIER, 12, La Riade, 33390 Saint-Androny, tél. 05 57 64 43 74, sarl.bourcier@wanadoo.fr V t.l.j. 8h-12h 14h-18h 5 D

CH. HAUT-CANTELOUP 2015 ★★

■ | 45000 | | - de 5 €

Catherine et Sylvain Bordenave, relayés depuis 2003 par leurs fils Alexandre et Vincent, ont fait des Ch. Haut-Canteloup et les Pierrères des références incontournables du Blayais. À leur disposition, un beau vignoble de 50 ha: 30 ha de vignes rouges dans la commune de Fours et 20 ha de vignes blanches à Saint-Palais-de-Blaye.

Le sauvignon gris et la muscadelle font l'appoint dans cette cuvée dominée par le sauvignon blanc (85 %). Après un court élevage sur lies de quatre mois, ce vin se présente sans aucune timidité, bien ouvert sur le litchi mûr et les fleurs blanches. Une intensité aromatique prolongée par une bouche ronde, ample et riche, bien dans le ton du millésime. Un vin solaire et charmeur en diable. ⧗ 2016-2019 ¥ terrine asperges et langoustines ■ **Cuvée Prestige 2014 (5 à 8 €; 39000 b.)** : vin cité.

EARL BORDENAVE ET FILS, 8, chem. de la Palanque, 33390 Fours, tél. 09 61 43 19 25, chateau-hautcanteloup@wanadoo.fr V t.l.j. sf dim. 8h-12h 14h-18h

B CH. HAUT-COLOMBIER 2014

■ | 48000 | | 8 à 11 €

Les Chéty exploitent la vigne sur les coteaux de Cars depuis 1803. Les frères Olivier et Emmanuel, fils de Jean, conduisent aujourd'hui, en bio certifié, un vignoble de 40 ha à l'origine de vins régulièrement sélectionnés dans ces pages.

Au nez, les fruits noirs frais se marient avec un boisé assez soutenu. En bouche, le vin se montre ample et solide, structuré par des tanins serrés et par une vivacité soutenue en finale. Un séjour en cave de quelques années arrondira les angles. ⧗ 2019-2023 ¥ filet de biche ■ **L'Envol 2014 (5 à 8 €; 30000 b.)** B : vin cité.

EARL VIGNOBLES JEAN CHÉTY ET FILS, 1, Les Blancs, 33390 Cars, tél. 05 57 42 10 28, chateau.hautcolombier@wanadoo.fr V t.l.j. 8h-12h 14h-18h; sam. dim. sur r.-v.

CH. HAUT-GRELOT Coteaux de Méthez 2014 ★

■ | 40000 | | 5 à 8 €

Un cru situé au nord du Blayais, aux confins de la Charente-Maritime. Aux origines (1920), une petite exploitation de 6 ha dédiée à la vigne et à l'élevage, spécialisée et agrandie (62 ha aujourd'hui) à partir de 1975 par Joël Bonneau, relayé par ses enfants Julien et Céline en 2011.

Une cuvée souvent en vue dans ces pages, née du seul merlot. Le nez, expressif, évoque surtout le merrain, mais un boisé fin et élégant derrière lequel on sent poindre un joli fruité. En bouche, le boisé est toujours bien présent, le tanin ferme et le volume assuré. Une belle bouteille de garde. ⧗ 2018-2023 ¥ gigot d'agneau

EARL JOËL BONNEAU, Ch. Haut-Grelot, 28, Les Grelauds, 33820 Saint-Ciers-sur-Gironde, tél. 05 57 32 65 98, chateauhautgrelot@gmail.com V r.-v. A

CH. HAUT-LA-VALETTE Distinction 2014 ★★

■ | 7300 | | 5 à 8 €

Jean-Michel Bergeron, installé en 1978 et accompagné par son fils Cédric depuis 2008, conduit un domaine de 22 ha, agrandi en 2000 grâce à l'acquisition de vignes paternelles.

La part belle est donnée au malbec (60 %), avec le merlot en complément, dans ce vin complet, ouvert sur le cassis et un boisé très fin. Un mariage fruit-merrain que l'on retrouve avec la même harmonie dans un palais intense, rond et riche, structuré par des tanins fermes et par une fine acidité qui allonge la finale. Un équilibre remarquable. ⧗ 2018-2023 ¥ rosbif

JEAN-MICHEL BERGERON, 3, lieu-dit Les Martins, 33390 Cars, tél. 05 57 42 31 67, jean-michel-bergeron@wanadoo.fr V r.-v.

CH. LACAUSSADE SAINT-MARTIN
Trois Moulins 2014 ★

■ | 30000 | | 8 à 11 €

Œnologue diplômé de l'université de Bordeaux, Jacques Chardat a racheté en 1991 l'une des plus anciennes propriétés du Blayais (XIXe s.), autrefois dédiée à la vigne et à la culture céréalière (d'où la présence de moulins): un domaine de 60 ha (dont 55 ha en rouge) adossé aux premiers coteaux ensoleillés bordant l'estuaire de la Gironde, face aux vignobles de Saint-Julien.

Puissant, ouvert sur un fruité intense et un boisé tonique mâtiné de poivre, ce vin propose un nez engageant et harmonieux. Une attaque large et souple prélude un palais bien équilibré autour de tanins soyeux et disciplinés et d'une fraîcheur qui lui renforce son caractère net et sans bavure. ⌛ 2019-2024 🍴 osso bucco

SCEA CH. LABROUSSE, 8, rte de Labrousse, 33390 Saint-Martin-Lacaussade, tél. 05 57 32 51 61, j.chardat@corlianges.com V r.-v. Jacques Chardat

CH. LARRAT 2014

■ | 8200 | | 5 à 8 €

Dans la famille Larrat depuis 1972, ce cru (autrefois nommé Dom. de Grillet) étend ses vignes sur 17,3 ha dans le Bourgeais, non loin de l'église romane de Lafosse et du moulin de Lansac, et possède aussi des parcelles dans le Blayais.

Ballottage très légèrement favorable pour le merlot (51 %) aux côtés des cabernets dans ce vin réservé à l'olfaction (quelques notes de fruits et de poivron rouge). Fraîche et un brin végétale, la bouche affiche un bon volume, renforcé par la présence de tanins fermes et encore assez sévères en finale. Homogène mais encore en devenir. ⌛ 2019-2022 🍴 tournedos sauce poivre

EARL DOM. DE GRILLET, 5, Grillet, 33710 Pugnac, tél. 06 16 60 91 17, info@domainedegrillet.fr V t.l.j. sf dim. 8h-13h 14h-19h

CH. LUC DE BEAUMONT 2014 ★

■ | 120000 | | 5 à 8 €

Les Schweitzer (Luc depuis 1994) cultivent la vigne depuis cinq générations au Ch. Bourdieu, l'un des plus anciens domaines du Blayais (1464), qui doit son nom aux « bourdieux », exploitations viticoles qui se développèrent après la guerre de Cent Ans.

Un beau classique que cet assemblage entre le merlot (90 %) et le cabernet-sauvignon. Au nez, les fruits rouges et noirs font bon ménage avec un boisé toasté élégant. En bouche, même heureuse union du fruit et du merrain, mise en valeur par une structure solide et une matière riche et dense. De l'équilibre et du potentiel. ⌛ 2019-2024 🍴 rôti de veau Orloff

SCEA VIGNOBLES LUC SCHWEITZER, Ch. Bourdieu, 33390 Berson, tél. 05 57 42 68 71, contact@chateau-bourdieu.com

CH. MAYNE GUYON 2014

■ | 217733 | | 5 à 8 €

Un domaine de 30 ha sur argilo-calcaires plantés de merlot, de cabernet-sauvignon et de malbec, repris en 1995 par un trio de passionnés qui y a opéré de nombreux investissements. Depuis 2002, les clés du chai ont été confiées à Xavier Stoll.

Un bouquet très intense d'épices douces ouvre la dégustation sur fond de fruits noirs très mûrs. On retrouve ces sensations dans une bouche ronde en attaque, puis plus tannique et sévère. Encore un peu de patience… ⌛ 2019-2023 🍴 entrecôte sauce au vin

SARL VIGNOBLES CH. MAINE GUYON, 33390 Cars, tél. 05 57 42 09 59, mayne-guyon@wanadoo.fr V t.l.j. sf sam. dim. 8h-12h 14h-17h; f. déc. Cazeneuve

CH. MONCONSEIL GAZIN 2014 ★★

■ | 90000 | | 5 à 8 €

En 1989, Jean-Michel Baudet a pris la suite de son père Michel à la tête d'un vignoble regroupant trois propriétés familiales: Monconseil-Gazin, son fleuron (on raconte que Charlemagne y aurait tenu conseil après une bataille contre les Sarrasins), Ricaud et La Petite Rauque.

Un beau vin de caractère, né de merlot (65 %), cabernet-sauvignon (25 %) et malbec. L'olfaction, délicate et harmonieuse, conjugue un fruité mûr (cassis, cerise noire) à un boisé vanillé et épicé. La bouche, dans le droit fil, attaque avec une élégante fermeté dont elle ne se départit pas jusqu'à la finale, longue et très fraîche. Une cuvée puissante et racée, bâtie pour la garde. ⌛ 2019-2026 🍴 civet de lièvre ■ **Ch. Ricaud 2014 ★ (5 à 8 €; 42000 b.)** : un vin robuste encore dominé par un intense boisé toasté et vanillé et par des tanins vigoureux. À attendre absolument. ⌛ 2019-2024

VIGNOBLES MICHEL BAUDET, 15, rte de Compostelle, 33390 Plassac, tél. 05 57 42 16 63, chateau@monconseilgazin.com V t.l.j. sf dim. 9h30-12h30 14h-18h

CH. MONSEIGNEUR 2014

■ | 64260 | | 5 à 8 €

Depuis le château Laroche, château fort de la guerre de Cent Ans puis maison noble, rasé et reconstruit plusieurs fois, Roland de Onffroy, Varois d'origine et formé à l'agronomie à Angers, conduit depuis 1994 un vignoble de 36,6 ha répartis entre le Bourgeais et le Blayais. Plusieurs étiquettes ici: Laroche et Bourg des Eyquems sur la commune de Tauriac, Monseigneur sur Pugnac et Clos Bertin sur Cézac.

Les dix mois de fût qui ont présidé à l'élevage de ce vin ne passent pas inaperçus: dès le premier nez, apparaissent d'intenses notes fumées et vanillées. Un boisé soutenu auquel fait écho une bouche vigoureuse, solidement charpentée par des tanins serrés. L'attente est de mise, mais le potentiel est là. ⌛ 2019-2026 🍴 gigot d'agneau au romarin

BARON ROLAND DE ONFFROY, Ch. Laroche, 2, chem. des Augers, 33710 Tauriac, tél. 05 57 68 20 72, rolanddeonffroy@wanadoo.fr V r.-v.

♥ MONTFOLLET Le Valentin 2015 ★★

	32000		5 à 8 €

La coopérative de Cars (1937), rebaptisée en 2011 «Châteaux solidaires», vinifie séparément les vendanges d'une dizaine de châteaux adhérents, sélectionnés très rigoureusement. Le Ch. Montfollet, l'un des fers de lance du Blayais et du Bourgeais, est conduit par Dominique Raimond, président de la cave, également propriétaire des châteaux Haut-Lalande et Graulet.

Si Montfollet collectionne les coups de cœur, il le faisait en rouge jusqu'à présent; cette année, son incontournable cuvée Le Valentin s'illustre en blanc. Un assemblage des deux sauvignons (80 % de blanc) et du sémillon à l'origine d'un vin épatant d'harmonie et d'élégance. Au nez, un boisé fondu aux accents toastés accompagne d'intenses notes de pêche blanche et de fruits exotiques mûrs. En bouche, même mariage heureux du bois et du fruit, beaucoup de gras et de densité, beaucoup de fraîcheur aussi et une longue finale pleine d'énergie. À réserver pour un mets délicat. ⧗ 2017-2021 ♈ homard grillé ■ **Le Valentin 2014 (8 à 11 €; 120000 b.)** : vin cité.

CH. SOLIDAIRES, 9, Le Piquet, 33390 Cars, tél. 05 57 42 13 15, d.raimond@chateaux-solidaires.com V t.l.j. 9h-12h 14h-18h *Dominique Raimond*

CH. MORILLON 2014 ★

	10000		8 à 11 €

Établi dans le Blayais, le château Morillon, belle chartreuse du XVIII[e]s., a été construit sur les ruines d'un château féodal du XIII[e]s., dans lequel séjourna Saint Louis en 1242. Installés en 2004, Jean-Marie et Chantal Mado y conduisent, en bio certifié depuis 2007, un vignoble de 20 ha.

Un vin au caractère bien trempé, encore dominé à l'olfaction par un boisé élégant, vanillé et toasté, derrière lequel pointe une complexité naissante, sur les fruits rouges et noirs et les épices. La bouche est puissante, tannique, dense et longue. Autant d'arguments pour une belle évolution en cave. ⧗ 2019-2026 ♈ rôti de sanglier ■ **Blason 2014 ★ (11 à 15 €; 10000 b.)** : le seul merlot est à l'œuvre dans ce vin très boisé à l'image de la cuvée principale, porté par une bonne trame tannique qui lui permettra de bien vieillir. ⧗ 2019-2026

SCEA CHANTAL ET JEAN-MARIE MADO, 1, Morillon, 33390 Campugnan, tél. 06 76 41 14 18, jmm@chateau-morillon.com V r.-v.

CH. MOULIN NEUF
Élevé en fût de chêne 2014 ★★

	10000		8 à 11 €

Installé à son compte depuis 2000, Laurent Glémet s'est associé en 2006 avec son père pour créer un vignoble qu'il conduit aujourd'hui seul: 30 ha répartis entre les châteaux Moulin Neuf, dans le Blayais, et Chamaille, dans le Bourgeais.

Ce 100 % merlot se présente avec élégance, en robe sombre et profonde, le nez bien ouvert sur un beau boisé toasté. En bouche, il ne baisse pas d'intensité: ample, suave, charnu, il s'appuie sur ce même boisé grillé et racé et sur une belle trame de tanins veloutés qui lui garantissent une bonne et longue évolution. ⧗ 2019-2026 ♈ chapon farci aux morilles ■ **Tradition 2014 (5 à 8 €; 55000 b.)** : vin cité.

VIGNOBLES GLÉMET, Le Moulin-Neuf, 33920 Saint-Christoly-de-Blaye, tél. 05 57 42 55 38, chateau.moulin-neuf@orange.fr V r.-v.

CH. LES PÂQUES
Cuvée Prestige Élevé en fût de chêne 2014

	17000		5 à 8 €

Bruno Martin conduit depuis 1991 le domaine familial fondé dans les années 1970 par ses parents (premières mises en bouteilles en 1982). Le vignoble, de 12 ha à l'origine, en couvre aujourd'hui 32, dans le nord du Blayais, avec une acquisition en 2011 de 10 ha supplémentaires en vue de l'installation du fils.

Un pur merlot expressif, centré sur les fruits rouges frais à l'olfaction. La bouche est également empreinte de fraîcheur, structurée par des tanins feutrés. Un ensemble assez léger et d'ores et déjà appréciable. ⧗ 2016-2020 ♈ aiguillettes de canard aux cerises

BRUNO MARTIN, 29, Les Pâques, 33820 Braud-et-Saint-Louis, tél. 05 57 32 76 10, bruno.martin121@wanadoo.fr V t.l.j. 9h-12h30 14h-19h

CH. PETIT BOYER Vieilles Vignes 2014

	140000		11 à 15 €

Des premières vinifications à Saint-Émilion et dans le Val de Loire, puis la reprise du domaine familial en 1997: Jean-Vincent Bideau (troisième génération) conduit aujourd'hui un vignoble de 50 ha converti à l'agriculture biologique.

Relativement discret au premier nez, ce 2014 s'ouvre à l'aération sur les fruits noirs, les épices et un boisé bien fondu. En bouche, il propose un bon volume et de la fraîcheur qui contrebalance avec une pointe de sucrosité, le tout étayé par des tanins extraits en douceur. Un ensemble harmonieux et bien construit. ⧗ 2018-2022 ♈ terrine de sanglier

VIGNOBLES BIDEAU PÈRE ET FILS, Ch. Petit Boyer, lieu-dit La Pistolette, 33390 Cars, tél. 05 57 42 19 40, jvb@petit-boyer.com V r.-v.

CH. PEYREDOULLE 2014 ★

	29312		5 à 8 €

La Société fermière des Grands Crus de France est la structure spécialisée dans le Bordelais du groupe Grands Chais de France. Son œnologue Vincent Cachau vinifie le fruit de quinze propriétés, représentant 390 ha dans les différentes AOC bordelaises.

Des notes de fruits noirs mûrs et d'épices composent un bouquet engageant. On les retrouve avec la même intensité dans un palais homogène, ample, dense et riche, bâti sur de bons tanins de garde. ⧗ 2019-2023 🍴 tajine d'agneau

⊶ STÉ FERMIÈRE DES GRANDS CRUS DE FRANCE, 33460 Lamarque, tél. 05 57 98 07 20

CH. PEYREYRE 2014 ★

■ | 40 000 | | 8 à 11 €

Un domaine ancien, créé en 1772 et restauré dans les années 1880 par la famille Peyreyre. Les Trinque, qui l'exploitaient depuis cinq générations, l'ont acquis entre les deux guerres et y conduisent aujourd'hui un vignoble de 27 ha.

Un bel exemple d'élevage en fût réussi, qui certes domine encore un peu, mais laisse s'exprimer les fruits, rouges et mûrs, au nez comme en bouche. Un vin qui séduit aussi par sa fraîcheur, son volume et ses tanins souples et fondus qui lui confèrent un caractère aimable et friand. ⧗ 2018-2023 🍴 entrecôte grillée

⊶ SARL VIGNOBLES TRINQUE, 14, voie Romaine, 33390 Saint-Martin-Lacaussade, tél. 05 57 42 18 57, peyreyre@orange.fr V t.l.j. sf sam. dim. 8h30-12h 14h-18h

CH. LA RAZ CAMAN 2015 ★

■ | 15 000 | | - de 5 €

Une ancienne terre noble, propriété au XVIIes. du chevalier seigneur de la Raz Caman, entrée en 1857 dans la famille de Jean-François Pommeraud. Ce dernier, installé en 1973, a donné une nouvelle vie à ce vignoble, qui s'étend aujourd'hui sur 40 ha.

Né de l'unique sauvignon blanc, un vin joliment floral (iris, acacia) et fruité (fruit de la Passion, agrumes) à l'olfaction. Sur la gamme aromatique, la bouche se révèle équilibrée, ample, riche et ronde, plus vive et tonique en finale. ⧗ 2016-2019 🍴 coquilles Saint-Jacques

⊶ SCEV VIGNOBLES POMMERAUD, 4, Ch. la Raz Caman, 33390 Anglade, tél. 05 57 64 41 82, raphael.pommeraud@larazcaman.com V r.-v. E

CH. LA ROSE BELLEVUE
Cuvée Prestige Fût de chêne ★★

■ | 13 000 | | 5 à 8 €

Jérôme Eymas a parcouru le vaste monde viticole avant de prendre la direction de cette propriété en 2000: stage en Australie, puis vinification en Champagne, dans la vallée du Rhône et dans le Valais, en Suisse. Il exploite aujourd'hui dans le Blayais un vignoble de 55 ha.

Né de sauvignon blanc (70 %) et de muscadelle, ce vin livre des parfums intenses et complexes de cire d'abeille, d'abricot, de fruits exotiques et de buis sur fond de boisé grillé. Une palette riche et variée que l'on retrouve dans une bouche ample, ronde et soyeuse. Un bel exemple d'élevage très bien mené. ⧗ 2016-2020 🍴 rôti de veau asperges et estragon ■ **Secret 2014 ★ (15 à 20 €; 3000 b.)** : un 100 % merlot au nez floral et grillé, qui déploie en bouche un beau volume, de la densité, de la franchise et un boisé bien intégré qui renforce le vin sans l'écraser. ⧗ 2018-2023

⊶ EARL VIGNOBLES EYMAS ET FILS, 5, Les Mouriers, 33820 Saint-Palais, tél. 05 57 32 66 54, service.commercial@chateau-rosebellevue.com V *t.l.j. sf sam. dim. 9h-12h 14h-17h30*

B CH. DE TERRE TAILLYSE 2015

■ | 8 000 | | 5 à 8 €

Représentant la septième génération de vignerons, Vincent Ragot a pris en 1999 la tête de l'exploitation familiale, qui couvre 31 ha aujourd'hui, en bio certifié depuis le millésime 2014.

Sauvignon (90 %) et muscadelle pour ce vin bien typé par ses arômes d'agrumes, de fruits exotiques, de fleurs blanches et de buis. Un caractère sauvignonné auquel fait écho une bouche vive et alerte, de bonne densité et d'une longueur appréciable. ⧗ 2016-2019 🍴 plateau de fruits de mer

⊶ EARL RAGOT ET FILS, 81, Millepied, 33920 Saint-Vivien-de-Blaye, tél. 06 11 08 50 01, vincent.ragot.33@sfr.fr V *r.-v.*

CH. TERTRE DU BOILON 2014 ★★

■ | 10 000 | | 5 à 8 €

Arnaud Ovide s'est installé en 2001 sur les terres de Saint-Aubin-de-Blaye, où il exploite aujourd'hui un vignoble de 36 ha, atteints par achats successifs. Deux étiquettes ici: Vieux Planty et son second vin Tertre du Boilon.

Un second vin créé en 2013, assemblage de merlot (90 %) et de cabernet-sauvignon fort apprécié dans sa version 2014 pour son bouquet puissant de fruits noirs mûrs, de griotte et de moka, comme pour son palais dense, charnu, suave et très volumineux, épaulé par des tanins fins et un boisé fondu. Une cuvée d'une grande élégance et d'un équilibre remarquable. ⧗ 2019-2024 🍴 côte de bœuf ■ **Ch. Vieux Planty Prélude 2014 ★ (5 à 8 €; 15 000 b.)** : un peu évolué au nez, ce vin séduit par son côté rond, tendre et gourmand en bouche, il est soutenu par un boisé chaud et des tanins veloutés. ⧗ 2018-2022

⊶ EARL OVIDE ET FILS, 26, rue de l'École, 33820 Saint-Aubin-de-Blaye, tél. 05 57 32 67 35, contact@chateauvieuxplanty.com V *t.l.j. sf dim. 9h-12h 14h-18h*

CH. TONNELLE DE GRILLET 2014 ★

■ | 150 000 | - de 5 €

Jean-François Réaud dirige depuis les années 1980 le Ch. le Grand Moulin, dont les 40 ha de vignes s'étendent au cœur de l'appellation blaye-côtes-de-bordeaux, complétés par une activité de négoce.

C'est la partie négoce qui est ici mise en valeur avec cette cuvée finement bouquetée autour des fruits rouges, de la violette et du pain d'épice agrémenté d'une agréable petite note végétale. La bouche offre du volume, une belle fraîcheur et beaucoup de souplesse. Un vin facile d'accès, que l'on pourra apprécier dans sa jeunesse. ⧗ 2017-2020 🍴 brochettes de bœuf ■ **Ch. la Grange d'Orléan 2014 ★ (- de 5 €; 50 000 b.)** : issu du négoce, un vin sincère et expressif, sur le cassis, la cerise et le boisé torréfié. Séveux et dense, il est bien charpenté par des tanins serrés. ⧗ 2019-2024

⊶ SAS ROBIN, 1289, av. de la Liberté, 33820 Saint-Aubin-de-Blaye, tél. 05 57 32 62 06, mr@grandmoulin.com ⊶ Jean-François Réaud

CH. TOUR SAINT-GERMAIN
Cuvée du Moulin 2014 ★

■ | 50000 | | 5 à 8 €

Issus d'une lignée vigneronne remontant à 1800, Denis Noël et son fils Cyril conduisent un vignoble de 65 ha planté sur les communes de Berson et Plassac. Un vieux moulin, toujours présent sur la propriété, donne son nom au domaine.

Ce 100 % merlot s'ouvre sur des parfums bien mariés de cerise noire et boisé fumé et vanillé. Une harmonie qui caractérise aussi le palais, ample, suave et long. Une bouteille d'ores et déjà très aimable, que l'on pourra ouvrir dans sa jeunesse. ⧗ 2017-2021 🍴 sauté de dinde à la basquaise ■ **Cuvée Élégance 2014 (8 à 11 €; 50000 b.)** : vin cité.

⊶ EARL NOËL (CH. TOUR SAINT-GERMAIN), Saint-Germain, 33390 Berson, tél. 05 57 64 39 13, contact@tour-saint-germain.com V *r.-v.*

Ⓑ CH. LES TOURS DE PEYRAT
Vieilles Vignes 2014

■ | 100000 | | 8 à 11 €

La coopérative de Cars (1937), rebaptisée en 2011 «Châteaux solidaires», vinifie séparément les vendanges d'une dizaine de châteaux adhérents, sélectionnés très rigoureusement. Tours de Peyrat est un cru familial de 16 ha (en bio certifié) planté sur les sols argilo-calcaires de Saint-Paul-de-Blaye, conduit depuis 2000 par Christelle Sauboua.

Marqué par ses douze mois de fût, ce 2014 livre de fines notes torréfiées et toastées à l'olfaction. Le palais est équilibré, boisé sans excès, structuré par des tanins fins et disciplinés. ⧗ 2018-2022 🍴 côte de veau forestière

⊶ CH. SOLIDAIRES, 9, Le Piquet, 33390 Cars, tél. 05 57 42 13 15, d.raimond@chateaux-solidaires.com V *t.l.j. 9h-12h 14h-18h* Ⓔ *⊶ Christelle Sauboua*

CH. DES TOURTES Cuvée Prestige 2014 ★★

■ | 40000 | | 8 à 11 €

Lise et Philippe Raguenot ont créé le Ch. des Tourtes en 1967, un cru régulier en qualité qui couvre 70 ha de vignes, auxquels s'ajoutent depuis 1998 les 26 ha du Ch. Haut Beyzac (haut-médoc). Aux commandes depuis 1997: les filles des fondateurs, Emmanuelle et Marie-Pierre, et leurs maris Daren Miller et Éric Lallez. À noter aussi la production de crémant.

Une cuvée souvent en vue dans ces pages, et généralement en bonne place. La version 2014 a fait l'unanimité et frôle le coup de cœur. Merlot (85 %) et cabernet-sauvignon composent un vin à la fois puissant et subtil à l'olfaction, ouvert sur les fruits noirs frais et un boisé fin. La bouche ne manque de rien: un volume imposant, beaucoup de fraîcheur, des notes d'élevage bien intégrées, des tanins mûrs et délicats et une finale longue et intense. Complet et d'une grande harmonie. ⧗ 2019-2024 🍴 joues de bœuf au vin rouge

⊶ EARL RAGUENOT-LALLEZ-MILLER, 30, le Bourg, 33820 Saint-Caprais-de-Blaye, tél. 05 57 32 65 15, contact@vignoblesraguenot.fr V *t.l.j. sf dim. 9h-12h 14h-17h30* Ⓖ

LES VIGNERONS DE TUTIAC
lieu-dit Au Pin 2014 ★★

■ | 20400 | | 11 à 15 €

Créée en 1974, la coopérative de Tutiac regroupe 550 viticulteurs. Un acteur important de la haute Gironde, qui produit des vins de côtes (blaye-côtes-de-bordeaux et côtes-de-bourg) et d'appellations régionales.

Un beau boisé toasté et épicé accompagne les fruits mûrs dans ce vin né du seul merlot. Une cuvée qui charme aussi par son équilibre en bouche entre des notes d'élevage bien fondues, des tanins fins et soyeux et une matière ample et ronde. De solides arguments pour une évolution sereine et harmonieuse. ⧗ 2019-2024 🍴 bœuf bourguignon ■ **Tutiac Sélection Excellence 2014 ★ (5 à 8 €; 30000 b.)** : un pur sauvignon fruité, vanillé et brioché au nez, ample, citronné et frais en bouche. Aérien et équilibré. ⧗ 2016-2019

⊶ LES VIGNERONS DE TUTIAC, La Cafourche, 33860 Marcillac, tél. 05 57 32 48 33, contact@tutiac.com V *t.l.j. sf dim. 9h-12h 14h-18h30*

CH. DU VIEUX PUIT 2014 ★★

■ | 200000 | | 5 à 8 €

Vigneron et pépiniériste comme son père et son grand-père avant lui, Jean-Pierre Bouillac a acquis peu à peu ses propres vignes, à partir de 1983, sous le nom de Ch. du Vieux Puit, complété en 2007 par le Ch. Clos du Loup, pris en fermage. L'ensemble constitue aujourd'hui un vignoble de 80 ha.

Quelques gourmandes notes beurrées accompagnent les fruits noirs et rouges dans ce vin très élégant de bout en bout. Suivant la même ligne aromatique, le palais déploie une matière ample et dense, étayée par des tanins bien serrés, au grain fin, et par une acidité parfaitement fondue qui lui donne beaucoup d'allonge et de nerf. Un grand vin en devenir. ⧗ 2019-2024 🍴 lièvre à la royale ■ **Ch. Clos du Loup Cuvée Tradition 2014 ★ (8 à 11 €; 35000 b.)** : une légende raconte qu'un loup blessé lors d'une chasse conduite par Henri IV est venu mourir sur la propriété. Dans le verre, un vin riche et solide, bâti pour la garde. ⧗ 2019-2026

⊶ JEAN-PIERRE BOUILLAC, 10, lieu-dit Réaud, 33860 Reignac, tél. 05 57 32 41 76, info@vignoblesbouillac.com V *r.-v.*

♥ LES VIEILLES VIGNES DU CH. LE VIROU 2014 ★★

■ | 93000 | 🛢 | 5 à 8 €

Propriété de Pierre-Jean Larraqué, ce domaine entièrement clos par un mur de 4 km de long, abrite une vaste surface de 100 ha, dont 74 de vignes, plantés exclusivement de merlot et des deux cabernets. Depuis 2002, David Caillaud en est le régisseur.

Noire et profonde, cette cuvée annonce sa concentration dès le premier coup d'œil. Au nez, elle développe d'intenses parfums de fruits noirs mûrs sur fond de vanille douce et de brioche grillée. On retrouve les notes d'élevage, bien fondues, dans un palais fruité, ample, riche, profond, structuré par des tanins fins et délicats. Une longue finale fraîche laisse sur une impression d'élégance et d'harmonie. ⧗ 2019-2026 🍷 filet de bœuf sauce forestière

⊶ SC CH. LE VIROU, 3, Le Virou, 33920 Saint-Girons-d'Aiguevives, tél. 06 87 31 12 86, david.caillaud@chateauxenbordeaux.com V 🚶 ▪ *t.l.j. 9h-12h30 13h30-18h*

CÔTES-DE-BOURG

Superficie : 3 920 ha / Production : 210 600 hl

L'AOC est située au sud du Blayais, sur la rive droite de la Gironde puis de la Dordogne. Avec le merlot comme cépage dominant, les rouges se distinguent souvent par leur couleur et leurs arômes typés de fruits rouges. Plutôt tanniques mais agréables dans leur jeunesse, ils peuvent vieillir de trois à huit ans. Peu nombreux, les blancs sont en général secs.

CH. DE BARBE 2013

■ | 100000 | 🍾 | 8 à 11 €

Propriété des marquis de Barbe jusqu'en 1774, reconstruit au XVIII[e]s. par de nouveaux acquéreurs, juste après la Révolution, le château a été transmis de génération en génération jusqu'en 1993. Il a été acquis par la famille Richard, un des plus gros distributeurs de cafés et de boissons de l'Île-de-France, qui a investi dans des domaines viticoles, notamment en Bordelais. Avec ses 80 ha implantés sur le terroir argilo-calcaire de Villeneuve (dont 42 en AOC côtes-de-bourg), c'est sans doute le plus vaste vignoble de l'appellation.

Né de quatre cépages, merlot en tête, ce vin offre un bouquet naissant centré sur les fruits rouges, rehaussé de touches épicées et réglissées. Déjà agréable, il sera à déguster dans sa jeunesse, à en juger par les quelques reflets brique d'évolution de sa robe et par sa bouche souple, sur le fruit, bien équilibrée. ⧗ 2016-2019 🍷 poulet rôti

⊶ SC VILLENEUVOISE, Ch. de Barbe, 33710 Villeneuve, tél. 05 57 42 64 00, chateaudebarbe@wanadoo.fr V 🚶 ▪ *t.l.j. 9h-12h 14h-17h ⊶ Richard*

CH. BEAULIEU 2015 ★

□ | 5500 | 🍾 | 5 à 8 €

À 4 km au nord de Bourg et de la Dordogne, ce vignoble de près de 17 ha, implanté sur un plateau calcaire avec une couche d'argile, entoure une chartreuse du XVIII[e]s. Distillateur et importateur de vins néerlandais, Jodocus Boomsma l'a acquis avec son épouse Annick en 2009.

Un côtes-de-bourg blanc fort plaisant, de style très bordelais. Un caractère probablement dû à son assemblage faisant la part belle au sémillon (60 %), complété par 30 % de sauvignon blanc et 10 % de sauvignon gris. Or gris, ce 2015 séduit par son bouquet bien ouvert mêlant l'acacia, le tilleul, la verveine, les agrumes et la pêche. Ces arômes s'épanouissent en bouche dans une chair ronde et fraîche à la fois, à la finale agréable. Pour l'apéritif ou le poisson. ⧗ 2016-2019 🍷 sole grillée

⊶ JODOCUS BOOMSMA, 9, Beaulieu, 33710 Samonac, tél. 09 71 22 15 14, beaulieu.bodis@orange.fr V 🚶 ▪ *r.-v.*
⊶ SCA Bodis France

CH. BÉGOT 2014

■ | 3000 | 🍾 | 5 à 8 €

Un domaine familial établi sur les argilo-calcaires de Lansac. Installés depuis 1976, Martine et Alain Gracia y exploitent un vignoble de 17 ha dédié aux côtes-de-bourg, entourant une belle demeure du XIX[e]s.

Élevé en cuve, ce vin paraît encore jeune, avec sa robe encore vive, son nez un peu fermé mais agréable, sur les petits fruits rouges et les épices. Souple et fraîche, la bouche s'appuie sur de bons tanins de raisin qui lui donnent un caractère sincère et une certaine aptitude à la garde. ⧗ 2017-2020 🍷 magret de canard ■ **Élevé en fût de chêne 2014 (8 à 11 €; 3000 b.)** : vin cité.

⊶ ALAIN ET MARTINE GRACIA, 5, Bégot, 33710 Lansac, tél. 06 87 34 28 54, chateau.begot@wanadoo.fr V 🚶 ▪ *t.l.j. 9h-12h 14h-18h; sam. dim. sur r.-v., f. 15-31 août*

CH. BELAIR-COUBET 2014

■ | 60000 | 🛢 | 8 à 11 €

Plaisance, Belair-Coubet, Fontarabie, La Bardonne, Bois de Tau, Jansenant, Tour neuve: Alain Faure, installé en 1977 à la tête des vignes familiales, a transmis à ses filles Delphine et Agnès un vaste vignoble réparti sur plusieurs châteaux du Blayais et du Bourgeais, complété par une structure de négoce.

Assemblage de merlot et de cabernet-sauvignon, ce vin élevé douze mois en barrique offre un nez nettement boisé, vanillé et chocolaté, qui laisse percer des notes de fruits rouges surmûris. Souple mais rafraîchie par une pointe d'acidité, la bouche, structurée, très boisée elle aussi, s'appuie sur des tanins qui commencent à s'affiner. ⧗ 2017-2020 🍷 gigot d'agneau ■ **Ch. du Bois de Tau 2014 (8 à 11 €; 80000 b.)** : vin cité.

⊶ VIGNOBLES A. FAURE, 33710 Saint-Ciers-de-Canesse, tél. 05 57 42 68 80, belair-coubet@wanadoo.fr V 🚶 ▪ *r.-v.*

CH. LA BERTINE Cuvée Réservée 2014

■ | 65000 | | 5 à 8 €

Vignoble de 22 ha établi sur les coteaux argilo-calcaires de Comps. Le château néogothique a été construit grâce à la prime versée en 1880 par l'armateur du Colbert: le navire, ensablé dans la Gironde au pied du domaine, fut remis à flot grâce à l'ingéniosité du propriétaire de l'époque qui employa comme flotteurs ses barriques vides. Barriques où séjourne aujourd'hui une cuvée Prestige souvent remarquée.

Le Ch. la Bertine est une marque du Ch. Colbert. Une cuvée née de merlot, assemblé à 15 % de cabernet-sauvignon, élevée en cuve. À la couleur jeune répond un bouquet naissant, net, légèrement épicé, et une bouche bien structurée par les tanins du raisin, qui devraient s'affiner assez vite: un vin sincère, «nature». ⧗ 2017-2019 🍷 bavette d'aloyau grillée ■ **Ch. Colbert Cuvée Prestige 2014 (5 à 8 €; 18000 b.)** : vin cité.

SCA CH. COLBERT, 33, rte des Coteaux, 33710 Comps, tél. 05 57 64 95 04, chateau-colbert@wanadoo.fr V r.-v.

CH. BIDOU 2014

■ | 40000 | 5 à 8 €

Après avoir travaillé vingt ans au côté de son père Alain Faure, d'une vieille lignée vigneronne du Bourgeais, Agnès Faure-Havart a repris en 2015 les propriétés (40 ha) que ce dernier avait achetées en 2004, notamment le Ch. Plaisance et le Ch. Le Ferreau-Belair, en côtes-de-bourg, implantées non loin de la pittoresque «route verte», en corniche. La famille propose aussi des cuvées de négoce.

Une cuvée de négoce, assemblage de merlot (60 %), de cabernet-sauvignon et de malbec. S'il se montre assez fermé au nez, discrètement fruité et épicé, ce vin franc en attaque, équilibré et assez persistant, dévoile une bonne texture qui lui permettra de bien évoluer. ⧗ 2017-2022 🍷 daube de canard

SARL A ET C SELECTION, 3, Coubet, 33710 Villeneuve, tél. 05 57 64 93 99, christophe.havart@orange.fr

CH. BOURG DES EYQUEMS 2014

■ | 16000 | | - de 5 €

Depuis le château Laroche, château fort de la guerre de Cent Ans puis maison noble, rasé et reconstruit plusieurs fois, Roland de Onffroy, Varois d'origine et formé à l'agronomie à Angers, conduit depuis 1994 un vignoble de 36,6 ha répartis entre le Bourgeais et le Blayais. Plusieurs étiquettes ici: Laroche et Bourg des Eyquems sur la commune de Tauriac, Monseigneur sur Pugnac et Clos Bertin sur Cézac.

Bourg des Eyquems est la plus petite cuvée de ce vaste ensemble. C'est celle qui séjourne le moins longtemps en barrique (trois mois). Et pourtant, c'est elle qui a retenu l'attention des dégustateurs. Peut-être grâce à son caractère «nature». Son bouquet, entre baies noires et cerise mûre, est bien fruité, à peine boisé, marqué par une touche d'amande. Franc et tout aussi fruité, minéral, le palais dévoile des tanins encore jeunes, qui ne devraient pas tarder à s'assouplir. ⧗ 2018-2021 🍷 gigot d'agneau au romarin

BARON ROLAND DE ONFFROY, Ch. Laroche, 2, chem. des Augers, 33710 Tauriac, tél. 05 57 68 20 72, rolanddeonffroy@wanadoo.fr V r.-v.

CH. BRÛLESÉCAILLE 2014 ★

■ | 80000 | | 8 à 11 €

Déjà connu sous le second Empire, ce domaine, l'une des références en côtes-de-bourg, a été acquis en 1924 par la famille de Martine Rodet, qui est à sa tête depuis 1974. Le vignoble de 30 ha a été complété en 1996 par 2,3 ha de merlot en saint-émilion.

De couleur intense, ce 2014 séduit par ses notes bien mariées de boisé vanillé et de baies noires, mâtinées d'une touche animale. La bouche gourmande exprime les fruits frais et dévoile une texture dense, renforcée par d'élégants tanins. Ce vin sera aussi agréable jeune que patiné par une petite garde. ⧗ 2017-2021 🍷 baron d'agneau aux pruneaux

GFA RODET-RÉCAPET, 29, rte des Châteaux, Brûlesécaille, 33710 Tauriac, tél. 05 57 68 40 31, cht.brulesecaille@orange.fr V *t.l.j. 9h-12h 14h30-19h* B

♥ CH. CASTAING Élevé en fût de chêne 2014 ★★

■ | 80000 | | 5 à 8 €

Depuis 1876, cinq générations de vignerons et de tonneliers se sont succédé dans ce domaine établi sur un coteau argilo-calcaire dominant l'estuaire. La propriété couvre aujourd'hui 45 ha. Christophe Bonnet en a pris les commandes en 1998.

Cette importante cuvée s'est imposée tout au long de la dégustation. D'abord par sa magnifique robe d'un bordeaux sombre presque noir, puis par sa palette aromatique, qui allie la violette et les baies noires bien mûres, rehaussées par un élégant boisé et par une touche minérale. La bouche, à l'unisson du nez, a tout pour elle: une attaque ample et chaleureuse, une saveur riche, des tanins fins et soyeux qui tapissent bien le palais en soulignant la finale persistante. Une bouteille de garde, digne de mets raffinés. ⧗ 2017-2026 🍷 cuissot de chevreuil aux airelles

EARL BONNET ET FILS, Ch. Haut-Guiraud, 33710 Saint-Ciers-de-Canesse, tél. 05 57 64 91 39, bonnetchristophe@wanadoo.fr V r.-v. D

CH. CASTEL LA ROSE Sélection 2014

■ | 25000 | | 8 à 11 €

Ce domaine est une histoire de famille commencée en 1965. Gisèle et Rémy Castel décident de commercialiser leur vin en bouteilles dans les années 1970. Aujourd'hui, trois femmes perpétuent leur œuvre: leurs filles Catherine et Caroline et leur nièce Amélie.

Réparti sur trois terroirs, le vignoble couvre 26 ha en côtes-de-bourg et en AOC régionales.

Une robe irréprochable, sombre et brillante; un nez encore un peu fermé mais plein de ressources, sur le cassis et le bois chauffé. Souple et vive en attaque, la bouche est discrète mais plaisante, adossée à des tanins bien extraits qui devraient s'arrondir assez vite. ⧗ 2017-2021 🍷 navarin d'agneau

GAEC RÉMY CASTEL ET FILS, 3, Laforêt, 33710 Villeneuve, tél. 05 57 64 86 61, castel.la.rose@wanadoo.fr r.-v.

CH. CHAMAILLE 2014 ★

■	12500		5 à 8 €

Installé à son compte depuis 2000, Laurent Glémet s'est associé en 2006 avec son père pour créer un vignoble qu'il conduit aujourd'hui seul: 30 ha répartis entre les châteaux Moulin Neuf, dans le Blayais, et Chamaille, dans le Bourgeais.

Issu de pur merlot planté sur un terroir argilo-siliceux, ce 2014 a été élevé pendant dix-huit mois, dont trois en barrique. Il en résulte un très bon vin de garde, encore un peu sous l'emprise de la barrique. Après un premier nez boisé, un fruit très mûr, évoquant le pruneau, entre en scène. Le palais montre beaucoup de présence. D'abord chaleureux et rond, il est vite marqué par des tanins de merrain à la trame serrée qui lui confèrent du potentiel. Toutefois, on pourra aussi apprécier cette bouteille dans sa jeunesse. ⧗ 2017-2026 🍷 côte de bœuf

VIGNOBLES GLÉMET, Le Moulin-Neuf, 33920 Saint-Christoly-de-Blaye, tél. 05 57 42 55 38, chateau.moulin-neuf@orange.fr r.-v.

CH. LE CLOS DU NOTAIRE 2014 ★

■	35000		8 à 11 €

Au milieu du XIXe s., un notaire charentais acheta cette ancienne propriété surplombant la confluence de la Dordogne et de la Garonne, en aval de Bourg; ses successeurs l'ont choyée et agrandie (21 ha aujourd'hui). En 1974, Roland et Sylvette Charbonnier reprennent le domaine, qu'ils vendent en 2015 à Amélie Osmond, commerçante, et Victor Mischler, charpentier, qui s'installent comme jeunes agriculteurs.

Le dernier millésime élaboré par Roland Charbonnier. L'élevage, en cuve et en barrique (pour 20 %), s'est prolongé dix-huit mois. Le vin en ressort très coloré. Le bouquet marie harmonieusement les fruits rouges confits, un boisé vanillé et une touche florale originale. Flatteur, rond et frais, le palais est charpenté par de solides tanins qui gagneront à s'assouplir. ⧗ 2018-2021 🍷 pavé de bœuf aux cèpes

CH. LE CLOS DU NOTAIRE, 26 bis, Camillac, 33710 Bourg-sur-Gironde, tél. 05 57 68 44 36, infos@clos-du-notaire.fr t.l.j. 9h-12h 13h30-18h
Osmond et Mischler

LA COULÉE DE BAYON 2014 ★

■	1400		11 à 15 €

Jean-Marc Delhaye s'est lancé en 1995 avec 30 ares en fermage. La surface a aujourd'hui doublé... soit 0,66 ha cultivés en bio sans revendication.

Un vin de caractère, comportant près de 50 % de malbec, cépage girondin particulièrement choyé dans les vignobles de Bourg. Assez représentatif de ce cépage, ce 2014 apparaît très coloré, gorgé de fruits – cerise très mûre, voire confiturée, pêche de vigne – nuancés de touches minérales et animales. Dans le même registre aromatique, la bouche ronde et épicée s'appuie sur des tanins délicats, qui commencent à s'affiner. Une bouteille bientôt prête. ⧗ 2018-2021 🍷 magret de canard

JEAN-MARC DELHAYE, 2, rte de la Mairie, 33710 Bayon-sur-Gironde, tél. 05 57 64 81 74, jm.delhaye@orange.fr r.-v.

CH. LA CROIX DAVIDS 2014 ★★

■	25000		15 à 20 €

La famille Birot a acquis en 1800 un vignoble dans le Bourgeais, exploité par Annie et son mari Didier Meneuvrier qui, venu de Bretagne, s'est passionné pour la viticulture... et l'apiculture. Trois vins: La Croix-Davids, le Paradis et maintenant le Clos Marguerite. Louis Meneuvrier, après des études dans le monde de l'art et de l'événementiel, a rejoint en 2012 le domaine familial, où il entend apporter sa touche personnelle.

Issu de vieilles vignes (quarante ans) de merlot, avec un appoint de 10 % de malbec, ce vin arbore une superbe robe bordeaux moirée de noir. Le bouquet, à la fois puissant et raffiné, offre un large éventail de senteurs: cerise et fruits noirs confits, pruneau, épices, boisé vanillé, pain grillé, cuir. Tout aussi complexe, la bouche déploie une chair opulente et savoureuse, soutenue par des tanins déjà veloutés qui donnent de l'élégance à la finale. Idéal pour du gibier ou la fameuse lamproie à la bordelaise. ⧗ 2018-2026 🍷 pavé de biche ■ **Clos Marguerite 2014 ★ (75 à 100 €; n.c.)** : du merlot et du malbec à parité et une vinification en foudre de bois suivie d'un élevage en barrique de quinze mois pour cette cuvée haut de gamme. Le vin affiche une robe très colorée qui annonce son extrême concentration. Le bouquet apparaît encore dominé par un boisé vanillé, avec des notes d'épices et de gibier à l'arrière-plan. La bouche est très charpentée par de solides tanins boisés, qui signent un vin de garde. ⧗ 2019-2026 🍷 civet de sanglier

LOUIS MENEUVRIER, 57, rue Valentin-Bernard, 33710 Bourg-sur-Gironde, tél. 05 57 94 03 94 r.-v.

L'ESPRIT DU BOURGEAIS 2014

■	100000	- de 5 €

Cette maison de négoce a été fondée en 1828 par Jules Lebègue à Cantenac, près de Margaux, puis s'est installée à Saint-Émilion, au milieu du XXe s. Aujourd'hui dans le giron d'Antoine Moueix (groupe Advini).

Une marque créée en 2014. Le vin comporte 60 % de merlot, 20 % de cabernet-sauvignon et 20 % de malbec. Jeune et « nature », il affiche une robe pimpante et libère des senteurs de fruits noirs frais (cassis) nuancés d'une petite touche végétale. La bouche, à l'unisson, apparaît friande, souple et fraîche, encore sur le fruit, marquée en finale d'une note mentholée. Ses tanins tendres permettront de déboucher cette bouteille dans sa jeunesse. ⧗ 2017-2020 🍷 entrecôte et frites ■ **Ch. Francicot 2014** (- de 5 €; 33333 b.) : vin cité.

JULES LEBÈGUE, rte du Milieu, lieu-dit Mede, 33330 Saint-Émilion, tél. 05 57 55 58 09, caroline.charbonnier@amoueix.fr Advini

CH. FOUGAS Maldoror 2014 ★

■ | 60000 | | 15 à 20 €

Bien connu dès la fin du XVIIIe s., mentionné dans le premier guide Féret, un cru de référence de l'appellation côtes-de-bourg, acquis en 1976 par Jean-Yves Béchet, fils de négociant. Ce dernier réserve 22 ha à la cuvée phare nommée Maldoror, hommage au poète Lautréamont. Vignoble cultivé en bio certifié et, depuis 2010, en biodynamie.

La cuvée principale du domaine, la plus connue, qui a nombre de coups de cœur à son actif. Sa belle couleur profonde, bordeaux jeune, est typique des côtes-de-bourg. Son bouquet naissant est déjà très plaisant: du petit fruit reposant sur un boisé vanillé suave. Chaleureux en attaque, ce vin reste bien présent en bouche, mais sans la moindre agressivité, évoluant en finesse sur une trame tannique encore un peu marquée par la barrique. ⧗ 2017-2021 ⫯ salmis de palombe

JEAN-YVES BÉCHET, Ch. Fougas, 33710 Lansac, tél. 05 57 68 42 15, jybechet@fougas.com V r.-v.

♥ CH. GALAU Cuvée L'Équipe du Trieux Élevé en barrique de chêne 2014 ★★

■ | 80000 | | 5 à 8 €

Cru déjà connu avant la Révolution, reconstitué au XIXe s. par un négociant armateur de Bordeaux et racheté en 1930 par la famille Magdeleine. Jean-Louis, installé en 1979, a conforté sa réputation avant de passer le relais à sa fille Sandrine et à son gendre Jean-François Cénac. Nodoz, valeur sûre du Bourgeais, couvre aujourd'hui 38 ha sur Tauriac, Lansac et Bourg. Autre vin: Ch. Galau.

Jean-Louis Cénac a signé cette année deux cuvées au niveau d'un coup de cœur. Lors du vote final, les jurés ont finalement choisi le Ch. Galau en raison de son caractère très traditionnel et surtout de son harmonie d'ensemble. Paré d'une superbe robe bordeaux encore jeune, ce millésime offre un nez complexe, aussi expressif qu'élégant, mêlant les fruits rouges et noirs à un boisé vanillé, épicé et toasté. Quant au palais, il accomplit un parcours parfait, se déroulant avec rondeur et ampleur jusqu'à une finale fraîche, marquée par un joli retour des fruits rouges acidulés. ⧗ 2018-2023 ⫯ gigot d'agneau ■ **Ch. Nodoz Cuvée Barriques neuves 2014 ★★ (8 à 11 €; 40000 b.)** : un pur merlot encore sous l'emprise du merrain, mais un boisé complexe et raffiné, aux nuances de vanille, de cacao, de grillé et de fumé, qui laisse percer une jolie note de noyau, de cerise noire. Le palais est rond en attaque, ample, étayé par une structure tannique soyeuse et marqué en finale par une belle fraîcheur. ⧗ 2018-2023 ■ **Ch. Nodoz 2015 ★ (- de 5 €; 8600 b.)** : un sauvignon blanc en robe très claire, gorgé de fruits exotiques et d'agrumes, à la bouche fraîche, minérale et citronnée. ⧗ 2016-2017

CÉNAC-MAGDELEINE, 18, chem. de Nodoz, 33710 Tauriac, tél. 05 57 68 41 03, chateau.nodoz@wanadoo.fr V r.-v.

CH. GELINEAU 2014 ★

■ | 33000 | | 5 à 8 €

Créée en 1974, la coopérative de Tutiac regroupe 550 viticulteurs. Un acteur important de la haute Gironde, qui produit des vins de côtes (blaye-côtes-de-bordeaux et côtes-de-bourg) et d'appellations régionales.

Appartenant à Maryvonne Bébot, le Ch. Gélineau, l'un des domaines vinifiés par la coopérative, est essentiellement planté de merlot sur argilo-calcaires. Il a donné naissance à un vin au nez flatteur, aux nuances de baies noires (cassis) rehaussées de notes d'élevage discrètes et subtiles. La bouche, à la fois souple et fraîche, au boisé bien fondu, monte en puissance, étayée par des tanins soyeux qui permettront de déboucher bientôt cette bouteille. ⧗ 2017-2021 ⫯ carré de porc aux pruneaux ■ **Tutiac Sélection 2014 (5 à 8 €; 38000 b.)** : vin cité. ■ **Les Vignerons de Tutiac Lieu-dit Ter Pointe 2014 (11 à 15 €; 12000 b.)** : vin cité.

LES VIGNERONS DE TUTIAC, La Cafourche, 33860 Marcillac, tél. 05 57 32 48 33, contact@tutiac.com V *t.l.j. sf dim. 9h-12h 14h-18h30*

CH. GENIBON-BLANCHEREAU 2014 ★

■ | 66000 | | 5 à 8 €

Vignoble implanté sur les hauteurs de Bourg, acquis par l'arrière-grand-père de Christine Sudre en 1891: 30 ha aujourd'hui. Aux commandes depuis 1987, son mari Jean-Samuel Eynard, le président de l'AOC. Ici, on se flatte d'avoir introduit la machine à vendanger dès 1985. Son usage est maîtrisé à en juger par de fréquentes mentions dans le Guide.

Complété par le merlot et le cabernet-sauvignon, le malbec (70 %) joue les premiers rôles dans cette cuvée à la robe profonde, mêlant au nez le fruit noir et le cacao. Ample et consistante, la bouche s'appuie sur des tanins virils qui demandent à s'assouplir un peu. ⧗ 2018-2021 ⫯ pavé de bœuf aux cèpes

EARL EYNARD SUDRE, Genibon, 33710 Bourg-sur-Gironde, tél. 05 57 68 25 34, genibon@orange.fr V r.-v.

CH. GRAND LAUNAY 2014

■ | 60000 | | 8 à 11 €

Des brasseurs belges ont fait souche dans le Bourgeais, il y a trois générations. Michel Cosyns obtient son diplôme d'œnologue à la faculté de Bordeaux; son fils Pierre-Henri, d'abord ingénieur d'affaires en Ile-de-France, décide finalement de perpétuer le domaine acquis par ses parents en 1969; il passe son diplôme d'œnologue avant de prendre en main en 2007 la propriété: 24 ha – exploités en bio depuis 2009.

Assemblant 70 % de merlot et 30 % de malbec, cette cuvée rubis intense est très représentative des côtes-de-bourg dans ce millésime. Son bouquet naissant marie harmonieusement les fruits rouges à un boisé légèrement torréfié. D'abord chaleureuse, la bouche penche ensuite vers la fraîcheur, étayée par des tanins épicés encore un peu fermes et vifs. Une petite garde suffira à les arrondir. ⧗ 2018-2021 ♈ entrecôte maître de chai

SCEA COSYNS, Ch. Grand Launay, 33710 Teuillac, tél. 06 15 16 82 21, info@grand-launay.fr V r.-v.

CH. GRAND-MAISON Cuvée Sélection 2014 ★

■	n.c.		11 à 15 €

Cette propriété de 6,5 ha d'un seul tenant implantée sur les hauteurs de Bourg a été acquise en 2004 par Jean Mallet, viticulteur, et par Hervé Romat, œnologue, qui l'exploitent en commun.

La cuvée Sélection est issue d'un coteau plein sud aux sols argilo-calcaires. Aux côtés du merlot, dominant, et d'un soupçon de cabernet franc, l'assemblage comprend 18 % de malbec, ce qui est assez courant en côtes-de-bourg. Le vin, encore très jeune, offre un bouquet discret d'abord floral, qui s'oriente vers les fruits mûrs à l'aération. Dès l'attaque, il dévoile de jolies rondeurs, soutenues par un trait de fraîcheur et par des tanins encore fermes. Un vin fidèle à l'image que l'on a des côtes-de-bourg. ⧗ 2016-2025 ♈ civet de marcassin ■ **2014 (8 à 11 €; 25000 b.)** : vin cité.

CH. GRAND-MAISON, Valades, 33710 Bourg-sur-Gironde, tél. 05 57 64 24 04, cht.grandmaison-bourg@wanadoo.fr V r.-v. *Romat, Tailliez*

CH. DE LA GRAVE Caractère 2014 ★★

■	100000		8 à 11 €

Sur les hauteurs de Bourg, un domaine dans la famille depuis plus d'un siècle, commandé par un petit château du XVᵉs. revisité au XIXᵉs., avec des tours en poivrière. Valérie et Philippe Bassereau en ont pris les rênes en 1990. La surface du vignoble (45 ha) leur permet de proposer des vins qui n'ont rien de confidentiel.

Une cuvée importante en volume, qui n'en décroche pas moins deux étoiles. Encore dans sa jeunesse, ce vin raffiné affiche une robe profonde aux reflets violines. Le nez est tout en fruits (mûre en tête), le bois, avec ses notes vanillées et beurrées, sachant rester discret. Dans le même registre, le palais ajoute à cette palette un soupçon d'épices douces. Chaleureux, il est rafraîchi par une pointe d'acidité, et des tanins boisés lui assurent une belle finale. De la présence, de l'élégance et du potentiel. ⧗ 2017-2026 ♈ gigot d'agneau ■ **Ch. la Croix de Bel Air Les Graves rouges 2014 (11 à 15 €; 24000 b.)** : vin cité.

SC PHILIPPE BASSEREAU, 1, lieu-dit La Grave, 33710 Bourg-sur-Gironde, tél. 05 57 68 41 49, info@chateaudelagrave.com V r.-v. 4

CH. GRAVETTES-SAMONAC L'Élégance 2014 ★★★

■	52000		5 à 8 €

Dans la famille Giresse depuis 1950, un domaine de 34 ha implanté sur les hauteurs de l'appellation. Sylvie Giresse, qui était aux commandes depuis 1986, a été rejointe en 2014 par son fils Cyril. La quatrième génération a pris le relais en 2016.

Après une très belle étoile décernée au millésime 2012 de cette cuvée, le 2014 remporte la note maximale. Assemblant 50 % de merlot, 25 % de malbec et 25 % de cabernet-sauvignon, ce vin se distingue par son harmonie parfaite. Tout y est: une robe superbe, d'un pourpre profond; un bouquet épanoui, complexe, captivant, mêlant les fruits noirs, le sous-bois à un boisé épicé bien dosé; une bouche gourmande, suave, élégante, fraîche et persistante, aux tanins enrobés. Puissance et finesse. Le rapport qualité-prix, lui aussi, est exceptionnel. ⧗ 2018-2026 ♈ magret de canard ■ **E 2014 ★ (30 à 50 €; 1200 b.)** : la dernière création du domaine, cuvée haut de gamme mariant 50 % de malbec, 40 % de merlot et 10 % de cabernet-sauvignon vendangés à la main, vinifiée et élevée en barrique. Un vin de caractère très concentré, très boisé, mais avec beaucoup de fruit (mûre, myrtille) à l'arrière-plan, soutenu par des tanins puissants. Un peu brut, mais un énorme potentiel. ⧗ 2019-2026

EARL VIGNOBLES GIRESSE, 8, av. des Côtes-de-Bourg, 33710 Samonac, tél. 05 57 68 21 16, gravettes.samonac@orange.fr V r.-v.

CH. DE GRISSAC Cuvée Léo 2014

■	62000		5 à 8 €

Le fort d'Arnaud de Grissac (XIVᵉs.) a fait place en 1652 au château actuel. Ici, Montesquieu rendait visite à son ami Pierre de Montalier, conseiller à la cour de Guyenne. Les deux hommes discouraient sans doute des qualités de leurs vins respectifs. Le vignoble (20 ha) est conduit depuis 1977 par Bernadette Cottavoz.

La cuvée Léo est dédiée au petit-fils, né en 2014. Très importante, elle rassemble des terroirs et des cépages variés: une petite moitié de merlot, complété par du cabernet-sauvignon et du malbec. Un peu réservée au nez, elle demande un peu d'agitation pour libérer un joli fruit mûr, presque cuit, et un soupçon de cacao. Dans le même registre, le palais présente un équilibre typique des côtes-de-bourg: ample, goûteux, il est construit sur des tanins encore un peu jeunes mais qui autorisent une consommation prochaine. ⧗ 2017-2021 ♈ pintade aux cèpes

BERNADETTE COTTAVOZ, Grissac, 2, chem. du Port-d'Espeau, 33710 Prignac-et-Marcamps, tél. 05 57 68 31 65, chateaudegrissac@aol.com V r.-v.

CH. GROLEAU Élevé en fût de chêne 2014 ★

■	12000		5 à 8 €

Les Raboutet cultivent la vigne à Berson depuis cinq générations. Didier et Sylvie, installés en 1983, conduisent aujourd'hui un vignoble de 38 ha répartis entre les 20 ha argilo-calcaires du Ch. le Chay (Blayais) et les 18 ha argilo-graveleux du Ch. Groleau (Bourgeais).

Sur leur important vignoble, ces vignerons sélectionnent 2 ha pour cette cuvée élevée en fût de chêne, associant le merlot (70 %) et le malbec. La robe est profonde et jeune. Le premier nez, sur la torréfaction, le bois chauffé, cède la place à de jolies nuances de fruits noirs. Dans le même registre, la bouche est à la fois souple, tendre et fraîche, encadrée par des tanins boisés qui commencent à s'affiner. Élégant sans manquer d'étoffe, un «vin plaisir» qui pourra bientôt passer à table. ⌛ 2017-2021 🍷 bavette d'aloyau grillée

DIDIER RABOUTET, Le Chay, 33390 Berson, tél. 05 57 64 39 50, lechay@wanadoo.fr
V *t.l.j. 9h-12h 14h-19h*

CH. GROS MOULIN 2014 ★

■	36000		5 à 8 €

Dominant la Dordogne, le domaine est dans la famille depuis 1757. À cette époque, un moulin et un seul petit hectare de vignes aux côtés de cultures diverses. Aujourd'hui, 32 ha de merlot, de malbec et de cabernet franc, sur terroir argilo-calcaire. En 2010, la onzième génération – représentée par Rémy Eymas – s'est installée, perpétuant cette saga.

Une importante cuvée issue de 7 ha, vinifiée avec des levures indigènes et élevée six mois en cuve et en fût. D'un rubis franc, elle présente un bouquet très classique, mariage harmonieux de boisé cacaoté et de fruits rouges. Souple et ronde en attaque, elle est «réveillée» par une pointe d'acidité de jeunesse qui, ajoutée à de bons tanins, lui permettra de bien vieillir. Pour les viandes rouges comme pour les blanches. ⌛ 2017-2022 🍷 carré de porc aux pruneaux ■ **Les Lys du moulin 2015 ★ (5 à 8 €; 3800 b.)** : né d'un pur sauvignon blanc planté sur argilo-calcaires, un côtes-de-bourg blanc à la fois frais et charnu, aux arômes de genêt et d'agrume (pamplemousse). Parfait pour l'apéritif et pour tous les fruits de mer. ⌛ 2016-2018

RÉMY ET JACQUES EYMAS, Ch. Gros Moulin, 33710 Bourg-sur-Gironde, tél. 06 88 02 78 88, chateau.gros.moulin@wanadoo.fr
V *t.l.j. sf dim. 9h-12h 14h-18h*

CH. HAUT-BAJAC Élevé en fût de chêne 2014 ★

■	7900		8 à 11 €

Œnologue diplômé, Jacques Pautrizel a acquis en 1996 ce domaine de près de 13 ha implanté sur le premier coteau dominant la Dordogne, à 1 km de Bourg, et signe des cuvées régulières en qualité.

Le terroir argilo-calcaire se partage entre 60 % de merlot, 20 % de malbec et autant de cabernets, ce qui est assez traditionnel en Bourgeais. Il en résulte un vin aux reflets de jeunesse et au bouquet élégant, encore un peu dominé par les notes de vanille et de pain grillé d'un bon boisé, laissant percer à l'arrière-plan des senteurs de fruits noirs. Dans le même registre, la bouche, souple à l'attaque, est marquée par une pointe d'acidité. Cette nervosité, associée à des tanins encore fermes, permettra au vin de bien évoluer. ⌛ 2017-2024 🍷 pavé de bœuf aux morilles

JACQUES PAUTRIZEL, Ch. Haut-Bajac, 33710 Bourg-sur-Gironde, tél. 05 57 68 35 99, e.jpautrizel@orange.fr
V *t.l.j. sf dim. 9h-12h 14h-18h*

CH. HOCLET Les Platanes 2014 ★

■	7500		5 à 8 €

En 1926, Fernand Hoclet prend en métayage une petite ferme bordant la Gironde au lieu-dit Cheval-Blanc à Villeneuve, entre Bourg et Blaye, qu'il achète dix ans plus tard. Après Gérard puis Vincent, Xavier Hoclet a pris en 2013 la tête de l'exploitation familiale.

Un vin surprenant mais agréable: couleur encore jeune, nez fin et épicé, où percent les cabernets – pourtant minoritaires dans un assemblage dominé par le merlot. La bouche fraîche et fruitée rappelle aussi le cabernet-sauvignon, mais la finale fruitée est plus ronde et laisse une bonne impression. ⌛ 2017-2021 🍷 tournedos ■ **2014 (8 à 11 €; 13500 b.)** : vin cité.

XAVIER HOCLET, lieu-dit Cheval-Blanc, 33710 Villeneuve, tél. 09 81 88 58 37, contact@chateauhoclet.fr V *r.-v.*

CH. LARRAT 2015 ★

■	2400		- de 5 €

Dans la famille Larrat depuis 1972, ce cru (autrefois nommé Dom. de Grillet) étend ses vignes sur 17,3 ha dans le Bourgeais, non loin de l'église romane de Lafosse et du moulin de Lansac, et possède aussi des parcelles dans le Blayais.

Un pur sauvignon blanc, à la robe or vert. S'il sauvignonne évidemment, ses arômes sont délicats, plutôt évocateurs de fleurs et de fruits blancs, avec une touche de pamplemousse. La bouche exprime davantage les agrumes, marquée par une vivacité citronnée. À déboucher dès aujourd'hui sur les fruits de mer et des poissons grillés. ⌛ 2016-2019 🍷 sole grillée ■ **2014 (5 à 8 €; 6200 b.)** : vin cité.

EARL DOM. DE GRILLET, 5, Grillet, 33710 Pugnac, tél. 06 16 60 91 17, info@domainedegrillet.fr V *t.l.j. sf dim. 8h-13h 14h-19h*

CH. MACAY Original 2014

■	33000		15 à 20 €

Après la guerre de Cent Ans, un Écossais du clan Mac Kay s'établit ici, loin des Anglais. Au XVIIIe s., le site devient un véritable hameau viticole, ruiné ensuite par le phylloxéra. Entre 1900 et 2012, la famille Latouche le met en valeur, puis le cède à Hervé Descourvières, cadre commercial, et son épouse Frédérique, cadre dans les assurances. Le cru couvre 42 ha au nord de l'AOC côtes-de-bourg.

L'Original? Un assemblage peu commun en côtes-de-bourg: cabernets (60 %, franc et sauvignon à parité), merlot (30 %) et malbec (10 %). Le 2014 joue dans le registre de la finesse. Ses arômes expriment les fruits rouges, avec une touche épicée apportée par les cabernets, et un boisé discret. La bouche est équilibrée, encore fraîche et jeune, mais les tanins commencent à se fondre. ⌛ 2017-2021 🍷 salmis de palombe

SCEA CH. MACAY, 8, rte de Lansac, 33710 Samonac, tél. 05 57 68 41 50, info@macay.fr
V *r.-v.; f. 15 déc.-15 janv.* *Hervé et Frédérique Descourvières*

CH. MARTINAT 2014 ★★

■	70000		8 à 11 €

Deux anciens cadres parisiens devenus vignerons en 1994 dans le Bourgeais et le Blayais. Stéphane

Donze et Lucie Marsaux-Donze ont fait du Ch. Martinat (11 ha sur petites graves et argiles à Lansac) une référence des côtes-de-bourg. Autre étiquette dans la même appellation: le Ch. Bel Air l'Escudier (12 ha). Ils exploitent aussi 3,6 ha de vignes du côté du Blayais voisin, à Teuillac, avec le Ch. les Donats.

Cas assez fréquent en Bourgeais, 20 % de malbec tiennent compagnie au merlot dans ce vin à la robe profonde. Encore jeune mais complexe, le nez exprime un boisé cacaoté légué par un séjour de quatorze mois en barrique avec, à l'arrière-plan, des évocations de fruits noirs. Suave et chaleureux en attaque, le palais dévoile du fruit, ainsi qu'une trame de tanins denses et enrobés, agréables même s'ils sont un peu marqués par le bois. Un vin de garde. ⧗ 2018-2026 ♈ pièce de bœuf rôtie ■ **Ch. Bel Air l'Escudier 2014 (8 à 11 €; 50 000 b.)** : vin cité.

SCEV MARSAUX-DONZE, Ch. Martinat, 33710 Lansac, tél. 05 57 68 34 98, s.donze@chateau-martinat.com V r.-v.

MBM COLLECTION Cuvée Talet 2014 ★

■	1700		15 à 20 €

Venus de Strasbourg, Virginie et Christophe Bourgeois sont tombés sous le charme du Bourgeais et se sont reconvertis. Ces néo-vignerons se sont installés en 2013 au Clos de Château Sec (3 ha) à Mombrier, et ont engagé d'emblée la conversion bio de ce cru.

Issue de merlot avec un soupçon de malbec, élevée en cuve et en fût pendant six mois, cette «cuvée artisanale» est le premier millésime de ces vignerons. Le bouquet naissant marie harmonieusement le merlot (petit fruit noir) et la barrique. Un joli fruit flatte le palais, accompagné d'une touche de gibier. Frais et rond, marqué en finale par d'élégants tanins boisés, ce vin n'est pas un monstre de puissance mais il saura vieillir. ⧗ 2017-2021 ♈ bœuf mode

CHRISTOPHE ET VIRGINIE BOURGEOIS, 2, Château-Sec, 33710 Mombrier, tél. 06 17 33 13 49, mbm@closdechateausec.com V r.-v.

CH. MERCIER Cuvée Prestige 2014 ★★

■	45 000		8 à 11 €

Philippe et Martine Chéty ont été rejoints en 1999 par Christophe et sa sœur Isabelle sur leurs terres de Saint-Trojan où la famille cultive la vigne depuis 1698 et treize générations. Le vignoble couvre 23 ha.

Comme c'est souvent le cas, c'est la cuvée Prestige qui est en vedette, mais il ne s'agit en rien d'une microcuvée. Les jurés louent sa robe très foncée, très jeune, puis son nez tout en fruit – du cassis, du raisin mûr, tous les cépages du Bourgeais y apportant une touche – soutenu par un boisé délicat, finement épicé. La bouche n'est pas en reste: l'attaque, imposante, révèle d'emblée un vin puissant, chaleureux, charnu. De beaux tanins boisés laissent en finale un sillage de moka et de cigare. Un vin de caractère qui s'adaptera à de nombreux mets. ⧗ 2018-2026 ♈ gigue de chevreuil

SCEA FAMILLE CHÉTY, 5, Mercier, 33710 Saint-Trojan, tél. 05 57 42 66 99, info@chateau-mercier.fr V *t.l.j. sf sam. dim. 8h30-12h30 13h30-17h30* 3 6

CH. MONTAIGUT 2014 ★★

■	8900		8 à 11 €

Dominant l'estuaire, dans l'appellation côtes-de-bourg, le cru comptait 12 ha en 1975 lorsque François de Pardieu l'acheta en 1975. C'est aujourd'hui une belle unité de 30 ha, exploitée depuis 2009 par son fils Benoît. Autres châteaux: Lestrille, Nodeau, Peyrolan, Haut-Perringue.

Cette cuvée mi-malbec mi-merlot est un beau vin de garde, presque noir, au nez puissant, encore un peu dominé par les notes toastées de la barrique. Il fait preuve d'une grande présence au palais, avec du volume, de l'ampleur, de la saveur et une longue finale soutenue par des tanins boisés déjà enrobés. De la puissance, de la vivacité et du potentiel. ⧗ 2018-2026 ♈ côte de bœuf ■ **Ch. Lestrille Tradition 2014 (5 à 8 €; 52 000 b.)** : vin cité.

DE PARDIEU, 2, Nodeau, 33710 Saint-Ciers-de-Canesse, tél. 05 57 64 92 49, contact@chateau-montaigut.com V *t.l.j. sf dim. 8h-12h 14h-18h*

CH. MONTEBERIOT La Part des fées 2014 ★

■	8180		11 à 15 €

Ce domaine des côtes-de-bourg tire son nom de Sulpicius de Monteberiot, moine du XIVe s. qui fonda le village de Mombrier. Il a été baptisé ainsi par Gilles et Marie-Hélène Marsaudon, un ancien décorateur événementiel et une ex-commerciale dans le vin reconvertis dans la vigne, qui ont acquis en 2003 ce vignoble de 7,3 ha.

Régulièrement en vue dans le Guide, la cuvée La Part des fées est issue d'un terroir argilo-calcaire et élevée douze mois en fût de chêne. Sa robe est encore intense et jeune. Marqué par l'élevage, le bouquet dévoile cependant une agréable palette fruitée, où ressortent les baies noires. Fruité en attaque, concentré et persistant, le palais montre une grande puissance, adoucie par une chair soyeuse. Les tanins encore un peu serrés en finale permettront à cette bouteille de bien vieillir. De la présence. ⧗ 2018-2024 ♈ coq au vin

CH. DE MONTEBERIOT, Le Maine, 33710 Mombrier, tél. 05 57 64 20 96, contact@monteberiot.com V *r.-v.* *Gilles et Marie-Hélène Marsaudon*

CH. MONTFOLLET Altus 2014 ★

■	36 000		8 à 11 €

La coopérative de Cars (1937), rebaptisée en 2011 «Châteaux solidaires», vinifie séparément les vendanges d'une dizaine de châteaux adhérents, sélectionnés très rigoureusement. Le Ch. Montfollet, l'un des fers de lance du Blayais et du Bourgeais, est conduit par Dominique Raimond, président de la cave, également propriétaire des châteaux Haut-Lalande et Graulet.

Cette cuvée, dont le millésime 2012 avait obtenu un coup de cœur, naît de graves rouges plantées à 95 % de merlot (avec un soupçon de malbec). Un vin de garde par excellence, dont la robe colorée dit la concentration. Encore un peu fermé, le nez s'ouvre à l'aération sur une palette aromatique complexe (baies noires et noyau, boisé cacaoté et épices). La bouche savoureuse est charpentée par de puissants tanins. Les amateurs de vins denses et concentrés pourront l'apprécier rapidement, mais la plupart préféreront attendre. ⧗ 2018-2026 🍷 confit de canard

⊶ *CH. SOLIDAIRES, 9, Le Piquet, 33390 Cars, tél. 05 57 42 13 15, d.raimond@chateaux-solidaires.com* *t.l.j. 9h-12h 14h-18h*

CH. MOULIN DES RICHARDS
Cuvée Caroline 2014 ★★

■ | 16 000 | - de 5 €

Jean-François Réaud dirige depuis les années 1980 le Ch. le Grand Moulin, dont les 40 ha de vignes s'étendent au cœur de l'appellation blaye-côtes-de-bordeaux, complétés par une activité de négoce.

La cuvée Caroline est issue de la partie négoce. Son 2013 avait obtenu un coup de cœur et ce 2014, sans être élu, est de la même veine. Sa robe foncée est encore très jeune. Le nez bien fruité mêle la mûre, le cassis et la myrtille, avec une touche de laurier et des notes boisées qui savent rester discrètes. La mise en bouche révèle un vin charnu, plein de mâche, aux accents un peu giboyeux, soutenu par des tanins denses qui lui permettront de bien vieillir. ⧗ 2018-2026 🍷 civet de sanglier

⊶ *SAS ROBIN, 1289, av. de la Liberté, 33820 Saint-Aubin-de-Blaye, tél. 05 57 32 62 06, mr@grandmoulin.com*

Ⓑ LA PETITE CHARDONNE 2014 ★★

■ | 6000 | | 8 à 11 €

Cet important vignoble de 23 ha, essentiellement situé en bordeaux supérieur, a longtemps appartenu à la famille de Louis Marinier, grand responsable professionnel de la viticulture bordelaise. En 2014, il a été acquis par Shengyi Wang.

Une première récolte en côtes-de-bourg qui frôle le coup de cœur. Ce 2014 a séduit par sa robe bordeaux intense et jeune et par sa richesse aromatique, aussi bien au nez qu'en bouche. Une palette encore marquée par les notes d'un élevage de qualité (moka, caramel, épices, notes toastées) mais où le fruit, aux accents de baies noires bien mûres, se fraie un chemin. Franc à l'attaque, frais et persistant, le palais s'impose par sa puissance, soutenu par des tanins boisés, fermes mais enrobés, qui lui garantissent une bonne garde. ⧗ 2018-2026 🍷 magret de canard

⊶ *SAS DOM. FLORIMOND, Dom. Florimond-la-Brède, 33390 Berson, tél. 05 57 64 39 07, contact@chateauflorimond.com* *r.-v.* ⊶ *Wang*

CH. PEYCHAUD 2014 ★

■ | 69 430 | | 5 à 8 €

La Société fermière des Grands Crus de France est la structure spécialisée dans le Bordelais du groupe Grands Chais de France. Son œnologue Vincent Cachau vinifie le fruit de quinze propriétés, représentant 390 ha dans les différentes AOC bordelaises.

Le Ch. Peychaud, d'une superficie de 25 ha, est établi dans la commune de Teuillac. Son 2014 est un vin coloré, aux arômes de fruits frais et d'épices douces. Souple et fruité en attaque, charnu, assez persistant, il s'appuie sur de bons tanins qui marquent la finale: un bel équilibre. ⧗ 2017-2021 🍷 bavette grillée ■ **Ch. Perthus 2014 (5 à 8 €; 17 589 b.)** : vin cité.

⊶ *SOCIÉTÉ FERMIÈRE DES GRANDS CRUS DE FRANCE, 33460 Lamarque, tél. 05 57 98 07 20*

CH. PEY-CHAUD BOURDIEU
Élevé en fût de chêne 2014 ★

■ | 2400 | 8 à 11 €

Établie aux confins du Blayais, la famille Roy est au service du vin depuis huit générations. Dominique Favin-Roy a pris en 1989 les rênes de l'exploitation, qui couvre 9,5 ha. Elle propose des vins du Blayais et du Bourgeais.

Offrant au nez un mariage harmonieux du fruit et du bois, un vin rond, ample, charnu et plein de mâche. Ses tanins déjà enrobés, un peu fermes en finale, ne tarderont pas à s'assouplir. ⧗ 2017-2021 🍷 entrecôte marchand de vin ■ **Cuvée Séduction 2014 (11 à 15 €; 1800 b.)** : vin cité.

⊶ *FAVIN VIGNOBLES ROY, 1, lieu-dit Le Bourdieu, 33710 Villeneuve, tél. 06 81 93 93 98, vignoblesroy@sfr.fr* *r.-v.*

CH. LE PIAT Élevé en fût de chêne 2014 ★

■ | 41 200 | | 8 à 11 €

Alliance Bourg, regroupement des coopératives de Pugnac, de Tauriac, de Lansac et d'Aubie, propose une gamme étendue de vins dans les AOC du Blayais et du Bourgeais, ainsi qu'en appellations régionales.

Vinifié par la cave, un vignoble de près de 6 ha constitué de 80 % de merlot et de 20 % de cabernets, sur argilo-calcaire. Son vin, élégant, présente un nez harmonieux, à dominante vanillée. Bien équilibré en bouche, il est construit sur d'agréables tanins boisés qui commencent à s'assouplir. ⧗ 2017-2021 🍷 coq au vin ■ **Ch. Haut Gélineau 2014 (8 à 11 €; 25 600 b.)** : vin cité.

⊶ *SCV ALLIANCE BOURG, 18, Bellevue, 33710 Pugnac, tél. 05 57 68 81 01, alliancebourg@orange.fr* *t.l.j. 9h-12h 14h-18h*

CH. PUYBARBE Cuvée Prestige 2014 ★

■ | 25 000 | | 8 à 11 €

Acquis par la famille Orlandi en 1952, un cru établi sur la troisième ligne de coteaux des côtes-de-bourg. À l'origine, 7 ha; aujourd'hui, 35. Et, depuis 2001, un chai-cuvier qui permet de vinifier la récolte auparavant confiée à la coopérative.

Le merlot, majoritaire (80 %), est assemblé au cabernet-sauvignon dans cette cuvée née sur un terroir argilo-calcaire, qui a séjourné seize mois en barrique. La robe sombre aux reflets de jeunesse annonce un nez puissant, mêlant un boisé toasté appuyé et des fruits rouges très mûrs, presque confiturés. La bouche prend bien le relais, chaleureuse et ronde, savoureuse, soutenue par de solides tanins boisés et épicés qui devraient s'affiner assez vite. ⧗ 2017-2021 🍷 magret de canard grillé

⊶ *SCEA ORLANDI FRÈRES, lieu-dit Puybarbe, 33710 Mombrier, tél. 05 57 64 37 41, contact@chateaupuybarbe.com* *t.l.j. 9h-12h 14h-17h; sam. dim. sur r.-v.*

LE BORDELAIS

♥ CH. PUY DESCAZEAU Cuvée Cardinal Élevé en fût de chêne 2014 ★★

■ | 8000 | | 8 à 11 €

En aval de Bourg, sur la corniche girondine, ce domaine d'environ 13 ha est commandé par une élégante chartreuse en pierre calcaire blonde de Bourg, et ses chais sont alimentés en eau par un ancien puits maçonné de 35 m de profondeur. Ingénieur des travaux publics, Jean-Marc Medio l'exploite avec sa famille depuis 1998.

Mariant 60 % de merlot et 40 % de malbec vendangés à la main, élevé dix-huit mois en barrique, voici un vin de caractère, de couleur presque noire. Son bouquet, très particulier, développe des notes minérales, crayeuses et terroitées aux côtés des traditionnelles senteurs fruitées (ici, du fruit noir) et boisées (du grillé, de la torréfaction). On retrouve ces arômes dans une bouche ronde, opulente et longue, étayée par des tanins puissants qui promettent une grande bouteille. ⧗ 2018-2026 🍷 gigot d'agneau ■ **Ch. Descazeau 2014 (- de 5 €; 22000 b.)** : vin cité.

⊶ *SCEA VIGNOBLES MÉDIO, Ch. Puy Descazeau, 23, rte des Vignobles, 33710 Gauriac, tél. 06 12 47 75 75, jmmedio@club-internet.fr* V r.-v.

CH. RELAIS DE LA POSTE Cuvée Malbec 2014 ★★

■ | 14300 | | 8 à 11 €

Un domaine de 25 ha en Blayais et en Bourgeais, constitué autour d'un ancien relais de poste datant de 1750. Régulier en qualité, il est conduit par Bruno Drode depuis 1985.

Élue coup de cœur dans le millésime 2009, cette Cuvée Malbec, élevée en cuve et en fût, reçoit de nouveau un excellent accueil. Sa superbe robe noire est de bon augure. Le bouquet offre une explosion de senteurs florales (violette) et fruitées (fruits noirs, myrtille), dans un sillage discrètement boisé. On retrouve ces arômes au palais, rehaussés d'une touche minérale typique (pierre à fusil). Dense, corsé, charpenté par de jeunes tanins encore assez vifs, le palais exprime plus le raisin que le bois. Un grand vin au naturel. ⧗ 2017-2024 🍷 côte de bœuf ■ **2014 ★ (8 à 11 €; 129600 b.)** : la cuvée principale marie le merlot (80 %) aux deux cabernets. Une robe soutenue, un nez délicatement fruité, une bouche franche, bien équilibrée, étayée par des tanins au grain serré qui permettront une belle évolution dans le temps. ⧗ 2017-2022

⊶ *VIGNOBLES DRODE, Relais de la Poste, 33710 Teuillac, tél. 05 57 64 37 95, brunodrode@hotmail.fr* V *r.-v.*

CH. DE REYNAUD La Volière 2014 ★★

■ | 5400 | | 8 à 11 €

Après avoir exercé le métier de journalistes en région parisienne, Sandrine et Bernard Capdevielle se sont établis en 1999 à Bourg, non loin de la rivière, sur une surface à taille humaine (5,5 ha) afin de tout maîtriser, élaboration et commercialisation. La reconversion est réussie.

La Volière est une petite cuvée élevée douze mois en barriques (neuves à 50 %). Un bijou: la robe aux flamboyants reflets rubis est aussi profonde que le bouquet, complexe et raffiné, mêlant fruits noirs, épices douces et fin boisé. La bouche, dans le droit fil, offre une texture à la fois dense et soyeuse. Ses tanins serrés assurent une longue finale... et garantissent une bonne garde. «Il sort du lot», conclut un juré. ⧗ 2018-2026 🍷 tajine d'agneau aux pruneaux

⊶ *BERNARD ET SANDRINE CAPDEVIELLE, Ch. de Reynaud, 33710 Bourg-sur-Gironde, tél. 05 57 68 44 13, chateau.reynaud@wanadoo.fr* V *r.-v.*

CH. LE SABLARD Prestige 2014 ★

■ | 10000 | | 8 à 11 €

Ce cru familial «à taille humaine» (8 ha) est conduit depuis 2001 par Catherine et Thomas Buratti-Berlinger.

Élevée douze mois en barrique, cette cuvée Prestige apparaît très jeune, très colorée. Son nez est encore dominé par un boisé suave aux nuances de vanille et de noix de coco (il s'agit pourtant de chêne français), qui laisse toutefois percer des notes de fruits confiturés. Chaleureuse en attaque, la bouche est rafraîchie par un trait d'acidité bienvenue, marquée en finale par des tanins boisés où l'on retrouve la noix de coco. ⧗ 2018-2026 🍷 côte de bœuf □ **Ch. Le Sablard Caractère sauvage 2015 ★ (5 à 8 €; 1200 b.)** : ce côtes-de-bourg blanc doit son nom au sauvignon, cépage autrefois appelé «sauvageon» en Bourgeais, qui compose 100 % de la cuvée. Au nez, des senteurs variétales de genêt et de buis, rehaussées de notes d'agrumes, d'acacia et de brioche. On retrouve ces arômes dans un palais gras, soutenu par une bonne acidité. ⧗ 2016-2018

⊶ *CATHERINE ET THOMAS BERLINGER, 7, Le Rioucreux, 33920 Saint-Christoly-de-Blaye, tél. 05 57 42 57 67, chateau.le.sablard@orange.fr* V *t.l.j. 9h-12h30 14h30-18h; sam. dim. sur r.-v.*

CH. TAYAC Prestige 2014 ★★

■ | 35000 | | 15 à 20 €

Cet imposant château de style Renaissance, construit en 1827 sur les ruines d'un ancien château féodal, assiste à la naissance de la Gironde, du haut de son coteau. Les 30 ha de vignes sont implantés sur la pente sud et conduits depuis 1959 par la famille Saturny: d'abord Pierre, enfant du pays, puis ses fils Loïc et Philippe.

Une cuvée importante et remarquablement réussie. Son assemblage a pour particularité de privilégier le cabernet-sauvignon, minoritaire en côtes-de-bourg (70 %, complété par du merlot à queue rouge) – des vignes âgées de soixante ans. Après un séjour de vingt-quatre mois en barriques (neuves à 70 %), le vin apparaît très coloré, grenat sombre, et mêle au nez la violette, les fruits mûrs, la réglisse et un boisé toasté et cacaoté. Dans le même registre, le palais chaleureux et minéral est construit sur des tanins denses et bien enrobés. Un vin de garde. ⧗ 2017-2026 🍷 pièce de bœuf aux cèpes □ **Cuvée Océane 2015 ★ (5 à 8 €; 6000 b.)** : né du trio classique sauvignon-sémillon et muscadelle, un blanc jeune et fruité: nez sauvignonné, exotique, minéral; palais frais sur les agrumes et la pêche blanche. ⧗ 2016-2017

SC DU CH. TAYAC, Saint-Seurin-de-Bourg, 33710 Bourg-sur-Gironde, tél. 05 57 68 40 60, tayac-saturny@wanadoo.fr V r.-v.
Philippe et Loïc Saturny

CH. TERTRE-SAMONAC 2014

■	15000		5 à 8 €

Ce cru de 17 ha, d'un seul tenant, acquis en 2005 par Vincent Mercier, était vinifié en cave coopérative jusqu'en 2013. Le domaine est certifié bio.

Vincent Mercier présente son premier millésime en tant que vinificateur. Issu des argilo-calcaires de Lansac, essentiellement plantés de merlot, le vin est encore jeune et terroité. Le premier nez est encore dominé par des senteurs boisées et torréfiées. Le fruit s'exprime mieux en bouche sur une trame tannique fraîche et souple, qui permettra de boire ce vin dans sa jeunesse. ⧗ 2017-2021 jambon de Bayonne

MERCIER, 1 ter, La Hollande, 33710 Saint-Ciers-de-Canesse, tél. 06 08 49 45 71, vmercier.bio@orange.fr V *r.-v.*

CH. TOUR DE GUIET Excellence 2014

■	16000		8 à 11 €

Originaire du Nord de la France, Stéphane Heurlier, fils de céréalier, s'est installé en 1992 dans le Blayais, à vingt-cinq ans. Il acheté deux propriétés, le Ch. la Bretonnière en blaye-côtes-de-bordeaux et le Ch. Tour de Guiet en côtes-de-bourg. Il s'est entouré de spécialistes, a restructuré durant vingt ans le vignoble (10,5 ha) et construit un nouveau chai.

Élevée une quinzaine de mois en barrique, cette cuvée provient de 2,5 ha plantés à 95 % de merlot. Le vin affiche une robe intense et soutenue, un nez discrètement fruité et boisé, qui libère à l'aération des senteurs d'épices et de gibier. Chaleureux, ample et rond en attaque, le palais développe une mâche fruitée, marqué en finale par des tanins encore un peu anguleux qui devraient s'affiner assez vite. ⧗ 2017-2021 confit de canard

STÉPHANE HEURLIER, 1, La Bretonnière, 33390 Mazion, tél. 05 57 64 59 23, sheurlier@cegetel.net V *r.-v.* *EARL La Bretonnière*

CH. TOUR DES GRAVES Élevé en fût de chêne 2014 ★

■	6000		8 à 11 €

Conduite depuis 2009 par David Arnaud (cinquième génération), cette exploitation familiale de 30 ha, plantée sur graves, tire son nom d'un ancien moulin datant de la Révolution française, aujourd'hui «décapité», dont les ruines se dressent au milieu des vignes.

Dans cette exploitation, pas moins de 4 ha sont dédiés au blanc, si rare en côtes-de-bourg. C'est justement une cuvée de cette couleur que les dégustateurs ont préférée cette année. Assemblant 80 % de sauvignon et 20 % de sémillon, vinifié et élevé en barrique pendant huit mois, avec bâtonnage, ce vin or pâle séduit par son nez fin et expressif, évoquant le genêt, l'acacia, les agrumes et le miel. Sa bouche offre, elle aussi, de jolies variations fruitées, florales et boisées sur un équilibre encore vif. ⧗ 2016-2018 truite aux amandes ■ **Élevé en fût de chêne 2014 (8 à 11 €; 20000 b.)** : vin cité.

VIGNOBLES ARNAUD, Le Poteau, 33710 Teuillac, tél. 09 63 62 00 47, info@arnaudvignobles.fr V *t.l.j. 8h-12h30 14h-19h*

CH. LES TOURS SEGUY Mirandole 2014 ★

■	9000		8 à 11 €

Mentionné à la fin du XVIIIe s., puis dans le Féret de 1868, un domaine de 14 ha, entré dans la famille de Jean-François Breton en 1842. Ce dernier l'exploite depuis 1998 et en a fait une valeur sûre des côtes-de-bourg.

Souvent en très bonne place dans le Guide, la cuvée Mirandole est le fruit d'un assemblage de 53 % de merlot, 37 % de cabernet-sauvignon et 10 % de cabernet franc. Elle séjourne six mois en cuve et douze mois en barrique. La couleur est jeune et franche. Le premier nez est encore marqué par un boisé vanillé, mais les baies noires bien mûres apparaissent à l'aération. La bouche, dans la continuité de l'olfaction, séduit par sa souplesse, épaulée par des tanins élégants qui permettront de déboucher cette bouteille prochainement. ⧗ 2017-2022 travers de porc sel et poivre

SCEA CH. LES TOURS SEGUY, lieu-dit Le Seguy, 33710 Saint-Ciers-de-Canesse, tél. 05 57 64 99 57, scea.toursseguy@gmail.com V *r.-v.* 3

LE LIBOURNAIS

Même s'il n'existe aucune appellation «Libourne», le Libournais est bien une réalité. Avec la ville filleule de Bordeaux comme centre et la Dordogne comme axe, il s'individualise fortement par rapport au reste de la Gironde en dépendant moins directement de la métropole régionale. Il n'est pas rare, d'ailleurs, que l'on oppose le Libournais au Bordelais proprement dit, en invoquant par exemple l'architecture moins ostentatoire des châteaux du vin ou la place des Corréziens dans le négoce de Libourne. Mais ce qui distingue le plus le Libournais, c'est sans doute la concentration du vignoble qui apparaît dès la sortie de la ville et recouvre presque intégralement plusieurs communes aux appellations renommées comme fronsac, pomerol ou saint-émilion, avec un morcellement en une multitude de petites ou moyennes propriétés; les grands domaines, du type médocain, ou les grands espaces caractéristiques de l'Aquitaine étant presque d'un autre monde.

Le vignoble se différencie également par son encépagement dans lequel domine le merlot, qui donne finesse et fruité aux vins et qui leur permet de bien vieillir, même s'ils sont de moins longue garde que ceux d'appellations à dominante de cabernet-sauvignon. En revanche, ils peuvent être bus un peu plus tôt et s'accommodent de beaucoup de mets (viandes rouges ou blanches, fromages, et aussi certains poissons, comme la lamproie).

▶ CANON-FRONSAC ET FRONSAC

Bordé par la Dordogne et l'Isle, le Fronsadais offre des paysages tourmentés, avec deux tertres atteignant 60 et 75 m, d'où la vue est magnifique. Point stratégique, cette région joua un rôle important, notamment au Moyen Âge – une puissante forteresse, aujourd'hui disparue, y fut construite à l'époque de Charlemagne – puis lors de la Fronde de Bordeaux. Le Fronsadais a gardé de belles églises et de nombreux châteaux. Très ancien, le vignoble produit sur six communes des vins de caractère, à la fois corsés, fins et distingués. Toutes ces localités peuvent revendiquer l'appellation fronsac, mais Fronsac et Saint-Michel-de-Fronsac sont les seules à avoir droit, pour les vins produits sur leurs coteaux (sols argilo-calcaires sur banc de calcaire à astéries), à l'appellation canon-fronsac.

CANON-FRONSAC

Superficie : 300 ha / Production : 16 200 hl

CH. BARRABAQUE Prestige 2013 ★

■ | 6000 | | 15 à 20 €

Les canon-fronsac de Barrabaque font référence; le cru se défend aussi en fronsac. Un domaine créé au XVIIIes., dans la famille Noël depuis son acquisition en 1936 par le grand-père ch'ti, brasseur et négociant en vins. Sa fille Nicole a pris la suite jusqu'en 2004, année de l'arrivée aux commandes de Caroline Noël-Barroux, aujourd'hui à la tête de 9 ha de vignes. Incontournable.

Un soupçon de malbec dans un assemblage dominé classiquement par le merlot, avec un appoint de cabernet franc. Élevé dix-huit mois en barrique, le 2013 offre un très bon reflet du millésime. On aime sa robe intense et profonde, et surtout son nez complexe, mêlant les fruits rouges bien mûrs, la rose, le sous-bois, le musc, la menthe et des notes épicées (vanille, clou de girofle). L'attaque souple est relayée par des tanins soyeux, délicatement boisés, plus austères et resserrés en finale. Si le millésime apporte quelques notes végétales, ce vin se place nettement au-dessus de la moyenne. ⏳ 2018-2024 🍷 daube de canard

⊶ *SCEV NOËL, Ch. Barrabaque,*
lieu-dit Barrabaque, 33126 Fronsac, tél. 06 07 46 08 08,
chateaubarrabaque@yahoo.fr V r.-v.

♥ Ⓑ CH. CANON SAINT-MICHEL 2013 ★★

■ | 20000 | | 11 à 15 €

Un cru régulier en qualité, constitué dans les années 1950 par Jean Garnier, mis en fermage entre 1979 et 1998 jusqu'à l'arrivée du petit-fils Jean-Yves Millaire qui en a repris la gestion directe. Le vignoble de 18 ha est conduit en bio et en biodynamie (certification en 2009 et en 2012 respectivement).

Cette cuvée, citée l'an dernier, réussit l'exploit de décrocher un coup de cœur dans un modeste millésime. L'assemblage est le même: le merlot (70 %), escorté des

Le Libournais

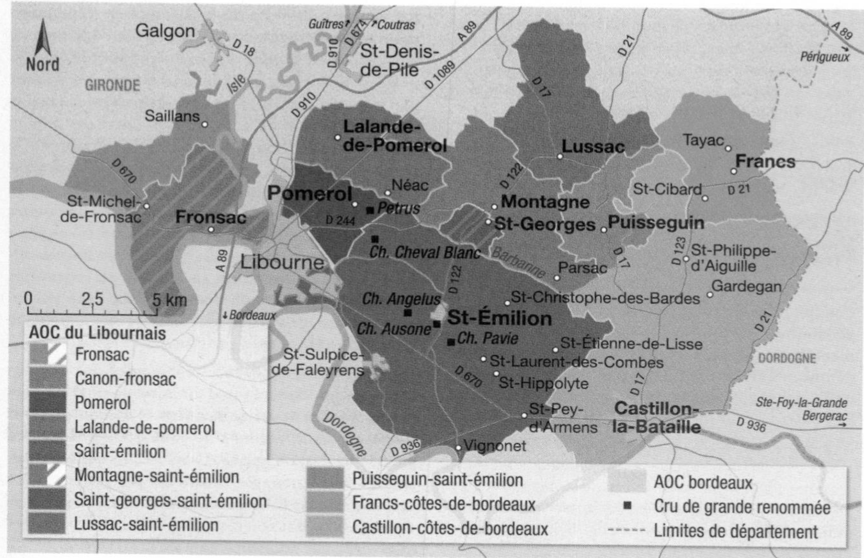

deux cabernets et du malbec à parts égales. Après une vinification en cuve de bois, l'élevage s'est prolongé un an en petits foudres et barriques, puis neuf à dix mois en cuve. Il en résulte un vin qui enchante par son nez exubérant, complexe et tout en fruits confiturés: la fraise, la prune, le pruneau, rehaussés de notes de cuir et des accents vanillés d'un boisé bien dosé. La bouche, à l'unisson, charme par son onctuosité et ses tanins mûrs, qui soulignent sa longue finale. Si le potentiel n'est pas énorme, millésime oblige, ce 2013 fera plaisir pendant quelques années. ⏳ 2018-2024 🍷 lièvre à la royale

JEAN-YVES MILLAIRE, Lamarche, 33126 Fronsac, tél. 06 08 33 81 11, vignoblemillaire@orange.fr
t.l.j. 8h-12h 14h-18h

CH. MAZERIS 2013 ★

■	40000		11 à 15 €

Un domaine fondé en 1769 par la famille de Cournuaud. Neuf générations s'y sont succédé, avec Patrick depuis 1994, rejoint par ses fils Jean et Matthieu. Le vignoble, d'un seul tenant, couvre 17 ha sur les hauteurs de Saint-Michel-de-Fronsac.

Du merlot très dominant (90 %), élevé majoritairement en cuve (80 %). Pourtant, la barrique et son sillage vanillé et grillé ressort bien au nez de ce vin bien coloré, aux côtés des fruits noirs mûrs. D'une belle expression aromatique, la bouche ronde et ample s'adosse à des tanins enrobés; le merrain vanillé ressort en finale. Un vin d'une belle tenue. ⏳ 2017-2022 🍷 entrecôte aux cèpes

EARL DE COURNUAUD, 5, Ch. Mazeris, 33126 Saint-Michel-de-Fronsac, tél. 05 57 24 96 93, mazeris@wanadoo.fr r.-v.

CH. MAZERIS-BELLEVUE 2013

■	33000		11 à 15 €

Fondé en 1840, ce cru de 9,5 ha en coteaux ménage un beau point de vue sur la Dordogne et l'église romane de Saint-Aignan. Dans la même famille depuis six générations, il est conduit depuis 2012 par Aude Bussier, qui poursuit en parallèle son activité d'historienne de l'art et d'architecte à Paris.

Aude Bussier nous propose un joli reflet du millésime avec ce vin qui, raisonnablement, vise le plaisir immédiat en offrant une version légère de l'appellation, de la robe rubis limpide à la finale épicée. Si la barrique est intervenue dans l'élevage, le nez est tout en petits fruits rouges, fraise en tête, l'attaque souple est relayée par des tanins fondus, eux aussi enrobés de petits fruits. Pas trop de longueur, mais le souvenir d'un vin gourmand et élégant, à boire jeune. ⏳ 2017-2020 🍷 onglet grillé

SCEA CH. MAZERIS-BELLEVUE, 1, Ch. Mazeris-Bellevue, 33126 Saint-Michel-de-Fronsac, tél. 05 57 24 98 19, chateaumazerisbellevue@wanadoo.fr r.-v. Famille Bussier

Ⓑ CH. MOULIN PEY-LABRIE 2013

■	7300		20 à 30 €

Agriculteur dans l'Aisne, Grégoire Hubau a quitté les plaines céréalières du Nord pour s'installer en 1988 sur les coteaux de Fronsac avec Bénédicte, informaticienne. Le couple cultive aujourd'hui une quinzaine d'hectares, le Ch. Moulin Pey-Labrie couvrant 7,6 ha. Domaine en agriculture biologique.

Du merlot presque pur (5 % de malbec) dans ce vin dont on aime le nez encore réservé mais plaisant par ses évocations suaves de myrtille, de cassis, de réglisse rehaussées de touches d'eucalyptus et d'épices douces. En bouche, l'attaque fraîche et souple fait place à des tanins fermes et sévères en finale. On conseille malgré tout d'apprécier cette bouteille sur son fruit. ⏳ 2017-2020 🍷 tournedos

BÉNÉDICTE ET GRÉGOIRE HUBAU, Moulin Pey-Labrie, 33126 Fronsac, tél. 05 57 51 14 37, moulinpeylabrie@wanadoo.fr r.-v.

CH. TOUMALIN 2013

■	16700		11 à 15 €

Ce domaine du Fronsadais (environ 7,5 ha aujourd'hui) remonte au milieu du XVIIIe s. Une famille de négociants en vins du Nord l'avait acquis dans les années 1930; un descendant, Bernard d'Arfeuille, l'a vendu en 2008 à Xavier et Nathalie Miravete.

Un assemblage bien libournais de merlot majoritaire associé classiquement au cabernet franc pour ce vin au nez de fruits noirs, de sous-bois et de vanille, bien soutenu en bouche par des tanins veloutés et délicatement boisés, qui se font plus sévères en finale. ⏳ 2017-2021 🍷 civet de lapin
■ **MT de Ch. Toumalin 2013 (8 à 11 €; 16700 b.)** : vin cité.

SCEV CH. TOUMALIN, 33126 Fronsac, tél. 05 57 24 95 54, contact@chateautoumalin.com
Xavier Miravete

VINÉA DE CANON-FRONSAC
Nascentia 2013

■	n.c.		11 à 15 €

Situé dans le Fronsadais, le Ch. Haut-Peychez est un petit cru de 3,3 ha établi sur un plateau calcaire offrant une belle vue sur la vallée de l'Isle. Dans la même famille depuis 1853, il est depuis 2008 dirigé par Éric Ravat, qui exploite aussi un petit hectare en canon-fronsac (Vinéa).

Une cuvée 100 % merlot au nez discret mais franc de petits fruits rouges et de prune, soulignés d'un boisé vanillé. On retrouve le fruit dans une bouche agréablement structurée, assez tannique en finale. ⏳ 2017-2020 🍷 civet de lapin

ÉRIC RAVAT, 2, Peychez, 33126 Fronsac, tél. 06 77 74 22 20, eric.ravat@wanadoo.fr r.-v.

CH. VRAI CANON BOUCHÉ 2013 ★

■	15400		20 à 30 €

Ce cru réputé du Fronsadais couvre 13 ha sur le tertre de Canon, un très beau terroir de calcaire à astéries recouvert d'argiles; il a été repris en 2005 par l'homme d'affaires hollandais Philip de Haseth-Möller, qui en a confié la direction à Jean de Laitre, épaulé par Stéphane Derenoncourt. Une équipe maintenue après le rachat du cru en 2014 par La Française REM, société de gestion déjà très investie dans le vignoble français.

Une belle expression du millésime 2013 dans ce vin mariant deux tiers de merlot et un tiers de cabernet franc, fermenté avec des levures indigènes et élevé douze mois en barriques, neuves à 50 %. La robe est profonde et le nez, ouvert et frais, porte l'empreinte vanillée, réglissée et toastée du merrain, qui laisse percer de la griotte et du cassis, avec une touche végétale. Franc et souple à l'attaque, le palais montre de la matière et du volume, soutenu par une trame tannique enrobée de fruits rouges. Une bouteille gourmande, en dépit d'une finale plus austère, acidulée et mentholée. ⌛ 2018-2022 🍷 faisan en cocotte ■ **Le Tertre de Canon 2013 (8 à 11 €; 9300 b.)** : vin cité.

SAS LES GRANDS VIGNOBLES DE BORDEAUX, 1, le Tertre-de-Canon, 33126 Fronsac, tél. 06 75 76 62 23, contact@chateauvraicanonbouche.com r.-v. *La Française REM*

FRONSAC

Superficie : 830 ha / Production : 44 400 hl

CH. ARNAUTON 2013

■ | 50000 | 11 à 15 €

Ce cru de 25 ha établi sur les pentes sud du tertre de Fronsac a changé plusieurs fois de mains: détenu par des Belges à partir de 1937, passé sous pavillon hollandais en 2007, il a été repris en 2010 par un Français. Les propriétaires passent, les vins restent... souvent en bonne place dans ces pages.

Un soupçon de malbec dans un assemblage dominé classiquement par le merlot, avec le cabernet franc en appoint. Bien sûr, ce 2013 a moins d'envergure que le millésime précédent, coup de cœur dans la dernière édition; on le dégustera jeune, en attendant l'apogée du 2012. D'une couleur intense aux reflets bleutés, il associe au nez le cassis et la myrtille à un boisé délicat. La bouche n'est pas des plus longues, mais elle plaît par sa rondeur et son ampleur, même si le bois fait son retour dans une finale resserrée. ⌛ 2016-2019 🍷 pavé de bœuf au poivre

CH. ARNAUTON, 4, Arnauton, 33126 Fronsac, tél. 06 12 57 11 80, info@chateau-arnauton.fr r.-v. *Belooussoff*

CH. BEAUSÉJOUR 2013

■ | 55500 | | 8 à 11 €

Remontant à 1870, la propriété est dans la même famille depuis cinq générations. Elle était autrefois plantée de vergers, qui ont fait place à la vigne dans les années de l'après-guerre (des cépages blancs, remplacés par des vignes rouges après 1960). Le vignoble est réparti entre les AOC pomerol (Ch. Bel-Air, 9 ha) et fronsac (Ch. Beauséjour, 12 ha).

Intense et profond à l'œil, ce 2013 élevé six mois en cuve et douze mois en fût offre un nez fin et complexe, centré sur les fruits mûrs. La cerise noire et la prune s'expriment dans une bouche agréable par sa souplesse, même si son étoffe peut sembler légère. Un vin à apprécier dans sa jeunesse. ⌛ 2016-2020 🍷 entrecôte frites

SCEA VIGNOBLES SUDRAT-MELET, Bel-Air, 5, chem. de la Cabanne, 33500 Pomerol, tél. 05 57 51 02 45, vignsudrat-melet@wanadoo.fr r.-v.

CH. DE CARLES 2013 ★★

■ | n.c. | | 11 à 15 €

Un domaine commandé par un château des XVe et XVI[e]s., construit sur le tertre de Fronsac par les Carles, puissante dynastie de la noblesse parlementaire de Bordeaux. Il est depuis 1900 dans la famille Chastenet de Castaing, dont descend Constance Droulers, installée en 1983 avec son mari Stéphane. Le couple a fait du vignoble (14 ha) un haut lieu des vins du Fronsadais. Haut Carles, sélection parcellaire lancée en 1994, collectionne les étoiles et les coups de cœur dans le Guide.

Un 2013 remarquable, crédité d'une perspective de garde supérieure au 2012! Il doit presque tout au merlot, qui laisse entrer un soupçon de cabernet franc et de malbec. La robe intense et profonde est traversée de reflets violets de jeunesse. Le bouquet complexe associe les fruits noirs bien mûrs à des nuances d'élevage: cannelle, vanille, toasté. Souple et voluptueuse en attaque, la bouche est soutenue par une solide charpente et par une fraîcheur mentholée qui souligne la longue finale. Un vin complexe et droit, qui se révélera davantage si on l'oublie en cave. ⌛ 2019-2026 🍷 joues de bœuf en daube

SCEV CH. DE CARLES, 1, Carles, 33141 Saillans, tél. 05 57 84 32 03, chateaudecarles@free.fr r.-v. *M. Droulers*

CLOS DU ROY 2013 ★

■ | 15000 | | 8 à 11 €

En 1987, Philippe Hermouet s'est installé sur les terres familiales: 35 ha d'un seul tenant, répartis en deux crus: le Clos du Roy, cru de 4 ha à Saillans (fronsac), et Roc Meynard, 28 ha dans la commune voisine de Villegouge. Plantations et rachats de vignes ont porté l'ensemble à 40 ha, à l'origine de quatre étiquettes en fronsac, bordeaux supérieur et bordeaux.

Implanté sur les côtes et plateaux argilo-calcaires, ce cru atteint aujourd'hui 10 ha. Le 2013 offre une belle image du millésime avec sa robe profonde et son nez complexe et subtil, mariant harmonieusement le petit fruit noir et un merrain bien dosé. Quant au palais, si sa carrure n'a rien d'athlétique, il offre un caractère flatteur par sa finesse, avec une attaque ronde et ample, des tanins fondus et soyeux, un peu plus fermes en finale. Une bouteille bientôt prête. ⌛ 2018-2021 🍷 tourte aux cèpes

HERMOUET, Ch. Clos du Roy, 33141 Saillans, tél. 05 57 55 07 41, contact@vignobleshermouet.com *t.l.j. sf sam. dim. 8h30-12h00 13h30-16h30*

CH. DALEM 2013 ★

■ | 40000 | | 20 à 30 €

L'un des plus anciens crus du Fronsadais, créé en 1610, et sans doute l'un des plus qualitatifs. Dominant la vallée de l'Isle, le vignoble se répartit entre le Ch. Dalem (10 ha), l'étiquette phare, et le Ch. de la Huste (8 ha). Dans la même famille pendant trois siècles avant d'être vendu en 1955 à Michel Rullier, il est depuis 2002 dirigé par la fille de ce dernier, Brigitte Rullier-Loussert.

Dominant la vallée de l'Isle, cette jolie propriété nous propose un millésime 2013 pas mal du tout, qui fait suite à un coup de cœur. La robe est d'une belle intensité; le nez harmonieux livre des arômes de cassis et groseille bien mûrs, enrobés d'un boisé fondu. En bouche, les tanins veloutés laissent une agréable impression de douceur et d'équilibre, soulignant la finale d'une longueur au-dessus de la moyenne. Une bouteille prometteuse pour le millésime. ⧗ 2018-2022 ♈ pièce de bœuf rôtie ■ **Ch. de la Huste 2013 (11 à 15 €; 35 000 b.)** : vin cité.

⊶ BRIGITTE RULLIER-LOUSSERT, Ch. Dalem, 33141 Saillans, tél. 05 57 84 34 18, chateau-dalem@wanadoo.fr V ♿ ▪ *r.-v.*

CH. FONTENIL 2013 ★

■	12 667		20 à 30 €

88 89 90 93 94 **95** 96 97 98 **99** 00 |01| |02| **|03|** |04| 05 **06 08** 09 **10** 11 12 13

Consultants de réputation internationale, Michel et Dany Rolland mettent aussi à profit leurs techniques de vinification sur leur propre exploitation. Acquise en 1986, leur propriété de Saillans, 9 ha implantés sur des coteaux exposés au sud, dans la vallée de l'Isle, fait référence en Fronsadais.

Un cru cher à Michel et à Dany Rolland, qui l'ont acheté il y a juste trente ans pour en faire un lieu de vie et d'expérimentations. Millésime après millésime, on le retrouve dans le Guide Hachette – qui a trente ans, lui aussi. Le 2013 fait très bonne figure. D'une couleur soutenue, il déploie une palette aromatique alliant la cerise confite du merlot (90 %) à un bon boisé aux nuances de vanille, de croûte de pain et d'épices. Moelleuse et suave en attaque, la bouche offre un certain volume, de la longueur et une bonne charpente pour le millésime. La finale est marquée par des tanins encore stricts. Du potentiel. ⧗ 2019-2024 ♈ pavé de biche

⊶ MICHEL ET DANY ROLLAND, Cardeneau-Nord, 33141 Saillans, tél. 05 57 51 52 43, contact@rollandcollection.com V ♿ ▪ *r.-v.*

CH. HAUCHAT 2013 ★

■	18 000		5 à 8 €

Vignerons depuis le XVIIIᵉs. et neuf générations, les Saby – depuis 1997 les frères Jean-Christophe et Jean-Philippe, tous deux œnologues comme leur père Jean-Bernard – possèdent plusieurs crus dans le Libournais et exploitent un ensemble de 70 ha.

Issu d'un beau terroir sur les hauteurs de Saint-Aignan, ce pur merlot a séduit d'emblée le jury par sa robe grenat intense et par son nez de petits fruits rouges gourmand et frais, rehaussé d'un bon boisé légèrement torréfié. Ample, équilibrée, la bouche, dans le droit fil du bouquet, marie le fruit bien mûr aux notes vanillées d'un élevage en barrique bien maîtrisé. Les tanins sont ronds, un peu vifs en finale. Un vin accessible et bientôt prêt. ⧗ 2017-2021 ♈ pintade aux cèpes ■ **La Rose 2013 (8 à 11 €; 18 000 b.)** : vin cité.

⊶ VIGNOBLES SABY, Ch. Rozier, 7, lieu-dit Le Sable, 33330 Saint-Laurent-des-Combes, tél. 05 57 24 73 03, ets.saby@orange.fr V ♿ ▪ *r.-v.*

CH. MAYNE-VIEIL Cuvée Aliénor 2013

■	3500		8 à 11 €

Bertrand et Marie-Christine Sèze conduisent Mayne-Vieil depuis 1989. Un cru fronsadais de 47 ha régulier en qualité, dans leur famille depuis 1918 (la vente en bouteilles date du père, Roger, et des années 1960). 15 ha sont dédiés à l'AOC bordeaux et au Ch. Buisson-Redon.

Née de pur merlot, une cuvée si régulière qu'elle semble avoir pris un abonnement dans le Guide. Le 2013 offre une image avenante du millésime, avec son nez expressif associant petits fruits rouges et noirs à un boisé délicat aux notes de moka, sa bouche à la fois fraîche, aromatique et ronde, ses tanins fondus, dont la vivacité finale donne du relief à l'ensemble. Un «vin plaisir» à apprécier jeune. ⧗ 2016-2021 ♈ parmentier de canard

⊶ SCEA DU MAYNE-VIEIL, 4, rte de Saillans, 33133 Galgon, tél. 05 57 74 30 06, maynevieil@aol.com V ♿ ▪ *t.l.j. sf sam. dim. 9h-12h30 14h-18h*

CH. MOULIN HAUT-LAROQUE 2013 ★

■	15 000		20 à 30 €

Moulin Haut-Laroque, aujourd'hui 16 ha, a été créé par la famille Hervé, dont l'ancêtre, marin breton, s'était installé à Saillans en 1607. La première mise en bouteilles remonte à 1890. Le domaine est l'un des porte-drapeaux de l'appellation fronsac, avec nombre d'étoiles et de coups de cœur à son actif. Il est conduit depuis 1977 par Jean-Noël Hervé, rejoint en 2012 par son fils Thomas.

Un cru toujours fidèle au rendez-vous du Guide, et le 2013, rouge sombre aux reflets bleutés de jeunesse, ne fait pas pâle figure. Son assemblage est le même que l'an dernier: 65 % de merlot, 20 % de cabernet franc, 10 % de cabernet-sauvignon et une goutte de malbec. Intense et gourmand, le bouquet associe la groseille, le cassis et la mûre, rehaussés d'un léger boisé chocolaté. Souple en attaque, bien équilibrée, la bouche offre une matière étoffée. Une belle fraîcheur donne de l'allonge à la finale marquée par un retour du boisé grillé. Un millésime à déguster jeune. ⧗ 2016-2021 ♈ terrine de chevreuil aux truffes

⊶ JEAN-NOËL HERVÉ, 1, le Moulin, 33141 Saillans, tél. 05 57 84 32 07, contact@moulinhautlaroque.com V ♿ ▪ *r.-v.*

CH. RENARD 2013

■	7500		8 à 11 €

En 1955, le Corrézien Amédée Chassagnoux acquiert le Ch. Jean Voisin à Saint-Émilion. Son fils Pierre prend la suite, puis Xavier le petit-fils, qui s'installe en 1978 dans le Fronsadais, au Ch. Renard (7 ha), dont Renard Mondésir est le premier vin et le bordeaux supérieur Ch. Virecourt une sélection parcellaire.

Cette année, c'est le second vin qui figure dans le Guide. Un 2013 agréable, élevé en cuve, au nez tout en fruits rouges (fraise et cerise) rehaussés d'épices douces. Dans le même registre, la bouche privilégie l'élégance aux dépens de la puissance. La finale encore un peu ferme appelle une petite garde toutefois. ⧗ 2018-2021 ♈ hamburger du Sud-Ouest au canard

XAVIER CHASSAGNOUX, Ch. Renard, 33126 La Rivière, tél. 06 80 70 67 82, chateau.renard.mondesir@wanadoo.fr V r.-v.

CH. DE LA RIVIÈRE 2013 ★

■	56000		15 à 20 €

Créé au XVIes. et remanié au XIXes. par Viollet-le-Duc, ce château est entré dans la famille Grégoire en 2003 (qui possède également les châteaux Puynard et Bois Noir) et a été cédé fin 2013 au groupe chinois Brilliant. Un vaste cru de 65 ha répartis sur 53 parcelles argilo-calcaires en coteaux bien exposés. Dans les 8 ha de carrières du domaine sont élevés des vins qui font référence dans le Fronsadais. Un domaine endeuillé après l'accident d'hélicoptère dont ont été victimes James Grégoire et Lam Kok en décembre 2013, au lendemain de la signature entre l'ancien et le nouveau propriétaire. Arrivé en 1997 et devenu directeur général en 2013, Xavier Buffo, ingénieur agronome et œnologue, assure la continuité de l'exploitation.

En dépit des bouleversements et des drames, le vin de la Rivière affiche une qualité régulière, grâce à une équipe technique pointue. Ce 2013 témoigne une fois de plus de la maîtrise des vinifications. Couleur, corps, élégance, il ne manque de rien. La robe est profonde et limpide. Le bouquet, franc et élégant, dévoile des notes gourmandes de mûre et de cassis rehaussées d'un boisé discret. La bouche se révèle bien équilibrée et persistante, construite sur des tanins serrés, avec un fond de vivacité. Une bouteille qui pourra se garder quelques années. ⧗ 2018-2023 ▾ salmis de palombe

SCA CH. DE LA RIVIÈRE, 33126 La Rivière, tél. 05 57 55 56 56, info@chateau-de-la-riviere.com V *r.-v.* 5 *Groupe Brilliant*

CH. LES TROIS CROIX 2013 ★★

■	27000		15 à 20 €

Vinificateur de renom (Mouton-Rothschild de 1985 à 2003, Opus One en Californie, Almaviva au Chili), Patrick Léon a acquis en 1995 ce cru de 15 ha établi sur les communes de Fronsac, de Saillans et de Saint-Aignan (d'où les Trois Croix) et en a fait, avec son fils Bertrand, l'un des fleurons de l'AOC fronsac. Le vignoble couvre aujourd'hui 18 ha.

Ce domaine se distingue régulièrement en fronsac, et a même quatre coups de cœur à son actif. Fidèle au rendez-vous, le 2013 est plus tendre que son devancier mais fort agréable. La robe profonde fait bonne impression, et le nez charme par sa complexité: on y trouve des notes florales et épicées, de la griotte, du fruit noir et du boisé vanillé aux nuances gourmandes de pâtisserie à la frangipane. La bouche élégante, franche et longue s'appuie sur des tanins enrobés. Cette bouteille sera très agréable dans les cinq ans à venir, et pourrait même tenir plus longtemps. ⧗ 2017-2022 ▾ daube de queue de bœuf ■ **Ch. Lamolière 2013 (8 à 11 €; 15000 b.)** : vin cité.

FAMILLE PATRICK LÉON, 1, Les Trois-Croix, 33126 Fronsac, tél. 05 57 84 32 09, lestroiscroix@aol.com V *r.-v.*

CH. LA VIEILLE CURE 2013

■	19000		20 à 30 €

88 89 90 93 **94 95** 96 **97** |**98**| 99 |00| |**01**| |**02**| |03| |**04**| **05** 06 **07** |08| 09 **10** 11 12 13

Acquis en 1986 par des amis américains, ce cru, indiqué sur la carte de Belleyme de 1780, couvre 20 ha d'un seul tenant. Les vignes sont implantées sur des coteaux argilo-calcaires à 65 m d'altitude, bien exposés et bien drainés, dans la vallée de l'Isle. Une valeur sûre de l'AOC fronsac.

Si ce 2013 ne fait pas oublier le 2010, coup de cœur du Guide, il se tire honorablement d'un millésime délicat. Il est né d'un assemblage bien libournais de merlot (80 %) et de cabernets (franc surtout) et a séjourné quinze mois en barrique. Son bouquet expressif met en avant la griotte et la vanille. Le palais charnu, de bonne longueur, s'appuie sur des tanins soyeux, qui se font plus austères en finale. On les laissera s'arrondir en cave. ⧗ 2019-2022 ▾ bœuf braisé

SNC CH. LA VIEILLE CURE, Coutreau, 33141 Saillans, tél. 05 57 84 32 05, vieillecure@wanadoo.fr

CH. VILLARS 2013

■	9600		11 à 15 €

93 **94 95** 96 98 99 |**00**| |01| |**02**| |03| |04| 05 06 |08| |09| 10 11 12 13

Revenu en 1991 sur le domaine familial dont il a pris les rênes en 1998, après avoir exercé la profession d'œnologue-conseil dans le Blayais, Thierry Gaudrie a, depuis, beaucoup contribué à faire de ce cru de 30 ha – dans sa famille depuis deux siècles – une référence en fronsac. Le vignoble est installé sur des coteaux dominant la vallée de l'Isle.

Composé de 86 % de merlot, complété par du cabernet franc et un soupçon de cabernet-sauvignon, voici le grand vin du domaine, représentant 20 ha du vignoble, élevé un an en barrique et habitué du Guide. Le 2013 se signale par des volumes très modestes – le prix de la qualité? La robe est intense et profonde. Le nez très expressif diffuse des parfums gourmands de biscotte, de vanille, de baies noires bien mûres, avec une touche de noix de coco. Le palais consistant, d'un beau volume, soutenu par des tanins serrés apparaît austère en finale en raison d'un boisé appuyé: à laisser un peu en cave. ⧗ 2019-2023 ▾ côte de bœuf

SCEV GAUDRIE ET FILS, Villars, 33141 Saillans, tél. 05 57 84 32 17, chateau.villars@wanadoo.fr V *r.-v.*

POMEROL

Superficie : 785 ha / Production : 40 500 hl

Pomerol est l'une des plus petites appellations girondines et l'une des plus discrètes sur le plan architectural. Au XIXes., la mode des châteaux du vin, d'architecture éclectique, ne semble pas avoir séduit les Pomerolais, qui sont restés fidèles à leurs habitations rurales ou bourgeoises. Néanmoins, l'aire d'appellation possède quelques demeures élégantes comme le Ch. de Sales (XVIIes.), sans doute l'ancêtre de toutes les chartreuses girondines, ou le Ch. Beauregard, l'une des plus charmantes constructions du

XVIIIe s., reproduite par les Guggenheim dans leur propriété new-yorkaise de Long Island.

Cette modestie du bâti sied à une AOC dont l'une des originalités est de constituer une sorte de petite république villageoise où chaque habitant cherche à conserver l'harmonie et la cohésion de la communauté; un souci qui explique pourquoi les producteurs sont toujours restés réservés quant au bien-fondé d'un classement des crus.

La qualité et la spécificité des terroirs auraient pourtant justifié une reconnaissance officielle du mérite des vins de l'appellation. Comme tous les grands terroirs, celui de Pomerol est issu du travail d'une rivière, l'Isle, née dans le Massif central. Le cours d'eau a commencé par démanteler la table calcaire pour y déposer des nappes de cailloux, travaillées ensuite par l'érosion. Il en résulte un enchevêtrement de graves ou de cailloux roulés. La complexité des terrains semble inextricable: toutefois, il est possible de distinguer quatre grands ensembles: au sud, vers Libourne, une zone sablonneuse; près de Saint-Émilion, des graves sur sables ou argiles (terroir proche de celui du plateau de Figeac); au centre de l'AOC, des graves sur ou parfois sous des argiles (Petrus); enfin, au nord-est et au nord-ouest, des graves plus fines et plus sablonneuses.

Cette diversité n'empêche pas les pomerol de présenter une analogie de structure. Très bouquetés, ils allient la rondeur et la souplesse à une réelle puissance, ce qui leur permet d'être de longue garde tout en pouvant être bus assez jeunes. Ce caractère leur ouvre une large palette d'accords gourmands, aussi bien avec des mets sophistiqués qu'avec des plats très simples.

CH. BEAUREGARD 2013

■ | 17 425 | | 30 à 50 €

75 78 81 (82) **83** 84 **85** 86 88 89 90 92 **93 94 95 96 97 98** 99 |(00)| |**01**| 02 |**03**| 04 05 |06| |07| |08| 09 **10** 11 **12** 13

Commandé par une superbe chartreuse du XVIIe s., Beauregard étend ses 17,5 ha en bordure sud-est du plateau de Catusseau, complétés par 8 ha en lalande (Pavillon Beauregard). Un cru très régulier, dont la gestion est confiée à Vincent Priou. Propriété depuis 1991 du Crédit Foncier, il a été vendu en juillet 2014 aux familles Moulin (groupe Galeries Lafayette) et Cathiard (Ch. Smith Haut Lafitte).

Un 2013 agréable dans les charmes de sa jeunesse. Le nez s'ouvre d'abord sur un boisé réglissé et sur une touche de cuir, puis l'aération libère de jolies notes de petits fruits. Friand en attaque, à la fois souple et frais, le palais développe des arômes de raisin, soutenu par des tanins jeunes, encore stricts, qui devraient s'affiner assez vite. Un pomerol que l'on débouchera sans trop tarder pour attendre la maturité de millésimes plus solaires et structurés. ⧗ 2017-2021 ᛘ carré de veau aux cèpes

CH. BEAUREGARD, 73, rue Catusseau, 33500 Libourne, tél. 05 57 51 13 36, beauregard@chateau-beauregard.com V r.-v. *Motier Domaines*

CH. BEAU SOLEIL 2013 ★

■ | 23 000 | | 20 à 30 €

Ancien juriste et producteur en haut-médoc (Ch. Sénéjac), Thierry Rustmann a repris en 2005 l'exploitation de ce petit vignoble pomerolais de 4 ha.

Un assemblage typiquement pomerolais, où le merlot est presque exclusif (5 % de cabernet franc), planté sur des sables anciens sur argiles. Ce cru réussit l'exploit de livrer un 2013 au potentiel jugé supérieur à son devancier de 2012. Pourpre intense, ce millésime dévoile un bouquet déjà complexe, associant fleurs, fruits rouges frais, boisé torréfié et touche minérale. Tendre en attaque, il développe des arômes fruités, soutenus par des tanins boisés bien présents. Sa longue finale saline lui donne du tonus et relief. Un vin déjà agréable et qui peut vieillir. ⧗ 2017-2026 ᛘ filet de bœuf en croûte

THIERRY RUSTMANN, 26, chem. de Plince, 33500 Pomerol, tél. 05 56 60 45 69, chateau.beausoleil@orange.fr V *r.-v.* *GFV Beausoleil*

(B) CH. BELLEGRAVE 2013

■ | 15 000 | | 20 à 30 €

Vigneron-tonnelier à Arveyres, le père de Jean-Marie Bouldy a traversé la Dordogne en 1951 pour s'établir sur les graves du secteur de René, dans la partie sud-ouest de l'appellation pomerol, au nord de Libourne. Le fils, Jean-Marie, a repris l'exploitation en 1980 et l'a convertie à l'agriculture biologique (certification en 2012).

Un 2013 bien fait, qui commence doucement son évolution. La teinte rubis s'accompagne de quelques reflets grenat. Le bouquet, encore discret, s'ouvre sur des notes délicates, équilibrées entre le fruit rouge mûr et la barrique. Le vin s'exprime davantage au palais; souple en attaque, il montre une certaine densité, dévoile des arômes fruités et s'appuie sur des tanins de qualité qui commencent à s'affiner. On pourra bientôt le servir sur des viandes blanches ou des fromages doux. ⧗ 2017-2022 ᛘ dinde fermière

JEAN-MARIE BOULDY, lieu-dit René, 33500 Pomerol, tél. 05 57 51 20 47, chateaubellegrave@orange.fr V *t.l.j. 8h-12h30 14h-18h30*

CH. BONALGUE 2013 ★

■ | 9 800 | | 30 à 50 €

En 1906, le Corrézien Jean-Baptiste Audy crée son négoce puis investit dans plusieurs crus du Libournais. Son petit-fils Pierre Bourotte et, depuis 2003, son arrière petit-fils Jean-Baptiste gèrent la maison et les vignobles familiaux: Courlat, ancien fief des Barons de Montagne (17 ha en lussac), Bonalgue (9,5 ha) et Clos du Clocher (5,9 ha) en pomerol, Les Hauts-Conseillants (10 ha) en lalande.

Établie sur les graves de Bonalgue, au nord de Libourne, cette propriété a été achetée par la famille en 1926. Son 2013 s'ouvre sur des notes boisées, puis gagnant en complexité à l'aération, dévoile une palette où se mêlent fruits rouges (framboise), amande grillée et cette nuance de pierre à fusil typique des terroirs de graves. Cette richesse aromatique se prolonge dans un palais équilibré, à la fois souple et frais, étayé par d'élégants tanins qui lui donnent un potentiel intéressant. ⧗ 2017-2023 ᛘ carré de veau aux cèpes ■ Clos

du Clocher 2013 ★ (50 à 75 €; 7500 b.) : un cru voisin de l'église, acquis par la famille en 1924. Issu d'un terroir argilo-limoneux, le vin paraît jeune avec sa robe intense, son nez entre fruits noirs et violette. Sa bouche opulente et charpentée en font un vin apte à la garde, que l'on pourra apprécier jeune à condition de le carafer. ⧗ 2018-2023

SAS PIERRE BOUROTTE, 62, quai du Priourat, BP 79, 33502 Libourne Cedex, tél. 05 57 51 62 17, jbbourotte@jbaudy.fr r.-v.

♥ CH. LE BON PASTEUR 2013 ★★

■ | 12000 | | 50 à 75 €

78 79 81 (82) **83 85 86 88** 89 90 **92 93 94** (95) 96 **97** |(98)| **99 00 01** |02| |03| |04| |**05**| |06| 08 09 **10** 11 12 **13**

Michel Rolland possédait plusieurs crus dans le Libournais, avec pour fleuron Bon Pasteur, dans la famille depuis les années 1920: 7 ha morcelés en 23 parcelles, aux confins nord-est de Pomerol. Bertineau Saint-Vincent (5,6 ha en lalande) et Rolland-Maillet (3,3 ha sur Saint-émilion) complètent la propriété, passée sous pavillon chinois en 2013; l'équipe technique est restée en place.

Ce célèbre pomerol provient du terroir de Maillet, près de la Barbanne: un mélange d'argiles, de sables et de graves sur lequel le merlot domine (80 %, avec le cabernet franc en appoint). Premier millésime élaboré sous pavillon chinois, il satisfera certainement le nouveau propriétaire, M. Pan Sutong et fera la fierté des vinificateurs, Michel Rolland et Benoît Prévot. Fermenté en petites cuves et en barriques, il a séjourné quinze mois dans le chêne neuf. C'est un pomerol complet, du premier regard à la dernière gorgée. La robe est soutenue, très bordeaux. Le bouquet puissant montre un parfait équilibre entre senteurs du raisin (baies noires) et notes d'élevage (réglisse, vanille, moka). La bouche, typique de l'appellation, est chaleureuse et ronde. Ses arômes de raisin bien mûr tiennent tête aux tanins boisés déjà enrobés. Le style de vin qui peut s'apprécier jeune ou patiné par l'âge. ⧗ 2017-2026 🍴 pièce de bœuf de Bazas

SAS LE BON PASTEUR, 10, chem. de Maillet, 33500 Pomerol, tél. 05 57 24 52 58, contact@chateaulebonpasteur.com r.-v.

CH. LA CABANNE 2013 ★★

■ | 19700 | | 50 à 75 €

Les Estager, négociants et propriétaires d'origine corrézienne, sont établis depuis 1912 dans le Libournais. Côté vignobles, conduits par Michèle Estager et son fils François, quatre AOC: pomerol (La Cabanne, Plincette, Haut Maillet), saint-émilion (Gourdins), lalande (Gachet) et montagne (La Papeterie).

Acquis par la famille en 1952, ce cru de 8 ha est essentiellement planté de merlot sur sols argilo-graveleux. Il est équipé d'un chai entièrement refait en 2011, doté de petites cuves tronconiques en Inox. Ce 2013 remarquable confirme le bien que nous avons déjà dit du domaine, dont le 2012 avait obtenu un coup de cœur. Si ses perspectives de garde sont plus modestes, millésime oblige, la séduction du 2013 est réelle. Sa robe presque noire est traversée d'éclats rubis. Son nez, entre myrtille, cassis et épices, est puissant, complexe et racé. D'un équilibre remarquable, ample et long, le palais exprime le raisin bien mûr et la vanille sur des rondeurs généreuses, stimulé par une légère acidité et soutenu par des tanins boisés soyeux et élégants. «Du bon raisin, un bon élevage, un joli terroir», conclut un juré. ⧗ 2017-2023 🍴 faisan en cocotte ■ **Dom. de Compostelle 2013 ★ (20 à 30 €; 11900 b.)** : le second vin de la Cabanne ne pâtit pas de la qualité du premier. Le merlot laisse une petite place au cabernet franc (15 %) qui lui confère une finesse intéressante. Couleur intense, nez fin et élégant au boisé bien marié, bouche harmonieuse, fraîche et soyeuse: un vrai pomerol. ⧗ 2017-2022 ■ **Ch. Haut-Maillet 2013 (30 à 50 €; 24900 b.)** : vin cité.

VIGNOBLES JEAN-PIERRE ESTAGER, 35, rue de Montaudon, 33500 Libourne, tél. 05 57 51 04 09, estager@estager.com r.-v.

CH. CERTAN DE MAY DE CERTAN 2013 ★★

■ | 13000 | | 75 à 100 €

85 86 88 89 (90) 94 95 96 97 98 99 00 01 |**02**| |03| |**04**| **05 06 07** 09 **10** 11 **13**

Au XVI^e^s., un Écossais du nom de De May reçut des terres pour services rendus à la France. Odette Barreau-Badar et ses fils Jean-Luc et Patrick sont aujourd'hui aux commandes de ce petit cru de 5,5 ha du secteur de Certan, installé sur un terroir argilo-graveleux qu'il partage avec de prestigieux voisins, au cœur de l'appellation. Une valeur sûre et régulière de Pomerol.

L'encépagement, dominé par le merlot (75 %), laisse un peu de place aux cabernets. Le dicton qui affirme que «c'est dans les millésimes difficiles que l'on reconnaît les grands vins» se vérifie avec ce remarquable 2013 paré d'une robe intense, bordeaux foncé. Son nez racé ajoute aux fruits rouges (framboise) et aux notes vanillées de l'élevage une élégante touche minérale. Dès l'attaque, ce vin montre une belle présence: ample, suave et généreux, il déploie de jolies rondeurs rafraîchies par une fine acidité qui étire la finale et soulignées par des tanins au grain fin. Du potentiel. ⧗ 2017-2026 🍴 côte de bœuf aux cèpes

MME BARREAU-BADAR, Ch. Certan, 33500 Pomerol, tél. 05 57 51 41 53, chateau.certan-de-may@wanadoo.fr r.-v.

B CH. LE CHEMIN 2013 ★

■ | 1500 | | 50 à 75 €

Héritier d'une lignée présente dans le Libournais depuis le XVI^e^s., François Despagne gère depuis 1996 le Ch. Grand Corbin Despagne, cru classé au nord-ouest de l'appellation Saint-Émilion. Sa famille lui a aussi transmis en 2009 le Ch. le Chemin, petit vignoble de 92 ares situé en pomerol, à la limite de Saint-Émilion, qu'il exploite en bio.

Ce terroir d'argile, de graves et de sables est exclusivement planté de merlot. Le 2013 joue la carte de la finesse. Sa robe grenat intense est attrayante. Le bouquet s'ouvre sur de délicates notes florales, fruitées, épicées, presque exotiques. La bouche, encore jeune et fraîche, commence à libérer ses arômes fruités. Elle s'appuie sur une trame de tanins enrobés qui assureront à cette bouteille une bonne tenue dans le temps. ⧗ 2017-2024 🍷 civet de lièvre

FRANÇOIS DESPAGNE, 3, Barraillot, 33330 Saint-Émilion, tél. 05 57 51 08 38, f-despagne@grand-corbin-despagne.com V r.-v.

CH. LA CLÉMENCE 2013 ★

■ | 9000 | | 30 à 50 €

Christian Dauriac conduit depuis 1971 le Ch. Destieux, grand cru de Saint-Émilion classé en 2006, 8 ha d'un seul tenant en haut du coteau de Saint-Hippolyte, complétés par 7 ha sur les terres de Lisse (Ch. Montlisse) et par 2,8 ha à Pomerol (La Clémence).

Christian Dauriac a nommé son vignoble de Pomerol La Clémence pour souligner son désir d'en tirer un vin élégant. De fait, ce 2013 est réellement charmeur avec son nez intense et raffiné mêlant harmonieusement les notes boisées et épicées de l'élevage à des senteurs de baies noires, qui s'affirment après aération. Dans une belle continuité aromatique, la bouche, gourmande, laisse apparaître de jolies rondeurs et des tanins boisés denses mais affables, qui laissent une finale agréable. Un pomerol aimable, féminin, diraient certains, qui accompagnera bien la volaille et le gibier à plume. ⧗ 2017-2024 🍷 canard à l'orange

CHRISTIAN DAURIAC, Ch. Destieux, 33330 Saint-Hippolyte, tél. 05 57 24 77 44, contact@vignoblesdauriac.com V r.-v.

CLOS 56 2013

■ | 2500 | | 50 à 75 €

Cette ancienne famille vigneronne (un ancêtre était jurat de Saint-Émilion au Moyen Âge) conduit, à travers le Clos de la Cure et le Ch. Milon, un ensemble de 18 ha dans le Saint-Émilionnais, complété en 2010 par une petite parcelle de 56 ares à Pomerol (Clos 56).

La robe est légère, mais pimpante. Aux arômes de fruits frais, le séjour de dix-huit mois en barriques (neuves à 50 %) a ajouté des notes boisées, avec une touche de noix de coco. Souple en bouche, ce vin n'a rien d'un athlète, mais il apparaît bien équilibré; on y retrouve les fruits rouges; ses tanins élégants devraient s'affiner assez vite. Un aimable reflet du millésime. ⧗ 2017-2021 🍷 tournedos

SCEA DES DOMAINES BOUYER, Ch. Milon, 33330 Saint-Christophe-des-Bardes, tél. 05 57 24 77 18, milon-cure@wanadoo.fr V r.-v.

CH. CLOS BEL AIR Cuvée Éva 2013

■ | 1500 | | 20 à 30 €

La famille Lespine est bien connue dans le canton voisin de Branne où elle possédait l'Hôtel de France. Par héritage, depuis 1850, elle possède aussi aux environs de Libourne un petit vignoble en pomerol: 2,34 ha de merlot planté sur sables graveleux. Richard Lespine, ancien cuisinier, l'a repris en 2006.

En 2013, le cru offre un «vin plaisir» rouge intense, qui s'ouvre sur des senteurs de fruits à l'eau-de-vie, de noyau, d'épices douces. Dans une belle continuité aromatique, la bouche, souple en attaque, s'appuie sur de savoureux tanins boisés qui commencent à s'affiner. Une bouteille bientôt prête. ⧗ 2017-2021 🍷 cailles farcies au foie gras

SCEA J. LESPINE ET SUCCESSEURS, 23, rue Lamothe, 33420 Branne, tél. 05 57 74 91 74, richard.lespine@orange.fr V r.-v.

CLOS DE LA VIEILLE ÉGLISE 2013 ★

■ | 9000 | | 50 à 75 €

92 93 94 95 96 99 |**00**| 01 02 03 |**04**| |05| **06** 07 08 09 ⑩ **11** 13

Issu d'une lignée vigneronne établie dans le Libournais depuis 1628, Jean-Louis Trocard, installé en 1976, conduit plusieurs propriétés représentant un vaste ensemble de 88 ha. Dans la famille depuis 1830, le Clos de la Vieille Église, petit cru de 1,5 ha situé dans le «croissant d'or» de Pomerol, sur le plateau de graves et d'argiles, est une valeur sûre.

Le Clos de la Vieille Église comprend 30 % de cabernet franc aux côtés du merlot; il reste vingt mois en barriques neuves. D'une couleur intense, il offre un nez jeune, déjà expressif: d'abord boisé, il libère ensuite des fragrances florales (violette), fruitées (fruits rouges, cerise), épicées, avec des touches de cuir et de truffe. Les mêmes arômes se dévoilent dans un palais souple et frais en attaque, aux tanins encore stricts en finale. ⧗ 2019-2026 🍷 magret de canard pommes sarladaises ■ **Ch. Porte Chic 2013 (30 à 50 €; 4300 b.)** : vin cité.

VIGNOBLES JEAN-LOUIS TROCARD, 1175, rue Jean-Trocard, 33570 Les Artigues-de-Lussac, tél. 05 57 55 57 90, contact@trocard.com V *t.l.j. 8h30-12h 14h-17h30; sam. dim. sur r.-v.*

LE CLOS DU BEAU-PÈRE 2013 ★

■ | 8000 | | 30 à 50 €

L'un des crus de Jean-Luc Thunevin, l'homme de Valandraud (aujourd'hui 1er grand cru classé de Saint-Émilion) et des vins de garage: 4 ha de vignes, acquis en 2006.

Ici, le terroir de graves est dominé (90 %) par le merlot, avec un appoint de 10 % de cabernet franc. Le 2013 affiche une robe jeune et pimpante. Le bouquet, encore naissant, montre pourtant de la profondeur, déployant des senteurs de fruits confits, de cuir et la touche de violette caractéristique du pomerol, rehaussées d'un boisé discret et bien intégré. Dès la mise en bouche, ce vin montre une grande présence; rond, charnu, persistant, il offre une saveur fruitée et apéritive, structurée par de solides tanins garants d'une bonne évolution. Il pourra tenir tête à des mets de caractère. ⧗ 2019-2026 🍷 noisette de chevreuil

THUNEVIN, 6, rue Guadet, 33330 Saint-Émilion, tél. 05 57 55 09 13, thunevin@thunevin.com V r.-v.

CLOS SAINT-ANDRÉ 2013 ★

■ | 2500 | | 50 à 75 €

Un microcru (60 ares) repris en 2004 par Jean-Claude Desmarty; une vigne plantée par son arrière-grand-mère sur les graves et les argiles du secteur de Moulinet et travaillée avec un cheval.

Ce petit cru, planté de merlot et de cabernets (30 %), obtient la même note que l'an dernier dans un millésime pourtant plus difficile. Il faut dire qu'ici la vigne est travaillée comme un jardin. La robe est profonde. Le bouquet, déjà opulent, mêle les fruits noirs bien mûrs (cassis) à un boisé aux nuances de moka, relevé d'une touche poivrée. Ample, ronde et fraîche à la fois, étayée par des tanins au grain fin, la bouche, elle aussi très fruitée, ajoute à la palette aromatique une touche de noyau. Une bouteille d'une belle présence, qui sera aussi agréable jeune que patinée par les ans. ⌛ 2017-2026 🍷 cailles rôties

⊶ JEAN-CLAUDE DESMARTY, 7, imp. des Barrières, Grand-Moulinet, 33500 Pomerol, tél. 06 60 61 78 75, jcdesmarty@orange.fr V r.-v.

CH. LA CONSEILLANTE 2013 ★

■ | n.c. | 🛢 | 75 à 100 €

82 85 88 89 90 93 95 96 98 |99| |**00**| |**01**| 02 |**03**| |**04**| |(05)| |06| |08| **09 10 11 12** 13

L'un des crus les plus prestigieux de Pomerol, auquel Catherine Conseillan, propriétaire au XVIIes., donna son nom. Acquis en 1871 par Louis Nicolas, dont les initiales ornent toujours l'étiquette, il est aujourd'hui cogéré par ses héritiers Bertrand et Jean-Valmy Nicolas, et dirigé par Marielle Cazaux. Le vignoble s'étend sur 12 ha d'argile (merlot) et de graves (cabernet franc).

Le millésime 2012 avait remporté un coup de cœur pour son élégance. Son successeur tire son épingle du jeu d'un millésime difficile, où les équipes ont dû jouer avec une année tardive et un mois de septembre humide et chaud. Si la robe est profonde, le nez est plus réservé; il mêle les arômes fumés d'un élevage en barrique (dix-huit mois) et des parfums de petits fruits rouges frais évoquant la griotte. Après une attaque tendre, la bouche monte en puissance et s'appuie sur une trame tannique suffisamment étoffée pour autoriser la garde. Des arômes pâtissiers apportent un côté gourmand et une aimable acidité souligne la finale, donnant du relief à l'ensemble. Une bouteille très honorable pour le millésime. ⌛ 2018-2023 🍷 faisan en cocotte

⊶ SC DES HÉRITIERS NICOLAS, Ch. la Conseillante, 33500 Pomerol, tél. 05 57 51 15 32, contact@la-conseillante.com r.-v.

CH. LA CROIX 2013

■ | 11000 | 🛢 | 20 à 30 €

Négociants-éleveurs et producteurs d'origine corrézienne, les Janoueix sont propriétaires de nombreux crus dans le Libournais. Leur histoire débute en 1898 quand Jean Janoueix fonde son commerce de vin, aidé de ses quatre fils. L'un d'eux, Joseph, acquiert son propre domaine (Haut Sarpe à Saint-Émilion) en 1930 et crée sa maison de négoce en 1932. Son fils Jean-François est aux commandes de ce vaste ensemble.

Ce cru est installé sur des graves, au cœur de Pomerol. Son 2013 se teinte de quelques reflets d'évolution. Le bouquet très épicé mêle le poivre, le clou de girofle et un boisé vanillé, les petits fruits rouges perçant à l'arrière-plan. La bouche, encore un peu fermée, privilégie la finesse, avec de jolies rondeurs. La finale est marquée par des tanins un peu fermes qui demandent à s'assouplir. ⌛ 2018-2024 🍷 côte de bœuf

⊶ SC CH. LA CROIX, 37, rue Pline-Parmentier, BP 192, 33506 Libourne Cedex, tél. 05 57 51 41 86, info@j-janoueix-bordeaux.com V r.-v.

CH. LA CROIX DE GAY 2013

■ | 12000 | 🛢 | 20 à 30 €

Ce cru situé autour du hameau du Pignon est resté dans la même famille, par filiation directe, depuis le XVes. C'est Chantal Raynaud-Lebreton qui le dirige depuis 1998 – seule depuis que son frère Alain a revendu ses parts en 2009. Le domaine ne couvre plus que 6 ha. Il s'est équipé en 2014 d'un nouveau cuvier aux cuves de béton ovoïdes.

La robe commence à se teinter de reflets grenat d'évolution. Au nez, des senteurs de mûre et de boisé vanillé se nuancent d'une délicate touche de tabac. Des arômes d'amande s'ajoutent à cette palette dans une bouche à la fois fraîche et souple, adossée à des tanins fins qui commencent à s'arrondir. Bientôt prête, cette bouteille s'accordera à de nombreux mets, aux viandes blanches comme aux viandes rouges. ⌛ 2017-2021 🍷 carré d'agneau

⊶ SCEV CH. LA CROIX DE GAY, 8, chem. de Saint-Jacques-de-Compostelle, lieu-dit Pignon, 33500 Pomerol, tél. 05 57 51 19 05, contact@chateau-lacroixdegay.com V r.-v. *⊶ Chantal Lebreton*

CH. LA CROIX SAINT-VINCENT 2013

■ | 28000 | 🛢 | 15 à 20 €

La famille Leydet, établie sur les terres libournaises depuis 1862, exploite 16,5 ha de vignes (en conversion bio) en saint-émilion grand cru (Ch. Leydet-Valentin) et en pomerol (Ch. Valois). Frédéric Leydet est aux commandes depuis 1996.

Second vin du Ch. de Valois, ce 2013 assemble merlot et cabernet franc (23 %). Un pomerol en finesse et en légèreté. Sa robe pourpre montre des reflets grenat traduisant une légère évolution. Son bouquet se dévoile par petites touches: du fruit rouge, de la vanille, de la réglisse et même de la truffe. Le palais tendre, à la fois souple et frais, est construit sur des tanins soyeux qui permettront d'apprécier ce vin dans sa jeunesse. ⌛ 2017-2021 🍷 tourte aux cèpes

⊶ EARL VIGNOBLES LEYDET, Rouilledinat, 33500 Libourne, tél. 05 57 51 19 77, frederic.leydet@wanadoo.fr V r.-v.

CH. DU DOMAINE DE L'ÉGLISE 2013

■ | 32000 | 🛢 | 30 à 50 €

Philippe Castéja, qui dirige la maison Borie-Manoux, est très présent dans le Libournais. À l'ombre du clocher de Pomerol, ce cru, cité dès 1589, est un ancien bien ecclésiastique, acquis en 1973 par la famille Castéja. Ses sols de graves et d'argiles sont plantés à plus de 90 % de merlot.

Paré d'une robe jeune et profonde, un 2013 aimable et racé, au bouquet d'une belle finesse mariant harmonieusement le bon raisin et le bon bois, la mûre et une touche de caramel. Ces arômes se prolongent dans une bouche souple et ronde, aux tanins veloutés, plus resserrés en finale. Une bouteille, déjà assez élégante, qui devrait bientôt gagner en souplesse. Elle pourra s'apprécier assez jeune sur des viandes blanches cuisinées. ⧗ 2017-2023 🍷 filet mignon de veau en croûte

INDIVISION CASTÉJA-PREBEN-HANSEN, 33500 Pomerol, tél. 05 56 00 00 70, domaines@borie-manoux.fr r.-v.

CH. ENCLOS HAUT MAZEYRES 2013 ★

■	45000		20 à 30 €

Séparé du domaine de Mazeyres en 1850 par la ligne de chemin de fer Bordeaux-Paris, ce cru est un clos d'un peu plus de 9 ha d'un seul tenant, propriété de la famille de Pedro depuis 1835.

Curiosité, une goutte de malbec dans un assemblage dominé par le merlot, avec les cabernets en appoint. La robe est profonde, le nez encore sous l'emprise de la barrique, où ce vin a séjourné dix-huit mois. Derrière les arômes d'élevage vanillés et torréfiés (café et cacao), l'aération laisse apparaître de jolies notes de baies noires. Souple et fraîche à la fois, la bouche est elle aussi très marquée par le boisé vanillé du merrain, mais ses tanins enrobés assurent une bonne finale. Dans peu de temps, ce 2013 accompagnera des viandes grillées. ⧗ 2017-2024 🍷 côte de bœuf

DE PEDRO, 51, chem. de Béquille, 33500 Libourne, tél. 05 57 51 16 69, hautmazeyres@wanadoo.fr V r.-v.

♥ CH. L'ÉVANGILE 2013 ★★

■	n.c.		+ de 100 €

93 (95) **96** |00| |**01**| |**02**| |**04**| **05** 06 **07** 08 **09 10** 11 (12) 13

Né vers le milieu du XVIII^e^s., époque où il porte le nom de Fazilleau, le cru est rebaptisé L'Évangile au début du XIX^e^s. Il s'étend alors sur 13 ha, une superficie proche de sa taille actuelle (16 ha). Le premier tournant de son histoire se situe sous le Second Empire avec son achat par Paul Chaperon, qui fait bâtir le château et contribue à asseoir rapidement sa renommée en exploitant les qualités d'un terroir à la fois fortement typé et bien équilibré avec des argiles, des sables et des graves très pures, sur un sous-sol riche en crasse de fer. L'Évangile est vendu aux Rothschild en 1990, second tournant majeur pour ce cru qui bénéficie alors d'investissements importants et des compétences de son directeur Charles Chevallier, qui a passé la main en 2015 à Éric Kohler.

Le cru affiche son haut niveau en obtenant deux coups de cœur consécutifs dans deux millésimes délicats: le 2012, puis le 2013. Il tire le bénéfice de son terroir (rappelons le voisinage de Petrus au nord et de Cheval Blanc au sud) et des équipes qui ont su jouer d'une météo chaotique. L'assemblage met en vedette le merlot (87 % cette année), complété par le cabernet franc. Après un élevage de dix-huit mois en barriques (neuves à 70 %), le vin affiche une robe dense, jeune et profonde. Son nez, plus frais que celui du 2012, joue sur la groseille et le fruit noir (cassis), alliés à un boisé épicé bien intégré et à des touches de menthol. L'attaque ronde et ample ouvre sur une bouche charnue et dense, portée par des tanins au grain fin délicieusement veloutés, pour ainsi dire crémeux, typiques des meilleurs pomerol. Une fine acidité lui donne du relief et étire la finale longue et suave. ⧗ 2021-2035 🍷 côte de bœuf ■ **Blason de l'Évangile 2013 (30 à 50 €; n.c.)** : vin cité.

CH. L'ÉVANGILE, 33500 Pomerol, tél. 05 57 55 45 55, levangile@lafite.com

♥ CH. FEYTIT-CLINET 2013 ★★

■	30000		30 à 50 €

Jérémy Chasseuil, œnologue, a repris en 2000, à la suite de son père, ce cru familial de 6,7 ha jusqu'alors exploité en fermage. Restructuration du vignoble, baisse des rendements, tri sévère à la vendange..., il en a fait un domaine qui compte, en progrès constant.

Coup de cœur pour son 2012, il renouvelle l'exploit avec son 2013. C'est dans les millésimes difficiles que l'on repère les bons terroirs et les bons vignerons. Ces facteurs ont joué ici à plein. Et cela se retrouve dans le verre, qui révèle une grande bouteille. La somptueuse robe bordeaux impressionne par sa profondeur. Le bouquet apparaît déjà concentré et complexe: on y trouve du fruit rouge confit, du pruneau, du cuir, le tout encadré par un élégant boisé. Chaleureuse et fraîche en attaque, la bouche offre la rondeur d'un vrai pomerol. La palette du nez s'enrichit de touches minérales et d'une note de cigare, le tout adossé à des tanins boisés qui assureront la garde. De la présence. ⧗ 2018-2028 🍷 gigot d'agneau

JÉRÉMY CHASSEUIL, 1, chem. de Feytit, Ch. Feytit-Clinet, 33500 Pomerol, tél. 06 85 52 33 18, jeremy.chasseuil@orange.fr V r.-v.

CH. LA FLEUR PETRUS 2013 ★★

■	n.c.		+ de 100 €

82 83 85 86 88 (89) **90** 95 **96 98** 99 01 |02| |03| |04| |05| **06** |07| **08** 09 (10) **11** (12) **13**

Contigu à Lafleur à l'ouest et à Petrus au sud, c'est le plus vaste des crus pomerolais (14,5 ha) de la famille Moueix, acquis en 1953; il a été agrandi en 1994 grâce à l'acquisition d'une butte graveleuse du Ch. le Gay. Un château réputé pour l'élégance de ses vins.

Si ce cru n'obtient pas de coup de cœur comme l'an dernier, ce 2013 ne ternira pas la réputation d'élégance de ses vins. Il a bénéficié à plein de son terroir de graves, qui a favorisé la maturation des merlot (80 %) et cabernet franc qui composent l'assemblage. Dans ce millésime délicat, les vinificateurs ont misé plus que jamais sur la finesse, et si ce 2013 n'affiche pas une énorme matière, il séduit par l'harmonie de sa structure. La robe, brillante et d'une belle profondeur, commence à montrer des reflets brique. Complexe et raffiné, le nez allie la fraise des bois, le noyau, la cerise kirschée à des touches poivrées et aux notes épicées et cacaotées de l'élevage. Après une attaque souple et fraîche à la fois, la bouche évolue sur de petits tanins croquants jusqu'à une finale épicée, ample et longue, tendue par une belle fraîcheur. Un pomerol ciselé. ⌛ 2018-2026 🍷 tourte aux cèpes

ÉTS JEAN-PIERRE MOUEIX, 54, quai du Priourat, BP 129, 33502 Libourne Cedex, tél. 05 57 51 78 96, info@jpmoueix.com

CH. FRANC-MAILLET 2013 ★

■ | 25300 | ⊕ | 20 à 30 €

98 **99** 00 **01** 02 |03| **04** |05| 06 07 08 |**09**| |10| |11| 12 13

À son retour de la Grande Guerre, Jean-Baptiste Arpin achète 1 ha à Pomerol, dans le secteur du Maillet. Aujourd'hui, ses petit-fils et arrière-petit-fils Gérard et Gaël exploitent 37 ha en pomerol, saint-émilion, montagne et lalande, et proposent régulièrement de très bons vins.

Le fleuron de la famille: 5,6 ha de merlot (80 %) et de cabernet franc plantés sur sols silico-graveleux et sous-sol argileux. Ce cru se distingue par sa régularité, et le 2013 réussit à être mieux noté que son devancier. Reflétant un merlot bien mûr, ce millésime s'annonce par une robe sombre et par des senteurs intenses de confiture de myrtilles rehaussées d'un fin boisé. Ces arômes s'épanouissent au palais dans une matière chaleureuse et charnue, rafraîchie par une minéralité intéressante et corsée par des tanins puissants et enrobés. Le genre de pomerol que l'on peut apprécier jeune ou vieux. ⌛ 2018-2026 🍷 salmis de palombes

SCEA VIGNOBLES G. ARPIN, Chantecaille, 33330 Saint-Émilion, tél. 09 71 58 23 49, vignobles.g.arpin@wanadoo.fr V *r.-v.*

CH. LA GANNE 2013 ★

■ | 6000 | ⊕ | 20 à 30 €

Situé au sud-ouest de l'appellation pomerol, près de Saint-Émilion, un domaine exploité par la même famille depuis cinq générations, dont Michel Dubois a pris les rênes 1989. Les 7 ha du vignoble sont répartis dans les appellations pomerol (4 ha), saint-émilion grand cru et bordeaux.

La robe intense montre quelques reflets grenat d'évolution. Le bouquet, intense et complexe, libère des senteurs florales, fruitées (framboise), épicées (poivre blanc) et toastées. La bouche prend bien le relais; ronde et fraîche à la fois, elle garde le même registre aromatique, soutenu par d'élégants tanins épicés qui lui permettront de tenir tête à des plats de caractère. ⌛ 2018-2023 🍷 filet de bœuf sauce Périgueux

MICHEL DUBOIS, 224, av. Foch, 33500 Libourne, tél. 05 57 51 18 24, chateau.laganne@gmail.com V *t.l.j. sf dim. 8h-12h 14h-18h; f. août*

CH. LE GAY 2013 ★★

■ | 20000 | ⊕ | + de 100 €

Grande figure de Pomerol disparue en 2013, Catherine Péré-Vergé, héritière des cristalleries d'Arques, exploitait trois domaines pomerolais qu'elle a portés au sommet: Montviel, acquis en 1985, Le Gay et La Violette, complétés par La Gravière en lalande. Un ensemble conduit aujourd'hui par son fils Henri Parent.

Ce cru fut réveillé de son sommeil en 2002 par Catherine Péré-Vergé: avec l'appui de Michel Rolland, elle a restructuré le vignoble (10,5 ha), créé un nouveau chai et a fait de Le Gay une référence de l'appellation. Ce 2013, qui a terminé sa fermentation et a séjourné vingt mois dans le chêne neuf, ne ternira pas sa réputation: sa robe profonde, son nez gorgé de baies noires soulignées par un boisé très fin, vanillé et beurré, sa chair ample, dense et élégante, charpentée par des tanins serrés, en font un excellent vin de garde, qui s'est placé sur les rangs pour un coup de cœur. ⌛ 2019-2030 🍷 pavé de biche ■ **Ch. la Violette 2013 ★★ (+ de 100 €; 4800 b.)** : un petit cru (1,8 ha) situé à Catusseau, sur le point culminant du plateau de Pomerol, réputé pour son sous-sol de crasse de fer. Son nom fait référence à la senteur de violette typique des pomerol nés sur graves argileuses. Cette note existe bien dans ce pur merlot, aux côtés de la myrtille, de la noisette, de la vanille et de la cannelle. La rondeur de la bouche et sa trame tannique serrée en font un remarquable vin de garde. ⌛ 2019-2030 ■ **Ch. Montviel 2013 (30 à 50 €; 21000 b.)** : vin cité.

SCEA VIGNOBLES PÉRÉ-VERGÉ, Grand-Moulinet, 33500 Pomerol, tél. 03 20 64 20 56, communication@montviel.com V *r.-v.*

CH. GAZIN 2013 ★★

■ | 49900 | ⊕ | 50 à 75 €

(90) **91** 92 **93** 94 (95) (96) 97 **98** 99 **00** 01 **02** (03) **04** |(05)| |(06)| |**07**| **08** 09 **10** 11 12 **13**

L'un des domaines les plus réputés de Pomerol, ancienne propriété des Hospitaliers de Saint-Jean-de-Jérusalem, entré dans la famille Bailliencourt en 1918. L'un des plus étendus aussi, 26 ha d'un seul tenant sur un superbe terroir argilo-graveleux, où naissent des pomerol d'un grand classicisme.

Le grand vin est exclusivement issu de merlot. Le 2013 se pare d'une robe bordeaux sombre aux reflets violets de jeunesse. Encore naissant, le bouquet montre déjà puissance et profondeur, gorgé de fruits noirs rehaussés d'un élégant boisé aux nuances de vanille et de moka. Chaleureux, puissant, consistant et tonique, le palais est soutenu par des tanins enrobés. D'une grande présence, très harmonieuse, cette bouteille a frôlé le coup de cœur. ⌛ 2018-2030 🍷 gigue de chevreuil

GFA CH. GAZIN, 1, chem. de Chantecaille, 33500 Pomerol, tél. 05 57 51 07 05, contact@gazin.com *r.-v.*

CH. GRAND BEAUSÉJOUR 2013

■ | 5600 | ⊕ | 30 à 50 €

Descendant d'Auvergnats, comme nombre d'acteurs de la filière viticole en Libournais, Daniel Mouty, aujourd'hui associé avec ses enfants Sabine et Bertrand, exploite depuis 1973 un vignoble de 54 ha répartis sur plusieurs crus en pomerol (Grand Beauséjour, Saint-André), en saint-émilion grand cru (Du Barry, Tour Renaissance) et en AOC régionales

(Rambaud, Grands Ormes). Tout le vignoble est en conversion bio.

Ce petit vignoble pomerolais est planté de pur merlot sur les graves du secteur de Beauséjour, à Libourne. Son 2013, à la fois puissant et fin au nez, exprime bien le merlot par ses notes de fruits rouges mûrs qui tiennent tête à un boisé encore très présent. Souple en attaque, équilibrée, la bouche est marquée par des tanins boisés encore très présents. ⧗ 2018-2022 ♈ pigeon rôti

SCEA VIGNOBLES DANIEL MOUTY, 19, rte de Merlande, BP 5, 33350 Sainte-Terre, tél. 05 57 84 55 88, contact@vignobles-mouty.com r.-v.

CH. GUILLOT CLAUZEL 2013

■ | 3800 | | 30 à 50 €

Les Clauzel exploitent un petit cru de 1,7 ha situé en pied de côte du plateau de Pomerol, entré dans la famille dans les années 1950 et aujourd'hui conduit par Catherine et Étienne Clauzel, qui produisent aussi en saint-émilion.

Ici, tout est classique, le terroir argilo-graveleux, l'encépagement composé de 85 % de merlot et de 15 % de cabernet franc, le travail aussi: vendanges manuelles, élevage en barrique. Cela se retrouve dans le vin, sobre et bien fait. La robe commence à montrer des reflets d'évolution. Le bouquet est centré sur les fruits frais, soulignés d'un léger boisé. La bouche, à la fois souple et vive, donne une impression assez friande. Bien intégrés, les tanins boisés sont présents mais d'une puissance mesurée: une bouteille que l'on pourra apprécier jeune. ⧗ 2017-2022 ♈ tournedos

CONSORTS CLAUZEL, 72, rue Clément-Thomas, 33500 Libourne, tél. 06 15 45 34 99, etienne@consortsclauzel.com r.-v.

CH. LAFLEUR DU ROY 2013 ★

■ | 13000 | | 15 à 20 €

Yvon et Pâquerette Dubost, venus à la vigne par le biais de leurs pépinières viticoles, ont constitué un bel ensemble de crus, aujourd'hui conduit par leur fils Laurent: Lafleur du Roy à Pomerol, Bossuet en bordeaux supérieur, La Vallière à Lalande et Pâquerette en bordeaux sec.

Lafleur du Roy et un petit cru de 4 ha . Les vignes – merlot surtout – sont plantées sur des sols sablo-graveleux comportant une sous-couche de crasse de fer. Elles ont engendré un 2013 très réussi. La robe pourpre foncé est encore traversée de reflets violets de jeunesse. L'aération libère une large palette florale et fruitée (myrtille), sur fond de boisé épicé. Une agréable touche minérale vient nuancer ces arômes dans une bouche ample et franche, portée par des tanins serrés qui garantissent une bonne garde. ⧗ 2018-2026 ♈ confit de canard

SARL LAURENT DUBOST, Catusseau, 33500 Pomerol, tél. 05 57 51 74 57, sarl.dubost.l@wanadoo.fr r.-v.

CH. LAFLEUR GAZIN 2013

■ | 40000 | | 30 à 50 €

Cette petite propriété de 8,5 ha établie sur les pentes douces qui regardent la Barbanne, dans la partie nord du plateau de Pomerol, s'inscrit entre les Ch. Lafleur et Gazin, comme son nom l'indique. Propriété de Mme Delfour-Borderie, elle est exploitée en métayage par les établissements Moueix depuis 1976.

Il n'a rien d'imposant, ce pomerol à la robe dense traversée de reflets clairs, mais il sait plaire. Le nez est tout en fruits mûrs – du cassis, de la mûre – saupoudrés d'épices et soulignés d'un boisé discret. La bouche se montre souple à l'attaque, tendre et ronde dans son développement, adossée à de petits tanins affables. Une légère pointe végétale perçue en finale, signature du millésime, n'altère pas l'équilibre général de ce pomerol frais et structuré en douceur, qui pourra bientôt s'inviter à table. ⧗ 2017-2021 ♈ dinde fermière rôtie

ÉTS JEAN-PIERRE MOUEIX, 54 quai du Priourat, BP 129, 33502 Libourne Cedex, tél. 05 57 51 78 96, info@jpmoueix.com

CH. LAFLEUR GRANGENEUVE 2013

■ | 6000 | | 20 à 30 €

Les Estager, d'origine corrézienne, sont établis depuis quatre générations dans le Libournais, comme négociants et producteurs. Claude et son fils Charles conduisent aujourd'hui trois crus en pomerol (Lafleur Grangeneuve), en lalande (Fougeailles) et en montagne-saint-émilion (La Papeterie).

Né d'un terroir sablo-graveleux complanté à 85 % de merlot et à 15 % de cabernet franc, ce 2013 est bien coloré. Le nez, encore jeune et frais, demande un peu d'aération pour libérer ses parfums de fruits rouges et de boisé réglissé. Vive en attaque, la bouche racée et séveuse s'appuie sur de jolis tanins et un boisé aux nuances de pain grillé et de chocolat. Un vin qui pourra bientôt paraître à table. ⧗ 2017-2021 ♈ coq au vin

CHARLES ESTAGER, 1, Foujaille, 33500 Néac, tél. 05 57 51 35 09, contact@estager-vin.com r.-v.

CH. LATOUR À POMEROL 2013 ★

■ | 30000 | | 50 à 75 €

97 98 99 00 **01** 03 |05| |06| |07| 08 09 10 11 12 13

Un petit domaine de 7,9 ha entourant l'église de Pomerol, installé sur des terroirs variés, majoritairement argileux et graveleux. Acheté en 1917 par Edmonde Loubat (Petrus) et légué par sa nièce Mme Lacoste au Foyer de Charité de Châteauneuf-de-Galaure, il est exploité en fermage depuis 1963 par la société Jean-Pierre Moueix.

Ce 2013 montre une belle tenue dans ce millésime délicat, affichant une robe assez profonde animée de reflets vifs. Après un premier nez sur le boisé grillé de l'élevage, il libère des parfums de fruits mûrs assez chaleureux, agrémentés d'une touche de violette. Ces notes de fruits mûrs, rehaussées d'épices douces, s'épanouissent dans un palais ample en attaque, séduisant par sa densité, sa chair et sa mâche, soutenu par des tanins croquants et serrés. La touche végétale typée 2013 apporte ici du nerf. Une longue finale laisse le souvenir d'un vin bien constitué. ⧗ 2018-2024 ♈ civet de marcassin

ÉTS JEAN-PIERRE MOUEIX (CH. LATOUR À POMEROL), 54, quai du Priourat, BP 129, 33502 Libourne Cedex, tél. 05 57 51 78 96, info@jpmoueix.com

CH. LE MOULIN 2013 ★

■	5000		30 à 50 €

La famille Querre possède plusieurs vignobles en Libournais. Propriété de Michel Querre depuis 1997, Le Moulin (appelé autrefois Vieux Château Cloquet) est un petit domaine pomerolais de 2,4 ha situé au nord de l'appellation, au bord de la Barbanne, près du moulin de Lavaud (racheté aussi par la famille).

Issu d'un terroir assez argileux, ce cru donne souvent des vins de garde. C'est encore le cas cette année. Très coloré, ce 2013 présente un bouquet puissant, où défilent la vanille, les épices, les fruits rouges et noirs frais, accompagnés d'un boisé assez fin. La bouche, dans le droit fil, apparaît structurée, tonique, jeune et alerte. Les tanins boisés qui dominent la finale permettront à ce vin de bien vieillir. 2019-2026 civet de marcassin

SCEA LE MOULIN DE POMEROL, chem. du Moulin-de-Lavaud, 33500 Pomerol, tél. 05 57 55 19 60, contact@moulin-pomerol.com V r.-v. *Querre*

CH. MOULINET-LASSERRE 2013

■	6600		20 à 30 €

Jean-Marie Garde exploite deux crus limitrophes à Pomerol, au terroir et à l'encépagement similaires (avec une présence originale du malbec): le Clos René – ancienne propriété familiale connue au XVIII[e]s. sous le nom de « Reney » – et Moulinet-Lasserre, complétés par une vigne en lalande (La Mission).

Ici, le terroir sablo-graveleux repose sur un sous-sol à crasse de fer. La présence du malbec (10 %), aux côtés du merlot majoritaire et du cabernet franc, est inhabituelle. Toujours est-il que ce 2013 est bien réussi. Son bouquet épanoui décline des senteurs florales et fruitées (fruits rouges bien mûrs), rehaussées de notes de cuir et de boisé cacaoté. Souple et aimable en attaque, suffisamment dense, la bouche prolonge bien le nez, et ses tanins commencent à s'arrondir. 2017-2022 rosbif

SCEA GARDE-LASSERRE, rue du Grand-Moulinet, 33500 Pomerol, tél. 05 57 51 10 41 V r.-v. *Jean-Marie Garde*

CH. NÉNIN 2013 ★

■	35000		30 à 50 €

Commandé par une belle demeure du XVIII[e]s., ce cru de 32 ha, situé au sud de l'appellation, à l'entrée du village de Catusseau, est l'un des plus importants de Pomerol. Sa surface lui permet d'accéder à la plupart des terroirs de l'AOC. En 1997, Jean-Hubert Delon et sa sœur Geneviève d'Alton (Léoville Las Cases à Saint-Julien) l'ont acheté et entrepris d'importants travaux de restructuration; ils ont augmenté la part du cabernet franc par rapport au merlot, qui reste dominant.

La robe est colorée; le bouquet aérien et frais, d'abord floral (rose), libère ensuite des notes fruitées et boisées, nuancées de touches minérales raffinées. La bouche, d'une puissance maîtrisée, confirme cette élégance. Ample et chaleureuse à l'attaque, elle est tonifiée par une ligne acide qui étire la finale et exalte un fruit d'une grande pureté, respecté par des tanins boisés un peu fermes en finale. Tout est en place pour une évolution harmonieuse. 2018-2026 côte de bœuf

CH. NÉNIN, 66, rte de Montagne, 33500 Pomerol, tél. 05 56 73 25 27, contact@leoville-las-cases.com V r.-v. *Jean-Hubert Delon*

CH. PETIT-VILLAGE 2013

■	20000		30 à 50 €

Dans le giron d'Axa Millésimes depuis 1989, un cru réputé, qui doit son nom aux anciens bâtiments qui formaient un petit hameau. Bien situé sur la partie la plus haute du plateau de Pomerol, son vignoble compose un triangle de 10,5 ha d'un seul tenant sur graves profondes enrobées d'argiles.

Le 2013 joue plutôt sur le registre de la finesse. La robe présente quelques reflets grenat et brique traduisant une légère évolution. Le nez séduit par ses notes de beurre et de noisette héritées d'un séjour en barrique de quatorze mois, qui laissent percer des parfums de fruits rouges. Des arômes de tabac et une touche originale de gingembre complètent cette palette dans un palais souple et chaleureux à l'attaque, soutenu par des tanins encore un peu fermes qui devraient s'affiner assez vite. Un vin racé. 2017-2023 civet de lièvre

CH. PETIT-VILLAGE, 126, rte de Catusseau, 33500 Pomerol, tél. 05 57 51 21 08, contact@petit-village.com V r.-v. *Axa Millésimes*

♥ PETRUS 2013 ★★

■	n.c.		+ de 100 €

85 86 87 (88) 89 90 92 93 94 (95) (96) 97 |(98)| 99 |(00)| |01| |02| 03 04 05 (06) (07) (08) (09) (10) 11 (12) 13

Presque une maison de poupée, un chai à peine plus grand et un vignoble modeste (11,5 ha), et pourtant un cru devenu mythe. Déjà réputé à la fin du XIX[e]s., sous la conduite de la famille Arnaud, il assoit sa notoriété grâce à Edmonde Loubat, dite «Tante Lou». Cette hôtelière libournaise débordante d'énergie, qui a acheté des parts en 1925 (seule propriétaire en 1945), va notamment conquérir Londres en envoyant du Petrus aux fiançailles d'Élisabeth d'Angleterre. Autre élément décisif, son association avec le négociant Jean-Pierre Moueix (propriétaire unique en 1964), qui va organiser la vente et créer le mythe: Petrus devient le vin préféré des Kennedy. Un succès qui s'explique aussi – et surtout – par un terroir d'exception: la fameuse «boutonnière», une argile bleue en surface qui se gonfle aux premières pluies, devient totalement imperméable et assure une alimentation

régulière de la plante. Un terroir magnifié pendant quarante-cinq ans par un vinificateur hors pair, Jean-Claude Berrouet, qui a laissé sa place en 2007 à son fils Olivier - la direction générale étant assurée depuis 2014 par Jean Moueix, petit-fils de Jean-Pierre; cette année 2014 est aussi celle de l'inauguration d'un chai refait à neuf et d'une grande sobriété, dessiné par Jean-Pierre Errath.

Avec sa floraison tardive, hétérogène, languissante, ses conditions de fin de maturation et de vendanges délicates, dans une atmosphère humide favorisant le botrytis, l'année 2013 a été par excellence un millésime de vigneron, imposant sélections sévères et vinifications sur mesure. L'année a été tardive, la récolte ne commençant qu'au cours de la dernière semaine de septembre. À Petrus, les équipes savent jouer avec ce genre d'aléas: malgré les petits volumes prévus, les équipes ont multiplié en été les interventions «en vert» (effeuillage, suppression de grappes) pour garantir une qualité homogène et favoriser la maturation. En raison de la fragilité de la vendange, les extractions ont été douces, le temps de cuvaison raccourci. Le 2013 offre la même robe dense et profonde que de coutume. Le premier nez, élégant et charmeur, joue sur les fruits noirs mûrs, les épices, et s'épanouit sur la violette à l'aération. La bouche, dans le droit fil, mise sur l'élégance. Ample et soyeuse en attaque, marquée par un boisé fondu et tendre, elle déroule une matière étoffée, suave et croquante, soutenue par des tanins veloutés qui s'étirent en une très longue finale fraîche et réglissée. Si la matière est moins imposante que dans des millésimes plus solaires, le raffinement et la texture soyeuse de Petrus sont bien là: ce pomerol sort toujours du lot. ⌛ 2021-2030 🍷 poitrine de veau confite

SC DU CH. PETRUS, 3, rte de Lussac, 33500 Pomerol

CH. LA POINTE 2013 ★

■ | 85000 | (|||) | 20 à 30 €

95 96 (98) 00 **01 02** 03 04 05 |**06**| |**07**| |08| 09 10 11 12 13

Ce cru important (22 ha) doit son nom à sa situation dans la pointe formée par les routes du bourg et de Catusseau, à la sortie de Libourne. Régulier en qualité, il a été repris en 2007 par la compagnie Générali. Éric Monneret, originaire du Jura et passé par Sauternes, en assure l'exploitation.

Une importante cuvée de belle facture. D'un pourpre foncé, elle séduit par son nez expressif, teinté par les quinze mois de barrique d'agréables nuances de beurre, de noisette et de vanille, qui ne masquent pas un joli fruit rouge bien mûr. Puissante, vineuse et souple à l'attaque, la bouche est rafraîchie par des tanins boisés encore jeunes et vifs, qui promettent une évolution favorable. Ce 2013 gagnera à vieillir un peu. ⌛ 2018-2023 🍷 pavé de bœuf aux cèpes

CH. LA POINTE, BP 63, 33501 Libourne Cedex, tél. 05 57 51 02 11, contact@chateaulapointe.com
[🚶] [🍷] *r.-v.*

CH. ROUGET 2013 ★

■ | 65000 | (|||) | 30 à 50 €

99 00 01 **02 03** 04 |05| |06| **07** |**08**| 09 **10 11** 12 13

En 1992, les Labruyère, originaires du Beaujolais (Moulin-à-Vent) et aujourd'hui propriétaires en Bourgogne (Jacques Prieur) et en Champagne, ont acquis ce domaine réputé dès le XVIIIes,. Ils l'ont hissé parmi les grands de Pomerol, grâce à des vins d'une remarquable régularité, nés de 18 ha de vignes établies en pente douce sur le plateau de Pomerol.

Cette importante cuvée fait mieux que le 2012, malgré des conditions sans doute plus délicates. La robe est magnifique, presque noire. Le nez, encore un peu fermé, s'ouvre à l'agitation sur une belle palette aromatique, où se mêlent raisin mûr, cassis, boisé cacaoté et beurré, épices douces. Généreuse et soyeuse en attaque, tonifiée par une pointe mentholée, la bouche se déploie sur une trame de tanins encore jeunes mais prometteurs. Une bouteille de bonne garde que l'on pourra aussi apprécier sans trop attendre. ⌛ 2018-2026 🍷 chapon aux truffes

CH. ROUGET, 4-6, rte de Saint-Jacques-de-Compostelle, 33500 Pomerol, tél. 05 57 51 05 85, info@chateau-rouget.com [V] *r.-v.* *Famille Labruyère*

CH. TOUR MAILLET 2013 ★★

■ | 10000 | 20 à 30 €

99 (01) 02 03 04 |05| |06| |**07**| |**08**| |09| **10** 11 **12 13**

Aux lendemains de la guerre de 1914, Pierre Lagardère acquiert 1 ha de vignes dans le secteur de Maillet, à Pomerol. Ses petit-fils et arrière-petit-fils, Jean-Claude et Gaël, conduisent aujourd'hui un vignoble de 17 ha à Montagne (Ch. Négrit et Ch. Rocher Calon) et 2 ha à Pomerol (Ch. Tour Maillet).

Un vin issu d'un terroir sablo-graveleux planté exclusivement de merlot – ce qui arrive assez souvent en pomerol. Le 2013 fait jeu égal avec son devancier: deux vins remarquables. La robe intense et profonde s'anime de reflets violets de jeunesse. Le nez, frais, exubérant et déjà très complexe, déploie des arômes de myrtille, d'épices douces, de cèdre, de cuir, de grillé. La bouche prend bien le relais, chaleureuse et fraîche à la fois, suave et structurée, portée par des tanins jeunes mais enrobés qui permettront à cette bouteille de bien vieillir. Bref, un vrai pomerol, aussi bon jeune que vieux. ⌛ 2018-2028 🍷 civet de sanglier

SCEV LAGARDÈRE, Négrit, 33570 Montagne, tél. 05 57 74 61 63, vignobleslagardere@wanadoo.fr
[V] [🚶] [🍷] *t.l.j. sf dim. 8h-12h30 14h-19h*

CH. TROTANOY 2013 ★★

■ | 25000 | (|||) | + de 100 €

88 89 (90) **92 94** (95) (96) 97 **98 99 00** |(01)| |**02**| |03| |**04**| 05 (06) |**07**| (08) (09) (10) **11 12 13**

Difficile à cultiver, le sol riche en argiles (graves sur argiles et argiles noires profondes sur crasses de fer) a donné son nom à ce cru de 7,2 ha: «trop anoi» («trop ennuie» en vieux français). La maison Jean-Pierre Moueix en tire le meilleur depuis 1953. Un pilier de l'appellation.

Sans doute Trotanoy a-t-il profité de son terroir graveleux qui a favorisé la maturation des raisins. Son 2013 a été jugé remarquable, mais fort différent du 2012 qui avait obtenu la même note. Il réussit à être séduisant en portant l'empreinte de ce millésime délicat: à l'image des 2013, il montre une robe un peu moins dense qu'à l'accoutumée; son nez doit être sollicité pour livrer des parfums de petits fruits frais, juste cueillis (et non surmûris ou compotés comme chez son devancier); des fruits relevés d'une pincée d'épices et agrémentés d'une touche de violette – la signature du pomerol. Ample et suave, l'attaque ouvre sur une bouche charnue et aimable, puis des tanins serrés et finement boisés entrent en scène, renforcés par un trait de fraîcheur qui donne de l'allonge à la finale. Finalement, un vin bien structuré, qui porte beau, même s'il dévoile aussi la fluidité et la touche végétale qui sont la marque des 2013. ⧗ 2018-2026 🍷 noisette de chevreuil

⊶ ÉTS JEAN-PIERRE MOUEIX, 54, quai du Priourat, BP 129, 33502 Libourne Cedex, tél. 05 57 51 78 96, info@jpmoueix.com

CH. VIEUX MAILLET 2013 ★

■ | 28 600 | | 20 à 30 €

Installés en 2000 au Ch. de Lussac, Griet Van Malderen, fille d'un industriel flamand, et son mari Hervé Laviale, ancien journaliste, ont investi dans plusieurs vignobles libournais, où ils associent viticulture et œnotourisme. Ils ont acquis Vieux Maillet (pomerol) en 2004, 8,65 ha dans le secteur du Maillet, complétés par une petite vigne en lalande, vers le moulin de Lavaud, et par 28 ares dédiés à un très confidentiel montagne-saint-émilion, la Croix Bastienne.

Le terroir de Maillet est proche de la Barbanne, petit affluent de l'Isle séparant plusieurs appellations prestigieuses. Les sols mêlent sables, graves et argiles sur sous-sol de crasses de fer. Le 2013 se pare d'une robe intense, encore jeune. Il a séjourné seize mois dans le bois et en a tiré des nuances de pain grillé évoquant la barrique chauffée, qui laissent percer des notes de baies noires: un style moderne et élégant. Au palais, le bois se fait plus discret et respecte la chair et le fruit. Les tanins bien présents assureront une bonne évolution. ⧗ 2018-2026 🍷 gigot d'agneau

⊶ SCEA CH. VIEUX MAILLET, 16, chem. de Maillet, 33500 Pomerol, tél. 05 57 74 56 80, info@chateauvieuxmaillet.com V r.-v.
⊶ Laviale - Van Malderen

DOM. VIEUX TAILLEFER 2013 ★

■ | 21 000 | | 15 à 20 €

Depuis au moins quatre générations, la famille Ybert exploite une dizaine d'hectares dans le Libournais: Vieille Tour la Rose, 10,5 ha au hameau de La Rose, sur le flanc nord du coteau de Saint-Émilion, et Vieux Taillefer, petit cru de 53 ares au lieu-dit Taillefer à Pomerol. Sandrine Ybert-Bacles en a pris les commandes en 2008.

Le 2012 avait obtenu une étoile, son successeur fait jeu égal. La robe est jeune et profonde; le bouquet naissant marie harmonieusement les fruits rouges bien mûrs et un boisé fin aux nuances d'amande grillée. Dans le même registre, le palais souple, rond et charnu est porté par des tanins de merrain corsés et prometteurs. Une bouteille bientôt prête et qui ne manque pas de potentiel. ⧗ 2018-2024 🍷 magret aux cèpes

⊶ SCEA VIGNOBLES DANIEL YBERT, lieu-dit La Rose, 33330 Saint-Émilion, tél. 05 57 24 73 41, contact@vignoblesybert.fr V r.-v.

CH. VRAY CROIX DE GAY 2013 ★

■ | 9 000 | | 50 à 75 €

98 99 00 01 02 03 04 **|05|** **|06|** 07 |08| |09| |10| |11| |12| 13

La famille Guichard est propriétaire depuis 1832 de plusieurs crus en Libournais: son fief et fleuron, Ch. Siaurac en lalande, Vray Croix de Gay en pomerol et Le Prieuré en saint-émilion grand cru. Un ensemble dirigé depuis 2004 par Aline Guichard et son mari Paul Goldschmidt. En 2014, François Pinault (Ch. Latour) a pris une participation dans les châteaux familiaux.

Né d'un terroir graveleux, ce 2013 comporte 30 % de cabernet franc aux côtés du merlot. Le premier cépage apporte finesse et fraîcheur à ce vin à la robe intense, au nez encore discret, qui s'ouvre à l'aération sur de délicates senteurs de fleurs et d'épices douces, puis de fruits rouges et de boisé aux nuances de noisette. On retrouve la même évolution au palais, sur une trame élégante de tanins au grain fin, encore vifs en finale. Pour une cuisine raffinée. ⧗ 2018-2024 🍷 faisan rôti ■ L'Enchanteur de Vray Croix de Gay 2013 (30 à 50 €; 5 100 b.) : vin cité.

⊶ CH. SIAURAC AND CO, Ch. Siaurac, 33500 Néac, tél. 05 57 51 64 58, info@siaurac.com V r.-v.
5 *⊶ Goldschmidt*

LALANDE-DE-POMEROL

Superficie : 1 130 ha / Production : 61 400 hl

Créé, comme celui de Pomerol qu'il jouxte au nord, par les Hospitaliers de Saint-Jean-de-Jérusalem (à qui l'on doit aussi l'église de Lalande qui date du XII[e]s.), ce vignoble produit, à partir des cépages classiques du Bordelais, des vins rouges colorés, puissants et bouquetés qui jouissent d'une bonne réputation, les meilleurs pouvant rivaliser avec les pomerol et les saint-émilion.

CH. DE BEL-AIR 2013 ★

■ | 60 000 | | 15 à 20 €

Représentant la cinquième génération à la tête d'une banque privée, le Belge Michel de Laet Derache rachète en 2011 le Ch. de Bel-Air à Lalande, domaine de 15 ha mentionné dans l'édition 1898 du Féret. Il le restructure méthodiquement: études pédologiques pour créer des cuvées parcellaires, réaménagement en cours de la cuverie et des chais.

Le 2012 avait décroché une étoile. Le 2013 obtient la même note, dans un millésime pourtant plus difficile: de quoi inspirer confiance. On a affaire à un «vin plaisir», à la robe rubis attrayante, aux arômes déjà intenses de fleurs et de cerise. La bouche souple et soyeuse, aux tanins fondus, ajoute aux arômes du bouquet une élégante touche minérale. ⧗ 2017-2021 🍷 entrecôte maître d'hôtel

⊶ DE LAET DERACHE, Ch. de Bel-Air, 1, rte de Belair, 33500 Lalande-de-Pomerol, tél. 09 67 05 40 07, contact@chateaudebelair.com V r.-v.

CH. BELLES-GRAVES 2013

■ | 22000 | | 15 à 20 €

Une croupe de graves argileuses, bordée par la Barbanne et coiffée par une petite chartreuse du XVIIIe s.; le tout en pente sud, face au village de Pomerol. Acquis en 1938 par le grand-père de l'exploitant actuel, le domaine a reçu fréquemment la visite de Jacques-Yves Cousteau, un cousin de la famille, qui fournissait les équipages de la Calypso en vin du cru... Xavier Piton est aux commandes depuis 1988.

Rubis intense, un lalande de bonne facture. L'agitation libère des senteurs d'abord boisées, puis des arômes de petits fruits noirs bien mûrs rappelant le cassis. Après une attaque agréable par sa souplesse, avec un retour aromatique sur le fruit et un boisé bien fondu, le vin se déploie sur des tanins assez fins qui permettront de le servir prochainement. 2017-2022 gigot d'agneau

PITON, 1, allée de Belles-Graves, 33500 Néac, tél. 05 57 51 09 61, x.piton@belles-graves.com V t.l.j. 8h30-18h30; sam. dim. sur r.-v. 5

CH. BERTINEAU SAINT-VINCENT 2013

■ | 16000 | | 20 à 30 €

Michel Rolland possédait plusieurs crus dans le Libournais, avec pour fleuron Bon Pasteur, dans la famille depuis les années 1920: 7 ha morcelés en 23 parcelles, aux confins nord-est de Pomerol. Bertineau Saint-Vincent (5,6 ha en lalande) et Rolland-Maillet (3,3 ha sur Saint-Émilion) complètent la propriété, passée sous pavillon chinois en 2013; l'équipe technique est restée en place.

Le premier millésime des nouveaux propriétaires chinois. Dans ce millésime délicat, les vinificateurs ont privilégié l'élégance. La robe pourpre intense est encore jeune. Le bouquet naissant demande un peu d'aération pour dispenser d'agréables senteurs fruitées rappelant la griotte, accompagnées d'un boisé toasté et épicé. Dans le même registre, la bouche, souple et équilibrée, s'appuie sur des tanins déjà affinés qui permettront de boire cette bouteille assez jeune. 2017-2021 tournedos

SAS LE BON PASTEUR, 10, chem. de Maillet, 33500 Pomerol, tél. 05 57 24 52 58, contact@chateaulebonpasteur.com V r.-v.

CH. BOUQUET DE VIOLETTE 2013

■ | 5864 | | 30 à 50 €

Les vignerons normands existent: Jean-Jacques Chollet, ancien commercial dans une maison de négoce à Libourne, vit aujourd'hui dans le département de la Manche, mais il ne perd pas de vue son petit vignoble en lalande (moins de 3 ha) acquis avec son épouse Sylvie à Néac en 1986.

En 2013, Jean-Jacques Chollet n'a pas produit de Vieux Clos Chambrun; Bouquet de Violette représente la totalité de sa maigre récolte. C'est un vin agréable dans sa jeunesse. Sa couleur est encore vive. Le nez s'ouvre sur les arômes de petits fruits rouges frais, assortis de touches mentholées et d'un léger boisé bien intégré. Après une attaque souple et ronde, le palais dévoile assez vite des tanins finement boisés. Ce style de vin convient bien aux viandes blanches en sauce. 2016-2021 sauté de veau

JEAN-JACQUES CHOLLET, 15, La Chapelle, 50210 Camprond, tél. 02 33 45 19 61, cholletvin@gmail.com V r.-v.

CH. DE CHAMBRUN 2013 ★★

■ | 15000 | | 20 à 30 €

Deux ans après la reprise de Faugères (grand cru classé de Saint-Émilion), l'homme d'affaires suisse spécialisé dans le luxe Silvio Denz avait acquis en 2007 auprès de Jean-Philippe Janoueix ce cru de Lalande, qu'il avait agrandi (6,8 ha). En 2015, le domaine est devenu la propriété de la société Rhocube. Une valeur sûre de l'appellation.

Malgré les difficultés du millésime, ce vin, élevé dix-huit mois en barrique, a tout pour plaire: une somptueuse robe bordeaux foncé, un nez puissant et complexe, déployant une palette aromatique florale et fruitée, mêlant les baies noires, les agrumes et un boisé aux notes de caramel et d'épices douces. La bouche prend bien le relais, riche, goûteuse et persistante, bien représentative du terroir, soutenue par des tanins boisés bien fondus. Déjà agréable, ce vin saura vieillir. Le 2012 avait décroché un coup de cœur. 2017-2023 filet de bœuf en croûte

SAS MONCETS, 33500 Néac, tél. 05 57 51 19 33, commercial@moncets.com V r.-v. *Rhocube*

CH. CHATAIN PINEAU 2013

■ | 12000 | | 11 à 15 €

Au retour de la Grande Guerre, le grand-père de Michel Micheau-Maillou se vit confier la gestion du domaine, acheté ensuite par ses descendants. La famille exploite désormais plusieurs vignobles dans le Libournais, en saint-émilion grand cru et en lalande.

Ce vignoble de 6 ha s'étend à Néac sur un dôme argileux dominant le hameau de Chatain. Le merlot (75 %) compose avec les cabernets (cabernet franc surtout). Élevé à 80 % en cuve, ce 2013 est plein de jeunesse. Bien coloré, il présente un nez très fruité, à dominante de cassis, souligné par un joli boisé. Après une attaque souple et fraîche, la bouche se révèle assez dense, soutenue par les tanins de la barrique dont le grain déjà poli permettra de boire prochainement cette bouteille. 2017-2021 pièce de bœuf rôtie

FAMILLE MICHEAU-MAILLOU, La Vieille-Église, 33330 Saint-Hippolyte, tél. 05 57 24 61 99 V r.-v.

CLOS DES TEMPLIERS 2013

■ | 4000 | | 15 à 20 €

Venue du nord de la France et du milieu céréalier, la famille Delacour a acquis en 1994 en saint-émilion grand cru un domaine alors nommé «château de la Rouchonne», rebaptisé du nom du chevalier de la Cour, au service de Charles IX et ancêtre de la famille. Un cru que Bruno Delacour conduit depuis 2010 et qui couvre 11,5 ha sur un sol de sable et de graves, au sud de l'appellation. En 2010, les Delacour ont acquis le Clos des Templiers, une petite vigne de 1,6 ha en lalande.

Rubis intense et brillant, un agréable 2013, reflet de son millésime, plaisant tant par son nez franc, ouvert sur les fruits rouges frais et le bois toasté bien fondu que par son palais, qui dévoile d'agréables arômes de cerise. Ses tanins, assez souples, lui donnent une impression de légèreté qui permettra de le boire assez prochainement. ⧗ 2017-2021 ¥ dinde aux marrons

VIGNOBLES DELACOUR, 4, la Rouchonne, 33330 Vignonet, tél. 06 87 23 17 18, contact@chateaudelacour.com V r.-v.

CLOS DES TUILERIES
Bouquet des Tuileries Élevé en fût de chêne 2013 ★

■ | 10000 | | 8 à 11 €

Nicolas Merlet s'est installé en 2008 sur le domaine familial constitué à partir de 1920 dans la vallée de l'Isle, au nord de Lalande-de-Pomerol. Si la majeure partie de ses 14 ha de vignes sont situés en appellation régionale (bordeaux supérieur), 3 ha sont implantés sur graves en AOC lalande.

Ce 2013 a bien tiré son épingle du jeu. Encore jeune et réservé au nez, il libère à l'aération d'agréables notes fruitées et boisées. Souple à l'attaque, il se développe sans heurt, marqué en finale par des tanins frais, voire un peu vifs, mais au grain très fin. Ce vin sympathique, au prix doux, trouvera facilement sa place sur toutes sortes de mets. ⧗ 2016-2022 ¥ entrecôte grillée

SCEA VIGNOBLES FRANCIS MERLET ET FILS, 46, rte de l'Europe, 33910 Saint-Denis-de-Pile, tél. 05 57 84 25 19 V r.-v.

CH. LA CROIX DES MOINES 2013

■ | 60000 | | 15 à 20 €

Les Trocard sont établis dans le Libournais depuis 1628. Leurs domaines ont connu un formidable essor au lendemain de la Seconde Guerre mondiale. Aux commandes depuis 1976, Jean-Louis Trocard, aujourd'hui rejoint par ses enfants Benoît et Marie, a porté le vignoble à 88 ha répartis dans plusieurs crus et appellations.

Cette importante cuvée se présente bien. De couleur encore jeune, elle libère des parfums flatteurs de fruits confiturés, soulignés d'un boisé très discret. Souple et assez chaleureuse en attaque, elle repose sur une trame tannique au grain fin, qui devrait se polir assez vite. ⧗ 2016-2022 ¥ pintade aux cèpes

VIGNOBLES JEAN-LOUIS TROCARD, 1175, rue Jean-Trocard, 33570 Les Artigues-de-Lussac, tél. 05 57 55 57 90, contact@trocard.com V *t.l.j. 8h30-12h 14h-17h30; sam. dim. sur r.-v.*

CH. LA FLEUR DE BOÜARD 2013

■ | 120000 | 20 à 30 €

S'il veille précieusement sur Angelus, premier grand cru classé A à Saint-Émilion, Hubert de Boüard a aussi investi en 1998 en lalande-de-pomerol, où il possède cet important domaine de plus de 25 ha à Néac. Dans son nouveau chai, les cuves tronconiques suspendues étonnent toujours, à tel point qu'on les appelle les «ovnis».

Le millésime 2013 demandait beaucoup de technicité; Hubert de Boüard et son équipe n'en manquent pas. Ils ont élaboré un vin très agréable dans sa jeunesse. La robe est encore pimpante. Les arômes sont pleins de fraîcheur, accompagnés d'un boisé vanillé et beurré. De jolies rondeurs flattent le palais, soutenues par de fins tanins. Idéal pour accompagner des viandes délicates en sauce ou des fromages à pâte dure. ⧗ 2017-2021 ¥ navarin d'agneau

SC CH. LA FLEUR SAINT-GEORGES, lieu-dit Bertineau, BP 7, 33500 Pomerol, tél. 05 57 25 25 13, contact@lafleurdebouard.com V r.-v. *Hubert de Boüard*

DOM. DE GACHET 2013

■ | 5000 | | 11 à 15 €

Les Estager, négociants et propriétaires d'origine corrézienne, sont établis depuis 1912 dans le Libournais. Côté vignobles, conduits par Michèle Estager et son fils François, quatre AOC: pomerol (La Cabanne, Plincette, Haut Maillet), saint-émilion (Gourdins), lalande (Gachet) et montagne (La Papeterie).

Gachet est le plus petit vignoble des Estager (92 ares), mais il est très intéressant par son encépagement, composé pour moitié de cabernet franc planté en 1939, qui a résisté au gel de 1956. De vieilles vignes qui apportent beaucoup de finesse au vin. Le 2013 offre un bouquet encore réservé, finement fruité. L'attaque friande, à la fois souple et fraîche, ouvre sur une bouche aux arômes frais rappelant les agrumes, nuancés de notes d'élevage aux accents de caramel. Les tanins, discrets mais élégants, ferment la marche. ⧗ 2016-2020 ¥ épaule d'agneau farcie

VIGNOBLES JEAN-PIERRE ESTAGER, 35, rue de Montaudon, 33500 Libourne, tél. 05 57 51 04 09, estager@estager.com V r.-v.

DOM. DU GRAND ORMEAU 2013

■ | 6000 | | 11 à 15 €

Issu d'une longue lignée vigneronne, Jean-Paul Garde, rejoint par son fils Frédéric, est installé depuis 1974 à la tête des 22 ha de vignes familiales, réparties dans trois appellations libournaises: lalande, montagne et pomerol.

Ce 2013 n'a pas connu le bois: il exprime bien le merlot, qui représente 80 % de l'assemblage, au travers de notes de fruits rouges évoquant la cerise. Si la structure est assez légère, millésime oblige, sa souplesse et ses tanins déjà affinés le rendent harmonieux. Bientôt prêt à passer à table. ⧗ 2017-2021 ¥ lapin aux pruneaux ■ **Ch. de Marchesseau 2013 (11 à 15 €; 24800 b.)** : vin cité.

SCEA VIGNOBLES JEAN-PAUL GARDE, 1, les Cruzelles, 33500 Néac, tél. 05 57 51 40 43, garde@domaine-grand-ormeau.com V r.-v.

CH. LA GRAVIÈRE 2013

■ | 45000 | | 15 à 20 €

Grande figure de Pomerol disparue en 2013, Catherine Péré-Vergé, héritière des cristalleries d'Arques,

exploitait trois domaines pomerolais qu'elle a portés au sommet: Montviel, acquis en 1985, Le Gay et La Violette, complétés par La Gravière en lalande. Un ensemble conduit aujourd'hui par son fils Henri Parent.

Situé face au Ch. Rouget (pomerol), un petit cru acquis en 2000 et agrandi: aujourd'hui, 7,5 ha sur trois terroirs différents, à forte dominante de merlot. Dans sa robe légère, le 2013 a les attraits de la jeunesse. Il commence à s'exprimer agréablement sur des notes fruitées et boisées. Friand, souple et frais en attaque, rond dans son développement, il s'adosse à des tanins encore boisés et vifs qui devraient permettre une petite garde. ⧗ 2017-2021 🍷 entrecôte frites

SCEA VIGNOBLES PÉRÉ-VERGÉ, Grand-Moulinet, 33500 Pomerol, tél. 03 20 64 20 56, communication@montviel.com V r.-v.

CH. JEAN DE GUÉ 2013 ★

■	40 000		15 à 20 €

Propriétaire de vignes depuis plus de deux siècles, la famille Aubert – aujourd'hui les frères Alain, Daniel et Jean-Claude, épaulés par leurs enfants – exploite 300 ha et de nombreux domaines du Bordelais, essentiellement en Libournais, avec pour fleuron le Ch. la Couspaude, grand cru classé de Saint-Émilion depuis 1996, acquis en 1908.

Dirigé par Héloïse Aubert, fille de Jean-Claude, conseillée par Michel Rolland, ce cru est la dernière acquisition familiale: près de 10 ha sur terrain graveleux, dans le secteur de Musset. Son 2013 séduit par la complexité de son nez sur les fruits à noyau bien mûrs, la cerise confiturée, soulignés d'un bon boisé épicé. Le palais, souple, frais et fruité, dévoile en finale des tanins boisés bien fondus qui permettront à cette bouteille de bien évoluer. ⧗ 2017-2023 🍷 poule faisane rôtie

VIGNOBLES AUBERT, Ch. la Couspaude, 33330 Saint-Émilion, tél. 05 57 40 15 76, vignobles.aubert@wanadoo.fr

CH. HAUT-CHAIGNEAU 2013

■	25 000		11 à 15 €

Issus d'une famille enracinée à Saint-Émilion depuis le XVIIe s, André Chatonnet, disparu en 2007, s'était établi en 1967 au Ch. Haut-Chaigneau, où il avait fait construire un «temple du vin» dans le style néo-classique. Son fils Pascal, œnologue et biologiste, continue son œuvre. Il exploite 30 ha de vignes, en lalande essentiellement, ainsi qu'en saint-émilion. Une valeur sûre.

Comme de nombreux vins de ce millésime, ce 2013 est un vin agréable, mais à boire jeune. La robe montre déjà des reflets d'évolution. Le nez, bien ouvert et flatteur, libère des parfums de petits fruits rouges soulignés par un discret boisé grillé. La bouche, très souple, s'adosse à de petits tanins aux nuances de caramel qui invitent à servir cette bouteille prochainement. ⧗ 2016-2021 🍷 rôti de porc aux pruneaux

SCEV VIGNOBLES CHATONNET, Ch. Haut-Chaigneau, 33500 Néac, tél. 05 57 51 31 31 V r.-v. 4

CH. LES HAUTS-CONSEILLANTS 2013

■	23 000		20 à 30 €

En 1906, le Corrézien Jean-Baptiste Audy crée son négoce puis investit dans plusieurs crus du Libournais. Son petit-fils Pierre Bourotte et, depuis 2003, son arrière petit-fils Jean-Baptiste gèrent la maison et les vignobles familiaux: Courlat, ancien fief des Barons de Montagne (17 ha en lussac), Bonalgue (9,5 ha) et Clos du Clocher (5,9 ha) en pomerol, Les Hauts-Conseillants (10 ha) en lalande.

Vinifié et élevé au Ch. Bonalgue, ce lalande associe deux terroirs: des sols argilo-sableux de Néac et une croupe de graves située à Lalande. Montrant déjà des nuances grenat d'évolution, sa version 2013, élevée quinze mois en barrique, s'annonce par un nez grillé et vanillé. Agréable en attaque grâce à un bon équilibre entre souplesse et fraîcheur, elle s'adosse à des tanins bien enrobés et séduit par un plaisant retour fruité et boisé en finale. ⧗ 2017-2022 🍷 canette rôtie

SAS PIERRE BOUROTTE, 62, quai du Priourat, BP 79, 33502 Libourne Cedex, tél. 05 57 51 62 17, jbbourotte@jbaudy.fr V r.-v.

CH. HAUT-SURGET 2013

■	120 000		11 à 15 €

En cinq générations, la famille Ollet-Fourreau a constitué une belle unité de 40 ha, essentiellement en lalande (Haut-Surget, Lafleur Vauzelle), complétée par des vignes en pomerol (Grand Moulinet), en bordeaux (Fleur Saint-Espérit) et en saint-émilion grand cru (Grand Cardinal).

Le principal vignoble de la famille: pas moins de 35 ha sur les graves et les argiles de Néac. L'encépagement comporte 70 % de merlot, 15 % de cabernet-sauvignon et 15 % de cabernet franc. Cela donne de beaux volumes d'un vin de qualité pour le millésime. Très coloré, ce 2013 apparaît encore marqué au nez par son élevage, associant des notes toastées à des nuances de café et de caramel, qui masquent un peu le fruit. Celui-ci s'exprime mieux en bouche, sur une texture équilibrée. Les tanins du merrain reprennent le dessus en finale, mais ils devraient s'arrondir assez vite. ⧗ 2017-2021 🍷 gouda vieux

CH. HAUT-SURGET, 18, av. de Chevrol, 33500 Néac, tél. 05 57 51 28 68, chateauhautsurget@wanadoo.fr V r.-v. *Fourreau*

CH. DE MUSSET Cuvée première 2013

■	27 000		8 à 11 €

Propriétaire depuis 1937 en Libournais, la famille Foucard exploite deux crus: le Ch. de Musset, en lalande-de-pomerol, et le Ch. Chêne Vieux, en puisseguin-saint-émilion.

Important domaine viticole, le Ch. de Musset a donné son nom à un hameau situé entre le bourg de Lalande et la route Bordeaux-Lyon. Avec cette Cuvée première, il livre de beaux volumes d'un vin qui tire son épingle du jeu dans un millésime délicat. De la couleur, des arômes de fruits rouges frais, une attaque souple et de petits tanins qui devraient se fondre assez vite: à boire jeune. ⧗ 2017-2021 🍷 pintade aux cèpes

LE BORDELAIS

SCE Y. FOUCARD ET FILS, Ch. de Musset, 20, rte de Musset, 33500 Lalande-de-Pomerol, tél. 05 57 51 11 40, foucardetfils@orange.fr V *r.-v.*

CH. LA PENSÉE 2013 ★

■	12 000		11 à 15 €

Jusqu'en 2012, ce petit vignoble (moins de 2 ha) était connu sous le nom de Ch. Coudreau. Il a été repris en 2013 par la famille Mingot, de la commune voisine de Savignac-de-l'Isle, qui l'a rebaptisé Ch. la Pensée. Un terroir sablo-limoneux exclusivement planté de merlot.

Le premier millésime des nouveaux propriétaires est encourageant. D'un bordeaux jeune et intense, ce 2013 s'ouvre à l'aération, d'abord sur un joli boisé, puis sur des senteurs florales et fruitées. La bouche gourmande apparaît d'abord souple et ronde, puis une belle fraîcheur aromatique s'installe sur des tanins fins et fondus. Agréable jeune, cette bouteille saura vieillir. 2016-2021 rosbif

VIGNOBLE MINGOT, 1, les Maréchaux, 33910 Savignac-de-l'Isle, tél. 05 57 84 22 29, mingot.julien@wanadoo.fr V *r.-v.*

CH. SAINT-JEAN DE LAVAUD 2013

■	3200		11 à 15 €

Installés en 2000 au Ch. de Lussac, Griet Van Malderen, fille d'un industriel flamand, et son mari Hervé Laviale, ancien journaliste, ont investi dans plusieurs vignobles libournais, où ils associent viticulture et œnotourisme. Ils ont acquis Vieux Maillet (pomerol) en 2004, 8,65 ha dans le secteur du Maillet, complété par une petite vigne en lalande, vers le moulin de Lavaud, et par 28 ares dédiés à un très confidentiel montagne-saint-émilion, la Croix Bastienne.

Ce vin provient d'une parcelle de 1 ha de lalande rattaché au Ch. Vieux Maillet où se déroulent les vinifications. Malgré les difficultés du millésime, les producteurs ont réussi à élaborer un vin apte à la garde. De couleur bordeaux soutenu, ce 2013, encore un peu fermé, libère à l'agitation de jolies senteurs de baies rouges soulignées d'un fin boisé. Bien présent dès l'attaque, dans le même registre aromatique que le nez, il dévoile une texture équilibrée, corsée par de bons tanins qui assureront sa tenue dans le temps. 2017-2023 épaule d'agneau

SCEA CH. VIEUX MAILLET, 16, chem. de Maillet, 33500 Pomerol, tél. 05 57 74 56 80, info@chateauvieuxmaillet.com V *r.-v. Laviale - Van Malderen*

CH. SERGANT 2013 ★★

■	32 056		15 à 20 €

La Société fermière des Grands Crus de France est la structure spécialisée dans le Bordelais du groupe Grands Chais de France. Son œnologue Vincent Cachau vinifie le fruit de quinze propriétés, représentant 390 ha dans les différentes AOC bordelaises.

Ce cru étend ses 22 ha de vignes sur un plateau sablo-graveleux. Il réussit l'exploit d'être mieux noté que dans le millésime 2012, déjà apprécié. Très coloré, ce 2013 apparaît flatteur au nez, grâce à un élégant boisé mentholé. Il offre aussi beaucoup de présence au palais, avec une attaque puissante, un développement alliant richesse et finesse et une finale harmonieusement boisée, soyeuse et persistante. Un vin promis à une belle évolution. 2018-2024 pavé de bœuf aux cèpes

STÉ FERMIÈRE DES GRANDS CRUS DE FRANCE, 33460 Lamarque, tél. 05 57 98 07 20

CH. SIAURAC 2013

■	85 000		15 à 20 €

La famille Guichard est propriétaire depuis 1832 de plusieurs crus en Libournais: son fief et fleuron, Ch. Siaurac en lalande, Vray Croix de Gay en pomerol et Le Prieuré en saint-émilion grand cru. Un ensemble dirigé depuis 2004 par Aline Guichard et son mari Paul Goldschmidt. En 2014, François Pinault (Ch. Latour) a pris une participation dans les châteaux familiaux.

Acquis en 1832 par Pierre Buisson, arrière-arrière-grand-père d'Aline Guichard, Siaurac est le vaisseau amiral des différents vignobles du Libournais de la famille Guichard Goldschmidt. C'est le domaine le plus vaste de l'appellation avec 70 ha dont 46 ha de vignes. Comportant 12 % de malbec, le 2013 est un vin de caractère. Encore un peu fermé au nez, il libère beaucoup de fruit à l'agitation – du cassis, avec un boisé épicé à l'arrière-plan. Avec son attaque souple, sa bouche ronde et ses tanins fins et soyeux, il ne manque pas d'élégance. 2017-2022 gigot d'agneau

CH. SIAURAC AND CO, Ch. Siaurac, 33500 Néac, tél. 05 57 51 64 58, info@siaurac.com V *r.-v.* G *Goldschmidt*

CH. TOURNEFEUILLE 2013 ★

■	50 000		15 à 20 €

Agriculteur en Eure-et-Loire, François Petit acquiert Tournefeuille en 1998, pièce maîtresse (17,5 ha à Néac) d'un vignoble familial étendu aussi sur Pomerol (Lécuyer) et Saint-Émilion (La Révérence), aujourd'hui conduit par son fils Émeric et son associé Francis Cambier.

Le Ch. Tournefeuille regarde de célèbres crus de Pomerol implantés sur l'autre rive de la Barbanne. Il dispose de terroirs variés: coteaux exposés au sud et au nord, croupe graveleuse, plateau argileux. Son importante cuvée principale a réussi à décrocher une étoile dans les trois derniers millésimes – très différents. Encore discret au nez, le 2013 montre une complexité naissante, s'ouvrant sur des notes de soupe aux fruits rouges soulignées d'un léger boisé. Chaleureux en attaque, rond dans son développement, il dévoile des arômes fruités et boisés prolongeant bien le nez. Ses tanins fins et déjà enrobés autorisent une consommation prochaine. 2017-2022 magret de canard

SCEA CH. TOURNEFEUILLE, 24, rue de l'Église, 33500 Néac, tél. 05 57 51 18 61, chateautournefeuille@wanadoo.fr V *r.-v.* G E *Émeric Petit*

VIEUX CH. GACHET 2013

■ | 22400 | | 11 à 15 €

À son retour de la Grande Guerre, Jean-Baptiste Arpin achète 1 ha à Pomerol, dans le secteur du Maillet. Aujourd'hui, ses petit-fils et arrière-petit-fils Gérard et Gaël exploitent 37 ha en pomerol, saint-émilion, montagne et lalande, et proposent régulièrement de très bons vins.

Implanté sur les terrains argilo-siliceux de Néac, ce cru couvre près de 5 ha. Il a produit dernièrement toute une série de très bons millésimes (avec un coup de cœur pour le 2011). Son 2013 tire bien son épingle du jeu. D'une couleur encore jeune et intense, il offre un nez flatteur partagé entre la griotte et la vanille. Souple et chaleureux en attaque, aussi fruité que le bouquet, le palais est soutenu par des tanins enrobés. Déjà très plaisant. ⧗ 2016-2021 ¥ tourte à la viande

SCEA VIGNOBLES G. ARPIN, Chantecaille, 33330 Saint-Émilion, tél. 09 71 58 23 49, vignobles.g.arpin@wanadoo.fr V r.-v. *G. Arpin*

CH. VIEUX CHEVROL 2013 ★

■ | 84000 | | 11 à 15 €

La troisième génération de Champseix dirige ce vignoble en lalande-de-pomerol: pas moins de 20 ha dont elle a engagé la conversion bio.

Dominé par le merlot (80 %) complété par les deux cabernets, ce 2013 de bonne facture représente une part très importante de la production du vignoble (20 ha). Élevé en cuve et en demi-muids, il séduit par son bouquet naissant aux nuances de moka et de réglisse léguées par l'élevage. Une attaque tout en souplesse, une bouche ronde et persistante, étayée par des tanins fins, dans le même registre que le nez, dessinent les contours d'un vin bientôt prêt à paraître à table. ⧗ 2017-2021 ¥ magret de canard

SA CHAMPSEIX, Vieux Chevrol, 33500 Néac, tél. 05 57 51 09 80, chateau@vieuxchevrol.com V r.-v.

▶ SAINT-ÉMILION ET SAINT-ÉMILION GRAND CRU

Établi sur les pentes d'une colline dominant la vallée de la Dordogne, Saint-Émilion (3 300 habitants) est une petite ville viticole charmante et paisible. C'est aussi une cité chargée d'histoire. Étape sur le chemin de Saint-Jacques-de-Compostelle, ville forte pendant la guerre de Cent Ans et refuge des députés girondins proscrits sous la Convention, elle possède de nombreux vestiges évoquant son passé. La légende fait remonter le vignoble à l'époque romaine et attribue sa plantation à des légionnaires. Mais il semble que sa véritable origine se situe au XIIIes. Quoi qu'il en soit, Saint-Émilion est aujourd'hui le centre de l'un des plus célèbres vignobles du monde qui, en 1999, a été incrit au patrimoine mondial par l'Unesco. L'aire d'appellation, répartie sur 9 communes, comporte une riche gamme de sols. Tout autour de la ville, le plateau calcaire et la côte argilo-calcaire (d'où proviennent de nombreux crus classés) donnent des vins d'une belle couleur, corsés et charpentés. Aux confins de Pomerol, les graves produisent des vins d'une très grande finesse (cette région possédant aussi de nombreux grands crus). Mais l'essentiel de l'appellation est représenté par les terrains d'alluvions sableuses descendant vers la Dordogne, qui produisent de bons vins. Pour les cépages, on note une nette domination du merlot, complété par le cabernet franc, appelé bouchet dans cette région, et, dans une moindre mesure, par le cabernet-sauvignon.

L'appellation saint-émilion peut être revendiquée par tous les vins produits dans la commune et dans huit autres villages environnants. La seconde appellation, saint-émilion grand cru, ne correspond pas à un terroir défini, mais à des critères d'élaboration plus exigeants: rendements plus faibles, élevage de dix-sept mois minimum, mise en bouteilles à la propriété obligatoire. C'est parmi les saint-émilion grand cru que sont choisis les châteaux qui font l'objet d'un classement. Ce dernier constitue l'une des originalités de la région de Saint-Émilion. Assez récent (il ne date que de 1955), il est régulièrement et systématiquement revu. La première révision a eu lieu en 1958; la dernière, en 2006, a été contestée devant les tribunaux pour être, à l'issue d'une longue procédure, annulée par le tribunal administratif de Bordeaux. Pour mettre fin au vide juridique, le Parlement a voté en mai 2009 un article de loi rétablissant l'ancien classement de 1996 auquel s'ajoutent les promus de 2006, classement valable jusqu'à la récolte 2011 incluse.

Pour les saint-émilion grand cru, la dégustation Hachette s'est faite en distinguant les classés (y compris les premiers) des non-classés. Les étoiles et commentaires correspondent donc à ces deux critères.

SAINT-ÉMILION

Superficie : 5 400 ha (grands crus inclus)
Production : 51 000 hl

CLOS CASTELOT 2013 ★

■ | 39100 | | 8 à 11 €

Un vignoble de 21 ha, acquis par les Fompérier en 1956, à l'entrée sud de Saint-Émilion, au pied du coteau, dans le hameau de La Gaffelière. Deux étiquettes ici: le grand cru Guillemin La Gaffelière et son second le Clos Castelot.

Une pointe de malbec (3 %) est associée au merlot (62 %), au cabernet franc (25 %) et au cabernet-sauvignon dans ce 2013 qui dévoile un boisé racé à l'olfaction (notes grillées, fumées et réglissées), complété par les fruits noirs. Une attaque ronde et soyeuse, de la consistance, de la fraîcheur, un bon équilibre bois-fruit, la bouche est bien balancée et laisse deviner un bon potentiel. ⧗ 2018-2022 ¥ gigot d'agneau

VIGNOBLES FOMPÉRIER, La Gaffelière, 33330 Saint-Émilion, tél. 05 57 74 46 92, lecellierdesgourmets@wanadoo.fr V t.l.j. sf dim. *8h30-12h15 14h-17h45*

CH. LES FOUGÈRES 2013 ★

■ | 19370 | | 8 à 11 €

Créée en 1931, la coopérative de Saint-Émilion est un acteur incontournable du Libournais, et ses cuvées – vins de marque (Aurélius, Galius...) ou de domaines (une cinquantaine de propriétés apportent leur vendange à la «coop») sont régulièrement au rendez-vous du Guide.

À l'aération, se mêlent de délicats parfums de fruits rouges, d'amande et de noisette. Ronde dès l'attaque, suave et gourmande, la bouche s'appuie sur des tanins bien maîtrisés et développe une belle longueur. 2017-2021 filet de bœuf rôti

UNION DE PRODUCTEURS DE SAINT-ÉMILION, Haut-Gravet, BP 27, 33330 Saint-Émilion, tél. 05 57 24 70 71, contact@udpse.com V r.-v.

CH. HAUTES GRAVES DU ROUY 2013

■ | 2100 | | 5 à 8 €

Une propriété de 23 ha établie au sud de l'appellation saint-émilion, familiale depuis cinq générations, conduite par Bernard Bouladou et sa fille Lauriane.

Un 100 % merlot au nez vanillé, fruité (griotte et fraise mûres) et un brin animal. La bouche se montre plutôt souple et légère, étayée par des tanins discrets. Un saint-émilion «de soif». 2016-2018 steak tartare

EARL VIGNOBLES BERNARD BOULADOU, 15, Le Bourg, 33330 Vignonet, tél. 05 57 74 90 59, vignobles.bouladou@gmail.com V r.-v.

LES HAUTS DE LA GAFFELIÈRE 2013

■ | 500000 | | 8 à 11 €

Le Comte Léo de Malet Roquefort et son fils Alexandre, propriétaires du Ch. la Gaffelière, 1er grand cru classé B de Saint-Émilion, ont fondé une maison de négoce en 1995 qui propose des saint-émilion et des bordeaux sous différentes marques (Léo de la Gaffelière, Les Hauts de la Gaffelière).

À un nez chaleureux de fruits confiturés répond un palais rond et suave, sur le cassis, rendu plus sévère en finale par l'apport d'un boisé encore un peu prégnant. Petite garde à prévoir. 2017-2021 côtes d'agneau grillées

MAISON MALET ROQUEFORT (HAUTS DE LA GAFFELIÈRE), Champs du Rivalon, BP 12, 33330 Saint-Émilion, tél. 05 57 56 40 80, mdeval@malet-roquefort.com

CH. MONTREMBLANT 2013 ★

■ | 4000 | | 8 à 11 €

Bien connu des lecteurs du Guide, Stéphane Puyol exploite la vigne dans le Libournais (20 ha en saint-émilion et en saint-émilion grand cru) depuis 1977 avec son Ch. Barberousse et son voisin le Ch. Montremblant. Il vinifie également dans le Bergeracois depuis l'acquisition en 1991 du Ch. Lamothe-Belair, situé sur le plateau de Belair, dans le prolongement du coteau de Saint-Émilion.

Après un coup de cœur dans l'édition précédente pour son Ch. Barberousse 2012, Stéphane Puyol signe des vins de belle facture dans ce millésime 2013 pudiquement qualifié de «vigneron». Son Montremblant se distingue par un bouquet intense de fruits rouges, d'épices douces (cannelle, vanille) et de grillé, et par une bouche ample et veloutée, renforcée par des tanins de bonne garde. 2018-2022 côte de bœuf ■ **Ch. Barberousse 2013 (8 à 11 €; 20000 b.)** : vin cité.

SCEA VIGNOBLES STÉPHANE PUYOL, Ch. Barberousse, 33330 Saint-Émilion, tél. 05 57 24 74 24, chateau-barberousse@wanadoo.fr V r.-v.

CH. MOULIN DE LABORDE 2013

■ | 5000 | | 11 à 15 €

Ce vignoble appartint jusqu'en 1934 à la famille Lacoste, alors également propriétaire de Petrus. Installés en 1989, Alain et Nicole Rospars, rejoints en 2015 par Thomas, l'ont largement replanté et agrandi vers Saint-Christophe-des-Bardes. Ils exploitent quelque 20 ha en AOC montagne-saint-émilion (Lys de Maisonneuve) et en saint-émilion (Moulin de Laborde).

Cabernet franc (90 %) et cabernet-sauvignon composent ce 2013 au nez élégant, floral et boisé. Adossée à des tanins granuleux encore un peu stricts en finale, la bouche ajoute à ces arômes un bon fruité frais. Un vin de bonne tenue qui gagnera son étoile après une petite garde. 2017-2021 entrecôte

ROSPARS, Maisonneuve, 33570 Montagne, tél. 07 86 18 73 81, contact@vignobles-rospars.com V r.-v. E

CH. ROLLAND-MAILLET 2013 ★

■ | 15000 | | 20 à 30 €

Michel Rolland possédait plusieurs crus dans le Libournais, avec pour fleuron Bon Pasteur, dans la famille depuis les années 1920: 7 ha morcelés en 23 parcelles, aux confins nord-est de Pomerol. Bertineau Saint-Vincent (5,6 ha en lalande) et Rolland-Maillet (3,3 ha sur Saint-Émilion) complètent la propriété, passée sous pavillon chinois en 2013; l'équipe technique est restée en place.

L'un des meilleurs saint-émilion dégustés cette année, dans un millésime pour le moins difficile qui a laissé plus d'un domaine sur le carreau dans cette sélection. Ici, un vin au nez intense, sur les fruits noirs bien mûrs, le bon merrain grillé et la réglisse, au palais tout en amabilité et en rondeur, porté par des tanins tendres et un boisé qui n'écrase pas le fruit. 2017-2022 bœuf bourguignon

SAS LE BON PASTEUR, 10, chem. de Maillet, 33500 Pomerol, tél. 05 57 24 52 58, contact@chateaulebonpasteur.com V r.-v. *Goldin*

CH. LES VIEUX MAURINS 2013

■ | 25000 | | 8 à 11 €

Conduit depuis 1984 par Jocelyne et Michel Goudal, ce cru de 8 ha d'une grande régularité a été vendu en 2013 à un groupe d'investisseurs chinois, mais le vigneron continue de prodiguer ses conseils à la vigne et au chai.

Cerise noire et framboise sur un discret boisé, le nez de ce 2013 est harmonieux et plaisant. En bouche, une même sensation d'équilibre entre une bonne texture, des tanins policés et un boisé bien fait, quoique encore un peu dominateur. ⧗ 2017-2020 ⚲ rôti de bœuf

⊶ *SCEA CH. LES VIEUX MAURINS, 191, Les Maurins, 33330 Saint-Sulpice-de-Faleyrens, tél. 05 57 50 58 13, lesvieuxmaurins@gmail.com* V r.-v.

SAINT-ÉMILION GRAND CRU

Superficie : 5 400 ha / Production : 72 000 hl

CH. ABELYCE 2013 ★★

■	14 000		11 à 15 €

Responsable technique du Ch. Haut-Gravet, propriété de son père Alain Aubert, Amélie Aubert a créé ce petit cru de 2,3 ha en 2004, dont le nom est la contraction des prénoms de ses enfants (Alice et Jean-Abel).

Issu du terroir de Vignonet, au sud de la juridiction, et de pur merlot, ce vin a été élevé dix-huit mois, en cuve et en barrique à parité. Sa présentation est de très bon augure: une robe très foncée, un nez déjà intense, sur les baies noires bien mûres, rehaussé d'un délicat boisé épicé et cacaoté. La bouche est tout en souplesse et en rondeur, épaulée par des tanins veloutés qui soulignent sa longue finale: une parfaite harmonie. ⧗ 2018-2026 ⚲ terrine de chevreuil

⊶ *AMÉLIE AUBERT, 57, av. de l'Europe, 33350 Saint-Magne-de-Castillon, tél. 06 85 21 59 60, chateau.abelyce@orange.fr* r.-v.

CH. ARMENS 2013 ★★

■	24 000		15 à 20 €

Héritiers d'une lignée établie à Saint-Émilion depuis plusieurs siècles, le comte Léo de Malet Roquefort et son fils Alexandre sont propriétaires du Ch. la Gaffelière, 1er grand cru classé B; ils ont acquis en 1999 le Ch. Armens, dans la même appellation, et ont fondé en 1995 une maison de négoce qui propose des saint-émilion et des bordeaux sous différentes marques (Léo de la Gafellière, Les Hauts de la Gaffelière, L'instant).

Du merlot, avec un appoint (10 %) de cabernet-sauvignon dans ce 2013 à la robe superbe, à la fois profonde et fraîche. Aussi puissant qu'élégant, le bouquet exprime les petits fruits rouges bien mûrs et le merrain finement toasté, accompagnés d'une touche agréable de beurre et de noisette. L'attaque dévoile un vin chaleureux, suave, à la chair croquante, porté jusqu'en finale par d'élégants tanins. Reflétant de bout en bout un harmonieux mariage du fruit et du bois, un ensemble déjà agréable et qui saura vieillir. ⧗ 2017-2026 ⚲ canard à l'orange et aux épices

⊶ *CH. ARMENS, BP 12, Champs-du-Rivalon, 33330 Saint-Émilion, tél. 05 57 56 40 81, m.deval@malet-roquefort.com*

CH. BADETTE 2013 ★

■	15 000		20 à 30 €

À sa mort, en 2002, William Arreaud a légué sa propriété viticole à la commune de Saint-Émilion, qui en confia l'exploitation à Dominique Leymarie. Le cru, qui s'étend sur 9,8 ha, est aujourd'hui propriété du Belge Marc Vandenbogaerde.

La robe est profonde, intense et jeune avec ses reflets violines. Le nez est très marqué par un boisé vanillé, reflet d'un élevage de dix-huit mois en barrique, mais le merrain laisse percer à l'arrière-plan un joli fruit rappelant les baies noires. La bouche, ronde et équilibrée, repose sur une trame de tanins boisés et réglissés, déjà fondus, qui permettront d'apprécier cette bouteille dans sa jeunesse. ⧗ 2017-2023 ⚲ épaule d'agneau

⊶ *SCEA DU CH. BADETTE, Ch. Badette, 33500 Libourne, tél. 06 08 30 86 13, chateaubadette@orange.fr* V r.-v.
⊶ *Vandenbogaerde*

CH. BARDE-HAUT 2013

■ Gd cru clas.	40 000		30 à 50 €

Sylviane Garcin-Cathiard, propriétaire de plusieurs crus en pomerol (Clos l'Église) et pessac-léognan (Haut-Bergey et Branon), a acquis en 2000 ce cru de 17 ha situé sur les hauteurs de Saint-Christophe-des-Bardes, à l'extrémité du plateau de Saint-Émilion. Un domaine promu au rang de grand cru classé en 2012.

D'un rubis franc, ce 2013 offre un bon compromis entre puissance et finesse. Malgré un élevage de seize mois en barriques, neuves à 80 %, le boisé est très discret. Le bouquet, déjà bien ouvert et très agréable, marie des notes florales (violette, rose) et fruitées (petits fruits des bois). Encore fraîche, la bouche offre des arômes de noyau rehaussés d'une touche minérale. Ses tanins encore jeunes et vifs, qui appellent la garde, assureront une bonne évolution. ⧗ 2019-2026 ⚲ civet de lièvre

⊶ *CH. BARDE-HAUT, 33330 Saint-Christophe-des-Bardes, tél. 05 57 25 72 55, barde-haut@vignoblesgarcin.com* V r.-v.

CH. BEAU-SÉJOUR BÉCOT 2013

■ 1er gd cru clas. B	66 000		30 à 50 €

82 83 85 (86) **87 88 89** 90 93 **94 95 96** 97 98 **99** 00 **01** 02 |**03**| |**04**| **05** (06) |07| |08| 09 10 **11** 12 13

Déjà planté de vignes à l'époque romaine, ce cru de 19 ha situé au sommet du plateau calcaire de Saint-Émilion conserve ses vins dans d'anciennes carrières de 7 ha creusées par les moines au Moyen Âge. Acquis en 1969 par Michel Bécot, il est aujourd'hui dirigé par ses fils Dominique (à la vigne) et Gérard (à la cave), épaulés par Juliette, la fille de ce dernier.

Certes, ce 2013 issu de vieux merlots (80 %) et de cabernets (cabernet franc surtout) ne fait pas oublier de superbes millésimes plus solaires, comme les 2003, 2005 ou 2011, mais les jurés ont trouvé des qualités à ce vin pourpre brillant, issu d'une vinification savante (10 % en cuve Inox, 60 % dans des cuves tronconiques inversées et 30 % en barriques neuves de 600 l). Le nez très vineux met en avant les fruits rouges très mûrs, presque compotés, et un palais agréable, à l'unisson du nez, plus svelte que de coutume toutefois. En définitive, un vin sincère, fidèle reflet de l'an-

CLASSEMENT DES GRANDS CRUS DE SAINT-ÉMILION

Les 2013 dégustés cette année sont régis par ce classement révisé en 2012.

SAINT-ÉMILION PREMIERS GRANDS CRUS CLASSÉS

A

Château Angelus
Château Ausone
Château Cheval Blanc
Château Pavie

B

Château Beauséjour (héritiers Duffau-Lagarrosse)
Château Beau-Séjour-Bécot
Château Bélair-Monange
Château Canon
Château Canon la Gaffelière
Château Figeac
Clos Fourtet
Château la Gaffelière
Château Larcis Ducasse
La Mondotte
Château Pavie Macquin
Château Troplong Mondot
Château Trottevieille
Château Valandraud

SAINT-ÉMILION GRANDS CRUS CLASSÉS

Château l'Arrosée
Château Balestard la Tonnelle
Château Barde-Haut
Château Bellefont-Belcier
Château Bellevue
Château Berliquet
Château Cadet-Bon
Château Capdemourlin
Château le Chatelet
Château Chauvin
Château Clos de Sarpe
Château la Clotte
Château la Commanderie
Château Corbin
Château Côte de Baleau
Château la Couspaude
Château Dassault
Château Destieux
Château la Dominique
Château Faugères
Château Faurie de Souchard
Château de Ferrand
Château Fleur Cardinale
Château La Fleur Morange
Château Fombrauge
Château Fonplégade
Château Fonroque
Château Franc Mayne
Château Grand Corbin
Château Grand Corbin-Despagne
Château Grand Mayne
Château les Grandes Murailles
Château Grand-Pontet
Château Guadet
Château Haut-Sarpe
Clos des Jacobins
Couvent des Jacobins
Château Jean Faure
Château Laniote
Château Larmande
Château Laroque
Château Laroze
Clos la Madeleine
Château la Marzelle
Château Monbousquet
Château Moulin du Cadet
Clos de l'Oratoire
Château Pavie Decesse
Château Peby Faugères
Château Petit Faurie de Soutard
Château de Pressac
Château le Prieuré
Château Quinault l'Enclos
Château Ripeau
Château Rochebelle
Château Saint-Georges-Côte-Pavie
Clos Saint-Martin
Château Sansonnet
Château la Serre
Château Soutard
Château Tertre Daugay
Château la Tour Figeac
Château Villemaurine
Château Yon-Figeac

née, que ses propriétaires conseillent de servir avec des mets délicats. Il permettra d'attendre ses aînés. ⧗ 2018-2023 ♈ risotto aux cèpes

⊶ *GÉRARD ET DOMINIQUE BÉCOT, Ch. Beau-Séjour Bécot, lieu-dit La Carte, 33330 Saint-Émilion, tél. 05 57 74 46 87, contact@beausejour-becot.com* r.-v.

♥ CH. BELAIR-MONANGE 2013 ★★

■ 1er gd cru clas. B	180 000		+ de 100 €

Acquis en 2008 par les établissements Jean-Pierre Moueix, ce cru de 12,5 ha fut alors rebaptisé Belair-Monange en l'honneur de l'épouse de Jean Moueix (grand-père de Christian, l'actuel dirigeant), Anne-Adèle Monange, première femme de la famille établie à Saint-Émilion en 1931. Un vaste programme de replantation sur vingt ans a été engagé depuis lors, et à partir du millésime 2012, le domaine intègre les 11 ha du Ch. Magdelaine.

Les trois millésimes précédents sont encore à laisser en cave. Ce 2013, lui, pourra en sortir prochainement. Parmi les saint-émilion de la sélection, il sort nettement du lot. Les vinificateurs ont tiré le meilleur parti d'une année délicate, ne faisant pas de ce vin un champion de corpulence et de longévité, mais jouant à fond la carte de la délicatesse et de la fraîcheur. La robe soutenue commence à se teinter de reflets brique. Le nez met en avant les fruits rouges et noirs bien mûrs du merlot (cépage dominant dans cet assemblage très saint-émilionnais). Il est relayé par une bouche suave, tendre et fruitée, à la texture charnue, soutenue par une trame de tanins soyeux et par une fine acidité qui lui donne de l'énergie et du relief. La fraîcheur, signature de l'année, n'aboutit pas ici à des notes herbacées mais à une touche finale d'orange amère très élégante. Un 1er grand cru gourmand, plein de fruit et de chair. ⧗ 2018-2023 ♈ confit de palombe aux cèpes

⊶ *ÉTS JEAN-PIERRE MOUEIX, 54, quai du Priourat, 33502 Libourne Cedex, tél. 05 57 51 78 96, info@jpmoueix.com*

CH. BELLEFONT-BELCIER 2013

■ Gd cru clas.	30 000		30 à 50 €

96 97 98 99 00 01 02 |04| 05 |06| |(07)| |**08**| 09 10 11 **12** 13

Propriété datant de la fin du XVIIIe s., ce grand cru de 13,5 ha, classé depuis 2006, est idéalement situé sur le coteau argilo-calcaire de Saint-Laurent-des-Combes, entre les châteaux Larcis Ducasse et Tertre Roteboeuf. Il est passé sous pavillon chinois en 2012, acquis par Songwei Wang, riche industriel spécialisé dans l'extraction de minerais de fer. Emmanuel de Saint-Salvy conserve la direction technique du domaine.

Sur ce coteau argilo-calcaire, le merlot laisse une bonne place aux cabernets, franc et sauvignon, qui représentent ensemble 42 % de l'assemblage. Cette composition a plutôt constitué un avantage en 2013. Dans le verre, le rubis de la robe commence à être traversé de reflets grenat d'évolution. Puissant, le bouquet est dominé par un boisé de qualité, épicé, vanillé, qui cache un peu un raisin bien mûr. Après une attaque chaleureuse et ronde, les tanins boisés tapissent le palais, avec l'austérité des cabernets: le gage d'une évolution heureuse et d'une élégance future. ⧗ 2019-2026 ♈ daube de sanglier

⊶ *CH. BELLEFONT-BELCIER, 33330 Saint-Laurent-des-Combes, tél. 05 57 24 72 16, contact@bellefont-belcier.com* r.-v.

Ⓑ CH. BERNATEAU 2013 ★

■	1800		15 à 20 €

Les Lavau sont établis depuis huit générations à Saint-Étienne-de-Lisse, à l'est de l'appellation. Pierrick Lavau, œnologue, conduit depuis 2003 les domaines familiaux, constitués des châteaux Tour Peyronneau et Bernateau, dont les vignobles sont en bio certifié depuis 2012.

Un 2013 encore jeune d'aspect, à la robe très colorée, traversée de vifs reflets. Le premier nez reflète l'élevage en barrique neuve, avec ses notes toastées, vanillées et épicées, puis les fruits rouges frais apparaissent à l'aération. L'attaque franche et corsée est vite relayée par des tanins jeunes et boisés, qui appellent une petite garde. ⧗ 2018-2023 ♈ magret de canard grillé

⊶ *SCEA RÉGIS LAVAU ET FILS, Ch. Bernateau, 33330 Saint-Étienne-de-Lisse, tél. 05 57 40 18 19, contact@chateaubernateau.com* r.-v.

CH. BOUTISSE 2013 ★

■	20 000		15 à 20 €

Issu d'une ancienne famille de négociants et propriétaires du Libournais, Marc Milhade dispose avec le Ch. Boutisse d'un important vignoble de 24 ha d'un seul tenant, commandé par une demeure au toit insolite de tuiles vertes. Nous sommes ici sur les argilo-calcaires de Saint-Christophe-des-Bardes, au nord-est de l'appellation, mais les vignes sont exposées au sud-est.

Un vin élevé en barrique sur lies. De couleur franche, il offre un nez gourmand, déjà très plaisant, aux arômes intenses de bois torréfié, d'épices douces, de moka et de cacao. La bouche, plus fraîche, dévoile une chair suave soutenue par de bons tanins boisés qui devraient s'affiner assez vite: on pourra déboucher cette bouteille prochainement. ⧗ 2017-2021 ♈ carré de veau aux morilles

⊶ *SARL CH. BOUTISSE, Ch. Boutisse, 33330 Saint-Christophe-des-Bardes, tél. 05 57 50 33 33, contact@chateau-boutisse.fr* r.-v.

CH. LES CABANNES 2013 ★

■	7000		11 à 15 €

Producteurs en saint-émilion, saint-émilion grand cru et AOC régionales, Brigitte et Peter Kjellberg sont œnologues, le premier étant d'origine cana-

dienne. Ils ont acquis en 1997 ce domaine de 7 ha situé au sud de l'appellation.

Issu de pur merlot implanté sur sols sablo-argileux à crasses de fer, ce vin revêt une robe intense et offre un nez tout en finesse associant la mûre et un boisé délicatement épicé. Déjà très agréable en bouche par son fruit croquant en harmonie avec le bouquet, d'une bonne persistance, il s'appuie sur une trame tannique élégante qui lui permettra de bien vieillir. ⧗ 2018-2024 🍴 gigot d'agneau

EARL VIGNOBLES KJELLBERG-CUZANGE, Les Cabannes, 33330 Saint-Sulpice-de-Faleyrens, tél. 05 57 24 62 86, kjellberg.cuzange@orange.fr r.-v.

CH. DE CANDALE 2013

■ | 5397 | (fût) | 30 à 50 €

Ce cru de 13,8 ha répartis en micro-parcelles tirerait son nom de Marguerite de Suffolk Kandall, descendante d'Édouard III, roi d'Angleterre et duc d'Aquitaine au XVes. L'homme d'affaires américain Stephen Adams l'a vendu en 2009 au tonnelier Jean-Louis Vicard.

Une robe profonde et jeune aux reflets violines, un bouquet flatteur, bien équilibré entre les fruits frais et un boisé aux senteurs d'épices douces (vanille, cannelle). En bouche, l'équilibre penchant vers la souplesse et la rondeur, les arômes de baies mûres et les tanins boisés déjà bien fondus, tout invite à déboucher cette bouteille dans sa jeunesse. ⧗ 2017-2021 🍴 pièce de bœuf rôti

JEAN-LOUIS VICARD, 1, Grandes-Plantes, 33330 Saint-Laurent-des-Combes, tél. 05 57 51 19 91, chateaudecandale@orange.fr r.-v.

CH. CANON 2013 ★★

■ 1er gd cru clas. B | 68000 | (fût) | 75 à 100 €

89 90 96 97 **98** 99 |**00**| |01| 02 **03** |04| **05** |**06**| |07| 08 **09 10** 11 **12 13**

Grand cru fondé en 1760 par le capitaine de frégate et corsaire Jacques Kanon, qui y développa la monoculture de la vigne, élevé au rang de 1er cru classé dès 1954. La famille Fournier, installée ici en 1919, céda le domaine au groupe Chanel en 1996. Niché contre la cité médiévale, le cru est idéalement implanté au sud du plateau calcaire de Saint-Émilion. Il recèle en sous-sol d'immenses caves creusées pendant des siècles pour bâtir Libourne et Bordeaux. Après John Kolasa, parti à la retraite, c'est Nicolas Audebert (également aux commandes de Rauzan-Ségla en margaux, des mêmes propriétaires) qui dirige le vignoble: 34 ha, dont 12 provenant du grand cru classé Matras, acquis en 2011, et qui alimente désormais le second vin, Croix Canon.

Propriétaire du cru, la maison Chanel impose un style raffiné intemporel, indémodable. Ce caractère se retrouve dans ce 2013, millésime pourtant délicat. Paré d'une robe bordeaux jeune, ce vin évoque d'emblée les grands saint-émilion traditionnels avec ses arômes de baies bien mûres, nuancés d'une touche de violette, dans un sillage de chêne frais mais fin. Très élégante, charnue, ronde sans lourdeur, la bouche aux arômes vanillés s'appuie sur des tanins denses, encore fermes, qui permettront à cette bouteille de bien vieillir. ⧗ 2020-2030 🍴 gigue de chevreuil ■ **Croix Canon 2013 (30 à 50 €; 60000 b.)** : vin cité.

CH. CANON, lieu-dit Saint-Martin, 33330 Saint-Émilion, tél. 05 57 55 23 45, contact@chateau-canon.com r.-v.

CH. CARTEAU CÔTES DAUGAY 2013 ★

■ | n.c. | 15 à 20 €

Implantés à Saint-Émilion depuis cinq générations, les Bertrand – aujourd'hui Jacques et ses enfants – exploitent deux crus en saint-émilion grand cru: Carteau Côtes Daugay, 16 ha sur le tertre Daugay, au pied de la côte sud-ouest de Saint-Émilion, et Franc Pipeau, 6,5 ha en pied de côte, à Saint-Hyppolyte. Des crus représentatifs du vignoble saint-émilionnais où les exploitations familiales restent majoritaires.

Des tris poussés, d'abord sur table vibrante puis des baies après éraflage, et un élevage de quinze mois en fût ont abouti à ce 2013 très réussi. On aime sa couleur entre rubis et grenat, son bouquet intense à dominante boisée (moka, réglisse), laissant pointer les fruits noirs à l'arrière-plan. La bouche ne déçoit pas: ronde, charnue et gourmande en attaque, elle s'ouvre sur des arômes de fruits frais vite relayés par des tanins boisés encore austères, mais qui devraient s'affiner assez vite. ⧗ 2017-2021 🍴 faisan en cocotte

CH. CARTEAU CÔTES DAUGAY, Vignobles J. Bertrand, Ch. Carteau, 33330 Saint-Émilion, tél. 05 57 24 73 94, vignobles.jbertrand@wanadoo.fr r.-v.

CH. CHAUVIN 2013

■ Gd cru clas. | 22800 | (fût) | 20 à 30 €

85 86 **88 89** 90 93 94 96 98 99 00 **01** 02 03 |04| |05| |06| |07| 08 09 10 **12** 13

Acquis en 1891 par Victor Ondet, teinturier de son état, ce cru est resté dans la même famille jusqu'en 2014. C'est sous la direction du petit-fils, Henri, qu'il acquiert ses lettres de noblesse, intégrant le premier classement de Saint-Émilion en 1954. Une notoriété maintenue sous la direction des filles de ce dernier, Marie-France et Béatrice. En 2014, le domaine et ses 13,34 ha de vignes d'un seul tenant, au nord-ouest de Saint-Émilion, sont passés dans d'autres mains féminines, celles de Sylvie Cazes (co-propriétaire de Lynch-Bages) et de sa fille.

Issu d'un terroir sablo-graveleux, voici un vin rubis franc déjà très agréable. Le bouquet naissant exprime bien le raisin, accompagné d'un fin boisé fin aux nuances de cigare et de cèdre. Lui aussi bien fruité, séveux et corsé, le palais repose sur une trame de solides tanins qui permettront une bonne garde. ⧗ 2018-2023 🍴 côte de bœuf

CAZES, 1, Les Cabannes-Nord, 33330 Saint-Émilion, tél. 05 57 24 76 25, contact@chateauchauvin.com r.-v.

CH. CHEVAL BLANC 2013 ★

■ 1er gd cru clas. A | n.c. | (fût) | + de 100 €

(61) **64 66** 69 **70 71 75 76 78 79** 80 **81 82 83** 85 **86 88 89** |(90)| **92 93 94** |**95**| |**97**| |98| |**99**| |**00**| |**01**| |**02**| |**03**| |**04**| **05 06** |07| 08 **09 10 11 12** 13

À l'origine simple métairie de Figeac, Cheval Blanc devient une propriété indépendante en 1832 quand le président du tribunal de Libourne, Jean-Jacques

Ducasse, l'achète et fait construire le château actuel. Ses descendants entreprennent des travaux importants, notamment de drainage, et dès la fin du Second Empire, le cru atteint ses dimensions actuelles (37 ha) et se situe parmi les plus renommés de Saint-Émilion. Son terroir, de type pomerolais avec des graves et des sables anciens sur argiles, explique l'originalité de son encépagement à dominante de cabernet franc, complété par le merlot. Les descendants du président Ducasse vont rester à la tête du cru jusqu'à son rachat en 1998 par Bernard Arnault (LVMH) et Albert Frère. Ces derniers placent Pierre Lurton à la direction générale et dotent le château d'un nouveau chai, édifié par Christian de Portzamparc.

En Bordelais, même les vins cultes sont soumis à la loi du climat océanique girondin et à son effet millésime. Cela fait partie du jeu et même, oserait-on dire, du charme de ce vignoble. Les équipes techniques ne seraient sans doute pas de cet avis… Elles ont dû jouer avec une floraison tardive et hétérogène et avec des conditions chaotiques en été et surtout au moment de la récolte. La véraison a été la plus tardive depuis vingt-cinq ans. Ayant pris leur couleur de façon languissante, les grappes ont mûri tardivement, et les vendanges se sont déroulées du 30 septembre au 15 octobre, sous la pression des maladies. Les équipes ont dû faire un compromis entre la recherche d'une maturité optimale et la préservation d'un état sanitaire correct. Il en résulte une version fine et svelte du Cheval blanc. Et il y en aura peu, en raison de la coulure, des tris drastiques à la vigne et au chai (à peine plus de 20 hl/ha, qu'il s'agisse du merlot ou du cabernet franc, sensiblement à parité, avec une goutte de cabernet-sauvignon). Gardant la mémoire de cette fin d'été arrosée, le vin est marqué par le fruit et la fraîcheur. Fraîcheur des fruits noirs et rouges (cerise, framboise, mûre) dans un bouquet peu boisé (l'élevage de quinze mois a été plus court que de coutume), fraîcheur et tendreté élégante de la bouche. Le parti pris de la délicatesse pour ce millésime à déboucher avant ses aînés. ⌛ 2018-2024 🍴 gigot d'agneau

⊶ SC DU CHEVAL BLANC, Ch. Cheval Blanc, 33330 Saint-Émilion, tél. 05 57 55 55 55, contact@chateau-chevalblanc.com

CLOS DES JACOBINS 2013 ★

■ Gd cru clas.	30000		30 à 50 €

Après plusieurs expériences dans le vignoble bordelais, Thibaut et Magali Decoster s'installent en 2004 à la tête de deux crus de Saint-Émilion: le Clos des Jacobins, 8,5 ha en pied de côte, classé depuis 1955 et le Ch. La Commanderie, 6 ha en plateau, classé depuis 2012.

Paré d'une robe intense et éclatante, le vin du Clos des Jacobins joue sur le registre de la finesse et de l'élégance, avec son bouquet délicat et complexe de noyau, de merlot mûr, d'épices douces (cannelle), dans une ambiance subtilement boisée. La bouche, à l'unisson du nez, séduit par sa souplesse, sa rondeur et sa trame de tanins déjà soyeux. ⌛ 2018-2024 🍴 filet de bœuf en croûte

⊶ CLOS DES JACOBINS, 4, Gomerie, 33330 Saint-Émilion, tél. 05 57 24 70 14, contact@closdesjacobins.com V r.-v. *⊶ Decoster*

CLOS DUBREUIL 2013 Anna ★

■	8000		30 à 50 €

Issu d'une grande famille vigneronne du Libournais et fils de Jean-Louis Trocard, à la tête d'un vaste ensemble de quatorze propriétés, Benoît Trocard conduit ce petit cru de 4,5 ha acquis en 2002, établi sur le plateau calcaire de Saint-Christophe-des-Bardes. Il en a fait l'une des belles références de Saint-Émilion, témoin les nombreux coups de cœur obtenus dans le Guide.

Cette année, c'est la cuvée Anna qui se présente le mieux. Peut-être parce qu'elle comporte plus de cabernets (40 % des deux cabernets à parité). Cela lui apporte de la finesse, de l'élégance. La couleur est intense et chatoyante. Malgré un élevage de dix-huit mois en barrique neuve, le bouquet exprime un joli fruit noir, bien marié à un boisé toasté discret. D'emblée, la bouche affiche sa concentration et sa charpente, étayée par des tanins solides mais fins, qui soulignent sa finale persistante. Déjà agréable, cette bouteille pourra vieillir un peu. ⌛ 2017-2024 🍴 côte de bœuf ■ **2013 (75 à 100 €; 12000 b.)** : vin cité.

⊶ BENOÎT TROCARD, 11, lieu-dit Jean-Guillot, Clos Dubreuil, 33330 Saint-Christophe-des-Bardes, tél. 06 12 80 04 39, bt@trocard.com V r.-v.

♥ CLOS FOURTET 2013 ★★★

■ 1er gd cru clas. B	20000		75 à 100 €

85 86 87 88 89 **90 91** 92 93 **94** (95) **96 97 98** 99 **|00| |01| |02| |03|** 04 (05) **|06|** |07| 08 09 **10 11 12** (13)

Cet illustre grand cru est un vrai clos ceint de murs (20 ha), établi à l'emplacement d'un fortin romain («un fourtet»), face à la collégiale de Saint-Émilion, sur le fameux plateau calcaire à astéries de la cité. Il a souvent changé de mains, toujours celles d'authentiques familles bordelaises, comme les Ginestet et les Lurton. Ces derniers l'ont considérablement amélioré, avant de le céder en 2001 à Philippe Cuvelier et son fils Matthieu (Ch. Poujeaux à Moulis), qui, avec l'appui de Stéphane Derenoncourt et de Jean-Claude Berrouet, maintiennent haut cette exigence de qualité et ont entrepris un travail de fond toujours en cours sur le vignoble.

Malgré les difficultés du millésime, Clos Fourtet maintient son rang tout en haut de la hiérarchie saint-émilionnaise, grâce à un vin particulièrement élégant, et obtient un coup de cœur pour la troisième année consécutive. Sans être très foncée, la robe éclate de reflets rubis et grenat. Le bouquet naissant exprime un raisin mûr à point, soutenu par un boisé très fin. La bouche est encore plus intéressante; on y trouve des notes de noyau, une touche crayeuse, typique du terroir, et une trame de tanins serrés et prometteurs. Bref, un grand vin. ⌛ 2020-2030 🍴 pavé de biche aux cèpes ■ **La Closerie de Fourtet 2013 (11 à 15 €; 10000 b.)** : vin cité.

SCEA CLOS FOURTET, 1, Châtelet-Sud, 33330 Saint-Émilion, tél. 05 57 24 70 90, closfourtet@closfourtet.com V r.-v. *Philippe Cuvelier*

CLOS JUNET 2013

■ | 6000 | | 15 à 20 €

Déjà mentionné par la carte de Belleyme au XVIIIe s., ce petit domaine de 2 ha est né de trois parcelles situées à l'ouest du plateau calcaire de Saint-Émilion, acquises au XIXe s. par l'arrière-grand-père de Patrick Junet. Ce dernier, ancien directeur de l'Office de tourisme de la cité médiévale, est installé depuis 1992.

Le propriétaire dit ne pas faire de l'extraction une priorité, ce qui était sans doute sage en 2013. De fait, ce vin associant le merlot (70 %) et le cabernet franc joue plutôt sur le registre de la finesse que sur celui de la puissance. Bien coloré, bordeaux franc, il se partage au nez entre les fruits rouges et le cèdre. Après une attaque souple et fraîche, des tanins encore jeunes et fermes marquent la finale, sans affecter l'harmonie de cette bouteille: un vin que l'on pourra déboucher prochainement. 2017-2021 pata negra

PATRICK JUNET, 13, Berthonneau, 33330 Saint-Émilion, tél. 05 57 51 16 39, contact@closjunet.com V r.-v.

CLOS LA MADELEINE 2013 ★

■ Gd cru clas. | 8900 | | 30 à 50 €

En 1992, un groupe de passionnés acquiert le Clos La Madeleine, petit cru créé en 1841, longtemps propriété de négociants bruxellois, puis de la famille Pistouley. Ce «jardin» de 2,29 ha établi à l'ouest de la Gaffelière, au cœur de la côte sud de Saint-Émilion, aux portes de la cité, a été promu au rang de cru classé en 2012. Des mêmes propriétaires: les châteaux Magnan La Gaffelière, cru ancien (1777) de 10,5 ha sur glacis sableux et pied de côte, et La Tandonne, 1 ha dans la plaine de Saint-Émilion.

Un cru confidentiel mais idéalement situé, en front de coteau plein sud, ensoleillé du matin au soir. On constate dans le verre le bénéfice d'une telle exposition. La robe est très foncée. Le bouquet déjà intense exprime les raisins très mûrs, avec juste ce qu'il faut de boisé. On retrouve ces beaux fruits en bouche, au sein d'une matière très équilibrée, dont la trame tannique serrée permettra à ce vin d'évoluer dans le bon sens et de dévoiler la finesse attendue d'un grand cru classé. 2019-2028 côte de bœuf

SA DU CLOS LA MADELEINE, La Gaffelière-Ouest, BP 78, 33330 Saint-Émilion, tél. 05 57 84 48 56, closlamadeleine@orange.fr V r.-v.

CLOS LES GRANDES VERSANNES 2013 ★

■ | 2200 | | 15 à 20 €

Jean-Luc Sylvain, tonnelier réputé du Libournais, exerce son talent non seulement sur le contenant mais aussi sur le contenu, à travers deux domaines: le Ch. la Perrière à Lussac, un cru de 14 ha d'origine monastique acquis en 2003, et le Clos les Grandes Versannes, grand cru de Saint-Émilion repris en 2004, une petite vigne (1 ha) plantée sur les sables et les graves de Saint-Sulpice-de-Faleyrens, dans sa famille depuis trois générations.

De bout en bout, on sent le travail bien fait. La robe pourpre affiche une belle profondeur. Le bouquet s'ouvre à l'aération sur des arômes fruités et boisés en parfait équilibre. Cette harmonie se retrouve dans une bouche aux tanins encore jeunes, mais élégants, titillée par une pointe d'acidité qui lui apporte de la fraîcheur. Ce vin gagnera à vieillir un peu et à être carafé avant le service. 2019-2026 dinde fermière rôtie

VIGNOBLES JEAN-LUC SYLVAIN, Ch. la Perrière, 33570 Lussac, tél. 05 57 74 51 33, mail@vignobles-jlsylvain.com V r.-v.

CLOS ROMANILE 2013 ★

■ | 900 | | 30 à 50 €

En 2004, Rémi Dalmasso, maître de chai au Ch. Valandraud, plante en vigne le jardin situé devant sa maison à Saint-Émilion (environ 1 ha aujourd'hui, certifié bio depuis 2013) et signe son premier millésime en 2008.

Issu de pur merlot, élevé dix-huit mois dans le bois, un vin très coloré, au nez encore dominé par une barrique très toastée. La bouche riche, chaleureuse, puissante, apparaît elle aussi marquée par les tanins du merrain qui imposent la garde. 2019-2026 civet de chevreuil ■ **Galaxies 2 Romanile 2013 (15 à 20 €; 1500 b.)** : vin cité.

SCEA CLOS DALMASSO, 9, La Rose, 33330 Saint-Émilion, tél. 09 61 51 18 81, clos.dalmasso@orange.fr V r.-v.

♥ CLOS SAINT-JULIEN 2013 ★★

■ | 3000 | | 30 à 50 €

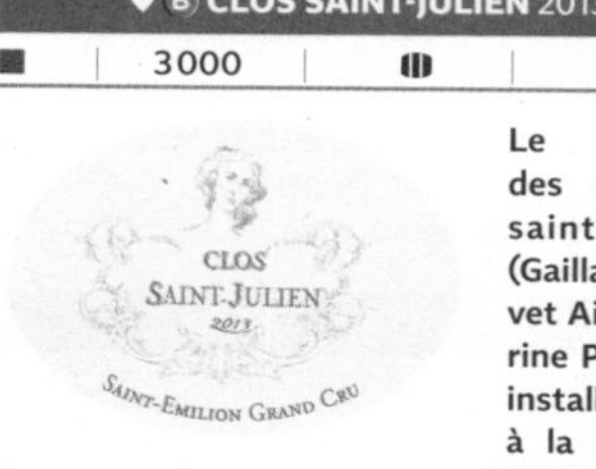

Le plus petit des trois crus saint-émilionnais (Gaillard, Petit Gravet Ainé) de Catherine Papon-Nouvel, installée en 1998 à la suite de son père à la tête des vignobles familiaux et par ailleurs propriétaire en castillon-côtes-de-bordeaux (Ch. Peyrou). La vigne couvre 1,2 ha (en bio certifié) sur un terroir de roche calcaire.

Œnologue et viticultrice accomplie, Catherine Papon-Nouvel collectionne les coups de cœur pour les quatre vignobles qu'elle gère. Cette année, c'est le Clos Saint-Julien qui monte sur le podium, à la suite des 2000 et 2009. Ce pur merlot implanté sur calcaire a engendré un vin de grande classe malgré les difficultés du millésime. Sa somptueuse robe bordeaux est traversée d'éclats violines de jeunesse. Son bouquet est déjà très riche en arômes de fruits noirs rehaussés d'un fin boisé épicé. La bouche prend bien le relais, à fois puissante et harmonieuse, prolongée par d'élégants tanins. Chaque dégustateur propose un plat pour l'accompagner, une preuve supplémentaire que ce vin met l'eau à la bouche. ⧗ 2019-2026 ⫯ chapon aux figues

⊶ SCEA VIGNOBLES J.-J. NOUVEL (CLOS SAINT-JULIEN), BP 84, 33330 Saint-Émilion, tél. 05 57 24 72 44, chateau.gaillard@wanadoo.fr V r.-v.

CLOS SAINT-MARTIN 2013 ★

■ Gd cru clas.	3500		30 à 50 €

Petit vignoble (1,3 ha) enclavé entre les premiers grands crus classés Angelus, Canon, Beauséjour Duffau et Beau-Séjour Bécot, le Clos Saint-Martin, ancienne « vigne du curé » de la paroisse, appartient à la famille Reiffers depuis 1850. En 2013, la famille Cuvelier (Clos Fourtet) a pris une participation dans la propriété, mais Sophie Fourcade (née Reiffers), aux commandes depuis 1998, reste l'actionnaire majoritaire. Les autres crus de la famille Reiffers (Les Grandes Murailles et Côte Baleau) sont quant à eux passés entièrement dans le giron des Cuvelier.

La taille très petite du Clos Saint-Martin permet d'y faire un travail « cousu main ». Cela se retrouve dans le verre. D'un bordeaux intense, le 2013 exprime au premier nez un boisé grillé très fin, légué par un séjour de vingt mois en barrique, puis les fruits rouges frais apparaissent. Ceux-ci s'expriment davantage à la mise en bouche, sur une chair harmonieuse soutenue par des tanins savoureux, épicés et enrobés, qui promettent une bonne évolution. ⧗ 2019-2026 ⫯ côte de bœuf

⊶ SCEA CLOS SAINT-MARTIN, BP 20017, 33330 Saint-Émilion, tél. 06 11 47 71 11, clossaintmartin.saintemilion@gmail.com r.-v.

CLOS VILLEMAURINE 2013

■	7000		20 à 30 €

Jean-François Carrille est l'une des « chevilles ouvrières » qui ont permis le classement de Saint-Émilion au patrimoine mondial par l'Unesco en 1999. Il est aussi le propriétaire de deux crus contigus aux remparts de la cité médiévale et de vastes caves souterraines où vieillissent ses bouteilles: le Ch. Cardinal-Villemaurine (5 ha) et le Clos Villemaurine (2 ha).

Dans les caves de la propriété, les plus vieux flacons remontent à 1929 – millésime mémorable. Ce 2013, issu très majoritairement de merlot implanté sur argilo-calcaire, sera certainement « éclusé » dans quatre-vingts ans, car il se présente très bien dans sa jeunesse: robe entre rubis et grenat, nez libérant à l'aération un joli fruit rehaussé d'un discret boisé épicé (vanille, clou de girofle), bouche à l'unisson du bouquet, adossée à des tanins encore fermes qui devraient s'affiner rapidement. On pourra le servir prochainement, en le carafant. ⧗ 2017-2021 ⫯ pavé de bœuf sauce chocolat

⊶ JEAN-FRANÇOIS CARRILLE, lieu-dit Villemaurine, pl. du Marcadieu, 33330 Saint-Émilion, tél. 05 57 24 64 40, jeanfrancois-carrille@orange.fr V r.-v.

CH. LA COMMANDERIE 2013 ★

■ Gd cru clas.	12300		20 à 30 €

Après plusieurs expériences dans le vignoble bordelais, Thibaut et Magali Decoster s'installent en 2004 à la tête de deux crus de Saint-Émilion: le Clos des Jacobins, 8,5 ha en pied de côte, classé depuis 1955 et le Ch. la Commanderie, 6 ha en plateau, classé depuis 2012.

Par rapport au Clos des Jacobins, autre cru classé des mêmes propriétaires, la Commanderie présente un style plus traditionnel de vin de garde. Coloré, complexe et franc au nez, fruité et boisé, avec une touche de cuir, le vin offre une bouche charnue aux nuances de gibier, charpentée par des tanins jeunes mais enrobés qui lui permettront de bien vieillir. ⧗ 2020-2026 ⫯ civet de sanglier

⊶ CH. LA COMMANDERIE, Fortin, 33330 Saint-Émilion, tél. 05 57 24 70 14, contact@chateaulacommanderie.com V r.-v. *⊶ Decoster*

CH. LA COUSPAUDE 2013 ★★

■ Gd cru clas.	38000		30 à 50 €

85 **86** 88 (89) 90 91 92 **93** 94 **95** 96 97 **98** 01 02 03 04 05 06 |07| **09** 10 11 12 **13**

Propriétaire de vignes depuis plus de deux siècles, la famille Aubert – aujourd'hui les frères Alain, Daniel et Jean-Claude, épaulés par leurs enfants – exploite 300 ha et de nombreux domaines du Bordelais, essentiellement en Libournais, avec pour fleuron le Ch. la Couspaude, grand cru classé de Saint-Émilion depuis 1996, acquis en 1908.

Dirigée par Yohan Aubert, une propriété de 7 ha située à quelques centaines de mètres de Saint-Émilion, sur la route de Saint-Christophe-des-Bardes, commandée par une chartreuse du XVIIIes. et dotée de caves souterraines creusées dans la pierre. Une vinification en barrique intégrale et un élevage de dix-huit mois en fût pour ce millésime à la robe intense, encore jeune. Avec ses arômes de fruits frais, de tabac, de cèdre, qui montent en puissance à l'aération, le bouquet annonce un vin de caractère. Puissant, corsé, charpenté par des tanins prometteurs, encore jeunes et vifs, le palais confirme les premières impressions. Une remarquable bouteille de garde que l'on pourra servir dans sa jeunesse, à condition de la carafer. ⧗ 2020-2030 ⫯ gigue de chevreuil **■ Ch. Saint-Hubert 2013 ★ (20 à 30 €; 12000 b.)** : dédié au patron des chasseurs, un petit cru de 3 ha implanté à Saint-Pey-d'Armens. Aux commandes, Vanessa Aubert. Son vin mise sur la finesse, avec son nez floral et discrètement boisé, épicé et réglissé, puis sa bouche ample, de bonne longueur, à la finale élégante marquée par un boisé bien fondu. ⧗ 2018-2024

⊶ VIGNOBLES AUBERT, Ch. la Couspaude, 33330 Saint-Émilion, tél. 05 57 40 15 76, vignobles.aubert@wanadoo.fr

COUVENT DES JACOBINS 2013 ★

■ Gd cru clas.	12000		30 à 50 €

Jusqu'à la Révolution française, le couvent abritait des moines dominicains, qui ont contribué à l'épanouissement du vignoble saint-émilionnais. Ce cru

de 10,7 ha, établi au cœur de Saint-Émilion sur de très anciennes caves souterraines (XIIIe et XIVe s.), appartient à la famille Joinaud-Borde depuis 1902. L'actuelle propriétaire, Rose-Noëlle Borde, associée depuis 2010 à Xavier Jean, a confié la direction technique à Denis Pomarède. Depuis 2010, un vaste programme de restructuration est en cours (replantation, introduction du petit verdot...).

La dégustation révèle un saint-émilion de garde, très traditionnel, à la robe profonde et jeune, au bouquet déjà puissant, partagé entre les fruits confits et le boisé. Chaleureux en attaque, ce 2013 est encore dominé en finale par les tanins boisés. Un vin à oublier quelques années en cave. ⧗ 2020-2026 ▼ pièce de bœuf rôtie ■ **Le Menut des Jacobins 2013 ★ (15 à 20 €; 10000 b.)** : les menuts étaient des moines de rang inférieur. Ici, le second vin n'est pas loin du premier, bien coloré, encore réservé au nez, montrant en bouche beaucoup de mâche et un côté chaleureux équilibré par des tanins frais. Ses arômes de gibier incitent à le servir avec un produit de la chasse. ⧗ 2018-2022

SCEV JOINAUD-BORDE, 10, rue Guadet, BP 81, 33330 Saint-Émilion, tél. 05 57 24 70 66, couventdesjacobins@dbmail.com r.-v. *Rose-Noëlle et Jean-Xavier Borde*

CH. LA CROIZILLE 2013

■	9000		50 à 75 €

Le Belge Émile De Schepper a investi dans le vignoble bordelais à partir de 1950. En plus de sa maison de négoce (De Mour), la famille exploite aussi aujourd'hui une cinquantaine d'hectares en propre: en Médoc, le Ch. Haut-Breton Larigaudière (margaux), le Ch. Tayet et le Ch. Lacombe Cadiot (bordeaux supérieur); en saint-émilion, Tour Baladoz et Croizille.

Le vignoble du Ch. la Croizille s'étend sur 5 ha à Saint-Laurent-des-Combes, au sud-est de Saint-Émilion. Son 2013 séduit par son bouquet expressif et complexe mêlant la violette à un boisé vanillé et réglissé. Bien équilibrée, souple et ronde, la bouche apparaît marquée en finale par des tanins très boisés et épicés: à attendre un peu. ⧗ 2018-2023 ▼ entrecôte

SCEA CH. TOUR BALADOZ, 33330 Saint-Laurent-des-Combes, tél. 05 57 74 55 86, contact@de-mour.com r.-v. *De Schepper*

CH. CRUZEAU 2013

■	11500		11 à 15 €

Au XVIIIe s., sur la carte de Belleyme, Cruzeau était situé à la campagne, au milieu des vignes. Aujourd'hui, les ceps sont cernés par des résidences, entre la rocade est de Libourne et l'église de l'Épinette. La famille Luquot résiste pourtant à l'urbanisation depuis 1897 et c'est heureux, car les vignes mettent en valeur un joli petit château.

Ce cru permet d'apprécier un de ces vins libournais, à la limite entre Saint-Émilion et Pomerol, caractérisés par leur délicatesse, leur finesse et leur souplesse. Ce 2013 en offre un exemple typique, avec sa robe légère, son bouquet subtil, entre mûre et boisé vanillé, sa bouche souple et gourmande, dont les tanins offrent déjà une texture veloutée. On pourra l'apprécier jeune. ⧗ 2017-2022 ▼ canard rôti

GFA VIGNOBLES LUQUOT, 152, av. de l'Épinette, 33500 Libourne, tél. 05 57 51 18 95, vignoblesluquot@orange.fr r.-v.

LA DAME DE ONZE HEURES 2013 ★★

■	4000		50 à 75 €

Vincent, musicien professionnel, et Béatrice Rapin, architecte d'intérieur, se sont reconvertis dans la vigne avec succès en 2000: d'abord avec le Dom. de Valmengaux, 5,4 ha au nord-est de Fronsac, en AOC bordeaux, complétés en 2007 par la Dame de onze heures, 1,2 ha en bio, à Saint-Émilion.

Dame de onze heures: ce nom original fait référence à une fleur blanche qui s'ouvre à 11 heures; elle symbolise la démarche bio et biodynamique de ce domaine situé en contrebas de coteaux portant les vignes des premiers grands crus classés Angelus et Beau-Séjour Bécot. Son 2013 a attiré l'attention par sa robe légère mais attrayante, et surtout par son bouquet expressif et raffiné mêlant le cassis et la cerise à une touche de gibier et à un boisé discret. La bouche, plus classique, ne laisse pas indifférent: fruitée, ronde, souple, bien équilibrée entre le fruit et les tanins de la barrique, elle est plutôt svelte mais très bien construite. ⧗ 2017-2024 ▼ pintade aux cèpes

VINCENT ET BÉATRICE RAPIN, 8, Petit-Gontey, 33330 Saint-Émilion, tél. 06 13 54 30 15, domainedevalmengaux@wanadoo.fr r.-v.

CH. DARIUS 2013 ★★

■	37300		15 à 20 €

La famille Pommier a acquis en 1990 ce cru de Saint-Laurent-des-Combes, où le merlot et le cabernet franc sont sensiblement à parité, plantés sur sol sablonneux et crasse de fer.

«Tout y est», concluent les jurés: la couleur profonde, encore jeune; le nez, puissant et complexe, mêlant arômes floraux printaniers, notes de fruits noirs (cassis) et touches boisées. La bouche confirme ces qualités; corsée, séveuse, encadrée de bons tanins boisés, elle ajoute à la palette aromatique une agréable saveur de cerise, de noyau, bien typée du cabernet franc. Cette bouteille sera aussi agréable jeune que patinée par les ans. ⧗ 2017-2026 ▼ tournedos

GFA DES POMMIERS, lieu-dit Ferrandat, 33330 Saint-Laurent-des-Combes, tél. 05 56 61 31 56, gfadespommier@orange.fr r.-v.

CH. DASSAULT 2013

■ Gd cru clas.	38000		30 à 50 €

98 99 00 01 02 03 04 |**07**| 09 **10 11** 12 13

Créé en 1862, le Ch. Couperie, à l'abandon, est racheté en 1955 par Marcel Dassault. Entièrement restructuré et rebaptisé, le cru est élevé au rang de cru classé en 1969. Présidé par Laurent Dassault, petit-fils de l'avionneur, et dirigé par Laurence Brun depuis 1995, il couvre 29 ha sur un glacis sableux au nord-est de Saint-Émilion.

Ce 2013 joue plutôt dans le registre de la finesse, de la fraîcheur et de l'harmonie. Le nez allie des notes florales et des senteurs de petits fruits rouges, le boisé subtilement toasté restant en retrait. La bouche assez svelte, à la finale encore ferme, s'appuie sur une trame tannique suffisante pour assurer une bonne garde. ⌛ 2018-2024 🍷 souris d'agneau au four

🔑 *STÉ D'EXPLOITATION VIGNOBLES DASSAULT, 1, lieu-dit Couperie, 33330 Saint-Émilion, tél. 05 57 55 10 00, lbv@dassaultwineestates.com*

CH. LA DOMINIQUE 2013 ★

■ Gd cru clas. | 54000 | 30 à 50 €

(82) **86** 88 **89** 90 **93** 94 95 **96** 97 98 99 00 01 02 **03** 05 |06| |08| **09** 10 **11 12** 13

Un cru d'ancienne notoriété, auquel un riche marchand, propriétaire des lieux au XVIII^e^s., aurait donné le nom d'une île des Caraïbes. La famille de Baillencourt, établie ici depuis 1933, le cède en 1969 au puissant capitaine d'industrie Clément Fayat, également propriétaire des châteaux Fayat (pomerol) et Clément-Pichon (haut-médoc). Le vignoble de 26,5 ha, situé au nord-ouest de Saint-Émilion, au voisinage de Pomerol, est établi sur un beau terroir de sables anciens au sous-sol argileux. Un nouveau chai aux lignes contemporaines, signé Jean Nouvel, est sorti de terre avec le millésime 2013.

Le nouveau chai, un bel écrin couleur lie-de vin pour ce millésime très réussi. Sa robe bordeaux intense montre quelques reflets grenat et tuilés d'évolution. Le nez, en revanche, apparaît discret; il demande un peu d'aération pour exprimer des arômes complexes où s'attarde le fruit. La bouche est fraîche et dynamique, encadrée par des tanins élégants, bien enrobés, plus fermes en finale. Ce vin de garde gagnera à être carafé avant d'être servi. ⌛ 2019-2026 🍷 civet de sanglier

🔑 *CH. LA DOMINIQUE, lieu-dit La Dominique, 33330 Saint-Émilion, tél. 05 57 51 31 36, contact@vignobles.fayat.com*
V 🚶 🍷 *r.-v.* 🔑 *Famille Fayat*

CH. FAUGÈRES 2013

■ Gd cru clas. | 30000 | 🛢 | 30 à 50 €

93 94 95 96 97 **98 99 00** 01 **02** |**03**| 04 |**05**| |06| |**07**| 09 **10** 11 12 13

Fondé en 1823 par la famille de Pierre-Bernard (Péby) Guisez, qui lui donna dans les années 1980 ses premières lettres de noblesse, ce cru est depuis 2005 propriété de Silvio Denz. Agrandissement du vignoble (32 ha), chai-cathédrale réalisé en 2009 par Mario Botta, l'homme d'affaires suisse spécialisé dans le luxe a fait de Faugères un fleuron de Saint-Émilion, hissé au rang de cru classé en 2012, comme son «cousin» Péby-Faugères.

Le vin se présente avec la fougue de sa jeunesse. Sans être très foncée, la robe est pimpante. Le nez, très expressif et vif, mêle les fruits rouges frais à un boisé épicé. Friand et charmeur en attaque, le palais penche ensuite vers la vivacité, encadré par de bons tanins boisés. Pour un mets de caractère. ⌛ 2018-2026 🍷 civet de lièvre

🔑 *SARL CH. FAUGÈRES, Ch. Faugères, 33330 Saint-Étienne-de-Lisse, tél. 05 57 40 34 99, info@vignobles-silvio-denz.com*
V 🚶 🍷 *r.-v.* 🔑 *Silvio Denz*

CH. FAURIE DE SOUCHARD 2013

■ Gd cru clas. | 12000 | 🛢 | 30 à 50 €

La famille Jabiol exploitait depuis les années 1930 ce cru connu depuis le début du XIX^e^s., auquel elle a donné sa configuration actuelle: 12 ha de vignes sur le versant nord du plateau de Saint-Émilion, dans le secteur de Faurie. En 2013, elle a vendu son domaine à la famille Dassault, qui ajoute à son portefeuille un autre grand cru classé.

Deux petits tiers de merlot et un gros tiers de cabernets (cabernet franc surtout) se marient dans ce 2013 qui, en dépit de son élevage en barrique de dix-huit mois, exprime plutôt le fruit – des baies noires (cassis) dans un sillage délicatement boisé. L'attaque friande, souple et fraîche est vite relayée par des tanins imposants qui demandent à s'arrondir. ⌛ 2018-2022 🍷 pièce de bœuf rôtie

🔑 *STÉ D'EXPLOITATION VIGNOBLES DASSAULT (CH. FAURIE DE SOUCHARD), 1, lieu-dit Couperie, 33330 Saint-Émilion, tél. 05 57 55 10 00, lbv@dassaultwineestates.com*

♥ CH. FIGEAC 2013 ★★★

■ 1er gd cru clas. B | 92000 | 🛢 | 75 à 100 €

62 **64 66** (70) **71** 74 **75 76** 77 **78** 79 80 **81 82 83 85 86** 87 **88** |**89**| |90| |**93**| 94 |(95)| |96| 97 |**98**| |99| |00| |01| |02| |04| 05 06 |07| 09 10 **11 12** (13)

Le plus vaste domaine de Saint-Émilion (40 ha de vignes plantés sur trois croupes de graves gunziennes), situé à l'ouest de la cité, en bordure de Pomerol. Un vignoble atypique, à l'accent médocain – 70 % de cabernets, répartis à parts égales entre franc et sauvignon –, adapté à son terroir de graves. Un haut lieu de l'appellation façonné par la famille Manoncourt, propriétaire depuis 1892, et notamment par Thierry, décédé en 2010, à qui l'on doit le «style Figeac» et cet encépagement original. Son épouse et ses quatre filles en ont confié en 2013 co-gérance à Jean-Valmy Nicolas (cogérant de La Conseillante à Pomerol) et la direction générale à Frédéric Faye, son ancien directeur technique. Depuis le millésime 2012, Michel Rolland est l'œnologue-conseil de ce 1er grand cru classé B depuis 1955.

Pendant quelques années, après la disparition de Thierry Manoncourt, Figeac avait subi un léger passage à vide. Aujourd'hui, il revient sur le devant de la scène, ce que confirme ce magnifique 2013 paré d'une somptueuse robe bordeaux intense aux éclats violines de jeunesse. Le bouquet, déjà riche, exprime les cabernets bien mûrs, épicés, soutenus par un merrain finement toasté et réglissé hérité d'un élevage de vingt mois en barrique neuve. Le palais fait preuve de beaucoup de présence et d'élégance, avec de la chair, du corps, des arômes prolongeant bien ceux de l'olfaction et des tanins finement boisés, denses et prometteurs. Et quelle longueur! Une superbe réussite dans un millésime pourtant bien compliqué: la marque des grands. ⌛ 2020-2030 🍴 gigue de chevreuil ■ **Petit-Figeac 2013 (20 à 30 €; 42000 b.)** : le second vin de Figeac, plus classique, apparaît moins marqué par le cabernet-sauvignon (40 % de merlot) et la barrique. Il offre une matière assez consistante pour le millésime et demande à arrondir ses tanins. ⌛ 2018-2022 ■ **Ch. de Millery 2013 (20 à 30 €; 4500 b.)** : vin cité.

FAMILLE MANONCOURT, Ch. de Figeac, 33330 Saint-Émilion, tél. 05 57 24 72 26, chateau-figeac@chateau-figeac.com r.-v.

CH. FLEUR CARDINALE 2013 ★

■ Gd cru clas. | 32800 | | 30 à 50 €

98 99 01 02 03 04 **05** **|06|** |07| |08| |09| 10 **11** **12** 13

Dominique et Florence Decoster ont acquis en 2001 ce domaine de 23,5 ha établi sur l'un des points hauts de l'AOC, à l'est de Saint-Émilion. Leurs investissements ont rapidement porté leurs fruits: le cru, en progression constante, est entré en 2006 dans le cercle des «classés», classement confirmé en 2012. La propriété s'est agrandie de 4 ha en 2011 avec le rachat du vignoble voisin de La Croix Cardinale. Aux commandes du chai, Robert Avargues.

Le merlot, pour les deux tiers, et les cabernets (cabernet franc surtout) collaborent à ce vin de garde encore un peu fermé, qui inspire confiance par sa matière étoffée. La robe est jeune et pimpante. Le bouquet naissant s'ouvre lentement sur des arômes frais évoquant les cabernets, avec des senteurs végétales de sous-bois et des notes truffées. Après une attaque franche, une saveur originale apparaît, un peu crayeuse, signant le terroir. De robustes tanins prennent rapidement le dessus et font de ce 2013 un vrai vin de garde. ⌛ 2019-2026 🍴 civet de sanglier

SCEA CH. FLEUR CARDINALE, 7, Le Thibaud, 33330 Saint-Étienne-de-Lisse, tél. 05 57 40 14 05, contact@fleurcardinale.com r.-v. *F. et D. Decoster*

CH. LA FLEUR CRAVIGNAC 2013

■ | 24300 | | 15 à 20 €

Un cru d'ancienne notoriété créé au XVIIIe s., dont le vin, l'un des favoris de Raymond Poincaré, fut servi au restaurant de l'Assemblée nationale. Ce domaine est propriété depuis 1966 de la famille Beaupertuis.

Né de sols argilo-sableux et de merlot majoritaire, avec un appoint de cabernet franc et un soupçon de cabernet-sauvignon, un vin agréable dans sa jeunesse. Le nez, précis et fin, encore fruité, libère des parfums de baies rouges sur un fond légèrement boisé, aux nuances vanillées. On retrouve ce fruité acidulé dans une bouche souple à l'attaque, fraîche, marquée en finale par des tanins assez boisés, qui devraient s'affiner rapidement. ⌛ 2017-2021 🍴 poulet rôti

SCEA CRAVIGNAC, Cravignac, BP 104, 33330 Saint-Émilion, tél. 05 57 55 38 03, chateaucravignac@gmail.com V r.-v. *Beaupertuis*

CH. FLEUR LARTIGUE 2013 ★★

■ | 4200 | | 15 à 20 €

Créée en 1931, la coopérative de Saint-Émilion est un acteur incontournable du Libournais, et ses cuvées – vins de marque (Aurélius, Galius...) ou de domaines (une cinquantaine de propriétés apportent leur vendange à la «coop») – sont régulièrement au rendez-vous du Guide.

Un petit vignoble planté sur sables au sud de Saint-Émilion, appartenant à Annie Chantureau et à Jean-Louis Frainau. Le 2013 est particulièrement réussi. Il a séjourné en barrique, mais huit mois seulement. Bien coloré, il offre un bouquet élégant et complexe, entre fruits et épices douces, et fait preuve en bouche de la même élégance, conjuguant souplesse et énergie. Un vin déjà harmonieux, et qui a quelques réserves. ⌛ 2017-2021 🍴 faisan en cocotte ■ **Ch. Bénitey 2013 ★ (15 à 20 €; 6650 b.)** : appartenant aux héritiers Simon, ce vignoble est installé sur un terroir sablo-argileux à Saint-Laurent-des-Combes, sur le pied de côte, à l'est de Saint-Émilion. Il comprend 30 % de cabernet franc, qui se sont bien comportés dans ce millésime. Bouquet frais, complexe, avec une note d'amande grillée, bouche structurée et longue. ⌛ 2018-2023 ■ **Ch. du Basque 2013 ★ (15 à 20 €; 22800 b.)** : propriété des familles Lafaye et Julien, sur sables anciens et argiles. Un vin souple, frais et d'une agréable finesse, au bouquet plaisant de fruits noirs et d'épices. ⌛ 2017-2021 ■ **Galius 2013 ★ (15 à 20 €; 19720 b.)** : marque de la coopérative. Une dominante de merlot sur terroirs argileux et argilo-calcaires et un séjour de douze mois en fût pour ce vin de garde au boisé très fin. ⌛ 2019-2024 ■ **Aurelius 2013 (20 à 30 €; 6900 b.)** : vin cité.

UNION DE PRODUCTEURS DE SAINT-ÉMILION, Haut-Gravet, BP 27, 33330 Saint-Émilion, tél. 05 57 24 70 71, contact@udpse.com V r.-v.

CH. LA FLEUR PENIN 2013 ★

■ | 10000 | | 15 à 20 €

Patrick Carteyron est bien connu pour son vignoble implanté en face, sur l'autre rive de la Dordogne, à Génissac, et pour son Ch. Penin (en appellations régionales). Il a acquis en 2011 une petite vigne de 2,5 ha en pied de côte à Saint-Pey-d'Armens, à l'est de Saint-Émilion, créé sa cuverie, son chai et sa salle de réception.

Issu de sols sableux, ce vin à la robe intense, entre rubis et grenat, s'ouvre à l'aération sur une élégante palette aromatique de fruits rouges frais acidulés, rehaussés d'un léger boisé épicé et beurré. Le palais fait preuve de la même élégance, bien équilibré entre souplesse et fraîcheur, entre raisin et merrain, et soutenu par des tanins de qualité qui devraient s'affiner assez vite. ⌛ 2017-2023 🍴 pavé de bœuf aux cèpes

EARL PENIN, lieu-dit Combot, 33330 Saint-Pey-d'Armens, tél. 05 57 24 46 98, vignoblescarteyron@orange.fr

CH. LA FLEUR PEREY
Cuvée Prestige Élevé en fût de chêne 2013 ★

■ | 14000 | | 15 à 20 €

Alain Xans et sa sœur Florence, héritiers d'une lignée vigneronne remontant à 1880, conduisent

depuis 1989 les 12,5 ha familiaux sur les graves et sables de Saint-Sulpice-de-Faleyrens, dont plus de la moitié allant au grand cru, le reste au saint-émilion Perey-Grouley et aux bordeaux.

Cette cuvée Prestige avait décroché un coup de cœur l'an dernier. Elle confirme sa qualité, obtenant une étoile dans un millésime plus délicat. La couleur est intense. Le nez, encore sous l'emprise de la barrique, exprime à l'agitation des notes d'élevage puissamment grillées, qui laissent cependant percer du fruit rouge frais à l'arrière-plan. La bouche, ronde et corsée, offre une attaque onctueuse, presque crémeuse, relayée par de puissants tanins boisés qui garantissent une bonne garde. ⧗ 2019-2024 🍴 palombe rôtie

VIGNOBLES FLORENCE ET ALAIN XANS, Ch. la Fleur Perey, 337, Bois-Grouley, 33330 Saint-Sulpice-de-Faleyrens, tél. 06 80 72 84 87, alainxans@wanadoo.fr V r.-v.

Ⓑ CH. FONPLÉGADE 2013 ★★

■ Gd cru clas.	15000		50 à 75 €

00 01 04 05 **06 07** |08| ⑨ 10 12 **13**

De rachats en successions, l'histoire du cru débute réellement en 1852 avec Jean-Pierre Beylot, à l'origine de la maison de maître et des bâtiments d'exploitation. Un cru passé en 1863 dans les mains du duc de Morny, demi-frère de Napoléon III, et de sa sœur la comtesse de Gabard. Le négociant libournais Armand Moueix reprit le domaine en 1953, jusqu'à l'arrivée en 2004 des Américains Denise et Stephen Adams. Ces derniers ont alors entrepris une rénovation de fond des installations techniques et du vignoble: 18,5 ha sur le coteau sud du plateau de Saint-Émilion, en bio certifié depuis 2013.

Ce vin doit presque tout au merlot (95 %). La robe très colorée, presque noire, est de bon augure. Le bouquet offre un harmonieux mariage de fruits confiturés et de fin boisé. Après une attaque chaleureuse et douce, les tanins du chêne reviennent à la charge au bon moment pour assurer une finale élégante et persistante. ⧗ 2019-2026 🍴 carré de veau aux cèpes ■ **Fleur de Fonplégade 2013 (20 à 30 €; 20400 b.)** : vin cité.

SAS CH. FONPLÉGADE, 1, Fonplégade, 33330 Saint-Émilion, tél. 05 57 74 43 11, chateaufonplegade@fonplegade.fr V r.-v. *Adams*

CH. LA GAFFELIÈRE 2013 ★

■ 1er gd cru clas. B	38000		30 à 50 €

㉜ **83 85 86 88 89 90** 91 92 93 94 **95** 97 99 **02 03** 04 |**05**| |06| |07| 08 09 **10** 12 13

Ce cru, qui tire son nom d'un hôpital pour lépreux («gaffet») à l'époque médiévale, se trouve à l'avant-poste de l'entrée sud de Saint-Émilion, entre la colline d'Ausone et celle de Pavie. Ici, on ne compte pas en années, mais en siècles: on y a trouvé les vestiges d'une villa gallo-romaine qui aurait appartenu au poète Ausone. La famille Malet Roquefort (le comte Léo de Malet Roquefort aujourd'hui) y est établie depuis le XVIIe s. Sur un vignoble argilo-calcaire de 22 ha d'un seul tenant, planté de merlot (80 %) et de cabernet franc, naît un 1er grand cru classé B, élaboré depuis 2013 dans des bâtiments techniques entièrement refaits.

Un classé d'un grand classicime. Paré d'une somptueuse robe bordeaux profond, il libère des parfums de fruits noirs intenses, qui tiennent tête à un boisé très fin, puis apparaissent des notes de cerise et de beurre noisette. Cette palette d'une belle complexité se retrouve au palais sur une chair corsée, d'une grande consistance. Les tanins boisés, fermes et élégants assurent une solide arrière-garde et permettront une évolution favorable. À oublier en cave pour un long séjour. ⧗ 2020-2030 🍴 cuissot de chevreuil

CH. LA GAFFELIÈRE, BP 65, 33330 Saint-Émilion, tél. 05 57 24 72 15, contact@gaffeliere.com V r.-v. *Léo de Malet*

CH. GODEAU 2013 ★

■	13000		20 à 30 €

Un cru de 8,5 ha, voisin de La Mondotte et de Tertre Roteboeuf, situé sur le coteau calcaire qui domine la vallée de la Dordogne, près de la vieille église de Saint-Laurent-des-Combes. Propriété depuis 2007 de deux industriels, Steve Filipov et Jean-Luc Pareyt, il a été acquis en 2012 par Albéric et Agnès Florisoone, héritiers d'une longue lignée au service du vin et anciens co-propriétaires du Ch. Calon Ségur.

Ici, on préfère les pigeages manuels aux remontages. Le 2013 (merlot à 80 %) offre un style de vin de garde, coloré, concentré, encore un peu fermé mais avec une bonne évolution à l'aération, la vanille de la barrique laissant percer le fruit. En bouche, les tanins finement boisés respectent bien le raisin. Agréable jeune, ce millésime gagnera à être carafé avant d'accompagner un mets de caractère; il pourra aussi se garder. ⧗ 2018-2026 🍴 salmis de palombe ■ **Escapades de Godeau 2013** ★ **(11 à 15 €; 10000 b.)** : né de merlot presque pur, un second vin agréable, au bouquet fermé, un peu terroité. Rond et fruité en bouche, il sera agréable dans sa jeunesse. ⧗ 2017-2022

FLORISOONE, lieu-dit Godeau, 33330 Saint-Laurent-des-Combes, tél. 05 57 24 72 64, chateau.godeau@orange.fr V r.-v.

CH. LA GRÂCE DIEU 2013

■	34500		11 à 15 €

Au XIIIe s., les Cisterciens fondèrent ici un prieuré, aujourd'hui disparu, nommé À la grâce de Dieu. Acquis en 1946 par Pierre Dubreuilh, le domaine est désormais conduit par ses descendantes, les sœurs Christine et Valérie Pauty, à la tête de 13 ha plantés sur le versant ouest de Saint-Émilion.

Si la robe légère commence à présenter quelques reflets d'évolution, le bouquet, encore discret, exprime la groseille et les petits fruits noirs. Souple et fraîche en attaque, la bouche s'adosse à des tanins délicats qui permettront d'apprécier cette bouteille dans sa jeunesse. ⧗ 2017-2021 🍴 parmentier de canard

VIGNOBLES PAUTY, Ch. la Grâce Dieu, 33330 Saint-Émilion, tél. 05 57 24 71 10, contact@chateaulagracedieu.fr V *t.l.j. sf sam. dim. 9h-12h 13h30-17h30*

CH. LA GRÂCE DIEU LES MENUTS 2013 ★

■ | 18 000 | ◍ | 15 à 20 €

Odile Audier a pris en 1992 la succession de son père à la tête du vignoble familial à Saint-Émilion, réparti entre les 14 ha du Ch. La Grâce Dieu Les Menuts (dans sa famille depuis 1860 et six générations) et, depuis 1997, les 2,8 ha du Ch. Haut Troquart La Grâce Dieu.

Assemblant 70 % de merlot et 30 % de cabernets (cabernet franc surtout), le cru la Grâce Dieu les Menuts provient essentiellement du plateau argilo-calcaire. Le 2013 joue la carte de la finesse. Son bouquet très fin rappelle les fruits confits, la cerise notamment, dans une ambiance discrètement boisée. Chaleureux dès l'attaque, le palais reste sur le fruit – un fruit macéré dans l'eau-de-vie –, soutenu par des tanins déjà soyeux qui devraient rapidement achever de se polir. ⧗ 2018-2023 ¥ pigeons aux petits pois

⊶ VIGNOBLES PILOTTE AUDIER, Ch. la Grâce Dieu les Menuts, 33330 Saint-Émilion, tél. 05 57 24 73 10, chateau@lagracedieulesmenuts.com V t.l.j. 8h-12h 14h-18h

CH. LA GRÂCE FONRAZADE 2013 ★

■ | 5 000 | ◍ | 30 à 50 €

François-Thomas Bon a acquis en 2012 cette propriété qui n'avait pas produit de vin depuis les années 1980. Il a rénové les chais, acheté des parcelles et engagé la conversion bio de ses 11 ha de vignes.

Le premier vin de la propriété est très encourageant. Sa robe presque noire, son bouquet intense et profond, entre cassis et boisé aux nuances de moka, annoncent un vin très concentré. La bouche prolonge bien le nez, dense, charpentée par de robustes tanins qui permettront à cette bouteille de bien vieillir. ⧗ 2019-2026 ¥ côte de bœuf

⊶ CH. LA GRÂCE FONRAZADE, rte de Jaquemeau, 33330 Saint-Émilion, tél. 06 70 02 81 67, persevero@lagracefonrazade.com V r.-v. ⊶ Francis-Thomas Bon

CH. GRAND BARRAIL LAMARZELLE FIGEAC 2013

■ | 51 300 | ◍ | 20 à 30 €

Depuis 2005, l'une des propriétés de la maison Dourthe, célèbre négoce fondé en 1840. Issu de la réunion d'anciennes métairies détachées de Figeac, connu au XIX^e^s. sous le nom de La Marzelle-Figeac et restructuré en 1895 par un industriel du Nord, M. Bouchard, ce cru de 15 ha est implanté sur les graves de Saint-Émilion, au nord-ouest de la cité médiévale, vers Pomerol. Son chai a été rénové et agrandi.

Trois quarts de merlot pour un quart de cabernet franc dans ce 2013 à la robe intense et au nez profond, qui demande un peu d'agitation pour s'ouvrir sur un fruit délicat encore un peu dominé par la barrique. Le fruit s'exprime mieux en bouche, sur une texture fine et fraîche, renforcée par de bons tanins boisés qui garantissent une évolution élégante. ⧗ 2018-2021 ¥ pavé de bœuf

⊶ CH. GRAND BARRAIL LAMARZELLE FIGEAC, Vignoble Dourthe, 33330 Saint-Émilion, tél. 05 56 35 53 00, contact@dourthe.com V r.-v. ⊶ Dourthe

Ⓑ CH. GRAND CORBIN-DESPAGNE 2013 ★★

■ Gd cru clas. | 40 000 | ◍ | 20 à 30 €

97 98 99 00 |01| |**04**| |05| |06| 07 |08| **09 10** 11 12 **13**

Les Despagne sont présents dans le Libournais depuis le XVII^e^s., avec notamment des ancêtres métayers à Cheval Blanc. Propriétaires à Corbin, au nord-ouest de l'appellation, depuis 1812, ils n'ont cessé d'agrandir leur domaine (28,8 ha aujourd'hui) et d'améliorer la qualité des vins. Sous la conduite depuis 1996 de François Despagne, septième du nom, le cru a été converti à l'agriculture biologique.

Une belle performance pour ce cru dans un millésime pourtant difficile, avec ce 2013 qui reflète la qualité du travail à la vigne comme au chai. La robe est bordeaux intense. Au nez, les fruits noirs tiennent tête à la barrique, malgré un élevage de dix-huit mois sous bois. L'impression favorable se confirme au palais où l'harmonie entre les arômes de fruits rouges, la chair et la texture tannique est parfaite. À la fois consistant et élégant, ce millésime s'adaptera à une large palette gastronomique. ⧗ 2019-2026 ¥ gigot d'agneau ■ **Petit Corbin-Despagne 2013 (15 à 20 €; 30 000 b.)** : vin cité.

⊶ FRANÇOIS DESPAGNE, Ch. Grand Corbin-Despagne, 3, Barraillot, 33330 Saint-Émilion, tél. 05 57 51 08 38, f-despagne@grand-corbin-despagne.com V r.-v.

CH. GRAND CORBIN MANUEL 2013

■ | 28 000 | ◍ | 20 à 30 €

Cet ancien domaine du Prince Noir d'Aquitaine appartient depuis 2005 à la famille de Gaye (également propriétaire de La Création en pomerol et de Sainte-Barde en bordeaux supérieur): 7 ha d'un seul tenant situés dans le secteur de Corbin, au nord-ouest de Saint-Émilion.

Sur le terroir bien particulier des Corbins, au nord de la juridiction, près de Pomerol, le terroir se caractérise par une veine d'argiles bleues en sous-sol. Les vins y ont souvent un cachet original, comme celui-ci, au bouquet jeune, fruité et frais. La fraîcheur se prolonge en bouche, soulignée d'une note minérale assez typique, avec en soutien des tanins discrets et un boisé légèrement cacaoté qui permettront à ce vin de bien vieillir. ⧗ 2018-2026 ¥ omelette aux truffes

⊶ SAS CH. GRAND CORBIN MANUEL, La Grande Métairie, 33330 Saint-Émilion, tél. 05 57 25 09 68, info@grandcorbinmanuel.fr V r.-v. ⊶ de Gaye-Nony

CH. LES GRANDES MURAILLES 2013 ★

■ Gd cru clas. | 6 000 | ◍ | 30 à 50 €

Les «grandes murailles», l'un des emblèmes de la cité médiévale de Saint-Émilion, sont les vestiges d'un cloître bénédictin du XII^e^s. Le petit vignoble attenant (2 ha plantés du seul merlot) appartenait à la famille Reiffers depuis 1643, de même que La Côte de Baleau. Deux crus classés que Sophie Fourcade (née Reiffers), aux commandes depuis 1998, a hissé au rang de valeurs sûres de l'appellation, et qui ont été rachetés en 2013 par Philippe Cuvelier, propriétaire du Clos Fourtet.

Né de pur merlot, ce cru classé a séjourné vingt mois en barrique. La robe montre déjà des reflets grenat et brique traduisant une certaine évolution. Le bouquet, bien ouvert, évoque le cèdre, le cigare, le sous-bois, les fruits rouges mûrs, le noyau et la vanille. La bouche est épanouie, souple, ronde, étoffée par des tanins soyeux. Une bouteille que l'on pourra apprécier jeune. ⧗ 2017-2021 🍴 lamproie à la bordelaise

SCEA LES GRANDES MURAILLES, Ch. Côte de Baleau, 33330 Saint-Émilion, tél. 05 57 24 71 09, contact@lesgrandesmurailles.com r.-v. Cuvelier

CH. GRAND MAYNE 2013

■ Gd cru clas. | 30 000 | | 30 à 50 €

85 86 88 89 **90 91** 94 95 **96** 97 **99** |00| 01 02 |03| |04| |**05**| |06| |07| |08| **10** 11 12 13

Ce cru, dans la famille Nony depuis 1934, a conservé son ancien nom («grand domaine» en vieux français): au XIXes., il constituait, avec près de 300 ha, la plus vaste propriété de Saint-Émilion. Aujourd'hui, les vignes couvrent les pentes douces à l'ouest du plateau, sur 17 ha.

Le vin, de couleur assez intense, commence à présenter quelques reflets grenat d'évolution. Le bouquet, en revanche, est encore centré sur les petits fruits rouges, nuancés d'une touche d'agrumes vite dominée par le boisé. La bouche, elle aussi, reste jeune, franche et fraîche, encadrée par des tanins qui demandent à s'assouplir un peu. ⧗ 2018-2024 🍴 entrecôte maître de chai

SCEV JEAN-PIERRE NONY, Ch. Grand Mayne, 33330 Saint-Émilion, tél. 05 57 74 42 50, contact@grand-mayne.com V r.-v.

CH. GRAND-PONTET 2013

■ Gd cru clas. | 28 000 | | 20 à 30 €

89 **90** 93 94 **95** 96 97 98 ⓪⓪ 01 **02** |**03**| |04| |05| |06| |08| 09 **10** 11 12 13

Sylvie Pourquet-Bécot conduit depuis 2000 ce cru classé de 14 ha, voisin de celui dirigé par ses frères Dominique et Gérard, Beau-Séjour Bécot. Les terroirs sont proches, argilo-calcaires, et les cabernets ont toujours ici une place non négligeable dans l'assemblage du grand vin.

La présence des cabernets (25 %, du cabernet franc en majorité) aide à faire face aux aléas du millésime, comme en 2013, où le vin se tire bien d'une année délicate. S'il n'a pas une carrure d'athlète, il joue avec bonheur la carte de la finesse, avec sa robe brillante, son nez d'une belle finesse, sur les fruits rouges frais rehaussés d'un boisé discret, en harmonie avec une bouche équilibrée, souple et franche en attaque, dont les tanins encore un peu fermes devraient s'arrondir assez vite. ⧗ 2018-2023 🍴 pavé de bœuf sauce chocolat

CH. GRAND-PONTET, 33330 Saint-Émilion, tél. 05 57 74 46 88, chateau.grand-pontet@wanadoo.fr V r.-v. Pourquet

CH. GRANGEY 2013 ★★

■ | 4 500 | | 20 à 30 €

Dans la famille depuis 1953, ce cru, situé au nord-est de Saint-Émilion, a confié durant un demi-siècle sa production à la coopérative. Arrivé à la tête de l'exploitation en 2009, Franck Mio est sorti de la coopérative et, après de nombreuses rénovations, a vinifié son premier millésime au domaine en 2013. Le vignoble, constitué presque exclusivement de merlot, est implanté sur des sols argilo-calcaires à flanc de coteaux.

Le Guide a déjà sélectionné des vins du cru, mais voici le premier millésime vinifié au domaine. Tout sauf une année faste, et le vin est remarquable. Du merlot, avec une goutte (2 %) de malbec. La robe est intense et jeune, le bouquet, déjà expressif, est gorgé de fruits noirs et de framboise, accompagnés d'un boisé finement vanillé. En bouche, ce vin se montre charmeur, tout aussi fruité, à la fois rond et frais, construit sur d'élégants tanins. Il plaira aussi bien jeune que patiné par les ans. ⧗ 2017-2026 🍴 rosbif

FRANCK MIO, lieu-dit Grangey, 33330 Saint-Christophe-des-Bardes, tél. 06 70 70 76 69, contact@chateau-grangey.com V r.-v.

♥ CH. LES GRAVIÈRES 2013 ★★

■ | 16 300 | | 15 à 20 €

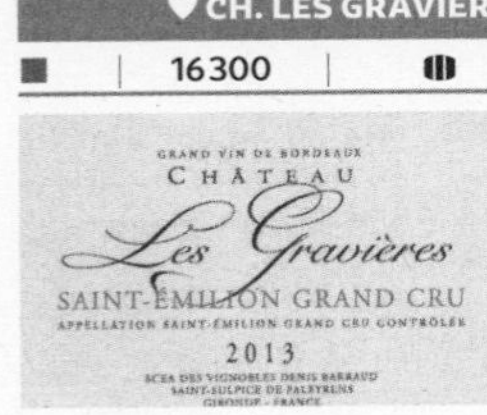

Denis Barraud, œnologue, s'est installé en 1971 à la tête du vignoble familial, constitué à la fin du XIXes. Un bel ensemble de 36 ha répartis sur les deux rives de la Dordogne et sur plusieurs crus – 7 ha en saint-émilion et saint-émilion grand cru (Les Gravières, Lynsolence) et 29 ha en AOC régionales (La Cour d'Argent) – et des vins qui retiennent régulièrement l'attention des dégustateurs.

Ils sont si nombreux qu'on peine à les compter. Avec celui-ci, Denis Barraud a bien dû décrocher une vingtaine de coups de cœur dans ses diverses appellations au cours de sa longue carrière. Et pour ce cru, c'est le neuvième, qui suit directement celui obtenu par le 2012. Ce producteur est vraiment le spécialiste du merlot, cépage exclusif de ce cru. Le terroir (sablo-graveleux), l'âge des ceps (un demi-siècle) et surtout les soins apportés à la vigne et au chai expliquent en partie cette régularité. La robe est superbe, intense et profonde. Le bouquet très fin évoque le bon raisin avec ses notes de fruits rouges bien mûrs et de noyau, soulignées d'un boisé délicatement toasté. À la fois puissant, dense et suave, de belle longueur, le palais reste élégant grâce à des tanins racés et soyeux et à un beau boisé qui respecte bien le fruit. ⧗ 2018-2026 🍴 rôti de bœuf aux cèpes ■ **Lynsolence 2013 ★ (20 à 30 €; 4 800 b.)** : cuvée haut de gamme pour l'heure assez marquée par l'élevage en barrique (seize mois), mais le bois est de qualité et le fruit résiste bien. De la profondeur, des tanins serrés. ⧗ 2019-2024

SCEA DES VIGNOBLES DENIS BARRAUD, 355, port de Branne, Ch. des Gravières, 33330 Saint-Sulpice-de-Faleyrens, tél. 05 57 84 54 73, denis.barraud@wanadoo.fr V r.-v.

CH. GUILLEMIN LA GAFFELIÈRE 2013 ★

■ | 43600 | | 11 à 15 €

Un vignoble de 21 ha, acquis par les Fompérier en 1956, à l'entrée sud de Saint-Émilion, au pied du coteau, dans le hameau de La Gaffelière. Deux étiquettes ici: le grand cru Guillemin La Gaffelière et son second le Clos Castelot.

Une cuvée très réussie. La présence de 35 % de cabernets (franc: 25 %) et d'un peu de malbec n'y est peut-être pas étrangère. Le nez mêle la mûre à un boisé élégant évoquant le praliné. Dans le même registre aromatique, la bouche offre une chair souple et savoureuse, portée par des tanins soyeux. Ce que l'on appelle un «vin plaisir». 2017-2021 cantal entre-deux

VIGNOBLES FOMPÉRIER, La Gaffelière, 33330 Saint-Émilion, tél. 05 57 74 46 92, lecellierdesgourmets@wanadoo.fr V t.l.j. sf dim. 8h30-12h15 14h-17h45

CH. HAUT-GRAVET 2013 ★

■ | 80000 | | 20 à 30 €

La famille Aubert exploite 300 ha et de nombreux domaines en Bordelais, avec pour fleuron le Ch. la Couspaude, grand cru classé de Saint-Émilion. Alain, l'un des trois frères à la tête du groupe familial, conduit plusieurs crus en son nom: Hyot et German (castillon), Haut-Gravet (saint-émilion grand cru), Ribebon et Macard (AOC régionales).

Ici, les cabernets sont à parité (50 %, dont 40 % de cabernet franc) avec le merlot, ce qui était plutôt un avantage en 2013. Cette composition confère une personnalité assez plaisante à ce vin à la robe profonde. Le bouquet, bien ouvert, évoque la cerise, le noyau, rehaussés d'un discret boisé grillé et vanillé. D'une belle présence, le palais montre de la chair, de la mâche et une finale persistante soulignée par des tanins boisés. Une bonne texture qui devrait gagner en finesse avec l'âge. 2019-2026 daube de bœuf

ALAIN AUBERT, 57 bis, av. de l'Europe, 33350 Saint-Magne-de-Castillon, tél. 05 57 40 04 30, contact@domaines-alain-aubert.com

CH. JUCALIS 2013 ★★

■ | 3933 | | 15 à 20 €

La famille Visage s'investit dans la vigne depuis trois générations sur ce domaine constitué en 1920. Isabelle Visage est aujourd'hui aux commandes de 11 ha sur les sables et graves de Saint-Sulpice-de-Faleyrens, au sud de Saint-Émilion, pour deux crus (Jupille Carillon en saint-émilion et Jucalis en grand cru).

Sur la dizaine d'hectares qu'elle exploite, Isabelle Visage sélectionne une parcelle de merlot de soixante ans, planté sur graves et sables bruns pour élaborer le Ch. Jucalis. Resté douze mois dans le chêne neuf, le vin est remarquable. La robe, très colorée, évoque l'encre. Le nez comme la bouche sont gorgés de myrtille et de cassis, soulignés par un bon boisé aux nuances de pain grillé. Au palais, ce vin se montre harmonieux et persistant. Bientôt prêt, il se prêtera à de nombreux accords gastronomiques et pourra se garder. 2017-2026 dinde fermière rôtie

SCEA DES VIGNOBLES VISAGE, 193, Jupile, 33330 Saint-Sulpice-de-Faleyrens, tél. 06 87 07 61 54, chateau.jupille.jucalis@orange.fr V r.-v.

CH. LANIOTE 2013 ★

■ Gd cru clas. | 16000 | | 30 à 50 €

89 93 94 95 96 98 99 00 01 02 03 |05| |06| |07| |08| |**09**| 12 13

Nous sommes ici chez l'une des familles les plus saint-émilionnaises qui soit. Elle exploite hors les murs un cru classé de 5 ha d'un seul tenant sur le haut du plateau argilo-calcaire de Saint-Émilion. Le domaine, fondé en 1821 par Pierre Lacoste, marchand de vin de Libourne, s'est transmis en ligne directe sur huit générations jusqu'à Arnaud de la Filolie, l'actuel propriétaire, et son épouse Florence Ribéreau-Gayon, œnologue. La famille possède aussi, intra muros, trois monuments de la cité: la grotte de l'ermitage de Saint-Émilion, la chapelle de la Trinité (XIIIe s.) et les catacombes.

Un 2013 à la robe jeune, pourpre vif, au bouquet tout en fruits frais rehaussés d'un boisé élégant. La bouche friande en attaque, fraîche et souple, présente de jolies rondeurs soutenues par des tanins fins et un boisé cacaoté. Fort plaisant dans sa jeunesse et apte à la garde, ce vin s'accordera avec de nombreux mets. 2018-2024 magret de canard

ARNAUD DE LA FILOLIE, Ch. Laniote, 33330 Saint-Émilion, tél. 05 57 24 70 80, contact@laniote.com V r.-v. 4

B CH. LAPLAGNOTTE-BELLEVUE 2013 ★

■ | 17000 | | 15 à 20 €

La famille Fourcaud-Laussac a été longtemps co-propriétaire du Ch. Cheval Blanc. En 1990, la mère d'Arnaud de Labarre, alors encore gérante du 1er grand cru classé, a acquis le Ch. Laplagnotte-Bellevue, implanté au nord-est de l'appellation. Son fils en a pris les rênes en 1996 et a engagé en 2009 la conversion bio de ses 6 ha de vignes.

Le merlot (68 %) laisse une large place au bouchet, nom donné ici au cabernet franc (32 %). Il en résulte un 2013 très agréable. La robe est légère mais pimpante avec ses reflets fuchsia. Le nez, déjà ouvert, évoque les fleurs printanières et les fruits frais, soulignés d'un boisé finement vanillé. La bouche est harmonieuse, encore très fruitée, avec des tanins enrobés qui permettront de servir ce vin très prochainement. 2017-2021 pot-au-feu d'agneau

SCEA FOURCAUD-LAUSSAC, Ch. Laplagnotte-Bellevue, 33330 Saint-Christophe-des-Bardes, tél. 05 57 24 78 67, arnaud@laplagnotte.com V r.-v. de Labarre

CH. LAROZE 2013 ★

■ Gd cru clas. | 46300 | | 20 à 30 €

98 99 **00 01 02 06 07** |**09**| 10 11 13

Héritier d'une lignée au service du vin remontant à 1610, Georges Gurchy a fondé le domaine en 1882.

Ses descendants, les Meslin, sont toujours aux commandes: Guy a succédé à son père Georges en 1990 à la tête de la propriété. Classé depuis 1955, le cru dispose d'un important vignoble couvrant 30 ha sur des sables argileux, à l'ouest de Saint-Émilion.

Les propriétaires savent depuis longtemps s'adapter aux caprices des millésimes et présentent un 2013 agréable par sa finesse. La robe bordeaux avenante présente quelques reflets d'évolution. Le bouquet délicat mêle harmonieusement les petits fruits rouges et un boisé subtilement cacaoté. La bouche bien équilibrée mise, elle aussi, davantage sur l'élégance que sur la puissance, soutenue en finale par de fins tanins qui permettront une bonne garde. ⧗ 2018-2026 ꝉ poularde aux cèpes

SCE CH. LAROZE, BP 61, 33330 Saint-Émilion, tél. 05 57 24 79 79, info@laroze.com V 🚶 ▪ *r.-v.* *Meslin*

LASSÈGUE 2013 ★

■ | 60930 | ⦀ | 50 à 75 €

Une élégante chartreuse des XVIIe et XVIIIes. commande un vignoble de 24 ha situé au flanc et au pied du coteau de Saint-Hippolyte, au sud-est de l'appellation. Deux étiquettes ici: Lassègue et Ch. Vignot. Aux commandes depuis 2003, les familles Jackson et Seillan, qui vinifient en France et en Californie.

Les cabernets représentent plus d'un tiers de l'assemblage dans ce 2013; un vin élégant et subtil, à la robe intense et profonde, au nez partagé entre fruits confits et boisé épicé, prélude à une bouche chaleureuse et ensoleillée, rafraîchie par des tanins prometteurs, encore fermes et vifs. ⧗ 2019-2026 ꝉ côte de bœuf
■ **Ch. Vignot 2013 (30 à 50 €; 38260 b.)** : vin cité.

SAS CRICKET, Ch. Lassègue, 33330 Saint-Hippolyte, tél. 05 57 24 19 49, chateaulassegue@wanadoo.fr V 🚶 ▪ *r.-v.*

CH. MANGOT-TODESCHINI 2013 ★

■ | 3500 | ⦀ | 30 à 50 €

Les vignobles Jean Petit, fondés en 1954, regroupent 34 ha d'un seul tenant en saint-émilion grand cru, sur un terroir riche en calcaire à astéries (Mangot, cru ancien mentionné dès 1510), et 16 ha en AOC castillon (La Brande), conduits avec rigueur depuis 1989 par Jean-Guy et Anne-Marie Todeschini, rejoints en 2008 par leurs fils Karl et Yann.

Ce grand cru naît d'un assemblage peu courant en Libournais, qui donne le premier rôle aux cabernets (70 %, dont 40 % de cabernet franc) et d'une vinification intégrale en barrique. Il donne toute satisfaction. Pourpre intense, il demande un peu d'agitation pour exprimer de jolis arômes de fruits frais soulignés d'un boisé vanillé et d'une touche épicée. D'une bonne présence au palais, il offre la sève, la chair et la charpente tannique d'un vrai vin de garde, impression renforcée par une finale assez stricte. ⧗ 2018-2026 ꝉ pavé de biche

FAMILLE TODESCHINI, Ch. Mangot, 33330 Saint-Étienne-de-Lisse, tél. 05 57 40 18 23, todeschini@chateaumangot.fr V 🚶 ▪ *t.l.j. sf sam. dim. 8h-12h 13h30-18h*

CH. LA MARZELLE 2013 ★

■ Gd cru clas. | 20746 | ⦀ | 30 à 50 €

99 00 01 **02** 04 |05| |07| |08| 10 11 13

Classé dès 1955, ce domaine ancien – inscrit sur la carte de Belleyme de 1821 – est propriété des Sioen, industriels belges, depuis 1998. Entourant l'hôtel de luxe Grand Barrail, le vignoble couvre 17 ha sur la haute terrasse de Saint-Émilion. Un terroir d'argiles, de graves et de sables proche de celui de Figeac, qui offre une part non négligeable aux cabernets.

Trois quarts de merlot pour 25 % de cabernets dans ce 2013, dont la robe bordeaux foncé annonce d'emblée un vin de matière. Le nez confirme cette impression: profond, concentré, il allie des senteurs boisées aux nuances de cèdre et de réglisse à des notes florales et fruitées (framboise, agrumes). La bouche prend bien le relais, charnue, ample, persistante, étayée par une trame de tanins élégants. Un vin qui pourra s'apprécier aussi bien jeune que vieux. ⧗ 2018-2026 ꝉ gigot d'agneau

SCEA CH. LA MARZELLE, La Marzelle, 33330 Saint-Émilion, tél. 05 57 55 10 55, info@lamarzelle.com V 🚶 ▪ *r.-v.* *Mme J.J. Sioen*

CH. MILLAUD-MONTLABERT 2013 ★

■ | 21700 | ⦀ | 15 à 20 €

Le nom de ce petit cru d'environ 3 ha associe celui d'un lieu-dit (Montlabert) et le patronyme de son acquéreur en 1919, M. Millaud. Longtemps exploité par les descendants de ce dernier, il a été vendu en 2012 au groupe chinois Lamont-Financière.

Un 2013 très agréable dans sa jeunesse. La robe est légère et pimpante, très rubis. Le premier nez s'ouvre sur un boisé vanillé, l'agitation faisant apparaître un joli fruit évoquant la fraise et la cerise. La bouche, gourmande, elle aussi centrée sur les fruits frais, dévoile une chair souple et des tanins fondus qui permettront d'apprécier ce vin jeune sur une large palette culinaire. ⧗ 2017-2021 ꝉ canette rôtie

SAS LAMONT-FINANCIÈRE, Ch. Millaud-Montlabert, 12, lieu-dit Montlabert-la-Croix, 33330 Saint-Émilion, tél. 05 57 33 09 68, w.su.lamontfi@gmail.com

CH. MONBOUSQUET 2013 ★

■ Gd cru clas. | 48000 | ⦀ | 30 à 50 €

95 96 **97** 98 99 00 **01** 02 03 04 |05| |07| |08| |**09**| |10| 11 12 13

Acquis en 1993 par Gérard Perse (Pavie, Pavie-Decesse, Bellevue-Mondotte), ce cru, l'un des rares de la plaine à être classé (depuis 2006), étend ses 33 ha de vignes sur de belles graves sablonneuses propices aux cabernets, présents à 40 % dans le vin (dont 30 % de cabernet franc).

La présence de graves et la proportion de cabernets explique peut-être la réussite de ce vin dans un millésime délicat. La robe est soutenue, d'un bordeaux très classique. Vineux et déjà très fin, le bouquet évoque les raisins bien mûrs, avec une note suave de cire d'abeille. À la fois souple, ample et charnu, le palais offre une saveur franche, très nette, très saint-émilionnaise, rafraîchi par des tanins jeunes et encore stricts qui devraient s'arrondir assez vite. ⧗ 2018-2026 ▼ magret de canard

SAS MONBOUSQUET EXPLOITATION, 42, av. de Saint-Émilion, 33330 Saint-Sulpice-de-Faleyrens, tél. 05 57 24 67 19, contact@chateaumonbousquet.com

CH. MONDORION 2013

■ | 16200 | | 20 à 30 €

Ce cru d'une douzaine d'hectares doit son nom au lieu-dit Mondou où il est situé et à la constellation d'Orion et à ses quatre planètes centrales, qui rappellent les quatre amis ayant fait renaître la propriété en 2000: Giorgio Cavanna (propriétaire du Grand Enclos de Cérons), Bertrand Léon, Xavier Dauba et Vincent Bonneau. En 2013, Thibault Cruse a racheté le domaine; Bertrand Léon, l'œnologue, et Frédéric Maule, le maître de chai, sont restés en place.

Ce vin d'un rubis vif a tous les charmes de la jeunesse. Son bouquet naissant est plein de fraîcheur. Soyeuse et fruitée en attaque, la bouche dévoile une intéressante note minérale (pierre à fusil) qui souligne sa finesse. Adossée à des tanins délicats, assez typés du cabernet franc, elle offre une texture plutôt légère, une pointe d'acidité apportant fraîcheur et potentiel de garde. ⧗ 2018-2024 ▼ rôti de bœuf

THIBAULT CRUSE, 151 bis, Grand-Chemin, lieu-dit Mondou, 33330 Saint-Sulpice-de-Faleyrens, tél. 05 57 24 76 11, mondorion@aol.com V *r.-v.*

CH. MONTLABERT 2013 ★

■ | 22800 | | 20 à 30 €

Ce domaine, propriété au XVIIIᵉs. du sieur Jean-Michel Descazes-Montlabert, est entré en 2008 dans le giron du puissant groupe Castel. Il est situé aux confins des secteurs de La Grâce Dieu et de Figeac, à l'ouest de la cité médiévale. Le vignoble couvre 12,5 ha d'un seul tenant, sur des sables anciens, profonds et sablo-graveleux. Ludovic Hérault, maître de chai et chef de culture, est conseillé depuis 2009 par Hubert de Boüard.

À la robe intense et cristalline répond un bouquet tout aussi puissant, qui dévoile d'abord des notes de noix de coco et de marron grillé traduisant les quatorze mois d'élevage en barrique, avant de libérer à l'aération des parfums de petits fruits rouges et noirs. Le palais corsé s'agrémente de belles rondeurs, soutenu par des tanins boisés qui commencent à s'assouplir. On pourra ainsi déguster cette bouteille assez jeune, même si elle a du potentiel. ⧗ 2018-2026 ▼ terrine de faisan au foie gras

CH. MONTLABERT, lieu-dit Montlabert, 33330 Saint-Émilion, tél. 05 56 35 66 05, contact@chateaux-castel.com

CH. PALAIS CARDINAL
Élevé en fût de chêne 2013 ★

■ | 12800 | | 20 à 30 €

Ce domaine, fondé en 1843, acquis à leur retraite par les Texier, en 2008, étend son vignoble de 19 ha au sud de Saint-Émilion, sur un terroir d'alluvions, de graves et de sables, drainé par le ruisseau La Fuie.

Élevée en barriques neuves, cette cuvée a beaucoup de caractère. Sa couleur foncée est encore jeune. Le nez, très expressif, n'est pas sous l'emprise complète du merrain: vif et chaleureux à la fois, il livre des senteurs florales (lilas et jasmin), fruitées et acidulées (framboise) et, bien sûr, un puissant boisé grillé et torréfié. La bouche est plus calme, souple et friande en attaque, équilibrée par des tanins jeunes et frais qui permettront un heureux vieillissement. ⧗ 2019-2026 ▼ pavé de biche aux airelles ■ **La Fuie Élevé en fût de chêne 2013 (11 à 15 €; 11460 b.)** : vin cité.

CH. PALAIS CARDINAL, 9, rue des Acacias, 33330 Saint-Sulpice-de-Faleyrens, tél. 05 57 24 32 27, chateau@palais-cardinal.fr V *r.-v.* *Texier*

CH. PAVIE 2013 ★

■ 1er gd cru clas. A | 70000 | | + de 100 €

85 86 88 (90) **91 92** 93 94 95 **96** |98| |99| |**00**| |**01**| |02| |**04**| |**06**| |07| **08** (09) (10) **11** (12) 13

Véritablement constitué au XIXᵉs., Pavie étend son vaste vignoble de 37 ha sur la côte éponyme, l'un des berceaux de la viticulture locale au IVᵉs. Son terroir unique en trois parties – le plateau calcaire, sa côte d'argiles denses et profondes, son pied de côte sablo-argileux légèrement graveleux – justifie son intégration en 2012 au gotha des 1ers grands crus classés A. Une élévation due aussi aux investissements considérables de son propriétaire depuis 1998, Gérard Perse, homme d'affaires ayant fait fortune dans la grande distribution. Inauguré en 2013, un nouveau chai, «château du vin», signé Alberto Pinto, décorateur de palais et de palaces, consacre la montée au firmament du cru et permet des vinifications encore plus précises.

Le 2013 de Pavie, dont un coup de cœur, coïncidant avec son élévation au classement des saint-émilion, distingua le millésime précédent, est nettement plus austère que son aîné. L'assemblage est le même: 65 % de merlot, 20 % de cabernet franc et 10 % de cabernet-sauvignon, l'élevage sous bois un peu plus court (vingt-deux mois au lieu de vingt-six). La robe profonde montre des reflets violines de jeunesse. Le nez, fermé, demande de l'aération pour libérer un fruit sans fard, «nature». L'attaque très corsée laisse vite place à une trame de tanins robustes qui appellent la cave. ⧗ 2020-2026 ▼ daube de chevreuil

SCA CH. PAVIE, 33330 Saint-Émilion, tél. 05 57 55 43 43, contact@vignoblesperse.com V *r.-v.* 5 *Gérard Perse*

CH. PAVIE DECESSE 2013 ★

■ Gd cru clas. | 3000 | | + de 100 €

85 86 88 (89) **90 91** 92 **93** 94 95 96 **97** 98 99 |**00**| |**01**| |**02**| 04 06 07 **08 09 10** 11 **12** 13

Acquis par Gérard Perse en 1997, propriétaire de plusieurs crus classés (Pavie, Monbousquet), ce cru de 3,65 ha a été détaché de Pavie en 1885 par son propriétaire de l'époque, Ferdinand Bouffard. Il a depuis longtemps acquis une personnalité propre, née d'un

terroir spécifique, intégralement situé sur le haut de la côte Pavie mêlé d'argiles, et d'un encépagement largement dominé par le merlot (90 %, pour 10 % de cabernet franc).

Ce cru classé montre une belle régularité, et le 2013 est pleinement réussi, un succès sans doute lié à de faibles rendements. Les volumes sont en effet assez réduits pour ce vin à la magnifique robe bordeaux très foncée. Le bouquet naissant, très prometteur, exprime avec générosité des arômes de fruits confits dans un sillage finement boisé. Dès la mise en bouche, le vin affiche sa solidité et sa puissance. Les saveurs des fruits mûrs résistent bien aux tanins denses et massifs qui lui permettront de bien vieillir. ⧗ 2020-2026 🍷 gigue de chevreuil

SCA CH. PAVIE (CH. PAVIE DECESSE), 33330 Saint-Émilion, tél. 05 57 55 43 43, contact@vignoblesperse.com Gérard Perse

LA PERLE DU BRÉGNET
Élevé en fût de chêne 2013

■	4300		11 à 15 €

David Coureau exploite depuis 1970 un vignoble familial de 13,5 ha, dont il consacre la moitié au saint-émilion, 1 ha au grand cru La Perle du Brégnet et le reste au Ch. l'Ancien Orme en AOC bordeaux. La partie dédiée au grand cru est située à la limite sud de la juridiction, sur un terroir de sables et de graves.

La robe commence à présenter des reflets d'évolution. Le nez offre une belle présence avec ses arômes de fruits rouges frais, de sous-bois et d'épices douces, vanille et cannelle en tête. La bouche, à l'unisson, intéresse par son attaque franche, sa bonne structure tannique et son boisé bien fondu. Un vin bien dans son appellation et dans son millésime, qui pourra être débouché prochainement tout en pouvant vieillir. ⧗ 2018-2023 🍷 fricassée de canard

EARL VIGNOBLES COUREAU, Le Brégnet, 33330 Saint-Sulpice-de-Faleyrens, tél. 05 57 24 76 43, clos-le-bregnet@wanadoo.fr V t.l.j. sf dim. 9h-18h30

B CH. PETIT GRAVET AINÉ 2013 ★★

■	5000		30 à 50 €

L'un des trois crus saint-émilionnais (Gaillard, Clos Saint Julien) de Catherine Papon-Nouvel, également propriétaire sur Castillon (Ch. Peyrou). Elle conduit depuis 2000, à la suite de son père, ce petit domaine de 2,5 ha (en bio certifié) établi en pied de côtes, sur un terroir de sables profonds, atypique par sa forte proportion (80 %) de cabernet franc.

Un terroir différent du Clos Saint-Julien, élu coup de cœur cette année, et un vin presque aussi remarquable: robe soutenue, nez mûr, sur les fruits noirs, le kirsch, avec un boisé aux nuances de moka et de caramel, bouche souple et chaleureuse. Les tanins marqués par l'élevage devraient s'affiner assez vite. ⧗ 2018-2023 🍷 gigot d'agneau

SCEA VIGNOBLES J.-J. NOUVEL (CH.PETIT GRAVET AINÉ), BP 84, 33330 Saint-Émilion, tél. 05 57 24 72 44, chateau.gaillard@wanadoo.fr V r.-v.

♥ CH. PIPEAU 2013 ★★

■	60000		15 à 20 €

86 88 89 95 98 99 00 01 **02** 03 |04| |06| **|08|** **09** 10 **12** **13**

Valeur sûre de l'appellation, ce domaine établi au pied des combes de Saint-Laurent est entré dans la famille Mestreguilhem en 1929. Les 7 ha de l'époque sont devenus 25 aujourd'hui. La propriété est conduite depuis 1983 par Richard Mestreguilhem, rejoint en 2014 par son fils Jean, ingénieur agronome, désormais à la direction technique.

Un important vignoble familial comme on les aime, forgé par les anciens qui seraient fiers de ce coup de cœur. Sur place, tout paraît discret; ce vin est pourtant distribué dans le monde entier. Une sage politique de rapport qualité-prix explique peut-être ce succès, ainsi que de belles réussites dans des millésimes difficiles. Ce 2013 (du merlot à 90 %) a tout pour lui: une robe bordeaux intense, un bouquet puissant et élégant, mariant de jolies notes de fruits rouges (cerise, groseille, framboise) à un boisé encore marqué, une belle présence au palais, où une fine minéralité se lie à une touche de noyau. Un vin persistant, d'un équilibre parfait entre rondeur et fraîcheur, construit sur des tanins enrobés qui garantissent une heureuse évolution. Le genre de vin qui peut s'apprécier aussi bien jeune que vieux. ⧗ 2018-2026 🍷 côte de bœuf

EARL MESTREGUILHEM, Ch. Pipeau, 12, Barbeyron, 33330 Saint-Laurent-des-Combes, tél. 05 57 24 72 95, chateau.pipeau@wanadoo.fr V t.l.j. sf sam. dim. 8h-12h 14h-18h

CH. DE PRESSAC 2013 ★★

■ Gd cru clas.	37000	30 à 50 €

97 98 **|01|** 02 04 05 06 |07| |08| |10| 11 **12** **13**

Un cru classé (depuis 2012), vaste (36 ha) et historique à double titre: il fut le cadre en 1453 de la reddition des Anglais après la bataille de Castillon et au XVIIIe s., le seigneur du lieu introduisit le cépage appelé auxerrois, puis noir de pressac et finalement malbec. Il a été acquis en 1997 et entièrement rénové par Jean-François Quenin, ancien cadre du groupe Darty et ancien président du Conseil des vins de Saint-Émilion.

Malgré des difficultés du millésime, Pressac propose un grand vin très puissant. Le terroir, l'exposition, l'encépagement – cinq cépages: merlot, à 64 %, les deux cabernets à 28 %, une goutte de malbec, évidemment, et un soupçon de carmenère – et, surtout, le travail, à la vigne et au chai, ont leur part dans cette réussite. D'un bordeaux sombre et jeune, ce 2013 présente un nez encore un peu fermé mais très profond, laissant deviner une réelle complexité. D'un beau volume, il se montre charnu, corsé, charpenté par des tanins très denses qui gagneront à s'arrondir. ⧗ 2020-2028 🍷 rôti de sanglier ■ **Ch. Tour de Pressac 2013 ★ (15 à 20 €;**

48669 b.) : un second vin très réussi, très accessible, très merlot (90 %): une robe colorée; des arômes de mûre, de vanille et de cacao; un palais souple, suave et frais, aux tanins enrobés. ⧗ 2017-2021

⊶ GFA CH. DE PRESSAC, Saint-Étienne-de-Lisse, 33330 Saint-Émilion, tél. 05 57 40 18 02, contact@chateaudepressac.com
r.-v. ⊶ Jean-François et Dominique Quenin

CH. LE PRIEURÉ 2013

■ Gd cru clas.	13800		50 à 75 €

La famille Guichard est propriétaire depuis 1832 de plusieurs crus en Libournais: son fief et fleuron, Ch. Siaurac en lalande, Vray Croix de Gay en pomerol et Le Prieuré en saint-émilion grand cru. Un ensemble dirigé depuis 2004 par Aline Guichard et son mari Paul Goldschmidt. En 2014, François Pinault (Ch. Latour) a pris une participation dans les châteaux familiaux.

Un vin de garde à la couleur encore jeune. Son nez reste un peu sous l'emprise de la barrique, mais l'aération libère d'agréables arômes de fruits rouges. De jolis fruits qui apparaissent dès la mise en bouche, respectés par les tanins du bois. Voilà de quoi laisser espérer une heureuse évolution pour cette bouteille qui devrait gagner en élégance. ⧗ 2019-2026 🍷 poule faisane en cocotte ■ **Délice du Prieuré 2013 (20 à 30 €; 7230 b.)** : vin cité.

⊶ CH. SIAURAC AND CO, Ch. Siaurac, 33500 Néac, tél. 05 57 51 64 58, info@siaurac.com
r.-v. 5 ⊶ Goldschmidt

PUY-RAZAC 2013

■	20000		11 à 15 €

Depuis 1940, la famille Thoilliez exploite un vignoble de 6 ha dans lequel le cabernet franc domine (57 %), ce qui n'est pas très fréquent à Saint-Émilion. Catherine Leymarie-Thoilliez a pris la relève et gère le domaine depuis 1997.

D'un rubis franc et intense, ce 2013 s'annonce par un bouquet très fin aux nuances de noisette grillée. On retrouve cette finesse en bouche malgré la présence de tanins un peu dominateurs laissant le fruit à l'arrière-plan – mais qui devraient permettre à ce vin de bien vieillir. ⧗ 2018-2024 🍷 faux-filet grillé

⊶ THOILLIEZ, Ch. Puy-Razac, 33330 Saint-Émilion, tél. 06 08 30 86 13, catherine@puy-razac.com r.-v.

CH. QUINTUS 2013 ★

■	13600		50 à 75 €

Quintus – référence à la coutume gallo-romaine consistant à prénommer ainsi leur cinquième enfant – est le dernier-né des vignobles Clarence Dillon (Haut-Brion). Un bel ensemble de 28 ha associant un domaine acquis en 2011 à l'extrémité sud-ouest du plateau de Saint-Émilion et son voisin Ch. l'Arrosée, racheté en 2013.

Issu d'un assemblage bien libournais donnant au merlot le premier rôle (80 %) et au cabernet franc le second, Quintus est un vin complet. La couleur est dense et profonde; son bouquet très franc mêle les fruits rouges à un boisé marqué mais de qualité, aux nuances raffinées de moka. D'une belle présence, charnu, étoffé et savoureux, le palais dévoile de jolies rondeurs encadrées par d'élégants tanins boisés. Un réel équilibre, dans un style très traditionnel. ⧗ 2019-2026 🍷 filet de bœuf en croûte ■ **Le Dragon de Quintus 2013 ★ (11 à 15 €; 18800 b.)** : différent du grand vin, le second vin est pratiquement du même niveau. Plus marqué par les cabernets (44 %), il joue sur le registre de la délicatesse, avec ses notes de noyau et sa minéralité typiques des cabernets et du terroir. À boire plus jeune. ⧗ 2017-2021

⊶ SAS QUINTUS, 1, Larosé, 33330 Saint-Émilion, tél. 05 57 24 69 44, info@chateau-quintus.com r.-v.

CH. ROCHEBELLE 2013

■ Gd cru clas.	9000		30 à 50 €

Propriété des Faniest depuis 1847, Rochebelle doit son nom aux belles roches que l'on extrayait de ses carrières au XVIIIᵉs. Conduit aujourd'hui par Philippe Faniest et sa fille Émilie, œnologue, ce petit domaine de 3 ha est situé au-dessus du Ch. Pavie, face à la cité de Saint-Émilion. Petit train, caves monolithes, jeux de lumière...: le concept d'œnotourisme est ici bien rodé et les visiteurs sont légion. Ses vins, réguliers en qualité, lui ont valu d'être promu en 2012 au rang de cru classé.

Philippe Faniest a un comportement presque bourguignon: petites parcelles, caves souterraines, accueil et vente aux particuliers. Et cela se retrouve dans ses vins qui se doivent d'être accessibles à des consommateurs multiples. Son 2013 ne joue pas les divas, mais il est bougrement sympa. La robe est pimpante. Le bouquet, très affable, offre déjà des jolies notes de baies bien mûres alliées à un boisé délicat. La bouche est souple, chaleureuse et fraîche à la fois, aux arômes d'amande (douce et grillée), qui prolongent bien le nez. Ce vin pourra se boire jeune, mais il saura vieillir. ⧗ 2018-2024 🍷 pavé de bœuf aux cèpes

⊶ PHILIPPE FANIEST, 2, le Bourg , 33330 Saint-Laurent-des-Combes, tél. 05 57 51 30 71, faniest@wanadoo.fr
t.l.j. 10h-12h 14h-18h30

CH. ROL VALENTIN 2013 ★★

■	10610		30 à 50 €

Ancien footballeur professionnel, Éric Prissette acquiert en 1994 une vigne de 2 ha au nord-ouest du plateau de Saint-Émilion, surface qu'il porte rapidement à 7,3 ha. En 2009, il vend le domaine à Nicolas et Alexandra Robin, vignerons à Castillon (Ch. Laussac) et à Pomerol (Clos Vieux Taillefer), qui maintiennent haut l'exigence de qualité.

Ce 2013 à la robe chatoyante dévoile un bouquet déjà complexe évoquant le bon merlot (présent à 90 % dans l'assemblage) associé à un boisé de qualité, légèrement cacaoté, et à une touche de cuir. On retrouve en bouche ce remarquable équilibre entre le raisin et le merrain, avec une chair à la fois souple et dense, étayée par des tanins veloutés qui donnent à cette bouteille un style charmeur. Ce vin pourra prochainement passer à table et s'adaptera à une large palette gastronomique. ⧗ 2017-2024 🍷 moelleux au chocolat

SAS VIGNOBLES ROL VALENTIN, 5, Les Cabannes-Sud, 33330 Saint-Émilion, tél. 05 57 40 13 76, contact@vignoblesrobin.com r.-v. *Robin*

CH. SAINT-GEORGES CÔTE PAVIE 2013

■ Gd cru clas. | 18 000 | | 30 à 50 €

Ce cru classé de 5,7 ha – 5 ha implantés sur la côte argilo-calcaire Pavie et 50 ares attenants à Ausone – fut une dépendance de la Sauve-Majeure au Moyen Âge (époque à laquelle il prit son nom de Saint-Georges), puis la propriété de la famille de Grailly à partir du XVIIe s. Entré en 1873 dans la famille Masson, d'origine corrézienne, il est aujourd'hui conduit par la cinquième génération.

Ce 2013 apparaît déjà relativement évolué dans le verre, sa couleur commençant à montrer des reflets grenat et tuilés. Intéressant, le bouquet associe des notes épicées, balsamiques et toastées à une touche de fourrure. En bouche, la trame tannique est souple et soyeuse, ce qui permettra de déboucher prochainement cette bouteille. 2017-2021 rôti de veau braisé

FAMILLE MASSON, Ch. Saint-Georges Côte Pavie, 33330 Saint-Émilion, tél. 05 57 74 44 23, mariegabriellemasson@gmail.com r.-v.

LA BIENFAISANCE DE CH. SANCTUS 2013

■ | 22 000 | | 20 à 30 €

Né de la fusion de deux propriétés voisines, ce domaine de 15,5 ha, établi sur le plateau argilo-calcaire de Saint-Christophe-des-Bardes, au nord-est de Saint-Émilion, appartient depuis 1990 aux familles Duval-Fleury et Corneau.

Né de merlot et d'un appoint de cabernet franc, élevé quinze mois en barrique, le second vin de Sanctus affiche une robe colorée et un nez puissant et frais de cassis et d'agrumes, accompagné d'une touche animale. Souple et vif en attaque, corsé, dynamique, il finit sur des tanins «virils» qui demandent à s'arrondir un peu. 2017-2021 lapin chasseur

SCEA CH. SANCTUS, 39, Le Bourg, 33330 Saint-Christophe-des-Bardes, tél. 05 57 24 65 83, info@labienfaisance.com r.-v.

CH. SANSONNET 2013 ★

■ Gd cru clas. | 8 000 | | 30 à 50 €

98 99 00 01 02 03 04 |**05**| |06| 07 |**08**| |**09**| |10| |**11**| 13

Ancienne propriété du duc Decazes, ministre sous Louis XVIII, ce cru classé régulier en qualité a été acquis en 2009 par Christophe Lefévère et son épouse Marie-Bénédicte. C'est cette dernière, docteur en pharmacie et fille d'un exploitant de la région, qui gère le domaine. Le vignoble, à l'encépagement classique (merlot à 85 % et cabernet franc), couvre près de 7 ha sur l'un des points hauts du plateau argilo-calcaire de Saint-Émilion. Déclassé en 1996, il a retrouvé son rang en 2012.

Un vin très classique, très saint-émilion, très merlot. La robe est foncée, presque noire. Le nez est d'abord envahi par des notes d'élevage toastées aux nuances de cigare, puis les fruits noirs confiturés entrent en scène. Ils annoncent une bouche chaleureuse, charpentée par des tanins boisés encore un peu jeunes mais qui commencent à s'arrondir: les garants d'une bonne garde. 2018-2026 côte de veau sauce morilles

LEFÉVÈRE, 1, lieu-dit Sansonnet, 33330 Saint-Émilion, tél. 09 60 12 95 17, marie.lefevere@chateau-sansonnet.com r.-v.

CH. SOUTARD 2013

■ Gd cru clas. | 24 000 | | 30 à 50 €

AG2R La Mondiale possède deux importants grands crus classés, situés à environ 1 km au nord de la cité médiévale: les châteaux Soutard et Larmande. Cru ancien (les premières mentions remontent à 1513), Soutard a été acquis en 2006 par le groupe d'assurances, qui a entrepris d'importants travaux de rénovation. En 2012, le rachat (et la fusion) du cru classé Cadet Piola porte le vignoble à 30 ha d'un seul tenant, sur le plateau argilo-calcaire de Saint-Émilion, avec quelques hectares en pied de côte sableux et en coteaux argileux. Aux commandes du chai, Véronique Corporandy, conseillée par Michel Rolland.

Un millésime bien aidé par les cabernets, qui composent 35 % de l'assemblage (avec un soupçon de malbec). De couleur pourpre, ce 2013 élevé dix-huit mois en barrique intéresse par son bouquet complexe, floral, fruité et boisé, mâtiné d'une note un peu animale évocatrice des cabernets. Il fait preuve d'une bonne présence au palais, grâce à une belle fraîcheur liée à une pointe d'acidité, à une saveur un peu crayeuse, terroitée, et à des tanins jeunes mais assez fins. 2018-2024 daube de canard

SCEA DU CH. SOUTARD, 1, lieu-dit Soutard, 33330 Saint-Émilion, tél. 05 57 24 71 41, contact@soutard.com *t.l.j. 10h-19h; f. nov.-mars* 5 *AG2R La Mondiale*

CH. TAUZINAT L'HERMITAGE 2013

■ | 24 000 | | 15 à 20 €

Descendants du négociant corrézien Antoine Moueix, Catherine Moueix et ses enfants Antoine et Claire conduisent depuis 1996 deux crus libournais: Taillefer, 13,5 ha au sud du plateau de Pomerol, acheté en 1923, et Tauzinat l'Hermitage, 9,3 ha sur le plateau de Saint-Émilion, acquis en 1953.

Ce vin brillant qui donne le premier rôle au merlot, avec le cabernet franc en appoint, est bien représentatif de l'appellation. Le nez franc exprime les petits fruits rouges frais soulignés d'un délicat boisé. Le fruité se prolonge dans une bouche soyeuse à l'attaque, soutenue par des tanins jeunes et frais, encore stricts en finale, mais qui devraient s'arrondir assez vite. 2017-2023 entrecôte

SC BERNARD MOUEIX, Ch. Taillefer, BP 9, 33501 Libourne Cedex, tél. 05 57 25 50 45, contact@moueixbernard.com r.-v.

CH. TOUR DE CAPET 2013

■ | 22000 | ◍ | 11 à 15 €

En 1902, le Corrézien Antoine Moueix, amoureux des vins de Saint-Émilion et de Pomerol, fonde sa maison de négoce en 1902. Outre ses propriétés (Grand Renom, Capet Guillier), l'affaire propose côté négoce une large gamme de vins de la rive droite (Libournais, AOC régionales). Dans le giron du groupe Advini depuis 2006.

Tour de Capet est le second vin de Capet Guillier, cru connu à Saint-Hippolyte pour avoir abrité le four à pain communal jusqu'à la fin du XIXᵉs. Le 2013 est un vin fin et élégant. Un caractère peut-être dû à la présence non négligeable (20 %) de cabernet franc. Le nez, déjà expressif, mêle les fleurs, les fruits rouges frais et un boisé épicé rappelant le poivre blanc. La bouche est gourmande et persistante, plutôt fruitée, souple et fraîche à la fois, adossée à des tanins dénués d'agressivité. Un «vin plaisir» à boire plutôt jeune. ⧗ 2017-2021 ♈ côte de veau aux cèpes

⊶ CH. CAPET-GUILLIER, rte du Milieu, 33330 Saint-Émilion, tél. 05 57 55 58 00, benoit.coq@amoueix.fr ⊶ Antoine Moueix

CH. LA TOUR DU PIN FIGEAC 2013 ★

■ | 15000 | ◍ 🍾 | 20 à 30 €

La famille Giraud-Bélivier possède plusieurs crus en Libournais: la Tour du Pin Figeac, 11 ha détachés du Ch. Figeac en 1879 et acquis par la famille en 1923, le Caillou à Pomerol (7 ha) et le Vieux Manoir en lalande. Des crus conduits aujourd'hui par André Giraud, épaulé par ses fils Stéphane et Laurent.

Trois quarts de merlot pour un quart de cabernet franc, huit mois de cuve et douze de fût pour ce vin à la robe soutenue et brillante, au nez gourmand, fin et frais, sur les fruits rouges et un boisé discrètement réglissé. L'attaque souple et ronde ouvre sur une bouche équilibrée, marquée en finale par des tanins francs. Un vin sincère, «nature», qui sera parfait avec la volaille. ⧗ 2017-2022 ♈ pintade rôtie

⊶ SARL ANDRÉ GIRAUD, 41, rue de Catusseau, 33500 Pomerol, tél. 06 08 85 17 84, giraud.belivier@wanado.fr V 🚶 🍷 *r.-v.*

CH. LA TOUR FIGEAC 2013 ★

■ Gd cru clas. | 12600 | 20 à 30 €

82 83 85 86 89 **90** 93 94 95 **96** 97 98 01 02 03 |04| |05| |**06**| |07| **08 09** 10 11 12 13

Ce cru classé, séparé du Ch. Figeac en 1879, doit son nom à une tour érigée au milieu des vignes aujourd'hui disparue. Otto Rettenmaier l'a acquis en 1973; son fils Otto Max a pris le relais en 1995; à la tête de 14,5 ha de vignes établies sur une croupe de graves et de sables sur argiles, à la limite de Pomerol, il conduit son domaine en biodynamie, sans certification.

Malgré sa jeunesse, ce vin est déjà plaisant. Il offre un bouquet complexe, partagé entre les petits fruits rouges et noirs et un boisé discret, nuancé de notes minérales et animales. Ample et souple, étayé par des tanins enrobés, encore un peu stricts en finale, il devrait se garder une décennie. ⧗ 2018-2026 ♈ magret de canard

⊶ SC LA TOUR FIGEAC, BP 007, 3, Tour Figeac, 33330 Saint-Émilion, tél. 05 57 51 77 62, latourfigeac@orange.fr V 🚶 🍷 *r.-v. ⊶ Rettenmaier*

CH. TOUR SAINT-CHRISTOPHE 2013 ★

■ | 20000 | ◍ | 20 à 30 €

L'achat de vignobles bordelais par des investisseurs asiatiques n'est pas nouveau. En 1997, le Taïwanais Peter Kwok a acquis, avec sa fille Elaine, le Ch. de Haut-Brisson et ses 20 ha de vignes implantés sur les sables et graves de Vignonet, au sud de l'appellation. En 2011, il a étendu son portefeuille en reprenant, avec sa fille Karen, les 11,25 ha du Ch. Tour Saint-Christophe, situé à Saint-Christophe-des-Bardes, avant d'acquérir en 2015 les 12,6 ha du Ch. Tourans à Saint-Étienne-de-Lisse.

Issu d'une vinification intégrale en barrique, ce 2013 a les caractères d'un vin de garde. Sa robe colorée montre des reflets violets de jeunesse. Le merrain torréfié domine encore le nez, mais il laisse poindre les fruits noirs. De bonne corpulence, le palais est charpenté par de solides tanins boisés qui demandent à se polir un peu. ⧗ 2019-2026 ♈ côte de bœuf ■ **Les Terrasses de Saint-Christophe 2013 (11 à 15 €; 20000 b.)** : vin cité. ■ **Ch. Haut-Brisson la Grave 2013 (15 à 20 €; 55000 b.)** Ⓑ : vin cité.

⊶ CH. TOUR SAINT-CHRISTOPHE, 1, lieu-dit Cassevert, 33330 Saint-Christophe-des-Bardes, tél. 05 57 24 77 15, contact@vignoblesk.com V 🚶 🍷 *r.-v. ⊶ Karen Kwok*

CH. TRIANON 2013 ★

■ | 30000 | ◍ | 20 à 30 €

1983: Dominique Hébrard crée son affaire de négoce. 1999: sa famille vend Cheval Blanc, dont il était l'administrateur. 2000: déjà copropriétaire du Ch. de Francs avec Hubert de Boüard, il acquiert ce cru de 10 ha déjà connu au XVIᵉs., situé au sud-ouest de Saint-Émilion.

Une petite pointe de carmenère (2 %), vieux cépage bordelais dont il ne reste plus que quelques rangs en Gironde, apporte une touche d'originalité à un assemblage par ailleurs très saint-émilionnais, dominé par le merlot. Le vin affiche une robe foncée encore jeune. Le bouquet, déjà intense et complexe, s'ouvre sur les fruits noirs, soulignés par un boisé discrètement réglissé et par une touche animale. Après une attaque souple et fraîche, les tanins apparaissent vite; encore un peu fermes, ils permettront une bonne tenue dans le temps. ⧗ 2019-2026 ♈ pavé de bœuf sauce poivre

⊶ CH. TRIANON, 33330 Saint-Émilion, tél. 05 57 25 34 46, contact@chateau-trianon.fr V 🚶 🍷 *r.-v. ⊶ Enda-Hébrard-Castagnet*

CH. TROPLONG MONDOT 2013

■ 1er gd cru clas. B | 60300 | 75 à 100 €

82 83 85 86 88 89 (90) **92** 95 96 **97** 98 **01** 02 |05| |(06)| |07| |**08**| **09** |10| **11 12** 13

En 1745, l'abbé de Sèze édifie l'actuel château en haut de la côte de Pavie, dans le vignoble de Mondot. En 1850, Raymond Troplong, juriste et pair de France, y

ajoute son nom. Au début du XXᵉs., Alexandre Valette, négociant en vin, prend le relais, suivi ensuite par son fils Bernard puis son petit-fils Claude. Ce dernier confie les rênes du domaine à sa fille Christine Valette (disparue en 2014) et son mari Xavier Pariente en 1981. En 2006, le domaine accède au rang de 1er grand cru classé B. Conseillés depuis longtemps par Claude et Lydia Bourguignon, éminents spécialistes de la valorisation durable des sols, les propriétaires ont restructuré le vignoble (33 ha d'un seul tenant), dont un tiers est en conversion bio.

Ce 2013, issu de merlot très majoritaire (90 %, avec 8 % de cabernet-sauvignon et 2 % de cabernet franc) présente une robe profonde et dense qui annonce une belle étoffe. Cette impression se confirme au nez, généreux, sur les fruits rouges, la violette et le boisé cacaoté. En bouche, si la finale marquée par des tanins en rangs serrés, pour l'heure encore austères, prouvent la bonne tenue de ce vin, ce 2013 n'en porte pas moins l'empreinte du millésime dans son attaque souple, sa fraîcheur et une structure plus svelte que dans les millésimes antérieurs. On le dégustera avant ses aînés. ⧗ 2019-2024 🍷 pavé de biche ■ **Mondot 2013 (30 à 50 €; 24300 b.)** : vin cité.

SAS CH. MONDOT, Ch. Troplong Mondot, 33330 Saint-Émilion, tél. 05 57 55 32 35, contact@chateau-troplong-mondot.com r.-v.
Xavier Pariente

CH. TROTTE VIEILLE 2013 ★

■ 1er gd cru clas. B | 24000 | | + de 100 €

82 **85 86** 88 **90** 95 96 97 98 99 |**00**| |**01**| 02 |**03**| 04 **05** |06| |**07**| **08** 10 11 12 13

L'un des fleurons de la maison Borie-Manoux. La légende raconte qu'une vieille dame habitant autrefois le domaine allait s'enquérir des nouvelles auprès de la diligence passant par là, en trottinant… Aujourd'hui administré par Philippe Castéja et conseillé par Denis Dubourdieu, ce cru de 12 ha, situé sur le coteau est du plateau de Saint-Émilion, offre un encépagement original, à parité entre le merlot et les cabernets.

Après un élevage de dix-huit mois en barrique, le vin est coloré, encore austère. Le bouquet, plutôt fermé, demande de l'aération pour libérer son fruit, dominé pour l'heure par un boisé fumé. La bouche, elle aussi, apparaît jeune, très charpentée, marquée par une pointe d'acidité et des tanins fermes qui lui permettront de bien vieillir. ⧗ 2019-2026 🍷 civet de sanglier ■ **La Vieille Dame de Trotte Vieille 2013 ★ (30 à 50 €; 10000 b.)** : un second vin charmeur, au nez flatteur de fruits mûrs, d'amande, de figue, de noix muscade et de cannelle, à la bouche suave, dont les tanins enrobés permettront une consommation prochaine. ⧗ 2018-2021

SCEA DU CH. TROTTEVIEILLE, 33330 Saint-Émilion, tél. 05 56 00 00 70, domaines@borie-manoux.fr

CH. VALADE 2013 ★

■ | 8000 | | 20 à 30 €

Les Valade sont établis dans le Castillonnais depuis 1878. Installé en 1979 et aujourd'hui épaulé par son fils Cédric, Paul Valade propose deux étiquettes – Brisson et Peyrat – bien connues des lecteurs. La famille a aussi mis un pied à Saint-Émilion, en 2007, avec le château… Valade, dirigé par Cédric. En 2015, le tandem a construit un chai à Saint-Christophe-des-Bardes.

Un pur merlot étonnamment jeune avec sa robe profonde à reflets violets et son bouquet gorgé de baies noires, rehaussé d'un discret boisé vanillé. La bouche est solide, à la fois ample et fraîche, structurée par des tanins très serrés qui demandent à se polir. ⧗ 2019-2026 🍷 côte de bœuf ■ **L'Étendard de Ch. Valade ★ (11 à 15 €; 29000 b.)** : un très bon second vin, coloré, au nez entre fruits noirs, épices douces et bois caramélisé, chaleureux en attaque, plus frais et finalement tannique dans son évolution. ⧗ 2017-2023

CÉDRIC VALADE, 6, Le Barrail, 33330 Saint-Christophe-des-Bardes, tél. 05 57 47 93 92, paul.valade@wanadoo.fr V r.-v.

VIRGINIE DE VALANDRAUD 2013 ★

■ | 20000 | | 30 à 50 €

Valandraud n'est plus le «vin de garage» qui a fait la réputation de Jean-Luc Thunevin dans les années 1990. Les 60 ares acquis en 1989 dans le vallon de Fongaban, entre Pavie-Macquin et La Clotte, sont devenus un cru à part entière: 10 ha aujourd'hui, essentiellement sur Saint-Étienne-de-Lisse. La consécration est arrivée en 2012 avec l'accession au rang de 1er grand cru classé B, sans passer par la case «classé».

Un second vin de Valandraud très intéressant. Très coloré, il offre un bouquet tout en finesse, centré sur un fruit noir bien mûr, avec des notes d'élevage discrètes et élégantes. Le palais prend bien le relais, souple, équilibré, étayé par des tanins boisés déjà enrobés. Agréable jeune, cette bouteille est assez consistante pour vieillir avec grâce. ⧗ 2018-2026 🍷 gigot d'agneau ■ **Clos Badon-Thunevin 2013 ★ (20 à 30 €; 8000 b.)** : un vin de caractère, marqué par les cabernets (50 %). La robe est intense. Le nez s'ouvre lentement sur les fruits noirs et un boisé réglissé. La bouche, corsée, épicée s'appuie sur de solides tanins de garde. ⧗ 2019-2026

SAS THUNEVIN (CH. VALANDRAUD), 6, rue Guadet, 33330 Saint-Émilion, tél. 05 57 55 09 13, thunevin@thunevin.com V r.-v.

CH. VIEILLE TOUR LA ROSE 2013

■ | 5600 | | 8 à 11 €

Depuis au moins quatre générations, la famille Ybert exploite une dizaine d'hectares dans le Libournais: Vieille Tour la Rose, 10,5 ha au hameau de La Rose, sur le flanc nord du coteau de Saint-Émilion, et Vieux Taillefer, petit cru de 53 ares au lieu-dit Taillefer à Pomerol. Sandrine Ybert-Bacles en a pris les commandes en 2008.

Ce vin plein de fraîcheur dévoile des arômes de cerise et de noyau dans un sillage finement boisé. La bouche est fine et alerte, adossée à des tanins boisés qui assurent l'arrière-garde. Un style «bourgeois» pour ce vin sérieux, mais très abordable, à commencer par son prix. ⧗ 2017-2021 🍷 côte de veau forestière

SCEA VIGNOBLES DANIEL YBERT, lieu-dit La Rose, 33330 Saint-Émilion, tél. 05 57 24 73 41, contact@vignoblesybert.fr V r.-v.

CH. VIEUX SARPE 2013 ★

■	6500		20 à 30 €

Négociants-éleveurs et producteurs d'origine corrézienne, les Janoueix sont propriétaires de nombreux crus dans le Libournais. Leur histoire débute en 1898 quand Jean Janoueix fonde son commerce de vin, aidé de ses quatre fils. L'un d'eux, Joseph, acquiert son propre domaine (Haut Sarpe à Saint-Émilion) en 1930 et créé sa maison de négoce en 1932. Son fils Jean-François est aux commandes de ce vaste ensemble.

Le cru classé Haut-Sarpe est le fleuron et la première acquisition de Joseph Janoueix: 21,5 ha de vignes sur le point culminant du coteau de Saint-Émilion, commandés par un château de caractère. Vieux Sarpe est le second vin. Un vin de pur merlot, dont la robe commence à présenter quelques reflets d'évolution. Le bouquet naissant, très fin, repose sur les fruits rouges, avec une élégante touche de tabac blond. L'attaque fraîche et fruitée ouvre sur un palais flatteur, aux tanins boisés très discrets. Un style «vin plaisir», à boire plutôt jeune. ⧗ 2017-2021 ♈ lapin aux pruneaux

SE DU CH. HAUT-SARPE, 37, rue Pline-Parmentier, BP 192, 33506 Libourne Cedex, tél. 05 57 51 41 86, info@j-janoueix-bordeaux.com V r.-v. *Jean-François Janoueix*

CH. VILLHARDY 2013 ★★

■	2400		30 à 50 €

Jusqu'alors spécialiste du matériel de chai, Stéphane Bedenc s'est installé en 2001 à partir d'une parcelle de 1 ha à proximité de Libourne (Ch. Villhardy), complétée en 2005 par les 4,5 ha de Maro de Saint-Amant, au sud de l'appellation.

Cette cuvée confidentielle comporte 50 % de cabernet franc qui lui confèrent une personnalité très intéressante. La robe est pimpante, le bouquet intense encore dominé par les notes grillées de la barrique chauffée, mais le fruit perce à l'aération, accompagné d'une agréable note de beurre noisette. Chaleureux, ample et corsé au palais, ce 2013 est charpenté par de solides tanins boisés qui en font un vrai vin de garde. ⧗ 2020-2028 ♈ côte de bœuf ■ Ch. Maro de Saint-Amant Cuvée Léo 2013 ★ (11 à 15 €; n.c.) : un grand cru classique, marqué par le merlot (90 %). Robe intense, nez centré sur les fruits noirs bien mûrs, soulignés d'un discret boisé, bouche assez souple, aux tanins aimables. ⧗ 2017-2022

STÉPHANE BEDENC, 225, Destieu, 33330 Saint-Sulpice-de-Faleyrens, tél. 05 57 25 26 67, vignobles-bedenc@wanadoo.fr V r.-v.

CH. JEAN VOISIN Fagouet 2013 ★

■	7800		11 à 15 €

En 1955, le Corrézien Amédée Chassagnoux acquiert le Ch. Jean Voisin, à Saint-Émilion (14 ha aujourd'hui). Son fils Pierre prend la suite, puis Xavier le petit-fils, qui s'installe en 1978 dans le Fronsadais, au Ch. Renard.

Dans un millésime difficile, le château n'a pas produit de premier vin, mais seulement sa seconde cuvée Fagouet. Cela lui permet de proposer un grand cru très honorable, à un prix abordable. Le bouquet délicat mêle des senteurs florales, fruitées et vanillées. La bouche est dominée par des arômes de petits fruits rouges, en harmonie avec sa texture ronde et ses tanins élégants, qui permettront d'apprécier ce vin dans sa jeunesse. ⧗ 2017-2021 ♈ entrecôte grillée

GFA CHASSAGNOUX, Jean Voisin, 33330 Saint-Émilion, tél. 05 57 24 70 40, jeanvoisin.chassagnoux@orange.fr V r.-v.

CH. YON-FIGEAC 2013

■ Gd cru clas.	40000		20 à 30 €

99 **00** 03 05 07 |09| 10 11 **12** 13

L'un des plus vastes domaines de l'appellation: 24 ha entourant un parc ombragé et un château du XVIIIes. dans le secteur de Figeac, entre Libourne et Saint-Émilion. Un cru mentionné pour la première fois en 1886 et classé depuis 1955. L'industriel Alain Château, son cinquième propriétaire, arrivé en 2005, a rénové l'ensemble, vignoble et bâtiments, et s'est adjoint les services de Denis Dubourdieu.

Un soupçon de petit verdot (5 %), cépage plus fréquent dans le Médoc qu'en Libournais, apporte une touche d'originalité à un assemblage par ailleurs typique de Saint-Émilion (merlot majoritaire et cabernet franc). À l'agitation, le nez s'ouvre sur des arômes assez fins, à dominante boisée et aux accents de gibier. Après une attaque souple, fraîche et fruitée, les tanins du merrain prennent le dessus, avec une note épicée assez caractéristique du terroir. Ce vin joue plus sur le registre de la finesse que de la puissance, mais il devrait bien évoluer. ⧗ 2018-2024 ♈ souris d'agneau confite

CH. YON-FIGEAC, 3, lieu-dit Yon, 33330 Saint-Émilion, tél. 05 57 84 82 98, info@vignobles-alainchateau.com V r.-v. *Alain Château*

▶ LES AUTRES APPELLATIONS DE LA RÉGION DE SAINT-ÉMILION

Plusieurs communes, limitrophes de Saint-Émilion et placées jadis sous l'autorité de sa jurade, sont autorisées à faire suivre leur nom de celui de leur célèbre voisine. Toutes sont situées au nord-est de la petite ville, dans une région pleine de charme, rythmée par des collines dominées par de prestigieuses demeures historiques et des églises romanes. Les sols sont très variés et l'encépagement est le même qu'à Saint-Émilion; aussi la qualité des vins est-elle proche de celle des saint-émilion.

LUSSAC-SAINT-ÉMILION

Superficie : 1 440 ha / Production : 85 000 hl

Lussac-saint-émilion est l'une des aires du Libournais les plus riches en vestiges gallo-romains. Au centre et au nord de l'AOC, le plateau est composé de sables

du Périgord alors qu'au sud le coteau argilo-calcaire forme un arc de cercle bien exposé.

CH. BEL-AIR 2013

■ | 40000 | | 8 à 11 €

Un domaine de 21 ha d'un seul tenant, dans la même famille depuis plus d'un siècle. Jean-Noël Roi est aux commandes depuis 1978.

Une robe limpide et engageante, un nez de fruits rouges et noirs titillés de légères notes boisées et une bouche suave et ronde, aux tanins polis. Du classique sans ostentation. ⧗ 2016-2019 ⟟ grillades

EARL CH. BEL-AIR, 1, Bel-Air, 33570 Lussac, tél. 05 57 74 60 40, jean.roi@wanadoo.fr V r.-v. *Jean-Noël Roi*

CH. BUSQUET 2013

■ | 50000 | | 11 à 15 €

Les Robin, propriétaires et négociants installés de longue date dans le Libournais, exploitent plusieurs propriétés dans le Libournais: Ch. le Castelet en pomerol, Ch. Busquet et son deuxième vin, Ch. de Vert en lussac, châteaux Planty, la Graside et le Cadarsac en AOC régionales. Aux commandes de l'ensemble, Dominique Robin est épaulée depuis 2008 par sa fille Pauline, œnologue.

Ce 2013 présente de bons arguments. On aime la profondeur de sa robe autant que ses arômes de fruits mûrs, de poivre et de vanille agrémentés de quelques notes végétales. La bouche, ample et structurée, est encore sous la dépendance d'un boisé de bonne facture et de tanins vigoureux qui appellent la garde. ⧗ 2018-2021 ⟟ coq au vin

DOMINIQUE ROBIN, 26, rue Michel-Montaigne, 33500 Libourne, tél. 06 07 86 77 18, d-robin@lesvinsrobin.com V *t.l.j. sf sam. dim. 9h-12h 15h-17h; f. juil.-août*

CH. CAILLOU LES MARTINS 2013 ★

■ | 30000 | | 8 à 11 €

Un domaine de 7 ha, propriété de Jean-François Carrille, également à la tête de deux crus classés de Saint-Émilion (Ch. Cardinal-Villemaurine et le Clos Villemaurine).

Merlot et cabernet franc s'enracinent sur l'argilo-calcaire de Caillou Les Martins qui jouxte les terroirs du noble voisin de Saint-Émilion. Ici, on vendange à la main et l'élevage en fût n'occupe que huit mois sur les dix-huit consacrés à ce vin. Un vin joliment drapé de pourpre, qui dévoile au nez un fruité distingué, prélude à une bouche équilibrée, ample, ronde, suave, soutenue par une bonne fraîcheur et des tanins fermes. ⧗ 2019-2022 ⟟ poitrine de veau

JEAN-FRANÇOIS CARRILE, Pl. du Mercadieu, 33330 Saint-Émilion, tél. 05 57 24 64 40 V *r.-v.*

CH. LA CLAYMORE 2013

■ | 20000 | | 11 à 15 €

François et Maria-Dolorès Linard, couple d'ingénieurs en agroalimentaire, ont acquis en 2001 le Ch. la Claymore, du celte *ClaimhMhor*, la grande épée des Highlanders: le domaine fut une zone de garnison des troupes écossaises lors de la bataille de Castillon. Le vignoble couvre aujourd'hui 52 ha répartis sur trois AOC: lussac (Claymore et Moulin de Fontmurée), montagne (Flaunys) et bordeaux (Cilorn).

Issu de merlot (85 %), de cabernet franc et d'une touche de malbec, connu ici sous le nom de «petit noir de Pressac», ce lussac présente un léger tuilé qui signe un vin déjà évolué. Agréable, le nez délivre des arômes de fruits stimulés par un boisé discret. En bouche, le merlot joue sa partition et donne un vin tendre et rond, nanti d'une jolie fraîcheur en finale. ⧗ 2017-2020 ⟟ selle d'agneau

FRANÇOIS LINARD, SCEA Claymore, Maison-Neuve, 33570 Lussac, tél. 05 57 74 67 48, contact@laclaymore.fr V *t.l.j. sf sam. dim. 9h-12h 14h-16h*

CH. LES COUZINS Cuvée Prestige 2013

■ | 6000 | | 11 à 15 €

Robert Seize, installé depuis 1985, exploite un vignoble de 22 ha, répartis entre les appellations lussac (Ch Les Couzins) et puisseguin (Ch. Gabriel).

«Un vin agréable pour son croquant et sa buvabilité», note l'un des jurés à propos de cette cuvée élevée un an en fût. Au nez, un boisé léger accompagne un fruité fin; en bouche, c'est souple, frais, fluide sans sécheresse et de bonne longueur. ⧗ 2017-2020 ⟟ steak tartare

ROBERT SEIZE, Les Couzins, 33570 Lussac, tél. 05 57 74 60 67, les.couzins@wanadoo.fr V *t.l.j. 9h-12h 14h-19h*

CH. CROIX DE RAMBEAU 2013 ★

■ | 35000 | | 11 à 15 €

Issu d'une lignée vigneronne établie dans le Libournais depuis 1628, Jean-Louis Trocard, installé en 1976, conduit plusieurs propriétés représentant un vaste ensemble de 88 ha. La Croix de Rambeau, 6,5 ha d'argiles rouges, a été acquis en 1940 par Jean Trocard.

Une valeur sûre du Saint-émilionnais qui n'a pas manqué son rendez-vous avec le Guide et propose un 2013 aux accents du terroir. Quatorze mois de fût ont peaufiné une olfaction complexe (fruits noirs, épices) et une bouche massive et charnue, dotée de tanins solides qui ne demandent qu'à s'affiner. Un vin racé et de bonne garde. ⧗ 2019-2023 ⟟ cailles aux raisins

VIGNOBLES JEAN-LOUIS TROCARD (CH. CROIX DE RAMBEAU), 1175, rue Jean-Trocard, 33570 Les Artigues-de-Lussac, tél. 05 57 55 57 90, contact@trocard.com V *t.l.j. 8h30-12h 14h-17h30; sam. dim. sur r.-v.*

CH. CROIX DU RIVAL 2013

■ | 56000 | | 11 à 15 €

Créée par un groupe d'amis réunis autour de Stephan Von Neipperg (Canon La Gaffelière à Saint-Émilion) et Didier Miqueu, la SCEA Winevest Saint-Émilion a acquis en 2005 le Ch. Soleil, 20 ha à

Puisseguin, complétés en 2007 de la même surface en lussac avec le Ch. Croix du Rival.

Après plus de douze mois d'élevage en fût, ce 100 % merlot (vinifié dans les chais du Ch. Soleil) dévoile au nez un boisé élégant, sur le cacao, le café et les épices. Arômes accompagnés de quelques notes végétales dans une bouche agréable, plutôt légère, aux tanins mûrs et fins. ⌛ 2017-2020 🍴 bœuf mode

SCEA WINEVEST SAINT-ÉMILION, 32, rte de Saint-Émilion, 33570 Puisseguin, tél. 09 75 69 65 75, info@chateausoleil.fr

CH. DE LA GRENIÈRE
Cuvée de la Chartreuse 2013 ★

■ | 6000 | | 11 à 15 €

Au XVII[e]s., les moines de la proche abbaye de Faize venaient s'approvisionner au domaine de la Grenière, déjà réputé pour la qualité de ses vins. Depuis 1914, c'est la famille Dubreuil (Jean-Pierre et son épouse Évelyne aujourd'hui) qui gère ce cru de 15 ha régulier en qualité, implanté sur des terres argilo-graveleuses.

Cette cuvée répond aux canons de l'appellation. Les jurés ont aimé sa seyante tenue grenat ornée de reflets tuilés, son bouquet de fruits rouges doucement épicés et sa bouche dense, ronde et charnue, épaulée par une belle fraîcheur en finale. ⌛ 2017-2020 🍴 daube de bœuf ■ **2013 (8 à 11 €; 20000 b.)** : vin cité.

VIGNOBLES JEAN-PIERRE DUBREUIL, 14, lieu-dit La Grenière, 33570 Lussac, tél. 05 57 24 16 87, earl.dubreuil@wanadoo.fr V r.-v.

CH. LA JORINE 2013 ★★

■ | 20000 | | 8 à 11 €

Dominé par une chapelle du XI[e]s., ancienne étape sur la route de Saint-Jacques, un domaine du Libournais créé en 1964 par Henri Fagard, maître de chai. Son fils Henri-Louis lui succède en 1983 et achète en 1995 des vignes dans l'AOC voisine lussac-saint-émilion. Aujourd'hui, 20 ha et deux étiquettes: Ch. de Cornemps (AOC régionales) et Ch. la Jorine (lussac).

Ce 2013, finaliste du jury des coups de cœur, ne peut laisser indifférent. Le brillant drapé de sa robe pourpre invite à poursuivre. Puissant, vineux, le nez déploie d'intenses arômes de fruits mûrs, résultat d'une forte présence du merlot (90 %). Le prélude à un palais riche, suave et dense, dont les tanins robustes et impétueux n'affectent pas l'équilibre. Un lussac de caractère et de gastronomie. ⌛ 2019-2024 🍴 civet de sanglier

VIGNOBLES FAGARD, 8, Cornemps, 33570 Petit-Palais, tél. 05 57 69 73 19, vignobles.fagard@wanadoo.fr V r.-v.

CH. DES LANDES Cuvée Tradition 2013

■ | 160000 | | 8 à 11 €

Conducteur de fours dans une tuilerie locale, Paul Lassagne achète en 1952 un petit vignoble (2 ha) à Lussac et crée le Ch. des Landes; aujourd'hui, 32 ha conduits par le fils Daniel et le petit-fils Nicolas, qui proposent des lussac-saint-émilion ainsi que des bordeaux avec le Ch. des Arnauds, un vignoble de 4 ha créé de toutes pièces en 1985.

Cette cuvée a déjoué les embûches d'un millésime compliqué. Si les nuances acajou de la robe marquent un brin d'évolution, on ne restera pas insensible à son nez fruité rehaussé de notes épicées. La bouche, certes un peu fugace mais souple et soyeuse, finit sur de petites notes d'amertume pas désagréables. Prévoir un peu de garde. ⌛ 2017-2020 🍴 steak au poivre

EARL DES VIGNOBLES DU CH. DES LANDES, 5, La Grenière, 33570 Lussac, tél. 05 57 74 68 05, info@chateau-des-landes.fr V *t.l.j. 8h30-12h 13h30-18h30*
Daniel et Nicolas Lassagne

CH. DE LUSSAC 2013 ★

■ | 35400 | | 11 à 15 €

Quitter la vie parisienne pour s'installer à Lussac afin de rendre au château éponyme (32 ha) son lustre passé, c'est le pari tenté – et tenu depuis 2000 – par Hervé Laviale et son épouse Griet Van Malderen, également propriétaires de Vieux Maillet (pomerol) et de Franc-Mayne (saint-émilion grand cru).

Le merlot, très majoritaire, accompagné du cabernet franc et d'un soupçon de petit verdot composent un assemblage harmonieux élevé treize mois au contact du chêne. Résultat: un lussac généreux, qui offre au nez un fruité délicat agrémenté d'un boisé de bonne facture. La bouche confirme: une attaque souple et ronde, de la densité, des tanins serrés et une longue finale. ⌛ 2019-2024 🍴 magret ■ **Le Libertin de Lussac 2013 (8 à 11 €; 13300 b.)** : vin cité.

SCEA CH. DE LUSSAC, 15, rue de Lincent, 33570 Lussac, tél. 05 57 74 56 58, info@chateaudelussac.com V *r.-v.* 5
Laviale - Van Malderen

CH. RIEU DE L'ORMEAU 2013

■ | 50000 | | 8 à 11 €

Créée en 1938, la très qualitative cave des producteurs réunis de Puisseguin-Lussac-Saint-Émilion s'illustre régulièrement dans ces pages. Elle représente aujourd'hui quelque 200 adhérents et 1 200 ha de vignes.

La cave a joué l'option fruit et «vin plaisir» pour ce 2013 aguicheur dans sa tenue rubis. Expressif à l'olfaction, sur les fruits noirs, la fraise écrasée et un léger mentholé, il révèle une bouche ronde, souple et suave, portée par des tanins mûrs. Un vin goûteux, relevé par une finale fraîche. ⌛ 2016-2020 🍴 saucisses et pommes sautées ■ **Ch. les Vieux Chênes 2013 (5 à 8 €; 30000 b.)** : vin cité. ■ **Ch. Chapelle la Rose Prestige 2013 (8 à 11 €; 30000 b.)** : vin cité. ■ **Ch. Bois Tiffray 2013 (5 à 8 €; 36000 b.)** : vin cité.

VIGNERONS DE PUISSEGUIN-LUSSAC-SAINT-ÉMILION, 1, lieu-dit Durand, D 17, 33570 Puisseguin, tél. 05 57 55 50 40, accueil@vplse.com V *r.-v.*

♥ CH. LA ROSE PERRIÈRE 2013 ★★

■ | 10900 | ◍ | 15 à 20 €

Jean-Luc Sylvain, tonnelier réputé du Libournais, exerce son talent non seulement sur le contenant mais aussi sur le contenu, à travers deux domaines: le Ch. la Perrière à Lussac, un cru de 14 ha d'origine monastique acquis en 2003, et le Clos les Grandes Versannes, grand cru de Saint-Émilion repris en 2004, une petite vigne (1 ha) plantée sur les sables et les graves de Saint-Sulpice-de-Faleyrens, dans sa famille depuis trois générations.

«Grand crack de la barricaille», Jean-Luc Sylvain n'en demeure pas moins vigneron émérite. En atteste la présence continue de La Perrière dans les pages du Guide. Sa Rose Perrière 2013 décroche un coup de cœur qui fait écho à celui obtenu pour le 2011. Merlot (90 %) et cabernet franc, vendangés à la main, se sont épanouis en barriques de 500 l. En résulte un lussac superbe dans sa robe sombre et profonde comme par son nez exubérant de fruits noirs et de griotte agrémentés de notes empyreumatiques, vanillées et épicées. La bouche se révèle très puissante, encadrée de tanins denses et soyeux, soulignée par une fraîcheur avenante qui vient sublimer une longue finale. Un vin déjà très au point, qui ne dédaignera pas un séjour en cave. ⧗ 2017-2026 ♈ civet de lièvre ■ **Ch. la Perrière 2013 ★ (8 à 11 €; 19300 b.)** : un bouquet très en verve, sur des notes de fruits cuits, et une bouche nantie de petits tanins serrés bien maîtrisés composent un lussac franc et harmonieux. ⧗ 2019-2023

⊶ VIGNOBLES JEAN-LUC SYLVAIN, Ch. la Perrière, 33570 Lussac, tél. 05 57 74 51 33, mail@vignobles-jlsylvain.com V 🚶 ▪ *r.-v.* 🏠 5

CH. TOUR DE SÉGUR 2013 ★

■ | 65000 | ◍ | 8 à 11 €

Le Ch. de Barbe blanche, que le roi Henri IV apporta au royaume de France lors de son accession au trône, est la propriété d'André Lurton et d'André Magnon depuis 2000. Le domaine (28 ha) produit également les châteaux Prieuré Lalande et Tour de Ségur.

L'assemblage du merlot (70 %) et des deux cabernets donne ici un vin bien campé au nez sur les fruits rouges et noirs mâtinés d'un boisé épicé discret. La bouche est souple et ronde, portée par une structure légère. L'archétype du «vin plaisir», à boire sans chichi pour des joies simples et immédiates. ⧗ 2016-2020 ♈ lasagnes

⊶ ANDRÉ LURTON, Ch. Bonnet, 33420 Grézillac, tél. 05 57 25 58 58, andrelurton@andrelurton.com V ▪ *r.-v.*

VIEUX CHÂTEAU DES ROCS 2013

■ | 5000 | ◍ ▮ | 8 à 11 €

Propriété familiale depuis quatre générations, ce domaine étend ses 7 ha de vignes en plein cœur des coteaux argilo-calcaires de Lussac. Le jeune Guillaume Seize est aux commandes depuis août 2014.

Le domaine tire son épingle d'un jeu difficile imposé en 2013 par des conditions climatiques particulièrement hostiles à la vigne. Son vin a été l'objet de soins attentifs (macération préfermentaire à froid, contrôle des températures, macération sous marc) avant d'être élevé en cuve, puis en fût. Cela donne un lussac de belle allure dans sa robe pourpre, riche d'une olfaction fruitée, plein et croquant en bouche. Une petite attente permettra de discipliner ses tanins encore un peu austères en finale. ⧗ 2018-2021 ♈ côte de veau

⊶ SEIZE, le Canton, 33570 Lussac, tél. 06 83 65 77 06, contact@vieuxchateaudesrocs.com V ▪ *r.-v.*

LE BORDELAIS

MONTAGNE-SAINT-ÉMILION

Superficie : 1 600 ha / Production : 91 600 hl

Montagne dispose d'un riche patrimoine architectural et d'une église romane (Saint-Martin) qui constitue l'un des joyaux de la région. Ses terroirs sont variés: argilo-calcaires ou graves. Le visiteur pourra apprécier la vocation viticole du village dans l'écomusée du Libournais.

CLOS BERTINEAU Cuvée Benjamin 2013

■ | 2300 | ◍ | 11 à 15 €

Fils d'ouvrier viticole, directeur technique au Ch. la Fleur de Boüard (propriété d'Hubert de Boüard en lalande-de-pomerol) et consultant avec ce même Hubert de Boüard auprès d'une soixantaine de châteaux dans le Bordelais et à l'étranger, Philippe Nunes a acheté en 2005 un microcru de 38 ares en montagne-saint-émilion, le Clos Bertineau puis, en 2012, le Ch. la Laurence dans l'Entre-deux-Mers (6,6 ha de merlot sur argilo-calcaires).

Il ne faudra pas se montrer trop pressé pour déguster ce 100 % merlot doté de tanins solides au contact du merrain. Un vin sombre et intense qui s'ouvre au nez sur un imposant fruité (cassis, mûre) agrémenté de réglisse et de musc. Une attaque large ouvre sur un palais vineux, encore dominé par le bois. ⧗ 2019-2022 ♈ civet de lapin aux pruneaux

⊶ PHILIPPE NUNES, Clos Bertineau, BP 5, 33570 Montagne, tél. 06 81 99 37 32, contact@closbertineau.fr V 🚶 ▪ *r.-v.*

CH. CORBIN 2013 ★

■ | 100000 | ◍ ▮ | 8 à 11 €

Dans le Saint-Émilionnais, le nom Corbin apparaît dès le Moyen Âge. L'ancienne seigneurie de Montagne est dans la famille Rambeaud depuis... 1606. Une propriété de 37 ha aujourd'hui, qui produit en saint-georges-saint-émilion et en montagne-saint-émilion, avec Jacques Rambeaud à sa tête depuis 2010.

Un montagne de belle envergure, riche d'une olfaction complexe où les arômes de fruits rouges (framboise en tête) se disputent la vedette avec de fines senteurs d'épices et de cuir. La bouche, ample et dense, est dotée de tanins fermes, soulignés par un boisé harmonieux et une fine fraîcheur qui ajoute du tonus à l'ensemble. Un vin qui s'appréciera aussi bien jeune que pâtiné par la garde. ⧗ 2017-2022 🍷 volaille aux cèpes

⊶ *CH. CORBIN, SCEA F. Rambeaud, 33570 Montagne, tél. 05 57 74 62 41, info@chateaucorbin.fr* V 🚶 ! *r.-v.*

LA CROIX BASTIENNE 2013 ★

■	800	🛢	11 à 15 €

Installés en 2000 au Ch. de Lussac, Griet Van Malderen, fille d'un industriel flamand, et son mari Hervé Laviale, ancien journaliste, ont investi dans plusieurs vignobles libournais, où ils associent viticulture et œnotourisme. Ils ont acquis Vieux Maillet (pomerol) en 2004, 8,65 ha dans le secteur du Maillet, complété par une petite vigne en lalande, vers le moulin de Lavaud, et par 28 ares dédiés à un très confidentiel montagne-saint-émilion, la Croix Bastienne.

Un 100 % merlot qu'il sera bien difficile de trouver sur le marché... Les rares élus apprécieront son intensité aromatique autour de la myrtille, de la réglisse et des épices, ainsi que son palais ample et bien équilibré entre tanins du bois et tanins du vin. ⧗ 2019-2024 🍷 gigot d'agneau

⊶ *SCEA CH. VIEUX MAILLET, 16, chem. de Maillet, 33500 Pomerol, tél. 05 57 74 56 80, info@chateauvieuxmaillet.com* V 🚶 ! *r.-v.* ⊶ *Laviale-Van Malderen*

CH. FAIZEAU 2013

■	32851	🛢 🍶	11 à 15 €

La Société fermière des Grands Crus de France est la structure spécialisée dans le Bordelais du groupe Grands Chais de France. Son œnologue Vincent Cachau vinifie le fruit de quinze propriétés, représentant 390 ha dans les différentes AOC bordelaises.

Le nom de ce cru – 12 ha d'un seul tenant sur les pentes du tertre de Calon – fait référence à l'abbaye bénédictine de Faize située à proximité de la propriété. Son 2013 propose un nez de fruits noirs un brin confits et une bouche souple en attaque, charnue et portée par des tanins fermes, encore assez austères mais prometteurs. ⧗ 2019-2022 🍷 lamproie à la bordelaise

⊶ *STÉ FERMIÈRE DES GRANDS CRUS DE FRANCE, 33460 Lamarque, tél. 05 57 98 07 20*

CH. FORLOUIS 2013

■	30000	🛢 🍶	11 à 15 €

La maison de négoce de François Janoueix, descendant d'une branche de ces Corréziens qui ont fait la richesse de Libourne, est également propriétaire de nombreux crus composant un vaste ensemble de plus de 100 ha.

Au début du XXe s., ce vignoble situé au nord-est de Saint-Émilion appartenait à la famille Arnaud, alors propriétaire de Petrus. Un cru de 12 ha, acquis en 1970 par la maison François Janoueix. Son 2013 charme avant tout par son olfaction intense de fruits rouges bien mariés au toasté de la barrique. La bouche, simple mais équilibrée, reste souple de bout en bout. À boire sur le fruit. ⧗ 2016-2019 🍷 rumsteak aux pleurotes

⊶ *SCEA VIGNOBLES FRANÇOIS JANOUEIX, 20, quai du Priourat, BP 135, 33502 Libourne Cedex, tél. 05 57 55 55 44, vins@janoueixfrancois.com* V 🚶 ! *r.-v.*

CH. GACHON 2013 ★

■	22000	🛢 🍶	5 à 8 €

À son retour de la Grande Guerre, Jean-Baptiste Arpin achète 1 ha à Pomerol, dans le secteur du Maillet. Aujourd'hui, ses petit-fils et arrière-petit-fils Gérard et Gaël exploitent 37 ha en pomerol, saint-émilion, montagne et lalande, et proposent régulièrement de très bons vins.

En 1950, Sylviane Arvouet épouse Guy Arpin; dans la corbeille de la mariée, ce cru de 21 ha constitué par sa famille (d'anciens agriculteurs et carriers) à la fin du XIXe s. Le 2013 est un vin solide, à la robe dense et profonde. Le nez, complexe, mêle les fruits mûrs, la réglisse et les notes empyreumatiques transmises par le merrain. La bouche se révèle ample, riche et tannique, sous-tendue par une fine acidité qui lui donne de l'allonge et du potentiel de garde. ⧗ 2019-2026 🍷 baron d'agneau

⊶ *SCEA VIGNOBLES G. ARPIN, Chantecaille, 33330 Saint-Émilion, tél. 09 71 58 23 49, vignobles.g.arpin@wanadoo.fr* V 🚶 *r.-v.*

CH. GRAND BARIL Cuvée Prestige 2013 ★

■	21458	🛢	8 à 11 €

Créé en 1969, le lycée viticole de Libourne-Montagne exploite, avec des essais en bio depuis 2006, un domaine de 40 ha répartis sur deux crus: Grand Baril en montagne-saint-émilion et Réal Caillou en lalande-de-pomerol.

Belle réussite pour le lycée viticole de Montagne dans ce millésime à haut risque. Sa cuvée Prestige, outre sa lumineuse parure pourpre, se distingue par une olfaction intense unissant les fruits mûrs et un boisé délicat, aux accents toastés. Frais, ample et persistant, le palais s'adosse à des tanins croquants et à un boisé bien assimilé. ⧗ 2018-2022 🍷 entrecôte aux cèpes ■ **2013 ★ (8 à 11 €; 26588 b.)** : élevé dix-huit mois en cuve, le vin principal du domaine est plaisant, expressif (fruits noirs, nuances florales), souple, consistant et charnu, aux tanins aimables. ⧗ 2017-2021

⊶ *LYCÉE VITICOLE LIBOURNE-MONTAGNE, 7, Grand-Barrail, 33570 Montagne, tél. 05 57 55 21 22, expl.legta.libourne@educagri.fr* V 🚶 ! *t.l.j. sf sam. dim. 8h-12h 14h-17h; f. 1er-15 août*

CH. HAUT BONNEAU Vieilles Vignes 2013

■	15000	🛢	11 à 15 €

Développée au XIXe s. par Hubert David, ingénieur agronome, qui l'achète en 1822, cette propriété a changé plusieurs fois de mains. Maurice Marchand l'acquiert en 1969 et la transmet à son fils Bruno trente ans plus tard. Le domaine s'étend aujourd'hui sur 20 ha, essentiellement en AOC montagne-saint-émilion.

La robe très sombre et dense de ce 2013 laisse imaginer un vin puissant. De fait, à un nez intense de fruits noirs confits (gelée de mûre, cerise noire), d'épices et de grillé répond un palais ardent, ample et très tannique, encore renforcé par un boisé vigoureux. Pour amateurs de vins massifs. ⧗ 2019-2026 🍷 côte de bœuf

⊶ *SCEA CH. HAUT BONNEAU, 4, Bonneau, 33570 Montagne, tél. 05 57 74 69 25, bm@chateau-haut-bonneau.com* V 🚶 ! *r.-v.* ⊶ *Marchand*

CH. LABATTUT 2013 ★

■ | 11500 | | 8 à 11 €

Créée en 1931, la coopérative de Saint-Émilion est un acteur incontournable du Libournais, et ses cuvées – vins de marque (Aurélius, Galius…) ou de domaines (une cinquantaine de propriétés apportent leur vendange à la « coop ») – sont régulièrement au rendez-vous du Guide.

L'intensité lumineuse de sa tenue pourpre aux reflets indigo a de quoi séduire. Elle annonce une olfaction intense où les arômes de fruits rouges et noirs flirtent avec les épices douces et le cacao. Ronde et suave en attaque, la bouche prolonge ses saveurs fruitées et épicées, bien épaulée par des tanins séveux et disciplinés et dynamisée par une finale fraîche qui signe le millésime. Du potentiel. 2019-2026 rôti de veau aux morilles

UNION DE PRODUCTEURS DE SAINT-ÉMILION, Haut-Gravet, BP 27, 33330 Saint-Émilion, tél. 05 57 24 70 71, contact@udpse.com V r.-v.

TAGE DE LESTAGE 2013 ★

■ | 24000 | | 11 à 15 €

Situé à Parsac, le cru aurait été donné par Louis XIII à un officier de ses armées en récompense de hauts faits au siège de la Rochelle. Il couvre aujourd'hui près de 19 ha en montagne saint-émilion. Philippe Raoux (Ch. d'Arsac à Margaux) l'avait acquis en 2000. Cette valeur sûre de l'appellation a été vendue en décembre 2014 à Sergueï Belikov, industriel et négociant russe, qui, après avoir fait fortune dans la climatisation, s'est intéressé aux vins français.

La robe est sombre et l'olfaction complexe, épanouie à l'aération autour d'un fruité généreux, confituré, de notes de poivre et de menthol. La bouche, ample, vineuse, toute en souplesse et rondeur, est soutenue par des tanins sages et soyeux. Belle finale épicée, agrémentée de saveurs de moka. 2018-2022 pintade rôtie ■ **Ch. Lestage 2013 ★ (15 à 20 €; 12000 b.)** : un 100 % merlot au nez épicé, floral et fruité, plein, dense et bien bâti autour de tanins présents sans dureté et d'un bon boisé. 2018-2022

SCEA IMPULSION VIN, Ch. Lestage, 33570 Montagne, tél. 05 57 74 66 41, cedric.gonthier@wanadoo.fr V *r.-v.* *Belikov*

CH. MESSILE-AUBERT 2013 ★

■ | 40000 | | 11 à 15 €

Propriétaire de vignes depuis plus de deux siècles, la famille Aubert – aujourd'hui les frères Alain, Daniel et Jean-Claude, épaulés par leurs enfants – exploite 300 ha et de nombreux domaines du Bordelais, essentiellement en Libournais, avec pour fleuron le Ch. la Couspaude, grand cru classé de Saint-Émilion depuis 1996, acquis en 1908.

Un beau montagne, et même très beau compte tenu du millésime. Si la brillante tenue pourpre laisse deviner quelques notes d'évolution, l'olfaction, intense, est celle d'un vin abouti, très harmonieux: fruits noirs, épices douces, touche mentholée et discrétions chocolatées. Une même maîtrise caractérise la bouche, ample, soyeuse et racée, soutenue par des tanins à la fois serrés et soyeux et par un boisé bien ajusté. 2019-2023 poule faisane braisée

VIGNOBLES AUBERT, Ch. la Couspaude, 33330 Saint-Émilion, tél. 05 57 40 15 76, vignobles.aubert@wanadoo.fr

CH. DE MUSSET
Les cabernets Élevé en fût de chêne 2013

■ | 10000 | | 8 à 11 €

Situé sur la commune de Parsac, ce pittoresque domaine viticole de 7,5 ha acheté par Pierre Musset en 1887 s'est transmis de génération en génération jusqu'à Élisabeth et Marc Lecomte, en charge des lieux depuis 2005.

Les seuls cabernets (70 % pour le franc, 30 % pour le sauvignon) ont été utilisés pour le 2013 du domaine car ils ont mieux mûri que les merlots. Dans le verre, un vin au nez toasté et fruité, au palais bien structuré autour de tanins de bonne extraction et d'un boisé pour l'heure dominateur. À attendre pour plus de fondu. 2019-2022 entrecôte bordelaise

SCEA CH. DE MUSSET, Musset-Parsac, 33570 Montagne, tél. 05 57 24 77 65, chateaudemusset@yahoo.fr V *r.-v.* *Gadenne*

CH. PAVILLON FERRAND 2013

■ | 4500 | | 8 à 11 €

Maryse François et Michel Saurue ont créé ce cru en 1993 à partir de 1 ha de vignes. Leur vignoble couvre aujourd'hui 14 ha, et leurs enfants Anne-Sophie et Paul-Auguste ont rejoint l'aventure.

Robe rubis intense, nez franchement orienté vers les fruits rouges, bouche ronde et équilibrée, étayée par des tanins de bonne facture, encore un brin sévères en finale: un montagne plutôt gourmand. 2017-2020 rosbif

VIGNOBLES FRANÇOIS SAURUE, lieu-dit Penan-Laplagne, 33570 Puisseguin, tél. 06 89 34 85 18, paul-auguste@francois.saurue.fr V *r.-v.*

♥ CH. PONTET BAYARD 2013 ★★

■ | 30000 | | 11 à 15 €

Julien Richard a pris la suite de Fanny en 2013 à la tête de ce cru de 10 ha acquis par la famille en 1956, sur lequel sont dispensés des soins raisonnés (compost naturel, vendanges manuelles) pour proposer des vins souvent en bonne place dans ces pages. Trois étiquettes ici: Ch. Tour Bayard, Ch. Pontet Bayard et Ch. la Croix Guillotin.

Vendangés à la main, merlot (85 %) et cabernet franc ont associé leurs qualités respectives – volume et finesse – dans ce 2013 remarquable, arraché de haute lutte à un millésime qui n'a pas fait de cadeau. Un vin élégant dans sa brillante robe pourpre, séduisant par ses arômes de fruits rouges, d'épices douces, de pain grillé et de brioche, emballant par son palais ample, dense et gras, étayé par des tanins fermes et un boisé respectueux. L'avenir lui appartient. ⧗ 2019-2026 🍷 tournedos Rossini ■ **Ch. Tour Bayard 2013 ★ (11 à 15 €; 30000 b.)** : un vin harmonieux, souple et expressif (fruits rouges, épices douces), soutenu par des tanins fondus et soyeux et par un apport boisé maîtrisé. ⧗ 2018-2022

EARL VIGNOBLES RICHARD ET FILS, Bayard, 33570 Montagne, tél. 05 57 74 51 05, chateau@tour-bayard.fr V r.-v.

CH. ROCHER-CALON 2013

■	40000		8 à 11 €

Aux lendemains de la guerre de 1914, Pierre Lagardère acquiert 1 ha de vignes dans le secteur de Maillet, à Pomerol. Ses petit-fils et arrière-petit-fils, Jean-Claude et Gaël, conduisent aujourd'hui un vignoble de 17 ha à Montagne (Ch. Négrit et Ch. Rocher Calon) et 2 ha à Pomerol (Ch. Tour Maillet).

Majoritairement constitué de merlot (95 %), ce 2013 se montre plutôt discret mais fin à l'olfaction, sur les fruits rouges et les épices. La bouche se révèle souple et légère, quoiqu'un brin plus austère en finale. L'ensemble est plaisant et s'appréciera jeune. ⧗ 2017-2020 🍷 onglet grillé

SCEV LAGARDÈRE, Négrit, 33570 Montagne, tél. 05 57 74 61 63, vignobleslagardere@wanadoo.fr V *t.l.j. sf dim. 8h-12h30 14h-19h*

LES PROMESSES DE ROCHER CORBIN 2013

■	30000		8 à 11 €

Ancienne métairie du Ch. Corbin (saint-émilion grand cru), ce vignoble a été acquis en 1880 par Charles Durand. Installé en 1986, Philippe, son arrière-petit-fils, exploite 9 ha sur la pente ouest du Tertre de Calon, au cœur de l'appellation montagne-saint-émilion. Il limite les traitements au cuivre et au soufre.

Ces Promesses constituent le second vin du cru et le seul produit en 2013 (pas de grand vin dans ce millésime plus que compliqué). Dans le verre, un montagne harmonieux, centré sur les fruits noirs et un boisé fondu, souple et plutôt léger en bouche, mais renforcé par une finale plus tannique. ⧗ 2017-2020 🍷 rôti de porc

SCE CH. ROCHER CORBIN, Le Roquet, 33570 Montagne, tél. 05 57 74 55 92, chateau-rocher-corbin@orange.fr V *r.-v.* *Philippe Durand*

VIEUX CHÂTEAU DES ROCHERS 2013

■	4200		5 à 8 €

Technicien d'élevage dans un organisme professionnel, Jean-Claude Rocher a repris en 1995 la propriété familiale qui s'étend sur 5 ha en appellation montagne-saint-émilion. Son domaine est constitué de vieilles vignes à dominante de merlot.

Peu intense au premier nez, ce pur merlot délivre après aération des notes de fruits rouges et noirs agrémentées de nuances épicées. Le palais se montre souple, plutôt léger mais d'une jolie finesse, et laisse une agréable sensation de fraîcheur. À boire dans sa jeunesse. ⧗ 2017-2020 🍷 rosbif

JEAN-CLAUDE ROCHER, 16, Mirande, 33570 Montagne, tél. 06 80 64 49 75, vieuxchateaudesrochers@orange.fr V *r.-v.*

VIEUX CHÂTEAU PALON 2013 ★

■	25000		15 à 20 €

Grégory Naulet s'est installé comme jeune agriculteur en 2000 sur ce cru de 5,45 ha aux sols argilo-calcaires; il a restructuré le vignoble et créé une unité de vinification pour en faire une très bonne référence de l'appellation montagne-saint-émilion.

Après un 2012 de haute volée, coup de cœur dans l'édition précédente, Grégory Naulet signe un 2013 plus qu'honorable. La robe dense et profonde annonce un vin concentré, ample et aromatique au nez comme en bouche (moka, toast grillé, fruits mûrs), porté par de beaux tanins fermes qui promettent une bonne évolution en cave. ⧗ 2019-2024 🍷 cuissot de chevreuil

VIGNOBLES NAULET, Mondou, 33330 Saint-Sulpice-de-Faleyrens, tél. 06 89 10 90 01, vignobles.naulet@wanadoo.fr V *r.-v.*

PUISSEGUIN-SAINT-ÉMILION

Superficie : 745 ha / Production : 43 000 hl

La plus orientale des appellations voisines de Saint-Émilion est implantée sur des sols à dominante argilo-calcaire, avec quelques secteurs d'alluvions graveleux. Le vignoble est exposé au sud-sud-est.

CH. LE BERNAT 2013

■	9000		11 à 15 €

Commandé par une Girondine du XVII[e]s., ce cru de 6 ha a été acquis et rénové en 1999 par Pierre-Jean et Liliane Le Roy, professeurs à la retraite. Il est géré par leur fille Nathalie, par ailleurs à la tête d'une société d'ingénierie financière.

Sur les terres argilo-calcaires du domaine, 2013 aura vu la naissance d'un puisseguin plaisant par son nez de fruits noirs mûrs comme par son palais franc et frais, équipé de tanins souples. ⧗ 2018-2021 🍷 bavette à l'échalote

SARL CH. LE BERNAT, 1, Champ-des-Boys, 33570 Puisseguin, tél. 05 57 74 59 02, info@chateaulebernat.com V *r.-v.*

CH. CHÊNE-VIEUX Cuvée première 2013

■	27600		5 à 8 €

Propriétaire depuis 1937 en Libournais, la famille Foucard exploite deux crus: le Ch. de Musset, en lalande-de-pomerol, et le Ch. Chêne-Vieux, en puisseguin-saint-émilion.

L'olfaction de ce 2013 est séduisante: fruits à l'eau-de-vie, vanille, toasté et touche d'eucalyptus. Après une attaque souple et vive, la bouche se montre tannique et sévère. L'attente s'impose. ⧗ 2019-2025 🍷 agneau braisé

⊶ SCE Y. FOUCARD ET FILS, Ch. Chêne-Vieux, 34, rte de Saint-Émilion, 33570 Puisseguin, tél. 05 57 51 11 40, foucardetfils@orange.fr

CH. CLARISSE Cuvée Vieilles Vignes 2013 ★★

■	4000		30 à 50 €

Détenu pendant plus d'un siècle par la famille Estager, ce cru de 14,5 ha, établi sur les hauteurs argilo-calcaires du plateau de Puisseguin, est depuis 2009 la propriété d'Olivia et Didier Le Calvez (directeur de l'hôtel de luxe *Le Bristol* à Paris), qui l'ont rebaptisé du prénom de leur fille.

Sélection des plus vieux ceps de merlot de la propriété, cette cuvée dotée d'une resplendissante robe rubis livre un premier nez discret, qui révèle à l'aération un joyeux bouquet de fruits noirs à l'eau-de-vie mâtiné de poivre noir. La bouche n'est pas en reste. Bien structurée par des tanins acérés, équilibrée, elle s'anime après une ronde attaque autour d'un fruité souple et d'une fine vivacité typique du millésime. ⧗ 2019-2024 ⚲ canard rôti aux figues ■ **2013 (20 à 30 €; 16500 b.)** : vin cité.

⊶ OLIVIA ET DIDIER LE CALVEZ, lieu-dit Croix-de-Justice, 33570 Puisseguin, tél. 05 46 67 83 74, admin@chateau-clarisse.com V r.-v.

CLOS L'ÉGLISE 2013 ★

■	23000		5 à 8 €

Créée en 1938, la très qualitative cave des producteurs réunis de Puisseguin-Lussac-Saint-Émilion s'illustre régulièrement dans ces pages. Elle représente aujourd'hui quelque 200 adhérents et 1 200 ha de vignes.

Vêtu de grenat sombre, ce 2013 offre au nez des parfums de fruits rouges et noirs relevés de poivre. En bouche, il se montre plutôt léger mais bien construit autour de la fraîcheur et de tanins souples qui renforcent son aspect «vin plaisir». ⧗ 2016-2020 ⚲ méchoui ■ **Ch. Champ de Nayat 2013 (5 à 8 €; 24000 b.)** : vin cité.

⊶ VIGNERONS DE PUISSEGUIN-LUSSAC-SAINT-ÉMILION, 1, lieu-dit Durand, D 17, 33570 Puisseguin, tél. 05 57 55 50 40, accueil@vplse.com V r.-v.

Ⓑ CH. LANGLAIS 2013

■	20000		11 à 15 €

La présence des Dupuy sur les terres de Puisseguin remonte au Moyen Âge. Gérard, diplômé d'œnologie, a repris en 1995 ce cru acquis par sa famille en 1864 et conduit sans traitements chimiques dès 1947 et l'arrivée de son père sur le domaine.

Voilà un puisseguin qui plaira aux amateurs avides de sensations contrastées. À une olfaction versatile, où des arômes de vendange mûre jouent à cache-tampon avec ceux de la barrique et quelques notes animales, répond un palais franc en attaque, gras, suave et bien structuré. ⧗ 2018-2022 ⚲ bœuf en daube

⊶ GÉRARD DUPUY, Ch. Beauséjour, 33570 Puisseguin, tél. 05 57 74 52 61, chateau.beausejour@orange.fr V r.-v.

CH. DES LAURETS 2013 ★

■	73528		11 à 15 €

L'une des bonnes références en puisseguin-saint-émilion. Un cru de 96 ha d'un seul tenant, propriété depuis 2003 de la maison Edmond de Rothschild, qui possède aussi le Ch. Clarke en listrac-médoc et plusieurs crus dans le Libournais.

Issu de 80 % de merlot complété de cabernet franc, ce puisseguin sombre aux reflets rougeoyants est un solide gaillard. Au nez, des senteurs de griotte au kirsch et d'épices douces; en bouche, mêmes sensations aromatiques, une charpente assurée, étonnante pour un tel millésime, du volume et une pointe végétale qui apporte de la fraîcheur. Du potentiel. ⧗ 2019-2024 ⚲ curry d'agneau

⊶ CIE VINICOLE BARON EDMOND DE ROTHSCHILD, Ch. Clarke, 33480 Listrac-Médoc, tél. 05 56 58 38 00, contact@cver.fr V r.-v.

CH. PONTET BAYARD 2013 ★★

■	30000		11 à 15 €

Julien Richard a pris la suite de Fanny en 2013 à la tête de ce cru de 10 ha acquis par la famille en 1956, sur lequel sont dispensés des soins raisonnés (compost naturel, vendanges manuelles) pour proposer des vins souvent en bonne place dans ces pages. Trois étiquettes ici: Ch. Tour Bayard, Ch. Pontet Bayard et Ch. la Croix Guillotin.

Une entrée en fanfare pour cette nouvelle étiquette de la famille Richard. Une réussite d'autant plus méritante dans ce millésime ô combien difficile. Ce Pontet Bayard, finaliste des coups de cœur, séduit par sa robe sombre et profonde, par son bouquet harmonieux, où l'apport boisé s'intègre avec habileté à un fruité tout en fraîcheur, et par sa bouche longue et équilibrée, aux tanins souples et soyeux. ⧗ 2019-2022 ⚲ petit gibier

⊶ EARL VIGNOBLES RICHARD ET FILS, Bayard, 33570 Montagne, tél. 05 57 74 51 05, chateau@tour-bayard.fr V r.-v.

Ⓑ CH. RIGAUD 2013

■	43000		8 à 11 €

L'une des propriétés de Pierre Taïx (Fongaban, Guadet Plaisance, La Mauriane), dans sa famille depuis le XVIII[e]s.: 15 ha de vignes (en bio certifié depuis 2012) regroupés autour d'une maison construite par son arrière-grand-père en 1870.

Robe sombre, nez de fruits noirs mûrs, l'approche est chaleureuse. Après une attaque franche et vive, le palais se fait gras et suave, soutenu par des tanins solides et encore un peu sévères. ⧗ 2019-2022 ⚲ fromage à pâte dure

⊶ PIERRE TAÏX, Ch. Rigaud, 33570 Puisseguin, tél. 05 57 74 54 07, rigaud@vignobles-taix.com V r.-v.

♥ CH. SOLEIL 2013 ★★

■ | 65000 | ◐ | 15 à 20 €

CHÂTEAU SOLEIL GRAND VIN DE BORDEAUX 2013

Créée par un groupe d'amis réunis autour de Stephan Von Neipperg (Canon La Gaffelière à Saint-Émilion) et Didier Miqueu, la SCEA Winevest Saint-Émilion a acquis en 2005 le Ch. Soleil, 20 ha à Puisseguin, complétés en 2007 de la même surface en lussac avec le Ch. Croix du Rival.

Vinifications parcellaires, extractions douces, fermentations malolactiques en barriques, dix-huit mois d'élevage en fût et un résultat admirable, surtout dans un millésime aussi compliqué. Ce vin offre à l'olfaction une belle intensité autour de stimulantes notes toastées, épicées, fumées et mentholées. La bouche, alerte, ample, montante, bâtie sur des tanins sages jusqu'à devenir veloutés en finale, laisse une sensation de maturité et d'équilibre parfaits. ⧗ 2019-2026 🍷 gigue de chevreuil ■ **Promesse 2013** ★ **(11 à 15 €; 20000 b.)** : une cuvée fruitée, épicée, fraîche et pourvue d'un bon équilibre tannique. ⧗ 2018-2022

SCEA WINEVEST SAINT-ÉMILION, 32, rte de Saint-Émilion, 33570 Puisseguin, tél. 09 75 69 65 75, info@chateausoleil.fr

QUERCUS DU CH. LA VAISINERIE 2013

■ | 24000 | ◐ | 8 à 11 €

Ancienne dépendance du Ch. de Puisseguin et propriété viticole depuis 1718, acquise en 2004 par Bernard Bessede, associé d'une affaire de négoce, et par son épouse Dominique. Aujourd'hui, une maison girondine du XVIIIe s., restaurée grâce à la collaboration des Bâtiments de France, et un vignoble de 13 ha, exploité en agriculture raisonnée.

Marqué par le merrain – on n'en attend pas moins d'une cuvée dénommée Quercus («le chêne» en latin) –, ce puisseguin présente un nez dominé par des notes de caramel et de pain toasté. Assez structuré en bouche, épicé, il doit encore s'assouplir. ⧗ 2018-2021 🍷 côte de bœuf

SCEA LA VAISINERIE, Ch. la Vaisinerie, lieu-dit Visinerie, 33570 Puisseguin, tél. 06 12 41 60 00, bessede.vaisinerie@gmail.com V r.-v. *Bernard Bessede*

SAINT-GEORGES-SAINT-ÉMILION

Superficie : 200 ha / Production : 11 500 hl

Séparé du plateau de Saint-Émilion par la rivière Barbanne, le terroir de l'appellation saint-georges présente une grande homogénéité avec des sols presque exclusivement argilo-calcaires.

Ⓑ CLOS PAVILLON SAINT-GEORGES 2013

■ | 1200 | ◐ | 30 à 50 €

Enracinés en Libournais depuis des siècles, les Tapon – aujourd'hui. Nicole, épaulée par son compagnon Jean-Christophe Renaut – y exploitent 32 ha et plusieurs propriétés (en bio certifié depuis le millésime 2012), dont l'essentiel (21,5 ha) en montagne-saint-émilion avec le Ch. des Moines.

Situé à proximité de l'église et du lavoir de Saint-Georges, le Clos du Pavillon Saint-Georges a été acquis en 2004: un cru de poche de 0,62 ha à l'origine d'un vin 100 % merlot, marqué par un long élevage en barrique (dix-huit mois). La présence athlétique du bois (intenses notes de pain grillé et de chocolat), au nez comme en bouche, ainsi que ses tanins solides composent une bouteille à attendre, et à carafer. ⧗ 2018-2023 🍷 carré d'agneau aux cèpes ■ **Georges de Saint-Georges 2013 (15 à 20 €; 1000 b.)** Ⓑ : vin cité.

SCEA CLOS DU PAVILLON SAINT-GEORGES, Mirande, 33570 Montagne, tél. 05 57 74 61 20, information@tapon.net V *r.-v. Renaut-Tapon*

CH. HAUT-SAINT-GEORGES 2013 ★

■ | 5000 | ◐ | 15 à 20 €

En 1995, le brasseur belge M. Van der Kelen a acquis 15 ha dans deux appellations satellites de Saint-Émilion: le Château la Grande Barde, en montagne, et le Château Haut-Saint-Georges (6 ha), en saint-georges. Une grande partie des vins est exportée outre-Quiévrain. Entièrement modernisés, les chais de la propriété sont installés dans d'immenses cavités souterraines. Le Château Haut-Saint-Georges, avec plusieurs coups de cœur à son actif, est une valeur sûre.

Une fermentation malolactique en barrique neuve pour un 2013? L'entreprise semblait risquée et pourtant le résultat est là. Le vin (merlot à 90 %, avec le malbec en appoint) séduit par sa vitalité, que laissent présager sa robe colorée et son nez marqué par un élégant boisé, rehaussé par de généreux parfums de fruits rouges. Le prélude à une bouche conquérante: une attaque vive, du gras, de la finesse et du fruité, avant une finale qui dévoile des tanins de qualité; la promesse d'une évolution heureuse. ⧗ 2019-2023 🍷 entrecôte os à moelle

SCEA DE LA GRANDE BARDE, 1, Clotte, 33570 Montagne, tél. 05 57 74 64 98, chateaulagrandebarde@wanadoo.fr V *r.-v.*

CH. LABATTUT 2013 ★

■ | 13700 | 🛢 | 8 à 11 €

Créée en 1931, la coopérative de Saint-Émilion est un acteur incontournable du Libournais, et ses cuvées – vins de marque (Aurélius, Galius…) ou de domaines (une cinquantaine de propriétés apportent leur vendange à la «coop») sont régulièrement au rendez-vous du Guide.

Outre une parcelle située à Montagne, le Ch. Labattut, propriété de Jacques Pallaro, possède 2 ha de vignes en saint-georges, plantés sur un terroir composé de calcaire, d'argiles et de sables. Le lieu de naissance de ce pur merlot: nez assez complexe, légèrement animal, dominé par de jolies notes de fruits rouges; bouche à l'unisson, ample, fraîche et longue, dont les tanins fondus autorisent une consommation prochaine, tout en autorisant une moyenne garde. ⧗ 2017-2021 🍷 bavette à l'échalote

UNION DE PRODUCTEURS DE SAINT-ÉMILION, Haut-Gravet, BP 27, 33330 Saint-Émilion, tél. 05 57 24 70 71, contact@udpse.com V r.-v.

CH. SAINT-ANDRÉ CORBIN 2013 ★

■	50000		11 à 15 €

Vignerons depuis le XVIIIᵉs. et neuf générations, les Saby – depuis 1997 les frères Jean-Christophe et Jean-Philippe, tous deux œnologues comme leur père Jean-Bernard – possèdent plusieurs crus dans le Libournais et exploitent un ensemble de 70 ha.

Ce domaine de 17 ha est situé sur l'emplacement de la villa Lucanius, propriété du consul Ausone (IVᵉs). Une belle régularité pour ce cru qui a tiré son épingle du jeu dans un millésime délicat. Son 2013 obtient une étoile grâce à sa bonne structure et à son harmonie d'ensemble, annoncées par un bouquet complexe où un boisé bien dosé laisse s'exprimer de plaisants arômes de fruits rouges. 2018-2021 civet de marcassin

VIGNOBLES SABY, Ch. Rozier, 7, lieu-dit Le Sable, 33330 Saint-Laurent-des-Combes, tél. 05 57 24 73 03, ets.saby@orange.fr V r.-v.

CASTILLON-CÔTES-DE-BORDEAUX

Superficie : 3 000 ha / Production : 160 000 hl

Située à l'est du vignoble de Saint-Émilion et de ses satellites, l'appellation (anciennement bordeaux-côtes-de-castillon puis côtes-de-castillon) jouxte à l'ouest les vignobles périgourdins. Elle s'étend sur les neuf communes de Belvès-de-Castillon, Castillon-la-Bataille, Saint-Magne-de-Castillon, Gardegan-et-Tourtirac, Sainte-Colombe, Saint-Genès-de-Castillon, Saint-Philippe-d'Aiguilhe, Les Salles-de-Castillon et Monbadon. Les vins ont bénéficié en 1989 d'une appellation à part entière, les viticulteurs s'engageant à respecter des normes de production plus sévères, notamment en ce qui concerne les densités de plantation, fixées à 5 000 pieds par hectare.

DOM. DE L'A 2013

■	13000		20 à 30 €

Couvrant des coteaux de Sainte-Colombe, jouxtant à l'est le vignoble de Saint-Émilion, une propriété de 10 ha acquise en 1999 par Stéphane Derenoncourt, consultant réputé de nombreux domaines.

D'un grenat sombre, ce 2013 plutôt fermé doit être sollicité pour livrer des notes de fruits noirs bien mûrs mariées à un boisé légèrement toasté et fumé. Après une attaque aimable et fraîche, des tanins encore fermes tapissent le palais. Un vin assez structuré et long, mais comme la plupart des 2013, il ne sera pas de longue garde. 2017-2020 perdreau rôti aux airelles

SCEA STÉPHANE DERENONCOURT, 11, lieu-dit Fillol, 33350 Sainte-Colombe, tél. 05 57 24 60 29, contact@domainedela.com V *r.-v.*

Ⓑ CH. BEYNAT Cuvée des Lyres 2014

■	2000		20 à 30 €

Nathalie Boyer et Alain Tourenne ont repris en 2008 ce cru créé en 1917 par Léonard Nebout, quincaillier de son état; ils ont converti au bio les 14 ha de vignes dédiés aux castillon, saint-émilion et bordeaux dans les trois couleurs. Un domaine très régulier en qualité.

Une cuvée 100 % merlot qui tire son nom du mode de conduite, en lyre, de ces vieux ceps. Le nez, très démonstratif et généreux, s'ouvre sur des notes de fruits noirs confits et sur un boisé aux nuances cacaotées, rafraîchi par une touche mentholée. L'attaque souple est relayée par une bouche ample, dans le même registre que l'olfaction, mais l'élevage en barrique encore appuyé rend la finale un peu sévère. 2019-2023 pavé de biche aux champignons ■ **Cuvée Léonard 2014 (8 à 11 €; 12000 b.)** Ⓑ : vin cité.

SCEA CH. BEYNAT, 23 bis, Ch. Beynat, 33350 Saint-Magne-de-Castillon, tél. 05 57 40 01 14, mail@chateaubeynat.com V *t.l.j. 8h-19h; sam. dim. sur r.-v.*

Boyer et Tourenne

CH. LA BOURRÉE 2014

■	80000		5 à 8 €

Jean-François Meynard est un producteur bien connu de l'AOC castillon: 15 ha à Roque le Mayne, son fleuron, et 13 ha à La Bourrée, son domaine «historique» et son lieu d'habitation. Il s'est étendu en 2009 sur Saint-Émilion avec L'Étoile de Clotte, petit cru de 2,5 ha situé à Saint-Étienne-de-Lisse.

Né d'un assemblage classique en Libournais de merlot (70 %) et de cabernet franc, ce 2014 mi-cuve mi-fût revêt une robe soutenue aux reflets pourpres. Expressif au nez, il libère un boisé vanillé et toasté qui laisse percer des notes de fruits rouges bien mûrs. Charnu, plein et équilibré, il est marqué en finale par des tanins stricts qui devront s'arrondir en cave. 2018-2021 pièce de bœuf

SCEA VIGNOBLES MEYNARD, 10, av. de la Bourrée, 33350 Saint-Magne-de-Castillon, tél. 05 57 40 17 32, contact@vignobles-meynard.com V *r.-v.*

CH. BRISSON 2013

■	75000		8 à 11 €

Les Valade sont établis dans le Castillonnais depuis 1878. Installé en 1979 et aujourd'hui épaulé par son fils Cédric, ingénieur agricole, Paul Valade propose deux étiquettes – Brisson et Peyrat – bien connues des lecteurs. La famille a aussi mis un pied à Saint-Émilion, en 2007, avec le château... Valade, dirigé par Cédric.

Ce 2013 présente un nez discret mais gourmand associant les fruits rouges aux notes légèrement fumées et toastées de l'élevage en barrique. Franc à l'attaque, rond et ample, bien équilibré entre le fruit et le merrain, le palais s'appuie sur une trame tannique un peu austère qui devrait s'arrondir assez rapidement. 2017-2021 entrecôte grillée

EARL P.-L. VALADE, 1, Le Plantey, 33350 Belvès-de-Castillon, tél. 05 57 47 93 92, paul.valade@wanadoo.fr V *r.-v.*

CH. CADET 2013 ★

■ | n.c. | 8 à 11 €

Fils de François Mitjavile, propriétaire du réputé Tertre Roteboeuf (saint-émilion grand cru), Louis, dit « Loulou », a acquis en 2007 avec son épouse Caroline un cru de 20 ha en castillon-côtes-de-bordeaux, à la lisière orientale du vignoble de saint-émilion.

Du pur merlot, cépage chéri par le propriétaire. D'un rubis intense, ce 2013 s'annonce par un bouquet tout en finesse, mariant la pivoine aux fruits noirs confiturés. Complexe et fraîche, la bouche s'appuie sur une trame tannique élégante et offre une finale longue et onctueuse, marquée par un plaisant retour des fruits rouges. Un vin bien travaillé, précis et harmonieux. ⧗ 2018-2021 ¥ tournedos ■ **Aurage 2013 (30 à 50 €; 60000 b.)** : vin cité.

MITJAVILE, SCEA Ch. Cadet, 3, lieu-dit Cadet, 33350 Saint-Genès-de-Castillon, tél. 05 57 47 95 15, chateau-cadet@orange.fr

B CH. CAFOL Élevé en fût de chêne 2014

■ | 130000 | | 5 à 8 €

C'est dans ce domaine que les derniers députés girondins en fuite auraient été arrêtés en 1793. En 1836, on y a constitué un vignoble et bâti une belle demeure de pierre. Le cru a été acheté en 2000 par l'entrepreneur Jean-Marie Pulido qui exploite les 50 ha de vignes en bio certifié depuis 2011.

Les trois principaux cépages rouges bordelais, merlot en tête, sont à l'œuvre dans ce 2014 élevé six mois en cuve et en barrique. La robe est soutenue, le nez discret mais agréable, entre cerise noire et vanille. Le palais, souple et soyeux à l'attaque, dévoile une belle matière, pour l'heure encore un peu brute et austère. ⧗ 2018-2021 ¥ magret de canard grillé ■ **Ch. Bois Robin 2014 (5 à 8 €; 66000 b.)** B : vin cité.

EMMA ET JEAN-MARIE PULIDO, Ch. Cafol, 116, av. du Stade, 33350 Saint-Magne-de-Castillon, tél. 06 84 60 30 86, chateau.cafol@wanadoo.fr V r.-v.

B CLOS LOUIE 2013

■ | n.c. | | 20 à 30 €

Petite propriété créée en 2003 par Pascal et Sophie Lucin-Douteau à partir d'une vigne appartenant à la famille depuis des temps immémoriaux, riche d'une parcelle franche de pied (épargnée par le phylloxéra et non greffée). En 2012, le couple a acquis des parcelles datant de 1962, plantées majoritairement de cabernet franc. Le vignoble est en bio certifié depuis 2012 pour la partie primitive, en conversion bio pour la partie récemment acquise.

Clos Louie a été créé en 2003 à partir d'une petite parcelle, héritage familial. Une vraie curiosité, car les vignes – du merlot, du malbec et du cabernet franc plantés sur argiles rouges ferrugineuses – sont préphylloxériques. Vinifié en cuve ouverte et élevé en fût de 300 l, ce 2013 est un vin flatteur, au nez centré sur les fruits rouges, soulignés d'un léger boisé, souple, rond et élégant. À déguster dans sa jeunesse. ⧗ 2017-2021 ¥ sauté d'agneau ■ **Louison et Léopoldine 2013 (11 à 15 €; 1000 b.)** : vin cité.

PASCAL ET SOPHIE LUCIN-DOUTEAU, 1, Terres-Blanches, 33350 Saint-Genès-de-Castillon, tél. 05 57 74 46 63, closlouie@orange.fr V r.-v.

CLOS VÉDÉLAGO Élevé en fût de chêne 2013

■ | 2400 | | 11 à 15 €

Un domaine de poche (47 ares à l'origine, 72 aujourd'hui) acquis en 2005 par Jean-Paul Védélago, ancien artisan charpentier-couvreur, qui réalise son rêve: faire son vin. Vendangés à la main, ces vieux merlots couvrant le plateau argilo-calcaire de Saint-Philippe-d'Aiguille bénéficient de soins méticuleux dignes d'un grand cru.

Coup de cœur pour le millésime 2011, ce vin tire son épingle du jeu dans ce millésime délicat grâce à son nez expressif associant les petits fruits rouges et les épices douces. Un peu simple, il est d'une souplesse agréable. ⧗ 2016-2019 ¥ brochettes d'agneau

JEAN-PAUL VÉDÉLAGO, 10, rue du Mayne, 33570 Puisseguin, tél. 06 77 22 11 05, contact@clos-vedelago.fr V r.-v.

♥ B VIGNOBLES FAYTOUT Cuvée Lucas 2014 ★★

■ | 30000 | 5 à 8 €

Descendant de lignées vigneronnes, Pierre Faytout a rejoint son père Jean-Albert sur l'exploitation familiale et lui a succédé en 2008, engageant en 2010 la conversion bio de ses 6,5 ha de vignes. L'exploitation est implantée à Horable, hameau de Castillon-la-Bataille perché sur un coteau pentu dominant la vallée de la Dordogne.

Cette cuvée met en lumière un domaine resté discret. Composée de merlot à 90 %, elle affiche une robe presque noire et offre au nez une très belle expression fruitée sur la fraise, la prune cuite, le cassis et la framboise. Le palais, à l'unisson, séduit par sa matière charnue, généreuse et tonique, épaulée par de solides tanins qui permettront à cette bouteille de bien vieillir en gagnant en finesse. ⧗ 2019-2026 ¥ tournedos Rossini

EARL VIGNOBLES FAYTOUT, 3, Horable, 33350 Castillon-la-Bataille, tél. 05 57 40 04 98, vignoblesfaytout@hotmail.fr V r.-v.

CH. GERMAN 2013

■ | 200000 | 11 à 15 €

La famille Aubert exploite 300 ha et de nombreux domaines en Bordelais, avec pour fleuron le Ch. la Couspaude, grand cru classé de Saint-Émilion. Alain, l'un des trois frères à la tête du groupe familial, conduit plusieurs crus en son nom: Hyot et German (castillon), Haut-Gravet (saint-émilion grand cru), Ribebon et Macard (AOC régionales).

Composé de merlot (60 %) et des deux cabernets, ce 2013 offre une expression honorable du millésime grâce à son nez bien ouvert sur les fruits noirs, aux nuances de crème de cassis, et à sa bouche ronde et souple, plus nerveuse en finale. À apprécier dans sa jeunesse. ⧗ 2016-2019 🍷 tendrons de veau braisés

⊶ *ALAIN AUBERT,*
57 bis, av. de l'Europe,
33350 Saint-Magne-de-Castillon, tél. 05 57 40 04 30,
contact@domaines-alain-aubert.com

Ⓑ CH. LAGRANGE MONBADON 2014

■ | 120 000 | 🍾 | 5 à 8 €

Ce cru a pour lui une histoire, écrite sous le règne d'Édouard III au début du XIVᵉs., quand la forteresse fut le poste avancé des Anglo-Aquitains pendant la guerre de Cent Ans; un vrai château, juché sur un promontoire et détenu par la même famille, les Montfort, depuis le règne d'Henri IV, et un beau vignoble (20 ha) conduit en bio certifié depuis 2012.

Un agréable 2014 à la robe intense et sombre, au nez centré sur les fruits rouges, franc en attaque, vif et fruité. À déguster dans sa jeunesse. ⧗ 2017-2020 🍷 poulet rôti ■ **Ch. de Monbadon 2014 (8 à 11 €; 80 000 b.)** Ⓑ : vin cité.

⊶ *SCEA BARON DE MONTFORT, Ch. du Rocher,*
33330 Saint-Étienne-de-Lisse, tél. 05 57 40 18 20,
contact@baron-de-montfort.com V r.-v.

CH. LAMARTINE 2014 ★

■ | 110 000 | 🍾 | 5 à 8 €

Jérôme Gourraud a repris en 1989 ce vignoble familial créé en 1977, qui couvrait 4 ha à l'origine et en compte aujourd'hui plus de 19, en AOC castillon-côtes-de-bordeaux. Les chais ont été aménagés à partir de 1986, agrandis et modernisés après 2000.

Produit sur 18 ha, un vin très réussi et qui n'a rien de confidentiel. La robe, jeune et colorée, montre des reflets violines; le bouquet très frais évoque les petits fruits noirs. Un peu brut, le palais est riche, plein, construit sur des tanins serrés et savoureux, encore austères en finale. Du potentiel. ⧗ 2019-2023 🍷 côte de bœuf

⊶ *EARL GOURRAUD,*
1, la Nauze, 33350 Saint-Philippe-d'Aiguille,
tél. 05 57 40 60 46, chateaulamartine@orange.fr
V *t.l.j. 9h-12h 14h-18h*

CH. MOULIN DE CLOTTE Vieilles Vignes 2014

■ | 10 000 | 🛢 | 11 à 15 €

Issue d'une famille d'agriculteurs du nord de la France, Françoise Lannoye a souhaité retourner à la terre, préférant les vins de Bordeaux aux céréales. La famille a acquis des vignes en Libournais. D'abord en puisseguin (Ch. Lanbersac), puis en castillon-côtes-de-bordeaux (Ch. Moulin de Clotte et Ch. Lamour, 13 ha) et enfin en saint-émilion grand cru (Ch. Ambe Tour Pourret).

Née de vieux merlots de quarante-cinq ans, cette cuvée d'un pourpre sombre et intense livre des parfums discrets de petits fruits noirs, d'épices douces et de moka. Charnue en attaque, elle est ample, consistante et fraîche, étayée par des tanins veloutés, qui se font un peu rustiques en finale: on la laissera s'arrondir en cave. ⧗ 2018-2022 🍷 civet de sanglier ■ **2014 (5 à 8 €; 30 000 b.)** : vin cité.

⊶ *SCEV LANNOYE,*
Le Chais, 33570 Puisseguin, tél. 05 57 55 23 28,
contact@vignobles-lannoye.com V *r.-v.*

♥ Ⓑ CH. PEYROU 2013 ★★

■ | 6 000 | 🛢 | 11 à 15 €

Fille et petite-fille de viticulteurs, œnologue, Catherine Papon-Nouvel, bien connue pour ses saint-émilion grands crus souvent remarquables (Clos Saint-Julien, Petit Gravet Aîné, Gaillard), a acquis en 1989 ce domaine de 10 ha, l'a converti au bio et en a fait l'une des références en castillon.

Bien sûr, ce 2013 ne fait pas oublier des millésimes plus solaires comme le 2009, élu coup de cœur lui aussi, mais il fait plus que tirer son épingle du jeu dans un millésime redoutable. Dense et profond, il déploie une palette complexe où la mûre et le cassis s'accompagnent de notes fraîches d'agrumes et des légères touches fumées et grillées apportées par la barrique. Franche à l'attaque, la bouche se déploie avec ampleur sur des tanins veloutés qui laissent une impression de gras et de charnu. Une jolie bouteille où l'extraction et l'élevage ont été parfaitement maîtrisés. ⧗ 2017-2021 🍷 daube de bœuf

⊶ *CATHERINE PAPON-NOUVEL,*
6, chem. de Peyrou, 33350 Saint-Magne-de-Castillon,
tél. 06 11 91 03 54, catherine.peyrou@wanadoo.fr
V *r.-v.*

♥ CH. LA PIERRIÈRE Cuvée du Fondateur 1607 2014 ★★

■ | 9 000 | 🛢 | 8 à 11 €

L'une des plus anciennes propriétés du Castillonnais, commandée par un «vrai» château, à l'origine une maison forte (XIIIᵉs) dont il reste quelques vestiges. Elle est entrée dans la famille des actuels propriétaires... en 1607, lorsque François de Lageard la reçut en dot. Ce dernier agrandit le château, qui fut de nouveau remanié en 1865. Arrivé en 2000 à la tête de la propriété, Olivier de Marcillac conduit un vignoble de 40 ha.

Une nouvelle pierre (blanche) dans l'histoire multiséculaire de ce château: un coup de cœur du Guide Hachette. Pour une cuvée produite sur 3 ha, née d'un assemblage typique du Libournais: du merlot majoritaire allié aux deux cabernets, cabernet franc en tête – les meilleures parcelles du domaine pour cet hommage au fondateur du château, qui vivait sous le règne d'Henri IV... La robe est profonde. Le bouquet charmeur associe les fruits rouges mûrs, des touches florales et un boisé brioché et toasté. Dans le même registre aromatique, la bouche charnue, ample et persistante est portée par des tanins serrés et bien fondus. Un vin harmonieux, complexe et long, reflétant une belle maîtrise de l'élevage sous bois. ⌛ 2017-2021 🍷 faisan rôti

⊶ EARL CH. LA PIERRIÈRE, 114, La Pierrière, 33350 Gardegan-et-Tourtirac, tél. 05 57 47 99 77, chateaulapierriere@wanadoo.fr V r.-v.

CH. ROC DE MAUGRAS 2013

■ | 888 | | 15 à 20 €

Entrepreneur à la retraite, Guy Doyère a quitté les Yvelines; il est parti cultiver son jardin en Gironde où il a acquis une maison et une petite vigne (1,6 ha) en castillon-côtes-de-bordeaux. Il a construit un chai et élaboré son premier millésime en 2012.

Le premier millésime avait donné peu de bouteilles. Le 2013 est encore plus chiche. Voilà donc une microcuvée au nez discret mais délicat de petits fruits rouges et de grillé, à la bouche franche en attaque, marquée en finale par des tanins jeunes et vifs. ⌛ 2016-2020 🍷 poulet rôti

⊶ SCEA COLOMBE DOYÈRE CLAUDEL, 6, Roc-de-Maugras, 33350 Sainte-Colombe, tél. 05 57 49 59 88, colombedoyereclaudel@orange.fr V *r.-v.*

CH. ROQUEVIEILLE 2013

■ | 25000 | | 8 à 11 €

La famille Palatin, bien connue à Saint-Émilion, exploite 12 ha de vignes, dont ce cru en castillon-côtes-de-bordeaux, situé sur les hauteurs de Saint-Philippe-d'Aiguille, à plus de 100 m d'altitude.

Né d'un assemblage bien libournais de merlot dominant, complété par les deux cabernets, ce 2013 séduit par son bouquet élégant où les fruits rouges bien présents se mêlent à un boisé vanillé fondu. En bouche, après une attaque plaisante, franche et fruitée, des tanins un peu vifs prennent le dessus et donnent à la finale un côté un peu sévère. On débouchera néanmoins cette bouteille dès à présent. ⌛ 2016-2020 🍷 laguiole

⊶ PALATIN, Ch. Roquevieille, 33350 Saint-Philippe-d'Aiguille, tél. 05 57 40 67 27

CH. LE TERTRE DE BELVÈS 2013 ★★

■ | 18000 | | 11 à 15 €

La famille Sulzer œuvre dans plusieurs crus du Libournais. Son berceau d'origine est le Ch. la Bonnelle, 13 ha de vignes au sud-est de Saint-Émilion, conduits depuis 1996 par Olivier et Diane Sulzer, qui possèdent aussi 6 ha en castillon avec le Ch. Tertre de Belvès, créé en 2002.

Le vignoble de pur merlot est implanté sur le plateau de Belvès. Les propriétaires en ont tiré un vin qui donne une bonne image d'un millésime délicat. Pas trop de bois: une lente macération dans des cuves en béton, dix mois de cuve et huit mois de fût. Il en résulte une robe intense et un bouquet complexe centré sur le fruit, farandole de framboise, cassis et autres petits fruits bien mariés à un boisé délicat, parfaitement fondu. La bouche est onctueuse, charnue, adossée à des tanins ronds, qui laissent une impression de volume en finale. Un vin bien construit, harmonieux et dense. Bientôt prêt, il pourra se garder un peu. ⌛ 2017-2021 🍷 civet de lièvre

⊶ SCEA DU TERTRE - DOM. DE BOURRON, 33350 Castillon, tél. 05 57 47 15 12, vignobles.sulzer@wanadoo.fr V *r.-v. ⊶ Olivier Sulzer*

FRANCS-CÔTES-DE-BORDEAUX

Superficie : 535 ha
Production : 28 125 hl (99 % rouge)

S'étendant à 12 km à l'est de Saint-Émilion, sur les communes de Francs, Saint-Cibard et Tayac, le vignoble de l'appellation (anciennement bordeaux-côtes-de-francs) bénéficie d'une situation privilégiée sur des coteaux argilo-calcaires et marneux parmi les plus élevés de la Gironde.

CH. LES CHARMES-GODARD 2014

□ | 12500 | | 15 à 20 €

Pavie-Macquin et Larcis Ducasse en saint-émilion grand cru (1ers crus classés), Charmes-Godard, Puygueraud, La Prade en francs-côtes-de-bordeaux, Alcée en castillon-côtes-de-bordeaux, Nicolas Thienpont est un nom qui compte dans le Libournais. Charmes-Godard est un cru de 6,5 ha acquis en 1988, qui s'illustre avec une grande régularité, en blanc comme en rouge.

Si Nicolas Thienpont plante du sauvignon, le sémillon garde une part importante dans ce cru. Il entre à hauteur de 50 % dans ce blanc complété par 30 % de sauvignon gris et 20 % de sauvignon blanc. La fermentation, puis l'élevage de sept mois sur lies se déroulent en barrique. Il en résulte un vin or gris brillant, auquel les sauvignons lèguent un nez discret mais précis de fleurs blanches et de citron, teinté de minéralité. La bouche est elle aussi très marquée par le sauvignon, avec sa nervosité et ses arômes de genêt et de buis. Un certain gras est sans doute hérité du sémillon. À servir très frais sur des produits de la mer. ⌛ 2016-2018 🍷 langoustines ■ **2013 (5 à 8 €; n.c.)** : vin cité.

⊶ CH. LES CHARMES-GODARD, 33570 Saint-Cibard, tél. 05 57 56 07 47, contact@charmes-godard.com V *t.l.j. sf sam. dim. 9h-12h 13h30-17h30*

Ⓑ CH. LA CROIX BLANCHE 2014

■ | 10000 | | 5 à 8 €

En 1990, des «amis épicuriens» venus d'horizons divers – Arts et Métiers, hôtellerie, œnologie – s'associent pour créer un vignoble en commun, étendu sur les AOC francs-côtes-de-bordeaux (le Prévot, la Croix blanche) et bergerac (Grand-Place). Leurs vins sont «bio» depuis 2012.

Du merlot très majoritaire, douze mois de cuve et six mois de barrique pour ce 2014 grenat profond aux reflets violets, mêlant au nez les petits fruits rouges et des notes d'élevage évoquant le pain grillé, le biscuit et la pâtisserie. Après une attaque souple et fruitée, des tanins serrés et fermes s'emparent de la bouche, laissant une impression d'austérité en finale. Une petite garde s'impose. ⧗ 2018-2021 🍴 entrecôte grillée

o⁻ SCEA CLAUDE DELMAS, Le Prévot, 33570 Francs, tél. 05 57 84 38 52, contact@vins-maurin-delmas.com V r.-v. *o⁻ GFA Cedefranc*

CH. FRANC-CARDINAL 2014

■ | 60000 | | 5 à 8 €

Après la disparition accidentelle en 2010 de son mari Philip, Sophie Holzberg conduit seule le domaine que le couple avait acquis en 2001: près de 10 ha en francs-côtes-de-bordeaux. Pour rappeler l'origine canadienne du défunt, une loutre illustre les étiquettes. La propriétaire cherche à élaborer des vins d'une concentration mesurée, pas trop boisés.

Du merlot dominant (72 %), du cabernet franc et un soupçon de malbec pour ce vin pourpre aux reflets violines. Discret au nez, il se montre plus expressif en bouche, dévoilant des arômes de fruits rouges, de cassis et de vanille sur une trame tannique souple. Un «vin plaisir» à consommer prochainement. ⧗ 2017-2020 🍴 poulet grillé

o⁻ EARL DU CARDINAL, 2, Nardou, 33570 Tayac, tél. 05 57 40 63 39, sophie@chateau-franc-cardinal.com V r.-v. *o⁻ Sophie Holzberg*

CH. DE FRANCS Les Cerisiers 2013

■ | 76000 | | 11 à 15 €

Une ancienne place forte tenue par les Anglais pendant la guerre de Cent Ans et un beau vignoble. Deux propriétaires de Saint-Émilion, Dominique Hébrard (un des anciens propriétaires de Bellefont-Belcier) et Hubert de Boüard (Angelus), ont repéré dès 1985 le potentiel viticole de cette appellation alors méconnue et acquis en 1985 le Ch. de Francs et de ses 37 ha de vignes. Le Guide s'est fait le témoin de la qualité de leurs vins.

Cette cuvée a plusieurs coups de cœur à son actif, et le 2013 passe la barre. Vendangés début octobre, le merlot (90 %) et le cabernet-sauvignon à l'origine du vin ont été élevés en barriques (neuves pour 30 %). Un merrain d'ailleurs très présent au nez par des notes grillées et torréfiées flatteuses. L'attaque souple et ronde ouvre sur une bouche dense, de bonne longueur, un peu austère en finale. On pourra ouvrir cette bouteille prochainement mais elle devrait se garder un peu. ⧗ 2017-2021 🍴 pavé de bœuf

o⁻ HUBERT DE BOÜARD ET DOMINIQUE HÉBRARD, Ch. de Francs, 33570 Francs, tél. 05 57 40 65 91, contact@chateau-de-francs.com V r.-v.

CH. GODARD BELLEVUE 2013

■ | 10000 | | 8 à 11 €

Un arrière-grand-père, Armand Puyanché, créa le domaine au début du siècle dernier mais il fut tué au chemin des Dames en 1917. Bernadette et Joseph Arbo ont repris les vignes familiales en 1988 et sont sortis de la coopérative. Ils cultivent aujourd'hui 30 ha en francs-côtes-de-bordeaux (Godard Bellevue, Puyanché) et 10 ha en castillon-côtes-de-bordeaux (Moulins de Coussillon), et signent des vins souvent en très bonne place dans le Guide.

Ce 2013 libère des parfums assez discrets de fruits rouges et de sous-bois assortis d'un léger boisé. La bouche est charpentée, de bonne longueur, soutenue par des tanins encore un peu fermes et vifs. La petite touche nerveuse et végétale est la signature du millésime. ⧗ 2018-2021 🍴 pavé de biche ■ **Ch. Puyanché Sec 2014 (8 à 11 €; 6000 b.)** : vin cité.

o⁻ EARL ARBO, Godard, 33570 Francs, tél. 05 57 40 65 77, earl.arbo@wanadoo.fr V r.-v.

CH. MARSAU 2013

■ | 17000 | | 11 à 15 €

Négociant bordelais bien connu, Jean-Marie Chadronnier a cherché de «grands terroirs» hors des appellations de prestige. C'est ainsi qu'il a acquis Marsau (12 ha) en 1994, séduit par son terroir d'argiles profondes où prospère le merlot, cépage exclusif. Avant de planter en 2002, à deux collines de là, mais dans le Bergeracois (Sud-Ouest) deux petits hectares à Montpeyroux, berceau de la famille : c'est l'Enclos Pontys (AOC montravel) dominé lui aussi par le merlot.

De couleur soutenue, ce 2013 mêle au nez des arômes de petits fruits rouges bien mûrs agrémentés d'un joli boisé. On retrouve le fruit dans un palais équilibré, et même élégant, montrant toutefois en finale des tanins jeunes et vifs, qui devraient se fondre dans un an ou deux. À déguster dans sa jeunesse, avant son aîné, le 2012, coup de cœur de la sélection 2016. ⧗ 2017-2021 🍴 canette rôtie

o⁻ FAMILLE CHADRONNIER, SC Ch. Marsau, Bernarderie, 33570 Francs, tél. 06 09 71 22 35, chateau.marsau@gmail.com V r.-v.

♥ CH. LE PRIOLAT 2013 ★★

■ | 15000 | 11 à 15 €

Originaires de Belgique, Viviane et André Vossen sont importateurs de mobilier design. Comme nombre de leurs concitoyens, ils sont amateurs de bordeaux; ils aiment aussi les vieilles pierres. L'acquisition et la restauration de ce très vénérable château (plus de mille ans d'histoire, peut-être le berceau des Ségur, et… la maison natale du grand-père et du père de Michel Rolland qui les conseille) leur a permis de conjuguer ces deux passions. Le vignoble couvre 9 ha en francs-côtes-de-bordeaux.

Un pur merlot pourpre soutenu aux reflets rouge vif. Le nez complexe mêle la griotte mûre et la myrtille à un séduisant boisé vanillé légèrement toasté, souvenir de la barrique neuve, qui ne masque pas le fruit. L'attaque est vive et gourmande, sur un fruité exubérant et croquant; les tanins sont puissants et enrobés, reflets d'une extraction parfaitement maîtrisée. De la présence, de la matière et du potentiel. ⧗ 2018-2022 🍴 côte de bœuf

SCEA AD FRANCOS, 29, Le Bourg, 33570 Francs, tél. 04 75 76 36 82, a.vossen@chateau-adfrancos.com V r.-v.
André et Viviane Vossen

CH. PUY-GALLAND 2014 ★

■ | 15000 | | 5 à 8 €

En 2010, Bernard Labatut et son fils David se sont associés pour créer les Vignobles Labatut et vinifier désormais dans trois appellations: francs-côtes-de-bordeaux (la partie principale du vignoble), castillon-côtes-de-bordeaux et lussac-saint-émilion. Un domaine très régulier en qualité.

Le merlot est en vedette (90 %) dans ce vin à la robe soutenue et au bouquet gourmand de cerise noire, de noyau, de noisette, de vanille et autres épices douces. Franche et souple en attaque, la bouche repose sur des tanins fondus et suaves témoignant d'une récolte à bonne maturité. Une certaine fermeté en finale appelle une petite garde. 2018-2021 agneau rôti

SCEA VIGNOBLES LABATUT, 12, Le Bourg, 33570 Saint-Cibard, tél. 05 57 40 63 50, puygalland@orange.fr V r.-v.

CH. PUYGUERAUD 2014 ★

| 12000 | | 15 à 20 €

Les Charmes-Godard, Puygueraud, La Prade, Pavie Macquin, Larcis Ducasse, Vieux Château Certan, Nicolas Thienpont est un nom qui compte dans le Libournais. C'est sur les terres de Puygueraud, berceau bordelais de cette famille originaire des Flandres – la propriété fut acquise par son père Georges en 1946 – qu'il a fait ses premiers pas de vigneron.

Assemblant sauvignon blanc et sauvignon gris à parité, ce blanc a été élevé neuf mois en barrique. Paré d'une robe limpide aux reflets or, il offre un nez séduisant, assez complexe, mêlant les agrumes, le coing, l'amande et la noisette. Le palais est consistant, frais, vif, fruité et tonique. De la présence. 2016-2019 coquilles Saint-Jacques ■ **2013 (11 à 15 €; n.c.)** : vin cité.

SCEA CH. PUYGUERAUD, 33570 Saint-Cibard, tél. 05 57 56 07 47, secretariat@puygueraud.com V r.-v.

ENTRE GARONNE ET DORDOGNE

La région géographique de l'Entre-deux-Mers forme un vaste triangle délimité par la Garonne, la Dordogne et la frontière sud-est du département de la Gironde; c'est sûrement l'une des plus riantes et des plus agréables de tout le Bordelais, avec ses vignes qui couvrent 23 000 ha, soit le quart de tout le vignoble. Très accidentée, elle permet de découvrir de vastes horizons comme de petits coins tranquilles qu'agrémentent de splendides monuments, souvent très caractéristiques (maisons fortes, petits châteaux nichés dans la verdure et, surtout, moulins fortifiés). C'est aussi un haut lieu de la Gironde de l'imaginaire, avec ses croyances et traditions venues de la nuit des temps.

ENTRE-DEUX-MERS

Superficie : 1 480 ha / Production : 59 050 hl

L'appellation entre-deux-mers ne correspond pas exactement à l'Entre-deux-Mers géographique, puisque, regroupant les communes situées entre Dordogne et Garonne, elle en exclut celles qui disposent d'une appellation spécifique. Il s'agit d'une appellation de vins blancs secs dont la réglementation n'est guère plus contraignante que pour l'appellation bordeaux. Mais, dans la pratique, les viticulteurs cherchent à réserver pour cette appellation leurs meilleurs vins blancs. Aussi la production est-elle volontairement limitée. Le cépage le plus important est le sauvignon qui communique aux entre-deux-mers un arôme particulier très apprécié, surtout lorsque le vin est jeune. Sémillon et muscadelle complètent l'encépagement.

CH. BEL AIR PERPONCHER Réserve 2015 ★

| 78000 | | 8 à 11 €

Ancienne propriété de la famille Perponcher, qui dut fuir vers la Hollande après la révocation de l'édit de Nantes, acquise en 1990 par la maison Despagne. Un cru situé sur un plateau argilo-siliceux dominant la Dordogne, incontournable en bordeaux (dans les trois couleurs), bordeaux supérieur et entre-deux-mers.

Né de sauvignon et sémillon à parts quasi égales, avec une touche de muscadelle, ce 2015 livre à l'olfaction des notes franches et intenses de pamplemousse et de pêche blanche. Dans le droit fil, la bouche présente un fin compromis entre une vivacité aimable et sans aspérité et une matière ronde et charnue. 2016-2019 tarte aux asperges **Ch. Rauzan Despagne Réserve 2015 (8 à 11 €; 78000 b.)** : vin cité. **Ch. Lion Beaulieu Réserve 2015 (8 à 11 €; 16000 b.)** : vin cité. **Ch. Tour de Mirambeau Réserve 2015 (8 à 11 €; 91000 b.)** : vin cité.

SCEA VIGNOBLES DESPAGNE (CH. BEL AIR PERPONCHER), 33420 Naujan-et-Postiac, tél. 05 57 84 55 08, contact@despagne.fr V r.-v.

CH. DE CASTELNEAU 2015

| 34600 | 5 à 8 €

Autour d'une maison forte (XIVe et XVIe s.), 100 ha d'un seul tenant: un tiers de céréales, un tiers de bois et un tiers de vignes (27 ha). Un lieu de travail et un cadre de vie pour Loïc et Diane de Roquefeuil qui ont repris en 1988 cette propriété familiale située dans l'Entre-deux-Mers.

Un vin représentatif de son appellation et à sa place dans le millésime: discret mais plaisant à l'olfaction (fleurs blanches, agrumes), net, droit, d'un beau volume en bouche, avec une finale teintée d'amertume. Un vin de plaisir immédiat, simple et facile d'accès. 2016-2017 omelette de courgettes

EARL VICOMTE LOÏC DE ROQUEFEUIL, 8, rte du Breuil, 33670 Saint-Léon, tél. 05 56 23 47 01, castelneau-roquefeuil@wanadoo.fr V r.-v.

CH. CASTENET 2015 ★★

| 76000 | | 5 à 8 € |

Les Guennec, enfants de viticulteurs de la région, ont pris la suite en 2010 de François Greffier, vigneron réputé pour ses entre-deux-mers désormais retiré des affaires. Ils conduisent aujourd'hui un vignoble de 35 ha.

Animé d'un léger perlant, ce vin est remarquable à plus d'un titre: bien typé avec ses arômes vifs d'agrumes, de fruit de la Passion et de buis; ample, énergique et intense en bouche après une attaque élégante dominée par les fruits exotiques, et séducteur en diable par sa longue finale très fraîche et acidulée. ⧗ 2016-2019 ¥ rougets en papillotte

EARL VIGNOBLE DE CASTENET, 3, Castenet, 33790 Auriolles, tél. 05 56 61 40 67, ch.castenet@wanadoo.fr V r.-v.

M. et Mme Guennec

CH. CHANTELOUVE 2015 ★★

| 40000 | - de 5 € |

Deux étiquettes, en entre-deux-mers et en bordeaux, sont produites sur ce domaine familial de 50 ha: Ch. Chantelouve et Ch. Roc de Lavergne.

Après un 2014 de haute volée, le domaine signe un 2015 qui n'a pas à rougir de la comparaison. Au nez, un mariage heureux des fruits exotiques, de l'abricot et du pamplemousse juste relevés d'une pointe épicée. En bouche, une attaque vive et énergique, puis de la rondeur et du gras, beaucoup de volume et une longue finale baignée de fraîcheur. ⧗ 2016-2019 ¥ soupe de poisson

EARL J.-C. LESCOUTRAS ET FILS, 22, Le Bourg, 33760 Faleyras, tél. 05 56 23 90 87, laurent.lescoutras@wanadoo.fr V *r.-v.*

CH. CHATAGNAU 2015

| 10000 | | - de 5 € |

À l'origine orienté vers l'élevage de bœufs, ce domaine familial s'est tourné définitivement vers la vigne dans les années 1970. C'est aujourd'hui la troisième génération qui est aux commandes avec Nathalie et Jérôme Limouzin, installés en 2010.

Ce vin retient l'attention par ses parfums floraux et ses senteurs bien typées de pamplemousse et de citron. Passé une attaque vive, la bouche dévoile un caractère plus rond et charnu, avant une finale marquée par une pointe agréable d'amertume. Équilibré. ⧗ 2016-2017 ¥ sole meunière

LIMOUZIN, 18, Le Bourg, 33410 Mourens, tél. 05 56 61 97 37, gaecdechatagnau@gmail.com V *r.-v.*

CH. CHAUVELET 2015 ★

| 144800 | | - de 5 € |

Fondée en 1933, la coopérative de Rauzan, dans l'Entre-deux-Mers, a fusionné en 2008 avec la cave de Grangeneuve (Romagne), puis en 2016 avec celle de Nérigean pour constituer les Caves de Rauzan: pas moins de 400 adhérents, de 65 châteaux et 3 500 ha de vignes. Des appellations régionales et de l'entre-deux-mers.

L'approche aromatique est d'un beau classicisme: fleurs blanches, agrumes, bourgeon de cassis et buis. Un côté sauvignonné bien présent aussi dans une bouche vive, souple et volumineuse comme attendu d'un entre-deux-mers. ⧗ 2016-2018 ¥ huîtres et crépinettes

LES CAVES DE RAUZAN, L'Aiguilley, 33420 Rauzan, tél. 05 57 84 13 22, accueil@cavesderauzan.com V *r.-v.*

CH. LA COMMANDERIE DE QUEYRET 2015

| 25000 | | 5 à 8 € |

En 1967, Claude et Simone Comin ont établi leur domaine à l'emplacement d'une ancienne commanderie des Templiers du XIIIᵉs. En 2013, leur fille Sylvie a pris seule les commandes du vignoble: 105 ha dans l'Entre-deux-Mers (85 ha en rouge, 20 ha en blanc) et des vins souvent en bonne place, dans les deux couleurs.

Le nez, sur la réserve, s'ouvre à l'agitation sur des parfums d'agrumes mûrs, de fleurs blanches et de kiwi. La bouche, elle aussi plutôt discrète mais bien équilibrée, se partage entre une attaque vive et un développement plus en rondeur. ⧗ 2016-2018 ¥ fruits de mer

COMIN, Ch. la Commanderie, 33790 Saint-Antoine-du-Queyret, tél. 05 56 61 31 98 V *r.-v.*

FLEUR DE VERDET 2015 ★

| 25000 | | - de 5 € |

Créée en 2007 dans l'Entre-deux-Mers, l'Union de Guyenne regroupe les coopératives de Saint-Pey-Génissac et de Sauveterre-Blasimon. Elle a le double statut de récoltant et de négociant.

Très présente, la muscadelle (70 %) structure cette cuvée et lui apporte tout son potentiel: une présentation classique jaune pâle brillant, un fruité maîtrisé, sur les agrumes et les fruits exotiques, une bouche ample, ronde, consistante et charnue, bien équilibrée par ce qu'il faut de vivacité. ⧗ 2016-2019 ¥ escalope de veau au citron

UNION DE GUYENNE, 15, le Bourrassat, 33540 Sauveterre-de-Guyenne, tél. 05 56 71 10 04, p.mondin@uniondeguyenne.fr V *t.l.j. sf dim. lun. 9h-12h 14h-18h*

CH. LA GRANDE MÉTAIRIE 2015 ★★

| 78000 | | 5 à 8 € |

Jean-Luc Buffeteau, revenu en 1998 sur les terres familiales, conduit 29 ha de vignes sur les coteaux vallonnés de l'Entre-deux-Mers, au cœur du Sauveterrois, dans les communes de Castelviel et Gornac. Il y produit deux étiquettes, La Grande Métairie et Haut Dambert.

Le mariage du terroir argilo-calcaire et du sauvignon (80 % de l'assemblage) s'exprime parfaitement dans ce vin bien ouvert sur des arômes fruités, salins, végétaux et un brin épicés. Beaucoup de personnalité en bouche également: une attaque franche et vive, puis de la rondeur, de l'ampleur, une structure consistante, un côté fruité très friand, une belle finale énergique et acidulée. Idéal pour l'apéritif ou les produits de la mer. ⧗ 2016-2019 🍷 saint-jacques aux agrumes

VIGNOBLES BUFFETEAU, lieu-dit Dambert, 33540 Gornac, tél. 05 56 61 97 59, jean.buffeteau@gmail.com V r.-v.

CH. GRAND PORTAIL 2015 ★

	32000		5 à 8 €

À la tête de 50 ha de vignes implantées dans ce petit pays de l'Entre-deux-Mers appelé Haut-Benauge, Olivier Cailleux perpétue une exploitation qui existe depuis 1881 et six générations.

Tous les atouts du sauvignon (65 % de blanc, 15 % de gris, le sémillon en complément) se retrouvent dans cette cuvée aux parfums caractéristiques d'agrumes (citron, pamplemousse) et de fleurs blanches. Arômes qui apportent leur élégance et leur fraîcheur dans une bouche ronde et charnue, prolongée par de beaux amers en finale. ⧗ 2016-2019 🍷 moules au curry

EARL DCOC, La Péreyre, 33760 Escoussans, tél. 05 56 23 63 23 V r.-v.

LE 5 DES VIGNOBLES GREFFIER 2015

	33400		8 à 11 €

Vignerons depuis deux cents ans et cinq générations, les Greffier (Ludovic depuis 2016) exploitent l'un des plus vastes domaines de l'Entre-deux-Mers: 74 ha de vignes blanches autour de la Butte de Launay, point culminant de la Gironde.

Une cuvée créée par Ludovic Greffier (cinquième génération) pour célébrer son arrivée à la tête du domaine. Un assemblage classique sauvignon-sémillon-muscadelle à l'origine d'un vin plaisant par ses parfums d'agrumes et d'abricot comme par son palais franc, frais et fruité. ⧗ 2016-2018 🍷 galette au saumon

SCEA GREFFIER, 3, Trochon, 33790 Soussac, tél. 05 56 61 31 51, scea-greffier@wanadoo.fr V r.-v.

CH. HAUT-CAZEVERT 2015 ★

	25000		5 à 8 €

Un vignoble de 28 ha d'un seul tenant, situé sur l'un des points culminants de l'Entre-deux-Mers, acquis en 1989 par un groupe d'amis, aujourd'hui propriété d'une centaine d'actionnaires, avec à la direction Emmanuel Jacob, qui a débuté en Espagne (Ribera del Dureo) avant de revenir dans le Bordelais en 1996. Deux étiquettes: Haut-Cazevert (entre-deux-mers) et Harandailh (bordeaux).

Les sauvignons blanc et gris et le sémillon composent un 2015 discret à l'olfaction (fleurs blanches et agrumes) comme en bouche. Mais on apprécie sa souplesse, sa rondeur, son volume, sa fine fraîcheur en filigrane et sa jolie finale tout en douceur. ⧗ 2016-2018 🍷 saumon à l'oseille

SA CH. HAUT-CAZEVERT, 2, Harandailh, 33540 Blasimon, tél. 05 57 84 18 27, chateau.haut.cazevert@wanadoo.fr V r.-v.

CH. HAUT-D'ARZAC 2015 ★

	12000		5 à 8 €

Dans l'arbre généalogique des Boissonneau se trouvent des meuniers qui, vers 1850, se convertirent à la viticulture. Après de nombreuses années passées sur l'exploitation, David a pris les rênes en 2015 de ce domaine de l'Entre-deux-Mers commandé par une jolie bâtisse datant du milieu du XIXes.

Bien typé sauvignon (70 % de l'assemblage), ce vin dévoile des parfums très frais d'agrumes, de buis et de feuille de tomate. Une fraîcheur variétale qui souligne aussi la bouche et vient équilibrer le côté tendre et rond qui signe le millésime. ⧗ 2016-2018 🍷 brochet au vin blanc

EARL VIGNOBLES DAVID BOISSONNEAU, Le Bourg Nausan et Postiac, 33420 Naujan-et-Postiac, tél. 05 57 74 91 12, chateau.hautdarzac@orange.fr V r.-v.

CH. HAUT PASQUET 2015

	36000		5 à 8 €

Fondés en 1880 à Escoussans, au sud de Bordeaux, les vignobles Dubourg constituent une vaste exploitation familiale de 83 ha, répartis sur neuf appellations et plusieurs étiquettes, de la rive droite de la Dordogne (Saint-Émilion) à la rive gauche de la Garonne (Sauternes). Bernard et Nadine Dubourg sont aux commandes depuis 1970, épaulés par leurs enfants: Valérie, responsable administrative et financière depuis 1999, et Benoît, responsable des chais et des vignobles depuis 1995.

Au nez, d'intenses notes d'agrumes et de fleurs blanches. En bouche, le solaire millésime 2015 imprime sa marque: c'est gras, rond, séveux, un peu trop pour certains, mais une fine vivacité citronnée en finale vient mettre l'ensemble en relief et tout le monde d'accord. ⧗ 2016-2018 🍷 cabillaud au beurre d'agrumes

VIGNOBLES DUBOURG, 545, Nicot, 33760 Escoussans, tél. 05 56 23 93 08, bdubourg@wanadoo.fr V r.-v.

CH. HAUT RIAN 2015 ★

	80000		5 à 8 €

Isabelle, Champenoise d'origine, et Michel Dietrich, œnologue alsacien, tous deux enfants de vignerons, avaient envie d'ailleurs: à la fin de leurs études, ils partent six ans en Australie s'occuper des vignobles de la maison Rémy Martin. En 1988, ils s'installent à Rions, petite cité fortifiée du XIVes. pour créer leur propre structure. Aujourd'hui à la tête d'un vignoble de 80 ha, ils se distinguent avant tout par leurs blancs secs.

Comme toujours, l'entre-deux-mers des Dietrich privilégie le sémillon (60 %). Dans le chaud millésime 2015, cela donne un vin agréable par son caractère floral et surtout fruité (agrumes, ananas, fruit de la Passion), par son palais ample et gras, bien dans le ton de l'année et du cépage, et par sa jolie finale qui apporte un surcroît de fraîcheur. ⧗ 2016-2019 🍷 terrine de poisson

EARL MICHEL DIETRICH, 10, La Bastide, 33410 Rions, tél. 05 56 76 95 01, chateauhautrian@wanadoo.fr V *t.l.j. sf sam. dim. 9h-12h 14h-17h*

CH. LES HAUTS DE FONCAUDE 2015 ★

| 33000 | | - de 5 € |

En 1934, cent vingt-six vignerons s'unissent pour créer la coopérative de Sauveterre-de-Guyenne, à quelques hectomètres de la bastide fondée en 1281 par Édouard 1er, roi d'Angleterre. En 2012, elle s'est associée avec la cave de Blasimon et regroupe aujourd'hui deux cent cinquante adhérents pour quelque 2 000 ha de vignes.

Le seul sauvignon est à l'origine de ce vin marqué par des arômes classiques de zeste de citron et de fruits exotiques. La bouche déploie une matière ronde et charnue bien dans le ton du millésime, équilibrée et dynamisée par la fraîcheur du terroir et du cépage. ⧗ 2016-2018 ♈ truite en papillote

⊶ *CAVE DE SAUVETERRE BLASIMON, 15, Bourrassat, 33540 Sauveterre-de-Guyenne, tél. 05 56 61 55 20, p.mondin@cavedesauveterre-blasimon.fr V t.l.j. sf dim. lun. 9h-12h 14h-18h*

CH. LALANDE-LABATUT 2015 ★

| 10000 | 5 à 8 € |

Régis Falxa et sa sœur Isabelle ont repris en 2005, à la suite de leur père, ce domaine familial de 44 ha, constitué du Ch. Lalande-Labatut, régulièrement sélectionné pour ses entre-deux-mers, et du Ch. les Gauthiers.

Une courte majorité pour le sauvignon gris (45 %) devant son «cousin» blanc (40 %) dans ce vin composé aussi de sémillon et de muscadelle. Il faut un peu d'aération pour libérer des notes ténues de fleurs blanches et d'agrumes. On retrouve ces derniers avec plus d'intensité dans une bouche bien construite, ample, fraîche et longue. Un entre-deux-mers sans artifice. ⧗ 2016-2019 ♈ feuilleté saumon épinards

⊶ *VIGNOBLES FALXA, 38, chem. de Labatut, 33370 Salleboeuf, tél. 05 56 21 23 18, info@lalande-labatut.com V t.l.j. 9h-12h30 15h-19h30*

CH. LANDEREAU 2015 ★★

| 150000 | | 5 à 8 € |

Henri Baylet et son fils Michel ont acquis le Ch. Landereau en 1959, puis le Ch. de l'Hoste Blanc en 1980. Installé en 1988, Bruno Baylet, troisième du nom, exploite aujourd'hui 80 ha dans l'Entre-deux-Mers.

Le sauvignon (50 % de blanc, 20 % de gris) s'illustre tout au long de la dégustation de ce vin hautement apprécié: une couleur vive et brillante, des parfums intenses d'agrumes, de fruits exotiques et de fleurs blanches, une bouche ample et d'une grande fraîcheur, qui laisse néanmoins une agréable sensation de douceur et de velouté. Un entre-deux-mers complet, harmonieux et flatteur. ⧗ 2016-2019 ♈ fromage de chèvre

⊶ *VIGNOBLES BAYLET, Ch. Landereau, 33670 Sadirac, tél. 05 56 30 64 28, vignoblesbaylet@free.fr V t.l.j. sf dim. 9h-12h 14h-17h*

CH. MARTINON 2015

| 80000 | | 5 à 8 € |

Ce domaine se situe en plein cœur de l'Entre-deux-Mers Haut-Benauge, sur un coteau argilo-calcaire.

Entre Garonne et Dordogne

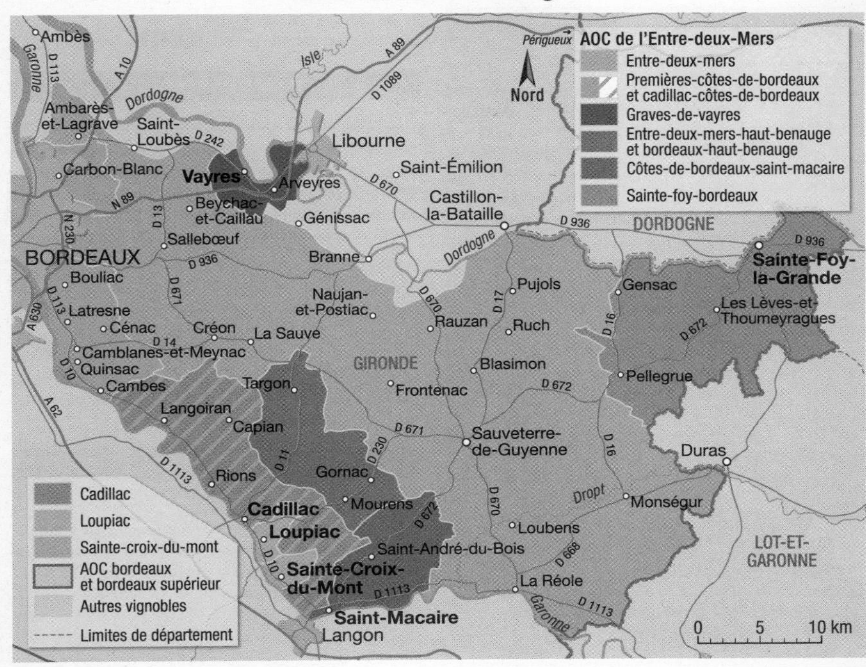

Héritier d'une très ancienne lignée vigneronne, Jérôme Trolliet, artiste peintre, a posé ses pinceaux en 1980 pour prendre le relais de sa mère à la tête du vignoble familial, étendu aujourd'hui sur une quarantaine d'hectares.

Si ce 2015 fait la part belle au sémillon (60 %), ce sont bien des parfums sauvignonnés qui s'échappent du verre: agrumes, buis, fruits exotiques. En bouche, le sémillon, bien aidé par le millésime, impose son caractère gras et rond, contrebalancé par une vivacité bien dosée en finale. ⧗ 2016-2018 ▾ tarte aux pêches

EARL TROLLIET MARTINON, Ch. Martinon, 33540 Gornac, tél. 05 56 61 97 09, chateaumartinon@wanadoo.fr V ⛹ ▪ *r.-v.*

CH. DE LA MINGERIE 2015

▪	10000	▮	5 à 8 €

Dans la même famille depuis quatre générations, ce domaine est conduit par Alain et Franck Jeanjean depuis 1992, l'un à la commercialisation, l'autre au chai et au vignoble (27 ha).

Ce 2015 s'ouvre *pianissimo* sur des parfums sauvignonnés d'agrumes et de fruit de la Passion. Il fait preuve de plus de caractère en bouche, où il offre un bon volume et un équilibre qui penche vers la rondeur. ⧗ 2016-2018 ▾ tajine de poisson au citron confit

GAEC JEANJEAN PÈRE ET FILS, 4, Le Barbey, 33420 Naujan-et-Postiac, tél. 05 57 84 60 51, chateaudelamingerie@sfr.fr V ▪ *r.-v.*

♥ CH. LES MOUTINS 2015 ★★

▪	20000	▮	5 à 8 €

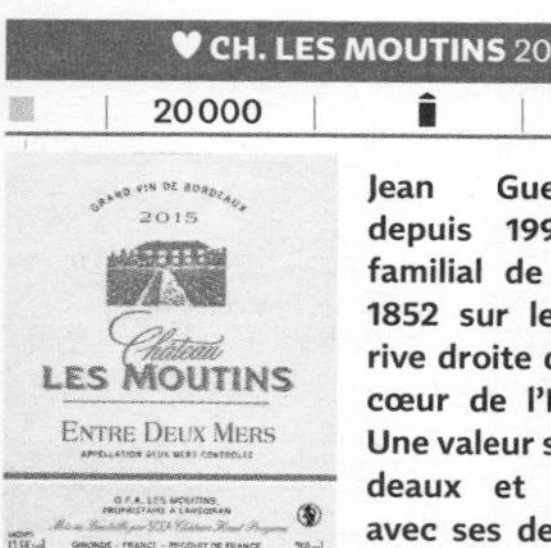

Jean Gueridon conduit depuis 1990 un domaine familial de 50 ha, créé en 1852 sur les coteaux de la rive droite de la Garonne, au cœur de l'Entre-deux-Mers. Une valeur sûre des AOC bordeaux et entre-deux-mers avec ses deux étiquettes: le Ch. Haut Pougnan, fief d'origine, et le Ch. les Moutins, acquis en 1995.

Ballottage favorable pour le sauvignon (60 %) aux côtés du sémillon dans ce vin qui offre tout ce que l'on attend d'un entre-deux-mers, avec ce petit supplément d'âme qui fait souvent la différence pour décrocher le coup de cœur. Ici, un vin d'une belle limpidité cristalline qui met en confiance, au nez intense et fin de fleurs blanches, de genêt, de fruits exotiques et de buis, au palais onctueux et charnu ragaillardi par une pointe de vivacité dosée comme il faut, ni trop ni trop peu. Apéritif, fruits de mer, poisson, volaille, tout lui convient… ⧗ 2016-2020 ▾ volaille, fonds d'artichaut aux petits pois

SCEA CH. HAUT POUGNAN, 6, chem. de Pougnan, 33670 Saint-Genès-de-Lombaud, tél. 05 56 23 06 00, haut.pougnan@gmail.com V ⛹ ▪ *t.l.j. sf dim. 8h-12h 13h-17h*
Gueridon

CH. NARDIQUE LA GRAVIÈRE 2015 ★★

▪	120000	5 à 8 €

Cette propriété appartient à la même famille depuis 1920. Philippe Thérèse, installé depuis 1987 et représentant la troisième génération, exploite aujourd'hui un vignoble de 38 ha.

Ce 2015 propose une belle expression des cépages blancs bordelais plantés sur un sol très graveleux. Au nez, des arômes francs et purs de fleurs blanches, de pêche et d'agrumes. En bouche, une harmonie remarquable autour d'une attaque nette et sans bavure, d'un développement ample et rond et d'une finale longue, marquée par de beaux amers. ⧗ 2016-2019 ▾ paella aux fruits de mer

EARL VIGNOBLES THÉRÈSE, Nardique la Gravière, 33670 Saint-Genès-de-Lombaud, tél. 05 56 23 01 37, lesvignoblestherese@gmail.com V ⛹ ▪ *r.-v.*

CH. NAUDONNET PLAISANCE 2015

▪	n.c.	5 à 8 €

Les Mallard exploitent la vigne depuis 1870. Laurent, installé avec sa mère en 1991 et en solo depuis 2001, conduit plusieurs crus à Sauternes (L'Agnet La Carrière), à Saint-Émilion (La Croix Fourche Mallard) et dans l'Entre-deux-Mers (Vieux Liron et Naudonnet Plaisance).

Le 2014 de la maison fut élu coup de cœur dans l'édition précédente. Le 2015 apparaît moins abouti mais fort plaisant par son bouquet frais d'agrumes, de fruit de la Passion et d'ananas et par son palais vif et tonique. Un bon représentant de l'appellation. ⧗ 2016-2018 ▾ huîtres

LAURENT MALLARD, Ch. Naudonnet Plaisance, 33760 Escoussans, tél. 05 56 23 93 04, contact@laurent-mallard.com V ⛹ ▪ *r.-v.*

CH. JEAN DE PEY 2015 ★

▪	7860	- de 5 €

Dirigée depuis 1986 par Annie Merlet-Brunet, cette propriété étend ses 24 ha de vignes au cœur de l'Entre-deux-Mers, sur les coteaux argilo-calcaires qui entourent Sauveterre-de-Guyenne, célèbre pour sa bastide fondée en 1281 par Édouard 1er, roi d'Angleterre.

L'alliance du sauvignon (80 %) et du sémillon compose un vin bien sous tous rapports: jolie robe limpide et brillante, nez intense et sauvignonné d'agrumes mûrs, bouche au diapason, souple et fraîche, avec ce qu'il faut de gras pour donner du volume. ⧗ 2016-2018 ▾ plancha de saint-jacques

ANNIE MERLET-BRUNET, Jean de Pey, Le Puch, 33540 Sauveterre-de-Guyenne, tél. 05 56 71 55 58, amerletbrunet@orange.fr V ⛹ ▪ *r.-v.*

DOM. DE RICAUD 2015

▪	10660	▮	5 à 8 €

Issu d'une longue lignée de vignerons, Régis Chaigne, ingénieur agronome installé en 1992, exploite un bel ensemble viticole de 42 ha (35 ha de rouge et 7 ha de blanc) sur les communes de Saint-Laurent-du-Bois, Cantois, Saint-Martial, Saint-Pierre-de-Bat et Gornac.

Sauvignon et sémillon à parts égales dans ce vin complété par un peu de muscadelle. Au nez, des arômes printaniers de fleurs blanches et de fruits à chair jaune. En bouche, du fruit et un bon équilibre gras-acidité. ⧗ 2016-2018 🍴 terrine de saint-jacques

VIGNOBLES CHAIGNE ET FILS, Ch. Ballan-Larquette, 33540 Saint-Laurent-du-Bois, tél. 05 56 76 46 02, regis@chaigne.fr V r.-v.

CH. SAINTE-MARIE Vieilles Vignes 2015 ★★

| 100 000 | 5 à 8 € |

Ce domaine fut autrefois administré par les moines de la Sauve-Majeure. Depuis quatre générations, ce sont les Dupuch (Stéphane depuis 1997) qui sont aux commandes et en ont fait une propriété importante (60 ha) de l'Entre-deux-Mers. Ils exploitent aussi dans le Haut-Médoc avec le Ch. Peyredon Lagravette, petit cru d'à peine plus de 4 ha.

Une belle expression florale (fleurs blanches) et fruitée (agrumes et fruits exotiques) anime l'olfaction de ce vin limpide et brillant. Frais, souple et long, porté par un fruité croquant aux accents de pamplemousse et de citron, le palais est de grande tenue. ⧗ 2016-2019 🍴 tartare de langoustines

STÉPHANE DUPUCH, Ch. Sainte-Marie, 51, rte de Bordeaux, 33760 Targon, tél. 05 56 23 64 30, contact@chateau-sainte-marie.com V r.-v.
Stéphane Dupuch

(B) CH. DES SEIGNEURS DE POMMYERS 2015 ★★

| 13 280 | 5 à 8 € |

Les Piva, après avoir vinifié en Italie, se sont établis en 1924 dans l'Entre-deux-Mers, d'abord en métayage puis en fermage, avant d'acquérir en 1961 le Ch. Pouchaud-Larquey, puis le Ch. des Seigneurs de Pommyers en 1989. Jean-Luc Piva, aujourd'hui épaulé par ses enfants, s'est converti au bio dès 1984.

Net et complexe, le nez de ce beau 2015 associe la verveine, l'anis, les agrumes et les fruits exotiques. Après une attaque franche, le palais se montre gras, rond et volumineux et déploie de fines saveurs de fruits blancs, d'abricot et de noyau, tandis que la finale, pleine de fraîcheur, apporte un supplément d'âme et de vigueur. ⧗ 2016-2019 🍴 bouchées à la reine aux fruits de mer **Ch. Pouchaud-Larquey 2015 ★ (5 à 8 €; 23 546 b.)** (B) : un vin fruité, minéral et floral au nez, fin et frais en bouche, d'une belle harmonie. ⧗ 2016-2018

SCEA PIVA, Ch. des Seigneurs de Pommyers, 33540 Saint-Félix-de-Foncaude, tél. 05 56 71 65 16, piva.chateau@orange.fr V r.-v.

CH. TOUR DE BONNET 2015

| 75 000 | - de 5 € |

Ancienne ferme fortifiée de style périgourdin ayant appartenu à Montesquieu, ce château a failli perdre son vignoble au début du XXe s., les propriétaires de l'époque préférant la sylviculture à la viticulture. Racheté en 1973 par André Lurton, il dispose aujourd'hui d'un vaste vignoble de 100 ha et de chais ultramodernes.

Le 2015 de la Tour de Bonnet est un vin bien typé, expressif (fleurs blanches, agrumes, fruits exotiques), frais et alerte en bouche. Simple et de bon goût. ⧗ 2016-2018 🍴 paupiette de sole

ANDRÉ LURTON, Ch. Bonnet, 33420 Grézillac, tél. 05 57 25 58 58, andrelurton@andrelurton.com

♥ CH. VIGNOL 2015 ★★

| 80 000 | 5 à 8 € |

Descendants de marins, les Doublet sont enracinés dans le vignoble bordelais depuis la fin du XVIIIe s. et depuis 1975 au Ch. Vignol, ancienne propriété de Montesquieu dans l'Entre-deux-Mers, passée entre les mains d'armateurs bordelais au XIXe s. En 1987, ils ont traversé la Garonne pour investir à Beautiran, dans les Graves du nord, avec le Ch. Tour de Calens, puis en saint-émilion grand cru avec le Ch. Saint-Ange en 2009.

Le domaine n'en est pas à son premier coup de cœur: les lecteurs les plus fidèles se souviendront peut-être des magnifiques 2007 et 2001. Le 2015 est un petit bijou d'équilibre. Son bouquet, intense et complexe, mêle les senteurs acidulées des agrumes avec de plus gourmandes notes de fruits exotiques, une fine minéralité et une touche végétale bien sauvignonnée. Aussi large que longue, très fruitée (ananas, pamplemousse, fruit de la Passion), la bouche associe à la fraîcheur attendue un côté séveux, dense et fondant qui fait la différence. ⧗ 2016-2020 🍴 risotto aux palourdes

BERNARD ET DOMINIQUE DOUBLET, Ch. Vignol, 33750 Saint-Quentin-de-Baron, tél. 05 57 24 12 93, info@famille-doublet.fr V r.-v.

ENTRE-DEUX-MERS HAUT-BENAUGE

Superficie : 105 ha / Production : 5 310 hl

Neuf communes situées autour de Targon, sur la même aire que le bordeaux-haut-benauge, peuvent ajouter le nom de haut-benauge.

(B) CH. FERRAN SAINT-PIERRE
Cuvée Tucaou 2014 ★★

| 8 000 | 8 à 11 € |

Un domaine fondé en 1976 dans la région du Haut-Benauge. Julien Ferran conduit ses 45 ha de vignes en bio depuis 2000 et en biodynamie depuis 2010.

Le nom de cette cuvée fort appréciée renvoie à un lieu-dit du domaine signifiant «le point haut». Et ce vin prend de la hauteur en effet avec ses notes franches d'agrumes et de fleurs blanches mêlées à celles plus puissantes d'un boisé bien travaillé, grillé et brioché (six mois d'élevage). La bouche offre un équilibre parfait entre rondeur, souplesse, gras et fraîcheur. Cette bouteille déjà très harmonieuse vieillira bien. ⧗ 2016-2021

🍴 cabillaud en sauce ■ **Tradition 2015 ★★** (5 à 8 €; **40 000 b.**) : une cuvée qui n'a pas connu le bois, saluée pour ses parfums de raisin mûr et de fruits exotiques, sa bouche à la fois dense, fraîche et fine. ⧗ 2016-2018

FERRAN, Le Tucaou, 33760 Saint-Pierre-de-Bat, tél. 05 56 61 98 61, chateauferran@gmail.com V r.-v.

CH. HAUT-TERRE-FORT 2015 ★

■ | 25 000 | | - de 5 €

La famille Clissey-Fermis est établie sur les terres de Ladaux depuis sept générations. Depuis 1992, c'est Thierry Fermis qui est à la tête du vignoble, 45 ha sur lesquels sont produites trois étiquettes: les châteaux Haut-Terre-Fort, Maynard et Chrismar.

Le seul sauvignon est à l'origine de ce vin dominé par des parfums persistants de fleurs blanches, d'agrumes et de fruits exotiques. Vive dès l'attaque, la bouche, ample, fine et longue, conserve ce caractère tonique jusqu'en finale, renforcé par une plaisante note végétale. ⧗ 2016-2018 🍴 pizza aux fruits de mer

VIGNOBLES CLISSEY-FERMIS, 24, rte de Cantois, 33760 Ladaux, tél. 06 87 37 60 54, clissey.fermis@wanadoo.fr V r.-v.

CH. PEYRINES 2015

■ | 8 000 | | 5 à 8 €

Du château médiéval, il ne reste que quelques pierres dont celles qui portent le blason des comtes de Peyrines, devenu celui du domaine. Un domaine viticole fondé en 1825 autour d'un vignoble de 38 ha aujourd'hui, conduit depuis trois générations par la famille Behaghel.

Né de sauvignon (55 %), sémillon et muscadelle, ce vin est dominé au nez par le pamplemousse et les fruits exotiques. Un fruité prolongé avec persistance par une bouche fraîche, sans aspérité, de bonne tenue. Un joli classique. ⧗ 2016-2018 🍴 sardines grillées

BEHAGHEL, Ch. Peyrines, 33410 Mourens, tél. 05 56 61 98 05, contact@chateau-peyrine.com V *t.l.j. 9h-12h30 13h30-19h*

CH. VERMONT Prestige 2015 ★★

■ | 15 800 | 5 à 8 €

Commandée par un ravissant château du XIXe s. entouré de 40 ha de vignes, cette propriété de l'Entre-deux-Mers appartient à la même famille depuis les années 1880. C'est depuis 2010 la quatrième génération – Élisabeth et son mari David Labat – qui est aux commandes.

Une dominante de sauvignon blanc (70 %), du sémillon (20 %) et un peu de sauvignon gris pour cette belle cuvée au nez fin et printanier de chèvrefeuille évoluant vers des senteurs d'agrumes. D'un équilibre remarquable, la bouche est à la fois élégante, volumineuse, fraîche et charnue. ⧗ 2016-2019 🍴 sushis

EARL CH. VERMONT, 33760 Targon, tél. 05 56 23 90 16, chateauvermont@chateau-vermont.fr V *r.-v.*

GRAVES-DE-VAYRES

Superficie : 660 ha
Production : 35 300 hl (85 % rouge)

Malgré l'analogie du nom, cette région viticole, située sur la rive gauche de la Dordogne, non loin de Libourne, est sans rapport avec la zone viticole des Graves. Les graves-de-vayres correspondent à une enclave relativement restreinte de terrains graveleux, différents de ceux de l'Entre-deux-Mers. Cette dénomination a été utilisée dès le XIXe s., avant d'être officialisée en appellation en 1937. Initialement, elle correspondait à des vins blancs secs ou moelleux, mais la production des vins rouges, qui peuvent bénéficier de la même appellation, est devenue majoritaire. Une part importante des vins rouges est cependant commercialisée sous l'appellation régionale bordeaux.

♥ CH. LES ARTIGAUX 2014 ★★

■ | 20 000 | | 5 à 8 €

Créé en 1910, le Ch. les Artigaux porte le nom d'une de ses parcelles de vignes. Le domaine s'étend sur 23 ha, une large part étant dédiée aux cépages rouges. Bruno Baudet est aux commandes depuis 1998.

Cet assemblage merlot-cabernet-sauvignon (80-20) a fait l'unanimité. Une seyante robe rubis foncé précède un nez intense de fruits noirs légèrement confiturés (mûre, cassis), de réglisse et d'épices douces. Un fruité généreux prolongé par une bouche ample, onctueuse et soyeuse, à laquelle des tanins élégants et serrés apportent un surcroît de fermeté et de longueur. ⧗ 2018-2021 🍴 rosbif et fondue d'oignons ■ **Cuvée des 3 B 2014 ★ (5 à 8 €; 10 000 b.)** : le nez, complexe, mêle des notes de pruneau, de violette, de cendre chaude, de menthe poivrée, de cacao... Le palais est vineux, dense, boisé et bien structuré. Du caractère et de la générosité. ⧗ 2018-2021

BRUNO BAUDET, Ch. les Artigaux, 12, rue du Sudre, 33870 Vayres, tél. 06 08 16 55 45, baudet.bruno@wanadoo.fr V *t.l.j. 9h-18h*

CH. CANTELAUDETTE Cuvée Prestige 2014

■ | 125 000 | | 5 à 8 €

Longtemps exploité en polyculture, ce cru fondé en 1870 par l'aïeul de Jean-Michel Chatelier est désormais dédié à la vigne seule (55 ha), à l'origine de graves-de-vayres et de bordeaux très réguliers en qualité, et proposés sous plusieurs étiquettes.

Ce pur merlot s'exprime avec intensité à l'olfaction, sur les fruits rouges agrémentés de notes épicées. Après une attaque suave et charnue, le palais, concentré, montre les muscles à travers des tanins vigoureux et un boisé qui doit encore se fondre. Du potentiel. ⧗ 2018-2022 🍴 civet de lièvre

*JEAN-MICHEL CHATELIER,
1, Cantelaudette, 33500 Arveyres,
tél. 05 57 24 84 71, jm.chatelier@wanadoo.fr*
V r.-v.

CH. JEAN DUGAY 2015 ★★

	14000		- de 5 €

Quatre générations se sont succédé sur le domaine familial Jean Dugay, aujourd'hui dirigé par Nathalie Ballet et son frère Bruno, également propriétaires depuis 1990 du Ch. la Caussade, ancien relais de chasse du Ch. de Vayres. Leur vignoble s'étend sur 65 ha.

Ce pur sauvignon se présente dans une éclatante robe blond doré aux reflets platine. Suit un fruité «explosif» à l'olfaction: citron vert, ananas, litchi, mangue. Le prélude emballant à une bouche large, onctueuse et élégante, marquée elle aussi par un fruité intense (poire passe crassane, pomme verte, pomelo) et taquinée par une fraîcheur mentholée et une fine minéralité qui magnifie la finale. ⧗ 2016-2020 ⫯ sandre aux morilles ■ **Ch. la Caussade Vieilli en fût de chêne 2014 ★ (5 à 8 €; 17000 b.)** : le seul merlot est à l'œuvre dans ce vin «de causse» (de coteau), qui offre au nez un joyeux panachage de fruits rouges, d'épices, de réglisse et de silex. D'un élevage luxueux en barriques (dix-huit mois), le palais, large et long, a hérité d'un vanillé soyeux qui ennoblit une bouche structurée autour de tanins solides. ⧗ 2018-2021

*GFA VIGNOBLE BALLET,
1, chem. de Caussade, 33870 Vayres,
tél. 05 57 74 83 17, vignoble.ballet@orange.fr*
V r.-v.

CH. FAGE 2015 ★

	n.c.		5 à 8 €

Un vaste domaine de 50 ha de vignes et 60 ha de forêts et prairies, commandé par un château du XVIIIe s. construit selon les plans de Victor Louis et propriété des Glotin depuis 1930. Plusieurs étiquettes ici, en graves-de-vayres et entre-deux-mers: Goudichaud, Haut-Bessac, Fage et La Fleur des Graves.

Ce blanc sec né de sémillon (60 %) et de sauvignon porte beau dans sa robe brillante tirant sur le vieil or. L'olfaction est complexe autour des arômes variétaux du sauvignon (buis, genêt), puis à l'aération une large émergence fruitée (pêche de vigne, mirabelle) mâtinée de notes épicées. Une attaque suave et grasse annonce une bouche charnue que stimulent des notes pierreuses en finale. ⧗ 2016-2019 ⫯ coquilles Saint-Jacques ■ **Ch. la Fleur des Graves 2015 ★ (8 à 11 €; 6000 b.)** : un vin qualifié de «sexy» dans sa robe lumineuse, vert amande. Au nez, du buis, puis les agrumes, les fruits exotiques et la vanille. En bouche, un boisé encore un peu dominateur et de la fraîcheur à travers une minéralité stimulante et des saveurs de citron vert et d'abricot sec. ⧗ 2017-2021 ■ **Ch. Goudichaud 2015 (5 à 8 €; 12000 b.)** : vin cité. ■ **Ch. Goudichaud 2014 (5 à 8 €; 80000 b.)** : vin cité.

*CH. FAGE, 17, chem. de Goudichaud,
33750 Saint-Germain-du-Puch, tél. 05 57 24 57 34,
contact@chateaugoudichaud.fr*
V *t.l.j. sf sam. dim. 9h-12h 13h30-17h30*

CH. HAUT-MONGEAT 2015 ★

	600		5 à 8 €

Propriété familiale de 18 ha, dont le savoir-faire vigneron s'est enrichi du travail de quatre générations. Conseillée par son père Bernard, Isabelle Bouchon a pris les rênes du domaine, en bio certifié depuis 2014.

D'une petite parcelle de sauvignon gris planté sur des terres sablo-graveleuses a été extrait un 2015 très confidentiel. Un vin cristallin au nez d'agrumes, de fruits exotiques et de fougère. Une même fraîcheur avenante aux accents de citron confit, d'écorce d'orange et de pamplemousse imprègne la bouche avec vigueur et lui confère un beau dynamisme. ⧗ 2016-2019 ⫯ plateau de fruits de mer

*BOUCHON, 79, chem. de Mongeat,
33420 Génissac, tél. 05 57 24 47 55, info@mongeat.fr*
V r.-v.

CH. JUNCARRET Évolution 2015 ★

	10700		5 à 8 €

Un château du XVIe s., demeure du trésorier général de France sous l'Ancien Régime. Depuis 1955, la famille Rouquette en est propriétaire et produit sur 28,5 ha des graves-de-vayres et des bordeaux dans les trois couleurs.

Cette cuvée Évolution fait la part belle au sémillon (80 %), cépage qui apporte onctuosité et gras dans les assemblages. La réussite est au rendez-vous avec ce vin harmonieux, ouvert sur des arômes soutenus d'agrumes et de fleurs blanches, porté par une fringante fraîcheur dans une bouche ample et souple. ⧗ 2016-2019 ⫯ bar de ligne grillé ■ **Moelleux 2015 (5 à 8 €; 5900 b.)** : vin cité.

*SCEA DU CH. JUNCARRET,
av. de Juncarret, 33870 Vayres, tél. 05 57 74 85 23,
contact@juncarret.fr* V *t.l.j. 9h-12h 13h-17h; sam. dim. sur r.-v.* *Rouquette*

CH. LE LAU Perle noire 2014

	1200		15 à 20 €

Le Ch. Le Lau a été édifié en 1762 par Victor Louis, éminent architecte bordelais, et acquis par la famille Plomby en 1988. Un domaine où la biodiversité est une priorité, préservée grâce aux bois attenants, aux prairies, aux jardins (anglais, français, japonais) et aux vergers. Côté vigne, 12 ha aujourd'hui, conduits depuis 2012 par Sylvie Plomby, qui a lancé la conversion bio et biodynamique en 2016.

La beauté du lieu a inspiré le cinéma: c'est ici que fut tourné en 1956 le film de Pierre Gaspard-Huit, *La mariée était trop belle*, avec Brigitte Bardot. Elle inspire aussi la vigneronne qui signe ici un joli 2014 né du seul merlot, élevé dix mois dans des barriques neuves de chêne sessile, à grains extra-fins. Résultat: un vin à l'olfaction variée (cerise écrasée, fraise, menthol, doux vanillé), ample et souple en attaque, un peu plus strict dans son développement mais sans dureté. ⧗ 2017-2021 ⫯ brochettes de mouton au curry

*FAMILLE PLOMBY, lieu-dit Le Lau,
33500 Arveyres, tél. 05 57 97 77 50,
chateaulelau@hotmail.fr* V *t.l.j. sf sam. dim. 8h30-17h*

LE BORDELAIS

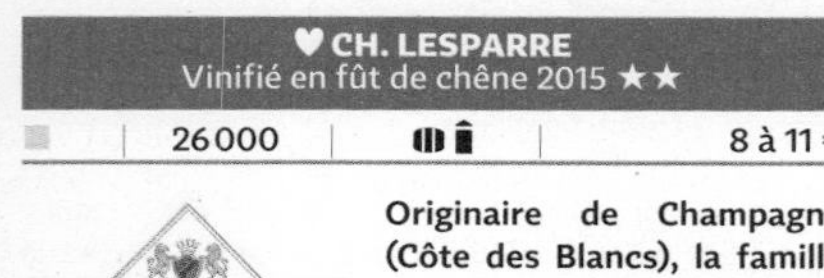

♥ CH. LESPARRE Vinifié en fût de chêne 2015 ★★

■ | 26000 | | 8 à 11 €

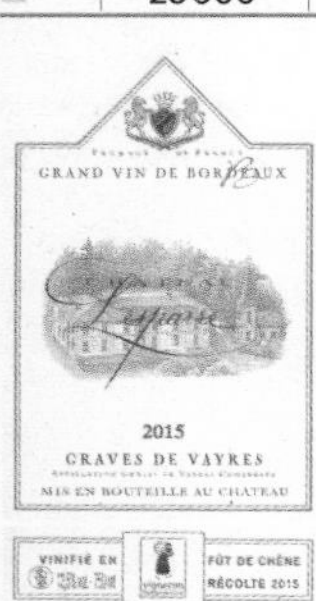

Originaire de Champagne (Côte des Blancs), la famille Gonet s'est aussi forgé une solide renommée dans le Bordelais: en graves-de-vayres avec les châteaux Lesparre (acquis en 1986), Lathibaude et Durand Bayle, valeurs sûres conduites en bio, ainsi qu'en pessac-léognan (Haut-Bacalan, Eck, Haut l'Évêque, Saint-Eugène) et en AOC régionales (La Chapelle Bordes, La Rose Videau).

Né de sauvignon (80 %) et de sémillon, ce 2015 a extrait des graves sableuses une élégance qui a conquis les jurés. Il s'exprime généreusement à l'olfaction sur des senteurs d'agrumes agrémentées de notes de silex chaud et d'un doux vanillé qui rappelle l'élevage en fût. Une attaque franche ouvre sur un palais à la fois gras, onctueux et très fin, floral (acacia, œillet) et fruité (fruits blancs), dynamisé par une longue finale minérale. ⧗ 2017-2021 🍴 blanquette de poisson ■ **Ch. Lathibaude 2015 (8 à 11 €; 13000 b.)** : vin cité.

SCEV MICHEL GONET ET FILS, Ch. Lesparre, 33750 Beychac-et-Caillau, tél. 05 57 24 51 23, info@gonet.fr r.-v.

CH. PICHON BELLEVUE Cuvée Élisée 2013 ★

■ | 30000 | | 5 à 8 €

Un domaine de 50 ha au cœur de l'appellation graves-de-vayre, très ouvert à l'œnotourisme et conduit depuis 1880 par une famille qui descend de l'écrivain-géographe Élisée Reclus, un brillant intellectuel acquis aux mêmes idées républicaines que le grand Victor Hugo. Depuis 1992, son héritier Laurent Reclus est aux commandes.

Hommage au célèbre aïeul, cette cuvée est issue du merlot (80 %) et des deux cabernets récoltés sur des terroirs de fines graves. L'élevage d'une année en barriques a peaufiné des tanins souples et soyeux, et conféré au nez comme en bouche de doux arômes épicés et vanillés qui préservent un fruité large et varié (groseille, cerise, cassis). Une belle réussite dans un millésime ô combien compliqué. ⧗ 2017-2021 🍴 rôti de bœuf à l'antillaise

CH. PICHON BELLEVUE, 23, av. du Stade, 33870 Vayres, tél. 05 57 74 84 08, chateaupichonbellevue@orange.fr r.-v.
Reclus

SAINTE-FOY-BORDEAUX

Superficie : 370 ha
Production : 17 250 hl (90 % rouge)

À l'extrémité orientale de l'Entre-deux-Mers et aux portes du Périgord, sur les rives de la Dordogne, la bastide médiévale de Sainte-Foy-la-Grande a donné son nom à un vignoble qui propose des rouges marqués par le merlot ainsi que quelques blancs, surtout secs.

CH. BELLEVUE-PEYCHARNEAU 2013

■ | 38000 | | 5 à 8 €

Un vignoble de 15 ha établi sur les hauteurs de Sainte-Foy-la-Grande, à l'est de l'Entre-deux-Mers: 7 ha sur un plateau rocheux dominant la vallée de la Dordogne et le reste sur des coteaux très pentus.

Deux tiers de merlot et un tiers de cabernets et un élevage de douze mois mi-cuve mi-fût pour ce 2013 qui n'a rien d'un athlète, mais séduit par son nez tout en fruits bien mûrs – du cassis, de la mûre et de la myrtille ourlés de vanille – et par son palais gourmand, dans le même registre, adossé à des tanins bien fondus. ⧗ 2016-2019 🍴 hamburger maison

SCEA BELLEVUE PEYCHARNEAU, rue de la Commanderie, 33220 Pineuilh, tél. 06 82 28 44 50, info@bellevue-peycharneau.fr r.-v. Onillon

CH. CAPELLE 2014

■ | 40000 | | 5 à 8 €

Univitis est une coopérative regroupant 230 adhérents et 2 000 ha dans le «grand Sud-Ouest» viticole. Elle propose une large gamme de vins de marque et de propriétés dans une quinzaine d'AOC, à laquelle s'ajoute le Ch. les Vergnes acquis en 1986 (130 ha près de Sainte-Foy).

Élevé six mois en cuve et en fût, un vin agréable dans sa jeunesse, d'une couleur soutenue, s'ouvrant à l'aération sur de jolis arômes de cerise noire, de cassis et de prune bien mûre. L'attaque franche est relayée par une bouche souple et fruitée. Un vin de plaisir immédiat. ⧗ 2016-2019 🍴 steak frites

SCA UNIVITIS, 1, rue du Gal-de-Gaulle, 33220 Les Lèves-et-Thoumeyragues, tél. 05 57 56 02 02, univitis@univitis.fr t.l.j. sf dim. lun. 9h-12h30 14h30-19h

CH. CARBONNEAU Margot 2015 ★

■ | 12000 | 5 à 8 €

Un élégant château du XIXe s. avec parc et jardin commande ce cru de 21 ha, dans la même famille depuis 1937 et conduit par Wilfrid Franc de Ferrière depuis 1992.

Un blanc de pur sauvignon, qui offre tout ce qu'on attend des vins issus de ce cépage en évitant tout ce qui fâche: nulle verdeur, mais un joli nez printanier tout en finesse, sur les fleurs blanches, et un palais frais, citronné, élégant et persistant, dont le côté alerte est mis en valeur par un fin perlant. ⧗ 2016-2019 🍴 tartare de bar ■ **La Verrière 2014 (11 à 15 €; 3700 b.)** : vin cité. ■ **Séquoïa 2014 (5 à 8 €; 26000 b.)** : vin cité.

FRANC DE FERRIÈRE, Ch. Carbonneau, 33890 Pessac-sur-Dordogne, tél. 05 57 47 46 46, carbonneau.wine@.orange.fr r.-v. 5

CH. DES CHAPELAINS Prélude 2015 ★★

■ | 40000 | | 5 à 8 €

Pierre Charlot est un vigneron qui compte dans l'AOC sainte-foy. Depuis 1991, il redonne ses lettres de noblesse à ce domaine de 48 ha, dans sa famille depuis le XVIIe s., dont il tire des cuvées qui laissent rarement indifférent et visent avant tout l'expression du fruit. L'une de ses devises: *Life is too short to drink bad wine...* «La vie est trop courte pour boire du mauvais vin.»

Cette cuvée élevée sous bois est le fruit d'un assemblage savant de quatre cépages: sauvignons blanc et gris, sémillon et muscadelle. Son nez intense et tout en finesse de fleurs blanches, d'agrumes, de noisette, d'amande douce, puis son palais ample, gras et long, son beau fruit ont enchanté les dégustateurs, qui saluent sa précision et son élégance. Un coup de cœur fut mis aux voix... ⌛ 2016-2020 🍴 sashimis ■ **Aphrodite 2014 (5 à 8 €; 20000 b.)** : vin cité. ■ **Les Temps Modernes 2013 (8 à 11 €; 12000 b.)** : vin cité.

SCEA CH. DES CHAPELAINS, 1, Les Chapelains-Rambaux, 33220 Saint-André-et-Appelles, tél. 05 57 41 21 74, chateaudeschapelains@wanadoo.fr t.l.j. sf sam. dim. 8h-12h 14h-18h

CH. COUTELOR LA ROMARINE 2014 ★

■ | 9333 | | 5 à 8 €

Dominant la vallée de la Garonne en haut de son coteau, un cru de 18 ha dont les origines remontent à l'époque d'Henri IV. La famille Sicard livrait ses raisins à la cave coopérative jusqu'à l'arrivée en 1998 de Corinne, œnologue, qui produit avec régularité de beaux sainte-foy et bordeaux supérieurs.

Née d'un assemblage dominé par le merlot, une cuvée à la robe jeune, pourpre foncé aux reflets violets, mêlant au nez les fruits rouges et noirs (mûre, prune, cassis), les épices et la réglisse. Dans le même registre, la bouche ample en attaque s'appuie sur des tanins serrés. La finale mentholée, un peu ferme, appelle une petite garde. ⌛ 2018-2021 🍴 pavé de bœuf aux cèpes

EARL VIGNOBLE RENÉ SICARD ET FILLES, Le Gachignard, 33220 Eynesse, tél. 05 57 41 01 51, coutelor@sfr.fr r.-v.

CH. L'ENCLOS Triple A 2014 ★

■ | 12000 | | 11 à 15 €

Ancienne propriété d'Éric Bonneville, aux commandes à partir de 2003, ce cru de 23 ha est passé sous pavillon asiatique en 2013. Une valeur sûre en sainte-foy, notamment avec sa cuvée Triple A.

La cuvée Triple A garde ses lettres de noblesse. Elle sera appréciée des amateurs chinois, à en juger par la contre-étiquette traduisant les mentions à leur intention. Produite sur 5 ha, elle assemble trois quarts de merlot et un quart de cabernet franc. La robe dense montre des reflets violets de jeunesse. Le bouquet complexe associe la cerise noire, le cassis, les épices douces et la vanille. Souple à l'attaque, ample et chaleureuse, la bouche repose sur une trame tannique bien fondue. Un ensemble charmeur. ⌛ 2017-2022 🍴 canard rôti ■ **Triple A 2015 ★ (8 à 11 €; 10600 b.)** : si le sémillon est majoritaire dans l'assemblage (60 %), c'est le sauvignon qui ressort, avec ses arômes un peu sauvages et sa fraîcheur. Le sémillon lui lègue sans doute une certaine richesse. ⌛ 2016-2019

SCEA CH. L' ENCLOS, 3, rte de Bergerac, 33220 Pineuilh, tél. 05 57 33 09 68, w.su.lamontfi@gmail.com

CH. GRAND MONTET Élevé en fût de chêne 2014 ★

■ | 12000 | | 5 à 8 €

Un cru de 30 ha conduit depuis 1987 par Marie-France et Didier Roussel, régulier en qualité depuis sa sortie de la cave coopérative en 2001. Outre ses sainte-foy, le domaine réserve, les bonnes années, 30 ares de vignes dédiés à une production confidentielle de liquoreux.

Mi-merlot mi-cabernets, ce 2014 a été élevé quinze mois en barrique. D'un pourpre intense aux reflets violets, il livre des parfums francs de fruits noirs (cassis et myrtille) rehaussés d'un boisé harmonieux aux notes vanillées. Dans le même registre aromatique, la bouche souple s'appuie sur des tanins arrondis qui lui donnent un côté charnu. La finale persistante sur les arômes du bouquet laisse espérer une bonne garde. ⌛ 2018-2026 🍴 bœuf bourguignon

MARIE-FRANCE ET DIDIER ROUSSEL, EARL Les Deux Domaines, 6, Le Grand-Montet, 33220 Saint-André-et-Appelles, tél. 05 57 46 10 23, chateaugrandmontet@orange.fr t.l.j. 8h-12h 14h-18h

CH. HOSTENS-PICANT Lucullus Cuvée d'Exception 2014 ★

■ | 11000 | | 20 à 30 €

Rouge ou blanc, sec ou moelleux, ce domaine de 42 ha, régulièrement présent dans ces pages, joue pour toutes ses cuvées la carte de l'appellation sainte-foy-bordeaux. À sa tête, Yves et Nadine Hostens-Picant, installés en 1986 (premières vinifications en 1990, date de la construction du chai).

La cuvée de prestige du domaine assemble 80 % de merlot au cabernet franc et séjourne un an en barriques, neuves à 50 %. La robe tire sur le noir et montre des reflets violets de jeunesse. Le bouquet expressif nous parle de merlot, avec ses notes de mûre, de cassis et de violette, rehaussées d'un boisé grillé. Souple et ample en attaque, épicé et fruité, ce vin, sans être un monstre de puissance, s'appuie sur des tanins assez serrés et offre une longue finale où l'on retrouve la violette. ⌛ 2018-2021 🍴 gigot d'agneau ■ **2014 (20 à 30 €; 60000 b.)** : vin cité.

SCEA CH. HOSTENS-PICANT, Grangeneuve-Nord, 33220 Les Lèves-et-Thoumeyragues, tél. 05 57 46 38 11, chateauhp@gmail.com r.-v.

CH. MARTET Réserve de famille 2013

■ | 35430 | | 30 à 50 €

Propriétaire de l'une des plus anciennes et importantes maisons de négoce belges (1886), Patrick de Coninck conduit depuis 1991 ce cru de 25 ha, ancienne halte sur le chemin de Compostelle. Après avoir entièrement restructuré le vignoble (90 % arrachés et replantés du seul merlot), il en a fait l'une des références incontournables de l'appellation sainte-foy.

Une cuvée phare du domaine. Si le 2013 n'a pas l'envergure de millésimes comme le 2010, montrant plus de souplesse et une évolution assez linéaire, il séduit par sa gamme aromatique fruitée exprimant le merlot – mûre, prune et cassis, les notes d'épices douces léguées par un élevage en barrique neuve laissant parler le raisin, que l'on retrouve dans une finale sur les fruits à l'eau-de-vie. À déguster sur sa jeunesse. ⧗ 2018-2021 ▼ noisettes de chevreuil

⊶ *CH. MARTET, lieu-dit Martet, 33220 Eynesse, tél. 05 57 41 00 49, chai.martet@gmail.com*
V ⚑ ▮ *t.l.j. sf sam. dim. 10h-13h 14h-16h*

CH. DU PETIT MONTIBEAU Cuvée Prestige 2014

■ | 8000 | ▮ | 8 à 11 €

Robert et Béatrice Barrière se sont installés en 1984 en prenant 4 ha en location au Moulin de Moustelat. Ils ont restauré le moulin à eau du XVIII[e]s. alimenté par un petit affluent de la Dordogne et ont agrandi leur vignoble, qui couvre aujourd'hui 20 ha en AOC régionale et en sainte-foy-bordeaux. Depuis 2000 responsable du domaine, Béatrice développe la vente directe.

Issue de 1 ha de merlot, le domaine vendant encore une grande partie de sa récolte en raisin, cette cuvée intéresse par son nez gourmand de framboise, de mûre et de chocolat et pour sa bouche souple, ronde et fruitée. La finale encore stricte devrait s'arrondir assez rapidement. ⧗ 2018-2022 ▼ magret de canard

⊶ *BÉATRICE BARRIÈRE, moulin de Moustelat, 33890 Pessac-sur-Dordogne, tél. 05 57 47 46 77, b.r.barriere@wanadoo.fr* V ⚑ ▮ *r.-v.*

♥ CH. VERRIÈRE BELLEVUE Cuvée des Demoiselles 2014 ★★

■ | 3000 | ◐ ▮ | 8 à 11 €

Mathieu Bessette a succédé à son père Jean-Paul en 2012 après avoir été maître de chai au Ch. Grinou, domaine bien connu du Bergeracois voisin. Il exploite 23 ha en AOC régionales et en sainte-foy-bordeaux.

Mathieu Bessette a vendangé en deux tries successives les raisins de sémillon (80 %) et de sauvignon à l'origine de ce moelleux, petite cuvée par son volume mais non par sa qualité car elle a emballé nos dégustateurs. Robe jaune paille aux reflets dorés, nez très complexe alliant les fleurs blanches, le miel d'acacia, les agrumes, les épices douces, une touche fumée: la présentation est engageante. La pêche et l'abricot viennent compléter cette palette dans un palais qui s'impose par son attaque souple, sa rondeur, son gras et sa longueur. De la richesse et du fruit. (bouteilles de 50 cl) ⧗ 2016-2019 ▼ crème pâtissière aux abricots

⊶ *EARL MATHIEU ET JEAN-PAUL BESSETTE, Ch. Verrière Bellevue, 5, La Verrière, 33790 Landerrouat, tél. 05 56 61 36 91, verriere.bellevue@gmail.com*
V ⚑ ▮ *r.-v.*

CADILLAC-CÔTES-DE-BORDEAUX

Superficie : 2 975 ha / Production : 112 425 hl

L'appellation (anciennement premières-côtes-de-bordeaux rouges) s'étend sur une soixantaine de kilomètres le long de la rive droite de la Garonne, des portes de Bordeaux jusqu'à Verdelais. Les vignobles sont implantés sur des coteaux qui dominent le fleuve et offrent de magnifiques points de vue. Les sols y sont très variés: en bordure de la Garonne, ils sont constitués d'alluvions récentes; sur les coteaux, on trouve des sols graveleux ou calcaires; l'argile devient de plus en plus abondante au fur et à mesure que l'on s'éloigne du fleuve. Les vins ont acquis depuis longtemps une réelle notoriété. Ils sont colorés, corsés, puissants; produits sur les coteaux, ils ont en outre une certaine finesse. Les vins blancs de cette zone, moelleux ou liquoreux, continuent d'être revendiqués en appellation premières-côtes-de-bordeaux.

CH. CAMPET 2013 ★

■ | 20000 | ◐ | 8 à 11 €

Fondé à Bordeaux en 1949 par neuf frères et sœurs, le groupe Castel a connu une croissance considérable, devenant le premier producteur de vin en France, le troisième dans le monde, avec un empire qui s'étend de Bordeaux au continent africain. Outre ses nombreuses marques, il possède une vingtaine de propriétés sur l'ensemble du vignoble français.

Un cru de 11 ha situé à Saint-Caprais-de-Bordeaux commandé par une élégante chartreuse du XVIII[e]s. Son encépagement privilégie le merlot. S'adaptant aux conditions du millésime, l'équipe de Campet a préféré jouer la carte de la finesse plutôt que celle de la puissance. Ce qui n'empêche pas le vin de présenter une bonne structure qui s'appuie sur une charpente tannique non négligeable, tout en développant un bouquet subtil et complexe: café, sous-bois, cuir, tabac, fraise, groseille. ⧗ 2018-2020 ▼ canette rôtie ■ **Ch. Latour Camblanes 2013 (8 à 11 €; 80000 b.)** : vin cité.

⊶ *FAMILLE CAMPET, Ch. Campet, 33880 Saint-Caprais-de-Bordeaux, contact@chateaux-castel.com*

CH. COURRÈGES 2014

■ | 10000 | ◐ | 11 à 15 €

Constitué en 1950 et conduit par Xavier Landeau depuis 1995, un domaine familial de 25 ha établi dans le Bec d'Ambès, aux portes de Bordeaux. Il se distingue en bordeaux supérieur et en cadillac-côtes-de-bordeaux (Ch. Courrèges).

Composé à 90 % de merlot avec le malbec en complément, ce 2014 affiche une couleur vive et soutenue, mais se montre plutôt discret dans son développement aromatique, laissant percer un léger pruneau et des notes d'élevage. Il dévoile au palais une belle matière ronde et charnue, qui s'appuie sur des tanins denses et assez enrobés. ⧗ 2018-2020 ▼ steak frites

VIGNOBLES LANDEAU, 40, av. Stephen-Couperie, 33440 Saint-Vincent-de-Paul, tél. 05 56 77 03 64, landeau.xl@gmail.com V r.-v.

CH. FAYAU Le Jardin de Louisa 2014 ★

■ | 8000 | | 11 à 15 €

Établis depuis près de deux siècles à Cadillac, les Médeville, également négociants, sont à la tête d'un vaste ensemble de 160 ha répartis sur une quinzaine de crus au sud de Bordeaux. Ch. Fayau est le berceau de la famille, acquis en 1826: un vignoble de 41 ha, en grande partie planté sur les coteaux entourant la cité des ducs d'Épernon.

Une nouvelle fois les Médeville prouvent leur attachement à l'appellation cadillac côtes-de-bordeaux par la qualité de cette cuvée, dont l'assemblage privilégie les cabernets (60 %, les deux cépages à parts égales). Ce vin ne se contente pas d'arborer une belle robe noire; il offre un bouquet très expressif, mêlant la cerise, la framboise, la prune et autres fruits rouges à un boisé vanillé et grillé bien fondu, prélude à une bouche ronde, souple, bien équilibrée, de bonne longueur. ⧗ 2018-2020 carré d'agneau

JEAN MÉDEVILLE ET FILS, Ch. Fayau, 33410 Cadillac, tél. 05 57 98 08 08, medeville@medeville.com V *t.l.j. sf sam. dim. 9h-12h 14h-17h*

CH. DU GRAND MOUËYS L'Excellence 2014 ★

■ | n.c. | | 11 à 15 €

Très vaste propriété (170 ha dont 50 de vignes) commandée par un château néogothique, ce domaine s'étend sur trois collines. Selon la légende, il aurait appartenu aux Templiers qui y auraient caché un trésor. La famille Bömers, qui le détenait depuis 1989, l'a vendu en 2012 à Jinshan Zhang, fondateur du groupe chinois Ningxiahong, qui entend en faire un pôle d'œnotourisme et lui rendre son lustre d'antan.

Deux petits tiers de merlot pour un gros tiers de cabernet-sauvignon pour cette cuvée d'un rouge profond animée de reflets violets. Une bonne impression confirmée par la suite de la dégustation: un bouquet où le bois est présent, avec des notes grillées et épicées, sans étouffer les fruits noirs; puis un palais où l'on retrouve la palette du bouquet en harmonie avec une matière de qualité, à la fois ronde et tannique. Un ensemble élégant. ⧗ 2019-2021 pintade rôtie

SCA LES TROIS COLLINES, 242, rte de Créon, 33550 Capian, tél. 05 57 97 04 40, chai@grandmoueys.com V *r.-v.* *Zhang*

CH. GRIMONT Cuvée Prestige 2014 ★

■ | 40000 | | 5 à 8 €

La famille Yung possède plusieurs crus sur lesquels elle produit des vins depuis trois générations, en AOC régionales et en cadillac-côtes-de-bordeaux: Grimont, son domaine phare et historique (25 ha acquis en 1959), situé à Quinsac, Sissan, à Camblanes (22 ha), et Montjouan, à Bouliac (8 ha).

Les arts avaient autrefois une grande place en ces lieux, où vécut l'écrivain Eugène Sue et où séjourna le peintre animalier Rosa Bonheur. La vigne est aujourd'hui au centre des activités, le merlot (80 %) et le cabernet-sauvignon, à l'origine de ce vin. Sa robe profonde met en confiance. D'abord un peu plus discret, le bouquet s'ouvre à l'aération sur les notes de fruits noirs accompagnées de notes d'amande et de noisette grillée. Le palais, rond, charnu et puissant, s'appuie sur des tanins jeunes, déjà élégants. Tout annonce une fort jolie bouteille dès que le bois se sera fondu. ⧗ 2019-2022 pièce de bœuf

SCEA P. YUNG ET FILS, Ch. Grimont, 33360 Quinsac, tél. 05 56 20 86 18, info@vignobles-yung.fr V *r.-v.*

CH. LES GUYONNETS Héritage 2014 ★

■ | 20000 | | 5 à 8 €

Sophie et Didier Tordeur, anciens agriculteurs dans l'Oise, sont venus s'établir en Gironde en 2000, conquis par la région et par cette belle propriété de 24 ha commandée par une maison de maître girondine.

Mi-merlot mi-cabernet-sauvignon, cette jolie bouteille, fine et bien équilibrée, tient les promesses de sa robe, d'un rouge intense et limpide. Son bouquet se montre lui aussi attrayant, alliant harmonieusement les fruits noirs mûrs et les notes grillées et boisées de l'élevage. Un vin bien construit. ⧗ 2018-2020 entrecôte

SOPHIE ET DIDIER TORDEUR, Ch. les Guyonnets, 33490 Verdelais, tél. 05 56 62 09 89, chateaulesguyonnets@orange.fr V *r.-v.*

CH. PUY BARDENS 2014 ★

■ | 90000 | | 5 à 8 €

Acheté en 2010 par la famille Bonfils, dont le groupe exploite près de 1 200 ha principalement en Languedoc, ce cru d'un seul tenant est implanté sur un coteau argilo-graveleux, et embrasse un vaste panorama sur la vallée de la Garonne, les Graves et la forêt landaise.

Sa robe d'un grenat intense et profond laisse deviner la jeunesse du vin. D'abord fortement marqué par l'élevage (notes de vanille et de coco), le bouquet montre ensuite sa complexité naissante qui se confirme au palais. La mise en bouche dévoile une solide matière tannique, toujours boisée, et des arômes de raisins mûrs, avec des évocations de pruneau. Un ensemble élégant et de bonne garde. ⧗ 2020-2024 pavé de bœuf

SCEA CH. PUY BARDENS, 101, Borie, 33880 Cambes, tél. 05 56 21 31 14, bonfils@bonfilswines.com *Bonfils*

CH. LA RAME La Charmille 2014

■ | 16000 | | 11 à 15 €

Implantée à Sainte-Croix depuis huit générations, la famille Armand fait partie des institutions locales pour ses liquoreux renommés. Elle y conduit deux crus (dans un esprit bio, sans certification): la Caussade et la Rame, son fleuron, dont les vins étaient déjà réputés au XIXᵉs. Angélique et Grégoire Armand ont pris la suite de leur père Yves en 2009.

Rouge à reflets pourpres, la robe possède une bonne intensité que partage le bouquet où les petits fruits rouges trouvent un bon terrain d'entente avec le bois. Sans être très puissant, le palais fait preuve d'une bonne présence, heureusement soutenu par le merrain. ⌛ 2017-2019 🍴 côtelette

⊶ GFA CH. LA RAME, 33410 Sainte-Croix-du-Mont, tél. 05 56 62 01 50, dgm@wanadoo.fr V 🚶 ▮ *t.l.j. 9h-12h 13h-17h30; sam. dim. sur r.-v.*

CH. REYNON 2013 ★

■	48 759	🛢	11 à 15 €

Un cru de 33,3 ha établi près de Cadillac, sur un coteau exposé plein sud. Acquis en 1958 par Jacques David, il est conduit depuis 1976 par sa fille Florence et son gendre Denis Dubourdieu (Doisy-Daëne, Clos Floridène) qui, après l'avoir entièrement restructuré, en ont fait l'une des valeurs sûres des cadillac-côtes-de-bordeaux.

Les connaissances œnologiques de Denis Dubourdieu lui ont permis d'ignorer le fatalisme du millésime et d'élaborer un vin de caractère avec ce 2013 issu de merlot majoritaire associé à un petit appoint de cabernet-sauvignon et de petit verdot. Affichant sa jeunesse dans sa robe aux reflets violets, il se montre tout aussi expressif par son bouquet frais et gourmand de fruits rouges et noirs (cassis), soulignés par un boisé bien maîtrisé. Après une attaque franche et puissante, le palais révèle une structure tannique solide et bien équilibrée. ⌛ 2019-2021 🍴 gigot d'agneau

⊶ EARL DENIS ET FLORENCE DUBOURDIEU, Ch. Reynon, 21, rte de Cardan, 33410 Béguey, tél. 05 56 62 96 51, reynon@orange.fr V 🚶 ▮ *r.-v.*

Ⓑ CH. SUAU 2014

■	16 700	🛢	11 à 15 €

Ancien pavillon de chasse du duc d'Épernon (1554-1642), ce domaine doit son nom à la famille Suau, propriétaire des lieux au XVII^e^s. Après avoir souvent changé de mains au XX^e^s., il est entré en 1985 dans la famille Bonnet et étend son vignoble sur 66 ha conduits en bio. En 2014, Bachus Investments est devenu actionnaire du domaine.

Mariant le merlot et le cabernet-sauvignon à parts égales, cette bouteille ne manque pas d'intensité, tant dans sa robe rouge vif que dans son bouquet, où se mêlent les fleurs, les petits fruits et des notes d'élevage. On aime aussi sa présence et son équilibre au palais, même si la finale reste ferme et un peu stricte. ⌛ 2017-2019 🍴 steak frites

⊶ SCEA DU CH. SUAU, 600, Suau, 33550 Capian, tél. 05 56 72 19 06, froguiez@iag-es.com V ▮ *r.-v.*

CÔTES-DE-BORDEAUX-SAINT-MACAIRE

Superficie : 53 ha / Production : 1 010 hl

Cette appellation, qui prolonge vers le sud-est celle des premières-côtes-de-bordeaux, produit des vins blancs secs et liquoreux.

CH. DE BOUILLEROT Le Palais d'or 2014 ★

■	1400	🛢	8 à 11 €

Un domaine de 8 ha conduit en bio, dans la même famille depuis 1935 et quatre générations, régulièrement à l'honneur pour son Palais d'or liquoreux en côtes-de-bordeaux-saint-macaire et pour ses bordeaux rouges. Thierry Bos est aux commandes depuis 1990.

Une cuvée confidentielle mais très souvent en bonne place dans le Guide, avec plusieurs coups de cœur à son actif. Il s'agit d'un vin liquoreux (140 g/l de sucres résiduels) né de pur sémillon, élevé dix-huit mois en barrique neuve. La robe est discrète, jaune pâle aux reflets verts. Marqué par le séjour dans le bois le bouquet, très complexe, associe des notes fraîches d'eucalyptus à des touches d'épices douces (noix muscade, clou de girofle). La bouche est gourmande, très onctueuse, équilibrée par un trait de fraîcheur qui étire la finale. (bouteilles de 50 cl.) ⌛ 2016-2021 🍴 soufflé au roquefort

⊶ THIERRY BOS, 8, Lacombe, 33190 Gironde-sur-Dropt, tél. 05 56 71 46 04, info@bouillerot.com V 🚶 ▮ *t.l.j. sf dim. 9h-12h 14h-18h*

♥ CH. HAUT JEAN REDON Cuvée Cléa 2014 ★★

■	3000	🍾	5 à 8 €

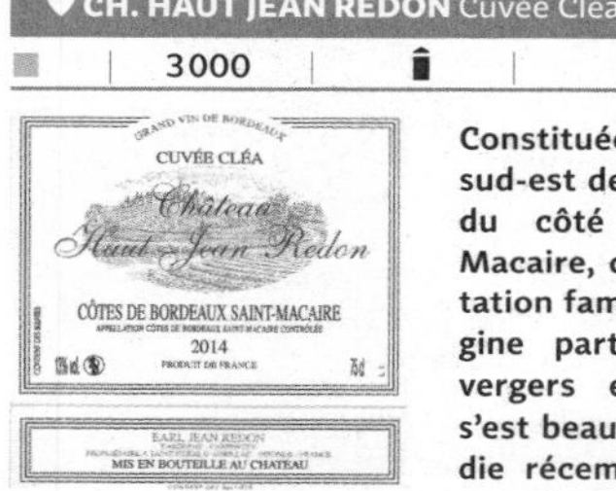

Constituée en 1843 au sud-est de la Gironde, du côté de Saint-Macaire, cette exploitation familiale à l'origine partagée entre vergers et vignoble s'est beaucoup agrandie récemment, pour couvrir 46 ha en AOC saint-macaire, entre-deux-mers et régionales. Elle est aujourd'hui gérée par les Carpentey père et fils, le premier installé en 1984, le second, Damien en 2007.

Cette petite cuvée de sémillon produite avec soin sur 1 ha a fait l'unanimité. Parée d'une robe aux reflets dorés, elle annonce sa richesse et sa complexité dès le premier nez, sur des notes très flatteuses de fruits confits, de rôti, d'épices et de fruits secs grillés évoquant la pourriture noble. Fort bien construit, ample, gras et rond, le palais monte en puissance, étiré par une belle fraîcheur qui lui confère un remarquable équilibre, de l'allonge et du relief. Un liquoreux précis et ciselé. ⌛ 2016-2021 🍴 foie gras poêlé et caramélisé

⊶ CARPENTEY, Jean Redon, 33490 Saint-Pierre-d'Aurillac, tél. 06 30 07 63 83, michel.carpentey@wanadoo.fr V 🚶 ▮ *r.-v.*

CH. MAJOUREAU Cuvée Hyppos 2015 ★★

■	3333	🛢	5 à 8 €

L'une des belles étiquettes en saint-macaire, également présente en AOC régionales. Un cru de 38 ha, propriété des Delong depuis cinq générations, en polyculture jusqu'en 1981, date de la première mise en bouteilles. Mathieu, désormais épaulé par sa sœur Émeline, est aux commandes depuis 2002, avec l'agriculture biologique en ligne de mire.

Cette cuvée existe en rouge, en blanc moelleux, en blanc sec. Cette dernière version a enchanté les dégustateurs cette année. Elle associe 80 % de sémillon et 20 % de sauvignon et séjourne douze mois en barrique. Or vert limpide aux reflets dorés, ce 2015 charme par son bouquet d'une extrême complexité, vif et racé, où ressortent la noisette fraîche et des touches minérales. Le sauvignon, pourtant minoritaire, se devine moins par des arômes végétaux que par sa nervosité alerte. Du tonus et de la subtilité. ⧗ 2017-2021 ¥ volaille aux écrevisses ■ **La Petite Dorée du Ch. Majoureau 2015 ★ (8 à 11 €; 2000 b.)** : du sémillon et un soupçon de muscadelle dans ce liquoreux élevé dix-huit mois en fût. Robe jaune doré soutenu, nez complexe et gourmand de fleurs blanches, d'abricot et d'orange, avec des touches grillées, palais miellé, ample et persistant, sur le miel et l'orange, avec un joli retour de l'abricot en finale. ⧗ 2016-2021

⊶ FAMILLE DELONG, 1, Majoureau, 33490 Caudrot, tél. 05 56 62 81 94, familledelong@hotmail.com V 🚶 ! r.-v.

Ⓑ CH. PLANTON-BELLEVUE 2015

■ | 18000 | ⏣ | 5 à 8 €

Établie de longue date à Saint-Laurent-du-Bois, la famille Raymond voit apparaître la première génération de vignerons au Ch. de Lagarde en 1850 avec 15 ha. Sept générations plus tard, Lionel Raymond, installé en 2000 à la suite de son père Jean-Pierre, conduit un vaste ensemble de 205 ha, entièrement convertis en bio, soit la plus grande exploitation du genre en Bordelais, complétée par une activité de négoce en 2010.

Mi-sémillon, mi-sauvignon, un vin sec élevé huit mois en fût avec bâtonnage. Le nez discret évoque le raisin très mûr; la bouche est puissante, fraîche, acidulée, un peu brute. ⧗ 2016-2019 ¥ darne de cabillaud grillée ■ **Ch. de Lagarde Cuvée Prestige 2015 (5 à 8 €; 18000 b.)** Ⓑ : vin cité.

⊶ SCEA RAYMOND, lieu-dit Lagarde, 33540 Saint-Laurent-du-Bois, tél. 05 56 76 43 63, contact@vignobles-raymond.fr V 🚶 ! r.-v.

SEMMACARI DE PONTET BEL AIR 2015

■ | 3000 | ⏣ | 5 à 8 €

Située du côté de Saint-Macaire, une exploitation de 33 ha, transmise de père en fils depuis cinq générations, conduite depuis 1981 par Didier Cousiney.

Le sauvignon (60 %) est assemblé à la muscadelle (30 %) et à un petit appoint de sémillon dans ce vin élevé huit mois en barrique neuve avec bâtonnage. D'un jaune pâle brillant, ce 2015 présente un bouquet mûr entre coing et miel, prélude à un palais qui se signale par sa puisssance, son ampleur et son gras. On le verrait bien à l'apéritif ou avec poisson et viandes blanches cuisinés. ⧗ 2017-2019 ¥ blanquette de lotte

⊶ DIDIER COUSINEY, 6, chem. de l'Église, 33490 Le Pian-sur-Garonne, tél. 05 56 76 44 51, didiercousiney@wanadoo.fr V 🚶 ! r.-v.

CH. TOUR DU MOULIN DU BRIC L'Or du Bric 2014

■ | 1200 | ⏣ | 8 à 11 €

Voisine du château Malromé, où vécut le peintre Henri de Toulouse-Lautrec, cette propriété, dans la même famille depuis quatre générations, a pour emblème un moulin à vent en ruine qui se dresse devant l'exploitation. Conduite depuis 2003 par Sylvie Thomasson, elle s'étend sur 17 ha couvrant les coteaux de Saint-André-des-Bois, en appellation saint-macaire.

Un liquoreux 100 % sémillon élevé six mois en barrique revêt une robe doré soutenu et mêle au nez les fleurs blanches et les notes épicées et fumées de l'élevage. En bouche son équilibre penche vers la douceur et la rondeur, équilibrées par ce qu'il faut d'acidité. Dessert ou apéritif? ⧗ 2016-2023 ¥ toasts au foie gras

⊶ VIGNOBLES FAURE, moulin du Bric, 33490 Saint-André-du-Bois, tél. 05 56 76 40 20, vignoblesfaure@wanadoo.fr V 🚶 ! r.-v.
⊶ Sylvie Thomasson

LE BORDELAIS

CÔTES-DE-BORDEAUX

Définie en 2009, c'est l'appellation générique de tous les vins rouges de côtes (Bourg excepté), d'abord connus par leurs dénominations géographiques complémentaires: Blaye, Cadillac, Castillon et Francs. La superficie théorique de l'AOC couvre 13 500 ha, mais une grande partie des raisins est destinée aux «côtes» assortis d'une dénomination géographique complémentaire (castillon-côtes-de-bordeaux, par exemple). Tous ces vignobles occupent des pieds ou des pentes de coteaux, ou encore les proches plateaux. Les sols à dominante argilo-calcaire favorisent le merlot, qui domine les assemblages.

CH. DES FAURES 2013

■ | 4000 | 🍾 | 5 à 8 €

Aurélien Mas représente la troisième génération sur cette exploitation créée en 1977, dont il a pris la tête en 2004. Il dispose de 29 ha sur l'ancienne commune de Monbadon, rattachée à Puisseguin, en Libournais.

Ces côtes-de-bordeaux viennent du Libournais, non loin de Saint-Émilion. Le vin n'a pas connu le bois et exprime le fruit chaleureux du merlot, sur des notes de griotte et de pêche de vigne. Une palette en harmonie avec une bouche friande, ronde et souple, un peu plus stricte en finale. Un «vin plaisir» à déboucher prochainement. ⧗ 2017-2019 ¥ hamburger maison

⊶ SCEA MAS ET FILS, 6, Le Faure, 33570 Puisseguin, tél. 05 57 40 61 07, cdesfaures@aol.com V 🚶 ! r.-v. 🏠 ❷

CH. FLORÉAL LAGUENS 2014

■ | 50000 | ⏣ 🍾 | 5 à 8 €

Situé aux portes de Bordeaux sur le lieu-dit Lafitte, ce château de pierres blondes date du XIXᵉs. Mais c'est en 1973 que Floréal Laguens a créé le cru qui compte 37 ha. Le domaine appartient depuis 2012 à la famille Bonhur qui mise sur l'œnotourisme.

Mariant merlot (46 %) et cabernets à parité, ce 2014 se montre agréable par ses délicats arômes de fruits rouges mûrs soulignés d'une petite pointe toastée en harmonie avec un palais souple, rond et de bonne longueur. ⧗ 2017-2019 ¥ lotte au vin rouge

SCEA CH. LAFITTE, chem. du Loup, 33370 Yvrac, tél. 05 56 06 68 50, contact@chateau-lafitte.fr V r.-v. *Bonhur*

CH. DU GRAND MOUËYS 2014

■	92000		8 à 11 €

Très vaste propriété (170 ha dont 50 de vignes) commandée par un château néogothique, ce domaine s'étend sur trois collines. Selon la légende, il aurait appartenu aux Templiers qui y auraient caché un trésor. La famille Bömers, qui le détenait depuis 1989, l'a vendu en 2012 à Jinshan Zhang, fondateur du groupe chinois Ningxiahong, qui entend en faire un pôle d'œnotourisme et lui rendre son lustre d'antan.

Du merlot majoritaire et un élevage de douze mois, mi-cuve mi-fût, pour ce vin qui sait se rendre agréable, tant par ses arômes de fruits mûrs que par l'harmonie de sa bouche à la fois structurée et ronde, à la longue finale. ⧗ 2017-2019 ¥ hamburger maison au canard

SCA LES TROIS COLLINES, 242, rte de Créon, 33550 Capian, tél. 05 57 97 04 40, chai@grandmoueys.com V r.-v. *Zhang*

♥ CH. LES HAUTS DE PALETTE 2014 ★★

■	30133		8 à 11 €

Arrivé d'Algérie en 1961, Charles Yung a bâti un vaste ensemble de propriétés dans le Bordelais ainsi qu'une structure de négoce. Son fils Jean-Christophe Yung a pris en 1993 la direction d'un vignoble qui couvre aujourd'hui 142 ha. Avec Rodolphe, la troisième génération a rejoint l'exploitation en 2006.

Une fois encore Jean-Christophe Yung nous prouve son savoir-faire avec ce 2014 né dans une propriété que la famille a exploitée dix-huit ans en fermage avant de la racheter en 1992 et d'en rénover et agrandir les chais. Assemblage de merlot (60 %) et des deux cabernets, ce vin affiche une robe d'un rouge très sombre et développe un bouquet expressif où les fruits rouges mûrs et la myrtille font bon ménage avec les notes toastées, vanillées et réglissées léguées par un séjour de douze mois en barrique. Cet équilibre se retrouve dans un palais soyeux de bout en bout, rond, souple, d'un bon volume, étayé par des tanins de qualité. Un vin bien élevé. ⧗ 2018-2021 ¥ entrecôte ■ **Ch. Bourdon La Tour 2014 ★ (5 à 8 €; 60266 b.)** : agréablement bouqueté, floral, fruité et épicé, un vin bien constitué, fin et tendre sans manquer d'étoffe. ⧗ 2018-2020

SCEA CHARLES YUNG ET FILS, 8, chem. de Palette, BP 38, 33410 Béguey, tél. 05 56 62 94 85, r.yung@wanadoo.fr V *t.l.j. sf sam. dim. 9h-12h30 13h30-18h30; f. août*

BOIS MENEY DE CH. NARDOU 2014

■	35000		5 à 8 €

Installés dans le Périgord depuis les années 1970, les Dubard conduisent un vaste ensemble viticole. Outre leur fleuron du Bergeracois, le Ch. Laulerie, ils exploitent aussi plusieurs crus dans le Libournais.

Le Château Nardou (17 ha) est implanté en AOC francs-côtes-de-bordeaux, à la lisière du Bergeracois. Bois Meney est son second vin, en appellation côtes-de-bordeaux. Il assemble quatre cépages: outre le merlot, dominant, les deux cabernets et du malbec, à 10 % chacun. Élevé en cuve, c'est un vin tout en fruits (mûre, framboise), avec une touche végétale, chaleureux, rond, soyeux et charmeur en bouche. ⧗ 2016-2019 ¥ grillade de porc

EARL VIGNOBLES DUBARD, 1, Nardou, 33570 Tayac, tél. 05 57 40 69 60, fdubard@chateau-nardou.com V *t.l.j. 9h-12h30 14h-19h; sam. dim. sur r.-v.* 4 G

CH. PASCOT Cuvée Vinéola 2014 ★

■	1330		11 à 15 €

Un petit vignoble de 3 ha déjà recensé au XVIIIe s. et acquis en 1990 par Nicole et Frédéric Doermann, retraités de l'Éducation nationale; leur fils Franck, biologiste, assure les vinifications.

Vinéola? Petit vignoble en latin. Petite cuvée, donc. Fraîche et harmonieuse, elle séduit par son bouquet marqué par les notes toastées et épicées d'un élevage de dix-huit mois en barrique, où pointe tout de même le fruit. Dans le même registre, le palais s'appuie sur des tanins bien enrobés qui soulignent une longue et harmonieuse finale. ⧗ 2019-2022 ¥ pintade rôtie ■ **Cuvée Prestige 2014 ★ (8 à 11 €; 8800 b.)** : un bouquet harmonieux, équilibré entre le raisin et le merrain et une bouche à la fois souple et consistante. ⧗ 2019-2022

NICOLE DOERMANN, 16, chem. du Moulin-de-Lambat, 33360 Latresne, tél. 05 56 20 78 19, nicole.doermann@chateaupascot.com V *t.l.j. 9h30-12h30 14h30-18h30; sam. dim. sur r.-v.* 4

CH. PILET Prestige 2013

■	5600		8 à 11 €

Famille au service du vin depuis un siècle. En 1964, Jean et Yvette Queyrens acquièrent leur première vigne au lieu-dit Pilet puis reprennent les domaines de leurs parents (Ch. du Pin-Franc et Ch. des Graves du Tich) et débutent la vente en bouteilles. Aujourd'hui, leurs fils Patrick et Christophe, avec à leurs côtés Jean-Yves, le petit-fils, exploitent un vignoble de 70 ha dans l'Entre-deux-Mers.

Un bon classique que cette cuvée qui marie avec bonheur les fruits rouges, les fleurs et la vanille. Cet équilibre entre le bois et les fruits se prolonge au palais où l'on sent une bonne présence des tanins. ⧗ 2017-2019 ¥ bavette à l'échalote

SC VIGNOBLES JEAN QUEYRENS ET FILS, 3, Grand-Village-Sud, 33410 Donzac, tél. 05 56 62 97 42, scvjqueyrens@orange.fr V r.-v.

CH. RÉAUT 2014 ★

■	104 000		11 à 15 €

En 2011, douze viticulteurs (six Bordelais et six Bourguignons) ont décidé de s'unir pour acheter ce vignoble de 26 ha à cheval sur un coteau argilo-calcaire et une terrasse de graves. À leur projet se sont joints 430 amateurs (de quinze pays) qui ont investi dans l'entreprise.

Avec ce 2014, de nombreux amateurs auront du bon vin de «leur» propriété. Sans chercher à rivaliser avec le 2012, coup de cœur il y a deux ans, ce 2014 d'un grenat vif et brillant montre qu'il possède du caractère. Encore discret, son bouquet s'annonce assez prometteur par ses arômes naissants de fruit noir (cerise bigarreau) et de raisin mûr qui commencent à percer. Après une attaque franche et ronde, le palais se révèle chaleureux, charnu et corsé: fort plaisant, même si la finale encore stricte demande à s'arrondir. 2018-2021 tournedos Rossini

CH. RÉAUT, 1, Fontuch, 33410 Rions, tél. 05 56 62 66 54, contact@chateau-reaut.com V *t.l.j. sf sam. dim. 9h-12h 14h-17h*

CH. SAINT-OURENS 2014 ★

■	8500		5 à 8 €

Un petit domaine bien exposé sur les coteaux de Langoiran, racheté en 1990 à un exploitant sans successeur par Michel Maës, ingénieur en agriculture. Ce dernier a peu à peu doublé sa superficie (15 ha aujourd'hui) et construit un chai en 2001.

Mi-merlot mi-cabernet-sauvignon, ce 2014 affiche une robe sombre, presque noire, aux reflets rouge vif, pleine de promesses. Tout aussi intense, le bouquet fait une large place aux notes d'élevage (pain grillé, café torréfié, caramel...), mais un fruit mûr aux nuances de pruneau et de fruits confits commence à poindre à l'arrière-plan. Le palais, rond et souple, n'en a pas moins assez de matière pour laisser espérer un épanouissement du fruit. La finale longue et tannique est de bon augure. 2018-2021 daube de chevreuil aux herbes

MAËS, 57, rte de Capian, lieu-dit Saint-Ourens, 33550 Langoiran, tél. 05 56 67 39 45, maesmichel@hotmail.com V *t.l.j. sf dim. 8h-13h 13h30-19h*

➡ LA RÉGION DES GRAVES

Vignoble bordelais par excellence, les graves n'ont plus à prouver leur antériorité : dès l'époque romaine, leurs rangs de vignes ont commencé à encercler la capitale de l'Aquitaine et à produire, selon l'agronome Columelle, «un vin se gardant longtemps et se bonifiant au bout de quelques années». C'est au Moyen Âge qu'apparaît le nom de Graves. Il désigne alors tous les pays situés en amont de Bordeaux, entre la rive gauche de la Garonne et le plateau landais. Par la suite, le Sauternais s'individualise pour constituer une enclave, vouée aux liquoreux, dans la région des Graves.

GRAVES

Superficie : 3 420 ha
Production : 138 835 hl (75 % rouge)

CH. D'ARCHAMBEAU 2013

■	30 000		8 à 11 €

Ce domaine acquis par la famille Dubourdieu en 1975 est exploité par Jean-Philippe Dubourdieu et son fils Samuel. Couvrant une trentaine d'hectares d'un seul tenant, entre Barsac et Cérons, il est établi sur une colline dont les sols de graves, localement argilo-calcaires, permettent d'obtenir des vins dans les deux couleurs.

Mi-merlot mi-cabernet, ce 2013 commence à s'ouvrir sur un boisé délicat aux nuances d'amande et de noisette. S'il n'a rien d'un athlète, c'est un vin plaisant par sa texture souple et par ses arômes en accord avec l'olfaction. Ses tanins fins commencent à s'arrondir et permettront de déboucher cette bouteille prochainement. 2017-2019 entrecôte frites

JEAN-PHILIPPE DUBOURDIEU, Ch. d'Archambeau, 33720 Illats, tél. 05 56 62 51 46, chateau-archambeau@wanadoo.fr V *r.-v.*

CH. D'ARGUIN 2014 ★

■	4160		8 à 11 €

Basé à Bordeaux et spécialisé dans le service et le conseil aux entreprises, le groupe Pouey International a investi dans le vin. Il détient dans les Graves le Ch. d'Arguin et le Dom. du Reys, à Saint-Selve, près de la Brède.

Deux tiers de sémillon et un tiers de sauvignon composent ce blanc élevé neuf mois en barrique. À l'intensité de la robe jaune doré répond celle du bouquet, mêlant avec élégance fleurs, fruits mûrs, beurre et noisette. On retrouve cette élégance dans un palais racé, vivant et séveux, auquel le sémillon prête son ampleur et son gras, le sauvignon sa longue finale sur les agrumes et l'élevage ses notes épicées. 2016-2019 escalope au citron ■ **2013 (8 à 11 €; 16 526 b.)** : vin cité.

SA POUEY INTERNATIONAL, chem. de Gaillardas, Jeansotte, 33650 Saint-Selve, tél. 05 56 78 49 10, blacampagne@pouey-international.fr V *r.-v.*

CH. BEAUREGARD DUCASSE Albert Duran 2013 ★

■	6000		8 à 11 €

Situé près du château de Roquetaillade, ce cru a été reconstitué et agrandi à partir de 1981 par Jacques Perromat, œnologue, dont la famille est bien implantée dans les Graves et en Sauternais. Les vignes (44 ha) sont installées sur l'un des points culminants de l'appellation.

Ce 2013, dont l'assemblage inclut 10 % de petit verdot aux côtés du merlot (60 %) et du cabernet-sauvignon montre une certaine structure et fait preuve d'une belle harmonie: robe soutenue, bouquet naissant de fruits noirs et de fumée, palais épicé, bien construit, rond et gras, dont la finale longue et corsée appelle une petite garde. ⌛ 2018-2021 🍷 tournedos de chevreuil

EARL VIGNOBLES JACQUES PERROMAT, Ducasse, 33210 Mazères, tél. 05 56 76 18 97, jperromat@mjperromat.com V t.l.j. *9h-13h 14h-18h*

CH. BICHON CASSIGNOLS Le Petit Bichon 2014

■	15000		8 à 11 €

Fondé en 1919 par les grands-parents des vignerons actuels, ce domaine implanté sur les hauteurs de la Brède résiste à l'urbanisation. Installés en 1981, Jean-François et Marie Lespinasse ont converti leurs 12,5 ha de vignes au bio (certification en 2011).

À dominante de merlot, ce 2014 offre un bouquet sympathique, entre fruits rouges et vanille, et un palais friand, sur la cerise, aux tanins souples: un «vin plaisir» à apprécier dans sa jeunesse. ⌛ 2016-2019 🍷 jambon de Bayonne ■ **2014 (11 à 15 €; 15000 b.)** Ⓑ : vin cité.

JEAN-FRANÇOIS LESPINASSE, 50, av. Capdeville, 33650 La Brède, tél. 05 56 20 28 20, bichon.cassignols@wanadoo.fr V r.-v.

CH. LA BLANCHERIE Le Berceau 2013 ★

■	7000		15 à 20 €

Situé à La Brède, le Ch. la Blancherie, presque voisin du Ch. de Montesquieu, remonte au XVIIIe s. Son vignoble d'un seul tenant s'étend sur 22 ha en appellation graves. L'homme d'affaires Jean-Bernard Bonnac l'a acheté en 2013 à la famille Coussié-Braud, qui l'exploitait depuis un siècle. Autre étiquette: Ch. la Pagaute.

Le nom de la cuvée rappelle que Montesquieu fut mis en nourrice au moulin du Ch. la Blancherie. Fidèle au merlot (60 %), ce cru propose avec cette cuvée prestige un 2013 au nez boisé, toasté et épicé, laissant percer le fruit. Le palais est bien construit, rond et équilibré, assez élégant avec ses arômes de fruits mûrs et ses tanins affables. Sa structure assez dense appelle tout de même une petite garde. ⌛ 2018-2022 🍷 entrecôte grillée ■ **Ch. la Pagaute 2014 ★ (8 à 11 €; 12000 b.)** : issu de merlot majoritaire (65 %), un graves rond et frais, de bonne longueur, à la palette assez complexe (fruits rouges cuits et fumée). ⌛ 2018-2020

JEAN-BERNARD BONNAC, 1, av. du Moulin, 33650 La Brède, tél. 05 56 20 20 39, contact@chateau-la-blancherie.com V r.-v.

TENTATION DU CH. LE BOURDILLOT 2015 ★★

■	2300		5 à 8 €

Originaire d'Arras, Jules Haverlan a acquis en 1906 ce vignoble installé sur des graves profondes, qui appartenait en 1818 au comte de Lynch. Dirigée par Patrice Haverlan depuis 1986, la propriété couvre 21 ha et propose majoritairement des graves rouges. Une valeur sûre.

Issu à 100 % du sauvignon, ce 2015 affiche une forte personnalité. Tant par son bouquet, aussi intense que complexe (fleurs blanches, pêche, poire, bourgeon de cassis, litchi, soulignés d'une pincée de vanille léguée par un séjour de six mois en barrique), que par son palais, gras, souple et élégant. La finale pleine, étirée par une ligne de fraîcheur, laisse le souvenir d'une réelle harmonie. ⌛ 2016-2019 🍷 aspic de Saint-Jacques aux agrumes ■ **Ch. le Bourdillot Séduction 2014 ★ (5 à 8 €; 45000 b.)** : élevée douze mois en fût, cette cuvée a pour atouts un bouquet puissant (cerise, boisé épicé) et une matière bien charpentée. ⌛ 2019-2023 ■ **2014 ★ (8 à 11 €; 45000 b.)** : pas mal de merlot et un court élevage mi-cuve mi-fût pour ce vin «moderne», entendez fruité, gourmand, plein et rond. ⌛ 2018-2021

EARL PATRICE HAVERLAN, 11, rue de l'Hospital, 33640 Portets, tél. 05 56 67 11 32, patrice.haverlan@gmail.com V r.-v.

CH. BRONDELLE 2013 ★★

■	n.c.		11 à 15 €

À la tête du Ch. Brondelle, acquis par son grand-père en 1927, Jean-Noël Belloc a étendu son vignoble dans les Graves (Ch. Andréa), en pessac-léognan (Ch. d'Alix) et en AOC régionales. En sauternes, il a acquis les 4 ha du Ch. Fontaine à Fargues-de-Langon.

Très classique dans sa robe bordeaux à reflets grenat, ce 2013 montre qu'il est issu d'un terroir de qualité, tant par son bouquet intense mêlant les nuances de toast et de moka d'un bon boisé à des notes de raisin concentré, que par son palais corsé et persistant, bâti sur des tanins soyeux. ⌛ 2018-2024 🍷 noisettes de chevreuil au chocolat ■ **Ch. Andréa 2014 ★ (5 à 8 €; n.c.)** : mi-merlot mi-cabernet-sauvignon, mi-cuve mi-fût, un vin rond et gras, au bouquet de bonne complexité (fruits rouges acidulés et boisé). ⌛ 2019-2021 ■ **Ch. Andréa 2015 ★ (5 à 8 €; n.c.)** : finement bouqueté (citron, acacia, fruits exotiques, notes muscatées), il montre un bel équilibre entre rondeur et fraîcheur. ⌛ 2016-2018

JEAN-NOËL BELLOC, Ch. Brondelle, 33210 Langon, tél. 05 56 62 38 14, chateau.brondelle@wanadoo.fr V t.l.j. *sf sam. dim. 9h-12h30 14h-17h30*

CH. DE BUDOS 2013 ★

■	15000		5 à 8 €

Aux portes du Sauternais, un château clémentin (forteresse construite au XIVe s. par des parents du pape Clément V, originaire de Budos). Tout autour, un vignoble de 25 ha acquis en 1920 par la famille Boireau. À sa tête depuis 1994, Bernard Boireau a été rejoint en 2002 par Laurent Persan, architecte paysagiste.

Trois quarts de merlot et un quart de cabernet-sauvignon composent ce vin qui demande un peu d'aération avant de libérer un joli bouquet mariant les épices et les herbes aromatiques (clou de girofle et romarin) aux fruits rouges (cerise) et noirs. La fraise des bois et la griotte s'ajoutent à cette palette dans une bouche fraîche, bien charpentée et élégante, à la longue finale fruitée. ⌛ 2018-2021 🍷 pigeon rôti ■ **Cuvée Darmajan 2014 (8 à 11 €; 2300 b.)** : vin cité.

SCEA BOIREAU-PERSAN, Les Marots, 33720 Budos, tél. 05 56 62 51 64, chateaudebudos@free.fr V t.l.j. *8h-19h; dim. 9h-12h*

CH. DE CALLAC 2014

■ | 13100 | 8 à 11 €

Ancien consultant, Mathieu Gufflet a changé de vie en achetant en 2007 ce cru de 38 ha commandé par une demeure de 1775, non loin de Cérons et de Barsac. Le terroir argilo-calcaire et argilo-graveleux a dicté l'encépagement, qui privilégie le merlot.

Pêche, amande, pain grillé, fumée, le bouquet est aussi complexe que puissant. Un vin dont on apprécie également la bouche fraîche et tonique prolongée par une finale persistante. ⧗ 2016-2018 ¥ soufflé au fromage ■ **Cuvée Prestige 2013 (15 à 20 €; 14215 b.)** : vin cité.

GUFFLET, Ch. de Callac, 33720 Illats, tél. 06 32 91 09 64, callac-mg@orange.fr V r.-v.

CH. DE CARDAILLAN 2013

■ | 33000 | | 11 à 15 €

Un superbe château construit dans un style Renaissance au début du XVIIe s. par Jacques de Malle, président au parlement de Bordeaux. En 1702, un mariage l'a fait entrer dans le patrimoine des Lur-Saluces, dont les descendants, la comtesse de Bournazel et son fils Paul-Henry, perpétuent cet héritage familial. Le vignoble couvre une cinquantaine d'hectares, à cheval sur les AOC sauternes et graves.

Le merlot l'emporte largement (85 %) sur le cabernet-sauvignon dans ce vin à la robe légère et au palais délicat, tout en nuances, rappelant le cassis et le cuir. Sa structure franche et charnue, son équilibre, ses tanins bien fondus et son retour floral (rose) lui donnent un côté gourmand. ⧗ 2016-2019 ¥ entrecôte grillée

SCEA DES VIGNOBLES DU CH. DE MALLE, 33210 Preignac, tél. 05 56 62 36 86, accueil@chateau-de-malle.fr V *t.l.j. sf dim. 9h-12h 14h-17h30* *Comtesse de Bournazel*

CH. DE CÉRONS 2015 ★

■ | 27000 | | 11 à 15 €

Le château de Cérons est une superbe chartreuse bâtie à la fin du XVIIIe s. par le marquis de Calvimont. Son vignoble de 25 ha est implanté sur un plateau de graves dominant la Garonne. Aux commandes depuis 2012 de cette propriété familiale, Xavier et Caroline Perromat ont entrepris un important travail de rénovation (restructuration du vignoble, cuverie, nouveau chai à barriques). Autre étiquette: Ch. Calvimont (graves).

Mi-sémillon mi-sauvignon, ce 2015 offre un bouquet tout en finesse où les agrumes (pamplemousse, citron) dominent, sans étouffer pour autant de délicates nuances florales. Franche et fraîche, l'attaque ouvre sur un palais rond et élégant, qui monte bien en puissance. ⧗ 2016-2019 ¥ langoustines sautées ■ **2014 (11 à 15 €; 25000 b.)** : vin cité. ■ **Ch. Calvimont 2015 (8 à 11 €; 43000 b.)** : vin cité.

XAVIER ET CAROLINE PERROMAT, Ch. de Cérons, 33720 Cérons, tél. 05 56 27 01 13, perromat@chateaudecerons.com V *r.-v.*

♥ CH. DE CHANTEGRIVE
Caroline Élevé en barrique de chêne 2014 ★★

■ | 55000 | | 15 à 20 €

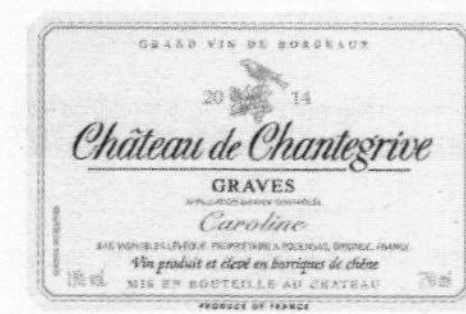

Constitué ex nihilo en 1967 par le courtier Henri Lévêque, ce cru qui couvrait 2 ha à l'origine est aujourd'hui une belle unité de 100 ha, qu'exploite toujours sa famille, conseillée depuis 2006 par Hubert de Boüard. Une valeur sûre des Graves, avec de nombreux coups de cœur à son actif.

Après un coup de cœur en rouge l'an dernier, voici couronnée la réputée cuvée Caroline. Mi-sémillon mi-sauvignon, élevée neuf mois en barrique, elle montre beaucoup de délicatesse et d'harmonie tout au long de la dégustation. Sa brillante robe jaune pâle donne le ton. Aussi fin que complexe, le bouquet mêle les fleurs et les agrumes, soulignés d'un boisé bien ajusté. Souple, ample, généreux, le palais révèle un rare équilibre, prolongé par une finale persistante et finement boisée. ⧗ 2017-2020 ¥ pavé de turbot sauce hollandaise ■ **2013 ★ (11 à 15 €; 220000 b.)** : mi-merlot mi-cabernet-sauvignon, un vin plaisant par son bouquet de fruits noirs, de cerise et d'épices douces, prometteur par son palais ample, bien construit et long, dont les tanins demandent à se fondre. Du potentiel pour le millésime. ⧗ 2018-2021 ■ **2014 (11 à 15 €; 100000 b.)** : vin cité.

SAS VIGNOBLES LÉVÊQUE, 44, cours Georges-Clemenceau, 33720 Podensac, tél. 05 56 27 17 38, courrier@chateau-chantegrive.com V *t.l.j. sf dim. 9h-12h30 13h30-17h*

CH. CHERET-PITRES 2014 ★

■ | 3000 | | 5 à 8 €

Situé dans un méandre de la Garonne un peu à l'écart du bourg de Portets, ce domaine commandé par une belle maison de maître possède un vignoble établi sur un terroir mêlant des sables à des graves profondes. Il a été acheté en 1956 par les parents de Caroline Dulugat, laquelle l'exploite depuis 1991 avec son mari Pascal.

À une robe d'un jaune assez intense, répond un bouquet expressif, entre fleurs et agrumes, et un palais frais, bien équilibré et persistant, dans le même registre que le nez. ⧗ 2016-2019 ¥ saint-jacques poêlées

CAROLINE ET PASCAL DULUGAT, 1, chem. de Pitres, 33640 Portets, tél. 05 56 67 27 76, dulugat.caroline@9business.fr V *r.-v.*

CH. LES CLAUZOTS 2015 ★

■ | 50000 | | 5 à 8 €

Situé au sud des Graves, près de Langon, ce cru de 35 ha, dont Frédéric Tach a pris les commandes en 1993, est dans la même famille depuis plus d'un siècle. Il montre une belle régularité.

Un bouquet séduisant, entre senteurs exotiques (ananas) et florales (genêt). Souple et fraîche, l'attaque ouvre sur un palais étoffé, vif et acidulé, à la finale nerveuse. Un blanc sincère et droit qui porte la marque du sauvignon, lequel ne représente que 50 % de l'assemblage. ⧗ 2016-2018 ⫯ huîtres de Normandie

⊶ *FRÉDÉRIC TACH, 4, Camboutch, 33210 Saint-Pierre-de-Mons, tél. 05 56 63 15 32, chateaulesclauzots@wanadoo.fr* V ♿ ▮ *r.-v.*

CLOS BOURGELAT 2015

■ | 8600 | ▮ | 5 à 8 €

Un domaine remontant au XVIIIe s. Arrivé à sa tête en 1980, Dominique Lafosse a passé en 2013 le relais à son fils Antoine, qui représente la septième génération. Implanté à Cérons, village éponyme d'une appellation de liquoreux, le vignoble de 14 ha privilégie le cépage sémillon. À sa carte, des cérons, et surtout des graves, majoritairement blancs.

Le bouquet intense mêle le raisin mûr, les fruits blancs, le pamplemousse et une touche de buis (qui révèle la présence discrète du sauvignon, à hauteur de 15 % de cette cuvée). Le palais ample offre une longue finale teintée d'une légère amertume. ⧗ 2016-2019 ⫯ coquilles Saint-Jacques ■ **Caprice de Bourgelat 2014 (8 à 11 €; 4700 b.)** : vin cité.

⊶ *EARL DOMINIQUE LAFOSSE, Clos Bourgelat, 4, Caulet-Sud, 33720 Cérons, tél. 05 56 27 01 73, domilafosse@wanadoo.fr* V ♿ ▮ *t.l.j. sf dim. 10h-12h 14h-19h; f. août*

♥ CLOS FLORIDÈNE 2014 ★★

■ | 74 048 | ⦀ | 15 à 20 €

Valeur sûre des Graves, ce cru, créé en 1982, couvre aujourd'hui 42 ha sur le plateau calcaire de Pujols-sur-Ciron, près de Barsac, avec quelques parcelles sur les terrasses caillouteuses d'Illats. Son nom évoque les prénoms de ses fondateurs: Florence et Denis Dubourdieu, ce dernier professeur d'œnologie célèbre pour ses travaux sur les arômes.

Vinifié et élevé en fût de chêne, ce vin d'un jaune paille brillant charme par son bouquet expressif, d'une grande finesse, où un boisé grillé s'allie à des fragrances d'acacia et à des touches légèrement muscatées. Plein, gras, rehaussé de jolies notes d'amande grillée, tonifié par une finale vive et alerte, le palais témoigne d'une rare maîtrise de la vinification. ⧗ 2017-2020 ⫯ ris de veau à la crème ■ **2013 (15 à 20 €; 49 992 b.)** : vin cité.

⊶ *EARL DENIS ET FLORENCE DUBOURDIEU (CLOS FLORIDÈNE), Ch. Reynon, 21, rte de Cardan, 33410 Béguey, tél. 05 56 62 96 51, reynon@orange.fr* V ♿ ▮ *r.-v.*

CH. CRABITEY 2013

■ | 42 000 | ⦀ | 11 à 15 €

Ancien orphelinat et vignoble créés en 1872 par les franciscaines sur le plateau de Portets. En 1985, l'ordre fait appel à Jean-Ralph de Butler, ingénieur agronome, pour moderniser le domaine, et finit par le lui céder en 2008. Arnaud de Butler a pris le relais en 1999. Le cru compte 28 ha sur graves garonnaises.

Un graves traditionnel, tant par sa couleur intense que par son bouquet de fruits noirs et de cuir (60 % de merlot pour ce millésime). Souple en attaque, le palais s'appuie sur de petits tanins fins en harmonie avec un fruit qui reste bien présent au palais. Pour maintenant. ⧗ 2016-2019 ⫯ coq au vin

⊶ *SARL LES VIGNOBLES DE BUTLER, 63, rte du Courneau, 33640 Portets, tél. 05 56 67 18 64, vignobles@debutler.fr* V ♿ ▮ *t.l.j. 8h30-12h 13h30-17h*

CH. LA CROIX 2014

■ | 2000 | ⦀ | 8 à 11 €

Cédric Espagnet a pris en 2003 les rênes du domaine familial constitué en 1932 et situé sur un chemin emprunté jadis par les pèlerins de Saint-Jacques-de-Compostelle. Il exploite près de 18 ha à Langon, au sud de l'appellation.

À partir d'un encépagement diversifié, comprenant 8 % de muscadelle aux côtés du sémillon (56 %) et du sauvignon (36 %), ce vigneron a élaboré un blanc au joli nez alliant les fleurs blanches miellées à un boisé toasté. Souple, ample, onctueux et rond, le palais à la finale boisée, un rien amère, est également fort plaisant. ⧗ 2016-2019 ⫯ blanquette de veau

⊶ *VIGNOBLES ESPAGNET, Ch. la Croix, rte d'Auros, 33210 Langon, tél. 06 72 18 55 30, chateaulacroix@free.fr* V ♿ ▮ *r.-v.*

CH. DOMS 2014

■ | 20 000 | ▮ | 8 à 11 €

Une chartreuse du XVIIe s., des bâtiments monastiques transformés en chai, un vignoble transmis de mère en fille depuis cinq générations (28 ha aujourd'hui). Aux commandes, Hélène Durand (depuis 1998) et sa fille Amélie (depuis 2015). Ingénieur agronome et œnologue, la seconde fait le vin.

Ce vin séduit par son bouquet où se mêlent la pêche, la mangue et des nuances d'amande. Vif à l'attaque, le palais offre une chair élégante, délicate et ronde, et une finale persistante. ⧗ 2016-2018 ⫯ sole grillée

⊶ *HÉLÈNE ET AMÉLIE DURAND, Ch. Doms, 10, chem. de Lagaceye, 33640 Portets, tél. 05 56 67 20 12, chateau.doms@wanadoo.fr* V ♿ ▮ *r.-v.*

CH. GRAND ABORD 2015 ★

■ | 15 000 | ▮ | 5 à 8 €

Très ancienne propriété familiale établie depuis 1720 au cœur des Graves, au beau bâti des XVIIe et XVIIIe s. entouré d'un parc. Géré par Philippe et Marie-France Dugoua, le vignoble couvre 25 ha.

Trois quarts de sémillon et un quart de sauvignon composent ce vin qui charme d'emblée par l'élégance de son bouquet aux nuances de pêche. On retrouve les fruits blancs dans un palais tendre, de belle tenue, tout en finesse. ⧗ 2016-2019 ⫯ maigre au four

VIGNOBLES DUGOUA, Ch. Grand Abord, 56, rte des Graves, 33640 Portets, tél. 05 56 67 50 75, contact@vignobles-dugoua.fr r.-v.

CH. DU GRAND BOS 2013

■ | 14 800 | | 15 à 20 €

Situé à la charnière des trois communes de Portets, Castres et Saint-Selve, ce cru est solidement ancré dans le terroir bordelais par ses bâtiments, une chartreuse à pavillon central des XVIIe et XVIII[e]s. Le vignoble a été planté à la même époque. Acquis à la fin du siècle dernier par la famille Vincent, et conduit depuis 1977 par André Vincent, le cru s'étend sur 43 ha.

L'assemblage de ce graves inclut, aux côtés du cabernet-sauvignon (51 %) et du merlot, un appoint de petit verdot (7 %). D'un style résolument classique, ce 2013 reste réservé au nez, mais il laisse percer des arômes complexes de cacao, de moka et de fruits rouges. L'attaque souple et douce est relayée par une trame de fins tanins, encore un peu sévères en finale. ⧗ 2017-2019 ¥ faux-filet grillé

SCEA DU CH. DU GRAND BOS, 33640 Castres-Gironde, tél. 05 56 67 39 20, chateau.du.grand.bos@free.fr r.-v.

Vincent-Rochet

GRAND ENCLOS DU CH. DE CÉRONS 2014

■ | 18 000 | | 20 à 30 €

Issu d'un très ancien domaine, propriété des marquis de Calvimont du XVIe au XVIII[e]s., ce cru de Cérons (30 ha), qui a aussi droit à l'appellation graves, connaît depuis 2000 une seconde jeunesse grâce à Giorgio Cavanna, un ingénieur italien amoureux de la France, qui l'a racheté après avoir géré un domaine familial en Toscane.

Du sauvignon élevé en cuve, avec macération pelliculaire, a été assemblé à parts presque égales à du sémillon élevé en barrique. Le vin mêle au nez l'acacia et des notes réglissées et toastées léguées par l'élevage. Bien équilibrée entre acidité et gras, la bouche ajoute à cette palette des notes fraîches de fruits exotiques. ⧗ 2016-

La région des Graves

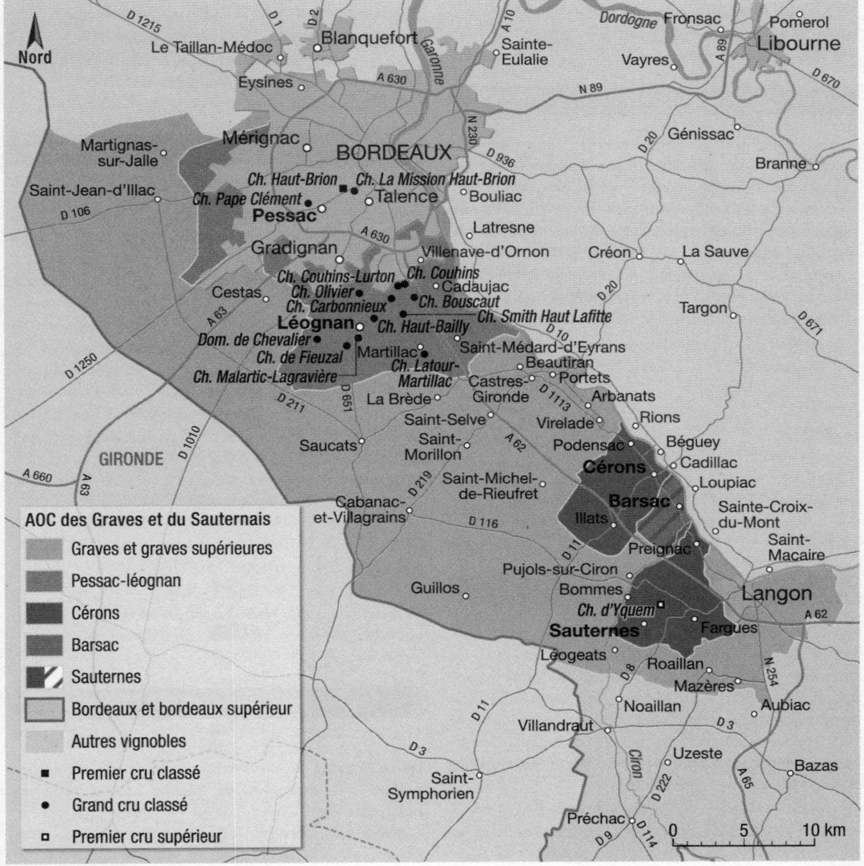

2018 ¥ médaillon de homard aux agrumes ■ **Ch. Lamouroux 2015 (11 à 15 €; n.c.)** : vin cité.

SCEA DU GRAND ENCLOS DE CÉRONS, 12, pl. Charles-de-Gaulle, 33720 Cérons, tél. 05 56 27 01 53, maryline.grandenclos@orange.fr V r.-v. *Giorgio Cavanna*

LA TENTATION DE GRAVAS 2014

■ | 8000 | | 8 à 11 €

Ce cru, jadis nommé Doisy Gravas, est la propriété de la famille Bernard depuis six générations. Bien situé entre Coutet et Climens, il s'étend sur 10 ha au point culminant de Barsac. Dédié exclusivement au sauternes jusqu'en 2007, il a multiplié les cuvées de graves. Un lieu réputé aussi pour son accueil et ses animations œnotouristiques.

Le cabernet-sauvignon est très majoritaire dans cette cuvée grenat soutenu, au bouquet puissant, entre petits fruits des bois et notes réglissées. Frais en attaque, assez persistant, le palais dévoile une structure équilibrée où gras et tanins font bon ménage. ⧗ 2018-2020 ¥ entrecôte ■ **Absolu de Gravas 2014 (5 à 8 €; 5000 b.)** : vin cité.

MICHEL BERNARD, 6, lieu-dit Gravas, 33720 Barsac, tél. 05 56 27 06 91, chateau.gravas@orange.fr V r.-v.

CH. HAUT-GRAMONS 2014

■ | 31800 | | 8 à 11 €

En 1991, Frédéric Boudat et son épouse Françoise Cigana ont abandonné leur profession dans le secteur médical pour reprendre les vignes de la famille Cigana. Ils ont aménagé un chai (1998) et agrandi le vignoble. Aujourd'hui, les Vignobles Boudat-Cigana totalisent 91 ha. Ils ont leur siège dans l'Entre-deux-Mers, au château de Viaut, et proposent du bordeaux supérieur, du sainte-croix-du-mont et des graves.

Très présent dans l'assemblage de ce blanc, le sauvignon (60 %) transparaît dans le bouquet où agrumes (pamplemousse), buis, fruits exotiques et pêche blanche s'entremêlent. Ce fruité intense se retrouve dans un palais vif à souhait, auquel il confère un côté gourmand bienvenu. À déboucher dès l'apéritif. ⧗ 2016-2018 ¥ rillettes de poisson

SARL VIGNOBLES BOUDAT-CIGANA, Ch. de Viaut, 33410 Mourens, tél. 05 56 61 31 31, fboudat@orange.fr V r.-v.

CH. HAUT-MAYNE 2015

■ | 40000 | | 8 à 11 €

Établi sur les hauteurs de Loupiac, le château du Cros est étroitement lié à l'histoire du duché anglo-gascon d'Aquitaine au Moyen Âge. Fief des Boyer depuis quatre générations, il commande un vignoble de 95 ha sur les deux rives de la Garonne, produisant sous diverses étiquettes des vins de qualité, notamment en blanc.

Ce vignoble couvre 15 ha à Cérons, au lieu-dit Les Moulins: une localité qui a donné son nom à une appellation de vins doux. Pas de sucres dans ce graves dont le nez discret d'ananas, de pamplemousse et de buis reflète la présence du sauvignon (60 %). Ce vin s'affirme au palais avec une attaque ronde, une matière ample et bien équilibrée et un boisé légèrement marqué qui laisse parler le fruit. ⧗ 2017-2020 ¥ poulet à la crème

VIGNOBLES BOYER, 94, rte de Saint-Macaire, 33410 Loupiac, tél. 05 56 62 99 31, contact@chateauducros.com V *t.l.j. 9h-12h 14h-18h; sam. dim. sur r.-v.*

Ⓑ CH. HAUT PEYROUS 2014 ★

■ | 15000 | | 11 à 15 €

Couvrant 12 ha, ce cru est situé dans la partie méridionale des Graves. Propriété du négociant landais Marc Darroze, bien connu des amateurs de bas-armagnac, il a été repris en 2012 par Céline et Fabien Goulard, originaires de Picardie, qui travaillaient auparavant dans l'industrie et le conseil aux entreprises. Le couple a conservé son orientation bio.

D'un rouge sombre, ce 2014 apparaît réservé au nez, avant de s'ouvrir sur les fruits rouges et sur le cassis. Le fruit rouge s'épanouit en bouche et s'associe à des tanins élégants pour former un ensemble de qualité. De la personnalité. ⧗ 2018-2021 ¥ épaule d'agneau

CH. HAUT PEYROUS, lieu-dit Peyrous, 33210 Mazères, tél. 05 56 62 08 48, info@haut-peyrous.com V *t.l.j. sf mer. dim. 9h-12h 14h-17h* *Céline et Fabian Goulard*

CH. HAUT-REYS Vieilles Vignes 2014 ★

■ | 18000 | | 8 à 11 €

Créé en 1977 par regroupement de plusieurs petites propriétés, ce cru des Graves a été racheté en 1997 par Isabelle et Grégoire Gabin qui l'ont restructuré et agrandi, élargissant sa gamme de vins. Il compte aujourd'hui 20 ha.

Issue de vignes d'une quarantaine d'années, cette cuvée à la robe profonde issue de merlot majoritaire (80 %) mêle au nez les fruits rouges, la truffe et les épices. Ample et velouté, le palais attaque en souplesse avant de révéler une solide charpente tannique, encore un peu ferme et boisée en finale. ⧗ 2018-2021 ¥ faux-filet grillé ■ **2015 ★ (5 à 8 €; 18000 b.)** : du sauvignon majoritaire (75 %, avec un appoint de sémillon et de muscadelle) et pas de bois dans ce vin équilibré, souple et frais, au nez très expressif de fruits exotiques et d'agrumes. ⧗ 2016-2019 ■ **Vieilles Vignes 2014 (8 à 11 €; 3000 b.)** : vin cité.

ISABELLE ET GRÉGOIRE GABIN, 18, allée Perrucade, 33650 La Brède, tél. 05 56 20 38 29, gabin-earl@orange.fr V *t.l.j. sf dim. 10h-12h 14h30-18h30*

CH. HURADIN 2015

■ | 10000 | | 5 à 8 €

Deux anciens moulins situés sur ce vignoble rappellent que le plateau de Cérons fut autrefois un pays céréalier. L'heure de la retraite ayant sonné, Catherine et Dominique Lafosse ont vendu la propriété familiale à Frédéric et Aurélia Caumont en

avril 2015; le premier était consultant dans la grande distribution, la seconde dirigeait la Confédération des vins IGP de France, après avoir travaillé à l'INAO. Le vignoble couvre 16 ha dédiés aux appellations cérons (sous l'étiquette du Ch. Huradin), et graves (Ch. Huradin et Dom. du Salut).

Mi-sauvignon mi-sémillon, un graves blanc léger mais agréable tant par son bouquet expressif et assez complexe, aux nuances de poire et de fruits exotiques bien mûrs que par son palais souple et gras en attaque, marqué en finale par un agréable retour aromatique sur la pêche blanche. ⧗ 2016-2019 🍴 saumon à l'unilatérale ■ **2014 (5 à 8 €; 8000 b.)** : vin cité.

SCEA FAMILLE CAUMONT, 2, Huradin-Nord, 33720 Cérons, tél. 06 60 70 78 66, aureliasouchal@yahoo.fr V r.-v.

CH. DE LANDIRAS 2014 ★

■	182000		8 à 11 €

Architecte, Michel Pélissié (rejoint par son fils Adrien en 2010) a racheté en 2008, au sud des Graves, le Ch. de Landiras. Un domaine historique, ancienne terre épiscopale au XIIᵉs., qui a gardé le souvenir de Jeanne de Lestonnac, nièce de Montaigne et fondatrice de la Compagnie de Marie-Notre-Dame. Aujourd'hui, une belle unité (60 ha), renforcée depuis 2013 par les châteaux la Ouarde et Peyron-Bouché: 80 ha en tout, plantés à haute densité.

Privilégiant le merlot comme les autres graves rouges de la propriété (75 %), ce 2014 à la robe profonde se montre convivial et gourmand tout au long de la dégustation. D'abord par son bouquet, précis et délicat, à dominante fruitée (cerise, cassis et autres fruits noirs), puis par son palais où le fruité s'épanouit sur une structure tannique très ronde, élégante mais solide. Le boisé est au service du fruit. Un bel équilibre. ⧗ 2019-2023 🍴 côte de bœuf ■ **Dom. la Grave 2014 ★ (8 à 11 €; 46666 b.)** : un vin riche, solide et bien équilibré. Du potentiel. ⧗ 2019-2022 ■ **Ch. Cazebonne 2015 ★ (5 à 8 €; 13333 b.)** : un vin séduisant et complet avec de la finesse, du fruit, un juste boisé et du gras. ⧗ 2017-2020

DOM. LA GRAVE, Ch. de Landiras, 33720 Landiras, tél. 05 56 76 76 61, chateau.landiras@orange.fr V r.-v. *Pélissié*

L'ESPRIT DE LASSALLE 2014

■	16000		5 à 8 €

Une propriété des Graves à taille humaine (6,5 ha) où le château ressemble à une ferme. Mais elle ne manque pas de lettres d'ancienneté, car elle appartient depuis 1770 à la même famille. Fabien Lalanne, qui a succédé à son oncle en 2005, représente la huitième génération.

Une cuvée privilégiant le merlot (70 %) et le fruit. Un vin plaisant, tant par son bouquet délicat centré sur les fruits rouges que par son palais souple à l'attaque, adossé à de petits tanins fins et enrobés. ⧗ 2018-2020 🍴 poulet fermier rôti

FABIEN LALANNE, 2, allée Lassalle, 33650 La Brède, tél. 05 56 78 49 65, flalanne1@club-internet.fr V *t.l.j. 9h-12h 14h-18h; sam. dim. sur r.-v.*

♥ CH. LÉHOUL 2015 ★★

■	7000		8 à 11 €

GRAND VIN DE BORDEAUX
2015 2015
Château Léhoul
GRAVES

Le 9 ventôse an VI (1798), Georges Lehoult vend un vignoble à un aïeul. Le cru est établi sur une belle croupe de graves et de sables, à l'orée de la forêt, au sud de l'appellation. Éric Fonta connaît à fond son terroir de quelque 9 ha, où il plante de nombreux cépages qu'il vendange à la main. Une valeur sûre.

Nouveau coup de cœur pour Éric Fonta pour un blanc qui charme par son expression aromatique. Le sauvignon, cépage majoritaire, donne le meilleur de lui-même avec ses senteurs de fleurs blanches, d'agrumes, de fruits exotiques (mangue) et un léger buis. Une surprenante touche muscatée s'ajoute à cette palette dans un palais intense et dense, qui concilie un beau volume et une rare élégance. ⧗ 2017-2020 🍴 risotto de homard ■ **Plénitude 2014 ★ (15 à 20 €; 8200 b.)** : très régulière, une cuvée à dominante de cabernets (70 %), élevée seize mois en barrique. Bouquet alliant les fruits rouges aux notes de moka du bois, palais bien structuré et long, aux tanins soyeux. De garde. ⧗ 2019-2024 ■ **Fermentation et élevage en fût de chêne 2015 (11 à 15 €; 3300 b.)** : vin cité.

ÉRIC FONTA, rte d'Auros, 33210 Langon, tél. 05 56 63 54 74, chateaulehoul@orange.fr V r.-v.

CH. DE LIONNE 2015 ★

■	10000	8 à 11 €

Belle unité d'une quarantaine d'hectares sur Illats, à l'est du Sauternais, ce cru a été repris en 2007 par Pierre Bodon, pépiniériste, et Véronique Smati, autodidacte.

Un joli graves blanc issu de sémillon majoritaire (80 %). On aime son bouquet subtil de pêche et de fleurs blanches, et son palais, souple, étoffé et long, dans le même registre. Une belle harmonie. ⧗ 2017-2020 🍴 coquilles Saint-Jacques à la crème

GFA DU DOM. DE LIONNE, lieu-dit Lionne, 33720 Illats, tél. 05 56 62 50 32, chateaudelionne@orange.fr V r.-v.

Ⓑ CH. LUSSEAU 2013

■	10000		11 à 15 €

Commandé par un château construit en 1805 par un officier de la Grande Armée, un vignoble acquis en 1870 par l'arrière-grand-père de Bérengère Quellien. À son installation en 2001 comme jeune agricultrice, la vigneronne, ancienne juriste, a réduit la superficie de son exploitation à 7 ha pour convertir le domaine au bio.

Un assemblage original dans les Graves: aux côtés du merlot et du cabernet-sauvignon, 15 % de malbec. Il en résulte un «vin plaisir» qui s'exprime sur de fines notes fruitées. Sans afficher un grand volume, le palais est bien structuré et harmonieux. ⏳ 2017-2019 🍴 bœuf Stroganov

⊶ BÉRENGÈRE QUELLIEN, Ch. Lusseau, 6, rte de Lusseau, 33640 Ayguemorte-les-Graves, tél. 05 56 67 01 67, berengere@chateaulusseau.com V ⚐ ⚐ t.l.j. 9h-18h; sam. dim. sur r.-v. ⚐ D ⊶ de Granvilliers

CH. MILLET Cuvée Henri 2014 ★

■	6760	⚐	11 à 15 €

Ancienne propriété du comte de Ravez, garde des Sceaux de Louis-Philippe, cette vaste unité (80 ha aujourd'hui) a été achetée en 1962 par la famille Solorzano, d'origine basque. Essentiellement située dans les Graves, elle regroupe plusieurs crus.

L'élevage en fût, sensible au bouquet, lègue des notes torréfiées. Ces nuances boisées n'effacent pas la signature du sauvignon (60 %), perceptible au travers de parfums de buis, d'agrumes, de fruits exotiques et de fleurs blanches. Souple et équilibré, le palais monte en puissance, tendu par une petite vivacité aux accents de pamplemousse, avant de céder la place en finale au côté toasté de la barrique. ⏳ 2017-2020 🍴 filet mignon en croûte ■ **Ch. Martin 2014 (8 à 11 €; 56000 b.)** : vin cité. ■ **Ch. Prieuré-les-Tours Cuvée Clara 2015 (8 à 11 €; 4900 b.)** : vin cité.

⊶ SARL LES DOMAINES DE LA METTE, 17, rte de Mathas, 33640 Portets, tél. 05 56 67 18 18, domainesdelamette@wanadoo.fr V ⚐ ⚐ r.-v. ⊶ J.-B. Solorzano

CH. DU MONT Cuvée Gabriel 2013 ★

■	10000	⚐	11 à 15 €

Paul Chevassier a constitué ce vignoble au début du XXᵉs., à Sainte-Croix-du-Mont. Son gendre Pierre Chouvac et, depuis 2000, son petit-fils Hervé l'ont développé sur les deux rives de la Garonne, dans les Graves et le Sauternais (27 ha aujourd'hui), mais Sainte-Croix est resté le cœur du domaine, dont il est l'un des porte-drapeaux.

On retrouve avec plaisir cette cuvée Gabriel qui a pour particularité de provenir du cabernet franc, cépage plus répandu en Libournais. On aime ses arômes de violette et de bonbon rehaussés de la note vanillée du chêne. Au palais, le bois s'associe à une structure plutôt svelte qui permettra à cette bouteille de s'arrondir assez rapidement. ⏳ 2017-2020 🍴 entrecôte

⊶ HERVÉ CHOUVAC, Ch. du Mont, lieu-dit Pascaud, 33410 Sainte-Croix-du-Mont, tél. 06 89 96 54 73, chateau-du-mont@wanadoo.fr V ⚐ ⚐ r.-v.

MOUTON CADET Réserve 2014 ★

■	30000	⚐	15 à 20 €

Marque phare du négoce Rothschild exportée dans le monde entier, créée en 1930 par Philippe de Rothschild, le cadet de la famille, qui souhaitait déclasser une partie du vin produit pour son Ch. Mouton-Rothschild. Dédiée au bordeaux dans les trois couleurs, elle est déclinée en médoc, saint-émilion, graves et sauternes avec la Réserve Mouton Cadet.

Né d'un assemblage très classique des sémillon, sauvignon et muscadelle (par ordre d'importance), ce vin mêle les fleurs blanches et le menthol à des nuances plus fruitées (agrumes). Gras et puissant, le palais sait faire preuve d'élégance grâce à un trait de fraîcheur. ⏳ 2016-2019 🍴 poisson sauce citron

⊶ BARON PHILIPPE DE ROTHSCHILD (CH. MOUTON CADET), 10, rue de Grassi, BP 117, 33250 Pauillac, tél. 05 56 73 20 20, press@bphr.com

CH. DE L'OMERTA Élevé en fût de chêne 2014

■	35000	⚐ ⚐	5 à 8 €

Située près de Langon, dans le sud de l'appellation graves, cette propriété familiale à taille humaine (12 ha environ), conduite depuis 2000 par Denis Roumegous, garde secrète l'explication de son nom qui ne manque pas d'intriguer les curieux.

Du merlot et du cabernet-sauvignon presque à parité, avec un soupçon de petit verdot, un élevage mi-cuve mi-fût pour ce vin à la robe prometteuse, d'un pourpre soutenu. La suite ne déçoit pas: le bouquet fait preuve d'une agréable complexité, mariant les fruits noirs au grillé et à la fumée de la barrique; quant au palais, rond, élégant et centré sur le fruit, il ne demande qu'à s'épanouir. ⏳ 2018-2021 🍴 rosbif

⊶ SCEA VIGNOBLE DE L' OMERTA, 5, rue de la Résistance, 33210 Preignac, tél. 05 56 76 20 34, chateaudelomerta@hotmail.fr V ⚐ ⚐ r.-v. ⊶ Denis Roumegous

CH. PIRON Terre d'aurore 2014

■	6000	⚐	8 à 11 €

Ce domaine des Graves est dans la même famille depuis la fin du XVIIᵉs., mais sa vocation viticole est plus récente. Depuis 1999, il est géré par Lionel Boyreau, qui ne ménage pas les investissements. Sur ses 22 ha, les cépages blancs sont légèrement majoritaires.

Un bon classique des blancs de Graves, reflet d'un assemblage non moins classique de sémillon et de sauvignon et d'un court séjour en barrique (six mois). Le bouquet élégant marie de fines notes d'acacia avec un boisé fondu et une touche d'abricot. Gras, d'une belle ampleur, le palais est équilibré par une finale vive. ⏳ 2016-2019 🍴 coquilles Saint-Jacques

⊶ EARL FAMILLE BOYREAU, Piron, 33650 Saint-Morillon, tél. 05 56 20 22 94, muriel.boyreau@chateau-piron.com V ⚐ ⚐ t.l.j. 9h-12h 13h-19h; dim. sur r.-v. ⊶ GFA de Piron

♥ CH. DES PLACES 2014 ★★

■	120000	⚐	8 à 11 €

Domaine familial né au début du XXᵉs. quand un tonnelier nommé Daniel Subervie acquit quelques parcelles dans les Graves. Premières mises en bouteilles

en 1960. Aux commandes depuis 2006, Fabrice et Philippe Reynaud ont restructuré et agrandi leur domaine (60 ha) tout en s'équipant d'un chai très moderne en 2009.

Ces vignerons dédiés aux graves ont beaucoup investi dans leur domaine et tirent les bénéfices de leurs efforts avec ce graves, seul rouge élu coup de cœur cette année. Mi-merlot mi-cabernet-sauvignon, il s'annonce par une robe profonde et développe un bouquet séduisant et complexe sur les fruits noirs, le menthol, le café et les épices. Au palais, le bois se fond dans une matière charnue et longue, soutenue par des tanins soyeux. ⧗ 2018-2021 🍷 gigot d'agneau ■ **Ch. Lagrange 2014 ★ (11 à 15 €; 80 000 b.)** : issu de merlot dominant allié aux deux cabernets, un vin convivial et consistant, gourmand et frais, très fruité (cassis, griotte) et boisé. ⧗ 2018-2021

o– EARL VIGNOBLES REYNAUD, 46, av. Maurice-La-Châtre, 33640 Arbanats, tél. 05 56 67 20 13, contact@vignobles-reynaud.fr V *r.-v.*

♥ CH. PONT DE BRION 2014 ★★

■ | 12 000 | ◖◗ | 8 à 11 €

Exploitation créée par Paul Dauvin en 1931, dans le secteur méridional des Graves, à Langon. Pascal Molinari, arrière-petit-fils du fondateur installé en 1988, a passé en 2015 le relais à sa fille Charlotte. Fort de 23 ha, le domaine propose plusieurs étiquettes: Ludeman les Cèdres, Pont de Brion, Rivière Lacoste.

Une transition encourageante pour la jeune vigneronne: le domaine décroche un deuxième coup de cœur. Prenant la suite du remarquable 2012, ce 2014 porte avec éclat la marque de l'élevage (grillé), du sauvignon (jolis arômes d'agrumes et de buis) et du sémillon (belle rondeur). Au palais, où se révèle sa richesse, le dernier cépage prend le dessus par son gras, équilibré en finale par une note tonique de pamplemousse. Un ensemble complexe, très représentatif des Graves. ⧗ 2017-2020 🍷 rôti de veau ■ **2014 ★ (8 à 11 €; 40 000 b.)** : un vin bien fait, rond en bouche, finement bouqueté entre notes d'élevage et fruit. ⧗ 2017-2020 ■ **Ch. Ludeman les Cèdres 2014 (5 à 8 €; 12 000 b.)** : vin cité.

o– SCEA MOLINARI ET FILS, Ludeman, 33210 Langon, tél. 05 56 63 09 52, vignoblesmolinari@chateaupontdebrion.com V *r.-v.*

CH. PONTET LA GRAVIÈRE
Collection prestige Élevé en fût de chêne 2014 ★

■ | 18 000 | ◖◗ | 8 à 11 €

Le Ch. des Gravières, fondé en 1847, est dans la famille Labuzan depuis sept générations. La dernière, représentée par Denis (le viticulteur) et Thierry (l'œnologue), l'a beaucoup agrandi, le faisant passer de 18 à 55 ha.

Premier millésime pour ce cru acquis en 2014, qui vient compléter le coquet vignoble de la famille Labuzan. La robe est profonde, le bouquet encore un peu discret, marqué par des notes d'élevage fumées et toastées. Le fruit apparaît dans un palais charnu et long, qui montre beaucoup de finesse. ⧗ 2017-2021 🍷 entrecôte grillée ■ **Ch. des Gravières Cuvée Prestige Collection privée 2014 (5 à 8 €; 90 000 b.)** : vin cité. ■ **Ch. du Barrailh Cuvée Collection prestige 2014 (8 à 11 €; 60 000 b.)** : vin cité.

o– EARL VIGNOBLES LABUZAN, 6C, rue du Mirail, 33640 Portets, tél. 05 56 67 15 70, vignobles-labuzan@wanadoo.fr V *r.-v.*

CH. DE PORTETS 2015 ★

■ | 18 000 | ▮ | 8 à 11 €

« Ancienne baronnie de Gascq », lit-on sur l'étiquette. Au Moyen Âge, une forteresse dominant la Garonne, remplacée par un château classique, avec une vaste cour pavée et une grille ouvragée. Le cru (72 ha dans les Graves), repris en 1956 par Jules Théron, ingénieur agronome rapatrié d'Algérie, est aujourd'hui conduit par sa petite-fille Marie-Hélène Yung-Théron.

Bien dans l'esprit de l'appellation par son encépagement (70 % de sémillon pour 30 % de sauvignon), ce vin l'est aussi par son bouquet délicatement floral (tilleul) et miellé et par son palais suave, onctueux, fin et bien structuré. ⧗ 2017-2020 🍷 turbot au four

o– SCEA THÉRON-PORTETS, Ch. de Portets, 33640 Portets, tél. 05 56 67 12 30, contact@chateaudeportets.fr V *r.-v.*
o– Marie-Hélène Yung-Théron

CH. PUY BOYREIN 2015 ★★

■ | 25 000 | ▮ | 5 à 8 €

Établis depuis près de deux siècles à Cadillac, les Médeville, également négociants, sont à la tête d'un vaste ensemble de 160 ha répartis sur une quinzaine de crus au sud de Bordeaux.

Acquis par la famille en 1877, ce domaine entouré de bois compte 12 ha de vignes implantées sur une croupe de graves à Roaillan, au sud de l'appellation. Né du trio sauvignon-sémillon-muscadelle (20 % pour cette dernière), son vin blanc a enchanté nos jurés, qui soulignent l'intensité de la robe jaune doré, l'élégance de son bouquet mariant l'orange, le citron et la pêche et l'agrément de sa bouche souple, fruitée et fine, tonifiée par une finale persistante et vive. ⧗ 2016-2019 🍷 noix de Saint-Jacques ■ **Ch. Peyreblanque 2014 ★ (11 à 15 €; 9 600 b.)** : du cabernet-sauvignon majoritaire pour ce vin bien structuré, puissant et gourmand à la fois. ⧗ 2018-2021

o– JEAN MÉDEVILLE ET FILS, Ch. Fayau, 33410 Cadillac, tél. 05 57 98 08 08, medeville@medeville.com V *t.l.j. sf sam. dim. 9h-12h 14h-17h*

CH. RAHOUL 2014 ★

■ | 14 600 | ◖◗ | 20 à 30 €

Le chevalier Rahoul construisit dans les Graves une belle chartreuse en 1646. Devenu viticole dès le

XVIIIes., développé au siècle suivant par une famille d'armateurs, le cru est passé entre plusieurs mains avant son acquisition en 1986 par le négociant champenois Alain Thiénot – devenu propriétaire en 2007 de la maison Dourthe. Une valeur sûre.

Mariant deux tiers de sémillon et un tiers de sauvignon, ce blanc s'annonce par un bouquet d'une bonne complexité, traduisant une vendange bien mûre. Souple et charnu, marqué par l'élevage, le palais laisse une sensation générale de finesse et d'élégance. ⧗ 2017-2020 ▾ rôti de veau ■ **Dourthe Terroirs d'Exception Croix des Bouquets 2014 (8 à 11 €; 45000 b.)** : vin cité. ■ **Dourthe Terroirs d'Exception Hautes Gravières 2014 (8 à 11 €; 65000 b.)** : vin cité.

VIGNOBLES DOURTHE (CH. RAHOUL), 4, rte du Courneau, 33640 Portets, tél. 05 56 35 53 00, contact@dourthe.com r.-v.

CH. DE RESPIDE Classic 2015 ★

■ | 50000 | | 5 à 8 €

Au XVIIes., ce cru était la propriété de La Reynie, lieutenant de police de Louis XIV. Le château actuel a été construit vers 1850 par un préfet de la Gironde marié à la tante de Toulouse-Lautrec. Pierre Bonnet l'acquiert en 1952. À sa mort, le château est vendu, mais non le vignoble (76 ha dans la partie méridionale des Graves), géré depuis 1985 par son petit-fils Franck.

Cette cuvée a convaincu par son bouquet aux fines notes de sauvignon (60 %) nuancé de la touche miellée du sémillon, comme par son palais vif et équilibré, à la longue finale marquée par un joli retour sur les fruits blancs. ⧗ 2016-2019 ▾ huîtres ■ **Callipyge 2014 ★ (8 à 11 €; 12000 b.)** : mi-sémillon, mi-sauvignon, cette cuvée de prestige a connu le bois. Fraîche sans manquer de gras, elle séduit par sa complexité (agrumes, fruits blancs et jaunes, réglisse, anis, amande). ⧗ 2017-2020

SCEA VIGNOBLES BONNET, 2, Pavillon de Boyrein, 33210 Roaillan, tél. 05 56 63 24 24, vignobles-bonnet@wanadoo.fr V t.l.j. sf sam. dim. 8h30-12h 14h-17h

CH. RESPIDE-MÉDEVILLE 2013 ★

■ | 20000 | | 15 à 20 €

Situé sur une croupe argilo-graveleuse très bien exposée, au sud de l'appellation, ce cru de 12 ha a été gâté par la nature. Il a été évoqué par Mauriac, mais sa notoriété s'explique aussi par le sérieux de ses exploitants, héritiers d'une longue tradition familiale: le Champenois Xavier Gonet et la Bordelaise Julie Médeville, à la tête de plusieurs crus, notamment en Sauternais et en Champagne.

Un 2013 resté jeune à en juger par la profondeur de sa robe. Le bouquet mêle un boisé flatteur aux nuances de pain grillé et de caramel à des notes de cassis confituré et de sous-bois. D'une affable rondeur, assez long, le palais s'épanouit sur des tanins fins et enrobés. Un vin gourmand. ⧗ 2018-2021 ▾ suprême de poulet au foie gras

SCEA JULIE GONET-MÉDEVILLE, Ch. Gilette, 33210 Preignac, tél. 05 56 76 28 44, contact@gonet-medeville.com V r.-v.

CH. ROQUETAILLADE LA GRANGE 2013 ★

■ | 100000 | | 11 à 15 €

Les frères Guignard, Bruno, œnologue, Dominique, ingénieur agronome, et Pascal, fort d'une expérience en Afrique du Sud, perpétuent l'œuvre des générations précédentes. Établis dans le sud des Graves à proximité de l'imposant château de Roquetaillade, construit pour un neveu du pape gascon Clément V, ils exploitent plusieurs crus.

Les frères Guignard défendent bien les couleurs de l'appellation avec des vins comme celui-ci, issu d'une majorité de cabernet-sauvignon. La profondeur de la robe est de bon augure. Le bouquet s'exprime à l'aération sur des notes de café grillé et de cacao assez marquées, reflétant un élevage de dix-huit mois en barrique; les fruits noirs mûrs, le cuir et le sous-bois percent à l'aération. Bien structuré et élégant, le palais débouche sur une finale longue et harmonieuse. ⧗ 2017-2020 ▾ côte de bœuf ■ **2015 ★ (8 à 11 €; 60000 b.)** : issu du trio sauvignon-sémillon-muscadelle, un vin suave et expressif (fleurs blanches et agrumes). ⧗ 2016-2019

GAEC GUIGNARD FRÈRES, La Grange, 33210 Mazères, tél. 05 56 76 14 23, contact@vignobles-guignard.com V t.l.j. 9h-17h30; sam. dim. sur r.-v.

CH. ROUGEMONT 2014

■ | n.c. | | 5 à 8 €

Acquis par la famille des actuels propriétaires en avril 1956, après la grande gelée dévastatrice, ce cru jouxte le Ch. de Malle, dans le Sauternais. Il couvre 17 ha (dont 6 en blanc). La deuxième génération de la famille Turtaut l'a doté en 1996 d'un chai moderne.

S'il s'exprime tout en finesse, ce vin n'en possède pas moins un caractère affirmé. Notamment par son bouquet mêlant les fleurs blanches, les agrumes, le buis et le sous-bois. Précis et incisif, le palais débouche sur une longue finale cristalline. ⧗ 2016-2019 ▾ huîtres

EARL TURTAUT, 50, rue de Jean-Cabos, 33210 Toulenne, tél. 05 56 63 19 06, chateau.rougemont@yahoo.fr V r.-v.

CH. SAINT-ROBERT 2014 ★

■ | 43600 | | 11 à 15 €

Ancienne terre noble commandée par une belle chartreuse du XVIIIes., le domaine s'est longtemps partagé entre l'exploitation de la forêt, l'élevage de moutons et la vigne. Celle-ci couvre aujourd'hui 40 ha et a retrouvé tous ses droits grâce à un beau terroir, limitrophe de Barsac. Propriété du Crédit Foncier depuis 1991, le cru a été vendu en juillet 2014 aux familles Moulin (groupe Galeries Lafayette) et Cathiard (Ch. Smith Haut Lafitte). Une valeur sûre des Graves, avec de nombreuses étoiles et coups de cœur du Guide à son actif.

Une robe soutenue, un bouquet franc qui monte en puissance, mêlant les petits fruits et les fleurs (rose) à des accents mentholés: les premières impressions mettent en confiance. La suite ne déçoit pas: une attaque souple ouvre sur une bouche ronde, corsée, nettement réglissée et doucement boisée, chaleureuse en finale. Encore un peu austère, ce vin bénéficiera d'un passage en carafe. ⧗ 2017-2021 🍴 rôti de chevreuil aux champignons ■ **2015 (8 à 11 €; 15000 b.)** Ⓑ : vin cité.

SCEA DE BASTOR ET SAINT-ROBERT, Dom. de Lamontagne, 33210 Preignac, tél. 05 56 63 27 66, bastor@bastor-lamontagne.com V r.-v. *Domaines Motier*

CH. DE SAUVAGE Manine 2014 ★★

■	1700		15 à 20 €

Vincent Dubourg a acheté en 2004 cette propriété au milieu des bois, caractéristique des graves de clairière (d'où son nom, dérivé du latin *silvaticus*, «forestier»). Il a bâti un chai et exploite son petit vignoble (6,8 ha) sans herbicide ni insecticide.

Cette sélection de merlots a pris ses marques dans le Guide. Le 2014 est remarquable. D'un grenat intense, il mêle des parfums de fruits rouges et noirs à des nuances de toast et de café. Une alliance heureuse qui se prolonge dans un palais équilibré, à la fois rond et solide. ⧗ 2019-2023 🍴 faisan rôti ■ **2014 (5 à 8 €; 3600 b.)** : vin cité.

VINCENT DUBOURG, lieu-dit Manine, 33720 Landiras, tél. 05 56 27 13 44, info@chateaudesauvage.com V *r.-v.*

CH. DE TESTE Moléon 2014 ★

■	6000		8 à 11 €

Basé à Monprimblanc, à cheval sur l'Entre-deux-Mers et les Côtes de Bordeaux, Laurent Réglat peut jouer sur plusieurs appellations et types de vins, ayant même un pied dans les Graves. Souvent en vue pour ses liquoreux (cadillac, sainte-croix-du-mont), il ne néglige pas pour autant les rouges (cadillac-côtes-de-bordeaux, graves).

Mi-sauvignon mi-sémillon, ce vin s'exprime généreusement sur de pimpantes notes fruitées: citron, ananas, fruit de la Passion, touche de buis. Ce fruité se prolonge au palais, souligné par une belle vivacité et un agréable côté croquant. ⧗ 2016-2019 🍴 filet de daurade aux agrumes ■ **M de Moléon Vieilli en fût de chêne 2014 ★ (11 à 15 €; 5000 b.)** : un blanc élégant auquel l'élevage sous bois apporte de la complexité: vanille, nougat, notes grillées s'ajoutent aux nuances d'acacia, de melon et de fruits jaunes du sauvignon et du sémillon. ⧗ 2017-2020 ■ **Moléon Tradition 2013 (11 à 15 €; 9000 b.)** : vin cité.

EARL VIGNOBLES LAURENT RÉGLAT, Ch. de Teste, 33410 Monprimblanc, tél. 05 56 62 92 76, vignobles.l.reglat@wanadoo.fr V *r.-v.*

CH. TOUR BICHEAU 2014 ★

■	120000		8 à 11 €

La tour Bicheau, carrée et crénelée, a été construite à la fin du XIXes. par le premier de la lignée, négociant en vins. Avec Patrick Daubas, installé en 2007, c'est la cinquième génération qui assure la continuité de cette exploitation de 27 ha implantée sur le plateau du haut Portets où la vigne trouve un terroir de graves et de sable.

L'encépagement favorise ici le merlot. Une forte présence qui a bénéficié à ce vin au bouquet discret mais complexe (fruits rouges, notes florales et boisé aux nuances de toast et de moka). Si le fût est encore très présent en finale, le palais dévoile des tanins déjà fondus et une belle sucrosité. ⧗ 2018-2021 🍴 pièce de bœuf ■ **2015 (5 à 8 €; 20000 b.)** : vin cité.

DAUBAS, Ch. Tour Bicheau, 8, rte du Cabernet, 33640 Portets, tél. 05 56 67 37 75, chateau-tour-bicheau@orange.fr V *t.l.j. sf sam. dim. 9h-11h30 14h-17h30*

CH. TOUR DE CALENS 2014 ★

■	8400		8 à 11 €

Descendants de marins, les Doublet sont enracinés dans le vignoble bordelais depuis la fin du XVIIIes. Ils se sont installés en 1975 au Ch. Vignol, ancienne propriété de Montesquieu dans l'Entre-deux-Mers, passée entre les mains d'armateurs bordelais au XIXes. En 1987, ils ont traversé la Garonne pour investir à Beautiran, dans les Graves du nord, avec le Ch. Tour de Calens, puis ils ont franchi la Dordogne en 2009 pour prendre pied en saint-émilion grand cru avec le Ch. Saint-Ange.

Fidèle à l'équilibre parfait entre sémillon et sauvignon, le domaine signe un vin d'une grande fraîcheur tout au long de la dégustation. Son bouquet expressif et tout en nuances déploie des senteurs d'agrumes et de fleurs blanches soulignées d'un léger boisé évoquant l'amande (le sémillon a fermenté dans des fûts neufs). Gourmand et souple, le palais est tonifié par une pointe de vivacité. ⧗ 2016-2020 🍴 tartare de Saint-Jacques

SCEA BERNARD ET DOMINIQUE DOUBLET, Ch. Tour de Calens, 33640 Beautiran, tél. 05 57 24 12 93, info@famille-doublet.fr V *r.-v.*

CH. TOUR DE CASTRES 2015

■	7000		8 à 11 €

Un pavillon du XVIIIes., un parc, un arboretum: avec le Ch. de Castres (graves), José Rodrigues-Lalande, ingénieur et œnologue, a acquis en 1996 un beau quartier général. Il s'est agrandi en 2013 dans cette même AOC en achetant le Ch. Beau-Site, après s'être implanté en pessac-léognan en 2004, avec l'acquisition des 18 ha du Ch. Roche-Lalande et du Dom. de la Roche.

Ce graves blanc a intéressé les dégustateurs par son bouquet intense et tonique: citron, pamplemousse, litchi, ananas, pêche blanche se bousculent dans le verre, avec des touches d'amande et de buis; tout aussi aromatique, le palais est ample, gras, équilibré par une belle fraîcheur. ⧗ 2017-2020 🍴 cabillaud rôti ■ **Ch. de Beau-Site 2015 (11 à 15 €; 6000 b.)** : vin cité.

EARL RODRIGUES-LALANDE, Ch. de Castres, rte de Pomarède, 33640 Castres-sur-Gironde, tél. 05 56 67 51 51, contact@chateaudecastres.fr V *r.-v.* 5

CH. TOURTEAU CHOLLET Élégance 2014

■	114000		8 à 11 €

Propriété constituée au XVIIIes. par Étienne Tourteau, notaire royal à Portets, rachetée en 1833 par des

négociants bordelais. La maison Mestrezat l'a vendue en 2001 à Maxime Bontoux, ancien expert-comptable reconverti dans le vin, qui a restructuré le vignoble (hautes densités) et modernisé le chai. Situé dans le sud de l'appellation, le cru couvre 63 ha, dont 56 en rouge.

Mi-merlot mi-cabernet-sauvignon, un graves flatteur et bien typé mêlant la vanille et le grillé de la barrique au cassis et à des notes minérales. Souple en attaque, frais, le palais s'appuie sur des tanins au grain serré. ⌛ 2019-2022 🍷 épaule d'agneau

SC DU CH. TOURTEAU CHOLLET, 3, chem. de Chollet, 33640 Arbanats, tél. 05 56 67 47 78, tourteauchollet@vitisvintage.com V r.-v. *Vitis Vintage*

VIEUX CHÂTEAU GAUBERT 2015 ★★

	25000		11 à 15 €

Commandé par une superbe chartreuse construite au XVIIIes. pour les Gaubert, une famille d'armateurs, ce domaine viticole d'une quarantaine d'hectares a été constitué au cours des années 1980 par Dominique Haverlan, fils de viticulteurs, qui a su rassembler de beaux terroirs de graves. Une valeur sûre.

Mi-sémillon mi-sauvignon, ce graves s'annonce par un bouquet tout en finesse où la mangue apporte une touche d'exotisme aux arômes d'agrumes et de buis du sauvignon. On retrouve les fruits exotiques soulignés d'un boisé raffiné dans un palais franc et élégant, dont l'ampleur est équilibrée par un trait de vivacité. Un coup de cœur fut mis aux voix. ⌛ 2017-2020 🍷 rôti de veau ■ **Ch. de la Brède 2014 ★★ (20 à 30 €; 6000 b.)** : Dominique Haverlan exploite en fermage l'ancien vignoble de Montesquieu. Le philosophe vigneron aurait approuvé ce graves aux arômes intenses de cerise et de mûre et au palais consistant, charnu, harmonieux et long, étayé par des tanins enrobés. ⌛ 2017-2021 ■ **Ch. Haut-Pommarède 2014 ★ (8 à 11 €; 25000 b.)** : à dominante de cabernet-sauvignon (60 %), un vin au nez de fruits noirs et au palais structuré, adossé à des tanins déjà soyeux. ⌛ 2016-2020

DOMINIQUE HAVERLAN, 35, rue du 8-Mai-1945, 33640 Portets, tél. 05 56 67 18 63, dominique.haverlan@libertysurf.fr V r.-v.

CH. VILLA BEL-AIR 2014

	55000		15 à 20 €

Commandé par une remarquable chartreuse du XVIIIes. construite pour un conseiller au parlement de Bordeaux, ce cru (33 ha aujourd'hui) a été repris en 1988 par Jean-Michel Cazes, propriétaire notamment du Ch. Lynch Bages, cru classé à Pauillac. Ses vins bénéficient du savoir-faire de ses équipes.

Deux tiers de sémillon pour un tiers de sauvignon dans ce graves au bouquet d'agrumes et de genêt souligné de la note toastée de la barrique. L'attaque souple ouvre sur une bouche ample et suave, tendue par une fine acidité. La finale est marquée par un retour du grillé de l'élevage et par une légère amertume. ⌛ 2017-2020 🍷 pavé de sandre au beurre blanc

DOMAINES JEAN-MICHEL CAZES (CH. VILLA BEL-AIR), rte de Bordeaux, 33460 Macau, tél. 05 57 88 60 04, contact@jmcazes.com

GRAVES SUPÉRIEURES

CH. LA FLEUR DES PINS 2014 ★

	10000		8 à 11 €

Propriété de l'une des plus anciennes familles de viticulteurs du Sauternais, les Lamothe – présents ici depuis le XVIIIes. –, le château Haut-Bergeron dispose d'un vignoble de 35 ha à cheval sur les communes de Sauternes (graves et argiles) et de Barsac (calcaires). De nombreuses parcelles sont contiguës à celles d'Yquem, de Lafaurie-Peyraguey et de Climens.

À côté de leur sauternes, les Lamothe exploitent 11 ha en AOC graves, dont 5 ha de blancs. Ce vignoble est situé à Pujols-sur-Ciron, commune jadis rattachée au Sauternais. Ils en ont tiré ce graves supérieur en habit doré qui séduira par la diversité de ses arômes, entre ananas mûr, miel et abricot. Ample et gras, le palais est bien équilibré par une petite nervosité en finale qui fait ressortir des notes de fruits confits. ⌛ 2018-2022 🍷 tourte aux abricots

SCE CH. HAUT-BERGERON, 3, Piquey, 33210 Preignac, tél. 05 56 63 24 76, info@hautbergeron.com V r.-v. *Lamothe Frères*

PESSAC-LÉOGNAN

Superficie : 1 610 ha
Production : 71 145 hl (80 % rouge)

Correspondant à la partie nord des Graves (appelée autrefois Hautes-Graves), la région de Pessac et de Léognan constitue depuis 1987 une appellation communale, inspirée de celles du Médoc. Sa création, qui aurait pu se justifier par son rôle historique (c'est l'ancien vignoble périurbain qui produisait les clarets médiévaux), s'explique par l'originalité de son sol. Les terrasses que l'on trouve plus au sud cèdent la place à une topographie plus accidentée. Le secteur compris entre Martillac et Mérignac est constitué d'un archipel de croupes graveleuses qui présentent d'excellentes aptitudes vitivinicoles par leurs sols, composés de galets très mélangés, et par leurs fortes pentes garantissant un excellent drainage. L'originalité des pessac-léognan a été remarquée par les spécialistes bien avant la création de l'appellation. Ainsi, lors du classement impérial de 1855, Haut-Brion fut le seul château non médocain à être classé (1er cru). Puis, lorsqu'en 1959 seize crus de graves furent classés, tous se trouvaient dans l'aire de l'actuelle appellation communale.

Les vins rouges possèdent les caractéristiques générales des graves, tout en se distinguant par leur bouquet, leur velouté et leur charpente. Quant aux blancs secs, ils se prêtent à l'élevage en fût et au vieillissement qui leur permet d'acquérir une très grande richesse aromatique, avec de fines notes de genêt et de tilleul.

CH. D'ALIX 2014 ★

	6000		15 à 20 €

Propriétaire du Ch. Brondelle dans l'appellation graves et du Ch. Fontaine en sauternes, Jean-Noël Belloc s'est étendu en pessac-léognan avec l'acquisition en 2008 d'une grande parcelle boisée de 21 ha établie sur un beau terroir de graves profondes, qu'il a plantée en 2010. Premier millésime de ce nouveau cru en 2012.

Né de sauvignon, ce pessac séduit par son nez frais et flatteur de fleurs blanches et d'agrumes soulignés d'une fine note boisée. Au palais, son attaque souple et tendre fait progressivement place à une savoureuse vivacité citronnée. Une bouteille très bordelaise. 2016-2020 coquilles Saint-Jacques ■ **2013 (15 à 20 €; 22700 b.)** : vin cité.

VIGNOBLES BELLOC (CH. D'ALIX), lieu-dit Brondelle, 33210 Langon, tél. 05 56 62 38 14, chateau.brondelle@wanadoo.fr

CH. BOUSCAUT 2013 ★

■ Cru clas.	22000		30 à 50 €

97 98 **99** 00 04 05 06 |07| 08 |09| |10| 11 12 13

Disposant d'un vignoble de 50 ha d'un seul tenant bordant la route de Toulouse, ce cru est commandé par une superbe demeure du XVIIIes. entourée d'un parc aux arbres centenaires. Acquis en 1979 par Lucien Lurton, propriétaire de nombreux crus, notamment dans le Médoc, il est conduit depuis 1992 par sa fille Sophie et son gendre Laurent Cogombles.

Les vendanges 2013 ont été particulièrement tardives, s'achevant à la mi-octobre. Les rendements ont été inférieurs à la moyenne et l'assemblage du 2013 a été adapté à l'année: beaucoup moins de cabernet-sauvignon (20 %, contre plus de 40 % en général), plus de merlot (65 %) et pas mal de malbec (15 %). Si bien que ce millésime, sans avoir un potentiel immense, ne démérite pas. Le bouquet est encore dominé par les notes de vanille, de cannelle et de réglisse léguées par la barrique, mais sa personnalité s'annonce par des notes fraîches de prune. On retrouve un agréable boisé dans une bouche ample en attaque, portée par des tanins vigoureux mais au grain fin. L'ensemble, déjà bien équilibré, gagnera en harmonie avec une petite garde. 2017-2021 canard rôti

SAS CH. BOUSCAUT, 1477, av. de Toulouse, 33140 Cadaujac, tél. 05 57 83 12 20, cb@chateau-bouscaut.com V r.-v. E

CH. BOUSCAUT 2014 ★

Cru clas.	15671		30 à 50 €

98 **99** 00 **01** 03 04 |05| |**06**| |07| |09| |**11**| |**12**| **13** 14

Vinifié en barriques (neuves pour 40 %) et élevé dix mois dans le chêne, le blanc de Bouscaut était encore sous l'emprise du bois lors de notre dégustation. Il possède un solide potentiel d'évolution à en juger par son palais gras et rond, équilibré par une fine acidité, où le fruit commence à percer. 2019-2022 homard à la nage ■ **Les Chênes de Bouscaut 2014 ★ (15 à 20 €; 12619 b.)** : le second vin se goûte pour l'heure mieux que le grand vin, avec son nez délicat d'acacia souligné d'un trait vanillé et son palais frais, tendre et long, aux arômes de noisette. 2016-2020

SAS CH. BOUSCAUT, 1477, av. de Toulouse, 33140 Cadaujac, tél. 05 57 83 12 20, cb@chateau-bouscaut.com V r.-v. E

♥ CH. BROWN 2014 ★★

	17000		30 à 50 €

Commandé par une élégante chartreuse et son pigeonnier du XVIIIes., ce vaste cru (63 ha) doit son nom à un marchand de biens écossais, John Lewis Brown, propriétaire au XIXes. Après quelques années difficiles, le domaine revit à la suite de son rachat en 1994 par Bernard Barthe; efforts perpétués depuis fin 2004 par les familles Mau et Dirkzwager.

Troisième coup de cœur consécutif pour le blanc du Ch. Brown. Peut-être moins imposant que le 2013, il comprend plus de sauvignon (70 %). Le nez s'exprime tout en finesse, sur des notes de fleurs blanches, de fruits exotiques et de citron, avec une légère touche de buis. Rond, ample et gras, le palais brille par sa finale persistante et acidulée, marquée par un retour des arômes du bouquet. Une réelle harmonie. 2018-2021 gambas Cameron grillées

JEAN-CHRISTOPHE MAU, 5, allée John-Lewis-Brown, 33850 Léognan, tél. 05 56 87 08 10, contact@chateau-brown.com V r.-v.

CH. CARBONNIEUX 2013

■ Cru clas.	130000		20 à 30 €

90 91 92 93 **94** 95 **96** 97 98 99 **00** **01** 02 **03** 04 |**05**| |(06)| |07| |08| 09 10 |11| 12 13

Un cru très ancien, déjà exploité au XIIIes., ancienne dépendance du monastère de l'abbaye de Sainte-Croix au XVIIes. Occupant sur les hauteurs de Léognan une belle croupe de graves garonnaises, son vaste vignoble couvre 92 ha. Anthony Perrin l'a acquis après le grand gel de 1956, replanté, réhabilité et transmis à ses fils Éric et Philibert.

S'il n'est pas très corsé, ce 2013 séduit par sa rondeur, son élégance, sa bonne longueur et son bouquet net et mûr de confiture de fraises. La bouche ajoute au fruit des touches minérales et fumées, et ses tanins déjà enrobés permettront une petite garde. 2018-2021 carré de veau aux cèpes

SCEA A. PERRIN ET FILS, Ch. Carbonnieux, 33850 Léognan, tél. 05 57 96 56 20, info@chateau-carbonnieux.fr V r.-v.

CH. CARBONNIEUX 2014 ★

■ Cru clas. | 132 000 | | 20 à 30 €

00 01 **02 03** 04 05 06 07 **08** |09| |10| |12| 13 14

Né d'un assemblage dominé par le sauvignon (68 %), ce 2014 mêle au nez les fleurs blanches, la poire, la pêche, les agrumes (citron, pamplemousse, zeste), les notes toastées de la barrique et des touches minérales. De l'attaque fraîche à la finale acidulée, on retrouve en bouche cette vivacité citronnée qui, jointe aux nuances minérales, confère à cette bouteille une jeunesse très élégante. ⧗ 2017-2021 🍴 langouste ■ **Ch. Tour Léognan 2014 ★ (11 à 15 €; 25 000 b.)** : fin et élégant, ce vin se distingue par sa complexité aromatique (acacia, citron confit, abricot, discret vanillé, toasté), sa belle montée en puissance et l'heureux mariage du vin et du bois. ⧗ 2017-2020 ■ **La Croix de Carbonnieux 2014 ★ (15 à 20 €; 27 000 b.)** : un bouquet puissant et complexe (acacia, citron confit, abricot, discret vanillé) et un palais frais, fruité et charnu, tonifié par une touche de nervosité minérale. ⧗ 2018-2021

SCEA A. PERRIN ET FILS, Ch. Carbonnieux, 33850 Léognan, tél. 05 57 96 56 20, info@chateau-carbonnieux.fr r.-v.

CH. LES CARMES HAUT-BRION 2013

■ | 20 000 | | 30 à 50 €

Enchâssé dans l'agglomération bordelaise, comme son voisin Haut-Brion, ce cru de 4,7 ha doit son nom aux Grands Carmes, ses propriétaires jusqu'à la Révolution, qui entraîna sa vente comme bien national. Un négociant en vins l'acheta et le transmit en 1840 à la famille Chantecaille, qui le conserva jusqu'en 2010, année de son rachat par le groupe immobilier Pichet.

Un assemblage original pour ce pessac-léognan: 59 % de cabernet franc, pour seulement 19 % de cabernet-sauvignon et 22 % de merlot. Autre singularité en Gironde: un éraflage partiel et une vinification en petites cuves avec pigeages. Il en résulte une robe presque noire, un bouquet expressif de fruits noirs mûrs, de cerise et de grillé, un palais souple en attaque, étayé par des tanins serrés et vifs en finale, encore très marqué par l'élevage. ⧗ 2018-2022 🍴 pavé de bœuf grillé

CH. LES CARMES HAUT-BRION, 20, rue des Carmes, 33000 Bordeaux, tél. 05 56 93 23 40, contact@les-carmes-haut-brion.com r.-v.

DOM. DE CHEVALIER 2013 ★

■ Cru clas. | 75 000 | | 30 à 50 €

90 91 92 93 94 96 97 98 99 **00** 01 **02 03 04** |**05**| 06 07 |**08**| |(09)| (10) **11 12** 13

«Une clairière au milieu de la forêt»: ainsi Olivier Bernard définit-il son domaine, aux origines anciennes, acquis en 1983 par sa famille – des négociants. Il a agrandi le vignoble (45 ha aujourd'hui), implanté sur un très beau terroir de graves, réalisé d'importants investissements et fait de Chevalier l'un des piliers de l'appellation pessac-léognan.

À une robe brillante répond un bouquet à la large palette, qui marie subtilement des notes fruitées (petits fruits rouges et noirs) à un boisé vanillé et torréfié. Après une attaque en souplesse, le palais se montre charnu, énergique, soutenu par une trame tannique solide et serrée. Le boisé réapparaît dans une finale qui laisse une impression d'harmonie. On attendra toutefois cette bouteille de garde, pour lui permettre de gagner en fondu. ⧗ 2020-2026 🍴 côte de bœuf ■ **Ch. Lespault-Martillac 2014 ★ (20 à 30 €; 2 500 b.)** : un vin finement bouqueté (fruit de la Passion, mangue, écorce d'agrumes), gras et vif, très bien équilibré. ⧗ 2017-2020 ■ **L'Esprit de Chevalier 2014 (20 à 30 €; 10 000 b.)** : vin cité. ■ **Clos des Lunes Lune d'argent 2014 (11 à 15 €; 160 000 b.)** : vin cité.

SC DOM. DE CHEVALIER, 102, chem. de Mignoy, 33850 Léognan, tél. 05 56 64 16 16, olivierbernard@domainedechevalier.com r.-v. Olivier Bernard

CLOS MARSALETTE 2014

■ | 9 000 | | 15 à 20 €

Solidement implanté dans le Saint-Émilionnais (Canon la Gaffelière, La Mondotte), le comte de Neipperg a créé en 1991 ce petit cru de 9,5 ha sur un terroir constitué par trois croupes de graves et des faluns, typiques de l'appellation pessac-léognan.

Mi-sémillon mi-sauvignon, mi-cuve mi-fût, ce vin est agréable de bout en bout, avec un bouquet complexe et délicat, dont l'élégant boisé laisse à l'arrière-plan des notes de fleurs blanches et d'agrumes, suivi d'un palais à la matière fine, fruitée, ronde et bien équilibrée. ⧗ 2018-2022 🍴 sandre au beurre blanc

LES CRUS CLASSÉS DES GRAVES

NOM DU CRU CLASSÉ	VIN CLASSÉ	NOM DU CRU CLASSÉ	VIN CLASSÉ
Ch. Bouscaut	■ ■	Ch. Latour-Martillac	■ ■
Ch. Carbonnieux	■	Ch. Malartic-Lagravière	■
Dom. de Chevalier	■ ■	Ch. La Mission Haut-Brion	■ ■
Ch. Couhins		Ch. Olivier	■
Ch. Couhins-Lurton	■	Ch. Pape Clément	■
Ch. Fieuzal	■	Ch. Smith-Haut Lafitte	■
Ch. Haut-Bailly	■	Ch. La Tour-Haut-Brion	■
Ch. Haut-Brion	■		

LE CLOS MARSALETTE, 61, rte de Tout-Vent, 33650 Martillac, tél. 05 57 24 71 33, info@neipperg.com

CH. COUHINS 2014

Cru clas. | 20201 | | 20 à 30 €

Classé en blanc, ce cru de 25 ha situé aux portes de Bordeaux appartint à la famille Gasqueton, longtemps propriétaire de Calon Ségur (saint-estèphe), avant d'être acquis par l'INRA en 1968, qui en a fait sa vitrine en matière de recherches viti-vinicoles.

S'il se montre un peu court en finale, ce vin n'en demeure pas moins intéressant; d'abord par son bouquet, assez expressif et fin, dont les arômes de fruits exotiques, d'agrumes, avec un soupçon de buis traduisent son cépage d'origine, le sauvignon, nuancés d'une touche de fruits secs et d'un boisé discret; ensuite par sa structure équilibrée, vive en attaque, souple dans son développement. 2016-2019 saint-jacques aux agrumes **La Dame de Couhins 2014 (11 à 15 €; 10637 b.)** : vin cité.

CH. COUHINS, chem. de la Gravette, 33140 Villenave-d'Ornon, tél. 05 56 30 77 61, couhins@bordeaux.inra.fr V r.-v. *INRA*

CH. COUHINS-LURTON 2014

Cru clas. | 16000 | | 20 à 30 €

98 **99** 00 **01 02** 03 04 **05** 06 |**08**| |09| |10| **11** |12| |13| 14

Un cru situé à Villenave d'Ornon, aux portes de Bordeaux, connu sous le nom de «Bourdieu de la Gravette» à la fin du XVII[e]s. André Lurton le reprit en fermage en 1967, avant d'acheter en 1972 une partie du domaine devenu entre-temps propriété de l'INRA (Ch. Couhins), puis le château et les bâtiments d'exploitation en 1992. Un vignoble – 6 ha plantés du seul sauvignon, complétés en 1988 de 17 ha en rouge – auquel il a redonné son lustre d'antan.

Résolument classique, ce 2014 issu du seul sauvignon développe un bouquet frais, d'une belle finesse, marqué avec subtilité par son cépage d'origine qui s'exprime sur de délicates notes de fleurs blanches, d'agrumes et de litchi, ourlées d'un discret trait boisé. Les agrumes se prolongent dans un palais frais et alerte dont l'acidité permettra une bonne garde. 2017-2022 espadon grillé

ANDRÉ LURTON (CH. COUHINS-LURTON), Ch. Bonnet, 33420 Grézillac, tél. 05 57 25 58 58, andrelurton@andrelurton.com

CH. COUHINS-LURTON 2013

| 28000 | | 20 à 30 €

Encore un peu strict en finale et marqué par l'élevage, ce vin mi-merlot mi-cabernet mérite d'être gardé en cave. D'autant plus que le bouquet est digne d'intérêt: on y trouve des fruits rouges mûrs, des notes d'élevage aux accents de vanille, de tabac et de fumée, avec une touche végétale. Quant au palais, souple et très plaisant en attaque, il révèle ensuite une bonne présence tannique. 2018-2021 entrecôte aux cèpes

ANDRÉ LURTON (CH. COUHINS-LURTON), Ch. Bonnet, 33420 Grézillac, tél. 05 57 25 58 58, andrelurton@andrelurton.com

♥ CH. D'ECK 2013 ★★

| 33000 | | 15 à 20 €

Originaire de Champagne (Côte des Blancs), la famille Gonet s'est aussi forgé une solide renommée dans le Bordelais: en graves-de-vayres avec les châteaux Lesparre (acquis en 1986), Lathibaude et Durand Bayle, valeurs sûres conduites en bio, ainsi qu'en pessac-léognan (Haut-Bacalan, Eck, Haut l'Évêque, Saint-Eugène) et en AOC régionales (La Chapelle Bordes, La Rose Videau).

Si son château, connu jadis sous l'étiquette des Freytets, a changé de nom au XIX[e]s., il a gardé son aspect médiéval avec ses hauts murs et ses tours en poivrière. Sa vocation viticole remonterait au duc Guillaume VIII d'Aquitaine (XI[e]s.). Son 2013 (merlot à 75 %) s'impose d'emblée par sa robe sombre et jeune, et par son bouquet concentré, sur les fruits noirs, souligné d'un léger boisé aux accents d'épices et de fumée. Le palais est tout aussi séduisant: suave en attaque, charnu et équilibré, aussi complexe que le nez (pruneau, Zan, vanille), il dévoile une sève riche et gourmande, bien soutenue par des tanins élégants et gras qui commencent à se fondre 2020-2026 dinde fermière aux marrons **Ch. Saint-Eugène Martillac L'Hironde 2013 ★ (11 à 15 €; 40000 b.)** : encore sous l'emprise de la barrique, mais élégant et racé, ce vin issu de merlot majoritaire laisse déjà percer des arômes de fruits rouges et noirs et possède le potentiel pour s'affiner. 2018-2021 **Ch. Haut l'Évêque 2013 (11 à 15 €; 40000 b.)** : vin cité.

SCEV MICHEL GONET ET FILS, Ch. Lesparre, 33750 Beychac-et-Caillau, tél. 05 57 24 51 23, info@gonet.fr V r.-v.

CH. DE FIEUZAL 2013 ★

Cru clas. | n.c. | | 30 à 50 €

(90) 91 **92 93 94** (95) (96) **97 98** 99 00 **01** 02 03 04 **05** |**06**| |**07**| **10** |11| |12| 13

Ce cru très ancien (XIV[e]s.) doit son nom à la famille de Fieuzal, propriétaire jusqu'en 1851. Depuis 2001 et son rachat par les Irlandais Brenda et Lochlann Quinn, il connaît un véritable renouveau, matérialisé par la création d'un nouveau chai en 2011, où le fruit de 70 ha de vignes est vinifié par Stephen Carrier, champenois d'origine, directeur de l'exploitation depuis 2007.

Ce 2013 à la robe sombre et très profonde surprend par la fraîcheur de son bouquet, dont la note mentholée se marie assez bien avec le côté pain grillé et chocolat de l'élevage. À l'aération, des fruits rouges macérés percent sous ce beau boisé. La fraîcheur réapparaît dans un palais ample, harmonieux et structuré par des tanins de qualité. Une finale relevée conclut heureusement la dégustation. 2018-2023 magret grillé

CH. DE FIEUZAL, 124, av. de Mont-de-Marsan, 33850 Léognan, tél. 05 56 64 77 86, infochato@fieuzal.com r.-v. Lochlann Quinn

CH. DE FRANCE 2014

	10000		20 à 30 €

Commandé par une belle maison de maître du XVIIIᵉs., ce cru a été acheté en 1971 par Bernard Thomassin, ancien distillateur venu de la région parisienne, qui l'a restauré. Son fils Arnaud est aux commandes depuis 1996. Son vignoble de 40 ha, entièrement restructuré, est situé sur une croupe de graves profondes, l'un des plus hauts coteaux de la terrasse de Léognan.

Ce pessac issu de sauvignon majoritaire séduit par son bouquet finement floral (aubépine, jasmin) et fruité (agrumes, poire), vivifié par une note anisée. Le palais conjugue un côté croquant et vif avec du gras et un joli volume. La finale acidulée et épicée est marquée par une note de pâte d'amande qui témoigne d'un bel élevage. 2016-2020 comté affiné

CH. DE FRANCE, 98, rte Mont-de-Marsan, 33850 Léognan, tél. 05 56 64 75 39, contact@chateau-de-france.com V r.-v.

CH. LA GARDE 2014 ★

	16600		30 à 50 €

À l'élégance très bordelaise de sa chartreuse du XVIIIᵉs., ce cru de 50 ha, propriété de la maison Dourthe depuis 1990, ajoute un bel environnement et une vue panoramique, avec trois croupes et un plateau de graves sur le point culminant de la commune de Martillac.

Les sauvignons (blanc surtout, et gris) sont largement en vedette dans ce blanc pâle de couleur mais intense et complexe au bouquet, alliant fleurs blanches et fruits mûrs (citron, litchi, cédrat) à quelques notes minérales bien typées du cépage. Frais et gourmand en attaque, le palais est ample, porté par une belle acidité qui étire la finale. 2017-2021 daurade au four

CH. LA GARDE, Vignobles Dourthe, 1, chem. de la Tour, 33650 Martillac, tél. 05 56 35 53 00, contact@dourthe.com r.-v. Dourthe

B CH. GAZIN ROQUENCOURT 2014 ★

	8000		20 à 30 €

Implanté depuis le XVIIᵉs. sur une belle croupe de graves argileuses, ce cru qui compte près d'une trentaine d'hectares est devenu en 2005 la propriété d'Alexandre Bonnie. L'équipe de Malartic Lagravière l'a donc pris en main, en restructurant le vignoble et en le dotant de nouveaux équipements.

Né de pur sauvignon, un vin harmonieux, vif et élégant, d'une belle complexité aromatique tant au nez qu'en bouche (minéralité, fleurs blanches, fruits blancs, agrumes). Souple en attaque, gras sans lourdeur, il offre une finale fraîche, de bonne longueur. 2017-2020 sole aux cèpes ■ **2013 ★ (15 à 20 €; 35000 b.)** : une robe foncée pour ce vin au bouquet fin et expressif (fruits rouges, cuir, discrète note boisée). Soyeux en attaque, épicé, rond, le palais montre en finale une certaine austérité tannique. 2020-2024

SC CH. MALARTIC-LAGRAVIÈRE (CH. GAZIN ROQUENCOURT), 43, av. de Mont-de-Marsan, 33850 Léognan, tél. 05 56 64 75 08, malartic-lagraviere@malartic-lagraviere.com r.-v.

DOM. DE GRANDMAISON 2014

	15000		11 à 15 €

Créé en 1780, ce cru familial est la propriété des Bouquier depuis 1939. Il étend son vignoble de 19 ha sur un terroir à dominante argilo-calcaire, exploité selon des méthodes de travail respectueuses de l'environnement (vignoble enherbé, limitation des traitements). Il ne produit qu'un seul vin.

S'inscrivant dans la tradition du cru, ce millésime associant sauvignon blanc (65 %), gris (15 %) et sémillon est simple mais bien fait. Le bouquet développe de plaisants arômes (fleurs blanches, agrumes, poire, fruits secs et croûte de pain). Le palais attaque avec vivacité, se développe avec rondeur et finit sur une fraîcheur citronnée et acidulée. 2016-2019 vol-au-vent aux fruits de mer

FRANÇOIS BOUQUIER, Dom. de Grandmaison, 182, av. de la Duragne, 33850 Léognan, tél. 05 56 64 75 37, courrier@domaine-de-grandmaison.fr V t.l.j. sf dim. 8h30-12h 14h-18h

CH. HAUT-BAILLY 2013 ★

■ Cru clas.	n.c.	30 à 50 €

90 92 93 94 (95) 96 97 98 |**99**| |00| |**01**| |**02**| |**03**| |**04**| **05** |**06**| |07| 08 **09 10 11** 12 13

Créé en 1630 par un financier parisien, Firmin Le Bailly, ce cru situé aux portes de Bordeaux acquiert sa notoriété au XIXᵉs. sous l'impulsion d'Alcide Bellot des Minières. Un prestige renforcé à partir de 1955 par la famille Sanders et, depuis 1998, par le banquier américain Robert G. Wilmers, qui a maintenu Véronique Sanders aux commandes. Le vignoble, intégralement voué aux cépages rouges, couvre 33 ha d'un seul tenant.

Pas plus épargné que les autres crus dans ce calamiteux millésime 2013, Haut-Bailly a dû effectuer un tri sévère à la vendange pour ne conserver que les baies mûres et concentrées. Petits rendements (20 hl/ha), vinification en douceur et une belle qualité dans le verre. Né d'un assemblage de 64 % de cabernet-sauvignon, 34 % de merlot et 2 % de cabernet franc, le grand vin se présente dans une jolie robe rubis et dévoile un bouquet frais de fruits noirs légèrement épicés et fumés. Une fraîcheur qui signe le millésime et que l'on retrouve dans un palais aérien, vif et souple en attaque, plus serré et sérieux dans son développement, autour de tanins fins et élégants. L'ensemble reste plus léger qu'à l'accoutumée, millésime oblige, mais harmonieux et d'une belle profondeur. 2019-2026 carré d'agneau

SAS CH. HAUT-BAILLY, 103, av. de Cadaujac, 33850 Léognan, tél. 05 56 64 75 11, mail@chateau-haut-bailly.com r.-v.

CH. HAUT-BERGEY 2013

■ | 126 000 | | 20 à 30 €

Pomerol, saint-émilion grand cru, pessac-léognan, Sylviane Garcin-Cathiard détient des vins dans des AOC prestigieuses du Bordelais. En pessac, elle exploite les châteaux Haut-Bergey, 40 ha acquis en 1991, et Branon, petit cru de notoriété ancienne acheté en 1996, 6 ha au cœur de Léognan.

Pas moins de cinq cépages entrent dans la composition de ce 2013: le merlot (45 %), les deux cabernets, le malbec et le petit verdot. Bien typé, ce vin révèle une bonne maîtrise de l'élevage en fût: le fruit et le bois se mêlent pour donner un bouquet d'une agréable complexité. Sans être très puissante, la bouche, ample en attaque, s'appuie sur des tanins de qualité. ⧗ 2017-2021 ⚲ fricassée de poulet ■ **2014 (30 à 50 €; 10 500 b.)** : vin cité.

CH. HAUT-BERGEY, 69, cours Gambetta, 33850 Léognan, tél. 05 56 64 05 22, info@vignoblesgarcin.com
V r.-v. *S. Garcin*

♥ CH. HAUT-BRION 2014 ★★★

■ | 7404 | | + de 100 €

(82) **83 85 87 88 89 90 94 95 96 97 98** (99) |(00)| |**01**| |**02**| |**03**| |(04)| |**05**| |(06)| |(07)| (08) (09) (10) (11) **12** (13) (14)

Créé par Jean de Pontac en 1525, le premier véritable château du vin bordelais a joué un rôle majeur dans l'apparition de la notion de cru et de bordeaux moderne – il connut la célébrité en Grande-Bretagne dès le XVII[e]s. grâce à Arnaud de Pontac. Seul cru des Graves intégré au classement de 1855, Haut-Brion a été acquis en 1935 par le banquier américain Clarence Dillon. Son descendant le prince Robert de Luxembourg en est l'actuel propriétaire. Aujourd'hui enclavé dans l'agglomération bordelaise, le domaine continue d'entretenir sa légende, sous la conduite de son directeur Jean-Philippe Delmas, grâce à son terroir particulier, fait de graves blanches sur argiles profondes.

En 2014, le sémillon (68 %) et le sauvignon à l'origine du Haut-Brion blanc, vendangés entre le 3 et le 11 septembre, ont bénéficié d'une arrière-saison optimale, avec des journées chaudes et sèches et des nuits fraîches. Le vin qui en résulte a enchanté nos dégustateurs, qui lui ont donné sans hésitation un coup de cœur. Le nez, délicat, est aussi élégant que la robe or blanc, avec ses notes de chèvrefeuille, de fruits blancs, d'agrumes et de pierre à fusil soulignées d'un fin boisé. Dès l'attaque, le palais brille par son volume et son gras, tendu par une fine trame acide qui étire la longue finale onctueuse, fruitée et épicée. L'élevage, de grande qualité, lègue des notes beurrées et briochées. De la matière, du nerf et une rare finesse. Un ancien propriétaire du XIX[e]s. recherchait dans les Haut-Brion blancs «la plénitude aromatique d'un vin liquoreux dans un vin sec»: l'objectif semble bien atteint. ⧗ 2020-2030 ⚲ saint-jacques au foie gras

CH. HAUT-BRION, 135, av. Jean-Jaurès, 33608 Pessac Cedex, tél. 05 56 00 29 30, info@haut-brion.com
r.-v. *Dom. Clarence Dillon*

CH. HAUT-BRION 2013 ★★

■ 1er cru clas. | 79 704 | | + de 100 €

|(82)| **83 84 85 86 87** |**88**| |**89**| |(90)| **91 92 93 94** |(95)| |(96)| | **97** |(98)| |**99**| |(00)| |**01**| |(02)| |**03**| (04) (05) (06) **07** (08) (09) (10) **11** (12) **13**

Les vendanges 2013 ont été particulièrement tardives, entre le 24 septembre et le 11 octobre, et se sont déroulées sous une météo incertaine. La récolte a été faible en raison d'un tri drastique. Le merlot représente 50 % de l'assemblage, une proportion supérieure à la moyenne. Paré d'une robe particulièrement dense, le 2013 libère au premier nez des notes grillées, vanillées et épicées d'un beau boisé (80 % de bois neuf) qui laisse percer des notes de cerise noire et de violette. Après une attaque soyeuse, franche et alerte, des tanins serrés, jeunes et vifs tapissent le palais et soulignent la finale d'une grande longueur. Le vin est pour l'heure droit, plus charnu que ses «seconds» ou «cousins», mais très strict. Un ascète à laisser dans l'ombre d'une cave: il y gagnera de la rondeur et déploiera toutes ses facettes aromatiques. ⧗ 2020-2028 ⚲ civet de chevreuil

CH. HAUT-BRION, 135, av. Jean-Jaurès, 33608 Pessac Cedex, tél. 05 56 00 29 30, info@haut-brion.com
r.-v. *Dom. Clarence Dillon*

LE CLARENCE DE HAUT-BRION 2013

■ | 63 444 | | + de 100 €

Le second vin de Haut-Brion, nommé ainsi en hommage à l'acquéreur du château en 1935. Il a remplacé Les Bahans Haut-Brion à partir du millésime 2008.

Le vin est élevé en barriques, neuves pour 20 à 25 %, les autres ayant renfermé du Haut-Brion pendant un an. Pour ce millésime, l'assemblage comprend plus de merlot (67 %), le cabernet-sauvignon étant ramené à 27 %. Bien que le merlot ait la réputation de s'ouvrir plus vite que le cabernet-sauvignon, ce 2013 en robe dense reste très fermé, ne livrant à l'aération qu'une touche de fruits noirs et de poivre. La bouche, dans le droit fil, est austère dès l'attaque, resserrée sur une trame de tanins drus jusqu'à la finale fraîche et tout aussi stricte. Ce millésime obtiendra ses étoiles à l'ancienneté, quand son fruit sortira de sa gangue. ⧗ 2020-2025 ⚲ cuissot de chevreuil

CH. HAUT-BRION (CLARENCE DE HAUT-BRION), 135, av. Jean-Jaurès, 33608 Pessac Cedex, tél. 05 56 00 29 30, info@haut-brion.com
r.-v. *Dom. Clarence Dillon*

CH. HAUT LAGRANGE 2014 ★

■ | 6000 | | 11 à 15 €

S'il est de création récente (1989, par Francis Boutemy), ce cru est l'héritier d'une longue histoire. Son vignoble est déjà présent en 1764 sur la carte de Belleyme. Couvrant aujourd'hui 8,5 ha, il est exploité par Ghislain Boutemy, œnologue et agronome.

Mi-sauvignon mi-sémillon, ce pessac a fermenté partiellement en barrique. Son bouquet élégant associe les fleurs blanches (aubépine) et des arômes toastés. Ce mariage équilibré se prolonge au palais, dont le gras est contrebalancé par une agréable acidité. ⧗ 2017-2020 ¥ fricassée d'anguilles ■ **2013 (11 à 15 €; 22000 b.)** : vin cité.

FRANCIS BOUTEMY, 89, av. de la Brède, 33850 Léognan, tél. 05 56 64 09 93, contact@hautlagrange.com V *t.l.j. 8h30-12h 13h-17h; mer. sam. dim. sur r.-v.*

CH. HAUT-NOUCHET 2014

| 3000 | 20 à 30 € |

Propriété de la famille Briest depuis 2008, ce cru ancien dispose d'un vignoble de 37 ha. Des bosquets, des prés et un ruisseau qui le traverse et qui lui donne son nom: il bénéficie d'un environnement protégé. Son terroir est de qualité: de belles croupes de graves profondes sur un socle argilo-calcaire.

Du sauvignon majoritaire (70 %) dans ce vin au joli bouquet mêlant les agrumes, les fruits jaunes mûrs et la note vanillée de la barrique. Après une attaque souple et ronde, le palais se développe avec fraîcheur et finit sur une pointe acidulée. Un bon équilibre. ⧗ 2016-2020 ¥ coquilles Saint-Jacques ■ **Arpège by Haut-Nouchet 2013 (15 à 20 €; 25000 b.)** : vin cité. **Florilège by Haut-Nouchet 2014 (15 à 20 €; 5000 b.)** : vin cité.

SCEA DOM. HAUT-NOUCHET, 3, chem. La Tour, 33650 Martillac, tél. 06 89 72 79 41, contact@hautnouchet.com V *r.-v.* *Briest*

LES HAUTS DE MARTILLAC 2014 ★

| 7000 | 11 à 15 € |

Un pavillon du XVIII[e]s., un parc, un arboretum: avec le Ch. de Castres (graves), José Rodrigues-Lalande, ingénieur et œnologue, a acquis en 1996 un beau quartier général. Il s'est agrandi en 2013 dans cette même AOC en achetant le Ch. Beau-Site, après s'être implanté en pessac-léognan en 2004, avec l'acquisition des 18 ha du Ch. Roche-Lalande et du Dom. de la Roche.

Du sauvignon blanc et du sémillon à parité, auxquels s'ajoutent quelques gouttes de sauvignon gris et de muscadelle. Faut-il attribuer à ces 2 % l'originalité du bouquet, aux notes florales, végétales et muscatées, soulignées d'un fin boisé? La pêche s'ajoute à cette palette dans un palais ample et riche, à la finale fraîche, savoureuse, de bonne longueur. ⧗ 2016-2019 ¥ daurade au four **Ch. Pont Saint-Martin 2014 ★ (15 à 20 €; 8000 b.)** : le sauvignon (45 %) ressort dans ce vin équilibré, frais et rond, plaisant par sa gamme aromatique sur les agrumes (citron, pamplemousse, mandarine) rehaussés de la touche toastée de l'élevage. ⧗ 2017-2020 ■ **2013 (11 à 15 €; 40000 b.)** : vin cité. **Dom. la Roche 2014 (11 à 15 €; 7000 b.)** : vin cité.

EARL RODRIGUES-LALANDE, Ch. de Castres, rte de Pomarède, 33640 Castres-sur-Gironde, tél. 05 56 67 51 51, contact@chateaudecastres.fr V *r.-v.* 5

CH. LAFONT MENAUT 2014 ★

| 20000 | 11 à 15 € |

Jouxtant le Ch. de Rochemorin, dont il faisait partie au XVIII[e]s., ce cru de 20 ha comptait jadis parmi les vignobles de Montesquieu. Acquis en 1991 par Philibert Perrin (Ch. Carbonnieux), il bénéficie depuis les années 1990 d'un ambitieux programme de valorisation.

Sans être très exubérant, ce vin issu du seul sauvignon sait retenir l'attention. D'abord grâce à ses arômes, encore discrets mais précis et d'une certaine complexité (fleurs blanches, touches minérales, soupçon de buis); ensuite par sa rondeur, sa maturité et surtout le bel équilibre qu'il conserve tout au long de la dégustation. ⧗ 2016-2020 ¥ verrines de crevettes ■ **2013 (11 à 15 €; 90000 b.)** : vin cité.

SCEA PHILIBERT PERRIN, Ch. Lafont Menaut, 33850 Léognan, tél. 05 57 96 56 20, info@chateau-carbonnieux.fr V *r.-v.*

♥ CH. LARRIVET HAUT-BRION 2013 ★★

| ■ | 130000 | 30 à 50 € |

Château de Canolle, La Rivette, Brion-Larrivet, Haut-Brion Larrivet, le cru a changé plusieurs fois de nom (et de propriétaires) avant de prendre, en 1949, celui de Larrivet Haut-Brion. Une belle unité de 75 ha, propriété de Philippe et Christine Gervoson depuis 1987.

S'il n'a rien d'un athlète, millésime oblige, ce vin a enchanté nos dégustateurs par sa robe d'un bordeaux profond et par son bouquet intense, où l'on respire le cassis et la framboise des cabernets, rehaussés du boisé épicé de la barrique. Après une attaque souple, le palais se déploie avec rondeur sur des tanins fondus et élégants à souhait. Le charme même. ⧗ 2018-2022 ¥ pigeon rôti aux épices **Les Demoiselles de Larrivet Haut-Brion 2014 ★ (15 à 20 €; 25000 b.)** : pur sauvignon élevé en cuve, le second vin de Larrivet se goûte aujourd'hui mieux que le grand vin; on aime son bouquet charmeur, floral et miellé, au palais gras et long, à la finale épicée. ⧗ 2017-2022 ■ **Les Demoiselles de Larrivet Haut-Brion 2013 (15 à 20 €; 60000 b.)** : vin cité.

GERVOSON, 84, av. de Cadaujac, 33850 Léognan, tél. 05 56 64 75 51, secretariat@larrivethautbrion.fr V *t.l.j. 10h-12h30 14h-18h*

CH. LA LOUVIÈRE 2013

| ■ | 100000 | 20 à 30 € |

(90) 92 **93 94** 95 96 97 98 **99** (00) **01 02** 03 04 |**05**| 06 07 |08| |09| |**10**| 11 **12** 13

Non classé, Ch. La Louvière, limitrophe de Carbonnieux et Haut-Bailly, n'en est pas moins un cru emblématique de Pessac-Léognan – par l'élégance de son château classé monument historique, par l'ancienneté de son vignoble (XIV[e]s.), par le rôle de son propriétaire (André Lurton, depuis 1965) dans la naissance de l'AOC et par la qualité constante de ses vins.

La robe profonde inspire confiance. Le bouquet encore discret associe les fruits rouges et le sous-bois à un boisé épicé. Rond et souple en attaque, le palais révèle une bonne matière étayée par une structure tannique bien présente – pour l'heure ferme et stricte en finale. ⧗ 2018-2023 ¥ entrecôte

ANDRÉ LURTON (CH. LA LOUVIÈRE), Ch. Bonnet, 34420 Grézillac, tél. 05 57 25 58 58, andrelurton@andrelurton.com V r.-v.

CH. LA LOUVIÈRE 2014 ★

	n.c.		20 à 30 €

(90) **91 92 93 94** 95 96 **98 99** 00 01 **02 03** 04 (05) **06** |**07**| 08 |09| |10| |**11**| |12| |**13**| 14

Si ce 2014 ne cherche pas à rivaliser avec le 2013, élu coup de cœur l'an dernier, il offre une très belle expression du sauvignon (presque exclusif) dans sa palette aromatique richement fruitée (agrumes, poire, fruits exotiques), florale (genêt), rehaussée d'un boisé vanillé, toasté et légèrement fumé. Après une attaque fraîche à souhait, le palais garde de bout en bout un bel équilibre. Sa finale acidulée, sur l'ananas et les agrumes, laisse augurer une bonne garde. 2017-2022 homard à la nage

ANDRÉ LURTON (CH. LA LOUVIÈRE), Ch. Bonnet, 34420 Grézillac, tél. 05 57 25 58 58, andrelurton@andrelurton.com V r.-v.

CH. LUCHEY-HALDE 2013 ★

	18500		20 à 30 €

Ce domaine de 23 ha d'un seul tenant, enchâssé dans l'agglomération bordelaise, appartient depuis 1999 à Bordeaux Sciences Agro (anciennement Enita), qui a reconstitué le vignoble disparu lors de la Première Guerre mondiale.

Si la robe intense peut laisser entendre un vin puissant, c'est un ensemble tout en finesse que font découvrir le bouquet, assez concentré, entre fruits mûrs, vanille et épices, et le palais, franc et bien équilibré, aux tanins enrobés et à la finale fraîche. 2018-2022 magret grillé

CH. LUCHEY-HALDE, 17, av. du Mal-Joffre, 33700 Mérignac, tél. 05 56 45 97 19, info@luchey-halde.com V r.-v.
Bordeaux Sciences Agro

CH. MALARTIC-LAGRAVIÈRE 2013 ★

Cru clas.	80000		30 à 50 €

90 **91 92 93 95** 96 97 98 99 00 01 |(02)| |**03**| |**04**| (05) |**06**| |07| |08| 09 (10) **11 12** 13

Sur l'étiquette, trois mâts en l'honneur du comte de Malartic, amiral sous le règne de Louis XV, dont la famille fut propriétaire du cru au XVIII[e]s. Depuis son rachat en 1996 par les Bonnie, d'origine belge, ce vignoble de 53 ha implanté sur une belle croupe de graves a bénéficié d'un vaste plan de rénovation, à la vigne et au chai. Une valeur sûre de l'appellation, dans les deux couleurs, codirigée depuis 2013 par Jean-Jacques Bonnie et sa sœur Véronique.

Une sélection durant les vendanges a permis d'obtenir un 2013 de qualité. Grenat soutenu, ce vin ne se livre pas immédiatement; il libère à l'aération des arômes discrets mais purs de fruits rouges, qui évoluent vers la réglisse et un fin boisé. Après une attaque soyeuse, le palais prend de l'ampleur grâce à une matière assez généreuse. La finale tannique montre un visage plus austère, typique du millésime. À attendre donc. 2019-2024 carré d'agneau **La Réserve de Malartic 2013 (15 à 20 €; 110 000 b.)** : vin cité.

SC CH. MALARTIC-LAGRAVIÈRE, 43, av. de Mont-de-Marsan, 33850 Léognan, tél. 05 56 64 75 08, malartic-lagraviere@malartic-lagraviere.com r.-v.

CH. MALARTIC-LAGRAVIÈRE 2014 ★

Cru clas.	18000		50 à 75 €

Le grand vin blanc de Malartic, encore fermé, porte l'empreinte du sauvignon. Très majoritaire dans l'assemblage (90 %), le cépage s'exprime avec finesse au travers de notes florales soulignées d'un discret boisé toasté (dix mois en barriques, neuves à 60 %). Rond en attaque, équilibré et chaleureux, le palais séduit par son élégance et sa longueur. Un grand vin de garde, qui s'épanouira au cours des prochaines années. 2018-2023 pavé de turbot sauce hollandaise **La Réserve de Malartic 2014 ★ (15 à 20 €; 18 000 b.)** : à la faveur d'un passage plus court en fût, le second vin apparaît plus expressif et se goûte provisoirement mieux que son grand frère. On aime son bouquet aux multiples nuances d'agrumes et son palais fruité, ample, gras, charmeur et persistant. 2016-2020

SC CH. MALARTIC-LAGRAVIÈRE, 43, av. de Mont-de-Marsan, 33850 Léognan, tél. 05 56 64 75 08, malartic-lagraviere@malartic-lagraviere.com r.-v.

CH. LA MISSION HAUT-BRION 2014 ★★

	7500		+ de 100 €

90 93 94 95 96 97 (98) **99 00 01 02** |**03**| |**04**| |(05)| |**06**| |**07**| |**08**| |**09**| |**10**| **11 12 13 14**

Séparé du château Haut-Brion juste par la RN 250 et uni à lui depuis son acquisition en 1983 par les Domaines Clarence Dillon, ce cru s'individualise par son histoire. Celle-ci est liée à la puissante famille de Lestonnac jusqu'en 1682, puis, jusqu'à la Révolution, aux pères lazaristes de Saint-Vincent, qui identifièrent les qualités remarquables de son terroir graveleux aujourd'hui planté de 29 ha de vignes, dont 3,6 ha en blanc.

Seulement 2,55 ha sont dédiés à ce vin confidentiel, dont l'assemblage privilégie le sémillon (72 % pour le 2014). Les raisins ont bénéficié d'une remarquable arrière-saison, et cela transparaît dans le verre. Le nez alliant un boisé subtil au citron et à la fleur blanche apparaît à la fois profond et délicat. Il annonce une matière riche et dense, tonifiée par une grande fraîcheur qui lui donne de l'élégance, l'allège et l'allonge. Les arômes d'agrumes confits prennent en finale des tons savoureux de tarte au citron. Un ensemble charnu et raffiné. 2018-2022 saint-jacques snackées au yuzu **La Clarté de Haut-Brion 2014 ★★ (75 à 100 €; 12 996 b.)** : le second vin de Haut-Brion et de la Mission Haut-Brion, né avec le millésime 2009. Le sémillon, souvent très majoritaire dans l'assemblage, cède la place au sauvignon (66 %). Il en résulte un nez exubérant sur les fruits blancs, les agrumes et les fruits exotiques, avec une note minérale, prélude à une bouche souple, soyeuse, ample, épicée et longue, tonifiée en finale par de nobles amers. Le boisé délicat se fait oublier. Un vin à la fois charmeur et profond. 2019-2022

LE BORDELAIS

CH. LA MISSION HAUT-BRION, 67, rue Peybouquey, 33400 Talence, tél. 05 56 00 29 30, info@haut-brion.com r.-v. Dom. Clarence Dillon

CH. LA MISSION HAUT-BRION 2013 ★

Cru clas.	42 048		+ de 100 €

82 83 84 85 86 87 |**88**| |**89**| |(90)| 92 **93 94** |**95**| |(96)| **97** |**98**| |**99**| |(00)| |**01**| |**02**| |**03**| |**04**| (05) **06** |07| **08 09 10 11 12** 13

Comme pour d'autres crus des Domaines Clarence Dillon, la part du merlot (65 %) est importante dans ce millésime. Les vendanges, tardives et sous un ciel incertain, ont demandé un double tri drastique, manuel et optique. Moyennant quoi la robe est profonde, et la structure très convenable, même si elle n'a rien d'imposant. Le bouquet allie les notes chaleureuses et épicées d'un bon merrain toasté et des notes de fruits mûrs. Après une attaque souple, des tanins drus montent à l'assaut du palais, qui montre de ce fait un visage austère, même si la finale apparaît longue et agréablement épicée. À oublier en cave pour permettre au temps d'arrondir l'ensemble. 2020-2026 civet de sanglier ■ **La Chapelle de la Mission Haut-Brion 2013 (+ de 100 €; 33 156 b.)** : vin cité.

CH. LA MISSION HAUT-BRION, 67, rue Peybouquey, 33400 Talence, tél. 05 56 00 29 30, info@haut-brion.com r.-v. Dom. Clarence Dillon

CH. OLIVIER 2013 ★

Cru clas.	100 000		30 à 50 €

95 96 97 98 99 00 **01** 03 05 06 |07| |08| |09| 12 13

Relais de chasse du Prince Noir puis résidence de la grand-mère de Montesquieu, ce château aux allures de forteresse, édifié au XIIes. et transformé aux XIVe et XVIIIes., est la propriété de la famille de Bethmann depuis 1886. Il étend son vignoble de 50 ha d'un seul tenant sur des terroirs variés comportant de belles graves sur socle argilo-calcaire.

D'un rouge soutenu, la robe laisse espérer une dégustation intéressante. De fait le bouquet, assez gourmand, se concentre sur les fruits noirs et rouges (cerise) et sur les épices de la barrique. Franc en attaque, ample et chaleureux, le palais est soutenu jusqu'en finale par des tanins réglissés et déjà enrobés, plus sévères en finale. Un vin bien construit. 2019-2024 carré d'agneau

CH. OLIVIER, 175, av. de Bordeaux, 33850 Léognan, tél. 05 56 64 73 31, mail@chateau-olivier.com V r.-v. de Bethmann

CH. PAPE CLÉMENT 2013 ★

Cru clas.	100 000		50 à 75 €

82 83 **85 86** 87 **88 89 90 91 92 93 94 95 96 97** |**98**| |**99**| |00| |**01**| |**02**| |**03**| |**04**| |**05**| |**06**| |07| **08 09 10 11 12** 13

La première pièce et l'une des plus illustres de la collection de Bernard Magrez, « l'homme aux quarante châteaux », propriétaire des lieux depuis les années 1980. L'une des plus anciennes aussi : ce cru appartint à la fin du XIIIes. à Bertrand de Goth, noble d'Aquitaine qui devint pape d'Avignon sous le nom de Clément V. Le vignoble resta ensuite longtemps rattaché à l'archevêché de Bordeaux; classé en rouge, il s'étend aujourd'hui sur 63 ha.

L'équipe de Bernard Magrez joue la carte de l'élégance sur ce millésime difficile, notamment dans le bouquet où la dominante boisée, vanillée et épicée, héritée d'un séjour de dix-huit mois en barrique, s'accorde avec les arômes de cassis et de framboise pour donner un ensemble racé. Également boisée, ronde et charnue, l'attaque est pleine de charme et la matière, dense et riche, bien mariée avec le bois. Un vin déjà flatteur, et qui pourra vieillir. 2019-2026 salmis de palombe ■ **Clémentin de Pape Clément 2013 (30 à 50 €; 80 000 b.)** : vin cité.

CH. PAPE CLÉMENT, 216, av. du Dr-Nancel-Penard, 33600 Pessac, tél. 05 57 26 38 38, visite@pape-clement.com V r.-v. 5 Bernard Magrez

CH. PAPE CLÉMENT 2014

	15 000		+ de 100 €

92 (93) **94** 96 **97 98** 99 00 **01 03 05** |**07**| |**08**| |**09**| |10| 14

Mi-sémillon mi-sauvignon (avec quelques gouttes de muscadelle et de sauvignon gris), ce vin séduit par ses arômes complexes de citron confit, de pamplemousse et de bergamote, que complètent les notes grillées du bois. Le bois réapparaît discrètement dans un palais volumineux et gras, marqué par une pointe de nervosité en finale. 2017-2020 blanquette de lotte

CH. PAPE CLÉMENT, 216, av. du Dr-Nancel-Penard, 33600 Pessac, tél. 05 57 26 38 38, visite@pape-clement.com V r.-v. 5

CH. DE ROCHEMORIN 2014 ★

	50 000		11 à 15 €

Ancienne ferme fortifiée de style périgourdin ayant appartenu à Montesquieu, ce château a failli perdre son vignoble au début du XXes., les propriétaires de l'époque préférant la sylviculture à la viticulture. Racheté en 1973 par André Lurton, il dispose aujourd'hui d'un vaste vignoble de 100 ha et de chais ultramodernes.

Né de pur sauvignon, ce 2014 reflète son cépage d'origine par son bouquet mêlant les fleurs blanches, les agrumes (citron, zeste de pamplemousse) et une touche de buis à un boisé toasté bien fondu. La bouche garde le même registre et séduit par son ampleur à l'attaque et par sa belle fraîcheur. 2016-2021 coquilles Saint-Jacques ■ **2013 (11 à 15 €; 120 000 b.)** : vin cité.

ANDRÉ LURTON, Ch. Bonnet, 33420 Grézillac, tél. 05 57 25 58 58, andrelurton@andrelurton.com

CH. LE SARTRE 2013 ★

	12 000		15 à 20 €

Redécouvert et reconstitué au début des années 1980 par la famille Perrin (Château Carbonnieux),

ce cru de 35 ha est implanté sur de belles graves à l'ouest de Léognan, presque à l'orée de la forêt, au voisinage de Malartic, Fieuzal et Chevalier. À sa tête depuis 2004, Marie-José Leriche, sœur du regretté Antony Perrin, épaulée par son époux et par son directeur d'exploitation David Château.

Une très belle étoile pour ce vin, dont on apprécie d'emblée la robe dense et jeune et le bouquet aux notes flatteuses de fruits (cassis, fraise, cerise), de tabac blond et de réglisse. La bouche ne déçoit pas, pleine de mâche et construite sur des tanins déjà veloutés. On attendra tout de même un peu cette bouteille pour permettre au boisé de se fondre davantage. ⧗ 2019-2024 🍴 gigot d'agneau ■ **2014 (15 à 20 €; n.c.)** : vin cité.

CH. LE SARTRE,
78, chem. du Sartre, 33850 Léognan,
tél. 05 56 64 98 78,
chateaulesartre@wanadoo.fr
V ♿ ■ *r.-v.*

♥ CH. SEGUIN 2013 ★★

■	27000	(fût)	15 à 20 €

Bordé par le chemin de Saint-Jacques – les pèlerins passaient devant la croix de Seguin, toujours sur la propriété – ce domaine viticole ancien tombé dans l'oubli a été entièrement reconstitué depuis 1987 par les Darriet. Le vignoble, composé de deux belles croupes de graves, couvre aujourd'hui 31 ha.

Deux coups de cœur consécutifs pour ce cru qui renouvelle l'exploit dans un millésime particulièrement délicat. Pour ce 2013, les vinificateurs ont mis en avant le merlot (61 %). La robe presque noire inspire confiance. Très ouvert, élégant et complexe, le bouquet allie les fruits mûrs (cerise, prune), voire surmûris, aux épices et à la vanille de l'élevage. Puissant et long, structuré par ses tanins serrés, le palais dévoile une bonne mâche, mais il faudra lui donner un peu de temps pour lui permettre de s'assouplir complètement. ⧗ 2020-2026 🍴 faisan rôti

SC DOM. DE SEGUIN,
chem. de la House, 33610 Canéjan,
tél. 05 56 75 02 43, contact@chateauseguin.com
V ♿ ■ *r.-v. J. Darriet*

CH. SMITH HAUT LAFITTE 2013 ★

■ Cru clas.	120000	(fût)	50 à 75 €

90 91 92 **93 94 95** 96 97 **98** 99 |**00**| **01 02** |03| |04| (05) |**06**| |07| **08 09 10 11** 12 13

Ce cru ancien fondé en 1365 doit son nom au navigateur écossais George Smith, installé ici au XVIIIᵉs. Lui succéderont M. Duffour-Dubergier, maire de Bordeaux, puis Louis Eschenauer, grande figure du négoce bordelais. En 1990, Florence et Daniel Cathiard acquièrent le domaine et lancent de grands travaux: création de deux chais souterrains, reprise du travail du sol sans désherbant, intégration de leur propre tonnellerie, développement de l'œnotourisme avec Les Caudalies, complexe hôtelier et centre de vinothérapie. Le vignoble couvre aujourd'hui 78 ha sur une belle croupe de graves.

Ce vin charme par ses intenses arômes de fruits rouges et noirs rehaussés des notes toastées, vanillées et fumées d'un élevage de dix-huit mois. Le palais, à l'unisson, séduit par son attaque souple, son équilibre, ses tanins gras et fondus. Le bois se manifeste au travers de notes de torréfaction et de café, en parfaite harmonie avec les autres constituants du vin. ⧗ 2018-2023 🍴 pigeon en cocotte ■ **Ch. le Thil 2013 (11 à 15 €; 6000 b.)** : vin cité.

CH. SMITH HAUT LAFITTE,
33650 Martillac, tél. 05 57 83 11 22,
f.cathiard@smith-haut-lafitte.com
V ♿ ■ *r.-v. SAS D. Cathiard*

CH. SMITH HAUT LAFITTE 2014 ★

■	30000	(fût)	50 à 75 €

90 91 **92** 93 94 95 **96 97** (98) **99 00 01 02 03 04** 05 06 **07** |08| |**09**| |**10**| 11 **12 13** 14

Issu de sauvignon très majoritaire, ce pessac n'a connu que le bois neuf au cours de sa vinification et de son élevage. Le fût est, sans surprise, très présent dans le bouquet, lequel montre cependant une belle complexité, ajoutant au boisé des notes de fleurs et de fruits blancs. Ample et puissant, d'une rondeur élégante, le palais marie le pain grillé, les agrumes et des touches minérales. Un ensemble subtil et déjà séduisant. ⧗ 2017-2021 🍴 pavé de sandre au beurre blanc ■ **Les Hauts de Smith 2014 (15 à 20 €; 15000 b.)** : vin cité.

CH. SMITH HAUT LAFITTE, 33650 Martillac,
tél. 05 57 83 11 22, f.cathiard@smith-haut-lafitte.com
V ♿ ■ *r.-v. SAS D. Cathiard*

➜ LE MÉDOC

Dans l'ensemble girondin, le Médoc occupe une place à part. À la fois enclavés dans leur presqu'île et largement ouverts sur le monde par un profond estuaire, le Médoc et les Médocains apparaissent comme une parfaite illustration du tempérament aquitain, oscillant entre le repli sur soi et la tendance à l'universel. Et il n'est pas étonnant d'y trouver aussi bien de petites exploitations familiales presque inconnues que de grands domaines prestigieux appartenant à de puissantes sociétés françaises ou étrangères.

S'en étonner serait oublier que le vignoble médocain (qui ne représente qu'une partie du Médoc historique et géographique) s'étend sur plus de 80 km de long et 10 km de large. Le visiteur peut donc admirer non seulement les grands châteaux du vin du siècle dernier, avec leurs splendides chais-monuments, mais aussi partir

à la découverte approfondie du pays. Très varié, celui-ci offre aussi bien des horizons plats et uniformes (près de Margaux) que des croupes (vers Pauillac), ou l'univers tout à fait original du Médoc dans sa partie nord, à la fois terrestre et maritime. La superficie des AOC du Médoc représente environ 16 400 ha.

Pour qui sait quitter les sentiers battus, le Médoc réserve plus d'une heureuse surprise. Mais sa grande richesse, ce sont ses sols graveleux, descendant en pente douce vers l'estuaire de la Gironde. Pauvre en éléments fertilisants, ce terroir est particulièrement favorable à la production de vins de qualité, la topographie permettant un drainage parfait des eaux.

On a pris l'habitude de distinguer le Haut-Médoc, de Blanquefort à Saint-Seurin-de-Cadourne, et le nord Médoc, de Saint-Germain-d'Esteuil à Saint-Vivien. Au sein de la première zone, six appellations communales produisent les vins les plus réputés. Les soixante crus classés sont essentiellement implantés sur ces appellations communales; cependant, cinq d'entre eux portent exclusivement l'appellation haut-médoc. Les crus classés représentent approximativement 25 % de la surface totale des vignes du Médoc, 20 % de la production de vins et plus de 40 % du chiffre d'affaires. Plusieurs caves coopératives existent dans les appellations médoc et haut-médoc, mais aussi dans trois appellations communales (listrac, pauillac, saint-estèphe).

Le vignoble du Médoc est réparti entre huit appellations d'origine contrôlée. Il existe deux appellations sous-régionales, médoc et haut-médoc (60 % du vignoble médocain), et six appellations communales: saint-estèphe, pauillac, saint-julien, listrac-médoc, moulis-en-médoc et margaux – l'appellation régionale étant bordeaux comme dans le reste du vignoble du Bordelais.

Cépage traditionnel en Médoc, le cabernet-sauvignon est probablement moins important qu'autrefois, mais il couvre 52 % de la totalité du vignoble. Avec 34 %, le merlot vient en deuxième position; son vin, souple, est aussi d'excellente qualité et, d'évolution plus rapide, il peut être consommé plus jeune. Le cabernet franc, qui apporte de la finesse, représente 10 %. Enfin, le petit verdot et le malbec jouent le rôle de cépages d'appoint.

Les vins du Médoc jouissent d'une réputation exceptionnelle; ils sont parmi les plus prestigieux vins rouges de France et du monde. Ils se remarquent à leur couleur grenat, évoluant vers une teinte tuilée, ainsi qu'à leur bouquet fruité dans lequel les notes épicées du cabernet se mêlent souvent à celles, vanillées, qu'apporte le chêne neuf. Leur structure tannique, dense en même temps qu'élégante, et leur parfait équilibre contribuent à une bonne tenue dans le temps: ils s'assouplissent sans maigrir et gagnent en richesses olfactive et gustative.

MÉDOC

Superficie : 5 700 ha / Production : 300 000 hl

L'ensemble du vignoble médocain a droit à l'appellation médoc, mais en pratique celle-ci n'est utilisée que dans le nord de la presqu'île, à proximité de Lesparre, les communes situées entre Blanquefort et Saint-Seurin-de-Cadourne pouvant revendiquer celle de haut-médoc ou des communales, dans le cadre de leurs zones délimitées spécifiques. Malgré cela, l'appellation médoc est la plus importante en superficie et en volume.
Les médoc se distinguent par une couleur très soutenue. Avec un pourcentage de merlot plus important que dans les vins du haut-médoc et des appellations communales, ils possèdent souvent un bouquet fruité et beaucoup de rondeur en bouche. Certains, provenant de croupes graveleuses isolées, associent aussi une grande finesse et une certaine richesse tannique.

CH. LES ANGUILLEYS 2013 ★

■ Cru bourg. | n.c. | ◨ | 11 à 15 €

Un vignoble de 19 ha situé au cœur de l'appellation, à l'orée d'un bois, conduit par la même famille depuis six générations, et depuis 1988, par Didier, Maryse et Olivier Roba sous deux étiquettes: Vieux Robin et Les Anguilleys.

D'une teinte engageante, grenat à reflets violets, ce médoc dévoile au nez un boisé torréfié assez marqué qui laisse percer le fruit. Ses tanins souples et doux s'associent harmonieusement aux arômes de fruits rouges pour témoigner d'un bon travail d'élevage. Un ensemble charnu, rond et long qui demande un peu de patience. ⧗ 2018-2022 🍷 gigot d'agneau ■ **Cru bourg. Ch. Vieux Robin 2013 ★ (15 à 20 €; 33300 b.)** : un élevage de dix-huit mois en barrique pour ce vin au bouquet expressif (grillé, sous-bois et fraise) et au palais séveux, ample et campé sur des tanins solides, montrant un bel équilibre entre le bois et le raisin. ⧗ 2019-2022

CH. VIEUX ROBIN, 3, rte des Anguilleys, 33340 Bégadan, tél. 05 56 41 50 64, contact@chateau-vieux-robin.com V r.-v. 4
Maryse et Didier Roba

BARON DES TOURS 2013

■ | 200000 | ◨ | - de 5 €

Depuis plus d'un siècle, Ginestet est l'une des principales maisons de négoce bordelaises, aujourd'hui intégrée au groupe Taillan. Pour l'une de ses marques phares, déclinée en cinq AOC, elle a choisi comme emblème le mascaron, masque sculpté décorant de nombreuses façades de Bordeaux.

Baron des Tours est l'une des marques commerciales de la maison. Elle offre avec ce millésime 2013 mi-merlot mi-cabernets un vin au nez encore discret, sur les fruits rouges frais légèrement mentholés, porté par des tanins serrés mais assez bien fondus. Le bois, encore présent, ne perturbe en rien la rondeur de l'ensemble ni l'harmonie de la finale. ⧗ 2018-2021 🍷 civet de lapin ■ **Ch. du**

Courneau Cuvée Uch 2013 (5 à 8 €; 250000 b.) : vin cité.

⊶ MAISON GINESTET, 19, av. de Fontenille, 33360 Carignan-de-Bordeaux, tél. 05 56 68 81 82, vincent.pensivy@ginestet.fr V r.-v. *⊶ Taillan*

CH. BOIS CARRÉ 2013

■	10000		8 à 11 €

Commencée en 1870, la construction du château – en réalité une maison bourgeoise – s'arrêta pour cause de phylloxéra et ne fut achevée qu'en… 2001 après dix ans de travaux. David Renouil y conduit depuis 1999 un petit vignoble de 6 ha sur argilo-calcaires, qui doit son nom au site gallo-romain situé sur la commune de Saint-Yzans-de-Médoc.

Du cabernet-sauvignon et du merlot à parité pour ce vin bien équilibré, auquel un élevage de douze mois en barrique a légué des arômes d'épices et une certaine sucrosité. Le fruit, noir et rouge, est cependant bien présent, les tanins sont fondus, un peu sévères en finale. ⧗ 2018-2021 ⫯ jambon de Bayonne

⊶ DAVID RENOUIL, 1, rue de Mazails, 33340 Saint-Yzans-de-Médoc, tél. 06 08 68 45 61, vanessadavid33@hotmail.fr V *t.l.j. sf dim. 8h-12h 14h-18h*

CH. BOURNAC 2013 ★★

■ Cru bourg.	10800		11 à 15 €

Venu de Picardie, Pierre Secret s'est installé en 1970 sur cette propriété établie sur une croupe argilo-calcaire de Civrac, dont il a reconstitué le vignoble. Les deuxième (Hubert et Didier) et troisième générations (Guillaume et Thibaud) conduisent ensemble 45 ha répartis entre les crus bourgeois La Chandellière (31 ha) et Bournac (14 ha).

C'est Thibaud qui vinifie le Ch. Bournac. Associant 70 % de cabernet-sauvignon au merlot, ce 2013 fait preuve d'une certaine délicatesse, tant par son bouquet très net, fruité et finement épicé, que par ses élégants tanins qui sauront intégrer un bois bien dosé. La jolie finale fruitée signe un « vin plaisir ». ⧗ 2017-2021 ⫯ canard rôti

⊶ GAEC DE CAZAILLAN SECRET FRÈRES ET FILS, 16, rte des Petites-Granges, 33340 Civrac-en-Médoc, tél. 05 56 41 53 51, thibaud.secret@gmail.com V *r.-v.*

CH. DES BROUSTERAS 2013

■ Cru bourg.	13800		8 à 11 €

Rue de l'Ancienne Douane: l'adresse de ce petit cru de 4 ha conduit depuis 1960 par la famille Renouil rappelle que Saint-Yzans est une commune du Médoc maritime. Les vignes, à très forte dominante de merlot, regardent la « rivière », comprenez l'estuaire.

À l'agrément d'une robe pourpre, limpide et éclatante, s'ajoute le plaisir d'un bouquet qui s'ouvre assez vite sur des parfums de fruits noirs mûrs, mâtinés de touches de sous-bois et d'épices. Dans le même registre, le palais, fin et assez rond, s'appuie sur des tanins un peu serrés qui demandent à se polir en finale. ⧗ 2018-2021 ⫯ brochettes de bœuf

⊶ SCF CH. DES BROUSTERAS, 2, rue de l'Ancienne-Douane, 33340 Saint-Yzans-de-Médoc, tél. 05 56 09 05 44, chateaudesbrousteras@gmail.com V *r.-v. ⊶ Renouil Frères*

CH. LA CLARE 2013

■	38800		11 à 15 €

Rollan de By, implanté sur les graves argileuses de Bégadan, est la première pièce du vaste ensemble de crus médocains constitué par Jean Guyon, ancien décorateur d'intérieur, complété depuis par les Ch. Haut Condissas (une valeur sûre de l'AOC), Tour Seran, La Clare, Greysac, de By et du Monthil. Au total, une belle unité de 180 ha singularisée par une forte proportion de merlot dans l'encépagement.

Acquis en 2001, le Ch. la Clare (10 ha) occupe à Bégadan une croupe aux sols argilo-calcaires et graveleux. Les cabernets y sont majoritaires. Le bouquet de ce 2013, après un séjour de douze mois en barrique, joue sur les fruits rouges et un boisé toasté. Cette dualité se retrouve dans les arômes du palais, où l'on découvre un bon équilibre, de la vinosité et des tanins assez mûrs. ⧗ 2018-2021 ⫯ rôti de veau

⊶ DOMAINES ROLLAN DE BY, 18, rte de By, 33340 Bégadan, tél. 05 56 41 58 59, infos@rollandeby.com V *r.-v.*

CLÉMENT SAINT-JEAN Réserve 2013

■	4607		20 à 30 €

Regroupement des coopératives de Bégadan, d'Ordonnac, de Prignac et Queyrac, Uni-Médoc est le premier producteur de vins de l'appellation médoc. La cave rassemble quelque deux cent vingt viticulteurs qui exploitent un millier d'hectares.

Un vin qui doit tout au cabernet-sauvignon. D'un rouge profond et intense, il sait se présenter. Aussi engageant que la robe, le bouquet dévoile une palette complexe, entre les fruits rouges mûrs et un boisé épicé, que l'on retrouve au palais. Sa matière, son volume et ses tanins bien extraits devraient lui permettre d'évoluer dans le bon sens en polissant sa finale encore sévère. ⧗ 2019-2021 ⫯ côte de bœuf ■ **Cru bourg. Ch. Ladignac 2013 (8 à 11 €; 39466 b.)** : vin cité. ■ **Pavillon de Bellevue Élevé en fût de chêne 2013 (5 à 8 €; 40000 b.)** : vin cité. ■ **Merrain rouge Élevé en fût de chêne 2013 (5 à 8 €; 300000 b.)** : vin cité. ■ **Ch. le Genestras 2013 (5 à 8 €; 65800 b.)** : vin cité.

⊶ LES VIGNERONS D' UNI-MÉDOC, 14, rte de Soulac, BP 20025, 33340 Gaillan-en-Médoc, tél. 05 56 41 03 12, cave@uni-medoc.com V *r.-v.*

CORAZON BY STÉPHANE COURRÈGES 2013

■	30000		8 à 11 €

Courrèges Wines est une structure de négoce créée en 2005 par Stéphane Courrèges, œnologue-conseil depuis plus de vingt ans dans le Bordelais, et par son épouse Akima. À la carte, des vins en AOC médoc, haut-médoc et bordeaux.

Donnant une courte majorité au merlot, ce 2013 est bien dans l'esprit du millésime par sa structure fine et souple, en harmonie avec son élégant bouquet de petits fruits rouges et de marasquin. L'élevage, bien mené, n'a pas étouffé le vin. Une bouteille accessible à apprécier dans sa jeunesse. 2017-2020 aiguillettes de canard

COURRÈGES WINES, 108 bis, av. Jean-Jacques-Rousseau, 33160 Saint-Médard-en-Jalles, tél. 05 56 91 21 96, contact@courreges-wines.com

CH. GÉMEILLAN 2013 ★

Cru bourg.	95000		8 à 11 €

Adrien Uijttewaal, agriculteur d'origine hollandaise, a créé à partir de 1983 le Ch. Saint-Hilaire, à cheval entre Jau, Queyrac et Gaillan, vinifié en coopérative jusqu'en 1995. Le vignoble est établi essentiellement sur des croupes de graves dominant l'estuaire. En 2006, le vigneron a acquis le Ch. Gémeillan, sis à Queyrac, dont il a presque doublé la surface en 2013 (56 ha aujourd'hui) en ajoutant des vignes à Valeyrac.

Si la robe est profonde, le premier nez est retenu, voire végétal (la touche de poivron du cabernet). L'aération dissipe les doutes en libérant des notes fruitées et florales. Le fruit s'épanouit dans une bouche suave et moelleuse en attaque, charnue, d'un bon volume; les tanins veloutés laissent le souvenir d'un ensemble harmonieux. 2019-2022 poulet grillé à la mexicaine **Cru bourg. Ch. Saint-Hilaire 2013 (8 à 11 €; 88000 b.)** : vin cité.

EARL A. ET F. UIJTTEWAAL, 13, rue de la Rivière, 33340 Queyrac, tél. 05 56 59 80 88, chateau.st.hilaire@wanadoo.fr *r.-v.*

GLOIRE DE MONTENAC 2013 ★

	100000		5 à 8 €

Cette maison de négoce a été fondée en 1828 par Jules Lebègue à Cantenac, près de Margaux, puis s'est installée à Saint-Émilion, au milieu du XXe s. Aujourd'hui dans le giron d'Antoine Moueix (groupe Advini).

Un médoc distribué par une maison libournaise connue, d'origine corrézienne. Le vin, lui, est bien médocain par son assemblage privilégiant le cabernet-sauvignon (60 %) et son profil: couleur soutenue; bouquet intense, fruité, floral et finement boisé; bouche structurée, où s'épanouissent les fruits rouges et les notes toastées de l'élevage. Un ensemble harmonieux et assez puissant pour le millésime. 2019-2024 confit de canard

JULES LEBÈGUE, rte du Milieu, lieu-dit Mede, 33330 Saint-Émilion, tél. 05 57 55 58 09, caroline.charbonnier@amoueix.fr *Advini*

CH. GRAND BERTIN DE SAINT-CLAIR 2013 ★

Cru bourg.	20000		11 à 15 €

Propriété d'Olivier Compagnet et de Pascal Coyault, son beau-frère, un petit cru (4,5 ha) créé en 1997 et constitué à partir d'achats successifs. Il est situé à Bégadan, commune riche en terroirs de qualité.

Ce 2013 annonce sa jeunesse par les beaux reflets de sa robe profonde. Sa forte personnalité s'exprime au bouquet qui associe la cerise avec les notes vanillées et torréfiées de l'élevage. Ample et élégante, la bouche repose sur une solide trame tannique, bien soutenue et jamais dominée par un bois savamment dosé. Une belle réussite pour le millésime. 2019-2024 côte de bœuf grillée

SCEA CH. GRAND BERTIN DE SAINT-CLAIR, 9, rte de Lesparre, 33340 Bégadan, tél. 05 56 41 57 75, info@compagnetvins.com *t.l.j. sf sam. dim. 9h-12h 14h-19h*

CH. LES GRANDS CHÊNES 2013

Cru bourg.	108000		11 à 15 €

L'une des nombreuses propriétés de Bernard Magrez, célèbre propriétaire de Pape Clément, acquise en 1998. Établi sur une croupe de graves dominant l'estuaire, ce vaste cru (96 ha), qui abrite les vestiges d'une ancienne forteresse du XVIe s., fait preuve d'une belle régularité.

Issu de merlot dominant (75 %), ce 2013 a bénéficié d'un élevage de seize mois en cuve et en barrique. D'un grenat sombre, il intéresse par son bouquet aussi complexe qu'harmonieux associant les fruits rouges mûrs, le sous-bois, une touche de cuir et un fin boisé fumé. Cette palette se retrouve dans un palais plaisant par sa rondeur et sa persistance. 2017-2021 pavé de bœuf aux champignons

BERNARD MAGREZ, Ch. les Grands Chênes, 13, rte de Lesparre, 33340 Saint-Christoly-de-Médoc, tél. 05 56 41 53 12, chateaugrandschenes@orange.fr *r.-v.*

CH. GRIVIÈWWRE 2013

Cru bourg.	110000		20 à 30 €

L'une des étiquettes des domaines CGR, vaste ensemble de crus de 125 ha dans l'AOC médoc. Implanté sur un ancien lit de rivière, ce château ayant appartenu jusqu'en 1990 à Lafite Rothschild est l'une des valeurs sûres de l'appellation. Il a été racheté en 2016 par l'investisseuse chinoise Yingzhi Huan.

S'il reste discret dans sa présentation, tant dans sa couleur que dans son bouquet, ce vin se distingue par l'élégance de ses parfums de fruits rouges mûrs (fraise), de cassis, d'épices et de grillé que l'on retrouve au palais. Les tanins font preuve de souplesse et l'ensemble est d'une bonne longueur. 2016-2019 yakitori de canard

DOMAINES CGR (CH. GRIVIÈRE), rte de la Cardonne, 33340 Blaignan, tél. 05 56 73 31 51, cgr@domaines-cgr.com *r.-v.*

CH. LABADIE 2013 ★

Cru bourg.	220000		8 à 11 €

(90) 97 **98** 99 00 01 02 **03 04** |05| |**06**| |07| |08| (09) 10 11 12 13

De 4 ha en 1970, lors de son acquisition par Yves Bibey, cette propriété de la pointe du Médoc est passée à près de 57 ha aujourd'hui. Son nom proviendrait d'une abbaye située autrefois sur le domaine. Après une expérience en Australie, Jérôme, fils d'Yves, a pris les rênes de ce cru bourgeois d'une régularité notable dans la qualité, offrant des volumes qui n'ont rien de négligeable. Une valeur sûre.

Du merlot et des cabernets presque à parité, complétés par une goutte de petit verdot dans ce vin qui offre une belle image d'un millésime ingrat. D'une bonne intensité, sa robe pourpre est prometteuse. Délicat et élégant, le bouquet offre un mariage agréable du boisé vanillé et torréfié avec les fruits rouges et noirs. Des petits fruits frais très présents dans une bouche souple, ample et tonique. Une belle matière bien mise en valeur par un élevage soigné et précis. ⧗ 2017-2021 🍴 carré de veau aux cèpes

⊶ GFA JÉRÔME BIBEY, 1, rte de Chassereau, 33340 Bégadan, tél. 05 56 41 55 58, gfabibey@free.fr V 🚶 ■ *t.l.j. sf sam. dim. 9h-12h 14h-17h30*

CH. LES LATTES 2013 ★

■ Cru bourg. | 46500 | 🛢 | 11 à 15 €

Le vin du cru, né sur une croupe très graveleuse, a longtemps été vendu sous le nom de «Carcanieux Les Graves Les Lattes». Depuis 1968 existent deux étiquettes: Ch. Carcanieux (25 ha) et Ch. les Lattes (12,6 ha), aujourd'hui propriétés du groupe Taillan.

Les fidèles du cru seront heureux de retrouver la robe intense et brillante dont se pare une fois encore ce vin. Certes, le bouquet apparaît assez discret, marqué par des notes de menthe et de sous-bois, mais le palais montre un bon développement, gras et généreux, tenu par une élégante structure tannique. Un ensemble bien équilibré et gourmand. ⧗ 2018-2021 🍴 bœuf bourguignon

⊶ SCF CH. CARCANIEUX, 25, chem. de Lescapon, 33340 Queyrac, tél. 06 98 81 31 22, carcanieux@vignoblesdeterroirs.com ⊶ Taillan

CH. LEBOSCQ 2013 ★

■ Cru bourg. | 78000 | 🛢 🍾 | 15 à 20 €

Céréalier rapatrié de Tunisie, Claude Lapalu rachète en 1964 à la famille Delon le Ch. Patache d'Aux en Médoc, puis le Ch. Leboscq. Son fils Jean-Michel, œnologue, lui succède en 1992 et poursuit son œuvre, constituant autour de Patache d'Aux un petit empire de sept crus bourgeois et plus de 250 ha.

Situé à Saint-Christoly sur une petite hauteur (25 m) dominant les palus et la Gironde, ce cru de 30 ha bénéficie d'un terroir de graves profondes. Il a engendré un vin puissant et ample dont la robe profonde affiche les ambitions. Le bouquet s'ouvre à l'aération sur les fruits rouges puis le café. Le palais conjugue puissance, ampleur et élégance, et fait preuve d'une belle persistance. Proche de la deuxième étoile. ⧗ 2018-2022 🍴 rôti de veau aux girolles ■ **Cru bourg. Ch. Lacombe Noaillac 2013 ★ (11 à 15 €; 88000 b.)** : riche en merlot, un «vin plaisir» au bouquet délicatement fruité, sur la cerise, à la bouche élégante et ronde, plus tannique en finale. ⧗ 2017-2021 ■ **Cru bourg. Ch. Patache d'Aux 2013 ★ (15 à 20 €; 244000 b.)** : une dominante de cabernet-sauvignon pour ce vin au bouquet élégant et complexe, sur les petits fruits rouges et un boisé grillé, riche, dense, encore sévère en finale. ⧗ 2018-2021

⊶ SC CH. PATACHE D'AUX (CH. LEBOSCQ), rte de Saint-Saturnin, 33340 Bégadan, tél. 05 56 41 50 18, info@domaines-lapalu.com ⊶ Jean-Michel Lapalu

CH. DE LUSSAN Vieilles Vignes 2013 ★

■ | 8620 | 🛢 🍾 | 8 à 11 €

Descendant d'une lignée médocaine de viticulteurs et d'artisans au service du vin, Bruno Caussan s'est installé en 1990 dans le village de son enfance à Lussan, au nord de Saint-Estèphe, sur un plateau argilo-calcaire. Il a aménagé un chai dans la ferme construite par son trisaïeul et agrandi son domaine qui compte aujourd'hui 14 ha.

Un assemblage original comprenant un petit appoint de malbec aux côtés du cabernet-sauvignon et du merlot. Si la robe fait preuve d'une bonne intensité et le bouquet d'une belle précision aromatique, finement toasté et fruité, avec un soupçon d'eucalyptus, c'est au palais que ce vin se révèle complètement: plaisant en attaque, vineux, ample, tenu par des tanins solides, il finit sur des impressions chaleureuses. De la générosité. ⧗ 2018-2021 🍴 vieux cantal

⊶ EARL BRUNO CAUSSAN, 31, rte de Gardieu, Lussan, 33340 Ordonnac, tél. 09 53 18 28 22, contact@lussan-medoc.fr V 🚶 ■ *r.-v.*

MICHEL LYNCH Réserve 2013 ★

■ | 76470 | 🛢 🍾 | 11 à 15 €

Marque de la famille Cazes, qui a développé une activité de négoce à côté de ses nombreux crus. Michel Lynch (1754-1844) rend hommage à l'ancien maire de Pauillac et pionnier des grands vins de Bordeaux, fondateur du Ch. Lynch-Bages, cru classé du Médoc et navire-amiral de Jean-Michel Cazes.

S'il demande à se fondre, ce vin montre qu'il possède le potentiel nécessaire pour bien évoluer. Après un bouquet très net, fait de fruits noirs et de notes empyreumatiques évoquant le tabac, on découvre une bouche ronde en attaque, d'un bon volume, étayée par une structure tannique déjà enrobée. La finale toastée vient rappeler qu'un peu de patience sera nécessaire. ⧗ 2019-2024 🍴 pavé de biche aux champignons

⊶ JEAN-MICHEL CAZES SÉLECTION, rte de Bordeaux, 33460 Macau, tél. 05 57 88 60 04, contact@jmcazes.com

CH. MAISON BLANCHE 2013

■ Cru bourg. | 149511 | 🛢 🍾 | 8 à 11 €

Issu d'une lignée de viticulteurs médocains, Patrick Bouey, à la tête d'un négoce familial basé à Ambarès, acquiert en 1998 les châteaux Maison Blanche (31 ha) et Lestruelle (27 ha aujourd'hui) sur le plateau de Saint-Yzans et d'Ordonnac. Les terroirs argilo-calcaires se prêtent bien au merlot, majoritaire dans ces vignobles.

La préférence pour le merlot ne sera pas remise en question par ce 2013 bien réussi, comme le prouvent sa robe grenat laissant des larmes sur les parois du verre et son joli bouquet de fruits des bois (framboise) et de violette, puis son palais bien construit et persistant qui témoigne d'une matière première bien exploitée. ⧗ 2018-2021 🍴 carré d'agneau ■ **Cru bourg. Ch. Lestruelle 2013 (8 à 11 €; 123288 b.)** : vin cité.

⊶ FAMILLE BOUEY VIGNOBLES ET CHÂTEAUX, 1, rue de Lamena, 33340 Saint-Yzans-de-Médoc, tél. 05 56 09 05 01, contact@bouey-maisonblanche.fr V ■ *r.-v.*

CH. MEYLAN Cuvée Naùera 2013 ★

■ | 6000 | | 11 à 15 €

En 2012 Nicolas Meylan, après avoir fait pendant dix-sept ans du vin pour les autres comme maître de chai ou régisseur, a pu reprendre 1,5 ha en choisissant son terroir: une croupe argilo-calcaire à Ordonnac. Il exploite son vignoble dans l'esprit de la biodynamie. Un microcru certes, mais un rêve devenu réalité.

Avec son deuxième millésime, Nicolas Meylan fait son entrée dans le Guide, malgré les difficultés de l'année. Une robe pourpre laissant des larmes sur les parois du verre, un bouquet finement fruité (fruits noirs, fruits confits) et boisé: la présentation est engageante. Le palais ne déçoit pas, rond et étayé par des tanins soyeux qui permettront d'apprécier prochainement cette bouteille élégante. 2017-2021 magret aux pruneaux

NICOLAS MEYLAN, 13, rte de Saint-Yzans, 33340 Ordonnac, tél. 06 81 55 96 32, nick.meylan@orange.fr V *r.-v.*

CH. MOULIN DE CASSY 2013 ★

■ Cru bourg. | 20000 | | 11 à 15 €

Claude Compagnet s'installe en 1970 sur 3 ha à Blaignan. Par héritage et achats successifs, la famille a constitué un vignoble d'une soixantaine d'hectares autour du Ch. Le Pey (45 ha), valeur sûre de l'appellation, auquel s'ajoutent les Châteaux Moulin de Cassy et Grand Bertin de Saint-Clair. Olivier Compagnet conduit l'ensemble depuis 1994.

Moulin de Cassy est une propriété de 11 ha voisine du Ch. Le Pey. Drapé dans un habit rouge, intense et soutenu, son vin offre un bouquet fin et élégant, tout en montrant au palais une certaine étoffe. 2018-2021 entrecôte ■ **Cru bourg. Ch. le Pey 2013 (11 à 15 €; 100000 b.)** : vin cité.

SCEA PIERRE ET OLIVIER COMPAGNET, 10, rte de Lesparre, 33340 Bégadan, tél. 05 56 41 57 75, info@compagnetvins.com V *t.l.j. sf sam. dim. 9h-12h 14h-19h*

CH. NOAILLAC 2013 ★

■ Cru bourg. | 150000 | | 8 à 11 €

Belle unité de 56 ha bénéficiant d'un terroir de qualité (une croupe de graves garonnaises), ce cru a été acheté en 1982 par Marc Pagès, également à la tête du Ch. la Tour de By. Après une première expérience dans un cru classé de Margaux, son petit-fils Damien a rejoint l'exploitation dont il a pris les commandes en 2009.

Une courte majorité pour le merlot dans ce 2013. Si sa teinte grenat et son nez assez complexe retiennent l'attention, c'est surtout le palais qui séduit: sa rondeur agréable met en valeur une belle expression aromatique (cerise, vanille, notes toastées, soupçon de truffe). De l'élégance. 2018-2021 gigot d'agneau

DAMIEN PAGÈS, 6, chem. du Sable-des-Pins, 33590 Jau-Dignac-et-Loirac, tél. 05 56 09 52 20, noaillac@noaillac.com V *t.l.j. sf sam. dim. 8h-12h 14h-17h*

CH. LES ORMES SORBET 2013

■ Cru bourg. | 35000 | | 15 à 20 €

Propriété des Boivert depuis 1764, ce cru de 20 ha est exploité par Hélène Boivert et ses fils Vincent et François. Il possède un terroir très particulier: un calcaire coquillier, dit de «Couquèques», où naissent des vins régulièrement au rendez-vous du Guide.

Comme le laisse supposer sa robe, d'un bordeaux soutenu et jeune, ce vin possède une bonne charpente aux tanins encore un peu fermes en finale. Il dévoile aussi une texture ronde et généreuse et un mariage harmonieux du fruit et de la barrique. 2018-2021 entrecôte

HÉLÈNE BOIVERT, Ch. les Ormes Sorbet, 20, rue du 3-Juillet-1895, 33340 Couquèques, tél. 05 56 73 30 30, ormes.sorbet@wanadoo.fr V *t.l.j. 9h-12h 14h-18h; sam. dim. sur r.-v.*

CH. PEY DE PONT 2013 ★

■ Cru bourg. | 153300 | | 8 à 11 €

Au XIXes., Pey de Pont était déjà une importante propriété viticole. Acquis en 1950 par Jean Reich, le domaine est sorti de la coopérative en 1997 avec l'installation des petits-fils Olivier et Laurent, à la tête aujourd'hui de près de 38 ha sur les communes de Bégadan et de Civrac.

Si ses tanins sont encore un peu fermes, ce vin mi-merlot mi-cabernet montre tout au long de la dégustation qu'il possède le potentiel pour bien évoluer. Son bouquet expressif et élégant aux subtiles notes toastées et épicées inspire confiance, tout comme son palais solidement charpenté et bien équilibré. 2019-2022 magret de canard grillé

SCEA HENRI REICH ET FILS, 3-5, rte du Port-de-Goulée, 33340 Civrac-en-Médoc, tél. 05 56 41 52 80, cht.pey-de-pont@wanadoo.fr V *t.l.j. 9h-12h 14h-17h30; sam. dim. sur r.-v.*

CH. PIERRE DE MONTIGNAC 2013 ★

■ Cru bourg. | 107600 | | 8 à 11 €

D'abord exploité en polyculture-élevage, ce cru familial régulier en qualité s'est orienté en 1988 vers la vigne (25 ha aujourd'hui et 30 ha de céréales) sous la conduite de José et Lucette Sallette. Aux commandes depuis 2003, leur fils Romain perpétue l'exploitation.

L'élégance de la robe, foncée et brillante, se retrouve au bouquet, harmonieusement partagé entre le fruit mûr et le bois, comme au palais, charnu, long, racé, qui laisse deviner un bon potentiel. 2019-2023 carré d'agneau aux herbes

ROMAIN SALLETTE, 1, rte de Montignac, 33340 Civrac-en-Médoc, tél. 06 32 46 58 32, pierredemontignac@free.fr V *r.-v.* 2

CH. PONTAC GADET 2013 ★

■ | 60000 | | 8 à 11 €

Dominique Briolais a acquis en 1976 un vignoble de 3 ha en côtes-de-bourg. Épaulé par sa fille Aurore, il conduit aujourd'hui un vignoble de 33 ha (Ch. Haut Mousseau et Ch. Terrefort Bellegrave) sur plusieurs communes

de l'appellation. En 1991, il a traversé l'estuaire pour s'implanter sur la rive gauche, à Jau-Dignac-et-Loirac, en achetant le Ch. Pontac Gadet (11 ha) en AOC médoc.

De fort belle facture, ce 2013 tient les promesses de sa robe très sombre. À la fois profond, fin et élégant, le bouquet marie harmonieusement les fruits noirs bien mûrs et les notes de pain grillé de l'élevage, nuancés de touches de tabac et de truffe. C'est aussi un bois de bonne qualité que l'on retrouve dans un palais plein et riche, adossé à des tanins déjà bien enrobés. Du potentiel. ⧗ 2019-2023 ¥ magret grillé

DOMINIQUE BRIOLAIS ET FILLE, 1, Haut-Mousseau, 33710 Teuillac, tél. 05 57 64 34 38, aurorebriolais@vignobles-briolais.com

V r.-v. 3

Le Médoc et le Haut-Médoc

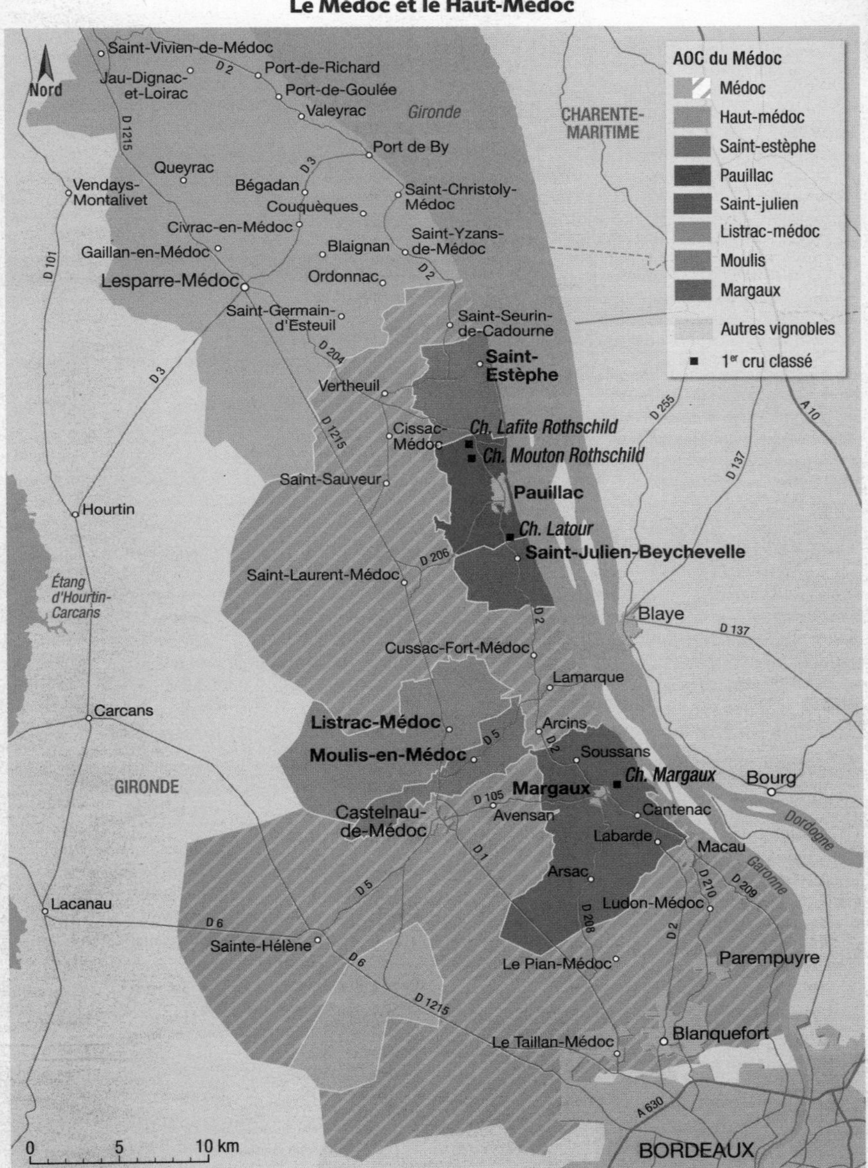

CH. POTENSAC 2013 ★★

■ | 180000 | | 20 à 30 €

Belle unité située sur l'un des points culminants du nord du Médoc et transmise de génération en génération par les femmes, ce cru réputé conduit par Jean-Hubert Delon (Léoville Las Cases) étend l'essentiel de ses 84 ha sur des croupes argilo-graveleuses au sous-sol calcaire et à forte proportion de graves, un terroir proche de celui de Saint-Estèphe.

Ce remarquable 2013 témoigne de la qualité du terroir bégadanais et du savoir-faire de l'équipe de Jean-Hubert Delon. À une robe particulièrement soutenue pour le millésime, tirant sur le noir, répond un nez concentré, aux arômes aussi intenses que raffinés de fruits rouges bien mûrs (cerise), de vanille et de tabac. Après une attaque ronde, on découvre un palais plein et élégant, porté par des tanins serrés mais policés. Une remarquable harmonie. ⌛ 2019-2024 🍴 pintade aux cèpes

CH. POTENSAC, 33340 Ordonnac, tél. 05 56 73 25 26, contact@leoville-las-cases.com V r.-v.
Jean-Hubert Delon

CH. ROUSSEAU DE SIPIAN 2013

■ Cru bourg. | 48000 | | 8 à 11 €

Dominant l'estuaire, un vignoble de 15 ha au passé glorieux, commandé par une imposante demeure du XIXᵉs. à l'architecture d'inspiration Renaissance, dotée de caves voûtées centenaires. Il a été repris en 2000 par l'industriel britannique Christopher Racey, qui l'a modernisé.

Si son bouquet, entre raisin mûr et boisé appuyé, est assez fumé, ce vin se montre souple, ample et bien équilibré au palais, avec une présence sensible mais pas excessive du bois. Une plaisante finale fruitée, sur la mûre et la figue, conclut la dégustation. ⌛ 2018-2021 🍴 entrecôte grillée

CH. ROUSSEAU DE SIPIAN, 26, rte du Port-de-Goulée, 33340 Valeyrac, tél. 05 56 41 54 92, rousseaudesipian@orange.fr V *t.l.j. sf mer. sam. dim. 9h-12h30 14h-17h*
5 *Racey*

LE TEMPLE 2013

■ Cru bourg. | 75000 | | 8 à 11 €

Denis Bergey est établi depuis 1983 sur les hauteurs de Valeyrac, à proximité de Bégadan. Il produit deux étiquettes: les châteaux Le Temple (18 ha de graves garonnaises) et Breuilh (14,5 ha de graves sur argiles).

Encore assez jeune dans sa robe violine, ce 2013 se montre charmeur par son bouquet intense et frais, tout en fruits rouges. Le palais, lui aussi très fruité, très peu marqué par l'élevage, se montre fin et élégant jusque dans sa finale épicée. Une version légère mais plaisante du médoc, reflet du millésime. ⌛ 2017-2020 🍴 tendrons de veau braisés

DENIS BERGEY, 30, rte du Port-de-Goulée, Ch. le Temple, 33340 Valeyrac, tél. 05 56 41 53 62, chateauletemple@orange.fr V
t.l.j. sf dim. 9h-12h30 13h30-18h30

CH. TOUR HAUT-CAUSSAN 2013 ★

■ Cru bourg. | 52000 | | 11 à 15 €

Propriété des Courrian depuis 1877, ce cru doit son nom à un moulin (restauré en 1981) dressé au centre d'un vignoble de 17 ha (argilo-calcaires sur Blaignan, graves sur Potensac), où merlot et cabernet-sauvignon font jeu égal. À sa tête depuis 2007, Véronique et Fabien Courrian.

S'il possède la structure que l'on est en droit d'attendre d'un vrai médoc, ce vin s'exprime aussi avec beaucoup de délicatesse et de fruit. Sa rondeur montre que le vinificateur a su ne pas trop extraire, donnant un ensemble équilibré qui procure un réel plaisir. ⌛ 2017-2021 🍴 poulet fermier rôti

VÉRONIQUE ET FABIEN COURRIAN, 27 bis, rue de Verdun, 33340 Blaignan, tél. 05 56 09 00 77, courrian@tourhautcaussan.com V r.-v.

CH. DE TOURTEYRON 2013 ★

■ Cru bourg. | 41000 | 8 à 11 €

Belle propriété de 130 ha qui maintient vivante la tradition médocaine de l'élevage, avec un troupeau d'une centaine de vaches charolaises. C'est aussi un vignoble de 20 ha conduit depuis 1981 par Jean-Pierre Bergey, rejoint en 2010 par ses enfants Mélissa et Loïc.

La robe profonde est pleine de promesses, que tient la suite de la dégustation, du bouquet mêlant les petits fruits rouges et un boisé bien intégré à la bouche dense, charnue et longue, soutenue par des tanins fondus et suaves. Ce vin devrait s'ouvrir davantage au cours des prochaines années. ⌛ 2018-2022 🍴 entrecôte maître de chai

EARL LE TEMPLE DE TOURTEYRON, Dom. du Temple, 30, rte du Port-de Goulée, 33340 Valeyrac, tél. 05 56 41 52 99, letempledetourteyron@orange.fr V *t.l.j. 8h30-18h; sam. dim. sur r.-v.*

CH. LES TUILERIES 2013 ★

■ Cru bourg. | 60000 | | 11 à 15 €

À la tête de 26 ha, les Dartiguenave ont de solides racines médocaines, leurs aïeux ayant été maîtres de chai et tonneliers au XIXᵉs. Sur ce terroir argilo-calcaire, le merlot est bien représenté. Deux étiquettes: Ch. Les Tuileries et Ch. Moulin de Bel Air.

D'une belle teinte profonde, ce vin livre un bouquet d'une belle richesse alliant les petits fruits rouges acidulés (groseille) à un délicat boisé vanillé. Au palais, une agréable douceur, de l'ampleur et des tanins mûrs qui inscrivent cette bouteille dans la tradition médocaine. ⌛ 2019-2022 🍴 pièce de bœuf rôtie

SCEA DARTIGUENAVE ET FILS, Ch. les Tuileries, 6, rue de Lamena, 33340 Saint-Yzans-de-Médoc, tél. 05 56 09 05 31, contact@chateaulestuileries.com V *t.l.j. sf sam. dim. 9h-12h 14h-18h*

VIEUX CHÂTEAU LANDON 2013

■ Cru bourg. | 127 000 | | 8 à 11 €

Établi au cœur de l'appellation, au sud-est de Bégadan, ce domaine dont l'origine remonte à 1607, compte quelque 40 ha de vignes sur des sols argilo-calcaires, avec un encépagement classique à dominante de cabernet-sauvignon. Aujourd'hui aux mains de capitaux chinois, il est géré par James Servat.

Une robe d'un grenat soutenu; un bouquet associant harmonieusement fruits noirs, boisé grillé et notes minérales; un palais étayé par une belle trame tannique à la finale encore fraîche: tout est réuni pour donner une jolie bouteille sans avoir trop à attendre. ⧗ 2018-2021 ᴛ bavette à l'échalote

SCEA LATON, 6, rte du Ch. Landon, 33340 Bégadan, tél. 05 56 41 50 42, technique.laton@yahoo.fr V t.l.j. sf sam. dim. 9h-12h 14h-16h30

HAUT-MÉDOC

Superficie : 4 600 ha / Production : 255 000 hl

Le territoire spécifique de l'appellation haut-médoc serpente autour des appellations communales. Cette AOC est la seconde en importance de la presqu'île médocaine. Ses vins jouissent d'une grande réputation, due en partie à la présence de cinq crus classés dans l'aire d'appellation, les autres se trouvant dans les appellations communales.

En Médoc, le classement des vins a été réalisé en 1855, soit près d'un siècle avant celui des graves. Cette antériorité s'explique par l'avance prise par la viticulture médocaine à partir du XVIIIes.; car c'est là que s'est en grande partie produit «l'avènement de la qualité», lié à la découverte des notions de terroir et de cru, c'est-à-dire à la prise de conscience de l'existence d'une relation entre le milieu naturel et la qualité du vin.

Les haut-médoc se caractérisent par leur générosité, mais sans excès de puissance. D'une réelle finesse au nez, ils présentent généralement une bonne aptitude au vieillissement. Ils devront être bus chambrés et iront très bien avec les viandes blanches, les volailles ou le gibier à plume. Bus plus jeunes et servis frais, ils pourront aussi accompagner certains poissons.

♥ CH. D'AGASSAC 2013 ★★

■ Cru bourg. | 45 951 | | 15 à 20 €

Tours, douves aux dimensions d'un étang, cette ancienne maison forte médiévale est un vrai décor de roman de cape et d'épée. Elle commande aujourd'hui une belle unité de 100 ha (dont plus de 43 ha dédiés à la vigne), appartenant à Groupama.

Bien équilibré avec un boisé qui sait rester discret, ce 2013 développe de fines notes toastées et épicées au bouquet. Au palais, on retrouve de riches arômes d'élevage (tabac, café, cacao) associés à des tanins fondus et soyeux, qui donnent un ensemble complexe et homogène. Couronnée par une belle finale, cette bouteille est gourmande à souhait. ⧗ 2018-2023 ᴛ magret de canard aux pommes ■ **Ch. Pomies-Agassac Tête de Cuvée 2013 ★★ (11 à 15 €; 20 332 b.)** : le merlot devance le cabernet-sauvignon d'une courte tête dans ce vin remarquable par son expression aromatique (pointe de violette) et l'élégance de sa structure. Un second vin qui confirme la montée en puissance de ce cru. ⧗ 2019-2022

CH. D' AGASSAC, 15, rue du Château-d'Agassac, 33290 Ludon-Médoc, tél. 05 57 88 15 47, contact@agassac.com V r.-v. Groupama

CH. BARREYRES 2013 ★

■ | n.c. | | 11 à 15 €

Fondé à Bordeaux en 1949 par neuf frères et sœurs, le groupe Castel a connu une croissance considérable, devenant le premier producteur de vin en France, le troisième dans le monde, avec un empire qui s'étend de Bordeaux au continent africain. Outre ses nombreuses marques, il possède une vingtaine de propriétés sur l'ensemble du vignoble français.

Implanté sur un terroir argileux et sablo-graveleux entre la commune d'Arcins et la Gironde, au nord de Margaux, le vignoble de Barreyres s'incline en pente douce vers l'estuaire. Faisant la part belle au merlot (55 %), son 2013 développe un bouquet de torréfaction et de fruits noirs, avant de se révéler pleinement au palais. Gras, soyeux, équilibré, consistant, il est déjà fort plaisant et pourra se garder. ⧗ 2017-2021 ᴛ poulet fermier rôti ■ **Les Hauts de Lestac 2013 (5 à 8 €; 341 000 b.)** : vin cité.

CASTEL FRÈRES, 24, rue Georges-Guynemer, 33290 Blanquefort, tél. 05 56 95 54 00, c.martin@castel-freres.com

CH. BEL AIR 2013 ★

■ Cru bourg. | 155 000 | | 11 à 15 €

Implanté à Cussac-Fort-Médoc, ce domaine est depuis 1980 la propriété de la famille Martin connue pour ses crus de Saint-Julien (Saint-Pierre et Gloria), appellation qui jouxte Cussac au nord. Il étend son vignoble de 34 ha sur des croupes de graves reposant sur des argiles.

Prometteur dans sa robe pourpre d'une belle intensité, le haut-médoc de Jean-Louis Triaud tient ensuite ses promesses. Au nez d'abord, avec des notes fruitées (fruits mûrs, cerise et violette) et un boisé fumé; puis au palais, avec une attaque élégante, un beau volume, des tanins savoureux et une finale fraîche, entre cassis et notes mentholées. Un ensemble réussi et bien équilibré. ⧗ 2018-2022 ᴛ pièce de bœuf

DOMAINES MARTIN (CH. BEL AIR), Ch. Gloria, 33250 Saint-Julien-Beychevelle, tél. 05 56 59 08 18, contact@domaines-martin.com V r.-v.

CH. BELGRAVE 2013 ★

■ 5e cru clas. | 113 200 | 🍷 | 20 à 30 €

83 85 86 89 ⑨⓪ **94** 95 **96 97 98 99 00** 01 **02** 03 04 |05| |**06**| **07** |08| |09| 10 11 12 13

Un ancien pavillon de chasse au XVIIes. Le nom de Bellegrave apparaît en 1845, lorsque Bruno Devès, négociant à Bordeaux, restructure la propriété et bâtit la demeure, les chais et les cuviers. Classé en 1855, ce cru situé à la lisière de Saint-Julien étend ses 59 ha sur des croupes de graves et de galets au soubassement argileux. Propriété de la maison Dourthe depuis 1979.

Une bouteille qui sait trouver un juste équilibre entre la puissance et l'élégance. La rondeur des tanins s'harmonise bien avec un corps charnu et de plaisants arômes boisés que laissait pressentir son bouquet finement fruité et vanillé. ⧗ 2018-2022 🍴 carré de veau aux cèpes

VIGNOBLES DOURTHE (CH. BELGRAVE), 33112 Saint-Laurent-Médoc, tél. 05 56 35 53 00, contact@dourthe.com r.-v.

CH. BELLE-VUE 2013 ★

■ Cru bourg. | 75 200 | 🍷 | 15 à 20 €

L'homme d'affaires Vincent Mulliez, disparu en 2010, avait acheté en 2004 dans la partie sud du Médoc les châteaux Bolaire (bordeaux supérieur), Belle-Vue et Gironville (haut-médoc), devenus des valeurs sûres. Ses héritiers ont repris le flambeau.

Situé à Macau, au sud de Margaux, ce cru qui couvre près de 28 ha se distingue par la part assez importante du petit verdot (21 %, pour 51 % de cabernet-sauvignon). Encore vive, la couleur rubis de son 2013 met en confiance. Le bouquet allie le cassis mûr aux notes épicées et toastées de l'élevage. Ample et riche, le palais évolue sur des tanins mûrs, élégants et enjôleurs. ⧗ 2018-2021 🍴 noisettes de chevreuil ■ **Cru bourg. Ch. de Gironville 2013 ★ (11 à 15 €; 31 400 b.)** : merlot et cabernet-sauvignon à parité, avec le petit verdot (11 %) en complément, dans ce vin au bouquet de fruits rouges et aux tanins extraits en douceur: une bouteille bien construite et élégante. ⧗ 2018-2021

SC DE LA GIRONVILLE, 69, rte de Louens, 33460 Macau, tél. 05 57 88 19 79, contact@chateau-belle-vue.fr V *t.l.j. sf sam. dim. 9h-12h 13h-17h30* *Isabelle Mulliez*

CH. BERNADOTTE 2013

■ Cru bourg. | 150 000 | 🍷 | 11 à 15 €

Une destinée peu commune pour ce cru. Il doit son nom à Germaine Bernadotte, qui épousa en 1615 un certain Jeandou du Pouey dont le fils garda le nom de Bernadotte (il est l'ancêtre du maréchal d'Empire et des actuels souverains de Suède). Proche de Pauillac, le domaine (55 ha) a appartenu au Ch. Pichon Comtesse à partir de 1997, pour être finalement vendu en 2012 au groupe asiatique King Power.

Quatre cépages – du cabernet-sauvignon et du merlot presque à parité et un soupçon de petit verdot et de cabernet franc – dans ce 2013 plaisant par la complexité naissante de sa palette aromatique mariant harmonieusement notes d'élevage (café et cacao torréfiés) et cassis. Au palais, ce vin se montre bien construit, frais en attaque, rond dans son développement et ferme en finale. ⧗ 2018-2021 🍴 viande rouge

CH. BERNADOTTE, Le Fournas-Nord, 33250 Saint-Sauveur, tél. 05 56 59 57 04, bernadotte@chateau-bernadotte.com V *r.-v.*
King Power Group

CH. BIBIAN 2013

■ Cru bourg. | 13 000 | 🍷 | 11 à 15 €

Authentique famille médocaine, les Meyre figurent parmi les pionniers du tourisme viti-vinicole (on ne parlait pas encore d'œnotourisme à l'époque dans la presqu'île). En 2010, Nathalie et Julien Meyre ont repris les crus familiaux (45 ha): les châteaux Julien et Bibian en haut-médoc et le Ch. Cap Léon Veyrin en listrac-médoc.

Le merlot (55 %) et le cabernet-sauvignon à l'origine de ce haut-médoc plongent leurs racines dans une croupe de graves pyrénéennes, sur le territoire de Listrac. Bouquet kirsché et empyreumatique, palais souple et rond, finale plaisamment fruitée: un vin bien construit qui reflète une vendange à bonne maturité. ⧗ 2018-2020 🍴 canette rôtie

VIGNOBLES ALAIN MEYRE, Ch. Cap Léon Veyrin, 54, rte de Donissan, 33480 Listrac-Médoc, tél. 05 56 58 07 28, contact@vignobles-meyre.com V *t.l.j. sf sam. dim. 9h-12h30 14h-17h30* ❷

CH. DE BRAUDE 2013

■ Cru bourg. | 38 000 | 🍷 | 11 à 15 €

Créée en 1983 par Régis Bernaleau à Macau, entre l'agglomération bordelaise et Margaux, ce petit cru de 7,5 ha dépend du Ch. Mongravey (margaux). Il étend son vignoble à proximité de celui de Cantemerle, cru classé en haut-médoc.

Bien dans le style des 2013 par son caractère souple, rond et fruité, ce haut-médoc développe une attaque un peu acidulée avant de révéler un côté charnu et des tanins soyeux. Il possède assez d'étoffe pour le millésime. ⧗ 2018-2020 🍴 onglet grillé

SARL MONGRAVEY (CH. DE BRAUDE), 8, av. Jean-Luc-Vonderheyden, 33460 Arsac, tél. 05 56 58 84 51, chateau.mongravey@wanadoo.fr V *r.-v.* ❸ *Bernaleau*

CH. DU BREUIL 2013 ★

■ Cru bourg. | 50 000 | 🍷 | 8 à 11 €

Jacques Mondon s'est installé en 1895 au Ch. Cissac, près de Pauillac. La propriété est aujourd'hui dirigée par sa descendante Marie Vialard, qui exploite aussi le Ch. du Breuil. Les deux crus offrent un réel intérêt architectural: chartreuse du XVIIIes. pour Cissac, forteresse médiévale pour le Breuil. Quant aux terroirs, ils sont argilo-calcaires au Breuil et constitués de graves garonnaises à Cissac.

Sur ce terroir argilo-calcaire, le merlot est privilégié (plus de 50 %). Bien que le bois soit encore très présent dans ce 2013, le bouquet développe des notes de fruits rouges qui apportent une réelle fraîcheur. Après une attaque ronde et ample, le bois revient en force, tout en laissant deviner une jolie matière tannique, qui appelle un séjour en cave. ⧗ 2019-2022 Ÿ côte de bœuf ■ **Cru bourg. Ch. Cissac 2013 (11 à 15 €; 160 000 b.)** : vin cité.

⊶ MARIE VIALARD, Ch. Cissac, 33250 Cissac-Médoc, tél. 05 56 59 58 13, chateau-cissac.com V *t.l.j. sf sam. dim. 8h30-17h30*

CH. CAMBON LA PELOUSE 2013 ★

■ Cru bourg.	160 000		11 à 15 €

Avec les châteaux Cambon La Pelouse et Trois Moulins, Jean-Pierre Marie, après une longue première carrière dans la grande distribution, a acquis en 1996 deux beaux domaines en haut-médoc, disposant d'un terroir de graves de grande qualité. Deux crus aujourd'hui dotés d'équipements performants, complétés en 2001 par un petit vignoble en appellation margaux (Aura de Cambon).

La robe cerise noire est prometteuse. À l'aération, le bouquet monte en puissance en révélant une palette complexe qui fait défiler la griotte, le cacao et la cannelle. Le palais est souple et élégant, grâce à des tanins fondus. Les accents du bois respectent les arômes délicats du vin. ⧗ 2018-2021 Ÿ rôti de porc

⊶ SCEA CAMBON LA PELOUSE, 5, chem. de Canteloup, 33460 Macau, tél. 05 57 88 40 32, contact@cambon-la-pelouse.com V *r.-v. ⊶ Famille Marie*

CH. DE CAMENSAC 2013 ★★

■ 5e cru clas.	155 000		20 à 30 €

(95) (96) **97 98 99 00** 01 **02** 03 **04** |05| 06 07 |08| 09 10 11 **12 13**

Commandé par une chartreuse sobre et élégante du XVIIIe s., ce cru classé de 75 ha jouxte à l'ouest l'appellation saint-julien. Après avoir appartenu entre 1964 et 2005 à la famille Forner, qui en a rénové les chais, il a été acquis par Céline Villars-Foubet et Jean Merlaut, respectivement à la tête de Chasse-Spleen (moulis) et de Gruaud Larose (saint-julien).

D'un rubis franc et limpide, ce vin attire dès le premier regard, puis séduit par son bouquet délicatement fruité et vanillé. La mise en bouche révèle une jolie matière, appuyée sur des tanins fins et élégants. Une finale agréablement toastée conclut la dégustation de cette bouteille au charme réel. ⧗ 2018-2022 Ÿ poularde rôtie ■ **La Closerie de Camensac 2013 (11 à 15 €; 80 000 b.)** : vin cité.

⊶ CH. DE CAMENSAC, rte de Saint-Julien, 33112 Saint-Laurent-Médoc, tél. 05 56 59 41 69, info@chateaucamensac.com V *r.-v.*
⊶ Céline Villars-Foubet et Jean Merlaut

CH. CANTEMERLE 2013 ★

■ 5e cru clas.	380 000		20 à 30 €

83 (85) **86** 87 **88** (89) **90 91 92 93 94** 95 **96 97 98 99** |00| 01 04 |05| |**06**| 07 |08| 09 10 **11** 12 13

Ce cru tire son nom des seigneurs de Cantemerle, dont l'existence est attestée au XIIe s. Si, selon un écrit de 1354, ces nobles payaient la dîme avec un tonneau de clairet, la production viticole n'a pris son essor qu'à partir du XVIe s., sous l'égide des Villeneuve de Durfort. Classé en 1855, ce vaste domaine était tombé à une vingtaine d'hectares en 1981, année de son rachat par l'actuel propriétaire, une société d'assurances. Aujourd'hui, un magnifique parc de 28 ha et un vignoble de 92 ha implanté sur de belles graves.

La robe sombre révèle une certaine densité. Encore discret, le bouquet développe d'agréables notes grillées et épicées. Le palais suit la même ligne aromatique, en s'appuyant sur une structure tannique tendre et authentique. Un aimable et élégant reflet d'un millésime délicat. ⧗ 2018-2021 Ÿ rôti de veau aux cèpes

⊶ SC CH. CANTEMERLE, 33460 Macau, tél. 05 57 97 02 82, cantemerle@cantemerle.com V *r.-v. ⊶ SMA*

♥ CH. CARONNE SAINTE-GEMME 2013 ★★

■	150 000		15 à 20 €

Sainte-Gemme ? Sans doute une déformation de James (Jacques, en gascon): cette propriété, qui jouxte Saint-Julien, était une halte sur le chemin de Saint-Jacques-de-Compostelle, liée à la présence d'une source (*carona* en gaulois). Elle était protégée par les Templiers installés à Benon, qui aidaient les pèlerins à traverser l'estuaire. On y produit du vin depuis 1648. Le cru (45 ha) a été acheté en 1900 par Émile Borie, grand-père de Jean Nony-Borie qui le conduit aujourd'hui avec son neveu François.

Îlot de graves entre marais et forêt, ce cru se hisse au sommet pour la deuxième fois au cours de la décennie. Difficile de rester insensible à la beauté de la robe, d'un grenat brillant, dont la profondeur annonce celle du bouquet, sur les fruits noirs légèrement surmûris soulignés d'un boisé raffiné. Le palais est de la même veine: gras en attaque, ample et équilibré, il dévoile une sève riche et gourmande, soutenu par des tanins qui commencent à se fondre, laissant augurer un potentiel de garde excellent pour le millésime. ⧗ 2019-2026 Ÿ palombe rôtie ■ **Cru bourg. Ch. Labat 2013 (15 à 20 €; 30 000 b.)** : vin cité.

⊶ VIGNOBLES NONY-BORIE, Caronne, 33112 Saint-Laurent-Médoc, tél. 05 57 87 56 81, jfnony@gmail.com V *r.-v.*

CH. DU CARTILLON 2013 ★

■ Cru bourg.	56 244		15 à 20 €

La Société fermière des Grands Crus de France est la structure spécialisée dans le Bordelais du groupe Grands Chais de France. Son œnologue Vincent Cachau vinifie le fruit de quinze propriétés, représentant 390 ha dans les différentes AOC bordelaises.

Rubis foncé, dense avec des reflets violets, la robe de ce vin met en confiance. D'abord réservé, le bouquet libère à l'aération des arômes de fruits noirs (cassis), d'airelle et de clou de girofle. Moelleux en attaque, le palais se déploie avec une rondeur confortable. La finale un peu stricte et tendue demande à s'arrondir. ⌛ 2018-2021 🍴 côte de bœuf ■ **Ch. Cap l'Ousteau 2013 ★ (11 à 15 €; 100468 b.)** : il n'a pas une carrure d'athlète, millésime oblige, mais se signale par son élégance, tant au bouquet, sur la mûre, la fraise cuite et les épices, qu'au palais, bien construit, relativement étoffé et d'une belle finesse. ⌛ 2018-2021

STE FERMIÈRE DES GRANDS CRUS DE FRANCE, 33460 Lamarque, tél. 05 57 98 07 20

CH. CHARMAIL 2013 ★

■	60000		15 à 20 €

Établis au XVII[e]s. dans le Médoc, les Trevey de Charmail ont légué leur nom à ce cru, déjà réputé au siècle suivant: une belle unité de 28,5 ha dominant l'estuaire à Saint-Seurin-de-Cadourne, au nord de Saint-Estèphe. Ingénieur agronome, Olivier Sèze l'a dirigé pendant plus de trente ans. Il l'a vendu en 2008 à Bernard d'Halluin, qu'il continue d'assister.

Quatre cépages contribuent à ce cru dominé par les cabernets: le cabernet franc s'invite donc dans l'assemblage, ainsi que le petit verdot. La robe soutenue annonce une bonne densité. Le nez s'ouvre sur les fruits noirs et rouges, rehaussé de notes grillées et épicées. Le palais se distingue par une solide structure tannique dont la fougue, ainsi que la finale encore un peu boisée, appelle un séjour en cave. ⌛ 2019-2022 🍴 canard au sang

CH. CHARMAIL, chem. de Bardis, 33180 Saint-Seurin-de-Cadourne, tél. 05 56 59 70 63, charmail@chateau-charmail.fr V r.-v. *d' Halluin*

CH. CITRAN 2013 ★

■	200000		11 à 15 €

Si le château date du XIX[e]s., les douves qui l'entourent rappellent l'ancienneté du domaine, tenu six siècles durant par une famille noble, jusqu'au milieu du XIX[e]s. Deux principautés de Monaco ou neuf cités du Vatican tiendraient dans cette propriété de 400 ha, dont un quart (les terrains sablo-graveleux et argilo-calcaires) est voué au vignoble. Gérée par les frères Miailhe après 1945, elle a été acquise par la famille Merlaut-Villars (Chasse-Spleen) en 1996.

Du merlot à parité avec les cabernets. Dense pour le millésime, la robe sombre aux reflets violets annonce un vin de belle facture, de même que le bouquet intense et complexe mêlant poivre, cassis et vanille. Le palais ne manque pas de fond: il dévoile une bonne structure tannique, qui commence à s'arrondir, et une longue finale. Un certain caractère et même de la classe. ⌛ 2018-2022 🍴 rôti de bœuf ■ **Moulins de Citran 2013 (8 à 11 €; 150000 b.)** : vin cité.

CH. CITRAN, chem. de Citran, 33480 Avensan, tél. 05 56 58 21 01, info@citran.com V r.-v.

CH. CLÉMENT-PICHON 2013 ★

■ Cru bourg.	71235		15 à 20 €

Situé aux portes de Bordeaux, l'un des plus fastueux châteaux du XIX[e]s. en Gironde, riche d'une histoire multiséculaire. Ses origines remontent au XIV[e]s. et il connut son heure de gloire sous la tutelle de la famille Pichon (1601-1880). Détruite par un incendie, la bâtisse fut reconstruite en 1881 par la famille Durand-Dassier. Depuis 1976, un autre constructeur, Clément Fayat (propriétaire des châteaux Fayat à Pomerol et La Dominique à Saint-Émilion), est aux commandes de ce vignoble de 24 ha et lui a redonné ses lettres de noblesse.

Un assemblage largement dominé par le merlot. D'un rouge profond et brillant, la robe est riche de promesses. Le bouquet est plus discret, mais plaisant par ses arômes de fruits et de café torréfié. Rond et souple, le palais s'appuie sur une trame de tanins délicats, agréablement boisés. Une belle composition. ⌛ 2018-2021 🍴 tourte à la viande

VIGNOBLES CLÉMENT FAYAT, Ch. Clément-Pichon, 30, av. du Château-Pichon, 33290 Parempuyre, tél. 05 56 35 23 79, contact@vignobles.fayat.com V r.-v.

CLOS LA BOHÈME 2013

■	7000		15 à 20 €

Œnologue issue d'une famille de tonneliers bien connus, Christine Nadalié exploite plusieurs vignobles médocains aux environs de Macau, en amont de Margaux. Après le Dom. Beau-Rivage (bordeaux supérieur), acquis en 1995, elle a acheté en 2003 à sa grand-mère paternelle un vignoble de 3,5 ha en haut-médoc, qu'elle a appelé Clos La Bohème. Domaines en bio certifié depuis 2011.

D'un rouge profond, ce vin apparaît simple mais agréable dans son développement aromatique, alliant les petits fruits rouges, les épices et le grillé; il révèle toute son élégance dans un palais suave en attaque et plus tannique en finale, qui devrait se polir prochainement. Une extraction bien menée. ⌛ 2018-2021 🍴 rôti de bœuf

EARL VIGNOBLES CHRISTINE NADALIÉ, 7, chem. du Bord-de-l'Eau, 33460 Macau-en-Médoc, tél. 05 57 10 03 70, closlaboheme@nadalie.fr V r.-v.

CH. DILLON 2013

■ Cru bourg.	142600		8 à 11 €

Une destinée peu commune pour ce château qui doit son nom à un propriétaire irlandais du XVIII[e]s., Robert Dillon. Le cru appartint ensuite à François Seignouret, figure marquante de la Nouvelle-Orléans, avant de devenir en 1986 un important lycée agricole et viticole, qui s'appuie sur un domaine de 46 ha.

Quatre cépages entrent dans la composition de ce haut-médoc, merlot en tête. Rubis à reflets pourpres, le 2013 met en confiance. Jouant sur les fruits rouges (groseille, griotte, fraise), le bouquet confirme l'impression favorable laissée par la robe. Rond et frais à l'attaque, le palais dévoile une matière équilibrée, élégante. Une légère rugosité en finale montre que cette bouteille ne manque pas de puissance. ⌛ 2018-2021 🍴 pièce de bœuf

LYCÉE VITICOLE DE BLANQUEFORT, 84, av. du Gal-de-Gaulle, 33290 Blanquefort, tél. 05 56 95 39 94, chateau-dillon@chateau-dillon.com V r.-v.

CH. FONTESTEAU 2013 ★

■ Cru bourg. | n.c. | (|) | 11 à 15 €

Des tours crénelées dans un écrin de verdure au cœur d'une vaste propriété (100 ha, dont 30 dédiés à la vigne): ici le terme château n'est pas usurpé. Le cru est situé à Saint-Sauveur, à l'ouest de Pauillac. Son terroir – des gravilles sur une dalle calcaire – est de qualité. Il est propice au cabernet-sauvignon comme au merlot, assez présent dans l'encépagement.

Ce 2013 arbore une robe d'un rouge brillant et soutenu, avant de développer un bouquet friand et élégant. Après une attaque tout en finesse, le palais monte en puissance, tendu par une finale fraîche qui lui donne consistance et relief. ⌛ 2018-2021 🍷 épaule d'agneau

DOMINIQUE FOUIN, Fontesteau, 33250 Saint-Sauveur, tél. 05 56 59 52 76, info@fontesteau.com
V r.-v.

CH. GRAND MÉDOC 2013 ★

■ Cru bourg. | 46666 | 5 à 8 €

Si son nom semble récent, le cru trouve son origine au XVIIe s. Réputé au XIXe s., il a été acquis par la famille Riffaud en 1959. Il bénéficie d'un terroir de qualité avec des graves garonnaises et d'un encépagement diversifié.

LE BORDELAIS

LE CLASSEMENT DE 1855 REVU EN 1973

Classement	Nom du domaine	Appellation
Premiers crus	Ch. Haut-Brion	Pessac-Léognan
	Ch. Lafite-Rothschild	Pauillac
	Ch. Latour	Pauillac
	Ch. Margaux	Margaux
	Ch. Mouton-Rothschild	Pauillac
Deuxièmes crus	Ch. Brane-Cantenac	Margaux
	Ch. Cos-d'Estournel	Saint-Estèphe
	Ch. Ducru-Beaucaillou	Saint-Julien
	Ch. Durfort-Vivens	Margaux
	Ch. Gruaud-Larose	Saint-Julien
	Ch. Lascombes	Margaux
	Ch. Léoville-Barton	Saint-Julien
	Ch. Léoville-Las-Cases	Saint-Julien
	Ch. Léoville-Poyferré	Saint-Julien
	Ch. Montrose	Saint-Estèphe
	Ch. Pichon-Longueville-Baron	Pauillac
	Ch. Pichon-Longueville Comtesse-de-Lalande	Pauillac
	Ch. Rauzan-Gassies	Margaux
	Ch. Rauzan-Ségla	Margaux
Troisièmes crus	Ch. Boyd-Cantenac	Margaux
	Ch. Calon-Ségur	Saint-Estèphe
	Ch. Cantenac-Brown	Margaux
	Ch. Desmirail	Margaux
	Ch. Ferrière	Margaux
	Ch. Giscours	Margaux
	Ch. d'Issan	Margaux
	Ch. Kirwan	Margaux
	Ch. Lagrange	Saint-Julien
	Ch. La Lagune	Haut-Médoc
	Ch. Langoa Barton	Saint-Julien
	Ch. Malescot-Saint-Exupéry	Margaux
	Ch. Marquis d'Alesme-Becker	Margaux
	Ch. Palmer	Margaux
Quatrièmes crus	Ch. Beychevelle	Saint-Julien
	Ch. Branaire-Ducru	Saint-Julien
	Ch. Duhart-Milon-Rothschild	Pauillac
	Ch. Lafon-Rochet	Saint-Estèphe
	Ch. Marquis de Terme	Margaux
	Ch. Pouget	Margaux
	Ch. Prieuré-Lichine	Margaux
	Ch. Saint-Pierre	Saint-Julien
	Ch. Talbot	Saint-Julien
	Ch. La Tour-Carnet	Haut-Médoc
Cinquièmes crus	Ch. d'Armailhac	Pauillac
	Ch. Batailley	Pauillac
	Ch. Belgrave	Haut-Médoc
	Ch. Camensac	Haut-Médoc
	Ch. Cantemerle	Haut-Médoc
	Ch. Clerc-Milon	Pauillac
	Ch. Cos-Labory	Saint-Estèphe
	Ch. Croizet-Bages	Pauillac
	Ch. Dauzac	Margaux
	Ch. Grand-Puy-Ducasse	Pauillac
	Ch. Grand-Puy-Lacoste	Pauillac
	Ch. Haut-Bages-Libéral	Pauillac
	Ch. Haut-Batailley	Pauillac
	Ch. Lynch-Bages	Pauillac
	Ch. Lynch-Moussas	Pauillac
	Ch. Pédesclaux	Pauillac
	Ch. Pontet-Canet	Pauillac
	Ch. du Tertre	Margaux

D'emblée, ce vin annonce sa jeunesse dans sa robe profonde qui laisse augurer un solide potentiel. Ouvert et vineux, le bouquet mêle les fruits rouges bien mûrs à des notes épicées. D'une belle présence, puissant et soyeux, le palais confirme l'aptitude à la garde de cette bouteille par sa structure tannique bien en place et par sa finale persistante aux accents mentholés. ⧗ 2018-2022 🍷 rôti de veau Orloff

JEAN RIFFAUD, 32, rue des Martyrs-de-la-Résistance, Ch. le Souley, 33180 Vertheuil, tél. 05 56 41 91 58, lesouleystecroix@aliceadsl.fr

CH. LA LAGUNE 2013 ★★

■ 3e cru clas.	20000		30 à 50 €

81 82 83 85 86 88 (89) 90 91 93 94 |95| |96| 97 |98| 99
|00| |01| |02| |04| 05 06 |07| 08 09 10 11 12 13

Premier cru classé rencontré par le visiteur arrivant de Bordeaux par la route des vins du Médoc, ce château a été racheté en 2000 par Jean-Jacques Frey, homme d'affaires déjà détenteur de maisons prestigieuses en Champagne et dans la vallée du Rhône. De notoriété ancienne, La Lagune associe une élégante chartreuse du XVIIIe s., de superbes chais, un vaste vignoble (110 ha dont 75 pour le grand vin) et un terroir de choix – de fines graves sablonneuses. Autant d'atouts mis en valeur par une équipe dynamique autour de Caroline Frey, fille du propriétaire et œnologue du domaine depuis 2004.

Le cabernet-sauvignon est en vedette dans ce 2013 qui s'inscrit dans l'esprit de l'appellation par son bouquet élégant: fruits noirs et réglisse, avec des nuances empyreumatiques. Soyeuse, souple et élégante, la bouche porte la marque du millésime; elle reste dans la tradition médocaine par sa finesse, qui met en valeur ses arômes de raisin bien mûr harmonieusement mariés aux apports vanillés des tanins du bois. ⧗ 2018-2021 🍷 rôti de bœuf braisé

CH. LA LAGUNE, 33290 Ludon-Médoc, tél. 05 57 88 82 77, contact@chateau-lalagune.com r.-v. *Famille Frey*

CH. DE LAMARQUE 2013 ★

■	100000		15 à 20 €

Avant d'être un château du vin, Lamarque fut une authentique forteresse médiévale (XIe s.) surveillant l'accès au port de la Lune (Bordeaux). Il a été acquis en 1839 par le comte de Fumel, ancêtre de Pierre-Gilles Gromand, à la tête du cru depuis 1985. Installé sur un beau terroir de graves garonnaises, le vignoble est conduit selon la méthode Cousinié.

Le cabernet-sauvignon et le merlot font jeu égal dans ce 2013, avec 10 % de petit verdot. À l'intensité de la robe répond celle d'un bouquet frais, sur les fruits rouges (à dominante de cerise), la vanille et le grillé de l'élevage (vingt mois). Après une attaque franche, le palais révèle des tanins à la fois puissants et soyeux. Rond et riche, il offre une longue finale toastée, chocolatée et épicée. ⧗ 2018-2022 🍷 pavé de bœuf aux cèpes

SC GROMAND D'EVRY, Ch. de Lamarque, 33460 Lamarque, tél. 05 56 58 90 03, lamarque@chateaudelamarque.fr V r.-v.

CH. LANDAT 2013

■	100000		11 à 15 €

Implantée sur des graves sablonneuses à 5 km du site gallo-romain de Saint-Germain d'Esteuil, cette propriété possède des bâtiments de style médocain. Depuis 1976, elle appartient à la famille Fabre.

Bien fondus pour les uns, trop sévères pour d'autres; les avis des jurés ont divergé sur les tanins de ce vin. Mais tous s'accordent sur l'équilibre d'ensemble de ce millésime et sur la qualité de son bouquet, intéressant par sa profondeur et le mariage harmonieux du fruit et du merrain vanillé. ⧗ 2018-2020 🍷 pièce de bœuf

FAMILLE FABRE, 33250 Cissac-Médoc, tél. 05 56 59 58 16, info@domaines-fabre.com V r.-v.

CH. LAROSE PERGANSON 2013

■ Cru bourg.	110000		11 à 15 €

Avec plus de 200 ha, on sort du cadre de l'exploitation familiale. Constituant la plus vaste unité du Médoc, les vignobles de Larose Trintaudon et de Larose Perganson, jouxtant à l'ouest des crus de Saint-Julien, ont été mis en valeur au XIXe s. Depuis 1986, ils appartiennent à un assureur, le groupe Allianz.

Une teinte profonde pour ce 2013 au bouquet fin, fruité et très légèrement boisé, qui possède un certain charme. Le palais est plus léger, mais sa chair met en valeur des arômes complexes où ressortent des notes épicées. Comme beaucoup de vins du millésime, cette bouteille ne demandera pas un long séjour en cave pour s'épanouir. ⧗ 2018-2020 🍷 pintade rôtie ■ **Cru bourg. Ch. Arnauld 2013 (20 à 30 €; 14000 b.)** : vin cité.

SA LAROSE TRINTAUDON, rte de Pauillac, CS 30200, 33112 Saint-Laurent-Médoc, tél. 05 56 59 41 72, info@trintaudon.com V r.-v. *Allianz*

CH. LESTAGE SIMON 2013 ★

■ Cru bourg.	69093		15 à 20 €

La Société fermière des Grands Crus de France est la structure spécialisée dans le Bordelais du groupe Grands Chais de France. Son œnologue Vincent Cachau vinifie le fruit de quinze propriétés, représentant 390 ha dans les différentes AOC bordelaises.

Situé à Saint-Seurin-de-Cadourne, non loin de Saint-Estèphe, ce cru de 35 ha bénéficie d'un très bon terroir: des graves, près de l'estuaire, et des argilo-calcaires, dans les parties les plus élevées du vignoble. Sans rivaliser avec le 2011, élu coup de cœur, le 2013 intéresse par son bouquet mêlant la cerise noire et les épices à des notes grillées. Le palais inscrit les arômes fruités dans une matière savoureuse, harmonieuse et pleine. Un vin typé et tonique. ⧗ 2018-2022 🍷 sauté de bœuf

STÉ FERMIÈRE DES GRANDS CRUS DE FRANCE, 33460 Lamarque, tél. 05 57 98 07 20

CH. LIVERSAN 2013

■ | 124 000 | | 15 à 20 €

Propriétés de Jean-Michel Lapalu (Patache d'Aux, Leboscq), les châteaux Liversan (qui a appartenu de 1984 à 1995 au prince Guy de Polignac) et Lieujean sont tous deux situés à Saint-Sauveur. Ils y bénéficient de terroirs de choix: des graves argileuses et sablonneuses pour le premier (51 ha), des graves fines sur un plateau calcaire pour le second (40 ha).

Le merlot est très présent (50 %) dans ce vin à la robe intense et profonde, dévoilant au bouquet d'agréables senteurs de fruits mûrs sur un fond grillé, avant de laisser s'installer des sensations veloutées en attaque. Riche, élégant et porté par des tanins croquants, l'ensemble est de bonne facture. 2018-2022 poulet rôti

SC GARRI DU GAI, 6, rte de la Chatole, 33250 Saint-Sauveur, tél. 05 56 41 50 18, info@domaines-lapalu.com Jean-Michel Lapalu

LES HAUTS DE LYNCH MOUSSAS 2013 ★

■ | n.c. | | 15 à 20 €

Propriété depuis le XVIIIe s. du comte Lynch, jusqu'à sa division d'où sont issus Lynch Moussas et Lynch-Bages. Émile Castéja reprend en 1969 ce domaine entré dans la famille en 1919 et restructure vignes et chai. Son fils Philippe est aux commandes depuis 2001 de ce cru de 55 ha proche de Batailley, également propriété des Castéja.

Le second vin de Lynch Moussas est un haut-médoc, tandis que le grand vin est un pauillac. Le 2013 montre qu'il est de bonne origine par son bouquet sur le fruit à l'eau-de-vie rehaussé d'un délicat boisé. En bouche, ses tanins élégants montent en puissance tout en conservant un bon équilibre, même si en finale le bois rappelle sa présence. Du potentiel. 2018-2021 rôti de bœuf aux cèpes

■ **Ch. Haut-Madrac 2013 (11 à 15 €; n.c.)** : vin cité.

SCE DU CH. LYNCH MOUSSAS, 33250 Pauillac, tél. 05 56 00 00 70, domaines@borie-manoux.fr Héritiers Castéja

CH. MAGNOL 2013

■ Cru bourg. | 106 600 | | 15 à 20 €

En 1725, le jeune Irlandais Thomas Barton crée son affaire à Bordeaux. En 1802, son petit-fils Hugh fonde avec l'armateur Daniel Guestier une firme de négoce, qui propose aujourd'hui des vins de plusieurs régions viticoles françaises. Barton & Guestier est le plus ancien négoce du Bordelais, également propriétaire de crus.

Acquis en 1978, ce cru situé près de Bordeaux est le siège de la maison Barton & Guestier. Le vignoble couvre 30 ha de sols de sables et de graves. Son vin est à la fois simple, agréable et séveux: un bouquet naissant, mariage réussi entre le fruit un peu cuit et le bois; de bons tanins de raisin, du corps; tout est en place pour promettre une bouteille harmonieuse dans peu d'années. 2018-2021 faisan rôti

BARTON & GUESTIER, Ch. Magnol, 87, rue du Dehez, 33290 Blanquefort, tél. 05 56 95 48 00, contact@baston-guestier.com

CH. DE MALLERET 2013 ★

■ Cru bourg. | 30 027 | | 11 à 15 €

Une très belle propriété familiale dont les origines remontent à la fin du XVIe s. Elle s'offre le luxe de posséder aux portes de Bordeaux un immense parc (290 ha), de magnifiques écuries – la propriété était célèbre pour son haras – et un imposant château de la fin du XIXe s. Les vignes couvrent 54 ha.

Le merlot l'emporte d'une courte tête sur le cabernet-sauvignon dans ce vin qui comprend aussi un soupçon de petit verdot. Dans un millésime délicat, le vinificateur a su ne pas aller trop loin dans l'extraction. Il en résulte un bouquet délicat à tendance florale et un palais souple et harmonieux, particulièrement en attaque. La finale, un peu plus dure, reste équilibrée. 2019-2022 magret de canard

SCEA MALLERET, chem. de Malleret, 33290 Le Pian-Médoc, tél. 05 56 35 05 36, contact@chateau-malleret.fr t.l.j. sf mer. sam. dim. 9h-12h 14h-17h

BENJAMIN DE MARGALAINE 2013 ★

■ | 3800 | | 8 à 11 €

Clos Margalaine et Marojallia à Margaux, Bouqueyran à Moulis, Rose Sainte-Croix à Listrac, Benjamin de Margalaine en haut-médoc, les domaines Philippe Porcheron regroupent plusieurs crus médocains (167 ha en production) qui lui permettent d'offrir une belle collections de vins et d'étiquettes dans différentes appellations.

Une petite majorité de merlot dans ce vin au bouquet élégant et complexe (fruits rouges et notes torréfiées et grillées de l'élevage). Le palais, à l'unisson, dévoile une structure suave, raffinée et harmonieuse, soutenu par des tanins de qualité, en parfait accord avec les notes de fruits rouges, très présentes tout au long de la dégustation. 2018-2023 bécasse à la ficelle

SARL DES GRANDS CRUS, 2, rue du Gal-de-Gaulle, 33460 Margaux, tél. 05 56 58 35 77, chateau@marojallia.com r.-v. Porcheron

CH. DU MOULIN 2013 ★★

■ | 5400 | | 15 à 20 €

José Sanfins, directeur et vinificateur du Ch. Cantenac Brown, cru classé de Margaux, a constitué un petit vignoble personnel: 1 ha en haut-médoc (Ch. du Moulin) et environ 1,4 ha en margaux (Ch. Chantelune).

Du cabernet-sauvignon et pas mal de merlot (38 %), de la barrique neuve (40 %) et de réemploi pour ce 2013 qui célèbre avec faste le mariage du bois et du raisin (cerise noire et vanille). Sa réussite se confirme au palais, où des tanins bien extraits confèrent à la bouche suavité et structure. Une finale tout en fraîcheur conclut avec bonheur la dégustation. Un beau potentiel pour le millésime. 2019-2024 filet de bœuf aux morilles

CH. CHANTELUNE, 16, chem. du Vieux-Chêne, 33460 Lamarque, tél. 06 10 46 34 35, sanfinsjose@gmail.com r.-v. José Sanfins

CH. PEYRAT-FOURTHON 2013 ★★

■ Cru bourg.	23000		11 à 15 €

Relais de chasse à la fin du XVIIIes., planté au XIXes. par le maire de Saint-Laurent-Médoc, ce cru proche des AOC communales saint-julien et pauillac a été acheté en 2004 par Pierre Narboni, qui l'a agrandi. Aujourd'hui, 23 ha d'un seul tenant, sur des terrains argilo-calcaires et des graves, et un vin qui a pris ses marques dans le Guide. En conversion bio.

Une remarquable réussite pour ce cru dans un millésime souvent redoutable. Intense, à peine évoluée, la robe est de bon augure. Très fin, complexe, le bouquet joue sur des notes toastées et fruitées et procure une plaisante sensation de fraîcheur. Après une attaque gourmande à souhait, une présence tannique de qualité et bien soutenue par un bon boisé apporte de l'envergure et une réelle typicité à cette belle bouteille, qui a frôlé le coup de cœur. Du caractère et du potentiel. ⧗ 2019-2024 ▼ carré d'agneau ■ **La Demoiselle d'Haut Peyrat 2013 ★ (5 à 8 €; 38000 b.)** : un second vin assez proche de son grand frère, plus marqué par le bois et plus austère. De la présence. ⧗ 2020-2024

⊶ CH. PEYRAT-FOURTHON, 1, allée Fourthon, 33112 Saint-Laurent-Médoc, tél. 05 56 59 40 87, pn@peyrat-fourthon.com V r.-v. ⑤

CH. PUY CASTÉRA 2013

■	40000		11 à 15 €

Si ce cru est récent (1973), la famille Marès, qui l'exploite, cultive la vigne depuis le XVIIIes. Les aïeux d'Alix Marès, qui en a pris la tête en 2002, ont même pris une part active dans la mise au point du traitement anti-oïdium au XIXes. Le vignoble couvre 28 ha.

D'une couleur plutôt claire, ce vin s'affirme au nez, libérant des senteurs franches de fruits rouges rehaussées d'un boisé vanillé. Le bois reste appuyé, mais sans retirer au palais sa belle fraîcheur qui souligne une agréable finale fruitée. ⧗ 2017-2020 ▼ pintade rôtie

⊶ SCE CH. PUY CASTÉRA, 8, rte du Castéra, 33250 Cissac-Médoc, tél. 05 56 59 58 80, contact@puycastera.fr V r.-v. *⊶ Marès-Jullien de Pommerol*

CH. RAMAGE LA BATISSE 2013 ★

■ Cru bourg.	76775		15 à 20 €

Créé avec 6 ha en 1962, le Ch. Ramage la Batisse, commandé par une chartreuse entourée d'une garenne, couvre aujourd'hui une soixantaine d'hectares, sur des terrains sablo-graveleux, qui englobent aussi les parcelles du Ch. Tourteran. Depuis 1986, ces deux propriétés appartiennent à la MACIF.

Discret mais franc, le bouquet distille de subtiles senteurs de fruits rouges et d'épices douces (vanille). Souple, rond et sans aspérités, le palais a conservé de la fraîcheur. Un ensemble aromatique, élégant et aimable, qui a tiré un bon parti du millésime. ⧗ 2017-2020 ▼ entrecôte maître d'hôtel

⊶ SCI CH. RAMAGE LA BATISSE, Tourteran, 33250 Saint-Sauveur, tél. 05 56 59 57 24, ramagelabatisse@wanadoo.fr V *t.l.j. sf ven. sam. dim. 8h-12h 13h30-17h30 ⊶ MACIF*

CH. REYSSON 2013

■ Cru bourg.	106000		15 à 20 €

Ce cru d'une cinquantaine d'hectares est implanté à Vertheuil, près de Saint-Estèphe, sur un site ayant livré des vestiges médiévaux et gallo-romains. Propriété du groupe de vins et spiritueux nippon Mercian, il a été acheté en 2014 par la maison Dourthe qui le gérait depuis 2001.

L'encépagement de ce cru privilégie largement le merlot (90 %). S'ouvrant sur une belle palette aromatique aux nuances de beurre et de noisette, son 2013 offre un développement agréable avec sa structure souple et charnue et sa finale acidulée. Un aimable reflet du millésime. ⧗ 2018-2021 ▼ canette rôtie

⊶ VIGNOBLES DOURTHE (CH. REYSSON), 33180 Vertheuil, tél. 05 56 35 53 00, contact@dourthe.com *r.-v.*

CH. SAINT-AHON 2013 ★

■ Cru bourg.	23400		11 à 15 €

Héritier d'une maison noble remontant au Moyen Âge, ce domaine, aujourd'hui cerné par la banlieue bordelaise, a appartenu à Montesquieu. Reconstruit sous Napoléon Ier, le château a pris en 1875 son visage actuel, de style Louis XIII. Acheté en 1985 par le comte de Colbert (descendant direct du ministre), il appartient aujourd'hui à sa fille et son gendre, les Chodron de Courcel qui y vivent et en ont fait un pôle de l'œnotourisme.

Prometteur par sa robe foncée, ce 2013 dévoile une complexité naissante dans son bouquet qui s'ouvre sur les épices, la framboise, la pivoine et la violette. Avec son palais franc à l'attaque, ses tanins bien présents et sa longue finale, encore vive, il appelle un séjour en cave. ⧗ 2019-2023 ▼ gigot d'agneau

⊶ NICOLAS ET FRANÇOISE DE COURCEL, Ch. Saint-Ahon, 57, rue de Saint-Ahon-Caychac, 33290 Blanquefort, tél. 05 56 35 06 45, info@saintahon.com V *r.-v.* Ⓓ

CH. SOCIANDO-MALLET 2013 ★★

■	199371		20 à 30 €

⑧② **85 86 88 89 90 91 93** ⑨⑤ |⑨⑥| **97** ⑨⑧ |**99**| |⓪⓪| |**01**| |**02**| |**03**| |**04**| |**05**| |**06**| |**07**| **09 10 11 12 13**

Au XVIIes., une terre noble appartenant à une famille basque, les Sossiando. Confisquée à la Révolution, elle a connu plusieurs propriétaires. À la fin du siècle dernier, Jean Gautreau a mis en lumière son potentiel. Courtier chez Miailhe, il crée sa société à la fin des années 1950 pour vendre des vins dans le Benelux. Un client le charge de trouver une propriété avec un beau terroir. Il découvre Sociando-Mallet: dominant l'estuaire, une superbe croupe de graves sur sous-sol argileux. Le client ne donnant pas suite, il l'achète pour lui en 1969, le restructure, l'agrandit (à l'origine 5 ha, aujourd'hui 85),

bâtit un chai. Non classé, c'est un des crus qui compte dans l'appellation.

Sans chercher à rivaliser avec les 2010, 2011 et 2012, superbe série de coups de cœur, ce vin se distingue par sa distinction et sa gourmandise, apports respectifs du cabernet-sauvignon et du merlot – ce dernier un peu plus présent dans ce millésime, avec 53 %. L'élégance délicate se fait jour dès le premier coup de nez, dans un bouquet aux nuances de rose fraîche et de violette, finement souligné par un boisé épicé bien dosé. Le palais n'a sans doute pas la carrure des millésimes plus favorables, mais il offre une très belle construction. Souple et tonique, avec une bonne présence du fruit et des tanins soyeux, il s'inscrit dans le même registre que le nez. Une grande finesse. ⧗ 2019-2024 🍷 magret de canard

⊶ SCEA JEAN GAUTREAU, Ch. Sociando-Mallet, 33180 Saint-Seurin-de-Cadourne, tél. 05 56 73 38 80, info@sociandomallet.com V 🚶 🍷 *r.-v.* 🏠 E

CH. VIEUX GABAREY 2013

■ | 33 000 | 🛢 | 8 à 11 €

En 1982, de retour du service militaire, Serge Saint-Martin a vendangé sa première récolte sur une propriété de… 30 ares. Rejoint en 2007 par son fils Maxime, il conduit aujourd'hui un vignoble seize fois plus étendu (17 ha autour de Lamarque) tout en restant d'une superficie modeste comme il sied à un cru artisan.

Classique du Bordelais par sa couleur grenat à reflets rubis, ce vin présente un bouquet d'une bonne complexité, mariant le raisin mûr et la griotte à la vanille de l'élevage. Souple à l'attaque, droit et chaleureux, le palais repose sur de bons tanins fondus. ⧗ 2017-2019 🍷 rôti de bœuf

⊶ SERGE SAINT-MARTIN, 7 bis, chem. de Saint-Seurin, 33460 Lamarque, tél. 05 56 58 97 72, serge.saintmartin@orange.fr V 🚶 🍷 *r.-v.*

CH. DE VILLEGEORGE 2013 ★

■ | 17 780 | 🛢 | 11 à 15 €

Œnologue, Marie-Laure Lurton a repris en 1992 la tête de trois domaines médocains de son père Lucien: La Tour de Bessan (margaux), Duplessis (moulis) et Villegeorge (haut-médoc). Ce dernier, réputé dès le XVIIIes., a été acquis en 1973 par Lucien Lurton. Il couvre aujourd'hui 15 ha sur un terroir de graves profondes à Avensan, au sud de Moulis.

Privilégiant l'élégance, le 2013 de Villegeorge sait se rendre plaisant par son côté friand, avec un bouquet mêlant les fruits mûrs et la vanille, comme par sa structure franche et droite, fine et aimable. ⧗ 2018-2021 🍷 pintade rôtie

⊶ MARIE-LAURE LURTON, Vignobles M.-L. Lurton, 17, chem. de Villegeorge, 33480 Avensan, tél. 05 56 58 22 01, contact@marielaurelurton.com V 🚶 🍷 *r.-v.*

LISTRAC-MÉDOC

Superficie : 635 ha / Production : 25 205 hl

Correspondant exclusivement à la commune éponyme, listrac-médoc est l'appellation communale la plus éloignée de l'estuaire. Original, son terroir correspond au dôme évidé d'un anticlinal, où l'érosion a créé une inversion de relief. À l'ouest, à la lisière de la forêt, se développent trois croupes de graves pyrénéennes, dont les pentes et le sous-sol souvent calcaire favorisent le drainage naturel des sols. Le centre de l'AOC, le dôme évidé, est occupé par la plaine de Peyrelebade, aux sols argilo-calcaires. Enfin, à l'est s'étendent des croupes de graves garonnaises.

Le listrac est un vin vigoureux; toutefois, contrairement au style d'autrefois, sa robustesse n'implique plus aujourd'hui une certaine rudesse. Si certains vins restent un peu durs dans leur jeunesse, la plupart contrebalancent leur force tannique par leur rondeur. Tous offrent un bon potentiel de garde, jusqu'à quinze ans dans les grands millésimes.

CH. CAP LÉON VEYRIN 2013 ★

■ Cru bourg. | 25 000 | 🛢 | 11 à 15 €

Authentique famille médocaine, les Meyre figurent parmi les pionniers du tourisme viti-vinicole (on ne parlait pas encore d'œnotourisme à l'époque dans la presqu'île). En 2010, Nathalie et Julien Meyre ont repris les crus familiaux (45 ha): les châteaux Julien et Bibian en haut-médoc et le Ch. Cap Léon Veyrin en listrac-médoc.

Aux séductions d'une couleur engageante, ce 2013 ajoute les tentations d'un bouquet fait de mille nuances: café grillé, toast, prune, réglisse. Quant au palais, sa belle structure équilibrée, charnue et tannique garantit à cette bouteille une évolution heureuse, même si, millésime oblige, ses perspectives de garde sont mesurées. ⧗ 2018-2021 🍷 entrecôte frites

⊶ VIGNOBLES ALAIN MEYRE, Ch. Cap Léon Veyrin, 54, rte de Donissan, 33480 Listrac-Médoc, tél. 05 56 58 07 28, contact@vignobles-meyre.com V 🚶 🍷 *t.l.j. sf sam. dim. 9h-12h30 14h-17h30* 🏠 2

♥ CH. CLARKE 2013 ★★

■ | 120 000 | 🛢 | 20 à 30 €

(86) **88** 89 **90 95 96** 97 **98 99 00 01 02 03 04 |05| |06| |07| |08| |09| 10** 11 12 **13**

Plantée au Moyen Âge par des Cisterciens dépendant de l'abbaye de Vertheuil, la vigne est fort ancienne sur ce cru situé dans la plaine de Peyrelebade. Acquis en 1973 par le baron Edmond de Rothschild, qui y a entrepris de très importants travaux de rénovation, il dispose d'un vignoble de 55 ha établi sur un terroir calcaire et argilo-calcaire, qui se distingue par son encépagement à forte proportion de merlot (70 %). Un pilier de l'appellation listrac.

Fidèle à sa tradition, Clarke propose un vin d'une réelle élégance. Celle-ci apparaît dès la présentation avec une robe au-dessus de la moyenne pour la profondeur et avec un bouquet encore réservé mais d'une grande finesse. Le fruit s'affirme dans un palais séduisant par son attaque ronde et charnue, soutenu par une structure tannique de grande qualité qui dévoile un réel potentiel pour l'année. Une courte garde suffira à polir la finale de ce millésime qui réussit la synthèse de la finesse et de la force. ⧗ 2018-2023 🍷 poularde en croûte

COMPAGNIE VINICOLE BARON EDMOND DE ROTHSCHILD, Ch. Clarke, 33480 Listrac-Médoc, tél. 05 56 58 38 00, contact@cver.fr
V *t.l.j. sf sam. dim. 8h30-11h30 13h30-16h30*

CH. DONISSAN 2013

■	47400		11 à 15 €

Fait suffisamment rare pour être souligné, ce domaine appartient à la même famille depuis plus de trois siècles et s'est toujours transmis en ligne directe. Depuis 1997, Marie-Véronique Laporte perpétue cette tradition viticole, conduisant le domaine familial, qui s'étend sur 10 ha à Listrac.

L'histoire du cru est simple et solide, et le vin lui ressemble. Il naît de sols argilo-calcaires, où le merlot (60 %) se plaît, assemblé aux cabernet-sauvignon et au petit verdot bien médocains. Plaisant par la fraîcheur de son bouquet aux notes de fruits rouges assorties d'un discret boisé, il se montre franc à l'attaque et révèle une bonne matière, portée par des tanins encore un peu stricts. ⧗ 2018-2020 🍷 faux-filet grillé

MARIE-VÉRONIQUE LAPORTE, Ch. Donissan, 4, chem. de Martinon, 33480 Listrac-Médoc, tél. 05 56 58 04 77, chateau.donissan@wanadoo.fr
V *r.-v.*

CH. FONRÉAUD 2013

■ Cru bourg.	100000		15 à 20 €

«Fonréaud», autrefois «Font-réaux», signifie «fontaine royale»: la légende veut qu'au XII^e^s., le roi d'Angleterre, époux d'Aliénor d'Aquitaine, Henri II Plantagenêt, se soit arrêté en ces lieux pour se désaltérer à une source. Le domaine a été acquis en 1962 par Léo Chanfreau, viticulteur rapatrié d'Algérie, dont le fils Jean et son épouse Marie-Hélène sont aux commandes depuis 1981. Le vignoble couvre 45 ha en listrac (Fonréaud), moulis (Chemin Royal, Clos des Demoiselles) et bordeaux blanc (Cygne de Fonréaud).

Sans être très puissant, ce vin, donnant une courte majorité au cabernet-sauvignon, se montre intéressant par son bouquet comme par sa structure. Le premier, discret mais délicat, met en avant les fruits rouges, framboise en tête. La seconde est d'une plaisante rondeur, même si des tanins un peu stricts rendent pour l'heure la finale quelque peu austère. ⧗ 2017-2020 🍷 faisan rôti ■ **Cru bourg. Ch. Lestage 2013 (15 à 20 €; 120000 b.)** : vin cité.

SC CH. FONRÉAUD, 33480 Listrac-Médoc, tél. 05 56 58 02 43, contact@vignobles-chanfreau.com V *t.l.j. 9h-12h 14h-17h; sam. dim. sur r.-v.*
Chanfreau

CH. FOURCAS-BORIE 2013

■	43403		11 à 15 €

Si la propriété est ancienne, son apparition dans le Guide est récente; elle a coïncidé avec son achat par la famille Borie – établie de longue date dans l'appellation listrac avec le Ch. Ducluzeau – et l'arrivée à sa tête de Bruno-Eugène en 2009. Le vignoble couvre 30 ha.

S'il a du relief, ce vin ne manque pas pour autant de finesse et d'élégance. Notre jury a particulièrement apprécié la complexité de ses arômes, ses senteurs de fruits frais bien mariées aux nuances épicées de la barrique. On retrouve ces notes aromatiques dans une chair assez ronde, construite sur des tanins serrés. ⧗ 2018-2021 🍷 magret de canard aux cèpes

SCA FOURCAS-BORIE, 12, rue Odilon-Redon, 33480 Listrac-Médoc, tél. 05 56 73 16 73, je-borie@je-borie-sa.com

CH. FOURCAS HOSTEN 2013

■	65000		11 à 15 €

99 00 01 02 03 04 |05| |06| |07| |08| 09 10 11 12 13

Ce cru établi au cœur de Listrac et commandé par une élégante chartreuse du XVIII^e^s. entourée d'un parc de 3 ha a été acheté en 2006 par les frères Renaud et Laurent Momméja, héritiers de la famille Hermès. Ces derniers, qui y ont réalisé d'importants investissements à la vigne et au chai, disposent aujourd'hui d'un vignoble de 47 ha.

Très élégant dans sa présentation avec sa robe aux intenses reflets carmin, ce vin se montre plus discret mais agréable par la suite, dévoilant au bouquet de jolies notes de fraise et de cerise rehaussés d'un boisé fumé aux nuances d'âtre froid. Le prélude à un palais plutôt svelte mais bien équilibré, soutenu par une structure élégante. ⧗ 2016-2020 🍷 hamburger maison

CH. FOURCAS HOSTEN, 5, rue Odilon-Redon, 33480 Listrac-Médoc, tél. 05 56 58 01 15, contact@fourcas-hosten.com V *r.-v.*
Momméja

GRAND LISTRAC 2013

■	132222	8 à 11 €

Pendant longtemps, la cave de Listrac a été choisie par la prestigieuse Compagnie internationale des Wagons-Lits pour figurer sur la carte des vins des voitures-restaurants. Cela a valu une réelle célébrité à la coopérative qui, par sa production et par les crus indépendants qu'elle vinifie, joue encore son rôle de locomotive dans l'appellation.

Bien qu'un peu court vêtu dans sa robe légère, ce 2013 se révèle fort intéressant, tant par son bouquet, élégant, intense et complexe (fruits rouges, épices), que par la finesse de ses tanins et l'équilibre de ses saveurs. Une belle expression du millésime. ⧗ 2017-2020 🍷 magret grillé ■ **Cru bourg. Ch. Vieux Moulin 2013 (11 à 15 €; 22000 b.)** : vin cité.

CAVE GRAND LISTRAC, 21, av. de Soulac, 33480 Listrac-Médoc, tél. 05 56 58 03 19, grandlistrac@cave-listrac-medoc.fr r.-v.

♥ CH. MARTINHO 2013 ★★

■	9500		20 à 30 €

D'origine portugaise, Miguel Martinho Afonso a travaillé dans plusieurs grands crus médocains avant de créer en 2001 son entreprise de travaux viticoles et d'acquérir sept ans plus tard une petite vigne (1,5 ha) à Listrac.

Dans un «millésime de vigneron», Miguel Martinho Afonso a mobilisé une fois de plus tout son savoir-faire de vigneron pour livrer ce vin qui sort du lot, et qui fait suite à un 2012 également élu coup de cœur. Né d'un assemblage privilégiant le merlot, il s'annonce par un bouquet intense, élégant et complexe, marqué par un boisé élégant, entre vanille, cannelle et fumé, qui laisse percer des arômes de petits fruits rouges et de cuir. Le palais, à l'unisson, se montre suave, aussi rond que long. Sa structure tannique assez imposante assure un solide potentiel de garde à cette remarquable bouteille qui n'a qu'un défaut, sa relative rareté. ⧗ 2019-2024 ♈ entrecôte au barbecue

MIGUEL MARTINHO AFONSO, 13, rte du Port, 33460 Lamarque, tél. 05 56 58 95 81, contact@chateaumartinho.com r.-v.

CH. MAYNE LALANDE 2013

■	30000		15 à 20 €

Issu d'une famille d'agriculteurs de Listrac, Bernard Lartigue a créé le Ch. Mayne Lalande en 1982; un domaine qui s'étend aujourd'hui sur 15 ha à l'ouest de la commune, à l'orée de la pinède, complété depuis par les 5 ha de vignes du Ch. Myon de L'Enclos dans l'appellation «sœur», moulis-en-médoc.

Ce 2013 se montre intéressant par son délicat boisé épicé et réglissé marié à des notes de fruits rouges et noirs. Rond à l'attaque, franc et friand, il s'appuie sur des tanins fins et serrés qui lui donnent une certaine consistance. Un vin assez gourmand qui demande à arrondir sa finale. ⧗ 2018-2021 ♈ canard rôti

BERNARD LARTIGUE, 7, rte du Mayne, 33480 Listrac-Médoc, tél. 05 56 58 27 63, blartigue2@wanadoo.fr *t.l.j. sf sam. dim. 9h-12h30 14h-17h30* ⑤

CH. REVERDI 2013 ★

■ Cru bourg.	23700		11 à 15 €

La famille Thomas est propriétaire en listrac depuis 1953 et trois générations. Installés en 2003, Mathieu et sa sœur Audrey conduisent le domaine. Leur vignoble de 32 ha se distingue par une proportion importante de petit verdot. Deux étiquettes: Reverdi et l'Ermitage.

Merlot et cabernet sont à parité dans ce 2013, complétés par 20 % de petit verdot. Le vin, coloré, développe un bouquet fin et agréable de fruits rouges mûrs rehaussés d'un léger boisé. L'attaque souple ouvre sur un palais rond et assez long, étayé par de bons tanins qui commencent à se fondre mais demandent encore à s'affiner. ⧗ 2017-2020 ♈ côte de bœuf grillée ■ **Cru bourg. Ch. l'Ermitage 2013 (11 à 15 €; 26800 b.)** : vin cité.

VIGNOBLES THOMAS, 11, rte de Donissan, 33480 Listrac-Médoc, tél. 05 56 58 02 25, contact@chateaureverdi.fr *t.l.j. sf dim. 9h-12h 14h-18h*

CH. ROSE SAINT-CROIX 2013 ★

■	6600		8 à 11 €

Clos Margalaine et Marojallia à Margaux, Bouqueyran à Moulis, Rose Sainte-Croix à Listrac, Benjamin de Margalaine en haut-médoc, les domaines Philippe Porcheron regroupent plusieurs crus médocains (167 ha en production) qui lui permettent d'offrir une belle collections de vins et d'étiquettes dans différentes appellations.

Philippe Porcheron souhaite élaborer des vins ronds et puissants. L'objectif est atteint avec ce moulis d'un bordeaux dense, qui s'ouvre sur les épices douces et le fumé de la barrique avant de laisser percer quelques notes de fruits rouges. Après une attaque souple et gourmande, le palais monte en puissance, déployant des arômes de fruits rouges et de toast, soutenu par des tanins de qualité. Un vin bien élevé dans lequel le bois respecte le raisin. ⧗ 2018-2021 ♈ fromages à pâte cuite

SARL DES GRANDS CRUS, 2, rue du Gal-de-Gaulle, 33460 Margaux, tél. 05 56 58 35 77, chateau@marojallia.com r.-v. *Porcheron*

CH. SARANSOT-DUPRÉ 2013

■ Cru bourg.	10000		11 à 15 €

Propriété des Raymond depuis 1875, un cru familial très régulier en qualité. Il étend son vignoble de 17 ha sur un sol argilo-calcaire comparable à celui de Saint-Émilion, ce qui explique la présence notable du merlot et du cabernet franc (accompagnés du cabernet-sauvignon et d'un soupçon de petit verdot et de carmenère). Deux étiquettes de listrac ici: Saransot-Dupré et Pérac.

La robe grenat sombre attire l'attention. Encore sur sa réserve, le bouquet est marqué par un boisé réglissé assez marqué qui laisse percer de fines notes de fruits rouges (cassis). Au palais, une charpente tannique assez solide et un merrain appuyé masquent pour l'heure son expression tout en se portant garants d'une évolution favorable. ⧗ 2018-2021 ♈ lamproie à la bordelaise

SC CH. SARANSOT-DUPRÉ, 4, Grande-Rue, 33480 Listrac-Médoc, tél. 05 56 58 03 02, y@saransot-dupre.com *t.l.j. 8h30-12h30 14h-17h; sam. dim. sur r.-v.*

MARGAUX

Superficie : 1 490 ha / Production : 60 900 hl

Margaux est le seul nom d'appellation à être aussi un prénom féminin. Est-ce un hasard? Si les margaux présentent une excellente aptitude à la garde, ils se distinguent des autres grandes appellations communales médocaines par leur délicatesse que soulignent des arômes fruités d'une agréable finesse. Ils constituent l'exemple même des bouteilles tanniques généreuses et suaves.

Leur originalité tient à de nombreux facteurs. Les aspects humains ne sont pas à négliger. À l'écart de Saint-Julien, de Pauillac et de Saint-Estèphe, les viticulteurs margalais ont moins privilégié le cabernet-sauvignon : tout en restant minoritaire, le merlot prend ici une importance accrue. Par ailleurs, l'appellation, la plus vaste des communales du Médoc, s'étend sur le territoire de cinq communes : Margaux et Cantenac, Soussans, Labarde et Arsac. Dans chacune d'elles, seuls les terrains présentant les meilleures aptitudes vitivinicoles font partie de l'AOC. Le résultat est un terroir homogène composé d'une série de croupes de graves. Celles-ci s'articulent en deux ensembles : à la périphérie se développe un système faisant penser à une sorte d'archipel continental, dont les « îles » sont séparées par des vallons, ruisseaux ou marais tourbeux ; au cœur de l'appellation, dans les communes de Margaux et de Cantenac, s'étend un plateau de graves blanches, d'environ 6 km sur 2, découpé en croupes par l'érosion. C'est dans ce secteur que sont situés nombre des 21 grands crus classés de l'appellation.

♥ CH. BELLEVUE DE TAYAC 2013 ★★

■ Cru bourg.	14 200	◖◗	30 à 50 €

Héritier d'une lignée au service du vin, Vincent Fabre conduit plusieurs châteaux médocains (92 ha en tout), dont Bellevue de Tayac, 4 ha en margaux, depuis 2014. Ici, pas de château au sens classique du terme, mais une façade de chai composée d'une trame de lames de cuivre doré et d'Inox, d'un treillis à reflets multicolores qui évoluent au fil des heures, des nuages et de la végétation.

Du merlot (70 %), du cabernet-sauvignon et du petit verdot (10 %) pour ce vin qui sait attirer le regard comme les chais qui l'ont vu naître. Sa robe profonde, son bouquet mariant notes fruitées (fruits noirs) et toastées dans une parfaite harmonie, son palais très expressif, tout en fruits rouges, construit sur des tanins jeunes et prometteurs ont été salués unanimement. Du bon raisin, du bon travail : une très belle bouteille en perspective. ⧗ 2019-2026 🍴 pièce de bœuf rôtie

⊶ *DOMAINES FABRE ET GFV SAINT-VINCENT, 33250 Cissac, tél. 05 56 59 58 16, info@domaines-fabre.com* V 🚶 ▮ *r.-v.*

CH. LA BESSANE 2013 ★

■ Cru bourg.	11 000	◖◗	20 à 30 €

Complément margalais du Ch. Paloumey (haut-médoc), ce petit cru de 2,4 ha, situé non loin de Prieuré Lichine, a été repris en 1993 par Martine Cazeneuve. Il tire son originalité de la place importante qu'occupe le petit verdot dans l'encépagement.

Un quart de petit verdot se marie au merlot et au cabernet-sauvignon dans ce margaux. Le résultat est particulièrement convaincant dans ce millésime, loué pour son bouquet intense et fin de fruits rouges frais, de vanille et de torréfaction, pour sa bouche aux arômes de raisin mûr et de réglisse, construite sur des tanins fins et élégants qui se pressent dans une harmonieuse et longue finale encore sur le bois. Proche des deux étoiles. ⧗ 2019-2023 🍴 magret de canard

⊶ *CH. PALOUMEY, 50, rue Pouge de Beau, 33290 Ludon-Médoc, tél. 05 57 88 00 66, info@chateaupaloumey.com* V 🚶 ▮ *t.l.j. sf dim. 10h-18h*

♥ CH. BOYD-CANTENAC 2013 ★★

■ 3e cru clas.	20 000	◖◗ 🍾	30 à 50 €

(82) **83 85 86 88** 89 **90 95** 96 97 **98** |**99**| |**00**| |02| |03| |04| |**05**| |**06**| |07| 08 (09) **10** 11 **12 13**

Un beau terroir de graves siliceuses maigres (17 ha), un encépagement diversifié, intégrant le petit verdot, et une famille aux solides racines médocaines, les Guillemet (propriétaires depuis 1932). Ces derniers ne sacrifient pas aux modes et visent l'équilibre et la finesse dans leurs vins. Un grand cru authentique, créé en 1754 par un négociant de Belfast, conduit depuis 1996 par l'œnologue et agronome Lucien Guillemet.

2009, 2010, 2011, 2013 : millésime qui rit ou qui pleure, solaire ou pluvieux, précoce ou tardif, Lucien Guillemet maintient ses margaux à un haut niveau. En 2013, le parti pris de la finesse s'est révélé payant. Les dégustateurs saluent la profondeur de la robe de ce vin, la complexité de son bouquet mêlant le cassis bien mûr à des notes de vanille, de fumée et de cuir. Quant au palais, il se montre charnu, ample, délicat, étayé par des tanins soyeux et racés qui soulignent une finale persistante et intense. Une élégance tout margalaise et du potentiel. ⧗ 2020-2026 🍴 rôti de bœuf

⊶ *SCE CH. BOYD-CANTENAC, 11, rte de Jean-Faure, 33460 Cantenac, tél. 05 57 88 90 82, guillemet.lucien@wanadoo.fr* V 🚶 ▮ *r.-v.* ⊶ *Famille Guillemet*

CH. BRANE-CANTENAC 2013

■ 2e cru clas.	77 000	◖◗	30 à 50 €

82 **83** 84 **85** (86) 87 **88 89 90** 93 **94 95** (96) **97 98 99** |**00**| 03 04 |05| |06| |07| 08 09 **10 11 12** 13

Figure mythique de la viticulture médocaine du XIXe s., le baron Hector de Brane n'a pas hésité

à vendre Brane-Mouton (aujourd'hui Mouton-Rothschild) pour acquérir en 1833 ce cru réputé dès le XVIIIᵉs. pour son superbe terroir de graves profondes de 75 ha, dont le cœur (45 ha) est situé sur le plateau de Brane. Un domaine entré en 1925 dans la famille Lurton, grande lignée de propriétaires bordelais, auquel Henri Lurton, installé en 1992, a redonné tout son lustre.

Si ses perspectives de garde semblent limitées, ce vin est plaisant par son bouquet finement toasté, fumé et épicé, agrémenté d'une touche florale. Dans le droit fil, la bouche est souple, fraîche, équilibrée et harmonieuse. On retrouve en finale le côté toasté de la barrique qui donne au vin du relief. Une bouteille sincère. ⌛ 2017-2021 🍴 filet mignon de veau aux cèpes

⊶ *STÉ VITICOLE HENRI LURTON, 33340 Cantenac, tél. 05 57 88 83 33, contact@brane-cantenac.com* V *r.-v.*

L'AURA DE CAMBON LA PELOUSE 2013 ★

■ | 3000 | ◖◗ | 30 à 50 €

Avec les châteaux Cambon La Pelouse et Trois Moulins, Jean-Pierre Marie, après une longue première carrière dans la grande distribution, a acquis en 1996 deux beaux domaines en haut-médoc, disposant d'un terroir de graves de grande qualité. Deux crus aujourd'hui dotés d'équipements performants, complétés en 2001 par un petit vignoble en appellation margaux (Aura de Cambon).

Une petite parcelle cantenacaise de 50 ares jouxtant les vignobles des châteaux Margaux et Brane-Cantenac, au lieu-dit Bonita, est à l'origine de ce vin vinifié au Ch. Cambon la Pelouse, qui a la particularité d'avoir été foulé aux pieds, à l'ancienne. Après quinze mois de barrique, il offre un bouquet discret mêlant les épices, la réglisse et les fruits rouges. Élégante et fruitée en attaque, la bouche dévoile des tanins puissants, en harmonie avec un boisé grillé agréable, mais actuellement dominateur. ⌛ 2019-2023 🍴 rôti de veau aux champignons

⊶ *SCEA CAMBON LA PELOUSE, 5, chem. de Canteloup, 33460 Macau, tél. 05 57 88 40 32, contact@cambon-la-pelouse.com* V *r.-v.*
⊶ *Jean-Pierre Marie*

CH. CANTENAC BROWN 2013 ★

■ 3ᵉ cru clas. | 80000 | ◖◗ | 50 à 75 €

82 83 85 86 88 89 (90) **91 92 93 94 95 96** 97 **98** 99 00

|**02**| |**03**| |**04**| |05| |06| |07| 08 **09 10 11 12** 13

Commandé par un imposant château de style néo-Tudor construit au XIXᵉs. par le peintre animalier écossais John Lewis Brown, ce domaine – 48 ha plantés sur de belles graves au cœur de l'appellation – a connu une seconde jeunesse d'abord grâce au groupe Axa, et, depuis 2006, sous l'impulsion de la famille Halabi, qui en a confié la direction à José Sanfins.

Moins imposant que la belle série de millésimes antérieurs, ce 2013 ne manque cependant ni d'étoffe ni d'élégance. La robe est intense. Le nez, d'abord fermé, s'ouvre sur des notes d'élevage – épices, café – laissées par un séjour de quinze mois en barrique, avant de libérer à l'aération des notes de fruits rouges nuancées de touches florales et mentholées. La bouche s'appuie sur des tanins serrés et enrobés qui soutiennent la finale de bonne longueur. Un vin expressif, frais, dense et harmonieux. ⌛ 2019-2023 🍴 magret de canard aux fruits rouges ■ **Brio de Cantenac Brown 2013 (20 à 30 €; 50000 b.)** : vin cité.

⊶ *CH. CANTENAC BROWN, BP 50, 33460 Margaux, tél. 05 57 88 81 81, contact@cantenacbrown.com* V *r.-v.* ⊶ *Famille Halabi*

CLOS DES QUATRE VENTS 2013

■ | 7000 | ◖◗ | 75 à 100 €

Luc Thienpont, ancien propriétaire de Labégorce-Zédé à Margaux (repris par la famille Perrodo en 2005), a cédé en 2014 ses Ch. Clos des Quatre Vents (1,6 ha situé sur l'un des points culminants de Margaux ouverts à tous les vents) et Tayac Plaisance (3,5 ha de vieilles vignes en margaux) à un groupe d'investissement chinois déjà propriétaire depuis 2006 du Ch. Bonneau (26 ha en haut-médoc) et de 500 ha de vignes au nord de la Chine.

Le grenat léger annonce la couleur: ce 2013, comme nombre de vins de cette année, ne sera pas un champion de longévité. Né d'un assemblage privilégiant le merlot (60 %), il a d'autres atouts: son bouquet épicé, qui s'ouvre à l'aération sur des notes de violette et des touches de café; son palais souple et rond, à la finale plus tannique. Un vin expressif, bien présent et harmonieux. ⌛ 2019-2022 🍴 magret de canard aux pêches

⊶ *SCEA VIGNOBLES DES QUATRE VENTS, bois de Campion, 33460 Margaux, tél. 05 56 58 97 90, contact@clos4vents.net* V *t.l.j. sf sam. dim. 9h-12h 13h-17h* E

CH. DAUZAC 2013 ★

■ 5ᵉ cru clas. | 75000 | ◖◗ | 30 à 50 €

82 83 85 86 88 89 (90) 92 93 **95 96 97 98 99** |**00**| 01

|**02**| 03 |**04**| **05** |**06**| |07| |08| 09 10 11 **12** 13

Après des heures glorieuses au XIXᵉs., ce cru a sombré dans la léthargie dans la première moitié du XXᵉs., avant de renaître grâce aux Miailhe, venus de Siran, aux Châtelier, arrivés de Champagne, et enfin, en 1989, à la MAIF qui en a confié la gestion à André Lurton. Depuis 2005, la fille de ce dernier, Christine Lurton Bazin de Caix, est à la tête de ce vignoble de 45 ha d'un seul tenant.

Richement vêtu de pourpre intense, ce vin s'annonce par un bouquet aux notes gourmandes de réglisse et de fruits noirs, avec un soupçon de poivron et de cuir. Frais et d'une bonne complexité, le palais bénéficie de tanins assez solides et épicés, un peu sévères en finale, qui devraient permettre à ce vin d'évoluer dans le bon sens au cours des prochaines annés. ⌛ 2019-2023 🍴 sauté de veau aux cèpes

⊶ *CH. DAUZAC, 1, av. Georges-Johnston, 33460 Labarde, tél. 05 57 88 32 10, c.renaut@chateaudauzac.com* V *t.l.j. 10h-13h 14h-18h* ⊶ *MAIF*

CH. DEYREM VALENTIN 2013 ★

■ Cru bourg. | 24000 | ◖◗ | 15 à 20 €

Si à Margaux beaucoup de petits crus ont disparu, rachetés par des classés, certains vignobles familiaux

LE BORDELAIS

résistent, comme celui-ci, très ancien (1730), qui s'étend sur 15 ha à Soussans. Il est conduit depuis 1972 par Serge Sorge, épaulé par la cinquième génération (ses filles Sylvie et Christelle). Un domaine qui se singularise par un encépagement diversifié.

Au nez, les fruits rouges se teintent de notes mentholées qui s'associent à la réglisse, au lilas et à un côté épicé dans un palais bien structuré. L'ensemble procure une sensation très agréable grâce à ses tanins fondus. Un vin frais et plein de charme, qui plaira à coup sûr dans sa jeunesse et qui devrait bien vieillir. ⧗ 2017-2021 🍷 feuilleté aux cèpes

⊶ SCEA DES VIGNOBLES JEAN SORGE, 1, rue Valentin-Deyrem, 33460 Soussans, tél. 05 57 88 35 70, contact@chateau-deyrem-valentin.com V 🚶 ▮ *r.-v.*

CH. GRAND TAYAC 2013

■	18000	◍ ▮	15 à 20 €

Ancienne propriété familiale ayant plus d'un siècle d'histoire, l'exploitation d'Alain et de Corinne Roses, installés en 1986, est à cheval sur plusieurs appellations: haut-médoc, où se trouve l'essentiel du vignoble, margaux (Ch. Grand Tayac, acquis en 2004) et moulis, où il exploite une petite parcelle.

Situé sur une croupe de graves à Soussans, le vignoble en margaux de la famille Roses couvre près de 5 ha. Son 2013 est un vin souple et équilibré, encore réservé dans son expression aromatique – de la réglisse et du poivron, accompagnés d'un discret boisé grillé. Ce bouquet promet d'être intéressant quand il sera complètement ouvert, dans deux à trois ans. ⧗ 2018-2022 🍷 parmentier de canard

⊶ ALAIN ROSES, EARL Haut-Bellevue, 10, chem. des Calinottes, 33460 Lamarque, tél. 05 56 58 91 64, contact@chateauhautbellevue.fr V 🚶 ▮ *r.-v.*

CH. LA GURGUE 2013 ★

■	30000	◍	20 à 30 €

En partie voisin de Ch. Margaux, ce vignoble de 10 ha installé sur de beaux terroirs de graves profondes appartint successivement à deux maires de Margaux à la fin du XIXes. C'est l'une des propriétés de Claire Villars-Lurton, par ailleurs à la tête de crus classés (Ferrière en margaux, Haut-Bages-Libéral en pauillac). Acquis par sa famille en 1978, il a été remis en état. Les vinifications sont réalisées au Ch. Ferrière.

Annonçant sa jeunesse par sa couleur plutôt sombre, ce 2013 sera à attendre un peu, même s'il se montre déjà intéressant par son bouquet aux arômes de cerise, de caramel, de boîte à cigares et de torréfaction. Au palais on retrouve la même harmonie entre les arômes fruités et un boisé réglissé bien fondu. L'attaque est vive, les tanins apparaissent fins et enrobés et la finale se montre assez longue. ⧗ 2019-2024 🍷 fricassée de canard

⊶ CLAIRE VILLARS-LURTON, 33 bis, rue de la Trémoille, 33460 Margaux, tél. 05 57 88 76 65, infos@ferriere.com V 🚶 ▮ *t.l.j. 10h-17h30*

CH. HAUT-BRETON LARIGAUDIÈRE 2013 ★

■ Cru bourg.	18000	◍ ▮	20 à 30 €

Le Belge Émile De Schepper a investi dans le vignoble bordelais à partir de 1950. En plus de sa maison de négoce (De Mour), la famille exploite aussi aujourd'hui une cinquantaine d'hectares en propre: en Médoc, le Ch. Haut-Breton Larigaudière (margaux), les Ch. Tayet et Lacombe Cadiot (bordeaux supérieur); en saint-émilion, Tour Baladoz et Croizille.

Dans la famille depuis 1964, ce cru installé à Soussans, avec ses 15 ha répartis dans différents secteurs de l'appellation, est représentatif du vignoble margalais. Son 2013, à forte proportion de cabernet-sauvignon, attire par son bouquet mariant les nuances fumées de l'élevage à la framboise et à la mûre, arômes complétés en bouche par des notes de sous-bois. Plutôt sur le fruit lui aussi, le palais est rond et très suave, long, adossé à des tanins présents mais fins. ⧗ 2019-2024 🍷 côte de bœuf ■ **Ch. Castelbruck 2013 (15 à 20 €; 12000 b.)** : vin cité. ■ **Lady de Mour 2013 (15 à 20 €; 20000 b.)** : vin cité.

⊶ SCEA CH. HAUT-BRETON LARIGAUDIÈRE, 3, rue des Anciens-Combattants, 33460 Soussans, tél. 05 57 88 94 17, contact@de-mour.com V 🚶 ▮ *r.-v.*
⊶ De Schepper

CH. D'ISSAN 2013 ★

■ 3e cru clas.	75000	◍	30 à 50 €

82 **83 85 86 88** 89 90 93 94 95 96 98 99 **00** 01 02 03 |04| |05| |**06**| |07| |08| 09 10 11 **12** 13

Château fort médiéval d'un côté, manoir du XVIIes. de l'autre, ce cru classé marie les styles et les époques avec une réelle harmonie, que l'on retrouve dans le chai et sa charpente en forme de carène de navire. Aux commandes depuis 1945, la famille Cruse – associée depuis 2013 à Jacky Lorenzetti, déjà solidement implanté en Médoc – conduit un vignoble de 50 ha planté sur un beau terroir argilo-graveleux au cœur de l'appellation.

Moins de bouteilles que l'an dernier et une matière plus fine, l'effet millésime est bien là. Néanmoins, le bouquet, encore réservé, est intéressant et prometteur. Dominé par les notes épicées et grillées léguées par un élevage de dix-huit mois en barriques (neuves à 50 %), il développe à l'aération de belles notes de myrtille et de cassis qui s'épanouissent dans un palais ample et harmonieux de bout en bout. ⧗ 2019-2023 🍷 canard aux pêches ■ **Blason d'Issan 2013 (20 à 30 €; 60000 b.)** : vin cité.

⊶ CH. D' ISSAN, BP 5, 33460 Cantenac, tél. 05 57 88 35 91, issan@chateau-issan.com V 🚶 ▮ *r.-v.*

KRESSMANN Grande Réserve 2013

■	n.c.	◍	20 à 30 €

Négoce fondé en 1871 par Édouard Kressmann. Associé en 1967 avec Dourthe pour créer le CVGB, il entre dans le giron du Champenois Alain Thiénot en 2007. Outre ses vins de marque, dont l'historique Kressmann Monopole Dry lancé en 1897, il propose une vaste sélection de crus, dont Latour-Martillac (pessac-léognan), propriété de la famille.

Une jolie présentation pour cette cuvée grenat soutenu, au bouquet subtil, sur les fruits mûrs et la vanille. Tendre, franc et élégant, offrant une finale persistante sur le fruit, le palais montre une structure souple qui permettra d'apprécier cette bouteille prochainement. ⧗ 2017-2021 🍷 tournedos

KRESSMANN, 35, rue de Bordeaux-Parempuyre, CS 80004, 33295 Blanquefort Cedex, tél. 05 56 35 53 00, contact@kressmann.com

CH. LABÉGORCE 2013 ★

	72 800		20 à 30 €

Bel édifice néoclassique s'élevant au milieu de son vignoble, à la sortie de Margaux et en direction de Pauillac, ce cru a bénéficié d'importants investissements depuis son achat par la famille Perrodo en 1989, également propriétaire du Ch. Marquis d'Alesme. La fusion en 2009 avec le Ch. Labégorce Zédé lui a permis de retrouver son vignoble d'origine (70 ha), celui d'avant le partage de 1794. Nathalie Perrodo-Samani a pris les commandes des propriétés familiales en 2006, après le décès de son père Hubert.

Ce 2013 fait suite à un remarquable coup de cœur. Sa robe d'un rouge sombre et intense laisse supposer qu'on va découvrir un vin «bodybuildé»; pourtant, le bouquet surprend par la fraîcheur de ses arômes de fruits noirs et rouges, rehaussés par les notes torréfiées de l'élevage. Cette fraîcheur réapparaît dans un palais ample, harmonieux et finement structuré par des tanins enrobés. La finale laisse le souvenir d'un vin très équilibré, moins dense que le 2012, mais assez étoffé et bien construit. 2019-2024 perdreau en cocotte **Zédé de Labégorce 2013 ★ (15 à 20 €; 47 200 b.)** : un vin à dominante de merlot, assez étoffé et bien équilibré, plaisant par sa complexité aromatique (fruits noirs, sous-bois, café, chocolat). 2018-2021

SC CH. LABÉGORCE, 1, rte de Labégorce, 33460 Margaux, tél. 05 57 88 71 32, contact@labegorce.com r.-v. *Famille Perrodo*

CH. LASCOMBES 2013 ★

2e cru clas.	187 000		75 à 100 €

82 83 **85** (86) **88 89 90 95 96** 97 98 00 **02** 03 **04** |**05**| |**06**| |**07**| |08| **09** (10) **11 12** 13

Fondé au XVe s. par le chevalier Antoine de Lascombes, acquis en 1952 par Alexis Lichine, puis par le négoce Bass & Charrington en 1971, ce cru s'est assoupi jusqu'à son rachat en 2001 par le fonds d'investissement américain Colony Capital. Un grand programme a été mis en place sous la conduite de Dominique Befve, ancien des domaines Rothschild, pour rénover ce vaste vignoble de 118 ha très morcelé. Lascombes, racheté en 2011 par la MACSF, a aujourd'hui retrouvé son rang.

Une belle teinte grenat foncé et un bouquet complexe de fruits rouges (cassis, groseille), de cuir, d'épices et de pain grillé: ce vin sait se présenter. Il sait aussi prolonger le plaisir en retrouvant au palais un bon équilibre entre le fruit et le bois, en harmonie avec des tanins fins, soyeux, déjà agréables. Deux ou trois ans de garde devraient mener ce millésime à son optimum. 2019-2026 magret de canard aux fruits rouges

CH. LASCOMBES, 1, cours de Verdun, 33460 Margaux, tél. 05 57 88 70 66, contact@chateau-lascombes.fr r.-v. *MACSF*

CH. MALESCOT SAINT-EXUPÉRY 2013 ★

3e cru clas.	81 400		30 à 50 €

82 **83 85 86 88** 89 90 **94 95 96 98 99** |**00**| 02 |**03**| |04| |05| |06| |(07)| **08** (09) **10 11** 12 13

Un nom double et prestigieux pour ce cru, la première partie faisant référence à Simon Malescot, conseiller de Louis XIV et propriétaire du domaine à la fin du XVIIe s., et la seconde à l'arrière-grand-père du célèbre aviateur. Doté d'un beau terroir de graves épaisses, jouxtant ceux des châteaux Margaux et Palmer, le vignoble (28 ha) est, depuis 1955, la propriété des Zuger, originaires de Suisse, qui lui ont redonné sa grandeur d'antan.

Ce 2013 offre un bouquet bien ouvert et tout en finesse, où le fruit rouge frais s'allie aux notes toastées et épicées rappelant le séjour de seize mois dans le bois neuf. Puissante en attaque, la bouche se déploie sur des tanins mûrs et soyeux, marquée par les notes grillées et vanillées du merrain qui laissent la place à un beau retour du fruit en finale. Plus svelte que ses devanciers mais très équilibré, ce 2013 joue sur la finesse. Une petite garde lui permettra d'arrondir sa finale. 2019-2023 côte de bœuf

SCEA CH. MALESCOT SAINT-EXUPÉRY, 33460 Margaux, tél. 05 57 88 97 20, malescotsaintexupery@malescot.com r.-v.

CH. MARGAUX 2013 ★★

1er cru clas.	n.c.		+ de 100 €

61 70 71 75 78 **79** 80 **81** |(82)| **83 84** |**85**| |**86**| **87** |**88**| |**89**| |**90**| **91 92** |**93**| |**94**| |(95)| |(96)| |**97**| |(98)| |(99)| |(00)| |**01**| |**02**| |**03**| **04** (05) (06) **07** (08) (09) (10) **11** (12) **13**

Un mythe dressé au bout d'une longue allée de platanes. La majesté de la demeure de style néopalladien (bâtie en 1810), qui a succédé à une ancienne maison forte appartenant à de grandes familles de la région, a contribué à sa renommée. Le domaine est constitué à la fin du XVIe s., et le vignoble créé à la fin du siècle suivant par un parent des Pontac. Passé entre plusieurs mains au fil des siècles, il est acquis en 1977 par André Mentzelopoulos (Felix Potin). Drainage, replantations, tonnellerie intégrée... une vaste rénovation du domaine est engagée, à la vigne, au chai et au château, et fait entrer le cru dans l'ère moderne. Le nouveau chai, œuvre de Norman Foster, a été inauguré en 2015. Le vignoble de 99 ha doit aussi sa qualité à son terroir d'exception, une vaste et superbe dalle calcaire recouverte de graves fines. Il est conduit depuis 1980 par Corinne Mentzelopoulos, fille d'André, qui a pu compter pendant plus de trente ans sur Paul Pontallier, entré en 1983 au château et devenu directeur en 1990: une carrière, une vie, au service du plus illustre des margaux, qui s'est hélas achevée prématurément en mars 2016.

Le retard au débourrement, puis un temps arrosé durant la période de floraison ont affecté la fructification et les rendements. La maturation a été tardive, malgré un bel été. Les menaces de pourriture à la fin septembre ont précipité les vendanges, qui se sont déroulées du 30 septembre au 11 octobre. Une décennie de progrès dans la réception et le tri des raisins a permis au vin de

LE BORDELAIS

garder un excellent potentiel, même si sa concentration est moindre que dans des millésimes plus favorisés – les vinificateurs ont préféré miser sur la finesse. Même dans un millésime difficile comme 2013, le Ch. Margaux garde une robe profonde. En revanche, le nez reste peu expansif, livrant d'abord une touche végétale et des notes de chêne neuf. À l'aération, ce boisé s'épanouit en des nuances complexes de café cappuccino, de cacao, et le fruit perce – de la prune noire, du cassis, enrobés de ce merrain flatteur. Après une attaque d'une grande vivacité, le palais se développe avec élégance, fraîcheur et persistance, bâti sur des tanins serrés mais soyeux jusqu'à une finale marquée par un plaisant retour épicé. Sa structure fine pourrait permettre d'apprécier ce vin dans cinq ans, mais sa tension favorisera une bonne garde, qui signe les Ch. Margaux. ⧗ 2020-2028 🍷 filet de bœuf en croûte

SCA DU CH. MARGAUX, BP 31, 33460 Margaux, tél. 05 57 88 83 83, chateau-margaux@chateau-margaux.com

PAVILLON ROUGE DU CH. MARGAUX 2013 ★★

■ | n.c. | ◍ | + de 100 €

82 83 84 85 86 88 89 90 93 95 96 97 98 |**99**| |**00**| |01| |02| |**03**| |04| **05 06** |07| |08| **09 10 11 12 13**

Le deuxième vin de château Margaux. Apparu au XIXᵉs., il prend son nom définitif en 1908 et n'est plus produit à partir des années 1930 jusqu'à l'arrivée d'André Mentzelopoulos en 1977. Il n'a cessé de croître afin d'améliorer la qualité du «premier»: il est issu des vins non retenus, lors des assemblages, pour le grand vin. Depuis quelques années, la sélection d'un troisième vin vient renforcer la qualité du Pavillon.

En 2013, le Pavillon rouge est réduit à la portion congrue – 21 % de la récolte, la plus faible quantité jamais produite. En effet, les exigences qualitatives ont été accrues pour ce «second vin» qui a tout d'un grand, et des retards de maturation ont affecté nombre de parcelles: la matière première de qualité s'est faite rare, de nombreux raisins alimentant le troisième vin – et même un quatrième. L'assemblage privilégie largement le cabernet-sauvignon (84 %), le merlot, affecté par la coulure, ayant eu des rendements très faibles. En définitive, le vin offre un bouquet plaisant et élégant, entre cerise macérée et délicat boisé vanillé aux accents de tabac. On perçoit aussi une petite touche végétale (le souffle humide de l'automne sur les cabernets). L'attaque est nerveuse, sur les fruits rouges, et la vivacité tient la bouche jusqu'en finale. Les tanins souples, à peine plus fermes en finale, traduisent une extraction mesurée et la finale laisse une impression d'élégance. Encore en devenir, ce vin jeune et svelte pourra paraître à table avant plusieurs de ses aînés. ⧗ 2018-2024 🍷 faisan rôti

SCA DU CH. MARGAUX (PAVILLON ROUGE), BP 31, Margaux, tél. 05 57 88 83 83, chateau-margaux@chateau-margaux.com

CH. MARQUIS D'ALESME 2013 ★

■ 3ᵉ cru clas. | 31400 | ◍ 🛢 | 30 à 50 €

96 97 99 00 01 03 |04| |05| |**07**| |08| **09 10 11 12** 13

Commandé par un vaste château de style néo-Louis XIII se dressant au cœur de Margaux, ce domaine de 15 ha est le cru phare des vignobles Perrodo, également propriétaires de Labégorce. Acquis en 2006, il est dirigé par Nathalie Perrodo (fille d'Hubert, décédé l'année du rachat) et Marjolaine de Coninck, directrice générale (ancienne responsable de Fonplégade à Saint-Émilion).

Si le 2013 est un peu en retrait par rapport à la remarquable série de millésimes précédents, il montre de solides qualités et un potentiel au-dessus de la moyenne pour l'année. Sa robe grenat profond donne le ton. Intense, frais et racé, le bouquet poursuit dans la même ligne, riche en fruits rouges épicés et vanillés. L'attaque ample introduit un palais assez charnu et gras, soutenu par le bois et par une trame de tanins encore fougueux. Un vin de garde qui demande à s'affiner en cave. ⧗ 2021-2027 🍷 civet de sanglier

SC CH. LABÉGORCE, 1, rte de Labégorce, 33460 Margaux, tél. 05 57 88 71 32, contact@marquis.wine.com V 🚶 ❗ *r.-v.* *Famille Perrodo*

♥ CH. MARQUIS DE TERME 2013 ★★

■ 4ᵉ cru clas. | 48000 | ◍ 🛢 | 30 à 50 €

82 ⓼⓷ **85 86 89** 90 93 **94 95** 96 97 **98** 99 (00) 01 02 03 04 |**05**| 06 |**08**| **09 10 11 12 13**

À cheval sur les communes de Margaux et de Cantenac, ce cru fondé en 1762 est propriété de la famille Sénéclauze depuis 1935. Aux commandes du vignoble de 40 ha, un nouveau directeur depuis 2009, Ludovic David, ingénieur agronome qui a fait ses armes dans le Libournais, chez Bernard Magrez.

Prenant la suite d'un coup de cœur, ce 2013 est de la même veine, bien que l'année, avec son retard de maturité et sa météo chaotique au moment des vendanges, ait constitué un défi. Le directeur s'est félicité des derniers investissements en matière de réception de la vendange et de tri, et des méthodes de vinification plus douces. La dégustation à l'aveugle confirme la qualité de ce vin: à une robe grenat soutenu répond un bouquet tout aussi profond, alliant le raisin mûr, les baies noires, la prune et un fin boisé épicé et toasté. Le charme reste entier au palais, construit sur des tanins soyeux. Si sa rondeur et sa chair rendent cette bouteille déjà harmonieuse, elle mérite un séjour en cave. ⧗ 2019-2026 🍷 côte de bœuf ■ **Fleur de Marquis de Terme 2013 (20 à 30 €; 10000 b.)** : vin cité.

CH. MARQUIS DE TERME, 3, rte de Rauzan, BP 11, 33460 Margaux, tél. 05 57 88 30 01, mdt@chateau-marquis-de-terme.com V 🚶 ❗ *r.-v.* *Sénéclauze*

CH. MONBRISON 2013

■ | 40000 | ◍ | 20 à 30 €

Acquis en 1922 par l'Américain Robert M. David, ce cru fondé au XVIIIᵉs. et commandé par une élégante gentilhommière a été remis sur les rails dans les années 1980 par son petit-fils Jean-Luc Vonderheyden (disparu en 1992). Le frère de ce

dernier, Laurent, conduit aujourd'hui un vignoble de 15 ha d'un seul tenant, au sud de Margaux.

Ce millésime intéresse par son bouquet flatteur et frais, où le fruit est bien présent, associé à des notes florales et mentholées. Le palais ne déçoit pas, ample, bien équilibré, de bonne longueur, construit sur des tanins savoureux et enrobés. L'élevage ressort dans une finale encore ferme. ⧗ 2019-2022 ¥ sauté de bœuf

CH. MONBRISON, 1, allée de Monbrison, 33460 Arsac, tél. 05 56 58 80 04, lvdh33@wanadoo.fr r.-v.

CH. MONGRAVEY 2013 ★

■ Cru bourg.	76 000		20 à 30 €

Créée en 1981 par Régis Bernaleau à partir de parcelles achetées sur le plateau d'Arsac, cette petite propriété, qui résiste à la pression de l'urbanisation et à l'expansionnisme de certains crus classés, étend ses vignes sur 13 ha.

Encore un peu marqué par le bois, ce vin montre qu'il possède le potentiel pour évoluer favorablement: son bouquet s'ouvre à l'aération sur des notes complexes et élégantes de fumée, d'épices, de fruits noirs et de noix de cajou. Rond et tout aussi gourmand avec ses arômes de noyau, le palais révèle une bonne structure et une finale assez longue, pour l'heure un peu austère. ⧗ 2019-2023 ¥ pigeon rôti

SARL MONGRAVEY, 8, av. Jean-Luc-Vonderheyden, 33460 Arsac, tél. 05 56 58 84 51, chateau.mongravey@wanadoo.fr V r.-v. Bernaleau

CH. MOUTTE BLANC 2013

■	2200		20 à 30 €

À la tête d'un petit domaine de 5,5 ha dans le haut Médoc, en amont de Margaux, Patrice de Bortoli a un faible pour le petit verdot, cépage exclusif de sa cuvée Moisin en bordeaux supérieur, bien présent également dans sa cuvée principale. On retrouve aussi régulièrement le domaine en haut-médoc. Depuis 2007, date du classement d'une petite parcelle de 40 ares de merlot, le vigneron propose aussi du margaux.

Un joli vin au bouquet assez complexe et frais, mariant le sous-bois et les notes réglissées et toastées de la barrique (dix-huit mois). Le palais, bien structuré, est agréable par sa douceur, ses arômes de fruits rouges finement boisés, sa mâche et sa finale de bonne longueur. ⧗ 2018-2021 ¥ côte de veau

PATRICE DE BORTOLI, Ch. Moutte Blanc, 6, imp. de la Libération, 33460 Macau, tél. 06 03 55 83 38, moutteblanc@wanadoo.fr V r.-v.

CH. PALMER 2013 ★★

■ 3e cru clas.	n.c.		+ de 100 €

82 83 84 **85** (86) **88 89 90 91 92 93 94** |**95**| **96 97 98** |**99**| |**00**| |**01**| |**02**| |**03**| |04| |**05**| **06 07 08 09** (10) **11 12 13**

L'histoire veut que le général britannique Charles Palmer ait, lors d'un voyage en France en 1814, succombé au charme de Marie de Gascq, qui cherchait preneur pour son cru médocain... Palmer était né. Suivent en 1853 les frères Pereire, banquiers influents qui édifient le château actuel et développent le vignoble, puis, à partir de 1938, les familles Mähler-Besse, Sichel, Miailhe et Ginestet (ne restent plus que les deux premières). Géré depuis 2004 par Thomas Duroux, ce 3e cru classé, souvent considéré comme un «super-second», étend ses 55 ha sur les moutonnements de Cantenac.

Le Ch. Palmer 2013 assemble merlot (49 %) et cabernet-sauvignon presque à parité. En raison des vendanges sous une météo humide, seul un tiers de la production a été retenu pour ce grand vin, et les équipes ont choisi le registre de l'élégance, en évitant la surextraction. Il en résulte un bouquet bien ouvert sur le fruit – des petits fruits frais rouges et noirs –, rehaussé d'un fin boisé. On retrouve un fruit gourmand dans un palais frais, charpenté, ferme et persistant. ⧗ 2019-2024 ¥ filet de chevreuil rôti ■ **Alter Ego 2013 (50 à 75 €; n.c.)** : vin cité.

SC CH. PALMER, lieu-dit Issan, 33460 Cantenac, tél. 05 57 88 72 72, chateau-palmer@chateau-palmer.com r.-v. Sichel et Mähler-Besse

CH. PAVEIL DE LUZE 2013

■ Cru bourg.	160 000		15 à 20 €

Remontant au XVIIes., un vaste château possédant une roseraie et un vignoble de 32 ha d'un seul tenant, implanté sur les graves garonnaises du plateau de Soussans. Le baron Alfred de Luze a acquis en 1862 la propriété, gérée depuis 2004 par un de ses descendants, Frédéric de Luze.

Une robe plutôt légère, un bouquet aux discrètes notes de petits fruits noirs soulignés de vanille, une bouche équilibrée aux tanins déjà assouplis, plus resserrés en finale, où le fruit s'exprime: tout indique que ce 2013 pourra être apprécié jeune. ⧗ 2018-2021 ¥ épaule d'agneau

FRÉDÉRIC DE LUZE, SC du Ch. Paveil, 3, chem. du Paveil, 33460 Soussans, tél. 09 75 64 57 97, contact@chateaupaveildeluze.com V t.l.j. sf dim. lun. 9h30-12h30 14h-18h

CH. POUGET 2013 ★

■ 4e cru clas.	18 000		30 à 50 €

85 86 88 89 90 92 94 95 96 97 98 99 |00| |**01**| |02| |03| |04| |05| |06| |07| |08| 09 10 11 12 13

Réputé de longue date pour ses vins – le maréchal-duc de Richelieu en vantait les vertus au XVIIIes. (son blason est toujours apposé sur l'étiquette) –, ce domaine de 10 ha est entré dans la famille Guillemet (Boyd-Cantenac) en 1906. Lucien Guillemet est aux commandes depuis 1996.

La robe soutenue, tirant sur le noir, inspire confiance. Le bouquet exprime un bon boisé toasté, torréfié et vanillé hérité d'un élevage sous lequel commence à percer les petits fruits des bois. Un fruité qui s'épanouit en bouche, sur des notes de cassis. Porté par de fins tanins, le palais affiche une certaine grâce; on sent la présence du raisin mûr. Une extraction bien menée pour cette bouteille élégante, qui offre le profil classique d'un bon margaux. ⧗ 2020-2026 ¥ entrecôte grillée

⊶ SCE CH. BOYD-CANTENAC (CH. POUGET), 11, rte de Jean-Faure, 33460 Cantenac, tél. 05 57 88 90 82, guillemet.lucien@wanadoo.fr r.-v. ⊶ Famille Guillemet

CH. RAUZAN-GASSIES 2013

■ 2e cru clas.	n.c.		30 à 50 €

93 94 96 **97** 98 99 **00 01** 02 03 |05| |06| |07| |08| 09 **10** 11 12 13

Ancien fief de la seigneurie de l'actuel château Margaux, la maison noble de Gassies fut acquise au XVIIes. par Pierre de Rauzan. Le domaine fut scindé en deux sous la Révolution, donnant ainsi Rauzan-Gassies et Rauzan-Ségla. Propriété de la famille Quié (Croizet Bages à Pauillac) depuis 1946, ce cru de 25 ha est aujourd'hui dirigé par Jean-Michel Quié et ses enfants Anne-Françoise et Jean-Philippe.

Résolument classique, ce 2013 équilibré comblera l'amateur de vins fruités et expressifs avec ses arômes de cerise et de framboise, relevés des notes d'épices et de moka laissées par un élevage de douze mois en barrique. Ample en attaque, le palais s'appuie sur des tanins serrés, encore stricts en finale, marqués par les notes de torréfaction du merrain. ⧗ 2019-2024 ▼ pièce de bœuf rôtie

⊶ CH. RAUZAN-GASSIES, 1, rue Alexis-Millardet, 33460 Margaux, tél. 05 57 88 71 88, rauzangassies@domaines-quie.com r.-v. ⊶ Jean-Michel Quié

CH. RAUZAN-SÉGLA 2013 ★

■ 2e cru clas.	85 000		50 à 75 €

82 **83 85** (86) **88 89 90** 91 **92 93 94 95** (96) **97** (98) **99** |(00)| |**01**| |**02**| 03 04 **05** |**06**| |**07**| **08 09 10 11 12** 13

L'un des crus les plus anciens de Margaux, créé en 1661 par Pierre de Rauzan. Cet ancien fief de la seigneurie de château Margaux fut scindé en deux sous la Révolution, donnant Rauzan-Gassies et Rauzan-Ségla. Quelque peu endormi au cours du XXes., le domaine (une mosaïque de 70 ha aujourd'hui) s'est «réveillé» à partir de 1994, date de sa reprise par la famille Wertheimer (Chanel), qui a beaucoup investi, tant au château qu'à la vigne et au chai. Depuis, Rauzan-Ségla a retrouvé son rang, d'abord sous la direction de John Kolasa, aujourd'hui à la retraite, puis sous celle de Nicolas Audebert, revenu d'Argentine et du Cheval des Andes (LVMH) pour s'occuper des vignobles du groupe Chanel.

D'une couleur sombre engageante, ce vin fait preuve de finesse dans son expression aromatique, associant de délicats parfums de fruits noirs et un puissant boisé légué par un séjour de dix-huit mois en barrique. Le fruité s'épanouit dans un palais gras et rond, qui monte en puissance pour déboucher sur une longue finale marquée par un retour du merrain. Les tanins à la fois solides et enjôleurs procurent un réel plaisir. ⧗ 2019-2026 ▼ pièce de bœuf rôtie ■ **Ch. Ségla 2013 ★ (20 à 30 €; 90 000 b.)** : élevé un peu moins longtemps en barrique (quinze mois), un second vin au bouquet de fruits bien mûrs, distingué et tannique. Encore jeune, il devrait bien vieillir. ⧗ 2019-2023

⊶ CH. RAUZAN-SÉGLA, rue Alexis-Millardet, 33460 Margaux, tél. 05 57 88 82 10, contact@rauzan-segla.com r.-v. ⊶ Chanel

CH. TAYAC 2013 ★

■	90 000		15 à 20 €

Anciennement rattaché au château Desmirail, le cru date de 1891 et s'étend aujourd'hui sur 37 ha sur des croupes graveleuses à Soussans complantées classiquement de cabernet-sauvignon majoritaire, de merlot et de petit verdot. La quatrième génération est aux commandes.

Nez discret, partagé entre fruits rouges, mûre et boisé vanillé et grillé, bouche dans le même registre, franche et souple en attaque, d'une puissance tannique mesurée mais bien construite: un 2013 bien fait, traduisant une extraction raisonnée et un élevage conduit avec une recherche constante de la finesse. ⧗ 2018-2021 ▼ entrecôte grillée

⊶ SC CH. TAYAC, 5, rue des Chais, lieu-dit Tayac, 33460 Soussans, tél. 05 57 88 33 06, chateau.tayac@wanadoo.fr t.l.j. sf sam. dim. 8h30-12h30 13h30-17h30

MOULIS-EN-MÉDOC

Superficie : 630 ha / Production : 23 830 hl

Ruban de 12 km de long sur 300 à 400 m de large, moulis est la moins étendue des appellations communales du Médoc. Elle offre pourtant une large palette de terroirs.
Comme à Listrac, ceux-ci forment trois ensembles. À l'ouest, près de la route de Bordeaux à Soulac, le secteur de Bouqueyran présente une topographie variée, avec une crête calcaire et un versant de graves anciennes (pyrénéennes). Au centre, une plaine argilo-calcaire prolonge celle de Peyrelebade (voir listrac-médoc). Enfin, à l'est et au nord-est, près de la voie ferrée, se développent des croupes de graves du Günz (graves garonnaises) qui constituent un terroir de choix. C'est dans ce dernier secteur que se trouvent les buttes réputées de Grand-Poujeaux, Maucaillou et Médrac.
Charnus, les moulis se caractérisent par leur caractère suave et délicat. Tout en étant de garde (sept à huit ans), ils peuvent s'épanouir un peu plus rapidement que les vins des autres appellations communales.

CH. BRANAS GRAND POUJEAUX 2013

■ Cru bourg.	28 627		20 à 30 €

02 03 **04** (05) **06** |07| |08| (09) **10** 11 **12** 13

Ce cru confortablement établi sur 12 ha de graves garonnaises, entre les prestigieux châteaux Chasse-Spleen et Poujeaux, a été repris en 2002 par Justin Onclin (également propriétaire de Villemaurine à Saint-Émilion). Ce dernier, aussi méticuleux à la vigne qu'au chai, y a beaucoup investi et en a fait un domaine très régulier en qualité.

Équilibré et charmeur, un vin à boire en attendant l'excellent millésime précédent, et nombre de ses aînés, salués pour leur structure. Si son étoffe est svelte, ce 2013 sait se rendre sympathique par son bouquet naissant, où le fruit s'allie à la torréfaction, et par son palais aimable, aux tanins ronds et fondus, montrant une agréable suavité en finale. ⧗ 2017-2020 🍴 terrine de foies de volaille

CH. BRANAS GRAND POUJEAUX, lieu-dit Grand-Poujeaux, 33480 Moulis-en-Médoc, tél. 05 56 58 93 30, contact@branasgrandpoujeaux.com
Justin Onclin

CH. CHEMIN ROYAL 2013

■ Cru bourg. | 21000 | | 11 à 15 €

«Fonréaud», autrefois «Font-réaux», signifie «fontaine royale»: la légende veut qu'au XIIe s., le roi d'Angleterre, époux d'Aliénor d'Aquitaine, Henri II Plantagenêt, se soit arrêté en ces lieux pour se désaltérer à une source. Le domaine a été acquis en 1962 par Léo Chanfreau, viticulteur rapatrié d'Algérie, dont le fils Jean et son épouse Marie-Hélène sont aux commandes depuis 1981. Le vignoble couvre 45 ha en listrac (Fonréaud), moulis (Chemin Royal, Clos des Demoiselles) et bordeaux blanc (Cygne de Fonréaud).

S'il n'entend pas jouer les athlètes, ce 2013 à dominante de merlot (60 %) se montre fort agréable par son bouquet discret de fruits rouges, d'épices et de torréfaction, comme par son palais, soutenu par de gentils petits tanins bien fondus et par une belle fraîcheur. Un vin harmonieux. ⧗ 2017-2020 🍴 côte de veau aux cèpes

SC CH. FONRÉAUD, 33480 Listrac-Médoc, tél. 05 56 58 02 43, contact@vignobles-chanfreau.com t.l.j. 9h-12h 14h-17h; sam. dim. sur r.-v.
Famille Chanfreau

CH. GALLAND 2013 ★

■ | 5000 | | 15 à 20 €

Créée en 1981 par Régis Bernaleau à partir de parcelles achetées sur le plateau d'Arsac, cette petite propriété, qui résiste à la pression de l'urbanisation et à l'expansionnisme de certains crus classés, étend ses vignes sur 13 ha.

Outre son vignoble de margaux, ce producteur exploite une parcelle de 90 ares en moulis. En dépit de sa faible superficie, ce vignoble n'a pas été négligé dans ce millésime difficile: la robe sombre de ce 2013 en témoigne, de même que son bouquet, d'une bonne intensité, partagé entre les petits fruits noirs et les notes vanillées et grillées du merrain. Souple et fin, bien soutenu par le boisé, le palais achève de convaincre par son bon développement, sa rondeur et sa persistance. ⧗ 2017-2020 🍴 vieux gouda

SARL MONGRAVEY, 8, av. Jean-Luc-Vonderheyden, 33460 Arsac, tél. 05 56 58 84 51, chateau.mongravey@wanadoo.fr r.-v.
Bernaleau

CH. LA GARRICQ 2013 ★

■ Cru bourg. | 13000 | | 15 à 20 €

Complément moulisien du Ch. Paloumey (haut-médoc) acquis en 1993 par Martine Cazeneuve, ce cru, jadis appelé Ch. des Graves de Guitignan Brillette, bénéficie d'un beau terroir, avec des graves garonnaises et une couche argilo-marneuse reposant sur un lit de pierres.

D'un grenat limpide, ce moulis aromatique mêle les fruits noirs aux épices (musc). Rond et fruité en bouche, il dévoile une matière fine et serrée et montre une belle persistance. D'un potentiel supérieur à la moyenne, il mérite une petite garde pour arrondir sa finale. ⧗ 2018-2022 🍴 fricassée de canard

CH. PALOUMEY (CH. LA GARRICQ), 50, rue Pouge-de-Beau, 33290 Ludon-Médoc, tél. 05 57 88 00 66, info@chateaupaloumey.com t.l.j. sf dim. 10h-18h

CH. GRANINS GRAND POUJEAUX 2013

■ | 30000 | | 11 à 15 €

Créé par Édouard Batailley en 1922, le château est conduit par la troisième génération depuis 1993. Maryline et Pascal Bodin y exploitent 13 ha de graves garonnaises caractéristiques du secteur de Poujeaux.

Une illustration de l'effet millésime: ce 2013 succède à un 2012 élu coup de cœur pour sa bonne structure (entre autres atouts). Celui-ci offre une belle image d'une année moins favorisée: simple mais plaisant, il sera à boire jeune; on appréciera ainsi pleinement l'élégance de son expression aromatique (fruits mûrs soulignés des notes grillées et torréfiées de la barrique), l'équilibre de sa structure et le velours de ses tanins. ⧗ 2017-2020 🍴 onglet à l'échalote

SCEA GRANINS GRAND POUJEAUX, 18, chem. de l'Ancienne-École, Grand-Poujeaux, 33480 Moulis-en-Médoc, tél. 05 56 58 05 82, contact@chateau-granins.fr r.-v. Bodin

CH. HAUT-BELLEVUE 2013

■ | 3200 | | 11 à 15 €

Ancienne propriété familiale ayant plus d'un siècle d'histoire, l'exploitation d'Alain et de Corinne Roses, installés en 1986, est à cheval sur plusieurs appellations: haut-médoc, où se trouve l'essentiel du vignoble, margaux (Ch. Grand Tayac, acquis en 2004) et moulis, où il exploite une petite parcelle.

Fin et frais, le bouquet est engageant avec ses parfums de fruits rouges nappés de vanille et d'épices douces. Alerte, souple et ronde, l'attaque reste dans ce registre gourmand, puis le palais monte en puissance, dévoilant une texture corsée et onctueuse. La finale grillée, plaisante, reflète un élevage en fût maîtrisé. ⧗ 2018-2021 🍴 gâteau au chocolat

ALAIN ROSES, EARL Haut-Bellevue, 10, chem. des Calinottes, 33460 Lamarque, tél. 05 56 58 91 64, contact@chateauhautbellevue.fr r.-v.

CH. LAGORCE BERNADAS 2013 ★

■ | 14000 | | 11 à 15 €

Petit cru (2,3 ha) créé ex nihilo en 1986, sur la croupe de graves de Lagorce, par Martine Vallette (née Bernardas) et son époux Jean-Marie, déjà repérés en Bergeracois (Ch. Roque-Peyre). Sa taille réduite n'empêche pas le vignoble de posséder un encépagement diversifié avec un peu de petit verdot.

Dans une «année de vigneron», ce vin artisan s'est bien défendu, élaborant avec soin un vin fin et délicat. Bien dans l'esprit des moulis modernes, ce 2013 pourra être apprécié sans trop attendre, grâce à son bouquet expressif mariant avec bonheur les fruits noirs mûrs aux notes vanillées du merrain, puis à sa bouche tout aussi fruitée et ronde, portée par des tanins déjà soyeux. ⧗ 2017-2021 🍴 tournedos grillé

⊶ MARTINE ET JEAN-MARIE VALLETTE, lieu-dit Roque, 33220 Fougueyrolles, tél. 06 16 11 02 14, lagorcebernadas@orange.fr V r.-v.

CH. LALAUDEY 2013

■ Cru bourg.	60000	⦀	15 à 20 €

Patrick Meynard est propriétaire de deux crus en moulis: le Ch. Lalaudey, acquis en 2007, qui s'étend sur 17 ha, implanté pour l'essentiel sur la partie la plus haute de l'appellation, à la limite de Castelnau; le Ch. Pomeys (8 ha), un domaine de notoriété fort ancienne, acheté en 2008.

Tout en rondeur, ce moulis, qui a bénéficié d'un élevage maîtrisé et bien dosé, sera agréable à boire jeune. Le bouquet fruité et boisé se montre séduisant par sa finesse et sa complexité. Dans une belle continuité, le palais évolue avec rondeur et élégance. Un vin pour maintenant. ⧗ 2017-2019 🍴 tourte aux cèpes

⊶ SCEA VIGNOBLES LALAUDEY ET POMEYS, rte de Pomeys, 33480 Moulis-en-Médoc, él. 05 57 88 57 57, lalaudey@chateau-lalaudey.fr V t.l.j. sf sam. dim. 9h-12h 14h-17h
⊶ Patrick Meynard

CH. MALMAISON
Baronne Nadine de Rothschild 2013

■	40000	⦀	15 à 20 €

Edmond de Rothschild – arrière-petit-fils de James, qui fit entrer Lafite dans la famille en 1868 – a acquis en 1973 le Ch. Clarke, en listrac, et le Ch. Malmaison, en moulis, avant de fonder la Compagnie vinicole Baron Edmond de Rothschild, propriétaire de plusieurs crus en Bordelais et dans le Nouveau Monde.

Un vignoble d'une trentaine d'hectares voisin de Clarke (Listrac), à forte composante de merlot. Si son vin n'entend pas rivaliser avec son homologue listracais, il ne manque pas d'arguments: une belle teinte rubis; un bouquet de fruits rouges bien mûrs rehaussé des notes épicées de la barrique; une bouche bien équilibrée, fraîche et ronde, construite sur de petits tanins fondus et marquée par un joli retour du fruit en finale. ⧗ 2018-2020 🍴 canette rôtie aux cerises

⊶ COMPAGNIE VINICOLE BARON EDMOND DE ROTHSCHILD (CH. MALMAISON), 33480 Listrac-Médoc, tél. 05 56 58 38 00, contact@crer.fr V t.l.j. sf sam. dim. 8h30-11h30 13h30-16h30

CH. MAUCAILLOU 2013 ★

■	280000	⦀	15 à 20 €

Un cru phare de Moulis, fondé en 1875 aux lieux-dits Caubet et Maucaillou – «mauvais caillou», une croupe de graves impropre à la culture céréalière pour les paysans du Moyen Âge, mais propice à la vigne. Fief de la famille Dourthe depuis 1929, ce domaine est passé de 3,5 ha à cette époque à 90 ha aujourd'hui. Philippe Dourthe, l'actuel propriétaire, en a confié la gestion à ses trois enfants.

Si la robe de ce 2013 montre dans sa robe des reflets brique d'évolution, ses parfums de petits fruits rouges et noirs, de sous-bois, d'épices et de café lui donnent une réelle personnalité. Le palais est tout aussi plaisant: rond et fruité en attaque, il se montre équilibré, assez consistant, étayé par de fins tanins. ⧗ 2018-2021 🍴 fricassée de canard aux olives

⊶ CH. MAUCAILLOU, quartier de la Gare, 33480 Moulis-en-Médoc, tél. 05 56 58 01 23, chateau@maucaillou.com V t.l.j. 10h-12h30 14h-18h ⑤

CH. MOULIN À VENT 2013 ★

■ Cru bourg.	48000	⦀	15 à 20 €

Situé sur le coteau qui ferme les appellations moulis et listrac à l'ouest, ce cru de 22 ha est commandé par une élégante chartreuse. Il appartient à la société Bordeaux Vineam, qui exploite en tout 250 ha dans plusieurs vignobles du Bordelais et en Bergeracois. Une affaire créée par les frères Yi Zhu et Hongtao You, l'un Chinois, l'autre Canadien, qui ont fait fortune dans la pharmacie. Elle est dirigée par une équipe d'œnologues avec à sa tête Jean-Baptiste Soula.

Un moulis à forte composante de merlot. Reflet du millésime, il montre quelques notes d'évolution dans sa robe intense et brillante. Le bouquet se dévoile à l'aération sur des touches de fruits rouges, de poivre, de tabac et de cuir. Un boisé aux nuances d'épices (clou de girofle) s'invite dans un palais soutenu par des tanins délicats mais assez serrés, qui permettront à cette bouteille de bien évoluer. ⧗ 2018-2022 🍴 épaule d'agneau

⊶ SCA MOULIN À VENT, Ch. Moulin à Vent, 33480 Moulis-en-Médoc, tél. 05 56 58 15 79, moulin@moulin-a-vent.com V t.l.j. sf sam. dim. 9h-12h 14h-17h; f. août

CH. POUJEAUX 2013 ★

■	n.c.	⦀	30 à 50 €

82 83 85 (86) 87 88 89 90 93 94 95 96 97 98 99 00 01 02 03 04 |**05**| |**06**| 07 |**08**| **09 10** 11 12 13

Oublié du classement de 1855, Moulis étant resté longtemps un pays de céréaliculture, ce cru figure néanmoins parmi les plus réputés du Médoc. Ancienne seigneurie dépendante de Latour Saint-Maubert, futur Ch. Latour, il connaît un essor dans les années 1920 avec la famille Theil, qui unifia le vignoble – aujourd'hui 68 ha d'un seul tenant sur le beau terroir de graves de Grand-Poujeaux – et porta le domaine au sommet de l'appellation. Depuis 2008, il appartient à Philippe Cuvelier, propriétaire du Clos Fourtet (1er grand cru classé de Saint-Émilion), qui maintient haut l'exigence de qualité.

Ce 2013 à la robe intense et limpide se montre d'abord réservé, laissant percer à l'aération un fruit rouge épicé. Une attaque suave ouvre sur un palais rond, aimable et long, au boisé bien fondu et aux tanins veloutés. Une bouteille que l'on pourra déguster dans sa jeunesse. ⧗ 2017-2021 🍴 pigeon rôti

PHILIPPE CUVELIER, SCEA Ch. Poujeaux, 33480 Moulis-en-Médoc, tél. 05 56 58 02 96, contact@chateau-poujeaux.com V r.-v.

PAUILLAC

Superficie : 1 215 ha / Production : 53 215 hl

À peine plus peuplé qu'un gros bourg rural, Pauillac est une vraie petite ville, agrémentée d'un port de plaisance sur la route du canal du Midi. C'est un endroit où il fait bon déguster, à la terrasse des cafés sur les quais, les crevettes fraîchement pêchées dans l'estuaire. C'est aussi, et surtout, la capitale du Médoc viticole, tant par sa situation géographique au centre du vignoble, que par la présence de trois 1ers crus classés (Lafite, Latour et Mouton) complétés par une liste assez impressionnante de quinze autres crus classés. La commune compte aussi une coopérative qui assure une production importante.

L'aire d'appellation est coupée en deux en son centre par le chenal du Gahet, petit ruisseau séparant les deux plateaux qui portent le vignoble. Celui du nord, qui doit son nom au hameau de Pouyalet, se distingue par une altitude légèrement plus élevée (une trentaine de mètres) et par des pentes plus marquées. Détenant le privilège de posséder deux 1ers crus classés (Lafite et Mouton), il se caractérise par une parfaite adéquation entre sol et sous-sol, que l'on retrouve aussi dans le plateau de Saint-Lambert, au sud du Gahet. Ce dernier bénéficie de la proximité du vallon du Juillac, petit ruisseau marquant la limite méridionale de la commune, qui assure un bon drainage, et de ses graves de grosse taille, particulièrement remarquables sur le terroir du 1er cru de ce secteur, Château Latour. Provenant de croupes graveleuses très pures, les pauillac allient la puissance et la charpente à l'élégance et à la délicatesse de leur bouquet. Comme ils évoluent très heureusement au vieillissement (jusqu'à vingt-cinq ans), il convient de les attendre.

CH. D'ARMAILHAC 2013 ★

■ 5e cru clas. | n.c. | | 30 à 50 €

82 83 84 85 (86) **87 88 89 90** 92 **93** 94 **95** 96 97 **98** 99 |00| |01| |**02**| |03| |04| |**05**| |06| |07| 08 **09 10 11** 12 13

Ce vignoble ancien – on en trouve la trace dès le XVIIe s. – couvre 70 ha au nord de Pauillac, sur trois groupes de parcelles. Voisin de Mouton Rothschild, ce qui ne l'empêche pas d'affirmer sa propre personnalité, il appartient lui aussi à la baronnie depuis son acquisition en 1933 par Philippe de Rothschild.

Comme à Mouton, les caprices de la météo ont rendu nécessaire la mobilisation générale de tout le personnel de la société Baron Philippe de Rothschild pour cueillir les raisins entre le 1er et le 14 octobre: plus de 130 personnes. Peu de bouteilles, des sélections rigoureuses. Le résultat ? Un vin d'une teinte profonde, au bouquet d'une grande fraîcheur, qui laisse percer des arômes croquants de groseille derrière les notes empyreumatiques de la barrique. Son élégance se retrouve dans un palais suave et savoureux en attaque, aux tanins soyeux, presque crémeux, puis charnu et plein de mâche, marqué en finale par une certaine tension qui étire la finale. Tout est en place pour faire une très belle bouteille dans quelques années. ⧗ 2019-2023 ¥ gigot d'agneau

BARON PHILIPPE DE ROTHSCHILD, 10, rue de Grassi, 33250 Pauillac, tél. 05 56 73 20 20, webmaster@bpdr.com

CH. BATAILLEY 2013 ★

■ 5e cru clas. | 220 000 | | 50 à 75 €

82 **83 85 86 88** 89 90 **92 93 95** (96) **97 98** 99 00 |**01**| |02| |03| |04| |**05**| |06| |07| |08| 09 10 11 12 13

Le navire amiral de la maison Borie Manoux, vénérable maison de négoce fondée en 1870 par les Castéja, l'une des plus anciennes familles de Pauillac, propriétaire du cru depuis 1932. Une belle unité de 55 ha à l'extrémité sud-ouest de l'appellation, qui devrait son nom à une bataille s'étant déroulée sur ces terres en 1453.

Sans être d'une grande intensité, la robe pourpre est fort engageante avec ses reflets brillants. Tout aussi séduisant, le bouquet révèle un joli fondu entre les fruits rouges et un boisé aux accents de grillé et de réglisse. Équilibrée et élégante, la bouche s'inscrit elle aussi dans le registre de la finesse et se déploie avec une certaine ampleur, offrant une longue finale épicée. ⧗ 2018-2021 ¥ côte de bœuf

HÉRITIERS CASTÉJA, Ch. Batailley, 33250 Pauillac, tél. 05 56 00 00 70, domaines@borie-manoux.fr V r.-v.

CH. CHANTECLER 2013 ★

■ | 4 000 | | 20 à 30 €

Un confetti viticole de 99 ares acquis par la famille Mirande en 2004, détaché de Fleur-Milon lors de la vente de ce cru aux domaines Philippe de Rothschild. Aux commandes, Yannick Mirande, qui vise à court terme la culture bio, avec ou sans certification.

Le souci de l'environnement ne se fait pas au détriment de la qualité, même dans un millésime délicat comme le 2013: le cabernet-sauvignon associé à 35 % de merlot a donné naissance à un vin d'un pourpre intense, au bouquet déjà très expressif, offrant un mariage harmonieux des fruits noirs, de la réglisse et de discrètes notes boisées. Ample à l'attaque, la matière s'appuie sur des tanins encore fermes mais qui promettent de s'arrondir à la garde. Une belle charpente pour le millésime. ⧗ 2020-2026 ¥ pavé de biche aux cèpes

YANNICK MIRANDE, 3, rte de Bordeaux, 33250 Pauillac, tél. 06 62 04 97 95, yannick.mirande@wanadoo.fr V *t.l.j. 9h-12h 14h-17h*

CH. CLERC MILON 2013

■ 5e cru clas. | n.c. | | 50 à 75 €

82 83 85 86 87 88 89 90 92 93 94 (95) **96 97** 98 |**99**| |**00**| |01| |**02**| |03| |04| |05| |06| |07| **08 09 10** 11 12 13

Ancienne possession de Lafite, ce cru classé fut acquis à la Révolution par la famille Clerc, qui ajouta à son nom celui d'un hameau de Pauillac, puis par le baron

Philippe de Rothschild en 1970. Situé entre Mouton et Lafite, dans la partie nord-est de l'appellation, il dispose d'un vignoble de 41 ha implanté sur un terroir de choix (pour l'essentiel, la croupe de Mousset qui surplombe la Gironde) et d'un nouveau chai depuis 2011.

Si la robe, cerise burlat aux reflets violets, est avenante et classique, ce vin se distingue ensuite par son originalité – d'abord par son bouquet où l'on trouve, outre la note torréfiée et épicée de la barrique et les arômes de cassis du cabernet, une pointe peu courante de pierre à fusil; ensuite par le côté à la fois suave et végétal du palais, souple en attaque puis porté par une trame de tanins réglissés, avant une finale aux accents de sous-bois. L'ensemble reste fort gourmand. ⧗ 2018-2021 🍷 ris de veau aux champignons

⊶ *BARON PHILIPPE ROTHSCHILD (CH. CLERC MILON), 10, rue de Grassi, 33250 Pauillac, tél. 05 56 73 20 20, webmaster@bpdr.com*

CH. CORDEILLAN-BAGES 2013

■ | n.c. | ◍ | 30 à 50 €

Autour du Ch. Lynch-Bages et du hameau de Bages, au sud de Pauillac, Jean-Michel Cazes a développé un ensemble d'activités touristiques et gastronomiques, dont la pièce maîtresse est son hôtel-restaurant Cordeillan-Bages. Ce château dispose aussi d'un petit vignoble de qualité – 2 ha établis sur un beau terroir de graves et exploités par l'équipe de Lynch-Bages.

D'un beau grenat profond et jeune, ce pauillac s'ouvre sur de discrets arômes de fruits rouges; à l'aération, des notes de menthol et de tabac viennent souligner la fraîcheur de sa palette. On retrouve cette sensation de fraîcheur dans un palais agréable, souple à l'attaque, rond et charnu, porté par des tanins serrés mais enrobés et même marqués en finale par une certaine suavité. ⧗ 2018-2022 🍷 rôti de veau

⊶ *DOMAINES JEAN-MICHEL CAZES, Ch. Cordeillan-Bages, rte des Châteaux, 33250 Pauillac, tél. 05 56 73 24 00, infochato@lynchbages.com*

CH. DUHART-MILON 2013 ★★

■ 4ᵉ cru clas. | n.c. | ◍ | + de 100 €

81 82 83 85 86 87 88 89 90 91 92 93 94 **95 96 97 98 |99|** |00| **|01| |02| |03|** |04| **|05| |06|** |07| |08| **09 10 11 12 13**

Ces anciennes terres du «Prince des vignes», Nicolas-Alexandre de Ségur (XVIIIᵉ s.), furent longtemps propriété des Castéja, qui donnèrent son nom au cru (celui d'un corsaire de Louis XV établi à Pauillac à sa retraite, dont la maison orne aujourd'hui l'étiquette). Vendu en 1937, morcelé et en déclin, le vignoble de Duhart-Milon a été racheté en 1962 par les Rothschild, qui l'ont restructuré, agrandi et lui ont redonné son lustre de 4ᵉ cru classé. Le vignoble couvre aujourd'hui 76 ha attenants au Ch. Lafite, sur le coteau de Milon qui prolonge le plateau des Carruades.

À une robe dense, tirant sur le noir, répond un nez encore fermé; à l'agitation, il dévoile un fruité élégant, aux nuances de fruits rouges et de myrtille, relevé de poivre, avec une touche de café héritée de la barrique. Au bout d'un moment perce une note fraîche rappelant l'orange. La bouche, à l'unisson, montre du fruit et une belle tension dès l'attaque, soutenue par des tanins fins et soyeux, qui se font plus vifs et serrés en finale. Les arômes croquants du cabernet-sauvignon (80 %) ressortent, accompagnés d'évocations élégantes de cuir et de réglisse à la violette. Un 2013 bien construit, droit et long, sans fioritures. Finalement assez dense pour le millésime, il n'a pas cherché la surextraction et affiche un joli fruit. ⧗ 2019-2023 🍷 gigot d'agneau ■ **Moulin de Duhart 2013 (20 à 30 €; n.c.)** : vin cité.

⊶ *CH. DUHART-MILON, rue Étienne-Dieuzède, BP 40, 33250 Pauillac, tél. 05 56 73 18 18, visites@lafite.com*
⊶ *Dom. Barons de Rothschild (Lafite)*

CH. LA FLEUR PEYRABON 2013

■ Cru bourg. | 30420 | ◍ | 15 à 20 €

Ce cru déjà mentionné en 1766 sur la carte de Belleyme fut maintes fois racheté au fil des siècles: dix-neuf propriétaires jusqu'à son acquisition en 1998 par Patrick Bernard, P.-D.G. de Millésima, qui a beaucoup investi à la vigne et au chai. Le vignoble s'étend sur 50 ha, 45 ha en AOC haut-médoc (Peyrabon) et 7 ha en pauillac (Fleur Peyrabon).

La robe limpide mais plutôt légère annonce un bouquet discret et subtil, mariant des senteurs de fruits rouges et noirs rehaussés de notes vanillées et épicées. Après une attaque souple, le palais évolue avec rondeur, adossé à des tanins fins et bien extraits. La finale, marquée par un plaisant retour aromatique, laisse un bon souvenir. ⧗ 2018-2021 🍷 côte de veau

⊶ *CH. PEYRABON, Vignes-de-Peyrabon, 33250 Saint-Sauveur, tél. 05 56 59 57 10, contact@chateau-peyrabon.com* V 🚶 ! *r.-v.*
⊶ *Millésima*

CARRUADES DE LAFITE 2013 ★

■ | n.c. | ◍ | + de 100 €

85 86 88 89 90 92 93 94 **95 96** 97 98 **99** 00 |01| |02| |03| |04| **|05| |06| |07|** 08 **09 10** 11 12 13

Second vin de Lafite Rothschild, les Carruades offrent des caractéristiques proches du grand vin, avec une personnalité propre liée à une proportion supérieure de merlot et à des parcelles spécifiques destinées à sa production. Son nom provient du «plateau des Carruades», ensemble de parcelles jouxtant la croupe du château, acquises en 1845.

La robe est sombre et brillante. Le nez demande un peu d'aération pour livrer des parfums de fruits rouges, bien mariés à des notes d'élevage aux nuances d'épices douces comme la cannelle. Souple et tendre à l'attaque, le palais, dans une belle continuité, se déploie avec finesse; adossé à des tanins réglissés, fins et croquants, il montre de jolies rondeurs, équilibrées par une ligne de fraîcheur qui donne du relief à la finale. Dévoilant une belle harmonie entre le fruit, le merrain, l'acidité et l'alcool, ce vin déjà plaisant a tous les atouts pour faire une remarquable bouteille dans quelques années. ⧗ 2018-2023 🍷 poularde truffée

⊶ *DOM. BARONS DE ROTHSCHILD (CARRUADES DE LAFITE), 33250 Pauillac, tél. 05 56 73 18 18, visites@lafite.com*

♥ CH. LAFITE ROTHSCHILD 2013 ★★

■ 1er cru clas. | n.c. | 🛢 | + de 100 €

59 (61) **64** 66 69 70 73 **75 76** 77 **78** 79 80 **81** |**82**| |**83**| 84

85 |**86**| **87** |**88**| |**89**| **90 92 93 94** |(95)| |(96)| **97** |(98)| **99** |(00)|

|**01**| |(02)| |(03)| (04) (05) (06) (07) (08) (09) (10) (11) **12 13**

Ancienne seigneurie, dont la juridiction s'étendait au nord de Pauillac, le domaine doit aux Ségur – parlementaires bordelais et grands propriétaires de vignes – son château et une vocation viticole établie dès le XVIIes., qui lui a valu d'être élevé au rang de 1er cru classé en 1855. Mais il doit aux Rothschild, qui l'ont acquis en 1868, d'avoir été à l'abri des divisions et autres cessions qui ont affaibli tant de propriétés prestigieuses. Il doit aussi à l'équipe formée par Éric de Rothschild, aux commandes depuis 1974, et Charles Chevallier, son directeur technique jusqu'en 2016, sa modernisation et ses outils performants, tel son célèbre chai circulaire imaginé par Ricardo Bofill. Outils qui permettent de révéler pleinement la personnalité d'un terroir exceptionnel planté de 112 ha de vignes: une superbe croupe de graves fines et profondes sur un sous-sol calcaire. Éric Kohler a pris en 2016 la direction technique du Lafite, Charles Chevallier restant consultant et ambassadeur du château.

Rares sont les 2013 à arborer une robe aussi dense: celle-ci tire sur le noir et montre des reflets violines de jeunesse. Quant au nez, il est si profond qu'il apparaît d'abord fermé à double tour. Mais quand il se libère à l'aération, il séduit par son élégance et sa complexité, offrant un boisé bien fondu aux nuances de moka, des parfums de petits fruits rouges et noirs, rehaussés d'élégantes touches florales, entre rose et violette, puis de notes plus mûres de raisin confit. De même, le palais monte doucement en puissance. À la fois ample, charnu et frais à l'attaque, il montre une belle droiture, soutenu par des tanins très serrés, au grain fin. Le fruit est très présent, aux accents de fruits rouges comme la cerise, servi par un boisé raffiné qui s'affirme dans une finale d'une rare persistance. Un pauillac tendu et rigoureux. Brillant aussi, éclatant: quelle matière dans un millésime aussi ingrat ! ⧗ 2022-2035 🍴 gigue de chevreuil

⊶ *DOM. BARONS DE ROTHSCHILD, Ch. Lafite Rothschild, 33250 Pauillac, tél. 05 56 73 18 18, visites@lafite.com*

CH. LATOUR 2013 ★★

■ 1er cru clas. | n.c. | 🛢 | + de 100 €

(61) **67 71** 73 74 75 **76** 77 **78** 79 **80** 81 |**82**| |**83**| 84 |**85**| |**86**|

87 |**88**| |**89**| |**90**| |**91**| **92 93 94** |(95)| |**96**| |**97**| |(98)| |**99**| |(00)|

|**01**| |(02)| (03) **04** (05) (06) **07** (08) (09) (10) (11) (12) **13**

Maison forte, dite de Saint-Maubert, commandant une importante seigneurie au Moyen Âge et protégeant l'accès à Bordeaux, le site de Latour fit l'objet d'une bataille pendant la guerre de Cent Ans. Toutefois, l'événement marquant de son histoire fut l'unification du domaine par Arnauld de Mullet à la fin du XVIes. Elle a permis au cru de posséder très tôt un vignoble homogène (65 ha aujourd'hui), établi sur une belle croupe de grosses graves claires, dont le cœur – le terroir dit de l'Enclos (47 ha) – donne naissance au grand vin. Autre atout, la stabilité: la propriété est restée entre les mains des descendants des Ségur, illustre famille du vignoble médocain, jusqu'en 1962. Après un passage «sous pavillon britannique» (groupe Pearson), le cru a été acquis en 1993 par l'industriel François Pinault, qui a beaucoup investi à la vigne (arrachages et replantations) et à la cave (nouveau chai souterrain, rénovation du cuvier).

À Latour comme ailleurs, l'état sanitaire des raisins, avec des menaces d'attaques massives de pourriture, a commandé le calendrier des récoltes, et les équipes ont préféré avancer les vendanges, qui ont commencé le 27 septembre pour le merlot et se sont déroulées du 2 au 11 octobre pour le cabernet-sauvignon (ultramajoritaire dans l'assemblage avec 95 %). Comme l'année était tardive, la maturité optimale n'était pas tout à fait atteinte. Les vinificateurs ont pourtant tiré de cette matière première une bouteille remarquable. Sa qualité se devine d'emblée à la densité et à la profondeur de sa robe, animée de reflets violets de jeunesse. Élégant, déjà complexe, le nez s'ouvre sur les fruits noirs (myrtille), les épices et le tabac, avec une touche raffinée de rose et un léger souffle mentholé. On retrouve au palais cette palette tout en fraîcheur, cette alliance du fruit et d'un harmonieux boisé aux nuances d'épices, de moka et de cacao. Ample et riche, charnue, juteuse, la bouche est portée par des tanins très serrés qui lui donnent de la consistance et soutiennent la finale d'une remarquable longueur. La vivacité du millésime est bien là, mais sans la moindre verdeur. En deux mots: finesse et fraîcheur. ⧗ 2020-2030 🍴 pavé de bœuf sauce café

⊶ *SCV DU CH. LATOUR, Saint-Lambert, 33250 Pauillac, tél. 05 56 73 19 80, s.guerlou@chateau-latour.com*
⊶ *François Pinault*

LES FORTS DE LATOUR 2013 ★

■ | n.c. | 🛢 | + de 100 €

82 83 85 86 87 88 89 90 92 94 95 96 97 **98 99** |**00**|

|01| |02| |03| |04| |**05**| |**06**| |07| 08 09 **10 11 12** 13

Le second vin du château Latour, élaboré généralement avec une plus forte proportion de merlot et à partir de parcelles extérieures à l'Enclos (et des jeunes vignes de celui-ci), cœur historique du vignoble réservé au grand vin.

Les Forts de Latour comprennent plus de merlot dans leur assemblage (35 % pour le 2013). De couleur soutenue, ce millésime libère à l'agitation des parfums élégants et vifs de petits fruits noirs acidulés, mûre en tête, bien mariés aux touches de vanille et d'épices douces de la barrique. Rond à l'attaque, le palais révèle aussi d'emblée la vivacité du millésime, bien soutenu par des tanins denses, fins et mûrs et par un boisé délicat aux accents de moka. Si sa matière assez svelte porte la marque de l'année, ce vin est bien construit, subtil et frais. ⧗ 2019-2023 🍴 gigot d'agneau ■ **Le pauillac de Ch. Latour 2013 (50 à 75 €; n.c.)** : vin cité.

SCV DU CH. LATOUR (LES FORTS DE LATOUR), Saint-Lambert, 33250 Pauillac, tél. 05 56 73 19 80, s.guerlou@chateau-latour.com *F. Pinault*

CH. LYNCH-BAGES 2013 ★

■ 5e cru clas. | n.c. | | 75 à 100 €

(82) **83** 84 **85 86 87 88 89 90** 91 92 93 94 95 **96** 97 (98) **99** (00) **01 02** |**03**| |**04**| |**05**| |**06**| |**07**| 08 **09** 10 **11** 12 13

Le nom de ce cru associe celui des négociants irlandais propriétaires au XVIIIes. et celui d'un hameau situé aux portes sud de Pauillac. Son succès résulte, depuis les années 1930, du travail continu de trois générations de Cazes: Jean-Charles, André et Jean-Michel. La part de ce dernier, qui a passé la main à son fils Jean-Charles, est essentielle. Sa réussite est liée à la qualité des vins, nés d'un vaste vignoble de 100 ha, et aussi à une vraie stratégie de développement, incluant un négoce et des infrastructures touristiques (hôtel-restaurant, commerces...).

La robe sombre est engageante. Déjà expansif, le bouquet exprime les bonnes senteurs vanillées et grillées laissées par un séjour de dix-huit mois en barrique, qui laissent toute leur place à des arômes de fruits noirs, cassis et mûre en tête. Une attaque souple et élégante ouvre sur un palais rond, charnu, chaleureux et bien équilibré, aux tanins enrobés, un peu plus stricts en finale. ⧗ 2019-2023 🍴 pièce de bœuf rôtie

DOMAINES JEAN-MICHEL CAZES, Ch. Lynch-Bages, 33250 Pauillac, tél. 05 56 73 24 00, infochato@lynchbages.com V r.-v.

CH. MOUTON ROTHSCHILD 2013 ★★

■ 1er cru clas. | n.c. | | + de 100 €

73 74 **75 76** 77 **78 79** 80 81 |**82**| |**83**| **84** |**85**| |(86)| **87** |**88**| |**89**| |**90**| **91 92 93 94** (95) |**96**| **97** |(98)| |**99**| |(00)| |**01**| |**02**| |**03**| |**04**| (05) (06) (07) (08) (09) (10) (11) **12 13**

Voisin de Lafite et appartenant à une autre branche de la famille Rothschild (acquis en 1853 par Nathaniel), Mouton est fortement lié à la personnalité du baron Philippe. Arrivé à la tête du cru en 1922, ce dernier lui redonne ses lettres de noblesse en le modernisant (construction du célèbre «grand chai», notamment) – un travail qui aboutit en 1973 à la révision du classement de 1855 et à l'accession de Mouton au rang de 1er cru classé. Le baron Philippe a aussi fait du domaine le socle d'un petit empire comprenant d'autres vignobles et une maison de négoce. Il a également joué un rôle important dans l'histoire du vin en étant l'un des premiers à pratiquer la mise en bouteilles au château, dès 1926, et en faisant illustrer ses étiquettes par des artistes. À partir de 1988, sa fille Philippine, disparue en 2014, a poursuivi son œuvre. Le fils de cette dernière, Philippe Sereys de Rothschild, lui a succédé. Philippe Dhalluin est le directeur depuis 2003. À sa disposition, un vignoble de 84 ha situé pour l'essentiel sur une croupe de graves très profondes dite «Plateau de Mouton» et un tout nouveau cuvier sorti de terre en 2013.

En 2013, Mouton n'a pas été plus épargné que les autres crus du Bordelais. Les caprices du climat ont obligé Philippe Dhalluin à mobiliser une troupe impressionnante pour achever la récolte dans de bonnes conditions: 695 vendangeurs le dernier jour, le 9 octobre. Il a fallu aussi adapter la répartition des cépages; la coulure ayant réduit les rendements des merlots, la part du cabernet-sauvignon est montée à 89 %, avec 4 % de cabernet franc. Le résultat est là: dans le verre, le vin affiche une robe intense et profonde, s'ouvrant délicatement sur de tendres notes épicées et grillées, avec un côté café au lait caractéristique du cru, puis à l'aération, sur des arômes de fruits rouges et noirs (framboise, cerise et mûre). Nette, fraîche et riche, l'attaque présente un côté suave qui perdure et monopolise le palais, bien soutenu par des tanins d'un grand raffinement. La structure solide et bien équilibrée évolue harmonieusement vers une longue finale déployant une palette aromatique complexe. Un vin remarquable. Cette année, l'étiquette, à la fois sobre et expressive, reproduit une œuvre du peintre coréen Lee Ufan. ⧗ 2020-2030 🍴 baron d'agneau

BARON PHILIPPE DE ROTHSCHILD, 10, rue de Grassi, 33250 Pauillac, tél. 05 56 73 20 20, webmaster@bpdr.com

CH. PÉDESCLAUX 2013

■ 5e cru clas. | 120 000 | | 30 à 50 €

98 99 00 **01 02** 03 06 |07| |08| 09 **10** 11 **12** 13

Françoise et Jacky Lorenzetti ont vendu leur réseau d'agences immobilières (Foncia) et acheté ce château en 2009 à la famille Jugla. Ils ont entrepris de gros travaux à la vigne et à la cave (construction d'un nouveau chai par Jean-Michel Wilmotte) pour redorer le blason de ce cru fondé en 1810, dont le vignoble couvre 50 ha aujourd'hui après l'acquisition de nouvelles parcelles.

Profonde, limpide et brillante, la robe de ce vin est plus intense que son bouquet. Discret mais élégant, celui-ci reste sur le fruit frais, souligné d'un léger boisé épicé. Assez puissant en attaque, le palais dévoile une matière fraîche et aromatique, évoluant sur des tanins équilibrés jusqu'à une finale épicée, un peu stricte. ⧗ 2019-2022 🍴 carré d'agneau ■ **Fleur de Pédesclaux 2013 (20 à 30 €; 43 000 b.)** : vin cité.

CH. PÉDESCLAUX, place du Treout, 33250 Pauillac, tél. 05 56 59 22 59, contact@chateau-pedesclaux.com V r.-v. *Jacky et Françoise Lorenzetti*

CH. PIBRAN 2013 ★

■ | 12 000 | | 20 à 30 €

Ce cru constitué au début du XXes. est propriété d'Axa Millésimes depuis 1987. Entièrement restructuré après l'acquisition du voisin Tour Pibran en 2001 par la compagnie d'assurances, ce domaine se hisse maintenant au niveau des plus grands. À sa disposition, un vignoble de 17 ha établi sur la belle croupe de graves de Pontet Canet et d'Armailhac, au nord de l'appellation, et l'expertise de l'équipe de Pichon-Longueville Baron, également propriété d'Axa Millésimes.

Pour ce millésime, l'équipe de Pichon Baron a choisi un rendement faible et la préservation du fruit.

Incontestablement, l'objectif a été atteint comme le montrent les riches parfums de fruits rouges bien mûrs du bouquet, rehaussés de notes épicées, la rondeur de l'attaque, le côté aromatique du palais et les tanins soyeux de la finale. ⧗ 2018-2022 ♈ poulet rôti

⊶ CH. PIBRAN, 33250 Pauillac, tél. 05 56 73 17 17, contact@pichonbaron.com ⊶ Axa Millésimes

CH. PICHON-LONGUEVILLE BARON 2013 ★★

■ 2e cru clas.	100000	◍	75 à 100 €

82 83 84 **85 86 87 88 89** ⑨⓪ **91 92 93 94 95** ⑨⑥ **97 98**
99 |00| |01| |02| |03| |04| |⓪⑤| **|06| 07 08** ⓪⑨ ①⓪ **11 12 13**

Le vignoble originel fut constitué au XVIIe s. par Jacques de Pichon, baron de Longueville. Divisé en deux en 1850, le cru revient en partie à Raoul de Pichon-Longueville (l'autre devenant Pichon Comtesse), qui y fait édifier le château actuel. Inspiré de celui d'Azay-le-Rideau, le bâtiment contraste avec les lignes horizontales du chai construit après le rachat du domaine en 1987 par Axa Millésimes. L'assureur y a entrepris d'importants travaux de rénovation, sous la conduite de Jean-Michel Cazes, puis de Christian Seely, Jean-René Matignon assurant la direction technique. Depuis 2001, la politique de sélection a été intensifiée: ne sont désormais utilisés pour le grand vin que 40 ha sur les 73 que compte ce terroir d'exception, fait de belles graves garonnaises, voisin immédiat de Latour.

Très pauillac par sa couleur, d'un grenat sombre et profond, le Pichon Baron 2013 se fait séducteur par son bouquet intense, alliant des notes de fruits frais (cerise noire) et d'épices (vanille, cannelle). Franche, ronde et ample, l'attaque ouvre sur un palais d'un beau volume, porté par des tanins bien enrobés qui révèlent une extraction soignée du raisin et du merrain. Encore un peu austère, la finale rappelle que l'on est devant un vrai pauillac, qui appelle la garde. ⧗ 2020-2026 ♈ gigot à la ficelle ■ **Les Griffons de Pichon Baron 2013 (30 à 50 €; 25000 b.)** : vin cité.

⊶ CH. PICHON-BARON, Saint-Lambert, 33250 Pauillac, tél. 05 56 73 17 17, contact@pichonbaron.com V ♿ ▮ *r.-v.* ⊶ *Axa Millésimes*

CH. PICHON-LONGUEVILLE COMTESSE DE LALANDE 2013 ★

■ 2e cru clas.	n.c.	◍	+ de 100 €

82 83 84 **85** ⑧⑥ 87 ⑧⑧ **89** 90 **91** 92 **93 94 95** 96 **97 98**
99 |00| |01| |02| |03| |04| 05 06 |07| **08 09 10 11 12** 13

Fondé à la fin du XVIIes., ce cru n'a connu en trois siècles que trois familles à sa tête. En 1850, Virginie de Pichon Longueville, comtesse de Lalande par son mariage, hérite avec ses deux sœurs des trois cinquièmes du vignoble de leur père, le reste allant aux fils (Pichon Baron). Le domaine restera dans la famille jusqu'à son rachat en 1925 par Édouard et Louis Miailhe. À partir de 1978, May-Éliane de Lencquesaing, fille du premier, donne une renommée internationale à ce cru de 90 ha, dont la singularité tient aux 11 ha situés sur la commune de Saint-Julien et à l'importance donnée au merlot (35 %) dans son encépagement. Une renommée et un esprit «féminin» (jusque dans le grand vin) perpétués depuis 2007 par une autre famille, les Rouzaud, propriétaires du Champagne Roederer.

Pour ce millésime à la climatologie assez atypique, l'équipe de Nicolas Glumineau a osé une première audacieuse, avec un vin qui doit tout au cabernet-sauvignon. Le résultat est convaincant: la robe est d'un grenat profond; le bouquet, encore marqué par un boisé beurré et toasté, laisse percer des notes de fruits noirs et rouges, framboise en tête, rafraîchies de touches mentholées. Quant au palais, après une attaque souple et ample, il évolue avec puissance, dévoilant une belle mâche et des tanins solides qui soulignent une longue finale aromatique, où l'on retrouve le raisin et le merrain. ⧗ 2019-2024 ♈ filet de bœuf ■ **Réserve de la Comtesse 2013 (20 à 30 €; n.c.)** : vin cité.

⊶ CH. PICHON-LONGUEVILLE COMTESSE DE LALANDE, 33250 Pauillac, tél. 05 56 59 19 40, pichon@pichon-lalande.com ♿ ▮ *r.-v.* ⊶ *Champagnes Louis Roederer*

SAINT-ESTÈPHE

Superficie : 1 230 ha / Production : 54 200 hl

À quelques encablures de Pauillac et de son port, Saint-Estèphe affirme un caractère terrien avec ses rustiques hameaux pleins de charme. Correspondant (à l'exception de quelques hectares compris dans l'appellation pauillac) à la commune elle-même, l'appellation est la plus septentrionale des six AOC communales médocaines. L'altitude moyenne est d'une quarantaine de mètres et les sols sont formés de graves légèrement plus argileuses que dans les appellations plus méridionales. L'appellation compte cinq crus classés, et les vins qui y sont produits portent la marque du terroir. Celui-ci renforce nettement leur caractère, avec, en général, une acidité des raisins plus élevée, une couleur plus intense et une richesse en tanins plus grande que pour les autres vins du Médoc. Très puissants, ce sont d'excellents vins de garde.

CH. L'ARGILUS DU ROI 2013

■	25500	◍	15 à 20 €

Créé en 1996 par Jose Bueno, qui œuvra longtemps à Mouton Rothschild, ce petit cru de 5 ha a été repris par Martial Mignet, ancien photographe à Match et pilote d'essai de l'aviation civile, qui l'a acheté avec son frère en 2010.

Une présentation discrète mais plaisante pour ce 2013 à la robe peu profonde mais d'une jolie couleur pourpre, à laquelle répond un bouquet tout en fruits rouges acidulés. Le palais est dans le droit fil: sans être d'une grande puissance tannique, il reste sur le fruit, souligné d'un fond boisé bien dosé. ⧗ 2018-2020 ♈ entrecôte

⊶ SCEA L' ARGILUS DU ROI, Taste Sud, Leyssac, 1, rue du Brame Hame, 33180 Saint-Estèphe, tél. 06 14 61 18 80, mmignet@arinc.fr V ♿ ▮ *r.-v.*

CH. BEL-AIR ORTET 2013 ★

■ | 11966 | | 8 à 11 €

Propriétaire de nombreux crus et acteur majeur du négoce bordelais, Cheval Quancard a été fondé par Pierre Quancard en 1844, sous le nom de Quancard et Fils. La maison est toujours dirigée par ses descendants.

S'inscrivant dans la logique du millésime, ce vin à la robe assez légère mais jeune dévoile une bouche fraîche et équilibrée qui joue plus sur la finesse que sur la puissance. Bien appuyés par le bois, ses agréables tanins mettent en valeur sa belle expression aromatique associant les fruits rouges à des notes d'élevage bien marquées aux nuances d'épices, de vanille, de moka et de fumée. ⧗ 2019-2023 ¶ côte de bœuf ■ **Ch. Cossieu-Coutelin 2013 (11 à 15 €; 11966 b.)** : vin cité.

CHEVAL QUANCARD, ZI La Mouline, 4, rue du Carbouney, BP 36, 33565 Carbon-Blanc Cedex, tél. 05 57 77 88 88, chevalquancard@chevalquancard.com V ⚲ ■ *r.-v. (au Ch. de Bordes)*

CH. LE BOSCQ 2013

■ | 44000 | | 30 à 50 €

Commandé par une belle demeure de la fin du XIXe s., ce cru de 18 ha, appartenant à la maison Dourthe depuis 1995, possède un terroir intéressant: une croupe de graves garonnaises sur argile regardant l'estuaire. Il dispose d'un cuvier modèle équipé de cuves de petite capacité et sans pompes.

Si la robe rubis montre un soupçon d'évolution, cette impression disparaît ensuite. Le bouquet est encore très marqué par les notes de brûlé et de fumée de l'élevage, avec des nuances de gibier. Plutôt souple, le palais inspire confiance par ses jeunes tanins frais et francs, un peu stricts en finale. ⧗ 2018-2021 ¶ poitrine de veau farcie

CH. LE BOSCQ, Vignobles Dourthe, 33180 Saint-Estèphe, tél. 05 56 35 53 00, contact@dourthe.com V ⚲ ■ *r.-v.* *Dourthe*

♥ CH. CALON SÉGUR 2013 ★★

■ 3e cru clas. | 70000 | | 50 à 75 €

98 |01| |**03**| |04| |06| |07| **09** 11 **12 13**

Maison noble portant le nom de la paroisse de Saint-Estèphe au Moyen Âge (Calones), ce cru est l'un des plus anciens de la région. Entre 1659 et 1681, il passe entre les mains des Ségur, qui développent ce vignoble auquel ils sont très attachés: «Je fais du vin à Lafite et à Latour, mais mon cœur est à Calon», disait Nicolas-Alexandre. Adossé au bourg de Saint-Estèphe, le vignoble, d'un seul tenant, entièrement clos par un mur, couvre 55 ha – la même surface que lors du classement de 1855 –, plantés sur une épaisse couche de graves reposant sur des argiles. Propriété de la famille Gasqueton de 1894 à 2012, Calon appartient aujourd'hui à la société Suravenir, filiale du groupe Crédit Mutuel, qui a engagé un vaste programme de rénovation, avec en projet la construction d'un nouveau cuvier.

Ce vin a tout pour plaire: sa superbe robe brillante, animée de reflets grenat, plus colorée que la moyenne; son bouquet complexe, associant les fruits des bois, les baies noires et le noyau à un boisé délicat aux nuances d'amande; sa bouche ample, fraîche et persistante, dans le même registre, soutenue par des tanins fins et caressants à souhait. Une bouteille remarquable qui ne demandera pas beaucoup de temps pour arrondir sa finale, et qui saura vieillir: à l'aveugle, le coup de cœur a été attribué à «l'étiquette au cœur», pour un vin qui a su amadouer l'austérité du millésime. ⧗ 2019-2026 ¶ côte de bœuf ■ **Le Marquis de Calon Ségur 2013 ★ (20 à 30 €; 135000 b.)** : un second vin issu de merlot majoritaire (60 %), contrairement au grand vin; beaucoup plus simple, assez svelte, il est frais et harmonieux, mariant au nez boisé appuyé et fruits rouges acidulés. ⧗ 2018-2021 ■ **Ch. Capbern 2013 ★ (11 à 15 €; 60000 b.)** : le cabernet-sauvignon est en vedette (91 %) dans ce vin charmeur, centré sur les fruits rouges, framboise en tête, très équilibré et bien soutenu par des tanins fins et bien extraits. ⧗ 2018-2021

CH. CALON SÉGUR, Dom. de Calon, 33180 Saint-Estèphe, tél. 05 56 59 30 08, calon-segur@calon-segur.fr *Suravenir*

CH. CHAMBERT-MARBUZET 2013

■ | 30000 | | 15 à 20 €

Vignerons au XIXe s., les Chambert donnèrent leur nom à cette propriété qui fait partie depuis 1962 du patrimoine d'Henri Duboscq. Un petit cru (15 ha) qui jouit des mêmes soins que son «grand frère», le Ch. Haut-Marbuzet.

Un vin intéressant, tant par son bouquet intense, à la fois floral et fruité, nuancé de touches giboyeuses et des notes épicées et grillées de l'élevage, que par sa bouche flatteuse, souple et ronde, d'un beau volume, aux tanins soyeux, livrant profusion d'arômes de fruits bien mûrs, mûre en tête, mâtinés de notes animales. ⧗ 2018-2021 ¶ pintade aux cèpes

HENRI DUBOSCQ ET FILS, Ch. Chambert-Marbuzet, 33180 Saint-Estèphe, tél. 05 56 59 30 54, henri.duboscq@haut-marbuzet.com V ⚲ ■ *r.-v.*

CH. COS LABORY 2013

■ 5e cru clas. | 74000 | | 20 à 30 €

82 **83 85 86** 88 89 (90) 91 **92** 93 94 95 **96 97 98 99** 00 **01**

02 |03| **04** |05| |**06**| 07 **08 09 10** 11 **12** 13

Un authentique domaine familial, encore habité, fait rare, par ses propriétaires. Dans la même famille depuis 1922, Cos Labory est le lieu de résidence de Bernard Audoy, actuel président de l'appellation saint-estèphe. Le cru a été uni à Cos d'Estournel jusqu'en 1810, année de son achat par François Labory. D'une superficie assez modeste pour un classé (18 ha), son vignoble se répartit entre trois grands ensembles, dont un en forme de croissant, à l'ouest du château. Tous sont composés de graves, mais sur des socles plus ou moins argileux.

«Je cherche à produire des vins ayant du fruit, une bonne fraîcheur». L'objectif de Bernard Audoy est atteint avec ce 2013 qui répond tout à fait à ce profil. Certes, le bouquet fait la part belle au bois avec une note grillée bien marquée, mais le fruit perce sous la barrique, cassis en tête. Suave, tonique, bien équilibré et porté par des tanins souples, le palais apparaît moins dense et plus simple que dans les millésimes antérieurs, mais il présente un bon fond et une plaisante finale où l'on retrouve le fruit. ⧗ 2018-2021 ⫯ tournedos

⊸ SCE DOMAINES AUDOY, Ch. Cos Labory, 33180 Saint-Estèphe, tél. 05 56 59 30 22, contact@cos-labory.com V 🚶 ▮ *r.-v.*

CH. LE CROCK 2013

■ Cru bourg. | 72556 | ◍ | 20 à 30 €

Fait rare, ce château, construit à la fin du XVIIIes., agrémenté d'un parc de 6 ha et d'une pièce d'eau, est tourné vers le sud, et non vers le fleuve. Connu autrefois sous le nom de Bastérot-Ségur, son vignoble s'étend aujourd'hui sur 32 ha, sur le haut de la croupe de Marbuzet. Depuis 1903, il appartient à la famille Cuvelier (Léoville-Poyferré à Saint-Julien).

S'annonçant par une teinte légère mais plaisante, ce 2013 a résolument choisi le registre de la finesse, tant par son bouquet marqué par les petits fruits rouges acidulés que par son palais souple à l'attaque, frais en finale, adossé à des tanins fins et affables. Un vin sincère, sans fioritures, qui sera agréable dans sa jeunesse. ⧗ 2017-2020 ⫯ poulet fermier rôti

⊸ DOMAINES CUVELIER, Ch. le Crock, 1, rue Paul-Amilhat, 33180 Saint-Estèphe, tél. 05 56 59 73 05, chateaulecrock@orange.fr V 🚶 ▮ *r.-v.*

CH. HAUTEVILLE 2013

■ | 7000 | ◍ | 11 à 15 €

Vignoble familial créé en 1908 et resté un demi-siècle en coopérative, ce cru couvrant 19,5 ha dans le nord de l'appellation est conduit depuis 1988 par Bernard Brousseau.

Jouant avec les contraintes du millésime, ce saint-estèphe n'a pas recherché la puissance, privilégiant l'élégance – un mot qui revient sous la plume de nos dégustateurs, pour décrire le bouquet où les notes épicées et vanillées de la barrique dominent, tout en ménageant une place aux fruits rouges, comme pour rendre compte du palais, porté par des tanins fondus et soyeux jusqu'à la finale racée, de bonne longueur. ⧗ 2017-2021 ⫯ rosbif

⊸ SCEA CH. HAUT COTEAU, 16, rte du Vieux-Moulin, 33180 Saint-Estèphe, tél. 05 56 59 39 84, chateau.haut-coteau@wanadoo.fr V 🚶 ▮ *t.l.j. sf dim. 10h-12h 14h-17h* 🏠 ❷ 🏠 Ⓒ *⊸ Brousseau*

CH. HAUT-MARBUZET 2013 ★

■ | 325000 | ◍ | 20 à 30 €

85 86 88 89 90 92 93 94 |95| 96 97 |(98)| |99| |00| |01| |02| |03| |04| |05| 06 |07| 08 09 10 11 12 13

Dans l'après-guerre, Hervé Duboscq était sous-chef de gare à Langon. Pour améliorer l'ordinaire, il s'est établi représentant en bouchons. De voies en vin, il s'installe marchand de vin. Puis, de vin en vignes, il acquiert en 1952 sept hectares de l'ancien cru des Mac Carthy, Irlandais émigrés à Saint-Estèphe, dont les héritiers avaient découpé le domaine pour le revendre. Cinquante ans durant, les Duboscq père et fils ont rassemblé les pièces éparses et reconstitué le puzzle (65 ha). Henri Duboscq a pris la suite de son père en 1973; ses fils Bruno et Hughes l'ont suivi. Le domaine est aujourd'hui l'une des références de l'appellation.

Séducteur dans sa présentation, avec une robe rubis d'une belle limpidité, ce vin se montre charmeur par son bouquet mêlant un plaisant côté fruité, des touches animales et un boisé subtil. Assez riche, long et porté par de fins tanins, le palais confirme cette impression générale et offre une finale aux arômes de cuir, empreinte de suavité. L'ensemble reflète à la fois le millésime et le savoir-faire du vigneron. ⧗ 2018-2021 ⫯ canard rôti

⊸ DUBOSCQ ET FILS, Ch. Haut-Marbuzet, 33180 Saint-Estèphe, tél. 05 56 59 30 54, henri.duboscq@haut-marbuzet.com V 🚶 ▮ *r.-v.*

CH. LA HAYE 2013

■ Cru bourg. | 32000 | ◍ ▮ | 20 à 30 €

Une porte datée de 1557 rappelle qu'ici l'histoire s'écrit en siècles. Les lettres D et H entrelacées qui ornent les pierres du château et l'étiquette du vin rappellent quant à elles que le lieu aurait servi de rendez-vous galant à Diane de Poitiers et à Henri II... Un cru détenu par la famille Bernard pendant plus de trois siècles, avant d'être acquis en 2012 (et agrandi: 19 ha aujourd'hui) par l'entrepreneur belge Chris Cardon.

Sans chercher à rivaliser avec le 2012, coup de cœur l'an dernier, ce 2013 est un bon vin, mais il dévoile un potentiel limité, comme de nombreuses cuvées de ce millésime. On aime son bouquet, dominé par les arômes de torréfaction et de vanille légués par la barrique, accompagnés de touches florales, et son palais souple en attaque, bien équilibré, à la finale épicée, encore un peu austère. ⧗ 2018-2021 ⫯ carré d'agneau

⊸ CH. LA HAYE, 1, rue de Saint-Afrique, Leyssac, 33180 Saint-Estèphe, tél. 05 56 59 32 18, info@chateaulahaye.com V 🚶 ▮ *t.l.j. sf dim. 11h-17h; f. oct.-mars ⊸ Chris Cardon*

CH. LAFON-ROCHET 2013 ★

■ 4e cru clas. | 90000 | ◍ ▮ | 30 à 50 €

85 86 88 89 90 91 92 93 94 (95) 96 97 98 99 |00| |01| |02| |03| |04| |05| 06 |07| 08 09 10 11 12 13

Côté château, un petit bijou de chartreuse, construit en... 1960 par Guy Tesseron pour remplacer les anciens bâtiments délabrés. Côté vignoble, 40 ha d'un seul tenant campés sur un plateau en forme de croupe aux sols d'argile et de graves, entre Lafite et Cos d'Estournel. Un cru que Basile Tesseron, petit-fils de Guy et fils de Michel, dirige depuis 2008 et qu'il a orienté vers la biodynamie à partir de 2010. En 2015, chai et cuvier ont été entièrement modernisés, avec un cuvier en béton et Inox.

Fidèle à son habitude, l'équipe du cru a privilégié l'élégance, perceptible tout au long de la dégustation. D'abord dans la couleur rubis encore jeune; puis dans le bouquet, dont la fraîcheur fait ressortir des notes de fruits rouges et noirs, rehaussées des touches épicées d'un fin boisé; enfin au palais, souple à l'attaque, soutenu par des tanins de qualité, légèrement boisés, encore jeunes et vifs, serrés en finale, qui permettront une évolution heureuse tout en demandant un peu de patience. ⧗ 2019-2023 🍴 magret de canard grillé

⊶ FAMILLE TESSERON, lieu-dit Blanquet, 33180 Saint-Estèphe, tél. 05 56 59 32 06, lafon@lafon-rochet.com V 🚶 ▮ *r.-v.*

LA DEVISE DE LILIAN 2013 ★★

■ | 13 000 | ◍ | 11 à 15 €

Au XIVᵉs., La Doys était une métairie de Lafite. Après avoir connu son heure de gloire à la charnière des XIXᵉ et XXᵉs., sous le nom de Ch. Ladouys, ce cru avait pratiquement disparu. Il a été ressuscité (et rebaptisé du nom de son épouse) par Christian Thiéblot dans les années 1980, puis par la Natexis à partir de 1989. En 2008, nouveau changement de propriétaires avec Jacky et Françoise Lorenzetti (Pédesclaux à Pauillac), qui ont entrepris un vaste programme de restructuration des 45 ha de vignes.

Par exception, le second vin passe avant le grand vin. À la fois puissant et fin, cet authentique saint-estèphe a fait forte impression sur notre jury. La robe aux reflets violets de jeunesse donne le ton, annonçant un solide potentiel. Puis le vin manifeste sa forte personnalité par son bouquet très frais, où le cabernet-sauvignon (75 %) ressort, livrant toute une gamme de fruits rouges rehaussés de poivre, de réglisse et de pain grillé. Rond, gras, plutôt chaleureux, le palais conserve une belle expression aromatique (fruits rouges, notes toastées et mentholées) qui se prolonge dans une finale persistante et alerte. ⧗ 2019-2026 🍴 cailles farcies au foie gras ■ **Cru bourg. Ch. Lilian Ladouys 2013 ★ (15 à 20 €; 200 000 b.)** : encore très concentré, tendu et tannique, le grand vin se goûte aujourd'hui moins bien que le second, mais il est bien équilibré et possède du potentiel: son heure viendra. ⧗ 2020-2026

⊶ SAS CH. LILIAN LADOUYS, Blanquet, 33180 Saint-Estèphe, tél. 05 56 59 71 96, contact@chateau-lilian-ladouys.com V 🚶 ▮ *r.-v.*
⊶ Jacky et Françoise Lorenzetti

CH. MEYNEY 2013 ★

■ | 135 000 | ◍ | 20 à 30 €

90 92 93 94 **95 96** 97 99 00 01 02 04 |05| |06| **08** 09 10 12 13

Ancien prieuré des Couleys, couvent de l'ordre des Feuillants au XVIIᵉs., développé successivement par les familles Luetkens et Cordier, ce cru de 51 ha régulier en qualité, voisin de Montrose, serait l'un des berceaux de la viticulture stéphanoise. Il est depuis 2004 dans le giron de CA Grands Crus (groupe Crédit Agricole), propriétaire entre autres de Grand-Puy Ducasse (pauillac).

Bien typé saint-estèphe, ce vin s'annonce par une robe intense et sombre, prélude à un nez tout aussi soutenu, libérant des parfums de fruits rouges bien mûrs, discrètement ourlés de senteurs vanillées et toastées léguées par un élevage de dix-huit mois en barrique. Déjà corsé en attaque, avec du fruit et de la matière, il monte en puissance pour arriver à une élégante finale vive et alerte marquée par des arômes de cassis et des notes boisées. Un vin bien construit, qui saura vieillir. ⧗ 2019-2026 🍴 gigot d'agneau

⊶ CH. MEYNEY, 4, quai Antoine-Ferchaud, 33250 Pauillac, tél. 05 56 59 00 40, contact@cagrandscrus.fr ⊶ CA Grands Crus

♥ CH. MONTROSE 2013 ★★

■ 2ᵉ cru clas. | n.c. | ◍ | 75 à 100 €

(82) **83 85 86** 87 **88 89 90** 91 **92 93 94 95 96 97 98** |**99**| |**00**| |**01**| 02 |**03**| |**04**| **05 06** |**07**| **08 09 10** 11 **12 13**

Entouré de 95 ha de vignes d'un seul tenant, Montrose a pour seul horizon l'estuaire de la Gironde. Autrefois, ses sols très pauvres, essentiellement des graves sur argiles, étaient des pâturages couverts de bruyères, qui formaient d'immenses plaques roses lors de la floraison. Ce qui a valu son nom au domaine, transformé en vignoble à la fin du Premier Empire par Étienne-Théodore Dumoulin, développé par Mathieu Dolfuss à partir de 1866 et par les Charmolüe après 1896. Ces derniers ont maintenu intacts le prestige et la qualité de Montrose à travers tout le XXᵉs., avant de céder le cru en 2006 à Martin et Olivier Bouygues, qui en ont confié en 2012 la direction à Hervé Berland et ont entrepris un vaste programme de rénovation.

Les équipes ont retardé la date des vendanges – achevant la récolte le 16 octobre – pour que le cabernet-sauvignon, majoritaire dans l'encépagement, atteigne sa pleine maturité malgré une floraison tardive, tirant profit d'un terroir bien ventilé. Grâce à un tri poussé, elles se disent satisfaites de leur millésime, et nos dégustateurs, à l'aveugle, sont tombés d'accord. Ce 2013 soigne sa présentation, affichant une robe profonde et jeune, puis un nez expressif, franc et complexe, déclinant toute une gamme fruitée, la myrtille, le cassis, la cerise noire et bien d'autres agréables parfums. Puissant et tout en rondeur, le palais offre une matière riche et tendre, aux tanins fins, veloutés, bien fondus. La longue finale reste sur le fruit. ⧗ 2019-2028 🍴 gigot de mouton

⊶ SCEA DU CH. MONTROSE, 33180 Saint-Estèphe, tél. 05 56 59 30 12, chateau@chateau-montrose.com 🚶 *r.-v. ⊶ Martin et Olivier Bouygues*

CH. MORIN 2013 ★★

■ | 18 600 | ◍ 🍾 | 15 à 20 €

Un cru diffusé par J.J. Mortier, négoce familial bordelais fondé en 1889 et passé un siècle plus tard dans

le giron d'une société japonaise tout en gardant son autonomie.

Implanté sur l'un des sites les plus élevés de la commune de Saint-Estèphe, au lieu-dit Saint-Corbian, ce cru de 10 ha remonte au XVIIIes. Avec une très belle croupe de graves argilo-calcaires dominant la Gironde et des vignes d'un âge canonique, il ne manque pas d'atouts. Ces atouts ont été superbement exploités en 2013 pour donner ce vin splendide. La robe se distingue par sa profondeur et sa jeunesse. Tout aussi intense, complexe, le nez s'ouvre sur le cassis, la mûre et la violette avant de libérer de nobles arômes de merrain. Le palais, à l'unisson, développe beaucoup de fruit et son gras enrobe une structure élégante aux tanins fondus. La finale monte encore en intensité, appuyée par un fringant boisé. ⧗ 2019-2028 🍷 cuissot de chevreuil

⊶ J.J. MORTIER ET CIE, 62, bd Pierre-Premier, 33000 Bordeaux, tél. 05 56 51 13 13, mortier@mortier.com ⊶ SC de La Salle

CH. ORMES DE PEZ 2013 ★

■	n.c.	◍	20 à 30 €

89 90 95 96 97 98 99 |**00**| 01 02 03 |04| |06| |07| 08 **09** 10 **12** 13

Si Lynch-Bages, à Pauillac, est le navire amiral des Domaines Jean-Michel Cazes, ce n'est pas le premier cru acquis par la famille Cazes. Ce titre revient aux Ormes de Pez, situé au nord de l'appellation saint-estèphe, acheté par Jean-Charles Cazes en 1940. Le vignoble couvre 40 ha sur un terroir typique de graves garonnaises.

Un assemblage incluant, aux côtés du cabernet-sauvignon (46 %) et du merlot (10 %), du cabernet franc et un soupçon de petit verdot. Un vin souple, certes peu typé saint-estèphe mais très bien fait et fort agréable. D'abord par son expression aromatique gourmande, suave et assez complexe, avec des notes de pâtisserie, de fruits noirs, de menthol et d'épices; ensuite par sa structure ronde, franche, de bonne tenue, soutenue par des tanins soyeux jusqu'à la finale. ⧗ 2019-2024 🍷 lapin chasseur

⊶ DOMAINES JEAN-MICHEL CAZES, Ch. Ormes de Pez, 29, rte des Ormes, 33180 Saint-Estèphe, tél. 05 56 73 24 00, infochato@ormesdepez.com r.-v. ⑤

CH. LA PEYRE 2013 ★

■	30000	◍	15 à 20 €

Comme son nom le laisse penser, ce petit cru familial de 8 ha est implanté sur un terroir riche en pierres. Ingénieur en mécanique dans une vie antérieure, René Rabiller en a pris les rênes en 1987 et l'a sorti de la cave coopérative.

Le cabernet-sauvignon et le merlot contribuent à parité à l'assemblage de ce cru artisan au bouquet bien marqué de fruits rouges (cerise, framboise), complété à l'aération par une pointe de vanille et de grillé qui se développe à l'agitation. Bien construite, portée par des tanins extraits avec doigté et fondus, la bouche procure à la fois une sensation d'onctuosité moelleuse et de fraîcheur. ⧗ 2019-2023 🍷 pièce de bœuf rôtie

⊶ DANY ET RENÉ RABILLER, 25, chem. de Saint-Afrique, Leyssac, 33180 Saint-Estèphe, tél. 05 56 59 32 51, vignoblesrabiller@wanadoo.fr V *r.-v.*

CH. DE PEZ 2013 ★★

■	n.c.	◍	30 à 50 €

Vignoble de 38 ha d'un seul tenant situé à l'ouest de Saint-Estèphe, ce cru est l'un des plus anciens de l'appellation, ayant appartenu aux familles Pontac et Lawton. Il est depuis 1995 la propriété de la maison champenoise Louis Roederer.

Séducteur dans sa présentation, avec une robe sombre et jeune, ce vin se montre ensuite harmonieux par son bouquet alliant un plaisant côté fruité (griotte et autres petits fruits acidulés) à un boisé d'une délicate élégance. Riche et persistant, porté par des tanins courtois, le palais suit la même ligne aromatique et confirme cette impression flatteuse. ⧗ 2019-2026 🍷 magret de canard aux cerises ■ **Ch. Haut-Beauséjour 2013 (20 à 30 €; n.c.)** : vin cité.

⊶ SC LA SALLE SAINT-ESTÈPHE, Ch. de Pez, 33180 Saint-Estèphe, tél. 05 56 59 30 26 r.-v. ⊶ Champagnes Louis Roederer

CH. PHÉLAN SÉGUR 2013 ★

■	100000	◍	30 à 50 €

88 89 **90 91 93 94 95 96** 97 **98 99** |**00**| |**01**| |**02**| **03** |④| **05** |06| 07 **08 09 10** 11 **12** 13

Situé sur le plateau à côté du bourg de Saint-Estèphe, ce cru allie un impressionnant ensemble de bâtiments néo-classiques à un terroir de premier choix: 70 ha de graves argileuses. Et aussi des propriétaires de renom. Bernard Phélan, possédant déjà le domaine de Garamey, acheta en 1810 des terres venant de Joseph-Marie de Ségur, comte de Cabanac (qui n'avait qu'une simple homonymie avec les Ségur de Lafite et Calon). Puis, pendant longtemps, les Delon, une référence en Médoc. Et depuis 1985, Xavier Gardinier.

Comme d'habitude, ce cru propose un saint-estèphe bien typé et fort loué, proche de la deuxième étoile. La robe est soutenue; le bouquet délivre des arômes de petits fruits francs et purs, rehaussés des notes de vanille et d'épices léguées par un séjour de dix-huit mois en barrique. Suaves et ronds en attaque, les tanins évoluent avec beaucoup d'élégance et d'harmonie dans une bouche aux nuances de fruits rouges et de cassis. Aromatique et savoureuse sans être imposante, la finale s'inscrit, elle, dans l'esprit du millésime. ⧗ 2019-2024 🍷 daube d'agneau ■ **Frank Phélan 2013 ★ (20 à 30 €; 50000 b.)** : un joli bouquet complexe (café torréfié, réglisse, noix muscade, tabac, fruits rouges) et une bouche bien construite, ronde et franche en attaque, soutenue par une bonne structure tannique. ⧗ 2019-2023

⊶ CH. PHÉLAN SÉGUR, rue des Écoles, 33180 Saint-Estèphe, tél. 05 56 59 74 00, phelan@phelansegur.com V *r.-v. ⊶ Gardinier et Fils*

CH. TOUR DES TERMES 2013 ★

■ Cru bourg. | 50 000 | 🍷 | 15 à 20 €

Ce château tire son nom d'une tour médiévale située sur la parcelle Les Termes et représentée sur l'étiquette. La famille Anney en est propriétaire depuis 1938, et Christophe (troisième génération) dirige le cru et son vignoble de 36 ha depuis 1983.

Issu de merlot majoritaire (60 %), ce 2013 affiche une robe bien colorée pour le millésime et libère des parfums fruités intenses (mûre, myrtille et même fruits jaunes comme la mirabelle), relayés par des senteurs vanillées et toastées. Après une attaque puissante et elle aussi bien fruitée, il se déploie avec ampleur avant une finale un peu nerveuse, agrémentée de plaisants arômes de cassis soulignés d'un trait boisé. Un bel équilibre entre le fruit et le merrain pour ce vin qui s'entendra aussi bien avec la volaille qu'avec les viandes rouges. ⧗ 2019-2022 🍷 carré d'agneau

⊶ SCEA VIGNOBLES JEAN ANNEY, 2, rue du Pigeonnier, Saint-Corbian, 33180 Saint-Estèphe, tél. 05 56 59 32 89, contact@chateautourdestermes.com
V t.l.j. sf sam. dim. 8h30-12h 14h-16h

CH. TOUR SAINT-FORT 2013

■ Cru bourg. | 23 895 | 🍷 | 15 à 20 €

Sans abandonner son activité de promoteur immobilier, Jean-Louis Laffort s'est lancé par pure passion dans le vin en 1992, acquérant une petite vigne de 4,2 ha. Aujourd'hui, le domaine s'étend sur un peu plus de 14 ha.

Donnant une courte majorité au merlot (48 %, suivi du cabernet-sauvignon et du petit verdot), ce 2013 associe subtilement les fruits rouges frais, le sous-bois et un boisé délicat. Ronde et riche, la bouche est bien étayée par des tanins assez élégants qui soutiennent une longue finale marquée par des arômes frais de cerise sur un fond toasté. Une petite garde permettra d'arrondir ce vin, qui s'accordera aussi bien avec les viandes rouges qu'avec les viandes blanches. ⧗ 2018-2022 🍷 pintade rôtie

⊶ JEAN-LOUIS LAFFORT, 5, rue du Golf, 33700 Mérignac, tél. 05 56 34 16 16, contact@chateautoursaintfort.com V r.-v.

CH. TRONQUOY-LALANDE 2013 ★

■ | 100 219 | 🍷 | 20 à 30 €

93 94 95 96 98 99 00 01 **02** 03 04 |**05**| |06| |**07**| |08| 09 10 12 13

Ce cru d'ancienne notoriété (XVIIIe s.) a été racheté à Jean Texier en 2006 par les frères Martin et Olivier Bouygues, comme Montrose, acquis la même année. Comme son illustre «cousin», ce domaine de 30 ha a bénéficié d'importants investissements.

Le merlot (52 %) est assez présent dans l'assemblage de Tronquoy Lalande qui comprend quatre cépages. Si la robe soutenue évoque la cerise burlat, ce sont de puissants arômes d'épices, de café et de torréfaction que libère le bouquet, tandis que le fruit rappelle la mûre. Après une attaque ronde et équilibrée, une belle matière, bien extraite, se dévoile. Le boisé sérieux commence à se fondre. Un vin bien construit. ⧗ 2019-2023 🍷 confit d'oie

⊶ CH. TRONQUOY-LALANDE, 33180 Saint-Estèphe, tél. 05 56 59 61 05, chateau@tronquoy-lalande.com
V r.-v. ⊶ Bouygues

SAINT-JULIEN

Superficie : 920 ha / Production : 41 775 hl

Pour l'une saint-julien, pour l'autre Saint-Julien-Beychevelle, saint-julien est la seule appellation communale du Haut-Médoc à ne pas respecter scrupuleusement l'homonymie entre les dénominations viticole et municipale. La seconde, il est vrai, a le défaut d'être un peu longue, mais elle correspond parfaitement à l'identité humaine et au terroir de la commune et de l'aire d'appellation, à cheval sur deux plateaux aux sols caillouteux et graveleux.

Situé exactement au centre du Haut-Médoc, le vignoble de Saint-Julien constitue, sur une superficie assez réduite, une harmonieuse synthèse entre margaux et pauillac. Il n'est donc pas étonnant d'y trouver onze crus classés, dont cinq seconds. À l'image de leur terroir, les vins offrent un bon équilibre entre les qualités des margaux (notamment la finesse) et celles des pauillac (la puissance). D'une manière générale, ils possèdent une belle couleur, un bouquet fin et typé, du corps, une grande richesse et de la sève. Mais, bien entendu, les quelque 6 millions de bouteilles produites en moyenne chaque année en saint-julien sont loin de se ressembler toutes, et les dégustateurs les plus avertis noteront les différences qui existent entre les crus situés au sud – plus proches des margaux – et ceux du nord – plus près des pauillac –, ainsi qu'entre ceux qui sont à proximité de l'estuaire et ceux qui se trouvent plus à l'intérieur des terres, vers Saint-Laurent.

CH. BEYCHEVELLE 2013 ★★

■ 4e cru clas. | 135 700 | 🍷 | 50 à 75 €

82 **83 85 86 88** (89) 90 91 92 93 **94 95** 96 **97** |**98**| |99| |**00**| |01| |02| |03| |**04**| 05 06 **07** 08 **09** 10 **11 12 13**

Le «Versailles bordelais»: Beychevelle est un petit bijou d'architecture classique. Son prestige tient aussi à de puissantes familles qui en furent propriétaires. Son nom viendrait d'ailleurs d'un grand amiral de France, duc d'Épernon sous Henri III, qui exigeait que les navires passant devant son château «baissent voiles» en signe d'allégeance. Né au XVIIe s. et développé au XVIIIe s., son vignoble (90 ha) a beaucoup évolué, ce qui explique sa dispersion actuelle sur toute l'AOC. Appartenant depuis 2011 aux groupes Suntory et Castel, il est dirigé par Philippe Blanc.

Dès le premier regard, on devine à l'intensité de la robe que la dégustation va s'accompagner d'agréables découvertes. D'abord celle du bouquet, qui délivre un boisé élégant, aux nuances de café, de grillé et d'épices, sous lequel perce le fruit mûr. Ensuite, celle d'un palais à la fois ample, gras, gourmand et frais, complexe et bien structuré, étayé par des tanins denses et déjà enrobés. Sa longueur laisse augurer une bonne garde. Complexité, puissance maîtrisée, texture déjà soyeuse: une bouteille parfaitement typée. ⧗ 2019-2028 🍷 perdreau rôti

SC CH. BEYCHEVELLE, 33250 Saint-Julien-Beychevelle, tél. 05 56 73 20 70, beychevelle@beychevelle.com

CH. BRANAIRE-DUCRU 2013 ★

4e cru clas.	45000		30 à 50 €

82 **83 85 86 88 89** 90 93 **94 95** 96 97 **98 99** |**00**| |01| 02 |03| |04| |05| **06** |07| **08** 09 10 **11** 12 13

Un château (Directoire) et une orangerie (XVIIIe s.) aux lignes épurées: les amateurs d'architecture néoclassique seront comblés par la visite de ce bel ensemble qui s'élève sur le coteau au-dessus de Beychevelle. Composé de graves, celui-ci constitue un terroir de choix, dont l'intérêt viticole a été perçu dès la fin du XVIIe s., époque de l'achat du domaine par Jean-Baptiste Braneyre. Fort d'un vignoble de 60 ha, le cru appartient depuis 1988 à la famille Maroteaux qui a réalisé d'importants investissements pour redonner à la propriété son lustre d'antan.

Millésime oblige, ce 2013 dévoile une matière plus légère que dans des années plus solaires. Toutefois, il reste bien construit et élégant. Le bouquet, d'une belle définition aromatique, joue sur les fruits frais et acidulés comme la framboise, avec la légère touche végétale du cabernet-sauvignon. On retrouve ces fruits en bouche, avec une chair fine, des tanins délicats et une fraîcheur qui est la marque de l'année. 2019-2023 filet mignon de veau en croûte

CH. BRANAIRE-DUCRU, 1, chem. du Bourdieu, 33250 Saint-Julien-Beychevelle, tél. 05 56 59 25 86, branaire@branaire.com r.-v.

CLOS DU MARQUIS 2013 ★

	100000		30 à 50 €

Souvent considéré comme le second vin de Léoville Las Cases, le Clos du Marquis, créé en 1902, est en réalité un cru à part entière. Son vignoble, planté sur un terroir de graves du Mindel très homogène, est situé au nord-ouest du village de Saint-Julien, le grand clos Léoville Las Cases étant quant à lui au nord-est.

Nos dégustateurs sont tombés sous le charme de ce vin: si la robe bordeaux n'a pas la profondeur des millésimes de grande garde, le bouquet brille par son élégance et sa complexité, avec ses notes de fraise bien mûre, de prune d'Ente; la barrique, mesurée, lègue une note fumée rappelant l'âtre froid. Dans une belle continuité, le palais séduit par sa texture onctueuse, sa bonne mâche, sa fraîcheur et son fruit. Encore sous l'emprise du merrain, il offre pourtant des tanins d'une belle finesse, qui n'ont rien d'austère. Un vin racé qui traduit le respect du fruit. 2019-2024 carré d'agneau

CH. LÉOVILLE LAS CASES (CLOS DU MARQUIS), 33250 Saint-Julien-Beychevelle, tél. 05 56 73 25 26, contact@leoville-las-cases.com r.-v.
Jean-Hubert Delon

CH. DU GLANA 2013 ★

	90000		15 à 20 €

Pierre et brique, la bichromie du château, construit en 1870, annonce l'architecture soulacaise et la Pointe du Médoc. Le vignoble (43 ha) est lui bien juliénois, planté sur des graves garonnaises. Installés en 1961, les Meffre y ont réalisé d'importants investissements, qu'ils poursuivent aujourd'hui (création d'un nouveau chai à barriques et d'un caveau souterrain).

La robe plutôt légère annonce bien la personnalité de ce vin au bouquet naissant centré sur le fruit, souligné des notes épicées de l'élevage. La bouche, dans le droit fil, dévoile une structure ronde, souple et fraîche, en harmonie avec des arômes de fruits rouges, framboise en tête. 2018-2022 pavé de bœuf aux cèpes ■ **Ch. Lalande 2013 (15 à 20 €; 64000 b.)** : vin cité.

CH. DU GLANA, 5, Le Glana, 33250 Saint-Julien-Beychevelle, tél. 05 56 59 06 47, contact@chateau-du-glana.com r.-v.; f. août
Meffre

CH. GLORIA 2013 ★

	188000		20 à 30 €

82 **83** 84 85 86 87 **88 89** 90 **91** 93 94 **95** 96 97 98 99 00 **01 02** |03| |04| |(05)| |06| |07| |08| 09 10 **11** 12 13

Ce cru, qui s'étend aujourd'hui sur 50 ha, a été constitué ex nihilo à partir de 1942 par l'une des grandes figures du vignoble, Henri Martin, qui pendant des années a acheté des parcelles provenant de grands crus classés, au centre de Beychevelle, ainsi qu'à l'ouest et au nord de l'appellation. Sa fille Françoise et son mari Jean-Louis Triaud, qui dirigeaient Gloria et l'ensemble des Domaines Martin ont transmis en 2016 les commandes de leurs propriétés à leur fils Jean.

Typique du millésime, ce vin joue plus sur l'élégance que sur la puissance. D'abord par son bouquet, fin et complexe, plutôt fruité (fruits rouges et noirs), légèrement empyreumatique, rehaussé de notes de cuir et de clou de girofle. Puis par son palais franc, qui développe une matière ronde et aromatique, aussi fruitée que le nez, adossée à des tanins soyeux. La longue finale aux nuances d'épices et de tabac traduit un bon potentiel. 2019-2024 faisan rôti ■ **Ch. Peymartin 2013 (11 à 15 €; 25500 b.)** : vin cité.

DOM. MARTIN (CH. GLORIA), 33250 Saint-Julien-Beychevelle, tél. 05 56 59 08 18, contact@domaines-martin.com r.-v.

CH. GRUAUD LAROSE 2013 ★

2e cru clas.	67400		50 à 75 €

82 83 84 **85** (86) 87 **88** 89 **90** 91 92 **93 94** |(95)| **96** 97 |98| |99| |(00)| |**01**| |02| |**03**| |**04**| 05 06 07 **08** 09 **10** 11 (12) 13

Créé au début du XVIIIe s. par la famille Gruaud, le domaine passe en 1771 aux mains des Larose, qui ajoutent leur nom et font construire le château de style néoclassique. En 1812, les Balguerie et Sarget achètent la propriété, puis se séparent, donnant naissance à Gruaud Larose-Bethmann et Gruaud Larose-Sarget. La réunification intervient en 1934, grâce à Désiré Cordier. Vendu en 1983 à des investisseurs institutionnels, Gruaud Larose est racheté en 1997 par le groupe familial Taillan (Merlaut), à la tête aujourd'hui d'un vaste vignoble de 82 ha, presque d'un seul tenant.

S'il ne fait pas oublier le millésime précédent, coup de cœur de la dernière édition, ce 2013 a de nombreux atouts: une robe encore jeune, un bouquet d'une belle complexité, épicé, frais et fruité, portant la marque du cabernet-sauvignon (77 %) et de la barrique, où il a séjourné dix-huit mois. Le fruit reste très présent dans un palais rond, à la fois ample et frais, soutenu par des tanins de qualité. La longue finale sur la framboise et le cassis laisse le souvenir d'un vin élégant. ⧗ 2020-2026 ¥ faisan grand-mère ■ **Sarget de Gruaud Larose 2013 (20 à 30 €; 98900 b.)** : vin cité.

CH. GRUAUD LAROSE, 33250 Saint-Julien-Beychevelle, tél. 05 56 73 15 20, gl@gruaud-larose.com r.-v. Merlaut

CH. HAUT-BEYCHEVELLE GLORIA 2013

■ | 30000 | | 11 à 15 €

Implanté à Cussac-Fort-Médoc, ce domaine est depuis 1980 la propriété de la famille Martin connue pour ses crus de Saint-Julien (Saint-Pierre et Gloria), appellation qui jouxte Cussac au nord. Il étend son vignoble de 34 ha sur des croupes de graves reposant sur des argiles.

Alfred Martin pourrait être fier du travail de ses descendants. Ce vin est un vrai saint-julien, bien soutenu par un fin boisé. Sous une couleur intense, il révèle une complexité naissante dans son bouquet mêlant épices, cassis, violette et tabac blond. Élégant, ample et bien équilibré, le palais s'appuie sur une structure assez étoffée pour l'année. Une bouteille harmonieuse. ⧗ 2019-2024 ¥ entrecôte

DOMAINES MARTIN (CH. BEL AIR), Ch. Gloria, 33250 Saint-Julien-Beychevelle, tél. 05 56 59 08 18, contact@domaines-martin.com r.-v.

CH. LAGRANGE 2013 ★★

■ 3e cru clas. | 238000 | | 30 à 50 €

82 **83 85 86 88 89** (90) **91 92 93 94 95 96 97 98 99 |00|**
01 02 **|03| |04| 05 |06|** 07 08 09 10 11 **12 13**

Un nom modeste pour une vaste propriété (280 ha, dont 120 de vignes) et un château néoclassique agrémenté d'un campanile aux allures toscanes. Le vignoble d'un seul tenant, établi sur deux buttes de graves, est l'héritier d'une longue histoire, la Grange désignant souvent au Moyen Âge un grand domaine avec église, habitations et bâtiments d'exploitation. Propriété du groupe japonais Suntory depuis 1983, le cru, longtemps dirigé par Marcel Ducasse, figure de la viticulture médocaine, puis par son ancien adjoint Bruno Eynard, a recruté Matthieu Bordes en 2013.

Un vin aussi remarquable que le 2012, même s'il n'offre pas le même potentiel. Déjà très expressif, complexe et raffiné, son bouquet met en avant le fruit, des arômes de petits fruits rouges et noirs rehaussés des épices et de la vanille légués par l'élevage. Quant au palais, à la fois rond et tendu, il laisse une impression de fraîcheur et d'élégance grâce à ses tanins vifs et serrés. La longue et noble finale signe une bouteille de grande classe. ⧗ 2020-2026 ¥ tournedos Rossini de canard ■ **Les Fiefs de Lagrange 2013 ★ (20 à 30 €; 277000 b.)** : un second vin suave et gourmand avec ses tanins soyeux et sa finale persistante sur le fruit. ⧗ 2019-2023

CH. LAGRANGE, Beychevelle, 33250 Saint-Julien-Beychevelle, tél. 05 56 73 38 38, contact@chateau-lagrange.com r.-v. 4 Groupe Suntory

CH. LÉOVILLE BARTON 2013 ★

■ 2e cru clas. | 120000 | | 30 à 50 €

82 83 85 86 88 |89| |(90)| **91** 93 **94** 95 **|96| 97 |98| |99|**
|00| 01 **02 03 04** (05) **06** |07| **|08| 09 10** 11 12 13

Si l'Irlandais Thomas Barton a installé aux Chartrons son affaire de négoce en 1725, ce n'est qu'en 1821 que son petit-fils Hugh acquiert le château Langoa, puis en 1826 une partie de l'ancien domaine de Léoville, propriété née au début du XVIIes. et scindée en plusieurs parties à la Révolution. Un domaine resté depuis lors dans la famille Barton (Lilian Barton-Sartorius depuis 2006), dont les 51 ha de vignes s'étendent au sud du bourg de Saint-Julien. Pas de demeure ni de chai ici, vinification et élevage se déroulent à Langoa.

Ce cru a tiré un bon saint-julien de ce millésime difficile: un bouquet discret mais délicat, associant les fruits rouges frais, le cassis à la vanille et aux épices douces de la barrique; un palais bien construit, très équilibré qui, à l'unisson du nez, joue sur la finesse et sur la fraîcheur du fruit. ⧗ 2020-2026 ¥ civet de canard ■ **La Réserve de Léoville Barton 2013 (20 à 30 €; 32000 b.)** : vin cité.

FAMILLE BARTON, Ch. Léoville Barton, 33250 Saint-Julien-Beychevelle, tél. 05 56 59 06 05, chateau@leoville-barton.com r.-v.; f. août

♥ CH. LÉOVILLE LAS CASES 2013 ★★

■ 2e cru clas. | 120000 | | + de 100 €

(61) **62 64** 67 69 **70 71 75** 76 **78 79** (82) (83) **85** (86) **|88| |89|**
|90| 91 92 **93** |(00)| **|01| |02|** (03) **|04|** (05) **06 07 08** (09) (10)
11 12 13

Las Cases ne se contente pas de posséder les trois cinquièmes de l'ancien domaine de Léoville – divisé entre 1826 et 1846 pour aboutir aux trois Léoville connus aujourd'hui –, le cru possède le cœur historique du vignoble, le Grand Clos. Près de 60 ha plantés sur de belles graves reposant en profondeur sur des graves argilo-sableuses, au voisinage de Latour et de la Gironde, complétés par l'actuel Clos du Marquis. À cet avantage s'ajoute celui d'être géré depuis 1900 par la même famille, les Delon (aujourd'hui Jean-Hubert), qui l'ont doté, notamment depuis 2002, d'équipements à la pointe du progrès.

Un printemps et un début d'été humides et froids, des mois de juillet et août très chauds et secs et des vendanges assez tardives; les contrastes de la météo ont compliqué la tâche des vignerons et vinificateurs dans ce millésime, à Léoville Las Cases comme partout. Mais le savoir-faire et les moyens mis en œuvre ont permis d'obtenir un vin qui ne nuira pas à la haute réputation du cru. La robe jeune montre une rare profondeur, bien supérieure à la moyenne. Le bouquet libère des senteurs intenses d'épices et de torréfaction rappelant le moka, qui laissent une place au fruit – du petit fruit acidulé. Le palais déploie une belle matière bien enveloppée, soutenue par des tanins très denses, et persiste longuement sur des notes fruitées et vanillées. Encore un peu jeune et resserrée, une grande bouteille pleine de promesses. ⧗ 2021-2030 ¥ carré d'agneau ■ **Le Petit Lion du Marquis de Las Cases 2013 (20 à 30 €; 80000 b.)** : vin cité.

CH. LÉOVILLE LAS CASES, 33250 Saint-Julien-Beychevelle, tél. 05 56 73 25 26, contact@leoville-las-cases.com r.-v. Jean-Hubert Delon

CH. LÉOVILLE POYFERRÉ 2013 ★★

■ 2e cru clas. | 154727 | | 50 à 75 €

79 80 **82** (83) **85 86 88 89** 90 **91** 93 **94** 95 **96 97 98 99**
00 01 |(02)| |**03**| **04** |**05**| |**06**| 07 **08 09 10 11 12 13**

Comme les deux autres crus issus de l'ancien domaine de Léoville, Poyferré – du nom du comte de Poyferré, issu d'une maison noble d'Armagnac, qui hérita du vignoble par son épouse lors de la scission – bénéficie d'un terroir de choix. Celui-ci, d'une superficie de 80 ha, se répartit sur toute la commune de Saint-Julien: à l'est, près de la Gironde, des graviers et galets bruns; à l'ouest, des sables noirs. Des atouts mis en valeur depuis 1979 par Didier Cuvelier, dont la famille, d'anciens négociants en vins à Lille, acquit la propriété en 1920.

Léoville Poyferré fait aussi bien que l'an dernier: une remarquable réussite pour le millésime. Les jurés louent son bouquet intense, complexe et bien fondu, équilibré entre des notes de vanille, de cacao et de cèdre léguées par un séjour de dix-huit mois en barrique et le fruit du raisin, qui s'exprime sur la framboise et le cassis. Le palais enchante par son attaque ample et soyeuse, par sa structure tannique de qualité et sa puissante finale. Tout est réuni pour faire de ce vin riche et velouté une grande bouteille dans quelques années. ⧗ 2020-2028 ¥ paupiettes de veau au foie gras ■ **Pavillon de Léoville Poyferré 2013 ★ (20 à 30 €; 56592 b.)** : moins expressif que le grand vin, le second vin offre néanmoins une matière puissante, dense et une longue finale. Du potentiel. ⧗ 2019-2026

SOCIÉTÉ FERMIÈRE DU CH. LÉOVILLE POYFERRÉ, 38, rue Saint-Julien, 33250 Saint-Julien, tél. 05 56 59 08 30, lp@leoville-poyferre.fr V r.-v.

CH. SAINT-PIERRE 2013 ★

■ 4e cru clas. | 70000 | | 30 à 50 €

82 **83 85** (86) **88 89** 90 **93** 94 (95) (96) 97 **98** 99 |**01**| |**02**|
|**03**| |**04**| (05) |**06**| |**07**| **08 09 10 11 12** 13

Ce cru ancien (XVIIes.) a connu des heures sombres, ayant été totalement dispersé à la suite de plusieurs successions. Henri Martin le reconstitua à partir de 1982. Le vignoble couvre 17 ha, planté sur un beau terroir de graves reposant sur une couche argilo-sablonneuse. La fille d'Henri Martin, Françoise, et son mari Jean-Louis Triaud, qui le conduisaient, ont passé la main en 2016 à leur fils Jean.

Plus modeste que le millésime précédent, qui complétait une belle collection de coups de cœur, ce 2013 ne tire pas moins un très bon parti d'une année compliquée. Passant des notes de pain grillé, de café et de tabac de la barrique aux fruits rouges, le bouquet fait preuve d'une réelle complexité. Plein, riche et puissant sans la moindre agressivité, de bonne longueur, le palais reste du même niveau et annonce un bon potentiel de garde. ⧗ 2020-2026 ¥ poularde truffée ■ **Ch. Esprit de Saint-Pierre 2013 (20 à 30 €; 6000 b.)** : vin cité.

DOMAINES MARTIN, Ch. Gloria, 33250 Saint-Julien-Beychevelle, tél. 05 56 59 08 18, contact@domaines-martin.com V r.-v.; f. août

CH. TALBOT 2013 ★

■ 4e cru clas. | 169000 | | 30 à 50 €

82 83 (85) **86 88** 89 90 **93** 94 **95** 96 97 98 99 **00 01** 02
03 04 |**05**| |06| 07 |08| **09** |**10**| 11 12 13

Portant le nom du connétable gouverneur de la Guyenne anglaise battu à Castillon-la-Bataille en 1453, ce château situé sur une croupe de graves, au centre de l'appellation saint-julien, se donne modestement des airs de grosse maison bourgeoise raffinée et confortable, sans souci ostentatoire. Tout autour, se déploie un vaste vignoble de 106 ha d'un seul tenant, à l'origine de saint-julien élégants et bien typés, d'une grande régularité dans la qualité. Un cru acquis par Désiré Cordier en 1917, conduit aujourd'hui par son arrière-petite-fille Nancy et son mari Jean-Paul Bignon, qui en ont confié la direction générale à Jean-Pierre Marty.

Ce cru a tiré d'un millésime ingrat un vin de très bonne tenue, qui offre un beau reflet de l'année. Son bouquet élégant laisse parler un fruit croquant (fraise), même s'il est encore sous l'emprise d'un merrain vanillé et épicé. Le fruit noir (cassis) et le pain grillé s'ajoutent à cette palette dans un palais onctueux et frais, étayé par les tanins fins du raisin mûr et de l'élevage, qui viennent en soutien d'une longue finale. ⧗ 2019-2026 ¥ gigot d'agneau

CH. TALBOT, 33250 Saint-Julien-Beychevelle, tél. 05 56 73 21 50, chateau-talbot@chateau-talbot.com r.-v. Nancy Bignon-Cordier

CH. TEYNAC 2013

■ | 21500 | | 20 à 30 €

Au début des années 1990, Fabienne et Philippe Pairault ont abandonné leur entreprise de communication en région parisienne pour s'installer en Médoc, où ils ont acquis le Ch. Corconnac (haut-médoc) et les 13 ha des Ch. Teynac et Les Ormes en saint-julien.

Philippe et Fabienne Pairault ont acquis en 1990 ce domaine qu'ils ont remis en état, restructuré et agrandi, portant sa superficie de 4,5 ha à 12,5 ha. Leur saint-julien 2013 apparaît simple, mais agréable par la souplesse de ses tanins et son équilibre, en harmonie avec la discrète élégance du bouquet aux nuances de fruits rouges frais, de vanille et d'épices. ⧗ 2018-2021 ¥ rôti de veau

CH. TEYNAC, EARL T et C, Grand-Rue, 33250 Saint-Julien-Beychevelle, tél. 05 56 59 93 04, philetfab3@wanadoo.fr t.l.j. 10h-12h 14h-18h; f. août Philippe et Fabienne Pairault

➾ LES VINS BLANCS LIQUOREUX

Quand on regarde une carte vinicole de la Gironde, on remarque aussitôt que toutes les appellations de liquoreux se trouvent dans une petite région située de part et d'autre de la Garonne, autour de son confluent avec le Ciron. Simple hasard? Assurément non, car c'est l'apport des eaux froides de la petite rivière landaise, au cours entièrement couvert d'une voûte de feuillages, qui donne naissance à un climat très particulier. Celui-ci favorise l'action du *Botrytis cinerea*, champignon de la pourriture noble. En effet, le type de temps que connaît la région en automne (humidité le matin, soleil chaud l'après-midi) permet au champignon de se développer sur un raisin parfaitement mûr sans le faire éclater: le grain se comporte comme une véritable éponge, et le jus se concentre par évaporation d'eau. On obtient ainsi des moûts très riches en sucre.

Mais, pour obtenir ce résultat, il faut accepter de nombreuses contraintes. Le développement de la pourriture noble étant irrégulier sur les différentes baies, il faut vendanger en plusieurs fois, par tries successives, en ne ramassant à chaque fois que les raisins dans l'état optimal. En outre, les rendements à l'hectare sont faibles (avec un maximum autorisé de 25 hl à Sauternes et à Barsac). Enfin, l'évolution de la surmaturation, très aléatoire, dépend des conditions climatiques et fait courir des risques aux viticulteurs.

CADILLAC

Superficie : 128 ha / Production : 6 000 hl

Ennoblie par son splendide château du XVIIe s., surnommé le «Fontainebleau girondin», la bastide de Cadillac est souvent considérée comme la capitale des Premières-Côtes. Elle est aussi, depuis 1980, une appellation de vins liquoreux.

CH. BOURDIEU-LAGRANGE 2013 ★

| 12000 | | 5 à 8 €

Les aïeux d'Alain Bastide ont acheté en 1886 cette maison qui aurait été jadis un relais de chasse du duc d'Épernon. Le vignoble couvre aujourd'hui 40 ha répartis sur plusieurs appellations: des AOC régionales, cadillac et cadillac-côtes-de-bordeaux. Alain Bastide, à sa tête depuis 1990, a été rejoint en 2009 par son fils Nicolas, œnologue.

Assez original, ce vin s'annonce par une robe jaune pâle aux reflets or gris et développe un bouquet complexe et fort plaisant sur les fleurs et fruits blancs, un soupçon de tabac blond, assortis de légères touches de miel, de coing et d'abricot sec. Le palais confirme ces bonnes dispositions, séduisant par son équilibre entre le sucre et l'acidité comme par sa longue finale particulièrement aromatique. ⧗ 2018-2026 🍴 salade de fruits exotiques

⊶ *SCEA BASTIDE ET FILS, Ch. Bourdieu Lagrange, 33410 Monprimblanc, tél. 05 56 62 98 86, sceabastide@hotmail.fr* V r.-v.

CH. FRAPPE-PEYROT 2013

| 15000 | | 8 à 11 €

En parallèle de son activité de directeur d'exploitation dans un grand domaine bordelais, Jean-Yves Arnaud a repris en 1981 le cru familial Frappe-Peyrot, bonne référence en cadillac, et produit aussi en bordeaux et en loupiac avec les châteaux Massac et Mazarin. Son fils Mathieu a pris en 2013 la direction des vignobles (38 ha en tout).

D'un or assez pâle, la robe donne le ton de la dégustation, qui fait découvrir un vin souple et assez charmeur. D'abord réservé, le nez libère à l'aération de fines notes de coing et d'écorce d'orange caractéristiques des liquoreux. Si le palais penche vers l'acidité, il séduit par son côté aromatique qui confirme l'évolution du bouquet, dévoilant une belle présence de la pourriture noble. ⧗ 2016-2022 🍴 poulet au citron

⊶ *SCEA VIGNOBLES JEAN-YVES ARNAUD, 16, La Croix, 33410 Gabarnac, tél. 06 09 14 05 93, lesvignoblesarnaud@gmail.com* V r.-v.

♥ CH. HAUT-MOULEYRE 2014 ★★

| 2304 | | 8 à 11 €

La Société fermière des Grands Crus de France est la structure spécialisée dans le Bordelais du groupe Grands Chais de France. Son œnologue Vincent Cachau vinifie le fruit de quinze propriétés, représentant 390 ha dans les différentes AOC bordelaises.

Un cru de 44 ha établi sur les coteaux exposés au sud-sud-ouest autour d'Escoussans, près de Cadillac. Le nez ne laisse planer aucun doute sur le caractère liquoreux du vin, en déployant de belles notes d'abricot et de raisins confits. Le palais confirme ce caractère par sa concentration, son gras, son ampleur, son côté miellé. Il achève de convaincre par son remarquable équilibre entre sucre et acidité et par sa longue finale aux saveurs d'amande et de noisette. ⧗ 2019-2028 🍴 saint-jacques au beurre d'agrumes

⊶ *STÉ FERMIÈRE DES GRANDS CRUS DE FRANCE, 33460 Lamarque, tél. 05 57 98 07 20*

CH. LA RAME 2013 ★★

| 5000 | | 15 à 20 €

Implantée à Sainte-Croix depuis huit générations, la famille Armand fait partie des institutions locales pour ses liquoreux renommés. Elle y conduit deux crus (dans un esprit bio, sans certification): la Caussade et la Rame, son fleuron, dont les vins étaient déjà réputés au XIXe s. Angélique et Grégoire Armand ont pris la suite de leur père Yves en 2009.

Si la partie principale du vignoble de la Rame est en appellation sainte-croix-du-mont, 2 ha sont situés en

AOC cadillac. Des deux côtés, des vins remarquables. Ce 2013 affirme sa forte personnalité par une robe éclatante où l'or brille de mille feux et par un bouquet très expressif alliant un boisé complexe (toast grillé, caramel, cannelle) au pain d'épice et aux fruits mûrs. Au palais, il se révèle comme un authentique liquoreux, aromatique, ample, puissant, riche, équilibré et tellement élégant avec sa jolie finale mariant l'abricot et un boisé fondu. Finaliste du coup de cœur – qui n'a pas échappé au sainte-croix-du mont. ⧗ 2018-2026 🍴 langoustines à la crème

⊶ *GFA CH. LA RAME, 33410 Sainte-Croix-du-Mont, tél. 05 56 62 01 50, dgm@wanadoo.fr* V ✦ ▪ *t.l.j. 9h-12h 13h-17h30; sam. dim. sur r.-v.*

CH. DE TESTE Grains nobles 2013

■	9000		11 à 15 €

Basé à Monprimblanc, à cheval sur l'Entre-deux-Mers et les Côtes de Bordeaux, Laurent Réglat peut jouer sur plusieurs appellations et types de vins, ayant même un pied dans les Graves. Souvent en vue pour ses liquoreux (cadillac, sainte-croix-du-mont), il ne néglige pas pour autant les rouges (cadillac-côtes-de-bordeaux, graves).

Plus que sur la puissance, c'est sur la finesse que s'appuie le bouquet de ce vin qui déploie de jolies notes fruitées et mentholées enrichies d'une touche de pain d'épice. Le palais conserve cette finesse tout en révélant un beau volume et une longue finale fraîche. ⧗ 2017-2022 🍴 terrine de poulet au citron

⊶ *EARL VIGNOBLES LAURENT RÉGLAT, Ch. de Teste, 33410 Monprimblanc, tél. 05 56 62 92 76, vignobles.l.reglat@wanadoo.fr* V ✦ ▪ *r.-v.*

LOUPIAC

Superficie : 350 ha / Production : 12 550 hl

Entre Cadillac à l'ouest et Sainte-Croix-du-Mont à l'est, ce vignoble très ancien couvre les côtes de la rive droite de la Garonne, en face de Sauternes. Par son orientation, ses terroirs et son encépagement, il est très proche de celui de Sainte-Croix-du-Mont. Toutefois, comme sur la rive gauche, les vins produits vers le nord ont souvent un caractère plus moelleux que liquoreux.

CH. DU CROS 2013

■	12000		15 à 20 €

Établi sur les hauteurs de Loupiac, le château du Cros est étroitement lié à l'histoire du duché anglo-gascon d'Aquitaine au Moyen Âge. Fief des Boyer depuis quatre générations, il commande un vignoble de 95 ha sur les deux rives de la Garonne, produisant sous diverses étiquettes des vins de qualité, notamment en blanc.

Jaune paille à reflets dorés, la robe ne manque pas d'attraits. Encore fermé, le bouquet ne livre que quelques notes de raisin mûr. Plus expressif mais encore, lui aussi, assez réservé, le palais, riche, bien équilibré et long, inspire confiance par sa constitution. Un vin qui appelle un peu de patience. ⧗ 2018-2022 🍴 tarte Tatin ■ **Ch. Ségur du Cros 2014 (8 à 11 €; 18 000 b.)** : vin cité.

⊶ *VIGNOBLES BOYER, 94, rte de Saint-Macaire, 33410 Loupiac, tél. 05 56 62 99 31, contact@chateauducros.com* V ✦ ▪ *t.l.j. 9h-12h 14h-18h; sam. dim. sur r.-v.*

CH. DU GRAND PLANTIER 2013

■	6000		8 à 11 €

Issus d'une très ancienne famille de producteurs de Monprimblanc, les Albucher conduisent un bel ensemble de 50 ha répartis sur plusieurs appellations et proposent une large gamme de vins. Souvent en vue pour leurs liquoreux de Loupiac et leurs bordeaux secs.

Si ce 2013 affiche une robe d'un jaune doré plutôt soutenu, le bouquet reste discret, mais intéressant par ses notes d'épices, de fruits confits et de miel. Après une attaque franche, le palais révèle une bonne structure ronde, marquée en finale par un agréable boisé vanillé et fumé. ⧗ 2018-2022 🍴 nems

⊶ *GAEC DES VIGNOBLES ALBUCHER, Ch. du Grand Plantier, 33410 Monprimblanc, tél. 05 56 62 99 03, chateaudugrandplantier@orange.fr* V ✦ ▪ *r.-v.* ⌂ Ⓔ

CH. LOUPIAC-GAUDIET 2013 ★

■	50000		8 à 11 €

Cette exploitation familiale de Loupiac est née avec l'acquisition en 1870 du Ch. Pontac, complétée par l'achat du Ch. de Loupiac en 1920. Installé en 1995 et rejoint par son neveu Daniel Sanfourche, Marc Ducau exploite 30 ha sur des coteaux dominant la Garonne et propose des loupiac sous différentes étiquettes (Ch. de Loupiac et Ch. Loupiac-Gaudet notamment).

La robe jaune doré aux reflets brillants met en confiance; à juste titre quand on découvre le bouquet mêlant les fruits (abricot et coing), les fleurs blanches, le miel et la cire, avec quelques notes d'écorce d'orange confite. Après une attaque fraîche et franche, les notes de miel et de fruits confits confirment le côté liquoreux de ce vin, souligné par une structure ronde. ⧗ 2018-2023 🍴 foie gras poêlé

⊶ *SCEA MARC DUCAU, Ch. Loupiac-Gaudiet, 52, rte de Saint-Macaire, 33410 Loupiac, tél. 05 56 62 99 88, ml@loupiacgaudiet.com* V ✦ ▪ *r.-v.* ⊶ *Daniel Sanfourche*

CH. MAZARIN 2013

■	25000		8 à 11 €

En parallèle de son activité de directeur d'exploitation dans un grand domaine bordelais, Jean-Yves Arnaud a repris en 1981 le cru familial Frappe-Peyrot, bonne référence en cadillac, et produit aussi en bordeaux et en loupiac avec les châteaux Massac et Mazarin. Son fils Mathieu a pris en 2013 la direction des vignobles (38 ha en tout).

À une robe jaune pâle brillant répond un bouquet encore discret, qui surprend par une touche végétale derrière laquelle percent des arômes d'abricot, de coing, de pain d'épice et de miel. Les fruits mûrs s'épanouissent au palais dont la palette s'enrichit d'un délicat vanillé, tandis que se développe une structure fraîche, ronde et bien équilibrée. ⧗ 2017-2021 🍷 poulet rôti

SCEA VIGNOBLES JEAN-YVES ARNAUD, 16, La Croix, 33410 Gabarnac, tél. 06 09 14 05 93, lesvignoblesarnaud@gmail.com V *r.-v.*

CH. DE RONDILLON 2014 ★

	20000		11 à 15 €

La famille Bord exploite la vigne depuis plus de six générations à Loupiac, à travers deux propriétés. Acquis en 1792, le Clos Jean étend son vignoble sur 20 ha; le Ch. Rondillon, l'un des plus anciens crus de la région, couvre quant à lui 12 ha. Josselin Bord a pris la tête de l'ensemble en 2010.

Sans prétendre rivaliser avec le «sublime» Clos Jean 2011, élu coup de cœur, ce 2014 fait honneur aux Bord: d'une couleur jaune doré engageante, il se montre expressif par ses parfums intensément floraux, entre acacia et genêt, nuancés de notes d'agrumes et de noisette, et harmonieux par sa structure souple, équilibrée et fraîche. ⧗ 2018-2024 🍷 fondant au chocolat cœur d'orange

GFA CH. DE RONDILLON, 33410 Loupiac, tél. 06 22 76 22 01, vignobles.bord@wanadoo.fr V *r.-v.*

PREMIÈRES-CÔTES-DE-BORDEAUX

Superficie : 195 ha / Production : 8 865 hl

Depuis le millésime 2008, les rouges de cette zone sont produits sous le nom de cadillac-côtes-de-bordeaux. Cette appellation est donc aujourd'hui réservée aux vins blancs moelleux ou liquoreux.

SWEET BORDEAUX BY CH. FAYAU 2014

	24000		5 à 8 €

Établis depuis près de deux siècles à Cadillac, les Médeville, également négociants, sont à la tête d'un vaste ensemble de 160 ha répartis sur une quinzaine de crus au sud de Bordeaux. Ch. Fayau est le berceau de la famille, acquis en 1826: un vignoble de 41 ha, en grande partie planté sur les coteaux entourant la cité des ducs d'Épernon.

Simple mais plaisant, ce vin à la robe claire et brillante offre un discret bouquet jeune, printanier et floral, agrémenté de quelques notes confites. À l'unisson du nez, le palais se montre frais, aimable et bien équilibré. Sa légèreté permettra à ce moelleux de trouver facilement sa place, de l'apéritif au dessert. ⧗ 2017-2021 🍷 bagel à la poire et au roquefort

JEAN MÉDEVILLE ET FILS, Ch. Fayau, 33410 Cadillac, tél. 05 57 98 08 08, medeville@medeville.com V *t.l.j. sf sam. dim. 9h-12h 14h-17h*

SAINTE-CROIX-DU-MONT

Superficie : 400 ha
Production : 15 000 hl

Un site de coteaux abrupts dominant la Garonne, trop peu connu en dépit de son charme, et un vin ayant trop longtemps souffert (à l'égal des autres appellations de liquoreux de la rive droite, loupiac et cadillac) d'une réputation de vin de noces ou de banquets.
Pourtant, cette aire d'appellation située en face de Sauternes mérite mieux: à de bons terroirs, en général calcaires, avec des zones graveleuses, elle ajoute un microclimat favorable au développement du botrytis. Quant aux cépages et aux méthodes de vinification, ils sont très proches de ceux du Sauternais. Les vins, autant moelleux que véritablement liquoreux, offrent une plaisante impression de fruité.

CH. DES ARROUCATS
Sélection du château 2014 ★

	10000		11 à 15 €

Fondé en 1938 par Christian Labat, ce domaine familial dispose d'un coquet vignoble de 46 ha, dont 25 ha à Sainte-Croix-du-Mont, son berceau, complétés par des vignes dans les Graves (Ch. Dorléac), sur l'autre rive de la Garonne. L'ensemble est conduit depuis 2000 par Virginie Barbe, petite-fille du fondateur.

Succédant à un 2013 élu coup de cœur, ce 2014, sans être très intense, met en confiance par sa robe vieil or. C'est donc sans surprise que l'on découvre un élégant bouquet de vrai liquoreux jeune, fruité et floral. Le caractère confit se précise au palais, qui révèle une réelle richesse et un bon volume. ⧗ 2018-2026 🍷 gambas au miel et au gingembre

EARL DES VIGNOBLES LABAT-LAPOUGE, Les Arroucats, 33410 Sainte-Croix-du-Mont, tél. 05 56 62 07 37, chateau_arroucats@hotmail.com V *t.l.j. 8h-12h 13h-17h; sam. dim. sur r.-v.; f. 1er-15 août* *Barbe-Lapouge*

CH. CRABITAN BELLEVUE 2013

	42000		5 à 8 €

Belle unité de 42 ha implantée sur les coteaux sud dominant la rive droite de la Garonne, ce domaine de la famille Solane (Nicolas depuis 1994) est présent dans plusieurs appellations avec différents types de vins, mais son cœur bat pour le sainte-croix-du-mont

Sans être très puissant, ce vin se montre intéressant par son bouquet concentré, ouvert sur les agrumes, l'abricot, la pâte de coing et le miel, rehaussés d'un léger boisé aux nuances de noisette. Sa bouche très riche et suave est équilibrée en finale par un trait de fraîcheur, avec un agréable retour des agrumes confits. ⧗ 2017-2022 🍷 melon

GFA BERNARD SOLANE ET FILS, Crabitan, 33410 Sainte-Croix-du-Mont, tél. 05 56 62 01 53, crabitan.bellevue@orange.fr t.l.j. sf dim. 8h-12h 14h-18h

CRU DE GRAVÈRE
Cuvée Prestige 2013 ★

4500 | 11 à 15 €

Basé à Monprimblanc, à cheval sur l'Entre-deux-Mers et les Côtes de Bordeaux, Laurent Réglat peut jouer sur plusieurs appellations et types de vins, ayant même un pied dans les Graves. Souvent en vue pour ses liquoreux (cadillac, sainte-croix-du-mont), il ne néglige pas pour autant les rouges (cadillac-côtes-de-bordeaux, graves).

S'annonçant par une robe bouton d'or attrayante, ce vin séduit par son bouquet net et bien ouvert d'agrumes, qui se nuance à l'aération de notes de coing, d'abricot et de melon. Au palais, se révèle un discret boisé qui ne nuit pas à l'élégance de l'ensemble. Un vin d'une puissance mesurée, à boire jeune pour apprécier pleinement sa belle expression aromatique. ⧗ 2016-2021 ⫯ poulet rôti

EARL VIGNOBLES LAURENT RÉGLAT, Ch. de Teste, 33410 Monprimblanc, tél. 05 56 62 92 76, vignobles.l.reglat@wanadoo.fr r.-v.

CH. LA GRAVE 2013 ★

28000 | 8 à 11 €

La famille Bridet-Tinon a acquis le cœur de La Grave en 1929, juste avant le krach boursier. Le vignoble s'est peu à peu agrandi à partir des années 1970, complété entre autres des 5 ha du Ch. Grand Peyrot acquis en 1977; il compte 25 ha aujourd'hui. Virginie Tinon, aux commandes depuis 1999, a converti les vignes rouges du cru à l'agriculture biologique (certification à partir du millésime 2014).

Un vin gourmand bien dans l'esprit de l'appellation, tant par son bouquet expressif, aux notes de fruits mûrs et confiturés, de marmelade et de coing, que par sa structure, ample, riche et bien équilibrée par une juste fraîcheur. ⧗ 2017-2021 ⫯ poire au roquefort

Ch. Grand Peyrot 2013 (8 à 11 €; 6600 b.) : vin cité.

EARL VIGNOBLE TINON, Ch. la Grave, 33410 Sainte-Croix-du-Mont, tél. 05 56 62 01 65, tinon@terre-net.fr r.-v.

CH. MASSAC 2013 ★

30000 | 8 à 11 €

En parallèle de son activité de directeur d'exploitation dans un grand domaine bordelais, Jean-Yves Arnaud a repris en 1981 le cru familial Frappe-Peyrot, bonne référence en cadillac, et produit aussi en bordeaux et en loupiac avec les châteaux Massac et Mazarin. Son fils Mathieu a pris en 2013 la direction des vignobles (38 ha en tout).

Jaune citron aux reflets dorés, la robe de ce liquoreux met en confiance, autant que le bouquet, qui monte en puissance, passant du genêt en fleur aux agrumes et aux fruits confits. Le palais séduit par sa texture à la fois onctueuse, riche et pleine de finesse et par sa palette complexe jouant sur l'abricot et les agrumes confits. ⧗ 2017-2022 ⫯ roquefort

SCEA VIGNOBLES JEAN-YVES ARNAUD, 16, La Croix, 33410 Gabarnac, tél. 06 09 14 05 93, lesvignoblesarnaud@gmail.com r.-v.

CH. DU MONT Cuvée Pierre 2014 ★

10000 | 11 à 15 €

Paul Chevassier a constitué ce vignoble au début du XXe s., à Sainte-Croix-du-Mont. Son gendre Pierre Chouvac et, depuis 2000, son petit-fils Hervé l'ont développé sur les deux rives de la Garonne, dans les Graves et le Sauternais (27 ha aujourd'hui), mais Sainte-Croix est resté le cœur du domaine, dont il est l'un des porte-drapeaux.

Une cuvée bien connue de nos lecteurs, plus d'une fois au sommet. Drapée dans une brillante robe bouton d'or, elle développe un joli bouquet mêlant le miel aux notes de fumée laissées par un séjour de quinze mois en barrique. En bouche, le côté liquoreux s'affirme par des notes confites et rôties plus nettes et par de belles rondeurs, avec une ampleur et un gras très marqués. Bien construit et persistant, un liquoreux traditionnel, qui témoigne d'une très bonne maîtrise du chai. ⧗ 2017-2024 ⫯ foie gras

Les vins blancs liquoreux

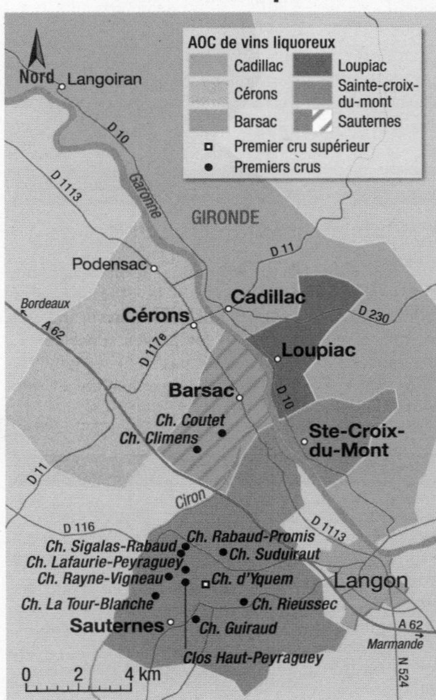

HERVÉ CHOUVAC, Ch. du Mont, lieu-dit Pascaud, 33410 Sainte-Croix-du-Mont, tél. 06 89 96 54 73, chateau-du-mont@wanadoo.fr V r.-v.

♥ CH. LA RAME 2014 ★★

	30000		11 à 15 €

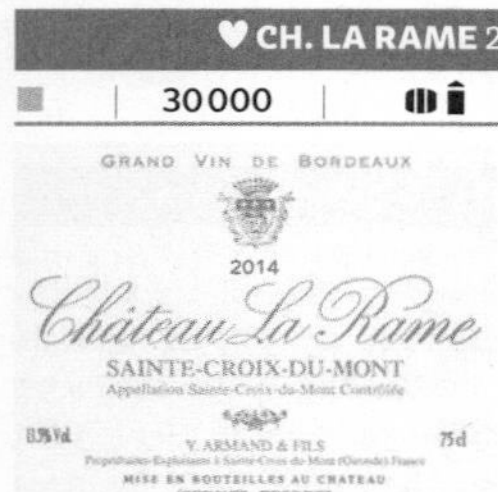

Implantée à Sainte-Croix depuis huit générations, la famille Armand fait partie des institutions locales pour ses liquoreux renommés. Elle y conduit deux crus (dans un esprit bio, sans certification): la Caussade et la Rame, son fleuron, dont les vins étaient déjà réputés au XIXᵉs. Angélique et Grégoire Armand ont pris la suite de leur père Yves en 2009.

Par sa profondeur, la robe vieil or ne laisse planer aucun doute sur le caractère liquoreux de ce vin, une fois encore remarquable. Le bouquet confirme cette impression: aussi élégant qu'intense et complexe, il développe de délicates notes confites et rôties témoignant de la surmaturation des raisins. Ce caractère confit s'épanouit dans un palais savoureux, dont on admire la montée en puissance, la richesse, l'ampleur, la générosité et l'équilibre assuré par une ligne de fraîcheur qui étire la finale et laisse une impression d'élégance. Classique et moderne à la fois, un superbe 2013, qui a le potentiel d'un grand liquoreux. ⧗ 2018-2030 ⟟ turbot braisé confiture de figues ■ **Ch. la Caussade 2014 (8 à 11 €; 36000 b.)** : vin cité.

GFA CH. LA RAME, 33410 Sainte-Croix-du-Mont, tél. 05 56 62 01 50, dgm@wanadoo.fr V *t.l.j. 9h-12h 13h-17h30; sam. dim. sur r.-v.*

CÉRONS

Superficie : 49 ha / Production : 1 335 hl

Enclavés dans les graves (appellation à laquelle ils peuvent aussi prétendre, à la différence des sauternes et des barsac), les cérons assurent une liaison entre les barsac et les graves supérieures, moelleuses. Là ne s'arrête pas leur originalité, qui réside aussi dans une sève particulière et une grande finesse.

CLOS BOURGELAT 2013 ★

	5300		11 à 15 €

Un domaine remontant au XVIIIᵉs. Arrivé à sa tête en 1980, Dominique Lafosse a passé en 2013 le relais à son fils Antoine, qui représente la septième génération. Implanté à Cérons, village éponyme d'une appellation de liquoreux, le vignoble de 14 ha privilégie le cépage sémillon. À sa carte, des cérons, et surtout des graves, majoritairement blancs.

Très élégant, ce cérons sait se présenter dans une jolie robe jaune à reflets or. Discret mais plaisant, son bouquet distille des senteurs de fruits exotiques et de fruits confits. Après une attaque fraîche et franche, le palais se déploie avec souplesse, équilibre, finesse et longueur sur des arômes d'ananas, de mangue, de vanille et de cardamome. ⧗ 2018-2022 ⟟ médaillon de lotte sauce orange

EARL DOMINIQUE LAFOSSE, Clos Bourgelat, 4, Caulet-sud, 33720 Cérons, tél. 05 56 27 01 73, domilafosse@wanadoo.fr V *t.l.j. sf dim. 10h-12h 14h-19h; f. août*

GRAND ENCLOS DU CH. DE CÉRONS 2013

	1100		30 à 50 €

Issu d'un très ancien domaine, propriété des marquis de Calvimont du XVIᵉ au XVIIIᵉs., ce cru de Cérons (30 ha), qui a aussi droit à l'appellation graves, connaît depuis 2000 une seconde jeunesse grâce à Giorgio Cavanna, un ingénieur italien amoureux de la France, qui l'a racheté après avoir géré un domaine familial en Toscane.

À une robe bien dorée répond un bouquet à la fois riche et délicat évoquant les agrumes, la pêche, la mangue, le miel et le raisin confit, avec une note balsamique d'encaustique. On retrouve de généreux arômes confits dans une bouche tout en douceur, qui se développe avec rondeur et persistance. ⧗ 2018-2021 ⟟ ris de veau braisés caramélisés

SCEA DU GRAND ENCLOS DE CÉRONS, 12, pl. Charles-de-Gaulle, 33720 Cérons, tél. 05 56 27 01 53, maryline.grandenclos@orange.fr V *r.-v.* *Giorgio Cavanna*

SAUTERNES

Superficie : 1 735 ha / Production : 34 260 hl

Si vous visitez un château à Sauternes, vous saurez tout sur ce propriétaire qui eut un jour l'idée géniale d'arriver en retard pour les vendanges et de décider, sans doute par entêtement, de faire ramasser les raisins surmûris malgré leur aspect peu engageant. Mais si vous en visitez cinq, vous n'y comprendrez plus rien, chacun ayant sa propre version, qui se passe évidemment chez lui. En fait, nul ne sait qui « inventa » le sauternes, ni quand ni où.

Si en Sauternais, l'histoire se cache toujours derrière la légende, la géographie, elle, n'a plus de secret. Chaque caillou des cinq communes constituant l'appellation (dont Barsac, qui possède sa propre appellation) est recensé et connu dans toutes ses composantes.

Il est vrai que c'est la diversité des sols (graveleux, argilo-calcaires ou calcaires) et des sous-sols qui donne un caractère à chaque cru, les plus renommés étant implantés sur des croupes graveleuses. Obtenus avec trois cépages – le sémillon (de 70 à 80 %), le sauvignon (de 20 à 30 %) et la muscadelle –, les sauternes sont dorés, à la fois onctueux et délicats. Leur bouquet « rôti » se développe et gagne en complexité avec le temps: miel, noisette et orange confite enrichissent sa palette. Les plus grandes

bouteilles vivent des décennies. Il est à noter que les sauternes sont les seuls vins blancs à avoir été classés en 1855.

CH. BASTOR-LAMONTAGNE 2013

■ | 21000 | ◍ | 20 à 30 €

82 83 84 **85 86 88 89** (90) 94 95 **96 97** 98 |99| **00** |01| 02 |**03**| 04 |05| 06 |07| 08 |**09**| |10| |11| |12| 13

Bastor est déjà un domaine important au XVIII[e]s. Orienté vers la polyculture, il se spécialise à partir de 1839 sous l'impulsion d'Amédée Larrieu, alors propriétaire de Haut-Brion. Aujourd'hui, une belle unité de 40 ha, plantée sur un terroir sablo-graveleux – l'une des plus vastes du Sauternais. Propriété du Crédit Foncier depuis 1987, le cru a été acheté en juillet 2014 par les familles Moulin (groupe Galeries Lafayette) et Cathiard (Smith Haut Lafitte).

Comme à chaque millésime, Bastor-Lamontagne livre ici un vin délicat et aérien, digne représentant des sauternes «nouvelle génération». La robe est pâle et le bouquet très fin, encore discret, sur le fruit blanc et des notes fraîches de sauvignon (20 % de l'assemblage). En bouche, le vin présente une belle vigueur qui soutient son caractère confit. Beaucoup de charme et d'élégance dans ce vin alerte et fringant qui se prêtera à toutes les fantaisies culinaires. ⧗ 2017-2026 🍴 poulet à l'ananas

⊶ SCEA DE BASTOR ET SAINT-ROBERT (CH. BASTOR-LAMONTAGNE), Dom. de Lamontagne, 33210 Preignac, tél. 05 56 63 27 66, bastor@bastor-lamontagne.com V ⚲ ▮ *r.-v.*
⊶ Domaines Motier

CLOS DADY 2013 ★

■ | 8030 | ◍ | 30 à 50 €

Ce cru de 6 ha dispersés sur une vingtaine de parcelles a changé de mains en 2011. Productrice en graves (Clos des Remparts) et en sauternes (Clos Dady, surnom donné à la grand-mère de la vigneronne), Catherine Gachet a cédé la propriété familiale à l'homme d'affaires russe Eli Ragimov.

La robe claire, jaune paille aux reflets citron, annonce la couleur: voici un «sauternes moderne» aux arômes frais et floraux. La dégustation confirme cette impression et dévoile un vin nerveux dont la belle suavité est mise en valeur par une certaine tension. D'une bonne persistance, marquée par un léger boisé laissé par un long élevage en barrique, la finale laisse une impression d'équilibre. ⧗ 2017-2026 🍴 foie gras poêlé aux raisins

⊶ SCEA DE BASTARD, Ch. les Remparts, 33210 Preignac, tél. 05 56 62 20 01, clos.dady@wanadoo.fr V ⚲ ▮ *r.-v. ⊶ Eli Ragimov*

CLOS HAUT-PEYRAGUEY 2013 ★★

■ 1er cru clas. | 15000 | ◍ | 30 à 50 €

82 **83** 85 **86 88 89 90** 91 94 **95** |**96**| 97 99 |01| 02 |03| 04 |**05**| 06 07 |**10**| |**11**| |12| **13**

Séparé d'Yquem par un petit val, ce cru est né en 1879 quand les propriétaires du Ch. Peyraguey vendirent la partie la plus élevée de leur propriété à un pharmacien parisien nommé Grillon. En 1914, le cru, devenu Clos Haut-Peyraguey, est acheté par les Pauly et les Ginestet. Seuls propriétaires à partir de 1937, les premiers l'ont gardé jusqu'en 2012, année de son acquisition par Benard Magrez. Le terroir est de premier choix, avec des graves sableuses bien drainées reposant sur des argiles.

D'un jaune bouton d'or, la robe de ce 2013 est éclatante. Le bouquet est déjà très expressif, intense et gourmand: abricot confit, épices, notes vanillées de l'élevage en barrique (vingt-deux mois). Ample, très confit et liquoreux en bouche, le palais fait preuve d'une remarquable harmonie grâce à une longue finale très fraîche. Un grand classique de Sauternes par son opulence et par sa sève. ⧗ 2019-2030 🍴 roquefort ■ **Ch. Latrezotte Le Sauternes de ma fille 2013 (11 à 15 €; 8272 b.)** : vin cité.

⊶ SC BERNARD MAGREZ, Clos Haut-Peyraguey, 33210 Bommes, tél. 05 56 76 61 53, closhautpeyraguey@pape-clement.com V ⚲ ▮ *t.l.j. sf sam. dim. 9h-12h30 13h30-17h*

PREMIÈRES BRUMES DE CLOSIOT 2012 ★

■ | 4000 | ▮ | 15 à 20 €

La première mention de cette propriété barsacaise apparaît au XVIII[e]s. Le domaine a été acheté en 1930 par le grand-père de Françoise Sirot-Soizeau. Cette dernière accède à sa tête en 1988 et l'exploite avec son époux Bernard Sirot, journaliste de la presse vinicole belge. Le cru est caractéristique de Barsac par sa taille humaine (4,5 ha) et par son terroir d'argilo-calcaires fauves sur calcaire.

Produite depuis le millésime 2003, cette cuvée répond au souci d'élaborer des sauternes moins imposants, plus frais et plus légers, adaptés à une consommation décontractée. Il est issu d'une première trie vendangée en début de récolte afin de limiter la concentration des baies. Il en résulte une robe éclatante et fraîche, jaune citron aux reflets or, et de plaisants parfums de fruit blanc confit, de cédrat et de genêt. Après une attaque délicate et suave, des notes de fruits exotiques se déploient dans un palais sphérique, sans aspérités ni grande longueur, mais dont on apprécie l'harmonie et l'éclat aromatique. Une très belle expression de ces «sauternes modernes» qui font le bonheur des apéritifs. ⧗ 2016-2026 🍴 tartelettes au chèvre frais et miel

⊶ FRANÇOISE SIROT-SOIZEAU, Ch. Closiot, lieu-dit Piada, 33720 Barsac, tél. 05 56 27 05 92, chateau.closiot@orange.fr V ⚲ ▮ *t.l.j. sf sam. dim. 9h-12h 14h-18h; f. jan.*

LA CHARTREUSE DE COUTET 2013

■ | 12000 | ◍ | 15 à 20 €

Forteresse anglaise bâtie au XIII[e]s., Coutet est l'un des plus anciens domaines de Barsac, qui connut d'illustres propriétaires, notamment le marquis de Lur-Saluces: le cru abrita les écuries du Ch. d'Yquem, aujourd'hui transformées en chai. Couvrant 42 ha, il appartient depuis 1977 à la famille Baly, la société de négoce Baron Philippe de Rothschild en assurant la distribution exclusive.

D'un or pâle brillant, ce 2013 offre un bouquet encore discret aux nuances de verveine et de tilleul, accompagnées d'une légère note d'abricot. Second vin du Ch. Coutet, la Chartreuse en possède le gras et l'ampleur en bouche. Ce « sauternes à l'ancienne » aurait mérité un peu plus de vivacité, mais il séduit par la richesse et l'élégance de sa finale. Excellent sur des fromages de caractère. ⧗ 2016-2023 🍴 munster fermier

CH. COUTET, 33720 Barsac, tél. 05 56 27 15 46, info@chateaucoutet.com V *r.-v.*

CH. DOISY-VÉDRINES 2013 ★★

2e cru clas.	24 000		20 à 30 €

(83) **86 88 90 95** 97 98 00 |**02**| 03 04 |**05**| |**06**| |09| |**10**| |11| **13**

Des trois Doisy (Daëne, Dubroca et Védrines) – les trois châteaux ne faisaient qu'un lors du classement de 1855 – il est le plus grand (34 ha). Son nom lui a été donné en mémoire des chevaliers de Védrines, anciens propriétaires. Un domaine typiquement barsacais par son terroir de terres rouges et de graves fines reposant sur des calcaires éclatés. Il a été acquis au milieu du XIXe s. par des ancêtres de la famille Castéja, également à la tête de la maison de négoce Joanne.

D'un bel or pâle, la robe est brillante. Le bouquet, encore discret mais délicat, libère après aération des fragrances d'aubépine et de fruits blancs. À la fois vif et ample en attaque, le palais déploie une palette fruitée dominée par des arômes frais d'agrumes rappelant le pomelo et offre une finale puissante, racée, délicatement miellée. Une expression parfaite du terroir de Barsac, dont les vins conjuguent opulence et vivacité. D'une remarquable harmonie, ce liquoreux mérite d'attendre pour permettre à ses arômes de s'épanouir. ⧗ 2020-2030 🍴 soufflé au Grand Marnier

CH. DOISY-VÉDRINES, 1, Doisy-Védrines, 33720 Barsac, tél. 06 80 70 76 98, olivier.casteja@gmail.com *Castéja*

CH. FILHOT 2013 ★★

2e cru clas.	35 000		30 à 50 €

81 82 83 85 **86 88** 89 91 92 95 |**96**| |**97**| |98| |99| |00| |01| |03| |**04**| |05| **09** 10 **11 12 13**

Un château aux allures de palais, du XVIIIe s. pour le bâtiment central, de 1850 pour les ailes: un vaste ensemble de 2 ha. Le cru se distingue aussi par le prestige de ses propriétaires: les Filhot, établis ici en 1709, grande famille de la noblesse bordelaise dès le XVe s., puis les Lur-Saluces, dont descendent les propriétaires actuels, les Vaucelles. Un cru qui se singularise enfin par la superficie du vignoble (62 ha), par la place du sauvignon dans l'encépagement (autour d'un tiers) et par le choix d'une vinification à basse température, en cuves Inox.

Dans l'assemblage de ce sauternes, le sauvignon se fait une place (36 %) aux côtés du sémillon. La robe paille dorée est éclatante. Déjà très expressif, le bouquet offre une profusion de fruits frais – fruits jaunes comme l'abricot, fruits exotiques comme le litchi, orange et son zeste –, rehaussé d'une subtile note fumée traduisant un élevage de qualité. Frais et enjoué à l'attaque, le vin monte ensuite en puissance, dévoilant une structure charnue et souple soulignée d'arômes de miel et de vanille. La finale marquée d'une noble et délicate amertume laisse entrevoir une belle évolution. ⧗ 2018-2030 🍴 langoustines au beurre d'agrumes

SCEA DU CH. FILHOT, Ch. Filhot, 33210 Sauternes, tél. 05 56 76 61 09, filhot@filhot.com V *t.l.j. sf sam. dim. 9h-12h 14h-17h*

CH. FONTAINE 2013 ★

	11 000		15 à 20 €

À la tête du Ch. Brondelle, acquis par son grand-père en 1927, Jean-Noël Belloc a étendu son vignoble dans les Graves (Ch. Andréa), en pessac-léognan (Ch. d'Alix), en AOC régionales. En sauternes, il a acquis les 4 ha du Ch. Fontaine à Fargues-de-Langon.

Viticulteur talentueux des Graves, Jean-Noël Belloc livre ici un sauternes harmonieux et équilibré. Le bouquet, déjà bien ouvert, mêle l'aubépine, les fruits confits, les agrumes et les épices, clou de girofle en tête. Suave et opulent, le palais révèle d'agréables arômes de confiture de prunes relevés d'une touche de poivre blanc. La finale marquée par un retour des notes confites et miellées est tonifiée par une fraîcheur bienvenue. ⧗ 2017-2026 🍴 foie gras

JEAN-NOËL BELLOC, Ch. Brondelle, 33210 Langon, tél. 05 56 62 38 14, chateau.brondelle@wanadoo.fr V *t.l.j. sf sam. dim. 9h-12h30 14h-17h30*

CH. GRAVAS 2013 ★

	25 000		15 à 20 €

Ce cru, jadis nommé Doisy Gravas, est la propriété de la famille Bernard depuis six générations. Bien situé entre Coutet et Climens, il s'étend sur 10 ha au point culminant de Barsac. Dédié exclusivement au sauternes jusqu'en 2007, il a multiplié les cuvées de graves. Un lieu réputé aussi pour son accueil et ses animations œnotouristiques.

L'éclatante robe dorée de ce 2013 invite à la dégustation. Le bouquet développe des arômes de fruits mûrs, de cuir et de tabac finement soulignés de notes fumées léguées par un séjour de dix-huit mois en barrique. Racé, ample et chaleureux, le palais explore toute la palette des vins issus de vendanges botrytisées, avec ses notes de fruits confits, de miel et de fruits secs. Une pointe de zeste de citron vient tonifier la finale. Un joli sauternes de garde. ⧗ 2018-2028 🍴 canard à l'orange

MICHEL BERNARD, 6, lieu-dit Gravas, 33720 Barsac, tél. 05 56 27 06 91, chateau.gravas@orange.fr V *r.-v.*

CH. HAUT-BERGERON 2014 ★

	25 000		20 à 30 €

83 86 88 89 90 91 95 **96** 97 98 99 00 **01** |**02**| 03 |04| |**05**| |06| |**07**| |08| **09** 10 |**11**| **13** 14

Propriété de l'une des plus anciennes familles de viticulteurs du Sauternais, les Lamothe – présents ici depuis le XVIIIe s. –, le Ch. Haut-Bergeron dispose

d'un vignoble de 35 ha à cheval sur les communes de Sauternes (graves et argiles) et de Barsac (calcaires). De nombreuses parcelles sont contiguës à celles d'Yquem, de Lafaurie-Peyraguey et de Climens.

Le Ch. Haut-Bergeron a toujours proposé l'archétype du sauternes traditionnel, ce que confirme son 2014. La robe doré soutenu annonce la couleur: voici un vin concentré et riche, au bouquet puissant, confit et épicé. Le palais apparaît dense et gras, tonifié par une touche de vivacité due au sauvignon (12 %) et dévoile une texture soyeuse qui le rend très harmonieux. En définitive, un sauternes imposant et massif sans jamais être lourd, qui se placera plutôt en fin de repas sur des fromages de caractère. ⧗ 2019-2028 ¥ roquefort ■ **Ch. Fontebride 2014 (15 à 20 €; 20 000 b.)** : vin cité.

SCE CH. HAUT-BERGERON, 3, Piquey, 33210 Preignac, tél. 05 56 63 24 76, info@hautbergeron.com V ✶ ! *r.-v.* *Lamothe*

CH. HAUT-MAYNE 2013 ★

■ | n.c. | | 15 à 20 €

Ancienne propriété du comte de Chalup, ce cru appartient à la famille Roumazeilles depuis 1929 (grand millésime de sauternes s'il en fut!). Implanté à Preignac, le vignoble s'étend sur 14,55 ha.

D'un bel or cuivré, la robe est typique de Sauternes. Déjà bien ouvert, d'une grande subtilité, le bouquet déploie des notes de pain d'épice, de miel, d'abricot sec et de poire caramélisée. Fruits confits et marmelade s'épanouissent dans une bouche suave et ronde, heureusement rafraîchie par une belle tension. Ce vin séveux et gourmand se mariera avec des plats au curry, ou plus classiquement avec de la volaille. ⧗ 2018-2026 ¥ poulet au sauternes

EARL ROUMAZEILLES, Ch. Haut-Mayne, 33210 Preignac, tél. 05 56 27 12 18, julien.roumazeilles@wanadoo.fr V ✶ ! *t.l.j. 8h30-12h 14h-18h*

CH. LAMOTHE-GUIGNARD 2013

■ 2e cru clas. | 20 000 | | 20 à 30 €

(83) **85** 86 87 **88** 89 **90 94 95 96** 97 98 99 00 |**02**| |03| |04| |**05**| |06| |07| |08| |**09**| |11| |12| 13

Situé sur l'une des croupes argilo-graveleuses les plus élevées de la commune de Sauternes, ce cru (31 ha) est issu d'un partage du château de Lamothe d'Assault, à la suite de querelles familiales au XIXe s. En 1981, il a été acquis par les Guignard, l'une des plus anciennes familles de viticulteurs du Sauternais, également producteurs dans les Graves (Clos du Hez).

L'archétype du sauternes classique dont la rondeur rassurante séduira les amateurs de tradition. La robe vieil or annonce le bouquet confit et vanillé, prolongé par une bouche dense, de belle ampleur, aux notes de coing caractéristiques. On regrette un certain manque de fraîcheur en finale, tout en relevant que ce style de vin a ses adeptes. Parfait pour des fromages de caractère. ⧗ 2018-2026 ¥ roquefort

GAEC PHILIPPE ET JACQUES GUIGNARD, Ch. Lamothe Guignard, 33210 Sauternes, tél. 05 56 76 60 28, chateau.lamothe.guignard@orange.fr V ✶ ! *t.l.j. sf sam. dim. 8h-12h 14h-18h*

CH. LAPINESSE Vieilles Vignes 2014 ★

■ | 1200 | | 30 à 50 €

Installée depuis la fin du XIXe s. à Lugaignac, sur la rive gauche de la Dordogne, la famille Siozard est au service du vin depuis six générations. Elle exploite une cinquantaine d'hectares de vignes, principalement dans l'Entre-deux-Mers. Installé en 2012, David Siozard a pris pied sur la rive gauche de la Garonne en achetant le Ch. Lapinesse à Barsac afin de proposer des sauternes et des graves.

Cette bouteille est issue d'une sélection parcellaire des plus vieux sémillons de la propriété. Dotée d'une jolie robe or pâle brillant, elle dévoile un bouquet très délicat où affleurent des notes de fruits exotiques et de fleurs blanches. Quant au palais, il affiche beaucoup de richesse et de concentration, montrant toutes les qualités d'un sauternes de tradition: opulence équilibrée par une belle fraîcheur aromatique, finale harmonieuse, soulignée par un caractère vanillé flatteur. ⧗ 2017-2026 ¥ fondant au chocolat cœur d'orange

CH. LAPINESSE, Laubarede, 33420 Lugaignac, tél. 05 57 84 54 23, info@vignobles-siozard.com V ✶ ! *r.-v.* *Siozard*

CH. LAVILLE 2014 ★

■ | 10 000 | | 20 à 30 €

Propriété très ancienne, le Ch. Laville fut dans les années 1900 l'un des pionniers de la mise en bouteilles au château. Aujourd'hui augmenté du Ch. Delmond, un vignoble voisin, ce domaine très régulier en qualité compte 23 ha de vignes en sauternes et 15 ha en graves (Ch. Mouras). Aux commandes depuis 1997, Jean-Christophe Barbe, œnologue et maître de conférences à Bordeaux Sciences Agro.

Né d'un assemblage classique de sémillon (90 %) et de sauvignon, un vin à la robe éclatante, jaune soutenu aux reflets bouton d'or, prélude à un nez intense, sur le pain d'épice, la pomme et la figue sèche. D'une belle vivacité à l'attaque, la bouche dévoile à profusion des arômes de fruits confits et offre une agréable finale relevée d'épices (poivre blanc). Très bien construit, ample et généreux, ce 2014 ravira les amateurs de sauternes traditionnels. ⧗ 2017-2026 ¥ tarte fine poires et roquefort ■ **Ch. Delmond 2014 ★ (11 à 15 €; 55 000 b.)** : un sauternes traditionnel, couleur vieil or, au bouquet complexe de fruits bien mûrs (coing, abricot, litchi) et de pommes caramélisées, au palais soyeux, riche, sur les fruits confits, puissant et persistant en finale. ⧗ 2017-2026

CH. LAVILLE, 33210 Preignac, tél. 05 56 63 59 45, chateaulaville@hotmail.com V ✶ ! *r.-v.* *Famille Barbe*

CH. LIOT 2013

■ | n.c. | | 15 à 20 €

La famille David (Jerry aujourd'hui) est établie depuis plusieurs générations sur le plateau du haut

LE BORDELAIS

Barsac, où elle exploite une belle unité de 45 ha, répartie entre 25 ha en sauternes (châteaux de Liot et du Levant) et 20 ha en graves (Saint-Jean des Graves).

D'une qualité très régulière, ce cru reste fidèle à son style avec ce vin or brillant, au nez vif et floral, mêlant le genêt et l'acacia à des touches d'agrumes confits. La pâte d'amande s'ajoute à cette palette dans un palais caressant, sans aspérités, à la plaisante finale sur les fruits blancs compotés et le gingembre. Un ensemble homogène, parfaitement équilibré, montrant la fraîcheur et l'élégance caractéristiques du terroir de Barsac. ⧗ 2018-2026 🍷 poulet au gingembre

SCEA J. ET E. DAVID, Ch. Liot, 33720 Barsac, tél. 05 56 27 15 31, chateau.liot@wanadoo.fr V ⚐ ! *r.-v.*

CH. DE MALLE 2013 ★

2e cru clas.	8400		20 à 30 €

83 85 86 87 **88 89 90 91 94 95 96** 97 **98** 99 00 02 |03| |**04**| |05| |06| |**07**| |08| |**09**| |11| **12** 13

Un superbe château construit dans un style Renaissance au début du XVIIes. par Jacques de Malle, président au parlement de Bordeaux. En 1702, un mariage l'a fait entrer dans le patrimoine des Lur-Saluces, dont les descendants, la comtesse de Bournazel et son fils Paul-Henry, perpétuent cet héritage familial. Le vignoble couvre une cinquantaine d'hectares, à cheval sur les AOC sauternes et graves.

D'un jaune clair à reflets dorés, la robe est brillante et annonce un vin fringant. Le nez, finement ciselé, marie la vanille et le fruit confit. La bouche est d'une grande élégance, d'une pureté rafraîchissante. Souple et ample, elle montre aussi un côté alerte et aérien. Nos dégustateurs ont vu dans ce 2013 un «sauternes nouvelle génération», pour signifier que le vinificateur a privilégié le fruité et la vivacité aux dépens de la concentration. Ils ont obtenu un vin qui trouvera toute sa place à l'apéritif. ⧗ 2017-2023 🍷 verrines de crabe aux agrumes

SCEA DES VIGNOBLES DU CH. DE MALLE, 33210 Preignac, tél. 05 56 62 36 86, accueil@chateau-de-malle.fr V ⚐ ! *t.l.j. sf dim. 9h-12h 14h-17h30* *de Bournazel*

CH. DU MONT Cuvée Jeanne 2013 ★

	6000		11 à 15 €

Paul Chevassier a constitué ce vignoble au début du XXes., à Sainte-Croix-du-Mont. Son gendre Pierre Chouvac et, depuis 2000, son petit-fils Hervé l'ont développé sur les deux rives de la Garonne, dans les Graves et le Sauternais (27 ha aujourd'hui), mais Sainte-Croix est resté le cœur du domaine, dont il est l'un des porte-drapeaux.

D'une couleur paille dorée brillante et ensoleillée, ce 2013 séduit par un nez au caractère original, mêlant un boisé très épicé à l'abricot, avec une petite note iodée. Après une attaque liquoreuse, vite équilibrée par des notes citronnées, la bouche garde cette ligne, entre fraîcheur et ampleur; soutenue par un boisé bien fondu et épicé rappelant le gingembre et le poivre, elle déploie des arômes de poire, d'agrumes et d'abricot confits. Très classique et harmonieux, ce 2013 trouvera son public auprès des amateurs de sauternes déjà évolués. ⧗ 2017-2024 🍷 melon

HERVÉ CHOUVAC, Ch. du Mont, lieu-dit Pascaud, 33410 Sainte-Croix-du-Mont, tél. 06 89 96 54 73, chateau-du-mont@wanadoo.fr V ⚐ ! *r.-v.*

CH. DE MYRAT 2013 ★

2e cru clas.	20000		30 à 50 €

Sans Jacques et Xavier de Pontac (de la même famille que Jean de Pontac, fondateur de Haut-Brion), ce cru classé aurait disparu, leur père Max ayant fait arracher le vignoble au milieu des années 1970 face aux difficultés qu'il rencontrait pour vendre ses sauternes. Ses fils ont tout replanté en 1988. Conduit aujourd'hui par les filles de Jacques et leur oncle Xavier, le domaine a retrouvé son lustre d'antan et sa vingtaine d'hectares de vignes.

Ce cru n'en finit pas de progresser, proposant des vins de plus en plus précis. D'un or pâle jeune et pimpant, ce 2013 livre des fragrances printanières de fleurs blanches, alliées à des notes de pêche et d'abricot confit. Charnu et vif en bouche, séveux et débordant de fruit, il offre une belle acidité qui lui donne beaucoup de relief. Un style moderne pour un sauternes plein de vie... et d'avenir. ⧗ 2018-2028 🍷 gambas épicées

FAMILLE DE PONTAC, Ch. de Myrat, 33720 Barsac, tél. 05 56 27 09 06, myrat@chateaudemyrat.fr V ⚐ ! *r.-v.*

CH. PARTARRIEU Cuvée Le Mayne 2014

	17333		15 à 20 €

Acteur important de la place de Bordeaux, Cordier-Mestrezat Grands Crus est né en 2000 de la fusion de deux vénérables maisons de négoce bordelaises: la maison Cordier, fondée en 1886 par Désiré Cordier, et la maison Mestrezat, créée en 1815. En 2015, le groupe coopératif InVivo, géant de l'agroalimentaire, a pris le contrôle de cette entité et opéré une scission de Mestrezat (réservé aux grands crus) et de Cordier (dédié aux vins de marque et autres châteaux).

Paré d'une robe dorée aux reflets ambrés, ce 2014 déploie un bouquet aussi concentré que pimpant, entre acacia et fruits confits (bigaradier, orange amère). Très puissant et gras, bien équilibré par un trait de fraîcheur tonique, il déploie dans une finale riche et généreuse une belle palette aromatique relevée d'un discret vanillé. ⧗ 2017-2023 🍷 tarte au citron

CORDIER, 109, rue Achard, BP 154, 33042 Bordeaux Cedex, tél. 05 56 11 29 00, contact@cordier-wines.com *InVivo*

CH. PIADA 2013 ★

	5321		20 à 30 €

Situé sur le haut plateau de Barsac, le Ch. Piada, mentionné dans les archives d'Aquitaine dès 1274, est l'un des plus anciens vignobles barsacais: la

ferme de « Piadez » était alors rattachée au Ch. Coutet, propriété de la famille Le Sauvage d'Yquem. Depuis 1941, la famille Lalande (Frédéric depuis 1999) est aux commandes de ce cru historique et produit aussi dans les AOC graves et cérons (Ch. Hauret-Lalande).

Paré d'une robe vieil or, ce vin ne décevra pas les amateurs de sauternes traditionnels qui apprécieront son bouquet de fruits secs, d'orange confite et de miel. Bien structurée, opulente, agréablement soutenue par un trait de vivacité, la bouche offre une finale élégante et longue aux nuances d'abricot et d'orange. Sa richesse et sa corpulence feront merveille avec des fromages de caractère. ⧗ 2018-2026 🍷 époisses

⊶ EARL LALANDE ET FILS, Ch. Piada, 33720 Barsac, tél. 06 12 95 63 77, chateau.piada@wanadoo.fr V t.l.j. *8h-12h 13h30-19h30; sam. dim. sur r.-v.*

CH. RABAUD-PROMIS 2013 ★

1er cru clas.	15000		30 à 50 €

Né en 1903 de la vente d'une partie de Sigalas-Rabaud à la famille Promis, Rabaud-Promis a connu une histoire mouvementée, de découpes en changements de propriétaires, jusqu'à son rachat par Raymond-Louis Lanneluc en 1950. Depuis, le cru connaît la stabilité. Il est aujourd'hui conduit par Michèle et Philippe Déjean et leur fils Thomas, à la tête de 33 ha sur le sommet de la colline de Rabaud, face au château d'Yquem.

Une seyante robe bouton d'or pour ce vin au bouquet alliant fraîcheur et richesse, aux nuances de pêche rôtie rehaussées de notes poivrées et vanillées. C'est encore le caractère fruité qui domine au palais, riche et concentré tout en restant tendu et frais. Très enveloppant, il n'en fait pas moins preuve d'une réelle élégance. Autant de caractères qui laissent espérer une bonne garde. ⧗ 2019-2028 🍷 foie gras poêlé aux pêches

⊶ GFA DU CH. RABAUD-PROMIS, Ch. Rabaud-Promis, 33210 Bommes, tél. 05 56 76 67 38, contact@rabaud-promis.com V *r.-v. ⊶ Déjean*

CH. DE RAYNE-VIGNEAU 2013 ★

1er cru clas.	38000		30 à 50 €

Célèbre pour les cailloux multicolores de son terroir de graves argileuses et surtout pour ses sauternes, ce cru classé de 85 ha fut propriété de la famille de Pontac – Catherine de Pontac devenue Mme de Rayne lui a donné son nom au XIXe s. –, puis entra dans le giron du négoce Cordier-Mestrezat, avant d'être acquis en 2004 par le Crédit Agricole. Finalement, ce dernier a cédé en 2015 la majorité de ses participations au distributeur Trésor du patrimoine, spécialiste de la vente à distance.

Après un 2012 élu coup de cœur l'an dernier, ce 2013 ne démérite pas, laissant parler une fois de plus le terroir exceptionnel de ce 1er cru. La robe affiche un ambré cuivré typique des vins liquoreux. Encore sur la réserve, le bouquet porte l'empreinte de son élevage de vingt-quatre mois en barrique et s'exprime par un riche boisé vanillé et grillé; le fruit blanc confit perce à l'aération. Ronde, ample et moelleuse, la bouche restitue en rétro-olfaction les arômes du nez: un boisé caramélisé sur des notes de fruits confits. Charnu et persistant, ce millésime a besoin de temps pour parfaire son équilibre. ⧗ 2020-2028 🍷 feuilleté au roquefort ■ **2014 (15 à 20 €; 40000 b.)** : vin cité.

⊶ SC DU CH. DE RAYNE-VIGNEAU, 4, Le Vigneau, 33210 Bommes, tél. 05 56 76 61 63, vlabergere@raynevigneau.fr V *t.l.j. sf dim. lun. 10h-12h 14h-18h*

CH. RIEUSSEC 2013 ★★

1er cru clas.	72000		50 à 75 €

83 84 85 86 87 **88 89** (90) **92 94 |95| |(96)| |(97)| |98| |99| |00| |01| |02| |03| |04| |05| |06| |07| |09| 10 11 13**

Ancien domaine du couvent des Carmes de Langon, le château Rieussec est établi sur une position élevée à l'ouest de la commune de Fargues, dont il est le seul 1er cru. Sa tour carrée domine une croupe de graves située à la même hauteur que son voisin immédiat, Yquem. Sa renommée, solidement ancrée depuis longtemps, lui vaut d'accéder au rang de 1er cru classé en 1855. De nombreux propriétaires se succèdent à sa tête jusqu'en 1984, date de son acquisition par les Domaines Barons de Rothschild (Lafite à Pauillac). Cette acquisition a apporté d'importants moyens techniques, financiers et humains à cette vaste unité d'une centaine d'hectares, dont 79 de vignes.

Sa noble origine éclate dans sa robe « dorée à la feuille », prélude à un bouquet raffiné, élégant et complexe, où les agrumes confits côtoient la cire et de jolies notes boisées. Concentré, onctueux et gras, le palais offre toute la race que confèrent les raisins botrytisés et déploie des notes florales en harmonie avec de subtiles notes toastées. La finale raffinée et fraîche, à la fois puissante et aérienne, est la signature distinguée des grands du Sauternais. ⧗ 2021-2035 🍷 bouchées de foie gras et mangue ■ **Carmes de Rieussec 2014 ★ (15 à 20 €; 72000 b.)** : moins concentré que son aîné, le second vin de Rieussec arbore une robe or pâle et présente un bouquet délicat, aux nuances de mie, d'abricot et de fleurs blanches. La bouche révèle une belle matière, riche et assez corsée, aux arômes de caramel au lait (toffee) caractéristiques des vins issus de vendanges botrytisées. La finale, harmonieuse et longue, laisse augurer un bel avenir. ⧗ 2016-2024

⊶ CH. RIEUSSEC, 34, rte de Villandraut, 33210 Fargues, tél. 05 57 98 14 14, rieussec@lafite.com V *r.-v. ⊶ Dom. Barons de Rothschild (Lafite)*

CH. ROUMIEU 2013 ★

	40000		20 à 30 €

Ce cru de 15 ha, établi sur le plateau du haut Barsac et contigu à Doisy-Védrines et Climens, est propriété des Craveia depuis le XVIIIe s. À sa disposition, un superbe chai de style néo-basque, construit en 1896 par Fargeaudoux, l'un des architectes d'Arcachon, et un terroir argilo-calcaire, lui, bien barsacais, avec des sables rouges recouvrant

du calcaire à astéries. Vincent Craveia est aux commandes depuis 2009.

La robe or pâle traduit la jeunesse de ce vin, dont le bouquet aux délicates notes d'abricot sec n'est pas encore très expressif. Onctueux et savoureux en attaque, ce vin se montre parfaitement équilibré grâce à sa fraîcheur aromatique qui allège avec bonheur une matière très concentrée. La finale est agréable, mais le vin mérite quelques années de patience pour être apprécié à son optimum. ⧗ 2019-2026 🍴 tajine de poulet au citron confit

VINCENT CRAVEIA, Lapinesse, 33720 Barsac, tél. 05 56 27 21 01, vcraveia@chateau-roumieu.fr V r.-v.

♥ CH. SIGALAS-RABAUD 2013 ★★

1er cru clas.	18 000		30 à 50 €

83 85 **86** 87 **88 89** 90 91 92 94 (95) 96 **97 98 99** 00 |**01**| |02| |03| |04| |05| |**06**| |07| |**08**| |09| |10| |11| **13**

Constitué au XVIIe par une famille de magistrats au parlement de Bordeaux, le Ch. Rabaud, acquis par Henri Sigalas, devient Sigalas-Rabaud en 1863. En 1903, son fils Pierre cède à la famille Promis (d'où Rabaud-Promis) 30 ha pour ne garder que «le bijou du terroir», soit les 14 ha actuels, plantés sur une croupe de graves sur argiles. L'histoire sera ensuite mouvementée (mise en fermage, regroupements, divisions), jusqu'à la reprise des terres familiales en 1951 par Marie-Antoinette de Lambert des Granges, née Sigalas, dont la petite-fille, Laure de Lambert Compeyrot assure aujourd'hui la direction.

Un coup de cœur emporté haut la main par ce magnifique sauternes à la robe jaune d'or éclatante. Le bouquet est à la hauteur de la présentation: puissant et d'une grande richesse, il libère des senteurs de fruits exotiques, mangue en tête, de figue sèche et de vanille bourbon. Souple et gras, le palais est parfaitement construit entre une intense fraîcheur soulignée par des notes d'agrumes confits et une opulence teintée de pâte d'amande. La longue finale enveloppante signe un vin de grande classe, qui se prêtera à de nombreuses fantaisies gastronomiques tant son équilibre est admirable. ⧗ 2019-2035 🍴 gambas tandoori

CH. SIGALAS-RABAUD, 33210 Bommes, tél. 05 57 31 07 45, chat.sigalas-rabaud@orange.fr V *r.-v.* *Famille Lambert des Granges*

CH. SIMON Cuvée Jean 2012 ★

	8000		20 à 30 €

La famille Dufour cultive la vigne depuis 1814 au château Simon, qui tire son nom d'un hameau de Barsac. Trois générations – la dernière étant Anne-Laure Dufour, arrivée en 2011 – œuvrent aujourd'hui de concert sur les 38 ha du domaine.

D'un doré brillant, cette cuvée séduit par son bouquet aussi explosif que complexe, où se côtoient les fruits confits, la tarte meringuée, la mandarine et le safran. Le boisé, discret au nez, s'affirme en attaque, vite relayé par une matière confite et concentrée. Des notes épicées et une finale citronnée, discrètement miellée, donnent du relief et du tonus à l'ensemble et laissent une belle impression. ⧗ 2018-2026 🍴 soufflé à la mandarine

EARL DUFOUR, Ch. Simon, 33720 Barsac, tél. 05 56 27 15 35, contact@chateausimon.fr V *t.l.j. 8h-12h 13h30-17h30; sam. dim. sur r.-v.*

♥ CH. SUDUIRAUT 2013 ★★★

1er cru clas.	65 000		50 à 75 €

83 85 86 88 89 (90) 96 |(97)| |**99**| |01| |02| |**04**| |**05**| |06| |**07**| |08| |09| |**10**| |11| (13)

Sous le règne d'Henri IV, Suduiraut était un château fort et se nommait «cru du Roy». Incendié pendant la Fronde, il a été reconstruit en 1670 par le comte Blaise de Suduiraut, donnant le magnifique château Grand Siècle que nous connaissons aujourd'hui, entouré de jardins imaginés plus tard par Le Nôtre. Le vignoble, reconstitué lui aussi au XVIIes., couvre aujourd'hui 92 ha plantés sur un sol sablo-graveleux. Depuis 1992, le domaine est dans le giron d'Axa Millésimes (Pichon Baron à Pauillac, entre autres), qui en a confié la direction à Christian Seely.

Habillé d'or étincelant, ce 1er cru classé offre un bouquet déjà bien affirmé qui réunit tous les atouts d'un grand vin de Sauternes. Ses arômes somptueux d'orange confite et de confiture de mirabelles sont soulignés d'un subtil boisé raffiné. Après une attaque éclatante, sur des notes minérales et de surprenants arômes de marron glacé, le palais s'impose par sa richesse et sa finesse; il fait rimer opulence avec élégance en déployant des notes de coing, d'orange et de melon confits. Un vin très complet, au classicisme assumé, et dont la concentration est garante d'une heureuse évolution. ⧗ 2021-2035 🍴 canard aux pêches

CH. SUDUIRAUT, 33210 Preignac, tél. 05 56 63 61 92, contact@suduiraut.com V *r.-v.* *Axa Millésimes*

CH. LA TOUR BLANCHE 2013 ★★

1er cru clas.	15 000		30 à 50 €

83 85 86 88 89 **90** 91 94 **95 96** |**97**| **99** |01| |**02**| 03 |04| |05| 06 |**07**| 08 |10| |11| |12| **13**

On pourrait croire que le nom du cru vient de la tour blanche (en fait, un pigeonnier autrefois) se trouvant sur le domaine. En réalité, il dérive du nom d'un ancien propriétaire, monsieur de Latourblanche, trésorier général de Louis XVI. Légué à l'État en 1909 par le mécène Daniel Iffla, dit Osiris, ce cru classé est aussi un lycée viticole, où les futurs

professionnels trouvent un beau terrain d'apprentissage (42 ha de vignes) pour s'initier aux subtilités du botrytis cinerea.

Derrière une étonnante robe paille à reflets verts, le bouquet fin et aérien déploie des nuances fraîches de fruits blancs (pêche blanche, poire), d'agrumes et d'abricot compoté. Ce fruité exubérant et complexe, toujours marqué par la poire confite et l'abricot, s'épanouit avec intensité et élégance dans une bouche ample et remarquablement équilibrée, tonifiée par une longue finale fraîche. Toute l'harmonie et la distinction des grands sauternes. ⧗ 2018-2030 🍴 sorbet aux fruits jaunes

⊶ CH. LA TOUR BLANCHE, 33210 Bommes, tél. 05 57 98 02 73, tour-blanche@tour-blanche.com V r.-v. *⊶ Conseil régional*

CH. VALGUY 2013 ★

■ | 6700 | | 30 à 50 €

Très régulier en qualité, ce petit cru d'un peu plus de 8 ha a été créé en 2000 à partir des prénoms des exploitants (Valérie et Guy Loubrie). Les vignes sont anciennes: cinquante ans d'âge moyen.

Un cru confidentiel qui a pris ses habitudes dans ces pages. Le 2013 présente une robe jaune clair aux reflets verts qui ne laisse rien deviner de son exubérante expression aromatique: fleurs blanches et abricot mariés aux notes fumées de la barrique. Ample, gras et généreux, il tapisse agréablement le palais de son étoffe onctueuse et régale de ses arômes confits et miellés aux nuances d'abricot sec et d'ananas. Une subtile amertume donne une belle vitalité à la finale. ⧗ 2019-2028 🍴 duo de saint-jacques au foie gras

⊶ GRANDS VIGNOBLES LOUBRIE, 4, chem. de Couitte, 33210 Preignac, tél. 05 56 63 58 25, grandsvignoblesloubrie@orange.fr V *r.-v.*

CH. DE VEYRES 2013 ★

■ | 6000 | | 20 à 30 €

Philippe Mercadier a acquis pendant vingt-cinq ans son savoir-faire à la direction du Ch. Suduiraut. Une expérience qui profite aujourd'hui à ses crus sauternais, conduits avec l'aide de ses deux fils: les châteaux Haut Coustet, Pechon, Tuyttens et Veyres.

Ce vin provient d'un cru de 12 ha implanté à Preignac et constitué de très vieilles vignes (soixante-dix ans). D'un jaune paille aux reflets dorés étincelants, il offre un nez discret, subtilement marqué par un fin boisé qui laisse percer à l'aération des notes d'acacia. Plus expressif, exubérant même, le palais dévoile des notes de pêche blanche et d'orange confites, soulignées par un fumé tonique légué par un séjour de dix-huit mois en barrique. Une bouteille fine et élégante. ⧗ 2017-2026 🍴 foie gras et chips de mangue ■ **Ch. Tuyttens 2013 (15 à 20 €; 18000 b.)** : vin cité.

⊶ SCEA DU CLOS DE LA VICAIRIE, Ch. Tuyttens, 33210 Fargues, tél. 06 24 03 90 18, emercadier@vignoblesmercadier.com V *r.-v.* *⊶ Mercadier*

GRAIN D'OR DU CH. VOIGNY 2013

■ | 10000 | | 11 à 15 €

La famille Bon exploite la vigne à Preignac depuis 1948 et trois générations au Ch. Voigny. Commandé par une belle demeure du XVIIIe s., qui reçut la visite du duc d'Anjou, petit-fils de Louis XIV, le vignoble couvre 26,5 ha jusqu'aux rives de la Garonne.

Ce sauternes issu d'une sélection des meilleures parcelles de la propriété met à contribution les raisins les plus touchés par la pourriture noble. D'un bel or soutenu et limpide, il s'annonce par un bouquet frais, centré sur les agrumes confits. Il a choisi son camp: il est léger, élégant, d'une concentration moyenne et mise sur le côté flatteur de ses arômes d'abricot. Ce n'est pas d'une grande complexité, mais c'est bon! ⧗ 2016-2021 🍴 filet mignon aux abricots

⊶ SCEA VIGNOBLES BON, 70, rue de la République, 33210 Preignac, tél. 05 56 63 28 29, a.j.vins@wanadoo.fr V *t.l.j. 10h-12h 14h-19h*

♥ CH. D'YQUEM 2013 ★★★

■ 1er cru clas. sup. | n.c. | | + de 100 €

21 29 37 |**45**| 55 59 (67) |**75**| 76 83 86 88 |**89**| 90 |(95)| (96)
|(97)| 98 99 |(01)| |**02**| |(03)| |**04**| |(05)| **06** (07) (08) (09) (10) (11) (13)

Superbe manoir fortifié du XVIIe s. entouré de vignes, établi au sommet des coteaux dominant la vallée de la Garonne, le château d'Yquem est, fait unique pour un grand cru, resté dans la même famille, les Sauvage puis les Lur-Saluces, pendant près de quatre cents ans. Un domaine devenu dès le XVIIIe s. le fleuron du Sauternais. Outre sa stabilité, il a pour atout de bénéficier d'un terroir d'une grande variété, tout en nuances, composé d'une multitude de petites collines, avec des vignes en haut de plateau et d'autres en milieu et bas de pente. Une diversité qui permet de s'adapter aux caprices du climat et qui fait la grande complexité du vin d'Yquem. Classé premier cru supérieur en 1855 – le seul dans sa catégorie –, il appartient depuis 1999 au groupe LVMH, qui en a confié la direction en 2004 à Pierre Lurton.

Plus que pour tout autre vin, les conditions météorologiques de l'année jouent un rôle déterminant dans l'élaboration des sauternes. Après une année 2012 sans Yquem, le millésime 2013 s'est signalé par un contraste inhabituel entre un printemps frais et arrosé et des mois d'été solaires et secs. Le refroidissement des températures durant la première quinzaine de septembre a maintenu la fraîcheur aromatique des baies; la pluie a provoqué un début de botrytisation, puis le soleil s'est réinstallé. Débutées le 25 septembre, les vendanges se sont décomposées en quatre tries: les deux premières jusqu'au 3 octobre, les deux dernières après un épisode pluvieux - qui a relancé la pourriture noble - suivi d'un cycle chaud et sec entre le 12 et le 23. Le dernier passage des vendangeurs a pris place du 21 au 24: un mois pour vendanger! En définitive, l'arrière-saison, si peu favorable aux vins rouges, a permis d'obtenir de superbes liquoreux dont Yquem offre le modèle accompli. D'un jaune d'or d'une rare limpidité, son 2013 s'annonce par un bouquet aussi expressif que complexe: on respire dans le verre un fruité varié - ananas rôti, orange, abricot, melon confit, raisin frais - et des senteurs miellées soulignées par la vanille et les épices douces (cannelle) de la barrique. Après une attaque intense et alerte, sur le zeste d'orange et le pamplemousse, le vin s'impose par sa richesse et sa matière enveloppante, où la suavité le dispute à la fraîcheur aromatique. La longue finale tonifiée par une pointe de vivacité laisse une impression de rare élégance. La quintessence de l'expression du botrytis participe, sans ostentation, à la paradoxale délicatesse de ce vin puissant et envoûtant. ⧗ 2020-2050 🍷 canard à l'orange

SA DU CH. D' YQUEM,
33210 Sauternes, tél. 05 57 98 07 07,
info@yquem.fr r.-v. *LVMH*

La Bourgogne

SUPERFICIE : 29 300 ha
PRODUCTION : 1 500 000 hl
TYPES DE VINS : blancs secs (60 %), rouges (32 %), rosés (très rares), effervescents (crémant-de-bourgogne).
SOUS-RÉGIONS : Chablisien et Auxerrois, Côte de Nuits, Côte de Beaune, Côte chalonnaise, Mâconnais.
CÉPAGES :
Rouges : pinot noir principalement, gamay, césar (rare).
Blancs : chardonnay principalement, aligoté, sauvignon (à Saint-Bris), sacy, melon (très rares).

LA BOURGOGNE

Inscrit en 2015 au patrimoine mondial de l'Unesco, un vignoble historique, façonné au Moyen Âge par les moines, puis par les ducs de Bourgogne. S'il n'occupe guère que 3 % du vignoble planté en France, il ne compte pas moins d'une centaine d'appellations d'origine, un record. Ses deux cépages principaux, le pinot noir et le chardonnay, sont à l'origine de crus si célèbres qu'ils ont acquis une réputation mondiale. À la simplicité de l'encépagement s'oppose l'extrême variété des microterroirs, appelés localement *climats*, qui détermine l'immense variété des vins de ce vignoble. Plusieurs ensembles s'individualisent. Du nord au sud, les vignobles de l'Yonne, la Côte-d'Or, la Côte chalonnaise et le Mâconnais.

Les moines et les ducs.

La vigne et le vin ont, dès la plus haute Antiquité, fait vivre ici les hommes. Des témoignages écrits et des fouilles attestent sa présence à l'époque gallo-romaine. À Gevrey-Chambertin ont ainsi été retrouvés les vestiges d'une plantation datant du Ier s. Au Moyen Âge, les moines de Cluny, à partir du Xe s., puis ceux de Cîteaux ont joué un rôle capital dans la mise en valeur du vignoble, comme en témoigne encore aujourd'hui le Clos de Vougeot, héritage des cisterciens. Aux XIVe et XVe s., les ducs de Bourgogne (1342-1477) ont édicté des règles orientant la production vers la qualité. La plus connue est l'ordonnance de Philippe le Hardi qui bannit en 1395 le gamay de ses terres. Le rayonnement des vins de Bourgogne s'étendait alors jusque dans les Flandres. Les notables ont pris le relais des princes et des clercs. Très présent en Bourgogne, le négoce-éleveur, apparu dès le XVIIIe s., s'est développé au siècle suivant. De nombreux vignerons entreprenants ont acquis des terres à la suite des crises du XXe s., tandis que la coopération se développait, notamment dans l'Yonne et en Mâconnais. Aujourd'hui, la vigne occupe 3 949 domaines (1 300 d'entre eux mettent en bouteilles). La région compte 17 coopératives et 300 maisons de négoce. La notoriété de ses vins ne connaît pas d'éclipse, même si les volumes disponibles sont souvent faibles en raison des aléas climatiques. Le chiffre d'affaires à l'export dépasse les 740 millions d'euros.

Un « millefeuille » géologique.

Semi-continental dans l'ensemble, le climat bourguignon offre de multiples nuances dues à la topographie. Très morcelé, le vignoble est surtout implanté sur les pentes et le piémont de coteaux, sur des terrains à dominante calcaire. La structure géologique en « millefeuille » de la Côte-d'Or, cœur du vignoble, résulte d'une accumulation de sédiments suivis de fractures, de soulèvements et d'effondrements survenus lors de la surrection des Alpes. Une faille nord-sud, accompagnée de multiples fractures parallèles, est à l'origine de l'extrême diversité des terroirs (appelés ici *climats*), et donc de la variété des crus de Bourgogne.

Pinot noir et chardonnay.

La Bourgogne produit essentiellement des vins secs, blancs, rouges et, beaucoup plus rarement, rosés, ainsi que des effervescents, élaborés selon la méthode traditionnelle, les crémants-de-bourgogne. Ses vins sont, pour l'essentiel, issus de deux cépages : le chardonnay, en blanc (48 % de l'encépagement) et le pinot noir, en rouge (34 %). Malgré la simplicité de l'encépagement, les vins prennent de multiples nuances non seulement selon l'appellation, les sols, les pentes et le microclimat, mais aussi selon le savoir-faire de chaque élaborateur. Dans la plupart des cas, un même cru est en effet exploité par plusieurs domaines, dont chacun ne détient qu'une surface réduite.

Des appellations hiérarchisées.

Riche d'une centaine d'appellations d'origine, la région classe ses vins selon une hiérarchie à quatre niveaux :

Les appellations régionales (49 % des volumes) occupent la base de la pyramide. Elles s'étendent à l'ensemble ou à une grande partie du territoire de la Bourgogne : coteaux bourguignons, bourgogne, bourgogne-aligoté, crémant-de-bourgogne, bourgogne-passetougrain.

La Bourgogne viticole correspond aux communes viticoles des départements de l'Yonne, de la Côte-d'Or, de la Saône-et-Loire et d'une partie du Rhône (canton de Villefranche-sur-Saône). Elles incluent donc le Beaujolais. Ce dernier vignoble, qui possède une personnalité propre grâce

LES *CLIMATS* BOURGUIGNONS.

Portant des noms particulièrement évocateurs (Les Amoureuses, Les Grèves, La Renarde, Les Cailles, Genévrières, Montrecul...) et consacrés depuis le XVIIIe s. au moins, les *climats* désignent en Bourgogne des surfaces officiellement délimitées, couvrant au plus quelques hectares, parfois même quelques « ouvrées » (4 ares, 28 centiares), qui s'identifient par leurs sols, leurs pentes, leur microclimat et par le caractère des vins, même si le talent du producteur entre aussi en ligne de compte. Chaque *climat* est souvent partagé entre plusieurs vignerons.

LES AUTRES CÉPAGES DE BOURGOGNE

L'aligoté, cépage blanc produisant le bourgogne-aligoté, donne des vins vifs qui atteignent leur meilleur dans le village de Bouzeron, lequel possède sa propre AOC ; le césar, variété rouge, est assemblé au pinot noir dans l'irancy ; le gamay, cultivé en Beaujolais, peut être commercialisé comme bourgogne-gamay ; associé au pinot, il donne le bourgogne-passetoutgrain ; le sauvignon est cultivé à Saint-Bris-le-Vineux, dans l'Yonne, qui bénéficie de l'unique appellation bourguignonne dédiée à ce cépage. Pinot blanc, pinot gris (beurot), melon sont devenus très rares.

au cépage gamay, est juridiquement rattaché à la Bourgogne ; ses dix crus (brouilly, morgon, etc.) peuvent produire du bourgogne-gamay.

Compte tenu de la dispersion géographique de l'appellation régionale, le nom de bourgogne est souvent associé à une unité géographique plus petite, région ou commune, ce qui permet d'individualiser un terroir : bourgogne Côtes d'Auxerre, bourgogne Vézelay, par exemple. Implantées sur les hauteurs, en arrière de la Côte-d'Or, les bourgogne-hautes-côtes-de-nuits et bourgogne-hautes-côtes-de-beaune sont aussi considérées comme des appellations régionales, ainsi que la vaste aire des mâcon et mâcon-villages. Toutes ces appellations permettent de s'initier aux vins de Bourgogne.

Les appellations communales ou *villages* portent le nom d'une commune, comme Nuits-Saint-Georges ou Beaune. L'aire d'appellation peut s'étendre à plusieurs communes.

Les premiers crus proviennent de *climats* délimités au sein d'un village et distingués pour leur potentiel. L'étiquette indique à la fois le nom du village et celui du *climat* (souvent sur la même ligne). Par exemple, Volnay-Caillerets, Meursault-Charmes.

Les grands crus occupent le sommet de la pyramide (1 % de la production). Ils ont été sélectionnés parmi les meilleurs *climats*. Ils forment des appellations à part entière, dont le nom est en vedette sur l'étiquette. Par exemple, Chambertin, Montrachet.

Les régions de la Bourgogne.

Le Chablisien-Auxerrois. L'appellation la plus connue donne son nom aux vignobles de l'Yonne, au nord. Ce vignoble s'est beaucoup contracté après la crise phylloxérique et connaît une timide renaissance. Chablis a gardé sa notoriété. L'aire d'appellation couvre le village éponyme et seize communes voisines. Les vignes dévalent les fortes pentes des coteaux aux expositions multiples qui longent les deux rives du Serein, modeste affluent de l'Yonne. Les sols marneux ou marno-calcaires (le célèbre kimméridgien) conviennent parfaitement au chardonnay qui règne ici sans partage. Sous un climat plus rigoureux que celui de la Côte-d'Or, il donne naissance à des vins blancs secs et élégants, d'une grande fraîcheur minérale.

On retrouve à Chablis la pyramide des appellations bourguignonnes : petit-chablis, chablis, chablis 1er cru et chablis grand cru. Plus on monte dans la hiérarchie, plus les vins sont denses, complexes et de garde.

Plusieurs communes ou lieux-dits de l'Yonne produisent des vins en appellation régionale bourgogne, avec parfois une dénomination propre (vins blancs de Vézelay et de Chitry, rouges de Coulanges-la-Vineuse ou d'Épineuil). Au sud d'Auxerre, les irancy, en rouge, et les saint-bris, en blanc, bénéfient d'une AOC communale.

La Côte de Nuits. Au sud de Dijon, la Côte-d'Or est le cœur du vignoble bourguignon. Entre Marsannay et Corgoloin, la Côte de Nuits est linéaire. Elle s'étire en une bande étroite (quelques centaines de mètres), découpée de combes ; une trentaine d'appellations se succèdent, des villages aux noms souvent prestigieux (Gevrey-Chambertin, Chambolle-Musigny, Vougeot, Vosne-Romanée, Nuits-Saint-Georges...), riches de nombreux premiers crus et, pour certains, de grands crus. C'est le royaume du pinot noir, qui atteint des sommets dans 24 grands crus, comme chambertin, musigny, clos-de-vougeot et la mythique romanée-conti.. Les grands vins rouges de la Côte de Nuits ont comme dénominateurs communs densité, profondeur et potentiel de garde.

La Côte de Beaune. La Côte de Beaune prolonge celle de Nuits entre les communes de Ladoix-Serrigny, au nord, et de Chagny, au sud, et compte 24 appellations communales ou grands crus. Elle offre un profil différent : les vignes s'étalent davantage (1 à 2 km), les pentes sont un peu plus douces, les expositions plus variées. Le substrat, fait de calcaires divers et de terrains marneux, est souvent propice au chardonnay. La Côte de Beaune est le paradis des grands blancs. Sur ses sept grands crus, six sont dédiés au chardonnay : le corton-charlemagne, autour de la célèbre colline de Corton, au nord, et, à l'autre bout de la Côte, le montrachet, escorté de quatre crus associés. Sans oublier des appellations communales presque entièrement vouées aux blancs, comme meursault et puligny-montrachet.

La Côte de Beaune fournit également de superbes vins rouges, à commencer par le grand cru corton. Pommard et Volnay, s'ils n'ont pas de grands crus, recèlent de nombreux premiers crus d'un excellent niveau. Riche de nombreux premiers crus, la ville de Beaune abrite depuis le XVIIIes. de nombreuses maisons de négoce : c'est la capitale du vignoble.

LA VENTE AUX ENCHÈRES DES HOSPICES DE BEAUNE.

C'est la vente publique, le troisième dimanche de novembre, des cuvées de l'important domaine des hospices de Beaune, constitué au fil des siècles grâce à des donations. Son produit est destiné aux hospices (aujourd'hui à des investissements médicaux). Institutionnalisée en 1859, cette vente attire les foules. Variant en fonction des volumes produits, de la réputation du millésime et de la conjoncture, les montants atteints donnent la température du marché. Depuis 2005, c'est la maison Christie's qui organise la vente.

LA CONFRÉRIE DES CHEVALIERS DU TASTEVIN.

Née en 1934, dans une période de grave crise économique pour la viticulture, la confrérie des chevaliers du Tastevin, résurrection d'anciennes confréries des XVIIe et XVIIIes., se donne pour objectif d'être l'ambassadrice des grands vins de Bourgogne. Elle célèbre ainsi la Bourgogne viticole à travers ses Chapitres, cérémonies organisées dans le château du Clos de Vougeot, où sont intronisés de nouveaux chevaliers. La Confrérie procède également deux fois par an au tastevinage : une dégustation qui donne l'estampille de la Confrérie aux vins jugés caractéristiques de leur appellation et de leur millésime.

La Côte chalonnaise. Situé entre Chagny et Saint-Gengoux-le-National, au sud de la Côte de Beaune, le vignoble de la Côte chalonnaise tire son nom de Chalon-sur-Saône. Resté longtemps à l'ombre de la Côte-d'Or, il a beaucoup progressé. L'appellation régionale bourgogne-côte-chalonnaise produit une majorité de rouges. Le secteur compte quatre appellations communales : du nord au sud, on trouve les villages de Bouzeron (la seule appellation communale dédiée au cépage aligoté), Rully, Mercurey, Givry et Montagny. On y trouve d'excellents vins rouges et blancs, plus abordables qu'en Côte-d'Or.

Le Mâconnais. Entre Tournus et Mâcon, le Mâconnais s'étend sur 50 km du nord au sud et sur une quinzaine d'est en ouest. La Bourgogne prend des airs méridionaux, tant par ses nuances climatiques que par l'habitat traditionnel. Des chaînons calcaires forment les monts du Mâconnais, surgissant en éperons spectaculaires sur les sites de Solutré et de Vergisson. Le vignoble, surtout exposé à l'est, couvre des terrains en majorité marneux, propices au chardonnay, tandis que quelques formations granitiques annoncent le Beaujolais limitrophe. En volume, le Mâconnais produit plus que la Côte-d'Or et le Chablisien. Des blancs, à 85 %. En rouge, le gamay, cultivé sur les terrains cristallins, côtoie le pinot noir. Le gros des volumes est produit en AOC régionales : mâcon (des rouges en majorité) et mâcon-villages, réservé aux blancs. La région possède cinq AOC communales, pouilly-fuissé, la plus connue, pouilly-loché, pouilly-vinzelles, viré-clessé et saint-véran. Le chardonnay y donne des blancs fruités et ronds, parfois opulents.

➨ LES APPELLATIONS RÉGIONALES DE BOURGOGNE

Les appellations régionales bourgogne couvrent l'aire de production la plus vaste de la Bourgogne viticole. Elles peuvent être produites dans les communes traditionnellement viticoles des départements de l'Yonne, de la Côte-d'Or, de la Saône-et-Loire, et dans le canton de Villefranche-sur-Saône, dans le Rhône.

Compte tenu de la dispersion géographique de l'appellation régionale, celle-ci est souvent associée au nom de la zone de production (Côtes d'Auxerre, Chitry, Côtes du Couchois...). La codification des usages et, plus particulièrement, la définition des terroirs par la délimitation parcellaire ont conduit à une hiérarchie au sein des appellations régionales. L'appellation bourgogne-grand-ordinaire, devenue coteaux bourguignons, est la plus générale, la plus extensive. Avec un encépagement plus spécifique, on récolte dans les mêmes lieux le bourgogne-aligoté, le bourgogne-passetoutgrain et le crémant-de-bourgogne.

COTEAUX BOURGUIGNONS

Superficie : 120 ha
***Production : 5 000 hl (75 % rouge et rosé)**

L'appellation bourgogne-grand-ordinaire, qui signifiait le «bourgogne du dimanche», tombée en désuétude en raison de son nom devenu peu commercial, a été remplacée par les coteaux bourguignons (mais les deux mentions coexistent toujours pour l'heure). À la base de la hiérarchie des AOC bourguignonnes, elle s'étend sur l'ensemble de la Bourgogne viticole et produit des rouges, des clairets, des rosés et des blancs. Elle peut faire appel à tous les cépages de la région, y compris à des variétés locales en voie de disparition, comme le tressot et le melon (le cépage du muscadet). En blanc, les principaux cépages sont le chardonnay et l'aligoté; en rouge et en rosé, le pinot noir et surtout le gamay.

BOUCHARD PÈRE ET FILS Les Deux Loups 2014 ★

■ | n.c. | 🍾 | 5 à 8 €

Fondée en 1731 et propriété du Champagne Joseph Henriot depuis 1995, cette maison de négoce est à la tête d'un vaste vignoble de 130 ha, dont 12 ha en grands crus et 74 ha en 1ers crus. Elle propose une très large gamme de vins, des AOC les plus prestigieuses aux simples régionales, qui reposent dans les magnifiques caves enterrées de l'ancien château de Beaune (XVe s.), conservatoire unique de très vieux millésimes.

Gamay et pinot noir composent une cuvée bien fruitée (cerise, framboise) au nez comme en bouche. On aime aussi son attaque généreuse et souple, sa structure ferme et sa fraîcheur. Une bouteille qui évoluera bien. ⧗ 2017-2020 🍴 entrecôte

⊶ BOUCHARD PÈRE ET FILS, Ch. de Beaune, 15, rue du Château, 21200 Beaune, tél. 03 80 24 80 24, contact@bouchard-pereetfils.com
V t.l.j. sf lun. 10h-12h30 14h30-17h30
⊶ Famille Henriot

CH. DES CORREAUX Leynes Vieilles Vignes 2013

■ | 12000 | 🛢 🍾 | 8 à 11 €

L'histoire vigneronne de la famille Bernard a débuté en 1803. Située aux confins du Beaujolais et du Mâconnais, cette exploitation était connue des lecteurs du Guide sous le nom de château de Leynes. En 2002, Jean-Bernard a reconstitué le domaine, étendu sur 30 ha.

De vieux ceps de gamay de cinquante-cinq ans sont à l'origine de cette cuvée légère et sympathique, dont l'étiquette porte encore la mention bourgogne-grand-ordinaire. Dans le verre, un vin expressif, sur les fruits rouges mûrs et un soupçon de rose, souple, charnu et frais en bouche. ⧗ 2016-2019 🍴 tartare de bœuf

⊶ DOM. BERNARD, Les Correaux, 71570 Leynes, tél. 03 85 35 11 59, bernardleynes@yahoo.fr
V r.-v.

La Bourgogne

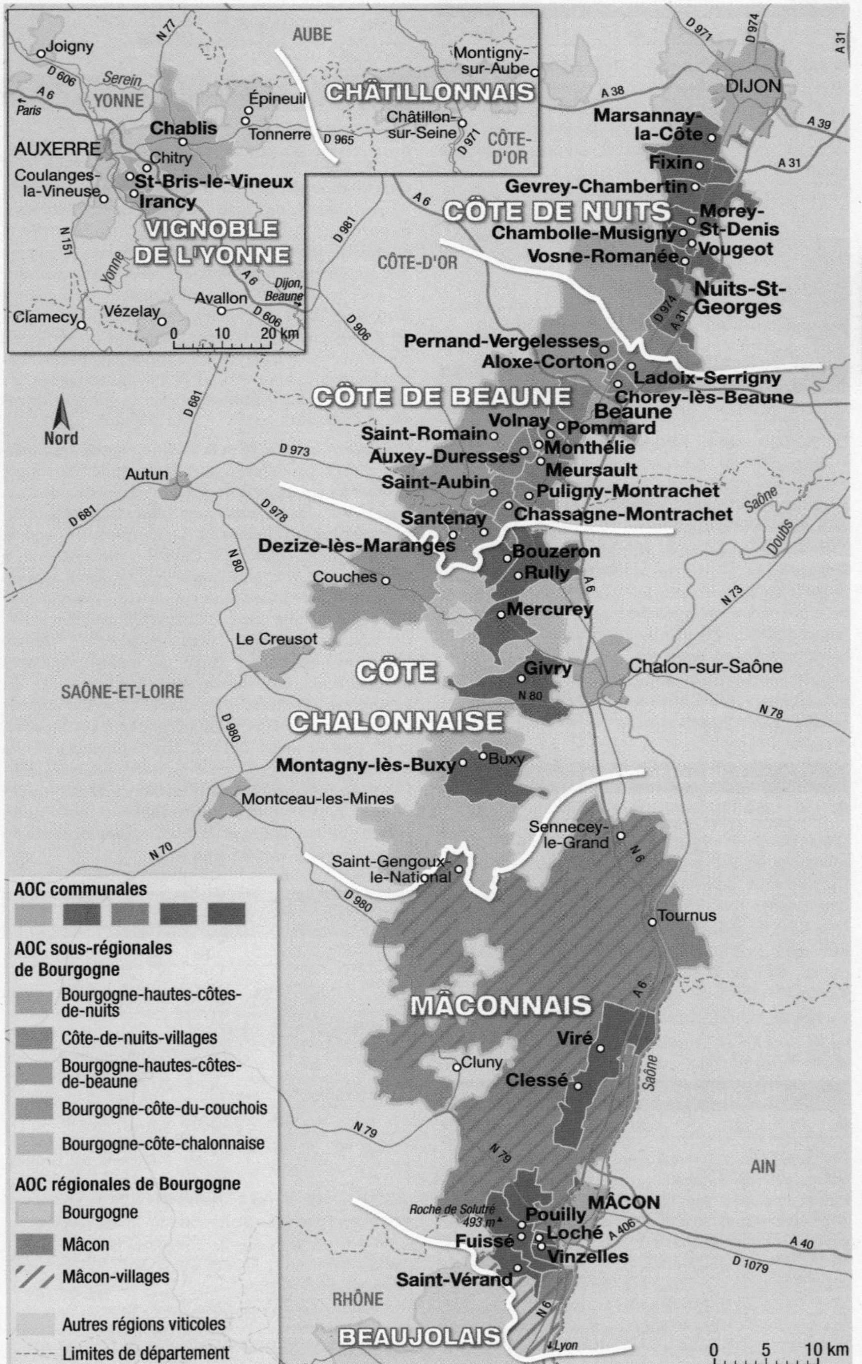

BOURGOGNE

RAPHAEL DUBOIS 2014 ★

1800		8 à 11 €

Béatrice Dubois et son frère Raphaël, installés depuis 1991, conduisent 22 ha de vignes dans les deux Côtes. La première vinifie, après plusieurs années passées à l'étranger; le second s'occupe de la vente. Ils ont développé en 2000 une affaire de négoce pour étoffer leur gamme.

Le nez, expressif et fin, mêle les fleurs blanches aux agrumes. La bouche, à l'unisson, est vive, tendue, énergique, sans manquer de gras pour arrondir les angles. Une bouteille harmonieuse. 2016-2019 friture de poissons

SARL RAPHAEL DUBOIS, 24, rue de la Courtavaux, 21700 Premeaux-Prissey, tél. 03 80 62 30 61, rdubois@wanadoo.fr V t.l.j. 8h-11h30 13h30-17h30; sam. dim. sur r.-v.

DOM. DE ROTISSON Nathalie 2015 ★

21000		5 à 8 €

Un domaine créé en 1920 et acquis en 1998 par Didier Pouget. Couvrant 20 ha dans le pays des Pierres dorées, il fait preuve de régularité, en rouge et en blanc, et propose non seulement des beaujolais, mais aussi les AOC régionales bourguignonnes.

Cette cuvée, qui assemble plusieurs parcelles de gamay, livre un bouquet charmeur et généreux de fruits rouges, de pruneau et de violette. En bouche, elle présente une belle profondeur, de la fraîcheur et des tanins fermes et fins. 2017-2021 côtelettes d'agneau

SCEA DOM. DE ROTISSON, 363, rte de Conzy, 69210 Saint-Germain-Nuelles, tél. 04 74 01 23 08, didier.pouget@domaine-de-rotisson.com V t.l.j. 9h-12h30 14h-17h30; dim. sur r.-v.

Didier Pouget

L. TRAMIER ET FILS 2014

75000		- de 5 €

Cette maison de négoce, fondée en 1842 et installée à Mercurey, en Saône-et-Loire, est dirigée par Laurent Dufouleur, le dernier négociant-éleveur de ce gros bourg vigneron.

Si le nez est discret, ce vin développe un palais plus expressif, sur les fruits rouges et noirs mûrs. Il séduit aussi par sa souplesse et sa fraîcheur. Simple et de bon aloi. 2016-2019 assiette de charcuterie

TRAMIER ET FILS, rue de Chamerose, 71640 Mercurey, tél. 03 85 45 10 83, info@maison-tramier.com V t.l.j. sf dim. 9h-12h 14h-18h; f. 3 sem. en août

DOM. TRUCHETET Cuvée Hugo 2014 ★

4100		8 à 11 €

Domaine établi à Premeaux-Prissey, le village aux deux églises, celle de Premeaux et celle de Prissey. Représentant la cinquième génération de vignerons, Jean-Pierre Truchetet s'est installé en 1980 avec son épouse Sylvie sur l'exploitation (6,2 ha).

Gamay (70 %) et pinot noir sont associés dans cette cuvée passée six mois en fût de chêne. Au nez, le grillé de la barrique se marie aux fruits rouges et aux épices. La bouche offre un bon équilibre entre une matière ronde et souple, un boisé bien ajusté et des tanins fins. 2017-2021 onglet aux échalotes

JEAN-PIERRE TRUCHETET, 5, rue des Masers, 21700 Premeaux-Prissey, tél. 06 25 85 03 39, morgantruchetet@gmail.com V r.-v.

BOURGOGNE

Superficie : 3 200 ha
Production : 154 500 hl (65 % rouge)

L'appellation s'étend sur presque toute la superficie du vignoble régional : de l'Yonne et du Châtillonnais, au nord, au Mâconnais, au sud. Elle comprend même, en théorie, la zone des crus du Beaujolais, la plupart des appellations communales beaujolaises pouvant se «replier» en AOC bourgogne (ces bourgognes sont alors issus de gamay). Ceux qui sont produits en Bourgogne au sens strict naissent en rouge du pinot noir et en blanc du chardonnay (appelé autrefois beaunois dans l'Yonne). À côté des rouges et des blancs, l'appellation fournit de petits volumes de rosés et de clairets.

L'étendue du vignoble et la tradition régionale d'individualiser la production des terroirs et de climats ont conduit à compléter le nom de «bourgogne» de ceux d'aires historiques beaucoup plus restreintes, toujours délimitées: lieux-dits (Le Chapitre à Chenôve, Montrecul à Dijon, La Chapelle Notre-Dame à Serrigny, La Côte Saint-Jacques à Joigny), villages ou zones plus étendues. Les coteaux de l'Yonne produisent ainsi le bourgogne Chitry, Épineuil, Tonnerre, Coulange-la-Vineuse, Côtes d'Auxerre, Vézelay (ce dernier en blanc). Quant au bourgogne Côtes du Couchois, c'est un vin rouge provenant de six communes à l'extrémité nord de la Côte chalonnaise. Les bourgognes offrent les arômes de leurs cépages, avec des nuances liées à leurs origines: fleurs blanches, fruits secs, agrumes, notes beurrées, parfois grillées et miellées dans les blancs, fruits rouges et noirs dans les rouges. Plus souples et moins complexes que les *villages* et les crus, ils sont de petite ou moyenne garde (deux à cinq ans).

♥ DOM. DE L'ABBAYE DU PETIT QUINCY Épineuil Cuvée Juliette 2013 ★★

2900		15 à 20 €

Ancien cellier à vins de l'abbaye cistercienne de Quincy fondée en 1212, ce domaine a retrouvé sa vocation viticole à partir de 1990, sous l'impulsion de Dominique Gruhier, qui dispose des plus belles caves de la région. Aujourd'hui, 28 ha en conversion bio et l'une des valeurs sûres du finage d'Épineuil.

Sur l'étiquette, le prénom de la première fille du vigneron. Dans le flacon, un Épineuil (bien) né sur la Côte de Grisey, terroir réputé donner des vins à la fois minéraux, élégants et puissants. Celui-ci s'ouvre sur des notes de sous-bois, de chocolat, d'épices douces et de noyau. En bouche, on retrouve le profil attendu: de la vigueur mais sans austérité, de la finesse, un fruité intense et beaucoup de fraîcheur aux accents minéraux. Un parfait représentant de son terroir. ⧗ 2018-2024 ♈ carré d'agneau

⊶ *DOMINIQUE GRUHIER, rue du Clos-de-Quincy, 89700 Épineuil, tél. 03 86 55 32 51, vin@bourgognevin.com*
V ♿ ▮ t.l.j. sf dim. 9h30-12h30 14h-18h

BAILLY-LAPIERRE Côtes d'Auxerre 2014 ★★

■ | 30 000 | 5 à 8 €

Aujourd'hui, 430 vignerons apportent leurs raisins à la cave de Bailly-Lapierre, qui fut à l'origine du crémant-de-bourgogne. Le principal élaborateur d'effervescents de la région, la coopérative propose une vaste gamme de crémants de qualité, qui reposent dans les immenses galeries souterraines d'une ancienne carrière calcaire. Elle fournit aussi des vins tranquilles. Une valeur sûre.

Expressif et fin, ce Côtes d'Auxerre conjugue avec élégance notes florales et minéralité. En bouche, il se montre riche, ample, soyeux et long, traversé de bout en bout par une belle fraîcheur «caillouteuse» qui signe le terroir. Une grande harmonie et beaucoup de classe. ⧗ 2016-2020 ♈ croustade de ris de veau ■ **Chitry 2014 ★ (5 à 8 €; 20 000 b.)** : un vin discret au premier nez, plus expansif à l'aération (fleurs blanches, miel, pointe minérale), rond et gras en bouche, avec en finale un «petit kick» de vivacité. ⧗ 2016-2019 ■ **Coulanges-la-Vineuse 2014 (5 à 8 €; 13 000 b.)** : vin cité.

⊶ *CAVES BAILLY-LAPIERRE, hameau de Bailly, quai de l'Yonne, 89530 Saint-Bris-le-Vineux, tél. 03 86 53 76 55, nathaliec@bailly-lapierre.fr*
V ♿ ▮ t.l.j. 9h (sam. dim. 10h)-12h 14h-18h30

DOM. BART 2014

■ | 6000 | 🛢🍾 | 8 à 11 €

Le domaine Bart fait partie des incontournables. Perpétuant une tradition vigneronne remontant à plusieurs générations, Martin Bart est installé au cœur de Marsannay et cultive des parcelles dans de nombreux *climats* de la commune.

Fermé de prime abord et un peu giboyeux, ce vin s'ouvre à l'aération sur le cassis, la vanille et le sous-bois. En bouche, l'attaque est fraîche, le développement plus serré et tannique, avec en finale une austérité qui s'atténuera avec le temps. À attendre donc. ⧗ 2018-2021 ♈ rôti de bœuf

⊶ *DOM. BART, 23, rue Moreau, 21160 Marsannay-la-Côte, tél. 03 80 51 49 76, domaine.bart@wanadoo.fr V ♿ ▮ r.-v.*

DOM. CAROLINE BELLAVOINE 2014 ★

■ | 2000 | 🛢🍾 | 5 à 8 €

Œnologue, Caroline Bellavoine est à la tête depuis 2003 de ce domaine de 6 ha, dont une partie des vignes dépendait de l'ancienne abbaye de Saint-Sernin-du-Plain. Elle pratique une viticulture raisonnée et privilégie l'élevage en fût de deux vins pour éviter le surboisage. La mise en bouteilles est effectuée sans collage ni filtration. À sa carte, de l'aligoté, du bourgogne d'appellations régionales, du maranges et du hautes-côtes-de-beaune.

Caroline Bellavoine signe ici un joli vin friand et fruité, ouvert sur le cassis et la cerise à l'olfaction. En bouche, de la fraîcheur, de la souplesse, des tanins fins et fondus. Le «vin plaisir» par excellence, à boire sur le fruit. ⧗ 2016-2019 ♈ sauté de veau aux petits pois

⊶ *CAROLINE BELLAVOINE, 2, rue de Nyon, 71510 Saint-Sernin-du-Plain, tél. 06 65 06 26 50, bellavoinecaroline@orange.fr V ♿ ▮ r.-v.*

♥ Ⓑ DOM. J.-L. ET J.-C. BERSAN
Côtes d'Auxerre Cuvée Louis Bersan 2014 ★★

■ | 9000 | 🛢 | 11 à 15 €

Bourgogne Côtes d'Auxerre
Cuvée Louis Bersan
Domaine Bersan
Jean-Louis & Jean-Christophe

Le village de Saint-Bris, dans l'Yonne, compte plusieurs Bersan. Fondé en 2009 après une scission familiale, le domaine de Jean-Louis et Jean-Christophe compte 21 ha répartis sur les communes de Chablis, Irancy et Saint-Bris, et exploités en bio depuis 2009 (certifié en 2012).

Une cuvée issue de deux vieilles vignes (La Lierre et Le Clou) plantées il y a cinquante-cinq ans par Louis Bersan. Le nez, intense et généreux, associe notes beurrées et miellées, fruits jaunes à l'alcool, fleurs blanches et boisé léger. Une impression de maturité que l'on retrouve dans une bouche dense, riche et ronde, vivifiée par une fraîcheur bien sentie qui étire la finale. Une gourmandise pour aujourd'hui ou pour demain. ⧗ 2017-2022 ♈ foie gras ■ **Côtes d'Auxerre Cuvée Louis Bersan 2014 ★★ (11 à 15 €; 8000 b.)** Ⓑ : du velours. Au nez, des petits fruits rouges mûrs et le grillé de la barrique; en bouche, une rondeur tendre et suave, des tanins fondus et soyeux, et une minéralité qui vient dynamiser la finale. ⧗ 2018-2022

⊶ *JEAN-LOUIS ET JEAN-CHRISTOPHE BERSAN, 20, rue du Dr-Tardieux, 89530 Saint-Bris-le-Vineux, tél. 03 86 53 33 73, jean-louis.bersan@wanadoo.fr*
V ♿ ▮ t.l.j. sf dim. 9h-12h 13h30-18h

PHILIPPE BOIRE 2013 ★

■ | 600 | 🛢🍾 | 5 à 8 €

Ce domaine a été créé ex nihilo en 2007 par Philippe Boire, géologue de formation, aujourd'hui à la tête de 5 ha répartis sur neuf appellations. C'est un «non-interventionniste» au chai (pas de contrôle des températures, levures indigènes, pas de collage ni de filtration).

Ce vin s'annonce par un joli bouquet de grenadine, de cerise et de rose. Souple en attaque, il se révèle charnu, dense, corsé, épaulé par des tanins fins et soyeux et prolongé par une finale plus fraîche, végétale et serrée. ⧗ 2017-2021 ♈ grenadins de veau aux chanterelles

⊶ *DOM. PHILIPPE BOIRE, hameau de Melin, 21190 Auxey-Duresses, tél. 06 62 31 84 63, philippe-boire@orange.fr V ♿ ▮ r.-v.*

BOUCHARD PÈRE ET FILS
Chardonnay La Vignée 2014 ★

■ | n.c. | 🛢🍾 | 8 à 11 €

Fondée en 1731 et propriété du Champagne Joseph Henriot depuis 1995, cette maison de négoce est à la

tête d'un vaste vignoble de 130 ha, dont 12 ha en grands crus et 74 ha en 1ers crus. Elle propose une très large gamme de vins, des AOC les plus prestigieuses aux simples régionales, qui reposent dans les magnifiques caves enterrées de l'ancien château de Beaune (XV[e]s.), conservatoire unique de très vieux millésimes.

Un élevage de huit mois – 20 % en fût, 80 % en cuve – pour cette cuvée ouverte sur les agrumes, les fleurs blanches, l'anis et un boisé léger. En bouche, de la souplesse en attaque, de la rondeur, du gras, du volume et une belle tension sous-jacente qui apporte dynamisme et longueur. Un vin équilibré, qui vieillira bien. ⌛ 2017-2021 🍴 vol-au-vent de la mer

⊶ BOUCHARD PÈRE ET FILS, Ch. de Beaune, 15, rue du Château, 21200 Beaune, tél. 03 80 24 80 24, contact@bouchard-pereetfils.com V t.l.j. sf lun. 10h-12h30 14h30-17h30 ⊶ Famille Henriot

CAMERON Tonnerre Sagara 2014 ★

	2000		5 à 8 €

Un domaine «de poche» (1,2 ha) créé par Marc et Sonia Cameron dans les communes d'Épineuil et de Molosmes.

Au nez, un Tonnerre «explosif»: un fruité exubérant (pêche, abricot, agrumes) mâtiné de fines nuances florales. En bouche, un équilibre très réussi entre gras et acidité, du volume et une belle finale dynamique et pleine de fruit qui fait écho à l'olfaction. ⌛ 2016-2019 🍴 filet de bonite aux câpres

⊶ CAMERON, 8, Grande-Rue, 89290 Augy, tél. 03 86 42 85 14, marc.cameron895@orange.fr V r.-v.

CAMU FRÈRES Cuvée des Ducs 2014 ★

	6000		8 à 11 €

Installé au pied de la Colline Éternelle, ce domaine (15 ha) acquis par les frères Camu en 1999 a été repris en 2008 par le baron Patrick de Ladoucette, qui a confié l'élaboration des vins à Philippe Rossignol (œnologue de la maison Régnard à Chablis).

Cassis, fraise, griotte, note mentholée, le nez de ce bourgogne invite à poursuivre. Le palais se montre souple et frais en attaque, puis développe une aimable rondeur épaulée par des tanins fins et soyeux. Un vin harmonieux et facile d'accès. ⌛ 2016-2019 🍴 onglet grillé **Vézelay Couvent des Saint-Pères 2012 (8 à 11 €; 3000 b.)** : vin cité.

⊶ CAMU FRÈRES, Le Clos, 89450 Vézelay, tél. 03 86 32 35 66 V t.l.j. 10h-12h 14h-18h ⊶ De Ladoucette

JEAN-MARIE CHALAND La Chapelle 2014

	1000		15 à 20 €

Un vignoble de 9 ha conduit en bio, des vendanges manuelles et des élevages longs: une méthode qui a fait ses preuves, témoin les nombreuses sélections des vins de Jean-Marie Chaland dans le Guide.

Cette cuvée s'annonce par un nez complexe qui associe des notes de pivoine, de poivre noir et de fruits rouges bien mûrs. En bouche, elle se montre souple et élégante, portée par des tanins légers et fondus. Un joli «vin de soif». ⌛ 2016-2018 🍴 tourte à la viande

⊶ JEAN-MARIE CHALAND, 12, rue En-Chapotin, 71260 Viré, tél. 09 64 48 09 44, jean-marie.chaland@orange.fr V r.-v. 3

DOM. PHILIPPE CHARLOPIN Cuvée Prestige 2013

	n.c.	20 à 30 €

Repris en 1977, ce domaine familial, passé de 1,5 ha à 25 ha aujourd'hui, est en conversion bio. Avec son fils Yann, Philippe Charlopin fait partie des vignerons emblématiques de Gevrey-Chambertin et plus généralement de la Côte de Nuits. Il propose une large palette de vins, des *villages* aux grands crus du Chablisien, de la Côte de Beaune et de la Côte de Nuits. On ne compte plus ses étoiles et coups de cœur «vendangés» dans le Guide. Incontournable.

La dégustation débute par des parfums discrets de fruits rouges, de sous-bois et de cuir. Elle se poursuit sur un mode plus soutenu, plus fruité, mais en souplesse, avec des tanins soyeux et fondus en soutien et une légère austérité en finale. ⌛ 2016-2020 🍴 rôti de veau

⊶ DOM. PHILIPPE CHARLOPIN, 18, rte de Dijon, 21220 Gevrey-Chambertin, tél. 06 24 71 12 05, charlopin.philippe21@orange.fr

DOM. DES CHENEVIÈRES La Baronne 2014 ★

	8500		5 à 8 €

Ce domaine de 42,5 ha situé à l'ouest de Mâcon est exploité par la même famille depuis cinq générations. Il s'est forgé une solide réputation avec ses bourgognes d'appellations régionales et ses mâcon, souvent en vue dans ces pages. Aujourd'hui Vincent et Nicolas Lenoir, aidés de leur épouse et de leurs enfants Sylvain et Aurélien, sont aujourd'hui aux commandes.

Cette cuvée exhale des parfums généreux de fruits rouges confiturés. Un fruité gourmand prolongé avec persistance par une bouche tendre et souple, aux tanins fins et policés, et agrémenté de nuances chocolatées et réglissées. À boire ou à attendre un peu. ⌛ 2016-2020 🍴 poularde aux cèpes

⊶ DOM. DES CHENEVIÈRES, Le Bourg, 71260 Saint-Maurice-de-Satonnay, tél. 03 85 33 31 27, domaine.chenevieres@orange.fr V t.l.j. 9h-12h 14h-19h ⊶ Lenoir

MAISON PASCAL CLÉMENT 2014 ★

	3000		8 à 11 €

Après vingt ans de vinification dans différents domaines de Bourgogne, Pascal Clément a créé son négoce en 2012, tourné essentiellement vers les blancs de la Côte chalonnaise et de la Côte de Beaune.

Discret mais très fin, le nez de cette cuvée mêle d'élégantes notes florales (tilleul, acacia) et des nuances d'agrumes. La bouche affiche un volume certain, beaucoup de gras et de rondeur, avec en soutien une acidité mesurée et un boisé très fondu. Un vin généreux et équilibré. ⌛ 2016-2021 🍴 quenelles de brochet

⊶ PASCAL CLÉMENT, 13, rue de Cîteaux, 21420 Savigny-lès-Beaune, tél. 03 80 24 75 05, contact@pascal-clement.fr V r.-v.

DOM. DU CLOS DU ROI Coulanges-la-Vineuse Chanvan Nos Origines 2013 ★

	6000		8 à 11 €

Un domaine créé par Michel et Denise Bernard en 1969. Après une expérience de caviste en Île-de-France, leur

fille Magali prend en charge les vinifications à partir de 2001 et la charge complète de l'exploitation et de ses 15 ha de vignes en 2005, avec son compagnon, Arnaud Hennoque, ancien chef cuisinier.

Issue d'un élevage luxueux de vingt-quatre mois en fût, cette cuvée déploie des arômes intenses et généreux d'épices douces et de cerise mûre. En bouche, elle se révèle ample, dense et concentrée, étayée par des tanins solides qui jouent encore un peu des épaules en finale. Une bouteille de garde. ⧗ 2018-2022 ¥ carré d'agneau ■ **Coulanges-la-Vineuse 2013 ★ (5 à 8 €; 7000 b.)** : au nez, des notes poivrées et fruitées; en bouche, de la rondeur, du fruit, des épices toujours et une bonne structure de tanins fins et tendres. ⧗ 2017-2021 ■ **Coulanges-la-Vineuse Coline Nos Origines 2013 (8 à 11 €; 6000 b.)** : vin cité.

DOM. DU CLOS DU ROI, 17, rue André-Vildieu, 89580 Coulanges-la-Vineuse, tél. 03 86 42 25 72, magali@closduroi.com V ⚐ ▪ *r.-v.*

DOM. COLBOIS Chitry 2014 ★★

■	30000		5 à 8 €

Rejoint en 2009 par son fils Benjamin, Michel Colbois est établi depuis 1970 à Chitry-le-Fort. Ses blancs sont souvent en bonne place dans le Guide, qu'ils proviennent du chardonnay ou de l'aligoté. Son vignoble couvre 20 ha.

Le bouquet de ce 2014 associe nuances minérales et fruits jaunes mûrs (mirabelle notamment). La bouche conjugue dans un bel élan fruité (pomme, pêche), rondeur et vivacité, et déploie une longue finale aux accents du terroir. ⧗ 2016-2019 ¥ asperges vertes ■ **Chitry Les Dames 2014 ★ (5 à 8 €; 13000 b.)** : un vin cohérent entre le nez et la bouche (cerise, léger boisé épicé, pointe végétale), souple et frais, sans manquer ni de chair ni de structure. ⧗ 2017-2021

EARL DOM. COLBOIS, 69, Grande-Rue, 89530 Chitry, tél. 03 86 41 43 48, contact@colbois-chitry.com V ⚐ ▪ *t.l.j. sf dim. 8h-12h 13h30-18h*

DOM. DE LA COUR CÉLESTE Côtes d'Auxerre 2014 ★★

■	3000		8 à 11 €

Anciennement domaine Seguin, cette exploitation a changé de nom en 2008 lorsque Thomas Seguin a succédé à son père, Claude, et s'est associé avec un autre jeune vigneron, Arnaud Nahan. Le tandem est à la tête d'un vignoble de 16 ha.

Cette cuvée associe au pinot noir une touche de césar – cépage noir de l'Yonne introduit, selon la tradition, par les légions romaines et bien connu des amateurs d'irancy. Cela donne un vin intense dès le premier nez, ouvert sur le cassis, la cerise et les épices douces, puissant en bouche, dense et concentré tout en restant fin et élégant. Bâti pour durer. ⧗ 2018-2023 ¥ baron d'agneau en croûte d'épices

DOM. DE LA COUR CÉLESTE, 3 ter, rue Haute, 89530 Saint-Bris-le-Vineux, tél. 03 86 53 37 39, domainecourceleste@hotmail.fr V ⚐ ▪ *r.-v.*

DOM. LA CROIX MONTJOIE Vézelay La Voluptueuse 2014 ★

■	8000		15 à 20 €

Tous deux ingénieurs agronomes et œnologues, Sophie et Matthieu Woillez sont installés depuis 2009 dans la commune de Tharoiseau. Leur vignoble de 10 ha, plantés principalement de chardonnay couvre un coteau face à Vézelay.

Après douze mois de barrique, cette cuvée livre un bouquet intense et généreux: abricot mûr, pain grillé, vanille, brioche, touche mentholée. En bouche, elle se révèle ample, riche et… voluptueuse en effet, encadrée par un boisé bien présent mais fin et stimulée par de beaux amers en finale. ⧗ 2017-2021 ¥ risotto aux girolles

DOM. LA CROIX MONTJOIE, 50, Grande-Rue, 89450 Tharoiseau, tél. 03 86 32 40 94, contact@lacroixmontjoie.com V ⚐ ▪ *r.-v.* *Woillez*

ÉRIC ET EMMANUEL DAMPT Épineuil Élégance 2014 ★

■	n.c.		5 à 8 €

Issu d'une longue lignée vigneronne, Bernard Dampt a constitué à partir de 1980 un vignoble dont il livrait le produit à la coopérative. Éric Dampt, l'aîné de ses trois fils, l'a rejoint en 1985. Comme Emmanuel et Hervé, il signe sa propre production au sein du domaine familial.

L'adresse indique Éric, l'étiquette l'associe à son frère Emmanuel. Dans le verre, une cuvée à quatre mains donc, bien fruitée au nez comme en bouche, discrètement boisée, fraîche et longue, encore un peu austère en finale. Prometteur. ⧗ 2017-2020 ¥ volaille rôtie ■ **Épineuil Les Beaumonts 2014 (8 à 11 €; n.c.)** : vin cité. ■ **Tonnerre Clos du Château 2014 (8 à 11 €; n.c.)** : vin cité.

EARL ÉRIC DAMPT, 16, rue de l'Ancien-Presbytère, 89700 Collan, tél. 03 58 16 90 31, eric@dampt.com V ⚐ ▪ *t.l.j. 9h-12h 13h30-17h30* ⌂ B

DAMPT FRÈRES Tonnerre 2014 ★★

■	n.c.		5 à 8 €

Un père, Bernard Dampt, vigneron à Collan de 1980 à 1998, comme trois générations avant lui; trois frères, Éric, Emmanuel et Hervé. Les frères sont indissociables, mais chacun fait ses propres vins. Hervé, le benjamin, s'est installé en 1998 et s'illustre régulièrement dans le Guide.

Cette cuvée s'ouvre sur des parfums élégants de fleurs blanches, de pêche et d'agrumes. Arômes que prolonge avec la même délicatesse une bouche à la fois pleine de fraîcheur aux accents minéraux, ample et riche. De la finesse et de l'harmonie. ⧗ 2016-2020 ¥ poêlée de saint-jacques ■ **2014 ★ (5 à 8 €; n.c.)** : un bourgogne tout en finesse et en fraîcheur, sans manquer de corps ni de gras, floral, exotique, minéral et salin. ⧗ 2016-2019

EARL HERVÉ DAMPT, rue de Fleys, 89700 Collan, tél. 03 86 55 29 55, vignoble@dampt.com V ⚐ ▪ *t.l.j. 9h-12h 13h30-17h30* ⌂ B

DAMPT FRÈRES Épineuil 2014 ★★

■	n.c.		5 à 8 €

Les frères Dampt (Éric, Emmanuel et Hervé), de Collan, signent la plupart de leurs vins sous l'étiquette de la fratrie. Cela n'empêche pas les productions individuelles. Celles d'Emmanuel Dampt sont souvent en bonne place dans le Guide.

Sous l'étiquette Dampt Frères se cache ici Emmanuel, auteur d'une belle cuvée pleine de fruits (cerise, cassis) à l'olfaction, avec en soutien un bon boisé fondu. Le palais se révèle ample, gras et corpulent. Du potentiel. ⧗ 2017-2022 ¥ coq au vin ■ **Racineuil 2014 ★ (8 à 11 €;**

BOURGOGNE

n.c.) : un vin bien fruité, (cassis, myrtille), épicé, frais et consistant, épaulé par des tanins souples et fins. ⧗ 2017-2022

⊶ *EARL EMMANUEL DAMPT, 3, rte de Tonnerre, 89700 Collan, tél. 03 86 55 29 55, emmanuel@dampt.com* V 🚶 ▪ *t.l.j. 9h-12h 13h30-17h30* 🏠 Ⓑ

PHILLIPPE DEFRANCE Côtes d'Auxerre 2014

	4000		5 à 8 €

Un domaine (18,5 ha) établi à Saint-Bris depuis plusieurs générations et conduit par Philippe Defrance depuis 1980. Ses caves voûtées des XIIe et XIIIes. méritent le détour, ses vins, d'une réelle constance, aussi.

C'est par un nez très floral, agrémenté de nuances miellées et briochées que débute la dégustation. La bouche, souple et d'un bon volume, y ajoute des notes plus fraîches de citron et de craie. Un ensemble harmonieux. ⧗ 2016-2019 🍴 terrine de saumon frais

⊶ *PHILIPPE DEFRANCE, 5, rue du Four, 89530 Saint-Bris-le-Vineux, tél. 03 86 53 39 04, ph.defrance89@orange.fr* V 🚶 ▪ *r.-v.*

Ⓑ **LE DOM. D'ÉDOUARD** Côtes d'Auxerre 2014

■	1000		11 à 15 €

Les premières vignes de ce domaine ont été plantées dans les années 1960 par Antoine Donat. Dirigée depuis 2014 par Édouard Lepesme, l'exploitation couvre 13,5 ha conduits en agriculture biologique.

Ce 2014 s'ouvre sur des notes boisées, vite relayées par des arômes de cerise noire mâtinés d'une touche fumée. Des sensations harmonieuses prolongées par un palais assez dense, soyeux et souple. ⧗ 2017-2020 🍴 tourte à la viande

⊶ *LE DOM. D' ÉDOUARD, EARL Les Collines de Vaux, 43 rue de Vallan, 89290 Vaux-Auxerre, tél. 06 87 20 77 27, contact@domaine-edouard.fr* V ▪ *r.-v.* ⊶ *M. Lepesme*

DOM. EYPERT Vézelay 2014 ★★

	3000		8 à 11 €

Créé par Hervé Eypert en 2011, le domaine a produit son premier millésime en 2014. Situé à Tharoiseau, il surplombe la vallée de la Cure et offre un joli panorama sur Vézelay et sa basilique.

Première vinification pour Hervé Eypert et une très belle entrée dans le Guide avec un vin intense et généreux avec ses arômes de fleurs blanches, d'amande, de cire d'abeille et de poire mûre. Un caractère gourmand que l'on retrouve dans une bouche très équilibrée, ronde et soyeuse, soulignée par une belle vivacité jusqu'en finale. ⧗ 2017-2021 🍴 lotte au curry

⊶ *DOM. EYPERT, 27, Grande-Rue, 89450 Tharoiseau, tél. 06 72 90 08 84, domaine.eypert@orange.fr* V 🚶 ▪ *r.-v.*

DOM. FÉLIX Côtes d'Auxerre 2014

	13300		5 à 8 €

Ancien fonctionnaire, Hervé Félix, cédant à un vieil atavisme, reprend en 1987 l'exploitation où les siens se sont succédé de père en fils depuis le XVIIes. Établi à Saint-Bris, gros village viticole de l'Yonne, il propose de nombreux types de vins. Son domaine couvre 32 ha, conduit de manière «très raisonnée», proche du bio.

Quinze mois de cuve pour cette cuvée au nez plaisant de fruits jaunes mûrs sur fond de minéralité. En bouche, le volume est assez léger mais c'est frais, souple et tendre à la fois, bien équilibré en somme. ⧗ 2016-2019 🍴 jambon persillé

⊶ *DOM. FÉLIX, 17, rue de Paris, 89530 Saint-Bris-le-Vineux, tél. 03 86 53 33 87, domaine.felix@wanadoo.fr* V 🚶 ▪ *t.l.j. sf dim. 9h-11h45 14h-18h30*

DOM. FICHET Le Vignot 2014

■	6000	8 à 11 €

Domaine sorti de la cave coopérative d'Igé par Francis Fichet en 1976. Ses fils Pierre-Yves et Olivier, aux commandes depuis 1999, exploitent aujourd'hui 35 ha de vignes, à partir desquels ils produisent une quinzaine de cuvées différentes nées des quatre cépages de Bourgogne. Une valeur sûre du Mâconnais, complétée en 2006 par une petite structure de négoce.

Au nez, la cerise noire se mêle à la violette. Une attaque ample et franche introduit un palais très fruité et solidement arrimé à ses tanins, encore un peu austères en finale. Une bouteille qui décrochera son étoile en cave. ⧗ 2017-2022 🍴 paleron grillé

⊶ *DOM. FICHET, 651, rte d'Azé, Le Martoret, 71960 Igé, tél. 03 85 33 30 46, domaine-fichet@wanadoo.fr* V 🚶 ▪ *t.l.j. 8h-12h 13h-18h30; dim. sur r.-v.*

DOM. FOREY PÈRE ET FILS 2014 ★

■	7200		11 à 15 €

Cette famille voisine de la Romanée-Conti exploitait jadis en métayage La Romanée du chanoine Liger-Belair. Installé en 1983 avec son père et son frère, Régis Forey, aux commandes depuis 1989, conduit aujourd'hui un domaine de 10 ha régulièrement en vue dans le Guide.

Un élevage de quatorze mois en fûts de 500 l (dont 10 % de fûts neufs) et 30 % de vendange entière pour ce bourgogne joliment parfumé: cassis, fraise, boisé léger. L'attaque est franche et alerte, le palais ample, rond, sans faiblesse, bien constitué autour d'un fruité soutenu et de tanins fins qui offrent une mâche agréable. ⧗ 2016-2021 🍴 volaille en sauce

⊶ *DOM. FOREY PÈRE ET FILS, 2, rue Derrière-le-Four, 21700 Vosne-Romanée, tél. 03 80 61 09 68, domaineforey@orange.fr* V 🚶 ▪ *r.-v.*

Ⓑ **DOM. JEAN FOURNIER** 2014 ★

■	19000		11 à 15 €

Les Fournier sont vignerons à Marsannay depuis le XVIIes. Laurent a repris en 2003 les rênes du domaine familial, aujourd'hui 16,63 ha conduits en bio depuis 2008. Ce vigneron talentueux évite la surextraction et les maturités extrêmes, préférant exprimer le potentiel du terroir et du millésime. Il privilégie la vinification partielle en raisin entier et, depuis 2010, les élevages longs en tonneaux.

Au nez, des notes gourmandes et généreuses de fruits rouges confiturés mâtinés d'une touche de cannelle. En bouche, de la chair et de la concentration, des tanins fins et soyeux et un boisé fondu. Un bourgogne bien typé et d'ores et déjà agréable. ⧗ 2016-2020 🍴 poulet à la Gaston Gérard **Origines Cuvée spéciale 2014 (11 à 15 €; 4300 b.)** Ⓑ : vin cité.

DOM. JEAN FOURNIER, 29, rue du Château, 21160 Marsannay-la-Côte, tél. 03 80 52 24 38, domaine.jean.fournier@orange.fr V r.-v.

DOM. FOURNILLON
Cuvée de l'Empereur Vieilles Vignes 2013 ★

	3670		8 à 11 €

Conduit depuis 2004 par Pascal Fournillon, ce domaine familial couvre 23 ha sur les coteaux du Chablisien, d'Épineuil et de Bernouil dans le Tonnerrois. Fierté des Fournillon, une vigne préphylloxérique de chardonnay, datant de 1835, est toujours présente sur le domaine.

Cette cuvée est issue d'une vigne franche de pied, plantée à proximité de la voie romaine Sens-Alésia et contemporaine de... Napoléon III, soit des ceps de cent quatre-vingts ans ayant résisté au phylloxéra! Dans le verre, un vin complexe (orange, pêche de vigne, pain d'épice, miel), souple, rond, tendre et consistant, avec une fine acidité qui lui donne de la longueur et du tonus. 2016-2019 quenelles de brochet **Épineuil 2013 (5 à 8 €; 8100 b.)** : vin cité.

DOM. FOURNILLON, 34, Grande-Rue, 89360 Bernouil, tél. 03 86 55 50 96, gaec-fournillon-et-fils@wanadoo.fr V *t.l.j. 8h-19h*

DOM. DE LA GALOPIÈRE Cuvée Perle rare 2014 ★

	14500		11 à 15 €

Après avoir enseigné l'œnologie pendant quatre ans, Gabriel Fournier s'est installé en 1982 sur le domaine familial. Il exploite avec son épouse Claire et, depuis 2015, son fils Vincent 10 ha de vignes répartis dans plusieurs AOC de la Côte de Beaune, de Chassagne-Montrachet à la colline de Corton.

Perle rare car cette cuvée a été créée après la grêle qui a touché Pommard en 2012, avec pour conséquence un bourgogne très faible en quantité. Ces mêmes jeunes vignes (quinze ans) ont donné naissance à un 2014 au nez subtil de fraise et de framboise mâtiné d'une touche de romarin. Souple en attaque, le palais se montre rond et consistant, adossé à des tanins serrés mais fins et à une acidité bien ajustée. 2017-2021 lapin à la tomate

EARL DOM. DE LA GALOPIÈRE, 6, rue de l'Église, 21200 Bligny-lès-Beaune, tél. 03 80 21 46 50, cgfournier@wanadoo.fr V *r.-v.*

(B) JEAN-HUGUES ET GUIHEM GOISOT
Côtes d'Auxerre La Ronce 2013 ★★

	5000		15 à 20 €

Une valeur sûre de l'Auxerrois que ce domaine, installé dans une ancienne place forte de Saint-Bris abritant un corps de garde. Jean-Hugues Goisot et son fils Guilhem exploitent en biodynamie un vignoble de 28 ha et élèvent leurs vins dans de vénérables caves des XIe et XIIes.

Cette cuvée s'ouvre sans réserve et avec générosité sur des arômes de fruits rouges très mûrs, presque confiturés, et de vanille. En bouche, elle se révèle ample, dense, puissante et longue, étayée par des tanins vigoureux mais fins. De bonne garde assurément. 2018-2024 côte de bœuf **Côtes d'Auxerre Gondonne 2013 (11 à 15 €; 5000 b.)** (B) : vin cité.

GUILHEM ET JEAN-HUGUES GOISOT, 30, rue Bienvenu-Martin, 89530 Saint-Bris-le-Vineux, tél. 03 86 53 35 15, domaine.jhg@goisot.com V *r.-v.*

DOM. ANNE ET ARNAUD GOISOT
Côtes d'Auxerre Cuvée du Manoir 2013 ★

	3000		8 à 11 €

Installé depuis 1981 à Saint-Bris dans une maison bourgeoise du XIXes. au milieu d'un parc arboré, ce couple de vignerons est aujourd'hui à la tête de 23 ha et s'illustre régulièrement avec ses Côtes d'Auxerre.

Harmonieux et puissant, le bouquet de ce Côtes d'Auxerre élevé seize mois en fût associe les fruits noirs à l'alcool et des notes fumées. Une puissance que ne renie pas la bouche, ample, riche, aux tanins robustes et encore assez stricts. Longue garde en perspective. 2019-2026 civet de lièvre

DOM. ANNE ET ARNAUD GOISOT, Caves 4 bis, rte de Champs, 89530 Saint-Bris-le-Vineux, tél. 03 86 53 32 15, aa.goisot@wanadoo.fr V *t.l.j. sf dim. 8h30-12h 13h30-19h*

DOM. HEIMBOURGER 2014 ★

	12000		5 à 8 €

Installée dans l'Yonne, la famille Heimbourger cultive la vigne depuis trois générations. Le domaine a été constitué en 1960 par Pierre Heimbourger et repris en 1994 par son fils Olivier. Il couvre 17 ha dans les appellations bourgogne, irancy et chablis.

Au nez, des notes harmonieuses de pruneau, de cassis et de boisé épicé. En bouche, beaucoup de souplesse et de fraîcheur, des tanins fins et policés, une belle longueur. Un vin qui ne manque de rien et s'appréciera volontiers dans sa jeunesse. 2016-2020 fricassée de lapin aux herbes

DOM. HEIMBOURGER, 5, rue de la Porte-de-Cravant, 89800 Saint-Cyr-les-Colons, tél. 03 86 41 40 88, heimbourger@wanadoo.fr V *r.-v.*

DOM. JEAN-LUC HOUBLIN
Coulanges-la-Vineuse Cuvée Prestige 2013 ★

	16600		8 à 11 €

Jean-Luc Houblin s'installe en 1988 avec 50 ares à Migé, dans le finage de Coulanges-la-Vineuse: plantations puis reprise des vignes familiales, il exploite aujourd'hui 12 ha qu'il vinifie en vins tranquilles et en effervescents.

Tout droit sorti du nouveau chai de Jean-Luc Houblin, construit en 2013, ce Coulanges livre un bouquet encore sous l'emprise du merrain, quelques notes fruitées et mentholées pointant à l'aération. En bouche, il apparaît plus ouvert sur le fruit, agrémenté d'épices douces, avec en finale une austérité qui disparaîtra avec le temps. 2018-2021 carré d'agneau

DOM. JEAN-LUC HOUBLIN, 1, passage des Vignes, 89580 Migé, tél. 03 86 41 69 87, contact@houblin.com V *t.l.j. sf dim. 8h-12h 14h-19h*

MAISON JESSIAUME 2014 ★

	4700		8 à 11 €

Acheté en 2007 par Sir David Murray, ce domaine fondé en 1850 (14 ha, en grande partie à Santenay) fait figure de valeur sûre en Côte-d'Or. En 2008, une structure de

négoce est venue compléter la production de la propriété. L'œnologue est William Waterkeyn.

Au nez, les fleurs blanches, le zeste d'agrumes et la vanille font bon ménage. Ils s'allient aussi sans fausse note dans une bouche très tonique, presque nerveuse, qui offre un joli grain de texture et une belle longueur. Du peps et de la tenue. ⧗ 2017-2021 ♈ terrine de saint-jacques

⊶ DOM. JESSIAUME, 10, rue de la Gare, 21590 Santenay, tél. 03 80 20 60 03, contact@jessiaume.com V r.-v.

HERVÉ KERLANN
Cuvée Prestige H Fût de chêne 2013

■	17500		11 à 15 €

Après avoir vécu au Canada, Hervé Kerlann a acheté le château de Laborde aux Hospices de Beaune en 1998. Un bel endroit pour laisser vieillir les vins de sa maison de négoce. Un retour aux sources pour lui qui est issu d'une famille de vignerons et négociants-éleveurs depuis 1873.

Tabac, épices, framboise, le bouquet est complexe et charmeur. La bouche n'est pas très longue mais elle plaît par sa rondeur et son fruité. Une petite pointe d'austérité marque la finale, mais rien de rédhibitoire. ⧗ 2016-2019 ♈ steack au poivre

⊶ HERVÉ KERLANN, Ch. de Laborde, 1, rte de Geanges, 21200 Meursanges, tél. 03 80 26 59 68, herve.ddd@wanadoo.fr V *r.-v.*

CLOS DU CH. DE LACHASSAGNE
Monopole 2014

■	7560		5 à 8 €

Les origines de ce domaine établi au cœur du pays des Pierres dorées remontent à 1535. Celui-ci resta propriété des Rochechouart-Mortemart et des Laguiche jusqu'à son rachat en 1977. Aujourd'hui, 62 ha clos de murs entourent le château, qui date de 1810-1830, et 26 ha sont dévolus au vignoble. L'exploitation est dirigée depuis 2007 par Olivier Bosse-Platière et son épouse Véronique.

Ce bourgogne n'a connu que la cuve et ne semble viser que le fruit. Et c'est réussi: cerise, framboise, fraise, le nez comme la bouche respirent les fruits rouges. On apprécie aussi la fraîcheur et la souplesse de ce vin «qui ne se prend pas la tête» et s'appréciera sans tarder. ⧗ 2016-2019 ♈ paupiettes de veau

⊶ SARL CH. DE LACHASSAGNE, 416, rue du Château, 69480 Lachassagne, tél. 04 74 67 00 57, contact@chateaudelachassagne.com V *r.-v.*

Ⓑ CH. DE LAVERNETTE 2014

■	5400		8 à 11 €

Ancienne propriété des moines de Tournus, le domaine, aux confins du Mâconnais et du Beaujolais, a été acquis par la famille en... 1596. Descendant des Lavernette, Bertrand de Boissieu quitte la coopérative en 1988; son fils Xavier prend le relais en 2007. Il pratique la biodynamie depuis 2005 (certifiée en 2010). Sur ses 12 ha de vignes, il produit des vins du Beaujolais, du bourgogne d'appellations régionales et des pouilly-fuissé.

Cette cuvée s'ouvre sur des notes d'agrumes, de poire, de fleurs blanches et d'amande. Elle se montre ronde, tendre et douce en bouche, relevée par une pointe minérale en finale. Un vin simple et harmonieux. ⧗ 2016-2019 ♈ poulet au citron

⊶ CH. DE LAVERNETTE, La Vernette, 71570 Leynes, tél. 03 85 35 63 21, chateau@lavernette.com V *t.l.j. sf sam. dim. 8h-12h 13h30-18h ⊶ de Boissieu*

DOM. LEJEUNE 2014

■	15000	11 à 15 €

Domaine transmis par les femmes depuis 1850, mais administré et vinifié par les hommes: François Jullien de Pommerol, ancien professeur à la «Viti» de Beaune, rejoint en 2005 par son gendre Aubert Lefas qui en assure aujourd'hui la direction. Vinifications en grappes entières et longs élevages sous bois sont leur signature, notamment pour les pommard, le cœur de leurs 9,5 ha, complétés par une activité de négoce.

Le nez, discret mais harmonieux, mêle nuances florales et fruits rouges mûrs. La bouche est ronde, de bonne consistance, avec en soutien une fine ligne acide et des tanins encore un peu sévères mais prometteurs. ⧗ 2018-2021 ♈ entrecôte grillée

⊶ DOM. LEJEUNE, 1, pl. de l'Église, 21630 Pommard, tél. 03 80 22 90 88, commercial@domaine-lejeune.fr V *t.l.j. sf dim. 9h-12h 14h-18h; r.-v. janv. à mars* Ⓓ *⊶ Pommerol Jullien de*

LEVERT FRÈRES 2014 ★

■	100000		- de 5 €

On retrouve trace de la maison Levert Frères dans des archives remontant au début du XVe s. Le domaine, établi à Mercurey, dispose d'un vignoble de 9 ha. La Compagnie viticole de Bourgogne (Picard Vins et Spiritueux) en assure la gestion depuis 2012.

Après douze mois de cuve, ce bourgogne dévoile des parfums intenses de fruits rouges et noirs relevés d'épices. En bouche, il séduit par sa matière dense et charnue, ses tanins souples et fins et son fruité aussi large que long. Gourmand à souhait. ⧗ 2016-2019 ♈ tartare de bœuf

⊶ COMPAGNIE VITICOLE DE BOURGOGNE, rte de Saint-loup-de-la-Salle, 71150 Chagny, tél. 03 85 87 51 04, david.fernez@m-p.fr ⊶ Picard Vins et Spiritueux

Ⓑ DOM. MADELIN-PETIT
Côtes d'Auxerre 2014 ★

■	8000		8 à 11 €

Dany Petit et Claude Madelin conduisent depuis 1994 ce petit vignoble de 5 ha, enclavé dans des vergers de cerisiers et cultivé en bio depuis les origines.

Pas de fût pour cette cuvée, c'est le fruit qui est recherché. Objectif pleinement atteint: les petits fruits rouges (groseille, cerise, framboise) mènent la danse de bout en bout, au nez comme en bouche. On aime aussi la fraîcheur de ce vin, son volume, ses tanins tendres et fondus, même si une petite austérité marque la finale. Un peu de patience et tout sera au point. ⧗ 2017-2021 ♈ filets de canette

⊶ DOM. MADELIN-PETIT, 3, rue Philipponne, 89550 Héry, tél. 03 86 47 87 13, domaine@madelinpetit.com V *r.-v.*

LES ESSENTIELLES DE MANCEY 2014

6920 | 8 à 11 €

Fondée en 1929, la coopérative de Mancey est établie non loin de Tournus et de la Saône. Son terroir occupe la pointe des collines du Mâconnais, où elle mène un important travail de sélection parcellaire.

Le nez, complexe, conjugue notes de poivre blanc, nuances fumées, fruits rouges et noirs mûrs, pain grillé. Le palais offre une bonne consistance et de la fraîcheur, appuyé par des tanins fermes, encore un brin sévères en finale. 2017-2021 côtes d'agneau

CAVE DES VIGNERONS DE MANCEY, RN 6, En-Velnoux, BP 100, 71700 Tournus, tél. 03 85 51 00 83, contact@cave-mancey.com t.l.j. 9h-12h30 14h-18h30

JEAN-PHILIPPE MARCHAND 2015

9000 | 11 à 15 €

Les vignobles Marchand ont été fondés en 1813 à Morey et agrandis en 1983 par l'achat d'une vigne à Gevrey-Chambertin. Héritier de six générations, Jean-Philippe Marchand gère, depuis 1984, le domaine familial – installé dans une ancienne fabrique de confitures de Gevrey, ainsi qu'une affaire de négoce.

Douze mois de fût ont apporté quelques notes toastées à l'olfaction, mais ce sont les fruits (groseille, cassis) qui l'emportent. La bouche apparaît encore très boisée, ample, riche, assez concentrée, avec en soutien des tanins fermes et serrés qui laissent deviner une bonne évolution en cave. 2018-2022 paleron en sauce

JEAN-PHILIPPE MARCHAND, 4, rue Souvert, BP 41, 21220 Gevrey-Chambertin, tél. 03 80 34 33 60, contact@marchand-jph.fr r.-v.

LOUIS MAX
Beaucharme 2014

60000 | 11 à 15 €

Maison de négoce fondée en 1859 par Evgueni-Louis Max, émigré de Géorgie. Depuis 2007, elle est la propriété de Philippe Bardet, un amateur de vin genevois qui a confié en 2014 à David Duband, célèbre vigneron de la Côte de Nuits, la responsabilité de la vinification et de l'élevage des vins de la maison. Elle dispose, en plus de ses achats de raisins, d'un vignoble en propre de 20 ha à Mercurey et de 165 ha dans les Corbières. Sur les flacons, des étiquettes reconnaissables entre toutes, dessinées par Pierre Le Tan.

Au nez, des parfums gourmands de pêche mûre, d'ananas et de brioche. Arômes qui s'épanouissent dans un palais gras, souple et tendre, épaulé par une pointe d'acidité bienvenue. 2016-2019 blanquette de poisson

LOUIS MAX, 6, rue de Chaux, 21700 Nuits-Saint-Georges, tél. 03 80 62 43 01, louismax@louis-max.fr r.-v.

ÉVELYNE ET DOMINIQUE MERGEY
Au Bouteau 2014 ★

2500 | 8 à 11 €

Évelyne Mergey est depuis 2005 à la tête d'un petit domaine de 3,5 ha. Elle a confié l'élaboration des vins à sa fille et à son gendre, du domaine Cheveau à Pouilly.

Pamplemousse, pomme, camomille, silex, herbe fraîche, le nez de cette cuvée est complexe et fin. Si un gras léger et une petite sucrosité tapissent le palais, c'est surtout la fraîcheur qui s'impose; une fraîcheur qui respire le terroir et qui porte loin la finale. 2016-2019 terrine de langoustines

ÉVELYNE ET DOMINIQUE MERGEY, Le Bouteau, 71570 Leynes, tél. 03 85 23 80 87, d.mergey@gmail.com r.-v.

DOM. MONGEARD-MUGNERET
Cuvée Sapidus 2014 ★

6400 | 8 à 11 €

Vieux cépage bourguignon, le pinot Mongeard était une variété très fine et peu productive, baptisé en l'honneur d'un aïeul de la famille. Vincent Mongeard a succédé à Jean, personnalité marquante du vignoble, et veille sur un beau domaine de 30 ha bien connu des lecteurs du Guide.

Un fruité éclatant (groseille, fraise des bois, cassis) imprime le tempo de l'olfaction. Un rythme soutenu maintenu par un palais ample et équilibré, riche et frais à la fois, bâti sur des tanins fermes et prometteurs. 2018-2022 bœuf bourguignon

DOM. MONGEARD-MUGNERET, 14, rue de la Fontaine, 21700 Vosne-Romanée, tél. 03 80 61 11 95, domaine@mongeard.com r.-v.

DOM. BERNARD MOREAU 2014

13440 | 8 à 11 €

Bourgogne de Vigne en Verre est le prolongement commercial d'une vingtaine de domaines bourguignons qui se sont regroupés pour faciliter la distribution de leur production.

Fleurs blanches, pamplemousse, épices et miel, l'approche est engageante. La bouche offre une jolie fraîcheur citronnée, de la souplesse et de la légèreté, avec ce qu'il faut de gras pour arrondir les angles. Équilibré. 2016-2019 papillote de poisson

BOURGOGNE DE VIGNE EN VERRE, BP 100, RN 6, 71700 Tournus, tél. 03 85 51 00 83, contact@bourgogne-vigne-verre.com r.-v.

♥ OLIVIER MORIN
Chitry Olympe 2014 ★★

15000 | 8 à 11 €

Ici, on cultive la vigne depuis le XVIIIes. et l'on récolte les étoiles avec une belle constance. Olivier Morin, après dix années dans les médias et la musique, est revenu au domaine familial en 1992, prenant la suite de son père Michel. Il exploite un vignoble de 13 ha dans l'Yonne.

Olympe est le prénom de l'ancienne propriétaire des plus vieilles vignes du domaine. Des vignes de trente ans à l'origine d'un chitry épatant, comme son devancier du millésime 2012. Pierre à feu, fleurs blanches, fruits jaunes, l'olfaction est complexe et délicate. La bouche se révèle enveloppante, riche et caressante, tout en restant fine et élégante grâce à l'apport d'une fine tension minérale. ⧗ 2016-2020 🍷 risotto aux saint-jacques ■ **Chitry Vau du Puits 2014 (8 à 11 €; 10000 b.)** : vin cité.

⊶ OLIVIER MORIN, 2, chem. de Vaudu, 89530 Chitry, tél. 03 86 41 47 20, morin.chitry@orange.fr V r.-v.

DOM. OLIVIER Côté rouge 2013 ★

■	3000		8 à 11 €

Ce domaine familial (10,5 ha en bio sans certification) créé en 1967 s'est spécialisé dans l'élaboration de vins blancs, sans négliger les rouges pour autant. Il a développé en 2005 une activité de négociant-éleveur pour compléter son offre. À la tête de l'ensemble depuis 2003, Antoine Olivier.

Le nez frais et élégant évoque la cerise, la groseille et le cassis sur un fond toasté et poivré. Une attaque souple et alerte introduit un palais ample, dense et rond, aux tanins fermes et fins qui assureront une bonne évolution à ce vin. ⧗ 2017-2021 🍷 entrecôte sauce marchand de vin

⊶ DOM. OLIVIER, 5, rue Gaudin, 21590 Santenay, tél. 03 80 20 61 35, domaineolivier@orange.fr V r.-v.

FRANÇOIS PARENT 2014

■	6000	15 à 20 €

Vinificateur de talent des vins de son épouse Anne-Françoise Gros (Dom. A.-F. Gros à Pommard), François Parent élabore aussi ceux de son vignoble familial, complété par une structure de négoce. Des étiquettes ornées de la truffe noire de Bourgogne, bien connues des lecteurs.

Un joli nez épicé (clou de girofle) et fruité (framboise) ouvre la dégustation. En bouche, le vin est souple, sans manquer de corps, soutenu par une petite trame tannique bien équilibrée, il laisse une impression de légèreté. ⧗ 2016-2019 🍷 hampe grillée

⊶ FRANÇOIS PARENT, 14 bis, rue Pierre-Joigneaux, 21200 Beaune, tél. 03 80 22 61 85, francois@parent-pommard.com V r.-v.

DOM. DES PERDRIX 2013 ★

■	13200		15 à 20 €

Ce domaine incontournable de la Côte de Nuits (12 ha dont 6 en grands et en 1ers crus) a été pris en main en 1996 par la famille Devillard (Ch. de Chamirey à Mercurey et Dom. de la Ferté à Givry). Il doit son nom au 1er cru Aux Perdrix, l'une des plus belles parcelles de Nuits-Saint-Georges possédée en quasi monopole.

Fermé de prime abord, ce 2013 s'ouvre à l'aération sur la framboise, la cerise et le sous-bois. Une belle entrée en matière prolongée par un palais souple et franc, un peu salin, un brin tannique en finale mais sans excès. Un ensemble équilibré, qui s'appréciera aussi bien jeune qu'après quelques années de garde. ⧗ 2017-2021 🍷 rôti de veau aux chanterelles

⊶ DOM. DES PERDRIX, rue des Écoles, 21700 Premeaux-Prissey, tél. 03 85 45 21 61, contact@domainedesperdrix.com V t.l.j. sf dim. 10h-19h ⊶ Devillard

GÉRARD PERSENOT
Côtes d'Auxerre Vieilles Vignes 2014 ★★

■	10000		5 à 8 €

Un domaine familial icaunais conduit de père en fils depuis 1858. Gérard Persenot en a pris les commandes en 1978.

Intense et complexe, le nez mêle les petits fruits rouges à des notes minérales, fumées et épicées. Une fine acidité tient la bouche ample, très fruitée, bien structurée, et apporte beaucoup d'allonge et de dynamisme. Autant d'arguments pour un bon vieillissement. ⧗ 2018-2023 🍷 magret de canard aux cerises □ **Côtes d'Auxerre 2015 ★ (5 à 8 €; 6000 b.)** : au nez, des fruits exotiques, des fleurs blanches et des notes de feuille de cassis; en bouche, de la fraîcheur, du tonus, de la matière et une longueur appréciable. ⧗ 2017-2020

⊶ SARL GÉRARD PERSENOT, 8, rte de Chitry, 89530 Saint-Bris-le-Vineux, tél. 03 86 53 61 46, gerard@persenot.com V r.-v.

♥ ROMUALD PETIT
Héritage 2014 ★★

□	1500		8 à 11 €

Après des études de «viti-œno» qui l'ont conduit dans différents vignobles en France, Romuald Petit revient en 2005 sur ses terres du Mâconnais pour créer un domaine couvrant aujourd'hui 12 ha sur deux îlots: 8 ha à Saint-Vérand et 4 ha en Beaujolais, à Villié-Morgon.

Né de vieux cépages re-greffés – chardonnay (50 %), pinot gris (30 %) et pinot blanc –, ce bourgogne ne se livre pas immédiatement. Quelques tours de verre et voilà que s'éveillent des arômes complexes de laurier, de zeste de citron, de beurre et de réglisse. Le palais est parfaitement équilibré: ample, dense et gras tout en offrant beaucoup de fraîcheur; une fraîcheur aux accents crayeux et citronnés qui anime longuement la finale, intense et élégante. ⧗ 2017-2021 🍷 tagliatelles aux palourdes

⊶ ROMUALD PETIT, Les Dîmes, 71570 Saint-Vérand, tél. 06 61 14 94 99, petitromuald@yahoo.fr V t.l.j. sf dim. 8h-20h

DOM. PIGNERET FILS 2014 ★

□	5100	5 à 8 €

Installés du côté de Givry (2001), les frères Éric et Joseph Pigneret, quatrièmes du nom à conduire le domaine familial (30 ha), ont créé la marque de négoce Pigneret Fils pour enrichir leur gamme. Ils achètent ainsi des raisins et des moûts qu'ils vinifient et élèvent dans leur chai.

Si le nez de ce 2014 est assez discret, il n'en est pas moins élégant: quelques notes pâtissières, un peu de fleurs blanches, des fruits jaunes mûrs à l'aération. Sur les mêmes tonalités mais plus expressif, le palais attaque avec fraîcheur et souplesse, puis il se fait plus riche et gras, avant une finale dynamique, aux accents de citrus. ⧗ 2016-2020 🍷 tourte au chèvre

PIGNERET FILS DPM, Vingelles, 71390 Moroges, tél. 03 85 47 15 10, dpm.pigneret@wanadoo.fr V t.l.j. 9h-12h 14h-19h; dim. 9h-12h

THIERRY PINQUIER 2014 ★

	1600		8 à 11 €

En 1994, Thierry Pinquier a pris la relève de ses parents Colette et Maurice, ouvriers vignerons fondateurs du domaine en 1954. Tandis qu'il œuvre à la vigne (6 ha) et au chai, son épouse anime les dégustations et s'occupe des chambres d'hôtes.

Délicat et expressif, le nez de ce bourgogne évoque l'aubépine, l'orange, l'amande ou encore la pêche, avec quelques notes empyreumatiques à l'arrière-plan. La bouche, ample et ronde, est ciselée par une fine vivacité minérale et encadrée avec justesse par un boisé noble. Un très joli blanc de garde. ⌛ 2018-2022 🍷 ris de veau à la crème

THIERRY PINQUIER, imp. des Belges, 5, rue Pierre-Mouchoux, 21190 Meursault, tél. 03 80 21 24 87, domainepinquier@orange.fr V t.l.j. 9h-11h30 14h-18h30; dim. 9h-12h 3

DOM. ARMELLE ET BERNARD RION
La Croix blanche Vieilles Vignes 2014 ★

	3500		11 à 15 €

Un domaine fondé en 1896 et transmis de père en fils depuis cinq générations; de père en filles aujourd'hui: Nelly (à la commercialisation) et Alice (à la vinification) et son mari Louis (à la vigne) ont rejoint Armelle et Bernard Rion pour exploiter – avec le moins d'interventions possibles à la vigne et au chai – le fruit de 7 ha de vignes, du simple bourgogne au grand cru.

Les fruits rouges mûrs nuancés de notes florales s'offrent avec générosité à l'olfaction. La bouche ne dément pas les promesses du nez: bien fruitée elle aussi, elle se montre dense, corpulente, bien proportionnée, adossée à des tanins soyeux. ⌛ 2017-2021 🍷 bœuf bourguignon

DOM. ARMELLE ET BERNARD RION, 8, rte nationale, 21700 Vosne-Romanée, tél. 03 80 61 05 31, rion@domainerion.fr V t.l.j. 9h-18h; dim. sur r.-v.

MAISON ROCHE DE BELLENE
Vieilles Vignes 2014 ★

	78480		8 à 11 €

Maison de négoce fondée en 2009 par Nicolas Potel, spécialisée dans les cuvées haut de gamme de la Côte d'Or et de la Côte chalonnaise – des 1ers crus et grands crus essentiellement, en quantités limitées. Une démarche exigeante qui se traduit par des sélections en bonne place dans le Guide.

Acacia, pomme, herbe fraîche, note briochée et pointe minérale, ce bourgogne s'annonce par un nez complexe et fin. En bouche, il affiche un bel équilibre entre volume et tension, et conserve ce caractère élégant perçu à l'olfaction. Sa fraîcheur soutenue laisse deviner une bonne évolution. ⌛ 2017-2021 🍷 dos de cabillaud rôti

MAISON ROCHE DE BELLENE, 39, rue du Faubourg-Saint-Nicolas, 21200 Beaune, tél. 03 80 20 67 64, contact@maisonrochedebellene.com V r.-v.

DOM. ROUX PÈRE ET FILS Les Murelles 2014

	28100		8 à 11 €

Cette maison créée en 1885, qui associe domaine et négoce, est à la tête d'un vaste ensemble de 65 ha répartis dans treize villages de la Côte-d'Or et de la Côte chalonnaise. Elle propose une vaste gamme de vins, souvent en vue, notamment en saint-aubin, puligny, chassagne et meursault.

Le nez, exubérant et généreux, associe notes miellées, fruits blancs mûrs et noisette fraîche. Une attaque tonique précède un milieu de bouche chaleureux, riche et concentré qui fait écho aux notes presque surmaturées perçues à l'olfaction. Un vin de caractère auquel une courte garde devrait apporter l'harmonie. ⌛ 2017-2020 🍷 poulet à la crème

DOM. ROUX PÈRE ET FILS, 42, rue des Lavières, 21190 Saint-Aubin, tél. 03 80 21 32 92, france@domaines-roux.com V r.-v.

DOM. ROYET Authentique 2014 ★

	4100		8 à 11 €

Jean-Claude Royet a repris en 2004 le domaine familial créé par ses parents en 1964 et entièrement replanté entre 1984 et 2004. Le vignoble couvre aujourd'hui 13 ha sur des coteaux escarpés au pied du château de Couches.

Une fermentation en fût et un élevage de douze mois sous bois (80 % en fût neuf, 20 % en fût d'un vin) pour ce vin logiquement encore assez marqué par le merrain. Au nez, les notes boisées se mêlent aux fruits blancs et aux fruits exotiques. En bouche, elles soutiennent une matière dense et riche pour constituer un bourgogne puissant qui vieillira bien. ⌛ 2018-2021 🍷 blanquette de veau ■ **Côtes du Couchois Expression 2014 (8 à 11 €; 4900 b.)** : vin cité.

SCEV JEAN-CLAUDE ROYET, Combereau, 71490 Couches, tél. 03 85 49 64 01, scev.domaine.royet@wanadoo.fr V t.l.j. sf dim. 9h-12h 14h-19h

DOM. SAINT-PANCRACE
Côtes d'Auxerre La Côte d'or 2014

	4000		5 à 8 €

Xavier Julien, l'un des rares vignerons installés à Auxerre, a planté ses premiers ceps en 1997; il exploite aujourd'hui 4,7 ha de vignes. Le domaine tient son nom d'une tour fortifiée du chef-lieu, propriété de la famille.

Des vignes de quinze ans plantées sur le lieu-dit La Côte d'or sont à l'origine d'un vin bien bouqueté autour des fleurs blanches et de la pierre à fusil. Des arômes floraux et minéraux que l'on retrouve en compagnie des agrumes dans une bouche fraîche et légère. ⌛ 2016-2019 🍷 huîtres

DOM. SAINT-PANCRACE, 17, rue Rantheaume, 89000 Auxerre, tél. 03 86 51 69 71, domaine.saintpancrace@wanadoo.fr V r.-v. *Julien*

DOM. DENIS SCHALLER Chitry 2014 ★

	3000		5 à 8 €

En 2008, Sandi Schaller s'associe à Antoine Angst, œnologue, pour reprendre le petit vignoble (1,57 ha) de son père. La première commercialise, le second vinifie.

En 2013, Antoine – qui est aussi maître de chai chez Louis Michel à Chablis – et son épouse Céline (ancienne préparatrice en pharmacie) ont par ailleurs créé leur propre société et louent 8 ha de vignes à Courgis, dans le Chablisien: premières vinifications en 2014.

Le nez de ce Chitry conjugue les agrumes, les épices, la cire d'abeille et de fines notes de pierre à fusil. La bouche, ample et équilibrée, met d'abord le fruit en avant, puis évolue tout en douceur autour du miel, avant de finir sur une belle vivacité minérale. ⧗ 2017-2021 ▼ lotte à la crème

⊶ *EARL DENIS SCHALLER, 1, rue Pasteur, 89230 Pontigny, tél. 03 86 40 17 33, vignobleangst@orange.fr* V ▪ *r.-v.*

SIMONNET-FEBVRE Vézelay 2014

▪	9760	▪	8 à 11 €

Reprise en 2003 par Louis Latour, cette maison de négoce-éleveur fondée en 1840 est une référence en Chablisien, dirigée aujourd'hui par Jean-Philippe Archambaud. Une solide renommée qui dépasse largement les frontières de France, 85 % de la production partant à l'export.

Un joli nez d'agrumes, frais et alerte, prélude à une bouche d'un bon volume et tout aussi dynamique, vive et fruitée. Un vin simple et facile d'accès. ⧗ 2016-2019 ▼ plateau de fruits de mer

⊶ *SIMONNET-FEBVRE, 30, rte de Saint-Bris, 89530 Chitry, tél. 03 86 98 99 00, caveau@simonnet-febvre.com t.l.j. sf dim. lun. 10h-12h 14h30-18h30*

DOM. DE LA TOUR BAJOLE
Côtes du Couchois Vieilles Vignes 2014 ★

▪	5000	▪	5 à 8 €

La famille Dessendre cultive la vigne dans le Couchois, entre la Côte chalonnaise et les Hautes-Côtes de Beaune, depuis plus de quatre-cents ans. Un attachement sans faille que perpétuent depuis 1985 Marie-Anne et Jean-Claude, à la tête de 10 ha de vignes.

De vieux ceps de cinquante-six ans ont donné naissance à ce bourgogne qui, bien qu'élevé un an en fût, laisse pleinement la parole aux fruits (groseille, cerise, mûre). La bouche se montre ample, puissante, consistante, étayée par des tanins fins et soyeux. De bonne garde. ⧗ 2018-2024 ▼ pavé de biche rôti aux cèpes

⊶ *MARIE-ANNE ET JEAN-CLAUDE DESSENDRE, Dom. de la Tour Bajole, 11, rue de la Chapelle, 71490 Saint-Maurice-lès-Couches, tél. 03 85 45 52 90, domaine-de-la-tour-bajole@wanadoo.fr* V ▪ ▪ *r.-v.*

VAL DE MERCY GRANDS VINS
Baron de Coulanges 2014 ★

▪	1600	▪	8 à 11 €

En 1680, les vins étaient produits par le Clos du Château du Val de Mercy, situé à Chitry. Le nouveau propriétaire du domaine (30 ha) perpétue la tradition viticole au-delà de ses terres pour fournir des vins du Chablisien, de l'Auxerrois et de la Côte de Beaune. Une activité de négoce complète la gamme de la propriété.

Cette cuvée est issue d'un assemblage de raisins du domaine de Pommard à des vendanges de Coulanges-la-Vineuse et de Chitry. Dans le verre, un vin intensément fruité et réglissé, ample, souple et fin, avec une petite touche tannique et boisée en finale. À boire ou à attendre un peu. ⧗ 2016-2020 ▼ pintade au chou

⊶ *VAL DE MERCY GRANDS VINS, 4, rue des Écoles, 21630 Pommard, tél. 03 80 22 77 34, roy@valdemercy.com* V ▪ ▪ *r.-v.*

VAUCHER PÈRE ET FILS
Vieilli en fût de chêne 2014 ★★

▪	5000	▪	11 à 15 €

Cette vénérable maison de négoce, implantée à Dijon et à Chambolle, acquise en 1988 par les frères Cottin (Labouré-Roi) à Nuits, est devenue l'une de leurs signatures.

L'élevage en fût transparaît au travers de belles notes torréfiées qui voisinent harmonieusement avec la cerise mûre. Une attaque fine et fraîche introduit une bouche ample, dense et concentrée, épaulée par des tanins veloutés qui offrent une mâche douce et soyeuse. Belle finale riche en fruits. ⧗ 2017-2021 ▼ bœuf en daube

⊶ *VAUCHER PÈRE ET FILS, 13, rue Lavoisier, 21700 Nuits-Saint-Georges, tél. 03 80 62 64 00*

VAUDOISEY-CREUSEFOND 2014 ★

▪	8400	▪	5 à 8 €

Héritiers d'une longue lignée vigneronne, Henri Vaudoisey et son fils Alexandre, arrivé en 2011, exploitent 8 ha répartis entre Pommard, leur fief, Auxey-Duresses, Meursault et Volnay. Ils pratiquent l'enherbement et vinifient avec des levures indigènes.

À l'origine de ce vin, une vinification en cuve de bois avec 50 % de vendange entière et un élevage de douze mois mi-barrique mi-cuve. Dans le verre, un bourgogne au nez puissant de fruits rouges et noirs, de poivron mûr et de toasté léger, au palais frais en attaque, charpenté en finesse par des tanins qui commencent à se fondre. ⧗ 2017-2021 ▼ bœuf bourguignon

⊶ *VAUDOISEY-CREUSEFOND, 16, rte d'Autun, 21630 Pommard, tél. 03 80 22 48 63, vaudoisey-creusefond@wanadoo.fr* V ▪ ▪ *r.-v.*

DOM. VERRET
Côtes d'Auxerre 2013 ★★

▪	17000	▪	8 à 11 €

La famille Verret cultive la vigne depuis deux siècles et demi dans l'Yonne. Pionnier dans le vignoble de l'Auxerrois pour la mise en bouteilles et la commercialisation directe pratiquées dès les années 1950, ce vaste domaine (60 ha) demeuré familial fréquente très régulièrement les pages du Guide, notamment pour ses irancy, saint-bris, bourgognes-côtes d'Auxerre et bourgogne-aligoté.

Un tiers de cette cuvée est passé dans le bois pendant dix mois. Au nez, le boisé apparaît très discret, laissant la place aux agrumes et à la fraîcheur du terroir. Il en va de même dans un palais ample, gras et rond, où le merrain structure le vin sans l'étouffer et où une fine minéralité apporte un surcroît d'élégance et une belle allonge. ⧗ 2017-2021 ▼ saint-jacques rôties

⊶ *DOM. VERRET, 7, rte-de-Champs, 89530 Saint-Bris-le-Vineux, tél. 03 86 53 31 81, dverret@domaineverret.com* V ▪ *t.l.j. sf dim. 8h-12h 14h-18h* ▪ Ⓔ

DOM. DE LA VIEILLE FONTAINE 2014

■	2100		8 à 11 €

Installé depuis 1996 à Bouzeron, David Déprés a repris en 2004 une partie du domaine de Jean-Pierre Meulien situé à Mercurey. Il s'appuie sur un vignoble de 8 ha et pratique une viticulture raisonnée.

Ce bourgogne s'ouvre sur des parfums chaleureux de fruits rouges mûrs et de vanille, agrémentés d'une touche animale. La bouche est équilibrée: du gras et de la rondeur, une pointe de fraîcheur bienvenue, des tanins bien en place. Il manque simplement un peu de longueur à ce vin pour décrocher l'étoile. ⧗ 2017-2021 ¥ carré de porc

⊶ DOM. DE LA VIEILLE FONTAINE, 3, rue du Clos-L'Évêque, 71640 Mercurey, tél. 03 85 87 02 29, contact@domainedelavieillefontaine.com V r.-v.

Ⓑ DOM. DU VIEUX COLLÈGE
Les Champs Foreys 2014 ★

■	12000		8 à 11 €

À la tête du domaine familial (25 ha) depuis 2006, Éric Guyard, représentant la septième génération, a fait le choix de l'agriculture biologique.

Après douze mois de barrique, ce vin délivre des parfums harmonieux de fruits rouges mûrs et de boisé grillé et vanillé. Une attaque franche et nette, aux tonalités minérales, ouvre une bouche ample, ronde et fondue, aux tanins veloutés. ⧗ 2017-2021 ¥ sauté de veau

⊶ DOM. DU VIEUX COLLÈGE, 4, rue du Vieux-Collège, 21160 Marsannay-la-Côte, tél. 03 80 52 12 43, jp-eric.guyard@wanadoo.fr V r.-v. ⊶ Guyard

LA VIGNE DU CLOÎTRE 2014 ★

■	40000		8 à 11 €

Fondée en 1926, la Cave de Lugny, en Bourgogne du sud, est la première coopérative de la région. Elle vinifie aujourd'hui les 1 435 ha de vignes de ses 234 vignerons adhérents, ce qui en fait le plus gros producteur de Bourgogne, 80 % de la production étant dédiés au chardonnay.

Si le blanc est la spécialité de la «coop», elle s'y entend aussi en pinot noir. Pour preuve, cette cuvée puissamment bouquetée autour des fruits rouges mûrs, de la pivoine et des épices. Une attaque souple prélude à un palais consistant, aux tanins ronds et soyeux, étiré dans une longue finale minérale. ⧗ 2017-2021 ¥ coq au vin

⊶ CAVE DE LUGNY, 995, rue des Charmes, 71260 Lugny, tél. 03 85 33 22 85, commercial@cave-lugny.com V r.-v.

ALAIN ET JULIEN VIGNOT
Côte Saint-Jacques Les Ronces 2013

■	11200		8 à 11 €

Viticulteur du Jovinien, tout au nord du vignoble bourguignon, Alain Vignot a confié les rênes du domaine à son fils Julien en 2008. L'exploitation s'étend sur 13 ha dont 10 ha consacrés à la Côte Saint-Jacques.

Un an de fût puis six mois de cuve pour ce bourgogne ouvert sur des parfums intenses de fraise, de framboise et de chocolat. En bouche, si l'attaque est souple et fraîche, le développement apparaît plus sévère et tannique. La garde s'impose. ⧗ 2018-2022 ¥ rôti de biche

⊶ DOM. ALAIN ET JULIEN VIGNOT, 16, rue des Prés, 89300 Paroy-sur-Tholon, tél. 03 86 91 03 06, alain-vignot@wanadoo.fr V t.l.j. 9h-12h 14h-19h

DOM. ÉLISE VILLIERS
Vézelay La Chevalière 2014 ★★

□	6000		8 à 11 €

Installée depuis 1989 à Pierre-Perthuis, village très pittoresque de la vallée de la Cure, proche de Vézelay, Élise Villiers fait désormais partie des «anciens» dans ce vignoble en plein renouveau. Domaine en conversion bio.

Cette cuvée passée onze mois en cuve déploie de beaux arômes de fleurs blanches, de fruits jaunes et de brioche bien typés du chardonnay. En bouche, elle offre un superbe équilibre entre une matière riche et onctueuse et une fine ligne acide. De l'intensité, du volume et de l'élégance. Finaliste des coups de cœur. ⧗ 2016-2020 ¥ bar et purée de patates douces

⊶ ÉLISE VILLIERS, 5, rue des Champs-Boulots, Précy-le-Moult, 89450 Pierre-Perthuis, tél. 06 73 60 32 70, contact@elisevilliers.fr V t.l.j. 9h-19h; dim. sur r.-v. Ⓑ

BOURGOGNE-ALIGOTÉ

Superficie : 1 590 ha / Production : 96 000 hl

Le cépage aligoté donne des vins plus vifs et plus précoces que le chardonnay, mais le terroir influe sur lui autant que sur les autres cépages. Il y a ainsi autant de profils d'aligotés que de zones où on les élabore. Les aligotés de Pernand étaient connus pour leur souplesse et leur nez fruité (avant de céder la place au chardonnay); ceux des Hautes-Côtes sont recherchés pour leur fraîcheur et leur vivacité; ceux de Saint-Bris dans l'Yonne semblent emprunter au sauvignon quelques traces de sureau, sur des saveurs légères. Le bourgogne-aligoté constitue un excellent vin d'apéritif. Associé à de la liqueur de cassis, il devient alors le célèbre «kir». L'appellation a trouvé ses lettres de noblesse dans le petit village de Bouzeron près de Chagny (Saône-et-Loire), où elle est devenue en 2001 une appellation village.

BAILLY-LAPIERRE 2015 ★

□	13600	5 à 8 €

Aujourd'hui, 430 vignerons apportent leurs raisins à la cave de Bailly-Lapierre, qui fut à l'origine du crémant-de-bourgogne. Le principal élaborateur d'effervescents de la région, la coopérative propose une vaste gamme de crémants de qualité, qui reposent dans les immenses galeries souterraines d'une ancienne carrière calcaire. Elle fournit aussi des vins tranquilles. Une valeur sûre.

Poire, coing, pomme, citron vert, le nez intense de cet aligoté donne envie de poursuivre la dégustation. Et l'on découvre un palais d'une même intensité aromatique, très frais comme attendu, mais pas du tout acide, souple et «attendri» par des notes douces de fruits compotés. Un bel équilibre. ⧗ 2016-2018 ¥ poêlée de gambas

⊶ CAVES BAILLY-LAPIERRE, hameau de Bailly, quai de l'Yonne,

89530 Saint-Bris-le-Vineux, tél. 03 86 53 76 55, nathaliec@bailly-lapierre.fr V t.l.j. 9h (sam. dim. 10h)-12h 14h-18h30

DOM. CAROLINE BELLAVOINE 2013

| 1000 | | 5 à 8 € |

Œnologue, Caroline Bellavoine est à la tête depuis 2003 de ce domaine de 6 ha, dont une partie des vignes dépendait de l'ancienne abbaye de Saint-Sernin-du-Plain. Elle pratique une viticulture raisonnée et privilégie l'élevage en fût de deux vins pour éviter le surboisage. La mise en bouteilles est effectuée sans collage ni filtration. À sa carte, de l'aligoté, du bourgogne d'appellations régionales, du maranges et du hautes-côtes-de-beaune.

Dix mois de cuve pour ce 2013 d'abord un peu timide, puis plus prolixe après un tour de verre: fruits exotiques, chèvrefeuille, amande, touche minérale. En bouche, de la vivacité renforcée par une petite note saline et une pointe agréable d'amertume, avec un peu de rondeur pour équilibrer le tout. Un aligoté à croquer sur le fruit. ⧗ 2016-2017 Ÿ friture de poissons

⊶ *CAROLINE BELLAVOINE, 2, rue de Nyon, 71510 Saint-Sernin-du-Plain, tél. 06 65 06 26 50, bellavoinecaroline@orange.fr* V *r.-v.*

P-L ET J-F BERSAN 2014 ★

| 40000 | | 5 à 8 € |

Ce jeune domaine (19 ha de vignes), aussi maison de négoce, a été créé en 2010 par Pierre-Louis Bersan et son père Jean-François, issus d'une famille implantée à Saint-Bris depuis… 1453. Depuis, leurs vins fréquentent régulièrement ces pages.

Les Bersan aiment l'ovalie – ce n'est pour rien que Pierre-Louis a vogué jusqu'en Nouvelle-Zélande pour son stage «viti-œno»… Ils transforment l'essai avec cet aligoté expressif (acacia, poire, agrumes), droit comme des poteaux de rugby, plus trois-quarts aile que pilier, tout en finesse et en vivacité, sans manquer néanmoins de gras et d'onctuosité. Bref, un vin équilibré. ⧗ 2016-2018 Ÿ huîtres

⊶ *DOM. JEAN-FRANÇOIS ET PIERRE-LOUIS BERSAN, 5, rue du Dr Tardieux, 89530 Saint-Bris-le-Vineux, tél. 03 86 53 07 22, domainejfetplbersan@orange.fr* V *t.l.j. 8h-12h 13h30-18h; dim. sur r.-v.*

CHRISTINE, ÉLODIE, PATRICK CHALMEAU 2014 ★

| 14000 | | 5 à 8 € |

Patrick Chalmeau a repris en 1977, avec sa femme Christine, les quelques arpents plantés par son grand-père vers 1945, devenus 17 ha aujourd'hui. Leur fille Élodie les a rejoints en 2009 sur ce domaine souvent en vue pour ses blancs de Chitry.

Pamplemousse, citron et poire, le fruit est bien présent dès le premier nez. La bouche attaque sur la rondeur, puis passe rapidement en «mode vivacité intense», avec toujours ces arômes d'agrumes et de fruits blancs renforcés par une fine minéralité et de beaux amers en finale. Un aligoté sous tension, long et longiligne. ⧗ 2016-2019 Ÿ tartare de crevettes

⊶ *CHRISTINE, ÉLODIE ET PATRICK CHALMEAU, 76, rue du Ruisseau, 89530 Chitry, tél. 03 86 41 43 71, contact@chalmeau-chitry.com* V *r.-v.*

EDMOND CHALMEAU & FILS 2014

| 7200 | | 5 à 8 € |

Une ancienne famille vigneronne installée au cœur de Chitry: Franck Chalmeau a pris la suite de son père Edmond en 1991, avant d'être rejoint par son frère Sébastien. Un domaine passé peu à peu de la polyculture à la seule viticulture (18 ha) et devenu une référence pour ses bourgognes Chitry.

Au nez, des notes de noisette, de fleurs mellifères et d'agrumes. En bouche, un aligoté sur le gras et la rondeur plutôt que sur la vivacité, sans toutefois manquer de nerf grâce à une jolie finale minérale. ⧗ 2016-2017 Ÿ terrine de poisson

⊶ *EDMOND CHALMEAU ET FILS, 20, rue du Ruisseau, 89530 Chitry, tél. 03 86 41 42 09, domaine.chalmeau@wanadoo.fr* V *r.-v.*

DOM. FILLON ET FILS 2014 ★

| 25000 | 5 à 8 € |

Propriété familiale reprise en cogérance par Hervé Fillon et sa sœur Frédérique en 1995 (troisième génération). Établis dans le joli village de Saint-Bris-le-Vineux, les Fillon exploitent un vignoble de 34 ha dédié aux appellations régionales et aux AOC du Chablisien.

Fin et expressif, cet aligoté s'ouvre sur des notes délicates de citron, de poire et de pomme. Des arômes qui s'épanouissent dans une bouche ample et onctueuse en attaque, plus vive et tonique dans son développement, portée jusqu'en finale par la minéralité des lieux. Une bouteille que l'on pourra aussi faire un peu vieillir. ⧗ 2016-2020 Ÿ choucroute de la mer

⊶ *DOM. FILLON, 53, rue Bienvenu-Martin, 89530 Saint-Bris-le-Vineux, tél. 03 86 53 30 26, domaine.fillon@gmail.com* V *t.l.j. 9h-12h30 14h-19h30*

DOM. FLEUROT-LAROSE 2014 ★★

| n.c. | 8 à 11 € |

Entreprise familiale créée en 1872, le domaine Fleurot-Larose est établi à Santenay, au Château du Passe-Temps. Un château construit en 1843 par Jacques-Marie Duvault, figure de la viticulture bourguignonne au XIXes. et propriétaire entre autres de la Romanée-Conti à partir de 1869, qui passe dans les mains de la famille Fleurot en 1912 et dans celles de Nicolas en 1991.

Quelques notes de bonbon acidulé, du citron, des fleurs blanches, une touche minérale, l'olfaction est racée et complexe. Ample, fin et très frais, le palais en offre un écho tout aussi intense et s'étire dans une longue finale, souple et «terroitée». ⧗ 2016-2018 Ÿ truite meunière

⊶ *DOM. FLEUROT-LAROSE, 7, rte de Chassagne, 21590 Santenay, tél. 03 80 20 61 15, fleurot.larose@wanadoo.fr* V *r.-v.*

DOM. ANNE ET ARNAUD GOISOT 2014

| 13000 | | 5 à 8 € |

Installé depuis 1981 à Saint-Bris dans une maison bourgeoise du XIXes. au milieu d'un parc arboré, ce couple de vignerons est aujourd'hui à la tête de 23 ha et s'illustre régulièrement avec ses Côtes d'Auxerre.

Au nez, un aligoté expressif, à dominante florale. En bouche, un vin rond en attaque, puis vif, minéral et léger. En définitive, un ensemble harmonieux et de bonne longueur. ⧗ 2016-2017 ♈ escargots de Bourgogne

DOM. ANNE ET ARNAUD GOISOT, Caves 4 bis, rte de Champs, 89530 Saint-Bris-le-Vineux, tél. 03 86 53 32 15, aa.goisot@wanadoo.fr V t.l.j. sf dim. 8h30-12h 13h30-19h

GOUFFIER En Rateaux 2014

| 5000 | | 5 à 8 € |

Ayant appartenu à la famille Gouffier pendant plus de deux cents ans, ce petit domaine de 5,5 ha a été repris en 2012 par Frédéric Gueugneau, ancien directeur administratif de la cave coopérative La Chablisienne, qui a créé en parallèle une activité de négoce destinée à l'achat de vendanges sur pied.

Cet aligoté élevé en fût pendant dix mois délivre des parfums discrets mais élégants de fleurs blanches, d'agrumes et de brioche. La bouche apparaît ronde en attaque, puis dévoile rapidement une belle tension aux accents citronnés qui durcit quelque peu la finale. L'ensemble reste harmonieux et plaisant. ⧗ 2016-2018 ♈ jambon persillé

GOUFFIER, 11, Grande-Rue, 71150 Fontaines, tél. 06 47 00 01 04, vins.gouffier@gmail.com. V r.-v. Gueugneau

DANIEL LARGEOT 2014

| 1600 | | 5 à 8 € |

Un domaine familial créé en 1925. Marie-France, fille de Daniel Largeot, installée en 2000, et son mari Rémy Martin, arrivé en 2002, conduisent un vignoble de 13 ha; Marie-France est au chai, Rémy, à la vigne.

Ce 2014 passé en fût s'ouvre sur les agrumes, la pêche et les fleurs blanches sans que le bois ne transparaisse. La bouche est à l'unisson, expressive, souple, fraîche, d'un volume et d'une longueur honorables. ⧗ 2016-2018 ♈ quiche aux fruits de mer

DOM. DANIEL LARGEOT, 5, rue des Brenots, 21200 Chorey-lès-Beaune, tél. 03 80 22 15 10, domainedaniellargeot@orange.fr V r.-v.

DOM. ÉRIC MONTCHOVET 2014 ★

| 3000 | | 5 à 8 € |

Ouvrier à Pommard, le grand-père Lucien Montchovet acheta quelques parcelles en friche et s'établit à Nantoux. Julien, son fils, devint vigneron en 1955. Représentant la troisième génération, Éric (installé en 1987) a porté la superficie du domaine à 7 ha.

Le nez associe sans fausse note herbe fraîche, poire, pêche et agrumes. Une harmonie aromatique prolongée par une bouche fraîche et persistante, qui ne manque ni de chair ni de rondeur, soulignée par un petit côté miellé. ⧗ 2016-2019 ♈ terrine de lapin

ÉRIC MONTCHOVET, au Château, 21190 Nantoux, tél. 03 80 26 00 68, eric.montchovet@free.fr V t.l.j. sf dim. 8h-12h 14h-18h30

DOM. PETITJEAN 2014

| 6200 | | 5 à 8 € |

Au cœur du village de Saint-Bris, dans un dédale de rues étroites, cette cave a été créée en 1950. Incarnant la quatrième génération, Romaric et Mathias Petitjean ont repris en 1999 l'exploitation familiale, qui compte un peu plus de 18 ha de vignes.

Un bon classique que cet aligoté vif et alerte, centré sur le citron au nez comme en bouche, avec quelques nuances florales de chèvrefeuille. Un vin qui offre aussi un bon volume et une longueur tout à fait honorable. Simple et efficace. ⧗ 2016-2017 ♈ crevettes

DOM. PETITJEAN, 16, rue Basse, 89530 Saint-Bris-le-Vineux, tél. 03 86 53 84 81, domainepetitjean@orange.fr V r.-v. 2

DOM. PIGNERET FILS 2014

| 10000 | 5 à 8 € |

Installés du côté de Givry (2001), les frères Éric et Joseph Pigneret, quatrièmes du nom à conduire le domaine familial (30 ha), ont créé la marque de négoce Pigneret Fils pour enrichir leur gamme. Ils achètent ainsi des raisins et des moûts qu'ils vinifient et élèvent dans leur chai.

Une palette d'une belle intensité florale et fruitée (agrumes, fruits jaunes) se dégage du verre, agrémentée de nuances plus inattendues de thé et de beurre. En bouche, le fruit est au rendez-vous, la fraîcheur typique de l'aligoté aussi, la longueur est bonne et un peu de gras vient arrondir les angles. Équilibré. ⧗ 2016-2017 ♈ gougères

PIGNERET FILS DPM, Vingelles, 71390 Moroges, tél. 03 85 47 15 10, dpm.pigneret@wanadoo.fr V t.l.j. 9h-12h 14h-19h; dim. 9h-12h

DOM. ROYET 2014 ★

| 6000 | | 5 à 8 € |

Jean-Claude Royet a repris en 2004 le domaine familial créé par ses parents en 1964 et entièrement replanté entre 1984 et 2004. Le vignoble couvre aujourd'hui 13 ha sur des coteaux escarpés au pied du château de Couches.

Le nez de ce 2014 conjugue les fleurs blanches, les agrumes et une touche minérale. Une approche harmonieuse que prolonge une bouche pleine de fraîcheur aux accents du terroir, persistante et très équilibrée. Tout ce que l'on attend d'un aligoté. ⧗ 2016-2018 ♈ plateau de fruits de mer

SCEV JEAN-CLAUDE ROYET, Combereau, 71490 Couches, tél. 03 85 49 64 01, scev.domaine.royet@wanadoo.fr V t.l.j. sf dim. 9h-12h 14h-19h

SIMONNET-FEBVRE 2014

| 5700 | | 5 à 8 € |

Reprise en 2003 par Louis Latour, cette maison de négoce-éleveur fondée en 1840 est une référence en Chablisien, dirigée aujourd'hui par Jean-Philippe Archambaud. Une solide renommée qui dépasse largement les frontières de France, 85 % de la production partant à l'export.

Cet aligoté a besoin d'un peu d'aération pour libérer ses arômes de fleurs blanches, d'agrumes et de fruits exotiques agrémentés d'une touche acidulée de bonbon arlequin. On retrouve les fruits, le citron notamment, dans une bouche d'une intense vivacité. Un vin très tonique qui fera un bon compagnon pour les produits de la mer. ⧗ 2016-2018 ♈ plateau de fruits de mer

SIMONNET-FEBVRE, 30, rte de Saint-Bris, 89530 Chitry, tél. 03 86 98 99 00, caveau@simonnet-febvre.com t.l.j. sf dim. lun. 10h-12h 14h30-18h30

BOURGOGNE

DOM. VENOT La Corvée 2015 ★

| 2000 | | 5 à 8 € |

Ce domaine de la Côte chalonnaise a été fondé en 1982 par deux frères et l'épouse de l'un d'eux réunis en GAEC (groupement d'exploitants). Sur le vignoble de 13 ha, on bichonne les vignes et on vendange toujours à la main.

De vieux ceps de soixante ans sont à l'origine de ce vin complexe qui associe des nuances douces de brioche et de fleurs blanches à des senteurs plus vives de bourgeon de cassis et d'agrumes. On retrouve cette association douceur-fraîcheur dans une bouche ample et harmonieuse, stimulée par d'agréables amers en finale. ⧗ 2016-2019 ⚲ tarte aux oignons

GAEC VENOT, 11, rue de la Croix-de-Bois, 71390 Moroges, tél. 06 13 30 95 89, maxime.venot@neuf.fr V *r.-v.*

♥ **DOM. VERRET** 2015 ★★

| n.c. | | 5 à 8 € |

La famille Verret cultive la vigne depuis deux siècles et demi dans l'Yonne. Pionnier dans le vignoble de l'Auxerrois pour la mise en bouteilles et la commercialisation directe pratiquées dès les années 1950, ce vaste domaine (60 ha) demeuré familial fréquente très régulièrement les pages du Guide, notamment pour ses irancy, saint-bris, bourgogne-côtes-d'Auxerre et bourgogne-aligoté.

Cet aligoté déploie un fort joli bouquet de pêche blanche, de poire, d'agrumes, de fleurs blanches et d'herbe fraîche. Une complexité et une élégance aromatiques auxquelles fait écho un palais aussi large que long, à la fois dense, gras et très frais. L'adéquation parfaite entre un cépage, un terroir et un millésime. ⧗ 2016-2019 ⚲ queue de lotte au vin blanc

DOM. VERRET, 7, rte-de-Champs, 89530 Saint-Bris-le-Vineux, tél. 03 86 53 31 81, dverret@domaineverret.com V *t.l.j. sf dim. 8h-12h 14h-18h*

CRÉMANT-DE-BOURGOGNE

Superficie : 1 935 ha / Production : 125 850 hl

Comme toutes les régions viticoles françaises, ou presque, la Bourgogne avait son appellation pour les vins mousseux élaborés sur l'ensemble de son aire géographique. La qualité n'était pas très homogène et ne correspondait pas, la plupart du temps, à la réputation de la région, sans doute parce que les mousseux se faisaient à partir de vins trop lourds. Reconnue en 1975, l'appellation crémant-de-bourgogne a remplacé l'AOC bourgogne mousseux en 1984. Elle impose des conditions de production aussi strictes que celles de la région champenoise et calquées sur celles-ci. Elle connaît actuellement un bon développement. Un crémant-de-bourgogne peut être un blanc de blancs élaboré généralement par un assemblage de chardonnay et d'aligoté, ou il peut assembler des cépages blancs avec le pinot noir et/ou le gamay vinifiés en blanc. Il existe aussi des rosés.

Ⓑ **BAILLY LAPIERRE** Égarade 2013 ★

| 30000 | | 8 à 11 € |

Aujourd'hui, 430 vignerons apportent leurs raisins à la cave de Bailly-Lapierre, qui fut à l'origine du crémant-de-bourgogne. Le principal élaborateur d'effervescents de la région, la coopérative propose une vaste gamme de crémants de qualité, qui reposent dans les immenses galeries souterraines d'une ancienne carrière calcaire. Elle fournit aussi des vins tranquilles. Une valeur sûre.

Un crémant issu de pinot noir (75 %) et de chardonnay travaillés suivant les canons de l'agriculture biologique. Le terroir kimméridgien a transmis finesse et fraîcheur à cet effervescent cristallin et traversé de fines bulles, de belle expression, ouvert sur les fruits jaunes et sur des senteurs pâtissières discrètement miellées. La bouche, tonifiée par des notes d'agrumes, se montre délicate grâce à un dosage bien adapté. ⧗ 2016-2019 ⚲ huîtres gratinées **Extra-brut Ravizotte ★ (8 à 11 €; 60000 b.)** : aussi vineux de caractère que fougueux dans son effervescence, un crémant expressif, sur les agrumes, la pomme et la confiture de prunes. ⧗ 2016-2018 **Chardonnay ★ (8 à 11 €; 140000 b.)** : un vin expressif, floral et fruité, frais et tonique en bouche. ⧗ 2016-2019 **★ (8 à 11 €; 300000 b.)** : issu de pinot noir et de gamay, un vin jovial et alerte, centré sur d'intenses notes de fruits rouges. ⧗ 2016-2019 **Réserve (5 à 8 €; 280000 b.)** : vin cité.

CAVES BAILLY-LAPIERRE, hameau de Bailly, quai de l'Yonne, 89530 Saint-Bris-le-Vineux, tél. 03 86 53 76 55, nathaliec@bailly-lapierre.fr V *t.l.j. 9h (sam. dim. 10h)-12h 14h-18h30*

♥ **JEAN-CHARLES BOISSET** JCB N° 69 ★★

| 25000 | | 15 à 20 € |

Une maison de négoce développée par Jean-Charles Boisset, fils de Jean-Claude, négociant et propriétaire réputé de la Côte de Nuits.

Chardonnay (50 %), pinot noir (35 %) et gamay composent ce superbe crémant. Le rose chair de la robe est envahi par une montée régulière de bulles fines et remuantes. L'olfaction repose sur des parfums de fruits rouges (groseille, framboise) et de fruits blancs d'une grande délicatesse. Bénéficiant d'un dosage parfaitement ajusté et d'une effervescence irréprochable, le palais se montre très fruité, frais, alerte et long, émoustillé par une belle finale saline. Le numéro 69? Une référence aux exploits des hommes ayant marché sur la lune et à l'année de naissance de Jean-Charles Boisset. ⧗ 2016-2019 ⚲ filet de daurade

BOISSET FAMILLE DES GRANDS VINS, av. du Jura, 21703 Nuits-Saint-Georges, tél. 03 80 62 61 40, info@imaginarium-bourgogne.com V *t.l.j. 10h-19h; lun. 14h-19h*

LOUIS BOUILLOT
Blanc de blancs Perle d'ivoire ★★

| 15000 | | 8 à 11 € |

Une maison de négoce spécialiste des crémants fondée en 1877 à Nuits-Saint-Georges par Louis Bouillot, dans le giron du groupe Boisset Famille des Grands Vins depuis 1997. Une valeur sûre.

La robe pâle de ce blanc de blancs, parcourue de reflets ivoire, montre un disque de mousse persistant. Des arômes printaniers de fleurs blanches et des notes de fruits blancs s'allient pour composer une olfaction harmonieuse et engageante. Le prélude à une bouche à la fois délicate, fraîche et charnue, centrée sur les agrumes et prolongée par une belle touche saline. 2016-2019 gambas poêlés **Perle d'aurore (8 à 11 €; 37000 b.)** : vin cité.

LOUIS BOUILLOT, av. du Jura, 21700 Nuits-Saint-Georges, tél. 03 80 62 61 40, info@imaginarium-bourgogne.com t.l.j. 10h-19h; lun. 14h-19h F. & V. Boisset

DOM. DE CHAMP-FLEURY
Chardonnay Élégance ★

| 1080 | 5 à 8 € |

Créée en 1976 par Pierre Coquard au cœur du pays des Pierres dorées, cette exploitation familiale de 23,5 ha produit des vins de Bourgogne et du Beaujolais. Depuis 2007, le fils, Louis-Marie est aux commandes.

Un crémant bien typé, né du seul chardonnay, aromatique à souhait, qui se présente dans une seyante robe d'or pâle animée de fines bulles. Le nez, très expressif, s'ouvre sur d'intenses notes florales (églantine) et fruitées (pomme, fruits blancs). Ces arômes fruités tapissent également le palais, souple et velouté, stimulé par de beaux amers en finale. 2016-2019 gougères

EARL PIERRE COQUARD ET FILS, 478, chem. de Champ Fleury, 69480 Marcy-sur-Anse, tél. 04 74 67 08 20, contact@domaine-du-champ-fleury.com r.-v.

CH. DE CHASSELAS
Must by baron Veyran la Croix ★★

| 4000 | 11 à 15 € |

Ce domaine viticole remontant à cinq siècles, commandé par un château des XIVe et XVIIIes. flanqué de trois tours en poivrière, a été repris en 1999 par Jean-Marc Veyron La Croix et Jacky Martinon. Les 12 ha de vignes sont conduits dans une démarche raisonnée (labour, griffage, amendement naturel…).

Le terme «Must» attribué à ce crémant issu de chardonnay dit bien ce qu'il veut dire. Nous sommes en présence d'un superbe effervescent or brillant, pétillant d'aise dans sa myriade de fines bulles. Le nez, puissant et complexe, trouve son harmonie autour de senteurs de fruits confits et de citron vert, prélude festif à une bouche franche, fraîche et active, d'une longueur remarquable. 2016-2019 fruits de mer

CH. DE CHASSELAS, En Château, 71570 Chasselas, tél. 03 85 35 12 01, contact@chateauchasselas.fr t.l.j. 10h-12h 14h-18h; déc.-fév. sur r.-v.

PAUL CHOLLET Blanc de noirs ★★

| 8887 | 8 à 11 € |

Une maison de négoce fondée en 1955, spécialisée dans l'élaboration du crémant-de-bourgogne, reprise en 2002 par Gilles Rémy.

Ce magnifique crémant issu de pinot noir a manqué le coup de cœur d'un souffle. Les jurés ont aimé sa présentation soignée – «limpidité brillante d'un uniforme tiré à quatre épingles» – traversée de bulles légères, son bouquet ouvert sans réserve sur les fruits blancs mûrs, la fraise et la framboise, et sa bouche ample, corpulente, vineuse sans céder à la lourdeur, épaulée de bout en bout par une fine vivacité. 2016-2019 gambas flambées

MAISON PAUL CHOLLET, 18, rue du Gal-Leclerc, 21420 Savigny-lès-Beaune, tél. 03 80 21 53 89, contact@paulchollet.fr t.l.j. sf dim. 8h-12h 14h-18h; sam. 9h-12h Gilles Rémy

DOM. BRUNO DANGIN Confrérie 2011 ★

| 10000 | | 8 à 11 € |

Après avoir travaillé dix dans la maison Paul Dangin, créée avec ses frères, Bruno Dangin crée en 2010 ce domaine de quelque 3 ha qu'il cultive en bio (conversion en cours). Depuis 2015, c'est Mathieu, son fils, qui dirige l'exploitation.

Un joli crémant rosé aux reflets cuivrés, issu de pinots noirs travaillés en bio et enracinés dans un terroir argilo-calcaire voisin de la Champagne. Vif et pimpant, il déploie un nez de petits fruits rouges. En bouche, le fruit est bien présent, la texture souple et légère et l'équilibre assuré par une fraîcheur ravigotante. 2016-2018 tarte aux fruits

MATTHIEU DANGIN, rte de Mézières, 21330 Molesmes, tél. 06 88 87 19 79, bruno-dangin@live.fr r.-v.

CLAUDE GHEERAERT Pinot noir ★

| 9000 | 5 à 8 € |

Claude Gheeraert a créé en 1991 cette petite exploitation familiale de 6 ha, située au cœur du Châtillonnais et spécialisée dans l'élaboration de crémant-de-bourgogne.

Une cuvée appréciable dès le premier coup d'œil: bulles fines et légères, robe pâle et brillante. On aime aussi ses arômes de fruits blancs et jaunes bien mûrs, sa fraîcheur tonique en bouche et sa droiture affirmée en finale. 2016-2019 jambon persillé **(5 à 8 €; 9000 b.)**: vin cité.

CLAUDE GHEERAERT, 1, rue Haute, 21400 Mosson, tél. 03 80 93 71 67, claude.gheeraert@nordnet.fr t.l.j. sf dim. 10h-18h

GOUFFIER Extra-brut 2013 ★

| 3000 | 11 à 15 € |

Ayant appartenu à la famille Gouffier pendant plus de deux cents ans, ce petit domaine de 5,5 ha a été repris en 2012 par Frédéric Gueugneau, ancien directeur administratif de la cave coopérative La Chablisienne, qui a créé en parallèle une activité de négoce destinée à l'achat de vendanges sur pied.

Un extra-brut harmonieux, qui associe les rondeurs du pinot noir aux nettetés aromatiques du chardonnay.

Offrant une abondante effervescence, il déploie au nez de légères senteurs florales rehaussées d'épices douces. Il s'exprime avec intensité en bouche autour de notes fruitées et briochées très tendres, mises en valeur par une fine acidité. ⧗ 2016-2018 🍴 quiche au saumon

GOUFFIER, 11, Grande-Rue, 71150 Fontaines, tél. 06 47 00 01 04, vins.gouffier@gmail.com. V r.-v. *Gueugneau*

CH. DE LAVERNETTE Brut nature

●	2200		8 à 11 €

Ancienne propriété des moines de Tournus, le domaine, aux confins du Mâconnais et du Beaujolais, a été acquis par la famille en… 1596. Descendant des Lavernette, Bertrand de Boissieu quitte la coopérative en 1988; son fils Xavier prend le relais en 2007. Il pratique la biodynamie depuis 2005 (certifiée en 2010). Sur ses 12 ha de vignes, il produit des vins du Beaujolais, du bourgogne d'appellations régionales et des pouilly-fuissé.

Sur des sols argilo-sableux traversés de veines calcaires, le chardonnay a trouvé un terroir à sa convenance. Il est à l'origine d'un brut nature lumineux dans sa robe dorée parcourue de fines bulles. Le nez conjugue arômes de fruits jaunes et de senteurs briochées, relayés par une bouche fraîche, de bonne persistance. ⧗ 2016-2017 🍴 poisson à la crème

CH. DE LAVERNETTE, La Vernette, 71570 Leynes, tél. 03 85 35 63 21, chateau@lavernette.com V *t.l.j. sf sam. dim. 8h-12h 13h30-18h* *de Boissieu*

LES CHAIS LÉTOURNEAU
Blanc de blancs 2013

●	7500		8 à 11 €

Une maison fondée en 1902 et un savoir-faire transmis depuis trois générations. C'est Yannick Létourneau qui en est le responsable depuis 2002. Situé à Burgy, au nord de Mâcon, dans une région propice aux vins blancs, ce domaine (8,3 ha) est spécialisé depuis 1950 dans l'élaboration d'effervescents de qualité et de vins blancs d'appellation.

C'est à partir d'un vin issu des seules têtes de cuvées, élevé sur lie et en fût, que Yannick Létourneau a élaboré ce 2013. Le nez, délicat, associe fleurs blanches et fruits jaunes. La bouche, à l'unisson, se montre tendre et ronde, équilibrée par une finale plus fraîche et saline. ⧗ 2016-2019 🍴 carpaccio de saumon

LES CHAIS LÉTOURNEAU, 91, rte du Bourg, 71260 Burgy, tél. 06 78 41 27 58, yannick.letourneau@wanadoo.fr V *r.-v.*

LORON LOUIS ET FILS Cuvée impériale ★★

●	10000		8 à 11 €

Maison de négoce familiale fondée à Fleurie en 1932 qui, outre ses vins tranquilles du Beaujolais et du Mâconnais, s'est fait une spécialité du crémant-de-bourgogne.

Proposée pour un coup de cœur, cette cuvée revêt une robe brillante animée de bulles persistantes et déploie un bouquet riche de notes beurrées et briochées, de fruits jaunes et de fleurs blanches. Une richesse que l'on retrouve dans une bouche ample, ronde et suave. Un crémant «impérial» pour amateurs d'effervescences gourmandes. ⧗ 2016-2019 🍴 filet mignon aux pêches

SAS LOUIS LORON ET FILS, Le Vivier, 69820 Fleurie, tél. 04 74 04 10 22, fernand.loron@wanadoo.fr V *t.l.j. sf dim. 8h30-12h 14h-18h*

DOM. ROGER LUQUET 2014

●	16000	8 à 11 €

Ce domaine familial établi au cœur du village de Fuissé depuis cinq générations exploite 30 ha de vignes, exclusivement du chardonnay. Il est dirigé depuis 1993 par les enfants de Roger Luquet – Patrick et Christine – associés à Thierry Mathieu.

Ce brut 100 % chardonnay est impeccable dans sa présentation – belle robe d'or limpide –, joliment floral et fruité (pêche) au nez, souple, léger et frais en bouche. L'archétype du crémant d'apéritif. ⧗ 2016-2018 🍴 feuilleté à l'emmental

DOM. ROGER LUQUET, 101, rue du Bourg, 71960 Fuissé, tél. 03 85 35 60 91, domaine@domaine-luquet.com V *t.l.j. sf dim. 8h-18h*

MOUTARD-DILIGENT Tradition ★

●	11823		11 à 15 €

Originaire de Champagne, où elle cultive la vigne depuis quatre siècles, la famille Moutard a acquis en 2004 un domaine proche de Tonnerre, dont le vignoble de 22 ha s'étend jusqu'à Chablis. L'exploitation est complétée par une structure de négoce.

Une belle maison auboise dans ses œuvres bourguignonnes. Cela donne un crémant très peu dosé – un style que François Moutard privilégie aussi en Champagne –, au nez complexe de violette, de fleurs blanches et de pamplemousse, discrètement miellé, à la fois fin, frais et velouté en bouche. De l'élégance et de l'équilibre. ⧗ 2016-2019 🍴 volaille aux poires

DOM. MOUTARD-DILIGENT, 81, Grande-Rue, 89700 Molosmes, tél. 03 25 38 50 73, champagne@champagne-moutard.eu

HENRI MUTIN Tête de cuvée ★★

●	3000	8 à 11 €

Installé dans les bâtiments d'une ancienne dépendance des évêques de Langres, à deux pas de l'ancienne voie romaine reliant Auxerre à Langres et du tombeau de la princesse de Vix (où fut mis au jour le célèbre cratère), ce domaine (4 ha), auparavant en polyculture, produit depuis 1992 du crémant exclusivement issu de raisins du Châtillonnais. Il a entamé en 2011 la conversion au bio de son vignoble.

Crémant de niche (3 000 bouteilles), cette Tête de cuvée issue de chardonnay (90 %) et de pinot noir s'est invitée à la finale des coups de cœur. Elle le doit à son étincelante parure jaune vif, annonciatrice des charmes discrets mais fins et complexes d'une olfaction centrée sur l'amande, le tilleul et les agrumes. Elle le doit aussi à son palais net, frais et très équilibré, ouvert sur un fruité léger et persistant. ⧗ 2016-2019 🍴 feuilleté de saint-jacques ● **Prestige ★ (8 à 11 €; 3000 b.)** : né de pinot noir et de chardonnay, un crémant croquant, très frais et très minéral. ⧗ 2016-2019 ● **Brut (5 à 8 €; 10000 b.)** : vin cité.

SARL HENRI MUTIN, La Grange-aux-Clercs, 21400 Massingy, tél. 06 07 17 55 11, henri.mutin@wanadoo.fr V *r.-v.*

ŒDORIA Diamant ★

	130 000	5 à 8 €

La cave du Beau Vallon de Theizé et celle des Vignerons de Liergues ont décidé de s'unir en 2009: Œdoria est leur marque commune. Cette nouvelle entité dispose de 840 ha (pour à peu près autant d'adhérents), essentiellement situés au sud du vignoble du Beaujolais, à l'ouest de Villefranche-sur-Saône.

Ce Diamant brut étincelle dans sa robe cristalline ornée d'une myriade de bulles fines et persistantes. Au nez, il libère d'élégantes senteurs florales (acacia, aubépine) associées à des notes fruitées et briochées. En bouche, il affiche une belle fraîcheur et de la finesse sans manquer de rondeur. Un pur chardonnay équilibré et élégant. ⧗ 2016-2019 ♈ vieux comté ● **Rubis (5 à 8 €; 20 000 b.)** : vin cité. ● **Claude Denis 2013 (5 à 8 €; 17 000 b.)** : vin cité.

⊶ ŒDORIA, 25, rte de Cottet, Le Beauvallon, 69620 Theize, tél. 04 74 71 48 00, contact@oedoria.com V 🚶 🍷 *r.-v.*

MANUEL OLIVIER ★

	10 000	8 à 11 €

Installé en 1990, Manuel Olivier, fils d'agriculteurs, a commencé par cultiver les vignes et petits fruits dans les Hautes-Côtes de Nuits. Aujourd'hui spécialisé en viticulture, il exploite un vignoble de 11 ha, complété depuis 2007 par une structure de négoce qui lui a permis de mettre un pied en Côte de Beaune.

Plus souvent en vue pour ses vins tranquilles, ses rouges notamment, Manuel Olivier montre aussi une belle maîtrise de la double fermentation. Témoin ce crémant brut (chardonnay à 50 %, pinot noir et aligoté) légèrement ambré, ouvert sur des notes de fruits blancs et de brioche grillée, à la bouche persistante sur le fruit, bien structurée et nantie d'une fine acidité. ⧗ 2016-2019 ♈ cassolette de fruits de mer

⊶ SARL MANUEL OLIVIER, 7, rue des Grandes-Vignes, hameau de Corboin, 21700 Nuits-Saint-Georges, tél. 03 80 62 39 33, contact@domaine-olivier.com V 🚶 🍷 *r.-v.*

LOUIS PICAMELOT
Blanc de blancs Brut Cuvée Jeanne Thomas 2013

	22 000	🛢 🍾	11 à 15 €

Cette maison de négoce, propriétaire de 11 ha en Côte de Beaune et en Côte chalonnaise, a été fondée en 1926 par Louis Picamelot et reprise par son petit-fils Philippe Chautard en 1987. Dans sa nouvelle cuverie installée en 2006 au creux de la roche à Rully naissent de beaux crémants de terroir ou d'assemblage et quelques vins tranquilles.

Assemblage de plusieurs terroirs et cépages (chardonnay, pinot noir, aligoté et gamay), cette cuvée a fière allure dans sa robe pâle et brillante ornée d'un faisceau de fines bulles. Le nez bien fruité (pomme golden, agrumes) annonce une bouche fraîche, peu dosée (4 g/l) et équilibrée, qui distille en finale d'élégantes notes minérales. ⧗ 2016-2019 ♈ filet de daurade pochée ● **Les Terroirs 2013 (8 à 11 €; 167 400 b.)** : vin cité.

⊶ MAISON LOUIS PICAMELOT, 12, pl. de la Croix-Blanche, 71150 Rully, tél. 03 85 87 13 60, info@louispicamelot.com V 🍷 *t.l.j. sf sam. dim. 8h-12h 13h30-17h30 ⊶ P. Chautard*

DOM. DE SAINT-PANCRACE
Blanc de blancs Pur Chardonnay Julien-Dorard 2013

	1 800	8 à 11 €

Xavier Julien, l'un des rares vignerons installés à Auxerre, a planté ses premiers ceps en 1997; il exploite aujourd'hui 4,7 ha de vignes. Le domaine tient son nom d'une tour fortifiée du chef-lieu, propriété de la famille.

Ce brut confidentiel né de 22 ares de chardonnay s'expose au regard dans une robe d'or constellée de bulles remuantes. Floral et fruité, aussi bien au nez qu'en bouche, il se montre franc et consistant, arrondi par une finale plus suave. ⧗ 2016-2018 ♈ toasts de foie gras

⊶ DOM. SAINT-PANCRACE, 17, rue Rantheaume, 89000 Auxerre, tél. 03 86 51 69 71, domaine.saintpancrace@wanadoo.fr V 🍷 *r.-v. ⊶ Julien*

Ⓑ CH. DE SASSANGY
Extra-brut Grand Éminent 2011

	12 000	🛢 🍾	11 à 15 €

Situé dans l'arrière-pays vallonné de Chalon-sur-Saône, ce domaine est dans la famille Musso depuis plus de trois siècles: une vaste propriété de 350 ha commandée par un château édifié en 1740 sur les vestiges d'une place forte des Xe et XIIe s. Installés en 1979, Jean Musso et son épouse Geno ont redonné vie à ce vignoble endormi depuis la crise du phylloxéra (50 ares à leur arrivée!), s'étendent aujourd'hui sur 50 ha conduit en bio.

Né d'un assemblage de pinot noir et de chardonnay, cet extra-brut couleur or pâle s'anime de bulles fines. Le nez, discret, libère à l'aération des notes de brioche et de pomme compotée. La bouche apparaît souple, ronde et très suave. ⧗ 2016-2017 ♈ quiche au saumon

⊶ CH. DE SASSANGY, Le Château, 71390 Sassangy, tél. 06 21 56 04 30, mussojean71@gmail.com V 🚶 🍷 *r.-v.* 🏠 Ⓖ *⊶ Jean et Geno Musso*

ALBERT SOUNIT Blanc de noirs ★

	2 030	🍾	8 à 11 €

Fondée en 1851 par Flavien Jeunet, cette maison de négoce, qui possède aussi 12 ha de vignes en propre, a été reprise dans les années 1930 par la famille Sounit, qui l'a cédée à son importateur danois en 1993. L'une des valeurs sûres de la Côte chalonnaise, en vins tranquilles comme en effervescents.

Porteur d'arômes fruités un brin confiturés et de légères notes florales, ce blanc de noirs conjugue en bouche puissance et vivacité minérale, stimulée par des bulles fines. L'équilibre est impeccable dans ce crémant franc du collier, qui fait honneur aux terres à vignes de Rully, berceau des effervescences bourguignonnes. ⧗ 2016-2019 ♈ aumonière de saint-jacques ● **Chardonnay (8 à 11 €; 12 181 b.)** : vin cité. ● **Châtaignier (15 à 20 €; n.c.)** : vin cité.

⊶ MAISON ALBERT SOUNIT, 5, pl. du Champ-de-Foire, 71150 Rully, tél. 03 85 87 20 71, albert.sounit@wanadoo.fr V 🚶 🍷 *r.-v. ⊶ K. Kjellerup*

GÉRALD TALMARD Blanc de blancs 2013 ★★

● | 7200 | | 5 à 8 €

Les Talmard sont viticulteurs de père en fils depuis 1645. Installé en 1997, Gérald ne fait pas défaut à la tradition familiale et conduit selon les principes de l'agriculture biologique (sans certification) ses 31 ha de vignes.

Gérald Talmard signe un blanc de blancs d'emblée apprécié pour sa robe dorée envahie de fines bulles qui s'attardent en un cordon crémeux. Séducteur et aromatique en diable, le nez associe les fruits mûrs aux arômes de noisette typiques du chardonnay. Franche et consistante, la bouche offre une chair ronde et généreuse, avant de s'étirer dans une longue finale pleine de fraîcheur. ⧗ 2016-2019 🍴 turbot à la crème

EARL GÉRALD TALMARD, rte de Chardonnay, 71700 Uchizy, tél. 03 85 40 59 40, gerald.talmard@wanadoo.fr V t.l.j. 8h30-18h30; dim. 9h-12h

ROLAND VAN HECKE Chardonnay ★★

● | 2600 | | 8 à 11 €

C'est sur les coteaux du Châtillonnais, non loin de la Champagne, qu'en 1991, Roland Van Hecke a planté ses premiers ceps sur les terres d'une exploitation agricole. Il dispose aujourd'hui d'un vignoble de 5 ha principalement consacré aux crémants.

Bacchus et la Vierge de Beauregard, protectrice du village de Grancey-sur-Ource, auraient-ils conclu une alliance secrète? C'est ce que laisse supposer la qualité des crémants nés sur ces terres aux confins de l'Aube champenoise, et plus particulièrement ce brut animé d'un cordon de fines bulles qui traverse une robe doré éclatant. Au nez, il déploie d'intenses parfums de pêche jaune, de fruits secs légèrement confits et d'amande. Le plaisir se poursuit dans une bouche consistante, fraîche et équilibrée, centrée sur des arômes d'agrumes et de fleurs blanches. ⧗ 2016-2019 🍴 noix de Saint-Jacques ● **Virtuose (5 à 8 €; 8300 b.)** : vin cité.

ROLAND VAN HECKE, 5, rue de l'Église, 21570 Grancey-sur-Ource, tél. 03 80 93 79 07, roland.van-hecke@wanadoo.fr V r.-v.

♥ **VEUVE AMBAL** Grande Cuvée ★★

● | 500000 | | 5 à 8 €

Vénérable négoce spécialisé en crémant, fondé en 1898 par Marie Ambal et conduit depuis 1988 par son descendant Éric Piffaut. Né à Rully, établi à Beaune depuis 2005, il est le plus important élaborateur de bulles bourguignonnes, nées pour une large part de son vaste vignoble de 250 ha.

Le coup de cœur avait été manqué d'un souffle l'an passé; ce n'était que partie remise pour cette incontournable maison qui signe avec cette Grande Cuvée une bulle bourguignonne digne des plus grandes tables. Une gracieuse effervescence vient orner, avec sa colonne de fines bulles, une robe couleur miel. Le bouquet, d'abord discret, offre en préambule des senteurs de fruits blancs et de mie de pain, puis s'anime après aération autour d'intenses arômes de fruits noirs. Le prélude à une bouche fastueuse, prudemment dosée, ample et nette, parfaitement équilibrée entre fraîcheur et vinosité. ⧗ 2016-2019 🍴 chapon au crémant ● **Blanc de blancs ★ (8 à 11 €; 300000 b.)** : un crémant de repas, dense, rond et suave, sur les agrumes, les fruits blancs mûrs et le miel d'acacia, dynamisé par une belle finale saline. ⧗ 2016-2019 ● **Grande Réserve (5 à 8 €; 750000 b.)** : vin cité.

VEUVE AMBAL, Le Pré-Neuf, 21200 Montagny-lès-Beaune, tél. 03 80 25 01 70, contact@veuve-ambal.com V t.l.j. 10h-12h30 14h-18h *Éric Piffaut*

VITTEAUT-ALBERTI Blancs de noirs ★

● | 10000 | | 8 à 11 €

L'une des belles références du crémant-de-bourgogne, fondée en 1951 par Lucien Vitteaut, reprise par son fils Gérard en 1969 et dirigée depuis 2010 par sa petite-fille Agnès. La maison possède en propre 23 ha de vignes en Côte chalonnaise et dans les Hautes-Côtes de Beaune.

Fidèle au rendez-vous du Guide, la très respectable maison Vitteaut-Alberti réalise un joli tir groupé. En tête, son blanc de noirs aux bulles fines et virevoltantes, au nez printanier, floral et fruité (litchi, fraise), droit et direct en bouche, étiré dans une longue finale pleine de fraîcheur. ⧗ 2016-2019 🍴 coquilles Saint-Jacques et sabayon ● ★ **(8 à 11 €; 19000 b.)** : un vin aromatique (beurre, orange, fleurs blanches), dense, riche et vineux en bouche. ⧗ 2016-2019 ● ★ **(8 à 11 €; 10000 b.)** : né du seul pinot noir, un vin très goûteux, généreusement fruité et bien équilibré entre onctuosité et vivacité. ⧗ 2016-2018 ● **Blanc de blancs (8 à 11 €; 4000 b.)** : vin cité.

VITTEAUT-ALBERTI, 16, rue de la Buisserolle, 71150 Rully, tél. 03 85 87 23 97, contact@vitteaut-alberti.fr V *t.l.j. sf dim. 9h-12h 14h-18h*

➨ LE CHABLISIEN

Malgré une célébrité séculaire qui lui a valu d'être imité de la façon la plus fantaisiste dans le monde entier, le vignoble de Chablis a bien failli disparaître. Deux gelées tardives, catastrophiques, en 1957 et en 1961, ajoutées aux difficultés du travail de la vigne sur des sols rocailleux et terriblement pentus, avaient conduit à l'abandon progressif de la culture de la vigne; le prix des terrains en grands crus atteignait un niveau dérisoire, et bien avisés furent les acheteurs du moment. L'apparition de nouveaux systèmes de protection contre le gel et le développement de la mécanisation ont rendu ce vignoble à la vie.

L'aire d'appellation couvre les territoires de la commune de Chablis et de dix-neuf communes voisines dans les quatre appellations chablis. Les vignes dévalent les fortes pentes des coteaux qui longent les deux rives du Serein, modeste affluent de l'Yonne. Une exposition sud-sud-est favorise à cette latitude une bonne maturation du raisin, mais on trouvera plantés en vigne des «envers» aussi bien que des «adroits» dans certains secteurs privilégiés. Le sol est constitué de marnes jurassiques (kimméridgien,

portlandien). Il convient admirablement à la culture du chardonnay, comme s'en étaient déjà rendu compte au XIIes. les moines cisterciens de la toute proche abbaye de Pontigny, qui y implantèrent sans doute ce cépage, appelé localement beaunois. Celui-ci exprime ici plus qu'ailleurs ses qualités de finesse et d'élégance, qui font merveille sur les fruits de mer, les escargots, la charcuterie. Premiers et grands crus méritent d'être associés aux mets de choix: poissons, charcuterie fine, volailles ou viandes blanches, qui pourront d'ailleurs être accommodés avec le vin lui-même.

PETIT-CHABLIS

Superficie : 780 ha / Production : 46 000 hl

Cette appellation constitue la base de la hiérarchie bourguignonne dans le Chablisien et provient des parcelles installées à la périphérie des appellations plus prestigieuses. Moins complexe que le chablis, le petit-chablis possède une acidité un peu plus élevée. Autrefois consommé en carafe, dans l'année, il est maintenant mis en bouteilles. Victime de son nom, il a eu de la peine à se développer, mais il semble qu'aujourd'hui le consommateur ne lui tienne plus rigueur de son adjectif dévalorisant.

DOM. GUY ET OLIVIER ALEXANDRE 2014 ★

■ | 22500 | | 5 à 8 €

Une exploitation familiale qui se transmet depuis trois générations, dirigée depuis 2012 par Olivier Alexandre, fils de Guy. Le vignoble de 13 ha est réparti sur quatre communes.

Un petit-chablis qui exprime bien le cépage et le millésime. Le nez, encore discret, est marqué par la minéralité. Une minéralité que l'on retrouve surtout en début de bouche et qui apporte une belle tonicité. Un vin vif et plaisant. ⧗ 2016-2018 ¥ fruits de mer

DOM. ALEXANDRE, 36, rue du Serein, 89800 La Chapelle-Vaupelteigne, tél. 03 86 42 44 57, info@chablis-alexandre.com V *r.-v.*

CLOSERIE DES ALISIERS 2015

■ | 100000 | | 8 à 11 €

Venu du Chablisien, Stéphane Brocard a quitté en 2007 le domaine familial fondé par son père pour créer son négoce, établi aux portes sud de Dijon. Il propose une jolie gamme de vins dans une dizaine d'appellations bourguignonnes.

Stéphane Brocard propose une cuvée qui se distingue par sa jeunesse et la fraîcheur qui va avec. Un joli nez citronné précède une bouche vive et minérale. Le plaisir dans la simplicité. ⧗ 2016-2018 ¥ bouquet de crevettes

CLOSERIE DES ALISIERS, 213, rue Ingénieur-Bertin, 21600 Longuil, tél. 03 80 52 07 71, s.brocard@orange.fr V *r.-v. Brocard*

DOM. JEAN-CLAUDE COURTAULT 2014

■ | 30000 | | 5 à 8 €

Originaire de Touraine, Jean-Claude Courtault arrive dans le Chablisien en 1984 et s'installe à Lignorelles pour fonder son domaine, qui couvre 20 ha aujourd'hui, complété par une activité de négoce. Sa fille Stéphanie et son gendre Vincent Michelet ont créé en parallèle leur propre exploitation (Dom. Michelet): les deux domaines travaillent en synergie, en mutualisant leurs moyens.

Ce petit-chablis dévoile un nez discret, floral et légèrement anisé. En bouche, une bonne minéralité, des arômes de citron et de fruits exotiques. Un vin expressif et frais, tout indiqué pour l'apéritif. ⧗ 2016-2018 ¥ rillettes de saumon

DOM. JEAN-CLAUDE COURTAULT, 1, rte de Montfort, 89800 Lignorelles, tél. 03 86 47 50 59, contact@chablis-courtault-michelet.com V *r.-v.*

HERVÉ DAMPT Vieilles Vignes 2014 ★

■ | n.c. | | 8 à 11 €

Un père, Bernard Dampt, vigneron à Collan de 1980 à 1998, comme trois générations avant lui; trois frères, Éric, Emmanuel et Hervé. Les frères sont indissociables, mais chacun fait ses propres vins. Hervé, le benjamin, s'est installé en 1998 et s'illustre régulièrement dans le Guide.

Un régal que ce chardonnay à la fois vif et soyeux. L'équilibre est bien assuré à toutes les étapes de la dégustation. Le nez, centré sur les fruits jaunes, respire déjà la gourmandise. Un fruité que l'on retrouve dans une bouche ronde, avec juste ce qu'il faut d'acidité pour apporter de la longueur. ⧗ 2016-2019 ¥ colombo de poisson

EARL HERVÉ DAMPT, rue de Fleys, 89700 Collan, tél. 03 86 55 29 55, vignoble@dampt.com V *t.l.j. 9h-12h 13h30-17h30*

DOM. VINCENT DAMPT 2014

■ | 9000 | | 8 à 11 €

Fils de Daniel Dampt, Vincent Dampt s'est installé en 2004 à Milly, près de Chablis, sur une superficie de 3,5 ha, portée à 6,5 ha aujourd'hui. 80 % des ventes se font à l'export.

Un classique de l'appellation que l'on apprécie pour sa jeunesse et sa vivacité. Le nez est très expressif avec ses nuances de fruits blancs et une pointe de minéralité. Passé une attaque ronde, on retrouve ces arômes dans une bouche d'une agréable fraîcheur, renforcée par de beaux amers en finale. ⧗ 2016-2019 ¥ escargots de Bourgogne

DOM. VINCENT DAMPT, 19, rue de Champlain, Milly, 89800 Chablis, tél. 03 86 42 47 23, vincent.dampt@sfr.fr V *r.-v.*

DOM. DE L'ÉRABLE 2014

■ | 5000 | | 8 à 11 €

Un domaine créé en 1986 par Joël Bon à Chassignelles, dans le Tonnerrois. Son fils Julien et son épouse Delphine ont pris le relais en 2005. Ils sont aux commandes aujourd'hui d'un vignoble très pentu et ensoleillé de 14,5 ha.

On retrouve les notes florales typiques du chardonnay et son côté légèrement citronné dans le bouquet de ce petit-chablis. On y perçoit aussi la vivacité typique de l'appellation dans une bouche friande, légère et fruitée. ⧗ 2016-2019 ¥ salade de fruits de mer

DOM. DE L'ÉRABLE, 1, rue Émile-Proudhon, 89160 Chassignelles, tél. 09 79 17 67 49, bonj.erable@orange.fr **V** *t.l.j. 9h-12h 14h-18h* *Bon*

DOM. FILLON ET FILS 2014

	10000	5 à 8 €

Propriété familiale reprise en cogérance par Hervé Fillon et sa sœur Frédérique en 1995 (troisième génération). Établis dans le joli village de Saint-Bris-le-Vineux, les Fillon exploitent un vignoble de 34 ha dédié aux appellations régionales et aux AOC du Chablisien.

La première approche avec ce vin est marquée par la discrétion: discrétion de sa robe jaune pâle et de son nez un brin végétal. C'est en bouche que ce petit-chablis s'exprime le mieux – une bouche ronde et riche d'agrumes et de fruits jaunes, avec une minéralité qui reste en retrait. ⧗ 2016-2019 ▼ andouille de Vire

DOM. FILLON, 53, rue Bienvenu-Martin, 89530 Saint-Bris-le-Vineux, tél. 03 86 53 30 26, domaine.fillon@gmail.com **V** *t.l.j. 9h-12h30 14h-19h30*

GAUTHERON 2014 ★

	1800		8 à 11 €

Vignerons de père en fils depuis 1809, les Gautheron sont établis à l'est de Chablis. Alain, installé en 1977, représente la sixième génération et Cyril, arrivé en 2001, la septième. Le père et le fils exploitent un domaine qui s'est agrandi (il est passé de 8 à 30 ha entre 1977 et aujourd'hui) et modernisé. Une belle régularité en chablis et en petit-chablis.

C'est toute l'expression du terroir qui s'exprime dans ce petit-chablis au nez très expressif, très minéral. Quant à la bouche, c'est un exemple d'équilibre entre le fruit (pamplemousse et fruits jaunes), la matière et l'acidité. ⧗ 2016-2019 ▼ moules marinières

SCEV DOM. ALAIN ET CYRIL GAUTHERON, 18, rue des Prégirots, 89800 Fleys, tél. 03 86 42 44 34, vins@chablis-gautheron.com **V** *t.l.j. 8h-12h 13h30-17h; sam. dim. sur r.-v.*

Le Chablisien

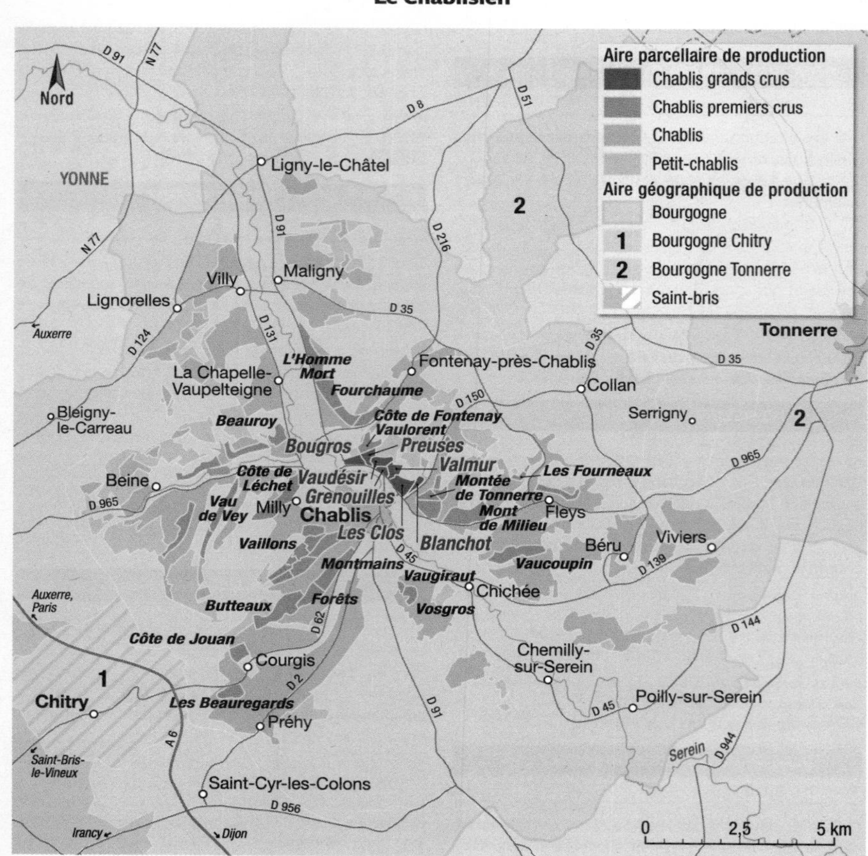

DOM. ALAIN GEOFFROY 2014

| 10 000 | | 8 à 11 €

Perpétuant une tradition viticole remontant à 1850, Alain Geoffroy, figure du vignoble chablisien, conduit un important domaine de 50 ha dont le siège est à Beine, village de la rive gauche du Serein, à l'ouest de Chablis. Pour la vinification, il privilégie l'élevage en cuve afin de préserver la fraîcheur des chablis.

Nathalie Geoffroy, fille d'Alain, apporte le même soin à toute sa gamme de vins chablisiens, avec le souci de restituer les caractéristiques de chaque appellation. Ainsi, ce petit-chablis est-il fait de fraîcheur minérale et de fruits au nez comme en bouche, sans manquer de gras. Un vin équilibré. ⧗ 2016-2019 ▼ chèvre frais

⊶ *DOM. ALAIN GEOFFROY, 4, rue de l'Équerre, 89800 Beine, tél. 03 86 42 43 76, info@chablis-geoffroy.com* V *t.l.j. sf sam. dim. 8h-12h 13h30-17h30*

DOM. DES HÂTES 2014 ★

| 8 000 | | 8 à 11 €

L'exploitation portait ses raisins à la cave coopérative. Les premières mises en bouteilles à la propriété, en 2009, coïncident avec l'arrivée sur le domaine du fils de la famille, Pierrick Laroche, diplômé d'œnologie, qui a vinifié en Nouvelle-Zélande. Le vignoble compte 25 ha.

Dans ce 2014, on retrouve toute la subtilité du chardonnay qui apporte fraîcheur et élégance. Si le nez est dominé par les arômes de fruits jaunes et blancs, la bouche est plus expressive encore, sur le fruit toujours, avec ce trait d'acidité typique qui souligne une matière bien présente. De la finesse et une belle longueur. ⧗ 2016-2019 ▼ huîtres gratinées

⊶ *DOM. DES HÂTES, 5, chem. des Hâtes, 89800 Maligny, tél. 03 86 18 03 23, pierrick@domainedeshates.fr* V *r.-v.*

ROLAND LAVANTUREUX 2014 ★

| 35 000 | | 8 à 11 €

Valeur sûre du Guide, cette exploitation est située à Lignorelles, aux confins nord du Chablisien. Après un stage au fameux Clos des Lambrays, Arnaud Lavantureux a rejoint son père Roland sur le domaine de 20 ha où il assure depuis 2010 les vinifications. Son frère David gère quant à lui le développement commercial. Une structure de négoce complète la production.

Après un millésime 2013 exceptionnel, la famille Lavantureux signe un 2014 très harmonieux. Le terroir de Lignorelles est bien mis en valeur dans cette cuvée joliment fruitée au nez. C'est surtout en bouche que l'on apprécie les résultats de l'élevage: une bouche fraîche, intense, bien équilibrée entre le gras et une fine minéralité qui apporte de la longueur. ⧗ 2016-2019 ▼ truite meunière

⊶ *ROLAND LAVANTUREUX, 4, rue Saint-Martin, 89800 Lignorelles, tél. 03 86 47 53 75, domaine.lavantureux@gmail.com* V *t.l.j. sf dim. 8h-12h 14h-18h; sam. sur r.-v.*

DOM. MILLET 2014

| n.c. | | 8 à 11 €

Philippe Millet, jeune agriculteur beauceron, s'installe à Tonnerre dans les années 1960 et crée son domaine en 1980, à la ferme de Marcault. Ses deux fils Baudouin et Paterne ont pris en 2002 sa succession. Leur domaine couvre 13,7 ha, dont 9 ha en petit-chablis.

Le fruit et la fleur se disputent le devant de la scène dans cette cuvée bien équilibrée. Le nez n'est que fraîcheur avec ses notes d'agrumes, de fruits blancs et d'aubépine; des arômes qui animent aussi la bouche avec un trait de minéralité pour renforcer la vivacité. ⧗ 2016-2019 ▼ chèvre frais

⊶ *SCEA DOM. MILLET, rte de Viviers, ferme de Marcault, 89700 Tonnerre, tél. 03 86 75 92 56, intensement@chablis-millet.com* V *r.-v.*

DOM. DE PISSE-LOUP 2014

| 10 000 | | 8 à 11 €

La lignée vigneronne remonte à la Révolution, mais le grand-père de Romuald Hugot avait arraché l'intégralité de ses vignes. En 1985, le jeune vigneron et son père ont replanté le vignoble, qui compte aujourd'hui 14 ha aux environs de Chablis. «Pisse-Loup» est un lieu-dit proche de Beine, leur village.

Tout en finesse et en légèreté, un vin de plaisir immédiat, où l'on reconnaît bien la patte de Romuald Hugot. Certes, le nez n'est pas très expressif, mais la bouche résume les qualités de ce millésime: du gras, de beaux arômes de fruits et une pointe d'acidité qui apporte de la fraîcheur et une bonne longueur. ⧗ 2016-2019 ▼ saumon fumé

⊶ *EARL ROMUALD HUGOT, 30, rte Nationale, 89800 Beine, tél. 03 86 42 85 11, domaine.pisseloup@free.fr* V *r.-v.*

CHABLIS

Superficie : 3 150 ha / Production : 187 000 hl

Le chablis doit à son sol ses qualités inimitables de fraîcheur et de légèreté. Les années froides ou pluvieuses lui conviennent mal, son acidité devenant alors excessive. En revanche, il conserve lors des années chaudes une fraîcheur et une minéralité que n'ont pas les vins blancs de la Côte-d'Or, également issus du chardonnay. On le boit jeune, mais il peut vieillir jusqu'à dix ans et plus, gagnant ainsi en complexité.

DOM. GUY ET OLIVIER ALEXANDRE 2014

| 18 300 | | 8 à 11 €

Une exploitation familiale qui se transmet depuis trois générations, dirigée depuis 2012 par Olivier Alexandre, fils de Guy. Le vignoble de 13 ha est réparti sur quatre communes.

Un chablis droit et tendu. Le nez, vif et minéral, donne le ton, quelques notes florales lui apportant de l'élégance. La bouche n'est pas en reste, portée elle aussi par une intense minéralité et une finale saline. ⧗ 2016-2019 ▼ huîtres

⊶ *DOM. ALEXANDRE, 36, rue du Serein, 89800 La Chapelle-Vaupelteigne, tél. 03 86 42 44 57, info@chablis-alexandre.com* V *r.-v.*

VIGNOBLE ANGST 2014 ★

| 2 500 | | 8 à 11 €

Un domaine de création récente (2014), installé à Pontigny, célèbre pour son abbaye cistercienne.

BOURGOGNE

Le vignoble de 8 ha est conduit par un jeune couple de vignerons, Céline et Antoine Angst, qui ne sont pas issus du monde viticole.

Premier millésime pour ces néo-vignerons et une belle réussite. Le nez beurré et épicé (poivre) invite à poursuivre la dégustation. La bouche, ronde et riche, confirme ces arômes en y ajoutant un joli fruité. Un chablis harmonieux et expressif. ⧗ 2017-2021 ▼ jambon au chablis

VIGNOBLE ANGST, 1, rue Pasteur, 89230 Pontigny, tél. 03 86 40 17 33, vignobleangst@orange.fr r.-v.

DOM. D'ANTHONY
Les Malantes Vieilles Vignes 2014 ★★

7000 | 8 à 11 €

Un vignoble créé de toutes pièces par Christian Grossot à partir de 1981, par achats de terres et plantations: aujourd'hui, 15 ha. Le chai a été acquis en 2007: un bel outil de travail pour le fils, qui vient de s'installer.

Un chablis gourmand en diable, qui développe à l'olfaction des senteurs de fleur d'acacia et de miel. Le palais, citronné et légèrement épicé, gras et souligné par une fine acidité, est d'un équilibre sans faille et d'une très belle persistance. Soyez patient avec cette bouteille, elle n'a pas encore tout donné… ⧗ 2018-2022 ▼ andouillette à la crème

DOM. D' ANTHONY, 2, rue de la Conciergerie, 89800 Courgis, tél. 03 86 41 43 28, domaine.danthony@orange.fr r.-v. Christian Grossot

BESSON 2014 ★★

46000 | 8 à 11 €

Petit-fils de tonnelier, fils de vigneron, Alain Besson a pris en main en 1981 le domaine familial constitué par les deux générations précédentes. Après l'avoir agrandi, il dispose de 21 ha qu'il exploite avec ses enfants Camille et Adrien. La première, œnologue, élabore les vins, et le second se charge des vignes.

Coup de cœur avec son chablis 2013, Alain Besson signe un 2014 qui a peu à lui envier; des distinctions qui ne doivent rien au hasard tant ce domaine fait preuve de régularité. Élégance est le mot qui revient dans tous les commentaires pour qualifier cette cuvée remarquable. Élégance du nez avec ses parfums de fruits blancs et d'agrumes. Élégance de la bouche, riche et tendre en attaque, plus vive et tendue dans son évolution, à la belle finale ferme et saline. ⧗ 2017-2022 ▼ huîtres

ALAIN BESSON, 8, chem. de Valvan, BP 48, 89800 Chablis, tél. 03 86 42 40 88, domaine-besson@wanadoo.fr r.-v.

♥ SAMUEL BILLAUD 2014 ★★

60000 | 8 à 11 €

Après vingt années passées sur la propriété familiale (le réputé Dom. Billaud-Simon, vendu à Faiveley en 2014), Samuel Billaud a créé sa propre maison de négociant-vinificateur, qui propose un éventail de cuvées à partir de sélections parcellaires.

Un travail d'orfèvre pour ce chablis vinifié et élevé dans des cuves de petit volume et des fûts. Le nez conjugue une intense vivacité citronnée et des senteurs plus douces de vanille et de fruits jaunes. La bouche se révèle des plus gourmandes et équilibrées, une rondeur suave épousant la minéralité du terroir. Un vin d'une grande finesse que l'on appréciera aussi bien jeune que patiné par la garde. ⧗ 2017-2021 ▼ andouillette au chablis

SAMUEL BILLAUD, 8, bd Tacussel, 89800 Chablis, tél. 06 37 52 50 32, samuel.billaud@orange.fr r.-v.

DANIEL BOCQUET 2014 ★

4000 | 5 à 8 €

À la limite du Tonnerrois, le petit village de Béru fait partie des vingt communes situées dans l'aire d'appellation chablis. Daniel Bocquet y est installé depuis 1972, secondé par ses fils Jérôme et Bruno arrivés respectivement en 1995 et en 1998. Le vignoble couvre 20 ha.

Un 2014 très réussi, au joli potentiel de garde, qui rassemble tous les caractères qui font la typicité des chablis. Le nez est minéral et fruité, la bouche puissante, riche sans lourdeur, appuyée par une minéralité bien présente. Ajoutons de la longueur et un équilibre parfait. ⧗ 2017-2022 ▼ cassolette d'escargots

SCEA DANIEL BOCQUET, 11, Grande-Rue, 89700 Béru, tél. 03 86 75 92 25, bocquet.daniel2@wanadoo.fr r.-v.

DOM. CHRISTOPHE CAMU 2014

20000 | 8 à 11 €

Représentant la septième génération, Christophe Camu a repris en 1988 l'exploitation familiale présente dans les quatre appellations chablisiennes. Les 13 ha du vignoble entourent le village de Chablis.

Un chablis bien typé, floral, minéral et élégant à l'olfaction. La bouche est moins expressive, mais elle intéresse par son côté droit, vif, tendu. ⧗ 2016-2019 ▼ gougères

SCEA DOM. CHRISTOPHE CAMU, 1, av. de la Liberté, 89800 Chablis, tél. 03 86 42 12 50, info@christophecamu.fr t.l.j. 9h-12h30 13h30-17h30

LA CHABLISIENNE
Les Vénérables Vieilles Vignes 2013 ★★

126084 | 15 à 20 €

Cave coopérative regroupant près de 300 vignerons et représentant un quart du vignoble de Chablis, La Chablisienne a fêté ses quatre-vingt-dix ans en 2013. Une structure moderne et performante qui contribue largement à la notoriété de l'appellation. Le grand cru Grenouilles est une de ses têtes d'affiche.

Du fruit, du fruit, encore du fruit. Ces Vénérables Vieilles Vignes (trente-cinq ans) proposent une véritable corbeille de fruits exotiques et d'agrumes à l'olfaction, accompagnée de notes florales et minérales plus discrètes. On retrouve les fruits dans une bouche intense, vive et longue, encore dynamisée par une finale aux accents du terroir. Un chablis bien typé, de bonne garde. ⧗ 2018-2022 ▼ daurade aux citrons confits **La Sereine**

2013 ★ (11 à 15 €; 372 711 b.) : un « vin plaisir » d'une belle rondeur, bien fruité, centré sur les agrumes et l'ananas, stimulé par une fine tension en finale. ⏳ 2017-2021

⊶ LA CHABLISIENNE, 8, bd Pasteur, 89800 Chablis, tél. 03 86 42 89 89, chab@chablisienne.fr
V t.l.j. 9h-12h30 14h-19h

DOM. DES CHAUMES 2014 ★

■	19 200	🍾	8 à 11 €

Né en 1976, Romain Poullet, après ses études au lycée viticole de Beaune, a créé son domaine en 2000 à Maligny, au nord de Chablis, tout en secondant ses parents sur leur propriété. En 2014, il a pris leur succession et dispose à présent de 12 ha de vignes.

Si la robe apparaît pâle et diaphane, le nez, lui, se montre intense par ses arômes d'épices et de fruits mûrs. La bouche est plaisante, fine, soyeuse, soulignée par une minéralité discrète. Un vin sans artifice, construit sur un bel équilibre entre l'acidité et la rondeur. ⏳ 2017-2020 🍴 lotte à la crème

⊶ DOM. DES CHAUMES, 6, rue du Temple, 89800 Maligny, tél. 03 86 98 21 83, domainedeschaumes@wanadoo.fr
V r.-v. ⊶ Romain Poullet

CH. DE CHEMILLY 2014

■	8 000	🍾	8 à 11 €

Un domaine fondé par les frères Vilain en 1973, repris en 2013 par les enfants de l'un d'eux: Yannick et Loïc, à la tête aujourd'hui d'un vignoble de 27 ha.

Le chablis dans toute l'expression de son terroir, offrant une minéralité très présente qui apporte droiture et pureté. Au nez, cette minéralité laisse de l'espace à la fraîcheur des agrumes. Et si l'attaque fruitée est marquée par de la rondeur, c'est bien la vivacité qui domine dans cette cuvée typique et énergique. ⏳ 2016-2020 🍴 plateau de fruits de mer

⊶ SCEA CH. DE CHEMILLY, 20, rue du Pont, 89800 Chemilly-sur-Serein, tél. 03 86 42 16 91, chablis@chateaudechemilly.fr
V t.l.j. 8h-12h 13h30-17h30
⊶ Vilain Frères

DOM. CHEVALLIER
Cuvée Prestige 2014

■	13 700	🛢	11 à 15 €

Héritiers d'une lignée de vignerons installés à Montallery depuis 1788, Claude et Jean-Louis Chevallier exploitent 17 ha au sud d'Auxerre, en appellations petit-chablis, chablis et chablis 1er cru.

Dans sa belle robe aux reflets verts, ce chablis délicat s'ouvre sur un nez floral et légèrement épicé. En bouche, c'est le fruit qui s'installe, soutenu par un boisé discret et une pointe d'acidité bien ajustée. Un vin équilibré et d'une bonne complexité. ⏳ 2017-2020 🍴 poulet au citron

⊶ DOM. CHEVALLIER, 6, rue de l'École, Montallery, 89290 Venoy, tél. 03 86 40 27 04, domaine.chevallier.chablis@wanadoo.fr
V r.-v.

♥ DOM. COLBOIS 2014 ★★★

■	24 000	🍾	8 à 11 €

Rejoint en 2009 par son fils Benjamin, Michel Colbois est établi depuis 1970 à Chitry-le-Fort. Ses blancs sont souvent en bonne place dans le Guide, qu'ils proviennent du chardonnay ou de l'aligoté. Son vignoble couvre 20 ha.

Avec ce chablis 2014, on frise la perfection. Un modèle d'élégance, de pureté, d'équilibre. La robe est somptueuse, d'un or intense et brillant. Floral (chèvrefeuille) et minéral, le nez est d'une grande finesse. La bouche, ronde, dense et soyeuse, offre beaucoup de fruits, soulignée par l'acidité du terroir. De la dentelle. ⏳ 2017-2022 🍴 bar en croûte de sel

⊶ EARL DOM. COLBOIS, 69, Grande-Rue, 89530 Chitry, tél. 03 86 41 43 48, contact@colbois-chitry.com
V t.l.j. sf dim. 8h-12h 13h30-18h

DOM. DU COLOMBIER 2014 ★

■	180 000	🍾	8 à 11 €

Cette exploitation familiale de 50 ha, qui se transmet de père en fils depuis 1887, est dirigée par trois frères, Jean-Louis, Thierry et Vincent Mothe. Le domaine fait partie des incontournables du vignoble de Chablis, quelle que soit l'appellation.

Un 2014 très harmonieux, typique de l'appellation, qui a trouvé son équilibre entre puissance, fraîcheur et élégance. Si le nez hésite entre les fleurs blanches et les fruits blancs, la bouche est plus franche et droite, avec une fine minéralité qui transporte le fruit et une belle longueur. ⏳ 2017-2021 🍴 pâtes aux fruits de mer

⊶ DOM. DU COLOMBIER, 42, Grand-Rue, 89800 Fontenay-près-Chablis, tél. 03 86 42 15 04, domaine@chabliscolombier.com V t.l.j. 8h-12h 14h-18h; sam. dim. sur r.-v. ⊶ Mothe

DOM. DE LA CORNASSE 2014

■	20 000	🍾	11 à 15 €

Nathalie, fille aînée d'Alain Geoffroy, producteur bien connu de Beine, a créé son propre vignoble en 2000. Aujourd'hui, elle est aidée de ses deux sœurs, Sylvie et Aurélie, qui l'ont rejointe sur ce domaine de 6 ha très régulier en qualité. Les cuvées sont vinifiées en cuve pour préserver la fraîcheur typique des vins de Chablis.

Un vrai contraste entre le nez et la bouche dans ce chablis de caractère. Le premier s'exprime tout en finesse, sur des arômes de fleurs blanches. Au palais, c'est l'opulence qui domine, avec en soutien une discrète minéralité qui met en valeur le fruit. ⏳ 2017-2020 🍴 tajine de poisson

⊶ DOM. DE LA CORNASSE, SARL Alain Geoffroy, 4, rue de l'Équerre, 89800 Beine, tél. 03 86 42 43 76, info@chablis-geoffroy.com V t.l.j. sf sam. dim. 8h-12h 13h30-17h30 ⊶ Geoffroy

DOM. DE LA COUR CÉLESTE 2014

	2000		8 à 11 €

Anciennement Dom. Seguin, cette exploitation a changé de nom en 2008 lorsque Thomas Seguin a succédé à son père, Claude, et s'est associé avec un autre jeune vigneron, Arnaud Nahan. Le tandem est à la tête d'un vignoble de 16 ha.

Finesse au nez, acidité en bouche: ce sont les caractéristiques de ce chablis plein de fraîcheur. À un bouquet de fleurs blanches succède ainsi un palais très minéral, très citronné et un brin amylique. Peu de densité mais une belle énergie. 2016-2019 huîtres

DOM. DE LA COUR CÉLESTE, 3 ter, rue Haute, 89530 Saint-Bris-le-Vineux, tél. 03 86 53 37 39, domainecourceleste@hotmail.fr V r.-v. *Arnaud Nahan*

DOM. JEAN-CLAUDE COURTAULT 2014

	40000		8 à 11 €

Originaire de Touraine, Jean-Claude Courtault arrive dans le Chablisien en 1984 et s'installe à Lignorelles pour fonder son domaine, qui couvre 20 ha aujourd'hui, complété par une activité de négoce. Sa fille Stéphanie et son gendre Vincent Michelet ont créé en parallèle leur propre exploitation (Dom. Michelet): les deux domaines travaillent en synergie, en mutualisant leurs moyens.

Un classique de l'appellation, plaisant au nez avec ses arômes de fruits jaunes et ses notes épicées, riche et gourmand en bouche, stimulé par des notes d'agrumes et une pointe saline en finale. 2016-2019 risotto aux crevettes

DOM. JEAN-CLAUDE COURTAULT, 1, rte de Montfort, 89800 Lignorelles, tél. 03 86 47 50 59, contact@chablis-courtault-michelet.com V r.-v.

DOM. DANIEL DAMPT ET FILS 2014 ★

	90000		8 à 11 €

Issu d'une lignée enracinée dans l'Yonne depuis un siècle et demi, Daniel Dampt a créé son domaine en 1985 conjointement avec Jean Defaix, son beau-père. Il l'a repris à son compte en 1992 avant de bénéficier du renfort de ses deux fils, Vincent en 2002 et Sébastien en 2005. Le vignoble couvre 35 ha.

L'élégance du nez, ouvert sur des notes iodées et citronnées, incite à poursuivre la découverte de ce chablis équilibré, qui allie richesse et finesse. Le fruit, et plus particulièrement les agrumes, donne de la fraîcheur à une bouche ronde et délicate. 2016-2020 sole grillée

DOM. DANIEL DAMPT ET FILS, 1, chem. des Violettes, 89800 Milly-Chablis, tél. 03 86 42 47 23, domaine.dampt.defaix@wanadoo.fr V r.-v.

DAMPT FRÈRES Tradition 2014

	n.c.		8 à 11 €

Un père, Bernard Dampt, vigneron à Collan de 1980 à 1998, comme trois générations avant lui; trois frères, Éric, Emmanuel et Hervé; plusieurs exploitations: une pour chaque frère, une pour la fratrie. Les frères sont indissociables, mais chacun a son rôle à jouer, et tous font leurs propres vins.

Un chablis en finesse et en légèreté, au nez discret mais délicat de fleurs blanches et de fruits jaunes. En bouche, la minéralité (silex) apporte une agréable tension, renforcée par une finale citronnée. 2016-2020 plateau de fruits de mer

EARL DAMPT FRÈRES, rue de Fleys, 89700 Collan, tél. 03 86 55 29 55, vignoble@dampt.com V *t.l.j. 9h-12h 13h30-17h30*

DOM. BERNARD DEFAIX 2014 ★

	80000		11 à 15 €

La maison Defaix est un domaine (converti au bio) ayant pignon sur rue à Milly, repris par Sylvain et Didier Defaix, les fils de Bernard. C'est aussi une maison de négoce créée en parallèle, qui travaille dans le même esprit que le domaine.

Vinifié sur lies fines pendant dix mois, ce chablis séduit d'emblée par sa fraîcheur olfactive, distillée par une belle minéralité et des senteurs d'agrumes. La bouche est bien construite, ample et onctueuse, souple et épicée. 2017-2021 poulet à la crème

DOM. BERNARD DEFAIX, 17, rue du Château, Milly, 89800 Chablis, tél. 03 86 42 40 75, contact@bernard-defaix.com V r.-v.

JEAN DURUP 2014 ★

	19500		11 à 15 €

Établi à Maligny, Jean Durup a repris en 1968 l'exploitation familiale qui comptait alors seulement 2 ha. Aujourd'hui, il conduit 198 ha de vignes sur différents terroirs de Chablis. C'est le domaine indépendant le plus vaste de Bourgogne.

Des vendanges précoces pour ce chablis qui se distingue par sa maturité à l'olfaction, à travers des arômes de vanille et de fruits confits, de poire surtout. Arômes de poire que l'on retrouve avec intensité dans une bouche plus croquante, soulignée par une légère acidité. 2017-2021 fromage de chèvre

SA JEAN DURUP PÈRE ET FILS, 4, Grande-Rue, 89800 Maligny, tél. 03 86 47 44 49, contact@domainesdurup.com V *t.l.j. sf sam. dim. 8h-12h 13h30-17h*

JEAN-PIERRE ET ALEXANDRE ELLEVIN 2014

	15000		5 à 8 €

Si la famille cultive la vigne depuis la nuit des temps, c'est Jean-Pierre Ellevin, à partir de 1975, qui a spécialisé l'exploitation en la dédiant au chardonnay. Son fils Alexandre, qui l'a rejoint en 2003, se charge des vinifications. Le domaine a son siège à Chichée, au sud-est de Chablis, et les 16 ha de vignes s'étendent sur les deux rives du Serein.

Il y a de la matière et de la rondeur dans ce chablis auquel des saveurs de fruits (poire, ananas) apportent de l'onctuosité en bouche. Pour la finesse, il faut surtout se rapprocher du nez et de ses fines senteurs de fleurs blanches. 2017-2021 andouillette au chablis

DOM. ELLEVIN, 7, rue du Pont, 89800 Chichée, tél. 03 86 42 44 24, jean-pierre.ellevin@wanadoo.fr r.-v.

DOM. DE L'ÉRABLE
Vieilles Vignes 2014 ★

| 3400 | | 11 à 15 € |

Un domaine créé en 1986 par Joël Bon à Chassignelles, dans le Tonnerrois. Son fils Julien et son épouse Delphine ont pris le relais en 2005. Ils sont aux commandes aujourd'hui d'un vignoble très pentu et ensoleillé de 14,5 ha.

Des vignes de soixante-dix ans, cela suscite le respect, d'autant qu'elles apportent richesse et rondeur à ce 2014 au nez discret mais élégant d'agrumes. Des agrumes relevés d'épices dans une bouche longue et harmonieuse, qui ne manque pas de vivacité. Un chablis encore un peu jeune, qui ne demande qu'à s'épanouir en cave. 2018-2022 moules à la crème

DOM. DE L' ÉRABLE, 1, rue Émile-Proudhon, 89160 Chassignelles, tél. 09 79 17 67 49, bonj.erable@orange.fr *t.l.j. 9h-12h 14h-18h* *Bon*

CH. DE FLEYS
L'Incontournable 2014 ★

| 5000 | | 8 à 11 € |

Le premier de la lignée, Julien Philippon, venu du Morvan, s'installe en 1868 comme bûcheron et constitue peu à peu le domaine familial. Son petit-fils André achète en 1988 le Ch. de Fleys, un ancien pavillon de chasse. Une belle vitrine qu'il a transmise à ses enfants Béatrice, Benoît et Olivier avec un vignoble de 24 ha implanté à l'est de Chablis, sur la rive droite du Serein.

Coup de cœur pour le millésime 2013, l'Incontournable est à nouveau distingué pour son 2014. Avec une étoile, certes, mais cela témoigne d'une belle constance dans la qualité. Issu d'un élevage mixte (70 % en cuve et 30 % en fût), ce chablis se distingue par sa fraîcheur, sa franchise et son fruité, épaulé par de fines notes crayeuses au nez comme en bouche. De l'énergie et un bel équilibre. 2017-2020 tagliatelles aux langoustines

DOM. DU CH. DE FLEYS, 2, rue des Fourneaux, 89800 Fleys, tél. 03 86 42 47 70, philippon.beatrice@orange.fr *r.-v.* *Philippon*

DOM. FOURNILLON 2014

| 20900 | | 5 à 8 € |

Conduit depuis 2004 par Pascal Fournillon, ce domaine familial couvre 23 ha sur les coteaux du Chablisien, d'Épineuil et de Bernouil dans le Tonnerrois. Fierté des Fournillon, une vigne préphylloxérique de chardonnay, datant de 1835, est toujours présente sur le domaine.

Pas de préliminaires avec ce chablis, le nez séduit d'emblé avec ses arômes de fleur de lys et de fruits mûrs de l'été. La bouche se révèle d'un bon volume, délicate et fraîche, dominée par les agrumes et des notes iodées. Plaisant. 2016-2021 friture de poisson

DOM. FOURNILLON, 34, Grande-Rue, 89360 Bernouil, tél. 03 86 55 50 96, gaec-fournillon-et-fils@wanadoo.fr *t.l.j. 8h-19h*

DOM. FOURREY 2014

| 19000 | | 8 à 11 € |

À Milly, la propriété est adossée au coteau des Lys et à la Côte de Léchet. Héritier de trois générations de vignerons, Jean-Luc Fourrey a repris le domaine familial et ses 23 ha de vignes en 1992. Pratiquant des élevages un peu plus longs chaque année, il cherche à faire des vins équilibrés et puissants.

Au domaine, Jean-Luc Fourrey cherche à garder dans ses cuvées la typicité du cépage et du terroir. De fait, c'est surtout la minéralité qui s'exprime dans ce vin: nez un peu fermé, qui s'ouvre à l'aération sur des notes iodées et épicées, bouche très vive et tonique, sur le silex et les agrumes. À attendre un peu pour lui permettre de se «détendre». 2017-2021 fromage de chèvre sec

DOM. FOURREY, 6, rue du Château, 89800 Milly, tél. 03 86 42 14 80, domaine.fourrey@orange.fr *t.l.j. 10h-12h 14h-17h30; sam. dim. sur r.-v.*

RAOUL GAUTHERIN ET FILS 2014 ★

| 28500 | | 8 à 11 € |

Les Gautherin font du vin depuis huit générations, c'est dire l'enracinement de cette famille dans le vignoble chablisien. Aujourd'hui, c'est Alain, le fils de Raoul, qui est aux commandes de ce domaine de 17 ha.

Un vin très réussi qui ne demande qu'à s'épanouir en cave. Patience donc pour tirer le meilleur de cette cuvée bien structurée. Du citron, du pamplemousse, de l'amande fraîche au nez; du gras et du fruit en bouche, avec une agréable fraîcheur minérale en soutien: il n'en faut pas plus pour assurer un bel équilibre. 2018-2021 truite aux amandes

DOM. RAOUL GAUTHERIN ET FILS, 6, bd Lamarque, 89800 Chablis, tél. 03 86 42 11 86, domainegautherin@wanadoo.fr *r.-v.*

GAUTHERON Cuvée Émeraude 2014 ★

| 10000 | | 11 à 15 € |

Vignerons de père en fils depuis 1809, les Gautheron sont établis à l'est de Chablis. Alain, installé en 1977, représente la sixième génération et Cyril, arrivé en 2001, la septième. Le père et le fils exploitent un domaine qui s'est agrandi (il est passé de 8 à 30 ha entre 1977 et aujourd'hui) et modernisé. Une belle régularité en chablis et en petit-chablis.

Quinze mois d'élevage en cuve pour cette cuvée Émeraude au nez élégant et frais de clémentine et de raisin croquant. La bouche? Droite, tendue, minérale à souhait. Un vin dynamique et harmonieux. 2017-2021 plateau de fruits de mer **2014 (8 à 11 €; 100000 b.)** : vin cité.

SCEV DOM. ALAIN ET CYRIL GAUTHERON, 18, rue des Prégirots, 89800 Fleys, tél. 03 86 42 44 34, vins@chablis-gautheron.com *t.l.j. 8h-12h 13h30-17h; sam. dim. sur r.-v.*

DOM. PHILIPPE GOULLEY 2014 ★

| 8000 | | 11 à 15 € |

Domaine en bio créé en 1991 par Philippe Goulley, exploitant alors en parallèle le Dom. Jean Goulley, converti à l'agriculture biologique plus tard et transmis à sa fille Maud en 2013. Le vignoble couvre 5 ha aux

BOURGOGNE

environs de la Chapelle-Vaupelteigne, au nord-ouest de Chablis.

Un chablis minéral et droit, bien représentatif de l'appellation et des vins de Philippe Goulley. Une minéralité discrète et subtile au nez, plus intense et précise en bouche. Mais il y a aussi du fruit qui ajoute de la rondeur et assure l'équilibre. Un vrai «vin plaisir», incisif et léger. ⧗ 2016-2020 🍴 fromage de brebis

⊶ DOM. PHILIPPE GOULLEY, 11 bis, vallée des Rosiers, 89800 La Chapelle-Vaupelteigne, tél. 03 86 42 40 85, info@goulley.fr V r.-v.

DOM. CÉLINE ET FRÉDÉRIC GUEGUEN 2014

	48000		8 à 11 €

Frédéric Gueguen et son épouse Céline, fille de Jean-Marc Brocard, ont d'abord travaillé pour le compte de ce dernier, notamment au Dom. des Chenevières, avant de décider de voler de leurs propres ailes en 2013. Ils conduisent aujourd'hui un joli vignoble de 23 ha dans le Chablisien et l'Auxerrois.

On a l'impression d'être sur les cailloux du kimméridgien lorsqu'on déguste ce vin fortement imprégné de son terroir. On perçoit une belle minéralité en effet dans ce chablis, de l'élégance aussi avec son nez de fleurs blanches et de fruits jaunes, prolongé par une bouche vive et tonique, encore dynamisée par une finale acidulée. ⧗ 2016-2019 🍴 fromage de chèvre frais

⊶ DOM. CÉLINE ET FRÉDÉRIC GUEGUEN, 31, Grande-Rue-de-Chablis, 89800 Préhy, tél. 03 86 41 45 06, contact@chablis-gueguen.fr V *t.l.j. 9h-13h 14h-19h* 4

DOM. HAMELIN Vieilles Vignes 2014 ★

	22580		8 à 11 €

Héritier d'au moins sept générations de vignerons, Charles Hamelin et son père Thierry conduisent un vignoble de 37 ha sur les communes de Lignorelles, Beine et Poinchy.

Ce chablis est produit à partir de vignes affichant une moyenne d'âge de soixante-dix ans. En ajoutant un peu de fût au moment de l'élevage, on obtient ce vin de caractère, à la fois frais et rond: nez de fruits blancs légèrement citronné, bouche riche et onctueuse dominée par les fruits exotiques, avec en finale une touche plus nerveuse. ⧗ 2018-2022 🍴 foie gras poêlé

⊶ DOM. HAMELIN, 6, rte de Bleigny, 89800 Lignorelles, tél. 03 86 47 54 63, domaine.hamelin@wanadoo.fr V *t.l.j. sf sam. dim. 9h-12h 14h-18h; f. août*

DOM. HEIMBOURGER 2014 ★★

	20000	8 à 11 €

Installée dans l'Yonne, la famille Heimbourger cultive la vigne depuis trois générations. Le domaine a été constitué en 1960 par Pierre Heimbourger et repris en 1994 par son fils Olivier. Il couvre 17 ha dans les appellations bourgogne, irancy et chablis.

Il était dans la course aux coups de cœur, ce chablis à la fois pur et riche, qui a tout d'un grand: un joli nez de fruits jaunes agrémenté de quelques notes beurrées, un palais ample, gourmand et frais, centré sur ces mêmes fruits, avec un trait de minéralité qui le tire vers les sommets. Déjà harmonieux, mais à conserver pour lui permettre de gagner en complexité. ⧗ 2018-2022 🍴 noix de Saint-Jacques

⊶ DOM. HEIMBOURGER, 5, rue de la Porte-de-Cravant, 89800 Saint-Cyr-les-Colons, tél. 03 86 41 40 88, heimbourger@wanadoo.fr V *r.-v.*

LE DOM. D'HENRI Saint-Pierre 2014 ★★

	102000		15 à 20 €

Le nouveau domaine de Michel Laroche, célèbre figure du vignoble chablisien, dont la maison (négoce et domaine) est passée dans le giron du groupe Advini en 2009. Un vignoble constitué à partir d'une quinzaine d'hectares hérités de ses parents, qu'il conduit avec ses deux filles Cécile et Margaux et qu'il a nommé Henri en hommage à son père.

Un peu de fût pour compléter un élevage en cuve Inox de dix mois. Dans le verre, un vin remarquable par son harmonie. Un nez d'abord minéral, puis parsemé de fleurs blanches. En bouche, une matière dense, généreuse et riche, du fruit aussi et toujours cette minéralité qui apporte une belle énergie et de la longueur. ⧗ 2018-2023 🍴 blanquette de lotte

⊶ LE DOM. D' HENRI, rte d'Auxerre, 89800 Chablis, tél. 03 86 40 65 17, contact@ledomainedhenri.fr V *r.-v. ⊶ Michel Laroche*

LAMBLIN 2014 ★

	35000		8 à 11 €

Le village de Maligny se situe au nord de l'aire d'appellation chablis. La famille Lamblin y est établie depuis plus de trois siècles et douze générations. Autant dire que cette maison de négoce fait partie des incontournables du vignoble chablisien.

Ce chablis élégant et équilibré a du mal à se livrer au premier nez, puis l'aération libère des senteurs florales et fruitées. En bouche, la minéralité épouse une matière dense en contrepoint à une finale plus chaleureuse et épicée. ⧗ 2017-2021 🍴 tartare de saumon

⊶ LAMBLIN ET FILS, rue Marguerite-de-Bourgogne, 89800 Maligny, tél. 03 86 98 22 00, infovin@lamblin.com V *t.l.j. sf dim. 8h-12h 14h-17h*

DOM. DES MALANDES Tour du Roy Vieilles Vignes 2014 ★★

	20000		11 à 15 €

Domaine créé en 1949 par André Tremblay, couvrant aujourd'hui 29 ha. Lyne Marchive, fille du fondateur, le dirige seule depuis 1972, épaulée depuis 2007 par l'œnologue Guénolé Breteaudeau. Une valeur sûre du vignoble chablisien, qui collectionne les coups de cœur du Guide.

Un bel exemple de maîtrise de l'élevage mixte en fût et en cuve Inox. Dans le verre, un vin si épatant qu'un dégustateur conseille de le boire pour lui-même... Certes, le nez est assez discret, mais il se dégage une réelle finesse de ses arômes de fruits blancs et d'agrumes. La bouche, d'une grande pureté, est vive sans agressivité, saline, fruitée et épicée. Et quelle longueur! Le coup de cœur fut mis aux voix... ⧗ 2018-2024 🍴 linguine aux palourdes

DOM. DES MALANDES, 63, rue Auxerroise, 89800 Chablis, tél. 03 86 42 41 37, contact@domainedesmalandes.com r.-v. Lyne Marchive

LA MANUFACTURE Vieilles Vignes 2014

	3600		15 à 20 €

Issu d'une famille bien connue dans le Chablisien, enracinée dans la région depuis le XVIIes., Benjamin Laroche, après avoir travaillé à la direction commerciale de plusieurs maisons, entre Bourgogne, Rhône et Languedoc, a créé en 2014 sa maison de négoce à Chablis.

Des notes beurrées et légèrement boisées: ce sont ces arômes qui ressortent en premier à l'olfaction de ce vin qui a bénéficié d'un élevage mixte en cuve et en fût. Mais le boisé est bien maîtrisé, laissant aux agrumes la possibilité de s'exprimer dans une bouche riche et ronde. Atypique mais agréable et cohérent. 2018-2022 volaille en sauce

LA MANUFACTURE, Benjamin Laroche, 40, rte d'Auxerre, 89800 Chablis, tél. 03 86 32 19 50, contact@lamanufacture-vins.fr

DOM. MAUPA 2014 ★

	2660		8 à 11 €

Consacré essentiellement à l'appellation chablis, ce domaine, transmis de père en fils depuis six générations, est situé dans le joli village de Chichée, au sud-est de Chablis. Bruno Maurice est aux commandes depuis 1996.

Un chablis droit et bien représentatif de l'appellation. Le nez très élégant est tout en fleurs blanches. En bouche, la minéralité est au rendez-vous, apportant une fine vivacité et donnant la réplique à une matière ronde et fruitée. 2017-2021 truite aux amandes

EARL DU MAUPA, 6, rte de Chablis, 89800 Chichée, tél. 03 86 42 15 75, maupa.maurice@sfr.fr r.-v. Maurice

DOM. MILLET 2014

	n.c.		8 à 11 €

Philippe Millet, jeune agriculteur beauceron, s'installe à Tonnerre dans les années 1960 et crée son domaine en 1980, à la ferme de Marcault. Ses deux fils Baudouin et Paterne ont pris en 2002 sa succession. Leur domaine couvre 13,7 ha, dont 9 ha en petit-chablis.

Il y a beaucoup de fruit et de fraîcheur dans ce chablis élégant à souhait. Le nez d'agrumes annonce la couleur; agrumes qui animent aussi le palais, vif, minéral, tendu et de bonne longueur. Énergique. 2016-2020 filet de truite au fenouil

SCEA DOM. MILLET, rte de Viviers, ferme de Marcault, 89700 Tonnerre, tél. 03 86 75 92 56, intensement@chablis-millet.com r.-v.

DOM. LOUIS MOREAU 2014

	190000		11 à 15 €

Louis Moreau, installé en 1994, représente la sixième génération d'une famille de propriétaires et négociants installée dans le Chablisien depuis 1814. Il est à la tête de 100 ha répartis en deux domaines (Louis Moreau et Biéville) et dans toutes les appellations chablisiennes.

Élevé dix mois en cuve Inox, ce chablis est bien dans le ton de son appellation, offrant de la finesse, avec un joli nez fruité (agrumes, ananas), de la fraîcheur aussi, notamment en bouche, où une fine acidité minérale succède à une attaque sur la rondeur. 2016-2019 saumon fumé

SARL LOUIS MOREAU, 10, Grande-Rue, 89800 Beine, tél. 03 86 42 87 20, contact@louismoreau.com t.l.j. sf sam. dim. 8h30-12h 13h30-17h; f. août

MOREAU-NAUDET 2014

	50000		15 à 20 €

Des ancêtres vignerons au XVIIes., un aïeul, Alfred Naudet, chargé des délimitations de l'appellation. Le domaine naît du mariage, en 1950, de Marie Naudet avec René Moreau. En 1991, Stéphane Moreau arrive sur l'exploitation. Il porte la superficie du vignoble de 7 ha à 25 ha.

Un chablis des plus classiques avec sa robe or pâle aux reflets brillants et son nez de fruits blancs et d'agrumes. Il a plus de personnalité en bouche, offrant un mariage réussi entre rondeur, onctuosité, fraîcheur minérale et citronnée. 2016-2019 cassolette de fruits de mer

MOREAU-NAUDET, 4, chem. de la Vallée-de-Valvan, 89800 Chablis, tél. 03 86 42 14 83, moreau.naudet@wanadoo.fr r.-v.

DOM. DE LA MOTTE Vieilles Vignes 2014

	20000		11 à 15 €

Henri Michaut a planté les premières vignes en 1946 et a été longtemps coopérateur à La Chablisienne. À sa suite, sa famille s'est lancée avec succès dans la vinification; aujourd'hui, le domaine couvre près de 28 ha et s'est imposé comme une valeur sûre du Chablisien.

Si l'on sent, un peu, le terroir de Beine dans cette bouteille, à travers une pointe de minéralité, ce sont plutôt la douceur et le boisé qui s'expriment ici: sous forme de vanille et de senteurs de sous-bois au nez, de beurre et de grillé en bouche. 2018-2021 escalope de veau à la crème

DOM. DE LA MOTTE, 35, Grande-Rue, 89800 Beine, tél. 03 86 42 49 61, domainemotte@chablis-michaut.fr t.l.j. 10h30-18h30; mer. dim. sur r.-v. Michaut

DOM. JACQUES PICQ ET SES ENFANTS 2014 ★★

	3976		8 à 11 €

Depuis trois générations, la famille Picq exploite un domaine viticole qui compte 15 ha autour de Chichée. Ce village au sud-est de Chablis comporte des 1ers crus intéressants sur les deux rives du Serein.

Un des meilleurs échantillons de l'appellation qui s'est placé sur les rangs au moment d'élire un coup de cœur. Un chablis très harmonieux, qui dégage à la fois de la puissance et de l'élégance. Le fruit et la minéralité sont bien complices à l'olfaction, mais c'est en bouche que ce vin flirte avec les sommets: du volume, du gras, de l'onctuosité, un fruité intense et une superbe fraîcheur minérale qui lui confère une incomparable longueur. 2017-2023 langouste

EARL JACQUES PICQ ET SES ENFANTS, 8, rte de Chablis, 89800 Chichée, tél. 06 22 29 46 72, domaine.picqjacques@gmail.com r.-v.

CHARLÈNE ET LAURENT PINSON 2014

■ | 8660 | 🍾 | 11 à 15 €

Établis dans le Chablisien dès 1640, les Pinson exportaient du vin aux États-Unis en 1880. Louis Pinson constitue son domaine en 1983. Ses fils Laurent et Christophe portent sa superficie de 4 à 14 ha. Charlène Pinson, fille de Laurent, les rejoint en 2008. Complétés depuis 2013 par une gamme de négoce, les vins de la propriété sont régulièrement mentionnés dans le Guide.

C'est sous leur casquette de négociant que Charlène et Laurent Pinson proposent cette cuvée issue de parcelles sélectionnées et de raisins récoltés à la main. Un chablis élégant, au nez bien marqué par son terroir (pierre à fusil), concentré sur les agrumes dans une bouche vive et saline. ⧗ 2016-2019 🍷 terrine de lotte

SARL CHARLÈNE ET LAURENT PINSON, 4, rue de Reugny, 89800 Chablis, tél. 06 21 75 48 33, clpinson-chablis@orange.fr V t.l.j. sf sam. dim. 8h-12h 13h30-17h30

L. & C. POITOUT
Les Vénérées Vieilles Vignes 2014

■ | 2000 | 🍾 | 11 à 15 €

Un jeune domaine créé en 2014 par les époux Poitout (Catherine et Louis), à la tête de 18,5 ha éparpillés du nord au sud du Chablisien; un émiettement qui a conduit les vignerons à pratiquer des vinifications parcellaires.

Premier millésime pour les Poitout et une belle réussite avec ces Vénérées au nez élégant, floral et minéral et à la bouche tendre et légère, soutenue par une pointe d'acidité bien ajustée. Équilibré. ⧗ 2016-2019 🍷 rillettes de saumon

L. & C. POITOUT, 3, rue Laffitte, 89800 Chablis, tél. 09 79 61 62 16, contact@lc-poitout.fr V r.-v.

ISABELLE ET DENIS POMMIER 2014 ★★

■ | 30000 | 🍾 | 8 à 11 €

Établis à Chablis, Isabelle et Denis Pommier exploitent un domaine de 18 ha créé en 1990 et très régulier en qualité. Après avoir conduit quinze ans leur vignoble en lutte raisonnée, ils ont engagé sa conversion à l'agriculture biologique, (certification à partir du millésime 2014).

Avec ce premier millésime certifié bio, les Pommier peuvent être satisfaits de leur cuvée. Un chablis haut de gamme, délicat, ciselé, parfaitement équilibré et d'une longueur admirable. Le nez généreux de fruits mûrs suscite l'envie de poursuivre la dégustation, comblée par un palais plein, rond et riche, mis en relief par une fine minéralité qui apporte beaucoup de fraîcheur. ⧗ 2017-2022 🍷 poularde aux morilles

ISABELLE ET DENIS POMMIER, 31, rue de Poinchy, 89800 Chablis, tél. 03 86 42 83 04, isabelle@denis-pommier.com V r.-v.

DOM. SAINT-GERMAIN 2014 ★★

■ | 9000 | 🍾 | 8 à 11 €

À l'occasion des vendanges 1981, Christophe Ferrari a une révélation: il sera vigneron. Le temps de terminer ses études, il s'installe en 1987 à Irancy comme jeune viticulteur. Il exploite aujourd'hui 21 ha en irancy et en chablis, épaulé par ses fils Janus et Nicolas, arrivés respectivement en 2012 et 2013.

Spécialiste du pinot noir et de l'appellation irancy, Christophe Ferrari tire bien son épingle du jeu avec ce remarquable chardonnay. Un chablis élégant, soyeux, parfaitement équilibré et persistant. Le nez frais, floral et anisé donne le ton. La bouche se met au diapason: le fruit mûr est soutenu par une légère tension minérale qui ajoute de la fraîcheur et de la finesse. ⧗ 2017-2021 🍷 escalope de veau à la crème

CHRISTOPHE FERRARI, 7, chem. des Fossés, 89290 Irancy, tél. 03 86 42 33 43, irancy.ferrari@orange.fr V t.l.j. sf dim. 9h-12h 14h-18h30

CAMILLE ET LAURENT SCHALLER 2014 ★

■ | 2000 | 🍾 | 8 à 11 €

De 1980 à 2014, ce domaine vendait ses moûts à la coopérative. L'arrivée de Camille, fils de Laurent, change la donne et le premier vin élaboré à la propriété sort la même année de la toute nouvelle cuverie.

Première vinification au domaine et première étoile pour Camille et Laurent Schaller avec ce millésime 2014 très représentatif de son terroir. Le bonheur est dans le fruit, l'élégance dans la bouteille. Le nez, d'une grande finesse, associe le chèvrefeuille et la mirabelle. Ces mêmes arômes complétés de notes d'abricot et de nuances salines en finale imprègnent une bouche fraîche, fine et longue. ⧗ 2016-2021 🍷 carpaccio de saint-jacques

DOM. CAMILLE ET LAURENT SCHALLER, 10, rue de la Fontaine, 89800 Prehy, tél. 06 81 85 07 95, camilleschaller@wanadoo.fr V r.-v.

♥ DOM. SÉGUINOT-BORDET 2014 ★★

■ | 90000 | 🍾 | 11 à 15 €

Une des plus anciennes familles du Chablisien, établie à Maligny sur la rive droite du Serein. Jean-François Bordet a repris en 1998 l'exploitation de son grand-père Roger Séguinot. Le domaine couvre aujourd'hui 16 ha, complété par une activité de négoce.

Le meilleur vin de cette sélection selon les palais exigeants de nos dégustateurs. À la fois ample, droit, soyeux et d'une grande persistance, ce 2014 atteint les sommets. La séduction est à tous les étages: au nez, qui s'ouvre sur la fleur et s'épanouit sur le fruit, comme en bouche, où la rondeur du fruit épouse une fine fraîcheur minérale dans un équilibre admirable. ⧗ 2017-2022 🍷 homard ■ **Vieilles Vignes 2014 ★ (11 à 15 €; 6000 b.)** : un vin frais et expressif au nez, sur les agrumes, ample, puissant et généreux en bouche, équilibré par une minéralité bien dosée. ⧗ 2017-2021

DOM. SÉGUINOT-BORDET, 8, chem. des Hâtes, 89800 Maligny, tél. 03 86 47 44 42, j.f.bordet@wanadoo.fr V t.l.j. sf dim. 8h-17h30; sam. sur r.-v.

DOM. DANIEL SÉGUINOT ET FILLES
Deuxmoizelles 2014 ★

	6700		11 à 15 €

Établi à Maligny, Daniel Séguinot s'est installé en 1971 sur le petit domaine familial, qu'il a progressivement développé. Aujourd'hui, ses filles, Émilie, depuis 2003, et Laurence, depuis 2008, assurent la continuité du vignoble qui compte une vingtaine d'hectares.

Une cuvée «clin d'œil» aux deux filles de Daniel Seguinot, qui sont désormais aux manettes. Derrière l'originalité de l'étiquette, il y a la qualité du vin, et ce chablis est particulièrement réussi. Le nez se révèle minéral et bien fruité. La bouche n'a rien à lui envier: ronde, riche, puissante, dense, centrée sur les fruits mûrs, avec une juste acidité en soutien, elle affiche un caractère bien trempé. ⧗ 2017-2022 ▼ foie gras ■ **2014 (8 à 11 €; 20000 b.)** : vin cité.

DOM. DANIEL SÉGUINOT ET FILLES, 9, rue de Méré, 89800 Maligny, tél. 03 86 47 51 40, domaine.danielseguinot@wanadoo.fr V r.-v.

MAISON OLIVIER TRICON 2014 ★

	20000		11 à 15 €

Un négociant chablisien renommé en France comme à l'étranger. Après avoir travaillé dans différents vignobles français et comme maître de chai sur le domaine familial, il a créé son affaire et racheté à sa famille l'important Dom. de Vauroux; 80 % de ses vins sont exportés.

De ce chablis, on retiendra avant tout la franchise, l'élégance et la pureté. Pas d'excentricité mais un rendu typique de son terroir. D'un abord assez discret, le nez s'ouvre à l'aération sur les fleurs blanches et les fruits jaunes agrémentés d'une touche végétale. La bouche? Une belle ligne droite balisée par la minéralité. Tout indiqué pour les produits de la mer. ⧗ 2016-2021 ▼ couteaux ail et persil

MAISON OLIVIER TRICON, rte d'Avallon, 89800 Chablis, tél. 03 86 42 10 37, maison.tricon@gmail.com V r.-v.

CH. DU VAL DE MERCY 2014 ★

	26000		8 à 11 €

En 1680, les vins étaient produits par le Clos du Ch. du Val de Mercy. Établi à Chitry, le nouveau propriétaire du domaine (30 ha) perpétue la tradition viticole au-delà de ses terres pour fournir des vins du Chablisien, de l'Auxerrois et de la Côte de Beaune. Une activité de négoce complète la gamme de la propriété.

Dans cette cuvée, la minéralité est partout. Elle apporte fraîcheur et élégance à un vin qui ne renie pas son appellation et qui ne manque pas non plus de matière, de rondeur et de fruit. Un beau classique. ⧗ 2017-2022 ▼ jambon au chablis

CH. DU VAL DE MERCY, 8, promenade du Tertre, 89530 Chitry-le-Fort, tél. 03 86 41 48 00, roy@valdemercy.com V r.-v.

CH. DE VIVIERS 2014

	35000		11 à 15 €

Un château classique du XVIIe s. et un vignoble dont le vin fut servi au mariage de Louis XV. L'une des propriétés de la maison Lupé-Cholet, fondée en 1903 à Nuits-Saint-Georges par deux aristocrates bourguignons, le comte Mayol de Lupé et le vicomte de Cholet, et forte de 25 ha à Chablis et en Côte-d'Or.

Un vin discret, encore sur la réserve, mais bien réussi. Le fruit, la poire notamment, est présent au nez comme en bouche. On apprécie aussi la rondeur et l'onctuosité du palais qui donne à ce chablis un caractère aimable et gourmand. ⧗ 2017-2020 ▼ terrine de saumon

SCEV CH. DE VIVIERS, 45, rue Auxerroise, 89800 Chablis, tél. 03 80 61 25 05, bourgogne@lupe-cholet.com Lupé-Cholet

DOM. YVON ET LAURENT VOCORET 2014 ★★

	12200		8 à 11 €

Héritier d'une lignée remontant à 1713, conteur patoisant, bon vivant et pilier chablisien, Yvon Vocoret est une figure du vignoble. Depuis 1980, il conduit le domaine familial (25 ha) situé à Maligny, rejoint par son fils Laurent.

Fraîcheur et minéralité: que demander de plus à un chablis? Celui-ci est remarquable dans sa simplicité. Pas de maquillage, mais de la franchise et de la droiture. Le terroir s'exprime d'emblée au nez, avec élégance et intensité. C'est surtout en bouche qu'il impose sa patte incisive mais sans dureté, enrobé par une matière ample, dense et soyeuse. ⧗ 2017-2022 ▼ saint-jacques au chorizo

DOM. YVON ET LAURENT VOCORET, 9, chem. de Beaune, 89800 Maligny, tél. 03 86 47 51 60, domaine.yvon.vocoret@wanadoo.fr V *t.l.j. 9h-18h; dim. sur r.-v.*

BOURGOGNE

CHABLIS PREMIER CRU

Superficie : 770 ha / Production : 43 900 hl

Le chablis 1er cru provient d'une trentaine de lieux-dits sélectionnés pour leur situation et la qualité de leurs produits. Il diffère du précédent moins par une maturité supérieure du raisin que par un bouquet plus complexe et plus persistant, où se mêlent des arômes de miel d'acacia, un soupçon d'iode et des nuances végétales. Le rendement est limité à 50 hl à l'hectare. Tous les vignerons s'accordent à situer l'apogée du chablis 1er cru vers la cinquième année, lorsqu'il «noisette». Les *climats* les plus complets sont Montée de Tonnerre, Fourchaume, Mont de Milieu, Forêt ou Butteaux, et Côte de Léchet.

DOM. GUY ET OLIVIER ALEXANDRE
Fourchaume 2014

	15300		11 à 15 €

Une exploitation familiale qui se transmet depuis trois générations, dirigée depuis 2012 par Olivier Alexandre, fils de Guy. Le vignoble de 13 ha est réparti sur quatre communes.

Un vin sans exubérance. Olivier Alexandre ne va pas chercher midi à quatorze heures. Un nez ouvert, floral, salin et fruité, une minéralité persistante, quelques notes iodées, ce 1er cru est fidèle à son appellation et offre beaucoup de fraîcheur. ⧗ 2017-2020 ▼ andouillette au chablis

DOM. ALEXANDRE, 36, rue du Serein, 89800 La Chapelle-Vaupelteigne, tél. 03 86 42 44 57, info@chablis-alexandre.com V r.-v.

DOM. BACHELIER Les Fourneaux 2013 ★

1600		11 à 15 €

Vignerons de père en fils depuis 1833, les Bachelier conduisent un domaine de 17 ha dans le Chablisien.

Beaucoup de fraîcheur dans ce vin bien équilibré et typé. Le nez est séduisant avec ses arômes de fleurs blanches et d'agrumes. L'élégance se retrouve dans une bouche longue et tout en finesse, où la minéralité du terroir épouse le fruit. De bonne garde assurément. 2018-2022 filet de sole

DOM. BACHELIER, 14, rue Genillotte, 89800 Villy, tél. 03 86 47 49 56, domaine.bachelier@wanadoo.fr V r.-v.

DOM. BARAT Les Fourneaux 2014

6300		11 à 15 €

Angèle Barat et son frère Ludovic ont pris la relève de leurs parents Joëlle et Michel en 2012 et conduisent un vignoble de 21 ha.

Minéral, iodé, salin, c'est un peu la marque de fabrique des vins de la famille Barat. Ce 1er cru est dans la lignée avec son nez élégant, floral et minéral. L'attaque est puissante, la matière de bonne densité et la fraîcheur au rendez-vous. Un vin agréable et équilibré. 2018-2022 poulet aux morilles

DOM. BARAT, 6, rue de Léchet, Milly, 89800 Chablis, tél. 03 86 42 40 07, domaine.barat.angele@orange.fr V r.-v.

ALAIN BESSON Mont de Milieu 2014 ★

5300		11 à 15 €

Petit-fils de tonnelier, fils de vigneron, Alain Besson a pris en main en 1981 le domaine familial constitué par les deux générations précédentes. Après l'avoir agrandi, il dispose de 21 ha qu'il exploite avec ses enfants Camille et Adrien. La première, œnologue, élabore les vins, et le second se charge des vignes.

Il a tout pour plaire ce Mont de Milieu: de l'élégance, de la fraîcheur, de la matière. Le nez mêle des notes d'agrumes et de fleurs blanches. La bouche est ronde, puissante, gorgée de fruits mûrs et soulignée par un trait d'acidité qui apporte équilibre et longueur. Un vin intense et harmonieux. 2019-2024 brochet au beurre blanc

ALAIN BESSON, 8, chem. de Valvan, BP 48, 89800 Chablis, tél. 03 86 42 40 88, domaine-besson@wanadoo.fr V r.-v.

SAMUEL BILLAUD Les Fourneaux 2014 ★

8000		15 à 20 €

Après vingt années passées sur la propriété familiale (le réputé Dom. Billaud-Simon, vendu à Faiveley en 2014), Samuel Billaud a créé sa propre maison de négociant-vinificateur, qui propose un éventail de cuvées à partir de sélections parcellaires.

Citron, fruits jaunes, pierre à fusil, le nez séduit par sa fraîcheur. On retrouve les agrumes puis la coquille d'huître dans une bouche ample et persistante. La typicité du terroir est bien là, enrobée dans une rondeur fruitée. De l'énergie, de l'équilibre et du potentiel. 2017-2024 fruits de mer **Montée de Tonnerre 2014 ★ (15 à 20 €; n.c.)** : un joli nez de fleurs blanches et de pêche, une bouche riche et structurée, avec une belle tension en filigrane. 2018-2022 **Mont de Milieu 2014 (15 à 20 €; 4000 b.)** : vin cité.

SAMUEL BILLAUD, 8, bd Tacussel, 89800 Chablis, tél. 06 37 52 50 32, samuel.billaud@orange.fr V r.-v.

DOM. BILLAUD-SIMON Mont de Milieu 2014 ★

15500		20 à 30 €

Un domaine historique de Chablis, fondé en 1815, qui a connu un grand développement après 1945 avec Jean Billaud et Jules Simon (première mise en bouteilles à la propriété en 1954). Aujourd'hui, 17 ha et toute la hiérarchie des AOC du Chablisien, avec un bel éventail de 1ers crus et de grands crus prestigieux. En 2014, la propriété a été vendue à la maison nuitonne Faiveley. Une valeur sûre du Guide.

Minéral, fruité, racé et bien ciselé, ce vin séduira les palais les plus exigeants. Le nez, citronné, épicé et floral, est à la fois délicat et incisif. La bouche est franche et tonique dès l'attaque, sans manquer pour autant de rondeur et de matière, avec une minéralité intense et persistante en soutien. Bien dans le style de l'appellation. 2019-2024 terrine de homard

DOM. BILLAUD-SIMON, 1, quai de Reugny, BP 46, 89800 Chablis, tél. 03 86 42 10 33, contact@billaud-simon.com *Erwan Faiveley*

LA CHABLISIENNE Côte de Léchet 2013 ★★

55549		15 à 20 €

Cave coopérative regroupant près de 300 vignerons et représentant un quart du vignoble de Chablis, la Chablisienne a fêté ses quatre-vingt-dix ans en 2013. Une structure moderne et performante qui contribue largement à la notoriété de l'appellation. Le grand cru Grenouilles est une de ses têtes d'affiche.

Droit, net, racé, fruité, les qualificatifs ne manquent pas pour décrire ce remarquable 2013. Le nez est tout élégance avec ses arômes de fruits blancs sur fond de minéralité et de boisé fumé. Le fruit frais est toujours bien présent pour donner la réplique à une belle acidité minérale dans une bouche à la fois délicate et énergique. Un vin équilibré, sans exubérance, vibrant, d'une grande précision. 2018-2024 langouste **Fourchaume 2014 (20 à 30 €; 125600 b.)** : vin cité.

LA CHABLISIENNE, 8, bd Pasteur, 89800 Chablis, tél. 03 86 42 89 89, chab@chablisienne.fr V *t.l.j. 9h-12h30 14h-19h*

DOM. DE CHANTEMERLE
L'Homme mort 2014 ★

1600		11 à 15 €

La Chapelle-Vaupelteigne s'étire dans la vallée du Serein, en aval de Chablis. Adhémar Boudin y a créé son domaine au début des années 1960. Son fils Francis a pris la suite en 1980 et s'attache à faire des vins qui parlent de leur terroir à partir d'un vignoble de 17 ha.

Si l'étiquette parcheminée doit dater d'Adhémar, le vin lui ne vieillit pas. On découvre une très belle fraîcheur et du caractère dans cet Homme mort qui a fait la réputation du vigneron. Les arômes d'agrumes que l'on trouve au nez se prolongent dans une bouche franche, vive, intense et longue. ⌛ 2018-2023 🍴 filets de rouget

DOM. DE CHANTEMERLE, 3, pl. des Cotats, 89800 La Chapelle-Vaupelteigne, tél. 03 86 42 18 95, dom.chantemerle@orange.fr r.-v.
Francis Boudin

DOM. DU CHARDONNAY Vaillons 2014

	12000		15 à 20 €

Installés sur 37 ha, Étienne Boileau, William Nahan et Christian Simon conjuguent leurs efforts depuis 1987 pour faire de ce domaine une des valeurs sûres du vignoble chablisien. Le premier d'entre eux est chargé des vinifications.

Tout en vivacité et bien typé chablis. La minéralité se manifeste d'emblée au nez, avec élégance. En bouche, un joli côté iodé s'harmonise avec les agrumes et une touche végétale pour composer un ensemble équilibré et alerte. ⌛ 2017-2020 🍴 fromage de chèvre sec

DOM. DU CHARDONNAY, moulin du Pâtis, 89800 Chablis, tél. 03 86 42 48 03, info@domaine-du-chardonnay.fr t.l.j. sf sam. dim. 8h-12h 13h30-17h; f. août Boileau, Nahan et Simon

DOM. JEAN COLLET ET FILS Montmains 2014 ★

	20000		15 à 20 €

La famille Collet piochait déjà le kimméridgien en 1792. Romain, le petit dernier d'une dynastie de vignerons chablisiens (fils de Gilles, petit-fils de Jean), est depuis septembre 2009 aux commandes de l'exploitation familiale: 40 ha en conversion bio.

Un élevage en cuve qui laisse le terroir s'exprimer. Pas d'exubérance mais de la finesse avec un joli nez de fleurs blanches et d'agrumes. Au palais, on ne se pose pas de questions: l'attaque est franche, droite, le milieu de bouche plus gras et légèrement suave, mais l'acidité reste dominante. Un vin bien construit. ⌛ 2017-2022 🍴 volaille en sauce **Montée de Tonnerre Élevé en fût de chêne 2014 (15 à 20 €; 15000 b.)** : vin cité.

DOM. JEAN COLLET ET FILS, 15, av. de la Liberté, 89800 Chablis, tél. 03 86 42 11 93, collet.chablis@orange.fr t.l.j. sf dim. 9h-12h 13h30-17h30

DOM. DU COLOMBIER Fourchaume 2014 ★

	9000		11 à 15 €

Cette exploitation familiale de 50 ha, qui se transmet de père en fils depuis 1887, est dirigée par trois frères, Jean-Louis, Thierry et Vincent Mothe. Le domaine fait partie des incontournables du vignoble de Chablis, quelle que soit l'appellation.

Un vin à prendre avec précaution tant il est délicat et délié. Un 1er cru qui fleure bon le terroir avec son nez de coquilles d'huîtres agrémenté de notes citronnées. La bouche est une ligne droite, portée par une tension minérale et une belle fraîcheur aux tonalités d'agrumes. Beaucoup de précision et de finesse. ⌛ 2017-2022 🍴 huîtres

DOM. DU COLOMBIER, 42, Grand-Rue, 89800 Fontenay-près-Chablis, tél. 03 86 42 15 04, domaine@chabliscolombier.com t.l.j. 8h-12h 14h-18h; sam. dim. sur r.-v. Mothe

DOM. DE LA CORNASSE Beauroy 2014 ★★

	10000		15 à 20 €

Nathalie, fille aînée d'Alain Geoffroy, producteur bien connu de Beine, a créé son propre vignoble en 2000. Aujourd'hui, elle est aidée de ses deux sœurs, Sylvie et Aurélie, qui l'ont rejointe sur ce domaine de 6 ha très régulier en qualité. Les cuvées sont vinifiées en cuve pour préserver la fraîcheur typique des vins de Chablis.

Un très joli vin, linéaire, précis, d'une belle longueur et d'une étonnante fraîcheur. Le nez s'ouvre sur les fleurs blanches avec quelques nuances citronnées et mentholées. La bouche est gorgée de fruits (agrumes, pêche); l'acidité «terroitée» ne laisse pas sa place et s'équilibre parfaitement avec une matière à la fois dense et délicate. De beaux amers apportent un surcroît de nerf et de complexité en finale. ⌛ 2018-2022 🍴 lotte grillée aux herbes

DOM. DE LA CORNASSE, SARL Alain Geoffroy, 4, rue de l'Équerre, 89800 Beine, tél. 03 86 42 43 76, info@chablis-geoffroy.com t.l.j. sf sam. dim. 8h-12h 13h30-17h30 Geoffroy

JEAN-CLAUDE COURTAULT Beauroy 2014 ★

	5200		11 à 15 €

Originaire de Touraine, Jean-Claude Courtault arrive dans le Chablisien en 1984 et s'installe à Lignorelles pour fonder son domaine, qui couvre 20 ha aujourd'hui, complété par une activité de négoce. Sa fille Stéphanie et son gendre Vincent Michelet ont créé en parallèle leur propre exploitation (Dom. Michelet): les deux domaines travaillent en synergie, en mutualisant leurs moyens.

Un très beau classique que ce 1er cru issu du négoce, au nez frais, fin et mentholé. En bouche, l'acidité met en valeur d'intenses saveurs de fruit épaulées par un boisé fondu. De la longueur et un bel équilibre. ⌛ 2018-2022 🍴 omelette aux champignons **Mont de Milieu 2014 (11 à 15 €; 2900 b.)** : vin cité.

DOM. JEAN-CLAUDE COURTAULT, 1, rte de Montfort, 89800 Lignorelles, tél. 03 86 47 50 59, contact@chablis-courtault-michelet.com r.-v.

DANIEL DAMPT ET FILS Vaillons 2014 ★

	10000		15 à 20 €

Issu d'une lignée enracinée dans l'Yonne depuis un siècle et demi, Daniel Dampt a créé son domaine en 1985, conjointement avec Jean Defaix, son beau-père. Il l'a repris à son compte en 1992 avant de bénéficier du renfort de ses deux fils, Vincent en 2002 et Sébastien en 2005. Le vignoble couvre 35 ha.

Très représentatif de l'appellation, ce Vaillons est construit sur la vivacité. À un nez fin, aux arômes de pêche de vigne agrémentés de quelques notes anisées, répond un palais minéral, au fruité élégant et persistant. Un vin harmonieux qui offre un bon potentiel de garde. ⌛ 2019-2024 🍴 truite aux amandes

DOM. DANIEL DAMPT ET FILS, 1, chem. des Violettes, 89800 Milly-Chablis, tél. 03 86 42 47 23, domaine.dampt.defaix@wanadoo.fr r.-v.

BOURGOGNE

EMMANUEL DAMPT Mont de Milieu 2014 ★★

n.c. | | 11 à 15 €

Les frères Dampt (Éric, Emmanuel et Hervé), de Collan, signent la plupart de leurs vins sous l'étiquette de la fratrie. Cela n'empêche pas les productions individuelles. Celles d'Emmanuel Dampt sont souvent en bonne place dans le Guide.

Un vin droit avec du caractère mais sans exubérance, bien dans le style de ce 1er cru de la rive droite du Serein. D'abord discret, le nez s'épanouit à l'aération sur des arômes de fruits jaunes et d'amande. La bouche se montre ronde et puissante, soulignée par un boisé bien fondu et une belle minéralité. Un vin très harmonieux, bâti pour la garde. ⧗ 2019-2026 🍷 bar rôti

EARL EMMANUEL DAMPT, 3, rte de Tonnerre, 89700 Collan, tél. 03 86 55 29 55, emmanuel@dampt.com V t.l.j. 9h-12h 13h30-17h30

HERVÉ DAMPT Les Fourneaux 2014 ★

n.c. | | 11 à 15 €

Un père, Bernard Dampt, vigneron à Collan de 1980 à 1998, comme trois générations avant lui; trois frères, Éric, Emmanuel et Hervé. Les frères sont indissociables, mais chacun fait ses propres vins. Hervé, le benjamin, s'est installé en 1998 et s'illustre régulièrement dans le Guide.

Un joli nez de fleurs blanches nuancé de notes vanillées ouvre la dégustation. En bouche, on découvre un vin riche, ample, généreux, d'une bonne longueur, vivifié par des saveurs d'agrumes et par une plaisante acidité. Du potentiel. ⧗ 2019-2023 🍷 noix de Saint-Jacques au beurre

EARL HERVÉ DAMPT, rue de Fleys, 89700 Collan, tél. 03 86 55 29 55, vignoble@dampt.com V t.l.j. 9h-12h 13h30-17h30

SÉBASTIEN DAMPT Les Vaillons 2014 ★

5800 | | 15 à 20 €

Installé à Chablis, Sébastien Dampt, fils de Daniel Dampt, vigneron à Milly, conduit depuis 2007 son propre domaine de 7 ha. Sous l'enseigne «Maison Dampt», il a ouvert une maison de négoce qu'il dirige avec son frère Vincent.

On qualifie souvent de «féminins» les vins de ce *climat* au regard de leur fraîcheur et de leur élégance. C'est bien le profil de cette cuvée droite et précise, ancrée dans son terroir. La minéralité s'exerce aussi bien au nez qu'en bouche et répond harmonieusement aux arômes de fruits jaunes et blancs. Une belle typicité et du potentiel. ⧗ 2018-2023 🍷 choucroute de la mer **Côte de Léchet 2014 (15 à 20 €; 5400 b.)** : vin cité.

DOM. SÉBASTIEN DAMPT, 23 C, rue du Château, Milly, 89800 Chablis, tél. 03 86 18 96 50, sebastien@sebastien-dampt.com V r.-v.

DOM. VINCENT DAMPT Côte de Léchet 2014

6400 | | 15 à 20 €

Fils de Daniel Dampt, Vincent Dampt s'est installé en 2004 à Milly, près de Chablis, sur une superficie de 3,5 ha, portée à 6,5 ha aujourd'hui. 80 % des ventes se font à l'export.

Dix mois de cuve pour ce 1er cru de la rive gauche généralement plus «viril» que ses voisins Beauroy et Vaillons. Celui-ci ne manque pas de finesse, notamment au nez, centré sur les fleurs blanches. La bouche est franche, minérale et bien tendue. ⧗ 2017-2021 🍷 huîtres

DOM. VINCENT DAMPT, 19, rue de Champlain, Milly, 89800 Chablis, tél. 03 86 42 47 23, vincent.dampt@sfr.fr V r.-v.

♥ DOM. DAMPT FRÈRES Côte de Juan 2014 ★★

n.c. | | 11 à 15 €

Un père, Bernard Dampt, vigneron à Collan de 1980 à 1998, comme trois générations avant lui; trois frères, Éric, Emmanuel et Hervé; plusieurs exploitations: une pour chaque frère, une pour la fratrie. Les frères sont indissociables, mais chacun a son rôle à jouer, et tous font leurs propres vins.

«Un vin vivant»: le commentaire est pertinent pour qualifier ce 1er cru remarquable qui n'est pourtant pas le plus connu de l'appellation. De cette Côte de Juan (ou Jouan) que les anciens nommaient «Les Landes et Verjuts», les frères Dampt ont tiré le meilleur: un vin séduisant avec son nez frais d'agrumes et de fleurs blanches, et son palais droit, vif, fin, d'une grande précision et d'une longueur épatante. Un modèle du genre, bâti pour durer. ⧗ 2019-2024 🍷 cassolette d'escargots **Vaucoupin 2014 ★ (11 à 15 €; n.c.)** : un vin harmonieux et intense avec son nez de fruits à chair blanche, sa bouche équilibrée, à la fois ronde et minérale. ⧗ 2018-2022 **Fourchaume 2014 ★ (11 à 15 €; n.c.)** : à un nez frais et vanillé répond une bouche au boisé fondu, soulignée par une fine minéralité. ⧗ 2019-2023 **Les Fourneaux 2014 (11 à 15 €; n.c.)** : vin cité.

VIGNOBLE DAMPT FRÈRES, rue de Fleys, 89700 Collan, tél. 03 86 55 29 55, vignoble@dampt.com V t.l.j. 9h-12h 13h30-17h30

DAMPT-DUPAS Fourchaume 2014

n.c. | | 11 à 15 €

L'association Dampt-Dupas est une création (2005) du vignoble Dampt, qui a pignon sur rue à Collan, petit village situé entre Chablis et Tonnerre. Dans des chais très modernes, la famille élève différentes appellations.

Un élevage mixte en cuve et en fût pour un vin qui ne peut pas cacher son identité. Très typé avec son nez frais et minéral, il dévoile une bouche vive et tonique, sur les agrumes et la pierre à fusil. ⧗ 2018-2022 🍷 tourte au chèvre

EARL DAMPT-DUPAS, 3, rte de Tonnerre, 89700 Collan, tél. 03 86 54 49 52, emmanuel@dampt.com V t.l.j. 9h-12h 13h30-17h30

CAVES JEAN ET SÉBASTIEN DAUVISSAT Séchet 2013 ★★

3000 | | 11 à 15 €

Un domaine fondé par les Dauvissat en 1899, à côté du Petit Pontigny. Après Jean, son fils Sébastien est

aux commandes depuis 2004 du vignoble, qui compte 10 ha.

Les Dauvissat sont légion dans le Chablisien, faites attention aux prénoms… Ici Sébastien, qui signe un vin très abouti. Deux ans d'élevage en cuve: il a été chouchouté ce Séchet, 1er cru méconnu de la rive gauche. Le résultat: un nez riche et puissant, ouvert sur des notes citronnées, miellées et épicées, relayé par une bouche dense et intense, d'une longueur admirable. ⧗ 2019-2026 🍴 cassolette de fruits de mer

CAVES JEAN ET SÉBASTIEN DAUVISSAT, 3, rue de Chichée, 89800 Chablis, tél. 03 86 42 14 62, jean.dauvissat@wanadoo.fr V r.-v.

DOM. JEAN DAUVISSAT PÈRE ET FILS
Montmains 2013 ★★

	2800		11 à 15 €

Cette exploitation familiale de 22 ha, qui propose des petit-chablis, des chablis et cinq premiers crus, avait cessé de commercialiser sa production dans les années 1990. L'arrivée de Fabien Dauvissat à la tête de la propriété en 2009 a remis ce domaine sur le devant de la scène chablisienne.

Un 2013 remarquable dont la principale qualité est la franchise. «Un squelette bien dessiné, avec une jolie longueur, qui va droit au but», analyse un dégustateur. Tel n'est pas son seul atout. Il y a certes de la tension minérale dans ce vin au nez comme en bouche, mais aussi une belle rondeur fruitée et légèrement miellée. En définitive, un 1er cru d'une grande harmonie et d'une réelle finesse. ⧗ 2018-2023 🍴 feuilleté de saint-jacques

JEAN DAUVISSAT PÈRE ET FILS, 11, rue de Léchet, 89800 Milly, tél. 03 86 42 12 23, scea.jeandauvissat@orange.fr V r.-v.

DOM. BERNARD DEFAIX
Côte de Léchet 2014 ★★

	50000		20 à 30 €

La maison Defaix est un domaine (converti au bio) ayant pignon sur rue à Milly, repris par Sylvain et Didier Defaix, les fils de Bernard. C'est aussi une maison de négoce créée en parallèle, qui travaille dans le même esprit que le domaine.

Le domaine signe ici une belle cuvée de garde, puissante, opulente et bien charpentée, «une force de la nature» qui doit encore s'affiner. Le boisé est bien maîtrisé, racé, mais encore très présent, un peu atténué toutefois par une fine minéralité et des arômes gourmands de fruits mûrs. Un chablis 1er cru qui lorgne du côté de la Côte de Beaune. ⧗ 2020-2026 🍴 fricassée de veau aux girolles

DOM. BERNARD DEFAIX, 17, rue du Château, Milly, 89800 Chablis, tél. 03 86 42 40 75, contact@bernard-defaix.com V r.-v.

JEAN-PAUL ET BENOÎT DROIN
Vaillons 2014 ★★

	30000		15 à 20 €

Chez les Droin, on est vigneron de père en fils depuis 1620. Si Jean-Paul Droin est devenu l'historien du vignoble de Chablis, son fils Benoît a apporté sa patte à cette exploitation de 25 ha à partir de 1999. Un domaine d'une admirable régularité, qui collectionne les coups de cœur, notamment dans les grands crus.

Quelle ampleur et quelle longueur dans ce vin! Toute la typicité des vins de Chablis transparaît dans cette bouteille. On commence par la fraîcheur et la finesse d'un nez floral et «terroité». Puis on croque dans le fruit, les agrumes notamment, avec ce qu'ils apportent d'acidité, dans une bouche dense et riche, soulignée par la minéralité attendue. Un équilibre parfait et un solide potentiel. ⧗ 2019-2026 🍴 foie gras chaud **Montée de Tonnerre 2014 ★ (20 à 30 €; 12800 b.)** : un vin très harmonieux avec son nez de fruits exotiques et sa bouche puissante, citronnée, étayée par un boisé bien fondu. ⧗ 2018-2024 **Fourchaume 2014 ★ (20 à 30 €; 2500 b.)** : un nez vif et floral, une bouche gourmande, ample et dense, avec une pointe d'acidité bien sentie qui apporte du nerf. ⧗ 2017-2023

JEAN-PAUL ET BENOÎT DROIN, 14 bis, av. Jean-Jaurès, BP 19, 89800 Chablis, tél. 03 86 42 16 78, benoit@jeanpaulbenoit-droin.fr V r.-v.

DURUP Homme mort 2014

	32000		15 à 20 €

Établi à Maligny, Jean Durup a repris en 1968 l'exploitation familiale qui comptait alors seulement 2 ha. Aujourd'hui, il conduit 198 ha de vignes sur différents terroirs de Chablis. C'est le domaine indépendant le plus vaste de Bourgogne.

L'Homme mort n'est autre qu'un 1er cru Fourchaume, mais les vignerons aiment mettre en avant ce nom qui interpelle. Dans le verre, un vin bien vivant, même si son approche olfactive est discrète. En bouche, la vivacité est de mise au travers d'intenses notes citronnées et l'équilibre assuré. ⧗ 2017-2021 🍴 huîtres

SA JEAN DURUP PÈRE ET FILS, 4, Grande-Rue, 89800 Maligny, tél. 03 86 47 44 49, contact@domainesdurup.com V *t.l.j. sf sam. dim. 8h-12h 13h30-17h*

JEAN-PIERRE ET ALEXANDRE ELLEVIN
Vosgros 2014 ★★

	4000		8 à 11 €

Si la famille cultive la vigne depuis la nuit des temps, c'est Jean-Pierre Ellevin, à partir de 1975, qui a spécialisé l'exploitation en la dédiant au chardonnay. Son fils Alexandre, qui l'a rejoint en 2003, se charge des vinifications. Le domaine a son siège à Chichée, au sud-est de Chablis, et les 16 ha de vignes s'étendent sur les deux rives du Serein.

Vosgros est l'un des 1ers crus de la commune de Chichée. Alexandre Ellevin en signe une version aboutie, élevée en cuve et qui restitue, en bouche, tout son terroir. Le nez, frais et plaisant, centré sur les agrumes, compose une approche agréable mais discrète. En revanche, le vin explose au palais, se fait riche, intense, trouvant un juste équilibre entre matière et acidité minérale. Bâti pour la garde. ⧗ 2019-2026 🍴 huîtres

DOM. ELLEVIN, 7, rue du Pont, 89800 Chichée, tél. 03 86 42 44 24, jean-pierre.ellevin@wanadoo.fr V r.-v.

BOURGOGNE

WILLIAM FÈVRE Montmains 2014

n.c. | 20 à 30 €

Valeur sûre du vignoble chablisien, le domaine William Fèvre, producteur et négociant, aujourd'hui propriété de la maison champenoise Henriot, possède un vaste vignoble de près de 80 ha, dont 15,2 ha de grands crus et 15,9 ha de 1ers crus. Didier Séguier, son maître de chai, en élabore les vins avec le souci de la finesse et de la pureté.

Si le nez est fin et frais avec ses notes florales et minérales, la bouche est plus complexe. La rondeur, le fruit et la minéralité contribuent à son élégance, mais l'acidité est pour l'heure encore très marquée et seul le temps l'apaisera. Ce 1er cru gagnera son étoile en cave. ⧗ 2019-2026 plateau de fruits de mer

DOM. WILLIAM FÈVRE, 21, av. d'Oberwesel, 89800 Chablis, tél. 03 86 98 98 98, contact@williamfevre.com V r.-v. *Famille Henriot*

DOM. NATHALIE ET GILLES FÈVRE Mont de Milieu 2014

2000 | 20 à 30 €

Dix générations de vignerons depuis le XVIIIes. et des coopérateurs de père en fils depuis 1923. En 2004, Nathalie et Gilles Fèvre, tous deux œnologues, ont pris la décision de valoriser leur propre production en bouteilles. Ils sont désormais à la tête d'un domaine de 49 ha, dont une quinzaine est conduite en agriculture biologique.

Cette cuvée bien équilibrée demande de la patience pour s'exprimer pleinement. Une fois aérée, elle dévoile un nez plaisant, centré sur les agrumes et l'abricot mûr, et une bouche de bonne longueur et tout en vivacité (minéralité, notes citronnées). ⧗ 2018-2021 seiche à la plancha **Vaulorent 2014 (30 à 50 €; 7000 b.)** : vin cité.

DOM. NATHALIE ET GILLES FÈVRE, rte de Chablis, 89800 Fontenay-près-Chablis, tél. 03 86 18 94 47, fevregilles@wanadoo.fr V r.-v.

CH. DE FLEYS Les Fourneaux 2014 ★

2000 | 11 à 15 €

Le premier de la lignée, Julien Philippon, venu du Morvan, s'installe en 1868 comme bûcheron et constitue peu à peu le domaine familial. Son petit-fils André achète en 1988 le château de Fleys, un ancien pavillon de chasse. Une belle vitrine qu'il a transmise à ses enfants Béatrice, Benoît et Olivier avec un vignoble de 24 ha implanté à l'est de Chablis, sur la rive droite du Serein.

Une petite quantité mais une très belle qualité: des fruits bien mûrs au nez, avec un côté beurré des plus gourmands; une bouche ronde, riche, puissante, avec du fruit qui s'appuie sur une fine minéralité. Un vin complet et long, qui vieillira bien. ⧗ 2019-2024 andouillette

DOM. DU CH. DE FLEYS, 2, rue des Fourneaux, 89800 Fleys, tél. 03 86 42 47 70, philippon.beatrice@orange.fr V r.-v.

♥ DOM. FOURREY Côte de Léchet 2014 ★★

6400 | 11 à 15 €

DOMAINE Fourrey
CHABLIS 1ER CRU
CÔTE DE LECHET
2014

À Milly, la propriété est adossée au coteau des Lys et à la Côte de Léchet. Héritier de trois générations de vignerons, Jean-Luc Fourrey a repris le domaine familial et ses 23 ha de vignes en 1992. Pratiquant des élevages un peu plus longs chaque année, il cherche à faire des vins équilibrés et puissants.

Beaucoup de charme mais aussi du caractère dans ce 1er cru de haut vol, qui ne manque de rien, même si le nez reste un peu en retrait pour l'heure (fruits jaunes mûrs et agrumes à l'aération). La bouche s'exprime d'autant mieux: beaucoup de matière et de gras, un côté soyeux et caressant, du fruit (exotique surtout) et une fine acidité saline en soutien qui apporte du dynamisme. ⧗ 2018-2026 sole grillée beurre noisette **Vaillons 2014 ★ (11 à 15 €; 3200 b.)** : un 1er cru équilibré qui se partage entre les fleurs blanches et les fruits jaunes à l'olfaction, entre les agrumes et la minéralité en bouche. ⧗ 2018-2022 **Mont de Milieu 2014 ★ (11 à 15 €; 3800 b.)** : finesse et fraîcheur au nez; rondeur, richesse et vivacité en bouche: l'équilibre est impeccable et le plaisir assuré dès à présent (et pour longtemps). ⧗ 2017-2022

DOM. FOURREY, 6, rue du Château, 89800 Milly, tél. 03 86 42 14 80, domaine.fourrey@orange.fr V *t.l.j. 10h-12h 14h-17h30; sam. dim. sur r.-v.*

GARNIER ET FILS Montmains 2014 ★★

3000 | 15 à 20 €

Ce domaine a l'âge du Guide: 1985. Première cuverie en 1992. Aujourd'hui 24 ha, conduits par Xavier et Jérôme Garnier. Ici, la priorité est donnée au fruit et au terroir, et l'on a plutôt tendance à laisser faire la nature. Pas de levurage ni de fermentations longues, pas de filtrations non plus.

Les Garnier ne se sont pas trompés avec ce millésime 2014, proposant une belle série de 1ers crus. À commencer par ce Montmains, véritable «vin plaisir», très élégant et typé. Derrière un nez de fruits mûrs, la bouche fait aussi parler la matière, dense et riche, épaulée par une fine vivacité minérale et citronnée et par un boisé parfaitement fondu. Un vin déjà plaisant tout en affichant un solide potentiel. ⧗ 2017-2024 rôti de veau aux asperges **Mont de Milieu 2014 ★ (15 à 20 €; 8000 b.)** : un vin tout en finesse et bien équilibré, au nez floral et fruité (abricot), ample et long en bouche, portée par l'acidité sans manquer de gras et de rondeur. ⧗ 2017-2022 **Côte de Jouan 2014 (15 à 20 €; n.c.)** : vin cité.

SARL GARNIER ET FILS, chem. de Méré, 89144 Ligny-le-Châtel, tél. 03 86 47 42 12, info@chablis-garnier.com V r.-v.

GAUTHERON Mont de Milieu 2014 ★

5000 | 11 à 15 €

Vignerons de père en fils depuis 1809, les Gautheron sont établis à l'est de Chablis. Alain, installé en 1977, représente la sixième génération et Cyril, arrivé en 2001, la septième. Le père et le fils exploitent un domaine

qui s'est agrandi (il est passé de 8 à 30 ha entre 1977 et aujourd'hui) et modernisé. Une belle régularité en chablis et en petit-chablis.

Très expressif et élégant dans l'instant, ce vin est aussi prometteur pour les années futures. Au nez, il ne tergiverse pas: d'intenses arômes de fruits jaunes, tendance abricot. En bouche, on retrouve ces saveurs fruitées dans un lit de fraîcheur. Un 1er cru alerte, expressif, dense et d'une belle longueur. 2017-2022 bouchée à la reine **Les Fourneaux 2014 (11 à 15 €; 15000 b.)** : vin cité.

SCEV DOM. ALAIN ET CYRIL GAUTHERON, 18, rue des Prégirots, 89800 Fleys, tél. 03 86 42 44 34, vins@chablis-gautheron.com V t.l.j. 8h-12h 13h30-17h; sam. dim. sur r.-v.

CAVES GENDRAUD-PATRICE Montmains 2014

	3180		11 à 15 €

Derrière les caves Gendraud-Patrice, un domaine, celui de Daniel Roblot, repris en 2011 par Christophe Patrice et son épouse Aurélie Gendraud. Le vignoble couvre 19 ha.

Un vin agréable dont les qualités gustatives reposent sur la fraîcheur et la finesse. Des nuances d'agrumes s'épanouissent au nez, tandis que la bouche offre un bel équilibre entre une matière fruitée et une acidité minérale bien fondue. 2017-2022 boudin blanc

SARL CAVES GENDRAUD-PATRICE, 52, rte Nationale, 89800 Beine, tél. 06 60 23 37 52, christophe.patrice@orange.fr V r.-v.

DOM. DES GENÈVES Les Fourneaux 2014 ★

	7000		11 à 15 €

La famille Aufrère cultive la vigne depuis cinq générations. Le domaine actuel a été constitué en 1986 par Dominique Aufrère à partir de vignes familiales et il couvre aujourd'hui 17 ha. Stéphane, l'un de ses deux fils, l'a rejoint en 1993, et conduit désormais la propriété.

Très bel équilibre, acidité maîtrisée, voici un vin très réussi et représentatif de son terroir. Au nez, des arômes de fleurs blanches et de fruits se conjuguent à la minéralité des lieux. On les retrouve dans un palais élégant, droit, vif, voire nerveux en finale, mais aussi soyeux. 2017-2022 tartare de saumon **Vaucoupin 2014 (11 à 15 €; 5000 b.)** : vin cité.

SCEA DOM. DES GENÈVES, 3, rue des Fourneaux, 89800 Fleys, tél. 03 86 42 10 15, domainegeneves@wanadoo.fr V r.-v. Aufrère

B DOM. JEAN GOULLEY ET FILS Fourchaume 2013 ★★

	10000		15 à 20 €

Le domaine a été créé en 1985 quand Philippe Goulley a rejoint son père Jean sur la structure familiale. Il s'est équipé d'une cuverie et s'est agrandi, passant de 6 à 14 ha aujourd'hui, entièrement conduit en bio certifié. La succession est assurée avec l'installation en 2013 de Maud, fille de Philippe Goulley.

Un long élevage en cuve (dix-huit mois) pour ce Fourchaume typique de son millésime. Un très joli vin qui passe en revue toute la palette des arômes de l'appellation, notamment des notes de silex, de miel, d'agrumes et de fleurs blanches. Une attaque franche ouvre sur une bouche portée par une minéralité revigorante qui épouse la rondeur du fruit. 2018-2022 volaille aux morilles **Mont de Milieu 2014 ★ (15 à 20 €; 3000 b.) B** : un vin très aromatique (fruits jaunes, agrumes, fleurs blanches, menthol), friand, vif et minéral en bouche, sans manquer de rondeur et de densité. Harmonieux. 2018-2022 **Montmains 2013 (15 à 20 €; n.c.) B** : vin cité.

DOM. JEAN GOULLEY ET FILS, 22, vallée des Rosiers, 89800 La-Chapelle-Vaupelteigne, tél. 03 86 42 40 85, phil.goulley@orange.fr V r.-v.

CORINNE ET JEAN-PIERRE GROSSOT Les Fourneaux 2014 ★

	10000		11 à 15 €

Fondée en 1920 par les grands-parents des actuels vignerons, cette exploitation familiale est conduite depuis 1980 par Jean-Pierre et Corinne Grossot, rejoints par leur fille Ève. Elle dispose d'une belle cave voûtée et de 18 ha de vignes en conversion bio depuis 2012, répartis dans plusieurs terroirs du Chablisien.

Entre Jean-Pierre Grossot et ses Fourneaux, il y a un lien affectif qui n'a rien de culinaire. C'est d'abord le vin de sa commune, Fleys, et il est très typé chablis: il montre beaucoup de finesse et de fraîcheur dans son bouquet floral, anisé et fruité comme dans son palais, élégant et long, encore dynamisé par une finale saline. Un 1er cru à apprécier aussi bien jeune que patiné par le temps. 2017-2023 carpaccio de langoustines **Vaucoupin 2014 (11 à 15 €; 6500 b.)** : vin cité.

CORINNE ET JEAN-PIERRE GROSSOT, 4, rte de Mont-de-Milieu, 89800 Fleys, tél. 03 86 42 44 64, info@chablis-grossot.com V r.-v.

DOM. HAMELIN Beauroy 2014

	26800		11 à 15 €

Héritier d'au moins sept générations de vignerons, Charles Hamelin et son père Thierry conduisent un vignoble de 37 ha sur les communes de Lignorelles, Beine et Poinchy.

Un bon classique que ce Beauroy qui va réclamer un peu de patience. Pour l'heure, il reste plutôt discret au nez, mais l'on sent poindre de fins arômes d'agrumes et de fleurs blanches à l'aération. En bouche, il apparaît bien frais et tonique, porté par une belle minéralité et une finale saline. 2018-2021 ceviche

DOM. HAMELIN, 6, rte de Bleigny, 89800 Lignorelles, tél. 03 86 47 54 63, domaine.hamelin@wanadoo.fr V t.l.j. sf sam. dim. 9h-12h 14h-18h; f. août

LAROCHE Les Vaucoupins 2014 ★

	6700		20 à 30 €

Négociant et producteur, Michel Laroche est l'une des figures du Chablisien. Fort d'un vignoble passé de 6 ha à la fin des années 1960 à 100 ha aujourd'hui, le domaine – fondé en 1850 – a son siège à l'Obédiencerie, un ancien monastère bâti au-dessus d'un caveau du IX[e]s. ayant abrité les reliques de saint Martin. Une signature incontournable des vins de Chablis, entrée en 2009 dans le giron du groupe Advini. Michel Laroche se consacre désormais à sa nouvelle propriété créée à partir de vignes familiales, le Domaine d'Henri.

Un 1er cru délicat et frais, bien représentatif de l'appellation. La séduction opère dès l'olfaction, tournée vers les fruits jaunes, le citron et une minéralité très fine. Une même élégance caractérise la bouche, ronde, dense et généreuse, ouverte sur les fruits blancs bien mûrs, avec en soutien un léger boisé toasté et un trait de minéralité. Subtil sur toute la ligne. ⧗ 2019-2023 ▼ sole meunière

DOM. LAROCHE, 22, rue Louis-Bro, 89800 Chablis, tél. 03 86 42 89 09, chrystel.meunier@larochewines.com V r.-v.

DOM. LONG-DEPAQUIT Les Vaucopins 2014

	24 000		15 à 20 €

Propriété de la maison Albert Bichot depuis 1968, ce domaine de près de 44 ha abrite un château du XVIII[e]s., en plein cœur de Chablis: un cadre idéal pour valoriser ses vins et plus particulièrement ses grands crus.

Fraîcheur, équilibre et élégance caractérisent ce vin classique, bien dans le style de son appellation. Le nez, déjà, signe son terroir. Belle bouche aussi, avec une matière riche et dense qui fait contrepoint à la minéralité. ⧗ 2017-2022 ▼ terrine de poisson

DOM. LONG-DEPAQUIT, 45, rue Auxerroise, 89800 Chablis, tél. 03 86 42 11 13, chateau-long-depaquit@albert-bichot.com V *t.l.j. sf dim. 9h-12h30 14h-18h*
Albert Bichot

DOM. DES MALANDES
Montmains Vieilles Vignes 2014 ★

	9000		15 à 20 €

Domaine créé en 1949 par André Tremblay, couvrant aujourd'hui 29 ha. Lyne Marchive, fille du fondateur, le dirige seule depuis 1972, épaulée depuis 2007 par l'œnologue Guénolé Breteaudeau. Une valeur sûre du vignoble chablisien, qui collectionne les coups de cœur du Guide.

Au nez, les fleurs blanches se conjuguent aux notes boisées de l'élevage. Des arômes que l'on retrouve dans une bouche franche et équilibrée, avec un gras léger, des nuances épicées, une fraîcheur bien ajustée et de la longueur. ⧗ 2018-2022 ▼ jambon persillé

DOM. DES MALANDES, 63, rue Auxerroise, 89800 Chablis, tél. 03 86 42 41 37, contact@domainedesmalandes.com V *r.-v.*
Lyne Marchive

DOM. MAUPA Adroit de Vaucopins 2014 ★

	1300		11 à 15 €

Consacré essentiellement à l'appellation chablis, ce domaine, transmis de père en fils depuis six générations, est situé dans le joli village de Chichée, au sud-est de Chablis. Bruno Maurice est aux commandes depuis 1996.

Ce 1er cru se distingue par un contraste entre le nez et la bouche. Alors que le premier est délicat, frais et exotique, la seconde apparaît suave, ronde, charnue, soutenue par une heureuse acidité minérale qui assure l'équilibre et souligne la longueur de la finale. ⧗ 2017-2021 ▼ noix de Saint-Jacques

EARL DU MAUPA, 6, rte de Chablis, 89800 Chichée, tél. 03 86 42 15 75, maupa.maurice@sfr.fr V *r.-v.* *Maurice*

LA MEULIÈRE Mont de Milieu 2014 ★

	19 100		15 à 20 €

Neuf générations de vignerons se sont succédé sur ce domaine dont l'origine remonte à 1777. C'est Ulysse qui débuta la mise en bouteille au domaine, en 1926. Depuis 2000, ce sont les frères Laroche, Nicolas (au chai) et Vincent (à la vigne), qui gèrent l'exploitation située à Fleys, au sud-est de Chablis, et ses 24 ha de vignes.

«Artisan-vigneron», précise l'étiquette. Nicolas et Vincent Laroche sont bien des artisans du vin avec leurs vendanges manuelles et leur volonté de révéler le terroir et rien d'autre en pratiquant un élevage en cuve. De fait, la minéralité est la ligne directrice de ce 2014 légèrement mentholé au nez, fin, racé, dominé par une acidité soutenue en bouche. Prometteur. ⧗ 2019-2023 ▼ huîtres **Vaucoupin 2014 (15 à 20 €; 4250 b.)** : vin cité.

DOM. DE LA MEULIÈRE, 18, rte de Mont-de-Milieu, BP 25, 89800 Fleys, tél. 03 86 42 13 56, contact@chablis-meuliere.com V *t.l.j. 8h-12h 13h30-18h* *Nicolas et Vincent Laroche*

LOUIS MICHEL ET FILS Forêts 2013 ★★

	6000		20 à 30 €

La famille Michel est établie à Chablis depuis 1850 et six générations. C'est aujourd'hui Guillaume qui est aux commandes, à la tête d'un vignoble de 25 ha établi sur les deux rives du Serein, avec des parcelles dans trois grands crus et cinq 1ers crus. Une tradition familiale depuis plusieurs décennies: l'élevage en cuve de tous les vins, pour favoriser la précision et la fraîcheur.

Superbe, ce Forêts 2013 est d'une grande élégance et d'une rare pureté. Le nez, expressif et fin, associe nuances de coquilles d'huîtres et notes d'herbe fraîche. En bouche, une longue ligne droite minérale traverse une matière dense et soyeuse et apporte une intense vivacité. Chablis à son meilleur et pour longtemps. ⧗ 2019-2026 ▼ terrine de langoustes **Butteaux Vieilles Vignes 2013 ★★ (20 à 30 €; 2500 b.)** : un nez floral et minéral, une bouche vive et élégante, d'une puissance et d'une longueur remarquables. Un 1er cru bâti pour la garde et les produits de la mer. ⧗ 2019-2026

LOUIS MICHEL ET FILS, 9, bd de Ferrières, 89800 Chablis, tél. 03 86 42 88 55, contact@louismicheletfils.com V *t.l.j. sf sam. dim. 8h30-12h 13h30-17h30; f. août*

J. MOREAU ET FILS Mont de Milieu 2013

	1690		15 à 20 €

Difficile de s'y retrouver à Chablis entre toutes les familles Moreau. Fondé en 1814 par Jean-Joseph Moreau, ce négoce, le plus ancien du Chablisien et d'une régularité sans faille, est devenu propriété du groupe Boisset en 1997.

Un vin fidèle aux caractéristiques de son millésime. Le nez est flatteur et généreux avec ses arômes de fleurs blanches rehaussés de notes de miel et de fruits confits. Dès lors, on n'est pas surpris de découvrir une bouche ronde, riche et gourmande, dans laquelle l'acidité reste en retrait. ⧗ 2017-2021 ▼ blanquette de veau

J. MOREAU ET FILS, rte d'Auxerre, 89800 Chablis, tél. 03 86 42 88 05, depuydt.l@jmoreau-fils.com

t.l.j. sf sam. dim. 8h-12h 14h-16h; f. août
Boisset FGV

SYLVAIN MOSNIER Côte de Léchet 2014 ★

	4522		11 à 15 €

D'abord professeur de mécanique, Sylvain Mosnier, petit-fils de vignerons, a repris en 1978 les vignes de son grand-père et agrandi son domaine autour de Beine. Sa fille Stéphanie a quitté son métier d'ingénieur pour revenir en 2005 sur l'exploitation, qui compte aujourd'hui 18,5 ha. Elle vinifie depuis 2007.

Puissant, très aromatique, sur les fleurs blanches, les fruits confits, des notes vanillées et mentholées, le nez constitue une belle entrée en matière. Une impression de concentration qui se prolonge en bouche à travers une rondeur aux accents d'agrumes et de fruits bien mûrs; la minéralité vient en renfort et assure l'équilibre. 2017-2021 marinière d'écrevisses **Beauroy 2014 (11 à 15 €; 6626 b.)** : vin cité.

EARL SYLVAIN MOSNIER, 36, rte Nationale, 89800 Beine, tél. 03 86 42 43 96, sylvain.mosnier@libertysurf.fr r.-v.

DOM. DE LA MOTTE Beauroy 2014 ★

	15000		11 à 15 €

Henri Michaut a planté les premières vignes en 1946 et a été longtemps coopérateur à la Chablisienne. À sa suite, sa famille s'est lancée avec succès dans la vinification; aujourd'hui, le domaine couvre près de 28 ha et s'est imposé comme une valeur sûre du Chablisien.

Dans son style rond et riche, un vin flatteur et rassembleur. On y trouve un nez floral, un brin exotique et minéral, une bouche gourmande, charnue et vanillée, avec en soutien ce trait d'acidité qui signe l'appellation et apporte l'équilibre. 2018-2022 fromage de chèvre

DOM. DE LA MOTTE, 35, Grande-Rue, 89800 Beine, tél. 03 86 42 49 61, domainemotte@chablis-michaut.fr t.l.j. 10h30-18h30; mer. dim. sur r.-v. Michaut

CHARLY NICOLLE Les Fourneaux 2014 ★★

	14000		11 à 15 €

Les arrière-grands-parents de Charly Nicolle cultivaient déjà la vigne. À la suite des générations précédentes, le jeune vigneron s'est lancé dans l'aventure. Installé à Fleys, à l'est de Chablis, il a quitté le domaine familial de La Mandelière en 2001 pour voler de ses propres ailes, choyant ses 11 ha de chardonnay, et s'est imposé comme une valeur sûre du Chablisien.

Il a frôlé le coup de cœur (obtenu dans le millésime précédent), ce Fourneaux de Charly Nicolle. Un vin sans détour, droit et précis, tout en étant soyeux et élégant. Les fruits mûrs donnent le ton à l'olfaction, agrémentés de notes toastées et beurrées. La bouche conjugue une rondeur raffinée avec une belle minéralité qui apporte de la vivacité sur toute la longueur. Complet et complexe. 2018-2023 koulibiac de saumon **Mont de Milieu 2014 (11 à 15 €; 5300 b.)** : vin cité.

DOM. CHARLY NICOLLE, 17, rue des Prégirots, 89800 Fleys, tél. 09 54 94 40 83, charly.nicolle@gmail.com r.-v.

DOM. OUDIN Vaugiraut 2014 ★★

	4500		11 à 15 €

Dans cette exploitation familiale où les filles ont pris la mesure de l'héritage, Nathalie Oudin a été la première à s'investir en 2007. Sa sœur Isabelle l'a rejointe en 2012. Leur domaine couvre 9 ha.

Récolté dans la commune de Chichée, le 1er cru Vaugiraut est de la même «famille» que les Vosgros. Élevé en cuve, ce très joli vin s'exprime sur la fraîcheur et l'élégance. Le nez de fleurs blanches est très délicat, aérien, et la bouche tout en finesse, portée par une minéralité bien lissée et par une finale revigorante. 2018-2023 saint-jacques au beurre blanc

DOM. OUDIN, 5, rue du Pont, 89800 Chichée, tél. 03 86 42 44 29, domaine.oudin@wanadoo.fr r.-v.

JACQUES PICQ ET SES ENFANTS Vaucoupin 2014 ★

	3964		8 à 11 €

Depuis trois générations, la famille Picq exploite un domaine viticole qui compte 15 ha autour de Chichée. Ce village au sud-est de Chablis comporte des 1ers crus intéressants sur les deux rives du Serein.

Un vin très plaisant, parfaitement équilibré et représentatif de son millésime. Relativement discret, le nez hésite entre la fleur et le fruit. En bouche, la fraîcheur minérale fait contrepoids à une matière ronde et gourmande. 2017-2021 cassolette d'escargots

EARL JACQUES PICQ ET SES ENFANTS, 8, rte de Chablis, 89800 Chichée, tél. 06 22 29 46 72, domaine.picqjacques@gmail.com r.-v.

DOM. PINSON FRÈRES Fourchaume 2014 ★★

	3712		15 à 20 €

Établis dans le Chablisien dès 1640, les Pinson exportaient du vin aux États-Unis en 1880. Louis Pinson constitue son domaine en 1983. Ses fils Laurent et Christophe portent sa superficie de 4 à 14 ha. Charlène Pinson, fille de Laurent, les rejoint en 2008. Complétés régulièrement par une gamme de négoce, les vins de la propriété sont régulièrement mentionnés dans le Guide.

De la gourmandise, de l'exubérance et un équilibre irréprochable, ce Fourchaume est excellent. Le nez, très chablisien, s'exprime avec intensité sur la fraîcheur, la minéralité et le fruit. En bouche, une rondeur tendre et caressante est de mise, renforcée par des notes de fruits mûrs et par un boisé bien fondu qui apporte de la profondeur et de la complexité. 2019-2024 blanquette de veau

DOM. PINSON FRÈRES, 5, quai Voltaire, 89800 Chablis, tél. 03 86 42 10 26, contact@domaine-pinson.com t.l.j. sf dim. 8h-12h 13h30-17h30; sam. sur r.-.v

L. ET C. POITOUT Vaucoupin Stellaris 2014

	2000		15 à 20 €

Un jeune domaine créé en 2014 par les époux Poitout (Catherine et Louis), à la tête de 18,5 ha éparpillés du nord au sud du Chablisien; un émiettement qui a conduit les vignerons à pratiquer des vinifications parcellaires.

BOURGOGNE

Élégant et classique, ce 1er cru est porté par une minéralité bien chablisienne. Encore fermé, le nez hésite entre les fleurs blanches et les fruits blancs. La bouche est plus expressive, concentrée sur le fruit, vive et tranchante, encore un brin austère en finale. ⧗ 2018-2021 ꟸ terrine d'asperges

L. & C. POITOUT, 3, rue Laffitte, 89800 Chablis, tél. 09 79 61 62 16, contact@lc-poitout.fr V r.-v.

ISABELLE ET DENIS POMMIER
Troesmes 2014

| n.c. | 15 à 20 €

Établis à Chablis, Isabelle et Denis Pommier exploitent un domaine de 18 ha créé en 1990 et très régulier en qualité. Après avoir conduit quinze ans leur vignoble en lutte raisonnée, ils ont engagé sa conversion à l'agriculture biologique, (certification à partir du millésime 2014).

Ne cherchez pas plus loin, le 1er cru Troesmes est sur l'aire du Beauroy. Les Pommier en proposent une version riche et généreuse, qui demande de la patience. Nez frais et floral; bouche ample et intense, avec une pointe d'acidité et un fond boisé aux tonalités vanillées en soutien. ⧗ 2019-2024 ꟸ rôti de veau aux girolles

ISABELLE ET DENIS POMMIER, 31, rue de Poinchy, 89800 Chablis, tél. 03 86 42 83 04, isabelle@denis-pommier.com V r.-v.

♥ DOM. DENIS RACE
Montmains 2014 ★★

| 23300 | 11 à 15 €

Régulièrement distingué dans le Guide, Denis Race exploite 18 ha en Chablisien. Sa fille Claire a rejoint le domaine familial en 2005. Ensemble, ils mettent autant de passion dans l'élaboration de leurs petit-chablis que dans celles de leurs 1ers crus et de leurs grands crus. Une valeur sûre.

À l'heure de délibérer pour élire les coups de cœur, les 1ers crus étaient nombreux sur les rangs; ce Montmains de Denis Race a fait l'unanimité et est monté sur la plus haute marche, devant tous les autres candidats. Le fin du fin de cette sélection en somme. Un vin épatant d'ampleur et de vivacité, ouvert sans réserve sur les fruits blancs bien mûrs, les agrumes et la minéralité. Arômes agrémentés de notes beurrées et briochées dans une bouche ronde, tendre, onctueuse, gourmande en diable, avec en soutien une pointe d'acidité qui garantit la fraîcheur et l'équilibre. ⧗ 2018-2023 ꟸ navarin de homard **Vaillon 2014 ★★ (11 à 15 €; 7900 b.)** : un 1er cru d'une parfaite harmonie, soyeux, délicat, gras sans être lourd, épaulé par la minéralité qui signe l'appellation. ⧗ 2017-2023 **Mont de Milieu 2014 ★ (11 à 15 €; 7900 b.)** : une belle minéralité au service du fruit (agrumes, pêche), qui vient souligner une matière ronde et souple. ⧗ 2017-2021

DENIS RACE, 5, rue de Chichée, 89800 Chablis, tél. 03 86 42 45 87, domaine@chablisrace.com V r.-v.

RÉGNARD Montmain 2014 ★★

| 32000 | 20 à 30 €

La maison Régnard (négoce et domaine) a pignon sur rue à Chablis depuis 1860. Elle a été rachetée en 1984 par Patrick de Ladoucette, bien connu dans le Centre-Loire, également présent dans d'autres vignobles, notamment bourguignons.

Un vin élégant, séducteur, bâti sur les piliers de l'appellation: minéralité, matière, vivacité. Rien ne manque. Le nez, de prime abord fermé, s'ouvre à l'aération sur des arômes de fleurs blanches, d'agrumes et de fruits jaunes. La bouche offre beaucoup de densité et une aimable rondeur, tandis qu'une fine tension minérale apporte équilibre et fraîcheur. ⧗ 2018-2022 ꟸ dos de sandre au beurre blanc **Fourchaume 2014 ★ (20 à 30 €; 12000 b.)** : puissant au nez (fruits mûrs, épices, miel, aubépine), soyeux en bouche, ample et bien structuré, avec une minéralité discrète en soutien, un vin complet et très équilibré. ⧗ 2017-2021 **Mont de Milieu 2014 (20 à 30 €; 12000 b.)** : vin cité.

RÉGNARD, 28, bd Tacussel, 89800 Chablis, tél. 03 86 42 10 45, regnard.chablis@wanadoo.fr V *t.l.j. 10h-12h30 13h30-18h*
de Ladoucette

♥ DOM. ROY
Fourchaume 2014 ★★

| 5300 | 11 à 15 €

Héritier d'une lignée de vignerons remontant à l'Empire, Fernand Roy crée ce domaine en 1920, sur la rive droite du Serein, au nord de Chablis. Aujourd'hui, l'exploitation compte 18 ha; elle est conduite par les troisième et quatrième générations: Claude Roy, épaulé par David et Karine.

Coup de cœur pour le 2013, coup de cœur pour le 2014, le 1er cru Fourchaume a trouvé son Roy. Remarquable d'élégance, ce vin propose un nez minéral, floral et fruité (fruits jaunes mûrs) d'une belle intensité. Cependant, ce sont surtout sa grande précision et son équilibre très assuré en bouche qui le distinguent: une fine tension minérale apporte de la vivacité à une matière ronde, dense, riche en fruits mûrs. Et quelle longueur ! Un grand vin de garde. ⧗ 2019-2026 ꟸ sole meunière

SCEA DOM. ROY, 71, Grand-Rue, 89800 Fontenay-près-Chablis, tél. 03 86 42 10 36, domaine.roy@orange.fr V *r.-v.*

D. SÉGUINOT L'Homme mort 2014 ★

| 2700 | 15 à 20 €

Établi à Maligny, Daniel Séguinot s'est installé en 1971 sur le petit domaine familial, qu'il a progressivement développé. Aujourd'hui, ses filles, Émilie, depuis 2003, et Laurence, depuis 2008, assurent la continuité du vignoble qui compte une vingtaine d'hectares.

Un vin de caractère qui affirme sa personnalité au travers d'un nez bien ouvert sur les fruits blancs et la réglisse. La bouche, très concentrée, offre du volume, du gras et une pointe acidulée qui donne de la longueur. ⧗ 2018-2023 🍷 rôti de veau à la crème

DOM. DANIEL SÉGUINOT ET FILLES, 9, rue de Méré, 89800 Maligny, tél. 03 86 47 51 40, domaine.danielseguinot@wanadoo.fr V ⚑ ▮ *r.-v.*

DOM. SERVIN Mont de Milieu 2014 ★

	2591		15 à 20 €

Fondé au XVIIᵉs., ce domaine de 35 ha conduit aujourd'hui par François Servin possède des parcelles dans quatre des sept grands crus de Chablis. Ses vins sont régulièrement mentionnés dans le Guide.

Toute la tension du terroir dans cette jolie bouteille. Le nez est d'une grande fraîcheur, très minéral et fruité (zeste de citron). Une fraîcheur qui s'installe aussi en bouche dans le sillage d'une acidité très fine. Un vin racé et nerveux. ⧗ 2018-2022 🍷 plateau de fruits de mer ■ **Vaillons 2014 (11 à 15 €; 14 500 b.)** : vin cité.

DOM. SERVIN, 20, av. d'Oberwesel, 89800 Chablis, tél. 03 86 18 90 00, contact@servin.fr V ⚑ ▮ *t.l.j. sf. sam. dim. 8h-12h 13h30-17h30*

SIMONNET-FEBVRE Montmains 2014 ★

	48 233		15 à 20 €

Reprise en 2003 par Louis Latour, cette maison de négoce-éleveur fondée en 1840 et dirigée aujourd'hui par Jean-Philippe Archambaud est une référence en Chablisien. Une solide renommée qui dépasse largement les frontières de France, 85 % de la production partant à l'export.

Minéral à souhait, mais aussi floral et fruité (agrumes), le nez de ce 1ᵉʳ cru très harmonieux respire le terroir. La bouche développe une belle rondeur, avec un beau retour des nuances terroitées de pierre à fusil qui apportent tension et droiture. ⧗ 2018-2023 🍷 huîtres gratinées ■ **Mont de Milieu 2014 ★ (15 à 20 €; 7772 b.)** : tout en fraîcheur, franc et vif, centré sur des notes minérales et citronnées, un 1ᵉʳ cru énergique. ⧗ 2018-2022

SIMONNET-FEBVRE, 9, av. d'Oberwesel, 89800 Chablis, tél. 03 86 18 95 69, caveau @simonnet-febvre.com V ⚑ ▮ *t.l.j. sf dim. lun. 10h-12h 14h30-18h30*

DOM. GÉRARD TREMBLAY Beauroy 2014 ★★

	2500		11 à 15 €

Gérard Tremblay s'est longtemps partagé entre les vignes héritées de ses parents et les voitures de rallye, son autre passion. Son épouse Hélène et lui ont passé le relais en 2010 à leurs enfants Éléonore et Vincent.

Un vin fin et harmonieux, explosif en bouche. Le nez, frais et floral, constitue une élégante entrée en matière. Le palais, friand, net et droit, est plus expressif encore avec ses saveurs intenses d'agrumes et sa longue finale sur la minéralité. De bonne garde assurément. ⧗ 2018-2024 🍷 gratin de fruits de mer ■ **Côte de Léchet 2014 ★ (11 à 15 €; 20 000 b.)** : c'est la minéralité qui porte ce vin flatteur, vivant, persistant, d'une intense fraîcheur. ⧗ 2018-2023 ■ **Fourchaume 2014 (11 à 15 €; 35 000 b.)** : vin cité.

DOM. GÉRARD TREMBLAY, 12, rue de Poinchy, 89800 Chablis, tél. 03 86 42 40 98, gerard.tremblay@wanadoo.fr V ⚑ ▮ *t.l.j. sf dim. 10h-12h 14h-17h*

DOM. DE VAUROUX Montmains 2013

	n.c.		11 à 15 €

Ce domaine a été créé en 1960 par la famille Tricon, encore aux commandes aujourd'hui: c'est Oliver Tricon, par ailleurs négociant, qui le dirige. Exposé au sud, le vignoble couvre 46 ha de vignes et compte des parcelles dans des 1ᵉʳˢ crus réputés et en grand cru.

Les abeilles auraient-elles butiné son nez floral pour que l'on retrouve autant de nuances de miel dans ce 1ᵉʳ cru? Cela donne un vin agréable, qui a trouvé son équilibre entre le gras, la richesse et une pointe de fraîcheur minérale. ⧗ 2017-2021 🍷 blanquette de veau

DOM. DE VAUROUX, rte d'Avallon, 89800 Chablis, tél. 03 86 42 10 37, maison.tricon@gmail.com V ▮ *r.-v.*

DOM. VERRET
Beauroy L'Âme du Domaine 2013

	2800		15 à 20 €

La famille Verret cultive la vigne depuis deux siècles et demi dans l'Yonne. Pionnier dans le vignoble de l'Auxerrois pour la mise en bouteille et la commercialisation directe pratiquées dès les années 1950, ce vaste domaine (60 ha) demeuré familial fréquente très régulièrement les pages du Guide, notamment pour ses irancy, saint-bris, bourgogne-côtes d'Auxerre et bourgogne-aligoté.

Un élevage exclusivement en fût pour ce vin bien charpenté et encore bien marqué par le bois. Pour autant, le nez est élégant avec ses notes vanillées. Quant à la bouche, elle aussi dominée par le fût, elle affiche une aimable rondeur, compensée par une acidité bienveillante et par une finale d'une belle vivacité. ⧗ 2018-2023 🍷 œufs brouillés aux truffes

SARL BRUNO VERRET, 13, rte de Champs, 89530 Saint-Bris-le-Vineux, tél. 03 86 53 77 31, dverret@domaineverret.com V ▮ *t.l.j. sf dim. 8h-12h 14h-18h* 🏠 Ⓔ

CH. DE VIVIERS Vaillons Monopole 2014

	3200		15 à 20 €

Un château classique du XVIIes. et un vignoble dont le vin fut servi au mariage de Louis XV. L'une des propriétés de la maison Lupé-Cholet, fondée en 1903 à Nuits-Saint-Georges par deux aristocrates bourguignons, le comte Mayol de Lupé et le vicomte de Cholet, et forte de 25 ha à Chablis et en Côte-d'Or.

Inutile de trop attendre, ce vin est d'ores et déjà agréable. Le nez est discret mais élégant; la bouche est friande, droite et fraîche avec ses saveurs d'agrumes et de fruits secs, sans toutefois manquer de rondeur. ⧗ 2016-2019 🍷 fromage de chèvre

SCEV CH. DE VIVIERS, 45, rue Auxerroise, 89800 Chablis, tél. 03 80 61 25 05, bourgogne@lupe-cholet.com *Lupé-Cholet*

GUILLAUME VRIGNAUD
Fourchaume Les Vaupulans 2014 ★

	5200		15 à 20 €

Les Vrignaud ont planté leurs premières vignes en 1955. Ils ont débuté en 1999 la vente en bouteilles avec l'arrivée de Guillaume à la tête du domaine. Les 23 ha de vignes sont conduits en bio certifié depuis 2013.

Les Vaupulans sont inclus dans le climat de Fourchaume. Guillaume Vrignaud en a tiré un vin d'une belle vivacité. La minéralité accompagne les fleurs blanches à l'olfaction, puis les fruits blancs et le bois en bouche, dans un bel exercice d'équilibre et avec beaucoup de finesse et de fraîcheur. 2017-2022 beignets de langoustines **Fourchaume 2014 (15 à 20 €; 19500 b.)** : vin cité.

GUILLAUME VRIGNAUD, 10, rue de Beauvoir, 89800 Fontenay-près-Chablis, tél. 03 86 42 15 69, guillaume@domaine-vrignaud.com r.-v.

CHABLIS GRAND CRU

Superficie : 103 hl / Production : 5 200 hl

Issu des coteaux les mieux exposés de la rive droite, divisés en sept lieux-dits – Blanchot, Bougros, Les Clos, Grenouilles, Les Preuses, Valmur, Vaudésir –, le chablis grand cru possède à un degré plus élevé toutes les qualités des précédents, la vigne se nourrissant d'un sol enrichi par des colluvions argilo-pierreuses. Quand la vinification est réussie, un chablis grand cru est un vin complet, à forte persistance aromatique, auquel le terroir confère un tranchant qui le distingue de ses rivaux de la Côte-d'Or. Sa capacité de vieillissement stupéfie, car il peut exiger huit à quinze ans pour s'apaiser, s'harmoniser et acquérir un inoubliable bouquet de pierre à fusil, voire, pour Les Clos, de poudre à canon !

DOM. BESSON Les Clos 2014

	1200		20 à 30 €

Petit-fils de tonnelier, fils de vigneron, Alain Besson a pris en main en 1981 le domaine familial constitué par les deux générations précédentes. Après l'avoir agrandi, il dispose de 21 ha qu'il exploite avec ses enfants Camille et Adrien. La première, œnologue, élabore les vins, et le second se charge des vignes.

Un peu de fût et dix-huit mois de cuve pour obtenir ce grand cru plaisant, surtout en bouche. Au nez, on a l'impression que ce vin se cherche, entre les fruits jaunes, les fleurs blanches et quelques notes grillées et iodées. La bouche est plus structurée, avec de la matière, de l'acidité et un boisé bien fondu. 2018-2022 pavé de cabillaud rôti

ALAIN BESSON, 8, chem. de Valvan, BP 48, 89800 Chablis, tél. 03 86 42 40 88, domaine-besson@wanadoo.fr r.-v.

DOM. BILLAUD-SIMON Vaudésir 2013

	2500		50 à 75 €

Un domaine historique de Chablis, fondé en 1815, qui a connu un grand développement après 1945 avec Jean Billaud et Jules Simon (première mise en bouteilles à la propriété en 1954). Aujourd'hui, 17 ha et toute la hiérarchie des AOC du Chablisien, avec un bel éventail de 1ers crus et de grands crus prestigieux. En 2014, la propriété a été vendue à la maison nuitonne Faiveley. Une valeur sûre du Guide.

Un vin agréable, sans fioritures, un peu discret. Le nez est floral et frais, légèrement épicé. De belle longueur, la bouche associe des impressions de gras, des notes de miel et des sensations de vivacité, marquée en finale par une légère amertume. 2017-2021 rôti de porc au miel

DOM. BILLAUD-SIMON, 1, quai de Reugny, BP 46, 89800 Chablis, tél. 03 86 42 10 33, contact@billaud-simon.com Erwan Faiveley

LA CHABLISIENNE
Château Grenouilles 2012 ★

	31343		50 à 75 €

Cave coopérative regroupant près de 300 vignerons et représentant un quart du vignoble de Chablis, la Chablisienne a fêté ses quatre-vingt-dix ans en 2013. Une structure moderne et performante qui contribue largement à la notoriété de l'appellation. Le grand cru Grenouilles est une de ses têtes d'affiche.

Le Château Grenouille est un monopole de la cave coopérative sur la côte des grands crus. Un vin rare qui ne ressemble à aucun autre parce qu'il a une forte personnalité. Il est généralement exubérant, ce qui n'est pas le cas de ce millésime 2012, encore dominé par le fût et ses notes vanillées. Un boisé fondu, certes, qui laisse cependant peu de place au fruit et à la minéralité. Surprenant, mais agréable. 2018-2023 langoustines

LA CHABLISIENNE, 8, bd Pasteur, 89800 Chablis, tél. 03 86 42 89 89, chab@chablisienne.fr t.l.j. 9h-12h30 14h-19h

DOM. JEAN COLLET ET FILS Valmur 2014 ★

	3000		30 à 50 €

La famille Collet piochait déjà le kimméridgien en 1792. Romain, le petit dernier d'une dynastie de vignerons chablisiens (fils de Gilles, petit-fils de Jean), est depuis septembre 2009 aux commandes de l'exploitation familiale: 40 ha en conversion bio.

Ce Valmur introduit dans un univers de minéralité, une minéralité sans agressivité qui laisse s'exprimer les notes vanillées et grillées de l'élevage, présentes aussi bien au nez qu'en bouche. Un boisé maîtrisé qui sert de support à ce vin riche, vif et élégant. 2017-2023 huîtres gratinées

DOM. JEAN COLLET ET FILS, 15, av. de la Liberté, 89800 Chablis, tél. 03 86 42 11 93, collet.chablis@orange.fr t.l.j. sf dim. 9h-12h 13h30-17h30

DOM. DU COLOMBIER
Bougros 2014 ★★

	8000		20 à 30 €

Cette exploitation familiale de 50 ha, qui se transmet de père en fils depuis 1887, est dirigée par trois frères, Jean-Louis, Thierry et Vincent Mothe. Le domaine fait partie des incontournables du vignoble de Chablis, quelle que soit l'appellation.

Un vin tout en finesse qui correspond bien à la typicité des Bougros, le grand cru le plus à l'ouest, offrant une expression simple et pure de la minéralité. Une minéralité teintée de fruits exotiques au nez, que prolonge une bouche gourmande avec ses saveurs grillées, toastées et beurrées léguées par la barrique. La tension du millésime est bien présente dans ce vin de terroir. ⧗ 2019-2023 ♈ filet de perche poché

⊶ *DOM. DU COLOMBIER, 42, Grand-Rue, 89800 Fontenay-près-Chablis, tél. 03 86 42 15 04, domaine@chabliscolombier.com* V *t.l.j. 8h-12h 14h-18h; sam. dim. sur r.-v.* ⊶ *Mothe*

EMMANUEL DAMPT Les Preuses 2013

	n.c.		20 à 30 €

Les frères Dampt (Éric, Emmanuel et Hervé), de Collan, signent la plupart de leurs vins sous l'étiquette de la fratrie. Cela n'empêche pas les productions individuelles. Celles d'Emmanuel Dampt sont souvent en bonne place dans le Guide.

Un grand cru riche et bien équilibré mais plutôt original. Le nez explore le sous-bois avant de se fixer sur les fleurs et les fruits blancs. Le palais est à la fois droit et gras, riche et miellé en attaque et tendu par une belle acidité en finale. ⧗ 2018-2022 ♈ poulet aux écrevisses

⊶ *EARL EMMANUEL DAMPT, 3, rte de Tonnerre, 89700 Collan, tél. 03 86 55 29 55, emmanuel@dampt.com* V *t.l.j. 9h-12h 13h30-17h30* B

MAISON DAMPT Les Clos 2014 ★

	1500		30 à 50 €

Installé à Chablis, Sébastien Dampt, fils de Daniel Dampt, vigneron à Milly, conduit depuis 2007 son propre domaine de 7 ha. Sous l'enseigne «Maison Dampt», il a ouvert une maison de négoce qu'il dirige avec son frère Vincent.

Le nez, d'une élégance discrète, dévoile une pointe de vanille laissée par le séjour du vin en fût. Le boisé est également bien assimilé au palais. Souple et ronde en attaque, la bouche est ensuite marquée par une tension subtile qui étire la finale. ⧗ 2019-2023 ♈ boudin blanc **Valmur 2014 (20 à 30 €; 3000 b.)** : vin cité.

⊶ *SARL MAISON DAMPT, 1, chem. des Violettes, Milly, 89800 Chablis, tél. 03 86 42 47 23, maison.dampt@orange.fr* V *r.-v.*

DOM. DAMPT FRÈRES
Les Preuses 2014 ★

	n.c.		20 à 30 €

Un père, Bernard Dampt, vigneron à Collan de 1980 à 1998, comme trois générations avant lui; trois frères, Éric, Emmanuel et Hervé; plusieurs exploitations: une pour chaque frère, une pour la fratrie. Les frères sont indissociables, mais chacun a son rôle à jouer, et tous font leurs propres vins.

Servi par un boisé bien fondu, ce grand cru frais et minéral montre un grand respect du terroir. Sa fraîcheur se manifeste d'abord dans le fruité intense du nez, sur les fruits blancs et le zeste de citron. On retrouve les agrumes dans une bouche consistante et gourmande, aux arômes toastés et beurrés (35 % d'élevage en barrique) à laquelle l'acidité apporte équilibre, finesse, vivacité et longueur. ⧗ 2019-2023 ♈ bar au four

⊶ *VIGNOBLE DAMPT FRÈRES, rue de Fleys, 89700 Collan, tél. 03 86 55 29 55, vignoble@dampt.com* V *t.l.j. 9h-12h 13h30-17h30* B

BERNARD DEFAIX Vaudésir 2013

	800		30 à 50 €

La maison Defaix est un domaine (converti au bio) ayant pignon sur rue à Milly, repris par Sylvain et Didier Defaix, les fils de Bernard. C'est aussi une maison de négoce créée en parallèle, qui travaille dans le même esprit que le domaine.

Une belle maîtrise de l'élevage sous bois transparaît dans cette microcuvée harmonieuse, élevée seize mois en fût. Le nez s'ouvre sur les fleurs blanches et les fruits frais, soulignés de quelques arômes de pain grillé. Assez dense, dominée par le fruit, la bouche trouve son équilibre dans une acidité bien présente en finale. ⧗ 2018-2022 ♈ paupiettes de veau aux champignons

⊶ *DOM. BERNARD DEFAIX, 17, rue du Château, Milly, 89800 Chablis, tél. 03 86 42 40 75, contact@bernard-defaix.com* V *r.-v.*

♥ **JEAN-PAUL ET BENOIT DROIN**
Vaudésir 2014 ★★★

	7400		20 à 30 €

Chez les Droin, on est vigneron de père en fils depuis 1620. Si Jean-Paul Droin est devenu l'historien du vignoble de Chablis, son fils Benoît a apporté sa patte à cette exploitation de 25 ha à partir de 1999. Un domaine d'une admirable régularité, qui collectionne les coups de cœur, notamment dans les grands crus.

Un nouveau coup de cœur pour Benoît Droin, pour ce Vaudésir déjà au sommet dans le millésime précédent. Le 2014 atteint la perfection, avec un nez toasté et grillé d'une puissance sans égale et une bouche au diapason, ample et dense, où le grillé souligne la richesse de la matière. Si la tension minérale semble peu marquée, l'acidité est bien là, portant loin la finale d'une exceptionnelle longueur. La classe. ⧗ 2019-2028 ♈ foie gras **Les Clos 2014 ★ (30 à 50 €; 9800 b.)** : un vin précis qui allie finesse et complexité au nez (fleurs blanches, pêche, citron, notes grillées) et puissance en bouche. Rondeur, minéralité et fraîcheur. ⧗ 2019-2026 **Valmur 2014 ★ (20 à 30 €; 4600 b.)** : un nez élégant aux nuances de noisette et d'amande grillée; une bouche ronde et délicate offrant une belle minéralité et un boisé bien fondu, à l'unisson de l'olfaction. ⧗ 2019-2026 **Grenouille 2014 (30 à 50 €; 3200 b.)** : vin cité.

⊶ *JEAN-PAUL ET BENOÎT DROIN, 14 bis, av. Jean-Jaurès, BP 19, 89800 Chablis, tél. 03 86 42 16 78, benoit@jeanpaulbenoit-droin.fr* V *r.-v.*

DOM. NATHALIE ET GILLES FÈVRE
Les Preuses 2013 ★

	3800		50 à 75 €

Dix générations de vignerons depuis le XVIII[e]s. et des coopérateurs de père en fils depuis 1923. En 2004, Nathalie et Gilles Fèvre, tous deux œnologues, ont pris la décision de valoriser leur propre production en

BOURGOGNE

bouteilles. Ils sont désormais à la tête d'un domaine de 49 ha, dont une quinzaine est conduite en agriculture biologique.

Malgré une minéralité mesurée, ce vin est bien représentatif de son appellation, avec son nez discret laissant percer des notes de fruits exotiques et de citron confit. On retrouve le fruit en attaque, prélude à une bouche à la fois généreuse et fraîche, tendue par une pointe d'acidité donnant du nerf à la finale. ⧗ 2018-2022 🍴 homard

⊶ DOM. NATHALIE ET GILLES FÈVRE, rte de Chablis, 89800 Fontenay-près-Chablis, tél. 03 86 18 94 47, fevregilles@wanadoo.fr V *r.-v.*

ROLAND LAVANTUREUX Vaudésir 2014 ★

	3000		30 à 50 €

Valeur sûre du Guide, cette exploitation est située à Lignorelles, aux confins nord du Chablisien. Après un stage au fameux Clos des Lambrays, Arnaud Lavantureux a rejoint son père Roland sur le domaine de 20 ha où il assure depuis 2010 les vinifications. Son frère David gère quant à lui le développement commercial. Une structure de négoce complète la production.

Une faible quantité, mais une réelle qualité pour ce vin élevé uniquement en fût. Le boisé est encore très présent à tous les stades de la dégustation, ce qui n'enlève rien à l'élégance de ce grand cru au joli nez de fruits secs et au palais rond et gras, vivifié par une belle acidité. ⧗ 2018-2023 🍴 sole grillée

⊶ ROLAND LAVANTUREUX, 4, rue Saint-Martin, 89800 Lignorelles, tél. 03 86 47 53 75, domaine.lavantureux@gmail.com V *t.l.j. sf dim. 8h-12h 14h-18h; sam. sur r.-v.*

♥ DOM. LONG-DEPAQUIT Les Blanchots 2014 ★★

	5500		30 à 50 €

Propriété de la maison Albert Bichot depuis 1968, ce domaine de près de 44 ha abrite un château du XVIIIe s., en plein cœur de Chablis: un cadre idéal pour valoriser ses vins et plus particulièrement ses grands crus.

Seul grand cru exposé à l'est, Blanchot donne des vins ensoleillés, plutôt chaleureux. Ce qui n'exclut pas la délicatesse – qualité qui vaut un coup de cœur à cette bouteille. Si ce vin est encore peu expressif au nez, fermé sur un léger boisé, il s'impose par sa bouche caressante, aux arômes gourmands de fruits mûrs, ample en attaque, pointue en finale, dévoilant un parfait équilibre entre le gras et la minéralité. «L'élevage est magnifique et discret», souligne un dégustateur. On pourra apprécier cette bouteille dès l'apéritif. ⧗ 2019-2025 🍴 tartare de saint-jacques

⊶ DOM. LONG-DEPAQUIT, 45, rue Auxerroise, 89800 Chablis, tél. 03 86 42 11 13, chateau-long-depaquit@albert-bichot.com V *t.l.j. sf dim. 9h-12h30 14h-18h*
⊶ Albert Bichot

DOM. DES MALANDES Vaudésir 2014

	4500		30 à 50 €

Domaine créé en 1949 par André Tremblay, couvrant aujourd'hui 29 ha. Lyne Marchive, fille du fondateur, le dirige seule depuis 1972, épaulée depuis 2007 par l'œnologue Guénolé Breteaudeau. Une valeur sûre du vignoble chablisien, qui collectionne les coups de cœur du Guide.

Tout l'attrait de ce vin est dans le fruit. Fruits blancs, poire en tête, abricot, se disputent le nez et se prolongent en bouche, avec plus de discrétion. Le palais, d'un beau volume, offre ce qu'il faut de fraîcheur, même si la vivacité apparaît mesurée. Les accords seront plutôt côté terre que côté mer. ⧗ 2018-2021 🍴 carré de veau aux girolles

⊶ DOM. DES MALANDES, 63, rue Auxerroise, 89800 Chablis, tél. 03 86 42 41 37, contact@domainedesmalandes.com V *r.-v.*
⊶ Lyne Marchive

LOUIS MICHEL ET FILS Vaudésir 2013 ★★

	5200		30 à 50 €

La famille Michel est établie à Chablis depuis 1850 et six générations. C'est aujourd'hui Guillaume qui est aux commandes, à la tête d'un vignoble de 25 ha établi sur les deux rives du Serein, avec des parcelles dans trois grands crus et cinq 1ers crus. Une tradition familiale depuis plusieurs décennies: l'élevage en cuve de tous les vins, pour favoriser la précision et la fraîcheur.

Guillaume Michel met un point d'honneur à élever ses grands crus en cuve. Tout simplement pour retrouver ce que les racines de chardonnay vont puiser dans le terroir. Une démarche convaincante, à en juger par ce remarquable Vaudésir d'une rare fraîcheur. Fleurs blanches, touches végétales, minéralité, fruits frais teintés d'exotisme (ananas), le nez complexe déploie tout un éventail d'arômes qui jouent la même partition tonique. La bouche reste dans une belle continuité, tendue par une fine acidité jusqu'à la finale longue et salivante. ⧗ 2019-2026 🍴 cabillaud rôti aux agrumes

⊶ LOUIS MICHEL ET FILS, 9, bd de Ferrières, 89800 Chablis, tél. 03 86 42 88 55, contact@louismicheletfils.com V *t.l.j. sf sam. dim. 8h30-12h 13h30-17h30; f. août*

DOM. LOUIS MOREAU Les Clos 2012 ★

	5000		30 à 50 €

Louis Moreau, installé en 1994, représente la sixième génération d'une famille de propriétaires et négociants installée dans le Chablisien depuis 1814. Il est à la tête de 100 ha répartis en deux domaines (Louis Moreau et Biéville) et dans toutes les appellations chablisiennes.

Dix-huit mois d'élevage en cuve pour ce grand cru issu du négoce, qui a déjà de la bouteille. Un vin gourmand qui a atteint sa maturité. Entre fleurs blanches, minéralité et touches épicées, le nez ne manque pas de charme. La bouche, gourmande, penche du côté du fruit mûr et de la rondeur, laissant la minéralité à l'arrière-plan; autant de caractères qui s'accorderont avec les produits de la mer cuisinés et les plats en sauce. ⧗ 2018-2021 🍴 dos de sandre rôti

⊶ SARL LOUIS MOREAU, 10, Grande-Rue, 89800 Beine, tél. 03 86 42 87 20, contact@louismoreau.com V *t.l.j. sf sam. dim. 8h30-12h 13h30-17h; f. août*

J. MOREAU ET FILS Valmur 2014 ★

	2680		30 à 50 €

Difficile de s'y retrouver à Chablis entre toutes les familles Moreau. Fondé en 1814 par Jean-Joseph Moreau, ce négoce, le plus ancien du Chablisien et d'une régularité sans faille, est devenu propriété du groupe Boisset en 1997.

Le millésime du bicentenaire de la maison, fermenté pour 30 % en fût de réemploi. On peut tout attendre (ou tout craindre) d'un vin boisé. Dans cette cuvée, l'apport du chêne est positif dans la mesure où il se fond dans le gras du vin. Au nez, il se traduit par de jolies notes grillées et vanillées qui laissent percer le fruit, et en bouche, par des notes épicées. Le bois vient aussi soutenir une matière gourmande, à laquelle une belle acidité apporte dynamisme et longueur. Un bel exercice d'équilibre. ⧗ 2018-2026 ¥ escalope à la crème et au citron

J. MOREAU ET FILS, rte d'Auxerre, 89800 Chablis, tél. 03 86 42 88 05, depuydt.l@jmoreau-fils.com
V t.l.j. sf sam. dim. 8h-12h 14h-16h; f. août
Boisset FGV

RÉGNARD Les Clos 2014 ★

	6000		30 à 50 €

La maison Régnard (négoce et domaine) a pignon sur rue à Chablis depuis 1860. Elle a été rachetée en 1984 par Patrick de Ladoucette, bien connu dans le Centre-Loire, également présent dans d'autres vignobles, notamment bourguignons.

Sans avoir une forte personnalité, ce grand cru séduit par son élégance. Fleurs blanches et minéralité apportent fraîcheur et finesse au nez. Un subtil grillé agrémente une bouche gourmande et minérale, qui montre un très bel équilibre. ⧗ 2019-2022 ¥ cuisses de grenouilles **Grenouilles 2014 (30 à 50 €; 3000 b.)** : vin cité.

RÉGNARD, 28, bd Tacussel, 89800 Chablis, tél. 03 86 42 10 45, regnard.chablis@wanadoo.fr
V t.l.j. 10h-12h30 13h30-18h de Ladoucette

DOM. GUY ROBIN ET FILS Blanchot Vieilles Vignes 2014

	1160		20 à 30 €

Denise et Guy Robin, deux figures du vignoble chablisien, ont passé la main en 2007. Leur fille Marie-Ange a quitté les bureaux pour revenir à la terre. Celle de l'exploitation familiale avec ses 20 ha et de nombreux grands crus dans une cave riche de quelque 120 fûts de chêne.

Au nez, c'est l'heure du petit-déjeuner: grillé, toasté, beurré, toute la gamme d'un boisé suave se déploie. Il faut attendre la mise en bouche pour découvrir le fruit. Il est bien là, dans toute sa rondeur, sa richesse, sa puissance. La finale montre une grande persistance aromatique, un peu marquée par ce boisé appuyé. ⧗ 2019-2022 ¥ poularde aux morilles

EARL DOM. GUY ROBIN, 13, rue Berthelot, 89800 Chablis, tél. 03 86 42 12 63, contact@domaineguyrobin.com V r.-v.

DOM. ROY Les Preuses 2014

	1500		15 à 20 €

Héritier d'une lignée de vignerons remontant à l'Empire, Fernand Roy crée ce domaine en 1920, sur la rive droite du Serein, au nord de Chablis. Aujourd'hui, l'exploitation compte 18 ha; elle est conduite par les troisième et quatrième générations: Claude Roy, épaulé par David et Karine.

Un grand cru élevé en cuve, qui mise sur l'élégance plutôt que sur la puissance. Le nez délicat se partage entre les fleurs blanches et les fruits exotiques. Cette finesse se retrouve en bouche, grâce à une fraîcheur minérale qui contrebalance des sensations d'ampleur et de gras dominantes en attaque. Un vin bien équilibré. ⧗ 2019-2022 ¥ escalope sauce citron **Bougros 2014 (15 à 20 €; 450 b.)** : vin cité.

SCEA DOM. ROY, 71, Grand-Rue, 89800 Fontenay-près-Chablis, tél. 03 86 42 10 36, domaine.roy@orange.fr V r.-v.

SÉGUINOT-BORDET Vaudésir 2014

	1300		30 à 50 €

Une des plus anciennes familles du Chablisien, établie depuis 1590 à Maligny, sur la rive droite du Serein. Jean-François Bordet a repris en 2002 l'exploitation de son grand-père Roger Séguinot, qui compte aujourd'hui 16 ha. Il l'a complétée d'une activité de négoce qui lui permet d'élargir la gamme des vins du domaine.

Ce grand cru provient de la partie négoce. Fruits frais, fleurs blanches, minéralité, boisé appuyé, le nez intense, foisonnant, contraste avec une bouche élancée, fraîche, nette, vive et tendue, portée par la minéralité. Avec les années, le boisé très présent devrait se fondre. Il est donc conseillé de garder cette bouteille en cave. ⧗ 2020-2026 ¥ langouste grillée

SARL J.-F. BORDET, 8, chem. des Hâtes, 89800 Maligny, tél. 03 86 47 44 42, j.f.bordet@wanadoo.fr
V t.l.j. sf dim. 8h-17h30; sam. sur r.-v.; f. 15 août-31 sept.

CH. DE VIVIERS Les Blanchots 2014

	1200		30 à 50 €

Un château classique du XVII[e]s. et un vignoble dont le vin fut servi au mariage de Louis XV. L'une des propriétés de la maison Lupé-Cholet, fondée en 1903 à Nuits-Saint-Georges par deux aristocrates bourguignons, le comte Mayol de Lupé et le vicomte de Cholet, et forte de 25 ha à Chablis et en Côte-d'Or.

Un vin bien réussi malgré sa discrétion. Encore sur sa réserve, le nez laisse percer des parfums de fruits jaunes sur fond de minéralité. On retrouve ces tons de fruits mûrs dans une bouche gourmande, plus ronde que longue. ⧗ 2019-2022 ¥ cassolette d'escargots au chablis

SCEV CH. DE VIVIERS, 45, rue Auxerroise, 89800 Chablis, tél. 03 80 61 25 05, bourgogne@lupe-cholet.com Lupé-Cholet

DOM. VOCORET ET FILS Blanchot 2014

	12000		20 à 30 €

Les Vocoret se succèdent depuis quatre générations. Installé dans les locaux de l'ancienne coopérative laitière de Chablis, leur domaine (40 ha) a pour originalité d'élever ses vins dans des foudres et des demi-muids. De grands contenants qui permettent d'arrondir le boisé.

Il y a de la finesse dans ce nez minéral bien typé avec ses nuances de coquilles d'huîtres. On est bien à Chablis, ce que confirme la bouche tendue et fraîche. Un grand cru plaisant, marqué par son terroir. L'accord gourmand s'impose. ⧗ 2018-2026 ♈ huîtres ■ **Les Clos 2014 (20 à 30 €; 7000 b.)** : vin cité.

⊶ *DOM. VOCORET ET FILS, 40, rte d'Auxerre, 89800 Chablis, tél. 03 86 42 12 53, contact@ domainevocoret.com* V ⚐ ■ *t.l.j. sf dim. 8h-12h 14h-18h*

IRANCY

Superficie : 165 ha / Production : 6 800 hl

Ce petit vignoble situé à une quinzaine de kilomètres au sud d'Auxerre a vu sa notoriété confirmée, devenant AOC communale. Les vins d'Irancy ont acquis une réputation en rouge, grâce au césar (ou romain), cépage local datant peut-être du temps des Gaules. Ce dernier est assez capricieux; lorsqu'il a une production faible à normale, il imprime un caractère particulier au vin et, surtout, lui apporte un tanin permettant une très longue conservation. Lorsqu'il produit trop, il donne difficilement des vins de qualité; c'est la raison pour laquelle il n'a pas fait l'objet d'une obligation dans les cuvées. Le pinot noir, principal cépage de l'appellation, donne sur les coteaux d'Irancy un vin de qualité, très fruité, coloré. Les caractéristiques du terroir sont surtout liées à la situation topographique du vignoble, qui occupe essentiellement les pentes formant une cuvette au creux de laquelle se trouve le village. Le terroir déborde sur les deux communes voisines de Vincelotte et de Cravant, où les vins de la Côte de Palotte sont particulièrement réputés.

BAILLY-LAPIERRE 2013

■ | 40000 | 8 à 11 €

Aujourd'hui, 430 vignerons apportent leurs raisins à la cave de Bailly-Lapierre, qui fut à l'origine du crémant-de-bourgogne. Le principal élaborateur d'effervescents de la région, la coopérative propose une vaste gamme de crémants de qualité, qui reposent dans les immenses galeries souterraines d'une ancienne carrière calcaire. Elle fournit aussi des vins tranquilles. Une valeur sûre.

De l'élégance dans cet irancy en robe légère, couleur rouge cerise. Les fruits rouges à noyau dominent tant au nez qu'en bouche, ajoutant un côté gourmand à cette cuvée charnue et friande, qui s'exprime surtout sur la fraîcheur. ⧗ 2016-2020 ♈ œufs en meurette

⊶ *CAVES BAILLY-LAPIERRE, hameau de Bailly, quai de l'Yonne, 89530 Saint-Bris-le-Vineux, tél. 03 86 53 76 55, nathaliec@bailly-lapierre.fr* V ⚐ ■ *t.l.j. 9h (sam. dim. 10h)-12h 14h-18h30*

BARDET ET FILS 2013

■ | 2440 | 🛢 | 8 à 11 €

Les frères Bardet, Philippe et Michel, exploitent des vignes depuis 1991 à Préhy, mais leur caveau de dégustation est situé dans la petite cité de Noyers-sur-Serein. Leurs fils respectifs, Damien et Alexandre, ont rejoint le domaine familial de 8 ha, complété par une activité de négoce en 2009.

C'est avec sa casquette de négociant que la famille Bardet propose cet irancy élevé en cuve pendant vingt mois, qui assemble le pinot noir à une goutte de césar (5 %). Un vin charmeur au nez avec ses notes de violette et de fruits rouges. En bouche, la vivacité donne la réplique à une matière ronde et charnue dans un bel équilibre. ⧗ 2017-2021 ♈ coq au vin

⊶ *BARDET ET FILS, Ferme de la Borde, 89310 Noyers-sur-Serein, tél. 03 86 82 61 49, vins.bardet@free.fr* V ⚐ ■ *r.-v.*

P.-L. ET J.-F. BERSAN 2014

■ | 1800 | 🛢 | 11 à 15 €

Ce jeune domaine (19 ha de vignes), aussi maison de négoce, a été créé en 2010 par Pierre-Louis Bersan et son père Jean-François, issus d'une famille implantée à Saint-Bris depuis… 1453. Depuis, leurs vins fréquentent régulièrement ces pages.

C'est le type d'irancy que l'on servira volontiers sur de la charcuterie à l'heure du casse-croûte. Son nez de fruits rouges, sa rondeur équilibrée par une belle fraîcheur en font un vin friand et facile d'accès. ⧗ 2016-2020 ♈ assiette de charcuterie

⊶ *DOM. JEAN-FRANÇOIS ET PIERRE-LOUIS BERSAN, 5, rue du Dr Tardieux, 89530 Saint-Bris-le-Vineux, tél. 03 86 53 07 22, domainejfetplbersan@orange.fr* V ⚐ ■ *t.l.j. 8h-12h 13h30-18h; dim. sur r.-v.*

Ⓑ JEAN-LOUIS ET JEAN-CHRISTOPHE BERSAN
Cuvée Louis Bersan 2014 ★

■ | 4000 | 🛢 | 15 à 20 €

Le village de Saint-Bris, dans l'Yonne, compte plusieurs Bersan. Fondé en 2009 après une scission familiale, le domaine de Jean-Louis et Jean-Christophe compte 21 ha répartis sur les communes de Chablis, Irancy et Saint-Bris, et exploités depuis 2009 en bio (certifié depuis 2012).

Issue de vieilles vignes de soixante-cinq ans, cette cuvée livre un nez original associant les fruits rouges à des notes d'agrumes. En bouche, de la minéralité, de la fraîcheur, des tanins souples et un boisé fondu. Un ensemble plaisant et équilibré. ⧗ 2017-2021 ♈ poulet rôti

⊶ *JEAN-LOUIS ET JEAN-CHRISTOPHE BERSAN, 20, rue du Dr-Tardieux, 89530 Saint-Bris-le-Vineux, tél. 03 86 53 33 73, jean-louis.bersan@wanadoo.fr* V ⚐ ■ *t.l.j. sf dim. 9h-12h 13h30-18h*

BENOIT CANTIN
Cuvée Emeline 2014 ★

■ | 13000 | 🛢 | 11 à 15 €

Établie à Irancy, cette exploitation familiale est dédiée au pinot noir, en particulier à l'irancy. À sa tête depuis 1993, Benoît Cantin fait partie des valeurs sûres de l'appellation. Son domaine couvre 14 ha.

Quel joli fruité! Une faranole de petits fruits rouges (groseille, framboise, cerise…) embaume le nez. En bouche, du fruit toujours et un trait de fine minéralité venant souligner des tanins bien fondus et veloutés. Un irancy frais et très équilibré, que l'on pourra boire dans sa jeunesse. ⧗ 2017-2020 ♈ soupe de fraises ■ **Palotte 2014 (11 à 15 €; 4000 b.)** : vin cité.

⊶ *BENOÎT CANTIN, 35, chem. des Fossés, 89290 Irancy, tél. 03 86 42 21 96, cantin.benoit@orange.fr* V ⚐ ■ *t.l.j. sf dim. 9h-12h 14h-18h*

♥ COLINOT Cuvée Soufflot 2013 ★★

■ | 3500 | 20 à 30 €

Depuis 2001, Stéphanie Colinot – descendante du célèbre architecte Soufflot (créateur du Panthéon à Paris) – vinifie les lieux-dits les plus connus d'Irancy (Palotte, Les Mazelots, Côte du Moutier, Les Cailles, Boudardes…), s'attachant à exprimer les différents terroirs de son vignoble de 13 ha. Une valeur sûre de l'appellation.

La cuvée Soufflot 2013, née du seul pinot noir, est du même tonneau que la version 2012, ce qui permet à Stéphanie Colinot d'obtenir un deuxième coup de cœur en deux ans. Une consécration pour la jeune vigneronne, qui a pratiqué un élevage en fût de dix-huit mois parfaitement maîtrisé. La robe séduit d'emblée avec son aspect velouté. Les épices viennent pimenter un nez racé aux nuances de violette et de fruits rouges. D'une même complexité aromatique, la bouche apparaît franche en attaque, riche, dense, puissante et fine à la fois. Soyez encore un peu patient avec cette bouteille qui allie élégance et caractère, bâtie pour la garde. ⧗ 2019-2026 🍴 bœuf bourguignon ■ **Côte du Moutier 2013 (15 à 20 €; 4000 b.)** : vin cité. ■ **Très Vieilles Vignes 2013 (15 à 20 €; 3000 b.)** : vin cité.

⊶ *DOM. COLINOT, 1, rue des Chariats, 89290 Irancy, tél. 06 81 27 08 32, vin@irancy-colinot.fr* V *r.-v.*

DOM. LA CR,OIX MONTJOIE 2014

■ | 6000 | 11 à 15 €

Tous deux ingénieurs agronomes et œnologues, Sophie et Matthieu Woillez sont installés depuis 2009 dans la commune de Tharoiseau. Leur vignoble de 10 ha, plantés principalement de chardonnay couvre un coteau face à Vézelay.

Plus habitués au terroir de Vézelay, Sophie et Matthieu Woillez proposent ici un irancy expressif, agréable et frais. À un nez floral (violette) et fruité répond un palais à la fois rond, minéral et acidulé, de bonne longueur. ⧗ 2017-2020 🍴 entrecôte

⊶ *DOM. LA CROIX MONTJOIE, 50, Grande-Rue, 89450 Tharoiseau, tél. 03 86 32 40 94, contact@lacroixmontjoie.com* V *r.-v.* ⊶ *Woillez*

CLOTILDE DAVENNE 2013 ★★

■ | 8000 | 11 à 15 €

Cette vigneronne œnologue a travaillé chez Jean-Marc Brocard avant de créer en 2005 son exploitation au sud de Chablis: une mosaïque de 18 ha plantés de tous les cépages bourguignons. Elle privilégie les élevages en cuve, quel que soit le cépage, pour préserver la subtilité du terroir. Une activité de négoce complète la gamme de vins issus de la Bourgogne septentrionnale.

Élevée en cuve pendant dix-huit mois et comportant 10 % de césar – ce cépage ancien que l'on cultive encore sur les coteaux d'Irancy pour donner du corps au vin –, cette cuvée se nourrit de fruits et reflète le terroir. Tout y est: les petites baies noires qui dominent le nez sur fond de sous-bois; une bouche friande et tout aussi fruitée, d'une remarquable élégance, bâtie sur des tanins fins. ⧗ 2017-2022 🍴 rôti de bœuf

⊶ *CLOTILDE DAVENNE, 3, rue de Chantemerle, 89800 Préhy, tél. 03 86 41 46 05, serviceclient@clotildedavenne.fr* V *t.l.j. sf dim. 9h30-12h30 13h30-17h30* 🏠 ③

DOM. FÉLIX Cuvée Saint-Féréol 2014

■ | 2400 | 11 à 15 €

Ancien fonctionnaire, Hervé Félix, cédant à un vieil atavisme, reprend en 1987 l'exploitation où les siens se sont succédé de père en fils depuis le XVIIᵉs. Établi à Saint-Bris, gros village viticole de l'Yonne, il propose de nombreux types de vins. Son domaine couvre 32 ha, conduit de manière «très raisonnée», proche du bio.

Il est complexe, le nez de cet irancy avec ses arômes de fruits rouges, d'épices et d'amande. Cet éventail se retrouve dans une bouche d'une jolie rondeur soulignée par un trait de fine acidité. Agréable mais encore un peu jeune. ⧗ 2017-2021 🍴 époisses

⊶ *DOM. FÉLIX, 17, rue de Paris, 89530 Saint-Bris-le-Vineux, tél. 03 86 53 33 87, domaine.felix@wanadoo.fr* V *t.l.j. sf dim. 9h-11h45 14h-18h30*

FRANCK GIVAUDIN La Bergère 2014 ★

■ | 4500 | 11 à 15 €

Créé en 1963, ce domaine de 12 ha est installé à Irancy dans une maison vigneronne construite en 1783. Franck Givaudin a repris l'exploitation familiale en 1998. Il propose majoritairement des vins rouges de l'appellation communale au nom du village.

Élégant dans sa robe rouge rubis, ce 100 % pinot noir est un modèle d'équilibre. Le nez se promène entre la violette et les petits fruits rouges. Un fruité que l'on retrouve longuement dans une bouche montrant une belle harmonie entre une fine acidité, un bel élevage et des tanins bien fondus et ronds. Prometteur. ⧗ 2018-2021 🍴 onglet à l'échalote

⊶ *FRANCK GIVAUDIN, sentier de la Bergère, 89290 Irancy, tél. 03 86 42 20 67, franck.givaudin@wanadoo.fr* V *r.-v.*

DOM. DE MAUPERTHUIS 2014

■ | 6500 | 8 à 11 €

Installés en Tonnerrois depuis 1992, Laurent et Marie-Noëlle Ternynck conduisent un vignoble de 14 ha. Ils signent des vins très souvent en bonne place dans le Guide, notamment en appellations régionales.

C'est «un vin sympa», conviennent les membres du jury, comprenez un vin à boire sans chichi, entre amis. Le nez est intensément fruité (groseille notamment) et un brin boisé. Des arômes prolongés par une bouche ronde et douce, à laquelle le césar (15 %) apporte un surcroît de richesse et de structure. L'ensemble reste souple et facile d'accès. ⧗ 2016-2020 🍴 poulet basquaise

⊶ *EARL DE MAUPERTHUIS, Civry, 89440 Massangis, tél. 03 86 41 42 70, ternynck@hotmail.com* V *r.-v.* ⊶ *Ternynck*

GABIN ET FÉLIX RICHOUX 2013 ★

■	60000		8 à 11 €

Cette famille de vignerons est établie à Irancy depuis le XVIe s. Elle a misé sur la viticulture dès le milieu des années 1970. Gabin et Félix, les deux enfants de Thierry Richoux, ont pris les rênes du domaine en 2016, avec à leur disposition un vignoble de 23 ha converti au bio.

Si la nouvelle génération a pris le relais, cette cuvée est l'œuvre de la précédente. Thierry Richoux signe avec ce 2013 un vin offrant beaucoup de franchise, d'élégance et d'harmonie. Derrière un nez très aromatique, floral (rose, violette), fumé et épicé, se dévoile une bouche centrée sur les fruits noirs et rouges, intense, fine et souple. ⧗ 2017-2020 ꟾ sandre au vin rouge

⊶ *GABIN ET FÉLIX RICHOUX, 73, rue Soufflot, 89290 Irancy, tél. 03 86 42 21 60, irancy.richoux@orange.fr* V *r.-v.*

DOM. VERRET Élevé en fût de chêne 2013 ★

■	28000		8 à 11 €

La famille Verret cultive la vigne depuis deux siècles et demi dans l'Yonne. Pionnier dans le vignoble de l'Auxerrois pour la mise en bouteilles et la commercialisation directe pratiquées dès les années 1950, ce vaste domaine (60 ha) demeuré familial fréquente très régulièrement les pages du Guide, notamment pour ses irancy, saint-bris, bourgognes-côtes d'Auxerre et bourgogne-aligoté.

Un bel équilibre sur toute la ligne. Élégant, soyeux, gourmand à souhait, cet irancy est déjà bon à boire, mais il pourra aussi vieillir sans crainte. Le nez conjugue finesse et complexité, avec ses nuances de fruits rouges, de pain d'épice et de rose. La bouche se montre franche, droite, fraîche, portée par des tanins et un boisé très fondus. ⧗ 2016-2021 ꟾ magret de canard ■ **Palotte 2014 (15 à 20 €; 3500 b.)** : vin cité.

⊶ *DOM. VERRET, 7, rte-de-Champs, 89530 Saint-Bris-le-Vineux, tél. 03 86 53 31 81, dverret@domaineverret.com* V *t.l.j. sf dim. 8h-12h 14h-18h*

SAINT-BRIS

Superficie : 133 hl / Production : 7 950 hl

VDQS (1974) puis AOC (2001), les saint-bris proviennent essentiellement de la commune du même nom. L'appellation est réservée au sauvignon. Ce cépage est surtout planté sur les plateaux calcaires, où il atteint toute sa puissance aromatique. Contrairement aux vins de sauvignon de la vallée de la Loire ou du Sancerrois, le saint-bris fait généralement sa fermentation malolactique, ce qui lui confère une certaine souplesse.

JEAN-LOUIS ET JEAN-CHRISTOPHE BERSAN 2014

■	27000		5 à 8 €

Le village de Saint-Bris, dans l'Yonne, compte plusieurs Bersan. Fondé en 2009 après une scission familiale, le domaine de Jean-Louis et Jean-Christophe compte 21 ha répartis sur les communes de Chablis, Irancy et Saint-Bris, et exploités depuis 2009 en bio (certifié depuis 2012).

Si la discrétion est de mise dans ce saint-bris, elle n'exclut pas la finesse, voire la richesse. Le nez est délicat, sur les fleurs blanches, et marqué par la fraîcheur. Fraîcheur qui se poursuit dans une bouche équilibrée, rehaussée par des notes épicées. ⧗ 2016-2019 ꟾ colombo de poisson

⊶ *JEAN-LOUIS ET JEAN-CHRISTOPHE BERSAN, 20, rue du Dr-Tardieux, 89530 Saint-Bris-le-Vineux, tél. 03 86 53 33 73, jean-louis.bersan@wanadoo.fr* V *t.l.j. sf dim. 9h-12h 13h30-18h*

DOM. FILLON ET FILS 2014 ★★

■	9000	5 à 8 €

Propriété familiale reprise en cogérance par Hervé Fillon et sa sœur Frédérique en 1995 (troisième génération). Établis dans le joli village de Saint-Bris-le-Vineux, les Fillon exploitent un vignoble de 34 ha dédié aux appellations régionales et aux AOC du Chablisien.

Un sauvignon de l'Yonne comme on les aime : vif, droit, intense, expressif. L'opération séduction commence dès l'olfaction avec de subtils arômes de fleurs blanches, d'épices douces et d'agrumes. Les promesses du nez sont tenues par une bouche où le fruit mûr donne la réplique à une fine acidité. Un vin très harmonieux et typique de l'appellation. ⧗ 2016-2019 ꟾ terrine de poisson

⊶ *DOM. FILLON, 53, rue Bienvenu-Martin, 89530 Saint-Bris-le-Vineux, tél. 03 86 53 30 26, domaine.fillon@gmail.com* V *t.l.j. 9h-12h30 14h-19h30*

GUILHEM ET JEAN-HUGUES GOISOT Exogyra Virgula 2014 ★★

■	29000		8 à 11 €

Une valeur sûre de l'Auxerrois que ce domaine, installé dans une ancienne place forte de Saint-Bris abritant un corps de garde. Jean-Hugues Goisot et son fils Guilhem exploitent en biodynamie un vignoble de 28 ha et élèvent leurs vins dans de vénérables caves des XIe et XIIe s.

Les petites huîtres fossilisées se trouvant dans les marnes argilo-calcaires du kimméridgien ont donné leur nom à cette cuvée. Et c'est bien tout le terroir que l'on retrouve dans ce vin équilibré, élégant et d'une grande subtilité. Le nez, complexe, se partage entre les fruits blancs, le chèvrefeuille et la feuille de cassis. Complexité que l'on retrouve dans une bouche sans détour, droite, sincère et très équilibrée, offrant du gras et de la minéralité. ⧗ 2016-2020 ꟾ truite en papillote

⊶ *GUILHEM ET JEAN-HUGUES GOISOT, 30, rue Bienvenu-Martin, 89530 Saint-Bris-le-Vineux, tél. 03 86 53 35 15, domaine.jhg@goisot.com* V *r.-v.*

DOM. CÉLINE ET FRÉDÉRIC GUEGUEN 2014

■	21500		8 à 11 €

Frédéric Gueguen et son épouse Céline, fille de Jean-Marc Brocard, ont d'abord travaillé pour le compte de ce dernier, notamment au Domaine des Chenevières, avant de décider de voler de leurs propres ailes en 2013. Ils conduisent aujourd'hui un joli vignoble de 23 ha dans le Chablisien et l'Auxerrois.

Un classique de l'appellation qui mise sur l'élégance et la fraîcheur. Le nez est de bonne intensité, sur les fruits frais; la bouche, plus expressive encore, dévoile des notes d'épices ainsi que des nuances de groseille blanche qui renforcent une vivacité bien présente. ⧗ 2016-2019 ▼ nouilles sautées aux crevettes

⊶ DOM. CÉLINE ET FRÉDÉRIC GUEGUEN, 31, Grande-Rue-de-Chablis, 89800 Préhy, tél. 03 86 41 45 06, contact@chablis-gueguen.fr V t.l.j. 9h-13h 14h-19h 4

LA MANUFACTURE 2013

	10000		11 à 15 €

Issu d'une famille bien connue dans le Chablisien, enracinée dans la région depuis le XVIIes., Benjamin Laroche, après avoir travaillé à la direction commerciale de plusieurs maisons, entre Bourgogne, Rhône et Languedoc, a créé en 2014 sa maison de négoce à Chablis.

Plus habitué à vinifier le chardonnay, le négociant Benjamin Laroche a produit un joli sauvignon plein de fraîcheur. Les fleurs blanches s'épanouissent au nez sur un fond de minéralité; minéralité que l'on retrouve dans une bouche riche d'agrumes, équilibrée et tonique. ⧗ 2016-2019 ▼ jambon persillé

⊶ LA MANUFACTURE, Benjamin Laroche, 40, rte d'Auxerre, 89800 Chablis, tél. 03 86 32 19 50, contact@lamanufacture-vins.fr

DOM. PETITJEAN 2014 ★★

	9000		5 à 8 €

Au cœur du village de Saint-Bris, dans un dédale de rues étroites, cette cave a été créée en 1950. Incarnant la quatrième génération, Romaric et Mathias Petitjean ont repris en 1999 l'exploitation familiale, qui compte un peu plus de 18 ha de vignes.

Douze mois d'élevage et une remarquable réussite pour cette cuvée d'une grande délicatesse. Le nez offre une large palette de senteurs, entre fleurs blanches, fruits mûrs, épices douces… Un nez exprimant la maturité, qui contraste avec une bouche intense et tonique, dominée par la vivacité. En définitive, un bel ensemble riche, complexe et bien équilibré. ⧗ 2016-2019 ▼ filet de sandre

⊶ DOM. PETITJEAN, 16, rue Basse, 89530 Saint-Bris-le-Vineux, tél. 03 86 53 84 81, domainepetitjean@orange.fr V r.-v. 2

DOM. DES REMPARTS 2014 ★

	10000		5 à 8 €

À Saint-Bris-le-Vineux, un Sorin peut en cacher un autre. Ici, nous sommes chez Patrick, Jean-Marc et Thomas, issus d'une longue lignée de vignerons et à la tête d'une belle unité de 40 ha.

« Un saint-bris complexe qui réserve des surprises », conclut un dégustateur, évoquant les arômes d'agrumes, de buis, de fleurs blanches et de sous-bois qui percent à l'olfaction. Ce saint-bris montre aussi un très bel équilibre entre une matière dense et ronde et une belle tension minérale et citronnée qui apporte du dynamisme et de la longueur. ⧗ 2016-2019 ▼ tarte au chèvre

⊶ EARL DOM. DES REMPARTS, 6, rte de Champs, 89530 Saint-Bris-le-Vineux, tél. 03 86 53 33 59, contact@domaine-des-remparts.com V r.-v.

DOM. VERRET 2014 ★

	30000		5 à 8 €

La famille Verret cultive la vigne depuis deux siècles et demi dans l'Yonne. Pionnier dans le vignoble de l'Auxerrois pour la mise en bouteilles et la commercialisation directe pratiquées dès les années 1950, ce vaste domaine (60 ha) demeuré familial fréquente très régulièrement les pages du Guide, notamment pour ses irancy, saint-bris, bourgognes Côtes d'Auxerre et bourgogne-aligoté.

Toute la typicité du sauvignon est dans cette bouteille. Le nez, subtil, allie la minéralité aux écorces d'agrumes et à des notes fumées. La bouche ne renie pas ces premières sensations et déploie une jolie matière portée par une fine fraîcheur. Un vin harmonieux. ⧗ 2016-2019 ▼ praires à l'étouffée

⊶ SARL BRUNO VERRET, 13, rte de Champs, 89530 Saint-Bris-le-Vineux, tél. 03 86 53 77 31, dverret@domaineverret.com V t.l.j. sf dim. 8h-12h 14h-18h E

BOURGOGNE

➡ LA CÔTE DE NUITS

La Côte de Nuits s'allonge jusqu'au Clos des Langres, sur la commune de Corgoloin. C'est une côte étroite (quelques centaines de mètres seulement), coupée de combes de style alpestre avec des bois et des rochers, soumise aux vents froids et secs. Elle compte vingt-neuf appellations, avec des villages aux noms prestigieux: Gevrey-Chambertin, Chambolle-Musigny, Vosne-Romanée, Nuits-Saint-Georges… Les 1ers crus et les grands crus (chambertin, clos-de-la-roche, musigny, clos-de-vougeot) se situent à une altitude comprise entre 240 et 320 m. C'est dans ce secteur que l'on trouve les plus nombreux affleurements de marnes calcaires, au milieu d'éboulis variés; les vins rouges les plus structurés de toute la Bourgogne, aptes aux plus longues gardes, en sont issus.

BOURGOGNE-HAUTES-CÔTES-DE-NUITS

Superficie : 657 ha
Production : 28 750 hl (80 % rouge)

L'appellation s'applique à des vins rouges, rosés et blancs nés dans 16 communes de l'arrière-pays, ainsi que sur les parties de communes situées au-dessus des appellations communales et des crus de la Côte de Nuits. Cette production a augmenté notablement depuis 1970, date avant laquelle ce secteur proposait des vins plus régionaux, bourgogne-aligoté essentiellement. C'est à cette époque que des terrains, plantés avant le phylloxéra, ont été reconquis. La reconstitution du vignoble s'est accompagnée d'un effort touristique, avec en particulier la construction d'une Maison des Hautes-Côtes où l'on peut découvrir les productions locales – dont les liqueurs de cassis et de framboise.

Les coteaux les mieux exposés donnent certaines années des vins qui peuvent rivaliser avec des parcelles de la Côte, notamment en blanc: le chardonnay, d'un

La Côte de Nuits

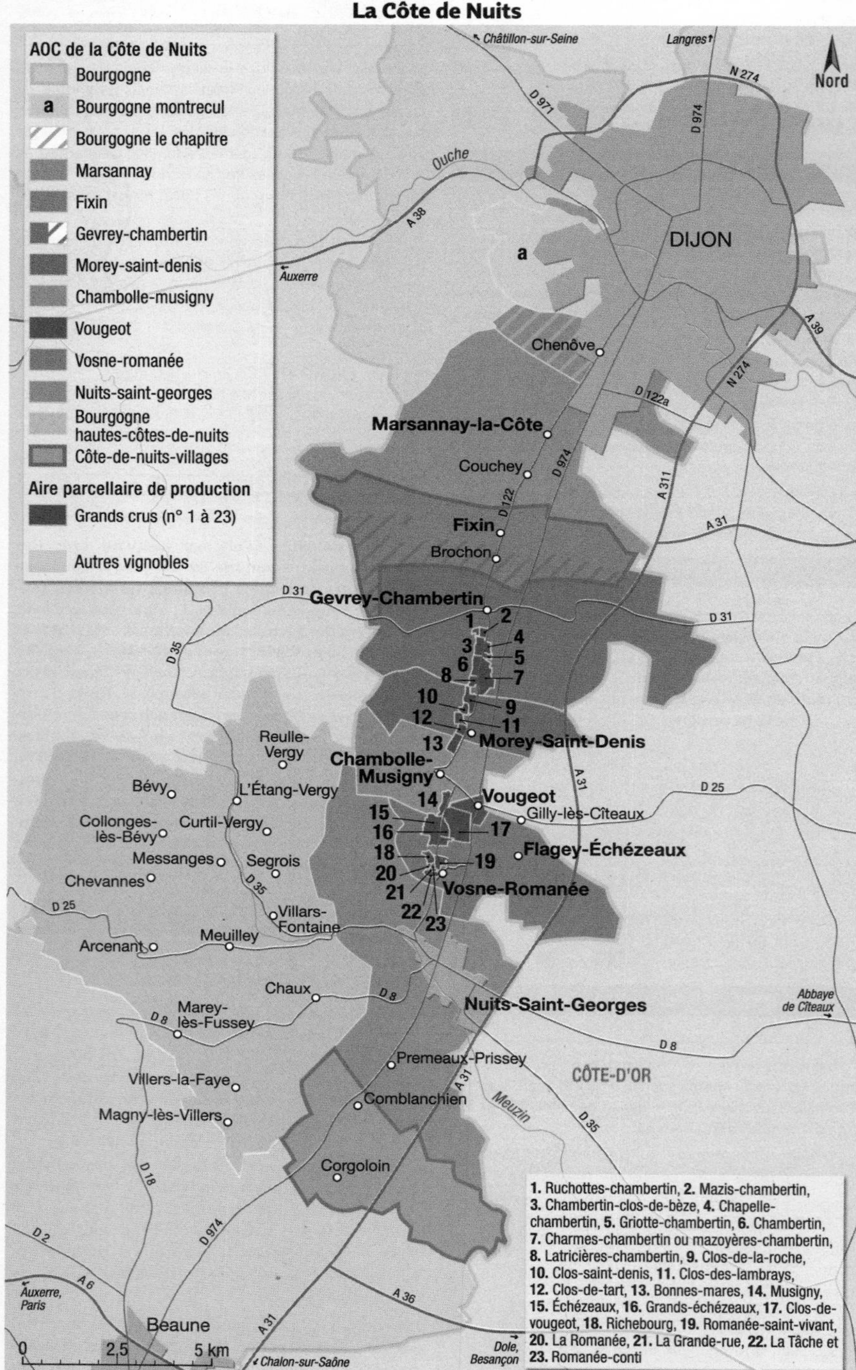

millésime à l'autre, donne des vins d'une meilleure régularité que le pinot noir.

YVES BAZIN 2013 ★

■	5000	(I)	8 à 11 €

Installé à Villars-Fontaine, au cœur des Hautes-Côtes de Nuits, Yves Bazin a repris en 1982 l'exploitation familiale alors dédiée à la culture des petits fruits et des céréales qu'il a planté entièrement en vigne: près de 12 ha aujourd'hui, exploités avec son épouse et l'une de ses filles.

Un bon pinot noir bourguignon au profil friand, d'approche assez facile dès aujourd'hui bien qu'ayant bénéficié d'un élevage long de dix-huit mois en fût: des arômes de fruits rouges au nez comme en bouche, de la souplesse, de la fraîcheur, de l'équilibre. ⧗ 2017-2021 🍷 petit salé aux lentilles ■ **Élevé en fût de chêne 2013 ★ (11 à 15 €; 4500 b.)** : une appellation régionale élevée comme un grand cru: vingt-quatre mois en barrique dont 60 % de fût neuf. Rien ne laisse pourtant transparaître un excès de boisé dans cette cuvée. Les arômes, avec une dominante de framboise, sont délicats et la bouche se montre souple et fraîche, étayée par de jolis tanins fins et légers. ⧗ 2017-2021 ■ **Élevé en fût de chêne 2013 (8 à 11 €; 3000 b.)** : vin cité.

EARL DOM. YVES BAZIN PÈRE ET FILLE, 2, rte de la Côte-de-Nuits, 21700 Villars-Fontaine, tél. 03 80 61 35 25, contact@domaine-bazin.fr V ■ *t.l.j. sf dim. 9h-12h 14h-19h*

DOM. BONNARDOT Clos des Oiseaux 2014 ★

■	3772	(I)	8 à 11 €

Après vingt ans passés dans l'informatique financière, Danièle Bonnardot reprend en 2008 l'exploitation où ont œuvré avant elle son arrière-grand-père, son grand-père, son père et son frère. Le domaine couvre 21 ha dans les Hautes-Côtes, conduit dans une approche bio, sans certification.

Au nez, ce blanc frais à souhait s'exprime sur des notes de vanille, de fleurs blanches et de fruits secs. Élevé pendant onze mois en fûts (dont 20 % neufs), il reste un peu marqué en bouche par un caractère boisé. Un peu de patience. ⧗ 2017-2021 🍷 saint-jacques à la crème

DOM. BONNARDOT, 1, rue de l'Ancienne-Cure, 21700 Villers-la-Faye, tél. 03 80 62 91 27, domaine.bonnardot@wanadoo.fr V ■ ■ *t.l.j. sf dim. 9h-12h 13h30-18h*

CLAVELIER ET FILS Les Régalières 2014

■	4200	(I)	15 à 20 €

Une maison de négoce (également propriétaire de vignes) installée en Côte de Nuits, à Comblanchien, village connu pour ses carrières de marbre. Fondée en 1935 par Antoine Clavelier et par un certain Jean Pinot, l'affaire a changé plusieurs fois de mains. Elle est dirigée depuis 2001 par Henri-Noël Thomas.

Des notes de fruits noirs montent en intensité au fil de l'aération; une touche fumée apporte un surcroît de complexité. La bouche friande, fraîche, aux tanins fins et légers, laisse une sensation d'équilibre. ⧗ 2017-2020 🍷 lapin aux pruneaux

CLAVELIER ET FILS, 49, rte de Beaune, 21700 Comblanchien, tél. 03 80 62 94 11, vins.clavelier@wanadoo.fr V ■ *r.-v.* *Thomas*

JULIEN CRUCHANDEAU Vieilles Vignes 2014

■	3000	(I) ▮	8 à 11 €

Le jeune Julien Cruchandeau, originaire de Chenôve, a longtemps eu deux vies: viticulteur donc, et musicien jusqu'en 2010, avant de se consacrer pleinement à son domaine créé en 2003: 5 ha répartis sur les trois Côtes (de Beaune, de Nuits et chalonnaise).

Ce joli chardonnay franc et vif s'exprime spontanément sur des notes de fleurs et de fruits blancs mises en valeur par un boisé bien intégré. Une fine trame minérale en bouche lui assure de la tension et de la personnalité. Un vin dynamique, parfait pour les fruits de mer. ⧗ 2017-2020 🍷 huîtres

JULIEN CRUCHANDEAU, 4, rue Robert, 21700 Chaux, tél. 03 80 62 16 50, contact@domaine-cruchandeau.com V ■ *r.-v.*

DOM. GUY ET YVAN DUFOULEUR Les Dames Huguette 2014

■	8500	(I)	11 à 15 €

Les Dufouleur perpétuent une tradition vigneronne qui remonte à la fin du XVIes. Le domaine actuel – le négoce Dufouleur Père et Fils a été vendu en 2006 – est né de la fusion en 2007 de la propriété familiale avec le domaine Yvan Dufouleur créé en 1991. Guy étant décédé, le vignoble (26 ha) est aujourd'hui dirigé par son fils aîné Yvan, épaulé à la gérance par Xavier, frère de Guy.

Le domaine dispose de 2,75 ha de ce terroir situé juste au-dessus de Nuits-Saint-Georges. Il en a extrait une cuvée qui s'ouvre généreusement sur le fruit (cassis et mûre). Les tanins sont bien présents en bouche mais sans troubler l'harmonie générale, tandis qu'une intense vivacité ressort en finale. De bons atouts pour le vieillissement. ⧗ 2018-2021 🍷 bavette à l'échalote

DOM. GUY ET YVAN DUFOULEUR, 17, rue Thurot, BP 80138, 21700 Nuits-Saint-Georges, tél. 03 80 61 09 35, yvan.dufouleur@21700-nuits.com V ■ *r.-v.*

MAURICE GAVIGNET Les Dames Huguettes 2014 ★

■	19000	(I)	11 à 15 €

L'histoire débute vers 1900, lorsqu'Honoré Gavignet, vigneron à la Romanée-Conti, fonde son domaine à Nuits-Saint-Georges. Son arrière-petit-fils, Arnaud, qui est passé par la maison Bichot et par une coopérative languedocienne, est à la tête de la propriété depuis 2008. Il exploite des vignes sur la Côte de Nuits et la Côte de Beaune.

Au nez, un beau boisé assure à ce vin des notes d'épices et de réglisse qui accompagnent les fruits rouges. Arômes que l'on retrouve dans une bouche chaleureuse, ronde et riche, qui évolue ensuite vers plus de finesse et de croquant. En définitive, un vin équilibré. ⧗ 2017-2021 🍷 coq au vin

MAURICE GAVIGNET, 71, rue Félix-Tisserand, 21700 Nuits-Saint-Georges, tél. 03 80 61 03 87, contact@maurice-gavignet.com V ■ ■ *t.l.j. sf dim. 9h-12h 14h-18h*

DOM. MICHEL GROS
Fontaine Saint-Martin 2014 ★

■ | 13 000 | 🛢 | 11 à 15 €

L'aîné de la famille Gros - Anne-Françoise (A.-F. Gros) et Bernard (Gros Frère et Sœur) ont chacun leur domaine - a débuté en 1979 avec 2 ha en Hautes-Côtes. Il conduit aujourd'hui 23 ha et s'illustre régulièrement avec ses vosne-romanée, ses nuits-saint-georges et ses hautes-côtes.

Une cuvée issue d'un *climat* de 3,22 ha détenu en monopole par le domaine. Au nez, des notes d'agrumes et de vanille se déploient avec élégance et intensité. En bouche, le vin se montre ample et très équilibré; une petite pointe de vivacité en finale lui confère une belle longueur et laisse une impression de pureté. ⧗ 2017-2021 🍷 sole meunière

DOM. MICHEL GROS, 7, rue des Communes, 21700 Vosne-Romanée, tél. 03 80 61 04 69, contact@domaine-michel-gros.com V ▪ *r.-v.*

HERVÉ KERLANN Cuvée K 2014 ★

■ | 2 800 | 🛢 | 11 à 15 €

Après avoir vécu au Canada, Hervé Kerlann a acheté le château de Laborde aux Hospices de Beaune en 1998. Un bel endroit pour laisser vieillir les vins de sa maison de négoce. Un retour aux sources pour lui qui est issu d'une famille de vignerons et de négociants-éleveurs depuis 1873.

Coup de cœur dans l'édition précédente avec le millésime 2013, cette cuvée confirme sa régularité avec un 2014 ouvert sur des notes florales qui donnent au nez un caractère printanier. La bouche est longue et bien équilibrée, à la fois souple, ronde et fraîche. ⧗ 2017-2020 🍷 bouchée à la reine

HERVÉ KERLANN, Ch. de Laborde, 1, rte de Geanges, 21200 Meursanges, tél. 03 80 26 59 68, herve.ddd@wanadoo.fr V *r.-v.*

PATRICK LAGRANGE 2014

■ | 600 | 🛢 | 11 à 15 €

Patrick Lagrange, retraité de la restauration et de la commercialisation de caves à vins, s'est engagé en 2009 comme négociant-éleveur confidentiel à Fixin, vinifiant de petits lots de vendanges intéressants.

Une toute petite parcelle (10 ares) a donné naissance à ce vin nécessairement très confidentiel et c'est bien dommage car il est bon... Le nez, très agréable, associe les fruits blancs, l'amande, la vanille et les fleurs blanches. La bouche offre un profil élégant, autour d'une fine fraîcheur. ⧗ 2016-2020 🍷 tartare de saumon

PATRICK LAGRANGE, Bourgogne Cave Passion, 22, rue de l'Abbé-Chevalier, 21220 Fixin, tél. 06 63 71 15 15, palagrange@wanadoo.fr V ▪ ▪ *r.-v.*

DOM. MARCHAND FRÈRES
Retour aux sources 2014

■ | 4 800 | 11 à 15 €

Depuis 1999 sous la conduite de Denis Marchand (septième génération), le domaine Marchand Frères est né en 1813 à Morey-Saint-Denis. L'exploitation, de près de 9 ha, est établie depuis 1983 au cœur même de Gevrey-Chambertin.

C'est le premier millésime pour cette cuvée consécutive à un achat de vignes à L'Étang-Vergy, berceau familial de Denis Marchand. Le nez développe de notes de fruits noirs et d'épices. Le palais offre une texture ample, suave et veloutée, avant une finale plus vive et sévère. Encore un peu de patience... ⧗ 2018-2021 🍷 brie de Meaux

EARL DOM. MARCHAND FRÈRES, 1, pl. du Monument, 21220 Gevrey-Chambertin, tél. 03 80 62 10 97, dmarc2000@sfr.fr V ▪ ▪ *r.-v.*

JOSEPH-EUGÈNE MÉLINE
Les Dames Huguettes 2014 ★★

■ | 18 000 | 🛢 | 11 à 15 €

Le domaine, créé en 1920 par Joseph-Eugène Méline à Nuits-Saint-Georges, est depuis 2008 conduit par les Gavignet père et fils. Ils signent leur premier millésime en 2009.

Un très beau bourgogne qui allie avec bonheur la générosité et l'élégance. Le nez, légèrement boisé, offre également un bouquet d'épices, de violette et de fraise. La bouche apparaît ample, charnue, puissante, bâtie sur des tanins soyeux qui laissent une sensation d'harmonie et de plénitude. Une complexité et une finesse au-dessus de la moyenne. ⧗ 2017-2022 🍷 râble de lapin

JOSEPH-EUGÈNE MÉLINE, 73 rue Félix-Tisserand, 21700 Nuits-Saint-Georges, tél. 09 65 16 10 07, contact@bourgogne-meline.com V *r.-v.*

DOM. MONGEARD-MUGNERET
La Croix 2014 ★

■ | 8 700 | 🛢 | 11 à 15 €

Vieux cépage bourguignon, le pinot Mongeard était une variété très fine et peu productive, baptisé en l'honneur d'un aïeul de la famille. Vincent Mongeard a succédé à Jean, personnalité marquante du vignoble, et veille sur un beau domaine de 30 ha bien connu des lecteurs du Guide.

La Croix est le nom d'un *climat* situé sur la commune d'Arcenant. De ce terroir, Vincent Mongeard a extrait un vin expressif, boisé et fruité (cassis, mûre), souple en attaque, plus consistant et solide dans son développement, porté par une belle fraîcheur et des tanins fins et serrés qui incitent à la patience. ⧗ 2018-2021 🍷 côte de bœuf

DOM. MONGEARD-MUGNERET, 14, rue de la Fontaine, 21700 Vosne-Romanée, tél. 03 80 61 11 95, domaine@mongeard.com V *r.-v.*

DOM. DE MONTMAIN Le Rouard 2013 ★

■ | 10 000 | 🛢 | 11 à 15 €

Bernard Hudelot, figure de l'appellation hautes-côtes-de-nuits, a créé en 2013 les Vignerons de Cœur afin de transmettre à ses jeunes salariés son domaine et ses 28 ha de vignes.

Après dix-huit mois de fût, ce vin s'ouvre sur des arômes intenses de fleurs d'acacia, d'épices et de miel. Une attaque souple introduit une bouche à la fois ronde, dense et fraîche, qui s'étire sur de fines notes minérales. ⧗ 2017-2021 🍷 terrine de poisson

SAS DES VIGNERONS DE CŒUR, 10, rue des Beveys, 21700 Villars-Fontaine, tél. 03 80 62 31 94, bernard.hudelot@wanadoo.fr V ▪ ▪ *r.-v.*

HENRI NAUDIN-FERRAND 2014

■ | 12490 | | 15 à 20 €

Claire Naudin, œnologue, a repris en 1994 cette grande exploitation de 21 ha située à la limite entre les hautes-côtes-de-beaune et leurs voisines nuitonnes. Depuis 1994, elle perpétue dans les deux Côtes, avec talent et dans une démarche peu interventionniste, à la vigne comme au chai, l'œuvre de son père Henri. Une valeur sûre.

Un joli vin qui demande un peu de temps pour s'épanouir pleinement. Après aération, le nez dévoile des arômes d'épices (de poivre en particulier) et de fruits rouges. En bouche, l'équilibre entre rondeur, gras et fermeté des tanins est au rendez-vous. Ce 2014 gagnera son étoile en cave. ⧗ 2018-2022 🍷 magret de canard

DOM. HENRI NAUDIN-FERRAND, 12, rue du Meix-Grenot, 21700 Magny-lès-Villers, tél. 03 80 62 91 50, info@naudin-ferrand.com V r.-v.

MANUEL OLIVIER 2013

■ | 6555 | | 11 à 15 €

Installé en 1990, Manuel Olivier, fils d'agriculteurs, a commencé par cultiver les vignes et petits fruits dans les Hautes-Côtes de Nuits. Aujourd'hui spécialisé en viticulture, il exploite un vignoble de 11 ha, complété depuis 2007 par une structure de négoce qui lui a permis de mettre un pied en Côte de Beaune.

Une cuvée vinifiée pour moitié en fût de chêne et mise en bouteille après seize mois d'élevage. Le vin a eu le temps de se nourrir des lies et de gagner en volume. Sa bonne étoffe, souple et ronde, s'accompagne d'une fine acidité et de notes florales (rose) et fruitées (pêche de vigne). ⧗ 2017-2021 🍷 bar en croûte de sel

SARL MANUEL OLIVIER, 7, rue des Grandes-Vignes, hameau de Corboin, 21700 Nuits-Saint-Georges, tél. 03 80 62 39 33, contact@domaine-olivier.com V r.-v.

DOM. THEVENOT LE BRUN ET FILS
Clos du Vignon 2014 ★

■ | 4600 | | 11 à 15 €

Un vaste domaine de 27 ha au cœur des Hautes-Côtes de Nuits, créé en 1960 par Maurice Thévenot-Le Brun, l'un des pères fondateurs des hautes-côtes modernes. À sa tête depuis 2010, son petit-fils Nicolas, qui a succédé à son père Daniel et à son oncle Jean.

Ce clos de 60 ares est exploité en monopole par le domaine. Il donne naissance à un 2014 raffiné et précis, qui se déploie avec intensité à l'olfaction, sur des notes de fruits secs et de fleurs blanches. La bouche, à l'unisson, se montre à la fois fine et consistante, riche et fraîche, étirée dans une belle finale minérale. ⧗ 2017-2021 🍷 blanquette de poisson

DOM. THÉVENOT-LE BRUN, 36, Grande-Rue, 21700 Marey-lès-Fussey, tél. 03 80 62 91 64, thevenot-le-brun@wanadoo.fr V *t.l.j. sf dim. 9h-12h 14h-18h*

MARSANNAY

Superficie : 227 ha
Production : 9 650 hl (85 % rouge et rosé)

Les géographes discutent encore sur les limites nord de la Côte de Nuits car, au XIXe s., un vignoble couvrant les communes situées de part et d'autre de Dijon constituait la Côte dijonnaise. Aujourd'hui, à l'exception de quelques vestiges comme les Marcs d'Or et les Montreculs, l'urbanisation a chassé les ceps de Dijon et de la commune voisine de Chenôve.

Marsannay, puis Couchey ont longtemps approvisionné la ville de grands ordinaires et manqué en 1935 le coche des AOC communales. Petit à petit, les viticulteurs ont replanté ces terroirs en pinot, et la tradition du rosé – vendu sous l'appellation « bourgogne rosé de Marsannay » – s'est développée. Puis ils ont de nouveau proposé des vins rouges et blancs comme avant le phylloxéra et, après plus de vingt-cinq ans d'efforts et d'enquêtes, l'AOC marsannay a été reconnue en 1987.

L'appellation se décline en « marsannay rosé » et « marsannay » (vins rouges et vins blancs). Le rosé peut être produit sur une aire plus extensive, dans le piémont sur les graves, tandis que rouges et blancs doivent provenir uniquement du coteau des trois communes de Chenôve, Marsannay-la-Côte et Couchey.

Les marsannay rouges sont charnus, un peu sévères dans leur jeunesse; il faut les attendre quelques années. Peu répandus dans la Côte de Nuits, les vins blancs sont ici particulièrement recherchés pour leur finesse et leur solidité. Il est vrai que le chardonnay, mais aussi le pinot blanc, trouvent dans des niveaux marneux propices leur terroir d'élection.

DOM. CHARLES AUDOIN
Au Champs Salomon 2014 ★

■ | 2100 | | 15 à 20 €

Cyril Audoin (cinquième génération) a repris en 2008 le domaine familial, après des stages à Petrus (Pomerol), puis en Californie. Le vignoble couvre 14 ha, dont 12 ha plantés dans le village d'élection du domaine: Marsannay.

Une cuvée qui s'exprime avec beaucoup de pureté et de gourmandise. Des notes de chèvrefeuille, de menthe, d'agrumes, de miel se succèdent au nez. La bouche, bien équilibrée, se montre à la fois ample, ronde, généreuse et fraîche. Un blanc complet. ⧗ 2017-2022 🍷 saint-jacques poêlées

DOM. CHARLES AUDOIN, 7, rue de la Boulotte, 21160 Marsannay-la-Côte, tél. 03 80 52 34 24, domaine-audoin@orange.fr V r.-v.

DOM. BART Au Champ Salomon 2014 ★

■ | 4500 | | 15 à 20 €

Le domaine Bart fait partie des incontournables. Perpétuant une tradition vigneronne remontant à plusieurs générations, Martin Bart est installé au cœur de Marsannay et cultive des parcelles dans de nombreux *climats* de la commune.

Pierre Bart a vinifié cette cuvée avec un petit pourcentage de vendanges entières (20 %) qui ont apporté des notes florales et épicées caractéristiques. En bouche, toutes les qualités d'un vin qui évoluera bien sont là: matière, volume, fraîcheur, tanins ciselés et serrés. ⧗ 2019-2026 🍷 navarin de biche ■ **Les Échezots 2014 ★ (11 à 15 €; 7000 b.)** : une cuvée issue d'un terroir d'un hectare et demi au nord de l'appellation. Elle conjugue avec bonheur des notes de fruits noirs et de rose avec un soupçon boisé. En bouche, du fruit toujours, de la fraîcheur, des tanins soyeux, de la longueur. ⧗ 2019-2023 ■ **Les Longeroies 2014 (11 à 15 €; 5000 b.)** : vin cité.

⊶ *DOM. BART, 23, rue Moreau,*
21160 Marsannay-la-Côte, tél. 03 80 51 49 76,
domaine.bart@wanadoo.fr V 🚶 ■ *r.-v.*

RÉGIS BOUVIER Clos du Roy 2014 ★

■ | 3000 | ⧈ | 15 à 20 €

Régis Bouvier a fondé en 1981 ce domaine (2 ha au départ, 15,3 ha aujourd'hui), qui s'étend de Marsannay, son fief, dont il défend les couleurs avec brio, à Morey, en passant par Fixin et Gevrey. Une activité de négoce lui permet de compléter sa gamme.

Légèrement miellée, mais surtout ouverte sur des notes de fleurs blanches, cette cuvée s'exprime avec délicatesse à l'olfaction. La vinification en fût est davantage perceptible en bouche et structure une matière profonde, ample, bien équilibrée entre gras et fraîcheur. ⧗ 2017-2021 🍷 foie gras poêlé ■ **Les Longeroies Vieilles Vignes 2014 ★ (15 à 20 €; 10000 b.)** : la mûre et le cassis accompagnent de légères notes fumées au nez. La bouche, riche et longue, est construite sur des tanins souples et d'une belle finesse. Un vin déjà très aimable, mais qui dispose aussi d'un bon potentiel de garde. ⧗ 2018-2024 ■ **Clos du Roy 2014 ★ (15 à 20 €; 12000 b.)** : des notes de fruits rouges à pleine maturité se déploient au nez, relayées par une bouche dense, bien concentrée, aux tanins fins et veloutés. ⧗ 2018-2024

⊶ *RÉGIS BOUVIER, 52, rue de Mazy,*
21160 Marsannay-la-Côte, tél. 03 80 51 33 93,
dom.reg.bouvier@hotmail.fr V ■ *r.-v.*

DOM. PHILIPPE CHARLOPIN En Montchenevoy 2013

■ | n.c. | ⧈ | 30 à 50 €

Repris en 1977, ce domaine familial, passé de 1,5 ha à 25 ha aujourd'hui, est en conversion bio. Avec son fils Yann, Philippe Charlopin fait partie des vignerons emblématiques de Gevrey-Chambertin et plus généralement de la Côte de Nuits. Il propose une large palette de vins, des *villages* aux grands crus du Chablisien, de la Côte de Beaune et de la Côte de Nuits. On ne compte plus ses étoiles et coups de cœur «vendangés» dans le Guide. Incontournable.

Ce climat est situé tout au nord de l'appellation, à la limite de l'agglomération dijonnaise. Le nez développe des arômes de fruits rouges, de sous-bois et d'épices. Des tanins très souples enveloppent le palais, rond et fin, de l'attaque jusqu'à la finale. Une bouteille qui pourra s'apprécier dans sa jeunesse. ⧗ 2017-2020 🍷 magret de canard

⊶ *DOM. PHILIPPE CHARLOPIN, 18, rte de Dijon,*
21220 Gevrey-Chambertin, tél. 06 24 71 12 05,
charlopin.philippe21@orange.fr

HERVÉ CHARLOPIN En Ronsoy 2014

■ | 2500 | ⧈ | 8 à 11 €

Hervé Charlopin est installé à Marsannay depuis 1996. Il exploite 7,71 ha de vignes, à cheval sur Fixin et Marsannay.

Une parcelle de 35 ares, plantée en chardonnay il y a une quinzaine d'années, a donné un vin fidèle au millésime. Le nez évoque les agrumes et les fleurs blanches. La bouche se révèle souple et ronde, soutenue par une bonne acidité aux accents mentholés et par un boisé de qualité. Un peu fugace mais harmonieux. ⧗ 2017-2021 🍷 saumon à l'unilatérale

⊶ *HERVÉ CHARLOPIN, 5, rue des Avoines,*
21160 Marsannay-la-Côte, tél. 09 50 64 12 69,
charlopin.herve@free.fr V 🚶 ■ *r.-v.*

DOM. BRUNO CLAIR Les Longeroies 2013

■ | 6580 | ⧈ | 20 à 30 €

Bien connu des lecteurs pour ses marsannay, Bruno Clair est établi depuis 1986 à la tête d'un vignoble né du démantèlement du domaine Clair-Daü, créé par son grand-père Joseph, célèbre pour avoir popularisé le marsannay rosé. À sa disposition, 21,4 ha de vignes, dont quelques bijoux: Clos de Bèze, les Cazetiers et le Clos Saint-Jacques en gevrey, du vosne, du chambolle, du corton-charlemagne…

Les vins du domaine offrent généralement un profil fin et élégant, mettant en valeur la subtilité du pinot noir. Cette cuvée ne fait pas exception. Élevée dix-huit mois en fût, elle se montre florale, fruitée et boisée sans excès, souple et persistante en bouche, étayée par des tanins aimables et ronds. ⧗ 2017-2021 🍷 volaille rôtie

⊶ *DOM. BRUNO CLAIR, 5, rue du Vieux-Collège,*
21160 Marsannay-la-Côte, tél. 03 80 52 28 95,
brunoclair@wanadoo.fr V 🚶 ■ *r.-v.*

DOM. COLLOTTE 2014 ★

■ | 6000 | ⧈ 🛢 | 11 à 15 €

Depuis l'âge de seize ans, l'autodidacte Philippe Collotte insuffle son énergie au domaine familial, épaulé depuis 2014 par sa fille Isabelle. Une exploitation qui a bien grandi: les 3 ha d'origine (1981) sont passés à 13,7 ha aujourd'hui. Ses vins sont régulièrement au rendez-vous du Guide, notamment ceux de son fief d'origine, Marsannay, et aussi ses fixin et ses chambolle-musigny.

Un élevage mixte (cuve et fût) a permis d'obtenir un vin d'un bel équilibre, ouvert sur des notes délicates d'amande et de fleurs blanches, bien équilibré entre gras et fraîcheur. Une finale longue et minérale renforce son caractère et son élégance. ⧗ 2017-2020 🍷 rillettes de saumon ■ **Le Clos de Jeu 2013 (11 à 15 €; 4200 b.)** : vin cité.

⊶ *DOM. COLLOTTE, 44, rue de Mazy,*
21160 Marsannay-la-Côte, tél. 03 80 52 24 34,
domaine.collotte@orange.fr V ■ *r.-v.*

PIERRE DAMOY Les Longeroies 2013

■ | 900 | ⧈ | 30 à 50 €

Établi sur les plus beaux terroirs de Gevrey, Pierre Damoy, très en vue pour ses grands crus (notamment ses chambertin, clos-de-bèze, chapelle-chambertin), est aux commandes depuis 1992 d'un domaine de 10,5 ha

complété en 2007 par une affaire de négoce. Une valeur sûre.

Le domaine exploite une petite parcelle de 18 ares sur le plus vaste *climat* de l'appellation. Il en a extrait un 2013 expressif, sur le cassis bien mûr et la cerise, de belle densité en bouche, porté par des tanins bien en place. ⧗ 2018-2021 🍴 paupiettes de veau

PIERRE DAMOY, 11, rue du Mal-de-Lattre-de-Tassigny, 21220 Gevrey-Chambertin, tél. 03 80 34 30 47, info@domaine-pierre-damoy.com V r.-v.

DEREY FRÈRES Les Champs Perdrix 2014 ★

■ | 6600 | | 15 à 20 €

Les Derey possèdent un titre envié depuis les ducs de Bourgogne: celui de métayers – depuis 1981 – de la ville de Dijon sur le Clos des Marcs d'or. L'exploitation, établie à Couchey, l'une des communes de l'AOC marsannay, dispose de 20 ha de vignes. En 2013, le fils de Pierre et Suzanne Derey a rejoint ses parents au domaine.

Un vin frais, déjà flatteur, mais disposant aussi d'une bonne réserve grâce à ses tanins fermes et fins qui devraient encore se bonifier avec les années. Son registre aromatique fait preuve de délicatesse sur des touches florales, de cassis et de cerise confits. ⧗ 2018-2024 🍴 faisan en cocotte

PIERRE DEREY, 1, rue Jules-Ferry, 21160 Couchey, tél. 03 80 52 15 04, derey-freres@wanadoo.fr V *t.l.j. 10h-12h30 14h-18h; dim. sur r.-v.*

Ⓑ DOM. JEAN FOURNIER Cuvée Saint-Urbain 2014 ★

■ | 22000 | | 15 à 20 €

Les Fournier sont vignerons à Marsannay depuis le XVII[e]s. Laurent a repris en 2003 les rênes du domaine familial, aujourd'hui 16,63 ha conduits en bio depuis 2008. Ce vigneron talentueux évite la surextraction et les maturités extrêmes, préférant exprimer le potentiel du terroir et du millésime, privilégie la vinification partielle en raisin entier et, depuis 2010, les élevages longs en tonneaux.

Un vin complet et profond, qui pâtit aujourd'hui d'un petit manque d'expression dû à sa jeunesse, mais qui dispose de tous les atouts pour bien évoluer. En bouche, les tanins sont souples et soyeux en attaque, un brin plus serrés en finale, et la fraîcheur du millésime apporte du dynamisme et de la longueur. ⧗ 2018-2021 🍴 coq au vin ■ **Trois Terres Vieilles Vignes 2013 (30 à 50 €; 1800 b.)** Ⓑ : vin cité. ■ **Es Chezots 2013 (20 à 30 €; 4800 b.)** Ⓑ : vin cité.

DOM. JEAN FOURNIER, 29, rue du Château, 21160 Marsannay-la-Côte, tél. 03 80 52 24 38, domaine.jean.fournier@orange.fr V *r.-v.*

ALAIN GUYARD Charme aux Prêtres 2013

■ | 4500 | | 11 à 15 €

Un domaine familial créé en 1900 par les grands-parents pépiniéristes après la crise phylloxérique. Souvent en vue pour ses marsannay et ses fixin, Alain Guyard s'est installé en 1981 et conduit aujourd'hui un vignoble de 8 ha.

Un *climat* situé en plein cœur de l'appellation, à mi-coteau. Alain Guyard y exploite 76 ares de pinot noir, à l'origine d'une cuvée élevée longuement en fût (vingt-deux mois), qui déploie au nez de jolies notes de fruits rouges et de cassis, se montre souple et fraîche en bouche, avec en finale une pointe de sévérité appelant la garde. ⧗ 2019-2022 🍴 chaource

ALAIN GUYARD, 10, rue du Puits-de-Têt, 21160 Marsannay-la-Côte, tél. 03 80 52 14 46, domaine.guyard@orange.fr V *r.-v.*

♥ Ⓑ HUGUENOT Champs Perdrix 2014 ★★

■ | 12000 | | 20 à 30 €

Depuis 1790, dix générations se sont succédé sur ce domaine de 22 ha, réputé pour ses marsannay, ses gevrey et ses fixin. Philippe Huguenot a pris la suite de son père Jean-Louis en 1996, et lancé la conversion bio de son vignoble (certification en 2013).

Sixième coup de cœur en marsannay pour le domaine, clairement l'une des valeurs (très) sûres de l'appellation. Son Champs-Perdrix s'est notamment illustré dans les millésimes 2006 et 2007; le 2014 fait aussi bien et dévoile toutes les qualités d'un beau pinot noir bourguignon: des notes élégantes de fruits noirs et rouges associées à une légère touche boisée, une bouche ample, délicate, soyeuse et longue, portée par des tanins d'une grande finesse. ⧗ 2018-2023 🍴 carré d'agneau

SCEA HUGUENOT PÈRE ET FILS, 7, ruelle du Carron, 21160 Marsannay-la-Côte, tél. 03 80 52 11 56, domaine.huguenot@wanadoo.fr V *r.-v.*

CH. DE MARSANNAY Champs Perdrix 2014 ★

■ | 6500 | | 20 à 30 €

Le domaine du Château de Marsannay s'étend sur 39,5 ha. Il est présent aussi bien en appellations villages qu'en 1ers crus et grands crus de la Côte de Nuits. Il appartient depuis 2012 à la famille Halley, également propriétaire du Château de Meursault en Côte de Beaune. Un programme d'investissements à la vigne et au chai est en cours.

Un terroir situé en haut de coteau, au sud de l'appellation. Le vin, vinifié en fût pendant huit mois, s'exprime sur des arômes de fruits jaunes, de fleurs blanches et de beurre frais. La bouche se révèle ample, souple, fraîche, fruitée (citron, pêche) et longue. ⧗ 2017-2021 🍴 pavé de lotte sauce agrumes ■ **Les Favières 2014 ★ (15 à 20 €; 3800 b.)** : le domaine exploite 55 ares de ce terroir situé au sud du village. Un long élevage en fût de dix-huit mois a donné un vin sur la griotte mûre au nez, solidement constitué, généreux et tannique en bouche. Bâti pour la garde. ⧗ 2019-2026 ■ **Le Clos de Jeu 2014 (15 à 20 €; 10000 b.)** : vin cité.

CH. DE MARSANNAY, 2, rue des Vignes, 21160 Marsannay-la-Côte, tél. 03 80 51 71 11, domaine@chateau-marsannay.com V *t.l.j. 10h-18h30; f. 20 dec.-1er fev.*

Olivier Halley

Ⓑ ARMELLE ET JEAN-MICHEL MOLIN 2014

■ | 280 | | 15 à 20 €

Armelle et Jean-Michel Molin ont créé en 1987 ce domaine, qui couvre aujourd'hui 7 ha. Après l'arrivée

de leur fils Alexandre (en 2004) sur l'exploitation, la conversion bio a été engagée et la certification obtenue en 2010. La propriété est régulièrement sélectionnée pour ses fixin.

Une toute petite parcelle (7 ares) de jeunes vignes (six ans) a donné naissance à cette cuvée pour le moins confidentielle et déjà agréable. Le nez montre un caractère chaleureux et intense sur les fruits blancs et jaunes mûrs. La bouche, à l'unisson, est riche, suave, d'un bon volume. À apprécier dans sa jeunesse. ⧗ 2016-2020 ¥ ris de veau

⊶ EARL ARMELLE ET JEAN-MICHEL MOLIN, 54, rte des Grands-Crus, 21220 Fixin, tél. 03 80 52 21 28, domaine.molin@wanadoo.fr V ⚲ ▣ r.-v.

Ⓑ DOM. HENRI RICHARD Au Larrey 2013 ★

■	888	ⓘ ▮	20 à 30 €

Patrick Maroiller, régisseur de ce domaine de 4,5 ha certifié bio, a cédé la place en 2012 aux petits-enfants du fondateur, Sarah et Richard Bastien, qui souhaitent développer la mise en bouteilles à la propriété, une partie de la production étant vendue en vrac.

Ce *climat* est perché sur les hauteurs du village de Couchey, vers 350 m d'altitude. Les Bastien y cultivent 32 ares de pinot noir, à l'origine d'un vin boisé au premier nez, ouvert sur les fruits rouges à l'aération. En bouche, une attaque souple, puis de la densité, du gras et des tanins solides. Un vin qui peut et doit vieillir. ⧗ 2019-2023 ¥ sauté de chevreuil

⊶ DOM. HENRI RICHARD, 75, rte de Beaune, 21220 Gevrey-Chambertin, tél. 09 62 08 00 17, info@domainehenririchard.com V ⚲ ▣ r.-v. ⌂ Ⓔ ⊶ Bastien

MAISON CHARLES VIÉNOT 2014

■	12750	ⓘ	15 à 20 €

Une maison de négoce fondée en 1735 à Nuits-Saint-Georges par Charles Viénot, entrée dans le giron du groupe Boisset en 1983. Le suivi des cuvées est assuré par l'œnologue Laurent Mairet.

À défaut d'être très expressif, ce vin se montre délicat et charmeur, évoquant la griotte et la framboise avec précision. Les tanins sont encore sérieux et serrés à ce stade, mais le fruit s'exprime avec une intensité grandissante au fil de la dégustation. Prometteur. ⧗ 2019-2026 ¥ filet de bœuf sauce poivre

⊶ MAISON CHARLES VIÉNOT, 5, quai Dumorey, 21700 Nuits-Saint-Georges, tél. 03 80 62 61 41 ⊶ Boisset FGV

Ⓑ DOM. DU VIEUX COLLÈGE Les Vignes Marie 2014 ★

□	19000	ⓘ	15 à 20 €

À la tête du domaine familial (25 ha) depuis 2006, Éric Guyard, représentant la septième génération, a fait le choix de l'agriculture biologique.

Une cuvée importante pour le domaine: elle est issue de 5 ha de vignes. Un vin encore réservé à l'olfaction, qui propose des arômes discrets d'agrumes et de minéralité, mais qui laisse entrevoir un bon potentiel à travers sa bouche dense, ample, généreuse, bien équilibrée par une fine acidité en finale. ⧗ 2017-2021 ¥ koulibiac de saumon **■ Les Recilles 2014 ★ (15 à 20 €; 20000 b.)** Ⓑ : un *climat* situé à la sortie nord du village lorsque l'on emprunte la route des grands crus. Éric Guyard y exploite 6 ha dont il a tiré un vin au caractère charmeur, ouvert sur les fruits noirs, charnu, harmonieux et long, soutenu par un boisé agréable et des tanins fins. ⧗ 2018-2021

⊶ DOM. DU VIEUX COLLÈGE, 4, rue du Vieux-Collège, 21160 Marsannay-la-Côte, tél. 03 80 52 12 43, jp-eric.guyard@wanadoo.fr V ▣ r.-v. ⊶ Guyard

FIXIN

Superficie : 95 ha
Production : 3 960 hl (95 % rouge)

Après avoir admiré les pressoirs des ducs de Bourgogne à Chenôve et dégusté le marsannay, on rencontre Fixin, qui donne son nom à une AOC où l'on produit surtout des vins rouges. Les fixin sont solides, charpentés, souvent tanniques et de bonne garde. Ils peuvent également revendiquer, au choix, à la récolte, l'appellation côte-de-nuits-villages.
Les *climats* Hervelets, Arvelets, Clos du Chapitre et Clos Napoléon, tous classés en 1ers crus, sont parmi les plus réputés, mais c'est le Clos de la Perrière qui en est le chef de file puisqu'il a même été qualifié de «cuvée hors classe» par d'éminents écrivains bourguignons et comparé au chambertin; ce clos déborde un tout petit peu sur la commune de Brochon. Autre lieu-dit: Le Meix-Bas.

DOM. DENIS BERTHAUT Les Arvelets 2014 ★

■ 1er cru	2400	ⓘ	20 à 30 €

Installés en 1974, les frères Denis et Vincent Berthaut (sixième génération) tiennent l'un des domaines phares de Fixin, dont les origines remontent au XVIIIes. Les vignes couvrent 13 ha, dont 8 ha en fixin, conduits en lutte raisonnée «tendance bio». La relève, avec Amélie, fille de Denis et de Marie-Andrée Gerbet (domaine François Gerbet à Vosne-Romanée), est assurée depuis 2013.

Le domaine exploite 70 ares de ce terroir planté de vignes de cinquante ans. La jeunesse de ce vin, dense, suave et bien structuré, ne l'empêche pas de faire preuve d'une belle finesse au nez (violette et cassis) comme en bouche. Son boisé doit toutefois se fondre et sa palette aromatique prendre de l'ampleur. Un vin en devenir. ⧗ 2019-2025 ¥ filet de bœuf en croûte

⊶ DOM. DENIS BERTHAUT, 9, rue Noisot, 21220 Fixin, tél. 03 80 52 45 48, denis.berthaut@wanadoo.fr V ▣ t.l.j. sf dim. 10h-12h 14h-18h30; f. janv.

DOM. CLÉMANCEY Les Hervelets Vieilles Vignes 2014 ★

■ 1er cru	2600	ⓘ	15 à 20 €

Marie-Odile Barçon-Clémancey a pris la tête de ce domaine familial en 1996. Un travail soigné à la vigne (labours, ébourgeonnage...) permet de tirer le meilleur parti de ses terroirs. Le domaine, basé à Couchey dans une maison datant des XVIIIe et XIXes., exploite 7,5 ha de vignes, très majoritairement plantés en rouge.

Le nez de ce 1er cru s'exprime sur des notes délicates de cerise, de pivoine et de rose. En bouche, on découvre un vin à la trame tannique affirmée, une solidité qui en fait un bon candidat à la garde et un bel ambassadeur de l'appellation. ⧗ 2019-2026 ¥ civet de lièvre

DOM. CLÉMANCEY, 33, rue Jean-Jaurès, 21160 Couchey, tél. 03 80 59 87 41, domaine.clemancey@wanadoo.fr V r.-v.

DOM. COLLOTTE
Les Crais de chêne Vieilles Vignes 2013 ★

■	1846		15 à 20 €

Depuis l'âge de seize ans, l'autodidacte Philippe Collotte insuffle son énergie au domaine familial, épaulé depuis 2014 par sa fille Isabelle. Une exploitation qui a bien grandi: les 3 ha d'origine (1981) sont passés à 13,7 ha aujourd'hui. Ses vins sont régulièrement au rendez-vous du Guide, notamment ceux de son fief d'origine, Marsannay, et aussi ses fixin et ses chambolle-musigny.

Des vignes de cinquante ans s'épanouissent sur cette petite parcelle de 30 ares située au nord de l'appellation. Elles ont donné naissance à ce vin d'une belle élégance, expressif, sur les fruits noirs et des notes grillées, consistant et structuré par des tanins fins. ⌛ 2019-2024 ♀ époisses

DOM. COLLOTTE, 44, rue de Mazy, 21160 Marsannay-la-Côte, tél. 03 80 52 24 34, domaine.collotte@orange.fr V r.-v.

OLIVIER DEFRANCE Les Herbues 2014 ★

■	2500		11 à 15 €

Issu d'une ancienne famille implantée depuis 1610 à Fixin, Olivier Defrance, cinquième génération, a repris en 2012 le flambeau de son père Michel sur ce domaine (4 ha) qui porte désormais son nom.

Ce terroir de mi-coteau touche les premiers crus de l'appellation, près de l'église du village. Le domaine y exploite 52 ares, à l'origine d'un vin prometteur, encore sur la fougue de sa jeunesse, bâti sur des tanins fermes, mais déjà bien expressif (fruits noirs et rouges, boisé élégant) et équilibré. ⌛ 2019-2024 ♀ bœuf mijoté

OLIVIER DEFRANCE, 38, rte des Grands-Crus, 21220 Fixin, tél. 03 80 52 47 21, defrance.olivier21@gmail.com V r.-v. 2 *Caveau Saint-Vincent*

DEREY FRÈRES Les Hervelets 2014

■ 1er cru	4500		20 à 30 €

Les Derey possèdent un titre envié depuis les ducs de Bourgogne: celui de métayers – depuis 1981 – de la ville de Dijon sur le Clos des Marcs d'or. L'exploitation, établie à Couchey, l'une des communes de l'AOC marsannay, dispose de 20 ha de vignes. En 2013, le fils de Pierre et Suzanne Derey a rejoint ses parents au domaine.

La fraîcheur du millésime est bien représentée dans cette cuvée s'exprimant sur des notes de petits fruits rouges, épaulée par des tanins soyeux et par un boisé fin. Un ensemble harmonieux. ⌛ 2018-2024 ♀ risotto de veau aux cèpes

PIERRE DEREY, 1, rue Jules-Ferry, 21160 Couchey, tél. 03 80 52 15 04, derey-freres@wanadoo.fr V *t.l.j. 10h-12h30 14h-18h; dim. sur r.-v.*

DOM. GUY ET YVON DUFOULEUR
Clos du Chapitre Monopole 2013

■ 1er cru	15000		30 à 50 €

Les Dufouleur perpétuent une tradition vigneronne qui remonte à la fin du XVIe s. Le domaine actuel – le négoce Dufouleur Père et Fils a été vendu en 2006 – est né de la fusion en 2007 de la propriété familiale avec le domaine Yvan Dufouleur créé en 1991. Guy étant décédé, le vignoble (26 ha) est aujourd'hui dirigé par son fils aîné Yvan, épaulé à la gérance par Xavier, frère de Guy.

Certainement l'un des terroirs les plus intéressants de l'appellation que ce 1er cru étendu sur 4,8 ha, monopole des Dufouleur. En 2013, il a donné un vin assez alerte, aux tanins d'une belle finesse et à l'expression aromatique discrète, dominée par les fruits rouges frais et par un boisé épicé. ⌛ 2019-2023 ♀ brie de Meaux

DOM. GUY ET YVAN DUFOULEUR, 17, rue Thurot, BP 80138, 21700 Nuits-Saint-Georges, tél. 03 80 61 09 35, yvan.dufouleur@21700-nuits.com V r.-v.

DOM. PIERRE GELIN La Cocarde 2013 ★

■	n.c.		15 à 20 €

Fondée en 1925 par Pierre Gelin, cette propriété familiale exploite un vignoble de 13 ha sur les communes de Fixin et de Gevrey-Chambertin. Elle est conduite aujourd'hui par Pierre-Emmanuel Gelin, qui porte un soin particulier à la méthode culturale: les vignes sont labourées, les désherbants bannis, et la conversion à l'agriculture biologique a été achevée en 2015.

Près du hameau de Fixey, le long de la route des grands crus, ce terroir porte haut les couleurs de son appellation. Cette cuvée en est un beau représentant, pour l'intensité de sa palette aromatique, centrée sur les fruits rouges et noirs, comme pour la finesse de sa texture, le soyeux et l'élégance de ses tanins et sa longueur en bouche. ⌛ 2018-2023 ♀ tournedos sauce poivre

DOM. PIERRE GELIN, 22, rue de la Croix-Blanche, 21220 Fixin, tél. 03 80 52 45 24, info@domaine-pierregelin.fr V r.-v.

JOLIET PÈRE ET FILS Clos de la Perrière 2013 ★

■ 1er cru	n.c.		50 à 75 €

Le Clos de la Perrière fut créé au XIIe s. par les moines de Cîteaux et classé au XIXe s. à l'égal des «grands vins de Gevrey-Chambertin» par le docteur Lavalle, qui notait que M. le marquis de Montmort vendait son clos «au même prix que le Chambertin». Cette parcelle de 5 ha (dont 50 ares en chardonnay) est exploitée en monopole par la famille Joliet depuis 1853 – par Bénigne Joliet aujourd'hui –, qui ne cultive que le Clos.

Un vin issu du terroir le plus prisé du village. Sa bouche riche, ample et consistante, à la structure bien en place, lui assurera une belle longévité tout en offrant déjà du plaisir. Mais débouché dans sa jeunesse, il aura besoin d'aération pour libérer tout son potentiel aromatique, centré sur des notes florales et les fruits rouges. ⌛ 2017-2024 ♀ chapon farci aux morilles

JOLIET PÈRE ET FILS, manoir de la Perrière, 21220 Fixin, tél. 03 80 52 47 85, benigne@wanadoo.fr V r.-v.

DOM. PATRICK LAGRANGE Les Treuilles 2014

■	600		20 à 30 €

Patrick Lagrange, retraité de la restauration et de la commercialisation de caves à vins, s'est engagé en 2009 comme négociant-éleveur confidentiel à Fixin, vinifiant de petits lots de vendanges intéressants.

Une petite parcelle de chardonnay, 10 ares, dans une appellation majoritairement rouge. Elle a donné naissance à ce vin très confidentiel, ouvert à l'olfaction sur les fleurs et les fruits blancs, sur les agrumes, souple et consistant en bouche, auquel la fraîcheur du millésime apporte de la tension et de l'équilibre. ⧗ 2017-2021 🍷 gratin de poisson

PATRICK LAGRANGE, Bourgogne Cave Passion, 22, rue de l'Abbé-Chevalier, 21220 Fixin, tél. 06 63 71 15 15, palagrange@wanadoo.fr r.-v.

LAROZE DE DROUHIN 2014

■ | 1300 | | 15 à 20 €

En 1850, Jean-Baptiste Drouhin fonde un domaine viticole à Gevrey. Six générations plus tard, son héritier Philippe Drouhin, installé en 2001, son épouse Christine et leurs enfants Caroline et Nicolas conduisent dans un esprit bio, mais sans certification, un vignoble de 11,5 ha – dont près de la moitié est dédiée aux grands crus –, complété en 2008 par un petit négoce (Laroze de Drouhin) dirigé par Caroline.

Au nez, ce vin associe des notes de fruits rouges, la groseille notamment, à un caractère vanillé légué par dix-huit mois d'élevage sous bois. En bouche, les tanins sont présents mais fondus et d'une belle finesse, et une pointe de vivacité apporte du dynamisme en finale. Ce 2014 gagnera son étoile après une courte garde. ⧗ 2017-2021 🍷 rôti de veau

DOM. DROUHIN-LAROZE, 20, rue du Gaizot, 21220 Gevrey-Chambertin, tél. 03 80 34 31 49, domaine@drouhin-laroze.com r.-v.

FRÉDÉRIC MAGNIEN 2014 ★

■ | 14 000 | 30 à 50 €

Frédéric Magnien est un fin vinificateur en chambolle et l'une des valeurs sûres de cette appellation, et plus largement des grands crus de la Côte de Nuits. Après avoir travaillé quatre ans sur le domaine de son père Michel, dont il vinifie toujours les vins, exercé un an dans des vignobles du Nouveau Monde (Californie, Australie) et obtenu un diplôme d'œnologie à Dijon, il a lancé en 1995 sa maison de négoce.

Une belle réussite que ce fixin au nez ouvert et généreux, sur les fruits confits, au palais ample, chaleureux et consistant, à la texture soyeuse patinée par un joli boisé vanillé. Une finale bien fraîche apporte un surcroît d'énergie. ⧗ 2018-2022 🍷 lapin aux pruneaux

EURL FRÉDÉRIC MAGNIEN, 26, rte Nationale, 21220 Morey-Saint-Denis, tél. 03 80 52 54 20, frederic@fred-magnien.com r.-v.

♥ B ARMELLE ET JEAN-MICHEL MOLIN
Vieilles Vignes 2014 ★★

■ | 3000 | | 15 à 20 €

Armelle et Jean-Michel Molin ont créé en 1987 ce domaine, qui couvre aujourd'hui 7 ha. Après l'arrivée de leur fils Alexandre (en 2004) sur l'exploitation, la conversion bio a été engagée et la certification obtenue en 2010. La propriété est régulièrement sélectionnée pour ses fixin.

La démonstration que la Côte de Nuits peut aussi donner de grands vins blancs n'est plus à faire. Cette cuvée enfonce le clou, et ce n'est pas la première fois: le 2010 fut également coup de cœur. Elle est issue d'une parcelle d'un demi-hectare plantée en 1990. Après récolte et pressurage, elle a fermenté en fût, puis a été mise en bouteille l'année suivante. Le résultat: un vin très élégant, au registre floral, fruité (agrumes) et finement boisé, ample, consistant et long en bouche, stimulé par une belle fraîcheur en finale. ⧗ 2018-2021 🍷 lapin à la bière

EARL ARMELLE ET JEAN-MICHEL MOLIN, 54, rte des Grands-Crus, 21220 Fixin, tél. 03 80 52 21 28, domaine.molin@wanadoo.fr r.-v.

PHILIPPE ROSSIGNOL
En Tabellion Vieilles Vignes 2013

■ | 2000 | | 15 à 20 €

Philippe Rossignol et son fils Sylvain travaillent ensemble depuis 2005 sur ce petit domaine de 7 ha créé de toutes pièces en 1976, à partir de 2,5 ha de vignes.

Ce terroir de milieu de coteau est situé au nord de l'appellation. Le domaine en cultive 36 ares qui ont donné un vin expressif, sur les fruits noirs compotés. La bouche est consistante, assise sur des tanins solides et encore assez stricts incitant à la patience. ⧗ 2019-2023 🍷 œufs en meurette

DOM. PHILIPPE ROSSIGNOL, 61, av. de la Gare, 21220 Gevrey-Chambertin, tél. 03 80 51 81 17, sceaphilipperossignol@hotmail.fr r.-v.

GEVREY-CHAMBERTIN

Superficie : 410 ha
Production : 17 280 hl

Au nord de Gevrey, trois appellations communales sont produites sur la commune de Brochon: fixin sur une petite partie du Clos de la Perrière, côte-de-nuits-villages sur la partie nord (lieux-dits Préau et Queue-de-Hareng) et gevrey-chambertin sur la partie sud. En même temps qu'elle constitue l'appellation communale la plus importante en volume, la commune de Gevrey-Chambertin abrite des 1ers crus tous plus grands les uns que les autres. La combe de Lavaux sépare la commune en deux parties. Au nord, on trouve, entre autres *climats*, les Évocelles (sur Brochon), les Champeaux, la Combe aux Moines (où allaient en promenade les moines de l'abbaye de Cluny qui furent au XIIIes. les plus importants propriétaires de Gevrey), les Cazetiers, le Clos Saint-Jacques, les Varoilles, etc. Au sud, les crus sont moins nombreux, presque tout le coteau étant en grand cru; on peut citer les *climats* de Fonteny, Petite-Chapelle, Clos-Prieur, entre autres. Les vins de cette appellation sont solides et puissants dans le coteau, élégants et subtils dans le piémont. À ce propos, il y a lieu de réfuter une opinion erronée selon laquelle l'appellation gevrey-chambertin s'étendrait jusqu'à la ligne de chemin de fer Dijon-Beaune, dans des terrains qui ne le mériteraient pas. Cette information, qui fait fi de la sagesse des vignerons de Gevrey, nous donne l'occasion d'apporter une explication: la Côte a été le siège de nombreux phénomènes géologiques, et

certains de ses sols sont constitués d'apports de couverture, dont une partie a pour origine les phénomènes glaciaires du quaternaire. La combe de Lavaux a servi de «canal», et à son pied s'est constitué un immense cône de déjection dont les matériaux sont semblables à ceux du coteau. Dans certaines situations, ils sont simplement plus épais, donc plus éloignés du substratum. Essentiellement constitués de graviers calcaires plus ou moins décarbonatés, ils donnent ces vins élégants et subtils dont nous parlions précédemment.

DOM. PIERRE AMIOT ET FILS Les Combottes 2013 ★

■ 1er cru | 2174 | | 30 à 50 €

Un domaine établi à Morey-Saint-Denis depuis cinq générations, conduit aujourd'hui par les fils de Pierre Amiot, Jean-Louis et Didier. Le vignoble couvre 7,9 ha à Morey, essentiellement, et à Gevrey, avec deux grands crus. Souvent en vue pour ses morey et ses clos-de-la-roche.

Situé dans le prolongement des grands crus, au sud de l'appellation, côté Morey, les Combottes donnent généralement des vins puissants. Ce vin ne manque effectivement pas de caractère: nez intense et harmonieux de framboise et d'épices, bouche fraîche, dense et profonde, aux tanins serrés qui demandent à se fondre. ⧗ 2019-2026 ¥ rôti de bœuf aux cèpes

DOM. PIERRE AMIOT ET FILS, 27, Grande-Rue, 21220 Morey-Saint-Denis, tél. 03 80 34 34 28, contact@domainepierreamiot.fr r.-v.

DOM. DES BEAUMONT Aux Combottes 2014 ★

■ 1er cru | 1200 | | 30 à 50 €

Thierry Beaumont (septième génération) a créé son domaine en 1991 en reprenant les vignes familiales et commercialise son vin en bouteille, sous son patronyme, depuis 1999. Le vignoble couvre 5,5 ha à Morey, Chambolle et Gevrey. Les cuvées de ce vigneron peu interventionniste à la vigne et au chai, qui a investi dans un outil de travail moderne, sont chaque année au rendez-vous du Guide.

Des notes de fruits noirs sont accompagnées au nez par un boisé toasté assez prégnant (élevage en fût de douze mois). Un belle trame de tanins fins et serrés soutient le palais, frais, corsé et long. Un très bon classique. ⧗ 2019-2026 ¥ gigue de chevreuil

DOM. DES BEAUMONT, 9, rue Ribordot, 21220 Morey-Saint-Denis, tél. 03 80 51 87 89, contact@domaine-des-beaumont.com t.l.j. sf mar. dim. 10h-13h 14h-19h; f. janv.-fev.

JULES BELIN 2014

■ | 4200 | | 30 à 50 €

Cette vénérable maison de négoce, fondée en 1817 par Jules Belin et reprise en 2003 par la maison nuitonne Louis Max, vinifie une vingtaine d'appellations au travers d'achats de raisins dans la Côte de Nuits et la Côte de Beaune.

Le nez se montre assez discret, sur des notes de fruits noirs mûrs et de sous-bois. La bouche est équilibrée, généreuse et souple, construite sur une acidité bien maîtrisée et des tanins extraits avec mesure. ⧗ 2018-2022 ¥ bœuf bourguignon

JULES BELIN, 6, rue de Chaux, 21700 Nuits-Saint-Georges, tél. 03 80 62 43 01 r.-v.

JEAN-CLAUDE BOISSET Les Murots 2014 ★

■ | 1824 | | 30 à 50 €

Un important négoce créé en 1961 par Jean-Claude Boisset qui, installé à Nuits-Saint-Georges dans l'ancien couvent des Ursulines, est propriétaire de vignes dans toute la Bourgogne, et aussi dans d'autres vignobles en France et à l'étranger. Depuis 2002, Grégory Patriat, le vinificateur, s'attache à élaborer des cuvées haut de gamme, dans une approche «domaine».

Un gevrey issu d'une vendange égrappée à 50 % et d'un élevage de seize mois en pièces bourguignonnes. Des arômes suaves de réglisse, de cerise et de vanille forment un bouquet très appétant. Après une attaque souple, la bouche, ample et de belle densité, dévoile des tanins assez fondus, épaulés par un boisé bien ajusté. Prometteur. ⧗ 2019-2026 ¥ carré d'agneau

JEAN-CLAUDE BOISSET, 5, quai Dumorey, 21700 Nuits-Saint-Georges, tél. 03 80 62 61 61, patriat.g@boisset.fr r.-v.

JEAN BOUCHARD 2013 ★

■ | 25000 | | 30 à 50 €

La maison de négoce Jean Bouchard est entrée dans l'orbite de la maison Albert Bichot en 1955. Elle se redéploie depuis 2000 en élargissant son offre en partenariat avec des domaines et s'oriente vers la grande distribution.

Issu de 4 ha de vignes et élevée en fût pendant seize mois, cette cuvée importante en volume a aussi de belles qualités à faire valoir. Elle propose des arômes assez discrets mais nets de framboise et de cerise sur un fond boisé léger. Des tanins fins, soulignés par une bonne vivacité, confèrent au palais un caractère friand et souple. Un gevrey que l'on pourra apprécier relativement jeune. ⧗ 2018-2023 ¥ volaille rôtie aux champignons

MAISON JEAN BOUCHARD, 6 bis, bd Jacques-Copeau, 21200 Beaune, tél. 03 80 24 37 27, contact@jeanbouchard.com

CHRISTOPHE BRYCZEK Aux Échézeaux 2014 ★

■ | 4000 | | 20 à 30 €

Georges Bryczek, né en Pologne en 1912 et arrivé en France en 1938, s'est installé comme vigneron à son compte en 1953, à Morey-Saint-Denis. Un beau parcours poursuivi par son petit-fils Christophe, installé en 2003 à la tête de 3 ha en morey, chambolle-musigny et gevrey.

Un *climat* situé dans le prolongement des grands crus, côté Morey, sous les Charmes-Chambertin. D'une parcelle de 1 ha, Christophe Bryczek tire un gevrey expressif et subtil à l'olfaction, sur le cassis, la violette et un boisé de qualité. Une texture charnue se dessine dès l'attaque dans une bouche équilibrée, ample et structurée sans excès. ⧗ 2018-2024 ¥ navarin de biche

CHRISTOPHE BRYCZEK, 14, rue Ribordot, 21220 Morey-Saint-Denis, tél. 06 61 23 94 53, christophe.bryczek@orange.fr r.-v.

CHANSON 2013

■ | n.c. | ◍ | 30 à 50 €

L'une des plus anciennes maisons de négoce de Bourgogne, fondée en 1750, reprise en 1999 par le Champagne Bollinger. En plus de ses achats de raisins, elle dispose d'un important vignoble de 45 ha et de l'expertise de Jean-Pierre Confuron, son œnologue-conseil largement salué pour son talent (aussi pour son domaine familial Confuron-Cotedidot conduit avec son frère Yves), qui a développé un style reconnaissable grâce à ses vinifications en grappes entières. Son fief est situé autour de Beaune, mais Chanson propose aussi des appellations en Côte de Nuits.

La maison Chanson propose ici un gevrey bien typé, au nez frais de griotte et de cassis agrémenté d'une petite touche végétale agréable, gras et d'une bonne richesse tannique mais encore un peu austère et boisé à ce stade. Ce 2013 demandera un peu de garde pour être dégusté à son meilleur niveau. ⧗ 2019-2024 ♈ onglet aux échalotes

SA DOM. CHANSON PÈRE ET FILS, 10, rue Paul-Chanson, 21200 Beaune, tél. 03 80 25 97 97, chanson@domaine-chanson.com V ▪ *r.-v.*

Ⓑ DOM. PHILIPPE CHARLOPIN Cuvée Vieilles Vignes 2013

■ | n.c. | 50 à 75 €

Repris en 1977, ce domaine familial, passé de 1,5 ha à 25 ha aujourd'hui, est en conversion bio. Avec son fils Yann, Philippe Charlopin fait partie des vignerons emblématiques de Gevrey-Chambertin et plus généralement de la Côte de Nuits. Il propose une large palette de vins, des *villages* aux grands crus du Chablisien, de la Côte de Beaune et de la Côte de Nuits. On ne compte plus ses étoiles et coups de cœur « vendangés » dans le Guide. Incontournable.

Des notes animales se font sentir au premier nez, puis elles laissent place à une expression fruitée mûre (cerise, cassis) et florale (violette). La bouche montre de la souplesse en attaque, un développement soyeux et généreux (fruits à l'alcool) et une finale plus serrée, sur des tanins fermes. ⧗ 2018-2024 ♈ coq au vin

DOM. PHILIPPE CHARLOPIN, 18, rte de Dijon, 21220 Gevrey-Chambertin, tél. 06 24 71 12 05, charlopin.philippe21@orange.fr

DOM. BRUNO CLAIR Clos du Fonteny Monopole 2013 ★★

■ 1er cru | 3100 | ◍ | 75 à 100 €

Bien connu des lecteurs pour ses marsannay, Bruno Clair est établi depuis 1986 à la tête d'un vignoble né du démantèlement du domaine Clair-Daü, créé par son grand-père Joseph, célèbre pour avoir popularisé le marsannay rosé. À sa disposition, 21,4 ha de vignes, dont quelques bijoux: Clos de Bèze, les Cazetiers et le Clos Saint-Jacques en gevrey, du vosne, du chambolle, du corton-charlemagne…

Ce *climat* de 67 ares en monopole, situé près du grand cru Mazis-Chambertin, est à l'origine d'un gevrey admirable qui ravira les amateurs de grands vins raffinés de la Côte de Nuits. Les fruits rouges et une élégante touche florale s'expriment au nez sur fond de boisé bien fondu. Le palais apparaît à la fois charnu, concentré, puissant et très fin, structuré par des tanins veloutés. Un vin déjà très agréable et harmonieux, que le temps rendra encore meilleur. ⧗ 2019-2026 ♈ noisette de chevreuil

DOM. BRUNO CLAIR, 5, rue du Vieux-Collège, 21160 Marsannay-la-Côte, tél. 03 80 52 28 95, brunoclair@wanadoo.fr V ▪ ▪ *r.-v.*

♥ DOM. PIERRE DAMOY Clos Tamisot 2013 ★★

■ | 4400 | ◍ | 50 à 75 €

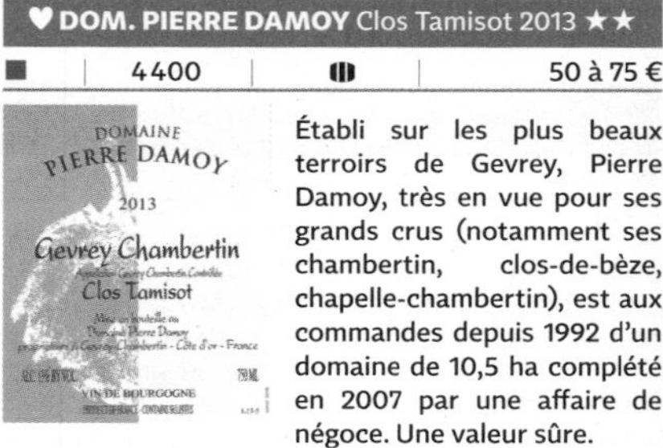

Établi sur les plus beaux terroirs de Gevrey, Pierre Damoy, très en vue pour ses grands crus (notamment ses chambertin, clos-de-bèze, chapelle-chambertin), est aux commandes depuis 1992 d'un domaine de 10,5 ha complété en 2007 par une affaire de négoce. Une valeur sûre.

Ce *climat* de 1,4 ha est situé au nord du village, côté Brochon. Pierre Damoy y exploite une parcelle de 1,4 ha. Il a opéré des cuvaisons longues pour son 2013 et un élevage en fût de dix-huit mois. Le résultat est épatant avec un gevrey parfaitement équilibré entre notes boisées, florales et fruitées, ample, riche, concentré et finement tannique, qui dégage d'ores et déjà une impression de plénitude. ⧗ 2019-2028 ♈ faisan en cocotte

PIERRE DAMOY, 11, rue du Mal-de-Lattre-de-Tassigny, 21220 Gevrey-Chambertin, tél. 03 80 34 30 47, info@domaine-pierre-damoy.com V ▪ ▪ *r.-v.*

DOM. DROUHIN-LAROZE 2014 ★

■ | 18000 | ◍ | 20 à 30 €

En 1850, Jean-Baptiste Drouhin fonde un domaine viticole à Gevrey. Six générations plus tard, son héritier Philippe Drouhin, installé en 2001, son épouse Christine et leurs enfants Caroline et Nicolas conduisent dans un esprit bio, mais sans certification, un vignoble de 11,5 ha – dont près de la moitié est dédiée aux grands crus –, complété en 2008 par un petit négoce (Laroze de Drouhin) dirigé par Caroline.

C'est une cuvée qui compte dans la gamme du domaine: 4 ha sur les 11,5 ha de l'exploitation. Un vin marqué par un volume certain, par la puissance et la fraîcheur, au nez intense de fruits rouges mûrs et de cuir frais, qui devrait gagner en complexité avec le temps. ⧗ 2018-2024 ♈ filet de bœuf sauce poivre ■ **1er cru Au Closeau 2014 (30 à 50 €; 2500 b.)** : vin cité.

DOM. DROUHIN-LAROZE, 20, rue du Gaizot, 21220 Gevrey-Chambertin, tél. 03 80 34 31 49, domaine@drouhin-laroze.com V ▪ ▪ *r.-v.*

LOU DUMONT 2013 ★

■ | 5000 | ◍ | 30 à 50 €

Fondée en 2000 à Nuits-Saint-Georges par le Japonais Koji Nakada, ancien sommelier, et son épouse Jae-Hwa Park, cette petite maison de négoce, aujourd'hui implantée à Gevrey, crée un pont entre la Bourgogne et l'Asie, 96 % de la production partant à l'export. En 2012, le couple Nakata a acquis ses premières vignes en propre : environ 1 ha de vignes en conversion bio.

Le nez s'ouvre sur les fruits rouges, les épices et un caractère un peu sauvage. En bouche, les tanins s'affirment avec finesse et consistance; une sensation moelleuse donne également un caractère avenant à ce gevrey qui vieillira bien. ⧗ 2019-2026 🍷 pintade à la forestière

MAISON LOU DUMONT, 32, rue du Mal-de-Lattre-de-Tassigny, 21220 Gevrey-Chambertin, tél. 03 80 51 82 82, support@loudumont.com V r.-v. *Koji Nakada*

DUPONT-TISSERANDOT
Lavaux Saint-Jacques 2014 ★

1er cru	912		75 à 100 €

Ce domaine familial réputé (notamment pour ses grands crus et ses gevrey), conduit depuis 1990 par Marie-Françoise Guillard et Patricia Chevillon, est passé en 2013 dans le giron d'Erwan Faiveley. Les deux sœurs restent toutefois cogérantes de ce vaste vignoble de plus de 20 ha répartis en 200 parcelles, en Côte de Nuits essentiellement, et aussi en Côte de Beaune. Aux côtés du maître de chai Didier Chevillon, mari de Patricia, l'œnologue de la maison Faiveley, Jérôme Flous, assure le suivi des vinifications.

Il s'agit d'un terroir du nord de l'appellation, bien exposé au sortir de la combe Lavaux, implanté sur un sol de roches fossilifères et d'argile. L'un des 1ers crus les plus réputés de Gevrey, à l'origine ici d'un 2014 d'une belle élégance. Le nez s'exprime sur des arômes frais de framboise et de cassis, agrémentés de notes de sous-bois et de fumé; le palais déploie une texture veloutée épaulée par des tanins fins, un boisé fondu et une agréable vivacité. Paré pour la garde. ⧗ 2019-2026 🍷 sanglier sauce grand veneur

DOM. DUPONT-TISSERANDOT, 2, pl. des Marronniers, 21200 Gevrey-Chambertin, tél. 03 80 34 10 50, contact@duponttisserandot.com *Erwan Faiveley*

MAISON EUGÈNE ELLIA Les Murots 2014

■	1743		30 à 50 €

Spécialisée en appellations «rouges», cette jeune maison de négoce fondée en 2011 est établie dans le «vieux» Nuits-Saint-Georges et possède aussi deux vignes en propriété à Nuits et à Vosne-Romanée. C'est Géraldine Barioz, une jeune œnologue, qui assure les vinifications.

Un vin issu d'un achat de raisins sur une parcelle de 30 ares. Le nez présente des notes de pivoine et d'épices. La bouche se révèle souple, pas trop tannique, soutenue par une fine acidité qui lui assure un bon équilibre. ⧗ 2018-2023 🍷 chaource

MAISON EUGÈNE ELLIA, 3, quai Fleury, 21700 Nuits-Saint-Georges, tél. 03 80 23 98 75, geraldine@eugeneellia.com r.-v.

DENIS FOURNIER 2014

■	1200		20 à 30 €

Denis Fournier est installé depuis 2004 à Couchey, près de Fixin, où il exploite un domaine familial créé en 1970: près de 9 ha dans les appellations marsannay, fixin, gevrey-chambertin et bourgogne générique. En 2014, son prénom a remplacé celui de son père Daniel sur les étiquettes.

Ce vin demande de l'aération pour libérer ses arômes de cerise et de pruneau mariés à un boisé épicé. Une note d'élevage bien présente également dans une bouche solide, sans rien qui ne trahisse son équilibre. ⧗ 2018-2025 🍷 canard à l'orange

DENIS FOURNIER, 1, rue Raymond-Poincaré, 21160 Couchey, tél. 03 80 52 18 38, earl.daniel.fournier@orange.fr V *t.l.j. sf dim. 9h-12h 14h-18h30*

MAURICE GAVIGNET 2014

■	2300		20 à 30 €

L'histoire débute vers 1900, lorsque Honoré Gavignet, vigneron à la Romanée-Conti, fonde son domaine à Nuits-Saint-Georges. Son arrière-petit-fils, Arnaud, qui est passé par la maison Bichot et par une coopérative languedocienne, est à la tête de la propriété depuis 2008. Il exploite des vignes sur la Côte de Nuits et la Côte de Beaune.

Une parcelle d'un demi-hectare plantée de vignes de soixante ans est à l'origine de ce gevrey encore assez sévère, bâti sur une trame tannique vigoureuse. Cette matière dense et serrée devrait se patiner avec le temps. La longueur et l'équilibre général abondent dans ce sens. ⧗ 2019-2026 🍷 tournedos chasseur

MAURICE GAVIGNET, 71, rue Félix-Tisserand, 21700 Nuits-Saint-Georges, tél. 03 80 61 03 87, contact@maurice-gavignet.com V *t.l.j. sf dim. 9h-12h 14h-18h*

DOM. ROBERT GIBOURG 2013

■	4800		20 à 30 €

Sébastien Bidault, gendre de Robert Gibourg, est aux commandes depuis 1999 de ce domaine créé en 1965, qui s'étend sur 5,5 ha répartis équitablement entre Côte de Nuits et Côte de Beaune, entre Gevrey-Chambertin et Chorey-lès-Beaune.

Des notes de fruits noirs légèrement compotés s'associent à des touches mentholées et réglissées pour composer un bouquet de bonne tenue. La bouche est bien fruitée, fraîche et assez ferme mais sans excès de concentration. ⧗ 2018-2024 🍷 côte de bœuf

ROBERT GIBOURG, 3, RN 74, 21220 Morey-Saint-Denis, tél. 03 80 34 38 32, rgibourg@club-internet.fr V *r.-v.*

CAMILLE GIROUD 2013

■	4800		30 à 50 €

Fondée en 1865, cette vénérable maison beaunoise, discrète mais reconnue des amateurs, est propriété d'investisseurs américains depuis 2002. Autrefois spécialiste de la commercialisation de vieux vins, elle vit aujourd'hui avec son temps et c'est un jeune œnologue, David Croix, qui assure les vinifications. Elle présente à sa carte de nombreux grands crus, régulièrement sélectionnés dans ces pages, et aussi de «simples» 1ers crus.

Le nez, réservé, dévoile une complexité naissante dans sa palette de cerise, de framboise et de fruits noirs. Un fruité relevé d'épices qui se déploie aussi dans une bouche souple en attaque, plus vive et ferme dans son

BOURGOGNE

développement. Un ensemble harmonieux que l'on pourra apprécier relativement jeune. ⧗ 2018-2023 ▼ sauté d'agneau

⊶ MAISON CAMILLE GIROUD, 3, rue Pierre-Joigneaux, 21200 Beaune, él. 03 80 22 12 65, contact@camillegiroud.com V r.-v. ⊶ *Les Renardes*

S.C. GUILLARD Les Corbeaux 2013 ★

■ 1er cru	3000	◍	20 à 30 €

Michel Guillard, installé en 1979, exploite un petit domaine très régulier de 4,8 ha, dédié aux seuls terroirs de Gevrey, avec un beau patrimoine de vieilles vignes, les premières ayant été plantées en 1911 par le grand-père, Auguste Lyonnet, dit Henri.

Sur ce très joli terroir situé entre le village de Gevrey et le grand cru Mazis-Chambertin, le domaine exploite des vignes de près de quatre-vingt-dix ans, plantées sur 48 ares. Le vin montre une grande intensité aromatique autour du cassis, de la mûre et du merrain grillé. La bouche est ample, tonique, bâtie sur des tanins fins et prolongée par une jolie touche de salinité. De bonne garde assurément. ⧗ 2019-2026 ▼ filet de canette aux cerises

⊶ SCEA GUILLARD, 3, rue des Halles, 21220 Gevrey-Chambertin, tél. 03 80 34 32 44 V r.-v.

ALAIN GUYARD 2013 ★★

■	1748	◍	15 à 20 €

Un domaine familial créé en 1900 par les grands-parents pépiniéristes après la crise phylloxérique. Souvent en vue pour ses marsannay et ses fixin, Alain Guyard s'est installé en 1981 et conduit aujourd'hui un vignoble de 8 ha.

Ce village élevé en fût pendant vingt-deux mois a visiblement profité de ce long séjour dans la cave du domaine pour trouver la plénitude. La complexité et la finesse sont deux de ses principaux atouts. Au nez, de belles nuances de fruits rouges mêlées à des notes d'agrumes; en bouche, du fruit toujours, de la franchise et de la fraîcheur, des tanins très fins et bien intégrés et une longue finale épicée qui apporte un surcroît de complexité. Et pour ne rien gâcher: le prix est doux pour l'appellation et pour ce niveau de qualité. ⧗ 2019-2028 ▼ fromage de Cîteaux

⊶ ALAIN GUYARD, 10, rue du Puits-de-Têt, 21160 Marsannay-la-Côte, tél. 03 80 52 14 46, domaine.guyard@orange.fr V r.-v.

DOM. ANTONIN GUYON La Justice 2013

■	7500	◍	30 à 50 €

Ce domaine s'est constitué à partir des années 1960 sur un vaste vignoble de 48 ha, principalement en 1ers et en grands crus, allant de Gevrey-Chambertin à Meursault. Une exploitation régulière en qualité, conduite par Dominique Guyon, fils d'Antonin.

Les raisins ont fermenté pendant trois semaines en cuve de bois et le vin obtenu a été élevé en cave une quinzaine de mois. Il en résulte un gevrey au profil gourmand, floral et fruité, de bonne longueur, dont les tanins fermes et fins se resserrent un peu en finale. ⧗ 2018-2025 ▼ filet mignon de veau aux cèpes

⊶ DOM. ANTONIN GUYON, 21420 Savigny-lès-Beaune, tél. 03 80 67 13 24, domaine@guyon-bourgogne.com V r.-v.

HARMAND-GEOFFROY
Vieilles Vignes 2014 ★

■	9000	◍	30 à 50 €

Ce domaine familial fondé à la fin du XIXes. a été repris par Gérard Harmand en 1989; son fils Philippe est aux commandes de la vigne (9 ha) et du chai. La famille n'est peut-être pas la plus médiatique de Gevrey-Chambertin, mais elle est sans conteste l'une des valeurs sûres de la commune. Du *village* au grand cru, elle est d'une constance remarquable en gevrey et très en vue aussi pour ses mazis.

Un vin d'une belle intensité et d'une grande pureté aromatique: au nez, le cassis, la cerise et la mûre sont mis en valeur par un boisé bien intégré. La bouche fait preuve de fraîcheur, de solidité tannique et de persistance. Une bouteille qui devrait gagner en rondeur avec le temps. ⧗ 2019-2026 ▼ filet de bœuf en croûte

⊶ HARMAND-GEOFFROY, 1, pl. des Lois, 21220 Gevrey-Chambertin, tél. 03 80 34 10 65, harmandgeoffroy@wanadoo.fr V r.-v.

DOM. HERESZTYN-MAZZINI
Vieilles Vignes 2013

■	2000	◍	20 à 30 €

Aux origines de ce domaine régulier, un immigré polonais, Jan Heresztyn, qui acquiert quelques ceps à Gevrey dans les années 1930. Ses fils Bernard et Stanislas prennent la suite et agrandissent le vignoble. Sa petite-fille Florence et son compagnon Simon Mazzini, viticulteur champenois de la Montagne de Reims, sont aujourd'hui à la tête de 5,5 ha de vignes entre Gevrey-Chambertin et Chambolle-Musigny. Le 2012 est leur premier millésime en duo et la conversion au bio et à la biodynamie est engagée.

Un vignoble d'un hectare planté de vignes de soixante-cinq ans est à l'origine de cette cuvée issue d'un millésime compliqué, aux rendements limités. Mais le vin est réussi. Il développe une expression aromatique charmeuse, sur la cerise et des notes empyreumatiques, et une matière souple et ronde, portée par des tanins soyeux et par une agréable fraîcheur. ⧗ 2018-2023 ▼ œufs en meurette

⊶ DOM. HERESZTYN-MAZZINI, 27, rue Richebourg, 21220 Gevrey-Chambertin, tél. 06 22 77 14 44, info@heresztyn-mazzini.com V r.-v.

Ⓑ **HUGUENOT** Les Crais 2014 ★

■	20000	◍	20 à 30 €

Depuis 1790, dix générations se sont succédé sur ce domaine de 22 ha, réputé pour ses marsannay, ses gevrey et ses fixin. Philippe Huguenot a pris la suite de son père Jean-Louis en 1996, et lancé la conversion bio de son vignoble (certification en 2013).

Une cuvée importante dans la gamme du domaine: elle est issue d'un peu plus de 3 ha situés en bas du village. Le nez se tient sur la réserve, évoquant les petits fruits rouges frais. La bouche est équilibrée, douce en attaque, fruitée, fine et élégante, bâtie sur des tanins soyeux. ⧗ 2019-2024 ▼ lapin aux cèpes ■ **1er cru Fontenys 2014 (30 à 50 €; 2300 b.)** Ⓑ : vin cité. ■ **Vieilles Vignes 2014 (30 à 50 €; 3000 b.)** Ⓑ : vin cité.

⊶ SCEA HUGUENOT PÈRE ET FILS, 7, ruelle du Carron, 21160 Marsannay-la-Côte, tél. 03 80 52 11 56, domaine.huguenot@wanadoo.fr V r.-v.

DOM. PHILIPPE LECLERC
Les Champonnets 2013 ★

■ 1er cru | 1200 | | 50 à 75 €

Installé depuis 1974 sur le domaine familial, Philippe Leclerc exploite 7,8 ha de vignes, très majoritairement à Gevrey-Chambertin, son village natal, et à Chambolle-Musigny. Il élève ses vins longuement en fût de chêne (vingt-deux mois en général) pour peaufiner et arrondir leurs structures.

Fidèle à ses principes, Philippe Leclerc a pratiqué un élevage luxueux de deux ans pour ce 1er cru et, partisan du minimum d'interventions, il n'a ni filtré ni collé. Dans le verre, cela donne un vin bien fruité (cerise compotée), qui offre à la fois de la souplesse en attaque, de la consistance et de la vigueur à travers ses tanins fermes mais fins. À conserver patiemment. ⧗ 2019-2026 ⫯ rôti de veau Orloff

PHILIPPE LECLERC, 9, rue des Halles, 21220 Gevrey-Chambertin, tél. 03 80 34 30 72, philippe.leclerc60@wanadoo.fr V t.l.j. 9h30-18h30

DOM. HENRI MAGNIEN
Les Champeaux 2014 ★★

■ 1er cru | 1350 | | 30 à 50 €

Si les origines du domaine remontent au XVIIes., sa spécialisation en viticulture date du milieu du XIXes. Le domaine « moderne » a été quant à lui créé en 1987 par Henri Magnien, repris par son fils François puis, en 2009, par son petit-fils Charles. Le vignoble couvre 6 ha dédiés très largement au gevrey-chambertin.

Ce vin a été proposé pour un coup de cœur. Ses arguments principaux: sa concentration, sa rondeur et sa gourmandise. Un caractère résineux et mentholé accompagné de notes de cerise et de groseille compose un nez engageant et complexe, tandis qu'une texture ample, soyeuse et très fine donne une sensation de plénitude en bouche. Un vin déjà plaisant, qui sera à son apogée dans quelques années. ⧗ 2019-2026 ⫯ rôti de biche aux fruits rouges ■ **1er cru Les Cazetiers 2014 ★ (50 à 75 €; 8500 b.)** : la vigne la plus proche du domaine, à l'origine d'un vin suave et fin en attaque, plus ferme et resserré en milieu de bouche et en finale. La concentration est bonne et l'expression aromatique complexe (pivoine, cerise noire, mûre, touche fumée...). Un vin construit pour la garde. ⧗ 2019-2026

DOM. HENRI MAGNIEN, 17, rue Haute, 21220 Gevrey-Chambertin, tél. 03 80 51 89 88, contact@henrimagnien.com V *r.-v.*

JEAN-PHILIPPE MARCHAND
Vieilles Vignes 2014 ★

■ | 3600 | | 30 à 50 €

Les vignobles Marchand ont été fondés en 1813 à Morey et agrandis en 1983 par l'achat d'une vigne à Gevrey-Chambertin. Héritier de six générations, Jean-Philippe Marchand gère, depuis 1984, le domaine familial – installé dans une ancienne fabrique de confitures de Gevrey, ainsi qu'une affaire de négoce.

D'une belle complexité aromatique, sur le cassis, la framboise et la pivoine, ce vin enfonce le clou en bouche: beaucoup de volume, de la fraîcheur, des tanins fermes et gras, une longue finale réglissée et vanillée. Il est armé pour la garde. ⧗ 2019-2026 ⫯ brillat-savarin

JEAN-PHILIPPE MARCHAND, 4, rue Souvert, BP 41, 21220 Gevrey-Chambertin, tél. 03 80 34 33 60, contact@marchand-jph.fr V *r.-v.*

Ⓑ DOM. THIERRY MORTET Vigne belle 2013 ★

■ | 1500 | | 30 à 50 €

Thierry Mortet, dont les vins figurent souvent dans le Guide, s'est installé en 1992 sur une partie du domaine familial. Un vignoble qu'il a agrandi, portant sa superficie à 8,5 ha et converti à l'agriculture biologique à partir de 2007. Il est particulièrement à l'aise sur les terroirs de son village.

Sans doute le nom de *climat* le plus explicite de l'appellation... Thierry Mortet y cultive deux parcelles, l'une de 40 ares, l'autre de 30. Elles ont donné naissance à un gevrey harmonieux et aromatique, ouvert sur les petits fruits rouges mûrs et des notes de sous-bois, suave en attaque, puis plus serré, frais et tendu jusqu'à la finale, longue et intense. ⧗ 2018-2024 ⫯ magrets de canard

DOM. THIERRY MORTET, 16, pl. des Marronniers, 21220 Gevrey-Chambertin, tél. 03 80 51 85 07, domainethierrymortet@hotmail.fr V *r.-v.*

NOIROT-CARRIÈRE Craipillot 2014 ★

■ 1er cru | 1000 | | 50 à 75 €

Une affaire toujours familiale, fondée à Dijon en 1891 par Ariste Noirot et installée à Nuits-Saint-Georges en 1975. Elle s'appuie sur un vignoble de plus d'une vingtaine d'hectares et sur des achats de raisins.

Un terroir situé au sortir de la Combe Lavaux, aux abords du village. Ses arômes épicés dominent le premier nez et laissent place aux fruits noirs après aération. La bouche affiche un beau volume et une structure solide bâtie sur des tanins fermes et serrés. Un gevrey de longue garde. ⧗ 2020-2028 ⫯ gigot d'agneau

NOIROT-CARRIÈRE, 6, rue de Chaux, 21700 Nuits-Saint-Georges, tél. 03 80 62 43 01 *r.-v.*

DOM. QUIVY Les Corbeaux 2014 ★

■ 1er cru | 900 | | 50 à 75 €

Installé en 1981 dans une belle maison de maître du XVIIIes., Gérard Quivy conduit un petit vignoble de 7 ha et propose une gamme étendue de vins de Gevrey et de Brochon, des *villages*, 1ers et grands crus (chapelle et charmes) souvent en très bonne place dans le Guide.

Les bâtiments du domaine ont été inscrits en septembre 2016 sur la liste des Monuments historiques, comme étant « représentatifs des propriétés viticoles et de plaisance construites au XVIIIes. et ayant conservé une permanence d'usage ». Les gevrey de Gérard Quivy mériteraient sans doute le même honneur, tant ils brillent par leur qualité constante. Ici, un 1er cru né d'une petite parcelle d'à peine 17 ares. Un vin expressif (réglisse, fruits rouges, touche boisée), ample, riche, « sphérique », bien structuré par des tanins veloutés et une fine salinité. L'avenir lui appartient. ⧗ 2020-2028 ⫯ civet de lièvre ■ **Les Journaux 2014 (20 à 30 €; 2000 b.)** : vin cité.

DOM. QUIVY, 7, rue Gaston-Roupnel, 21220 Gevrey-Chambertin, tél. 03 80 34 31 02, gerard.quivy@wanadoo.fr V *t.l.j. 9h-12h 14h-18h; f. janv.*

PAUL REITZ 2014 ★

■ | 2400 | ◨ | 20 à 30 €

Implantée à Corgoloin, «village-frontière» entre les Côtes de Beaune et de Nuits, cette maison de négoce a été fondée en 1882 par Paul Reitz, vigneron descendant d'un foudrier rhénan établi en Bourgogne en 1793. Aux commandes depuis 1989, Michel Reitz est aujourd'hui épaulé par ses deux fils.

Après quatorze mois de fût, ce gevrey apparaît élégant, privilégiant la fraîcheur, la souplesse et la finesse plutôt que la puissance. Des arômes de fruits noirs se marient à un boisé affable, le tout formant un bouquet expressif. Une bouteille qui sera prête à boire assez vite. ⧗ 2018-2022 🍴 cailles aux raisins

⊶ *MAISON PAUL REITZ, 124, Grande-Rue, 21700 Corgoloin, tél. 03 80 62 98 24, contact@paulreitz.com*
V t.l.j. 8h-12h 13h30-17h30; f. août

Ⓑ DOM. ROSSIGNOL-TRAPET Aux Ételois 2013 ★

■ | 1000 | ◨ | 30 à 50 €

Les familles Rossignol et Trapet possèdent une longue tradition viticole. La première est une dynastie très ancienne de vignerons à Volnay; la seconde s'est installée à Gevrey-Chambertin il y a plus d'un siècle, avec un pied en Côte de Beaune aujourd'hui. Les deux frères Nicolas et David, installés en 1990, sont à la tête du domaine de 13 ha. Un vignoble régulier en qualité, converti à la biodynamie en 1997 et certifié depuis le millésime 2008.

Ce *climat* est situé en bas de coteaux, à proximité de la zone centrale des grands crus du village. Il a donné naissance à un 2013 fruité (cerise noire) et épicé, suave et rond, aux tanins souples et policés. Un gevrey plein de bonhomie, qui pourra s'apprécier sans trop attendre. ⧗ 2018-2022 🍴 coq au vin

⊶ *DOM. ROSSIGNOL-TRAPET, 4, rue de la Petite-Issue, 21220 Gevrey-Chambertin, tél. 03 80 51 87 26, info@rossignol-trapet.com* V r.-v.

DOM. MARC ROY Vieilles Vignes 2014

■ | 8500 | ◨ | 30 à 50 €

Après plusieurs expériences dans des vignobles de France et d'ailleurs, la jeune Alexandrine Roy (quatrième génération) a repris en 2005 ce petit domaine familial de 4 ha. Elle décline une poignée de cuvées (trois gevrey-*villages* et un marsannay blanc) qu'elle conduit dans un esprit très «raisonné».

Cette cuvée est une sélection des plus vieilles vignes du domaine: soixante-dix ans et davantage... La palette aromatique est puissante, centrée sur un fruité bien mûr évoquant le cassis et la mûre agrémentés d'une légère touche fumée. Bien que suave en attaque, la bouche apparaît encore ferme et austère; le temps fera son œuvre. ⧗ 2019-2024 🍴 bœuf en daube

⊶ *MARC ROY, 8, av. de la Gare, 21220 Gevrey-Chambertin, tél. 03 80 51 81 13, domainemarcroy@orange.fr* V r.-v.

♥ GÉRARD SEGUIN Craipillot 2014 ★★

■ 1er cru | 4000 | ◨ | 30 à 50 €

Établi vers 1850, Alexis Seguin, petit propriétaire à Gevrey, fut l'un des premiers en Bourgogne à greffer avec des bois américains. Le domaine s'est peu à peu agrandi, pour atteindre 6,3 ha aujourd'hui, conduits par Gérard Seguin, son épouse Chantal et leur fils Jérôme. Régulièrement en vue pour ses gevrey.

Le domaine possède 70 ares de ce 1er cru, plantés de très vieilles vignes dont la plupart ont plus de soixante-dix ans et certaines sont centenaires. Une vinification traditionnelle et un élevage de dix-huit mois en barrique (50 % de fûts neufs) ont permis d'obtenir une expression aromatique intense sur la cerise, la mûre et les épices. Tout aussi expressive, la bouche apparaît ample, dense, suave et charnue, étayée par des tanins fins et veloutés et dynamisée par une longue finale pleine de fraîcheur. Un modèle d'harmonie. ⧗ 2019-2026 🍴 salmis de pintade ■ **Les Crais 2014 ★ (15 à 20 €; 3600 b.)** : ce terroir de bas de coteau produit généralement un vin accessible dès sa jeunesse. Confirmation avec ce 2014 fin et suave, dont les tanins fondus laissent une sensation de souplesse. ⧗ 2018-2023

⊶ *GÉRARD SEGUIN, 11-15, rue de l'Aumônerie, 21220 Gevrey-Chambertin, tél. 03 80 34 38 72, domaine.gerard.seguin@wanadoo.fr* V r.-v.

♥ DOM. DES VAROILLES Clos des Varoilles Monopole 2013 ★★

■ 1er cru | 12000 | ◨ | 30 à 50 €

Bien connu pour ses gevrey et ses charmes, ce domaine conduit depuis 1990 par Gilbert Hammel dispose de 10 ha répartis dans de nombreux crus prestigieux de Gevrey, dont plusieurs en monopole (Clos des Varoilles, Clos du Meix, Clos du Couvent et La Romanée).

La cuvée principale et emblématique du domaine: un monopole de 6 ha situé au fond de l'échancrure de la combe Lavaux, ancienne propriété des moines de Cluny plantée en vignes dès le XII[e]s. Gilbert Hammel a parfaitement négocié ce millésime. Trois semaines de cuvaison suivies de quinze mois de fût ont permis d'obtenir un superbe gevrey, expressif et complexe (fruits rouges, cassis, boisé fondu), qui conjugue en bouche les qualités d'un grand vin de Bourgogne: finesse, élégance, richesse et longueur, sans manquer de puissance, de fraîcheur et de volume. Un vin complet, à la fois viril et velouté, armé pour une longue garde. ⧗ 2020-2028 🍴 gigot d'agneau aux cèpes ■ **1er cru La Romanée Monopole 2013 ★ (30 à 50 €; 4200 b.)** : ce *climat* d'un hectare est réputé donner des gevrey fins, «féminins», moins robustes que ceux produits par son voisin le Clos des Varoilles. Le 2013 est bien dans le ton: un fruité fin, de la souplesse, de la fraîcheur, des tanins soyeux et affinés. ⧗ 2018-2023 ■ **Clos du Meix des Ouches Monopole 2013 ★ (20 à 30 €; 3 000 b.)** : élevée en barrique (dont 20 % de fûts neufs) pendant quinze mois, cette cuvée fait preuve d'une belle précision dans son expression aromatique autour du cassis, de la griotte et du chocolat, et plaît pour son palais frais, ferme et racé. ⧗ 2019-2026

⊶ DOM. DES VAROILLES, 11, rue de l'Ancien-Hôpital, rue de la Croix-des-Champs, 21220 Gevrey-Chambertin, tél. 03 80 34 30 30, contact@domaine-varoilles.com V r.-v. ⊶ *Hammel-Cheron*

CHAMBERTIN

Superficie : 13 ha / Production : 437 hl

Bertin, vigneron à Gevrey, possédant une parcelle voisine du Clos de Bèze et fort de l'expérience qualitative des moines, planta les mêmes ceps et obtint un vin similaire: c'était le «champ de Bertin», d'où Chambertin.

♥ JÉRÔME CASTAGNIER 2014 ★★

■ Gd cru	n.c.		+ de 100 €

Au nez, la fraise, la framboise et quelques notes poivrées donnent le ton: nous sommes en présence d'un vin d'une grande élégance. Élevé pour 40 à 50 % en fût neuf pendant seize mois environ, il dévoile en bouche un boisé discret, bien intégré, qui accompagne sans l'écraser une matière d'une rare délicatesse, étayée par des tanins soyeux et par une acidité parfaitement fondue. Un chambertin qualifié de «féminin», d'une longueur et d'une finesse remarquables. ⧗ 2020-2028 🍴 cailles aux raisins

⊶ JÉRÔME CASTAGNIER, 20, rue des Jardins, 21220 Morey-Saint-Denis, tél. 03 80 34 31 62, jeromecastagnier@yahoo.fr V r.-v.

MAISON CAMILLE GIROUD 2013 ★

■ Gd cru	750		+ de 100 €

Fondée en 1865, cette vénérable maison beaunoise, discrète mais reconnue des amateurs, est propriété d'investisseurs américains depuis 2002. Autrefois spécialiste de la commercialisation de vieux vins, elle vit aujourd'hui avec son temps et c'est un jeune œnologue, David Croix, qui assure les vinifications. Elle présente à sa carte de nombreux grands crus, régulièrement sélectionnés dans ces pages, et aussi de «simples» 1ers crus.

Une parcelle de 20 ares a été mise à contribution pour donner naissance à ce chambertin à la fois précis et généreux. Le nez, complexe et intense, évoque la cerise noire, la mûre, le grillé et le poivre blanc. Une attaque fraîche ouvre sur une bouche ample, veloutée et suave, étirée dans une longue finale réglissée. ⧗ 2019-2026 🍴 gigue de chevreuil

⊶ MAISON CAMILLE GIROUD, 3, rue Pierre-Joigneaux, 21200 Beaune, tél. 03 80 22 12 65, contact@camillegiroud.com V r.-v. ⊶ *Les Renardes*

DOM. HENRI REBOURSEAU 2013 ★

■ Gd cru	304		+ de 100 €

Ce domaine a été créé en 1919 par le général Henri Rebourseau, qui regroupa les vignes de son père autour de la maison familiale, une belle bâtisse du XVIIIe s. Son arrière-petit-fils Jean de Surrel est aujourd'hui aux commandes d'un vignoble de 13,4 ha, fort d'un joli patrimoine de grands crus et en conversion à la biodynamie.

Jean de Surrel exploite 46 ares de chambertin dans la partie haute du grand cru, à proximité du Clos de Bèze. Il en a extrait ce 2013 expressif et élégant, bien ouvert à l'olfaction, sur les fruits noirs très mûrs relevés de poivre, d'une grande ampleur au palais, suave et concentré sans excès, qui fait preuve d'amabilité grâce à des tanins soyeux et fondus. ⧗ 2019-2026 🍴 civet de sanglier

⊶ DOM. HENRI REBOURSEAU, 10, pl. du Monument, 21220 Gevrey-Chambertin, tél. 03 80 51 88 94, domaine@rebourseau.com

CHAMBERTIN-CLOS-DE-BÈZE

Superficie : 15 ha / Production : 510 hl

Les religieux de l'abbaye de Bèze plantèrent en 630 une vigne dans une parcelle de terre qui donna un vin particulièrement réputé: ce fut l'origine de l'appellation. Les vins de cette aire AOC peuvent également s'appeler chambertin.

♥ DOM. DROUHIN-LAROZE 2014 ★★

■ Gd cru	4 800		75 à 100 €

En 1850, Jean-Baptiste Drouhin fonde un domaine viticole à Gevrey. Six générations plus tard, son héritier Philippe Drouhin, installé en 2001, son épouse Christine et leurs enfants Caroline et Nicolas conduisent dans un esprit bio, mais sans certification, un vignoble de 11,5 ha – dont près de la moitié est dédiée aux grands crus –, complété en 2008 par un petit négoce (Laroze de Drouhin) dirigé par Caroline.

Le domaine confirme qu'il est un très bon ambassadeur des vins de Gevrey-Chambertin et de ses meilleurs terroirs en particulier (voir aussi le chapitre chapelle-chambertin). Il exploite un hectare et demi dans ce qui est sans doute le doyen des clos bourguignons. Le nez, intense et profond, laisse percevoir une grande complexité: fruits rouges croquants, épices douces, touche florale. Tous les attributs du grand vin de garde sont présents en bouche: un volume remarquable, des tanins riches et un boisé racé donnant de la corpulence à l'ensemble, une fine fraîcheur qui apporte la longueur et l'équilibre. ⧗ 2020-2030 🍴 gigue de chevreuil aux épices

⊶ DOM. DROUHIN-LAROZE, 20, rue du Gaizot, 21220 Gevrey-Chambertin, tél. 03 80 34 31 49, domaine@drouhin-laroze.com V r.-v.

BOURGOGNE

FRÉDÉRIC MAGNIEN 2014 ★

Gd cru	800		+ de 100 €

Frédéric Magnien est un fin vinificateur en chambolle et l'une des valeurs sûres de cette appellation, et plus largement des grands crus de la Côte de Nuits. Après avoir travaillé quatre ans sur le domaine de son père Michel, dont il vinifie toujours les vins, exercé un an dans des vignobles du Nouveau Monde (Californie, Australie) et obtenu un diplôme d'œnologie à Dijon, il a lancé en 1995 sa maison de négoce.

Le nez s'affirme avec puissance sur les fruits frais (fraise, mûre) et sur les épices. En bouche, les tanins affichent une réelle consistance mais aussi une pointe de sévérité; quelques années de garde les assoupliront. Une belle et longue finale épicée achève la dégustation de ce grand cru en devenir. ⧗ 2020-2026 🍷 sauté de sanglier à la tomate

EURL FRÉDÉRIC MAGNIEN, 26, rte Nationale, 21220 Morey-Saint-Denis, tél. 03 80 52 54 20, frederic@fred-magnien.com V r.-v.

LATRICIÈRES-CHAMBERTIN

Superficie : 7 ha / Production : 275 hl

B DOM. ROSSIGNOL-TRAPET 2013 ★

Gd cru	2600		75 à 100 €

Les familles Rossignol et Trapet possèdent une longue tradition viticole. La première est une dynastie très ancienne de vignerons à Volnay; la seconde s'est installée à Gevrey-Chambertin il y a plus d'un siècle, avec un pied en Côte de Beaune aujourd'hui. Les deux frères Nicolas et David, installés en 1990, sont à la tête du domaine de 13 ha. Un vignoble régulier en qualité, converti à la biodynamie en 1997 et certifié depuis le millésime 2008.

Les frères Rossignol-Trapet cultivent 75 ares de ce grand cru, le plus au sud du village de Gevrey-Chambertin. Le vin se montre ouvert dès le premier nez, développant des notes de torréfaction et de chocolat. La bouche, sur la même ligne aromatique, séduit davantage encore, par sa texture délicate, par la souplesse et le soyeux de ses tanins. Un très bon représentant de son millésime. ⧗ 2018-2022 🍷 pigeon aux épices

DOM. ROSSIGNOL-TRAPET, 4, rue de la Petite-Issue, 21220 Gevrey-Chambertin, tél. 03 80 51 87 26, info@rossignol-trapet.com V r.-v.

CHAPELLE-CHAMBERTIN

Superficie : 5,5 ha / Production : 175 hl

♥ DOM. DROUHIN-LAROZE 2014 ★★

Gd cru	2000		50 à 75 €

2014
CHAPELLE-CHAMBERTIN
GRAND CRU
DOMAINE DROUHIN-LAROZE

En 1850, Jean-Baptiste Drouhin fonde un domaine viticole à Gevrey. Six générations plus tard, son héritier Philippe Drouhin, installé en 2001, son épouse Christine et leurs enfants Caroline et Nicolas conduisent dans un esprit bio, mais sans certification, un vignoble de 11,5 ha – dont près de la moitié est dédiée aux grands crus –, complété en 2008 par un petit négoce (Laroze de Drouhin) dirigé par Caroline.

Situé juste en dessous du Clos de Bèze, Chapelle-Chambertin s'étend sur un peu plus de 5 ha. Le domaine Drouhin-Laroze en exploite un demi-hectare d'où il a extrait un 2014 d'une remarquable subtilité et d'une grande persistance. Un élevage en fût de dix-huit mois a patiné sa structure tannique, tendre et soyeuse. Cette dernière laisse à la fois une sensation de richesse et d'élégance, tandis qu'une expression aromatique tour à tour fruitée, florale et épicée lui assure une très belle complexité. ⧗ 2019-2026 🍷 filet de biche aux cèpes

DOM. DROUHIN-LAROZE, 20, rue du Gaizot, 21220 Gevrey-Chambertin, tél. 03 80 34 31 49, domaine@drouhin-laroze.com V *r.-v.*

CHARMES-CHAMBERTIN

Superficie : 29 ha / Production : 1 115 hl

DOM. DES BEAUMONT 2014

Gd cru	1500		75 à 100 €

Thierry Beaumont (septième génération) a créé son domaine en 1991 en reprenant les vignes familiales et commercialise son vin en bouteille, sous son patronyme, depuis 1999. Le vignoble couvre 5,5 ha à Morey, Chambolle et Gevrey. Les cuvées de ce vigneron peu interventionniste à la vigne et au chai, qui a investi dans un outil de travail moderne, sont chaque année au rendez-vous du Guide.

Le nez, discret, associe notes boisées, griotte et réglisse. De persistance moyenne, le palais se montre plaisant par son côté charnu, par le fondu de ses tanins qui apportent une mâche tendre et par sa jolie finale minérale. ⧗ 2018-2023 🍷 lapin à la moutarde

DOM. DES BEAUMONT, 9, rue Ribordot, 21220 Morey-Saint-Denis, tél. 03 80 51 87 89, contact@domaine-des-beaumont.com V *t.l.j. sf mar. dim. 10h-13h 14h-19h; f. janv.-fev.*

DOM. CASTAGNIER 2014 ★★

Gd cru	2000		50 à 75 €

Installé depuis 1975 sur le domaine familial de Morey-Saint-Denis, Jérôme Castagnier exploite (en biodynamie non certifiée) un vignoble de 4 ha en Côte de Nuits. Ses grands crus, notamment ses clos-de-vougeot, clos-de-la-roche et clos-saint-denis, lui permettent de s'illustrer avec une réelle constance.

Un vin élevé pendant seize mois en fût (neuf pour près de 50 %): l'élevage a néanmoins parfaitement respecté l'expression aromatique de cette cuvée. Celle-ci s'ouvre avec finesse sur des notes de réglisse et de fruit rouges frais, tandis que des tanins d'une belle finesse donnent une bouche au caractère croquant et délicat. Un grand cru racé et très élégant. ⧗ 2019-2026 🍷 tournedos Rossini

DOM. CASTAGNIER, 20, rue des Jardins, 21220 Morey-Saint-Denis, tél. 03 80 34 31 62, jeromecastagnier@yahoo.fr V *r.-v.*

DOM. PHILIPPE CHARLOPIN 2013 ★

■ Gd cru	n.c.		+ de 100 €

Repris en 1977, ce domaine familial, passé de 1,5 ha à 25 ha aujourd'hui, est en conversion bio. Avec son fils Yann, Philippe Charlopin fait partie des vignerons emblématiques de Gevrey-Chambertin et plus généralement de la Côte de Nuits. Il propose une large palette de vins, des *villages* aux grands crus du Chablisien, de la Côte de Beaune et de la Côte de Nuits. On ne compte plus ses étoiles et coups de cœur «vendangés» dans le Guide. Incontournable.

Le nez demande un peu d'aération pour laisser s'exprimer des notes de cerise noire, de poivre et de toasté. Une texture consistante mais souple et des tanins soyeux composent une bouche harmonieuse et élégante, d'une bonne persistance aromatique, soulignée par une fraîcheur agréable. ⧗ 2019-2026 ▼ navarin de biche

o⁻ DOM. PHILIPPE CHARLOPIN, 18, rte de Dijon, 21220 Gevrey-Chambertin, tél. 06 24 71 12 05, charlopin.philippe21@orange.fr

MAISON JOSEPH DROUHIN 2014 ★

■ Gd cru	n.c.		+ de 100 €

Créée en 1880, cette maison beaunoise travaille une large palette d'AOC bourguignonnes: de Chablis (38 ha sous l'étiquette Drouhin-Vaudon) à la Côte chalonnaise (3 ha), en passant par les Côtes de Beaune et de Nuits (32 ha). On peut y ajouter les vignes américaines du domaine Drouhin en Oregon (90 ha), créé en 1987, et de Roserock Vineyard, 112 ha dans la région des Eola-Amity Hills. Ce négoce d'envergure grâce à ce vaste domaine de 73 ha développé par Robert Drouhin à partir de 1957, désormais géré par ses quatre enfants, est aussi le plus important propriétaire de vignes cultivées en biodynamie. Incontournable.

D'une expression aromatique fine et élégante, sur des notes de violette, de cerise et de graphite, ce 2014 ne tarde pas à montrer son profil de vin racé. La bouche confirme cette première impression: elle apparaît ample, consistante, charnue, tout en affichant le côté tendre typique de ce grand cru. ⧗ 2019-2026 ▼ poularde aux truffes

o⁻ MAISON JOSEPH DROUHIN, 7, rue d'Enfer, 21200 Beaune, tél. 03 80 24 68 88, maisondrouhin@drouhin.com V r.-v.

Ⓑ **DOM. MICHEL MAGNIEN** 2014

■ Gd cru	1600		+ de 100 €

Michel Magnien incarne la quatrième génération à la tête d'un vignoble familial qu'il a considérablement agrandi entre les années 1960 et 1990 (18 ha aujourd'hui). Jusqu'en 1993, il porte sa récolte à la coopérative de Morey. L'arrivée de son fils Frédéric, en charge des vinifications depuis lors, change la donne: les vins sont désormais mis en bouteilles à la propriété. Des vins d'une grande régularité, qui font du domaine l'une des valeurs sûres de la Côte de Nuits.

Le domaine exploite une parcelle de 28 ares de charmes-chambertin plantée de vignes de cinquante ans en moyenne. Il en a tiré un vin chaleureux et boisé à l'olfaction (fruits noirs à l'alcool, bois de santal) et encore sur la réserve en bouche, bâti sur des tanins serrés et sévères qui demandent à s'assouplir. Patience... ⧗ 2020-2026 ▼ filet de bœuf en croûte

o⁻ DOM. MICHEL MAGNIEN, 4, rue Ribordot, 21220 Morey-Saint-Denis, tél. 03 80 28 54 20, domaine@michel-magnien.com V r.-v.

♥ Ⓑ **DOM. HENRI RICHARD** 2013 ★★

■ Gd cru	1130		+ de 100 €

Grand Vin de Bourgogne
Charmes-Chambertin
GRAND CRU
APPELLATION CONTRÔLÉE
DOMAINE HENRI RICHARD

Patrick Maroiller, régisseur de ce domaine de 4,5 ha certifié bio, a cédé la place en 2012 aux petits-enfants du fondateur, Sarah et Richard Bastien, qui souhaitent développer la mise en bouteilles à la propriété, une partie de la production étant vendue en vrac.

Le domaine dispose d'un peu plus d'un hectare de ce grand cru et cette cuvée constitue logiquement le fer de lance de la famille Bastien. Le 2013 a fait forte impression. Au nez, dominent de généreuses notes de cassis et de mûre compotés sur fond de senteurs vanillées. La bouche donne immédiatement une sensation de volume, de richesse et d'équilibre grâce à des tanins d'une finesse remarquable et à une acidité parfaitement ajustée qui apporte longueur et dynamisme en finale. ⧗ 2020-2030 ▼ suprême de canard aux cèpes

o⁻ DOM. HENRI RICHARD, 75, rte de Beaune, 21220 Gevrey-Chambertin, tél. 09 62 08 00 17, info@domainehenririchard.com V r.-v. o⁻ *Famille Bastien*

♥ **DOM. DES VAROILLES** 2013 ★★

■ Gd cru	2980		50 à 75 €

Produit de France
Domaine des Varoilles
CHARMES-CHAMBERTIN
GRAND CRU

Bien connu pour ses gevrey et ses charmes, ce domaine conduit depuis 1990 par Gilbert Hammel dispose de 10 ha répartis dans de nombreux crus prestigieux de Gevrey, dont plusieurs en monopole (Clos des Varoilles, Clos du Meix, Clos du Couvent et La Romanée).

Un grand cru dans toutes ses dimensions. Le nez, complexe et subtil, associe les fruits rouges, le moka, la vanille et le poivre. Une complexité que l'on retrouve dans une bouche parfaitement équilibrée, dense, séveuse, profonde, mise en valeur par des tanins soyeux et par juste ce qu'il faut de fraîcheur. Ce vin a toutes les armes pour vieillir sereinement et longtemps. ⧗ 2020-2030 ▼ poularde aux truffes

o⁻ DOM. DES VAROILLES, 11, rue de l'Ancien-Hôpital, rue de la Croix-des-Champs, 21220 Gevrey-Chambertin, tél. 03 80 34 30 30, contact@domaine-varoilles.com V r.-v. o⁻ *Hammel-Cheron*

BOURGOGNE

GRIOTTE-CHAMBERTIN

Superficie : 2,7 ha / Production : 105 hl

♥ DOM. MARCHAND FRÈRES 2014 ★★★

■ Gd cru	720		75 à 100 €

Depuis 1999 sous la conduite de Denis Marchand (septième génération), le domaine Marchand Frères est né en 1813 à Morey-Saint-Denis. L'exploitation, de près de 9 ha, est établie depuis 1983 au cœur même de Gevrey-Chambertin.

Petite superficie (11 ares), petite production, mais grande bouteille: le vin s'affirme avec générosité et richesse sur des nuances florales, fruitées (mûre) et finement boisées. Persistant sur de longues notes fruitées, le palais, élégant et délicat, d'un volume magistral, s'appuie ses tanins bien en place pour la garde, à la fois fins et consistants. L'ensemble laisse une sensation de puissance parfaitement maîtrisée. ⧗ 2020-2030 🍷 sanglier aux airelles

⊶ EARL DOM. MARCHAND FRÈRES, 1, pl. du Monument, 21220 Gevrey-Chambertin, tél. 03 80 62 10 97, dmarc2000@sfr.fr V r.-v.

MAZIS-CHAMBERTIN

Superficie : 8,8 ha / Production : 275 hl

HARMAND-GEOFFROY 2014 ★

■ Gd cru	4200		75 à 100 €

Ce domaine familial fondé à la fin du XIXᵉs. a été repris par Gérard Harmand en 1989; son fils Philippe est aux commandes de la vigne (9 ha) et du chai. La famille n'est peut-être pas la plus médiatique de Gevrey-Chambertin, mais elle est sans conteste l'une des valeurs sûres de la commune. Du *village* au grand cru, elle est d'une constance remarquable en gevrey et très en vue aussi pour ses mazis.

Un grand cru marqué par des notes boisées à ce stade; il lui faut quelques instants d'aération pour s'ouvrir sur des notes de petits fruits rouges bien typées du cépage et de l'appellation. La bouche offre un bel équilibre entre un caractère riche et chaleureux, des tanins soyeux et une acidité bien fondue. ⧗ 2020-2026 🍷 brochet au vin rouge

⊶ HARMAND-GEOFFROY, 1, pl. des Lois, 21220 Gevrey-Chambertin, tél. 03 80 34 10 65, harmand.geoffroy@wanadoo.fr V r.-v.

DOM. HENRI REBOURSEAU 2013

■ Gd cru	299		+ de 100 €

Ce domaine a été créé en 1919 par le général Henri Rebourseau, qui regroupa les vignes de son père autour de la maison familiale, une belle bâtisse du XVIIIᵉs. Son arrière-petit-fils Jean de Surrel est aujourd'hui aux commandes d'un vignoble de 13,4 ha, fort d'un joli patrimoine de grands crus et en conversion à la biodynamie.

Le domaine exploite près d'un hectare de ce grand cru, une superficie très appréciable, plus particulièrement en Côte de Nuits. D'une concentration mesurée, cette cuvée se distingue par le soyeux de ses tanins et par son expression aromatique délicate à dominante florale. ⧗ 2018-2026 🍷 canard aux cerises

⊶ DOM. HENRI REBOURSEAU, 10, pl. du Monument, 21220 Gevrey-Chambertin, tél. 03 80 51 88 94, domaine@rebourseau.com

Ⓑ DOM. TORTOCHOT 2014 ★

■ Gd cru	2800		75 à 100 €

Fondé à Gevrey en 1865, ce domaine est régulièrement sélectionné pour ses gevrey et ses mazis-chambertin. En 1997, Chantal Michel-Tortochot (quatrième génération), ancienne contrôleuse de gestion dans l'industrie bourguignonne, a repris les vignes familiales, un beau parcellaire de 12 ha (dont 10 % de grands crus et autant de 1ers crus), en bio certifié depuis 2013.

Assez fermé au premier nez, ce vin réclame un peu d'aération pour laisser s'exprimer sa complexité naissante autour des fruits rouges et noirs et une touche minérale. En bouche, il se montre ample, rond et riche, étayé par des tanins fins et élégants. Un vin harmonieux, mais qui n'a pas encore livré tout son potentiel, ce qui est normal pour un grand cru dans sa prime jeunesse… ⧗ 2021-2026 🍷 civet de sanglier

⊶ DOM. TORTOCHOT, 12, rue de l'Église, 21220 Gevrey-Chambertin, tél. 03 80 34 30 68, contact@tortochot.com V r.-v.

MAZOYÈRES-CHAMBERTIN

Superficie : 1,7 ha / Production : 65 hl

DOM. DES BEAUMONT 2014 ★

■ Gd cru	1240		75 à 100 €

Thierry Beaumont (septième génération) a créé son domaine en 1991 en reprenant les vignes familiales et commercialise son vin en bouteille, sous son patronyme, depuis 1999. Le vignoble couvre 5,5 ha à Morey, Chambolle et Gevrey. Les cuvées de ce vigneron peu interventionniste à la vigne et au chai, qui a investi dans un outil de travail moderne, sont chaque année au rendez-vous du Guide.

Un grand cru solide, qui méritera quelques années de garde pour assouplir ses tanins et tempérer son acidité. Le fruit s'exprime avec fraîcheur et précision, sur des notes de cassis et de mûre. Un beau volume prend sa place au palais. L'ensemble donne un vin élégant et de bonne garde. ⧗ 2019-2023 🍷 râbles de lapin aux raisins

⊶ DOM. DES BEAUMONT, 9, rue Ribordot, 21220 Morey-Saint-Denis, tél. 03 80 51 87 89, contact@domaine-des-beaumont.com
V *t.l.j. sf mar. dim. 10h-13h 14h-19h; f. janv.-fev.*

DOM. TAUPENOT-MERME 2013 ★★

■ | n.c. | + de 100 €

En 1963, Jean Taupenot, de Saint-Romain, épouse Denise Merme et se fixe à Morey. Aujourd'hui, leurs enfants Romain et Virginie conduisent, en bio non certifié, un vignoble de 13 ha avec un pied en Côte de Nuits et l'autre en Côte de Beaune. Un domaine constant en qualité. Romain a développé par ailleurs, sous son nom, une petite structure de négoce.

La famille Taupenot-Merme peut se féliciter d'avoir su tirer le meilleur parti de ce millésime difficile. Une «année de vigneron», tardive, qui pouvait néanmoins, sur de beaux terroirs, livrer des vins flatteurs, gourmands, aussi fins que puissants. C'est exactement le profil de ce mazoyères sur les fruits mûrs et les épices au nez, à la fois consistant et délicat en bouche, enrobé par un boisé bien marié aux accents chocolatés et souligné par une belle fraîcheur minérale. ⧗ 2019-2026 ¥ poularde aux morilles

⊶ DOM. TAUPENOT-MERME, 33, rte des Grands-Crus, 21220 Morey-Saint-Denis, tél. 03 80 34 35 24, domaine.taupenot-merme@orange.fr V *r.-v.*

MOREY-SAINT-DENIS

Superficie : 96 ha
Production : 3 822 hl (95 % rouge)

Entre Gevrey-Chambertin et Chambolle-Musigny, Morey-Saint-Denis constitue l'une des plus petites appellations communales de la Côte de Nuits. Outre d'excellents 1ers crus (en majorité rouges), la commune possède cinq grands crus ayant une appellation d'origine contrôlée particulière: clos-de-tart, clos-saint-denis, bonnes-mares (en partie), clos-de-la-roche et clos-des-lambrays. Les vins rouges de cette commune apparaissent comme intermédiaires entre les puissants gevrey et les délicats chambolle. Les vignerons présentent au public les morey-saint-denis, et uniquement ceux-ci, le vendredi précédant la vente des Hospices de Nuits (3e semaine de mars) lors d'un Carrefour de Dionysos à la salle des fêtes communale.

DOM. PIERRE AMIOT ET FILS
Les Millandes 2013 ★

■ 1er cru | 2663 | ◫ | 30 à 50 €

Un domaine établi à Morey-Saint-Denis depuis cinq générations, conduit aujourd'hui par les fils de Pierre Amiot, Jean-Louis et Didier. Le vignoble couvre 7,9 ha à Morey, essentiellement, et à Gevrey, avec deux grands crus. Souvent en vue pour ses morey et ses clos-de-la-roche.

Un vin puissant, d'une grande densité. Au nez, il évoque les fruits noirs avec intensité, dans une tonalité chaleureuse. En bouche, les tanins sont fermes mais fins, le boisé est encore sensible (élevage en fût de dix-huit mois). Quelques années de garde semblent nécessaires pour que ce morey robuste donne sa pleine mesure. ⧗ 2019-2023 ¥ pavé de bœuf sauce au poivre ■ **2014 (20 à 30 €; 8826 b.)** : vin cité.

⊶ DOM. PIERRE AMIOT ET FILS, 27, Grande-Rue, 21220 Morey-Saint-Denis, tél. 03 80 34 34 28, contact@domainepierreamiot.fr V *r.-v.* E

♥ DOM. DES BEAUMONT ★★

■ | 5600 | ◫ | 20 à 30 €

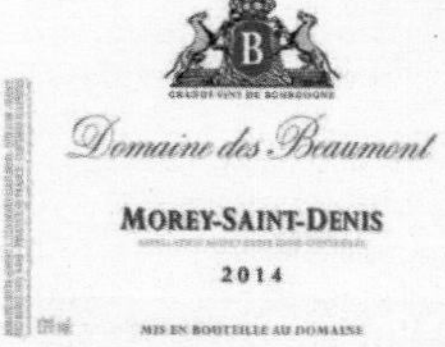

Thierry Beaumont (septième génération) a créé son domaine en 1991 en reprenant les vignes familiales et commercialise son vin en bouteille, sous son patronyme, depuis 1999. Le vignoble couvre 5,5 ha à Morey, Chambolle et Gevrey. Les cuvées de ce vigneron peu interventionniste à la vigne et au chai, qui a investi dans un outil de travail moderne, sont chaque année au rendez-vous du Guide.

Coup de cœur l'an dernier pour son 1er cru Les Millandes 2013, Thierry Beaumont fait aussi bien avec son «simple» *village* 2014. Un vin généreux, équilibré et promis à un bel avenir, pour lequel le vigneron a pratiqué une cuvaison d'une vingtaine de jours afin d'extraire le meilleur de ses raisins. Il y est parfaitement parvenu: un nez intense de griotte, de la concentration, de la richesse, des tanins soyeux et une longue finale fraîche qui laisse une sensation de plénitude. Bâti pour la garde. ⧗ 2019-2026 ¥ salmis de faisan ■ **1er cru Les Millandes 2014 ★ (30 à 50 €; 1600 b.)** : un vin prometteur qui demande à s'assouplir. Au nez, des notes boisées vanillées se mêlent aux fruits noirs. En bouche, une matière dense, des tanins fermes, de la fraîcheur, de la persistance sur le fruit. ⧗ 2019-2026

⊶ DOM. DES BEAUMONT, 9, rue Ribordot, 21220 Morey-Saint-Denis, tél. 03 80 51 87 89, contact@domaine-des-beaumont.com V *t.l.j. sf mar. dim. 10h-13h 14h-19h; f. janv.-fev.*

ANNE ET SÉBASTIEN BIDAULT
Les Porroux 2013 ★

■ | 700 | ◫ | 20 à 30 €

Sébastien et Anne Bidault se sont installés en 2000, cultivant alors un micro-vignoble de 5 ares de gevrey-chambertin; ils exploitent 1,20 ha aujourd'hui, sur cinq appellations (gevrey, morey, chambolle-musigny, aloxe-corton et clos-de-la-roche).

La palette aromatique de ce morey est large et intense, sur les fruits rouges et les épices. Le palais présente de belles rondeurs et une finale persistante et expressive, soutenue par des tanins denses et encore un peu austères qui lui assurent une belle ampleur. ⧗ 2019-2024 ¥ rôti de biche aux fruits rouges

⊶ ANNE ET SÉBASTIEN BIDAULT, 9, rue des Jardins, 21220 Morey-Saint-Denis, tél. 06 73 84 03 34, annebidault@yahoo.fr V *r.-v.*

CHRISTOPHE BRYCZEK Clos Solon 2014 ★

■ | 4000 | ◫ | 20 à 30 €

Georges Bryczek, né en Pologne en 1912 et arrivé en France en 1938, s'est installé comme vigneron à son compte en 1953, à Morey-Saint-Denis. Un beau parcours poursuivi par son petit-fils Christophe, installé en 2003 à la tête de 3 ha en morey, chambolle-musigny et gevrey.

Une parcelle d'un hectare de vignes âgées de quarante-cinq ans est à l'origine de ce vin d'une belle vigueur, qui demande un peu de temps pour s'assagir. Des notes de fruits rouges et de violette se partagent le nez. La bouche est solide et fraîche, bâtie sur des tanins serrés mais soyeux. Jolie finale, longue et épicée. ⧗ 2019-2024 🍷 civet de lièvre

CHRISTOPHE BRYCZEK, 14, rue Ribordot, 21220 Morey-Saint-Denis, tél. 06 61 23 94 53, christophe.bryczek@orange.fr V r.-v.

MAURICE GAVIGNET
Les Millandes 2014 ★

■ 1er cru	2000		30 à 50 €

L'histoire débute vers 1900, lorsque Honoré Gavignet, vigneron à la Romanée-Conti, fonde son domaine à Nuits-Saint-Georges. Son arrière-petit-fils, Arnaud, qui est passé par la maison Bichot et par une coopérative languedocienne, est à la tête de la propriété depuis 2008. Il exploite des vignes sur la Côte de Nuits et la Côte de Beaune.

Sur ce 1er cru, Arnaud Gavignet exploite une parcelle de 70 ares plantée de pinot noir âgé de cinquante ans. Il en a tiré un 2014 expressif, sur le cassis frais mâtiné d'épices et de nuances fumées. La bouche corpulente et solidement charpentée incite à la patience. Un morey intense, de bonne garde. ⧗ 2019-2026 🍷 faisan en cocotte

MAURICE GAVIGNET, 71, rue Félix-Tisserand, 21700 Nuits-Saint-Georges, tél. 03 80 61 03 87, contact@maurice-gavignet.com V *t.l.j. sf dim. 9h-12h 14h-18h*

DOM. ROBERT GIBOURG 2013

■	4800		20 à 30 €

Sébastien Bidault, gendre de Robert Gibourg, est aux commandes depuis 1999 de ce domaine créé en 1965, qui s'étend sur 5,5 ha répartis équitablement entre Côte de Nuits et Côte de Beaune, entre Gevrey-Chambertin et Chorey-lès-Beaune.

Ce morey est issu d'un assemblage de différents *climats*. Au nez, des notes légèrement torréfiées accompagnent un fruité frais qui demande un peu d'aération pour s'affirmer. La bouche présente un bon volume, de la densité, de la fraîcheur et de la souplesse; seule une petite rugosité finale la pénalise aujourd'hui. ⧗ 2018-2023 🍷 paupiettes de veau aux champignons

ROBERT GIBOURG, 3, RN 74, 21220 Morey-Saint-Denis, tél. 03 80 34 38 32, rgibourg@club-internet.fr V r.-v.

RÉMI JEANNIARD Les Ruchots 2014

■ 1er cru	1650		20 à 30 €

Après avoir travaillé près de vingt ans avec son père, Rémi Jeanniard a repris une partie des vignes familiales en 2004 et s'est construit une nouvelle cuverie. Il exploite aujourd'hui 5,85 ha, à Morey-Saint-Denis principalement.

Une petite parcelle (25 ares) de ce terroir voisin de Chambolle-Musigny a donné naissance à ce 1er cru; une cuvée encore sur la réserve (quelques notes de vanille et de crème cassis après aération), bâtie sur des tanins serrés et un boisé sensible mais de qualité, qui demandent à se fondre. Patience... ⧗ 2019-2024 🍷 filet de bœuf

RÉMI JEANNIARD, 19-21, rue de Cîteaux, 21220 Morey-Saint-Denis, tél. 03 80 58 52 42, remijeanniard@orange.fr V r.-v.

PATRICK LAGRANGE 2014

■	600		20 à 30 €

Patrick Lagrange, retraité de la restauration et de la commercialisation de caves à vins, s'est engagé en 2009 comme négociant-éleveur confidentiel à Fixin, vinifiant de petits lots de vendanges intéressants.

Sur une tonalité très fruits rouges (griotte, framboise), le nez de cette cuvée très confidentielle se montre flatteur et ouvert. Sa texture en bouche s'inscrit dans la continuité et offre un profil davantage gourmand et souple que puissant et concentré. À boire dans sa jeunesse. ⧗ 2016-2020 🍷 coq au vin

PATRICK LAGRANGE, Bourgogne Cave Passion, 22, rue de l'Abbé-Chevalier, 21220 Fixin, tél. 06 63 71 15 15, palagrange@wanadoo.fr V r.-v.

Ⓑ DOM. MICHEL MAGNIEN
Chaffots 2014 ★

■ 1er cru	6200	75 à 100 €

Michel Magnien incarne la quatrième génération à la tête d'un vignoble familial qu'il a considérablement agrandi entre les années 1960 et 1990 (18 ha aujourd'hui). Jusqu'en 1993, il porte sa récolte à la coopérative de Morey. L'arrivée de son fils Frédéric, en charge des vinifications depuis lors, change la donne: les vins sont désormais mis en bouteilles à la propriété. Des vins d'une grande régularité, qui font du domaine l'une des valeurs sûres de la Côte de Nuits.

Une bouche souple et des tanins bien fondus font de ce 1er cru un vin aimable et équilibré. Sa longueur et ses arômes de cerise et de mûre associés à un bon boisé vanillé en font aussi une cuvée complexe et racée. Un morey qui s'appréciera aussi bien jeune qu'après quelques années de garde. ⧗ 2018-2024 🍷 volaille rôtie

DOM. MICHEL MAGNIEN, 4, rue Ribordot, 21220 Morey-Saint-Denis, tél. 03 80 28 54 20, domaine@michel-magnien.com V r.-v.

DOM. STÉPHANE MAGNIEN
Les Faconnières 2014 ★

■ 1er cru	3300		30 à 50 €

Stéphane Magnien, installé en 2008, incarne la quatrième génération sur ce domaine créé en 1897. Les vignes (4,5 ha) ne sont entretenues que par des labours (pas de désherbants) et comptent une bonne proportion de vieux ceps.

Un vin faisant preuve d'un bon équilibre et même d'une certaine élégance. Il développe à l'olfaction des arômes de fruits bien mûrs, voire de confiture, tandis qu'un caractère épicé s'affirme dans une bouche ronde, généreuse et charnue, un peu plus sévère en finale. ⧗ 2018-2024 🍷 tournedos Rossini

STÉPHANE MAGNIEN, 5, ruelle de l'Église, 21220 Morey-Saint-Denis, tél. 03 80 51 83 10, mail@domainemagnien.com V r.-v.

CH. MARCHAND FRÈRES Vieilles Vignes 2014

■	3000	◍	20 à 30 €

Depuis 1999 sous la conduite de Denis Marchand (septième génération), le domaine Marchand Frères est né en 1813 à Morey-Saint-Denis. L'exploitation, de près de 9 ha, est établie depuis 1983 au cœur même de Gevrey-Chambertin.

Ce *village* présente un caractère qualifié de «féminin» qui fera le bonheur des amateurs de morey en dentelle. Les fruits rouges frais jouent les premiers rôles au nez. La bouche est d'une persistance moyenne certes, mais intéressante par sa souplesse et sa rondeur. ⧗ 2017-2021 ¥ filet de bœuf sauce poivre

⊶ EARL DOM. MARCHAND FRÈRES, 1, pl. du Monument, 21220 Gevrey-Chambertin, tél. 03 80 62 10 97, dmarc2000@sfr.fr V r.-v.

MANUEL OLIVIER 2013

■	2000	◍	20 à 30 €

Installé en 1990, Manuel Olivier, fils d'agriculteurs, a commencé par cultiver les vignes et petits fruits dans les Hautes-Côtes de Nuits. Aujourd'hui spécialisé en viticulture, il exploite un vignoble de 11 ha, complété depuis 2007 par une structure de négoce qui lui a permis de mettre un pied en Côte de Beaune.

Ce vin a bénéficié d'une longue cuvaison, cinq à six semaines après un égrappage total. Des arômes intenses se déploient au nez – on y retrouve du poivre, de la mûre, du cassis – et s'épanouissent dans une bouche dense, chaleureuse et charnue. Un peu fugace mais harmonieux. ⧗ 2018-2023 ¥ onglet aux échalotes

⊶ SARL MANUEL OLIVIER, 7, rue des Grandes-Vignes, hameau de Corboin, 21700 Nuits-Saint-Georges, tél. 03 80 62 39 33, contact@domaine-olivier.com V r.-v.

DOM. ANNE ET HERVÉ SIGAUT Les Millandes 2014 ★

■ 1er cru	2000	◍	30 à 50 €

Depuis le départ à la retraite d'Hervé Sigaut en 2008, son épouse Anne, qui assurait les vinifications depuis 2004, est seule aux commandes. Une valeur sûre en chambolle-musigny, appellation fer de lance de ce domaine de 7,3 ha.

Malgré dix-huit mois de barrique, ce morey livre un bouquet charmeur de fruits rouges et noirs bien mûrs. On découvre en bouche un vin rond et très gourmand, qui joue à la fois sur la concentration et le soyeux de ses tanins. La bonne vivacité du millésime 2014 ajoute du tonus et de la longueur. Un 1er cru déjà très plaisant, et qui saura se conserver. ⧗ 2018-2026 ¥ canette aux cerises

⊶ DOM. ANNE ET HERVÉ SIGAUT, 12, rue des Champs, 21220 Chambolle-Musigny, tél. 03 80 62 80 28, herve.sigaut@wanadoo.fr V r.-v.

DOM. TAUPENOT-MERME La Riotte 2013 ★

■ 1er cru	n.c.	50 à 75 €

En 1963, Jean Taupenot, de Saint-Romain, épouse Denise Merme et se fixe à Morey. Aujourd'hui, leurs enfants Romain et Virginie conduisent, en bio non certifié, un vignoble de 13 ha avec un pied en Côte de Nuits et l'autre en Côte de Beaune. Un domaine constant en qualité. Romain a développé par ailleurs, sous son nom, une petite structure de négoce.

De prime abord un peu fermé, le nez de ce 1er cru s'ouvre délicatement à l'aération sur les fruits rouges frais et les épices. La bouche se révèle harmonieuse, ample, riche et ronde, dotée de tanins fins et élégants. Ce morey saura vieillir sereinement. ⧗ 2019-2023 ¥ rôti de bœuf aux cèpes

⊶ DOM. TAUPENOT-MERME, 33, rte des Grands-Crus, 21220 Morey-Saint-Denis, tél. 03 80 34 35 24, domaine.taupenot-merme@orange.fr V r.-v.

Ⓑ DOM. TORTOCHOT Cuvée Renaissance 2014

■ 1er cru	4000	◍	30 à 50 €

Fondé à Gevrey en 1865, ce domaine est régulièrement sélectionné pour ses gevrey et ses mazis-chambertin. En 1997, Chantal Michel-Tortochot (quatrième génération), ancienne contrôleuse de gestion dans l'industrie bourguignonne, a repris les vignes familiales, un beau parcellaire de 12 ha (dont 10 % de grands crus et autant de 1ers crus), en bio certifié depuis 2013.

Cette cuvée est un assemblage de deux clos en 1er cru – Clos Solon et Clos Baulet – pour une superficie d'un demi-hectare. Au nez, la vanille, le tabac blond et la griotte font bon ménage. Le palais présente des tanins veloutés qui lui donnent de l'élégance et un caractère souple et assez léger pour l'appellation. ⧗ 2018-2022 ¥ brie de Meaux

⊶ DOM. TORTOCHOT, 12, rue de l'Église, 21220 Gevrey-Chambertin, tél. 03 80 34 30 68, contact@tortochot.com V r.-v.

CLOS-DE-LA-ROCHE

Superficie : 13,4 ha / Production : 450 hl

DOM. PIERRE AMIOT ET FILS 2014

■ Gd cru	n.c.	◍	75 à 100 €

Un domaine établi à Morey-Saint-Denis depuis cinq générations, conduit aujourd'hui par les fils de Pierre Amiot, Jean-Louis et Didier. Le vignoble couvre 7,9 ha à Morey, essentiellement, et à Gevrey, avec deux grands crus. Souvent en vue pour ses morey et ses clos-de-la-roche.

C'est l'unique grand cru du domaine, mais la parcelle est étendue: 1,20 ha. On retrouve bien dans le verre le coup de patte de Jean-Louis et Didier Amiot. Ouvert sur des notes de framboise et sur une fine minéralité, le vin est sérieux, construit sur des tanins fermes et encore assez austères, profond aussi et bien équilibré. ⧗ 2021-2030 ¥ noisette de chevreuil

⊶ DOM. PIERRE AMIOT ET FILS, 27, Grande-Rue, 21220 Morey-Saint-Denis, tél. 03 80 34 34 28, contact@domainepierreamiot.fr V r.-v. Ⓔ

♥ DOM. CASTAGNIER 2014 ★★★

■ Gd cru	2900	◍	50 à 75 €

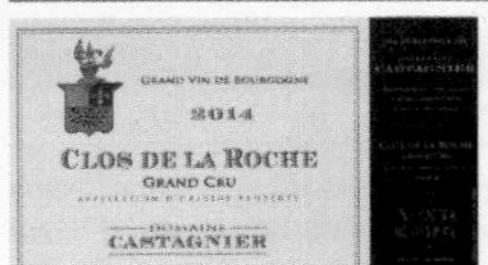

Installé depuis 1975 sur le domaine familial de Morey-Saint-Denis, Jérôme Castagnier exploite (en biodynamie non

certifiée) un vignoble de 4 ha en Côte de Nuits. Ses grands crus, notamment ses clos-de-vougeot, clos-de-la-roche et clos-saint-denis, lui permettent de s'illustrer avec une réelle constance.

Récompensé d'un coup de cœur avec un remarquable chambertin 2014, Jérôme Castagnier a aussi parfaitement réussi sa cuvée de clos-de-la-roche. Il exploite 60 ares de ce grand cru réputé minéral. Ici, le vin montre surtout une grande sensualité. Délicatement parfumé, il associe notes florales (rose, violette), réglisse, fruits rouges mûrs et amande grillée. Longue, ample, douce et très fine, bâtie sur des tanins d'une grande souplesse, la bouche est d'une élégance admirable. ⧗ 2019-2030 ¥ faisan aux raisins

⊶ DOM. CASTAGNIER, 20, rue des Jardins, 21220 Morey-Saint-Denis, tél. 03 80 34 31 62, jeromecastagnier@yahoo.fr V r.-v.

B DOM. MICHEL MAGNIEN 2014 ★

■ Gd cru	1500	+ de 100 €

Michel Magnien incarne la quatrième génération à la tête d'un vignoble familial qu'il a considérablement agrandi entre les années 1960 et 1990 (18 ha aujourd'hui). Jusqu'en 1993, il porte sa récolte à la coopérative de Morey. L'arrivée de son fils Frédéric, en charge des vinifications depuis lors, change la donne: les vins sont désormais mis en bouteilles à la propriété. Des vins d'une grande régularité, qui font du domaine l'une des valeurs sûres de la Côte de Nuits.

Frédéric Magnien a su conserver la précision aromatique du millésime (sur les fruits rouges) et la minéralité du terroir avec ce 2014, auquel un beau boisé épicé vient ajouter de la complexité. On aime aussi son volume en bouche, la rondeur de ses tanins et son équilibre. ⧗ 2019-2028 ¥ gigue de chevreuil

⊶ DOM. MICHEL MAGNIEN, 4, rue Ribordot, 21220 Morey-Saint-Denis, tél. 03 80 28 54 20, domaine@michel-magnien.com V r.-v.

DOM. MARCHAND FRÈRES 2014 ★

■ Gd cru	320		50 à 75 €

Depuis 1999 sous la conduite de Denis Marchand (septième génération), le domaine Marchand Frères est né en 1813 à Morey-Saint-Denis. L'exploitation, de près de 9 ha, est établie depuis 1983 au cœur même de Gevrey-Chambertin.

Sans doute la plus petite parcelle du domaine, 5 ares, pour une production de 320 bouteilles en 2014. Autant dire une microcuvée que seuls quelques heureux amateurs auront l'occasion de déguster. Ils apprécieront sa belle concentration qui s'annonce dès l'olfaction à travers des notes de fruits noirs confiturés et d'amande, ainsi que son volume et sa souplesse en bouche, autour de tanins soyeux et fondus. ⧗ 2019-2028 ¥ rôti de bœuf aux cèpes

⊶ EARL DOM. MARCHAND FRÈRES, 1, pl. du Monument, 21220 Gevrey-Chambertin, tél. 03 80 62 10 97, dmarc2000@sfr.fr V r.-v.

DOM. CHANTAL RÉMY 2014 ★★

■ Gd cru	1500		75 à 100 €

Après la division du domaine Louis Rémy, Chantal Rémy a créé sa propre exploitation en 2009, doublée d'une petite structure de négoce en 2011, à l'arrivée de son fils Florian – le tout dans un «esprit bio» (labour au cheval, pas de produits chimiques) mais sans certification. Le domaine exploite trois grands crus et le Clos des Rosiers en monopole sur Morey-Saint-Denis.

Un domaine qui fait peu parler de lui mais qui démontre avec régularité sa capacité à livrer de grandes bouteilles. Ici, un clos-de-la-roche élégamment bouqueté autour de la cerise, de la framboise et de notes torréfiées, ample, rond, délicat et d'une grande longueur en bouche. ⧗ 2020-2030 ¥ filet de biche en croûte

⊶ DOM. CHANTAL RÉMY, 1, pl. du Monument, 21220 Morey-Saint-Denis, tél. 03 80 34 32 59, domaine.chantal.remy@orange.fr V r.-v. 3

CLOS-SAINT-DENIS

Superficie : 6 ha / Production : 200 hl

DOM. CASTAGNIER 2014 ★

■ Gd cru	1400		50 à 75 €

Installé depuis 1975 sur le domaine familial de Morey-Saint-Denis, Jérôme Castagnier exploite (en biodynamie non certifiée) un vignoble de 4 ha en Côte de Nuits. Ses grands crus, notamment ses clos-de-vougeot, clos-de-la-roche et clos-saint-denis, lui permettent de s'illustrer avec une réelle constance.

Un vin qui monte en puissance tout doucement à l'aération: des notes de fruits mûrs, de réglisse et enfin une touche florale s'expriment avec retenue. Sa complexité est plus immédiatement perceptible en bouche, où des tanins fins et un boisé bien intégrés laissent une sensation d'équilibre, d'élégance et de souplesse. ⧗ 2019-2026 ¥ râbles de lapin aux raisins

⊶ DOM. CASTAGNIER, 20, rue des Jardins, 21220 Morey-Saint-Denis, tél. 03 80 34 31 62, jeromecastagnier@yahoo.fr V r.-v.

DOM. STÉPHANE MAGNIEN 2014

■ Gd cru	1200		50 à 75 €

Stéphane Magnien, installé en 2008, incarne la quatrième génération sur ce domaine créé en 1897. Les vignes (4,5 ha) ne sont entretenues que par des labours (pas de désherbants) et comptent une bonne proportion de vieux ceps.

Au nez, des nuances discrètes de fruits rouges (framboise), de cassis et de Zan. En bouche, une attaque franche, une touche végétale qui confère de la fraîcheur, un bon volume, des tanins qui commencent à s'assouplir. Encore sur la réserve en matière aromatique, ce vin se révélera avec le temps. ⧗ 2019-2026 ¥ volaille truffée

⊶ STÉPHANE MAGNIEN, 5, ruelle de l'Église, 21220 Morey-Saint-Denis, tél. 03 80 51 83 10, mail@domainemagnien.com V r.-v.

B DOM. MICHEL MAGNIEN 2014 ★

■ Gd cru	900		+ de 100 €

Michel Magnien incarne la quatrième génération à la tête d'un vignoble familial qu'il a considérablement agrandi entre les années 1960 et 1990 (18 ha aujourd'hui). Jusqu'en 1993, il porte sa récolte à la coopérative de Morey. L'arrivée de son fils Frédéric, en charge des vinifications depuis lors, change la donne:

les vins sont désormais mis en bouteilles à la propriété. Des vins d'une grande régularité, qui font du domaine l'une des valeurs sûres de la Côte de Nuits.

La production s'est limitée à moins d'un millier de bouteilles pour ce millésime. Une cuvée confidentielle qui s'affirme autour d'un joli bouquet de fruits noirs (mûre, myrtille) et de violette et d'une bouche ample et solidement bâtie. Des qualités qui annoncent un bon potentiel de garde. ⧗ 2020-2028 ¥ sauté de sanglier à la tomate

⊶ DOM. MICHEL MAGNIEN, 4, rue Ribordot, 21220 Morey-Saint-Denis, tél. 03 80 28 54 20, domaine@michel-magnien.com V r.-v.

CHAMBOLLE-MUSIGNY

Superficie : 152 ha / Production : 6 050 hl

Commune de grande renommée malgré sa petite étendue, Chambolle-Musigny doit sa réputation à la qualité de ses vins et à la notoriété de ses 1ers crus, dont le plus connu est le *climat* des Amoureuses. Tout un programme! Mais Chambolle a aussi ses Charmes, Chabiots, Cras, Fousselottes, Groseilles et autres Lavrottes... Le petit village aux rues étroites et aux arbres séculaires abrite des caves magnifiques (domaine des Musigny).

Toujours rouges, les chambolle sont élégants et subtils. Ils allient la force des bonnes-mares à la finesse des musigny, à l'image d'un pays de transition dans la Côte de Nuits.

ARTHUR BAROLET ET FILS Les Chatelots 2013

■ 1er cru | 1818 | ◍ | 30 à 50 €

Derrière cette étiquette se trouve la maison de négoce Henri de Villamont installée à Savigny-lès-Beaune depuis 1880. Ce propriétaire (10 ha) et négociant-éleveur est dans le giron du groupe suisse Schenk depuis 1964.

Le nez se montre assez expansif, le cassis et le pruneau se mêlant à des notes boisées et épicées. La bouche propose une trame tannique fondue, mise en évidence par une agréable acidité qui apporte aussi de la longueur. ⧗ 2018-2023 ¥ pigeon rôti

⊶ ARTHUR BAROLET, rue du Dr-Guyot, 21420 Savigny-lès-Beaune, tél. 03 80 21 50 59, contact@hdv.fr V r.-v. *⊶ Schenk*

DOM. RENÉ CACHEUX ET FILS 2013

■ | 1500 | ◍ | 30 à 50 €

En 2005, après avoir travaillé sur d'autres exploitations viticoles, Gérald Cacheux a succédé à ses parents à la tête de ce petit domaine familial (3,26 ha), fondé en 1966. Il exploite des vignes à Vosne-Romanée et à Chambolle-Musigny.

Une parcelle d'un peu plus d'un demi-hectare a donné naissance à cette cuvée élevée en barrique pendant dix-huit mois (10 % de fût neuf). Des notes de fruits rouges et de sous-bois se dégagent du verre et accompagnent une bouche bien équilibrée entre tanins fins et acidité mesurée. ⧗ 2018-2023 ¥ coq au vin

⊶ DOM. RENÉ CACHEUX ET FILS, 28, rue de la Grand-Velle, 21700 Vosne-Romanée, tél. 03 80 61 28 72, gerald.cacheux@free.fr V r.-v.

DOM. CASTAGNIER 2014 ★

■ | 1400 | ◍ | 20 à 30 €

Installé depuis 1975 sur le domaine familial de Morey-Saint-Denis, Jérôme Castagnier exploite (en biodynamie non certifiée) un vignoble de 4 ha en Côte de Nuits. Ses grands crus, notamment ses clos-de-vougeot, clos-de-la-roche et clos-saint-denis, lui permettent de s'illustrer avec une réelle constance.

De vénérables vignes de quatre-vingts ans plantées sur 33 ares ont donné ce vin expressif et assez complexe (mûre sauvage, baies roses, vanille, sous-bois), long, pulpeux et généreux en bouche, construit sur des tanins fins et délicats. ⧗ 2018-2024 ¥ canard à l'orange

⊶ DOM. CASTAGNIER, 20, rue des Jardins, 21220 Morey-Saint-Denis, tél. 03 80 34 31 62, jeromecastagnier@yahoo.fr V r.-v.

BOURGOGNE

DOM. CHAUVENET-CHOPIN 2014 ★

■ | 2400 | ◍ | 20 à 30 €

En 1985, Évelyne et Hubert Chauvenet reprennent la propriété familiale, qu'ils complètent en 2001 par le domaine Chopin-Groffier de Comblanchien. Ils exploitent aujourd'hui 13,6 ha de vignes en Côte de Nuits et proposent notamment un large éventail de *climats* en nuits-saint-georges.

Ce chambolle séduit sans tergiverser grâce à sa palette aromatique plaisante, centrée sur les fruits rouges enrobés d'un boisé bien intégré. L'attaque est souple et ronde, le milieu de bouche harmonieux, porté par des tanins fins et la finale renvoie une agréable sensation de fraîcheur. Un équilibre d'ores et déjà appréciable et de bonnes perspectives de garde. ⧗ 2017-2023 ¥ râble de lapin aux pruneaux

⊶ CHAUVENET-CHOPIN, 97, rue Félix-Tisserand, 21700 Nuits-Saint-Georges, tél. 03 80 61 28 11, chauvenet-chopin@wanadoo.fr V r.-v.

DOM. A. CHOPIN ET FILS 2013

■ | 1800 | ◍ | 20 à 30 €

Installé à l'extrême sud de la Côte de Nuits, Arnaud Chopin a repris le domaine familial en 2010, à la retraite de ses parents. Avec l'aide de son jeune frère Alban, il s'apprête à convertir le vignoble au bio. Régulièrement, il s'illustre par ses nuits-saint-georges et ses côtes-de-nuits-villages.

Le nez évoque la cerise bien mûre et le cassis, accompagnés par un léger boisé. La bouche déploie des tanins fins et soyeux représentatifs du profil élégant des vins de l'appellation. Un chambolle bien typé auquel il manque juste un peu d'étoffe pour décrocher l'étoile. ⧗ 2017-2022 ¥ canard aux cerises

⊶ A. CHOPIN ET FILS, D 974, 21700 Comblanchien, tél. 03 80 62 92 60, domaine.chopin-fils@orange.fr V r.-v. 3

DIGIOIA-ROYER Les Fremières Vieilles Vignes 2014 ★

■ | n.c. | ◍ | 30 à 50 €

Souvent en vue pour ses chambolle-musigny, Michel Digioia exploite depuis 1999 ce petit domaine familial de 4,9 ha créé en 1933 par son grand-père Victor Moretti.

Une bonne part de ses vignes est dédiée aux appellations régionales et communales. Le vigneron avoue ne pas rechercher la nouveauté: «peut-être une fûtaille renouvelée en dix ans», avoue-t-il...

Une vinification traditionnelle en cuve de bois puis un élevage en barrique pendant dix-huit mois pour ce chambolle qui gagne en complexité et en intensité au fil de l'aération: fruits rouges et épices douces, puis tarte aux myrtilles. À ce nez avenant répond une bouche ample, fruitée et bien boisée, aux tanins fermes mais fins. À apprécier d'ici deux ou trois ans, et beaucoup plus si affinité. ⧗ 2019-2024 ¥ noix de veau aux cèpes

DIGIOIA-ROYER, 16, rue du Carré, 21220 Chambolle-Musigny, tél. 03 80 61 49 58, micheldigioia@wanadoo.fr V r.-v.

DOM. FOURÉ-ROUMIER-DE FOSSEY 2013 ★

■	585		20 à 30 €

Une petite maison de négoce fondée en 2006 par trois amis en parallèle de leurs activités professionnelles: Bruno Mathieu de Fossey, qui œuvre en Côte de Nuits, «débusque» les cuvées de rouges et sélectionne les parcelles; Gaël Fouré, chef de cave à Meursault, gère la société et les vinifications; Denis Roumier, petit-fils de Georges Roumier, travaillant dans l'industrie automobile, gère la commercialisation.

Un vin issu d'une fermentation en grappe entière suivie d'un long élevage de dix-sept mois en barrique. Au nez, il développe des arômes harmonieux et généreux de fruits noirs bien mûrs et de framboise agrémentés de notes de sous-bois. Des tanins soyeux tapissent longuement le palais et lui confèrent un caractère tendre et délicat bien dans le ton de l'appellation. ⧗ 2018-2024 ¥ cailles aux raisins

MAISON FOURÉ-ROUMIER-DE FOSSEY, 2, pl. de l'Europe, BP 18, 21190 Meursault, tél. 06 12 23 87 42, foure.gaelodie@wanadoo.fr V r.-v.

DOM. GLANTENAY 2013

■	2100		20 à 30 €

Ce domaine de 8 ha est conduit depuis quatre siècles par la famille Glantenay, qui a accueilli en 2012 une nouvelle génération: Guillaume et sa sœur Fanny, enfants de Pierre.

Les petits fruits rouges, framboise et griotte en tête, s'associent sans fausse note à un boisé discret. En bouche, on découvre un vin tonique et frais, adossé à une acidité contenue et à des tanins bien en place. Une bonne longueur finale laisse optimiste sur son évolution. ⧗ 2018-2022 ¥ tournedos chasseur

SCE DOM. GEORGES GLANTENAY, 16, chem. de la Cave, 21190 Volnay, tél. 03 80 21 61 82, contact@domaineglantenay.com V r.-v.

DOM. A.-F. GROS 2014 ★

■	2700		30 à 50 €

Fille de Jean Gros (Vosne-Romanée), sœur de Bernard (domaine Gros Frère et Sœur), Anne-Françoise Gros a choisi François Parent comme époux et maître de chai. Ensemble, ils conduisent un vignoble de 10 ha dans les deux Côtes qui collectionne les coups de cœur. Incontournable.

Des notes boisées (torréfaction, café) marquent le premier nez, puis laissent la place à une agréable expression de fruits rouges après aération. La bouche, ferme et vigoureuse, mais bâtie sur des tanins au grain fin, procure quant à elle une belle sensation de fraîcheur avec sa longue finale minérale et saline. Un chambolle qui vieillira harmonieusement. ⧗ 2019-2026 ¥ filet de bœuf

SA DOM. A.-F. GROS, 5, Grande-Rue, 21630 Pommard, tél. 03 80 22 61 85, af-gros@wanadoo.fr V *r.-v.* E

JEAN-MICHEL GUILLON ET FILS 2014 ★

■	1880		20 à 30 €

Établi à Gevrey, Jean-Michel Guillon a débuté en 1980 sur un domaine de 2,3 ha, dont il a porté la superficie à plus de 13,8 ha répartis dans de nombreuses appellations (mazis, gevrey, morey, clos-de-vougeot). Secondé par son fils Alexis depuis 2005, il s'illustre avec une grande régularité dans le Guide.

Un vin déjà très agréable, harmonieux, complexe et élégant. Des arômes de violette, de cerise et autres fruits rouges se manifestent au nez en compagnie de nuances réglissées. La bouche apparaît fraîche, nette et fine, épaulée par des tanins racés, garants d'une bonne garde. ⧗ 2019-2026 ¥ filet de biche

JEAN-MICHEL GUILLON, 33, rte de Beaune, 21220 Gevrey-Chambertin, tél. 03 80 51 83 98, contact@domaineguillon.com V r.-v. D

DOM. ANTONIN GUYON
Clos du Village Monopole 2013

■	2000		30 à 50 €

Ce domaine s'est constitué à partir des années 1960 sur un vaste vignoble de 48 ha, principalement en 1ers et en grands crus, allant de Gevrey-Chambertin à Meursault. Une exploitation régulière en qualité, conduite par Dominique Guyon, fils d'Antonin.

Un mélange de cassis et de violette donne une tonalité élégante à l'expression aromatique de ce chambolle resté quatorze mois en barrique. La bouche se montre avenante, tendre et ronde, même si des tanins encore un peu anguleux rendent la finale plus austère à ce stade. Une petite attente arrondira les angles. ⧗ 2018-2022 ¥ civet de sanglier

DOM. ANTONIN GUYON, 21420 Savigny-lès-Beaune, tél. 03 80 67 13 24, domaine@guyon-bourgogne.com V r.-v.

B FRÉDÉRIC MAGNIEN
Cœur de pierres 2014 ★

■ 1er cru	n.c.		75 à 100 €

Frédéric Magnien est un fin vinificateur en chambolle et l'une des valeurs sûres de cette appellation, et plus largement des grands crus de la Côte de Nuits. Après avoir travaillé quatre ans sur le domaine de son père Michel, dont il vinifie toujours les vins, exercé un an dans des vignobles du Nouveau Monde (Californie, Australie) et obtenu un diplôme d'œnologie à Dijon, il a lancé en 1995 sa maison de négoce.

Cette cuvée est un assemblage de parcelles morcelées de faible surface situées sur des terroirs pierreux de l'appellation. Un vin élégant, très frais, d'une belle finesse, même si un boisé encore assez présent se fait sentir au nez comme en bouche aux côtés des fruits rouges mûrs. Un chambolle très prometteur et bien typé. ⧗ 2019-2026 🍴 rôti de veau aux cèpes

⊶ EURL FRÉDÉRIC MAGNIEN, 26, rte Nationale, 21220 Morey-Saint-Denis, tél. 03 80 52 54 20, frederic@fred-magnien.com V ⚑ ■ *r.-v.*

DOM. MARCHAND FRÈRE Vieilles Vignes 2014

■	3000	(I)	20 à 30 €

Depuis 1999 sous la conduite de Denis Marchand (septième génération), le domaine Marchand Frères est né en 1813 à Morey-Saint-Denis. L'exploitation, de près de 9 ha, est établie depuis 1983 au cœur même de Gevrey-Chambertin.

De vieux ceps issus d'une parcelle de 50 ares ont donné naissance à ce vin sur la réserve à l'olfaction (quelques notes fruitées, boisées et fumées pointent à l'aération). Portée par des tanins fermes et une bonne acidité, la bouche montre de l'équilibre et de la consistance. Les pronostics sont optimistes pour la suite. ⧗ 2019-2024 🍴 veau marengo

⊶ EARL DOM. MARCHAND FRÈRES, 1, pl. du Monument, 21220 Gevrey-Chambertin, tél. 03 80 62 10 97, dmarc2000@sfr.fr V ⚑ ■ *r.-v.*

Ⓑ DOM. THIERRY MORTET
Les Beaux Bruns 2013 ★

■ 1er cru	1100	(I) ▮	30 à 50 €

Thierry Mortet, dont les vins figurent souvent dans le Guide, s'est installé en 1992 sur une partie du domaine familial. Un vignoble qu'il a agrandi, portant sa superficie à 8,5 ha et converti à l'agriculture biologique à partir de 2007. Il est particulièrement à l'aise sur les terroirs de son village.

Ces Beaux Bruns n'ont rien de ténébreux. Ils sont même plutôt très avenants avec leurs arômes intenses et harmonieux de fruits des bois, de torréfaction et d'épices. Le palais se développe avec une belle subtilité, soutenu par une agréable fraîcheur, des tanins fins et veloutés et un bon boisé épicé. ⧗ 2018-2026 🍴 poularde aux morilles

⊶ DOM. THIERRY MORTET, 16, pl. des Marronniers, 21220 Gevrey-Chambertin, tél. 03 80 51 85 07, domainethierrymortet@hotmail.fr V ⚑ ■ *r.-v.*

DOM. MICHEL NOËLLAT 2014 ★

■	3700	(I)	30 à 50 €

Alain (au commercial) et Jean-Marc Noëllat (à la vigne et au chai) ont pris en 1990 la relève de leur père Michel sur ce vaste domaine de 27 ha. Ils ont été rejoints en 2012 et en 2015 par la sixième génération – Sébastien, fils du second, et Sophie, fille du premier. Une valeur sûre de la Côte de Nuits, notamment pour ses vosne-romanée.

L'élevage en fût de chêne (seize mois) se fait sentir au premier nez, mais le fruit reprend le dessus à l'aération, laissant poindre de jolies notes de cerise noire et de cassis mûrs. La bouche est à la fois généreuse et élégante, alerte et fruitée, bâtie sur des tanins ronds qui lui assurent un caractère gourmand. ⧗ 2018-2023 🍴 chapon de Bresse

⊶ DOM. MICHEL NOËLLAT, 5, rue de la Fontaine, 21700 Vosne-Romanée, tél. 03 80 61 36 87, contact@domaine-michel-noellat.com V ⚑ ■ *r.-v.*

DOM. ARMELLE ET BERNARD RION
Les Échézaux Vieilles Vignes 2014

■	4000	(I)	30 à 50 €

Un domaine fondé en 1896 et transmis de père en fils depuis cinq générations; de père en filles aujourd'hui: Nelly (à la commercialisation) et Alice (à la vinification) et son mari Louis (à la vigne) ont rejoint Armelle et Bernard Rion pour exploiter – avec le moins d'interventions possibles à la vigne et au chai – le fruit de 7 ha de vignes, du simple bourgogne au grand cru.

Une parcelle de 70 ares située à l'extrême nord de l'appellation (côté Gevrey-Chambertin) a donné naissance à ce chambolle d'une belle complexité, ouvert sur des notes de violette, de cassis, de cerise et de moka, généreux et rond en bouche, étayé par des tanins fondus. Il lui manque une pointe de longueur pour décrocher l'étoile. ⧗ 2018-2023 🍴 selle d'agneau

⊶ DOM. ARMELLE ET BERNARD RION, 8, rte nationale, 21700 Vosne-Romanée, tél. 03 80 61 05 31, rion@domainerion.fr V ⚑ ■ *t.l.j. 9h-18h; dim. sur r.-v.*

DOM. ROUX PÈRE ET FILS
Les Borniques 2013 ★★

■ 1er cru	900	50 à 75 €

Cette maison créée en 1885, qui associe domaine et négoce, est à la tête d'un vaste ensemble de 65 ha répartis dans treize villages de la Côte-d'Or et de la Côte chalonnaise. Elle propose une vaste gamme de vins, souvent en vue, notamment en saint-aubin, puligny, chassagne et meursault.

Toute l'expression d'un excellent chambolle semble s'être concentrée dans ce 1er cru. Le nez n'est pas spectaculaire mais délicat, sur des notes de griotte, de rose et de sous-bois. Souplesse de l'attaque, finesse des tanins, fraîcheur bien ajustée et longueur caractérisent la bouche. Son seul défaut: sa confidentialité... ⧗ 2019-2024 🍴 ris de veau

⊶ DOM. ROUX PÈRE ET FILS, 42, rue des Lavières, 21190 Saint-Aubin, tél. 03 80 21 32 92, france@domaines-roux.com V ⚑ ■ *r.-v.*

DOM. ANNE ET HERVÉ SIGAUT
Les Noirots 2014 ★★

■ 1er cru	2800	(I)	30 à 50 €

Depuis le départ à la retraite d'Hervé Sigaut en 2008, son épouse Anne, qui assurait les vinifications depuis 2004, est seule aux commandes. Une valeur sûre en chambolle-musigny, appellation fer de lance de ce domaine de 7,3 ha.

Un demi-hectare de vignes âgées de cinquante ans situé dans la partie nord de l'appellation est à l'origine de ce chambolle d'une grande ampleur et d'une réelle puissance qui ne l'empêchent pas de rester très charmeur. Les tanins, au grain fin mais encore assez carrés, et le boisé sensible mais racé vont se fondre dans le temps, et son expression aromatique, sur la fraise et la griotte, va gagner en intensité et en complexité. ⧗ 2020-2026 🍴 noisette de chevreuil aux girolles ■ **1er cru Les Chatelots 2014 ★** (30

à 50 €; 3200 b.) : on doit descendre au sud, à hauteur du village de Chambolle, pour trouver ce terroir de mi-coteau qui a vu naître ce vin encore un peu sur la réserve. La qualité de ses tanins et son expression aromatique confiturée, enrobée par un beau boisé, emportent l'adhésion et laissent deviner un bel avenir. ⧗ 2020-2026 ■ **1er cru Les Fuées 2014 ★ (30 à 50 €; 3000 b.)** : un *climat* établi sur la partie haute du secteur des 1ers crus, à proximité des Bonnes Mares. Le vin est expressif et généreux, sur des notes de fruits noirs bien mûrs, ample, rond et long en bouche, d'une belle finesse tannique. ⧗ 2020-2026 ■ **1er cru Les Sentiers 2014 (30 à 50 €; 4000 b.)** : vin cité.

DOM. ANNE ET HERVÉ SIGAUT, 12, rue des Champs, 21220 Chambolle-Musigny, tél. 03 80 62 80 28, herve.sigaut@wanadoo.fr V *r.-v.*

BONNES-MARES

Superficie : 16 ha / Production : 520 hl

Cette appellation déborde sur la commune de Morey, le long du mur du clos-de-tart, mais la plus grande partie est située sur Chambolle. C'est le grand cru par excellence. Les bonnes-mares, pleins, vineux, riches, ont une bonne aptitude à la garde et accompagnent volontiers le civet ou la bécasse après quelques années de vieillissement.

DOM. DROUHIN-LAROZE 2014 ★

■ Gd cru	4800		+ de 100 €

En 1850, Jean-Baptiste Drouhin fonde un domaine viticole à Gevrey. Six générations plus tard, son héritier Philippe Drouhin, installé en 2001, son épouse Christine et leurs enfants Caroline et Nicolas conduisent dans un esprit bio, mais sans certification, un vignoble de 11,5 ha – dont près de la moitié est dédiée aux grands crus –, complété en 2008 par un petit négoce (Laroze de Drouhin) dirigé par Caroline.

Bonnes-mares est l'un des grands crus les plus puissants de la Côte de Nuits. La maison Drouhin-Laroze, très en verve dans cette édition, en signe une version aboutie avec un 2014 expressif, sur la griotte, le cassis et le poivre, vif en attaque, dense, riche, intense, vigoureux, bâti pour une longue garde. ⧗ 2021-2028 filet de bœuf en croûte

DOM. DROUHIN-LAROZE, 20, rue du Gaizot, 21220 Gevrey-Chambertin, tél. 03 80 34 31 49, domaine@drouhin-laroze.com V *r.-v.*

VOUGEOT

Superficie : 16 ha
Production : 525 hl (70 % rouge)

C'est la plus petite commune de la côte viticole. Si l'on ôte de ses 80 ha les 50 ha 59 a 10 ca du Clos, les maisons et les routes, il ne reste que quelques hectares de vignes en vougeot, dont plusieurs 1ers crus, les plus connus étant le Clos Blanc (vins blancs) et le Clos de la Perrière.

DOM. BERTAGNA Clos de la Perrière 2013 ★

■ 1er cru	3960		50 à 75 €

Ce domaine de 17 ha rayonne sur un beau patrimoine de cinq grands crus. Il est dirigé depuis 1982 par la famille Reh, originaire de la Moselle allemande, et depuis 1988 par Eva Reh-Siddle. Une valeur sûre, notamment pour ses vougeot et son monopole Clos de la Perrière.

La vigne se plaît sur cette ancienne carrière d'où proviennent les pierres qui ont servi à la construction du château du Clos Vougeot. Elle a donné naissance à ce vin délicat, centré sur le poivre et les fruits noirs au nez comme en bouche, ample et charnu, construit avec élégance sur des tanins fins et soyeux et sur un boisé racé (dix-huit mois d'élevage). De longue garde assurément. ⧗ 2019-2026 civet de marcassin

DOM. BERTAGNA, 16, rue du Vieux-Château, 21640 Vougeot, tél. 03 80 62 86 04, contact@domainebertagna.com V *r.-v.* *Eva Reh*

DOM. LEYMARIE-CECI Clos du Village 2014

■	900		30 à 50 €

Charles Leymarie, originaire de Corrèze, fonde en 1920 une maison de négoce en Belgique et acquiert en 1933 une petite parcelle du Clos de Vougeot, exploitée «à mi-fruit» par un vigneron local. Une parcelle que reprend son fils René en 1969 lors de l'achat des bâtiments du domaine à Vougeot (une auberge et un relais de poste du XVIIes.) et des vignes attenantes. Le domaine actuel était né. Depuis 2004, c'est son petit-fils Jean-Charles qui est aux commandes des 3,85 ha de vignes et de la maison de négoce.

Le nez est assez discret, évoquant à l'aération les petits fruits rouges. Après une attaque franche, fraîche et souple, la bouche dévoile une texture d'une belle finesse, épaulée par des tanins bien intégrés. Un vin d'ores et déjà harmonieux, qui devrait bien évoluer. ⧗ 2018-2024 joue de bœuf

LEYMARIE-CECI, Clos-du-Village, 24, rue du Vieux-Château, 21640 Vougeot, tél. 09 67 19 88 53, leymarie@skynet.be V *r.-v.* D

B DOM. DE LA VOUGERAIE
Le Clos blanc de Vougeot Monopole 2013 ★

□ 1er cru	7503		50 à 75 €

Un domaine né en 1999 de l'assemblage de plusieurs vignes acquises au fil du temps par la famille de Nathalie et Jean-Charles Boisset, ses actuels propriétaires: 40 ha cultivés en biodynamie, répartis en 67 parcelles (dont le célèbre monopole Clos Blanc de Vougeot) sur les deux Côtes.

Ce monopole du domaine s'étend sur 2,07 ha et constitue une des rares parcelles de blanc importantes en Côte de Nuits. Fidèle à son caractère, il donne naissance à un 2013 ample, gourmand et rond, bien ouvert au nez comme en bouche sur des arômes de fleurs jaunes et d'amande grillée relevés de notes poivrées. ⧗ 2018-2025 poulet Gaston Gérard

DOM. DE LA VOUGERAIE, 7 bis, rue de l'Église, 21700 Premeaux-Prissey, tél. 03 80 62 48 25, vougeraie@domainedelavougeraie.com

CLOS-DE-VOUGEOT

Superficie : 50 ha / Production : 1 630 hl

Tout a été dit sur le Clos! Comment ignorer que plus de soixante-dix propriétaires se partagent ses quelque 50 ha? Un tel attrait n'est pas dû au hasard; c'est bien parce que le célèbre Clos produit du bon vin et que tout le monde en veut! Il faut faire la différence entre les vins «du dessus», ceux «du milieu» et ceux «du bas», mais les moines de Cîteaux, lorsqu'ils ont élevé le mur d'enceinte, avaient tout de même bien choisi leur lieu... Fondé au début du XIIes., le Clos atteignit très rapidement sa dimension actuelle; l'enceinte d'aujourd'hui est antérieure au XVes. Quant au château, construit aux XIIe et XVIes., il mérite qu'on s'y attarde un peu. La partie la plus ancienne comprend le cellier, de nos jours utilisé pour les chapitres de la Confrérie des Chevaliers du Tastevin, actuelle propriétaire des lieux, et la cuverie, qui abrite à chaque angle quatre magnifiques pressoirs d'époque.

CAPITAIN-GAGNEROT 2014 ★

■ Gd cru	830	◍	75 à 100 €

Vénérable domaine familial de 15 ha fondé en 1802 et implanté à Ladoix-Serrigny. Depuis le 1er janvier 2013, Pierre-François Capitain est seul maître à bord; son père Patrice et son oncle Michel restant à l'écoute. Propriété en vue notamment pour ses ladoix, aloxe et échézeaux.

Le domaine dispose d'une parcelle de 22 ares située en haut du Clos, dans sa partie sud. Le vin a été élevé quinze mois avec une petite proportion de fût neuf (10 %). Il s'exprime sur des notes d'épices et de fruits noirs et s'impose par son palais puissant, charnu et long. Du caractère et un solide potentiel de garde. ⧗ 2021-2028 ▼ fromage de Cîteaux

MAISON CAPITAIN-GAGNEROT, 38, rte de Dijon, 21550 Ladoix-Serrigny, tél. 03 80 26 41 36, contact@capitain-gagnerot.com V r.-v.

DOM. CASTAGNIER 2014

■ Gd cru	2600	◍	50 à 75 €

Installé depuis 1975 sur le domaine familial de Morey-Saint-Denis, Jérôme Castagnier exploite (en biodynamie non certifiée) un vignoble de 4 ha en Côte de Nuits. Ses grands crus, notamment ses clos-de-vougeot, clos-de-la-roche et clos-saint-denis, lui permettent de s'illustrer avec une réelle constance.

Décidément heureux avec ses grands crus, Jérôme Castagnier présente ici un clos-de-vougeot discrètement fruité et boisé au nez, d'une bonne densité en bouche, bâti sur des tanins virils, d'une belle longueur. De quoi pronostiquer le meilleur pour la suite. ⧗ 2020-2026 ▼ tournedos chasseur

DOM. CASTAGNIER, 20, rue des Jardins, 21220 Morey-Saint-Denis, tél. 03 80 34 31 62, jeromecastagnier@yahoo.fr V *r.-v.*

DOM. PHILIPPE CHARLOPIN 2013 ★

■ Gd cru	n.c.	+ de 100 €

Repris en 1977, ce domaine familial, passé de 1,5 ha à 25 ha aujourd'hui, est en conversion bio. Avec son fils Yann, Philippe Charlopin fait partie des vignerons emblématiques de Gevrey-Chambertin et plus généralement de la Côte de Nuits. Il propose une large palette de vins, des *villages* aux grands crus du Chablisien, de la Côte de Beaune et de la Côte de Nuits. On ne compte plus ses étoiles et coups de cœur «vendangés» dans le Guide. Incontournable.

Passé une première approche animale et fermée, le nez de ce grand cru s'ouvre après aération sur des notes de fruits noirs, de Zan et de petits fruits rouges. La qualité des tanins, souples et soyeux, que l'on rencontre souvent dans les vins de Philippe Charlopin, ne fait pas défaut ici; elle met en valeur un palais équilibré, sans accroche, frais et persistant. ⧗ 2021-2026 ▼ cailles aux raisins

DOM. PHILIPPE CHARLOPIN, 18, rte de Dijon, 21220 Gevrey-Chambertin, tél. 06 24 71 12 05, charlopin.philippe21@orange.fr

DOM. DROUHIN-LAROZE 2014

■ Gd cru	3400	◍	75 à 100 €

En 1850, Jean-Baptiste Drouhin fonde un domaine viticole à Gevrey. Six générations plus tard, son héritier Philippe Drouhin, installé en 2001, son épouse Christine et leurs enfants Caroline et Nicolas conduisent dans un esprit bio, mais sans certification, un vignoble de 11,5 ha – dont près de la moitié est dédiée aux grands crus –, complété en 2008 par un petit négoce (Laroze de Drouhin) dirigé par Caroline.

Le domaine dispose d'une longue parcelle qui s'étend de bas en haut sur la partie supérieure du Clos. La famille Drouhin en a tiré un vin au nez chaleureux de framboise et de griotte macérées, long en bouche, à la structure bien affirmée autour de tanins qui demandent à se fondre. Un vin noble mais austère, qui gagnera son étoile en cave. ⧗ 2021-2028 ▼ gigot de sept heures

DOM. DROUHIN-LAROZE, 20, rue du Gaizot, 21220 Gevrey-Chambertin, tél. 03 80 34 31 49, domaine@drouhin-laroze.com V *r.-v.* *Drouhin Philippe*

DOM. FRANÇOIS GERBET 2013 ★

■ Gd cru	1170	◍	75 à 100 €

Les sœurs Marie-Andrée et Chantal Gerbet ont repris en 1983 le domaine fondé par leur père François en 1947. À la tête d'un vignoble de 10 ha, elles s'illustrent régulièrement avec leurs clos-de-vougeot et leurs vosne-romanée.

La parcelle de 33 ares à l'origine de ce vin est située dans la partie basse du Clos. Dans le verre, un vin à l'expression aromatique intense sur des notes de rose, de cerise et de sous-bois. Une attaque souple introduit une bouche fine et fraîche, aux tanins délicats. Un clos-de-vougeot qui privilégie l'élégance et la légèreté plutôt que la force. ⧗ 2019-2026 ▼ canard à l'orange

DOM. FRANÇOIS GERBET, pl. de l'Église, 21700 Vosne-Romanée, tél. 03 80 61 07 85, vins.gerbet@wanadoo.fr V *t.l.j. sf dim. 10h-12h 14h-18h*

MAISON CAMILLE GIROUD 2013 ★★

■ Gd cru	250	◍	+ de 100 €

Fondée en 1865, cette vénérable maison beaunoise, discrète mais reconnue des amateurs, est propriété

d'investisseurs américains depuis 2002. Autrefois spécialiste de la commercialisation de vieux vins, elle vit aujourd'hui avec son temps et c'est un jeune œnologue, David Croix, qui assure les vinifications. Elle présente à sa carte de nombreux grands crus, régulièrement sélectionnés dans ces pages, et aussi de «simples» 1ers crus.

Un style tout en fraîcheur et en élégance qui signe bien le coup de patte de David Croix, l'œnologue de la maison. Un profil qui n'empêche pas la concentration et la puissance, avec des tanins fermes et francs qui portent loin la finale, poivrée et fruitée. Une grande réussite dans un millésime délicat. ⧗ 2019-2026 ▼ civet de marcassin

MAISON CAMILLE GIROUD, 3, rue Pierre-Joigneaux, 21200 Beaune, tél. 03 80 22 12 65, contact@camillegiroud.com V r.-v. Les Renardes

MARCHAND-TAWSE 2013 ★

Gd cru	n.c.		+ de 100 €

Le Québécois Pascal Marchand, ancien vinificateur du comte Armand et de la Vougeraie et fondateur d'un micro-négoce en 2006, s'est associé en 2010 avec Moray Tawse, propriétaire réputé du Niagara (Canada), pour créer une nouvelle marque pour laquelle il sélectionne de petits lots de vignes souvent cultivées en bio ou biodynamie.

Le cassis, les baies sauvages, la violette, c'est sur un bouquet d'une belle complexité que s'ouvre la dégustation. Le palais apparaît bien équilibré entre une fine fraîcheur et une solide présence tannique qui assurent à ce grand cru un caractère à la fois aérien et terrien. Un vin complet, qui semble taillé pour bien vieillir. ⧗ 2020-2028 ▼ filet de bœuf Wellington

MARCHAND-TAWSE, 9, rue Julie-Godemet, 21700 Nuits-Saint-Georges, tél. 03 80 20 37 32, contact@marchandtawse.com V r.-v.

CH. DE MARSANNAY 2014 ★

Gd cru	900		+ de 100 €

Le domaine du Château de Marsannay s'étend sur 39,5 ha. Il est présent aussi bien en appellations villages qu'en 1ers crus et grands crus de la Côte de Nuits. Il appartient depuis 2012 à la famille Halley, également propriétaire du Château de Meursault en Côte de Beaune. Un programme d'investissements à la vigne et au chai est en cours.

Le château cultive une parcelle de 21 ares dans la partie supérieure de l'appellation, plantée de vignes de soixante-dix ans en moyenne. Élevé pendant dix-sept mois en barrique, ce clos-de-vougeot présente un profil de beau vin de garde: de la puissance, du gras, de la concentration, des tanins bien en place, déjà fins et veloutés et une expression aromatique complexe sur la framboise et le cassis compotés, enrobés d'un boisé fondu. ⧗ 2021-2030 ▼ canard aux cerises

CH. DE MARSANNAY, 2, rue des Vignes, 21160 Marsannay-la-Côte, tél. 03 80 51 71 11, domaine@chateau-marsannay.com V t.l.j. 10h-18h30; f. 20 dec.-1er fev. Olivier Halley

PROSPER MAUFOUX 2013 ★

Gd cru	274		+ de 100 €

Constitué en 1860, le négoce Prosper Maufoux est une institution à Santenay, installé dans l'hôtel particulier bâti en 1838 pour Jacques-Marie Duvault, alors unique propriétaire de la Romanée-Conti. Il a été repris en 2010 par Éric Piffaut et la maison André Delorme, spécialiste des vins de la Côte chalonnaise: la fusion des deux entités a donné la Maison des Grands crus.

Le nez, flatteur, conjugue des parfums élégants de fruits rouges et de rose qu'un boisé discret ne vient pas perturber. La bouche s'inscrit dans le même profil aromatique et plaît par sa texture souple et soyeuse épaulée par une fine charpente, qui laisse une sensation agréable de douceur en finale. ⧗ 2019-2024 ▼ pintade à la forestière

MAISON DES GRANDS CRUS, 1, pl. du Jet-d'Eau, 21590 Santenay, tél. 03 85 87 10 12, contact@andre-delorme.com V t.l.j. 10h-13h 14h-18h; oct. à avril sur r.-v. 5 Éric Piffaut

DOM. MICHEL NOËLLAT 2014 ★

Gd cru	2300		75 à 100 €

Alain (au commercial) et Jean-Marc Noëllat (à la vigne et au chai) ont pris en 1990 la relève de leur père Michel sur ce vaste domaine de 27 ha. Ils ont été rejoints en 2012 et en 2015 par la sixième génération – Sébastien, fils du second, et Sophie, fille du premier. Une valeur sûre de la Côte de Nuits, notamment pour ses vosne-romanée.

Le domaine exploite 47 ares dans la partie nord et basse de ce grand cru et en a extrait un vin d'une belle expression, sur des notes intenses de framboise, de cassis et de boisé frais à l'olfaction, alliant en bouche un caractère charnu et vigoureux sans dureté, porté par des tanins élégants et soyeux. ⧗ 2019-2026 ▼ perdreau rôti

DOM. MICHEL NOËLLAT, 5, rue de la Fontaine, 21700 Vosne-Romanée, tél. 03 80 61 36 87, contact@domaine-michel-noellat.com V r.-v.

DOM. HENRI REBOURSEAU 2013 ★

Gd cru	608		+ de 100 €

Ce domaine a été créé en 1919 par le général Henri Rebourseau, qui regroupa les vignes de son père autour de la maison familiale, une belle bâtisse du XVIIIe s. Son arrière-petit-fils Jean de Surrel est aujourd'hui aux commandes d'un vignoble de 13,4 ha, fort d'un joli patrimoine de grands crus et en conversion à la biodynamie.

Jean de Surrel figure parmi les trois principaux propriétaires de vignes dans l'appellation (2,21 ha). Des vignes de quarante ans de moyenne d'âge à l'origine d'un vin de belle intensité aromatique autour du cassis, du menthol et du poivre, frais, consistant et solide en bouche, au caractère terrien. Un clos-vougeot bien typé. ⧗ 2021-2030 ▼ filet de bœuf sauce au poivre

DOM. HENRI REBOURSEAU, 10, pl. du Monument, 21220 Gevrey-Chambertin, tél. 03 80 51 88 94, domaine@rebourseau.com

DOM. ARMELLE ET BERNARD RION
Vieilles Vignes 2014 ★

■ Gd cru	2000		50 à 75 €

Un domaine fondé en 1896 et transmis de père en fils depuis cinq générations; de père en filles aujourd'hui: Nelly (à la commercialisation) et Alice (à la vinification) et son mari Louis (à la vigne) ont rejoint Armelle et Bernard Rion pour exploiter – avec le moins d'interventions possibles à la vigne et au chai – le fruit de 7 ha de vignes, du simple bourgogne au grand cru.

Une belle parcelle de 75 ares située au milieu du clos, dans sa partie sud, est à l'origine de ce vin subtil, ouvert sur des notes d'épices et de fruits rouges écrasés, avec une agréable touche végétale. Une attaque intense, fruitée et réglissée, prélude à un palais à la fois puissant et fin, étayé par des tanins délicats. ⧗ 2019-2026 ▼ râbles de lapin aux cèpes

DOM. ARMELLE ET BERNARD RION, 8, rte nationale, 21700 Vosne-Romanée, tél. 03 80 61 05 31, rion@domainerion.fr V t.l.j. 9h-18h; dim. sur r.-v.

CH. DE SANTENAY 2014 ★

■ Gd cru	1056		50 à 75 €

Ce majestueux château aux tuiles vernissées, aussi appelé «château Philippe le Hardi», fut propriété du premier duc de la grande Bourgogne (1342-1404). Dans le giron du Crédit Agricole depuis 1997, il étend son vaste vignoble sur 92 ha répartis dans plusieurs AOC beaunoises et chalonnaises, sous la houlette de l'œnologue et directeur d'exploitation Gérard Fagnoni.

La parcelle exploitée par le Château de Santenay se situe tout en bas du Clos, au voisinage de celle de Philippe Charlopin, également retenue dans cette sélection. Le vin présente une palette aromatique d'une bonne intensité sur les fruits rouges et noirs relevés d'une touche épicée. En bouche, les tanins sont fondus et civilisés et la finale fait preuve d'une agréable fraîcheur. Un ensemble équilibré et paré pour une bonne évolution. ⧗ 2019-2026 ▼ civet de biche

SAS CH. DE SANTENAY, 1, rue du Château, 21590 Santenay, tél. 03 80 20 61 87, contact@chateau-de-santenay.com V r.-v.

ÉCHÉZEAUX

Superficie : 35 ha / Production : 1 235 hl

BERNARD AMBROISE 2014 ★★

■ Gd cru	292		+ de 100 €

Si la famille Ambroise cultive la vigne depuis le XVIIIe s., elle n'en vit que depuis les années 1960. Installé depuis 1987, Bertrand Ambroise laisse la place à ses enfants Ludivine et François, à la tête d'un vignoble de 21 ha (en bio certifié depuis 2013), complété par une activité de négoce-élevage.

Des raisins égrappés à 100 % et un élevage en fût neuf pour la totalité de la cuvée sont les grands principes qui ont présidé à la naissance de ce grand cru de haute volée. Le nez, intense et complexe, dévoile des notes de fruits noirs, de cacao, d'épices et de Zan. Les tanins, épaulés par une bonne vivacité, font preuve d'élégance et de finesse et viennent en soutien d'un palais dense, concentré et long. Un vin de grande classe. Son seul défaut? Sa confidentialité… ⧗ 2021-2030 ▼ perdreau rôti

MAISON AMBROISE, 8, rue de l'Église, 21700 Premeaux-Prissey, tél. 03 80 62 30 19, contact@ambroise.com V r.-v.

CAPITAIN-GAGNEROT 2014

■ Gd cru	1400		75 à 100 €

Vénérable domaine familial de 15 ha fondé en 1802 et implanté à Ladoix-Serrigny. Depuis le 1er janvier 2013, Pierre-François Capitain est seul maître à bord; son père Patrice et son oncle Michel restant à l'écoute. Propriété en vue notamment pour ses ladoix, aloxe et échézeaux.

Le nez demande un peu d'aération pour libérer de fines notes de violette accompagnées par une touche végétale et légèrement boisée. La bouche apparaît robuste et dense, bâtie en force sur des tanins serrés et un solide boisé réglissé. Cet échézeaux gagnera son étoile en cave. ⧗ 2020-2028 ▼ gigot d'agneau en croûte

MAISON CAPITAIN-GAGNEROT, 38, rte de Dijon, 21550 Ladoix-Serrigny, tél. 03 80 26 41 36, contact@capitain-gagnerot.com V r.-v.

♥ DOM. PHILIPPE CHARLOPIN 2013 ★★

■ Gd cru	n.c.		+ de 100 €

Repris en 1977, ce domaine familial, passé de 1,5 ha à 25 ha aujourd'hui, est en conversion bio. Avec son fils Yann, Philippe Charlopin fait partie des vignerons emblématiques de Gevrey-Chambertin et plus généralement de la Côte de Nuits. Il propose une large palette de vins, des *villages* aux grands crus du Chablisien, de la Côte de Beaune et de la Côte de Nuits. On ne compte plus ses étoiles et coups de cœur «vendangés» dans le Guide. Incontournable.

Une de ces bouteilles qu'un amateur de grands bourgognes doit avoir en cave. Le nez est particulièrement complexe, mêlant la cerise bien mûre, le cassis, les épices douces et d'originales notes d'agrumes confits. La bouche se révèle ample, riche, chaleureuse, puissante, mise en valeur par un boisé racé et des tanins au toucher très soyeux, et quelle longueur! ⧗ 2021-2030 ▼ volaille truffée

DOM. PHILIPPE CHARLOPIN, 18, rte de Dijon, 21220 Gevrey-Chambertin, tél. 06 24 71 12 05, charlopin.philippe21@orange.fr

DOM. A.-F. GROS 2014

■ Gd cru	1100		+ de 100 €

Fille de Jean Gros (Vosne-Romanée), sœur de Bernard (domaine Gros Frère et Sœur), Anne-Françoise Gros a choisi François Parent comme époux et maître de chai. Ensemble, ils conduisent un vignoble de 10 ha dans les deux Côtes qui collectionne les coups de cœur. Incontournable.

Une cuvée issue d'une parcelle de 26 ares qui a connu pas moins d'une vingtaine de mois d'élevage. Le nez se montre délicat et assez réservé, sur la violette, la griotte et les épices douces. Une bonne attaque croquante introduit une bouche fraîche et vigoureuse, encore sous l'emprise de tanins très serrés et d'un boisé suave et intense. ⧗ 2021-2028 🍴 bœuf en daube

SA DOM. A.-F. GROS, 5, Grande-Rue, 21630 Pommard, tél. 03 80 22 61 85, af-gros@wanadoo.fr V *r.-v.*

B DOM. GUYON 2014 ★

Gd cru	800		75 à 100 €

Un domaine familial très régulier en qualité (on ne compte plus les étoiles et les coups de cœur), repris en 1991 par Jean-Pierre Guyon, rejoint par son frère Michel. Le vignoble couvre 9 ha conduits en bio certifié, dans la Côte de Nuits et le nord de la Côte de Beaune.

Le domaine est à la tête d'une parcelle de 20 ares dans ce grand cru de Vosne-Romanée. Fidèle à ses principes de vinification, il a procédé à des cuvaisons en vendanges entières suivies d'un élevage de quinze mois en fût. Le résultat: un vin expressif et fruité, au palais riche et consistant, construit sur des tanins de velours et sur une fine acidité donnant à l'ensemble un profil croquant. ⧗ 2021-2028 🍴 carré d'agneau

EARL DOM. GUYON, 11-16, RD 974, 21700 Vosne-Romanée, tél. 03 80 61 02 46, domaine.guyon@wanadoo.fr V *r.-v.*

DOM. MICHEL NOËLLAT Du Dessus 2014 ★

Gd cru	2600		75 à 100 €

Alain (au commercial) et Jean-Marc Noëllat (à la vigne et au chai) ont pris en 1990 la relève de leur père Michel sur ce vaste domaine de 27 ha. Ils ont été rejoints en 2012 et en 2015 par la sixième génération – Sébastien, fils du second, et Sophie, fille du premier. Une valeur sûre de la Côte de Nuits, notamment pour ses vosne-romanée.

Un beau vin, fin et délicat, un ambassadeur élégant des grands crus de la Côte de Nuits. Son expression aromatique fait preuve d'intensité sur les fruits rouges (griotte), le cassis et les épices. De tanins soyeux soutiennent une bouche fruitée, ample, généreuse, étirée dans une finale persistante et fraîche. ⧗ 2019-2026 🍴 pigeon aux épices

DOM. MICHEL NOËLLAT, 5, rue de la Fontaine, 21700 Vosne-Romanée, tél. 03 80 61 36 87, contact@domaine-michel-noellat.com V *r.-v.*

DOM. DES PERDRIX 2013 ★

Gd cru	n.c.		+ de 100 €

Ce domaine incontournable de la Côte de Nuits (12 ha dont 6 en grands et en 1ers crus) a été pris en main en 1996 par la famille Devillard (Ch. de Chamirey à Mercurey et Dom. de la Ferté à Givry). Il doit son nom au 1er cru Aux Perdrix, l'une des plus belles parcelles de Nuits-Saint-Georges possédée en quasi monopole.

Un vin riche et complexe comme Robert Vernizeau, le directeur technique du domaine, sait en produire. Au nez comme en bouche, une belle expression aromatique autour des fruits rouges, des fruits à noyau, des épices, du tabac blond; une matière ample et dense, de la persistance et des tanins fins. Déjà aimable, ce 2013 saura aussi se garder. ⧗ 2018-2026 🍴 ris de veau sauce madère

DOM. DES PERDRIX, rue des Écoles, 21700 Premeaux-Prissey, tél. 03 85 45 21 61, contact@domainedesperdrix.com V *t.l.j. sf dim. 10h-19h* *Famille Devillard*

DOM. DE LA ROMANÉE-CONTI 2014 ★★

Gd cru	n.c.		+ de 100 €

De ce grand cru parmi les plus vastes de Bourgogne (plus de 35 ha), la Romanée-Conti est l'un des plus importants propriétaires: elle en possède une belle parcelle de 4 ha 67 a 37 ca. Y naît le plus précoce des grands crus du domaine, réputé moins complexe que les grands-échézeaux – «glorieux aîné dont il brûle d'égaler la fortune», selon Aubert de Villaine.

D'abord un peu réservé, l'échézeaux 2014 de la Romanée-Conti se livre pleinement après quelques tours de verre, sur la griotte et un bon boisé aux tonalités de café torréfié. Tout aussi expressive, offrant beaucoup de fruit, la bouche attaque en souplesse, puis monte doucement en puissance, portée par des tanins soyeux et un élevage déjà étonnement fondu, avant une très longue finale étirée par une belle fraîcheur végétale. ⧗ 2020-2030 🍴 magret de canard aux cerises

SC DU DOM. DE LA ROMANÉE-CONTI (ÉCHÉZEAUX), 1, rue Derrière-le-Four, 21700 Vosne-Romanée, tél. 03 80 62 48 80

DOM. FABRICE VIGOT 2014

Gd cru	800		+ de 100 €

Fabrice Vigot est installé depuis 1990 à la tête d'un petit domaine de 6,5 ha constitué à partir de vignes familiales, en vosne-romanée pour l'essentiel, dont il est devenu l'une des bonnes références, de même qu'en échézeaux et en nuits-saint-georges.

C'est l'unique grand cru du domaine: une parcelle de 59 ares plantée de vignes de plus de soixante-dix ans. De vénérables ceps qui ont donné un vin aux notes de mûre, de griotte et d'épices douces, bien équilibré en bouche entre rondeur, tanins fermes et vivacité. Si le volume et la longueur n'ont rien d'imposant, l'ensemble est harmonieux. ⧗ 2019-2023 🍴 navarin de biche

DOM. FABRICE VIGOT, 20, rue de la Fontaine, 21700 Vosne-Romanée, tél. 03 80 61 13 01, fabrice.vigot@wanadoo.fr V *r.-v.*

GRANDS-ÉCHÉZEAUX

Superficie : 7,5 ha / Production : 240 hl

DOM. DE LA ROMANÉE-CONTI 2014 ★★

Gd cru	n.c.		+ de 100 €

Le domaine de la Romanée-Conti est propriétaire de 3 ha 52 a et 63 ca des 8 ha de ce grand cru mitoyen du Clos de Vougeot, dont il est très proche aussi par son terroir. Comme le Clos de Vougeot, les Grands Échézeaux ont appartenu à abbaye de Cîteaux. Dans le verre, un vin souvent droit, d'une grande élégance, «aristocrate».

L'un des derniers des grands crus de la Romanée-Conti à avoir été vendangés, les 23 et 24 septembre, avec un parfait «temps de vendange», lumineux, sec et tempéré. Sur la table de tri, des raisins de grande qualité (et en quantité). Dans le verre, un 2014 encore un peu sur la réserve, qui délivre à l'aération des notes discrètes de terre fraîche, de fruits noirs et de noyau. Une même retenue se dégage du palais, mais l'on sent poindre une grande complexité derrière une matière dense, profonde, puissante, bâtie sur des tanins serrés et croquants, soulignée par une noble pointe végétale. Un grands-échézeaux encore mystérieux, monacal, doté d'un énorme potentiel de garde. ⧗ 2021-2040 🍷 civet de sanglier

⊶ *SC DU DOM. DE LA ROMANÉE-CONTI (GRANDS-ÉCHÉZEAUX), 1, rue Derrière-le-Four, 21700 Vosne-Romanée, tél. 03 80 62 48 80*

HENRI DE VILLAMONT 2012

■ Gd cru	1593	(I)	+ de 100 €

Ce propriétaire (10 ha: 6 ha en savigny, 4 ha en Côte de Nuits) et négociant-éleveur, dans le giron du groupe suisse Schenk depuis 1964, élève ses vins dans une cuverie spectaculaire créée entre 1880 et 1888 à Savigny-lès-Beaune par Léonce Bocquet, alors unique propriétaire du Clos de Vougeot.

Une cuvée issue d'un vignoble de 16 ares qui a connu un élevage de quinze mois en fût. Le nez, assez discret de prime abord, laisse percevoir à l'agitation des notes de fruits rouges, de cassis et surtout d'épices (poivre, clou de girofle). Le palais attaque en finesse et en fraîcheur avant de montrer les muscles, autour de tanins stricts et serrés. Un grand cru sévère et rectiligne pour l'heure, que le temps apprivoisera. ⧗ 2019-2026 🍷 civet de sanglier aux airelles

⊶ *HENRI DE VILLAMONT, rue du Dr-Guyot, 21420 Savigny-lès-Beaune, tél. 03 80 21 50 59, contact@hdv.fr* V r.-v. ⊶ *Schenk*

VOSNE-ROMANÉE

Superficie : 150 ha / Production : 5 955 hl

Là aussi, la coutume bourguignonne est respectée: le nom de Romanée est plus connu que celui de Vosne. Quel beau tandem! Comme Gevrey-Chambertin, cette commune est le siège d'une multitude de grands crus; mais il existe à proximité des *climats* réputés, tels les 1ers crus Suchots, Les Beaux-Monts, Les Malconsorts et bien d'autres.

DOM. ARLAUD Aux Réas 2013 ★

■	3000	(I)	30 à 50 €

Ce domaine familial très régulier en qualité, souvent en vue notamment pour ses grands crus, est conduit par Hervé Arlaud, installé en 1982 à la suite de son père, et par ses trois enfants: Cyprien vinifie, Bertille laboure au cheval de trait et Romain s'occupe de la vigne. Le vignoble couvre 15 ha en bio certifié depuis 2010, complété par une activité de négoce en 2012.

Le nez se révèle discret mais élégant, sur la violette, les fruits noirs mûrs et un boisé léger. Une élégance qui se confirme dans une bouche dense et fruitée, structurée par des tanins fins, à laquelle un bel habillage boisé apporte de la rondeur et de l'harmonie. ⧗ 2017-2022 🍷 pintade à la forestière

⊶ *DOM. ARLAUD, 41, rue d'Épernay, 21220 Morey-Saint-Denis, tél. 03 80 34 32 65, contact@domainearlaud.com* V r.-v.

DOM. CHEVILLON-CHEZEAUX 2014

■	1800	(I)	20 à 30 €

Représentant la cinquième génération, Claire Chevillon et son époux Philippe Chezeaux ont repris en 2000 le domaine familial créé en 1884. Ils exploitent aujourd'hui 8,6 ha, dont 90 % de rouge, avec des parcelles dans une demi-douzaine de *climats* de Nuits-Saint-Georges.

Le nez conjugue des arômes de café torréfié et quelques notes de fruits rouges (cerise, griotte). En bouche, les tanins sont bien en place, se profilant avec un grain fin, accompagnés par un boisé fondu. Un vosne bien typé, qui privilégie la finesse plutôt que la puissance. ⧗ 2018-2022 🍷 civet de lapin

⊶ *DOM. CHEVILLON-CHEZEAUX, 41, rue Henri-de-Bahèzre, 21700 Nuits-Saint-Georges, tél. 03 80 61 23 95, chevillon.chezeaux@orange.fr* V r.-v.

DOM. BRUNO CLAIR Les Champs Perdrix 2013 ★★

■	4180	(I)	30 à 50 €

Bien connu des lecteurs pour ses marsannay, Bruno Clair est établi depuis 1986 à la tête d'un vignoble né du démantèlement du domaine Clair-Daü, créé par son grand-père Joseph, célèbre pour avoir popularisé le marsannay rosé. À sa disposition, 21,4 ha de vignes, dont quelques bijoux: Clos de Bèze, les Cazetiers et le Clos Saint-Jacques en gevrey, du vosne, du chambolle, du corton-charlemagne…

Un terroir situé sur les hauteurs de l'appellation, au-dessus de La Tâche. Le domaine y dispose de 92 ha, à l'origine d'un vosne profond, d'une grande élégance. Des notes fines et harmonieuses de pivoine, de vanille et de fruits noirs mûrs se partagent le nez. La bouche est fruitée, fraîche, corpulente et charnue, bien bâtie sur des tanins soyeux et un boisé ajusté. ⧗ 2019-2024 🍷 coq au vin

⊶ *DOM. BRUNO CLAIR, 5, rue du Vieux-Collège, 21160 Marsannay-la-Côte, tél. 03 80 52 28 95, brunoclair@wanadoo.fr* V r.-v.

DOM. A.-F. GROS Aux Réas 2014

■	10600	(I)	30 à 50 €

Fille de Jean Gros (Vosne-Romanée), sœur de Bernard (domaine Gros Frère et Sœur), Anne-Françoise Gros a choisi François Parent comme époux et maître de chai. Ensemble, ils conduisent un vignoble de 10 ha dans les deux Côtes qui collectionne les coups de cœur. Incontournable.

Le domaine exploite une bonne partie (1,65 ha) de ce *climat* situé au sud de Vosne-Romanée. Il en propose une version qui privilégie la finesse aux dépens de la concentration, avec un nez discrètement fruité, épicé et grillé, et un palais équilibré, rond et plutôt souple, étayé par des tanins fondus. ⧗ 2018-2022 🍷 lapin aux girolles

⊶ *SA DOM. A.-F. GROS, 5, Grande-Rue, 21630 Pommard, tél. 03 80 22 61 85, af-gros@wanadoo.fr* V r.-v.

BOURGOGNE

DOM. MICHEL GROS Aux Brûlées 2014

■ 1er cru | 4000 | ◑ | 50 à 75 €

L'aîné de la famille Gros – Anne-Françoise (A.-F. Gros) et Bernard (Gros Frère et Sœur) ont chacun leur domaine – a débuté en 1979 avec 2 ha en Hautes-Côtes. Il conduit aujourd'hui 23 ha et s'illustre régulièrement avec ses vosne-romanée, ses nuits-saint-georges et ses hautes-côtes.

Le nez s'ouvre sur un boisé intense et dominateur, qui laisse pour l'heure peu de place au fruit (cassis à l'aération et quelques notes de réglisse). Après une attaque marquée par une agréable douceur, les tanins s'affermissent sérieusement, accompagnés par un boisé soutenu mais racé, sans que la longueur n'en pâtisse. Un vosne vigoureux, à attendre impérativement. ⌛ 2019-2026 🍷 poularde aux truffes

⊶ *DOM. MICHEL GROS, 7, rue des Communes, 21700 Vosne-Romanée, tél. 03 80 61 04 69, contact@domaine-michel-gros.com* r.-v.

DOM. GROS FRÈRE ET SŒUR 2014

■ | 8500 | ◑ | 30 à 50 €

L'histoire débute en 1830 avec l'installation d'Alphonse Gros à Vosne sur un vignoble agrandi au fil des générations, partagé entre les héritiers en 1963, dont Gustave et sa sœur Colette, qui créent leur domaine. Une exploitation de 20 ha aujourd'hui, d'une constance sans faille, conduite de main de maître depuis 1980 par leur neveu Bernard Gros.

Le nez livre des arômes de fruits noirs et d'épices d'une belle intensité. La bouche, ample et corpulente, s'appuie sur des tanins encore sévères mais nobles qui offrent une belle mâche. Un vin encore en devenir, promis à une bonne évolution. ⌛ 2019-2024 🍷 pavé de biche aux airelles

⊶ *DOM. GROS FRÈRE ET SŒUR, 6, rue des Grands-Crus, 21700 Vosne-Romanée, tél. 03 80 61 12 43, bernard.gros2@wanadoo.fr* r.-v.

ALAIN GUYARD
Aux Réas 2013 ★

■ | 1750 | ◑ | 20 à 30 €

Un domaine familial créé en 1900 par les grands-parents pépiniéristes après la crise phylloxérique. Souvent en vue pour ses marsannay et ses fixin, Alain Guyard s'est installé en 1981 et conduit aujourd'hui un vignoble de 8 ha.

Après un élevage luxueux de vingt-deux mois, ce vin déploie d'intenses notes empyreumatiques et vanillées au premier nez. Après aération, le fruit prend sa place. La bouche apparaît équilibrée, dense et fraîche, bien fruitée et boisée sans excès, portée par des tanins fins. Un vosne élégant et complet. ⌛ 2018-2023 🍷 gigot d'agneau

⊶ *ALAIN GUYARD, 10, rue du Puits-de-Têt, 21160 Marsannay-la-Côte, tél. 03 80 52 14 46, domaine.guyard@orange.fr* r.-v.

DOM. JOANNET 2014 ★

■ | 4200 | ◑ | 20 à 30 €

Les Joannet, Michel le père et Fabien le fils, sont installés en plein cœur des Hautes-Côtes de Nuits. Ils exploitent 16 ha de vignes répartis en un vaste éventail allant de Pernand-Vergelesses à Vosne-Romanée, dont près de la moitié est dédiée aux hautes-côtes.

D'une belle complexité aromatique, sur des notes de cerise, de violette et de rose, ce vosne est aussi bien mis en valeur par un boisé suave (caramel, vanille). Bâtie sur des tanins solides mais sans rugosité, la bouche offre du volume, de la densité et de la longueur. Du potentiel. ⌛ 2019-2026 🍷 civet de sanglier

⊶ *DOM. MICHEL JOANNET, 76, Grande-Rue, 21700 Marey-lès-Fussey, tél. 03 80 62 90 58, domaine-michel.joannet@wanadoo.fr* r.-v.

♥ DOM. FABRICE MARTIN 2014 ★★

■ | 1200 | ◑ | 20 à 30 €

Un petit domaine de 2,3 ha que Fabrice Martin a créé en 2000 et qu'il exploite dans trois appellations: gevrey-chambertin, nuits-saint-georges et vosne-romanée.

Des vignes d'une soixantaine d'années ont donné cette cuvée à laquelle un élevage de seize mois en fût a apporté un surcroît de complexité. Au nez, des notes vanillées et grillées s'associent ainsi sans fausse note à la framboise et la réglisse; un bouquet qui évolue vers la pivoine et la cerise au fil de l'aération. La bouche offre une très belle synthèse entre fraîcheur et rondeur, élégance et concentration, sur une trame de tanins fins et soyeux. Un vosne très gourmand, d'un équilibre remarquable. ⌛ 2019-2026 🍷 rôti de veau Orloff

⊶ *FABRICE MARTIN, 42, rue de la Grand-Velle, 21700 Vosne-Romanée, tél. 03 80 61 27 84, fabrice.martin12@hotmail.fr* r.-v.

DOMINIQUE MUGNERET
Cuvée Alliance des terroirs 2014 ★

■ | 7500 | ◑ | 30 à 50 €

Après Marcel, le grand-père, puis Denis, le père, parti à la retraite en 2003, la troisième génération de Mugneret (Dominique) conduit aujourd'hui ce domaine de 6 ha très souvent en vue pour ses nuits et ses vosne, qui exploite aussi des grands crus en métayage.

Un vin expressif et complexe, né d'un assemblage de cinq parcelles, qui s'affirme sur des notes de fruits noirs accompagnées par un boisé fumé d'une bonne intensité. En bouche, la densité des tanins et l'équilibre des saveurs confèrent à cette cuvée un caractère charnu, tout en lui assurant une bonne évolution en cave. ⌛ 2018-2026 🍷 magret de canard

⊶ *DOMINIQUE MUGNERET, 9, rue de la Fontaine, 21700 Vosne-Romanée, tél. 06 63 32 79 72, dominique.mugneret@wanadoo.fr* r.-v.

DOM. MICHEL NOËLLAT
Les Beaux Monts 2014 ★★

■ 1er cru | 4500 | ◑ | 50 à 75 €

Alain (au commercial) et Jean-Marc Noëllat (à la vigne et au chai) ont pris en 1990 la relève de leur père Michel sur ce vaste domaine de 27 ha. Ils ont été rejoints en 2012 et en 2015 par la sixième génération

– Sébastien, fils du second, et Sophie, fille du premier. Une valeur sûre de la Côte de Nuits, notamment pour ses vosne-romanée.

Le domaine possède une belle superficie (1,7 ha) de ce *climat* situé en haut de coteau, au nord du village. Il en a tiré un 1er cru très expressif au nez comme en bouche, sur des notes de griotte, de framboise et de cassis, ample, gras et soyeux, tendu par une finale longue et minérale. ⧗ 2019-2026 🍴 poularde aux cèpes ■ **2014 ★ (30 à 50 €; 6000 b.)** : le nez de ce *village*, assez réservé, dévoile quelques notes de cerise et de sous-bois à l'aération. C'est surtout sa bouche qui le distingue – sa trame tannique profonde, sa corpulence, son volume, sa longueur – dont il se dégage une sensation de plénitude et d'harmonie. ⧗ 2018-2024 ■ **1er cru Les Suchots 2014 (50 à 75 €; 4500 b.)** : vin cité.

⊶ DOM. MICHEL NOËLLAT, 5, rue de la Fontaine, 21700 Vosne-Romanée, tél. 03 80 61 36 87, contact@domaine-michel-noellat.com V r.-v.

DOM. SEGUIN-MANUEL Aux Communes 2014

■	4500		30 à 50 €

Thibaut Marion a repris en 2004 cette maison fondée à Savigny en 1824 et aujourd'hui basée à Beaune. En parallèle de son activité de négoce, il exploite un domaine (certifié bio en 2015) dont il a porté la superficie de 3,5 à 8,5 ha, essentiellement en Côte de Beaune.

Issu d'un vignoble repris fin 2013 par le domaine, ce vosne est donc le premier millésime signé Seguin-Manuel. Un vin qui s'exprime sur des notes de sous-bois et d'épices, encore tannique et boisé mais prometteur et persistant. À Attendre. ⧗ 2019-2026 🍴 selle d'agneau

⊶ SEGUIN-MANUEL, 2, rue de l'Arquebuse, 21200 Beaune, tél. 03 80 21 50 42, contact@seguin-manuel.com V r.-v.

DOM. FABRICE VIGOT La Colombière 2014 ★

■	2700		30 à 50 €

Fabrice Vigot est installé depuis 1990 à la tête d'un petit domaine de 6,5 ha constitué à partir de vignes familiales, en vosne-romanée pour l'essentiel, dont il est devenu l'une des bonnes références, de même qu'en échézeaux et en nuits-saint-georges.

Les vignes du domaine ont plus de soixante-dix ans sur ce terroir situé en contrebas du village. Elles sont à l'origine d'un vosne très expressif (rose, mûre, kirsch, vanille), souple et frais en attaque, rond et gras dans son développement, aux tanins fins et soyeux. Un vin déjà harmonieux et doté d'un beau potentiel de garde. ⧗ 2018-2026 🍴 noisette de chevreuil

⊶ DOM. FABRICE VIGOT, 20, rue de la Fontaine, 21700 Vosne-Romanée, tél. 03 80 61 13 01, fabrice.vigot@wanadoo.fr V r.-v.

RICHEBOURG

Superficie : 7,5 ha / Production : 200 hl

DOM. A.-F. GROS 2014

■ Gd cru	2500		+ de 100 €

Fille de Jean Gros (Vosne-Romanée), sœur de Bernard (domaine Gros Frère et Sœur), Anne-Françoise Gros a choisi François Parent comme époux et maître de chai. Ensemble, ils conduisent un vignoble de 10 ha dans les deux Côtes qui collectionne les coups de cœur. Incontournable.

Le domaine est l'heureux propriétaire de 60 ares de ce grand cru de Vosne-Romanée. Assez pour produire 2 500 bouteilles en 2014. Le vin s'ouvre sur des notes de fruits rouges bien mûrs auxquelles se mêlent des arômes de torréfaction et d'épices. Au palais, le caractère dense, riche et charnu des richebourg ne se dément pas; l'équilibre propre au millésime est aussi au rendez-vous. ⧗ 2021-2026 🍴 pavé de biche

⊶ SA DOM. A.-F. GROS, 5, Grande-Rue, 21630 Pommard, tél. 03 80 22 61 85, af-gros@wanadoo.fr V *r.-v.* E

DOM. DE LA ROMANÉE-CONTI 2014 ★★

■ Gd cru	n.c.		+ de 100 €

Avec 3,51 ha, le domaine possède près de la moitié de l'appellation (8 ha environ). Des vignes mitoyennes (au nord-est) de celles de la Romanée-Conti; on prête d'ailleurs souvent au richebourg le même caractère soyeux que son prestigieux voisin. Ce que l'on sait moins, c'est qu'il s'agit d'une vigne de Cîteaux vinifiée jadis au château du Clos de Vougeot.

Vendangés les 20 et 21 septembre, les pinots noirs du richebourg ont donné un 2014 bien dans le ton du grand cru, puissant mais avec un côté presque « bonhomme », charmeur. Le nez, complexe et racé, associe les fruits noirs, des notes de terre humide et de cerise trempée dans le chocolat. La bouche apparaît dense, solide, carrée mais aimable et s'étire dans une finale longue et fraîche, portée par des tanins serrés. « Un Monsieur, mais pas une armoire à glace. » ⧗ 2020-2035 🍴 sauté de biche

⊶ SC DOM. DE LA ROMANÉE-CONTI (RICHEBOURG), 1, rue Derrière-le-Four, 21700 Vosne-Romanée, tél. 03 80 62 48 80

ROMANÉE-CONTI

Superficie : 1,63 ha / Production : 46 hl

DOM. DE LA ROMANÉE-CONTI 2014 ★★★

■ Gd cru	n.c.		+ de 100 €

84 |88| |89| 90 |91| 94 95 (96) (97) 98 01 03 (05) (06) (08) (09) (10) 12 (13) (14)

Un domaine, le plus prestigieux de Bourgogne, dont les limites n'ont pratiquement pas varié depuis le XVIes. (1 ha 81 a 40 ca aujourd'hui), une appellation (en monopole) et un vin né d'une petite vigne d'exception plantée sur un carré presque parfait d'environ 150 m de côté. La quintessence du terroir bourguignon. Une histoire emblématique de la Bourgogne viticole également. Propriété jusqu'en 1584 du prieuré de Saint-Vivant, puis passé de mains en mains, le domaine fut acquis en 1760 par celui qui lui donna son nom définitif et son prestige, Louis-François de Bourbon, prince de Conti. Un prestige entretenu depuis 1912 par la famille de Villaine, associée depuis 1942 aux Leroy-Rochâteau. La gestion quotidienne du domaine est assurée depuis 1974 par Aubert de Villaine, épaulé désormais par son neveu Bertrand et, à la cave, par un régisseur de talent, Bernard Noblet.

Dès le premier nez, l'élégance du grand vin ne laisse aucun doute: fruits rouges et noirs mûrs, rose, boisé frais et racé,

BOURGOGNE

le tout relevé par une note végétale qui apporte de l'énergie: c'est une romanée-conti ouverte, peu farouche, qui se présente à nous, sans exubérance non plus, avec le soupçon de retenue qui semble dire: «ne vous précipitez pas, le meilleur est à venir»... On retrouve l'énergie végétale et le fruité juteux du bouquet dans une bouche aussi large que longue, tendre, dense et charnue, étayée par des tanins fins et serrés qui roulent sous la langue, longtemps, très longtemps et pour longtemps... ⧗ 2025-2040 🍴 filet de bœuf

SC DU DOM. DE LA ROMANÉE-CONTI, 1, rue Derrière-le-Four, 21700 Vosne-Romanée, tél. 03 80 62 48 80

ROMANÉE-SAINT-VIVANT

Superficie : 9,3 ha / Production : 240 hl

DOM. POISOT PÈRE ET FILS
Les Quatre Journaux 2013 ★

■ Gd cru | 2384 | | + de 100 €

Après vingt-cinq ans dans la Marine, Rémi Poisot a repris en 2010 le vignoble familial, 2 ha hérités en 1902 par Marie Poisot, fille de Louis Latour: un 1er cru en pernand et trois grands crus (corton, corton-charlemagne et romanée-saint-vivant).

L'un des clos historiques du monastère de Saint-Vivant-de-Vergy en Romanée. Rémi Poisot est l'un des rares propriétaires sur ces grandes terres calcaires et très argileuses: 49 ares qui avaient donné lieu à un formidable 2012 élu coup de cœur. Le 2013 fait très bonne figure. Des arômes intenses de griotte, de myrtille et de mûre relevés de poivre composent un bouquet engageant et complexe. En bouche, du gras, du volume, de la fraîcheur, des tanins particulièrement soyeux en attaque, qui s'affermissent en finale. À suivre... ⧗ 2021-2028 🍴 civet de biche

RÉMI POISOT, 14, av. Charles-Jaffelin, 21200 Beaune, tél. 03 80 21 16 91, contact@domaine-poisot.fr V r.-v.

♥ DOM. DE LA ROMANÉE-CONTI 2014 ★★★

■ Gd cru | n.c. | | + de 100 €

82 87 89 91 92 |95| |97| |98| 99 00 01 (03) (04) (05) (06) (08) (09) (10) (11) **12 13** (14)

Avec 5,28 ha, le domaine est le plus important propriétaire de ce grand cru historique (9,3 ha), qui doit sa naissance et son nom au prieuré de Saint-Vivant (fondé en 900), auquel le duc de Bourgogne céda en 1131 les terres de la future appellation dont une partie deviendra la Romanée-Conti. Exploitée en fermage par le domaine à partir de 1966, la parcelle a été rachetée aux Marey-Monge en 1988.

Une grande saint-vivant née d'un millésime qui a une nouvelle fois réservé quelques surprises aux vignerons de la Côte de Nuits. Après un hiver humide et exceptionnellement doux, un printemps très beau et très sec a grandement profité à la vigne (feuillage sain, croissance équilibrée, maladies repoussées, floraison précoce). Fin juin: des orages très violents et des grêles dévastatrices sur toute la Côte, mais plus mineures sur Vosne, relayés par une courte canicule qui engendra un éclaircissage naturel bienvenu en cette année de récolte abondante. Juillet? Compliqué: du froid, peu de soleil, beaucoup d'eau, du botrytis. Mais la vigne avait pris de l'avance au printemps et le raisin arriva fin août dans un bel état de maturité. Enfin, septembre réconcilia les équipes du domaine avec la météo: vent du Nord, temps sec et ensoleillé, chaleur mesurée et maturation accélérée, et des vendanges sous un temps parfait, venté, sec et tempéré. Grâce à quoi la romanée-saint-vivant 2014 fait forte impression. Nez aérien, d'une élégance rare, sur la rose, les petits fruits, le sous-bois. La bouche? Beaucoup de fraîcheur et de profondeur, une formidable densité de tanins au toucher délicat et soyeux, une finale «électrique», comprenez vive et tendue. Un vin vibrant. ⧗ 2021-2040 🍴 filet de bœuf sauce aux cèpes

SC DU DOM. DE LA ROMANÉE-CONTI (ROMANÉE-SAINT-VIVANT), 1, rue Derrière-le-Four, 21700 Vosne-Romanée, tél. 03 80 62 48 80

LA TÂCHE

Superficie : 6 ha / Production : 95 hl

DOM. DE LA ROMANÉE-CONTI
2014 ★★★

■ Gd cru | n.c. | | + de 100 €

72 73 75 78 (79) **80 |81| |82| |85| |87| |89| |91| |92| |96|** |(97)| (98) (99) **00** (02) (04) (05) **06 08** (09) (11) **12** (13) (14)

L'autre monopole du domaine, 6 ha 6 a 20 ca situés au sud de la Romanée-Conti. Son nom provient d'une ancienne expression bourguignonne: «faire une tâche», signifiant cultiver la vigne en échange d'une rémunération forfaitaire. Acquis par La Romanée-Conti en 1933, ce grand cru n'a connu que quatre propriétaires depuis le XVIIes. Des greffons de ses vignes ont permis de reconstituer le vignoble de La Romanée-Conti entre 1947 et 1948, créant ainsi un lien de parenté entre les deux vins.

Le premier des grands crus rouges du domaine à avoir été vendangés, les 17, 18 et 20 septembre 2014: le 19 fut réservé à la «dernière colère des dieux», explique Aubert de Villaine dans ses excellents carnets de vendanges. Une journée qui a vu s'abattre l'orage sur toute la Bourgogne, mais heureusement sans grêle. «L'occasion, poursuit le maître des lieux, d'assister à un phénomène rare que l'on ne voit qu'en quelques millésimes par siècle: la résistance extraordinaire que la vigne a communiquée au raisin». Grâce à quoi, pas d'explosion du botrytis le lendemain matin comme on aurait pu le craindre compte tenu de la chaleur et de l'humidité, car la vigne était sortie renforcée des différentes péripéties climatiques de l'année et sa peau était «dure au mal». Le 20 septembre donc, dernier passage dans les rangs pour La Tâche et de beaux raisins sains à vinifier. Dans le verre, un grand cru toujours aussi majestueux et complexe: menthol, kirsch, fruits rouges croquants, poivre, petite note saline. En bouche, une attaque dynamique et soutenue, une chair pulpeuse et beaucoup de finesse autour de tanins veloutés. Encore dans la fougue de sa jeunesse bien sûr, mais déjà plein de sagesse. ⧗ 2020-2040 🍴 chapon truffé

⊶ SC DU DOM. DE LA ROMANÉE-CONTI (LA TÂCHE), 1, rue Derrière-le-Four, 21700 Vosne-Romanée, tél. 03 80 62 48 80

NUITS-SAINT-GEORGES

Superficie : 306 ha
Production : 12 030 hl (97 % rouge)

Cette bourgade de 5 500 habitants est l'une des plus petites capitales du vin de Bourgogne. Elle accueille le siège de nombreuses maisons de négoce et de liquoristes qui produisent le cassis de Bourgogne, ainsi que d'élaborateurs de vins mousseux qui furent à l'origine du crémant-de-bourgogne. Elle a également son vignoble des Hospices, avec vente aux enchères annuelle de la production le dimanche précédant les Rameaux, et abrite le siège administratif de la confrérie des Chevaliers du Tastevin.
La cité donne son nom à l'appellation communale la plus méridionale de la Côte de Nuits. Cette dernière, qui déborde au sud sur la commune de Premeaux, n'engendre pas de grands crus comme ses voisines du nord, mais elle compte de très nombreux 1ers crus réputés, aux caractères fort divers selon leur situation au nord ou au sud de Nuits. Tous ces vins ont en commun une grande richesse tannique qui leur confère un solide potentiel de garde (de cinq à quinze ans).
Parmi les 1ers crus, les plus connus sont les Saint-Georges, dont on dit qu'ils portaient déjà des vignes en l'an mil, les Vaucrains, les Cailles, les Champs-Perdrix, les Porrets, sur la commune de Nuits, et les Clos de la Maréchale, des Argillières, des Forêts-Saint-Georges, des Corvées, de l'Arlot, sur Premeaux.

JEAN-LUC ET PAUL AEGERTER
Récolte du domaine 2013 ★

■	4500	◍	30 à 50 €

Jean-Luc Aegerter fonde son négoce en 1988. Il achète ses premières vignes en 1994 (7 ha aujourd'hui) et son fils Paul le rejoint en 2001. La maison propose une vaste gamme allant des AOC régionales aux grands crus, du Chablisien au Mâconnais en passant par les deux Côtes.

Le nez, complexe, propose un large éventail aromatique: fruits rouges et noirs, cuir, note fumée. Le jury est unanime pour souligner son équilibre en bouche entre une chair ronde et une structure de tanins fermes. ⧗ 2018-2021 🍷 tournedos grillé

⊶ JEAN-LUC ET PAUL AEGERTER, 49, rue Henri-Challand, 21700 Nuits-Saint-Georges, tél. 03 80 61 02 88, infos@aegerter.fr

DOM. DE L'ARLOT
Clos des forêts Saint-Georges Monopole 2013 ★

■ 1er cru	14790	◍	50 à 75 €

Un domaine fondé au XVIIIe s., réputé pour ses nuits-saint-georges et propriété d'Axa Millésimes depuis 1987. L'œnologue Géraldine Godot, ancienne régisseuse de la maison Alex Gambal, a pris en 2015 la relève du directeur technique Jacques Devauges (qui avait travaillé auparavant au domaine de la Vougeraie et pour Frédéric Magnien), arrivé en 2011 pour succéder à Olivier Leriche. Le domaine, sous la direction générale de Christian Seely, étend son vignoble sur 15 ha (en conversion vers la biodynamie), dont deux monopoles en nuits-saint-georges 1er cru: le Clos des Forêts et le Clos de l'Arlot.

Ce 1er cru de 7,2 ha confirme avec ce millésime 2013 sa propension à livrer des vins puissants, révélateurs de la typicité des nuits-saint-georges issus de la commune de Premeaux-Prissey. C'est un nuits riche, corpulent et charpenté en effet qui nous est ici proposé, frais et long aussi, bâti pour la garde. ⧗ 2019-2026 🍷 salmis de faisan ■ **1er cru Clos de l'Arlot Monopole 2013 (50 à 75 €; 1853 b.)** : vin cité.

⊶ DOM. DE L' ARLOT, 14, RD 974, 21700 Premeaux-Prissey, tél. 03 80 61 01 92, contact@arlot.fr V *r.-v.* ⊶ *Axa Millésimes*

JULES BELIN 2014

■	5000	◍	30 à 50 €

Cette vénérable maison de négoce, fondée en 1817 par Jules Belin et reprise en 2003 par la maison nuitonne Louis Max, vinifie une vingtaine d'appellations au travers d'achats de raisins dans la Côte de Nuits et la Côte de Beaune.

Le nez se développe avec intensité autour de la cerise à l'eau-de-vie et de la framboise, agrémenté d'une plaisante note épicée. Une expression aromatique généreuse que l'on retrouve dans une bouche concentrée et solidement structurée, encore austère en finale. À attendre. ⧗ 2019-2024 🍷 filet de chevreuil aux airelles

⊶ JULES BELIN, 6, rue de Chaux, 21700 Nuits-Saint-Georges, tél. 03 80 62 43 01 *r.-v.*

CHAPUIS ET CHAPUIS
Les Terres blanches 2013

■ 1er cru	600	◍	30 à 50 €

Petits-fils de vignerons d'Aloxe-Corton, les frères Chapuis, Jean-Guillaume (le juriste) et Romain (l'œnologue), ont fondé leur structure de négoce en 2009, installant leur cuverie dans l'ancien château de Pommard. Ils privilégient autant que faire se peut les raisins issus de l'agriculture biologique ou biodynamique.

Une rareté à double titre: les nuits blancs ne courent pas le vignoble et cette cuvée en propose... 600 flacons. Autant dire que les heureux élus seront peu nombreux. Ils apprécieront son expression florale et fruitée (fleur d'acacia, fruits blancs), sa bouche ample et riche sans manquer de finesse et de longueur. Il lui manque simplement une petite touche de fraîcheur supplémentaire pour décrocher l'étoile. ⧗ 2018-2022 🍷 lotte à la crème et aux asperges

⊶ CHAPUIS, 9, rue des Charmots, 21630 Pommard, tél. 06 89 56 05 12, r.chapuis@chapuisfreres.fr V *r.-v.*

DOM. JEAN CHAUVENET
Les Vaucrains 2014 ★★

■ 1er cru	2300	◍	30 à 50 €

Christine et Christophe Drag ont repris la propriété familiale en 1994 à la suite du départ à la retraite de Jean Chauvenet, père de Christine et fondateur du domaine en 1969. Ils exploitent aujourd'hui un vignoble de 9,17 ha et s'imposent comme une valeur sûre de l'appellation nuits-saint-georges.

Magnifique millésime 2014 pour le domaine avec trois 1ers crus jugés remarquables. À travers ce très beau Vaucrains

BOURGOGNE

frais et séveux, c'est toute la profondeur de l'un des plus beaux terroirs de l'appellation qui s'exprime ici, avec intensité, mêlant concentration et finesse, richesse et élégance, tanins précis et fruité large. Un vin complet. ⧗ 2019-2026 🍷 canard aux airelles ■ **1er cru Les Perrières 2014 ★★ (30 à 50 €; 1200 b.)** : une grande réussite que ce Perrières (terroir de haut de coteau), qui montre beaucoup d'ampleur, de relief et de gras, porté par des tanins denses et enrobés. Une pointe de minéralité lui assure une belle allonge. ⧗ 2019-2024 ■ **1er cru Rue de Chaux 2014 ★★ (30 à 50 €; 1450 b.)** : un vin apprécié pour ses arômes fruités et épicés et pour son palais croquant, pulpeux et frais, bâti sur des tanins fins et racés. ⧗ 2019-2024

DOM. JEAN CHAUVENET, 6, rue de Gilly, 21700 Nuits-Saint-Georges, tél. 03 80 61 00 72, domaine-jean.chauvenet@orange.fr
V r.-v. *Christophe Drag*

DOM. CHAUVENET-CHOPIN
Charmottes 2014 ★★

■	2100		20 à 30 €

En 1985, Évelyne et Hubert Chauvenet reprennent la propriété familiale, qu'ils complètent en 2001 par le domaine Chopin-Groffier de Comblanchien. Ils exploitent aujourd'hui 13,6 ha de vignes en Côte de Nuits et proposent notamment un large éventail de *climats* en nuits-saint-georges.

«Un *village* qui vaut un 1er cru», conclut un dégustateur enthousiaste. Des notes de confiture de mûres et de myrtilles sont mises en valeur par un boisé finement dosé. La bouche est dense, ample, concentrée et musculeuse. Un nuits doté d'un grand potentiel. ⧗ 2019-2028 🍷 côte de bœuf ■ **1er cru Aux Argillas 2014 ★★ (20 à 30 €; 1800 b.)** : une cuvée dont il se dégage une sensation de plénitude et un grand équilibre. Le nez mêle avec justesse les fruits noirs (cassis) et un boisé épicé. Le palais se révèle riche et rond, épaulé par des tanins soyeux. ⧗ 2019-2024 ■ **1er cru Les Chaignots 2014 ★ (20 à 30 €; 2400 b.)** : un vin consistant et solidement bâti qui demande un peu d'aération pour s'ouvrir sur le plan aromatique, mais l'équilibre est rendez-vous et le potentiel certain. ⧗ 2019-2023

CHAUVENET-CHOPIN, 97, rue Félix-Tisserand, 21700 Nuits-Saint-Georges, tél. 03 80 61 28 11, chauvenet-chopin@wanadoo.fr V r.-v.

DOM. CHEVILLON-CHEZEAUX
Les Saint-Georges 2014 ★

■ 1er cru	2200		50 à 75 €

Représentant la cinquième génération, Claire Chevillon et son époux Philippe Chezeaux ont repris en 2000 le domaine familial créé en 1884. Ils exploitent aujourd'hui 8,6 ha, dont 90 % de rouge, avec des parcelles dans une demi-douzaine de *climats* de Nuits-Saint-Georges.

Le domaine dispose de 45 ares de ce *climat* qui pourrait devenir le grand cru de Nuits-Saint-Georges. Il en a extrait ce vin qui s'exprime avec finesse à l'olfaction, sur des notes de framboise et de cassis, et qui évolue en bouche sur le registre de la délicatesse davantage que sur celui de la puissance, porté par des tanins élégants et un boisé millimétré. ⧗ 2018-2022 🍷 rôti de bœuf

DOM. CHEVILLON-CHEZEAUX, 41, rue Henri-de-Bahèzre, 21700 Nuits-Saint-Georges, tél. 03 80 61 23 95, chevillon.chezeaux@orange.fr
V r.-v.

♥ DOM. A. CHOPIN ET FILS
Les Bas de Combe 2013 ★★

■	1400		20 à 30 €

Installé à l'extrême sud de la Côte de Nuits, Arnaud Chopin a repris le domaine familial en 2010, à la retraite de ses parents. Avec l'aide de son jeune frère Alban, il s'apprête à convertir le vignoble au bio. Régulièrement, il s'illustre par ses nuits-saint-georges et ses côtes-de-nuits-villages.

Une cuvée que l'on retrouve avec régularité dans le Guide et qui atteint des sommets dans sa version 2013, millésime pourtant compliqué. À l'olfaction, d'intenses notes de framboise et de mûre associées à un boisé bien intégré s'expriment sans réserves. Dans le droit fil, la bouche se révèle ample, ronde et suave, adossée à des tanins soyeux. La dégustation s'achève en beauté sur une longue finale saline et énergique. Un *village* des plus charmeurs, qualifié de «féminin». ⧗ 2018-2022 🍷 cailles aux morilles ■ **1er cru Les Murgers 2013 ★ (30 à 50 €; 1000 b.)** : plutôt discrète en première approche, la palette aromatique montre à l'aération une belle précision autour d'élégantes notes florales et de fruits à maturité. Bien équilibrée mais sévère, la bouche est marquée par des tanins vigoureux qui demandent à s'assouplir. Le potentiel est là. ⧗ 2019-2026

A. CHOPIN ET FILS, D 974, 21700 Comblanchien, tél. 03 80 62 92 60, domaine.chopin-fils@orange.fr
V r.-v. 3

DEMESSEY 2014

■	900		30 à 50 €

Structure de négoce acquise en 1995 par Marc Dumont, propriétaire dans le Mâconnais du Château de Messey et dans la Côte chalonnaise du Domaine de Belleville. C'est dans ses vastes caves que sont élaborés les vins beaunois, nuitons et chalonnais de la maison.

À un nez discrètement fruité succède un palais bien texturé, qui conjugue consistance et toucher soyeux et qui offre un bon équilibre entre les saveurs fruitées et boisées. La finesse et la souplesse l'emportent sur la puissance. ⧗ 2017-2021 🍷 rosbif

MANOIR MURISALTIEN DEMESSEY, 4, rue du Clos-de-Mazeray, 21190 Meursault, tél. 03 80 21 21 83, vin@demessey.com
V r.-v. *Marc Dumont*

DOM. GUY ET YVAN DUFOULEUR
Clos des Perrières 2013 ★

■ 1er cru	5200		30 à 50 €

Les Dufouleur perpétuent une tradition vigneronne qui remonte à la fin du XVIes. Le domaine actuel – le négoce Dufouleur Père et Fils a été vendu en 2006 – est né de la fusion en 2007 de la propriété familiale avec le domaine Yvan Dufouleur créé en 1991. Guy étant décédé, le vignoble (26 ha) est aujourd'hui dirigé par son fils aîné Yvan, épaulé à la gérance par Xavier, frère de Guy.

Yvan Dufouleur a pratiqué une cuvaison de trois semaines pour ce 1er cru qui, logiquement, revêt une robe très dense et brillante dénotant une certaine concentration. La bouche confirme cette impression et offre une belle ampleur sans être trop anguleuse, étayée par des tanins fondus et par une belle fraîcheur. Un nuits qui pourra s'apprécier dans sa jeunesse. ⧗ 2017-2020 🍴 coq au vin

DOM. GUY ET YVAN DUFOULEUR, 17, rue Thurot, BP 80138, 21700 Nuits-Saint-Georges, tél. 03 80 61 09 35, yvan.dufouleur@21700-nuits.com V r.-v.

DOM. DUPASQUIER ET FILS 2014 ★★

■	1900	◍	15 à 20 €

Dans la famille Dupasquier depuis cinq générations – Thomas et Vincent sont aujourd'hui aux commandes –, ce domaine dispose de 10 ha répartis autour de Nuits-Saint-Georges et de la montagne de Corton.

Issue de vignes d'une cinquantaine d'années et élevée dix-huit mois en fût, cette cuvée déploie un éventail aromatique complexe où se mêlent des notes de fruits noirs mûrs et une touche florale. En bouche, elle se révèle riche, tendre et charnue, centrée sur une fruité croquant et bâtie sur des tanins souples. ⧗ 2017-2022 🍴 pintade rôtie

DOM. DUPASQUIER ET FILS, 47 bis, rue Henri-Challand, 21700 Nuits-Saint-Georges, tél. 03 80 61 13 78, dupasquier.domaine@wanadoo.fr V r.-v.

DOM. FAIVELEY Aux Chaignots 2014 ★

■ 1er cru	2500	◍	50 à 75 €

Cette maison de négoce fondée à Nuits-Saint-Georges en 1825 est un nom qui compte en Bourgogne, depuis sept générations. À sa tête depuis 2005, Erwan Faiveley, qui a succédé à son père François, est épaulé par Bernard Hervet à la direction générale. Aujourd'hui, c'est l'un des plus importants propriétaires de vignes en Bourgogne: 120 ha du Chablisien au Mâconnais, avec son fief en Côte de Nuits, dont 10 ha en grand cru et près de 25 ha en 1er cru.

Le domaine aime à produire des vins de belle concentration, ce qu'il montre avec ce millésime 2014, 1er cru robuste. Consistant, riche et solidement bâti sur des tanins fins et racés, ce vin est aussi un peu fermé à ce stade et le boisé est assez marqué. Mais rien de rédhibitoire, au contraire, tout est en place pour un vieillissement favorable. ⧗ 2020-2028 🍴 tournedos Rossini ■ **1er cru Les Saints-Georges 2014 ★ (+ de 100 €; 1000 b.)** : un terroir réputé dont la maison cultive 23 ares, à l'origine d'un vin ouvert sur de belles notes poivrées et sur les fruits rouges; une expression aromatique qui reste encore en deçà de ce qu'il pourra livrer à l'avenir car il affiche un bon potentiel avec sa bouche puissante, corpulente, charnue et persistante. ⧗ 2019-2026

DOM. FAIVELEY, 8, rue du Tribourg, 21700 Nuits-Saint-Georges, tél. 03 80 61 04 55, contact@domaine-faiveley.com

MAURICE GAVIGNET Les Chaignots 2014 ★

■ 1er cru	1300	◍	30 à 50 €

L'histoire débute vers 1900, lorsqu'Honoré Gavignet, vigneron à la Romanée-Conti, fonde son domaine à Nuits-Saint-Georges. Son arrière-petit-fils, Arnaud, qui est passé par la maison Bichot et par une coopérative languedocienne, est à la tête de la propriété depuis 2008. Il exploite des vignes sur la Côte de Nuits et la Côte de Beaune.

Ce terroir du nord de l'appellation donne généralement des vins d'une belle finesse. C'est le cas ici avec ce 2014 délicatement bouqueté autour de la myrtille et de la violette, rond, suave et d'une bonne ampleur en bouche, étayé par des tanins soyeux et doux. Un «nuits de plaisir». ⧗ 2017-2022 🍴 canette aux cerises

MAURICE GAVIGNET, 71, rue Félix-Tisserand, 21700 Nuits-Saint-Georges, tél. 03 80 61 03 87, contact@maurice-gavignet.com V *t.l.j. sf dim. 9h-12h 14h-18h*

PHILIPPE GAVIGNET Les Pruliers 2014 ★

■ 1er cru	3100	◍	30 à 50 €

Installé en 1979 à la suite de son père Michel, Philippe Gavignet, qui incarne la quatrième génération à la tête du domaine familial, est le premier à se consacrer pleinement à la vigne. Ce spécialiste des nuits-saint-georges, désormais épaulé par son fils Benoit, exploite aujourd'hui 12 ha.

Double coup de cœur l'an dernier pour ses Argilats et ses Chaboeufs 2013, Philippe Gavignet signe une belle série de 2014. Le nez de ce 1er cru décline après un peu d'aération des notes épicées et boisées qui ne masquent pas les fruits, noirs et frais. La bouche offre du volume, de la fraîcheur, une jolie finesse de tanins et une grande longueur. Un vin précis et profond. ⧗ 2018-2024 🍴 tournedos chasseur ■ **Vieilles Vignes 2014 ★ (20 à 30 €; 3900 b.)** : un village encore fougueux à ce stade, mais qui semble promis à un bel avenir. La bouche, quoiqu'un peu anguleuse, affiche une réelle harmonie autour de tanins racés et de saveurs fruitées et vanillées bien équilibrées. ⧗ 2019-2024 ■ **Les Argillats 2014 ★ (20 à 30 €; 4100 b.)** : un terroir situé à proximité du village et planté de vignes âgées de cinquante ans. La bouche séduit par son équilibre entre solidité tannique, fraîcheur et rondeur. ⧗ 2019-2024

DOM. PHILIPPE GAVIGNET, 36, rue du Dr-Louis-Legrand, 21700 Nuits-Saint-Georges, tél. 03 80 61 09 41, contact@domaine-gavignet.fr V *t.l.j. 9h-12h 14h-17h30; sam. dim. sur r.-v.*

MAISON CAMILLE GIROUD Aux Boudots 2013

■ 1er cru	890	◍	50 à 75 €

Fondée en 1865, cette vénérable maison beaunoise, discrète mais reconnue des amateurs, est propriété d'investisseurs américains depuis 2002. Autrefois spécialiste de la commercialisation de vieux vins, elle vit aujourd'hui avec son temps et c'est un jeune œnologue, David Croix, qui assure les vinifications. Elle présente à sa carte de nombreux grands crus, régulièrement sélectionnés dans ces pages, et aussi de «simples» 1ers crus.

Les élevages longs sont de mise chez Camille Giroud; ce nuits ne déroge pas à la règle avec seize mois passés en fût. Encore sur la réserve, le nez laisse apparaître à l'aération des notes de grillé et de fruits rouges frais. Le palais apparaît ample, gras et encore assez strict, bâti sur des tanins serrés qui demandent à se patiner. En devenir. ⧗ 2020-2026 🍴 selle d'agneau

MAISON CAMILLE GIROUD, 3, rue Pierre-Joigneaux, 21200 Beaune,

BOURGOGNE

tél. 03 80 22 12 65, contact@camillegiroud.com V r.-v. *Les Renardes*

DOM. MICHEL GROS 2014 ★

■	5000		20 à 30 €

L'aîné de la famille Gros - Anne-Françoise (A.-F. Gros) et Bernard (Gros Frère et Sœur) ont chacun leur domaine - a débuté en 1979 avec 2 ha en Hautes-Côtes. Il conduit aujourd'hui 23 ha et s'illustre régulièrement avec ses vosne-romanée, ses nuits-saint-georges et ses hautes-côtes.

Sur le plan aromatique, ce nuits de caractère propose un mélange harmonieux de fruits noirs et de notes boisées agrémenté de discrètes nuances végétales. En bouche, il apparaît puissant, vigoureux, structuré par des tanins solides qui laissent présager une bonne garde. ⧗ 2019-2026 ▼ cuissot de chevreuil

DOM. MICHEL GROS, 7, rue des Communes, 21700 Vosne-Romanée, tél. 03 80 61 04 69, contact@domaine-michel-gros.com V r.-v.

BERTRAND MACHARD DE GRAMONT Aux Allots 2013 ★

■	n.c.		20 à 30 €

Après avoir géré successivement deux domaines familiaux, Bertrand Machard de Gramont a décidé de voler de ses propres ailes en 1983. En 2016, il a passé la main à sa fille Axelle, à ses côtés depuis 2004. Le vignoble, en conversion bio, couvre 6 ha, principalement à Vosne-Romanée et à Nuits-Saint-Georges.

Vendangée le 3 octobre, relativement tôt pour le millésime, cette cuvée conserve beaucoup de fraîcheur et de pureté aromatique. Le nez évoque la groseille et plus généralement les fruits acidulés. La bouche, ample et riche, offre déjà beaucoup d'agrément, mais sa structure droite et serrée laisse deviner un bon potentiel de vieillissement. ⧗ 2018-2023 ▼ ris de veau sauce madère ■ **Les Terrasses des Vallerots 2013 (20 à 30 €; 4170 b.)** : vin cité.

BERTRAND MACHARD DE GRAMONT, 13, rue de Vergy, 21700 Nuits-Saint-Georges, tél. 03 80 61 16 96, bertrandmacharddegramont@gmail.com V r.-v.

B FRÉDÉRIC MAGNIEN Damodes 2014 ★

■ 1er cru	1000		75 à 100 €

Frédéric Magnien est un fin vinificateur en chambolle et l'une des valeurs sûres de cette appellation, et plus largement des grands crus de la Côte de Nuits. Après avoir travaillé quatre ans sur le domaine de son père Michel, dont il vinifie toujours les vins, exercé un an dans des vignobles du Nouveau Monde (Californie, Australie) et obtenu un diplôme d'œnologie à Dijon, il a lancé en 1995 sa maison de négoce.

Avec un coup de patte qui privilégie une certaine extraction, Frédéric Magnien propose un 2014 au nez assez discret pour l'heure et encore serré en bouche, mais prometteur par son volume, sa profondeur et sa solidité. Une cuvée de garde issue d'un terroir situé à la limite avec Vosne-Romanée, mis entre de bonnes mains. ⧗ 2020-2026 ▼ pigeon aux petits pois

EURL FRÉDÉRIC MAGNIEN, 26, rte Nationale, 21220 Morey-Saint-Denis, tél. 03 80 52 54 20, frederic@fred-magnien.com V r.-v.

JEAN-PHILIPPE MARCHAND Les Argillats 2014 ★

■	2400		30 à 50 €

Les vignobles Marchand ont été fondés en 1813 à Morey et agrandis en 1983 par l'achat d'une vigne à Gevrey-Chambertin. Héritier de six générations, Jean-Philippe Marchand gère, depuis 1984, le domaine familial - installé dans une ancienne fabrique de confitures de Gevrey, ainsi qu'une affaire de négoce.

Le nez se montre intense et harmonieux, sur des arômes de fruits secs, de griotte et autres fruits rouges. En bouche, le fruit est toujours présent et le boisé encore sensible, les tanins sont carrés et serrés, mais le pronostic d'évolution est favorable. Un nuits bien typé et de bonne garde. ⧗ 2019-2026 ▼ côte de bœuf au poivre

JEAN-PHILIPPE MARCHAND, 4, rue Souvert, BP 41, 21220 Gevrey-Chambertin, tél. 03 80 34 33 60, contact@marchand-jph.fr V r.-v.

DOMINIQUE MUGNERET Vieilles Vignes 2014

■	5000		20 à 30 €

Après Marcel, le grand-père, puis Denis, le père, parti à la retraite en 2003, la troisième génération de Mugneret (Dominique) conduit aujourd'hui ce domaine de 6 ha très souvent en vue pour ses nuits et ses vosne, qui exploite aussi des grands crus en métayage.

Le nez se montre épanoui, soutenu par un boisé grillé respectueux du fruit. En bouche, on découvre un vin plutôt souple et léger, à la texture suave et veloutée qui lui assure un pouvoir de séduction certain. La typicité nuitonne est moins évidente, mais l'ensemble est harmonieux. À apprécier jeune. ⧗ 2017-2021 ▼ soumaintrain

DOMINIQUE MUGNERET, 9, rue de la Fontaine, 21700 Vosne-Romanée, tél. 06 63 32 79 72, dominique.mugneret@wanadoo.fr V r.-v.

DOM. MICHEL NOËLLAT Les Boudots 2014 ★

■ 1er cru	2500		50 à 75 €

Alain (au commercial) et Jean-Marc Noëllat (à la vigne et au chai) ont pris en 1990 la relève de leur père Michel sur ce vaste domaine de 27 ha. Ils ont été rejoints en 2012 et en 2015 par la sixième génération - Sébastien, fils du second, et Sophie, fille du premier. Une valeur sûre de la Côte de Nuits, notamment pour ses vosne-romanée.

Le nez développe de délicats arômes floraux. La bouche évolue en finesse et en souplesse, bâtie sur une trame élégante de tanins fondus, quoiqu'un peu plus serrés en finale. Nous sommes bien sur la typicité des nuits-saint-georges du nord de l'appellation, des terroirs qui cousinent avec leurs voisins de Vosne-Romanée. ⧗ 2018-2022 ▼ poitrine de veau confite

DOM. MICHEL NOËLLAT, 5, rue de la Fontaine, 21700 Vosne-Romanée, tél. 03 80 61 36 87, contact@domaine-michel-noellat.com V r.-v.

DOM. DES PERDRIX Aux Perdrix Quasi monopole 2013 ★★

■ 1er cru	10000	50 à 75 €

Ce domaine incontournable de la Côte de Nuits (12 ha dont 6 en grands et en 1ers crus) a été pris en main en 1996 par la famille Devillard (Ch. de Chamirey à

Mercurey et Dom. de la Ferté à Givry). Il doit son nom au 1er cru Aux Perdrix, l'une des plus belles parcelles de Nuits-Saint-Georges possédée en quasi monopole.

La robe, d'une grande densité, annonce une belle concentration. Confirmation en bouche: le style puissant des vins du domaine donne un 2013 robuste, chaleureux, plein et riche, à la palette aromatique complexe, florale (rose, violette), mentholée et réglissée. Il faut lui donner quelques années pour voir s'assouplir ses tanins. ⧗ 2019-2026 ⚲ côte de bœuf ■ **2013 ★★ (30 à 50 €; 4160 b.)** : ce très joli *village* dévoile un bouquet fin de mûre et de griotte légèrement mâtiné d'épices. Une attaque grasse et soyeuse ouvre sur une bouche consistante, concentrée et très longue, construite sur une structure tannique sérieuse. Quelques années de garde assureront une plus grande harmonie à cette cuvée promise à un bel avenir. ⧗ 2019-2023

DOM. DES PERDRIX, rue des Écoles, 21700 Premeaux-Prissey, tél. 03 85 45 21 61, contact@domainedesperdrix.com V *t.l.j. sf dim. 10h-19h* *Devillard*

DOM. DE LA POULETTE Les Vaucrains 2013

■ 1er cru	7400		30 à 50 €

Appartenant à une famille dont la présence sur la Côte viticole est attestée depuis l'époque de Louis XIV, ce domaine se transmet par les femmes depuis cinq générations: Françoise Michaut-Audidier en est l'actuelle propriétaire, épaulée à la vigne et au chai par François Michaut. Le vignoble couvre 7,68 ha, implanté notamment sur trois *climats* de Nuits-Saint-Georges et à Vosne-Romanée.

Le domaine exploite un peu plus d'un hectare de ce terroir prisé des amateurs de nuits «masculins» et puissants. Cette cuvée, ouverte à l'olfaction sur des notes de résine, de Zan et de menthol, répond bien à ce profil charpenté. Un peu de patience. ⧗ 2019-2026 ⚲ selle d'agneau

DOM. DE LA POULETTE, 103, Grande-Rue, 21700 Corgoloin, tél. 03 80 62 98 02, infos@poulette.fr V *r.-v.*

HENRI ET GILLES REMORIQUET 2014 ★

■	4000		20 à 30 €

Les Remoriquet travaillaient déjà la vigne au XVIIes. pour les moines de l'abbaye de Cîteaux. Depuis quatre générations, ils ont constitué peu à peu leur propre parcellaire: 10,5 ha de vignes, à Nuits-Saint-Georges et à Vosne-Romanée notamment. Œnologue, Gilles Remoriquet est aux commandes depuis 1979.

Des notes de cassis et de framboise composent un nez précis et frais. La bouche, riche et ample, s'adosse à une trame tannique fine et serrée. Une jolie synthèse entre matière, puissance et fraîcheur. ⧗ 2019-2023 ⚲ cuissot de chevreuil

DOM. REMORIQUET, 25, rue de Charmois, 21700 Nuits-Saint-Georges, tél. 03 80 61 24 84, domaine.remoriquet@wanadoo.fr V *r.-v.*

DOM. DANIEL RION Cuvée Lavière 2013 ★

■	n.c.	30 à 50 €

Domaine créé en 1955 par Daniel Rion à partir des 2 ha à Vosne reçus du grand-père. La vente directe date de 1978 et de l'arrivée des fils. Ces derniers, aux commandes depuis 1995, date du départ à la retraite de leur père, exploitent aujourd'hui 18 ha dans six villages nuitons.

Une belle gamme de fruits frais associée à une touche de boisé vanillé composent un nez flatteur. La bouche s'inscrit dans ce même profil et déroule une matière ronde et charnue, épaulée par des tanins patinés. Un nuits déjà agréable, tout en étant taillé pour bien vieillir. ⧗ 2017-2022 ■ **Les Grandes Vignes 2013 (30 à 50 €; n.c.)** : vin cité.

DOM. DANIEL RION ET FILS, 17, RD 974, 21700 Premeaux-Prissey, tél. 03 80 62 31 28, contact@domaine-daniel-rion.com V *r.-v.*

♥ ROMAIN TAUPENOT Les Didiers Cuvée Cabet 2013 ★★

■ 1er cru	n.c.		50 à 75 €

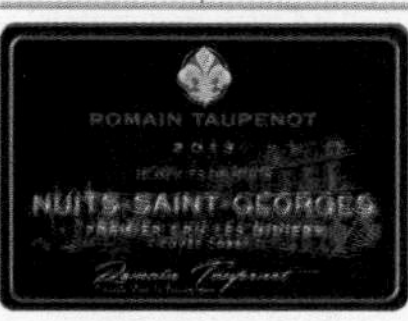

En 1963, Jean Taupenot, de Saint-Romain, épouse Denise Merme et se fixe à Morey. Aujourd'hui, leurs enfants Romain et Virginie conduisent, en bio non certifié, un vignoble de 13 ha avec un pied en Côte de Nuits et l'autre en Côte de Beaune. Un domaine constant en qualité. Romain a développé par ailleurs, sous son nom, une petite sutructure de négoce.

Cette cuvée issue du négoce a été acquise auprès du domaine des Hospices de Nuits lors de la vente aux enchères qui se tient traditionnellement en mars au Château du Clos de Vougeot. Les Didiers est un *climat* exploité en monopole par ce domaine historique. Dans le verre, un vin admirable, au nez généreux de fruits rouges légèrement compotés et de cassis, au palais intense et frais, bâti sur des tanins denses et bien enveloppés. L'ensemble dégage beaucoup d'harmonie. ⧗ 2019-2023 ⚲ tendrons de veau braisés ■ **1er cru Dom. Taupenot-Merme Les Pruliers 2013 ★ (50 à 75 €; n.c.)** : un vin issu de la partie domaine. Avec ses notes florales et fruitées, le nez se montre flatteur. La bouche se distingue par sa fraîcheur, sa franchise et ses tanins affirmés qui signent son appartenance à l'appellation. Un vin solide et précis. ⧗ 2019-2024

SAS ROMAIN TAUPENOT, 3, chem. des Hautes-Rives, 21640 Vougeot, romain.taupenot@orange.fr V *r.-v.*

PIERRE THIBERT 2014

■	1500		15 à 20 €

Établi à Corgoloin, à l'extrémité sud de la Côte de Nuits, Pierre Thibert a constitué son domaine en 1990, d'abord en louant des parcelles puis en en achetant quelques-unes. Il a été rejoint par son fils en 2011.

Un vin qui séduit par la fraîcheur de son bouquet, ouvert sur des fragrances florales, des notes de cassis, de framboise, par son attaque suave et sa bonne consistance en bouche. Une pointe de fermeté tannique marque la finale et appelle un peu de patience. ⧗ 2017-2021 ⚲ onglet aux échalotes

PIERRE THIBERT, 7 6, Grande-Rue, 21700 Corgoloin, tél. 03 80 62 73 40, thibertpi@wanadoo.fr V *r.-v.*

CÔTE-DE-NUITS-VILLAGES

Superficie : 148 ha
Production : 6 345 hl (95 % rouge)

Cette appellation associe cinq communes situées aux deux extrémités de la Côte de Nuits: au nord, Fixin (qui a aussi sa propre appellation) et Brochon (dont une partie du vignoble est classée en gevrey-chambertin); au sud, aux portes de la Côte de Beaune, Premeaux, Prissey (commune fusionnée avec la précédente), Comblanchien, réputée pour son «marbre», une pierre calcaire extraite de son coteau, et enfin Corgoloin, qui marque la limite sud de l'appellation tout comme celle de la Côte de Nuits, au niveau du Clos des Langres. Dans ce dernier village, la «montagne» diminue d'altitude et le vignoble s'amenuise; sa largeur ne dépasse guère 200 m. Rouges le plus souvent, les côtes-de-nuits-villages sont d'un bon niveau qualitatif et assez abordables.

DOM. BONNARDOT 2013 ★

■ | 3525 | ◍ | 11 à 15 €

Après vingt ans passés dans l'informatique financière, Danièle Bonnardot reprend en 2008 l'exploitation où ont œuvré avant elle son arrière-grand-père, son grand-père, son père et son frère. Le domaine couvre 21 ha dans les Hautes-Côtes, conduit dans une approche bio, sans certification.

Bâti sur des tanins soyeux et sur un boisé fondu, ce vin ne se distingue pas par sa concentration, mais il fait preuve d'une belle finesse, d'une agréable fraîcheur et d'une grande précision aromatique, ouvert sur des notes de fruits frais (groseille, cassis) agrémentées d'une touche de cannelle. Un bon pinot noir bourguignon élevé douze mois en fût. ⧗ 2017-2021 ¥ fromage de Cîteaux

⊶ *DOM. BONNARDOT, 1, rue de l'Ancienne-Cure, 21700 Villers-la-Faye, tél. 03 80 62 91 27, domaine.bonnardot@wanadoo.fr* V *t.l.j. sf dim. 9h-12h 13h30-18h*

OLIVIER CHANZY 2013 ★★

■ | 1800 | ◍ | 11 à 15 €

Fils d'un vigneron de la Côte chalonnaise, Olivier Chanzy a travaillé de 1999 à 2008 aux côtés de son père. Après quatre ans de gérance d'un domaine en vallée du Rhône méridionale, il est revenu vinifier sur ses terres bourguignonnes, à Meursault, à travers une activité de négoce.

Le nez fait preuve d'une belle intensité, mêlant harmonieusement boisé et fruité (mûre, cassis). En bouche, cette cuvée propose une texture souple et fine, portée par une fraîcheur bien dosée. La finale montre en revanche une certaine fermeté tannique qui rend optimiste sur le potentiel de garde de cette belle bouteille. ⧗ 2018-2022 ¥ rôti de veau Orloff

⊶ *OLIVIER CHANZY, 8, rue de Mazeray, 21190 Meursault, tél. 06 78 71 75 35, vinschanzy@gmail.com* V *t.l.j. sf dim. 8h-12h 13h30-18h*

CHAPUIS ET CHAPUIS Les Chaillots 2014 ★

■ | 1650 | ◍ ▮ | 15 à 20 €

Petits-fils de vignerons d'Aloxe-Corton, les frères Chapuis, Jean-Guillaume (le juriste) et Romain (l'œnologue), ont fondé leur structure de négoce en 2009, installant leur cuverie dans l'ancien château de Pommard. Ils privilégient autant que faire se peut les raisins issus de l'agriculture biologique ou biodynamique.

Cette cuvée est née d'un vignoble situé tout au sud de la Côte de Nuits, dans le village de Corgoloin. Elle fait preuve d'une belle expression aromatique (cassis et mûre), offre de la consistance et un bon équilibre entre une fine acidité et une structure tannique ferme. Du potentiel. ⧗ 2018-2022 ¥ rôti de veau aux champignons

⊶ *CHAPUIS, 9, rue des Charmots, 21630 Pommard, tél. 06 89 56 05 12, r.chapuis@chapuisfreres.fr* V *r.-v.*

DOM. CHEVALIER PÈRE ET FILS 2013

■ | n.c. | ◍ ▮ | 15 à 20 €

Installé en 1994 sur ce domaine créé en 1850 par son grand-père Émile, Claude Chevalier exploite avec trois de ses filles – Chloé à la vigne et au chai, Julie au commercial et Anaïs à la comptabilité – un vignoble de 14 ha situé au pied et sur les pentes de la montagne de Corton. Une valeur sûre de la Côte de Beaune.

Ce vin a encore besoin de temps pour s'affiner et donner sa pleine mesure. Si le nez se montre fin et précis, sur la framboise et la groseille, la bouche, dense, solide et vive, est un peu stricte à ce stade. Patience, le potentiel est là… ⧗ 2019-2022 ¥ salmis de faisan

⊶ *CHEVALIER PÈRE ET FILS, 2, Grande-Rue-de-Buisson, Cidex 18, 21550 Ladoix-Serrigny, tél. 03 80 26 46 30, contact@domaine-chevalier.fr* V *r.-v.*

DOM. A. CHOPIN ET FILS Les Monts de Boncourt 2013

■ | 3800 | ◍ | 11 à 15 €

Installé à l'extrême sud de la Côte de Nuits, Arnaud Chopin a repris le domaine familial en 2010, à la retraite de ses parents. Avec l'aide de son jeune frère Alban, il s'apprête à convertir le vignoble au bio. Régulièrement, il s'illustre par ses nuits-saint-georges et ses côtes-de-nuits-villages.

Un *climat* situé sur les hauteurs du village de Corgoloin, près d'une carrière. Le vin s'exprime à l'olfaction sur de plaisantes notes florales et anisées et s'affirme en bouche par sa souplesse et sa fraîcheur, renforcée par une pointe de minéralité. Une cuvée d'ores et déjà appréciable. ⧗ 2016-2019 ¥ pavé de lotte

⊶ *A. CHOPIN ET FILS, D 974, 21700 Comblanchien, tél. 03 80 62 92 60, domaine.chopin-fils@orange.fr* V *r.-v.* ③

DOM. ALAIN JEANNIARD Vieilles Vignes 2014 ★

■ | 2000 | ◍ ▮ | 20 à 30 €

Après une carrière dans l'industrie, Alain Jeanniard est revenu à ses racines vigneronnes (qui remontent au XVIIIe s.) pour reprendre en 2000 le domaine familial de Morey: 0,5 ha à l'époque, 4,5 ha aujourd'hui. Il a également créé une affaire de négoce en 2003.

Un 2014 complexe, au nez montant d'épices et de fruits noirs (myrtille, cassis), long, ample et dense en bouche, bâti sur des tanins encore fermes qui lui donnent un caractère un peu austère aujourd'hui. Mais ce vin de matière gagnera en gourmandise avec le temps. ⧗ 2019-2022 ¥ onglet à l'échalote

DOM. ALAIN JEANNIARD, 4, rue aux Loups, 21220 Morey-Saint-Denis, tél. 03 80 58 53 49, domaine.ajeanniard@wanadoo.fr V r.-v.

GILLES JOURDAN
La Robignotte Monopole 2013

■ | 3500 | | 15 à 20 €

Établi à Corgoloin, Gilles Jourdan est arrivé sur le domaine familial en 1997. Il conduit un vignoble de 6 ha, en côtes-de-nuits-villages.

Cette cuvée issue d'un terroir de 80 ares situé sur la commune de Corgoloin figure régulièrement dans ces pages. La version 2013 s'exprime sur les fruits rouges frais à l'olfaction, la groseille notamment. En bouche, elle se montre équilibrée, ferme sans dureté, fruitée et de bonne longueur. 2018-2021 daube de joue de bœuf

GILLES JOURDAN, 114, Grande-Rue, 21700 Corgoloin, tél. 06 60 85 76 31, domaine.jourdan@wanadoo.fr V r.-v.

FRÉDÉRIC MAGNIEN
Croix Violette 2014 ★★

■ | 9500 | | 30 à 50 €

Frédéric Magnien est un fin vinificateur en chambolle et l'une des valeurs sûres de cette appellation, et plus largement des grands crus de la Côte de Nuits. Après avoir travaillé quatre ans sur le domaine de son père Michel, dont il vinifie toujours les vins, exercé un an dans des vignobles du Nouveau Monde (Californie, Australie) et obtenu un diplôme d'œnologie à Dijon, il a lancé en 1995 sa maison de négoce.

Croix Violette est un terroir situé sur la commune de Brochon, au nord de Gevrey-Chambertin. Frédéric Magnien en a tiré une cuvée au nez complexe et gourmand de fruits confits associés à un boisé chocolaté, qui, après une attaque un peu austère, dévoile une bouche dense, ample, riche et persistante. Un vin puissant et de garde. 2019-2023 chevreuil aux airelles

EURL FRÉDÉRIC MAGNIEN, 26, rte Nationale, 21220 Morey-Saint-Denis, tél. 03 80 52 54 20, frederic@fred-magnien.com V r.-v.

MORIN PÈRE ET FILS 2014

■ | 6250 | | 15 à 20 €

Maison de négoce nuitonne fondée en 1822 par Claude Morin et depuis 1987 dans l'orbite du groupe Boisset. Les vins sont suivis par l'œnologue Laurent Mairet.

Un vin assez fin et prometteur. Les tanins sont présents mais sans agressivité (hormis une petite sévérité en finale) et la persistance est au rendez-vous, sur des notes de cerise mûre. On pourra oublier cette bouteille quelque temps en cave. 2018-2021 tendron de veau braisé

MORIN PÈRE ET FILS, av. du Jura, 21700 Nuits-Saint-Georges, tél. 03 80 61 19 51
Boisset FGV

DOM. PETITOT Les Vignottes 2014

■ | 3630 | | 11 à 15 €

Installés à Corgoloin dans un corps de ferme du XIVᵉs., les époux Petitot ont repris en 2002 le domaine familial développé à la fin des années 1970 par Jean Petitot. Nathalie, l'œnologue, veille au vin, tandis que son époux Hervé veille «aux grains» (8,6 ha de vignes).

Une parcelle de 56 ares située sur la commune de Premeaux-Prissey, à proximité de vignes en appellation nuits-saint-georges et à l'origine d'un vin léger, dominé par les petits fruits rouges à l'olfaction, la framboise en particulier. En bouche, du fruit toujours, une texture fine, des tanins souples et une bonne longueur. 2017-2020 poularde aux morilles

DOM. PETITOT, 26, pl. de la Mairie, 21700 Corgoloin, tél. 03 80 62 98 21, domaine.petitot@wanadoo.fr V r.-v.

DOM. PILLOT-HENRY 2014

■ | 6000 | | 11 à 15 €

Fils d'un vigneron propriétaire de quelques ares de pommard 1er cru Les Charmots, Thomas Henry, après avoir travaillé pendant dix ans comme technicien en viticulture, a repris un domaine à Comblanchien en 2007 (le caveau est à Pommard) et exploite aujourd'hui 7,8 ha de vignes entre Nuits-Saint-Georges et Pommard.

Le domaine souhaite avant tout que ses cuvées expriment leur terroir d'origine et leur millésime. Ici, le résultat est un vin bien fruité (framboise et fraise des bois), frais et solide, campé sur une trame tannique ferme. En devenir mais prometteur. 2019-2022 côte de bœuf

EARL PILLOT-HENRY, ancienne rte d'Autun, 21630 Pommard, tél. 06 28 29 73 97, earl.pillot-henry@orange.fr V r.-v.

DOM. DE LA POULETTE 2013

■ | 16000 | | 11 à 15 €

Appartenant à une famille dont la présence sur la Côte viticole est attestée depuis l'époque de Louis XIV, ce domaine se transmet par les femmes depuis cinq générations: Françoise Michaut-Audidier en est l'actuelle propriétaire, épaulée à la vigne et au chai par François Michaut. Le vignoble couvre 7,68 ha, implanté notamment sur trois *climats* de Nuits-Saint-Georges et à Vosne-Romanée.

Une cuvée importante pour le domaine puisqu'elle est issue de près de 3 ha. Des notes empyreumatiques se développent avec intensité à l'olfaction, conséquence d'un élevage de dix-huit mois en fût; viennent ensuite des arômes de fruits des bois et de pruneau à l'aération. La bouche? Franche, robuste, encore assez sévère. 2019-2022 entrecôte grillée

DOM. DE LA POULETTE, 103, Grande-Rue, 21700 Corgoloin, tél. 03 80 62 98 02, infos@poulette.fr V r.-v.

PIERRE THIBERT La Montagne 2014 ★

■ | 1200 | | 11 à 15 €

Établi à Corgoloin, à l'extrémité sud de la Côte de Nuits, Pierre Thibert a constitué son domaine en 1990, d'abord en louant des parcelles puis en en achetant quelques-unes. Il a été rejoint par son fils en 2011.

À environ 300 m d'altitude, cette «montagne» n'est pas un sommet alpin mais un haut de coteau en Bourgogne. Pierre Thibert y exploite 20 ares de pinot noir, à l'origine d'un vin expressif, sur les fruits rouges et la mûre, frais et long en bouche, aux tanins souples et fins, un peu plus austères en finale. 2018-2021 rôti de bœuf

PIERRE THIBERT, 76, Grande-Rue, 21700 Corgoloin, tél. 03 80 62 73 40, thibertpi@wanadoo.fr V r.-v.

♥ DOM. TRUCHETET 2013 ★★

■	4700		15 à 20 €

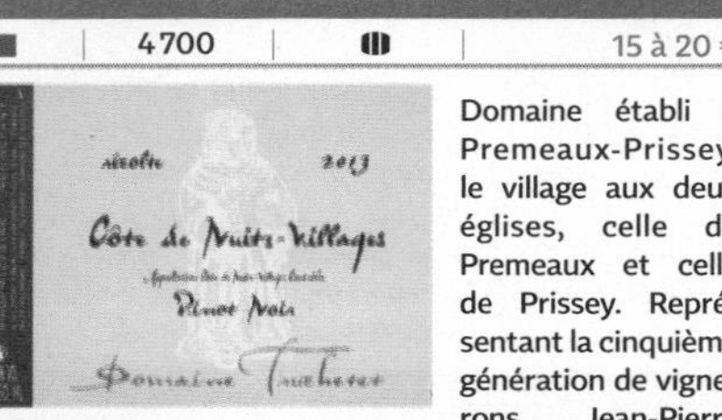

Domaine établi à Premeaux-Prissey, le village aux deux églises, celle de Premeaux et celle de Prissey. Représentant la cinquième génération de vignerons, Jean-Pierre Truchetet s'est installé en 1980 avec son épouse Sylvie sur l'exploitation (6,2 ha).

Jean-Pierre Truchetet opte pour des élevages longs: dix-huit mois en fût (dont 25 % de barrique neuve) pour cette cuvée née de 86 ares plantés de vieilles vignes (cinquante ans). Ce sont pourtant les fruits, le cassis et la mûre, qui s'expriment ici, accompagnés par une touche toastée bien intégrée. La bouche se montre très fine, très précise, d'une grande élégance, bâtie sur des tanins soyeux et délicats qui renforcent le caractère souple de ce vin. ⧗ 2017-2021 Ψ tournedos Rossini

⊶ *JEAN-PIERRE TRUCHETET, 5, rue des Masers, 21700 Premeaux-Prissey, tél. 06 25 85 03 39, morgantruchetet@gmail.com* V r.-v.

➜ LA CÔTE DE BEAUNE

Plus large (un à deux kilomètres) que la Côte de Nuits, la Côte de Beaune est plus tempérée et soumise à des vents plus humides, ce qui entraîne une plus grande précocité dans la maturation. La vigne monte à une altitude plus élevée que dans la Côte de Nuits, à 400 m et parfois plus. Le coteau est coupé de larges combes, dont celle de Pernand-Vergelesses qui sépare la « montagne » de Corton du reste de la Côte. Géologiquement, la Côte de Beaune apparaît plus homogène que la Côte de Nuits : au bas, un plateau presque horizontal, formé par les couches du bathonien supérieur recouvertes de terres fortement colorées. C'est de ces sols assez profonds que proviennent les grands vins rouges (beaune Grèves, pommard Épenots...). Au sud de la Côte de Beaune, les bancs de calcaires oolithiques avec, sous les marnes du bathonien moyen recouvertes d'éboulis, des calcaires sus-jacents donnent des sols à vigne caillouteux, graveleux, sur lesquels sont récoltés les vins blancs parmi les plus prestigieux: premiers et grands crus des communes de Meursault, Puligny-Montrachet, Chassagne-Montrachet. Si l'on parle de « côte des rouges » et de « côte des blancs », il faut citer entre les deux le vignoble de Volnay, implanté sur des terrains pierreux argilo-calcaires et donnant des vins rouges d'une grande finesse.

BOURGOGNE-HAUTES-CÔTES-DE-BEAUNE

Superficie : 815 ha
Production : 39 500 hl (85 % rouge)

Cette appellation est située sur une aire géographique comprenant une vingtaine de communes et débordant sur le nord de la Saône-et-Loire. Comme celui des hautes-côtes-de-nuits, ce vignoble s'est développé depuis les années 1970-1975.

Le paysage est pittoresque et de nombreux sites méritent une visite, comme Orches, La Rochepot et son château, Nolay et ses halles. Enfin, les Hautes-Côtes, qui étaient autrefois une région de polyculture, sont restées productrices de petits fruits destinés à alimenter les liquoristes de Nuits-Saint-Georges et de Dijon. Cassis et framboise servent à élaborer des liqueurs et des eaux-de-vie d'excellente qualité. L'eau-de-vie de poire des Monts de Côte-d'Or trouve également ici son origine.

DOM. CAROLINE BELLAVOINE 2014

■	2000		5 à 8 €

Œnologue, Caroline Bellavoine est à la tête depuis 2003 de ce domaine de 6 ha, dont une partie des vignes dépendait de l'ancienne abbaye de Saint-Sernin-du-Plain. Elle pratique une viticulture raisonnée et privilégie l'élevage en fût de deux vins pour éviter le surboisage. La mise en bouteilles est effectuée sans collage ni filtration. À sa carte, de l'aligoté, du bourgogne d'appellations régionales, du maranges et du hautes-côtes-de-beaune.

Né d'une vigne de vingt-cinq ans, ce hautes-côtes s'annonce par un nez un peu animal de prime abord, plus fruité à l'aération, sur la griotte au kirsch. En bouche, il se montre souple et soyeux, adossé à des tanins ronds et fondus. À boire sur le fruit. ⧗ 2016-2019 Ψ travers de porc caramélisés

⊶ *CAROLINE BELLAVOINE, 2, rue de Nyon, 71510 Saint-Sernin-du-Plain, tél. 06 65 06 26 50, bellavoinecaroline@orange.fr* V r.-v.

CHRISTIAN BERGERET ET FILLE 2014 ★

■	2500		8 à 11 €

Un domaine dans la même famille depuis plusieurs générations. Comptable de formation, professeure pendant quelques années, Clotilde Brousse-Bergeret en a pris la direction en 2001 à la suite de son père Christian. L'exploitation compte aujourd'hui 14 ha répartis sur plusieurs communes.

Après quatorze mois de barrique – un élevage plutôt long pour l'appellation –, cette cuvée s'ouvre sur des notes de toasté, de réglisse et de fruits rouges. C'est surtout par son palais très équilibré qu'elle s'impose: une attaque souple et fraîche, une matière ronde, tendre et charnue, des tanins fins et soyeux, un fruité persistant. ⧗ 2018-2022 Ψ œufs en meurette

⊶ *CHRISTIAN BERGERET ET FILLE, 2, cour Michaud, 21340 Nolay, tél. 06 58 52 41 48, cp.brousse@orange.fr*

DOM. BOISSON Noisetières 2014

■	32000	11 à 15 €

La Compagnie des vins d'autrefois (CVA) est une maison de négoce créée en 1975 par Jean-Pierre Nié, établie à Beaune, qui propose une large gamme de vins de négoce et de domaines de Bourgogne et du Beaujolais.

Sous l'étiquette du domaine Boisson, ce négociant beaunois propose une importante cuvée proche de l'étoile. Au nez, des notes fraîches de fruits rouges et noirs

La Côte de Beaune

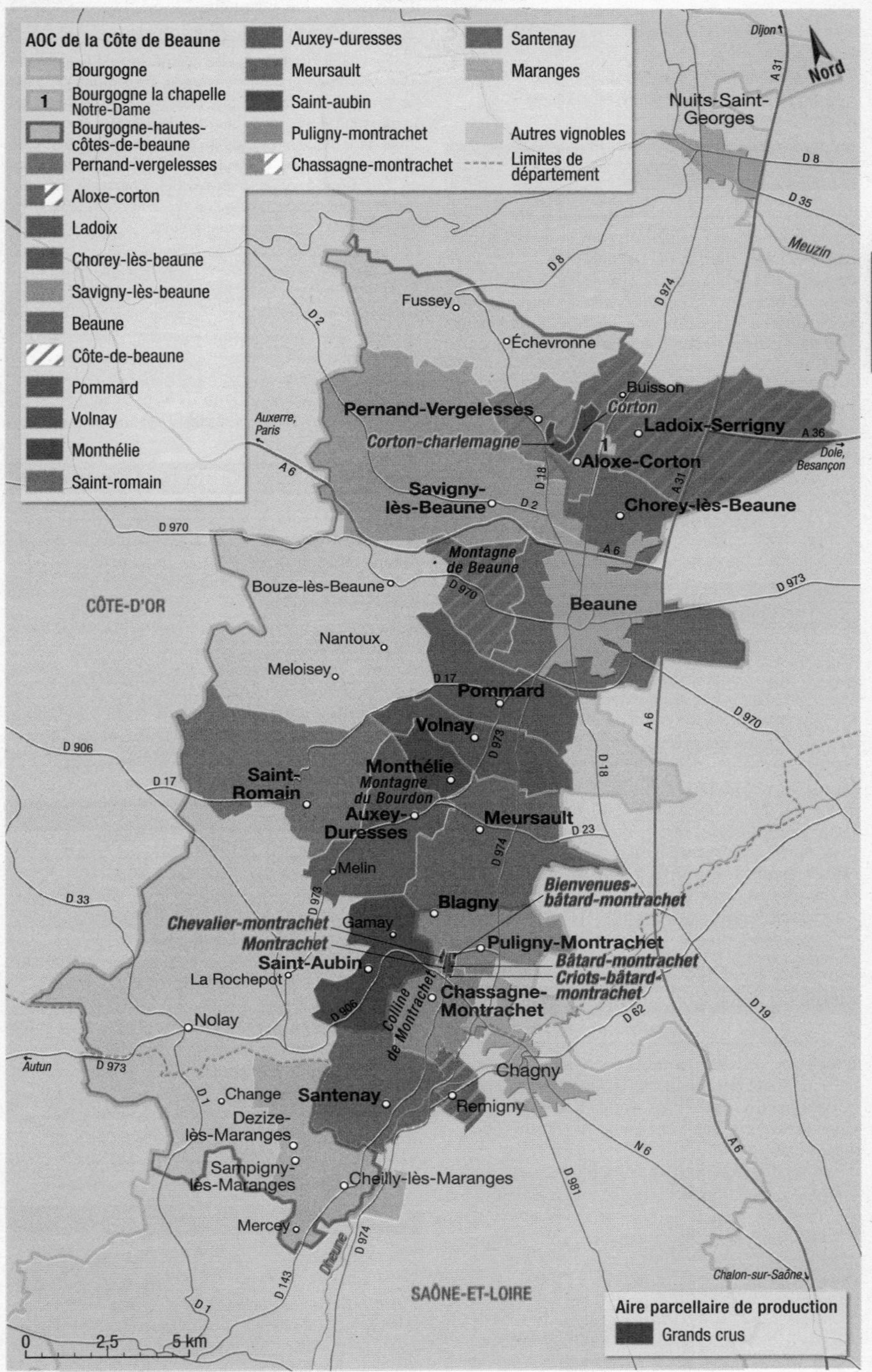

agrémentées d'une légère touche vanillée. En bouche, toujours les fruits, bien présents, de la souplesse, de la rondeur et une structure légère de tanins fins. ⧗ 2017-2020 🍷 poulet fermier

⊶ *LA COMPAGNIE DES VINS D'AUTREFOIS, 3, pl. Notre-Dame, 21200 Beaune, tél. 03 80 26 33 00, cva@cva-beaune.fr*

DOM. BOURGOGNE-DEVAUX
La Perrière 2014 ★

■ | 5000 | ◍ | 8 à 11 €

Sylvie Bourgogne a repris en 1986 le domaine créé en 1899 par son arrière-grand-père. Contrainte de vendre la production en raisin et de réduire le vignoble (2,35 ha aujourd'hui), elle a vinifié son premier hautes-côtes-de-beaune en 2012 sous l'impulsion de ses deux enfants, suivi d'une cuvée de pommard en 2013.

Troisième millésime en hautes-côtes pour le domaine et troisième sélection dans ces pages. Un vin au nez intense, épicé et fruité, au palais persistant, ample et bien structuré par des tanins frais, dévoilant une touche minérale qui signe cette terre rouge de cailloux fins. ⧗ 2018-2022 🍷 pavé de bœuf sauce forestière

⊶ *DOM. BOURGOGNE-DEVAUX, 2, chem. de Mavilly, 21190 Meloisey, tél. 06 03 11 65 40, domaine.bourgogne@gmail.com* V 🚶 ▪ *r.-v.*

DOM. JEAN-FRANÇOIS BOUTHENET
Sur Mercey 2014

□ | 2000 | ◍ | 5 à 8 €

Jean-François Bouthenet est établi à Cheilly-les-Maranges, dans le hameau de Mercey qui domine la vallée de la Dheune, vers le Couchois. À la tête de 11 ha de vignes, il fut l'un des premiers à proposer du maranges blanc.

Une parcelle de 58 ares plantée de chardonnay de vingt-quatre ans est à l'origine de ce vin au nez floral et boisé. Une attaque tendre et miellée ouvre sur un palais rond, fruité et d'un bon volume, souligné par une pointe de vivacité. Un ensemble équilibré. ⧗ 2017-2020 🍷 escalope de veau à la crème

⊶ *JEAN-FRANÇOIS BOUTHENET, 4, rue du Four, 71150 Cheilly-lès-Maranges, tél. 03 85 91 14 29, bouthenetjf@free.fr* V 🚶 ▪ *r.-v.*

DOM. DENIS CARRÉ La Perrière 2014

■ | n.c. | ◍ | 8 à 11 €

À Meloisey, dans les Hautes-Côtes, Martial et Gaëtane Carré ont rejoint leur père Denis, fondateur en 1975 de ce domaine qui excelle dans plusieurs AOC, en hautes-côtes-de-beaune, saint-romain et pommard notamment.

À l'origine de ce vin, une parcelle plantée à Meloisey sur un terrain pierreux (d'où son nom), chaud et aéré, donc assez précoce. Dans le verre, un hautes-côtes montrant plus de finesse et de légèreté que de concentration, au nez gourmand de framboise et de mûre, rond et charnu en bouche. Une bouteille accessible dès à présent. ⧗ 2016-2019 🍷 paupiettes de veau

⊶ *DENIS CARRÉ, 1, rue du Puits-Bouret, 21190 Meloisey, tél. 03 80 26 02 21, domainedeniscarre@wanadoo.fr* V 🚶 ▪ *r.-v.*

JEAN CHARTRON En bois Guillemain 2014

□ | 8722 | ◍ 🛢 | 11 à 15 €

Créé en 1859 par le tonnelier Jean-Édouard Dupard, ce domaine d'une grande constance, bien implanté dans les grands crus de Puligny, dispose d'un vignoble de 13 ha – planté à 90 % de chardonnay et trois monopoles (Clos de la Pucelle et Clos du Cailleret en puligny, Clos des Chevaliers en chevalier-montrachet) –, conduits en bio non certifié. Jean-Michel Chartron est aux commandes depuis 2004; l'un de ses credo: «Du bois, oui, mais pas trop.» Une valeur sûre.

Une cuvée régulièrement sélectionnée par nos dégustateurs. La version 2014 est très agréable. Elle délivre des parfums discrets mais délicats d'acacia. En bouche, place aux agrumes, au pamplemousse notamment, qui apporte une belle fraîcheur sur un fond légèrement toasté. ⧗ 2017-2020 🍷 truite aux amandes

⊶ *SCEA JEAN CHARTRON, 8 bis, Grande-Rue, 21190 Puligny-Montrachet, tél. 03 80 21 99 19, info@jeanchartron.com* V 🚶 ▪ *t.l.j. sf lun. mar. mer. 10h-12h 14h-18h; f. déc.-mars*

DOM. DENIS PÈRE ET FILS 2014

■ | 6500 | ◍ 🛢 | 8 à 11 €

En 1940, Raoul Denis, vigneron des Hospices de Beaune comme l'étaient son père et son grand-père, reprend le vignoble familial (13 ha aujourd'hui). Christophe tient le flambeau depuis 1992.

Ce hautes-côtes s'ouvre sur des arômes subtils de framboise et de fraise sur fond de vanille. En bouche, il se montre souple, frais, léger et tout aussi fruité. Simple et de bon aloi. ⧗ 2016-2019 🍷 steak tartare

⊶ *DOM. DENIS PÈRE ET FILS, 4, chem. des Vignes-Blanches, 21420 Pernand-Vergelesses, tél. 03 80 21 50 91, denis.pere-et-fils@wanadoo.fr* V 🚶 ▪ *r.-v.*

R. DUBOIS ET FILS Les Montbatois 2014

□ | 6000 | ◍ 🛢 | 8 à 11 €

Béatrice Dubois et son frère Raphaël, installés depuis 1991, conduisent 22 ha de vignes dans les deux Côtes. La première vinifie, après avoir passé plusieurs années à l'étranger; le second s'occupe de la vente. Ils ont développé en 2000 une affaire de négoce pour étoffer leur gamme.

Une vigne de quarante ans et un élevage couplant la cuve de béton au chêne ont engendré ce vin d'une belle intensité florale à l'olfaction, agrémenté d'une touche de fruits secs et de grillé. En bouche, le bois et la vivacité dominent et appellent la garde. ⧗ 2018-2021 🍷 aumônière au cîteaux

⊶ *DOM. R. DUBOIS ET FILS, 7, rte de Nuits-Saint-Georges, 21700 Premeaux-Prissey, tél. 03 80 62 30 61, contact@domaine.dubois.com* V 🚶 ▪ *t.l.j. 8h-11h30 13h30-17h30; sam. dim. sur r.-v.; f. sem. du 15 août*

Ⓑ GIBOULOT 2014 ★

□ | 1445 | ◍ 🛢 | 11 à 15 €

Un domaine familial créé en 1935, conduit depuis 1999 par Jean-Michel Giboulot, à la tête d'un vignoble de 12 ha. En agriculture biologique depuis 2010.

Réservé de prime abord, ce hautes-côtes s'ouvre à l'aération sur des arômes délicats et harmonieux de fleurs blanches et de miel. En bouche, il offre du gras et de la chair, épaulé par une fine vivacité aux tonalités d'agrumes. ⧗ 2017-2020 🍴 cuisses de grenouille en persillade

JEAN-MICHEL GIBOULOT, 27, rue du Gal-Leclerc, 21420 Savigny-lès-Beaune, tél. 03 80 21 52 30, jean-michel.giboulot@wanadoo.fr V r.-v.

DOM. LEBREUIL Mont Battois 2014

■	10000		8 à 11 €

Un domaine fondé en 1935 à partir de 2 ha, développé au cours des années 1960 par Pierre Lebreuil, repris en 2000 par son fils Jean-Baptiste, aujourd'hui à la tête de 13,3 ha en Côte de Beaune. Régulièrement en vue pour ses savigny.

Situé sur les hauteurs de Beaune, le Mont Battois est un vignoble d'expérimentation pour la viticulture du département. Jean-Baptiste Lebreuil y exploite 3 ha de pinot noir, à l'origine d'un vin équilibré, ouvert sur les fruits rouges et noirs, la réglisse et une note fumée, au palais consistant et frais, adossé à des tanins assez musclés mais sans sécheresse. ⧗ 2018-2021 🍴 rôti de porc aux pruneaux

PIERRE ET JEAN-BAPTISTE LEBREUIL, 17, rue Chanson-Maldant, 21420 Savigny-lès-Beaune, tél. 03 80 21 52 95, domaine.lebreuil@wanadoo.fr V r.-v.

DOM. SÉBASTIEN MAGNIEN Vieilles Vignes 2014

■	n.c.		11 à 15 €

Sébastien Magnien, originaire des Hautes-Côtes, a créé en 2004 son domaine à partir des vignes maternelles – 12 ha aujourd'hui. Il se dit très interventionniste à la vigne pour les travaux manuels (ce qui permet de limiter les intrants), beaucoup moins au chai (macérations longues, pas de surextraction, usage modéré de fûts neufs).

Ce vin né de ceps âgés de cinquante à soixante ans se montre plutôt réservé de prime abord. Après agitation du verre, des arômes de cassis et de réglisse apparaissent, mais restent discrets. On les retrouve avec plus d'intensité dans une bouche dense et ferme, bâtie sur des tanins bien serrés et encore un peu stricts, qui promettent une bonne évolution en cave. ⧗ 2018-2023 🍴 côte de bœuf

EARL DOM. SÉBASTIEN MAGNIEN, 6, rue Pierre-Joigneaux, 21190 Meursault, tél. 03 80 21 28 57, domainesebastienmagnien@orange.fr V r.-v.

DOM. MAZILLY PÈRE ET FILS Clos du bois Prévot 2014 ★

■	1800		11 à 15 €

Installés depuis 1980 à Meloisey, charmant village des hautes Côtes de Beaune, Frédéric Mazilly et son fils Aymeric exploitent, dans un esprit proche du bio, un coquet vignoble de 17 ha. En 2004, Aymeric a également créé sous son propre nom une maison de négoce dédiée aux seuls vins blancs.

Cette vigne de trente-cinq ans fait partie des 4,10 ha du domaine conduits en bio sans certification (le reste est en culture raisonnée). Elle a donné naissance à ce joli vin finement bouqueté autour des fleurs blanches, de l'amande verte et de la noisette, franc et frais en attaque, ample et rond, épaulé par un bon boisé qui doit encore se fondre. Du potentiel. ⧗ 2018-2021 🍴 tourte aux poissons ■ **Aymeric Mazilly 2014 (8 à 11 €; 6200 b.)** : vin cité.

DOM. MAZILLY PÈRE ET FILS, 1, rte de Pommard, 21190 Meloisey, tél. 03 80 26 02 00, bourgogne-domaine-mazilly@wanadoo.fr V r.-v.

Ⓑ CH. DE MELIN 2014

■	40000		8 à 11 €

La famille cultive la vigne depuis sept générations. Ingénieur dans le BTP, Arnaud Derats a repris le domaine de son grand-père Paul Dumay à Sampigny-lès-Maranges. En 2000, il a acquis le château de Melin (XVIe s.) à Auxey-Duresses et y a transféré ses caves. Le vignoble (25 ha) est en bio certifié depuis 2012.

Un vin de bonne intensité, centré sur les fruits frais (cerise, mûre) et le poivre noir. En bouche, du fruit toujours, de l'équilibre et une structure tannique bien en place qui permettra à cette bouteille d'évoluer favorablement. ⧗ 2018-2021 🍴 filet de veau sauce poivre vert

SCEA CH. DE MELIN, Ch. de Melin, 21190 Auxey-Duresses, tél. 03 80 21 21 19, derats@chateaudemelin.com V *t.l.j. 10h-12h 14h-18h; dim. 10h-12h* ⑤ *Derats*

CHRISTIAN ET PASCAL MENAUT La Jolivode 2014

■	15600		8 à 11 €

Dans le pittoresque village de Nantoux, dans les Hautes-Côtes de Beaune, Christian Menaut fait du vin depuis 1968, aujourd'hui épaulé par son fils Pascal.

À l'origine de cette cuvée régulière en qualité, une parcelle de 2 ha évoquant une «jolie source». Un vin équilibré, bien fruité (cerise et cassis) au nez comme en bouche, adossé à des tanins fermes sans excès, qui autorisent une petite garde. ⧗ 2017-2020 🍴 tourte à la viande

EARL MENAUT, rue Chaude, 21190 Nantoux, tél. 03 80 26 07 72 V r.-v.

DOM. ALAIN ET GILLES MONTCHOVET 2014 ★

■	9000		5 à 8 €

Établi dans le pittoresque village de Nantoux, dans les Hautes-Côtes, au fond d'un vallon qui débouche sur Pommard, Gilles Montchovet (quatrième génération) a pris en 2006 la suite de son père Alain. Il est à la tête d'un vignoble de 11,8 ha.

Un hautes-côtes bien sous tous les rapports. À une belle robe grenat profond répond un bouquet intense et net de fruits rouges légèrement teinté d'épices. Tout aussi généreuse en fruits, la bouche apparaît ronde, charnue, consistante, bâtie sur de beaux tanins souples et fins. À croquer. ⧗ 2018-2021 🍴 bœuf bourguignon

ALAIN ET GILLES MONTCHOVET, 6, rue Rocault, 21190 Nantoux, tél. 03 80 26 03 26, gilloux21@hotmail.fr V r.-v.

DOM. PARIGOT Clos de la Perrière 2014

■	30000		11 à 15 €

Régis Parigot et son fils Alexandre s'appuient sur les conseils de Kyriakos Kynigopoulos, œnologue renommé, né en Grèce. Sur un domaine de 20 ha, ils valorisent avec talent les terroirs bourguignons, témoins les nombreux coups de cœur obtenus pour leurs vins de la Côte de Beaune et des Hautes-Côtes.

2003, 2007, 2008, 2009, 2013: autant de millésimes élus coups de cœur pour cette cuvée phare du domaine. La version 2014 est plus modeste mais séduisante par son bouquet fruité et finement épicé, comme par sa bouche ronde, de bonne longueur, qui «pinote» avec gourmandise sur fond de boisé bien intégré. Harmonieux. ⧗ 2017-2020 🍷 petit salé aux lentilles

⊶ DOM. PARIGOT, 8, rte de Pommard, 21190 Meloisey, tél. 03 80 26 01 70, domaine.parigot@orange.fr V ♿ 🍷 *r.-v.*

DOM. THIERRY PINQUIER 2014

■ | 1900 | ⓘ 🍾 | 8 à 11 €

En 1994, Thierry Pinquier a pris la relève de ses parents Colette et Maurice, ouvriers vignerons fondateurs du domaine en 1954. Tandis qu'il œuvre à la vigne (6 ha) et au chai, son épouse anime les dégustations et s'occupe des chambres d'hôtes.

Ce 2014 dévoile un nez intense de pivoine, de cerise et de groseille accompagnées d'un bon boisé fondu et vanillé. Un mariage pinot-merrain qui s'exprime aussi dans une bouche souple, tendre et légère, un brin plus tannique en finale. ⧗ 2016-2019 🍷 aiguillettes de canard aux cerises

⊶ THIERRY PINQUIER, imp. des Belges, 5, rue Pierre-Mouchoux, 21190 Meursault, tél. 03 80 21 24 87, domainepinquier@orange.fr V ♿ 🍷 *t.l.j. 9h-11h30 14h-18h30; dim. 9h-12h* 🏠 ③

DOM. CHRISTIAN REGNARD
Élevé en fût de chêne 2014

■ | 4900 | ⓘ | 8 à 11 €

En 2010, Florian Regnard a rejoint son père Christian sur le domaine familial situé à Sampigny, l'un des trois villages de l'AOC maranges. Parcelle après parcelle, il agrandit le vignoble (9 ha aujourd'hui) et fait bouger les lignes en matière de vinification.

Ce 2014 passé douze mois en fût dévoile un bouquet harmonieux et élégant de fleurs blanches et d'agrumes. Arômes que l'on retrouve dans une bouche équilibrée, fraîche, alerte et longue, soulignée par une fine trame minérale. Idéal pour découvrir l'appellation. ⧗ 2016-2020 🍷 dos de cabillaud sauce agrumes

⊶ DOM. CHRISTIAN RÉGNARD, 9, rue Saint-Antoine, 71150 Sampigny-lès-Maranges, tél. 03 85 91 10 43, regnardc@wanadoo.fr V ♿ 🍷 *t.l.j. 8h-12h 13h30-18h*

DOM. JOËL REMY Le Roncin 2014

■ | n.c. | ⓘ | 11 à 15 €

Un domaine fondé en 1853 au sud-est de Beaune, repris en 1988 par Joël Remy (cinquième génération), qui met en valeur avec son épouse Florence un vignoble de 12 ha répartis dans plusieurs appellations de la Côte de Beaune.

Une fermentation et un élevage de douze mois en barrique (dont 15 % de fûts neufs) ont donné ce vin plaisant, qui conjugue au nez fleurs blanches, citron, noisette et nuances toastées. La bouche équilibrée associe une matière ronde et riche à un bon boisé et à la vivacité des agrumes. ⧗ 2017-2021 🍷 fricassée de lapin à la crème

⊶ DOM. JOËL REMY, 4, rue du Paradis, 21200 Sainte-Marie-la-Blanche, tél. 03 80 26 60 80, domaine.remy@wanadoo.fr V ♿ 🍷 *t.l.j. sf dim. 8h-12h 14h-18h*

DOM. DE LA ROCHE AIGUË La Dalignère 2014

■ | 4700 | ⓘ 🍾 | 8 à 11 €

Florence et Éric Guillemard, établis à la sortie d'Auxey-Duresses depuis 1995, conduisent un vignoble de 13,5 ha en auxey-duresses, saint-romain, meursault, pommard et hautes-côtes.

De cette parcelle de 63 ares plantée de vieux ceps âgés de soixante ans, les époux Guillemard ont tiré une cuvée fruitée, réglissée et un peu fumée au nez, ronde en attaque, plus tannique dans son développement et même assez stricte en finale. Un minimum de garde est requis. ⧗ 2018-2022 🍷 bavette aux échalotes

⊶ EARL LA ROCHE AIGUË, rte de Beaune, Melin, 21190 Auxey-Duresses, tél. 03 80 21 28 33, guillemarderic@wanadoo.fr V ♿ 🍷 *r.-v.* ⊶ *Guillemard*

DOM. SAINT-ANTOINE DES ÉCHARDS 2014 ★

■ | 5000 | ⓘ | 8 à 11 €

Au creux de leur verdoyant village de Change, dans les Hautes-Côtes, Marie-Christine et Franck Guérin ont eu la bonne idée de s'épouser et d'associer leurs efforts pour faire naître ce domaine de 15 ha en 1998. Ils l'ont développé, portant sa superficie à 45 ha. La relève est assurée: leur fils Pierre-Antoine a rejoint l'exploitation.

Cette cuvée élevée huit mois en fût délivre de jolis parfums de fleurs blanches et de fruits jaunes sur un fond boisé léger. Les jurés ont apprécié aussi son équilibre en bouche, sa fraîcheur intense et ses arômes bien mariés et persistants d'abricot confit et de brioche. ⧗ 2016-2020 🍷 matelote d'anguilles aux herbes

⊶ DOM. SAINT-ANTOINE DES ÉCHARDS, 21, rue de Santenay, 21340 Change, tél. 03 85 91 10 40, domaine@st-antoine.fr V 🍷 *r.-v.* ⊶ *Guérin*

DOM. SAINT-MARC 2014

■ | 2500 | ⓘ 🍾 | 8 à 11 €

Un domaine de 7 ha situé à la limite des Maranges, dans les Hautes-Côtes. Il a été créé en 1980 à partir de 40 ares de vignes par Jean-Claude Mitanchey, rejoint en 2011 par son fils Arnaud pour développer la vente en bouteilles.

Le bois se mêle au cassis et à la mûre pour former un nez délicat. Si l'attaque est souple et tendre, la bouche, traversée de bout en bout par une fine acidité, affiche ensuite plus de fermeté tannique et un boisé assez soutenu. Encore un peu de patience... ⧗ 2018-2021 🍷 bœuf bouguignon

⊶ DOM. SAINT-MARC, 1, rue de Nolay, 71150 Paris-L'Hôpital, tél. 03 85 91 13 14, domaine@saint-marc.fr V ♿ 🍷 *r.-v.* ⊶ *Mitanchey*

LADOIX

Superficie : 94 ha
Production : 4 065 hl (75 % rouge)

Porte de la Côte de Beaune, cette appellation mériterait d'être mieux connue. Elle porte le nom d'un des trois hameaux de la commune de Ladoix-Serrigny, les deux autres étant Serrigny, près de la ligne de chemin de fer, et Buisson. Ce dernier est situé

exactement à la frontière géographique des Côtes de Nuits et de Beaune, marquée par la combe de Magny. Au-delà commence la montagne de Corton, aux grandes pentes à intercalations marneuses, constituant avec toutes ses expositions, est, sud et ouest, l'une des plus belles unités viticoles de la Côte. Ces différentes situations contribuent à la variété des ladoix rouges, auxquels s'ajoute une production de vins blancs mieux adaptés aux sols marneux de l'argovien; c'est le cas des Gréchons, par exemple, *climat* situé sur les mêmes niveaux géologiques que les corton-charlemagne, plus au sud, et qui donnent des vins très typés. Autre particularité: bien que jouissant d'une classification favorable donnée par le Comité de viticulture de Beaune en 1860, Ladoix ne possédait pas de 1ers crus, omission qui a été réparée par l'INAO en 1978: La Micaude, La Corvée et Le Clou d'Orge, aux vins de même caractère que ceux de la Côte de Nuits, Les Mourottes (basses et hautes), de tempérament sauvage, Le Bois-Roussot, Sur la Lave, sont les principaux de ces 1ers crus.

Ⓑ DOM. D'ARDHUY 2014

	6000		15 à 20 €

Gabriel d'Ardhuy, fondateur du domaine en 1947, disparaît le premier jour des vendanges 2009. Ses sept filles prennent alors la relève, épaulées par l'œnologue Carel Voorhuis, aux commandes du chai depuis 2003. La propriété dispose de 42 ha de vignes dans les deux Côtes, certifiés en biodynamie depuis 2012.

Le domaine possède de nombreuses parcelles de vignes en ladoix. Ici, 1,8 ha de chardonnay à l'origine d'un vin associant au nez des notes délicates d'acacia et de beurre frais. On retrouve la fleur blanche dans une bouche équilibrée, d'une bonne richesse, tenue par une fraîcheur bien dosée, à la jolie finale alerte et acidulée. ⧗ 2017-2020 🍴 tourte au cîteaux ■ **2014 (15 à 20 €; 12000 b.)** Ⓑ : vin cité.

DOM. D' ARDHUY, Clos des Langres, 21700 Corgoloin, tél. 03 80 67 98 73, domaine@ardhuy.com V r.-v.

DOM. CACHAT-OCQUIDANT Les Madonnes Vieilles Vignes 2014 ★

■	6000		15 à 20 €

À la tête de 10 ha de vignes réparties tout autour de la montagne de Corton, Jean-Marc Cachat et son fils David figurent en bonne place dans le Guide, surtout pour leurs rouges, majoritaires dans leur carte des vins.

Dans ce lieu-dit, ont été découverts des bas-reliefs représentant des déesses-mères portant corne d'abondance et nouveaux-nés sur les genoux, les vestiges d'un culte agraire. Ces Madonnes version Cachat-Ocquidant sont une valeur sûre, que l'on retrouve souvent en bonne place dans ces pages. Ici, un 2014 fermé au premier nez, plus généreux à l'aération, sur le kirsch et un boisé fin. En bouche, il se montre vigoureux, dense, tannique, tendu par une belle fraîcheur en finale. De quoi «voir venir» pour les prochaines années. ⧗ 2018-2022 🍴 carré d'agneau

DOM. CACHAT-OCQUIDANT, 3, pl. du Souvenir, Cidex 1, 21550 Ladoix-Serrigny, tél. 03 80 26 45 30, domaine.cachat@wanadoo.fr V *r.-v.*

CHEVALIER PÈRE ET FILS 2014

	n.c.		15 à 20 €

Installé en 1994 sur ce domaine créé en 1850 par son arrière-grand-père Émile, Claude Chevalier exploite avec trois de ses filles – Chloé à la vigne et au chai, Julie au commercial et Anaïs à la comptabilité – un vignoble de 14 ha situé au pied et sur les pentes de la montagne de Corton. Une valeur sûre de la Côte de Beaune.

D'un élégant jaune clair lumineux, ce ladoix expressif dévoile un bouquet d'aubépine et de vanille. En bouche, ce sont les fruits jaunes qui dominent, imprégnant une matière charnue, souple et tendre. Un vin prêt à boire. ⧗ 2016-2019 🍴 gratin de fruits de mer

CHEVALIER PÈRE ET FILS, 2, Grande-Rue-de-Buisson, Cidex 18, 21550 Ladoix-Serrigny, tél. 03 80 26 46 30, contact@domaine-chevalier.fr V *r.-v.*

JULIEN CRUCHANDEAU Les Ranches 2014

■	2500		15 à 20 €

Le jeune Julien Cruchandeau, originaire de Chenôve, a longtemps eu deux vies: viticulteur donc, et musicien jusqu'en 2010, avant de se consacrer pleinement à son domaine créé en 2003: 5 ha répartis sur les trois Côtes (de Beaune, de Nuits et chalonnaise).

Les «ranches»? Des ronces en patois, qu'il a fallu faire disparaître au profit de plants aux fruits plus rémunérateurs. Julien Cruchandeau exploite une parcelle de 55 ares sur ce *climat* dont il a tiré un vin sombre, alliant au nez la prune et un bon boisé. Arômes prolongés par un palais souple et frais en attaque, plus vigoureux dans son développement, avec des tanins fermes et francs jugés typiques du millésime. À attendre donc. ⧗ 2019-2022 🍴 lapin aux pruneaux

JULIEN CRUCHANDEAU, 4, rue Robert, 21700 Chaux, tél. 03 80 62 16 50, contact@domaine-cruchandeau.com V *r.-v.*

DOM. MARATRAY-DUBREUIL En Naget Monopole 2014

■	5000		15 à 20 €

Domaine de Ladoix-Serrigny fondé en 1935 lorsque le père de Maurice Maratray préféra réinvestir ses gains dans l'achat de vignes plutôt que dans son entreprise de travaux publics. Maurice Maratray épousa la fille de Pierre Dubreuil, figure de Pernand. Aujourd'hui, l'exploitation couvre 18 ha; elle est dirigée depuis 1997 par François-Xavier Maratray et sa sœur Marie-Madeleine.

Fidèle au rendez-vous, le domaine signe une belle série de ladoix cette année encore. Certes son monopole familial n'atteint pas les sommets des Vieilles Vignes 2013, coup de cœur dans l'édition précédente, mais il a quelques atouts à faire valoir. C'est un vin au nez élégant et fruité, au palais souple, généreux, de bonne longueur, un brin plus tannique et sévère en finale, mais harmonieux. Encore un peu d'attente. ⧗ 2019-2022 🍴 canard laqué ■ **Vieilles Vignes 2014 (15 à 20 €; 6700 b.)** : vin cité. **1er cru Les Gréchons 2014 (20 à 30 €; 4000 b.)** : vin cité.

DOM. MARATRAY-DUBREUIL, 5, pl. du Souvenir, 21550 Ladoix-Serrigny, tél. 03 80 26 41 09, contact@domaine-maratray-dubreuil.com V *t.l.j. sf sam. dim. 8h30-12h 14h-17h30*

DOM. MARTIN-DUFOUR Les Chaillots 2014 ★

■	1400		11 à 15 €

La cinquième génération de vignerons de cette exploitation familiale est incarnée par Jean-Pierre et Pascale Martin, installés depuis 1990 à la tête d'un vignoble de 9,7 ha.

De loin le plus vaste des *climats* de Ladoix classés en *village* avec ses 8,11 ha. Les Martin y exploitent 45 ares de pinot noir qui ont donné ce vin ouvert à l'olfaction sur des parfums de fruits rouges charnus et nappés de vanille, frais, fruité, épicé et solidement charpenté en bouche. Paré pour une bonne garde. ⧗ 2019-2022 ¥ cannette aux cerises

DOM. MARTIN-DUFOUR, 4A, rue des Moutots, 21200 Chorey-lès-Beaune, tél. 06 15 79 98 85, domaine@martin-dufour.com V *r.-v.*

MESTRE PÈRE ET FILS Le Clous d'orge Élevé en fût de chêne 2014 ★

■	3300		20 à 30 €

Cinq générations de viticulteurs se sont succédés ici depuis 1887. Des Maranges à Ladoix en passant par Chassagne et Aloxe, les frères Mestre (Gilbert, Gérard et Michel) exploitent un vignoble de 18 ha.

Jadis les terres de ce lieu-dit n'étaient pas toutes dédiées à la culture de la vigne; les légumineuses et les céréales cohabitaient avec le pinot noir et le chardonnay. L'orge a désormais laissé sa place (et son nom) à 2,51 ha de vigne, dont 47 ares exploités par les Mestre. Dans le verre, un ladoix qui marie la jonquille aux notes boisées léguées par douze mois de fût. La bouche apparaît ample, tendre et délicate, soulignée par une pointe de fraîcheur bien ajustée. ⧗ 2017-2020 ¥ truite aux amandes

MESTRE PÈRE ET FILS, 12, pl. du Jet-d'Eau, 21590 Santenay, tél. 03 80 20 60 11, gilbert.mestre@wanadoo.fr V *t.l.j. sf dim. 10h-12h30 14h-18h*

DOM. MONIOT-NIE Le Clou d'orge 2013 ★

■ 1er cru	1900		20 à 30 €

En 2013, Romain Moniot, tout juste sorti de sa formation viticole, a rejoint ses parents Françoise et Laurent sur le domaine familial. Avec lui, la surface du vignoble est passée en peu de temps de 4 à 8,5 ha et les ventes en bouteilles ont nettement progressé. À suivre…

L'un des onze 1ers crus que compte l'appellation. Ce domaine en exploite 44 ares, ce qui «fait un bout» comme on dit en Bourgogne. Le jeune Romain Moniot en tire une jolie cuvée au nez puissant d'agrumes, de fruits jaunes mûrs et de fleurs blanches, au palais ample et vif en attaque, plus étoffé, gras et concentré dans son évolution, avant de terminer sur une note gourmande de brioche. Une belle entrée dans le Guide. ⧗ 2017-2021 ¥ escargots de Bourgogne

EARL BOURGOGNE MONIOT, 44, Grande-Rue, 21590 Santenay, tél. 03 80 20 60 52, bourgognemoniot@wanadoo.fr V *t.l.j. 8h-12h 13h30-19h* 3

DOM. NUDANT Les Buis 2014 ★

■ 1er cru	3973		20 à 30 €

Un Guillaume Nudant d'Aloxe-Corton était déjà vigneron en 1453. Son descendant, Guillaume également, a rejoint en 2003 son père Jean-René sur le domaine familial de 16 ha, planté pour l'essentiel autour de la montagne de Corton.

On trouve des buis autour des 5,45 ha de ce 1er cru. Les Nudant y cultivent 99 ares de pinot noir à l'origine d'un vin ouvert après agitation sur des parfums gourmands de burlat et de boisé fin. La maturité des fruits rouges et le velouté des tanins lui confèrent un toucher de bouche soyeux, malgré une finale plus austère. Un ladoix très équilibré, qui vieillira bien. ⧗ 2019-2023 ¥ tournedos Richelieu

DOM. NUDANT, 11, rte de Dijon, 21550 Ladoix-Serrigny, tél. 03 80 26 40 48, domaine.nudant@wanadoo.fr V *t.l.j. sf dim. 8h30-12h 13h30-17h30; sam. sur r.-v.* E

DOM. PETITOT Vielles Vignes 2014

■	4200		11 à 15 €

Installés à Corgoloin dans un corps de ferme du XIVe s., les époux Petitot ont repris en 2002 le domaine familial développé à la fin des années 1970 par Jean Petitot. Nathalie, l'œnologue, veille au vin, tandis que son époux Hervé veille «aux grains» (8,6 ha de vignes).

Au nez, des notes de fruits rouges frais sur un fond boisé discret. En bouche, du fruit toujours, une attaque alerte et acidulée, des tanins fins et un bon volume. ⧗ 2018-2021 ¥ pavé de bœuf sauce poivre

DOM. PETITOT, 26, pl. de la Mairie, 21700 Corgoloin, tél. 03 80 62 98 21, domaine.petitot@wanadoo.fr V *r.-v.*

ALOXE-CORTON

Superficie : 118 ha
Production : 4 380 hl (98 % rouge)

Encerclé par les vignes, Aloxe-Corton est l'un des trois villages établis au pied de la Montagne de Corton, à l'extrémité nord de la Côte de Beaune. Les terroirs les plus réputés sont situés sur la pente, en grand cru (corton et corton-charlemagne) et en 1er cru, sur des terrains marneux et calcaires. Parmi ces derniers, Les Maréchaudes, Les Valozières, Les Lolières (Grandes et Petites) sont les plus connus. Plusieurs châteaux aux tuiles vernissées méritent le coup d'œil.

DOM. ARNOUX PÈRE ET FILS Les Chaillots 2014

■	5000		20 à 30 €

Créée en 1950, cette exploitation familiale, installée à Chorey-lès-Beaune, est dirigée depuis 2008 par Pascal Arnoux, troisième du nom à la tête du domaine. Au menu, une large gamme de vins de la Côte de Beaune (dix-huit appellations sur plus de 20 ha), souvent en vue dans ces pages.

Les cailloux sont la signature de ce terroir en pente très douce, situé au piémont de la colline de Corton, dont une partie est classée en 1er cru. Ici, la version *village*: un vin assez réservé au premier nez, qui s'ouvre sur des senteurs d'épices et de grillé à l'aération, rond en attaque, puis plus tannique et austère, vivifié par une jolie touche saline en finale. ⧗ 2019-2024 ¥ pavé de biche aux airelles

ARNOUX PÈRE ET FILS, 5, rue de Ley, 21200 Chorey-lès-Beaune, tél. 03 80 22 57 98, contact@arnoux.pereetfils.com V *r.-v.*

LUDOVIC BELIN
Vieilles Vignes 2013

■	2000	◍	30 à 50 €

Issu d'une famille vigneronne, Ludovic Belin, après avoir vinifié en Oregon et en Afrique du Sud, a créé son domaine en 1999 à partir de 25 ares de vignes maternelles (Dom. Bellet-Rapet). Le vignoble couvre aujourd'hui 6 ha à Pernand, Chorey, Aloxe et Savigny, complété depuis 2004 par une activité de négoce.

Une cuvée issue du négoce mais sans aucune intervention extérieure, de la vendange à l'élevage. Un élevage de dix-huit mois, qui confère un boisé discret à ce vin floral et fruité au nez, d'un bon volume, ferme et frais en bouche. La garde est recommandée pour un meilleur fondu. ⧗ 2019-2022 🍴 pigeon en cocotte

⊶ DOM. LUDOVIC BELIN, 5, rue les Combottes, 21420 Pernand-Vergelesses, tél. 06 86 41 34 30, belin.ludovic@orange.fr V r.-v. 5

DOM. CACHAT-OCQUIDANT 2014

■ 1er cru	2500	◍	20 à 30 €

À la tête de 10 ha de vignes réparties tout autour de la montagne de Corton, Jean-Marc Cachat et son fils David figurent en bonne place dans le Guide, surtout pour leurs rouges, majoritaires dans leur carte des vins.

Pas de nom de *climat* revendiqué pour ce 1er cru au nez intense et profond de fruits rouges et noirs. Une intensité fruitée que l'on retrouve dans une bouche dense, solide, de bonne longueur, bâtie sur des tanins de qualité qui doivent encore s'affiner. ⧗ 2019-2023 🍴 magret de canard aux cerises

⊶ DOM. CACHAT-OCQUIDANT, 3, pl. du Souvenir, Cidex 1, 21550 Ladoix-Serrigny, tél. 03 80 26 45 30, domaine.cachat@wanadoo.fr V *r.-v.*

Ⓑ **DOM. CHAPELLE ET FILS**
Les Petites Lolières 2013

■ 1er cru	1050	◍	30 à 50 €

Jean-François Chapelle conduit depuis 1991 le vignoble familial (17,75 ha en bio certifié) situé à l'extrémité sud de la Côte de Beaune. Il détient aussi des parcelles à l'autre bout de la Côte, autour de la montagne de Corton. En 2004, il a adjoint au domaine une partie négoce.

Après quatorze mois passés en fût, ce 1er cru dévoile un boisé élégant qui accompagne les arômes de fruits noirs sans les étouffer. Élégants aussi sont les tanins, qui soutiennent un palais étoffé, vigoureux, encore assez austère mais prometteur. Garde indispensable. ⧗ 2020-2026 🍴 paleron de bœuf braisé

⊶ SARL JEAN-FRANÇOIS CHAPELLE, Le Haut-Village, 2, rue des Petits Sentiers, 21590 Santenay, tél. 03 80 20 60 09, contact@domainechapelle.com V *t.l.j. sf dim. 9h-12h 14h-17h; f. août*

DOM. CHEVALIER PÈRE ET FILS 2013 ★

■	n.c.	◍	20 à 30 €

Installé en 1994 sur ce domaine créé en 1850 par son arrière-grand-père Émile, Claude Chevalier exploite avec trois de ses filles – Chloé à la vigne et au chai, Julie au commercial et Anaïs à la comptabilité – un vignoble de 14 ha situé au pied et sur les pentes de la montagne de Corton. Une valeur sûre de la Côte de Beaune.

Au nez, les fruits noirs confiturés sont accompagnés d'un boisé léger aux tonalités fumées et d'une petite note de cuir. La bouche, plus expressive encore, offre un beau volume autour de tanins fermes et encore assez stricts en finale. Bâti pour une bonne garde. ⧗ 2020-2026 🍴 coq au vin

⊶ CHEVALIER PÈRE ET FILS, 2, Grande-Rue-de-Buisson, Cidex 18, 21550 Ladoix-Serrigny, tél. 03 80 26 46 30, contact@domaine-chevalier.fr V *r.-v.*

EDMOND CORNU ET FILS
Vieilles Vignes 2013 ★

■	9000	◍	20 à 30 €

Edmond Cornu, à la retraite, a laissé en 1985 la conduite des 16 ha du domaine familial à son fils Pierre, épaulé par son épouse Édith et son cousin Emmanuel. Installée à Ladoix, la famille Cornu exploite ses vignes jusqu'à Meursault pour former une large palette d'AOC 100 % Côte de Beaune.

Des vignes de soixante ans sont à l'origine de cet aloxe bien sous tous les rapports. Robe profonde et engageante, nez gourmand de fruits mûrs mâtinés du toasté de la barrique, bouche ample, dense et fraîche, aux tanins élégants et soyeux. ⧗ 2018-2022 🍴 rôti de bœuf

⊶ EDMOND CORNU ET FILS, Le Meix-Gobillon, 6, rue du Bief, 21550 Ladoix-Serrigny, tél. 03 80 26 40 79, domaine.cornuetfils@orange.fr V *r.-v.*

FRANÇOIS GAY ET FILS 2013 ★

■	3070	◍	15 à 20 €

Établies dans la plaine de Chorey, sept générations de vignerons ont porté ce nom depuis 1880. Pascal Gay, fils de François, est aux commandes depuis 1998.

Une belle réussite dans ce millésime délicat que cet aloxe très équilibré. Le nez, fin et discret, évoque la groseille sur un léger fond boisé. Le palais se montre franc, ample et frais, porté par des tanins fermes qui autorisent la garde sans crainte. ⧗ 2019-2022 🍴 bœuf en daube

⊶ EARL FRANÇOIS GAY ET FILS, 9, rue des Fiètres, 21200 Chorey-lès-Beaune, tél. 03 80 22 69 58, dom.gay.francois.fils@orange.fr V *r.-v.*

MICHEL GAY ET FILS 2013 ★

■	6000	◍	20 à 30 €

Les Gay sont plusieurs à Chorey. Ici, c'est le domaine des fils de Michel: Sébastien, installé en 2000, et Laurent, l'œnologue, qui l'a rejoint en 2010. Incarnant la quatrième génération, ils disposent de 15 ha à Chorey et dans les communes voisines.

Les sols bruns et rougeâtres de la colline de Corton sont favorables au pinot noir, témoin cet aloxe bien né, ouvert sur des parfums élégants de cassis, de noisette et de sous-bois. Une attaque charnue introduit un palais ample, dense, bien équilibré entre des tanins fins et une acidité fondue qui apporte de la longueur et du tonus. ⧗ 2018-2022 🍴 canard laqué

⊶ DOM. MICHEL GAY ET FILS, 1B, rue des Brenots, 21200 Chorey-lès-Beaune, tél. 03 80 22 22 73, michelgayetfils@orange.fr V *r.-v.*

BOURGOGNE

DOM. ROBERT GIBOURG Les Valozières 2013

■ | 1200 | | 20 à 30 €

Sébastien Bidault, gendre de Robert Gibourg, est aux commandes depuis 1999 de ce domaine créé en 1965, qui s'étend sur 5,5 ha répartis équitablement entre Côte de Nuits et Côte de Beaune, entre Gevrey-Chambertin et Chorey-lès-Beaune.

Ce *climat*, l'un des plus vastes de l'appellation, existe aussi en 1er cru, calé sous le corton Bressandes. Ici, la version *village*: un vin plaisant qui distille des notes discrètes de fruits rouges et noirs associés à un boisé léger, frais et d'un bon volume en bouche, sans être un monstre de concentration, avec en soutien des tanins serrés qui doivent encore se fondre. 2018-2022 entrecôte marchand de vin

ROBERT GIBOURG, 3, RN 74, 21220 Morey-Saint-Denis, tél. 03 80 34 38 32, rgibourg@club-internet.fr r.-v.

CHRISTIAN GROS Les Valozières 2014 ★

■ | 1175 | | 20 à 30 €

Ce producteur est installé depuis 1975 à l'extrémité sud de la Côte de Nuits, à la tête d'un vignoble de 13 ha. Mais il propose surtout des vins du nord de la Côte de Beaune, autour de la montagne de Corton.

Sur ce *climat* creux et humide, poussaient jadis des saules dont les rameaux servaient à attacher la vigne et tresser des paniers d'osier, d'où son nom. Dans le verre, un vin très agréable par ses arômes de violette et de fruits rouges mûrs, qui persistent dans un palais ample, généreux, aux tanins fins et fermes. 2019-2023 carré d'agneau

CHRISTIAN GROS, 5, rue de la Chaume, 21700 Premeaux-Prissey, tél. 03 80 61 29 74, christian.gros10@wanadoo.fr r.-v.

DOM. MINIOT-NIE Les Moutottes 2013 ★

■ 1er cru | 900 | | 20 à 30 €

En 2013, Romain Moniot, tout juste sorti de sa formation viticole, a rejoint ses parents Françoise et Laurent sur le domaine familial. Avec lui, la surface du vignoble est passée en peu de temps de 4 à 8,5 ha et les ventes en bouteilles ont nettement progressé. À suivre…

Ce climat situé à Ladoix, le plus petit de l'appellation, est classé pour moitié en grand cru corton, pour moitié en 1er cru. Romain Moniot y a vendangé une parcelle de 22 ares d'où il a tiré ce vin généreusement bouqueté autour des fruits rouges compotés et d'un boisé fin. Souple en attaque, la bouche offre du volume et de la fraîcheur, épaulée par des tanins fins et soyeux qui arrondissent la finale. Du relief et de l'élégance. 2018-2023 veau braisé aux herbes

EARL BOURGOGNE MONIOT, 44, Grande-Rue, 21590 Santenay, tél. 03 80 20 60 52, bourgognemoniot@wanadoo.fr t.l.j. 8h-12h 13h30-19h

DOM. NUDANT Clos de la Boulotte Monopole 2014

■ | 5292 | | 20 à 30 €

Un Guillaume Nudant d'Aloxe-Corton était déjà vigneron en 1453. Son descendant, Guillaume également, a rejoint en 2003 son père Jean-René sur le domaine familial de 16 ha, planté pour l'essentiel autour de la montagne de Corton.

Une cuvée souvent distinguée dans ces pages, née d'un monopole de 1,12 ha où poussaient jadis des bouleaux, et qui porte aujourd'hui une vigne de soixante ans. Au nez, des parfums puissants de fruits noirs et d'épices. En bouche, de l'équilibre, de la fraîcheur et des tanins en place pour un bon vieillissement. 2019-2022 joues de bœuf

DOM. NUDANT, 11, rte de Dijon, 21550 Ladoix-Serrigny, tél. 03 80 26 40 48, domaine.nudant@wanadoo.fr t.l.j. sf dim. 8h30-12h 13h30-17h30; sam. sur r.-v.

LA MAISON PAULANDS Les Paulands 2014 ★

■ | n.c. | | 30 à 50 €

Cette maison de négoce-éleveur fondée en 1898 et située au bord de la route des Grands Crus est aussi propriétaire d'un hôtel trois étoiles et d'un restaurant gastronomique bien connu. Entré comme jeune sommelier dans l'établissement, Christophe Fasquel a repris l'affaire en 1995.

Classé pour partie en *village*, pour partie en 1er cru, ce *climat* part à l'assaut de la colline de Corton. Il donne aussi son nom à cette maison de négoce qui en propose une version très plaisante ici. Un vin expressif, centré sur les fruits rouges frais mâtinés d'une touche boisée, ample, suave, dense, concentré en bouche, soutenu par des tanins fermes mais sans dureté et par une belle finale saline. De bonne garde assurément. 2019-2026 osso buco

LES PAULANDS, D 974, 21420 Aloxe-Corton, tél. 03 80 26 41 05, contact@lespaulands.fr t.l.j. 8h-12h 14h-18h C. Fasquel

DOM. PETITOT La Coutière 2014

■ 1er cru | 1390 | | 20 à 30 €

Installés à Corgoloin dans un corps de ferme du XIV[e]s., les époux Petitot ont repris en 2002 le domaine familial développé à la fin des années 1970 par Jean Petitot. Nathalie, l'œnologue, veille au vin, tandis que son époux Hervé veille «aux grains» (8,6 ha de vignes).

Un *climat* du nord de l'appellation, calé entre le grand cru corton et le village de Ladoix. Dans le verre, un 1er cru plaisant, de bonne intensité, sur les fruits rouges et noirs, souple, rond et soyeux en bouche, étayé par des tanins ronds et fondus. Une bouteille que l'on pourra apprécier sans trop attendre. 2017-2020 poulet rôti

DOM. PETITOT, 26, pl. de la Mairie, 21700 Corgoloin, tél. 03 80 62 98 21, domaine.petitot@wanadoo.fr r.-v.

DOM. PRIN 2013 ★

■ | 2783 | | 20 à 30 €

Implanté à Ladoix-Serrigny, ce domaine de 6 ha est conduit par Jean-Luc Boudrot depuis 1994. Régulièrement en vue pour ses ladoix, aloxe, corton et savigny.

Des pinots noirs de cinquante ans ont donné naissance à ce *village* très en verve, ouvert sans réserve sur les fruits rouges bien mariés au boisé. Une attaque douce prélude à une bouche tout en finesse et en élégance, portée par des tanins ronds. 2018-2022 boudin noir

DOM. PRIN, 2, rue Saint-Marcel, Cidex 44, 21550 Ladoix-Serrigny, tél. 03 80 26 45 83, domaineprin@yahoo.fr r.-v.

DOM. RAPET PÈRE ET FILS Les Combes 2013

■ | 1860 | ⓘ | 20 à 30 €

Ce domaine ancien (1765) et incontournable de Pernand-Vergelesses est conduit par Vincent Rapet depuis 1985. S'il se passionne pour sa commune natale, ce dernier travaille les appellations voisines avec le même soin, sur un vignoble de 20 ha.

Ce lieu-dit de 6,6 ha s'étend sous la route, le long de la combe marquant la limite avec Pernand. Vincent Rapet y cultive 40 ares de pinot noir à l'origine de ce 2013 fruité, boisé avec mesure, ample, rond et tendre en attaque, avant un développement plus tannique qui impose la garde. ⧗ 2019-2023 🍷 caille aux raisins

⊶ DOM. RAPET PÈRE ET FILS, 2, pl. de la Mairie, 21420 Pernand-Vergelesses, tél. 03 80 21 59 94, vincent@domaine-rapet.com V ■ *r.-v.*

DOM. GEORGES ROY ET FILS Les Cras 2014

■ | 2800 | ⓘ ⫿ | 15 à 20 €

Vincent Roy, le vinificateur, et sa sœur Claire, arrivée en 2012, conduisent un domaine familial de 9 ha, établi dans la plaine de Chorey-lès-Beaune, en vue notamment pour ses chorey et ses aloxe-corton.

La route des vins longe ce *climat* triangulaire de 8,35 ha, au sol calcaire varié. En face, c'est le village de Chorey. Les Roy y cultivent 50 ares de pinot qui ont donné cette cuvée ouverte sur la griotte et le menthol, fraîche et tonique en bouche. À boire ou à attendre un peu pour dissiper la pointe d'austérité en finale. ⧗ 2016-2020 🍷 tourte à la viande

⊶ DOM. GEORGES ROY ET FILS, 20, rue des Moutots, 21200 Chorey-lès-Beaune, tél. 03 80 22 16 28, domaine.roy-fils@wanadoo.fr V ■ ■ *r.-v.*

PERNAND-VERGELESSES

Superficie : 135 ha
Production : 5 640 hl (52 % rouge)

Situé à la jonction de deux vallées, exposé plein sud, le village de Pernand est sans doute le plus «vigneron» de la Côte. Rues étroites, caves profondes, vignes de coteaux, hommes de grand cœur et vins subtils lui ont fait une solide réputation, à laquelle de vieilles familles bourguignonnes ont largement contribué. Il possède le bois de Corton, ainsi qu'une partie des terroirs en grand cru de la célèbre «montagne». Parmi les 1ers crus, le plus réputé est l'Île des Vergelesses, qui donne des vins tout en finesse.

DOM. LUDOVIC BELIN Les Fichots Très vieilles vignes 2013 ★★

■ 1er cru | 3000 | 20 à 30 €

Issu d'une famille vigneronne, Ludovic Belin, après avoir vinifié en Oregon et en Afrique du Sud, a créé son domaine en 1999 à partir de 25 ares de vignes maternelles (Dom. Bellet-Rapet). Le vignoble couvre aujourd'hui 6 ha à Pernand, Chorey, Aloxe et Savigny, complété depuis 2004 par une activité de négoce.

Ce climat de 11,22 ha a pris le nom de son ancien propriétaire, un nom répandu en Côte-d'Or et en Saône-et-Loire. Ludovic Belin y cultive une vénérable vigne de quatre-vingts ans à l'origine d'un vin complexe et racé, ouvert sur les fruits rouges écrasés, le poivre et le sous-bois. Le palais est soyeux, ample et rond, construit avec élégance autour d'un boisé léger et de tanins fins. Beaucoup d'harmonie et de classe pour ce pernand bâti pour durer. ⧗ 2018-2025 🍷 souris d'agneau aux herbes

⊶ DOM. LUDOVIC BELIN, 5, rue les Combottes, 21420 Pernand-Vergelesses, tél. 06 86 41 34 30, belin.ludovic@orange.fr V ■ ■ *r.-v.* 🏠 ⑤

JONATHAN BONVALOT Sous-Frétille 2014

□ 1er cru | 3000 | ⓘ | 15 à 20 €

En 2011, le jeune Jonathan Bonvalot a repris la petite vigne plantée «pour le plaisir» par son père Daniel en 1976 : 1 ha à l'origine, 3,5 ha aujourd'hui, sur six appellations.

Ce 1er cru s'étage autour de 350 m d'altitude, là où les sols de marnes jaunes et brunâtres sont dévolus au chardonnay. Jonathan Bonvalot y exploite une petite parcelle de 43 ares d'où il a tiré ce vin ouvert sur les fleurs blanches (acacia) et le zeste d'orange, pas très long en bouche mais bien équilibré entre une rondeur suave et une fraîcheur minérale. ⧗ 2016-2020 🍷 saumon grillé

⊶ JONATHAN BONVALOT, 35, rue de Bully, 21420 Pernand-Vergelesses, tél. 06 23 80 09 41, domainebonvalot@gmail.com V ■ ■ *r.-v.*

MARC BROCOT Les Vergelesses 2014

■ 1er cru | 730 | ⓘ | 15 à 20 €

En 1985, Marc Brocot a repris l'exploitation familiale qu'il a agrandie, portant sa superficie à 9,25 ha aujourd'hui. Les vignes sont situées en Côte de Nuits, et aussi sur le nord de la Côte de Beaune (Aloxe-Corton, Pernand-Vergelesses).

Le nom de ce *climat* associe «Vergy» – Pernand est situé sur la route qui mène à Vergy – et «lesse», dérivé de l'ancien français «lasus» («là-haut»). Marc Brocot exploite une microparcelle de 14 ares de ce 1er cru, à l'origine d'une cuvée très confidentielle. Le nez, discret, s'ouvre à l'aération sur des parfums de bergamote et de grillé. Une attaque fraîche, nette et fruitée (cerise) introduit un palais ample, vif et carré, solidement bâti sur des tanins très vigoureux qui appellent la garde. ⧗ 2019-2026 🍷 canette aux cerises

⊶ MARC BROCOT, 34, rue du Carré, 21160 Marsannay-la-Côte, tél. 03 80 52 19 99, brocot.viticulteur@orange.fr V ■ *r.-v.*

♥ DOM. DENIS PÈRE ET FILS 2014 ★★

□ | 9000 | ⓘ | 15 à 20 €

En 1940, Raoul Denis, vigneron des Hospices de Beaune comme l'étaient son père et son grand-père, reprend le vignoble familial (13 ha aujourd'hui). Christophe tient le flambeau depuis 1992.

Valeur sûre et régulière de l'appellation, ce domaine signe avec cette cuvée née d'1,80 ha de vigne un pernand d'un grand équilibre. La robe est lumineuse ; le nez complexe lie l'amande, la noisette, les fleurs blanches et le pain grillé. Une attaque nette et fraîche ouvre sur une bouche suave, ronde et tendre, soulignée par une fine acidité aux accents du terroir et prolongée par une belle finale douce-amère. 2017-2021 risotto girolles et asperges **1er cru Sous-Frétille 2014 ★ (20 à 30 €; 3500 b.)** : un blanc apprécié pour son nez délicat de fleurs blanches, de pain d'épice et de miel et pour son palais tout aussi expressif, rond et élégant. 2017-2022 **1er cru Île des Vergelesses 2013 (20 à 30 €; 1500 b.)** : vin cité.

DOM. DENIS PÈRE ET FILS, 4, chem. des Vignes-Blanches, 21420 Pernand-Vergelesses, tél. 03 80 21 50 91, denis.pere-et-fils@wanadoo.fr r.-v.

DOUDET-NAUDIN Les Fichots 2013 ★

1er cru	2401		20 à 30 €

Fondée en 1849 par Albert Brenot et acquise par la famille Doudet en 1933, la maison Doudet-Naudin est un négoce de Savigny-lès-Beaune qui propose des cuvées issues de terroirs restreints. Unique propriétaire depuis 2014, Christophe Rochet est épaulé par Isabelle Doudet à la direction technique et par François Lay comme maître de chai. La maison Doudet possède aussi son propre domaine: 13 ha entre Beaune et Pernand, conduits en lutte raisonnée avec des expérimentations en bio.

Avec 1,10 ha de vignes, ce domaine possède 10 % de ce 1er cru de début de coteau. Son 2013 nécessite un peu d'aération pour libérer ses arômes de fruits noirs, de griotte, de café et d'épices. Souple en attaque, le palais monte en puissance, porté par un boisé soutenu mais élégant et des tanins fermes, encore assez stricts en finale, que le temps assouplira. 2018-2024 carré d'agneau

DOUDET-NAUDIN, 3, rue Henri-Cyrot, 21420 Savigny-lès-Beaune, tél. 03 80 21 51 74, contact@doudetnaudin.com r.-v.

DUBREUIL-FONTAINE 2014 ★

	10000		11 à 15 €

La famille Dubreuil est installée à Pernand-Vergelesses depuis 1879. Incarnant la cinquième génération, Christine Dubreuil, œnologue, a pris la tête du domaine en 1991 (20 ha sur plus d'une dizaine d'AOC).

Les pinots noirs de Pernand bénéficient dans les bas de coteau d'un terrain argilo-calcaire mêlé de chaillots, résidus siliceux de calcaires à silex, idéal pour leur épanouissement. Témoin ce vin au nez fruité mariant framboise et groseille, franc en attaque, doté de tanins solides et d'un boisé bien dosé; la promesse d'une bonne conservation. 2019-2024 lapin sauce gibelotte **1er cru P. Dubreuil-Fontaine Île des Vergelesses 2014 ★ (20 à 30 €; 3500 b.)** : un nez plutôt réservé, mais un palais plus prolixe et persistant, sur les fruits croquants et le bois, bâti sur des tanins fermes. Du potentiel. 2019-2026 **1er cru P. Dubreuil-Fontaine Clos Berthet 2014 (20 à 30 €; 6000 b.)** : vin cité.

DOM. P. DUBREUIL-FONTAINE, 18, rue Rameau-Lamarosse, 21420 Pernand-Vergelesses, tél. 03 80 21 55 43, domaine@dubreuil-fontaine.com r.-v.

EUGÈNE ELLIA Creux de la Net 2014 ★

1er cru	1250		30 à 50 €

Spécialisée en appellations «rouges», cette jeune maison de négoce fondée en 2011 est établie dans le «vieux» Nuits-Saint-Georges. Elle possède deux vignes en propriété en nuits et en vosne-romanée. C'est Géraldine Barioz, une jeune œnologue, qui assure les vinifications.

Un nom obscur pour ce *climat*: «net» serait un dérivé du mot gaulois «ana», qui désigne un terrain marécageux. Sur ce terrain creux et pentu de 3,80 ha, la maison Ellia a récolté le fruit de 35 ares de pinot noir et signe un vin au nez harmonieux de fruits frais et de torréfaction, boisé (cacao, café), riche et puissant en bouche, bâti sur des tanins fermes qui appellent la cave. 2019-2026 rosbif

MAISON EUGÈNE ELLIA, 3, quai Fleury, 21700 Nuits-Saint-Georges, tél. 03 80 23 98 75, geraldine@eugeneellia.com r.-v.

FRANÇOIS GAY ET FILS 2014

	1710		15 à 20 €

Établies dans la plaine de Chorey, sept générations de vignerons ont porté ce nom depuis 1880. Pascal Gay, fils de François, est aux commandes depuis 1998.

Une jeune vigne de neuf ans et dix mois de barrique pour ce pernand ouvert sur les agrumes, les fruits exotiques, la brioche et le grillé du merrain. Le palais se montre souple, vif, droit, minéral et salin. 2017-2021 gambas à la plancha

EARL FRANÇOIS GAY ET FILS, 9, rue des Fiètres, 21200 Chorey-lès-Beaune, tél. 03 80 22 69 58, dom.gay.francois.fils@orange.fr r.-v.

JEAN-JACQUES GIRARD Sous Frétille 2014

1er cru	1500		20 à 30 €

D'Aloxe-Corton, au nord, à Volnay, au sud, ce domaine compte 17 ha. Chez les Girard, on vendange depuis 1529. La jeune génération est incarnée par Vincent, qui vinifie désormais avec son père.

Les Girard exploitent 26 ares sur les 10,31 ha que compte ce 1er cru, sans doute le plus connu en blanc. Ils en ont tiré un vin expressif, sur le beurre, le chèvrefeuille, les fruits blancs et la vanille. La bouche est ronde, suave et généreuse, réveillée par la vivacité du citron et par une pointe saline en finale. 2017-2021 daurade au citron

DOM. JEAN-JACQUES GIRARD, 16, rue de Cîteaux, 21420 Savigny-lès-Beaune, tél. 03 80 21 56 15, contact@domaine-girard.com r.-v.

DOM. FRANÇOISE JEANNIARD Vieilles Vignes 2014 ★★

	2000		15 à 20 €

Françoise Arpaillanges incarne la quatrième génération à la tête de ce vignoble familial de poche (2,6 ha) qu'elle conduit depuis 2002, sans désherbants, avec beaucoup de labours, dans une approche biodynamique.

Une petite parcelle de 36 ares plantée par l'arrière-grand-père il y a soixante-huit ans a donné naissance à ce vin intensément fruité au nez comme au palais, très frais (notes mentholées), bien charpenté par des tanins fins et d'une longueur remarquable. À encaver sans crainte, le potentiel est là. 2019-2024 filet de bœuf en croûte

DOM. FRANÇOISE JEANNIARD, 9, ruelle Curtil-des-Chambres, 21420 Pernand-Vergelesses, tél. 06 84 22 79 12, francoise.arpaillanges@wanadoo.fr V r.-v.

♥ DOM. JOANNET 2014 ★★

■ | 7000 | | 11 à 15 €

Les Joannet, Michel le père et Fabien le fils, sont installés en plein cœur des Hautes-Côtes de Nuits. Ils exploitent 16 ha de vignes répartis en un vaste éventail allant de Pernand-Vergelesses à Vosne-Romanée, dont près de la moitié est dédiée aux hautes-côtes.

Quand quantité – 7 000 cols ce n'est pas rien dans la Bourgogne viticole – rime avec qualité. Issu d'une parcelle de 1,17 ha plantée de ceps de quarante ans, ce pernand s'impose d'emblée par son nez engageant de fruits rouges confits, d'épices et de tabac frais. Une attaque souple cède la place à un palais gras, étoffé et vigoureux, solidement arrimé à des tanins très fermes mais aussi très fins. Bâti pour une longue garde. ⧗ 2019-2026 ⫯ chevreuil sauce grand veneur

DOM. MICHEL JOANNET, 76, Grande-Rue, 21700 Marey-lès-Fussey, tél. 03 80 62 90 58, domaine-michel.joannet@wanadoo.fr V r.-v.

DOM. LALEURE-PIOT En Caradeux 2014 ★★

1er cru | 4500 | | 15 à 20 €

Un domaine de 9,8 ha repris en 2010 par la maison beaunoise Champy. Dimitri Bazas, l'œnologue attitré depuis 1999, a engagé la conversion bio du domaine, souvent en vue notamment pour ses pernand-vergelesses, dans les deux couleurs.

L'ancienne voie romaine qui relie Beaune à Vergy et qui longe ce 1er cru était empruntée par des chars à bœufs devenus au fil des siècles «Caradeux». Le coup de cœur fut mis aux voix pour cette cuvée à la robe or qui «chardonne» avec force entre chèvrefeuille et agrumes. Passé une attaque ronde se déploie en bouche une belle saveur citronnée qui persiste et apporte beaucoup de fraîcheur et de dynamisme. Du potentiel et de l'énergie. ⧗ 2018-2024 ⫯ tajine de poisson aux agrumes **2014 ★ (11 à 15 €; 9000 b.)** : un nez expressif entre agrumes, fruits exotiques, fleurs blanches et notes briochées précède une bouche ample, onctueuse et généreuse sans jamais céder à la lourdeur grâce à une fine acidité. ⧗ 2018-2022

DOM. LALEURE PIOT, 3, rue du Grenier-à-Sel, 21200 Beaune, tél. 03 80 25 09 99 V r.-v.
Champy

PIERRE MAREY ET FILS Les Belles Filles 2014 ★

■ | 8800 | | 15 à 20 €

Situé au cœur de Pernand-Vergelesses, ce domaine s'étend sur 11 ha au nord de la Côte de Beaune. Il a créé une activité de négoce sous le nom d'Éric Marey.

Selon la légende locale, des jeunes femmes venues d'un couvent près de Changey, au-dessus de Pernand, auraient conduit les habitants à nommer ce lieu ainsi, plus exactement Sous le Bois de Noël et Belles Filles. Le domaine ne conserve que la dernière partie du nom sur ses étiquettes, et l'on comprend aisément pourquoi... Dans le verre, un vin expressif, qui libère des parfums de cassis et de framboise écrasée. Délicat en attaque, le palais se montre à la fois ample, structuré et sapide, stimulé par une fine amertume et par une finale épicée. ⧗ 2018-2022 ⫯ épaule d'agneau

EARL PIERRE MAREY ET FILS, 5 et 6, rue Jacques-Copeau, 21420 Pernand-Vergelesses, tél. 03 80 21 51 71, domaine.pierremareyfils@orange.fr V r.-v.

Ⓑ DOM. PAVELOT 2014

| 3930 | | 15 à 20 €

Un domaine de près de 9 ha implanté au pied d'une des pentes de la montagne de Corton, transmis de père en fils depuis le XIXe s. et conduit depuis 2002 par Luc Pavelot et sa sœur Lise.

Au nez, des parfums bien mariés de bergamote, de citron et de boisé. La bouche est consistante et ronde, soulignée jusqu'en finale par une pointe de minéralité. ⧗ 2018-2020 ⫯ tian de légumes au chèvre ■ **2014 (11 à 15 €; 8300 b.)** Ⓑ : vin cité.

EARL DOM. PAVELOT, Luc et Lise Pavelot, 6, rue du Paulant, 21420 Pernand-Vergelesses, tél. 03 80 26 13 65, domaine.pavelot@orange.fr V r.-v.

♥ DOM. ROLLIN PÈRE ET FILS Les Cloux 2014 ★★

| 7000 | | 20 à 30 €

Longtemps modestes vignerons au service d'autres exploitations, les Rollin (aujourd'hui Rémi et Simon) se sont mis peu à peu à leur compte; ils exploitent depuis 1932 et quatre générations un domaine de 12 ha à Pernand-Vergelesses, appellation dans laquelle leurs vins brillent régulièrement, dans les deux couleurs.

«LE» domaine de Pernand de ces dernières années: 2012, 2013, 2014, 2015, autant d'éditions qui ont vu le domaine décrocher un coup de cœur dans l'appellation, en rouge et en blanc. En voici un de plus avec ce vin issu d'un *climat* idéalement exposé au sud/sud-est, bien à l'abri dans une combe. Le nez déploie d'intenses et délicats arômes de fleurs blanches. La bouche apparaît ample, puissante, corsée (touches poivrées) et longue, épaulée par une fraîcheur subtile qui renforce son équilibre. ⧗ 2018-2020 ⫯ sandre au beurre blanc **2014 ★ (15 à 20 €; 12000 b.)** : une cuvée communale importante par la quantité et très intéressante aussi par sa qualité. Un vin expressif (fleurs blanches, agrumes, notes iodées), ample, riche, frais, boisé avec justesse et persistant. ⧗ 2018-2022 ■ **2013 (11 à 15 €; 7000 b.)** : vin cité. ■ **1er cru Île des Vergelesses 2013 (20 à 30 €; 1400 b.)** : vin cité.

ROLLIN PÈRE ET FILS, 49, rte des Vergelesses, 21420 Pernand-Vergelesses, tél. 03 80 21 57 31, contact@domaine-rollin.com V r.-v.

ROSSIGNOL-CORNU ET FILS 2014

	1460		11 à 15 €

Les Rossignol sont nombreux à Volnay. Ici, un domaine de poche (4,8 ha), qui propose pourtant de multiples cuvées en volnay, meursault, pommard et pernand-vergelesses. Héritier d'une longue lignée de vignerons remontant à 1840, Didier Rossignol gère l'exploitation depuis 1989, aujourd'hui épaulé par son fils Alexandre.

Les Rossignol viennent de Volnay pour récolter sur 40 ares le chardonnay qui leur manque dans leur commune. Ils en ont tiré un vin au nez intense de fleurs blanches et de miel, rond, suave et boisé avec mesure en bouche, souligné par de beaux amers en finale. ⧗ 2017-2022 ¥ poulet à la crème

SCE ROSSIGNOL-CORNU ET FILS, 6-12, rue de Mont, 21190 Volnay, tél. 03 80 21 61 48, info@domaine-rossignolcornu.fr r.-v.

CORTON

Superficie : 95 ha
Production : 2 985 (95 % rouge)

Au nord de la Côte de Beaune, la « montagne de Corton » est constituée, du point de vue géologique, de différents niveaux auxquels correspondent plusieurs types de vins. Couronnées par le bois qui pousse sur les calcaires durs du rauracien (oxfordien supérieur), les marnes argoviennes laissent apparaître sur plusieurs dizaines de mètres des terres blanches propices aux vins blancs. Elles recouvrent la « dalle nacrée », calcaire en plaquettes qui recèle de nombreuses coquilles d'huîtres de grande dimension ; sur cette formation ont évolué des sols bruns propices au pinot noir.

L'appellation corton peut produire du vin blanc, mais elle est surtout connue en rouge. Les Bressandes naissent sur des terres rouges et allient la puissance à la finesse. En revanche, dans la partie haute des Renardes, des Languettes et du Clos du Roy, les terres blanches donnent en rouge des vins charpentés qui, en vieillissant, prennent des notes animales sauvages que l'on retrouve dans Les Mourottes de Ladoix. Le corton est le grand cru le plus important en volume.

MAISON AMBROISE Le Rognet 2014

Gd cru	1300		30 à 50 €

Si la famille Ambroise cultive la vigne depuis le XVIIIe s., elle n'en vit que depuis les années 1960. Installé depuis 1987, Bertrand Ambroise laisse la place à ses enfants Ludivine et François. Le vignoble de 21 ha (en bio certifié depuis 2013) est complété par une activité de négoce-élevage.

Ce *climat*, le plus vaste de la colline de Corton, a la particularité de pouvoir être récolté en blanc, 2,72 ha revendiquant l'appellation corton-charlemagne. Sur la partie dédiée aux rouges, la maison Ambroise cultive 66 ares de pinot noir. Un pinot égrappé pour ce vin élevé dix-huit mois dans du bois neuf et mis en bouteille sans filtration ni collage. Dans le verre, un corton sombre qui évoque les fruits noirs et le tabac, riche, gras, d'un bon volume en bouche, étayé par des tanins ronds et par une pointe de vivacité en finale. ⧗ 2020-2026 ¥ civet de lièvre

MAISON AMBROISE, 8, rue de l'Église, 21700 Premeaux-Prissey, tél. 03 80 62 30 19, contact@ambroise.com r.-v.

ARNOUX PÈRE ET FILS 2014 Le Rognet ★★

Gd cru	1300		50 à 75 €

Créée en 1950, cette exploitation familiale, installée à Chorey-lès-Beaune, est dirigée depuis 2008 par Pascal Arnoux, troisième du nom à la tête du domaine. Au menu, une large gamme de vins de la Côte de Beaune (dix-huit appellations sur plus de 20 ha), souvent en vue dans ces pages.

Une valeur sûre de l'appellation que ce Rognet de la famille Arnoux. Le 2014 fait d'emblée bonne impression avec sa robe dense et profonde. Il ne relache pas l'effort à l'olfaction, certes encore un peu sur sa réserve mais déjà harmonieux, entre les fruits et un beau boisé. En bouche, il se révèle franc, ample et très frais, tendu par une fine salinité et solidement arrimé à des tanins fermes. Un corton de garde assurément. ⧗ 2020-2030 ¥ tournedos Rossini

ARNOUX PÈRE ET FILS, 5, rue de Ley, 21200 Chorey-lès-Beaune, tél. 03 80 22 57 98, contact@arnoux-pereetfils.com r.-v.

DOM. CACHAT-OCQUIDANT Clos des Vergennes Monopole 2014 ★

Gd cru	6000		30 à 50 €

À la tête de 10 ha de vignes réparties tout autour de la montagne de Corton, Jean-Marc Cachat et son fils David figurent en bonne place dans le Guide, surtout pour leurs rouges, majoritaires dans leur carte des vins.

Une cuvée phare du domaine, souvent en vue dans ces pages. Le 2014 présente un nez intense de fruits rouges et de boisé fumé. En bouche, il se montre ample, rond, étoffé, bâti en finesse sur des tanins souples, et s'achève sur un jolie note réglissée. ⧗ 2019-2026 ¥ côte de bœuf

DOM. CACHAT-OCQUIDANT, 3, pl. du Souvenir, Cidex 1, 21550 Ladoix-Serrigny, tél. 03 80 26 45 30, domaine.cachat@wanadoo.fr r.-v.

CHEVALIER PÈRE ET FILS Le Rognet 2013 ★

Gd cru	1900		50 à 75 €

Installé en 1994 sur ce domaine créé en 1850 par son arrière-grand-père Émile, Claude Chevalier exploite avec trois de ses filles – Chloé à la vigne et au chai, Julie au commercial et Anaïs à la comptabilité – un vignoble de 14 ha situé au pied et sur les pentes de la montagne de Corton. Une valeur sûre de la Côte de Beaune.

Ce *climat* bénéficie d'une exposition sud-est et d'un terroir de calcaire et de marnes du callovien appelé « dalle nacrée ». Les Chevalier en cultivent 93 ares, à l'origine d'un 2013 ouvert sur les petits fruits rouges et les épices à l'olfaction. Ample, rond et plutôt gourmand, adossé à des tanins soyeux, il offre une belle concentration de fruits en bouche et devrait évoluer favorablement. ⧗ 2020-2028 ¥ épaule d'agneau boulangère

CHEVALIER PÈRE ET FILS, 2, Grande-Rue-de-Buisson, Cidex 18, 21550 Ladoix-Serrigny, tél. 03 80 26 46 30, contact@domaine-chevalier.fr r.-v.

DUBREUIL-FONTAINE
Bressandes 2014

■ Gd cru	3200		30 à 50 €

La famille Dubreuil est installée à Pernand-Vergelesses depuis 1879. Incarnant la cinquième génération, Christine Dubreuil, œnologue, a pris la tête du domaine en 1991 (20 ha sur plus d'une dizaine d'AOC).

La langue de terre des Bressandes occupe le milieu de la colline autour de 300 m et offre à ses grappes un «bronzage» grâce à une exposition sud-sud-est idéale. Cela donne dans ce 2014 un vin expressif, sur la griotte et le cassis, agréable en bouche par son équilibre entre des tanins bien présents et un boisé élégant. ⧗ 2019-2026 canette aux champignons

DOM. P. DUBREUIL-FONTAINE, 18, rue Rameau-Lamarosse, 21420 Pernand-Vergelesses, tél. 03 80 21 55 43, domaine@dubreuil-fontaine.com V r.-v.

♥ DOM. JACOB Les Carrières 2014 ★★

■ Gd cru	1200		30 à 50 €

Quatre générations de Jacob se sont succédé sur ce domaine régulier en qualité, établi à Ladoix-Serrigny, au pied de la montagne de Corton. Depuis 2007, Raymond, jusqu'alors aux commandes avec son frère Robert, est épaulé par son fils Damien pour conduire un vignoble de 13 ha.

Ce *climat* se trouve à Ladoix, en dessous des Mourottes et au bout du Corton, rognant sur le Rognet. Les Jacob y cultivent 23 ares de pinot qui donnent souvent de belles choses. C'est bien le cas cette année avec un 2014 de haute expression. Robe dense et éclatante, nez fin et harmonieux, entre fruits rouges mûrs et léger boisé torréfié, bouche à la fois puissante, riche et minérale, épaulée par des tanins d'une grande finesse. L'ensemble demande bien sûr à s'arrondir, mais les fondations sont très solides. ⧗ 2020-2030 poularde à la Souvarov

SCE DOM. JACOB, hameau de Buisson, Cidex 20 bis, 21550 Ladoix-Serrigny, tél. 03 80 26 40 42, domainejacob@orange.fr V r.-v.

DOM. MAILLARD PÈRE ET FILS
Renardes 2014 ★

■ Gd cru	4600		30 à 50 €

Représentant la dixième génération sur le domaine fondé en 1766, les frères Maillard, Alain (à la vigne) et Pascal (au chai), disposent d'un vignoble de 19 ha répartis dans sept communes aux environs de la montagne de Corton. Une valeur sûre, notamment en corton et en chorey.

Valeur sûre du domaine, ce corton se présente dans une belle robe grenat intense, ouvert sur des parfums généreux de framboise et de griotte confiturées. Arômes que l'on retrouve dans une bouche harmonieuse et persistante, bâtie sur des tanins fins. ⧗ 2019-2026 tournedos aux cèpes

DOM. MAILLARD PÈRE ET FILS, 2, rue Joseph-Bard, 21200 Chorey-lès-Beaune, tél. 03 80 22 10 67, contact@domainemaillard.com V r.-v.

DOM. JEAN-PIERRE MALDANT
Les Grandes Lolières 2014

■ Gd cru	1400		30 à 50 €

Jean-Pierre Maldant est le dernier d'une lignée de vignerons aux Hospices de Beaune. Il a quitté cette fonction en 1998 pour se consacrer pleinement à son domaine de 8,5 ha. Son fils Pierre-François (cinquième génération), qui assurait les vinifications depuis 2010, a pris officiellement les rênes de l'exploitation en 2014.

Un *climat* situé à Ladoix, vers la source de la Lauve. On suppose que son nom fait référence aux loups qui allaient s'y abreuver jadis. Jean-Pierre Maldant y cultive 27 ares de pinot noir. Dans sa robe claire à dominante rubis, ce 2014 aux arômes fins de fruits rouges et de réglisse fait d'emblée bonne impression. En bouche, il présente une concentration et une puissance modérées, mais il plaît par la souplesse de ses tanins, sa fraîcheur et son côté soyeux. ⧗ 2019-2024 faisan rôti

JEAN-PIERRE MALDANT, 30, rte de Beaune, Cidex 29 bis, 21550 Ladoix-Serrigny, tél. 03 80 26 44 50, jean.pierre.maldant@wanadoo.fr V r.-v.

DOM. MARATRAY-DUBREUIL Bressandes 2013

■ Gd cru	3000		30 à 50 €

Domaine de Ladoix-Serrigny fondé en 1935 lorsque le père de Maurice Maratray préféra réinvestir ses gains dans l'achat de vignes plutôt que dans son entreprise de travaux publics. Maurice Maratray épousa la fille de Pierre Dubreuil, figure de Pernand. Aujourd'hui, l'exploitation couvre 18 ha; elle est dirigée depuis 1997 par François-Xavier Maratray et sa sœur Marie-Madeleine.

Sa position idéale à mi-côte permet aux Bressandes de bénéficier de la douceur de la pente et de plusieurs étages géologiques qui apportent de la complexité au terrain. Une complexité que l'on retrouve dans le bouquet de ce corton mêlant des notes de violette, de fruits rouges, d'épices et de boisé grillé. La bouche est bien étoffée, équilibrée, soutenue par des tanins soyeux et une agréable fraîcheur. ⧗ 2019-2026 filet de canard au poivre vert

DOM. MARATRAY-DUBREUIL, 5, pl. du Souvenir, 21550 Ladoix-Serrigny, tél. 03 80 26 41 09, contact@domaine-maratray-dubreuil.com V *t.l.j. sf sam. dim. 8h30-12h 14h-17h30*

DOM. MEUNEVEAUX Perrières 2014

■ Gd cru	1608		30 à 50 €

Un domaine familial fondé au début du XXe s. et conduit depuis 1990 par Didier et Yvonne Meuneveaux, rejoints en 2009 par leur fils Freddy et leur belle-fille Daisy, œnologue. Le vignoble s'étend sur 6 ha, essentiellement à Aloxe-Corton.

Le Perrières 2012 du domaine fut coup de cœur. Le 2014 est moins abouti mais a quelques atouts à faire valoir: une jolie robe rouge intense, un nez gourmand et fin de petits fruits rouges et de café, une bouche qui «pinote» bien et fait preuve de solidité autour de tanins vigoureux et d'un boisé maîtrisé. ⧗ 2019-2026 canard aux cerises

⊶ MEUNEVEAUX, 9, jardin des Brunettes, 21420 Aloxe-Corton, tél. 03 80 26 42 33, tmeuneveaux@hotmail.fr V r.-v.

CH. DE MEURSAULT 2013

Gd cru	2200		75 à 100 €

L'emblématique château de Meursault, haut-lieu du tourisme bourguignon et du folklore vineux – on y célèbre la fameuse Paulée le lendemain de la vente des Hospices de Beaune – a souvent changé de mains: famille de Pierre de Blancheton jusqu'à la Révolution; famille Serre au XIXe; famille du comte de Moucheron; famille Boisseaux (maison Patriarche) à partir de 1973. En décembre 2012, nouveau changement: la famille Halley achète le domaine, avant d'acquérir fin 2013 les 60 ha de vignes. Aux commandes du chai: Emmanuel Escutenaire.

Aloxe-Corton est l'un des six villages de la Côte de Beaune présents dans le patromoine viticole du château de Meursault, avec notamment 56 ares de corton à l'origine d'une cuvée au nez élégant de petits fruits rouges et de réglisse, prolongé par une bouche bien équilibrée, fraîche et souple, aux tanins fins et discrets. Un grand cru aimable et plutôt léger. ⧗ 2018-2022 ¥ chapon aux morilles ■ **Vergennes 2014 (+ de 100 €; 1100 b.)** : vin cité.

⊶ DOM. DU CH. DE MEURSAULT, rue du Moulin-Foulot, 21190 Meursault, tél. 03 80 26 22 75, domaine@chateau-meursault.com V *t.l.j. 9h-12h 13h-18h ⊶ Halley*

DOM. NUDANT Bressandes 2013

Gd cru	2800		50 à 75 €

Un Guillaume Nudant d'Aloxe-Corton était déjà vigneron en 1453. Son descendant, Guillaume également, a rejoint en 2003 son père Jean-René sur le domaine familial de 16 ha, planté pour l'essentiel autour de la montagne de Corton.

On raconte que trois demoiselles Bressand venues de la Saône-et-Loire voisine étaient propriétaires à cet endroit d'une carrière qui fut remblayée et plantée en vigne. Une autre version évoque les broussailles et buissons qui colonisaient autrefois la colline. Un *climat* dont les Nudant possèdent une parcelle de 60 ares, à l'origine d'un Bressandes au nez épicé (girofle, poivre) et réglissé, frais et solidement charpenté en bouche, bâti pour la garde. ⧗ 2020-2028 ¥ pavé de biche aux cèpes

⊶ DOM. NUDANT, 11, rte de Dijon, 21550 Ladoix-Serrigny, tél. 03 80 26 40 48, domaine.nudant@wanadoo.fr V *t.l.j. sf dim. 8h30-12h 13h30-17h30; sam. sur r.-v.*

DOM. POISOT PÈRE ET FILS
Les Bressandes 2013 ★★

Gd cru	1647		30 à 50 €

Après vingt-cinq ans dans la Marine, Rémi Poisot a repris en 2010 le vignoble familial, 2 ha hérités en 1902 par Marie Poisot, fille de Louis Latour: un 1er cru en pernand et trois grands crus (corton, corton-charlemagne et romanée-saint-vivant).

Le plus vaste des vingt-cinq *climats* qu'un producteur peut revendiquer sous le nom de Corton. Rémi Poisot en exploite 43 ares et signe un très beau 2013 aromatique, centré sur le cassis au nez comme en bouche, avec en appoint un bon boisé toasté qui reste à sa place. La bouche apparaît parfaitement équilibrée: du volume, de la fraîcheur, de la longueur, une matière dense et charnue, des tanins bien présents mais sans dureté. Tous les attributs d'un grand cru. ⧗ 2020-2030 ¥ filet de bœuf

⊶ RÉMI POISOT, 14, av. Charles-Jaffelin, 21200 Beaune, tél. 03 80 21 16 91, contact@domaine-poisot.fr V r.-v.

DOM. PRIN Bressandes 2014 ★

Gd cru	1700		30 à 50 €

Implanté à Ladoix-Serrigny, ce domaine de 6 ha est conduit par Jean-Luc Boudrot depuis 1994. Régulièrement en vue pour ses ladoix, aloxe, corton et savigny.

De vénérables ceps de quatre-vingts ans sont à l'origine de ce corton d'un rouge soutenu, expressif et intense au nez (fruits rouges, réglisse, boisé toasté et vanillé). Le palais se montre tendre et suave, adossé à des tanins doux et fins, un peu plus sévères en finale. Un corton aimable et primesautier, que l'on pourra apprécier relativement jeune. ⧗ 2019-2024 ¥ chapon aux cèpes

⊶ DOM. PRIN, 2, rue Saint-Marcel, Cidex 44, 21550 Ladoix-Serrigny, tél. 03 80 26 45 83, domaineprin@yahoo.fr V r.-v.

DOM. RAPET PÈRE ET FILS 2014 ★★

Gd cru	3000		50 à 75 €

Ce domaine ancien (1765) et incontournable de Pernand-Vergelesses est conduit par Vincent Rapet depuis 1985. S'il se passionne pour sa commune natale, ce dernier travaille les appellations voisines avec le même soin, sur un vignoble de 20 ha.

Une vénérable vigne de soixante ans exposée plein sud au-dessus du village d'Aloxe-Corton est à l'origine de ce corton bien typé, ouvert sur des parfums généreux de fruits rouges mûrs. Une attaque franche introduit une bouche équilibrée, ample, dense, suave, portée par de beaux tanins soyeux et un boisé chocolaté. ⧗ 2019-2028 ¥ bécasse rôtie ■ **Pougets 2014 (50 à 75 €; 2300 b.)** : vin cité.

⊶ DOM. RAPET PÈRE ET FILS, 2, pl. de la Mairie, 21420 Pernand-Vergelesses, tél. 03 80 21 59 94, vincent@domaine-rapet.com V r.-v.

DOM. DE LA ROMANÉE-CONTI 2014 ★★

Gd cru	n.c.		+ de 100 €

En 2008, le domaine de la Romanée-Conti a étendu sa gamme prestigieuse vers Aloxe-Corton en prenant en fermage les vignes en corton du domaine Prince Florent de Mérode: 2,27 ha répartis sur trois *climats* de renom, Le Clos du Roi (0,57 ha), Les Bressandes (1,19 ha) et Les Renardes (0,5 ha).

Au nez, des notes gourmandes de cerise mûre agrémentées de nuances délicates de violette. À une belle attaque souple et soyeuse succède un palais plus vif et vigoureux, charpenté par des tanins fermes et croquants; le fruit est toujours présent (griotte kirschée), le bois bien fondu et la finale longue et fraîche. ⧗ 2020-2028 ¥ canard à l'orange

⊶ SC DU DOM. DE LA ROMANÉE-CONTI (CORTON), 1, rue Derrière-le-Four, 21700 Vosne-Romanée, tél. 03 80 62 48 80

CORTON-CHARLEMAGNE

Superficie : 52 ha / Production : 2 240 hl

Le grand cru corton-charlemagne provient de la partie haute de la «montagne de Corton», propice au chardonnay – cépage qui a aujourd'hui totalement remplacé l'aligoté, autorisé jusqu'en 1948. Il tire son nom de l'empereur carolingien qui, dit-on, aurait fait planter ici des vignes blanches pour ne pas tacher sa barbe. La plus grande partie de la production vient des communes de Pernand-Vergelesses et d'Aloxe-Corton. Vins de garde, les corton-charlemagne atteignent leur plénitude après cinq à dix ans.

B DOM. FRANÇOISE ANDRÉ 2013 ★★

Gd cru	550		75 à 100 €

Un domaine de 9 ha (en bio certifié depuis 2012), créé en 1983 par Françoise André, l'un des derniers à avoir ses caves derrière les remparts de Beaune. Auparavant confiée au comte Sénard, la gestion est assurée depuis 2009 par Lauriane André, belle-fille de la propriétaire.

Après un coup de cœur pour son corton-charlemagne 2012, la famille André signe un 2013 qui, s'il n'atteint pas les sommets de son aîné, reste remarquable. La robe est superbe, d'un jaune doré limpide. Le nez, délicat et complexe, associe le raisin mûr, les fleurs blanches, le beurre frais et un boisé discret. Une attaque souple et minérale introduit de belle manière une bouche ample, tendre et dense, avec en soutien une fraîcheur impeccablement ajustée. Une puissance maîtrisée, de l'élégance, de l'équilibre, les attributs du grand cru sont réunis. ⧗ 2020-2030 ▼ sole meunière

DOM. FRANÇOISE ANDRÉ, 7, rempart Saint-Jean, 21200 Beaune, tél. 03 80 24 21 65, andre.lauriane@yahoo.com V r.-v.

CAPITAIN-GAGNEROT 2014

Gd cru	1600		75 à 100 €

Vénérable domaine familial de 15 ha fondé en 1802 et implanté à Ladoix-Serrigny. Depuis le 1er janvier 2013, Pierre-François Capitain est seul maître à bord; son père Patrice et son oncle Michel restant à l'écoute. Propriété en vue notamment pour ses ladoix, aloxe et échézeaux.

Produit à l'extrémité nord de la colline, sur les hautes et basses Mourottes, ce corton-charlemagne dévoile un nez encore assez dominé par l'élevage, des notes minérales et citronnées pointant à l'aération. En bouche, on découvre un vin plus expressif, salin et fruité, frais et plutôt léger. Une bouteille que l'on pourra apprécier sans trop attendre. ⧗ 2018-2022 ▼ sandre au beurre blanc

MAISON CAPITAIN-GAGNEROT, 38, rte de Dijon, 21550 Ladoix-Serrigny, tél. 03 80 26 41 36, contact@capitain-gagnerot.com V r.-v.

CHAPUIS 2013

Gd cru	4800		50 à 75 €

Un domaine familial fondé en 1850 par un ancêtre ouvrier viticole à Aloxe-Corton. Depuis 1985, Maurice Chapuis et son épouse Anne-Marie sont aux commandes d'un vignoble de 12 ha, complété en 1997 par une activité de négoce.

D'un hectare de vigne, Maurice Chapuis a tiré un vin d'un beau jaune doré, ouvert sur des notes gourmandes de beurre, de miel et d'acacia. Arômes auxquels fait écho un palais suave et rond, épaulé par une bonne vivacité aux accents du terroir. Un ensemble harmonieux que l'on pourra boire dans sa jeunesse. ⧗ 2018-2022 ▼ saumon à l'estragon

MAURICE CHAPUIS, 3, rue Boulmeau, 21420 Aloxe-Corton, tél. 03 80 26 40 99, info@domainechapuis.com V r.-v.

DOM. CHEVALIER PÈRE ET FILS 2014

Gd cru	1400		50 à 75 €

Installé en 1994 sur ce domaine créé en 1850 par son arrière-grand-père Émile, Claude Chevalier exploite avec trois de ses filles – Chloé à la vigne et au chai, Julie au commercial et Anaïs à la comptabilité – un vignoble de 14 ha situé au pied et sur les pentes de la montagne de Corton. Une valeur sûre de la Côte de Beaune.

Les corton-charlemagne des Chevalier sont souvent en bonne place dans le Guide. Le 2014 tient son rang. Une robe d'or aux reflets verts et un bouquet élégant et complexe d'agrumes, de fleurs blanches, d'épices et de boisé grillé composent une approche impeccable. Après une attaque en finesse, le palais dévoile son caractère puissant, riche et onctueux, avec en soutien une belle acidité qui lui donne du souffle et de la longueur. Bâti pour la garde. ⧗ 2020-2026 ▼ foie gras poêlé

CHEVALIER PÈRE ET FILS, 2, Grande-Rue-de-Buisson, Cidex 18, 21550 Ladoix-Serrigny, tél. 03 80 26 46 30, contact@domaine-chevalier.fr V r.-v.

DOUDET-NAUDIN 2012

Gd cru	n.c.		50 à 75 €

Fondée en 1849 par Albert Brenot et acquise par la famille Doudet en 1933, la maison Doudet-Naudin est un négoce de Savigny-lès-Beaune qui propose des cuvées issues de terroirs restreints. Unique propriétaire depuis 2014, Christophe Rochet est épaulé par Isabelle Doudet à la direction technique et par François Lay comme maître de chai. La maison Doudet possède aussi son propre domaine: 13 ha entre Beaune et Pernand, conduits en lutte raisonnée avec des expérimentations en bio.

Une belle robe or pâle aux reflets verts habille ce vin ouvert sur des parfums de fleurs blanches, de fruits secs et de beurre frais. Souple et fraîche en attaque, la bouche apparaît fine, bien équilibrée entre le gras et l'acidité, de bonne longueur. ⧗ 2019-2024 ▼ poularde aux morilles

DOUDET-NAUDIN, 3, rue Henri-Cyrot, 21420 Savigny-lès-Beaune, tél. 03 80 21 51 74, contact@doudetnaudin.com V r.-v.

DOM. FAIVELEY 2014

Gd cru	2300		+ de 100 €

Cette maison de négoce fondée à Nuits-Saint-Georges en 1825 est un nom qui compte en Bourgogne, depuis sept générations. À sa tête depuis 2005, Erwan Faiveley, qui a succédé à son père François, est épaulé par Bernard Hervet à la direction générale. Aujourd'hui, c'est l'un des plus importants propriétaires de vignes en Bourgogne: 120 ha du Chablisien au Mâconnais – avec

BOURGOGNE

son fief en Côte de Nuits - dont 10 ha en grand cru et près de 25 ha en 1er cru.

Sous l'étiquette de son domaine, Erwan Faiveley signe un corton-charlemagne 2014 de belle facture: robe pâle et brillante comme il se doit; nez complexe de pamplemousse, d'orange fraîche et de fleurs blanches; bouche vive et alerte, misant plus sur la finesse et la légèreté que sur la puissance, aux agréables saveurs d'amande et de citron. ⧗ 2018-2023 🍴 saumon à l'oseille

⊶ *DOM. FAIVELEY, 8, rue du Tribourg, 21700 Nuits-Saint-Georges, tél. 03 80 61 04 55, contact@domaine-faiveley.com*

DOM. ANTONIN GUYON 2013

Gd cru	1300		+ de 100 €

Ce domaine s'est constitué à partir des années 1960 un vaste vignoble de 48 ha, principalement en 1ers et en grands crus, allant de Gevrey-Chambertin à Meursault. Une exploitation régulière en qualité, conduite par Dominique Guyon, fils d'Antonin.

Valeur sûre de l'appellation, avec plusieurs coups de cœur à son actif, le domaine Guyon propose un 2013 agréable, de bonne intensité aromatique (vanille, fleurs blanches, beurre frais), souple en attaque, ample, frais et équilibré en bouche. Une bouteille que l'on pourra apprécier dans sa jeunesse. ⧗ 2018-2022 🍴 poulet aux écrevisses

⊶ *DOM. ANTONIN GUYON, 21420 Savigny-lès-Beaune, tél. 03 80 67 13 24, domaine@guyon-bourgogne.com* V r.-v.

DOM. JACOB 2014 ★

Gd cru	5000		50 à 75 €

Quatre générations de Jacob se sont succédé sur ce domaine régulier en qualité, établi à Ladoix-Serrigny, au pied de la montagne de Corton. Depuis 2007, Raymond, jusqu'alors aux commandes avec son frère Robert, est épaulé par son fils Damien pour conduire un vignoble de 13 ha.

Les corton-charlemagne de la famille Jacob sont une valeur sûre de l'appellation et leur 2014 ne déçoit pas. Issu d'une coquette parcelle de 1,07 ha, il déploie au nez des senteurs harmonieuses d'agrumes (pamplemousse, citron) et d'ananas sur un fond boisé discret. La bouche attaque avec franchise et fraîcheur, puis monte en puissance et en volume, arrondie par un joli gras et un bon boisé vanillé. La finale renoue avec la vivacité et laisse une agréable sensation de dynamisme. ⧗ 2020-2026 🍴 mousseline de brochet sauce Nantua

⊶ *SCE DOM. JACOB, hameau de Buisson, Cidex 20 bis, 21550 Ladoix-Serrigny, tél. 03 80 26 40 42, domainejacob@orange.fr* V r.-v.

DOM. LABOUREAU 2014 ★

Gd cru	228		50 à 75 €

Les Laboureau travaillent la vigne depuis 1640 et onze générations. Pascal s'est installé en 1979 à Bligny-lès-Beaune. Il exploite 13 ha dans la Côte de Beaune, de Saint-Romain à Pernand-Vergelesses.

Né d'une microparcelle de 13 ares plantée de jeunes vignes de treize ans, ce corton-charlemagne est nécessairement confidentiel et c'est bien dommage. Car le vin est bon, très bon même: à un bouquet montant et complexe d'agrumes (pamplemousse, citron vert), d'amande et de fleurs blanches sur un fond boisé marqué répond une bouche ample, riche, élégante et longue, soulignée par une belle acidité minérale. Un très beau classique. ⧗ 2019-2026 🍴 feuilleté de homard

⊶ *LABOUREAU, 35, rte de Beaune, 21200 Bligny-lès-Beaune, tél. 03 80 26 83 67, domainelaboureau@outlook.fr* V r.-v.

OLIVIER LEFLAIVE 2013

Gd cru	2470		+ de 100 €

Négociant-éleveur établi à Puligny-Montrachet depuis 1984, Olivier Leflaive, l'une des références de la Côte de Beaune, collectionne les étoiles, côté cave (négoce et domaine) et côté hôtellerie: quatre pour son hôtel de Puligny. Au chai, l'œnologue Franck Grux et son complice Philippe Grillet.

Né d'un assemblage de parcelles sur les communes d'Aloxe-Corton, Ladoix-Serrigny et Pernand-Vergelesses, ce corton-charlemagne mêle au nez la pierre à fusil à la noisette grillée, à la brioche et à la vanille. On retrouve la minéralité en compagnie du beurre frais et d'un boisé soutenu dans une bouche souple et fraîche, qui ne manque pas de puissance. Un ensemble équilibré. ⧗ 2019-2026 🍴 saint-jacques à la crème

⊶ *OLIVIER LEFLAIVE FRÈRES, pl. du Monument, 21190 Puligny-Montrachet, tél. 03 80 21 37 65, contact@olivier-leflaive.com* V r.-v. 5

PIERRE MAREY ET FILS 2014 ★

Gd cru	3800		50 à 75 €

Situé au cœur de Pernand-Vergelesses, ce domaine s'étend sur 11 ha au nord de la Côte de Beaune. Il a créé une activité de négoce sous le nom d'Éric Marey.

Fidèle à ses (bonnes) habitudes, le domaine Marey propose un corton-charlemagne de belle facture. Le 2014 s'annonce par une seyante robe jaune pâle et pure, ouvert sur l'abricot sec, les fleurs blanches et la brioche beurrée. Des arômes bien typés que l'on retrouve dans une bouche très équilibrée, ronde, riche, soyeuse et ample, soutenue par une vivacité maîtrisée qui lui donne du souffle et de l'allonge. Un très beau classique de garde. ⧗ 2019-2026 🍴 ris de veau aux morilles

⊶ *EARL PIERRE MAREY ET FILS, 5 et 6, rue Jacques-Copeau, 21420 Pernand-Vergelesses, tél. 03 80 21 51 71, domaine.pierremareyfils@orange.fr* V r.-v.

SAVIGNY-LÈS-BEAUNE

Superficie : 350 ha
Production : 13 350 hl (85 % rouge)

Au nord de Beaune, Savigny est un village vigneron par excellence. L'esprit du terroir y est entretenu, et la confrérie de la Cousinerie de Bourgogne est le symbole de l'hospitalité bourguignonne. Les Cousins jurent d'accueillir leurs convives « bouteilles sur table et cœur sur la main ». « Nourrissants, théologiques et morbifuges » selon la tra-

dition, les savigny sont souples, tout en finesse, fruités, agréables jeunes tout en vieillissant bien. Parmi les 1ers crus, on citera Aux Clous, Aux Serpentières, Les Hauts Jarrons, Les Marconnets, Les Narbantons.

DOM. ARNOUX PÈRE ET FILS
Les Pimentiers 2014 ★★

■ | 10000 | | 15 à 20 €

Créée en 1950, cette exploitation familiale, installée à Chorey-lès-Beaune, est dirigée depuis 2008 par Pascal Arnoux, troisième du nom à la tête du domaine. Au menu, une large gamme de vins de la Côte de Beaune (dix-huit appellations sur plus de 20 ha), souvent en vue dans ces pages.

Ce *climat* engage les vignes à grimper le coteau: il tient son nom de «pimont», qui désigne le pied de la montagne. Avec 16 ha, c'est le plus vaste *climat* de rang communal de l'appellation. Pascal Arnoux y exploite une belle parcelle de 1,5 ha à l'origine d'un vin profond et expressif, fruité, réglissé et épicé, ample, tendre, rond et charnu en bouche, épaulé par des tanins soyeux et un boisé fondu. Le coup de cœur fut mis aux voix. ⧗ 2019-2023 ¥ cari d'agneau

ARNOUX PÈRE ET FILS, 5, rue de Ley, 21200 Chorey-lès-Beaune, tél. 03 80 22 57 98, contact@arnoux.pereetfils.com V *r.-v.*

♥ BOUCHARD AÎNÉ ET FILS 2013 ★★

■ | 1520 | | 20 à 30 €

Dans le groupe Boisset depuis 1992, ce négoce beaunois a été fondé en 1750 par Michel Bouchard et son fils aîné Joseph. C'est dans l'ancien hôtel du Conseiller du Roy (XVIIIe s.) que sont entreposés les fûts d'élevage de cette maison historique proposant une large gamme de vins de toute la Bourgogne, ainsi que du Beaujolais et de la vallée du Rhône.

Au XVIIe s., on pouvait lire au sujet des vins de Savigny qu'ils étaient des «vins nourrissants, théologiques et morbifuges». Sans doute... Nos dégustateurs ont vu dans celui-ci d'autres qualités, notamment l'équilibre, la complexité et l'élégance. Lys, agrumes, fruit de la Passion, tabac blond, vanille, le bouquet est d'un réel raffinement. Une finesse et une variété aromatique que l'on retrouve dans une bouche ample, généreuse et riche, et aussi très fraîche et dynamique. À servir dans sa jeunesse ou après quelques années de cave. À noter que le 2012 de la maison Bouchard avait déjà fait mouche. ⧗ 2017-2022 ¥ sandre au beurre noisette

BOUCHARD AÎNÉ ET FILS, 4, bd du Mal-Foch, 21200 Beaune, tél. 03 80 24 24 00, bouchard@bouchard-aine.fr V *t.l.j. 9h30-12h30 14h-18h30; f. lun. en janv.-fév.*

♥ PASCAL CLÉMENT
Dessus Les Vermots 2014 ★★

■ | 2100 | | 15 à 20 €

Après vingt ans de vinification dans différents domaines de Bourgogne, Pascal Clément a créé son négoce en 2012, tourné essentiellement vers les blancs de la Côte chalonnaise et de la Côte de Beaune.

Troisième millésime pour ce négociant et déjà un coup de cœur pour un *village* né dans la commune qui abrite sa maison et ses caves. Ce savigny dévoile un nez d'une réelle complexité: zeste de citron, pierre à fusil, aubépine, coing, note miellée. En bouche, il apparaît à la fois concentré, soyeux et d'une grande fraîcheur. Un vin expressif, élégant et équilibré qui pourra s'apprécier dès aujourd'hui. ⧗ 2016-2020 ¥ quenelles de brochet sauce Nantua ■ **Les Guetottes 2014 ★ (15 à 20 €; 1800 b.)** : un vin cohérent, minéral et floral au nez comme en bouche, ample, aérien et long, qui laisse une belle impression de finesse et de plénitude. ⧗ 2016-2020

PASCAL CLÉMENT, 13, rue de Cîteaux, 21420 Savigny-lès-Beaune, tél. 03 80 24 75 05, contact@pascal-clement.fr V *r.-v.*

DOUDET-NAUDIN
Aux Guettes 2013

■ 1er cru | 2390 | | 15 à 20 €

Fondée en 1849 par Albert Brenot et acquise par la famille Doudet en 1933, la maison Doudet-Naudin est un négoce de Savigny-lès-Beaune qui propose des cuvées issues de terroirs restreints. Unique propriétaire depuis 2014, Christophe Rochet est épaulé par Isabelle Doudet à la direction technique et par François Lay comme maître de chai. La maison Doudet possède aussi son propre domaine: 13 ha entre Beaune et Pernand, conduits en lutte raisonnée avec des expérimentations en bio.

À l'entrée de la combe de Barboron, ce *climat* offre une vision panoramique sur le vignoble de Savigny; il permettait aussi d'apercevoir d'éventuels assaillants à des époques où l'on guettait l'ennemi venant du nord, d'où son nom. Ce 1er cru livre après quinze mois de barrique un bouquet boisé qui laisse poindre quelques notes fruitées à l'aération. La bouche apparaît dense et musculeuse, appuyée sur des tanins solides et dotée d'un fruité prometteur. Bâti pour la garde. ⧗ 2020-2026 ¥ suprêmes de pintade aux cèpes

DOUDET-NAUDIN, 3, rue Henri-Cyrot, 21420 Savigny-lès-Beaune, tél. 03 80 21 51 74, contact@doudetnaudin.com V *r.-v.*

PHILIPPE ET ARNAUD DUBREUIL
Les Talmettes 2014 ★

■ 1er cru | 1100 | | 15 à 20 €

Anciennement Dubreuil-Cordier. Un domaine familial créé en 1950 par le grand-père de Philippe Dubreuil. Ce dernier, installé en 1988, a passé la main à son fils

Arnaud en 2010, tout en gardant le contact. Le vignoble couvre 11 ha.

Calé au pied du Bois de Noël, ce *climat* forme un talus à l'inclinaison plus forte que la pente naturelle du versant. Philippe Dubreuil y a vendangé une vigne de vingt ans pour élaborer ce savigny aux parfums de fruits frais (fraise et cerise), ample, riche et gras en bouche, avec des tanins fins et soyeux en soutien. À mettre de côté quelques années. ⧗ 2019-2022 ♈ tajine d'agneau

⊶ PHILIPPE ET ARNAUD DUBREUIL, 4, rue Pejot, 21420 Savigny-lès-Beaune, tél. 03 80 21 53 73, dubreuil.cordier@aliceadsl.fr V r.-v.

DOM. GUY ET YVAN DUFOULEUR
Les Gollardes 2014 ★

	2000		15 à 20 €

Les Dufouleur perpétuent une tradition vigneronne qui remonte à la fin du XVIe s. Le domaine actuel – le négoce Dufouleur Père et Fils a été vendu en 2006 – est né de la fusion en 2007 de la propriété familiale avec le domaine Yvan Dufouleur créé en 1991. Guy étant décédé, le vignoble (26 ha) est aujourd'hui dirigé par son fils aîné Yvan, épaulé à la gérance par Xavier, frère de Guy.

Un *climat* situé à environ 400 m d'altitude, où l'air est frais et la maturité tardive. Dans le verre, cela donne ici un savigny à la fois alerte et consistant, minéral et rond, complexe aussi avec ses fins arômes fumés, briochés et floraux. Un vin harmonieux et déjà bon pour le service. ⧗ 2016-2020 ♈ gratin de fruits de mer

⊶ DOM. GUY ET YVAN DUFOULEUR, 15, rue Thurot, BP 80138, 21700 Nuits-Saint-Georges, tél. 03 80 61 09 35, yvan.dufouleur@21700-nuits.com V r.-v.

DOM. MICHEL ET JOANNA ÉCARD
Les Peuillets 2013 ★

■ 1er cru	1200		15 à 20 €

Ce couple a repris en 2005 une partie du domaine Maurice Écard: 4 ha de vignes, surtout des parcelles en 1er cru, exclusivement en savigny-lès-beaune, appellation dont ils sont devenus l'une des valeurs sûres.

De ce *climat* de premier ordre, les Écard ont tiré un 1er cru plutôt discret au premier nez, ouvert à l'aération sur la mûre et le cassis. La bouche est ample, savoureuse et sans aucune dureté, bâtie sur des tanins puissants mais fins. Du potentiel. ⧗ 2019-2024 ♈ rôti de bœuf aux cèpes ■ **1er cru Les Gravains 2013 ★ (20 à 30 €; 1200 b.)** : un vin encore sous l'emprise du bois au nez, ouvert sur un fruité pulpeux en bouche, charnu et solidement charpenté. De garde. ⧗ 2019-2026

⊶ DOM. MICHEL ET JOANNA ÉCARD, 3, rue Boulanger-et-Vallée, 21420 Savigny-lès-Beaune, tél. 06 30 18 28 13, ecard.michel.joanna@orange.fr V r.-v.

DOM. DE LA GALOPIÈRE 2013 ★

■	2000		15 à 20 €

Après avoir enseigné l'œnologie pendant quatre ans, Gabriel Fournier s'est installé en 1982 sur le domaine familial. Il exploite avec son épouse Claire et, depuis 2015, son fils Vincent 10 ha de vignes répartis dans plusieurs AOC de la Côte de Beaune, de Chassagne-Montrachet à la colline de Corton.

Dans le difficile millésime 2013 en raison de la grêle, Gabriel Fournier a tiré d'une jeune vigne de quinze ans un *village* élégant et délicat, aux senteurs bien mariées de fruits rouges et de sous-bois. La bouche, très plaisante, s'adosse à des tanins fins et soyeux et à la fraîcheur du terroir. Déjà harmonieux, ce vin peut vieillir un peu. ⧗ 2017-2021 ♈ filet mignon en croûte

⊶ EARL DOM. DE LA GALOPIÈRE, 6, rue de l'Église, 21200 Bligny-lès-Beaune, tél. 03 80 21 46 50, cgfournier@wanadoo.fr V r.-v.

Ⓑ JEAN-MICHEL GIBOULOT
Aux Serpentières 2014 ★

■ 1er cru	3145		20 à 30 €

Un domaine familial créé en 1935, conduit depuis 1999 par Jean-Michel Giboulot, à la tête d'un vignoble de 12 ha. En agriculture biologique depuis 2010.

Sur ce *climat* exposé plein sud, bordant le cimetière du village, les couleuvres serpentines aiment à prendre le soleil. Jean-Michel Giboulot y cultive un hectare planté de pinot noir âgé de soixante ans. Son savigny dégage des parfums mêlés de fleurs et de framboise sur un fond boisé noble. En bouche, il présente un beau volume, renforcé par une trame tannique solide et par une fine acidité qui lui assurent une longueur appréciable et un bon potentiel de garde. ⧗ 2020-2024 ♈ poire de bœuf sauce au vin

⊶ JEAN-MICHEL GIBOULOT, 27, rue du Gal-Leclerc, 21420 Savigny-lès-Beaune, tél. 03 80 21 52 30, jean-michel.giboulot@wanadoo.fr V r.-v.

JEAN-JACQUES GIRARD 2014

	7100		15 à 20 €

D'Aloxe-Corton, au nord, à Volnay, au sud, ce domaine compte 17 ha. Chez les Girard, on vendange depuis 1529. La jeune génération est incarnée par Vincent, qui vinifie désormais avec son père.

Le chardonnay trouve dans l'argile caillouteuse de bas de coteau une terre promise propice à son bon développement. Il a donné naissance ici à un savigny harmonieux, qui décline à l'olfaction de jolies notes d'agrumes, de pomme verte, de sureau et de boisé fumé. La bouche, consistante et d'un bon volume, est ciselée par une fine vivacité qui lui donne une belle allonge et de l'énergie. ⧗ 2017-2020 ♈ fricassée de gambas

⊶ DOM. JEAN-JACQUES GIRARD, 16, rue de Cîteaux, 21420 Savigny-lès-Beaune, tél. 03 80 21 56 15, contact@domaine-girard.com V r.-v.

DOM. PHILIPPE GIRARD Les Peuillets 2014

■ 1er cru	3800		15 à 20 €

Ici, on est vigneron de père en fils depuis 1530. Arnaud Girard a rejoint en 2011 son père Philippe à la tête des 11 ha de vignes, disséminées de Nuits-Saint-Georges à Savigny-lès-Beaune.

Ce 1er cru est issu du secteur froid de l'appellation et d'une vigne de soixante ans; la vendange a été entièrement éraflée et le vin, élevé dix mois en fût. Ouvert sur les fruits rouges et les épices au nez comme en bouche, il est tenu par une bonne acidité et des tanins affinés. ⧗ 2018-2022 ♈ magret de canard

⊶ DOM. PHILIPPE GIRARD, 37, rue du Gal-Leclerc, 21420 Savigny-lès-Beaune, tél. 03 80 21 57 97, contact@domaine-philippe-girard.com V r.-v.

DOM. PIERRE GUILLEMOT
Dessus les Gollardes 2014 ★

	5800		15 à 20 €

Les Guillemot œuvrent dans le vin depuis huit générations. La première déclaration de récolte de Pierre date de 1946. Le domaine (8,2 ha), dirigé par son fils Jean-Pierre depuis 1988, est une valeur sûre en savigny.

On suppose que le nom de ce *climat* provient de l'ancien français «gole» (passage étroit en forme de goulot) et de sa forme resserrée. Le domaine y exploite une belle parcelle de 1,36 ha à l'origine d'un savigny élégant, sur l'aubépine et la pêche blanche, ample et soyeux en bouche, structuré par une acidité aux accents du terroir qui laisse entrevoir une bonne garde. ⌛ 2018-2023 🍴 aumônière au chaource ■ **1er cru Aux Serpentières 2014 (20 à 30 €; 7200 b.)** : vin cité. ■ **Vieilles Vignes 2014 (15 à 20 €; 8500 b.)** : vin cité.

DOM. PIERRE GUILLEMOT, 11, place Fournier, 21420 Savigny-lès-Beaune, tél. 03 80 21 50 40, domaine.pierre.guillemot@orange.fr V *r.-v.*

DOM. JEAN GUITON Les Hauts Jarrons 2013 ★

■ 1er cru	3500		20 à 30 €

Jean Guiton est installé depuis 1973 à Bligny, dans la plaine de Pommard. Les vignes (11,5 ha) sont quant à elles implantées sur la Côte, notamment à Savigny. Guillaume, le fils, est arrivé au début des années 2000.

Ce 1er cru des hauteurs tire son nom de «jarrie», qui signifie «broussaille» et a donné à la Provence le mot «garrigue». À Savigny, un terrain pierreux, donc idéal pour la culture de la vigne, à l'origine d'un vin équilibré et expressif (moka, fruits rouges, épices), souple en attaque, ample et consistant. ⌛ 2018-2022 🍴 civet de lièvre

DOM. JEAN GUITON, 4, rte de Pommard, 21200 Bligny-lès-Beaune, tél. 03 80 21 62 07, domaine.guiton@wanadoo.fr V *r.-v.*

Ⓑ **DOM. GUYON** Les Planchots 2014 ★

■	5400		20 à 30 €

Un domaine familial très régulier en qualité (on ne compte plus les étoiles et les coups de cœur), repris en 1991 par Jean-Pierre Guyon, rejoint par son frère Michel. Le vignoble couvre 9 ha conduits en bio certifié, dans la Côte de Nuits et le nord de la Côte de Beaune.

Sur ce climat – dont le nom évoque une passerelle reliant des terrains –, les Guyon ont récolté 92 ares de pinot noir. Ils signent un savigny complexe (pivoine, groseille, réglisse, boisé léger), ample, riche et concentré, bâti sur des tanins fermes et prometteurs. ⌛ 2019-2024 🍴 aiguillettes de canard aux cerises

EARL DOM. GUYON, 11-16, RD 974, 21700 Vosne-Romanée, tél. 03 80 61 02 46, domaine.guyon@wanadoo.fr V *r.-v.*

DOM. PATRICK JAVILLIER
Les Grands Liards 2014

■	n.c.	15 à 20 €

Après des études d'œnologie, Patrick Javillier a repris l'exploitation familiale de Meursault et vinifié ses premières cuvées en 1974. Il conduit aujourd'hui un vignoble de 10 ha répartis sur cinq communes de la Côte de Beaune, de Puligny-Montrachet à Pernand-Vergelesses.

Au bord du Rhoin, le ruisseau de Savigny, trois *climats* portent le nom de «Liards». Si on les additionne, ils deviennent le plus important lieu-dit de l'appellation avec 18 ha. Patrick Javillier en exploite 54 ares, à l'origine d'un vin au nez discret de framboise et de fraise, épicé, frais et souple en bouche. Un savigny accessible dans sa jeunesse. ⌛ 2017-2020 🍴 paleron braisé

DOM. PATRICK JAVILLIER, 7, imp. des Acacias, 21190 Meursault, tél. 03 80 21 27 87, contact@patrickjavillier.com V *lun. ven. sam. 10h-12h 14h-18h30; f. nov.-mars*

DOM. LALEURE-PIOT 2014 ★

■	3600		15 à 20 €

Un domaine de 9,8 ha repris en 2010 par la maison beaunoise Champy. Dimitri Bazas, l'œnologue attitré depuis 1999, a engagé la conversion bio du domaine, souvent en vue notamment pour ses pernand-vergelesses, dans les deux couleurs.

Le nez, intense, associe les fruits noirs et des nuances de pierre à fusil. La bouche est équilibrée, dense, bâtie sur des tanins jeunes et fermes et sur une fraîcheur qui fait écho à la minéralité du bouquet. Des qualités qui permettront à ce savigny de bien évoluer. ⌛ 2019-2024 🍴 épaule d'agneau

DOM. LALEURE PIOT, 3, rue du Grenier-à-Sel, 21200 Beaune, tél. 03 80 25 09 99 V *r.-v.* *Champy*

DOM. PIERRE ET JEAN-BAPTISTE LEBREUIL
Aux Clous 2014

1er cru	1200		20 à 30 €

Un domaine fondé en 1935 à partir de 2 ha, développé au cours des années 1960 par Pierre Lebreuil, repris en 2000 par son fils Jean-Baptiste, aujourd'hui à la tête de 13,3 ha en Côte de Beaune. Régulièrement en vue pour ses savigny.

Ce natif de Savigny signe un 1er cru plaisant, qui associe à l'olfaction le camélia aux fruits mûrs et à une touche de boisé. D'une longueur appréciable, la bouche apparaît consistante et ronde, sans manquer de fraîcheur et de fruit (notes d'agrumes et de pomme verte). Un vin équilibré et bien disposé pour la cave. ⌛ 2017-2021 🍴 tajine de lotte

PIERRE ET JEAN-BAPTISTE LEBREUIL, 17, rue Chanson-Maldant, 21420 Savigny-lès-Beaune, tél. 03 80 21 52 95, domaine.lebreuil@wanadoo.fr V *r.-v.*

DOM. MAILLARD PÈRE & FILS 2014 ★

■	n.c.		15 à 20 €

Représentant la dixième génération sur le domaine fondé en 1766, les frères Maillard, Alain (à la vigne) et Pascal (au chai), disposent d'un vignoble de 19 ha répartis dans sept communes aux environs de la montagne de Corton. Une valeur sûre, notamment en corton et en chorey.

Au nez, les fruits frais dominent, groseille et framboise en tête, agrémentés d'élégantes notes de pivoine. L'attaque est franche, fraîche et friande, puis la bouche déploie une jolie trame de tanins soyeux qui lui confèrent un caractère aimable et rond. La finale, longue et fruitée, achève de convaincre. Un savigny que l'on ne craindra pas d'ouvrir

BOURGOGNE

dans sa jeunesse. ⧗ 2017-2022 🍷 rôti de veau aux champignons

⊶ DOM. MAILLARD PÈRE ET FILS, 2, rue Joseph-Bard, 21200 Chorey-lès-Beaune, tél. 03 80 22 10 67, contact@domainemaillard.com V r.-v.

CATHERINE ET CLAUDE MARÉCHAL
Vieilles Vignes 2014

■	10900		20 à 30 €

Installé dans la plaine de Pommard depuis 1981, le couple Maréchal fait partie des valeurs sûres de la Côte de Beaune. Il conduit, avec minutie et dans un esprit bio (pas de désherbants chimiques, levures indigènes, limitation du soufre), un vignoble de 12,8 ha offrant une large gamme d'appellations.

Coup de cœur dans le millésime 2012, cette cuvée offre des atouts intéressants dans sa version 2014. Elle dévoile à l'olfaction des notes classiques de fruits rouges mûrs, agrémentées d'épices dans un palais équilibré et frais, aux tanins déjà soyeux. ⧗ 2017-2020 🍷 veau marengo

⊶ EARL CATHERINE ET CLAUDE MARÉCHAL, 6, rte de Chalon, 21200 Bligny-lès-Beaune, tél. 03 80 21 44 37, marechalcc@orange.fr V r.-v.

ALBERT MOROT
La Bataillère aux Vergelesses Monopole 2013

■ 1er cru	2600		20 à 30 €

Si le château de la Creusotte possède un parc magnifique, non loin de celui de la Bouzaise, il a d'autres atouts dans sa cave également. Régulier en qualité, ce domaine beaunois de 8 ha exploite une jolie collection de 1ers crus.

Un *climat* situé juste au-dessus des Basses Vergelesses et en dessous du Bois de Noël, dont le nom «bataille» évoque un bois soumis à la coupe ou des terres défrichées. Dans le verre, un savigny privilégiant la finesse plutôt que la puissance, ouvert à l'olfaction sur la réglisse et de fines notes boisées, d'un bon volume, tendre et équilibré en bouche. ⧗ 2019-2022 🍷 perdrix aux choux

⊶ SARL DOM. ALBERT MOROT, Ch. de la Creusotte, 20, av. Charles-Jaffelin, 21200 Beaune, tél. 03 80 22 35 39, albertmorot@aol.com V r.-v.

DOM. OLIVIER Les Peuillets 2013 ★

■ 1er cru	1200		20 à 30 €

Ce domaine familial (10,5 ha en bio sans certification) créé en 1967 s'est spécialisé dans l'élaboration de vins blancs, sans négliger les rouges pour autant. Il a développé en 2005 une activité de négociant-éleveur pour compléter son offre. À la tête de l'ensemble depuis 2003, Antoine Olivier.

L'un des 1ers crus les plus réputés de Savigny. Issu d'achats de raisins, ce 2013 distille de fines senteurs de cerise et de cassis. Un fruité qui s'installe durablement dans une bouche harmonieuse, bâtie sur des tanins bien présents mais prévenants, avec de beaux amers qui viennent dynamiser la finale. Une bouteille de bonne garde. ⧗ 2019-2024 🍷 souris d'agneau

⊶ DOM. OLIVIER, 5, rue Gaudin, 21590 Santenay, tél. 03 80 20 61 35, domaineolivier@orange.fr V r.-v.

PAUL REITZ 2014

■	5100		15 à 20 €

Implantée à Corgoloin, village marquant la frontière entre les Côtes de Beaune et de Nuits, cette maison de négoce a été fondée en 1882 par Paul Reitz, vigneron descendant d'un foudrier rhénan établi en Bourgogne en 1793. Aux commandes depuis 1989, Michel Reitz est aujourd'hui épaulé par ses deux fils.

D'une bonne intensité, ce savigny «pinote» bien avec ses arômes de fruits rouges. Le palais apparaît rond et charnu, épaulé par des tanins assez souples et élégants. Un peu fugace mais équilibré. ⧗ 2018-2021 🍷 dinde aux marrons

⊶ MAISON PAUL REITZ, 124, Grande-Rue, 21700 Corgoloin, tél. 03 80 62 98 24, contact@paulreitz.com V t.l.j. 8h-12h 13h30-17h30; f. août

DOM. JOËL REMY Les Fourneaux 2014

■	n.c.		15 à 20 €

Un domaine fondé en 1853 au sud-est de Beaune, repris en 1988 par Joël Remy (cinquième génération), qui met en valeur avec son épouse Florence un vignoble de 12 ha répartis dans plusieurs appellations de la Côte de Beaune.

Des vestiges de fourneaux à charbon retrouvés sur cette parcelle donnent son nom à ce *climat* au sol graveleux, voisin de Pernand. Ce 2014 y puise un caractère bien affirmé autour d'un bouquet intense de fruits rouges, de vanille, d'épices et d'une bouche douce en attaque, corsée et tannique dans son évolution. À attendre. ⧗ 2019-2022 🍷 coq au vin

⊶ DOM. JOËL REMY, 4, rue du Paradis, 21200 Sainte-Marie-la-Blanche, tél. 03 80 26 60 80, domaine.remy@wanadoo.fr V t.l.j. sf dim. 8h-12h 14h-18h

DOM. SEGUIN-MANUEL Goudelettes 2014 ★

□	1500		20 à 30 €

Thibaut Marion a repris en 2004 cette maison fondée à Savigny en 1824 et aujourd'hui établie à Beaune. En parallèle de son activité de négoce, il exploite un domaine (en bio certifié depuis 2015) dont il a porté la superficie de 3,5 à 8,5 ha, essentiellement en Côte de Beaune.

L'une des valeurs sûres du domaine (coup de cœur dans le millésime 2011), issue d'un *climat* situé à 350 m d'altitude, réputé produire les meilleurs chardonnays du village, dont le nom évoque des gouttes d'or – comme son homonyme de Meursault. Ici, un joli vin au nez flatteur de fleurs blanches (aubépine et fleur d'oranger), de brioche et de vanille, au palais tonique et persistant, minéral et salin sans manquer de soyeux. ⧗ 2017-2022 🍷 poêlée de saint-jacques

⊶ DOM. SEGUIN-MANUEL, 2, rue de l'Arquebuse, 21200 Beaune, tél. 03 80 21 50 42, contact@seguin-manuel.com V r.-v.

DOM. FRANCINE ET MARIE-LAURE SERRIGNY
Serrignyssime 2013

■	3000		15 à 20 €

Les sœurs Francine et Marie-Laure Serrigny ont pris la suite de leur père à son décès, en 1995, sur un domaine d'environ 7 ha, dans la famille depuis la fin du XIXes.

Née de vénérables ceps de soixante-dix ans, cette cuvée libère des arômes plaisants de framboise et de cerise. Une attaque franche et fruitée fait place à une matière souple et soyeuse, soutenue par des tanins fins et fondus. Une bouteille d'ores et déjà appréciable. ⌛ 2016-2020 🍴 bavette à l'échalote

FRANCINE ET MARIE-LAURE SERRIGNY, 4, rue du Bouteiller, 21420 Savigny-lès-Beaune, tél. 03 80 26 11 75, domaine.serrigny@orange.fr V r.-v.

HENRI DE VILLAMONT Le Village 2014

	1740		20 à 30 €

Ce propriétaire (10 ha: 6 ha en savigny, 4 ha en Côte de Nuits) et négociant-éleveur, dans le giron du groupe suisse Schenk depuis 1964, élève ses vins dans une cuverie spectaculaire créée entre 1880 et 1888 à Savigny-lès-Beaune par Léonce Bocquet, alors unique propriétaire du Clos de Vougeot.

Le nez, discret, conjugue des senteurs d'agrumes et de poire sur un léger fond boisé. La bouche est souple, ronde, assez consistante, soulignée par une fraîcheur bien dosée. Jolie finale poivrée. ⌛ 2017-2021 🍴 pôchouse

HENRI DE VILLAMONT, rue du Dr-Guyot, 21420 Savigny-lès-Beaune, tél. 03 80 21 50 59, contact@hdv.fr V *r.-v.* *Schenk*

CHOREY-LÈS-BEAUNE

Superficie : 134 ha
Production : 5 240 hl (95 % rouge)

Situé dans la plaine, près de Savigny-lès-Beaune et d'Aloxe-Corton, en face du cône de déjection de la combe de Bouilland, le village produit une majorité de vins rouges friands et faciles d'accès.

DOM. CHARLES ALLEXANT ET FILS
Les Beaumonts Vieilles Vignes 2013

	4500		11 à 15 €

Bouilleur de cru ambulant, Charles Allexant a profité d'un passage à Volnay en 1957 pour acheter une première vigne. Il a continué, de Gevrey à Rully... Patrice a pris la suite en 1981 et il veille désormais sur les 12 ha du domaine établi à Merceuil, dans la plaine.

Ce vaste *climat* (40 ha) enfonce un coin entre les vignobles d'Aloxe-Corton et de Savigny, couvrant à lui seul un tiers de l'appellation chorey. Cerise pour la robe, cerise pour le nez, avec une pincée d'épices, ce 2013 pinote agréablement. En bouche, les tanins du raisin s'allient à ceux de l'élevage pour former une charpente encore ferme, qui appelle la garde. ⌛ 2018-2021 🍴 lièvre à la royale

DOM. CHARLES ALLEXANT ET FILS, 3, rue du Château, Cissey, 21190 Merceuil, tél. 03 80 26 83 27, contact@allexant.fr V *r.-v.*

DOM. LOÏC DURAND
Les Beaumonts 2015

	1800		15 à 20 €

Jeune viticulteur, Loïc Durand a repris en 2005 le domaine familial, situé à côté de l'église de Savigny, qu'il étend progressivement (Beaune, Savigny, Chorey, Rully): 10 ha aujourd'hui.

Le chorey blanc ne représente que 9,14 ha dans une appellation qui en compte plus de 130, mais il progresse, comme dans la plupart des vignobles de Bourgogne. Or brillant, celui-ci offre un nez de fleurs blanches délicat et plein de jeunesse. À une attaque vive succèdent des impressions de gras qui apportent l'équilibre. Un vin agréable dès aujourd'hui. ⌛ 2016-2020 🍴 suprême de poulet à la crème

DOM. LOÏC DURAND, rue de l'Église, 21200 Bouze-lès-Beaune, tél. 06 25 20 28 97, domainedurandloic@orange.fr V *r.-v.*

MAISON EUGÈNE ELLIA Clos Margot 2014 ★

	3062		20 à 30 €

Spécialisée en appellations «rouges», cette jeune maison de négoce fondée en 2011 est établie dans le «vieux» Nuits-Saint-Georges. Elle possède deux vignes en propriété en nuits et en vosne-romanée. C'est Géraldine Barioz, une jeune œnologue, qui assure les vinifications.

Situé dans le bas du village, ce *climat* est le seul clos que compte l'appellation. Cette maison en exploite une belle parcelle plantée en chardonnay, dont elle a tiré ce vin or limpide. Le nez est marqué par les notes grillées léguées par un séjour de douze mois en fût. En bouche, le bois s'estompe et laisse place à des arômes de pamplemousse qui apportent une belle tension. Une petite garde permettra au boisé de se fondre. ⌛ 2017-2020 🍴 langoustines sautées

MAISON EUGÈNE ELLIA, 3, quai Fleury, 21700 Nuits-Saint-Georges, tél. 03 80 23 98 75, geraldine@eugeneellia.com *r.-v.*

FRANÇOIS GAY ET FILS 2013

	6970		11 à 15 €

Établies dans la plaine de Chorey, sept générations de vignerons ont porté ce nom depuis 1880. Pascal Gay, fils de François, est aux commandes depuis 1998.

L'appellation chorey est représentée à 93 % par le pinot noir, qui trouve dans des sols d'alluvions marno-calcaires sur fond pierreux un terroir pour s'épanouir. Le cépage a engendré ici un vin à la robe intense, aux arômes de fruits rouges mûrs et d'épices. La palette prend des tons réglissés dans une bouche assez souple, plus stricte en finale. Un vin bientôt prêt. ⌛ 2017-2020 🍴 rognons de veau

EARL FRANÇOIS GAY ET FILS, 9, rue des Fiètres, 21200 Chorey-lès-Beaune, tél. 03 80 22 69 58, dom.gay.francois.fils@orange.fr V *r.-v.*

MICHEL GAY ET FILS 2013

	20000		11 à 15 €

Les Gay sont plusieurs à Chorey. Ici, c'est le domaine des fils de Michel: Sébastien, installé en 2000, et Laurent, l'œnologue, qui l'a rejoint en 2010. Incarnant la quatrième génération, ils disposent de 15 ha à Chorey et dans les communes voisines.

Six hectares dans une appellation qui n'en compte guère plus de 130, voilà qui place ce domaine parmi les propriétés importantes du cru. Une exploitation capable de proposer une cuvée de 20 000 bouteilles, ce qui n'est pas courant en Bourgogne. Un vin pas mal du tout, accessible à tous les sens du terme, qui pinote sur des tons de griotte et de mûre. En bouche, il offre ce qu'il faut d'étoffe,

BOURGOGNE

d'élégance et de longueur. ⧗ 2017-2021 ⧫ fricassée de poulet aux champignons

⊶ *DOM. MICHEL GAY ET FILS, 1B, rue des Brenots, 21200 Chorey-lès-Beaune, tél. 03 80 22 22 73, michelgayetfils@orange.fr* V ✦ ▪ *r.-v.*

DOM. LALEURE PIOT Les Champs longs 2014

■	3000	⏸	11 à 15 €

Un domaine de 9,8 ha repris en 2010 par la maison beaunoise Champy. Dimitri Bazas, l'œnologue attitré depuis 1999, a engagé la conversion bio du domaine, souvent en vue notamment pour ses pernand-vergelesses, dans les deux couleurs.

Avec ses 25,17 ha, le *climat* des Champs Longs se place au deuxième rang de l'appellation par sa superficie. Il est délimité sur une formation sabonneuse très pauvre où la vigne se plaît. Le lieu de naissance de ce vin grenat profond, qui s'ouvre à l'aération sur des notes de fruits noirs. Ces petits fruits s'épanouissent dans une bouche ronde et vineuse, soutenue par de petits tanins assez fins qui permettront de déboucher cette bouteille sans trop attendre. ⧗ 2017-2020 ⧫ œufs en meurette

⊶ *DOM. LALEURE PIOT, 3, rue du Grenier-à-Sel, 21200 Beaune, tél. 03 80 25 09 99* V ✦ ▪ *r.-v.* ⊶ *Champy*

DOM. MAILLARD PÈRE ET FILS 2014 ★

■	n.c.	15 à 20 €

Représentant la dixième génération sur le domaine fondé en 1766, les frères Maillard, Alain (à la vigne) et Pascal (au chai), disposent d'un vignoble de 19 ha répartis dans sept communes aux environs de la montagne de Corton. Une valeur sûre, notamment en corton et en chorey.

Le 2013 avait été élu coup de cœur. Pour être moins intense, le 2014 rappelle son aîné, tant par son nez très fruité et floral, évocateur de petites baies bien mûres saupoudrées de vanille, que par son palais lui aussi tout en fruit. Son étoffe légère, ses tanins affables en font une bouteille typée et bientôt prête. ⧗ 2017-2020 ⧫ échine de porc rôtie □ **2014 (15 à 20 €; n.c.)** : vin cité.

⊶ *DOM. MAILLARD PÈRE ET FILS, 2, rue Joseph-Bard, 21200 Chorey-lès-Beaune, tél. 03 80 22 10 67, contact@domainemaillard.com* V ✦ ▪ *r.-v.*

CATHERINE ET CLAUDE MARÉCHAL 2014

■	10600	⏸	20 à 30 €

Installé dans la plaine de Pommard depuis 1981, le couple Maréchal fait partie des valeurs sûres de la Côte de Beaune. Il conduit, avec minutie et dans un esprit bio (pas de désherbants chimiques, levures indigènes, limitation du soufre), un vignoble de 12,8 ha offrant une large gamme d'appellations.

Une fois de plus au rendez-vous du Guide, ce chorey naît d'une belle parcelle de 1,73 ha, qui a fourni de nombreuses bouteilles d'un vin attirant par son nez tout en fruits rouges et noirs; le boisé, bien fondu, est à peine perceptible. Vive en attaque, la bouche montre une belle matière, soutenue par des tanins bien enrobés. Un vin croquant. ⧗ 2017-2021 ⧫ coq au vin

⊶ *EARL CATHERINE ET CLAUDE MARÉCHAL, 6, rte de Chalon, 21200 Bligny-lès-Beaune, tél. 03 80 21 44 37, marechalcc@orange.fr* V ✦ ▪ *r.-v.*

CHRISTOPHE PERTUZOT
Le Clos Margot 2014 ★

□	1500	⏸	11 à 15 €

Salarié viticole pendant plusieurs année à sa sortie du lycée viticole de Beaune, Christophe Pertuzot a débuté son activité de vigneron en 2003 en achetant une parcelle de 20 ares du *climat* Les Beaumont à Chorey-les-Beaune. Après d'autres achats et plantations, il exploite 1 ha.

Ce clos de 2,87 ha tirerait son nom de Marguerite de Frolois – Margot – qui fit construire le château de Chorey dans les années 1340. Christophe Pertuzot y a acquis récemment une parcelle de 20 ares qu'il a plantée de chardonnay. Des vignes jeunes, donc (dix ans), à l'origine d'un blanc très honorable, au nez discret d'agrumes et à la bouche plaisante par son attaque vive et par ses arômes persistants de beurre et de vanille. ⧗ 2017-2020 ⧫ gratin de fruits de mer

⊶ *CHRISTOPHE PERTUZOT, 2, rte de Beaune, 21200 Chorey-lès-Beaune, tél. 06 81 39 65 69, christophepertuzot@hotmail.fr* V ✦ ▪ *r.-v.*

DOM. POULLEAU PÈRE ET FILS 2014

■	2380	⏸	15 à 20 €

Depuis le départ à la retraite de son père Michel en 1996, Thierry Poulleau (à la technique) et son épouse Florence (au commercial) gèrent les 7,3 ha du domaine familial créé par le grand-père Gaston et signent des vins souvent en vue, notamment des volnay, chorey et côte-de-beaune.

Le chorey du domaine a de nouveau intéressé nos dégustateurs. Le nez, discret, porte surtout l'empreinte de l'élevage de douze mois en fût, qui se traduit par des notes de café torréfié. Le fruit perce au palais, prenant des accents de fruits rouges écrasés. Ample en attaque, soutenue par des tanins enrobés, la bouche reste stricte et un peu nerveuse en finale. ⧗ 2018-2022 ⧫ risotto de bœuf aux champignons

⊶ *DOM. MICHEL POULLEAU PÈRE ET FILS, 7, rue du Pied-de-la-Vallée, 21190 Volnay, tél. 03 80 21 26 52, domaine.poulleau@wanadoo.fr* V ✦ ▪ *r.-v.*

DOM. JOËL REMY Les Beaumonts 2014 ★

■	n.c.	⏸	15 à 20 €

Un domaine fondé en 1853 au sud-est de Beaune, repris en 1988 par Joël Remy (cinquième génération), qui met en valeur avec son épouse Florence un vignoble de 12 ha répartis dans plusieurs appellations de la Côte de Beaune.

Si Chorey n'a pas de 1ers crus, on y compte 19 *climats* cadastrés. Parmi eux, seuls les Beaumonts sont en légère pente. Dans le verre, un vin rubis profond au nez de fruits noirs et de fraise écrasée, agrémenté de notes florales et chocolatées. Les fruits s'épanouissent au palais, avant que les tanins n'occupent le terrain, soutenant la longue finale. ⧗ 2017-2021 ⧫ bœuf braisé

⊶ *DOM. JOËL REMY, 4, rue du Paradis, 21200 Sainte-Marie-la-Blanche, tél. 03 80 26 60 80, domaine.remy@wanadoo.fr* V ✦ ▪ *t.l.j. sf dim. 8h-12h 14h-18h*

DOM. GEORGES ROY ET FILS 2014 ★

■	9800		11 à 15 €

Vincent Roy, le vinificateur, et sa sœur Claire, arrivée en 2012, conduisent un domaine familial de 9 ha, établi dans la plaine de Chorey-lès-Beaune, en vue notamment pour ses chorey et ses aloxe-corton.

Une fois de plus, les vins du village des Roy sont sélectionnés, et ce dans les deux couleurs de l'appellation. D'un rubis foncé, ce 2014 libère des parfums intenses de fruits rouges que l'on retrouve en bouche. L'attaque fine ouvre sur un palais gourmand, soutenu par des tanins déjà arrondis qui permettront d'apprécier cette bouteille sans trop attendre. ⧗ 2018-2022 ♈ jarret de porc aux clous de girofle ■ **2014 (11 à 15 €; 2200 b.)** : vin cité.

DOM. GEORGES ROY ET FILS, 20, rue des Moutots, 21200 Chorey-lès-Beaune, tél. 03 80 22 16 28, domaine.roy-fils@wanadoo.fr V r.-v.

BEAUNE

Superficie : 410 ha
Production : 15 650 hl (85 % rouge)

En termes de superficie, l'appellation beaune est l'une des plus importantes de la Côte. Beaune, ville d'environ 23 000 habitants, est aussi et surtout la capitale viti-vinicole de la Bourgogne. Siège d'un important négoce, centre d'un nœud autoroutier, la cité possède un patrimoine architectural qui attire de nombreux touristes. La vente des vins des Hospices est devenue un événement mondial et représente l'une des ventes de charité les plus illustres. Les vins, essentiellement rouges, sont pleins de force et de distinction. La situation géographique a permis le classement en 1er cru d'une grande partie du vignoble : Les Bressandes, Le Clos du Roy, Les Grèves, Les Teurons et Les Champimonts figurent parmi les plus prestigieux.

DOM. ARNOUX PÈRE ET FILS En Genêt 2014 ★

■ 1er cru	5000		20 à 30 €

Créée en 1950, cette exploitation familiale, installée à Chorey-lès-Beaune, est dirigée depuis 2008 par Pascal Arnoux, troisième du nom à la tête du domaine. Au menu, une large gamme de vins de la Côte de Beaune (dix-huit appellations sur plus de 20 ha), souvent en vue dans ces pages.

Un 1er cru de caractère, ouvert sur des arômes intensément boisés (moka, vanille) et fruités (cassis, fruits rouges cuits). En bouche, le bois reste très présent, accompagnant une matière riche, dense, avec en soutien des tanins fermes, garants d'une bonne garde. ⧗ 2019-2024 ♈ baron d'agneau aux cèpes

ARNOUX PÈRE ET FILS, 5, rue de Ley, 21200 Chorey-lès-Beaune, tél. 03 80 22 57 98, contact@arnoux.pereetfils.com V r.-v.

DOM. BRIGITTE BERTHELEMOT Longbois 2014

■	911		15 à 20 €

Un domaine créé par Brigitte Berthelemot en 2006 avec la reprise des vignes de Jean Garaudet et d'Yves Darviot : 7,8 ha administrés avec Marc Cugney. Un duo complémentaire, à en juger par sa régularité depuis son installation.

De ce *climat* haut perché, le domaine tire un vin élégant dans son expression aromatique : notes minérales, léger vanillé, agrumes, ananas. La bouche évolue en finesse et en souplesse, soulignée par une bonne fraîcheur. Un beaune tendre et harmonieux. ⧗ 2016-2019 ♈ truite à la crème

DOM. BRIGITTE BERTHELEMOT, 24, rue des Forges, 21190 Meursault, tél. 03 80 21 68 61, contact@domaineberthelemot.com V r.-v.

DOM. LAURENT BOUSSEY Prévoles 2014 ★

■	1800		15 à 20 €

À la tête du domaine familial depuis 2003, Laurent et Karen Boussey exploitent 14,5 ha de vignes réparties dans de nombreuses appellations, d'Aloxe-Corton à Meursault.

Une cuvée régulièrement en vue dans ces pages. La version 2014 séduit d'emblée par son bouquet intense et fin de boisé toasté et de cassis (le fruit et sa feuille). Un charme qui perdure dans un palais souple et frais en attaque, bien texturé autour d'une chair ronde, arrimé à de bons tanins serrés. Une bouteille qui évoluera sereinement. ⧗ 2018-2022 ♈ faisan aux raisins

LAURENT BOUSSEY, 1, rue du Pied-de-la-Vallée, 21190 Monthelie, tél. 03 80 20 02 33, laurent.boussey@sfr.fr V r.-v.

DOM. CACHAT-OCQUIDANT
Les Monsnières 2014 ★

■	n.c.		15 à 20 €

À la tête de 10 ha de vignes réparties tout autour de la montagne de Corton, Jean-Marc Cachat et son fils David figurent en bonne place dans le Guide, surtout pour leurs rouges, majoritaires dans leur carte des vins.

Au nez, un joli vanillé et une touche miellée accompagnent d'élégantes notes florales et exotiques. Une élégance et une complexité que l'on retrouve dans une bouche longue et équilibrée, riche sans lourdeur, épaulée par une bonne fraîcheur et par un boisé savamment dosé. ⧗ 2017-2022 ♈ sandre au beurre blanc

DOM. CACHAT-OCQUIDANT, 3, pl. du Souvenir, Cidex 1, 21550 Ladoix-Serrigny, tél. 03 80 26 45 30, domaine.cachat@wanadoo.fr V r.-v.

DOM. CAPUANO-FERRERI
Cuvée Jean-Marc Ferreri 2014 ★

■	n.c.		15 à 20 €

Associé à l'ancien footballeur Jean-Marc Ferreri, John Capuano – dont le père Gino a créé en 1987 ce domaine implanté à Santenay – exploite 12 ha de parcelles s'égrenant de Beaune à Mercurey. Très régulier en qualité.

Une originale petite touche iodée accompagne les arômes plus classiques de cerise, de cassis et d'épices. Une approche élégante qui annonce un palais tout aussi racé, frais et franc en attaque, très équilibré, bâti sur des tanins et un boisé fins. Une pointe d'austérité en finale signe la jeunesse de ce vin paré pour une bonne garde. ⧗ 2018-2023 ♈ carré d'agneau

EARL DOM. CAPUANO-FERRERI, 14, rue Chauchien, 21590 Santenay, tél. 03 80 20 68 04, john.capuano@wanadoo.fr V r.-v.

DOM. CHANSON PÈRE ET FILS
Les Bressandes 2013 ★

1er cru	n.c.		30 à 50 €

L'une des plus anciennes maisons de négoce de Bourgogne, fondée en 1750, reprise en 1999 par le Champagne Bollinger. En plus de ses achats de raisins, elle dispose d'un important vignoble de 45 ha et de l'expertise de Jean-Pierre Confuron, son œnologue-conseil largement salué pour son talent (aussi pour son domaine familial Confuron-Cotedidot conduit avec son frère Yves), qui a développé un style reconnaissable grâce à ses vinifications en grappes entières. Son fief est situé autour de Beaune, mais Chanson propose aussi des appellations en Côte de Nuits.

Un vin de belle facture né d'un 1er cru réputé. Au nez, des fruits rouges mûrs et un bon boisé fondu; en bouche, de la densité, du volume, une belle acidité de jeunesse et des tanins fins et serrés. Des atouts sérieux pour la garde. ⧗ 2018-2023 🍴 bœuf bourguignon

SA DOM. CHANSON PÈRE ET FILS, 10, rue Paul-Chanson, 21200 Beaune, tél. 03 80 25 97 97, chanson@domaine-chanson.com V r.-v.

DOM. JOSEPH DROUHIN Grèves 2013 ★★

1er cru	n.c.		50 à 75 €

Créée en 1880, cette maison beaunoise travaille une large palette d'AOC bourguignonnes: de Chablis (38 ha sous l'étiquette Drouhin-Vaudon) à la Côte chalonnaise (3 ha), en passant par les Côtes de Beaune et de Nuits (32 ha). On peut y ajouter les vignes américaines du domaine Drouhin en Oregon (90 ha), créé en 1987, et de Roserock Vineyard, 112 ha dans la région des Eola-Amity Hills. Ce négoce d'envergure, grâce à ce vaste ensemble de 73 ha développé par Robert Drouhin à partir de 1957, désormais géré par ses quatre enfants, est aussi le plus important propriétaire de vignes cultivées en biodynamie. Incontournable.

Un 1er cru emblématique, le plus vaste de l'appellation, réputé donner des vins d'une belle finesse. C'est bien le cas du 2013 de cette maison non moins emblématique: jolie robe couleur cerise noire, nez élégant de petits fruits (cerise, myrtille, mûre) rehaussés d'épices, bouche à l'unisson, bien fruitée, boisée avec justesse et soutenue par des tanins serrés, au grain fin. ⧗ 2018-2022 🍴 coq au vin

MAISON JOSEPH DROUHIN, 7, rue d'Enfer, 21200 Beaune, tél. 03 80 24 68 88, maisondrouhin@drouhin.com V r.-v.

DOM. LOÏC DURAND 2014 ★

	n.c.		11 à 15 €

Jeune viticulteur, Loïc Durand a repris en 2005 le domaine familial, situé à côté de l'église de Savigny, qu'il étend progressivement (Beaune, Savigny, Chorey, Rully): 10 ha aujourd'hui.

Un beaune imposant dès le premier nez, au boisé intense, sur le pain grillé, qui laisse pour l'heure le fruit en retrait. Même impression en bouche: un élevage prégnant mais racé, des tanins puissants mais au grain fin et soyeux, une bonne finale fraîche et longue. Un potentiel certain. ⧗ 2019-2026 🍴 cuissot de chevreuil

DOM. LOÏC DURAND, rue de l'Église, 21200 Bouze-lès-Beaune, tél. 06 25 20 28 97, domainedurandloic@orange.fr V r.-v.

DOM. MICHEL GAY ET FILS
Aux Coucherias 2013 ★

1er cru	3000		20 à 30 €

Les Gay sont plusieurs à Chorey. Ici, c'est le domaine des fils de Michel: Sébastien, installé en 2000, et Laurent, l'œnologue, qui l'a rejoint en 2010. Incarnant la quatrième génération, ils disposent de 15 ha à Chorey et dans les communes voisines.

Un 1er cru peu connu, le plus élevé de l'appellation, bien calé sur le flanc sud-est de la montagne de Beaune, regardant le vignoble voisin de Pommard. La version proposée par les frères Gay est une bonne occasion de le découvrir. Jolie robe rouge intense aux reflets violines, nez gourmand de cassis confituré et de boisé grillé, bouche élégante, fraîche, fruitée, boisée avec mesure, aux tanins fins. ⧗ 2017-2021 🍴 chapon aux châtaignes

DOM. MICHEL GAY ET FILS, 1B, rue des Brenots, 21200 Chorey-lès-Beaune, tél. 03 80 22 22 73, michelgayetfils@orange.fr V r.-v.

DOM. JEAN-MICHEL GIBOULOT
Clos du Roi 2014

1er cru	2000		20 à 30 €

Un domaine familial créé en 1935, conduit depuis 1999 par Jean-Michel Giboulot, à la tête d'un vignoble de 12 ha. En agriculture biologique depuis 2010.

Quand Louis XI fit main basse sur les domaines des ducs de Bourgogne, quelques-uns des meilleurs arpents, dont cette vigne, prirent le nom de Clos du Roi, que l'on retrouve à Chenôve, Marsannay et dans les Maranges. Jean-Michel Giboulot en propose une version très fruitée au nez comme en bouche – «me rappelle les cerises de mon enfance que l'on cueillait directement sur l'arbre», écrit un dégustateur nostalgique –, plutôt solide et sérieuse, bâtie sur des tanins serrés. À attendre. ⧗ 2018-2023 🍴 canard aux cerises

JEAN-MICHEL GIBOULOT, 27, rue du Gal-Leclerc, 21420 Savigny-lès-Beaune, tél. 03 80 21 52 30, jean-michel.giboulot@wanadoo.fr V r.-v.

B DOM. EMMANUEL GIBOULOT
Lulune 2014

	1023		30 à 50 €

Installé depuis 1985 à Beaune, Emmanuel Giboulot fait figure de pionnier de l'agriculture biologique qu'il a adoptée d'emblée et de la biodynamie (certification en 1996), qu'il défend avec conviction. Son vignoble comporte aussi des parcelles dans les Hautes-Côtes et à Saint-Romain.

Fruits rouges, cassis confit, léger boisé torréfié, le bouquet de cette cuvée est avenant. En bouche, du fruit toujours, gourmand et intense, de la fraîcheur et de la souplesse malgré une petite austérité en finale. ⧗ 2017-2021 🍴 poulet basquaise

DOM. EMMANUEL GIBOULOT, 4, rue de Seurre, 21200 Beaune, tél. 03 80 22 90 07, emmanuel.giboulot@wanadoo.fr V r.-v.

DOM. A.-F. GROS Les Boucherottes 2014 ★

■ 1er cru	1200	🛢	30 à 50 €

Fille de Jean Gros (Vosne-Romanée), sœur de Bernard (domaine Gros Frère et Sœur), Anne-Françoise Gros a choisi François Parent comme époux et maître de chai. Ensemble, ils conduisent un vignoble de 10 ha dans les deux Côtes qui collectionne les coups de cœur. Incontournable.

Un 1er cru situé sous le Clos des Mouches, qui partage son nom avec le voisin pommard. Il a fourni deux coups de cœur au domaine, dans les millésimes 2010 et 2011. Le 2014 est un beau vin complet, long et élégant, expressif (fruits rouges, touche boisée sans excès), rond et suave en attaque, puis plus vigoureux, porté par des tanins fermes sans dureté. ⧗ 2018-2022 🍴 entrecôte

⊶ SA DOM. A.-F. GROS, 5, Grande-Rue, 21630 Pommard, tél. 03 80 22 61 85, af-gros@wanadoo.fr V *r.-v.* 🏠 E

CHRISTOPHE GUILLO
Lulune Clos de la Fontaine 2014

■	4000	🛢	11 à 15 €

Christophe Guillo a hérité de son grand-père une belle parcelle en saint-aubin. Il a installé sa cuverie à Combertault dans la plaine de Beaune, et agrandi son domaine (10 ha). Vinificateur des cuvées du Domaine du Bout du Monde à Nolay, il en a pris la tête en 2013.

Discret mais fin, le bouquet de ce 2014 associe les fleurs blanches aux fruits jaunes mûrs et à un boisé léger. En bouche, la même retenue aromatique et la même impression de finesse et de légèreté, avec de beaux amers qui viennent stimuler la finale. ⧗ 2017-2020 🍴 sole meunière

⊶ CHRISTOPHE GUILLO, Dom. le Bout du Monde, 5, rte de Bourguignon, 21200 Combertault, tél. 03 80 26 67 05, guillo-c@wanadoo.fr V 🚶 ▪ *r.-v.*

DOM. JESSIAUME Cent Vignes 2013

■ 1er cru	n.c.	🛢	20 à 30 €

Acheté en 2007 par Sir David Murray, ce domaine fondé en 1850 (14 ha, en grande partie à Santenay) fait figure de valeur sûre en Côte-d'Or. En 2008, une structure de négoce est venue compléter la production de la propriété. L'œnologue est William Waterkeyn.

Dans ce millésime délicat, la maison Jessiaume signe un Cent Vignes de belle facture, ouvert sur les fruits rouges mâtinés de nuances animales et boisées. La bouche n'est pas très puissante, mais élégante et fraîche, un peu plus stricte et tannique en finale. Un peu d'attente lui apportera l'harmonie. ⧗ 2018-2021 🍴 navarin d'agneau

⊶ DOM. JESSIAUME, 10, rue de la Gare, 21590 Santenay, tél. 03 80 20 60 03, contact@jessiaume.com V 🚶 ▪ *r.-v. ⊶ Sir David Murray*

DOM. DU LYCÉE VITICOLE DE BEAUNE
Les Monsnières 2014 ★

■	2100	🛢	15 à 20 €

Créé en 1884 en pleine crise du phylloxéra, le «Viti» de Beaune a formé des générations de producteurs aux techniques de la vigne et du vin. Il conduit aujourd'hui un domaine de 21 ha qui sert d'outil pédagogique et expérimental.

Souvent en vue pour ses 1er crus rouges, le domaine du lycée signe ici un joli village blanc, floral, exotique et légèrement vanillé au nez comme en bouche, persistant, souple et tendre. Un vin harmonieux et déjà très accorte. ⧗ 2016-2020 🍴 saumon sauce crémée ■ **1er cru Les Perrières 2014 (15 à 20 €; 1200 b.)** : vin cité.

⊶ DOM. DU LYCÉE VITICOLE DE BEAUNE, 16, av. Charles-Jaffelin, 21200 Beaune, tél. 03 80 26 35 81, sylvain.bujeon@educagri.fr V 🚶 ▪ *t.l.j. 8h30-12h 14h-18h; f. 1er-15 août*

DOM. SÉBASTIEN MAGNIEN 2014

■	n.c.	🛢	15 à 20 €

Sébastien Magnien, originaire des Hautes-Côtes, a créé en 2004 son domaine à partir des vignes maternelles – 12 ha aujourd'hui. Il se dit très interventionniste à la vigne pour les travaux manuels (ce qui permet de limiter les intrants), beaucoup moins au chai (macérations longues, pas de surextraction, usage modéré de fûts neufs).

D'un abord plutôt fermé, le nez s'ouvre doucement à l'aération sur la feuille de cassis, le poivre et le sous-bois. Dès l'attaque, la bouche apparaît corpulente mais sans manquer de finesse, bâtie sur des tanins solides et sévères. Un beaune de caractère, qui a de la réserve. ⧗ 2019-2023 🍴 gigot d'agneau

⊶ EARL DOM. SÉBASTIEN MAGNIEN, 6, rue Pierre-Joigneaux, 21190 Meursault, tél. 03 80 21 28 57, domainesebastienmagnien@orange.fr V 🚶 ▪ *r.-v.*

DOM. MAILLARD PÈRE ET FILS 2014 ★★

■	4600	🛢	20 à 30 €

Représentant la dixième génération sur le domaine fondé en 1766, les frères Maillard, Alain (à la vigne) et Pascal (au chai), disposent d'un vignoble de 19 ha répartis dans sept communes aux environs de la montagne de Corton. Une valeur sûre, notamment en corton et en chorey.

Les frères Maillard proposent ici une magnifique expression du pinot noir. La robe est limpide et le nez intense et complexe, sur la vanille, le poivre, la violette, la framboise et la cerise. On retrouve les fruits et les épices dans une bouche parfaitement équilibrée, ronde et tendre, aux tanins souples et veloutés. Un beaune très gourmand, plein de charme et d'élégance, que l'on pourra boire jeune ou patiné par le temps. ⧗ 2017-2022 🍴 poularde aux cèpes

⊶ DOM. MAILLARD PÈRE ET FILS, 2, rue Joseph-Bard, 21200 Chorey-lès-Beaune, tél. 03 80 22 10 67, contact@domainemaillard.com V 🚶 ▪ *r.-v.*

ALBERT MOROT Les Teurons 2013 ★

■ 1er cru	2000	🛢	30 à 50 €

Si le château de la Creusotte possède un parc magnifique, non loin de celui de la Bouzaise, il a d'autres atouts dans sa cave également. Régulier en qualité, ce domaine beaunois de 8 ha exploite une jolie collection de 1ers crus.

Un vaste *climat* de 21 ha en forme de tertre placé au milieu dé la colline de Beaune. Le domaine Morot en propose une version solide, de garde, bien dans le ton de ce 1er cru. Un vin ouvert à l'aération sur la myrtille, le cassis, les épices et une pointe animale, frais en attaque, dense, charpenté par des tanins encore plein de fougue et de jeunesse. ⧗ 2019-2026 🍴 côte de bœuf ■ **1er cru Les Bressandes 2013 ★ (30 à 50 €; 4000 b.)** : un vin expressif (fraise, framboise, touche mentholée), franc et frais en bouche, épaulé par des tanins fins et par un boisé agréable. ⧗ 2018-2024

SARL DOM. ALBERT MOROT, Ch. de la Creusotte, 20, av. Charles-Jaffelin, 21200 Beaune, tél. 03 80 22 35 39, albertmorot@aol.com r.-v.

DOM. THIERRY PINQUIER
Les Chaumes Gauffriots 2013

■	1550		15 à 20 €

En 1994, Thierry Pinquier a pris la relève de ses parents Colette et Maurice, ouvriers vignerons fondateurs du domaine en 1954. Tandis qu'il œuvre à la vigne (6 ha) et au chai, son épouse anime les dégustations et s'occupe des chambres d'hôtes.

Discret et un brin animal de prime abord, ce *village* s'ouvre à l'agitation sur la cerise noire et un léger boisé. La bouche se montre plus expressive, sur la cerise toujours, portée par des tanins de qualité, encore un peu stricts en finale, et soulignée par une amertume assez présente. Petite garde conseillée. ⧗ 2017-2021 🍴 entrecôte

THIERRY PINQUIER, imp. des Belges, 5, rue Pierre-Mouchoux, 21190 Meursault, tél. 03 80 21 24 87, domainepinquier@orange.fr t.l.j. 9h-11h30 14h-18h30; dim. 9h-12h 3

DOM. JACQUES PRIEUR
Clos de la Féguine Monopole 2013 ★

1er cru	1100		30 à 50 €

Ce domaine de belle notoriété, établi de longue date à Meursault (fin du XVIIIes.), dispose de 22 ha de vignes pour 22 appellations, exclusivement des 1ers et des grands crus (hormis son meursault Clos de Mazeray, conduit en monopole). Entré dans le capital en 1988, Jean-Pierre Labruyère en est devenu l'actionnaire principal en 2006 et son fils Édouard en est l'actuel directeur général. La famille Labruyère est également propriétaire à Pomerol (Ch. Rouget), dans le Beaujolais, son fief d'origine (Dom. Labruyère), et en Champagne. Elle peut s'appuyer sur le talent sans faille de Nadine Gublin, l'œnologue maison depuis 1990 en charge de la direction technique depuis 2009.

Une référence de l'appellation, en rouge comme en blanc. Ce clos, un monopole de 1,86 ha situé au sein du 1er cru Aux Coucherias, à l'entrée de la combe de Bouze-lès-Beaune, est planté dans les deux couleurs, en rouge majoritairement. Le blanc fut coup de cœur dans sa version 2012; le 2013 est très réussi. Au nez, une première sensation de vivacité (agrumes), puis plus de chaleur autour de notes de fruits mûrs et d'une touche miellée et briochée. En bouche, même impression mêlée de générosité et de fraîcheur, d'onctuosité et de finesse, avec un beau boisé fondu en soutien. Le style mûr et assuré de Nadine Gublin est au rendez-vous. ⧗ 2017-2021 🍴 blanquette de veau

DOM. JACQUES PRIEUR, 6, rue des Santenots, 21190 Meursault, tél. 03 80 21 23 85, info@prieur.com

♥ DOM. RAPET PÈRE ET FILS
Champs Pimont 2014 ★★

1er cru	2000		30 à 50 €

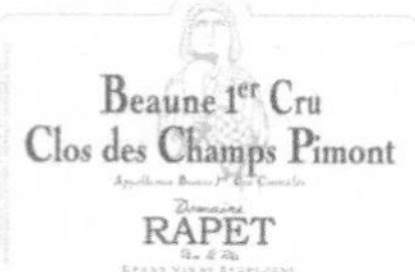

Ce domaine ancien (1765) et incontournable de Pernand-Vergelesses est conduit par Vincent Rapet depuis 1985. S'il se passionne pour sa commune natale, ce dernier travaille les appellations voisines avec le même soin, sur un vignoble de 20 ha.

Ce 1er cru se présente dans une magnifique robe pâle aux reflets dorés, le nez empreint de fines senteurs florales, fruitées (poire williams) et vanillées. Très vif et tonique à l'attaque, le palais offre ensuite beaucoup de gras, de volume et de densité, soutenu par un boisé parfaitement ajusté et par une touche minérale «qui va bien» et donne de l'allonge. Du caractère et de l'élégance. ⧗ 2017-2022 🍴 turbot au beurre blanc

DOM. RAPET PÈRE ET FILS, 2, pl. de la Mairie, 21420 Pernand-Vergelesses, tél. 03 80 21 59 94, vincent@domaine-rapet.com r.-v.

CH. DE SANTENAY Montée rouge 2014

■ 1er cru	1770		30 à 50 €

Ce majestueux château aux tuiles vernissées, aussi appelé «château Philippe le Hardi», fut propriété du premier duc de la grande Bourgogne (1342-1404). Dans le giron du Crédit Agricole depuis 1997, il dispose d'un vaste vignoble de 92 ha répartis dans plusieurs AOC beaunoises et chalonnaises, sous la houlette de l'œnologue et directeur d'exploitation Gérard Fagnoni.

Un *climat* particulièrement pentu que cette Montée rouge et dans le verre, un 1er cru plutôt droit. Fermé au premier nez, il s'ouvre (un peu) à l'aération, sur la cerise. En bouche, il apparaît plus expressif (fruits rouges mûrs, épices), tannique et ferme. ⧗ 2019-2026 🍴 civet de lièvre

SAS TERROIRS ET CHÂTEAUX DE BOURGOGNE, 1, rue du Château, 21590 Santenay, tél. 03 80 20 61 87, contact@chateau-de-santenay.com r.-v.

CÔTE-DE-BEAUNE

Superficie : 35 ha / Production : 990 hl (70 % rouge)

À ne pas confondre avec le côte-de-beaune-villages, l'appellation côte-de-beaune ne peut être produite que sur quelques lieux-dits de la montagne de Beaune.

DOM. CAUVARD
Les Monts Battois Monopole 2014

	3000		11 à 15 €

Depuis 1974, Henri et Jacqueline Cauvard sont à la tête de cette exploitation familiale, rejoints en 2007 par leurs fils Julien. Installés au cœur de Beaune, ils exploitent aujourd'hui 18 ha de vignes sur cinq villages de la Côte de Beaune.

Les Cauvard exploitent une belle parcelle de 1,44 ha de ce lieu-dit qui, avec ses 370 m d'altitude, est le plus élevé de l'appellation. C'est aussi l'un des vignobles expérimentaux de la Bourgogne. Dans le verre, un vin expressif à l'olfaction, sur le pamplemousse et la pêche, équilibré, frais et finement boisé en bouche. Il gagnera son étoile en cave. ⧗ 2017-2020 🍷 lotte à la crème

DOM. CAUVARD, 34 bis, rte de Savigny, 21200 Beaune, tél. 03 80 22 29 77, domaine.cauvard@wanadoo.fr V r.-v.

DOM. EMMANUEL GIBOULOT
Les Pierres Blanches 2014

	2200		20 à 30 €

Installé depuis 1985 à Beaune, Emmanuel Giboulot fait figure de pionnier de l'agriculture biologique qu'il a adoptée d'emblée et de la biodynamie (certification en 1996), qu'il défend avec conviction. Son vignoble comporte aussi des parcelles dans les Hautes-Côtes et à Saint-Romain.

Né sur des terres blanches calcaires, ce vin passé quatorze mois en fût dévoile des parfums élégants de chèvrefeuille, de pêche blanche et de beurre. Une attaque nette et minérale met en relief un palais frais et plutôt léger. Une bouteille à apprécier dans sa jeunesse. ⧗ 2016-2019 🍷 turbot poché au citron

DOM. EMMANUEL GIBOULOT, 4, rue de Seurre, 21200 Beaune, tél. 03 80 22 90 07, emmanuel.giboulot@wanadoo.fr V r.-v.

♥ DOM. LEJEUNE
Les Monsnières 2014 ★★

	5200		15 à 20 €

Domaine transmis par les femmes depuis 1850, mais administré et vinifié par les hommes: François Jullien de Pommerol, ancien professeur à la «Viti» de Beaune, rejoint en 2005 par son gendre Aubert Lefas qui en assure aujourd'hui la direction. Vinifications en grappes entières et longs élevages sous bois sont leur signature, notamment pour les pommard, le cœur de leurs 9,5 ha, complétés par une activité de négoce.

Les coups de cœur sont rares dans cette appellation, l'une des plus petites de Bourgogne. Ses 29 ha partagés également entre pinot noir et chardonnay forment un promontoire entre 300 et 370 m, au-dessus des premiers crus beaunois. Le domaine Lejeune y exploite une belle parcelle de 93 ares, à l'origine d'un vin élégamment bouqueté autour des agrumes, de la pêche et de la mirabelle. Le palais se montre rond, tendre, soyeux, bien enrobé par un boisé finement torréfié. Une vraie gourmandise, qui s'appréciera aussi bien dans sa jeunesse qu'après quelques années de garde. ⧗ 2017-2021 🍷 risotto aux fruits de mer

DOM. LEJEUNE, 1, pl. de l'Église, 21630 Pommard, tél. 03 80 22 90 88, commercial@domaine-lejeune.fr V *t.l.j. sf dim. 9h-12h 14h-18h; r.-v. janv. à mars* *Famille Jullien de Pommerol*

POMMARD

Superficie : 320 ha / Production : 12 900 hl

C'est l'appellation bourguignonne la plus connue à l'étranger, sans doute en raison de sa facilité de prononciation… Les formations de calcaires tendres sont particulièrement favorables au pinot noir qui produit des vins colorés, solides, tanniques et de garde (jusqu'à dix ans). Les meilleurs *climats* sont classés en 1ers crus, dont les plus connus sont Les Rugiens et Les Épenots.

VINCENT BACHELET Les Chanlins 2013 ★

■	3500		20 à 30 €

Originaire d'une vieille famille vigneronne des Maranges (il est fils de Bernard Bachelet), Vincent Bachelet a travaillé avec ses frères avant de s'installer, en 2008, à Chassagne-Montrachet, dans les anciens chais du négociant de Marcilly. Il exploite 14 ha, essentiellement dans la Côte de Beaune.

Répartis entre une partie basse et une partie haute, sur 6 ha, ces Chanlins se muent en 1ers crus à mi-coteau. Ici, un *village* expressif, entre notes de sureau, de pivoine, de cerise et de cacao, rond et souple en bouche, bâti sur des tanins présents mais sans agressivité. Une bouteille apte à la garde. ⧗ 2019-2024 🍷 bœuf bourguignon

VINCENT BACHELET, 27, rte de Santenay, 21190 Chassagne-Montrachet, tél. 06 19 77 51 87, bacheletvincent1@wanadoo.fr V *r.-v.*

DOM. BILLARD-GONNET Rugiens Bas 2013 ★

■ 1er cru	1500		30 à 50 €

Cette famille établie à Pommard depuis 1766 est aujourd'hui à la tête de 10 ha. La propriété propose plusieurs 1ers crus de sa commune, complétés par une parcelle de Clos des Mouches en beaune blanc.

Qu'ils soient «hauts» ou «bas», les Rugiens doivent leur nom de terres rouges où l'on trouve des nodules de fer. D'une parcelle de 30 ares, le domaine a tiré ce vin au nez généreux mais fin de cassis et de kirsch. Sa consistance, son volume, ses tanins fermes composent en bouche un pommard de belle tenue, paré pour la garde. ⧗ 2019-2026 🍷 poule faisane aux cèpes ■ **1er cru Clos de Verger 2013** (20 à 30 €; 2500 b.) : vin cité. ■ **1er cru** 2013 (20 à 30 €; 2000 b.) : vin cité.

DOM. BILLARD-GONNET, rte d'Ivry, 21630 Pommard, tél. 03 80 22 17 33, billard.gonnet@wanadoo.fr V *r.-v.*

ÉRIC BOIGELOT 2013 ★

■	4000		20 à 30 €

Après avoir travaillé plusieurs années sur le domaine familial créé en 1918 à Monthelie par l'arrière-grand-père, Éric Boigelot a décidé de fonder son propre vignoble: 3,5 ha à l'origine, 8 ha aujourd'hui, dirigés depuis Meursault, village où il s'est implanté en 1998.

Une vigne de quarante-cinq ans est à l'origine de ce 2013 intense et bien typé. Le nez distille des senteurs harmonieuses de cassis, de vanille, de truffe et de sous-bois. La bouche apparaît à la fois solide, fine, fraîche et longue, structurée par des tanins denses et fermes. Un vrai pommard de garde. ⧗ 2020-2026 🍷 choux farcis au faisan

⊶ ÉRIC BOIGELOT, 21, rue des Forges, 21190 Meursault, tél. 03 80 21 65 85, vins.eric.boigelot@wanadoo.fr V r.-v.

DOM. ALBERT BOILLOT Les Chanlins-Bas 2013

■ 1er cru	1000		20 à 30 €

La famille Boillot, qui a donné naissance à l'un des fondateurs français du vignoble californien, Paul Masson, est établie à Volnay depuis la fin du XVIIes. Raymond Boillot, installé en 1988, conduit aujourd'hui un domaine de 4 ha dédié au pommard, au volnay et aux AOC régionales.

Les anciens champs de lin qui servaient à fabriquer des tissus ont fait place à des vignes sur 4,43 ha. Le *climat* est voisin d'un lieu-dit de Volnay portant le même nom. Raymond Boillot y a vendangé 25 ares de pinot. Il signe un pommard plaisant par son nez intense de framboise et de myrtille et par sa bouche souple et fraîche, aux tanins fins et policés. Un 1er cru que l'on pourra ouvrir sans trop attendre. ⧗ 2017-2021 fondue bourguignonne

⊶ DOM. ALBERT BOILLOT, 2, ruelle Saint-Étienne, 21190 Volnay, tél. 03 80 21 61 21, dom.albert.boillot@wanadoo.fr V r.-v.

DOM. BOURGOGNE-DEVAUX Les Vignots 2014

■	1900		20 à 30 €

Sylvie Bourgogne a repris en 1986 le domaine créé en 1899 par son arrière-grand-père. Contrainte de vendre la production en raisin et de réduire le vignoble (2,35 ha aujourd'hui), elle a vinifié son premier hautes-côtes-de-beaune en 2012 sous l'impulsion de ses deux enfants, suivi d'une cuvée de pommard en 2013.

Au milieu du XVes., une invasion d'insectes détruisit une grande partie du vignoble bourguignon. Seul survécut au sommet de la montagne de Pommard un bouquet de vigne qui prit le nom de Vignots. Sylvie Bourgogne en cultive une parcelle de 30 ares d'où elle a tiré un vin aux senteurs gourmandes de fruits rouges et noirs, suave et rond en attaque, plus compact et boisé dans son développement. À attendre pour plus de fondu. ⧗ 2019-2023 steak au poivre vert

⊶ DOM. BOURGOGNE-DEVAUX, 2, chem. de Mavilly, 21190 Meloisey, tél. 06 03 11 65 40, domaine.bourgogne@gmail.com V r.-v.

DOM. CAPUANO-FERRERI Vieilles Vignes 2014

■	n.c.		20 à 30 €

Associé à l'ancien footballeur Jean-Marc Ferreri, John Capuano – dont le père Gino a créé en 1987 ce domaine implanté à Santenay – exploite 12 ha de parcelles s'égrenant de Beaune à Mercurey. Très régulier en qualité.

Le domaine signe ici un pommard souple et plutôt léger, ouvert sur des arômes harmonieux de cassis et de petits fruits rouges, frais et franc en bouche, aux tanins aimables et fondus. Une bouteille que l'on pourra apprécier dans sa jeunesse. ⧗ 2017-2021 magret de canard

⊶ EARL DOM. CAPUANO-FERRERI, 14, rue Chauchien, 21590 Santenay, tél. 03 80 20 68 04, john.capuano@wanadoo.fr V r.-v.

DOM. DENIS CARRÉ 2014 ★

■	n.c.		20 à 30 €

À Meloisey, dans les Hautes-Côtes, Martial et Gaëtane Carré ont rejoint leur père Denis, fondateur en 1975 de ce domaine qui excelle dans plusieurs AOC, en hautes-côtes-de-beaune, saint-romain et pommard notamment.

Né d'une très vieille vigne de quatre-vingt-cinq ans, ce pommard a du caractère et le revendique dès l'olfaction, complexe et riche: cuir, musc, cassis, café, poivre... Le palais se montre frais, puissant, dense, tannique, bâti pour une longue garde. ⧗ 2020-2026 gigot d'agneau

⊶ DENIS CARRÉ, 1, rue du Puits-Bouret, 21190 Meloisey, tél. 03 80 26 02 21, domainedeniscarre@wanadoo.fr V r.-v.

DOM. HENRI DELAGRANGE Les Bertins 2014 ★

■ 1er cru	1200		30 à 50 €

Valeur sûre de Volnay, Didier Delagrange a rejoint son père en 1990 sur le domaine familial, pour lui succéder en 2003. Il a porté la superficie du vignoble à 14,5 ha, répartis dans différentes AOC de la Côte de Beaune, avec une petite activité de négoce en complément.

Ce 1er cru doit son nom à une famille de Volnay, les Bertin. Les Delagrange, de Volnay eux aussi, y cultivent 45 ares et en tirent un vin expressif (fruits noirs et rouges, nuance florale), ample et riche en bouche, aux tanins fermes et à la finale légèrement poivrée. Un vrai pommard de garde, bien bâti et équilibré. ⧗ 2020-2024 daube d'agneau

⊶ DIDIER DELAGRANGE, 7, cours François-Blondeau, 21190 Volnay, tél. 03 80 21 64 12, didier@domaine-henri-delagrange.com V r.-v.

RODOLPHE DEMOUGEOT Les Vignots 2013

■	1200		30 à 50 €

Établi à Meursault depuis 1992, Rodolphe Demougeot exploite aujourd'hui un vignoble de 7,8 ha, dont 6 ha de pinot noir, entre Savigny et Chassagne. Labours au cheval, refus des désherbants et des engrais chimiques, l'orientation est résolument biologique, et la vinification peu interventionniste.

Ce 2013 dévoile des parfums engageants de confiture de fraises et de vanille. La bouche apparaît fine, fraîche et fruitée, adossée à des tanins soyeux et discrets qui renforcent son caractère aimable. Un pommard que l'on pourra servir dans sa jeunesse. ⧗ 2017-2021 canard aux cerises

⊶ DOM. RODOLPHE DEMOUGEOT, 2, rue du Clos-de-Mazeray, 21190 Meursault, tél. 03 80 21 28 99, rodolphe.demougeot@orange.fr V r.-v.

LOÏC DURAND 2014

■	3000		20 à 30 €

Jeune viticulteur, Loïc Durand a repris en 2005 le domaine familial, situé à côté de l'église de Savigny, qu'il étend progressivement (Beaune, Savigny, Chorey, Rully): 10 ha aujourd'hui.

Ce pommard s'ouvre sur un bouquet plaisant de fruits rouges confits mâtinés de nuances boisées. Des arômes prolongés par un palais gras et persistant, étayé par des tanins fins. La finale plus austère et boisée appelle une petite garde. ⧗ 2018-2022 ᛘ soumaintrain fermier

⊶ *DOM. LOÏC DURAND, rue de l'Église, 21200 Bouze-lès-Beaune, tél. 06 25 20 28 97, domainedurandloic@orange.fr* V r.-v.

ISABELLE ET PHILIPPE GERMAIN 2014

■	3000	◍	15 à 20 €

Gilbert Germain a créé l'exploitation en 1962 avec son épouse Bernadette dans le pittoresque village de Nantoux, en Hautes-Côtes. Philippe, le fils, a repris le flambeau en 1995, débuté la vente en bouteille et développé le parcellaire: son vignoble couvre aujourd'hui 20 ha.

Née d'un hectare «tout rond», cette cuvée dévoile des parfums complexes associant le menthol, le grillé, les fruits rouges et la verveine. La bouche est construite sur le fruit, la fraîcheur et des tanins encore assez sévères mais prometteurs. Un pommard un peu fugace mais équilibré, qui devrait bien évoluer. ⧗ 2019-2024 ᛘ tarte au Langres fermier

⊶ *GILBERT ET PHILIPPE GERMAIN, rue du Vignoble, 21190 Nantoux, tél. 03 80 26 05 63, germain.vins@wanadoo.fr* V r.-v.

DOM. GERMAIN PÈRE ET FILS La Chanière 2013

■	4200	◍	20 à 30 €

Un domaine créé en 1955 par Bernard Germain, rejoint en 1976 par son fils Patrick, avec lequel il lance la mise en bouteilles. En 2009, Arnaud, le petit-fils, prend la relève. Il est à la tête de 15 ha, complétés par une activité de négoce à son nom.

Sur ce *climat* de 6,97 ha qui bénéficie d'une belle exposition solaire, les Germain exploitent une parcelle de 1 ha, ce qui n'est pas rien à l'échelle bourguignonne. La vigne a soixante ans et elle a engendré un pommard au nez à la fois délicat et intense de fruits rouges et de pivoine. La bouche évolue dans un registre tendre et souple en attaque, avant de dévoiler des tanins assez fermes et une bonne acidité en finale. ⧗ 2019-2023 ᛘ œufs en meurette

⊶ *DOM. GERMAIN PÈRE ET FILS, 34, rue de la Pierre-Ronde, 21190 Saint-Romain, tél. 03 80 21 60 15, contact@domaine-germain.com* V *t.l.j. sf dim. 8h30-12h 13h30-19h*

DOM. GLANTENAY 2013

■	1650	◍	20 à 30 €

Ce domaine de 8 ha est conduit depuis quatre siècles par la famille Glantenay, qui a accueilli en 2012 une nouvelle génération: Guillaume et sa sœur Fanny, enfants de Pierre.

Ce *village* distille des parfums plaisants de fruits cuits et de réglisse. Une attaque soyeuse ouvre sur un palais tendre, fin, un peu plus serré en finale mais déjà harmonieux. ⧗ 2017-2021 ᛘ pintade forestière

⊶ *SCE DOM. GEORGES GLANTENAY, 16, chem. de la Cave, 21190 Volnay, tél. 03 80 21 61 82, contact@domaineglantenay.com* V r.-v.

DOM. A.-F. GROS Les Pezerolles 2014

■ 1er cru	1900	◍	50 à 75 €

Fille de Jean Gros (Vosne-Romanée), sœur de Bernard (domaine Gros Frère et Sœur), Anne-Françoise Gros a choisi François Parent comme époux et maître de chai. Ensemble, ils conduisent un vignoble de 10 ha dans les deux Côtes qui collectionne les coups de cœur. Incontournable.

Un *climat* situé côté Beaune, sur des marnes oxfordiennes et des sols bruns calciques et calcaires. Anne-Françoise Gros y cultive 35 ares de pinot noir, à l'origine d'un 2014 ouvert à l'aération sur les épices, le musc et un boisé toasté légué par vingt mois de fût. La bouche se montre ronde et charnue en attaque, plus tannique, boisée, vive et serrée dans son évolution. Un peu de garde est nécessaire. ⧗ 2019-2023 ᛘ tajine aux pruneaux

⊶ *SA DOM. A.-F. GROS, 5, Grande-Rue, 21630 Pommard, tél. 03 80 22 61 85, af-gros@wanadoo.fr* V r.-v.

JEAN-LUC JOILLOT Les Petits Épenots 2013 ★

■ 1er cru	1035	◍	50 à 75 €

Valeur sûre en pommard, Jean-Luc Joillot s'est installé en 1982 sur le domaine familial, aujourd'hui constitué de 17 ha, avec soixante parcelles dans son cru d'origine. Simon Goutard, le fils de son épouse, est désormais aux commandes des vinifications, qu'il a «assouplies».

Ce pommard sombre, né de vieux ceps de quatre-vingts ans, distille des senteurs harmonieuses et élégantes de fruits noirs, de sous-bois, de réglisse et de vanille. En bouche, il se révèle bien concentré, riche et volumineux, structuré par des tanins fins et d'une belle persistance sur le fruit. Bâti pour la cave. ⧗ 2019-2026 ᛘ pintade aux cèpes ■ **Les Noizons 2014 (20 à 30 €; 2800 b.)** : vin cité.

⊶ *DOM. JEAN-LUC JOILLOT, 6, rue Marey-Monge, 21630 Pommard, tél. 03 80 24 20 26, joillot@vin-pommard.com* V r.-v.

DOM. MICHEL LAHAYE Les Arvelets 2013

■ 1er cru	1778	◍	20 à 30 €

Installé depuis 1970, Michel Lahaye exploite environ 5 ha à Pommard, son fief, à Meursault et à Beaune, pour une moitié en propriété et pour l'autre en métayage.

De ce *climat* situé à mi-coteau et au sud, Michel Lahaye a tiré ce vin généreusement bouqueté autour des fruits rouges à l'alcool. La bouche apparaît très solide et riche, bâtie sur des tanins sévères qui doivent se fondre. Patience, le potentiel est là... ⧗ 2019-2026 ᛘ joues de bœuf confites

⊶ *DOM. MICHEL LAHAYE, 5, pl. de l'Église, 21630 Pommard, tél. 03 80 22 52 22, michel.lahaye2@sfr.fr* V r.-v.

DOM. SÉBASTIEN MAGNIEN Les Perrières 2013 ★

■	n.c.	◍	20 à 30 €

Sébastien Magnien, originaire des Hautes-Côtes, a créé en 2004 son domaine à partir des vignes maternelles – 12 ha aujourd'hui. Il se dit très interventionniste à la vigne pour les travaux manuels (ce qui permet de limiter les intrants), beaucoup moins au chai (macérations longues, pas de surextraction, usage modéré de fûts neufs).

Cette ancienne carrière (perrière) devenue vigne forme un triangle juste avant le rond-point qui mène à Beaune. Sébastien Magnien y cultive 50 ares de pinot noir qui ont donné ce vin fruité au nez comme en bouche, offrant de

BOURGOGNE

la densité et une belle mâche autour de tanins à la fois fermes et soyeux. Un bon vieillissement en perspective. ⧗ 2019-2024 🍴 merlan de bœuf aux cèpes

EARL DOM. SÉBASTIEN MAGNIEN, 6, rue Pierre-Joigneaux, 21190 Meursault, tél. 03 80 21 28 57, domainesebastienmagnien@orange.fr V r.-v.

CATHERINE ET CLAUDE MARÉCHAL
La Chanière 2014

■	5300	◍	30 à 50 €

Installé dans la plaine de Pommard depuis 1981, le couple Maréchal fait partie des valeurs sûres de la Côte de Beaune. Il conduit, avec minutie et dans un esprit bio (pas de désherbants chimiques, levures indigènes, limitation du soufre), un vignoble de 12,8 ha offrant une large gamme d'appellations.

Ce *climat*, dont le nom désigne une chênaie, expose ses 6,97 ha au sud. Les Maréchal y cultivent 87 ares à l'origine d'un vin floral (violette) et fruité (griotte et cerise). Passé une attaque franche et fraîche, on découvre un palais à la fois rond et bien structuré, de bonne longueur. Un pommard équilibré, qui évoluera bien. ⧗ 2018-2023 🍴 pigeon rôti

EARL CATHERINE ET CLAUDE MARÉCHAL, 6, rte de Chalon, 21200 Bligny-lès-Beaune, tél. 03 80 21 44 37, marechalcc@orange.fr V r.-v.

PROSPER MAUFOUX 2013 ★

■	1781	◍	30 à 50 €

Constitué en 1860, le négoce Prosper Maufoux est une institution à Santenay. Il est installé dans l'hôtel particulier bâti en 1838 pour Jacques-Marie Duvault, alors unique propriétaire de la Romanée-Conti. Il a été repris en 2010 par Éric Piffaut et la maison André Delorme, spécialiste des vins de la Côte chalonnaise. La fusion des deux entités a donné la Maison des Grands crus.

La maison présente ici un joli pommard de garde. Au nez, des fruits rouges et quelques notes végétales qui signent le millésime. En bouche, de la fraîcheur, de la densité, des tanins fermes et solides et une belle longueur. ⧗ 2019-2024 🍴 gigot d'agneau

MAISON DES GRANDS CRUS, 1, pl. du Jet-d'Eau, 21590 Santenay, tél. 03 85 87 10 12, contact@andre-delorme.com V *t.l.j. 10h-13h 14h-18h; oct. à avril sur r.-v.* 5 *Éric Piffaut*

DOM. MAZILLY PÈRE ET FILS
Les Poutures 2014 ★

■ 1er cru	4200	◍	20 à 30 €

Installés depuis 1980 à Meloisey, charmant village des hautes Côtes de Beaune, Frédéric Mazilly et son fils Aymeric exploitent, dans un esprit proche du bio, un coquet vignoble de 17 ha. En 2004, Aymeric a également créé sous son propre nom une maison de négoce dédiée aux seuls vins blancs.

Une cuvée régulièrement en vue dans ces pages, notamment ces dernières années. La version 2014 séduit d'emblée par son nez fin de pivoine et de cassis. Mais c'est en bouche qu'elle convainc avec son fruité exubérant et persistant, sa fraîcheur et ses tanins fermes. Un pommard élégant et équilibré, promis à une belle évolution. ⧗ 2019-2026 🍴 filet de mignon de veau aux pruneaux

DOM. MAZILLY PÈRE ET FILS, 1, rte de Pommard, 21190 Meloisey, tél. 03 80 26 02 00, bourgogne-domaine-mazilly@wanadoo.fr V *r.-v.*

JEAN-LOUIS MOISSENET-BONNARD
Les Épenots 2014 ★

■ 1er cru	1730	30 à 50 €

Souvent en vue pour ses pommard, Jean-Louis Moissenet, issu d'une longue lignée vigneronne, a débuté comme responsable du rayon fruits et légumes dans la grande distribution, avant de reprendre en 1988 les vignes familiales provenant de sa grand-mère, madame Henri Lamarche. Il exploite aujourd'hui un vignoble de 6 ha avec sa fille Emmanuelle-Sophie, arrivée en 2012.

Une vénérable vigne de quatre-vingt-dix ans est à l'origine de ce pommard grenat profond, qui s'ouvre sur un nez chaleureux de fruits à l'eau-de-vie. En bouche, les fruits sont bien présents, les tanins aussi, fins et soyeux, apportant de l'élégance et un beau volume. Du potentiel. ⧗ 2019-2026 🍴 lièvre à la royale ■ **Les Tavannes 2014 (; 900 b.)** : vin cité. ■ **Les Cras 2014 (20 à 30 €; 1340 b.)** : vin cité.

JEAN-LOUIS MOISSENET-BONNARD, 4, rue des Jardins, 21630 Pommard, tél. 03 80 24 62 34, emmanuelle-sophie@moissenet-bonnard.com V *r.-v.*

MANUEL OLIVIER 2013

■	1500	◍	20 à 30 €

Installé en 1990, Manuel Olivier, fils d'agriculteurs, a commencé par cultiver les vignes et petits fruits dans les Hautes-Côtes de Nuits. Aujourd'hui spécialisé en viticulture, il exploite un vignoble de 11 ha, complété depuis 2007 par une structure de négoce qui lui a permis de mettre un pied en Côte de Beaune.

Ce pommard a été vinifié avec 50 % de vendanges entières, ce qui est rare dans l'appellation, surtout dans une année de forte grêle. Le résultat est un vin d'ores et déjà agréable, joliment bouqueté autour de la cerise et de la réglisse, rond et structuré sans excès. ⧗ 2017-2021 🍴 aumônière à l'époisses

SARL MANUEL OLIVIER, 7, rue des Grandes-Vignes, hameau de Corboin, 21700 Nuits-Saint-Georges, tél. 03 80 62 39 33, contact@domaine-olivier.com V *r.-v.*

Ⓑ DOM. PARENT Les Épenots 2013

■ 1er cru	1475	◍	50 à 75 €

Fondé en 1803, ce domaine historique de Pommard possède une belle collection de *villages* et de 1ers crus dans cette appellation, dont il est l'une des valeurs sûres. Il est dirigé depuis 1998 par Anne Parent et Catherine Pagès-Parent, filles de Jacques, qui disposent de 10 ha de vignes (en bio certifié et en biodynamie sans certification), complétés par une activité de négoce.

Pour la troisième année consécutive, ce 1er cru a connu la grêle, mais cela n'a pas empêché bon nombre de vignerons de proposer de jolies cuvées d'Épenots. Celui des sœurs Parent séduit par son bouquet harmonieux de fruits rouges et de moka, par ses tanins fins, sa bonne longueur et son équilibre. ⧗ 2018-2022 🍴 coq au vin ■ **1er cru Les Chaponnières 2013 (50 à 75 €; 596 b.)** Ⓑ : vin cité.

SAS DOM. PARENT, 3, rue de la Métairie, BP 20008, 21630 Pommard, tél. 03 80 22 15 08, contact@domaine-parent.com

DOM. PARIGOT Les Charmots 2014 ★

1er cru	2700		30 à 50 €

Régis Parigot et son fils Alexandre s'appuient sur les conseils de Kyriakos Kynigopoulos, œnologue renommé, né en Grèce. Sur un domaine de 20 ha, ils valorisent avec talent les terroirs bourguignons, témoins les nombreux coups de cœur obtenus pour leurs vins de la Côte de Beaune et des Hautes-Côtes.

Les pommards des Parigot laissent rarement indifférents. Ce 2014 intéresse d'emblée par son nez généreux de fruits rouges mûrs, de sous-bois et de toasté. On retrouve ces arômes dans une bouche fraîche en attaque, qui évolue avec intensité sur des tanins denses et soyeux et déploie une belle finale confiturée. 2018-2024 bœuf en daube

DOM. PARIGOT, 8, rte de Pommard, 21190 Meloisey, tél. 03 80 26 01 70, domaine.parigot@orange.fr V r.-v.

DOM. PILLOT-HENRY 2014 ★

1er cru	3500		20 à 30 €

Fils d'un vigneron propriétaire de quelques ares de pommard 1er cru Les Charmots, Thomas Henry, après avoir travaillé pendant dix ans comme technicien en viticulture, a repris un domaine à Comblanchien en 2007 (le caveau est à Pommard) et exploite aujourd'hui 7,8 ha de vignes entre Nuits-Saint-Georges et Pommard.

Ce vigneron du cru obtient une étoile pour une cuvée entièrement égrappée et élevée dans des fûts neufs pour 75 % du volume. Au nez, le cassis et la réglisse se mêlent aux épices et au menthol. Le palais se révèle à la fois rond et frais, étayé par des tanins bien en place mais sans dureté, au grain soyeux. Un pommard équilibré et complet. 2019-2023 filet de bœuf Wellington

EARL PILLOT-HENRY, ancienne rte d'Autun, 21630 Pommard, tél. 06 28 29 73 97, earl.pillot-henry@orange.fr V r.-v.

DOM. MICHEL REBOURGEON Les Rugiens 2013 ★

1er cru	530		30 à 50 €

Ce domaine établi au cœur de Pommard a pris le nom de Domaine Michel Rebourgeon en 1964 avec les parents de Delphine Whitehead. Cette dernière est aux commandes depuis 1996 avec son mari Stephen et exploite un petit vignoble de 3,55 ha en AOC beaune, pommard et volnay.

Pas le moins réputé des 1ers crus de Pommard, dont les terres rouges riches en fer engendrent des vins racés. Celui-ci fait dans la finesse et l'élégance. Ouvert sur des arômes floraux, fruités et un brin végétaux (la marque du millésime), il déploie une attaque tendre et souple, puis monte en puissance, doucement, porté par des tanins veloutés et une agréable fraîcheur. 2019-2026 tournedos aux cèpes

DOM. MICHEL REBOURGEON, 7, pl. de l'Europe, 21630 Pommard, tél. 03 80 22 22 83, michel.rebourgeon@wanadoo.fr V *t.l.j. 10h-12h 14h-17h*

DOM. JOËL REMY La Chanière 2014 ★

1er cru	n.c.		30 à 50 €

Un domaine fondé en 1853 au sud-est de Beaune, repris en 1988 par Joël Remy (cinquième génération), qui met en valeur avec son épouse Florence un vignoble de 12 ha répartis dans plusieurs appellations de la Côte de Beaune.

Au bout de la combe de Pommard se situe ce climat classé pour partie en appellation village, pour l'autre en 1er cru. Une vigne de cinquante-cinq ans a donné naissance à ce pommard expressif, sur la griotte, le cassis et la vanille, finement tannique et boisé en bouche, vif et tonique en finale. De bonne garde. 2019-2024 gigue de chevreuil en cocotte

DOM. JOËL REMY, 4, rue du Paradis, 21200 Sainte-Marie-la-Blanche, tél. 03 80 26 60 80, domaine.remy@wanadoo.fr V *t.l.j. sf dim. 8h-12h 14h-18h*

RENÉ TARDY ET FILS 2014 ★

	n.c.		20 à 30 €

À l'origine du domaine, deux familles, les Grivot et les Tardy. L'histoire débute en 1950 lorsque René Tardy structure le vignoble; il est rejoint en 1978 par ses fils, Jacques et Joël, et les étiquettes porteront dès lors le nom de «Tardy et Fils». C'est aujourd'hui Pierre Revenet qui est en charge de la vinification des 5 ha du domaine.

Après dix-huit mois en barrique, ce pommard livre un bouquet encore marqué par l'élevage, qui s'exprime dans un registre empyreumatique. On retrouve les notes boisées en compagnie d'un fruité intense dans une bouche ample et longue, solidement bâtie sur des tanins fermes et fins. La promesse d'une belle évolution en cave. 2019-2026 hure de sanglier

RENÉ TARDY ET FILS, 5, rue des Seuillets, 21700 Nuits-Saint-Georges, tél. 09 65 16 10 07, contact@renetardyetfils.com V *r.-v.*

VOLNAY

Superficie : 207 ha / Production : 7 735 hl

Blotti au creux du coteau, le village de Volnay évoque une jolie carte postale bourguignonne. Moins connu que Pommard son voisin, le vignoble n'a rien à lui envier. Ses vins sont tout en finesse; ils vont de la légèreté des Santenots, situés sur la commune voisine de Meursault, à la solidité et à la vigueur du Clos des Chênes ou des Champans. Nous ne citerons pas tous ses trente 1ers crus, de peur d'en oublier... Le Clos des Soixante Ouvrées y est également très connu et donne l'occasion de définir cette mesure: 4 ares et 28 centiares, unité de base des terres viticoles, correspondant à la surface travaillée à la pioche par un ouvrier au Moyen Âge dans sa journée.

DOM. BITOUZET-PRIEUR Taillepieds 2013 ★

1er cru	900		30 à 50 €

Aux origines du domaine, deux familles, l'une de Volnay, l'autre de Meursault. Aujourd'hui, 13,5 ha de vignes (pas

BOURGOGNE

d'herbicides, compost, travail du sol) et des vins, de Beaune à Puligny, en passant par Meursault et Volnay, mis en musique depuis 2008 par François Bitouzet, seul aux commandes depuis 2012. Un domaine souvent en vue pour ses volnay.

Avec une régularité de métronome, le domaine s'invite une nouvelle fois dans le chapitre volnay, son préféré, avec une belle série de 1ers crus. En tête, ce Taillepieds ouvert sur d'élégantes senteurs de fruits rouges et d'épices, soutenu par une acidité bien fondue et par des tanins fermes et fins, étiré dans une longue finale réglissée. De quoi bien vieillir. ⧗ 2019-2024 🍴 pigeon en cocotte ■ **1er cru Clos des Chênes 2013 ★ (30 à 50 €; 1000 b.)** : à un nez riche de fruits noirs compotés répond un palais corpulent, corsé, aux tanins vigoureux qui rendent ce vin pour l'heure assez austère. Séjour en cave indispensable. ⧗ 2019-2026 ■ **1er cru Caillerets 2013 ★ (30 à 50 €; 600 b.)** : un volnay de caractère, long, gras, dense et tannique, qu'il faudra savoir attendre pour plus de fondu. Du potentiel. ⧗ 2018-2024 ■ **1er cru Pitures 2013 (30 à 50 €; 1000 b.)** : vin cité.

BITOUZET-PRIEUR, 19, rue de la Combe, 21190 Volnay, tél. 03 80 21 62 13, contact@bitouzet-prieur.com V r.-v.

DOM. RÉYANE ET PASCAL BOULEY
Santenots 2014

■ 1er cru	n.c.		30 à 50 €

Succédant à quatre générations de vignerons, Réyane et Pascal Bouley exploitent un vignoble de 9 ha répartis sur une cinquantaine de parcelles, principalement à Volnay (dont six premiers crus), mais aussi à Pommard et à Monthelie. Arrivé en 2005, leur fils Pierrick a pris la relève.

Malgré les 60 % de pertes dues à la grêle sur leurs parcelles de volnay en 2014, les Bouley ont produit un Santenots de belle facture, ouvert sur des parfums de cerise, de framboise et de cassis. Un fruité soutenu prolongé par une bouche tonique et assez légère, aux tanins souples et fins, épaulés par un boisé fondu. Bien dans l'esprit de l'appellation. ⧗ 2018-2023 🍴 cailles aux raisins

PASCAL BOULEY, 5, pl. de l'Église, 21190 Volnay, tél. 03 80 21 61 69, bouleypascal@wanadoo.fr V r.-v.

DOM. HENRI DELAGRANGE
Les Champans 2014 ★

■ 1er cru	1200		30 à 50 €

Valeur sûre de Volnay, Didier Delagrange a rejoint son père en 1990 sur le domaine familial, pour lui succéder en 2003. Il a porté la superficie du vignoble à 14,5 ha, répartis dans différentes AOC de la Côte de Beaune, avec une petite activité de négoce en complément.

L'un des climats les plus vastes de l'appellation, très caillouteux, situé à mi-hauteur d'un coteau qui monte en pente douce, réputé donner des vins tout en finesse, très représentatifs de Volnay. Celui-ci est bien dans le ton: bouquet discret mais élégant de cerise noire et de sous-bois, palais long, gras et soyeux, aux tanins ronds et veloutés. ⧗ 2018-2023 🍴 canette rôtie ■ **1er cru Clos des Chênes 2014 (30 à 50 €; 3600 b.)** : vin cité.

DIDIER DELAGRANGE, 7, cours François-Blondeau, 21190 Volnay, tél. 03 80 21 64 12, didier@domaine-henri-delagrange.com V r.-v.

CAMILLE GIROUD
Les Lurets 2013 ★

■ 1er cru	1640		30 à 50 €

Fondée en 1865, cette vénérable maison beaunoise, discrète mais reconnue des amateurs, est propriété d'investisseurs américains depuis 2002. Autrefois spécialiste de la commercialisation de vieux vins, elle vit aujourd'hui avec son temps et c'est un jeune œnologue, David Croix, qui assure les vinifications. Elle présente à sa carte de nombreux grands crus, régulièrement sélectionnés dans ces pages, et aussi de «simples» 1ers crus, voire des villages.

Une large partie (80 %) de ce *climat* est classée en 1er cru, le reste au niveau communal. La maison Camille Giroud a vinifié le fruit de 30 ares pour élaborer ce beau volnay expressif et élégant, porté vers les fruits rouges et les épices douces. Arômes auxquels fait écho une bouche équilibrée, ample et fraîche, aux tanins fermes et denses, marquée en finale par une austérité qui signe le millésime. Bâti pour la cave. ⧗ 2020-2026 🍴 bœuf bourguignon

MAISON CAMILLE GIROUD, 3, rue Pierre-Joigneaux, 21200 Beaune, tél. 03 80 22 12 65, contact@camillegiroud.com V r.-v. *Les Renardes*

DOM. ANTONIN GUYON
Clos des Chênes 2013

■ 1er cru	3300		30 à 50 €

Ce domaine s'est constitué à partir des années 1960 un vaste vignoble de 48 ha, principalement en 1ers et en grands crus, allant de Gevrey-Chambertin à Meursault. Une exploitation régulière en qualité, conduite par Dominique Guyon, fils d'Antonin.

Toute l'austérité du millésime et la capacité de garde des vins issus de ce *climat* se révèlent dans ce volnay au nez floral (violette), toasté et épicé, puissant et corsé en bouche, aux tanins serrés, souligné par une touche d'amertume en finale. Il gagnera son étoile en cave. ⧗ 2021-2028 🍴 civet de lièvre

DOM. ANTONIN GUYON, 21420 Savigny-lès-Beaune, tél. 03 80 67 13 24, domaine@guyon-bourgogne.com V r.-v.

DOM. LABOUREAU 2014

■	912		15 à 20 €

Les Laboureau travaillent la vigne depuis 1640 et onze générations. Pascal s'est installé en 1979 à Bligny-lès-Beaune. Il exploite 13 ha dans la Côte de Beaune, de Saint-Romain à Pernand-Vergelesses.

Coup de cœur l'an passé avec sa cuvée Les Lurets, le domaine signe cette année un village de bonne tenue. Au nez, la cerise s'associe à des notes de cacao et d'épices léguées par dix-huit mois de séjour en fût. Une attaque ample et fruitée ouvre sur un palais assez massif, aux tanins francs et frais. L'attente est de mise. ⧗ 2019-2023 🍴 quasi de veau sauce forestière

LABOUREAU, 35, rte de Beaune, 21200 Bligny-lès-Beaune, tél. 03 80 26 83 67, domainelaboureau@outlook.fr V r.-v.

DOM. VINCENT LATOUR Cuvée Nathan 2013 ★

■ | 1500 | | 20 à 30 €

Établis à Meursault, Cécile et Vincent Latour assurent la continuité du vénérable Dom. Jean Latour-Labille (1792), devenu Dom. Vincent Latour – 8 ha tout au long de la ceinture blanche de la Côte de Beaune –, auquel ils ont adjoint en 2008 une société de négoce.

Vincent Latour produit un rare meursault rouge à partir de vignes plantées non loin de celles utilisées pour ses volnay. Ici, une parcelle de 47 ares à l'origine d'une cuvée qui développe d'élégantes notes de griotte et de groseille sur un discret fond boisé. La bouche se montre racée, veloutée et de bonne concentration, épaulée par des tanins fins et consistants. Une belle réalisation dans un millésime difficile. ⧗ 2019-2023 ¥ pigeon rôti

o– DOM. VINCENT LATOUR, 6, rue du 8-Mai-1945, 21190 Meursault, tél. 03 80 21 22 49, contact@domaine-vincentlatour.com V r.-v.

CH. DE MEURSAULT Clos des Chênes 2013 ★ ★

■ 1er cru | 10340 | | 50 à 75 €

L'emblématique château de Meursault, haut-lieu du tourisme bourguignon et du folklore vineux – on y célèbre la fameuse Paulée le lendemain de la vente des Hospices de Beaune – a souvent changé de mains: famille de Pierre de Blancheton jusqu'à la Révolution; famille Serre au XIXe; famille du comte de Moucheron; famille Boisseaux (maison Patriarche) à partir de 1973. En décembre 2012, nouveau changement: la famille Halley achète le domaine, avant d'acquérir fin 2013 les 60 ha de vignes. Aux commandes du chai: Emmanuel Escutenaire.

Après un formidable 2012 (coup de cœur de l'édition précédente), le domaine signe, dans le plus délicat millésime 2013, un nouveau Clos des Chênes de haute tenue. La robe sombre annonce un vin de caractère et d'une grande concentration. Le nez, complexe et intense, associe les fruits rouges aux épices douces et à une touche de violette. La bouche se révèle puissante, corpulente, très fraîche, tenue par des tanins fins et serrés qui assureront une longue vie à ce vin. ⧗ 2020-2026 ¥ carré d'agneau aux herbes

o– DOM. DU CH. DE MEURSAULT, rue du Moulin-Foulot, 21190 Meursault, tél. 03 80 26 22 75, domaine@chateau-meursault.com V t.l.j. 9h-12h 13h-18h o– Halley

JEAN-RENÉ NUDANT Les Santenots 2013 ★

■ 1er cru | 1975 | | 30 à 50 €

Un Guillaume Nudant d'Aloxe-Corton était déjà vigneron en 1453. Son descendant, Guillaume également, a rejoint en 2003 son père Jean-René sur le domaine familial de 16 ha, planté pour l'essentiel autour de la montagne de Corton.

S'il existe des divergences sur l'origine du nom de ce climat, il n'y pas débat sur la qualité de ce 1er cru situé sur la commune de Meursault qui, planté en pinot noir, devient vin de Volnay. Pour ce millésime, 37 ares de pinot à l'origine d'un vin élégant et expressif (violette, lys, fruits rouges, notes empyreumatiques), souple en attaque, riche et généreux en bouche, bâti sur des tanins fermes et fins. Bien dans le ton de l'appellation et paré pour la garde. ⧗ 2019-2026 ¥ lièvre à la royale

o– DOM. NUDANT, 11, rte de Dijon, 21550 Ladoix-Serrigny, tél. 03 80 26 40 48, domaine.nudant@wanadoo.fr V *t.l.j. sf dim. 8h30-12h 13h30-17h30; sam. sur r.-v.*

MAISON G. PRIEUR Santenots 2013 ★

■ 1er cru | 1800 | | 20 à 30 €

En 1804, les frères Claude et Jean Prieur acquièrent le château Perruchot à Santenay, devenu G. Prieur en 1978. Leurs descendants, Dominique et son fils Guillaume, exploitent une propriété d'une vingtaine d'hectares en Côte de Beaune, à laquelle est adossée une maison de négoce.

Au nez, des parfums bien mariés de fruits rouges mûrs (griotte, fraise des bois), d'épices et de grillé. En bouche, une attaque souple et fruitée, un développement élégant et finement tannique, une belle finale pleine de fraîcheur. Nous sommes bien à Volnay avec ce vin agréable dès maintenant et pour quelques années encore. ⧗ 2017-2023 ¥ sandre rôti et réduction au volnay

o– MAISON G. PRIEUR, rue de Narosse, 21590 Santenay, tél. 03 80 20 60 56, uny-prieur@prieur-santenay.com V r.-v.

MAISON ROCHE DE BELLENE Clos des Chênes 2013 ★

■ 1er cru | 300 | | 30 à 50 €

Maison de négoce fondée en 2009 par Nicolas Potel, spécialisée dans les cuvées haut de gamme de la Côte d'Or et de la Côte chalonnaise – des 1ers crus et grands crus essentiellement, en quantités limitées.

Ce *climat* situé sous la montagne du Chagnot doit son nom aux chênes qui le surplombent. Majoritairement présente à l'export (80 %), cette maison connaît bien l'appellation volnay: Nicolas Potel, son fondateur, y est né et y a grandi. Elle propose ici une toute petite cuvée en volume, mais de belle qualité. Les chanceux apprécieront son bouquet de petits fruits rouges et de vanille et sa bouche ample et corsée, aux tanins denses et serrés – la promesse d'une évolution heureuse. ⧗ 2020-2026 ¥ filet de bœuf sauce madère

o– MAISON ROCHE DE BELLENE, 39, rue du fg Saint-Nicolas, 21200 Beaune, tél. 03 80 20 67 64, contact@maisonrochedebellene.com V r.-v. o– Nicolas Potel

DOM. RÉGIS ROSSIGNOL 2013

■ 1er cru | 2300 | | 20 à 30 €

Installé en 1966, Régis Rossignol exploite un domaine de 7,25 ha, dont le vignoble s'étend de Savigny-lès-Beaune à Meursault, en passant par Beaune, Pommard et Volnay, son fief.

Né d'une vigne de vingt-cinq ans, ce 1er cru dévoile un joli bouquet de griotte et de notes boisées assez discrètes. La bouche fraîche, bien typée pinot noir (cerise, fraise des bois), s'appuie sur des tanins fermes et encore assez sévères. À mettre de côté. ⧗ 2019-2022 ¥ daube de sanglier

o– DOM. RÉGIS ROSSIGNOL, 3, rue d'Amour, 21190 Volnay, tél. 03 80 21 61 59, regisrossignol@free.fr V r.-v.

LOUIS SOUFFLOT 2014 ★

■ | 18 000 | | 15 à 20 €

Une maison fondée par Louis Soufflot à la fin du XIXe s., à Chagny, petite commune dans l'ombre du prestigieux voisin Chassagne-Montrachet. Elle continue de prospérer sous l'impulsion des héritiers Léon et Albert. Après le décès de ce dernier, elle entre en 1980 dans le giron de Compagnie vinicole de Bourgogne, filiale du groupe Picard Vins et Spiritueux.

Une cuvée qui n'a rien de confidentiel. Et c'est tant mieux, car le vin est très plaisant: un joli nez qui marie la violette et les fruits rouges au cacao, une bouche fraîche et alerte, aux tanins fins et fondus, d'une bonne persistance sur le fruit. ⧗ 2018-2022 ♈ veau marengo

⊶ *COMPAGNIE VINICOLE DE BOURGOGNE (LOUIS SOUFFLOT), rte de Saint-Loup-de-la-Salle, 71150 Chagny, tél. 03 85 87 51 04, david.fernez@m-p.fr*
⊶ *Picard Vins et Spiritueux*

CHRISTOPHE VAUDOISEY Les Mitans 2014 ★

■ 1er cru | n.c. | | 20 à 30 €

Fondé en 1804, ce domaine a vu passer huit générations de vignerons. Secondé par son fils Pierre, Christophe Vaudoisey, souvent en vue pour ses volnay, est installé depuis 1985 à la tête de 12,5 ha en volnay, pommard et meursault.

Un *climat* établi, comme son nom l'indique, à mi-coteau, dans la partie médiane de Volnay, vers Pommard; une valeur sûre du domaine, coup de cœur dans les millésimes 2005 et 2008. Le 2014 déploie des arômes élégants de fruits rouges et noirs compotés, agrémentés d'une touche végétale qui signe le millésime. La bouche est équilibrée, ample et persistante sur le fruit, bâtie sur des tanins fins qui reflètent, eux, l'appellation. Un très bon classique qui vieillira bien. ⧗ 2019-2024 ♈ canard aux cerises ■ **2014 ★ (15 à 20 €; 3000 b.)** : issu d'un assemblage de deux parcelles, ce *village* séduit par son fruité frais et par sa bouche droite, alerte et bien structurée par des tanins fermes. ⧗ 2018-2022

⊶ *CHRISTOPHE VAUDOISEY, 1, rue de la Barre, 21190 Volnay, tél. 03 80 21 20 14, christophe.vaudoisey@wanadoo.fr* V ⚲ ▪ *r.-v.*

MONTHÉLIE

Superficie : 120 ha
Production : 4 745 hl (85 % en rouge)

Moins connu que ses voisins, Volnay au nord et Meursault au sud, le village de Monthelie est installé à l'entrée de la combe de Saint-Romain qui sépare les terroirs à rouges de ceux à blancs; ses coteaux exposés au sud donnent des vins d'excellente qualité.

ARTHUR BAROLET ET FILS 2013 ★

■ | 1464 | | 20 à 30 €

Derrière cette étiquette se trouve la maison de négoce Henri de Villamont installée à Savigny-lès-Beaune depuis 1880. Ce propriétaire (10 ha) et négociant-éleveur est dans le giron du groupe suisse Schenk depuis 1964.

Charmeur et complexe, ce monthélie conjugue à l'olfaction les fleurs blanches (fleur d'oranger), la poire et la verveine. En bouche, il se révèle ample, dense, riche, soyeux, revigoré par une finale vive et tonique. ⧗ 2016-2020 ♈ cuisses de grenouilles à la crème

⊶ *ARTHUR BAROLET, rue du Dr-Guyot, 21420 Savigny-lès-Beaune, tél. 03 80 21 50 59, contact@hdv.fr* V ⚲ ▪ *r.-v.* ⊶ *Schenk*

JACQUES BAVARD 2013

■ | 1000 | | 15 à 20 €

Après avoir été restaurateur à Paris pendant trente ans, Jacques Bavard a repris en 2003 le petit domaine familial fondé par son grand-père paternel, auquel il a adjoint une activité de négoce. Premier millésime en 2005.

Boisé au premier nez, ce vin s'ouvre à l'agitation sur les agrumes, les fruits blancs et sur une touche minérale. Le palais se montre gras, souple et charnu, avec en soutien une petite vivacité un peu en retrait mais suffisante pour équilibrer le tout. ⧗ 2016-2019 ♈ cabillaud à la crème

⊶ *JACQUES BAVARD, 18, Grande-Rue, 21190 Puligny-Montrachet, tél. 03 80 21 33 06, jbvins@orange.fr* V ⚲ ▪ *r.-v.* ⑤

♥ DOM. ÉRIC BOUSSEY Les Riottes 2014 ★★

■ 1er cru | 1500 | | 15 à 20 €

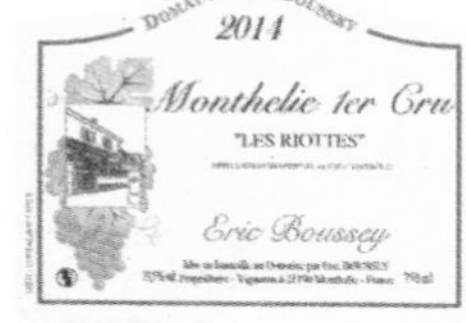

Grande famille de vignerons de Monthelie, les Boussey exploitent 5 ha répartis sur plusieurs AOC en Côte de Beaune. Éric, installé en 1981, a complété son activité en 2007 par une structure de négoce.

Dans le patois local, une «riotte» est un petit ruisseau, un cours d'eau intermittent ou encore un ru. Chez Éric Boussey, c'est un fort joli «month'lie» comme on dit ici. Robe intense, nez joliment épicé et boisé, palais rond en attaque, dense et vigoureux dans son évolution. Un représentant accompli de l'appellation «qui en a sous les tanins». ⧗ 2019-2024 ♈ bœuf bourguignon ■ **1er cru Clou des Chênes 2014 ★ (15 à 20 €; 1000 b.)** : au nez, des fruits rouges et noirs confiturés et des notes de tabac blond; en bouche, une belle carrure bâtie sur des tanins solides mais au grain fin et sur un boisé fondu. ⧗ 2019-2024 ■ **Les Toisières 2014 (11 à 15 €; 1500 b.)** : vin cité.

⊶ *DOM. ÉRIC BOUSSEY, 21, Grande-Rue, 21190 Monthelie, tél. 03 80 21 60 70, ericboussey@orange.fr* V ⚲ ▪ *r.-v.*

DOM. LAURENT ET KAREN BOUSSEY Les Hauts Brins 2014 ★

■ | 3000 | | 11 à 15 €

À la tête du domaine familial depuis 2003, Laurent et Karen Boussey exploitent 14,5 ha de vignes réparties dans de nombreuses appellations, d'Aloxe-Corton à Meursault.

L'originalité de ce *climat* est d'être classé à la fois en *village* (6,85 ha) et en 1er cru (3,27 ha). Les Boussey exploitent une belle parcelle de 1,2 ha dans la première partie, à l'origine d'un monthélie de caractère, ouvert sur la griotte et les fleurs séchées, corsé (finale poivrée) et assez vigoureux en bouche, porté par des tanins fins et un boisé consistant. À attendre… ou à carafer. ⌛ 2019-2024 🍴 civet de lièvre ■ **Les Toisières 2014 (11 à 15 €; 4000 b.)** : vin cité.

LAURENT BOUSSEY, 1, rue du Pied-de-la-Vallée, 21190 Monthelie, tél. 03 80 20 02 33, laurent.boussey@sfr.fr V r.-v.

DOM. CHANGARNIER Pierrefittes 2014 ★

■ | 1600 | | 15 à 20 €

Complété par une activité de négoce, un domaine régulier en qualité, dans la famille Changarnier depuis le XVII[e]s., repris en 2004 par les frères Claude et Antoine, avec Fabrice Groussin aux commandes de la cave depuis 2012. Le vignoble couvre 4,7 ha, en conversion bio avec des pratiques biodynamiques.

Le cadastre de 1825 répertoriait les 2,39 ha formant alors «En Pierre Fitte», qui deviendra «La Pièce Fitte». Une parcelle située à la limite de Volnay qui donne ici un vin alliant la pivoine, la cerise et la framboise à l'olfaction, épaulé en finesse par des tanins soyeux et délicats, légèrement plus serrés en finale. Un 1er cru élégant, qu'il conviendra d'attendre un peu. ⌛ 2019-2023 🍴 pintade aux champignons

SCEA DOM. CHANGARNIER, pl. du Puits, 21190 Monthelie, tél. 03 80 21 22 18, contact@domainechangarnier.com V r.-v.

DOM. DUBUET-MONTHELIE
Les Longènes 2014 ★★

■ | 2500 | | 11 à 15 €

L'essentiel des vignes de ce domaine de 8 ha, régulier en qualité, est à Monthelie. Guy Dubuet – Monthelie était le nom de sa mère – a cédé la place à son fils David, qui perpétue les labours sur l'ensemble de la propriété.

Un *climat* exposé à l'ouest, dans la combe Danay. Dans le verre, un superbe 2014 ouvert sur des arômes de cassis, de réglisse, de violette et de toasté. Suit une bouche ample et franche, aux tanins marqués mais fins, associés à un bon boisé qui reste à sa place. Net et sans bavure. ⌛ 2018-2022 🍴 foie de veau sauce basalmique ■ **1er cru Les Champs Fulliot 2014 ★ (15 à 20 €; 2300 b.)** : un vin expressif et élégant, sur la myrtille, la cerise et la pivoine, solidement charpenté par des tanins fins, garants d'une bonne garde. ⌛ 2019-2024

DUBUET-MONTHELIE, 1, rue Bonne-Femme, 21190 Monthelie, tél. 06 64 46 10 17, david.dubuet@orange.fr V r.-v.

DOM. DUJARDIN Les Champs Fulliot 2013 ★

■ 1er cru | 3000 | | 20 à 30 €

À leur départ à la retraite en 2007, les Bouzerand ont confié les clés du domaine (7 ha) et de ses caves cisterciennes des XIIe et XV[e]s. à Ulrich Dujardin, installé ici depuis 1990.

Épices douces, notes torréfiées, fraise des bois, noyau, le bouquet de ce 1er cru est complexe et engageant. Le palais se montre souple et frais en attaque, puis arrivent des tanins encore un peu pointus et serrés, qui confèrent du volume et de la consistance à ce vin et garantissent sa bonne évolution dans le temps. ⌛ 2019-2023 🍴 perdreau rôti ■ **2014 (15 à 20 €; 3000 b.)** : vin cité.

ULRICH DUJARDIN, Dom. Dujardin, 1, Grande-Rue, 21190 Monthelie, tél. 03 80 21 20 08, domaine-dujardin@orange.fr V r.-v.

♥ DOM. FLORENT GARAUDET
Sous le Cellier 2013 ★★

■ | 2500 | | 20 à 30 €

Fils de Paul Garaudet, président du Syndicat viticole de Monthelie, Florent a vinifié dans l'aire du Pic Saint-Loup puis à Pomerol avant de se construire en 2008 un petit vignoble de 3 ha à Monthelie, Meursault et Puligny-Montrachet. Il fait partie de la jeune garde de la commune.

Ce *climat* de 3,31 ha situé en bout de combe domine le village. Florent Garaudet y exploite 30 ares de chardonnay, à l'origine d'un vin épatant, qui met en valeur le visage blanc (et plus rare) de cette terre à rouges. Un monthélie complexe et délicat, sur les fruits jaunes, l'orange, la menthe, le lys, à la fois dense, souple et très frais en bouche, longuement soutenu par la minéralité des lieux et par un boisé à peine perceptible. ⌛ 2016-2020 🍴 tagliatelles aux fruits de mer ■ **1er cru La Taupine 2013 ★ (20 à 30 €; 600 b.)** : un vin gorgé de fruits noirs et d'épices, ample, consistant et bien structuré. ⌛ 2019-2023

FLORENT GARAUDET, 3, rue du Château-Gaillard, 21190 Monthelie, tél. 06 87 77 01 28, florentgaraudet@orange.fr V *t.l.j. sf sam. dim. 8h-12h 13h30-18h*

DOM. ISABELLE ET PHILIPPE GERMAIN 2014

■ | 1800 | | 15 à 20 €

Gilbert Germain a créé l'exploitation en 1962 avec son épouse Bernadette dans le pittoresque village de Nantoux, en Hautes-Côtes. Philippe, le fils, a repris le flambeau en 1995, débuté la vente en bouteille et développé le parcellaire: son vignoble couvre aujourd'hui 20 ha.

Un joli bouquet d'agrumes, de pamplemousse, de pêche et de fleurs blanches pour ce monthélie passé dix mois en fût. En bouche, une bonne tension en soutien d'une texture fine et souple. Un vin harmonieux, de bonne longueur. ⌛ 2016-2019 🍴 terrine de poisson ■ **2014 (11 à 15 €; 6500 b.)** : vin cité.

GILBERT ET PHILIPPE GERMAIN, rue du Vignoble, 21190 Nantoux, tél. 03 80 26 05 63, germain.vins@wanadoo.fr V r.-v.

DOM. JEAN-PIERRE ET LAURENT PRUNIER
Les Champs Fulliot 2014 ★★

■ 1er cru | 1800 | | 15 à 20 €

Jean-Pierre Prunier a laissé son vignoble de 9,5 ha à ses deux fils: Pascal, établi à Meursault, et Laurent, installé depuis 1992. Une valeur sûre en auxey-duresses et en monthélie.

Le coup de cœur fut mis aux voix pour cette cuvée régulière en qualité. Jolie robe grenat aux reflets violines, nez expressif et charmeur de cassis et de griotte, bouche elle aussi pleine de fruit, un brin épicée et réglissée, nette,

BOURGOGNE

fraîche et longue, aux tanins fins et serrés: tout est en place pour une évolution sereine. ⧗ 2020-2023 🍴 lapin à la moutarde ■ **1er cru Les Clous 2014 (15 à 20 €; 2500 b.)** : vin cité.

⊶ *DOM. JEAN-PIERRE ET LAURENT PRUNIER, 1, rue Traversière, 21190 Auxey-Duresses, tél. 03 80 21 27 51, domaine.prunier@wanadoo.fr* V r.-v.

VINCENT PRUNIER Sur la Velle 2013

■ 1er cru | 2050 | | 15 à 20 €

Au départ, en 1988, 2,5 ha de vignes hérités des parents, non viticulteurs; le vignoble couvre 12,5 ha aujourd'hui, et Vincent Prunier s'est imposé comme l'une des valeurs sûres de la Côte de Beaune. En complément, il a créé une petite structure de négoce en 2007.

Née de la petite activité de négoce, une cuvée issue de l'un des plus vastes 1ers crus de l'appellation, situé côté Volnay. Un vin discrètement fruité (cassis, cerise) au nez, souple et frais en bouche, mais encore sous l'emprise de l'élevage. ⧗ 2018-2021 🍴 volaille aux champignons

⊶ *SARL VINCENT PRUNIER, 53, rte de Beaune, 21190 Auxey-Duresses, tél. 03 80 21 27 77, sarl.prunier.vincent@orange.fr* V *r.-v.*

DOM. DES TERRES DE VELLE Les Duresses 2013

■ 1er cru | 1000 | | 20 à 30 €

Un domaine créé en 2009 par Fabrice Laronze, avec Sophie, son épouse et Junji Hashimoto, leur bras droit japonais. Établis dans un ancien moulin au bord de la Velle, ces derniers exploitent une petite «mosaïque à la bourguignonne» de 5,9 ha répartis sur plusieurs AOC de la Côte de Beaune.

Au nez, ce monthélie associe fruits rouges, épices, vanille et touche de cuir. En bouche, il attaque avec souplesse et fraîcheur, puis monte en puissance et se fait assez tannique et austère en finale. À attendre donc. ⧗ 2018-2022 🍴 baron d'agneau

⊶ *DOM. DES TERRES DE VELLE, 2, chem. Sous-la-Velle, 21190 Auxey-Duresses, tél. 03 80 22 80 31, info@terresdevelle.fr* V *r.-v.* ⊶ *Laronze*

AUXEY-DURESSES

Superficie : 135 ha
Production : 5 840 hl (65 % rouge)

Le village d'Auxey-Duresses se niche dans un vallon qui conduit vers les Hautes-Côtes. Son vignoble couvre les deux versants de la combe et se répartit en trois îlots: sur la pente nord, il prolonge le terroir de Monthelie et porte des 1ers crus rouges exposés au midi, comme les Duresses ou le Val, fort réputés; au fond de la combe, il jouxte des parcelles de Saint-Romain; sur le versant de Meursault, au sud, il produit d'excellents vins blancs.

JACQUES BAVARD Les Clous 2013 ★

□ | n.c. | | 15 à 20 €

Après avoir été restaurateur à Paris pendant trente ans, Jacques Bavard a repris en 2003 le petit domaine familial fondé par son grand-père paternel, auquel il a adjoint une activité de négoce. Premier millésime en 2005.

Au nez, des parfums classiques de fleurs blanches, de pomme et d'agrumes. En bouche, une belle fraîcheur minérale accompagne un fruité soutenu et un boisé ajusté. Un auxey sans fioritures, droit et sincère, équilibré et long. ⧗ 2017-2021 🍴 saint-jacques aux agrumes ■ **2013 ★ (15 à 20 €; n.c.)** : un vin au nez épicé, fruité, floral et un brin végétal. En bouche, de la fraîcheur, de la fermeté et des tanins bien en place. ⧗ 2018-2022

⊶ *JACQUES BAVARD, 18, Grande-Rue, 21190 Puligny-Montrachet, tél. 03 80 21 33 06, jbvins@orange.fr* V *r.-v.* 5

PHILIPPE BOIRE 2013

■ | 1000 | | 11 à 15 €

Ce domaine a été créé *ex nihilo* en 2007 par Philippe Boire, géologue de formation, aujourd'hui à la tête de 5 ha répartis sur neuf appellations. C'est un «non-interventionniste» au chai (pas de contrôle des températures, levures indigènes, pas de collage ni de filtration).

Ce *village* s'exprime discrètement à l'olfaction, sur des notes de cassis, de cerise et de boisé léger. Souple et charnue en attaque, la bouche monte rapidement en puissance, soutenue par des tanins fermes et par une finale très tendue. Bâti pour un long passage en cave. ⧗ 2019-2024 🍴 carré d'agneau aux chanterelles

⊶ *DOM. PHILIPPE BOIRE, hameau de Melin, 21190 Auxey-Duresses, tél. 06 62 31 84 63, philippe-boire@orange.fr* V *r.-v.*

PHILIPPE BOUZEREAU Les Duresses 2014 ★

■ 1er cru | 5600 | | 20 à 30 €

Héritier de neuf générations de vignerons, Philippe Bouzereau a pris en 2006 la direction du Ch. de Cîteaux, 18 ha de petites parcelles réparties sur six villages de la Côte de Beaune, qu'il exploite avec le moins d'interventions possible à la vigne et au chai. Il a également développé une activité de négoce sous son nom propre et complète ainsi la belle gamme du domaine familial.

Cette cuvée de négoce née de vignes de quarante ans dévoile des parfums complexes de fût bien chauffé, de réglisse et de noyau de cerise. Une attaque franche ouvre sur un palais consistant et droit, soutenu par des tanins fermes et par un boisé encore un peu dominant mais de qualité. Un vin solide, qui nécessitera un peu de temps pour atteindre son apogée. ⧗ 2019-2024 🍴 civet de chevreuil □ **Ch. de Cîteaux 2014 (11 à 15 €; 1800 b.)** : vin cité.

⊶ *PHILIPPE BOUZEREAU, 7, place de la République, 21190 Meursault, tél. 03 80 21 20 32, caveau@chateau-de-citeaux.com* V *t.l.j. sf dim. lun. mar. 10h-18h*

DOM. DENIS CARRÉ Les Vireux 2014 ★★

□ | n.c. | | 15 à 20 €

À Meloisey, dans les Hautes-Côtes, Martial et Gaëtane Carré ont rejoint leur père Denis, fondateur en 1975 de ce domaine qui excelle dans plusieurs AOC, en hautes-côtes-de-beaune, saint-romain et pommard notamment.

Ce *climat* de 3,85 ha calé sous la colline «vire» sous les bois pour toucher les Vireuils de Meursault. Les Carré en ont tiré un vin hautement apprécié pour son bouquet intense et élégant de pomme reinette, de fleurs blanches et de pamplemousse, et pour son palais ample et long, parfaitement équilibré entre une rondeur des plus avenantes et une fine vivacité aux tonalités minérales et salines. 2016-2021 brochet sauce curry

DENIS CARRÉ, 1, rue du Puits-Bouret, 21190 Meloisey, tél. 03 80 26 02 21, domainedeniscarre@wanadoo.fr V r.-v.

CHRISTIAN CHOLET-PELLETIER 2014 ★

	1200		11 à 15 €

Christian Cholet a débuté avec le caniculaire millésime 1976. Établi dans la plaine, entre Meursault et Puligny-Montrachet, il conduit aujourd'hui un vignoble de 8 ha et s'illustre avec régularité dans ces pages, notamment par ses auxey-duresses.

Né de ceps de vingt-cinq ans, ce *village* s'ouvre à l'olfaction sur la fraîcheur des agrumes (citronnelle et pamplemousse rose). Le caractère tonique de l'attaque et un brin perlant à l'heure de la dégustation fait place à un milieu de bouche plus gras et charnu, d'une belle rondeur suave, avant une finale saline et alerte. 2016-2021 jambon persillé

CHRISTIAN CHOLET, 40, rue de la Citadelle, 21190 Corcelles-les-Arts, tél. 03 80 21 47 76, anne.cholet-pelletier@hotmail.fr V r.-v.

♥ DOM. DICONNE
Vieilles Vignes 2013 ★★

	2760		15 à 20 €

Christophe Diconne s'est installé en 2005 sur le domaine familial d'Auxey-Duresses (10,2 ha), succédant à son grand-père Paul et à son père Jean-Pierre. Souvent en vue pour ses auxey-duresses, dans les deux couleurs.

De «vraies» vieilles vignes sont à l'origine de ce village: soixante-cinq ans. Un vin complexe, ouvert sur les fruits (pomme, pêche), les fleurs blanches, la brioche, l'amande et des notes de pierre à fusil. Une attaque franche et tonique fait place à une bouche ample, généreuse, consistante et savoureuse, étirée dans une longue finale qui exprime intensément la minéralité du lieu. 2016-2020 risotto aux écrevisses ■ **1er cru Les Grands Champs 2013 ★ (11 à 15 €; 2780 b.)** : un vin persistant et complexe, sur les fruits rouges et les épices, aux tanins soyeux et fondus, stimulé par une fine minéralité. 2018-2022 ■ **2013 (11 à 15 €; 3000 b.)** : vin cité.

CHRISTOPHE DICONNE, rue de la Velle, 21190 Auxey-Duresses, tél. 03 80 21 25 60, contact@domaine-diconne.fr V r.-v.

DOM. DUJARDIN 2014 ★

	3000		15 à 20 €

À leur départ à la retraite en 2007, les Bouzerand ont confié les clés du domaine (7 ha) et de ses caves cisterciennes des XIIe et XVes. à Ulrich Dujardin, installé ici depuis 1990.

Avec ce 2014, Ulrich Dujardin signe un auxey-duresses finement bouqueté sur les fleurs blanches, le citron et quelques notes beurrées. On retrouve les agrumes dans une bouche à la fois fraîche et consistante, à la finale tendue. 2017-2021 poulet au citron

ULRICH DUJARDIN, Dom. Dujardin, 1, Grande-Rue, 21190 Monthelie, tél. 03 80 21 20 08, domaine-dujardin@orange.fr V r.-v.

DOM. DUPONT-FAHN Les Vireux 2014 ★

	n.c.	11 à 15 €

Depuis le cœur de Monthelie, ce producteur exploite 4 ha de vignes toutes situées en Côte de Beaune. Une originalité: il produit aussi en IGP Pays d'Oc.

Planté sur une terre de chardonnay qui gagne à être connue, ce pinot noir a donné naissance à un 2014 bien ouvert sur les fruits noirs et la groseille, frais, élégant et long en bouche, épaulé par des tanins souples. Un auxey charmeur, à apprécier dans sa jeunesse. 2016-2020 filet mignon de veau

MICHEL DUPONT-FAHN, Les Toisières, 21190 Monthelie, tél. 06 08 51 15 13, domaine.dupontfahn@gmail.com

JEAN-CHARLES FAGOT Les Ruchottes 2014

	900		15 à 20 €

Installé entre Chagny et Puligny-Montrachet, Jean-Charles Fagot est à la tête de 3,8 ha de vignes. Il s'est fait négociant pour étoffer sa carte des vins et restaurateur en ouvrant en 1998 *l'Auberge du Vieux Vigneron*, où il propose une cuisine du terroir.

À l'extrême ouest de l'appellation, ce *climat* de seulement 55 ares se trouve à la limite des Hautes-Côtes. Cette cuvée issue d'achat de moûts évoque surtout les agrumes au nez, avec quelques notes florales à l'aération. Le palais attaque sur la fraîcheur avant de se montrer plus gras et chaleureux, encore dominé par l'élevage. L'attente est de mise. 2018-2022 tajine aux crevettes

JEAN-CHARLES FAGOT, 5, rue de l'Église, 21190 Corpeau, tél. 03 80 21 30 24, jeancharlesfagot@free.fr V r.-v.

CAMILLE GIROUD 2014

	2500		20 à 30 €

Fondée en 1865, cette vénérable maison beaunoise, discrète mais reconnue des amateurs, est propriété d'investisseurs américains depuis 2002. Autrefois spécialiste de la commercialisation de vieux vins, elle vit aujourd'hui avec son temps et c'est un jeune œnologue, David Croix, qui assure les vinifications. Elle présente à sa carte de nombreux grands crus, régulièrement sélectionnés dans ces pages, et aussi de «simples» 1ers crus, voire des *villages*.

Une cuvée de négoce à dominante florale, agrémentée de nuances d'agrumes et d'une touche toastée venue d'un an de barrique. Pas très longue mais équilibrée, la bouche présente un bon volume et une agréable fraîcheur. Parfait pour découvrir l'appellation. 2016-2019 terrine de poisson

MAISON CAMILLE GIROUD, 3, rue Pierre-Joigneaux, 21200 Beaune, tél. 03 80 22 12 65, contact@camillegiroud.com V r.-v.

BOURGOGNE

JAFFELIN Les Duresses 2013 ★

■ 1er cru	3545		20 à 30 €

Cette maison de négoce-éleveur implantée à Beaune depuis 1816 appartient à la galaxie des vins Boisset. Elle conserve son autonomie d'achat avec Marinette Garnier à sa tête, une jeune œnologue qui a pris la suite de Prune Amiot en 2011. En vue notamment pour ses pernand-vergelesses et ses auxey-duresses.

Cette étoile confirme la bonne réputation de la maison Jaffelin dans l'appellation. Un 1er cru expressif, au nez d'épices et de fruits noirs. Des arômes que l'on retrouve dans une bouche ronde et consistante, adossée à des tanins soyeux et à une fine minéralité qui renforce son bon potentiel de garde. ⧗ 2018-2022 🍴 lapin à la moutarde

MAISON JAFFELIN, 2, rue Paradis, 21200 Beaune, tél. 03 80 22 12 49, jaffelin@maisonjaffelin.com V r.-v.

DOM. JESSIAUME Les Ecussaux 2013

■ 1er cru	1300		20 à 30 €

Acheté en 2007 par Sir David Murray, ce domaine fondé en 1850 (14 ha, en grande partie à Santenay) fait figure de valeur sûre en Côte-d'Or. En 2008, une structure de négoce est venue compléter la production de la propriété. L'œnologue est William Waterkeyn.

Ce *climat* possède la particularité d'être planté pour moitié en appellation *village* et pour moitié en 1er cru. La maison Jessiaume y exploite 31 ares de chardonnay âgé de vingt-cinq ans, à l'origine d'un 2013 dominé par les agrumes, frais et tonique en bouche, porté par une belle acidité «terroitée» et par une agréable amertume en finale. ⧗ 2017-2021 🍴 bar de ligne aux citrons confits

DOM. JESSIAUME, 10, rue de la Gare, 21590 Santenay, tél. 03 80 20 60 03, contact@jessiaume.com V r.-v. *Sir David Murray*

GILLES LABRY Les Rondières 2014

■	1570		8 à 11 €

Gilles Labry s'est installé en 1984 sur le domaine familial qui couvre 8 ha et qui a son siège dans une ferme fortifiée au sud des Hautes-Côtes de Beaune. À sa carte, des appellations régionales, des hautes-côtes et les AOC bourgogne-aligoté, crémant, saint-aubin, auxey-duresses et mercurey.

Dans le hameau de Melin, en direction de La Rochepot, ce *climat* de 4,88 ha tient son nom des ronces qui peuplaient autrefois cette zone en bordure du ruisseau. De 46 ares de pinot, Gilles Labry a tiré un vin net et franc, ouvert sur les fruits rouges et noirs, souple et frais en bouche, aux tanins fins. ⧗ 2017-2021 🍴 œufs en meurette

EARL GILLES LABRY, Ferme de la Tour, 71360 Saisy, tél. 03 85 82 94 02, labrygilles@orange.fr V r.-v.

HENRI LATOUR ET FILS 2014

■	2810		11 à 15 €

Les Latour cultivent la vigne depuis sept générations à Auxey-Duresses. Installé en 1992, François Latour exploite un domaine de 15 ha, dont l'essentiel est implanté dans sa commune d'origine, le reste à Saint-Romain et à Meursault.

Ce 2014 libère des notes de menthol, de pamplemousse rose, de pin et de fleurs blanches. La bouche, de bonne ampleur et charnue, associe à un fruité frais une agréable tension minérale. ⧗ 2017-2020 🍴 brochet au four ■ **1er cru La Chapelle 2014 (15 à 20 €; 2800 b.)** : vin cité.

HENRI LATOUR ET FILS, 51, rte de Beaune, 21190 Auxey-Duresses, tél. 03 80 21 65 49, h.latour.fils@wanadoo.fr V r.-v.

AGNÈS PAQUET 2014

■	6000		15 à 20 €

Agnès Paquet a créé son domaine en 2000 à partir d'une parcelle acquise par sa famille dans les années 1950. Installée dans les Hautes-Côtes de Beaune, elle exploite 9,5 ha de vignes, dont une grande partie à Melin, hameau d'Auxey-Duresses.

De cette cuvée ressortent des parfums gourmands de fruits rouges et noirs bien mûrs sur fond boisé. En bouche, on découvre un auxey dense, de bonne longueur, doté de tanins encore un peu sévères. ⧗ 2018-2021 🍴 lapin à la crapaudine ■ **2014 (15 à 20 €; 15000 b.)** : vin cité. ■ **Patience N°7 2014 (15 à 20 €; 2500 b.)** : vin cité.

AGNÈS PAQUET, 10, rue du Puits-Bouret, 21190 Meloisey, tél. 03 80 26 07 41, contact@vinpaquet.com V r.-v.

MAX ET ANNE-MARYE PIGUET-CHOUET Le Val Cuvée Stéphane 2014 ★★

■ 1er cru	2700		15 à 20 €

Un domaine de 10 ha, 100 % familial et 100 % beaunois, né en 1981 de l'union de Max Piguet-Chouet (sixième génération de vignerons) avec Anne-Marye (issue de la plus ancienne famille vigneronne de Meursault), rejoints par leurs fils Stéphane et William en 2004. Souvent en vue pour ses auxey-duresses et ses meursault.

Ce 1er cru des hauteurs situé côté Monthelie, le plus vaste de l'appellation, permet régulièrement aux Piguet-Chouet de s'illustrer. Le 2014 ne déroge pas à la règle. C'est un vin complexe qui conjugue les fruits rouges et noirs à une pincée de vanille, à une note de menthol et à une touche fumée. Dans le droit fil, bâtie sur des tanins fins, la bouche offre un équilibre remarquable, du volume, de la consistance et une longue et belle finale épicée. Du caractère et de la finesse. ⧗ 2018-2022 🍴 filet mignon en croûte

MAX ET ANNE-MARYE PIGUET-CHOUET, 16, rte de Beaune, 21190 Auxey-Duresses, tél. 03 80 21 25 78, piguet.chouet@wanadoo.fr V r.-v.

DOM. JEAN-PIERRE ET LAURENT PRUNIER Les Duresses 2014 ★

■ 1er cru	2080		15 à 20 €

Jean-Pierre Prunier a laissé son vignoble de 9,5 ha à ses deux fils: Pascal, établi à Meursault, et Laurent, installé depuis 1992. Une valeur sûre en auxey-duresses et en monthélie.

Né d'une vigne de quarante ans, ce 1er cru s'ouvre doucement mais sûrement sur les fruits (mûre, cerise) agrémentés de senteurs de sous-bois. En bouche, il apparaît long, généreux et dense, épaulé par des tanins solides sans dureté, qui lui offrent un bon potentiel de garde. ⧗ 2018-2023 🍴 gigue de chevreuil

DOM. JEAN-PIERRE ET LAURENT PRUNIER, 1, rue Traversière, 21190 Auxey-Duresses, tél. 03 80 21 27 51, domaine.prunier@wanadoo.fr r.-v.

VINCENT PRUNIER Les Duresses 2013

1er cru	1723		15 à 20 €

Au départ, en 1988, 2,5 ha de vignes hérités des parents, non viticulteurs; le vignoble couvre 12,5 ha aujourd'hui, et Vincent Prunier s'est imposé comme l'une des valeurs sûres de la Côte de Beaune. En complément, il a créé une petite structure de négoce en 2007.

Issu de la partie négoce, ce 1er cru dévoile un nez généreux de fruits noirs bien mûrs sur fond toasté. En bouche, on découvre un vin suave et gras, bâti sur des tanins fins et lisses. Encore un peu sous l'emprise du bois, il demande quelques mois de garde avant de paraître à table. 2017-2022 ribs de porc **Dom. Vincent Prunier 2013 (11 à 15 €; 6380 b.)** : vin cité.

SARL VINCENT PRUNIER, 53, rte de Beaune, 21190 Auxey-Duresses, tél. 03 80 21 27 77, sarl.prunier.vincent@orange.fr r.-v.

DOM. MICHEL PRUNIER ET FILLE 2013

1er cru	3400		15 à 20 €

Les Prunier sont vignerons à Auxey depuis cinq générations. Michel, installé en 1968, transmet progressivement à sa fille Estelle un domaine de 12 ha souvent en vue pour ses auxey-duresses.

Issu d'un assemblage de parcelles, ce 1er cru qui ne porte pas de nom de *climat* dévoile un bouquet discret mais plaisant de framboise et de cassis. Une attaque tendre et souple ouvre sur un palais pas très long, mais consistant et bien structuré par des tanins qui doivent encore s'affiner. À mettre en cave. 2019-2024 pavé de bœuf sauce époisse

DOM. MICHEL PRUNIER ET FILLE, 18, rte de Beaune, 21190 Auxey-Duresses, tél. 03 80 21 21 05, domainemichelprunier-fille@wanadoo.fr r.-v.

NATHALIE RICHEZ 2014 ★★

	700		20 à 30 €

À trente-sept ans, souhaitant réorienter sa vie professionnelle, Nathalie Richez a pris le chemin de la «viti» de Beaune, avant de s'installer en 2011 sur un domaine de 13 ha allant de la Côte chalonnaise aux hautes-côtes-de-beaune.

Pour son troisième millésime, Nathalie Richez signe un village qui a fait forte impression et a été proposé pour le coup de cœur. Ses arguments: des arômes gourmands et fins de groseille, de cerise et de violette, une bouche ample, consistante, ronde et soyeuse, soulignée de bout en bout par une fine fraîcheur qui lui confère beaucoup d'allant. Ce vin peut déjà passer à table. 2016-2020 lapin aux herbes

NATHALIE RICHEZ, 15, rue du Nantil, 71150 Chagny, tél. 06 47 27 96 92, nathalierichez.vinsaufeminin@orange.fr t.l.j. sf dim. 10h-12h30 14h30-18h30; f. 1er w-e du mois

DOM. DE LA ROCHE AIGUË 2014 ★

	4094		11 à 15 €

Florence et Éric Guillemard, établis à la sortie d'Auxey-Duresses depuis 1995, conduisent un vignoble de 13,5 ha en auxey-duresses, saint-romain, meursault, pommard et hautes-côtes.

Ce *village* dévoile un nez expressif et complexe qui associe les agrumes, la poire, les fleurs blanches et le toasté de la barrique. La bouche est ronde, riche sans lourdeur, persistante, centrée sur les fruits mûrs et réveillée en finale par juste ce qu'il faut de tension minérale. 2018-2021 gratin de fruits de mer

EARL LA ROCHE AIGUË, rte de Beaune, Melin, 21190 Auxey-Duresses, tél. 03 80 21 28 33, guillemarderic@wanadoo.fr r.-v. Guillemard

PIERRE TAUPENOT En Reugne 2014

1er cru	1687		15 à 20 €

Saint-Romain est le berceau de la famille Taupenot depuis six générations. Pierre, installé en 1988, y conduit un domaine de 9 ha.

Ce 1er cru associe au nez les fruits noirs et rouges à quelques notes végétales et à une touche de chocolat qui signe l'élevage en fût. En bouche, il est équilibré et fondu, adossé à des tanins fins, plus stricts en finale. Il gagnera son étoile après quelques hivers en cave. 2018-2022 pintade aux girolles

PIERRE TAUPENOT, 24, rue du Chevrotin, 21190 Saint-Romain, tél. 03 80 21 24 37 r.-v.

DOM. TAUPENOT-MERME 2013 ★

1er cru	n.c.		20 à 30 €

En 1963, Jean Taupenot, de Saint-Romain, épouse Denise Merme et se fixe à Morey. Aujourd'hui, leurs enfants Romain et Virginie conduisent, en bio non certifié, un vignoble de 13 ha avec un pied en Côte de Nuits et l'autre en Côte de Beaune. Un domaine constant en qualité. Romain a développé par ailleurs, sous son nom, une petite structure de négoce.

Le nez élégant de ce 1er cru associe la fraîcheur du cassis à une touche d'épices et de tabac. Passé une attaque souple, on découvre un palais ample et charnu, structuré par des tanins consistants et fermes et prolongé par une finale pleine de dynamisme. Un vin racé, taillé pour la garde. 2019-2023 bœuf bourguignon

DOM. TAUPENOT-MERME, 33, rte des Grands-Crus, 21220 Morey-Saint-Denis, tél. 03 80 34 35 24, domaine.taupenot-merme@orange.fr r.-v.

DOM. DES TERRES DE VELLE Les Closeaux 2013

	2900		15 à 20 €

Un domaine créé en 2009 par Fabrice Laronze, avec Sophie, son épouse et Junji Hashimoto, leur bras droit japonais. Établis dans un ancien moulin au bord de la Velle, ces derniers exploitent une petite «mosaïque à la bourguignonne» de 5,9 ha répartis sur plusieurs AOC de la Côte de Beaune.

De cette terre mariant argile et calcaire est née cette cuvée ouverte sur les fruits rouges et le boisé, puis sur des notes florales. Ronde dès l'attaque, souple et fondue,

BOURGOGNE

la bouche s'appuie sur des tanins bien intégrés et sur une très légère acidité qui lui donne de l'allonge. ⌛ 2017-2020 🍴 coq au vin

⊶ *DOM. DES TERRES DE VELLE, 2, chem. Sous-la-Velle, 21190 Auxey-Duresses, tél. 03 80 22 80 31, info@terresdevelle.fr* V 🚶 ▪ *r.-v.* ⊶ *Laronze*

SAINT-ROMAIN

Superficie : 96 ha / Production : 3 900 hl (55 % blanc)

À l'ouest de Meursault, le site mérite une excursion: le village de Saint-Romain se blottit au fond d'une combe, adossé à de superbes falaises. Son vignoble est situé dans une position intermédiaire entre la Côte et les Hautes-Côtes. Les vins rouges sont fruités et gouleyants; les terrains argileux, avec des bancs marno-calcaires, conviennent bien au chardonnay.

JACQUES BAVARD Sous le château 2013

▪	n.c.	🛢 🍾	20 à 30 €

Après avoir été restaurateur à Paris pendant trente ans, Jacques Bavard a repris en 2003 le petit domaine familial fondé par son grand-père paternel, auquel il a adjoint une activité de négoce. Premier millésime en 2005.

Dix-huit mois d'élevage, voilà qui est peu courant sur l'appellation, mais cette durée contribue à la complexité de ce vin, ouvert sur des notes toastées, beurrées et fruitées (agrumes). Arômes prolongés par un palais ample et bien équilibré entre gras et acidité. Du potentiel. ⌛ 2017-2021 🍴 jambon persillé ▪ **2013 (20 à 30 €; n.c.)** : vin cité.

⊶ *JACQUES BAVARD, 18, Grande-Rue, 21190 Puligny-Montrachet, tél. 03 80 21 33 06, jbvins@orange.fr* V 🚶 ▪ *r.-v.* 🏠 ❺

DOM. LE BOUT DU MONDE Combe Bazin 2014

▪	5000	🛢	11 à 15 €

Christophe Guillo a hérité de son grand-père une belle parcelle en saint-aubin. Il a installé sa cuverie à Combertault dans la plaine de Beaune, et agrandi son domaine (10 ha). Vinificateur des cuvées du Domaine du Bout du Monde à Nolay, il en a pris la tête en 2013.

Cette combe à la forme évasée est, avec 13,55 ha, l'un des plus vastes lieux-dits de l'appellation. Christophe Guillo y exploite 75 ares de chardonnay, à l'origine de ce 2014 droit, frais et léger, qui mêle notes minérales et agrumes au nez comme en bouche. ⌛ 2016-2019 🍴 friture de poissons

⊶ *CHRISTOPHE GUILLO, Dom. le Bout du Monde, 5, rte de Bourguignon, 21200 Combertault, tél. 03 80 26 67 05, guillo-c@wanadoo.fr* V 🚶 ▪ *r.-v.*

CHRISTOPHE BUISSON 2013 ★

▪	10 000	🛢	20 à 30 €

Plutôt que maçon, comme son père, Christophe Buisson a choisi d'être vigneron. D'abord courtier, il crée son domaine à Saint-Romain en 1996: 7 ha (en bio) complétés en 2007 par une petite activité de négoce, avec des vins souvent en vue en saint-romain et en auxey-duresses. En 2015, le domaine a fusionné avec le négoce Alex Gambal pour devenir le domaine Gambal Buisson, Christophe conservant un rôle de consultant et se consacrant désormais au développement de la partie négoce.

Dix-huit mois d'élevage ont donné naissance à cette importante cuvée du négoce, qui conjugue à l'olfaction les fleurs banches, le miel et le toasté de la barrique. Un caractère boisé que l'on retrouve avec intensité dans une bouche ronde et suave. Un peu de repos en cave affinera l'ensemble. ⌛ 2018-2022 🍴 blanquette de veau

⊶ *CHRISTOPHE BUISSON, 34, rue de la Tartebouille, 21190 Saint-Romain, tél. 06 64 86 07 29, sarlchristophebuisson@wanadoo.fr*

DOM. DENIS CARRÉ Le Jarron 2014 ★★

■	n.c.	🛢	15 à 20 €

À Meloisey, dans les Hautes-Côtes, Martial et Gaëtane Carré ont rejoint leur père Denis, fondateur en 1975 de ce domaine qui excelle dans plusieurs AOC, en hautes-côtes-de-beaune, saint-romain et pommard notamment.

Les 12,09 ha de ce lieu-dit prolongent la combe d'Auxey. Ce *climat* doit son nom au terme «jarrie», qui désigne en ancien français une terre pierreuse où ne poussent que des plantes broussailleuses. Une terre propice à la vigne, témoin ce vin pressenti pour un coup de cœur. Au nez, des fruits rouges confits, des notes de rose et de cacao. Une palette aromatique complexe prolongée par un palais rond, dense et long, étayé par des tanins aimables et souples. Une bouteille qui pourra s'apprécier dans sa jeunesse ou plus âgée. ⌛ 2017-2022 🍴 bœuf bourguignon

⊶ *DENIS CARRÉ, 1, rue du Puits-Bouret, 21190 Meloisey, tél. 03 80 26 02 21, domainedeniscarre@wanadoo.fr* V 🚶 ▪ *r.-v.*

♥ PASCAL CLÉMENT 2013 ★★

▪	2400	🛢	15 à 20 €

Après vingt ans de vinification dans différents domaines de Bourgogne, Pascal Clément a créé son négoce en 2012, tourné essentiellement vers les blancs de la Côte chalonnaise et de la Côte de Beaune.

Première sélection en saint-romain pour cette jeune maison de négoce et un vin pleinement réussi qui offre son premier coup de cœur à Pascal Clément. Élevé onze mois en fût, ce chardonnay déploie un nez intense et fin de fruits à chair blanche et de pamplemousse. Un fruité qui s'épanouit dans un palais ample, frais, rond et très long. Un ensemble voluptueux et caressant. ⌛ 2017-2021 🍴 tajine de poisson

⊶ *PASCAL CLÉMENT, 13, rue de Cîteaux, 21420 Savigny-lès-Beaune, tél. 03 80 24 75 05, contact@pascal-clement.fr* V 🚶 ▪ *r.-v.*

DOM. COSTE-CAUMARTIN
Sous le château 2014 ★★

9900		15 à 20 €

Cet ancien domaine de Pommard est entré en 1793 dans la famille de Jérôme Sordet. Jadis directeur d'une usine d'imprégnation du bois, ce dernier officie depuis 1988 à la tête d'un vignoble de 12,2 ha.

Ce domaine possède, à l'échelle bourguignonne, une grande parcelle (1,61 ha) de ce lieu-dit, le plus vaste de l'appellation (23,85 ha), qui tourne autour de la colline variant son exposition de sud à est. Le vin a fait forte impression, si bien qu'il a concouru pour le coup de cœur: robe élégante, cristalline; nez subtil alliant le floral au minéral; bouche au diapason, équilibrée, à la fois charnue, rectiligne et longue. Déjà plaisant, ce saint-romain pourra être conservé sans crainte. ⧗ 2017-2022 ¥ saumon à l'unilatérale

DOM. COSTE-CAUMARTIN, 2, rue du Parc, 21630 Pommard, tél. 03 80 22 45 04, domaine@costecaumartin.fr V *t.l.j. sf dim. 10h-12h 14h-19h*

Jérôme Sordet

DIDIER DELAGRANGE 2014

4300		15 à 20 €

Valeur sûre de Volnay, Didier Delagrange a rejoint son père en 1990 sur le domaine familial, pour lui succéder en 2003. Il a porté la superficie du vignoble à 14,5 ha, répartis dans différentes AOC de la Côte de Beaune, avec une petite activité de négoce en complément.

Issue du négoce, cette cuvée développe des parfums citronnés discrets mais plaisants. On retrouve les agrumes dans une bouche un peu fugace mais bien équilibrée entre gras et acidité. Simple et efficace, un vin à boire sur le fruit. ⧗ 2016-2019 ¥ terrine de poisson

DIDIER DELAGRANGE, 7, cours François-Blondeau, 21190 Volnay, tél. 03 80 21 64 12, didier@domaine-henri-delagrange.com V *r.-v.*

NICOLAS FÈVRE 2014 ★

706		15 à 20 €

Si l'activité principale de Nicolas Fèvre est le conseil en œnologie, il a créé son propre petit domaine en reprenant fin 2013 une partie des vignes familiales jusqu'alors en fermage, en saint-romain et en bourgogne aligoté.

Premier millésime «de l'autre côté de la barrière» pour l'œnologue-conseil Nicolas Fèvre et déjà de belles promesses avec ce 2014 expressif (aubépine, pomme, vanille), franc, net et droit en bouche, long et bien équilibré. Un saint-romain sincère et énergique, dont l'unique défaut est sa confidentialité. ⧗ 2016-2020 ¥ poêlée de saint-jacques ■ **2014 (11 à 15 €; 923 b.)** : vin cité..

NICOLAS FÈVRE, 7, Petite-Rue, 21190 Saint-Romain, tél. 06 60 72 31 02, domaine.nicolas.fevre@orange.fr V *r.-v.*

DOM. GERMAIN PÈRE ET FILS 2014 ★

26000		15 à 20 €

Un domaine créé en 1955 par Bernard Germain, rejoint en 1976 par son fils Patrick, avec lequel il lance la mise en bouteilles. En 2009, Arnaud, le petit-fils, prend la relève. Il est à la tête de 15 ha, complétés par une activité de négoce à son nom.

Une vigne de quarante ans plantée sur 5,75 ha a donné naissance à cette importante cuvée aux parfums frais d'agrumes et de pierre mouillée. On retrouve cette fraîcheur dans une bouche souple et fruitée, agrémentée d'une touche boisée bien dosée. À boire sur le fruit. ⧗ 2016-2019 ¥ sole meunière

DOM. GERMAIN PÈRE ET FILS, 34, rue de la Pierre-Ronde, 21190 Saint-Romain, tél. 03 80 21 60 15, contact@domaine-germain.com V *t.l.j. sf dim. 8h30-12h 13h30-19h*

DOM. ALAIN GRAS 2014 ★

38000		15 à 20 €

Le grand-père et le père vendaient leur vin au négoce. En reprenant le domaine (14 ha) en 1979, Alain Gras s'est lancé dans la mise en bouteilles. Il est aujourd'hui l'une des figures de proue de l'appellation saint-romain.

Fidèle au rendez-vous, Alain Gras signe un joli saint-romain limpide et brillant, qui déploie un bouquet expressif de zeste de mandarine et de fleurs blanches. Une attaque fruitée ouvre sur un palais ample et gras, aux tonalités légèrement miellées, équilibré par une fine acidité. ⧗ 2017-2021 ¥ koulibiac de saumon

DOM. ALAIN GRAS, rue Sous-la-Velle, 21190 Saint-Romain, tél. 03 80 21 27 83, gras.alain1@wanadoo.fr V *r.-v.*

HENRI LATOUR ET FILS Le Jarron 2014 ★

4650		11 à 15 €

Les Latour cultivent la vigne depuis sept générations à Auxey-Duresses. Installé en 1992, François Latour exploite un domaine de 15 ha, dont l'essentiel est implanté dans sa commune d'origine, le reste à Saint-Romain et à Meursault.

Une grande parcelle (1,6 ha) bénéficiant d'une exposition plein sud et plantée de vénérables vignes de soixante ans est à l'origine de ce Jarron au nez engageant, floral et brioché. Doté d'un joli gras, riche et rond, le palais ne manque pas de fraîcheur. Un vin équilibré qui pourra être apprécié sur le fruit. ⧗ 2016-2020 ¥ tourte saumon et asperges

HENRI LATOUR ET FILS, 51, rte de Beaune, 21190 Auxey-Duresses, tél. 03 80 21 65 49, h.latour.fils@wanadoo.fr V *r.-v.*

DOM. MARTENOT MALLARD
Sous le château 2014 ★

2610		15 à 20 €

À l'origine, le domaine de la Perrière, créé par Bernard Martenot. La nouvelle génération a pris la relève en 2010 sur un vignoble de 16 ha et sous l'étiquette Martenot Mallard.

Une jeune vigne de sept ans est à l'origine de ce vin délicatement floral et citronné à l'olfaction. Après une attaque franche, apparaît un palais rond, gras et légèrement suave, stimulé par la vivacité des agrumes. ⧗ 2016-2019 ¥ turbot au beurre d'agrumes

MARTENOT MALLARD, 11, rue de la Perrière, 21190 Saint-Romain, tél. 03 80 21 68 97, bernard.martenot@wanadoo.fr V *r.-v.*

BOURGOGNE

CH. DE MELIN Sous château 2014 ★

■	8000	🛢	11 à 15 €

La famille cultive la vigne depuis sept générations. Ingénieur dans le BTP, Arnaud Derats a repris le domaine de son grand-père Paul Dumay à Sampigny-lès-Maranges. En 2000, il a acquis le château de Melin (XVIe s.) à Auxey-Duresses et y a transféré ses caves. Le vignoble (25 ha) est en bio certifié depuis 2012.

Ce 2014 présente un nez engageant de cassis, de clou de girofle et de vanille. Si l'attaque est souple et douce, le palais évolue ensuite vers plus de fermeté, soutenu par une charpente tannique bien en place, qui appelle la garde. ⧗ 2018-2022 🍷 aumônière au Citeaux

SCEA CH. DE MELIN, Ch. de Melin, 21190 Auxey-Duresses, tél. 03 80 21 21 19, derats@chateaudemelin.com V t.l.j. 10h-12h 14h-18h; dim. 10h-12h ⑤

DAVID MORET 2014

■	n.c.	🛢	15 à 20 €

David Moret a créé en 1998 sa maison de négoce, établie derrière les remparts de Beaune. Cet adepte des élevages longs s'est fait une spécialité de la vinification «haute couture» des blancs de la Côte de Beaune.

Cette cuvée qui n'a connu ni collage ni filtration s'ouvre sur des senteurs minérales, fruitées, briochées et grillées. On retrouve le caractère minéral et boisé dans une bouche harmonieuse, de bonne longueur. Un joli vin de terroir malgré un support boisé enore un peu trop sensible. ⧗ 2017-2021 🍷 poulet à l'estragon

SARL DAVID MORET, 1 et 3, rue Émile-Goussery, 21200 Beaune, tél. 06 75 01 15 85, davidmoret.vins@orange.fr V r.-v.

DOM. NICOLAS En Cheurot 2014

■	2200	🛢	11 à 15 €

Un domaine familial de 17 ha établi sur les hauteurs de Nolay, dans les Hautes-Côtes beaunoises, conduit depuis 1987 par Alain Nicolas.

Les 8,66 ha de ce petit vallon que les locaux appelaient «le creux de Chevrot» n'était pas un lieu de pâture pour les chèvres, comme pourrait le suggérer l'altération du mot «chave», qui désigne en fait un lieu creux, un terrain enfoncé. Alain Nicolas y a vendangé 30 ares de chardonnay et signe un saint-romain encore un peu fermé, mais prometteur par sa complexité naissante, entre notes boisées et parfums d'églantine, par sa structure ferme et sa vivacité. À attendre un peu. ⧗ 2018-2022 🍷 rôti de veau à la crème

EARL NICOLAS PÈRE ET FILS, 38, rte de Cirey, 21340 Nolay, tél. 03 80 21 82 92, nicolas-alain2@wanadoo.fr V t.l.j. sf dim. 9h-12h 13h30-18h30

♥ STÉPHANE PIGUET En Poillange 2014 ★★

■	2000	🛢	11 à 15 €

Ouvrier viticole depuis 2003 sur la propriété de ses parents, Max et Anne-Marye Piguet-Chouet, Stéphane Piguet a entrepris en 2012 de créer sa propre activité de négoce pour élargir la gamme du domaine, qui s'étend aujourd'hui aux appellations saint-romain et puligny-montrachet.

Un jeune négoce qui a le vent en poupe: un coup de cœur l'an dernier pour un puligny 2013, un autre cette année pour ce saint-romain 2014. À un nez expressif et délicat, mentholé et citronné, répond un palais gras, suave et rond, sur les agrumes et les fruits blancs mûrs, épaulé par un boisé parfaitement proportionné. De l'élégance, de l'intensité et de l'équilibre. ⧗ 2018-2022 🍷 filet de bar au beurre blanc

STÉPHANE PIGUET, rte de Beaune, 21190 Auxey-Duresses, tél. 06 87 54 59 02, maisonstephanepiguet@yahoo.fr V r.-v.

DOM. JEAN-PIERRE ET LAURENT PRUNIER La Combe Bazin 2014

■	3000	🛢	11 à 15 €

Jean-Pierre Prunier a laissé son vignoble de 9,5 ha à ses deux fils: Pascal, établi à Meursault, et Laurent, installé depuis 1992. Une valeur sûre en auxey-duresses et en monthélie.

Cette Combe Bazin avait valu un coup de cœur au domaine dans sa version 2012. Le 2014, sans atteindre les mêmes sommets, plaît par son nez bien ouvert sur les agrumes et par sa bouche légère, minérale et nerveuse. ⧗ 2016-2019 🍷 matelote d'anguilles

DOM. JEAN-PIERRE ET LAURENT PRUNIER, 1, rue Traversière, 21190 Auxey-Duresses, tél. 03 80 21 27 51, domaine.prunier@wanadoo.fr V r.-v.

DOM. TAUPENOT-MERME 2013 ★★

■	n.c.	🛢	20 à 30 €

En 1963, Jean Taupenot, de Saint-Romain, épouse Denise Merme et se fixe à Morey. Aujourd'hui, leurs enfants Romain et Virginie conduisent, en bio non certifié, un vignoble de 13 ha avec un pied en Côte de Nuits et l'autre en Côte de Beaune. Un domaine constant en qualité. Romain a développé par ailleurs, sous son nom, une petite structure de négoce.

Ce 2013 mêle à l'olfaction de délicats arômes de fleurs blanches et d'agrumes. On les retrouve avec intensité dans une bouche ample et riche, bien tenue par un boisé délicat et par une fine acidité qui lui donne beaucoup d'allonge. Finaliste des coups de cœur. ⧗ 2017-2022 🍷 feuilleté au saumon et à l'aneth

DOM. TAUPENOT-MERME, 33, rte des Grands-Crus, 21220 Morey-Saint-Denis, tél. 03 80 34 35 24, domaine.taupenot-merme@orange.fr V r.-v.

VAL DE MERCY GRANDS VINS Sous le château 2013

■	1350	🛢	11 à 15 €

En 1680, les vins étaient produits par le Clos du Château du Val de Mercy. Établi à Chitry, le nouveau propriétaire du domaine (30 ha) perpétue la tradition viticole au-delà de ses terres pour fournir des vins du Chablisien, de l'Auxerrois et de la Côte de Beaune. Une activité de négoce complète la gamme de la propriété.

Un saint-romain issu du négoce et d'une récolte de ceps de vingt-cinq ans. Le nez, harmonieux, associe notes de citron et de fleurs blanches sur un léger fond boisé. La bouche apparaît vive, voire un brin acidulée, d'un bon volume et bien équilibrée entre le bois et le fruit. ⌛ 2017-2020 🍴 pavé de saumon aux agrumes

⊶ *VAL DE MERCY GRANDS VINS, 4, rue des Écoles, 21630 Pommard, tél. 03 80 22 77 34, roy@valdemercy.com* V ⚐ ▮ *r.-v.*

MEURSAULT

Superficie : 395 ha
Production : 18 540 hl (98 % blanc)

La commune chevauche une vallée qui prolonge celle d'Auxey-Duresses et marque une sorte de frontière: avec Meursault commence la véritable production de grands vins blancs. Certains de ses 1ers crus sont mondialement réputés: Les Perrières, Les Charmes, Les Poruzots, Les Genevrières, Les Gouttes d'Or... Ils allient la subtilité à la force, la fougère à l'amande grillée, l'aptitude à être consommés jeunes au potentiel de garde. Si Meursault est bien la « capitale des vins blancs de Bourgogne », elle n'en fournit pas moins quelques vins rouges, issus des terroirs voisins de Volnay, au nord. Ses « petits châteaux » attestent une opulence ancienne. La Paulée, qui a pour origine le nom du repas pris en commun à la fin des vendanges, est devenue une manifestation qui clôt en novembre les « Trois Glorieuses », journées au cours desquelles se déroule la vente des Hospices de Beaune.

BACHEY-LEGROS ET FILS
Les Grands Charrons 2014

	1200		20 à 30 €

Régulièrement mentionnés dans le Guide, les Bachey-Legros – Christiane et ses fils Samuel et Lénaïc – sont les cinquième et sixième générations à œuvrer sur ce domaine de 19 ha auquel s'est ajoutée une activité de négoce en 2008.

Le beurre frais, le pain grillé et la vanille composent un bouquet ouvert et engageant, tandis qu'une attaque minérale accompagne les agrumes dans une bouche souple, ronde, équilibrée. Un bon classique déjà plaisant et qui vieillira bien. ⌛ 2017-2021 🍴 saint-pierre à la plancha

⊶ *DOM. BACHEY-LEGROS, 12, rue de la Charrière, 21590 Santenay, tél. 03 80 20 64 14, christiane.bachey-legros@wanadoo.fr* V ⚐ ▮ *r.-v.*

DOM. BOHRMANN Clos du Cromin 2014 ★

	1400		30 à 50 €

Un domaine créé en 2002 par Sofie Bohrmann, d'origine belge, qu'elle gère avec Dimitri Blanc, son complice de vigne et de chai: 11,75 ha conduits en bio non certifié depuis 2007.

Comme dans de nombreux villages de Bourgogne, une ancienne carrière est devenue vigne. Le domaine y exploite 50 ares de chardonnay à l'origine d'un très beau meursault pâle et lumineux. Verveine, bergamote, poire, agrumes, vanille, le bouquet est complexe et élégant. Passé une attaque franche et fraîche, la bouche se montre ronde, riche, soyeuse, stimulée par une longue finale minérale. ⌛ 2019-2024 🍴 sandre au beurre blanc

⊶ *DOM. BOHRMANN, 9, rue de la Barre, 21190 Meursault, tél. 03 80 21 60 06, domaine.bohrmann@wanadoo.fr* V ⚐ ▮ *r.-v.*

DOM. ÉRIC BOUSSEY Limozin 2014

	2400		20 à 30 €

Grande famille de vignerons de Monthelie, les Boussey exploitent 5 ha répartis sur plusieurs AOC en Côte de Beaune. Éric, installé en 1981, a complété son activité en 2007 par une structure de négoce.

Couvrant 10,83 ha au piémont de la colline du Montmellian, ce *climat* doit son nom à une rivière. D'un jaune limpide, le vin propose des senteurs de fruits jaunes, de fleurs blanches, de cannelle et de vanille. En bouche, il n'apparaît pas très long mais harmonieux, l'acidité et le gras faisant bien la paire. ⌛ 2016-2020 🍴 sandre à la crème

⊶ *DOM. ÉRIC BOUSSEY, 21, Grande-Rue, 21190 Monthelie, tél. 03 80 21 60 70, ericboussey@orange.fr* V ⚐ ▮ *r.-v.*

DOM. JEAN-MARIE BOUZEREAU
Les Narvaux 2014

	1500		30 à 50 €

Jean-Marie Bouzereau s'est établi en 1994 sur une partie du domaine familial et conduit un vignoble de 9 ha. Valeur sûre de l'appellation meursault, il vinifie aussi en puligny, volnay, pommard et beaune.

Entre ceux du Dessus et ceux du Dessous, Les Narvaux sont, avec plus de 16 ha, le plus vaste *climat* au niveau communal. Jean-Marie Bouzereau y cultive une parcelle de 40 ares. Il signe un meursault floral, beurré et vanillé, rond sans lourdeur, avec une acidité minérale en soutien. ⌛ 2017-2021 🍴 noix de Saint-Jacques à la crème

⊶ *JEAN-MARIE BOUZEREAU, 5, rue de la Planche-Meunière, 21190 Meursault, tél. 03 80 21 62 41, jm.bouzereau@club-internet.fr* V ⚐ ▮ *r.-v.*

PHILIPPE BOUZEREAU Genevrières 2014

1er cru	1500		30 à 50 €

Héritier de neuf générations de vignerons, Philippe Bouzereau a pris en 2006 la direction du Ch. de Cîteaux, 18 ha de petites parcelles réparties sur six villages de la Côte de Beaune, qu'il exploite avec le moins d'interventions possible à la vigne et au chai. Il a également développé une activité de négoce sous son nom propre et complète ainsi la belle gamme du domaine familial.

Un *climat* qui doit son nom aux genévriers qui recouvraient autrefois cette partie pentue de la colline Saint-Christophe; un nom que l'on retrouve dans de nombreux villages de la Côte. Philippe Bouzereau en détient 40 ares, à l'origine d'un 2014 plutôt discret au nez (notes de fougères et de verveine), frais en attaque, plus généreux et tendre dans son évolution. ⌛ 2018-2022 🍴 rôti de lotte aux amandes

⊶ *PHILIPPE BOUZEREAU, 7, place de la République, 21190 Meursault, tél. 03 80 21 20 32, caveau@chateau-de-citeaux.com* V ▮ *t.l.j. sf dim. lun. mar. 10h-18h*

♥ DOM. VINCENT BOUZEREAU
Les Charmes 2013 ★★

1er cru	1000		30 à 50 €

Issu d'une ancienne famille de vignerons et installé dans l'ancien prieuré du château de Meursault, dont l'un de ses ancêtres était propriétaire, Vincent Bouzereau a pris la suite de son père en 1990 à la tête de ce domaine de 10 ha, souvent en vue pour ses meursault.

Un 1er cru emblématique de l'appellation et du domaine, dont le 2009 fut coup de cœur. La version 2013 a, elle aussi, fait l'unanimité. La robe est étincelante, d'un bel or pâle qui invite à plonger le nez dans le verre; surgissent alors des senteurs d'agrumes, de vanille, de miel, de fleurs blanches. La bouche séduit par sa grande finesse et par son équilibre impeccable entre gras, acidité minérale et pointe végétale qui signe le millésime. ⧗ 2018-2024 🍷 carpaccio de saumon ■ **1er cru Poruzots 2013 ★ (30 à 50 €; 600 b.)** : un vin assez discret au nez (agrumes, fleurs, beurre, vanille à l'agitation), rond et gras en bouche, équilibré par une fine minéralité. ⧗ 2019-2024 ■ **1er cru Goutte d'or 2013 (30 à 50 €; 600 b.)** : vin cité.

VINCENT BOUZEREAU, 25, rue de Mazeray, 21190 Meursault, tél. 03 80 21 61 08, vincent.bouzereau@wanadoo.fr V r.-v.

HUBERT BOUZEREAU-GRUÈRE ET FILLES
Les Tillets 2014 ★

	2500		20 à 30 €

Installé en 1965, Hubert Bouzereau exploite avec ses filles Marie-Laure et Marie-Anne un vignoble de 10 ha réparti sur six villages de la Côte de Beaune. Un domaine souvent en vue pour ses meursault, puligny et chassagne. Anecdote bien connue des œnophiles bourguignons: le vigneron a figuré en tant que pompier de Meursault dans le cultissime *La Grande Vadrouille* de Gérard Oury, un sujet de conversation savoureux au caveau…

Ce *climat* perché sur les hauteurs de la montagne Saint-Christophe domine Meursault. Le 2014 d'un seyant jaune pâle propose un nez bien murisaltien de chardonnay mûr. En bouche, du volume, de la générosité, un gras bien dosé, une finale plus fraîche et nerveuse. ⧗ 2017-2022 🍷 côte de veau aux morilles ■ **1er cru Charmes 2013 (30 à 50 €; 2500 b.)** : vin cité.

HUBERT BOUZEREAU-GRUÈRE ET FILLES, 22A, rue de la Velle, 21190 Meursault, tél. 03 80 21 20 05, contact@bouzereaugruere.com V r.-v. 3

DOM. MICHEL CAILLOT Les Tessons 2013 ★

	700		20 à 30 €

Un domaine créé en 1967 par Roger Caillot. Établi avec ses parents pendant dix ans, Michel Caillot conduit désormais en solo le vignoble familial, qui s'étend sur 13 ha. Sa devise: «Le moins d'interventions possible dans les vinifications.»

Des blaireaux («tesson» en ancien français) devaient avoir élu domicile sur ce *climat* situé côté Auxey. Michel Caillot y a vendangé une parcelle de 13 ares à l'origine d'un vin au nez intense de fleurs blanches, d'agrumes et de caillou, bien construit en bouche autour d'une fine acidité minérale qui lui confère un profil rectiligne et allonge la finale. Du potentiel. ⧗ 2018-2024 🍷 bar en croûte de sel

DOM. MICHEL CAILLOT, 14, rue du Cromin, 21190 Meursault, tél. 06 87 44 81 44, earl.caillot@orange.fr V r.-v.

DOM. FABIEN COCHE Perrières 2013 ★

1er cru	1000		50 à 75 €

Fabien Coche est à la tête du domaine familial (Coche-Bizouard) depuis 1997: 11 ha répartis sur Meursault, Pommard, Auxey-Duresses, Monthélie, Saint-Romain, Saint-Aubin, Puligny-Montrachet. Il a développé en 2003 une activité négoce sous son nom.

Adepte des élevages longs, Fabien Coche a passé son Perrières dix-huit mois en fût. Le vin en retire une belle robe dorée et un bouquet grillé, vanillé et légèrement mentholé. Des arômes prolongés par un palais franc en attaque, ample, gras, dense, avec une acidité bien fondue en soutien. Déjà prêt, ce 2013 peut aussi attendre. ⧗ 2017-2023 🍷 feuilleté de ris de veau ■ **1er cru Charmes 2013 (30 à 50 €; 1500 b.)** : vin cité.

DOM. FABIEN COCHE, 5, rue de Mazeray, 21190 Meursault, tél. 06 09 84 23 45, coche-bizouard@orange.fr V r.-v.

DOM. DE LA GALOPIÈRE
Les Chevalières 2014 ★

	1160		20 à 30 €

Après avoir enseigné l'œnologie pendant quatre ans, Gabriel Fournier s'est installé en 1982 sur le domaine familial. Il exploite avec son épouse Claire et, depuis 2015, son fils Vincent 10 ha de vignes répartis dans plusieurs AOC de la Côte de Beaune, de Chassagne-Montrachet à la colline de Corton.

Calé au pied du coteau qui part en direction du vignoble voisin d'Auxey-Duresses, ce lieu-dit rappelle que l'on y gardait autrefois les chevaux; le *climat* Les Forges est logiquement son voisin. Dans le verre, un meursault aromatique (agrumes, pêche, cuir frais, noisette), puissant, riche, onctueux, chaleureux. ⧗ 2019-2024 🍷 blanquette de veau

EARL DOM. DE LA GALOPIÈRE, 6, rue de l'Église, 21200 Bligny-lès-Beaune, tél. 03 80 21 46 50, cgfournier@wanadoo.fr V r.-v. *Gabriel Fournier*

ALBERT GRIVAULT Clos de Murger 2014 ★

	7700		30 à 50 €

Un domaine créé en 1879 par Albert Grivault, ancien distillateur de Béziers devenu vigneron; un dégustateur expert également, qui représenta la Bourgogne au jury du Concours des vins de l'Exposition universelle de Paris en 1900. Ses héritiers – Claire Bardet à la gérance depuis 2004 – exploitent aujourd'hui un vignoble de 6 ha, essentiellement planté en chardonnay, dont le meursault 1er cru Clos des Perrières, un clos de 1 ha monopole du domaine.

Teinté d'or blanc lumineux, ce meursault bien né évoque la pêche au sirop, la bergamote, la camomille avec une touche de viennoiserie. Passé une attaque fraîche et tendue, le palais déploie une matière riche, ronde, concentrée, dynamisée en finale par une minéralité affirmée. De la présence et de l'équilibre. ⧗ 2018-2022 🍴 Saint-Jacques aux champignons

⊶ *ALBERT GRIVAULT, 7, pl. du Murger, 21190 Meursault, tél. 03 80 21 23 12, albert.grivault@wanadoo.fr* V 🚶 🍷 *r.-v.*

DOM. PATRICK JAVILLIER Les Tillets 2013

	n.c.		30 à 50 €

Après des études d'œnologie, Patrick Javillier a repris l'exploitation familiale de Meursault et vinifié ses premières cuvées en 1974. Il conduit aujourd'hui un vignoble de 10 ha répartis sur cinq communes de la Côte de Beaune, de Puligny-Montrachet à Pernand-Vergelesses.

Un *climat* situé en haut du village, en bordure de la colline Saint-Christophe. Patrick Javillier en propose une version plaisante et harmonieuse, dorée comme la paille, expressive (agrumes, notes boisées), bien équilibrée entre acidité et rondeur. Prêt pour le service. ⧗ 2016-2020 🍴 dinde à la crème

⊶ *DOM. PATRICK JAVILLIER, 7, imp. des Acacias, 21190 Meursault, tél. 03 80 21 27 87, contact@patrickjavillier.com* V 🍷 *lun. ven. sam. 10h-12h 14h-18h30; f. nov.-mars*

DOM. SYLVAIN LANGOUREAU
Blagny La Pièce sous le bois 2014 ★

1er cru	2900		20 à 30 €

Représentant la cinquième génération, Sylvain Langoureau s'est installé en 1988 à la tête du domaine familial, dont les bâtiments datent de 1647. Fort de 10 ha, le vignoble est régulièrement en vue pour ses saint-aubin blancs.

Né en lisière de Puligny, sur un *climat* qui se partage entre les AOC blagny (vins rouges), puligny ou meursault (vins blancs), ce 2014 est encore sous l'emprise, légère, du boisé, quelques notes florales pointant à l'aération. En bouche, il se montre ample, généreux, puissant, persistant. ⧗ 2019-2024 🍴 rôti de veau Orloff

⊶ *DOM. SYLVAIN LANGOUREAU, 20, rue de la Fontenotte, 21190 Saint-Aubin, tél. 03 80 21 39 99, domaine.sylvain.langoureau@cegetel.net* V 🚶 🍷 *r.-v.*

♥ **DOM. VINCENT LATOUR** Poruzots 2013 ★★

1er cru	3000		30 à 50 €

Meursault-Poruzots
Premier Cru
2013
DOMAINE
VINCENT LATOUR
GRAND VIN DE BOURGOGNE

Établis à Meursault, Cécile et Vincent Latour assurent la continuité du vénérable Dom. Jean Latour-Labille (1792), devenu Dom. Vincent Latour – 8 ha tout au long de la ceinture blanche de la Côte de Beaune –, auquel ils ont adjoint en 2008 une société de négoce.

Ce 1er cru petit mais réputé (qui peut aussi s'orthographier «Porusot») encadre celui des Bouchères. Les Latour y exploitent une parcelle de 88 ares à l'origine d'un meursault éclatant dans sa robe or pâle, complexe et intense à l'olfaction: lys, poire, coing, raisins secs, agrumes, vanille apparaissent au gré de l'aération. Ample, parfaitement équilibré, le palais conjugue gras, douceur, fine acidité et s'étire dans une longue finale qui laisse le souvenir d'un vin délicat. ⧗ 2018-2024 🍴 filet de saint-pierre ■ **Cuvée Saint-Jean 2014 ★ (20 à 30 €; 5000 b.)** : un vin ouvert sur des arômes de miel, d'acacia, d'agrumes et de fruits exotiques, à la fois délicat, onctueux et frais en bouche, avec en finale une belle touche saline. ⧗ 2019-2022 ■ **1er cru Perrières 2013 ★ (50 à 75 €; 600 b.)** : affectée par la grêle, la production a été réduite à deux tonneaux. Le fût apporte à ce vin un toasté subtil, tandis que la bouche, bien construite, consistante, s'équilibre entre acidité et rondeur. ⧗ 2017-2020 ■ **1er cru Les Grands Charrons 2014 (20 à 30 €; 5000 b.)** : vin cité.

⊶ *DOM. VINCENT LATOUR, 6, rue du 8-Mai-1945, 21190 Meursault, tél. 03 80 21 22 49, contact@domaine-vincentlatour.com* V 🚶 🍷 *r.-v.* 🏠 Ⓔ

LOUIS LATOUR Goutte d'or 2013

1er cru	2800		50 à 75 €

Une maison familiale toujours indépendante, fondée en 1797 et conduite successivement par dix générations de Latour. Un acteur incontournable de la Bourgogne viticole et le plus important propriétaire de grands crus de la Côte-d'Or (28 ha sur les 48 que compte son vignoble). Les raisins sont vinifiés à Aloxe-Corton, berceau de la famille, et la maison possède sa propre tonnellerie.

Ce lieu-dit au nom poétique évoque la couleur généralement dorée des vins qui naissent sur ce terroir. C'est bien le cas de ce 2013 finement floral et fruité, à la fois suave et frais en bouche, équilibré en somme, persistant sur le fruit. ⧗ 2017-2021 🍴 saumon en papillote

⊶ *MAISON LOUIS LATOUR, 18, rue des Tonneliers, 21200 Beaune, tél. 03 80 24 81 00, contact@louislatour.com*

HENRI LATOUR ET FILS Les Vireuils 2014

	1350		20 à 30 €

Les Latour cultivent la vigne depuis sept générations à Auxey-Duresses. Installé en 1992, François Latour exploite un domaine de 15 ha, dont l'essentiel est implanté dans sa commune d'origine, le reste à Saint-Romain et à Meursault.

Un lieu-dit que l'on découvre en contournant la colline dominant Meursault, à la limite d'Auxey-Duresses (où l'on trouve le *climat* Les Vireux): le vigneron étant d'Auxey, il ne peut pas faire un meursault plus près. Au nez, un boisé fin, des notes de menthol et des fruits jaunes. En bouche, une attaque nette, un bon équilibre gras-acidité, une pointe d'amertume revigorante en finale. ⧗ 2018-2021 🍴 saint-pierre à l'estragon

⊶ *HENRI LATOUR ET FILS, 51, rte de Beaune, 21190 Auxey-Duresses, tél. 03 80 21 65 49, h.latour.fils@wanadoo.fr* V 🚶 🍷 *r.-v.*

BOURGOGNE

OLIVIER LEFLAIVE Poruzots 2013

1er cru	4100		50 à 75 €

Négociant-éleveur établi à Puligny-Montrachet depuis 1984, Olivier Leflaive, l'une des références de la Côte de Beaune, collectionne les étoiles, côté cave (négoce et domaine) et côté hôtellerie: quatre pour son hôtel de Puligny. Au chai, l'œnologue Franck Grux et son complice Philippe Grillet.

Un 1er cru parmi les plus recherchés de Meursault. Olivier Leflaive en propose une version plutôt pimpante, d'un joli doré aux reflets verts, expressive (agrumes, nuances grillées et vanillées), fraîche et fringante, fine et minérale en bouche. ⧗ 2017-2021 ♈ queue de lotte à la persillade

⊶ OLIVIER LEFLAIVE FRÈRES, pl. du Monument, 21190 Puligny-Montrachet, tél. 03 80 21 37 65, contact@olivier-leflaive.com V r.-v. ⑤

PASCAL MARCHAND Blagny 2013 ★★

1er cru	n.c.		50 à 75 €

Le Québécois Pascal Marchand, ancien vinificateur du comte Armand et de la Vougeraie et fondateur d'un micro-négoce en 2006, s'est associé en 2010 avec Moray Tawse, propriétaire réputé du Niagara (Canada), pour créer une nouvelle marque pour laquelle il sélectionne de petits lots de vignes souvent cultivées en bio ou en biodynamie.

À l'heure d'élire les coups de cœur, ce meursault de Blagny a fait partie du dernier cercle. Sa robe est séduisante, d'un or vert éclatant. Le nez marie avec intensité et gourmandise le miel, la poire, le lys et l'amande. La bouche est aussi large que longue, riche, ronde et soyeuse, dynamisée par une finale vive et alerte. Une puissance maîtrisée et beaucoup d'élégance. ⧗ 2018-2023 ♈ ris de veau à la crème

⊶ MARCHAND-TAWSE, 9, rue Julie-Godemet, 21700 Nuits-Saint-Georges, tél. 03 80 20 37 32, contact@marchandtawse.com V r.-v.

DOM. MAZILLY PÈRE ET FILS
Les Meurgers 2014 ★

	4500		20 à 30 €

Installés depuis 1980 à Meloisey, charmant village des hautes Côtes de Beaune, Frédéric Mazilly et son fils Aymeric exploitent, dans un esprit proche du bio, un coquet vignoble de 17 ha. En 2004, Aymeric a également créé sous son propre nom une maison de négoce dédiée aux seuls vins blancs.

Un *climat* situé en bordure de Monthelie, où les Mazilly cultivent 80 ares de chardonnay. Dans le verre, un vin pâle et brillant, au nez expressif de fruits secs, de fleurs blanches et d'agrumes, souple et flatteur en bouche, beurré et fruité, bien équilibré entre gras et acidité. ⧗ 2017-2021 ♈ terrine de langoustes

⊶ DOM. MAZILLY PÈRE ET FILS, 1, rte de Pommard, 21190 Meloisey, tél. 03 80 26 02 00, bourgogne-domaine-mazilly@wanadoo.fr V r.-v.

CH. DE MEURSAULT Perrières 2013

1er cru	7500		75 à 100 €

L'emblématique château de Meursault, haut-lieu du tourisme bourguignon et du folklore vineux – on y célèbre la fameuse Paulée le lendemain de la vente des Hospices de Beaune – a souvent changé de mains: famille de Pierre de Blancheton jusqu'à la Révolution; famille Serre au XIXe; famille du comte de Moucheron; famille Boisseaux (maison Patriarche) à partir de 1973. En décembre 2012, nouveau changement: la famille Halley achète le domaine, avant d'acquérir fin 2013 les 60 ha de vignes. Aux commandes du chai: Emmanuel Escutenaire.

La grêle qui a frappé en 2013 n'aura pas empêché de produire bon – juste moins, même si ce Perrières n'a rien de confidentiel. Dans le verre, un vin qui se distingue par son nez d'agrumes mûrs et de vanille, très riche, gras et concentré en bouche, soutenu par un bon boisé, avec une touche végétale qui apporte un surcroît de fraîcheur. ⧗ 2019-2022 ♈ sole sauce Nantua **Clos des Grands Charrons Monopole 2013 (30 à 50 €; 6080 b.)** : vin cité.

⊶ DOM. DU CH. DE MEURSAULT, rue du Moulin-Foulot, 21190 Meursault, tél. 03 80 26 22 75, domaine@chateau-meursault.com V *t.l.j. 9h-12h 13h-18h ⊶ Halley*

DOM. RENÉ MONNIER Les Charmes 2014

1er cru	6000		30 à 50 €

Ce domaine murisaltien fondé en 1723, propriété de Xavier Monnot, répartit ses 17 ha entre plusieurs AOC beaunoises. Il est régulièrement distingué dans le Guide, notamment pour ses beaune et ses meursault.

Xavier Monnot exploite une belle parcelle de 1,2 ha du plus vaste des 1ers crus murisaltiens. Il en a tiré un 2014 intensément boisé à l'olfaction, ample, tendre, généreux et souple en bouche. Un bon classique. ⧗ 2017-2021 ♈ lotte à la vanille

⊶ DOM. RENÉ MONNIER, 6, rue du Dr-Rolland, 21190 Meursault, tél. 03 80 21 29 32, domaine-rene-monnier@wanadoo.fr V *r.-v. ⊶ Xavier Monnot*

DOM. JEAN MONNIER ET FILS
Genevrières 2014

1er cru	1700		30 à 50 €

Issus d'une longue lignée de vignerons murisaltiens remontant à 1720, Jean-Claude Monnier et son fils Nicolas sont aujourd'hui à la tête d'une exploitation de 15 ha produisant à parts égales (ce qui n'est pas commun) des vins blancs et rouges de la Côte de Beaune.

Les genévriers qui recouvraient autrefois cette partie pentue de la colline Saint-Christophe ont donné leur nom à ce 1er cru murisaltien, dont les Monnier ont tiré un vin plaisant par son bouquet floral et mentholé comme par son palais équilibré, rond et délicat. Un bon classique au potentiel de garde intéressant. ⧗ 2019-2022 ♈ lotte à la crème de safran **La Barre 2014 (20 à 30 €; 3850 b.)** : vin cité.

⊶ DOM. JEAN MONNIER ET FILS, 20, rue du 11-Novembre, 21190 Meursault, tél. 03 80 21 22 56, contact@domaine-jeanmonnier.com V *t.l.j. 10h-12h 13h30-18h30 au caveau pl. de l'Hôtel-de-Ville; f. 15 nov.-15 avr.*

DAVID MORET Les Perrières 2014 ★

1er cru	n.c.		50 à 75 €

David Moret a créé en 1998 sa maison de négoce, établie derrière les remparts de Beaune. Cet adepte des

élevages longs s'est fait une spécialité de la vinification «haute couture» des blancs de la Côte de Beaune.

Après un Charmes 2013 exaltant, coup de cœur l'an passé, David Moret signe un Perrières 2014 de très belle facture : robe limpide et brillante ; bouquet élégant d'aubépine, de tilleul et d'agrumes ; bouche souple, fraîche et fine, relevée en finale par une agréable touche épicée. ⧗ 2019-2023 🍴 turbot au beurre blanc ■ **1er cru Les Charmes 2014 (30 à 50 €; n.c.)** : vin cité.. ■ **Narvaux 2014 (30 à 50 €; n.c.)** : vin cité.

⊶ SARL DAVID MORET, 1 et 3, rue Émile-Goussery, 21200 Beaune, tél. 06 75 01 15 85, davidmoret.vins@orange.fr V ▪ *r.-v.*

JEAN-RENÉ NUDANT Le Pré de Manche 2014

■	1561		20 à 30 €

Un Guillaume Nudant d'Aloxe-Corton était déjà vigneron en 1453. Son descendant, Guillaume également, a rejoint en 2003 son père Jean-René sur le domaine familial de 16 ha, planté pour l'essentiel autour de la montagne de Corton.

Les 5,84 ha de ce *climat* sont répartis sur deux parcelles en haut d'un coteau où les barres rocheuses de cet ancien pré forment comme des marches. Jean-René Nudant en détient 22 ares dont il a tiré un vin lumineux dans sa robe d'or clair, discret à l'olfaction (touche minérale, pêche, fleurs blanches), fin, frais, rectiligne en bouche, plus riche et généreux en finale. ⧗ 2017-2021 🍴 bar de ligne

⊶ DOM. NUDANT, 11, rte de Dijon, 21550 Ladoix-Serrigny, tél. 03 80 26 40 48, domaine.nudant@wanadoo.fr V ▪ ▪ *t.l.j. sf dim. 8h30-12h 13h30-17h30; sam. sur r.-v.*

CH. PERRUCHOT Les Forges Dessus 2014

■	5200		20 à 30 €

En 1804, les frères Claude et Jean Prieur acquièrent le château Perruchot à Santenay. En 1955, Guy Prieur épouse Élisabeth Brunet, native de Meursault, et fonde le domaine Prieur Brunet. Leur fille Dominique, rejointe en 2004 par son fils Guillaume (huitième génération), est aujourd'hui aux commandes d'une propriété d'une vingtaine d'hectares en Côte de Beaune, à laquelle est adossée une maison de négoce.

Un *climat* qui accueillait autrefois les forges de Meursault, voisin du lieu-dit Les Chevalières où se reposaient les chevaux. Dans le flacon, un 2014 toasté, vanillé et floral, rond et gras, vivifié par une pointe bienvenue d'acidité en finale. Un joli profil murisaltien. ⧗ 2018-2021 🍴 tajine de lotte aux épices

⊶ DOM. PRIEUR-BRUNET, Ch. Perruchot, rue de Narosse, 21590 Santenay, tél. 03 80 20 60 56

MAX ET ANNE-MARYE PIGUET-CHOUET Les Narvaux 2014 ★

■	2700		20 à 30 €

Un domaine de 10 ha, 100 % familial et 100 % beaunois, né en 1981 de l'union de Max Piguet-Chouet (sixième génération de vignerons) avec Anne-Marye (issue de la plus ancienne famille vigneronne de Meursault), rejoints par leurs fils Stéphane et William en 2004. Souvent en vue pour ses auxey-duresses et ses meursault.

Les Piguet-Chouet exploitent une belle parcelle (1,33 ha) de ce *climat* des hauteurs. Ils en proposent une version pleine de charme, ouvert sur les fruits blancs et jaunes et sur les petites fleurs sauvages, au palais frais en attaque, puis tendre et rond, boisé avec élégance, persistant. Une bouteille qui vieillira avec sérénité. ⧗ 2018-2024 🍴 sole à la crème

⊶ MAX ET ANNE-MARYE PIGUET-CHOUET, 16, rte de Beaune, 21190 Auxey-Duresses, tél. 03 80 21 25 78, piguet.chouet@wanadoo.fr V ▪ ▪ *r.-v.*

DOM. RAPET 2014 ★

■	1700		15 à 20 €

Natifs de Saint-Romain, où ils habitent l'ancien moulin, les Rapet exploitent l'ancienne propriété des Passerotte qui la confièrent à leur neveu François Rapet. Depuis 1995, c'est le fils de ce dernier, Jean-François, qui est aux commandes. Il a continué d'agrandir le vignoble, qui compte 13,5 ha aujourd'hui.

Une robe jaune doré intense, un bouquet expressif de menthol, de pêche mûre et de fleurs blanches: l'approche donne envie d'aller plus loin. La bouche se révèle ample, suave, riche et longue, soulignée par une pointe d'acidité bien ajustée. Un meursault enveloppant et bien typé. ⧗ 2018-2022 🍴 poulet de Bresse à la crème

⊶ DOM. FRANÇOIS RAPET ET FILS, 1, rue Sous-le-Château, 21190 Saint-Romain, tél. 03 80 21 22 08, domainerapetfrancois@orange.fr V ▪ ▪ *r.-v.*

DOM. ROUX PÈRE ET FILS Clos des Poruzots 2013

■ 1er cru	900		50 à 75 €

Cette maison créée en 1885, qui associe domaine et négoce, est à la tête d'un vaste ensemble de 65 ha répartis dans treize villages de la Côte-d'Or et de la Côte chalonnaise. Elle propose une vaste gamme de vins, souvent en vue, notamment en saint-aubin, puligny, chassagne et meursault.

Poruzot est un diminutif de «porroux», qui désigne un endroit rocailleux. Né d'une parcelle de 22 ares, ce vin pâle conjugue notes boisées et senteurs d'agrumes à l'olfaction. Une attaque souple et fraîche ouvre sur une bouche minérale et plutôt légère. ⧗ 2017-2021 🍴 tartare de saint-jacques

⊶ DOM. ROUX PÈRE ET FILS, 42, rue des Lavières, 21190 Saint-Aubin, tél. 03 80 21 32 92, france@domaines-roux.com V ▪ ▪ *r.-v.*

CHRISTOPHE VAUDOISEY Les Vireuils 2014 ★

■	n.c.		15 à 20 €

Fondé en 1804, ce domaine a vu passer huit générations de vignerons. Secondé par son fils Pierre, Christophe Vaudoisey, souvent en vue pour ses volnay, est installé depuis 1985 à la tête de 12,5 ha en volnay, pommard et meursault.

Entre 300 et 350 m d'altitude, Les Vireuils épousent un virage de la colline. Les Vaudoisey en cultivent 60 ares et signent ici un vin floral et frais à l'olfaction, boisé et beurré en bouche, riche, gras, généreux, avec une fine amertume en finale qui apporte du nerf et de l'allonge. ⧗ 2018-2022 🍴 sandre à la normande

⊶ CHRISTOPHE VAUDOISEY, 1, rue de la Barre, 21190 Volnay, tél. 03 80 21 20 14, christophe.vaudoisey@wanadoo.fr V ▪ ▪ *r.-v.*

BOURGOGNE

CH. DE LA VELLE Clos de la Velle 2014 ★

	2000		20 à 30 €

Dans la famille Darviot depuis neuf générations, administré par Bertrand Darviot depuis 1976, ce domaine (et négoce) implanté à Meursault est souvent en vue pour ses beaune. Commandé par une demeure seigneuriale du XIIIe s. classée Monument historique, son vignoble s'étend sur près de 6 ha.

Cette cuvée est née d'une parcelle de 50 ares qui touche le château. Elle offre un nez séduisant qui «noisette» gentiment aux côtés des agrumes, des fleurs blanches et du grillé de la barrique. En bouche, une attaque charnue, du volume, du gras, de la consistance et une vivacité aux accents citronnés qui équilibre le tout. Un meursault bien proportionné, qui vieillira bien. ⧗ 2019-2023 ¥ turbot poché au citron

BERTRAND DARVIOT, 17, rue de la Velle, 21190 Meursault, tél. 03 80 21 22 83, chateaudelavelle@darviot.fr r.-v.

PULIGNY-MONTRACHET

Superficie : 208 ha
Production : 10 850 hl (99 % blanc)

Centre de gravité des vins blancs de Côte-d'Or, serrée entre ses deux voisines Meursault et Chassagne, cette petite commune tranquille ne représente en surface de vignes que la moitié de Meursault, ou les deux tiers de Chassagne, mais se console en possédant les plus grands crus blancs de Bourgogne, dont le montrachet (en partage avec Chassagne). La position géographique de ces grands crus, selon les géologues de l'université de Dijon, correspond à une émergence de l'horizon bathonien, qui leur confère plus de finesse, plus d'harmonie et plus de subtilité aromatique qu'aux vins récoltés sur les marnes avoisinantes. Les autres *climats* et 1ers crus de la commune exhalent fréquemment des senteurs végétales à nuances résineuses ou terpéniques qui leur donnent beaucoup de distinction.

BACHEY-LEGROS ET FILS 2014 ★

	1780		30 à 50 €

Régulièrement mentionnés dans le Guide, les Bachey-Legros – Christiane et ses fils Samuel et Lénaïc – sont les cinquième et sixième générations à œuvrer sur ce domaine de 19 ha auquel s'est ajoutée une activité de négoce en 2008.

Ce *village* issu de l'activité de négoce s'ouvre sur d'élégantes notes de fleurs blanches et de noisette. Le palais se révèle consistant mais souple, floral, minéral et fruité, persistant et frais. Prometteur. ⧗ 2019-2022 ¥ suprêmes de volaille à la crème

DOM. BACHEY-LEGROS, 12, rue de la Charrière, 21590 Santenay, tél. 03 80 20 64 14, christiane.bachey-legros@wanadoo.fr r.-v.

BORGEOT Les Meix 2014 ★

	4000		20 à 30 €

Ce domaine familial fondé en 1903 est conduit par les frères Borgeot, Pascal et Laurent. Ses vignes sont disséminées sur 20 ha, aux confins de la Saône-et-Loire et de la Côte-d'Or.

À la sortie de Puligny, ce *climat* de 4,95 ha servait autrefois de pâture et voisine avec le 1er cru réputé Les Pucelles. Les Borgeot en ont tiré ce 2014 au joli nez d'églantine, d'aubépine et d'amande, au palais persistant, équilibré et fin, à la fois frais et d'une aimable rondeur. ⧗ 2017-2022 ¥ brochet au beurre blanc

SARL BORGEOT, rte de Chassagne, 71150 Remigny, tél. 03 85 87 19 92, borgeot.laurent@wanadoo.fr r.-v.

GILLES BOUTON ET FILS La Garenne 2014 ★

1er cru	3800		20 à 30 €

Gilles Bouton a pris la suite de son grand-père Aimé Langoureau en 1977 sur le domaine familial : 4 ha à l'époque, 16 ha aujourd'hui, qu'il exploite depuis 2009 avec son fils Julien. Le vignoble est réparti sur quatre communes : Saint-Aubin, Chassagne, Puligny et Meursault.

Ce *climat* tire son nom du droit de chasse qu'avaient les moines de l'abbaye de Maizière, située dans le hameau de Blagny, une «varenne» ou «garenne» désignant l'espace boisé réservé à cet effet. Les Bouton y cultivent 57 ares de chardonnay, à l'origine d'un puligny bien équilibré entre nuances boisées et notes florales à l'olfaction, entre une bouche ronde, grasse et consistante et une finale minérale et alerte. Du potentiel. ⧗ 2019-2023 ¥ saumon en croûte de sel

EARL DOM. GILLES BOUTON ET FILS, 24, rue de la Fontenotte, 21190 Saint-Aubin, tél. 03 80 21 32 63, domaine.bouton.gilles@wanadoo.fr r.-v.

DOM. HUBERT BOUZEREAU-GRUÈRE ET FILLES 2014 ★

	2500		20 à 30 €

Installé en 1965, Hubert Bouzereau exploite avec ses filles Marie-Laure et Marie-Anne un vignoble de 10 ha réparti sur six villages de la Côte de Beaune. Un domaine souvent en vue pour ses meursault, puligny et chassagne. Anecdote bien connue des œnophiles bourguignons: le vigneron a figuré en tant que pompier de Meursault dans le cultissime *La Grande Vadrouille* de Gérard Oury, un sujet de conversation savoureux au caveau...

La partie classée en *village* de Puligny est située au piémont, sous une ligne constituée de 1ers et grands crus. Les Bouzereau y cultivent 49 ares de chardonnay, à l'origine d'un vin énergique de bout en bout: nez sur la pierre à feu et le zeste de citron, attaque incisive en introduction d'une bouche fine et fraîche, saline et crayeuse, avec un peu de gras pour arrondir les angles. ⧗ 2018-2023 ¥ turbot poché à la crème

HUBERT BOUZEREAU-GRUÈRE ET FILLES, 22A, rue de la Velle, 21190 Meursault, tél. 03 80 21 20 05, contact@bouzereaugruere.com r.-v. 3

DOM. DU CELLIER AUX MOINES Les Pucelles 2014

1er cru	1700		75 à 100 €

Fondé en 1258 par les moines cisterciens, propriété d'une seule et même famille après la Révolution française, ce domaine classé Monument historique a été

acquis et restauré à partir de 2004 par Philippe Pascal, ancien cadre dirigeant chez LVMH, avec son épouse Catherine et ses trois enfants. En 2007 a eu lieu la première vinification depuis la Révolution dans un cuvage rénové. Le vignoble (7,5 ha) est essentiellement constitué des 4,7 ha de pinot noir du Clos du Cellier aux Moines, un des 1ers crus historiques de Givry, complétés par quelques hectares de chardonnay en Côte de Beaune.

Deuxième millésime pour cette nouvelle cuvée de ce domaine emblématique de la Côte chalonnaise. Un 2014 au nez élégant de fruits jaunes et d'agrumes, au palais encore un peu sur la retenue, dominé par une intense fraîcheur minérale et citronnée, impression renforcée par une pointe d'amertume en finale. Prometteur. ⧗ 2019-2023 🍴 risotto aux fruits de mer

⊶ DOM. DU CELLIER AUX MOINES, Clos du Cellier aux Moines, 71640 Givry, tél. 03 85 44 53 75, contact@cellierauxmoines.fr V *r.-v. ⊶ Famille Pascal*

JEAN CHARTRON 2014 ★

1er cru	9540		30 à 50 €

Créé en 1859 par le tonnelier Jean-Édouard Dupard, ce domaine d'une grande constance, bien implanté dans les grands crus de Puligny, dispose d'un vignoble de 13 ha – planté à 90 % de chardonnay et trois monopoles (Clos de la Pucelle et Clos du Cailleret en puligny, Clos des Chevaliers en chevalier-montrachet) –, conduits en bio non certifié. Jean-Michel Chartron est aux commandes depuis 2004; l'un de ses credo: «Du bois, oui, mais pas trop.» Une valeur sûre.

Une vinification classique pour ce puligny: fermentation en fût de chêne, élevage en barrique de un à cinq vins pour 70 % du vin (le reste en fût neuf) pendant douze mois et quatre mois de cuve Inox. Le résultat est probant: belle robe brillante, nez complexe de caramel au lait, de vanille et de camomille, attaque franche et florale, bouche riche, fruitée (coing, poire) et boisée avec doigté, finale minérale qui signe le terroir. ⧗ 2019-2023 🍴 bar rôti aux amandes

⊶ SCEA JEAN CHARTRON, 8 bis, Grande-Rue, 21190 Puligny-Montrachet, tél. 03 80 21 99 19, info@jeanchartron.com V *t.l.j. sf lun. mar. mer. 10h-12h 14h-18h; f. déc.-mars*

♥ JEAN-LOUIS CHAVY Les Folatières 2014 ★★

1er cru	7500		30 à 50 €

Héritier d'une lignée vigneronne remontant à 1820, Jean-Louis Chavy exploite depuis 2003 ce domaine couvrant 6,5 ha de vignes à Puligny et dans ses environs.

Ce «régional de l'étape» montre une belle régularité et retrouve la plus haute marche du podium, avec son 1er cru Folatières cette fois-ci – le coup de cœur fut pour Les Clavoillons 2013 l'an dernier. Ce 2014 déploie des parfums discrets mais très élégants de viennoiserie, de chèvrefeuille et de silex frotté. Le prélude gourmand à un palais gras, riche, ample, savoureux (fruits blancs, agrumes, beurre) et long, stimulé par une finale saline. Il a «le cœur sur la main» conclut un juré, et l'on a déjà envie de le partager. ⧗ 2018-2024 🍴 ris de veau à la crème ■ **1er cru Les Clavoillons 2014 ★★ (30 à 50 €; 1500 b.)** : coup de cœur de l'an passé, il a aussi disputé la finale cette année. Fleurs blanches, amande et minéralité dominent l'olfaction. En bouche, beaucoup de gras, avec une belle tension et un boisé racé en soutien. ⧗ 2019-2024 ■ **2014 ★ (20 à 30 €; 17000 b.)** : de l'intensité aromatique (poire, coing, brioche), une matière riche, dense, concentrée, de la fraîcheur aussi et un boisé bien intégré. Un *village* très équilibré, qui vieillira bien. ⧗ 2018-2022

⊶ JEAN-LOUIS CHAVY, 27, rue de Bois, 21190 Puligny-Montrachet, tél. 03 80 21 38 85, jeanlouis.chavy@wanadoo.fr V *r.-v.*

DOM. DUPONT-FAHN Les Grands Champs 2014

	n.c.	20 à 30 €

Depuis le cœur de Monthelie, ce producteur exploite 4 ha de vignes toutes situées en Côte de Beaune. Une originalité: il produit aussi en IGP Pays d'Oc.

Sous le coteau des premiers crus, ce lieu-dit couvre 3,6 ha. Paré d'une robe bouton d'or, ce 2014 présente un nez discret d'abricot très mûr, de vanille et de miel. Le prélude à un palais très riche, très suave, très gras, vivifié par une finale minérale et fraîche. À boire dans sa jeunesse. ⧗ 2016-2019 🍴 aumônière au reblochon

⊶ MICHEL DUPONT-FAHN, Les Toisières, 21190 Monthelie, tél. 06 08 51 15 13, domaine.dupontfahn@gmail.com

JEAN-CHARLES FAGOT 2014

	900		20 à 30 €

Installé entre Chagny et Puligny-Montrachet, Jean-Charles Fagot est à la tête de 3,8 ha de vignes. Il s'est fait négociant pour étoffer sa carte des vins et restaurateur en ouvrant en 1998 *l'Auberge du Vieux Vigneron*, où il propose une cuisine du terroir.

Le nez floral et boisé, de bonne intensité, est bien typé puligny. La bouche conjugue la minéralité du terroir, la rondeur et le fruit du chardonnay et un bon boisé. Pas très complexe mais harmonieux, un vin disponible dès aujourd'hui. ⧗ 2016-2019 🍴 saumon à l'unilatérale

⊶ JEAN-CHARLES FAGOT, 5, rue de l'Église, 21190 Corpeau, tél. 03 80 21 30 24, jeancharlesfagot@free.fr V *r.-v.*

DOM. FLORENT GARAUDET 2013

	3000		30 à 50 €

Fils de Paul Garaudet, président du Syndicat viticole de Monthelie, Florent a vinifié dans l'aire du Pic Saint-Loup puis à Pomerol avant de se construire en 2008 un petit vignoble de 3 ha à Monthelie, Meursault et Puligny-Montrachet. Il fait partie de la jeune garde de la commune.

Après un long élevage de dix-huit mois, peu commun en appellation communale, ce puligny livre un bouquet discret mais élégant de tilleul, de fleurs blanches et de pêche qui s'intensifie à l'aération. La bouche est dominée par la fraîcheur des agrumes, avec du gras pour enrober le tout.

BOURGOGNE

Pas très complexe ni volumineux mais équilibré. ⧗ 2017-2022 ⚲ langouste au beurre de curry

⊶ *FLORENT GARAUDET, 3, rue du Château-Gaillard, 21190 Monthelie, tél. 06 87 77 01 28, florentgaraudet@orange.fr* V ⚲ ▪ *t.l.j. sf sam. dim. 8h-12h 13h30-18h*

ARNAUD GERMAIN 2014 ★

	1200	◍	20 à 30 €

Un domaine créé en 1955 par Bernard Germain, rejoint par son fils Patrick en 1976, avec lequel il a lancé la mise en bouteilles. En 2009, Arnaud, le petit-fils, a pris la relève. Il est à la tête de 15 ha, complétés par une activité de négoce à son nom.

Cette petit cuvée (par le volume) dévoile des parfums complexes et avenants de chèvrefeuille, d'aubépine, de verveine et de noisette. La bouche débute sur le gras, la douceur et le moelleux avant de faire ressentir la minéralité du sol argilo-calcaire, épaulée par un boisé bien fondu. ⧗ 2018-2021 ⚲ sandre au beurre blanc

⊶ *MAISON ARNAUD GERMAIN, 34, rue de la Pierre-Ronde, 21190 Saint-Romain, tél. 03 80 21 60 15, contact@maison-arnaudgermain.com* V ⚲ ▪ *t.l.j. sf dim. 8h30-12h 13h30-19h*

DOM. ANDRÉ MOINGEON ET FILS La Garenne 2014

1er cru	3000	◍	20 à 30 €

Un domaine de 10 ha en saint-aubin, blagny, chassagne et puligny, créé en 1983 par André Moingeon et ses deux fils Gérard et Michel. Ce dernier, désormais aux commandes, a été rejoint par son fils Florent en 2009.

Fleurs blanches, fruits secs et surtout boisé toasté et grillé, c'est par un bouquet encore sous l'emprise du merrain que se présente ce 1er cru. On retrouve le bois dans un palais gras, charnu et plein, stimulé par une finale saline et crayeuse. Un vin qui gagnera son étoile en cave. ⧗ 2019-2023 ⚲ volaille crème et girolles

⊶ *DOM. ANDRÉ MOINGEON ET FILS, 2, rue de la Fontaine, 21190 Saint-Aubin, tél. 03 80 21 93 67, contact@vins-moingeon.com* V ⚲ ▪ *r.-v.*

JEAN-LOUIS MOISSENET-BONNARD Hameau de Blagny 2014 ★

1er cru	900	◍	30 à 50 €

Souvent en vue pour ses pommard, Jean-Louis Moissenet, issu d'une longue lignée vigneronne, a débuté comme responsable du rayon fruits et légumes dans la grande distribution, avant de reprendre en 1988 les vignes familiales provenant de sa grand-mère, madame Henri Lamarche. Il exploite aujourd'hui un vignoble de 6 ha avec sa fille Emmanuelle-Sophie, arrivée en 2012.

Dans le hameau de Blagny, situé entre 340 et 400 m, les vignes sont plantées dans les deux couleurs. En rouge, le vin prend le nom de blagny, mais en blanc, il devient meursault ou puligny. Les Moissenet y possèdent 17 ares de chardonnay, à l'origine de ce vin au nez subtil et délicat de fleurs blanches et d'agrumes, ample, gras et soyeux en bouche, rehaussé par de fines notes épicées. ⧗ 2018-2022 ⚲ blanquette de veau aux morilles

⊶ *JEAN-LOUIS MOISSENET-BONNARD, 4, rue des Jardins, 21630 Pommard, tél. 03 80 24 62 34, emmanuelle-sophie@moissenet-bonnard.com* V ⚲ ▪ *r.-v.*

DOM. JEAN MONNIER ET FILS 2014

	6800	◍	20 à 30 €

Issus d'une longue lignée de vignerons murisaltiens remontant à 1720, Jean-Claude Monnier et son fils Nicolas sont aujourd'hui à la tête d'une exploitation de 15 ha produisant à parts égales (ce qui n'est pas commun) des vins blancs et rouges de la Côte de Beaune.

Le nez s'ouvre sur des notes discrètes mais fines de noisette et d'agrumes mâtinées de nuances mentholées. C'est son équilibre en bouche qui constitue la principale qualité de ce vin, entre un gras léger, une acidité mesurée et un boisé bien fondu. ⧗ 2019-2022 ⚲ poulet à la crème

⊶ *DOM. JEAN MONNIER ET FILS, 20, rue du 11-Novembre, 21190 Meursault, tél. 03 80 21 22 56, contact@domaine-jeanmonnier.com* V ▪ *t.l.j. 10h-12h 13h30-18h30 au caveau pl. de l'Hôtel-de-Ville; f. 15 nov.-15 avr.*

JEAN-RENÉ NUDANT Les Charmes 2014

	3660	◍	30 à 50 €

Un Guillaume Nudant d'Aloxe-Corton était déjà vigneron en 1453. Son descendant, Guillaume également, a rejoint en 2003 son père Jean-René sur le domaine familial de 16 ha, planté pour l'essentiel autour de la montagne de Corton.

Ce *climat* des Charmes illustre les subtilités de la vineuse Bourgogne. Sur Puligny, il est classé en *village* et de l'autre côté, à Meursault, sur la même terre, en 1er cru. De 50 ares, Guillaume Nudant a extrait un vin joliment bouqueté autour des fleurs blanches, de l'amande et du menthol, vif et tonique en bouche, centré sur les agrumes. Un peu fugace mais dynamique. ⧗ 2017-2020 ⚲ tartare d'écrevisses

⊶ *DOM. NUDANT, 11, rte de Dijon, 21550 Ladoix-Serrigny, tél. 03 80 26 40 48, domaine.nudant@wanadoo.fr* V ⚲ ▪ *t.l.j. sf dim. 8h30-12h 13h30-17h30; sam. sur r.-v.*

STÉPHANE PIGUET Cuvée Prestige 2014 ★

	1500	◍	20 à 30 €

Ouvrier viticole depuis 2003 sur la propriété de ses parents, Max et Anne-Marye Piguet-Chouet, Stéphane Piguet a entrepris en 2012 de créer sa propre activité de négoce pour élargir la gamme du domaine, qui s'étend aujourd'hui aux appellations saint-romain et puligny-montrachet.

Coup de cœur de l'an dernier pour un *village* 2013, Stéphane Piguet confirme avec cette cuvée Prestige qu'il faut désormais compter avec lui dans l'appellation. Quand on sait qu'il voulait s'orienter vers l'aménagement rural et la gestion de la faune sauvage et qu'il s'est tourné vers la vigne par manque de débouchés... Dans le verre, un vin équilibré, au nez délicat de fleurs blanches et de cire d'abeille, au palais rond, gras, boisé avec élégance, plus vif et tonique en finale. Il peut déjà être bu mais saura attendre. ⧗ 2016-2020 ⚲ filet de saint-pierre à la crème

STÉPHANE PIGUET, rte de Beaune, 21190 Auxey-Duresses, tél. 06 87 54 59 02, maisonstephanepiguet@yahoo.fr V r.-v.

♥ DOM. VINCENT PRUNIER
Les Garennes 2013 ★★

1er cru	2705		20 à 30 €

Au départ, en 1988, 2,5 ha de vignes hérités des parents, non viticulteurs; le vignoble couvre 12,5 ha aujourd'hui, et Vincent Prunier s'est imposé comme l'une des valeurs sûres de la Côte de Beaune. En complément de son domaine, il a créé une petite structure de négoce en 2007.

Avec le prénom du saint patron et un nom de famille porté par de nombreux habitants de la commune d'Auxey, difficile d'échapper à son destin de vigneron… De très bon vigneron pour Vincent Prunier, qui fait partie des belles références de la Côte de Beaune, plus souvent en vue pour ses rouges que pour ses blancs d'ailleurs. Il signe ici un puligny qui ne cache pas ses douze mois de barrique, dévoilant de fines notes de pain grillé mêlées aux agrumes. La bouche est franche et fraîche en attaque, puis monte en puissance et en volume, se fait plus consistante et corsée, sans jamais perdre en finesse et en tension jusqu'à la finale, longue et minérale. ⧗ 2019-2026 ♈ homard grillé aux amandes

EARL DOM. VINCENT PRUNIER, 53, rte de Beaune, 21190 Auxey-Duresses, tél. 03 80 21 27 77, domaine.prunier.vincent@wanadoo.fr V r.-v.

DOM. SEGUIN-MANUEL
Les Reuchaux 2014

	1200		30 à 50 €

Thibaut Marion a repris en 2004 cette maison fondée à Savigny en 1824 et aujourd'hui établie à Beaune. En parallèle de son activité de négoce, il exploite un domaine (en bio certifié depuis 2015) dont il a porté la superficie de 3,5 à 8,5 ha, essentiellement en Côte de Beaune.

Situé du côté Meursault, ce lieu-dit est avec ses 9 ha le deuxième plus vaste climat communal de l'appellation. Thibaut Marion y exploite 20 ares de chardonnay dont il a tiré ce vin encore sous l'emprise du bois mais plaisant par son côté floral, son volume et son équilibre en bouche. À attendre pour plus de fondu. ⧗ 2019-2022 ♈ joues de loup grillées

DOM. SEGUIN-MANUEL, 2, rue de l'Arquebuse, 21200 Beaune, tél. 03 80 21 50 42, contact@seguin-manuel.com V r.-v. *Thibaut Marion*

DOM. GÉRARD THOMAS
La Garenne 2014 ★

1er cru	3300		20 à 30 €

Isabelle et Anne-Sophie sont désormais aux commandes du domaine créé par leur père Gérard Thomas dans les années 1990. Le vignoble couvre une douzaine d'hectares en saint-aubin (principalement) ainsi qu'en meursault, chassagne et puligny.

Ce *climat*, situé au-dessus du grand cru montrachet, autour de 400 m d'altitude, est l'un des plus vastes de Puligny en 1er cru (9,86 ha). Les «filles» Thomas y exploitent 57 ares qui les avaient fait monter au sommet de l'appellation dans la version 2012. Le 2014 n'est pas mal du tout: jolie robe dorée, bouquet expressif de fleurs blanches, d'agrumes et de fruits exotiques, bouche consistante et bien équilibrée entre rondeur, fraîcheur saline et boisé élégant. De bons atouts pour une évolution sereine. ⧗ 2018-2024 ♈ truite fario

DOM. GÉRARD THOMAS, 6, rue des Perrières, 21190 Saint-Aubin, tél. 03 80 21 32 57, domaine.gerard.thomas@orange.fr V r.-v.

BOURGOGNE

▶ MONTRACHET, CHEVALIER, BÂTARD, BIENVENUES-BÂTARD, CRIOTS-BÂTARD

Montrachet et ses grands crus (chevalier-montrachet, bâtard-montrachet, criots-bâtard-montrachet, bienvenues-bâtard-montrachet) fournissent des vins blancs secs de notoriété mondiale. Pourtant, ils s'inscrivent avec discrétion dans le paysage. Implantées sur le versant d'une colline exposé au sud-sud-est, les vignes se répartissent sur les communes de Puligny-Montrachet et de Chassagne-Montrachet. La particularité la plus étonnante de ces grands crus contigus, et dont la superficie globale n'atteint pas 32 ha, est de se faire attendre plus ou moins longtemps avant d'atteindre leur plénitude: dix ans pour le «grand» montrachet, cinq ans pour le bâtard et les autres crus; seul le chevalier-montrachet semble s'ouvrir plus rapidement. Tous ces vins structurés et d'une captivante complexité peuvent vivre une décennie, et jusqu'à trente ans dans les grands millésimes.

MONTRACHET

Superficie : 8 ha / Production : 350 hl

♥ MARC COLIN ET FILS 2014 ★★

Gd cru	400		+ de 100 €

Marc Colin et son épouse Michèle ont créé ce domaine à la fin des années 1970, à partir de 6 ha. Leurs enfants Caroline, Joseph et Damien conduisent aujourd'hui 17,5 ha à Saint-Aubin, Chassagne, Puligny et Santenay, majoritairement plantés en blanc, et maintiennent haut la qualité des vins avec de nombreux coups de cœur à leur palmarès.

Une petite parcelle de 10 ares et un joyau dans le verre, d'autant plus précieux que le volume produit est très confidentiel. Les quelques chanceux trouveront dans leur verre un montrachet d'une rare complexité, ouvert sur les fleurs blanches (tilleul, aubépine), l'amande, la noisette, le beurre frais, la vanille... En bouche, une incroyable densité, un gras généreux, un volume imposant, conjugués à une texture soyeuse et caressante. ⧗ 2020-2030 🍴 ris de veau aux morilles

DOM. MARC COLIN ET FILS, rue de la Chatenière, 21190 Saint-Aubin, tél. 03 80 21 30 43, marccolin@gmail.com V *r.-v.*

CHEVALIER-MONTRACHET

Superficie : 7,5 ha / Production : 310 hl

JEAN CHARTRON
Monopole Clos des Chevaliers 2014 ★

Gd cru | 1516 | | + de 100 €

Créé en 1859 par le tonnelier Jean-Édouard Dupard, ce domaine d'une grande constance, bien implanté dans les grands crus de Puligny, étend son vignoble sur 13 ha – dont 90 % de chardonnay et trois monopoles (Clos de la Pucelle et Clos de du Cailleret en puligny, Clos des Chevaliers en chevalier-montrachet) –, conduits en bio non certifié. Jean-Michel Chartron est aux commandes depuis 2004; l'un de ses credo: « Du bois, oui, mais pas trop. » Une valeur sûre.

L'une des cuvées phares du domaine, d'une régularité sans faille, née de 46 ares en monopole. Le Clos des Chevaliers 2014 a passé quatorze mois en fût (dont, comme toujours, dont 30 % de bois neuf). Au nez, il associe de fines notes florales (acacia, tilleul), poivrées et beurrées au grillé de la barrique. Une complexité et un boisé racé qui trouvent un bel et long écho dans un palais puissant, gras, riche, tendu par une finale fraîche et de beaux amers. ⧗ 2020-2030 🍴 foie gras poêlé aux raisins

SCEA JEAN CHARTRON, 8 bis, Grande-Rue, 21190 Puligny-Montrachet, tél. 03 80 21 99 19, info@jeanchartron.com V *t.l.j. sf lun. mar. mer. 10h-12h 14h-18h; f. déc.-mars*

OLIVIER LEFLAIVE 2013 ★

Gd cru | 820 | | + de 100 €

Négociant-éleveur établi à Puligny-Montrachet depuis 1984, Olivier Leflaive, l'une des références de la Côte de Beaune, collectionne les étoiles, côté cave (négoce et domaine) et côté hôtellerie: quatre pour son hôtel de Puligny. Au chai, l'œnologue Franck Grux et son complice Philippe Grillet.

Acquise en 2010, cette parcelle de « chevalier » couvre 20 ares: une goutte dans la production des grands chardonnays d'Olivier Leflaive, mais quelle goutte! Le 2013 s'ouvre sur un bouquet délicat et complexe de poire, de pêche, de noisette, de camomille, de menthol. Une belle attaque fraîche et dynamique introduit une bouche ample, fine et précise, portée de bout en bout par une longue ligne minérale, calcaire. ⧗ 2020-2030 🍴 feuilleté langoustines et asperges

OLIVIER LEFLAIVE FRÈRES, pl. du Monument, 21190 Puligny-Montrachet, tél. 03 80 21 37 65, contact@olivier-leflaive.com V *r.-v.* 5

BÂTARD-MONTRACHET

Superficie : 11,2 ha / Production : 475 hl

JEAN CHARTRON 2014 ★★

Gd cru | 1070 | | + de 100 €

Créé en 1859 par le tonnelier Jean-Édouard Dupard, ce domaine d'une grande constance, bien implanté dans les grands crus de Puligny, dispose d'un vignoble de 13 ha – planté à 90 % de chardonnay et trois monopoles (Clos de la Pucelle et Clos du Cailleret en puligny, Clos des Chevaliers en chevalier-montrachet) –, conduits en bio non certifié. Jean-Michel Chartron est aux commandes depuis 2004; l'un de ses credo: « Du bois, oui, mais pas trop. » Une valeur sûre.

D'une belle régularité, le bâtard-montrachet de Jean-Michel Chartron a une nouvelle fois séduit les palais (très) exigeants – a fortiori en grand cru – de nos dégustateurs bourguignons. Ils ont aimé sa robe pâle et vibrante, son bouquet hautement complexe de fruits secs (amande, noisette), de tilleul et de verveine sur fond de menthol, sa bouche ample, à la fois dense, fine et précise, portée par un boisé élégant et fondu. ⧗ 2020-2030 🍴 homard

SCEA JEAN CHARTRON, 8 bis, Grande-Rue, 21190 Puligny-Montrachet, tél. 03 80 21 99 19, info@jeanchartron.com V *t.l.j. sf lun. mar. mer. 10h-12h 14h-18h; f. déc.-mars*

DOM. COFFINET-DUVERNAY 2014

Gd cru | n.c. | | + de 100 €

Installé dans un ancien relais de chasse du XIXᵉs., ce domaine est dans la famille Coffinet depuis 1860. Fernand Coffinet et son épouse Cécile ont passé le relais en 1989 à leur fille Laura et à son mari Philippe Duvernay. Leur fils Bastien les a récemment rejoints. À leur carte, de nombreux crus de Chassagne et du bâtard-montrachet.

Cette production confidentielle (seulement 13 ares) est d'une belle régularité millésime après millésime, et ce malgré la jeunesse des vignes (seize ans). Le 2014 affiche la couleur classique du cru: or pâle aux reflets émeraude. Au nez, les fleurs blanches se marient à l'abricot frais et à l'amande grillée. La bouche se montre franche, fraîche, de bonne densité, épaulée par un boisé fin et élégant. ⧗ 2019-2026 🍴 sole meunière

COFFINET-DUVERNAY, 7, pl. Saint-Martin, 21190 Chassagne-Montrachet, tél. 03 80 21 32 12, coffinet.duvernay@orange.fr V *r.-v.*

MARC COLIN ET FILS 2014

Gd cru | 450 | | + de 100 €

Marc Colin et son épouse Michèle ont créé ce domaine à la fin des années 1970, à partir de 6 ha. Leurs enfants Caroline, Joseph et Damien conduisent aujourd'hui 17,5 ha à Saint-Aubin, Chassagne, Puligny et Santenay, majoritairement plantés en blanc, et maintiennent haut la qualité des vins avec de nombreux coups de cœur à leur palmarès.

Avec 11,86 ha, le « bâtard » est le plus vaste des grands crus blanc du Montrachet. La famille Colin en exploite une petite parcelle côté Chassagne, à l'origine d'un 2014 complexe (fleurs blanches, amande grillée, pêche de vigne, touche minérale), encore strict et tendu en bouche. De bonnes raisons d'attendre pour une belle occasion. ⧗ 2020-2028 ♈ queue de lotte au safran

DOM. MARC COLIN ET FILS, rue de la Chatenière, 21190 Saint-Aubin, tél. 03 80 21 30 43, marccolin@gmail.com V r.-v.

CRIOTS-BÂTARD-MONTRACHET

Superficie : 1,6 ha / Production : 75 hl

DOM. ROGER BELLAND 2014

Gd cru	2065		+ de 100 €

89 94 95 96 (98) **99** 00 01 02 03 |04| |05| |**06**| **07** |08| 09 **10 11 12** 13 14

Un domaine ancien, dont on trouve trace au XVIIIe s, couvrant aujourd'hui 24 ha. À sa tête, Roger Belland, installé en 1981, et sa fille Julie, arrivée en 2003 et chargée des vinifications. Pas de bio certifié ici, mais une viticulture raisonnée et maîtrisée (enherbement total du vignoble, pas de désherbants), et des vins d'une grande constance.

Une nouvelle fois, les Belland signent un beau millésime dans le plus petit des grands crus de la colline du Montrachet. Un 2014 élégant par son olfaction délicate, entre tilleul, noisette, poire et touche mentholée, comme par son palais ample, consistant et très minéral (pierre à fusil), un peu plus chaleureux en finale. Un beau classique pour illuminer votre cave. ⧗ 2020-2026 ♈ poularde crémée aux écrevisses

DOM. ROGER BELLAND, 3, rue de la Chapelle, 21590 Santenay, tél. 03 80 20 60 95, belland.roger@wanadoo.fr V r.-v.

CHASSAGNE-MONTRACHET

Superficie : 300 ha
Production : 15 660 hl (65 % blanc)

Le village de Chassagne est situé au sud de la Côte de Beaune, entre Puligny, Montrachet et Santenay. Exposé est-sud-est, le vignoble se partage entre pinot noir et chardonnay. La combe de Saint-Aubin, parcourue par la RN 6, forme à peu près la limite méridionale de la zone des vins blancs. Les Clos Saint-Jean et Morgeot, qui donnent des vins solides et vigoureux, sont les 1ers crus les plus réputés de la commune.

DOM. BACHELET-RAMONET
Clos Saint Jean 2014 ★

1er cru	900		20 à 30 €

Établis dans le quartier du vieux Saint-Jean à Chassagne-Montrachet, Alain Bonnefoy et son épouse veillent depuis 1984 sur les 13 ha de ce domaine familial habitué aux distinctions du Guide pour ses chassagne et ses grands crus de Montrachet.

Au nez, les agrumes se mêlent à une touche de brioche et de mangue. Le prélude à un palais gras, onctueux et fin, équilibré par une belle fraîcheur minérale et fruitée. Un 1er cru qui s'appréciera aussi bien jeune que patiné par la garde. ⧗ 2017-2022 ♈ saint-jacques safranées ■ **1er cru La Grande Montagne 2014 ★ (20 à 30 €; 2300 b.)** : un vin harmonieux et élégant, ouvert sur les fleurs blanches et le pamplemousse, gras en attaque, puis ciselé par une belle vivacité minérale et saline qui porte loin la finale. Une belle expression du terroir. ⧗ 2018-2022 ■ **1er cru Grandes Ruchottes 2014 (20 à 30 €; 1100 b.)** : vin cité.

DOM. BACHELET-RAMONET, 21190 Chassagne-Montrachet, tél. 03 80 21 32 49, bachelet.ramonet@wanadoo.fr V r.-v.

♥ DOM. BACHEY-LEGROS
Les Plantes Momières Vieilles Vignes 2013 ★★

	3200		20 à 30 €

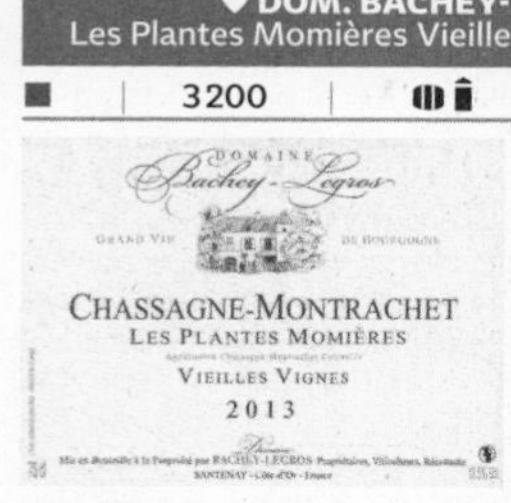

Régulièrement mentionnés dans le Guide, les Bachey-Legros – Christiane et ses fils Samuel et Lénaïc – sont les cinquième et sixième générations à œuvrer sur ce domaine de 19 ha auquel s'est ajoutée une activité de négoce en 2008.

Situé sur la commune de Remigny, ce *climat* argileux est réputé favorable au pinot noir. Témoin cette cuvée remarquable, d'un beau pourpre profond, ouverte après aération sur des senteurs généreuses de fruits légèrement confits, de sous-bois et d'aubépine. Une attaque souple et fraîche introduit une bouche ample et longue, dotée d'une charpente cossue. ⧗ 2019-2023 ♈ agneau grillé aux herbes ■ **2014 ★ (20 à 30 €; 2682 b.)** : un *village* généreux, ample, puissant et suave, boisé avec justesse et équilibré par une fine touche minérale. ⧗ 2018-2022

DOM. BACHEY-LEGROS, 12, rue de la Charrière, 21590 Santenay, tél. 03 80 20 64 14, christiane.bachey-legros@wanadoo.fr V r.-v.

DOM. ROGER BELLAND
Morgeot Clos Pitois Monopole 2014 ★

1er cru	9000		30 à 50 €

Un domaine ancien, dont on trouve trace au XVIIIe s, couvrant aujourd'hui 24 ha. À sa tête, Roger Belland, installé en 1981, et sa fille Julie, arrivée en 2003 et chargée des vinifications. Pas de bio certifié ici, mais une viticulture raisonnée et maîtrisée (enherbement total du vignoble, pas de désherbants), et des vins d'une grande constance.

Un clos fondé par les moines en 1422 et une cuvée phare du domaine que ce 1er cru de mi-coteau, situé à la limite de Santenay, dont la particularité est d'être planté en blanc et en rouge. Honneur au pinot noir cette année. À l'olfaction, des arômes complexes et fins de cassis, de framboise, de fleurs séchées et de chocolat. En bouche, une matière suave et ronde enrobe une structure tannique tout en finesse, épaulée par un boisé bien dosé aux accents de tabac blond. ⧗ 2019-2024 ♈ gigot d'agneau aux anchois

DOM. ROGER BELLAND, 3, rue de la Chapelle, 21590 Santenay, tél. 03 80 20 60 95, belland.roger@wanadoo.fr V r.-v.

♥ CHRISTIAN BERGERET ET FILLE 2014 ★★

■	1800	◍	11 à 15 €

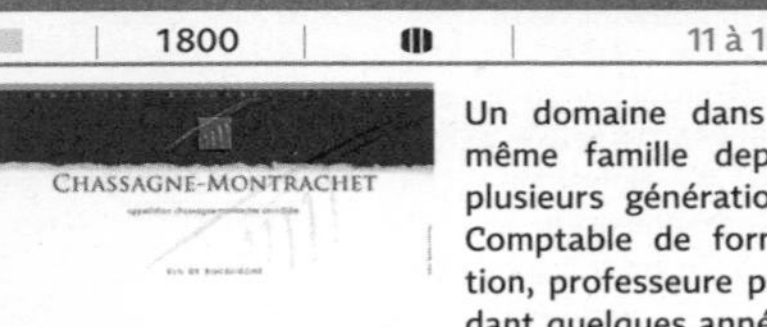

Un domaine dans la même famille depuis plusieurs générations. Comptable de formation, professeure pendant quelques années, Clotilde Brousse Bergeret en a pris la direction en 2001 à la suite de son père Christian. L'exploitation compte aujourd'hui 14 ha répartis sur plusieurs communes.

Premier coup de cœur pour ce domaine avec un *village* magistral né de chardonnays de quarante ans, qui a surclassé de beaux 1ers crus. Le bouquet, élégant et complexe, associe une intense minéralité (pierre à fusil) à la brioche, au pamplemousse, à la fleur d'oranger et à la vanille. Une minéralité qui anime aussi un palais gras, dense, généreux, d'un volume et d'une longueur remarquables. Du relief et de l'élégance. ⧗ 2018-2024 🍴 homard bleu grillé

⊶ CHRISTIAN BERGERET ET FILLE, 2, cour Michaud, 21340 Nolay, tél. 06 58 52 41 48, cp.brousse@orange.fr

BOUARD-BONNEFOY Vieilles Vignes 2014

■	4000	◍	15 à 20 €

Les trois générations précédentes ont agrandi peu à peu le domaine qui couvre aujourd'hui 4,5 ha en saint-aubin, puligny et chassagne. Alors que la récolte était jusqu'alors vendue en moûts, Carine et Fabrice Bouard ont débuté la vente en bouteilles dès leur installation en 2006.

Au nez, une touche végétale accompagne les fruits rouges et le cassis. Des arômes prolongés par une bouche fraîche et charnue, aux tanins souples. Un peu fugace mais harmonieux. ⧗ 2017-2021 🍴 œufs en meurette

⊶ BOUARD-BONNEFOY, 12, rte de Santenay, 21190 Chassagne-Montrachet, tél. 03 80 21 28 46, domaine-bouard-bonnefoy@orange.fr V 🚶 ■ *r.-v.*

DOM. HUBERT BOUZEREAU-GRUÈRE ET FILLES
Les Blanchots Dessous 2014 ★

■	1500	◍	20 à 30 €

Installé en 1965, Hubert Bouzereau exploite avec ses filles Marie-Laure et Marie-Anne un vignoble de 10 ha réparti sur six villages de la Côte de Beaune. Un domaine souvent en vue pour ses meursault, puligny et chassagne. Anecdote bien connue des œnophiles bourguignons: le vigneron a figuré en tant que pompier de Meursault dans le cultissime *La Grande Vadrouille* de Gérard Oury, un sujet de conversation savoureux au caveau…

Les cailloutis calcaires colorent de blanc ce *climat* bordant le grand cru criots-bâtard-montrachet. Les Bouzereau en exploitent 22 ares, à l'origine d'un vin complexe fleurant bon la pêche blanche, le tilleul en fleur, les épices douces et les agrumes. À ce nez aérien et frais répond un palais ample et consistant, stimulé par une fine acidité saline et citronnée qui serre les papilles en finale. ⧗ 2018-2022 🍴 saumon en papillotte

⊶ HUBERT BOUZEREAU-GRUÈRE ET FILLES, 22A, rue de la Velle, 21190 Meursault, tél. 03 80 21 20 05, contact@bouzereaugruere.com V 🚶 ■ *r.-v.* 🏠 3

DOM. CAPUANO FERRERI
Cuvée Prestige 2014

■	n.c.	◍	20 à 30 €

Associé à l'ancien footballeur Jean-Marc Ferreri, John Capuano – dont le père Gino a créé en 1987 ce domaine implanté à Santenay – exploite 12 ha de parcelles s'égrenant de Beaune à Mercurey. Très régulier en qualité.

Des plants de chardonnay de quarante ans sont à l'origine de cette cuvée jaune pâle et limpide. Au nez, un joli boisé brioché se marie aux agrumes. La bouche débute par une sensation de gras et de richesse signant une vendange bien mûre, et s'achève sur une pointe de vivacité. ⧗ 2017-2020 🍴 saumon à la plancha

⊶ EARL DOM. CAPUANO-FERRERI, 14, rue Chauchien, 21590 Santenay, tél. 03 80 20 68 04, john.capuano@wanadoo.fr V 🚶 ■ *r.-v.*

DOM. DU CELLIER AUX MOINES
Les Chaumées 2014

■ 1er cru	1400	◍ 🍾	50 à 75 €

Fondé en 1258 par les moines cisterciens, propriété d'une seule et même famille après la Révolution française, ce domaine classé Monument historique a été acquis et restauré à partir de 2004 par Philippe Pascal, ancien cadre dirigeant chez LVMH, avec son épouse Catherine et ses trois enfants. En 2007 a eu lieu la première vinification depuis la Révolution dans un cuvage rénové. Le vignoble (7,5 ha) est essentiellement constitué des 4,7 ha de pinot noir du Clos du Cellier aux Moines, un des 1ers crus historiques de Givry, complétés par quelques hectares de chardonnay en Côte de Beaune.

Sur ces anciennes terres en friche (chaumées) naissent des chassagne souvent gourmands dès leur jeunesse, dont le négoce bourguignon raffole. Ici, un 2014 bien dans l'esprit du lieu, expressif (miel, brioche, fleurs blanches, touche d'agrumes), onctueux et souple en bouche. ⧗ 2016-2021 🍴 brochet au beurre blanc

⊶ DOM. DU CELLIER AUX MOINES, Clos du Cellier aux Moines, 71640 Givry, tél. 03 85 44 53 75, contact@cellierauxmoines.fr V ■ *r.-v. ⊶ Famille Pascal*

DOM. CHANSON PÈRE ET FILS
Les Chenevottes 2014

■ 1er cru	n.c.	◍	50 à 75 €

L'une des plus anciennes maisons de négoce de Bourgogne, fondée en 1750, reprise en 1999 par le Champagne Bollinger. En plus de ses achats de raisins, elle dispose d'un important vignoble de 45 ha et de l'expertise de Jean-Pierre Confuron, son œnologue-conseil largement salué pour son talent (aussi pour son domaine familial Confuron-Cotedidot conduit avec son frère Yves), qui a développé un style reconnaissable grâce à ses vinifications en grappes entières. Son fief est situé autour de Beaune, mais Chanson propose aussi des appellations en Côte de Nuits.

Une robe cristalline et limpide habille ce vin ouvert sur de délicates nuances de fleurs blanches et d'agrumes. Après une attaque franche, la bouche se montre fine et fraîche, pourvue d'une belle minéralité. Un chassagne plutôt aérien, qui ne manque pas pour autant de matière. ⌛ 2018-2022 🍴 langouste à la plancha

SA DOM. CHANSON PÈRE ET FILS, 10, rue Paul-Chanson, 21200 Beaune, tél. 03 80 25 97 97, chanson@domaine-chanson.com V r.-v.

OLIVIER CHANZY Morgeot Tête de Clos 2013

1er cru	900		50 à 75 €

Fils d'un vigneron de la Côte chalonnaise, Olivier Chanzy a travaillé de 1999 à 2008 aux côtés de son père. Après quatre ans de gérance d'un domaine en vallée du Rhône méridionale, il est revenu vinifier sur ses terres bourguignonnes, à Meursault, par le biais d'une activité de négoce.

Au nez, un joli boisé s'associe aux agrumes, aux fleurs blanches et à une agréable fraîcheur mentholée. Des arômes que l'on retrouve dans une bouche souple, d'un bon volume et d'une plaisante salinité en finale. ⌛ 2017-2022 🍴 soufflé au crabe

OLIVIER CHANZY, 8, rue de Mazeray, 21190 Meursault, tél. 06 78 71 75 35, vinschanzy@gmail.com V *t.l.j. sf dim. 8h-12h 13h30-18h*

JEAN CHARTRON Les Benoites 2014

	4138		30 à 50 €

Créé en 1859 par le tonnelier Jean-Édouard Dupard, ce domaine d'une grande constance, bien implanté dans les grands crus de Puligny, étend son vignoble sur 13 ha – dont 90 % de chardonnay et trois monopoles (Clos de la Pucelle et Clos de du Cailleret en puligny, Clos des Chevaliers en chevalier-montrachet) –, conduits en bio non certifié. Jean-Michel Chartron est aux commandes depuis 2004; l'un de ses credo: «Du bois, oui, mais pas trop.» Une valeur sûre.

Avec un peu plus de 9 ha, ce *climat* est le plus vaste de l'appellation au niveau communal. Des terres «bénies», autrefois travaillées par les moines de l'abbaye voisine de Morgeot. Jean-Michel Charton y cultive 77 ares de chardonnay, à l'origine d'un vin toasté, brioché et floral à l'olfaction, rond et tendre en bouche, plus ferme et vif (notes citronnées) en finale. ⌛ 2017-2021 🍴 lotte au beurre blanc

SCEA JEAN CHARTRON, 8 bis, Grande-Rue, 21190 Puligny-Montrachet, tél. 03 80 21 99 19, info@jeanchartron.com V *t.l.j. sf lun. mar. mer. 10h-12h 14h-18h; f. déc.-mars*

CH. DE CHASSAGNE-MONTRACHET 2013 ★

	15000		20 à 30 €

En 1919, Charles Bader, négociant en vin à Paris, épouse Élise Mimeur, de Chassagne-Montrachet. Leurs héritiers exploitent près de 8 ha, et 98 % des vignes du château de Chassagne. Ingénieur de formation, Alain Fossier veille depuis 1993 sur le domaine, notamment sur les 5 ha du clos du château.

De vieux ceps de soixante ans sont à l'origine de ce vin ouvert sur les fruits rouges bien mûrs. Fruits que l'on retrouve dans une bouche vive et tonique en attaque, bâtie sur des tanins encore jeunes et sévères. De belles promesses pour l'avenir. ⌛ 2018-2023 🍴 agneau rôti **En Journoblot 2014 ★ (20 à 30 €; 2000 b.)** : agrumes, fruits exotiques, fleurs blanches, touche miellée, l'approche est agréable; la bouche ne déçoit pas: du volume, de l'équilibre, de la minéralité et un boisé fondu. Un chassagne sans artifice, net et précis. ⌛ 2017-2022

BADER-MIMEUR, 1, chem. du Château, 21190 Chassagne-Montrachet, tél. 03 80 21 30 22, info@bader-mimeur.com V *r.-v.*

DOM. COFFINET-DUVERNAY Les Blanchots Dessus 2014 ★

1er cru	1200		30 à 50 €

Installé dans un ancien relais de chasse du XIXe s., ce domaine est dans la famille Coffinet depuis 1860. Fernand Coffinet et son épouse Cécile ont passé le relais en 1989 à leur fille Laura et à son mari Philippe Duvernay. Leur fils Bastien les a récemment rejoints. À leur carte, de nombreux crus de Chassagne et du bâtard-montrachet.

Après un coup de cœur pour son *village* Blanchot Dessous 2013, place cette année à la version «Dessus», classée, elle, en 1er cru et située sous le grand cru montrachet. Un voisinage prestigieux qui semble inspirer ce 2014 bien sous tous rapports: jolie robe jaune pâle; nez racé mariant notes minérales, agrumes et fleurs blanches; bouche persistante sur le fruit, droite et ferme, ciselée par une fine acidité «terroitée». ⌛ 2017-2022 🍴 carpaccio de saint-jacques

COFFINET-DUVERNAY, 7, pl. Saint-Martin, 21190 Chassagne-Montrachet, tél. 03 80 21 32 12, coffinet.duvernay@orange.fr V *r.-v.*

BRUNO COLIN En Remilly 2013

1er cru	1450		50 à 75 €

Bruno Colin s'est installé en 2004 à la suite du partage du domaine familial avec son frère Philippe. Cet adepte des élevages longs exploite 8,3 ha de vignes allant des Maranges à Puligny en passant par Chassagne, son fief.

Bruno Colin exploite une petite parcelle de 22 a 45 ca – soyons précis, nous sommes en Bourgogne... – de ce 1er cru, le plus haut et le plus proche de Puligny. Dans le verre, un vin ouvert sur les fleurs blanches, la praline et le grillé, charnu, gras et d'un bon volume. Jolie finale réglissée. ⌛ 2017-2021 🍴 côte de veau à la crème

DOM. BRUNO COLIN, 3, imp. des Crêts, 21190 Chassagne-Montrachet, tél. 03 80 24 75 61, contact@domainebrunocolin.com V *r.-v.*

PHILIPPE COLIN Les Chaumées 2013 ★★

1er cru	n.c.		30 à 50 €

Philippe Colin, après seize ans passés sur le domaine familial Michel Colin-Deleger, s'est installé en solo en 2004 sur un vignoble de 11,5 ha planté autour du village de Chassagne.

Ce 1er cru a concouru pour le coup de cœur. Ses atouts: une belle robe limpide et brillante, un bouquet très élégant de fruits blancs et de menthol sur fond boisé fondu, une bouche ample, puissante et racée, soutenue par un élevage parfaitement maîtrisé et par une fine fraîcheur qui signe le millésime. Un solide potentiel de garde. ⌛ 2019-2026 🍴 sole meunière aux amandes ■ **Les Chênes 2014 ★ (20 à 30 €; 10000 b.)** : un vin floral et finement boisé au nez, rond, très équilibré et long en bouche, adossé à des tanins veloutés. ⧗ 2018-2022 ■ **2014 (20 à 30; 14 000 b.)** : vin cité..

⊶ *PHILIPPE COLIN, ZA Le Haut-des-Champs, 21190 Chassagne-Montrachet, tél. 03 80 21 90 49, domainephilippecolin@orange.fr*

MARC COLIN ET FILS Caillerets 2014 ★

1er cru	4900		50 à 75 €

Marc Colin et son épouse Michèle ont créé ce domaine à la fin des années 1970, à partir de 6 ha. Leurs enfants Caroline, Joseph et Damien conduisent aujourd'hui 17,5 ha à Saint-Aubin, Chassagne, Puligny et Santenay, majoritairement plantés en blanc, et maintiennent haut la qualité des vins avec de nombreux coups de cœur à leur palmarès.

Les petites pierres blanches qui parsèment ce terrain pentu ont donné leur nom à ce *climat* réputé donner des vins fins et longs. C'est bien le cas de ce 2014 complexe, alliant l'acacia, le tilleul et l'ananas, vif en attaque, puis plus gras, chaleureux et boisé, mais sans jamais perdre de son élégance grâce au soutien sans faille d'une délicate minéralité. ⧗ 2018-2022 🍷 cari de langouste

⊶ *DOM. MARC COLIN ET FILS, rue de la Chatenière, 21190 Saint-Aubin, tél. 03 80 21 30 43, marccolin@gmail.com* V *r.-v.*

DIDIER DELAGRANGE 2014

	1200		20 à 30 €

Valeur sûre de Volnay, Didier Delagrange a rejoint son père en 1990 sur le domaine familial, pour lui succéder en 2003. Il a porté la superficie du vignoble à 14,5 ha, répartis dans différentes AOC de la Côte de Beaune, avec une petite activité de négoce en complément.

Cette cuvée issue de la partie négoce livre un bouquet de fleurs des haies et d'agrumes agrémenté d'une touche de buis. La bouche, équilibrée, se montre ronde et onctueuse, soulignée par une pointe minérale. ⧗ 2017-2020 🍷 gambas grillées

⊶ *DIDIER DELAGRANGE, 7, cours François-Blondeau, 21190 Volnay, tél. 03 80 21 64 12, didier@domaine-henri-delagrange.com* V *r.-v.*

JOSEPH DROUHIN
Morgeot Marquis de Laguiche 2013

1er cru	11100		50 à 75 €

Créée en 1880, cette maison beaunoise travaille une large palette d'AOC bourguignonnes: de Chablis (38 ha sous l'étiquette Drouhin-Vaudon) à la Côte chalonnaise (3 ha), en passant par les Côtes de Beaune et de Nuits (32 ha). On peut y ajouter les vignes américaines du domaine Drouhin en Oregon (90 ha), créé en 1987, et de Roserock Vineyard, 112 ha dans la région des Eola-Amity Hills. Ce négoce d'envergure, grâce à ce vaste ensemble de 73 ha développé par Robert Drouhin à partir de 1957, désormais géré par ses quatre enfants, est aussi le plus important propriétaire de vignes cultivées en biodynamie. Incontournable.

Sur ce terroir de marnes calcaires en pente douce, jouxtant l'abbaye de Morgeot aujourd'hui en ruine, cohabitaient autrefois les moines et les hommes d'épée de la famille Laguiche. Cette dernière a confié le soin de la vigne et du vin à la maison Drouhin, qui signe un 2013 ouvert sur les fruits jaunes, l'amande et le beurre frais, souple, rond et légèrement suave en bouche, équilibré par la fraîcheur du millésime. ⧗ 2018-2022 🍷 rôti de veau aux asperges

⊶ *MAISON JOSEPH DROUHIN, 7, rue d'Enfer, 21200 Beaune, tél. 03 80 24 68 88, maisondrouhin@drouhin.com* V *r.-v.*

DOM. DE LA GALOPIÈRE
Clos Saint-Jean 2014 ★

1er cru	880		30 à 50 €

Après avoir enseigné l'œnologie pendant quatre ans, Gabriel Fournier s'est installé en 1982 sur le domaine familial. Il exploite avec son épouse Claire et, depuis 2015, son fils Vincent 10 ha de vignes répartis dans plusieurs AOC de la Côte de Beaune, de Chassagne-Montrachet à la colline de Corton.

D'un bel or pâle éclatant, ce 1er cru présente un bouquet élégant et complexe de poire, de pêche, de fleurs blanches et d'épices douces. La bouche se montre riche, onctueuse, généreusement fruitée, avec en soutien une belle fraîcheur minérale qui signe le terroir. Un peu d'attente est conseillée. ⧗ 2019-2022 🍷 truite aux amandes

⊶ *EARL DOM. DE LA GALOPIÈRE, 6, rue de l'Église, 21200 Bligny-lès-Beaune, tél. 03 80 21 46 50, cgfournier@wanadoo.fr* V *r.-v.*

CAMILLE GIROUD Les Vergers 2013 ★★

1er cru	1100		50 à 75 €

Fondée en 1865, cette vénérable maison beaunoise, discrète mais reconnue des amateurs, est propriété d'investisseurs américains depuis 2002. Autrefois spécialiste de la commercialisation de vieux vins, elle vit aujourd'hui avec son temps et c'est un jeune œnologue, David Croix, qui assure les vinifications. Elle présente à sa carte de nombreux grands crus, régulièrement sélectionnés dans ces pages, et aussi de «simples» 1ers crus, voire des *villages*.

Comme son nom l'indique, ce *climat* a connu d'autres fruits que le raisin. Dans le verre, des fruits aussi, blancs et jaunes (poire, pêche), ainsi que des notes miellées et florales et un boisé bien fondu. En bouche, beaucoup de volume, de la puissance, de la tension et une longueur remarquable. De beaux atouts pour la garde. ⧗ 2020-2026 🍷 tournedos de homard au lard

⊶ *MAISON CAMILLE GIROUD, 3, rue Pierre-Joigneaux, 21200 Beaune, tél. 03 80 22 12 65, contact@camillegiroud.com* V *r.-v.* ⊶ *Les Renardes*

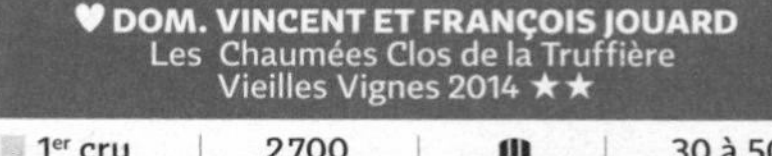

♥ DOM. VINCENT ET FRANÇOIS JOUARD
Les Chaumées Clos de la Truffière Vieilles Vignes 2014 ★★

1er cru	2700		30 à 50 €

Les frères Vincent et François Jouard (cinquième génération) se sont établis en 1990 sur le domaine familial de Chassagne, à la tête d'un vignoble de 11 ha.

À l'origine de ce superbe Clos de la Truffière, une vénérable vigne de soixante ans plantée sur 70 ares de ce 1er cru situé côté Saint-Aubin. Le charme agit d'emblée grâce à une palette aromatique complexe et élégante: noisette, fleurs blanches, pêche, agrumes, mangue. Épaulée par un bon boisé légèrement torréfié, la bouche conjugue gras, densité, franche minéralité, et s'étire dans une longue finale tout en finesse et en fraîcheur. Une expression aboutie du terroir pour un vin vibrant. ⧗ 2019-2026 ⫪ sandre à la crème **1er cru Morgeot Les Fairendes Vieilles Vignes 2014 ★ (30 à 50 €; 2400 b.)** : un vin expressif (acacia, vanille, brioche, agrumes), bien équilibré entre un bon boisé torréfié, une matière riche et ronde et une fine tension minérale. ⧗ 2019-2024 **1er cru La Maltroie Vieilles Vignes 2014 ★ (30 à 50 €; 2100 b.)** : un vin floral et fruité au nez (pomme, mirabelle), riche, ample et chaleureux en bouche, souligné par une pointe de minéralité bien ajustée. ⧗ 2018-2024

EARL VINCENT ET FRANÇOIS JOUARD, 2, pl. de l'Église, 21190 Chassagne-Montrachet, tél. 03 80 21 30 25, domaine.jouardvf@orange.fr V r.-v.

DOM. LAMY-PILLOT Boudriotte 2014 ★

1er cru	3900		20 à 30 €

René et Thérèse Lamy ont créé en 1973 ce domaine, valeur sûre en chassagne et en saint-aubin. Leurs filles Florence (depuis 1997) et Karine (depuis 2004) conduisent aujourd'hui les 15 ha de vignes avec leurs époux respectifs, Sébastien Caillat (à la vigne) et Daniel Cadot (au commercial).

Pivoine, fruits rouges, épices, boisé fondu, c'est par un bouquet distingué et harmonieux que s'annonce ce chassagne. Une attaque souple ouvre sur une bouche ronde et fruitée, avant une finale plus ferme et tannique, agrémentée d'une agréable note fumée. Du potentiel. ⧗ 2019-2024 ⫪ coq au vin

DOM. LAMY-PILLOT, Rte de Santenay, 21190 Chassagne-Montrachet, tél. 03 80 21 30 52, contact@lamypillot.fr V r.-v.

VINCENT LATOUR Abbaye de Morgeot 2013 ★

1er cru	1000		30 à 50 €

Établis à Meursault, Cécile et Vincent Latour assurent la continuité du vénérable domaine Jean Latour-Labille (1792), devenu Dom. Vincent Latour – 8 ha tout au long de la ceinture blanche de la Côte de Beaune –, auquel ils ont adjoint en 2008 une société de négoce.

Issu du négoce, ce Morgeot libère à l'olfaction de plaisantes notes boisées, florales et crayeuses. Les fruits jaunes séchés et l'amande s'invitent dans une bouche souple, riche et soyeuse, épaulée par un bon support acide. ⧗ 2018-2023 ⫪ poularde de Bresse aux morilles

DOM. VINCENT LATOUR, 6, rue du 8-Mai-1945, 21190 Meursault, tél. 03 80 21 22 49, contact@domaine-vincentlatour.com V r.-v. E

MAISON LEJEUNE Abbaye de Morgeot 2014 ★

1er cru	600		50 à 75 €

Domaine transmis par les femmes depuis 1850, mais administré et vinifié par les hommes: François Jullien de Pommerol, ancien professeur à la «Viti» de Beaune, rejoint en 2005 par son gendre Aubert Lefas qui en assure aujourd'hui la direction. Vinifications en grappes entières et longs élevages sous bois sont leur signature, notamment pour les pommard, le cœur de leurs 9,5 ha, complétés par une activité de négoce.

Issue du négoce, cette cuvée vinifiée en fût d'un vin dévoile un nez discret mais élégant de mandarine, de pomme et de poire. En bouche, du gras, de la rondeur alliés à une belle finesse et à de la fraîcheur, bref de l'équilibre, et une bonne persistance sur le fruit. ⧗ 2018-2022 ⫪ quenelles de brochet

DOM. LEJEUNE, 1, pl. de l'Église, 21630 Pommard, tél. 03 80 22 90 88, commercial@domaine-lejeune.fr V *t.l.j. sf dim. 9h-12h 14h-18h; r.-v. janv. à mars* D *Famille Jullien de Pommerol*

LOUIS LEQUIN Morgeot 2013

1er cru	888		20 à 30 €

Les premières vignes furent acquises à Santenay au début du XVIIes. et des ancêtres furent vignerons des hospices d'Autun. Leurs lointains héritiers Antoine et Quentin Lequin, fils de Louis, conduisent aujourd'hui un vignoble de 7 ha sur lequel ils procèdent à des essais de protection des plants avec le concours de l'INRA.

Ce Morgeot délivre des senteurs complexes de fleurs blanches, d'agrumes et de menthol sur fond de boisé frais. La bouche apparaît souple, charnue, soyeuse, centrée sur les fruits jaunes mûrs et revigorée par une bonne amertume en finale. À carafer avant de servir. ⧗ 2018-2022 ⫪ suprêmes de dinde au curry

EARL DOM. LOUIS LEQUIN ET FILS, 1, rue du Pasquier-de-Pont, 21590 Santenay, tél. 03 80 70 63 82, louis.lequin@wanadoo.fr V r.-v.

BOURGOGNE

CH. DE LA MALTROYE Clos du Ch. de la Maltroye Monopole 2013

1er cru	4800		30 à 50 €

Commandé par un château du XVIIIes. abritant des caves du XVes., ce domaine acquis par la famille en 1939 est dirigé depuis 1993 par Jean-Pierre Cournut, ancien ingénieur en aéronautique. Le vignoble de 14 ha est pour l'essentiel implanté à Chassagne (70 % de 1ers crus), avec des parcelles à Santenay.

La cuvée phare du domaine, qui met ici en lumière la version rouge de l'appellation. Dans le verre, un vin qui évoque les sous-bois et les fruits rouges un peu confits, frais en attaque, soutenu par des tanins fins et soyeux. ⧗ 2017-2021 ⫪ faisan laqué

SCE CH. DE LA MALTROYE, 16, rue de la Murée, 21190 Chassagne-Montrachet, tél. 03 80 21 32 45, chateau.maltroye@wanadoo.fr V *r.-v.* *Cournut*

♥ DAVID MORET 2014 ★★

	n.c.		30 à 50 €

David Moret a créé en 1998 sa maison de négoce, établie derrière les remparts de Beaune. Cet adepte des élevages longs s'est fait une spécialité de la vinification «haute couture» des blancs de la Côte de Beaune.

Plus souvent en vue pour ses puligny et ses meursault que pour ses chassagne, David Moret signe ici un *village* magnifique, né d'une vigne de quarante ans et resté seize mois dans le chêne. La robe or pâle teintée de reflets verts est séduisante, tout comme le nez, complexe et racé, qui mêle les fruits secs, la pêche, l'ananas et les fleurs blanches. Une impression d'élégance confirmée par une bouche ample, dense, riche sans lourdeur, au toucher fin et soyeux, avec en soutien une acidité et un boisé bien proportionnés. ⧗ 2018-2023 🍴 bar en croûte de sel

⊶ SARL DAVID MORET, 1 et 3, rue Émile-Goussery, 21200 Beaune, tél. 06 75 01 15 85, davidmoret.vins@orange.fr V ! *r.-v.*

FRANÇOIS PARENT Les Morgeots 2014 ★

1er cru	600	◍	50 à 75 €

Vinificateur de talent des vins de son épouse Anne-Françoise Gros (Dom. A.-F. Gros à Pommard), François Parent élabore aussi ceux de son vignoble familial, complété par une structure de négoce. Des étiquettes ornées de la truffe noire de Bourgogne, bien connues des lecteurs.

Issu de la partie négoce, cette micro-cuvée a connu un long élevage de vingt mois en barrique. Au nez, des parfums d'acacia, de chèvrefeuille et de noisette; en bouche, beaucoup de densité, un boisé élégant, une belle fraîcheur aux accents d'agrumes. Un chassagne complet, bâti pour durer. ⧗ 2019-2022 🍴 sole meunière

⊶ FRANÇOIS PARENT, 14 bis, rue Pierre-Joigneaux, 21200 Beaune, tél. 03 80 22 61 85, francois@parent-pommard.com V *r.-v.*

DOM. CHRISTIAN RÉGNARD 2014 ★

■	2000	◍	15 à 20 €

En 2010, Florian Regnard a rejoint son père Christian sur le domaine familial situé à Sampigny, l'un des trois villages de l'AOC maranges. Parcelle après parcelle, il agrandit le vignoble (9 ha aujourd'hui) et fait bouger les lignes en matière de vinification.

Si le chardonnay progresse au détriment du pinot noir dans l'appellation, nombreux sont les producteurs à bénéficier du matériel végétal planté dans les années 1950-60, qui donne aujourd'hui de belles cuvées rouges. Témoin ce 2014 qui pinote bien au nez (griotte) et affiche une structure tannique ferme et fine. Un joli potentiel de garde. ⧗ 2019-2024 🍴 rôti de porc aux pruneaux

⊶ DOM. CHRISTIAN RÉGNARD, 9, rue Saint-Antoine, 71150 Sampigny-lès-Maranges, tél. 03 85 91 10 43, regnardc@wanadoo.fr V 🚶 ! *t.l.j. 8h-12h 13h30-18h*

DOM. ROUX PÈRE ET FILS Les Chaumes 2014 ★★

	4500	◍ 🍾	30 à 50 €

Cette maison créée en 1885, qui associe domaine et négoce, est à la tête d'un vaste ensemble de 65 ha répartis dans treize villages de la Côte-d'Or et de la Côte chalonnaise. Elle propose une vaste gamme de vins, souvent en vue, notamment en saint-aubin, puligny, chassagne et meursault.

Ce chassagne s'ouvre sur un fin boisé toasté marié aux fleurs blanches et à la pêche. La bouche se révèle ample, très serrée, tendue comme un arc par une intense minéralité aux accents de silex. Un chassage de terroir, plein d'énergie et au solide potentiel de garde. Le coup de cœur fut mis aux voix. ⧗ 2019-2024 🍴 terrine de saumon

⊶ DOM. ROUX PÈRE ET FILS, 42, rue des Lavières, 21190 Saint-Aubin, tél. 03 80 21 32 92, france@domaines-roux.com V 🚶 ! *r.-v.*

SAINT-AUBIN

Superficie : 162 ha
Production : 8 265 hl (75 % blanc)

Saint-Aubin est dans une position topographique voisine des Hautes-Côtes; mais une partie de la commune joint Chassagne au sud et Puligny et Blagny à l'est. Le 1er cru Les Murgers des Dents de Chien se trouve même à faible distance des Chevalier-Montrachet et des Caillerets. Le vignoble s'est un peu développé en rouge, mais c'est en blanc qu'il atteint le meilleur.

AU PIED DU MONT CHAUVE Pitangerets 2013 ★

1er cru	3000	◍	30 à 50 €

Maison de négoce-éleveur créée en 1951 par Louis-Félix Picard. Francine, sa petite-fille, a pris la suite de son père Michel en 2008 avec son frère Gabriel et a rebaptisé la société en 2011, créant la marque Au Pied du mont chauve. Elle dispose de l'imposant château de Chassagne-Montrachet et de ses caves médiévales et exploite 35 ha de vignes en propre (et en biodynamie sans certification), à Chassagne, Saint-Aubin et Puligny.

À l'intérieur du climat des Combes, sur sa partie la plus haute, ce terroir voisin de celui de Pétingeret, à Chassagne, désigne une pointe de coteau. Dans le verre, un 1er cru généreux, porté sur le beurre frais, la vanille et les fruits exotiques mûrs, ample, rond et gras en bouche, équilibré par une fine acidité et par de beaux amers qui donnent du nerf en finale. ⧗ 2016-2020 🍴 coquilles Saint-Jacques gratinées

⊶ DOM. FAMILLE PICARD, 5, chem. du Château, 21190 Chassagne-Montrachet, tél. 06 74 82 34 82, famille.picard@domainesfamillepicard.com V 🚶 ! *t.l.j. 10h-18h*

DOM. BILLARD PÈRE ET FILS Les Castets 2014

■ 1er cru	2000	◍	15 à 20 €

Un domaine de 17 ha situé à proximité du château médiéval de La Rochepot, dans les Hautes-Côtes de Beaune, et conduit depuis 2001, dans un esprit proche du bio, par Jérôme Billard, représentant la troisième génération.

Jérôme Billard, maire de La Rochepot et donc a priori bien informé, nous explique que ce *climat* de 5,47 ha à flanc de coteau, dont la partie supérieure est classée en *village*, tiendrait son nom de «castel» et de la présence de fortifications au Moyen Âge. Il y exploite 32 ares de pinot noir, à l'origine de ce vin de belle intensité, ouvert sur la groseille, la réglisse et les épices. Souple en attaque, fruitée, d'un bon volume, portée par des tanins fondus, la bouche s'étire dans une jolie finale saline. 🍴 aiguillettes de canard laqué

⊶ DOM. BILLARD PÈRE ET FILS, 1, rte de Chambéry, 21340 La Rochepot, tél. 03 80 21 87 94, domaine@billardetfils.com V 🚶 ! *r.-v.*

DOM. BOHRMANN En Remilly 2014

1er cru	n.c.		20 à 30 €

Un domaine créé en 2002 par Sofie Bohrmann, d'origine belge, qu'elle gère avec Dimitri Blanc, son complice de vigne et de chai: 11,75 ha conduits en bio non certifié depuis 2007.

Ce *climat* exposé aux vents d'ouest se place sur le coteau juste derrière la colline du Montrachet. Le domaine tire de ses 50 ares de chardonnay un vin expressif (citron, pamplemousse, noisette, fleurs blanches), à l'équilibre gras-acidité bien ajusté. ⧗ 2017-2021 ♈ saumon à l'unilatérale

⊶ DOM. BOHRMANN, 9, rue de la Barre, 21190 Meursault, tél. 03 80 21 60 06, domaine.bohrmann@wanadoo.fr V r.-v.

DOM. BOUARD-BONNEFOY Le Charmois 2014 ★★

1er cru	900		15 à 20 €

Les trois générations précédentes ont agrandi peu à peu le domaine qui couvre aujourd'hui 4,5 ha en saint-aubin, puligny et chassagne. Alors que la récolte était jusqu'alors vendue en moûts, Carine et Fabrice Bouard ont débuté la vente en bouteilles dès leur installation en 2006.

À la limite de l'appellation chassagne, calés entre 300 et 350 m, les vins de ce *climat* de 15,08 ha partagent souvent les mêmes caractères organoleptiques que leurs voisins. Né d'une vigne de trente-huit ans et élevé treize mois sous bois, ce 2014 dévoile un nez complexe qui marie un boisé fin aux fleurs et aux fruits blancs. La bouche offre un équilibre remarquable entre le gras et une acidité aux accents du terroir; une minéralité qui ressort plus encore en finale, apportant une belle énergie et de l'allonge. ⧗ 2017-2021 ♈ filet de sandre

⊶ BOUARD-BONNEFOY, 12, rte de Santenay, 21190 Chassagne-Montrachet, tél. 03 80 21 28 46, domaine-bouard-bonnefoy@orange.fr V r.-v.

GILLES BOUTON ET FILS En Remilly 2014 ★

1er cru	5700		15 à 20 €

Gilles Bouton a pris la suite de son grand-père Aimé Langoureau en 1977 sur le domaine familial: 4 ha à l'époque, 16 ha aujourd'hui, qu'il exploite depuis 2009 avec son fils Julien. Le vignoble est réparti sur quatre communes: Saint-Aubin, Chassagne, Puligny et Meursault.

Avec 29,72 ha, ce *climat* est le plus étendu de l'appellation (près de 20 % de la surface classée en 1er cru); l'un des plus réputés aussi, situé dans le prolongement du Montrachet. Une parcelle de 80 ares est à l'origine de ce 2014 bien ouvert sur les fleurs blanches, les fruits jaunes et la vanille, rond en attaque, plus vif et tendu dans son développement, prolongé par une belle finale pleine de tonus. ⧗ 2017-2021 ♈ langoustines au beurre de pastis

⊶ EARL DOM. GILLES BOUTON ET FILS, 24, rue de la Fontenotte, 21190 Saint-Aubin, tél. 03 80 21 32 63, domaine.bouton.gilles@wanadoo.fr V r.-v.

FRANÇOISE ET DENIS CLAIR Sous Roche Dumay 2014

1er cru	1200		15 à 20 €

Créé par Françoise et Denis Clair en 1986 à partir de 5 ha, ce domaine souvent en vue pour ses saint-aubin et ses santenay couvre aujourd'hui 14 ha, avec une petite activité de négoce en complément. Le fils Jean-Baptiste, arrivé en 2000, assure les vinifications depuis 2011.

L'un des plus petits 1ers crus de l'appellation (2,24 ha), mais aussi l'un de ceux qui prend le plus de hauteur (400 m). Dans le verre, un vin pâle aux senteurs de litchi et de fleurs blanches, un peu fugace mais très tonique et fruité en bouche. ⧗ 2017-2020 ♈ gambas flambées au marc

⊶ FRANÇOISE ET DENIS CLAIR, 14, rue de la Chapelle, 21590 Santenay, tél. 03 80 20 61 96, fdclair@orange.fr V r.-v.

BRUNO COLIN Le Charmois 2014

1er cru	1330		30 à 50 €

Bruno Colin s'est installé en 2004 à la suite du partage du domaine familial avec son frère Philippe. Cet adepte des élevages longs exploite 8,3 ha de vignes allant des Maranges à Puligny en passant par Chassagne, son fief.

Ce *climat* fût autrefois planté de charmes avant de connaître la vigne. Une vigne de cinquante ans pour ce vin qui distille des parfums raffinés de noisette et d'amande, rond en bouche, équilibré par une pointe d'acidité bien ajustée et par une jolie finale minérale. ⧗ 2018-2021 ♈ carpaccio de saint-jacques

⊶ DOM. BRUNO COLIN, 3, imp. des Crêts, 21190 Chassagne-Montrachet, tél. 03 80 24 75 61, contact@domainebrunocolin.com V r.-v.

MARC COLIN ET FILS En Remilly 2014

1er cru	14000		30 à 50 €

Marc Colin et son épouse Michèle ont créé ce domaine à la fin des années 1970, à partir de 6 ha. Leurs enfants Caroline, Joseph et Damien conduisent aujourd'hui 17,5 ha à Saint-Aubin, Chassagne, Puligny et Santenay, majoritairement plantés en blanc, et maintiennent haut la qualité des vins avec de nombreux coups de cœur à leur palmarès.

L'une des cuvées «signature» du domaine. Ici, un 2014 au nez discrètement floral, ample en attaque, léger et frais dans son développement, avec une jolie finale saline. ⧗ 2017-2021 ♈ tartare de langoustines

⊶ DOM. MARC COLIN ET FILS, rue de la Chatenière, 21190 Saint-Aubin, tél. 03 80 21 30 43, marccolin@gmail.com V r.-v.

DOM. LAMY-PILLOT En Créot 2014

1er cru	4500		20 à 30 €

René et Thérèse Lamy ont créé en 1973 ce domaine, valeur sûre en chassagne et en saint-aubin. Leurs filles Florence (depuis 1997) et Karine (depuis 2004) conduisent aujourd'hui les 15 ha de vignes avec leurs époux respectifs, Sébastien Caillat (à la vigne) et Daniel Cadot (au commercial).

«Tiraillés entre la Bourgogne qui se "professionnalise" et la volonté viscérale de rester des paysans, avec toute l'humilité et la sensibilité que cela impose,

BOURGOGNE

nous tentons de conserver la sagesse du beau-père, qui sait nous rappeler à l'ordre avec beaucoup de finesse», explique Sébastien Caillat. Le message du «patriarche» est bien passé, à en juger par la régularité du domaine et par la qualité de ce 1er cru tonique, proche de l'étoile. Au nez, de fines notes de fleurs blanches et d'agrumes. En bouche, une jolie vivacité saline et minérale. Un vin honnête et franc. ⧗ 2016-2020 ¥ terrine de brochet

⊶ *DOM. LAMY-PILLOT, Rte de Santenay, 21190 Chassagne-Montrachet, tél. 03 80 21 30 52, contact@lamypillot.fr* V r.-v.

♥ DOM. SYLVAIN LANGOUREAU 2014 ★★

	9600		11 à 15 €

Représentant la cinquième génération, Sylvain Langoureau s'est installé en 1988 à la tête du domaine familial, dont les bâtiments datent de 1647. Fort de 10 ha, le vignoble est régulièrement en vue pour ses saint-aubin blancs.

Ce *village* a fait l'unanimité. À son élégante robe or pâle répond un bouquet délicat de senteurs exotiques, de citron et de vanille. On retrouve les agrumes avec intensité dès l'attaque, dans un palais tendu de bout en bout par une fraîcheur minérale qui signe ce terroir argilo-calcaire et qui souligne une finale d'une rare longueur. Une bouteille tout en finesse qui s'appréciera aussi bien jeune que patinée par la garde. ⧗ 2016-2021 ¥ sole meunière
1er cru Le Champlot 2014 (15 à 20 €; 4500 b.) : vin cité..

⊶ *DOM. SYLVAIN LANGOUREAU, 20, rue de la Fontenotte, 21190 Saint-Aubin, tél. 03 80 21 39 99, domaine.sylvain.langoureau@cegetel.net* V r.-v.

DOM. VINCENT LATOUR
Cuvée Thomas 2014 ★

	2000		15 à 20 €

Établis à Meursault, Cécile et Vincent Latour assurent la continuité du vénérable Dom. Jean Latour-Labille (1792), devenu Dom. Vincent Latour – 8 ha tout au long de la ceinture blanche de la Côte de Beaune –, auquel ils ont adjoint en 2008 une société de négoce.

Issue de l'activité de négoce, cette cuvée dévoile de fins arômes de beurre frais et d'agrumes mêlés à un boisé fondu. Gras, ample, stimulé jusqu'en finale par une ligne minérale bien ajustée, le palais affiche un équilibre très stable. ⧗ 2017-2021 ¥ rôti de lotte aux agrumes

⊶ *DOM. VINCENT LATOUR, 6, rue du 8-Mai-1945, 21190 Meursault, tél. 03 80 21 22 49, contact@domaine-vincentlatour.com* V r.-v. E

OLIVIER LEFLAIVE En Remilly 2013 ★

1er cru	4900		30 à 50 €

Négociant-éleveur établi à Puligny-Montrachet depuis 1984, Olivier Leflaive, l'une des références de la Côte de Beaune, collectionne les étoiles, côté cave (négoce et domaine) et côté hôtellerie: quatre pour son hôtel de Puligny. Au chai, l'œnologue Franck Grux et son complice Philippe Grillet.

Ce 2013 est né d'une vigne de vingt-cinq ans et a connu «une gestation» en fût de neuf mois. Il en résulte un nez boisé avec mesure, bien ouvert sur les fleurs blanches et la pêche, et un palais à la fois ample, charnu, élégant et fin, tendu jusqu'en finale par une belle acidité aux accents du terroir. ⧗ 2017-2021 ¥ turbot au vin blanc

⊶ *OLIVIER LEFLAIVE FRÈRES, pl. du Monument, 21190 Puligny-Montrachet, tél. 03 80 21 37 65, contact@olivier-leflaive.com* V r.-v. 5

MAISON LEJEUNE Les Frionnes 2014

1er cru	1800		20 à 30 €

Domaine transmis par les femmes depuis 1850, mais administré et vinifié par les hommes: François Jullien de Pommerol, ancien professeur à la «Viti» de Beaune, rejoint en 2005 par son gendre Aubert Lefas qui en assure aujourd'hui la direction. Vinifications en grappes entières et longs élevages sous bois sont leur signature, notamment pour les pommard, le cœur de leurs 9,5 ha, complétés par une activité de négoce.

Un 1er cru issu de la partie négoce, ouvert sur les fleurs blanches, la noisette et la vanille à l'olfaction. En bouche, de la souplesse, du gras, une fine minéralité en appoint et une légère et agréable amertume en finale. Harmonieux. ⧗ 2016-2021 ¥ bar en croûte de sel

⊶ *DOM. LEJEUNE, 1, pl. de l'Église, 21630 Pommard, tél. 03 80 22 90 88, commercial@domaine-lejeune.fr* V *t.l.j. sf dim. 9h-12h 14h-18h; r.-v. janv. à mars* D ⊶ *Famille Jullien de Pommerol*

DOM. ANDRÉ MOINGEON ET FILS
Les Frionnes 2014

1er cru	3000		11 à 15 €

Un domaine de 10 ha en saint-aubin, blagny, chassagne et puligny, créé en 1983 par André Moingeon et ses deux fils Gérard et Michel. Ce dernier, désormais aux commandes, a été rejoint par son fils Florent en 2009.

Exposées au nord et situées dans le bas de la combe de Gamay, où le vent du nord peut souffler avec virulence, ces terres évoquent par leur nom, dérivé de l'adjectif «froid», le microclimat du lieu. Les Moingeon y cultivent 56 ares de chardonnay, à l'origine de ce vin au nez floral et miellé, plus fruité (fruits jaunes) et boisé (toasté) en bouche, bien équilibré entre rondeur et vivacité. ⧗ 2018-2022 ¥ cassolette d'escargots

⊶ *DOM. ANDRÉ MOINGEON ET FILS, 2, rue de la Fontaine, 21190 Saint-Aubin, tél. 03 80 21 93 67, contact@vins-moingeon.com* V *r.-v.*

DOM. BERNARD PRUDHON En Remilly 2014 ★

1er cru	900		15 à 20 €

Les Prudhon cultivent la vigne depuis 1860. Isabelle et Bernard, rejoints en 2011 par leur fille Élodie, sont installés depuis 1982 à la tête d'un vignoble de 8 ha.

Un 1er cru vineux et intense à l'olfaction avec ses parfums de fruits jaunes bien mûrs et d'épices douces agrémentés de nuances plus légères de fleurs blanches. Une sensation de générosité que l'on retrouve dans une bouche ronde et soyeuse, boisée, épicée et fruitée. Un côté acidulé anime la finale, longue et fraîche. Prometteur. ⧗ 2018-2022 ♈ ris de veau à la crème

BERNARD PRUDHON, 15, rue du Jeu-de-Quilles, 21190 Saint-Aubin, tél. 03 80 21 35 66, bernard.prudhon@orange.fr V r.-v.

HENRI PRUDHON ET FILS Sur Gamay 2014 ★

1er cru | 4200 | | 15 à 20 €

L'une des familles les plus anciennes de Saint-Aubin et une exploitation transmise depuis de nombreuses générations. Aujourd'hui, Vincent et Philippe Prudhon épaulent leur père Gérard à la tête d'un domaine de 14,5 ha très régulier en qualité.

Monsieur le Maire (Gérard Prudhon dirige sa commune) signe avec ses fils une belle série de 1er crus. Celui-ci est né entre 300 et 350 m d'altitude, au-dessus du hameau de Gamay, côté Puligny. On apprécie son intensité aromatique, entre senteurs minérales, fleurs blanches, épices et agrumes, sa bouche à la fois riche et très fraîche, ronde et souple, fruitée et boisée sans excès. Une bouteille que le temps magnifiera. ⧗ 2018-2023 ♈ sandre au beurre blanc **1er cru La Châtenière 2014 (15 à 20 €; 750 b.)** : vin cité.. **1er cru Les Perrières 2014 (15 à 20 €; 6000 b.)** : vin cité..

HENRI PRUDHON ET FILS, 32, rue des Perrières, 21190 Saint-Aubin, tél. 03 80 21 36 70, henri-prudhon@wanadoo.fr V r.-v.

DOM. VINCENT PRUNIER
En Remilly 2013 ★

1er cru | 1466 | | 15 à 20 €

Au départ, en 1988, 2,5 ha de vignes hérités des parents, non viticulteurs; le vignoble couvre 12,5 ha aujourd'hui, et Vincent Prunier s'est imposé comme l'une des valeurs sûres de la Côte de Beaune. En complément de son domaine, il a créé une petite structure de négoce en 2007.

Né des vignes du domaine, ce 1er cru dévoile un nez élégant et fin, dominé par les fleurs blanches. Le prélude à une bouche tout aussi délicate et florale, d'une belle fraîcheur aussi, sans manquer de gras et de rondeur. Un bel équilibre. ⧗ 2017-2021 ♈ croustillant de saumon

EARL DOM. VINCENT PRUNIER, 53, rte de Beaune, 21190 Auxey-Duresses, tél. 03 80 21 27 77, domaine.prunier.vincent@wanadoo.fr V r.-v.

DOM. ROUX PÈRE ET FILS
Les Champlots 2014 ★★

1er cru | 900 | | 20 à 30 €

Cette maison créée en 1885, qui associe domaine et négoce, est à la tête d'un vaste ensemble de 65 ha répartis dans treize villages de la Côte-d'Or et de la Côte chalonnaise. Elle propose une vaste gamme de vins, souvent en vue, notamment en saint-aubin, puligny, chassagne et meursault.

Finaliste des coups de cœur, cette cuvée est issue d'un *climat* fortement pentu, situé près du hameau de Gamay, réputé pour sa maturité tardive comme pour la minéralité des vins qui y naissent. Minéralité que l'on retrouve dans le bouquet de ce 2014, aux côtés d'arômes intenses de fruit de la Passion, de poire et de fleurs blanches. Minéralité qui vient aussi souligner la bouche, souple en attaque, ronde, ample, soyeuse et longue. ⧗ 2018-2023 ♈ truite au bleu **La Pucelle 2014 (15 à 20 €; 3700 b.)** : vin cité..

DOM. ROUX PÈRE ET FILS, 42, rue des Lavières, 21190 Saint-Aubin, tél. 03 80 21 32 92, france@domaines-roux.com V r.-v.

SANTENAY

Superficie : 330 ha
Production : 14 040 hl (85 % rouge)

Dominé par la montagne des Trois-Croix, le village de Santenay est devenu, grâce à sa « fontaine salée » aux eaux les plus lithinées d'Europe, une ville d'eau réputée... C'est donc un village polyvalent, puisque son terroir produit également d'excellents vins. Les Gravières, la Comme, Beauregard en sont les crus les plus connus. Comme à Chassagne, le vignoble présente la particularité d'être souvent conduit en cordon de Royat, élément qualitatif non négligeable.

BOURGOGNE

ABBAYE DE SANTENAY Comme 2014

1er cru | 1800 | | 15 à 20 €

Géré depuis 2003 par Anne Clair, fille de Michel, et son époux, ce domaine vinifie ses cuvées dans une ancienne abbaye. Les 13 ha, plantés principalement dans leur fief de Santenay, sont en conversion bio.

Anne Clair exploite 30 ares de chardonnay sur ce vaste *climat* voisin de Chassagne. Elle signe un 2014 finement bouqueté autour d'un boisé discret, des fruits secs et des fleurs blanches. Ample, dense, tout en étant très tonique, rectiligne, minérale, la bouche affiche un bel équilibre. De bonne garde. ⧗ 2019-2022 ♈ poulet au citron

ABBAYE DE SANTENAY, Michel Clair et Fille, 2, rue de Lavau, 21590 Santenay, tél. 03 80 20 62 55, domaine-michel.clair@wanadoo.fr V r.-v.

DOM. BACHEY-LEGROS
Clos Rousseau Les Fourneaux Vieilles Vignes 2013 ★

1er cru | 2300 | | 20 à 30 €

Régulièrement mentionnés dans le Guide, les Bachey-Legros – Christiane et ses fils Samuel et Lénaïc – sont les cinquième et sixième générations à œuvrer sur ce domaine de 19 ha auquel s'est ajoutée une activité de négoce en 2008.

Six hectares au sein du Clos Rousseau portent le nom de Fourneaux: des fours servaient autrefois à recueillir les sels minéraux des sources de Santenay, les plus riches en lithium de toute l'Europe. Dans le verre, un 1er cru au nez discret mais fin de fruits rouges et noirs mâtinés d'une touche de vanille, au palais long, riche et bien charpenté. ⧗ 2019-2024 ♈ noisettes de chevreuil **1er cru Clos des Gravières 2014 (20 à 30 €; 2678 b.)** : vin cité..

DOM. BACHEY-LEGROS, 12, rue de la Charrière, 21590 Santenay, tél. 03 80 20 64 14, christiane.bachey-legros@wanadoo.fr V r.-v.

DOM. ROGER BELLAND Charmes 2014 ★

| 6000 | | 20 à 30 €

Un domaine ancien, dont on trouve trace au XVIIIes, couvrant aujourd'hui 24 ha. À sa tête, Roger Belland, installé en 1981, et sa fille Julie, arrivée en 2003 et

chargée des vinifications. Pas de bio certifié ici, mais une viticulture raisonnée et maîtrisée (enherbement total du vignoble, pas de désherbants), et des vins d'une grande constance.

L'une des cuvées phares du domaine. D'un beau grenat profond, le 2014 s'ouvre après aération sur des senteurs discrètes de fruits rouges et d'épices. Le palais ample et rond est doté de beaux tanins polis, un peu plus stricts en finale, qui garantissent à ce vin un bon potentiel de vieillissement. ⧗ 2019-2026 🍴 œufs en meurette ■ **1er cru Beauregard 2014 (20 à 30 €; 17000 b.)** : vin cité..

🔑 *DOM. ROGER BELLAND, 3, rue de la Chapelle, 21590 Santenay, tél. 03 80 20 60 95, belland.roger@wanadoo.fr* V 🚶 ■ *r.-v.*

DOM. BONNARDOT Saint-Jean 2014 ★

■	1800	🛢	15 à 20 €

Après vingt ans passés dans l'informatique financière, Danièle Bonnardot reprend en 2008 l'exploitation où ont œuvré avant elle son arrière-grand-père, son grand-père, son père et son frère. Le domaine couvre 21 ha dans les Hautes-Côtes. Il est conduit dans une approche bio, sans certification.

Une vigne de quarante ans est à l'origine de ce santenay expressif et fin, centré à l'olfaction sur les fleurs et les fruits blancs. Les agrumes prennent le relais en attaque et apportent de la fraîcheur à un palais ample, tendre, soyeux, concentré, étiré dans une finale longue et vive. ⧗ 2017-2021 🍴 sandre sauce hollandaise

🔑 *DOM. BONNARDOT, 27, Grande-Rue, 21250 Bonnencontre, tél. 03 80 36 31 60, ludovic-bonnardot@orange.fr* V 🚶 ■ *r.-v.* 🏠 G

DOM. BORGEOT Vieilles Vignes 2013

■	15000	🛢	11 à 15 €

Ce domaine familial fondé en 1903 est conduit par les frères Borgeot, Pascal et Laurent. Ses vignes sont disséminées sur 20 ha, aux confins de la Saône-et-Loire et de la Côte-d'Or.

Il faut lui laisser un peu de temps pour qu'il s'exprime, sur la cerise noire et la framboise ; arômes prolongés par une bouche de bonne densité, fraîche, aux tanins souples. Un santenay bien dans le ton du millésime, que l'on pourra apprécier dans sa jeunesse. ⧗ 2017-2020 🍴 filet mignon en croûte

🔑 *DOM. BORGEOT, rte de Chassagne, 71150 Remigny, tél. 03 85 87 19 92, borgeot.laurent@wanadoo.fr* V 🚶 ■ *r.-v.*

DOM. CAPUANO-FERRERI La Comme 2014 ★★

■ 1er cru	n.c.	🛢	15 à 20 €

Associé à l'ancien footballeur Jean-Marc Ferreri, John Capuano – dont le père Gino a créé en 1987 ce domaine implanté à Santenay – exploite 12 ha de parcelles s'égrenant de Beaune à Mercurey. Très régulier en qualité.

L'un des plus vastes 1ers crus de Santenay, situé côté Chassagne-Montrachet. Dans le verre, un très beau 2014, si bon qu'il s'est hissé en finale du coup de cœur. À un nez délicat de vanille, de cassis et de sous-bois répond un palais persistant et très équilibré, à la fois dense, ferme et fin, étayé par des tanins au toucher soyeux. Ce vin évoluera sereinement en cave. ⧗ 2020-2026 🍴 civet de lièvre ■ **Cuvée Prestige 2014 ★ (11 à 15 €; n.c.)** : un santenay qui pinote bien, propose une bonne mâche, de la fraîcheur et de la longueur. La finale encore serrée appelle la garde. ⧗ 2019-2023

🔑 *EARL DOM. CAPUANO-FERRERI, 14, rue Chauchien, 21590 Santenay, tél. 03 80 20 68 04, john.capuano@wanadoo.fr* V 🚶 ■ *r.-v.*

MAISON CHANZY Gravières 2014

■ 1er cru	3200	🛢 🍾	20 à 30 €

Implanté à Bouzeron, ce domaine de 32 ha (en Côte chalonnaise, avec un pied en Côte de Beaune et en Côte de Nuits) est exploité depuis 2013 par Jean-Baptiste Jessiaume, son régisseur et maître de chai, issu d'une lignée vigneronne de Santenay. Anthony Colas est l'œnologue. Une maison de négoce complète la propriété.

Une cuvée issue du négoce et de 80 ares de pinot noir. Au nez, de la groseille et des notes de sous-bois. En bouche, du fruit rouge toujours, de l'équilibre entre tanins bien en place et rondeur aimable. Un caractère plaisant, « bien pinot ». ⧗ 2018-2022 🍴 tournedos au poivre vert

🔑 *MAISON CHANZY, 6, rue de la Fontaine, 71150 Bouzeron, tél. 03 85 87 23 69, domaine@chanzy.com* V 🚶 ■ *t.l.j. sf sam. dim. 8h-12h 13h30-17h30*

B DOM. CHAPELLE ET FILS Saint-Jean 2014 ★

■	2700	🛢 🍾	15 à 20 €

Jean-François Chapelle conduit depuis 1991 le vignoble familial (17,75 ha en bio certifié) situé à l'extrémité sud de la Côte de Beaune. Il détient aussi des parcelles à l'autre bout de la Côte, autour de la montagne de Corton. En 2004, il a adjoint au domaine une partie négoce.

Jean-François Chapelle exploite 36 ares de chardonnay sur ce *climat* de mi-coteau qui entoure l'église de Saint Jean-Baptiste, dans le hameau de Santenay-le-Haut. Il en a tiré ce vin au nez intense de fleurs blanches et de fruits jaunes sur fond beurré, ample, consistant, suave en bouche, tendu par une belle fraîcheur minérale qui apporte équilibre et longueur. ⧗ 2018-2021 🍴 quenelles de brochet ■ **1er cru Les Gravières 2013 (20 à 30 €; 1430 b.)** B : vin cité..

🔑 *SARL JEAN-FRANÇOIS CHAPELLE, Le Haut-Village, 21590 Santenay, tél. 03 80 20 60 09, contact@domainechapelle.com* V 🚶 ■ *t.l.j. sf dim. 9h-12h 14h-17h; f. août*

CH. DE LA CHARRIÈRE Beauregard 2014 ★

■ 1er cru	2650	🛢	15 à 20 €

Issu de la division en 1981 des vignes paternelles entre les quatre enfants Girardin, le domaine Yves Girardin comptait 3 ha à ses débuts. L'acquisition en 2004 du château de la Charrière a porté à 21 ha la superficie de cette propriété qui a son siège dans le hameau de Santenay-le-Haut.

Ce *climat*, le plus haut des 1ers crus, étagé entre 350 et 400 m, offre une vue unique sur le vignoble du sud de la Côte de Beaune. Yves Girardin y cultive 37 ares de chardonnay qui ont donné naissance à ce vin minéral (pierre à fusil), fruité (citron) et légèrement miellé au nez, frais, tonique et long en bouche, construit sur une fine tension aux tonalités calcaires. ⧗ 2019-2022 🍴 gambas flambées ■ **1er cru Les Gravières 2014 (15 à 20 €; 2600 b.)** : vin cité..

DOM. YVES GIRARDIN, 1, rte de Dezize-lès-Maranges, 21590 Santenay, tél. 03 80 20 64 36, yves.girardin-domaine@orange.fr V r.-v.

FRANÇOISE ET DENIS CLAIR Clos de Tavannes 2014 ★

1er cru	4000		20 à 30 €

Créé par Françoise et Denis Clair en 1986 à partir de 5 ha, ce domaine souvent en vue pour ses saint-aubin et ses santenay couvre aujourd'hui 14 ha, avec une petite activité de négoce en complément. Le fils Jean-Baptiste, arrivé en 2000, assure les vinifications depuis 2011.

Ce 1er cru jouxte l'appellation chassagne. Son nom vient de la famille de Saulx Tavannes qui eut un temps la possession de la seigneurie laïque de Chambolle-Musigny. Des arômes de cassis, de mûre et de cerise noire composent un nez agréable, relayé par une bouche ample, étoffée, soyeuse, portée par des tanins et un boisé fins. ⧗ 2018-2022 ¥ joue de bœuf braisée aux carottes

FRANÇOISE ET DENIS CLAIR, 14, rue de la Chapelle, 21590 Santenay, tél. 03 80 20 61 96, fdclair@orange.fr V r.-v.

BRUNO COLIN Les Gravières 2013

1er cru	2430		20 à 30 €

Bruno Colin s'est installé en 2004 à la suite du partage du domaine familial avec son frère Philippe. Cet adepte des élevages longs exploite 8,3 ha de vignes allant des Maranges à Puligny en passant par Chassagne, son fief.

En rouge, les 1ers crus représentent quatre bouteilles de l'appellation sur dix. Celui-ci plaît par son nez intense de petits fruits rouges relevé de boisé épicé et par son palais souple, franc et frais en attaque, qui se montre rapidement plus tannique et sévère. Le passage en cave est vivement recommandé. ⧗ 2019-2023 ¥ magret

DOM. BRUNO COLIN, 3, imp. des Crêts, 21190 Chassagne-Montrachet, tél. 03 80 24 75 61, contact@domainebrunocolin.com V r.-v.

CH. DE LA CRÉE Gravières 2013 ★★

1er cru	4786		30 à 50 €

Grace et Ken Evenstad, propriétaires du Dom. Serene en Oregon, ont racheté en 2015 ce vignoble de 10 ha répartis dans sept communes de la Côte de Beaune. Une activité de négoce, créée en 2008 par leur prédécesseur Nicolas Ryhiner, complète la gamme, avec la marque «Les Tourelles de la Crée».

Le domaine met à l'honneur la version blanche du plus étendu des 1ers crus de Santenay, plus largement dédié au pinot noir. Son 2013 s'ouvre sur des parfums intenses et fins de zeste de citron et de miel, mâtinés de minéralité. Minéralité qui souligne un palais très frais, souple et raffiné, étiré dans une longue finale saline. Du peps et de l'élégance. ⧗ 2017-2023 ¥ tartare de poisson **1er cru Gravières 2013 ★ (30 à 50 €; 1862 b.)** : un santenay gras, consistant et sérieux, soutenu par un boisé racé et par des tanins fins et serrés. «Un côté nuiton», conclut un dégustateur. ⧗ 2019-2024 **Charmes 2013 (20 à 30 €; 1779 b.)** : vin cité..

CH. DE LA CRÉE, 11, rue Gaudin, 21590 Santenay, tél. 03 80 20 63 36, la.cree@orange.fr V *t.l.j. sf sam. dim. 9h-12h 14h-18h* *Dom. Evenstad*

JUSTIN GIRARDIN Clos Rousseau 2014

1er cru	12000		11 à 15 €

Après avoir obtenu en 2013 son BTS «viti-œno» à Beaune et suivi plusieurs stages à Pomerol, Maury et jusqu'en Tasmanie, le jeune Justin Girardin (treizième génération) a rejoint en 2013 ses parents Jacques et Valérie sur le domaine familial établi à Santenay-Le-Haut (17 ha). Il a créé dans la foulée une activité de négoce en son nom pour compléter la gamme.

Une importante cuvée née de 2 ha de vignes. Au nez, des arômes de framboise agrémentés d'une petite touche végétale. En bouche, un bon équilibre entre bois, fruit et tanins. Un peu fugace mais harmonieux. ⧗ 2019-2022 ¥ pigeon au petits pois

JUSTIN GIRARDIN, 13, rue de Narosse, 21590 Santenay, tél. 03 80 20 60 12, justin.girardin@gmail.com V *r.-v.*

ANDRÉ GOICHOT Champs Claude 2014 ★

	1200		15 à 20 €

Gérée par André Goichot et ses trois fils Arnault, Adrien et Pierre-Alexandre, cette maison de négoce familiale fondée en 1947 près de Meursault est passée du vin de table écoulé en vrac aux bourgognes vendus en bouteille. Elle a déménagé en 2001 pour occuper un site plus moderne à Beaune.

Situé dans le bas de l'appellation, ce *climat* couvre 12,11 ha sur la commune de Remigny en Saône-et-Loire. Les Goichot en ont tiré un vin généreux en fruits rouges et noirs bien mûrs, charnu, dense et long, épaulé par des tanins bien en place mais policés. Une bonne évolution en perspective. ⧗ 2019-2023 ¥ bavette à l'échalote

MAISON ANDRÉ GOICHOT, av. Charles-de-Gaulle, 21200 Beaune, tél. 03 80 25 91 30, infos@goichotsa.com V *t.l.j. sf dim. 9h-12h 14h-18h30*

LES HÉRITIERS SAINT-GENYS 2014

	3480		15 à 20 €

Créée en 2011 à Chassagne-Montrachet sous l'impulsion de Patrice du Jeu associé à des proches et aux anciens propriétaires des vignes, cette structure exploite 12 ha entre Côte de Beaune et Côte chalonnaise complétés d'une activité de négoce. La société a restructuré le domaine et rénové la cuverie. Aux commandes des vinifications, Jean-Baptiste Alinc.

Des vignes de quarante ans sont à l'origine de ce *village* qui met en valeur la partie blanche – plus rare – de l'appellation. Un vin discret à l'olfaction, des notes de fleurs et fruits blancs, plus expressif en bouche (poire, pêche, agrumes), frais et dynamique. ⧗ 2017-2020 ¥ croustillant de saumon

HÉRITIERS SAINT-GENYS, 1, pl. de l'Église, 21190 Chassagne-Montrachet, tél. 03 80 24 72 63, p.dujeu@terre-net.fr *r.-v.*

BOURGOGNE

♥ DOM. JESSIAUME Les Gravières 2013 ★★

1er cru | 2900 | | 20 à 30 €

Acheté en 2007 par Sir David Murray, ce domaine fondé en 1850 (14 ha, en grande partie à Santenay) fait figure de valeur sûre en Côte-d'Or. En 2008, une structure de négoce est venue compléter la production de la propriété. L'œnologue est William Waterkeyn.

Si ce n'est pas le premier coup de cœur pour cette cuvée phare du domaine, c'est le tout premier pour son œnologue William Waterkeyn, qui a succédé aux Jessiaume en 2013. Tout indique l'élégance et la finesse dans ce vin: sa robe légère, or blanc limpide, presque diaphane ; son nez délicat, entre mandarine, boisé doux et minéralité ; sa bouche à l'unisson, sur les agrumes et les saveurs du terroir, tendre, soyeuse et tout en fraîcheur. Un vin qui plaira aussi bien dans sa jeunesse qu'après quelques années de garde. ⧗ 2017-2021 Ỵ raie au beurre ■ **1er cru Les Gravières 2013 ★ (15 à 20 €; 6500 b.)** : on retrouve dans la version rouge de ce 1er cru la finesse perçue dans le blanc, au travers d'un fruité délicat et frais, une ligne minérale bien dosée, des tanins ronds et soyeux. De beaux atouts pour la garde. ⧗ 2019-2024

⊶ DOM. JESSIAUME, 10, rue de la Gare, 21590 Santenay, tél. 03 80 20 60 03, contact@jessiaume.com V r.-v. *⊶ Sir David Murray*

OLIVIER LEFLAIVE 2013 ★

| 3650 | | 20 à 30 €

Négociant-éleveur établi à Puligny-Montrachet depuis 1984, Olivier Leflaive, l'une des références de la Côte de Beaune, collectionne les étoiles, côté cave (négoce et domaine) et côté hôtellerie: quatre pour son hôtel de Puligny. Au chai, l'œnologue Franck Grux et son complice Philippe Grillet.

Issu du négoce, ce santenay ne laisse pas indifférent. Au nez, un boisé soutenu mais élégant, toasté et vanillé, accompagne le citron vert et le sureau. Le palais est gras, riche, dense, mais aussi plein de fraîcheur, sous-tendu par une belle minéralité et de beaux amers en finale. Un peu de garde apportera à cette bouteille une réelle harmonie. ⧗ 2019-2022 Ỵ turbot poché à la vanille

⊶ OLIVIER LEFLAIVE FRÈRES, pl. du Monument, 21190 Puligny-Montrachet, tél. 03 80 21 37 65, contact@olivier-leflaive.com V *r.-v.* 5

MARINOT-VERDUN Beauregard 2014 ★

■ 1er cru | 4000 | | 11 à 15 €

Cette maison de négoce familiale fondée en 1975 est installée à Mazenay, à la lisière du vignoble du Couchois. Jacques Marinot, bien connu des habitués du Guide, vinifie une large gamme d'appellations (santenay, maranges, givry...).

Un Beauregard sombre, fruité (cerise cuite) et épicé, puissant, riche et dense en bouche, épaulé par des tanins fermes et par un boisé ajusté. Une pointe de fraîcheur lui donne une belle allonge. Bâti pour la garde. ⧗ 2019-2023 Ỵ canard laqué

⊶ MARINOT-VERDUN, Mazenay, 71510 Saint-Sernin-du-Plain, tél. 03 85 49 67 19, marinot-verdun@wanadoo.fr V *t.l.j. sf dim. 8h-12h 14h-18h*

DAVID MOREAU Clos Rousseau 2013

■ 1er cru | 2000 | | 20 à 30 €

David Moreau s'est installé en 2009 à la tête des 6 ha plantés par ses grands-parents. Ce jeune vigneron se flatte d'être plus interventionniste à la vigne qu'à la cave. Il a lui-même greffé les sélections massales de ses vignes où il pratique labour et enherbement.

D'une parcelle de 40 ares, plantée en pinot noir il y a cinquante ans, David Moreau a extrait un vin très sombre, «en robe de bure», fermé au premier nez, qui s'ouvre à l'aération sur le bourgeon de cassis et la griotte. Le prélude à une bouche austère et tannique, taillée pour la garde. Monacal... ⧗ 2019-2026 Ỵ perdrix aux choux ■ **Cuvée S 2013 (20 à 30 €; 5000 b.)** : vin cité..

⊶ DOM. DAVID MOREAU, 2, rue de la Bussière, 21590 Santenay, tél. 06 85 96 30 28, contact@bourgogne-david-moreau.com V *r.-v.*

DOM. NICOLAS Les Charmes Dessous 2014 ★★

■ | 2200 | | 11 à 15 €

Un domaine familial de 17 ha établi sur les hauteurs de Nolay, dans les Hautes-Côtes beaunoises, conduit depuis 1987 par Alain Nicolas.

Ce petit *climat* (2,91 ha) situé côté Maranges est classé en *village* malgré un nom que l'on trouve souvent en 1er cru; une catégorie à laquelle ce 2014 a peu à envier. Dans le verre, un santenay profond, ouvert sur la cerise, la framboise et la mûre, au palais ample, dense et long étayé par un boisé délicat et des tanins soyeux. L'avenir lui appartient. ⧗ 2019-2024 Ỵ tournedos Rossini

⊶ EARL NICOLAS PÈRE ET FILS, 38, rte de Cirey, 21340 Nolay, tél. 03 80 21 82 92, nicolas-alain2@wanadoo.fr V *t.l.j. sf dim. 9h-12h 13h30-18h30*

DOM. CLAUDE NOUVEAU Grand Clos Rousseau 2013

■ 1er cru | 6800 | | 15 à 20 €

Souvent en vue pour ses maranges et ses santenay, ce domaine établi dans le hameau de Marcheseuil, dans les Hautes-Côtes de Beaune, s'étend sur 14 ha. En 2010, Claude Nouveau en a confié les rênes à son gendre Stéphane Ponsard, qui avait réjoint l'exploitation en 2004.

Claude Nouveau exploite 1,10 ha de ce 1er cru voisin des Maranges et aussi de sa cave. Son 2013 dévoile un joli bouquet de cerise noire et de mûre. Des notes réglissées s'ajoutent à cette palette dans un palais assez concentré, adossé à des tanins bien présents mais sans dureté. De bonne garde. ⧗ 2019-2023 Ỵ tournedos Rossini

⊶ DOM. CLAUDE NOUVEAU, Marcheseuil, 21340 Change, tél. 03 85 91 13 34, domaine@claudenouveau.com V *r.-v.* D

DOM. OLIVIER Le Bievaux L'Air de Rien 2013 ★

| 10000 | | 20 à 30 €

Ce domaine familial (10,5 ha en bio sans certification) créé en 1967 s'est spécialisé dans l'élaboration de vins

blancs, sans négliger les rouges pour autant. Il a développé en 2005 une activité de négociant-éleveur pour compléter son offre. À la tête de l'ensemble depuis 2003, Antoine Olivier.

Souvent en vue, le Biévaux d'Antoine Olivier – un *climat* des hauteurs situé entre 300 et 400 m d'altitude au nord de l'appellation –, fait belle impression cette année avec son nez délicat, d'abord légèrement toasté, puis ouvert sur l'amande, la noisette et les fleurs blanches. Le charme opère aussi en bouche: du gras en attaque, du volume, de la concentration, puis une évolution plus minérale (pierre à fusil) en finale, qui apporte un surcroît de vigueur. ⧗ 2018-2021 🍴 sole au beurre blanc ■ **Les Coteaux sous la Roche 2013 ★ (20 à 30 €; 12000 b.)** : un santenay dynamique et bien ciselé, tendu par une fine acidité minérale et citronnée, enrobée par un boisé léger et fondu. ⧗ 2018-2021 ■ **Le Temps des C(e)rises 2013 (11 à 15 €; 10000 b.)** : vin cité..

⊶ DOM. OLIVIER, 5, rue Gaudin, 21590 Santenay, tél. 03 80 20 61 35, domaineolivier@orange.fr V r.-v.

CH. PERRUCHOT Clos Rousseau 2013

■ 1er cru	1500		30 à 50 €

En 1804, les frères Claude et Jean Prieur acquièrent le château Perruchot à Santenay. En 1955, Guy Prieur épouse Élisabeth Brunet, native de Meursault, et fonde le domaine Prieur Brunet. Leur fille Dominique, rejointe en 2004 par son fils Guillaume (huitième génération), est aujourd'hui aux commandes d'une propriété d'une propriété d'une vingtaine d'hectares en Côte de Beaune, à laquelle est adossée une maison de négoce.

Une rareté que ce Clos Rousseau blanc, issu d'un *climat* réputé, surtout planté en rouge. Un 2013 au nez finement boisé, avec une touche de fruits exotiques, à la bouche fraîche, souple et légère. ⧗ 2016-2020 🍴 anguilles en persillade ■ **1er cru Dom. Prieur-Brunet Clos Faubard Hommage à Guy Prieur 2013 (15 à 20 €; 600 b.)** : vin cité..

⊶ DOM. PRIEUR-BRUNET, Ch. Perruchot, rue de Narosse, 21590 Santenay, tél. 03 80 20 60 56

DOM. PONSARD-CHEVALIER Les Daumelles 2014

■	1600		11 à 15 €

Reprise en 1977 par Michel Ponsard et Danielle Chevalier qui l'avaient cultivée en fermage pendant plusieurs années, cette exploitation familiale couvre 6,16 ha. Comme nombre de propriétés établies à Santenay, elle dispose aussi de vignes dans trois 1ers crus des Maranges.

Un *climat* limitrophe des Maranges, situé dans le secteur des Bras. Le vin demande à être aéré pour libérer ses arômes floraux et fruités au nez; il se fait vif, franc, acidulé en bouche. ⧗ 2017-2021 🍴 fruits de mer

⊶ EARL DOM. PONSARD-CHEVALIER, 2, Les Tilles, 21590 Santenay, tél. 03 80 20 60 87, michelponsard@aol.com V r.-v.

BERNARD ET FLORIAN REGNAUDOT 2014 ★

■	2400		8 à 11 €

Installé en 1996, le discret mais talentueux Bernard Regnaudot, d'ascendance vigneronne (père et grand-père), a transmis le vignoble familial – 6 ha plantés de vieilles vignes – à son fils Florian en 2014. Un domaine qui s'illustre régulièrement dans son fief des Maranges et qui signe aussi de belles cuvées du village voisin de Santenay.

Le millésime de transition entre le père et le fils. Dans le verre, un bien joli santenay, aux parfums délicats et avenants de cerise et de pivoine. En bouche, beaucoup de souplesse, de finesse et de fraîcheur, des tanins tendres et soyeux et un juste équilibre entre le bois et le fruit. ⧗ 2018-2021 🍴 tournedos aux cèpes

⊶ BERNARD ET FLORIAN REGNAUDOT, 14, rte de Nolay, 71150 Dezize-lès-Maranges, tél. 03 85 91 14 90, regnaudot.bernardetflorian@orange.fr V r.-v.

JEAN-CLAUDE REGNAUDOT ET FILS Clos Rousseau 2014 ★

■ 1er cru	1200		11 à 15 €

Installés au cœur du village de Dezize, Jean-Claude et Didier Regnaudot cultivent avec talent 6,5 ha de vignes entre les Maranges et Santenay. Leurs vins parlent pour eux: le domaine a plusieurs coups de cœur à son actif.

De ce 1er cru réputé, les Regnaudot cultivent 22 ares de pinot noir, à l'origine d'un fort joli vin de couleur cerise noire, au nez généreusement fruité (kirsch, framboise) et plus discrètement vanillé. La bouche ample, ronde, dense et chaleureuse laisse deviner une belle maturité des raisins. Profond, équilibré et long, ce 2014 saura bien vieillir. ⧗ 2018-2022 🍴 petit salé aux lentilles

⊶ JEAN-CLAUDE REGNAUDOT ET FILS, 6, Grande-Rue, 71150 Dezize-lès-Maranges, tél. 03 85 91 15 95, regnaudot.jc-et-fils@orange.fr V r.-v.

DOM. SAINT-MARC 2013

■	3500		15 à 20 €

Un domaine de 7 ha situé à la limite des Maranges, dans les Hautes-Côtes. Il a été créé en 1980 à partir de 40 ares de vignes par Jean-Claude Mitanchey, rejoint en 2011 par son fils Arnaud pour développer la vente en bouteilles.

Né de vignes de trente-cinq ans, ce santenay distille des senteurs harmonieuses et engageantes de framboise, de cerise et d'épices; arômes que l'on retrouve dans une bouche franche, droite, ferme, sincère. Ce 2013 gagnera son étoile en cave. ⧗ 2018-2021 🍴 coq au vin

⊶ DOM. SAINT-MARC, 1, rue de Nolay, 71150 Paris-L'Hôpital, tél. 03 85 91 13 14, domaine@saint-marc.fr V r.-v. *⊶ Mitanchey*

DOM. DU VIEUX PRESSOIR 2014

■	2500		11 à 15 €

Éric Duchemin s'est installé en 1991 à Sampigny-lès-Maranges sur un domaine qui compte aujourd'hui 9,5 ha (en AOC maranges, santenay et hautes-côtes-de-beaune), qui tire son nom d'un énorme pressoir du XVIIes. utilisé jusqu'en 1939.

Du verre montent des parfums plaisants et harmonieux de fruits rouges et noirs mâtinés d'une touche de pivoine. En bouche, de la souplesse, des tanins fins, une longueur honorable et de beaux amers en finale qui apportent de la fraîcheur. ⧗ 2018-2021 🍴 matelote d'anguilles

⊶ ÉRIC DUCHEMIN, Dom. du Vieux Pressoir, 16, Grande-Rue, 71150 Sampigny-lès-Maranges,

tél. 03 85 91 12 71, domaine.vieux.pressoir@wanadoo.fr V r.-v.

JEAN-MARC VINCENT Le Passetemps 2013

■ 1er cru	n.c.		20 à 30 €

Installés en 1997, les époux Vincent cultivent 6,5 ha dans l'esprit bio, autour de leur village de Santenay et aux environs d'Auxey-Duresses. Ils complètent leur carte des vins par une activité de négoce tournée vers le sud de la Côte de Beaune. Une valeur sûre.

Coup de cœur l'an passé avec son 1er cru Les Gravières 2012, le domaine signe ici un 2013 moins ambitieux mais plaisant, né d'un terroir voisin. Un *climat* dont les coteaux pentus laissent aisément imaginer que les vignerons «passaient du temps» à travailler cette vigne. Dans le verre, un vin sombre, au nez boisé, un brin animal et confituré, au palais souple et rond, adossé à des tanins fins et aimables. ⧗ 2018-2022 🍴 cailles aux airelles

ANNE-MARIE ET JEAN-MARC VINCENT, 3, rue Sainte-Agathe, 21590 Santenay, tél. 03 80 20 67 37, vincent.j-m@wanadoo.fr V r.-v.

MARANGES

Superficie : 170 ha
Production : 7 450 hl (95 % rouge)

Situé en Saône-et-Loire, à l'extrémité sud de la Côte de Beaune, le vignoble des Maranges regroupe les trois communes de Chailly, Dezize et Sampigny-lès-Maranges qui avaient leur propre appellation jusqu'en 1989. Il comporte six 1ers crus. Les vins rouges ont droit également à l'AOC côte-de-beaune-villages. Fruités, corpulents et charpentés, ils peuvent vieillir de cinq à dix ans.

DOM. VINCENT BACHELET La Fussière Vieilles Vignes 2013 ★

■ 1er cru	6000		11 à 15 €

Originaire d'une vieille famille vigneronne des Maranges (il est fils de Bernard Bachelet), Vincent Bachelet a travaillé avec ses frères avant de s'installer, en 2008, à Chassagne-Montrachet, dans les anciens chais du négociant de Marcilly. Il exploite 14 ha, essentiellement dans la Côte de Beaune.

Le plus vaste des 1ers crus de l'appellation que Vincent Bachelet décline dans ses deux versions, rouge et blanche. En rouge, un vin au nez agréable de fruits noirs et de vanille, à la fois rond, suave, frais et finement tannique en bouche. ⧗ 2017-2022 🍴 jarret de porc au chou □ **1er cru La Fussière Vieilles Vignes 2014 (15 à 20 €; 2300 b.)** : vin cité..

VINCENT BACHELET, 27, rte de Santenay, 21190 Chassagne-Montrachet, tél. 06 19 77 51 87, bacheletvincent1@wanadoo.fr V r.-v.

DOM. DU BEAUREGARD 2014

■	4000		8 à 11 €

Installés dans une commune du Couchois, Michel Dépernon et son fils Jérôme exploitent en agriculture raisonnée ce domaine appartenant à leur famille depuis cinq générations. Le vignoble couvre 15 ha et produit des AOC régionales, du maranges et du santenay.

Un élevage en fût de douze mois a peu marqué ce vin ouvert sur le cassis, la fraise et le sous-bois. On retrouve les fruits rouges dans une bouche ronde et soyeuse, un brin plus sévère en finale. ⧗ 2017-2021 🍴 magret

DOM. DU BEAUREGARD, 9, rue de Mercey, 71510 Saint-Sernin-du-Plain, domaine-du-beauregard@orange.fr V r.-v.

DOM. JEAN-FRANÇOIS BOUTHENET Sur le Chêne 2014 ★

□	2700		8 à 11 €

Jean-François Bouthenet est établi à Cheilly-les-Maranges, dans le hameau de Mercey qui domine la vallée de la Dheune, vers le Couchois. À la tête de 11 ha de vignes, il fut l'un des premiers à proposer du maranges blanc.

L'une des cuvées phares du domaine. Le 2014 dévoile progressivement un bouquet frais à la complexité naissante, sur les fruits exotiques et les agrumes. La bouche apparaît ample, souple et fraîche, soulignée par un boisé léger. ⧗ 2017-2020 🍴 risotto de la mer ■ **1er cru Les Clos Roussots 2013 ★** (11 à 15 €; **3000 b.**) : au nez, des senteurs de fruits rouges et noirs et d'épices; en bouche, de la souplesse en attaque puis plus de fermeté jusqu'à la finale, encore un peu austère. À attendre. ⧗ 2018-2022

JEAN-FRANÇOIS BOUTHENET, 4, rue du Four, 71150 Cheilly-lès-Maranges, tél. 03 85 91 14 29, bouthenetjf@free.fr V r.-v.

MARC BOUTHENET Clos des Loyères 2014

■ 1er cru	600		11 à 15 €

Marc Bouthenet exploite depuis 1988 ce domaine familial de 21 ha, ce qui est loin d'être négligeable à l'échelle bourguignonne. Son fils Antoine Bouthenet, arrivé en 2009, compte développer la vente en bouteilles grâce à un nouveau caveau installé à Mercey, hameau de Cheilly-lès-Maranges.

Une petite parcelle de poche (10 ares) est à l'origine de ce vin ouvert sur les fruits rouges bien mûrs et les épices. La bouche se révèle ample et structurée en souplesse par des tanins tendres et un boisé discret. ⧗ 2018-2022 🍴 bœuf bourguignon

EARL MARC BOUTHENET, 11, rue Saint-Louis-Mercey, 71150 Cheilly-lès-Maranges, tél. 03 85 91 16 51, earlmarcbouthenet@orange.fr V r.-v.

B DOM. CHEVROT La Fussière 2014

□ 1er cru	n.c.		30 à 50 €

Depuis sa création, l'exploitation est passée de 5 ha à 16 ha. Les fils de Fernand et Catherine Chevrot, Pablo et Vincent, tous deux œnologues, se sont installés au début de ce siècle et ont engagé en 2008 la conversion bio de la propriété. Le cheval est revenu labourer la vigne comme à l'époque de Paul et Henriette, fondateurs du domaine en 1930.

L'un des rares blancs de cette sélection, né d'une très jeune vigne de cinq ans. Au nez, du pamplemousse, de la pomme verte et de la bergamote. En bouche, beaucoup de vivacité, «apprivoisée» par seize mois de fût qui arrondissent les angles. ⧗ 2017-2021 🍴 poêlée de langoustines au citron

DOM. CHEVROT ET FILS, 19, rte de Couches, 71150 Cheilly-lès-Maranges, contact@chevrot.fr r.-v.

DOM. SYLVAIN DEPIESSE En Buliet 2014

	3000		11 à 15 €

Après vingt-cinq ans d'expérience en Bourgogne, dans la vallée de la Loire et en Afrique du Sud, Sylvian Depiesse, œnologue et directeur de la maison Veuve Ambal, a créé son propre domaine en 2012 en achetant 70 ares de vignes sur le terroir de Cheilly. Il élabore ses vins dans son garage transformé en cuverie, à Demilly.

Pour son 2014, ce vigneron qui produit exclusivement en maranges a vendangé une vigne de soixante ans sur le plus vaste *climat* de Cheilly classé en *village*, voisin des 1ers crus. Un vin qui «pinote» bien avec son nez de fruits rouges relevé d'épices, plaisant aussi par sa bouche fraîche et ses tanins souples. L'austérité de la finale appelle toutefois un passage en cave. 2018-2022 coq au vin

SYLVAIN DEPIESSE, 38, rue de Rion, 71150 Demigny, tél. 03 85 49 47 21, sylvaindepiesse@orange.fr r.-v.

DOUDET-NAUDIN Les Clos Roussots 2014

1er cru	3600		11 à 15 €

Fondée en 1849 par Albert Brenot et acquise par la famille Doudet en 1933, la maison Doudet-Naudin est un négoce de Savigny-lès-Beaune qui propose des cuvées issues de terroirs restreints. Unique propriétaire depuis 2014, Christophe Rochet est épaulé par Isabelle Doudet à la direction technique et par François Lay comme maître de chai. La maison Doudet possède aussi son propre domaine: 13 ha entre Beaune et Pernand, conduits en lutte raisonnée avec des expérimentations en bio.

L'un des cinq clos de l'appellation, qui prolonge le Clos Rousseau de Santenay. L'un des plus étendus aussi, avec 28,18 ha répartis entre Cheilly et Sampigny. Dans le verre, un vin ouvert sur la groseille, la pivoine et le poivre, bien typé maranges en bouche par son côté sévère et ferme, avec une pointe d'acidité en soutien. Le temps devrait l'amadouer. 2019-2022 pavé de chevreuil aux airelles

DOUDET-NAUDIN, 3, rue Henri-Cyrot, 21420 Savigny-lès-Beaune, tél. 03 80 21 51 74, contact@doudetnaudin.com r.-v.

EUGÈNE ELLIA Vieilles Vignes 2014 ★

	2717		30 à 50 €

Spécialisée en appellations «rouges», cette jeune maison de négoce fondée en 2011 est établie dans le «vieux» Nuits-Saint-Georges. Elle possède deux vignes en propriété en nuits et en vosne-romanée. C'est Géraldine Barioz, une jeune œnologue, qui assure les vinifications.

Issu d'achat de raisins, ce *village* d'un rouge profond offre un nez très élégant de myrtille, d'épices et de café. Arômes qui s'épanouissent dans une bouche ample, riche et concentrée, soutenue par des tanins bien présents mais au grain fin. 2017-2022 gigot d'agneau

MAISON EUGÈNE ELLIA, 3, quai Fleury, 21700 Nuits-Saint-Georges, tél. 03 80 23 98 75, geraldine@eugeneellia.com r.-v.

MARINOT-VERDUN La Fussière 2014

1er cru	6000		8 à 11 €

Cette maison de négoce familiale fondée en 1975 est installée à Mazenay, à la lisière du vignoble du Couchois. Jacques Marinot, bien connu des habitués du Guide, vinifie une large gamme d'appellations (santenay, maranges, givry...).

L'une des cuvées de référence de la maison Marinot-Verdun. Après six mois de fût et autant de temps passé en cuve, elle présente un bouquet naissant de fruits rouges et noirs relevé de poivre blanc. En bouche, elle attaque avec souplesse, se développe avec ampleur et consistance autour de tanins fermes, sans excès de dureté. Un bon potentiel. 2018-2022 porc braisé aux épices

MARINOT-VERDUN, Mazenay, 71510 Saint-Sernin-du-Plain, tél. 03 85 49 67 19, marinot-verdun@wanadoo.fr t.l.j. sf dim. 8h-12h 14h-18h

CH. DE MELIN Clos des Rois 2014 ★

1er cru	7000		15 à 20 €

La famille cultive la vigne depuis sept générations. Ingénieur dans le BTP, Arnaud Derats a repris le domaine de son grand-père Paul Dumay à Sampigny-lès-Maranges. En 2000, il a acquis le château de Melin (XVIe s.) à Auxey-Duresses et y a transféré ses caves. Le vignoble (25 ha) est en bio certifié depuis 2012.

Situés à Sampigny, les 7,10 ha du Clos des Rois partent du piémont pour s'arrêter à mi-coteau au niveau des Clos Roussots. Arnaud Derats y exploite 1,15 ha de pinot noir. Il en a tiré un vin aux parfums frais de fruits rouges et d'épices, ample, droit et solidement bâti en bouche. La garde s'impose pour ce maranges de caractère. 2019-2024 carré d'agneau **1er cru Clos Roussots 2014** ★ **(15 à 20 €; 5000 b.)** : un vin généreusement bouqueté sur les fruits mûrs, aux épaules carrées, charpenté par des tanins fermes et serrés et par un boisé fin (25 % de fûts neufs). Jolie finale saline. 2019-2024

SCEA CH. DE MELIN, Ch. de Melin, 21190 Auxey-Duresses, tél. 03 80 21 21 19, derats@chateaudemelin.com t.l.j. 10h-12h 14h-18h; dim. 10h-12h 5 Derats

PHILIPPE MILAN ET FILS Le Goty 2014

	3500		11 à 15 €

À la suite du décès de son père Philippe en 2009, Karl Milan a repris le domaine. Il l'a agrandi (11 ha aujourd'hui) en y ajoutant quelques parcelles de pommard et de maranges (*village* et 1er cru).

La présence d'une source («goty» est dérivé du mot «goutte») dans cette parcelle située à Cheilly a donné son nom à ce *climat*. Karl Milan y exploite une jeune vigne de sept ans qui a donné naissance à ce vin au nez complexe d'agrumes, de fruits exotiques et de fleurs blanches. La bouche offre un bon équilibre entre une rondeur moelleuse et une fine acidité qui tend la finale et lui donne du caractère. 2017-2020 aumônière au gouda

BOURGOGNE

PHILIPPE MILAN ET FILS, 2, rue du Pigeonnier, 71150 Chassey-le-Camp, tél. 03 85 91 21 38, milan.philippe3@wanadoo.fr t.l.j. sf dim. 9h-12h 14h-19h

DAVID MOREAU 2013 ★★

■ | 3000 | | 15 à 20 €

David Moreau s'est installé en 2009 à la tête des 6 ha plantés par ses grands-parents. Ce jeune vigneron se flatte d'être plus interventionniste à la vigne qu'à la cave. Il a lui-même greffé les sélections massales de ses vignes où il pratique labour et enherbement.

Né de vieux ceps de soixante-dix ans, ce maranges a connu un long élevage de dix-huit mois en barrique, ce qui n'est pas courant en village. Un vin puissant au nez comme en bouche, ouvert sans réserves sur la vanille, la cerise et le cassis, concentré, ample et solidement charpenté par des tanins fins et serrés. La finale, longue, fraîche et réglissée, achève de convaincre. ⧗ 2018-2024 ¥ pintade aux champingnons

DOM. DAVID MOREAU, 2, rue de la Bussière, 21590 Santenay, tél. 06 85 96 30 28, contact@bourgogne-david-moreau.com r.-v.

NICOLAS PERRAULT Le Clos des Loyères 2014 ★

■ 1er cru | 2500 | | 15 à 20 €

Nicolas Perrault, ancien chef de culture au Ch. de la Crée à Santenay, n'a gardé du domaine fondé par son grand-père en 1947 que 4 ha, les meilleurs terroirs (quatre 1ers crus sur les 7 que comptent les Maranges). Si sa démarche est proche de la biodynamie, il refuse la certification pour ne pas s'interdire le recours aux pesticides en cas de force majeure.

Malgré le caractère tannique des vins de l'appellation, Nicolas Perrault a intégré 50 % de vendanges entières pour élaborer ce 1er cru. Le résultat est probant: nez frais et franc de cassis, de framboise et de vanille, bouche équilibrée, ample, dense et vigoureuse, aux tanins fins et bien serrés. Un vin encore en devenir, bâti pour la garde. ⧗ 2019-2026 ¥ noix de biche ■ **1er cru La Fussière 2014 (15 à 20 €; 1900 b.)** : vin cité..

NICOLAS PERRAULT, 3, rue du Four-Banal, 71150 Dezize-lès-Maranges, tél. 03 85 91 14 67, perraultn@wanadoo.fr r.-v.

DOM. CHRISTIAN REGNARD
Les Clos Roussots 2014

■ 1er cru | 2700 | | 11 à 15 €

En 2010, Florian Regnard a rejoint son père Christian sur le domaine familial situé à Sampigny, l'un des trois villages de l'AOC maranges. Parcelle après parcelle, il agrandit le vignoble (9 ha aujourd'hui) et fait bouger les lignes en matière de vinification.

D'un abord discret, ce 1er cru nécessite une petite aération pour révéler ses arômes de pivoine, de cassis et de fruits rouges sur un fond boisé léger. La bouche apparaît ronde, dotée de tanins fins et s'achève sur une plaisante note saline. ⧗ 2018-2022 ¥ pintade rôtie

DOM. CHRISTIAN RÉGNARD, 9, rue Saint-Antoine, 71150 Sampigny-lès-Maranges, tél. 03 85 91 10 43, regnardc@wanadoo.fr t.l.j. 8h-12h 13h30-18h

JEAN-CLAUDE REGNAUDOT ET FILS
Les Clos Roussots 2014 ★★

■ 1er cru | 3000 | | 11 à 15 €

Installés au cœur du village de Dezize, Jean-Claude et Didier Regnaudot cultivent avec talent 6,5 ha de vignes entre les Maranges et Santenay. Leurs vins parlent pour eux: le domaine a plusieurs coups de cœur à son actif.

La famille Regnaudot, valeur (très) sûre de l'appellation, place quatre vins dans cette sélection. Comme l'an dernier, son Clos Roussots a fait forte impression. Un vin très expressif et fin, porté à l'olfaction sur les petits fruits rouges mûrs et un boisé élégant. Les jurés vantent aussi sa bouche étoffée, ample, tannique mais sans dureté, soulignée par la fraîcheur caractéristique de ce terroir. À encaver quelques années. ⧗ 2018-2023 ¥ pavé de bœuf sauce au poivre vert ■ **1er cru La Fussière 2014 ★ (11 à 15 €; 5000 b.)** : à un bouquet élégant de fruits rouges mûrs et de violette répond un palais long, ample, ferme et gras, aux tanins fins. ⧗ 2019-2023 ■ **2014 ★ (8 à 11 €; 2100 b.)** : un vin gourmand, charnu, aux tanins enrobés, bien typé pinot noir au nez comme en bouche par ses arômes de griotte et autres petits fruits rouges frais. ⧗ 2017-2021 ■ **1er cru Clos des Loyères 2014 (11 à 15 €; 1500 b.)** : vin cité.

JEAN-CLAUDE REGNAUDOT ET FILS, 6, Grande-Rue, 71150 Dezize-lès-Maranges, tél. 03 85 91 15 95, regnaudot.jc-et-fils@orange.fr r.-v.

♥ LES HÉRITIERS SAINT-GENYS
Clos des Loyères 2013 ★★

■ 1er cru | 700 | | 15 à 20 €

Créée en 2011 à Chassagne-Montrachet sous l'impulsion de Patrice du Jeu associé à des proches et aux anciens propriétaires des vignes, cette structure exploite 12 ha entre Côte de Beaune et Côte chalonnaise complétés d'une activité de négoce. La société a restructuré le domaine et rénové la cuverie. Aux commandes des vinifications, Jean-Baptiste Alinc.

Troisième millésime seulement pour le duo Jean-Baptiste Alinc-Patrice du Jeu et déjà un coup de cœur. Une robe profonde et intense, couleur cerise noire, annonce un nez gourmand de fruits mûrs (fraise, groseille, cassis) sur un fond suave de vanille. Un caractère que l'on retrouve dans une bouche ronde, tendre, aux tanins très fins et veloutés et à la longue finale kirschée. Un 1er cru au charme fou, qui, cerise sur le gâteau, pourra s'apprécier dès aujourd'hui. ⧗ 2016-2021 ¥ ribs de porc au curry

HÉRITIERS SAINT-GENYS, 1, pl. de l'Église, 21190 Chassagne-Montrachet, tél. 03 80 24 72 63, p.dujeu@terre-net.fr r.-v.

DOM. DU VIEUX PRESSOIR La Fussière 2014

■ 1er cru | 2500 | | 11 à 15 €

Éric Duchemin s'est installé en 1991 à Sampigny-lès-Maranges sur un domaine qui compte aujourd'hui

9,5 ha (en AOC maranges, santenay et hautes-côtes-de-beaune), qui tire son nom d'un énorme pressoir du XVIIe s. utilisé jusqu'en 1939.

Une vigne de quarante ans est à l'origine de ce Fussière qui développe une belle gamme aromatique autour de la cerise, du cassis et des épices douces. Souple et fraîche en attaque, la bouche n'est pas très longue, mais propose un bon volume, une matière riche et des tanins enrobés. ⧗ 2018-2022 ♈ côte de veau aux morilles

⊶ ÉRIC DUCHEMIN, Dom. du Vieux Pressoir, 16, Grande-Rue, 71150 Sampigny-lès-Maranges, tél. 03 85 91 12 71, domaine.vieux.pressoir@wanadoo.fr V r.-v.

➡ LA CÔTE CHALONNAISE

Le paysage s'épanouit quelque peu dans la Côte chalonnaise (4 500 ha); la structure linéaire du relief s'y élargit en collines de faible altitude s'étendant plus à l'ouest de la vallée de la Saône. La structure géologique est beaucoup moins homogène que celle du vignoble de la Côte-d'Or; les sols reposent sur les calcaires du jurassique, mais aussi sur des marnes de même origine ou d'origine plus ancienne, lias ou trias. Des vins rouges d'AOC village et premier cru sont produits à partir du pinot noir à Mercurey, Givry et Rully, mais ces mêmes communes proposent aussi des blancs de chardonnay, cépage qui devient unique pour l'appellation montagny située un peu plus au sud; c'est aussi là que se trouve Bouzeron, à l'aligoté réputé. Il faut enfin signaler un bon vignoble aux abords de Couches, que domine le château médiéval. D'églises romanes en demeures anciennes, chaque itinéraire touristique peut d'ailleurs se confondre ici avec une route des Vins.

BOURGOGNE-CÔTE-CHALONNAISE

Superficie : 460 ha
Production : 24 150 hl (75 % rouge et rosé)

Située entre Chagny et Saint-Gengoux-le-National (Saône-et-Loire), la Côte chalonnaise possède une identité qui lui a permis d'être reconnue en AOC en 1990. L'appellation produit une majorité de rouges assez fermes dans leur jeunesse, quelques rosés et des blancs de style léger.

DOM. BERNOLLIN Sous la Roche 2014

■ | 10604 | | 8 à 11 €

Fondée en 1851 par Flavien Jeunet, cette maison de négoce, qui possède aussi 12 ha de vignes en propre, a été reprise dans les années 1930 par la famille Sounit, qui l'a cédée à son importateur danois en 1993. L'une des valeurs sûres de la Côte chalonnaise, en vins tranquilles comme en effervescents.

Orné d'or blanc à reflets paille, ce 2014 offre des senteurs originales mais agréables de calendula, d'amande et de craie. La bouche séduit par sa fraîcheur minérale, à laquelle s'ajoutent des saveurs d'agrumes. ⧗ 2016-2019 ♈ saumon grillé ■ **Les Corbaisons 2014 (11 à 15 €; 13898 b.)** : vin cité..

⊶ MAISON ALBERT SOUNIT, 5, pl. du Champ-de-Foire, 71150 Rully, tél. 03 85 87 20 71, albert.sounit@wanadoo.fr V r.-v. *⊶ K. Kjellerup*

LES CHAMPS DE THEMIS 2014

■ | 2020 | | 8 à 11 €

Xavier Moissenet était substitut du procureur de la République au Tribunal de Grande Instance de Chalon-sur-Saône avant de devenir vigneron en 2014, en acquérant 6 ha de vignes sur la Côte chalonnaise, en conversion bio.

Premier millésime et une belle entrée en matière pour ce néo-vigneron avec ce 2014 vendangé à la main et issu de ceps de cinquante ans. Le nez déploie des parfums puissants de fruits rouges alliés à de fines notes boisées. La bouche est souple, ronde et fraîche, soutenue par des tanins fins. Sa finale garde cependant l'empreinte de son berceau boisé et quelques années de cave seront nécessaires à l'harmonie de ce vin. ⧗ 2017-2021 ♈ paupiettes de veau

⊶ LES CHAMPS DE THEMIS, rue des Dames, 71150 Bouzeron, tél. 06 80 28 79 96, xavier.moissenet@gmail.com V r.-v. *⊶ Moissenet*

DOM. CHAMPS PERDRIX 2014

■ | 40000 | | 5 à 8 €

Un négoce familial fondé en 1933 par Émile Chandesais, sur la commune de Fontaine, au cœur de la Côte chalonnaise. Il prospère au fil des ans en assurant la vinification, l'élevage et la commercialisation de ses vins de Bourgogne. En 1993, Émile Chandesais cède sa société à la Compagnie Vinicole de Bourgogne, filiale du groupe Picard Vins et Spiritueux.

Élevé un an en cuve, ce vin rouge cerise présente une olfaction discrètement fruitée. En bouche, une attaque vive précède un développement soyeux et délicat, porté par des tanins souples, avec en finale une jolie fraîcheur mentholée. ⧗ 2016-2019 ♈ entrecôte

⊶ COMPAGNIE VINICOLE DE BOURGOGNE, rte, de Saint-Loup-de-la-Salle, 71150 Chagny, tél. 03 85 87 51 04, david.fernez@m-p.fr t.l.j. sf sam. dim. 9h-12h 14h-16h; f. août ⊶ Picard Vins et Spiritueux

JOCELYNE CHAUSSIN La Fortune 2014 ★

■ | 1500 | | 5 à 8 €

Jocelyne Chaussin assure depuis 1988 la continuité de cette petite exploitation familiale (1,33 ha) ancrée depuis trois générations à Bouzeron. Respectueuse de la nature, elle travaille la vigne comme «dans l'ancien temps», sans produit chimique.

Ce vin dévoile un nez délicat de fruits jaunes mûrs, de coing et de noisette. La bouche, ronde et gourmande, est équilibrée par l'acidité de l'abricot, saveur qui persiste longuement. Un vin de caractère qui pourra vieillir quelques années. ⧗ 2016-2020 ♈ escalope de veau à la crème

⊶ JOCELYNE CHAUSSIN, 3, rue des Dames, 71150 Bouzeron, tél. 03 85 87 09 01, jeanlouis.chaussin@orange.fr V r.-v.

DOM. DAVANTURE Clos Saint-Pierre 2013 ★

■ | 2900 | | 8 à 11 €

Les trois frères Davanture (Xavier, Damien et Éric) sont issus d'une longue dynastie de vignerons

BOURGOGNE

(huit générations). Ils officient sur un domaine de 22 ha situé à Saint-Désert, village de la Côte chalonnaise connu pour son église fortifiée. Ce grand domaine est géré en viticulture raisonnée et les vendanges se font exclusivement à la main.

Ce vin d'un rubis éclatant de jeunesse dévoile une palette aromatique franche et pure dans laquelle on décèle de la framboise, du bonbon anglais et de l'herbe fraîchement coupée. La bouche, d'une jolie rondeur, est soutenue par une fraîcheur acidulée et vivifiante qui porte loin la finale fruitée. ⧗ 2016-2020 ▼ tartare de bœuf **2014 (8 à 11 €; 2950 b.)** : vin cité..

DOM. DAVANTURE, 26, rue de la Messe, Cidex 1516, 71390 Saint-Désert, tél. 03 85 47 95 57, domaine.davanture@orange.fr V r.-v.
GAEC des Murgers

DOM. DE L'ÉVÊCHÉ 2014

	4500		5 à 8 €

Sylvie et Vincent Joussier sont installés depuis 1985 sur ce domaine de 13 ha auparavant planté en fruitiers. Bien qu'encore très jeunes, les deux enfants du couple participent déjà à l'aventure viticole familiale.

Le Chalonnais

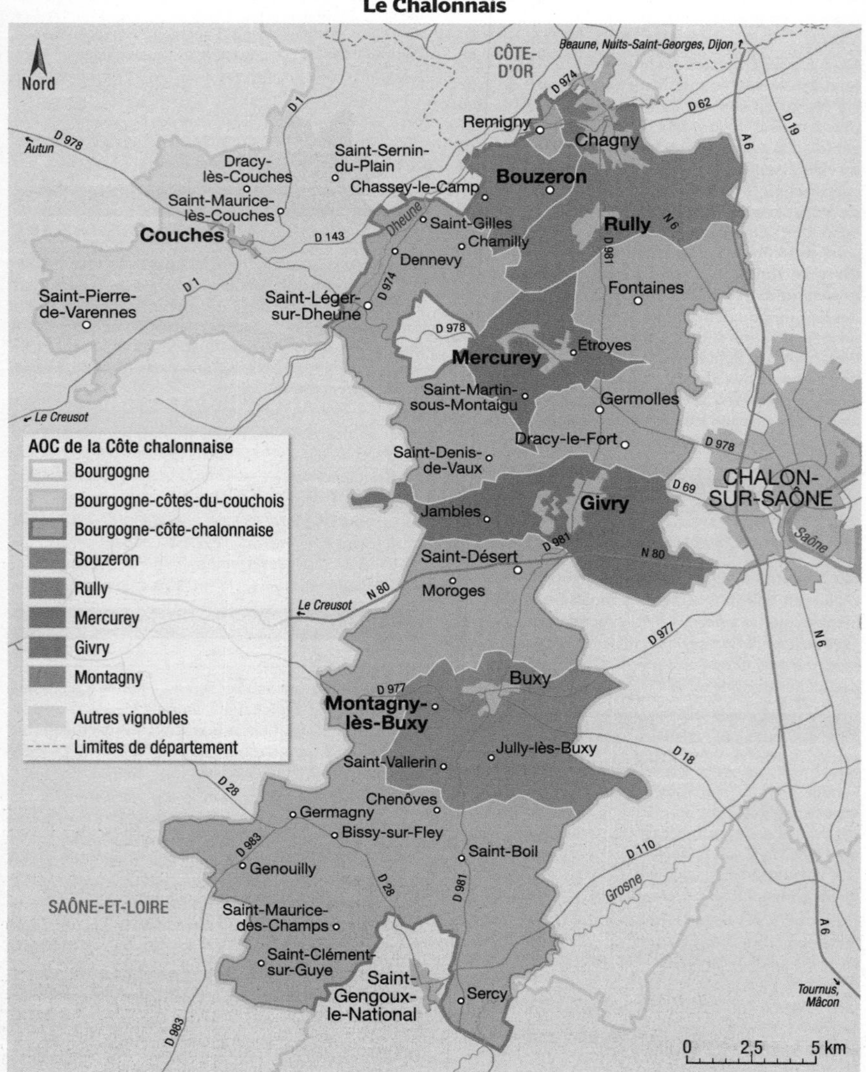

Du verre s'échappent de douces fragrances rappelant les senteurs d'enfance: bonbon fruité, gâteau, fruits exotiques. Très fruité jusqu'en finale (coing, mangue, citron...), le palais s'équilibre entre douceur et acidité. Un ensemble harmonieux et expressif. ⧗ 2016-2019 🍷 terrine d'asperges

⊶ EARL VINCENT JOUSSIER, 6, rue de l'Évêché, 71640 Saint-Denis-de-Vaux, tél. 03 85 44 30 43, vincentjoussier@cegetel.net V t.l.j. 8h-19h; f. 15-31 août

MONNERET PÈRE ET FILS 2014

	4900		5 à 8 €

Cette exploitation familiale, installée depuis 1945 et trois générations à Saint-Mard-de-Vaux, village bucolique de la Côte chalonnaise, étend aujourd'hui son vignoble sur 15,5 ha. À sa tête, Cédric Monneret, qui après une scolarité à la «viti» de Beaune, a souhaité renouer avec ses racines.

Cette cuvée, issue d'une parcelle calcaire de 69 ares, a séjourné pour moitié en fût de chêne durant neuf mois. Il en résulte un vin jaune d'or ourlé d'argent, ouvert sur l'aubépine, la menthe et l'amande, à la bouche savoureuse, charnue et équilibrée, qui s'achève sur une note vanillée. ⧗ 2016-2020 🍷 soumaintrain

⊶ MONNERET PÈRE ET FILS, 10, rue du Lavoir, 71640 Saint-Mard-de-Vaux, tél. 03 85 45 17 56, monneret.pereetfils@orange.fr
V *t.l.j. 8h-12h 13h30-19h*

B CH. DE SASSANGY Sous la Roche 2014

	15000		8 à 11 €

Situé dans l'arrière-pays vallonné de Chalon-sur-Saône, ce domaine est dans la famille Musso depuis plus de trois siècles: une vaste propriété de 350 ha commandée par un château édifié en 1740 sur les vestiges d'une place forte des Xe et XIIes. Installés en 1979, Jean Musso et son épouse Geno ont redonné vie à ce vignoble endormi depuis la crise du phylloxéra (50 ares à leur arrivée!), qui s'étend aujourd'hui sur 50 ha conduits en bio.

On devine dans ce 2014 une vinification et un élevage réfléchis, visant à mettre en valeur le terroir argilo-calcaire. Si le nez se montre d'emblée minéral, il évoque aussi le beurre blanc, les fruits exotiques et l'aubépine. L'attaque, elle aussi «terroitée», annonce un palais équilibré, rond et vif à la fois, d'une belle finesse en finale. Parfait pour les produits de la mer. ⧗ 2016-2019 🍷 huîtres

⊶ CH. DE SASSANGY, Le Château, 71390 Sassangy, tél. 06 21 56 04 30, mussojean71@gmail.com V *r.-v.* ⊶ *Jean et Geno Musso*

B DOM. A. ET P. DE VILLAINE
Les Clous Aimés 2014

	25000		15 à 20 €

Ce domaine situé à Bouzeron exploite 22 ha de vignes en culture biologique, répartis dans les diverses appellations de la Côte chalonnaise. Aubert de Villaine (copropriétaire de la Romanée-Conti) et son épouse Pamela en ont confié la gestion à leur neveu Pierre de Benoist depuis 2001.

Ce joli vin or pâle et lumineux livre un bouquet floral, mâtiné de poivre blanc et légèrement fumé. En bouche, de la consistance, de l'ampleur et une belle finale persistante sur le citron et le fruit de la Passion. Un vin intense et prometteur. ⧗ 2018-2021 🍷 tajine de lotte

⊶ DE VILLAINE, 2, rue de la Fontaine, 71150 Bouzeron, tél. 03 85 91 20 50, contact@de-villaine.com V *r.-v.*

BOUZERON

Superficie : 47 ha / Production : 2 450 hl

Petit village situé entre Chagny et Rully, Bouzeron est de longue date réputé pour ses vins d'aligoté. Cette variété occupe la plus grande partie du vignoble communal. Planté sur des coteaux orientés est-sud-est, dans des sols à forte proportion calcaire, ce cépage à l'origine de vins blancs vifs s'exprime particulièrement bien, donnant naissance à des vins complexes d'une «rondeur pointue». Les vignerons du lieu, après avoir obtenu l'appellation bourgogne-aligoté-bouzeron en 1979, ont réussi à hisser l'aire de production au rang d'AOC communale.

DOM. BORGEOT Les Tournelles 2014 ★

	5600		5 à 8 €

Ce domaine familial fondé en 1903 est conduit par les frères Borgeot, Pascal et Laurent. Ses vignes sont disséminées sur 20 ha, aux confins de la Saône-et-Loire et de la Côte-d'Or.

Drapé d'or intense et profond aux mille éclats, ce bouzeron se révèle à la fois fruité et floral, souligné d'une note de mandarine qui lui confère de la noblesse. Au palais, l'attaque est souple, la matière suave sous-tendue par une fine acidité et la finale élégante et légère. Un vin harmonieux et «posé». ⧗ 2016-2019 🍷 plateau de fruits de mer

⊶ DOM. BORGEOT, rte de Chassagne, 71150 Remigny, tél. 03 85 87 19 92, borgeot.laurent@wanadoo.fr
V *r.-v.*

BOUCHARD PÈRE ET FILS
Ancien Domaine Carnot 2014 ★

	n.c.		8 à 11 €

Fondée en 1731 et propriété du Champagne Joseph Henriot depuis 1995, cette maison de négoce est à la tête d'un vaste vignoble de 130 ha, dont 12 ha en grands crus et 74 ha en 1ers crus. Elle propose une très large gamme de vins, des AOC les plus prestigieuses aux simples régionales, qui reposent dans les magnifiques caves enterrées de l'ancien château de Beaune (XVes.), conservatoire unique de très vieux millésimes.

Doré à souhait, ce 2014 évoque les fruits exotiques teintés de quelques nuances florales d'acacia. En bouche, il se montre vif, alerte et harmonieux. Un bouzeron énergique et bien typé. ⧗ 2016-2019 🍷 gambas grillées

⊶ BOUCHARD PÈRE ET FILS, Ch. de Beaune, 15, rue du Château, 21200 Beaune, tél. 03 80 24 80 24, contact@bouchard-pereetfils.com V *t.l.j. sf lun. 10h-12h30 14h30-17h30* ⊶ *Famille Henriot*

LES CHAMPS DE THEMIS Les Clous 2014

	2380		11 à 15 €

Xavier Moissenet était substitut du procureur de la République au Tribunal de Grande Instance de Chalon-sur-Saône avant de devenir vigneron en 2014,

BOURGOGNE

en acquérant 6 ha de vignes sur la Côte chalonnaise, en conversion bio.

Âgés de quarante-cinq ans, ces aligotés récoltés à la main ont donné un vin or pâle, aux senteurs de fruits blancs. Une bouche nerveuse et saline lui confère un caractère bien affirmé que le temps devrait assagir. ⧗ 2017-2020 ▼ plateau de fruits de mer

LES CHAMPS DE THEMIS, rue des Dames, 71150 Bouzeron, tél. 06 80 28 79 96, xavier.moissenet@gmail.com V r.-v. *Moissenet*

JOCELYNE CHAUSSIN La Fortune 2014 ★

	3700		5 à 8 €

Jocelyne Chaussin assure depuis 1988 la continuité de cette petite exploitation familiale (1,33 ha) ancrée depuis trois générations à Bouzeron. Respectueuse de la nature, elle travaille la vigne comme «dans l'ancien temps», sans produit chimique.

Cultivés sans désherbant chimique, des ceps d'aligoté encore jeunes (vingt-sept ans) ont donné un très beau vin qui attire l'œil avec sa robe pailletée d'or. Au nez, il s'ouvre gentiment sur des notes d'aubépine, d'acacia et d'églantine, puis sur des arômes d'agrumes et de brioche à l'aération. La bouche, à la fois élégante et intense, offre du volume et de la vivacité, renforcée par une finale sur le pamplemousse. Un vin noble et racé. ⧗ 2016-2020 ▼ sole meunière

JOCELYNE CHAUSSIN, 3, rue des Dames, 71150 Bouzeron, tél. 03 85 87 09 01, jeanlouis.chaussin@orange.fr V r.-v.

FÉLIX DEBAVELAERE 2014

	5000		8 à 11 €

Anne-Sophie Debavelaere crée son domaine à Rully en 1984. Elle est rejointe plus tard par son fils Félix, alors jeune œnologue fraîchement diplômé. Ensemble, ils gèrent aujourd'hui 11 ha sur plusieurs appellations.

Élevé un an en cuve, ce bouzeron d'une facture classique évoque au nez le citron, l'amande fraîche et la pêche de vigne. La bouche apparaît ample, vive et persistante. Simple et de bon aloi. ⧗ 2016-2018 ▼ jambon persillé

FÉLIX DEBAVELAERE, 21, rue des Buis, 71150 Rully, tél. 06 80 38 66 16, as.debavelaere@gmail.com V r.-v.

DOM. DE L'ECETTE Les Corcelles 2014

	3000		8 à 11 €

Auparavant viticulteur dans le Mâconnais, Jean Daux s'installe dans le Chalonnais (Rully) en 1983. Arrivé sur l'exploitation en 1997, son fils Vincent conduit aujourd'hui ce domaine de 15 ha souvent en vue dans ces pages.

Régulièrement apprécié pour ses rully frais et fruités, le domaine signe ici son premier millésime dans l'appellation bouzeron. Un 2014 au caractère solide, ouvert sur des notes crayeuses et acidulées. Le palais est bien structuré par une tension minérale enveloppée d'une chair moelleuse. On peut l'attendre mais aussi le servir dès maintenant. ⧗ 2016-2019 ▼ gougères au chèvre

EARL VINCENT DAUX, Dom. de l'Ecette, 21, rue de Geley, 71150 Rully, tél. 03 85 91 21 52, daux.vincent@wanadoo.fr V r.-v.

DOM. DE L'EXCELLENCE Cuvée Exception 2014 ★

	5000		11 à 15 €

Après dix années chez Antonin Rodet et cinq chez Albert Bichot, Benoît Charbonnaud a décidé de se mettre à son compte, avec l'aide de quelques amis, pour créer en 2011 ce modeste domaine de 4,2 ha.

«Un bouzeron bien dans ses bottes», l'expression d'un dégustateur résume les qualités d'harmonie de ce vin à savourer à l'apéritif. Or blanc brillant, ses arômes rappellent les agrumes, la fleur d'aubépine et l'ananas. Souple dès l'attaque, la bouche bénéficie d'une belle progression, équilibrée entre consistance et acidité. ⧗ 2016-2019 ▼ toasts de saumon fumé

DOM. DE L'EXCELLENCE, 7, chem. de la Plaine, 71150 Rully, tél. 03 85 87 27 78, benoit.charbonnaud@wanadoofr V r.-v. *Charbonnaud*

GOUFFIER En Rabeutelot 2014

	1800		11 à 15 €

Ayant appartenu à la famille Gouffier pendant plus de deux cents ans, ce petit domaine de 5,5 ha a été repris en 2012 par Frédéric Gueugneau, ancien directeur administratif de la cave coopérative La Chablisienne, qui a créé en parallèle une activité de négoce destinée à l'achat de vendanges sur pied.

Issu de la partie négoce, ce bouzeron jaune d'or a besoin d'une petite aération pour livrer ses arômes fruités et boisés. Rond et même moelleux en attaque, le palais laisse s'immiscer au fil de la dégustation une acidité appuyée qui le rafraîchit et l'allonge. Courte garde conseillée pour plus de fondu. ⧗ 2017-2020 ▼ salade de poulpe

GOUFFIER, 11, Grande-Rue, 71150 Fontaines, tél. 06 47 00 01 04, vins.gouffier@gmail.com. V r.-v. *Gueugneau*

B DOM. A. ET P. DE VILLAINE 2014 ★

	80000		15 à 20 €

Ce domaine situé à Bouzeron exploite 22 ha de vignes en culture biologique répartis dans les diverses appellations de la Côte chalonnaise. Aubert de Villaine (copropriétaire de la Romanée-Conti) et son épouse Pamela en ont confié la gestion à leur neveu Pierre de Benoist depuis 2001.

Ces vieux ceps d'aligoté doré de soixante cinq ans ont été cueillis soigneusement à la main dans les derniers jours de septembre. Vinifié en foudre de bois, puis élevé sur lies sans bâtonnage pendant douze mois, ce 2014 arbore de jolis reflets couleur paille. Son nez bien typé rappelle les fleurs blanches, les fruits secs et les agrumes. Cette complexité aromatique se retrouve dans une bouche équilibrée et minérale. Il gagnera à vieillir un an ou deux. ⧗ 2017-2020 ▼ mâconnais affiné

DE VILLAINE, 2, rue de la Fontaine, 71150 Bouzeron, tél. 03 85 91 20 50, contact@de-villaine.com V r.-v.

RULLY

Superficie : 357 ha
Production : 16 050 hl (65 % blanc)

La Côte chalonnaise assure la transition entre le vignoble de la Côte-d'Or et celui du Mâconnais. L'appellation rully déborde de sa commune d'origine

sur celle de Chagny, petite capitale gastronomique. Nés sur le jurassique supérieur, les rully sont aimables et généralement de bonne garde. Certains lieux-dits classés en 1er cru ont déjà accédé à la notoriété.

♥ DOM. BELLEVILLE La Perche 2014 ★★

■	6250	🛢	11 à 15 €

Né à Rully au début du XXe s., ce domaine compte 24,8 ha répartis de la Côte chalonnaise à la Côte de Nuits. Il est rattaché au Ch. de Messey (Mâconnais) et au Manoir Murisaltien (Côte-d'Or), propriétés de la famille Dumont.

Teinté d'or clair tirant sur le vert, ce vin est un véritable feu d'artifice floral: chèvrefeuille, lys, muguet... Une attaque ronde et séveuse introduit un palais ample, étoffé, minéral, étiré dans une longue finale «poivre et sel» qui apporte un surcroît de relief et de dynamisme. Un beau vin complet et racé qui s'appréciera aussi bien jeune qu'après quelques années de garde. ⧗ 2017-2021 🍴 filet de bar aux agrumes ■ **1er cru Les Cloux 2014 ★★** (15 à 20 €; **5500 b.)** : un vin très élégant, floral et bien boisé, ample, riche et rond, souligné par une longue finale minérale et acidulée. ⧗ 2019-2023 ■ **1er cru Chapitre 2014 (15 à 20 €; 2700 b.)** : vin cité.

⊶ DOM. BELLEVILLE, 6, ZA Les Champs-Rouges, 71150 Rully, tél. 03 85 91 06 00, contact@demessey.com V 🚶 ▮ *r.-v. ⊶ Dumont*

CAVE DE BISSEY 2014 ★

■	8360	🛢 ▮	8 à 11 €

Fondée en 1928, la cave de Bissey est la plus ancienne coopérative de la Côte chalonnaise. Elle vinifie aujourd'hui sur 86 ha toutes les appellations régionales et communales, et même des 1ers crus en AOC montagny.

Ce vin s'ouvre lentement à l'aération sur une palette aromatique discrète mais complexe mêlant la vanille, l'abricot et la pêche mûrs. Un côté suave que l'on perçoit aussi dans un palais ample et fruité, soutenu par une fine trame acidulée. Un ensemble atypique mais harmonieux. ⧗ 2016-2019 🍴 crevettes au lait de coco

⊶ CAVE DE BISSEY, Les Millerands, 71390 Bissey-sous-Cruchaud, tél. 03 85 92 12 16, cave.bissey@wanadoo.fr V ▮ *t.l.j. sf dim. 9h-12h 14h-18h30*

♥ DOM. MICHEL BRIDAY Clos de Remenot 2014 ★★

■	3500	🛢	20 à 30 €

Les Briday sont vignerons de père en fils: Stéphane, le fils de Michel, est installé depuis 1989 à la tête de ce domaine qui s'étend sur 16 ha implantés au cœur du village de Rully.

D'un bel éclat, animé de reflets dorés, ce 2014 livre un bouquet fin et élégant, floral et légèrement mentholé. Dans la continuité, la bouche apparaît riche, complexe, structurée par un boisé bien fondu et rafraîchie par une finale saline, qui lui apporte beaucoup de relief et d'allonge. «Du niveau d'un 1er cru», conclut un dégustateur. ⧗ 2017-2021 🍴 lotte au beurre blanc ■ **1er cru Les Cloux 2014 ★ (15 à 20 €; 3000 b.)** : une palette aromatique large (amande, poire, vanille et épices) et un palais riche souligné par une fine vivacité composent un 1er cru bien équilibré. ⧗ 2018-2021 ■ **1er cru Gresigny 2014 (15 à 20 €; 8000 b.)** : vin cité.

⊶ DOM. MICHEL BRIDAY, 31, Grande-Rue, 71150 Rully, tél. 03 85 87 07 90, domainemichelbriday@orange.fr V ▮ *t.l.j. sf sam. dim. 9h-12h 14h-17h; f. 15-30 août* 🏠 B

BOURGOGNE

MAISON CHANZY Les Préaux 2014 ★

■ 1er cru	12000	🛢	15 à 20 €

Implanté à Bouzeron, ce domaine de 32 ha (en Côte chalonnaise, avec un pied en Côte de Beaune et en Côte de Nuits) est exploité depuis 2013 par Jean-Baptiste Jessiaume, son régisseur et maître de chai, issu d'une lignée vigneronne de Santenay. Anthony Colas est l'œnologue. Une maison de négoce complète la propriété.

Plantés sur une terre brune et argileuse, des ceps de pinot noir vendangés à la main mi-septembre ont donné après dix-huit mois de fût ce vin grenat de belle brillance, au nez fruité (cerise, mûre, cassis, confiture de vieux garçon) et boisé (vanille, pain grillé). Ces arômes se prolongent dans une bouche fraîche, souple et équilibrée, aux tanins fins et veloutés. ⧗ 2016-2020 🍴 pintade rôtie ■ **En Rosey 2014 (15 à 20 €; 10000 b.)** : vin cité.

⊶ MAISON CHANZY, 6, rue de la Fontaine, 71150 Bouzeron, tél. 03 85 87 23 69, domaine@chanzy.com V 🚶 ▮ *t.l.j. sf sam. dim. 8h-12h 13h30-17h30*

JEAN CHARTRON Montmorin 2014 ★

■	16000	🛢 ▮	15 à 20 €

Créé en 1859 par le tonnelier Jean-Édouard Dupard, ce domaine d'une grande constance, bien implanté dans les grands crus de Puligny, dispose d'un vignoble de 13 ha – planté à 90 % de chardonnay – et de trois monopoles (Clos de la Pucelle et Clos du Cailleret en puligny, Clos des Chevaliers en chevalier-montrachet), conduits en bio non certifié. Jean-Michel Chartron est aux commandes depuis 2004; l'un de ses credo: «Du bois, oui, mais pas trop.» Une valeur sûre.

Issu d'achats de raisins, ce 2014 attire l'œil par sa grande brillance et sa couleur or vert. Au nez, il se révèle très floral (chèvrefeuille et verveine), mâtiné de subtiles touches boisées. Suit une bouche fruitée, ample et tendre, dynamisée par une finale minérale. ⧗ 2016-2019 🍴 blanquette de veau à l'ancienne

⊶ SCEA JEAN CHARTRON, 8 bis, Grande-Rue, 21190 Puligny-Montrachet, tél. 03 80 21 99 19, info@jeanchartron.com V 🚶 ▮ *t.l.j. sf lun. mar. mer. 10h-12h 14h-18h; f. déc.-mars*

FÉLIX DEBAVELAERE Clos du Moulin à vent 2013 ★

■	2500	🛢	11 à 15 €

Anne-Sophie Debavelaere crée son domaine à Rully en 1984. Elle est rejointe plus tard par son fils Félix, alors

jeune œnologue fraîchement diplômé. Ensemble, ils gèrent aujourd'hui 11 ha sur plusieurs appellations.

Ce rully séduit d'emblée par sa robe pâle aux reflets verts et par son bouquet de citron et de fruits blancs mûrs (coing, poire). On retrouve ces arômes dans un palais bien équilibré entre douceur et acidité, qui s'achève avec élégance sur des notes minérales vivifiantes. ⧗ 2016-2019 Ỳ friture de poisson ■ **Dom. Rois Mages Chaponnières 2013 (15 à 20 €; 1100 b.)** : vin cité.

FÉLIX DEBAVELAERE, 21, rue des Buis, 71150 Rully, tél. 06 80 38 66 16, as.debavelaere@gmail.com V r.-v.

DUVERNAY PÈRE ET FILS
Les Champs Cloux 2014 ★

■ 1er cru	n.c.		11 à 15 €

Propriété fondée par Georges Duvernay en 1973 avec un seul hectare de vigne. Elle compte aujourd'hui 17 ha et est dirigée depuis 2000 par ses enfants Dominique et Patricia.

Frais et franc, le bouquet de ce rully se compose de petits fruits rouges et noirs auxquels s'ajoutent des notes de bourgeons de cassis et de vanille. Une attaque vive et alerte laisse place à une bouche ample, ronde, tendre et soyeuse, épaulée par des tanins fins. Un vin déjà agréable mais que la garde bonifiera encore. ⧗ 2018-2023 Ỳ filet de bœuf en croûte ■ **1er cru Les Raclots 2014 ★ (11 à 15 €; 2400 b.)** : un joli vin complexe (vanille, grillé, noisette, coing, touche minérale), ample, mûr, gras en bouche, avec une belle finale saline en soutien. ⧗ 2017-2021 ■ **1er cru Rabourcé 2014 ★ (11 à 15 €; 11500 b.)** : un 1er cru exotique, minéral et vanillé au nez, chaleureux, suave et puissant en bouche, avec des notes atypiques… de rhum arrangé. ⧗ 2017-2021

GFA DUVERNAY PÈRE ET FILS, 4, rue de l'Hôpital, 71150 Rully, tél. 03 85 87 04 69, gfaduvernay@wanadoo.fr V r.-v.

DOM. DE L'ECETTE Les Gaudoirs 2014 ★★

■	15000		11 à 15 €

Auparavant viticulteur dans le Mâconnais, Jean Daux s'installe dans le Chalonnais (Rully) en 1983. Arrivé sur l'exploitation en 1997, son fils Vincent conduit aujourd'hui ce domaine de 15 ha souvent en vue dans ces pages.

Doré, clinquant comme de l'or, ce blanc possède un nez flatteur qui rappelle la crème fouettée à la vanille. Des arômes pâtissiers prolongés avec gourmandise par un palais gras, rond, riche, stimulé par une élégante minéralité en finale. Un rully bien bâti, très équilibré. ⧗ 2017-2021 Ỳ feuilleté au chèvre ■ **La Gaudine 2014 ★ (11 à 15 €; 3600 b.)** : une cuvée qui séduit par son fruité soutenu (mangue, agrumes, pêche), sa fraîcheur, sa finesse et son élégance en bouche. ⧗ 2017-2021

EARL VINCENT DAUX, Dom. de l'Ecette, 21, rue de Geley, 71150 Rully, tél. 03 85 91 21 52, daux.vincent@wanadoo.fr V r.-v.

DOM. DE LA FOLIE
Clos de la Folie Monopole 2014 ★

■	6850		11 à 15 €

Le domaine de la Folie jouit d'un panorama exceptionnel de toute la Côte chalonnaise jusqu'à Nuits-Saint-Georges. Il appartient depuis 1870 à la famille Noël-Bouton. La cinquième génération – Baptiste (ingénieur) et Clémence Dubrulle (ancienne attachée de presse) – a repris les commandes des 12,25 ha de vignes familiales en 2010.

D'un or blanc presque cristallin, ce rully dévoile à l'olfaction d'intenses senteurs de fruits mûrs: poire, pomme, pêche et raisin muscat. La bouche est bien construite entre rondeur et vivacité, et s'éternise en finale sur de jolies notes de mandarine. ⧗ 2016-2020 Ỳ saint-jacques au beurre d'agrumes ■ **Clos de Bellecroix 2014 (11 à 15 €; 4612 b.)** : vin cité.

DOM. DE LA FOLIE, chem. de la Folie, 71150 Chagny, tél. 03 85 87 18 59, contact@domainedelafolie.fr V *t.l.j. 8h-20h* *Dubrulle*

GOUFFIER Meix de Pellerey 2014

■	1500		15 à 20 €

Ayant appartenu à la famille Gouffier pendant plus de deux cents ans, ce petit domaine de 5,5 ha a été repris en 2012 par Frédéric Gueugneau, ancien directeur administratif de la cave coopérative La Chablisienne, qui a créé en parallèle une activité de négoce destinée à l'achat de vendanges sur pied.

Né de 25 ares de pinot noir enraciné sur un sol limoneux et calcaire et récolté à la main, ce vin grenat éclatant dévoile un nez fin, fruité et élégant de framboise, de cerise et de coulis de cassis. En bouche, une bonne association entre rondeur et acidité et une finale minérale qui confère un surcroît de complexité et d'énergie. ⧗ 2018-2021 Ỳ magret de canard aux airelles

GOUFFIER, 11, Grande-Rue, 71150 Fontaines, tél. 06 47 00 01 04, vins.gouffier@gmail.com. V *r.-v.* *Gueugneau*

LOUIS JADOT 2013

■	11000		15 à 20 €

Fondée en 1859, la maison Jadot, établie au cœur de Beaune, a été acquise en 1984 par la famille Kopf, son importateur américain historique, mais a gardé son identité bourguignonne avec la présidence de Pierre-Henri Gagey. Entre ses propriétés et son négoce, elle rayonne sur 210 ha de vignes en Côte d'Or, Mâconnais et Beaujolais.

Une expression agréable mêlant notes briochées, pain grillé et arômes de citron se dégage du verre. Ample, riche et de bonne longueur, la bouche s'étire longuement sur des saveurs empyreumatiques encore un peu prégnantes. À réserver aux amateurs de blancs boisés ou à attendre pour que tout cela se fonde. ⧗ 2016-2020 Ỳ blanquette de veau

LOUIS JADOT, 21, rue Spuller, 21200 Beaune, tél. 03 80 22 10 57, maisonlouisjadot@louisjadot.com V *t.l.j. sf dim. 8h-12h 14h-18h* *Kopf*

B DOM. JAEGER-DEFAIX Rabourcé 2014 ★★

■ 1er cru	2600		20 à 30 €

Épouse de Bernard Defaix, vigneron à Chablis, Hélène Jaeger a repris en 2005 l'exploitation de sa grande-tante Henriette Niepce. Elle a engagé la conversion bio dans la foulée (certification en 2009).

Cette cuvée se présente dans une seyante robe or pâle, le nez empreint de senteurs complexes et fines de fleurs blanches (aubépine, acacia) et d'agrumes. La bouche, riche et généreuse, parfaitement équilibrée par une acidité fondue aux tonalités citronnées, déploie une longue finale sur la pêche et l'abricot. Du peps et de l'élégance. ⧗ 2018-2022 ♈ poulet de Bresse aux citrons ■ **1er cru Clos du Chapitre 2014 ★★ (20 à 30 €; 7000 b.)** Ⓑ : un vin fruité et épicé au nez, ample, rond et généreux en bouche, adossé à des tanins élégants et soyeux. ⧗ 2019-2026

⊶ DOM. JAEGER-DEFAIX, 20, rue des Buis, 71150 Rully, tél. 03 86 42 40 75, contact@jaeger-defaix.com
V r.-v.

JAFFELIN 2014 ★

	4560	11 à 15 €

Cette maison de négoce-éleveur implantée à Beaune depuis 1816 appartient à la galaxie des vins Boisset. Elle conserve son autonomie d'achat avec Marinette Garnier à sa tête, une jeune œnologue qui a pris la suite de Prune Amiot en 2011. En vue notamment pour ses pernand-vergelesses et ses auxey-duresses.

Ce 2014 dévoile un nez complexe qui allie la pêche, l'abricot et l'amande fraîche à des nuances plus exotiques. La bouche, riche et ample, fait preuve de la même complexité aromatique, avec en finale des arômes persistants de pêche de vigne. Beaucoup d'harmonie dans cette bouteille. ⧗ 2016-2020 ♈ poulet au citron

⊶ MAISON JAFFELIN, 2, rue Paradis, 21200 Beaune, tél. 03 80 22 12 49, jaffelin@maisonjaffelin.com
V r.-v.

CLAUDIE JOBARD Les Cloux 2013 ★

1er cru	3000		15 à 20 €

Cette vigneronne installée depuis 2006 dans le village de Demigny, en Saône-et-Loire, a repris en 2011 les vignes de son grand-père Gabriel Billard, ajoutant à sa gamme de rully quelques arpents de pommard et de beaune 1er cru. Le tout représente aujourd'hui 9,5 ha.

Ce 2013 offre un bouquet complexe qui mêle la pomme, les raisins secs, la vanille, le café et des notes gourmandes de frangipane. Une richesse aromatique que l'on retrouve dans une bouche ample, fraîche, tonique et longue. Un vin harmonieux, cohérent, avec une vraie personnalité. ⧗ 2016-2020 ♈ turbot au beurre blanc **Montagne La Folie 2014 ★ (11 à 15 €; 18000 b.)** : un joli *village* aux accents citronnés et épicés, riche et dense en bouche, avec une fine minéralité en appoint. ⧗ 2016-2020

⊶ DOM. CLAUDIE JOBARD, 5, rte de Beaune, 71150 Demigny, tél. 03 85 49 46 81, contact@domaineclaudiejobard.fr V r.-v.

MANOIR DE MERCEY Cuvée Louise 2014 ★

	3000		8 à 11 €

Gérard Berger-Rive a fondé ce domaine en 1943, au cœur des Maranges. Xavier, son fils, a pris la relève en 1977 et développé la surface du vignoble pour la porter à 22 ha, principalement situés dans le secteur des Hautes-Côtes. La troisième génération (Paul Berger) a rejoint le domaine en 2015.

Fermenté en fûts de chêne, dont 25 % de neufs, et bâtonné dix mois durant, ce rully se montre d'abord discret avant de s'ouvrir à l'aération sur des notes florales (aubépine) et fruitées (pomme granny, poire williams, mandarine). Une attaque franche et généreuse ouvre sur une bouche ronde et soyeuse, structurée par un boisé élégant aux accents d'amande grillée qui laisse le fruit (la pêche blanche notamment) s'exprimer. À boire ou à attendre. ⧗ 2016-2021 ♈ poularde à la crème

⊶ DOM. BERGER-RIVE, Manoir de Mercey, 2, rue Saint-Louis, 71150 Cheilly-lès-Maranges, tél. 03 85 91 13 81, contact@berger-rive.fr
V r.-v.

PIGNERET FILS 2014

	4400	8 à 11 €

Installés du côté de Givry (2001), les frères Éric et Joseph Pigneret, quatrièmes du nom à conduire le domaine familial (30 ha), ont créé la marque de négoce Pigneret Fils pour enrichir leur gamme. Ils achètent ainsi des raisins et des moûts qu'ils vinifient et élèvent dans leur chai.

D'un jaune clair typique, cet agréable rully dévoile un bouquet complexe de petites fleurs blanches (tilleul, acacia), d'ananas et d'agrumes. En bouche, il se révèle souple, suave sans lourdeur, équilibré par une bonne acidité et bien persistant sur le fruit. Un vin flatteur, à découvrir dès aujourd'hui. ⧗ 2016-2019 ♈ saumon fumé

⊶ PIGNERET FILS DPM, Vingelles, 71390 Moroges, tél. 03 85 47 15 10, domaine.pigneret@orange.fr
V *t.l.j. 9h-12h 14h-19h; dim. 9h-12h*

DOM. JEAN-BAPTISTE PONSOT Molesme 2014 ★

1er cru	10500		15 à 20 €

Bernard Ponsot, «encyclopédie vivante» de l'histoire de Rully et de son vignoble, lègue son domaine à son fils Jean-Baptiste en 2000. Depuis, celui-ci n'a eu de cesse d'améliorer la qualité des vins, nés de 8,5 ha de vignes.

Ce 2014 d'un beau rubis intense livre un bouquet éclatant de cassis et de cerise, agrémenté de senteurs de boisé torréfié. Déjà harmonieux au palais, savoureux mais sans exubérance, il s'appuie sur une charpente tannique à la fois ferme et élégante qui autorise une belle garde. ⧗ 2019-2026 ♈ civet de lièvre **1er cru Montpalais 2014 (15 à 20 €; 13000 b.)** : vin cité.

⊶ JEAN-BAPTISTE PONSOT, 26, Grande-Rue, 71150 Rully, tél. 03 85 87 17 90, domaine.ponsot@orange.fr V *r.-v.*

CH. DE RULLY La Bressande 2014

1er cru	19657		15 à 20 €

Fondée en 1875, la maison Antonin Rodet, négoce établi en Côte chalonnaise, propose une vaste gamme de vins de toute la Bourgogne. Elle possède aussi les Ch. de Mercey (45 ha au sud de la Côte de Beaune et en Côte chalonnaise) et Ch. de Rully (32 ha en rully). Depuis 2010, elle appartient au groupe Boisset.

Or vert brillant et limpide à la fois, ce rully séduit d'emblée. Au nez, le charme agit aussi, à travers un doux parfum de pollen et de miel. L'attaque est tendre, sur le fruit blanc mûr, le milieu de bouche large et la finale ample et opulente. Un rully «qui joue des coudes» et qu'il convient d'attendre un peu. ⧗ 2018-2021 ♈ truite aux amandes

DOM. DE LA BRESSANDE, 55, Grande-Rue, 71640 Mercurey, tél. 03 85 98 12 12, contact@rodet.com V r.-v. *Antonin Rodet*

DOM. DE RULLY SAINT-MICHEL
Rabourcé 2013 ★

1er cru	1200		15 à 20 €

Autrefois rattaché au château Saint-Michel, ce domaine créé par le Grand Argentier de Napoléon III, Yvert de Saint-Aubin, est géré par ses lointains descendants Solange des Déserts et Emmanuel de Bodard. Le vignoble couvre 11,3 ha.

Après douze mois passés en fût de chêne, ce vin se présente dans une robe limpide et brillante. Son nez, floral de prime abord, est souligné d'un boisé délicat et d'une minéralité tranchante. Après une attaque fraîche et plaisante, le palais développe une rondeur charmante à laquelle s'ajoutent des saveurs de pain grillé et de vanille. Un bel ensemble harmonieux et fin à déguster aussi bien dans sa jeunesse qu'après quelques années de garde. 2017-2021 volaille à la crème

DOM. DE RULLY SAINT-MICHEL, 42, rue du Château, 71150 Rully, tél. 03 85 91 28 63, domainerullysaintmichel@hotmail.fr V r.-v. *de Bodard*

SEGUIN MANUEL Vieilles Vignes 2014 ★

	2400		15 à 20 €

Thibaut Marion a repris en 2004 cette maison fondée à Savigny en 1824 et aujourd'hui établie à Beaune. En parallèle de son activité de négoce, il exploite un domaine (en bio certifié depuis 2015) dont il a porté la superficie de 3,5 à 8,5 ha, essentiellement en Côte de Beaune.

Issue d'achats de raisins, cette cuvée exhale des senteurs fraîches et élégantes d'agrumes et de fruits blancs, relayées après aération par des notes florales. Une belle harmonie caractérise la bouche, entre rondeur, tonicité et minéralité persistante. Jolie finale saline qui renforce le côté dynamique de ce vin. 2017-2020 moules farcies

DOM. SEGUIN-MANUEL, 2, rue de l'Arquebuse, 21200 Beaune, tél. 03 80 21 50 42, contact@seguin-manuel.com V r.-v.

ALBERT SOUNIT
Les saint-jacques 2014 ★

	5866		15 à 20 €

Fondée en 1851 par Flavien Jeunet, cette maison de négoce, qui possède aussi 12 ha de vignes en propre, a été reprise dans les années 1930 par la famille Sounit, qui l'a cédée à son importateur danois en 1993. L'une des valeurs sûres de la Côte chalonnaise, en vins tranquilles comme en effervescents.

Après neuf mois d'élevage en fût, le boisé est bien fondu dans un bouquet intense, minéral et fruité (poire mûre). En bouche, ce rully présente un caractère affirmé et un bel équilibre: de la rondeur, de la douceur et de l'acidité. 2016-2019 escalope de veau à la crème **1er cru La Pucelle 2014 (15 à 20 €; 3648 b.)** : vin cité.

MAISON ALBERT SOUNIT, 5, pl. du Champ-de-Foire, 71150 Rully, tél. 03 85 87 20 71, albert.sounit@wanadoo.fr V r.-v. *K. Kjellerup*

MERCUREY

Superficie : 645 ha
Production : 27 700 hl (80 % rouge)

Situé à 12 km au nord-ouest de Chalon-sur-Saône, Mercurey jouxte au sud le vignoble de Rully. C'est l'appellation communale la plus importante en volume de la Côte chalonnaise. Le vignoble s'étage entre 250 et 300 m d'altitude autour de Mercurey (fusionnée avec Bourgneuf-Val-d'Or) et de Saint-Martin-sous-Montaigu. Plus charpentés sur marnes, plus fins sur sols caillouteux, les vins sont en général solides et aptes à la garde (jusqu'à six ans, voire davantage). Parmi trente-deux *climats* classés en 1ers crus, on citera Les Champs Martin, Clos des Barrault ou encore Clos l'Évêque.

DOM. BRINTET Vieilles Vignes 2014 ★

	2500		15 à 20 €

Famille vigneronne depuis le XVIe s., les Brintet ont pris leurs quartiers dans une belle bâtisse à la sortie du village de Mercurey où ils conduisent 9,5 ha de vignes.

Doré à l'or fin, ce mercurey laisse échapper de nombreuses senteurs de fruits jaunes mûrs et d'agrumes confits soutenues par des notes minérales plus fraîches. Le palais est en harmonie avec le nez, intense, savoureux, bien équilibré entre richesse et fine acidité. 2017-2020 saint-jacques au yuzu **2014 (11 à 15 €; 2500 b.)** : vin cité.

DOM. BRINTET, 105, Grande-Rue, 71640 Mercurey, tél. 03 85 45 14 50, domaine.brintet@wanadoo.fr r.-v.

DOM. DU CELLIER AUX MOINES
Les Margotons 2014 ★

	3000		15 à 20 €

Fondé en 1258 par les moines cisterciens, propriété d'une seule et même famille après la Révolution française, ce domaine classé Monument historique a été acquis et restauré à partir de 2004 par Philippe Pascal, ancien cadre dirigeant chez LVMH, avec son épouse Catherine et ses trois enfants. En 2007 a eu lieu la première vinification depuis la Révolution dans un cuvage rénové. Le vignoble (7,5 ha) est essentiellement constitué des 4,7 ha de pinot noir du Clos du Cellier aux Moines, un des 1ers crus historiques de Givry, complétés par quelques hectares de chardonnay en Côte de Beaune.

D'un seyant jaune brillant à reflets dorés, ce 2014 dévoile un nez engageant, floral et fruité. La bouche ample, souple et harmonieuse laisse toutefois percevoir en finale une prédominance boisée. Un vin prometteur, qu'une garde de quelques années devrait magnifier. 2018-2021 blanquette de veau

DOM. DU CELLIER AUX MOINES, Clos du Cellier aux Moines, 71640 Givry, tél. 03 85 44 53 75, contact@cellierauxmoines.fr V r.-v. *Famille Pascal*

CH. DE CHAMILLY Clos la Perrière Monopole 2013

	12000		11 à 15 €

Véronique Desfontaine est, depuis 1999 et le décès de son mari, à la tête de l'ancienne demeure du marquis de Chamilly. En 2007, ses deux fils, Xavier et Arnaud, l'ont

rejointe et ils exploitent ensemble un vignoble de 26 ha, complété en 2008 par le rachat du Ch. de Carry-Potet à Buxy.

Un joli vin plein de promesses, centré sur les fruits mûrs, la réglisse et des senteurs boisées pour l'heure dominantes. La bouche, encore stricte et serrée, possède de bons atouts pour une évolution sereine: beaucoup de fruits, une chair dense, des tanins de belle noblesse et une longue finale épicée. Ce mercurey gagnera son étoile en cave. ⧗ 2019-2026 ▼ marinade de sanglier

⊶ EARL CH. DE CHAMILLY, 7, allée du Château, 71510 Chamilly, tél. 03 85 87 22 24, contact@chateaudechamilly.com
V ⚐ ■ r.-v. ⊶ Desfontaine

CH. DE CHAMIREY Clos du Roy 2013 ★

■ 1er cru | 20000 | (fût) | 30 à 50 €

Propriété de la famille Devillard, ce domaine emblématique a développé son activité viticole dans les années 1930, sous l'impulsion du marquis de Jouennes. Les héritiers de ce dernier, Bertrand Devillard et ses enfants Amaury et Aurore, conduisent aujourd'hui un vaste vignoble de 39 ha.

Élevé quinze mois en fûts de chêne (dont 40 % de fûts neufs), ce Clos du Roy révèle néanmoins une belle qualité de fruits (cerise, cassis) accompagnée de senteurs épicées et vanillées. Le palais, dense et savoureux, dévoile lui aussi un beau fruité franc et très persistant, qui tient les tanins en respect. ⧗ 2019-2022 ▼ côte de bœuf ■ **2013 (20 à 30 €; 64000 b.)** : vin cité.

⊶ CH. DE CHAMIREY, Chamirey, 71640 Mercurey, tél. 03 85 45 21 61, contact@chateaudechamirey.com
V ⚐ ■ t.l.j. sf dim. 10h-19h ⊶ Devillard

Ⓑ LES CHAMPS DE THEMIS Les Bouères 2014

■ | 1100 | (fût) | 15 à 20 €

Xavier Moissenet était substitut du procureur de la République au Tribunal de Grande Instance de Chalon-sur-Saône avant de devenir vigneron en 2014, en acquérant 6 ha de vignes sur la Côte chalonnaise, en conversion bio.

Des pinots noirs de cinquante ans plantés sur un sol argilo-calcaire ont donné ce vin très concentré, dans lequel on distingue des notes de griotte, de framboise et de confiture de vieux garçon. La bouche doit encore s'harmoniser mais elle dégage un réel potentiel: des tanins fins, du volume, un bon boisé épicé. ⧗ 2019-2022 ▼ salmis de pintade

⊶ LES CHAMPS DE THEMIS, rue des Dames, 71150 Bouzeron, tél. 06 80 28 79 96, xavier.moissenet@gmail.com V ⚐ ■ r.-v. ⊶ Moissenet

MAISON CHANZY Clos du Roy 2014

□ 1er cru | 3500 | (fût) | 20 à 30 €

Implanté à Bouzeron, ce domaine de 32 ha (en Côte chalonnaise, avec un pied en Côte de Beaune et en Côte de Nuits) est exploité depuis 2013 par Jean-Baptiste Jessiaume, son régisseur et maître de chai, issu d'une lignée vigneronne de Santenay. Anthony Colas est l'œnologue. Une maison de négoce complète la propriété.

Issue de jeunes plants de chardonnay vendangés à la main, cette cuvée a séjourné douze mois en fût. Sa robe jaune pâle éclairée de reflets or vert est engageante. Le nez confirme cette bonne impression et déploie une palette aromatique complexe: notes minérales, agrumes, fleurs blanches, nuances vanillées. La bouche se montre bien équilibrée entre boisé fin, rondeur et fraîcheur terroitée. ⧗ 2017-2021 ▼ sandre au beurre blanc

⊶ MAISON CHANZY, 6, rue de la Fontaine, 71150 Bouzeron, tél. 03 85 87 23 69, domaine@chanzy.com
V ⚐ ■ t.l.j. sf sam. dim. 8h-12h 13h30-17h30

DANJEAN-BERTHOUX
Les Chavances 2014

■ | 4800 | (fût) | 11 à 15 €

Blotti au pied du célèbre mont Avril, le petit village bourguignon de Jambles développe sa vocation viticole ainsi que l'élevage de la célèbre race bovine charolaise. Pascal Danjean y élabore ses vins depuis 1993, à la tête aujourd'hui de 11,6 ha de vignes.

Ce 2014 s'ouvre sur des senteurs fines de fruits rouges et de pivoine, mêlées à d'agréables notes boisées. Sa bouche fine et fruitée, étayée par des tanins souples et élégants, est d'ores et déjà harmonieuse. À boire ou à attendre un peu. ⧗ 2016-2021 ▼ rôti de veau aux trompettes de la mort

⊶ DANJEAN-BERTHOUX, Le Moulin-Neuf, 45, rte de Saint-Désert, 71640 Jambles, tél. 03 85 44 54 74, danjean.berthoux@wanadoo.fr
V ⚐ ■ t.l.j. 8h-12h 13h30-19h

ANDRÉ DELORME Clos l'Évêque 2013

■ | 3930 | (fût) | 15 à 20 €

Spécialisée dans le crémant-de-bourgogne et les vins de la Côte chalonnaise, cette maison créée par André Delorme en 1942 a été rachetée en 2005 par Éric Piffaut, qui l'a installée à Rully dans des chais équipés d'une cuverie des plus modernes. En 2010, elle a fusionné avec la maison Propser Maufoux de Santenay pour devenir la Maison des Grands Crus et s'enrichir ainsi de vins de la Côte de Beaune.

Le nez, bien ouvert dès l'approche, développe des arômes de fruits rouges et noirs sur un fond boisé. La bouche révèle une chair fine et d'élégantes saveurs fruitées. En finale, les tanins encore fermes demandent un peu de temps pour s'affiner. ⧗ 2019-2022 ▼ carré d'agneau

⊶ MAISON DES GRANDS CRUS (ANDRÉ DELORME), 1, pl. du Jet-d'Eau, 21590 Santenay, tél. 03 85 87 10 12, contact@andre-delorme.com
V ⚐ ■ t.l.j. sf dim. 10h-12h 14h-17h ⊶ Éric Piffaut

DOM. P. ET F. DUVERNAY
La Perrière 2014 ★

□ | 3700 | (fût) | 11 à 15 €

Propriété fondée par Jean et Thérèse Duvernay en 1970 avec 7 ha de vignes. Aujourd'hui, elle en compte 20 et est dirigée par leur fils Jean-Luc. En 2014, Floriane, la fille de Jean-Luc, obtient son diplôme d'œnologue et rejoint le domaine.

Sous des nuances dorées, ce blanc dévoile un nez expressif d'agrumes souligné par une élégante touche florale (chèvrefeuille, tilleul, aubépine). La bouche, souple et tendre en attaque, se révèle tout aussi distinguée et aromatique, avec une finale saline et minérale qui lui confère du relief et de la longueur. ⧗ 2018-2021 ¶ langouste grillée

⊶ *DOM. P. ET F. DUVERNAY, 6, rue du Closeau, 71640 Mercurey, tél. 03 85 45 12 56, domaine.duvernay@orange.fr* V *t.l.j. 10h-12h 14h-19h; sam. dim. sur r.-v.*

DOM. DE L'ÉVÊCHÉ Les Ormeaux 2014

■ | 4800 | ◍ | 11 à 15 €

Sylvie et Vincent Joussier sont installés depuis 1985 sur ce domaine de 13 ha auparavant planté en fruitiers. Bien qu'encore très jeunes, les deux enfants du couple participent déjà à l'aventure viticole familiale.

Des notes de fruits noirs s'échappent du verre. La bouche, plus épicée sans manquer de fruit, propose une bonne mâche autour de tanins de qualité, encore un peu fermes en finale. ⧗ 2018-2021 ¶ gigot d'agneau

⊶ *EARL VINCENT JOUSSIER, 6, rue de l'Évêché, 71640 Saint-Denis-de-Vaux, tél. 03 85 44 30 43, vincentjoussier@cegetel.net* V *t.l.j. 8h-19h; f. 15-31 août*

DOM. DE LA FRAMBOISIÈRE Le Clos du Roy 2014

■ 1er cru | 13000 | ◍ | 20 à 30 €

Cette maison de négoce fondée à Nuits-Saint-Georges en 1825 est un nom qui compte en Bourgogne depuis sept générations. À sa tête depuis 2005, Erwan Faiveley, qui a succédé à son père François, est épaulé par Bernard Hervet à la direction générale. Aujourd'hui, c'est l'un des plus importants propriétaires de vignes en Bourgogne: 120 ha du Chablisien au Mâconnais – avec son fief en Côte de Nuits – dont 10 ha en grand cru et près de 25 ha en 1er cru.

Encore discret dans son olfaction, ce vin possède une robe sombre nuancée d'éclat rubis. Le palais, délicat et velouté, révèle une chair ronde et tendre, adossée à des tanins souples et soyeux. Agréable dès aujourd'hui, ce vin vieillira bien. ⧗ 2017-2022 ¶ bœuf bourguignon

⊶ *DOM. FAIVELEY, 8, rue du Tribourg, 21700 Nuits-Saint-Georges, tél. 03 80 61 04 55, contact@domaine-faiveley.com* ⊶ *Erwan Faiveley*

ANDRÉ GOICHOT 2014

■ | 18000 | ◍ | 11 à 15 €

Gérée par André Goichot et ses trois fils Arnault, Adrien et Pierre-Alexandre, cette maison de négoce familiale fondée en 1947 près de Meursault est passée du vin de table écoulé en vrac aux bourgognes vendus en bouteilles. Elle a déménagé en 2001 pour occuper un site plus moderne à Beaune.

Né de pinots noirs de trente ans, élevé de façon traditionnelle douze mois en pièce bourguignonne, ce 1er cru tient son rang: une robe rouge cerise aux reflets violines; d'agréables senteurs de fruits noirs et de bourgeons de cassis assorties de touches boisées; une bouche fraîche et épicée, construite autour de tanins souples, mais plus serrés et sévères en finale. ⧗ 2018-2021 ¶ rosbif aux cèpes

⊶ *MAISON ANDRÉ GOICHOT, av. Charles-de-Gaulle, 21200 Beaune, tél. 03 80 25 91 30, infos@goichotsa.com* V *t.l.j. sf dim. 9h-12h 14h-18h30*

♥ DOM. PATRICK GUILLOT Les Chavances Vieilles Vignes 2014 ★★

■ | 1579 | ◍ | 11 à 15 €

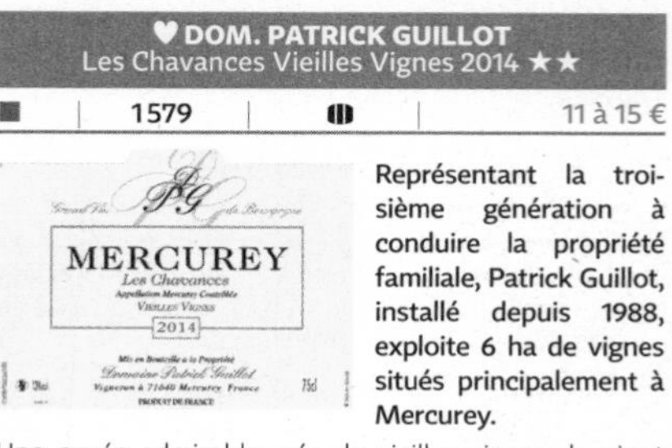

Représentant la troisième génération à conduire la propriété familiale, Patrick Guillot, installé depuis 1988, exploite 6 ha de vignes situés principalement à Mercurey.

Une cuvée admirable, née de vieilles vignes de pinot noir (soixante ans) plantées sur un sol argileux. Élevée douze mois en fût de chêne, elle parade fièrement dans une robe rubis foncé aux éclats violines et dévoile au nez une kyrielle de senteurs rappelant la mûre, le cuir et la vanille. En bouche, elle apparaît riche, fondue, consistante, complexe et se livre pleinement autour d'un fruité mûr qui s'éternise en finale. ⧗ 2019-2024 ¶ civet de marcassin ■ **Les Saumonts 2014 (15 à 20 €; 722 b.)** : vin cité.

⊶ *DOM. PATRICK GUILLOT, 9 A, rue de Vaugeailles, Chamirey, 71640 Mercurey, tél. 03 85 45 27 40, domaine.pguillot@orange.fr* V *r.-v.*

DOM. MICHEL JUILLOT Les Vignes de Maillonges 2013 ★

■ | n.c. | ◍ | 15 à 20 €

Fondé par Louis Juillot, développé par son fils Michel et conduit depuis la fin des années 1990 par son petit-fils Laurent, ce domaine emblématique de la Côte chalonnaise couvre 31 ha essentiellement en AOC mercurey, avec des parcelles en Côte de Beaune.

Des ceps plantés en 1958 et 1982 sur les sols argilo-calcaires de Mercurey ont été cueillis à la main puis les raisins vinifiés en fût de chêne pendant seize mois. Dans le verre, un 2013 déjà harmonieux, ouvert sur des notes de fruits rouges compotés, auxquelles s'ajoutent de très fines nuances boisées. Le palais est très bien construit, tout en équilibre, en souplesse et en rondeur, avec une finale longue et gourmande. ⧗ 2018-2021 ¶ rôti de veau ■ **2014 ★ (11 à 15 €; n.c.)** : un vin apprécié pour son expression aromatique (agrumes, touche minérale, viennoiserie), son élégance et son équilibre en bouche entre un boisé fin et une agréable fraîcheur. ⧗ 2017-2021

⊶ *DOM. MICHEL JUILLOT, 59, Grande-Rue, BP 10, 71640 Mercurey, tél. 03 85 98 99 89, infos@domaine-michel-juillot.fr* V *r.-v.*

MANOIR DE MERCEY Chateaubeau 2014

■ | 7000 | ◍ | 8 à 11 €

Gérard Berger-Rive a fondé ce domaine en 1943 au cœur des Maranges. Xavier, son fils, a pris la relève en 1977 et développé la surface du vignoble pour la porter à 22 ha, principalement situés dans le secteur des Hautes-Côtes. La troisième génération (Paul Berger) a rejoint le domaine en 2015.

Après un élevage de dix mois en barrique, ce vin se présente dans une robe rubis à reflets bleutés. Le bouquet se montre aimable avec un léger toasté bien marié aux notes de cassis, de myrtille et de pruneau. Le palais, ample et puissant, est cependant dominé par des tanins virils qui demandent du temps pour s'assagir. Du caractère et du potentiel. ⧗ 2019-2026 🍷 côte de bœuf

⊶ *DOM. BERGER-RIVE, Manoir de Mercey, 2, rue Saint-Louis, 71150 Cheilly-lès-Maranges, tél. 03 85 91 13 81, contact@berger-rive.fr* V 🚶 ! *r.-v.*

CH. DE MERCEY 2013 ★

■	36000		15 à 20 €

Fondée en 1875, la maison Antonin Rodet, négoce établi en Côte chalonnaise, propose une vaste gamme de vins de toute la Bourgogne. Elle possède aussi les Ch. de Mercey (45 ha au sud de la Côte de Beaune et en Côte chalonnaise) et Ch. de Rully (32 ha en rully). Depuis 2010, elle appartient au groupe Boisset.

D'un beau rouge framboise aux reflets violets, ce mercurey libère des senteurs de fruits mûrs, de fougère et de pain de mie beurré. Une belle attaque gourmande introduit une bouche à la texture moelleuse, persistante (café, réglisse), soutenue par une fine vivacité et des tanins jeunes et racés. De bonne garde assurément. ⧗ 2019-2026 🍷 coq au vin

⊶ *CH. DE MERCEY, 55, Grande-Rue, 71640 Mercurey, tél. 03 85 98 12 12, contact@rodet.com* V 🚶 ! *r.-v.*

⊶ *Antonin Rodet*

DOM. GAËLLE ET JÉRÔME MEUNIER 2014 ★

■ 1er cru	1800		11 à 15 €

Ce jeune domaine créé en 2006 par deux œnologues, Gaëlle et Jérôme Meunier, compte aujourd'hui 8 ha s'étendant de la Côte chalonnaise à la Côte de Beaune.

Issu de vieux ceps de cinquante ans vendangés à la main à la mi-septembre, ce vin a grandi pendant quinze mois en fût. Un élevage bien conduit qui n'est certainement pas étranger à la réussite de ce mercurey intense et sombre. Le bouquet naissant évoque les fruits rouges mûrs, tandis que la bouche séduit par un équilibre entre son boisé fondu, ses tanins fins, sa chair soyeuse et son fruité persistant. ⧗ 2018-2022 🍷 bœuf bourguignon

⊶ *DOM. GAËLLE ET JÉRÔME MEUNIER, rue au Bois, 71640 Barizey, tél. 03 85 44 45 78, domainemeunier@orange.fr* V 🚶 ! *r.-v.*

Ⓑ DOM. DE LA MONETTE Les Chavances 2014 ★

■	1520		11 à 15 €

Depuis sa reprise en 2008 par Roelof Ligtmans et Marlon Steine, couple de Néerlandais tombés sous le charme de la Bourgogne, ce vignoble de 6 ha est conduit en bio (certification en 2013).

D'un beau rouge rubis à reflets violines, ce 2014 offre un bouquet complexe alliant les notes grillées et vanillées de l'élevage en pièce bourguignonne à la cerise et au cassis. Encore sous l'emprise du bois, solidement structuré, le palais révèle un beau potentiel. ⧗ 2019-2024 🍷 gigot d'agneau ■ **Le Saut Muchiau 2014 (11 à 15 €; 3102 b.)** Ⓑ : vin cité.

⊶ *DOM. DE LA MONETTE, 15, rue du Château, Chamirey, 71640 Mercurey, tél. 03 85 98 07 99, vigneron@domainedelamonette.fr* V 🚶 ! *r.-v.*

DOM. PIGNERET FILS La Chagnée 2014 ★

■	2860		8 à 11 €

Installés du côté de Givry (2001), les frères Éric et Joseph Pigneret, quatrièmes du nom à conduire le domaine familial (30 ha), ont créé la marque de négoce Pigneret Fils pour enrichir leur gamme. Ils achètent ainsi des raisins et des moûts qu'ils vinifient et élèvent dans leur chai.

Au nez, de beaux arômes de cerise burlat et de confiture de framboise teintés de nuances vanillées. La bouche, ample, dense, suave, persistante sur les fruits rehaussés de poivre, repose sur des tanins élégants mais encore jeunes qui s'assoupliront après quelques années de garde. ⧗ 2019-2023 🍷 tajine d'agneau

⊶ *PIGNERET FILS DPM, Vingelles, 71390 Moroges, tél. 03 85 47 15 10, domaine.pigneret@orange.fr* V 🚶 ! *t.l.j. 9h-12h 14h-19h; dim. 9h-12h*

DOM. JEAN-MICHEL ET LAURENT PILLOT En Sazenay 2013

■ 1er cru	7500		11 à 15 €

Les frères Pillot incarnent la cinquième génération de vignerons sur ce domaine de 17 ha, implanté à Mellecey, au sud de Mercurey.

Pourpre éclairé de rubis, ce vin dévoile un joli boisé tout en retenue qui accompagne les fruits rouges et noirs. Bien qu'encore un peu tannique et assez sévère en finale, le palais apparaît plein de saveurs délicates et fruitées qui le rendent déjà aimable. À boire ou à attendre un peu pour plus de fondu. ⧗ 2017-2022 🍷 onglet de bœuf

⊶ *DOM. JEAN-MICHEL ET LAURENT PILLOT, 47, rue des Vendangeurs, 71640 Mellecey, tél. 03 85 45 20 48, domaine.pillot@club-internet.fr* V 🚶 ! *r.-v.*

G. PRIEUR 2013 ★

□	1000		15 à 20 €

En 1804, les frères Claude et Jean Prieur acquièrent le Ch. Perruchot à Santenay, devenu G. Prieur en 1978. Leurs descendants, Dominique et son fils Guillaume, exploitent une propriété d'une vingtaine d'hectares en Côte de Beaune, à laquelle est adossée une maison de négoce.

Un mercurey vif et éclatant issu de la partie négoce. Les fruits secs mêlés aux notes plus classiques de chèvrefeuille composent un bouquet séduisant. Ample, fin, long et de bonne concentration, le palais oscille entre pêche de vigne et saveurs minérales. Un vin élégant et harmonieux, très appréciable. ⧗ 2016-2020 🍷 turbot au beurre blanc

⊶ *MAISON G. PRIEUR, rue de Narosse, 21590 Santenay, tél. 03 80 20 60 56, uny-prieur@prieur-santenay.com* V 🚶 ! *r.-v.*

♥ FRANÇOIS RAQUILLET Les Veleys 2014 ★★

■ 1er cru	3800		20 à 30 €

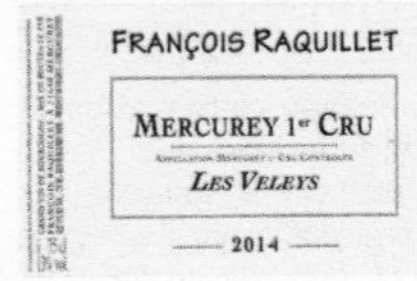

Héritiers de dix générations de vignerons, François et Emmanuelle Raquillet sont à la tête du domaine familial (12,5 ha) depuis 1990 et signent avec constance des cuvées de belle facture.

De la puissance et de l'élégance dans ce vin qui charme d'emblée avec sa robe cerise noire d'une profondeur abyssale. Le nez discret mais fin mêle le cassis et la myrtille aux notes toastées de la barrique. La bouche apparaît souple et ronde en attaque, puis plus dense et imposante, structurée par une trame tannique élégante et un boisé parfaitement fondu. ⏳ 2019-2026 🍴 canard au sang ■ **La Brigadière 2014 ★ (15 à 20 €; 2900 b.)** : un vin tendre, consistant et suave sans lourdeur, équilibré par une juste acidité aux tonalités végétales. ⏳ 2017-2021 ■ **1er cru Les Vasées 2014 (20 à 30 €; 7000 b.)** : vin cité.

FRANÇOIS RAQUILLET, 19, rue de Jamproyes, 71640 Mercurey, tél. 03 85 45 14 61, contact@domaine-raquillet.com V r.-v.

CH. DE SANTENAY 2014 ★

■	42000		15 à 20 €

Ce majestueux château aux tuiles vernissées, aussi appelé «château Philippe le Hardi», fut propriété du premier duc de la grande Bourgogne (1342-1404). Dans le giron du Crédit Agricole depuis 1997, il étend son vaste vignoble sur 92 ha répartis dans plusieurs AOC beaunoises et chalonnaises, sous la houlette de l'œnologue et directeur d'exploitation Gérard Fagnoni.

Jaune pâle limpide et transparent, ce vin livre des senteurs élégantes de tilleul et de raisin blanc agrémentées de touches boisées. Consistant dès l'attaque, il laisse se développer en bouche une fine fraîcheur qui lui apporte de l'équilibre et une belle allonge. ⏳ 2017-2021 🍴 fromage de brebis ■ **2013 (15 à 20 €; 38800 b.)** : vin cité.

SAS CH. DE SANTENAY, 1, rue du Château, 21590 Santenay, tél. 03 80 20 61 87, contact@chateau-de-santenay.com V r.-v.

MICHEL SARRAZIN La Perrière 2014

■	9000		11 à 15 €

La généalogie de ce domaine, toujours dans la même famille quelques siècles plus tard, remonte à 1671. Régulièrement distingués dans le Guide, les frères Sarrazin, Guy et Jean-Yves, savent tirer la quintessence des cépages bourguignons et des sols argilo-calcaires de Givry, leur fief d'origine. Incontournable.

D'un élégant rouge sombre, cette cuvée exhale de nombreux arômes: groseille, confiture de vieux garçon, bourgeons de cassis, vanille, notes fumées. En bouche, l'ensemble se tient bien, même s'il manque un peu de profondeur et de longueur. À boire dans sa jeunesse. ⏳ 2017-2020 🍴 saucisson brioché

SARL MICHEL SARRAZIN ET FILS, 26, rue de Charnailles, 71640 Jambles, tél. 03 85 44 30 57, sarrazin2@wanadoo.fr V t.l.j. 8h-12h 13h30-19h; dim. sur r.-v.

ALBERT SOUNIT Vieilles Vignes 2013

■	4864		15 à 20 €

Fondée en 1851 par Flavien Jeunet, cette maison de négoce, qui possède aussi 12 ha de vignes en propre, a été reprise dans les années 1930 par la famille Sounit, qui l'a cédée à son importateur danois en 1993. L'une des valeurs sûres de la Côte chalonnaise, en vins tranquilles comme en effervescents.

Ce mercurey libère des arômes empyreumatiques mêlant le café grillé et le caramel à des notes de cerise à l'eau-de-vie. Onctueux, rond, centré sur un fruité confit, le palais se révèle savoureux, gourmand et déjà harmonieux. ⏳ 2016-2020 🍴 bœuf bourguignon

MAISON ALBERT SOUNIT, 5, pl. du Champ-de-Foire, 71150 Rully, tél. 03 85 87 20 71, albert.sounit@wanadoo.fr V r.-v. K. Kjellerup

DOM. DE SUREMAIN 2014

■	10000		11 à 15 €

Situé au cœur de Mercurey, le Ch. du Bourgneuf est le fief de la famille de Suremain depuis sept générations. Un domaine né en 1870 du regroupement de différentes métairies familiales. La mise en bouteilles date de 1947. Installés en 1979, Yves et Marie-Hélène de Suremain, rejoints en 2005 par leur fils aîné Loïc, exploitent aujourd'hui un vignoble de 18 ha.

Ce 2014 dévoile un nez de fruits noirs et de cerise burlat, et une bouche équilibrée et gourmande, aux tanins fins et fondus, qui laisse une sensation fruitée sur les papilles. À boire dès à présent ou à découvrir dans quelques années. ⏳ 2017-2021 🍴 bœuf bourguignon ■ **1er cru En Sazenay 2013 (20 à 30 €; 8500 b.)** : vin cité.

DOM. DE SUREMAIN, Ch. du Bourgneuf, 71, Grande-Rue, 71640 Mercurey, tél. 03 85 98 04 92, contact@domaine-de-suremain.com V r.-v.

NATHALIE ET JEAN-CLAUDE THEULOT Lieu-dit Château Mipont 2014

■	3800		11 à 15 €

Nathalie et Jean-Claude Theulot dirigent depuis 1986 le domaine créé par leurs grands-parents au début du siècle dernier. Ils ont progressivement étendu le vignoble de 5,5 ha à 11 ha aujourd'hui, comprenant le fameux 1er cru La Cailloute, en monopole.

Vêtu d'une belle robe cerise noire, ce mercurey offre un bouquet généreux et engageant de fruits rouges et de pâte de fruit. Il plaît aussi par son équilibre entre fraîcheur et rondeur dans une bouche élégante, aux tanins fins. Une bouteille que l'on pourra servir dans sa jeunesse. ⏳ 2017-2020 🍴 rôti de veau ■ **1er cru Les Croichots 2014 (15 à 20 €; 6700 b.)** : vin cité.

NATHALIE ET JEAN-CLAUDE THEULOT, Dom. Theulot Juillot, 4, rue de Mercurey, 71640 Mercurey, tél. 03 85 45 13 87, contact@theulotjuillot.eu V t.l.j. 8h-12h 13h30-18h; sam. dim. sur r.-v.

TUPINIER-BAUTISTA Clos du Roy 2014 ★★

■ 1er cru	n.c.		20 à 30 €

Manuel Bautista exploite depuis 1997 la propriété (10 ha aujourd'hui) de sa belle-famille, les Tupinier, vignerons à Mercurey depuis 1770. Une affaire de négoce a été créée pour l'achat de raisins de la Côte chalonnaise et de la Côte de Beaune.

Élevé quatorze mois en pièce bourguignonne dans les caves séculaires de Touches (commune de Mercurey), ce 1er cru se présente dans une robe carmin aux jolis reflets grenat. Le nez complexe évoque les fruits rouges, la mûre et la myrtille, soulignés de notes de cuir et de tabac blond. Le palais dévoile une matière dense et gourmande portée par des tanins robustes. ⏳ 2019-2026 🍴 magret de canard au cassis de Bourgogne

TUPINIER-BAUTISTA, 21, rue de la Cure, 71640 Mercurey, tél. 03 85 45 26 38 V t.l.j. sf mer 9h-12h 14h-18h; sam. dim sur r.-v.

DOM. DE LA VIEILLE FONTAINE 2014 ★★

■ | 3300 | | 11 à 15 €

Installé depuis 1996 à Bouzeron, David Déprés a repris en 2004 une partie du domaine de Jean-Pierre Meulien situé à Mercurey. Il s'appuie sur un vignoble de 8 ha et pratique une viticulture raisonnée.

D'un rouge vermillon de belle limpidité, ce vin déploie de subtiles notes de framboise et de fraise mêlées à des senteurs douces d'épices (cannelle). Concentrée sans lourdeur, suave, charnue et gourmande, étayée par des tanins fins, la bouche s'étire dans une longue finale soyeuse. Une belle typicité. ⧗ 2018-2021 ♈ citeaux

DOM. DE LA VIEILLE FONTAINE, 3, rue du Clos-L'Évêque, 71640 Mercurey, tél. 03 85 87 02 29, contact@domainedelavieillefontaine.com V r.-v.

DOM. VOARICK
Clos du Roy 2013 ★★

■ 1er cru | 5998 | | 20 à 30 €

Ce vaste domaine, l'un des plus grands de l'appellation mercurey, est entré en 1995 dans le giron de la famille Picard et sa maison de négoce-éleveur créée en 1951 par Louis-Félix Picard, conduite depuis 2006 par ses petits-enfants Francine et Gabriel, au même titre que le Ch. de Chassagne-Montrachet.

Rubis profond et brillant, ce 2013 séduit par son bouquet complexe alliant la crème de cassis fraîche au poivre noir, à la pivoine et à des notes de résine. La même intensité se dégage du palais, concentré, séveux et tout en fruit, avec un léger boisé en arrière-plan et une finale longue et dense. De belles promesses pour l'avenir. ⧗ 2019-2026 ♈ civet de sanglier ■ **1er cru Clos du Paradis 2013 ★ (20 à 30 €; 5988 b.)** : un 1er cru bien fruité et boisé avec élégance, riche, dense et complet, d'une bonne longueur. Bâti pour la garde. ⧗ 2019-2026 □ **1er cru Clos du Paradis 2013 ★ (20 à 30 €; 5382 b.)** : un bel équilibre pour ce 1er cru gras et bien structuré par un boisé élégant et une fine minéralité. ⧗ 2017-2021

DOMAINES FAMILLE PICARD (DOM. VOARICK), 5, chem. du Château, 21190 Chassagne-Montrachet, tél. 06 74 82 34 82, famille.picard@domainesfamillepicard.com V *t.l.j. 10h-18h* ⑤

GIVRY

Superficie : 270 hl
Production : 12 580 hl (80 % rouge)

À 6 km au sud de Mercurey, cette petite bourgade typiquement bourguignonne est riche en onuments historiques. Le givry rouge, la production principale, aurait été le vin préféré d'Henri IV. Mais le blanc intéresse aussi. L'appellation s'étend principalement sur la commune de Givry, mais «déborde» aussi légèrement sur Jambles et Dracy-le-Fort.

DOM. BESSON
La Matrosse 2014 ★

□ | 1500 | | 11 à 15 €

Installés en 1989 sur le domaine familial fondé en 1938, Guillemette et Xavier Besson, producteurs renommés de la Côte chalonnaise, conduisent un vignoble de 8,5 ha. À leur disposition également, une magnifique cave du XVIIe s. classée Monument historique.

La superbe cave du domaine accueille des concerts lors du festival Les Musicaves chaque mois de juin. Mais ce sont les vins que les Besson savent mettre en musique avec talent, à l'image de ce givry harmonieux, ouvert sur des senteurs florales et fruitées, auxquelles s'ajoutent des nuances de vanille et de noisette grillée léguées par dix mois de fût. La bouche est tendre et soyeuse, soulignée par une belle ligne minérale qui lui apporte de la vivacité et de la longueur. ⧗ 2017-2020 ♈ poularde à la crème ■ **1er cru Les Bois gautiers 2014 (15 à 20 €; 4800 b.)** : vin cité.

DOM. XAVIER ET GUILLEMETTE BESSON, 9, rue des Bois-Chevaux, 71640 Givry, tél. 03 85 44 42 44, xavierbesson3@wanadoo.fr V *r.-v.* ③

DOM. DU CELLIER AUX MOINES
Clos du Cellier aux Moines 2014

■ 1er cru | 10600 | | 20 à 30 €

Fondé en 1258 par les moines cisterciens, propriété d'une seule et même famille après la Révolution française, ce domaine classé Monument historique a été acquis et restauré à partir de 2004 par Philippe Pascal, ancien cadre dirigeant chez LVMH, avec son épouse Catherine et ses trois enfants. En 2007 a eu lieu la première vinification depuis la Révolution dans un cuvage rénové. Le vignoble (7,5 ha) est essentiellement constitué des 4,7 ha de pinot noir du Clos du Cellier aux Moines, un des 1ers crus historiques de Givry, complétés par quelques hectares de chardonnay en Côte de Beaune.

Un vin élégant et de bonne facture, qui mêle harmonieusement la mûre et le cassis à un joli boisé torréfié. La bouche dévoile une matière souple et ronde, étayée par des tanins encore un peu fermes, le tout enrobé d'arômes de fruits compotés et d'épices. Un beau mariage du vin et du merrain que l'on pourra apprécier à sa juste valeur dans quelques années. ⧗ 2019-2022 ♈ carré d'agneau

DOM. DU CELLIER AUX MOINES, Clos du Cellier aux Moines, 71640 Givry, tél. 03 85 44 53 75, contact@cellierauxmoines.fr V *r.-v.* *Famille Pascal*

DOM. CHOFFLET VALDENAIRE
Clos de Choué 2014

■ 1er cru | 20000 | | 15 à 20 €

Ce vieux vignoble créé en 1710 est exploité depuis 1988 par Denis Valdenaire, le gendre de M. Chofflet, savoyard d'origine à la tête aujourd'hui de 14 ha de vignes.

Ce 1er cru dévoile un nez ouvert où le cassis, la fraise et la cerise sont bien mariés aux notes boisées de l'élevage. Le palais, corpulent, gras, acidulé en finale, est dominé par des tanins encore fermes. Encore un peu de patience… ⧗ 2019-2023 ♈ côte de bœuf

DOM. CHOFFLET VALDENAIRE, Russilly, 71640 Givry, tél. 03 85 44 34 78, chofflet.valdenaire@orange.fr V *r.-v.*

DANJEAN-BERTHOUX
Meix au Roi 2014 ★

■ | 8500 | | 8 à 11 €

Blotti au pied du célèbre mont Avril, le petit village bourguignon de Jambles développe sa vocation viticole

ainsi que l'élevage de la célèbre race bovine charolaise. Pascal Danjean y élabore ses vins depuis 1993, à la tête aujourd'hui de 11,6 ha de vignes.

Ce 2014, issu de vignes de quarante ans, élevé pour partie en fût de chêne, revêt une robe pure et franche et laisse échapper de fines senteurs de fruits rouges et noirs agrémentées de notes fumées. Profond, riche et séveux en bouche, ce vin pourra s'apprécier dans sa jeunesse. ⧗ 2017-2021 🍴 paupiettes de veau ■ **1er cru Clos du Cras Long 2014 ★** (11 à 15 €; 8000 b.) : au nez, des arômes de caramel, de sous-bois et de champignon frais; en bouche, de la rondeur mais aussi une fine trame acidulée. Un vin équilibré qui sera au meilleur de sa forme d'ici un ou deux ans. ⧗ 2017-2020

⊶ DANJEAN-BERTHOUX, Le Moulin-Neuf, 45, rte de Saint-Désert, 71640 Jambles, tél. 03 85 44 54 74, danjean.berthoux@wanadoo.fr V 🚶 ▮ *t.l.j. 8h-12h 13h30-19h*

DOM. DAVANTURE 2014 ★★

■	2930	🛢	11 à 15 €

Les trois frères Davanture (Xavier, Damien et Éric) sont issus d'une longue dynastie de vignerons (huit générations). Ils officient sur un domaine de 22 ha situé à Saint-Désert, village de la Côte chalonnaise connu pour son église fortifiée. Ce grand domaine est géré en viticulture raisonnée et les vendanges se font exclusivement à la main.

Une robe diaphane aux reflets brillants, des senteurs florales de chèvrefeuille et d'acacia, puis d'amande et de beurre frais, l'approche met l'eau à la bouche. Une bouche ample, dense, suave, chaleureuse, riche en saveurs fruitées et bien équilibrée par une finale plus vive et citronnée. ⧗ 2016-2019 🍴 sandre au beurre blanc

⊶ DOM. DAVANTURE, 26, rue de la Messe, Cidex 1516, 71390 Saint-Désert, tél. 03 85 47 95 57, domaine.davanture@orange.fr V 🚶 ▮ *r.-v.*

DOM. DE LA FERTÉ Servoisine 2013 ★

■ 1er cru	4400	🛢	20 à 30 €

Ce domaine doit son nom à l'abbaye de la Ferté, première fille de l'abbaye de Cîteaux, bâtie au début du VIIes. Cultivés par les moines cisterciens jusqu'à la Révolution, les 5 ha de ce domaine ont été repris en 1995 par Bertrand Devillard (Ch. de Chamirey, Dom. des Perdrix).

Des ceps de pinot noir plantés sur le joli coteau argilo-calcaire de la Servoisine sont à l'origine d'une cuvée expressive, ouverte sur des arômes de pivoine, de cassis et de mûre. Profond, charnu, dense, compacte, le palais s'appuie sur un bon boisé. ⧗ 2019-2024 🍴 tournedos ■ **2013 (15 à 20 €; 8000 b.)** : vin cité.

⊶ DOM. DE LA FERTÉ, BP 5, 71640 Mercurey, tél. 03 85 41 21 61, contact@domainedelaferte.com V 🚶 ▮ *t.l.j. sf dim. 10h-19h ⊶ Devillard*

DOM. LABORDE JUILLOT Clos Marceaux Monopole 2014

■ 1er cru	20000	🛢	11 à 15 €

Créée durant la crise de 1929, la cave des Vignerons de Buxy poursuit son développement. Cette coopérative a su rassembler et valoriser les producteurs d'un même terroir et les impliquer dans son fonctionnement.

Situé à Poncey (hameau de Givry), ce domaine est entré dans le giron de la Cave des Vignerons de Buxy en 2007. Alain Pierre, l'œnologue de la «coop», signe un vin au bouquet complexe (fruits rouges, vanille, havane) et à la bouche fraîche et bien équilibrée. Un ensemble harmonieux à garder quelques années en cave. ⧗ 2018-2021 🍴 œufs en meurette

⊶ SCEA LABORDE JUILLOT, 2, rte de Chalon, 71390 Buxy, tél. 03 85 92 03 03, accueil@vigneronsdebuxy.fr V 🚶 ▮ *t.l.j. 9h-12h 14h-18h30*

MARINOT-VERDUN 2014

■	5000	🛢	8 à 11 €

Cette maison de négoce familiale fondée en 1975 est installée à Mazenay, à la lisière du vignoble du Couchois. Jacques Marinot, bien connu des habitués du Guide, vinifie une large gamme d'appellations (santenay, maranges, givry...).

Or soutenu aux reflets verts, ce 2014 rappelle les fruits à l'olfaction: melon, raisin blanc et poire bien mûre. La bouche est de bonne densité, ronde, suave sans lourdeur. ⧗ 2016-2019 🍴 gougères

⊶ MARINOT-VERDUN, Mazenay, 71510 Saint-Sernin-du-Plain, tél. 03 85 49 67 19, marinot-verdun@wanadoo.fr V 🚶 ▮ *t.l.j. sf dim. 8h-12h 14h-18h*

PASCAL MELLENOTTE Champ Nalot 2014 ★

■ 1er cru	600	🛢	11 à 15 €

Domaine de 8 ha répartis sur les communes de Mellecey et Mercurey, en Côte chalonnaise. Pascal Mellenotte pratique la «lutte raisonnable» au vignoble et élabore ses vins dans une cave voûtée du début du XVIIes.

Récoltés mi-septembre sur les coteaux du Champ Nalot, ces chardonnays ont donné un vin limpide, qui conjugue notes fruitées et vanillées au nez. La bouche s'appuie sur une fine trame acidulée et boisée qui lui confère de la longueur et du relief. ⧗ 2017-2021 🍴 poulet de Bresse

⊶ PASCAL MELLENOTE, 188, rue du Martray, 71640 Mellecey, tél. 03 85 45 15 64, pascal.mellenote@wandoo.fr V 🚶 ▮ *r.-v.*

MONNERET PÈRE ET FILS 2014

■ 1er cru	4700	🛢 🏺	8 à 11 €

Cette exploitation familiale, installée depuis 1945 et trois générations à Saint-Mard-de-Vaux, village bucolique de la Côte chalonnaise, étend aujourd'hui son vignoble sur 15,5 ha. À sa tête, Cédric Monneret, qui, après une scolarité à la «viti» de Beaune, a souhaité renouer avec ses racines.

De vieux ceps de chardonnay cueillis à la main ont donné ce vin or pâle, au bouquet discret mais original de citron, de menthol et de fraise, qui laisse en bouche le souvenir d'un givry à la fois onctueux et minéral. ⧗ 2017-2021 🍴 brochet au beurre blanc

⊶ MONNERET PÈRE ET FILS, 10, rue du Lavoir, 71640 Saint-Mard-de-Vaux, tél. 03 85 45 17 56, monneret.pereetfils@orange.fr V 🚶 ▮ *t.l.j. 8h-12h 13h30-19h*

DOM. MOUTON
Les Grands Prétans 2014 ★

■ 1er cru	3500	◍	15 à 20 €

Cette exploitation familiale, installée depuis quatre générations à Givry, dispose aujourd'hui de 12 ha de vignes répartis entre appellations régionales, communales et 1ers crus. Elle est menée par Laurent Mouton.

Ce 1er cru, issu d'une vigne d'une vingtaine d'années plantée sur les célèbres argilo-calcaires des Grands Prétans, dévoile des parfums complexes de vanille, de pain grillé et de fumée de havane. Le prélude à une bouche charnue, construite sur une trame tannique dense et virile, et qui s'achève sur une note chaleureuse. Un beau vin de garde. ⧗ 2019-2024 🍷 daube d'agneau ■ **1er cru Clos Charlé 2014 ★ (15 à 20 €; 15 000 b.)** : de l'ampleur, de la mâche et de la vigueur pour ce vin qui demande du temps pour s'affiner. ⧗ 2019-2024

SCEA DOM. MOUTON, 6, rue de l'Orcène, Poncey, 71640 Givry, tél. 03 85 44 37 99, domaine-mouton@vin-givry.com V 🚶 ▪ *r.-v.*

DOM. PELLETIER-HIBON
Le Vigron 2014

■ 1er cru	3800	◍	15 à 20 €

La propriété n'a cessé de se développer depuis qu'André Pelletier (1898-1953) a pu acquérir quelques parcelles de Givry. Son fils Henri a poursuivi son œuvre jusqu'à sa retraite en 2005, après s'être associé avec son gendre Luc Hibon en 2001. Ce dernier et son épouse exploitent désormais les 6,5 ha de vignes familiales.

Du verre se dégagent des arômes intenses de vanille, de fruits rouges mûrs et de noyau de cerise. Le palais fin, tendre et rond propose en finale des saveurs de noisette et d'amande. Un vin expressif et harmonieux. ⧗ 2017-2021 🍷 saucisson lyonnais

DOM. PELLETIER-HIBON, rue de la Planchette, Poncey, 71640 Givry, tél. 03 85 94 87 42, pelletier.hibon@club-internet.fr V 🚶 ▪ *r.-v.* 🏠 G

PIGNERET FILS
Clos de la Brûlée 2014

■	4400	8 à 11 €

Installés du côté de Givry (2001), les frères Éric et Joseph Pigneret, quatrièmes du nom à conduire le domaine familial (30 ha), ont créé la marque de négoce Pigneret Fils pour enrichir leur gamme. Ils achètent ainsi des raisins et des moûts qu'ils vinifient et élèvent dans leur chai.

Vêtu d'une robe légère aux reflets verts, ce vin se révèle délicatement bouqueté autour de l'aubépine, de la pomme verte et du litchi. Quant au palais, il évoque le miel et le citron avant une finale persistante aux saveurs muscatées. ⧗ 2016-2019 🍷 feuilleté de chèvre

PIGNERET FILS DPM, Vingelles, 71390 Moroges, tél. 03 85 47 15 10, domaine.pigneret@orange.fr V 🚶 ▪ *t.l.j. 9h-12h 14h-19h; dim. 9h-12h*

♥ DOM. RAGOT
Teppe des Cheneves 2014 ★★

■	1800	◍ 🍾	15 à 20 €

En 2003, Nicolas Ragot, incarnant la cinquième génération, vient épauler son père, Jean-Paul, à la tête de ce domaine familial de 9,2 ha, établi au cœur de Givry. Il en reprend seul les commandes en 2008.

Comme un hommage à son père, brutalement disparu en juin 2014, Nicolas Ragot signe un givry étincelant, le meilleur vin de cette sélection selon les dégustateurs. Le bouquet, expressif et élégant, évoque les agrumes et la noisette, le tout enrobé d'un boisé fin et élégant. Tonique en attaque, le palais évolue ensuite vers plus de rondeur, de corpulence et de puissance, et déploie une finale suave et longue sur le miel et les fruits blancs. Un vin d'un équilibre remarquable, qui s'épanouira totalement d'ici quelques années. ⧗ 2018-2022 🍷 rôti de veau aux girolles ■ **Teppe des Cheneves 2014 ★ (15 à 20 €; 3 300 b.)** : un vin encore marqué par le boisé de son élevage, mais qui possède tous les atouts pour bien vieillir: structure, équilibre, longueur. ⧗ 2018-2021 ■ **Champ Pourot 2014 (11 à 15 €; 9 000 b.)** : vin cité.

DOM. RAGOT, 4, rue de l'École, 71640 Givry, tél. 03 85 44 35 67, vin@domaine-ragot.com V 🚶 ▪ *t.l.j. sf dim. 8h-20h* 🏠 G

MICHEL SAR,RAZIN ET FILS
La Grande Berge 2014 ★

■ 1er cru	3000	◍	11 à 15 €

La généalogie de ce domaine, toujours dans la même famille quelques siècles plus tard, remonte à 1671. Régulièrement distingués dans le Guide, les frères Sarrazin, Guy et Jean-Yves, savent tirer la quintessence des cépages bourguignons et des sols argilo-calcaires de Givry, leur fief d'origine. Incontournable.

Une robe claire et brillante habille ce 2014 au nez assez discret rappelant les fruits cuits et les épices, le tout enrobé de fines senteurs boisées. Après une attaque très fraîche, la bouche s'épanouit sur un fruité large, épaulé par des tanins nobles. ⧗ 2018-2022 🍷 entrecôte sauce au poivre ■ **1er cru Les Grands Prétants 2014 ★ (11 à 15 €; 8 000 b.)** : un bel équilibre vin-bois et de la finesse caractérisent ce 1er cru harmonieux. ⧗ 2018-2022

SARL MICHEL SARRAZIN ET FILS, 26, rue de Charnailles, 71640 Jambles, tél. 03 85 44 30 57, sarrazin2@wanadoo.fr V 🚶 ▪ *t.l.j. 8h-12h 13h30-19h; dim. sur r.-v.* 🏠 B

BOURGOGNE

♥ LA SAULERAIE
Champ Nalot 2014 ★★

1er cru | 2300 | | 11 à 15 €

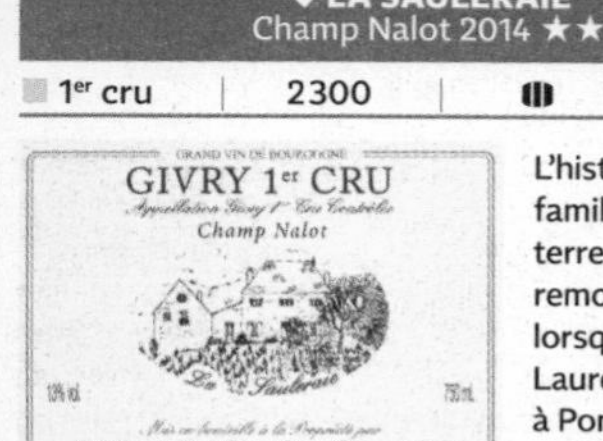

L'histoire de la famille Parize en terre givrotine remonte à 1890, lorsque les aïeux de Laurent s'installent à Poncey, alors commune indépendante. Le domaine compte aujourd'hui 7,5 ha. Une valeur sûre de l'appellation givry.

Laurent Parize signe un 1er cru admirable d'harmonie et de complexité, qui libère sans réserve de fines notes de vanille, de noisette et de chèvrefeuille soulignées d'un trait subtil de torréfaction. La bouche, superbe, affiche un équilibre impeccable entre le gras et l'acidité, et s'étire longuement sur des saveurs intenses de mandarine et de poire williams. De l'élégance et de la puissance sur un fond de vivacité, tout est réuni pour une heureuse évolution. ⧗ 2018-2021 🍷 époisses ■ **1er cru Les Grandes Vignes 2014 ★ (11 à 15 €; 6500 b.)** : un vin tonique, très frais, souple, épaulé par des tanins fins et soyeux. ⧗ 2016-2020

DOM. PARIZE PÈRE ET FILS, 18, rue des Faussillons, 71640 Givry, tél. 06 72 93 36 31, laurent.parize@wanadoo.fr V *t.l.j. 9h-19h*

MONTAGNY

Superficie : 310 ha / Production : 17 000 hl

Entièrement vouée aux blancs, Montagny est l'appellation la plus méridionale de la Côte chalonnaise et annonce déjà le Mâconnais. Ses vins peuvent être produits sur quatre communes: Montagny, Buxy, Saint-Vallerin et Jully-lès-Buxy. Plusieurs 1ers crus (les Coères, les Burnins, les Platières...) sont délimités sur la commune de Montagny. Assez subtils, avec des arômes d'agrumes et une touche de minéralité, de bonne garde, les montagny mériteraient d'être mieux connus.

DOM. BERNOLLIN Les Chaniots 2014 ★

1er cru | 3318 | | 15 à 20 €

Fondée en 1851 par Flavien Jeunet, cette maison de négoce, qui possède aussi 12 ha de vignes en propre, a été reprise dans les années 1930 par la famille Sounit, qui l'a cédée à son importateur danois en 1993. L'une des valeurs sûres de la Côte chalonnaise, en vins tranquilles comme en effervescents.

Des chardonnays vendangés bien mûrs et à la main, fin septembre, ont donné ce vin or clair qui s'épanouit à l'olfaction sur de délicieuses nuances de fleurs blanches, de raisin frais et de poire juteuse agrémentées d'un soupçon de vanille. Le palais se montre souple, dense et brioché, avec une fine fraîcheur acidulée en soutien qui lui confère une belle allonge. ⧗ 2017-2020 🍷 terrine de saint-jacques ■ **1er cru Les Coères 2013 (11 à 15 €; 4302 b.)** : vin cité.

MAISON ALBERT SOUNIT, 5, pl. du Champ-de-Foire, 71150 Rully, tél. 03 85 87 20 71, albert.sounit@wanadoo.fr V *r.-v.* *K. Kjellerup*

DOM. BERTHENET Symphonie 2014 ★

1er cru | 3600 | | 20 à 30 €

Vigneron depuis 1974, Jean-Pierre Berthenet quitte la cave coopérative de Buxy en 2002 pour vinifier sa propre production, le fruit d'une vingtaine d'hectares. L'une des valeurs sûres de l'appellation montagny.

Élevée pendant presque une année en fût de chêne neuf, cette Symphonie arbore une robe jaune intense et profonde. Son nez généreux et puissant évoque la vanille, le pain grillé et la noisette. Des arômes boisés prolongés avec intensité par une bouche ample, dense, généreuse, encore assez fougueuse, tenue par une belle acidité. Patience... ⧗ 2018-2021 🍷 homard sauce crémée ■ **1er cru Saint-Morille 2014 (11 à 15 €; 6000 b.)** : vin cité.

DOM. BERTHENET, rue du Lavoir, 71390 Montagny-lès-Buxy, tél. 09 65 38 99 03, domaine.berthenet@free.fr V *t.l.j. sf dim. 9h-12h 13h30-18h*

♥ CAVE DE BISSEY Les Pidances 2014 ★★

1er cru | 14000 | | 8 à 11 €

Fondée en 1928, la cave de Bissey est la plus ancienne coopérative de la Côte chalonnaise. Elle vinifie aujourd'hui sur 86 ha toutes les appellations régionales et communales, et même des 1ers crus en AOC montagny.

Vêtu d'une robe légère et impeccable aux reflets verts étincelants, ce 1er cru dévoile un bouquet très élégant, floral (petite fleur blanche d'acacia) et fruité (citron et poire), souligné de menthe fraîche et de citronnelle. Une élégance que l'on retrouve dans une bouche tout en subtilité, qui dessine un équilibre parfait entre une matière ronde et charnue et une acidité fondue. Et pour ne rien gâcher, le prix est des plus doux. ⧗ 2017-2021 🍷 brochet au beurre blanc

CAVE DE BISSEY, Les Millerands, 71390 Bissey-sous-Cruchaud, tél. 03 85 92 12 16, cave.bissey@wanadoo.fr V *t.l.j. sf dim. 9h-12h 14h-18h30*

VIGNERONS DE BUXY Millebuis 2014 ★★

| 100000 | | 8 à 11 €

Créée durant la crise de 1929, la cave des Vignerons de Buxy poursuit son développement. Cette coopérative a su rassembler et valoriser les producteurs d'un même terroir et les impliquer dans son fonctionnement.

Élevé sur lies fines en cuve Inox thermorégulée afin de révéler l'éclat aromatique du chardonnay, ce vin a conquis le jury. D'un bel or clair, limpide et brillant, il exhale des parfums de chèvrefeuille mariés à des notes de raisin frais et de pomme. Une subtilité aromatique se dégage aussi du palais, rond, tendre, riche, sans lourdeur, épaulé par une fine acidité et prolongé par des notes persistantes d'épices douces et d'agrumes. ⧗ 2017-2020 🍷 jambon persillé

VIGNERONS DE BUXY, Les Vignes-de-la-Croix, 2, rte de la Croix, 71390 Buxy, tél. 03 85 92 03 03, accueil@vigneronsdebuxy.fr V *t.l.j. 9h-12h 14h-18h30*

CH. DE CHAMILLY Les Reculerons 2013

	6000		11 à 15 €

Véronique Desfontaine est, depuis 1999 et le décès de son mari, à la tête de l'ancienne demeure du marquis de Chamilly. En 2007, ses deux fils, Xavier et Arnaud, l'ont rejointe et ils exploitent ensemble un vignoble de 26 ha, complété en 2008 par le rachat du Ch. de Carry-Potet à Buxy.

Haut en couleur, ce vin se pare d'un or brillant et limpide et offre un bouquet complexe de citron, de pamplemousse et de pierre à fusil. La bouche, tendre, presque moelleuse, s'achève sur de jolies notes de fruits secs. 2017-2020 cuisses de grenouilles persillade

EARL CH. DE CHAMILLY, 7, allée du Château, 71510 Chamilly, tél. 03 85 87 22 24, contact@chateaudechamilly.com V r.-v. *Desfontaine*

PASCAL CLÉMENT Les Coères 2013 ★

1er cru	3000		11 à 15 €

Après vingt ans de vinification dans différents domaines de Bourgogne, Pascal Clément a créé son négoce en 2012, tourné essentiellement vers les blancs de la Côte chalonnaise et de la Côte de Beaune.

Ourlé d'or fin, ce montagny livre un nez intense qui évoque la fougère, la vanille et les agrumes. La bouche se montre souple, fraîche et longue, épaulée par un bon boisé qui laisse sa part au fruit. Un vin harmonieux et déjà prêt à boire, mais qui ne craindra pas un peu de garde. 2016-2020 daurade en croûte de sel

PASCAL CLÉMENT, 13, rue de Cîteaux, 21420 Savigny-lès-Beaune, tél. 03 80 24 75 05, contact@pascal-clement.fr V r.-v.

CH. DE DAVENAY Clos Chaudron 2013

1er cru	13200		15 à 20 €

Le premier domaine entré dans le giron de la famille Picard et sa maison de négoce-éleveur créée en 1951 par Louis-Félix Picard. Une structure conduite depuis 2006 par ses petits-enfants Francine et Gabriel, au même titre que le Ch. de Chassagne-Montrachet ou encore le Ch. Voarick.

Située à la pointe sud de la Côte chalonnaise, la parcelle Clos Chaudron est établie sur un relief accidenté dans le hameau de Davenay. Les Picard en tirent un 1er cru toasté au premier nez, puis ouvert à l'aération sur les fleurs blanches, les agrumes et le beurre frais. Éclatant de fruits jaunes et de citron en bouche, il s'achève sur une jolie nuance mentholée pleine de fraîcheur. Un vin déjà séduisant mais qui pourra être attendu. 2016-2021 saumon à l'unilatérale

DOM. FAMILLE PICARD (CH. DE DAVENAY), 5, chem. du Château, 21190 Chassagne-Montrachet, tél. 06 74 82 34 82, famille.picard@domainesfamillepicard.com V *t.l.j. 10h-18h* 5

FEUILLAT-JUILLOT Les Coères 2014 ★

1er cru	25000		15 à 20 €

Françoise Feuillat-Juillot, fille d'une illustre famille vigneronne de Mercurey, a posé ses valises en 1989 en s'associant avec un vigneron de Montagny à la tête alors de 8 ha de vignes. Après le décès de ce dernier, elle rachète l'intégralité du domaine, étendu aujourd'hui sur 14 ha, dont treize 1ers crus.

Ce joli vin cristallin libère à l'olfaction des notes fraîches et légères de fleurs blanches, de citron et de pain grillé. Après une attaque franche et nette, la bouche s'arrondit et s'équilibre, puis déploie une longue finale saline. 2017-2020 homard grillé **1er cru Les Grappes d'or 2014 ★ (15 à 20 €; 15000 b.)** : encore un peu de retenue dans l'expression et une fine acidité qui dessine une belle tension et confère du relief et de l'allonge à ce 1er cru. Un joli potentiel de garde. 2018-2023 **1er cru Les Jardins 2014 (15 à 20 €; 5000 b.)** : vin cité.

FRANÇOISE FEUILLAT-JUILLOT, 11, rte de Montorge, BP 13, 71390 Montagny-lès-Buxy, tél. 03 85 92 03 71, domaine@feuillat-juillot.com V *t.l.j. sf dim. 9h-12h 14h-18h*

DOM. DE MONTORGE Les Chaniots 2014

1er cru	3000		11 à 15 €

Entre Montagny-lès-Buxy et Saint-Vallerin, sur le hameau de Montorge, Charles et Jean-Joseph Flandre ont recréé en 1972 une exploitation familiale à partir de 12 ha de vignes classés exclusivement en montagny 1er cru. En 2014, Yann, le second fils de Jean-Joseph, a pris le relais.

Ce vin arbore une délicate robe or pâle, l'annonce d'un bouquet fin de fleurs blanches et de noisette, et d'une bouche vive et légère qui joue dans le registre minéral et citronné. Une bouteille agréable dès aujourd'hui. 2016-2019 brandade de morue

DOM. DE MONTORGE, Cidex 1118 Montorge, 71390 Montagny-lès-Buxy, tél. 06 87 68 90 28, domainemontorge@yahoo.fr V r.-v. *Flandre*

PIGNERET FILS Les Coères 2014

1er cru	2900	11 à 15 €

Installés du côté de Givry (2001), les frères Éric et Joseph Pigneret, quatrièmes du nom à conduire le domaine familial (30 ha), ont créé la marque de négoce Pigneret Fils pour enrichir leur gamme. Ils achètent ainsi des raisins et des moûts qu'ils vinifient et élèvent dans leur chai.

Ce vin offre un nez bien ouvert sur d'agréables nuances briochées et des notes de poire fraîche et de vanille. Des saveurs qui s'imposent dès l'attaque dans un palais tendu et assez puissant. Une légère amertume conclut la dégustation avec subtilité. Un ensemble équilibré. 2017-2020 tagliatelles aux fruits de mer

PIGNERET FILS DPM, Vingelles, 71390 Moroges, tél. 03 85 47 15 10, domaine.pigneret@orange.fr V *t.l.j. 9h-12h 14h-19h; dim. 9h-12h*

MAISON ROCHE DE BELLÈNE 2013 ★

1er cru	4800		15 à 20 €

Maison de négoce fondée en 2009 par Nicolas Potel, spécialisée dans les cuvées haut de gamme de la Côte d'Or et de la Côte chalonnaise – des 1ers crus et grands crus essentiellement, en quantités limitées. Une démarche exigeante qui se traduit par des sélections en bonne place dans le Guide.

Ce 2013 dévoile un nez séduisant et complexe de citron vert, de miel et de tilleul. La bouche ne déçoit pas: du gras, du corps, puis une belle montée en tension sur de fines notes salines et une élégante trame boisée. ⧗ 2017-2021 🍴 gratin de fruits de mer

⊶ *MAISON ROCHE DE BELLENE,*
39, rue du Faubourg-Saint-Nicolas, 21200 Beaune,
tél. 03 80 20 67 64, contact@maisonrochedebellene.com
V r.-v. ⊶ *Nicolas Potel*

➜ LE MÂCONNAIS

Jeu de collines découvrant souvent de vastes horizons, où les bœufs charolais ponctuent de blanc le vert des prairies, le Mâconnais (5 700 ha en production) cher à Lamartine – Milly, son village, est vinicole, et lui-même possédait des vignes – est géo-

Le Mâconnais

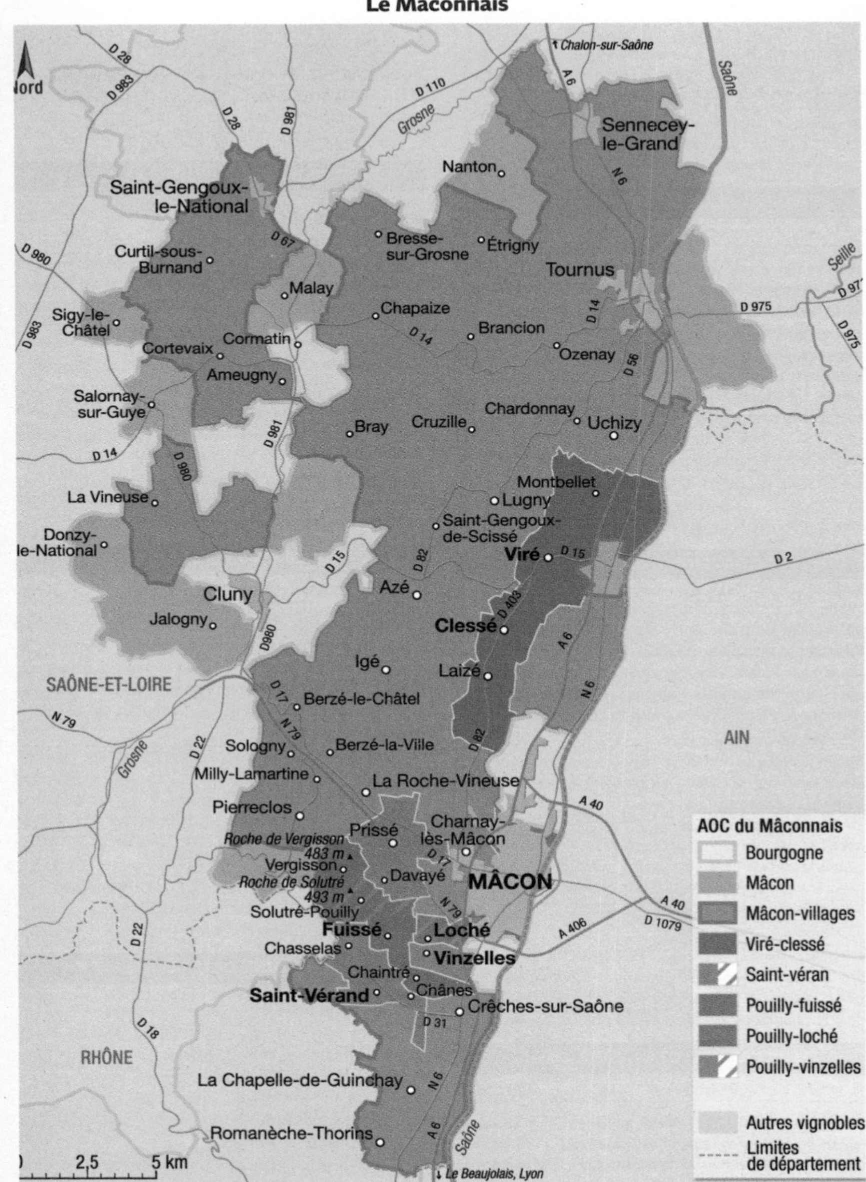

logiquement plus simple que le Chalonnais. Les terrains sédimentaires du triasique au jurassique y sont coupés de failles ouest-est. 20 % des appellations sont communales, 80 % régionales (mâcon blanc et mâcon rouge). Sur des sols bruns calcaires, les blancs les plus réputés, issus de chardonnay, naissent sur les versants particulièrement bien exposés et très ensoleillés de Pouilly, Solutré et Vergisson avec les AOC pouilly-fuissé, pouilly-vinzelles, pouilly-loché, saint-véran. Ils sont remarquables par leur aptitude à une longue garde. Les rouges et rosés proviennent du pinot noir pour les vins d'appellation bourgogne, et de gamay noir à jus blanc pour les mâcon issus de terrains à plus basse altitude et moins bien exposés, aux sols souvent limoneux où des rognons siliceux facilitent le drainage.

MÂCON ET MÂCON-VILLAGES

L'aire de production est assez vaste: du nord au sud, de la région de Tournus jusqu'aux environs de Mâcon, une cinquantaine de kilomètres sur une quinzaine de kilomètres d'est en ouest. À la diversité des situations répond celle des vins. Les appellations mâcon ou mâcon suivi de la commune d'origine sont utilisées pour les rouges, rosés et blancs. Les deux premiers sont le plus souvent issus de gamay, les troisièmes de chardonnay. Les vins blancs peuvent s'appeler aussi mâcon-villages.

CAVE D'AZÉ Azé Élevé en fût de chêne 2014

■ | 16000 | | 5 à 8 €

Fondée en 1927, la cave d'Azé vinifie aujourd'hui 285 ha de vignes sous la houlette de Denis Charlot. Elle s'est taillé une belle réputation pour ses vins blancs, sans négliger ses pinots noirs et ses effervescents, sans oublier non plus sa cuvée originale de liquoreux.

Une jolie robe légère, couleur rubis, et un nez complexe (prune rouge, framboise, feuille de cassis, pivoine, girofle) composent une approche séduisante. Une même sensation aromatique à dominante fruitée se répand dans un palais à la fois tendre et frais, soutenu par des tanins discrets et par une touche grillée et minérale en finale. ⧗ 2016-2019 ▼ entrecôte

CAVE COOPÉRATIVE D'AZÉ, En Tarroux, 71260 Azé, tél. 03 85 33 30 92, contact@caveaze.com
V t.l.j. sf dim. 9h-12h 14h-18h

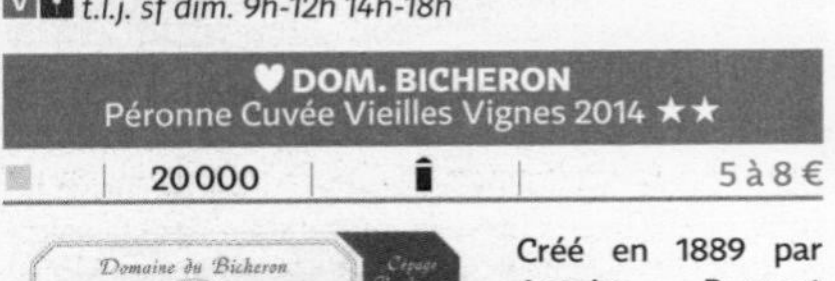

♥ DOM. BICHERON Péronne Cuvée Vieilles Vignes 2014 ★★

| 20000 | | 5 à 8 €

Créé en 1889 par Antoine Rousset sur 3 ha de vignes, non loin de Cluny et de la roche de Solutré, ce domaine, aujourd'hui conduit par ses arrière-petits-enfants Geneviève et David, compte 50 ha.

Née de très vieilles vignes de quatre-vingts ans, élevée sur lies fines pendant un an, cette cuvée a fait forte impression. Parée d'une robe brillante, elle reste fidèle à son cépage, mêlant avec finesse les fleurs blanches, le citron et le pamplemousse au miel, à la mangue et à la confiture d'abricot. Des arômes que l'on retrouve dans une bouche ample, riche, aux rondeurs voluptueuses. Un vrai «vin plaisir», très expressif et charmeur. ⧗ 2016-2020 ▼ wok de crevettes thaï

DOM. DU BICHERON, Saint-Pierre-de-Lanques, 71260 Péronne, tél. 03 85 36 94 53, domainedubicheron@wanadoo.fr
V r.-v. Gaël Rousset

CH. DES BOIS Milly-Lamartine 2014 ★★

| 18000 | | 5 à 8 €

En 2012, Xavier Greuzard a pris la suite de ses parents Isabelle et Vincent à la tête du Ch. de la Greffière (37 ha), dans sa famille depuis 1924. Un vignoble qu'il a pu agrandir l'année d'après en reprenant les 7 ha d'un seul tenant du Ch. des Bois après le départ à la retraite de son propriétaire.

Or vert brillant et limpide, ce 2014 dévoile un nez élégant, d'abord floral, sur les fruits mûrs (pêche, poire) à l'aération. Rond, suave, très long, le palais est équilibré par une fine acidité. Un vin de haute couture, précis et harmonieux. ⧗ 2017-2020 ▼ daurade au fenouil **Ch. de la Greffière La Roche-Vineuse Les Ronzettes 2014 (11 à 15 €; 3000 b.)** : vin cité.

EARL DE LA GREFFIÈRE, 71960 La Roche-Vineuse, tél. 03 85 37 79 11, info@chateaudelagreffiere.com
V t.l.j. 9h-12h 14h-17h30; dim. sur r.-v. Greuzard

DOM. BOURDON 2014

| 7000 | | 5 à 8 €

Ce domaine de 17,5 ha possède deux caves: un chai moderne au cœur du hameau de Pouilly et une magnifique cave voûtée en pierre à Vergisson. À sa tête, Sylvie et François Bourdon représentent la cinquième génération.

Une belle expression de fleurs blanches, de thé vert et de zeste d'orange caractérisent le nez de mâcon-villages. En bouche, du gras, de la douceur, un bon volume, mais aussi une fine fraîcheur aux accents du terroir pour équilibrer le tout. ⧗ 2017-2020 ▼ tourte au chèvre

EARL FRANÇOIS ET SYLVIE BOURDON, rue de la Chapelle, Pouilly, 71960 Solutré-Pouilly, tél. 03 85 35 81 44, francoisbourdon2@wanadoo.fr
V r.-v.

JEAN-MARIE CHALAND Burgy Terres rouges 2014

■ | 4000 | | 11 à 15 €

Un vignoble de 9 ha conduit en bio, des vendanges manuelles et des élevages longs: une méthode qui a fait ses preuves, témoin les nombreuses sélections des vins de Jean-Marie Chaland dans le Guide.

Élevé en fût pendant un an, ce mâcon est issu de vieux ceps de gamay de soixante ans vendangés à la main début septembre. D'un rouge grenat profond, il distille de charmantes notes de fruits rouges et noirs mâtinées de poivre noir et d'épices plus douces. On retrouve le poivre dans une bouche d'un bon volume, bien construite autour de tanins fins et veloutés. ⧗ 2017-2020 ▼ magret de canard aux cerises

BOURGOGNE

JEAN-MARIE CHALAND, 12, rue En-Chapotin, 71260 Viré, tél. 09 64 48 09 44, jean-marie.chaland@orange.fr V r.-v. ③

DOM. CHÊNE La Roche-Vineuse 2014

14 500		5 à 8 €

Vigneronne depuis 1973, la famille Chêne quitte la cave coopérative de Prissé en 1999 pour vinifier et commercialiser sa propre production. Établi en plein cœur du val Lamartinien, le domaine dispose d'un important vignoble: 38 ha répartis dans plusieurs appellations. Une valeur sûre du Mâconnais.

Ce 2014 dévoile un bouquet harmonieux de groseille et de framboise. La bouche se montre fraîche et fruitée, adossée à des tanins souples. Un vin simple et gourmand, à boire dans sa jeunesse. 2016-2018 assiette de charcuterie **La Roche-Vineuse Cuvée Prestige 2014 (5 à 8 €; 30 000 b.)** : vin cité.

DOM. CHÊNE, Ch. Chardon, 71960 La Roche-Vineuse, tél. 03 85 37 65 90, domainechene@orange.fr V t.l.j. 9h30-12h 14h30-19h

DOM. DES CHENEVIÈRES Les Saints-Jean 2014 ★

1500		8 à 11 €

Ce domaine de 42,5 ha situé à l'ouest de Mâcon est exploité par la même famille depuis cinq générations. Il s'est forgé une solide réputation avec ses bourgognes d'appellations régionales et ses mâcon, souvent en vue dans ces pages. Vincent et Nicolas Lenoir, aidés de leur épouse et de leurs enfants Sylvain et Aurélien, sont aujourd'hui aux commandes.

Ce séduisant mâcon-villages présente un nez intense et complexe de fleurs blanches, de vanille, de pierre à fusil, d'agrumes et d'épices douces. Fraîche dès l'attaque, la bouche fait preuve d'un bel équilibre entre rondeur fruitée et tension minérale avant de déployer une longue finale tonique. 2016-2019 truite aux amandes **Les Poncemeugnes 2014 (5 à 8 €; 6650 b.)** : vin cité.

DOM. DES CHENEVIÈRES, Le Bourg, 71260 Saint-Maurice-de-Satonnay, tél. 03 85 33 31 27, domaine.chenevieres@orange.fr V t.l.j. 9h-12h 14h-19h *Lenoir*

DOM. LES CHENEVIÈRES 2014

10 655		8 à 11 €

Georges Dubœuf a fondé cette affaire familiale de négoce en 1964. Il est l'un des grands acteurs viticoles en France. Numéro un pour la commercialisation des vins du Beaujolais et du Mâconnais, il vinifie annuellement 165 000 hl avec 400 viticulteurs et 20 caves coopératives sous contrat, soit l'équivalent de 30 millions de bouteilles.

Né sur les terres argilo-calcaires de Saint-Maurice-de-Satonnay, ce 2014 intensément doré s'ouvre sur des senteurs avenantes de fleurs blanches, d'agrumes et de miel. Centré sur les fruits exotiques et le citron, le palais se révèle frais et bien équilibré. Parfait pour l'apéritif. 2016-2019 gougères au chèvre

LES VINS GEORGES DUBŒUF, 208, rue de Lancié, 71570 Romanèche-Thorins, tél. 03 85 35 34 20, gduboeuf@duboeuf.com V t.l.j. 10h-18h à la boutique du Hameau

GEOFFREY CHEVALIER Chaintré 2014

1600		5 à 8 €

Les vignes (4,64 ha) sont dans la famille Chevalier depuis cinq générations. Geoffrey, lui, aime la musique et le son, et a créé plusieurs groupes avant de se lancer dans le vin en 2009. «Le bagne», raconte-t-il. Il se forme au lycée de Mâcon Davayé et a le déclic grâce à une collègue de promotion qui lui a pemis de «rêver le vin». Après quelques mois dans une *winery* au Canada, il revient au bercail en 2012 pour son premier millésime. Souhaitant revenir à la viticulture de son grand-père, sans chimie, il a engagé la conversion bio.

Derrière une seyante robe jaune d'or se dévoile un bouquet minéral et floral. Après une attaque franche et nette, le palais évolue tout en rondeur, autour des fruits mûrs. Un vin équilibré. 2016-2019 brochet au beurre blanc

GEOFFREY CHEVALIER, 109, rue du Bourg, 71960 Fuissé, tél. 06 76 38 93 01, contact@chevalier-fuisse.fr V r.-v.

♥ DOM. CHEVEAU Davayé Les Belouzes 2014 ★★

9000		8 à 11 €

Représentant la troisième génération, Nicolas Cheveau et son épouse Aurélie ont développé le domaine en superficie (20 ha) et privilégié le commerce en bouteilles afin de valoriser leurs terroirs et leur savoir-faire.

Née de très jeunes ceps de chardonnay (cinq ans) plantés sur argilo-calcaire, cette cuvée se présente avec prestance dans sa robe platine à reflets céladon. Le bouquet, élégant et délicat, évoque les petites fleurs blanches des haies sauvages nuancées d'amande fraîche. L'attaque est douce, le développement rond et tendre, agrémenté d'une pointe acidulée qui apporte du nerf et de l'allonge. 2017-2020 sole meunière

DOM. CHEVEAU, rte des Concizes, 71960 Solutré-Pouilly, tél. 03 85 35 81 50, domaine@vins-cheveau.com V r.-v.

CLOS DES ROCS Loché En Près Forêt 2014 ★

n.c.		8 à 11 €

Issu d'une famille vigneronne depuis sept générations, Olivier Giroux a grandi au milieu des vignes de Fuissé. En 2002, après avoir dirigé une exploitation dans la vallée du Rhône, il revient sur ses terres natales et acquiert ce domaine de 8,6 ha, dont le Clos des Rocs et ses 3,5 ha en monopole. Le passage au bio est engagé.

Ce joli blanc bien doré dévoile un nez discret mais fin à dominante florale, mais dans lequel on retrouve également des notes de pêche blanche et de poire. Plus éloquent, rond, ample, puissant, le palais s'étire longuement sur des saveurs fruitées. 2016-2019 terrine de poisson

CLOS DES ROCS, SCEA Vignoble du Clos des Rocs, 64, chem. de la Colonge, 71000 Loché, tél. 03 85 32 97 53, vin@closdesrocs.fr V r.-v. *Olivier Giroux*

DOM. CORDIER PÈRE ET FILS
Milly-Lamartine Clos de Four 2014 ★

| 6000 | | 15 à 20 € |

Basé à Fuissé, Christophe Cordier a pris la tête de ce vignoble de 35 ha à la suite de son père Roger. Il a élargi sa gamme en créant une affaire de négoce sous son nom. Une référence en Mâconnais, sous les deux casquettes, également présent en Beaujolais.

Adepte de l'élevage en fût de chêne, Christophe Cordier propose toujours des cuvées de belle facture, dont l'empreinte boisée est souvent sensible. C'est le cas de ce 2014 d'un doré très intense, au nez boisé donc et encore un peu austère, bien charpenté et plus loquace en bouche, avec des arômes d'épices douces, de brioche et de genêt. Vous l'aurez compris, ce vin doit séjourner en cave. 2018-2021 blanquette de veau

DOM. CORDIER, 71960 Fuissé, tél. 03 85 35 62 89, domaine.cordier@wanadoo.fr V r.-v.

DOM. DOMINIQUE CORNIN Chaintré 2014

| 25000 | | 11 à 15 € |

À l'origine, les vignes du domaine (12 ha aujourd'hui) étaient récoltées à la machine et les raisins confiés à la coopérative de Chaintré. En 1995, Dominique Cornin se retire de la cave, opte pour la vendange manuelle et s'oriente peu à peu vers le bio, jusqu'à la certification obtenue en 2009. Son fils Romain l'a rejoint en 2012.

Ce Chaintré d'un beau vieil or dévoile un bouquet complexe et riche qui mêle la pêche de vigne, la poire juteuse, la cannelle et le poivre blanc. La bouche apparaît ronde et d'un bon volume, centrée sur les fruits mûrs, avec en finale une pointe de vivacité qui fait place nette. Un vin festif et friand. 2016-2019 andouillette mâconnaise

DOM. DOMINIQUE CORNIN, 339, Savy-le-Haut, 71570 Chaintré, tél. 03 85 37 43 58, dominique@cornin.net V r.-v.

DOM. CORSIN 2014

| 11200 | | 8 à 11 € |

Ce domaine prestigieux, et toujours familial, existe depuis plus d'un siècle. Précurseur dans la vente en bouteilles, il est aujourd'hui entre les mains expertes de Jean-Jacques et Gilles Corsin.

Engageante dans sa robe dorée à reflets bronze, ce 2014 déploie un bouquet élégant de pêche, d'abricot, de fougère et de citron vert. La bouche, dans la continuité aromatique du nez, se révèle riche et puissante, stimulée par une finale mentholée. 2016-2019 terrine de poisson

DOM. CORSIN, 404, rue des Plantes, 71960 Davayé, tél. 03 85 35 83 69, contact@domaine-corsin.com V r.-v.

DOM. COTEAUX DES MARGOTS
Grands Buys 2014

| 2200 | | 8 à 11 € |

Jean-Luc Duroussay s'installe en 1983 sur le domaine familial, 15 ha situés au cœur des collines du Mâconnais, essentiellement sur Pierreclos. Il y est rejoint en 1999 par son épouse Véronique; ensemble, ils entreprennent de valoriser la production en développant la vente en bouteilles aux particuliers.

Une cuvée confidentielle née de 30 ares de chardonnays plantés sur argilo-calcaire et cueillis manuellement. La robe est vermeil, le nez ouvert sur des parfums généreux de confiture d'abricot et de mirabelle mûre, le palais gras et rond, équilibré par un trait de salinité en finale. 2016-2019 chèvre frais

DOM. COTEAUX DES MARGOTS, 219, rue des Margots, 71960 Pierreclos, tél. 06 25 56 23 08, domainecoteauxdesmargots@wanadoo.fr V *t.l.j. 9h-12h30 14h-19h* *Duroussay*

DOM. DES CRÊTS
Chardonnay Climat l'Échenault de Serre 2014 ★

| 5288 | | 11 à 15 € |

Le Dom. des Crêts est né de la rencontre entre François Lequin, vigneron réputé de la Côte de Beaune installé à Santenay, et Matthieu Ponson, entrepreneur passionné de vins et originaire de Cornas: une propriété de 3,9 ha rachetée en 2014 à Pascal Pauget.

Au nez, ce vin diaphane évoque les fleurs blanches et le muscat. Le pamplemousse et la pêche de vigne s'ajoutent à ces sensations dans une bouche souple et tendre, relevée par une pointe agréable d'amertume en finale. 2016-2019 jambon persillé

SCEA DOM. DES CRÊTS, Les Crêts, 71700 Ozenay, tél. 06 31 12 43 07, info@domainedescrets.fr V *r.-v.* *Ponson*

DOM. DE LA CROIX SENAILLET
Davayé 2014 ★

| 12000 | | 11 à 15 € |

Ce domaine fut créé en 1969 par Maurice Martin, qui a progressivement abandonné la polyculture pour la vigne. En 1990, son fils Richard reprend le domaine familial, avant d'être rejoint par son frère Stéphane en 1992. La propriété de 6,5 ha à l'origine s'est agrandie pour atteindre 25 ha aujourd'hui, répartis sur 52 parcelles en bio certifié depuis 2010.

Cette cuvée arbore une belle étoffe d'or blanc ciselée de reflets bronze. De fins arômes d'ananas, de poire et de cédrat introduisent une bouche équilibrée entre gras, acidité et noble amertume. Un joli mâcon armé pour une évolution sereine et harmonieuse. 2017-2021 rillettes de saumon

DOM. DE LA CROIX SENAILLET, Richard et Stéphane Martin, En-Coland, 71960 Davayé, tél. 03 85 35 82 83, richard@domainecroixsenaillet.com V *r.-v.*

DEUX ROCHES Tradition 2014 ★

| 100000 | 8 à 11 € |

L'aventure au domaine commence en 1928 avec les premières vignes que Joanny Collovray possède autour de Davayé, à l'ouest de Mâcon. Deux générations plus tard, les Collovray ont rencontré les Terrier et s'associent au sein du Dom. des Deux Roches qui naît en 1986. Aujourd'hui la quatrième génération est à l'œuvre... Une valeur sûre du Mâconnais.

Ce vin aux reflets dorés intenses dévoile un bouquet très fruité: pamplemousse, mandarine, pêche jaune, abricot, ananas, le tout souligné d'une pointe de minéralité. Gourmandise et générosité caractérisent la bouche,

BOURGOGNE

centrée sur les fruits mûrs, avec en finale une fine salinité qui lui confère de la légèreté. ⧗ 2016-2019 ¥ saumon fumé

⊶ *DOM. DES DEUX ROCHES, La Cuette, 71960 Davayé, tél. 03 85 35 86 51, info@collovrayterrier.com* V *r.-v.*

DOM. DE L'ÉCHELETTE
Cruzille Les Vignes de Michel 2014

| 3000 | 8 à 11 € |

Acquis en 1976 par Martine et Michel Champliaud, ce domaine avait perdu à l'époque sa vocation viticole, faute de vignes à exploiter. Michel s'est employé à reconstituer le vignoble originel, puis à l'agrandir progressivement pour atteindre aujourd'hui 13 ha répartis sur trois communes: Martailly-les-Brancion, Cruzille et La Chapelle-sous-Brancion.

La première parcelle plantée par Michel Champliaud en 1982 est à l'origine de cette cuvée hommage au fondateur du domaine. Élevé sur lies, passé neuf mois en fût, ce vin confidentiel révèle tout le potentiel des terroirs de Cruzille. Limpide et vif, il s'épanouit autour d'arômes intenses de miel, de noisette, d'acacia, de pêche blanche, puis dévoile une bouche riche et onctueuse, équilibrée par une finale fraîche et acidulée. ⧗ 2016-2019 ¥ cuisses de grenouilles

⊶ *DOM. DE L' ÉCHELETTE, 71700 La Chapelle-sous-Brancion, tél. 03 85 51 10 34, domaine.echelette@orange.fr* V *t.l.j. 9h-12h 13h-20h* ⊶ *Champliaud*

DOM. ELOY Pierreclos 2014 ★

| 4000 | 5 à 8 € |

Installé depuis 1987 au cœur de Fuissé, à quelques encablures de Pierreclos, son village d'origine, Jean-Yves Eloy est à la tête d'un domaine de 28 ha.

D'une belle fraîcheur, le nez se partage entre les fruits rouges et les baies noires. Assez tranchant en attaque, mais sans agressivité, le palais, bien équilibré, expressif et souple, oscille entre le cassis et la mûre. ⧗ 2016-2019 ¥ saucisson lyonnais aux lentilles **2014 (5 à 8 €; 20000 b.)** : vin cité.

⊶ *JEAN-YVES ELOY, 358, rue du Plan, 71960 Fuissé, tél. 03 85 35 67 03, domaine.eloy@outlook.fr* V *r.-v.*

DOM. DE LA FEUILLARDE
Prissé 2014

| 9000 | 8 à 11 € |

Créé en 1934 par Jean-Marie Thomas, le domaine familial est aujourd'hui géré par Lucien Thomas, actif défenseur de l'appellation saint-véran. Les 20 ha du vignoble entourent la propriété située à Prissé, ancien bourg fortifié du Mâconnais.

C'est d'un terroir argilo-calcaire que provient cette cuvée couleur platine, aux parfums délicats de genêt et de citron assortis d'une touche iodée. Gourmande, riche, légèrement suave, la bouche est «réveillée» par une finale vive et saline. ⧗ 2016-2019 ¥ quenelles de brochet

⊶ *LUCIEN THOMAS, Dom. de la Feuillarde, 71960 Prissé, tél. 03 85 34 54 45, contact@domaine-feuillarde.com* V *t.l.j. 8h-12h30 13h30-18h; sam. dim. sur r.-v.*

♥ DOM. FICHET
Burgy Les Verchères 2013 ★★

| 4000 | 11 à 15 € |

Domaine sorti de la cave coopérative d'Igé par Francis Fichet en 1976. Ses fils Pierre-Yves et Olivier, aux commandes depuis 1999, exploitent aujourd'hui 35 ha de vignes, à partir desquels ils produisent une quinzaine de cuvées différentes, nées des quatre cépages de Bourgogne. Une valeur sûre du Mâconnais, complétée en 2006 par une petite structure de négoce.

Abonné aux coups de cœur du Guide, le domaine Fichet – Igé La Cra Cuvée Prestige 2013 pour ne citer que le dernier – récidive avec cette cuvée qui virevolte joyeusement dans une jolie robe claire. Le nez, complexe, évoque tour à tour l'ananas, le litchi, le citron et les fleurs blanches. Flatteur, il développe un charme tout aussi exotique dans une bouche ample, riche et très harmonieuse, soulignée par une fraîcheur parfaitement dosée. ⧗ 2016-2020 ¥ tartare de daurade à la mangue **Igé La Cra 2014 ★ (15 à 20 €; 10000 b.)** : du charme à revendre dans ce vin aux nuances fruitées d'agrumes, ample et suave en bouche. ⧗ 2016-2020

⊶ *DOM. FICHET, SARL Fichet, 651, rte d'Azé, Le Martoret, 71960 Igé, tél. 03 85 33 30 46, domaine-fichet@wanadoo.fr* V *t.l.j. 8h-12h 13h-18h30; dim. sur r.-v.*

ÉRIC ET CATHERINE GIROUD
Chardonnay Les Crêts 2014 ★★

| 4000 | 8 à 11 € |

Éric et Catherine Giroud ont créé en 1990 ce domaine de 14 ha implanté à Uchizy, petit village au nord de l'appellation. Les premières vinifications datent de 2000.

Ce 2014 propose un mariage remarquable du chardonnay et de l'argilo-calcaire: une jolie robe fraîche et vive, couleur paille, des arômes tout en finesse d'aubépine, de miel et de noisette fraîche, une bouche soyeuse, riche, vineuse mais jamais lourde. Un mâcon déjà harmonieux qui se bonifiera encore avec un peu de garde. ⧗ 2018-2021 ¥ rôti de veau aux girolles

⊶ *DOM. ÉRIC ET CATHERINE GIROUD, Le Quart, 71700 Uchizy, tél. 03 85 40 52 24, domainegiroud@free.fr* V *r.-v.*

DOM. GIROUX
Fuissé Vers Chanes 2014 ★★

| 3500 | 11 à 15 € |

Créé en 1973 par Yves Giroux, ce domaine a connu sa première succession en 2010. C'est aujourd'hui le fils aîné Sébastien qui, après une carrière dans l'automobile, préside aux destinées de ce vignoble de 6,8 ha.

Issu d'une vendange manuelle réalisée début septembre, ce vin élevé en cuve pendant seize mois flatte le regard par son bel éclat doré et ses reflets bronze. Un bouquet subtil et délicat, gentiment floral, ouvre la dégustation, tandis que le palais, vivifié par une fine trame citronnée, se révèle gras et structuré. Un mâcon harmonieux de bout en bout, qui vieillira bien. ⧗ 2017-2021 ⫯ poulet de Bresse aux morilles

⊶ EARL DOM. YVES GIROUX ET FILS, Les Molards, 71960 Fuissé, tél. 09 79 00 64 33, domainegiroux@wanadoo.fr V r.-v.

DOM. GONON Bussières 2014

	20000		5 à 8 €

Situé à Vergisson au pied de la célèbre roche de Solutré, ce domaine de 14 ha, propriété des Gonon depuis cinq générations, produit bon nombre des AOC du Mâconnais: pouilly-fuissé, saint-véran, bourgogne rouge… et même le très rare mâcon rosé.

Une vendange saine, mûre mais pas trop et un élevage de dix mois en cuve, tels sont les ingrédients de Jean-François Gonon pour obtenir ce joli classique: robe pâle à reflets verts, arômes discrets de poire fraîche et d'acacia, bouche fine et fraîche sans manquer de chair, finale légèrement citronnée. ⧗ 2017-2020 ⫯ escargots en persillade

⊶ DOM. GONON, 1, chem. de la Renardière, 71960 Vergisson, tél. 03 85 37 78 42, domgonon@aol.com V r.-v.

LES GRANDS CRUS BLANCS Loché 2014 ★

	18200	5 à 8 €

Créée en 1929, la cave des Grands Crus blancs a scellé l'union des vignerons de deux villages voisins: Vinzelles et Loché. Ses vins du Mâconnais sont régulièrement au rendez-vous du Guide.

Ce Loché affiche d'emblée une belle présence à travers une palette aromatique complexe et subtile alliant les fleurs d'acacia et les fruits blancs. La bouche est assez discrète, mais fine, et offre plus d'intensité aromatique en finale avec un joli fruité acidulé. Un vin harmonieux, qui ne cherche pas l'esbroufe et qui plaît par sa sincérité. ⧗ 2016-2019 ⫯ cîteaux

⊶ CAVE DES GRANDS CRUS BLANCS, 2367, rte des Allemands, 71680 Vinzelles, tél. 03 85 27 05 70, contact@lesgrandscrusblancs.com V *t.l.j. 8h30-19h*

LUDOVIC GREFFET 2014

	2500		5 à 8 €

Depuis son installation en 2000, Ludovic Greffet, quatrième du nom à la tête du domaine (6,5 ha), a modernisé l'exploitation familiale. Il s'est forgé un solide savoir-faire par un apprentissage dès son plus âge dans les vignes de son père et par de nombreuses expériences auprès de différents vignerons de la Côte de Beaune et de Châteauneuf-du-Pape.

Sa robe brillante présente de légers reflets or, tandis que la palette aromatique associe la mirabelle, les petites fleurs des haies et la feuille de cassis froissée. Le palais attaque sur la fraîcheur, puis laisse place à une matière ronde et tendre, avant une finale qui renoue avec une pointe de vivacité donnant du relief à l'ensemble. ⧗ 2016-2019 ⫯ rillettes de saumon

⊶ LUDOVIC GREFFET, imp. du Forgeron, 71960 Solutré-Pouilly, tél. 06 23 75 35 22, domaine@ludovic-greffet.fr V r.-v.

DOM. MARC JAMBON ET FILS Pierreclos Cuvée classique 2014

	8970		8 à 11 €

Présente à Pierreclos depuis 1750, la famille Jambon (aujourd'hui Marc et son fils Pierre-Antoine) conduit un domaine de 11,5 ha et signe de belles cuvées avec une réelle constance.

Des chardonnays de trente ans récoltés à la main à la mi-septembre pour ce vin élevé sur lies en cuve Inox pendant huit mois. Le nez, intense, mêle le bonbon anglais et le citron. La bouche, ample et bien équilibrée, s'exprime avec élégance sur des notes d'agrumes et de pêche de vigne. Un bon classique. ⧗ 2016-2019 ⫯ fromage de chèvre affiné

⊶ DOM. MARC JAMBON ET FILS, 38, imp. de la Roche, 71960 Pierreclos, tél. 03 85 35 73 15, domainemarcjambon@orange.fr V r.-v.

DOM. DE LA JOBELINE 2014

	3700		8 à 11 €

Ce domaine centenaire fut créé en 1915 par le grand-père de Pierre Maillet, l'actuel propriétaire. Jusqu'alors, il apportait sa récolte à la cave coopérative de Verzé; il la quitte en 2014 pour vinifier son premier millésime dans sa nouvelle cuverie.

Ce vin séduit d'emblée par sa robe cristalline et son bouquet intense rappelant la pêche, la poire et la pierre à fusil. Droite et franche en attaque, la bouche s'équilibre bien entre les saveurs fruitées et la minéralité du terroir. Le plaisir dans la simplicité. ⧗ 2016-2019 ⫯ langoustines

⊶ DOM. DE LA JOBELINE, 887, rte de la Roch-Vineuse, 71960 Verzé, tél. 03 85 22 98 03, contact@domainedelajobeline.com V r.-v.
⊶ Pierre Maillet

VIGNOBLES LÉTOURNEAU Lugny Les Charmes 2014

	3000		5 à 8 €

Une maison fondée en 1902 et un savoir-faire transmis depuis trois générations. C'est Yannick Létourneau qui en est le responsable depuis 2002. Situé à Burgy, au nord de Mâcon, dans une région propice aux vins blancs, ce domaine (8,3 ha) est spécialisé depuis 1950 dans l'élaboration d'effervescents de qualité et de vins blancs d'appellation.

Qualifié de vin «sérieux», ce 2014 dévoile une palette aromatique harmonieuse entre le fruit du chardonnay et le grillé de l'élevage. En bouche, il offre un bel équilibre entre rondeur et fraîcheur minérale. ⧗ 2016-2019 ⫯ cabillaud sauce agrumes

⊶ LES CHAIS LÉTOURNEAU, 91, rte du Bourg, 71260 Burgy, tél. 06 78 41 27 58, yannick.letourneau@wanadoo.fr V r.-v.

BOURGOGNE

CAVE DE LUGNY
Lugny Cœur de Charmes 2014

	30000		11 à 15 €

Fondée en 1926, la Cave de Lugny, en Bourgogne du sud, est la première coopérative de la région. Elle vinifie aujourd'hui les 1 435 ha de vignes de ses 234 vignerons adhérents, ce qui en fait le plus gros producteur de Bourgogne, 80 % de la production étant dédiés au chardonnay.

Issue du cœur du fameux plateau des Charmes à Lugny, cette cuvée s'ouvre sur de discrètes notes citronnées. En bouche, il se révèle plutôt riche et rond, construit autour des fruits mûrs, mais dynamisé par une touche de vivacité bien sentie en finale. Un bon classique à découvrir autour des produits de la mer. ⧗ 2016-2019 ᛘ koulibiac de saumon **Lugny La Vigne du Cloître La Carte 2014 (5 à 8 €; 35000 b.)** : vin cité.

CAVE DE LUGNY, 995, rue des Charmes, 71260 Lugny, tél. 03 85 33 22 85, commercial@cave-lugny.com V r.-v.

VIGNERONS DE MANCEY
Mancey Les Cadoles 2014 ★

	6970		5 à 8 €

Fondée en 1929, la coopérative de Mancey est établie non loin de Tournus et de la Saône. Son terroir occupe la pointe des collines du Mâconnais, où elle mène un important travail de sélection parcellaire.

Cette cuvée d'un beau rouge cardinal tire son nom des fameuses petites cabanes en pierre sèche qui servaient d'abri au vigneron et que l'on trouve encore dans le vignoble bourguignon. Elle livre à l'aération des parfums intenses de cassis, de cerise noire et de framboise. La bouche se révèle pulpeuse, fruitée et épicée. Un vin plein d'allant, à boire sur le fruit. ⧗ 2016-2019 ᛘ tartare de bœuf

CAVE DES VIGNERONS DE MANCEY, RN 6, En-Velnoux, BP 100, 71700 Tournus, tél. 03 85 51 00 83, contact@cave-mancey.com V *t.l.j. 9h-12h30 14h-18h30*

MANCIAT-PONCET Charnay Les Chênes 2014

	20000		8 à 11 €

Cette propriété créée en 1870, qui s'étend aujourd'hui sur près de 23 ha, a été transmise de père en fils jusqu'en 2003. Depuis cette date, c'est la fille de Claude Manciat, Marie-Pierre, qui a repris les rênes du domaine.

Ce Charnay or pâle aux reflets métalliques dévoile un aimable bouquet de citron, de cédrat et d'écorce d'orange vivifié par la minéralité du lieu. En bouche, il se montre vif, tendu et «titille» bien les papilles. Un joli «vin de soif» pour l'apéritif. ⧗ 2016-2019 ᛘ feuilleté au fromage

DOM. MANCIAT-PONCET, 217, rue Saint-Vincent, 71570 Chaintré, tél. 03 85 35 61 50, olivier.manciatponcet@orange.fr V *r.-v.*

MANOIR DU CAPUCIN Solutré-Pouilly Délice 2014

	10000		8 à 11 €

Le manoir aux colonnes toscanes, avec ses caves et son clos, fut la demeure du Capucin Luillier (auteur des *Noëls Mâconnais* au XVIIe s.) et entra dans la famille Bayon au début du XXe s. Chloé Bayon et son ami Guillaume Pichon, les actuels propriétaires, ont entrepris la rénovation en 2002 et conduisent aujourd'hui un vignoble de 12,5 ha.

Ce 2014 dévoile une palette aromatique délicate de petites fleurs blanches et d'épices. Agréable, souple et frais, bien citronné en finale, le palais est à la hauteur du bouquet. Simple, efficace, harmonieux. ⧗ 2016-2019 ᛘ tartare de poisson

CHLOÉ BAYON, Le Plan, 71960 Fuissé, tél. 03 85 87 82 14, manoirducapucin@yahoo.fr V *r.-v.*

ÉVELYNE ET DOMINIQUE MERGEY
Fuissé Les Grandes Bruyères 2014 ★

	2700		8 à 11 €

Évelyne Mergey est depuis 2005 à la tête d'un petit domaine de 3,5 ha. Elle a confié l'élaboration des vins à sa fille et à son gendre, du Dom. Cheveau à Pouilly.

La version 2010 de ces Grandes Bruyères obtint un coup de cœur. Le 2014 fait bonne impression: on aime ses senteurs de fleurs blanches, d'amande et de fruits blancs, son attaque ronde, son évolution tout en souplesse et en finesse, son boisé très fondu (douze mois de foudre) et sa finale longue et gourmande. Une bouteille qui vieillira bien. ⧗ 2017-2021 ᛘ saumon gravlax

ÉVELYNE ET DOMINIQUE MERGEY, Le Bouteau, 71570 Leynes, tél. 03 85 23 80 87, d.mergey@gmail.com V *r.-v.*

MEURGEY-CROSES Uchizy 2014

	12000		8 à 11 €

Né en 1959 aux Hospices de Beaune, Pierre Meurgey est issu d'une longue lignée de régisseurs de domaines viticoles, œnologues et courtiers en vins bourguignons. Après avoir racheté la maison Champy en 1990, il a l'opportunité en 2014 d'acheter des raisins en Mâconnais – sa mère est originaire d'Uchizy – et lance sa marque Meurgey-Croses.

Une belle entrée dans le Guide pour Pierre Meurgey avec sa nouvelle maison de négoce et ce mâcon au nez fruité, sur l'ananas et la pêche de vigne. Un beau volume introduit une bouche ronde et charnue, de bonne longueur, soulignée par une pointe d'acidité bien sentie qui lui garantit une bonne évolution dans le temps. ⧗ 2017-2020 ᛘ brochettes de saint-jacques

PIERRE MEURGEY, 25, bd Clémenceau, 21200 Beaune, tél. 09 81 83 29 04, contact@pierremeurgey.com

DOM. MICHEL 2014 ★

	25000		11 à 15 €

Ce domaine de 21 ha situé dans le pittoresque hameau de Cray est réputé tant pour son excellence que pour sa longévité (fondation en 1840): les générations se succèdent, la qualité des vins demeure.

Au nez, ce 2014 s'éveille progressivement sur des notes de fruits jaunes mûrs et d'aubépine. Le palais apparaît ample et rond, stimulé par une superbe finale sur les fruits exotiques (mangue, ananas). Tout est bien en place et prêt pour un plaisir immédiat. ⧗ 2016-2018 ᛘ saumon à l'unilatérale

DOM. MICHEL, Cray, Cidex 624, 71260 Clessé, tél. 03 85 36 94 27, domainemichelclesse@orange.fr V *r.-v.*

♥ JEAN-PIERRE MICHEL
Terroir de Quintaine 2014 ★★

■ | 15000 | | 8 à 11 €

Valeur sûre du Mâconnais, ce vigneron exploite 8,5 ha à Quintaine, au cœur de l'AOC viré-clessé, sur les premiers coteaux exposés au soleil levant surplombant la vallée de la Saône, à mi-chemin entre Mâcon et Tournus. Ses pratiques: labour des sols, récolte manuelle à maturité, vinifications longues et «naturelles» (sans chaptalisation ni levurage) conduites selon la nature des terroirs, en cuve ou en fût, avec des élevages longs sur lies fines.

De ce superbe vin jaune vert brillant de mille feux s'échappent de nombreuses senteurs formant une palette olfactive riche et variée: fleurs blanches, fruits jaunes, agrumes, pomme, miel d'acacia. La bouche, longue et pleine de saveurs fruitées, onctueuse et acidulée à la fois, laisse entrevoir les notes minérales du terroir de Quintaine. Un macôn-villages racé et élégant qui pourra déjà être bu prochainement, mais qui saura aussi supporter une garde de plusieurs années. Un seigneur. ⧗ 2017-2020 🍷 ris de veau à la crème

⊶ JEAN-PIERRE MICHEL, Quintaine, 71260 Clessé, tél. 03 85 23 04 82, vinsjpmichel@orange.fr V r.-v.

DOM. DE MONTERRAIN 2014

■ | 20000 | | 5 à 8 €

Dans ce hameau des Monterrains est né en 1891 Jean-Marie Combier, photographe et créateur de cartes postales. Martine et Patrick Ferret, ses descendants, y exploitent 12 ha de gamay, de pinot noir et de chardonnay sur les collines environnantes.

Des chardonnays nés sur un sol sableux et argileux, cueillis à la main fin septembre, ont donné ce vin scintillant, aux reflets or blanc, ouvert sur des notes classiques de fleurs et fruits blancs rehaussés par une vivacité citronnée, souple et rond en bouche. ⧗ 2016-2019 🍷 fromage de chèvre

⊶ DOM. DE MONTERRAIN, Les Monterrains, 71960 Serrières, tél. 03 85 35 73 47, domaine.de.monterrain@wanadoo.fr V *r.-v.*
⊶ Patrick et Martine Ferret

SYLVAINE ET ALAIN NORMAND
La Roche-Vineuse Vieilles Vignes 2014 ★

■ | 5000 | | 8 à 11 €

Alain Normand s'est installé en 1993 à la tête de 13 ha. En 2010, le domaine s'agrandit considérablement avec le vignoble du père de Sylvaine, passant à 32 ha de vignes répartis sur Solutré, Chaintré, Prissé et La Roche-Vineuse.

Vendangé à la main à la mi-septembre, ces chardonnays de soixante ans ont donné naissance à un vin doré éclatant, très expressif, sur les fleurs blanches, la poire et l'amande, rond, souple et finement boisé en bouche, vivifié par des saveurs d'agrumes et une pointe de minéralité en finale. ⧗ 2016-2020 🍷 sole meunière ■ **La Roche-Vineuse 2014 (5 à 8 €; 40000 b.)** : vin cité.

⊶ SYLVAINE ET ALAIN NORMAND, 16, chem. de la Grange-du-Dîme, 71960 La Roche-Vineuse, tél. 03 85 36 61 69, vins@domaine-normand.com V *r.-v.*

DOM. PAIRE Azé 2014

■ | 16000 | 5 à 8 €

La Compagnie des vins d'autrefois (CVA) est une maison de négoce créée en 1975 par Jean-Pierre Nié, établie à Beaune, qui propose une large gamme de vins de négoce et de domaines de Bourgogne et du Beaujolais.

Ce mâcon dévoile un nez discret et délicat de cerise et de rose rouge. La bouche est gouleyante et vive, adossée à des tanins fins et bien fondus. L'archétype du «vin de soif», à déguster sur le fruit. ⧗ 2016-2018 🍷 mâchon

⊶ LA COMPAGNIE DES VINS D'AUTREFOIS, 3, pl. Notre-Dame, 21200 Beaune, tél. 03 80 26 33 00, cva@cva-beaune.fr

CHRISTOPHE PERRIN Bray La Montagne 2014 ★

■ | 2600 | | 8 à 11 €

Christophe Perrin a travaillé pendant onze ans dans un domaine à Vosne-Romanée avant de s'installer en 2007 sur ce petit bout de terre, aux confins du Clunysois, planté de 6,5 ha de vignes. Premières vinifications en 2010.

Une cuvée issue de la parcelle la plus haute du domaine, au sol d'argile et de marne. Récoltée à la main, puis élevée en fût de chêne, elle arbore une couleur paille. Au premier nez, des notes de citron et de minéralité qui laissent place à des senteurs de pêche jaune et d'épices douces à l'agitation. En bouche, du gras et de la richesse qui apportent une agréable sensation de douceur, équilibrée par une trame minérale et quelques nuances de poivre blanc. ⧗ 2016-2019 🍷 noix de Saint-Jacques crème et agrumes ■ **Bray L'Arquelaine 2014 ★ (8 à 11 €; 2000 b.)** : un vin fruité, floral et un brin miellé au nez, souple, ample, gourmand et frais en bouche. ⧗ 2016-2019

⊶ DOM. CHRISTOPHE PERRIN, Chazeux, 71460 Chissey-lès-Mâcon, tél. 03 85 50 05 23, domaine.christopheperrin@orange.fr V *t.l.j. 10h-12h 14h-19h*

DOM. LES PERSERONS
Charnay-lès-Mâcon Vieilles Vignes 2014 ★

■ | 9572 | | 5 à 8 €

Cette cave coopérative créée en 1929 regroupe aujourd'hui 70 adhérents pour 120 ha de vignes et propose une large gamme de vins du Mâconnais complétée par quelques cuvées beaujolaises.

Élevé sept mois en cuve et en fût, ce 2014 s'avère vineux, riche et puissant. Expressif dans son olfaction, il témoigne d'une maturité optimale des raisins par ses arômes de pêche blanche et de mangue, tandis que des notes de cannelle et de pain grillé rappellent son origine boisée. Une finale tendue et citronnée amène un surcroît de dynamisme. ⧗ 2016-2020 🍷 rôti de veau aux asperges ■ **Dom. Clos Saint-Pierre Charnay-lès-Mâcon 2014 ★ (5 à 8 €; 6500 b.)** : un bel exemple de vin équilibré entre le fruit, la rondeur du cépage et la tension du millésime. ⧗ 2016-2019

⊶ CAVE DE CHARNAY-LÈS-MÂCON, En-Condemine, 71850 Charnay-lès-Mâcon, tél. 03 85 34 87 32, michael.dafre@cave-charmay.com V *t.l.j. 9h-18h*

RIJCKAERT Lugny Les Crays vers Vaux 2014

	2000		15 à 20 €

Régine et Jean Rijckaert, vignerons jurassiens à la tête de 6 ha en AOC arbois et côtes-du-jura, ont acquis 4 ha dans le Mâconnais en 1998, complété par une activité de négoce. En 2013, ils ont décidé de transmettre progressivement leur activité à Florent Rouve, ancien directeur du domaine du lycée viticole de Mâcon-Davayé.

D'un bel or cuivré, ce Lugny s'ouvre doucement sur de discrètes senteurs de pomme verte et d'aubépine. Des saveurs que l'on retrouve dans une bouche agréable, fraîche et citronnée. 2016-2019 truite aux amandes

RIJCKAERT, En-Cuette, 71960 Davayé, tél. 03 85 35 15 09, frouve@rijckaert.fr V r.-v. *Florent Rouve*

DOM. DE RUÈRE 2014 ★

	2000		5 à 8 €

Ce domaine commandé par une bâtisse de pierre bleue datant de 1770 est situé au cœur de Ruère, magnifique hameau dominant le château de Pierreclos. Le grand-père de Didier Eloy a acquis en 1938 cette propriété qui étend son vignoble sur 20 ha.

Ce vin jaune pâle brillant offre une olfaction élégante dominée par les petites fleurs blanches agrémentées de notes minérales et d'agrumes. Dans le prolongement du nez, la bouche s'impose par sa chair dense et son fruité mûr. Une finale minérale lui apporte délicatesse et finesse. 2016-2019 gougères

DIDIER ELOY, 41, chem. de Ruerre, 71960 Pierreclos, tél. 03 85 35 76 65, domaine-de-ruere@wanadoo.fr V *t.l.j. sf dim. 9h-18h*

DOM. SAINT-DENIS Lugny 2014 ★

	10000	11 à 15 €

Hubert Laferrère s'installe en 1986 à la tête de ce domaine, avec un objectif clair: être à l'écoute de la nature plutôt que vouloir la dominer. Pour cela, il utilise peu de moyens mécaniques à la vigne, afin de préserver la faune et la flore de ses parcelles. Il recherche des fermentations naturelles et lentes, rythmées par les saisons et les cycles lunaires pour obtenir un vin franc et «nature» façonné uniquement par son terroir (5 ha).

D'un beau jaune d'or lumineux, ce Lugny dévoile des arômes discrets mais flatteurs de fruits jaunes et de fleurs blanches. Après une attaque tout en finesse, la bouche va crescendo pour atteindre un équilibre bien ajusté entre gras et minéralité. 2016-2020 chèvre frais

DOM. SAINT-DENIS, 230, rue du 19-Mars, 71260 Lugny, tél. 06 71 60 25 67, domaine.saintdenis@wanadoo.fr V *r.-v.* *Laferrère*

DOM. SANGOUARD-GUYOT Clos de la Bressande 2014

	7910		5 à 8 €

Pierre-Emmanuel Sangouard s'est installé en 1997 sur l'exploitation familiale alors tenue par son grand-père, et en 2000, il reprend les vignes de ses beaux-parents (Dom. Guyot): le Dom. Sangouard-Guyot est né. Ici, les traitements sont raisonnés et limités au strict nécessaire, les vignes labourées et les vendanges manuelles.

Du verre s'échappent des notes gourmandes de coing, de poire et de mandarine, soulignées par la minéralité du terroir. Franc, tranchant, le palais est porté jusqu'en finale par une intense vivacité qui lui confère une belle allonge. Un mâcon droit dans ses bottes. 2016-2019 tartare de poisson

PIERRE-EMMANUEL SANGOUARD, 83, rue du Repostère, 71960 Vergisson, tél. 03 85 35 89 45, domaine@sangouard-guyot.fr V *r.-v.*

DOM. DES TERRES DE CHATENAY Péronne Vieilles Vignes 2014

	8000		5 à 8 €

Ce couple de vignerons est installé à Péronne depuis 2006, village situé à l'ouest des coteaux de Viré et de Clessé, à la tête d'un vignoble de 9 ha en cours de conversion bio.

Cette cuvée née de vieilles vignes de soixante-dix ans se montre très fruitée au premier nez, puis s'affine à l'aération autour de subtiles notes de sous-bois et de citron. La bouche affiche une aimable fraîcheur, légèrement acidulée, sensation renforcée par une finale puissante aux saveurs d'agrumes. Pour les produits de la mer. 2016-2019 huîtres

DOM. DES TERRES DE CHATENAY, Jean-Claude et Marie-Odile Janin, Les Picards, 71260 Péronne, tél. 03 85 36 94 01, janinmojc@wanadoo.fr V *r.-v.*

♥ **VIGNERONS DES TERRES SECRÈTES** Milly-Lamartine 2014 ★★

	15000	5 à 8 €

Les Vignerons des Terres secrètes sont les héritiers du mouvement coopératif qui s'est constitué au début du XXᵉs. en Mâconnais. Cette association, née de la fusion des caves coopératives de Prissé, Sologny et Verzé, exploite aujourd'hui près de 950 ha de vignes (pour 120 coopérateurs), principalement de chardonnay.

D'un beau rouge cerise aux reflets noirs, ce vin a fière allure. Son olfaction riche et patinée associe les fruits rouges et l'amande. Aussi large que long, le palais allie finesse et soyeux, soutenu par des tanins bien fondus et élégants. Un mâcon noble, très harmonieux et bien typé. 2017-2022 tendron de veau **Verzé Croix-Jarrier 2014 ★ (5 à 8 €; 17500 b.)** : au nez, de délicates touches florales (muguet et aubépine); en bouche, de la fraîcheur, de la souplesse et une jolie saveur de poire verte qui évoque les terroirs du nord mâconnais. 2016-2019

VIGNERONS DES TERRES SECRÈTES, 158, rue des Grandes-Vignes, 71960 Prissé, tél. 03 85 37 88 06, contact@terres-secretes.fr V *t.l.j. 9h-12h30 13h30-19h* *Barraud*

DOM. CATHERINE ET DIDIER TRIPOZ
Charnay-lès-Mâcon Clos des Tournons 2014

■ | 3060 | | 5 à 8 €

En 1988, la famille Tripoz succède à la famille Chevalier à la tête de cette exploitation de Charnay couvrant une dizaine d'hectares.

D'un beau rouge sang, ce 2014 révèle au nez d'intenses notes de fruits rouges, de violette, de rose et de poivre noir. Soyeux en attaque, le palais est adossé à des tanins fins et à des saveurs fruitées, avant une finale encore assez sévère. À attendre un peu pour une meilleure harmonie. 2017-2020 tourte à la viande

EARL CATHERINE ET DIDIER TRIPOZ, 450, chem. des Tournons, 71850 Charnay-lès-Mâcon, tél. 03 85 34 14 52, didier.tripoz@wanadoo.fr V r.-v.

DOM. DES TROIS DAMES
Solutré-Pouilly 2014

| 1000 | 5 à 8 €

Un jeune domaine créé par Simon Ravaud en 2014, hors cadre familial, par la reprise d'un peu plus de 5 ha de différents propriétaires. Le vignoble est conduit de manière intégrée en limitant les applications de pesticides, en fonction de la pression parasitaire.

Cueillette manuelle, pressurage champenois, fermentation à basse température et élevage de dix mois sur lies en cuve pour ce vin or paille, limpide et profond, ouvert sur des nuances citronnées, vigoureux, très frais et de bonne longueur en bouche. 2017-2020 cuisses de grenouilles persillées

SIMON RAVAUD, pl. de l'Église, 71960 Solutré-Pouilly, tél. 06 15 30 41 82, domainedes3dames@gmail.com V r.-v.

VIRÉ-CLESSÉ

Superficie : 390 ha / Production : 22 000 hl

Appellation communale récente née en 1998, viré-clessé a de solides ambitions en matière de vins blancs. Elle a fait disparaître les dénominations mâcon-viré et mâcon-clessé avec le millésime 2002.

NATHALIE ET PASCAL BONHOMME
Empreintes 2013 ★

| 1400 | | 15 à 20 €

Fils d'André Bonhomme, vigneron reconnu en viré-clessé, Pascal décide de voler de ses propres ailes en 2001; il repart alors de zéro avec son épouse Nathalie, afin d'avoir son libre arbitre et la pleine satisfaction de son métier de vigneron. Aujourd'hui, ils exploitent 6 ha de vignes.

De vénérables ceps de quatre-vingt-quatre ans ont donné naissance à cette cuvée jaune d'or, ouverte sur des notes de fruits confits, de miel et de cire d'abeille. L'annonce d'une bouche ronde, suave et charnue, qui persiste longuement sur les fruits mûrs. Un ensemble riche et complexe, bâti pour durer. 2019-2024 volaille crémée

DOM. PASCAL BONHOMME, 24, rue du 19-Mars-1962, 71260 Viré, tél. 03 85 33 10 27, domaine@bonhomme-vire.fr V t.l.j. sf dim. 9h-18h30; f. fin août

♥ DOM. ANDRÉ BONHOMME
Vieilles Vignes 2013 ★★

| 16500 | | 11 à 15 €

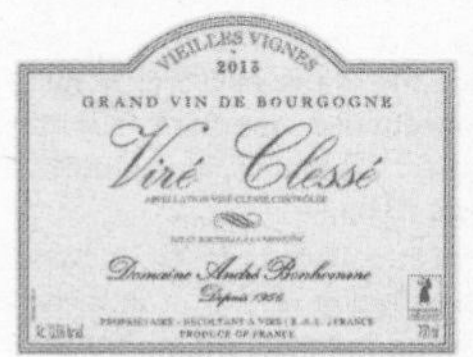

André Bonhomme et son épouse Gisèle ont créé ce domaine en 1956 et l'ont transmis en 2004 à leur gendre Éric Palthey, ancien architecte, et à leur fille Jacqueline, tous deux rejoints entre-temps par leurs enfants Aurélien et Johan. Le travail des vignes est biologique (conversion en cours), les vendanges sont manuelles et la vinification est traditionnelle avec des élevages longs. Une valeur sûre en viré-clessé.

Coup de maître pour les descendants du regretté André Bonhomme, l'un des pères de l'appellation viré-clessé. Comme il aimait à le préciser, la mention « vieilles vignes », non légiférée à ce jour, doit être utilisée pour qualifier une vigne « comme on qualifierait une femme » : une vigne de quarante ans ne saurait être considérée comme vieille... En revanche, les chardonnays à l'origine de cette cuvée ont entre... soixante-quinze à quatre-vingt-dix ans. La mention n'est donc pas usurpée. Dans le verre, cela donne un vin ouvert sur une palette intense et complexe de pain d'épice, d'orange confite et de chèvrefeuille, tandis qu'une superbe acidité vient en soutien d'une bouche ample, riche, opulente, étirée dans une longue finale. Un grand vin de terroir magnifiquement orchestré par un élevage précis et judicieux. 2019-2026 homard grillé **Les Prêtres de Quintaine 2013 ★★ (15 à 20 €; 2138 b.)** : un excellent vin, expressif (miel, acacia, sous-bois), très bien construit, à la fois gras, dense et très frais, longuement porté par une finale dynamique. 2018-2024 **Les Hauts des Ménards 2013 ★ (15 à 20 €; 803 b.)** : un vin joliment boisé, miellé et épicé à l'olfaction, rond, concentré, suave sans lourdeur. 2017-2022

DOM. ANDRÉ BONHOMME, rue Jean-Large, 71260 Viré, tél. 03 85 27 93 93, earl.bonhomme.andre@terre-net.fr V t.l.j. 8h30-12h 13h30-18h30

Ⓑ JEAN-MARIE CHALAND
Thurissey 2014

| 3000 | | 11 à 15 €

Un vignoble de 9 ha conduit en bio, des vendanges manuelles et des élevages longs: une méthode qui a fait ses preuves, témoin les nombreuses sélections des vins de Jean-Marie Chaland dans le Guide.

De vieux ceps de soixante ans sont à l'origine de ce vin élevé un an en fût. À l'œil, une belle couleur or blanc, au nez, des notes subtiles de fleurs des haies, accompagnées de nuances beurrées dans une bouche ample et ronde. 2017-2021 lotte à l'armoricaine **La Perrière 2014 (15 à 20 €; 4000 b.)** Ⓑ : vin cité.

JEAN-MARIE CHALAND, 12, rue En-Chapotin, 71260 Viré, tél. 09 64 48 09 44, jean-marie.chaland@orange.fr V r.-v. ③

CH. CHANEL 2014

	2500		11 à 15 €

Laurent Huet s'installe comme vigneron en 1987. D'abord apporteur à la cave coopérative de Clessé, il vinifie pour la première fois «à la maison» le millésime 1994. En 2008, son épouse embrasse le métier et reprend 8 ha de vignes. Ensemble, ils conduisent aujourd'hui un domaine de 23 ha.

Ce vin offre un nez intense et ouvert sur les fruits blancs et l'aubépine. En bouche, il évolue plutôt sur le registre de la finesse que sur celui de la puissance, puis déploie d'agréables et persistantes saveurs de fruits exotiques et d'agrumes. 2017-2021 bar en sauce crémée

HUET L.B., rte de Germolles, 71260 Clessé, tél. 06 12 35 96 45, laurent.huet16@wanadoo.fr r.-v.

DOM. MICHEL Vendange levroutée La Barre 2013 ★★

	6500		20 à 30 €

Ce domaine de 21 ha situé dans le pittoresque hameau de Cray est réputé tant pour son excellence que pour sa longévité (fondation en 1840): les générations se succèdent, la qualité des vins demeure.

Une cuvée issue d'une récolte manuelle avec tri sévère à la vigne, le 18 octobre 2013. Des conditions climatiques idéales à la veille des vendanges (soleil et brumes matinales) ont permis l'obtention de raisins en surmaturité, appelée «vendange levroutée», un terme du patois clesséen qui désigne la couleur ambrée-cuivrée que prennent les raisins, au-delà du doré, comme la couleur du pelage du levraut. Une couleur que revêt ce 2013 au nez intense et généreux de cire, de miel et de mandarine confite. Ample, riche, suave, concentré, le palais est explosif. Un vin atypique et déroutant certes, mais superbe. Pour amateurs avertis. 2019-2026 foie gras **Vieilles Vignes Sur le chêne 2013 ★ (15 à 20 €; n.c.)** : un vin à la limite du moelleux, «un sec tendre» dirait-on dans la Loire, qui possède des traits de ressemblance avec la cuvée la Barre par sa richesse et sa douceur prononcées (8,5 g/l de sucres résiduels). 2019-2024

DOM. MICHEL, Cray, Cidex 624, 71260 Clessé, tél. 03 85 36 94 27, domainemichelclesse@orange.fr r.-v.

JEAN-PIERRE MICHEL Terroirs de Quintaine 2014

	30000		15 à 20 €

Valeur sûre du Mâconnais, ce vigneron exploite 8,5 ha à Quintaine, au cœur de l'AOC viré-clessé, sur les premiers coteaux exposés au soleil levant surplombant la vallée de la Saône, à mi-chemin entre Mâcon et Tournus. Ses pratiques: labour des sols, récolte manuelle à maturité, vinifications longues et «naturelles» (sans chaptalisation ni levurage) conduites selon la nature des terroirs, en cuve ou en fût, avec des élevages longs sur lies fines.

De ce 2014, on retiendra sa belle couleur soutenue dorée à reflets verts, ses parfums minéraux et floraux rehaussés d'épices. On aime aussi sa bouche fraîche en attaque, fine et bien équilibrée. Un vin charmeur et bien typé. 2017-2021 saumon à l'oseille **Sur le calcaire 2014 (15 à 20 €; 10000 b.)** : vin cité.

JEAN-PIERRE MICHEL, Quintaine, 71260 Clessé, tél. 03 85 23 04 82, vinsjpmichel@orange.fr r.-v.

B DOM. DE LA VERPAILLE Virolis 2014 ★

	1930		11 à 15 €

Estelle et Baptiste Philippe s'installent sur l'exploitation familiale en 2004. Ils convertissent l'ensemble du vignoble (20 ha) à l'agriculture biologique et la certification est acquise en 2009.

Des chardonnays de soixante ans, implantés sur les coteaux calcaires de Viré, ont donné naissance à ce vin ambré, aux franges orangées, qui exprime au nez des arômes fruités (fruit de la Passion, mandarine), boisés (beurre et amande) et mentholés. Le palais se montre rond et frais, bien équilibré et boisé avec mesure. 2017-2021 époisses

PHILIPPE, 70, rue Marcel-Laurencin, Au Buc, 71260 Viré, tél. 03 85 33 14 47, domainedelaverpaille@gmail.com t.l.j. sf dim. 13h30-18h30; f. une semaine en été

CAVE DE LA VIGNE BLANCHE 2015 ★

	90000		5 à 8 €

La coopérative de Clessé, fondée en 1927 et aujourd'hui présidée par Patrick Rollet, regroupe un peu plus de 100 ha de vignes, de chardonnay principalement, pour une quinzaine d'adhérents.

Ce 2015 brillant et limpide se révèle intense à l'olfaction, avec une palette fruitée marquée. En bouche, il se montre ample, rond et concentré, équilibré par une fine acidité. 2018-2021 escalope de veau à la crème

CAVE DE LA VIGNE BLANCHE, rte de la Vigne-Blanche, 71260 Clessé, tél. 03 85 36 93 88, cavecooperative.vigneblanche@wanadoo.fr t.l.j. sf dim. 9h-12h 14h-18h

CAVE DE VIRÉ Quintaine 2013 ★

	32000		8 à 11 €

Cette coopérative est née en 1928 pour faire face aux difficultés économiques engendrées par la Première Guerre mondiale et le phylloxera. Une cave réputée depuis toujours pour ses vins blancs, précurseur en matière de commerce puisqu'elle fut la première à vendre au détail en litre et à développer son commerce à l'export. Elle compte 145 adhérents pour 300 ha de vignes.

Ce Quintaine d'un beau jaune vif développe une palette aromatique complexe évoquant le miel, la cire d'abeille et le citron frais. Franche et nette en attaque, la bouche se révèle élégante et bien construite autour d'une matière riche et fruitée. Un ensemble bien typé. 2018-2021 brochet au beurre blanc **Douceur automnale 2014 (11 à 15 €; 4950 b.)** : vin cité.

CAVE DE VIRÉ, 1, rue de la Cave, 71260 Viré, tél. 03 85 32 25 50, cuverie-cavedevire@orange.fr t.l.j. 9h-12h 14h-18h

DOM. DE VIROLYS Terroir Épinet 2014

	4000		8 à 11 €

Laurent Gondard a créé sa cave de vinification en 2008; auparavant, il avait longtemps livré ses raisins à la cave coopérative du village, comme l'avaient fait avant lui ses ancêtres. À la vigne, il travaille en lutte raisonnée, seuls les engrais produits par l'exploitation sont utilisés et les sols sont labourés.

Un viré-clessé jaune pâle, au nez subtil de fruits et de fleurs blancs. La bouche, ample et généreuse, est à l'unisson et équilibrée, mêlant la douceur du chèvrefeuille à la fraîcheur de l'ananas. ⧗ 2017-2020 ¥ moules marinières

⊶ LAURENT GONDARD, 9, rue en Baclot, 71260 Viré, tél. 06 08 73 30 87, laurent.gondard071@orange.fr r.-v.

POUILLY-FUISSÉ

Superficie : 760 ha / Production : 39 150 hl

Le profil des roches de Solutré et de Vergisson s'avance dans le ciel comme la proue de deux navires; à leur pied, le vignoble le plus prestigieux du Mâconnais, celui du pouilly-fuissé, se développe sur les communes de Fuissé, de Solutré-Pouilly, de Vergisson et de Chaintré. Les pouilly-fuissé ont acquis une très grande notoriété, notamment à l'exportation, et leurs prix ont toujours été en compétition avec ceux des chablis. Ils sont vifs, pleins de sève et complexes. Élevés en fût de chêne, ils acquièrent avec l'âge des arômes d'amande grillée ou de noisette.

JEAN-PIERRE ET MICHEL AUVIGUE Vieilles Vignes 2014 ★★

	6500		15 à 20 €

Producteurs depuis plus de cinq générations, Michel et Jean-Pierre Auvigue pratiquent également depuis 1982 l'achat de raisins. Ils ont transformé un ancien moulin à huile en chai de vinification et d'embouteillage.

Issue d'une vigne de soixante-dix ans ancrée dans l'argilo-calcaire, cette cuvée séduit d'emblée par son expression aromatique complexe et racée: fleurs blanches, agrumes, noisette. La bouche, parfaitement équilibrée, se montre à la fois dense, ronde, minérale et mentholée. Un vin pur et long que l'on prendra plaisir à boire dès maintenant comme dans quelques années. ⧗ 2017-2022 ¥ filet de bar **La Frérie 2014 (15 à 20 €; 5000 b.)** : vin cité. **Les Chailloux 2014 (15 à 20 €; 3500 b.)** : vin cité.

⊶ VINS AUVIGUE, Le Moulin du Pont, 3131, rte de Davayé, 71850 Charnay-lès-Mâcon, tél. 03 85 34 17 36, vins.auvigue@wanadoo.fr r.-v.

DAVID BIENFAIT Les Crays 2014

	3200		15 à 20 €

David Bienfait a grandi à Vergisson, fasciné par le métier de vigneron. Après un BTS «viti», il part pour la Nouvelle-Zélande puis rentre en Mâconnais fin 2009 pour s'installer sur 1,8 ha de pouilly-fuissé. Aujourd'hui, son domaine compte 4 ha de chardonnay.

Ce 2014 jaune intense est dominé par des senteurs de maturité: poire juteuse, abricot légèrement confit, beurre frais. Le palais riche et gras, aux nuances de miel et de coing, est à l'unisson du bouquet et trouve l'équilibre grâce à une agréable finale minérale. ⧗ 2018-2021 ¥ blanquette de veau

⊶ DAVID BIENFAIT, 67, rue de l'Étang, 71960 Bussières, tél. 06 86 72 53 93, davidbienfait@hotmail.fr r.-v.

DOM. DU BOIS ROSIER 2014

	16368		15 à 20 €

Georges Dubœuf a fondé cette affaire familiale de négoce en 1964. Il est l'un des grands acteurs viticoles en France. Numéro un pour la commercialisation des vins du Beaujolais et du Mâconnais, il vinifie annuellement 165 000 hl avec 400 viticulteurs et 20 caves coopératives sous contrat, soit l'équivalent de 30 millions de bouteilles.

Une robe d'or pâle et des arômes d'une jolie fraîcheur (fleurs blanches, noisette, citron) composent une approche intéressante. Le palais se monte élégant et léger, finement fruité et alerte, avec une bonne acidité en finale. ⧗ 2017-2020 ¥ gambas grillées

⊶ LES VINS GEORGES DUBŒUF, 208, rue de Lancié, 71570 Romanèche-Thorins, tél. 03 85 35 34 20, gduboeuf@duboeuf.com t.l.j. 10h-18h à la boutique du Hameau

DOM. BOURDON 2014 ★

	5000		11 à 15 €

Ce domaine de 17,5 ha possède deux caves: un chai moderne au cœur du hameau de Pouilly et une magnifique cave voûtée en pierre à Vergisson. À sa tête, Sylvie et François Bourdon représentent la cinquième génération.

Né sur un sol argilo-calcaire et élevé en cuve sur lies fines, ce 2014 attire l'œil par sa robe jaune limpide. Le nez, discret en première approche, joue sur le registre floral et minéral. Le palais, ample, frais et long, évolue quant à lui sur le fruit. Un beau représentant de l'appellation, élégant et harmonieux. ⧗ 2017-2021 ¥ escargots en persillade

⊶ EARL FRANÇOIS ET SYLVIE BOURDON, rue de la Chapelle, Pouilly, 71960 Solutré-Pouilly, tél. 03 85 35 81 44, francoisbourdon2@wanadoo.fr r.-v.

♥ DOM. DE LA CHAPELLE Aux Bouthières 2014 ★★

	3200		15 à 20 €

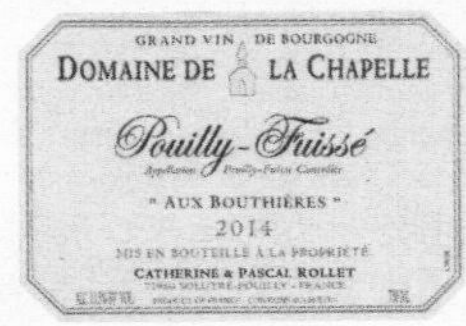

La marque «Dom. de la Chapelle» fut déposée en 1904, mais elle n'appartenait pas à l'époque à la famille Rollet. En 2005, Catherine et Pascal Rollet ont acquis les vignes (7,38 ha aujourd'hui) qu'ils travaillaient en métayage depuis 1982. La chapelle en question date du XVe s., elle est située au cœur de la propriété mais ne lui appartient pas.

Un pouilly-fuissé 2014 impressionnant d'équilibre et de profondeur. Paré d'or fin, ce vin laisse monter du verre d'intenses arômes de pain grillé (élevage en fût), de fruits mûrs (chardonnays cueillis à bonne maturité) et de minéralité (la marque du terroir argilo-calcaire). En bouche, beaucoup de puissance et de gras, mais aucune lourdeur, une intense fraîcheur mentholée et citronnée apportant de l'équilibre et une longueur remarquable. Une grande bouteille de garde. ⧗ 2018-2024 ¥ tartare de saumon

BOURGOGNE

Vieilles Vignes 2014 ★ (15 à 20 €; 12500 b.) : un beau classique, d'une réelle élégance aromatique (chèvrefeuille et craie blanche), souple et frais en bouche. 2017-2022

EARL PASCAL ROLLET, rue de la Chapelle, Pouilly, 71960 Solutré-Pouilly, tél. 03 85 35 81 51, rolletpouilly@wanadoo.fr V *t.l.j. dim. 8h-18h*

CAVE DE CHARNAY-LÈS-MÂCON 2014

	10000		11 à 15 €

Cette cave coopérative créée en 1929 regroupe aujourd'hui 70 adhérents pour 120 ha de vignes et propose une large gamme de vins du Mâconnais complétée par quelques cuvées beaujolaises.

Au nez, cette cuvée exprime un large éventail de senteurs allant des fleurs blanches au beurre frais, en passant par le citron. Agréable, svelte et frais, le palais s'étire longuement sur des notes d'agrumes rehaussées d'une ligne saline et minérale. Un profil plutôt léger qui autorise une dégustation à court terme. 2017-2020 cabillaud rôti aux agrumes

CAVE DE CHARNAY-LÈS-MÂCON, En-Condemine, 71850 Charnay-lès-Mâcon, tél. 03 85 34 87 32, michael.dafre@cave-charmay.com V *t.l.j. 9h-18h*

♥ DOM. CHEVEAU
Les Vieilles Vignes 2014 ★★

	10000		15 à 20 €

Représentant la troisième génération, Nicolas Cheveau et son épouse Aurélie ont développé le domaine en superficie (20 ha) et privilégié le commerce en bouteilles afin de valoriser leurs terroirs et leur savoir-faire.

Régulièrement en vue pour leurs pouilly-fuissé, Aurélie et Nicolas Cheveau signent un 2014 de haut vol, assemblage de parcelles de chardonnays âgés entre cinquante à soixante-dix ans, élevé douze mois en fût (228 l) et demi-muid (600 l). L'approche est impeccable: belle robe jaune doré, bouquet puissant et complexe de notes boisées et de senteurs délicates de fleurs blanches et de poire mûre. Une attaque aérienne et subtile ouvre sur une bouche ample, charnue et fruitée, d'une grande fraîcheur en finale, sur des saveurs épicées et mentholées. Bâti pour durer. 2018-2026 risotto aux truffes blanches **Aux Bouthières 2014 (15 à 20 €; 1800 b.)** : vin cité.

DOM. CHEVEAU, rte des Concizes, 71960 Solutré-Pouilly, tél. 03 85 35 81 50, domaine@vins-cheveau.com V *r.-v.*

B DOM. DOMINIQUE CORNIN 2014

	19000		15 à 20 €

À l'origine, les vignes du domaine (12 ha aujourd'hui) étaient récoltées à la machine et les raisins confiés à la coopérative de Chaintré. En 1995, Dominique Cornin se retire de la cave, opte pour la vendange manuelle et s'oriente peu à peu vers le bio, jusqu'à la certification obtenue en 2009. Son fils Romain l'a rejoint en 2012.

De vénérables ceps de soixante-dix ans cueillis à la main ont donné ce vin doré à l'or fin, élevé dix mois en cuve Inox sur lies fines pour préserver le fruit du cépage. De fait, se dégagent du verre des arômes de coing, de pêche blanche et d'ananas mûrs, relayés par un palais rond, légèrement suave, souple et bien équilibré. 2017-2020 moules au safran

DOM. DOMINIQUE CORNIN, 339, Savy-le-Haut, 71570 Chaintré, tél. 03 85 37 43 58, dominique@cornin.net V *r.-v.*

DOM. CORSIN Vieilles Vignes 2013 ★★

	15300		15 à 20 €

Ce domaine prestigieux, et toujours familial, existe depuis plus d'un siècle. Précurseur dans la vente en bouteilles, il est aujourd'hui entre les mains expertes de Jean-Jacques et Gilles Corsin.

Un 2013 scintillant et lumineux, aux jolies franges bronze. Finement boisé, le nez propose une kyrielle d'arômes savoureux: abricot, pêche, zeste d'agrume, miel, épices douces. L'attaque dévoile un palais ample, généreux, à la fois gras et vif, qui suit avec une grande persistance la ligne aromatique du bouquet et laisse en finale une belle sensation de fraîcheur mentholée. 2018-2026 poulet de Bresse à la crème

DOM. CORSIN, 404, rue des Plantes, 71960 Davayé, tél. 03 85 35 83 69, contact@domaine-corsin.com V *r.-v.*

MARCEL COUTURIER Clos Reyssié 2014 ★

	3000		15 à 20 €

Installé en cave particulière depuis 2005 après avoir été apporteur à la cave coopérative des Grands Crus à Vinzelles, Marcel Couturier revendique une viticulture proche de l'agrobiologie, sans pour autant passer à la certification. Son vignoble couvre 12 ha.

À l'origine de ce vin, de vieilles vignes de plus de quatre-vingts ans plantées dans le Clos Reyssié à Chaintré, un terroir candidat au classement en 1er cru. Cueillies manuellement début septembre, elles ont donné un 2014 limpide, couleur vieil or, au bouquet complexe de pain grillé, de noisette, de beurre frais et d'aubépine. Après une attaque fraîche, la bouche apparaît volumineuse, riche et encore bien boisée, avant de s'achever sur une intense salinité. À attendre pour plus de fondu. 2018-2023 sandre au beurre blanc

MARCEL COUTURIER, 730, rte de Fuissé, 71960 Fuissé, tél. 06 23 97 23 21, domainemarcelcouturier@orange.fr V *r.-v.*

DOM. DE LA CROIX SENAILLET 2014 ★★

	3600		20 à 30 €

Ce domaine fut créé en 1969 par Maurice Martin, qui a progressivement abandonné la polyculture pour la vigne. En 1990, son fils Richard reprend le domaine familial, avant d'être rejoint par son frère Stéphane en 1992. La propriété de 6,5 ha à l'origine s'est agrandie pour atteindre 25 ha aujourd'hui, répartis sur 52 parcelles en bio certifié depuis 2010.

Un beau jaune pâle à reflets brillants habille cette cuvée ouverte sur une palette aromatique large et intense: on y retrouve des notes florales légèrement citronnées et des nuances de miel d'acacia. Dense, riche, persistante, la bouche suit la ligne du bouquet et déploie une longue finale fraîche, saline, tendue. Un très beau vin qui combine harmonieusement élégance, puissance et accents du terroir. ⧗ 2018-2022 ᛘ ris de veau aux morilles

⊶ DOM. DE LA CROIX SENAILLET, Richard et Stéphane Martin, En-Coland, 71960 Davayé, tél. 03 85 35 82 83, richard@domainecroixsenaillet.com V r.-v.

DOM. JOËL CURVEUX ET FILS Vers Cras 2014 ★

	4000		11 à 15 €

Vignerons de père en fils depuis quatre générations, les Curveux conduisent une petite propriété familiale située sur la commune de Fuissé – 7,5 ha de vignes, principalement en pouilly-fuissé – aujourd'hui dirigée par Joël et son fils Guillaume.

Des chardonnays de trente ans ont donné ce vin brillant, couleur or blanc, qui mêle avec finesse les fruits à chair jaune et les fleurs blanches. Un bouquet élégant qui prélude à une bouche franche en attaque, puis d'une aimable rondeur, soulignée de bonnes senteurs boisées. ⧗ 2017-2021 ᛘ moules marinières

⊶ JOËL CURVEUX, 100, rue Cache-Poupons, 71960 Fuissé, tél. 03 85 35 61 58, domaine.curveux@sfr.fr V *t.l.j. sf dim. 10h-18h*

A. & A. DEVILLARD Le Renard 2014

	3330	15 à 20 €

Implantés à Mercurey, Amaury Devillard et sa sœur Aurore ont fait le pari en 2005 de reprendre la totalité de la distribution des différents domaines de la famille: Ch. de Chamirey et Dom. de la Ferté (Côte Chalonnaise), Dom. des Perdrix (Côte de Nuits) et Dom. de la Garenne (Mâconnais).

Ce pouilly-fuissé issu d'un achat de raisin se distingue d'emblée par sa robe or pâle limpide et son nez de caramel, de pomme au four, d'abricot et de fleurs blanches. On retrouve cette même complexité aromatique dans une bouche ronde et bien structurée. ⧗ 2017-2021 ᛘ saint-jacques au gingembre

⊶ SAS AMAURY & AURORE DEVILLARD, BP 5, 71640 Mercurey, tél. 03 85 45 21 61, contact@domaines-devillard.com V r.-v.

NADINE FERRAND Lise-Marie 2014 ★

	12500		15 à 20 €

Incarnant la troisième génération de vignerons, Nadine Ferrand est depuis l'année 1984 à la tête d'une exploitation dont elle a porté la superficie à plus de 11 ha. Sa fille Marine l'a rejointe en 2012. Un domaine régulier en qualité.

Cette cuvée se révèle très expressive avec ses multiples arômes rappelant les fruits et les fleurs: citron, genêt, chèvrefeuille. De bonne tenue, bien sec, rectiligne et fin, le palais propose lui aussi une intéressante complexité qui fait écho à l'olfaction et s'achève sur de longues notes mentholées. ⧗ 2018-2022 ᛘ daurade en croûte de sel

⊶ NADINE FERRAND, 51, chem. du Voisinet, 71850 Charnay-lès-Mâcon, tél. 06 09 05 19 74, ferrand.nadine@wanadoo.fr V r.-v.

CH. FUISSÉ Tête de cru 2014 ★

	90000		20 à 30 €

Ce domaine emblématique de Fuissé exploite aujourd'hui 40 ha de chardonnay sur les meilleurs terroirs de l'appellation. La famille Vincent en est propriétaire depuis 1862 et Antoine, ingénieur agronome et œnologue, depuis 2003. Des caves du XVᵉs. sortent des vins à la renommée internationale: 80 % sont vendus à l'export.

Cette cuvée, signature du domaine, représente plus d'un quart de sa production, soit 11 ha vendangés à la main, pour une production qui n'a rien de confidentiel. Et c'est tant mieux car le vin est bon. Un vin très aimable, ouvert sur des arômes de brioche, de beurre frais et de fruits blancs à l'olfaction, floral, vanillé, séveux et chaleureux en bouche, équilibré par une fine acidité en finale. Du caractère et du potentiel. ⧗ 2019-2024 ᛘ cassolette de ris de veau **Les Brûlés 2014 ★ (30 à 50 €; 3800 b.)** : encore sous l'emprise du bois, un vin gras, puissant, long et très prometteur. ⧗ 2019-2026

⊶ CH. DE FUISSÉ, 419, rue du Plan, 71960 Fuissé, tél. 03 85 35 61 44, domaine@chateau-fuisse.fr V *t.l.j. 9h-12h 13h30-17h30; sam. dim. sur r.-v.; f. 15-22 août ⊶ Famille Vincent*

BOURGOGNE

♥ DOM. DES GERBEAUX Champs roux 2014 ★★

	2100		15 à 20 €

Ce vignoble familial fut créé en 1896 par Jacques Charvet, l'arrière-grand-père de Jean-Michel Drouin. Il compte aujourd'hui 13 ha de chardonnay répartis dans les appellations mâcon, saint-véran et pouilly-fuissé. Une valeur sûre, avec des coups de cœur réguliers dans cette dernière AOC. En 2016, Xavier a pris les commandes, épaulé par son père Jean-Michel.

Habitué des prix en tout genre, ce domaine finit encore parmi les meilleurs avec cette cuvée or paille, qui diffuse avec discrétion des senteurs fumées et citronnées. En bouche, on retrouve le côté acidulé du bouquet, enveloppé d'un joli fruité mûr, tandis que le boisé, bien intégré, apporte de la puissance et un surcroît de complexité. Encore jeune, ce vin possède tous les atouts pour devenir grand. Patience… ⧗ 2019-2026 ᛘ rôti de veau aux asperges **Vers Cras 2014 ★ (15 à 20 €; 1400 b.)** : un vin gourmand, légèrement suave, concentré, empyreumatique, stimulé par une bonne fraîcheur en finale. ⧗ 2018-2022

⊶ SCEV DOM. DES GERBEAUX, Les Gerbeaux, 71960 Solutré-Pouilly, tél. 03 85 35 80 17, j-michel.drouin.gerbeaux@wanadoo.fr V *r.-v. ⊶ Drouin*

DOM. GIROUX Les Raidillons 2014 ★

	6000		20 à 30 €

Créé en 1973 par Yves Giroux, ce domaine a connu sa première succession en 2010. C'est aujourd'hui le fils aîné Sébastien qui, après une carrière dans l'automobile, préside aux destinées de ce vignoble de 6,8 ha.

Né sur un terroir qui mêle argile et calcaire, récolté à la main puis élevé pour moitié en fût de chêne pendant quatorze mois, ce 2014 a séduit le jury par sa couleur or vert, par son nez discrètement toasté, accompagné de fleurs blanches et de fruits mûrs, et par son palais rond, aimable, équilibré. ⧗ 2017-2021 🍷 cuisses de grenouilles

⊶ EARL DOM. YVES GIROUX ET FILS, Les Molards, 71960 Fuissé, tél. 09 79 00 64 33, domainegiroux@wanadoo.fr V r.-v.

DOM. GONON Aux vignes dessus 2014

| | 1500 | | 11 à 15 € |

Situé à Vergisson au pied de la célèbre roche de Solutré, ce domaine de 14 ha, propriété des Gonon depuis cinq générations, produit bon nombre des AOC du Mâconnais: pouilly-fuissé, saint-véran, bourgogne rouge... et même le très rare mâcon rosé.

Certes encore marqué par le bois, ce 2014 peut séduire de nombreux amateurs. Au nez, il mêle la noisette grillée, la brioche et le coing, tandis que la bouche, fraîche et franche, révèle des saveurs de fruits exotiques et des nuances minérales qui font contrepoint au merrain. À attendre pour plus d'harmonie. ⧗ 2018-2022 🍷 rôti de veau à la crème

⊶ DOM. GONON, 1, chem. de la Renardière, 71960 Vergisson, tél. 03 85 37 78 42, domgonon@aol.com V r.-v.

LUDOVIC GREFFET 2014 ★

| | 3060 | | 11 à 15 € |

Depuis son installation en 2000, Ludovic Greffet, quatrième du nom à la tête du domaine (6,5 ha), a modernisé l'exploitation familiale. Il s'est forgé un solide savoir-faire par un apprentissage dès son plus âge dans les vignes de son père et par de nombreuses expériences auprès de différents vignerons de la Côte de Beaune et de Châteauneuf-du-Pape.

Ce 2014 élevé neuf mois en fût de chêne, mais pas maquillé par le bois, fait honneur aux terroirs et aux caractéristiques du Mâconnais. Habillé d'un jaune d'or profond, il diffuse une large palette aromatique: fleurs blanches, pamplemousse, note fumée. La bouche, tendue, fraîche et sapide, évolue également sur le registre des agrumes, avec en finale une touche minérale qui apporte une belle longueur. ⧗ 2017-2021 🍷 terrine de langoustines

⊶ LUDOVIC GREFFET, imp. du Forgeron, 71960 Solutré-Pouilly, tél. 06 23 75 35 22, domaine@ludovic-greffet.fr V r.-v.

THIERRY GUÉRIN La Roche 2013 ★

| | 5000 | | 11 à 15 € |

Situé dans le bucolique village de Vergisson, au pied de la Roche éponyme, ce domaine géré par Thierry Guérin depuis 1977 compte 6 ha de vignes, principalement en saint-véran et en pouilly-fuissé.

Ce 2013 aux reflets dorés éclatants livre un bouquet d'abord timide, puis s'ouvre progressivement sur des senteurs de fleurs blanches et de miel. En accord avec le nez, la bouche, équilibrée, ronde et tendre, persiste longuement sur des saveurs de miel d'acacia et de brioche. Un vin d'ores et déjà très gourmand. ⧗ 2016-2020 🍷 saumon sauce crémée

⊶ THIERRY GUÉRIN, 351, rte des Bruyères, 71960 Vergisson, tél. 03 85 35 84 06, guerin.th@orange.fr V r.-v.

DOM. GUERRIN ET FILS La Maréchaude 2014

| | 2500 | | 15 à 20 € |

En 1984, Maurice Guerrin a créé avec seulement 2,5 ha ce domaine qui compte aujourd'hui 14 ha de chardonnay. Son fils Bastien l'a rejoint fin 2011 afin de développer la commercialisation en bouteilles.

Ce 2014 d'un jaune paille profond offre un nez intense et précis évoquant les petites fleurs blanches et les fruits jaunes (pêche et mirabelle) soulignés d'un trait boisé. Le palais propose un bon volume et du gras, revigoré par une intense acidité aux tonalités d'agrumes. ⧗ 2018-2022 🍷 plateau de fruits de mer

⊶ DOM. GUERRIN ET FILS, 572, rte des Bruyères, 71960 Vergisson, tél. 03 85 35 80 25, domaine@domaineguerrin.com V r.-v.

ROGER LASSARAT Clos de France 2014 ★

| | 3000 | | 15 à 20 € |

Roger Lassarat s'est installé en 1969 entre les roches de Vergisson et de Solutré, avec quelques ares de vignes. Il conduit aujourd'hui avec son fils Pierre-Henri un vignoble de 19 ha, dont 2 ha dans le Beaujolais en AOC moulin-à-vent, acquis avec son ami humoriste Laurent Gerra.

Issu de chardonnays de soixante-dix ans vendangés à la main, ce pouilly-fuissé brille de mille feux dans son habit doré. Discret de prime abord, il s'ouvre doucement après aération sur des parfums floraux et boisés. Franche à l'attaque, la bouche se révèle opulente mais sans lourdeur, soulignée par une belle tension minérale en finale. ⧗ 2018-2022 🍷 vol-au-vent **Clos du Martelet 2014 ★ (15 à 20 €; 3000 b.)**: un vin délicatement floral et beurré au nez, gras, suave et rond en bouche, dynamisé par une ligne minérale. ⧗ 2017-2021

⊶ ROGER LASSARAT, 121, rue du Martelet, 71960 Vergisson, tél. 03 85 35 84 28, info@roger-lassarat.com V r.-v.

JEAN LORON Les Vieux Murs Vieilles Vignes 2014

| | 20400 | | 20 à 30 € |

Aux origines de la maison, Jean Loron, vigneron né dans le Beaujolais en 1711. Son petit-fils Jean-Marie fonda en 1821 un commerce d'expédition de vins. Aujourd'hui dirigée par la huitième génération, ce négoce familial est propriétaire de plusieurs domaines: Châteaux de la Pierre, de Fleurie, de Bellevue, Domaines des Billards et de la Vieille Église. Outre ses vins tranquilles du Beaujolais et du Mâconnais, elle s'est fait une spécialité du crémant-de-bourgogne.

Cette cuvée associe les vins de Fuissé pour la puissance et la rondeur, et ceux de Solutré pour la fraîcheur et la minéralité. Dans le verre, un 2014 au nez charmeur d'agrumes et de fleurs jaunes, bien équilibré en bouche entre la chaleur de l'alcool et une tension minérale revigorante. Une belle personnalité et du potentiel. ⧗ 2018-2022 🍷 joue de lotte au curry

⊶ MAISON JEAN LORON, 1846, RN 6, 71570 Pontanevaux, tél. 03 85 36 81 20,

vinloron@loron.fr V t.l.j. sf dim. 9h-12h 14h-17h; f. août ⊶ Xavier Barbet

MANOIR DU CAPUCIN Sensation 2014 ★

	3000		11 à 15 €

Le manoir aux colonnes toscanes, avec ses caves et son clos, fut la demeure du Capucin Luillier (auteur des *Noëls Mâconnais* au XVIIᵉs.) et entra dans la famille Bayon au début du XXᵉs. Chloé Bayon et son ami Guillaume Pichon, les actuels propriétaires, en ont entrepris la rénovation en 2002 et conduisent aujourd'hui un vignoble de 12,5 ha.

Or jaune éclatant et lumineux, ce 2014 offre des senteurs exotiques de litchi mêlées à de fines notes végétales. La bouche, ample et complexe, propose un mariage réussi entre le minéral du terroir et le fruit du chardonnay, le tout enrobé d'une aimable sucrosité. 2016-2021 poulet de Bresse à la crème **Quintessence 2014 (15 à 20 €; 2500 b.)** : vin cité.

⊶ *CHLOÉ BAYON, Le Plan, 71960 Fuissé, tél. 03 85 87 82 14, manoirducapucin@yahoo.fr* V r.-v.

CÉDRIC ET PATRICE MARTIN
Le Clos de monsieur Noly 2014 ★

	2250		15 à 20 €

Cédric et Patrice Martin exploitaient leurs vignes individuellement avant de décider en 2012 de mutualiser leurs structures viticoles respectives, au départ à la retraite de leurs parents Sylvaine et Jean-Jacques. Ils ont ainsi créé un domaine de 12 ha de vieilles vignes de chardonnay et de gamay, qui propose des vins du Mâconnais et du Beaujolais.

Un pouilly-fuissé de belle facture. Le chardonnay s'exprime au nez par des arômes caractéristiques de fruits à chair blanche et de petites fleurs des haies. Frais et net à l'attaque, le palais se distingue par son caractère rond et légèrement suave, sa bonne longueur et son harmonie. 2017-2021 fromage de chèvre affiné

⊶ *SCEV CÉDRIC ET PATRICE MARTIN, Les Verchères, 192, rte du Stade, 71570 Chânes, martinpatris@club-internet.fr* V r.-v.

GILLES MORAT
Climat Aux vignes dessus 2014

	4000		15 à 20 €

Après une carrière dans l'électronique, Gilles Morat décide de reprendre le domaine familial (6 ha au pied de la roche de Vergisson) en 1997. Ce vigneron consciencieux s'illustre avec une grande régularité par ses pouilly-fuissé.

D'une jeunesse éclatante, la robe d'or mêlée d'argent de ce 2014 laisse imaginer une belle dégustation. De fait, le nez, certes discret, nous ramène à l'enfance et aux fleurs jaunes des talus. La bouche, d'un abord timide, s'ouvre après quelques minutes sur des saveurs citronnées et prend un relief agréable. Un vin simple et agréable, tendu et équilibré, qu'il faut laisser grandir encore quelques années. 2018-2021 escalope de veau au citron **Climat Sur la roche 2014 (20 à 30 €; 7000 b.)** : vin cité.

⊶ *GILLES MORAT, Châtaigneraie Laborier, 595, rte des Bruyères, 71960 Vergisson, tél. 03 85 35 85 51, gil.morat@wanadoo.fr* V r.-v.

DOM. PERRATON FRÈRES Clos Reissier 2014

	13000		11 à 15 €

Depuis le haut de la colline argilo-calcaire de Chaintré sur lequel est implanté le domaine (12 ha) de Christophe et Franck Perraton, installés en 2004, on peut admirer la vallée de la Saône et, par temps clair, le massif du mont Blanc.

À l'origine de ce vin, de très vieux chardonnays de plus de quatre-vingts ans vinifiés et élevés de façon traditionnelle (cuve Inox sur lies fines pendant onze mois). Au nez, des arômes bien mariés de prune jaune et de citron; en bouche, une bonne densité, des saveurs fruitées, de la fraîcheur et une longueur appréciable. Un ensemble équilibré. 2017-2021 beignets de langoustines **Clos Reissier La Cadole 2014 (20 à 30 €; 2080 b.)** : vin cité.

⊶ *DOM. PERRATON FRÈRES, 163, rue du Paradis, 71570 Chaintré, tél. 03 85 35 67 45, domaine@perratonfreres.fr* V r.-v.

RIJCKAERT Les Bouthières Vieilles Vignes 2013

	1800		20 à 30 €

Régine et Jean Rijckaert, vignerons jurassiens à la tête de 6 ha en AOC arbois et côtes-du-jura, ont acquis 4 ha dans le Mâconnais en 1998, complété par une activité de négoce. En 2013, ils ont décidé de transmettre progressivement leur activité à Florent Rouve, ancien directeur du domaine du lycée viticole de Mâcon-Davayé.

Un 2013 de caractère, puissant et aromatique. La robe d'or pâle scintille de reflets d'argent, le nez, joliment floral, évoque le chèvrefeuille et l'aubépine, le palais mêle douceur et minéralité. Un beau représentant du millésime. 2017-2021 saumon fumé

⊶ *RIJCKAERT, En-Cuette, 71960 Davayé, tél. 03 85 35 15 09, frouve@rijckaert.fr* V r.-v. ⊶ Florent Rouve

DOM. LA SOUFRANDISE Vieilles Vignes 2014 ★

	20000		15 à 20 €

La maison de maître où sont logées les caves de ce domaine a été bâtie en 1831 par un lieutenant-colonel de la garde de Napoléon 1ᵉʳ. En 1853, le domaine est racheté par les ancêtres de Nicolas Melin, l'actuel propriétaire, des négociants en vins à Bercy originaires de la région. Le vignoble couvre aujourd'hui 6,25 ha répartis sur une vingtaine de parcelles au cœur de l'appellation pouilly-fuissé.

D'un bel éclat doré, ce vin brille dans le verre et offre un nez intense mariant avec subtilité l'amande fraîche, le pamplemousse, la brioche, la jonquille et les fruits confits. Des arômes prolongés par une bouche dense, suave, puissante, équilibrée par une bonne fraîcheur finale. Un pouilly-fuissé déjà harmonieux, mais qui donnera du plaisir pour longtemps. 2017-2024 foie gras

⊶ *DOM. LA SOUFRANDISE, Françoise et Nicolas Melin, 462, Rouette-du-Clos, 71960 Fuissé, tél. 03 85 35 64 04, la-soufrandise@wanadoo.fr* V r.-v.

DOM. THIBERT PÈRE ET FILS
Les Ménétrières 2013 ★★

	980		30 à 50 €

Issus d'une dynastie de vignerons longue de huit générations, Andrée et René Thibert créent leur propre

BOURGOGNE

domaine en 1967, sur 2,5 ha. Aujourd'hui, leurs enfants Sandrine et Christophe sont cogérants d'un vignoble de 30 ha. Une valeur (très) sûre du Mâconnais.

Onze mois d'élevage en barrique, dont 20 % en fût neuf, puis sept mois en cuve sont à l'origine de cette cuvée très confidentielle parée d'une belle robe d'or à reflets bronze. Si elle garde quelques stigmates de son passage en barrique, elle offre aussi de belles senteurs d'épices douces et de fruits exotiques mûrs. Au diapason, la bouche apparaît fine, élégante, alerte, tendue par une belle fraîcheur. Un vin dynamique à garder en cave le temps qu'il assimile son boisé. ⧗ 2018-2022 🍷 homard au beurre blanc

DOM. THIBERT PÈRE ET FILS, 20, rue Adrien-Arcelin, 71960 Fuissé, tél. 03 85 27 02 66, info@domaine-thibert.com V t.l.j. 8h30-12h 13h30-18h30; sam. dim. sur r.-v.

DOM. TROUILLET Aux Chailloux 2014 ★

	9000		11 à 15 €

Au décès de son père Frédéric en 2007, William Trouillet, alors étudiant au lycée viticole de Davayé, revient sur l'exploitation familiale pour seconder sa mère Marie-Agnès, non sans avoir effectué plusieurs stages en France et à l'étranger. Aujourd'hui, l'exploitation s'est beaucoup agrandie et couvre 18 ha.

On retrouve la patte du domaine dans ce pouilly-fuissé passé un an en fût de chêne de 228 l. Or vert éclatant, ce vin mêle harmonieusement les agrumes, le minéral et les fruits (raisins frais, abricot). La bouche, délicate et légèrement suave, apparaît plus florale, avec toujours ces notes salines qui signent le terroir, agrémentées de beurre vanillé. Paré pour une bonne garde. ⧗ 2018-2022 🍷 bavarois de homard

DOM. TROUILLET, rte des Concizes, 71960 Solutré-Pouilly, tél. 03 85 35 80 04, domaine.trouillet@wanadoo.fr V r.-v.

DOM. DU CH. DE VERGISSON Clos en Charmont 2014

	1000		11 à 15 €

Stéphanie Saumaize et Pierre Desroches sont à la tête de ce domaine de 9,2 ha situé au pied de la roche de Vergisson. Depuis 2012, ils vinifient leur récolte dans les fameuses caves voûtées et superposées du château de Vergisson.

Une robe or clair habille ce 2014 ouvert sur d'intenses notes de fruits jaunes et d'épices bien mariées aux senteurs boisées de l'élevage. Encore un peu serrée, la bouche se révèle élégante et d'un bon potentiel. Un peu de garde s'avère nécessaire à son épanouissement. ⧗ 2017-2020 🍷 poule-au-pot

DOM. DU CH. DE VERGISSON, 101, rue du Château-de-France, 71960 Vergisson, tél. 06 21 85 67 60, pierredesroches@hotmail.fr V r.-v.

PIERRE VESSIGAUD Vers Pouilly 2014

	2500		20 à 30 €

Établi au cœur du hameau de Pouilly, entre les villages de Fuissé et de Solutré, ce domaine très régulier en qualité a engagé la conversion de son vignoble à l'agriculture biologique.

Or profond à reflets bronze, ce vin délivre un bouquet intense, marqué par l'élevage en fût: noisette grillée, caramel au beurre salé, noix de coco. Le palais affiche également une dominante boisée, mais le fruit pointe le bout du nez et la structure apparaît suffisamment dense et riche pour l'assimiler. ⧗ 2018-2022 🍷 sauté de veau aux girolles **Vieilles Vignes 2014 (20 à 30 €; 35000 b.)** : vin cité.

DOM. PIERRE VESSIGAUD, hameau de Pouilly, 71960 Solutré-Pouilly, tél. 03 85 35 81 18, contact@vins-pierrevessigaud.fr V t.l.j. 9h-12h 13h30-19h

▶ POUILLY-LOCHÉ ET POUILLY-VINZELLES

Moins connues que leur voisine, ces petites appellations situées sur le territoire des communes de Loché et de Vinzelles produisent des vins blancs secs de même nature que le pouilly-fuissé, avec peut-être un peu moins de corps.

POUILLY-LOCHÉ

Superficie : 32 ha / Production : 1 500 hl

GEOFFREY CHEVALIER 2014

	3000		8 à 11 €

Les vignes (4,64 ha) sont dans la famille Chevalier depuis cinq générations. Geoffray, lui, aime la musique et le son, et a créé plusieurs groupes avant de se lancer dans le vin en 2009. «Le bagne», raconte-t-il. Il se forme au lycée de Mâcon Davayé et a le déclic grâce à une collègue de promotion qui lui a pemis de «rêver le vin». Après quelques mois dans une *winery* au Canada, il revient au bercail en 2012 pour son premier millésime. Souhaitant revenir à la viticulture de son grand-père, sans chimie, il a engagé la conversion bio.

Ce joli vin doré libère au nez des senteurs de fruits blancs et de chèvrefeuille. La bouche se montre d'abord généreuse, puis évolue vers plus de tension et de vivacité qui lui confèrent du caractère et de la persistance. ⧗ 2017-2021 🍷 couteaux au beurre aillé

GEOFFREY CHEVALIER, 109, rue du Bourg, 71960 Fuissé, tél. 06 76 38 93 01, contact@chevalier-fuisse.fr V r.-v.

CLOS DES ROCS Les Mûres 2014 ★

	7000		15 à 20 €

Issu d'une famille vigneronne depuis sept générations, Olivier Giroux a grandi au milieu des vignes de Fuissé. En 2002, après avoir dirigé une exploitation dans la vallée du Rhône, il revient sur ses terres natales et acquiert ce domaine de 8,6 ha, dont le Clos des Rocs et ses 3,5 ha en monopole. Le passage au bio est engagé.

D'une belle brillance, cette cuvée dévoile un nez discret mêlant le pain grillé et les fleurs jaunes. Un léger gras tapisse un palais sans aucune aspérité et lui confère une agréable sensation de douceur et de plénitude. En finale, une fine trame acidulée lui assure un surcroît de fraîcheur. ⧗ 2017-2021 🍷 fricassée d'écrevisses **En Chantone 2014 (15 à 20 €; 4000 b.)** : vin cité.

CLOS DES ROCS, SCEA Vignoble du Clos des Rocs, 64, chem. de la Colonge, 71000 Loché, tél. 03 85 32 97 53, vin@closdesrocs.fr V r.-v. Olivier Giroux

MARCEL COUTURIER
Vieilles Vignes 2014 ★

5000 | 15 à 20 €

Installé en cave particulière depuis 2005 après avoir été apporteur à la cave coopérative des Grands Crus à Vinzelles, Marcel Couturier revendique une viticulture proche de l'agrobiologie, sans pour autant passer à la certification. Son vignoble couvre 12 ha.

Du verre s'échappent de discrètes senteurs boisées. La bouche attaque sur le fruit, puis offre une belle fraîcheur qui apporte de la finesse et de la longueur. ⧗ 2016-2020 ¥ poulet à la crème ■ **Le Bourg 2014 (11 à 15 €; 5000 b.)** : vin cité.

⊶ MARCEL COUTURIER, 730, rte de Fuissé, 71960 Fuissé, tél. 06 23 97 23 21, domainemarcelcouturier@orange.fr V *r.-v.*

DOM. GIROUX Au Bûcher 2014

1900 | 15 à 20 €

Créé en 1973 par Yves Giroux, ce domaine a connu sa première succession en 2010. C'est aujourd'hui le fils aîné Sébastien qui, après une carrière dans l'automobile, préside aux destinées de ce vignoble de 6,8 ha.

Ce pouilly-loché délivre de délicats arômes floraux (chèvrefeuille et tilleul) et fruités (pêche de vigne). Dans le droit-fil, agrémenté de nuances épicées et vanillées, le palais se montre gras et chaleureux, réveillé par une pointe d'acidité bienvenue en finale. ⧗ 2016-2021 ¥ sole normande

⊶ EARL DOM. YVES GIROUX ET FILS, Les Molards, 71960 Fuissé, tél. 09 79 00 64 33, domainegiroux@wanadoo.fr V *r.-v.*

DOM. TROUILLET Les Mûres 2014

11000 | 8 à 11 €

Au décès de son père Frédéric en 2007, William Trouillet, alors étudiant au lycée viticole de Davayé, revient sur l'exploitation familiale pour seconder sa mère Marie-Agnès, non sans avoir effectué plusieurs stages en France et à l'étranger. Aujourd'hui, l'exploitation s'est beaucoup agrandie et couvre 18 ha.

Jaune clair à reflets verts, ce 2014 présente un nez délicat et élégant de poire, de pomme et de citron, le tout souligné d'une fine note végétale. Rondeur et volume caractérisent le palais, dynamisé par une acidité discrète, plus intense en finale. ⧗ 2016-2020 ¥ poêlée de langoustines

⊶ DOM. TROUILLET, rte des Concizes, 71960 Solutré-Pouilly, tél. 03 85 35 80 04, domaine.trouillet@wanadoo.fr V *r.-v.*

POUILLY-VINZELLES

Superficie : 52 ha / Production : 1 700 hl

LES GRANDS CRUS BLANCS 2014 ★

30000 | 5 à 8 €

Créée en 1929, la cave des Grands Crus blancs a scellé l'union des vignerons de deux villages voisins: Vinzelles et Loché. Ses vins du Mâconnais sont régulièrement au rendez-vous du Guide.

Ce 2014 d'un jaune éclatant dévoile un bouquet expressif qui fait la part belle aux fleurs blanches (aubépine, chèvrefeuille et tilleul), mais aussi aux fruits du verger (pomme et poire). À la fois frais et gras, savoureux et persistant, le palais s'achève sur de longues notes fruitées. Et tout cela à prix doux… ⧗ 2016-2021 ¥ mâconnais affiné

⊶ CAVE DES GRANDS CRUS BLANCS, 2367, rte des Allemands, 71680 Vinzelles, tél. 03 85 27 05 70, contact@lesgrandscrusblancs.com V *t.l.j. 8h30-19h*

BOURGOGNE

♥ CH. DE VINZELLES
Climat Les Pétaux 2014 ★★

1850 | 15 à 20 €

La particularité de ce domaine réside dans la présence de deux châteaux distants de quelques mètres, une maison forte du XIe s. et une maison noble des XIIIe et XVIIe s. érigée par le grand argentier de Louis XIII, Claude de Bullion, et abritant deux imposants pressoirs à «grand point». Une propriété familiale appartenant à Françoise de Lostende, installée depuis 1996 mais aux commandes des vinifications depuis 2012 seulement, avec à sa disposition un vignoble de 15,5 ha, dans la seule AOC pouilly-vinzelles.

Drapé d'un or franc et limpide, ce pouilly-vinzelles s'ouvre sur d'intenses arômes d'abricot, de mangue et de poire juteuse. Une impression de grand volume, de richesse et de puissance se dégage du palais, traversé de part en part par une acidité tranchante aux accents minéraux du terroir qui apporte beaucoup de finesse, de noblesse et de persistance. À réserver pour un met délicat. ⧗ 2017-2023 ¥ risotto venere au homard ■ **Cuvée Vauban 2014 ★★ (11 à 15 €; 6000 b.)** : dès l'approche, cette cuvée surprend agréablement par ses arômes de fenouil et d'agrumes. Le charme opère aussi en bouche: un volume certain, de la richesse sans lourdeur, des saveurs élégantes d'amande fraîche et de citron. ⧗ 2018-2022

⊶ CH. DE VINZELLES - FRANÇOISE DE LASTEUDE, 360, rue du Château, 71680 Vinzelles, tél. 06 07 11 43 88, fdelasteude@chateau-de-vinzelles.com V *r.-v.*

SAINT-VÉRAN

Superficie : 680 ha / Production : 37 500 hl

Implantée surtout sur des terroirs calcaires, l'appellation, reconnue en 1971, constitue la limite sud du Mâconnais, entre les AOC pouilly-fuissé, pouilly-vinzelles et beaujolais. Elle est réservée aux vins blancs produits dans huit communes de Saône-et-Loire. Légers, élégants et fruités, les saint-véran accompagnent bien les débuts de repas. Ils sont intermédiaires entre les pouilly-fuissé et les mâcon suivis d'un nom de village.

JEAN-PIERRE ET MICHEL AUVIGUE
Chênes 2014 ★★

	3300		11 à 15 €

Producteurs depuis plus de cinq générations, Michel et Jean-Pierre Auvigue pratiquent également depuis 1982 l'achat de raisins. Ils ont transformé un ancien moulin à huile, en chai de vinification et d'embouteillage.

Récoltés mûrs, à la main bien entendu, ces chardonnays quinquagénaires ont grandi en fût de chêne durant sept mois. Transformés en or, ils livrent de nombreux arômes rappelant la pâtisserie gourmande, le cédrat confit et le silex. Au palais, après une attaque ample, se dessine une belle matière, certes boisée mais aussi puissante et équilibrée. Un remarquable ambassadeur de l'appellation. ⧗ 2017-2021 🍷 coquillages au gingembre

VINS AUVIGUE, Le Moulin du Pont, 3131, rte de Davayé, 71850 Charnay-lès-Mâcon, tél. 03 85 34 17 36, vins.auvigue@wanadoo.fr r.-v.

JEAN BARONNAT 2014 ★★

	n.c.	8 à 11 €

Fondée en 1920 par Jean Baronnat, cette maison est l'une des dernières affaires familiales encore indépendantes du Beaujolais. Elle est dirigée depuis 1985 par Jean-Jacques Baronnat, petit-fils du fondateur. La maison, bien implantée dans le Beaujolais, mais aussi en Bourgogne, a étendu sa gamme de vins au sud de la France. Une habituée du Guide.

D'un bel or clair brillant de mille feux, ce vin, encore un peu pudique, libère des parfums délicats de fruits blancs, d'ananas et de citron. Une complexité aromatique que l'on retrouve dans une bouche fraîche et dense, traversée par une fine trame acidulée qui lui apporte élégance et légèreté. ⧗ 2017-2021 🍷 sole normande

JEAN BARONNAT, 491, rte de Lacenas, 69400 Gleizé, tél. 04 74 68 59 20, info@baronnat.com r.-v.

DOM. DE LA BÂTIE
Hommage à Antoine de Saint-Victor
En Réfort 2013 ★★

	2000		11 à 15 €

La comtesse de Milly, par ailleurs propriétaire du château de Berzé, dans le val lamartinien, est à la tête de ce domaine de 11 ha situé à Saint-Vérand, village pittoresque à la frontière du Mâconnais et du Beaujolais.

Une cuvée dédiée au grand-père de la propriétaire, à l'origine du domaine. Dans le verre, un vin pur et franc, qui dévoile un bouquet complexe de raisin de Corinthe et de coing frais sur un fond légèrement grillé. Le palais? Séveux, riche, dense, soyeux. Un saint-véran envoûtant et déjà à maturité, mais qui vieillira bien; parfait pour découvrir l'appellation. ⧗ 2016-2021 🍷 poule-au-pot

SCEA DOM. DE LA BÂTIE, Aux Bulands, Cidex 1312, 71570 Saint-Vérand, tél. 03 85 35 14 66, domainedelabatie@free.fr r.-v. *De Milly*

DOM. CARRETTE Les Mûres 2014 ★

	2900		8 à 11 €

Henri Carrette, issu d'une famille vigneronne, acquiert en 1980 une grande maison avec cave voûtée au pied de la roche de Vergisson. Il y débute alors la vente en bouteilles à la propriété. Depuis 2003, son fils et son petit-fils perpétuent la tradition.

De jeunes plants de vingt ans vendangés à la main sont à l'origine de ce vin fermenté longuement (avec des levures indigènes) en foudres de chêne. Il en résulte une belle couleur or pâle, un bouquet fondu mêlant les fruits frais aux épices douces, une bouche souple et épanouie. ⧗ 2017-2020 🍷 hachis parmentier de poisson

DOM. CARRETTE, 39, rte des Crays, 71960 Vergisson, tél. 03 85 59 02 74, contact@domaine-carrette.fr r.-v.

DOM. DE LA CHAPELLE Les Perriers 2014

	5600		8 à 11 €

La marque «Dom. de la Chapelle» fut déposée en 1904, mais elle n'appartenait pas à l'époque à la famille Rollet. En 2005, Catherine et Pascal Rollet ont acquis les vignes (7,38 ha aujourd'hui) qu'ils travaillaient en métayage depuis 1982. La chapelle en question date du XVes., elle est située au cœur de la propriété mais ne lui appartient pas.

Tout en exubérance, cette cuvée charme par son registre aromatique: fruits exotiques, ananas notamment, citron, genêt. En bouche, on aime sa chair ronde, sa souplesse et sa richesse, équilibrées par une jolie finale minérale et pleine de vivacité. Cette bouteille demande un peu d'attente pour atténuer sa fougue. ⧗ 2018-2021 🍷 moules au curry

EARL PASCAL ROLLET, rue de la Chapelle, Pouilly, 71960 Solutré-Pouilly, tél. 03 85 35 81 51, rolletpouilly@wanadoo.fr *t.l.j. dim. 8h-18h*

DOM. CHARDIGNY En Cornillaux 2014

	1500		15 à 20 €

Un domaine dans la même famille depuis deux siècles. Depuis 1990, l'exploitation et ses 12 ha de vignes est dirigée par Catherine et Jean-Michel Chardigny et leurs enfants Pierre-Maxime et Victor. La conversion bio est engagée depuis 2015.

Ce 2014 s'affiche dans une robe claire et scintillante et déploie une belle palette aromatique entre fruits blancs, amande fraîche et citronnelle. On retrouve les arômes fruités dans une bouche riche et chaleureuse, équilibrée par une acidité bienvenue en finale. ⧗ 2017-2020 🍷 andouillette au vin blanc

CATHERINE CHARDIGNY, Le Creux du Vy, 71570 Leynes, tél. 06 26 37 81 24, info@domaine-chardigny.com r.-v. 7

CH. CHASSELAS En Faux 2014 ★

	3000		11 à 15 €

Ce domaine viticole remontant à cinq siècles, commandé par un château des XIVe et XVIIIes. flanqué de trois tours en poivrière, a été repris en 1999 par Jean-Marc Veyron La Croix et Jacky Martinon. Les 12 ha de vignes sont conduits dans une démarche raisonnée (labour, griffage, amendement naturel...).

La robe jaune d'or, limpide et brillante, attire l'œil. Le nez, tout en discrétion, s'ouvre doucement sur les fruits jaunes et le miel d'acacia. La bouche se révèle tendre, suave et gourmande, bien équilibrée par une pointe d'acidité en finale. ⧗ 2016-2020 🍷 mâconnais affiné **Téthys 2014 (15 à 20 €; 1500 b.)** : vin cité.

CH. DE CHASSELAS, En Château, 71570 Chasselas, tél. 03 85 35 12 01, contact@chateauchasselas.fr t.l.j. 10h-12h 14h-18h; déc.-fév. sur r.-v.

CH. DES CORREAUX Vieilles Vignes 2014

	10000		11 à 15 €

L'histoire vigneronne de la famille Bernard a débuté en 1803. Située aux confins du Beaujolais et du Mâconnais, cette exploitation était connue des lecteurs du Guide sous le nom de Ch. de Leynes. En 2002, Jean-Bernard a reconstitué le domaine, étendu sur 30 ha.

Ce 2014 offre un nez discret mais flatteur de fruits jaunes et de fleurs blanches. Franc, net et frais, le palais se révèle équilibré et de bonne longueur. 2016-2019 ceviche de lieu

DOM. BERNARD, Les Correaux, 71570 Leynes, tél. 03 85 35 11 59, bernardleynes@yahoo.fr r.-v.

DOM. CORSIN Vieilles Vignes 2014 ★

	31400		11 à 15 €

Ce domaine prestigieux, et toujours familial, existe depuis plus d'un siècle. Précurseur dans la vente en bouteilles, il est aujourd'hui entre les mains expertes de Jean-Jacques et Gilles Corsin.

Belle et dorée dès l'approche, cette cuvée dévoile de nombreux arômes, d'abord toastés et miellés, puis minéraux et iodés. Une tendre rondeur mêlée à une fine acidité composent un palais long et harmonieux. Une bouteille racée que l'on pourra garder quelques années en cave. 2017-2021 lieu jaune au gingembre

DOM. CORSIN, 404, rue des Plantes, 71960 Davayé, tél. 03 85 35 83 69, contact@domaine-corsin.com r.-v.

♥ **DOM. DES DEUX ROCHES** P.R.C. 2013 ★★

	3000		15 à 20 €

L'aventure au domaine commence en 1928 avec les premières vignes que Joanny Collovray possède autour de Davayé, à l'ouest de Mâcon. Deux générations plus tard, les Collovray ont rencontré les Terrier et s'associent au sein du Dom. des Deux Roches qui naît en 1986. Aujourd'hui la quatrième génération est à l'œuvre... Une valeur sûre du Mâconnais.

Derrière le nom énigmatique de cette cuvée se cache trois lieux-dits prestigieux de l'appellation: Pommards, Roncevaux et Carettes, qui forment une unité géologique et climatique forte. Dans le verre, un vin qui affiche d'emblée une personnalité bien affirmée à travers un boisé séveux mâtiné de fleurs blanches. Aussi large que long, le palais conjugue parfaitement gras et acidité, puissance et finesse. Un beau saint-véran racé et complet. 2017-2021 lotte au coulis de persil **La Côte Rôtie 2013 ★ (15 à 20 €; 1100 b.)** : un joli nez flatteur, minéral, exotique et floral; franc, net et fin en attaque, rond et gourmand dans son évolution. 2017-2021 **Terres noires 2014 ★ (11 à 15 €; 18000 b.)** : une belle allure boisée, de la densité et de la puissance à assagir pour ce joli vin de garde. 2018-2022

DOM. DES DEUX ROCHES, La Cuette, 71960 Davayé, tél. 03 85 35 86 51, info@collovrayterrier.com r.-v.

DOM. ELOY 2014 ★

	1200		5 à 8 €

Installé depuis 1987 au cœur de Fuissé, à quelques encablures de Pierreclos, son village d'origine, Jean-Yves Eloy est à la tête d'un domaine de 28 ha.

Élevé six mois en cuve, ce saint-véran né de jeunes chardonnays de quinze ans se présente dans une jolie robe couleur poussin. Peu volubile au premier nez, il s'ouvre doucement après un tour de verre sur des senteurs fruitées (poire, pêche de vigne). Le fruité quelque peu acidulé revient dans une bouche fraîche et friande, soulignée par de fines saveurs minérales. 2017-2021 terrine de lapin à l'estragon

JEAN-YVES ELOY, 358, rue du Plan, 71960 Fuissé, tél. 03 85 35 67 03, domaine.eloy@outlook.fr r.-v.

PHILIPPE GENETIER La Discorde 2014 ★

	800		11 à 15 €

Philippe Genetier, par ailleurs marchand de matériel viticole, a acquis en 2009 une parcelle de 0,4 ha de chardonnay et signe des cuvées nécessairement très confidentielles.

Attention, rareté: 800 bouteilles seulement de ce saint-véran sont sorties de la cave. Dans le flacon, un vin élégant, au nez boisé et frais, au palais équilibré et franc, tout en finesse et subtilement fruité. 2017-2020 saint-marcellin

PHILIPPE GENETIER, 86, Le Bourgneuf, 71570 Chânes, tél. 06 18 08 51 08, genetierphilippe@wanadoo.fr r.-v.

PIERRE GIROUX À la Côte 2014 ★

	5250		8 à 11 €

Issus d'une longue lignée de vignerons, Véronique et Pierre Giroux se sont installées en 1986 et cultivent aujourd'hui un vignoble de 6,35 ha «au plus proche de la tradition régionale, tout en suivant les évolutions techniques».

Les raisins de vénérables chardonnays de soixante ans ont séjourné en fut de chêne durant dix mois. Le résultat est un vin de bonne complexité, associant la vanille et le grillé du bois à des nuances de raisins secs. Passé une attaque franche et fraîche, la bouche se révèle très riche, très charnue, d'une longueur appréciable. 2017-2021 cuisses de grenouilles à la crème

PIERRE GIROUX, Le Plan, imp. Marie-Camille, 71960 Fuissé, tél. 03 85 35 66 07, girouxpierre@wanadoo.fr r.-v.

LUDOVIC GREFFET 2014 ★

	2400		8 à 11 €

Depuis son installation en 2000, Ludovic Greffet, quatrième du nom à la tête du domaine (6,5 ha), a modernisé l'exploitation familiale. Il s'est forgé un solide savoir-faire par un apprentissage dès son plus âge dans

les vignes de son père et par de nombreuses expériences auprès de différents vignerons de la Côte de Beaune et de Châteauneuf-du-Pape.

Ce vin expressif dévoile des arômes complexes et typiques du bouquet Mâconnais: pêche, poire, fleurs blanches, amande, noisette. Droit et franc en attaque, le palais affiche un bel équilibre gras-acidité et une longueur intéressante. Un beau représentant de l'appellation, net et sans bavure. 2017-2020 fromage de chèvre

LUDOVIC GREFFET, imp. du Forgeron, 71960 Solutré-Pouilly, tél. 06 23 75 35 22, domaine@ludovic-greffet.fr V *r.-v.*

CH. DE LA GREFFIÈRE Aux Monts 2014

	1500		15 à 20 €

En 2012, Xavier Greuzard a pris la suite de ses parents Isabelle et Vincent à la tête du Ch. de la Greffière (37 ha), dans sa famille depuis 1924. Un vignoble qu'il a pu agrandir l'année d'après en reprenant les 7 ha d'un seul tenant du Ch. des Bois après le départ à la retraite de son propriétaire.

D'un séduisant jaune pâle, cette cuvée dévoile un nez gourmand de mirabelle et de quetsche souligné de senteurs minérales. La bouche se montre mûre, douce et suave, relevée par une finale saline. Un saint-véran large et expressif. 2016-2020 lotte à l'armoricaine

EARL DE LA GREFFIÈRE, 71960 La Roche-Vineuse, tél. 03 85 37 79 11, info@chateaudelagreffiere.com V *t.l.j. 9h-12h 14h-17h30; dim. sur r.-v.* *Greuzard*

DOM. GUERRIN ET FILS
La Côte Rôtie 2014

	2300		11 à 15 €

En 1984, Maurice Guerrin a créé avec seulement 2,5 ha ce domaine qui compte aujourd'hui 14 ha de chardonnay. Son fils Bastien l'a rejoint fin 2011 afin de développer la commercialisation en bouteilles.

Du verre, s'échappent de fines senteurs de fenouil, de vanille et de fleurs blanches. En bouche, passé une attaque sur la vivacité, on découvre un vin pulpeux, rond et finement boisé. 2016-2019 matelote d'anguille

DOM. GUERRIN ET FILS, 572, rte des Bruyères, 71960 Vergisson, tél. 03 85 35 80 25, domaine@domaineguerrin.com V *r.-v.*

ROGER LASSARAT Le Cras 2014 ★

	3000		15 à 20 €

Roger Lassarat s'est installé en 1969 entre les roches de Vergisson et de Solutré, avec quelques ares de vignes. Il conduit aujourd'hui avec son fils Pierre-Henri un vignoble de 19 ha, dont 2 ha dans le Beaujolais en AOC moulin-à-vent, acquis avec son ami humoriste Laurent Gerra.

D'une belle précision, harmonieux, ce vin dévoile un bouquet épanoui dans lequel on peut reconnaître le chardonnay (pomme, poire, petites fleurs des haies) élevé en pièce bourguignonne (vanille, pain grillé). Ronde, tendre, soyeuse, la bouche est au diapason. 2016-2020 comté affiné **Les Mûres 2013 (15 à 20 €; 3000 b.)** : vin cité.

ROGER LASSARAT, 121, rue du Martelet, 71960 Vergisson, tél. 03 85 35 84 28, info@roger-lassarat.com V *r.-v.* B

DOM. DES MAILLETTES
En Pommard 2014 ★★

	7000		8 à 11 €

Touché dès son plus jeune âge par le virus de la viticulture en accompagnant ses parents dans les vignes, Guy Saumaize s'est naturellement orienté vers le métier de vigneron, mais il a également créé une pépinière reconnue et fréquentée par de nombreux producteurs de la région. Depuis sa disparition en 2013, c'est Annie, sa femme, épaulée par son fils Guillaume, qui a repris le flambeau.

Ce 2014 or limpide conjugue à l'olfaction les fruits blancs, les fleurs jaunes et un boisé racé. D'emblée équilibrée, la bouche offre de la mâche et une belle vinosité, soulignée par une fine minéralité qui évoque le terroir argilo-calcaire à l'origine du vin. Un saint-véran bien typé et finement vinifié. 2017-2021 saumon au beurre blanc

ANNIE SAUMAIZE, Dom. des Maillettes, 600, rue des Maillettes, 71960 Davayé, tél. 03 85 35 82 65, guy.saumaize.maillette@wanadoo.fr V *r.-v.*

MANCIAT-PONCET Le Clos 2014 ★

	2600		11 à 15 €

Cette propriété créée en 1870, qui s'étend aujourd'hui sur près de 23 ha, a été transmise de père en fils jusqu'en 2003. Depuis cette date, c'est la fille de Claude Manciat, Marie-Pierre, qui a repris les rênes du domaine.

Née de ceps de quarante ans, puis élevée dix mois en fût de chêne, cette cuvée déploie des senteurs fruitées et épicées. Le palais est bâti sur une association sans accroc entre gras et acidité, et s'achève sur une jolie touche acidulée qui apporte du nerf et de l'allonge. 2017-2020 saumon à l'oseille

DOM. MANCIAT-PONCET, 217, rue Saint-Vincent, 71570 Chaintré, tél. 03 85 35 61 50, olivier.manciatponcet@orange.fr V *r.-v.*

LOÏC MARTIN Champ rond 2014 ★

	2000		11 à 15 €

Loïc Martin, jeune vigneron installé en 2009, exploitait 4 ha de vignes dans la partie méridionale de l'appellation saint-véran. Depuis 2013, il a intégré le domaine familial de ses parents Christine et Dominique Martin.

D'un bel or pâle, ce 2014 séduit aussi par sa complexité aromatique autour des épices douces, des fruits mûrs et des fleurs de jardin (lilas, pivoine, rose ancienne). Le charme continue d'agir dans une bouche suave, riche et caressante. Un joli vin de gastronomie. 2018-2021 ris de veau à la crème

DOMINIQUE ET CHRISTINE MARTIN, La Creuze-Noire, 71570 Leynes, tél. 03 85 37 46 43, domainemartin.dcn@gmail.com V *t.l.j. sf dim. 8h-12h 14h-18h*

DOM. GEOFFREY MARTIN
La Côte 2014 ★

	3000		11 à 15 €

Issu d'une lignée de vignerons, Geoffrey Martin s'est installé sur 6 ha en 2012 à Leynes, aux confins du Mâconnais et du Beaujolais.

D'un or intense et très brillant, ce vin affiche une robe de jeunesse. Au nez, il respire la sincérité, «on est sur le jus de raisin en direct», précise un juré. La bouche est encore stricte mais montre un équilibre bien assuré entre alcool et acidité et un beau potentiel. ⌛ 2018-2021 🍴 fricassée de veau aux girolles

GEOFFREY MARTIN, La Creuze-Noire, 71570 Leynes, tél. 06 24 81 76 02, geo89mar@live.fr
V *t.l.j. sf sam. dim. 8h-18h*

♥ GAËL MARTIN Les Sables 2014 ★★

	10000		8 à 11 €

Viticulteur de père en fils depuis plusieurs générations, Gaël Martin est à la tête de l'exploitation familiale depuis 2004. Il produit des vins du Mâconnais et du Beaujolais à partir de 19,5 ha de vignes.

Or pâle ciselée de reflets brillants, cette cuvée laisse s'échapper d'intenses senteurs de fruits mûrs sur un léger fond boisé: «on sent la chaleur de la Bourgogne lumineuse de Gaston Roupnel», précise un dégustateur sous le charme. En bouche, de la chair, du gras, de la densité, un volume remarquable et des saveurs fruitées gourmandes en diable (pêche de vigne, raisin blanc, citron confit) qui persistent longtemps, très longtemps... ⌛ 2018-2024 🍴 lapin à la moutarde

GAËL MARTIN, Les Truges, 71570 Saint-Vérand, tél. 03 85 40 64 22, martin.gael0669@orange.fr
V *r.-v.*

CÉDRIC ET PATRICE MARTIN Le Poisard 2014 ★

	500		11 à 15 €

Cédric et Patrice Martin exploitaient leurs vignes individuellement avant de décider en 2012 de mutualiser leurs structures viticoles respectives, au départ à la retraite de leurs parents Sylvaine et Jean-Jacques. Ils ont ainsi créé un domaine de 12 ha de vieilles vignes de chardonnay et de gamay, qui propose des vins du Mâconnais et du Beaujolais.

Jaune clair limpide, ce 2014 propose une palette aromatique engageante, très fruitée (pêche de vigne, confiture de prune, citron). Quelques notes épicées s'ajoutent aux fruits dans un palais harmonieux, à la fois souple, tendre et frais. ⌛ 2017-2020 🍴 poulet Gaston Gérard

SCEV CÉDRIC ET PATRICE MARTIN, Les Verchères, 192, rte du Stade, 71570 Chânes, martinpatris@club-internet.fr V *r.-v.*

♥ DOM. PERRAUD 2014 ★★

	8500		15 à 20 €

Après des études au lycée agricole de Mâcon-Davayé, Jean-Christophe Perraud s'installe sur l'exploitation familiale, alors adhérente à la cave coopérative. Aux commandes depuis 2008, il vinifie désormais dans son nouveau chai le fruit des 30 ha que compte le domaine.

Déjà remarquée dans ces pages, cette cuvée a fait l'unanimité. D'un seyant jaune serin, elle s'annonce par un nez intense et expressif, sur la pêche blanche et l'amande fraîche. La bouche, vigoureuse, riche et très longue, laisse une sensation de puissance et d'équilibre qui ajoute à son charme. Un saint-véran de caractère, appelé à bien vieillir. ⌛ 2018-2022 🍴 poulet de Bresse à la crème

DOM. PERRAUD, Nancelle, 64, rte d'Hurigny, 71960 La Roche-Vineuse, tél. 03 85 32 95 12, domaineperraud@gmail.com V *r.-v.*

ROMUALD PETIT Tradition 2014 ★★

	10000		8 à 11 €

Après des études de «viti-œno» qui l'ont conduit dans différents vignobles en France, Romuald Petit revient en 2005 sur ses terres du Mâconnais pour créer un domaine couvrant aujourd'hui 12 ha sur deux îlots: 8 ha à Saint-Vérand et 4 ha en Beaujolais, à Villié-Morgon.

Une vendange manuelle et un élevage traditionnel en barrique ont donné naissance à ce vin limpide et brillant, ouvert à l'olfaction sur le boisé grillé, les fruits jaunes mûrs et les sous-bois. Le prélude à un palais ample, riche, puissant et finement boisé. Du caractère et du potentiel. ⌛ 2018-2021 🍴 poularde de Bresse à la crème ■ **Champs ronds 2014 ★★ (8 à 11 €; 4500 b.)** : un vin brioché, boisé et floral à l'olfaction, riche et rond en bouche. ⌛ 2018-2022

ROMUALD PETIT, Les Dîmes, 71570 Saint-Vérand, tél. 06 61 14 94 99, petitromuald@yahoo.fr
V *t.l.j. sf dim. 8h-20h*

Ⓑ DOM. DES PONCETYS Le Clos du château 2014 ★★

	11000		11 à 15 €

Le lycée viticole de Mâcon-Davayé forme les vignerons de Bourgogne et d'ailleurs depuis de nombreuses générations. Le domaine attenant (16 ha) est cultivé en bio, et Frédéric Servais, le maître de chai, entend produire les vins les plus «naturels» possibles.

D'un joli bronze reluisant, ce vin laisse monter du verre d'intenses senteurs de fruits jaunes confits, de pierre à fusil, de chèvrefeuille et de cire d'abeille. Une complexité que l'on retrouve dans un palais explosif, où vivacité, rondeur et puissance s'équilibrent sans fausse note. «Un vin qui sent l'été, intense et chaleureux», conclut le jury. ⌛ 2017-2021 🍴 homard au beurre blanc ■ **Les Climats 2014 (8 à 11 €; 30000 b.)** Ⓑ : vin cité.

DOM. DES PONCETYS, rue des Poncetys, 71960 Davayé, tél. 03 85 33 56 22, domaineponcetys@free.fr V *t.l.j. sf sam. dim. lun. 8h30-12h 14h-18h*

PASCAL RENOUD-GRAPPIN Vieilles Vignes 2014 ★★

	2100		8 à 11 €

Créé de toutes pièces par Pascal Renoud-Grappin en 1996 à partir d'une parcelle de 30 ares de chardonnay, ce domaine compte aujourd'hui 11 ha. Avec les années, il a développé principalement une clientèle de particuliers.

Ce superbe saint-véran à l'allure brillante et aux reflets argentés s'ouvre sur d'intenses notes fruitées (citron, pêche de vigne, poire), mariées à des nuances de poivre blanc et de vanille. En bouche, on est conquis par le bel équilibre entre l'apport du bois, le respect de la matière première et la fraîcheur du millésime. Un très beau vin en devenir. ⧗ 2018-2022 🍴 pintade à la crème

⊶ *EARL PASCAL RENOUD-GRAPPIN, 421, rue des Plantes, 71960 Davayé, tél. 03 85 35 81 35, rg.pascal@orange.fr* V 🚶 🍷 *r.-v.*

RIJCKAERT Les Champs Meuniers 2014 ★★

	2800		15 à 20 €

Régine et Jean Rijckaert, vignerons jurassiens à la tête de 6 ha en AOC arbois et côtes-du-jura, ont acquis 4 ha dans le Mâconnais en 1998, complété par une activité de négoce. En 2013, ils ont décidé de transmettre progressivement leur activité à Florent Rouve, ancien directeur du domaine du lycée viticole de Mâcon-Davayé.

Nés sur des argiles rouges d'éboulis, de vieux chardonnays de soixante ans cueillis à la main ont donné un vin magnifique, doré à l'or fin. Le bouquet évoque les petites fleurs sauvages, le citron, le beurre frais, la noisette ou encore les épices douces. Une complexité aromatique que prolonge une bouche suave et riche, bien épaulée par une fine trame acidulée et par une finale minérale qui lui apporte de l'allonge et de la personnalité. «Digne d'un grand blanc de la Côte d'Or», conclut un juré enthousiaste... ⧗ 2018-2022 🍴 omble chevalier sauce crémée

⊶ *RIJCKAERT, En-Cuette, 71960 Davayé, tél. 03 85 35 15 09, frouve@rijckaert.fr* V 🚶 🍷 *r.-v.* ⊶ *Florent Rouve*

DOM. RIVET Vieilles Vignes 2014

	8520		8 à 11 €

Cette cave coopérative créée en 1929 regroupe aujourd'hui 70 adhérents pour 120 ha de vignes et propose une large gamme de vins du Mâconnais complétée par quelques cuvées beaujolaises.

Ce vin jaune profond hésite entre abricot et fines notes boisées à l'olfaction. Le palais se révèle large et long, s'arrondit sur les fruits jaunes mûrs avant de libérer en finale de plaisantes nuances salines. Un joli représentant de l'appellation. ⧗ 2016-2019 🍴 fromage de chèvre

⊶ *CAVE DE CHARNAY-LÈS-MÂCON, En-Condemine, 71850 Charnay-lès-Mâcon, tél. 03 85 34 87 32, michael.dafre@cave-charmay.com* V 🚶 🍷 *t.l.j. 9h-18h*

DOM. THIBERT PÈRE ET FILS
Bois de fée 2013 ★

	4000		20 à 30 €

Issus d'une dynastie de vignerons longue de huit générations, Andrée et René Thibert créent leur propre domaine en 1967, sur 2,5 ha. Aujourd'hui, leurs enfants Sandrine et Christophe sont cogérants d'un vignoble de 30 ha. Une valeur (très) sûre du Mâconnais.

Plantés sur les argilo-calcaires de Leynes, dans la partie méridionale de l'appellation, des chardonnays de presque cinquante ans ont donné ce vin or blanc, ouvert sur les petites fleurs blanches mâtinées d'une fine touche de noisette. La bouche se montre friande, croquante, soulignée par une jolie trame acide qui stimule les papilles. Déjà agréable, cette bouteille a du fond et respecte le millésime. ⧗ 2016-2020 🍴 langouste grillée

⊶ *DOM. THIBERT PÈRE ET FILS, 20, rue Adrien-Arcelin, 71960 Fuissé, tél. 03 85 27 02 66, info@domaine-thibert.com* V 🚶 🍷 *t.l.j. 8h30-12h 13h30-18h30; sam. dim. sur r.-v.*

Ⓑ **TRÉNEL** 2014 ★

	2600		15 à 20 €

En 1928, Claude-Henri Trénel crée un commerce de liqueurs de fruit à Charnay-lès-Mâcon. Il se tourne ensuite vers l'achat de raisins. Son fils André lui succède à la tête de cette maison de négoce finalement rachetée en 2015 par Michel Chapoutier, célèbre négociant de la vallée du Rhône.

Sept mois de fût de chêne pour ce vin en robe légère. Au nez, des parfums discrets de minéralité et de fruits secs, de noisette notamment. En bouche, du gras, de la rondeur et un élégant registre floral. Un vin harmonieux. ⧗ 2016-2020 🍴 koulibiac de poisson

⊶ *MAISON TRÉNEL, 33, chem. de Buéry, 71850 Charnay-lès-Mâcon, tél. 03 85 34 48 20, contact@trenel.fr* V 🚶 🍷 *t.l.j. sf sam. dim. 8h-12h 14h-18*

DOM. DU CH. DE VERGISSON
La Côte Rôtie 2014 ★

	1600		8 à 11 €

Stéphanie Saumaize et Pierre Desroches sont à la tête de ce domaine de 9,2 ha situé au pied de la roche de Vergisson. Depuis 2012, ils vinifient leur récolte dans les fameuses caves voûtées et superposées du château de Vergisson.

Soulignée de reflets cuivrés, cette cuvée jaune d'or propose une palette aromatique principalement centrée sur le bois: vanille, grillé, toast beurré. Chaleureuse dès l'attaque, riche et tendre, la bouche renoue avec le boisé en y associant d'intenses saveurs de fruits secs (noisette) et de citron. Pour amateurs de (bons) vins boisés. ⧗ 2018-2022 🍴 turbot au beurre blanc

⊶ *DOM. DU CH. DE VERGISSON, 101, rue du Château-de-France, 71960 Vergisson, tél. 06 21 85 67 60, pierredesroches@hotmail.fr* V 🚶 🍷 *r.-v.*

➜ LES IGP DE LA BOURGOGNE

IGP COTEAUX DE L'AUXOIS

DOM. DE FLAVIGNY-ALÉSIA
Auxerrois 2015 ★

	4600		8 à 11 €

Situé au pied de l'oppidum d'Alésia, ce domaine de 13,5 ha créé en 1994 a été entièrement replanté par Gérard Vermeere. Depuis 2004, il est conduit par Ida Nel, épaulée par Cyril Raveau, œnologue. Une valeur sûre et un acteur de la renaissance de ce vignoble des Coteaux de l'Auxois, ancienne place forte de la viticulture française au XIIIe s.

Ce pur auxerrois dévoile un nez délicat qui associe des notes florales à des arômes d'abricot et de fruits exotiques. Plus réservée mais bien équilibrée, la bouche affiche une belle fraîcheur aux tonalités minérales et un brin végétales. ⧗ 2016-2019 ¥ moules marinières

⊶ *DOM. DE FLAVIGNY-ALÉSIA, Pont-Laizan, 21150 Flavigny-sur-Ozerain, tél. 03 80 96 25 63, vignoble-de-flavigny@wanadoo.fr* V *t.l.j. 10h-19h; f. janv.-fév.* ⊶ *Ida Nel*

SIMONNET-FEBVRE
Esprit de Lyre Auxerrois 2014 ★★

	n.c.		5 à 8 €

Reprise en 2003 par Louis Latour, cette maison de négoce-éleveur fondée en 1840 et dirigée aujourd'hui par Jean-Philippe Archambaud est une référence en Chablisien. Une solide renommée qui dépasse largement les frontières de France, 85 % de la production partant à l'export.

On connaissait évidemment les œuvres chablisiennes de la maison, beaucoup moins ses IGP, et c'est une belle découverte. Elle exploite 15 ha de vignes conduites en lyre sur les communes de Villaines-les-Prévôtes et Viserny. Ici, un auxerrois intense et racé, ouvert sur des notes de fruits secs, de brioche et de fleurs blanches, ample, gras et néanmoins bien tendu en bouche par une fine acidité. Un vin complexe et très équilibré, qui évoluera favorablement en cave. ⧗ 2017-2021 ¥ bar sauce crémée **Saveurs de Lyre 2014 ★ (5 à 8 €; n.c.)** : mi-chardonnay mi-pinot gris, ce vin évoque les fruits blancs, les épices et la minéralité du terroir. En bouche, beaucoup de fraîcheur et de souplesse, et à nouveau ce caractère épicé. ⧗ 2016-2019 **Quintessence de Lyre Chardonnay 2014 ★ (5 à 8 €; n.c.)** : le nez, fin et discret, floral et brioché, trouve un écho persistant dans un palais frais et équilibré, agrémenté d'une petite note épicée. ⧗ 2016-2019

⊶ *SIMONNET-FEBVRE, 9, av. d'Oberwesel, 89800 Chablis, tél. 03 86 18 95 69, caveau@simonnet-febvre.com* V *t.l.j. sf dim. lun. 10h-12h 14h30-18h30*

La Champagne

SUPERFICIE : 33 500 ha
PRODUCTION :
349 000 000 bouteilles
ou 2 262 000 hl
TYPES DE VINS : blancs ou rosés effervescents pour l'essentiel. Quelques vins tranquilles rouges, blancs et rosés (AOC coteaux-champenois et rosé-des-riceys).
PRINCIPALES RÉGIONS :
Montagne de Reims, Côte des Blancs, vallée de la Marne, Aube.
CÉPAGES :
Blancs : chardonnay pour l'essentiel (pinot blanc, pinot gris, arbane, petit meslier très rarement).
Rouges : pinot noir, pinot meunier.

LA CHAMPAGNE

C'est dans le vignoble le plus septentrional du pays qu'a été mise au point la méthode champenoise, à l'origine d'un des vins les plus prestigieux du monde, le vin des rois devenu celui de toutes les fêtes. Un vin unique, nulle autre production ne pouvant usurper ce nom; mais pluriel, en raison de l'étendue de l'aire d'appellation et de la diversité des styles.

Naissance du champagne

Apparu à l'époque gallo-romaine, le vignoble s'est d'abord développé grâce à des abbayes comme Hautvillers ou Saint-Thierry. Il a bénéficié de la proximité de la capitale et du sacre des rois à Reims. Cependant, les vins sont tranquilles jusqu'à la fin du XVII[e]s. S'ils ont tendance à pétiller dans les tonneaux – les frimas de cette région septentrionale arrêtant parfois les fermentations qui repartaient lorsque les températures remontaient –, la mousse apparaît longtemps comme un accident de vinification.

Ce fut sans doute en Angleterre que l'on commença à mettre systématiquement en bouteilles ces vins instables qui, jusque vers 1700, étaient livrés en fût; ce conditionnement permit au gaz carbonique de se dissoudre dans le vin pour se libérer au débouchage : le vin effervescent était né. La mode se répandit dans la haute société. Et dom Pérignon, à qui la tradition attribue la paternité du champagne, ce moine bénédictin, contemporain de Louis XIV et procureur de l'abbaye de Hautvillers, produisait les meilleurs vins de la région. Il perfectionna l'art du pressurage et de l'assemblage – à la base des champagnes de qualité –, mais n'inventa sans doute pas la méthode champenoise.

En 1728, le conseil du roi autorise le transport du vin en bouteilles; un an plus tard, la première maison de vin de négoce est fondée: Ruinart. D'autres suivent (Moët en 1743), mais c'est au XIX[e]s. que la plupart des grandes maisons se créent ou se développent. Au cours du même siècle, l'élaboration du champagne se perfectionne et différents styles de champagnes s'affirment. En 1804, Mme Clicquot lance ainsi le premier champagne rosé; à partir de 1860, Mme Pommery élabore des «bruts», à l'encontre du goût majoritaire de l'époque pour les doux ; vers 1870 sont proposés les premiers champagnes millésimés. Raymond Abelé invente, en 1884, le banc de dégorgement à la glace.

La Champagne est tardivement frappée par le phylloxéra, puis la Grande Guerre ravage les vignobles. La crise conduit à la protection juridique de l'appellation contre les usurpations et à la délimitation de l'aire de production. Un long processus semé de contestations et de troubles, entre l'arrêt de 1887 réservant aux producteurs de la région le terme de champagne et la loi de 1927 fixant les limites de la région viticole.

Un vignoble septentrional

La Champagne est la plus septentrionale des régions viticoles de France. Le vignoble s'étend dans les départements de la Marne, de l'Aisne et de l'Aube, avec de modestes extensions en Seine-et-Marne et en Haute-Marne. Il est soumis à une double influence climatique, océanique et continentale. La première apporte de l'eau en quantité régulière; la seconde, si elle favorise l'ensoleillement l'été, entraîne des risques de gel, notamment au printemps, qui fait obstacle à la régularité de la production. Les écarts climatiques sont cependant atténués par la présence d'importants massifs forestiers. L'absence d'excès de chaleur contribue à la finesse des vins.

Les régions du vignoble

Un même paysage de coteaux se révèle dans tout le vignoble, où l'on distingue cependant plusieurs régions: la Montagne de Reims; la Côte des Blancs; la vallée de la Marne (la zone proche d'Épernay, sur la rive droite, étant appelée « Grande Vallée de la Marne »); enfin, à l'extrême sud-est, le vignoble de l'Aube.

De la craie, du calcaire et des marnes

La mer, en se retirant il y a quelque 70 millions d'années, a laissé un socle crayeux dont la perméabilité et la richesse en principes minéraux apportent leur finesse aux vins de la Champagne; ce substrat crayeux a également facilité le percement des galeries où mûrissent longuement des millions de bouteilles. Une couche argilo-calcaire recouvre le socle crayeux sur près de 60 % des terroirs actuellement plantés. Dans l'Aube, les sols marneux sont proches de ceux de la Bourgogne voisine.

Géologiquement, le vignoble correspond aux lignes de côtes concentriques de l'est du Bassin parisien: la côte d'Île-de-France regroupe la Montagne de Reims, la vallée de la Marne, la Côte des Blancs et celle du Sézannais. La côte de Champagne porte quelques vignes, autour de Vitry-le-François (Marne) et de Montgueux (Aube). Enfin, la côte des Bar est occupée par la plus grande partie des vignobles de l'Aube (autour de Bar-sur-Seine et de Bar-sur-Aube). Les fronts de côte sont constitués de couches dures de calcaire ou de craie, les pentes des coteaux, où est installée la vigne, de formations plus tendres, crayeuses, marneuses ou sableuses.

L'ÉCHELLE DES CRUS CHAMPENOIS

Le prix du kilo de raisin payé aux viticulteurs, en Champagne, est fixé en fonction de la qualité des grappes, elle-même liée à leur provenance. Il a servi d'étalon pour le classement en crus : les communes viticoles ont été placées sur une échelle variant de 100 à 80 % : 100 % pour les 17 grands crus, 99 à 90 % pour les 1ers crus et 89 à 80 % pour les autres. Les crus champenois ne prennent donc pas en compte la parcelle, comme en Bourgogne, mais la commune. Les mentions «grand cru», «premier cru» indiquent que les raisins proviennent uniquement de communes classées respectivement en grand cru ou en premier cru. Si le nom d'une commune apparaît, la vendange en provient exclusivement.

Cépages : deux noirs et un blanc

Le choix des cépages s'adapte aux variations pédologiques et climatiques. Pinot noir (38 %), pinot meunier (32 %), chardonnay (30 %) ainsi que d'autres variétés devenues très rares - pinot blanc, pinot gris, petit meslier, arbane - se partagent les surfaces plantées. Le pinot noir est surtout cultivé sur les coteaux de la Montagne de Reims et de l'Aube, le meunier sur ceux de la Marne, tandis que le chardonnay a donné son nom à la Côte des Blancs.

Une économie florissante

Malgré la crise, près de 305 millions de bouteilles de champagne ont été écoulées en 2013. Poids lourd de l'agriculture française, ce vin représente plus de 4 milliards d'euros de chiffre d'affaires, dont la moitié à l'export. En valeur, il contribue à environ 30 % des exportations de vins. Son élaboration particulière sur plusieurs années (en moyenne trois ans) oblige à un stockage supérieur à 1,4 milliard de bouteilles. La viticulture et l'élaboration occupent environ 30 000 personnes, dont 15 600 vignerons exploitants, parmi lesquels seulement 4 750 sont des récoltants-manipulants. Les autres sont des « vendeurs au kilo » qui approvisionnent le négoce ou les coopératives. Parmi ces dernières, 43 vendent au public. Si les neuf dixièmes des superficies appartiennent à des viticulteurs, le négoce assure près des trois quarts du chiffre d'affaires et plus de 80 % des exportations. On compte 300 maisons de négoce, dont quelques dizaines de sociétés d'envergure remontant souvent au XIXe, voire au XVIIIe s.

Les étapes de l'élaboration

Les vendanges: en Champagne, la machine à vendanger est interdite, car il est essentiel que les grains de raisin parviennent en parfait état au lieu de pressurage et que les peaux des raisins noirs ne tachent pas le moût. Les centres de pressurage sont disséminés au cœur du vignoble afin de raccourcir le temps de transport du raisin. Le pressurage est sévèrement réglementé. De 4 000 kg de raisins, on ne peut extraire que 25,5 hl de moût. Le pressurage est fractionné entre la cuvée (20,5 hl) et la taille (5 hl). Les moûts sont vinifiés très classiquement comme tous les vins blancs.

Style de champagne selon le dosage	Pourcentage de sucres
Brut zéro (brut nature)	Moins de 3 g/l (pas de sucres ajoutés)
Extra-brut	0 à 6 g/l
Brut	6 à 12 g/l
Extra-dry	12 à 17 g/l
Sec (dry)	17 à 32 g/l
Demi-sec	32 à 50 g/l
Doux (très rare)	Plus de 50 g/l

L'assemblage des cuvées: à la fin de l'hiver, le chef de cave goûte les vins disponibles et les mêle de façon à obtenir une cuvée harmonieuse, qui corresponde au goût suivi de la marque.

Le tirage: une liqueur de tirage, composée de levures, de vieux vins et de sucre, est ajoutée au vin au moment de la mise en bouteilles: c'est le tirage. Les levures vont transformer le sucre en alcool et il se dégage du gaz carbonique, prisonnier du flacon, qui se dissout dans le vin. Cette deuxième fermentation en bouteilles s'effectue lentement, à basse température (11 °C), dans les vastes caves champenoises.

Le repos sur lies: les levures forment des lies, qui influent sur le goût du vin. Un long vieillissement sur lies est indispensable à la finesse des bulles et à la qualité aromatique. La réglementation fixe un délai de quinze mois entre le tirage et l'expédition (dont douze mois sur lies) pour la plupart des champagnes, qui est porté à trois ans pour les millésimés. Ces durées sont supérieures dans la plupart des maisons. Le meilleur champagne, le plus complexe, est en effet celui qui a mûri le plus longtemps sur ses lies (cinq à dix ans).

Le remuage: il permet d'entraîner les lies vers le col du flacon en inclinant progressivement les bouteilles – à la main, sur les célèbres pupitres, et le plus souvent grâce aux gyropalettes, qui automatisent et raccourcissent le processus.

Le dégorgement : après deux ou trois mois de remuage, on gèle le col dans un bain réfrigérant et on ôte le bouchon; le dépôt est expulsé sous la pression du gaz carbonique.

Le dosage: on remplace le vide créé par l'expulsion du dépôt par une « liqueur de dosage » (ou « liqueur d'expédition ») : le plus souvent, celle-ci est composée de sucre de canne dissous dans du vin, pour arrondir le champagne qui a perdu tous ses sucres. Le mélange est ensuite homogénéisé et les bouteilles se reposent encore avant l'habillage pour laisser disparaître le goût de levure.

Tous les champagnes sont classés selon leur dosage en sept catégories (du brut zéro au rarissime doux). La catégorie figure obligatoirement sur l'étiquette. Une mention utile pour le consommateur, car le dosage conditionne le style du champagne, son usage et les accords avec les mets. Ainsi, les bruts ne conviennent pas pour les desserts sucrés. Ces derniers sont les plus nombreux.

Les styles de champagnes

En dépit de l'appellation unique, il existe de nombreux styles de champagnes, qui tiennent au dosage (voir ci-dessus) et à l'assemblage. L'art du champagne repose en effet sur l'assemblage, avant la prise de mousse, de vins tranquilles différents (les vins de base). Les cuvées peuvent associer des cépages, des années de récolte, des communes (crus), des vins vinifiés différemment (en cuve ou en fût). On trouve ainsi :

Des blancs de blancs et des blancs de noirs: les premiers sont issus du seul cépage chardonnay, les seconds du pinot noir et/ou du pinot meunier vinifiés en blanc. Le blanc de blancs se caractérise par sa finesse et sa fraîcheur. Il dévoile des arômes de fleurs et des fruits blancs, d'agrumes. On peut le servir à l'apéritif ou avec poissons et volailles. Le blanc de noirs, plutôt puissant et vineux, avec des arômes de fruits rouges et d'épices, peut accompagner un repas. De nombreux champagnes associent des cépages blancs et noirs.

LE STATUT DE L'ÉLABORATEUR

Le statut professionnel du producteur est une mention obligatoire, portée en petits caractères sous forme codée :

RM : récoltant-manipulant

NM : négociant-manipulant

CM : coopérative de manipulation

RC : récoltant-coopérateur

SR : société de récoltants

CM : coopérative de manipulation

MA : marque d'acheteur

« Manipuler » signifie « élaborer ». La marque d'acheteur désigne un champagne acheté par une structure qui ne le fabrique pas (restaurant, enseigne de supermarché...). L'amateur a alors intérêt à se renseigner sur l'élaborateur. Les récoltants-manipulants sont des vignerons qui ne peuvent élaborer leurs cuvées qu'à partir du raisin de leur domaine, à la différence des coopératives et des négociants qui peuvent s'approvisionner dans tout le vignoble. Ces derniers ont souvent aussi des vignes en propre, mais celles-ci ne fournissent qu'une partie de leurs raisins. Le récoltant-coopérateur confie tout ou partie de l'élaboration à une coopérative.

Des champagnes blancs et des rosés: il est possible en Champagne d'ajouter un peu de vin rouge au vin blanc pour obtenir un rosé, ce qui est interdit ailleurs. À côté de ces rosés d'assemblage, il existe des rosés de saignée, plus colorés et plus structurés, issus d'une macération de cépages noirs.

Des bruts sans année: ils sont issus de vins d'années différentes. La grande majorité des champagnes n'est pas millésimée. La situation septentrionale du vignoble ne permet pas en effet de présenter chaque année un champagne de qualité né d'une seule vendange. Les Champenois ont donc créé une banque de vins – les vins de réserve, issus d'années antérieures – dans laquelle peut puiser le chef de cave pour composer des cuvées équilibrées. Certaines sont composées de vins jeunes, d'autres font appel à plus ou moins de vins de réserve. Nés d'un assemblage propre à chaque maison, parfois tenu secret, les bruts sans année représentent le style de la marque.

Des millésimés: ils proviennent des vendanges d'une seule année, précisée obligatoirement sur l'étiquette et le bouchon. Les millésimés ne sont élaborés que dans les meilleures années (la décision de millésimer une année est du ressort de chaque maison). Ils sont plus structurés et complexes que les bruts sans année, grâce à la qualité des vendanges et à un long repos sur lies. Les cuvées de prestige des grandes maisons sont souvent millésimées.

Politique de marque

Que peut-on lire en effet sur une étiquette champenoise? La marque et le nom de l'élaborateur; le dosage (brut, sec, etc.); le millésime – ou son absence; la mention «blanc de blancs» lorsque seuls des raisins blancs participent à la cuvée; quand cela est possible – cas rare –, la commune d'origine des raisins; parfois, enfin, mais cela est peu fréquent, la cotation qualitative des raisins: «grand cru» pour les 17 communes qui ont droit à ce titre, ou «premier cru» pour les 41 autres. Le statut professionnel du producteur, lui, est une mention obligatoire, portée en petits caractères sous forme codée: NM, négociant-manipulant; RM, récoltant-manipulant; CM, coopérative de manipulation; MA, marque d'acheteur; RC, récoltant-coopérateur; SR, société de récoltants; ND, négociant-distributeur.

Que déduire de tout cela? Que les Champenois ont délibérément choisi une politique de marque; que l'acheteur commande du Moët et Chandon, du Bollinger, du Taittinger, parce qu'il préfère le goût suivi de telle ou telle marque. Cette conclusion est valable pour tous les champagnes de négociants-manipulants, de coopératives et de marques auxiliaires, mais ne concerne pas les récoltants-manipulants qui, par obligation, n'élaborent de champagne qu'à partir des raisins de leurs vignes, souvent groupées dans une seule commune. Ces champagnes sont dits monocrus et le nom de ce cru figure en général sur l'étiquette.

CHAMPAGNE

Production : 2 640 000 hl

ADAM-GARNOTEL Tradition

● | 40000 | ▮ | 15 à 20 €

Établie dans la Montagne de Reims, une maison de négoce familiale fondée en 1899 par Louis Adam, arrière-grand-père de Christophe Garnotel, qui en a pris la direction en 1999. Elle dispose d'un vignoble en propre de 8 ha en 1er cru. (NM)

Les deux pinots, meunier en tête, composent 70 % de ce brut, complétés par le chardonnay. On apprécie l'expression de son nez, qui mêle la réglisse, l'anis et les fruits blancs à noyau. Ces arômes se retrouvent, avec plus de discrétion, dans une bouche fraîche et encore fermée: un champagne qui mérite d'attendre pour s'ouvrir. ⧗ 2017-2021 ⫯ huîtres gratinées

ADAM-GARNOTEL, 17, rue de Chigny, 51500 Rilly-la-Montagne, tél. 03 26 03 40 22, adamgarnotel@sfr.fr V r.-v.

XAVIER ALEXANDRE Blanc de blancs 2007 ★

● | 2000 | 15 à 20 €

Les Alexandre sont récoltants depuis 1933. Xavier a pris en 1994 les rênes du domaine qui s'étend sur 7 ha répartis dans neuf villages situés sur le flanc ouest de la Montagne de Reims, à deux pas de la Cité des Sacres. (RM)

Les chardonnays à l'origine de ce millésimé ont fermenté pour 40 % en fût et la fermentation malolactique a été bloquée. Le nez offre une belle expression, alliant les fleurs blanches à des notes plus évoluées de mirabelle et de brioche. Après une attaque souple, le palais se montre vif et minéral ; on y retrouve les fleurs blanches, avec la poire et les agrumes confits. 2016-2020 noix de Saint-Jacques

XAVIER ALEXANDRE, 2, rue des Auches, 51390 Courmas, tél. 03 26 49 27 58, champagne.xavieralexandre@orange.fr V r.-v.

ALLOUCHERY-PERSEVAL Réserve ★

1er cru	8000	15 à 20 €

De souche vigneronne, Émilien Allouchery s'est installé en 2006 après ses études à Avize et à Beaune, suivies d'expériences en Afrique du Sud et en Nouvelle-Zélande. Implanté sur la Montagne de Reims, aux portes de la Cité des Sacres, le domaine familial couvre 8 ha. (RC)

Né d'un assemblage de 60 % de pinot noir et de 40 % de chardonnay, ce champagne a été salué moins pour son expression que pour son harmonie générale, du premier coup de nez à la finale. Équilibré, il possède aussi un potentiel de garde intéressant. 2017-2021 cabillaud rôti **1er cru Blanc de noirs Tradition (11 à 15 € ; 40000 b.)** : vin cité.

ÉMILIEN ALLOUCHERY, 11, rue de l'Église, 51500 Écueil, tél. 03 26 49 74 61, contact@alloucheryperseval.com V r.-v.

ANTHIME Héritage ★

1500		20 à 30 €

Au début du XXe s., les Collet vendent leurs raisins au négoce. René Collet, coopérateur, lance son champagne en 1973. Ses trois fils, Thomas, Vincent et Florent, s'installent entre 2001 et 2011 et décident d'élaborer leurs cuvées. Ils disposent de 5 ha de vignes dans le Sézannais. Deux marques : René Collet et Anthime. (RM)

Le chardonnay (60 %) s'allie aux deux pinots dans cette cuvée issue des meilleurs fûts de la cave, vinifiée sans fermentation malolactique. Un champagne doré à la bulle fine, au nez intense et vineux, floral, citronné et toasté. Tout aussi intense, la bouche est puissante et ronde, bien dosée et de bonne longueur, discrètement marquée des notes fumées de l'élevage. 2016-2019 vol-au-vent

DOM. COLLET, 6, ruelle de Louche, 51120 Fontaine-Denis, tél. 03 26 80 22 48, contact@champagne-collet.fr V r.-v.

DE L'ARGENTAINE

5000		15 à 20 €

Marque de la coopérative de Vandières. Située sur la rive droite de la Marne, la cave a été créée en 1956 ; elle regroupe aujourd'hui 170 adhérents et vinifie autant d'hectares de vignes. (CM)

Un rosé d'assemblage dominé par les raisins noirs. À la robe soutenue aux reflets framboise répondent un nez frais, tout en fruits rouges légèrement confits, et une bouche ronde en attaque, équilibrée et fraîche, aux arômes de fruits des bois. 2016-2018 tartelettes aux fraises

DE L'ARGENTAINE, Cidex 318, 51700 Vandières, tél. 03 26 58 68 68, delargentaine@wanadoo.fr V t.l.j. sf sam. dim. 8h30-12h 13h30-17h

JEAN-ANTOINE ARISTON Carte Or ★★

10000	15 à 20 €

Vignerons depuis quatre générations, les Ariston sont établis à Brouillet, minuscule village de la vallée de l'Ardre, à l'ouest de Reims. Aux commandes du domaine depuis 1975, Bruno exploite 7,5 ha de vignes, épaulé à la cave par son fils Charles-Antoine. (RM)

Né d'un assemblage de chardonnay (60 %) et de pinot noir, ce rosé a conquis le jury. Une effervescence alerte et persistante anime sa robe d'un rose profond, prélude à un nez bien ouvert sur des arômes de fruits légèrement confiturés, rehaussés de touches de vanille et de poivre. Tout aussi fruité et épicé, le palais se montre gourmand, structuré, harmonieux et d'une rare persistance. 2016-2021 cailles aux cerises

BRUNO ARISTON, 4, rue Haute, 51170 Brouillet, tél. 03 26 97 47 02, champagne.ariston@wanadoo.fr V r.-v.

ASPASIE Blanc de blancs ★

20000		20 à 30 €

À la tête de 12 ha de vignes dans la vallée de l'Ardre, Paul-Vincent Ariston a pris en 2011 la suite de son père Rémi sur l'exploitation, dont les origines remontent à 1794. Il commercialise ses champagnes sous les marques Ariston fils ou Aspasie, marque créée en hommage à une aïeule. (RM)

Minéral et crayeux au premier nez, ce blanc de blancs libère des senteurs de fruits exotiques (ananas, mangue et litchi) qui prennent à l'aération des tons compotés, grillés et beurrés. Les fruits exotiques se lient aux agrumes dans une bouche équilibrée et pleine d'allant. 2016-2019 feuilletés au saumon **Carte blanche (15 à 20 € ; 30000 b.)** : vin cité.

PAUL-VINCENT ARISTON, 4, Grande-Rue, 51170 Brouillet, tél. 03 26 97 43 46, contact@champagneaspasie.com V r.-v.

PAUL AUGUSTIN ★★

14000		15 à 20 €

Isabelle et Éric Ammeux ont repris en 1991 l'exploitation familiale plantée en pinots, située à Jonquery, petit village niché entre l'Ardre au nord et la Marne au sud. En 1998, Isabelle a acquis un vignoble planté en chardonnay et lancé en 2005 la marque Paul Augustin. (RM)

Mi-chardonnay mi-meunier, ce brut élaboré par Isabelle Ammeux séduit par l'élégance et la finesse de ses parfums de fleurs blanches, nuancés de fruits jaunes et de miel. En bouche, les dégustateurs admirent la franchise de son attaque, la netteté de ses arômes floraux et exotiques et surtout sa matière puissante, ronde, fraîche et fondue qui finit sur une évocation de zeste de citron.

⧗ 2016-2019 🍴 feuilletés aux saint-jacques ● **Extra-brut Blanc de blancs (20 à 30 €; 1000 b.)** : vin cité.

PAUL AUGUSTIN, 1, rue de la Barbe-aux-Cannes, 51700 Jonquery, tél. 03 26 58 10 55, eric.ammeux@wanadoo.fr t.l.j. 9h-11h30 12h-18h; sam. dim. sur r.-v. Isabelle Ammeux

AUTRÉAU-LASNOT Bleue nature

●	3000		11 à 15 €

À partir de 1932, la famille Autréau constitue son domaine aux environs de Venteuil, sur la rive droite de la Marne. Aujourd'hui, Fabrice Autréau met en valeur un coquet domaine de 16 ha. (RM)

Cette cuvée non dosée (brut nature, sans sucre ajouté après le dégorgement) est un blanc de noirs qui met en valeur le meunier (90 %), cépage roi de la vallée de la Marne. Le nez intense mêle le beurre et la pâte de fruits; la bouche vive, dynamique, associe des arômes de beurre, de pain grillé et de pâte d'amandes. ⧗ 2016-2019 🍴 cake au saumon et citron

AUTRÉAU-LASNOT, 6, rue du Château, 51480 Venteuil, tél. 03 26 58 49 35, info@champagne-autreau-lasnot.com t.l.j. 9h-12h 14h-17h30; dim. 9h-12h

AYALA Rosé majeur ★

●	60000		30 à 50 €

Établie à Aÿ, la maison Ayala est née en 1860 de la rencontre de Raphaël-Edmond-Louis Gonzague de Ayala, fils d'un diplomate colombien, et de Berthe-Gabrielle d'Albrecht, nièce du vicomte de Mareuil. Depuis 2005 propriété du Champagne Bollinger, elle a pour chef de cave Caroline Latrive. (NM)

Une belle étoile pour ce rosé saumon pastel parcouru d'un train de fines bulles. Il est né d'un assemblage des trois cépages champenois, chardonnay en tête (50 %), et a séjourné trois ans en cave. Le nez puissant et vineux fait défiler la cerise, la myrtille, l'abricot confit et la poire, l'amande grillée, avec une pointe d'agrumes. Très expressive elle aussi, harmonieuse, la bouche est structurée et ronde, affinée par une pointe de fraîcheur qui souligne la persistance de la finale. ⧗ 2016-2019 🍴 filet de saumon mi-cuit ● **Blanc de blancs 2008 (30 à 50 €; 25000 b.)** : vin cité.

AYALA, 1, rue Edmond-de-Ayala, 51160 Aÿ, tél. 03 26 55 15 44, contact@champagne-ayala.fr r.-v. Groupe Bollinger

PAUL BARA 2007 ★

● Gd cru	12000		20 à 30 €

Fondé en 1833 et conduit aujourd'hui par Chantale Bara, fille de Paul, ce domaine réputé est implanté dans l'un des grands crus de noirs de la Montagne de Reims. Les 11 ha sont exclusivement plantés de pinot noir et de chardonnay classés en grand cru. Ils fournissent champagnes et coteaux-champenois. (RM)

Ce 2007 met en vedette le pinot noir (90 %), avec un appoint de chardonnay. Robe or soutenu, effervescence persistante. Nez franc, pâtissier, sur le pain grillé, le «petit-beurre» et les fruits secs, avec une touche plus fraîche de zeste d'agrumes. L'abricot et le coing compotés soulignent la richesse d'une bouche onctueuse, tendue par une belle ligne de fraîcheur: un très bel équilibre. ⧗ 2016-2019 🍴 bar au four ● **Réserve ★ (15 à 20 €; 60000 b.)** : du pinot noir (80 %) et du chardonnay. Un champagne au nez de fleurs blanches, d'agrumes et de pain, à la bouche citronnée, épicée et tonique, un peu ferme. La fraîcheur de la jeunesse. ⧗ 2016-2021 🍴 chaource

PAUL BARA, 4, rue Yvonnet, 51150 Bouzy, tél. 03 26 57 00 50, info@champagnepaulbara.fr r.-v.

BARBIER-LOUVET Prestige

● Gd cru	6500		15 à 20 €

Fondée en 1835 et conduite depuis 1992 par David Barbier, cette exploitation implantée sur le versant sud de la Montagne de Reims couvre près de 7 ha, avec des parcelles dans plusieurs grands crus et 1ers crus. (RM)

Du pinot noir (60 %) et du chardonnay de Bouzy et de Louvois. Nez finement fruité, sur la pêche, avec une touche d'agrumes, bouche élégante, fruitée et fraîche à la finale agréable. De la délicatesse. Parfait pour l'apéritif. ⧗ 2016-2021 🍴 feuilletés salés

BARBIER-LOUVET, 8, rue de Louvois, 51150 Tauxières-Mutry, tél. 03 26 57 04 79, contact@champagne-barbier-louvet.com r.-v.

BARDOUX PÈRE ET FILS Brut traditionnel ★

● 1er cru	14960		15 à 20 €

Déjà vignerons au XVIIe s., les Bardoux ont lancé leur champagne en 1929. À la tête de l'exploitation familiale depuis 1973, Pascal Bardoux exploite près de 4 ha sur la Montagne de Reims, autour de Ville-Dommange, joli village classé en 1er cru, à deux pas de la Cité des Sacres. (RM)

Deux tiers de noirs (meunier surtout) et un tiers de blancs dans ce brut à la robe pâle traversée d'une bulle fine. Nez discret, mais délicat et complexe, entre acacia, tilleul, fruits à noyau et agrumes. Les agrumes et les fruits exotiques s'affirment dans une attaque fraîche, prélude à une bouche équilibrée et longue, marquée par un agréable retour du fruit à noyau. Un champagne pour toutes les occasions. ⧗ 2016-2019 🍴 coquilles Saint-Jacques

BARDOUX, 5-7, rue Saint-Vincent, 51390 Ville-Dommange, tél. 03 26 49 25 35, contact@champagne-bardoux.com r.-v.

DE BARFONTARC Tradition

●	297350		15 à 20 €

Marque de la coopérative de Baroville et des environs (Aube). Fondée en 1962, la cave vinifie les récoltes de 112 ha; le pinot noir, largement dominant dans le secteur de Bar-sur-Aube, est très présent dans les assemblages. (CM)

L'assemblage privilégie le pinot noir (80 %), complété par le chardonnay. À la robe jaune doré répond un nez beurré, toasté, grillé, avec un côté chocolat au lait. Dans

CHAMPAGNE

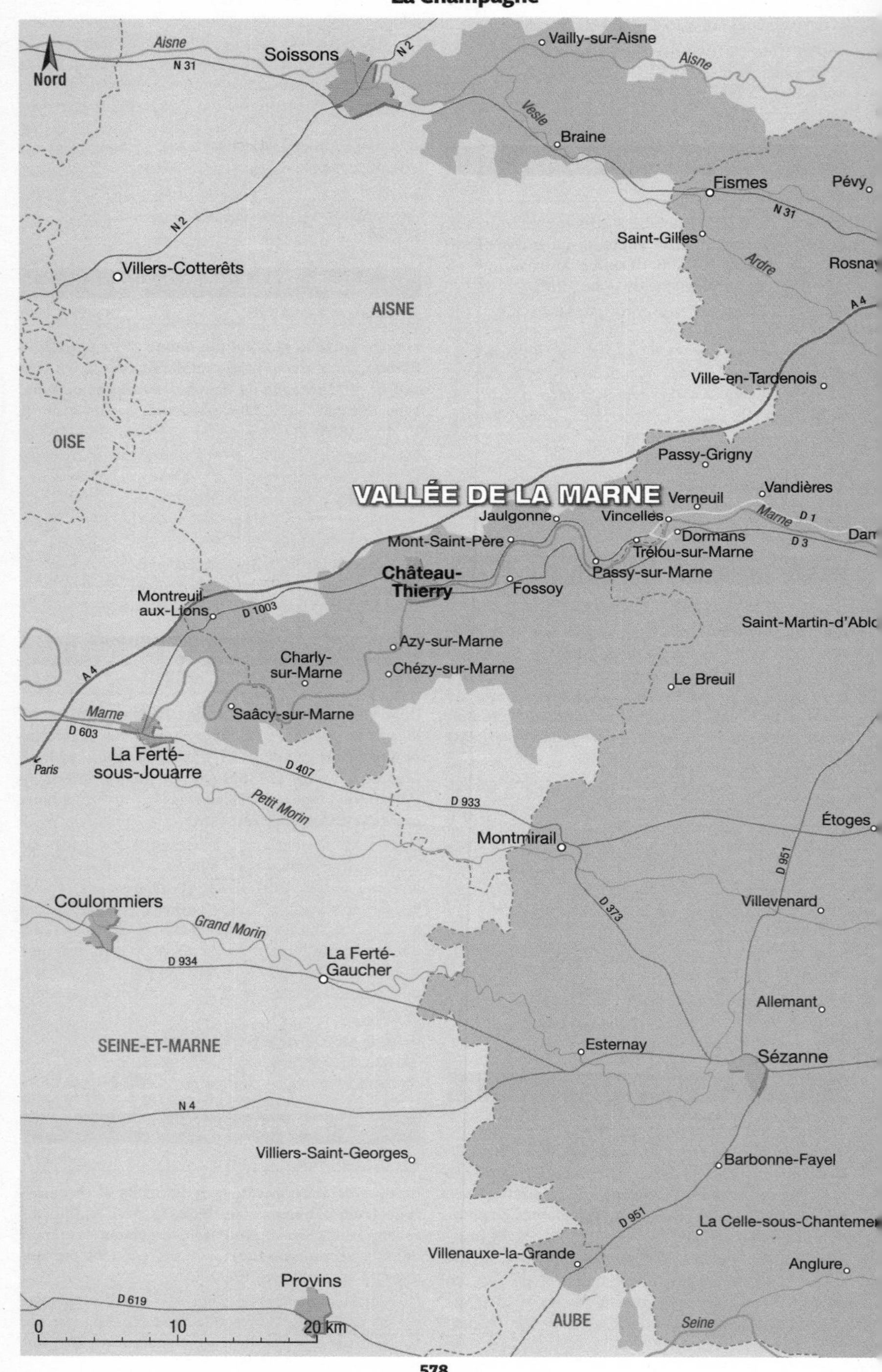
Nord
Aisne
N 31
Soissons
N 2
Vailly-sur-Aisne
Aisne
Vesle
Braine
Fismes
Pévy
N 31
Saint-Gilles
Ardre
Rosnay
A 4
N 2
Villers-Cotterêts
AISNE
Ville-en-Tardenois
OISE
Passy-Grigny
VALLÉE DE LA MARNE
Verneuil
Vandières
Jaulgonne
Vincelles
Marne
D 1
Dormans
D 3
Mont-Saint-Père
Trélou-sur-Marne
Château-Thierry
Passy-sur-Marne
Fossoy
Montreuil-aux-Lions
D 1003
Saint-Martin-d'Ablois
Azy-sur-Marne
Charly-sur-Marne
Chézy-sur-Marne
A 4
Le Breuil
Marne
Saâcy-sur-Marne
D 603
La Ferté-sous-Jouarre
Paris
D 407
Petit Morin
D 933
Étoges
Montmirail
D 951
D 373
Coulommiers
Villevenard
Grand Morin
La Ferté-Gaucher
D 934
Allemant
SEINE-ET-MARNE
Esternay
Sézanne
N 4
Villiers-Saint-Georges
Barbonne-Fayel
D 951
La Celle-sous-Chantemerle
Villenauxe-la-Grande
Anglure
Provins
D 619
0
10
20 km
AUBE
Seine

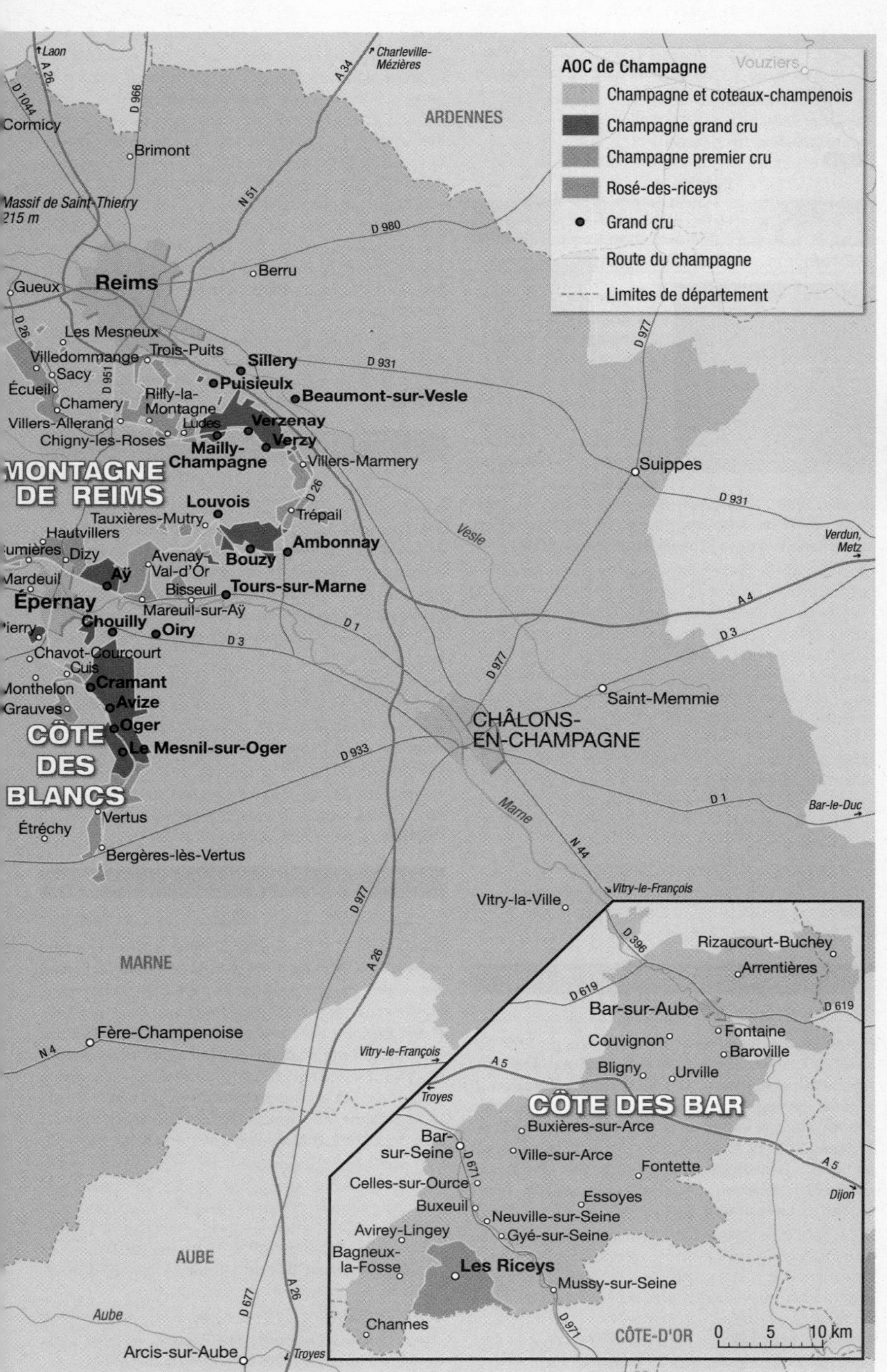
AOC de Champagne
Champagne et coteaux-champenois
Champagne grand cru
Champagne premier cru
Rosé-des-riceys
Grand cru
Route du champagne
Limites de département
ARDENNES
MARNE
AUBE
CÔTE-D'OR
MONTAGNE DE REIMS
CÔTE DES BLANCS
CÔTE DES BAR
Reims
Épernay
CHÂLONS-EN-CHAMPAGNE
Sillery
Puisieulx
Beaumont-sur-Vesle
Verzenay
Verzy
Mailly-Champagne
Louvois
Ambonnay
Bouzy
Aÿ
Tours-sur-Marne
Chouilly
Oiry
Cramant
Avize
Oger
Le Mesnil-sur-Oger
Les Riceys
Bar-sur-Aube
Bar-sur-Seine
Suippes
Saint-Memmie
Vitry-la-Ville
Fère-Champenoise
Arcis-sur-Aube
0 5 10 km

le même registre pâtissier et grillé, complété de nuances fruitées plus fraîches, la bouche montre une belle ampleur, équilibrée par une finale fraîche. Un bon champagne pour la table. ⧗ 2016-2019 🍷 pavé de cabillaud rôti

⊶ DE BARFONTARC, 18, rue de Bar-sur-Aube, 10200 Baroville, tél. 03 25 27 07 09, champagne@barfontarc.com
V t.l.j. sf dim. 9h-12h 13h30-17h30

♥ BARNAUT
Blanc de noirs Quintessence du pinot noir ★★

● Gd cru | 63126 | | 20 à 30 €

Courtier-pressureur pour les grandes maisons de Champagne, Edmond Barnaut décide en 1874 d'élaborer et de commercialiser ses propres cuvées. Son descendant, Philippe Secondé, œnologue, continue son œuvre depuis 1986. Il dispose d'un important vignoble – près de 17 ha, à Bouzy, village classé en grand cru sur le flanc sud de la Montagne de Reims. (RM)

Un pinot noir de noble origine pour ce champagne qui a fait l'unanimité, un brut au dosage très mesuré (6 g/l.). Or clair parcouru d'une bulle alerte, il délivre des senteurs aussi intenses qu'élégantes, aux nuances de quetsche et de mirabelle. Le fruit jaune et le fruit à noyau règnent aussi dans une bouche franche à l'attaque, qui montre la puissance et la longueur des «grands noirs» de la Montagne de Reims. Pour un repas de fête. ⧗ 2016-2019 🍷 magret de canard sauce miel ● **Gd cru Grande Réserve Héritage familial ★ (20 à 30 €; 24 048 b.)** : deux tiers de pinot noir et un tiers de chardonnay dans ce brut au nez gourmand et frais, entre pêche blanche et bonbon acidulé en bouche, charnu et fruité, à la fois rond et long. ⧗ 2016-2019 🍷 sole grillée

⊶ BARNAUT, 2, rue Gambetta, 51150 Bouzy, tél. 03 26 57 01 54, contact@champapgne-barnaut.fr
V t.l.j. sf dim. 9h30-12h30 13h30-17h30; f. sam. janv.-mars ⊶ P. et E. Secondé

BARON ALBERT ★★

● | 15000 | | 15 à 20 €

Fondé en 1947 par Albert Baron, repris en 1972 par son fils Claude, secondé aujourd'hui par ses trois filles, Claire, Aline et Lise (ces deux dernières œnologues), ce négoce dispose d'un important vignoble (50 ha) dans la vallée de la Marne, aux environs de Château-Thierry. Vinifiés sans fermentation malolactique, les champagnes élaborés par Lise Baron cultivent la fraîcheur. Deux marques: Baron Albert et Jean de La Fontaine. (NM)

Un rosé d'assemblage, né des trois cépages champenois (70 % de noirs), avec un léger apport de bois. La robe pastel est parcourue d'une bulle fine; le nez aérien exprime les fruits rouges avec délicatesse. Discrète à l'attaque, la bouche monte en puissance et se développe avec ampleur, équilibrée par une belle fraîcheur et marquée en finale par une touche boisée. Un rosé élégant et assez consistant pour tenir sa place à table. ⧗ 2016-2019 🍷 carré d'agneau ● **La Préférence 2009 ★ (15 à 20 €; 10 000 b.)** : du chardonnay (70 %), complété par les deux pinots. Nez élégant, floral, minéral, nuancé de notes plus évoluées de beurre, de grillé et de miel d'acacia. Attaque fraîche, bouche linéaire, svelte, sur les agrumes et les fruits exotiques, à la finale longue et citronnée. La fraîcheur de la jeunesse. ⧗ 2016-2022 🍷 plateau de fruits de mer ● **Jean de La Fontaine ★ (11 à 15 €; 80 000 b.)** : le meunier domine l'assemblage de ce brut élégant aux arômes intenses de fruits blancs et d'agrumes, bien équilibré au palais, avec de la rondeur et de jolies notes citronnées et fruitées. ⧗ 2016-2019 🍷 sole meunière ● **Claude Baron Cuvée Saphir (11 à 15 €; 80 000 b.)** : vin cité.

⊶ BARON ALBERT, 1, rue des Chaillots, Grand-Porteron, 02310 Charly-sur-Marne, tél. 03 23 82 02 65, champagnebaronalbert@wanadoo.fr
V t.l.j. sf dim. 8h15-12h 13h45-17h45; sam. sur r.-v.

BAUSER Cuvée Prestige

● | n.c. | 15 à 20 €

Après avoir constitué son vignoble dans les années 1960, René Bauser a quitté la coopérative des Riceys et lancé sa marque en 1970. Aujourd'hui, ses trois enfants conduisent 16 ha dans l'Aube. Cépage roi des Riceys, le pinot noir est à l'honneur dans les cuvées du domaine, que ce soit en champagne ou en vins tranquilles (coteaux-champenois et rosé-des-riceys). (RM)

Né d'un assemblage bien maîtrisé de pinot noir et de chardonnay, un brut à la robe claire, au nez finement floral et à la bouche équilibrée. Le chardonnay, pourtant minoritaire (30 %), fait sentir sa présence: entendez sa fraîcheur. ⧗ 2016-2019 🍷 gougères

⊶ BAUSER, 36, rue de la Voie-Pouche, 10340 Les Riceys, tél. 03 25 29 37 37, contact@champagne-bauser.com
V t.l.j. sf dim. 10h-12h 15h-18h

MARCELLIN BEAUFORT Demi-sec Douce Nuit ★

● | 3000 | | 15 à 20 €

Bien connue à Bouzy, la famille cultive la vigne depuis le XVIe s. En 1904, Marcellin Beaufort vend des «vins nature de Bouzy»; en 1929, il commercialise ses premiers champagnes. Son petit-fils Henri exploite avec ses enfants Hugues et Ludovic une maison qui s'appuie sur un vignoble en propre de 13,5 ha essentiellement implanté à Bouzy, à Ambonnay et à Tours-sur-Marne, grands crus de la Montagne de Reims. Deux étiquettes: Herbert Beaufort (RM) et Marcellin Beaufort (NM). (NM)

Les demi-secs se font rares. En voici un très réussi, mi-chardonnay mi-pinot noir, vinifié sans fermentation malolactique. Nez minéral, grillé, aux nuances de fruits secs, belle attaque, bouche vineuse et fraîche, bien dosée. ⧗ 2016-2019 🍷 tarte fine aux pommes ● **Gd cru Herbert Beaufort Bouzy Yllen (20 à 30 €; 9500 b.)** : vin cité.

⊶ LA COMMANDERIE DIFFUSION, 28, rue de Tours-sur-Marne, 51150 Bouzy, tél. 03 28 57 01 34 Hugues et Henri Beaufort et Fils

BEAUMONT DES CRAYÈRES Raressence 2004

	5000		50 à 75 €

Fondée en 1955, la coopérative de Mardeuil vinifie 85 ha, principalement situés sur les coteaux proches d'Épernay. Elle apparaît avec régularité dans les sélections du Guide, sous différentes marques: Beaumont des Crayères, Comte Stanislas, Charles Leprince, Jacques Lorent. (CM)

Deux tiers de chardonnay et un tiers des deux pinots (pinot noir surtout) pour ce champagne souvent millésimé. L'effervescence reste persistante et les arômes sont encore frais, sur la fleur blanche, la pomme, la poire et le kiwi, nuancés de notes plus mûres de fruits jaunes. Tout aussi aromatique, la bouche garde une belle tenue et fait preuve d'une bonne longueur. 2016-2018 bouchées salées

BEAUMONT DES CRAYÈRES, BP 1030, 51318 Épernay Cedex, tél. 03 26 55 29 40, contact@champagne-beaumont.com V t.l.j. sf sam. dim. 8h30-12h 13h30-17h; f. 1er-28 août

B FRANÇOISE BEDEL L'Âme de la terre 2004

	12000		30 à 50 €

Établie dans la vallée de la Marne, en aval de Château-Thierry, Françoise Bedel a repris une partie de l'exploitation familiale en 1979. Depuis 1998, elle conduit ses 8,4 ha de vignes en biodynamie. En 2003, son fils Vincent l'a rejointe. Ces récoltants pratiquent la vinification parcellaire et élèvent souvent leurs vins en fût de chêne. (RM)

Ce champagne bio doit presque tout au meunier, cépage roi de la vallée de la Marne occidentale. Le nez d'abord végétal et grillé se fait plus fruité, sur des notes de fruits macérés. La bouche aux arômes confiturés reste fraîche. Un champagne à son apogée, pour la table. 2016-2019 saint-pierre aux champignons **Extra-brut Entre ciel et terre (30 à 50 €; 12000 b.)** B : vin cité.

FRANÇOISE BEDEL, 71, Grande-Rue, 02310 Crouttes-sur-Marne, tél. 03 23 82 15 80, contact@champagne-bedel.fr V t.l.j. 9h-12h30 13h30-18h; sam. dim. sur r.-v.; f. août

L. BÉNARD-PITOIS Carte blanche

	n.c.		15 à 20 €

À la tête du domaine familial depuis 1991, Laurent Bénard exploite 11 ha de vignes réparties dans deux grands crus de la Côte des Blancs et dans quatre 1ers crus de la Grande Vallée de la Marne. Il vinifie ses vins de base en petite cuve ou en fût. (RM)

L'assemblage privilégie les noirs (90 %, du pinot noir essentiellement). Un brut subtil, élégant et frais, au nez flatteur, entre fruits blancs et agrumes, et à la bouche franche, équilibrée et longue, dans le même registre. Parfait à l'apéritif. 2016-2019 gougères

EARL BÉNARD-LOUIS, 23, rue Duval, 51160 Mareuil-sur-Aÿ, tél. 03 26 52 60 28, benard-pitois@wanadoo.fr V t.l.j. sf dim. 10h-12h 14h-17h; sam. sur r.-v.; f. 1er-15 août

HENRI DE BERR ★

	30000		15 à 20 €

En 1950, Roger Picard plante des vignes sur les flancs du mont de Berru, qui s'élève dans la plaine, à l'est de Reims. Son fils Jacques lance son champagne. Sylvie et Corinne, filles de Jacques, et José Lievens, son gendre, conduisent aujourd'hui la propriété (17 ha, à Berru, Avenay-Val-d'Or et Montbré). Plusieurs étiquettes: Jacques Picard, Corinne Picard, Henri de Berr. (RM)

Élaboré avec 60 % de chardonnay et 40 % de meunier, ce champagne est salué pour ses jolis arômes floraux et fruités. La bouche est une «corbeille de fruits», selon un dégustateur. L'équilibre? «Agréable». Un champagne pour toutes les occasions. 2016-2019 feuilleté aux saint-jacques

JACQUES PICARD, 12, rue de Luxembourg, 51420 Berru, tél. 03 26 03 22 46, champagnepicard@aol.com V r.-v.

MICHEL BERTHELOT ET FILS ★

	5000		15 à 20 €

Michel Berthelot a fondé en 1997 ce domaine implanté à Champillon, village dominant Épernay et la vallée de la Marne. Sous l'impulsion de son fils Geoffrey, arrivé en 2008, la propriété a lancé son champagne. Ses cuvées sont élaborées à la coopérative d'Aÿ. (RC)

Un rosé d'assemblage issu des trois cépages champenois (60 % de noirs, pinot noir surtout). Vieilli quatre ans en cave, ce rosé saumon pâle offre un nez puissant, mêlant la groseille et la framboise à des notes plus évoluées de brioche et de crème pâtissière. On retrouve cette puissance et ce registre aromatique dans une bouche équilibrée à la finale tendue, longue et gourmande. 2016-2019 feuilleté aux fraises des bois

MICHEL BERTHELOT, 24, rue Bel-Air, 51160 Champillon, tél. 03 26 59 47 41, champagne.berthelot@orange.fr V r.-v.

PIERRE BERTRAND

1er cru	3000		15 à 20 €

Pierre Bertrand crée son vignoble à partir de 1946 et devient récoltant-manipulant. Il a neuf enfants et beaucoup de garçons, mais c'est sa fille Thérèse qui lui succède en 1982. Bertrand, son petit-fils, a pris la relève en 2010. Il exploite 6 ha dans la Grande Vallée de la Marne, autour de Cumières, 1er cru connu pour sa précocité. (RM)

Un rosé d'assemblage issu des trois cépages champenois – 90 % des deux noirs (pinot noir en majorité), 10 % de blanc. Il tire sa couleur rose bonbon d'un apport de meunier. Nez charmeur et frais, «jardin de roses», avec aussi un léger fruité, de la fraise. Attaque fraîche, bouche tonique et longue, sur les fruits rouges. 2016-2019 framboisier **1er cru (15 à 20 €; 10000 b.)** : vin cité.

PIERRE BERTRAND, 166, rue Louis-Dupont, 51480 Cumières, tél. 03 26 54 08 24, bertrand.pierre7@wanadoo.fr V t.l.j. 9h-12h 14h-18h; dim. sur r.-v.

CHAMPAGNE

BESSERAT DE BELLEFON
Blanc de blancs Cuvée des moines

	n.c.	30 à 50 €

Originaire d'Hautvillers, Edmond Besserat a fondé en 1843 cette société qui, après plusieurs changements de sièges et de propriétaires, appartient à la maison Burtin d'Épernay (groupe Lanson-BCC). Les champagnes maison sont vinifiés sans fermentation malolactique et tirés à petite mousse. (NM)

Or pâle, un blanc de blancs aux bulles très fines, dévoilant un tirage à petite mousse. Ce chardonnay séduit en bouche, où il montre la fraîcheur attendue de ce style de champagne, soulignée par des arômes d'agrumes. Un vin élégant et aérien. ⧗ 2017-2021 ▼ sole grillée ● **Cuvée des moines (30 à 50 €; n.c.)** : vin cité.

BESSERAT DE BELLEFON, 22, rue Maurice-Cerveaux, 51200 Épernay, tél. 03 26 78 52 16, info@besseratdebellefon.com V *r.-v.*

BIARD-LOYAUX Prestige ★★

	3000		15 à 20 €

Créé en 1947 et conduit depuis 2005 par Laurent Biard, ce domaine de 11 ha est implanté sur la rive droite de la Marne, à une vingtaine de kilomètres en amont de Château-Thierry. (RM)

Mi-blancs mi-noirs (les deux pinots), mi-cuve mi-fût, ce champagne jaune doré parcouru d'une bulle fine et alerte mêle au nez les fruits mûrs et les notes grillées d'un boisé léger. Charnu à l'attaque, structuré, complexe et long, il montre une grande présence et allie puissance et subtilité. Le boisé sait rester discret. ⧗ 2016-2019 ▼ pavé de sandre au beurre blanc

BIARD-LOYAUX, 1-2, rue du Château, 02850 Passy-sur-Marne, tél. 03 23 70 35 66, jbiard@wanadoo.fr V *t.l.j. 9h-12h 14h-17h; sam. dim. sur r.-v.*

BERNARD BIJOTAT Blanc de blancs

	5271		15 à 20 €

À la suite des trois générations précédentes, Bernard et Sébastien Bijotat cultivent 10 ha de vignes aux environs de Romeny-sur-Marne, village qui longe un méandre de la Marne, en aval de Château-Thierry. (RM)

Un blanc de blancs de la vallée de la Marne. Il s'ouvre sur l'acacia, l'ananas, puis sur les fruits blancs légèrement compotés. La bouche franche confirme le nez. Suave, elle reste élégante, réveillée par une finale fraîche. Un chardonnay gourmand. ⧗ 2016-2017 ▼ feuilletés salés

BERNARD BIJOTAT, 2, RN, 02310 Romeny-sur-Marne, tél. 03 23 70 12 51, contact@champagne-bernard-bijotat.fr V *t.l.j. 8h-18h*

BLIARD-MORISET
Blanc de blancs La Belle Bleue ★

Gd cru	4210		15 à 20 €

En 1900, Georges Moriset est le premier de la lignée à élaborer du vin (sans bulles) au Mesnil-sur-Oger. La marque Bliard-Moriset naît du mariage des deux familles. En 2002, Jean-Loup Bliard a pris les rênes d'un beau patrimoine familial: 6,3 ha au cœur de la Côte des Blancs. Du chardonnay, avec juste quelques rangs de pinot à Vertus, pour élaborer le rosé de la gamme. (RM)

Un blanc de blancs du Mesnil-sur-Oger. Nez légèrement évolué, sur la brioche, la pêche, le fruit macéré. Bouche plus fraîche, intense, dynamique, à la finale minérale. «J'aime», conclut un dégustateur. ⧗ 2016-2019 ▼ tourte au saumon

SCEV BLIARD-MORISET, 2, rue du Grand-Mont, 51190 Le Mesnil-sur-Oger, tél. 03 26 57 53 42, jl.bliard@wanadoo.fr V *r.-v.*

H. BLIN

	n.c.		15 à 20 €

En 1947, dans les temps difficiles de l'après-guerre, une trentaine de vignerons, autour d'Henri Blin, fondent la «coop» de Vincelles (vallée de la Marne). La cave regroupe aujourd'hui environ 120 adhérents qui cultivent autant d'hectares de vignes, meunier en tête. (CM)

Le meunier dominant (80 %) se marie au chardonnay dans ce champagne au nez réservé, qui séduit par sa bouche élégante, fraîche et longue. Pour l'apéritif. ⧗ 2016-2019 ▼ feuilletés au boudin blanc ● **Blanc de noirs 100 % meunier (20 à 30 €; n.c.)** : vin cité.

H. BLIN, 5, rue de Verdun, 51700 Vincelles, tél. 03 26 58 20 04, contact@champagne-blin.com V *t.l.j. sf sam. dim. 8h30-12h 14h-17h45; f. 7-23 août*

MAXIME BLIN Extra-brut L'Onirique ★

	5000	20 à 30 €

Située dans le Massif de Saint-Thierry, au nord-ouest de Reims, cette exploitation de 13 ha, fondée par Robert Blin en 1960, vinifie depuis 1988. Gilles Blin, rejoint par son fils Maxime en 2004, a passé la main à ce dernier en 2014. Deux marques: R. Blin & Fils et, depuis 2000, Maxime Blin. (RM)

Cet extra-brut porte la marque du pinot noir (90 % de l'assemblage), complété par le chardonnay. Les fruits jaunes frais et compotés dominent l'olfaction, avec un léger miel, du pruneau et du pain grillé. On retrouve la pêche et l'abricot dans une bouche bien structurée, ronde et fondue, tendue par une acidité qui étire la finale marquée par une légère amertume. ⧗ 2016-2019 ▼ carré de veau ● **R. Blin et Fils Grande Tradition ★ (15 à 20 €; 32000 b.)** : du chardonnay dominant (90 %, avec le pinot noir en appoint). Un nez généreux, beurré et brioché, une attaque franche ouvrant sur une bouche saline, à la finale fraîche, longue et mentholée. Du caractère. ⧗ 2016-2019 ▼ vol-au-vent ● **Brut ★ (15 à 20 €; 10000 b.)** : né de pur pinot noir, un rosé orangé au nez frais d'orange, de citron et de fruits exotiques, légèrement vanillé, et à la bouche ample, puissante et complexe. Pour la table. ⧗ 2016-2019 ▼ filet mignon aux cerises

MAXIME BLIN, 11, rue du Point-du-Jour, 51140 Trigny, tél. 03 26 03 10 97, maxime.blin@champagne-blin-et-fils.fr r.-v.

BLONDEL Blanc de blancs

1er cru	20000		15 à 20 €

Constituée au début du XXe s. par l'arrière-grand-père de Thierry Blondel, qui était notaire, cette maison s'appuie sur un vignoble de 11 ha d'un seul tenant. Une rareté dans la Montagne de Reims où les successions ont morcelé les domaines. (NM)

Resté cinq ans sur lattes, ce blanc de blancs offre un nez légèrement vineux et une bouche harmonieuse et florale. Pour l'apéritif ou des entrées marines. 2016-2019 carpaccio de langoustines

BLONDEL, Dom. des Monts-Fournois, BP 12, 51500 Ludes, tél. 03 26 03 43 92, contact@champagneblondel.com V r.-v.

JEAN BOBIN Cuvée Prestige ★

	4000		15 à 20 €

Établie à Congy, village viticole situé entre Côte des Blancs au nord-est et Sézannais au sud-ouest, la famille Bobin élabore du champagne depuis plusieurs générations. La marque a été lancée en 1966 par Jean Bobin, qui a transmis l'exploitation (3,5 ha) en 1982 à ses fils Pascal et Jean-Pierre. (NM)

Deux tiers de meunier et un tiers de chardonnay se marient dans ce brut mêlant au nez des fragrances fraîches d'agrumes et de fleurs blanches à des notes plus mûres de beurre et de pain grillé. Intense et équilibré, frais et mature. La bouche, plus fraîche, montre une vivacité soulignée par des arômes d'agrumes et de citron. Du potentiel. 2016-2021 feuilletés au parmesan

SARL JEAN BOBIN, 11, rue du Bordet, 51270 Congy, tél. 03 26 59 32 97, pascal.bobin@orange.fr V r.-v.

BOCHET-LEMOINE Cuvée sélectionnée ★

	54591		11 à 15 €

Domaine constitué en 1992 à la suite du mariage de Jacky Brochet avec Valérie Lemoine: après la réunion de vignobles issus des deux familles, la propriété couvre plus de 8 ha sur la rive droite de la Marne. Pierre Bochet, le fils, a rejoint l'exploitation en 2015. (RM)

La présence majoritaire des raisins noirs (80 %, meunier en tête) transparaît dans ce brut sans année: robe or paille, nez intense et complexe, explorant l'acacia, la fraise des bois, les fruits rouges confiturés, le sous-bois, bouche charnue et gourmande, tonifiée par une finale fraîche sur le zeste de citron. La deuxième étoile n'est pas loin... 2016-2019 coquilles Saint-Jacques

BOCHET-LEMOINE, 3, rue Dom-Pérignon, 51480 Cormoyeux, tél. 03 26 58 64 11, bochet.lemoine@wanadoo.fr V *t.l.j. sf dim. 9h-12h 14h-18h*

PIERRE BOEVER ET FILS 2010 ★

Gd cru	5000		15 à 20 €

Sébastien et Anne-Sophie Boever ont repris en 2004 l'exploitation familiale créée après la Seconde Guerre mondiale par Gaston Boever, grand-père du premier, qui a lancé la marque Dames de France en 1968. Sébastien, œnologue, s'occupe de la vinification avec son père Pierre. Les deux tiers de la production sont exportés. (RM)

Mi-blancs mi-noirs (pinot noir), ce brut d'abord discret s'ouvre à l'aération sur une palette complexe, où se mêlent les agrumes, le beurre, l'amande, la vanille et autres épices douces, la poire chaude, l'amande et enfin le bonbon acidulé. Franc en attaque, il conjugue vinosité et fraîcheur saline. La finale tonique laisse le souvenir d'un champagne énergique. 2016-2019 blanquette de lotte **Gd cru Dames de France (11 à 15 €; 7000 b.)** : vin cité.

SCEV BOEVER-DENANCY, rue du Champ-Neuville, 51150 Tauxières, tél. 03 26 57 04 20, boever@cegetel.net V r.-v.

BOIZEL ★

	n.c.	30 à 50 €

Fondée en 1834, cette maison sparnacienne a vu se succéder cinq générations. En 1972, Évelyne Roques-Boizel en a pris les commandes avec son mari Christophe Roques. Tout en restant familiale, la société a rejoint en 1994 le petit groupe créé par Philippe Baijot et Bruno Paillard, devenu Lanson-BCC. (NM)

Un rosé d'assemblage associant les trois cépages champenois; 80 % de noirs, dont 8 % vinifiés en rouge, qui donnent une teinte délicate, corail clair. Le prélude à un nez subtil, entre griotte et fraise, et à une bouche minérale, fraîche et longue, avec un côté crayeux séduisant. Un rosé très élégant, qui frôle les deux étoiles. Parfait à l'apéritif. 2016-2019 rillettes de saumon **Réserve ★ (20 à 30 €; n.c.)** : composé de deux tiers de noirs (pinot noir surtout) et d'un tiers de blancs, un brut au nez léger mais complexe et élégant, mêlant les petits fruits rouges, l'orange, le pamplemousse, la rose et le poivre gris. Dans le même registre tonique et fruité, la bouche crémeuse, délicate, pure, finit sur une pointe acidulée. Un champagne tout en dentelle pour l'apéritif. 2016-2019 crevettes au pamplemousse

BOIZEL, 46, av. de Champagne, 51200 Épernay, tél. 03 26 55 21 51, boizelinfo@boizel.fr V r.-v.

BOLLINGER ★★★

	n.c.	50 à 75 €

Célèbre maison fondée en 1829 par Joseph Bollinger, négociant originaire du Wurtemberg. Elle est restée familiale, même si, depuis 2008, elle est présidée par une personne extérieure à la famille, Jérôme Philipon. Forte d'un vignoble de 165 ha à dominante de pinot noir, elle veille au maintien de son style, fondé sur des assemblages savants de vins vinifiés séparément en fût de chêne (de réemploi pour éviter un boisé dominateur) et en cuve de petite capacité. Quant aux vins de réserve, ils sont conservés en magnum sous «petite mousse». Le tirage se fait sous bouchage liège. (NM)

Composé à plus de 85 % de grands et premiers crus, le rosé de Bollinger est très proche par son assemblage du Special Cuvée: il associe un quart de chardonnay et trois quarts de pinots (dont 62 % de pinot noir), tirant sa couleur de 5 à 6 % d'un vin rouge concentré – ce qui est peu. Un rosé qui surprend par son volume

CHAMPAGNE

et sa richesse et qui fait preuve d'une réelle originalité avec ses arômes suaves de petits fruits rouges nuancés d'une touche épicée. Sa finale fraîche et sa longueur achèvent de convaincre: ce rosé sort du lot. ⧗ 2016-2019 🍷 mille-feuilles aux framboises **La Grande Année 2005 ★ (+ de 100 €; n.c.)** : deux tiers de pinot noir et un tiers de chardonnay vinifiés en fût sont assemblés dans ce millésimé. Jugé remarquable l'an dernier, ce champagne or doré garde un nez puissant, sur les fruits jaunes compotés nuancés de végétal noble, et une bouche d'une belle richesse, qui révèle un vin à son apogée. ⧗ 2016-2020 🍷 ris de veau caramélisé **Special Cuvée ★ (30 à 50 €; n.c.)** : le brut sans année de la maison séduit par ses arômes très expressifs mêlant le fruit du pinot noir majoritaire et de fines notes toastées. ⧗ 2016-2019 🍷 feuilleté au parmesan

⊶ *BOLLINGER, 16, rue Jules-Lobet, 51160 Aÿ, tél. 03 26 53 33 66, contact@champagne-bollinger.fr*

ALEXANDRE BONNET Perle rosée ★★

| 100 000 | 20 à 30 €

Domaine fondé en 1932, devenu maison de négoce dans le giron du groupe Lanson-BCC depuis 1998. Son vaste vignoble (plus de 45 ha) essentiellement situé aux Riceys, dans la Côte des Bar, privilégie le pinot noir, omniprésent dans ce secteur. (NM)

Né du seul pinot noir, un rosé gourmand et d'une grande finesse: nez flatteur entre rose et fraise des bois, bouche délicate, harmonieuse et longue, où l'on retrouve la fraise. Un très bel équilibre entre la rondeur et la fraîcheur. ⧗ 2016-2019 🍷 fraisier **Harmonie de blancs ★ (20 à 30 €; 4 500 b.)** : parmi ces raisins blancs, le pinot blanc, encore cultivé dans l'Aube, fait jeu égal avec le chardonnay. Un nez frais, sur le pamplemousse, une bouche puissante à l'attaque, fraîche et alerte, où l'on retrouve les agrumes et l'amertume tonique du citron vert. ⧗ 2016-2021 🍷 aspic de lotte et langoustine

⊶ *SAS MAISON ALEXANDRE BONNET, 138, rue du Gal-de-Gaulle, 10340 Les Riceys, tél. 03 25 29 30 93, info@alexandrebonnet.com r.-v.*

BONNET-LAUNOIS Réserve ★

| 10 000 | 15 à 20 €

Établi à quelques kilomètres en amont de Château-Thierry (Aisne), le domaine conduit depuis 2000 par Arnaud Robert a ses origines à Vertus, si bien que le vignoble, réparti en 45 petites parcelles, se partage entre la Côte des Blancs et la vallée de la Marne. (RM)

Les trois cépages champenois collaborent à ce brut qui s'ouvre sur les fleurs blanches pour s'épanouir à l'aération sur des notes complexes d'agrumes, de beurre et de brioche. La bouche intense et longue, dans le même registre, conjugue fraîcheur minérale et rondeur généreuse. Un brut bien construit. ⧗ 2016-2019 🍷 coquilles Saint-Jacques gratinées

⊶ *BONNET-LAUNOIS, Le Sablon, 02650 Fossoy, tél. 03 23 71 59 44, contact@bonnet-launois.fr t.l.j. sf dim. 9h-12h 14h-17h* ⊶ *Robert Arnaud*

BONNET-PONSON

1er cru | 75 000 | 15 à 20 €

Depuis Grégoire Bonnet en 1862, six générations de vignerons se sont succédé à Chamery, au sud-ouest de Reims. Aujourd'hui, Thierry et son fils Cyril conduisent 10,5 ha sur le flanc nord de la Montagne de Reims: 70 parcelles en 1er cru et en grand cru. (RM)

Né des trois cépages champenois assemblés sensiblement par tiers, un champagne intense au nez, puissant, rond et long au palais. Une belle harmonie entre l'olfaction et la bouche, de la présence. ⧗ 2016-2019 🍷 poisson en papillote **1er cru (15 à 20 €; 10 000 b.)** : vin cité. **Jules Bonnet Extra-brut 2009 (20 à 30 €; 2 900 b.)** : vin cité.

⊶ *BONNET-PONSON, 9, chem. du Peuplier, 51500 Chamery, champagne.bonnet.ponson@wanadoo.fr t.l.j. sf lun. mer. dim. 9h-12h 13h30-17h*

OLIVIER BONVILLE Cuvée Camille ★

Gd cru | 6 000 | 30 à 50 €

Créé en 1926, le domaine a commercialisé ses premières bouteilles après la Seconde Guerre mondiale. Il est dirigé depuis 1996 par Olivier Bonville, le petit-fils de Franck, qui dispose de 18 ha dans trois grands crus de la Côte des Blancs: Avize, Cramant et Oger. (RM)

Une nouvelle gamme de grands crus créée par Olivier Bonville. Les champagnes proviennent de vignes implantées à Avize. Ce blanc de blancs obtient une très belle étoile pour son nez intense et brioché, aux nuances de cire d'abeille, et pour sa bouche ample, fondue, dans le même registre un peu confit, dynamisée par une finale longue et fraîche. ⧗ 2016-2018 🍷 ris de veau à la crème **Gd cru Franck Bonville Blanc de blancs Les Belles Voyes ★ (30 à 50 €; 5 000 b.)** : né d'une seule parcelle, ce chardonnay a connu le bois. Toasté et brioché au nez, il se montre rond et vineux en bouche. ⧗ 2016-2018 🍷 turbot au sabayon de champagne **Franck Bonville Blanc de blancs Brut Sélection (20 à 30 €; 50 000 b.)** : vin cité.

⊶ *SAS OLIVIER BONVILLE, 9, rue Pasteur, 51190 Avize, tél. 03 26 57 52 30, contact@champagnebonville.fr r.-v.*

BOREL-LUCAS
Cuvée Art divin 100 % Chardonnay

| 7 000 | 15 à 20 €

Fondé par l'aïeul Marcel Lucas en 1929 et conduit aujourd'hui par la famille Crépaux, ce domaine couvre 13 ha entre vallée de la Marne, Côte des Blancs et secteur de Congy et d'Étoges – commune où l'exploitation est installée. Jean-Marie Crépaux est fidèle au pressoir traditionnel. (RM)

Un blanc de blancs non millésimé, mais issu de la récolte 2012. Le nez est suave et discrètement fruité, la bouche plus expressive, équilibrée et longue, aux nuances d'agrumes et de torréfaction. ⧗ 2016-2019 🍷 toasts au foie gras

⊶ BOREL-LUCAS, 3, rue Richebourg, 51270 Étoges, tél. 03 26 59 30 46, champagneborellucas@orange.fr V t.l.j. 9h-12h 14h-19h; dim. 9h-12h

BOULARD-BAUQUAIRE
Blanc de blancs Cuvée Mélanie Vinifié en fût de chêne ★

	2408		20 à 30 €

Denis Boulard a constitué en 1963 ce domaine aux alentours de Cormicy, village viticole le plus septentrional du vignoble, au nord-ouest de Reims. Il l'a transmis en 2005 à son fils Christophe, qui exploite plus de 7 ha dans ce secteur ainsi qu'à Trépail, dans la Montagne de Reims. (RM)

Ce blanc de blancs a tiré de son élevage sous bois un nez puissant et complexe, aux nuances de mirabelles à l'eau-de-vie, de fruits jaunes et de blé mûr. Le beurre et la brioche s'ajoutent à cette palette dans une bouche bien construite, puissante, gourmande, tendue par une belle fraîcheur. Présent par des notes d'amande torréfiée, le boisé gagnera en fondu avec le temps. ⧗ 2017-2021 ¥ chapon rôti ● **Grande Réserve ★ (15 à 20 €; 7408 b.)** : née d'un assemblage par tiers des trois cépages champenois, une cuvée complexe, beurrée, structurée, bien construite. ⧗ 2016-2018 ¥ toasts au foie gras

⊶ BOULARD-BAUQUAIRE, 30, rue Petit-Guyencourt, 51220 Cormicy, tél. 03 26 61 30 79, info@champagne-boulard-bauquaire.fr V t.l.j. sf dim. 9h-12h 13h30-18h30

JEAN-PAUL BOULONNAIS Blanc de blancs

1er cru	15000		15 à 20 €

Aujourd'hui dirigée par Frédéric Boulonnais, arrière-petit-fils du fondateur, cette maison de négoce familiale s'appuie sur un vignoble de 5 ha à Vertus, 1er cru situé à l'extrémité sud de la Côte des Blancs. (NM)

Un blanc de blancs au nez délicatement vanillé et brioché, assorti de touches d'amande grillée. Si certains jurés sont sensibles à son dosage, ils s'accordent sur son harmonie en bouche et sur l'agrément de sa finale persistante et onctueuse, marquée par un retour de la vanille. ⧗ 2016-2019 ¥ pavé de turbot sauce hollandaise

⊶ JEAN-PAUL BOULONNAIS, 14, rue de l'Abbaye, 51130 Vertus, tél. 03 26 52 23 41, jean-paul.boulonnais@wanadoo.fr V r.-v.

BOUQUET 2012

	2061		15 à 20 €

Cinq générations se sont succédé sur ce domaine implanté dans la vallée de la Marne. Cécile Bouquet a repris l'exploitation en 2008. (RM)

Robe jaune doré, nez gourmand, sur les fleurs blanches et les fruits surmûris, poire et coing en tête, palais rond et long, marqué en finale par une touche de caramel, ce champagne porte bien la marque des cépages noirs, qui représentent 75 % de l'assemblage, meunier en tête. Il trouvera sa place de l'apéritif au dessert. ⧗ 2016-2019 ¥ tarte fine aux pommes

⊶ EARL BOUQUET, 3, rue du Coteau, 51700 Châtillon-sur-Marne, tél. 06 76 69 02 87, champ.cl.bouquet@wanadoo.fr V t.l.j. 10h30-12h30 14h-17h30

EDMOND BOURDELAT Prestige

	6000		15 à 20 €

Les Bourdelat cultivent la vigne depuis 1870. Bruno, fils d'Edmond, et son épouse Sandrine exploitent près de 5 ha sur les coteaux sud d'Épernay. (RM)

Privilégiant le chardonnay (60 %), avec les deux pinots en complément, une cuvée au nez réservé mais agréable, discrètement citronné. Franche à l'attaque, plutôt ronde, la bouche finit sur une touche mentholée et fraîche. ⧗ 2016-2019 ¥ cassolette de saint-jacques

⊶ EARL ALBERT BOURDELAT, 3, rue des Limons, 51530 Brugny, tél. 06 07 80 31 03, contact@champagne-edmond-bourdelat.fr V r.-v.

BOURGEOIS-BOULONNAIS Blanc de blancs

1er cru	n.c.		15 à 20 €

Établie à Vertus, dans la partie sud de la Côte des Blancs, la famille Bourgeois dispose d'un vignoble de 5,6 ha implanté uniquement sur cette vaste commune classée en 1er cru. Le chardonnay est logiquement très présent dans ses cuvées. (RM)

Assemblant les années 2010 et 2009, ce blanc de blancs présente un nez très beurré, brioché et toasté. La bouche, plus fraîche, sur le citron et le pamplemousse, est d'une belle tenue, bien équilibrée. ⧗ 2016-2019 ¥ gambas grillées

⊶ BOURGEOIS-BOULONNAIS, 8, rue de l'Abbaye, 51130 Vertus, tél. 03 26 52 26 73, bourgeois@hexanet.fr V r.-v.

CH. DE BOURSAULT Blanc de noirs ★

	3000		20 à 30 €

Construit en 1843, un fastueux château néo-Renaissance dominant la vallée de la Marne, sur la rive gauche: le cadeau de mariage de Barbe-Nicole Clicquot (la «veuve Clicquot») à sa petite-fille. Cas presque unique en Champagne, le domaine, clos de murs, inclut les bâtiments d'exploitation et le vignoble. Acquis par la famille Fringhian en 1927, il couvre aujourd'hui 13 ha. (NM)

Un blanc de noirs mariant les deux pinots (meunier 60 %), qui lui ont légué sa robe jaune doré, ses parfums de fruits rouges et sa bouche puissante, charpentée, aux arômes gourmands de clafoutis aux cerises. Des qualités qui se conjuguent à une grande finesse au nez comme en bouche, grâce à une belle vivacité laissant une impression de légèreté et d'élégance. ⧗ 2016-2019 ¥ fricassée de poulet aux champignons

⊶ CH. DE BOURSAULT, 2, rue Maurice-Gilbert, 51480 Boursault, tél. 03 26 58 42 21, info@champagnechateau.com V t.l.j. sf lun. dim. 9h-12h 14h-17h; sam. 9h-12h ⊶ H. Fringhian

G. BOUTILLEZ-VIGNON Cuvée Prestige ★

1er cru | 12000 | | 15 à 20 €

Les Boutillez cultivaient déjà la vigne au XVIes. à Villers-Marmery. Gérard et Colette ont créé leur domaine en 1964 et commercialisé leurs premières bouteilles en 1976. Colette, appuyée par ses trois filles depuis 2004, a passé les commandes à la nouvelle génération en 2014. Le vignoble familial couvre 5 ha dans cinq crus de la Montagne de Reims. (RM)

Cépage roi de Villers-Marmery, le chardonnay, complété par le pinot noir, compose 60 % de cette cuvée, qui comprend 25 % de vins de réserve vinifiés en fût. Le nez complexe et fin allie les fleurs blanches et des notes de pâtisserie. Le pain d'épice et le pruneau se font jour dans un palais rond, opulent et bien fondu. 2016-2019 toasts au foie gras

EARL BOUTILLEZ-VIGNON, 26, rue Pasteur, 51380 Villers-Marmery, tél. 03 26 97 95 87, champagne.g.boutillez.vignon@orange.fr V r.-v.

OLIVIER ET BERTRAND BOUVRET La Perle

| 3500 | | 15 à 20 €

Un jeune domaine aubois de 3 ha environ, implanté dans la région de Bar-sur-Seine. 1986, installation d'Olivier Bouvret et premières plantations; 2001, arrivée de son frère Bertrand, suivie de la construction de la cave. Premières vinifications en 2002. (RM)

Cette cuvée met en vedette le pinot noir (85 %, avec un appoint de chardonnay), cépage roi du Barséquanais. Le nez est expressif, élégant, sur les fruits frais, et la bouche tout aussi fruitée, ronde et ample. Pas trop de longueur, mais une réelle harmonie. 2016-2019 filet mignon aux mirabelles

GAEC DES BLÉS D'OR, 39, rue de l'Église, 10110 Merrey-sur-Arce, tél. 06 30 60 81 93, champagnebouvret@gmail.com V r.-v.

LAURENT BOUY ★

| 2000 | | 15 à 20 €

De vieille souche vigneronne, Laurent Bouy a pris la tête en 1977 du domaine familial qui couvre 5,5 ha dans la Montagne de Reims. (RM)

Surprenant, ce rosé de la Montagne de Reims doit presque tout au chardonnay (90 %). Du vin rouge de pinot noir, vinifié en fût, lui donne une teinte rose soutenu et des arômes intenses de fruits rouges. Puissante, vineuse et persistante, la bouche destine ce champagne au repas. 2016-2019 filet mignon aux cerises **(11 à 15 €; 20000 b.)** : vin cité.

LAURENT BOUY, 7, rue de l'Ancienne-Église, 51380 Verzy, tél. 06 42 78 95 59 V r.-v.

BRATEAU-MOREAUX Réserve

| 10000 | | 11 à 15 €

Succédant à deux générations de récoltants-manipulants, Dominique Brateau a repris en 1982 l'exploitation familiale qui couvre aujourd'hui 8 ha sur la rive gauche de la Marne. (RM)

Mi-chardonnay mi-meunier, cette cuvée séduit par la délicatesse et la complexité de son expression aromatique, mêlant au nez les fleurs blanches, l'ananas, les fruits secs et une note minérale. Dans le même registre, la bouche est franche et fraîche à l'attaque, plus suave en finale. 2016-2019 cassolette de saint-jacques

DOMINIQUE BRATEAU, 12, rue Douchy, 51700 Leuvrigny, tél. 03 26 58 00 99, champagnebrateau-moreaux@orange.fr V r.-v.

SÉBASTIEN BRESSION Cuvée des anges

| 2000 | | 20 à 30 €

Sébastien Bression a repris en 2000 le petit domaine familial, qui a son siège à Étoges, entre Côte des Blancs et Sézannais, qu'il agrandit, parcelle après parcelle: aujourd'hui, 3,8 ha sur les coteaux du Petit Morin et à Dizy, près d'Épernay. (RM)

Un blanc de blancs qui porte la marque de son élevage sous bois: nez vineux, entre agrumes, brioche et léger boisé, palais ample, rond et long, tendu par une belle acidité et marqué en finale par une légère amertume. Il semble à son apogée. 2016-2018 poularde à la crème

SÉBASTIEN BRESSION, La Haie-Carbon, 51270 Étoges, tél. 03 26 53 76 67, champagnebression.s@orange.fr V r.-v.

BRETON FILS Blanc de blancs

| 20000 | | 15 à 20 €

Parti de 5 ares dans les années 1950, Ange Breton a développé son domaine pendant un demi-siècle. Établie à Congy, entre Côte des Blancs et Sézannais, l'exploitation, forte d'un vignoble de 17 ha réparti sur onze communes, est dirigée depuis 2009 par son fils Reynald, qui officie à la cave. (RM)

Un blanc de blancs qui s'ouvre sur les agrumes, puis évolue sur des notes plus chaleureuses de brioche et de fruits jaunes confits. La bouche, dans le droit fil, penche vers la rondeur et l'onctuosité, avec ce qu'il faut de fraîcheur citronnée pour assurer l'équilibre. 2016-2019 flétan sauce hollandaise

BRETON FILS, 12, rue Courte-Pilate, 51270 Congy, tél. 03 26 59 31 03, contact@champagne-breton-fils.fr V r.-v.

♥ LOUIS BROCHET
Extra-brut Extra noir N° 286 ★★

| 2000 | | 30 à 50 €

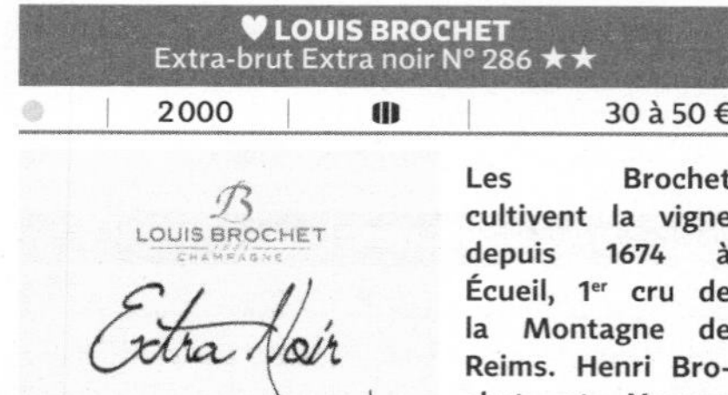

Les Brochet cultivent la vigne depuis 1674 à Écueil, 1er cru de la Montagne de Reims. Henri Brochet et Yvonne Hervieux ont lancé après guerre la marque Brochet-Hervieux et créé le domaine géré pendant quarante-cinq ans par leur fils Alain, disparu en 2012. En 2011, nouvelle marque et nouvelle génération, avec Hélène et son frère Louis, œnologue comme son père. Le vignoble familial, à dominante de pinot noir, couvre 13 ha. (RM)

Louis, l'arrière grand-père du fondateur, et Alain, qui présida longtemps aux destinées du domaine, auraient été heureux de voir ce champagne plébiscité. Un pur pinot noir, cépage roi d'Écueil, vinifié en fût de chêne… de la forêt d'Écueil. Robe or jaune parcourue d'une bulle fine; nez complexe, minéral, mêlant les fruits blancs, la brioche, le miel et la torréfaction; palais franc et gourmand, ample et rond à l'attaque, tendu par une ligne acidulée qui étire longuement la finale. Le boisé est léger, bien maîtrisé. ⧗ 2016-2020 🍴 cassolette de langoustines ● **Cuvée spéciale HBH 2002 (30 à 50 €; 1000 b.)** : vin cité.

BROCHET-HERVIEUX, Alain Brochet, 12, rue de Villers-aux-Nœuds, 51500 Écueil, tél. 03 26 49 77 44, contact@champagne-brochet.com V r.-v.

VINCENT BROCHET Dom. les Croix 2008 ★★

● 1er cru | 5000 | | 15 à 20 €

D'origine ardennaise, les Brochet se sont fixés au XIXe s. à Écueil, dans la Montagne de Reims. Agriculteurs, éleveurs et apporteurs de raisins au négoce, ils sont devenus récoltants-manipulants après 1945 avec Henri Brochet et Yvonne Hervieux (Champagne Brochet-Hervieux). Vincent, l'un de ses fils, installé en 1990, a racheté en 2010 le Domaine Les Croix et lancé deux ans plus tard un champagne à son nom. (RM)

Le millésime 2008 a bonne réputation, et cette cuvée, mariant le pinot noir (70 %) au chardonnay et qui garde un bon potentiel, ne la ternira pas. «Une maturité aboutie», écrit un dégustateur. Le nez subtil, d'une grande fraîcheur, mêle les agrumes légèrement confits à une pointe de torréfaction. On retrouve dès l'attaque une vivacité minérale et cette alliance de fleurs blanches, d'agrumes et de notes briochées. La finale est persistante, délicatement citronnée. ⧗ 2016-2019 🍴 bar au four

VINCENT BROCHET, Dom. les Croix, 28, rue de Villers-aux-Nœuds, 51500 Écueil, tél. 03 26 49 24 06, contact@champagne-vincent-brochet.com V r.-v.

ANDRÉ BROCHOT 2007 ★

● | 4500 | | 15 à 20 €

Créé en 1949, ce domaine implanté dans le secteur des coteaux sud d'Épernay est conduit par Francis Brochot depuis les années 1980. Le meunier occupe une place importante dans l'encépagement de cette région comme dans les cuvées de ce récoltant. (RM)

Un rosé de noirs: du pur meunier vinifié en blanc, teinté par du vin rouge. La robe, d'un saumon pâle brillant, est parcourue de bulles fines. Le nez associe les fruits en confiture – la groseille, la mirabelle – à des accents de frangipane et de crème pâtissière. Tout aussi gourmand, confit, onctueux, le palais reste élégant, grâce à une ligne de fraîcheur qui lui donne relief, tonus et longueur. ⧗ 2016-2019 🍴 petits feuilletés au saumon ● **Sélection (15 à 20 €; 7330 b.)** : vin cité.

FRANCIS BROCHOT, 21, rue de Champagne, 51530 Vinay, tél. 03 26 59 91 39, champagne.andre.brochot@orange.fr V r.-v.

CHRISTIAN BUSIN Tradition ★

● | 30000 | | 15 à 20 €

Propriété implantée autour de Verzenay, grand cru de la Montagne de Reims. Héritier d'une lignée de vignerons, Christian Busin a lancé sa marque en 1966 et transmis son domaine à son fils Luc en 1997. Ce dernier l'a cédé en 2012 à la famille Labruyère, propriétaire en Bourgogne (maison Jacques Prieur), à Pomerol (Ch. Rouget) et dans le Beaujolais, son fief d'origine, qui prend ainsi pied en Champagne. (RM)

Nadine Gublin, dont la réputation de grande vinificatrice bourguignonne n'est plus à faire, est à l'œuvre dans ce champagne élégant et plein de promesses, qui assemble pinot noir (60 %) et chardonnay. Le nez, d'abord discret, s'ouvre sur des arômes complexes, mêlant harmonieusement notes fraîches et plus évoluées, fruitées, florales et beurrées. La bouche équilibrée et tonique, à l'unisson du bouquet, développe des arômes plaisants de pâtisserie relevés de touches épicées. Un champagne subtil pour mets délicats. ⧗ 2016-2020 🍴 coquilles Saint-Jacques au beurre

CHRISTIAN BUSIN, 1, place Carnot, 51360 Verzenay, tél. 03 26 49 40 94, info@champagne-labruyere.com V r.-v.

JACQUES BUSIN Tradition

● Gd cru | 30000 | | 11 à 15 €

Ernest Busin commercialisait déjà son champagne en 1902. Après Pierre et Jacques, Emmanuel Busin a pris en 2006 les commandes de la propriété, forte de 10 ha répartis dans cinq grands crus prestigieux de la Montagne de Reims: Verzenay, Mailly-Champagne, Verzy, Sillery et Ambonnay. (RM)

Le pinot noir (70 %), cépage roi de la Montagne de Reims, s'allie harmonieusement au chardonnay dans ce brut qui s'ouvre sur de légers arômes de fleurs blanches, puis s'oriente à l'aération vers les fruits blancs mûrs, voire confits. Un champagne flatteur, franc et tonique en bouche, grâce à une belle acidité – sans doute la marque du chardonnay. Pour l'apéritif comme pour la table. ⧗ 2016-2019 🍴 feuilletés au fromage

SCEV JACQUES BUSIN, 17, rue Thiers, 51360 Verzenay, tél. 03 26 49 40 36, jacques-busin@wanadoo.fr V r.-v.

GUY CADEL Carte Blanche

● | 10000 | | 11 à 15 €

Une famille installée à Mardeuil depuis 1610 et attachée aux vignes depuis 1717! L'exploitation a cependant été partagée entre vignes et céréales jusqu'à l'installation de Philippe Thiébault en 1982. Aujourd'hui, ce dernier exporte 60 % de sa production. Il exploite 10 ha de meunier et de chardonnay dans la vallée de la Marne et la Côte des Blancs. (RM)

Mi-chardonnay mi-meunier, le brut sans année de la maison naît d'une base 2012. La robe or pâle à reflets verts est parcourue de bulles fines et alertes. Le nez tonique marie la pomme, le tilleul, les agrumes et des touches mentholées, tandis que le pinot et ses arômes de fruits rouges pointent dans une bouche crémeuse et gourmande, équilibrée par une belle fraîcheur et par une note d'amertume en finale. Pour l'apéritif et les produits de la mer. ⧗ 2016-2019 🍴 tartare de bar

GUY CADEL, 13, rue Jean-Jaurès, 51530 Mardeuil, tél. 03 26 55 24 59, philippe.thiebault2@wanadoo.fr V r.-v. *Thiébault*

PIERRE CALLOT Diversité Grauves Réserve ★

| 4200 | | 20 à 30 € |

Succédant à six générations de viticulteurs, Pierre Callot a lancé son champagne en 1955. Son fils Thierry, œnologue, lui a succédé en 1996. Son domaine de 5 ha, implanté principalement dans la Côte des Blancs, fait la part belle au chardonnay qui compose la base des cuvées de la propriété. (RM)

Le terme «blanc de blancs» ne figurant pas sur l'étiquette, ce brut n'a pas été dégusté avec ses pairs issus du chardonnay. Cela n'a pas empêché les dégustateurs de reconnaître le cépage à travers un nez subtilement floral et un palais minéral et fin, aux arômes d'agrumes. Du potentiel. ⧗ 2016-2020 🍴 tourte aux fruits de mer **Gd cru Blanc de Blancs (15 à 20 €; 25300 b.)** : vin cité.

PIERRE CALLOT ET FILS, 100, av. Jean-Jaurès, 51190 Avize, tél. 03 26 57 51 57, thierry.callot@orange.fr V r.-v.

ÉTIENNE CALSAC Extra-brut L'Échappée belle ★

| 5500 | | 20 à 30 € |

Des vignerons établis dans la Côte des Blancs depuis le XVIII[e]s., apporteurs de raisins au négoce. Après des études d'œnologie et des vinifications menées aux États-Unis, au Canada et en Nouvelle-Zélande, Étienne Calsac a repris en 2010 l'exploitation familiale avec l'ambition d'élaborer son champagne. Il dispose de 2,8 ha dans la Côte des Blancs et la vallée de la Marne et pratique des vinifications parcellaires. (RM)

Cet extra-brut est pratiquement un blanc de blancs, à 5 % de pinot noir près. Le nez est tout en fleurs blanches (acacia, aubépine), la bouche se montre franche à l'attaque, structurée et droite. On y retrouve les fleurs blanches, alliées aux agrumes et au pain grillé. ⧗ 2016-2019 🍴 sole grillée

ÉTIENNE CALSAC, 128, allée Augustin-Lorite, 51190 Avize, tél. 06 11 83 69 49, etienne@champagne-etienne-calsac.com V r.-v.

CAMIAT ET FILS Cuvée Prestige

| 4000 | 11 à 15 € |

Domaine établi sur les coteaux du Petit Morin, Auguste plante les premiers ceps vers 1940; Paul élabore les premières cuvées dans les années 1950. Romuald Camiat s'installe sur l'exploitation en 2008 après une expérience dans le conseil viticole et succède à son père en 2014. Il a aménagé une cuverie et s'oriente vers des pratiques respectueuses de l'environnement. (RM)

Mi-blancs mi-noirs (les deux pinots), ce champagne à la belle tenue de mousse offre un nez expressif et fin dominé par les agrumes, avec des nuances de gelée de pomme et de pâtisserie. Bien équilibré, il mêle rondeur et fraîcheur, petits fruits des bois et notes citronnées. Le dosage est maîtrisé et la finale tonique, de bonne longueur. Parfait pour l'apéritif et les produits de la mer. ⧗ 2016-2019 🍴 huîtres gratinées

SCEV CAMIAT ET FILS, 34, Grande-Rue, 51130 Loisy-en-Brie, tél. 06 10 78 56 63, contact@champagne-camiat.fr V r.-v.

JEAN-YVES DE CARLINI Brut Blanc de noirs ★★

| Gd cru | 14000 | | 15 à 20 € |

Roger de Carlini commercialise les premiers champagnes en 1955. Jean-Yves s'installe en 1970, lance sa marque en 1984 et passe le relais en 2009 à sa fille Aude Krantz. Le vignoble couvre 6,5 ha autour de Verzenay, grand cru de noirs dans la Montagne de Reims. (RM)

Les blancs de noirs sont une des spécialités de la propriété. Du pinot noir, cépage roi de Verzenay. Celui-ci séduit par la fraîcheur et l'élégance de ses parfums d'agrumes, de biscuit, d'amande, de fleurs blanches et de groseille. On retrouve cette dernière, mariée à une touche d'écorce d'orange, dans une bouche équilibrée et alerte. Une cuvée de belle facture qui ne manque pas de potentiel. Pour l'apéritif comme pour la table. ⧗ 2016-2021 🍴 feuilletés salés

JEAN-YVES DE CARLINI, 13, rue de Mailly, 51360 Verzenay, tél. 03 26 49 43 91, champagne.decarlini@orange.fr V r.-v.

DE CASTELLANE Cuvée Commodore ★

| n.c. | | 30 à 50 € |

Bien connue à Épernay pour son beffroi dressé au bout de l'avenue de Champagne, cette maison fondée en 1895 par le vicomte Florens de Castellane a été associée aux fastes de la Belle Époque et des Années folles. Elle est aujourd'hui dans le giron du groupe Laurent-Perrier. Autre emblème de la marque: la croix rouge de Saint-André. (NM)

Une cuvée mariant 60 % de noirs (dont 40 % de pinot noir) et 40 % de blancs. Intense et fin, subtilement évolué, le nez mêle les agrumes et la noisette à des nuances beurrées et briochées. Marquée par une belle effervescence, l'attaque franche ouvre sur une bouche équilibrée et fraîche, dans la continuité de l'olfaction. Pour l'apéritif comme pour la table. ⧗ 2016-2019 🍴 noix de Saint-Jacques au beurre **Brut 2009 (30 à 50 €; n.c.)** : vin cité. **Brut (20 à 30 €; n.c.)** : vin cité.

DE CASTELLANE, 63, av. de Champagne, 51200 Épernay, tél. 03 26 51 19 19, olivier.kanengieser@castellane.com V *t.l.j. 10h-12h 14h-18h; f. 1er janv.-15 mars* *Laurent-Perrier*

DE CASTELNAU 2003 ★★

| 8000 | 75 à 100 € |

Marque lancée en 1916 en l'honneur d'un général de la Grande Guerre, reprise en 2003 par la Coopérative régionale des vins de Champagne. Fondée

en 1962 par 24 vignerons, cette structure vinifie aujourd'hui la récolte de près de 900 ha. (CM)

Moins coté que son devancier, le millésime de la canicule a moins donné de champagnes millésimés, mais il existe de brillantes exceptions. Celui-ci (commercialisé en magnum) en offre une image remarquable. Mariant pinot noir (70 %) et chardonnay, il affiche une évolution heureuse dans sa robe vieil or à la bulle fine et dans son nez torréfié aux nuances de moka et de pain grillé. Plus fruitée, sur les fruits jaunes, et épicée, puissante, la bouche garde une belle fraîcheur. ⧗ 2016-2019 🍷 cailles farcies au foie gras ● **Réserve Brut ★ (20 à 30 €; 300000 b.)** : les trois cépages champenois collaborent à cette cuvée restée cinq ans en cave. Nez expressif, fruité, beurré et toasté, palais franc en attaque, ample, à la finale vive et persistante. ⧗ 2016-2019 🍷 pavé de sandre au beurre blanc ● **Brut ★ (30 à 50 €; 50000 b.)** : un rosé d'assemblage issu des trois cépages (chardonnay 42 %). Robe très pâle, bulle vigoureuse, nez subtil, entre fruits rouges, agrumes et notes toastées plus évoluées. Bouche à l'unisson, complexe, saline et fraîche, aux nuances de fruits secs. De l'élégance. ⧗ 2016-2019 🍷 verrines de crevettes

⊶ DE CASTELNAU, 5, rue Gosset, CS 80007, 51724 Reims, tél. 03 26 77 89 00, commercial@crvc.fr V *t.l.j. sf sam. dim. 9h-12h 14h-17h30 ⊶ CRVC*

CATTIER Rosé antique ★

● 1er cru	84873		30 à 50 €

Les origines de cette maison remontent au XVIIIe s. et les premières bouteilles ont été vendues en 1918. La société a son siège à Chigny-les-Roses, au cœur de la Montagne de Reims, et dispose d'un vignoble en propre de 33 ha. (NM)

Un rosé d'assemblage dominé par les noirs (90 % des deux pinots). Saumon pâle, il déploie des senteurs délicates d'aubépine, de fraise et de pain grillé. On retrouve de subtiles notes de fruits rouges dans une bouche ronde et crémeuse, équilibrée par une belle fraîcheur. Une légère touche d'amertume donne du relief à la finale. De l'élégance et du caractère. ⧗ 2016-2019 🍷 carré d'agneau

⊶ CATTIER, 11, rue Dom-Pérignon, BP 15, 51500 Chigny-les-Roses, tél. 03 26 03 42 11, champagne@cattier.com V *t.l.j. sf sam. dim. 8h-12h 14h-18h*

CLAUDE CAZALS Blanc de blancs 2008 ★

● Gd cru	10000	20 à 30 €

Un nom du Midi: Ernest Cazals, le fondateur du domaine, tonnelier de son état, quitta l'Hérault pour venir s'installer en 1897 au Mesnil-sur-Oger. Olivier lui succéda, puis Claude, inventeur du gyropalette. Depuis 1996, c'est sa fille Delphine qui dirige l'exploitation: 9 ha environ sur la Côte des Blancs. (RC)

Un beau millésime à maturité. Son nez tout en finesse mêle fleurs blanches, fruits exotiques, écorce d'orange, fruits jaunes confits, léger grillé, pointe minérale et touches épicées. Cette belle palette aux nuances exotiques et confites se prolonge dans une bouche bien équilibrée entre rondeur et fraîcheur, de bonne longueur. De la présence. ⧗ 2016-2019 🍷 coquilles Saint-Jacques ● **Gd cru Blanc de blancs Carte Or (15 à 20 €; 20000 b.)** : vin cité.

⊶ CLAUDE CAZALS, 28, rue du Grand-Mont, 51190 Le Mesnil-sur-Oger, tél. 03 26 57 52 26, cazals.delphine@wanadoo.fr V *r.-v.*

CHARLES DE CAZANOVE Grand Apparat ★

●	204000		30 à 50 €

Fondée en 1811 par Charles Gabriel de Cazanove, héritier d'une lignée de maîtres verriers, cette maison de négoce rémoise est restée dans la famille jusqu'au milieu du XXe s. Depuis 2004, elle fait partie du groupe Rapeneau. (NM)

Un assemblage de chardonnay (55 %) et de pinot noir à parts presque égales. Robe vieil or animée d'une effervescence généreuse, nez complexe, entre pain grillé et fruits jaunes confits, bouche fraîche à l'attaque, structurée, d'une fraîcheur minérale, tonique, presque tranchante, aux arômes d'agrumes et à la finale acidulée et persistante. De la personnalité. ⧗ 2016-2020 🍷 blanquette de lotte ● **Vieille France ★ (30 à 50 €; 153000 b.)** : les trois cépages champenois (deux tiers de noirs) au service d'un rosé expressif et élégant, qui développe au nez comme en bouche de jolis arômes de fraise et de framboise. ⧗ 2016-2019 🍷 brochettes de fruits

⊶ CHARLES DE CAZANOVE, 8, pl. de la République, 51100 Reims, tél. 03 26 88 53 86, boutique@decazanove.com V *t.l.j. 10h-19h*

CHANOIR-FRESNE Cuvée Prestige ★

●	2500		20 à 30 €

À la suite de trois générations, Dominique Chanoir exploite un peu plus de 3 ha autour de Ville-Dommange, joli village dominant la Cité des Sacres, sur les pentes de la Montagne de Reims. (RC)

Du chardonnay et du pinot noir à parts égales dans cette cuvée au nez réservé, qu'il faut aérer. Plus expressive en bouche, elle dévoile des arômes grillés et séduit par sa droiture, son équilibre entre rondeur et fraîcheur et sa longue finale acidulée. Pour l'apéritif comme pour la table. ⧗ 2016-2019 🍷 poularde aux morilles

⊶ CHANOIR-FRESNE, 1, rue de la Prévôté, 51390 Ville-Dommange, tél. 06 08 60 95 05, contact@chanoir-fresne.fr V *r.-v.*

ROLAND CHARDIN Tradition ★★

●	6000		11 à 15 €

Constitué à partir de 1970 par Roland Chardin, ce domaine a été repris en 2010 par son fils Arnaud. Situé dans la Côte des Bar (Aube), il s'étend sur près de 6 ha, non loin des Riceys, secteur où domine le pinot noir. (RM)

Né de pinot noir, ce brut à l'effervescence généreuse offre un nez discret et frais, entre fleurs blanches, viennoiserie et touches vanillées. Le coing s'ajoute à ces notes pâtissières dans une bouche qui reste fraîche grâce à un dosage parfait. Très agréable, la finale laisse le souvenir d'un champagne à la fois gourmand et aérien, qui trouvera sa place en toute occasion. ⧗ 2016-2019 🍷 langoustines rôties

CHAMPAGNE

SCEA CHARDIN PÈRE ET FILS, 23, rue de l'Église, 10340 Avirey-Lingey, tél. 03 25 29 33 90, champagnechardin@terre-net.fr V r.-v.

GUY CHARLEMAGNE Blanc de blancs Réserve

Gd cru	30000		20 à 30 €

Fondée en 1892 et conduite depuis 1988 par Philippe Charlemagne, cette propriété de 15 ha s'étend pour l'essentiel autour du Mesnil-sur-Oger, au cœur de la Côte des Blancs. Le champagne a été lancé en 1950. (SR)

Or pâle, ce blanc de blancs séduit par son nez intense, entre fleurs de cerisier et pêche blanche, et par sa bouche équilibrée et complexe. 2016-2019 huîtres gratinées

GUY CHARLEMAGNE, 4, rue de La Brèche-d'Oger, 51190 Le Mesnil-sur-Oger, tél. 03 26 57 52 98, champagneguycharlemagne@orange.fr V *t.l.j. sf sam. dim. 8h-12h 14h-18h*

VINCENT CHARLOT
Extra-brut Blanc de blancs
L'Or des Basses Ronces 2012

	1200		50 à 75 €

Couvrant 4 ha sur les terroirs d'Épernay, de Mardeuil et de Moussy, l'une des rares propriétés champenoises conduites en biodynamie (certification Demeter en 2013). Elle est dirigée depuis 2001 par Vincent Charlot, qui vinifie ses cuvées en barrique sans fermentation malolactique. Autre étiquette: Charlot-Tanneux. (RM)

Ce millésime issu d'une seule parcelle avait déjà été apprécié dans sa version 2011. Le 2012 apparaît plus frais que son devancier avec son nez sur les agrumes, la fleur d'oranger. La bouche dévoile des arômes intenses d'amande, de pamplemousse et d'herbe fraîche et offre une longue finale tonique. Un champagne à la fois intense et fin. 2016-2021 feuilleté aux saint-jacques

VINCENT CHARLOT, 23, rue des Semons, 51530 Mardeuil, tél. 03 26 51 93 92, champcharlottanneux@free.fr V *r.-v.*

J. CHARPENTIER Réserve ★★

	35000	15 à 20 €

Dans les années 1920, Pierre Charpentier fournissait le négoce et produisait du vin rouge. Les mauvaises années, le tonneau valait plus cher que le vin... Son petit-fils Jacky développe le domaine et vend les premières bouteilles. Il est aujourd'hui épaulé par Jean-Marc, œnologue, également diplômé en droit et en marketing. Le vignoble couvre 13 ha dans la vallée de la Marne. (RM)

L'étiquette ne l'affiche pas, mais il s'agit d'un blanc de noirs, dominé par le meunier (80 %). Les raisins noirs lui ont légué une robe jaune paille, un nez gourmand et complexe, où défilent fleurs blanches, fruits jaunes, miel, viennoiserie et citron confit, richesse aromatique que l'on retrouve en bouche. Les dégustateurs soulignent aussi la finesse et la fraîcheur de cette cuvée, saluant sa longue finale minérale, un rien amère, aux accents de zeste de citron. 2016-2021 homard à la nage

J. CHARPENTIER, 88, rue de Reuil, 51700 Villers-sous-Châtillon, tél. 03 26 58 05 78, info@jcharpentier.fr V *t.l.j. 9h-12h 14h-18h; dim. sur r.-v.*

CHASSENAY D'ARCE
Blanc de blancs 2006 ★★

	29698	20 à 30 €

Cette coopérative auboise fondée en 1956 fédère aujourd'hui 130 adhérents qui cultivent 300 ha répartis dans dix villages de la vallée de l'Arce, près de Bar-sur-Seine. (CM)

Un blanc de blancs 2006 comme l'an dernier, mais il s'agit cette fois du classique chardonnay. Ce millésime a enchanté les dégustateurs. À l'aération, il déploie une palette intense, mûre et complexe, sur la vanille, le toast, la brioche beurrée et le miel, avec une pointe d'épices. Le palais, à l'unisson, développe des nuances de pâtisserie d'une rare finesse, aux notes de coing et d'abricot compoté. Gras et rond, il n'en garde pas moins une belle fraîcheur qui soutient et étire la finale. Un grand champagne, à la fois puissant et raffiné. 2016-2020 turbot au sabayon de champagne

CHASSENAY D'ARCE, 11, rue du Pressoir, 10110 Ville-sur-Arce, tél. 03 25 38 30 78, m.lorin@chassenay.com V *t.l.j. sf dim. lun. 10h-12h 14h-17h30*

GUY DE CHASSEY Cuvée de Buretel ★

Gd cru	50000		15 à 20 €

Sept générations se sont succédé sur cette propriété familiale implantée sur le flanc sud de la Montagne de Reims, qui dispose de 9,5 ha de vignes entre Bouzy et Louvois (grands crus) et Tauxières-Mutry (1er cru). Aux commandes, Marie-Odile de Chassey et sa fille Ingrid Oudart. (RM)

Née d'un assemblage dominé par le pinot noir (70 %, avec le chardonnay en appoint), cette cuvée affiche une robe soutenue parcourue d'une fine effervescence. Elle montre une belle présence, avec des arômes à la fois subtils et intenses et une longueur notable. Pour l'apéritif comme pour la table. 2016-2019 poulet au champagne **1er cru ★ (15 à 20 €; 4000 b.)** : du pinot noir à 70 % et du chardonnay au service d'un rosé à la couleur intense, au nez discret, entre groseille et pêche de vigne. Attaque fraîche, finale acidulée: un air de jeunesse pour ce champagne qui sera parfait à l'apéritif. 2016-2019 verrines de lapereau en gelée

GUY DE CHASSEY, 1, pl. de la Demi-Lune, 51150 Louvois, tél. 03 26 57 04 45, info@champagne-guy-de-chassey.com V *t.l.j. sf dim. 10h-12h 14h-17h30 ; f. janv. fév. août*

CHAUDRON Capucine

1er cru	8000		15 à 20 €

Les ancêtres de Luc Chaudron se sont établis en 1820 à Verzenay, grand cru de la Montagne de Reims. Depuis 2000, ce dernier est à la tête d'une

affaire de négoce exportant 40 % de sa production. Il vend ses cuvées sous plusieurs étiquettes. (NM)

Deux tiers de pinot noir pour un tiers de chardonnay et un léger apport de bois dans ce brut mêlant au nez notes fraîches et évoluées. La bouche est équilibrée, ample et tonique, teintée de minéralité. Une belle maturité. ⧗ 2016-2018 ⧫ foie gras poêlé

⊶ CHAUDRON, 2, rue de Beaumont, 51360 Verzenay, tél. 03 26 66 66 66, commercial@champagnechaudron.com V ⬛ *t.l.j. sf dim. 9h-12h 13h30-17h30; sam. sur r.-v.*

FRANÇOIS CHAUMONT
Blanc de blancs Puisieulx 2010

● Gd cru | 5000 | ▮ | 15 à 20 €

En 1994, François Chaumont reprend un vignoble familial de 5 ha à Puisieulx, grand cru de la Montagne de Reims. Le savoir-faire et les installations de son épouse Marie-Hélène Littière, vigneronne à Œuilly, lui permettent de quitter la coopérative en 2008. (RM)

Rares sont les champagnes affichant le nom du village de Puisieulx, grand cru de noirs au terroir restreint... surtout s'ils proviennent du chardonnay comme celui-ci. Ce blanc de blancs présente un nez subtilement beurré, brioché et miellé et une bouche ronde, dans le même registre pâtissier, tonifiée par une finale acidulée aux nuances d'agrumes. ⧗ 2016-2019 ⧫ filet de saint-pierre au beurre

⊶ FRANÇOIS CHAUMONT, rue des Murs-Chenots, 51480 Œuilly, tél. 06 17 96 20 33, contact@champagne-francois-chaumont.fr V 🚶 ⬛ *r.-v.*

HENRI CHAUVET Réserve ★

● | 20000 | ▮ | 15 à 20 €

Le fondateur du domaine, Henri Chauvet, était un viticulteur et pépiniériste qui cultivait vers 1900 les plants greffés nécessaires à la reconstitution du vignoble dévasté par le phylloxéra. Depuis 1987, Damien, son arrière-petit-fils, exploite avec Mathilde 8 ha à deux pas de Reims. (RM)

Mi-blancs mi-noirs (pinot noir), cette cuvée jaune soutenu parcourue de fines bulles intéresse par son nez puissant et complexe, à la fois vineux et frais. Souple et suave en attaque, la bouche se montre ferme, droite et longue et dévoile des arômes de pain d'épice et de miel. Un champagne harmonieux, pour l'apéritif comme pour la table. ⧗ 2016-2019 ⧫ carré de veau aux girolles

⊶ CHAUVET, 6, rue de la Liberté, 51500 Rilly-la-Montagne, tél. 03 26 03 42 69, contact@champagne-chauvet.com V 🚶 ⬛ *r.-v.*

MARC CHAUVET ★★

● | 10000 | ▮ | 15 à 20 €

Une famille enracinée depuis le XVIᵉs. à Rilly-la-Montagne, au sud de Reims. Aujourd'hui, Nicolas (à la vigne) et sa sœur Clotilde, œnologue (à la cave), installés en 1996, cultivent 13 ha de vignes, perpétuant le domaine créé en 1964 par leur père Marc. Leurs vins sont vinifiés sans fermentation malolactique. (RM)

Une fois de plus, le rosé de la propriété est fort apprécié. Celui-ci ressemble à ses devanciers: assemblant 70 % de noirs (dont 45 % de pinot noir) et 30 % de blancs, il est coloré, intense et vineux au nez, sur les petits fruits rouges, l'amande et les épices. Généreux en attaque, ample, puissant et long, c'est un rosé de caractère qui pourra affronter la table. ⧗ 2016-2019 ⧫ filet mignon de veau ● **Sélection (15 à 20 €; 16000 b.)** : vin cité.

⊶ SCEV MARC CHAUVET, 3, rue de la Liberté, 51500 Rilly-la-Montagne, champagnemarcchauvet@gmail.com V 🚶 ⬛ *t.l.j. 8h30-12h 13h30-18h; sam. dim. sur r.-v.*

PASCAL CHEMINON ★

● 1er cru | 3000 | ▮ | 15 à 20 €

À la suite de trois générations, Pascal Cheminon s'est installé en 1975 sur le domaine familial qui couvre un peu plus de 6 ha dans la Montagne de Reims. Son fils Sébastien officie à la cave. (RM)

Exception dans la Montagne de Reims où le pinot noir domine, le village de Villers-Marmery, où sont installés ces récoltants, est surtout planté de chardonnay. Les raisins blancs constituent 83 % de ce rosé, qui tire sa teinte rose intense de 17 % de pinot noir vinifié en rouge. Il en résulte un nez bien ouvert sur les petits fruits rouges et noirs et une bouche à l'unisson, très fruitée, à la fois gourmande, puissante et fraîche. ⧗ 2016-2019 ⧫ soupe de fruits rouges ● **Cuvée Prestige (20 à 30 €; 12238 b.)** : vin cité.

⊶ SCEV PASCAL CHEMINON ET FILS, 5, rue des Sous-la-Ville, 51380 Villers-Marmery, tél. 03 26 97 95 34, cheminon.pascal@orange.fr V 🚶 ⬛ *r.-v. ; f. août*

JULIEN CHOPIN Les Originelles Blanc de rosé

● 1er cru | 1524 | 20 à 30 €

Les aïeux des Chopin cultivaient déjà la vigne au XVIIIᵉs. à Monthelon. La famille commercialise son champagne depuis 1947. Installé en 2006, Emmanuel Chopin conduit un domaine de 7 ha entre coteaux sud d'Épernay et Côte des Blancs. (RC)

Blanc de rosé? Un rosé qui doit presque tout au chardonnay (90 %). Il tire sa couleur rose tendre de 10 % de pinot noir. Nez délicatement fruité, entre groseille et framboise, bouche élégante et persistante, aux arômes de grenadine. ⧗ 2016-2019 ⧫ saumon cru mariné

⊶ EARL JULIEN CHOPIN, 3, rue Gaston-Poittevin, 51530 Monthelon, tél. 03 51 40 92 35, info@champagnejulienchopin.com V 🚶 ⬛ *r.-v.*

J. CLÉMENT Cuvée Réserve ★

● | 18000 | ▮ | 11 à 15 €

Premières vignes en 1920, premières bouteilles en 1954. James Clément porte la surface du domaine de 4 à 9 ha et lance une étiquette à son nom. Il transmet en 2000 à son fils Fabien la propriété, implantée dans la vallée de la Marne. (RM)

Les noirs (90 %, dont 65 % de meunier) sont en vedette dans cette cuvée au nez de fruits jaunes et blancs, nuancés de caramel. L'amande et le pain grillé complètent cette palette dans une bouche élégante et fraîche. Pour l'apéritif comme pour la table. ⧗ 2016-2019 ⧫ rôti de veau

CHAMPAGNE

J. CLÉMENT, 16, rue des Vignes, 51480 Reuil, tél. 03 26 51 05 62, contact@champagne-clement.fr V r.-v.

BENOÎT COCTEAUX Blanc de noirs Noir Expression ★

2500		20 à 30 €

Héritiers l'un comme l'autre de lignées vigneronnes remontant à un siècle, Hélène et Benoît Cocteaux sont établis à Montgenost, dans les coteaux du Sézannais, où Benoît a pris la suite de son père en 1998. Leur vignoble comprend de nombreuses parcelles dans ce secteur, ainsi que dans l'Aube. (RM)

Le meunier domine dans ce blanc de noirs jaune paille à la bulle fine, au nez de fruits frais nuancés de touches empyreumatiques. La bouche est beurrée, grillée, minérale, de bonne longueur. Du caractère. 2016-2020 pâté chaud en croûte **Or blanc (20 à 30 €; 10500 b.)** : vin cité.

BENOÎT COCTEAUX, 11, rue du Château, 51260 Montgenost, tél. 03 26 81 80 30, contact@champagnebenoitcocteaux.com V r.-v.

COLIN Blanc des blancs 2007 ★★

Gd cru	8000	30 à 50 €

Le premier de la lignée cultivait la vigne en 1829. Dans les années 1990, les frères Colin, Richard et Romain quittent la coopérative pour lancer leur champagne. Ils disposent de 10 ha de vignes implantées pour l'essentiel dans la Côte des Blancs, avec des parcelles dans le Sézannais et la vallée de la Marne. (RM)

Resté sept ans en cave, ce blanc de blancs développe des senteurs évoluées et gourmandes: caramel au lait, crème anglaise, viennoiserie, vanille bourbon. Fraîche en attaque, puissante et longue, la bouche est marquée en finale par un retour de notes de caramel et de grillé. Un champagne flatteur, parfait pour la table. 2016-2020 foie gras poêlé **1er cru** ★ **(20 à 30 €; 8000 b.)** : un rosé issu de chardonnay majoritaire (85 %). Robe rose intense, nez délicat, sur les fruits rouges, bouche élégante et vive, florale et fruitée (cerise, framboise, fruits blancs, amande). 2016-2021 rillettes de saumon **Alliance (15 à 20 €; 35000 b.)** : vin cité.

COLIN, 101, av. du Gal-de-Gaulle, 51130 Vertus, tél. 03 26 58 86 32, info@champagne-colin.com V r.-v.

LUCIEN COLLARD Extra-brut ★

10000		20 à 30 €

Lucien Collard perpétue une tradition vigneronne qui remonte au XVIIes.: ses ancêtres cultivaient la vigne avant que le champagne ne prît mousse. Ils se sont fixés en 1919 à Bouzy, village classé en grand cru, réputé pour son pinot noir, exploitant leur domaine tout en veillant à ceux de grandes maisons. (RM)

Un extra-brut né d'un assemblage de pinot noir (70 %) et de chardonnay, vinifié sans fermentation malolactique et resté trois ans en cave. Le doré de la robe, parcouru par une bulle fine, a pris des tons cuivrés. Le nez gourmand marie les petits fruits rouges, les agrumes et le pain grillé. Dans le même registre aromatique, la bouche se montre fraîche et longue. 2016-2020 carpaccio de saint-jacques

LUCIEN COLLARD, 1, rue Villebois-Mareuil, 51150 Bouzy, tél. 09 67 33 43 65, contact@champagne-lucien-collard.com V r.-v.

COLLARD-PICARD Cuvée Prestige ★

42000		20 à 30 €

En 1996, Caroline et Olivier ont uni leurs noms, Picard et Collard, à la ville et à la cave. Aujourd'hui, un domaine de 16 ha dans la vallée de la Marne (héritage Collard) et la Côte des Blancs (héritage Picard), dont les parcelles en 1er cru et en grand cru sont conduites en bio (non certifié) – et, depuis 2013, une adresse prestigieuse à Épernay. Selon la tradition Collard, les vins passent par le bois et ne font pas leur fermentation malolactique. (RM)

Mi-blancs mi-noirs (les deux pinots à parité), un brut au nez puissant, marqué par les vins de réserve (65 %), à la bouche franche en attaque, consistante, fraîche et longue, aux arômes de fruits jaunes bien mûrs nuancés d'un léger boisé. 2016-2019 foie gras poêlé aux pêches **Gd cru Blanc de blancs Cuvée Dom. Picard (30 à 50 €; 10000 b.)** : vin cité. **Extra-brut Archives 2002 (+ de 100 €; 8000 b.)** : vin cité.

COLLARD-PICARD, 15, av. de Champagne, 51200 Épernay, tél. 03 26 52 36 93, collard-picard@wanadoo.fr V *t.l.j. 10h-18h (10h30-17h30 l'hiver)*

COLLET 2006 ★

30000		30 à 50 €

Marque de la Coopérative Générale des Vignerons (Cogevi) établie à Aÿ, choisie en hommage à son fondateur. Disposant des 700 ha de ses adhérents, la cave est la plus ancienne de Champagne, constituée en 1921 à l'initiative de Raoul Collet, dans le sillage des révoltes de 1911 contre la fraude. (CM)

Le chardonnay (55 %) et le pinot noir font pratiquement jeu égal dans ce millésimé au nez à la fois riche et élégant, qui s'ouvre sur des fruits cuits, le cake, le pain grillé. Fraîche à l'attaque, la bouche déploie une matière ample et fondue aux plaisants arômes beurrés, dans la continuité de l'olfaction. Une heureuse évolution pour ce 2006 qui trouvera sa place de l'apéritif au dessert. 2016-2018 foie gras poêlé

COLLET, 14, bd Pasteur, 51160 Aÿ, tél. 03 26 55 15 88, pauline.guiset@champagne-collet.com V r.-v.

CHARLES COLLIN Blanc de noirs ★

10000		20 à 30 €

En 1952, une poignée de viticulteurs aubois se rassemble pour fonder la coopérative de Fontette. En 1993, la cave prend pour marque le nom de son principal fondateur, Charles Collin. Aujourd'hui, elle vinifie le produit de 330 ha de vignes cultivés par ses 100 adhérents (CM)

Issu du pinot noir, cépage roi de la Côte des Bar, ce blanc de noirs à la robe vieil or mêle au nez des senteurs de fruits exotiques (ananas) et des nuances plus évoluées de compote de fruits et de cire. Le biscuit s'ajoute à cette palette dans une bouche souple à l'attaque, ample et ronde, à la finale agréable. À déboucher de l'apéritif au fromage. ⧗ 2016-2019 🍴 chaource ● **Cuvée Charles (20 à 30 €; 5000 b.)** : vin cité.

CHARLES COLLIN, 27, rue des Pressoirs, 10360 Fontette, tél. 03 25 38 28 74, info@champagne-charles-collin.com V 🚶 🍷 *r.-v.*

COMTESSE DE GENLIS Grande Cuvée ★★

●	30 000	🍾	15 à 20 €

Si les Gremillet comptent des ancêtres vignerons dès le XVIIIe s., leur maison est récente: elle a été fondée en 1979 par Jean-Michel Gremillet et reprise par ses enfants, qui s'appuient sur un vignoble de 40 ha voisin des Riceys, dans l'Aube. Autre étiquette: Comtesse de Genlis. (NM)

Les Gremillet se sont constitué une clientèle dans les milieux diplomatiques. Cette cuvée, mi-pinot noir mi-chardonnay, sera un très bel ambassadeur de leur maison. Les dégustateurs saluent sa robe or jaune à la belle effervescence, son nez élégant, gourmand et épicé, mêlant les fleurs blanches, les agrumes et les fruits compotés, sa bouche souple à l'attaque, dont le dosage bien ajusté met en valeur la grande fraîcheur. Parfait à l'apéritif et sur les entrées fraîches. ⧗ 2016-2020 🍴 salade de chèvre frais aux pignons ● **Cuvée Félicité (15 à 20 €; 60 000 b.)** : vin cité. ● **Gremillet Cuvée Évidence (30 à 50 €; 2500 b.)** : vin cité.

GREMILLET, Envers de Valeine, 10110 Balnot-sur-Laignes, tél. 03 25 29 37 91, info@champagnegremillet.fr V 🚶 🍷 *r.-v.*

JACQUES COPIN 2005

●	5300	🍾	20 à 30 €

Enfants de viticulteurs, Jacques et Anne-Marie Copin ont fondé en 1963 ce domaine conduit depuis 1995 par leur fils Bruno et sa femme Marielle, épaulés par leurs enfants Lucile et Mathieu. L'exploitation couvre 10 ha dans la vallée de la Marne. (RM)

Le chardonnay et le pinot noir à parts égales composent ce 2005 au nez intense et évolué sur les fruits secs et la noix. On retrouve les fruits secs et les fruits bien mûrs dans une belle attaque, tandis que la finale est marquée par une touche d'amertume. Ce que l'on appelle un «champagne d'amateurs». ⧗ 2016-2018 🍴 copeaux de vieux comté ● **Extra-brut Blanc de blancs (15 à 20 €; 3500 b.)** : vin cité.

JACQUES COPIN, 23, rue de la Barre, 51700 Verneuil, tél. 03 26 52 92 47, contact@champagne-jacques-copin.com V 🚶 🍷 *t.l.j. 9h-12h 14h-18h*

COPIN-CAUTEL 2010 ★★

●	2000	🍾	20 à 30 €

Philippe Copin a pris en 1996 la suite de trois générations et lancé son champagne en 2010 en associant à son patronyme le nom de jeune fille de son épouse selon la tradition champenoise. Établi dans la vallée de la Marne, il exploite 4 ha, avec quelques parcelles dans la Côte des Blancs, à Mareuil et à Aÿ. (RC)

Vinifié sans fermentation malolactique, ce 2010 associe à parts égales raisins blancs et raisins noirs (pinot noir surtout). Puissant au nez, il mêle des senteurs gourmandes de pêche de vigne, de fruits jaunes et de noisette. Des notes de beurre, de pâtisserie et d'agrumes se font jour dans une bouche remarquablement équilibrée et persistante. De la tenue. ⧗ 2016-2019 🍴 feuilletés de ris de veau ● **Cuvée Amalgame 2008 ★ (30 à 50 €; 999 b.)** : mi-blancs mi-noirs (les deux pinots), ce millésimé, au nez intense et mûr, marie le fruit mûr, voire confituré, à la mie de pain. Il montre l'acidité des 2008 dans sa bouche restée vive, minérale, crayeuse et citronnée. ⧗ 2016-2019 🍴 ravioles d'écrevisses

COPIN-CAUTEL, 21, rue Bailly, 51700 Vandières, tél. 03 26 52 67 29, champagne.copincautel@orange.fr V 🚶 🍷 *r.-v.*

MARIE COPINET Blanc de blancs

●	15 600	15 à 20 €

En 1975, Jacques Copinet vend ses premières bouteilles. Sa fille Marie-Laure et son mari Alexandre Kowal ont repris en 2008 la propriété. Leur vignoble s'étend principalement au sud du Sézannais, terre propice au chardonnay, ainsi que dans l'Aube, en Champagne méridionale. Le couple a lancé son étiquette en 2016. (RM)

Un nez subtil, discrètement évolué et minéral, aux nuances de brioche et de fruits secs. Dans le même registre, la bouche est ample et acidulée, justement dosée. Un blanc de blancs à la fois gourmand et léger. ⧗ 2016-2017 🍴 truite aux amandes

EARL COPINET, 17, rue du Moulin, 51260 Montgenost, tél. 03 25 21 13 22, champagne@marie-copinet.com V 🚶 🍷 *r.-v.*

STÉPHANE COQUILLETTE
Brut zéro By Louis 2010 ★★

●	2821	🛢	30 à 50 €

Installé en 1979 à Chouilly, grand cru de la Côte des Blancs, Stéphane Coquillette conduit plus de 6 ha de vignes implantées dans ce secteur, ainsi que dans la Grande Vallée de la Marne et la Montagne de Reims. Son père Christian est toujours actif sur son domaine et ses enfants Diane et Louis se préparent à prendre la relève. (RM)

Cette cuvée non dosée doit tout au pinot noir. La robe or pâle est parcourue d'un fin cordon de bulles; le nez complexe mêle les fleurs blanches, la pêche jaune et l'ananas. L'aubépine et les agrumes, puis la brioche et l'amande s'épanouissent dans une bouche vineuse et riche, rafraîchie par une finale vive et citronnée. Un champagne d'une réelle finesse, pour l'apéritif comme pour la table. ⧗ 2016-2019 🍴 feuilletés salés ● **Gd cru Cuvée des clés ★ (20 à 30 €; 5562 b.)** : un blanc de noirs (pinot noir) délicatement fruité au nez, plus expressif en bouche, harmonieux et bien dosé. ⧗ 2016-2019 🍴 escalope de veau au citron

STÉPHANE COQUILLETTE, 15, rue des Écoles, 51530 Chouilly, tél. 03 26 51 74 12, champagne.coquillette@orange.fr r.-v.

CORDEUIL Origines ★

1023		20 à 30 €

Établie dans la Côte des Bar (Aube), la famille Cordeuil a reconstitué dans les années 1950 le vignoble familial. Premières vinifications dans les années 1970. Salima et Alain Cordeuil ont succédé à Gilbert en reprenant une partie des vignes du domaine Cordeuil Père et fils. Ils conduisent leurs 3,5 ha en bio certifié depuis 2015. (RM)

Un assemblage original, «aubois», pour cette cuvée qui comprend 20 % de pinot blanc aux côtés du chardonnay (50 %) et du pinot noir. Un champagne qui séduit par son harmonie générale et sa longueur. ⧗ 2016-2019 🍴 gougères

EARL SALIMA ET ALAIN, 4, rue du Val-des-Vignes, 10360 Noé-les-Mallets, tél. 03 25 29 00 28, salimaetalain@opmbx.org r.-v.

EDMÉ COSTE ★

7000		20 à 30 €

Une nouvelle marque lancée en 2014 par Thomas Cheurlin. Descendant d'une lignée de vignerons remontant à 1788 et fort d'un vignoble implanté sur les coteaux de l'Ource (Aube), ce récoltant vend aussi ses champagnes sous l'étiquette Cheurlin-Dangin. (RM)

Issu d'une saignée de pinot noir, ce rosé affiche une robe colorée, presque rubis, et libère des parfums intenses de fruits rouges confiturés, de grenadine, de litchi, de cassis et de bonbon, relevés d'épices. Dans le même registre, la bouche est fruitée, ronde, suave et longue. Pour les viandes aux fruits ou les desserts. ⧗ 2016-2019 🍴 magret de canard aux framboises

EARL THOMAS CHEURLIN, 17, Grande-Rue, 10110 Celles-sur-Ource, tél. 03 25 38 50 26, contact@cheurlin-dangin.fr *t.l.j. sf dim. 9h-12h 14h-17h30*

FABRICE COURTILLIER Pur Blanc ★

2000	11 à 15 €

Fils et petit-fils de coopérateurs, Fabrice Courtillier, installé en 1997, a investi dans un pressoir pour devenir récoltant-manipulant. Il exploite 6,5 ha de vignes au nord-est de Bar-sur-Aube, à l'extrême sud-est du vignoble champenois. (RM)

Un chardonnay issu d'une parcelle de vieilles vignes. Nez grillé, floral, brioché, avec une touche d'herbe séchée. Le moka et le beurre s'ajoutent à cette palette dans une bouche soyeuse et souple, dont on apprécie l'équilibre. ⧗ 2016-2019 🍴 feuilletés au saumon

FABRICE COURTILLIER, chem. des Écrières, 10200 Colombé-la-Fosse, tél. 03 25 92 62 86, lux.courtillier@orange.fr *t.l.j. 8h-20h*

COUSTHEUR-BONNARD Blanc de blancs ★

30000		11 à 15 €

Quatre générations se sont succédé sur cette exploitation située au pied du mont de Berru, à 10 km à l'est de Reims. Constitué en 1960, le domaine viticole, de quelque 3 ha, est planté à 95 % de chardonnay. (RC)

Resté trois ans en cave, ce blanc de blancs libère des parfums intenses et complexes: on respire dans le verre les agrumes, le pain frais, la viennoiserie. Tout aussi complexe, consistante et gourmande, la bouche développe des nuances de fruits jaunes, d'orange confite et finit sur des notes fraîches d'agrumes. ⧗ 2016-2019 🍴 carré de veau

COUSTHEUR, 337, rue derrière l'Abbaye, 51420 Nogent-l'Abbesse, tél. 06 83 88 78 44, champagnecoustheur.bonnard@hotmail.com r.-v.

A.D. COUTELAS Extra-brut Cuvée Louis-Victor Élevé en fût de chêne ★

30000		15 à 20 €

Héritier d'une lignée vigneronne remontant à 1809, Damien Coutelas représente la huitième génération. Installé en 2005, il exploite près de 7 ha dans la vallée de la Marne et a pris le statut de négociant. Selon la tradition familiale, il vinifie ses vins en foudre, sans fermentation malolactique. (NM)

Issue des trois cépages champenois assemblés par tiers, cette cuvée dédiée au premier de la lignée Coutelas développe de puissants arômes de vanille et de fruits confits, auxquels s'ajoutent en bouche des touches de miel et de café. Le palais est puissant, rond, complexe, judicieusement dosé. L'élevage sous bois a été bien mené, mais il est encore un peu appuyé. ⧗ 2017-2020 🍴 poêlée d'écrevisses

SARL COUTELAS ET FILS, 557, av. du Gal-Leclerc, 51530 Dizy, tél. 06 89 42 23 76, damien@champagne-adcoutelas.com r.-v.

DAVID COUTELAS Cuvée César 2008 ★

4000		20 à 30 €

Héritier d'une lignée de viticulteurs remontant au XVIIIes., David Coutelas a pris les rênes en 1997 de l'exploitation familiale: environ 7,5 ha sur les coteaux bordant la rive droite de la Marne. Il est attaché aux vinifications en fût. (RM)

Deux tiers de chardonnay et un tiers de pinot noir composent cette cuvée, au nez complexe, minéral, épicé, floral et miellé. Marqué par les notes vanillées d'un boisé qui reste à sa place, le palais gras et consistant est équilibré par une longue finale fraîche. Un champagne bien construit. ⧗ 2016-2020 🍴 copeaux de parmesan **Brut nature Cuvée César ★ (20 à 30 €; 2000 b.)** : non dosée et non millésimée, cette cuvée marie du chardonnay majoritaire au pinot noir, des raisins de la récolte 2006. Un vin complexe (fruits exotiques, fleurs, pain grillé), puissant et élégant, à la finale citronnée. ⧗ 2016-2019 🍴 cassolette de langoustines

DAVID COUTELAS, 13, rue des Vignes, 51700 Villers-sous-Châtillon, tél. 03 26 59 07 57, david.coutelas@wanadoo.fr r.-v.

COUVENT FILS Empreinte ★

	6800	11 à 15 €

La grand-mère de Sylvie Monnin-Couvent a commercialisé les premiers champagnes en 1947. À la succession de son père en 1985, cette dernière a repris sa part de vigne (3,7 ha), qu'elle exploite avec son mari Gérard. Le domaine est situé dans la vallée de la Marne. (RM)

Si l'étiquette ne le précise pas, cette cuvée est un blanc de noirs issu des deux pinots. On pourrait le deviner à la vue de sa robe or rose. Le nez expressif et suave porte aussi l'empreinte des noirs: nuances de noyau et de petits fruits rouges confits teintés de brioche. La bouche est à l'unisson, étoffée et tout en rondeur, offrant un joli retour des fruits rouges dans sa longue finale. À ne pas servir trop frais. ⧗ 2016-2019 ▼ dinde rôtie

SCEV MONNIN-COUVENT, 4-5, rue Corneille, 02850 Trélou-sur-Marne, tél. 03 23 70 33 36, champagne-couventfils@orange.fr r.-v.

ALAIN COUVREUR Blanc de blancs ★

	10976		15 à 20 €

Créé en 1961 dans le massif de Saint-Thierry, à l'ouest de Reims, ce domaine d'environ 3 ha est conduit depuis 2008 par David et Rémi Couvreur, les fils d'Alain, issus d'une vieille famille de tonneliers et de vignerons. Ils élaborent aussi des cuvées sous leurs prénoms. (RM)

Les vins de base ont été partiellement vinifiés en fût. Ce champagne en retire de la complexité, alliant les fleurs blanches, la brioche, un léger fruit confit et un boisé ténu. Dans la continuité du nez, la bouche onctueuse et gourmande développe des notes de viennoiserie et de noisette, avec une légère amertume en finale. ⧗ 2016-2019 ▼ aile de raie

EARL ALAIN COUVREUR, 18, Grande-Rue, 51140 Prouilly, tél. 03 26 48 58 95, earl-alain.couvreur@laposte.net r.-v.

DOMINIQUE CRÉTÉ ET FILS
Cuvée Émeraude 2009 ★★

	5112		15 à 20 €

Héritier de cinq générations, Dominique Crété achète à dix-neuf ans sa première parcelle, acquiert des vignes à Moussy, épouse une fille de vignerons de la Côte des Blancs et succède à son père Roland en 1984. Il lance son champagne dix ans plus tard. Il exploite près de 8 ha dans les coteaux sud d'Épernay et dans la Côte des Blancs. (RM)

Mi-blancs mi-noirs (meunier), ce 2009 reflète une belle évolution: robe or jaune, nez franc, complexe et évolué, aux nuances de beurre, de raisins secs, de figue et de torréfaction (chocolat). La bouche reprend ce registre torréfié et confit et développe une matière à la fois puissante et fraîche. Un ensemble élégant et raffiné. ⧗ 2016-2020 ▼ ris de veau caramélisés

DOMINIQUE CRÉTÉ, 99, rue des Prieurés, 51530 Moussy, tél. 03 26 54 52 10, champagne@dominique-crete.com r.-v.

CRETOL ET FILS ★

	5000		15 à 20 €

Jean-Christophe Cretol a repris en 1988 l'exploitation familiale implantée dans la Côte des Bar (Aube) et s'est lancé dans la vinification et la mise en bouteilles en 1994. Son vignoble s'étend sur 5,5 ha. (RM)

Un rosé issu de la macération de pinot noir. Intense à l'œil, parfumé et complexe, il fait défiler les fruits exotiques, la framboise et le cassis. La bouche est agréable, dans le style ample et puissant des rosés de saignée. Du caractère et de la longueur. ⧗ 2016-2020 ▼ mignon de veau en croûte **Réserve (15 à 20 €; 20000 b.)** : vin cité.

SARL CRETOL ET FILS, 1 bis, rue Saint-Jacques, 10250 Neuville-sur-Seine, tél. 03 25 38 23 90, champagne.cretol@orange.fr r.-v.

DALLANCOURT Blanc de blancs ★

	2000		15 à 20 €

Virginie et Antoine Lutun se sont installés sur quelque 4 ha de vignes familiales (pinot noir et chardonnay) implantées sur le flanc sud-est de la Montagne de Reims, du côté d'Aÿ, et ont lancé leur marque en 2010. Coopérateurs, ils confient leurs vendanges à la maison Palmer à Reims. (RC)

Ce blanc de blancs réunit de belles qualités, tant au nez, aux nuances de noisette fraîche, d'amande et de pralin, qu'en bouche, dont on apprécie la rondeur gourmande, soulignée par des arômes de fruits jaunes, et la finale grillée et torréfiée. ⧗ 2016-2019 ▼ saumon mariné au citron vert

ANTOINE LUTUN, 8, rue Édouard-Vaillant, 51200 Épernay, tél. 06 88 48 12 35, champagnedallancourt.avlutun@orange.fr r.-v.

COMTE AUDOIN DE DAMPIERRE
Cuvée des ambassadeurs 2007 ★

Gd cru	42000		50 à 75 €

Audoin de Dampierre est le descendant d'une dynastie champenoise sept fois séculaire. Son arrière-grand-père s'est intéressé au champagne en 1880. Lui-même a créé en 1986 une maison de négoce dont le siège a été transféré en 2014 à Bouzy. (NM)

Cette cuvée met en vedette le pinot noir (75 %), complété par du chardonnay - des cépages issus de grands crus de la Montagne de Reims et de la Côte des Blancs. Restée six ans en cave, elle libère une touche iodée avant de développer des senteurs intenses, évoluées et gourmandes de confiture de coings, puis de grillé, de praliné. Dans une belle continuité avec le nez, la bouche est expressive et bien structurée. Une belle image du millésime. «De la race», écrit un juré. ⧗ 2016-2019 ▼ grenadin de veau aux champignons

SAS COMTES DE DAMPIERRE, 22, rue Gambetta, 51150 Bouzy, tél. 03 26 53 16 67, champagne@dampierre.com r.-v.

DAUBY MÈRE & FILLE 2010

| 5500 | | 20 à 30 € |

Francine Dauby (depuis 1990) et Flore (arrivée en 2007): un tandem mère-fille conduit cette exploitation constituée au début du XXe s., qui a commercialisé son champagne à partir de 1956. Le domaine couvre 8 ha autour d'Aÿ, célèbre grand cru de noirs. (RM)

Du pinot noir majoritaire (70 %), complété par le chardonnay, pour ce millésimé au nez puissant et mûr d'orange et de miel. La bouche, à l'unisson, séduit par son attaque, sa matière riche et ronde, sa finale fraîche et ses arômes toastés et confits. Structuré, corpulent, ce champagne commence à évoluer – dans le bon sens. 2016-2019 rôti de veau aux asperges

DAUBY MÈRE ET FILLE, 22, rue Jeanson, 51160 Aÿ, tél. 03 26 54 96 49, champagne.dauby@orange.fr V r.-v.

ÉLISE DECHANNES
Extra-brut Cœur de noirs ★★

| 3263 | | 30 à 50 € |

Élise Dechannes a abandonné une carrière dans la banque pour reprendre en 2008 l'exploitation de ses parents, qui couvre 4,6 ha aux Riceys, important village viticole de l'Aube. Le pinot noir, cépage roi de la Côte des Bar, domine largement l'encépagement du domaine. En conversion bio depuis 2015. (RM)

Un pur pinot noir aux parfums floraux très flatteurs, nuancés de notes de mirabelles. En bouche, ce sont les fruits rouges qui se lient à l'acacia. Le cépage apporte sa structure, sa puissance, et une finale longue et fraîche donne du tonus à l'ensemble. De l'expression et de la personnalité. 2016-2020 buisson de langoustines

ÉLISE DECHANNES, 1, pl. des Héros-de-la-Résistance, 10340 Les Riceys, tél. 03 51 63 20 36, elise.dechannes@sfr.fr V r.-v.

PHILIPPE DECHELLE Cuvée Réserve 2010 ★

| 20000 | | 15 à 20 € |

Maître greffeur, le grand-père de ce vigneron travailla à la reconstitution du vignoble après la crise phylloxérique. Ses parents, coopérateurs, se partageaient entre la vigne et le maraîchage. Philippe Dechelle, installé en 1982 sur des parcelles familiales, quitte la coopérative en 1987 avec son frère, aménageant cuverie et pressoir. Il exploite plus de 9 ha en amont de Château-Thierry. (RM)

Les trois cépages champenois sont assemblés par tiers dans ce brut au nez expressif, sur les fruits jaunes compotés rehaussés d'épices douces. Les fruits mûrs s'épanouissent dans un palais consistant et bien équilibré. Beaucoup de matière et une belle maturité. 2016-2019 faisan aux raisins

PHILIPPE DECHELLE, 20, rue Paul-Doumer, 02400 Brasles, tél. 03 23 69 95 95, ph.dechelle@wanadoo.fr V *t.l.j. 9h-12h 14h-20h*

MAURICE DELABAYE ET FILS Sélection ★

| 50000 | | 15 à 20 € |

Victor Delabaye fonde l'exploitation en 1921 à Damery, non loin d'Épernay; Maurice devient récoltant-manipulant et lance sa marque en 1959. Germain, qui lui a succédé en 2001, est épaulé par son fils Victor depuis 2014. Il exploite 10 ha autour d'Aÿ, grand cru, et de Cumières, Hautvillers et Dizy, 1ers crus. (RM)

L'assemblage des trois cépages champenois (avec 80 % de noirs) donne naissance à un vin droit et fruité, qui s'impose par sa tenue et sa longueur. On pourra le savourer pour lui-même, mais il tiendra sa place à table. 2016-2019 ris de veau **1er cru ★ (15 à 20 €; 11000 b.)** : un rosé d'assemblage issu des trois cépages, noirs en tête (90 %). Une couleur soutenue à laquelle répondent un nez complexe, dominé par les fruits rouges compotés, et une structure puissante. On pourra le servir de l'apéritif au dessert. 2016-2019 carré d'agneau

SCE MAURICE DELABAYE ET FILS, 16, rue Anatole-France, 51480 Damery, tél. 03 26 51 94 91, scev-delabaye@wanadoo.fr V r.-v.

V. DELAGARDE Tradition ★

| 30000 | | 15 à 20 € |

De vieille souche vigneronne, Valérie Delozanne et Vincent Delagarde ont repris en 2000 les vignes de leurs parents respectifs: 8 ha à dominante de meunier, cépage très cultivé dans le secteur des monts de Reims et dans la vallée de l'Ardre. (RM)

Ce brut sans année à dominante de meunier (80 %, avec du pinot noir et du chardonnay en appoint) brille par sa robe jaune doré, son nez très fruité aux nuances de fruits rouges et par sa bouche souple, bien structurée et franche. 2016-2019 brochettes de saint-jacques

VALÉRIE ET VINCENT DELAGARDE, 67, rue de Savigny, 51170 Serzy-et-Prin, tél. 03 26 97 40 18, contact@champagne-delagarde-delozanne.fr V r.-v.

DELAGNE ET FILS Tradition Grande Cuvée ★

| 20000 | 15 à 20 € |

Propriétaire de vignes autour de Cerseuil, dans la vallée de la Marne, et de caves à Épernay, la famille Mansard a cédé sa marque, Mansard-Baillet, qui fait désormais partie du groupe Rapeneau. Deux étiquettes: Mansard et Delagne et Fils. (NM)

Ce rosé d'assemblage issu des trois cépages champenois s'habille d'une robe rose tendre et séduit par ses parfums de fruits rouges, que l'on retrouve avec plaisir dans une bouche fraîche et pimpante. Un joli rosé d'apéritif. 2016-2017 samoussas de légumes **Tradition Grande Cuvée ★ (15 à 20 €; 80000 b.)** : un assemblage dominé par le chardonnay (70 %), avec le pinot noir en complément. On aime sa palette complexe et intense mêlant fleurs blanches et amande et sa bouche ronde, puissante, de bonne longueur. 2016-2019 cabillaud rôti

⊶ MANSARD-BAILLET, 14, rue Chaude-Ruelle, 51200 Épernay, tél. 03 26 54 18 55, contact@champagnemansard.com V 🚶 ▪ *r.-v. ⊶ Rapeneau*

DELAHAIE Brut Premier ★

● | 60000 | 🍾 | 15 à 20 €

Négociant à Épernay, Jacques Brochet élabore une gamme de champagnes sous la marque Delahaie. Ses cuvées sont souvent remarquées par nos dégustateurs. (NM)

Un assemblage des trois cépages champenois dominé par les noirs (80 %, les deux pinots à parité). Les jurés ont été enchantés par cette cuvée intense en bouche, gourmande et d'une fraîcheur très agréable, aux arômes de fleurs blanches nuancés de notes de prune et de brioche. La belle finale laisse une impression d'harmonie. ⧗ 2016-2019 🍴 bar au four

⊶ JACQUES BROCHET, 16, allée de la Côte-des-Blancs, 51200 Épernay, tél. 03 26 54 08 74, champagne.delahaie@wanadoo.fr V 🚶 ▪ *r.-v.*

DELAMOTTE Blanc de blancs ★

● | n.c. | 30 à 50 €

L'une des plus anciennes maisons de Champagne, née en 1760. Elle a conservé le nom de son fondateur, conseiller échevin de Reims marié à une riche propriétaire de vignes à Aÿ. Depuis 1988, elle est rattachée au groupe Laurent-Perrier. Société sœur du mythique Salon, elle est établie au Mesnil-sur-Oger, au cœur de la Côte des Blancs, et le chardonnay est très présent dans ses cuvées. (NM)

Fidèle au rendez-vous du Guide, ce blanc de blancs est issu de grands crus de la Côte des Blancs: le Mesnil-sur-Oger, Oger, Avize et Cramant. Pas de bois et un vieillissement de quatre à cinq ans sur lattes. On apprécie d'emblée la richesse et la complexité de son nez, mariant l'aubépine à la noisette et au miel. Fraîche en attaque, tendue, la bouche développe à son tour de belles notes de chocolat, de moka et, en finale, des arômes plus frais de pamplemousse. Un champagne riche et droit. ⧗ 2016-2021 🍴 salade de homard

⊶ DELAMOTTE, 7, rue de la Brèche-d'Oger, 51190 Le Mesnil-sur-Oger, tél. 03 26 57 51 65, champagne@salondelamotte.com V *r.-v. ⊶ Laurent-Perrier*

ANDRÉ DELAUNOIS Cuvée du fondateur

● | 7500 | 15 à 20 €

Edmond Delaunois devient manipulant dans les années 1920. André, son petit-fils, modernise les installations dans les années 1970. Aujourd'hui, les deux filles, les gendres et le petit-fils exploitent 7,6 ha autour de Rilly-la-Montagne, 1er cru proche de Reims. (RM)

Les trois cépages champenois (dont 40 % de chardonnay) et trois années d'assemblage (2008, 2009 et 2010) composent cette cuvée au nez délicatement floral, dont la fraîcheur est soulignée par des arômes complexes d'agrumes, du citron à la mandarine en passant par le pamplemousse. ⧗ 2016-2018 🍴 feuilletés aux saint-jacques

⊶ ANDRÉ DELAUNOIS, 17, rue Roger-Salengro, 51500 Rilly-la-Montagne, tél. 03 26 03 42 87, contact@champagne-andre-delaunois.fr V 🚶 ▪ *t.l.j. sf dim. 8h-12h 13h30-17h30*

DELAVENNE PÈRE & FILS Bouzy Amour de Louise ★★

● Gd cru | 3048 | 🍾 | 50 à 75 €

Domaine familial créé en 1920, conduit depuis 2008 par Maëlle et Jean-Christophe Delavenne: 9 ha entre les grands crus Bouzy, Ambonnay (Montagne de Reims) et Cramant (Côte des Blancs). Les champagnes sont vinifiés sans fermentation malolactique. (RM)

Née à Bouzy, cette cuvée met pourtant en vedette le chardonnay (70 %), avec des vins de réserve vinifiés selon le système de la solera. L'élégance est au rendez-vous. De jolis arômes beurrés et toastés composent le nez; la bouche séduit par sa fraîcheur, soulignée par des arômes intenses d'agrumes et de fruits exotiques, papaye, mangue et fruit de la Passion. D'un rare équilibre, ce champagne fera merveille au début du repas. ⧗ 2016-2020 🍴 langouste grillée ● **Demi-sec ★ (15 à 20 €; 2500 b.)** : du pinot noir majoritaire (60 %) allié au chardonnay dans ce demi-sec intense au nez, sur les fruits blancs et les fruits secs, très gourmand en bouche, bien structuré, équilibré et long. À servir avec un dessert légèrement sucré. ⧗ 2016-2019 🍴 salade d'oranges

⊶ SCEV DELAVENNE PÈRE ET FILS, 6, rue de Tours, 51150 Bouzy, tél. 03 26 57 02 04, champagnedelavenne@orange.fr V 🚶 ▪ *r.-v.*

HÉLÈNE DELHÉRY Éclat de perles ★

● | 5000 | 30 à 50 €

Fondée en 1931, la Cave des Vignerons d'Hautvillers est installée dans le village de Hautvillers où officia dom Pérignon. Ses cuvées sont élaborées par Gabrielle Bouby, une des rares femmes chefs de cave en Champagne. Hélène? Une des patronnes du village, dont on vénérait les reliques. (CM)

Léger et discret au nez, sur les agrumes et les fruits exotiques, ce blanc de blancs dévoile en bouche un côté vineux qui lui donne du volume. L'ensemble est harmonieux, franc et équilibré. Parfait pour l'apéritif et les entrées froides. ⧗ 2016-2019 🍴 bar en gelée

⊶ COOP. DES VIGNERONS D'HAUTVILLERS, chem. des Garennes, 51160 Hautvillers, tél. 03 52 74 01 64, commercial@champagne-helene-delhery.fr V 🚶 ▪ *r.-v.*

MARLÈNE DELONG Grande Réserve ★★

● | 7000 | 🍾 | 20 à 30 €

En 1966, Gérard Delong, ouvrier, loue des terres et plante des vignes, puis achète des parcelles. Premières vendanges en 1970, acquisition d'un pressoir en 1980: premières cuvées au domaine. En 2001, Marlène a rejoint l'exploitation, qui compte 9,5 ha dans le Sézannais. (RM)

Mi-blancs mi-noirs (les deux pinots), cette cuvée offre un nez frais, minéral et tout en finesse de pêche, de poire

CHAMPAGNE

et d'agrumes, nuancé de touches biscuitées. Ce fruité s'épanouit dans une bouche souple en attaque, fraîche en finale, agrémentée de notes chaleureuses d'orange confite. Une rare élégance. ⧗ 2016-2020 ♈ chaource et sa gelée de raisins

⊶ MARLÈNE DELONG, 2, ruelle du Larry, 51120 Allemant, tél. 03 26 80 58 73, info@champagne-delong-marlene.com V r.-v.

DELOT 100 % Chardonnay L'Orée du bois ★

	4000	20 à 30 €

En 2006, Vincent Delot, vigneron de Celles-sur-Ource (Aube), se retire et cède son domaine à la maison Paul Dangin, fondée en 1947 dans la même commune, charge à elle de perpétuer son nom et ses méthodes de travail. Jean-Baptiste Dangin est alors nommé, à vingt et un ans, responsable de la gestion de cette exploitation. (RM)

Un pur chardonnay de la récolte 2008, fermenté en fût de chêne. La cuvée en retire un nez complexe, évolué, aux plaisantes nuances de pain d'épice, de brioche, de beurre, de fruits confits. Franche en attaque, la bouche garde cette ligne aromatique, portée par une fraîcheur qui étire la finale. ⧗ 2016-2019 ♈ ris de veau aux morilles

⊶ DELOT, 3, pl. de l'Église, 10110 Celles-sur-Ource, tél. 03 25 38 50 12, contact@champagne-delot.com V *r.-v. ⊶ SARL Dangin*

SERGE DEMIÈRE Blanc de noirs ★★

Gd cru	n.c.		20 à 30 €

Ce vigneron s'est installé en 1976 sur le domaine familial implanté sur le versant sud-est de la Montagne de Reims. Il tire parti de deux grands crus voisins célèbres pour leur pinot noir: Ambonnay et Bouzy. (RM)

Or soutenu, cette cuvée issue de pinot noir de noble origine délivre des notes flatteuses de fleurs séchées et de miel que l'on retrouve dans un palais harmonieux, biscuité, gourmand, aussi rond que long. ⧗ 2016-2020 ♈ chapon rôti

⊶ SERGE DEMIÈRE, 7, rte de Bouzy, 51150 Ambonnay, tél. 03 26 57 07 79, serge.demiere@wanadoo.fr V *r.-v.*

A. & J. DEMIÈRE Extra-brut Inno'Sens ★★

	6100	15 à 20 €

A et J pour Audrey et Jérôme Demière, récoltants établis sur la rive droite de la Marne. Fernand a acheté la première parcelle en 1936, élaboré les premières bouteilles en 1945; son fils Jack a agrandi le vignoble et installé pressoir et cuverie. La dernière génération, installée en 1996, poursuit les aménagements. (RM)

Né des trois cépages champenois à parité, cet extra-brut libère de frais parfums de fleurs, de fruits blancs et d'agrumes (citron, mandarine). La fraîcheur se retrouve dans une bouche ample, suave et tout aussi aromatique, aux nuances de tarte au citron. ⧗ 2016-2019 ♈ turbot sauce hollandaise

⊶ DEMIÈRE, 2, rue Dom-Pérignon, 51480 Fleury-la-Rivière, tél. 03 26 58 43 36, a-j-demiere@wanadoo.fr V *r.-v.* 3

DEMILLY DE BAERE Cuvée Blanc de noirs ★

	10000		15 à 20 €

Gérard Demilly appartient à une famille établie à Bligny (Côte des Bar) depuis le XVIIes. En 1978, il étudie la viticulture et achète avec son épouse Françoise un vignoble (8 ha aujourd'hui) dont le siège occupe une ancienne verrerie du XVIIIes. Après avoir fait ses classes en Australie et en Californie, leur fils Vincent, œnologue, les a rejoints. (NM)

D'une couleur or pâle, cette cuvée au nez discret mais fin s'affirme en bouche. On apprécie son ampleur et sa fermeté en finale. Une belle tenue. ⧗ 2016-2019 ♈ foie gras poêlé à la mangue

⊶ GÉRARD DEMILLY, SAS Demilly de Baere, Dom. de la Verrerie, 1, rue du Château, 10200 Bligny, tél. 03 25 27 44 81, champagne-demilly@wanadoo.fr V *r.-v.*

DÉROT-DELUGNY Coiffe Or ★

	30795		11 à 15 €

Fils de maréchal-ferrant, l'arrière-grand-père Philippe Dérot, fabricant de charrues vigneronnes, puis de tracteurs-enjambeurs, vendit ses premières bouteilles en 1929. Aujourd'hui, François Dérot, rejoint par son fils Laurent – revenu du Nouveau Monde –, exploite 10 ha aux confins de la Seine-et-Marne et de l'Aisne. (RM)

Le meunier, cépage parfaitement adapté au milieu de la vallée de la Marne, compose 80 % de cette cuvée. Nez discret mais très élégant, entre fleurs blanches et nuances citronnées, bouche d'une belle fraîcheur, où l'on retrouve les agrumes teintés de notes empyreumatiques: un joli champagne «tout terrain». ⧗ 2016-2019 ♈ coquilles Saint-Jacques ● ★ **(11 à 15 €; 2437 b.)** : issu des trois cépages champenois, un rosé à la robe soutenue, vif, franc et droit, au nez aérien et tonique d'agrumes et de groseille. ⧗ 2016-2019 ♈ feuilletés salés

⊶ FRANÇOIS DÉROT, 15, Grande-Rue, 02310 Crouttes-sur-Marne, tél. 03 23 82 18 18, info@champagne-derot-delugny.fr V *r.-v.*

MICHEL DERVIN

●	n.c.	15 à 20 €

Michel Dervin est le fondateur de cette maison créée en 1983 à partir d'un lopin de vignes. Aujourd'hui, il dispose d'un vignoble de près de 8 ha aux environs de Cuchery, village situé au bord d'un petit affluent de la Marne. Ses vins ne font pas de fermentation malolactique. (NM)

Ce rosé de noirs (meunier surtout) tire sa couleur cuivrée d'un petit apport de vin rouge. On aime son nez gourmand sur la fraise et la framboise juste cueillies et sa bouche équilibrée, dont la fraîcheur est soulignée de notes de pamplemousse. ⧗ 2016-2019 ♈ toasts de saumon

⊶ SAS MICHEL DERVIN, 1, rte de Belval, 51480 Cuchery, tél. 03 26 58 15 22, dervin.michel@wanadoo.fr V *r.-v.* 2

A. DESMOULINS ET CIE ★

	4000	20 à 30 €

Fondée en 1908, cette maison de négoce sise à Épernay est gérée par Jean et Virginie Bouloré, petit-fils et arrière-petite-fille d'Albert Desmoulins. Les assemblages des trois cépages sont des secrets de famille. (NM)

Gourmand, riche et rond, ce rosé est tout en fruits; la cerise s'efface devant la pêche blanche, le litchi et la groseille. 2016-2019 pêche pochée coulis de groseille

A. DESMOULINS, 44, av. Mal-Foch, 51200 Épernay, tél. 03 26 54 24 24, champagne.desmoulins@orange.fr V t.l.j. sf sam. dim. 9h-12h 14h-17h; f. août Mme Bouloré

PAUL DÉTHUNE Blanc de noirs

Gd cru	5000		30 à 50 €

Lignée remontant à 1610, propriété constituée en 1840. Des caves du XVIIes. et 7 ha autour d'Ambonnay, grand cru de noirs de la Montagne de Reims. Vignoble conduit depuis 1995 par Pierre et Sophie Déthune, qui élèvent une partie de leurs vins en foudre. Domaine certifié haute valeur environnementale. (RM)

Pur pinot noir, ce champagne a été vinifié et élevé en fût. Très aromatique au nez, grillé, beurré, toasté, il surprendra également par sa bouche fraîche mêlant arômes de fruits secs et touches citronnées. 2016-2019 caille sur navet et salsifis glacés

EARL PAUL DÉTHUNE, 2, rue du Moulin, 51150 Ambonnay, tél. 03 26 57 01 88, info@champagne-dethune.com V r.-v.

♥ DEUTZ William Deutz 2006 ★★

	40000		+ de 100 €

Originaires d'Aix-la-Chapelle, deux négociants en vins, William Deutz et Pierre-Hubert Geldermann, ont fondé en 1838 cette prestigieuse maison. Longtemps demeurée familiale, elle est entrée en 1993 dans le groupe Roederer. Réputée pour ses assemblages minutieux (30 à 40 crus différents pour son brut Classic), elle s'approvisionne dans un rayon restreint de 30 km autour du grand cru Aÿ, dans la Grande Vallée de la Marne. (NM)

Depuis 1838, Deutz est réputé pour l'élégance de ses grands vins. La cuvée William Deutz, issue des trois cépages champenois (67 % de pinot noir, 30 % de chardonnay et 5 % de meunier), ne ternira pas cette réputation. Le nez, d'une grande fraîcheur, évoque l'acacia avant de s'orienter vers l'anis et le menthol. Le plaisir s'amplifie en bouche, où l'on trouve de l'opulence et un côté gourmand, souligné par des notes de miel, de compote de pêches de vigne, de quetsche. Un millésime de grande tenue, qui brille par sa complexité et sa finesse. 2016-2021 poularde rôtie **Blanc de blancs 2009 ★ (50 à 75 €; 66000 b.)** : un bel équilibre entre fraîcheur et suavité pour ce blanc de blancs aux arômes de noisette, de pâtisserie, de caramel, de moka. Une petite pointe d'amertume en fin de bouche lui confère une personnalité intéressante. 2016-2019 ris de veau braisés

DEUTZ, 16, rue Jeanson, 51160 Aÿ, tél. 03 26 56 94 00, france@champagne-deutz.fr V r.-v. Roederer

PASCAL DEVILLIERS Rosé de saignée ★

1er cru	n.c.		15 à 20 €

Implantée à Ville-Dommange, joli village de la Petite Montagne de Reims, avec vue sur la Cité des Sacres, cette petite exploitation familiale (moins de 2 ha) est conduite depuis 1993 par Florence et Pascal Devilliers. Le vignoble s'étend sur des coteaux en 1er cru. (RM)

Un pinot noir de la récolte 2013, élevé huit mois en fût avant la mise en bouteilles. Les dégustateurs ont deviné qu'il s'agissait d'un rosé de saignée à sa robe rouge soutenu, à son nez très fruité (groseille, framboise) et à son palais puissant et complexe, aux arômes exubérants de cerise et de bonbon, qui séduit aussi par sa fraîcheur. 2016-2019 canard rôti

PASCAL DEVILLIERS, 8, rue de Saint-Lié, 51390 Ville-Dommange, tél. 03 26 49 26 08, contact@champagne-devilliers.com V r.-v.

DIDIER-DUCOS L'Ablutien

	28000	11 à 15 €

Un domaine fondé en 1950 par Adrien Didier et Yvonne Ducos, conduit depuis 2005 par leur petit-fils Nicolas Didier et son épouse Clothilde. Le vignoble couvre 8 ha sur les coteaux d'Épernay. (RM)

Composé d'une majorité de meunier (80 %), ce vin présente une attaque franche, suivie d'une belle acidité et d'une agréable finale miellée. 2016-2019 feuilletés au saumon

DIDIER-DUCOS, 9 bis, rue Julien-Ducos, 51530 Saint-Martin-d'Ablois, tél. 03 26 59 93 39, champagnedidierducos@orange.fr V t.l.j. 9h-12h 14h-18h

FRANÇOIS DILIGENT Brut nature Trois Pinots ★

	11000		30 à 50 €

Les Moutard, alliés aux Diligent, sont vignerons depuis quatre siècles à Buxeuil, en amont de Bar-sur-Seine. François Diligent élabore des champagnes sous son nom dès 1927. Une maison dirigée aujourd'hui par François Moutard, qui apprécie les bruts non dosés et les cépages rares comme le pinot blanc, cépage confidentiel encore cultivé dans l'Aube. (NM)

Trois pinots? Le pinot noir, le pinot meunier et le pinot blanc. Une vinification sous bois, un vieillissement sous liège durant plus de trois ans, aucun sucre ajouté au dosage. Il en résulte un champagne puissant et complexe, mêlant au nez la brioche, la pâte d'amandes et un boisé vanillé. 2016-2020 vol-au-vent

DILIGENT, 6, rue des Ponts, 10110 Buxeuil, tél. 03 25 38 50 73

CHAMPAGNE

DOM BACCHUS
Doux Blanc de meunier Cuvée Bassarica 2009 ★★

| 2000 | | 20 à 30 € |

En 1992, Arnaud Billard et son épouse Lydie ont pris la suite des trois générations précédentes sur le domaine familial dont ils ont porté la surface à près de 8 ha, tout en développant l'accueil. Leur vignoble est implanté sur le coteau de Reuil qui domine la Marne, tourné vers le midi. Deux étiquettes: Arnaud Billard et Dom Bacchus. (RM)

Une rareté: la mention «doux» sur l'étiquette. Les champagnes de ce style, fort prisés jusqu'au début du XXes., se comptent sans doute sur les doigts des deux mains. Le XXIes. préfère les bruts! En fait, cette douceur est très mesurée et le dosage est à la limite du demi-sec (50 g/l de sucre ajouté). Rien à voir avec ces «sirops à bulles» prisés jadis par les Russes. Arnaud Billard a mis à profit le chaleureux millésime 2009 et le meunier, qui donne des vins bien ronds. La liqueur de dosage a été élevée en fût. Le résultat: un très joli nez sur l'écorce d'orange, les fruits exotiques et fruits secs, une bouche franche à l'attaque qui ajoute le pain d'épice à la palette olfactive, une finale expressive. De la douceur, mais aussi du nerf. ⧗ 2016-2017 ¥ foie gras de canard poêlé aux coings ● **Brut nature Cuvée Prana 2007 ★ (20 à 30 €; 3000 b.)** : un vin non dosé (sans sucre ajouté), issu des deux pinots, meunier en tête. Le nez est bien typé sur la mirabelle macérée, avec des touches plus vives d'ananas et d'agrumes. En bouche, du fruit jaune encore, du fruit exotique compoté, mais une fraîcheur préservée. Un champagne de repas. ⧗ 2016-2019 ¥ carré de veau

ARNAUD BILLARD, 4, rue Bacchus, hameau de l'Échelle, 51480 Reuil, tél. 03 26 58 66 60, info@domaine-bacchus.com V r.-v. 4

DOM CAUDRON Fascinante Le Meunier ★★

| 15000 | | 20 à 30 € |

Cette marque de la coopérative de Passy-Grigny rend hommage au curé de ce village de la vallée de la Marne. Un bon vivant qui appuya, par un don de 1 000 F, la fondation de la cave en 1929. Cette dernière vinifie 130 ha cultivés par ses adhérents. (CM)

Issu d'un assemblage dominé par le meunier (90 %), un rosé charmeur à la robe saumon et tout en petits fruits. Le nez associe cassis, mûre et fraise des bois. Tout aussi fruitée, ample, chaleureuse et longue, la bouche laisse une sensation de puissance. Un rosé majuscule, qui trouvera sa place de l'apéritif au dessert. ⧗ 2016-2020 ¥ tartare de saint-jacques ● **Épicurienne Le Meunier Vieilles Vignes ★★ (20 à 30 €; 15000 b.)** : un blanc de noirs puissant, volumineux, aux plaisants arômes de fruits secs. ⧗ 2016-2019 ¥ sauté de veau

DOM CAUDRON, 22, rue Jean-York, 51700 Passy-Grigny, tél. 03 26 52 92 65, champagne@domcaudron.fr V r.-v.

PIERRE DOMI Grande Réserve ★

| 53000 | | 11 à 15 € |

Créée en 1947, cette exploitation familiale, aujourd'hui conduite par Stéphane et Thierry Lutz, les petits-fils de Pierre Domi, a son siège à Grauves, village surplombé par des falaises, à l'ouest de la Côte des Blancs. Le vignoble de 8,5 ha s'éparpille sur les coteaux sud d'Épernay. (RM)

Privilégiant le chardonnay (60 %), avec le meunier en complément, ce brut harmonieux séduit par sa fraîcheur, soulignée par des arômes intenses d'agrumes, de fruits blancs et de bonbon anglais. Parfait à l'apéritif et sur des entrées marines. ⧗ 2016-2019 ¥ tartare de bar

DOMI, 10, rue Bruyère, 51190 Grauves, tél. 03 26 59 71 03, contact@champagne-domi.com V r.-v.

♥ DOM PÉRIGNON Vintage 2004 ★★★

| | n.c. | + de 100 € |

Le champagne de prestige par excellence, nommé en hommage au «père du champagne». Chargé du vignoble et de la cave de l'abbaye de Hautvillers, dom Pérignon, à qui la tradition attribue l'invention de la méthode champenoise, montra cette maîtrise de l'art de l'assemblage qui fait les grandes cuvées. Son lointain successeur, depuis les années 1990, est le Vertusien Richard Geoffroy. La composition du Dom Pérignon reste secrète et chaque millésime est une création. Tout au plus sait-on qu'il met en œuvre du chardonnay et du pinot noir des grands crus de la Côte des Blancs et de la Montagne de Reims, ainsi que de Hautvillers, en souvenir de dom Pérignon. (CM)

Ce rosé dévoile une robe originale, cuivrée et saumonée. On aime s'attarder sur son nez qui dévoile peu à peu une palette d'une rare complexité allant de la guimauve confite au tabac toasté et fumé. La bouche, ronde et soyeuse, charme par son côté gourmand avec ses arômes de fruits rouges intenses et sa finale sur le zeste d'agrumes. Un millésime chaleureux au meilleur sens du terme. ⧗ 2016-2021 ¥ pata negra ● **P2 1998 ★★★ (+ de 100 €; n.c.)** : P2? Un nom de code maison qui désigne de vieux millésimes de plus de quinze ans. Un très bel assemblage, à la robe jaune d'or parcourue d'une bulle fine, harmonieux, puissant et captivant par la complexité de ses arômes au nez comme en bouche: fruits secs, silex, pain d'épice, orange confite. «Sublime», «exceptionnel», concluent les dégustateurs. ⧗ 2016-2021 ¥ homard rôti ● **Vintage 2006 ★★ (+ de 100 €; n.c.)** : un excellent millésime, gourmand et complexe, où l'on découvre les fruits secs, le caramel, la vanille, le thym, le romarin... Exquis! ⧗ 2016-2021 ¥ poularde truffée

MOËT & CHANDON, 20, av. de Champagne, 51200 Épernay, jbare@moet.fr r.-v. *LVMH*

DIDIER DOUÉ Sélection La Chanose ★

| 20000 | | 15 à 20 € |

Didier Doué s'est installé en 1975 sur le domaine familial et s'est équipé d'un pressoir cinq ans plus tard. Établi à 10 km à l'ouest de Troyes, il cultive 5 ha sur le coteau de Montgueux, dont les sols crayeux

sont propices au chardonnay. Il a engagé en 2009 la conversion bio de son vignoble (aujourd'hui certifié) et travaille dans l'esprit de la biodynamie, produisant en outre son électricité. (RM)

Du chardonnay majoritaire et du pinot noir en appoint dans cette cuvée plaisante par sa franchise, son équilibre et par ses notes de fleurs du verger et de fruits blancs, présentes au nez comme en bouche. ⧗ 2016-2019 🍴 feuilletés salés ● **Brut nature Les Corps (15 à 20 €; 3000 b.)** : vin cité.

⊶ *DIDIER DOUÉ, 3, voie des Vignes, 10300 Montgueux, tél. 03 25 79 44 33, doue.didier@wanadoo.fr* V r.-v.

DOURDON-VIEILLARD
Cuvée Vieilles Vignes 2008 ★★

● | 4000 | | 20 à 30 €

Héritière d'une lignée de vignerons établie depuis 1812 à Reuil, sur la rive droite de la Marne, Fabienne Dourdon a pris la relève en 2006 sur ce domaine qui commercialise son vin depuis 1958 et compte près de 10 ha. (RM)

Ce millésime est un blanc de noirs (pinot meunier à 75 %). Les dégustateurs ont été enchantés par la finesse de son nez de fruits blancs rehaussés d'une touche minérale, par son attaque sur les agrumes confits et les épices ouvrant sur une bouche ronde à la finale gourmande, fraîche et longue. ⧗ 2016-2019 🍴 volaille aux pommes

⊶ *SCEV DOURDON-VIEILLARD, 8, rue des Vignes, 51480 Reuil, tél. 03 26 58 06 38, dourdonvieillard@aol.com* V r.-v.

DOYARD-MAHÉ ★

● | 7000 | 20 à 30 €

Créé en 1927 par Maurice Doyard, cofondateur du Comité interprofessionnel du vin de Champagne, ce domaine situé dans la Côte des Blancs est géré depuis 1988 par Philippe Doyard, l'un de ses petits-fils, rejoint par sa fille Carole. Le chardonnay est à la base de ses cuvées. (RM)

Ce rosé d'assemblage de la Côte des Blancs comprend 88 % de chardonnay et du pinot noir vinifié en rouge. Au nez, de la fraise et de la pêche jaune. Au palais, rondeur et gourmandise sont au rendez-vous, accompagnées de jolis arômes de fruits rouges. ⧗ 2016-2019 🍴 veau rosé ● **Extra-brut Blanc de blancs Cuvée Désir ★ (20 à 30 €; 6000 b.)** : une cuvée élégante montrant en bouche une belle maturité au travers de séduisants arômes de mirabelle. ⧗ 2016-2019 🍴 tartare de saumon

⊶ *DOYARD-MAHÉ, 28, chem. des Sept-Moulins, Moulin d'Argensole, 51130 Vertus, tél. 03 26 52 23 85, champagne.doyard-mahe@wanadoo.fr* V r.-v.

DRAPPIER
Extra-brut Millésime Exception 2006 ★★

● | n.c. | | 75 à 100 €

Une maison auboise de renom fondée en 1808. Son actuel propriétaire, Michel Drappier, conduit un vignoble de 56 ha (dont un tiers en bio) aux environs de Bar-sur-Aube, mais il s'approvisionne aussi dans d'autres secteurs. À la cave, les sulfitages et les dosages sont mesurés. Les bouteilles de prestige vieillissent dans les vénérables caves creusées en 1152 par les moines de la proche abbaye de Clairvaux. (NM)

Une belle maturité pour ce millésime né de l'assemblage de pinot noir (60 %) et de chardonnay. Le nez charmeur, agréablement évolué, mêle les fruits secs et la prune. Une attaque plaisante ouvre sur une bouche d'une belle tenue, aux arômes puissants de miel et d'acacia. Un excellent champagne de repas. ⧗ 2016-2020 🍴 sole à la plancha ● **Carte d'Or ★ (30 à 50 €; n.c.)** : les trois cépages champenois, noirs en tête (75 % de pinot noir), composent ce brut très expressif, aux arômes intenses d'agrumes et de fruits frais, telle la pêche blanche. ⧗ 2016-2019 🍴 toasts au chaource

⊶ *DRAPPIER, 14, rue des Vignes, 10200 Urville, tél. 03 25 27 40 15, info@champagne-drappier.com* V r.-v.

DRIANT-VALENTIN

● | 20000 | | 15 à 20 €

Grauves se niche dans un vallon voisin de la Côte des Blancs ceinturé de coteaux pentus couronnés de bois. Jacques Driant cultive 8 ha de vignes aux environs, ainsi qu'à Aÿ. Son fils David suit ses pas, tradition familiale oblige: le jour même de sa naissance, il a dégusté sa première goutte de champagne! (RM)

Né des trois cépages champenois, chardonnay en tête (60 %), ce brut affiche une forte personnalité et un côté nettement minéral. On retrouve cette minéralité, associée à des notes de beurre frais et d'orgeat, dans un palais gras et crémeux. De la profondeur, du potentiel et de la jeunesse: une bouteille à attendre. ⧗ 2018-2021 🍴 fruits de mer

⊶ *JACQUES ET DAVID DRIANT, 4, imp. de la Ferme, 51190 Grauves, tél. 03 26 59 72 26, contact@champagne-driant-valentin.com* V r.-v.

HERVÉ DUBOIS Blanc de blancs Réserve ★

● Gd cru | 7000 | | 15 à 20 €

Transporteur de vins, Paul Dubois achète en 1920 des terres à Avize pour y semer du fourrage. Après 1930, il devient cultivateur et vigneron; son fils Jean spécialise l'exploitation et son petit-fils Hervé lance son champagne en 1981. Rejoint en 2012 par ses deux filles, il cultive 7 ha, dont 4,5 ha sur la Côte des Blancs. (RM)

Vinifié sans fermentation malolactique, ce pur chardonnay en provenance d'Avize, d'Oger et de Cramant est bien typé de la Côte des Blancs par son nez très frais et minéral comme par sa bouche marquée par une belle acidité aux accents d'agrumes. ⧗ 2016-2019 🍴 huîtres

⊶ *HERVÉ DUBOIS, 67, rue Ernest-Vallé, 51190 Avize, tél. 03 26 57 52 45, champagne.dubois@gmail.com* V r.-v.

J. DUMANGIN FILS Extra-brut ★

● 1er cru | 26983 | | 20 à 30 €

Représentant la cinquième génération d'élaborateurs, Gilles Dumangin a repris en 2001 les vignes familiales (5,5 ha) implantées à Chigny-les-Roses, sur le flanc nord de la Montagne de Reims. (NM)

Déjà distingué auparavant, ce rosé assemble les trois cépages champenois. Le nez puissant évoque les fruits macérés et le pruneau. La puissance se retrouve dans une bouche qui reste équilibrée, davantage centrée sur les fruits noirs que sur les fruits rouges. ⧗ 2016-2019 ↑ pigeon rôti ● **1er cru L'Extra-brut (20 à 30 €; 25299 b.)** : vin cité.

⊶ J. DUMANGIN FILS, 3, rue de Rilly, BP 23, 51500 Chigny-les-Roses, tél. 03 26 03 46 34, info@champagne-dumangin.fr V ▪ *t.l.j. sf lun. mer. dim. 10h-17h30*

DUMÉNIL
Les Pêcherines Prestige Vieilles Vignes ★

● | n.c. | ▮ | 20 à 30 €

Le fondateur Élie Duménil était vigneron et cafetier à Chigny-les-Roses. Frédérique Poret, son arrière-petite-fille, et son mari Hugues y exploitent aujourd'hui 8 ha ainsi que dans les villages voisins de Ludes et de Rilly, 1ers crus de la Montagne de Reims. (RM)

Le chardonnay joue les premiers rôles dans cette cuvée (80 %, avec le pinot noir en appoint). Un champagne expressif et gourmand aux senteurs de pâtisserie que l'on retrouve en bouche avec des arômes de petits fruits et de frangipane. Un vin puissant, une « main ferme dans un gant de velours », selon un juré. ⧗ 2016-2020 ↑ gambas flambées ● **1er cru Vieilles Vignes ★ (20 à 30 €; n.c.)** : un rosé d'assemblage rose pâle, né des trois cépages. De la fraîcheur, de la longueur et une jolie palette d'arômes: agrumes, pain d'épice, miel. ⧗ 2016-2020 ↑ saumon à l'unilatéral

⊶ DUMÉNIL, 15, rue des Vignes, 51500 Chigny-les-Roses, tél. 03 26 03 44 48, info@champagne-dumenil.com V ✗ ▪ *r.-v. ⊶ Poret*

R. DUMONT ET FILS
Extra-brut Intense Élevé en fût de chêne ★

● | 1000 | ◍ | 20 à 30 €

Installés dans un petit village des environs de Bar-sur-Aube, les Dumont perpétuent une tradition viticole qui remonte au XVIIIes. La dernière génération a constitué un coquet vignoble (24 ha) et fait construire un chai moderne inspiré de l'architecture locale avec ses parements de brique. (RM)

Composé de pinot noir (65 %) et de chardonnay, un champagne de terroir: les vins ont été vinifiés en fûts neufs fabriqués avec des merrains de la proche forêt de Clairvaux. Après trois ans sur lies, cet extra-brut surprend par sa structure tout en finesse et séduit par sa fraîcheur et sa palette complexe mariant l'abricot sec, la pâte de fruits et le pain grillé. ⧗ 2016-2019 ↑ coquilles Saint-Jacques

⊶ R. DUMONT ET FILS, 8, rue de Champagne, 10200 Champignol-lez-Mondeville, tél. 03 25 27 45 95, rdumontetfils@wanadoo.fr V ✗ ▪ *t.l.j. sf sam. dim. 9h-12h 14h-18h*

Ⓑ DUVAL-LEROY ★

● | n.c. | ◍ ▮ | 20 à 30 €

Forte d'un vignoble de 200 ha et de cinq centres de pressurage, cette maison fondée en 1859 à Vertus est la plus importante de la Côte des Blancs. Dirigée depuis 1991 par Carol Duval-Leroy, elle est restée dans le giron familial. La plupart des cuvées sont construites sur le chardonnay. (NM)

Cette cuvée bio assemble 70 % de pinot noir et 30 % de chardonnay. Elle présente un nez très fin, expressif, aux nuances de frangipane. La bouche est fraîche, citronnée, avec une pointe épicée. La belle finale laisse le souvenir d'un champagne aussi puissant qu'élégant. ⧗ 2016-2020 ↑ turbot grillé ● **Pur Chardonnay ★ (30 à 50 €; n.c.)** : des parfums gourmands de fruits confits (poire, coing) que l'on retrouve en bouche, alliés à des arômes de fruits secs (noisette, amande). De la délicatesse et une certaine étoffe. ⧗ 2016-2019 ↑ gratin de fruits de mer

⊶ DUVAL-LEROY, 69, av. de Bammental, 51130 Vertus, tél. 03 26 52 10 75, champagne@duval-leroy.com V ✗ ▪ *r.-v.*

ALBÉRIC DUVAT Cuvée Sélection

● | 20000 | 11 à 15 €

Aux origines du domaine, un viticulteur alsacien arrivé en 1870. Premiers champagnes en 1958 avec Albéric Duvat. Aujourd'hui, 10 ha, à mi-chemin entre Sézanne et Épernay, au carrefour de la Marne, de l'Aisne et de l'Aube, conduits depuis 1978 par Xavier Duvat, rejoint en 2010 par son fils Léonard. (RM)

Né des trois cépages champenois (40 % de chardonnay), un brut sans année agréable, bien dosé, harmonieux, aux arômes de fleurs blanches, de pêche et de fruits confits. Parfait pour l'apéritif. ⧗ 2016-2019 ↑ feuilletés salés

⊶ SAS XAVIER DUVAT ET FILS, 20, Grande-Rue, 51270 Fèrebrianges, tél. 03 26 59 35 69, xduvat@wanadoo.fr V ✗ ▪ *r.-v.* ⌂ Ⓑ

EDWIGE-FRANÇOIS Magic Vintage 2008

● | 30000 | 15 à 20 €

Par exception, cette étiquette n'associe pas les patronymes d'un couple de vignerons, mais leurs prénoms. Descendant de quatre générations de viticulteurs, fils de coopérateurs devenu récoltant-manipulant en 1986, François Remiot exploite avec son fils Ludovic 8 ha à l'ouest de Château-Thierry, autour de Charly-sur-Marne. (RM)

Mariant deux tiers de noirs (meunier surtout) et un tiers de blancs, ce 2008 dévoile une belle évolution qui se traduit par de plaisants arômes de mirabelle et de pêche compotées. Une longueur moyenne, mais de la complexité et de la finesse. ⧗ 2016-2018 ↑ foie gras poêlé aux pêches

⊶ EARL VAL DES HAÏS, 68, av. Fernand-Drouet, 02310 Charly-sur-Marne, tél. 03 23 82 11 26, champagne.edwige.francois@gmail.com V ✗ ▪ *r.-v.* ⌂ ③

CHARLES ELLNER Grande Réserve ★★

● | 150000 | ▮ | 15 à 20 €

Maison de négoce créée en 1905 par Charles-Émile Ellner, remueur devenu élaborateur. Les générations successives ont agrandi peu à peu le vignoble, qui compte aujourd'hui 50 ha. Jean-Pierre Ellner,

petit-fils du fondateur, est aux commandes, épaulé par ses neveux. (NM)

Née de chardonnay (60 %) et de pinot noir, élaborée sans fermentation malolactique et restée cinq ans sur lies, cette cuvée présente une très belle structure, avec beaucoup de matière et de longueur. Elle séduit aussi par sa minéralité et son fruité. ⧗ 2016-2020 🍴 feuilleté au saumon ● **1er cru ★ (15 à 20 €; 25000 b.)** : trois quarts de chardonnay et un quart de pinot noir contribuent à ce brut resté six ans sur lies. De l'équilibre, de la maturité, des arômes évolués de noix et de miel. ⧗ 2016-2019 🍴 homard sauce champagne

ELLNER, 6, rue Côte-Legris, 51200 Épernay, tél. 03 26 55 60 25, info@champagne-ellner.com V r.-v.

ESTERLIN Blanc de blancs Chardonnay

●	80000	🍾	20 à 30 €

En 1947, trois vignerons fondent à Mancy la coopérative des Coteaux d'Épernay, qui prend pour marque Esterlin. Aujourd'hui, 200 adhérents, cultivant 115 ha, et trois centres de pressurage. Le chardonnay est très présent dans les cuvées de la cave, vinifiées sans fermentation malolactique. (CM)

Ce blanc de blancs surprend par ses jolies notes vanillées et grillées, que l'on retrouve dans un palais vif en attaque, ample et riche. ⧗ 2016-2019 🍴 blanquette de lotte

ESTERLIN, 25, av. de Champagne, 51200 Épernay, tél. 03 26 59 71 52, contact@champagne-esterlin.fr r.-v.

DANIEL ÉTIENNE 2008 ★

● 1er cru	2470	🍾	20 à 30 €

Depuis quatre générations, la famille Étienne cultive la vigne à Cumières, dans la Grande Vallée de la Marne. Exposé au sud, son vignoble est connu pour sa précocité et fournit, outre des champagnes en 1er cru, des vins rouges réputés. Après le père, Jean-Marie, connu de nos premiers lecteurs, Daniel, son fils, signe la production depuis 2009. (RM)

Mi-blancs mi-noirs (pinot noir), cette cuvée offre une belle expression du millésime 2008 avec ses parfums de pêche jaune, de brugnon et d'abricot que l'on retrouve en bouche. L'acidité donne de l'allonge au palais et soutient la finale fraîche et agréable. ⧗ 2016-2019 🍴 langoustines sautées

DANIEL ÉTIENNE, 166, rue de Dizy, 51480 Cumières, tél. 03 26 55 14 33, champagne.etiennedaniel@wanadoo.fr V r.-v. 4

PASCAL ÉTIENNE Grande Cuvée ★★

●	5000	🍾	15 à 20 €

Après avoir travaillé jusqu'en 1993 avec son père Jean-Marie, Pascal Étienne a repris son domaine: 5 ha sur les communes de Cumières, d'Hautvillers et de Damery. Il signe ses cuvées depuis 2010 et a une salle de réception offrant une vue panoramique sur la vallée de la Marne. (RM)

Né d'un assemblage privilégiant le chardonnay (80 %), ce champagne surprend par son nez vineux et flatteur mariant touches beurrées et pain grillé. La bouche, quant à elle, est minérale, fraîche et longue. On y retrouve des arômes toastés, nuancés de notes gourmandes de pâtisserie. ⧗ 2016-2019 🍴 sole meunière au beurre blanc

PASCAL ÉTIENNE, 39, RN, 51530 Mardeuil, tél. 03 26 54 49 60, champagne-pascal-etienne@orange.fr V r.-v.

MICHEL FALMET Tradition ★

●	10000	🍾	11 à 15 €

Héritier de plusieurs générations d'apporteurs de raisins, Michel Falmet a spécialisé l'exploitation et développé la commercialisation du champagne à partir de 1970. Reprise par sa fille Corinne en 2004, la propriété couvre un peu plus de 3 ha tout près de Bar-sur-Aube. (RM)

Issue de pinot noir majoritaire (70 %), complétée par les deux autres cépages, cette cuvée séduit par sa belle expression de fruits rouges, framboise en tête, que l'on retrouve dans une bouche ample et bien équilibrée. ⧗ 2016-2019 🍴 lapereau en gelée

MICHEL FALMET, 3, rue Louis-Desprez, 10200 Rouvres-les-Vignes, tél. 03 25 27 20 11, champagne.michel-falmet@wanadoo.fr V r.-v.

FANIEL-FILAINE Carte verte ★

●	n.c.	🍾	15 à 20 €

Les Filaine cultivaient déjà la vigne à la fin du XVIIe s., du vivant de dom Pérignon. Les premières bouteilles ont été élaborées trois siècles plus tard, en 1992, par Jean-Louis Faniel et Patricia Filaine, installés dans la vallée de la Marne. (NM)

Mi-blancs mi-noirs (les deux pinots), un champagne dans sa maturité, complexe, mêlant au nez notes beurrées et caramel. La bouche, à l'unisson, apparaît généreuse et gourmande, avec ses arômes de fruits confits. De la richesse et du caractère. ⧗ 2016-2019 🍴 volaille forestière ● **2005 ★ (15 à 20 €; n.c.)** : un assemblage par tiers des trois cépages champenois pour ce millésime au nez complexe de poire et d'épices, souple et ample au palais, tonifié et étiré par une belle fraîcheur. ⧗ 2016-2019 🍴 foie gras poêlé

JEAN-LOUIS FANIEL, 77, rue Paul-Douce, 51480 Damery, tél. 03 26 58 62 67, champagne.faniel.filaine@wanadoo.fr V *t.l.j. sf dim. 9h-12h 14h-18h*

SERGE FAŸE Réserve ★

● 1er cru	n.c.	🍾	15 à 20 €

Le domaine a son siège rue Michel-Letellier, plus connu sous le nom de Louvois. Le ministre de la Guerre de Louis XIV avait fait construire un château dans le village sur le flanc sud de la Montagne de Reims. Serge Faÿe, qui a succédé en 1983 à son père, exploite 5 ha aux environs. (RM)

Cépage privilégié de la Montagne de Reims, le pinot noir, complété par le chardonnay, représente 80 % de cette cuvée élaborée sans fermentation malolactique. On apprécie son nez intensément floral et sa bouche dans le même registre, équilibrée et longue. ⧗ 2016-2019 🍷 turbot sauce champagne

⊸ *SCEV SERGE FAŸE, 40, rue Michel-Letellier, 51150 Louvois, tél. 03 26 57 81 66 V r.-v.*

FENEUIL-COPPÉE ★★

1er cru	5000	15 à 20 €

Annabelle et Olivier, frère et sœur, ont repris en 2000 le domaine et la marque créés par leurs parents. Leur vignoble couvre 7 ha à Chamery, village de la Montagne de Reims classé en premier cru. (RC)

Un rosé d'assemblage dominé par les raisins noirs (plus de 90 %, les deux pinots), qui tire sa couleur soutenue aux reflets framboise d'un apport de 11 % de vin rouge. Le nez discret s'ouvre sur de jolies notes de fruits rouges frais. Ces petits fruits s'épanouissent dans une bouche croquante, tout en fraîcheur, à la finale tonique. Un ensemble gourmand et élégant. ⧗ 2016-2019 🍷 soupe de fraises

⊸ *GAEC FENEUIL-COPPÉE, 9, rue des Prés-Éloys, 51500 Chamery, tél. 03 26 97 66 72, info@champagne-feneuilcoppee.com V r.-v.*

FENEUIL-POINTILLART La Belle Vie ★★

1er cru	1500		15 à 20 €

Jeannick Pointillart et Daniel Feneuil sont les héritiers de deux familles vigneronnes enracinées depuis le XVIIe s. à Chamery, 1er cru de la Montagne de Reims. Ils ont lancé leur champagne en 1972 et transmis en 2011 leur domaine (près de 7 ha) à leur fils Benjamin. (RC)

Deux tiers de noirs (les deux pinots) pour un tiers de blanc composent ce champagne vieilli cinq ans en cave. Nez intense sur le fruit mûr (pêche, abricot), le pain frais et la cannelle. Bouche à l'unisson, bien structurée, dans le même registre fruité et épicé. Charme, élégance, puissance et fraîcheur. ⧗ 2016-2019 🍷 filets de rouget et lentillon

⊸ *FENEUIL-POINTILLART, 21, rue du Jard, 51500 Chamery, tél. 03 26 97 62 35, champagne.fp@wanadoo.fr V r.-v.*

FÉRAT-CROCHET Cuvée de réserve ★

	15000		11 à 15 €

À partir de 1977, Patrick Férat a constitué sur les coteaux du Petit Morin, entre Côte des Blancs et Sézannais, un vignoble qui compte aujourd'hui 4,3 ha. Il l'a transmis en 2006 à son fils Jérôme. (RM)

Les trois cépages champenois, noirs en tête (80 %), collaborent à cette cuvée aux parfums de confiserie, de bonbon à la fraise, de framboise, nuancés d'une touche citronnée. La bouche, en harmonie avec le nez, montre une fraîcheur acidulée qui donne de l'allonge à la finale fruitée. ⧗ 2016-2019 🍷 chorizo de pata negra ● **Le Pinot noir ★ (15 à 20 €; 1000 b.)** : du pinot noir de la récolte 2008, vinifié partiellement en fût. Un rosé franc, aux arômes de fraise, de noyau, de fruits mûrs, voire confits. ⧗ 2016-2019 🍷 carré d'agneau

⊸ *JÉRÔME FÉRAT, 5, rue du Gué-Renard, 51270 Talus-Saint-Prix, tél. 03 26 52 81 76, feratcrochet@wanadoo.fr V r.-v.*

NICOLAS FEUILLATTE Blanc de blancs 2006 ★★

Gd cru	n.c.		30 à 50 €

Nicolas Feuillatte est depuis 1986 la marque du Centre Vinicole de Chouilly. Fondée en 1972, cette union de producteurs regroupe 82 coopératives, 5 000 adhérents et plus de 2 200 ha répartis dans toute la Champagne. Ses caves stockent des dizaines de millions de bouteilles. (CM)

La robe or paille annonce la palette complexe du nez, qui traduit une heureuse évolution avec ses parfums de gelée de pomme, de pâtisserie, de cire, de torréfaction (cacao, pain grillé). On retrouve ces arômes dans une bouche souple, qui a conservé une certaine vivacité. Beaucoup de personnalité pour ce millésime arrivé à son apogée. ⧗ 2016-2017 🍷 crumble aux poires et pain d'épice ● **(20 à 30 €; n.c.)** : vin cité.

⊸ *NICOLAS FEUILLATTE, Centre Vinicole Champagne, CD 40A , 51530 Chouilly, tél. 03 26 59 55 50, service-visites@feuillate.com V r.-v.*

Ⓑ FLEURY Rosé de saignée 2010 ★

●	12000		30 à 50 €

Célèbre maison de la Côte des Bar (Aube) fondée en 1895. Émile Fleury est le premier à greffer du pinot noir; Robert commercialise ses premières bouteilles en 1929 et Jean-Pierre est un pionnier de la biodynamie en Champagne: il convertit ses 15 ha dès 1989. Vingt ans plus tard, ses trois enfants entrent en scène: Morgane tient une cave à Paris, Jean-Sébastien se charge des vinifications et Benoît des vignes. (NM)

Ce rosé de saignée a été obtenu par une courte macération des grappes de pinot noir avant pressurage. Il en résulte une robe saumon soutenu aux reflets orangés, un nez généreux, entre mûre, framboise et pêche, et une bouche gourmande, crémeuse, agrémentée d'arômes de fruits compotés et de fraise des bois. ⧗ 2016-2019 🍷 tarte au chocolat ● **Robert Fleury Extra-brut 2005 ★ (30 à 50 €; 12450 b.)** Ⓑ : pas moins de quatre cépages concourent à ce millésimé (le pinot noir, le meunier, le chardonnay et le pinot blanc); élevage en fût, tirage sous liège. Le 2005 offre un nez élégant et complexe où ressortent fruits secs et pain grillé, arômes que l'on retrouve dans une bouche intense, vineuse et fraîche. ⧗ 2016-2019 🍷 cailles aux raisins

⊸ *FLEURY, 43, Grande-Rue, 10250 Courteron, tél. 03 25 38 20 28, champagne@champagne-fleury.fr V r.-v.*

FLEURY-GILLE 2005 ★

	7900		15 à 20 €

Trélou est situé au cœur de la vallée de la Marne, du côté de Dormans et en amont de Château-Thierry. Pierre-Louis Fleury était déjà vigneron dans ce village au milieu du XIXe s. Installé en 2000, son

descendant Bertrand exploite avec Christine 8 ha aux environs. (RM)

Mi-chardonnay mi-pinot noir, ce millésime présente un nez d'une belle fraîcheur et une bouche à la fois gourmande, droite et tendue. ⧗ 2016-2019 ¥ lapin aux girolles

EARL FLEURY ET FILS, 23, rue Pascal, Courcelles, 02850 Trélou-sur-Marne, tél. 03 23 70 83 99, fleury-gille@orange.fr V r.-v.

FLUTEAU Blanc de noirs ★★

	30000		15 à 20 €

À l'origine, une maison de négoce créée en 1935 par Émile Hérard, vigneron, associé à son gendre Georges Fluteau, fils d'un courtier en vins. Installé en 1996, Thierry Fluteau, lui, a préféré le statut de récoltant. Avec son épouse américaine Jennifer et leur fils Jérémy, il conduit 9 ha de vignes à l'extrême sud de la Côte des Bar. (RM)

Sur les coteaux du Barséquanais, le pinot noir est prépondérant. Les Fluteau en tirent un blanc de noirs qui a eu la même note flatteuse que l'an dernier, tant pour son nez acidulé, teinté d'orange amère et de fruits secs, que pour sa bouche élégante et longue, où l'on retrouve la même complexité, avec des notes confites et une finale marquée par l'amertume plaisante du pamplemousse. ⧗ 2016-2020 ¥ homard grillé **Cuvée réservée ★ (15 à 20 €; n.c.)** : du pinot noir (85 %) et un appoint de chardonnay pour cette cuvée vieillie trois ans en cave. Ronde et gourmande, elle dévoile des arômes de pâtisserie et offre une finale tout en douceur. ⧗ 2016-2019 ¥ mignon de veau en croûte

EARL THIERRY FLUTEAU, 5, rue de la Nation, 10250 Gyé-sur-Seine, tél. 03 25 38 20 02, champagne.fluteau@wanadoo.fr V *t.l.j. sf sam. dim. 9h-12h 14h-18h*

FOISSY-JOLY Grande Cuvée ★

	8000		11 à 15 €

Noé-les-Mallets: un village aubois au bord du ru Noé, entouré d'un amphithéâtre couvert de vignes, dans la région de Bar-sur-Seine. Installé en 2013, Frédéric Joly y conduit le domaine familial (7,5 ha) à la suite de trois générations. (RM)

Ce champagne doré à la bulle fine privilégie le pinot noir (70 %), complété par le chardonnay. Avec ses nuances de pain d'épice, le nez intéresse par son côté mûr et flatteur. La bouche, à l'unisson, est intensément aromatique et persistante. ⧗ 2016-2019 ¥ dinde rôtie **(11 à 15 €; 3000 b.)** : vin cité.

FOISSY-JOLY, 2 et 4, rue de Chatet, 10360 Noé-les-Mallets, tél. 03 25 29 65 24, contact@champagne-foissy-joly.com V *t.l.j. 9h-12h 13h30-18h; sam. dim. sur r.-v.*

FOLLET-RAMILLON Harmonie 2007 ★★

	3500		15 à 20 €

Quatre générations se sont succédé à la tête de cette exploitation. Épaulé à la cave par son fils Nicolas, œnologue, Joël Follet conduit depuis 1982 le vignoble familial implanté dans la vallée de la Marne et la Montagne de Reims. (RM)

Les trois cépages champenois ont été mobilisés pour composer ce millésimé: deux tiers de noirs et un tiers de blancs, vinifiés en fût. Un champagne jaune d'or, au nez intense et complexe, évoquant le sirop de framboise, relevé de notes poivrées. On retrouve cette complexité en bouche avec une belle attaque franche, une fraîcheur préservée et une longue finale. La vinification sous bois a conféré en outre à ce brut l'ampleur qui lui permettra d'accompagner tout un repas. ⧗ 2016-2020 ¥ faisan en cocotte **2007 (20 à 30 €; 3000 b.)** : vin cité.

SCEV FOLLET-RAMILLON, 29, Grande-Rue, 51480 Belval-sous-Châtillon, tél. 06 70 52 04 41, champagne.follet-ramillon@wanadoo.fr V *r.-v.*

FOREST-MARIÉ 2006

1er cru	3900		20 à 30 €

Thierry Forest, de Trigny (massif de Saint-Thierry, au nord-ouest de Reims), et Gracianne Marié, d'Écueil (1er cru de la Montagne de Reims au sud de la Cité des Sacres), ont uni leur destinée et leurs parcelles en 1991 et installé un pressoir dans le village du premier. Leur vignoble se répartit dans les deux secteurs. (RM)

Mi-pinot noir mi-chardonnay, ce 2006 aurait pu être plus long, mais il séduit par sa finesse et reflète bien le millésime avec ses arômes de pâtisserie, de prune mûre et de réglisse, auxquels s'ajoutent en bouche le pain d'épice et le poivre. ⧗ 2016-2019 ¥ toasts au foie gras

SCEV FOREST-MARIÉ, 20, rue de la Chapelle, 51140 Trigny, tél. 03 26 03 13 23, champagne-forest-marie@orange.fr V *r.-v.*

JEAN FORGET Réserve ★

1er cru	n.c.		15 à 20 €

Installé en 2000 sur le vignoble familial, Christian Forget est établi à Ludes, dans la Montagne de Reims. Son vignoble, en 1er cru et en grand cru, se répartit entre ce secteur et la Côte des Blancs. (RM)

Du chardonnay et du pinot noir à parité dans cette cuvée d'un jaune soutenu, au nez expressif mariant les fruits secs grillés, le miel, les fruits jaunes compotés. Dans le même registre, la bouche dévoile une belle évolution et fait preuve d'une bonne longueur. ⧗ 2016-2017 ¥ pâté en croûte à la champenoise

CHRISTIAN FORGET, 2, rue Nationale, 51500 Ludes, tél. 03 26 61 81 96, champagnejforget@aol.com V *r.-v.*

PAUL FORGET Héritage ★★

	5000		11 à 15 €

Thierry Forget, œnologue, représente la quatrième génération sur l'exploitation familiale qui couvre 14 ha répartis sur dix crus de la Montagne de Reims, de la vallée de la Marne et de celle de l'Ardre. (RM)

Le producteur écrit avec humour: «brut sans année non constant, selon les envies et les folies de l'élaborateur». Autrement dit, sa composition varie tous les ans.

«Faut-il lui faire confiance?», ajoute-t-il. À l'aveugle, le jury de l'édition 2017 a répondu oui, trois fois oui. L'assemblage met en œuvre le meunier (60 %,) le pinot noir (18 %) et le chardonnay (22 %) des récoltes 2013 et 2012. Nez tout en finesse fait de fleurs blanches et de fruits frais, bouche aussi vive qu'élégante aux arômes complexes et flatteurs, fraise des bois en tête, on est conquis. ⧗ 2016-2020 ▼ croustillant de homard ● **1er cru Forget-Chemin (15 à 20 €; 8000 b.)** : vin cité.

FORGET-CHEMIN, 15, rue Victor-Hugo, 51500 Ludes, tél. 06 80 13 15 18, champagne.forget.chemin@gmail.com V t.l.j. 9h-12h 13h30-16h30; sam. dim. sur r.-v.

FRANÇOIS-BROSSOLETTE Blanc de blancs Cuvée Dame Nesle ★

● | 9600 | | 15 à 20 €

Six générations se sont succédé sur le domaine implanté à Polisy, village situé à la confluence de la Seine et de la Laigne, dans la Côte des Bar (Aube). La marque, lancée en 1991, réunit le nom du vigneron et le patronyme de son épouse, Sylvie François. Le vignoble s'étend sur 14 ha. (RM)

Dame Nesle? Le nom du lieu-dit où sont plantés les chardonnays à l'origine de cette cuvée. Un blanc de blancs au nez bien ouvert et frais, mêlant notes végétales et fleurs blanches. L'attaque est franche, tonique, avec une empreinte minérale plaisante, complétée par de jolis arômes de fruits blancs. ⧗ 2016-2018 ▼ noix de Saint-Jacques

FRANÇOIS-BROSSOLETTE, 42, Grande-Rue, 10110 Polisy, tél. 03 25 38 57 17, francois-brossolette@wanadoo.fr V r.-v.

FRESNE DUCRET Origine ★

● | 20000 | | 15 à 20 €

Sept générations de viticulteurs, premiers champagnes en 1946. Après avoir vinifié en Bourgogne et en Nouvelle-Zélande, puis épaulé ses parents, Pierre Fresne a pris en 2006 les rênes du domaine: 6 ha autour de Ville-Dommange, au sud de Reims. (RM)

Presque un blanc de noirs (les deux pinots), à 5 % de chardonnay près. Robe dorée, typée blanc de noirs, bouquet s'ouvrant sur un plaisant fruité, où les agrumes côtoient la poire, la pêche de vigne et les fruits confits. Un fruité complexe que l'on retrouve en bouche avec beaucoup de vivacité. ⧗ 2016-2019 ▼ canapés de rillettes de canard

SCEV JA MILAUR, 10, rue Saint-Vincent, 51390 Ville-Dommange, tél. 03 26 49 24 60, champagne.fresne.ducret@gmail.com V r.-v.

FRESNET-JUILLET Blanc de blancs Carte Blanche ★

● | 5000 | | 15 à 20 €

Gérard Fresnet décide en 1952 d'élaborer ses champagnes et consacre de longues années (entre 1955 et 1997) à creuser à la main ses caves dans la craie. Son fils Vincent a pris le relais en 1991 et a aménagé une nouvelle cuverie et un site de pressurage; il exploite près de 6 ha entre la Montagne de Reims et la Grande Vallée de la Marne. (NM)

Ce blanc de blancs introduit dans un univers complexe de torréfaction, avec des nuances de praline, de fève de cacao, de noisette et d'amande. Complexité également appréciée dans une bouche très riche aux arômes de miel et de fruits secs. Un champagne de repas. ⧗ 2016-2019 ▼ pavé de sandre rôti

FRESNET-JUILLET, 10, rue de Beaumont, 51380 Verzy, tél. 03 26 97 93 40, info@champagne-fresnet-juillet.com V r.-v.

DENIS FRÉZIER Extra-dry ★

● | 5000 | 11 à 15 €

Le premier des Frézier vignerons naquit en 1799. Alfred Frézier commence la commercialisation des champagnes en 1935. Depuis 2001, c'est son petit-fils Sébastien, fils de Denis, qui gère l'exploitation: près de 6 ha entre coteaux d'Épernay, Côte des Blancs et Grande Vallée de la Marne. (RC)

Un extra-dry est à mi-chemin entre le brut et le demi-sec (ici, dosage à 20 g/l de sucre). Né de meunier (70 %) et de chardonnay, celui-ci séduit par son attaque, son palais bien structuré et harmonieux. Le dosage, réussi, laisse se manifester au nez comme en bouche une belle fraîcheur soulignée de notes d'agrumes. ⧗ 2016-2019 ▼ charlotte aux fraises

DENIS FRÉZIER, 50, rue Gaston-Poittevin, 51530 Monthelon, tél. 03 26 59 70 16, contact@champagne-frezier.com V r.-v.

GABRIEL-PAGIN FILS Cuvée Roger Gabriel 2006 ★

● 1er cru | 4391 | | 20 à 30 €

Propriété fondée en 1946 dans la Grande Vallée de la Marne. Aurélien Gabriel, œnologue, qui représente la troisième génération, en a pris les commandes en 2012. Il dispose de 9,5 ha autour d'Avenay-Val-d'Or et dans la Côte des Blancs. Exploitation certifiée haute valeur environnementale. (RM)

Après dix années en cave, dont huit sur lattes, cette cuvée dédiée au fondateur de la propriété révèle une heureuse évolution dans ses jolis parfums de confiture de coings et de mirabelles. L'élevage sur lies de neuf mois a apporté une structure fondue, ronde, et le cépage maintient une belle fraîcheur. ⧗ 2016-2019 ▼ sandre sauce au beurre

GABRIEL-PAGIN FILS, 4, rue des Remparts, 51160 Avenay-Val-d'Or, tél. 03 26 52 31 03, gabriel.pagin@wanadoo.fr V r.-v. *M.-C. Gabriel*

GALLIMARD PÈRE ET FILS ★

● | 8000 | 15 à 20 €

Des Gallimard qui rencontrent souvent les éditions Hachette. Cette famille des Riceys, important village viticole de la Côte des Bar (Aube), a élaboré ses premiers champagnes en 1930. Installé sur l'exploitation en 1989, Didier Gallimard conduit 10 ha plantés majoritairement de pinot noir. (NM)

Du pinot noir majoritaire (80 %), complété par le chardonnay. Avec son nez puissant sur les fruits rouges à noyau, sa bouche agréable et bien équilibrée aux arômes de fruits rouges macérés dans l'eau-de-vie, c'est un rosé intense, qui ne manque pas de caractère. ⧗ 2016-2019 ¥ pigeonneau en sauce

⊶ *EARL GALLIMARD PÈRE ET FILS, 18-20, rue Gaston-Cheq, BP 23, 10340 Les Riceys Cedex, tél. 03 25 29 32 44, champ.gallimard@wanadoo.fr* V *t.l.j. 9h-12h 13h30-17h30; sam. sur r.-v.*

GARDET Réserve ★

●	10000		20 à 30 €

Négociant à Mareuil-sur-Aÿ, Charles Gardet fonda sa maison en 1895, puis l'installa à Dizy d'abord, puis à Épernay. Son fils Georges à sa suite la déplaça à Chigny-les-Roses. Depuis, les dirigeants de la maison (aujourd'hui la famille Prieux) se sont succédé et sont demeurés dans la Montagne de Reims. Stéphanie Sucheyre, œnologue, officie en cave. (NM)

Les trois cépages champenois à parts égales composent cette cuvée qui contient 25 % de vins de réserve vieillis sous bois. On aime les reflets lumineux de sa robe à la bulle fine et son nez élégant, subtilement floral. La bouche tout en fruits, tendue par une belle acidité, montre un réel équilibre; ses arômes de fruits secs et de fruits confits surprennent agréablement. ⧗ 2016-2019 ¥ dinde rôtie ● **Pol Gardere ★ (11 à 15 €; 200000 b.)** : cette cuvée mariant les deux pinots est presque un blanc de noirs (5 % de chardonnay). Premier nez agréable, sur la pomme et la poire mûres; bouche expressive, ample et longue, mêlant notes grillées et arômes de fruits secs. ⧗ 2016-2019 ¥ feuilletés au parmesan

⊶ *GARDET, 13, rue Georges-Legros, 51500 Chigny-les-Roses, tél. 03 26 03 42 03, info@champagne-gardet.com* V *r.-v.* ⊶ *Prieux*

GAUDINAT-BOIVIN Grande Réserve

●	14000		11 à 15 €

D'ancienne souche vigneronne, les frères Hervé et David Gaudinat sont installés sur la rive gauche de la Marne et exploitent 6 ha à Festigny, Leuvrigny et Œuilly. La famille élabore ses champagnes depuis les années 1950 – sous la marque Gaudinat-Boivin depuis 1970. (RM)

Les deux pinots à parts égales composent 60 % de cette cuvée au nez charmeur, élégant, aux arômes de fruits cuits (fruits blancs, abricot) que l'on retrouve avec plaisir dans une bouche gourmande. Pour l'apéritif comme pour la table. ⧗ 2016-2019 ¥ rôti de veau

⊶ *EARL GAUDINAT-BOIVIN, 6, rue des Vignes, Le Mesnil - Le Huttier, 51700 Festigny, tél. 03 26 58 01 52, ch.gaudinat.boivin@wanadoo.fr* V *r.-v.*

GAUTHIER-CHRISTOPHE Réserve ★

●	37000		11 à 15 €

Issus d'une lignée de viticulteurs, Serge Gauthier et son épouse Jacqueline Christophe créent la marque Gauthier-Christophe en 1988 et transmettent leur vignoble à Laurent et à Catherine. Installée à Chouilly (Côte des Blancs), la famille cultive les trois cépages champenois sur 6 ha. (RM)

Ce brut sans année assemble les trois cépages champenois, avec 60 % de noirs (pinot noir surtout). Le nez surprend par ses notes évoluées de citron confit, de brioche et d'amande, prélude à une bouche opulente qui destine ce champagne au repas. ⧗ 2016-2019 ¥ chapon rôti

⊶ *SCEV GAUTHIER, 4, rue Saint-Vincent, 51530 Chouilly, tél. 03 26 55 40 02, champagne.gauthier.christophe@wanadoo.fr* V *r.-v.*

MICHEL GENET Blanc de blancs Esprit ★★

● Gd cru	40000		15 à 20 €

Michel Genet a lancé son champagne en 1965. Ce sont maintenant ses enfants, Vincent et Antoine, qui perpétuent l'exploitation. Le vignoble s'étend sur 9 ha, dont 7 implantés dans les prestigieux grands crus de Cramant et de Chouilly, dans la Côte des Blancs. (RM)

Ce blanc de blancs séduit tout au long de la dégustation, avec ses parfums d'agrumes et de nectarine et sa bouche intensément fruitée, consistante, harmonieuse et persistante, qui finit sur une touche provençale de romarin. ⧗ 2016-2020 ¥ makis de homard, avocat et sésame ● **Gd cru Blanc de blancs Réserve 2010 ★ (20 à 30 €; 9000 b.)** : une belle expression pour ce millésime, dans un style précis, net, élégant. Ses arômes de fleurs blanches, de menthe, d'abricot et de pain grillé sont très flatteurs. ⧗ 2016-2020 ¥ pavé de cabillaud rôti

⊶ *MICHEL GENET, 27-29, rue des Partelaines, 51530 Chouilly, tél. 03 26 55 40 51, champagne.genet.michel@wanadoo.fr* V *r.-v.*

GEOFFROY Expression ★

● 1er cru	72000		15 à 20 €

Perpétuant une tradition vigneronne remontant au XVIIe s., Jean-Baptiste Geoffroy est installé depuis 2006 à Aÿ, dans les locaux d'une ancienne coopérative. Ses racines sont à Cumières, village sur la rive droite de la Marne, presque en face d'Épernay, où il cultive 13,5 ha. Il a succédé à René, bien connu de nos premiers lecteurs. (RM)

Issue en grande majorité de raisins noirs (90 %, les deux pinots), cette cuvée est portée par une belle fraîcheur et révèle de jolis arômes de fruits blancs, d'agrumes et d'aubépine. Sa tension fera merveille à l'apéritif ou sur du poisson. ⧗ 2016-2020 ¥ copeaux de parmesan ● **Rosé de saignée ★ (20 à 30 €; 22000 b.)** : le terme «rosé de saignée» indique un champagne né de la macération de raisins noirs (ici de pur pinot noir). Il en résulte une robe colorée tirant sur le rouge, des arômes intenses de cerise et une belle vinosité. ⧗ 2016-2019 ¥ filet mignon aux cerises

⊶ *GEOFFROY, 4, rue Jeanson, 51160 Aÿ, tél. 03 26 55 32 31, info@champagne-geoffroy.com* V *r.-v.*

GEORGETON-RAFFLIN Réserve ★

● 1er cru	7500		11 à 15 €

Petite exploitation familiale (un peu plus de 3 ha) constituée par quatre générations au sein de la Mon-

CHAMPAGNE

tagne de Reims. Bruno Georgeton, installé en 1976, a été rejoint en 2006 par son fils Rémi. (RM)

Mariant les trois cépages champenois par tiers, ce brut offre un nez très agréable avec ses arômes de fruits jaunes, de mangue et d'ananas, que l'on retrouve en bouche avec de la mâche et une belle tension. Si sa fraîcheur convient pour l'apéritif, ce champagne est assez étoffé pour paraître à table. ⧗ 2016-2020 🍴 saint-pierre rôti

● **1er cru Rosé de saignée ★ (15 à 20 €; 1200 b.)** : délicatesse, élégance, minéralité, croquant: voici les termes qui résument ce rosé de saignée, issu de la macération des deux pinots. ⧗ 2016-2019 🍴 carré d'agneau

GEORGETON-RAFFLIN, 25, rue Victor-Hugo, 51500 Ludes, tél. 03 26 61 13 14, champagne.georgeton.rafflin@wanadoo.fr V *t.l.j. 8h-19h*

♥ PIERRE GIMONNET ET FILS
Non dosé Blanc de blancs Œnophile 2008 ★★

● 1er cru | 50000 | 30 à 50 €

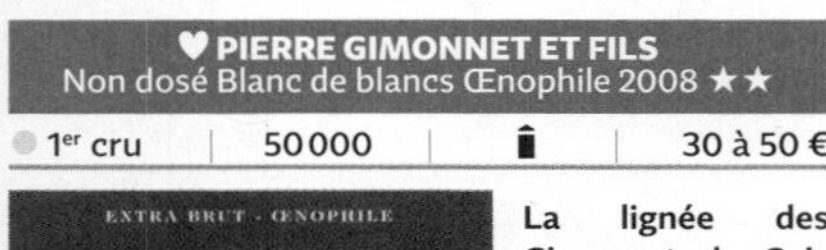

La lignée des Gimonnet de Cuis remonte au XVIIIe s. Le champagne naît en 1930, avec Pierre. Installés en 1996, ses petits-fils Didier et Olivier sont à la tête d'un vaste domaine (28 ha) planté pour l'essentiel de chardonnay en grand cru et 1er cru dans la Côte des Blancs. (RM)

Les Gimonnet pratiquent de faibles dosages. Pour le millésime 2008, ils ont osé un brut nature, non dosé, en choisissant leurs meilleurs terroirs dans les communes de Cramant, de Chouilly, d'Oger (grands crus), de Cuis et de Vertus (1er cru). Ce champagne s'exprime merveilleusement au nez, libérant des parfums vanillés, briochés et des notes d'agrumes confits. Fraîche et gourmande, la bouche est délicate et mûre. Une rare harmonie, «du soleil». Une superbe image d'un grand millésime. ⧗ 2016-2020 🍴 plateau de fruits de mer

PIERRE GIMONNET ET FILS, 1, rue de la République, 51530 Cuis, tél. 03 26 59 78 70, info@champagne-gimonnet.com V *r.-v.*

GIMONNET-GONET Tradition ★

● | 20000 | 15 à 20 €

Tous deux issus de lignées bien connues de la Côte des Blancs, Philippe Gimonnet et son épouse Anne Gonet lancent leur champagne en 1986 et agrandissent leur domaine: 15 ha aujourd'hui, dont l'essentiel dans quatre grands crus de blancs et quelques autres dans la vallée de la Marne. Leur fils Charles les a rejoints en 2012. (RM)

Mi-chardonnay mi-pinot noir, ce brut offre une première approche élégante avec ses senteurs de fleurs blanches. Gourmand en bouche, il séduit par sa fraîcheur soulignée par de jolis arômes d'agrumes. ⧗ 2016-2019 🍴 flétan sauce hollandaise

GIMONNET-GONET, 225, rue du Bas-des-Auges, 51190 Le Mesnil-sur-Oger, tél. 09 82 29 93 15, contact@champagne-gimonnet-gonet.com V *r.-v.*

LIONEL GIRARD ET FILS Tradition ★

● | 8000 | 11 à 15 €

Quatre générations de viticulteurs sur la rive droite de la Marne. Comme ses parents, Lionel Girard est coopérateur; disposant d'un petit vignoble de 1,5 ha, il lance sa marque en 1983. Son fils Joris l'a rejoint en 2007. (RC)

Presque un blanc de noirs (de meunier), à 5 % de chardonnay près. Le nez est expressif, sur l'orange, la poire et la brioche. Une attaque fraîche et agréable ouvre sur une bouche équilibrée, gourmande, aux arômes de pêche jaune et de brugnon au sirop, tonifiée par une finale citronnée. ⧗ 2016-2019 🍴 tarte aux mirabelles

LIONEL GIRARD, 4, ruelle du Pot-d'Étain, 51480 La Neuville-aux-Larris, tél. 03 26 52 14 58, champagne@champagnelionelgirard.com V *r.-v.*

J. GOBANCÉ

● | 2000 | 15 à 20 €

En 1962, Gaston Gobancé, agriculteur de la vallée de l'Ardre, plante des vignes. Le domaine élabore ses champagnes depuis 1990. Il est conduit depuis 2010 par les frères Gobancé, Stéphane, Emmanuel et Cédric. Le vignoble compte 10 ha répartis dans cinq communes, dans la vallée de la Marne (jusqu'à Château-Thierry) et dans celle de l'Ardre. (RM)

Né d'un assemblage des trois cépages champenois, avec une majorité écrasante de meunier, un rosé saumon clair, au nez frais, élégant, sur les fruits blancs et les fruits exotiques. La bouche est franche, croquante, de belle intensité. ⧗ 2016-2019 🍴 rillettes de saumon

JOËL GOBANCÉ, 17, pl. Saint-Martin, 51170 Savigny-sur-Ardres, tél. 03 26 97 42 39, cgobance@gmail.com V *r.-v.*

PIERRE GOBILLARD Authentique ★

● | 60000 | 15 à 20 €

Cette maison de négoce est établie dans la vallée de la Marne à l'entrée du village d'Hautvillers, le «berceau du champagne» où officia dom Pérignon. Hervé et Florence Gobillard, à sa tête depuis 1990, transmettent l'exploitation à leurs enfants Pierre-Alexis et Chloé. (NM)

Les trois cépages champenois sont assemblés à parts sensiblement égales dans cette cuvée qui séduit par la complexité de son nez mêlant fleurs, fruits frais et fruits secs. Les dégustateurs ont également apprécié son expression en bouche où l'on reconnaît l'empreinte des raisins noirs. ⧗ 2016-2019 🍴 poulet au champagne

PIERRE GOBILLARD, 341, rue des Côtes-de-L'Héry, 51160 Hautvillers, tél. 03 26 59 45 66, info@champagne-gobillard-pierre.com V *t.l.j. 9h-12h 14h-18h*

J.-M. GOBILLARD ET FILS Tradition

● | 500000 | 15 à 20 €

Sandrine, Jean-François, Philippe et Thierry Gobillard sont les petits-enfants de Gervais et les enfants de Jean-Marie Gobillard. Le premier créa le vignoble en

1945, le second lança sa marque dix ans plus tard. Les vignes couvrent 25 ha autour d'Hautvillers, village de la vallée de la Marne où officia dom Pérignon. Deux étiquettes: Gervais et J.-M. Gobillard. (NM)

Né d'un assemblage pratiquement par tiers des trois cépages champenois, un brut sans année élégant et délicat avec son nez floral et sa bouche bien équilibrée. 2016-2019 feuilletés au fromage

J.-M. GOBILLARD ET FILS, 38, rue de l'Église, 51160 Hautvillers, caveau@champagne-gobillard.com
V *r.-v.*

SABINE GODMÉ Blanc de blancs

1er cru	10 000		20 à 30 €

Le champagne Godmé existe depuis 1930. Après une expérience aux États-Unis, Sabine Godmé a repris avec son époux le domaine créé par ses arrière-grands-parents dans la Montagne de Reims et apposé son prénom sur l'étiquette familiale. Le vignoble est réparti entre trois grands crus, Verzenay, Verzy et Beaumont-sur-Vesle, et deux 1ers crus,Ville-Dommange et Villers-Marmery. (RM)

Un nez tout en fleurs blanches, une bouche fraîche et franche: une belle réussite pour ce pur chardonnay de la Montagne de Reims. 2016-2018 gougères

SABINE GODMÉ, 1, rue du Phare, 51360 Verzenay, contact@champagne-godme-sabine.fr
V *t.l.j. 10h-13h 14h-18h*

PAUL GOERG Blanc de blancs ★

1er cru	80 000	30 à 50 €

Créée en 1950, une coopérative implantée à Vertus, village du sud de la Côte des Blancs classé en 1er cru. En 1984, elle a lancé sa marque en hommage à un ancien maire de la commune. Elle dispose d'un vignoble de 120 ha où le chardonnay est majoritaire. (NM)

Un blanc de blancs au nez minéral et citronné, aussi séduisant par son attaque fraîche marquée par une effervescence onctueuse que par sa belle finale aux arômes de fruits blancs compotés. 2016-2019 chaource **Extra-brut Absolu ★ (30 à 50 €; 10 000 b.)** : un blanc de blancs tout en fraîcheur printanière, aux saveurs toniques et citronnées. Parfait pour les produits de la mer. 2016-2019 huîtres

PAUL GOERG, 30, av. du Gal-Leclerc, 51130 Vertus, tél. 03 26 52 15 31, info@champagne-goerg.com
V *t.l.j. sf sam. dim. 9h-12h 14h-17h30*

MICHEL GONET Extra-brut Blanc de blancs 2010

Gd cru	30 000		20 à 30 €

Maison créée en 1802, développée par Michel Gonet (né en 1935) et dirigée par sa fille Sophie Signolle et ses deux frères Charles-Henri et Frédéric. Aujourd'hui, un vignoble de 37 ha avec des parcelles bien situées dans la Côte des Blancs (Le Mesnil-sur-Oger, Oger, Vertus), dans l'Aube et le Sézannais. Par ailleurs, la famille possède six châteaux dans le Bordelais. (RM)

Ce chardonnay de la Côte des Blancs délivre de multiples saveurs au nez et en bouche: crème d'amande citronnée, agrumes confits, menthe, tilleul. Un champagne tout en finesse qui sera parfait à l'apéritif, sous la tonnelle. 2016-2019 verrines crevettes-pamplemousse

SCEV MICHEL GONET, 196, av. Jean-Jaurès, 51190 Avize, tél. 03 26 57 50 56, info@gonet.fr
V *r.-v.* 5

PHILIPPE GONET Blanc de blancs Roy Soleil ★

Gd cru	12 040		30 à 50 €

Maison datant de 1830 et disposant en propre de 19 ha disséminés dans les principaux terroirs de l'appellation. Depuis 2001, elle est conduite par Pierre Gonet et sa sœur Chantal Brégeon, enfants de Philippe. La maison est installée au cœur de la Côte des Blancs et le chardonnay est très présent dans sa gamme. (NM)

Issu du terroir du Mesnil-sur-Oger et vinifié six mois en fût, ce blanc de blancs séduit par son intensité et sa belle acidité. Sa palette mêle les agrumes à des arômes élégants d'épices, de miel et de fruits blancs bien mûrs. 2016-2019 tartare de daurade aux agrumes

SAS PHILIPPE GONET, 1, rue de la Brèche-d'Oger, 51190 Le Mesnil-sur-Oger, tél. 03 26 57 53 47, office@champagne-philippe-gonet.com V *r.-v.*

GONET SULCOVA Chardonnay Cuvée Gaïa Vieilli en fût de chêne ★

Gd cru	9 000		30 à 50 €

Domaine créé au début du XXe s. par Charles Gonet et développé par son fils Jacques. Vincent Gonet et son épouse Davy Sulcova en prennent les rênes en 1985, lancent leur marque et s'installent à Épernay. Leurs enfants Yan-Alexandre et Karla ont pris le relais en 2006. Ils exploitent 16 ha dans la Côte des Blancs et à Montgueux, dans l'Aube. (RM)

Une vinification sans fermentation malolactique et six mois d'élevage en fût dessinent un vin complexe, à la structure ferme, tonique et équilibrée. Ses parfums d'agrumes et de fleurs le rendent très élégant. 2016-2019 sole grillée

SCEV BEAUREGARD, 13, rue Henri-Martin, 51200 Épernay, tél. 03 26 54 37 63, fagonet@wanadoo.fr
V *r.-v.* *Gonet*

♥ GOSSET Grand Rosé ★★

	120 000		50 à 75 €

« La plus ancienne maison de la Champagne », fondée en 1584 – avant que le vin de la région ne prît mousse – par Pierre Gosset, échevin d'Aÿ et propriétaire de vignes. À l'époque, les vins de cette ville, souvent rouges, rivalisaient à la cour avec ceux de Beaune. Après Pierre Gosset, treize générations se sont succédé. La société est aujourd'hui dans le giron du groupe Renaud-Cointreau. Les cham-

pagnes Gosset ne font pas leur fermentation malolactique. (NM)

La maison et son chef de cave ont été à l'honneur dans notre édition précédente. Hélas, ce dernier, Jean-Pierre Mareigner, a été emporté par la maladie en mai 2016. Ce fils de vigneron, natif d'Aÿ, avait exercé à son poste durant trente-trois ans, créant la cuvée Celebris et diminuant les dosages. Ce brillant rosé apparaîtra comme son testament, même si le pinot noir, cépage chéri de la maison, s'efface devant le chardonnay (58 %, pour 42 % de pinot noir, dont 7 % vinifiés en rouge). D'un orangé brillant, il révèle peu à peu de belles surprises : un nez superbe, mêlant la groseille, la pâte de fruits, le poivre blanc ; une bouche à la fois chaleureuse et croquante, aux saveurs riches de pêche de vigne, de fruits charnus. Une réelle originalité. ⧗ 2016-2019 ¥ filet de rouget grillé au poivre ● **Grand Millésime 2006 ★ (50 à 75 €; 70000 b.)** : du pinot noir (55 %) et du chardonnay à parts presque égales dans ce 2006 à la bouche élégante, énergique et tonique. Ses arômes d'orange confite et ses notes mentholées tirant sur l'eucalyptus signent une belle typicité pour ce millésime. ⧗ 2016-2018 ¥ noix de Saint-Jacques aux agrumes

GOSSET, 12, rue Godart-Roger, 51200 Épernay, tél. 03 26 56 99 56, info@champagne-gosset.com V ▪ *r.-v.* *Renaud-Cointreau*

J.-M. GOULARD Orphise ★★

●	12000	▮	15 à 20 €

Implanté à Prouilly, dans le massif de Saint-Thierry, ce vignoble familial couvre 8 ha aujourd'hui. Paul Goulard plante les premières vignes. Jean-Marie Goulard commercialise les premières bouteilles au cours des années 1970 et monte la cuverie. Il a cédé les rênes du domaine en 2015 à ses trois fils Sylvain, Damien et Sébastien – l'œnologue de la maison. (RM)

Un rosé de noirs mariant les deux pinots (meunier en majorité), auquel un apport de vin rouge (15 %) donne une couleur éclatante aux reflets framboise. Le nez élégant marie la cerise confite et les fruits rouges des bois. La bouche tout en fruits frais séduit par sa mousse crémeuse et sa matière ciselée. ⧗ 2016-2020 ¥ carré d'agneau

EARL GOULARD, 13, Grande-Rue, 51140 Prouilly, tél. 03 26 48 21 60, contact@champagne-goulard.com V ▪ ▪ *r.-v.* ❷ ©

J.-L. GOULARD-GÉRARD Sublime Élevé en fût de chêne ★

●	1740	◍	20 à 30 €

Jean-Luc et Florence Goulard, épaulés par leurs enfants Lucile et Pierre, exploitent 6 ha dans quatre communes du massif de Saint-Thierry, au nord-ouest de Reims. (RM)

Mariant le chardonnay (60 %) et le pinot noir, cette cuvée séduit par la belle intensité de son nez aux nuances de vanille, de pamplemousse rose et de fruits blancs. Un séjour de six mois en fût a donné de l'ampleur à sa bouche intense et harmonieuse, où l'on retrouve les arômes de l'olfaction. ⧗ 2016-2019 ¥ foie gras en croûte

J.-L. GOULARD-GÉRARD, 4, rue de la Couture, 51140 Trigny, champagnejlgoulard@orange.fr V ▪ ▪ *t.l.j. sf dim. 8h-18h30*

GOULIN-ROUALET Blanc de noirs ★★

● 1er cru	2500	20 à 30 €

Petit domaine familial issu du mariage d'une demoiselle Roualet avec un monsieur Goulin, qui furent apporteurs de raisins, puis coopérateurs. Installé en 1990, Christophe Goulin devient récoltant-manipulant. Rejoint en 2013 par sa fille Marine, il exploite 3,5 ha à Sacy et dans trois villages voisins de la « Petite Montagne de Reims », aux portes de la Cité des Sacres. (RM)

Né de pur pinot noir, ce blanc de noirs attire le regard avec sa robe jaune paille et charme par ses parfums flatteurs de petits fruits rouges où ressort la framboise. L'attaque vive ouvre sur une bouche puissante et fruitée, à l'unisson du nez. Une remarquable expression du cépage. ⧗ 2016-2020 ¥ carré de veau ● **1er cru Cuvée sous bois ★ (30 à 50 €; 2000 b.)** : vinifié et élevé en fût sur lies pendant douze mois, ce champagne mi-pinot noir mi-chardonnay, élégant, tout en finesse, sera parfait pour l'apéritif. ⧗ 2016-2019 ¥ feuilletés au comté

GOULIN-ROUALET, 2, rue Saint-Vincent, 51500 Sacy, tél. 03 26 49 22 77, goulin-roualet@wanadoo.fr V ▪ *r.-v.*

GUSTAVE GOUSSARD Prestige ★

●	990	15 à 20 €

Installé près des Riceys, diplômé de la faculté d'œnologie de Dijon, Didier Goussard s'est associé en 1989 avec sa sœur et son beau-frère (Goussard et Dauphin). Après la disparition de ce dernier, il a créé ce négoce en 2013, avec la marque Gustave Goussard. Le vignoble maison est conduit en bio certifié depuis 2014. (NM)

Né d'un assemblage de chardonnay (60 %) et de pinot noir, un champagne séduisant par la diversité de ses arômes : fruits blancs bien mûrs, amande et autres fruits secs. Charnu et franc, le palais fait preuve d'un très bel équilibre. Du caractère. ⧗ 2016-2019 ¥ saint-jacques au citron

DIDIER GOUSSARD, SARL du Val de Sarce, 2, chem. Saint-Vincent, 10340 Avirey-Lingey, tél. 03 25 29 30 03, gustave.goussard@orange.fr V ▪ ▪ *r.-v.*

H. GOUTORBE Cuvée Tradition ★

●	70000	▮	15 à 20 €

Au début du XXe s., à l'époque où le vignoble champenois devait se reconstituer, Émile Goutorbe s'est fait pépiniériste viticole. Henri a agrandi peu à peu son domaine et s'est lancé dans la manipulation après la dernière guerre. Son fils René et ses enfants Élisabeth et Étienne exploitent aujourd'hui 22 ha et gèrent un hôtel à Aÿ. (RM)

Complété par les deux autres cépages, le pinot noir (70 %) domine dans cette cuvée : nez puissant de fruits confits et de fruits secs, bouche souple en attaque, d'une belle ampleur, aux arômes de fruits compotés, rafraîchie par une finale citronnée. Parfait à l'apéritif. ⧗ 2016-2019 ♈ aspic de lapereau

⊶ *GOUTORBE, 9 bis, rue Jeanson, 51160 Aÿ, tél. 03 26 55 21 70, info@champagne-henri-goutorbe.com* V 🚶 ▣ *t.l.j. sf dim. 9h30-12h 14h-17h*

ANDRÉ GOUTORBE ET FILS Plaisir d'Antan Élevé en fût de chêne ★★

● | 3000 | ⦀ | 20 à 30 €

La famille Goutorbe, qui cultive la vigne depuis 1875, a lancé son champagne dès 1902. Après Victor, Armand et André, David s'est installé en 2000. Son vignoble de 12 ha est implanté dans la vallée de la Marne, non loin d'Épernay. Les cuvées de la propriété restent au moins trois ans sur lies. (RM)

Composée des trois cépages champenois à parité, cette cuvée présente un nez intense et flatteur mariant les fruits exotiques et la brioche. Dans le même registre, la bouche séduit par sa grande fraîcheur et sa longueur. Pour l'apéritif comme pour la table. ⧗ 2016-2020 ♈ bar de ligne sauce crémée ● **Tradition ★ (11 à 15 €; 35000 b.)** : un blanc de blancs vinifié et élevé en fût, tiré sous liège et resté cinq ans en cave. Un champagne d'amateurs, au boisé bien fondu, à la structure vive et ample. Le séjour dans le chêne lui a légué de subtils parfums de noisette. ⧗ 2016-2019 ♈ carré de veau aux girolles

⊶ *ANDRÉ GOUTORBE ET FILS, 6, rue Georges-Clemenceau, 51480 Damery, tél. 03 26 58 43 47, champ.goutorbe-andre@wanadoo.fr* V 🚶 ▣ *r.-v.*

GRANZAMY Prestige ★★

● | 27000 | ▮ | 15 à 20 €

Reprise par Béatrice et Raphaël Lamiraux au début des années 2000, cette structure familiale établie à Venteuil dans la vallée de la Marne a commercialisé ses premières bouteilles avant 1914. (NM)

Les deux pinots et le chardonnay (40 %) collaborent à cette remarquable cuvée, au nez intense et gourmand de fruits compotés, de tarte chaude. Dans le même registre, la bouche se montre ample en attaque, charnue, tonique, de belle longueur. L'alliance élégante de la fraîcheur et de la maturité. ⧗ 2016-2020 ♈ chapon rôti

⊶ *SAS GRANZAMY, 15, rue de Champagne, 51480 Venteuil, tél. 03 26 58 60 62, champ.granzamy@orange.fr* V 🚶 ▣ *r.-v.* ⊶ *Lamiraux*

ALFRED GRATIEN ★★

● | n.c. | ⦀ | 30 à 50 €

Une maison fondée en 1864 par Alfred Gratien, rachetée en 2000 par le groupe allemand Henkell & Co., qui a rassemblé de nombreuses marques européennes d'effervescents. Elle a conservé son chef de cave, Nicolas Jaeger, quatrième du nom à travailler pour la marque et à en garder les traditions (absence de fermentation malolactique, élevage des vins de base en pièces champenoises de réemploi). (NM)

Une fois de plus, les champagnes de la maison sont en bonne place dans la sélection. Le brut sans année, issu des trois cépages champenois, assemble le chardonnay (46 %) et les pinots à parts presque égales. Élégant et complexe, il libère de subtils parfums floraux, beurrés et grillés. La bouche harmonieuse reflète une vinification en fût très bien maîtrisée, où le bois ne prend pas toute la place. Un excellent brut sans année. ⧗ 2016-2020 ♈ petits feuilletés au fromage ● **Cuvée Paradis 2008 ★ (50 à 75 €; n.c.)** : une cuvée souvent au sommet. Le 2008 est un champagne très frais, aérien, d'une rare finesse et fait pourtant preuve de persistance, avec une finale sur les agrumes. Il devrait gagner à attendre. ⧗ 2017-2021 ♈ tartare de bar

⊶ *ALFRED GRATIEN, 30, rue Maurice-Cerveaux, 51200 Épernay, tél. 03 26 54 38 20, contact@alfredgratien.com* V ▣ *r.-v.*

GÉRARD GRATIOT Maison ★

● | 33070 | 15 à 20 €

Au tournant du XXe s., Désiré Gratiot remporte un concours agricole pour son vin blanc. Installés en 1997, ses descendants Sandrine et Rémy Gratiot exploitent 18 ha dans la vallée de la Marne, en aval de Château-Thierry. (NM)

Le meunier, majoritaire dans la vallée de la Marne occidentale, représente plus des quatre cinquièmes de l'assemblage de cette cuvée, le chardonnay faisant l'appoint. Un brut d'un style gourmand, confortable et riche, avec des arômes de pain d'épice, de mirabelle cuite et de fruits confits. ⧗ 2016-2019 ♈ foie gras sur pain d'épice

⊶ *GRATIOT, 27, av. Fernand-Drouet, 02310 Charly-sur-Marne, tél. 03 23 82 06 89, contact@champagne-gratiot.fr* V ▣ *t.l.j. sf sam. dim. 9h-12h 14h-18h*

GRATIOT-PILLIÈRE

● | 10000 | ▮ | 11 à 15 €

Les ancêtres cultivaient la vigne du vivant de dom Pérignon. Le champagne est lancé en 1969 par les parents des actuels récoltants et le vignoble s'agrandit. Installés en 1991, Olivier et Sébastien Gratiot exploitent 18 ha dans la vallée de la Marne. Ils confient leur récolte à la Covama, importante coopérative du secteur. (RC)

Quatre cinquièmes de meunier complété par le chardonnay dans ce brut agréable par ses arômes de petits fruits rouges, que l'on retrouve dans une bouche tonique et fraîche. ⧗ 2016-2019 ♈ côtelettes d'agneau

⊶ *SCEV GRATIOT-PILLIÈRE, 8-10, av. Fernand-Drouet, 02310 Charly-sur-Marne, tél. 03 23 82 08 68, info@champagne-gratiot-pilliere.com* V ▣ *t.l.j. sf dim. 9h-12h 13h30-17h30*

GRUET 2010

● | 220500 | ▮ | 15 à 20 €

Les Gruet cultivaient déjà la vigne sous Louis XIV dans la Côte des Bar, mais c'est Claude Gruet – toujours en activité – qui a constitué le domaine, se lançant dans l'élaboration du champagne en 1975. À la production de ses 20 ha s'ajoute une structure de négoce. (NM)

CHAMPAGNE

À dominante de pinot noir (70 %, avec le chardonnay en appoint), un millésime équilibré, de bonne longueur, aux arômes de vanille et de pêche blanche. Parfait pour le début du repas et les produits de la mer. ⧗ 2016-2019 🍴 tartare de saint-jacques

⊶ *SAS GRUET, 48, Grande-Rue, 10110 Buxeuil, tél. 03 25 38 54 94, contact@champagne-gruet.com* V 🚶 🍷 *t.l.j. sf sam. dim. 8h-12h 13h30-17h30*

MAURICE GRUMIER Extra-brut Rosé de saignée 100 % Pinot noir Les Rosiers ★

● | 1000 | 🛢 | 30 à 50 €

Héritier d'une lignée remontant à 1743, Amand Grumier commercialise ses premières bouteilles en 1928. Fabien arrive sur le domaine en 1999 et en prend les rênes en 2006. Avec son épouse Hélène, il exploite 8 ha dans la vallée de la Marne. Domaine certifié haute valeur environnementale. (RM)

Issu de la macération du pinot noir, vinifié en fût sans fermentation malolactique, ce rosé de couleur soutenue aux reflets tuilés séduit par son nez expressif, entre grenade et cassis. Dès l'attaque, il affiche une matière ample et vineuse, agréable et gourmande, et fait preuve d'une bonne longueur. Un rosé de repas. ⧗ 2016-2020 🍴 pintade rôtie ● **Cuvée Amand 2006 (30 à 50 €; 2000 b.)** : vin cité.

⊶ *FABIEN GRUMIER, 13, rte d'Arty, 51480 Venteuil, tél. 03 26 58 48 10, champagnegrumier@wanadoo.fr* V 🚶 🍷 *r.-v.*

PATRICE GUAY Cuvée Tradition

● | 8000 | 11 à 15 €

Quatre générations de viticulteurs; premières bouteilles en 1930; 5 ha de vignes dans la vallée de la Marne. Installé en 1983, Patrice Guay a lancé en 2000 un champagne à son nom. (RM)

Le meunier domine (70 %) dans ce brut sans année, complété par du chardonnay et un soupçon de pinot noir. Bien structuré, chaleureux, il dévoile de jolies notes d'évolution rappelant les fruits compotés et le pain toasté. ⧗ 2016-2019 🍴 foie gras poêlé caramélisé

⊶ *PATRICE GUAY, 15, rue de Bel-Air, 51700 Festigny, tél. 03 26 57 67 66, guaypatrice@wanadoo.fr* V 🚶 🍷 *t.l.j. 9h-12h 14h-18h*

NICOLAS GUEUSQUIN Cuvée Prestige ★

● | 150000 | 15 à 20 €

Établi près d'Épernay, un négoce discret mais prospère, créé en 1993 par Nicolas Gueusquin, jeune ingénieur agronome. Toujours dirigé par son fondateur, il s'appuie sur un vignoble en propre de 10 ha. (NM)

Cette cuvée privilégie les noirs (80 %, pinot noir surtout). Un nez délicatement floral, une bouche raffinée, charnue, fraîche, tout en longueur dessinent les contours d'un champagne élégant, qui trouvera sa place à l'apéritif ou sur des mets subtils. ⧗ 2016-2019 🍴 verrines de langoustines

⊶ *NICOLAS GUEUSQUIN, 5, allée du Petit-Bois, 51530 Dizy, tél. 03 26 59 99 34, info@sa-lesrochesblanches.fr* V 🚶 🍷 *r.-v.*

CÉDRIC GUYOT 2010 ★

● | 8770 | 15 à 20 €

Albert, l'arrière-grand-père, élève des moutons et produit du vin pour sa consommation. Gaston plante de la vigne en 1965. Premières bouteilles en 1970, nouvelles plantations avec Patrice. Après avoir vinifié dans la vallée du Rhône et la Napa Valley, Cédric Guyot prend en 2004 la tête du domaine: 5 ha dans le Sézannais. (RM)

Cette cuvée privilégie le chardonnay (70 %), complété par le pinot noir: nez expressif, très floral, avec une pointe gourmande de noisette et de viennoiserie; bouche équilibrée, construite sur une belle fraîcheur, à la finale citronnée. Un millésime un peu jeune, qui gagnera à attendre. ⧗ 2017-2021 🍴 blanquette de lotte

⊶ *CÉDRIC GUYOT, 100, rue des Tessards, 51120 Fontaine-Denis-Nuisy, tél. 03 26 80 22 18, champagneguyot@orange.fr* V 🚶 🍷 *t.l.j. sf sam. dim. 8h-12h 13h30-17h30*

GUYOT-GUILLAUME Extra-brut Cuvée N° 6 ★★

● | 1000 | 🛢 | 30 à 50 €

Les Guyot ont planté leur vignoble entre 1960 et 1980 dans la vallée de l'Ardre. Installé en 1975, Dominique Guyot exploite un domaine de 5 ha. Il confie sa vendange à la coopérative, mais assure l'élaboration après la prise de mousse. (RC)

Cet extra-brut assemble 30 % de meunier passé en fût à 70 % de chardonnay, avec 28 % de vin de réserve. Le nez intense et complexe évoque le beurre et la viennoiserie. L'attaque douce et délicate ouvre sur un palais riche, aux nuances pâtissières. Un champagne appétant dont la belle évolution apporte richesse et harmonie. ⧗ 2016-2019 🍴 feuilletés salés

⊶ *DOMINIQUE GUYOT, 9, rue des Sablons, 51390 Méry-Prémecy, tél. 03 26 03 65 25, dom.guyo@wanadoo.fr* V 🚶 🍷 *r.-v.*

GUYOT-POUTRIEUX Blanc de blancs ★

● 1er cru | 6000 | 🍾 | 11 à 15 €

Cédric Guyot obtient un diplôme de sommellerie, puis reprend en 2002 le domaine familial fondé en 1920 par son arrière-grand-mère Élise dans la Côte des Blancs. Hommage est rendu à l'aïeule avec la gamme « Les Vertus d'Élise ». Autre marque: Guyot-Poutrieux. (RC)

Issu des vendanges 2011 à 2009, ce blanc de blancs libère d'intenses notes de pomme verte qui laissent place au deuxième nez à des arômes évolués de tartine grillée et de beurre. Dans une belle continuité, la bouche est puissante, tout en rondeur. Un champagne de caractère. ⧗ 2016-2020 🍴 petites tartines au chaource ● **Les Vertus d'Élise Cuvée Nina (15 à 20 €; 2500 b.)** : vin cité.

⊶ *SCEV LES VERTUS D'ÉLISE, 12, rue du Dr-Bonnet, 51130 Vertus, tél. 06 70 72 84 87, guyot.poutrieux@gmail.com* V 🚶 🍷 *r.-v.*

GYÉJACQUOT FRÈRES
Extra-brut Anatom Premium

● | 10000 | | 30 à 50 €

Deux frères ont planté en 1970 les premières vignes et lancé leur champagne cinq ans plus tard. Aujourd'hui, ce sont toujours deux frères, Frédéric et Cyril Gyéjacquot, qui gèrent cette jeune structure familiale et son vignoble de 11 ha implanté dans l'Aube, au cœur de la Côte des Bar. (NM)

Du pinot noir vinifié en cuve et du chardonnay (70 %) passé en demi-muids. Ce séjour dans le bois n'a guère marqué cet extra-brut qui a intéressé les jurés par son nez discret mêlant les fleurs, le citron et les fruits exotiques et par sa belle ligne minérale. De la finesse. ⧗ 2016-2018 ⍡ saint-jacques aux agrumes

SARL GYÉJACQUOT, 4, chem. de l'Huilerie, 10110 Celles-sur-Ource, tél. 03 25 38 56 07, gyejacquot@aol.com V r.-v.

HAMM Réserve ★★

● 1er cru | 40000 | 20 à 30 €

Élaborateurs de champagne à Aÿ depuis 1910, les Hamm ont pris le statut de négociant en 1930. La troisième génération s'approvisionne en chardonnay et en pinot noir dans quinze crus différents. Les vins de la maison ne font pas leur fermentation malolactique. (NM)

Cette cuvée assemble pinot noir et chardonnay. Parée d'une robe dorée parcourue de fines bulles, elle développe de légères notes d'évolution rappelant les fruits mûrs et le miel, que l'on retrouve dans une bouche structurée et équilibrée, harmonieusement dosée. ⧗ 2016-2019 ⍡ poularde à la crème

HAMM ET FILS, 16, rue Nicolas-Philipponnat, 51160 Aÿ, tél. 03 26 55 44 19, champagne.hamm@wanadoo.fr V r.-v.

HARLIN PÈRE & FILS Gouttes d'or ★

● | 13000 | | 15 à 20 €

Descendant de viticulteurs, Guy Harlin développe le vignoble au cours des années 1970 à Épernay et dans la vallée de la Marne (Tours-sur-Marne, notamment). Dominique, l'un de ses fils, le rejoint en 1985 et installe pressoir et cuverie, se lance dans la vente directe. Maxime et Guillaume, les petits-fils, ont rejoint en 2012 l'exploitation, qui couvre 9 ha. (RM)

Mi-blancs mi-noirs, cette cuvée délivre un nez frais et citronné où pointent des notes de fruits jaunes et de fruits secs. La bouche ne manque pas non plus de vivacité et son acidité souligne une matière fruitée et élégante. Un vin tonique, parfait pour l'apéritif. ⧗ 2016-2019 ⍡ verrines de saint-jacques ● **Tradition ★ (11 à 15 €; 20000 b.)** : le meunier mène la danse (80 %) dans ce brut beurré et fruité, à la bouche ample et corpulente. ⧗ 2016-2019 ⍡ huîtres gratinées

HARLIN PÈRE ET FILS, 8, rue de la Fontaine, Port-à-Binson, 51700 Mareuil-le-Port, tél. 03 26 58 34 38, harlin.champagne@orange.fr V r.-v.

JEAN-NOËL HATON Extra ★

● | 20000 | 20 à 30 €

Fondé en 1928 par Octave Haton, l'un des pionniers de la manipulation à Damery, ce négoce est dirigé par Jean-Noël Haton depuis 1971; son fils Sébastien officie en cave. La famille s'approvisionne sur 110 ha et détient un vignoble de 20 ha. À la cuverie, plus de cent cuves, permettant de vinifier les crus séparément, et des fûts utilisés pour certains vins de réserve. (NM)

Le rosé? Une couleur maîtrisée par Sébastien Haton comme le prouve le coup de cœur décerné l'an dernier pour une autre cuvée. Celui-ci assemble chardonnay (45 %), pinot noir (35 %) et meunier (20 %) à 5 % d'un vin rouge de pinot noir. Un rosé saumoné, au nez de groseille, de fruits blancs et d'agrumes, ample et généreux en bouche, équilibré par une attaque vive et une finale nerveuse. ⧗ 2016-2019 ⍡ soupe de fraises ● **Réserve (20 à 30 €; 120000 b.)** : vin cité. ● **Blanc de blancs Extra (20 à 30 €; 15000 b.)** : vin cité.

JEAN-NOËL HATON, 5, rue Jean-Mermoz, 51480 Damery, tél. 03 26 58 40 45, contact@champagne-haton.com V r.-v.

HATON ET FILS
Blanc de blancs Cuvée René Haton

● 1er cru | n.c. | | 15 à 20 €

À Damery, gros bourg viticole sur la rive droite de la Marne, on compte plusieurs branches de la famille Haton. Ce négoce a été fondé en 1928 par Eugène Haton et son fils Octave. Il est dirigé par l'un des petits-fils d'Eugène, Philippe Haton, épaulé par son épouse Isabelle et par ses filles Élodie et Ophélie. (NM)

Ce blanc de blancs qui rend hommage au père de l'actuel dirigeant s'ouvre sur de jolies senteurs de fruits jaunes que l'on retrouve dans une bouche franche, ample et longue. ⧗ 2016-2019 ⍡ filet de saint-pierre ● **Grande Réserve (15 à 20 €; n.c.)** : vin cité.

HATON ET FILS, 28, rue Alphonse-Perrin, 51480 Damery, tél. 03 26 58 41 11, contact@champagnehatonetfils.com V *t.l.j. 9h-12h 13h30-18h*

CHARLES HEIDSIECK Vintage 2005 ★★

● | n.c. | 50 à 75 €

La saga des Heidsieck débute avec Florens Louis, originaire d'Allemagne, qui crée en 1785 une structure à l'origine de toutes les maisons Heidsieck. Celle-ci est fondée en 1851 par son petit-neveu Charles-Camille. Ce dernier achète 47 crayères remontant à l'Antiquité pour entreposer les nombreuses cuvées qu'il entend écouler et part à la conquête des États-Unis, où il se fait l'ambassadeur de la maison. Comme Piper Heidsieck, la marque appartient depuis 2011 au groupe EPI, détenteur de marques haut de gamme. (NM)

À un âge où bien d'autres sembleraient épuisés, ce brut, qui assemble 60 % de pinot noir au chardonnay, affiche une jeunesse insolente. Sa mousse est bien vivante, surmontant une robe dorée aux reflets verts, cherchant à libérer un nez retenu, discret, tout en fraî-

CHAMPAGNE

cheur. En bouche, une fine acidité apporte beaucoup de dynamisme de l'attaque à la finale et équilibre une matière riche teintée de notes grillées. ⧗ 2016-2021 🍴 rôti de veau aux cèpes ● **2006 ★ (75 à 100 €; n.c.)** : deux tiers de pinot noir et un tiers de chardonnay pour ce rosé à la robe engageante, d'un rose très tendre, traversée de bulles fines; le nez enchante par sa complexité, farandole de pâte de coings, de tabac blond, de moka, d'encens et de menthol. La bouche possède du charme, de l'équilibre et de la longueur, même si la finale semble un peu en retrait, marquée par le dosage selon certains jurés. Mais quel nez merveilleux! ⧗ 2016-2020 🍴 canard à l'orange ● **Réserve (30 à 50 €; n.c.)** : vin cité.

⊶ *CHARLES HEIDSIECK, 12, allée du Vignoble, 51100 Reims, tél. 03 26 84 43 00, charles@champagne-ph-ch.com*

PASCAL HÉNIN Prestige Vieilles Vignes ★

● 1er cru | 3400 | 🍾 | 15 à 20 €

Installés près d'Épernay à Aÿ, célèbre village classé en grand cru et fief du pinot noir, Delphine et Pascal Hénin, tous deux issus de lignées vigneronnes, exploitent 7,5 ha de vignes répartis entre Côte des Blancs, Montagne de Reims et vallée de la Marne. Ils ont lancé leur marque en 1990. (RM)

Un mariage de pinot noir (60 %) et de chardonnay pour ce brut or blanc au nez fin et délicat de biscuit et de caramel, rafraîchi par un soupçon de menthol. Les arômes se font plus puissants, sur les fruits mûrs et des notes minérales, dans une bouche équilibrée et fraîche. De la tenue et de l'élégance. ⧗ 2016-2019 🍴 foie gras poêlé ● **Tradition ★ (11 à 15 €; 20000 b.)** : un assemblage de 60 % de noirs (pinot noir surtout) et de 40 % de blancs pour ce brut sans année au nez fruité élégant et à la bouche puissante et riche, mais sans lourdeur. ⧗ 2016-2019 🍴 poulet à la crème ● **1er cru (15 à 20 €; 4000 b.)** : vin cité.

⊶ *PASCAL HÉNIN, 22, rue Jules-Lobet, 51160 Aÿ, tél. 03 26 54 61 50, pascal.henin@orange.fr* [V] [🚶] [!] *r.-v.*

HÉNIN-DELOUVIN Tradition

● | 24216 | 🍾 | 15 à 20 €

Christine Delouvin et son mari Jacky Hénin ont regroupé leurs vignobles et lancé leur marque en 1990. Leur domaine couvre 6,3 ha répartis dans sept communes, notamment à Aÿ (grand cru de pinot noir), Chouilly (grand cru de blancs) et dans la vallée de la Marne. (RM)

Les noirs sont majoritaires (pinot noir 50 %, meunier 10 %) dans ce brut sans année. Une robe pâle, un nez subtil et complexe sur la vanille, les épices douces, le beurre, les fleurs et les fruits confits, prélude à une bouche équilibrée et gourmande, tendue par une belle fraîcheur. ⧗ 2016-2019 🍴 poulet au champagne

⊶ *HÉNIN-DELOUVIN, 22, quai du Port, 51160 Aÿ, tél. 03 26 54 01 81, champagne-henin-delouvin@orange.fr* [V] [🚶] [!] *r.-v.*

HENRIOT Blanc de blancs ★★

● | n.c. | 30 à 50 €

Négociants en draps et en vins établis dans la région au XVIIes., les Henriot s'intéressent au champagne dès le XVIIIes. La marque remonte à 1808, lancée par une veuve champenoise, Apolline Henriot. Restée indépendante, la maison a connu un beau développement avec Joseph Henriot, disparu en 2015 après avoir cédé sa place en 2008 à son fils Thomas; elle s'est étendue à la Bourgogne (Bouchard Aîné et Fils, William Fèvre) et au Beaujolais (Villa Ponciago). Le chardonnay est très présent dans ses cuvées champenoises. (NM)

D'un jaune pâle brillant, ce blanc de blancs, dont les raisins sont majoritairement issus de la Côte des Blancs, brille également par sa complexité. Expressif, son nez a d'abord des accents vanillés, pâtissiers et torréfiés (café, chocolat), avant de s'ouvrir sur des arômes de sous-bois, d'herbe sèche, de fruits secs et de menthol. Ciselée, citronnée, construite sur la vivacité, la bouche bénéficie d'un dosage approprié qui tempère parfaitement l'acidité. La finale se teinte de craie et de caramel. ⧗ 2016-2021 🍴 langouste sauce vanille ● **2006 ★ (30 à 50 €; n.c.)** : mi-pinot noir mi-chardonnay, cet assemblage de quinze crus, provenant majoritairement de la Côte des Blancs et de la Montagne de Reims, propose un nez complexe, certes évolué mais encore frais, et une bouche harmonieuse. ⧗ 2016-2019 🍴 poulet aux écrevisses

⊶ *HENRIOT, 81, rue Coquebert, 51100 Reims, tél. 03 26 89 53 00, contact@champagne-henriot.com* [V] *r.-v.*

HEUCQ PÈRE ET FILS Cuvée antique 2008 ★

● | 4500 | 🛢 🍾 | 20 à 30 €

Installé sur la rive droite de la Marne, André Heucq a pris en 1973 la tête de l'exploitation familiale qui couvre près de 6 ha. Impliqué dans le développement durable, il a équipé son chai d'un puits canadien et de panneaux photovoltaïque et enherbé la totalité de son vignoble. (RM)

Arômes, corps, acidité: telle pourrait être la devise de la récolte 2008 en Champagne, dont ce brut est un digne représentant. Après douze mois de fût et six ans de cave, cet assemblage de 60 % de chardonnay et des deux cépages noirs à égalité est mûr, mais pas fatigué le moins du monde. Son bouquet subtil est plus fruité qu'empyreumatique, même si le bois est présent, et sa bouche longue, riche et croquante garde une belle fraîcheur. ⧗ 2016-2019 🍴 vol-au-vent

⊶ *ANDRÉ HEUCQ, 6, rue Eugène-Moussé, 51700 Cuisles, tél. 06 62 37 10 08, andre.heucq@wanadoo.fr* [V] [🚶] [!] *r.-v.*

MICHEL HOERTER ★★

● | 1200 | 🍾 | 15 à 20 €

Alors que chez les deux générations précédentes, la vigne ne représentait qu'une culture d'appoint, à côté de l'élevage et des céréales, Michel Hoerter a développé le vignoble pour en faire son activité principale. Jean Philippe, son fils, installé en 1998, cultive 9 ha de vignes dans la partie ouest de la vallée de la Marne, en aval de Château-Thierry. (RC)

Jean Philippe Hoerter confie sa récolte à la Covama, la coopérative de Château-Thierry. Bien lui en a pris à en juger par ce rosé, assemblage dominé par les cépages noirs (80 %). La robe rose soutenu est surmontée d'une mousse fine et persistante et le nez généreux joue la carte des fruits rouges. Un fruité que l'on retrouve avec intensité dans une bouche persistante et croquante à souhait, fraîche comme une cerise ou une framboise juste cueillie. Un champagne tonique, remarquable. 2016-2020 soupe de fruits rouges à la menthe ● **Tradition (11 à 15 €; 9000 b.)** : vin cité.

MICHEL HOERTER, 10 bis, hameau de Rouvroy, 02400 Essômes-sur-Marne, tél. 03 23 83 61 64, hoerter@wanadoo.fr V *r.-v.*

HUBSCHWERLIN

● | 4000 | | 15 à 20 €

Rejoint en 2013 par son fils Benjamin, Bernard Hubschwerlin a pris les commandes en 1981 du vignoble – 4,3 ha dans la vallée de Seine, à l'extrême sud de la Champagne viticole – planté par son père et lancé sa marque en 1990. Il pratique encore le remuage manuel et le dégorgement à la volée. Un des rares domaines champenois en bio, mais ils sont deux à Courteron... (RM)

Un rosé de saignée. Il naît de 70 % de meunier et de 30 % de pinot noir récoltés en septembre 2013 et macérés trois jours en cuve, et il montre ses muscles. Sa robe est profonde, très soutenue, presque cerise; son nez puissant évoque les fruits à l'eau-de-vie et la rose et sa bouche est structurée, vineuse, tannique en finale, heureusement fraîche. 2016-2020 canard aux cerises

EARL BERNARD HUBSCHWERLIN, 12, Grande-Rue, 10250 Courteron, tél. 03 25 38 24 11 V *t.l.j. 9h-12h 14h-18h; sam. dim. sur r.-v.*

HUGUENOT-TASSIN
Extra-brut Cuvée noire spéciale 2009 ★★

● | 2384 | | 50 à 75 €

Bien que l'arrière-grand-père d'Édouard Huguenot, déjà élaborateur, ait été à l'origine du premier pressoir communal de Celles-sur-Ource (Aube), la famille ne vit totalement de la vigne que depuis deux générations. Installé en 2008 après ses études à Beaune et des expériences en Afrique du Sud et en Australie, Édouard Huguenot exploite 7 ha dans la région de Bar-sur-Seine. (RM)

Le pinot noir en majesté. Issu de parcelles de vieilles vignes qui lui sont dédiées les bonnes années, ce brut impose sa force. Sa robe vieil or est traversée par des trains de fines bulles formant une mousse vive à la surface. Son nez puissant évoque la maturité, avec des notes de moka, de grillé, de noix et de brioche; les fruits sont de la partie, dans des tons compotés. Quant à la bouche, d'une longueur remarquable, elle s'impose par sa matière pleine, gourmande et soyeuse. Un champagne de caractère. 2017-2021 foie gras poêlé

HUGUENOT-TASSIN, 4, rue du Val-Lune, 10110 Celles-sur-Ource, tél. 03 25 38 54 49, champhuguenot.tassin@free.fr V *r.-v.*

AUGUSTE HUIBAN

● | 30000 | | 11 à 15 €

Repris en 1990 par Éric Ammeux et son épouse, ce vignoble familial d'environ 4 ha se partage entre Jonquery, dans un vallon entre Ardre et Marne, et Fontaine-sur-Aÿ, près d'Épernay. Les raisins de Jonquery donnent naissance au champagne Auguste Huiban, ceux de Fontaine-sur-Aÿ à la marque Paul Augustin. (RM)

Issu du seul meunier, ce brut dévoile une certaine délicatesse dans ses senteurs de fruits jaunes et de pâtisserie. Souple à l'attaque, fruité, ample et frais, il finit sur une note citronnée tonique. Bien construit et «pêchu», il est tout indiqué pour l'apéritif ou le premier plat. 2016-2019 feuilleté aux saint-jacques

AUGUSTE HUIBAN, 1, rue de la Barbe-aux-Cannes, 51700 Jonquery, tél. 03 26 58 10 55, eric.ammeux@wanadoo.fr V *t.l.j. 9h-11h30 14h-18h; sam. dim. sur r.-v.* *Éric Ammeux*

FERNAND HUTASSE ET FILS ★★

● 1er cru | 11000 | 15 à 20 €

Les Hutasse se sont installés dans les années 1930 à Bouzy (grand cru de la Montagne de Reims réputé pour son pinot noir). Leur vignoble de 10 ha est aujourd'hui cultivé par Rudy et Nathalie. (RM)

Arrivé à son apogée, ce brut né de chardonnay (45 %) et de pinot noir presque à parité marie les récoltes 2006 à 2003. La robe vieil or est parcourue d'une bulle légère; le bouquet puissant a des accents miellés. Riche, ample, encore bien équilibrée par un trait de fraîcheur, la bouche confirme l'évolution. Une cuvée qui comblera les amateurs de champagnes mûrs. 2016-2017 cailles aux raisins ● **Gd cru (20 à 30 €; 6000 b.)** : vin cité.

RUDY ET NATHALIE HUTASSE, rue du Haut-Petit-Chemin, 51150 Bouzy, tél. 03 26 57 08 58, info@champagne-tornay.fr V *t.l.j. sf dim. 9h-12h 13h30-17h; sam. sur r.-v.*

ÉRIC ISSELÉE Blanc de blancs

● Gd cru | 6400 | | 15 à 20 €

Arrivé en 1986 sur le domaine familial, Éric Isselée a lancé sa marque en 1999. À la tête d'un vignoble implanté pour une bonne partie au cœur de la Côte des Blancs, il a aménagé des gîtes et chambres d'hôtes. (RM)

Assemblage de trois grands crus, ce blanc de blancs livre des parfums intenses d'ananas, de pamplemousse, de pomme et de biscuit. Franc dès l'attaque, équilibré et long, il finit sur une pointe acidulée. 2016-2019 langoustines rôties

ÉRIC ISSELÉE, 350, rue des Grappes-d'Or, 51530 Cramant, tél. 03 26 57 54 96, champagneissele.e@wanadoo.fr V *r.-v.* 3 D

JACQUART Mosaïque ★

● | 150000 | 20 à 30 €

Créée en 1964, cette coopérative installée dans un somptueux hôtel particulier de Reims est rattachée

à Alliance Champagne, important groupement de caves (2 400 ha, plus de 7 % du vignoble champenois). Les vignes destinées à la marque Jacquart couvrent 350 ha répartis dans plus de 60 crus des quatre grands secteurs de la région. (CM)

Les trois cépages champenois sont assemblés en proportions sensiblement égales dans ce brut qui tire sa couleur pétale de rose d'un apport de vin rouge. Son nez gourmand associe les fruits rouges, fraise en tête, à des notes briochées. Onctueuse, ronde et puissante, la bouche évite l'écueil de la lourdeur. Un rosé généreux. ⧗ 2016-2019 ¥ gambas sautées au paprika ● **Mosaïque (20 à 30 €; 1200 000 b.)** : vin cité.

JACQUART, 34, bd Lundy, 51100 Reims, tél. 03 26 07 88 40, marketing.clients@jad.fr

YVES JACQUES
Cuvée Éponyme Fût de chêne 2010 ★★

●	1500	fût	20 à 30 €

Originaires de la Brie, les Jacques se lancent dans la viticulture en 1932. Yves s'installe en 1955, agrandit le domaine et commercialise ses premiers champagnes en 1962. Son fils Rémy, qui a pris le relais en 1985, exploite 17 ha dans le Sézannais, la vallée de la Marne et l'Aube. (RM)

Pinot noir (60 %) et chardonnay ont fermenté et ont été élevés un an dans des fûts dont le chêne provient de la forêt de l'Argonne toute proche. Le séjour dans le bois a légué à ce champagne d'intenses notes d'amande grillée et de vanille élégamment mariées avec les senteurs de fruits jaunes héritées du raisin. Plus empyreumatique encore, la bouche charme par sa suavité, son équilibre et la vivacité de sa finale. ⧗ 2016-2020 ¥ ris de veau à la crème ● **Sélection Réserve 2009 (15 à 20 €; 4500 b.)** : vin cité.

RÉMI JACQUES, 1, rue de Montpertuis, 51270 Baye, tél. 03 26 52 80 77, champagne.yvesjacques@wanadoo.fr V ⚐ ▮ *t.l.j. 9h-12h 14h-18h*

GILBERT JACQUESSON Tradition ★

●	18244	cuve	11 à 15 €

Henri Michel s'est lancé dans l'élaboration du champagne en 1927. Installé en 2000, son descendant Jean-Baptiste Jacquesson représente la quatrième génération de récoltants-manipulants. Établi sur la rive gauche de la Marne, il exploite 6,8 ha de vignes. (RM)

Ce pur meunier assemble les récoltes 2013 à 2011. Discret à l'olfaction, il évoque la fougère et la jacinthe en bouche. Frais à l'attaque, plutôt rond, c'est un champagne harmonieux, au dosage adapté. Parfait pour l'apéritif. ⧗ 2016-2019 ¥ copeaux de parmesan

JEAN-BAPTISTE JACQUESSON, 6, rue de l'Avenir, 51700 Troissy, tél. 03 26 52 70 69, troissy@club-internet.fr V ⚐ ▮ *t.l.j. sf dim. 9h-12h 14h-18h; f. fév. et du 15 au 30 août* 🏠 ❸

JACQUESSON-BERJOT 2011 ★★

●	n.c.	11 à 15 €

Loïc et Véronique Jacquesson exploitent 5 ha dans la vallée de la Marne. Ils ont lancé en 1992 leur champagne, dont ils confient l'élaboration au Centre vinicole Nicolas Feuillatte à Chouilly. (RC)

Cette cuvée, née du seul meunier, a séduit d'emblée avec sa robe dorée et son nez concentré et complexe. Des notes fraîches de litchi, de pamplemousse, de rose et de pêche se marient à des senteurs d'amandes grillées, de torréfaction. Équilibré, frais et long, le palais confirme la puissance aromatique de ce vin. ⧗ 2016-2020 ¥ sole meunière

LOÏC JACQUESSON, 6, rue de Troissy, 51700 Nesle-le-Repons, tél. 03 26 58 38 92, loic.jacquesson@wanadoo.fr V ⚐ ▮ *t.l.j. 9h-12h 14h-18h*

JACQUINET-DUMEZ Prestige ★

●	9000	fût cuve	15 à 20 €

Domaine fondé en 1935. Installés en 1985, Olivier et Aline Jacquinet exploitent un vignoble de 7 ha autour des Mesneux, Sacy, Écueil et Ville-Dommange, 1ers crus de la Montagne de Reims situés à deux pas de la Cité des Sacres. (RM)

Pinot noir et chardonnay à parité, vinifiés pour partie en cuve et pour partie en fût, ont donné naissance à ce brut aux senteurs de fruits exotiques et de foin. Subtilement évolué, marqué en finale par une pointe d'amertume, le palais offre un équilibre appréciable entre acidité et vinosité. ⧗ 2016-2019 ¥ vol-au-vent

JACQUINET-DUMEZ, 26, rue de Reims, 51370 Les Mesneux, tél. 03 26 36 25 25, contact@champagne-jacquinet-dumez.com V ⚐ ▮ *r.-v.*

JAMAIN Faveurs de dom Gemme ★★

●	2213	cuve	15 à 20 €

Un petit vignoble de 3,5 ha à l'extrême sud du Sézannais, région propice au chardonnay. Pierre Jamain a commercialisé les premières bouteilles en 1962. Sa fille Élizabeth Jamain-Dona a pris le relais en 1985, rejointe depuis par Caroline Dona. La troisième génération a fait ses classes dans une grande maison et en Australie, où elle a étudié la vinification comme la communication. (RM)

Ce rosé d'assemblage est né de trois quarts de chardonnay marié aux deux cépages noirs. Sa robe franche « ni trop rouge ni trop jaune » est traversée d'élégants trains de bulles. Le bouquet se partage entre poire et cerise, et c'est cette dernière qui domine dans une bouche persistante, à la fois suave et fraîche. ⧗ 2016-2019 ¥ tartare de saumon

EARL JAMAIN, Caroline Donagemma, 1, rte des Tuileries, 51260 La Celle-sous-Chantemerle, tél. 03 26 80 21 64, caroline@champagnejamain.com V ⚐ ▮ *r.-v.*

E. JAMART ET CIE Extra-dry Dulci ★

●	n.c.	cuve	15 à 20 €

En 1934, année de crise et de mévente, le jeune boulanger Émilien Jamart monte une affaire de négoce avec son beau-père, caviste. Dirigée aujourd'hui par son arrière-petit-fils Maxime Oudart, la maison, qui a son siège à Saint-Martin-d'Ablois, village des coteaux sud d'Épernay, dispose de près de 5 ha de vignes. (NM)

Un dosage à 13,5 g/l est suffisant pour revendiquer la mention extra-dry (moelleux très léger) sur l'étiquette, tout en restant proche de la pureté originelle du vin. Celui-ci, qui naît de 80 % de meunier allié au chardonnay, reste équilibré et frais, fruité et long. ⧗ 2016-2020 ▼ tarte aux pommes ● **Extra-brut Blanc de noirs Tentation (20 à 30 €; n.c.)** : vin cité.

⊶ E. JAMART ET CIE, 13, rue Marcel-Soyeux, 51530 Saint-Martin-d'Ablois, tél. 03 26 59 92 78, champagne.jamart@wanadoo.fr V 🚶 ■ *t.l.j. 9h-12h 14h-17h; sam. dim. sur r.-v.*

JANISSON-BARADON ET FILS
Grande Réserve ★★

● | 5000 | | 20 à 30 €

Implanté sur les hauteurs d'Épernay, ce domaine fondé en 1922 par un remueur et un tonnelier est aujourd'hui conduit par leurs descendants, Maxence et Cyril Janisson, qui disposent de plus de 9 ha de vignes. (NM)

Mi-pinot noir mi-chardonnay, cette cuvée a bénéficié d'un élevage partiel en fût (30 % des volumes); son dosage à 5 g/l pourrait la classer parmi les extra-bruts. Le nez, franc et net, livre des arômes d'acacia et de fruits jaunes; la bouche, finement boisée, réussit à trouver l'équilibre entre fraîcheur, rondeur et finesse. Un champagne gourmand et harmonieux. ⧗ 2016-2020 ▼ pâté en croûte au saumon ● **Georges Baradon ★ (20 à 30 €; n.c.)** : trois ans de cave au moins pour ce brut mi-pinot noir mi-chardonnay, qui a aussi connu le bois. Un champagne fruité, floral, vanillé et miellé qui conjugue ampleur et fraîcheur. ⧗ 2016-2019 ▼ coquilles Saint-Jacques ● **Extra-brut (20 à 30 €; 5000 b.)** : vin cité.

⊶ JANISSON-BARADON, 9, pl. de la République, 51200 Épernay, tél. 03 10 15 16 93, info@champagne-janisson-baradon.com V ■ *t.l.j. 10h-12h 14h-16h45*

JEAUNAUX-ROBIN Brut zéro Sélection ★★

● | 20000 | | 20 à 30 €

Le grand-père, maréchal-ferrant, cultivait quelques vignes. Michel Jeaunaux et Marie-Claude Robin se lancent dans la manipulation dans les années 1970, à partir des vignes familiales. Cyril, le fils, installé en 1999, exploite en biodynamie près de 6 ha, situés pour l'essentiel à l'entrée de la vallée du Petit Morin, avec 1 ha près de Bar-sur-Aube. Domaine en conversion bio. (RM)

Cette cuvée fait surtout appel aux noirs (meunier 60 %, pinot 30 %) et un quart de son volume est vinifié sous bois. Expressive au nez, elle mêle les fruits frais à une jolie note de noisette. Vive dès l'attaque, légèrement évoluée, elle enchante par son équilibre et sa longueur. Parfait pour l'apéritif, les entrées et le poisson. ⧗ 2016-2019 ▼ feuilleté de saint-jacques ● **Le Dessous de la cabane ★ (20 à 30 €; 5000 b.)** : un assemblage identique au brut zéro Sélection, avec un dosage en brut et du vin rouge pour la couleur. Une robe pâle, un bouquet vineux, fruité et épicé et une bouche charnue et fraîche, à l'unisson du nez. ⧗ 2016-2019 ▼ soupe de fruits rouges ● **Fil de brume (20 à 30 €; 10000 b.)** : vin cité.

⊶ CYRIL JEAUNAUX, 1, rue de Bannay, 51270 Talus-Saint-Prix, tél. 03 26 52 80 73, cyril@champagne-jr.fr V 🚶 ■ *r.-v.*

JEEPER Grand Rosé ★★

● | 44000 | | 30 à 50 €

Marque créée en 1949 par Armand Goutorbe, à Damery dans la vallée de la Marne. Aujourd'hui, c'est Nicolas Dubois, négociant à Faverolles-et-Coëmy dans la Vallée de l'Ardre, qui conduit le vignoble de 40 ha. Il est resté à son poste après le rachat de la maison par Michel Reybier, à la tête du Ch. Cos d'Estournel, cru classé de Saint-Estèphe. (NM)

Assemblage de 88 % de chardonnay avec un vin rouge de pinot noir, cette cuvée arbore une robe saumonée assez légère traversée d'une effervescence tonique. Un rosé d'une grande élégance, aux arômes d'agrumes et de fruits rouges. ⧗ 2016-2019 ▼ dessert au chocolat ● **François Dubois Pure Sélection ★ (20 à 30 €; 204000 b.)** : quatre cinquième de noirs (meunier en tête) pour 20 % de blancs dans cette cuvée qui a connu le bois. Un nez élégant mariant le caramel, le chocolat et les épices aux fleurs blanches. Une attaque fraîche ouvrant sur une bouche tonique aux arômes d'agrumes. ⧗ 2016-2019 ▼ lotte rôtie et patates douces

⊶ LES DOMAINES JEEPER, 3, rue de Savigny, 51170 Faverolles-et-Coëmy, tél. 03 26 05 08 98, info@champagne-jeeper.com V ■ *t.l.j. sf sam. dim. 8h-12h 13h30-17h*

RENÉ JOLLY Blanc de noirs ★★★

● | 30000 | | 15 à 20 €

Créé au XVIIIe s. dans la vallée de l'Ource (Aube), ce domaine familial de 13,5 ha est conduit depuis 2000 par Pierre-Éric Jolly, qui développe l'export, privilégie l'élevage en fût et a mis au point un nouveau muselet à trois branches. (RM)

Du pur pinot noir. La race et la force attendues du cépage sont bien présentes dans cette cuvée qui, après un passage de quatre mois en fût, a bénéficié d'un long élevage en cuve de deux ans. Au nez, d'intenses notes de fruits à l'alcool, de pruneau et de fumée. La bouche affiche sa puissance, soulignée par des arômes de cake aux fruits; elle trouve son équilibre entre rondeur et fraîcheur et persiste longtemps au palais. Un champagne harmonieux qui en impose. ⧗ 2016-2021 ▼ poularde à la crème

⊶ RENÉ JOLLY, 10, rue de la Gare, 10110 Landreville, tél. 03 25 38 50 91, office@jollychamp.com V 🚶 ■ *r.-v.*

JOLY-CHAMPAGNE ★

● | 37711 | 11 à 15 €

Représentant la quatrième génération, Aurélien Joly est aux commandes de ce domaine qui a vendu ses premières bouteilles au début des années 1950, d'abord comme coopérateur, puis, à partir de 1998, comme récoltant-manipulant. Le vignoble d'une douzaine d'hectares est implanté sur cinq communes des deux rives de la Marne. (RM)

CHAMPAGNE

Seul le meunier est à l'œuvre dans ce brut; il lui offre une robe dorée, un nez fruité et une matière souple et soyeuse, aux arômes de fruits rouges et blancs, d'abricot et de beurre. La franchise de l'attaque et la longue finale ajoutent encore à sa séduction. ⧗ 2016-2019 🍴 pâté champenois en croûte ● **Cuvée spéciale (15 à 20 €; 16 911 b.)** : vin cité. ● **Blanc de noirs Cuvée Prestige 2011 (20 à 30 €; 2 483 b.)** : vin cité.

JOLY-CHAMPAGNE,
16, rte de Paris, 51700 Troissy, tél. 03 26 52 73 48,
info@champagne-joly-champagne.com
V r.-v.

JEAN JOSSELIN Alliance ★

●	12 049		15 à 20 €

Autrefois point stratégique entre comté de Champagne et duché de Bourgogne, le village de Gyé-sur-Seine (Aube) est aujourd'hui bien ancré dans le vignoble champenois. À la tête d'un domaine de près de 12 ha, la famille Josselin y cultive la vigne depuis 1854. Jean a lancé sa marque en 1957. Son fils Jean-Pierre a pris le relais en 1980, rejoint à son tour en 2010 par Jean-Félix, œnologue. (RM)

Issu de la récolte 2012, un mariage de pinot noir (70 %) et de chardonnay. D'une couleur claire traversée d'un cordon régulier, il offre un nez puissant, entre citron et noisette. Frais, fin et équilibré au palais, il brille par sa longueur. ⧗ 2016-2020 🍴 bar au four

JEAN-PIERRE JOSSELIN, 14, rue des Vannes,
10250 Gyé-sur-Seine, tél. 03 25 38 21 48, contact@champagnejeanjosselin.fr V *t.l.j. 8h-12h 13h30-17h30*

♥ KRUG 2002 ★★★

●	n.c.	+ de 100 €

Originaire de la vallée du Rhin, Joseph Krug, fondateur en 1843 de cette célèbre maison rémoise, fut un assembleur hors pair, qui réussit à magnifier terroirs, cépages et années pour élaborer un champagne de prestige à son goût. Il codifia sa méthode, transmise de génération en génération. Si l'affaire appartient depuis 1999 au groupe LVMH, elle est restée maîtresse de son savoir-faire, le style étant garanti par Olivier Krug, gardien du temple, et l'élaboration suivie par Éric Lebel, chef de cave. Elle ne propose que des cuvées haut de gamme, fruits d'assemblages minutieux et savants de vins vinifiés en fûts de 205 l identifiés par le cru. Le vieillissement sur pointe dure six ans au minimum. Il en résulte des champagnes complexes et de garde. (NM)

Le grand millésime du nouveau millénaire interprété par une maison phare de la Champagne. Pinot noir (40 %), chardonnay (39 %) et meunier (21 %), tel est l'assemblage du 2002 (il varie en fonction de l'année). Après treize ans de cave, le vin a conquis nos dégustateurs. La robe jaune doré parcourue d'un cordon de bulles très fines reste pleine de jeunesse. Intense, complexe, mouvant, le nez déroule une foule d'arômes: cédrat et orange confits, coing frais, mirabelle, beurre, un effluve de curry doux, un rien de cuir, un fin boisé grillé. Dès l'attaque dense et beurrée, le vin s'impose par sa richesse, son ampleur, sa vinosité, équilibré par une acidité délicate qui porte loin des arômes à l'unisson du nez : beurre, fruits jaunes, fruits secs. Du corps et de l'esprit, de la puissance et de la finesse. ⧗ 2017-2026 🍴 poularde à la crème et aux morilles ● **★★ (+ de 100 €; n.c.)** ♥ : composé des trois cépages, le rosé de Krug n'assène pas un fruit direct et simpliste, mais distille des arômes complexes qui reflètent son élevage et les années anciennes qui entrent dans sa composition. Son élaboration complexe se lit d'emblée dans sa robe corail tirant sur l'orange, parcourue d'une bulle fine. Elle se traduit ensuite par des parfums vineux et évolués: fruits mûrs, abricot, beurre, amande, épices douces, avec une touche de caramel et de fumée. La griotte perce en attaque, escortée d'un miel léger et des arômes du nez, dans une bouche dense et généreuse, tendue par un trait de vivacité qui laisse une impression de finesse. La longue finale laisse un sillage de fruit jaune rehaussé de grillé. Puissant, intense, ce rosé au toucher délicat appartient bien à la lignée des Krug. ⧗ 2017-2024 🍴 pata negra et pain tomaté ● **Grande Cuvée ★★★ (+ de 100 €; n.c.)** : élaboré à partir des trois cépages, de plus de 120 vins de plus de dix années différentes, resté au moins sept ans en cave, le «sans année» de Krug est une authentique cuvée de prestige. Vieil or, parcourue de perles fines, cette Grande Cuvée mêle au nez beurre, miel, agrumes (citron), poire et fruits jaunes légèrement confits, avec une touche de curry et une note grillée – une palette complexe qui séduit aussi en bouche, où l'on trouve une texture dense, vineuse et ronde, vivifiée par une ligne acidulée qui porte loin la finale aux accents de frangipane. Un vin gourmand, riche et élégant. ⧗ 2017-2026 🍴 dos de sandre au curry

KRUG, 5, rue Coquebert,
51100 Reims, tél. 03 26 84 44 20,
krug@krug.fr *LVMH*

LABBE ET FILS Carte blanche ★

● 1er cru	30 000		11 à 15 €

Depuis la fin du XIXe s., les Labbe se succèdent de père en fils sur leurs terres de Chamery, 1er cru situé sur le flanc nord de la Montagne de Reims, qui mérite le détour pour la très haute flèche de son église. Ils élaborent leur champagne depuis l'arrivée en 1975 de Didier Labbe, aujourd'hui épaulé par ses fils Damien et Jérôme. Leur vignoble couvre 10 ha. (RM)

Un brut harmonieux qui doit beaucoup aux noirs (pinot noir 65 %, meunier 20 %). Vinifié sans fermentation malolactique, il a préservé sa fraîcheur: robe claire, nez fin, sur le citron et la fleur blanche, bouche dans le même registre, vive, élégante et longue. ⧗ 2016-2020 🍴 huîtres gratinées

LABBE ET FILS, 5, chem. du Hasat, 51500 Chamery,
tél. 03 26 97 65 45, contact@champagnelabbe.com
V *t.l.j. sf dim. 9h-12h 14h-18h30; f. 8-31 août*

GEORGES LACOMBE Grande Cuvée ★★

●	100000		15 à 20 €

L'œnologue Francis Tribaut, également à la tête du champagne Lallier, a créé en 2004 la maison portant le nom de son beau-père, vigneron à Cahors. L'affaire s'appuie sur 20 ha en propre et sur un site de production très moderne, construit en 2011. (NM)

Les trois cépages sont associés à parité dans cette cuvée or pâle aux arômes délicats, floraux et fruités. Des touches anisées et réglissées s'ajoutent à cette palette dans une bouche ample et structurée: un champagne de repas. ⧗ 2017-2021 🍴 carré de veau aux girolles ● ★ (20 à 30 €; 35000 b.) : les trois cépages champenois collaborent à ce rosé très pâle, parfumé de légères nuances de framboise et de myrtille, qui séduit par la délicatesse de sa bouche fraîche et élancée. ⧗ 2016-2019 🍴 carré d'agneau

GEORGES LACOMBE, 4, pl. de la Libération, 51160 Aÿ, tél. 03 26 55 43 40, contact@champagne-lacombe.fr r.-v.
Francis Tribaut

LACOURTE-GODBILLON Réserve ★★

● 1er cru	6000		20 à 30 €

Domaine fondé en 1883 autour d'Écueil, 1er cru au sud-ouest de Reims. Premières bouteilles en 1947. Géraldine Lacourte et son conjoint Richard Desvignes abandonnent leur activité de cadre en ville pour reprendre en 2006 l'exploitation familiale (8 ha). Ils ont inauguré en 2014 un pressoir-cuverie moderne. (RM)

Assemblés à parts égales, du pinot noir et du chardonnay, ce dernier vinifié sans fermentation malolactique. Un train de fines bulles dans une robe jaune pâle, un nez complexe et frais, citronné, nuancé de notes de pêche, de pain et de vanille, le prélude est engageant. Nette et précise en attaque, vive, parfumée et longue, la bouche fait grande impression. ⧗ 2016-2021 🍴 vieux comté ● **1er cru ★ (20 à 30 €; 45000 b.)** : 85 % de pinot noir complété de chardonnay; des arômes complexes, fruités (fruits rouges et jaunes) et épicés qui se prolongent dans une bouche gourmande, équilibrée et persistante. Pour l'apéritif comme pour la table. ⧗ 2016-2019 🍴 feuilletés au fromage ● **1er cru Blanc de sables (30 à 50 €; 1083 b.)** : vin cité.

LACOURTE-GODBILLON, 16, rue des Aillys, 51500 Écueil, tél. 03 26 49 74 75, contact@champagne-lacourte-godbillon.com r.-v.

LACROIX ★★

●	5000		15 à 20 €

Constituée de toutes pièces sur la rive droite de la Marne, à partir de 1968, cette propriété a commercialisé ses premières bouteilles en 1974. Installés en 2010, Anthony et Céline Lacroix disposent de 13 ha de vignes et d'une cuverie flambant neuve. (RM)

Issu des trois cépages champenois, ce rosé d'assemblage tire sa couleur saumon pastel d'un apport de 10 % de vin rouge. Le nez élégant mêle framboise, fraise des bois et cassis, nuancés d'une touche de tilleul sans doute léguée par le chardonnay. Le palais tire aussi des raisins blancs son attaque vive et la trame acide de la bouche, qui lui donne relief et tonus. Un rosé structuré, complexe et harmonieux. ⧗ 2016-2020 🍴 bar grillé ● **Cuvée Tradition ★ (11 à 15 €; 50000 b.)** : les trois cépages champenois (80 % de noirs) au service d'un brut aux arômes de pâtisserie et à la bouche structurée, judicieusement dosée, à la finale marquée par de fins amers. ⧗ 2016-2019 🍴 poulet au champagne ● **Grande Réserve (15 à 20 €; 18000 b.)** : vin cité.

LACROIX, 14, rue des Genêts, 51700 Montigny-sous-Châtillon, tél. 03 26 58 35 17, champlacroix2@wanadoo.fr r.-v.

VIGNOBLE LACULLE Brut Premier ★★

●	56000		15 à 20 €

La famille Laculle, établie en 1789 dans l'Aube, cultive plus de 11 ha de vignes sur les coteaux de la vallée de l'Arce, à l'est de Bar-sur-Seine. La marque a été créée en 2000. (RM)

Un brut qui doit tout au pinot noir, de la récolte 2012. Nos dégustateurs sont enchantés par son nez intensément citronné et floral, et plus encore par sa bouche fine, minérale et fraîche, tout en subtilité, aux arômes d'agrumes et de pêche. ⧗ 2016-2019 🍴 feuilletés aux saint-jacques ● **Laculle Extra-brut ★ (20 à 30 €; 10000 b.)** : un champagne de bonne tenue, frais, élégant et complexe, mêlant au nez petits fruits, notes grillées et beurrées, complétés en bouche par des nuances de fruits exotiques. ⧗ 2016-2019 🍴 sole grillée

VIGNOBLE LACULLE, 1, rue du Vieux-Château, 10110 Chervey, tél. 03 25 38 78 17

LAGILLE ET FILS Grande Réserve

●	n.c.	15 à 20 €

Treslon n'est pas le village champenois le plus connu. Si l'autoroute et le TGV passent tout près, la localité se cache dans un vallon proche de l'Ardre, à l'ouest de Reims. La grand-mère avait cultivé ici les premiers plants et Bernard Lagille lancé sa marque (1975). Ses filles Claire et Maud, installées en 2005, puis Vincent, le fils, en 2012, l'ont rejoint. (RM)

Ce brut naît des trois cépages à parité. Ouvert, son nez évoque la fleur, le miel et les fruits secs. Des notes d'agrumes (citron vert) imprègnent sa bouche à la fois vive et mûre. Pour l'apéritif. ⧗ 2016-2018 🍴 rillettes de saumon

LAGILLE ET FILS, 49, rue de la Planchette, 51140 Treslon, tél. 03 26 97 43 99, contact@champagne-lagille.com r.-v.

PHILIPPE LAMARLIÈRE Chardonnay ★

●	20000		15 à 20 €

Créée en hommage à un ouvrier fin dégustateur qui travailla trente ans au service de la maison, une marque du négoce Tribaut-Schloesser, fondé en 1929 non loin d'Hautvillers et de la vallée de la Marne. Gérée par Sébastien Tribaut, l'affaire dispose de 20 ha de vignes. (NM)

CHAMPAGNE

L'élevage en foudre partiel (20 %) reste discret et fondu dans ce blanc de blancs au nez vineux, beurré, biscuité, agrémenté de nuances de caramel. Une pointe florale complète cette palette dans une bouche qui montre le même caractère vineux que le nez. ⧗ 2016-2020 🍷 saumon sauce hollandaise

SARL PHILIPPE LAMARLIÈRE, 8, rue des Gais-Hordons, 51480 Romery, tél. 03 26 58 64 21, contact@svromery.fr

LAMBLOT Vintage 2008 ★

●	5000	🍾	20 à 30 €

Entre Ardre et Vesle, Janvry annonce la Montagne de Reims. Au XVIIᵉs., Droüin Lamblot fut le premier de la lignée à y cultiver de la vigne. Aujourd'hui, Patrick Lamblot et son fils Alexandre conduisent 6 ha éparpillés en de multiples parcelles. (RM)

Dosé à 3,5 g/l, ce 2008 issu du chardonnay et du pinot noir à parité entre dans la catégorie extra-brut. Son évolution se traduit par une belle complexité aromatique: le nez associe notes fruitées fraîches (mûre, groseille), noisette et touches épicées (vanille, gingembre). Une farandole qui se retrouve dans une bouche ciselée, tendue et harmonieuse. Idéal à l'apéritif. ⧗ 2016-2019 🍷 verrines de crevettes à la vanille ● **L'Essentiel ★ (15 à 20 €; 10000 b.)** : issue des trois cépages champenois, une cuvée au fruité mûr, structurée, riche et de bonne longueur. ⧗ 2016-2019 🍷 poulet aux morilles ● **1ᵉʳ cru Terroir 2009 (15 à 20 €; 6000 b.)** : vin cité.

LAMBLOT, 9, rue Saint-Vincent, 51390 Janvry, tél. 03 26 03 80 00, contact@champagne-lamblot.fr V r.-v.

LAMIABLE Cuvée Phéérie 2008 ★★

●	1500	🍾	20 à 30 €

Installée à Tours-sur-Marne depuis huit générations, la famille plante des vignes dans les années 1950, tandis que les frères Lamiable creusent les caves à la pioche pendant plus de vingt hivers. Jean-Pierre Lamiable, installé en 1972, développe les ventes. En 2006, il a laissé les rênes du domaine à Ophélie Lapie-Lamiable, l'une de ses filles. (NM)

Un blanc de blancs qui dévoile toute la finesse et la fraîcheur attendues du chardonnay. Sa bulle fine qui traverse sa robe paille claire exalte des arômes élégants d'agrumes, de fleurs d'oranger. La bouche, à l'unisson, est fruitée à souhait, équilibrée, aérienne et tonique. La délicatesse même. ⧗ 2016-2019 🍷 noix de Saint-Jacques aux agrumes ● **Gd cru Extra-brut (15 à 20 €; 15000 b.)** : vin cité.

LAMIABLE, 8, rue de Condé, 51150 Tours-sur-Marne, tél. 03 26 58 92 69, lamiable@champagnelamiable.fr V r.-v.

CLAUDE LANCELOT Blanc de blancs ★

●	10000	15 à 20 €

Claude Lancelot et son épouse Nadine ont lancé leur exploitation en 1978. Depuis le décès de son mari en 2012, cette dernière tient la barre avec l'appui de son fils. Leur vignoble est planté de chardonnay sur les coteaux d'Épernay et dans la Côte des Blancs et de pinot noir près de Bar-sur-Seine. (RM)

La robe or pâle aux légers reflets verts fait bonne impression, tout comme le nez subtil et tonique d'agrumes et de fruits frais à chair jaune. Plus évoluée, toastée et briochée, la bouche apparaît puissante, ronde et souple, réveillée par une finale fraîche. ⧗ 2016-2020 🍷 blanquette de lotte

LANCELOT-GOUSSARD, 30, rue Ernest-Vallé, 51190 Avize, tél. 03 26 57 94 68, champagne-lancelot-goussard@wanadoo.fr V r.-v.

LANCELOT-PIENNE Cramant Cuvée Marie Lancelot ★★

● Gd cru	3000	🍾	30 à 50 €

L'union d'Albert Lancelot avec Brigitte Pienne, suivie de la mise en commun de leurs vignobles de la Côte des Blancs, est à l'origine de la marque (1967). Leur fils Gilles, œnologue, a pris en 2006 la tête du domaine de 8,5 ha, essentiellement situé autour de Cramant. Ses vins sont très peu dosés. (RM)

Dosé en extra-brut, ce chardonnay provient de la récolte 2010. Un grand cru fort loué pour la finesse et la complexité de ses arômes toastés, beurrés, miellés, légèrement vanillés. La bouche n'est pas en reste, tendue par une fraîcheur citronnée de l'attaque à la finale. ⧗ 2016-2020 🍷 langoustines à la citronnelle ● **Sélection ★ (20 à 30 €; 10000 b.)** : trois cépages et une dominante de pinot meunier qui lègue à cette cuvée des arômes de fruits jaunes et de pêche de vigne, soulignés par une belle fraîcheur. ⧗ 2016-2019 🍷 sole meunière

LANCELOT-PIENNE, 1, pl. Pierre-Rivière, 51530 Cramant, tél. 03 26 59 99 86, contact@champagne-lancelot-pienne.fr V r.-v.

P. LANCELOT-ROYER Blanc de blancs 2008 ★

● Gd cru	3630	🍾	20 à 30 €

Située à Cramant, grand cru de la Côte des Blancs, une exploitation créée par Pierre Lancelot et Françoise Royer en 1960 et conduite depuis 1996 par leur fille Sylvie et son mari Michel Chauvet, qui officie en cave. Le vignoble couvre 5 ha. (RM)

Ce blanc de blancs 2008 est généreusement dosé (12 g/l) pour sa catégorie. Il gagne ainsi en rondeur et suavité, ce qui équilibre son acidité naturelle. Le nez associe fruits mûrs et caramel, la bouche se parfume de fleurs blanches, de pêche et de brioche. Riche et frais, ce champagne pourra accompagner un repas. ⧗ 2016-2020 🍷 coquille Saint-Jacques gratinée ● **Blanc de blancs Cuvée de réserve R.R. (15 à 20 €; 11376 b.)** : vin cité.

EARL P. LANCELOT-ROYER, 540, rue du Gal-de-Gaulle, 51530 Cramant, tél. 03 26 57 51 41, champagne.lancelot.royer@cder.fr V r.-v.

Y. LANCELOT-WANNER Cramant Vieilles Vignes 2009 ★

● Gd cru	n.c.	20 à 30 €

Après ses études près de chez lui (au lycée d'Avize) et ses stages aux antipodes (en Nouvelle-Zélande),

Philippe Lancelot a rejoint ses parents en 2004 et pris en 2007 les rênes du domaine constitué à la génération précédente. À la tête de 4,6 ha au cœur de la Côte des Blancs, il cherche à élaborer des vins de garde. (RM)

Or brillant, ce blanc de blancs libère des notes légères de caramel, de pain grillé et de vanille, complétées en bouche par des accents de pâte de fruits et de miel. La fraîcheur de ce chardonnay est soulignée par un dosage en extra-brut, à peine perceptible. Un 2009 harmonieux, resté tonique. ⧗ 2016-2020 ⫯ tourte au saumon ● **Gd cru 2009 (20 à 30 €; n.c.)** : vin cité.

Y. LANCELOT-WANNER, 155, rue de la Garenne, 51530 Cramant, tél. 03 26 57 58 95, philippe@champagnelancelot.com V r.-v.

LANSON Extra Âge Blanc de blancs ★★

●	n.c.	50 à 75 €

Maison fondée en 1760 par François Delamotte, propriétaire de vignes à Cumières. Jean-Baptiste Lanson prend le contrôle de l'affaire en 1837, lui donne son nom et sa dimension internationale en commerçant vers l'Europe du Nord. La marque est depuis 2006 le fleuron du groupe BCC. Le style maison: une grande fraîcheur due à des vinifications sans fermentation malolactique. (NM)

La gamme Extra Âge est de nouveau sur le devant de la scène. Pour cette édition, le chardonnay. Habillé d'or, il arrive à son apogée. Intense et complexe, le nez associe des notes miellées, toastées, des touches de pain grillé avec des senteurs fraîches de citron confit et de pamplemousse. Soulignés par une acidité encore bien présente, ce sont les agrumes, rehaussés de noix de muscade et de poivre, qui tiennent la vedette à la prise en bouche. La matière puissante, à la fois chaleureuse et fraîche, finit sur de fins amers. Du caractère. ⧗ 2016-2019 ⫯ filet de sole à la crème et piment ● **Black Label ★ (20 à 30 €; n.c.)** : la cuvée phare de la maison assemble les trois cépages, mais les noirs dominent (50 % de pinot noir, 15 % de meunier). Le style qui fait son succès est reconnaissable: nez combinant notes grillées et briochées aux fruits mûrs et exotiques, bouche très vive, structurée et longue. ⧗ 2016-2020 ⫯ huîtres gratinées ● **Gold Label 2008 (30 à 50 €; n.c.)** : vin cité.

LANSON, 66, rue de Courlancy, 51100 Reims, tél. 03 26 78 50 50, info@lanson.com V r.-v.

GUY LARMANDIER Cramant Blanc de blancs ★★

● Gd cru	38210	🍾	20 à 30 €

Récoltants-manipulants depuis plusieurs générations, les Larmandier sont bien connus dans la Côte des Blancs. La marque a été lancée en 1961. Les enfants de Guy et de Colette, Marie-Hélène et François, ont pris les commandes du domaine: 9 ha à Vertus, Chouilly et Cramant. (RM)

Un blanc de blancs grand cru qui tient son rang. À Cramant, les ceps de chardonnay s'enracinent dans la craie et transmettent à leurs fruits le goût de ce terroir. Ici, ces notes crayeuses se mêlent au citron et au beurre, composant un nez délicat. La bouche s'offre avec légèreté et élégance; elle trouve son équilibre entre richesse et fraîcheur à la faveur d'un dosage adapté et bien fondu. Une longue finale sur les agrumes ajoute encore à sa séduction. ⧗ 2017-2020 ⫯ raviole de homard au citron confit ● **Gd cru Blanc de blancs Cuvée perlée ★ (15 à 20 €; 5850 b.)** : tiré à petite mousse, c'est-à-dire avec une pression un peu moins forte que pour la plupart des champagnes, ce blanc de blancs offre une effervescence très fine qui met en valeur les notes de fleurs et d'agrumes et dévoile une bouche fraîche et harmonieuse. ⧗ 2016-2020 ⫯ carpaccio de saint-jacques

GUY LARMANDIER, 30, rue du Gal-Kœnig, 51130 Vertus, tél. 03 26 52 12 41, guy.larmandier@wanadoo.fr V r.-v.

LARNAUDIE-HIRAULT 2011 ★

● 1er cru	1250	🍾	20 à 30 €

Installés à Trois-Puits, 1er cru situé aux portes de Reims, Yves et Marie-Thérèse Larnaudie ont lancé leur champagne en 1975. Leur fils aîné Michaël les a rejoints en 2006 sur un vignoble de 7 ha. (RM)

Mi-pinot noir mi-chardonnay, ce millésimé naît de la précoce récolte 2011. En partie (20 %) élevé en fût, il affiche une couleur or clair parcourue d'une bulle légère. Son nez délicat se partage entre l'orange et la pêche jaune. Douce à l'attaque, la bouche se montre fraîche, équilibrée et longue. ⧗ 2016-2019 ⫯ cassolette de langoustines

LARNAUDIE-HIRAULT, 20, Grande-Rue, 51500 Trois-Puits, tél. 03 26 85 47 14, champagne.larnaudie-hirault@wanadoo.fr V r.-v.

LÉON LAUNOIS Cuvée réservée

●	5000	🍾	20 à 30 €

Charles Mignon est une maison de négoce familiale créée à Épernay en 1995 par Bruno Mignon, arrière-petit-fils de vignerons, et par sa femme Laurence. Trois marques: Charles Mignon, Louis Tollet (destinée aux cavistes et aux restaurateurs) et Léon Launois. (NM)

Léon Launois est une maison du Mesnil-sur-Oger rachetée en 2003 par Charles Mignon. Sa Cuvée Réservée est un rosé d'assemblage associant le pinot noir (80 %) et le chardonnay. Un champagne tout en finesse à la robe saumon pastel et aux arômes légers de fruits blancs et de fruits rouges. ⧗ 2016-2018 ⫯ tartare de saumon

CHARLES MIGNON, 7, rue Irène-Joliot-Curie, 51200 Épernay, tél. 03 26 58 33 33, cm@champagne-mignon.fr V r.-v.

PAUL LAURENT Cuvée du fondateur

●	90000	🍾	15 à 20 €

Lorsque Gilbert Gruet et son épouse Danielle créent leur exploitation en 1952, les coteaux du Sézannais, dans le sud-ouest de la Marne, ne portent que peu de ceps. Depuis, la viticulture s'est fortement développée dans la région, et la maison Gruet, devenue Champagne Paul Laurent en 1993, a pris le statut de négociant. Tandis que deux enfants sont partis élaborer du *sparkling* dans l'Ouest américain, deux autres gèrent l'affaire. (NM)

Un rosé d'assemblage comprenant 65 % de pinot noir, 20 % de chardonnay et 15 % de vin rouge, qui apporte couleur et fruité. Il en résulte une robe rose léger aux reflets orangés et d'intenses notes de fruits rouges que l'on retrouve dans une bouche tendre, marquée en finale par un petit côté tannique. ⧗ 2016-2019 ▼ samoussas aux légumes ● **Cuvée Prestige L'Essentiel (20 à 30 €; 10000 b.)** : vin cité.

PAUL LAURENT, 4, rue des Pressoirs, 51260 Bethon, tél. 03 26 81 91 11, champagne.paul.laurent@wanadoo.fr V *r.-v.*

LOUIS LAURENT Réserve

●	n.c.		15 à 20 €

Les ancêtres de Luc Chaudron se sont établis en 1820 à Verzenay, grand cru de la Montagne de Reims. Depuis 2000, ce dernier est à la tête d'une affaire de négoce exportant 40 % de sa production. Il vend ses cuvées sous plusieurs étiquettes. (NM)

Encore sur sa réserve, ce brut est composé à plus de 80 % de noirs (pinot noir surtout). Il séduit en bouche, trouvant un bel équilibre entre richesse et fraîcheur. Un champagne élégant, pour l'apéritif. ⧗ 2016-2019 ▼ toasts de saumon fumé ● **(15 à 20 €; 10000 b.)** : vin cité.

CHAUDRON, 2, rue de Beaumont, 51360 Verzenay, tél. 03 26 66 66 66, commercial@champagnechaudron.com V *t.l.j. sf dim. 9h-12h 13h30-17h30 ; sam. sur r.-v.*

LAURENT-GABRIEL Réserve

● 1er cru	12000	15 à 20 €

Une marque créée par Daniel Laurent en 1982. Depuis 2007, Marie-Marjorie Laurent, sa fille, exploite les 3 ha du domaine répartis dans la Grande Vallée de la Marne et dans la Côte des Blancs. (RM)

Cette cuvée qui doit beaucoup au pinot noir (80 %) comprend 40 % de vins de réserve. Vinifiée sans fermentation malolactique et partiellement dans le bois, elle développe un nez pâtissier, crémeux et fruité et déploie une matière souple et fraîche aux nuances d'agrumes et d'abricot. Un champagne équilibré et aromatique. ⧗ 2016-2019 ▼ pâté chaud en croûte ● **1er cru Grand Rosé (15 à 20 €; 2000 b.)** : vin cité.

LAURENT-GABRIEL, 2, rue des Remparts, 51160 Avenay-Val-d'Or, tél. 03 26 52 32 69, email@laurent-gabriel.com V *r.-v.*

LAURENT-PERRIER Ultra-brut ★

●	n.c.	30 à 50 €

Cette célèbre maison, créée en 1812 par le tonnelier André-Michel Pierlot, associe les patronymes de Mathilde Perrier et de son époux Eugène Laurent, chef de cave ayant repris l'affaire. Elle connaît l'expansion jusqu'au lendemain de la Grande Guerre, puis la léthargie après la disparition sans héritier de la veuve Laurent-Perrier en 1925. Marie-Louise de Nonancourt, née Lanson, rachète la maison en 1939; son fils Bernard (1920-2010) lui redonne son lustre et en fait un groupe d'importance détenant des marques réputées comme Salon et Delamotte et célèbre pour ses cuvées spéciales. (NM)

La tendance actuelle des chefs de cave est de diminuer les dosages et la maison Laurent-Perrier peut se flatter de faire figure de précurseur en matière d'extra-brut. La présentation de celui-ci est soignée: ses bulles bien présentes et fines traversent une robe brillante aux reflets dorés. Le bouquet, subtil et complexe, associe la fraîcheur, avec des notes d'agrumes et de fougère, et l'évolution, avec des notes grillées et des nuances de pâte de fruits. Aromatique, ample et tendue par une fine acidité, la bouche séduit. De l'élégance. ⧗ 2016-2020 ▼ carpaccio de saint-jacques ● **Brut (n.c.; n.c.)** : vin cité.

LAURENT-PERRIER, 32, av. de Champagne, 51150 Tours-sur-Marne, tél. 03 26 58 91 22, al.domenichini@laurent-perrier.fr V *r.-v. de Nonancourt*

LAVAURE-HUBER Tradition ★★

●	n.c.	11 à 15 €

Vigneron à Chavot-Courcourt dans l'entre-deux-guerres, Diogène Tissier fut le père d'une famille très nombreuse: il est à l'origine de plusieurs maisons de ce village des coteaux sud d'Épernay. Celle-ci est née en 1999 de l'union de sa petite-fille Isabelle Huber avec Patrick Lavaure.

Associés au chardonnay, 60 % de raisins noirs (meunier surtout) sont à l'origine de ce séduisant brut. Pâle de couleur, animé par une intense effervescence, il brille par son nez délicat de fruits blancs et de fleurs de cerisier, prélude élégant à une bouche équilibrée et vivante, d'une belle fraîcheur. ⧗ 2016-2019 ▼ carpaccio de saint-jacques

LAVAURE-HUBER, 4, Le Pont-de-Bois, 51530 Chavot-Courcourt, tél. 03 26 54 57 95, champagne-lavaure-huber@orange.fr V *r.-v.*

LEBEAU-BATISTE

●	3000		11 à 15 €

Maison familiale à l'origine d'un mariage en 1981 du Champagne Robert Lebeau de Chavot-Courcourt et du Champagne Pierre Batiste de Moussy. En 2009, Florent Lebeau reprend l'exploitation, qui couvre plus de 5 ha implantés sur les coteaux sud d'Épernay et dans la vallée de la Marne. (RM)

Issu des trois cépages champenois (dont 30 % de chardonnay), ce rosé d'assemblage s'annonce par une robe d'un rose assez soutenu et délivre des arômes frais et fins, floraux et fruités. L'attaque est à la fois tonique et souple et un fruité croquant se développe dans une bouche de bonne longueur, un peu nerveuse en finale. ⧗ 2017-2020 ▼ carré de veau

LEBEAU-BATISTE, 13 bis, rue du Gal-Leclerc, 51530 Chavot-Courcourt, tél. 03 26 55 39 14, lebeau.batiste@wanadoo.fr V *r.-v.*

ALAIN LEBOEUF Grande Séduction 2011 ★

●	2100		20 à 30 €

Fils et petit-fils de vignerons aubois, Alain Leboeuf a repris en 1989 le domaine familial: 7 ha à l'extrême sud-est de la Champagne, aux confins de la Haute-Marne. (RM)

Une cuvée déjà distinguée dans le millésime précédent. Du pinot noir et du chardonnay à parité dans ce brut qui a connu le bois. Au contact de la barrique, il s'est enrichi de notes empyreumatiques qui laissent le fruit à l'arrière-plan au nez comme en bouche. Le palais, d'une puissance et d'une ampleur notables, garde un bel équilibre et offre une longue finale. 2017-2018 feuilletés aux fruits de mer **Tradition (11 à 15 €; 38000 b.)** : vin cité.

SCEV ALAIN LEBOEUF, 1, rue du Moulin, 10200 Colombé-la-Fosse, tél. 03 25 27 11 26, scevleboeuf@wanadoo.fr V r.-v.

LE BRUN DE NEUVILLE
Cuvée Chardonnay Blanc de blancs ★★

	128886		20 à 30 €

Coopérative créée en 1963 par une vingtaine de producteurs des coteaux sud de Sézanne, alors peu plantés en vignes. La structure s'est développée au gré des plantations: aujourd'hui 150 ha, à dominante de chardonnay, pour à peu près autant d'adhérents. (CM)

Une effervescence fine et légère parcourt la robe brillante et dorée de ce joli brut. Le nez intense mêle élégamment fleurs blanches et notes briochées. Tout aussi parfumée, onctueuse et structurée, la bouche bénéficie d'une fraîcheur minérale en contrepoint idéal de la gamme aromatique évoluée. 2016-2019 filet de bar à la crème **Authentique Assemblage ★ (20 à 30 €; 5006 b.)** : du chardonnay (60 %) assemblé au pinot noir pour ce brut tiré sous liège au nez puissant, toasté et brioché et à la bouche vive et longue. 2016-2018 pintade aux champignons **Cuvée Chardonnay Lady de N. (30 à 50 €; 33211 b.)** : vin cité.

LE BRUN DE NEUVILLE, rte de Chantemerle, 51260 Bethon, tél. 03 26 80 48 43, commercial@lebrundeneuville.fr V t.l.j. sf dim. 9h-12h 14h-18h

♥ LE BRUN SERVENAY
Extra-brut Cuvée Chardonnay Vieilles Vignes 2006 ★★★

Gd cru	6200		20 à 30 €

Patrick Le Brun conduit depuis 1996 un vignoble familial de près de 7 ha dont la majeure partie est située au cœur de la Côte des Blancs, patrie du chardonnay. Ses cuvées ne font pas leur fermentation malolactique et sont faiblement dosées. (RM)

Élaboré sans fermentation malolactique pour préserver fraîcheur et longévité, ce blanc de blancs extra-brut s'est poli neuf ans en cave pour livrer sous une effervescence fine et légère une robe d'un or soutenu aux reflets verts. Sa palette aromatique, expressive et complexe, mêle le tilleul, le menthol et le poivre. Un bouquet frais et élégant qui se retrouve et se maintient longtemps dans une bouche d'une rare finesse. Un champagne plus spirituel que musclé. 2016-2019 coquilles Saint-Jacques au beurre

SCEV LE BRUN SERVENAY, 14, pl. Léon-Bourgeois, 51190 Avize, tél. 03 26 57 52 75, contact@champagnelebrun.com V r.-v.

B LECLERC-BRIANT La Croisette ★

	2000		50 à 75 €

Propriété née en 1872 à Cumières. Installée à Épernay en 1955, elle a pris le statut de négociant. La maison a joué un rôle pionnier dès les années 1960 en vinifiant par lieu-dit et en s'intéressant au bio. Pascal Leclerc, disparu en 2010, avait converti le domaine à la biodynamie. Rachetée en 2012 par des Américains, la maison est gérée par Frédéric Zeimett, Champenois d'origine, passé auparavant par de grandes maisons comme Moët & Chandon ou Chapoutier. Le vignoble, ramené à 10 ha, est toujours cultivé en biodynamie et des apporteurs en bio complètent son approvisionnement. (NM)

Cette cuvée ne doit pas son nom à un célèbre festival, mais à la parcelle des hauteurs d'Épernay où sont implantés les ceps de chardonnay qui ont permis son élaboration. Elle est non dosée et certifiée «vegan» (aucun produit d'origine animale). Attirante dans sa robe dorée éclairée de fines bulles, elle offre un nez riche sur des tons de mirabelle, de poire et de biscuit vanillé. Le sous-bois et la torréfaction s'invitent dans une bouche ronde et vive, peut-être surdosée. Une certaine sensibilité à l'oxydation fera éviter une trop grande aération. 2016-2018 poulet de Bresse aux écrevisses

LECLERC-BRIANT, 67, rue Chaude-Ruelle, BP 108, 51204 Épernay Cedex, tél. 03 26 54 45 33, info@leclercbriant.com V r.-v. *Denise Dupré*

CHAMPAGNE

DANIEL LECLERC ET FILS Cuvée Réserve ★

	4000		11 à 15 €

Daniel Leclerc plante sa première vigne en 1975 à Polisot, au sud de Bar-sur-Seine, et se lance en 1990 dans l'élaboration du champagne, avec 2 ha. Ses enfants Alexandre et Raphaëlle le rejoignent en 1984 et prennent le relais en 2011; ils exploitent aujourd'hui 8 ha. (RM)

Trois années sont assemblées dans ce brut qui doit tout au pinot noir, cépage roi de l'Aube. Après quelques années de cave, il a acquis une robe doré profond. Le nez, lui aussi, est évolué, bien ouvert sur des senteurs complexes, briochées, grillées (café) et de caramel au lait que l'on retrouve au palais. Structuré et vineux, ce champagne trouve son harmonie en s'appuyant sur une franche acidité. 2016-2018 poularde aux champignons **(11 à 15 €; 8000 b.)** : vin cité.

LECLERC, Maison-Rouge, 10110 Polisot, tél. 03 25 38 51 12, champagne.daniel.leclerc@orange.fr V r.-v.

LECLERC-MONDET 2011 ★

	5000		15 à 20 €

Installés en 1952 à Trélou-sur-Marne sur la rive droite de la Marne, Henri Leclerc et son épouse Renée Mondet lancent leur première cuvée. Leur fils Christian reprend l'exploitation en 1976 et passe le relais en 1998 aux petits-fils. Fabien, œnologue, est à la cave et son frère Cédric à la vigne. Leur domaine couvre près de 10 ha. (RM)

Né de chardonnay et de pinot noir à parts égales, ce brut attire par un nez expressif de beurre, de brioche et de pâtisserie. Franc à l'attaque, toasté et plutôt frais en bouche, il séduit surtout par un équilibre accompli. ⧗ 2016-2019 🍴 foie gras poêlé

⊶ LECLERC-MONDET,
5, rue Beethoven, 02850 Trélou-sur-Marne, leclerc-mondet@orange.fr V 🚶 🍷 *r.-v.*

LECLÈRE-POINTILLART Blanc de blancs ★

● 1er cru | 2000 | 🍾 | 15 à 20 €

Domaine familial implanté à Écueil, village en 1er cru de la Montagne de Reims, au sud de la Cité des Sacres. Installé en 1979, Patrice Leclère exploite aux environs 10 ha de vignes. (RC)

Harmonie, équilibre et finesse, nous dit-on. Voilà un blanc de blancs qui donne ce que l'on attend de lui. À l'olfaction, il livre avec discrétion des notes de fleurs blanches (chèvrefeuille) et d'agrumes (pamplemousse). En bouche, il attaque avec franchise et dévoile des arômes de citron et de pierre à fusil. La fermentation malolactique, bloquée sur la moitié des jus, lui a donné une acidité qui n'a cependant rien d'agressif. ⧗ 2016-2019 🍴 verrines de saint-jacques

⊶ GUILLAUME LECLÈRE,
3, Grande-Rue, 51500 Écueil, tél. 03 26 49 77 47, leclpoint@aol.com V 🚶 🍷 *t.l.j. sf dim. 9h-12h 13h30-18h*

FRANÇOIS LECOMPTE 2009

● 1er cru | 3201 | 🛢 | 15 à 20 €

François Lecompte conduit depuis 1999 le domaine créé par ses ancêtres en 1876. Son vignoble s'étend sur plus de 9 ha autour de Rilly-la-Montagne, village proche de Reims. (RM)

Une majorité de raisins noirs (60 %, les deux pinots à parité), complétés de chardonnay, sont à l'origine de ce 2009 au nez de fruits mûrs, de fruits exotiques et de beurre, qui impose sa puissance aromatique en bouche. Une franche acidité, présente de l'attaque à la finale, le préserve de toute lourdeur. Un champagne de repas. ⧗ 2016-2019 🍴 chapon aux épices ● **1er cru Cuvée Céleste (15 à 20 €; 34 980 b.)** : vin cité.

⊶ FRANÇOIS LECOMPTE,
9, rue Carnot, 51500 Rilly-la-Montagne, tél. 03 26 49 47 30, champagnelecompte@orange.fr V 🚶 🍷 *r.-v.*

XAVIER LECONTE Prestige ★

● | 11 638 | 🛢🍾 | 15 à 20 €

À la suite de quatre générations de viticulteurs, Xavier Leconte exploite un vignoble sur la rive gauche de la Marne. Il est le premier de la lignée à vinifier: coopérateur lors de son installation en 1978, il est devenu récoltant-manipulant dans les années 1980 et a passé la main en 2013 à son fils Alexis, œnologue. Le domaine couvre 10 ha. (RM)

Dominé par le pinot noir (70 %), complété par le meunier, ce blanc de noirs a séjourné six mois en fût. Mêlant au nez fruits rouges frais et confiture de fraises, c'est un champagne équilibré, à l'évolution harmonieuse. Le boisé apparaît en finale. À déboucher dès l'apéritif. ⧗ 2016-2019 🍴 pâté de lapin en gelée

⊶ XAVIER LECONTE,
7, rue des Berceaux, 51700 Troissy, tél. 03 26 52 73 59, contact@champagne-xavier-leconte.com V 🚶 🍷 *r.-v.* 🏠 D

LECONTE-AGNUS ★

● | 7054 | 15 à 20 €

Établie sur la rive gauche de la Marne, cette famille cultive la vigne depuis cinq générations, mais ne possédait que quelques ares dans les années 1950. Aujourd'hui, Florian et Enguerran Bonnet exploitent avec leurs parents 9 ha de vignes. (RM)

Déjà apprécié l'an dernier, un rosé élaboré à partir de l'unique meunier (vinifié en blanc, avec un apport de vin rouge). Les nuances fruitées et florales s'expriment en finesse. L'attaque est souple, la finale longue et fraîche: une belle étoile. ⧗ 2016-2019 🍴 fraisier ● **2011 (15 à 20 €; 1888 b.)** : vin cité.

⊶ LECONTE-AGNUS,
3, rue des Grèves, Bouquigny, 51700 Troissy, tél. 06 88 48 94 02, champagne.leconte.agnus@wanadoo.fr V 🚶 🍷 *r.-v.*

DIDIER LEFÈVRE Blanc de blancs 2008

● Gd cru | 2500 | 🍾 | 20 à 30 €

On trouvera Didier Lefèvre à Épernay, sur les bords de la Marne. Il cultive un vignoble réparti entre Côte des Blancs (Oger), coteaux ouest d'Épernay, Sézannais et rive droite de la Marne, dont il livre la récolte à l'une des coopératives d'Avize. (RC)

La fermentation malolactique a été partiellement bloquée pour ce blanc de blancs 2008, qui demande une légère aération pour délivrer des senteurs de fruits jaunes, de beurre et de grillé. L'attaque est fraîche, la bouche riche, évoluée, avec des notes de pâtisserie et une finale gourmande. Un champagne de repas. ⧗ 2016-2018 🍴 poularde à la crème

⊶ DIDIER LEFÈVRE, 13, quai de la Villa, 51200 Épernay, tél. 03 26 54 57 16, champagne.d.lefevre@orange.fr V 🍷 *r.-v.*

LEGOUGE-COPIN Clair de rosé ★

● | 2500 | 🍾 | 15 à 20 €

Vigneron comme les générations qui l'ont précédé, Serge Copin crée sa marque en 1962. Sa fille aînée, Jocelyne, épouse de Jean-Marie Legouge, reprend l'exploitation en 1992. Ils cultivent un domaine de 5 ha dans la vallée de la Marne et sont coopérateurs. (RC)

Un rosé d'assemblage mariant pinot noir (79 %) et chardonnay à 23 % de vin rouge. La robe est d'un rose intense, parcourue de fines bulles et couronnée d'un cordon délicat. Des arômes de framboise, de fraise, de griotte et de poivre s'expriment au nez et s'épanouissent dans une bouche consistante, équilibrée et longue. ⧗ 2016-2019 🍴 carré de veau

LEGOUGE-COPIN, 6, rue de l'Abbé-Bernard, 51700 Verneuil, tél. 03 26 52 96 89, boutique@champagne-legouge-copin.fr V r.-v.

LEGRAND FRÈRES Cuvée Isis 2012

	4000		20 à 30 €

Rejoint par son fils Édouard en 2014, Éric Legrand cultive depuis 1980 la propriété familiale qui couvre près de 16 ha dans les vallées de l'Ource et de la Seine (Aube). Deux étiquettes: Éric Legrand et Legrand Frères. (RM)

Le chardonnay est peu courant dans la Côte des Bar. Celui-ci, vinifié sept mois en fût, a donné naissance à une cuvée aux arômes puissants de fruits secs (noisette), de beurre et de brioche. Les agrumes complètent cette palette dans un palais équilibré et long. Une belle harmonie. 2016-2020 sole grillée

ÉRIC LEGRAND, 39, Grande-Rue, 10110 Celles-sur-Ource, tél. 03 25 38 55 07 V r.-v.

LEGRAS ET HAAS Blanc de blancs 2008

Gd cru	32000		30 à 50 €

Maison fondée en 1991 à Chouilly (Côte des Blancs) par François Legras et Brigitte Haas, de vieille souche vigneronne, aujourd'hui relayés par leurs fils Rémi, Olivier et Jérôme. Le vignoble ne compte pas moins de 38 ha. Chacun des fils cultive à part ses parcelles, la récolte étant mise en commun et complétée par des apports de quelques viticulteurs. (NM)

L'année 2008 a donné une récolte très mûre à l'acidité préservée. Ce blanc de blancs est typique de ce millésime. Le nez est complexe et subtil: on y trouve du miel, de la brioche, du caramel, de la fumée et de la tarte au citron. La bouche, d'un bel équilibre, montre beaucoup de fraîcheur et une pointe de douceur en finale. 2016-2019 poulet au champagne

LEGRAS ET HAAS, 9, Grande-Rue, 51530 Chouilly, tél. 03 26 54 92 90, info@legras-et-haas.com V r.-v.

LEGRET ET FILS Brut nature Rosé de saignée

	2000		30 à 50 €

Talus-Saint-Prix? Un village de la vallée du Petit Morin. Son coteau forme l'un des îlots viticoles qui prolongent vers le sud la Côte des Blancs. Les grands-parents, puis les parents de l'actuel récoltant y ont planté 3 ha de vignes, puis deux autres dans le Sézannais, constituant le domaine. Alain Legret l'exploite aujourd'hui en empruntant à la démarche biodynamique. (RM)

Ce rosé non dosé tire son caractère d'une macération de trente-six heures de meunier (80 %) et de pinot noir. D'un rose brillant aux reflets saumonés, il livre des arômes de cassis, de cerise et de fraise. Cette expression se retrouve dans un palais équilibré, frais, de bonne longueur. 2016-2019 soupe de fruits rouges

ALAIN LEGRET, 6, rue de Bannay, 51270 Talus-Saint-Prix, tél. 03 26 52 81 41, alain-legret@wanadoo.fr r.-v.

LELARGE-PUGEOT Demi-sec Tradition ★

1er cru	1500		20 à 30 €

La famille Lelarge a acquis ses premières parcelles en 1799, au sud-ouest de Reims. Installés en 1990, Dominique Lelarge et son épouse Dominique Pugeot lancent un champagne à leur marque. Leur vignoble (8,7 ha) est conduit en bio (certification en 2015). (RM)

Les demi-secs (moelleux, liqueur d'expédition dosée à 32 g/l de sucres) se font presque rares. Celui-ci, issu des trois cépages champenois et à dominante de noirs (85 %, meunier majoritaire), est resté trois ans sur lattes. Il est apprécié tant pour ses arômes mêlant fruits blancs, fruits secs et brioche que pour sa rondeur et son onctuosité. 2016-2020 paris-brest **1er cru (20 à 30 €; 5000 b.)** : vin cité.

DOMINIQUE LELARGE, 30, rue Saint-Vincent, 51390 Vrigny, tél. 03 26 03 69 43, contact@champagnelelarge-pugeot.com V r.-v.

CLAUDE LEMAIRE Grande Réserve Vieilles Vignes ★★

	4000	15 à 20 €

Louis Lemaire élabore les premiers champagnes dans les années 1920, avant d'être relayé par Claude en 1950. Patrice, installé en 1990 sur ce domaine situé rive gauche de la Marne et secondé par son fils Aurélien, commercialise ses bouteilles sous son nom ou sous celui de son père. (RM)

De petits rendements, mais de la concentration et de l'intensité aromatique pour cette cuvée issue d'une parcelle de meunier âgé de plus de soixante ans. Le nez sur les fruits mûrs et le biscuit montre une heureuse évolution, tandis que la bouche tonique et franche, sur des nuances d'agrumes frais, étonne par sa pointe saline. Un champagne à la fois gourmand et frais. 2016-2020 saint-jacques poêlées aux agrumes **Tradition Élevé en fût de chêne (15 à 20 €; 4000 b.)** : vin cité.

CLAUDE LEMAIRE, 9, rue Croix-Saint-Jean, 51480 Boursault, tél. 03 26 58 40 58, champagne.lemaire@wanadoo.fr V r.-v.

FERNAND LEMAIRE Blanc de blancs ★

1er cru	7000		15 à 20 €

Fernand Lemaire devient vigneron en 1903 à Hautvillers, berceau du champagne où officia Dom Pérignon. Après Robert, Frédéric lui a succédé en 1984, en attendant Hélène. L'exploitation couvre 6,5 ha. (RM)

Si les vignerons d'Hautvillers ont l'habitude de travailler des raisins noirs, ils ne négligent pas leurs blancs de blancs, à en juger par celui-ci, floral au nez, plus fruité en bouche, structuré, équilibré et long. De la tenue. 2016-2019 buisson de langoustines

FRÉDÉRIC LEMAIRE, 88, rue des Buttes, 51160 Hautvillers, tél. 03 26 59 40 44, champagne-lemaire@wanadoo.fr V *t.l.j. 8h-18h; dim. sur r.-v.*

CHAMPAGNE

ALEXANDRE LENIQUE Cuvée Excellence ★

	5000		15 à 20 €

Un Alexandre Lenique, fils d'un chef de cave, fonde le domaine en 1768. Michel Lenique lance son champagne en 1960. Il travaille aujourd'hui avec son fils Alexandre. La propriété a son siège à Pierry, premier village viticole au sud d'Épernay, et le vignoble couvre 6,7 ha sur la Côte des Blancs et dans la vallée de la Marne. (NM)

Ce brut assemble 30 % de noirs au chardonnay. Bien ouvert, flatteur et floral, le nez dévoile son évolution à travers des notes de fruits confits. La bouche est construite sur une fine acidité qui lui donne beaucoup de fraîcheur. ⧗ 2016-2018 ▼ feuilletés au parmesan ● **Secret de famille (30 à 50 €; 2000 b.)** : vin cité. ● **Michel Lenique 2007 (20 à 30 €; n.c.)** : vin cité.

⊶ MICHEL LENIQUE, 20, rue du Gal-de-Gaulle, 51530 Pierry, tél. 03 26 54 03 65, salenique@wanadoo.fr V *r.-v.*

LEQUEUX-MERCIER ★★

	3780		20 à 30 €

En aval de Dormans, le coteau de Passy-sur-Marne domine les premiers méandres de la rivière à son entrée dans le département de l'Aisne. Installé en 1973, Michel Lequeux représente la troisième génération sur le domaine familial qui couvre 7 ha. (RM)

Issu de pinot noir et de chardonnay à parts égales, un brut au nez complexe, mêlant notes toastées et fruits mûrs. Les fruits à noyau et les agrumes entrent en scène dans un palais soyeux et frais, à la finale harmonieuse et longue. ⧗ 2016-2019 ▼ coquilles Saint-Jacques

⊶ LEQUEUX-MERCIER, 13, rue de Champagne, 02850 Passy-sur-Marne, tél. 03 23 70 35 32, info@champagnelequeuxmercier.fr V *r.-v.*

LEQUIEN ET FILS Cuvée Tradition

	16596		11 à 15 €

Philippe Lequien reprend en 1995 l'exploitation familiale, installe des pressoirs et quitte la coopérative. Il met en valeur 4 ha à Chavot-Courcourt, village des coteaux sud d'Épernay, célèbre pour son église romane au milieu des vignes. (RM)

Mi-blancs mi-noirs (meunier surtout) de la récolte 2013, ce brut développe des arômes de fruits frais et de noisette. La bouche, à l'unisson, est équilibrée et gourmande avec ses nuances de fruits confits. ⧗ 2016-2020 ▼ huîtres chaudes ● **Blanc de noirs (15 à 20 €; 3000 b.)** : vin cité.

⊶ LEQUIEN ET FILS, 1, rue d'Ilbesheim, 51530 Chavot-Courcourt, tél. 03 26 54 95 84, champagnelequienetfils@orange.fr V *r.-v.*

PAUL LEREDDE Carte blanche ★★

	14000		11 à 15 €

Paul Leredde, récoltant-coopérateur, a lancé sa marque en 1960. Son fils Jean-Yves, installé en 1979, a décidé de vinifier lui-même ses cuvées. Son vignoble couvre 6,7 ha dans la partie la plus occidentale de la vallée de la Marne. (RM)

Or très clair, cette Carte blanche provient pour l'essentiel... de raisins noirs (90 % de meunier, 5 % de pinot noir), récoltés en 2012 et 2011. Nos dégustateurs ont été enchantés par sa mousse fine, son nez d'une grande fraîcheur sur les agrumes et les fleurs blanches. Dans le même registre, la bouche brille par sa présence harmonieuse et tonique et par sa persistance. Pour l'apéritif et le poisson. ⧗ 2016-2020 ▼ tartare de daurade ● **Carte rouge (11 à 15 €; 12000 b.)** : vin cité. ● **Cuvée Prestige (15 à 20 €; 2200 b.)** : vin cité.

⊶ PAUL LEREDDE, 49, rue de Bézu, 02310 Crouttes-sur-Marne, tél. 03 23 82 09 41, contact@champagne-paul-leredde.com V *r.-v.*

LHEUREUX PLÉKHOFF Blanc de blancs ★

Gd cru	8000		30 à 50 €

Née en 2002 de l'union de Georges Lheureux et de Stéphanie Plékhoff, cette maison a son siège à Mutigny, près d'Épernay, et s'appuie sur un vignoble en propre de 12 ha. (NM)

Un blanc de blancs à la robe or soutenu et au nez bien ouvert, complexe et fin, mariant fleurs blanches, fruits confits, noisette, miel et épices. Une robe et une palette traduisant une certaine évolution, confirmée en bouche. Un vin d'une belle présence, qui reste frais. ⧗ 2016-2019 ▼ saint-jacques caramélisées ● ★ **(20 à 30 €; 5000 b.)** : un rosé d'assemblage dominé par le pinot noir. Nez bien ouvert et complexe, sur les fruits rouges, bouche à la fois moelleuse et fraîche. Du caractère. ⧗ 2016-2020 ▼ magrets aux cerises

⊶ LHEUREUX PLÉKHOFF, manoir de Montflambert, 51160 Mutigny, tél. 03 26 52 33 21, contact@manoirdemontflambert.fr V *r.-v.* 5

L'HOSTE PÈRE ET FILS Tradition

	75000		11 à 15 €

À l'écart des capitales du champagne que sont Reims et Épernay, le vignoble de Vitry-le-François ne s'est développé que récemment. Jean L'Hoste, qui a constitué son exploitation à partir de 1971, est un des pionniers de l'élaboration du champagne dans la région. Aujourd'hui, son fils Pascal dispose d'un coquet domaine de 14 ha à dominante de chardonnay. (NM)

Du chardonnay majoritaire (70 %) et du pinot noir dans cette cuvée au nez élégant et frais, au palais beurré et citronné, idéal pour l'apéritif et les fruits de mer. ⧗ 2016-2018 ▼ tartare de bar au citron vert ● **(15 à 20 €; 10000 b.)** : vin cité.

⊶ L'HOSTE PÈRE ET FILS, 11, rue de Vavray, 51300 Bassuet, tél. 03 26 73 94 43, champagnelhoste@wanadoo.fr V *t.l.j. 9h-12h 14h-19h; dim. sur r.-v.*

LIÉBART-RÉGNIER ★★

	3000		15 à 20 €

Installé en 1987 sur la propriété familiale, Laurent Liébart exploite avec Valérie et leur fille Alexandra 10 ha de vignes autour des deux villages d'origine de

ses parents: Baslieux-sous-Châtillon et Vauciennes, sur les deux rives de la Marne. Domaine certifié haute valeur environnementale. (RM)

Un rosé d'assemblage issu de meunier (50 %), complété de pinot noir (35 %) et de chardonnay. Nos dégustateurs ont loué sa robe aux reflets rubis, animée de jolis trains de bulles fines et vives, son nez d'une fraîcheur délicate mêlant fruits rouges, agrumes et menthol, et plus encore sa bouche complexe (pêche, mangue, pamplemousse), tout à la fois suave, ample, soyeuse et tonique. ⧗ 2016-2020 🍷 carré d'agneau ● **Confidencia 2010 ★ (20 à 30 €; 1500 b.)** : le chardonnay en vedette (85 %, le pinot noir en appoint) dans ce millésimé vinifié en fût, au nez empyreumatique (vanille, moka, amande grillée, toast...). En bouche, ce sont les fruits confits qui s'imposent dans une matière élégante et fraîche. ⧗ 2016-2020 🍷 poulet aux morilles

⊶ LIÉBART-RÉGNIER, 6, rue Saint-Vincent, 51700 Baslieux-sous-Châtillon, tél. 03 26 58 11 60, liebart-regnier@orange.fr V r.-v.

GÉRARD LITTIÈRE Grande Réserve ★

● | 9000 | 🍾 | 11 à 15 €

Geoffray Littière a pris en 2006 la suite de son père Gérard à la tête du domaine familial, constitué par son grand-père dans les années 1950. Le vignoble couvre 5 ha autour d'Œuilly, village situé sur la rive gauche de la Marne. (RM)

Mariant à parts égales pinot noir et chardonnay (récolte 2012 assemblée à 20 % de vins de réserve de 2011), ce brut or pâle, d'abord discret, s'ouvre à l'aération sur la poire, la prune et les fruits exotiques. Équilibré, rond, vineux, biscuité, le palais révèle une légère évolution avant de renouer avec la poire dans une finale persistante. ⧗ 2016-2020 🍷 poulet au champagne

⊶ EARL GÉRARD LITTIÈRE, 1, rue du Palais, 51480 Œuilly, tél. 03 26 58 31 76, littiere.gerard@wanadoo.fr V *r.-v.*

MICHEL LITTIÈRE 2010

● | 11000 | 🍾 | 15 à 20 €

Marie-Hélène Chaumont a rejoint son père Michel Littière en 1991 avant de prendre en 2004 les rênes de l'exploitation familiale, qui couvre plus de 5 ha sur la rive gauche de la vallée de la Marne. (RM)

Trois quarts de noirs pour un quart de blancs dans cette cuvée au nez de pâtisserie, de fruits confits et de miel et à la bouche souple et équilibrée, un rien amère et acidulée en finale. ⧗ 2016-2020 🍷 suprême de volaille au citron ● **Grande Réserve (11 à 15 €; 24000 b.)** : vin cité.

⊶ EARL MICHEL LITTIÈRE, 15, rue Saint-Vincent, 51480 Œuilly, tél. 03 26 58 30 25, champagne-michel-littiere@orange.fr V *r.-v. ⊶ Chaumont M-H*

LOMBARD ET CIE Brut Référence ★

● | n.c. | 🍾 | 30 à 50 €

Née en 1925, cette maison de négoce familiale a connu une belle croissance dans les années 1960 avec Philippe Lombard. Elle poursuit son développement depuis 1980 avec Thierry Lombard, petit-fils du fondateur. (NM)

Référence? Ce brut qui allie 80 % de noirs (pinot noir et meunier à parité) et 20 % de blancs peut servir de modèle pour ses qualités de fraîcheur et de finesse. Ses reflets indiquent une certaine jeunesse, ce que confirme le nez mêlant citron et pamplemousse. Franche à l'attaque, la bouche est aérienne, élégante, fruitée et persistante. ⧗ 2017-2020 🍷 sandre au beurre blanc ● **Gd cru (30 à 50 €; n.c.)** : vin cité.

⊶ LOMBARD & CIE, 1, rue des Cotelles, 51200 Épernay, tél. 03 26 59 57 40, info@champagne-lombard.com *r.-v.*

BERNARD LONCLAS Blanc de blancs ★

● | 58000 | 🍾 | 15 à 20 €

Bernard Lonclas a planté ses premiers ceps en 1974 dans le jeune vignoble de Vitry-le-François, à l'est du département de la Marne, et lancé sa marque en 1976. Avec sa fille Aurélie, qui l'a rejoint en 2002, il exploite 8,5 ha de vignes, essentiellement du chardonnay. (NM)

Une robe or pâle est couronnée d'une mousse généreuse. Le bouquet associe fleurs blanches (lys, aubépine) et une légère minéralité. L'attaque franche ouvre sur une bouche tendue, de bonne longueur: un champagne dans sa jeunesse. ⧗ 2017-2021 🍷 tartare de bar ● **★ (15 à 20 €; 14200 b.)** : un rosé d'assemblage où le chardonnay dominant (60 %) s'allie aux deux pinots. Nez de fruits rouges frais, bouche gourmande et fraîche. ⧗ 2016-2020 🍷 brochettes de fruits

⊶ BERNARD LONCLAS, chem. de Travent, 51300 Bassuet, tél. 03 26 73 98 20, contact@champagne-lonclas.com V *t.l.j. 9h-12h30 14h-19h*

JACQUES LORENT ★

● | 30000 | 20 à 30 €

Fondée en 1955, la coopérative de Mardeuil vinifie 85 ha, principalement situés sur les coteaux proches d'Épernay. Elle apparaît avec régularité dans les sélections du Guide, sous différentes marques: Beaumont des Crayères, Comte Stanislas, Charles Leprince, Jacques Lorent. (CM)

Pinot noir (60 %) et chardonnay (30 %) collaborent à ce rosé qui tire sa couleur saumon pâle de l'ajout d'un vin rouge de meunier. Le nez complexe associe les fruits blancs et le melon, puis évolue vers la torréfaction, prélude à une bouche harmonieuse. ⧗ 2016-2019 🍷 cailles en cocotte ● **Cuvée Tradition ★ (15 à 20 €; 100000 b.)** : deux tiers de noirs (dont 55 % de meunier) pour ce brut au nez discrètement fruité (pêche, fruits rouges), à l'attaque souple, à la bouche très équilibrée, à la fois généreuse, ample et fraîche. ⧗ 2016-2020 🍷 feuilletés au fromage ● **Comte Stanislas 2005 ★ (20 à 30 €; 10000 b.)** : issu des deux pinots, un blanc de noirs harmonieux et long, aux arômes évolués et raffinés (fruits secs, crème brûlée, beurre, cire, coing). ⧗ 2016-2020 🍷 filet mignon en croûte

⊶ SCV CBC, BP 1030, 51318 Épernay Cedex, tél. 03 26 55 29 40

CHAMPAGNE

MICHEL LORIOT Apollonis Patrimony ★★

	3500		20 à 30 €

Des ancêtres de Michel Loriot cultivaient la vigne en 1675, du vivant de dom Pérignon. En 1903, les arrière-grands-parents Palmyre et Léopold ont été les premiers vignerons à installer leur pressoir au village de Festigny. Premières bouteilles en 1931, installation de Michel en 1977, rejoint en 2008 par sa fille Marie, œnologue, et son gendre. L'exploitation compte 7 ha dans la vallée de la Marne. (RM)

Vigneron mélomane, Michel Loriot envoie des ondes dans son vignoble pour neutraliser les maladies et fait vieillir ses bouteilles en musique aux accents de Mozart, Beethoven et Brahms... Les grands morceaux agissent-ils sur la vitalité des levures et l'expression des vins? Toujours est-il que cette cuvée, dédiée à la muse de la musique, duo de meunier (70 %) et de chardonnay, joue une belle partition, libérant de jolies notes de fruits jaunes, d'abricot notamment. La bouche séduit par son fruité, sa puissance, sa fraîcheur et sa longue finale. ⧗ 2016-2020 ♈ saint-jacques sauce agrumes

MICHEL LORIOT, 13, rue de Bel-Air, 51700 Festigny, tél. 03 26 58 34 01, contact@champagneapollonis.com V r.-v.

GÉRARD LORIOT Cuvée Prestige ★

	5600		15 à 20 €

Issu d'une lignée vigneronne remontant à plus de quatre générations, Gérard Loriot s'est installé en 1981 et a porté le vignoble familial à 7,5 ha, répartis sur 52 parcelles dans la vallée de la Marne. En 2009, Florent Loriot, son fils, l'a rejoint. Le domaine s'est équipé d'une nouvelle cuverie en 2014. (RM)

Pinot noir (30 %), chardonnay (30 %) et meunier à l'origine de ce brut sont implantés sur la même parcelle. Or pâle, cette cuvée libère de fines et discrètes notes de pain d'épice et de fleurs blanches. Son attaque est subtile, son corps équilibré. Un champagne harmonieux. ⧗ 2017-2019 ♈ tourte au ris de veau

GÉRARD LORIOT, 10, rue Saint-Vincent, Le Mesnil-le-Huttier, 51700 Festigny, tél. 03 26 58 35 32, champagne-gerard.loriot@wanadoo.fr V r.-v.

JOSEPH LORIOT-PAGEL
Cuvée de réserve 2008 ★★

	5000		20 à 30 €

Son arrière-grand-père fut l'un des premiers Champenois à greffer son vignoble après le phylloxéra et à installer un pressoir dès 1910. En 1980, Joseph Loriot lance sa marque après son union avec Odile Pagel, fille d'un vigneron d'Avize. Son fils Jean-Philippe les a rejoints en 2006 sur la propriété – 9 ha dans la vallée de la Marne et sur la Côte des Blancs. (RM)

Les trois cépages à parité ont donné ce brut dont le nez expansif, miellé, confit et épicé suggère une évolution qui se confirme au palais. Les fruits compotés, confits, macérés s'épanouissent dans une bouche structurée, ample et vineuse, rafraîchie par une acidité qui lui apporte équilibre et élégance. ⧗ 2016-2021 ♈ saint-jacques à la mangue ● **Gd cru Blanc de blancs 2008 (20 à 30 €; 5000 b.)** : vin cité.

JOSEPH LORIOT-PAGEL, 40, rue de la République, 51700 Festigny, tél. 03 26 58 33 53, contact@champagne-loriot-pagel.fr V r.-v.

YVES LOUVET 2008

1er cru	3000		15 à 20 €

Une lignée de vignerons qui remonte au XIXes. Installé sur le flanc sud-est de la Montagne de Reims, Frédéric Louvet a succédé en 2004 à son père Yves. Il exploite 12 ha dans quatre villages des environs (dont les grands crus de noirs Bouzy et Louvois), ainsi que dans la Côte des Blancs. (RM)

2004, 2005, 2006: les millésimés du domaine intéressent. Voici le tonique 2008. Comme ses devanciers, il allie trois quarts de pinot noir au chardonnay. Il s'ouvre lentement sur les fleurs, puis s'oriente vers les fruits exotiques (ananas) que l'on retrouve dans une bouche équilibrée et fraîche. Un champagne réservé, mais auquel on prête un bon potentiel d'évolution. ⧗ 2017-2020 ♈ tartare de langoustines

FRÉDÉRIC LOUVET, 21, rue du Poncet, 51150 Tauxières, tél. 03 26 57 03 27, yves.louvet@wanadoo.fr V r.-v.

DE LOZEY Tradition

	50000		15 à 20 €

Quatre générations de Cheurlin se sont succédé depuis qu'Edmond a acheté et planté les premières parcelles à la fin du XIXes. Après lui, Raymond (premiers champagnes), Daniel et Philippe. Ce dernier lance la marque de Lozey dans les années 1980. La maison possède 12 ha de vignes en propre dans la Côte des Bar (Aube). (NM)

Deux tiers de noirs (dont 60 % de pinot noir), un petit tiers de chardonnay et un soupçon de pinot blanc pour ce brut au nez plaisant de fleurs et de fruits blancs. Soulignée par la fine effervescence, l'attaque est vive, prélude à une bouche fraîche, équilibrée et fruitée. Idéal pour l'apéritif. ⧗ 2016-2019 ♈ gougères

DE LOZEY, 72, Grande-Rue, BP 14, 10110 Celles-sur-Ource, tél. 03 25 38 51 34, delozey@champagne-delozey.fr V *t.l.j. 10h-12h 14h-18h; f. 15-31 août* *Ph. Cheurlin*

LUTUN ★

●	2500		15 à 20 €

Au XVIIIes., on cultivait la vigne à Courtagnon, minuscule village niché près des sources de l'Ardre, dans la Montagne de Reims. En 1952, Fernand Lutun y achète des terres, y reconstitue un vignoble (6 ha aujourd'hui). Toujours la seule récoltante de la commune, sa petite fille Aude, ingénieur agricole comme son mari Vincent, l'a repris en 2000. Elle confie sa récolte à la coopérative de Sermiers. (RC)

Un rosé d'assemblage issu des trois cépages champenois (dont 42 % de chardonnay). Une robe saumonée brillante animée d'une fine effervescence, des senteurs suaves et gourmandes de cerise et d'airelle accompagnées d'une touche de beurre frais. Les agrumes s'ajoutent à cette palette dans un palais vif qui respire davantage la jeunesse. ⌛ 2016-2019 🍴 verrines de saumon ● **Extra-brut Fleur de bois (20 à 30 €; 1500 b.)** : vin cité.

LUTUN, Ferme du Château, 51480 Courtagnon, tél. 03 26 59 41 33, aude.lutun@wanadoo.fr V r.-v.

PASCAL MACHET Marie-Louise d'Eu 2009 ★

●	2500	20 à 30 €

Propriété familiale de 4 ha constituée à partir de 1840 et implantée à Vaudemange, village viticole situé sur une avant-butte de la Montagne de Reims. Elle commercialise ses bouteilles depuis 1980. Après un parcours dans l'industrie, Landry Machet l'a reprise en 2012. (RC)

Arrière-grand-mère de Landry Machet, madame d'Eu exploitait les vignes au début du XXᵉs. Cent ans plus tard, pinot noir (40 %), chardonnay (40 %) et meunier (20 %) ont donné un nez de fruits blancs nuancé d'une pointe toastée et mentholée. Ample à l'attaque, aromatique, la bouche se montre fraîche et longue. Pour l'apéritif comme pour la table. ⌛ 2016-2019 🍴 cassolette de langoustines ● **Vieilles Vignes 2008 (15 à 20 €; n.c.)** : vin cité.

LANDRY MACHET, 2, rue de Micaillé, 51380 Vaudemange, tél. 03 26 67 96 10, p.machet@wanadoo.fr V r.-v.

MACQUART-LORETTE ★★

● 1er cru	4931	15 à 20 €

André Macquart a repris dans les années 1970 les vignes de son grand-père. Il a été rejoint en 2006 par son fils Clément, qui est depuis 2015 aux commandes de la propriété. Couvrant 5,3 ha, le domaine est situé à quelques kilomètres au sud de Reims. (RC)

Un rosé d'assemblage issu du seul pinot noir. D'un rose bonbon soutenu, il séduit par sa matière vineuse, soyeuse et fraîche et par sa longue finale. Sa palette aromatique fait défiler les petits fruits rouges, la prune et l'abricot. Un champagne élégant et complexe. ⌛ 2016-2019 🍴 soupe de fraises au poivre ● **1er cru Réserve (15 à 20 €; 14 140 b.)** : vin cité.

EARL MACQUART-LORETTE, 6, chem. des Glaises, 51500 Écueil, tél. 03 26 49 74 42, contact@champagne-macquart.fr V r.-v.

MICHEL MAILLIARD Cuvée Prestige 2009 ★

●	2000	20 à 30 €

Cette propriété, dont les origines remontent à la fin du XIXᵉs., a été développée par Michel Mailliard. Son vignoble s'étend aujourd'hui sur 14 ha, implanté principalement aux environs de Vertus, le plus vaste 1er cru de la Côte des Blancs. (RM)

Malgré de nombreuses années passées en bouteilles, ce 2009 vinifié sans fermentation malolactique ne dévoile pas d'évolution marquée, signe d'une bonne maîtrise du vieillissement sur lattes. La robe est restée pâle. Quant au nez, il ne montre aucune exubérance et déploie avec légèreté quelques notes fruitées. Le citron et les fruits exotiques percent dans une bouche élégante, mariant vivacité et délicatesse. ⌛ 2016-2020 🍴 buisson de langoustines ● **Mont Vergon 2008 ★ (20 à 30 €; 8000 b.)** : issu d'une seule parcelle, un blanc de blancs intense, droit et élancé, aux arômes pâtissiers (brioche, amande). ⌛ 2016-2018 🍴 sandre au beurre blanc

MICHEL MAILLIARD, 52, av. de Bammental, 51130 Vertus, tél. 03 26 52 15 18, info@champagne-michel.mailliard.com V r.-v. 5 B

MAILLY L'Intemporelle 2009

● Gd cru	14835	50 à 75 €

Le terroir pour enseigne, telle est la démarche de cette coopérative fondée en 1929. Pour en être adhérent, on doit obéir à une exigence de taille: n'apporter que des raisins de l'aire de Mailly, grand cru du flanc nord de la Montagne de Reims, où prospère le pinot noir. La cave regroupe 80 viticulteurs qui cultivent 70 ha. (CM)

Des fleurs et des senteurs pâtissières pour cet assemblage de pinot noir (60 %) et de chardonnay. Discrets mais agréables, les arômes se prolongent dans une bouche élancée et vive. Un dosage adapté apporte l'harmonie. ⌛ 2016-2020 🍴 bar en croûte

MAILLY GRAND CRU, 28, rue de la Libération, 51500 Mailly-Champagne, tél. 03 26 49 41 10, contact@champagne-mailly.com V r.-v.

ÉRIC MAÎTRE Sélection ★

●	20000		15 à 20 €

Installé en 1985, Éric Maître perpétue une exploitation familiale qui remonte à 1850. Son vignoble s'étend sur 8,5 ha dans la Côte des Bar, secteur de l'Aube où le pinot noir est roi. (RM)

Né du seul pinot noir des récoltes 2012 et 2013, ce brut or pâle aux reflets verts mêle au nez la noisette fraîche, l'amande et l'aneth. Après une attaque vive, saline et iodée, la bouche développe des arômes de fruits rouges teintés de minéralité. Une fraîcheur de jeunesse. ⌛ 2016-2021 🍴 tartare de bar

ÉRIC MAÎTRE, 32, Grande-Rue, 10110 Celles-sur-Ource, tél. 03 25 38 58 69, champagne.ericmaitre@wanadoo.fr V *t.l.j. sf sam. dim. 9h-12h 13h30-16h30*

MALARD Cuvée LadyStyle

●	20000	30 à 50 €

Originaire d'Épernay, Jean-Louis Malard a créé sa maison à Aÿ en 1996. Les raisins proviennent de 1ers et de grands crus. Le siège est à Aÿ, tandis que la vaste cuverie et les caves sont situées à Oiry, dans la Côte des Blancs. (NM)

Issu des trois cépages champenois, un brut sans année aux arômes évolués de fruits blancs compotés et de pêche. Dans le même registre, la bouche ample et bien équilibrée finit sur une note de fruits cuits. À son apogée. ⌛ 2016-2017 🍴 foie gras aux pêches ● **Gd cru Blanc de blancs (20 à 30 €; 60000 b.)** : vin cité.

MALARD, 23, rue Jeanson, 51160 Aÿ, tél. 03 26 32 40 11 V r.-v.

FRÉDÉRIC MALÉTREZ ★

1er cru	9000		15 à 20 €

Frédéric Malétrez reprend l'exploitation familiale en 1982 et débute la vinification deux ans plus tard. Il a porté de 5 à 10 ha la superficie de son vignoble qui s'étend autour de Chamery, un 1er cru de la Petite Montagne de Reims, au sud de la Cité des Sacres. (RM)

Dominé par les raisins noirs (82 % dont 47 % de pinot noir), un rosé d'assemblage équilibré et frais. Une mousse délicate couronne la robe rose tendre. Le nez exprime les fruits rouges avec subtilité. Saline, tonique, gourmande et longue, la bouche laisse augurer un bel avenir pour cette bouteille. 2016-2022 tartare de saumon **1er cru Réserve (15 à 20 €; 45700 b.)** : vin cité.

SAS FRÉDÉRIC MALÉTREZ, 11, rue de la Bertrix, 51500 Chamery, tél. 03 26 97 63 92, champagne.maletrez.f@orange.fr V r.-v.

MALLOL-GANTOIS Grande Réserve ★★

Gd cru	4000		15 à 20 €

En 2016, Gregory Mallol a pris la suite des trois générations précédentes, succédant à son père Bernard. Son vignoble de 7 ha est très bien situé, implanté pour l'essentiel à Cramant et à Chouilly, deux grands crus de la Côte des Blancs, et à Mareuil-sur-Aÿ, 1er cru, où il cultive du pinot noir. Deux étiquettes: Mallol-Gantois et Bernard Gantois. (RM)

Né de chardonnays de Chouilly et de Cramant, un blanc de blancs séducteur, né des récoltes de 2009 et 2010. Encore jeune, la robe pâle aux reflets verts est coiffée d'une mousse abondante. Le nez apparaît délicatement floral, puis les agrumes entrent en scène dans une bouche généreuse, équilibrée et longue. 2016-2020 carpaccio de saint-jacques **Gd cru Blanc de blancs ★ (15 à 20 €; 35000 b.)** : au nez, des arômes flatteurs caractéristiques du cépage: amande, fleur du verger et pain blanc. Agrumes confits et minéralité complètent cette palette dans une bouche tout en légèreté, mais de belle tenue. 2016-2020 brochettes de langoustines **Gd cru Bernard Gantois 100 % chardonnay (15 à 20 €; 15000 b.)** : vin cité.

GRÉGORY MALLOL, 290, rue du Gal-de-Gaulle, 51530 Cramant, tél. 03 26 57 96 14, champagne.mallol@wanadoo.fr V r.-v.

GILLES MANSARD Ancestral ★

	5000		20 à 30 €

En 1901, Benoni Mansard, installé à Cerseuil, dans la vallée de la Marne, élabore les premières cuvées. Arrivé à la tête de la maison en 1986, Gilles Mansard, son arrière-petit-fils, est aujourd'hui rejoint par ses fils. La famille dispose de 24 ha de vignes. (RM)

Un brut mi-blanc mi-noirs vinifié en fût, auquel on n'a pas fait faire sa fermentation malolactique pour conserver sa fraîcheur. Le nez offre une large gamme de notes beurrées, empyreumatiques (pain grillé) et évoluées (fruits confits), que l'on retrouve dans une bouche équilibrée et longue. 2016-2019 pâté en croûte au saumon

SCEV GILLES MANSARD, 4, rue de Tirvet, 51700 Mareuil-le-Port, tél. 03 26 52 74 59, maxime.mansard@yahoo.fr V r.-v.

TRADITION DE MANSARD Grande Cuvée ★★

	10000	15 à 20 €

Propriétaire de vignes autour de Cerseuil, dans la vallée de la Marne, et de caves à Épernay, la famille Mansard a cédé sa marque, Mansard-Baillet, qui fait désormais partie du groupe Rapeneau. Deux étiquettes: Mansard et Delagne et Fils. (NM)

Composé de chardonnay (60 %) et de pinot noir, ce brut séduit d'emblée par la délicatesse de son nez crémeux et beurré, finement fruité, floral et épicé. La bouche, où s'épanouissent des arômes de beurre et de chèvrefeuille, est plus imposante. Souple à l'attaque, elle évolue avec ampleur et générosité, en gardant un bel équilibre. 2016-2019 blanquette de lotte

MANSARD-BAILLET, 14, rue Chaude-Ruelle, 51200 Épernay, tél. 03 26 54 18 55, contact@champagnemansard.com V r.-v. *Rapeneau*

ARTHUR MARC Initiale noir et blanc

	22359		15 à 20 €

À la tête de 3,6 ha de vignes, Patrice Marc, rejoint par Grégory, perpétue une lignée de vignerons qui remonte à 1625. Il est installé à Fleury-la-Rivière, dans une petite vallée, sur la rive droite de la Marne. Il exporte 66 % de sa production. (RM)

Noir et Blanc? Ce brut est pratiquement mi-blancs mi-noirs (55 % de chardonnay, 45 % de pinots, pinot noir surtout). Il n'a pas fait sa fermentation malolactique. Son nez léger mêle l'ananas, les fruits jaunes et le pain grillé, arômes qui se déploient dans une bouche bien équilibrée entre acidité et rondeur. 2016-2021 cassolette d'écrevisses

MARC, 1, rue du Creux-Chemin, 51480 Fleury-la-Rivière, tél. 03 26 58 46 88, contact@champagne-marc.fr V r.-v. (07 71 28 08 88)

D. MARC Grande Réserve ★

	2000	15 à 20 €

Les Marc sont plusieurs à Fleury-la-Rivière, où leurs ancêtres cultivaient la vigne il y a près de quatre siècles. Installé en 1982, Didier Marc perpétue la tradition; à la tête de 4 ha dans la vallée de la Marne, il a engagé la conversion bio de son vignoble. (RM)

Cette Grande Réserve associe 80 % de noirs (dont 70 % de meunier) et 20 % de chardonnay. Vinifiée sans fermentation malolactique, elle est restée cinq ans sur lattes. Sa palette aromatique joue sur des notes évoluées de fruits secs (amande, noisette), de caramel et de compote. Quant à la bouche, elle trouve son équilibre entre vivacité, rondeur et suavité. 2016-2019 brochet au beurre blanc

EARL MARC ET TRADITIONS, 11, rue Dom-Pérignon, 51480 Fleury-la-Rivière, tél. 03 26 58 60 69, champagnedidiermarc@free.fr V r.-v.

MICHEL MARCOULT Tradition ★

| 40000 | | 11 à 15 € |

Domaine fondé en 1967 par Michel Marcoult. En 2004, Julien, le petit-fils, a rejoint son père Francis. Leur exploitation couvre près de 10 ha: plus de la moitié dans le Sézannais où la propriété a son siège, le reste dans le secteur de Vitry-le-François et dans la Côte des Bar (Aube). (RM)

Cuvée majeure du domaine, ce brut assemble chardonnay (60 %) et pinot noir. Il séduit par sa matière structurée et vive et ses arômes d'agrumes (pamplemousse) et de pain grillé. Un champagne intense, frais et bien dosé. 2016-2019 chaource **Rose des Vignes ★ (15 à 20 €; 3000 b.)** : un rosé d'assemblage mariant à parts égales chardonnay et pinot noir. Un apport de vin rouge élevé en fût lui donne une robe rose tendre. Le nez complexe joue sur les agrumes, la figue et le pain d'épice, arômes qui se prolongent dans une bouche équilibrée et fraîche. 2016-2019 rillettes de saumon **Extra-brut Blanc de blancs Authentique Les Macrêts (20 à 30 €; 1500 b.)** : vin cité.

SCEV MARCOULT, 12, rte de Queudes, 51120 Barbonne-Fayel, tél. 03 26 80 20 19, contact@marcoult.com V r.-v.

JEAN-PIERRE MARNIQUET 1995 ★

| 2000 | 30 à 50 € |

La crise du vignoble dans les années 1930 a poussé Pierre Coutelas à se mettre à son compte. Jean-Pierre Marniquet, son petit-fils, a repris l'exploitation en 1974, porté sa superficie de 2 à 7 ha et agrandi la cave. Son vignoble est implanté dans la vallée de la Marne. (RM)

Il a plus de vingt ans ce champagne mariant 60 % de chardonnay et 40 % de pinot noir, vinifié sans fermentation malolactique, ce qui préserve la fraîcheur. Encore élégant, il déploie de belles notes d'évolution: miel, brioche, mirabelle et poire confites, tabac, torréfaction (café), herbe sèche. Une palette complexe que l'on retrouve dans une bouche encore alerte, à la finale vive, marquée par des notes de citron confit. 2016-2020 chaource **(15 à 20 €; 5000 b.)** : vin cité.

JEAN-PIERRE MARNIQUET, 8, rue des Crayères, 51480 Venteuil, tél. 03 26 58 48 99, jp.marniquet@cder.fr V r.-v.

JEAN MARNIQUET Grande Réserve ★

| 1er cru | 25000 | | 15 à 20 € |

Fondateur de la marque, Jean Marniquet fut dans les années 1920 l'un des pionniers de l'aviation, d'où les ailes dorées sur les étiquettes. Son petit-fils, Brice Marniquet, a pris le relais en 1995; il est à la tête de 6,5 ha dans la Montagne de Reims, la Grande Vallée de la Marne et la Côte des Blancs. (RM)

Cette cuvée privilégie le pinot noir (80 %), le chardonnay faisant l'appoint; elle assemble les années 2012 à 2009 et 10 % du vin a connu le bois. Un discret train de bulles trouble à peine la robe d'un bel «or doré», comme disent les Champenois. Le nez intense et frais penche vers les fruits jaunes tandis que la bouche s'oriente plutôt vers les fruits secs. Puissante, équilibrée et longue, celle-ci montre beaucoup de caractère. 2016-2019 cailles aux raisins **1er cru ★ (15 à 20 €; 6500 b.)** : saumon clair, ce rosé de pur pinot noir est fin et fruité au nez, gourmand et équilibré au palais. 2016-2019 tartelettes aux framboises

EARL BRICE MARNIQUET, 12, rue Pasteur, 51160 Avenay-Val-d'Or, tél. 03 26 52 32 36, contact@marniquet.fr V r.-v.

G.H. MARTEL
Victoire Vieilli en fût de chêne 2008 ★

| 56000 | | 30 à 50 € |

Fondée en 1869, cette maison appartient depuis 1979 aux Rapeneau, négociants en vin depuis le début du XIXe s. et élaborateurs de champagne depuis 1925. Elle a connu une expansion remarquable à la fin du siècle dernier et la marque G.H. Martel est son fer de lance. (NM)

Issu de pinot noir et de chardonnay à parts égales, ce brut né de la tonique récolte 2008 a été vinifié en fût. D'un or profond aux reflets lumineux, il offre un nez fruité, voire confituré, nuancé de notes de sous-bois, de boisé et de grillé. Puissante, droite et tendue, la bouche finit sur une franche acidité que ne trouble pas un dosage pourtant sensible. 2016-2020 carré de veau aux girolles

G.H. MARTEL & CIE, CS 31011, 51318 Épernay, tél. 03 26 51 06 33, contact@champagnemartel.com V *t.l.j. 10h-19h*

PHILIPPE MARTIN 2005

| 1er cru | 5963 | | 20 à 30 € |

La famille Martin cultive la vigne depuis 1750 dans la Grande Vallée de la Marne, non loin d'Épernay. Installé en 1970, Philippe Martin, rejoint en 2013 par sa fille Adeline, exploite un domaine de 10 ha. (RM)

Né de pinot noir et de chardonnay à parts égales, ce 2005 avoue son âge: robe or soutenu, nez expressif marqué par l'évolution, aux arômes de fruits secs, de coing, de fruits confits, de noisette et d'amande qui se prolongent en bouche. Une acidité sous-jacente, soulignée par des notes de zeste d'orange, équilibre la richesse de ce champagne gourmand. 2016-2018 risotto crémeux aux girolles

PHILIPPE MARTIN, 355, rue du Bois-des-Jots, 51480 Cumières, tél. 03 26 55 30 37, martinp@hexanet.fr V *t.l.j. 8h30-12h30 13h30-19h*

P. LOUIS MARTIN Bouzy ★

| Gd cru | 41000 | | 20 à 30 € |

Un domaine de 10 ha fondé à Bouzy en 1864 par Paul-Louis Martin, président fondateur de la coopérative de ce village. Si la marque appartient aujourd'hui à la famille Rapeneau, le siège de l'exploitation, où Francine Martin, fille du fondateur, et son fils Vincent sont toujours actifs, est toujours dans ce grand cru de la Montagne de Reims. (RM)

Né d'un assemblage de chardonnay et de pinot noir à parité, ce brut développe un bouquet floral et distingué, prélude à une bouche aérienne, montrant un très

CHAMPAGNE

bel équilibre entre ampleur et nervosité. Laissant une impression de grande fraîcheur, il fera un champagne d'apéritif idéal. ⧗ 2016-2019 🍴 verrines de crevettes et d'agrumes ● **Blanc de noirs Bouzy ★ (15 à 20 €; 10300 b.)** : né d'un assemblage de pinot noir (60 %) et de meunier, ce blanc de noirs montre un palais tendu, minéral, frais et long, en harmonie avec des arômes d'herbe coupée, de menthol et de pâtisserie. Bien que charpenté, il laisse une impression de légèreté. ⧗ 2016-2020 🍴 saumon à l'unilatéral

⊶ PAUL-LOUIS MARTIN, 3, rue d'Ambonnay, 51150 Bouzy, tél. 03 26 57 01 27, gd@champagneplmartin.com V 🚶 ▪ *t.l.j. sf dim. lun. 10h-18h*

ALBIN MARTINOT Cuvée Rollon ★

●	n.c.	◍	20 à 30 €

Installé en 2000 sur 1,3 ha près de Bar-sur-Seine, Albin Martinot s'est lancé dans l'élaboration du champagne. Il a agrandi le vignoble familial - dont les premiers arpents furent achetés par son arrière-grand-père, qui était tonnelier - et dispose à présent de 4 ha. (RM)

Vinifiée et élevée en fût, cette cuvée extra-brut porte la marque de son séjour dans le chêne: des reflets dorés dans sa robe plutôt claire, un nez puissant et empyreumatique et un grain de tanins qui assèche quelque peu la finale. Toutefois, le fruit (pinot noir et chardonnay à parité) ne se laisse pas dominer pour autant et lègue une acidité et des notes citronnées qui confèrent à cette cuvée l'élégance nécessaire pour décrocher une étoile dans le Guide. ⧗ 2017-2020 🍴 foie gras poêlé

⊶ ALBIN MARTINOT, Ferme de Chanceron, 10260 Jully-sur-Sarce, tél. 03 25 29 83 49, champagne.albin.martinot@gmail.com V 🚶 ▪ *r.-v.*

DENIS MARX Grande Réserve

●	18000	▮	11 à 15 €

En 1974, Denis Marx reprend l'exploitation familiale et la développe. Rejoint en 2010 par son fils Nicolas, il cultive 11 ha de vignes répartis dans sept communes au cœur de la vallée de la Marne. (RM)

Mi-blancs mi-noirs (les deux pinots à égalité), cette cuvée a retenu l'attention de nos jurés par sa légèreté, sa fraîcheur et son élégance. Discrètement exotique, citronnée et beurrée, elle donnera le meilleur d'elle-même à l'apéritif. ⧗ 2016-2019 🍴 dés de comté

⊶ SCEV DENIS MARX ET FILS, 31, rue de la Chapelle, Cerseuil, 51700 Mareuil-le-Port, tél. 03 26 52 71 96, denis-marx@wanadoo.fr V 🚶 ▪ *r.-v.*

MARY-SESSILE Sessile 100 % Pinot noir ★

●	n.c.	◍	20 à 30 €

Marque créée en 2013 par Claire, Maud et Vincent Lagille, enfants de Bernard Lagille (Champagne Lagille et Fils) installés à Treslon, village proche de la vallée de l'Ardre. Leur propriété est certifiée haute valeur environnementale. (RM)

Sessile est le nom de la variété de chêne français qui compose les fûts dans lesquels a été vinifié et élevé le vin de base de ce blanc de noirs 100 % pinot noir. Paré d'une robe dorée, il impressionne par son nez puissant et flatteur évoquant les fruits confits, par son ampleur, sa richesse et sa longueur. Il n'a manqué la deuxième étoile qu'en raison d'un dosage plutôt soutenu. ⧗ 2016-2020 🍴 poularde aux morilles ● **Blanc de blancs Révélation ★ (20 à 30 €; n.c.)** : un blanc de blancs vanillé et beurré qui brille par sa présence en bouche, grâce à une belle acidité qui soutient ses arômes et lui donne droiture, tenue et longueur. ⧗ 2016-2019 🍴 dos de cabillaud à la vapeur

⊶ MARY-SESSILE, 49, rue de la Planchette, 51140 Treslon, tél. 03 26 97 43 99, contact@champagne-mary-sessile.com V 🚶 ▪ *r.-v.*

Ⓑ D. MASSIN Cuvée spéciale

●	50000	▮	11 à 15 €

Les Massin se succèdent sur la propriété depuis cinq générations. Dominique et Rachel lancent leur champagne en 1975. En 2009, Tristan Massin, œnologue diplômé, s'installe aux côtés de sa mère, rejoint en 2013 par sa sœur Céline, chargée de la gestion. Situé dans la Côte des Bar, le vignoble de 11 ha est principalement composé de pinot noir. (NM)

Ce champagne doit tout au pinot noir. S'il apparaît légèrement évolué au nez, il garde en bouche un profil frais et acidulé qui permettra de le servir à l'apéritif ou avec du poisson. ⧗ 2016-2018 🍴 beignets de crevettes ● **Cuvée de réserve (15 à 20 €; 20000 b.)** : vin cité.

⊶ SAS DOMINIQUE MASSIN, 2, rue Coulon, 10110 Ville-sur-Arce, tél. 03 25 38 74 97, contact@dominique-massin.com V 🚶 ▪ *r.-v.* 🏠 Ⓑ

THIERRY MASSIN Extra-brut Instant M

●	5000	▮	15 à 20 €

Affluent de la Seine, l'Arce suit un cours sinueux dans la Côte des Bar (Aube). Sur ses coteaux, Thierry et Dominique Massin, frère et sœur, cultivent depuis 1974 un vignoble de 11 ha, dont 9 sont consacrés au pinot noir. (RM)

Un blanc de noirs qui doit beaucoup au pinot noir (85 %, avec le meunier en complément). Peu enclin à l'exubérance, il se présente dans une robe pâle et ne livre qu'avec timidité ses arômes d'agrumes confits et de fruits blancs. Mais discret ne veut pas dire invisible, et la bouche montre du relief avec du corps, de la vivacité et des arômes de fruits rouges. ⧗ 2016-2019 🍴 feuilletés au comté

⊶ THIERRY MASSIN, 6, rte de Bar, 10110 Ville-sur-Arce, tél. 03 25 38 74 01, contact@champagnethierrymassin.com V 🚶 ▪ *t.l.j. 9h-12h 14h-18h; sam. dim. sur r.-v.*

RÉMY MASSIN ET FILS ★★

●	11800	▮	20 à 30 €

Louis-Aristide Massin, né en 1865, plante les premiers ceps. Rémy lance son champagne en 1974 et reste actif sur l'exploitation. Son fils Sylvère élabore les cuvées, tandis que son petit-fils Cédric, arrivé en 2002, développe l'export et conduit le vignoble: 22 ha dans les vallées de l'Arce et de l'Ource (Aube). (RM)

Le pinot noir (85 %) et le chardonnay composent ce rosé d'assemblage plébiscité par nos dégustateurs. Ils louent d'emblée son nez flatteur et gourmand sur la grenadine, puis la fraise des bois, avec une légère touche florale. La bouche leur réserve le meilleur, avec une montée en puissance des arômes et une finale persistante d'une fraîcheur triomphante, soulignée de notes d'agrumes. L'élégance même. ⧗ 2016-2021 🍴 langouste au citron vert ● **Extra-brut Intégrale ★ (20 à 30 €; 5200 b.)** : un pur pinot noir aux arômes délicats de fleurs blanches et de pêche. Équilibre et finesse définissent la bouche longue et fraîche. De l'élégance. ⧗ 2016-2021 🍴 crabe farci ● **2006 ★ (20 à 30 €; 7000 b.)** : du chardonnay majoritaire (60 %, avec le pinot noir en complément) dans ce millésimé aux plaisants arômes de pêche et de melon associés à une belle structure. ⧗ 2016-2020 🍴 brochettes de gambas

RÉMY MASSIN ET FILS,
34, Grande-Rue, 10110 Ville-sur-Arce, tél. 03 25 38 74 09, contact@champagne-massin.com V *t.l.j. 9h-12h 14h-18h*

LOUIS MASSING
Blanc de blancs Élevé en fût de chêne Excellence Cuvée ★

● Gd cru | 3000 | | 30 à 50 €

Les petits-enfants de Louis Massing, fondateur de la maison de négoce, disposent en propre de 11 ha dans la Côte des Blancs. (NM)

Un blanc de blancs issu de grand cru, vinifié en barriques. Le nez affable mêle des notes briochées, beurrées et boisées à des senteurs florales. Après une attaque franche, le vin prend de l'ampleur tout en restant vif. Dans le même registre évolué que l'olfaction, les arômes se distinguent par leur persistance. Un champagne riche, pour le repas. ⧗ 2016-2019 🍴 poulet au champagne

SAS DEREGARD-MASSING,
118, allée Jules-Lucotte, 51190 Avize, tél. 03 26 57 52 92, champagne.louismassing@wanadoo.fr V *r.-v.*

MATHELIN Extra-brut Nuit étoilée ★

● | 1000 | | 20 à 30 €

L'aventure viticole de la famille Mathelin a débuté en 1791 sur la rive gauche de la Marne. Aujourd'hui, Thierry, Coralie, Cédric et Aurélien gèrent en famille une exploitation qui couvre 15 ha. Un domaine certifié haute valeur environnementale. (RM)

Mi-blancs mi-noirs (meunier surtout), cet extra-brut pourrait être un excellent compagnon de soirée – même si son nom fait allusion au gîte rural situé sur l'exploitation. Très plaisant au nez, il déploie une gamme fruitée, allant des fruits jaunes (abricot, mirabelle) ou blancs (poire) au menthol et à la réglisse. Souple à l'attaque, la bouche dévoile puissance et rondeur et finit sur une note fumée. ⧗ 2016-2019 🍴 coquilles Saint-Jacques ● **L'Orée des chênes ★ (15 à 20 €; 15000 b.)** : un assemblage des trois cépages champenois (80 % de noirs et 20 % de chardonnay vinifiés en partie sous bois). Il en résulte un nez gourmand, beurré et brioché, et une bouche suave aux arômes de prune relevés de poivre. ⧗ 2016-2019 🍴 foie gras poêlé

SCEV MATHELIN, 4, rue des Gibarts, Cerseuil, 51700 Mareuil-le-Port, tél. 03 26 52 73 58, mathelin.champagne@orange.fr V *t.l.j. 8h30-12h 13h30-17h30; sam. dim. sur r.-v.; f. 10-31 août*

MATHIEU-PRINCET

● | 48506 | | 11 à 15 €

Grauves est situé entre la Côte des Blancs (à l'est) et les coteaux sud d'Épernay. C'est dans ce village que Michel Mathieu et Françoise Princet ont débuté en 1960 leur carrière vigneronne avec quelques parcelles représentant à peine un hectare. En quarante ans, ils ont constitué un vignoble de près de 9 ha. (RM)

Du pinot noir et du chardonnay à parts égales, un assemblage des années 2010 et 2011 pour ce brut aux arômes de fruits blancs, de brioche et d'épices. Une évolution agréable qui participe à l'harmonie de la bouche. ⧗ 2016-2018 🍴 bouchée à la reine

SARL MATHIEU-PRINCET, 16, rue Bruyère, 51190 Grauves, tél. 03 26 59 73 72, info@mathieuprincet.fr V *r.-v.*

MAUMY-CHAPIER

● | | n.c. | 11 à 15 €

Après une première vie professionnelle, Vanessa Maumy, héritière de trois générations de vignerons, a repris l'exploitation familiale en 2014 avec son conjoint Xavier Petit. Un domaine fort de 6,5 ha de vignes implantées dans une dizaine de communes de la vallée de la Marne et de la Côte des Blancs. (RM)

Malgré la discrétion de son nez, cette cuvée, assemblage des trois cépages champenois à parité, ne manque pas de distinction. Ses élégantes notes florales s'enrichissent en bouche de notes d'agrumes et de brioche. Ample et frais, le palais est bien équilibré, en dépit d'un dosage marqué. ⧗ 2016-2019 🍴 poulet à la crème citronnée ● **Extra-brut By Fernand À l'état sauvage (15 à 20 €; n.c.)** : vin cité.

SCEV MAUMY-CHAPIER, 13, rue des Près, 51480 Fleury-la-Rivière, tél. 03 26 58 44 38, contact@maumy-chapier.com V *t.l.j. 9h-12h 14h-18h*

GUY MÉA Tradition ★

● 1er cru | 40000 | 15 à 20 €

Implantée dans un village de la Montagne de Reims où le marquis de Louvois, ministre de Louis XIV, fit construire par Mansard un château aujourd'hui en grande partie détruit, cette propriété élabore du champagne depuis plus d'un demi-siècle. Aux commandes depuis 1982, Évelyne Milesi a été rejointe en 2012 par sa fille Sophie, qui officie en cave. (RM)

Du pinot noir (60 %) et du chardonnay (40 %) de la récolte 2013 assemblés à des vins de réserve des trois années antérieures pour ce brut au nez floral et aux arômes persistants de pêche. Avec sa bouche ronde et sa finale marquée par une pointe acidulée, il laisse une sensation d'équilibre. ⧗ 2016-2020 🍴 raviolis aux crevettes

GUY MÉA,
8, allée des Dames de France,
51150 Louvois, tél. 03 26 57 03 42,
champagne.guy.mea@wanadoo.fr V *r.-v.*

MÉDOT

1er cru | n.c. | 20 à 30 €

Fondée en 1899 par Jules Médot, cette maison est restée dans la famille durant cinq générations avant d'être reprise en 2003 par le groupe Lombard. Si elle revendique un style traditionaliste, ses caves sont équipées de tout le matériel moderne, des cuves Inox aux gyropalettes. (NM)

Un assemblage mi-blancs mi-noirs (pinot noir et meunier) procure finesse et fraîcheur à cette cuvée qui développe des arômes persistants de crème, de fleurs blanches et de minéralité. 2016-2020 feuilletés au parmesan

MÉDOT, 41, rue Chaude-Ruelle, 51200 Épernay, tél. 03 26 59 57 40, contact@champagne-medot.fr V *r.-v.* *Lombard*

MERCIER Réserve ★★

n.c. | 20 à 30 €

Maison fondée en 1858 par Eugène Mercier, qui démocratisa le champagne en regroupant plusieurs maisons pour bénéficier de volumes suffisants. Il fit creuser à Épernay un immense réseau de 18 km de galeries que l'on visite à bord d'un petit train. En 1970, Mercier a fusionné avec Moët et Chandon, avant de rejoindre le groupe LVMH. La maison dispose d'un vaste vignoble de 249 ha. (NM)

Les trois cépages champenois sont à l'origine de cette cuvée, dont la bulle fine et le bouquet discret de fruits mûrs ou confits traduisent l'évolution. Ces arômes de fruits compotés, de pâte de coings s'affirment dans une bouche puissante, onctueuse et équilibrée, rehaussée de notes minérales. Le dosage discret et fondu donne de la gourmandise au vin et souligne sa longue finale. Un brut sans année fort élégant. 2016-2021 filet mignon aux fruits ★ **(20 à 30 €; n.c.)** : un rosé de noirs issus des deux pinots. Parcourue d'une bulle nerveuse, une robe soutenue aux reflets dorés, prélude à un nez léger, sur les fruits secs, et à une bouche fine et longue, aux arômes d'amande. 2016-2019 petits feuilletés au saumon **Blanc de noirs (20 à 30 €; n.c.)** : vin cité.

MOËT ET CHANDON, 68-70, av. de Champagne, 51200 Épernay, jbare@moet.fr *r.-v.* *LVMH*

ALAIN MERCIER ET FILS Tradition ★★

65000 | 11 à 15 €

Les Mercier se transmettent depuis quatre générations cette exploitation située dans le secteur ouest de la vallée de la Marne: Romain, fils d'Alain, s'est installé en 2010, cent ans après la fondation du domaine. Il cultive un vignoble de 9 ha, avec 3 ha pour chacun des cépages champenois, et commercialise ses cuvées sous plusieurs marques. (RM)

Les trois cépages contribuent à cette cuvée, avec une dominance de noirs (80 %). Les dégustateurs ont aimé sa robe jaune doré animée de fines bulles, son nez puissant, dont les nuances de fruits mûrs (prune, pomme et poire) laissent transparaître une légère évolution. Ils apprécient surtout sa texture, à la fois crémeuse et fraîche, son dosage judicieux qui fait naître un bel équilibre entre gourmandise et tension minérale. La finale sur l'écorce d'orange et le safran laisse le souvenir d'une réelle harmonie. 2016-2020 noix de Saint-Jacques safranées

ALAIN MERCIER ET FILS, 14, rte du Champagne, 02850 Passy-sur-Marne, tél. 03 23 70 35 48, alain.mercier.champ@wanadoo.fr V *r.-v.*

LE MESNIL Extra-brut Blanc de blancs ★

Gd cru | n.c. | 20 à 30 €

Cette marque appartient à l'Union des propriétaires récoltants, une structure coopérative fondée en 1937 au Mesnil-sur-Oger, grand cru de la Côte des Blancs. La récolte issue de plus de 300 ha est pressée sur place. (CM)

Un nez gourmand d'agrumes, de pain de mie et de beurre. Vive à l'attaque, structurée, citronnée, minérale et fraîche, la bouche présente le profil d'un blanc de blancs dans sa jeunesse. 2017-2021 tartare d'huîtres

LE MESNIL, 19, rue Charpentier-Laurain, 51190 Le Mesnil-sur-Oger, tél. 03 26 57 53 23, lemesnil@wanadoo.fr V *r.-v.* *UPR*

CHRISTOPHE MICHEL Brut 63

Gd cru | 5000 | 20 à 30 €

Trois générations se sont succédé sur cette exploitation entièrement située sur la commune de Verzy, commune de la Montagne de Reims classée en grand cru, bien connue aussi pour sa forêt de hêtre tortillards, les faux. Aux commandes depuis 1994, Christophe Michel cultive 6 ha de vignes répartis en 63 parcelles. (RM)

Brut 63? Le nom de la cuvée évoque les 63 parcelles que compte l'exploitation. Elle assemble deux tiers de pinot noir et un tiers de chardonnay et n'a pas fait sa fermentation malolactique. Avec sa palette beurrée et briochée qui s'enrichit en bouche de notes de praline et de pâtisserie, c'est un champagne généreux. 2016-2019 feuilletés de saumon

CHRISTOPHE MICHEL, 26, rue de Beaumont, 51380 Verzy, tél. 03 26 97 94 58, champagne_michel_ch@terre-net.fr V *r.-v.*

B BRUNO MICHEL Cuvée blanche ★

n.c. | 20 à 30 €

Installé en 1980 au sud d'Épernay, Bruno Michel exploite 12 ha de vignes. Son domaine est l'un des rares en Champagne à être conduit en bio certifié (certification en 2004). (RM)

Chardonnay et pinot noir sont mariés à parité dans cette cuvée au nez intense et complexe de fleurs blanches, de fruits frais et de vanille et à la bouche tout aussi intense, puissante, d'une longueur remarquée. 2016-2020 ris de veau à la crème

BRUNO MICHEL, 4, allée de la Vieille-Ferme, 51530 Pierry, tél. 03 26 55 10 54, champagnebrunomichel@orange.fr V *r.-v.*

JOËL MICHEL Classique ★

32694 | 15 à 20 €

Les ancêtres de Joël Michel cultivaient déjà la vigne en Champagne au milieu du XIXe s. Ce dernier,

suivant leur trace, a planté des vignes à partir de 1970, à Brasles aux portes de Château-Thierry. Il exploite à présent un vignoble de 12 ha sur la rive droite de la Marne. (RM)

Sur la contre-étiquette de ce brut qui naît des trois cépages à parts égales, une longue liste des actions en faveur d'une viticulture plus durable et d'une vinification peu interventionniste: ni levurage, ni enzymage, ni chaptalisation, ni collage, ni filtration... Vinifié et élevé en fût, ce brut a bénéficié d'une oxydation ménagée tout en évitant de s'alourdir de senteurs de «planches». Complexe et ouvert, il déploie des notes minérales, grillées, des nuances de fruits secs et confits, avant de dévoiler une bouche vineuse, fondue et bien équilibrée. ⧗ 2016-2019 ¥ feuilletés au sésame

⊶ JOËL MICHEL, 1, pl. Brigot, 02400 Brasles, tél. 03 23 69 01 10, domaine@champagnejoelmichel.com V ✦ ▪ *t.l.j. sf dim. 9h-12h 14h-18h*

PAUL MICHEL
Pur chardonnay Grande Réserve 2008 ★★

● 1er cru	6000	▮	20 à 30 €

Au sud d'Épernay, Cuis, un 1er cru, est l'un des premiers villages de la Côte des Blancs. On y trouvera cette exploitation de 20 ha fondée en 1952 et aujourd'hui dirigée par Philippe, Denis et Didier Michel. (RM)

Un joli millésimé qui arrive à un stade d'évolution intéressant. Il montre encore de la jeunesse avec sa robe pâle, ses nuances d'agrumes et sa tension en bouche. L'âge lui a donné de beaux reflets dorés, de la longueur et des notes confites, grillées et épicées, mises en valeur dans une matière riche, structurée et fraîche en finale. Un champagne structuré, complexe et harmonieux. ⧗ 2016-2021 ¥ ris de veau caramélisés

⊶ PAUL MICHEL, 20, Grande-Rue, 51530 Cuis, tél. 03 26 59 79 77, champagne-p.michel@orange.fr V ▪ *t.l.j. sf sam. dim. 9h-12h 14h-17h; f. août*

GUY MICHEL ET FILS Blanc de blancs ★

●	6000	▮	15 à 20 €

La famille Guy Michel est installée depuis 1847 à Pierry, au sud d'Épernay. Succédant à trois générations, Guy Michel est devenu récoltant-manipulant en 1959. Sandrine lui a succédé en 2004. La propriété a conservé des millésimes très anciens. (RM)

Ce blanc de blancs a été vinifié sans fermentation malolactique. Il séduit par son nez intense, entre agrumes (pamplemousse, citron), chèvrefeuille et camomille. L'attaque nette et franche ouvre sur une bouche tendue par une belle acidité, aux arômes de fleurs blanches, de citron et de fruits blancs compotés. ⧗ 2016-2019 ¥ tarte au citron meringuée

⊶ SCEV SANDRINE MICHEL, 54, rue Léon-Bourgeois, 51530 Pierry, tél. 03 26 54 03 17 V ✦ ▪ *r.-v.*

CLAUDE MICHEZ La Villesenière Harmony ★

●	2200	⦀	20 à 30 €

Descendants d'apporteurs de raisins, les parents de Laurence Michez deviennent coopérateurs en 1973. Installée en 1999, cette dernière décide avec son mari Cyrille Chenevotot de se lancer dans l'élaboration du champagne. Ayant pris récemment le statut de récoltant-manipulant, le couple exploite un vignoble de 4,2 ha principalement situé autour de Boursault, sur la rive gauche de la Marne. (RM)

Un brut mi-blancs mi-noirs vinifié en fût de chêne. Une seule récolte (2011, millésime non revendiqué) est ici à l'œuvre pour offrir une matière ample et souple, qui ne manque pourtant pas de fraîcheur. Avec ses notes évoluées, vanillées et beurrées, ce champagne est assez original et possède beaucoup de charme. Pour la table. ⧗ 2016-2020 ¥ dos de cabillaud sauce citron

⊶ EARL CLAUDE MICHEZ, 3, rue du Chêne, Villesaint, 51480 Boursault, tél. 03 26 58 45 03, claude.michez@orange.fr V ✦ ▪ *r.-v. ⊶ Chenevotot*

ALBERT DE MILLY Extra-brut ★

●	n.c.	11 à 15 €

Fils d'Albert Demilly, petit viticulteur de Mareuil-sur-Aÿ, Alain Demilly crée une entreprise de services, dont les revenus lui permettent d'agrandir son vignoble (12 ha aujourd'hui) et de lancer son champagne en 1994. Installé à Bisseuil, à la croisée de la Montagne de Reims, de la vallée de la Marne et de la Côte des Blancs, il est épaulé par son fils Thomas. (NM)

Pinot noir et meunier accompagnés de 20 % de chardonnay composent cet extra-brut né de la vendange 2008 assemblée à des vins de réserve de 2005 et 2006. Il en résulte un nez assez évolué, sur les fruits jaunes, les épices et la confiture de lait, rehaussé de touches minérales. Cette complexité se confirme dans une bouche ample et charnue, allégée par un trait de fraîcheur qui souligne la finale citronnée. ⧗ 2016-2020 ¥ brochet au beurre blanc ● **(11 à 15 €; 5000 b.)** : vin cité.

⊶ SAS A. DEMILLY, La Maladrie, RD N° 1, 51150 Bisseuil, tél. 03 26 52 33 44, contact@demilly.com V ✦ ▪ *r.-v.*

F & R MINIÈRE
Brut zéro Vinifié en fût de chêne ★★

●	2000	⦀	20 à 30 €

En 2005, les frères Frédéric et Rodolphe Minière reprennent l'exploitation constituée en 1920 par un de leurs arrière-grands-pères: 8 ha sur le massif de Saint-Thierry, au nord-ouest de Reims. Ils sont attachés au pressoir Coquard et aux vinifications en fût sans fermentation malolactique. Premières cuvées en 2015. (RM)

Les trois cépages champenois (dont 25 % de blancs) récoltés en 2008 ont été assemblés à 15 % de vins de réserve; les vins ont séjourné six mois en fût et aucun sucre n'a été ajouté après le dégorgement (brut zéro). Un champagne a la robe or brillant, parcourue d'un joli cordon; nez mûr et très complexe, mêlant notes pâtissières (frangipane, viennoiserie, brioche, miel), grillées, épicées et fruitées (abricot sec). Une farandole d'arômes qui se fond dans un palais à l'équilibre parfait, riche et sans lourdeur. La finale est longue et tendue. ⧗ 2016-2021 ¥ carré de veau aux girolles ● **Blanc de blancs Cuvée Blanc absolu Vinifié en fût de chêne ★ (30 à 50 €; 950 b.)** : un vin équilibré, franchement boisé au nez comme en bouche, avec ses notes grillées, vanillées,

CHAMPAGNE

beurrées. Garde conseillée. 2017-2022 ris de veau à la crème ● **Cuvée Influence Vinifié en fût de chêne (20 à 30 €; 2500 b.)** : vin cité.

F. & R. MINIÈRE, 8 bis, rue Saint-Martin, 51220 Hermonville, tél. 03 26 50 68 43, contact@champagne-miniere.fr V *r.-v.*

♥ MOËT ET CHANDON Brut Impérial ★★★

●	n.c.	30 à 50 €

L'une des plus anciennes maisons de Champagne, fondée en 1743 par Claude Moët, propriétaire de vignes. Au début du XIXe s., son petit-fils Jean-Rémy donne à la société une dimension internationale, avec la complicité de son gendre Pierre-Gabriel Chandon de Briailles. Leurs héritiers ont conforté le succès de la marque, devenue la plus connue et la plus vendue au monde. Aujourd'hui, Moët et Chandon, riche de 1 250 ha de vignes (dont 50 % en grand cru) et de 28 km de caves, continue son expansion au sein du puissant groupe LVMH. (NM)

L'une des cuvées les plus diffusées au monde, si ce n'est la plus diffusée, qui prouve ici que cette position de référence n'est pas usurpée. D'une qualité constante à travers les âges, évoluant par touches, le Brut impérial reste le symbole de l'art de l'assemblage à la champenoise. Il marie les trois cépages, surtout des noirs (de deux tiers à 80 %) et une centaine de vins, dont un petit tiers de vins de réserve. Sa présentation est raffinée: une robe claire aux reflets dorés, animée d'une effervescence fine et tonique. Son parfum élégant marie avec finesse notes florales, fruitées, pâtissières et grillées – un tableau aromatique que l'on retrouve dans une bouche racée, équilibrée entre rondeur et fraîcheur, dont la finale saline et iodée signe la classe. 2016-2021 poulet au champagne ● **Rosé impérial ★ (30 à 50 €; n.c.)** : l'assemblage est proche du blanc (majorité de noirs), 10 % de pinot noir vinifié en rouge lui donnant sa robe rose pastel. Nez discrètement fruité, bouche plus expressive, équilibrée et longue, sur les fruits rouges. 2016-2019 filets de rougets poêlés ● **Grand Vintage 2006 (50 à 75 €; n.c.)** : vin cité.

MOËT ET CHANDON, 20, av. de Champagne, 51200 Épernay, tél. 03 26 51 20 00, jbare@moet.fr *r.-v.* *LVMH*

PIERRE MONCUIT Blanc de blancs 2005 ★

● Gd cru	30000	30 à 50 €

Cette propriété fondée en 1889 choie les blancs de blancs provenant de son vaste vignoble (20 ha, dont 15 en grand cru) entre Côte des Blancs et Sézannais. Elle est conduite par Yves et Nicole Moncuit, laquelle se charge des vinifications et forme sa fille Valérie. (RM)

Un blanc de blancs gourmand, tout en rondeur: le nez délivre des notes crémeuses, beurrées, briochées et grillées, puis se développe avec souplesse et générosité sur des notes de fruits blancs. 2016-2019 bar au four ● **Gd cru (20 à 30 €; 12000 b.)** : vin cité.

PIERRE MONCUIT, 11, rue Persault-Maheu, 51190 Le Mesnil-sur-Oger, tél. 03 26 57 52 65, contact@pierre-moncuit.fr V *r.-v.*

ROBERT MONCUIT Extra-brut Blanc de blancs ★

● Gd cru	9000		20 à 30 €

«Propriétaire de vignes au Mesnil-sur-Oger depuis 1889», annonce fièrement l'étiquette. Pierre Amillet, le petit-fils de Robert Moncuit, qui commercialisa les premières bouteilles en 1928, a pris en 2000 les rênes de l'exploitation: 8 ha dans la Côte des Blancs. (RM)

Cette cuvée assemble du chardonnay récolté en 2012 à des vins de réserve conservés selon un système inspiré de la solera du xérès: à partir de l'année 2006, 50 % de vin de l'année est assemblé à du vin de réserve. Son nez aux nuances d'herbe fraîche est aussi tonique qu'élégant. La bouche, à l'unisson, est marquée en finale par une touche d'abricot. 2016-2020 sole à la planche ● **Gd cru Blanc de blancs ★ (20 à 30 €; 50000 b.)** : assemblage des années 2011 et 2012 élevé onze mois en fût. Un brut d'une belle fraîcheur, aux arômes de fruits blancs. Idéal à l'apéritif. 2016-2020 feuilletés de saumon

PIERRE AMILLET, 2, pl. de la Gare, 51190 Le Mesnil-sur-Oger, tél. 03 26 57 52 71, contact@champagnerobertmoncuit.com V *r.-v.*

MONDET Fût de chêne ★

●	3000		15 à 20 €

Le village où cette maison a son siège se niche au fond d'un vallon tributaire de la Marne, près d'Hautvillers. Fondée en 1926, l'affaire est dirigée par Francis Mondet, ses filles et ses gendres, qui disposent de 11 ha en propre. (NM)

Récoltés en 2010, les trois cépages champenois (dont 40 % de blancs) ont séjourné trois mois en fût neuf. L'élevage a laissé son empreinte au nez, qui mêle aux fruits mûrs d'intenses notes de bois, de vanille, de brioche. La bouche fraîche est marquée par un retour du boisé en finale. 2016-2020 soufflé au fromage

SARL FRANCIS MONDET, 2, rue Dom-Pérignon, 51480 Cormoyeux, tél. 03 26 58 64 15, champagne.mondet@wanadoo.fr V *t.l.j. 9h-12h 14h-18h; sam. dim. sur r.-v.; f. 1er-25 août*

MONIAL Sylves ★

●	3000		20 à 30 €

Dans la Côte des Bar (Aube), les cuvées aux noms latins d'Emmanuel et Agnès Calon-Egger vieillissent depuis 2007 sous les voûtes en ogive d'un ancien cellier du monastère cistercien de Clairvaux. Outre ses 2,3 ha de vignes, les producteurs exploitent 300 ha de céréales. (NM)

Sylves, car une partie de ce brut assemblant pinot noir et chardonnay à parts égales a vieilli en fût de chêne. Stimulé par une effervescence régulière et fine, le nez subtilement empyreumatique évoque l'amande grillée et la fleur blanche; on retrouve en bouche les nuances boisées dans une matière vineuse et ronde. Un champagne de repas. ⧗ 2016-2020 🍴 vol-au-vent ● **Brut nature Blanc de blancs Lux Aeterna (20 à 30 €; 6000 b.)** : vin cité.

EMMANUEL CALON, Le-Cellier-aux-Moines, 10200 Colombé-le-Sec, tél. 03 25 27 02 04, calon.emmanuel@wanadoo.fr V t.l.j. 9h-18h; de nov. à mars sur r.-v.

MONMARTHE Privilège ★★

● 1er cru | 25000 | | 15 à 20 €

Sous Louis XV, les Monmarthe étaient déjà vignerons. En 1930, Ernest lance son champagne. Soixante ans plus tard, Jean-Guy Monmarthe s'installe à la tête du domaine: 17 ha dans la Montagne de Reims. (RM)

Composé de chardonnay et de pinot noir à parts égales, ce champagne a mûri trente-six mois. Nez intense et fin, bouche ample, équilibrée et persistante, sur les fruits mûrs: les dégustateurs sont enchantés. ⧗ 2016-2020 🍴 poulet au champagne ● **1er cru Secret de famille (15 à 20 €; 90000 b.)** : vin cité.

JEAN-GUY MONMARTHE, 38, rue Victor-Hugo, 51500 Ludes, tél. 03 26 61 10 99, champagne-monmarthe@wanadoo.fr V r.-v.

CH. MONTAUDON Blanc de noirs ★

● | n.c. | 20 à 30 €

Créée en 1891 par un chef de cave d'Épernay, cette maison, dont Joséphine Baker raffolait, est restée dans la famille du fondateur jusqu'en 2008. La marque fait partie depuis 2010 du vaste groupe coopératif Alliance Champagne. (CM)

Après un séjour de trois ans en cave, ce pur pinot noir offre un nez de belle intensité dominé par la prune et les fruits rouges bien mûrs. Le vin prend franchement possession de la bouche, l'emplit de ses arômes de cerise et laisse une impression d'équilibre et de fraîcheur. ⧗ 2016-2020 🍴 foie gras poêlé aux cerises

CH. MONTAUDON, 1, rue Kellerman, 51061 Reims Cedex, tél. 03 26 79 01 01, info@champagnemontaudon.com V r.-v.

DANIEL MOREAU 2010 ★

● | 4000 | | 15 à 20 €

Robert Moreau plante ses premières vignes en 1947 aux environs de Vandières, dans la vallée de la Marne. Son fils Daniel, installé en 1969, quitte la coopérative en 1977 pour élaborer ses champagnes. Bastien, le petit-fils, arrive en 1994 sur l'exploitation et en prend la tête en 2005. Son domaine couvre près de 7 ha. (RM)

Les raisins noirs ont été dans l'ensemble peu millésimés en 2010, le beau temps des vendanges n'ayant que partiellement corrigé les effets des pluies qui l'ont précédé. Bastien Moreau a pourtant sélectionné pinots noirs (75 %) et meuniers pour élaborer ce brut très honorable. Expressif et évolué, le nez se partage entre noisette, beurre, figue, fruits secs et moka. Dans une belle continuité aromatique, la bouche se montre ronde, crémeuse et gourmande, enrobée par le dosage. ⧗ 2016-2020 🍴 chaussons de ris de veau et morilles

DANIEL MOREAU, 5, rue du Moulin, 51700 Vandières, tél. 03 26 58 01 64, contact@champagne-daniel-moreau.fr V r.-v.

ARNAUD MOREAU Tradition

● Gd cru | n.c. | 15 à 20 €

Installé en 2013, Arnaud Moreau représente la troisième génération sur l'exploitation familiale. Son vignoble de plus de 4 ha est uniquement situé à Bouzy et à Ambonnay, deux villages de la Montagne de Reims classés en grand cru, où les coteaux regardent majoritairement l'est. Il confie sa récolte à la coopérative du secteur. (RC)

La cuvée Tradition mobilise sept parts de pinot noir pour trois de chardonnay. Fruits jaunes (abricot), citron confit et fruits macérés à l'alcool traduisent la maturité de ce champagne équilibré, rond et gourmand, qui finit sur une pointe crayeuse et tonique. ⧗ 2016-2018 🍴 volaille à la crème ● **Gd cru Réserve (20 à 30 €; n.c.)** : vin cité.

ARNAUD MOREAU, 4, rue Aristide-Briand, 51150 Bouzy, tél. 06 52 56 57 02, contact@champagnearnaudmoreau.com V r.-v.

MORIZE PÈRE ET FILS Réserve 2009 ★★

● | 15051 | | 15 à 20 €

Établis aux Riceys (Aube) depuis 1830, les Morize sont récoltants-manipulants depuis trois générations. Guy Morize, installé en 1970, dispose d'un vignoble de plus de 6 ha et de splendides caves voûtées bâties par les cisterciens au XIIe s. (RM)

Cette cuvée privilégie le pinot noir (85 %), complété par le chardonnay. Le nez discret évolue dans un registre gourmand de viennoiserie, de pain grillé et de brioche. La belle attaque dévoile une matière douce, équilibrée et longue, agréablement soulignée par l'acidité. Un champagne à ne pas servir trop frais. ⧗ 2016-2019 🍴 poularde à la crème

MORIZE PÈRE ET FILS, 122, rue du Gal-de-Gaulle, 10340 Les Riceys, tél. 03 25 29 30 02, champagnemorize@wanadoo.fr V r.-v.

MOUREY-DUMANGIN 2008 ★

● 1er cru | 2000 | 20 à 30 €

Installé en 2007 sur le domaine familial implanté à Ludes, village situé sur le flanc nord de la Montagne de Reims, Damien Mourey exploite un peu plus de 4 ha. (RM)

Cette cuvée millésimée met à contribution pinot noir et chardonnay à parts égales. Elle se distingue par des notes riches d'évolution (chocolat, brioche, figue sèche, fruits exotiques confits), accompagnées d'une pointe de végétal noble. Le palais, très équilibré, de bonne longueur, associe une sensation crémeuse et une belle fraîcheur. ⧗ 2016-2020 ♈ carré de veau aux morilles

SCEV MOUREY-DUMANGIN, 11, rue Jacques-Haimart, 51500 Ludes, tél. 03 26 08 61 03, champagne.moureydum@free.fr V r.-v.

CORINNE MOUTARD Cuvée délicate

●	2000	15 à 20 €

Héritière d'une lignée de viticulteurs bien connue dans l'Aube, Corinne Moutard s'est installée en 1985 et commercialise depuis 1998 sa propre marque. Ses champagnes sont élaborés dans l'exploitation familiale située non loin des Riceys. (NM)

Mi-chardonnay mi-pinot noir, un champagne souple et rond, à l'expression délicate, assez discrète, miellée, vanillée et grillée. ⧗ 2016-2018 ♈ feuilletés aux saint-jacques

CORINNE MOUTARD, 49, Grande-Rue, 10110 Polisy, tél. 03 25 38 52 47, champagnecorinnemoutard@wanadoo.fr V *r.-v.*

MOUTARD PÈRE ET FILS Dame Nesle Pinot noir

●	n.c.		20 à 30 €

Sous Louis XIII, des Moutard cultivaient déjà la vigne à Bar-sur-Seine, mais la famille n'élabore son champagne que depuis 1927. Aujourd'hui, François, Véronique et Agnès disposent d'un domaine de 22,5 ha. Ils cultivent d'anciens cépages et proposent des champagnes de terroir. (NM)

Un rosé de macération élaboré à partir de pinot noir provenant d'une seule parcelle (Dame Nesle). À la robe saumon vif répondent des parfums affirmés de fruits rouges frais (fraise, framboise) et une bouche croquante aux arômes de cerise. ⧗ 2016-2019 ♈ soupe de fruits rouges

MOUTARD, 6, rue des Ponts, 10110 Buxeuil, tél. 03 25 38 50 73, champagne@champagne-moutard.eu V *t.l.j. sf sam. dim. 8h-12h 14h-18h*

MOUTAUX Réserve ★

●	30000		11 à 15 €

Installés à Bligny, village niché à mi-chemin entre Bar-sur-Aube et Bar-sur-Seine, Christine et Renaud Fischer ont pris la suite en 2007 de quatre générations de vignerons. Leur domaine couvre 13 ha. (RM)

Complété par le chardonnay, le pinot noir est en vedette dans cette cuvée, à laquelle il confère intensité olfactive et structure. Le dosage adéquat lui lègue équilibre et finesse. ⧗ 2016-2018 ♈ tartare de bar

EARL MOUTAUX, 1, rue des Ponts, 10200 Bligny, tél. 03 25 27 40 25, champagne.moutaux@orange.fr V *r.-v.*

MOUZON-LEROUX ET FILS Extra-brut Blanc de noirs L'Ineffable ★

● Gd cru	906		30 à 50 €

Premiers vignerons en 1776, premiers champagnes en 1938. Aujourd'hui, Pascale, Philippe et Sébastien Mouzon exploitent 10,5 ha répartis sur une centaine de parcelles à Verzy, Verzenay, Ludes et Villers-Marmery, dans la Montagne de Reims. Ils ont engagé la conversion bio du domaine. (NM)

Ce pur pinot noir doit être aéré pour livrer ses parfums de fleurs et de fruits rouges accompagnés de note grillées et beurrées que l'on retrouve au palais. Autant le nez est timide, autant la bouche se montre structurée et longue. Parfait pour le repas. ⧗ 2016-2018 ♈ chapon rôti ● **Gd cru Extra-brut L'Atavique Réserve (20 à 30 €; 9788 b.)** : vin cité.

SARL MOUZON-LEROUX, 16, rue Basse-des-Carrières, 51380 Verzy, tél. 03 26 97 96 68, champagne-mouzon-leroux@wanadoo.fr V *r.-v.*

G.H. MUMM ★

●	n.c.	30 à 50 €

Comme d'autres grands noms de la Champagne, la maison Mumm est d'origine allemande, fondée en 1827 par les trois frères Mumm, Jacobus, Gottlieb et Philipp, fils d'un négociant de Cologne. Georges-Hermann Mumm, petit-fils du fondateur, lègue ses initiales à l'entreprise et lance en 1875 le Cordon rouge, évocation de la Légion d'honneur. L'affaire est restée dans la famille jusqu'en 1914: la guerre entraîne sa mise sous séquestre en raison de la nationalité allemande de ses propriétaires. Forte d'un vignoble en propre de 218 ha, la société constitue désormais le fleuron champenois du groupe Pernod-Ricard. (NM)

Six ans de vieillissement pour ce brut qui fait la part belle au pinot noir (complété par 27 % de chardonnay). Son nez, entre fruits mûrs, fruits exotiques et épices, montre de la maturité. Dans le même registre aromatique, la bouche conjugue ampleur et fraîcheur, laissant une impression d'équilibre et d'élégance. ⧗ 2016-2019 ♈ poularde au champagne ● **Sélection (30 à 50 €; n.c.)** : vin cité.

G.H. MUMM, 29, rue du Champ-de-Mars, 51100 Reims, tél. 03 26 49 59 69, mumm@mumm.com V *r.-v.* *Pernod-Ricard*

NAPOLÉON 2002 ★★

●	10000	30 à 50 €

Les vignerons de la cave de la Goutte d'Or à Vertus, dans la Côte des Blancs, n'ont eu qu'à traverser la rue pour faire alliance avec une marque prestigieuse: la maison Ch. & A. Prieur, fondée en 1825, qui exploitait la marque Napoléon depuis 1907, sur le trottoir d'en face. (NM)

Mi-pinot noir mi-chardonnay, ce 2002 présente un nez léger pour un vin de cet âge, mais gourmand et harmonieux, aux nuances de pâtisserie. La bouche, élégante, conjugue finesse et richesse; croquante et soyeuse, elle garde une vivacité qui donne le « peps » de la jeunesse à l'ensemble. ⧗ 2016-2019 ♈ pavé de cabillaud croustillant ● **Tradition ★ (20 à 30 €; 50000 b.)** : du pinot noir et du chardonnay à parité dans cette cuvée au nez discret d'amande et de torréfaction. Ample et riche, la bouche est équilibrée par une fraîcheur tonique soulignée par des arômes de fruits blancs et d'agrumes. ⧗ 2016-2019 ♈ risotto aux truffes

NAPOLÉON,
30, av. du Gal-Leclerc, 51130 Vertus,
tél. 03 26 52 11 74, info@champagne-napoleon.fr
t.l.j. sf sam. dim. 9h-12h 14h-17h30

NÉRET-VÉLY Extra-brut mature

	2500	15 à 20 €

Une exploitation familiale constituée en 1945 et transmise à Alain Néret en 1980. Son vignoble (5,3 ha) est situé à environ 20 km en aval d'Épernay, dans les environs de Festigny, sur la rive gauche de la Marne. (RM)

Assemblant 60 % de chardonnay au meunier, cette cuvée justement nommée naît des récoltes 2008 et 2009. Ouvert et complexe, le nez associe les fruits mûrs, la brioche et les fleurs. Onctueuse et beurrée, un peu réservée, la bouche ne manque pas d'élégance. 2016-2019 canard à l'orange

ALAIN NÉRET,
333, rue des Sources, Fontaine-au-Bron,
51210 Vauchamps, tél. 03 26 81 66 59,
neretvelychamp@orange.fr r.-v.

CAROLE NOIZET Sélection Fleur de vigne

	8000		11 à 15 €

En 500, saint Thierry fonda au nord-ouest de Reims une abbaye qui fut l'un des berceaux du vignoble champenois et qui donna son nom au village où Carole Noizet est aujourd'hui établie. La récoltante, installée en 2000, représente la troisième génération sur un domaine couvrant 6,5 ha. (RC)

Issu des trois cépages champenois, une cuvée mi-blancs mi-noirs: nez discret, entre agrumes, pêche et fleurs blanches; bouche dans le même registre, fraîche, fondue, de bonne longueur. Pour l'apéritif. 2016-2018 feuilletés au fromage

CAROLE NOIZET,
1, rte de Thil, D 330 bis, 51220 Saint-Thierry,
tél. 03 26 97 77 45, champagnenoizetcarole@gmail.com
r.-v. 3

PHILIPPE NOIZET Perle noire ★

	4000		15 à 20 €

Représentant la quatrième génération sur le domaine, Philippe Noizet débute sa carrière en 1971 et crée son étiquette quatre ans plus tard. Il cultive un vignoble de 2,25 ha sur le massif de Saint-Thierry, un terroir à forte proportion sableuse au nord-ouest de Reims. (RC)

Un blanc de noirs issu du seul pinot noir. Si la robe est pâle, le nez montre de l'évolution dans ses notes de raisins secs, de vanille, de biscuit et de beurre. Au palais, une belle fraîcheur tranche avec cet univers aromatique et contribue à l'équilibre de cette cuvée, où l'on retrouve en finale les fruits secs, dans des tons d'amande amère. 2016-2019 poulet aux écrevisses

PHILIPPE NOIZET,
6, rte de Villers-Franqueux, 51220 Thil,
tél. 03 26 03 17 14, champagne.noizetp@orange.fr
t.l.j. 9h-12h 14h-18h; dim. 9h-12h; f. août 1

OLIVIER PÈRE ET FILS 2006 ★★

	5000		15 à 20 €

Établie sur la rive droite de la Marne, la famille Olivier cultive la vigne depuis 1910 et élabore son champagne depuis 1968. Installé en 2000, Bertrand Olivier dispose d'un vignoble de 11 ha. (RM)

Trois quarts de noirs (dont 50 % de pinot noir) et un quart de chardonnay se marient dans ce 2006 jaune doré. Le nez expressif marie le miel, la noisette, les fruits mûrs et la torréfaction. La bouche s'enrichit de notes de crème pâtissière et d'épices. Cette farandole aromatique tout en finesse agrémente une matière à la fois structurée et fraîche. Un champagne complexe et élégant. 2016-2021 ris de veau braisés

EARL OLIVIER PÈRE ET FILS, 2, rue Kennedy, 02850 Trélou-sur-Marne, tél. 03 23 70 25 96, contact@champagne-olivier.fr t.l.j. sf dim. 9h-12h 14h-18h

LUCIEN ORBAN

	13000		11 à 15 €

À la tête de plus de 6 ha de vignes dans la vallée de la Marne, Hervé Orban dirige depuis 1991 l'exploitation fondée par son grand-père; ses champagnes portent l'étiquette créée par son père Lucien. (RM)

Un blanc de noirs (90 % de meunier) à son apogée malgré son jeune âge (la récolte de base est de 2012): la robe est or soutenu, le nez puissant se partage entre les agrumes et les fleurs, tandis que les fruits rouges, les épices et la réglisse s'épanouissent dans une matière ample et vineuse, d'une grande générosité. 2016-2018 dinde fermière **Carte d'or Cuvée de réserve (11 à 15 €; 5000 b.)** : vin cité.

SCEV HERVÉ ORBAN, 11, rue du Gal-de-Gaulle,
51700 Cuisles, tél. 03 26 58 16 11,
herve.orban@wanadoo.fr r.-v.

CHARLES ORBAN Blanc de blancs

	n.c.		20 à 30 €

Les Orban sont établis dans la vallée de la Marne depuis le XVIIIᵉs. Vers la fin des années 1950, Charles Orban quitte la coopérative et lance sa marque. L'exploitation (5 ha) est passée en 1997 dans le giron de la famille Rapeneau. (RM)

Un profil classique, plutôt puissant, du chardonnay champenois: une robe dorée aux reflets verts; un nez sur le pamplemousse, la brioche et les fleurs blanches; une bouche vive à l'attaque, fraîche et équilibrée, à la finale tonique et persistante. 2016-2019 sole meunière

CHARLES ORBAN,
44, rte de Paris, 51700 Troissy, tél. 03 26 52 70 05,
contact@champagnecharlesorban.com r.-v.

FRANCIS ORBAN Extra-brut L'Orbane ★

	1500		30 à 50 €

L'arrière-grand-père de Francis Orban s'est lancé dès 1929 dans l'élaboration de ses cuvées. Installé en 1999, ce dernier exploite 7,5 ha sur la rive gauche de

CHAMPAGNE

la Marne. Il s'applique à mettre en valeur le meunier, cépage qu'il juge trop méconnu. (RM)

Une belle expression du meunier, vinifié et élevé en fût de chêne, sans fermentation malolactique et dosé en extra-brut. La robe d'un jaune soutenu est animée d'un train brillant de fines bulles. Complexe et délicat, le nez entremêle senteurs d'agrumes, d'amande et notes grillées. Dans le même registre, la bouche se montre structurée et policée, bien équilibrée entre vinosité et fraîcheur. ⌛ 2016-2019 🍴 cailles aux raisins

FRANCIS ORBAN, 23, rue du Gal-de-Gaulle, 51700 Leuvrigny, francis.orban@free.fr V r.-v.

♥ BRUNO PAILLARD Nec Plus Ultra 2003 ★★

	4200		+ de 100 €

Une maison de négoce créée en 1981 par Bruno Paillard. Alors âgé de vingt-sept ans, ce descendant de courtiers et de vignerons vend sa vieille Jaguar pour fonder son affaire. Il mise sur des champagnes haut de gamme. Aujourd'hui, il dispose en propre de 32 ha de vignes (dont 45 % en grand cru) et d'une cuverie « hors sol » ultramoderne. Toutes ses cuvées comptent au moins 20 % de vins vinifiés en fût, leur dosage est très mesuré, leur bulle très fine. La date de dégorgement est indiquée sur chaque bouteille. (NM)

Comme son nom l'indique, Nec Plus Ultra est la cuvée de prestige de la maison. Les pinots et les chardonnays, à parts égales, proviennent de nobles terroirs dans les meilleurs millésimes, sont vinifiés en fût de chêne et les bouteilles vieillissent douze ans sur lattes avant dégorgement – liste non exhaustive des attentions qu'elles reçoivent. Ici, l'année 2003, hors normes avec son gel de printemps dévastateur et sa canicule, tous deux synonymes de concentration, est à l'œuvre. Malgré l'âge, l'effervescence reste tonique et seuls quelques reflets cuivrés nuancent la belle robe dorée; le nez, lui aussi, reste frais, déployant des notes complexes d'aubépine, de pêche, de crème fraîche. Si des notes miellées et abricotées révèlent une certaine évolution, elles n'émoussent pas l'admirable vivacité de la bouche et son tempérament citronné. ⌛ 2016-2021 🍴 poularde truffée **Extra-brut Première Cuvée (30 à 50 €; n.c.)** : vin cité.

BRUNO PAILLARD, av. de Champagne, 51100 Reims, tél. 03 26 36 20 22, info@brunopaillard.com

PAILLETTE ★

	52486		11 à 15 €

Richard Paillette a pris la tête en 1997 de la propriété familiale constituée en 1922. Il exploite 7 ha de vignes en aval de Château-Thierry, sur le coteau d'Essômes-sur-Marne exposé au soleil levant. (RM)

Les raisins noirs (50 % de meunier, 10 % de pinot noir) l'emportent sur les blancs dans ce brut or paille, mêlant au nez fruits à noyau, abricot, pêche, poire et touche grillée. L'évolution est plus sensible en bouche où se développent des notes toastées et des nuances d'amande. L'ensemble reste bien équilibré. ⌛ 2016-2020 🍴 filet mignon en croûte **(11 à 15 €; 4725 b.)** : vin cité. **2009 (15 à 20 €; 2421 b.)** : vin cité.

SARL PAILLETTE, 4, Aulnois, 02400 Essômes-sur-Marne, tél. 03 23 70 82 63, champagne.paillette@orange.fr V r.-v.

PALMER & C° Blanc de blancs

	40000	30 à 50 €

Fondée à Avize en 1947 par sept vignerons, cette coopérative aujourd'hui installée à Reims a connu un bel essor dans les années 1980. Elle tire son approvisionnement de 400 ha répartis dans une cinquantaine de crus – pour l'essentiel situés dans la Montagne de Reims. Palmer est sa marque. (CM)

Après le millésime 2008 qui a décroché un coup de cœur, ce blanc de blancs est plus modeste, manquant notamment de longueur. Grâce à sa palette complexe (pêche, fruits exotiques, fleurs blanches), il mérite d'être cité. ⌛ 2016-2017 🍴 carpaccio de saint-jacques

PALMER, 67, rue Jacquart, 51100 Reims, tél. 03 26 07 35 07, contact@champagnepalmer.fr V r.-v.

PAQUES ET FILS Origine Élevé en fût de chêne 2008 ★

1er cru	2200		20 à 30 €

Les Paques font du vin depuis quatre générations. D'abord à Chigny-les-Roses, ensuite à Rilly-la-Montagne, village distant d'un saut de puce, sur le versant nord de la Montagne de Reims. Installé en 1995, Philippe Paques est à la tête d'un domaine qui couvre 10,5 ha en 1er cru. (RM)

Né de 80 % de chardonnay complété par du pinot noir, ce 2008 a été élevé six mois en fût avec bâtonnage et n'a pas fait sa fermentation malolactique. D'un or vert aux reflets argentés animé de bulles fines, il ne brille pas qu'à l'œil. Complexe et charmeur, il déploie une large gamme d'arômes: anis, pralin, vanille, pomme au four, miel, fruits secs et poivre blanc. À l'unisson du nez, la bouche est raffinée, à la fois vineuse et fraîche, même si le dosage l'alourdit quelque peu. ⌛ 2016-2019 🍴 foie gras mi-cuit

PAQUES ET FILS, 1, rue Valmy, 51500 Rilly-la-Montagne, tél. 03 26 03 42 53, phil.paques@wanadoo.fr V r.-v.

SÉBASTIEN PASCAL Esprit 2006 ★

Gd cru	1500		30 à 50 €

En 2000, Sébastien Pascal reprend le domaine familial, constitué en 1870. Il prend le statut de négociant, crée sa marque et s'installe au Ch. de Cuisles, sur la rive droite de la Marne, où il aménage des chambres d'hôtes. (NM)

Mi-pinot noir mi-chardonnay, ce 2006 dévoile un nez complexe et évolué, sur l'acacia, puis le beurre, le miel et le café. La pâtisserie et les fruits blancs bien mûrs viennent enrichir la palette dans une bouche ronde et chaleureuse. ⌛ 2016-2020 🍴 toasts au foie gras **Gd cru Blanc de noirs**

★ (30 à 50 €; 20000 b.) : né de pur pinot noir, ce brut a connu le bois. Nez expressif entre cerise, petits fruits et léger boisé, belle présence en bouche, finale fraîche et longue, légèrement minérale. ⧗ 2016-2020 🍴 filet mignon ● **Gd cru Blanc de blancs (30 à 50 €; 5000 b.)** : vin cité.

SÉBASTIEN PASCAL, 4 RD, Ch. de Cuisles, 51700 Cuisles, tél. 03 26 51 74 89, spascal.mercier@wanadoo.fr V r.-v. ⑤

PATIS-PAILLE Rosé de saignée ★

●	2500		11 à 15 €

Un domaine constitué en 1950. Installé en 2007, Christophe Patis représente la troisième génération à travailler la vigne sur les bords du Belval, un petit affluent de la Marne, sur la rive droite. (RM)

Une macération de meunier (90 %) et de pinot noir récoltés en 2014 est à l'origine de ce champagne d'un rose soutenu. Ses qualités: un nez de fruits rouges, une bouche à l'unisson, fraîche et élégante, à la finale agréable grâce à un dosage précis. ⧗ 2016-2019 🍴 charlotte aux fraises

EARL CHRISTOPHE PATIS, 16, rue de l'Église, 51480 La Neuville-aux-Larris, tél. 06 76 45 72 62, patis-virginie@gmail.com V r.-v. Ⓓ

DENIS PATOUX Extra-brut ★

●	6000		20 à 30 €

Viticulteurs depuis plus d'un siècle sur la rive droite de la Marne, les Patoux ont commencé à élaborer du champagne en 1945. Installé en 1976, Denis Patoux dispose d'un vignoble de 8,5 ha qui s'est beaucoup agrandi ces vingt dernières années grâce à des plantations nouvelles. (RM)

Un dosage très mesuré (moins de 4 g/l), un assemblage réfléchi de vins de réserve (2005 à 2007), de vieilles vignes de pinot noir et de chardonnay à parité. Il en résulte un champagne puissant, équilibré, tout en rondeur, aux arômes de fruits mûrs. ⧗ 2017-2020 🍴 blanquette de lotte

DENIS PATOUX, 1, rue Bailly, 51700 Vandières, tél. 03 26 58 36 34, denis.patoux@wanadoo.fr V r.-v.

PAUL-SADI Hommage ★

● Gd cru	10020		15 à 20 €

Après avoir travaillé une quinzaine d'années comme salarié dans la maison Virgile Portier, l'entreprise familiale gérée par ses parents, Jérôme Portier a lancé en 2011 sa maison et son champagne, qui porte le nom de son grand-père. Il dispose en propre de près de 3 ha de vignes. (NM)

Une cuvée de blanc de blancs en hommage à la grand-mère maternelle de Jérôme Portier, originaire de Villers-Marmery, cru de la Montagne de Reims réputé pour son chardonnay. Vinifié pour moitié en fût, ce champagne à la robe claire libère des senteurs d'acacia, d'agrumes et de pain que l'on retrouve dans une bouche ample, tendue et vive, un rien marquée en finale par le dosage. ⧗ 2017-2020 🍴 poulet au champagne ● **1er cru Simone ★ (15 à 20 €; 3252 b.)** : deux tiers de pinot noir et un tiers de chardonnay composent cette cuvée vinifiée sans fermentation malolactique. Nez puissant de fruits exotiques et de fleurs blanches, bouche étoffée, épicée et miellée, ronde en attaque et vive en finale. ⧗ 2017-2020 🍴 cassolette d'escargots

PAUL-SADI, 21 bis, RN, 51360 Beaumont-sur-Vesle, tél. 03 26 40 25 18, paul.sadi@orange.fr V r.-v.

CHRISTIAN PÉLIGRI ★

●	4800		15 à 20 €

Colombey-les-Deux-Églises, où séjourna et mourut le général de Gaulle, est un des lieux de mémoire du pays. On sait moins que cette commune de la Haute-Marne est incluse dans l'aire d'appellation champagne (il n'y en a que deux dans ce département). La famille Péligri s'est installée en 1988 dans l'ancienne coopérative laitière du village qu'elle a transformée en cave. Au fil des ans, son domaine s'est agrandi. Il compte aujourd'hui 8 ha. (RM)

Issu d'un assemblage de pinot noir (90 %) et de meunier, ce rosé de noirs tire de l'apport de 10 % de vin rouge sa teinte rose soutenu. Il libère des notes intenses de fruits rouges bien mûrs. Charnue et ronde en attaque, la bouche est équilibrée et persistante. ⧗ 2016-2019 🍴 salade de fruits rouges

PÉLIGRI, 60, RD 619, 52330 Colombey-les-Deux-Églises, tél. 03 25 01 52 74, christian.peligri@wanadoo.fr V *t.l.j. 8h-12h30 13h-19h; dim. sur r.-v.*

JEAN-MICHEL PELLETIER
Cuvée Anaëlle Vieilli en fût de chêne 2008 ★★

●	1700		15 à 20 €

Jean-Michel Pelletier a repris en 1982 des vignes familiales dans la vallée de la Marne et porté la superficie de son domaine à près de 5 ha. Diplômé en œnologie, il participe aux assemblages à la coopérative de Passy-Grigny qui vinifie sa production. (RC)

Un 2008 issu à parts égales de meunier et de chardonnay (ce dernier resté cinq mois en fût). Bien doré, il s'ouvre d'emblée sur des notes complexes, puissantes et évoluées: pomme au four, miel, grillé, noisette et caramel. On retrouve ces arômes dans une bouche équilibrée et longue. ⧗ 2016-2019 🍴 tarte fine aux pommes

EARL JEAN-MICHEL PELLETIER, 22, rue Bruslard, 51700 Passy-Grigny, tél. 03 26 52 65 86, champagnejmpelletier@wanadoo.fr V r.-v.

PENET-CHARDONNET
Extra-brut TerroirEscence ★★

● Gd cru	8000		30 à 50 €

Ingénieur et œnologue descendant d'une lignée de vignerons remontant à quatre siècles, Alexandre Penet conduit depuis 2009 l'exploitation familiale: 6 ha de vignes implantées sur les coteaux de Verzy et Verzenay, grands crus de la Montagne de Reims, dont les fruits sont commercialisés sous la marque Penet-Chardonnet. Il a lancé en 2011 une activité de négoce et sélectionne des champagnes qu'il signe de son patronyme. Toutes ses cuvées sont nature ou extra-brut. (RM)

CHAMPAGNE

La quintessence du terroir selon Alexandre Penet. Un assemblage bien séduisant de 70 % de pinot noir pour 30 % de chardonnay, des vins vinifiés partiellement en fût, sans fermentation malolactique et restés cinq ans sur lattes. Un champagne captivant par sa palette où s'entremêlent fruits blancs, abricot, fruits secs, brioche, épices et séduisant par sa bouche structurée, ample, tendue par une longue finale saline. ⧗ 2016-2021 ¥ rougets grillés ● **Gd cru Alexandre Penet Brut nature ★ (30 à 50 €; 5000 b.)** : issu de pinot noir majoritaire (70 %) complété par du chardonnay, un brut nature (non dosé) délicat, complexe, empyreumatique. Une grande fraîcheur et une belle élégance. ⧗ 2016-2020 ¥ buisson de langoustines

⊶ PENET-CHARDONNET, 12, rue Gambetta, 51380 Verzy, tél. 03 51 00 28 80, contact@lamaisonpenet.com V r.-v.

JEAN PERNET Blanc de blancs Prestige ★

● Gd cru	4500	20 à 30 €

Un ancêtre de Christophe et de Frédéric Pernet cultivait la vigne au début du XVII^e^s. Le tandem dirige aujourd'hui une petite maison de négoce forte d'un vignoble de 17 ha répartis entre Côte des Blancs, vallée de la Marne et coteaux d'Épernay. (NM)

Un blanc de blancs au nez charmeur et complexe, mêlant le jasmin et le tilleul au miel, au pain blanc et aux fruits exotiques. Cette gamme séduisante s'épanouit dans une bouche équilibrée et fraîche. ⧗ 2016-2019 ¥ dos de cabillaud braisé aux légumes

⊶ JEAN PERNET, 6, rue de la Brèche-d'Oger, 51190 Le Mesnil-sur-Oger, tél. 03 26 57 54 24 V r.-v.

♥ JOSEPH PERRIER 2005 ★★

●	n.c.	50 à 75 €

À la fin du XIX^e^s., les vignes entourant Châlons-en-Champagne, qui ont aujourd'hui cédé la place à la ville, étaient réputées et la cité comptait une dizaine de maisons de champagne. Seule subsiste celle-ci, fondée en 1825 par Joseph Perrier, fils de négociant. Elle est présidée par Jean Claude Fourmon, l'arrière-petit-fils de Paul Pithois qui avait pris le contrôle de l'affaire en 1888. L'entreprise possède un vignoble de 21 ha dans le cœur historique de la Champagne, aux alentours de Cumières et de Hautvillers. Aux commandes de la production (dont 20 % issus de 21 ha en propre), Jérôme Dervin, comme avant lui son père Claude, son grand-père et son arrière-grand-père. (NM)

Le pinot noir (70 %), le chardonnay (25 %) et un soupçon de meunier entrent dans ce rosé qui a enchanté nos dégustateurs. Sa couleur saumon très pâle provient de l'ajout d'un vin rouge de Cumières – du pinot noir. Intense et délicat, le nez brille par sa complexité: on hume dans le verre des fruits rouges (confiture de groseilles), rehaussés de menthol et d'épices (vanille, noix muscade, poivre). Dans le même registre, la bouche charme par son onctuosité, sa texture soyeuse, sa fraîcheur, sa longue finale acidulée. Idéal pour l'apéritif... mais aussi pour la table, jusqu'au dessert. ⧗ 2016-2021 ¥ tarte fine à la tomate ● **Cuvée royale ★ (30 à 50 €; n.c.)** : le nom de la cuvée rappelle l'époque où la reine Victoria et son fils Edouard VII honoraient la maison de leur clientèle. Assemblage des trois cépages champenois, ce brut dévoile des arômes de fruits blancs et laisse en bouche une sensation de légèreté et de fraîcheur. ⧗ 2016-2019 ¥ feuilletés aux saint-jacques

⊶ JOSEPH PERRIER, 69, av. de Paris, 51016 Châlons-en-Champagne Cedex, tél. 03 26 68 29 51, ejp@josephperrier.fr
V r.-v. *⊶ Fourmon*

PERRIER-JOUËT Belle Époque 2007 ★★

●	n.c.	+ de 100 €

Maison fondée sous le Premier Empire (1811) par Pierre-Nicolas Perrier, bouchonnier d'Épernay propriétaire de vignes, et par Adèle Jouët. Leur fils, Charles, développa l'affaire, notamment vers l'Angleterre où elle devint fournisseur de la reine Victoria. La maison se flatte d'avoir élaboré le premier champagne brut (1854) et figure aussi parmi les précurseurs en matière de vins millésimés. Devenue en 2005 l'un des fleurons du géant Pernod-Ricard, elle s'appuie sur un vignoble de 65 ha (à Cramant et à Avize, en Côte des Blancs à Mailly dans la Montagne de Reims, à Aÿ et à Dizy dans la Grande Vallée de la Marne). Le chardonnay est très présent dans ses cuvées. Sérigraphiées sur la bouteille, les anémones art nouveau dessinées en 1902 par Émile Gallé ornent depuis 1964 la cuvée millésimée Belle Époque. (NM)

La cuvée prestige de la maison donne une fois de plus entière satisfaction. Il s'agit d'un champagne mi-blancs mi-noirs (du pinot noir essentiellement). La robe or aux reflets verts est fraîche, tandis que le nez délivre des arômes tertiaires: sous-bois, truffe, torréfaction, café, avec une touche de pêche de vigne. Les fruits jaunes s'épanouissent dans un palais à la fois ample, charnu, salin, à la longue finale fraîche où l'on retrouve la pêche de vigne. Un vin très original, qui atteint son meilleur. ⧗ 2016-2021 ¥ homard à la vapeur ● **Grand Brut (30 à 50 €; n.c.)** : vin cité.

⊶ PERRIER-JOUËT, 28, av. de Champagne, 51200 Épernay, tél. 03 26 53 38 00, info@perrier-jouet.fr
⊶ Pernod-Ricard

DANIEL PERRIN

●	4500	🍾	15 à 20 €

Daniel Perrin reprend en 1957 le vignoble familial et devient récoltant-manipulant. Aujourd'hui, son fils cadet Christian exploite 14 ha à Urville, près de Bar-sur-Aube. (RM)

Un rosé de macération élaboré exclusivement à partir du pinot noir de la récolte 2012. Une couleur soutenue, des arômes de fraise, de griotte, de noyau de cerise nuancés de notes d'amande, que l'on retrouve dans une bouche gourmande, vivifiée par une agréable fraîcheur en finale. ⧗ 2016-2020 ¥ charlotte aux fruits rouges

⊶ EARL DANIEL PERRIN, 40, rue des Vignes, 10200 Urville, tél. 03 25 27 40 36, champagnedanielperrin@nordnet.fr V r.-v.

PERROT-BATTEUX & FILLES Brut nature Blanc de blancs Hélixe ★

	3000		20 à 30 €

En 1985, Gervais et Maryline Perrot font l'acquisition d'un pressoir et commencent à commercialiser leur récolte. Après avoir travaillé pour plusieurs maisons, leur fille Cynthia Vigneron-Perrot les rejoint en 2009 et sa sœur Céline collabore à la promotion. La famille exploite 5 ha dans la partie sud de la Côte des Blancs. (RM)

Les vins de réserve de 2006 et 2007 qui composent ce blanc de blancs brut nature (sans sucre ajouté après le dégorgement) ont gommé toute sensation de vivacité. Au nez, des senteurs de crème, de fruits secs, de pâtisserie, prélude à un palais gras, généreux, à la finale expressive. ⧗ 2016-2019 ▼ poulet au champagne ● **1er cru Blanc de blancs Cuvée Hélixe (15 à 20 €; 13000 b.)** : vin cité.

PERROT-BATTEUX & FILLES, 62, av. des Comtes-de-Champagne, 51130 Bergères-lès-Vertus, tél. 09 66 91 96 75, contact@champagneperrot-batteux.com r.-v.

BRUNO PERSEVAL Blanc de blancs ★

	2500		15 à 20 €

Héritier d'une lignée remontant à 1640, Bruno Perseval a pris les rênes en 1988 d'un vignoble de 2,6 ha situé dans la partie ouest de la Montagne de Reims, à deux pas de la Cité des Sacres. (RM)

Un champagne aux arômes charmeurs de pâte de fruits, d'amandes; la prise en bouche est tout aussi séduisante: la pâte d'amandes apporte une sensation de douceur et de gourmandise. Un blanc de blancs de belle maturité. ⧗ 2016-2018 ▼ lotte au lait d'amande

BRUNO PERSEVAL, 13, rue des Sources, 51500 Sacy, tél. 06 13 74 03 58, bruno.perseval@champagne-perseval.fr r.-v.

PERSEVAL-FARGE C. de Pinots ★

1er cru	2000		20 à 30 €

Son haut clocher (56 m) signale de loin le village de Chamery situé au sud de Reims, au pied de la Montagne, et classé en 1er cru. Cette famille cultive la vigne aux environs depuis le XVIIIe s. Depuis 1980, Isabelle et Benoist Perseval exploitent un vignoble de 4 ha sur les coteaux environnants. (RM)

Pinots? Le pinot noir et le meunier à parts presque égales, un assemblage de cinq années (2010 à 2006) et un élevage partiel en fût. Au nez, des senteurs de beurre et de pain grillé héritées du bois. Encore agréablement fraîche, la bouche est dominée par des notes de noisette grillée, de torréfaction. Pour le repas ou le fromage. ⧗ 2016-2020 ▼ vieux comté

BENOIST PERSEVAL, 12, rue du Voisin, 51500 Chamery, tél. 03 26 97 64 70, champagne@perseval-farge.fr r.-v.

PESSENET-LEGENDRE Cuvée Cléo ★

1er cru	2500		15 à 20 €

Cyrille Pessenet a repris en 1996 le domaine familial qui couvre 4,2 ha sur la rive droite de la Marne, entre Reuil et Hautvillers. Il a lancé sa propre marque en l'an 2000. (RM)

Cléo? Le prénom de la première fille de la famille. Un assemblage des trois cépages champenois, avec une dominante de noirs (90 %), tous récoltés à Hautvillers. Au nez, des senteurs intenses et complexes de fruits, de noisette, de pain grillé; en bouche, la fraîcheur des agrumes. Un champagne équilibré et fruité. ⧗ 2016-2020 ▼ chapon sauce champagne ● **Cuvée Prestige (15 à 20 €; 5000 b.)** : vin cité.

PESSENET-LEGENDRE, 37, Grande-Rue, 51480 Reuil, tél. 03 26 57 87 19, champagne-pessenet-legendre@orange.fr r.-v.

TH. PETIT Cuvée Prestige 2006 ★

Gd cru	900	20 à 30 €

Pour échapper aux ravages de la crise de 1929, Théophile Petit commercialise son champagne. Son fils André prend la relève en 1948 et, profitant des Trente Glorieuses, porte le vignoble de 1 à 6,3 ha. Sa nièce Bénédicte Bérard-Meuret gère depuis 1995 le domaine situé dans la Montagne de Reims et confie sa vendange à l'Union Champagne. (RC)

Né de pinot noir et de chardonnay à parts égales, ce 2006 au dosage léger dévoile des senteurs évoluées de fleurs séchées, de beurre et de café, qui se confirment en bouche. Un champagne puissant, structuré et long, marqué en finale par une touche d'amertume. ⧗ 2016-2020 ▼ foie gras truffé

BÉNÉDICTE BÉRARD-MEURET, 11, rue Colbert, 51150 Ambonnay, tél. 03 26 57 01 13, champagneth.petit@wanadoo.fr r.-v. *(06 83 17 53 46)* *EARL Th. Petit*

PETIT ET BAJAN Ambrosie ★★

Gd cru	5000		30 à 50 €

Propriété de 3,2 ha, créée en 2009 à partir de parcelles familiales et d'achats. Son nom réunit le patronyme de deux familles vigneronnes alliées; son siège est à Avize, grand cru de la Côte des Blancs, mais une partie des vignes est implantée à Verzenay, grand cru de noirs. (RM)

Cette cuvée naît de grands crus: sept parts de chardonnay de la Côte des Blancs pour trois parts de pinot noir de Verzenay. Beurre frais, miel d'acacia, fruits secs: un caractère de maturité s'en dégage avec élégance et complexité. La fraîcheur, associée à un dosage adapté, et une finale sur les agrumes permettent d'équilibrer les sensations d'évolution. Un champagne de caractère, pour le repas. ⧗ 2016-2020 ▼ cassolette de homard ● **Gd cru Nymphea ★ (30 à 50 €; 2500 b.)** : composé de 90 % de chardonnay et de 10 % de pinot noir vinifié en rouge, un rosé d'assemblage qui a connu le bois. Un fruité fin et frais, légèrement grillé au nez; une texture souple, fraîche et croquante. ⧗ 2016-2019 ▼ saumon grillé ● **Gd cru Nuit blanche ★ (30 à 50 €; 5000 b.)** : un chardonnay de l'année 2011 aux arômes évolués de miel, à la finale minérale. ⧗ 2016-2018 ▼ coquilles Saint-Jacques

EARL PETIT ET BAJAN, 10, rue d'Oger, 51190 Avize, tél. 03 26 52 79 97, veronique@champagne-petit-et-bajan.fr r.-v.

CHAMPAGNE

MAURICE PHILIPPART Prestige 2008

1er cru | 2783 | | 20 à 30 €

Un Nicaise Philippart cultivait déjà la vigne sur la Montagne de Reims en 1827, mais c'est seulement cent ans plus tard, en 1930, que Maurice Philippart commercialisa les premières bouteilles. En 1996, son petit-fils Franck a pris les commandes du vignoble familial; pour compléter la production de ses 3 ha, il a adopté le statut de négociant en 2011. (NM)

Complété par le pinot noir, le chardonnay (90 %) est en vedette dans ce 2008. Il lui lègue des parfums tout en finesse de fleurs blanches, nuancés de légères notes d'évolution et de touches minérales. Plus expressif, plus fruité, le palais se montre à la fois ample et frais. ⧗ 2016-2019 ⫯ poulet au champagne

SARL MAURICE PHILIPPART, 3, rue des Vignes, 51500 Chigny-les-Roses, tél. 03 26 03 42 44, contact@champagne-mphilippart.com V t.l.j. *9h-11h30 14h-17h30; sam. dim. sur r.-v.*

PHILIPPONNAT Clos des Goisses 2006 ★★★

| 28305 | + de 100 €

Les Philipponnat sont propriétaires de vignes à Aÿ depuis le début du XVIes.; négociants et vinificateurs, ils ont un blason datant de la fin du XVIIes. et un château à Mareuil-sur-Aÿ, acquis en 1910. Ils ont acheté en 1935 le Clos des Goisses, l'un des rares clos champenois ceint de murs et le plus vaste aussi (5,5 ha), implanté sur un coteau aux pentes vertigineuses, en surplomb du canal latéral de la Marne et de cette rivière. (NM)

Une nouvelle fois couverte d'étoiles, la cuvée phare de la maison s'ancre chaque année un peu plus dans la catégorie des champagnes d'exception. Deux petits tiers de pinot noir pour un bon tiers de chardonnay sont à l'origine de ce champagne vinifié sous bois, sans fermentation malolactique et faiblement dosé. Traversée par un cordon de bulles fines, sa robe scintille de reflets dorés. Intense et élégant, gourmand et complexe, son nez déploie des notes de crème pâtissière, de beurre et d'ananas confit. Quant à la bouche, vineuse, ronde et parfaitement équilibrée, elle bénéficie d'une finale de haute volée, très longue et fraîche, aux nuances d'agrumes (pamplemousse), de vanille, de pain d'épice et de bois. ⧗ 2016-2022 ⫯ turbot sauce agrumes **Royale Réserve Brut (30 à 50 €; 450000 b.)** : vin cité.

PHILIPPONNAT, 13, rue du Pont, 51160 Mareuil-sur-Aÿ, tél. 03 26 56 93 00, info@philipponnat.com V r.-v.

PHILIZOT ET FILS Numéro 1

| 30000 | 15 à 20 €

Établis dans la vallée de la Marne où ils disposent de 10 ha, Stéphane et Stéphanie Philizot ont pris en 2002 la suite de trois générations de viticulteurs et se sont fait négociants. Ce statut leur permet d'acquérir des raisins dans d'autres secteurs de la Champagne. (NM)

Née du seul chardonnay, cette cuvée libère des senteurs de pâtisserie, de tarte aux pommes, de citron et de cannelle. La bouche harmonieuse, équilibrée par une agréable fraîcheur, est marquée en finale par une note gourmande de praline. Pour un apéritif raffiné. ⧗ 2016-2020 ⫯ tartare de homard

STÉPHANE ET VIRGINIE PHILIZOT, 49, Grande-Rue, 51480 Reuil, tél. 03 26 51 02 93, vp@champagne-philizot.fr V r.-v. 5

JACQUES PICARD ★

| 80000 | | 15 à 20 €

En 1950, Roger Picard plante des vignes sur les flancs du mont de Berru, qui s'élève dans la plaine, à l'est de Reims. Son fils Jacques lance son champagne. Sylvie et Corinne, filles de Jacques, et José Lievens, son gendre, conduisent aujourd'hui la propriété (17 ha, à Berru, Avenay-Val-d'Or et Montbré). Plusieurs étiquettes: Jacques Picard, Corinne Picard, Henri de Berr. (RM)

Composé à 60 % de chardonnay, complété par 35 % de meunier et un soupçon de pinot noir, ce brut assemble le vin de base de 2012 à 40 % d'un vin de réserve élevé selon une technique inspirée de la solera (dans une même cuve, les vins anciens «élèvent» les plus jeunes). Fortement marqué par ce vin de réserve, il présente une robe dorée, un bouquet de poire nuancé de notes de fruits secs et une bouche riche, affinée et étirée par une acidité bienvenue. Un champagne bien construit. ⧗ 2017-2020 ⫯ sole meunière

JACQUES PICARD, 12, rue de Luxembourg, 51420 Berru, tél. 03 26 03 22 46, champagnepicard@aol.com V r.-v.

PIÉTREMENT-RENARD Blanc de blancs ★

| n.c. | 15 à 20 €

Domaine créé en 1919 par Fernand Renard sur les bords du Petit Morin, entre Côte des Blancs et Sézannais, repris en 1992 par son descendant Emmanuel Piétrement, également président de la coopérative locale. Le vignoble s'étend sur 12 ha à Villevenard et sur différents coteaux du Sézannais. (RC)

Que peut-on attendre d'un blanc de blancs? Une robe claire aux reflets verts, un nez aérien et élégant de fruits blancs, de beurre et de brioche, une bouche harmonieuse et vive. Ici, tous ces caractères sont bien présents, avec un surcroît de longueur. Idéal à l'apéritif. ⧗ 2016-2019 ⫯ tartare de bar

EMMANUEL PIÉTREMENT, 30, rue des Hauts-de-Saint-Loup, 51270 Villevenard, tél. 03 26 52 83 03, pietrement-renard@terre-net.fr V t.l.j. *sf dim. 9h-12h 14h-18h*

PIOT-SÉVILLANO Prestige ★★

| 4000 | 20 à 30 €

Alexis Piot devient récoltant-manipulant en 1955. En 2007, sa petite-fille Christine Sévillano et Vincent Scher quittent leur métier respectif de journaliste et de créateur de site Internet pour reprendre ce vignoble de 8 ha dans la vallée de la Marne. (RM)

De couleur paille dorée, un superbe blanc de noirs (80 % meunier) à son apogée. Parfaitement équilibré entre évolution et fraîcheur, il impressionne, tant par son nez somptueux, fin et complexe, que par sa bouche expressive, à la fois vineuse et tonique. Sa palette aromatique est captivante, farandole de beurre, de raisin sec, de noisette, de pruneau, de cannelle, de fumée et de torréfaction. Parfait avec des plats en sauce. ⧗ 2016-2020 🍷 lotte lardée aux échalotes ● **Tradition ★ (15 à 20 €; 26000 b.)** : reflétant l'encépagement du vignoble familial, ce brut sans année met en œuvre 70 % de meunier, complété par du pinot noir et du chardonnay à parité. Ses arômes de pain d'épice, de fruits rouges, de pruneau et de brioche, son ampleur au palais signent une harmonieuse maturité. ⧗ 2016-2019 🍷 pâté chaud en croûte

⊶ PIOT-SÉVILLANO, 23, rue d'Argentelle, 51700 Vincelles, tél. 03 26 58 23 88, contact@piot-sevillano.com V 🚶 ▪ *r.-v.*

PIPER-HEIDSIECK 2008

● | n.c. | 30 à 50 €

À l'origine de cette marque, Florens Louis Heidsieck. Arrivant en Champagne en 1777 de sa Westphalie natale pour faire fortune dans le commerce de la laine, il s'intéresse bien vite à l'autre richesse locale, appelée à un avenir plus durable, et fonde son négoce de vins en 1785. La maison est à l'origine de toutes les maisons Heidsieck de Champagne, notamment Charles Heidsieck, la société sœur. Quant à la maison Piper-Heidsieck, elle résulte de l'association de Christian Heidsieck, neveu du fondateur, avec Henri-Guillaume Piper. Le groupe EPI, spécialisé dans le luxe, est aujourd'hui le propriétaire de ces négoces prestigieux. (NM)

Issu du millésime 2008, à la fois frais et mûr, ce brut donne une courte majorité au pinot noir (55 %), complété par le chardonnay. Il demande une légère aération pour livrer à l'olfaction des notes de fruits blancs et de beurre, avec une nuance iodée. Souple à l'attaque, il dévoile une matière consistante, à la fois ample et très fraîche. Sa longueur laisse augurer un bon potentiel et une heureuse évolution. ⧗ 2016-2022 🍷 poulet aux écrevisses

⊶ PIPER-HEIDSIECK, 12, allée du Vignoble, 51100 Reims, tél. 03 26 84 43 00, benoit.collard@champagnes-ph-ch.com

POISSINET Héritage

● | 6000 | 15 à 20 €

En suivant le Belval, affluent de la Marne, on arrive sur la rive droite au village de Cuchery, où est implantée cette exploitation constituée en 1947. Installé à sa tête en 1999, Régis Poissinet cultive 7 ha sur les deux rives de la Marne et vinifie depuis trente ans. Le meunier est le cépage principal de son vignoble. (RM)

Composé à 70 % de meunier, avec le chardonnay en complément, ce champagne à la robe or clair parcourue d'une fine bulle séduit par ses senteurs évoluées de fruits secs et confits qui contrastent avec sa grande fraîcheur en bouche. ⧗ 2016-2019 🍷 feuilletés au sésame

⊶ POISSINET, 10 bis, rue de Ménicourt, 51480 Cuchery, tél. 03 26 58 12 93, champagne@poissinet.com V 🚶 ▪ *r.-v.*

GASTON POITTEVIN Cuvée de réserve

● 1er cru | 2638 | ▮ | 15 à 20 €

Entre les deux guerres, un Gaston Poittevin fut député de la Marne et président du Syndicat des vignerons. Son arrière-petit-fils, prénommé lui aussi Gaston, exploite 5,8 ha à Cumières, 1er cru de la Grande Vallée de la Marne. Dans sa cave, on pratique encore le remuage à la main. (RM)

Pratiquement mi-blancs mi-noirs (38 % pinot noir, 10 % meunier), ce brut attire par son nez gourmand de fruits mûrs et de fruits secs. Souple en attaque, la bouche fait preuve de légèreté et d'équilibre. Un champagne d'apéritif. ⧗ 2016-2018 🍷 copeaux de comté

⊶ EARL GASTON POITTEVIN, 129, rue Louis-Dupont, 51480 Cumières, tél. 03 26 55 38 37, gaston.poittevin@wanadoo.fr V 🚶 ▪ *r.-v.*

CHAMPAGNE

POL ROGER
Sir Winston Churchill 2004 ★★

● | n.c. | ▮ | + de 100 €

Cette maison de négoce d'Épernay expédia ses premières bouteilles en Angleterre dès sa création par le jeune Pol Roger en 1849. Devenue rapidement célèbre dans le royaume, elle a tissé des liens privilégiés avec les amateurs britanniques, et Winston Churchill ne manquait pas d'afficher sa préférence pour le champagne Pol Roger. L'affaire, restée familiale, s'appuie sur un vignoble de 90 ha. Au directoire, Hubert de Billy représente la cinquième génération de la famille; Laurent d'Harcourt, président du directoire, a succédé en 2013 à Patrice Noyelle après avoir coiffé la direction stratégique de l'export. Aux caves officie Dominique Petit, ancien chef de cave de la maison Krug. (NM)

Cuvée de prestige de la marque créée en 1975, la «Winston» n'est élaborée que les meilleures années à partir de grands crus de pinot noir (dominant) et de chardonnay. Les 2002, 2000, 1996 ont été de brillants coups de cœur du Guide. Le généreux millésime 2004 se présente élégamment. Sa robe est dorée, brillante et animée de bulles vives et fines. Son nez est très plaisant, ouvert et gourmand avec ses nuances de mirabelle, de mangue et d'ananas. L'attaque se fait avec souplesse et douceur grâce à une matière ample, riche et structurée. Le jour de la dégustation, le dosage (pourtant très mesuré) est apparu un peu trop appuyé, alourdissant la finale aux yeux de nos dégustateurs champenois. Gageons que le temps et les dégorgements ultérieurs feront disparaître ce bémol qui a coûté le coup de cœur à ce millésime, qui a gardé beaucoup de fraîcheur. ⧗ 2017-2021 🍷 poularde demi-deuil ● **Réserve (30 à 50 €; n.c.)** : vin cité.

⊶ POL ROGER, 1, rue Winston-Churchill, 51200 Épernay, tél. 03 26 59 58 00, polroger@polroger.fr V *t.l.j. sf sam. dim. 9h-12h 14h-17h; f. août*

CHRISTOPHE POMMELET ★

●	1000	🍾	15 à 20 €

Installé en 1988 sur les 5,5 ha de l'exploitation familiale située dans la vallée de la Marne, Christophe Pommelet représente la quatrième génération sur le domaine. Son fils l'a rejoint au tournant des années 2010. (RM)

Habillée d'une robe saumonée aussi légère que son effervescence, cette cuvée s'appuie sur le meunier (75 %) complété par le chardonnay. Bouquet discret, évolué, de fruits rouges compotés, de miel et de beurre qui s'enrichit en bouche d'une nuance poivrée. Palais de bonne longueur, marqué par une certaine suavité et, en finale, par de fins amers. De la présence. ⧗ 2016-2020 🍷 filet mignon aux prunes

CHRISTOPHE POMMELET, 5, rue Cuirasse-Bretagne, 51480 Fleury-la-Rivière, tél. 03 26 58 62 34, christophe.pommelet@wanadoo.fr V 🚶 ! *r.-v.*

PASCAL PONSON Grande Réserve ★

● 1er cru	n.c.	🍾	15 à 20 €

Domaine créé à la fin du XIXe s. À sa tête depuis une trentaine d'années, Pascal Ponson exploite 13 ha de vignes en 1er cru dans le pays parfois appelé « Petite Montagne de Reims », au sud-ouest de la Cité des Sacres. (RM)

Trois quarts de noirs (dont 50 % de meunier) et un quart de blancs composent cette cuvée fruitée et chaleureuse au nez, souple en attaque, équilibrée et longue, marquée en finale par une fine amertume. ⧗ 2016-2019 🍷 pâté chaud en croûte

PASCAL PONSON, 2, rue du Château, 51390 Coulommes-la-Montagne, tél. 03 26 49 00 77, ponson@wanadoo.fr V 🚶 ! *r.-v.*

R. POUILLON ET FILS Extra-brut Les Valnons 2008 ★★

● Gd cru	2500	🛢🍾	30 à 50 €

Vigneron chez un négociant, Roger Pouillon a lancé son champagne en 1947. Aujourd'hui, son petit-fils Fabrice exploite 6,2 ha répartis sur 36 parcelles et sept communes de la Grande Vallée de la Marne et du versant sud de la Montagne de Reims. Il est attaché à l'élevage sous bois. (RM)

Ce blanc de blancs a fait forte impression. Né d'une parcelle très pentue d'Aÿ et du frais millésime 2008, il a vu le bois. Paré d'une robe or paille éclairée de fines bulles, il séduit par son nez complexe évoquant l'abricot, la mirabelle compotée et le blé mûr. La bouche n'est pas en reste, aussi gourmande que délicate – « magnifique ! », s'enthousiasme un dégustateur. ⧗ 2016-2020 🍷 rillettes de saint-jacques ● **Réserve (20 à 30 €; 30000 b.)** : vin cité.

R. POUILLON ET FILS, 17, rue d'Aÿ, 51160 Mareuil-sur-Aÿ, tél. 03 26 52 63 62, contact@champagne-pouillon.com V ! *r.-v.*

YVELINE PRAT Blanc de blancs Cuvée Sélection ★★

●	10500	🍾	15 à 20 €

Établis entre Côte des Blancs et Sézannais, au nord des marais de Saint-Gond, Yveline et Alain Prat ont constitué à partir de 1975 un coquet domaine de 12 ha, avec du chardonnay à Congy et dans le Sézannais, du meunier dans la vallée de la Marne et du pinot noir dans la Côte des Bar. En 2015, leur fils Alexandre les a rejoints sur l'exploitation. (RM)

Cette cuvée porte la marque du chardonnay: au nez, d'intenses arômes d'aubépine et d'agrumes, nuancés de notes de miel et de pain. La pierre à fusil et la torréfaction s'ajoutent à cette palette complexe dans une bouche franche en attaque et remarquable de fraîcheur. ⧗ 2016-2020 🍷 feuilletés au saumon ● **Georges de la Chapelle Extra-brut ★ (20 à 30 €; 5500 b.)** : issu des trois cépages champenois presque à parité, ce champagne aux arômes évolués de fruits secs ou confits, de figue, de raisin de Corinthe et de datte garde un bel équilibre en bouche. ⧗ 2016-2020 🍷 foie gras poêlé

YVELINE PRAT, 9, rue des Ruisselots, 51130 Vert-Toulon, tél. 03 26 52 12 16, info@champagneprat.com V 🚶 ! *r.-v.*

JULIEN PRÉLAT Pinot noir ★

●	1300	🍾	15 à 20 €

Prenant la suite de trois générations de vignerons, Julien Prélat s'est installé en 2000 avant de lancer sa marque dix ans plus tard. Il cultive un petit vignoble de 2,5 ha sur les hauteurs de Bar-sur-Seine, dans l'Aube, et privilégie les cuvées monocépages. (RM)

Un brut issu du seul pinot, cépage dominant dans le Barséquanais. Il porte la marque du cépage, tant dans ses arômes de fruits rouges que dans sa bouche gourmande, ample, de belle longueur. ⧗ 2016-2019 🍷 dinde fermière ● **Brut nature Les Reines ★ (30 à 50 €; 710 b.)** : une microcuvée provenant d'un chardonnay récolté en 2011, élevé six mois en fût et non dosé. On aime sa palette (fleurs blanches, puis notes vanillées, beurrées, croûte de pain et en bouche, citron confit et pamplemousse), sa texture crémeuse, sa finale fraîche et légère. ⧗ 2017-2022 🍷 tartare de saint-jacques

JULIEN PRÉLAT, 12, rue des Cortillots, 10110 Celles-sur-Ource, tél. 06 88 17 91 31, contact@champagne-julienprelat.com V 🚶 ! *r.-v.*

YANNICK PRÉVOTEAU La Perle des Treilles ★

●	10000	🍾	15 à 20 €

Transmise depuis cinq générations, une exploitation familiale établie à Damery, sur la rive droite de la Marne, non loin d'Épernay. Depuis 1996, deux frères, Yannick et Éric Prévoteau, conduisent le vignoble: 10 ha répartis dans douze communes. (RM)

Le pinot noir (60 %) l'emporte sur le chardonnay dans cette cuvée, assemblage des années 2009 à 2011. Ce champagne doit être sollicité pour livrer des notes évoluées de torréfaction. En bouche, il se distingue par sa puissance et sa rondeur. ⧗ 2016-2020 🍷 blanquette de homard

EARL PRÉVOTEAU PÈRE ET FILS, 4 bis, av. de Champagne, 51480 Damery, tél. 03 26 58 41 65, yannick.prevoteau@orange.fr V 🚶 ! *t.l.j. sf dim. 9h-12h 14h-17h30*

PRÉVOTEAU-PERRIER ★★

● | 60000 | | 15 à 20 €

Champenois d'adoption, Christophe Boudard et Delphine, née Prévoteau, sont installés à Damery, à l'ouest d'Épernay. Ils représentent la troisième génération sur cette exploitation qui commercialise du champagne depuis 1946. Implanté en grande partie dans la vallée de la Marne, leur vignoble de 24 ha s'étend aussi sur les coteaux sud d'Épernay et la Côte des Blancs. (NM)

Composé de 85 % de noirs (dont 50 % de meunier) et de 15 % de chardonnay, ce rosé se distingue du brut sans année de la maison par l'apport de 8 % de vin rouge vinifié en fût de chêne. D'entrée, il dévoile sa subtilité dans une robe pastel, presque œil-de-perdrix, et des notes d'agrumes, de fleurs blanches, de fleurs séchées, de verveine. La bouche, à l'unisson, s'impose par sa belle matière et sa finesse. Surprenant par son teint pâle, un rosé gourmand, complexe, d'une rare élégance. ⧗ 2017-2020 ¥ soupe d'agrumes ● **Tradition (11 à 15 €; 150000 b.)** : vin cité.

⊶ PRÉVOTEAU-PERRIER, 15, rue André-Maginot, 51480 Damery, tél. 03 26 58 41 56, champagneprevoteau-perrier@orange.fr V 🚶 ! *r.-v.*

PHILIPPE PRIÉ Tradition ★

● | 90000 | | 11 à 15 €

Héritière d'une tradition vigneronne remontant au XVIIIe s., Fabienne Prié dirige depuis 1999 une propriété de 25 ha implantée sur la rive droite de la Seine dans la Côte des Bar (Aube). Elle signe ses cuvées depuis 2012. Une autre étiquette, Philippe Prié, concerne les cuvées produites par sa structure de négoce. (NM)

Des senteurs subtiles d'agrumes, de fleurs blanches et de brioche s'élèvent de la robe or clair de ce brut privilégiant le pinot noir (80 %, complété par le chardonnay). Attaque nette, fraîcheur et longueur dessinent le profil d'une bouche bien équilibrée et agréablement saline. ⧗ 2016-2019 ¥ gougères ● **Fabienne Prié Réserve (11 à 15 €; 6000 b.)** : vin cité.

⊶ SARL PRIÉ, 33, Grande-Rue, 10250 Neuville-sur-Seine, tél. 03 25 38 21 51, fprie@champagne-prie.com V 🚶 ! *r.-v.*

CLAUDE PRIEUR ★

● | 15000 | | 11 à 15 €

Trois générations se sont succédé sur ce domaine de plus de 9 ha situé au sud de Bar-sur-Aube, non loin de la Gironde – un petit ruisseau local! Claude Prieur a repris l'exploitation familiale en 1975 et s'est lancé dans l'élaboration du champagne. (RM)

Mariant 60 % de pinot noir au chardonnay, ce brut or jaune délivre des senteurs d'abricot, de brioche et de pain d'épice. Vif à l'attaque, il se développe avec générosité et rondeur sur des arômes de fruits secs et de coing. Une cuvée vineuse et équilibrée. ⧗ 2016-2019 ¥ cailles pruneaux et foie gras ● **(15 à 20 €; 7800 b.)** : vin cité.

⊶ CLAUDE PRIEUR, 2, rue Gaston-Cheq, 10200 Bergères, tél. 03 25 27 44 01, champrieur@free.fr V 🚶 ! *r.-v.*

ACHILLE PRINCIER Grande Tradition ★

● | 30000 | 🍾 | 11 à 15 €

En 1901, Bennoni Mansard, installé à Cerseuil, dans la vallée de la Marne, élabore les premières cuvées. Arrivé à la tête de la maison en 1986, Gilles Mansard, son arrière-petit-fils, est aujourd'hui rejoint par ses fils. La famille dispose de 24 ha de vignes. (RM)

Les trois cépages presque à parité se marient dans cette cuvée au nez fumé et grillé et à la bouche à la fois ample et fraîche, aux arômes de fruits secs et d'épices. Si le nez ne fait pas l'unanimité, la bouche, plus consensuelle, laisse une impression de délicatesse. ⧗ 2016-2019 ¥ noix de Saint-Jacques ● **Grand Art ★ (15 à 20 €; 4000 b.)** : mi-pinot noir mi-chardonnay, un brut aux arômes de pâtisserie et à la bouche gourmande et suave, allégée par une finale fraîche. ⧗ 2016-2019 ¥ bouchée à la reine

⊶ SCEV GILLES MANSARD, 4, rue de Tirvet, 51700 Mareuil-le-Port, tél. 03 26 52 74 59, maxime.mansard@yahoo.fr V 🚶 ! *r.-v.*

PROY-GOULARD Cuvée Funambule Fût de chêne ★★

● | 1000 | 🛢 | 20 à 30 €

Les grands-parents de Lucile Goulard commercialisaient déjà du champagne dans les années 1950. Cette dernière s'installe à Épernay avec Alexandre Proy, agriculteur. À la tête de 4,5 ha de vignes, le couple a créé sa marque en 2012. Il cultive ses raisins noirs au nord-ouest de Reims, dans le massif de Saint-Thierry, et ses chardonnays en Côte des Blancs. Il élève ses vins de réserve en fût et ses champagnes trois ans sur lies au minimum. (RM)

Vinifiée en fût, cette cuvée assemble chardonnay (60 %) et pinot noir. Elle porte une robe or clair animée de bulles fines et régulières. Au nez, des arômes de fruits blancs (pomme et poire), d'amande et de grillé annoncent une bouche puissante et structurée, à la trame suffisamment vive pour éviter toute lourdeur. Un champagne harmonieux, complexe et long. ⧗ 2016-2019 ¥ foie gras poêlé aux épices ● **Tentation (11 à 15 €; 7800 b.)** : vin cité.

⊶ PROY-GOULARD, 8, chem. Ferme-des-Forges, 51200 Épernay, tél. 03 26 32 44 69, contact@champagne-proy-goulard.fr V 🚶 ! *t.l.j. 10h-12h30 14h-18h; dim. 10h-12h30; f. 10-20 août*

QUATRESOLS-GAUTHIER

● 1er cru | 3600 | 🛢🍾 | 15 à 20 €

Une lignée vigneronne remontant au XVIIe s. et un domaine créé en 1928. Comme beaucoup de viticulteurs champenois, les Quatresols sont devenus récoltants-manipulants pour faire face à la mévente durant la période de l'entre-deux-guerres. Aujourd'hui, ce sont Régis et son fils Guillaume qui cultivent le vignoble: plus de 7 ha dans la Montagne de Reims. (RM)

Un vin rouge de pinot noir vinifié six mois en fût de chêne a été assemblé à un vin de base blanc issu des trois cépages champenois pour obtenir ce rosé rose intense aux reflets orangés, au nez de fruits rouges légèrement évolué. Quant à la bouche, elle est fraîche et fruitée de l'attaque à la longue finale. 2016-2019 soupe de fraises **1er cru (11 à 15 €; 16350 b.)** : vin cité.

QUATRESOLS-GAUTHIER, 4, rue de Reims, 51500 Ludes, tél. 03 26 61 10 13, regis.quatresols@wanadoo.fr *t.l.j. 8h-19h*

QUENARDEL ET FILS Réserve ★

	10000		15 à 20 €

Alfred Ravez produit ses premières bouteilles en 1863. Avant la Seconde Guerre mondiale, une Ravez épouse un Quenardel de Verzenay. Leur fils Francis, installé en 1965, porte la superficie de la propriété de 60 ares à 6,5 ha et la transmet en 1993 à sa fille et à son gendre, qui la cèdent en 2012 à la famille Labruyère, propriétaire à Meursault (Jacques Prieur), à Pomerol (Ch. Rouget) et en moulin-à-vent (Dom. Labruyère). (RM)

Nadine Gublin dans ses œuvres champenoises. Un rosé cuivré animé d'un cordon bien présent, né d'un assemblage de pinot noir (70 %) et de chardonnay. Au nez, de la cerise macérée, du kirsch, du pruneau. En bouche, une ligne acide persistante apportant fraîcheur et élégance. 2016-2020 gambas rôties **Réserve (15 à 20 €; 30000 b.)** : vin cité.

QUENARDEL ET FILS, 1, pl. Carnot, 51360 Verzenay, tél. 03 26 49 40 63, contact@quenardel-et-fils.fr *r.-v.*

SERGE RAFFLIN Prestige 2009 ★

	12000	15 à 20 €

Une lignée vigneronne remontant au règne de Louis XV. Premiers champagnes dans les années 1920. Aujourd'hui, 8 ha dans la Montagne de Reims et la vallée de l'Ardre. Denis Rafflin, l'actuel récoltant, préside le conseil d'administration de la coopérative de Chigny-les-Roses qui vinifie ses cuvées. (RC)

Issu d'un assemblage des trois cépages champenois (avec 60 % de noirs), ce brut déploie des arômes intenses et plutôt évolués de pomme, de fruits secs (abricot, pruneau) et de brioche. Une attaque fraîche introduit une bouche riche, de bonne longueur, qui finit sur une touche de litchi. Pour le repas et, pourquoi pas, le fromage. 2016-2020 chaource **Extra Réserve (15 à 20 €; 10000 b.)** : vin cité.

EARL SERGE RAFFLIN, 1 A, rue de Chigny, 51500 Ludes, tél. 03 26 61 12 84, contact@champagnesergerafflin.fr *r.-v.*

DIDIER RAIMOND Tradition ★

	4050	11 à 15 €

Didier Raimond a travaillé comme œnologue, tout en constituant à partir de 1984 un domaine sur les hauteurs d'Épernay, en plantant des vignes sur d'anciens vergers. Disposant au bout d'une décennie de plus de 6 ha (jusque dans l'Aube), il a lancé son champagne en 1994. (RM)

Cette cuvée privilégie le chardonnay (80 %), avec le pinot noir et le meunier en appoint. Elle libère au nez des notes intenses de beurre et de pain grillé, tandis que la bouche gourmande déploie des notes de pâtisserie, de pain et d'agrumes. 2016-2019 sauté de veau

DIDIER RAIMOND, 39, rue des Petits-Prés, 51200 Épernay, tél. 06 80 20 98 00, champagnedidier.raimond@wanadoo.fr *r.-v.* *GFA des Charmonts*

ERNEST RAPENEAU

1er cru	280000		20 à 30 €

Ernest-Louis Rapeneau fonde en 1901 une société de négoce en vins. Ses descendants – notamment Bernard Rapeneau au cours de la seconde moitié du siècle dernier – en ont fait un groupe important en Champagne (avec les marques Ernest Rapeneau, G.-H. Martel et P. Louis Martin). (NM)

Trois quarts de noirs (dont 65 % de pinot noir) et un quart de chardonnay composent ce brut au nez frais et grillé, à la bouche vive, de bonne ampleur, aux arômes d'agrumes et de fruits jaunes un peu confits. 2016-2019 cassolette de langoustines

G.-H. MARTEL ET CIE, CS 31011, 51318 Épernay, tél. 03 26 51 06 33, contact@champagnemartel.com *t.l.j. 10h-19h*

CHAMPAGNE DU RÉDEMPTEUR 2006 ★★

	3000		20 à 30 €

Vignoble créé en 1911 par Edmond Dubois, qui prit cette même année la tête de la révolte vigneronne contre la fraude, ce qui lui valut d'être surnommé Le Rédempteur par ses pairs. En 2010, Claude Dubois, petit-fils d'Edmond, a transmis l'exploitation à sa fille Claudie Dubois-Michaux: 7 ha dans la vallée de la Marne. (RM)

Composé de pinot noir et de chardonnay, cette cuvée charme par son élégance. Le nez franc s'ouvre sur des notes vanillées, grillées et briochées. Conjuguant fraîcheur et rondeur, la bouche dévoile une palette complexe mêlant fruits confits, miel et mirabelle. 2016-2020 terrine de foie gras

EARL DU RÉDEMPTEUR DUBOIS P & F, 30, rte d'Arty, Les Almanachs, 51480 Venteuil, tél. 03 26 58 48 37, contact@redempteur.com *r.-v.* *Claude Dubois*

DE REKENEIRE-PETIT Blanc de blancs ★

	n.c.		15 à 20 €

Quatre générations se sont succédé sur cette exploitation implantée dans la partie ouest de la vallée de la Marne. Les récoltants actuels, qui ont repris le domaine en 1990, ont porté la surface du vignoble de 7 à 12,5 ha et débuté les vinifications à la propriété en 2008. (RM)

Né de la récolte 2011, ce blanc de blancs a bénéficié d'un séjour partiel en fût. Il s'ouvre sur l'aubépine et les fruits exotiques. La bouche, à l'unisson, développe une acidité délicate et fait preuve d'une belle longueur. ⧗ 2016-2019 🍴 sole meunière

⊶ *EARL LES HAUTES ROCHES, 41, rue Robert-Gerbaux, 02570 Chézy-sur-Marne, tél. 03 23 82 81 48, les-hautes-roches@wanadoo.fr* V r.-v.

ERNEST REMY Rosé de saignée 2010

Gd cru	2282		30 à 50 €

Isabey Remy et Zélia Dubois, enfants de vignerons, se marient et créent en 1883 leur domaine. Ils élaborent dès cette époque leur champagne, qui prend en 1927 le nom d'Ernest Remy à l'arrivée de leur petit-fils aux commandes. En 2008, Alice Thomine, arrière-petite-fille des fondateurs, et son époux Tarek Berrada ont relancé l'affaire, forte d'un vignoble de 15 ha dans des grands crus de la Montagne de Reims. (NM)

Issu du seul pinot noir, cépage roi de la Montagne de Reims, ce rosé de macération affiche une robe rose profond aux reflets saumonés. Le nez est un panier de petits fruits rouges, cerise en tête, dans lequel on aurait déposé quelques mirabelles et un abricot. La bouche, d'une grande fraîcheur (le vin n'a pas fait sa fermentation malolactique), finit sur une pointe d'amertume. ⧗ 2016-2020 🍴 tarte aux pêches

⊶ *ERNEST REMY, 1, rue Aristide-Bouche, 51500 Mailly-Champagne, tél. 03 26 97 63 55, contact@ernest-remy.fr* V r.-v.

BERNARD REMY Carte blanche ★

	150 000		11 à 15 €

Installé dans le Sézannais, Bernard Remy plante ses premiers pieds de vigne en 1968, construit sa cave et lance son champagne en 1983. En 2009, son fils Rudy a pris la tête de la maison, qui a adopté le statut de négociant. Il exploite en propre 11 ha. (NM)

Mariant pinot noir (60 %), chardonnay (35 %) et un soupçon de meunier, un champagne franc et harmonieux, aux arômes de fruits blancs et à la bouche équilibrée, fraîche et longue. ⧗ 2016-2019 🍴 carpaccio de saint-jacques ● **Blanc de noirs (11 à 15 €; 10 000 b.)** : vin cité.

⊶ *BERNARD REMY, 19, rue des Auges, 51120 Allemant, tél. 03 26 80 60 34, info@champagnebernardremy.com* V r.-v.

F. REMY-COLLARD Prestige ★

	7500		15 à 20 €

Fabrice Remy et Sophie Collard, du même village, ont mis en commun leur nom et leur savoir-faire pour créer leur marque en 2006. Ils exploitent plus de 10 ha de vignes dans la vallée de la Marne. Ils évitent le plus souvent la fermentation malolactique et privilégient la vinification en foudre de chêne. (RM)

Souvent remarquée, cette cuvée met en œuvre la même recette: un assemblage de trois années, des blancs et des noirs à parité (avec les deux pinots), une vinification sans fermentation malolactique et sous bois, un vieillissement de trois années sur lattes comme pour un millésimé. Les champagnes offrent le même profil au fil des ans, même si le nez de celui-ci semble plus marqué par l'élevage. L'ensemble reste fruité et complexe; la bouche ample et harmonieuse destine cette cuvée au repas. Un mariage réussi du bois et du vin. ⧗ 2016-2019 🍴 dinde fermière ● **Blanc de blancs ★ (20 à 30 €; 2 000 b.)** : un nez très riche, boisé, sur les fleurs blanches, le beurre et les agrumes; un palais ample et équilibré. Pour le repas. ⧗ 2016-2019 🍴 sandre au beurre blanc ● **Cuvée Tradition (15 à 20 €; 10 000 b.)** : vin cité.

⊶ *EARL REMY-COLLARD, 41, rue du Jardin-Neuf, 51700 Villers-sous-Châtillon, tél. 06 75 72 07 13, remy-collard@orange.fr* V r.-v.

CHAMPAGNE DE LA RENAISSANCE Brut ★

Gd cru	4000		15 à 20 €

Située au cœur de la Côte des Blancs, cette propriété a été fondée en 1974 par Nelly Dhondt, fille d'apporteurs de raisins, qui l'a transmise en 2014 à son fils Michel Bernard. Fort de près de 9 ha de vignes dans plusieurs grands crus de la Côte des Blancs ainsi qu'à Aÿ, ce récoltant élabore des cuvées parcellaires. (RM)

Ce blanc de blancs est issu d'une sélection de parcelles au Mesnil-sur-Oger et à Oger; 30 % des vins sont passés en fût. Il en résulte un vin très équilibré, aux arômes agréables de citron jaune pressé et de pamplemousse. ⧗ 2016-2019 🍴 tartare de saint-jacques

⊶ *EARL DAME DE LA RENAISSANCE, 2, rue d'Avize, 51190 Oger, tél. 03 24 57 53 90, nelly.dhondt@wanadoo.fr* V r.-v. ⊶ *Bernard*

VINCENT RENOIR Tradition

Gd cru	8000		11 à 15 €

Les grands-parents de Vincent Renoir ont débuté la manipulation dans les années 1940. Aujourd'hui épaulé par son fils Adrien, ce récoltant, à la tête de l'exploitation depuis 1983, cultive 5 ha dans la Montagne de Reims. (RM)

Une dominance de chardonnay (60 %), avec le pinot noir en complément. Si ce champagne est un peu fugace, on aime son nez délicatement beurré et citronné, sa bouche équilibrée, où l'on retrouve la fraîcheur des agrumes. Pour l'apéritif. ⧗ 2016-2017 🍴 feuilletés au parmesan

⊶ *VINCENT RENOIR, 19, rue de la Gare, 51380 Verzy, tél. 03 26 97 95 59, vincent.renoir51@orange.fr* V r.-v.

SIMON RION Tradition ★

	2000		11 à 15 €

Héritier de quatre générations de viticulteurs, Simon Rion a repris l'exploitation familiale en 2007 – un peu plus de 2 ha à Courmas, village de la vallée de l'Ardre – et a débuté en 2011 la commercialisation de ses bouteilles. Il apporte sa récolte à la coopérative du village, où il est chargé des vinifications. (RC)

Un nouveau nom dans le Guide, pour une cuvée privilégiant les noirs (meunier 50 %, pinot noir 30 %, chardonnay 20 %), qui comprend un tiers de vins de réserve. Au nez, des notes citronnées s'allient à des nuances de pain grillé et de noisette, avec une pointe de minéralité; en bouche, on retrouve les agrumes et la torréfaction sur

CHAMPAGNE

fond de fraîcheur acidulée. Pour l'apéritif comme pour la table. ⧗ 2016-2019 ▼ saumon au champagne

⊶ RION, 3 bis, rue des Auches, 51390 Courmas, tél. 06 67 50 04 91, champagne.rionsimon@gmail.com V ⛹ ■ *r.-v.*

BERNARD ROBERT
Blanc de blancs Le Treizot Grande Réserve 2011

● | 8000 | 15 à 20 €

En 1945, Marie-Madeleine Dosne, issue d'une famille de producteurs de vins rouges, et son mari Bernard Robert, ancien coiffeur, récoltent de quoi élaborer 300 bouteilles de champagne. Trois de leurs sept enfants suivent leurs traces et construisent des caves. Aujourd'hui, la troisième génération est arrivée sur le domaine, qui ne compte pas moins de 30 ha, en Champagne méridionale (Bar-sur-Aube, Villenauxe). (NM)

Ce blanc de blancs dévoile une effervescence généreuse, qui exalte des arômes de biscuit et d'agrumes (mandarine). Plus miellée et florale, structurée et ronde, la bouche laisse une bonne impression. ⧗ 2016-2019 ▼ blanquette de lotte

⊶ BERNARD ROBERT, 22, rue de l'Orme, 10200 Voigny, tél. 03 25 27 11 53, contact@champagnebernardrobert.com V ⛹ ■ *t.l.j. 8h-12h 13h-18h; sam. dim. sur r.-v.*

VALÉRY ROBERT Cuvée Désirée ★

● | 10000 | 🍾 | 15 à 20 €

Deux générations s'activent sur ce domaine aubois implanté aux Riceys, importante commune viticole de la Côte des Bar, célèbre pour son rosé tranquille. Le vignoble de 14 ha a été constitué à partir de 1973 et le champagne lancé au début des années 1990. (RM)

Le chardonnay l'emporte (70 %) sur le pinot noir dans l'assemblage de cette cuvée or pâle, au nez léger, tonique et citronné. La bouche, à l'unisson, montre une vivacité soulignée par des arômes d'agrumes (citron, pamplemousse) et de pomme granny. Pour l'apéritif. ⧗ 2016-2018 ▼ tartare de saint-jacques ● **Alexandre Demarjory Cuvée Céleste ★ (15 à 20 €; 5000 b.)** : la deuxième marque du domaine. Un rosé d'assemblage de pur pinot noir. Robe saumonée, nez tout en fruits rouges et noirs, palais aromatique, vineux et long. ⧗ 2016-2019 ▼ brochettes de fruits ● **Cuvée Sensation (20 à 30 €; 700 b.)** : vin cité.

⊶ SCEV ROBERT, 8, rue de Bagneux, 10340 Les Riceys, tél. 03 25 29 10 33, contact@champagnevaleryrobert.fr V ⛹ ■ *t.l.j. 9h-12h 14h-17h30; sam. dim. sur r.-v.* 🏠 Ⓔ

ROBERT-ALLAIT Brut nature Cuvée Plaisir nature

● | 3000 | 🍾 | 15 à 20 €

De vieille souche vigneronne, Sylvie et Régis Robert ont repris en 1979 l'exploitation familiale sise à Villers-sous-Châtillon. Avec l'aide de leur fille Stéphanie et de son mari Aurélien, ils cultivent 13 ha de vignes dans la vallée de la Marne. (RM)

Issu des récoltes 2012 et 2011, ce brut nature naît du seul meunier et n'a fait que partiellement sa fermentation malolactique. Or soutenu, il présente un nez puissant et évolué. Une expression qui contraste avec la vivacité d'une bouche ample où pointent les fruits confits. ⧗ 2016-2019 ▼ cassolette d'écrevisses

⊶ RÉGIS ROBERT, 6, rue du Parc, 51700 Villers-sous-Châtillon, tél. 03 26 58 37 23, champagne.allait@wanadoo.fr V ⛹ ■ *t.l.j. sf dim. 9h-11h30 14h-17h30; f. août*

JACQUES ROBIN Cuvée Kimméridgienne 2007 ★

● | 1701 | 🍾 | 20 à 30 €

Établi dans la région de Bar-sur-Seine (Aube), Jacques Robin s'est installé en 1973. Il élabore son champagne depuis 1985 et exploite plus de 9 ha avec ses enfants Sébastien, Aude et Séverine. (RM)

Ce pur pinot noir aubois affiche une robe intensément dorée, coiffée d'une fine mousse, et libère des senteurs de fruits compotés et confits, de mirabelle, de prune et de noisette. Gourmand et harmonieux en bouche, il persiste sur des notes de confiture et de fumé. Une belle réussite pour le millésime. ⧗ 2016-2019 ▼ saint-jacques à la crème ● **Tradition (11 à 15 €; 41921 b.)** : vin cité.

⊶ SCEA JACQUES ROBIN, 23, rue de la 2ᵉ D.B., 10110 Buxières-sur-Arce, tél. 03 25 38 76 25, ajrobin@orange.fr V ⛹ ■ *r.-v.*

MICHEL ROCOURT Blanc de blancs

● 1ᵉʳ cru | 21000 | 🍾 | 15 à 20 €

Chef vigneron chez Henriot, Michel Rocourt achète sa première parcelle en 1965 et s'installe en 1975, lançant son champagne dans la foulée. Sa fille Florence lui a succédé en 2007. Elle exploite avec Damien Grzeszczak un vignoble de 5 ha de chardonnay à Vertus, au Mesnil-sur-Oger et à Villeneuve, dans la Côte des Blancs. (RM)

Né des récoltes 2013 et 2012, ce blanc de blancs très vif, serré, aux arômes d'agrumes, ne brille pas par sa séduction immédiate, mais montre un potentiel certain. Il faudra l'attendre un peu. ⧗ 2018-2023 ▼ plateau de fruits de mer ● **Gd cru (15 à 20 €; 1600 b.)** : vin cité.

⊶ SCEV LES ZALIEUX, 1, rue des Zalieux, 51190 Le Mesnil-sur-Oger, tél. 03 26 57 94 99, michelrocourt@wanadoo.fr V ⛹ ■ *r.-v.*

ROGGE-CERESER Réserve ★

● | 20000 | 🍾 | 11 à 15 €

Créée en 1982 sur la rive droite de la Marne, cette exploitation familiale a lancé son champagne en 1997. Le fils, Benjamin Rogge, a rejoint en 2000 le domaine, qui couvre 10 ha. (RM)

Cette cuvée associe 50 % de meunier, 30 % de pinot noir et 20 % de chardonnay. Affichant une robe dorée où pointe une nuance orangée, elle exprime des arômes intenses et gourmands de toast, de vanille et de beurre que l'on retrouve au palais. Dominée en bouche par des sensations de gras et d'ampleur, elle reste équilibrée et plaisante. ⧗ 2016-2019 ▼ poulet au champagne

⊶ ROGGE-CERESER, 1, imp. des Bergeries, 51700 Passy-Grigny, tél. 03 26 52 96 05, info@rogge-cereser.fr V ⛹ ■ *r.-v.* 🏠 ❸

ROLLIN Extra-brut Graphite 2010 ★

●	3500	🍾	15 à 20 €

La famille cultive la vigne depuis quatre générations et élabore son champagne depuis 1982. Implantée à l'extrémité sud de la Champagne, non loin des Riceys (Aube), l'exploitation, qui couvre 6 ha, est mise en valeur par Éric Braux. (RM)

Cet extra-brut s'appuie sur les trois cépages champenois à parité. Un choix judicieux, tant le vin se montre équilibré et harmonieux. Ses arômes puissants de fruits mûrs et de sous-bois traduisent une heureuse évolution. Prêt à passer à table. ⌛ 2016-2018 🍷 turbot au sabayon de champagne

EARL VIGNOBLE ROLLIN, 41, Grande-Rue, 10340 Bragelogne, tél. 03 25 29 10 13, champagnerollin@gmail.com V r.-v.

BRUNO ROULOT Tradition ★

●	34 112	🍾	11 à 15 €

Éleveurs et agriculteurs, les Roulot plantent leurs premières vignes en 1965, sur la rive gauche de la Marne. Bruno Roulot s'installe en 1981, devient récoltant, lance sa marque et porte le vignoble à 6 ha. Son fils Benoît le rejoint en 2013. (RM)

Dans l'ouest de la vallée de la Marne, le meunier domine. Il entre à hauteur de 90 % dans cette cuvée, complété par le chardonnay. D'une belle fraîcheur, le nez associe les fleurs blanches à des notes végétales et mentholées. Équilibrée, soyeuse et longue, la bouche est dans le même ton. ⌛ 2016-2019 🍷 verrines avocat crevettes

BRUNO ROULOT, 1, rue Saint-Martin, 02330 La Chapelle-Monthodon, tél. 03 23 82 42 90, champagne.bruno.roulot@wanadoo.fr V r.-v.

ROUSSEAUX-BATTEUX Blanc de noirs Cuvée noire

● Gd cru	2000	15 à 20 €

Héritier d'une lignée vigneronne remontant au XVIIIe s., Paul Rousseaux a commercialisé les premières bouteilles au début du XXe s. Son arrière-petit-fils Adrien exploite 2,5 ha répartis en 14 parcelles à Verzenay, grand cru de la Montagne de Reims et terre d'élection du pinot noir. (RM)

Comme on peut le deviner s'agissant d'un blanc de noirs de Verzenay, c'est le pinot noir qui est à l'œuvre dans cette cuvée or jaune, au nez de fleurs, de pain d'épice, de vanille et de fruits compotés. Une maturité qui s'affirme dans une bouche ample, briochée, miellée et harmonieuse. ⌛ 2016-2017 🍷 filet mignon aux pommes

EARL ROUSSEAUX-BATTEUX, 21 bis, rue de Mailly, 51360 Verzenay, tél. 03 26 49 81 81, rousseaux.batteux@orange.fr V r.-v.

ROUSSEAUX-FRESNET Blanc de noirs Prestige ★★

● Gd cru	4000	🍾	20 à 30 €

Les coteaux nord de la Montagne de Reims accueillent un trio de grands crus prestigieux dédiés au pinot noir: Mailly-Champagne, Verzenay et Verzy. Héritiers de quatre générations de récoltants, Jean-Brice Rousseaux et son épouse exploitent 6,4 ha dans ces trois communes. (RM)

Née des «grands noirs» comme on dit en Champagne, cette cuvée assemblant des pinots noirs de trois grands crus est l'archétype du blanc de noirs. Le nez intense évoque les petits fruits des bois (myrtille, mûre), arômes qui se nuancent en bouche de notes d'abricot et de mirabelle. Quant au palais, d'un rare équilibre, il brille par sa fraîcheur et sa longueur: un coup de cœur fut mis aux voix. ⌛ 2016-2020 🍷 cailles aux raisins ● **Tradition ★ (15 à 20 €; 20000 b.)** : du pinot noir (80 %) et un appoint de chardonnay dans ce champagne frais et très fruité (petits fruits rouges), qui pourra accompagner tout un repas. ⌛ 2016-2019 🍷 foie gras poêlé

JEAN-BRICE ROUSSEAUX-FRESNET, 17, rue de Mailly, 51360 Verzenay, tél. 03 26 49 45 66, champagnerousseaux.fresnet@orange.fr V r.-v.

RICHARD ROYER ★

●	2500	15 à 20 €

Ingénieur agronome et œnologue, Richard Royer a repris en 2007 un domaine cultivé par sa famille depuis au moins deux siècles dans la Côte des Bar (Aube), qui couvre aujourd'hui 13 ha. Il a lancé son étiquette en 2008. (RM)

Ce brut d'un rose intense doit presque tout au pinot noir (5 % de chardonnay). Son expression aromatique, assez puissante, évoque un frais panier de fruits rouges où se pressent groseilles, cerises et mûres. Puissante et vineuse, la bouche déploie une matière soyeuse, fraîche et croquante qui s'étire dans une finale fringante, longue et saline. ⌛ 2016-2019 🍷 tartare de saumon ● **Mlle Jeanne ★ (15 à 20 €; 1500 b.)** : une cuvée issue de l'année 2009. Vinifié en cuve, le pinot noir domine (60 %) sans écraser les 40 % de chardonnay vinifiés en fût. Le nez mêle harmonieusement les fleurs (tilleul et acacia) et les fruits rouges. Dans le même registre, la bouche se montre charpentée et harmonieuse. ⌛ 2016-2019 🍷 bar au four

RICHARD ROYER, 14, Grande-Rue, 10110 Balnot-sur-Laignes, tél. 03 25 29 33 23, richard@champagne-richard-royer.com V r.-v.

ROYER PÈRE ET FILS

●	16648	🍾	15 à 20 €

Les Royer sont plusieurs à Landreville, petit village des bords de l'Ource, près de Bar-sur-Seine. Franck et Jean-Philippe sont les petits-fils de Georges Royer, le fondateur de l'exploitation en 1960. Dans leur vignoble de plus de 28 ha, le pinot noir trouve une large place. (RM)

Un rosé d'assemblage issu du seul pinot noir, récolté en 2013 et 2012. Sa couleur et ses parfums évoquent la fraise et la framboise. Le citron et des touches minérales viennent compléter en bouche cette palette, apportant une fraîcheur agréable. ⌛ 2016-2019 🍷 soupe de fruits rouges ● **Réserve (11 à 15 €; 144502 b.)** : vin cité. ● **Nature Brut zéro (15 à 20 €; 6177 b.)** : vin cité.

CHAMPAGNE

ROYER ET CIE, 120, Grande-Rue, 10110 Landreville, tél. 03 25 38 52 16, infos@champagne-royer.com V r.-v.

RUFFIN ET FILS Cuvée Roséanne ★

●	15 000	20 à 30 €

Maison établie à Étoges, bourg situé au centre de la ligne de coteaux qui se déploie des marais de Saint-Gond jusqu'au sud de la Côte des Blancs. Forte de 14 ha de vignes, elle a pris le statut de négociant en 1995, à l'arrivée d'Alexandre Ruffin. Ce dernier gère la société, associé à son oncle Dominique, qui officie en cave. (NM)

Du chardonnay (50 %), du meunier (37 %) et un vin rouge (13 %) de pinot noir composent ce rosé saumoné au nez de fleurs et de fruits rouges; ces derniers dominent plus nettement au palais, plaisant par son équilibre, sa fraîcheur et sa longueur. ⧗ 2016-2019 Ŧ gratin de fruits rouges ● **Chardonnay d'or ★ (15 à 20 €; 45 000 b.)** : un blanc de blancs très classique, équilibré, citronné et frais. ⧗ 2016-2019 Ŧ flétan sauce agrumes

RUFFIN ET FILS, 20, Grande-Rue, 51270 Étoges, tél. 03 26 59 30 14, contact@champagnes-ruffin.com V *t.l.j. sf sam. dim. 8h-12h 14h-17h*

RUINART 2009 ★

●	n.c.		50 à 75 €

La doyenne des maisons de champagne. On pourrait la classer monument historique, comme le sont ses caves creusées dans la craie pendant la période gallo-romaine. Le fondateur de l'affaire, Nicolas Ruinart, ajouta le négoce en vin en 1729 à son activité de marchand drapier – une autre industrie florissante dans la région à l'époque. La société est restée familiale jusqu'à son absorption par Moët et Chandon en 1963. Son champagne de prestige tire son nom du moine dom Ruinart, contemporain de dom Pérignon. Au cœur des cuvées Ruinart, le chardonnay. (NM)

Pinot noir et chardonnay sont pratiquement à parité dans cette cuvée d'un or clair brillant traversée de fines bulles. Sur sa réserve, elle livre de discrètes notes citronnées, vanillées, beurrées et minérales. La bouche confirme la dimension citronnée et s'étire avec beaucoup de fraîcheur. Les plus patients attendront cette bouteille pour en obtenir la quintessence. ⧗ 2017-2021 Ŧ carpaccio de saint-jacques

RUINART, 4, rue des Crayères, 51100 Reims, tél. 03 26 77 51 51, aaubry@ruinart.com *r.-v.*
LVMH

RENÉ RUTAT Blanc de blancs

● 1er cru	30 000		15 à 20 €

Les grands-parents de Michel Rutat, viticulteurs, apportaient leur récolte à la coopérative de Vertus, village situé dans la partie sud de la Côte des Blancs. Son père, René Rutat, devint récoltant-manipulant. En 1985, l'exploitant actuel reprit le domaine (7 ha) et modernisa l'outil de travail. (RM)

Le chardonnay forme l'ossature (80 %) de ce rosé, mais le pinot noir (20 %) apporte la couleur saumonée et les arômes de cerise et d'épices. La bouche, elle aussi fort influencée par le vin rouge, se montre puissamment fruitée, chaleureuse et charnue, équilibrée par un toucher crémeux et une acidité bien fondue. ⧗ 2016-2019 Ŧ sorbet fraise-citron ● **1er cru (15 à 20 €; 4 000 b.)** : vin cité.

MICHEL RUTAT, 27, av. du Gal-de-Gaulle, 51130 Vertus, tél. 03 26 52 14 79, champagne-rutat@wanadoo.fr V *r.-v.*

LOUIS DE SACY ★★

● Gd cru	40 000		20 à 30 €

Propriétaires de vignes dans la région depuis 1633, élaborateurs de champagne depuis 1962, les Sacy sont établis à Verzy, village de la Montagne de Reims classé en grand cru. La marque actuelle, lancée en 1986, rend hommage à un ancêtre, avocat et homme de lettres du XVIIe s. Alain Sacy a pris en 1998 la tête de la maison, forte de plus de 18 ha en propre. Ses enfants Yaël et Jonathan l'ont rejoint en 2013. (NM)

Saluée pour son élégance, cette cuvée associe 40 % de chardonnay au pinot noir, avec 10 % de vins de réserve élevés en fût. Son bouquet tout en finesse charme par ses notes de pain grillé. Ces délicates nuances d'évolution se prolongent dans une bouche équilibrée entre chair généreuse et acidité bien présente. ⧗ 2016-2019 Ŧ poulet de Bresse à la crème ● **Gd cru Blanc de blancs Cuvée inédite ★ (30 à 50 €; 3 000 b.)** : inédite? Un chardonnay de Verzy, grand cru plus connu pour son pinot noir. Un nez séduisant de fruits confits et de rhubarbe, une bouche ample et souple aux arômes acidulés de fruits blancs ou exotiques (ananas). ⧗ 2016-2020 Ŧ beignets de crevette ● **Louis de Sacy Brut originel (20 à 30 €; 110 000 b.)** : vin cité.

LOUIS DE SACY, 6, rue de Verzenay, 51380 Verzy, tél. 03 26 97 91 13, contact@champagnelouisdesacy.com V *r.-v.*

SAINT-CHAMANT Blanc de blancs

●	15 901		20 à 30 €

À quatre-vingt-cinq ans, Christian Coquillette, qui commercialise ses champagnes sous la marque Saint-Chamant, est toujours en activité. Le siège de la maison est à Épernay et les installations sont à Chouilly. Le vignoble couvre 11,5 ha, entre coteaux d'Épernay et Côte des Blancs. (RM)

Non millésimé mais issu de la seule année 2009, ce blanc de blancs or clair animé d'une fine effervescence reflète son terroir calcaire de la Côte des Blancs: nez minéral et floral, légèrement beurré, bouche légère et fraîche, impression de finesse. ⧗ 2016-2020 Ŧ tartare de saint-jacques

CHRISTIAN COQUILLETTE, Champagne Saint-Chamant, 50, av. Paul-Chandon, 51200 Épernay, tél. 03 26 54 38 09, champagnesaintchamant@orange.fr

DE SAINT GALL Blanc de blancs Orpale 2002 ★★

● Gd cru	20 000	75 à 100 €

Marque commerciale de l'Union Champagne. Créé en 1966, ce groupement de coopératives a son siège à Avize dans la Côte des Blancs: quelque deux mille adhérents apporteurs de raisins, treize centres de

production, 1 200 ha de vignes implantées essentiellement en grand cru et en 1er cru dans la Côte des Blancs et dans la Montagne de Reims. (CM)

La cuvée de prestige de la cave, de la grande année 2002, recueille beaucoup d'éloges. Les dégustateurs apprécient son nez évolué aux multiples nuances, qui mêle torréfaction (cacao), épices (noix muscade), truffe et fruits confits. Une réelle complexité que l'on retrouve au palais. Équilibré entre gras et fraîcheur, d'une rare persistance, ce millésime fait montre d'une belle personnalité et affiche encore du potentiel. ⧗ 2016-2020 🍴 vieux comté ● **1er cru 2009 ★ (30 à 50 €; 70000 b.)** : le chardonnay est mentionné en petits caractères sur l'étiquette, mais à l'aveugle, nos dégustateurs n'ont pas manqué de l'identifier en humant ses frais parfums de pamplemousse et de citron. Fraîche à l'attaque, ample dans son développement, la bouche harmonieuse offre une finale persistante sur le miel et le pain d'épice. ⧗ 2016-2019 🍴 homard à la nage ● **1er cru Blanc de blancs ★ (30 à 50 €; 120000 b.)** : un nez de fleurs blanches, une attaque fraîche et un bon dosage pour ce blanc de blancs idéal à l'apéritif. ⧗ 2016-2020 🍴 rillettes de saumon

UNION CHAMPAGNE, 7, rue Pasteur, 51190 Avize, tél. 03 26 57 94 22, blobet@union-champagne.fr V *r.-v.*

SALMON Prestige

●	7098		20 à 30 €

Ce domaine de 10 ha est implanté dans la vallée de l'Ardre. Olivier Salmon a succédé en 1980 à Michel Salmon, fondateur de la marque, et a été rejoint en 2003 par son fils Alexandre. La montgolfière sur les étiquettes? Une passion du producteur. (RM)

Un champagne composé de blancs et de noirs (meunier et pinot noir) à parts égales; le pinot noir (25 %) a été élevé en fût. Robe vieil or aux reflets roses, nez intense aux nuances d'abricot sec et de fruits à coque, bouche fraîche, agréable et longue. ⧗ 2016-2017 🍴 ris de veau braisés

EARL SALMON, 21-23, rue du Capitaine-Chesnais, 51170 Chaumuzy, tél. 03 26 61 82 36, info@champagnesalmon.com V *t.l.j. 9h-18h*

CHRISTELLE SALOMON Si j'ose ★

●	1319	20 à 30 €

Christelle Salomon a pris en 1999 les rênes du domaine familial, qui couvre 3 ha à Vandières, sur la rive droite de la Marne. Elle a débuté la commercialisation de son champagne en 2004, construit pressoir et cuverie en 2006. (RM)

Si j'ose? Un nom de cuvée énigmatique, composé des premières syllabes des prénoms des enfants de Christelle Salomon, Cyprien et Joséphine. Autre énigme, la composition du champagne. Du chardonnay, ce que n'indique pas l'étiquette. Un très bon classique de blanc de blancs, or pâle aux reflets verts, au nez de fruits blancs acidulés, qui s'enrichit en bouche de nuances de beurre et d'agrumes (pamplemousse). La bouche est à la fois vive, ample et longue. Pour l'apéritif. ⧗ 2016-2019 🍴 verrines crevettes pamplemousse

CHRISTELLE SALOMON, 7, rue Principale, Cidex 308, 51700 Vandières, tél. 03 26 53 18 55, champ.c.salomon@orange.fr V *r.-v.*

DENIS SALOMON Brut nature L'Inédite 2010 ★

●	2791		20 à 30 €

Un domaine implanté sur la rive droite de la Marne, à Vandières, derrière les remparts du village. Créé en 1974 par Denis Salomon, il a été repris trente ans plus tard par son fils Nicolas. Le vignoble couvre un peu moins de 4 ha. (RM)

Mi-chardonnay mi-pinot noir, cette cuvée millésimée est à son apogée. La bulle est présente dans une robe aux reflets d'or; le nez se montre intense et fin. La bouche, équilibrée et assez longue, livre des arômes d'amande, de pain blanc et de fruits à chair blanche. Pour l'apéritif et les entrées de poisson. ⧗ 2016-2017 🍴 langoustines sautées ● **Prestige (20 à 30 €; 7735 b.)** : vin cité.

NICOLAS SALOMON, 5, rue Principale, 51700 Vandières, tél. 03 26 58 05 77, info@champagne-salomon.com V *r.-v.*

SALON Blanc de blancs Le Mesnil 2004 ★★

●	n.c.	+ de 100 €

Aimé Salon, fils de charron, naît en 1867 à Pocancy, village de la plaine, à quelques kilomètres de la Côte des Blancs. Ses parents veulent faire de lui un instituteur. Il choisit les affaires et commence sa carrière en ramassant, à bicyclette, des peaux de lapin pour une entreprise de fourrures de la capitale qu'il finit par diriger. Épicurien, il revient dans son pays natal pour créer un champagne de rêve. Avec l'aide de son beau-frère, chef de cave, il choisit le terroir: Le Mesnil-sur-Oger; les meilleures parcelles: celles du haut de l'église; son premier millésime, 1905, est réservé à sa consommation personnelle. La maison (dans l'orbite du groupe Laurent-Perrier depuis 1988) naît en 1920. Elle est célèbre pour ne proposer qu'une cuvée de blanc de blancs millésimé élaborée seulement les bonnes années et exclusivement issue du Mesnil-sur-Oger, grand cru de la Côte des Blancs. (NM)

Bien que de qualité honorable, le millésime 2004 offrit une récolte pléthorique et par conséquent des raisins, puis des vins moins concentrés que les deux années antérieures. Est-ce pour cette raison que cette cuvée championne des coups de cœur n'a pas obtenu cette distinction cette année? Elle ne manque pourtant pas d'atouts, avec son nez délicat et complexe, citronné, brioché et épicé et avec sa bouche beurrée et élégante – mais plus svelte que sa devancière de 2002. Le temps la révélera-t-elle? Si l'on se fie au terroir exceptionnel d'où elle est issue, il est permis de le croire. ⧗ 2017-2025 🍴 carpaccio de saint-jacques

SALON, 5, rue de la Brèche-d'Oger, 51190 Le Mesnil-sur-Oger, tél. 03 26 57 51 65, champagne@salondelamotte.com *Laurent-Perrier*

SANCHEZ-LE GUÉDARD Rosé de saignée

●	5000		15 à 20 €

Bernard Le Guédard, salarié viticole, s'installe en 1953 à Cumières, dans la Grande Vallée de la Marne. Il loue quelques vignes, achète des terres, les défriche. Trente ans plus tard, il transmet son domaine à sa fille Patricia et à son gendre José San-

chez, rejoints par leur fils Sébastien. Leur vignoble de 5 ha est en conversion bio depuis 2013. (RM)

Issu de pinot noir de la récolte 2013, ce rosé obtenu par macération (rosé de saignée) présente une robe aux reflets rouges, des arômes de framboise et de fraise, une bouche équilibrée, légèrement fumée en finale. « Sans doute du pinot noir pur », conclut un de nos dégustateurs. ⧗ 2016-2021 ♈ moelleux chocolat-framboise

SANCHEZ-LE GUÉDARD, 106, rue Gaston-Poittevin, 51480 Cumières, tél. 03 26 51 66 39, champagne.sanchezleguedard@orange.fr V ♿ ■ *r.-v.*

SANGER Voyage 360 ★

	35000	15 à 20 €

L'École de viticulture d'Avize a vu le jour en 1919 grâce au legs des époux Puisard, riches négociants. Depuis 1927, c'est un établissement public (rebaptisé Viti Campus), qui forme la majorité des professionnels champenois. En 1952, d'anciens élèves ont créé la coopérative des Anciens. Aujourd'hui, ils sont plus de cent coopérateurs, et plus de deux cents apprentis et stagiaires participent à l'élaboration des cuvées en travaillant à la vigne et à la cave. (CM)

Le nom de cette cuvée évoque un voyage gustatif au cœur de la Champagne : elle assemble à parts égales les trois cépages du vignoble, en provenance de 42 villages, et met en œuvre la récolte 2011 (70 %) complétée par des vins de réserve. Le nez tonique et élégant associe fleurs blanches, fruits blancs et jaunes, notes minérales. Franche en attaque, bien équilibrée entre fraîcheur et rondeur, la bouche finit sur des nuances de petits fruits rouges. Pour l'apéritif comme pour la table. ⧗ 2016-2019 ♈ fricassée de poularde ● **Gd cru Pères d'origines 2008 ★ (20 à 30 € ; 7000 b.)** : mariant 40 % de chardonnay et 60 % de pinot noir, ce 2008 demandera un peu de patience avant de se révéler. On apprécie déjà son nez d'acacia, d'agrumes (citron confit) et de vanille et sa belle fraîcheur en bouche. ⧗ 2016-2021 ♈ pavé de turbot à la crème de citron

SANGER, 33, rempart du Midi, 51190 Avize, tél. 03 26 57 79 79, contact@sanger.fr V ♿ ■ *t.l.j. 9h-12h 13h30-17h ; sam. dim. sur r.-v.*

CAMILLE SAVÈS Bouzy 2009

Gd cru	n.c.		20 à 30 €

Aux origines du domaine, le mariage, en 1894, d'Eugène Savès, ingénieur agronome, avec Anaïs Jolicœur, fille d'un vigneron de Bouzy. Installé en 1982, Hervé Savès, rejoint par Arthur en 2012, conduit 9 ha dans la Montagne de Reims. (RM)

Mettant en vedette le pinot noir (80 %) complété par le chardonnay, vinifié sans fermentation malolactique, ce 2009 ne manque pas de caractère : robe or intense, nez puissant entre arômes d'évolution et fruits blancs ; bouche encore fraîche montrant une pointe de minéralité et une finale persistante sur les fruits secs. ⧗ 2016-2021 ♈ pintade aux champignons ● **Gd cru Extra-brut Bouzy Blanc de noirs Les Loges (30 à 50 € ; 4259 b.)** : vin cité.

CAMILLE SAVÈS, 4, rue de Condé, 51150 Bouzy, tél. 03 26 57 00 33, champagne.saves@hexanet.fr V ♿ ■ *r.-v.*

FRANÇOIS SECONDÉ Blanc de noirs La Loge

Gd cru	2000		20 à 30 €

La production de Sillery, grand cru de la Montagne de Reims, approvisionne surtout les maisons de champagne. François Secondé est le seul récoltant à proposer du sillery grand cru. Ancien ouvrier viticole, il a acheté sa première vigne en 1972 ; il exploite aujourd'hui 5,5 ha dans quatre grands crus. (RM)

Issu du seul pinot noir, ce brut a connu le bois. Il dévoile avec finesse sa maturité dans une palette aromatique évoquant le grillé, l'abricot sec et les fruits à l'alcool. La bouche complexe et persistante s'enrichit de variations sur la cerise. Le dosage apporte de la rondeur – trop pour certains –, mais l'ensemble reste élégant. ⧗ 2016-2019 ♈ foie gras poêlé aux cerises

FRANÇOIS SECONDÉ, 6, rue des Galipes, 51500 Sillery, tél. 03 26 49 16 67, francois.seconde@wanadoo.fr V ♿ ■ *t.l.j. sf sam. dim. 8h-12h 13h-17h*

SECONDÉ-SIMON Cuvée V

Gd cru	3000		15 à 20 €

Fils et petit-fils de vignerons, Jean-Luc Secondé s'installe en 1983 à Ambonnay, village de la Montagne de Reims classé en grand cru. Le domaine, qui s'étend sur 6 ha, est aujourd'hui dirigé par Jérôme Bôle, son gendre, tandis que son fils, Nicolas Secondé, œnologue, se charge des vinifications. (RM)

Ce rosé d'assemblage marie trois quarts de pinot noir et un quart de chardonnay. Si sa robe est pâle, son nez se montre puissant, sur les fruits rouges (cerise, fraise des bois, grenade) et les agrumes. Le palais généreusement dosé mais équilibré se porte sur la cerise. ⧗ 2016-2019 ♈ brioche perdue à la confiture

SCEV J.-L. SECONDÉ-SIMON, 14, rue de Trépail, 51150 Ambonnay, tél. 03 26 53 13 02, champagne@seconde-simon.fr V ♿ ■ *t.l.j. sf dim. 9h-12h 14h-18h ; sam. sur r.-v.*

J.-M. SÉLÈQUE Extra-brut Partition 2010 ★

	1900	30 à 50 €

Établie aux portes d'Épernay, cette exploitation élabore ses champagnes depuis les années 1970 et vient de s'équiper d'une cuverie flambant neuve à une nouvelle adresse. Elle dispose d'environ 7,5 ha de vignes dans la vallée de la Marne et la Côte des Blancs. À la cave officient Richard Sélèque et son fils Jean-Marc, installé en 2008. Leurs vins de réserve sont élevés en barrique. (RM)

Issu de chardonnay majoritaire (72 %) complété par les deux pinots, cet extra-brut d'un or vert intense est fort peu dosé (2 g/l). La vinification s'est déroulée en barrique de chêne et la mise a été faite sous liège. Rien d'étonnant donc d'y trouver des notes empyreumatiques, des nuances de fruits secs, de sous-bois et de tabac. Le nez exprime ces arômes avec puissance, le palais avec plus de nuances, de charme et d'élégance.

Un champagne aérien et complexe. ⧗ 2016-2019 🍷 saint-jacques safranées

SCEV R. ET J.-M. SÉLÈQUE, 9, allée de la Vieille-Ferme, 51530 Pierry, tél. 06 72 25 25 02, contact@seleque.fr V r.-v.

CRISTIAN SENEZ Carte verte

●	150 000		11 à 15 €

Dans les années 1950, Cristian Senez, alors chef de cave à la coopérative de Fontette (Aube), acquiert ses premières parcelles; il défriche et plante. Aujourd'hui, sa fille Angélique et son gendre Frédéric Roger, maître de chai, exploitent un vignoble de 30 ha. Les champagnes de la maison ne font pas leur fermentation malolactique. (NM)

Composé de pinot noir et de chardonnay à parts égales, ce champagne discret et frais au nez dévoile une bouche franche et de bonne tenue, aux arômes d'agrumes et de fruits secs. Pour l'apéritif et les entrées marines. ⧗ 2016-2019 🍷 sushis

SENEZ, 6, Grande-Rue, 10360 Fontette, tél. 03 25 29 60 62, contact@champagne-senez.com V r.-v.

SERVEAUX FILS Rosé de saignée

●	6950		15 à 20 €

Domaine familial créé en 1954 sur la rive droite de la Marne, entre Dormans et Château-Thierry. Installé en 1993, Pascal Serveaux, aidé de ses fils Nicolas et Hugo, cultive 15 ha de vignes. (RM)

Par définition, un rosé de macération ne peut provenir que d'une seule année, même si le millésime n'est pas revendiqué. Ici, c'est la récolte 2013, avec des pinots noirs et des meuniers à parité, qui est à l'œuvre. Si la couleur est plutôt légère pour ce style de champagne, ce rosé se montre expressif et très présent, tant au nez, aux nuances de fruits rouges, qu'en bouche, où l'on découvre une matière tonique, parfumée, un rien tannique en finale. ⧗ 2016-2020 🍷 bavarois fraise-citron

SERVEAUX FILS, 2, rue de Champagne, 02850 Passy-sur-Marne, tél. 03 23 70 35 65, serveaux.p@wanadoo.fr V r.-v.

SIMART-MOREAU Cuvée des Crayères 2008

● Gd cru	5050		15 à 20 €

Représentant la quatrième génération à cultiver la vigne, Jean-Philippe Simart a pris en 2013 la tête de l'exploitation fondée à Chouilly par son père Pascal. Les trois quarts de ses 4,7 ha sont implantés en grand cru, le reste en 1er cru: du chardonnay de la Côte des Blancs et des pinots de la Grande Vallée de la Marne. (RM)

Le millésime 2008 a fourni des raisins mûrs, sains et à l'acidité préservée. Vieilli six ans en cave, ce pur chardonnay a pris une expression de fruits compotés, de fruits secs et d'abricot, tout en offrant une matière tendue et encore très fraîche. Riche et complexe, il n'a pas encore atteint son apogée. On pourra l'oublier en cave en attendant que naissent de probables nuances crayeuses. ⧗ 2017-2022 🍷 langouste à la vanille

SIMART-MOREAU, 9, rue du Moulin, 51530 Chouilly, tél. 03 26 55 42 06, simart.moreau@wanadoo.fr V r.-v.

SIMON-DEVAUX ★

●	6550		11 à 15 €

Une marque créée dans les années 1990 par la mère d'Alain Simon. Après ses études de viticulture-œnologie à Beaune, ce dernier s'est installé en 1998 sur l'exploitation familiale qui compte 6 ha entre Côte des Bar (Aube) et vallée de la Marne. Il a investi dans un pressoir et vinifié sa première cuvée en 2003. (RM)

Un rosé d'assemblage né des trois cépages champenois (pinot noir 70 %, chardonnay 20 %, meunier 10 %). D'un rose léger, la robe est animée d'une effervescence dynamique. Les parfums de fruits mûrs prennent des tons épicés. La bouche aux arômes compotés n'en offre pas moins la fraîcheur nécessaire à l'équilibre. Elle finit sur des notes de fruits cuits, de miel et de figue. Un rosé puissant destiné au repas. ⧗ 2016-2019 🍷 filet mignon aux pêches ● **2008 ★ (15 à 20 €; 1430 b.)** : mi-blancs mi-noirs (pinot noir), un vin heureusement évolué, au nez de beurre, de brioche et de cannelle, resté bien frais en bouche, de bonne longueur. Parfait pour un apéritif dînatoire. ⧗ 2016-2020 🍷 feuilletés au saumon

ALAIN SIMON, EARL, Le Cellier de Mores, 4, rue du Clamart, 10110 Celles-sur-Ource, tél. 03 25 29 00 35, simon-devaux@neuf.fr V r.-v.

JACQUES SONNETTE Tradition

●	49 000		11 à 15 €

Installé en 1973 sur l'exploitation familiale située dans un hameau de Charly-sur-Marne – le village viticole le plus proche de Paris –, Jacques Sonnette élabore son champagne depuis 1976. Dans son vignoble de 8 ha, le meunier est très présent. (RM)

Le meunier représente 80 % de ce brut sans année, le chardonnay faisant l'appoint. Expressif au nez, sur les fruits mûrs (poire, abricot) et l'acacia, ce champagne se montre rond, équilibré et assez long. Idéal pour l'apéritif et les poissons en sauce. ⧗ 2016-2019 🍷 blanquette de lotte

SAS JACQUES SONNETTE, 2, rue du Port-Picard, Grand-Porteron, 02310 Charly-sur-Marne, tél. 03 23 82 05 71, contact@champagnesonnette.com V r.-v.

SOURDET-DIOT ★

●	10 000	15 à 20 €

Un vignoble familial situé sur la rive gauche de la Marne. Apporteur de raisins, Raymond Sourdet a planté là ses premiers ceps en 1962. Son fils Patrick, installé en 1975, devint récoltant-manipulant en 1980. Ludivine, sa fille, et son époux Damien ont rejoint en 2004 la propriété, forte de 10 ha et d'une nouvelle cuverie, aménagée en 2011. (RM)

Un rosé d'assemblage mobilisant les trois cépages champenois, qui tire sa couleur rose clair d'un vin rouge vinifié sous bois. On apprécie son bouquet fin de fruits rouges et, plus encore, sa bouche gourmande et équilibrée, mise en valeur par une finale fraîche et élégante qui témoigne d'un dosage bien maîtrisé. ⧗ 2016-2019 🍴 fraisier ● **Cuvée de réserve (15 à 20 €; 25000 b.)** : vin cité.

⊶ *PATRICK SOURDET, Damien Antoine, 1, hameau de Chezy, 02330 La Chapelle-Monthodon, tél. 03 23 82 46 18, info@champagnesourdet.com* V ⚑ ■ *t.l.j. sf dim. 9h30-12h 13h30-17h*

SOUTIRAN Blanc de blancs ★★

● Gd cru	5000	▮	30 à 50 €

Orphelin, Gérard Soutiran prend en location les vignes de son parrain, puis s'associe à un viticulteur possédant un pressoir. Il ne cesse d'agrandir son bien (6 ha aujourd'hui), tout en créant avec d'autres la coopérative d'Ambonnay. Son fils Alain Soutiran lance sa marque en 1970 et passe le relais en 1990 à sa fille Valérie Renaux. (NM)

Établie à Ambonnay, au cœur des «grands noirs», la famille Soutiran n'en réussit pas moins son blanc de blancs (trois étoiles l'an dernier). Celui-ci naît de la récolte 2007 à laquelle s'ajoutent 30 % de vins de réserve de 2006 vieillis en fût. Sa robe or très soutenu, traversée d'une effervescence discrète, annonce un nez évolué, confit et compoté. La prise en bouche confirme la maturité de ce champagne complexe, épicé et long, qui séduit aussi par sa grande fraîcheur. ⧗ 2016-2019 🍴 risotto truffes et saint-jacques ● **Gd cru Collection privée ★ (30 à 50 €; 8000 b.)** : mi-pinot noir mi-chardonnay, un brut charpenté et long, aux arômes évolués et complexes (fruits confits et secs, miel, fleurs et épices). ⧗ 2016-2019 🍴 foie gras poêlé ● **Gd cru Non dosé ★ (30 à 50 €; 4000 b.)** : du pinot noir et du chardonnay à parité dans ce brut nature équilibré et gourmand, au nez aussi généreux que complexe (fruits compotés, orange confite, frangipane, pain grillé, vanille). ⧗ 2016-2019 🍴 langouste sauce agrumes

⊶ *SOUTIRAN, 3, rue de Crilly, 51150 Ambonnay, tél. 03 26 57 07 87, info@soutiran.com* V ■ *r.-v.* 🏠 2

PATRICK SOUTIRAN Blanc de blancs ★

● 1er cru	4800	▮	15 à 20 €

Vigneron bien connu, Gérard Soutiran a eu plusieurs fils. Patrick Soutiran, installé en 1970, cultive avec sa fille Estelle (depuis 2007) et son fils Fabrice (depuis 2013) un vignoble de 3 ha implanté à Ambonnay et à Trépail, deux villages voisins de la Montagne de Reims, classés respectivement en grand cru et en premier cru. (RM)

Le pinot noir règne dans la Montagne de Reims, mais il laisse le chardonnay s'épanouir dans certains villages comme Trépail. Aussi, Patrick Soutiran, établi dans la commune voisine d'Ambonnay, grand cru de noirs, propose-t-il des blancs de blancs fréquemment remarqués. Or clair, celui-ci séduit par son nez d'acacia et de beurre et par sa bouche entre fleurs blanches et pêche, à la finale minérale. Pour l'apéritif ou le poisson grillé. ⧗ 2016-2019 🍴 tartare de saumon ● **Gd cru 2008 (20 à 30 €; 3000 b.)** : vin cité. ● **Gd cru Blanc de noirs (15 à 20 €; 9500 b.)** : vin cité.

⊶ *EARL PATRICK SOUTIRAN, 2, rue des Tonneliers, 51150 Ambonnay, tél. 03 26 57 08 18, contact@champagnesoutiran.fr* V ⚑ ■ *r.-v.*

TAITTINGER 2008 ★★

●	n.c.	30 à 50 €

Alexandre Fourneaux produisait des vins tranquilles à Rilly-la-Montagne. Son fils créa une maison de négoce dès 1734. Deux siècles plus tard, Pierre Taittinger devint en 1936 l'actionnaire principal de la maison Forest-Fourneaux à laquelle il donna son nom. Passée en 2005 sous le contrôle d'un fonds de pension américain, rachetée un an plus tard par la famille, l'affaire est dirigée par Pierre-Emmanuel Taittinger. Avant de s'installer sur la butte Saint-Nicaise, site historique, elle avait son siège à l'hôtel des Comtes de Champagne, d'où le nom de sa cuvée de prestige. La maison dispose de crayères du IVes. et d'un vaste vignoble (288 ha). Le chardonnay est son cépage emblématique. (NM)

Les bruts millésimés de la maison assemblent à parts égales des noirs et des blancs de grands crus: le pinot noir vient de la Montagne de Reims et de la Grande Vallée de la Marne ; le chardonnay, de la Côte des Blancs. D'un or pâle parcouru d'une fine effervescence, discret au nez, ce 2008 n'a rien d'exubérant. Et pourtant la noblesse est là. Le premier nez, léger, dévoile des notes de fruits jaunes, de barbe à papa, de vanille, d'épices, de caramel et de miel, puis apparaissent l'écorce d'orange et le citron confit. La bouche tendue attaque avec vivacité sur des notes de fruits à l'eau-de-vie. Le dosage, moderne, léger, s'il fait perdre au fruité son côté très gourmand, met en avant la minéralité du terroir: la saveur est franchement saline et la finale iodée, rappelant que la craie champenoise est d'origine marine. ⧗ 2016-2025 🍴 carpaccio de saint-jacques ● **Réserve (30 à 50 €; n.c.)** : vin cité. ● **Gd cru Prélude (15 à 20 €; n.c.)** : vin cité.

⊶ *TAITTINGER, 9, pl. Saint-Nicaise, 51100 Reims, tél. 03 26 85 45 35, communication@taittinger.fr* V ⚑ ■ *t.l.j. 9h30-17h30 ; f. sam. dim. mi-mars à mi-nov.*

TANNEUX-MAHY Le Rosé

●	5000	15 à 20 €

La famille élabore son champagne depuis 1927. Prenant la suite des trois générations précédentes, Christophe et Katia Tanneux se sont installés sur l'exploitation en 2009. Proche d'Épernay, leur vignoble couvre 8 ha sur les deux rives de la Marne. (RM)

Un rosé de noirs né à 90 % de meunier. D'un rose presque rouge, il exprime avec intensité et persistance la framboise, les petits fruits rouges et le bonbon anglais. ⧗ 2016-2017 🍴 soupe de framboise à la menthe ● **Cuvée de réserve (11 à 15 €; 21000 b.)** : vin cité.

⊶ *CHRISTOPHE TANNEUX, 2, rue Jean-Jaurès, 51530 Mardeuil, tél. 03 26 55 24 57,*

champagne.tanneux@orange.fr
V t.l.j. sf dim. 9h30-12h30 14h-18h30

SÉBASTIEN TAPRAY Prestige ★

	6000	15 à 20 €

Viticulteur depuis 2000 dans la région de Bar-sur-Aube, Sébastien Tapray apporte la récolte de ses 2 ha à la coopérative de Colombé-le-Sec qui élabore ses cuvées. (ND)

Riche en chardonnay (80 %), ce brut développe sans surprise des notes de fleurs blanches et de fruits frais. Les 20 % de pinot noir enrichissent la palette aromatique de nuances de fruits exotiques (mangue, fruit de la Passion) et tempèrent la vivacité de la bouche. Un champagne frais et gourmand, pour l'apéritif comme pour la table. ⌛ 2016-2019 🍷 feuilletés aux fruits de mer

TAPRAY, 29, Grande-Rue, 10200 Colombé-la-Fosse, tél. 03 25 27 99 12, tapray.sebastien@orange.fr V r.-v.

♥ TARLANT
Brut nature L'Aérienne 2004 ★★

	8000		50 à 75 €

Enracinés en Champagne, les Tarlant cultivaient déjà la vigne à l'époque de dom Pérignon. Constitution du domaine à partir de 1780 dans la vallée de la Marne, premier champagne livré en 1929. Aujourd'hui, un vignoble de 14 ha et un style reconnu. Aux commandes depuis 1999, Benoît et Mélanie, les enfants de Jean-Mary Tarlant, qui préside la maison. À la cave, Benoît vinifie en petite cuve ou en barrique par «climat», sans fermentation malolactique, élève sur lies les vins de réserve et privilégie les dosages faibles (extra-brut) ou absents (brut zéro). (RM)

Deuxième coup de cœur consécutif pour les Tarlant qui présentent toujours des champagnes de caractère. Ici, un brut nature qui assemble 20 % de pinot noir au chardonnay. Il a fermenté sous l'action de levures indigènes, en tonneau, et a été dégorgé cette année, selon les indications de la contre-étiquette. D'une couleur dorée, il séduit d'emblée par son nez intense traduisant une heureuse évolution: des notes de fruits confits et de noix fraîche se mêlent à des nuances aromatiques boisées et donnent sa tonalité à une bouche franche à l'attaque et remarquablement équilibrée. Un champagne de repas. ⌛ 2016-2021 🍷 saint-jacques à la crème ● **Brut nature Cuvée Louis ★ (50 à 75 €; 6000 b.)** : ambré brillant, d'une grande complexité aromatique (fruits secs et confits, miel, torréfaction, pâtisserie, sous-bois), ce brut nature ne peut laisser indifférent. Marqué par les tanins du bois et par une touche d'amertume en finale, il plaira particulièrement aux amateurs de vinification en fût. ⌛ 2016-2021 🍷 copeaux de vieux comté

TARLANT, 21, rue de la Coopérative, 51480 Œuilly, tél. 03 26 58 30 60, champagne@tarlant.com V r.-v.

EMMANUEL TASSIN
Cuvée perlée Blanc de blancs ★★

	12000		15 à 20 €

Installés dans la Côte des Bar (Aube), les Tassin sont vignerons de père en fils et se sont lancés dans l'élaboration du champagne dès 1930. Emmanuel Tassin a repris en 1987 l'exploitation familiale et lancé son étiquette. Il exploite 9 ha dans la vallée de l'Ource. (RM)

Un blanc de blancs très original puisqu'il contient autant de pinot blanc – cépage rare en Champagne, encore cultivé dans l'Aube – que de chardonnay. Son nez se distingue par la puissance de ses notes de noisette et de fruits frais. Une gamme aromatique que l'on retrouve dans une bouche crémeuse, tonifiée par une belle vivacité et par une fine effervescence. ⌛ 2016-2019 🍷 filet de flétan sauce hollandaise

EMMANUEL TASSIN, 104, Grande-Rue, 10110 Celles-sur-Ource, tél. 03 25 38 59 44, champagne.tassin.emmanuel@sfr.fr V r.-v.

J. DE TELMONT Sans soufre ajouté ★

	3350		50 à 75 €

Une maison de négoce sise à Damery, sur la rive droite de la Marne. Fondée en 1912 par Henry Lhopital, la société est restée familiale, gérée par Bertrand Lhopital et sa sœur Pascale Parinet qui représentent la quatrième génération. Elle dispose de 106 ha, dont un vignoble en propre de 30 ha en conversion bio. (NM)

Une cuvée *très* spéciale: elle provient de chardonnay cultivé en bio sur le terroir de Damery, vinifié en biodynamie, sans soufre ajouté (la fermentation en produisant naturellement). Rappelons que le soufre, utilisé depuis des siècles pour protéger les vins des micro-organismes et de l'oxydation, est aujourd'hui pointé du doigt, en raison de cas (rares) d'allergie, et que son dosage est réduit (mais admis) en bio. Comme l'on peut s'y attendre, le vin est évolué: robe dorée, nez puissamment fruité évoquant la compote de coings, d'abricots et de pommes, bouche à l'unisson, bien équilibrée, puissante et longue. ⌛ 2016-2019 🍷 filet mignon au miel

J. DE TELMONT, 1, av. de Champagne, 51480 Damery, tél. 03 26 58 40 33, commercial@champagne-de-telmont.com V r.-v. *Bertrand Lhopital*

V. TESTULAT Cuvée Prestige

	8000		20 à 30 €

Une maison d'Épernay fondée en 1862 par Vincent Testulat. Cinq générations plus tard, c'est toujours un Vincent Testulat qui signe les cuvées. (NM)

Mi-pinot noir mi-chardonnay, une cuvée issue de parcelles sélectionnées (grands crus pour la moitié, vieilles vignes). Assez discret, le nez libère de délicates notes florales et minérales. Plus expressif, le palais se développe tout en rondeur, entre miel et fruits cuits. ⌛ 2016-2018 🍷 suprêmes de volaille à la crème

SA V. TESTULAT, 23, rue Léger-Bertin, 51201 Épernay, tél. 03 26 54 10 65, vtestulat@champagne-testulat.com V r.-v.

ÉRIC THERREY Cuvée spéciale ★★

	n.c.	15 à 20 €

La ville de Troyes est dominée à l'ouest par la butte calcaire de Montgueux où excelle le chardonnay. Jacky Therrey y a planté les premières vignes dans les années 1960 et lancé son champagne en 1978. Après vingt-cinq ans de collaboration familiale, son fils Éric a pris en 2006 la direction du domaine et rajeuni l'outil de production en 2011. Il cultive 8 ha à Montgueux et à Celles-sur-Ource. (RM)

Cette cuvée spéciale à majorité de chardonnay (90 %, avec le pinot noir en appoint) est de nouveau très remarquée. Elle demande un peu de patience pour livrer de fraîches senteurs citronnées, mentholées, anisées et florales. Cette fraîcheur se retrouve en bouche, laissant une impression de légèreté, et une longue finale parfait l'harmonie. ⧗ 2017-2020 🍷 tartare de saint-jacques ● **Diamant noir ★ (30 à 50 €; n.c.)** : un (rare) pinot noir de Montgueux, tout en rondeur, aux arômes de beurre et de fruits mûrs. Pour le repas. ⧗ 2016-2020 🍷 sandre au beurre blanc ● **Carte blanche (11 à 15 €; n.c.)** : vin cité.

ÉRIC THERREY, 6, rte de Montgueux, La Grange-au-Rez, 10300 Montgueux, tél. 03 25 70 30 25, contact@champagne-therrey.fr V *t.l.j. sf dim. 9h-12h 14h-18h30*

THÉVENET-DELOUVIN Cuvée Insolite Meunier ★

	1000		20 à 30 €

Issus l'un comme l'autre de familles vigneronnes, Isabelle et Xavier Thévenet mettent leurs compétences agronomiques au service d'une viticulture durable depuis le début des années 1990. Leur vignoble s'étend sur les deux rives de la Marne. (RM)

Un blanc de noirs issu du seul meunier, cépage vedette de la vallée de la Marne. Vinifié et élevé sept mois en fût après la vendange 2009, il a bénéficié d'une oxydation ménagée. Il en résulte une robe paille dorée, un nez de fruits confits et de miel, arômes auxquels s'ajoutent des notes briochées et toastées en bouche. La longueur est notable et la fraîcheur suffisante pour équilibrer sa fraîcheur. ⧗ 2016-2019 🍷 dinde fermière ● **Carte rosée (15 à 20 €; 4000 b.)** : vin cité.

ISABELLE ET XAVIER THÉVENET, 28, rue Bruslard, 51700 Passy-Grigny, tél. 03 26 52 91 64, xavier.thevenet@wanadoo.fr V *r.-v.*

THIÉNOT Cuvée Alain Thiénot 2007 ★

	n.c.	75 à 100 €

Ancien banquier, Alain Thiénot est revenu à ses racines champenoises. Il a débuté par le courtage, acheté des vignes à partir de 1976, créé sa maison en 1985, acquis les marques Marie Stuart, Joseph Perrier et Canard-Duchêne, s'est diversifié dans le Bordelais et le Languedoc. Depuis 2003, il a pour appui ses enfants Stanislas et Garance. (NM)

Une recette classique pour une cuvée de prestige de maison de Champagne: un millésime de maturité et un assemblage de chardonnay (deux tiers) et de pinot noir issus de grands crus. Il en résulte un vin or pâle aux parfums intenses et flatteurs d'acacia, de fleur d'oranger, d'orange confite, de vanille et d'épices. Tout aussi expressive, la bouche séduit par sa fraîcheur. Il n'a manqué à ce 2007 qu'un peu de longueur pour obtenir une deuxième étoile. ⧗ 2016-2019 🍷 poêlée de saint-jacques ● **2007 (30 à 50 €; n.c.)** : vin cité.

THIÉNOT, 4, rue Joseph-Cugnot, 51500 Taissy, tél. 03 26 77 50 10, infos@thienot.com V *r.-v.*

J.-M. TISSIER Reflet de terre ★★

	15000		15 à 20 €

Petit-fils de Diogène Tissier, vigneron à la nombreuse descendance, Jacques Tissier a travaillé dès l'âge de quatorze ans avec son père Jean-Marie et repris la propriété en 1993. Il exploite plus de 5 ha de vignes sur les coteaux d'Épernay et dans le Sézannais. (RM)

Issu des trois cépages champenois, avec une dominance de noirs (60 %, meunier surtout), ce brut affiche une robe dorée animée de fines bulles persistantes et libère des notes de fruits confits et compotés, rehaussées de touches toastées. Fruits jaunes et mirabelle viennent enrichir la palette dans une bouche équilibrée et longue. ⧗ 2016-2020 🍷 filet mignon aux mirabelles ● **Éclat de terroir (15 à 20 €; 8000 b.)** : vin cité.

SAS J.-M. TISSIER, 9, rue du Gal-Leclerc, 51530 Chavot-Courcourt, contact@champagne-jm-tissier.com V *r.-v.*

DIOGÈNE TISSIER ET FILS N° 17 ★

	2500		20 à 30 €

Diogène Tissier, le fondateur de la maison en 1931, eut neuf enfants, dont trois suivirent ses traces. Rejoint en 2016 par Margaux, Vincent Huber, son petit-fils, exploite 9 ha à Chavot-Courcourt, au sud d'Épernay. (NM)

Dix-sept? Comme 17 %, le pourcentage de pinot noir dans cette cuvée, associé à 50 % de chardonnay et à 33 % de meunier. Une petite partie des vins a séjourné en fût. Il en résulte un nez gourmand et complexe, mêlant miel, acacia, tilleul, puis figue sèche, épices, moka et chocolat. La bouche, dans le même registre, est structurée et longue. ⧗ 2016-2020 🍷 foie gras poêlé

DIOGÈNE TISSIER ET FILS, 10, rue du Gal-Leclerc, 51530 Chavot-Courcourt, tél. 03 26 54 32 47, diogenetissier@hexanet.fr V *t.l.j. sf dim. 9h-12h 14h-18h* *Huber*

MICHEL TIXIER Cuvée réservée ★

	20000		15 à 20 €

Le vignoble familial remonte aux années 1920. En 1963, Michel Tixier s'installe et lance sa marque. Benoît, son fils, prend le relais en 1998. Son domaine de 5 ha comprend trente-six parcelles réparties dans la Montagne de Reims, la Côte des Blancs et la vallée de la Marne. Domaine certifié haute valeur environnementale. (RM)

Privilégiant les noirs (80 %, dont 60 % de meunier), cette cuvée assemble une moitié de vins de réserve à une base de 2013. Le nez, très plaisant, joue sur les fruits rouges, la pomme et le pain blanc. Suave à l'attaque, la bouche se montre fine et élégante. Un champagne tout en dentelle, pour l'apéritif et les entrées. ⧗ 2016-2019 🍷 feuilletés au parmesan

MICHEL TIXIER, 8, rue des Vignes, 51500 Chigny-les-Roses, tél. 03 26 03 42 61, champ.michel.tixier@wanadoo.fr V r.-v.

GUY TIXIER
Blanc de blancs Éclat d'antan Vinifié en fût de chêne ★

1er cru | 850 | | 20 à 30 €

Guy Tixier hérite en 1960 du quart du vignoble paternel constitué par André à partir de 1920 et lance sa marque. Son fils Olivier lui succède en 1989. Le domaine couvre un peu plus de 5 ha, principalement dans la Montagne de Reims. (RC)

Issu de la récolte 2009, ce chardonnay offre encore des fragrances florales tout en finesse, que l'on retrouve au palais, rehaussées de délicates notes boisées traduisant un élevage partiel en fût. Du savoir-faire. 2016-2019 saumon aux petits légumes **Rosissime Rosé de saignée (15 à 20 €; 4 000 b.)** : vin cité.

OLIVIER TIXIER, 12, rue Jobert, BP 3, 51500 Chigny-les-Roses, tél. 03 26 03 42 51, champguytixier@wanadoo.fr V r.-v.

♥ ANDRÉ TIXIER ET FILS ★★

1er cru | 4 000 | | 15 à 20 €

André Tixier constitue son vignoble à l'aube des années 1920. À la naissance de son fils Robert en 1926, il débute l'élaboration et la commercialisation de son propre champagne. En 2011, son arrière-petit-fils Julien a pris la direction du domaine: 5 ha dans la Montagne de Reims. (RM)

Mi-pinot noir mi-meunier, ce rosé inclut 20 % de vin rouge. D'emblée, le charme opère. Une effervescence fine et alerte traverse une robe d'un rose vif. Le nez livre un fruité net, frais et puissant, relevé de notes épicées. La bouche, à l'unisson, est charnue, puissante, soyeuse et croquante, tout en fruits rouges, tonifiée par une franche acidité qui souligne la longue finale un rien fumée. Puissance et élégance. 2016-2021 carré d'agneau

ANDRÉ TIXIER ET FILS, 19, rue des Carrières, 51500 Chigny-les-Roses, tél. 03 26 03 44 62, contact@champagne-andre-tixier.fr V t.l.j. 10h-13h 14h-18h; f. août

♥ G. TRIBAUT
Blanc de blancs Réserve ★★

| n.c. | | 15 à 20 €

Gaston Tribaut s'est installé en 1935 à Hautvillers, «berceau du champagne», où officia dom Pérignon. Ses deux fils sont devenus récoltants-manipulants en 1975. Depuis 1992, Vincent et Valérie, petits-enfants du fondateur, gèrent la maison, forte de 13 ha de vignes. (NM)

Apprécié l'an dernier, ce blanc de blancs est plébiscité cette année. Un train de bulles fines et toniques parcourt la robe doré brillant, exaltant les senteurs gourmandes, fringantes, citronnées et minérales qui s'en échappent. La bouche n'est pas en reste, ample, riche et harmonieuse, soulignée par une fine acidité qui met en valeur la finale longue et fraîche, sur les agrumes. «À ne pas manquer», conclut un dégustateur. 2016-2020 tartare de saint-jacques **1er cru Blanc de noirs Réserve ★ (15 à 20 €; n.c.)** : des senteurs de mangue pour ce brut né de pur pinot noir. Un champagne bien construit, à la fois vineux, frais et long. 2016-2020 ris de veau caramélisés

G. TRIBAUT, 88, rue d'Eguisheim, 51160 Hautvillers, tél. 03 26 59 40 57, champagne.tribaut@wanadoo.fr V t.l.j. 9h-12h 14h-18h; f. dim. jan.-fév.

TRIBAUT-SCHLOESSER Brut Origine ★★

| 120 000 | | 15 à 20 €

Les deux familles mentionnées sur l'étiquette sont à l'origine de cette maison de négoce familiale fondée en 1929 et nichée dans un vallon tributaire de la Marne, à l'orée de la forêt d'Hautvillers. Jean-Marie Tribaut, qui la dirige, dispose de 20 ha de vignes. (NM)

Les trois cépages sont presque à parité dans ce brut dont les vins de réserve ont séjourné de trois à six ans en foudre. Ce contenant a légué au champagne les reflets dorés de sa robe; il est aussi à l'origine de ses arômes empyreumatiques (torréfaction) et de son ampleur. Les vins de base ont apporté fraîcheur et tension, ainsi que des notes fruitées (cerise). Une réelle harmonie. 2017-2020 feuilletés au comté **(15 à 20 €; 20 000 b.)** : vin cité.

TRIBAUT-SCHLOESSER, 21, rue Saint-Vincent, 51480 Romery, tél. 03 26 58 64 21, contact@champagne-tribaut.com V r.-v.

PIERRE TRICHET L'Authentique

1er cru | 18 000 | | 11 à 15 €

Antoinette Trichet plante les premiers pieds de vigne en 1947. Son fils, uni à une demoiselle Didier, se lance dans la manipulation au détour des années 1970. Pierre Trichet, le petit-fils, a pris en 1986 la tête de la maison, qui dispose en propre de 4,2 ha aux portes de Reims. Il appose depuis 2014 son nom sur les étiquettes. (NM)

Meunier pour la moitié, pinot et chardonnay pour le solde composent un champagne qui mêle au nez la poire et le coing compotés. Vineux, rond et structuré, le palais ne manque pourtant pas de fraîcheur. Idéal à l'apéritif. 2016-2019 tartare de saumon **Gd cru La Puissance (15 à 20 €; 1 800 b.)** : vin cité.

PIERRE TRICHET, 11, rue du Petit-Trois-Puits, 51500 Trois-Puits, tél. 03 26 82 64 10, trichet-didier@orange.fr V r.-v. 4

ALFRED TRITANT ★

Gd cru | 3 886 | | 15 à 20 €

Installé sur le versant sud de la Montagne de Reims, Alfred Tritant devient récoltant-manipulant en 1929. Aujourd'hui, Jean-Luc Weber-Tritant est aux com-

CHAMPAGNE

mandes. Son vignoble a une superficie restreinte (2,6 ha), mais il est très bien situé à Bouzy et à Ambonnay, grands crus fiefs du pinot noir. (RM)

L'assemblage de pinot noir et de chardonnay (40 %) confère à ce rosé élégance et finesse. Les petits fruits rouges se dévoilent dans une bouche longue et fraîche dont la franche acidité signe son caractère juvénile. 2016-2020 terrine de lapereau en gelée **Gd cru Cuvée Prestige (15 à 20 €; 6769 b.)** : vin cité.

ALFRED TRITANT, 23, rue de Tours, 51150 Bouzy, tél. 03 26 57 01 16, accueil@champagne-tritant.fr V r.-v.

TROUILLARD Cuvée du fondateur 2008 ★

	10000	20 à 30 €

Maison fondée en 1896 par Lucien Trouillard, alors jeune caviste à façon, devenu à la force du poignet chef de cave d'une petite affaire à Pierry, avant de fonder sa société. Celle-ci a été reprise en 2006 par la famille Gobillard de Hautvillers. (NM)

Issue du millésime 2008, à la fois mûr et frais, la Cuvée du Fondateur est un blanc de blancs au nez d'agrumes confits et à la bouche tendue et encore en devenir, bien dans le profil de l'année. 2017-2022 ravioles de homard

TROUILLARD, 38, rue de l'Église, 51160 Hautvillers, tél. 03 26 55 37 55, champagnetrouillard@free.fr V r.-v.

TRUDON Dyade ★

	4000		20 à 30 €

Fondée en 1920 par l'arrière-grand-père de Jérôme Trudon, œnologue et dirigeant depuis 2010, cette exploitation s'étend sur 7,5 ha aux environs de Festigny, dans la vallée de la Marne. (RM)

Appelée Dyade, car elle associe pinot noir et chardonnay, cette cuvée est partiellement vinifiée en fût (20 %), sans fermentation malolactique. Au nez, elle livre une palette d'arômes empyreumatiques (noisette, pain grillé, café) rehaussés d'épices. La bouche, en revanche, se montre plus citronnée et anisée, étirée par une acidité marquée. Une complexité intéressante. 2017-2021 vol-au-vent **Monochrome (15 à 20 €; 4000 b.)** : vin cité.

TRUDON, 1, rue de la Libération, 51700 Festigny, tél. 03 26 58 00 38, contact@champagne-trudon.com V r.-v.

TSARINE Cuvée Premium

	n.c.	30 à 50 €

Cette marque appartient au Champagne Chanoine. Dès 1730, les frères Chanoine creusent leur cave à Épernay. Leur maison, la plus ancienne après Ruinart, a subi une éclipse après la guerre, avant de renaître grâce à son intégration dans le groupe Lanson-BCC. Elle a créé la marque Tsarine en souvenir de Catherine II, grande amatrice de champagne. Aujourd'hui, Isabelle Tellier officie à la cave. (NM)

Les trois cépages champenois à parts égales concourent à ce brut tout en finesse, au nez de citron confit, d'épices et de fruits compotés. On retrouve les agrumes dans une bouche franche en attaque, d'une belle fraîcheur, légèrement amère en finale. Un champagne d'apéritif. 2016-2020 feuilletés au boudin blanc

TSARINE, allée du Vignoble, 51100 Reims, tél. 03 26 78 50 08, contact@champagnetsarine.com V r.-v.

VAN GYSEL-LIÉBART Grande Réserve

	n.c.		11 à 15 €

Succédant à trois générations de viticulteurs, Valérie et Benoît Van Gysel se sont installés en 1996 sur le domaine familial avant de commercialiser leurs cuvées trois ans plus tard. Ils cultivent 4 ha sur la rive gauche de la Marne. (RC)

Du pinot noir largement majoritaire (90 %) et une touche de chardonnay récoltés en 2012 pour ce champagne au nez agréable de fleurs blanches, de beurre, de citron confit et de fruits secs. L'attaque fraîche introduit une bouche équilibrée et persistante qui finit sur l'agréable amertume du pamplemousse. À déboucher dès l'apéritif. 2016-2020 chaussons au chaource **Tradition (11 à 15 €; n.c.)** : vin cité.

VAN GYSEL-LIÉBART, 3, rue des Bons-Vivants, Cerseuil, 51700 Mareuil-le-Port, tél. 03 26 51 78 46, champagne.vangysel-liebart@orange.fr V r.-v.

M. VANZELLA Cuvée Prestige ★

Gd cru	2500		15 à 20 €

Domaine constitué en 1950 par Marius Vanzella, exploité depuis 1987 par Alain Gérin, marié à Sophie, petite-fille du fondateur. Leur vignoble couvre 10 ha entre Montagne de Reims et vallée de la Marne. Ces récoltants confient leurs raisins à la coopérative Les Clos à Mailly, mais réalisent les assemblages et font vieillir leurs champagnes au moins trois ans dans leur cave. (RC)

Une cuvée grand cru de la Montagne de Reims où le chardonnay (30 %) épaule le pinot noir. Le nez, d'abord réservé, floral et citronné, s'épanouit à l'aération sur des notes de mirabelle et de biscuit. Dans le même registre, la bouche se montre tonique et longue, marquée en finale par de fins amers. 2016-2019 feuilleté au saumon **Tradition (15 à 20 €; 20000 b.)** : vin cité.

SCEV VANZELLA, 7, rue Joliot-Curie, 51500 Mailly-Champagne, tél. 03 26 49 41 67, champagne.vanzella@wanadoo.fr V r.-v.

VARNIER-FANNIÈRE Brut zéro Blanc de blancs

Gd cru	5000		20 à 30 €

Un domaine viticole fondé en 1860. Jean Fannière fut le premier récoltant-manipulant de la famille, en 1950. Guy Varnier, son gendre, lui succéda en 1965. Installé depuis 1988, son fils Denis, œnologue, dispose de 4 ha de vignes très bien situés dans la Côte des Blancs. (RM)

Un blanc de blancs à la bulle fine, aux arômes d'agrumes et de fruits mûrs. Bien fruité mais plutôt fugace, il montre la vivacité des cuvées non dosées. Il sera apprécié en début de repas. 2016-2019 sushis

VARNIER-FANNIÈRE, 23, rempart du Midi, 51190 Avize, tél. 03 26 57 53 36, varnier-fanniere@orange.fr V r.-v.

VARRY-LEFÈVRE Sélection ★

1er cru | 3000 | | 15 à 20 €

Établie dans la Montagne, près de Reims, cette propriété (4,2 ha) a commercialisé ses premières cuvées en 1948. À sa tête depuis 2009, Christophe Lefèvre confie les vinifications à la coopérative d'Écueil, mais il effectue les assemblages, la mise en bouteilles et le dégorgement. (RC)

Seul le pinot noir est à l'œuvre dans ce brut aux reflets dorés. Très expressif au nez avec ses arômes de fruits blancs et jaunes bien mûrs, il s'impose dès l'attaque, se développe avec vivacité et finit sur une jolie note d'orange amère. Parfait à l'apéritif. ⧗ 2016-2019 ¥ petits feuilletés au boudin blanc

CHRISTOPHE LEFÈVRE, 17, Grande-Rue, 51500 Écueil, tél. 03 26 49 74 47, champagnelefevre@wanadoo.fr
V r.-v.

VAUVERSIN
Blanc de blancs Réserve Orpair

Gd cru | 1300 | | 20 à 30 €

Si la lignée remonte à 1640, c'est Fernand Vauversin qui, en 1930, a commercialisé les premières bouteilles. Le domaine est exigu (3 ha) mais très bien situé dans la Côte des Blancs. À sa tête, Bruno, rejoint par son fils Laurent en 2011. L'exploitation a obtenu la certification bio en 2014. (RM)

À l'origine de ce blanc de blancs, du chardonnay de la récolte 2009 vinifié et élevé neuf mois en fût. Le nez associe la pomme, l'ananas et le pamplemousse aux fruits mûrs et à un côté nettement beurré. On retrouve ces notes évoluées dans un palais franc en attaque, riche, acidulé et assez long, qui finit sur une légère pointe d'amertume. ⧗ 2016-2020 ¥ pâté en croûte au saumon

VAUVERSIN, 9 bis, rue de Flavigny, 51190 Oger, tél. 03 26 57 51 01, champagnevauversin@orange.fr
V r.-v.

JEAN VELUT ★

| 5000 | 15 à 20 €

Avec ses sols argilo-calcaires propices au chardonnay, la colline de Montgueux, à l'ouest de Troyes, fait figure d'exception dans un vignoble aubois acquis au pinot noir. C'est sur ses pentes que Jean Velut, agriculteur des environs, a constitué son domaine (7,7 ha aujourd'hui) et réalisé sa première mise en bouteilles en 1976. Il l'a transmis en 1972 à Denis, rejoint en 2016 par son fils Benoît. (RM)

Issu de vieilles vignes, ce rosé provient d'une macération de pinot noir qui s'est prolongée 36 heures (rosé de saignée). Il offre tous les caractères de ce style de champagne: une robe soutenue, rouge clair, des arômes intenses et complexes de fruits rouges et blancs nuancés de notes de fleurs blanches, une bouche généreuse qui finit sur une touche de griotte. Une belle harmonie. ⧗ 2016-2019 ¥ jambon braisé

JEAN VELUT, 9, rue du Moulin, 10300 Montgueux, tél. 03 25 74 83 31, champ.velut10@gmail.com
V r.-v.

VÉLY-PRODHOMME Marquise des Anges 2008

1er cru | 3500 | | 20 à 30 €

À deux pas de Reims, Séverine Vély et son conjoint Jean-Marie di Girolamo ont pris la suite en 2003 de quatre générations. Ils confient la récolte de leurs 4 ha de vignes à la coopérative locale créée par le père de Séverine et se chargent de la commercialisation. (RC)

Ces producteurs se flattent de compter parmi leurs ancêtres Angélique Sancé, dite la Marquise des Anges, d'où le nom de cette cuvée qui marie 60 % de chardonnay au pinot noir. Un champagne au nez intense de beurre, de pâtisserie, de coing, de fruits confits et compotés. On retrouve ces arômes dans un palais vif à l'attaque, ample, généreux, de bonne longueur, équilibré par ce qu'il faut de fraîcheur. ⧗ 2016-2020 ¥ bouchée à la reine

VÉLY-PRODHOMME, 5, rue de Chamery, 51500 Écueil, tél. 03 26 49 74 52, champagne-vely-prodhomme@cder.fr V r.-v.

DE VENOGE Blanc de blancs Princes ★★

| 20000 | | 50 à 75 €

Cette maison de champagne doit son existence à un citoyen suisse venu du canton de Vaud – région viticole. Henri-Marc de Venoge crée la société en 1837. Son fils la développe à l'international, lance des cuvées spéciales et introduit sur les étiquettes le cordon bleu emblématique, qui rappelle une décoration du temps de la monarchie. L'affaire appartient depuis 1998 au groupe Lanson-BCC. (NM)

Vin des Princes: une ancienne cuvée de la maison, créée en 1864 et relancée en 2015. Le champagne est présenté dans une bouteille en forme de carafe – comme la cuvée Louis XV. Nos dégustateurs n'ont pas vu le contenant, puisque le vin leur a été servi à l'aveugle, au verre, mais recommandent chaudement le contenu de la cuvée, dans ses trois versions. Le blanc de blancs, de la récolte 2011, affiche une robe or pâle aux reflets verts animée d'un fin cordon. Un chardonnay tout en fraîcheur: nez délicat de fleurs d'oranger et d'agrumes, bouche harmonieuse, fondue et longue, à la finale fraîche et citronnée. ⧗ 2016-2020 ¥ tartare d'huîtres **Princes ★★ (50 à 75 €; 10000 b.)**: un subtil assemblage de pinots noirs de la Montagne de Reims et des Riceys (récolte 2011) pour ce rosé au teint pâle, tout en finesse, au nez subtilement floral et à la bouche aérienne, aromatique et longue. ⧗ 2016-2020 ¥ gravlax de saumon **Blanc de noirs Princes ★ (50 à 75 €; 10000 b.)**: un pur pinot noir de la Montagne de Reims et des Riceys. Nez discrètement fruité, bouche plus expressive, sur la pêche et la prune, ronde et charnue, de bonne longueur. ⧗ 2016-2020 ¥ suprême de pintade au foie gras

DE VENOGE, 33, av. de Champagne, 51200 Épernay, tél. 03 26 53 34 34, adv@champagnedevenoge.com
V t.l.j. 13h-18h *Lanson*

J.-L. VERGNON
Extra-brut Blanc de blancs Éloquence

Gd cru | 10000 | | 20 à 30 €

Issu d'une famille de négociants du Mesnil-sur-Oger, Jean-Louis Vergnon reconstitue en 1950 le vignoble familial et commence à élaborer ses champagnes en 1985. Conduite aujourd'hui par Didier Vergnon,

appuyé par l'œnologue Christophe Constant, l'exploitation dispose de 5 ha très bien situés dans la Côte des Blancs. (NM)

Du chardonnay de la Côte des Blancs. Discret au nez, il mêle agrumes, fruits blancs, croûte de pain et noisette. Un peu svelte en bouche, il intéresse par ses arômes: des notes d'agrumes encore, enrichies de nuances de crème pâtissière et d'épices douces. Jolie finale. ⧗ 2016-2019 🍴 gougères ● **Gd cru Blanc de blancs Conversation (20 à 30 €; n.c.)** : vin cité.

J.-L. VERGNON, 1, Grande-Rue, 51190 Le Mesnil-sur-Oger

VERRIER ET FILS Cuvée Ismérie ★

●	2000		20 à 30 €

Auguste et Ismérie Verrier produisaient des vins tranquilles en 1860. Raymond Verrier élabore ses premiers champagnes en 1929. Installé en 2009, son petit-fils Emmanuel exploite 5 ha entre Sézanne et Épernay. (NM)

Le chardonnay, à l'origine de cette cuvée, et l'élevage de huit mois en fût transparaissent dans un nez de fruits secs (abricot, noisette), de beurre et de brioche et dans une bouche structurée, ample et onctueuse, tendue par une belle fraîcheur. Une belle maîtrise de l'élevage. ⧗ 2017-2021 🍴 petits feuilletés au saumon

VERRIER ET FILS, rue des Rochelles, 51270 Étoges, tél. 03 26 59 32 42, champagne.verrier@orange.fr V r.-v.

MAURICE VESSELLE Cuvée réservée ★

● Gd cru	31000		20 à 30 €

Les Vesselle sont nombreux à Bouzy, grand cru de la Montagne de Reims célèbre pour son pinot noir. Maurice Vesselle a inscrit la première fois son prénom sur une étiquette en 1955. Didier et Thierry, ses fils, sont attachés aux pratiques traditionnelles et labourent l'ensemble de leur vignoble. (RM)

Un assemblage de 80 % de pinot noir et de 20 % de chardonnay des années 2009, 2008 et 2007 et une vinification sans fermentation malolactique pour ce brut à la robe bien dorée, aux arômes discrets de fruits jaunes. Plus prolixe, d'une grande fraîcheur, la bouche se partage entre fruits jaunes et blancs et notes briochées. ⧗ 2016-2019 🍴 dorade au four

MAURICE VESSELLE, 2, rue Yvonnet, 51150 Bouzy, tél. 03 26 57 00 81, champagne.vesselle@wanadoo.fr V r.-v.

JEAN VESSELLE
Brut nature Blanc de blancs de Bouzy Pur B3 2011 ★

● Gd cru	1752		30 à 50 €

Les ancêtres de Delphine Vesselle étaient déjà vignerons à Bouzy il y a trois siècles, alors que le vin du cru, rouge et sans bulle, était célèbre à la cour. Son arrière-grand-père constitue le domaine en 1896 et élabore du champagne dès le début du XXᵉs. La récoltante a pris les rênes de l'exploitation dès la fin de ses études, en 1994, un an avant la disparition de son père Jean. Elle conduit avec son mari David 15 ha de vignes. (RM)

B3? Entendez «Blanc de blancs de Bouzy». Une originalité dans ce grand cru célèbre pour son pinot noir. Le chardonnay a été vinifié en fût champenois et le vin a vieilli quatre ans sur lattes. Les 2,25 g/l de sucres résiduels sont ceux du raisin (brut nature). Le champagne brille par son nez complexe et élégant: tilleul, fougères, agrumes, abricot, brioche et pain grillé s'allient au nez et s'épanouissent dans une bouche harmonieuse, fraîche et longue. ⧗ 2016-2019 🍴 carpaccio de bar aux fruits

JEAN VESSELLE, 4, rue Victor-Hugo, 51150 Bouzy, tél. 03 26 57 01 55, contact@champagnejeanvesselle.fr V r.-v.

ALAIN VESSELLE Cuvée Saint-Éloi

● Gd cru	25000	20 à 30 €

Une des branches de la famille Vesselle, établie depuis 1885 à Bouzy, village classé en grand cru sur le flanc sud et sud-est de la Montagne de Reims. Après Alain, puis Éloi, Guillaume Vesselle a repris les rênes de l'exploitation en 2014. (RM)

Mi-pinot noir mi-chardonnay, ce brut sans année mêle avec finesse minéralité et agrumes. Fraîche en attaque, bien fondue, la bouche offre une finale nerveuse. ⧗ 2016-2020 🍴 saint-jacques sauce agrumes

ALAIN VESSELLE, 15, rue de Louvois, 51150 Bouzy, tél. 03 26 57 00 88, contact@champagne-alainvesselle.fr V r.-v.

♥ GEORGES VESSELLE Brut nature 2009 ★★

● Gd cru	15000		20 à 30 €

GRAND CRU
CHAMPAGNE
GEORGES VESSELLE
2009
BRUT NATURE
à BOUZY

La famille Vesselle est installée depuis plusieurs générations à Bouzy, célèbre grand cru de la Montagne de Reims. Georges, qui fut durant vingt-cinq ans maire du village, a créé la maison en 1954. Ses deux derniers fils, Éric et Bruno, se sont associés avec lui en 1993 avant de reprendre l'affaire, forte de 17 ha principalement dédiés au pinot noir. (NM)

Cet extra-brut doit à la météo clémente de l'année 2009 et au caractère solaire du terroir de Bouzy la belle maturité de ses pinots noirs, qui composent 90 % de ce millésimé, avec le chardonnay en appoint. La patience et le savoir-faire du vigneron ont fait le reste pour livrer aujourd'hui un champagne à son apogée. Sa robe est vieil or et son nez intense, sur les fruits confiturés – fruits rouges, quetsche et pomme. Des arômes qui s'épanouissent dans une bouche persistante et d'un rare équilibre. ⧗ 2016-2019 🍴 foie gras poêlé ● **Gd cru Extra-brut Blanc de noirs ★★ (30 à 50 €; 5000 b.)** : un pur pinot noir de Bouzy vieilli trois ans sur lattes, comme un millésimé. Ses senteurs toastées et briochées, mâtinées de fruits secs, composent une bien agréable palette aromatique qui s'enrichit en bouche de notes d'agrumes (orange et pamplemousse). À la fois corpulent et frais, c'est un champagne épanoui, qui séduira les amateurs les plus exigeants. ⧗ 2017-2020 🍴 chapon rôti

GEORGES VESSELLE, 16, rue des Postes, 51150 Bouzy, tél. 03 26 57 00 15, contact@champagne-vesselle.fr V *t.l.j. sf sam. dim. 9h-12h 14h-17h* ⑤

VEUVE A. DEVAUX Cuvée rosée ★

| 20000 | | 20 à 30 € |

Les frères Jules et Auguste Devaux fondent au milieu du XIXes. une maison de champagne qui a pignon sur rue à Épernay et que la dernière génération, sans héritier, cède en 1987 à l'Union auboise, importante coopérative créée en 1967. Sous cette marque, la cave « habille » son haut de gamme. (CM)

Assemblage de pinot noir et de chardonnay, cette cuvée arbore une robe rose pâle aux reflets dorés parcourue d'un joli cordon de fines bulles qui portent des senteurs aériennes et vives de groseille, de fleurs et d'agrumes. La bouche, à l'unisson, séduit par sa fraîcheur et par son élégance. ⧗ 2016-2019 ⊤ tartare de langoustine ● **Cuvée D (30 à 50 €; 100000 b.)** : vin cité.

⊶ DEVAUX, Dom. de Villeneuve, 10110 Bar-sur-Seine, tél. 03 25 38 30 65, mariegillet@champagne-devaux.fr V r.-v. ⊶ Union auboise

VEUVE DOUSSOT Tradition

| 80000 | | 11 à 15 € |

Stéphane Joly est établi à l'est de Bar-sur-Seine où il dirige depuis 2000 la maison créée en 1973 par son grand-père. Son vignoble de plus de 7 ha est implanté dans l'Aube, au pied du plateau de Blu (357 m), un des points culminants de la Champagne viticole. (NM)

Complété par le chardonnay, le pinot noir est en vedette (85 %) dans l'assemblage de cette cuvée au nez ouvert sur les fleurs blanches et les agrumes. Fraîche à l'attaque, la bouche est citronnée et minérale, mais sa texture apparaît crémeuse et chaleureuse. ⧗ 2016-2019 ⊤ turbot rôti ● **Blanc de blancs (15 à 20 €; 10000 b.)** : vin cité.

⊶ SARL CHATET, 1, rue de Chatet, 10360 Noé-les-Mallets, tél. 03 25 29 60 61, champagne.veuve.doussot@wanadoo.fr V t.l.j. sf dim. 9h-12h 14h-17h; f. août

VEUVE ELÉONORE
Blanc de blancs Émotion ★★

| Gd cru | n.c. | | 15 à 20 € |

Bernard Dzieciuck crée en 1965 son exploitation dans la Côte des Blancs, à partir de 5 ares de vignes, et élabore son premier champagne dix ans plus tard. Aujourd'hui, ses enfants Didier, à la cave, et Carole, à la commercialisation, mettent en valeur un vignoble de plus de 13 ha. (RM)

Un chardonnay complexe, tout en élégance. Au nez, de frais arômes d'acacia et de pamplemousse, qui se nuancent à l'aération de notes beurrées et briochées. Après une attaque franche, les agrumes et la pêche blanche s'épanouissent et s'attardent longuement au palais. ⧗ 2016-2020 ⊤ tartare de saumon ● **Gd cru Blanc de blancs Excellence 2009 ★ (15 à 20 €; n.c.)** : ce 2009 révèle sa maturité dans des notes de fruits mûrs, de pruneau et de toast. La brioche, la pâtisserie et le cuir s'ajoutent à cette palette dans un palais structuré et rond, qui a gardé sa fraîcheur. Un champagne de repas. ⧗ 2016-2023 ⊤ poulet au champagne

⊶ DIDIER DZIECIUCK, 11, rue Margot, 51190 Oger, tél. 03 26 57 50 49, veuve.eleonore@cder.fr V r.-v.

VEUVE MAITRE-GEOFFROY Carte d'or 2011 ★

| 1er cru | 10000 | | 15 à 20 € |

Thierry Maître et son fils Maxime perpétuent l'exploitation fondée en 1878 par leur aïeule devenue veuve. Situé dans la Grande Vallée de la Marne, le domaine couvre 12 ha. Il a son siège à Cumières, un 1er cru réputé pour sa précocité. (RM)

Mariant le pinot noir (60 %) et le chardonnay, cette cuvée affiche sa maturité dans ses arômes de fruits mûrs, de coing et d'abricot confit. La bouche reste fraîche, élégante, avec ses arômes légèrement marqués par les agrumes et sa finale acidulée. ⧗ 2016-2019 ⊤ feuilleté de saint-jacques

⊶ VEUVE MAITRE-GEOFFROY, 116, rue Gaston-Poittevin, 51480 Cumières, tél. 03 26 55 29 87, th.maitre@wanadoo.fr V r.-v.

VEUVE OLIVIER ET FILS Vieille Réserve ★

| | 30000 | 15 à 20 € |

Domaine constitué en 1922 sur la rive droite de la Marne par Edmond Olivier. La marque a été lancée en 1955 par sa fille. C'est aujourd'hui l'arrière-petite-fille du fondateur, Sandrine Charpentier-Olivier, qui met en valeur le coquet vignoble familial, qui compte 18 ha. (RM)

Deux tiers de raisins noirs (pinot noir surtout, 45 %) pour un tiers de chardonnay dans cette cuvée assemblant les vendanges 2010 (deux tiers) et 2008. Si le nez est discret, ce champagne retient l'attention par son palais structuré, ample, tendu et long, aux arômes de fruits confits. ⧗ 2016-2019 ⊤ pâté chaud en croûte

⊶ VEUVE OLIVIER ET FILS, 10, rte de Dormans, 02850 Trélou-sur-Marne, tél. 03 23 70 24 01, info@champagne-veuve-olivier.com V r.-v.

MARCEL VÉZIEN Cuvée Prestige Double Eagle II

| 14000 | | 15 à 20 € |

Armand Vézien plante les premiers pieds de vigne à la fin du XIXes. Son petit-fils Marcel élabore les premières cuvées en 1958. Aujourd'hui, Jean-Pierre Vézien gère une affaire de négoce, forte d'une vingtaine d'hectares dans l'Aube. (NM)

Portant le nom de la montgolfière américaine qui réussit en 1978 la traversée de l'Atlantique avec trois aéronautes à son bord, ce champagne assemble trois quarts de pinot noir et un quart de chardonnay. Il demande de l'aération avant de livrer un fruité intense. C'est surtout en bouche qu'il séduit par sa structure ample, en harmonie avec ses notes de fruits mûrs, compotés et réglissés. ⧗ 2016-2019 ⊤ carré de veau aux morilles

⊶ MARCEL VÉZIEN ET FILS, 68, Grande-Rue, 10110 Celles-sur-Ource, tél. 03 25 38 50 22, marcelvezien@champagne-vezien.com V t.l.j. 8h30-11h45 13h30-16h45; sam. dim. sur r.-v.

FLORENT VIARD 2006 ★★

| 1er cru | 3000 | | 15 à 20 € |

En s'installant sur le domaine familial en 1994, Florent Viard a commencé à signer les champagnes de la propriété. Il cultive 4,5 ha dans la Côte des Blancs et confie sa récolte à la coopérative de la Goutte d'Or à Vertus. (RC)

CHAMPAGNE

Un blanc de blancs 2006 au nez frais et d'une grande finesse, sur la poire et la réglisse. Dans une admirable continuité, le palais affirme sa pleine maturité par une présence aromatique affirmée, une structure fine et fondue, un toucher harmonieux et une belle persistance en bouche. À son apogée. ⧗ 2016-2019 🍷 bar au champagne

⊶ FLORENT VIARD, 35, av. Saint-Vincent, 51130 Vertus, tél. 03 26 51 60 82, champagne.florent.viard@orange.fr V 🚶 🍷 *r.-v.*

VIGNON PÈRE ET FILS Réserve des marquises 2012

● Gd cru	4000	🍾	20 à 30 €

Ce domaine familial a lancé sa marque en 1946. Il couvre près de 7 ha dans la Montagne de Reims. D'abord caviste, Stéphane Vignon s'est installé en 2013. Fidèle à la tradition familiale, il élève ses vins de base en fût; à l'instar de René Muré, vigneron d'Alsace chez qui il s'est formé, il intervient le moins possible en cave: pas de levurage ni de collage, pas de filtration ou de passage au froid... (RM)

Deux tiers de pinot noir pour un tiers de chardonnay dans cette cuvée dosée en extra-brut. Un 2012, «millésime de vigneron». Les conditions très humides de cet été-là ont donné des sueurs froides aux viticulteurs et certains n'ont pu rentrer une récolte normale. Stéphane Vignon a évité les écueils et a présenté un champagne honorable. Son nez floral et minéral, sa vivacité traduisent sa jeunesse; sa vinification sous bois lui lègue des senteurs de torréfaction et une belle richesse et rondeur en bouche. ⧗ 2017-2020 🍷 carpaccio de saint-jacques

⊶ VIGNON PÈRE ET FILS, 10, rue Collet, 51360 Verzenay, tél. 09 61 49 05 71, vignon.marquises@orange.fr V 🚶 🍷 *r.-v.*

VILMART & CIE Cœur de cuvée 2008

● 1er cru	8560	🍾	50 à 75 €

Domaine fondé en 1890 par Désiré Vilmart, au sud de Reims. Un siècle plus tard, son arrière-arrière-petit-fils, Laurent Champs, en a pris les rênes. Il dispose de 11 ha partagés entre chardonnay (majoritaire) et pinot noir. À la cave, il évite la fermentation malolactique et, comme les vignerons du XVIes. représentés sur les stalles de l'église de Rilly, il est resté fidèle au bois pour l'élevage de ses vins. (NM)

Une cuvée privilégiant le chardonnay (80 %, avec le pinot noir en appoint). Le séjour de dix mois en fût ne masque pas le fruit dans ce champagne harmonieux aux plaisants arômes d'agrumes confits, de pêche et de fruits exotiques qui persistent longtemps. ⧗ 2016-2019 🍷 tartare de saint-jacques ● **1er cru Grand Cellier d'or 2011 (30 à 50 €; 8500 b.)** : vin cité.

⊶ VILMART ET CIE, 5, rue des Gravières, BP N° 4, 51500 Rilly-la-Montagne, tél. 03 26 03 40 01, laurent.champs@champagnevilmart.fr V 🚶 🍷 *t.l.j. sf sam. dim. 9h-12h 14h-17h ⊶ Laurent Champs*

A. VIOT ET FILS 2008 ★

●	5946	15 à 20 €

Fondée au lendemain de la Première Guerre mondiale, cette propriété proche de Bar-sur-Aube a élaboré ses premiers champagnes en 1921. Julien Viot, qui représente la quatrième génération, la dirige depuis 2005. Il exploite 8 ha de vignes et commercialise ses bouteilles après au moins quatre ans de vieillissement en cave. (RM)

Trois quarts de chardonnay et un quart de pinot noir s'allient dans ce 2008 qui dévoile à l'aération une palette complexe mêlant des senteurs fraîches de fleurs, d'ananas et de citron et des notes plus mûres de fruits secs et d'abricot. Tout aussi complexe, la bouche, elle aussi, est partagée entre maturité et fraîcheur, avec une attaque franche, une belle tension et une finale sur les fruits à l'alcool. ⧗ 2016-2019 🍷 bar au four ● **Prestige Sélection (15 à 20 €; 10113 b.)** : vin cité. ● **Sélection (11 à 15 €; 35748 b.)** : vin cité.

⊶ A. VIOT ET FILS, 67, Grande-Rue, 10200 Colombé-la-Fosse, tél. 03 25 27 02 07, champagneviot@wanadoo.fr V 🚶 🍷 *r.-v.*

VOIRIN-JUMEL Rosé de saignée ★

●	8000	15 à 20 €

En 1945, les Voirin élaborent leurs premières cuvées et les Jumel achètent des vignes. La marque est lancée en 1967. Depuis 1980, Patrick et Alice Voirin, frère et sœur, exploitent le domaine: 12 ha de vignes situées principalement dans la Côte des Blancs. (RM)

Sa robe colorée aux reflets grenadine reflète son élaboration par macération du pinot noir. À cette intensité de couleur répondent de puissants arômes de fruits rouges acidulés (groseille) qui persistent longuement en bouche. Franc, ample et gourmand, un rosé de caractère. ⧗ 2016-2020 🍷 soupe de fruits rouges ● **Gd cru Brut zéro Blanc de blancs (15 à 20 €; 10000 b.)** : vin cité.

⊶ VOIRIN-JUMEL, 555, rue de la Libération, 51530 Cramant, tél. 03 26 57 55 82, info@champagne-voirin-jumel.com V 🚶 🍷 *t.l.j. sf dim. 9h-11h30 13h30-17h* 🏠 ❷ 🏠 Ⓔ

WARIS ET FILLES La Cardinale ★

● Gd cru	2000	🍾	20 à 30 €

Bertrand et Virginie Waris représentent la quatrième génération de Waris sur le domaine qui couvre 7 ha répartis entre Côte des Blancs, Sézannais, vallée de l'Ardre et Côte des Bar (Aube). Ils ont lancé leur étiquette en 2002, peu après leur installation. (RM)

Resté quatre ans sur lattes, ce blanc de blancs des années 2011 et 2010 a séjourné quatre mois en fût, ce qui l'a fait bénéficier d'une courte oxydation ménagée. Ses arômes de pomme compotée et de fruits jaunes s'expriment harmonieusement, sans ostentation. La bouche, à l'unisson, est harmonieuse et longue. ⧗ 2016-2018 🍷 saint-jacques poêlées ● **2013 (15 à 20 €; 3000 b.)** : vin cité.

⊶ WARIS ET FILLES, 6, rue d'Oger, 51190 Avize, tél. 04 67 77 21 42, virginie.waris@wanadoo.fr V 🚶 🍷 *r.-v.*

WARIS-HUBERT
Blanc de blancs Brut zéro ★

● Gd cru	4000	🍾	15 à 20 €

Olivier Waris et son épouse Stéphanie conduisent depuis 1997 ce vignoble de 11,5 ha dispersés dans la Côte des Blancs, le Sézannais, la vallée de l'Ardre et la Côte des Bar. Succédant à trois générations de viticulteurs, le vigneron s'est lancé dans l'élaboration du champagne. (RM)

Issu de raisins d'Avize, de Cramant et d'Oger, grands crus de la Côte des Blancs, un blanc de blancs or très clair aux reflets verts, au nez flatteur de pomme et de fruits jaunes, à la bouche élégante, fraîche et minérale. ⧗ 2016-2021 🍴 buisson de langoustines

WARIS-HUBERT, 14, rue d'Oger, 51190 Avize, tél. 03 26 58 29 93, olivier.waris@orange.fr V t.l.j. sf dim. 9h30-12h 14h-18h; f. 15-31 août

WARIS-LARMANDIER Blanc de blancs Tradition ★

● Gd cru	n.c.	🍾	20 à 30 €

Marie-Hélène Waris-Larmandier, aujourd'hui associée avec ses trois enfants, exploite le domaine. Son frère François et son fils aîné Jean-Philippe, arrivé sur l'exploitation en 2010, se chargent de l'élaboration des cuvées, toute une gamme de blancs de blancs provenant d'un vignoble de 7 ha situé dans la Côte des Blancs. (RM)

Au nez, des fleurs blanches, puis de la viennoiserie. La bouche ronde, vineuse et briochée confirme la maturité de ce blanc de blancs à consommer sans trop tarder. ⧗ 2016-2018 🍴 feuilletés aux saint-jacques ● **(15 à 20 €; n.c.)** : vin cité.

WARIS-LARMANDIER, 608, rempart du Nord, 51190 Avize, tél. 03 26 57 79 05, earlwarislarmandier@wanadoo.fr V r.-v.

COTEAUX-CHAMPENOIS

Production : 550 hl

Appelés à l'origine vins nature de Champagne, ils devinrent AOC en 1974 et prirent le nom de coteaux-champenois. Tranquilles, souvent rouges, plus rarement blancs ou rosés, ils sont la survivance de temps antérieurs à la naissance du champagne. Comme ce dernier, ils peuvent naître de raisins noirs vinifiés en blanc (blanc de noirs), de raisins blancs (blanc de blancs) ou encore d'assemblages. Le coteaux-champenois rouge le plus connu porte le nom de la célèbre commune de Bouzy (grand cru de pinot noir). Dans cette commune, on peut découvrir l'un des deux vignobles les plus étranges au monde (l'autre est situé à Aÿ): de «vieilles vignes françaises préphylloxériques», conduites en foule, selon une technique immémoriale abandonnée partout ailleurs. Tous les travaux sont exécutés artisanalement, à l'aide d'outils anciens. C'est la maison Bollinger qui entretient ce joyau destiné à l'élaboration d'un rare champagne. Les coteaux-champenois se boivent jeunes, à 7-8 °C pour les blancs, à 9-10 °C pour les rouges que l'on pourra, pour quelques années exceptionnelles, laisser vieillir.

♥ **BAUSER** 2014 ★★★

■	n.c.	🍾	11 à 15 €

Après avoir constitué son vignoble dans les années 1960, René Bauser a quitté la coopérative des Riceys et lancé sa marque en 1970. Aujourd'hui, ses trois enfants conduisent 16 ha dans l'Aube. Cépage roi des Riceys, le pinot noir est à l'honneur dans les cuvées du domaine, que ce soit en champagne ou en vins tranquilles (coteaux-champenois et rosé-des-riceys). (RM)

Cépage roi de la Côte des Bar, le pinot noir règne sans partage dans ce vin rouge aubois. Il règne aussi sur la sélection annuelle du Guide, d'ailleurs au-dessus de la moyenne. Élevé en cuve, ce 2014 revêt une robe claire, de couleur framboise. Le nez pimpant est tout en fruits rouges et en fraîcheur. La bouche, à l'unisson, est intense, tonique, délicate, soyeuse. De bien belles qualités qui persistent longuement. ⧗ 2016-2021 🍴 dinde farcie

BAUSER, 36, rue de la Voie-Pouche, 10340 Les Riceys, tél. 03 25 29 37 37, contact@champagne-bauser.com V t.l.j. sf dim. 10h-12h 15h-18h

DANIEL ÉTIENNE Cumières 2012 ★★

■	1418	🛢	15 à 20 €

Depuis quatre générations, la famille Étienne cultive la vigne à Cumières, dans la Grande Vallée de la Marne. Exposé au sud, son vignoble est connu pour sa précocité et fournit, outre des champagnes en 1er cru, des vins rouges réputés. Après le père, Jean-Marie, connu de nos premiers lecteurs, Daniel, son fils, signe la production depuis 2009. (RM)

Le 2009 de ce producteur avait été remarqué. Ce 2012, lui aussi de pur pinot noir, est tout aussi séduisant. Élevé neuf mois en fût de chêne, il revêt une robe cerise légèrement évoluée. Le nez, sur la cerise, les fleurs et les épices, charme par sa fraîcheur et par son élégance. La cerise reste au cœur d'une bouche souple, à la fois suave et acidulée. ⧗ 2016-2019 🍴 côte de bœuf

DANIEL ÉTIENNE, 166, rue de Dizy, 51480 Cumières, tél. 03 26 55 14 33, champagne.etiennedaniel@wanadoo.fr V r.-v. 4

GEOFFROY Cumières 2012 ★

■	1900	🛢	20 à 30 €

Perpétuant une tradition vigneronne remontant au XVIIe s., Jean-Baptiste Geoffroy est installé depuis 2006 à Aÿ, dans les locaux d'une ancienne coopérative. Ses racines sont à Cumières, village sur la rive droite de la Marne, presque en face d'Épernay, où

il cultive 13,5 ha. Il a succédé à René, bien connu de nos premiers lecteurs. (RM)

Le pinot noir de Cumières est plus connu que le meunier, mais ce dernier cépage prospère aussi sur ces coteaux bien exposés. Jean-Baptiste Geoffroy l'a vinifié en cuve de bois et élevé douze mois en fût. Le vin en ressort bien coloré et délivre de francs parfums de cassis et autres baies noires, qui prennent à l'aération des nuances de kirsch. Dans le même registre, la bouche est puissante, mais d'une rondeur élégante, avec un bon support acide. Déjà agréable, ce 2012 devrait bien évoluer. ⧗ 2016-2021 🍷 foie gras poêlé

GEOFFROY, 4, rue Jeanson, 51160 Aÿ, tél. 03 26 55 32 31, info@champagne-geoffroy.com V r.-v.

PATRICE MARC Fleury-la-Rivière 2014 ★

■	1200		20 à 30 €

À la tête de 3,6 ha de vignes, Patrice Marc, rejoint par Grégory, perpétue une lignée de vignerons qui remonte à 1625. Il est installé à Fleury-la-Rivière, dans une petite vallée, sur la rive droite de la Marne. Il exporte 66 % de sa production. (RM)

Dans la vallée de la Marne, le pinot meunier tend à l'emporter sur le pinot noir. C'est ce cépage qui est à l'origine de ce vin au joli nez de cerise épicée, que sa souplesse en bouche fera apprécier dès maintenant. De l'élégance. ⧗ 2016-2017 🍷 brie de Meaux

MARC, 1, rue du Creux-Chemin, 51480 Fleury-la-Rivière, tél. 03 26 58 46 88, contact@champagne-marc.fr V r.-v. *(07 71 28 08 88)*

MORIZE PÈRE ET FILS 2009

■	3390		15 à 20 €

Établis aux Riceys (Aube) depuis 1830, les Morize sont récoltants-manipulants depuis trois générations. Guy Morize, installé en 1970, dispose d'un vignoble de plus de 6 ha et de splendides caves voûtées bâties par les Cisterciens au XIIes. (RM)

Élevé brièvement (trois mois) en fût, ce 2009 montre son âge dans sa robe vermillon. Délicatement épicé, soyeux et frais, il sera apprécié dès la sortie du Guide. ⧗ 2016-2017 🍷 tendrons de veau braisés

MORIZE PÈRE ET FILS, 122, rue du Gal-de-Gaulle, 10340 Les Riceys, tél. 03 25 29 30 02, champagnemorize@wanadoo.fr V r.-v.

RENÉ RUTAT Vertus 2013 ★★

■	1000		15 à 20 €

Les grands-parents de Michel Rutat, viticulteurs, apportaient leur récolte à la coopérative de Vertus, village situé dans la partie sud de la Côte des Blancs. Son père, René Rutat, devint récoltant-manipulant. En 1985, l'exploitant actuel reprit le domaine (7 ha) et modernisa l'outil de travail. (RM)

Si le chardonnay règne à peu près sans partage dans la plupart des villages de la Côte des Blancs, Vertus, dans la partie sud de ce vignoble, compte 10 % de pinot noir et quelques pieds de meunier. Michel Rutat en a tiré un vin au nez élégant, sur la cerise, les fruits noirs et les épices. La bouche ne déçoit pas, fraîche, structurée et pourtant déliée. ⧗ 2016-2019 🍷 pintade rôtie

MICHEL RUTAT, 27, av. du Gal-de-Gaulle, 51130 Vertus, tél. 03 26 52 14 79, champagne-rutat@wanadoo.fr V r.-v.

EMMANUEL TASSIN Les Fioles 2010 ★

■	900		11 à 15 €

Installés dans la Côte des Bar (Aube), les Tassin sont vignerons de père en fils et se sont lancés dans l'élaboration du champagne dès 1930. Emmanuel Tassin a repris en 1987 l'exploitation familiale et lancé son étiquette. Il exploite 9 ha dans la vallée de l'Ource. (RM)

De vieilles vignes de pinot noir plantées d'un coteau bien exposé de Celles-sur-Ource sont à l'origine de ce 2010 élaboré pour la garde, qui a séjourné quinze mois en fûts (neufs pour un quart). Si l'élevage se perçoit au nez comme en bouche, le chêne est bien intégré et laisse percer des arômes de fruits rouges, que le bois rehausse d'épices. Prêt à passer à table, ce vin rond et bien construit a évolué dans le bon sens, et pour certains dégustateurs, il a encore des réserves. ⧗ 2016-2019 🍷 côte de bœuf

EMMANUEL TASSIN, 104, Grande-Rue, 10110 Celles-sur-Ource, tél. 03 25 38 59 44, champagne.tassin.emmanuel@sfr.fr V r.-v.

JEAN VESSELLE 2006 ★★

■	2572		15 à 20 €

Les ancêtres de Delphine Vesselle étaient déjà vignerons à Bouzy il y a trois siècles, alors que le vin du cru, rouge et sans bulle, était célèbre à la cour. Son arrière-grand-père constitue le domaine en 1896 et élabore du champagne dès le début du XXes. La récoltante a pris les rênes de l'exploitation dès la fin de ses études, en 1994, un an avant la disparition de son père Jean. Elle conduit avec son mari David 15 ha de vignes. (RM)

Ce vin montre des reflets brique qui signent son âge. Épicé au nez, il séduit par sa bouche soyeuse, intense, fruitée et longue, toujours fraîche. On pourra l'apprécier dès maintenant, mais il devrait encore se conserver quelques années. ⧗ 2016-2020 🍷 pigeon rôti

JEAN VESSELLE, 4, rue Victor-Hugo, 51150 Bouzy, tél. 03 26 57 01 55, contact@champagnejeanvesselle.fr V r.-v.

ROSÉ-DES-RICEYS

Production : 360 hl

Les trois villages des Riceys (Haut, Haute-Rive et Bas) sont situés à l'extrême sud de l'Aube, non loin de Bar-sur-Seine. La commune accueille les trois appellations: champagne, coteaux-champenois et rosé-des-riceys. Ce dernier est un vin tranquille, l'un des meilleurs rosés de France. Déjà apprécié par Louis XIV, il aurait été apporté à Versailles par les

canats, spécialistes réalisant les fondations du château, originaires des Riceys.
Ce rosé est issu de la vinification par macération courte de pinot noir, dont le degré alcoolique naturel ne peut être inférieur à 10 % vol. Il faut interrompre la macération – saigner la cuve – à l'instant précis où apparaît le «goût des Riceys» (un goût d'amande et de fruits rouges) qui, sinon, disparaît. Ne sont labellisés que les rosés marqués par ce goût spécial. Élevé en cuve, le rosé-des-riceys se boit jeune, à 8-9 °C, à l'apéritif ou en entrée; élevé en pièce, il mérite d'attendre entre trois et cinq ans, et on le servira alors à 10-12 °C pendant le repas.

BAUSER 2014

■ | n.c. | ▮ | 11 à 15 €

Après avoir constitué son vignoble dans les années 1960, René Bauser a quitté la coopérative des Riceys et lancé sa marque en 1970. Aujourd'hui, ses trois enfants conduisent 16 ha dans l'Aube. Cépage roi des Riceys, le pinot noir est à l'honneur dans les cuvées du domaine, que ce soit en champagne ou en vins tranquilles (coteaux-champenois et rosé-des-riceys). (RM)

Très coloré, ce rosé-des-riceys a la couleur de la cerise; il en a les parfums, rehaussés d'épices douces. Il séduit par son attaque ample, mais finit sur une note plus austère. ⧗ 2016-2019 ▼ côte de veau grillée

⊶ *BAUSER, 36, rue de la Voie-Pouche, 10340 Les Riceys, tél. 03 25 29 37 37, contact@champagne-bauser.com* V *t.l.j. sf dim. 10h-12h 15h-18h*

GUY LAMOUREUX 2014 ★

■ | 2600 | ▮ | 11 à 15 €

Les Lamoureux sont installés de longue date aux Riceys (Aube), important village de la Champagne méridionale connu pour son rosé tranquille. Aujourd'hui, Stéphane et Alexandre Lamoureux exploitent un vignoble de près de 9 ha et mettent en valeur la marque créée en 1970 par Guy Lamoureux. (RM)

Un foulage léger, une vendange entière, une macération de quatre jours et un élevage de 20 % en fût pour ce rosé-des-riceys couleur cerise. Il est jugé très représentatif de l'appellation, fin et élégant, avec son nez franc et frais de petits fruits rouges et sa bouche souple et légère, à la finale réglissée. ⧗ 2016-2019 ▼ pintade aux pruneaux

⊶ *GUY LAMOUREUX, 10, rue des Riceys, 10340 Les Riceys, tél. 03 25 29 34 39, champagneguylamoureux@wanadoo.fr* V *r.-v.*

JEAN-JACQUES LAMOUREUX 2013

■ | 3750 | ▮ | 11 à 15 €

René Lamoureux a planté ses premières vignes en 1947 aux Riceys, relayé en 1978 par Jean-Jacques qui a lancé son champagne en 1985. Son fils Vivien, œnologue, officie aujourd'hui en cave. Le domaine couvre aujourd'hui 11 ha. (RM)

Saumon foncé aux reflets cerise, ce 2013 est resté très frais, avec son nez partagé entre l'orange et les fruits rouges et son palais où l'on retrouve les agrumes. La matière est légère, la finale un peu courte, mais l'ensemble plaisant. ⧗ 2016-2019 ▼ escalope de veau au citron

⊶ *JEAN-JACQUES LAMOUREUX, 27 bis, rue du Gal-de-Gaulle, 10340 Les Riceys, tél. 03 25 29 11 55, champlamoureux@orange.fr* V *t.l.j. sf dim. 10h-12h 14h-18h*

CHAMPAGNE

IGP HAUTE-MARNE

LE MUID MONTSAUGEONNAIS
Pinot noir Cuvée Exception 2014 ★★

■ | 2400 | ▮ | 8 à 11 €

Après un long sommeil dû à la crise phylloxérique de la fin du XIXᵉs., le vignoble de la Haute-Marne renaît de ses cendres depuis la fin des années 1980 grâce à l'action d'une poignée d'hommes du terroir, à l'image de Dominique Bernard, à la tête depuis 1989 d'un vignoble de près de 13 ha établi sur les coteaux du Montsaugeonnais.

Encore une belle série de vins pour Dominique Bernard, notamment cette cuvée Exception née d'un pinot noir de vingt-six ans et passée sous bois pendant dix-huit mois. Au nez, ce sont toutefois les fruits, rouges et noirs bien mûrs, qui dominent, le boisé restant discret. On retrouve le fruit dans une bouche équilibrée, ample, dense et longue, épaulée par une belle fraîcheur et des tanins veloutés. De l'élégance et du potentiel. ⧗ 2018-2024 ▼ cailles farcies ■ **Pinot noir Élevé en fût 2014 ★ (8 à 11 €; 17700 b.)** : au nez, une touche végétale, des fruits rouges et des notes de tabac blond; des arômes prolongés par une bouche bien charpentée par des tanins serrés qui doivent encore s'affiner. ⧗ 2018-2023 ▼ carré d'agneau ■ **Chardonnay 2015 (5 à 8 €; 34200 b.)** : vin cité.

⊶ *LE MUID MONTSAUGEONNAIS, 12, av. de Bourgogne, 52190 Vaux-sous-Aubigny, tél. 03 25 90 04 65, muidmontsaugeonnais@orange.fr* V *r.-v.*

Le Jura, la Savoie et le Bugey

• LE JURA

SUPERFICIE : 1 950 ha
PRODUCTION MOYENNE : 86 000 hl
TYPES DE VINS : Blancs pour les deux tiers, rouges et rosés (un tiers), effervescents.
SPÉCIALITÉS : vins jaunes (vins de voile) et liquoreux (vins de paille).
CÉPAGES :
Rouges : pinot noir, poulsard (ou ploussard), trousseau.
Blancs : chardonnay, savagnin.

• LA SAVOIE ET LE BUGEY

SUPERFICIE : 2 031 ha
PRODUCTION : 106 990 hl
TYPES DE VINS : Blancs majoritairement (70 %), secs pour la plupart ; rouges et quelques rosés. Quelques blancs effervescents.
CÉPAGES :
Rouges : mondeuse; gamay; pinot noir.
Blancs : jacquère (majoritaire); altesse; bergeron (roussanne); chasselas; chardonnay; molette; gringet.

LE JURA

Faisant pendant à celui de la Bourgogne, le vignoble du Jura, soumis à un climat plus continental, est d'une superficie bien plus restreinte. S'il cultive largement le chardonnay et le pinot noir bourguignons, il choie des cépages autochtones, comme le savagnin en blanc et le trousseau et le poulsard en rouge. Les amateurs prisent ses productions aussi originales que confidentielles, telles que le vin de paille, le vin jaune et le macvin.

Face à la Côte d'Or. Le vignoble, situé sur la rive gauche de la Saône, occupe les pentes qui descendent du premier plateau des monts du Jura vers la plaine, selon une bande nord-sud traversant tout le département, de la région de Salins-les-Bains à celle de Saint-Amour. Ces pentes, beaucoup plus dispersées et irrégulières que celles de la Côte-d'Or, se répartissent sous toutes les expositions, à une altitude se situant entre 250 et 400 m.

Nettement continental, le climat voit ses caractères accusés par l'orientation générale en façade ouest et par les traits spécifiques du relief jurassien, notamment l'existence des «reculées», ces profondes échancrures du plateau; les hivers sont très rudes et les étés très irréguliers, mais avec souvent beaucoup de journées chaudes. La vendange se prolonge parfois jusqu'à novembre en raison des différences de précocité entre les cépages. Les sols marneux et argileux sont en majorité issus du trias et du lias, surtout dans la partie nord, ainsi que des calcaires qui les surmontent, surtout dans le sud du département. Les cépages locaux sont parfaitement adaptés à ces terrains. Ils nécessitent toutefois un mode de conduite assez élevé au-dessus du sol, pour éloigner le raisin d'une humidité parfois néfaste à l'automne. C'est la taille dite «en courgées», longs bois arqués que l'on retrouve sur les sols semblables du Mâconnais. La culture de la vigne est ici très ancienne: elle remonte au moins au début de l'ère chrétienne si l'on en croit les textes de Pline; et il est sûr que le vin du Jura, qu'appréciait tout particulièrement Henri IV, était fort en vogue dès le Moyen Âge. La région compta jusqu'à 20 000 ha de vignes avant la crise phylloxérique.

Des vins originaux. Des cépages locaux voisinent avec d'autres, issus de la Bourgogne. Le poulsard (ou ploussard) est propre aux premières marches des monts du Jura; il n'a été cultivé, semble-t-il, que dans le Revermont, ensemble géographique incluant également le vignoble du Bugey, où il porte le nom de mècle. Ce raisin à gros grains oblongs, très parfumé et peu coloré, contient peu de tanin. C'est le cépage type des vins rosés, vinifiés ici le plus souvent comme des rouges. Le trousseau, autre cépage local, est en revanche riche en couleur et en tanin. Il donne naissance à des vins rouges caractéristiques des appellations d'origine du Jura. Le pinot noir, venu de la Bourgogne, est utilisé en assemblage ou vinifié seul. Il contribue aussi, avec le chardonnay, au crémant-du-jura, vin effervescent élaboré selon la méthode traditionnelle. Le chardonnay, comme en Bourgogne, réussit ici parfaitement sur les terres argileuses, où il apporte aux vins blancs leur bouquet inégalable. Le savagnin est le cépage blanc local. Il est cultivé sur les marnes les plus ingrates, et donne, après plus de six ans d'élevage spécial dans des fûts en vidange (non ouillés), le vin jaune, un vin de garde vif, riche et complexe, fruit d'une patiente vinification du savagnin sous voile de levures. Le vin de paille, un liquoreux, et le macvin, un vin de liqueur, sont deux autres productions réputées du Jura. Vins de paille et vins jaunes sont proposés dans trois appellations : arbois, côtes-du-jura et l'étoile. Château-chalon est réservée au vin jaune et le macvin-du-jura, un vin de liqueur, bénéficie de son AOC.

Les vins blancs ont parfois un caractère très évolué, presque oxydé : ils sont élevés longuement, sans ouillage, dans le style des vins jaunes. Ils sont souvent issus de savagnin, parfois assemblé au chardonnay. À côté de ces blancs « tradition », on trouve nombre de blancs classiques, les « floraux », vinifiés en cuve ou en fût. Au début du XXe s., on trouvait des vins rouges de plus de cent ans ; ce n'est plus le cas aujourd'hui.

Le rosé, quant à lui, est en réalité un vin rouge peu coloré et peu tannique, qui se rapproche souvent plus du rouge que du rosé des autres vignobles. De ce fait, il est apte à un certain vieillissement.

ARBOIS, CAPITALE DU VIGNOBLE

Pleine de charme, la vieille cité d'Arbois, si paisible, est la capitale de ce vignoble; on y évoque le souvenir de Pasteur qui, après y avoir passé sa jeunesse, y revint souvent. C'est là, de la vigne à la maison familiale, qu'il mena ses travaux sur les fermentations, si précieux pour la science œnologique; ils devaient, entre autres, aboutir à la découverte de la «pasteurisation». C'est à Arbois qu'a été fondée la plus ancienne coopérative de la région, en 1906.

ARBOIS

Superficie : 795 ha
Production : 30 000 hl (54 % rouge et rosé ; 45 % blanc et jaune ; 1 % vin de paille)

La plus connue des AOC du Jura s'applique à tous les types de vins produits sur douze communes de la région d'Arbois. Il faut rappeler l'importance des marnes triasiques dans cette zone, et la qualité toute particulière des « rosés » de poulsard qui sont issus des sols correspondants. Réputé justement pour ses vins de poulsard, le village de Pupillin peut faire figurer son nom sur les étiquettes à côté de celui d'Arbois.

CAVEAU DE BACCHUS
Cuvée des Géologues 2014 ★★

■ | 3000 | | 11 à 15 €

Le caveau de Bacchus, c'est le repaire original qu'a créé Lucien Aviet en 1961 dans le charmant village de Montigny-lès-Arsures. Son fils l'y a rejoint en 1999. Ils dirigent une exploitation de 5 ha et pratiquent la vinification et l'élevage en foudre pour toutes leurs cuvées, dont les bouteilles sont cirées.

Lucien Aviet a baptisé ainsi cette cuvée en remerciement à des étudiants en géologie pour des recherches effectuées sur le terroir jurassien. Repartir à l'assaut des strates de ce vin est chaque année un plaisir, qu'on soit géologue ou non. Couleur rubis, il est très typé trousseau (100 % du vin) au nez, avec ce fruité intense fait de framboise, de fraise et de cerise bien mûre, auquel comme il se doit, un côté épicé donne un ton presque sauvage. Un très joli fruit aussi en bouche, avec juste ce qu'il faut de fraîcheur et la présence de l'alcool qui enveloppe les tanins avec élégance. Un vin déjà très plaisant et qui saura se bonifier. ⧗ 2018-2025 Ұ noisettes de chevreuil grillées

EARL CAVEAU DE BACCHUS, 4, rue de la Boutière, 39600 Montigny-lès-Arsures, tél. 03 84 66 11 02, caveaubacchus@orange.fr V *r.-v.* *Vincent Aviet*

PAUL BENOIT ET FILS Pupillin La Loge 2013 ★

■ | 1000 | | 20 à 30 €

Paul Benoit et son fils Christophe, installés au hameau La Chenevière, ancien lieu de culture du chanvre, exploitent un domaine de 15 ha sur le terroir de Pupillin.

Ce vin-là, c'est l'affaire du fils. Un élevage de dix-huit mois en fût neuf avec bâtonnage, loin des vinifications traditionnelles des anciens. Le résultat est en adéquation avec les moyens mis en œuvre: un nez au boisé marqué (toast) mêlé d'agrumes. Cette empreinte de l'élevage se retrouve dans une bouche qui reste cependant riche et équilibrée. Un vin de garde, qui aura son public. ⧗ 2018-2025 Ұ blanquette de veau ■ **Pupillin Ploussard 2014 (8 à 11 €; 7000 b.)** : vin cité.

PAUL BENOIT ET FILS, 4, rue du Chardonnay, 39600 Pupillin, tél. 03 84 37 43 72, paul-benoit-et-fils@orange.fr V *t.l.j. sf dim. 10h-18h*

Ⓑ DOM. BRÉGAND Pinot noir 2014

■ | 10000 | | 15 à 20 €

Le domaine Brégand, propriété de la société Henri Maire (groupe bourguignon Boisset), est conduit en agriculture biologique depuis 1997. Il est planté de pinot noir sur 4 ha. Les vignes sont âgées d'une trentaine d'années.

Élevé pendant douze mois en fûts, dont 20 % de barriques neuves, ce vin de pinot noir affiche une belle robe rouge sombre. Menthol, confiture de cerises, griotte, cassis, les fruits sont au rendez-vous d'un nez puissant dont les accents rappelleraient presque un... maury. Si la bouche est relativement légère et fraîche, les tanins se manifestent un peu plus en finale et apportent un surcroît de corpulence. À boire assez frais, dans sa jeunesse. ⧗ 2017-2020 Ұ grillades de boeuf

SCV DOM. BRÉGAND, Ch. Boichailles, 39600 Arbois, tél. 03 84 66 12 34 *Boisset*

PHILIPPE BULABOIS Vin jaune 2008 ★

■ | 900 | | 20 à 30 €

S'épanouissant dans les marnes bleues, le savagnin est le cépage roi de cette exploitation de 9 ha, reprise en 2002. Philippe Bulabois s'en fait une spécialité: la moitié de son vignoble lui est consacrée. Les jeunes vignes sont travaillées avec les chevaux de race comtoise nés au domaine.

Jura

La production de vin jaune résonne comme une évidence lorsqu'on consacre la moitié de l'encépagement de son exploitation au savagnin. Le domaine est présent dans le Guide depuis plusieurs années avec des vins blancs issus de ce cépage et on attendait avec impatience ce qui peut être considéré comme la quintessence du naturé. Larmoyant, ce joli vin doré est loin cependant de nous faire peine. Le nez est avenant, sur fond de noisette grillée. La bouche se révèle souple, fondue. Déjà harmonieuse et bien typée, elle va encore s'affiner au vieillissement. ⧗ 2020-2027 🍷 croûte aux morilles

PHILIPPE BULABOIS, 51, rte de Villette, 39600 Arbois, tél. 03 84 66 03 42, pbulabois.vigneron@orange.fr V r.-v.

DOM. DANIEL DUGOIS
Chardonnay En Mouchet 2012

| 2500 | | 11 à 15 € |

Daniel Dugois s'installe en 1974 et commercialise sa production au négoce. En 1982, il décide d'élaborer lui-même ses vins. Son fils, Philippe, le rejoint en 2007 après avoir vinifié à l'étranger. Il conduit seul le domaine (10,3 ha) depuis 2014 à la retraite de son père.

Cette cuvée vieil or a été élevée sur lies et pendant vingt-quatre mois en fût. Beurrée et vanillée au nez, elle laisse deviner un boisé délicat. La bouche offre du gras, de la richesse et une bonne intensité, misant elle aussi sur le pain grillé et le beurre frais. La finale est plus resserrée, tendue par une fine acidité. ⧗ 2017-2023 🍷 carpe farcie

DOM. DANIEL DUGOIS, 4, rue de la Mirode, 39600 Les Arsures, tél. 03 84 66 03 41, daniel.dugois@wanadoo.fr V r.-v. B

RAPHAËL FUMEY ET ADELINE CHATELAIN
Chardonnay 2012 ★

| 5000 | | 5 à 8 € |

Raphaël Fumey et son épouse Adeline Chatelain sont logés dans une belle maison comtoise du quartier Saint-Laurent à Montigny-lès-Arsures, charmant village proche d'Arbois et proclamé capitale du trousseau. Installés en 1991, ils cultivent 15 ha de vignes.

Superbe robe or pâle, très brillante. Le nez, minéral, tente bien une petite sortie du côté du fruité et du miel, mais reste assez droit dans l'ensemble. La bouche, bien équilibrée et fruitée (agrumes), attaque en rondeur, puis devient plus vive sans jamais être agressive. Une grande homogénéité dans ce vin qui va à l'essentiel et vieillira bien. ⧗ 2016-2022 🍷 poêlée de saint-jacques ■ **Trousseau 2014 (8 à 11 €; 4500 b.)** : vin cité.

RAPHAËL FUMEY ET ADELINE CHATELAIN, 2, quartier Saint-Laurent, 39600 Montigny-lès-Arsures, tél. 03 84 66 27 84, contact@fumey-chatelain.fr V *t.l.j. sf dim. 10h30-12h 13h30-18h30*

DOM. AMÉLIE GUILLOT
Chardonnay Vieilles Vignes 2013

| 1500 | | 8 à 11 € |

Forte d'un diplôme d'œnologue obtenu en 1995, Amélie Guillot s'installe la même année sur 2 ha de vignes. Originaire de Bourgogne mais étrangère au milieu viticole, elle exploite aujourd'hui près de 4 ha qu'elle vendange manuellement.

La fraîcheur caractérise ce vin tant au nez qu'en bouche. Élevé douze mois en fût, il s'avance sur des notes minérales et des nuances d'agrumes à l'olfaction. La bouche, délicatement citronnée, est équilibrée. ⧗ 2017-2021 🍷 gratin de fruits de mer **Savagnin Vieilles Vignes 2011 (15 à 20 €; 1000 b.)** : vin cité.

AMÉLIE GUILLOT, 1, rue du Coin-des-Côtes, 39600 Molamboz, tél. 03 84 66 04 00, amelie.guillot@wanadoo.fr V r.-v. D

FRÉDÉRIC LORNET Chardonnay 2014 ★★

| 4000 | | 8 à 11 € |

Il est plutôt rare pour un viticulteur de travailler sur le site d'une abbaye cistercienne du XIIe s., et il n'est pas non plus souvent donné aux œnophiles de déguster dans une ancienne chapelle. Boire un vin de Frédéric Lornet, c'est un peu aller aux sources de l'abbaye de Gennes et du travail séculaire autour de la vigne et du vin. Une valeur sûre.

Aucune austérité monacale dans ce chardonnay de couleur jaune citron. Puissant, le nez traduit parfaitement l'expression naturelle et élégante du cépage: aux notes minérales se mêlent des tons d'agrumes, de fruits à chair blanche et de miel. Ample et ronde, la bouche trouve grâce à une fine acidité un bel équilibre et une fraîcheur de tous les instants. ⧗ 2017-2022 🍷 volaille en sauce ■ **Trousseau 2014 (8 à 11 €; 5000 b.)** : vin cité.

FRÉDÉRIC LORNET, L'Abbaye, 39600 Montigny-lès-Arsures, tél. 03 84 37 45 10, frederic.lornet@orange.fr V *t.l.j. 9h-12h 13h30-18h30; sam. dim. sur r.-v.*

HENRI MAIRE Cuvée anniversaire des 70 ans ★

| 20000 | | 8 à 11 € |

Né en 1917, Henri Maire fut le pionnier de la vente de vin grâce à laquelle il fit prospérer après-guerre sa petite maison de négoce. Également propriétaire de vignes, la société est depuis 2015 sous le contrôle de l'entreprise bourguignonne Boisset. Un acteur important du vignoble jurassien.

Pour fêter les soixante-dix ans de la marque, la maison Henri Maire a décidé de commercialiser cette cuvée couleur cerise intense, composée de pinot noir (70 %), de poulsard (15 %) et de trousseau (15 %). Au nez, les petits fruits rouges (framboise, cassis, cerise) rencontrent un léger boisé. La bouche se révèle dense, cossue et encore assez tannique, mais le fruité s'y exprime agréablement, sans être éteint par le merrain. ⧗ 2018-2021 🍷 rôti de bœuf aux cèpes

HENRI MAIRE, Dom. de Boichailles, 39600 Arbois, tél. 03 84 66 12 34 V r.-v.

DOM. DÉSIRÉ PETIT L'Essen'ciel 2014

	3000		11 à 15 €

Désiré Petit a bâti dès 1932 ce domaine, qui compte aujourd'hui 27 ha. Ses fils Gérard et Marcel l'ont fait prospérer à partir de 1970, et ce sont désormais les enfants de Marcel, Anne-Laure et Damien, qui en ont la responsabilité, confortant certains positionnements, comme les vendanges manuelles, mais explorant aussi de nouvelles voies, telle la cuvée sans soufre. Une valeur sûre du vignoble jurassien, qui a obtenu de nombreux coups de cœur.

Fermenté et élevé avec ouillage en demi-muid, le savagnin joue ici une partition florale assumée. Cette musique n'est pas celle du chant «oxydatif» cher au Jura, mais elle se laisse apprécier et donne un autre air du cépage. La bouche se montre puissante, équilibrée et de bonne longueur. Un vin déjà agréable, qui évoluera bien. ⧗ 2017-2022 ♆ mousseline de poisson

DOM. DÉSIRÉ PETIT, rue du Ploussard, 39600 Pupillin, tél. 03 84 66 01 20, contact@desirepetit.com V t.l.j. 8h30-12h 14h-18h30

B DOM. DE LA PINTE Savagnin 2011 ★

	7000		15 à 20 €

On les voit de la route nationale, ces caves uniques dans le Jura: des bâtiments voûtés de 70 m de long, pensés en 1953 par Roger Martin, qui fit du savagnin une passion au point d'en planter 13 ha d'un seul tenant sur les marnes bleues du lias, au lieu-dit La Pinte à la Capitaine. Toujours propriété de la famille, le domaine (33 ha) est dirigé par Bruno Ciofi, qui l'a converti à l'agriculture biologique en 1999 et l'exploite en biodynamie depuis 2009.

Le cépage roi du domaine a été élevé ici en foudre pendant trois ans. La pratique de l'ouillage a permis une expression très fraîche du savagnin, à mille lieues du vin jaune, qu'on produit aussi sur l'exploitation. Les fruits exotiques et les agrumes s'allient à une minéralité qui rappelle certains rieslings. Une attaque souple, une pointe d'acidité qui fait saliver, une touche légèrement vanillée, des notes épicées et citronnées vivifiantes, la bouche a, elle aussi, du répondant. ⧗ 2017-2022 ♆ sandre sauce crémée aux agrumes

DOM. DE LA PINTE, rte de Lyon, 39600 Arbois, tél. 03 84 66 06 47, contact@lapinte.fr V r.-v. *Pierre Martin*

FRÉDÉRIC PUFFENEY Trousseau 2014

	600		8 à 11 €

Issu d'une famille de vignerons de Montigny-lès-Arsures, Frédéric Puffeney s'est installé en 2006 après dix ans de pluriactivité. Il cultive un petit domaine de 3 ha.

De couleur claire, ce pur trousseau a été élevé en cuve pendant un an. Assez typique dans ses élans sauvages, il se révèle classique en bouche, porté sur les fruits rouges, avec un caractère fondu, léger et gouleyant. ⧗ 2016-2020 ♆ assiette de charcuterie

FRÉDÉRIC PUFFENEY, 17, rue de la Résistance, 39600 Vadans, tél. 06 67 20 81 94, frederic-puffeney@orange.fr V r.-v.

RIJCKAERT
Chardonnay En Paradis Vieilles Vignes 2013

	3000		15 à 20 €

Jean Rijckaert possède un domaine dans le Mâconnais (4 ha en viré-clessé), mais travaille également 5,5 ha dans le Jura, en AOC arbois et côtes-du-jura. Il agit par ailleurs en tant que négociant-vinificateur. Depuis 2013, son activité est transmise progressivement à Florent Rouve, ancien directeur du domaine du lycée viticole de Mâcon-Davayé.

Pour ce 2013, la vinification et l'élevage ont été intégralement réalisés en fût de chêne avec ouillage régulier. Issu de vieilles vignes d'un lieu-dit proche de l'église d'Arbois, le chardonnay a engendré un vin qui pourrait bien amener au péché de gourmandise. Limpide et brillant, il est plaisant au nez avec ses tons de fleurs et d'agrumes. Vif et souple en bouche sans manquer de gras, c'est un vin simple mais agréable et équilibré. ⧗ 2017-2020 ♆ filet de sandre

MAISON RIJCKAERT, 39600 Les-Planches-près-Arbois, tél. 06 21 01 27 41, frouve@rijckaert.fr V r.-v. *Florent Rouve*

DOM. ROLET PÈRE ET FILS Vin jaune 2009

	7000		20 à 30 €

Désiré Rolet a créé dans les années 1940 ce domaine, sorti de la coopérative en 1958. Ses enfants conduisent aujourd'hui une des plus importantes exploitations du Jura, constituée de 65 ha dans les AOC arbois, côtes-du-jura, l'étoile et château-chalon.

Amande, noix et noisette constituent le socle aromatique de ce vin jaune. Ce trio classique accompagne aussi une bouche ample et équilibrée, avec juste ce qu'il faut d'acidité. Fidèle aux canons de l'AOC, c'est un vin qui demande encore à se faire. ⧗ 2020-2026 ♆ poularde au vin jaune **Chardonnay Harmonie 2013 (8 à 11 €; 4500 b.)** : vin cité.

SCEA DU DOM. ROLET PÈRE ET FILS, Lieu-dit Montesserin, rte de Dole, 39600 Arbois, tél. 03 84 66 00 05, rolet@wanadoo.fr t.l.j. 9h-12h 14h-19h

DOM. DU SORBIEF
Chardonnay Vieilli en fût de chêne 2014 ★★

	10000		11 à 15 €

Acquis au début des années 1960, ce domaine (60 ha) est l'une des propriétés de la société Henri Maire (groupe bourguignon Boisset), qui totalise plus de 300 ha de vignes dans le Jura. Il se partage entre les communes d'Arbois et de Pupillin.

Vieilli douze mois en fût, ce vin de chardonnay possède un nez très agréable où les touches florales côtoient les notes d'agrumes sur un fond minéral. Cette fraîcheur se retrouve dans une bouche équilibrée, ronde et longue. ⧗ 2017-2022 ¥ coquilles Saint-Jacques ■ **Réserve de Faramand 2013 (11 à 15 €; 5000 b.)** : vin cité.

⊶ SCV DES DOMAINES HENRI MAIRE (DOM. DU SORBIEF), Ch. Boichailles, 39600 Arbois, tél. 03 84 66 12 34 V t.l.j. 9h-19h ⊶ Boisset

TERRES DE MARNES Chardonnay ★

	8000		11 à 15 €

Arbois, 1906: après la crise phylloxérique, quelques vignerons décident de fonder cette coopérative, l'une des premières en France. La fruitière est toujours là, forte des apports de cent familles vigneronnes (pour 250 ha de vignes), de chais modernes au château Béthanie, acquis en 1969, et d'une gamme très complète. Ses vins figurent souvent en tête d'affiche dans le Guide.

Cette nouvelle référence dans la gamme de la coopérative est le fruit d'une sélection de raisins de chardonnay avec élevage pour partie en demi-muid (40 %) et pour partie en cuve Inox (60 %). Le nez est particulièrement séduisant: agrumes, fleurs blanches et nuances confites forment un bel ensemble. Une élégance également de mise dans une bouche ronde, légère et minérale, sertie de fraîcheur. ⧗ 2017-2022 ¥ gougères

⊶ FRUITIÈRE VINICOLE D'ARBOIS, 2, rue des Fossés, 39600 Arbois, tél. 03 84 66 11 67, contact@chateau-bethanie.com V t.l.j. 10h-12h 14h-18h

DOM. DE LA TOURAIZE Terres Bleues 2014 ★★

	1500		11 à 15 €

Héritier de huit générations de vignerons (un acte de décès de 1704 mentionne un Morin vigneron de profession), André-Jean Morin a d'abord livré sa vendange à la «coop», comme son père et son grand-père, avant de «reprendre ses raisins en mains» à partir de 2009. Pratiquant une viticulture sans engrais, insecticides et désherbants chimiques, il conduit 7 ha, avec des essais en bio sur 2 ha. L'une des valeurs montantes du Jura viticole.

André-Jean Morin avait décroché deux coups de cœur dans la précédente édition du Guide; il confirme ses excellentes dispositions avec ce savagnin qui a trouvé dans les marnes bleues du lieu-dit Petit Curoulet de quoi nourrir une belle expression, transcendée par une vinification très soignée. Ce vin issu d'un élevage sans ouillage délivre ainsi de jolies notes d'épices et de pêche blanche au nez, puis une superbe fraîcheur dans une bouche alerte et longue, où le boisé ressort sans être pour autant ostentatoire. ⧗ 2017-2022 ¥ curry de poisson **Les Corvées Chardonnay 2014 ★★ (11 à 15 €; 1600 b.)** : fermenté et élevé en pièces de 228 l, ce vin ne renie pas son parcours: le nez est boisé mais il évoque aussi dans le tilleul, les agrumes et les fruits blancs. Une belle matière s'exprime au sein d'une bouche fraîche et déjà très ouverte. ⧗ 2017-2022 ¥ terrine de poisson ■ **Les Corvées Trousseau 2014 (8 à 11 €; 2500 b.)** : vin cité.

⊶ DOM. DE LA TOURAIZE, 7, rte de la Villette, 39600 Arbois, tél. 06 83 41 74 60, aj.morin@wanadoo.fr V r.-v. ⊶ André-Jean Morin

CHÂTEAU-CHALON

Superficie : 50 ha / Production : 1 620 hl

Le plus prestigieux des vins du Jura est exclusivement du vin jaune, le célèbre vin de voile élaboré en quantité limitée selon des règles strictes. Le raisin est récolté sur les marnes noires du lias, dans un site remarquable: un vieux village établi sur des falaises. La mise en vente s'effectue six ans et trois mois après la vendange. Il est à noter que, dans un souci de qualité, les producteurs eux-mêmes ont refusé l'agrément en AOC pour les récoltes de 1974, 1980, 1984 et 2001.

DOM. BERTHET-BONDET 2008 ★

	8000		30 à 50 €

Issu d'une famille travaillant dans la lunetterie, Jean Berthet-Bondet, ancien maire de Château-Chalon, est ingénieur agronome, tout comme son épouse. Ils se sont installés en 1985 et travaillent désormais 15 ha de vignes, conduits en bio depuis 2010 et commandés par une très belle demeure aux caves voûtées. Une valeur sûre du Jura.

Ce vin jaune doré offre un premier nez intense sur l'amande amère, qui évolue ensuite vers la gentiane. La noix et le boisé s'expriment au sein d'une belle matière, relevée par une acidité bien présente, aux tonalités minérales. Un château-chalon armé pour vieillir. ⧗ 2022-2035 ¥ poularde aux morilles

⊶ JEAN BERTHET-BONDET, 7, rue de la Tour, 39210 Château-Chalon, tél. 03 84 44 60 48, berthet-bondet@orange.fr V r.-v.

CAVEAU DES BYARDS 2009

	500		30 à 50 €

Cette petite coopérative est relativement récente puisqu'elle a été créée en 1953. C'est une affaire à taille humaine: 40 ha de vignes seulement et 17 adhérents. Mais elle investit régulièrement et sa production figure souvent en bonne place dans le Guide, notamment en crémant, qui représente 50 % de sa production.

Couleur or aux reflets argentés, voilà un vin jaune très expressif au nez: la noix fraîche rivalise avec les épices. En accord avec cette entrée en matière, la bouche se révèle équilibrée et franche. ⧗ 2020-2027 ¥ beaufort affiné

⊶ CAVEAU DES BYARDS, rte de Voiteur, 39210 Le Vernois, tél. 03 84 25 33 52, info@caveau-des-byards.fr V t.l.j. 9h-12h 14h-18h

MARIE-PIERRE CHEVASSU-FASSENET 2007 ★

	1200		20 à 30 €

Les vignes ont été plantées par les parents de la vigneronne, éleveurs. Nichée dans la verdure sur les hauts de Menétru, la maison familiale, une ancienne

JURA

tuilerie, abrite des caves du XVIII[e]s. Marie-Pierre Chevassu a pris en 2008 les rênes de ce domaine très régulier en qualité (4,5 ha aujourd'hui), après avoir travaillé dans d'autres vignobles.

Jaune doré aux reflets verts, ce 2007 s'expose au nez avec subtilité et délicatesse. De fines notes de noix cohabitent avec un boisé raffiné. La bouche est dans la même veine, d'une grande finesse, dotée d'une très belle acidité et d'une minéralité de bon aloi qui apportent de la longueur et un surcroît d'élégance. ⌛ 2022-2035 🍷 morilles à la crème

CHEVASSU-FASSENET, Les Granges-Bernard, 39210 Menétru-le-Vignoble, tél. 03 84 48 17 50, mpchevassu@yahoo.fr V r.-v.

DOM. GRAND Vin jaune En Beaumont 2009

	2000		30 à 50 €

Chez les Grand, on est vigneron de père en fils depuis 1692. Après René Grand, Lothain et ses frères consacrent les années 1970 à 1990 à développer le domaine familial. En 1985, ils quittent Saint-Lothain pour s'installer à Passenans. En 2006, Lothain, son épouse et leur fils Emmanuel reprennent le domaine dans son ensemble (9 ha en côtes-du-jura et 70 ares en château-chalon), désormais conduit par ce dernier et Nathalie, sa conjointe. Une valeur sûre.

Le lieu-dit En Beaumont est situé sur la commune de Menétru, dont le vignoble représente la plus importante superficie des quatre villages pouvant revendiquer l'AOC château-chalon. Les vignes de savagnin ont donné ici un vin or clair aux délicats arômes de noix. La bouche est fine et bien structurée, en harmonie avec le nez. ⌛ 2018-2025 🍷 ris de veau aux morilles

DOM. GRAND, 139, rue du Savagnin, 39230 Passenans, tél. 03 84 85 28 88, domaine-grand@wanadoo.fr V t.l.j. 9h-12h 14h-18h; sam. dim. sur r.-v. jan.-mars

DOM. MACLE 2008 ★

	2000		30 à 50 €

Jean Macle, ancien maire de Château-Chalon, a créé cette exploitation en 1964. Ses enfants conduisent désormais un domaine de 12 ha (en conversion bio) où vins blancs et jaunes ont la part belle et sont souvent en vue dans le Guide. Des vins élaborés de manière traditionnelle, qui vieillissent dans des caves nichées au cœur du village.

Il faut un peu de temps pour que le nez de ce château-chalon or pâle accepte de s'ouvrir. L'aération favorise l'avènement de la pomme, puis de notes très élégantes de fruits secs. La bouche est équilibrée, dans des tons de noix et de curry tout aussi distingués. Fidèle à la marque de fabrique de la maison, ce «jaune» privilégie la finesse aux dépens de l'ampleur. ⌛ 2022-2035 🍷 bleu de Gex

DOM. MACLE, 15, rue de la Roche, 39210 Château-Chalon, tél. 03 84 85 21 85, maclel@wanadoo.fr V r.-v.

♥ DOM. DÉSIRÉ PETIT En Beaumont 2008 ★★★

	1611		30 à 50 €

CHATEAU CHALON
EN BEAUMONT
2008
DOMAINE DÉSIRÉ PETIT

Désiré Petit a bâti dès 1932 ce domaine, qui compte aujourd'hui 27 ha. Ses fils Gérard et Marcel l'ont fait prospérer à partir de 1970, et ce sont désormais les enfants de Marcel, Anne-Laure et Damien, qui en ont la responsabilité, confortant certains positionnements, comme les vendanges manuelles, mais explorant aussi de nouvelles voies, telle la cuvée sans soufre. Une valeur sûre du vignoble jurassien, qui a obtenu de nombreux coups de cœur.

Marcel et Gérard Petit terminent leur ère en beauté avec ce dernier millésime vendangé en septembre 2008. Sept ans déjà qu'Anne-Laure et Damien ont repris le domaine, mais les vins de Château-Chalon prennent leur temps... Jaune doré, celui-ci est intense et racé au nez: d'abord délicat, sur des senteurs automnales de sous-bois, il s'oriente ensuite vers la pomme et l'eau-de-vie de mirabelle. Une fine vivacité souligne la bouche – «le côté "laser" du château-chalon», selon un dégustateur; puis de savoureux arômes d'épices et de fruits secs se développent jusque dans une finale magnifique, d'une longueur exceptionnelle. «Élégance rare, invitation au voyage, perfection du début à la fin...»: les commentaires élogieux montrent l'enthousiasme des dégustateurs face à un vin déjà splendide, mais aussi appelé à un grand avenir. ⌛ 2025-2040 🍷 poulet au vin jaune

DOM. DÉSIRÉ PETIT, rue du Ploussard, 39600 Pupillin, tél. 03 84 66 01 20, contact@desirepetit.com V t.l.j. 8h30-12h 14h-18h30

DOM. ROLET PÈRE ET FILS Puits Saint-Pierre 2006 ★

	850		30 à 50 €

Désiré Rolet a créé dans les années 1940 ce domaine, sorti de la coopérative en 1958. Ses enfants conduisent aujourd'hui une des plus importantes exploitations du Jura, constituée de 65 ha dans les AOC arbois, côtes-du-jura, l'étoile et château-chalon.

Le Puits Saint-Pierre est l'un des quatre prestigieux lieux-dits de l'appellation situés sur la commune de Château-Chalon. D'une robe d'or soutenu, ce 2006 est décidément volontaire: son nez puissant est bien ouvert. Dotée d'une belle acidité, la bouche se montre très équilibrée et tient la longueur. Des notes de curcuma et de pomme fraîche confortent un ensemble harmonieux. ⌛ 2016-2030 🍷 beaufort affiné

SCEA DU DOM. ROLET PÈRE ET FILS, Lieu-dit Montesserin, rte de Dole, 39600 Arbois, tél. 03 84 66 00 05, rolet@wanadoo.fr t.l.j. 9h-12h 14h-19h

FRUITIÈRE VINICOLE DE VOITEUR 2008 ★★

	18 000		20 à 30 €

Cette fruitière – une coopérative, au sens de la mise en commun du fruit du travail – a été créée assez récemment, en 1957, par rapport à de vénérables consœurs locales. Située au pied de Château-Chalon, elle offre un panorama intéressant sur le village et le vignoble. Elle regroupe 70 vignerons pour une surface plantée de 75 ha.

Limpide, ce château-chalon affiche une belle robe d'or aux reflets verts. Le nez est élégant, agréablement tourné vers la noix fraîche. La fraîcheur se retrouve aussi au sein d'une bouche expressive et harmonieuse. De petites notes épicées agrémentent une certaine rectitude minérale, assez révélatrice de l'appellation. C'est un vin complet qui, au-delà de l'accompagnement traditionnel des plats à la crème, pourrait très bien mettre en valeur la cuisine asiatique ou indienne. ⧗ 2025-2035 🍴 curry d'agneau

FRUITIÈRE VINICOLE DE VOITEUR, 60, rue de Nevy, 39210 Voiteur, tél. 03 84 85 21 29, voiteur@fvv.fr V *t.l.j. 8h30-12h 13h30-18h; dim. 10h-12h 14h-18h*

CÔTES-DU-JURA

Superficie : 512 ha
Production : 20 540 hl (70 % blanc et jaune ; 28 % rouge et rosé ; 2 % vin de paille)

L'appellation englobe toute la zone du vignoble de vins fins et produit tous les types de vins jurassiens, à l'exception des effervescents.

♥ BAUD PÈRE ET FILS Trousseau 2014 ★★

	8000	8 à 11 €

Alain et Jean-Michel Baud ont pris la tête de ce domaine familial en 1978. Huit générations s'y sont succédé depuis 1742 ; la neuvième – Clémentine et Bastien – est arrivée en 2016. Berceau du domaine, le vignoble du Vernois fit l'objet d'un important remembrement dans les années 1960. Les 21 ha de l'exploitation sont implantés en côtes-du-jura, l'étoile et château-chalon.

Ce trousseau a bénéficié d'une macération de deux semaines avec pigeage deux fois par jour. Visiblement heureux de ce traitement, il a fière allure dans sa robe rouge grenat aux reflets violacés. Passé un premier nez un peu viandé, les fruits rouges très mûrs s'en donnent à cœur joie. Dès l'attaque, on découvre une bouche caractéristique du cépage, charpentée, dense, au caractère bien trempé ; on y retrouve les petits fruits (cassis et mûre) dans une finale d'une rare longueur. Un très beau potentiel. ⧗ 2017-2021 🍴 bœuf bourguignon

DOM. BAUD PÈRE ET FILS, 222, rte de Voiteur, 39210 Le Vernois, tél. 03 84 25 31 41, info@domainebaud.fr V *t.l.j. 9h-12h 14h-18h*

♥ JOËL BOILLEY Vin de paille 2012 ★★

	13 000		15 à 20 €

En 1987, à l'âge de trente-six ans, Joël Boilley a repris une ferme céréalière et une exploitation viticole. Après un incendie en 2010, la cave a été reconstruite en 2012. Alors que la production de vin de paille représente souvent une partie marginale dans les exploitations du Jura, Joël Boilley en réalise un volume important sur ses 7 ha de vignes – vignes cédées en 2015 à un repreneur, mais il continue à vendre son stock.

Après vingt-huit campagnes, l'âge de la retraite a sonné pour Joël Boilley, qui verra dans ce coup de cœur une forme de reconnaissance de son travail. Composé de 70 % de chardonnay, de 15 % de trousseau et de 15 % de savagnin, ce vin de paille est éclatant dans sa robe ambrée. Le premier nez sur la figue sèche évolue rapidement vers le miel et la pâte de coing. La bouche est concentrée sans être lourde, parfaitement équilibrée entre alcool, sucre et acidité. Raisin sec et fruits confits résonnent jusque dans une magnifique finale. ⧗ 2022-2030 🍴 tarte au chocolat **Vin jaune 2007 (20 à 30 €; 6000 b.)** : vin cité.

JOËL BOILLEY, 18, rue Marius-Pieyre, 39100 Dole, tél. 06 81 66 87 20, joel.boilley@gmail.com V *r.-v.*

PHILIPPE BUTIN Trousseau 2014 ★

	2600		11 à 15 €

Cette exploitation (22 ha aujourd'hui), dans la famille depuis trois générations, est fidèle aux vendanges manuelles. Philippe Butin produit surtout des vins à partir de cépages blancs qu'il cultive sur les coteaux de Lavigny. Sa production figure régulièrement en bonne place dans le Guide.

Après une cuvaison de dix jours, ce vin n'a pas vu le bois. Son vieillissement de quatorze mois s'est en effet déroulé en cuve. Belle couleur grenat et nez de fruits rouges intense, souligné de notes épicées. Harmonieuse, la bouche possède des tanins agréables car très soyeux. Le fruité perdure et participe activement à un bel ensemble qui a du potentiel. ⧗ 2017-2022 🍴 côte de bœuf ■ **Poulsard 2014 (8 à 11 €; 2500 b.)** : vin cité.

PHILIPPE BUTIN, 21, rue de la Combe, 39210 Lavigny, tél. 03 84 25 36 26, ph.butin@wanadoo.fr V *r.-v.*

CAVEAU DES BYARDS Vin jaune 2009 ★

	1700		20 à 30 €

Cette petite coopérative est relativement récente puisqu'elle a été créée en 1953. C'est une affaire à taille humaine: 40 ha de vignes seulement et 17 adhérents. Mais elle investit régulièrement et sa production figure souvent en bonne place dans le Guide, notamment en crémant, qui représente 50 % de sa production.

Il est racé ce vin jaune: robe or soutenu aux reflets de bronze, puis nez chaleureux mêlant noix et morille fraîche, curry et petite touche toastée. La bouche, dans ce même sillage élégant, passe par des notes de noix sèche et de noisette grillée pour arriver sur une belle finale cacaotée. Avec de la matière et de l'ampleur, un vin équilibré qui offre une belle image du vin jaune. ⧗ 2019-2027 ¥ foie gras poêlé au vin jaune

CAVEAU DES BYARDS, rte de Voiteur, 39210 Le Vernois, tél. 03 84 25 33 52, info@caveau-des-byards.fr V t.l.j. 9h-12h 14h-18h

MARCEL CABELIER
Chardonnay Vieilles Vignes 2013 ★

	8090	5 à 8 €

Sous cette dénomination œuvre un négociant-vinificateur qui s'est installé en 1986 et s'est fortement développé depuis quelques années dans le Jura en vendant ses vins sous la marque Marcel Cabelier. Les apports de 114 vignerons concernent toutes les appellations jurassiennes.

Il y a dans le nez de ce chardonnay tout ce qu'on attend de ce type de vin. Première approche sur les fleurs blanches et le miel, puis un fruité relevé d'une subtile touche vanillée. La bouche, équilibrée, est fraîche sans manquer de gras; noisette et fleurs blanches en sont les piliers aromatiques. Un ensemble soigné. ⧗ 2017-2020 ¥ poisson en sauce crémée

MAISON DU VIGNERON, 22, rte de Champagnole, 39570 Crançot, tél. 03 84 87 61 30, bleberre@lgcf.fr V *t.l.j. sf sam. dim. 8h-12h30 13h30-18h GCF*

DOM. CARTAUX-BOUGAUD Vin jaune 2009

	1200		20 à 30 €

L'exploitation familiale a été créée en 1973. Co-exploitant en 1993, Sébastien Cartaux assure seul le devenir du domaine depuis 2010, secondé par son épouse Sandrine. Le vignoble couvre 16 ha, dont la moitié en AOC l'étoile.

Il faut un peu d'aération pour que le nez dévoile des notes discrètes de noix fraîche, de noisette et de grillé. L'acidité assez marquée de la bouche participe à un caractère général assez minéral. Plus que sur la structure ou la complexité, c'est sur l'élégance que mise ce vin. Pour découvrir l'univers du «jaune». ⧗ 2017-2027 ¥ comté

DOM. CARTAUX-BOUGAUD, 5, rue des Vignes, Juhans, 39140 Arlay, tél. 03 84 48 11 51, contact@vinscartaux.fr V *r.-v.*

DOM. COURBET Les Isles 2014

	1040		11 à 15 €

Diplômé d'œnologie, Damien Courbet a pris la suite de ses parents en 2011, après avoir visité d'autres horizons viticoles, comme la Californie ou l'Afrique du Sud. Les caves sont situées dans la maison familiale du petit village de Nevy-sur-Seille et dans l'ancienne chapelle de celui-ci. Les 7,5 ha de la propriété sont en conversion bio depuis 2016.

Ayant voyagé dans de lointaines contrées dans sa jeunesse, Damien Courbet aurait-il envie à nouveau d'horizons exotiques pour se créer des «isles» nouvelles? Elles ne paraissent en tout cas pas si lointaines tant le nez de ce 2014 est ouvert, sur la fleur et la noisette. La bouche est fraîche, équilibrée et persistante, sur des tons de miel, de noisette et d'amande. La vinification et l'élevage en barrique (20 % de fûts neufs) laissent une empreinte discrète, juste rappelée par un trait de boisé délicat. ⧗ 2016-2020 ¥ volaille à la crème

DOM. COURBET, 1130, rte de la Vallée, 39210 Nevy-sur-Seille, tél. 03 84 85 28 70, dcourbet@hotmail.com V *r.-v.*

FLORIAN FRACHET La Chapelle 2011

	2500		8 à 11 €

Florian Frachet a repris en 1984 la petite vigne plantée en 1939 par le grand-père de son épouse: 100 ares sur la parcelle de La Chapelle à l'époque, 5 ha aujourd'hui.

Après une fermentation en cuve, l'élevage sans ouillage s'est déroulé en fût (75 % en demi-muids et 25 % en pièces) pendant quatre ans, pour une mise en bouteilles en novembre 2015. À l'œil, une robe or soutenu et au nez, des tons noisette, sur fond évolué. La bouche est typée, avec des arômes de noix caractéristiques de ce type d'élevage – le seul que Florian Frachet pratique pour les blancs. Pour amateurs de vins de voile. ⧗ 2016-2022 ¥ cake au comté et aux noix

FLORIAN FRACHET, 5, rue du Château, 39190 Maynal, tél. 03 84 48 97 56, florian.frachet@wanadoo.fr V *r.-v.*

DOM. GENELETTI 2014

	6000		8 à 11 €

Le domaine, historiquement ancré dans l'appellation l'étoile, s'est agrandi dans les AOC château-chalon et arbois dont il est devenu l'une des belles références. Il compte désormais 15 ha, conduits depuis 1997 par David Geneletti, qui s'est installé à Château-Chalon, dans une ancienne maison d'Henri Maire.

Ce pur chardonnay a été élevé six mois en fûts ouillés. N'attendez donc pas les attributs des vins de voile et réjouissez-vous de ce nez frais et persistant, vanillé à souhait. La bouche, homogène, n'est pas très longue mais d'une belle minéralité ciselée. Efficace. ⧗ 2016-2020 ¥ cassolette de fruits de mer

DOM. GENELETTI PÈRE ET FILS, 14, rue Saint-Jean, 39210 Château-Chalon, tél. 03 84 44 95 06, contact@domaine-geneletti.net V *t.l.j. sf dim. 9h-12h 14h-18h30*

DOM. HORDÉ Savagnin

	2260		11 à 15 €

Yves Hordé a acquis un peu à l'aventure une vigne sur le coteau de Port-Lesney en 1999, alors qu'il habitait Reims. Il s'est pris au jeu et s'est agrandi, louant ou achetant des parcelles. Il cultive désormais quelque 3 ha, limite les produits phytosanitaires et vendange manuellement.

Couleur paille d'orge, ce vin élevé sous voile ne peut renier ses origines avec son nez typique et bien marqué de noix. L'attaque est franche, d'une belle acidité et d'une bonne qualité aromatique, à l'unisson du bouquet. On pourrait s'attendre à un peu plus d'intensité, mais la rencontre est agréable. ⧗ 2017-2025 ¥ foie gras

YVES HORDÉ, 14, rue du Port, 39600 Port-Lesney, tél. 03 84 73 89 24, yves.horde39@orange.fr V *r.-v.*

MARIE-ANNE ET FRÉDÉRIC LAMBERT
Trousseau 2014

■	2000		8 à 11 €

Œnologue, Frédéric Lambert a commencé à acheter des vignes en production et des terrains dès 1993. L'installation s'est faite dix ans plus tard et l'exploitation compte désormais 7 ha. Elle comprend tous les cépages jurassiens, vendangés manuellement.

Le premier contact – une robe grenat aux reflets violets – est de bon augure. Le nez, d'une généreuse composition fruitée (mûre, cassis), laisse aussi filtrer quelques notes épicées bienvenues. De la matière en bouche, adossée à de bons tanins qui demandent encore à s'arrondir. ⌛ 2018-2021 🍷 poulet rôti

FRÉDÉRIC LAMBERT, 14, Pont-du-Bourg, 39230 Le Chateley, tél. 03 84 25 97 83, domainefredericlambert@orange.fr V r.-v.

B DOM. LIGIER PÈRE ET FILS
Les Chassagnes Trousseau 2013 ★

■	4500		8 à 11 €

Installée à Arbois, la famille Ligier a créé ce domaine de toutes pièces en 1986 – 10 ha aujourd'hui. Des investissements réguliers ont été faits, notamment la construction, en 2002, d'un chai adapté au vieillissement des vins jaunes. Une valeur sûre du vignoble jurassien, avec une femme aux commandes de la vinification, Marie-Colette Vandelle.

Grenat aux reflets noirs, ce vin de trousseau dévoile un joli nez fruité, où cassis et mûre se donnent sans compter. Tout aussi ouverte et dynamique, la bouche se révèle très équilibrée, appuyée sur des tanins assagis. Fruits et épices y forment un couple harmonieux et durable, à coup sûr. ⌛ 2017-2022 🍷 canard aux griottes

EARL LIGIER, 56, rue de Pupillin, 39600 Arbois, tél. 03 84 66 28 06, gaec.ligier@wanadoo.fr V *t.l.j. 9h-18h30; dim. sur r.-v.*

♥ DOM. DES MARNES BLANCHES
Savagnin Empreinte 2011 ★★

■	2500		15 à 20 €

Tous deux œnologues, Pauline et Géraud Fromont ont créé leur domaine en 2008, en reprenant 4 ha sur un terroir de marnes blanches que sont venus compléter 6 ha sur des terrains argilo-calcaires. Leur vignoble, situé dans le sud Revermont, est conduit en agriculture biologique.

Certains vins blancs de l'exploitation sont élevés avec ouillage; d'autres, comme ceux de la gamme Empreinte, passent sous voile. Marqué au cœur, ce savagnin porte le message si original du terroir jurassien. Le nez s'ouvre sur la puissance de la noix, puis s'apaise autour de l'amande, du beurré et du toasté; on approche presque l'univers du vin jaune. Un nouvel accent de force apparaît dans une attaque vive et structurée, puis vient le temps de la rondeur, avec des arômes de noix fraîche et de curry qui finissent d'apposer le sceau d'une authenticité revendiquée. Un petit bijou, pour aujourd'hui comme pour demain. ⌛ 2017-2025 🍷 croûte aux morilles

PAULINE ET GÉRAUD FROMONT, 3, Les Carouges, 39190 Sainte-Agnès, tél. 03 84 25 19 66, contact@marnesblanches.com V *r.-v.*

CH. DE MIÉRY Savagnin 2010 ★★

■	1500		11 à 15 €

Philippe de Buhren voulait déguster ses propres vins et en faire profiter ses amis. C'est ainsi qu'il a replanté 2 ha en 1985, pour les trois quarts en chardonnay et un quart en savagnin, sur des parcelles cultivées avant le phylloxéra.

Un peu plus de cinq ans de fût pour ce vin brillant, couleur or. Comme pour un vin jaune, l'élevage s'est déroulé sous voile, sans ouillage. Très typé, le nez s'ouvre avec intensité sur la noix, le curry et le grillé, une palette aromatique puissante adoucie par une délicate touche de vanille. La bouche est structurée, solide et soutenue par une acidité bienveillante. Montant régulièrement tout au long de la dégustation, la noix ne nous quitte qu'à la fin d'une longue et très belle rétro-olfaction. ⌛ 2020-2027 🍷 vieux comté

CH. DE MIÉRY, 4, rue de la Croix, 39800 Poligny, tél. 03 84 37 31 28, philippe.debuhren@hotmail.fr V *r.-v.* *Ph. de Buhren*

B DOM. PIGNIER À la Percenette Chardonnay 2013

■	4000		15 à 20 €

La famille Pignier possède cet ancien vignoble monastique depuis 1794 (aujourd'hui 15 ha). Les caves sont situées dans le village de Montaigu qui protégeait autrefois les salines de Lons-le-Saunier, sur la route du haut Jura. En 1998, la fratrie Pignier a fait le choix de la biodynamie. Un choix jamais renié par ces producteurs, qui ont obtenu de multiples coups de cœur dans le Guide.

La Percenette, c'est un lieu-dit exposé au sud sur la reculée du Val de Vallière, face au coteau de Montaigu. Le chardonnay a puisé dans ce microclimat favorable un caractère dynamique et minéral. Cette tonicité se retrouve du premier nez jusqu'en fin de bouche, sur un fond de noisette apprécié. ⌛ 2016-2020 🍷 sandre en papillote

DOM. PIGNIER, 11, pl. Rouget-de-Lisle, 39570 Montaigu, tél. 03 84 24 24 30, contact@domaine-pignier.com V *t.l.j. sf dim. 10h-12h 14h-18h30*

AUGUSTE PIROU Les Grappereaux Tradition 2009

■	5000		8 à 11 €

Henri Maire s'est servi de son surnom, Auguste Pirou, pour créer une marque destinée à la grande distribution. Une maison de négoce aujourd'hui dans le giron du groupe bourguignon Boisset.

La vinification a été réalisée en cuves Inox, mais l'élevage a été fait sous voile pendant plus d'un an. Issu d'un assemblage de chardonnay (80 %) et de savagnin, ce vin doré dévoile un nez tendre tout en restant expressif,

JURA

sur la noix, le curry et le raisin sec. Arômes prolongés par une bouche un peu fugace mais souple, fraîche et soyeuse. ⧗ 2016-2020 🍷 comté

⊶ *AUGUSTE PIROU, Les Caves Royales, 39600 Arbois, tél. 03 84 66 42 70, info@auguste-pirou.fr* ⊶ *Boisset*

DOM. G. QUILLOT
Chardonnay Vieilles Vignes 2012 ★★

	26116	5 à 8 €

Les vins de ce domaine sont élaborés par la Maison du Vigneron, négociant-vinificateur situé à Crançot et dans le giron des Grands Chais de France. Les vignes (23 ha) sont implantées autour du Montain et de Lavigny.

Jaune pâle aux reflets verts, ce vin associe au nez les fleurs blanches, le litchi et le miel. Un premier contact fin et élégant confirmé par une bouche raffinée où une acidité contenue participe à un bel équilibre. Vanille et miel trouvent ainsi un joli terrain d'expression, ouvert et délicat. ⧗ 2016-2020 🍷 poisson au beurre blanc

⊶ *DOM. QUILLOT, 22, rte de Champagnole, 39570 Crançot, tél. 03 84 87 61 30, cdecotesaillard@lgcf.fr* ⊶ *GCF*

XAVIER REVERCHON Vin jaune 2008 ★

	1480		30 à 50 €

Xavier représente la quatrième génération des Reverchon sur ce domaine créé en 1900. Il s'est installé en 1978, appliquant un principe qui lui est cher: le labour des vignes. Il se fait fort aussi de n'employer sur ses 6 ha de vignes ni engrais ou désherbant chimiques, ni insecticide ou acaricide. Les vendanges sont manuelles. Une belle régularité, notamment en côtes-du-jura et en crémant.

Couleur or soutenu, ce vin jaune n'est pas une demi-portion. Le nez s'affirme avec puissance autour d'arômes imposants d'amande, de noix et d'autres, plus doux, de grillé ou de brioche. Bien typée, la bouche est portée par une bonne acidité et fait la part belle à la noix sèche, tandis qu'une note de chocolat imprègne la finale, longue et intense. ⧗ 2017-2027 🍷 filet de sandre safrané ■ **Les Boutasses Vieille Vigne 2011 (15 à 20 €; 1868 b.)** : vin cité.

⊶ *XAVIER REVERCHON, 2, rue du Clos, 39800 Poligny, tél. 03 84 37 02 58, reverchon.chantemerle@wanadoo.fr* *t.l.j. sf dim. 9h-12h 14h-18h30*

DOM. ROLET
La Dent de Charnet Chardonnay 2012 ★

	8000		8 à 11 €

Désiré Rolet a créé dans les années 1940 ce domaine, sorti de la coopérative en 1958. Ses enfants conduisent aujourd'hui une des plus importantes exploitations du Jura, constituée de 65 ha dans les AOC arbois, côtes-du-jura, l'étoile et château-chalon.

La Dent de Charnet est un secteur privilégié, d'orientation sud-est, dans lequel le chardonnay s'est épanoui et a donné, après un an d'élevage en fût, un vin jaune pâle aux reflets verts. Floral, avec une touche de grillé, le nez offre une belle composition. La bouche, souple et équilibrée, s'appuie sur une acidité plaisante et développe de jolis accents fruités, teintés d'un bon boisé grillé. ⧗ 2016-2020 🍷 volaille aux girolles

⊶ *SCEA DU DOM. ROLET PÈRE ET FILS, Lieu-dit Montesserin, rte de Dole, 39600 Arbois, tél. 03 84 66 00 05, rolet@wanadoo.fr* *t.l.j. 9h-12h 14h-19h*

DOM. DE SAVAGNY Chardonnay 2012

	9840	5 à 8 €

Un domaine de 12 ha, créé en 1986 par Claude Rousselot-Pailley et acquis une quinzaine d'années plus tard par la Maison du Vigneron, affaire de négoce établie à Crançot, dans le giron des Grands Chais de France.

Or pâle, ce chardonnay offre à l'olfaction une ligne florale de bonne inspiration. La bouche, chaleureuse et souple, s'adaptera à tous les palais. ⧗ 2016-2020 🍷 blanquette de veau

⊶ *DOM. DE SAVAGNY, 22, rte de Champagnole, 39570 Crançot, tél. 03 84 87 61 30, bleberre@lgcf.fr* *t.l.j. sf sam. dim. 10h-12h30 13h30-18h* ⊶ *GCF*

DOM. MICHEL THIBAUT Vin de paille 2011 ★

	2000		15 à 20 €

Natif de Poligny, Michel Thibaut a multiplié les expériences professionnelles dans différents vignobles en France. Il a été cogérant du domaine Morel-Thibaut de 1989 à 2013, puis a créé son propre domaine en 2014 avec son épouse Catherine: 6 ha en côtes-du-jura, sur les coteaux de Poligny.

Ce vin de paille a été vinifié dans le cadre de l'ancien domaine Morel-Thibaut, réputé pour ce type de production. Orangé aux reflets légèrement ambrés, il séduit par son nez de figue et de fruits confits. D'attaque souple et harmonieuse, la bouche se fait liquoreuse, accompagnée jusqu'en finale de jolies notes de confiture et de coing. ⧗ 2020-2027 🍷 foie gras ■ **Trousseau 2014 (8 à 11 €; 3600 b.)** : vin cité.

⊶ *DOM. MICHEL THIBAUT, 2, rue des Petites Marnes, 39800 Poligny, tél. 06 84 57 56 15, domaine.michel.thibaut@orange.fr* *r.-v.*

VINS ÉRIC ET BÉRENGÈRE THILL
Chardonnay 2014 ★

	2700		8 à 11 €

Il est alsacien, elle est berrichonne. Après des études à Dijon, Éric et Bérengère Thill s'installent dans le Jura en 2009, où ils cultivent dans la partie sud 5,3 ha de vignes, dont 3,15 ha en chardonnay.

Adeptes des vins monocépages, ces jeunes viticulteurs ont élevé ce chardonnay en cuve pendant dix mois. Marqué tilleul, le nez, élégant, évoque aussi les agrumes et le miel. La bouche, riche et dense, s'appuie sur une fine acidité qui souligne des arômes persistants de miel, d'agrumes et d'ananas. ⧗ 2016-2020 🍷 blanquette de poisson

⊶ *ÉRIC ET BÉRENGÈRE THILL, 11, rue Principale, 39570 Trenal, tél. 06 89 72 10 33, vinsdujura.ebthill@orange.fr* *r.-v.*

FRUITIÈRE VINICOLE DE VOITEUR
Floral Chardonnay 2015

| 13000 | | 5 à 8 € |

Cette fruitière – une coopérative, au sens de la mise en commun du fruit du travail – a été créée assez récemment, en 1957, par rapport à de vénérables consœurs locales. Située au pied de Château-Chalon, elle offre un panorama intéressant sur le village et le vignoble. Elle regroupe 70 vignerons pour une surface plantée de 75 ha.

Loin des techniques de vins sous voile, un élevage en cuve est à l'origine de ce vin pâle et brillant, bien ouvert sur les fleurs blanches et les agrumes, avec un agréable côté fumé. En bouche, c'est souple, frais et fin sans manquer de rondeur. Harmonieux. ⧗ 2016-2019 ⚲ terrine de poisson

⚷ *FRUITIÈRE VINICOLE DE VOITEUR, 60, rue de Nevy, 39210 Voiteur, tél. 03 84 85 21 29, voiteur@fvv.fr* V *t.l.j. 8h30-12h 13h30-18h; dim. 10h-12h 14h-18h*

CRÉMANT-DU-JURA

Superficie : 331 ha
Production : 19 700 hl (93 % blanc)

Reconnue en 1995, l'AOC crémant-du-jura s'applique à des mousseux élaborés selon les règles strictes des crémants (la méthode traditionnelle), à partir de raisins récoltés à l'intérieur de l'aire de production de l'AOC côtes-du-jura. Les cépages rouges autorisés sont le poulsard (ou ploussard), le pinot noir (appelé localement gros noirien) et le trousseau; les cépages blancs sont le chardonnay (appelé aussi melon d'Arbois ou gamay blanc), le savagnin (appelé localement naturé) et le pinot gris (rare).

DOM. BAUD PÈRE ET FILS Brut sauvage ★★

| 10000 | | 11 à 15 € |

Alain et Jean-Michel Baud ont pris la tête de ce domaine familial en 1978. Huit générations s'y sont succédé depuis 1742; la neuvième – Clémentine et Bastien – est arrivée en 2016. Berceau du domaine, le vignoble du Vernois fit l'objet d'un important remembrement dans les années 1960. Les 21 ha de l'exploitation sont implantés en côtes-du-jura, l'étoile et château-chalon.

La famille Baud a voulu ce crémant «sauvage» par son faible dosage. Issu d'un assemblage de 70 % de chardonnay et de 30 % de pinot noir, c'est un vin très pâle, quasiment translucide, dans lequel de fines bulles s'agitent. Le nez, expressif, est très fruité (fraise, framboise). Un trait aromatique que l'on retrouve dans une bouche fraîche, souple, élégante et très équilibrée. Un «bon sauvage» qui n'a rien d'un mythe. ⧗ 2016-2020 ⚲ tarte aux pommes

⚷ *DOM. BAUD PÈRE ET FILS, 222, rte de Voiteur, 39210 Le Vernois, tél. 03 84 25 31 41, info@domainebaud.fr* V *t.l.j. 9h-12h 14h-18h*

CAVEAU DES BYARDS 2014 ★★

| 100000 | | 8 à 11 € |

Cette petite coopérative est relativement récente puisqu'elle a été créée en 1953. C'est une affaire à taille humaine: 40 ha de vignes seulement et 17 adhérents. Mais elle investit régulièrement et sa production figure souvent en bonne place dans le Guide, notamment en crémant, qui représente 50 % de sa production.

Une bonne humeur se dégage de ces bulles nombreuses et fines. Jaune pâle aux reflets de bronze, ce pur chardonnay affiche une belle énergie au nez grâce à ses arômes de citron confit et de pomme fraîche. Dans la même veine, la bouche joue entre vivacité, touche minérale et élégance fruitée (fruits blancs bien mûrs, zeste de citron). C'est bon et ça sent les beaux jours entre amis. ⧗ 2016-2021 ⚲ gambas grillées

⚷ *CAVEAU DES BYARDS, rte de Voiteur, 39210 Le Vernois, tél. 03 84 25 33 52, info@caveau-des-byards.fr* V *t.l.j. 9h-12h 14h-18h*

MARCEL CABELIER 2014 ★

| 240000 | | 5 à 8 € |

Sous cette dénomination œuvre un négociant-vinificateur qui s'est installé en 1986 et s'est fortement développé depuis quelques années dans le Jura en vendant ses vins sous la marque Marcel Cabelier. Les apports de 114 vignerons concernent toutes les appellations jurassiennes.

La mousse est intense mais disparaît rapidement. Le nez, joliment citronné, est très expressif. Cette note persistante d'agrumes, agrémentée de saveurs de pêche de vigne, accompagne aussi la bouche, vive et fine. Un vin alerte et très accessible. ⧗ 2016-2018 ⚲ plateau de fruits de mer

⚷ *MAISON DU VIGNERON, 22, rte de Champagnole, 39570 Crançot, tél. 03 84 87 61 30, bleberre@lgcf.fr* V *t.l.j. sf sam. dim. 8h-12h30 13h30-18h* ⚷ *GCF*

MARIE-PIERRE CHEVASSU-FASSENET ★

| 3500 | | 8 à 11 € |

Les vignes ont été plantées par les parents de la vigneronne, éleveurs. Nichée dans la verdure sur les hauts de Menétru, la maison familiale, une ancienne tuilerie, abrite des caves du XVIIIe s. Marie-Pierre Chevassu a pris les rênes de ce domaine très régulier en qualité en 2008 (4,5 ha aujourd'hui), après avoir travaillé dans d'autres vignobles.

Dans son parcours, Marie-Pierre Chevassu-Fassenet a approché l'univers des effervescents de près, en restant trois ans en Champagne. Mousse légère, bulles fines: son crémant est très avenant. Fruits blancs et touches florales constituent un nez complexe. L'attaque est vive, foisonnante et le palais dense et puissant. Du caractère et du potentiel. ⧗ 2016-2020 ⚲ poularde à la crème

⚷ *CHEVASSU-FASSENET, Les Granges-Bernard, 39210 Menétru-le-Vignoble, tél. 03 84 48 17 50, mpchevassu@yahoo.fr* V *r.-v.*

JEAN-LUC MOUILLARD

| 10000 | 5 à 8 € |

Depuis 1991, Jean-Luc Mouillard élève dans ses belles caves voûtées de la fin du XVIe s. des vins des AOC l'étoile, côtes-du-jura, macvin-du-jura, crémant-du-jura et château-chalon. Un vigneron multi-appellations et une valeur sûre du vignoble jurassien.

Les bulles sont fines mais rares, formant une mousse fugace. Une présence affirmée au nez en revanche, avec un bouquet intense et frais d'agrumes, de pomme et de fruits exotiques. La bouche, assez dosée, est tout aussi fruitée. Un produit assez insaisissable mais plaisant. 2016-2019 volaille à la crème

JEAN-LUC MOUILLARD, 379, rue du Parron, 39230 Mantry, tél. 03 84 25 94 30, domainemouillard@hotmail.fr V r.-v.

DOM. DÉSIRÉ PETIT 2014

| 30000 | 8 à 11 € |

Désiré Petit a bâti dès 1932 ce domaine, qui compte aujourd'hui 27 ha. Ses fils Gérard et Marcel l'ont fait prospérer à partir de 1970, et ce sont désormais les enfants de Marcel, Anne-Laure et Damien, qui en ont la responsabilité, confortant certains positionnements, comme les vendanges manuelles, mais explorant aussi de nouvelles voies, telle la cuvée sans soufre. Une valeur sûre du vignoble jurassien, qui a obtenu de nombreux coups de cœur.

Beaucoup de chardonnay (90 %) et une pointe de pinot noir pour ce crémant jaune pâle, aux bulles fines. Un soupçon de bergamote au nez et une bouche plutôt souple, ample, ronde et fruitée. Un crémant docile et facile d'accès. 2016-2018 terrine de saumon

DOM. DÉSIRÉ PETIT, rue du Ploussard, 39600 Pupillin, tél. 03 84 66 01 20, contact@desirepetit.com
V *t.l.j. 8h30-12h 14h-18h30*

DOM. DE LA PETITE MARNE ★

| 10000 | 8 à 11 € |

Jean-Yves et Philippe Noir ont pris la suite de leur père sur une propriété de 11 ha. Adhérents à la cave coopérative depuis 1976, ils ont décidé en 2003 de vinifier au domaine. Le nom de celui-ci fait référence à la nature des sols du terroir polinois.

Les frères Noir ont utilisé uniquement du raisin blanc (chardonnay) pour leur crémant. Si les bulles sont légères, la mousse est persistante. Floral et intense, le nez libère aussi quelques notes de pomme et d'agrumes. La bouche, droite et précise, est à la fois fraîche et élégante. Une belle harmonie sur fond de pêche blanche. 2016-2019 clafoutis aux pêches

NOIR FRÈRES DOM. DE LA PETITE MARNE, RN 83, 39800 Poligny, tél. 06 83 93 88 74, petitemarne.noir@wanadoo.fr
V *ven. sam. 10h-12h 14h-19h*

PIERRE RICHARD 2010 ★

| 10000 | 8 à 11 € |

Pierre Richard s'est installé en 1976 à la suite de son père. Il travaille désormais avec son fils Vincent, revenu sur l'exploitation en 2009. Les 9 ha de vignes sont cultivés principalement dans le village du Vernois, dont le vignoble a fait l'objet d'un vaste remembrement dans les années 1960.

Pierre Richard et son fils Vincent proposent ici un crémant millésimé blanc de blancs qui a vieilli quatre ans sur lattes. D'une robe jaune pâle, il dégage une mousse intense. Le nez offre un fruité élégant, entre pomme verte et agrumes. La bouche, tout aussi fruitée, à la fois riche et fraîche est très agréable. 2016-2020 carpaccio de saint-jacques

PIERRE RICHARD, 136, rte de Voiteur, 39210 Le Vernois, tél. 03 84 25 33 27, domainepierrerichard@wanadoo.fr V *r.-v.*

SORBIEF Grande Réserve 2013

| 8000 | 11 à 15 € |

Acquis au début des années 1960, ce domaine (60 ha) est l'une des propriétés de la société Henri Maire (groupe bourguignon Boisset), qui totalise plus de 300 ha de vignes dans le Jura. Il se partage entre les communes d'Arbois et de Pupillin.

De jolies bulles fines se suivent inlassablement dans une robe couleur jaune pâle. Un beau fruité fait de pomme tiède caractérise le nez, tandis que la bouche se fait intense et vineuse. Un crémant 100 % chardonnay généreux et assez consensuel, à privilégier pour le dessert. 2017-2020 tarte aux poires

SCV DES DOMAINES HENRI MAIRE (DOM. DU SORBIEF), Ch. Boichailles, 39600 Arbois, tél. 03 84 66 12 34 V *t.l.j. 9h-19h* *Boisset*

MICHEL TISSOT ET FILS

| 10000 | 5 à 8 € |

C'est en 1962 que Jacques Tissot crée son domaine avec une parcelle héritée de son père. La modernisation des chais est engagée en 1992 avec la création d'une surface de 2 000 m² au bord de la nationale 83. Aujourd'hui, la propriété, conduite désormais par les enfants, Philippe et Nathalie, compte 30 ha de vignes.

Moitié pinot noir moitié chardonnay, ce crémant jaune pâle offre une mousse légère. Floral au nez, il est rond en bouche, équilibré et fin. Une note beurrée accompagne la dégustation et se révèle particulièrement agréable en finale. 2016-2018 gougères

MICHEL TISSOT, BP 40012, 39600 Arbois, tél. 03 84 66 47 97 *Boisset*

L'ÉTOILE

Superficie : 66 ha / Production : 2 345 hl

Le village doit son nom à des fossiles, segments de tiges d'encrines (échinodermes en forme de fleurs),

petites étoiles à cinq branches. Son vignoble produit des vins blancs, jaunes et de paille.

DOM. GENELETTI PÈRE ET FILS Floral 2014 ★

	n.c.	5 à 8 €

Le domaine, historiquement ancré dans l'appellation l'étoile, s'est agrandi dans les AOC château-chalon et arbois dont il est devenu l'une des belles références. Il compte désormais 15 ha, conduits depuis 1997 par David Geneletti, qui s'est installé à Château-Chalon, dans une ancienne maison d'Henri Maire.

Il y a dans la robe jaune de ce pur chardonnay les mêmes reflets dorés et argentés que sur la crinière de la belle jument de trait de race comtoise – «ma jolie blonde», comme l'appelle David Geneletti – utilisée pour cultiver certaines des vignes du domaine. Un lâcher de fleurs blanches nous accueille au nez, teinté d'agrumes, de pomme et de notes beurrées. Le lien avec la bouche se fait sans heurts, dans une belle impression de gras. Un vin d'apéritif ou de repas. ⧗ 2017-2020 ⚲ volaille à la crème

DOM. GENELETTI PÈRE ET FILS, 14, rue Saint-Jean, 39210 Château-Chalon, tél. 03 84 44 95 06, contact@domaine-geneletti.net V *t.l.j. sf dim. 9h-12h 14h-18h30*

♥ DOM. DE MONTBOURGEAU Vin de paille 2012 ★★

	2000		20 à 30 €

En 1920, Victor Gros, le grand-père de Nicole Deriaux, s'est installé à Montbourgeau. Le père, Jean Gros, conforta la renommée du domaine. À proximité des 10 ha de vignes se dévoile un lieu bucolique, bordé par une allée de tilleuls débouchant sur les chais qui entourent la maison familiale. Un domaine de référence de l'appellation l'étoile.

On ne s'étonnera pas vraiment de ce coup de cœur pour le vin de paille de Montbourgeau, un vin qui a déjà plusieurs fois connu cet honneur. Le «verdissement» des pratiques culturales (enherbement, engrais verts) n'altère visiblement en rien la qualité des vins. Ce 2012 à la teinte mordorée est un enchantement au nez: les notes de miel, de coing et d'abricot sont ponctuées de légères touches florales. Cette belle gamme aromatique se poursuit au sein d'une bouche longue et soyeuse, où le sucre est en parfait équilibre avec l'acidité. Un vin à apprécier pour lui-même ou à servir à table – dès aujourd'hui ou après une longue garde, à vous de voir. Le plaisir sera au rendez-vous dans tous les cas. ⧗ 2016-2027 ⚲ gâteau au chocolat

DOM. DE MONTBOURGEAU, 53, rue de Montbourgeau, 39570 L'Étoile, tél. 03 84 47 32 96, domaine@montbourgeau.com V *t.l.j. 9h-12h 14h-18h30; dim. sur r.-v. Nicole Deriaux*

DOM. PHILIPPE VANDELLE Vieilles Vignes 2013 ★

	12000		8 à 11 €

La famille Vandelle est arrivée à L'Étoile dans les années 1880. Philippe et Bernard sont installés depuis 2001, en bas du village, où ils exploitent 15 ha de vignes. Une valeur sûre de l'appellation l'étoile, très à l'aise aussi en crémant.

Cet assemblage de 80 % de chardonnay et de 20 % de savagnin a été élevé six mois en cuve puis vieilli deux ans sous voile. Doré à l'œil, le vin trahit son élevage au nez à travers de jolies nuances de noisette, de pomme et surtout de noix, la note classique des vins oxydatifs. Si l'attaque est vive grâce à une acidité franche, le milieu de bouche se fait rond et affiche un bel équilibre sur fond de noix verte. Une plaisante harmonie. ⧗ 2018-2022 ⚲ filet de truite à la crème

DOM. PHILIPPE VANDELLE, 186, rue Bouillod, 39570 L'Étoile, tél. 03 84 86 49 57, info@vinsphilippevandelle.com V *r.-v.*

MACVIN-DU-JURA

Superficie : 88 ha
Production : 4 095 hl (92 % blanc)

Tirant probablement son origine d'une recette des abbesses de l'abbaye de Château-Chalon, l'AOC macvin-du-jura – anciennement maquevin ou marc-vin-du-jura – a été reconnue en 1991. C'est en 1976 que la Société de Viticulture engagea pour la première fois une démarche de reconnaissance en AOC pour ce produit très original. L'enquête fut longue. En effet, au cours du temps, le macvin, d'abord vin cuit additionné d'aromates ou d'épices, est devenu mistelle, élaboré à partir du moût concentré par la chaleur (cuit), puis vin de liqueur muté soit au marc, soit à l'eau-de-vie de vin. C'est cette dernière méthode, la plus courante, qui a été finalement retenue pour l'AOC. Vin de liqueur, le macvin met en œuvre du moût ayant subi un léger départ en fermentation, muté avec une eau-de-vie de marc de Franche-Comté à appellation d'origine issue de la même exploitation que le moût. Ce dernier doit provenir des cépages et de l'aire de production ouvrant droit à l'AOC. L'eau-de-vie doit être «rassise», c'est-à-dire vieillie en fût de chêne pendant dix-huit mois au moins. Après cette association réalisée sans filtration, le macvin doit «reposer» pendant un an en fût de chêne, puisque sa commercialisation ne peut se faire avant le 1er octobre de l'année suivant la récolte. Apéritif d'amateur, il rappelle les produits jurassiens à forte influence du terroir.

JURA

CH. D'ARLAY ★★

	4000		20 à 30 €

Constitué à la fin du XIes., ce domaine viticole (17 ha), aujourd'hui propriété du comte Alain de Laguiche, a été au cours de son histoire une vigne royale d'Espagne, d'Angleterre et de France. Le château et les caves sont classés Monuments historiques. La moitié du vignoble est conduite en bio, l'autre en culture raisonnée, et des essais en biodynamie sont tentés depuis 2016.

Dans une lignée tout aussi royale que le domaine, ce macvin couvert d'or associe au nez des senteurs de vieux marc et les accents guillerets de la noisette et de la poire. La bouche, longue et équilibrée, offre un très beau fondu entre marc et sucrosité; aux notes empyreumatiques et chocolatées de l'élevage se joignent des tons doux de miel, de raisin et d'amande séchée. ⧗ 2016-2025 🍷 tarte au chocolat

CH. D'ARLAY, 2, rte de Proby, 39140 Arlay, tél. 03 84 85 04 22, chateau@arlay.com V t.l.j. sf dim. 10h-12h 14h-18h A. de Laguiche

MARIE ET DENIS CHEVASSU ★★

	2000	11 à 15 €

Les vignes ont été plantées par les parents de la vigneronne, éleveurs. Nichée dans la verdure sur les hauts de Menétru, la maison familiale, une ancienne tuilerie, abrite des caves du XVIII[e]s. Marie-Pierre Chevassu a pris les rênes de ce domaine très régulier en qualité en 2008 (4,5 ha aujourd'hui), après avoir travaillé dans d'autres vignobles.

Il y a dans ce macvin doré aux reflets cuivrés quelque chose de paisible, à l'instar des granges Bernard, lieu-dit dans lequel il s'est épanoui lentement au cœur des caves. Ouvert, le nez trouve dans une touche mentholée une bonne association avec le nougat et l'abricot sec. D'attaque souple, la bouche, tendre, moelleuse, s'étire longuement en évoquant les fruits confits, le caramel brun, le raisin et la poire. ⧗ 2016-2025 🍷 foie gras aux figues

CHEVASSU-FASSENET, Les Granges-Bernard, 39210 Menétru-le-Vignoble, tél. 03 84 48 17 50, mpchevassu@yahoo.fr V r.-v.

♥ DOM. HORDÉ ★★★

	1023		15 à 20 €

Yves Hordé a acquis un peu à l'aventure une vigne sur le coteau de Port-Lesney en 1999, alors qu'il habitait Reims. Il s'est pris au jeu et s'est agrandi, louant ou achetant des parcelles. Il cultive désormais quelque 3 ha, limite les produits phytosanitaires et vendange manuellement.

Un très beau témoin de la passion d'Yves Hordé pour la vigne et le vin – qu'il a transmise à son fils, appelé à suivre la voie paternelle – que ce macvin or cuivré. Toute la conviction d'un homme que pourtant rien ne prédestinait à devenir vigneron se reflète dans la brillance de l'assemblage d'un moût de chardonnay et d'un vieux marc. Légèrement boisé, le nez nous invite dans le monde de l'amande sèche, du chocolat noir et du marc. Cette belle ligne aromatique se poursuit au sein d'une bouche ronde et fondue, où pâte de coing, abricot sec et épices s'expriment harmonieusement. ⧗ 2016-2028 🍷 foie gras

YVES HORDÉ, 14, rue du Port, 39600 Port-Lesney, tél. 03 84 73 89 24, yves.horde39@orange.fr V r.-v.

DOM. MACLE ★

	n.c.	15 à 20 €

Jean Macle, ancien maire de Château-Chalon, a créé cette exploitation en 1964. Ses enfants conduisent désormais un domaine de 12 ha (en conversion bio) où vins blancs et jaunes ont la part belle et sont souvent en vue dans le Guide. Des vins élaborés de manière traditionnelle, qui vieillissent dans des caves nichées au cœur du village.

Doré, presque ambré, ce macvin est assez évolué au nez, où l'amande s'allie à la noix sèche et aux épices. Fondue, ample et équilibrée, la bouche se révèle très chaleureuse; caramel, fruits secs et fruits confits y sont rehaussés d'une stimulante touche épicée. ⧗ 2018-2025 🍷 tarte aux noix

DOM. MACLE, 15, rue de la Roche, 39210 Château-Chalon, tél. 03 84 85 21 85, maclel@wanadoo.fr V r.-v.

DOM. DES MARNES BLANCHES

	3000		15 à 20 €

Tous deux œnologues, Pauline et Géraud Fromont ont créé leur domaine en 2008, en reprenant 4 ha sur un terroir de marnes blanches que sont venus compléter 6 ha sur des terrains argilo-calcaires. Leur vignoble, situé dans le sud Revermont, est conduit en agriculture biologique.

C'est le marc qui est la pièce principale du nez de ce macvin joliment doré: poire confite et amande sèche s'y associent volontiers. Pas prêt à lâcher le morceau, l'alcool domine une bouche poivrée et épicée. Finale intéressante sur la noisette et l'amande. ⧗ 2016-2020 🍷 tarte bourdaloue

PAULINE ET GÉRAUD FROMONT, 3, Les Carouges, 39190 Sainte-Agnès, tél. 03 84 25 19 66, contact@marnesblanches.com V r.-v.

JEAN-LUC MOUILLARD ★

	3000		11 à 15 €

Depuis 1991, Jean-Luc Mouillard élève dans ses belles caves voûtées de la fin du XVI[e]s. des vins des AOC l'étoile, côtes-du-jura, macvin-du-jura, crémant-du-jura et château-chalon. Un vigneron multi-appellations et une valeur sûre du vignoble jurassien.

Une robe dorée classique et avenante. La fraîcheur du premier nez est vite relayée par des notes épicées. Souple et ronde, la bouche allie la générosité de l'alcool et un joli caractère liquoreux. Noisette, fruits secs et épices forment une belle trame aromatique de fond. ⧗ 2016-2025 🍷 tarte à la noix de coco

JEAN-LUC MOUILLARD, 379, rue du Parron, 39230 Mantry, tél. 03 84 25 94 30, domainemouillard@hotmail.fr V r.-v. 2

XAVIER REVERCHON ★★

	1200		15 à 20 €

Xavier représente la quatrième génération des Reverchon sur ce domaine créé en 1900. Il s'est installé en 1978, appliquant un principe qui lui est cher: le labour des vignes. Il se fait fort aussi de n'employer sur ses 6 ha de vignes ni engrais ou désherbant chimiques, ni insecticide ou acaricide. Les vendanges sont manuelles. Une belle régularité, notamment en côtes-du-jura et en crémant.

Pour la précédente édition du Guide, Xavier Reverchon avait présenté un macvin rosé élaboré à base d'un jus de pinot noir. Celui-ci, de couleur or aux reflets ambrés, a été muté à partir d'un moût de chardonnay. Au nez, l'amande sèche se mêle à des notes torréfiées pour former un bel ensemble aromatique. Fondue et équilibrée, la bouche y ajoute la poire mûre, le nougat et la pomme cuite. ⧗ 2016-2025 🍴 nougat glacé

⊶ XAVIER REVERCHON, 2, rue du Clos, 39800 Poligny, tél. 03 84 37 02 58, reverchon.chantemerle@wanadoo.fr V 🚶 ■ *t.l.j. sf dim. 9h-12h 14h-18h30*

IGP FRANCHE-COMTÉ

VIGNOBLE GUILLAUME
Pinot noir Vieilles Vignes 2014 ★★

■ | 22000 | ⦶ | 8 à 11 €

La famille Guillaume cultive la vigne depuis le XVIIIe s. sur les terres de Charcenne. Un long passé viticole, complété à la fin du XIXe s. par une activité de pépiniériste viticole. Autant dire que ce vaste domaine de 40 ha dispose d'un matériau de premier choix pour élaborer ses cuvées; cuvées signées depuis 1989 par Xavier Guillaume et très souvent en vue dans ces pages, notamment celles issues de pinot noir.

Coup de cœur dans l'édition précédente pour son Pinot noir Collection réservée À mon père 2013, le domaine revient cette année avec une belle série de cuvées. En tête, ce 2014 né de vieux ceps de trente-sept ans. Au nez, les fruits rouges se mêlent à la réglisse et au toasté de la barrique. Un attaque vive et dynamique introduit un palais solide et ferme, encore assez musculeux en finale. Prometteur. ⧗ 2018-2022 🍴 joues de bœuf au vin rouge ■ **Chardonnay Collection réservée À mon père 2014 ★ (15 à 20 €; 6300 b.)** : un vin joliment floral, fruité (coing, pomme) et toasté, gras et rond en bouche, avec une finale plus fraîche et végétale qui amène du nerf. Un ensemble équilibré. ⧗ 2016-2020 🍴 saint-jacques à la crème ■ **Pinot noir Collection réservée À mon père 2014 (15 à 20 €; n.c.)** : vin cité.

⊶ VIGNOBLE GUILLAUME, 32, Grande-Rue, 70700 Charcenne, tél. 03 84 32 77 22, vignoble@guillaume.fr V 🚶 ■ *t.l.j. sf dim. 9h-12h 14h-18h*

JURA

LA SAVOIE ET LE BUGEY

Du lac Léman à la rive droite de l'Isère, dans les départements de la Haute-Savoie, de l'Ain, de l'Isère et surtout de la Savoie, le vignoble s'éparpille en îlots le long des vallées, borde les lacs ou s'accroche aux basses pentes les mieux exposées des Préalpes. Il fournit surtout des vins friands à boire jeunes, blancs secs pour les deux tiers, mais les sélections du Guide montrent l'existence de vins de caractère, voire de garde.

La vigne, la montagne et l'eau. Le vignoble savoyard est principalement situé à proximité du lac Léman ou de celui du Bourget, ou le long des rives du Rhône et de l'Isère. Les barrières rocheuses des Bauges et de la Chartreuse, les lacs et les cours d'eau tempèrent la rudesse du climat montagnard.

Des cépages typiques. Du fait de la grande dispersion du vignoble, ils sont assez nombreux. Les principales variétés sont au nombre de deux en rouge et de quatre en blanc. En rouge, le gamay, importé du Beaujolais voisin après la crise phylloxérique, donne des vins vifs et gouleyants, à consommer dans l'année. La mondeuse, cépage local, fournit des vins rouges bien charpentés, notamment à Arbin; c'était, avant le phylloxéra, le cépage le plus important de la Savoie; elle connaît un regain d'intérêt mérité, car ses vins ont de la personnalité et du potentiel. En blanc, la jacquère et le chasselas (ce dernier cultivé sur les rives du lac Léman) sont à l'origine de vins blancs frais et légers. L'altesse est un cépage très fin, typiquement savoyard, celui de l'appellation roussette-de-savoie. La roussanne, appelée localement bergeron, donne également des vins blancs de haute qualité, spécialement à Chignin (Chignin Bergeron). On trouve encore, sur des superficies restreintes, le pinot noir et le chardonnay, et des variétés locales comme le persan (rouge), la molette et le gringet (blancs).

VIN-DE-SAVOIE

Superficie : 1 744 ha
Production : 93 372 hl (70 % blanc)

Le vignoble donnant droit à l'appellation est installé le plus souvent sur les anciennes moraines glaciaires ou sur des éboulis. La dispersion géographique s'ajoute à ce facteur géologique pour expliquer la diversité des vins savoyards, souvent consacrée par l'adjonction d'une dénomination locale à celle de l'appellation régionale (ex.: vin-de-savoie Apremont). Au bord du Léman, à Marin, Ripaille, Marignan et Crépy (ex-AOC), comme sur la rive suisse, c'est le chasselas qui règne. Il donne des vins blancs légers, à boire jeunes, souvent perlants. Les autres zones ont des cépages différents et, selon la vocation des sols, produisent des vins blancs ou des vins rouges. On trouve ainsi, du nord au sud, Ayze, au bord de l'Arve, et ses vins blancs pétillants ou mousseux, puis, au bord du lac du Bourget (et au sud de l'appellation seyssel), la Chautagne et ses vins rouges au caractère affirmé. Au sud de Chambéry, les bords du mont Granier recèlent des vins blancs frais, comme le cru Apremont et celui des Abymes, vignoble établi sur le site d'un effondrement qui, en 1248, fit des milliers de victimes. En face, Monterminod, envahi par l'urbanisation, a malgré tout conservé un vignoble qui donne des vins

remarquables; il est suivi de ceux de Saint-Jeoire-Prieuré, de l'autre côté de Challes-les-Eaux, puis de Chignin, dont le bergeron a une renommée justifiée. En remontant l'Isère par la rive droite, les pentes sud-est sont occupées par les crus de Montmélian, Arbin, Cruet et Saint-Jean-de-la-Porte.

CELLIER DE LA BARATERIE
Gamay Montassoulaz 2015

■ | 2800 | | 5 à 8 €

Julien Viana, originaire de Cruet, ne vient pas d'une famille de vignerons. Après un baccalauréat agricole, un BTS viticulture-œnologie et une licence professionnelle en viticulture raisonnée et certification environnementale, il fait ses armes au domaine de l'Idylle et au Ch. de Mérande. C'est en 2014 que le jeune vigneron se lance avec 1 ha. En 2015, il rachète des parcelles pour agrandir son vignoble qui couvre aujourd'hui 5 ha, en cours de conversion au bio.

Montassoulaz? C'est le surnom que portait le grand-père de Julien. Friand, léger et harmonieux, ce gamay macéré en grappes entières offre des arômes de griotte et des notes fumées bien typées. Simple et de bon aloi.
⌛ 2016-2018 🍴 steak tartare

VIANA, 300, rue de la Chapelle, 73800 Cruet, tél. 06 88 21 08 50 V r.-v.

DOM. G. ET G. BOUVET
Mondeuse Cuvée Guillaume Charles 2012

■ | 5000 | | 20 à 30 €

Établi sur les versants sud du massif des Bauges, ce domaine étend son vaste vignoble sur 36 ha et une soixantaine de parcelles qui lui permettent de proposer une large palette de cépages et de vins savoyards.

La Savoie et le Bugey

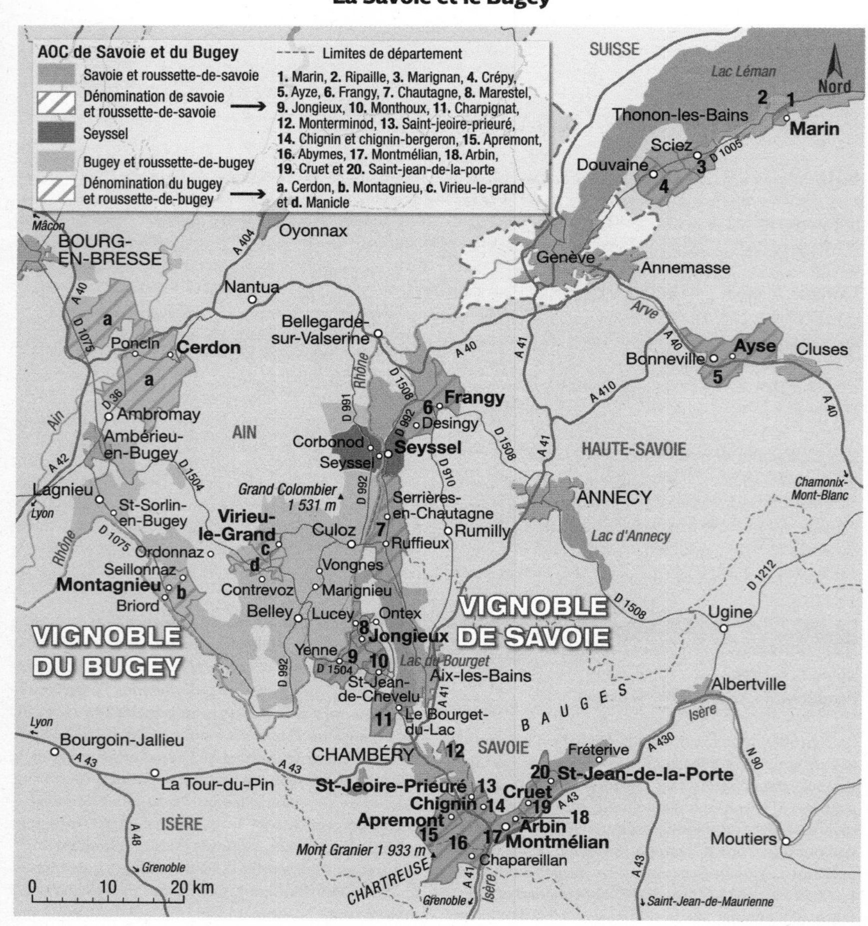

Élevée dix-huit mois en fût de chêne, cette mondeuse dévoile au nez des arômes de fruits noirs, de vanille et de moka. La bouche, ronde et d'un bon volume, évolue sur des notes boisées encore dominantes et s'achève sur les épices douces. Un vin qui gagnera à vieillir. ⧗ 2018-2023 🍷 magret de canard grillé

SCEA DOM. G. ET G. BOUVET, Le Villard, 73250 Fréterive, tél. 04 79 28 54 11, contact@domaine-bouvet.com V t.l.j. sf dim. 9h-12h 13h30-18h *Garanjoud*

FRANÇOIS CARREL ET FILS
Jongieux Gamay Vieilles Vignes 2015 ★★

■ | 17000 | | 5 à 8 €

Créé en 1882, ce domaine familial se consacre à la viticulture depuis 1977. Éric Carrel, représentant la cinquième génération, conduit aujourd'hui un vignoble de 13,5 ha.

Avec ses arômes de fruits rouges frais et croquants, ce gamay souple, friand et frais est un très beau représentant du cépage et de l'appellation. Une vraie gourmandise que ce vin alerte et joyeux, à boire sur le fruit et sans chichi. ⧗ 2016-2017 🍷 plateau de charcuterie ■ **Jongieux Mondeuse Vieilles Vignes 2014 ★ (8 à 11 €; 7000 b.)** : en partie issue de vignes centenaires, cette mondeuse vinifiée en fût de 600 l offre une belle expression aromatique, sur la mûre et le poivre, et s'appuie sur des tanins bien enrobés et patinés qui lui confèrent un caractère aimable et velouté. ⧗ 2016-2020 🍷 diots polenta

FRANÇOIS CARREL ET FILS, Le Haut, 73170 Jongieux, tél. 04 79 33 18 48, gaec-la-rosiere@wanadoo.fr Éric Carrel

JEAN CAVAILLÉ Mondeuse Vieilles Vignes 2014 ★

■ | 3000 | | 8 à 11 €

Fondée en 1949 par Jean Cavaillé, cette maison de négoce a son siège à Aix-les-Bains. Si elle diffuse aujourd'hui des vins de toute la France, elle veille particulièrement à ses vins de Savoie. Laurent Cavaillé représente la troisième génération.

Fruits noirs (mûre, cassis), épices et cacao composent la palette aromatique de cette mondeuse bien constituée, ample et soyeuse, aux tanins fins et racés. ⧗ 2017-2021 🍷 selle d'agneau ■ **Apremont Vieilles Vignes 2014 (8 à 11 €; 3000 b.)** : vin cité.

JEAN CAVAILLÉ, PAE Les Combaruches, 285, bd Jean-Jules-Herbert, 73100 Aix-les-Bains, tél. 04 79 61 04 90, m.fromont@cavaille.com

DOM. LA CHANCELIÈRE Chignin 2015 ★

■ | 36000 | | 5 à 8 €

Fabien Félix s'est installé en 1999 sur ce domaine familial qui ne trouvait pas de successeur: 4,5 ha à l'époque, le tout vendu en vrac au négoce. Aujourd'hui, le vignoble couvre 13 ha et vend 70 % de sa production en bouteilles. Depuis 2012, Fabien Félix est associé avec Georges Navarro.

Ce chignin léger, délicat et perlant, aux arômes citronnés, présente une belle fraîcheur en bouche, caractéristique de la jacquère. Un vin alerte et friand comme il se doit. ⧗ 2016-2019 🍷 toasts au saumon ■ **Dom. la Chancelière Chignin Bergeron 2015 ★ (8 à 11 €; 20000 b.)** : un bergeron tout en finesse, porté sur des arômes d'amande et d'abricot, qui offre une belle expression de la roussanne sans aucune lourdeur, avec beaucoup de fraîcheur. ⧗ 2016-2022 🍷 gougères au fromage

DOM. LA CHANCELIÈRE, Le Villard, 73800 Chignin, tél. 04 79 71 57 38, fabien.felix.vins@gmail.com V r.-v.

CHEVALLIER-BERNARD
Jongieux Mondeuse 2015 ★★

■ | 10000 | | 5 à 8 €

Jean-Pierre Bernard, épaulé par son épouse Chantal, a apporté du Beaujolais sa connaissance du gamay quand il s'est installé en 1996 à Jongieux sur la petite exploitation de son beau-père, étendue aujourd'hui sur 12,6 ha. Il maîtrise aussi la vinification des blancs, témoin les sélections régulières de sa roussette-de-savoie.

Avec ses arômes de mûre, de cassis et de framboise, cette mondeuse offre une belle complexité aromatique. En bouche, elle se montre dense, tannique et profonde. Un solide potentiel de vieillissement. ⧗ 2020-2027 🍷 tomme de Savoie ■ **Jongieux 2015 (5 à 8 €; 12000 b.)** : vin cité.

DOM. CHEVALLIER-BERNARD, Le Haut, 73170 Jongieux, tél. 06 60 77 14 76, cjpbernard@orange.fr V r.-v. *Chantal et Jean-Pierre Bernard*

DOM. DES CÔTES ROUSSES
Saint-Jean-de-la-Porte
Les Montagnes rousses 2014 ★

■ | 1400 | | 11 à 15 €

Après un master en management des territoires ruraux, Nicolas Ferrand reprend ses études au lycée viticole de Beaune. En 2013, il crée son domaine en rachetant des parcelles d'anciens coopérateurs sur les coteaux argilo-calcaires de Saint-Jean-de-la-Porte. La couleur des sols argileux donne son nom à sa propriété: les Côtes Rousses. Ce «vigneron-paysan», comme il aime se décrire, conduit aujourd'hui 4 ha qu'il compte convertir en bio.

Fin et floral, le nez est encore discret. C'est en bouche que cette mondeuse se révèle: du volume, de la droiture, un boisé fondu et des tanins élégants, ciselés avec précision. ⧗ 2017-2022 🍷 chapon aux cèpes

NICOLAS FERRAND, 546, rte de Villard-Marin, 73290 La Motte-Servolex, tél. 06 62 52 70 64, lescotesrousses@gmail.com V r.-v.

GRANDE CAVE DE CRÉPY
Crépy Goutte d'Or 2015 ★

■ | 100000 | 5 à 8 €

Cet important domaine (30 ha) existe depuis 1890 et sa création par Léon Mercier a largement œuvré à la promotion du cru Crépy. Ce sont aujourd'hui ses petit-fils et arrière-petit-fils, Claude et Stéphane, qui sont aux commandes de l'exploitation, dont la moitié du vignoble est en cours de conversion à la biodynamie.

JURA

Ce Crépy se révèle généreux en arômes fruités et toastés; arômes que l'on retrouve dans une bouche bien équilibrée, à la fois onctueuse, suave et très fraîche. ⌛ 2016-2018 🍷 truite aux amandes

⊶ *EARL LA GOUTTE D'OR, Dom. de la Grande Cave, 74140 Ballaison, tél. 04 50 94 01 23, clmercier74@aol.com* V *t.l.j. 8h-12h 13h30-18h; dim. sur r.-v.* ⊶ *Mercier*

DOM. DELALEX Marin 2014

□ | 28 000 | 5 à 8 €

Le cru Marin est un délicieux coteau d'une vingtaine d'hectares planté de chasselas, au bord du lac Léman. Une poignée de producteurs y vivent de la vigne, dont Samuel et Benoît Delalex, à la tête d'un domaine familial de 8 ha spécialisé dans la viticulture dans les années 1960; l'une des locomotives du cru, souvent présente dans le Guide.

Au nez, ce vin dévoile des arômes fins et bien mariés de pomme verte, d'amande et de noix de cajou. En bouche, il associe fraîcheur, puissance alcoolique et minéralité. Un ensemble équilibré. ⌛ 2016-2018 🍷 raclette

⊶ *DOM. DELALEX, 108, chem. des Noyereaux, 74200 Marin, tél. 04 50 71 45 82, domainedelalex@hotmail.fr* V *t.l.j. sf dim. 15h-19h*

DOM. DUPRAZ Apremont Le Moulin 2015

□ | 3 500 | 5 à 8 €

Héritiers d'une longue lignée vigneronne (1880), Marc Dupraz, le père, et Jérémy, son fils, ne vinifient au domaine familial que depuis 2011, sur 3,5 ha à l'époque, sur 10 ha aujourd'hui.

Cet Apremont évoque à l'olfaction les agrumes et la pierre frottée. En bouche, de la fraîcheur et de la rondeur. Un vin équilibré et persistant. ⌛ 2016-2019 🍷 plateau de fromages de Savoie

⊶ *EARL MARC DUPRAZ, Dom. Dupraz, Le Reposoir, 73190 Apremont, tél. 06 17 51 39 35, domaine.dupraz@gmail.com* V *r.-v.*

DOM. DE L'ÉPERVIÈRE Apremont Cuvée Eugénie 2015 ★

□ | 830 | 8 à 11 €

Julie Portaz (troisième génération) a repris le domaine familial de l'Épervière en 2012, dont le nom évoque une fleur poussant sur les éboulis montagneux. Le vignoble couvre 5,4 ha.

Hommage à l'ancienne propriétaire de la parcelle dont il est extrait, cet Apremont aux arômes floraux et exotiques se révèle ample, dense, riche et très rond. Un vin gourmand et plein de bonhomie. ⌛ 2016-2019 🍷 quenelles de brochet sauce Nantua □ **Abymes Habanera 2015 ★ (8 à 11 €; 800 b.)** : dans le chai de Julie Portaz, les vins fermentent au son de grandes œuvres musicales. Cet Abymes «a écouté» une habanera et cela lui a semble-t-il réussi: un vin équilibré, frais, dynamique, un brin perlant, ouvert sur des arômes d'agrumes et de bonbon anglais. ⌛ 2016-2019 🍷 poêlée de Saint-Jacques

⊶ *PORTAZ, rue de la Crapautière, 38530 Chapareillan, tél. 06 86 33 51 08, domaineleperviere@orange.fr* V *r.-v.*

SAMUEL ET FABIEN GIRARD-MADOUX Chignin Bergeron 2015 ★

□ | 6 400 | 8 à 11 €

Ce domaine familial de 6 ha est tenu par les frères Samuel et Fabien Girard-Madoux (quatrième génération). Le premier s'est destiné à la vigne dès ses quatorze ans, le second a fait un détour par la boulangerie avant de s'installer en 2001.

Riche en arômes de fleurs blanches et de guimauve, ce Chignin Bergeron offre une bouche souple, longue et bien équilibrée entre rondeur suave et fine acidité, dominé par des notes typiques d'abricot. ⌛ 2016-2022 🍷 fromages de chèvre ■ **Chignin Mondeuse Tradition 2015 (5 à 8 €; 5 500 b.)** : vin cité.

⊶ *SAMUEL ET FABIEN GIRARD-MADOUX, Dom. Plantin, Torméry, 73800 Chignin, tél. 04 79 28 11 76, caveplantin@gmail.com* V *r.-v.*

JEAN-CHARLES GIRARD-MADOUX Mondeuse 2015 ★

■ | 8 000 | 5 à 8 €

La famille Girard-Madoux a longtemps été propriétaire d'un domaine viticole sur la commune de Chignin, jusqu'à sa vente en 1976. En 2006, Jean-Charles Girard-Madoux, BTS «viti-œno» en poche et formé en Bourgogne chez Bernard Rion, reprend les vignes familiales: 2,5 ha à l'époque, 6,5 ha aujourd'hui, plantés sur des coteaux argilo-calcaires exposés au sud-ouest, au pied de la Savoyarde.

Arômes de fruits rouges, de fruits noirs et d'épices composent la belle palette aromatique de cette mondeuse aux tanins soyeux, qui a été vinifiée en grappes entières. Un vin bien équilibré, ample et persistant sur la mûre et le cassis. ⌛ 2017-2022 🍷 bœuf confit

⊶ *JEAN-CHARLES GIRARD-MADOUX, Chef-Lieu, 73800 Chignin, tél. 06 19 50 43 35, jcgirardmadoux@hotmail.fr* V *r.-v.*

YVES GIRARD-MADOUX Mondeuse 2015 ★★

■ | 12 000 | 5 à 8 €

René Girard-Madoux possédait 4 ha de vignes et 50 vaches allaitantes. En 1960, le vigneron s'attache à replanter certaines parcelles en friche du coteau de Torméry. À la suite de son père, Yves s'installe en 1988 et, après avoir été conducteur de travaux, il se consacre aux travaux de la vigne: il défriche d'autres parcelles pour les replanter et constituer un domaine qui couvre aujourd'hui 11 ha.

Avec son nez de fruits rouges et noirs mûrs et épicés, c'est une mondeuse gourmande à souhait que nous propose le vigneron. En bouche, on aime sa rondeur, son caractère fruité et épicé qui fait écho à l'olfaction et ses tanins veloutés et fondus. Un vin à boire dans sa jeunesse, idéal pour découvrir la mondeuse. ⌛ 2016-2020 🍷 tome des Bauges □ **Chignin 2015 (5 à 8 €; 24 000 b.)** : vin cité.

o→ *YVES GIRARD-MADOUX, Torméry, 73800 Chignin, tél. 06 07 13 47 87, girard-madoux.yves@wanadoo.fr*
V r.-v.

CHARLES GONNET Chignin 2015 ★

| 60000 | | 5 à 8 € |

Charles Gonnet, ingénieur en agriculture, a repris l'exploitation familiale en 1989, étendue aujourd'hui sur 14 ha de vignes. Un domaine en progression constante, souvent en vue pour ses vins blancs (Chignin, roussette), qui n'hésite pas à faire évoluer ses pratiques pour permettre au raisin d'exprimer tout son potentiel.

Un Chignin très séduisant avec ses arômes intenses de bonbon anglais, d'agrumes et de fruits exotiques. Dans le droit fil, la bouche apparaît bien équilibrée, très fruitée, avec un joli perlant qui lui donne beaucoup de fraîcheur. ⧗ 2016-2019 ⫯ steak d'espadon grillé ■ **Chignin Bergeron 2015 ★ (8 à 11 €; 20000 b.)** : même si ce Chignin Bergeron n'évoque pas l'abricot typique de la roussanne, ses arômes plaisants de buis, de feuille de cassis et de bonbon acidulé ainsi que sa bouche fraîche et harmonieuse ont séduit le jury. ⧗ 2016-2021 ⫯ reblochon

o→ *DOM. CHARLES GONNET, Chef-Lieu, 73800 Chignin, tél. 06 80 74 08 46, veronique.gonnet@bbox.fr* V r.-v.

DOM. GRISARD
Mondeuse blanche Prestige et Tradition 2014 ★

| 4500 | | 8 à 11 € |

Vigneron mais aussi pépiniériste (une tradition familiale qui remonte à la crise phylloxérique de la fin du XIXe s.), Jean-Pierre Grisard exploite aujourd'hui un vignoble de 25 ha dans la Combe de Savoie, exposée plein sud, sur des éboulis calcaires. Il propose une large gamme de vins (une quarantaine de cuvées), dont certains issus de cépages oubliés comme le persan.

Fort peu répandue en Savoie, la mondeuse blanche donne ici un vin gourmand et complexe, aux arômes de fleurs blanches, de pêche, de coing, de miel et d'abricot. La bouche est ronde, ample, épicée et bien équilibrée par une pointe de vivacité. ⧗ 2016-2020 ⫯ gratin de crozets ■ **Malvoisie 2013 (8 à 11 €; 3000 b.)** : vin cité.

o→ *DOM. GRISARD, 91, rue de la Tronche, 73250 Fréterive, tél. 04 79 28 54 09, gaecgrisard@aol.com*
V *t.l.j. sf dim. 8h30-12h 13h30-18h*

XAVIER JACQUELINE
Malvoisie Combe aux Moines 2015 ★★

| 2130 | | 8 à 11 € |

En 1985, diplôme d'œnologue en poche, Xavier Jacqueline crée son domaine à Brison-Saint-Innocent, sur les bords du lac du Bourget. Sur ce terroir argilo-calcaire de 6 ha, il vendange manuellement et pratique une culture raisonnée. Aujourd'hui épaulé par sa fille Mathilde, le vigneron élabore ses vins dans une cave familiale centenaire située au cœur d'Aix-les-Bains.

Cette malvoisie non chaptalisée est issue d'une parcelle autrefois travaillée par les moines de l'abbaye de Hautecombe. C'est un régal au nez comme en bouche: des arômes de fruits confits, d'abricot et d'ananas, de la franchise, de la fraîcheur, de la souplesse et de la persistance. Un vin flatteur et très équilibré. ⧗ 2016-2020 ⫯ truite fumée ■ **Chardonnay 2015 ★★ (5 à 8 €; 4000 b.)** : au nez, des arômes d'ananas confit agrémentés de notes beurrées et toastées, relayés par une bouche douce et riche. Un chardonnay enjôleur. ⧗ 2016-2020 ⫯ volaille à l'estragon

o→ *XAVIER JACQUELINE, 7, chem. de Saint-Simond, 73100 Aix-les-Bains, tél. 06 74 49 57 05, xavierjacqueline@orange.fr*
V *t.l.j. 17h-19h*

DOM. EDMOND JACQUIN ET FILS Jongieux 2015

| 40000 | | 5 à 8 € |

Patrice Jacquin, maire de Jongieux, défend avec civisme le foncier viticole de sa commune face à l'urbanisation. Il conduit avec son père Jean-François un domaine de 38 ha, dont une grande partie dédiée à la roussette-de-savoie, avec des vins souvent en vue dans le Guide.

Plaisante au nez comme en bouche, cette jacquère associe arômes de poire et d'agrumes et séduit par sa souplesse et sa rondeur. À boire sur le fruit. ⧗ 2016-2018 ⫯ comté ■ **Jongieux Gamay 2015 (5 à 8 €; 50000 b.)** : vin cité.

o→ *EARL EDMOND JACQUIN ET FILS, Le Haut, 73170 Jongieux, tél. 04 79 44 02 35, jacquin4@wanadoo.fr*
V *t.l.j. sf dim. 9h-12h 14h-18h* 2

RENÉ JULIEN Abymes Cuvée Prestige 2015

| 8000 | | - de 5 € |

Cette exploitation a misé sur la viticulture à partir des années 1950. À sa tête depuis 2000, René Julien perpétue la tradition des trois générations précédentes sur 4 ha de vignes.

Finesse et souplesse caractérisent cet Abymes au nez floral et un brin mentholé, frais, léger et citronné en bouche. Un vin simple et dynamique. ⧗ 2016-2018 ⫯ crabes farcis

o→ *EARL RENÉ JULIEN, 9, chem. de Joyan, La Palud, 38530 Chapareillan, tél. 06 75 00 10 02, julien.rene@wanadoo.fr*
V *t.l.j. sf dim. 8h-18h30*

DOM. LABBÉ Pinot 2014 ★★

| 4000 | | 5 à 8 € |

Depuis 2004, les cousins Jérôme et Alexandra Labbé exploitent 8,5 ha au pied du mont Granier.

Issue d'une macération carbonique, cette cuvée de pinot est éclatante de fruits (cerise bien mûre) mâtinés de notes fumées. En bouche, on découvre une très belle matière, dense et soyeuse, adossée à des tanins fondus. Un vin d'un équilibre remarquable. ⧗ 2016-2020 ⫯ rôti de veau ■ **Mondeuse 2014 ★ (5 à 8 €; 4000 b.)** : une mondeuse très harmonieuse et complexe, sur la mûre, les épices et le cacao, étayée par des tanins ronds et élégants. ⧗ 2017-2022 ⫯ gigot d'agneau rôti au four

DOM. LABBÉ, 22, chem. Pré-la-Grange, 73800 Les Marches, tél. 04 76 13 21 79, domainelabbe@free.fr V r.-v.

NATHALIE ET FRANCK MASSON
Verdesse Cuvée Ludovic 2014

	850		8 à 11 €

Représentant la troisième génération, Franck Masson exploite depuis 1987 avec son épouse Nathalie un domaine familial de 6 ha: ils cultivent sept cépages et proposent une gamme de neuf vins de Savoie.

Issu d'un cépage rare et autochtone vendangé en surmaturité (la verdesse ou mondeuse blanche), ce vin original développe des arômes de fruits jaunes (coing et mirabelle), puis de miel d'acacia. En bouche, on découvre un vin souple et suave, sans lourdeur, grâce au soutien d'une fine acidité. 2016-2020 foie gras

FRANCK MASSON, chem. des Désertes, La Palud, 38530 Chapareillan, tél. 04 76 45 24 05, franck.nathalie.masson@gmail.com V r.-v.

DOM. DE MÉJANE Chardonnay 2015

	22800		5 à 8 €

En 1995, Jean-Georges Henriquet, viticulteur et pépiniériste à Saint-Pierre-d'Albigny, acquiert cette propriété à l'abandon depuis cinquante ans et commence par livrer sa récolte en coopérative, le temps de rénover le domaine (13,1 ha), qui accueille sa première vendange en 2000. Depuis 2002, c'est Anne Bellemin-Laponnaz, sa fille, qui s'occupe de la vigne et du vin, son fils Philippe se chargeant des pépinières.

Ce 2015 s'annonce par un joli bouquet d'arômes floraux et beurrés. Un côté flatteur que l'on retrouve dans une bouche souple et équilibrée. 2016-2019 filet de sandre au four

DOM. DE MÉJANE, Les Reys, 73250 Saint-Jean-de-la-Porte, tél. 04 79 71 48 51, contact@domaine-de-mejane.com V *t.l.j. sf dim. 9h-12h 14h-18h* *Henriquet*

CH. DE MÉRANDE
Arbin Mondeuse La Belle Romaine 2015 ★★

	15000		11 à 15 €

En 2009, l'ensemble du domaine (12 ha) est passé en biodynamie et la certification est à présent acquise. Daniel Genoux et Yann Pernuit travaillent principalement la roussette (1,2 ha) et l'arbin (4 ha).

Cette Belle Romaine est une mondeuse d'Arbin cultivée en biodynamie, vendangée en grappes entières, vinifiée sans sulfites et cuvée pendant trois semaines. Elle regorge de fruits rouges et noirs bien mûrs, et se révèle dense, profonde et concentrée en bouche. Une belle représentation de l'appellation et du cépage. 2019-2026 chou farci **Arbin Mondeuse La Noire 2013 (30 à 50 €; 1500 b.)** : vin cité.

EARL DOM. GENOUX, Ch. de Mérande, 73800 Arbin, tél. 04 79 65 24 32, domaine.genoux@wanadoo.fr V r.-v.

JEAN PERRIER ET FILS
Chignin Bergeron Cuvée Gastronomie 2015 ★

	25000		8 à 11 €

Les Perrier cultivent la vigne depuis 1853. Par la suite, l'entreprise (négoce et propriété) s'est largement développée, notamment sous la conduite de Gilbert Perrier dans les années 1960. Ce sont aujourd'hui ses fils Philippe, Christophe et Gilles qui conduisent le vignoble familial, étendu sur 60 ha, huit communes et plusieurs domaines.

À la fois floral et fruité, ce Chignin Bergeron dévoile des arômes intenses d'amande fraîche et de confiserie. La bouche souple, tendre et harmonieuse, relevée par de beaux amers en finale. 2016-2020 truite sauce crémée **Apremont Cuvée Gastronomie 2015 ★ (5 à 8 €; 50000 b.)** : avec des arômes floraux, beurrés et minéraux, cet Apremont ample et gras exprime la finesse d'une belle jacquère de terroir. 2016-2020 beaufort **Abymes Cuvée Gastronomie 2015 ★ (5 à 8 €; 45000 b.)** : marquée par les agrumes (orange, citron), cette cuvée séduit par son équilibre entre minéralité, vivacité et maturité. 2016-2020 plateau de fruits de mer

DOM. JEAN PERRIER, hameau de Saint-André, 73800 Les Marches, tél. 04 79 28 11 45, info@vins-perrier.com V *t.l.j. sf sam. dim. 9h-12h 13h30-17h30*

DOM. MARC PORTAZ Apremont 2015

	9000		- de 5 €

Jean-Marc Portaz est installé depuis 2000 à Chapareillan, sur le vignoble familial de 10 ha créé en 1993 au pied du mont Granier.

Un Apremont tout en fraîcheur, bien ouvert sur des arômes de fleurs et de fruits blancs, à la bouche vive et minérale. Assez fugace mais alerte. 2016-2018 bouquet de crevettes roses

EARL DOM. MARC PORTAZ, allée du Colombier, 38530 Chapareillan, tél. 04 76 45 23 51, domainemarcportaz@wanadoo.fr V r.-v.

LA CAVE DU PRIEURÉ Jongieux Mondeuse 2015 ★

	30000	5 à 8 €

Noël Barlet et son fils Julien (cinquième génération) sont à la tête d'un vignoble d'une trentaine d'hectares sur les coteaux de Jongieux. Des vignerons aussi à l'aise en rouge qu'en blanc; en témoigne la présence régulière de leurs cuvées dans le Guide, désormais vinifiées par Julien.

De prime abord fermée, cette mondeuse sombre aux reflets violines présente à l'aération de jolies notes de cassis et de violette. Arômes qui se développent avec intensité dans une bouche élégante, aux tanins bien présents mais soyeux. Un vin déjà agréable à boire et promis à une belle évolution. 2016-2022 pot-au-feu

RAYMOND BARLET ET FILS, La Cave du Prieuré, 73170 Jongieux, tél. 04 79 44 02 22, caveduprieure@wanadoo.fr V *t.l.j. sf dim. 14h-18h*

♥ ANDRÉ ET MICHEL QUÉNARD
Arbin Mondeuse Terres brunes 2015 ★★★

■	10000		11 à 15 €

Michel Quénard s'est installé en 1976 à la tête du domaine familial, fondé par ses grands-parents. Son fils Guillaume l'a rejoint en 2009, après des études au lycée viticole de Beaune, puis à l'école d'ingénieurs de Changins (Suisse). Il assure aujourd'hui les vinifications aux côtés de son frère Romain, arrivé en 2013 après des études de viticulture. Aujourd'hui l'un des domaines les plus réputés de Savoie, très régulier en qualité, aussi bien en rouge qu'en blanc.

Provenant d'un assemblage complexe de vins élevés en cuve (50 %), en foudre et en demi-muid, cette mondeuse reflète son terroir avec beaucoup d'élégance. Robe profonde aux reflets violines, arômes intenses d'épices douces et de fruits rouges et noirs (fraise, framboise et myrtille), bouche ample, dense et parfaitement équilibrée autour de tanins corsés et fins, longue finale légèrement vanillée: tout concourt à la beauté de ce vin à la fois séduisant et profond. ⧗ 2017-2025 🍴 rôti de bœuf **Chignin Bergeron Les Terrasses 2015 ★ (11 à 15 €; 20000 b.)** : nez intense et complexe, floral et fruité, bouche riche, ronde et souple, dominée par des notes d'abricot et de fruits exotiques : une belle expression de la roussanne. ⧗ 2016-2020 🍴 poisson de lac à la crème **Chignin Vieilles Vignes 2015 ★ (5 à 8 €; 30000 b.)** : un vin plaisant, frais et friand, légèrement minéral et bien fruité. ⧗ 2016-2020 🍴 feuilleté aux champignons

ANDRÉ ET MICHEL QUÉNARD, Torméry, 73800 Chignin, tél. 04 79 28 12 75, contact@am-quenard.fr V r.-v.

DOM. PASCAL ET ANNICK QUÉNARD
Chignin Bergeron Sève 2015 ★★

■	1000		20 à 30 €

Cette propriété familiale depuis quatre générations étend son vignoble sur 6,5 ha, qui met en valeur un patrimoine de vieilles vignes dont certaines plantées par l'arrière-grand-père en 1903. Partisan d'une viticulture peu interventionniste à la vigne et au chai, Pascal Quénard, aux commandes depuis 1987, a fait le choix en 2013 de la conversion bio.

Issu de vendanges en partie surmaturées, ce bergeron, d'un abord discret, s'ouvre à l'aération sur de très gourmands arômes d'amande et d'abricot mûr. Arômes qui se déploient avec intensité dans une bouche ample et parfaitement équilibrée, stimulée par de beaux amers en finale. Séducteur en diable. ⧗ 2016-2022 🍴 lavaret à la crème ■ **Jean-Pierre et Jean-François Quénard Mondeuse L'Étoile de Gaspard 2015 ★★ (15 à 20 €; 2000 b.)** : une macération semi-carbonique de raisins entiers est à l'origine de cette mondeuse très fruitée et légèrement réglissée. Équilibre et typicité sont au rendez-vous. ⧗ 2016-2022 🍴 tajine d'agneau

DOM. PASCAL ET ANNICK QUÉNARD, Le Villard, Cidex 4800, 73800 Chignin, tél. 04 79 28 09 01, pascal.quenard.vin@wanadoo.fr V r.-v.

HERVÉ ET PATRICE RAT-PATRON
Abymes Notre-Dame des Vignes 2015 ★★

■	13000		5 à 8 €

Un domaine situé non loin de la chapelle de Myans, dressée en hommage aux victimes de l'effondrement du mont Granier, qui fit des milliers de victimes en 1248. Installés en 1997, Hervé et Patrice Rat-Patron représentent la cinquième génération à exploiter ce vignoble étendu sur quatre communes.

Proposé en coup de cœur, cet Abymes délicat, minéral et légèrement perlant présente des arômes fins d'agrumes ainsi qu'une bouche à la fois vive et riche, bien équilibrée en somme. Une très belle expression de la jacquère. ⧗ 2016-2020 🍴 fondue savoyarde

HERVÉ ET PATRICE RAT-PATRON, 73, chem. des Abymes, 73800 Myans, tél. 04 79 28 09 52, rat-patron.freres@orange.fr V r.-v.

PASCAL ET BENJAMIN RAVIER
Chignin Bergeron 2015 ★

■	9000	8 à 11 €

L'éboulement du mont Granier, qui ravagea la contrée en 1248, se serait arrêté à Myans, village voisin de Chignin, épargnant ses habitants. Pascal Ravier, installé dans cette commune depuis 1988, cultive 14 ha aux environs, rejoint aujourd'hui par son fils Benjamin.

Riche en arômes d'abricot, ce Chignin Bergeron très harmonieux flatte le palais par sa rondeur, sa finesse et sa persistance. Un beau représentant du cépage. ⧗ 2016-2022 🍴 omble chevalier à la crème

PASCAL ET BENJAMIN RAVIER, Chacuzard, 73800 Myans, tél. 04 79 28 10 97, veronique.ginet@wanadoo.fr V r.-v.

DOM. DES SABOTS DE VÉNUS Abymes 2015 ★

■	18000	5 à 8 €

Cette coopérative fondée en 1966 réunit une dizaine de vignerons qui travaillent individuellement leurs vignes, puis les vendangent en commun. Ils apportent leur récolte à la cave qui assure la vinification, l'embouteillage et la commercialisation.

Discret mais finement floral à l'olfaction, cet Abymes se révèle équilibré et long en bouche, conjuguant une aimable rondeur à une élégante fraîcheur saline et minérale. ⧗ 2016-2020 🍴 filet de féra à l'huile d'olive

LE VIGNERON SAVOYARD, 73310 Ruffieux, tél. 04 79 54 27 12 V r.-v.

Ⓑ DOM. SAINT-GERMAIN Persan 2015 ★

■	6000		11 à 15 €

Étienne et Raphaël Saint-Germain conduisent en biodynamie leur domaine de 10,8 ha. Ils sont ins-

JURA

tallés depuis 1999 à Saint-Pierre-d'Albigny, sur le côté «Bauges» du vignoble, exposé au sud-est et implanté sur le cône de déjection argilo-calcaire et caillouteux de la montagne.

Ce 2015 s'ouvre sans réserve sur d'intenses parfums de fruits noirs (mûre et cassis). En bouche, il affiche une belle vivacité et une forte présence tannique caractéristique du persan. Ce vieux cépage savoyard, autrement dénommé «bécuet» en patois, est remis à l'honneur depuis une dizaine d'années et donne ici un vin structuré et équilibré. ⧗ 2017-2021 🍴 pavé de biche

DOM. SAINT-GERMAIN, rte du Col-du-Frêne, 73250 Saint-Pierre-d'Albigny, tél. 04 79 28 61 68, vinsstgermain1@aol.com V *r.-v.*

CH. LA TOUR DE MARIGNAN
Rubis de Boisy 2014

■	3800		11 à 15 €

Les moines, qui se trompaient rarement en la matière, avaient valorisé dès le XIIIes. le coteau de Boisy, au bord du lac Léman. Olivier Canelli vinifie presque sans soufre et cultive en bio son domaine de 5 ha, certifié depuis 1993.

Issue de pinot noir (60 %) et de mondeuse plantés au pied du Mont de Boisy, cette cuvée a été élevée en barriques de trois à cinq vins. Elle présente un joli nez de petits fruits rouges et d'épices et une bouche gourmande et croquante, aux tanins fondus. ⧗ 2016-2019 🍴 civet de lapin

OLIVIER ET XAVIER CANELLI, 264, rte de la Tour-de-Marignan, 74140 Sciez, tél. 04 50 72 70 30, tourdemarignan@hotmail.com V *t.l.j. 9h-19h*

CHARLES ET GUY TOURNOUD Abymes 2015 ★

■	5000	5 à 8 €

Après une carrière dans l'artisanat, Guy et Chantal Tournoud se reconvertissent dans la vigne en 1986. Ils exploitent aujourd'hui un vignoble de 5,7 ha et proposent une gamme de vins blancs, rouges et rosés, ainsi que des jus de raisins. Le caveau est situé dans le petit hameau de Bellecombe, sur la commune de Chapareillan.

Le nez est discret et délicat, sur l'abricot et les fleurs blanches. La bouche, plus expressive, centrée sur des arômes d'agrumes et d'amande, se révèle bien équilibrée, vive et légère. Un Abymes flatteur. ⧗ 2016-2020 🍴 asperges

GUY ET CHANTAL TOURNOUD, rue Basse-du-Château-Fort, Bellecombe, 38530 Chapareillan, tél. 04 76 45 22 05, ch.g.tournoud@hotmail.fr V *r.-v.*

FABIEN TROSSET
Arbin Mondeuse Molatret 2015 ★

■	30000		8 à 11 €

Fabien Trosset a repris en 2011 le domaine familial suite au décès de son père: à l'époque, 7 ha à Arbin – un des crus consacrés à la mondeuse – et une vendange intégralement livrée en coopérative. Aujourd'hui, le vigneron vinifie à la propriété et a poussé la surface plantée à 16 h, dont 13 ha de mondeuse.

Cette mondeuse vinifiée par grappes entières en macération semi-carbonique est éclatante de fruits (framboise et myrtille) au nez comme en bouche. On aime aussi son équilibre, sa belle concentration et sa structure ferme qui lui permettra de bien vieillir. ⧗ 2018-2023 🍴 paleron en sauce ■ **Arbin Mondeuse Avalanche 2015 (11 à 15 €; 18000 b.)** : vin cité.

DOM. FABIEN TROSSET, 142, chem. des Moulins, 73800 Arbin, tél. 06 03 75 56 14, trosset.fabien@sfr.fr V *t.l.j. 9h-18h*

ADRIEN VACHER
Apremont La Sasson 2015 ★★

■	25000		- de 5 €

Charles-Henri Gayet, propriétaire du château de la Violette, est également négociant et dirigeant depuis 1989 de la maison familiale Adrien Vacher, fondée en 1950.

Proposé au grand jury des coups de cœur, cet Apremont est un régal au nez comme en bouche. Ses arômes intenses de fleurs blanches, sa fraîcheur en attaque, sa rondeur en milieu de bouche et sa minéralité en finale en font un vin très plaisant et bien équilibré. ⧗ 2016-2020 🍴 feuilleté au fromage

MAISON ADRIEN VACHER, 2A Plan-Cumin, 177, rue de la Mondeuse, 73800 Les Marches, tél. 04 79 28 11 48, contact@adrien-vacher.fr V *t.l.j. sf sam. dim. 8h-12h 13h30-17h30* *Charles-Henri Gayet*

CH. DE LA VIOLETTE Abymes 2015 ★★

■	50000		- de 5 €

Charles-Henri Gayet, négociant et patron de la maison Adrien Vacher, a repris en 2000 ce domaine créé en 1957, passé de 7 à 18 ha et dont les vins sont régulièrement au rendez-vous du Guide, en blanc comme en rouge.

Des arômes intenses d'agrumes et de pierre à fusil caractérisent le nez. Arômes auxquels répond une bouche fraîche, minérale et longue qui fait de cet Abymes un modèle du genre. Un vin plein de tonus et très équilibré. ⧗ 2016-2020 🍴 sole meunière ■ **Mondeuse Sous les Cèdres 2015 ★ (5 à 8 €; 6000 b.)** : les deux cèdres centenaires du domaine ont donné leur nom à cette cuvée légèrement boisée et d'une bonne complexité aromatique: petits fruits (rouges et noirs) et épices se développent dans une bouche aux tanins enrobés. ⧗ 2017-2022 🍴 côte de bœuf grillée

DOM. DU CH. DE LA VIOLETTE, 203, rte de Myans, 73800 Les Marches, tél. 04 79 28 13 30, chateaudelaviolette@gmail.com V *t.l.j. sf dim. 9h-12h 14h-18h* *Charles-Henri Gayet*

♥ DOM. JEAN VULLIEN ET FILS
Chignin Bergeron Harmonie 2015 ★★

| 17000 | | 11 à 15 € |

Olivier et David Vullien, les fils de Jean, sont, comme nombre de leurs collègues de Fréterive, à la fois vignerons et pépiniéristes. Ils exploitent 34 ha répartis sur les pentes de la combe de Savoie, de Fréterive à Montmélian.

D'abord discret, le nez s'ouvre à l'aération sur des arômes fruités typiques de la roussanne: l'abricot bien mûr et l'ananas. La bouche se révèle dense, puissante et fruitée, et s'achève sur une fine amertume qui apporte un surcroît de longueur et du dynamisme. Équilibré et très élégant, ce Chignin Bergeron qui porte bien son nom est un vrai régal. ⧗ 2017-2022 ♈ reblochon ■ **Ch. Saint-Philippe Mondeuse Saint-Jean-de-la-Porte 2015 ★★ (11 à 15 €; 5000 b.)** : élevée douze mois en fût, cette mondeuse encore fermée évoque à l'aération les fruits des bois écrasés et la vanille. La bouche affiche une belle concentration et un boisé intense mais racé. Un solide potentiel de garde. ⧗ 2019-2026 ♈ filets de faisan

EARL DOM. JEAN VULLIEN ET FILS, La Grande-Roue, 60, rue de la Soierie, 73250 Fréterive, tél. 04 79 28 61 58, contact@jeanvullien.com V t.l.j. sf dim. 9h-12h 14h-18h; sam. 9h-12h

ROUSSETTE-DE-SAVOIE

Superficie : 213 ha / Production : 10 600 hl

Issue aujourd'hui du seul cépage altesse, la roussette-de-savoie est produite à Frangy, le long de la rivière des Usses, à Monthoux et à Marestel, au bord du lac du Bourget. L'usage qui veut que l'on serve jeunes les roussettes de ce cru est regrettable, puisque, bien épanouies avec l'âge, elles font merveille sur du poisson, des viandes blanches ou encore avec le beaufort local.

DOM. G. & G. BOUVET Monterminod 2014 ★

| 6000 | | 11 à 15 € |

Établi sur les versants sud du massif des Bauges, ce domaine étend son vaste vignoble sur 36 ha et une soixantaine de parcelles qui lui permettent de proposer une large palette de cépages et de vins savoyards.

Cette roussette bien typée dévoile des arômes intenses et gourmands de miel, d'ananas, de coing et de tilleul. La bouche apparaît ample, vive et fruitée, et déploie une longue finale salivante, sur le pamplemousse. ⧗ 2017-2025 ♈ saint-jacques poêlées au beurre

SCEA DOM. G. ET G. BOUVET, Le Villard, 73250 Fréterive, tél. 04 79 28 54 11, contact@domaine-bouvet.com V t.l.j. sf dim. 9h-12h 13h30-18h

♥ FRANÇOIS CARREL ET FILS 2015 ★★

| 160000 | | 5 à 8 € |

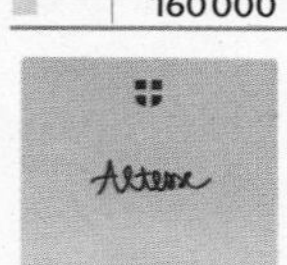

Créé en 1882, ce domaine familial se consacre à la viticulture depuis 1977. Éric Carrel, représentant la cinquième génération, conduit aujourd'hui un vignoble de 13,5 ha.

Après quatre mois de cuve, cette roussette se présente dans une charmante robe or pâle. Elle dévoile à l'olfaction des arômes délicats de fleurs, de fruits blancs et d'agrumes. À la fois riche et fraîche, fine et très persistante, à l'unisson du bouquet, la bouche est un modèle d'équilibre et d'élégance. Une altesse majuscule. ⧗ 2017-2022 ♈ bar au fenouil

FRANÇOIS CARREL ET FILS, Le Haut, 73170 Jongieux, tél. 04 79 33 18 48, gaec-la-rosiere@wanadoo.fr

BERTRAND CHEVRIER ★

| 2000 | | 5 à 8 € |

Un jeune domaine de 7 ha créé en 2007 par Bertrand Chevrier sur le coteau d'Apremont, au pied du mont Gravier.

Au nez, cette roussette déploie des arômes délicats de fleurs blanches. Arômes prolongés par une bouche à la fois ample, riche, fine et fraîche, très équilibrée en somme. ⧗ 2017-2022 ♈ sauté de veau

BERTRAND CHEVRIER, Le Severt, 73190 Apremont, tél. 06 72 73 81 56, chevrier.bm@orange.fr V t.l.j. 8h-19h; f. 15-30/08

VINCENT COURLET
Frangy Notre Altesse 2015

| 15000 | | 5 à 8 € |

Ce domaine a été créé en 1968 par le père et le grand-père à partir de 20 ares de vignes. Depuis 1998, Vincent Courlet, qui est passé par l'Oregon, exploite 5 ha autour de Frangy, l'un des meilleurs crus pour la roussette. Enherbement des rangs, réduction des désherbants, arrêt des insecticides, effeuillage mécanique plutôt que traitements anti-pourriture… il s'intéresse au bio, mais n'a pas pour l'heure engagé de conversion.

Le nez associe des arômes d'ananas, de coing, de fleurs et de miel. En bouche, cette roussette de Frangy plaît par son caractère tendre et rond, contrebalancé par une jolie fraîcheur acidulée aux accents d'agrumes. ⧗ 2017-2022 ♈ quenelles de brochet

VINCENT COURLET, 550, rte du Tram, 74270 Frangy, tél. 06 81 86 02 52, contact@vincourlet.fr V r.-v.

DOM. EDMOND JACQUIN ET FILS
Marestel 2015 ★★

| 12000 | | 8 à 11 € |

Patrice Jacquin, maire de Jongieux, défend avec civisme le foncier viticole de sa commune face à l'urbanisation. Il conduit avec son père Jean-François un

JURA

domaine de 38 ha, dont une grande partie dédiée à la roussette-de-savoie, avec des vins souvent en vue dans le Guide.

Fruits mûrs (poire, coing) et fleurs jaunes (genêt) composent la palette aromatique de cette roussette de Marestel. L'attaque franche, ronde et fruitée, le palais à la fois ample et généreux, salin et minéral, la finale persistante sur le fruit offrent une superbe expression de l'altesse sur son terroir de prédilection. ⧗ 2017-2022 🍴 lavaret à la crème

EARL EDMOND JACQUIN ET FILS, Le Haut, 73170 Jongieux, tél. 04 79 44 02 35, jacquin4@wanadoo.fr V t.l.j. sf dim. 9h-12h 14h-18h

GUY JUSTIN Marestel 2014 ★★

| 1800 | | 8 à 11 € |

Emmanuelle Justin (quatrième génération) épaule son père Guy depuis 2008 au domaine: à lui, le tracteur et les vinifications (il a été initié à l'œnologie dès son plus jeune âge par sa tante Gabrielle), à elle, le commerce et les marchés. Le domaine est spécialiste de l'altesse, ce cépage occupant près des deux tiers de la superficie totale (12 ha).

D'une belle complexité aromatique (poire, coing, cire et miel de fleurs), cette roussette de Marestel présente un très bel équilibre en bouche entre fraîcheur saline et rondeur fruitée. ⧗ 2017-2022 🍴 quasi de veau **Monthoux 2014 ★★ (5 à 8 €; 1750 b.)** : dotée d'un très joli nez de fruits mûrs, de truffe blanche, de tilleul et d'agrumes, cette roussette de Monthoux déjà très équilibrée associe en bouche des saveurs franches, minérales et fruitées à une matière tendre, ronde et souple. Un bel avenir en perspective. ⧗ 2017-2026 🍴 foie gras **2014 (5 à 8 €; 10500 b.)** : vin cité.

EARL GUY JUSTIN, La Touvière, 73170 Jongieux, tél. 04 79 36 81 61, justin.emmanuelle@live.fr V r.-v.

DOM. LUPIN Frangy Cuvée du Pépé 2015

| 3500 | | 5 à 8 € |

Bruno Lupin possède 5 ha du minuscule cru Frangy occupant un coteau exposé au plein sud et un terroir de moraine glaciaire, sur lequel il exploite l'altesse, déclinée en plusieurs cuvées confidentielles, complétées par 50 ares de mondeuse. Cet ancien œnologue intervient très peu sur ses cuves, laissant au vin le temps de se faire.

Cette roussette est issue d'une parcelle plantée il y a soixante ans sur l'un des meilleurs coteaux de Frangy par le grand-père de Bruno Lupin. Un vin charmeur aux arômes de coing, de pêche et d'ananas, rond et souple en bouche, équilibré par une finale pleine de fraîcheur. ⧗ 2017-2022 🍴 truite aux amandes **Frangy 2015 (5 à 8 €; 26000 b.)** : vin cité.

BRUNO LUPIN, rue du Grand-Pont, 74270 Frangy, tél. 04 50 32 29 12, lupin.bruno@aliceadsl.fr V t.l.j. sf dim. lun. 10h-12h30 17h-18h30

DOM. DE MÉJANE 2015 ★

| 16000 | | 5 à 8 € |

En 1995, Jean-Georges Henriquet, viticulteur et pépiniériste à Saint-Pierre-d'Albigny, acquiert cette propriété à l'abandon depuis cinquante ans et commence par livrer sa récolte en coopérative, le temps de rénover le domaine (13,1 ha), qui accueille sa première vendange en 2000. Depuis 2002, c'est Anne Bellemin-Laponnaz, sa fille, qui s'occupe de la vigne et du vin, son fils Philippe se chargeant des pépinières.

Des ceps de vingt-cinq ans sont à l'origine de cette belle roussette au nez gourmand de poire et de frangipane. La bouche se révèle vive, franche et fruitée, dominée par des arômes d'ananas frais. ⧗ 2017-2020 🍴 truite aux amandes

DOM. DE MÉJANE, Les Reys, 73250 Saint-Jean-de-la-Porte, tél. 04 79 71 48 51, contact@domaine-de-mejane.com V t.l.j. sf dim. 9h-12h 14h-18h Henriquet

BERTRAND QUENARD Monterminod 2015

| 1000 | | 11 à 15 € |

Ce domaine créé en 2000 à Chignin s'est étendu en 2002 à Monterminod. Bertrand Quenard, jeune vigneron exigeant et prometteur, exploite 3 ha situés sur des coteaux très pentus qu'il vendange manuellement.

Tout est harmonieux dans cette roussette de Monterminod aux arômes de fleurs printanières, d'agrumes et de pâtes de fruits (poire, coing) et à la bouche tendre, légère et fondue, dynamisée par une jolie note saline en finale. Il lui manque simplement un peu de longueur pour décrocher l'étoile. ⧗ 2017-2020 🍴 saumon à l'oseille

BERTRAND QUENARD, Montlevin, 73800 Chignin, tél. 06 20 08 29 75, vins.bertrand.quenard@gmail.com V r.-v.

PHILIPPE ET SYLVAIN RAVIER 2015

| 15000 | | 5 à 8 € |

Philippe Ravier conduit un domaine qui s'est considérablement agrandi, passant de 3 ha à ses débuts, en 1983, à 28 ha aujourd'hui. Son fils Sylvain l'a rejoint en 2007. L'une des belles références de la Savoie viticole.

Cette roussette s'ouvre discrètement mais avec beaucoup de finesse sur des senteurs de fleurs et de fruits blancs. La bouche, légère, associe quant à elle des notes harmonieuses d'amande, de noisette et d'agrumes. Agréable et typique. ⧗ 2017-2022 🍴 fromages de chèvre

EARL SYLVAIN ET PHILIPPE RAVIER, 68, chem. du Cellier, 73800 Myans, tél. 04 79 28 17 75, vinsdesavoie@wanadoo.fr V r.-v.

SEYSSEL

Superficie : 73 ha / Production : 3 016 hl

Occupant les deux rives du Rhône entre Haute-Savoie et Ain, cette AOC produit des vins blancs tranquilles, à base du seul cépage altesse, et des vins

mousseux associant cette variété à la molette; les effervescents sont commercialisés trois ans après leur prise de mousse. Les cépages locaux donnent au seyssel un fin bouquet aux nuances de violette.

MAISON GALLICE 2014 ★★

● | 30000 | 5 à 8 €

Créé en 1920, ce domaine familial produit, à l'origine, du vin et du lait. Dans les années 1960, la famille Gallice décide de se consacrer exclusivement à la viticulture (1,5 ha). Au fil des années, la propriété s'agrandit pour atteindre aujourd'hui 15 ha, conduits par Stéphane Gallice.

Finesse et fraîcheur caractérisent cette méthode traditionnelle aux arômes de fleurs et de fruits blancs. Avec son caractère fringant, subtilement associé à des saveurs rondes et fruitées, c'est un seyssel parfaitement équilibré et bien dosé (6 g/l de sucres résiduels). ⧗ 2016-2020 ▼ gougères

GALLICE, 236, rue des Peupliers, 01420 Corbonod, tél. 04 50 59 25 73, mgallice@orange.fr V t.l.j. sf dim. 9h-12h 14h-19h

MAISON MOLLEX La Tacconnière 2013 ★

■ | 53000 | | 5 à 8 €

La famille Mollex se flatte de cultiver la vigne depuis (au moins) 1359. Mais il a fallu attendre le début des années 1930 pour qu'elle vende son vin en bouteilles. Aujourd'hui, Jean-Luc et Sébastien Mollex perpétuent cette tradition et exploitent le plus grand vignoble de l'AOC (25 ha).

Composé de 30 % d'altesse et de 70 % de molette, cépage spécifique à l'AOP, ce seyssel s'ouvre sur des arômes de fleurs blanches, de coing et de pomme croquante, enrichis de cire et de miel. Il présente une bouche équilibrée combinant souplesse, minéralité et fine amertume en finale. ⧗ 2016-2022 ▼ truite grillée aux herbes ● **1931 ★ (5 à 8 €; 13269 b.)** : l'année 1931 marque l'enregistrement au registre du commerce de la Maison Mollex. Cette méthode traditionnelle, qui assemble 30 % d'altesse et 70 % de molette, séduit par ses bulles fines, ses notes florales, iodées et fruitées (pomme) et par sa bouche fine, harmonieuse et longue. ⧗ 2016-2019 ▼ tarte aux pommes

MAISON MOLLEX, 161, pl. de l'Église, 01420 Corbonod, tél. 04 50 56 12 20, maisonmollexsa@wanadoo.fr V *r.-v.*

MARTINE ET BERNARD MOLLEX 2015

■ | 25000 | | 5 à 8 €

Depuis le départ à la retraite de son époux, Martine Mollex s'est associée à son fils Régis pour conduire cette exploitation familiale créée en 1978. Le caveau de dégustation est situé dans le cellier du clos d'Arvières, une ancienne propriété des moines chartreux d'Arvières créée au XIIe s.

Le nez très discret de cette pure altesse se partage entre l'amande, la fleur d'aubépine et le coing. On retrouve le fruit blanc bien mûr dans une bouche tendre, souple et ronde, stimulée par une fine minéralité. À carafer avant de servir pour en apprécier la complexité. ⧗ 2016-2020 ▼ plateau de fromage savoyard

EARL DOM. DU CLOS D'ARVIÈRES, chem. de la Cascade, Eilloux, 01420 Corbonod, tél. 04 50 56 10 02, vins.mollex@wanadoo.fr V *t.l.j. sf dim. 8h-19h*

BUGEY

Superficie : 490 ha
Production : 30 335 hl (55 % rouge et rosé)

Dans le département de l'Ain, le vignoble du Bugey occupe les basses pentes des monts du Jura, dans l'extrême sud du Revermont, de Bourg-en-Bresse à Ambérieu-en-Bugey, ainsi que celles qui, de Seyssel à Lagnieu, descendent vers la rive droite du Rhône. Autrefois important, il est aujourd'hui réduit et dispersé. En 2009, il a accédé à l'AOC. Il est établi le plus souvent sur des éboulis calcaires assez escarpés. L'encépagement reflète la situation de carrefour de la région: en rouge, le poulsard jurassien – limité à l'assemblage des effervescents de Cerdon – y voisine avec la mondeuse savoyarde et le pinot et le gamay de Bourgogne; de même, en blanc, la jacquère et l'altesse sont en concurrence avec le chardonnay – majoritaire – et l'aligoté, sans oublier la molette, cépage local surtout utilisé dans l'élaboration des vins effervescents. En 2011 a été reconnue l'appellation roussette-du-bugey.

DOM. BARDET
Cerdon Méthode ancestrale Demi-sec 2015 ★★

● | 43000 | | 5 à 8 €

Olivier Bardet s'est lancé en 2007 avec la reprise d'une exploitation de 2,5 ha. Il conduit aujourd'hui un vignoble de 4,5 ha autour du village de Mérignat, à l'origine d'une seule production: le cerdon méthode ancestrale.

Fraise, mûre et framboise: les arômes de ce cerdon très flatteur, issu de gamay et d'un soupçon de poulsard (5 %), invitent à poursuivre. On les retrouve dans une bouche fraîche, franche, souple et très équilibrée. Le coup de cœur fut mis aux voix. ⧗ 2016-2018 ▼ sorbet aux fruits rouges

OLIVIER BARDET, 169, rue principale, 01450 Mérignat, tél. 06 19 18 25 74, olivier.bardet01@orange.fr V *r.-v.*

SANDRINE BIGOT
Cerdon Méthode ancestrale 2015 ★

● | 11800 | 5 à 8 €

Initiée par son père, Sandrine Bigot a repris la petite exploitation familiale en 2003, qu'elle a entièrement restructurée: surface doublée (4,5 ha aujourd'hui), changement de technique culturale pour plus de respect de l'environnement et modernisation du matériel, construction d'une cave et d'un caveau de dégustation.

De bulles fines et persistantes animent ce cerdon ouvert sur des arômes de fruits rouges et de pomme reinette croquante. Un vin qui présente beaucoup de fraîcheur en bouche malgré une sucrosité sensible. Aérien et équilibré. ⧗ 2016-2019 ▼ tiramisu aux fruits rouges

SANDRINE BIGOT, hameau de Cornelle, 2, rue des Vignerons, 01640 Boyeux-Saint-Jérôme, tél. 04 74 36 92 47, sandrine.bigot@luxinet.fr V r.-v.

DOM. YANNICK BLANCHET
Cerdon Méthode ancestrale
Vieilles Vignes Demi-sec 2015 ★★

●	3000	5 à 8 €

Yannick Blanchet s'est installé en 2006 à Jujurieux sur le domaine familial créé par l'arrière-grand-père dans les années 1900, étendu aujourd'hui sur 4,8 ha. Les vignes plantées à cette époque sur les meilleurs terroirs produisaient du vin rouge jusque dans les années 1970. Depuis, la production des effervescents a pris le dessus.

Ce cerdon est issu de très vieilles vignes de gamay (80 %) et de poulsard que l'arrière-grand-père de Yannick a replantées au retour de la Grande Guerre. Beaucoup de fruits rouges et quelques notes briochées animent une olfaction charmeuse en diable, prolongée par une bouche ample, souple et très équilibrée. ⧗ 2016-2019 🍴 gâteau de Saint-Genix ● **Cerdon Méthode Ancestrale Demi-sec 2015 ★ (5 à 8 €; 40000 b.)** : ce pur gamay demi-sec (65 g/l de sucres résiduels) se révèle discret au nez, mais plus expressif, fin et élégant en bouche avec ses arômes de fruits rouges et de pamplemousse rose. ⧗ 2016-2018 🍴 poires au vin

YANNICK BLANCHET, 68, pl. du Plâtre-Chaux, 01640 Jujurieux, tél. 04 37 86 55 69, blanchetyannick.viticulteur@orange.fr V r.-v.

DOM. DE LA DENTELLE
Cerdon Méthode ancestrale 2015 ★★

●	15000	🍾	8 à 11 €

Marcel Perinet, élu meilleur sommelier de France en 1978 et ancien chef sommelier chez Georges Blanc, a créé son domaine en 2010. Il souhaite mettre en avant le cerdon et le cépage poulsard, majoritaire sur ses 3,5 ha de vignes plantées à Gravelles, sur les pentes escarpées de la Croix de la Dent.

Ce cerdon mi-poulsard mi-gamay a été proposé en coup de cœur. Car tout est fin et harmonieux dans ce vin gourmand à souhait: les bulles, étirées en un long chapelet, la mousse, tendre et légère, les arômes, frais et floraux, la bouche, persistante et alerte. ⧗ 2016-2019 🍴 galette aux pralines

MARCEL PERINET, 65, chem. du Péroud, 01150 Saint-Martin-du-Mont, tél. 06 08 84 38 22, marcelperinet@hotmail.com V r.-v.

DUBREUIL ET FILS
Cerdon Méthode ancestrale
Cuvée Moulin d'Amont 2015 ★★

●	12560	🍾	5 à 8 €

Pierre Dubreuil s'est lancé en 2004 en reprenant les vignes de sa grand-mère, complétées de quelques plantations et, plus récemment, de la propriété de ses parents. Il conduit aujourd'hui un vignoble de 7 ha sur les pentes escarpées de Cerdon.

Beaucoup de finesse dans ce cerdon 100 % gamay noir, aux arômes de fraise, de framboise et de cerise. Une jolie gamme que l'on retrouve dans une bouche pleine de fraîcheur, longue et tendue malgré ses 46 g/l de sucres résiduels. ⧗ 2016-2019 🍴 soupe de fraises

DUBREUIL, 56, rue de Balme, 01450 Cerdon, tél. 06 80 71 76 40, pierre.dubreuil0667@orange.fr V r.-v.

CAVEAU DUFOUR
Méthode traditionnelle Brut 2013

○	5000	5 à 8 €

Créé en 1955, le domaine se transmet de père en fils depuis trois générations. Depuis 1999, Laurent Dufour est à la tête de cette propriété de 7,5 ha située dans la commune de Massignieu-de-Rives.

Élégance et fraîcheur caractérisent ce bel effervescent né de chardonnay (60 %), de jacquère (20 %) et de mondeuse (20 %), discret au premier nez, plus ouvert à l'aération sur des notes florales et fruitées. La bouche est vive, tonique, bien équilibrée et persistante. ⧗ 2016-2019 🍴 beignets de crevettes

EARL CAVEAU DUFOUR, 257, Montée-du-Bourg, 01300 Massignieu-de-Rives, tél. 04 79 42 19 98, gaecdufour@wanadoo.fr V *t.l.j. sf dim. 9h30-12h 14h30-19h*

CAVE GIRARDI-DUPOYET
Cerdon Méthode ancestrale Demi-sec 2015 ★

●	n.c.	5 à 8 €

Fondateur de l'exploitation en 1983, Michel Girardi est parti à la retraite en 2013. Pierre-Athanase Dupoyet est venu le remplacer pour épauler Stéphane, le neveu de Michel, déjà installé depuis 1997. Le domaine couvre aujourd'hui 6 ha de vignes sur les pentes raides du village de Cerdon, dédiés uniquement aux pétillants blancs et rosés, élaborés en méthode ancestrale.

Les bulles sont fines, la robe éclatante, le nez intense et fruité, la bouche un brin épicée et bien équilibrée entre vivacité et douceur des sucres résiduels (50 g/l): un cerdon de pur gamay flatteur et gourmand. ⧗ 2016-2018 🍴 crumble aux fruits rouges

EARL GIRARDI-DUPOYET, rue de la Gumarde, 01450 Cerdon, tél. 04 74 39 95 90, cavegirardi.dupoyet@gmail.com V r.-v.

CELLIER LINGOT-MARTIN
Cerdon Méthode ancestrale sélectionnée
Demi-sec 2015 ★★

●	18360	5 à 8 €

Le Cellier Lingot-Martin, dédié au seul Cerdon, regroupe cinq familles et 38 ha de vignes. Les deux fondateurs sont partis à la retraite: Messieurs Martin, en 2010, et Lingot, en 2014, mais de nouveaux associés les ont remplacés, et l'aventure débutée en 1970 continue.

Né d'un assemblage de poulsard (70 %) et de gamay, ce très beau cerdon séduit d'emblée par son nez de fleurs blanches et de fruits rouges. Arômes prolongés par un palais d'une réelle finesse et très gourmand, qui reste alerte et frais malgré son caractère demi-sec (58,9 g/l de sucres résiduels). ⧗ 2016-2018 🍴 sorbet aux fruits rouges ● **Cerdon Méthode Ancestrale Classic Demi-Sec 2015 (5 à 8 €; 165465 b.)** : vin cité.

CELLIER LINGOT-MARTIN, ZA Sous-la-Côte-Menestruel, 01450 Poncin, tél. 04 74 39 97 77, lingot-martin.isa@orange.fr t.l.j. 8h-12h 13h30-18h

MACHURAZ Chardonnay 2014 ★

| 7000 | 8 à 11 € |

Un incontournable du vignoble savoyard. Le Caveau Bugiste n'est pas une cave coopérative, mais une association de vignerons fondée en 1967: quatre propriétaires (six au départ), tous issus de familles agricoles, qui exploitent ensemble 45 ha de vignes, à l'origine de la plus vaste gamme de vins du Bugey, complétée par une petite activité de négoce.

Né sur les éboulis calcaires du clos de Machuraz, ce 100 % chardonnay exprime de beaux arômes de pêche et d'agrumes, qui s'épanouissent dans une bouche ronde et tendre, stimulée par de fines notes minérales. Longue finale fruitée. 2016-2020 quenelles sauce Nantua

LE CAVEAU BUGISTE, 326, rue de la Vigne-du-Bois, 01350 Vongnes, tél. 04 79 87 92 32, caveau-bugiste@wanadoo.fr t.l.j. 9h-12h 14h-19h

GEORGES MARTIN
Cerdon Méthode ancestrale
Vieilles Vignes Demi-sec 2015

| 20000 | 5 à 8 € |

Une propriété de 6,5 ha désormais conduite par Xavier Barbe après le départ à la retraite en 2013 de Laure Martin, épouse de Georges, fondateur du domaine en 1970. La qualité du cerdon de la maison est toujours au rendez-vous.

Gamay (80 %) et poulsard composent l'assemblage de ce demi-sec. Touchées par la grêle et de fortes chaleurs, les vignes ont donné de petits raisins avec peu de jus. Mais des raisins de qualité à en juger par ce cerdon souple et équilibré, bien concentré sur les fruits rouges mâtinés de notes briochées. Idéal sur un dessert aux fruits. 2016-2018 tiramisu aux fraises

XAVIER BARBE, Hameau de Vieillard, 01640 Jujurieux, tél. 04 74 36 84 44, barbexavier01@orange.fr t.l.j. 8h-19h

FAMILLE PEILLOT Mondeuse 2015 ★★

| 5300 | 8 à 11 € |

C'est en 1988 que Franck Peillot reprend le domaine familial. Représentant la cinquième génération, il abandonne la polyculture pour se consacrer à la vigne. Au fil des ans, il a agrandi son vignoble, étendu sur 8 ha aujourd'hui.

Lisez la contre-étiquette, vous y découvrirez tout l'esprit de Franck Peillot et son second degré. Dans le flacon, un 2015 remarquable né d'une mondeuse foulée au pied et vinifiée à l'ancienne, qui a été proposée en coup de cœur. Ses arguments: de beaux arômes de mûre et d'épices à l'olfaction, une bouche ample et concentrée, intensément fruitée, soutenue par des tanins très fins. Prometteur et déjà si harmonieux... 2017-2024 côte de bœuf grillée **Montagnieu Méthode Traditionnelle Brut ★ (8 à 11 €; 46000 b.)** : élaborée à partir d'altesse (40 %), de chardonnay (30 %) et de mondeuse (30 %), ce brut est tout élégance avec ses arômes de fleurs, d'agrumes et de brioche et offre beaucoup de fruit et de fraîcheur en bouche. 2016-2017 bûche glacée

FAMILLE PEILLOT, rte de Seillonnaz, 01470 Montagnieu, tél. 04 74 36 71 56, franckpeillot@aol.com t.l.j. sf dim. 14h30-19h

CAVEAU QUINARD Chardonnay 2014

| 16000 | 5 à 8 € |

Situées sur les hautes rives de la vallée du Rhône, les vignes du Caveau Quinard sont exploitées par la même famille de viticulteurs depuis quatre générations. Certifié bio, le domaine s'étend sur 12 ha, dirigé par Julien Quinard depuis 2007.

Coup de cœur dans l'édition précédente pour sa méthode traditionnelle 2011, Julien Quinard revient cette année avec un tranquille 100 % chardonnay plaisant par son nez de bonne intensité, franc, floral et beurré, et par sa bouche équilibrée, ronde et persistante sur les fleurs blanches. 2016-2019 volaille à la crème

JULIEN QUINARD, 201, rte du Lit-au-Roi, 01300 Massignieu-de-Rives, tél. 04 79 42 10 18, caveauquinard@orange.fr t.l.j. 9h30-12h 14h30-18h (19h été); dim. sur r.-v.

♥ ALAIN RENARDAT-FACHE
Cerdon Méthode ancestrale
Demi-sec 2015 ★★

| 20900 | 5 à 8 € |

Les Renardat-Fache exploitent la vigne depuis huit générations. Spécialistes du Cerdon, Alain et son fils Élie exploitent, en bio et en biodynamie depuis 2008, un vignoble de 12,5 ha sur le terroir de Mérignat et ont développé une activité de négoce pour étendre leur gamme de vins.

Ce demi-sec né du seul gamay dévoile un nez flatteur et complexe de fruits (groseille, framboise, mûre et pomme), et d'épices douces. La bouche reste très fraîche, très nette, très fine, bien enrobée par une pointe de douceur parfaitement dosée. Un cerdon d'une grande harmonie. 2016-2019 brioche de Saint-Genix

ALAIN RENARDAT-FACHE, 115, rue de la Balmette, 01450 Mérignat, tél. 04 74 39 97 19, contact@alain-renardat-fache.com r.-v.

ROUSSETTE-DE-BUGEY

CAVE SYLVAIN BOIS
Coteau de Chambon 2015 ★★

| 7300 | 5 à 8 € |

Sylvain Bois s'est établi en 2001, à vingt et un ans, sur les 1,5 ha de vignes plantées par son grand-père.

JURA

Un domaine qu'il a agrandi progressivement, sur Béon et les coteaux pentus de Talissieu. Il exploite aujourd'hui 5 ha exposés plein sud dans les éboulis de pierres du Grand Colombier et s'est imposé comme l'une des valeurs sûres du Bugey.

De jeunes ceps de quatorze ans sont à l'origine de cette cuvée soumise au grand jury des coups de cœur. Une expression aboutie de l'altesse avec ses arômes puissants d'agrumes perçus au nez comme en bouche, avec son volume imposant, sa texture fine et sa longueur remarquable. ⧗ 2017-2020 🍷 cuisses de grenouilles ▪ **Chardonnay 2015 ★★ (- de 5 €; 14 000 b.)** : superbement équilibré, ce pur chardonnay aux arômes de fleurs blanches et d'agrumes offre une bouche ample, ronde, minérale et très persistante sur le fruit. ⧗ 2017-2020 🍷 poularde de Bresse à la crème

SYLVAIN BOIS, 11, rte de Bourgogne, 01350 Béon, tél. 06 88 49 03 95, cavesylvainbois@yahoo.fr V r.-v.

CAVE LAURENCIN Montagnieu 2014 ★

▪	2300	5 à 8 €

Jacqueline Laurencin a repris en 1976 l'exploitation familiale créée en 1950, dont le vignoble couvre 2,3 ha.

Franche, puissante et beurrée à l'olfaction, cette roussette de Montagnieu affiche une belle rondeur en bouche, «réveillée» par une longue finale minérale. ⧗ 2017-2020 🍷 poisson à l'oseille

JACQUELINE LAURENCIN, 63, rue des Alinières, 01470 Seillonnaz, tél. 04 74 36 78 53, cavelaurencin@orange.fr V r.-v.

Le Languedoc et le Roussillon

• LE LANGUEDOC

SUPERFICIE: 246000 ha
PRODUCTION: 12,7 Mhl (toutes catégories confondues); 1245000 hl (AOC du Languedoc).
TYPES DE VINS: rouges majoritaires, rosés et blancs secs; effervescents (à Limoux); vins doux naturels (muscats).
CÉPAGES: (en AOC)
Rouges: grenache noir, syrah, carignan, mourvèdre, cinsault, cabernet-sauvignon.
Blancs: grenaches gris et blanc, macabeu, clairette, bourboulenc, vermentino (rolle), muscat à petits grains, muscat d'Alexandrie, marsanne, roussanne, piquepoul, chardonnay, mauzac, chenin, ugni blanc.

• LE ROUSSILLON

SUPERFICIE: 7300 ha
PRODUCTION: 900000 hl environ (dont 540000 en AOC, et 307000 en IGP, le reste sans IG).
TYPES DE VINS: rouges majoritaires, rosés, blancs secs; vins doux naturels.
CÉPAGES PRINCIPAUX:
Rouges: grenache noir, carignan, syrah, mourvèdre, lladoner pelut.
Blancs: grenaches gris et blanc, macabeu, malvoisie du Roussillon, roussanne, marsanne, vermentino, muscat à petits grains, muscat d'Alexandrie.

LE LANGUEDOC

Plus de deux mille ans d'histoire pour cette région viticole, sous le même soleil méditerranéen. Et pourtant, que de mutations! Aucun vignoble de France n'a connu de tels bouleversements. Naguère symbole de la viticulture de masse, il fournit encore un tiers de la production française. Si, depuis les années 1980, il se contracte comme peau de chagrin, depuis la première édition en 1985, il s'étoffe dans le Guide ! La preuve de son ascension qualitative. En une génération, le «gros rouge» a fait place à des rouges multiples, tour à tour profonds, veloutés, épicés, ronds, suaves, fringants, aux arômes de cerise, de garrigue, de réglisse... Les vins doux naturels sont toujours superbes, mais la région fournit désormais des blancs vifs, avec ou sans bulles, et des rosés pimpants.

De la montagne à la mer. Entre la bordure méridionale du Massif central, les Corbières et la Méditerranée, le Languedoc est formé d'une mosaïque de vignobles répartis dans trois départements côtiers: le Gard, l'Hérault et l'Aude. On y distingue quatre zones successives: la plus haute, formée de régions montagneuses, notamment de terrains anciens du Massif central; la deuxième, région des Soubergues (coteaux pierreux) et des garrigues, la partie la plus ancienne du vignoble; la troisième, la plaine alluviale, assez bien abritée et présentant quelques coteaux peu élevés (200 m); et la quatrième, la zone littorale formée de plages basses et d'étangs où le développement concerté du tourisme balnéaire dans les années 1960 n'a pas fait totalement disparaître la viticulture.

L'héritage de l'Antiquité. La vigne est ici chez elle, léguée par les Grecs dès le VIII[e]s. av. J.-C., puis par les Romains, qui font la conquête des terres bordant le golfe du Lion dès le II[e]s. av. J.-C. Le vignoble se développe rapidement et concurrence même celui de la péninsule. Affecté par les incursions sarrasines plus que par les grandes invasions, il connaît un début de renaissance au IX[e]s. grâce aux monastères. La vigne occupe alors surtout les coteaux, les plaines étant vouées aux cultures vivrières. Le commerce du vin s'étend aux XIVe et XV[e]s. Aux XVIIe et XVIII[e]s., l'essor économique donne une nouvelle impulsion à la viticulture. Création du port de Sète, ouverture du canal des Deux Mers... ces nouvelles infrastructures encouragent les exportations. Avec le développement des manufactures de tissage de draps et de soieries, une certaine prospérité règne. Le vignoble commence alors à se répandre dans la plaine. Le frontignan est réputé jusque dans le nord de l'Europe.

De la viticulture de masse à la recherche des terroirs. L'essor du chemin de fer, entre les années 1850 et 1880, assure l'ouverture de nouveaux marchés urbains, dont les besoins sont satisfaits par l'abondante production de vignobles reconstitués après la crise du phylloxéra. C'est la grande époque du « vin de consommation courante », avec ses crises de surproductions récurrentes, qui ne décline qu'à partir du milieu du XX[e]s. et surtout du milieu des années 1970. Une telle production ne correspond plus au goût du consommateur. Institué en 1949, le statut VDQS, catégorie un peu moins contraignante que l'AOC, a permis à ces vignobles de progresser par paliers : un grand nombre sont devenus AOVDQS. Leur reconnaissance par étapes en AOC a jalonné leurs progrès. Grâce à ses bons terroirs situés sur les coteaux et au retour à des cépages traditionnels, le Languedoc viticole produit aujourd'hui des vins de qualité. En 2009, les vins sans indication géographique comptent pour moins de 10% (encore 20% en 2000), les vins de pays (IGP) représentent 70% de la production, et les AOC 27%. Le Languedoc est aussi première région pour le bio. Depuis 2007 et la création d'une appellation régionale languedoc (qui s'étend aux Pyrénées-Orientales), la profession cherche à hiérarchiser ses appellations, comme c'est le cas dans les vignobles anciens, tel le Bordelais.

Des terroirs variés. Les différentes appellations du Languedoc se trouvent dans des situations très variées quant à l'altitude, à la proximité de la mer et aux terroirs. Les sols peuvent être ainsi des schistes de massifs primaires, comme dans certains secteurs des Corbières, du Minervois et de Saint-Chinian; des grès du lias et du trias (alternant souvent avec des marnes), comme en Corbières et à Saint-Jean-de-Blaquière; des terrasses et cailloux roulés du quaternaire, excellent terroir à vignes, comme dans le Val d'Orbieu (Corbières), à Caunes-Minervois, dans la Méjanelle; des terrains calcaires à cailloutis souvent en pente ou situés sur des plateaux, comme en Corbières, en Minervois; des terrains d'alluvions récentes dans les coteaux du Languedoc.

Un climat méditerranéen. Assurant l'unité du Languedoc, ce climat a ses contraintes et ses accès de violence. C'est la région la plus chaude de France, avec des températures pouvant dépasser 30 °C en juillet et en août; les pluies sont rares, irrégulières et mal réparties. La belle saison connaît toujours un manque d'eau important du 15 mai au 15 août. Dans beaucoup d'endroits, seule la culture de la vigne et de l'olivier est possible. La pluviométrie peut varier cependant du simple au triple suivant l'endroit (400 mm au bord de la mer, 1 200 mm sur les massifs montagneux). Les vents viennent renforcer la sécheresse du climat lorsqu'ils soufflent de la terre (mistral, cers, tramontane); au contraire, ceux qui proviennent de la mer modèrent les effets de la chaleur et apportent une humidité bénéfique. Fréquemment transformées en torrents après les orages, souvent à sec en période de sécheresse, les rivières ont contribué à l'établissement du relief et des terroirs.

Un encépagement très varié. À partir de 1950, l'aramon, cépage des vins de table légers planté au XIX[e]s., a progressivement laissé la place aux variétés traditionnelles du Languedoc-Roussillon, comme le grenache noir; venus des autres régions françaises, des cépages comme les cabernet-sauvignon, cabernet franc, merlot et chardonnay se sont également répandus, notamment pour produire des vins de pays. Dans le vignoble des vins d'appellation, les cépages rouges sont le carignan, qui apporte au vin structure, tenue et couleur, le grenache, qui donne au vin sa chaleur, participe au bouquet mais s'oxyde facilement avec le temps, la syrah, cépage de qualité, qui apporte ses tanins et des arômes qui s'épanouissent au vieillissement, le mourvèdre, qui donne des vins élégants et de garde, le cinsault enfin, qui, cultivé en terrain pauvre, donne un vin souple au fruité agréable. Ce dernier entre surtout dans l'assemblage des vins rosés.

Les blancs sont produits à base de grenache blanc pour les vins tranquilles, de piquepoul, de bourboulenc, de macabeu, de clairette. Le muscat à petits grains est à l'origine d'une production traditionnelle de vins doux naturels – les vins liquoreux, riches en sucres et en alcool, se conservaient bien, même sous les climats chauds, ce qui explique leur naissance sur des terres méditerranéennes. Marsanne, roussanne et vermentino se sont ajoutés plus récemment à ce riche éventail de cépages blancs. Pour les vins effervescents, on fait appel au mauzac, au chardonnay et au chenin.

CABARDÈS

Superficie : 400 ha / Production : 18 000 hl

Rouges ou rosés, les cabardès proviennent de dix-huit communes situées au nord de Carcassonne et à l'ouest du Minervois. Implanté dans la partie la plus occidentale du Languedoc, le vignoble subit davantage l'influence océanique que les autres appellations. C'est pourquoi les cépages autorisés comprennent des cépages atlantiques, comme le merlot et le cabernet-sauvignon, à côté de variétés méditerranéennes comme le grenache noir et la syrah.

Ⓑ GUILHEM BARRÉ Sous le bois 2014 ★★

■ | 4500 | 8 à 11 €

Guilhem Barré, diplômé en psychologie, s'est fait vigneron en 2008, en choisissant le Languedoc à une époque où l'on y parlait plutôt d'arrachages. Un domaine à taille humaine de 7 ha, conduit en bio certifié, et déjà une valeur sûre de l'appellation cabardès.

Merlot (60 %) et syrah sont associés pour le meilleur dans cette cuvée d'un seyant rouge profond, au nez fruité rappelant la griotte. Un équilibre remarquable caractérise la bouche, qui conjugue puissance et élégance grâce à une grande finesse de tanins et à une fraîcheur parfaitement dosée. La longue finale fruitée achève de convaincre. ⌛ 2018-2023 🍴 rôti de veau

GUILHEM BARRÉ, chem. de Montolieu, 11610 Ventenac-Cabardès, tél. 06 32 38 72 55, guilhem.barre@gmail.com V r.-v.

CH. LA BASTIDE ROUGEPEYRE Classique 2014 ★

■ | 120 000 | | 5 à 8 €

Situé sur le versant sud de la Montagne noire, à Pennautier, près de Carcassonne, le château la Bastide RougePeyre est une ancienne ferme fortifiée du XIIIe s. Dans la même famille depuis neuf générations, ce domaine de 50 ha est conduit aujourd'hui par l'officier de marine Dominique de Lorgeril.

Après dix-huit mois de cuve, ce 2014 se présente avec générosité sur des arômes de fruits compotés et d'épices douces (cannelle et girofle). En bouche, on découvre un vin équilibré, d'intensité moyenne mais construit sur l'élégance. ⌛ 2016-2020 🍴 bavette à l'échalote

SCEA CH. LA BASTIDE, Dom. la Bastide-RougePeyre, 11610 Pennautier, tél. 04 68 72 51 91, chateaulabastide@rougepeyre.com V *r.-v.* *de Lorgeril*

♥ DOM. DE CABROL La Dérive 2013 ★★★

■ | 5000 | | 15 à 20 €

Un pilier de l'appellation, avec nombre de coups de cœur à son actif. Le domaine s'étend sur 150 ha, mais la vigne n'occupe que 20 ha, à 300 m d'altitude, dans un paysage de garrigue et de bois. Claude Carayol y est installé depuis 1987.

Expression aboutie du mariage entre la syrah et le cabernet-sauvignon, cette Dérive fait chavirer les dégustateurs, emballés de bout en bout. Robe intense et profonde; nez complexe de fruits noirs et de garrigue mâtiné d'une pointe d'épices orientales; bouche tout aussi complexe, ample, dense, portée par des tanins et un boisé fondus qui se font oublier. Un vin caressant et parfaitement équilibré. ⌛ 2017-2024 🍴 épaule d'agneau rôtie

DOM. DE CABROL, D 118, 11600 Aragon, tél. 06 81 14 00 26, cc@domainedecabrol.fr V *t.l.j. sf dim. 11h-12h 17h-19h* *Claude Carayol*

CH. JOUCLARY Cuvée Guilhaume de Jouclary 2013 ★

■ | 3000 | | 11 à 15 €

Ce domaine de 60 ha, fondé en 1530 par un consul de la cité de Carcassonne qui a légué son nom à la propriété, appartient à la famille Gianesini depuis 1969. Une valeur sûre de l'appellation cabardès.

Merlot et syrah à parts égales et une touche de grenache composent cette cuvée qui présente dans sa robe quelques signes d'évolution. Au nez, de puissants arômes de cassis se manifestent, relayés par une bouche tendre et souple, bien équilibrée et de bonne longueur. ⌛ 2017-2022 🍴 carré de veau aux girolles

CH. JOUCLARY, rte de Villegailhenc, 11600 Conques-sur-Orbiel, tél. 04 68 77 10 02, chateau.jouclary@orange.fr V *t.l.j. sf dim 11h-19h* *Gianesini*

DOM. LA MIJANE 2014

■ | 4000 | 🍾 | 5 à 8 €

Un jeune domaine fondé en 2011 par Philippe de la Boisse, à la tête d'un vaste ensemble d'une centaine d'hectares en bordure du canal du Midi, dont 36 dédiés à la vigne et aux cabardès, aux IGP Pays d'Oc et Cité de Carcassonne.

Mariage original de merlot (60 %) et de grenache noir, ce cabardès livre un bouquet élégant de fraise et de framboise. Le palais apparaît suave et très rond, plus chaleureux en finale. Un vin friand à boire sur le fruit. ⧗ 2016-2019 🍴 steak tartare

DOM. LA MIJANE, Carrefour de Bezons, rte de Caunes, 11620 Villemoustaussou, tél. 04 68 10 99 71, vin.lamijane@gmail.com V ✗ 🍷 *t.l.j. sf dim. 9h-17h*
de la Boisse

L'ESPRIT DE PENNAUTIER 2013 ★

■ | n.c. | 🛢 | 20 à 30 €

Les Lorgeril possèdent six domaines familiaux en Languedoc-Roussillon, parmi lesquels le château de Pennautier, un Versailles en Languedoc construit en 1620 à la gloire des seigneurs locaux, trésoriers des États du Languedoc; une valeur sûre de l'appellation

Le Languedoc

cabardès. Nicolas et Miren de Lorgeril, qui représentent la dixième génération à conduire ce vaste ensemble de 180 ha, sont également à la tête d'une structure de négoce.

Une cuvée bien connue des lecteurs, souvent en vue dans ces pages et en bonne place. Après un élevage de douze mois en barrique, la version 2013 s'exprime au travers de notes de sous-bois et de garrigue que l'on retrouve tout au long de la dégustation. Le palais est équilibré, avec en soutien des tanins fermes et encore bien présents. ⧗ 2018-2023 🍷 canard aux navets

CH. DE PENNAUTIER, BP 4, 11610 Pennautier, tél. 04 68 72 65 29, contact@lorgeril.com
V r.-v. D *de Lorgeril*

CH. VENTENAC
Grande Réserve de Georges 2013 ★★

■ | 30000 | | 8 à 11 €

Alain Maurel a créé ce domaine en 1973, plantant les vignes en haute densité (6 500 pieds/ha) pour privilégier des rendements faibles et une plus grande concentration des vins. Un beau patrimoine de 115 ha qu'il a transmis à ses enfants, dirigé depuis 2011 par son gendre Olivier Ramé. Une valeur sûre de l'appellation cabardès.

Une belle robe profonde habille cette cuvée au nez puissant de fruits rouges accompagnés de notes de poivron bien mûr qui signent la présence importante

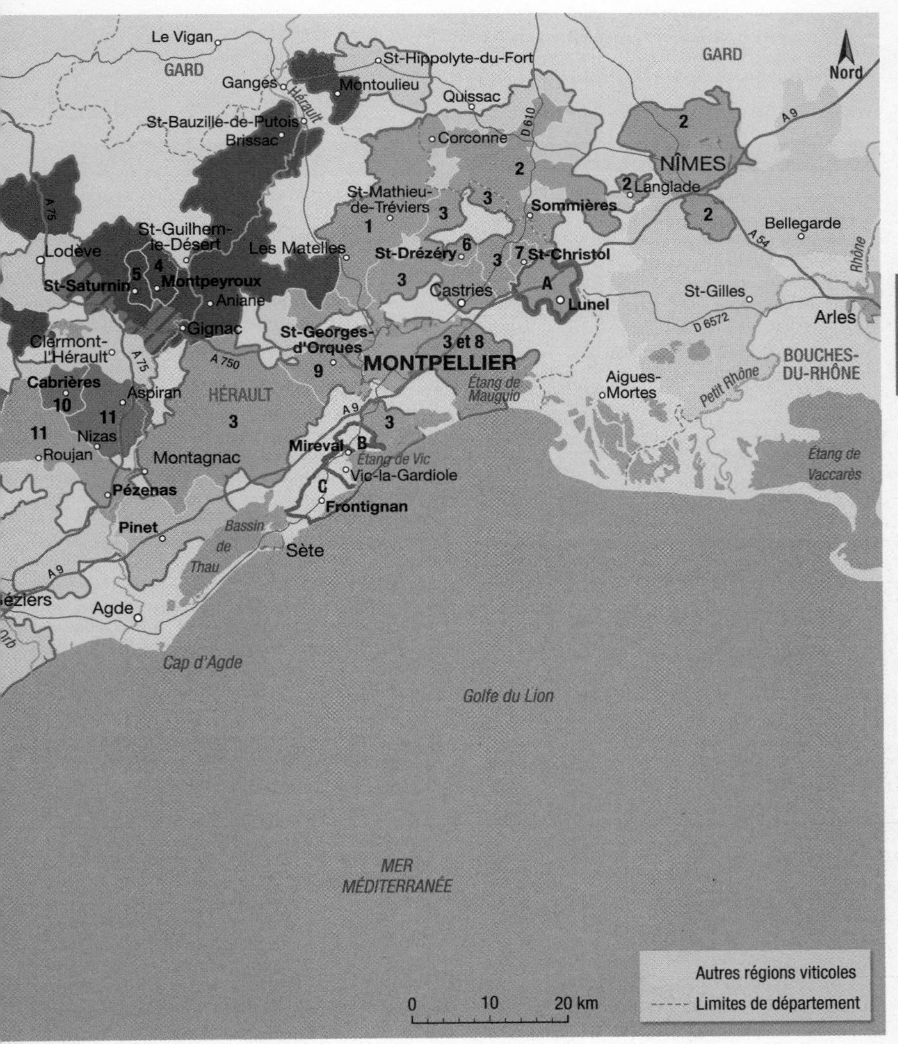

de cabernet-sauvignon (40%) aux côtés de la syrah, du cabernet franc et du merlot. En bouche, de la puissance et de l'élégance, des tanins de grande qualité, denses et fins, reflets d'un élevage particulièrement réussi. ⌛ 2018-2024 🍴 côte de bœuf

MAISON VENTENAC, 4, rue des Jardins, 11610 Ventenac-Cabardès, tél. 04 68 24 93 42, accueil@maisonventenac.fr V t.l.j. sf sam. dim. 7h30-12h 13h30-18h ⊶ Olivier Ramé

CLAIRETTE-DU-LANGUEDOC

Superficie : 60 ha / Production : 2 487 hl

Les vignes du cépage clairette sont cultivées dans huit communes de la vallée moyenne de l'Hérault. Après vinification à basse température avec le minimum d'oxydation, on obtient un vin blanc généreux, à la robe jaune soutenu. Il peut être sec, demi-sec ou moelleux. En vieillissant, il acquiert un goût de rancio.

ADISSAN 2015 ★★

	10000	- de 5 €

Berceau de la clairette, Adissan perpétue la tradition des moelleux. Le village fournit 70% de la production de l'AOC. Le vignoble occupe des terrasses villafranchiennes composées de galets de quartz, silex et calcaires au sein d'une matrice argilo-sableuse.

Ce vin délicat à la robe or pâle offre une jolie palette d'arômes allant de la fleur d'acacia à la confiture de coings, en passant par le fenouil et le thym. Des accents mentholés apportent une belle fraîcheur dans une bouche d'une aimable rondeur, à l'élégante finale fruitée. ⌛ 2017-2018 🍴 poisson grillé à l'anis

LA CLAIRETTE D' ADISSAN, av. du Gal-de-Gaulle, 34230 Adissan, tél. 04 67 25 01 07, clairette.adissan@wanadoo.fr V t.l.j. sf dim. 9h-12h 15h-18h; sam. 9h-12h

DOM. LA CROIX CHAPTAL
Clairette Blanche 2014 ★★

	5000		8 à 11 €

Créé au Xᵉs. par les moines bénédictins de l'abbaye de Gellone, ce domaine se partage entre 11 ha de bois et 25 ha de vignes conduits de manière très raisonnée. Il revit depuis son rachat en 1999 par Charles-Walter Pacaud, qui l'avait découvert pendant ses études de viticulture-œnologie à Montpellier. Les clés de voûte sculptées du cellier sont reproduites sur l'étiquette.

La robe jaune de cette clairette très harmonieuse se pare de beaux reflets vert et or. Le nez délivre des parfums intenses et délicats d'anis étoilé, d'amande, de pomme bien mûre, de pâte de coing. Arômes prolongés par une bouche ample, ronde et tendre, qui s'achève sur une élégante note d'amande douce. ⌛ 2017-2018 🍴 poularde à la crème

DOM. LA CROIX CHAPTAL, hameau de Cambous, 34725 Saint-André-de-Sangonis, tél. 04 67 16 09 36, lacroixchaptal@wanadoo.fr ⊶ Charles-Walter Pacaud

LES HAUTS DE SAINT-ROME 2015 ★

	120000	- de 5 €

Coopérative fondée en 1937 et riche des 380 ha de ses adhérents, la cave, réputée pour ses rosés qui ont fait la gloire de Cabrières, présente aussi une gamme de rouges dignes d'un vif intérêt. Elle produit également de l'AOC clairette-du-languedoc, sur une vingtaine d'hectares de schistes. Le paysage dominé par le pic de Vissou, la richesse géologique et les sites archéologiques en font une étape recommandée.

La robe pâle s'orne de reflets gris. La fleur d'acacia, le coing et un soupçon de menthol confèrent de l'élégance à l'olfaction. Puis viennent en bouche des notes fraîches d'amande et d'anis qui équilibrent le caractère moelleux de cette clairette, étirée dans une jolie finale miellée. ⌛ 2017-2018 🍴 magret au miel

CAVES DE L' ESTABEL, 20, rte de Fontès, 34800 Cabrières, tél. 04 67 88 91 60, sca.cabrieres@wanadoo.fr V t.l.j. 9h-12h 14h-18h

CORBIÈRES

Superficie : 13 000 ha / Production : 461 000 hl

VDQS depuis 1951, reconnus en AOC en 1985, les Corbières constituent une région typiquement viticole, et ce massif montagneux aride, qui sépare le bassin de l'Aude des plaines du Roussillon, n'offre guère d'autres possibilités de culture. Cette vaste appellation s'étend sur 87 communes. Les corbières rouges, majoritaires, ont en commun un côté chaleureux et souvent charpenté. Ils assemblent aux traditionnels carignan et grenache noir la syrah, le cinsault, le mourvèdre, le lladoner pelut... L'appellation produit aussi des rosés et des blancs; ces derniers mettent à contribution les cépages grenache, macabeu, bourboulenc, marsanne, roussanne et vermentino. Corbières maritimes au sud-est, hautes Corbières au sud, Corbières centrales faites de terrasses et de collines, montagne d'Alaric au nord-ouest... la région présente un relief très compartimenté et des terroirs divers par leur altitude, leurs sols, l'influence méditerranéenne plus ou moins dominante. Ce cloisonnement des sites a conduit à une réflexion sur les spécificités des terroirs de l'AOC, notamment ceux de Durban, Lagrasse et Sigean.

ABBOTTS ET DELAUNAY Réserve 2014 ★

	14000		11 à 15 €

Issu d'une famille de producteurs et négociants bourguignons, Laurent Delaunay, œnologue, après avoir créé Badet Clément & Cie, a racheté en 2005 l'affaire fondée en 1996 par l'œnologue australienne Nerida Abbott, créant sous le nom d'Abbotts & Delaunay une société de négoce-vinificateur spécialisée dans les vins du Languedoc-Roussillon.

Un assemblage mi-grenache mi-syrah. La présentation annonce un vin patiné; l'olfaction mêle la cerise, les fruits macérés dans l'alcool, la fraise écrasée et un joli boisé; la bouche confirme les arômes de fruits compotés, rehaussés d'un boisé bien dosé; elle se développe avec ampleur sur des tanins suaves qui donnent une texture souple et soyeuse. ⏳ 2016-2019 🍷 sauté de lapin

⊶ *ABBOTTS ET DELAUNAY, 32 av. du Languedoc, 11800 Marseillette, tél. 04 68 79 00 00, contact@abbottsetdelaunay.com* V r.-v.

B CH. AIGUILLOUX Aventure 2014

■	40000	🍾	5 à 8 €

Fondé en 1860 sur le site d'une villa gallo-romaine, un domaine de 125 ha, dont 36 de vignes d'un seul tenant, traversé par un ruisseau du nom d'Aiguilloux. Né en Normandie, François Lemarié a parcouru le monde avant de se poser dans ce coin des Corbières en 1982. Conversion bio engagée en 2010, certification en 2014.

Né de quatre cépages (carignan 50 %), un corbières typique, authentique, élevé en cuve: robe éclatante, très foncée, arômes de cuir et de sous-bois, bouche franche et ronde. Un vin sincère. ⏳ 2016-2019 🍷 cassoulet

⊶ *FRANÇOIS LEMARIÉ, Ch. Aiguilloux, 11200 Thézan-des-Corbières, tél. 04 68 43 32 71, aiguilloux@wanadoo.fr* V *r.-v.*

CH. D'AUSSIÈRES 2013 ★

■	100000	🛢🍾	15 à 20 €

Grange cistercienne rattachée à l'abbaye de Fontfroide avant la Révolution, Aussières comptait 270 ha de vignes et 120 employés en 1920, formant un véritable hameau avec ses artisans et son école. Il reste l'un des plus vastes domaines languedociens (167 ha). Les Domaines Barons de Rothschild (Lafite) l'ont repris en 1999 et entièrement replanté, l'encépagement tenant compte des sols.

Issu d'un assemblage excluant le carignan et de sols gréseux, ce vin à la robe intense présente un profil particulier. Discret au premier nez, il déploie à l'aération une palette aussi complexe qu'élégante, entre épices, grillé, boisé fin parfaitement marié au vin. En bouche, il se développe harmonieusement, étayé par des tanins gracieux et marqué en finale par une note de fraîcheur qui lui donne du relief. ⏳ 2017-2019 🍷 magret de canard

⊶ *DOMAINE D' AUSSIÈRES, RD 613, 11100 Narbonne, tél. 04 68 45 17 67, aussieres@lafite.com* V *r.-v.* ⊶ *Domaines Barons de Rothschild-Lafite*

B CH. BEAUREGARD MIROUZE
Lauzina 2013 ★

■	5000	🛢🍾	11 à 15 €

Ingénieurs agronomes, Karine et Nicolas Mirouze ont quitté la banque et l'informatique pour reprendre en 2000 le domaine familial: 300 ha, dont 23 ha de vignes implantées sur le versant nord du massif de Fontfroide, aux sols de grès et au microclimat frais. Exploitation en bio.

Lauzina? Le bois de chênes verts (yeuse, auze en occitan). Sur les pentes gréseuses du massif de Fontfroide, exposées au nord, la syrah (70 %) et le grenache à l'origine de ce corbières bénéficient de nuits fraîches. D'approche plutôt discrète, ce 2013 libère à l'aération des notes d'épices, de vanille et de fruits noirs. Ces arômes de prolongent dans une bouche étoffée, aux tanins satinés et à la finale fraîche. ⏳ 2016-2019 🍷 gigot d'agneau au romarin

⊶ *CH. BEAUREGARD MIROUZE, 11200 Bizanet, tél. 04 68 45 19 35, info@beauregard-mirouze.com* V *r.-v.*

CH. LE BOUÏS
Massif de la Clape Cuvée R 2014 ★★

■	20000	🛢🍾	8 à 11 €

Appuyé aux contreforts du massif de La Clape, face à la Méditerranée, un domaine de 50 ha, racheté en 2009 par Frédérique Olivié, qui est retournée à ses racines languedociennes, après une première vie à La Réunion. À l'horizon, le trait bleu de la mer, aux alentours, les pins et le vacarme reposant des cigales. Une partie des bâtiments du domaine a été aménagée en un restaurant doté d'une terrasse panoramique sur les vignes et la côte.

Le 2013 de cette cuvée fut élu coup de cœur, et son successeur est de la même veine. Sa robe profonde annonce le parfait mûrissement des grenache, carignan et syrah qui le composent; aussi puissant que complexe, le nez allie un boisé aux notes d'épices, de réglisse et de moka à des senteurs de pruneau et de figue noire; cette complexité se poursuit au palais; le boisé puissant s'intègre parfaitement au vin, et les tanins encore marqués ne perturbent pas la dégustation. Un vin homogène, corsé et élégant. ⏳ 2019-2020 🍷 pavé de bœuf aux cèpes

⊶ *CH. LE BOUÏS, rte Bleue, 11430 Gruissan, tél. 04 68 75 25 25, vins@chateaulebouis.com* V *t.l.j. 10h-13h 15h-19h30;f. oct. à mai* 4 ⊶ *Olivié*

CH. DE CABRIAC Prieuré Saint-Martin 2013 ★

■	5000	🛢	11 à 15 €

Situé au pied du mont Alaric, le château de Cabriac a pris la suite d'un prieuré des Templiers, sur un site occupé à l'origine par une villa gallo-romaine. Vendu comme bien national à la Révolution, il fut acquis en 1802 par les Berlioz, dont les propriétaires actuels sont de lointains descendants. Depuis 1985, ses 70 ha de vignes sont mis en valeur par Jean et Michèle de Cibeins.

Une robe profonde aux brillants reflets violets pour ce 2013: la syrah (60 %) est bien là, complétée par le mourvèdre et le grenache. Le nez est expressif, avec ses senteurs de tabac blond et d'épices, héritage du séjour en fût, auxquels se mêlent des notes de violette et une touche balsamique. L'attaque suave et moelleuse ouvre sur un palais concentré, au boisé encore marqué: le profil d'un vin de garde. ⏳ 2018-2022 🍷 daube de sanglier

⊶ *JEAN DE CIBEINS, Ch. de Cabriac, 11700 Douzens, tél. 04 68 79 19 15, cabriac@wanadoo.fr* V *t.l.j. sf dim. 10h-12h 15h-18h* ⊶ *SCEA Cabriac*

CH. CAMBRIEL 2015 ★

■	3300	🍾	5 à 8 €

Les grands-parents des actuels producteurs, jardiniers, débutent avec 4 ha. Les parents sortent de

la coopérative en 1986 avec 22 ha. En 2013, deux de leurs fils, Christophe et Éric, prennent leur suite et continuent à agrandir l'exploitation, forte de 72 ha, dont une quarantaine en production. À leur carte, des corbières et des IGP.

Pas de grenache pour ce blanc, mais du macabeu, de la marsanne et de la roussanne cultivés sur une terrasse. Un vin apprécié pour ses parfums intenses de fleurs blanches, qui prennent des nuances amyliques dans un palais élégant et tout en fraîcheur. ⧗ 2016-2018 🍴 crevettes au pamplemousse

GAEC LES VIGNOBLES CAMBRIEL, 65, av. Saint-Marc, 11200 Ornaisons, tél. 04 68 27 43 08, christophe.cambriel@orange.fr
V t.l.j. 10h-12h15 16h30-19h; dim. 10h-12h15

B CH. CASCADAIS 2014

■ | 108 800 | | 8 à 11 €

Natif du Médoc où il exploite entre autres le Château Tour Haut-Caussan, Philippe Courrian découvrit un jour de 1992 la superbe vallée de la Nielle, petit affluent de l'Orbieu, dans les Corbières. Il y planta des vignes (23 ha) et des oliviers, et fit d'un vieux moulin sa résidence. Exploitation en bio.

Pour élaborer ce corbières à la belle personnalité, Philippe Courrian a assemblé syrah, grenache et carignan à parité, avec un soupçon de mourvèdre et de cinsault. Après un élevage mi-cuve mi-fût, le vin mêle au nez notes boisées, violette et confiture de fruits rouges. En bouche, il allie fraîcheur et sucrosité, et s'appuie sur de fins tanins réglissés. ⧗ 2016-2019 🍴 entrecôte au gril

PHILIPPE COURRIAN, 28, rue Beurada, 11220 Saint-Laurent-de-la-Cabrerisse, tél. 05 56 09 00 77, courrian@tourhautcaussan.com
V r.-v.

♥ LES MAÎTRES VIGNERONS DE CASCASTEL Cuvée du Moulin 2014 ★★

■ | 90 000 | | 8 à 11 €

Créée en 1921 dans le massif des hautes Corbières et le haut Fitou, à 20 km de la Méditerranée, la cave des Vignerons de Cascastel rassemble une centaine d'adhérents qui cultivent 750 ha. À sa carte, des fitou, corbières, vins doux naturels et vins en IGP.

En hautes Corbières, terroir où se côtoient schistes et calcaire, le carignan trouve une belle expression, surtout s'il est vinifié en grains entiers comme c'est le cas ici, et qu'il est complété par du grenache (40 %) et par un trait de syrah (20 %). Une cuvée engageante, avec son nez entre fruits rouges frais et fruits compotés, avec une touche de sous-bois. La bouche achève de convaincre: suave, ample, elle déroule des tanins élégants et brille par l'intensité et la persistance de ses arômes. ⧗ 2016-2019 🍴 côtelettes d'agneau au thym

LES MAÎTRES VIGNERONS DE CASCASTEL, Grand-Rue, 11360 Cascastel, tél. 04 68 45 91 74, info@cascastel.com
V t.l.j. sf sam. dim. 9h-12h 14h-18h

CASTELMAURE Grande Cuvée 2014 ★

■ | 100 000 | | 11 à 15 €

Fondée en 1921, la coopérative d'Embres-et-Castelmaure se niche au fond des hautes Corbières, entre les pentes sauvages de La Sauveille et du col de Bent; 400 ha de vignes. Les ceps plongent leurs racines dans des sols rocailleux, calcaires ou schisteux.

Mi-grenache mi-syrah, cette cuvée n'est pas grande que par sa dénomination; ses volumes sont appréciables et surtout, sa qualité peut justifier son nom. On apprécie son intensité aromatique: du fruit, beaucoup de fruit – de la fraise –, quelques épices, un agréable boisé cacaoté; sa texture en bouche séduit par sa souplesse, sa rondeur, le bon soutien des tanins du bois et par la finale chaleureuse et fruitée. ⧗ 2016-2019 🍴 magret de canard grillé ■ **L'Extrême de Castelmaure 2014 ★★** (8 à 11 €; 15 000 b.) : l'Extrême? Un lieu-dit de la commune de Castelmaure. Un nez boisé, sur le pain grillé, un palais ample, dense, confit et réglissé. Un vin diffusé par le négociant Jeanjean. ⧗ 2017-2021 🍴 daube de bœuf ■ **Cuvée n°3 2014 (20 à 30 €; 40 000 b.)** : vin cité.

SCV CASTELMAURE, Cave Coopérative, 4, rte de Canelles, 11360 Embres-et-Castelmaure, tél. 04 68 45 91 83, vins@castelmaure.com
V t.l.j. 10h-12h 15h-18h

DOM. DE LA COMBE GRANDE L'Espère 2014

■ | 3 300 | | 11 à 15 €

Selon la légende, les Wisigoths auraient enterré un trésor dans la montagne de l'Alaric. Ce relief, en tout cas, offre des terroirs propices. Sur ses pentes sud, Christophe Sournies et son cousin Jacques Tibie conduisent le domaine (80 ha) où leur famille est installée depuis 1890.

Cette cuvée assemble quatre cépages: le grenache, la syrah, le mourvèdre et le carignan. Le 2014 a retenu l'attention grâce à son nez très démonstratif mêlant fruits rouges et torréfaction. Tout aussi expressif en bouche, bien équilibré, il conjugue droiture et finesse. De l'élégance et du caractère. ⧗ 2016-2019 🍴 salmis de palombe

DOM. LA COMBE GRANDE, chem. de Garrigue-Plane, 11200 Camplong-d'Aude, tél. 04 68 75 38 28, domaine.combegrande@orange.fr
V t.l.j. sf sam. dim. 8h-12h 14h-18h
Sournies-Tibie

CH. DE DURFORT 2014 ★

■ | 60 000 | | 8 à 11 €

Créée en 1914, la coopérative de Saint-Laurent-de-la-Cabrerisse, dans les Corbières centrales, a été nommée en hommage aux femmes qui l'ont main-

tenue en activité alors que les hommes étaient au front. À partir des années 2000, elle a développé sa production en bouteilles.

Un terroir de schistes, un assemblage mi-syrah mi-grenache et douze mois de fût pour ce 2014 qui mêle au nez notes fumées, noisette et fruits cuits. Concentrée et généreuse, bien équilibrée entre onctuosité suave et fraîcheur, la bouche montre une certaine fermeté en finale. ⌛ 2017-2020 🍴 cassoulet

⊶ CELLIER DES DEMOISELLES, 11220 Saint-Laurent-de-la-Cabrerisse, tél. 04 68 44 02 73, coop.stlaurent@wanadoo.fr
V t.l.j. sf dim. 8h-12h 14h-18h

CH. ÉTANG DES COLOMBES Bois des dames 2013

■ | 20000 | | 8 à 11 €

Propriété familiale depuis quatre générations, à l'est de Lézignan. Henri Gualco a commencé la mise en bouteilles au domaine dès 1973 et participé activement au développement de l'appellation avant de transmettre cette exploitation de 80 ha à son fils Christophe.

De vieilles vignes de carignan (50 %), de syrah et de grenache pour cette cuvée authentique, dans la tradition, au nez discret mais fin, sur les fruits rouges, à la bouche ample et souple, marquée en finale par un retour du fruit rehaussé de notes grillées. Sincère et fiable. ⌛ 2016-2019 🍴 fricassée de lapin

⊶ CHRISTOPHE GUALCO, Ch. Étang des Colombes, 11200 Cruscades, tél. 04 68 27 00 03, christophe.gualco@wanadoo.fr
V t.l.j. 8h-12h 14h-18h

Ⓑ CH. FABRE CORDON Qui m'aime me suive ! 2013 ★★

■ | 4000 | | 11 à 15 €

Situé dans la zone côtière des étangs, un domaine implanté à l'emplacement d'une villa gallo-romaine qui bordait la voie Domitienne. Aujourd'hui, 12 ha (en bio certifié depuis 2013) conduits par Henri et Monique Fabre, longtemps coopérateurs et vignerons indépendants depuis 2001. Leur fille Amandine, œnologue, vient de les rejoindre.

Dans ce terroir méditerranéen, la syrah a été préférée au carignan, mais le grenache noir n'a pas été oublié. Il en résulte un vin à la robe profonde, au nez très expressif sur le fruit rouge bien mûr, rehaussé d'épices et d'une touche d'olive noire. Le palais est chaleureux, structuré et élégant, d'une grande persistance. On y retrouve les riches arômes du nez, nuancés de notes de camphre et de menthe. Un vin sans fard, entre jeunesse et maturité. ⌛ 2017-2019 🍴 côte de bœuf ■ **Parfums d'été 2014 ★★ (8 à 11 €; 4000 b.) Ⓑ** : du grenache noir dominant (80 %) pour ce vin généreux, aux arômes de fruits macérés à l'eau-de-vie et à la bouche gourmande et ronde. ⌛ 2016-2021 🍴 magret aux cerises

⊶ CH. FABRE CORDON, L'Oustal-Nau, 11440 Peyriac-de-Mer, tél. 04 68 42 00 31, chateaufabrecordon@gmail.com
V r.-v. Ⓔ

♥ DOM. DE FONTSAINTE La Demoiselle 2014 ★★

■ | 26600 | | 8 à 11 €

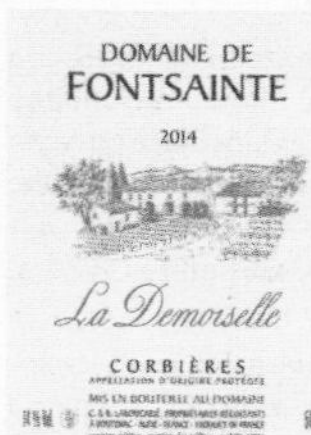

Conduite par une ancienne famille vigneronne, la propriété domine le village de Boutenac, dans la partie la plus réputée des Corbières. À partir de 1971, Yves Laboucarié a agrandi l'exploitation et introduit de nouvelles pratiques comme la macération carbonique. Son fils Bruno, qui a pris le relais en 1993, dispose de près de 54 ha.

Une Demoiselle septuagénaire. Et pourtant c'est la deuxième fois qu'elle séduit nos jurés, après le 2010, également coup de cœur. La Demoiselle est en effet le nom d'une parcelle qui porte les très vieux carignans qui composent 60 % de cette cuvée, complétés par le grenache (30 %) et le mourvèdre. Les vendanges ont été retardées jusqu'au 28 septembre. Il en résulte un vin très coloré, au nez raffiné, sans excès d'exubérance, entre notes florales, mentholées et fruits confits. La bouche charme par son élégance, son fondu, par le grain poli de ses tanins et ses arômes rehaussés d'une touche de garrigue. Un vin distingué, reflétant le savoir-faire du vigneron et celui de Claude Gros, son œnologue. ⌛ 2017-2021 🍴 selle d'agneau au romarin

⊶ EARL LABOUCARIÉ - FONTSAINTE, 16, rte de Ferrals, 11200 Boutenac, tél. 04 68 27 07 63, earl.laboucarie@fontsainte.fr
V t.l.j. sf dim. 9h30-11h30 14h-17h30

DOM. DU GRAND ARC La Rose des jables 2014 ★

■ | 8000 | | 15 à 20 €

Bruno et Fabienne Schenck ont changé de vie. Pour lui, fini l'emploi de cadre aux usines Renault. Toute la famille s'installe en 1990 dans les hautes Corbières, au pied des citadelles cathares. Création du domaine en 1995; aujourd'hui, 25 ha en conversion bio. À la faveur de l'expérience et d'un terroir de grande qualité, le Grand Arc est devenu une bonne adresse de l'appellation.

Non, pas « sables », « jables » : le jable est une rainure pratiquée aux extrémités des douelles pour emboîter le fond du fût; quant à la rose, c'est encore un terme de tonnellerie (l'ouverture des douelles quand on retire les cercles). Un nom approprié pour une cuvée marquée par son séjour d'un an dans le chêne : nez vanillé et grillé, bouche franche à l'attaque, structurée par des tanins boisés, avec en finale un retour de la vanille. Un élevage bien maîtrisé. ⌛ 2018-2021 🍴 noisettes de chevreuil ■ **Cuvée des Quarante 2014 ★ (5 à 8 €; 15000 b.)** : carignan (45 %), grenache et syrah composent cette cuvée bien structurée à l'expression aromatique intéressante offrant notes minérales, épicées (vanille, cannelle), touches de garrigue. ⌛ 2018-2021 🍴 magret de canard aux épices

⊶ BRUNO SCHENCK, 15, chem. des Métairies-du-Devez, 11350 Cucugnan, tél. 04 68 45 01 03, domaine.grandarc@gmail.com
V r.-v.

CH. DU GRAND CAUMONT
Cuvée Tradition 2014 ★★

■ | 160 000 | | 5 à 8 €

Une villa gallo-romaine, puis un château incendié à la Révolution; constitué au milieu du XIXe s., ce domaine a été acquis en 1906 par Louis Rigal, propriétaire de caves de Roquefort. En 2003, sa petite-fille Laurence, après un début de carrière dans le marketing, est arrivée aux commandes de cette vaste unité (148 ha, dont une centaine plantée de vignes).

Plus d'une fois remarquée, cette cuvée assemble du carignan vinifié en grains entiers (45%) à du grenache et à de la syrah. Le 2014 est dans la lignée de ses devanciers, avec son nez expressif et fin, sur le fruit cuit, la mûre et les épices, son palais franc et gras, construit sur des tanins puissants et racés. Du caractère et de la séduction. ⌛ 2017-2021 🍴 cassoulet

SARL FLB RIGAL, Ch. du Grand Caumont, 11200 Lézignan-Corbières, tél. 04 68 27 10 82, chateau.grand.caumont@wanadoo.fr
V t.l.j. sf dim. 8h30-12h 13h-17h30;sam. sur r.-v.

CH. GRAND MOULIN Vieilles Vignes 2013 ★★

■ | 80 000 | | 5 à 8 €

Son père, vendeur de bétail, possédait une petite vigne. Jean-Noël Bousquet décide à huit ans qu'il sera vigneron, cultive la vigne puis s'installe en 1988 sur 24 ha. Rejoint en 2014 par son fils Frédéric, il est aujourd'hui à la tête d'un vaste domaine de 120 ha, en IGP, corbières et corbières-boutenac.

De la syrah, épaulée par les carignan, grenache et mourvèdre, pour cette cuvée qui déploie à l'aération des senteurs complexes: fruits mûrs, poivre, café, grillé, garrigue. Tout aussi expressif, le palais s'impose par son ampleur, ses tanins fondus, son boisé bien dosé. De la générosité. ⌛ 2018-2021 🍴 daube de bœuf ■ **Terres rouges 2013 ★ (8 à 11 €; 13 000 b.)** : la syrah est en vedette (80%) dans cette cuvée élevée un an dans le chêne neuf. Le fin boisé, qui domine au premier nez, laisse ensuite percer des notes complexes de myrtille, de mûre confiturée, de figue, de poivre et de cacao. Dans le même registre, le palais se montre charpenté, étayé par des tanins savoureux. ⌛ 2018-2022 🍴 pavé de biche aux airelles

FRÉDÉRIC BOUSQUET, Ch. Grand Moulin, 6, av. du Mal-Gallieni, 11200 Lézignan-Corbières, tél. 04 68 27 40 80, contact@chateaugrandmoulin.com
V t.l.j. sf dim. 9h-19h

CH. HAUTE-FONTAINE Blanc Classico 2015 ★

■ | 10 000 | | 5 à 8 €

Paul et Pénélope Dudson sont passionnés par les terroirs, et pour cause: ils sont tous deux géologues. Après avoir exploré plus de cinquante vignobles pendant deux ans, ils ont jeté leur dévolu en 2007 sur ce domaine dominant l'étang de Bages: une ancienne grange de l'abbaye de Fontfroide, entourée de 300 ha de garrigue. Le vignoble de 26,5 ha est exploité en bio. Pénélope est à la vinification.

Un corbières blanc qui respecte l'encépagement traditionnel du corbières, avec 50% de grenache blanc, auquel s'ajoutent, pour les arômes, le vermentino, la marsanne et un soupçon de muscat (2%). Un ensemble aimable, expressif et bien proportionné. ⌛ 2016-2018 🍴 saint-jacques poêlées aux herbes ■ **La Grande Réserve 2013 (8 à 11 €; 4 400 b.)** : vin cité.

SCEA HAUTE-FONTAINE, Dom. de Java, Prat de Cest, 11100 Bages, tél. 04 68 41 03 73, haute-fontaine@wanadoo.fr
V t.l.j. 10h-12h 14h-19h; dim. sur r.-v.; f. janv.
P. Dudson

♥ CH. HAUT GLÉON 2015 ★★

■ | 3 000 | | 15 à 20 €

De vieilles pierres bien restaurées, aujourd'hui destinées à l'hébergement des visiteurs, une piscine au milieu de 260 ha de garrigue: ce domaine, havre de paix à l'entrée de la vallée de Paradis, non loin de Durban-Corbières, a développé l'œnotourisme. On y produit un peu d'huile d'olive et du vin (35 ha de vignes).

Pour ce 2015, pas de grenache; une majorité (75%) de roussanne issue d'une terrasse de galets roulés et élevée en fût, avec un appoint de vermentino né sur cailloutis calcaire et élevé en cuve. La robe lumineuse, à peine dorée, s'anime de reflets verts. Le premier nez, sur la vanille et les fruits blancs, s'oriente à l'aération vers la mangue et des nuances toastées. Quant à la bouche, ample et soyeuse à l'attaque, elle s'impose par son gras, son fondu, son étoffe et son équilibre parfait. Si le boisé s'y affirme, les autres arômes font leur retour dans une finale d'une grande longueur. ⌛ 2016-2018 🍴 coquilles Saint-Jacques

CH. HAUT GLÉON, lieu-dit Gléon, 11360 Villesèque-des-Corbières, tél. 04 68 48 85 95, contact@hautgleon.com V t.l.j. 9h-12h 14h-17h; f. 15-31 déc.

CH. HORTALA 2013

■ | 9 000 | | 5 à 8 €

En l'an 985, à Cruscades, un Hortala faisait déjà du vin; une dizaine de siècles plus tard, en 2006, un de ses descendants, après avoir enseigné la gynécologie, devint viticulteur à cinquante-six ans, en s'appuyant sur vingt et un associés de la famille, afin de perpétuer le domaine. Il confie la vinification aux Celliers d'Orfée, la coopérative d'Ornaisons.

Au carignan peu adapté au terroir, les propriétaires ont préféré la syrah (60%) et le grenache noir (40%). Un vin au nez discret mais franc, sur les fruits rouges, et à la bouche souple, aux tanins fondus. Sincère, simple et cordial. ⌛ 2016-2019 🍴 cassoulet

BERNARD HEDON, 3, rue de la Poste, Ch. Hortala, 11200 Cruscades, tél. 06 75 05 87 88, bernard.hedon@chateau-hortala.com
V r.-v. GFA Hortala

CH. DE LASTOURS Grande Réserve 2014 ★

■ | 20000 | | 15 à 20 €

Dominant l'étang de Bages, cette propriété de 850 ha, rachetée en 2004 par des courtiers en assurances, offre des attraits variés: les sports mécaniques, l'œnotourisme... Les pistes tortueuses servent de pistes de rallye. On y trouve gîte et couvert. Le vin? Le vignoble couvre plus de 100 ha. D'importants investissements y ont été effectués, et un chai moderne a été aménagé.

Une cuvée très traditionnelle: du carignan en bonne proportion (40%), une contribution mesurée de grenache et de la syrah, un petit appoint de mourvèdre, un élevage en cuve puis en fût. Partagé au nez entre fruits cuits, notes épicées, fumées et toastées, le vin se montre charnu en bouche, tendu par une pointe de fraîcheur. La finale est marquée par des tanins qui laissent augurer une bonne évolution. ⧗ 2016-2019 🍷 saint-nectaire ■ **Simone Descamps 2013 (11 à 15 €; 160000 b.)** : vin cité.

FAMILLE P. ET J. ALLARD, Ch. de Lastours, 11490 Portel-des-Corbières, tél. 04 68 48 64 74, contact@chateaudelastours.com V t.l.j. sf sam. dim. 8h30-12h30 13h30-18h; t.l.j. en juil.-août

B LE LOLO DE L'ANHEL 2014

■ | 10000 | | 5 à 8 €

Œnologue-conseil, Sophie Guiraudon n'a pu résister à l'appel de la vigne. Sans ancêtres dans le métier, elle s'installe en 2000 au sud de l'Alaric, dans une bergerie rénovée. Peu de surface, juste ce qu'il faut (11 ha) pour cultiver, vinifier, élever et vendre son vin, toute seule. En bio certifié.

De vieilles vignes de carignan (60%), de syrah, de grenache et de mourvèdre ont donné naissance à un vin qui, comme son nom l'indique, est facile d'approche: nez discret, sur les petits fruits, palais vif et souple, marqué en finale par une certaine fermeté tannique. ⧗ 2016-2017 🍷 planche de charcuterie

GUIRAUDON, Clos de l'Anhel, 2, rue Montlauriers, 11220 Montlaur, tél. 06 77 09 65 48, anhel@wanadoo.fr V *r.-v.*

DOM. DE LONGUEROCHE Cuvée réservée Élevé en fût de chêne 2013 ★★

■ | 15000 | | 8 à 11 €

Diplômé en droit, marchand d'antiquités, Roger Bertrand cède à sa passion du vin en reprenant en 1986 l'exploitation familiale située au pied de la barre rocheuse de Roquelongue (d'où le nom du domaine, Longueroche), dans le massif de Fontfroide. Il cultive sans pesticides ses 30 ha de vignes qu'il vendange à la main.

Un assemblage qui a fait ses preuves (40% de carignan, 30% de syrah, 20% de grenache et, cette année, un petit appoint de mourvèdre). Élue coup de cœur l'an dernier, cette cuvée confirme sa qualité avec le 2013. Six mois de cuve et douze mois de fût ont donné naissance à un vin qui s'approche de son apogée. Du fruit confituré, un boisé raffiné à l'accent vanillé, voilà pour le nez. En bouche, de l'ampleur, de la souplesse et un accent réglissé. Une réelle harmonie. ⧗ 2016-2019 🍷 gigot d'agneau ■ **Cuvée Aurélien 2013 ★ (11 à 15 €; 15000 b.)** : dix-huit mois de fût pour ce vin à la matière imposante. À l'olfaction, du fruit noir, des épices, du sous-bois, un brin d'eucalyptus et une touche empyreumatique. Du potentiel. ⧗ 2017-2023 🍷 civet de sanglier

ROGER BERTRAND, 16, rue Ancienne-Poste, 11200 Saint-André-de-Roquelongue, tél. 06 75 22 85 51, contact@rogerbertrand.fr V *r.-v.*

B CH. DE LUC Les Jumelles 2015 ★

□ | 10000 | 8 à 11 €

Enracinée dans les Corbières depuis 1605, la famille Fabre exploite 360 ha répartis en quatre domaines: le Ch. Fabre Gasparets (corbières-Boutenac, le berceau), le Ch. Coulon, le Ch. de Luc et le Dom. de la Grande Courtade, sur le territoire de Béziers, dédié aux vins IGP. Ingénieur agronome et œnologue, Louis Fabre a pris en 1982 la tête de ces vignobles cultivés en bio dès 1991 (certification pour l'ensemble en 2014).

Né d'un assemblage dominé par la roussanne (70%, avec le grenache blanc en complément), ce corbières blanc tout en finesse s'ouvre à l'agitation sur des fragrances d'agrumes et de fleurs blanches. Ronde à l'attaque, la bouche est équilibrée par une fraîcheur sous-jacente, qui souligne les jolis arômes perçus à l'olfaction. ⧗ 2016-2018 🍷 fromage de chèvre affiné

FAMILLE FABRE, 1, rue du Château, 11200 Luc-sur-Orbieu, tél. 04 68 27 10 80, info@famille-fabre.com V *t.l.j. 9h-12h 14h-18h; sam. dim. sur r.-v.* 3

MANDOURELLE Quatre saveurs de rouge M 2 étoiles 2014 ★

■ | 5000 | | 8 à 11 €

Situé dans les Corbières, du côté de Durban, ce domaine a été racheté en 2013. Les nouveaux propriétaires n'ont pas ménagé leurs investissements, restructurant le vignoble (plus de 22 ha) et installant des gîtes.

Les cépages syrah, grenache, carignan et mourvèdre collaborent à cette cuvée; 20% des vins ont vu le bois. Au nez, des fruits rouges, du sous-bois et du cuir. La bouche se déroule sans heurts, dévoilant jusqu'en finale un bel équilibre entre tanins et acidité. Un corbières à l'esprit terroir. ⧗ 2016-2019 🍷 osso bucco

DOM. MANDOURELLE VUC FRANCE, lieu-dit Mandourelle, 11360 Villesèque-des-Corbières, tél. 04 68 70 88 92, sales@mandourelle.com V *r.-v.* E

CH. DE MATTES-SABRAN Cuvée Chevreuse Élevé en fût de chêne 2013

■ | 10000 | | 8 à 11 €

Proche des étangs littoraux, une ancienne dépendance de l'abbaye de Lagrasse, puis une terre noble: 4 000 ha

LANGUEDOC

jusqu'en 1914. De nos jours, 300 ha, dont 90 ha de vignes (62 ha en AOC). Dans la même famille depuis 1733, le domaine est géré depuis plus d'un siècle par des femmes – Marie-Alyette Brouillat aujourd'hui.

De la syrah majoritaire (80 %), avec le grenache en complément pour cette cuvée à la robe intense et profonde. Plutôt discret, le nez s'ouvre sur des notes de boisé et de fruits noirs. Ample à l'attaque, sans excès de gras, le palais montre des tanins marqués qui donnent du caractère à cette bouteille. Un ensemble équilibré et cohérent. ⧗ 2016-2019 🍴 côte de bœuf

MARIE-ALYETTE BROUILLAT, Ch. de Mattes, 11490 Portel-des-Corbières, tél. 09 77 78 21 35, mattes.sabran@laposte.net
V t.l.j. 8h-12h 14h-19h

CH. MONTFIN Cuvée Margot 2014 ★

■	1500		11 à 15 €

Peyriac-de-Mer, où est implanté le domaine acquis en 2002 par Jérôme et Raymond Estève, tire son charme des étangs littoraux, où l'on peut apercevoir des flamants roses, de la garrigue, des pinèdes et des vignes. Les 23 ha de l'exploitation sont cultivés en bio (certification en 2012).

La syrah (55 %) se marie au grenache, au mourvèdre et à une larme de carignan dans cette cuvée qui a de la couleur à revendre, mais qui reste sur sa réserve au nez, laissant poindre du fruit rouge. La bouche s'adosse à des tanins souples, légèrement épicés, et finit sur une impression chaleureuse. ⧗ 2016-2021 🍴 pigeon aux morilles

CH. MONTFIN, 10, rue du Rec-de-l'Aire, 11440 Peyriac-de-Mer, tél. 04 68 41 93 30, info@chateaumontfin.com
V t.l.j. 10h-12h30 15h-18h30 Jérôme Estève

LE HAMEAU DES OLLIEUX 2014 ★★

■	100 000		- de 5 €

Fondé en 1860 dans le terroir de Boutenac, ce vaste vignoble familial, à l'origine dépendance de l'abbaye de Fontfroide, est resté dans la même famille depuis lors. Il possède dès 1896 cave et chai à barriques construits avec les pierres de la carrière du domaine. Jacqueline et François Bories le relancent au cours des années 1980, rejoints en 2001 par leur fils Pierre. Cultivé sans desherbants ni pesticides, le vignoble s'étend sur 65 ha.

Mariant carignan (40 %), syrah et grenache, un corbières authentique et parfaitement construit. Le nez expressif, un peu sauvage, rappelle la garrigue. L'attaque flatteuse ouvre sur une bouche ample à souhait: un vin plaisir. ⧗ 2016-2019 🍴 saucisse de Toulouse grillée ■ **Ch. Ollieux Romanis Cuvée classique 2014 ★ (8 à 11 €; 100 000 b.)** : née des carignan, grenache et syrah, elle n'a pas vu le bois. Les petits fruits mûrs s'épanouissent dans une bouche fraîche aux tanins fins et fondus. ⧗ 2017-2021 🍴 pièce de bœuf rôtie

CH. OLLIEUX ROMANIS, D613, 11200 Montséret, tél. 04 68 43 35 20, contact@chateaulesollieux.com
V t.l.j. sf dim. 10h-12h 14h-18h
Pierre Bories

CELLIERS D'ORFÉE L'Infernale 2014 ★★

■	14 660		8 à 11 €

Créée en 1933, la cave d'Ornaisons a fusionné avec celle de Ferrals-les-Corbières. Son nom poétique réunit la première syllabe de ces deux villages. La coopérative dispose d'un vignoble de 970 ha répartis sur les AOC corbières et corbières-boutenac.

Malgré la particularité de chaque millésime, on reconnaît la patte du maître de chai. L'assemblage est dominé par la syrah (70 %), avec le grenache en complément. Faire ressortir le fruit du raisin, sa fraîcheur, sa richesse, les cépages et le terroir, tel semble avoir été l'objectif des auteurs de cette cuvée. Ils l'ont pleinement atteint avec ce vin remarquable, tant par son intensité aromatique que par l'élégance de son palais bâti sur des tanins veloutés. ⧗ 2016-2019 🍴 bœuf stroganoff ■ **Ayraud 2013 (8 à 11 €; 40 000 b.)** : vin cité.

CELLIERS D' ORFÉE, 53, av. des Corbières, 11200 Ornaisons, tél. 04 68 27 09 76, contact@celliersdorfee.com V *r.-v.*

CH. PECH-LATT Tamanova 2014 ★★

■	2000		20 à 30 €

Comme bien des propriétés des Corbières, Pech-Latt est d'origine monastique: le domaine dépendait de l'abbaye de Lagrasse, toute proche, dont le vignoble est attesté en 784. Implantée au pied de la montagne d'Alaric, cette vaste unité (140 ha) est cultivée en bio depuis 1991. Philippe Mathias est aujourd'hui le responsable du vignoble, qui appartient au groupe bourguignon Louis Max.

Tamanova? Le titre de l'un des nombreux romans écrit par Alix André, l'ancienne propriétaire. Outre le grenache (60 %) et la syrah, l'assemblage inclut cette année du carignan. Un vin rouge profond tirant sur le violet, au nez entre cassis et mûre, rehaussé d'un soupçon de cacao. Aussi complexe que le bouquet, volumineux, gras et long, le palais s'adosse à des tanins fins et fruités. ⧗ 2017-2024 🍴 daube de bœuf

CH. PECH-LATT, 11220 Lagrasse, tél. 04 68 58 11 40, chateau.pechlatt@louis-max.fr
V t.l.j. sf sam. dim. 8h-12h 13h-17h

ROCBÈRE Vent marin 2015 ★

■	15 900		5 à 8 €

Fondées en 1930, les coopératives de Peyriac-de-Mer, Sigean et Portel se sont regroupées, devenant les Caves Rocbère en 1972. Aujourd'hui, le groupement rassemble cinq villages des Corbières maritimes, environ 200 viticulteurs et 1 500 ha de vignes, produisant 10 % de l'appellation.

Ce corbières blanc fait la part belle au vermentino (80 %) tout en gardant du grenache blanc. Il offre un nez discret, sur les fleurs et les agrumes. En bouche, il évolue avec grâce et ampleur, sans à-coup, tenant la balance égale entre fraîcheur et douceur. ⧗ 2016-2018 🍴 sole grillée

LES CAVES ROCBÈRE, 1, av. des Corbières, 11490 Portel-des-Corbières, tél. 04 68 48 28 05, p.dunoguier@rocbere.com
V t.l.j. sf dim. lun. 9h-12h30 15h-18h

♥ DOM. ROQUE SESTIÈRE
Carte blanche Élevé en fût de chêne 2014 ★★

■ | 6000 | ◨ | 8 à 11 €

Cette propriété familiale a produit en 1977 ses premières bouteilles: des corbières blancs. C'est dire son originalité: deux tiers des vins sont ici de cette couleur. Arrivé en 1993 sur le domaine, Roland Lagarde a fait passer la superficie cultivée de 28 à 15 ha (sur deux terroirs distincts) et construit un chai. En 2014, il a cédé l'exploitation à l'entrepreneur Thierry Fontanille.

Si le domaine est réputé pour ses corbières blancs, il ne néglige pas les rouges, témoin cette cuvée, qui assemble carignan et syrah à parts presque égales. D'emblée, la couleur laisse augurer un vin remarquable. Le nez, discret, associe des notes beurrées et des touches d'herbe sèche. En bouche, le vin affiche plénitude et générosité, le bois laisse percer le fruit, l'ossature tannique rassure, et la longue finale confirme le potentiel de cette bouteille. ⧗ 2017-2025 ¥ noisettes de chevreuil

o- SCEA THIERRY FONTANILLE, 8, rue des Étangs, 11200 Luc-sur-Orbieu, tél. 04 68 27 18 00, roque.sestiere@orange.fr V 🚶 ! *r.-v.*

DOM. ROUÏRE-SÉGUR Tradition 2014 ★

■ | 36000 | ▮ | 5 à 8 €

Domaine créé en 1910. Les 32 ha de vignes regardent la montagne d'Alaric alors que le chai se situe à Ribaute. Geneviève Bourdel et son fils Nicolas, arrivé en 2004, signent leurs bouteilles.

De la syrah (60%), épaulée par le carignan et le grenache, pour cette cuvée riche et intense au nez, sur les fruits noirs bien mûrs, les épices et les fruits secs; dès l'attaque, le palais affirme sa puissance, dévoilant une trame tannique serrée, qui prend en finale un air de sévérité, même si l'on retrouve un joli fruit. ⧗ 2018-2021 ¥ haricot de mouton

o- DOM. ROUÏRE-SÉGUR, 12, rue des Fleurs, 11220 Ribaute, tél. 06 84 53 58 79, nicolasbourdel@orange.fr V 🚶 ! *r.-v.*
o- Bourdel

SAINTE-LUCIE D'AUSSOU Le Rouge 2014 ★

■ | 17000 | ▮ | 5 à 8 €

Dans l'Antiquité, une villa gallo-romaine; au XVIIe s., une congrégation religieuse. Situé à 4 km de l'abbaye de Fontfroide, le domaine actuel, commandé par des bâtiments imposants organisés autour d'une cour d'honneur, remonte à 1869. Il a été acquis en 1992 par Jean-Paul Serres, passé du barreau toulousain à la vigne. Sa propriété compte 53 ha (dont une quarantaine en production) en AOC corbières et en corbières-boutenac.

Mariant carignan (45%), syrah et grenache, vinifiés en macération carbonique, ce vin mêle au nez épices, notes grillées, cassis et une touche animale. Bien présent en bouche, il offre un profil tout en rondeur et en fruité, bâti sur des tanins à la fois serrés et fondus, qui le rendent déjà agréable tout en laissant espérer une bonne tenue dans le temps. ⧗ 2016-2019 ¥ lapin aux pruneaux

o- SCEA CH. SAINTE-LUCIE D'AUSSOU, 11200 Boutenac, tél. 06 87 34 12 67, sainteluciedaussou@wanadoo.fr V 🚶 ! *r.-v.*

Ⓑ DOM. SAINTE-MARIE DES CROZES
Les Mains sur les hanches 2014 ★

■ | 13000 | ◨ | 8 à 11 €

Après trois générations de vignerons pluriactifs «par habitude et par héritage», Bernard Alias prend en 1997 les rênes du domaine situé sur le flanc nord de l'Alaric. Il restructure le vignoble et modernise la cave. Sa fille Christelle vient de le rejoindre après une expérience à l'étranger. Aujourd'hui, 33 ha de vignes, en bio certifié depuis 2014.

Du grenache à foison (90%), pas de carignan, un soupçon de syrah, une macération à froid, une fermentation partielle en barrique. Dans le verre, des arômes bien marqués de fruits frais (framboise et groseille), une extrême souplesse, des tanins fins et fondus : de la grâce. ⧗ 2016-2019 ¥ couscous ■ **Cuvée Hector et Juliette 2014 (8 à 11 €; 13000 b.)** Ⓑ : vin cité.

o- BERNARD ALIAS, 50, av. des Corbières, 11700 Douzens, tél. 06 14 60 60 91, d.alias11@orange.fr V 🚶 ! *t.l.j. 14h-18h; sam. dim. sur r.-v.*

CH. SAINT-ESTÈVE Altaïr 2014

■ | 3000 | ◨ | 20 à 30 €

Dans la famille Latham, on trouve Hubert, qui tenta le premier de traverser la Manche en avion, ou Henri de Monfreid, le célèbre explorateur et écrivain. Petit-fils du second, Éric Latham, après avoir exporté du café et du cacao de la Côte-d'Ivoire, a acquis en 1984 le château Saint-Estève (120 ha) rattaché jadis à l'abbaye de Fontfroide.

La syrah est en vedette (80%, avec le grenache en appoint) dans cette cuvée au nez bien ouvert sur le cassis, les fruits mûrs, voire compotés, et les nuances boisées de l'élevage. On retrouve cette palette complexe dans une bouche charnue, construite sur des tanins déjà fondus. ⧗ 2017-2022 ¥ civet de lièvre

o- CH. SAINT-ESTÈVE, Dom. de Saint-Estève, 11200 Thézan-des-Corbières, tél. 04 68 43 32 34, contact@chateau-saint-esteve.com V ! *t.l.j. sf sam. dim. 9h-12h 14h-18h* ⌂ Ⓔ *o- Latham*

DOM. SAINT-MICHEL LES CLAUSES Chorus 2013

■ | 3000 | ▮ | 20 à 30 €

Un domaine des Corbières transmis dans la famille depuis cinq générations. Michel Raynaud l'a repris

en 1988 au décès de son père, après avoir travaillé comme conseiller agricole. Son vignoble, de 39 ha, recèle de très vieilles vignes. Sans le conduire en bio, le producteur tient compte de la lune pour ses traitements et se flatte d'utiliser des doses de sulfites réduites.

À la source de cette cuvée, des ceps de carignan centenaires, avec un appoint de syrah. Cueillette manuelle en caissettes, macération en grappes entières et élevage exclusif en cuve, puis en bouteille. Le vin en ressort prêt à boire, souple, rond, marqué en finale par des tanins qui donnent du relief. Les arômes? Café, fruits cuits, pruneau. ⧗ 2016-2018 🍴 gigot de sept heures

MICHEL RAYNAUD, 6, chem. de la Source, Les Clauses, 11200 Montséret, tél. 04 68 43 36 62, combe.long@orange.fr V ! *t.l.j. sf lun. 10h-12h 15h-19h; oct. à mars sur r.-v.* *EARL Combelong*

LES TERROIRS DU VERTIGE
Le Seigneur de Cucugnan 2015 ★

■	1500		5 à 8 €

Les terroirs du Vertige, c'est la contrée, jalonnée de châteaux cathares, la plus en altitude des Corbières. C'est le nom d'une cave issue de la fusion de plusieurs petites coopératives communales. Elle regroupe 120 vignerons cultivant 850 ha dans une vingtaine de villages, et dispose de ce fait de terroirs très variés.

Un corbières né de grenache blanc (50 %), de macabeu et de roussanne, vinifié en barrique pour la moitié des vins, avec une macération pelliculaire pour l'autre moitié. Il en résulte un nez intense et d'une grande finesse, jeune et frais, entre fleurs blanches et agrumes (citron). La bouche adopte le même style, tonique et fruitée, d'une longueur qui inspire confiance. ⧗ 2016-2018 🍴 fromage de chèvre frais ■ **Vertiges Cuvée Prestige 2014 (5 à 8 €; 10 000 b.)** : vin cité.

SCAV LES TERROIRS DU VERTIGE, 2, chem. des Vignerons, 11220 Talairan, tél. 04 68 44 02 17, terroirsduvertige11@orange.fr V ! *r.-v.*

CH. TRILLOL Cuvée Dolmen 2013

■	102 622		8 à 11 €

Le village de Cucugnan, immortalisé par A. Daudet, n'est pas en Provence, mais dans les hautes Corbières, sous le regard des châteaux de Quéribus et de Peyrepertuse, aux confins des Pyrénées-Orientales et de Maury. La famille Sichel, propriétaire dans le Médoc, y a acquis en 1990 une exploitation (41 ha) qu'elle a rénovée.

Grenache, carignan et syrah presque à parité composent ce corbières au nez marqué par un élégant boisé finement vanillé, des nuances de cuir et de tabac. Charnue, la bouche dévoile une charpente tannique dépourvue d'âpreté, des notes de fruits confiturées et de caramel. Une belle personnalité. ⧗ 2016-2019 🍴 entrecôte grillée

SCA DU TRILLOL, 10, rte de Duilhac, CD 14, 11350 Cucugnan, tél. 04 68 45 01 13, trillol@orange.fr V ! *r.-v.*

CH. DE VAUGELAS 2014 ★★

■	50 000		8 à 11 €

Créé par les bénédictins de l'abbaye de Lagrasse, cet ancien et vaste domaine (220 ha de vignes d'un seul tenant) est principalement implanté sur une terrasse de galets de l'Orbieu. Repris en 2000 par la famille Bonfils, il est devenu une valeur sûre du Guide.

Syrah (60 %), grenache, carignan et mourvèdre se rencontrent dans cette cuvée colorée, vinifiée de façon à extraire le maximum de couleur, d'arômes et de tanins. Le nez allie fruits secs et sous-bois à des notes de poivre et à un boisé marqué. On retrouve ce boisé fondu et épicé dans une bouche riche, élégante et soyeuse, à la trame tannique serrée mais déjà aimable. ⧗ 2017-2021 🍴 canard rôti ■ **Le Prieuré Élevé en fût de chêne 2014 ★ (5 à 8 €; 600 000 b.)** : quatre cépages et un élevage mi-cuve mi-fût pour ce vin au nez expressif et à la bouche dense, fraîche et ronde à la fois. ⧗ 2016-2019 🍴 pièce de bœuf au four

SCEA CH. DE VAUGELAS, Dom. de Vaugelas, 11200 Camplong-d'Aude, tél. 04 67 93 10 10, bonfils@bonfilswines.com *Bonfils*

Ⓑ CH. VIEUX MOULIN 2014 ★

■	45 000		8 à 11 €

Plus de deux siècles d'existence pour ce domaine qui, avec Alexandre They, installé en 1998, et son œnologue Claude Gros, est devenu une valeur sûre du Guide. Conduit en bio certifié, il couvre 30 ha au cœur des Corbières occidentales.

Du carignan et du grenache, escortés par du mourvèdre et de la syrah, pour ce corbières authentique. La couleur apparaît intense, tandis que le nez est plutôt sur sa réserve, mais franc, entre épices et griotte. Ample et équilibré, le palais s'appuie sur des tanins fondus et soyeux, marqué en finale par une pointe de fraîcheur et une note grillée. ⧗ 2016-2020 🍴 sauté d'agneau

EARL ALEXANDRE THEY, 1, rue de Madone, 11700 Montbrun-des-Corbières, tél. 04 68 43 29 39, alex.they@vieuxmoulin.net V ! *r.-v.*

CH. DU VIEUX PARC L'air de rien! 2015 ★★

■	8000		5 à 8 €

Fondé en 1850, un domaine familial proche de Lézignan-Corbières, qui a commencé la vente en bouteilles en 1975. Installé en 1987, Louis Panis – rejoint en 2006 par son fils Guillaume – a agrandi la propriété (68 ha aujourd'hui), rénové la cave et aménagé un chai à barriques.

Du grenache blanc (50 %) épaulé par la roussanne et le vermentino dans ce blanc au nez tout en finesse, floral et délicatement fruité. Franche à l'attaque, droite, bien équilibrée entre rondeur et fraîcheur, la bouche est soulignée par un trait de vivacité qui porte loin les arômes. De l'élégance. ⧗ 2016-2017 🍴 sole grillée ■ **La Sélection 2013 ★ (8 à 11 €; 18 000 b.)** : la macération en grains entiers du carignan (40%) a légué au vin un nez puissant de petits fruits rouges, rehaussé d'épices et d'une touche de garrigue; ample à l'attaque, structuré sans excès, c'est un vrai corbières. ⧗ 2016-2017 🍴 cassoulet

GUILLAUME PANIS, 1, av. des Vignerons, 11200 Conilhac-Corbières, tél. 04 68 27 47 44, guillaume.panis@chateau-vieuxparc.fr
V r.-v.

CH. LA VOULTE-GASPARETS
Cuvée réservée 2014 ★★

■ | 130000 | | 8 à 11 €

Six générations se sont succédé sur ce domaine couvrant aujourd'hui 60 ha, implanté sur une terrasse d'alluvions anciennes longue de 5 km, appuyée sur les collines gréseuses de Boutenac. Conduit avec brio depuis plus de trente ans par Patrick Reverdy, aujourd'hui épaulé par son fils Laurent, il ne quitte pas le devant de la scène.

Bon terroir ne saurait mentir – surtout si le vigneron se nomme Patrick Reverdy. La Cuvée réservée associe le carignan (50%) au grenache, au mourvèdre et à la syrah. Le nez intense mêle les fruits bien mûrs, les épices et une pointe animale, une touche de musc, signature de la maison. La bouche enchante par sa souplesse, ses tanins polis et son fruité mûr, souligné en finale par un boisé délicat. ⧗ 2016-2021 🍴 côtes d'agneau grillées ■ **Une fois de plus 2013 (20 à 30 €; 2600 b.)** : vin cité.

CH. LA VOULTE-GASPARETS, 13, rue des Corbières, hameau de Gasparets, 11200 Boutenac, tél. 04 68 27 07 86, chateaulavoulte@wanadoo.fr
V *t.l.j. 9h-12h 14h-18h* *Reverdy*

CORBIÈRES-BOUTENAC

Superficie : 245 ha / Production : 8 926 hl

Le terroir de Boutenac (dix communes de l'Aude) fait depuis 2005 l'objet d'une AOC à part entière pour des vins rouges comportant une proportion notable de carignan (30 à 50%).

DOM. CALVEL Cuvée Ghislain 2014 ★

■ | 4000 | | 8 à 11 €

Pascale Calvel a repris l'exploitation familiale en 1996, s'est séparée de quelques vignes pour en planter de meilleures et a créé son chai, quittant la coopérative. Son domaine de 22 ha se trouve entre le massif de Fontfroide et les basses collines de Boutenac.

Du carignan centenaire compose la moitié de cette cuvée. Au nez, des notes boisées et épicées, du cuir et des fruits mûrs. La bouche apparaît concentrée, ample, généreuse et solidement charpentée par des tanins solides, sans rudesse. La finale harmonieuse laisse le souvenir d'un vin de caractère. ⧗ 2017-2022 🍴 fricassée de canard ■ **Cuvée Gaston 2014 ★ (11 à 15 €; 6600 b.)** : trois cépages, dont 60% de carignan vinifié en macération carbonique, un élevage de quinze mois, mi-cuve mi-fût. Nez boisé, grillé, torréfié, libérant à l'aération des notes de fruits; bouche bien structurée, avec un retour de la torréfaction en finale. Un vin en devenir. ⧗ 2018-2024 🍴 pavé de biche aux champignons

PASCALE CALVEL, 3, enclos des Grillons, 11200 Saint-André-de-Roquelongue, tél. 06 88 76 89 10, domainecalvel@hotmail.fr
V *r.-v.*

Ⓑ CH. DES CARAGUILHES Solus 2014 ★★

■ | 25000 | | 15 à 20 €

D'origine cistercienne, le domaine, commandé par des bâtiments imposants, est situé à flanc de coteaux. Il domine le vaste vignoble de 85 ha d'un seul tenant qui s'étale tout autour en pente douce, entouré de 500 ha de garrigue. Un pionnier du bio – dès 1987. Propriétaire depuis 2007, Pierre Gabison reste sur cette ligne.

Du carignan (40%), escorté de la syrah et du mourvèdre, dans ce 2014 plutôt réservé au nez, mais d'une grande finesse, entre sous-bois, champignon et boisé délicat. Ces arômes se prolongent dans une bouche ronde en attaque, riche, chaleureuse et gourmande, structurée par une trame de tanins soyeux. La finale persistante laisse le souvenir d'une belle générosité. ⧗ 2018-2026 🍴 côte de bœuf

CH. DE CARAGUILHES, Dom. de Caraguilhes, 11220 Saint-Laurent-de-la-Cabrerisse, tél. 04 68 27 88 99, chateau@caraguilhes.fr
V *t.l.j. sf sam. dim. 9h-12h 14h-18h*
Pierre Gabison

OLLIEUX-ROMANIS Cuvée or 2014 ★★

■ | 15000 | | 20 à 30 €

Fondé en 1860 dans le terroir de Boutenac, ce vaste vignoble familial, à l'origine dépendance de l'abbaye de Fontfroide, est resté dans la même famille depuis lors. Il possède dès 1896 cave et chai à barriques construits avec les pierres de la carrière du domaine. Jacqueline et François Bories le relancent au cours des années 1980, rejoints en 2001 par leur fils Pierre. Cultivé sans desherbants ni pesticides, le vignoble s'étend sur 65 ha.

La cuvée Or, alliance de quatre cépages, carignan en tête (45%), reste douze mois en demi-muid. C'est un vin coloré et brillant, au nez puissant, dont les notes d'élevage n'écrasent pas le vin aux arômes encore jeunes et fruités, évoquant la fraise. De même, la bouche reste fraîche, et d'une agréable vivacité en attaque, puis se développe avec ampleur et rondeur, étayée par des tanins de qualité aux accents de torréfaction. Une cuvée typique de l'appellation: force et douceur. ⧗ 2018-2023 🍴 fondant au chocolat ■ **Cuvée Aristide 2014 ★ (8 à 11 €; 35000 b.)** : ce boutenac n'a pas vu le bois. Nez sur le fruit et les épices, avec une note empyreumatique; bouche ample, à la longue finale encore ferme. ⧗ 2017-2021 🍴 pavé de bœuf aux cèpes

LANGUEDOC

CH. OLLIEUX ROMANIS,
D613, 11200 Montséret, tél. 04 68 43 35 20,
contact@chateaulesollieux.com
t.l.j. sf dim. 10h-12h 14h-18h
SCT Fermière des Vignobles Romanis

♥ SAINTE-LUCIE D'AUSSOU
Bella Dama 2013 ★★

■ | 10 400 | | 11 à 15 €

Dans l'Antiquité, une villa gallo-romaine; au XVII[e]s., une congrégation religieuse. Situé à 4 km de l'abbaye de Fontfroide, le domaine actuel, commandé par des bâtiments imposants organisés autour d'une cour d'honneur, remonte à 1869. Il a été acquis en 1992 par Jean-Paul Serres, passé du barreau toulousain à la vigne. Sa propriété compte 53 ha (dont une quarantaine en production) en AOC corbières et en corbières-boutenac.

Du carignan et grenache, à parité, vinifiés en grains entiers, puis gardés en cuve, avant un élevage en fût de dix mois. Le vin affiche une robe cerise noire d'une belle intensité. Le nez n'a rien d'exubérant, mais il brille par sa subtilité, dévoilant un boisé élégant qui souligne le fruité. La bouche dense, d'un remarquable équilibre, concilie densité, rondeur et souplesse; les tanins gardent de leur élevage leurs accents toastés et la finale harmonieuse est d'une rare persistance. ⌛ 2018-2021 🍷 agneau aux fèves et aux artichauts

SCEA CH. SAINTE-LUCIE D'AUSSOU,
11200 Boutenac, tél. 06 87 34 12 67,
sainteluciedaussou@wanadoo.fr r.-v.

CH. DE SAINT-LOUIS 2014 ★★

■ | 10 000 | | 15 à 20 €

Martine et Philippe Pasquier-Meunier ont conduit en viticulture raisonnée pendant près de trente ans ce vaste domaine familial connu des lecteurs sous le nom de Meunier-Saint-Louis. En 2012, ils ont cédé la propriété à un investisseur russe, Praskoveiskoe, lui-même à la tête de vignobles dans son pays et déjà présent en Languedoc au travers du Château Saint-Martin-de-la-Garrigue. Jean-François Farinet, ancien œnologue de Deutz puis de Delas, en a pris la direction. La cuverie a été refaite en 2014.

Un nez très ouvert et concentré sur la cerise et la mûre, avec une touche mentholée. Franche à l'attaque, la bouche dévoile une matière ronde et ample, aux tanins déjà enrobés. Le fruit, aux nuances de cassis, est très présent, souligné en finale par un boisé d'une grande finesse. De la classe. ⌛ 2018-2026 🍷 bœuf en daube

SCEA CH. DE SAINT-LOUIS,
Dom. de Saint-Louis, 11200 Boutenac,
tél. 04 68 27 09 69, contact@chateau-saintlouis.com
t.l.j. sf sam. dim. 8h-12h 14h-17h30

♥ DOM. DE VILLEMAJOU 2014 ★★

■ | 60 000 | | 11 à 15 €

Enfant des Corbières, Gérard Bertrand est un important propriétaire et négociant du sud de la France, dont les cuvées apparaissent dans le Guide sous diverses AOC (corbières, fitou, minervois, languedoc, côtes-du-roussillon…) et en IGP.

Villemajou est le domaine familial acheté en 1970 par Georges, le père de Gérard Bertrand: 130 ha en corbières-boutenac. Un domaine choyé, qui a plus d'un coup de cœur à son actif. En voici un de plus. Né de quatre cépages, élevé douze mois en fût, il s'habille d'une robe intense, presque noire, aux reflets rubis. Le nez, tout en finesse, dévoile à l'aération sa complexité, mêlant le fruit, la garrigue et un subtil boisé. Le palais corpulent, plein et charnu, montre un rare équilibre entre l'alcool et les tanins et un mariage accompli entre les tanins de la barrique et ceux du vin. De la complexité et de la personnalité. ⌛ 2017-2021 🍷 carré d'agneau au thym ■ **Ch. de Villemajou Grand Vin 2014 ★★ (20 à 30 €; n.c.)** : issu de vignes de quatre-vingts ans, ce vin assemble du carignan et de la syrah vinifiés en macération carbonique au grenache et à la syrah vinifiés en macération traditionnelle. Nez intense, d'une grande finesse (cassis, poivre, noix muscade, notes toastées et grillées). Le palais s'impose par sa chair dense, son opulence et sa rondeur, bâti sur des tanins au grain fin et marqué par un boisé bien dosé. ⌛ 2018-2026 🍷 civet de sanglier

GÉRARD BERTRAND, Ch. l'Hospitalet,
rte de Narbonne-Plage, 11100 Narbonne,
tél. 04 68 45 54 45, vins@gerard-bertrand.com
t.l.j. 9h-19h

FAUGÈRES

Superficie : 2 004 ha
Production : 68 733 hl (99 % rouge et rosé)

Reconnus en AOC depuis 1982, comme les saint-chinian leurs voisins, les faugères sont produits sur sept communes situées au nord de Pézenas et de Béziers, et au sud de Bédarieux. Les vignobles sont plantés sur des coteaux à forte pente, d'une altitude relativement élevée (250 m), dans les premiers contreforts schisteux peu fertiles des Cévennes. Produits à partir des cépages grenache, syrah, mourvèdre, carignan et cinsault, les faugères rouges sont bien colorés, chaleureux, avec des arômes de garrigue et de fruits rouges. L'appellation produit aussi des rosés et de rares blancs.

ABBOTTS ET DELAUNAY Boréas 2013

■ | 3 200 | | 20 à 30 €

Issu d'une famille de producteurs et négociants bourguignons, Laurent Delaunay, œnologue, après avoir créé Badet Clément & Cie, a racheté en 2005

l'affaire fondée en 1996 par l'œnologue australienne Nerida Abbott, créant sous le nom d'Abbotts & Delaunay une société de négoce-vinificateur spécialisée dans les vins du Languedoc-Roussillon.

Une forte dominante de syrah (75%) dans ce vin rouge profond qui nécessite une légère aération pour révéler ses notes de fruits mûrs, de réglisse et d'épices. La bouche, riche, tendre, soutenue par des tanins fondus, délivre un retour joliment toasté et fumé dans une longue finale. Un vin harmonieux et déjà prêt à boire. ⧗ 2016-2020 🍷 magret de canard

🔑 *ABBOTTS ET DELAUNAY, 32 av. du Languedoc, 11800 Marseillette, tél. 04 68 79 00 00, contact@abbottsetdelaunay.com* V r.-v.

♥ LES AMANTS DE LA VIGNERONNE
De chair et de sang 2014 ★★

■ | 8000 | | 15 à 20 €

À l'entrée du vieux village de Faugères, une maison de caractère entourée de vignes. Christian et Régine Godefroid y ont aménagé des chambres d'hôtes et conduisent un petit domaine de 8 ha créé en 2004 sur un terroir de schistes, qui s'est rapidement imposé comme une valeur sûre de l'appellation.

Un nouveau coup de cœur pour le domaine après les cuvées De chair et de sang 2011 et Dans la peau 2012. Maîtrisant leur art avec toujours plus d'assurance, les Godefroid signent avec ce 2014 né de mourvèdre (80%) et de syrah un faugères épatant de bout en bout. À l'approche, une élégante robe grenat scintillant et un nez généreux de baies noires bien mûres (cassis, mûre), d'épices douces et de réglisse, complété des parfums balsamiques et torréfiés légués par un élevage en fût de dix-huit mois. Une complexité agrémentée de notes de garrigue et de thym que prolonge une bouche dense et fraîche, aux tanins fins et enrobés, étirée dans une longue finale poivrée. ⧗ 2018-2022 🍷 fondant au chocolat ■ **Les Amants de la Vigneronne Dans la peau 2014 ★ (20 à 30 €; 3500 b.)** : issu de syrah (80%) et grenache noir, une cuvée expressive, sur les fruits noirs, le clou de girofle et le grillé, ample et fraîche en bouche. ⧗ 2017-2020 🍷 carré d'agneau

🔑 *LES AMANTS DE LA VIGNERONNE, 1207, rte de Pézenas, 34600 Faugères, tél. 04 67 95 78 49, lesamantsdelavigneronne@yahoo.fr* V *t.l.j. 10h-19h* 4 🔑 *Godefroid*

DOM. BALLICCIONI Kalliste 2014 ★★

■ | 5200 | | 15 à 20 €

André et Véronique Ballliccioni, après un changement de vie professionnelle, ont créé ce domaine en 1998. Ils conduisent aujourd'hui 17 ha de vignes selon les principes de l'agriculture raisonnée et se sont imposés comme l'une des bonnes références en faugères.

Coup de cœur dans ses versions 2007 et 2009, cette cuvée mi-syrah mi-carignan associe délicatesse et puissance. Intensité de sa robe pourpre, délicatesse de son nez de menthol, de garrigue et de sous-bois, puissance de la bouche, ample, fraîche, dense et charnue, épaulée par un boisé racé et des tanins veloutés et élégants. Un vin de grande tenue, encore en devenir. ⧗ 2018-2022 🍷 rôti de bœuf ■ **Orchis 2014 ★ (11 à 15 €; 4600 b.)** : né de grenache (60%) et de mourvèdre, un vin au nez expressif (fruits rouges, épices douces, olive noire), équilibré, fruité et souple en bouche, aux tanins onctueux. ⧗ 2017-2021 🍷 couscous

🔑 *DOM. BALLICCIONI, 1, chem. de Ronde, 34480 Autignac, tél. 04 67 90 20 31, ballivin@sfr.fr* V r.-v.

CALMEL ET JOSEPH Les Terroirs 2014 ★

■ | 20000 | | 5 à 8 €

Laurent Calmel, œnologue, s'est associé avec Jérôme Joseph pour fonder en 1995 une maison de négoce spécialisée dans les vins de terroir du Languedoc-Roussillon. Le duo a lancé son étiquette en 2007. Il sélectionne les parcelles, vinifie et élève les cuvées.

Ce vin présente une belle expression aromatique autour de la griotte, des fruits noirs cuits et des épices (poivre et cannelle). La bouche se révèle souple et équilibrée, gourmande et fruitée, plus ferme en finale. Un vin complexe qu'il faudra attendre un peu. ⧗ 2018-2021 🍷 gigot d'agneau

🔑 *DOM. CALMEL ET JOSEPH, chem. de la Madone, 11800 Montirat, tél. 04 68 72 09 88, contact@calmel-joseph.com* V r.-v.

DOM. DU CAUSSE NOIR Caïus 2013

■ | 2600 | | 15 à 20 €

Jeune, Jérôme Py a quitté le monde de la viticulture, n'y voyant pas d'avenir, et s'est lancé dans la création d'entreprises de service. Mais le contact de la terre lui manquait. En 2011, il a un coup de foudre pour le terroir de Faugères et crée son domaine à Cabrerolles, à 30 km au nord de Béziers: 13 ha aujourd'hui, en conversion bio.

S'il fallait résumer ce vin en un mot, ce serait la finesse. Finesse des arômes de petits fruits rouges et de garrigue qui percent à l'olfaction, finesse des tanins veloutés qui tapissent un palais ample, rond et frais. Un vin plaisant, à apprécier dans sa jeunesse, même s'il vieillira sans doute bien. ⧗ 2017-2021 🍷 carré de veau aux champignons

🔑 *DOM.DU CAUSSE NOIR, rue de l'Ancienne-Forge, 34480 Cabrerolles, tél. 06 07 23 38 40, jeromepy.caussenoir@gmail.com* V r.-v. 🔑 *Jérôme Py*

CH. DE CIFFRE Terroirs d'altitude 2014

■ | 35733 | | 11 à 15 €

Les Lorgeril possèdent six domaines familiaux en Languedoc-Roussillon, parmi lesquels le Ch. de

Ciffre (70 ha) qui s'étend sur les appellations faugères, saint-chinian et languedoc. Nicolas et Miren de Lorgeril sont également à la tête d'une structure de négoce.

Un nez de fruits rouges, de cerise notamment, accompagné de quelques notes végétales précède une bouche souple et ronde, aux tanins fins et policés qui permettront d'apprécier ce vin sans trop attendre. ⧗ 2017-2020 ♈ côtes d'agneau

CH. DE CIFFRE, BP 4, 11610 Pennautier, tél. 04 68 72 65 29, contact@lorgeril.com V r.-v. *de Lorgeril*

DOM. COTTEBRUNE Transhumance 2013 ★

■	11 000		11 à 15 €

Ce vignoble (12 ha) créé en 2007 par Pierre Gaillard, vigneron réputé de la vallée du Rhône nord, implanté aussi dans le Roussillon, a été planté à haute densité (9 000 pieds/ha) afin que les raisins atteignent plus facilement leur maturité.

Ce 2013 développe des arômes frais de fruits rouges et noirs (mûre, myrtille), de thym, de laurier et de sous-bois. Le palais se montre souple, équilibré, élégant, porté par un boisé torréfié bien intégré. ⧗ 2017-2021 ♈ lapin aux herbes

EARL COTTEBRUNE, rte de la Chaudière, La Liquière, 34480 Cabrerolles, tél. 06 75 87 43 98, domaine-cottebrune@domainespierregaillard.com V r.-v. *Gaillard*

LES CRUS FAUGÈRES Parfum de schistes 2014 ★★

■	200 000		5 à 8 €

La coopérative Crus Faugères est l'une des toutes dernières créées en Languedoc. Sa fondation en 1959 correspond à l'émergence du vignoble de cette appellation. Dès les années 1970, la cave vend aux particuliers. En 1995, elle lance la marque Mas Olivier. Elle organise aussi des promenades dans le vignoble où l'on peut découvrir les moulins restaurés de Faugères.

Ce classique de la coopérative de Faugères, issu de syrah (80 %) vinifiée en macération carbonique et de grenache, affirme d'emblée sa présence par sa robe sombre et profonde et par sa complexité aromatique (menthol et garrigue au nez, puis épices, cuir et cacao en bouche). Ample et frais, le palais déroule des tanins d'une grande finesse, bien qu'encore un peu jeunes et vigoureux. Un vin très bien proportionné, qui pourra se conserver plusieurs années. ⧗ 2018-2024 ♈ carré d'agneau à la fleur de thym

LES CRUS FAUGÈRES, Mas Olivier, 34600 Faugères, tél. 04 67 95 08 80, contact@lescrusfaugeres.com V *t.l.j. 9h-12h 14h-18h*

Ⓑ CH. DES ESTANILLES Le Clos du fou 2014 ★

■	4 000		20 à 30 €

L'autodidacte Julien Seydoux a racheté en 2009 le domaine (44 ha en bio) que Michel Louison avait créé en 1976 et marqué de son empreinte avec des faugères souvent remarquables. Les hommes ont changé, mais la qualité demeure. Une valeur sûre.

Comme à son habitude, Julien Seydoux livre un vin dense et riche, typique de l'appellation. L'olfaction révèle des arômes de groseille et de myrtille associés à des parfums épicés et empyreumatiques (douze mois de fût). Des notes de cannelle et de poivre doux s'invitent dans une bouche ample et persistante, portée par des tanins à la fois fins et serrés. Un vin complexe et complet, encore en devenir. ⧗ 2018-2023 ♈ daube de marcassin ■ **Inverso 2015 (15 à 20 €; 1800 b.)** Ⓑ : vin cité.

CH. DES ESTANILLES, hameau de Lentheric, 34480 Cabrerolles, tél. 04 67 90 29 25, contact@chateau-estanilles.com V r.-v. *Seydoux*

VIGNOBLES LES FUSIONELS In tempus 2014

■	8 000		15 à 20 €

Une alchimie franco-australienne résultant d'une rencontre fortuite, mais féconde, aux antipodes, en 2004. Rencontre du Vieux et du Nouveau Monde. Jem Harris, l'Australien, et son épouse Arielle, fille de vignerons champenois, cultivent ce domaine de 12 ha en faugères, en conversion bio depuis le millésime 2014.

Arielle Demets signe un vin droit et précis, ouvert à l'olfaction sur des arômes de fruits rouges frais et de pruneau. La bouche, centrée sur des notes de fumé et de moka, se montre souple, fraîche et ronde, soutenue par des tanins soyeux et fondus. Un faugères plutôt sur la légèreté que l'on pourra apprécier dans sa jeunesse. ⧗ 2016-2020 ♈ tajine de veau

ARIELLE DEMETS, rte Aigues-Vives, 34480 Cabrerolles, tél. 04 67 93 63 58, arielledemets@outlook.fr V r.-v.

CH. GRÉZAN Les Schistes dorés 2014 ★★

■	6 000		15 à 20 €

Jadis villa romaine puis commanderie de Templiers, ce curieux château vaut le détour. On l'appelle le « petit Carcassonne du Biterrois » avec son mur d'enceinte fortifié et crénelé remanié au XIXe s. Côté vignes, 85 ha conduits par Rémy Fardel et Jean-Louis Pujol.

Né d'une dominante de syrah, accompagnée d'un peu de mourvèdre, ce vin vinifié et élevé en barrique dévoile un nez complexe et puissant de fruits noirs, de sous-bois, de notes empyreumatiques et de garrigue. Ouvert sur des arômes de cacao, de vanille et de réglisse, le palais se révèle chaleureux et onctueux, bâti sur des tanins jeunes et fermes qui composent une structure solide. De beaux atouts pour la garde. ⧗ 2018-2023 ♈ filet de bœuf sauce chocolat

SCEA CH. DE GRÉZAN, D 909, 34480 Laurens, tél. 04 67 90 27 46, chateau-grezan@wanadoo.fr V *t.l.j. sf dim. 9h-12h 14h-18h* *Fabien Pujol*

Ⓑ CH. DE LA LIQUIÈRE Cistus 2014 ★

■	16 000		15 à 20 €

Depuis les années 1970, ce domaine est l'un des fleurons de l'appellation, présent dans le Guide avec une

régularité sans faille. Doté d'un magnifique terroir de soixante-dix petites parcelles de schistes (55 ha) qui sculptent le paysage, il bénéficie aujourd'hui du savoir-faire de la jeune génération, hérité du grand-père Jean et du père Bernard Vidal, l'un et l'autre anciens présidents de l'appellation.

Un «incontournable» du domaine et de l'appellation. Des arômes fruités et réglissés côtoient des parfums de violette sauvage et de ciste au nez, de thym et de tabac blond en bouche. Une matière dense et riche tapisse le palais, rehaussé en finale d'une pointe d'amertume très agréable qui apporte un surcroît de longueur et de complexité. Un vin élégant mais encore sur la réserve que le temps affinera encore. ⧗ 2019-2024 ¥ souris d'agneau braisée ■ **Cistus 2015 ★ (11 à 15 €; 18000 b.)** Ⓑ : un vin harmonieux, fin et riche à la fois, qui mêle au nez noisette et fenouil; sans être dénuée de fraîcheur, la bouche apparaît ample et ronde et s'achève sur une douce note vanillée. ⧗ 2017-2020 ¥ saumon sauce safran

CH. DE LA LIQUIÈRE, La Liquière, 34480 Cabrerolles, tél. 04 67 90 29 20, info@chateaulaliquiere.com V t.l.j. sf sam. dim. 9h-18h Vidal-Dumoulin

MAS GABINÈLE Rarissime 2014 ★

■ | 16000 | | 30 à 50 €

Thierry Rodriguez rachète ses premières vignes à son ami Gabriel Mas, surnommé *Gabienèla*, qui désigne en occitan un petit cabanon en bois. Le vignoble couvre aujourd'hui 18,5 ha.

Une robe profonde pour ce duo syrah-grenache (90-10). Des notes grillées, fumées et réglissées s'échappent du verre après une petite agitation. La bouche apparaît ample, concentrée, puissante, épaulée par des tanins et un boisé solides. Une cuvée que l'on devine pleine de promesses mais encore sur la retenue de la jeunesse. Patience... ⧗ 2019-2024 ¥ daube de bœuf

THIERRY RODRIGUEZ, Mas Gabinèle, 1750, chem. de Bédarieux, 34480 Laurens, tél. 04 67 89 71 72, info@masgabinele.com V t.l.j. sf sam. dim. 10h-12h 16h-18h

Ⓑ MAS ONÉSIME Paradis caché 2014 ★★

■ | 4000 | | 20 à 30 €

Ses grands-parents ont acquis des vignes après la Seconde Guerre mondiale. Ses parents ont apporté leurs raisins à la coopérative, puis agrandi le vignoble (8 ha aujourd'hui, en bio certifié avec une vue sur la biodynamie). Après ses études en œnologie et quelques escapades à travers le monde, Olivier Villaneuva s'est installé en 1999 sur le domaine et a débuté la mise en bouteilles à la propriété en 2011. Onésime? Le prénom du grand-père.

Cette cuvée qui a frôlé le coup de cœur séduit d'emblée par son expression aromatique complexe et élégante: eucalyptus, baies noires, cerise bien mûre. Un équilibre parfait s'établit en bouche entre des tanins puissants mais sans raideur, une fine fraîcheur minérale et un très beau boisé fumé – et quelle longueur! Une bouteille qui pourra s'apprécier aussi bien jeune qu'après quelques années de garde. ⧗ 2017-2022 ¥ caille aux raisins ■ **Le Sillon 2014 ★ (15 à 20 €; 4000 b.)** Ⓑ : au nez, des arômes de fruits noirs et d'épices douces mâtinés d'une légère note fumée; en bouche, de la souplesse, de la rondeur et d'agréables tanins soyeux et enrobés. ⧗ 2017-2021 ¥ lapereau aux pruneaux

OLIVIER VILLANEUVA, La Liquière, 34480 Cabrerolles, tél. 04 67 93 63 58, olivier@masonesime.com V r.-v.

Ⓑ DOM. DU MÉTÉORE Les Perséides 2013

■ | 8000 | | 11 à 15 €

Une météorite serait tombée à Cabrerolles il y a plus de dix mille ans. Au fond d'un cratère de 220 m de diamètre (le cirque du Clot) se niche la vigne de Geneviève et Guy Libès (23 ha). Les cuvées portent ici des noms d'étoiles filantes: Orionides, Perséides, Léonides.

Cette cuvée mi-syrah mi-mourvèdre dévoile une belle complexité à l'olfaction, autour des fruits mûrs, des épices et du sous-bois. Chaleureuse et charnue, centrée sur la cerise à l'eau-de-vie et le cacao, la bouche ne manque pas de fraîcheur pour autant et s'appuie sur des tanins encore un peu sévères. À garder en cave pour plus de fondu. ⧗ 2019-2022 ¥ estouffade d'agneau au paprika

GENEVIÈVE ET GUY LIBÈS, Dom. du Météore, 34480 Cabrerolles, tél. 04 67 90 21 12, domainedumeteore@wanadoo.fr V r.-v.

Ⓑ DOM. OLLIER-TAILLEFER Allegro 2015 ★

■ | 14000 | | 8 à 11 €

Fos est un charmant village fleuri du haut Languedoc. Incarnant la cinquième génération, Luc et Françoise Ollier, frère et sœur natifs du cru, y conduisent un vignoble familial de 36 ha certifié bio. Une valeur sûre de l'AOC faugères.

L'assemblage à parts égales de roussanne et de vermentino confère à cette cuvée élégance, complexité et équilibre. Elle associe à l'olfaction une fine minéralité, un fruité frais de pêche et d'agrumes et des arômes délicats de fruits secs. Ample et ronde, la bouche est à l'unisson, parfaitement équilibrée entre vivacité et douceur. Expressive sans exubérance, elle accompagnera avec bonheur un poisson en sauce. ⧗ 2016-2019 ¥ lotte à la crème ■ **Grande Réserve 2013 (8 à 11 €; 30000 b.)** Ⓑ : vin cité.

DOM. OLLIER-TAILLEFER, rte de Gabian, 34320 Fos, tél. 04 67 90 24 59, ollier.taillefer@wanadoo.fr V t.l.j. sf dim. 11h-12h 14h-17h; 15 oct.-14 avril sur r.-v.

CH. DES PEYREGRANDES Marie Laurencie 2013 ★★

■ | 7000 | | 11 à 15 €

Marie-Geneviève Boudal cultive avec un soin méticuleux ses vieilles vignes (24 ha en conversion bio) de syrah, de grenache, de carignan et de mourvèdre (certaines sont âgées de plus de soixante-dix ans) accrochées aux flancs des coteaux escarpés de Roquessels, en appellation faugères. Elle a deux étiquettes: Ch. de Peyregrandes et Dom. Bénézech-Boudal.

LANGUEDOC

Ce vin à la robe profonde et nette livre un premier nez complexe, aérien et frais, de cade, de laurier, d'eucalyptus et de menthol, puis développe des senteurs plus chaudes d'épices douces. Souple en attaque, sur des arômes de fruits noirs et de grillé, la bouche se révèle ample et riche, renforcée par des tanins encore jeunes et fougueux. L'attente est de mise. ⧗ 2019-2023 🍴 gardianne de taureau

MARIE-GENEVIÈVE BOUDAL, 11, chem. de l'Aire, 34320 Roquessels, tél. 04 67 90 15 00, chateau-des-peyregrandes@wanadoo.fr
V *t.l.j. sf sam. dim. 10h-12h 14h-18h*

DOM. DE LA REYNARDIÈRE Cuvée Prestige 2014

■ | 8000 | | 8 à 11 €

Situé en appellation faugères, ce domaine de 65 ha répartis dans cinq communes rassemble les exploitations des familles Mégé et Pons, la première demeurant à Saint-Geniès-de-Fontedit, la seconde à Autignac. Elle propose des vins en AOP comme en IGP, en rouge, rosé et blanc.

Après dix-huit mois de cuve, cet assemblage de syrah (70%), grenache (22%) et carignan offre une belle expression d'épices (cannelle, gingembre) et de cacao, relayée par une bouche ample et fondue, à la finale poivrée et légèrement suave. ⧗ 2017-2020 🍴 tajine d'agneau aux amandes

DOM. DE LA REYNARDIÈRE, 7 cours Jean-Moulin, 34480 Saint-Geniès-de-Fontedit, tél. 04 67 36 25 75, contact@orange.fr
V *t.l.j. sf dim. 10h-12h 16h-18h30; sam. 10h-12h*
Mégé

DOM. DU ROUGE GORGE 2014 ★

■ | 13300 | | 5 à 8 €

Le vin est une vieille histoire de famille chez les Borda, qui se poursuit avec Alain, Monique et Philippe, à la tête d'un important vignoble de 107 ha établi sur les coteaux d'Autignac. Deux étiquettes: Dom. Affanies, exploité depuis 1964, en IGP et vins de France, et Dom. du Rouge Gorge, quelque 40 ha en AOC faugères, créé en 1982 et conduit par Philippe Borda.

Cette cuvée à la robe profonde dévoile un joli nez aérien de fruits frais. Une fraîcheur à laquelle fait écho une bouche minérale et tout en finesse, adossée à des tanins encore assez nerveux qui demandent à s'assagir. Du potentiel. ⧗ 2018-2022 🍴 côte de bœuf

SCEA ALAIN ET PHILIPPE BORDA, Dom. du Rouge Gorge, Les Affanies, 34480 Magalas, tél. 04 67 36 22 86, sceaborda@orange.fr
V *t.l.j. 8h-12h 13h-18h; sam. dim. sur r.-v.*

DOM. DE LA SARABANDE Misterioso 2014 ★

■ | | 25000 | 8 à 11 €

Ce domaine situé à Laurens – l'une des sept communes de l'appellation faugères – a été repris en 2009 par Paul Gordon, australien, et sa femme Isla, irlandaise. Ensemble, ils exploitent un petit vignoble de 6,4 ha.

Une vinification et un élevage parfaitement maîtrisés pour ce vin à la robe profonde et au nez riche et complexe mêlant les fruits noirs (cassis) à des notes de poivre et de réglisse. Souple et fraîche à l'attaque, la bouche persiste sur les arômes fruités et épicés, épaulée par des tanins soyeux et bien enrobés qui renforcent l'élégance et l'amabilité de ce vin déjà harmonieux et prometteur. ⧗ 2017-2022 🍴 épaule d'agneau aux épices douces

DOM. DE LA SARABANDE, 14, ancienne RN, 34480 Laurens, tél. 09 63 68 22 68, info@sarabande-wines.com
V *r.-v.* *Isla Gordon*

Ⓑ DOM. LA TOUR PENEDESSES La Montagne noire 2015 ★★

□ | 4500 | | 11 à 15 €

Alexandre Fouque, œnologue, a sillonné la Bourgogne, les vignobles californiens de la Napa Valley, puis les grands crus et les maisons de la Champagne et la presqu'île de Saint-Tropez, avant de racheter en 2000 ce domaine ancien (la vigne y est attesté depuis le XVI[e]s.) 40 ha plantés essentiellement en coteaux et conduits en bio.

Issu de vermentino, roussanne et viognier, ce 2015 marie des parfums délicats de fruits à chair blanche et d'amande fraîche à des notes plus suaves d'orange confite et de pain d'épice. Ample, ronde, riche et bien équilibrée, la bouche s'épanouit autour des fruits secs et confits et offre une finale délicatement vanillée. ⧗ 2016-2019 🍴 saint-jacques à la crème

DOM. LA TOUR PENEDESSES, 2, rue Droite, 34600 Faugères, tél. 04 67 95 17 21, domainedelatourpenedesses@yahoo.fr
V *t.l.j. 9h-13h 14h-19h* *Fouque*

Ⓑ DOM. VALAMBELLE Caprice de schistes 2013 ★

■ | 3000 | | 11 à 15 €

Un vignoble pour les trois quarts arraché au maquis environnant voici plus de trente-cinq ans par Michel Abbal. Son fils Thierry a pris la relève et conduit aujourd'hui un domaine de 23 ha en agriculture biologique.

Un beau potentiel dans ce vin à la robe grenat et au nez complexe de fruits rouges, de cassis, d'amande et de sous-bois. La bouche, ample et fraîche, convoque les plantes de la garrigue et les épices, tandis qu'une longue note réglissée ferme la danse. Des tanins bien serrés et robustes étayent cet ensemble qu'il conviendra d'attendre pour plus de fondu. ⧗ 2019-2024 🍴 tournedos au poivre vert

GAEC DOM. DE VALINIÈRE, 25, av. de la Gare, 34480 Laurens, tél. 04 67 90 12 12, m.abbal@aliceadsl.fr
V *r.-v.* *Famille Abbal*

FITOU

Superficie : 2 590 ha / Production : 90 023 hl

L'appellation fitou, la plus ancienne AOC rouge du Languedoc-Roussillon (1948), est située dans la zone méditerranéenne de l'aire des corbières; elle comprend à l'est le fitou maritime, qui borde l'étang de

Leucate, séparé par un plateau calcaire du fitou de l'intérieur situé dans le massif des Corbières, à l'abri du mont Tauch. L'AOC s'étend sur neuf communes, qui ont également le droit de produire les vins doux naturels rivesaltes et muscat-de-rivesaltes. Le carignan trouve ici son terroir de prédilection. Il peut être complété par le grenache noir, le mourvèdre et la syrah. Élevé au moins neuf mois, le fitou affiche une couleur rubis foncé et un corps puissant et charpenté.

CH. ABELANET Cuvée Patrimoine Roma 2014

■ | 3680 | | 15 à 20 €

Autrefois relais de diligences sur la route de l'Espagne, le domaine (18,5 ha) est dans la même famille depuis 1697. Douze générations se sont succédé. Régis Abelanet a passé le témoin à son épouse Marie-Françoise et à leur fils Romain.

Provenant de sols schisteux et argilo-calcaires, cette cuvée est vinifiée intégralement en barrique, où elle reste vingt mois. La robe en ressort légèrement tuilée. Le nez développe des notes de vanille et de sous-bois, avec une pointe de gibier. Après une attaque ronde et chaleureuse marquée par la vanille de l'élevage, la bouche déploie des tanins fondus et persiste sur des notes empyreumatiques. ⧗ 2017-2022 ⫯ sanglier en daube

o‑ MARIE-FRANÇOISE ABELANET, Ch. Abelanet, 7, av. de la Mairie, 11510 Fitou, tél. 04 68 45 76 50, contact@chateau-abelanet.com
V t.l.j. 9h-12h 14h-18h

DOM. DE L'ARDOISIÈRE Prestige 2013 ★★

■ | 30000 | | 5 à 8 €

Domaine familial fondé en 1861 sur les terres schisteuses du haut Fitou. Succédant en 2005 à ses parents Alain et Maguy Izard (domaine Lerys), Alban Izard a repris cette propriété de 60 ha qu'il a rebaptisée. Il est fidèle à la conduite des vignes en gobelet et aux vendanges manuelles.

Le terroir schisteux unique donne aux vins du domaine leur identité, et ce 2013 en est un remarquable représentant. Sa robe rubis brille de mille feux; le nez, typé, à la fois exubérant et élégant, fait défiler une farandole de fruits noirs – cassis, mûre, myrtille – nuancés de touches de sous-bois. Quant à la bouche, plus retenue mais remarquablement équilibrée, elle marie à la perfection structure tannique et fraîcheur. ⧗ 2017-2020 ⫯ magret de canard aux myrtilles

o‑ DOM. LERYS, 1, rue de Pech-de-Gril, 11360 Villeneuve-les-Corbières, tél. 04 68 45 95 47, domlerys@gmail.com
V *r.-v.* 1 *o‑ Alban Izard*

B DOM. BERTRAND-BERGÉ La Boulière 2013 ★★

■ | 8000 | | 15 à 20 €

À l'instar de son aïeul Jean Sirven, qui vinifiait son vin à la fin du XIXᵉ s., Jérôme Bertrand a quitté la coopérative en 1993 pour élaborer ses propres cuvées. Il a cru très tôt dans la qualité des terroirs rudes de Fitou, élevé et valorisé les vins du cru, puis hissé son domaine (36 ha) parmi les grands. Depuis la récolte 2011, le domaine est conduit en bio certifié.

Cette année, le domaine a laissé le coup de cœur à des confrères, mais les cuvées ont de nouveau enchanté le jury. La Boulière provient d'un rude terroir d'altitude aux sols de poudingue. Le mourvèdre (50%) y brille, accompagné de carignan et de grenache à parité. L'élevage en fût s'est prolongé seize mois. La couleur rubis profond inspire le respect. Le nez s'exprime pleinement, très fitou d'altitude, avec ses nuances de fruits noirs, de garrigue et de grillé. Des notes fruitées et épicées s'épanouissent dans une bouche ronde, à la structure fine et serrée, marquée en finale par une intéressante amertume: un vin de garde par excellence. ⧗ 2017-2022 ⫯ râbles de lapin ■ **Ancestrale 2013 ★★ (11 à 15 €; 20000 b.)** B : le remarquable successeur d'un coup de cœur. Il assemble toujours quatre cépages, avec un élevage en fût pour la syrah et le mourvèdre. Au nez, de la réglisse, du pruneau et de la garrigue; en bouche, du gras, de la longueur et une fraîcheur marquée. ⧗ 2017-2022 ⫯ bœuf en daube

o‑ DOM. BERTRAND-BERGÉ, 38, av. du Roussillon, 11350 Paziols, tél. 04 68 45 41 73, bertrand-berge@wanadoo.fr
V *t.l.j. 9h-12h 14h-18h* B

CH. CHAMP DES SŒURS Bel Amant 2014 ★

■ | 10000 | | 11 à 15 €

Domaine de 15 ha situé dans la zone maritime de Fitou. Aux commandes, Laurent Maynadier, représentant la quatorzième génération de viticulteurs du cru, et Marie Valette, œnologue. Premières bouteilles en 1999.

Élevé dix-huit mois en cuve, un vin d'une grande pureté. Le mourvèdre (30%) s'est invité auprès des classiques carignan et grenache. Le nez s'exprime sur des notes poivrées et florales. Les fruits rouges entrent en scène en bouche, accompagnant une structure tannique affirmée, de grande classe. La finale présente une bonne persistance. ⧗ 2017-2022 ⫯ magret aux pommes caramélisées ■ **2014 ★ (8 à 11 €; 30000 b.)** : une cuvée du Fitou «d'en bas» où, sur des sols argilo-calcaires, carignan et grenache se côtoient pour offrir un vin souple et tannique à la fois, d'une belle élégance. ⧗ 2017-2020 ⫯ pintade rôtie

o‑ LAURENT MAYNADIER, 19, av. des Corbières, 11510 Fitou, tél. 04 68 45 66 74, laurent.maynadier@orange.fr V *r.-v.*

CLOS PADULIS Padulis 2014 ★

■ | 15000 | | 8 à 11 €

Après un parcours en cave coopérative, Thierry Billès décide de créer son propre domaine en 1993. Il lui donne l'ancien nom de Paziols, village auquel il est très attaché. Il exploite 22 ha en conversion bio, auxquels s'ajoute une oliveraie de 2 ha.

Sélectionné dès la première présentation: voilà un bel encouragement. Cette cuvée contient une bonne proportion de syrah (40%, le carignan à égalité). Le nez, partagé entre fruits rouges, fraise en tête, et notes florales, est intense et agréable. En bouche, on retrouve beaucoup de fruit, avec du gras et une fine acidité: un réel équilibre. ⧗ 2017-2022 🍴 entrecôte marchand de vin

⊶ *THIERRY BILLÈS, 7, chem. du Pont-Romain, 11350 Paziols, tél. 04 68 45 04 12, clospadulis@gmail.com* V ▪ *r.-v.*

CH. DES ERLES Cuvée des Ardoises 2013 ★★

■	13000		20 à 30 €

Issu d'une grande famille bordelaise et présent sur plusieurs continents, le propriétaire et négociant François Lurton est aussi implanté dans le Languedoc-Roussillon depuis les années 1990. Associé à son frère Jacques jusqu'en 2007, il y dirige seul aujourd'hui plusieurs domaines dans les AOC saint-chinian, fitou, corbières, maury, côtes-du-roussillon-villages ou encore en IGP pays d'Oc.

Le château des Erles couvre 25 ha en fitou, sur deux terroirs. Cette cuvée, dont le nom évoque les schistes noirs caractéristiques de l'appellation, est considérée par les propriétaires comme le «second vin», le Ch. des Erles n'étant pas élaboré tous les ans. C'est pourtant une cuvée haut de gamme. Le nez est très expressif et le long élevage de dix-huit mois sous bois n'écrase pas le vin, qui exprime des notes très élégantes de fruits noirs (mûre), rehaussées de touches de pain d'épice et de cacao. Les fruits noirs et le chocolat s'épanouissent dans un palais gras et remarquablement équilibré. Un bel ambassadeur des terroirs exigeants et rudes de Villeneuve-les Corbières, en haut Fitou. ⧗ 2017-2022 🍴 rôti de bœuf en croûte

⊶ *DOM. FRANÇOIS LURTON, Mas Janeil, 66720 Tautavel, tél. 04 68 38 04 64, francoislurton@francoislurton.com t.l.j. sf sam. dim. 9h-12h 14h-17h*

EXPRESSION DE SCHISTES 2014 ★

■	90000		8 à 11 €

Créée en 1921 dans le massif des hautes Corbières et le haut Fitou, à 20 km de la Méditerranée, la cave des Vignerons de Cascastel rassemble une centaine d'adhérents qui cultivent 750 ha. À sa carte, des fitou, corbières, vins doux naturels et vins en IGP.

Cette cuvée a déjà intéressé plus d'une fois nos jurés. Son bouquet fait de fruits noirs compotés et de notes empyreumatiques est un grand classique. En bouche, le grenache apporte du volume et le carignan des tanins denses. Le séjour de douze mois sous bois demande quelques mois de patience, pour permettre au vin pour de bien intégrer les notes d'élevage. ⧗ 2016-2021 🍴 gigot d'agneau ■ **Dédicace 2014 ★ (8 à 11 €; 110000 b.)** : élevé en cuve, un vin au nez de fruits noirs et d'épices, au palais étoffé et frais. ⧗ 2016-2021 🍴 entrecôte grillée ■ **Sélection Vieilles Vignes 2014 (8 à 11 €; 155000 b.)** : vin cité. ■ **Réserve de Fonsalis 2014 (5 à 8 €; 180000 b.)** : vin cité.

⊶ *LES VIGNERONS DE CASCASTEL, Grand-Rue, 11360 Cascatel, tél. 04 68 45 91 74, info@cascatel.com* V ▪ *t.l.j. sf sam. dim. 9h-12h 14h-18h*

CH. LES FENALS Cuvée Julie 2014 ★

■	2600		11 à 15 €

Le domaine est un mas languedocien entre étangs littoraux et Corbières. Commandé par un château détenu par la maison d'Aragon au Moyen Âge, il fut administré par un neveu de Voltaire qui fit apprécier à la cour la «liqueur du Cap de Salses». Racheté et restauré en 1970 par une sage-femme parisienne, il est aujourd'hui dirigé par sa fille Marion Fontanel qui le conduit avec Michaël Moyer, venu de Touraine. Le vignoble de 12 ha est exploité sans désherbants chimiques et les vins fermentent sans levurage.

Le carignan et le grenache se marient bien lorsqu'ils sont issus d'un terroir argilo-calcaire. C'est le cas pour cette cuvée au nez complexe de garrigue (thym, ciste), de fruits rouges et de réglisse. En bouche, ce vin ne manque pas de caractère, associant des tanins de qualité, encore jeunes, et une fraîcheur laissant augurer une heureuse évolution. ⧗ 2016-2021 🍴 magret de canard aux framboises ■ **2014 ★ (5 à 8 €; 10000 b.)** : deux tiers de carignan, du grenache et de la syrah dans ce vin élevé dix-huit mois en cuve. Nez de fruits noirs et de réglisse, bouche à la fois puissante et élégante. ⧗ 2017-2020 🍴 gigot d'agneau

⊶ *MARION ET MICKAËL FONTANEL MOYER, Les Fenals, 11510 Fitou, tél. 04 68 45 71 94, les.fenals@wanadoo.fr* V ▪ *t.l.j. sf dim. 9h-12h 14h30-18h30; 14h30-18h30 en hiver* ③ Ⓒ

Ⓑ DOM. GRAND GUILHEM Angels 2014 ★

■	1475		20 à 30 €

Il était ingénieur, elle était experte dans le commerce de l'art. Venant de Montmartre, où les vignes de la Butte les ont inspirés, Séverine et Gilles Contrepois deviennent viticulteurs en 1997 dans le Fitou intérieur; d'abord coopérateurs, ils créent leur cave en 2003. Ils conduisent leur vignoble d'environ 12 ha en bio (certification en 2004) et suivent les cycles lunaires pour les travaux à la vigne et au chai.

La cuvée Angels porte le prénom de l'artiste qui a conçu l'étiquette. Elle met en avant le magique carignan issu d'une parcelle centenaire. Le nez demande de l'aération avant de livrer des senteurs intenses de fruits rouges et noirs, rehaussées de touches de garrigue. L'attaque franche introduit une bouche bien équilibrée, aux tanins enrobés et à la finale fraîche et persistante. ⧗ 2017-2020 🍴 bœuf-carottes

⊶ *DOM. GRAND GUILHEM, 1, chem. du Col-de-la-Serre, 11360 Cascastel-des-Corbières, tél. 04 68 45 86 67, gguilhem@aol.com* V ▪ *t.l.j. 10h30-12h30 18h30-20h* ⑤ Ⓔ ⊶ *Contrepois*

Ⓑ CH. DE LA GRANGE Via Fonteius 2013 ★

■	12000		11 à 15 €

Implanté dans le Fitou maritime, le domaine des frères Dell'Ova vinifie en cave particulière depuis 1986. Traversé par la voie Domitienne, le vignoble, cultivé en bio depuis 2012, couvre aujourd'hui 59 ha

sur le territoire de La Palme, dans une zone ventée bénéficiant de la fraîcheur des embruns.

C'est sans aucun doute l'apport du mourvèdre (40%) qui donne à la robe son intensité et sa profondeur. Le bouquet est intensément «Fitou»: du cuir, du chocolat, des épices (poivre) et des fruits noirs. La réglisse s'invite dans une bouche ample et ronde, marquée en finale par des tanins de qualité dont la fermeté incite à la patience. ⧗ 2018-2022 ¥ cuissot de chevreuil

⊶ GAEC DELL'OVA FRÈRES, Cabanes-de-la-Palme, BP 5, 11480 La Palme, tél. 04 68 48 17 88, dellovafreres@orange.fr V t.l.j. 10h-12h 14h-18h

DOM. LEPAUMIER Vieilles Vignes 2014 ★

■	10000	◍	5 à 8 €

Ce domaine est inscrit depuis longtemps dans le paysage fitounais. Fernand Lepaumier a débuté la mise en bouteilles en 1997. Son fils Christophe, après l'avoir secondé, a pris les rênes de la propriété en 2004. Il exploite aujourd'hui 20 ha de vignes, côté mer et côté montagne. Il privilégie l'égrappage et l'élevage en fût.

Un nez puissant mêlant la vanille et le moka de l'élevage à des notes de fruits noirs. La bouche dense, de bonne longueur, s'appuie sur des tanins réglissés bien fondus. Le boisé assez marqué suggère une petite garde. ⧗ 2017-2020 ¥ tajine de volaille aux pruneaux ■ **Cuvée Auzeville 2014 (5 à 8 €; 5000 b.)** : vin cité.

⊶ DOM. CHRISTOPHE LEPAUMIER, 15, av. de la Mairie, 11510 Fitou, tél. 06 12 26 27 71 V t.l.j. 10h-12h 14h-18h30

CH. LEUCATEL-CEZELLY 2014

■	6000	◍ 🍾	15 à 20 €

Créée en 1920, la cave de Leucate a fusionné avec plusieurs coopératives (Quintillan, Roquefort-des-Corbières, La Palme...). Un acteur incontournable du Fitou maritime, avec plus de 170 adhérents, 1400 ha et un chai sorti de terre en 2010.

Autour des vestiges du château de Leucate s'étendent les vignes de grenache (50%), de carignan et de mourvèdre qui composent cette cuvée. Le nez met en évidence le grenache avec ses notes chaleureuses de fruits noirs. En bouche, le vin apparaît assez souple, équilibré, de bonne longueur. ⧗ 2016-2019 ¥ osso bucco

⊶ VIGNOBLES CAP LEUCATE, chai La Prade, 11370 Leucate, tél. 04 68 33 20 41, contact@cave-leucate.com V t.l.j. sf sam. dim. 9h-12h 14h-17h

Ⓑ DOM. MAMARUTA Cacahuète 2013

■	5000	◍ 🍾	15 à 20 €

Marc Castan s'est installé en 2003 entre garrigue, étang et mer, reprenant les vignes de son grand-père, qui était vétérinaire de campagne. Première vinification en 2009. Le jeune vigneron cultive ses 14 ha en bio et s'essaye à la biodynamie.

La cuvée Cacahuète exprime toute la finesse du terroir argilo-calcaire de Fitou. Elle développe un nez intense, épicé et poivré, légèrement iodé. Franche et fraîche en attaque, construite sur des tanins serrés et épicés, elle révèle un potentiel intéressant. ⧗ 2017-2022 ¥ tajine d'agneau aux pruneaux

⊶ MARC CASTAN, 10, rue Dr-Ferroul, 11480 La Palme, tél. 06 83 24 90 92, marccastan@hotmail.fr V r.-v.

Ⓑ MAS DES CAPRICES Retour aux sources 2014 ★

■	10500	◍ 🍾	11 à 15 €

Enfants de viticulteurs alsaciens, Mireille et Pierre Mann ont été restaurateurs avant de devenir viticulteurs en 2005. Premières bouteilles en 2009, premiers succès. Aujourd'hui, 15 ha en bio sur le plateau calcaire de Leucate et sur les contreforts schisteux des Corbières. Domaine en biodynamie certifiée.

Élevée en foudre, une cuvée issue du terroir schisteux des Corbières. L'élégance est le fil conducteur de la dégustation. La robe est aussi profonde que le nez, qui mêle fruits noirs, fruits des bois et sous-bois. La bouche très structurée se distingue par la finesse des tanins, qui révèle un souci de mesure dans l'extraction et de mise en valeur du fruit. Une belle fraîcheur contribue à l'équilibre général. ⧗ 2016-2022 ¥ épaule d'agneau confite à l'ail

⊶ MAS DES CAPRICES, 5, imp. de la Menuiserie, 11370 Leucate, tél. 06 76 99 80 24, masdescaprices@free.fr V t.l.j. sf lun. 18h-20h; dim. 11h-13h; hiver sur r.-v. ⊶ Pierre et Mireille Mann

DOM. LES MILLE VIGNES Dennis Royal 2013 ★★

■	2500	🍾	30 à 50 €

Les mille pieds de vignes des débuts se sont transformés au fil des achats et des plantations en une propriété de 11 ha dans le Fitou maritime. Ce domaine créé en 1979 par Jacques Guérin, ancien professeur de «viti» au lycée d'Orange, est conduit depuis 2000 par sa fille Valérie.

Cette cuvée, en hommage à un ami américain, voit le jour sur le plateau calcaire de Leucate. Là-bas, les vieilles vignes de carignan (80%) s'expriment pleinement. C'est au nez que la personnalité de ce vin s'exprime: des notes épicées intenses, de fraîches senteurs de fruits noirs se mêlent avec une rare élégance. La bouche met en avant les tanins très fins qui, combinés avec une belle ligne acide, portent loin la finale. Un fitou qui reflète pleinement son terroir, vinifié avec douceur et savoir-faire. ⧗ 2017-2020 ¥ côte de veau aux girolles ■ **Atsuko 2014 ★ (30 à 50 €; 2800 b.)** : sur des sols rouges, c'est le grenache qui est mis en avant. Il en résulte des arômes dominants de fruits rouges et une bouche ronde et chaleureuse, tonifiée par la fraîcheur qui caractérise le domaine. ⧗ 2017-2021 ¥ tajine d'agneau

⊶ DOM. LES MILLE VIGNES, 24, av. San-Brancat, 11480 La Palme, tél. 04 68 48 57 14, les.mille.vignes@free.fr V r.-v. ⊶ V. Guérin

♥ MONT TAUCH Les Quatre 2014 ★★★

■ | 80 000 | 🍷 | 8 à 11 €

Locomotive des hautes Corbières, cette coopérative regroupant quelque 200 vignerons vinifie le fruit de 1 290 ha de vignes implantées sur un terroir rude et sec propice aux grands vins. À sa carte, des corbières, fitou, vins doux naturels et vins en IGP.

Cette cuvée affiche une belle régularité, frôlant le coup de cœur l'an dernier, elle rafle la mise de belle manière pour cette édition. Résultant d'un assemblage de grenache, de carignan et de syrah, elle s'ouvre sur les fruits noirs, enrobés de notes finement boisées. En bouche, des tanins d'une belle maturité accompagnent des arômes de pruneau et de cassis. La fraîcheur du terroir souligne la finale très persistante. ⧗ 2017-2022 🍴 perdreaux rôtis ■ **Les Crouzels élevé en fût de chêne 2014 ★ (8 à 11 €; 60 000 b.)** : le nez raffiné mêle les fruits rouges mûrs à la vanille du fût, la bouche ample, vineuse et fraîche célèbre la syrah. ⧗ 2017-2020 🍴 gigot d'agneau ■ **Ch. de Montmal 2014 ★ (5 à 8 €; 56 600 b.)** Ⓑ : le premier vin biologique de la cave, élevé en fût. Nez intense, mêlant fruits rouges mûrs, notes florales et minérales; palais de caractère, bien équilibré, aux arômes persistants de cassis. ⧗ 2017-2020 🍴 magret de canard ■ **Roc Flamboyant La Grande Réserve 2014 ★ (5 à 8 €; 162 000 b.)** : un nez de petits fruits rouges légèrement boisé, un palais agréable, frais et bien équilibré. ⧗ 2017-2020 🍴 mixed grill

SCA MONT TAUCH, 2, rue de la Cave-Coopérative, 11350 Tuchan, tél. 04 68 45 41 08, contact@mont-tauch.com V 🚶 ▮ *r.-v.*

CH. DE NOUVELLES Gabrielle 2014 ★

■ | 8 000 | 🍷 | 15 à 20 €

Aux abords du col d'Extrême, le domaine tire son nom de Jacques Fournier de Novelli – pape sous le nom de Benoît XII au XIVᵉs. – qui eut ici un château. Propriété de la famille Daurat-Fort depuis 1834, il couvre 80 ha. À sa tête, Jean Daurat-Fort et son fils Jean-Rémy, le premier président l'organisme de défense des vins de Fitou.

Cette cuvée met en avant le carignan (60%), planté sur des terroirs de schistes. La robe sombre annonce une forte personnalité. Le nez vanillé est encore dominé par un élevage en barrique de dix-huit mois. La bouche séduit par ses tanins soyeux. Malgré une certaine rondeur apportée par les 30% de grenache, mieux vaut oublier ce vin en cave quelque temps. ⧗ 2018-2027 🍴 gardiane de taureau ■ **Vieilles Vignes 2014 ★ (11 à 15 €; 40 000 b.)** : né sur des sols argilo-calcaires, élevé en cuve, il fait la part belle aux fruits rouges, relevés de notes poivrées, et se montre puissant et rond. ⧗ 2017-2022 🍴 cassoulet

SCEA R. DAURAT-FORT, Ch. de Nouvelles, 11350 Tuchan, tél. 04 68 45 40 03, daurat-fort@terre-net.fr V 🚶 ▮ *t.l.j. 9h-12h 14h-18h; sam. dim. sur r.-v.* 🏠 Ⓓ

DOM. DE LA ROCHELIERRE
Cuvée Privilège Élevé en fût de chêne 2014 ★★

■ | 18 000 | 🍷 | 8 à 11 €

Quatre générations se sont succédé sur ce domaine dirigé depuis 1998 par Jean-Marie Fabre, œnologue et président des Vignerons indépendants de l'Aude. Un producteur engagé qui préserve son terroir de Fitou: ses vignes (15 ha) n'ont pas vu de produits chimiques depuis 1979 (méthode Cousinié). En 2016 a été inaugurée une nouvelle cave.

Cette cuvée élevée neuf mois en barrique a frôlé le coup de cœur. Sa robe noire aux reflets violets reflète le terroir de Fitou. Le nez s'ouvre sur les notes vanillées de l'élevage puis gagne en complexité, délivrant des nuances de fruits rouges écrasés ou compotés. En bouche, les épices s'invitent à la fête avec des tanins fondus: un équilibre remarquable. ⧗ 2017-2026 🍴 tajine d'agneau aux fruits secs ■ **Noblesse du temps 2014 (20 à 30 €; 3500 b.)** : vin cité.

JEAN-MARIE FABRE, Dom. de la Rochelierre, rue de la Noria, 11510 Fitou, tél. 04 68 45 70 52, la.rochelierre@orange.fr V 🚶 ▮ *t.l.j. 9h-12h 14h-18h; f. le matin et dim. en janv.-fév.* 🏠 Ⓑ

LANGUEDOC

Superficie : 9 522 ha
Production : 398 780 hl (85% rouge et rosé)

En 2007, l'appellation coteaux-du-languedoc s'est élargie et a pris le nom de languedoc. L'ancienne AOC était formée de terroirs disséminés en Languedoc, dans la zone des coteaux et des garrigues, entre Narbonne et Nîmes, du pied de la Montagne Noire et des Cévennes à la mer Méditerranée – d'anciennes aires VDQS promues en AOC en 1985. Elle a fait place à partir du millésime 2006 à une vaste appellation régionale incluant toutes les aires d'appellation du Languedoc et du Roussillon, jusqu'à la frontière espagnole – à l'exception de Malepère: près de 500 communes (122 dans les Pyrénées-Orientales, 195 dans l'Aude, 160 dans l'Hérault et 19 dans le Gard). Les AOC existantes (corbières, faugères, côtes-du-roussillon, etc.) subsistent. Quant au nom «coteaux-du-languedoc», il a pu figurer sur les étiquettes jusqu'en 2012 pour les vins provenant de l'aire historique de l'appellation.
Six cépages dominent la production des vins rouges (majoritaires) et des rosés : carignan et cinsault (limités à 40%) complétés par les grenache noir, lladoner, mourvèdre et syrah; en blanc, grenache blanc, clairette, bourboulenc, marsanne, roussanne et vermentino sont les principaux cépages, le piquepoul étant également utilisé. Ce dernier, qui donne un vin vif, est la variété exclusive du picpoul-de-pinet, produit autour du bassin de Thau, promu au rang d'AOC avec le millésime 2013. Six autres dénominations géographiques correspondent à un terroir particulier et affichent des conditions de production plus restrictives que dans le reste de la région: le pic Saint-Loup

pour les rouges et les rosés, les Grés de Montpellier, Pézenas et les Terrasses du Larzac pour les rouges, ainsi que Sommières depuis 2009. Les Terrasses du Larzac et La Clape sont devenues des appellations à part entière. En outre, certaines dénominations liées à une renommée ancienne peuvent figurer sur l'étiquette des rouges et des rosés: Cabrières, célèbre pour ses rosés, Montpeyroux, Saint-Saturnin, Saint-Georges-d'Orques, La Méjanelle, Quatourze, Saint-Drézéry, Saint-Christol et Vérargues.

ABBAYE DES MONGES
La Clape Augustine 2014 ★

■ | 12000 | | 11 à 15 €

En 1202 fut fondée sur ce lieu une abbaye cistercienne dont il reste encore la chapelle Notre-Dame-des-Olieux, blottie au cœur du vignoble et classée Monument historique. Ce domaine de 30 ha est administré depuis 1997 par Paul de Chefdebien.

Un terroir pierreux de caractère, un assemblage de quatre cépages et un élevage bien maîtrisé sont à l'origine de ce vin rubis brillant, aux arômes d'épices, de pierre chauffée et de cerise bien mûre. L'équilibre est de rigueur en bouche, les tanins sont bien fondus, et l'on aime son caractère aérien. Une certaine légèreté, mais pas de faiblesse. ⧗ 2017-2021 ¥ pennes à l'arrabiata

PAUL DE CHEFDEBIEN, Ch. Abbaye des Monges, rte de Gruissan, 11100 Narbonne, tél. 04 68 32 26 61, info@abbaye-des-monges.com V t.l.j. 9h-19h E

DOM. L'AIGUELIÈRE
Montpeyroux La Côte rousse 2013 ★★

■ | 5800 | | 15 à 20 €

Issu d'une ancienne famille de vignerons de Montpeyroux, Aimé Commeyras rencontre, il y a de cela plus de trente ans, le docteur Pierre-Louis Teissedre, actuellement professeur d'œnologie à l'Université de Bordeaux, avec qui il crée ce domaine. Ses héritiers Pierre-Louis Teissedre, Christine (la fille d'Aimé), Auguste (le frère cadet) et son épouse Claude sont aujourd'hui aux commandes de 18 ha de vignes.

Une robe profonde, pourpre intense, habille ce vin à forte dominante de syrah. Le nez s'ouvre à l'agitation sur les fruits très mûrs (cerise, figue, fraise), la vanille et une pointe de menthol. Sur les fruits rouges et noirs à l'alcool relevés d'une touche épicée, la bouche se montre riche, concentrée, épaulée par des tanins raffinés et étirée dans une finale longue et gourmande. Un vin puissant et harmonieux. ⧗ 2019-2023 ¥ cuissot de chevreuil

DOM. L' AIGUELIÈRE, 2, pl. du Square-Michel-Teisserenc, 34150 Montpeyroux, tél. 04 67 96 61 43, christine@aigueliere.com V *r.-v.*

DOM. D'AIGUES BELLES
Le Grand Classique 2013 ★

■ | 5300 | | 15 à 20 €

Ce vignoble de 20,7 ha exploité – en bio non certifié – par la famille Palatan depuis 1870 s'enracine dans l'un des terroirs les plus septentrionaux de l'appellation. La cave, située dans un tout petit hameau gardois, a été réhabilitée en 2000.

Le mourvèdre, majoritaire dans cette cuvée, s'associe au grenache et à la syrah pour mieux révéler ce terroir. Dominé au nez par la violette, les baies rouges et la vanille, ce 2013 se montre ample à l'attaque et se déploie généreusement en milieu de bouche en s'appuyant sur des tanins serrés et sur une jolie fraîcheur en finale. Tout cela témoigne d'un élevage très minutieux qui n'a pas masqué la nature et l'originalité du vin. ⧗ 2018-2022 ¥ côte de bœuf

DOM. D' AIGUES BELLES, 30260 Brouzet-les-Quissac, tél. 06 07 48 74 65, aigues.belles@orange.fr V *r.-v.* D

Ⓑ DOM. D'ANGLAS Esprit de la garrigue 2013

■ | 4000 | | 11 à 15 €

Situé au pied des Cévennes, ce vaste domaine de 115 ha, dont 12 ha de vignes conduits en agriculture biologique à partir de 1999, se transmet dans la même famille depuis 1896. Roger Gaussorgues est aux commandes depuis 1988.

Cet assemblage syrah-grenache dévoile un bouquet complexe: sous-bois, cuir, poivre blanc, garrigue, pivoine. En bouche, il se révèle fruité, épicé, d'un bon volume et bien équilibré entre des tanins francs et une matière onctueuse. ⧗ 2017-2021 ¥ pintade aux airelles

GAUSSORGUES, Dom. d'Anglas, 108, chem. Départemental, 34190 Brissac, tél. 04 67 73 70 18, contact@domaine-anglas.com V *t.l.j. sf dim. 9h-12h 14h-18h* E

DOM. GUILLAUME ARMAND
Clos Vacquerolles 2014 ★

■ | 7500 | | 11 à 15 €

Fils de vignerons gardois, Guillaume Armand a multiplié les expériences dans les vignes et les caves d'Australie, de Bourgogne et de la vallée du Rhône avant de s'installer en 2012 sur les 4 ha d'un vallon caché aux portes de Nîmes. Dans cet environnement préservé, il a d'emblée entrepris une conversion bio.

Un vallon dans la garrigue, la syrah, le grenache et une pointe du trop rare cinsault: tout est réuni pour offrir ce vin sombre au nez intense d'épices et de confiture de cerises. Passé une attaque robuste, le palais se révèle gras, suave et chaleureux, fruité (fruits rouges) et floral (violette), bâti sur des tanins soyeux. ⧗ 2017-2021 ¥ tournedos sauce morilles

GUILLAUME ARMAND, hameau de Robiac, chem. de Robiac, 30730 Saint-Mamert-du-Gard, tél. 06 52 45 78 88, domaineguillaumearmand@gmail.com V *r.-v.*

CH. D'ASSAS Grés de Montpellier Réserve 2013

■ | 15000 | | 8 à 11 €

Sous le nom de Vignerons du Pic, les caves coopératives de Claret, Assas, Saint-Gely-du-Fesc et Baillargues ont fusionné en 1997. La structure dispose des 670 ha de ses adhérents et propose une gamme de vins IGP et d'appellation, notamment des languedoc Grés de Montpellier et Pic Saint-Loup.

Cette cuvée, discrète de prime abord, développe peu à peu des notes de framboise et d'épices. Souple et gouleyante, elle allie en bouche un fruité frais à un boisé épicé, soutenue par des tanins fondus et par une pointe de fraîcheur en finale. Un vin simple et harmonieux. ⧗ 2016-2019 ▾ tomates farcies

LES VIGNERONS DU PIC, 285, av. de Sainte-Croix, 34820 Assas, tél. 04 67 65 93 55, cavevigneronsdupic@wanadoo.fr V t.l.j. sf lun. 9h-12h 15h-19h; dim. 9h-12h

DOM. DE L'ASTER
Pézenas En montant la calade 2014

■	2000		11 à 15 €

Issu d'une vieille famille vigneronne, Jacques Bilhac, rejoint en 2003 par son frère Alex, est à la tête de 26,5 ha de vignes dont il confie l'essentiel des raisins à la cave coopérative. En 2013, les frères ont construit leur cave de vinification et retiré 5 ha de la «coop» pour élaborer leurs propres vins.

Premier millésime en propre pour les Bilhac avec ce 2014 qui s'ouvre à l'aération sur des notes de garrigue, d'épices et de fruits rouges. Arômes prolongés par un palais gourmand, rond, souple et suave. Le plaisir dans la simplicité. ⧗ 2016-2020 ▾ lasagnes d'agneau

GAEC LA CAILLOZE, 18, pl. Georges-Clemenceau, 34800 Péret, tél. 06 20 54 51 94, contact@domaine-aster.com V lun. mer. 17h-19h; sam. 16h-18h Bilhac

Ⓑ DOM. D'AUPILHAC
Montpeyroux La Boda 2013 ★

■	4500		20 à 30 €

Installé en 1989, Sylvain Fadat travaille en agriculture biologique et en biodynamie ses 25 ha de vignes répartis sur deux terroirs de Montpeyroux: argilo-calcaires et marnes bleues sur Aupilhac, argilo-calcaires et volcaniques sur Cocalières, à 350 m d'altitude.

Une robe grenat sombre habille ce duo syrah-mourvèdre (50-50). Le nez, intense, est un concentré de fruits, cassis et mûre, cerise et prune, sur fond de vanille et de cacao délicatement torréfié. Marquée par les fruits noirs, le moka et une pointe végétale, la bouche s'appuie sur une structure à la fois dense et souple, bâtie sur des tanins serrés. ⧗ 2018-2022 ▾ carré d'agneau aux pruneaux

SYLVAIN FADAT, 28-32, rue du Plô, 34150 Montpeyroux, tél. 04 67 96 61 19, aupilhac@wanadoo.fr V r.-v. Ⓔ

L'AS DE BAYLE Grés de Montpellier 2014 ★

■	2000		11 à 15 €

Céline Michelon, œnologue et agronome, a repris le domaine familial en 2002, et perpétue une tradition commencée en 1907 par son arrière-grand-père. Elle s'est employée à développer le blanc et le rosé, et a mis en place un système de management environnemental visant à pratiquer une agriculture durable.

Une sensation gourmande se dégage de l'olfaction, centrée sur les fruits rouges compotés, la cerise noire et le beurre. Et une impression de forte maturité (confiture de cerises et de mûres, touche florale capiteuse) caractérise la bouche, ample, riche et puissante, structurée par des tanins fermes. ⧗ 2018-2022 ▾ poulet au chocolat

CÉLINE MICHELON, Mas de Bayle, 34560 Villeveyrac, tél. 04 67 78 06 11, contact@masdebayle.com V r.-v.

LA CHAPELLE DE BÉBIAN 2014 ★

□	14000		11 à 15 €

Un domaine historique, où Bebianus, un vétéran romain, cultivait déjà la vigne au Iers.; une tradition perpétuée et développée par les moines cisterciens à partir du XIIes., qui construisirent la chapelle. Un domaine viticole de 30 ha aujourd'hui, régulier en qualité, acquis en 2008 par Dimitry Pumpyanski, qui a maintenu l'œnologue Karen Turner aux commandes du chai. Sur un cadran solaire, la devise de la propriété: *nihil sine sole*, «rien sans le soleil»...

Une fois encore au rendez-vous, cette cuvée, née sur des galets villafranchiens, est brillante à tous les points de vue. Sa robe dorée aux légers reflets verts prélude à un bouquet subtil d'acacia, d'abricot puis de fruits exotiques. Subtilité qui caractérise aussi la bouche, à la fois ronde, fraîche et longue. ⧗ 2016-2019 ▾ poêlée de saint-jacques

PRIEURÉ SAINT-JEAN DE BÉBIAN, rte de Nizas, 34120 Pézenas, tél. 04 67 98 13 60, info@bebian.com V t.l.j. sf sam. dim. 9h-12h30 14h-17h30

DOM. BELLES PIERRES
Saint-Georges-d'Orques Les Clauzes de Jo 2014 ★

■	15000		8 à 11 €

Un domaine établi à deux pas d'un oppidum romain du IIes. avant J.-C. dont les pierres ont été utilisées par les générations précédentes pour entourer la propriété. Un vignoble de 15 ha dont les vendanges ont progressivement été retirées de la coopérative, – intégralement depuis 2010. Succédant à son père Joseph, Damien Coste, aidé de son épouse Monica, recherche avant tout l'expression du terroir: il a banni l'emploi de barriques neuves.

Un classicisme bien méditerranéen pour cette cuvée ouverte sans réserve sur des arômes de cuir, de cerise noire et de mûre. Puis le thym, le cade, le cédrat et le romarin s'invitent dans un palais bien structuré, porté par des tanins encore jeunes et fermes et par une fine acidité. De l'équilibre et de la tenue. ⧗ 2017-2022 ▾ gigot aux herbes

DAMIEN COSTE, Dom. Belles Pierres, rte de Bel-Air, D 102, 34570 Murviel-lès-Montpellier, tél. 04 67 47 30 43, bellespierres@wanadoo.fr V t.l.j. 9h-12h30 14h-18h30

Ⓑ DOM. BORT Saint-Christol N° 1 2014 ★

■	16500		11 à 15 €

Le plus vaste domaine viticole sur le terroir de Saint-Christol: 65 ha de vignes en coteaux, de la syrah surtout, dont les premières plantations remontent à la fin du XIXes. et au grand-père de Frédéric Bort. Ce dernier a pris les rênes en 2009 et converti son vignoble à l'agriculture biologique.

Robe sombre, nez puissant dans une gamme de cerise et de mûre, mêlée à une touche de romarin. Une sensation fruitée mâtinée d'épices qui se développe avec plus d'intensité encore dans une bouche aux tanins déjà souples et fondus, épaulée par une agréable fraîcheur. ⧗ 2016-2020 🍴 sauté de bœuf au paprika

DOM. BORT, 154, av. les Platanes, 34400 Saint-Christol, tél. 04 67 86 06 03, sceadomainebort@orange.fr V t.l.j. sf dim. 8h-12h 14h-18h

CH. DE CABRIÈRES Cabrières 2013 ★★

■	12000		11 à 15 €

Coopérative fondée en 1937 et riche des 380 ha de ses adhérents, la cave, réputée pour ses rosés qui ont fait la gloire de Cabrières, présente aussi une gamme de rouges dignes d'un vif intérêt. Elle produit également de l'AOC clairette-du-languedoc, sur une vingtaine d'hectares de schistes. Le paysage dominé par le pic de Vissou, la richesse géologique et les sites archéologiques en font une étape recommandée.

De la syrah (70%) et du grenache plantés sur les schistes de Cabrières composent ce vin à la robe profonde. Le nez, intense et fin, mêle senteurs de garrigue, fruits rouges et notes vanillées. La bouche séduit par ses arômes de ciste, de thym et d'herbe sèche, par sa générosité, sa souplesse, ses tanins veloutés et son boisé discret. Une belle expression de terroir et un élevage maîtrisé. ⧗ 2018-2022 🍴 agneau de sept heures

CAVES DE L' ESTABEL, 20, rte de Fontès, 34800 Cabrières, tél. 04 67 88 91 60, sca.cabrieres@wanadoo.fr V t.l.j. 9h-12h 14h-18h

CASTELBARRY
Montpeyroux Comtes de Rocquefeuil Grande Cuvée 2013 ★★

■	20000		11 à 15 €

Implantée au cœur d'un des terroirs réputés du Languedoc, la cave de Montpeyroux, fondée en 1950, a changé de nom, adoptant celui de CastelBarry. Elle regroupe 120 adhérents qui cultivent 510 ha (dont 10% en bio).

Dès le premier regard, il en impose avec sa robe rouge sombre. Le nez, intense, associe la vanille aux parfums de la garrigue qui entourent les vignes. La bouche, très équilibrée, allie puissance et finesse, bâtie sur des tanins denses et soyeux qui promettent une belle évolution; l'élevage, bien maîtrisé, n'occulte pas le terroir, et les notes vanillées s'entourent de cerise confite et de framboise à l'eau-de-vie. La finale, longue et savoureuse, achève de convaincre. ⧗ 2019-2023 🍴 sanglier en daube

CAVE COOP. CASTELBARRY, 5, pl. François-Villon, 34150 Montpeyroux, tél. 04 67 96 61 08, contact@caltelbarry.com V t.l.j. 9h-12h 14h-18h; dim. sur r.-v.

Ⓑ CH. DE CAZENEUVE 2014 ★★

■	20000		15 à 20 €

Le château de Cazeneuve, vieille bâtisse du IXe s., est établi au cœur du domaine acheté par André Leenhardt en 1988 après ses études d'agronomie. Replantations, sortie de la coopérative, conversion bio (certification en 2010): André Leenhardt est aujourd'hui l'un des vignerons emblématiques du Pic Saint-Loup, à la tête d'un beau vignoble de 35 ha sur argilo-calcaires.

Cinq cépages (roussanne en tête) sont ici au service du terroir. Coup de cœur l'an dernier sur le millésime 2013, cette cuvée version 2014 a le même charme fou dans sa belle robe dorée. Un bouquet complexe et subtil s'échappe du verre: épices douces, abricot sec, fleurs blanches. Le palais est comme une caresse. La rondeur s'impose à l'attaque, et la fraîcheur vient parfaire l'équilibre. Un vin à la fois racé et élégant. ⧗ 2016-2019 🍴 palourdes à la crème

QUENTIN ET ANDRÉ LEENHARDT, Dom. de Cazeneuve, 34270 Lauret, tél. 04 67 59 07 49, andre.leenhardt@wanadoo.fr V r.-v.

Ⓑ ALAIN CHABANON Les Boissières 2012

■	4000		20 à 30 €

Fils d'enseignants et ingénieur œnologue, Alain Chabanon a acquis des vignes en 1992 à Montpeyroux et dans les villages environnants. Il a construit sa cave au milieu de son vignoble (16 ha) travaillé en culture biologique et biodynamie.

Du verre s'échappent des arômes de griotte et de fraise qui annoncent un vin de plaisir et de soleil. On retrouve le croquant des fruits rouges dans une bouche fine et légère, aux tanins fondus, lissés par trente-six mois de cuve, et à la finale fraîche. ⧗ 2016-2019 🍴 tomates farcies

DOM. ALAIN CHABANON, chem. de Saint-Étienne, 34150 Lagamas, tél. 04 67 57 84 64, domainechabanon@gmail.com V mer. sam. 9h30-12h30; jeu. 17h30-19h30

LE CHEMIN DES RÊVES
Pic Saint-Loup La Soie 2013 ★

■	1500		20 à 30 €

Pour Benoît Viot, ancien pharmacien et toujours passionné de biologie et de médecine, l'alchimie du vin n'a pas de secret. Après une première vie professionnelle, ce Tourangeau, qui revendique aujourd'hui une «vie de passion», a créé ex nihilo en 2004 son domaine (aujourd'hui 17 ha en conversion bio).

Le nom de cette cuvée fait référence aux ancêtres du vigneron, soyeux de leur état. Voici un vin sans fausse note: une robe grenat bien brillante, des arômes de fruits noirs, de pruneau, d'épices et de cuir, une bouche onctueuse et solide à la fois, épaulée par un boisé délicat qui a su s'incliner devant la typicité du terroir. ⧗ 2018-2022 🍴 osso bucco ■ **Pic Saint-Loup Gueule de loup 2014 ★ (15 à 20 €; 6000 b.)** : un vin franc, sur le fruit et la réglisse, au palais généreux, structuré par des tanins fermes. ⧗ 2018-2022 🍴 côte de bœuf

LE CHEMIN DES RÊVES, 218, rue de la Syrah, 34980 Saint-Gély-du-Fesc, tél. 04 99 62 74 25, benoit.viot@neuf.fr V t.l.j. sf dim. 16h-19h
Benoît Viot

Ⓑ DOM. CLAVEL Les Garrigues 2014 ★

■	38000		11 à 15 €

Estelle, Pierre et leurs fils Antoine et Martin perpétuent l'histoire familiale dans la lignée de Jean Clavel.

Leur vignoble de 25 ha (en bio certifié) a la particularité de couvrir trois terroirs: Pic Saint-Loup, Grés de Montpellier et La Méjanelle. Une référence du Languedoc viticole. Les clous représentés sur les étiquettes rappellent que les Clavel en fabriquaient avant de se consacrer entièrement à la vigne.

Né de syrah (55%), grenache et carignan, ce vin présente des reflets violines qui signent sa jeunesse. Au nez, il s'exprime intensément sur les épices, le cassis, la mûre à l'eau-de-vie et les notes de garrigue. En bouche, il se montre concentré et tout en rondeur, dominé par des arômes généreux et persistants de fruits rouges et noirs bien mûrs. Le 2012 fut coup de cœur. ⧗ 2017-2021 🍷 salers

PIERRE CLAVEL, Mas de Périé, rte de Sainte-Croix, 34820 Assas, tél. 04 99 62 06 13, info@vins-clavel.fr V t.l.j. sf dim. 14h-19h

CLOS DE L'AMANDAIE
Grés de Montpellier Amandaie 2013 ★

■	10000		8 à 11 €

À Aumelas, hameaux et vignobles parsèment la garrigue. Autour d'un château du XIIᵉs., parmi les chênes verts, de petites parcelles cachées dans les combes et une cave en pierre du Gard composent le domaine de Philippe Peytavy (17 ha).

Quand la vigne et la garrigue sont à l'unisson, on obtient un vin éclatant, balsamique, mentholé, avec une touche classique de fruits rouges. La bouche, de la même veine, est ample, charnue, fondante et dotée d'une belle fraîcheur. ⧗ 2017-2022 🍷 carré d'agneau aux herbes

PHILIPPE PEYTAVY, Clos de l'Amandaie, rte de Montpellier, 34230 Aumelas, tél. 09 53 67 23 57, closdelamandaie@free.fr V t.l.j. sf dim. 17h30-19h; sam. 14h-19h

CLOS DES NINES
Grés de Montpellier O du Clos 2013 ★★

■	2000		20 à 30 €

En 2002, Isabelle Mangeart décide de changer de métier et crée de toutes pièces le Clos des Nines, dont le nom est un clin d'œil à ses trois filles (« nines », en occitan). Le vignoble de 10 ha, en conversion bio, se niche au cœur de la garrigue et des oliviers, entre Sète et Montpellier.

Beaucoup de caractère dans cette cuvée née de syrah (80%) et de grenache, au bouquet d'une belle richesse: fraise et framboise, épices douces, café et chocolat. Dans le même registre aromatique, la bouche se révèle ample, élégante, veloutée et très longue, portée par des tanins fins et soyeux et par un boisé parfaitement ajusté et à peine perceptible. ⧗ 2018-2024 🍷 gardianne de bœuf

CLOS DES NINES, rte de Cournonsec, D 5-E7, 34690 Fabrègues, tél. 04 67 68 95 36, clos.des.nines@free.fr V r.-v. Isabelle Mangeart

Ⓑ CLOS ROCA Pézenas Symbiose 2014 ★★

■	2500		15 à 20 €

Salarié dans l'industrie, Louis Aleman décide en 2009 de se convertir à la vigne et acquiert ce domaine d'une quinzaine d'hectares établi au lieu-dit Saint-Jean-de-Roca, à Nizas, dont le vignoble marie deux composantes majeures du terroir de Pézenas: basalte et terrasses villafranchiennes.

Du travail d'orfèvre pour cet assemblage de syrah, carignan et mourvèdre bien ciselé dans sa robe sombre. Le bouquet, riche et intense, s'exprime sur les fruits confiturés mâtinés d'une touche florale et beurrée. La bouche apparaît à la fois puissante et douce, ronde et corsée, soulignée par un boisé fondu et par une pointe de fraîcheur qui lui donne de l'allant et de l'équilibre. ⧗ 2017-2022 🍷 gâteau au chocolat

ALEMAN, Dom. du Clos Roca, D 124, 34320 Nizas, tél. 06 74 73 84 02, closroca.nizas@gmail.com V r.-v.

CH. COMBE DES DUCS
La Clape L'Estime 2015 ★★

■	6000	5 à 8 €

Sur les pas de ses ancêtres, Gautier Fountic cultive en famille 45 ha de vignes sur le massif de La Clape, essentiellement sur le flanc sud, entre mer et garrigue.

Un trio de cépages – dont l'incontournable bourboulenc – fait chanter le terroir de La Clape dans ce vin. L'intensité aromatique a séduit le jury: notes de jasmin, d'agrumes, de pêche blanche. Tout se déroule sans fausse note en bouche: d'abord de la tendreté, de la rondeur, puis de la fraîcheur et enfin une jolie finale florale. Un vin élégant, fin et racé. ⧗ 2016-2019 🍷 turbot au beurre blanc

GAEC COMBE DES DUCS, 24, av. du Gal-de-Gaulle, 11560 Fleury-d'Aude, tél. 04 68 33 90 04, combedesducs@orange.fr V t.l.j. 17h-20h Fountic

CH. CONDAMINE BERTRAND Pézenas 2014

■	6000		11 à 15 €

Commandé par un château du XVIIᵉs. dans la même famille depuis 1792, ce vignoble de 40 ha s'étend sur un terroir de galets roulés aux pentes douces et bien exposées. En 1981, Bernard et Marie Josèphe Jany ont repris l'héritage familial, relayés par leur gendre Bruno Andreu.

Assemblage de syrah et de grenache, cette cuvée mérite d'être carafée: on appréciera ses notes de cerise, de framboise et de violette agrémentées de nuances de boisé grillé. La bouche, souple, est dans la même lignée, mêlant fruits rouges, réglisse et épices douces. ⧗ 2016-2020 🍷 magret de canard

CONDAMINE BERTRAND, 2, av. Wladimir-d'Ormesson, 34120 Lézignan-la-Cèbe, tél. 04 67 25 27 96, contact@condamine-bertrand.com V t.l.j. sf sam. dim. 8h-17h; f. 1ᵉʳ -10 août

Ⓑ DOM. COSTEPLANE Les Cistes 2013 ★★

■	2379	15 à 20 €

Situé sur la bordure des Cévennes, à 15 km au nord de Sommières, ce domaine est dans la famille depuis 1450. Françoise et Vincent Coste, tous deux ingénieurs agronomes, y conduisent en biodynamie un vignoble de 27 ha.

La robe profonde de ce vin qui conjugue puissance et douceur est un beau présage. La suite ne déçoit pas: des senteurs de garrigue et d'épices douces se bousculent pour prendre le pas sur les notes de grillé, de vanille et de fruits mûrs. La bouche, tout aussi aromatique, s'adosse à des tanins solides, largement adoucis par un moelleux enveloppant, tandis qu'une fine fraîcheur, typique de ce terroir, vient animer la finale. ⧗ 2018-2024 🍴 cuissot de chevreuil

⊶ FRANÇOISE ET VINCENT COSTE, Mas Costeplane, CD 194, 30260 Cannes-et-Clairan, tél. 04 66 77 85 02, domaine.costeplane@gmail.com V 🚶 ▪ *r.-v.*

LES COTEAUX DU PIC
Pic Saint-Loup La Cérémonie 2014

■	80 000	◍		5 à 8 €

La cave coopérative de Saint-Mathieu-de-Tréviers, établie au pied du pic Saint-Loup, exploite ses vignes (850 ha) en agriculture raisonnée et la conversion au bio est acquise pour une partie du vignoble.

Né de syrah (80 %) et de grenache, un vin sur le fruit avec ses arômes de groseille, de fraise et de cerise, complétés de poivre et de réglisse à l'aération. Un équilibre gourmand en bouche, entre souplesse et fraîcheur. ⧗ 2016-2019 🍴 côtelette d'agneau grillée au thym

⊶ LES COTEAUX DU PIC, 140, av. des Coteaux-de-Montferrand, 34270 Saint-Mathieu-de-Tréviers, tél. 04 67 55 20 22, info@coteaux-du-pic.com V ▪ *t.l.j. sf dim. lun. 9h30-12h30 14h30-18h*

DOM. DE COURSAC 2015

■	800	◍		8 à 11 €

Créer sa propre cave, c'est le rêve qu'a réalisé ce jeune vigneron autodidacte en 2015, après être sorti de la coopérative où il apportait sa récolte depuis 2007. Les vignes (23,5 ha aujourd'hui) sont situées dans la partie la plus orientale de l'appellation languedoc, entre Piémont cévenol et Méditerranée.

Voici donc le premier millésime de David Condomié. Grenache (60 %) et roussanne s'épaulent mutuellement dans cette cuvée très confidentielle, à la robe pâle, aux arômes d'agrumes, de poire et de grillé. En bouche, l'attaque est ronde, la finale acidulée, et l'on détecte quelques fines notes boisées. ⧗ 2016-2019 🍴 poisson à la crème

⊶ DAVID CODOMIÉ, chem. du Château-d'Eau, 30260 Carusas, tél. 06 26 82 29 98, domainedecoursac@orange.fr V 🚶 ▪ *t.l.j. sf lun. mar. dim. 10h-19h* 🏠 Ⓐ

S. DELAFONT La Clape 2013 ★

■	2780	◍		15 à 20 €

Après avoir créé une structure de négoce en 2000, Samuel Delafont a eu envie de s'investir davantage dans l'élaboration, s'est installé en 2010 dans un petit village gardois comme négociant-éleveur spécialisé dans les vins du Languedoc. Il met en valeur les plus beaux terroirs de la région.

Syrah et mourvèdre à parts presque égales se combinent harmonieusement dans ce vin aux nuances pourpres, aux arômes bien racés de thym, de torréfaction, de fruits noirs et de cèdre. La bouche s'appuie sur des tanins fondus et affiche une rondeur enveloppante. Une pointe de fraîcheur en finale rend l'ensemble équilibré et fin. ⧗ 2017-2021 🍴 cassoulet

⊶ S. DELAFONT, ZA Mas David, chem. du Cimetière, 30360 Vézénobres, tél. 04 66 56 94 78, info@delafont-languedoc.fr V 🚶 ▪ *t.l.j. sf dim. 10-18h*

CH. DES DEUX ROCS Cabrières Les Crozes 2013 ★

■	15 000	◍		8 à 11 €

Après vingt ans passés à la tête du Ch. Saint-Martin de la Garrigue, Jean-Claude Zabalia s'est associé avec Edouard Hennebert (co-fondateur de *La Cure gourmande*) pour créer en 2012 une structure regroupant trois domaines installés sur des terroirs différents: le Mas Autanel (picpoul-de-pinet), la Bergerie d'Aniane et, en cabrières, le Ch. des Deux Rocs.

Une couleur grenat sombre aux reflets brillants, un nez flatteur et harmonieux de fruits des bois et fruits confits, légèrement boisé et relevé de poivre et d'une touche mentholée: l'approche est engageante. Le palais apparaît souple et rond, sur le cassis et la réglisse, soutenu par des tanins bien fondus et par une pointe de vivacité qui rafraîchit agréablement la finale. ⧗ 2017-2021 🍴 canard confit et marrons

⊶ SCEA DE LA TERRE ET DU TEMPS, Dom. des Deux Rocs, Le Mas Rouch, 34800 Cabrières, tél. 06 85 42 92 35, contact@laterreletemps.com V 🚶 ▪ *r.-v.* ⊶ *Jean-Claude Zabalia*

LANGUEDOC

CH. ELLUL-FERRIÈRES
Grés de Montpellier Les Romarins ★★

■	13 000	🛢		11 à 15 €

Sylvie Ellul, ancienne directrice des Pays d'Oc, et son mari Gilles ont créé en 1997 ce domaine sur les coteaux entourant Castries. L'orientation au sud offre de belles vues sur la Méditerranée et un climat propice à la maturation de tous les cépages de l'appellation.

Grenache (70 %) et syrah sont associés dans cette cuvée passée trente-six mois en cuve, au nez exubérant et complexe de pâte de fruits, de cacao, d'amande, de menthol et d'épices. Une complexité à laquelle fait écho un palais ample, dense, bien enrobé, aux tanins doux et soyeux. Du relief et de l'intensité pour ce vin appelé à bien évoluer. ⧗ 2018-2024 🍴 pintade rôtie

⊶ SCEA CH. ELLUL-FERRIÈRES, RD 610, Fontmagne, 34160 Castries, tél. 06 15 38 45 01, contact@chateau-ellul.com V 🚶 ▪ *r.-v.*

♥ CH. DE L'ENGARRAN
Grés de Montpellier 2013 ★★★

■	35 000	◍ 🛢		11 à 15 €

Le château de l'Engarran est une «folie» montpelliéraine du XVIIIe s., classée à l'Inventaire national des Monuments historiques. Diane Losfelt

et Constance Rerolle, sur les traces de leurs parents, y cultivent un vignoble de 55 ha, à Saint-Georges-d'Orques, dans les Grés de Montpellier. Une valeur sûre.

À l'image des chefs étoilés qui ont leur «plat signature», cette cuvée est la signature du domaine, la première à avoir été mise en bouteilles à la propriété: «s'il n'y en avait qu'une à retenir, ce serait celle-là», affirment ses concepteurs. Les commentaires enthousiastes des dégustateurs abondent dans leur sens: «monumental», «une merveille d'équilibre»... Issu des cinq cépages de l'appellation, ce vin s'annonce par un bouquet d'une grande délicatesse, sur les fruits rouges mûrs rafraîchis par une touche mentholée. À la fois puissante et élégante, dense et soyeuse, ronde et fraîche, fruitée et épicée, la bouche est majestueuse et d'une longueur exceptionnelle, portée par des tanins très veloutés et un boisé parfaitement fondu. ⧗ 2018-2026 ¥ daube d'agneau

SCEA DU CH. DE L'ENGARRAN, 34880 Lavérune, tél. 04 67 47 00 02, lengarran@wanadoo.fr
V t.l.j. 10h-13h 15h-19h; f. dim. janv.-fév. Grill

B ESCATTES Sommières Héritage 2013 ★

■	5000		11 à 15 €

Entre Sommières et Nîmes, ce domaine familial de 24 ha est remarquable par son mas et son parc à la française du XIXᵉs. François Robelin, installé en 2009, conduit ses vignes en bio certifié.

Sur les collines de calcaire argileux qui entourent le mas, la syrah (60%) et le grenache s'accordent dans ce vin riche et concentré, au nez de cassis très mûr, de vanille et d'épices. Structuré et puissant, le palais dévoile des tanins encore jeunes et fermes et une note fraîche et épicée qui confère de l'harmonie et de la gourmandise à la finale. ⧗ 2019-2022 ¥ côte de bœuf

DOM. DE L'ESCATTES, Mas d'Escattes, 2300, rte de Saint-Étienne-d'Escattes, 30420 Calvisson, tél. 04 66 01 40 58, smc.robelin@wanadoo.fr
V t.l.j. sf lun. dim. 8h30-12h30 14h30-18h30

CH. L'EUZIÈRE Tourmaline 2014

■	10500		5 à 8 €

Représentant la quatrième génération de vignerons, Marcelle Causse a rejoint son frère Michel en 1991 sur ce domaine de 25 ha, dans la famille depuis 1920; un ancien relais de chevaux au XIVᵉs. situé sur la route de Maguelonne, devenu aujourd'hui une référence en Pic Saint-Loup.

Une majorité de grenache épaulée par de la syrah dans ce vin délicat: une robe plutôt légère, un bouquet de fruits rouges relevé d'une pincée de poivre, de la rondeur en bouche et des tanins bien fondus. Une gourmandise à apprécier sur le fruit. ⧗ 2016-2019 ¥ brochette de bœuf

MICHEL ET MARCELLE CAUSSE, L'Euzière, 9, ancien chem. d'Anduze, 34270 Fontanès, tél. 04 67 55 21 41, leuziere@chateauleuziere.fr
V r.-v.

CH. DE FLAUGERGUES Les Comtes 2014 ★

■	38000		5 à 8 €

Un château classé, un jardin à la française et un domaine viticole: Flaugergues, construit en 1696, était une «folie» (maison de campagne et domaine) montpelliéraine aujourd'hui cernée par la ville. Le vignoble couvre 30ha, implanté sur galets roulés. Pierre de Colbert en a pris la direction en 2002, perpétuant une tradition familiale qui remonte à plus de trois siècles.

D'abord un peu fermé, ce vin à dominante de syrah (50%) récompense la patience du dégustateur par un nez intense de fruits noirs et d'épices douces. En bouche s'invitent la réglisse, la mûre et le cassis, le cade et le romarin, autour de tanins bien ciselés. À garder, ou à carafer pour l'apprécier dès aujourd'hui. ⧗ 2018-2021 ¥ entrecôte sauce au vin

PIERRE DE COLBERT, 1744, av. Albert-Einstein, Ch. de Flaugergues, 34000 Montpellier, tél. 04 99 52 66 37, colbert@flaugergues.com
V r.-v.

LA FONT DES ORMES 2014

■	15000		20 à 30 €

Sur un site qui porte les traces de peuplements d'hominidés très anciens, Guy Cazalis de Fondouce a redonné un nouvel élan à ce domaine familial typiquement languedocien (13 ha de vignes) et restauré de très belle façon le chai et ses cuves semi-enterrées datant du XVIIᵉs. pour les convertir en chai à barriques.

Une robe intense, encore jeune, des arômes très mûrs de cerise confite, de la réglisse et quelques épices, l'approche est gourmande et charmeuse. On retrouve le fruit dans une bouche souple et ronde, un peu plus ferme en finale. ⧗ 2017-2020 ¥ grillade de veau

SCEA DOM. DE LA FONT DES ORMES, rte de Nizas, 34720 Caux, tél. 06 76 79 19 14, contact@fontdesormes.fr
V r.-v. Guy Cazalis de Fondouce

FORTANT Héritage Collection 2014 ★

■	3000		20 à 30 €

La famille Skalli s'initia à la vigne et aux cépages méridionaux en Algérie, dans les années 1920. Francis et surtout son fils Robert ont œuvré pour que cette maison de négoce soit aujourd'hui très implantée dans tout le sud de la France. Dans le giron du groupe bourguignon Boisset depuis 2011.

Sombre, presque noir, issu pour moitié de vieux grenaches, ce 2014 est un vin généreux qui s'ouvre progressivement sur le pruneau confit et le poivre, agrémentés de notes grillées. On reste sur le fruit (noir) et les épices (girofle) dans un palais robuste et riche, qui offre beaucoup de matière et déploie une finale relevée et austère. À attendre. ⧗ 2019-2023 ¥ bœuf bourguignon

LES VINS SKALLI, av. Pierre-de-Luxembourg, 84230 Châteauneuf-du-Pape, tél. 04 90 83 58 35, info@skalli.com V t.l.j. 10h-12h 15h-18h Boisset

CH. DE FOURQUES
Grés de Montpellier À l'ombre du vent ★

■ | 2000 | | 15 à 20 €

Le château de Fourques est avant tout une histoire de femmes puisqu'il est transmis de mère en fille depuis 1919. Lise Fons-Vincent, l'actuelle propriétaire, à la tête de 50 ha de vignes, espère d'ailleurs passer un jour le relais à sa fille Jeanne.

Cette cuvée, dont le nom fait référence à un roman de Carlos Ruiz Zafón, dévoile un nez puissant et chaleureux de confiture de fraises, de cannelle et de chocolat. La bouche est fondue et veloutée, soutenue en finesse par un boisé à peine marqué qui laisse le fruit s'exprimer pleinement. 2017-2022 magret de canard sauce chocolat

LISE FONS-VINCENT, rte de Laverune, Ch. de Fourques, 34990 Juvignac, tél. 04 67 47 90 87, fourques@netcourrier.com
t.l.j. sf dim. 10h-12h 15h-19h

DOM. LES GRANDES COSTES
Pic Saint-Loup 2013 ★

■ | 26000 | | 20 à 30 €

Jean-Christophe Granier a repris en 2000 la vieille propriété familiale, l'a rebaptisée et a donné un nouvel élan à ce vignoble de 15 ha situé à Corconne et à Vacquières, en bordure du pic Saint-Loup.

Un 2013 de belle facture dans la lignée du millésime précédent. La syrah est ici majoritaire aux côtés du grenache et d'une pointe de cinsault. La signature du terroir s'impose, laissant à l'arrière-plan les notes de sous-bois apportées par un élevage luxueux en fût de plus de vingt-quatre mois. La pierre à fusil, le Zan et les épices douces se prolongent dans une bouche ronde et suffisamment charpentée pour attendre un peu. 2018-2022 sauté d'agneau aux pruneaux

JEAN-CHRISTOPHE GRANIER, Dom. les Grandes Costes, 2, rte du Moulin-à-Vent, 34270 Vacquières, tél. 04 67 59 27 42, contact@grandes-costes.com
t.l.j. 9h-12h 14h-18h

LA GRANGE Pézenas Castalides Icône 2014 ★★

■ | n.c. | | 20 à 30 €

Un domaine acquis en 2007 par la famille Freund. Idéalement situé en bordure du parc naturel régional du Haut Languedoc, à une altitude de 250 m, son vignoble de 30 ha est cerné par la garrigue. Les raisins mûrissent entourés de thym et de romarin, puis sont vinifiés parcelle par parcelle dans des chais implantés au cœur des vignes.

Les meilleures parcelles de syrah (70 %) et de mourvèdre sont sélectionnées pour cette cuvée, dont la version 2012 fut élue coup de cœur. Le 2014 a peu à lui envier. Un beau noir brillant, une large palette aromatique qui marie notes balsamiques, fruits très mûrs, vanille et toasté, beaucoup de générosité en bouche autour des fruits à l'alcool, d'un boisé soutenu et d'une structure tannique puissante. Un vin en devenir. 2018-2026 civet de sanglier

DOM. LA GRANGE, rte de Fouzilhon, 34320 Gabian, tél. 04 67 24 69 81, shugeux@domaine-lagrange.com
r.-v. Rolf Freund

DOM. DES GRÉCAUX
Montpeyroux Hêmèra 2013 ★

■ | 2200 | | 15 à 20 €

Établis à Saint-Jean-de-Fos, village célèbre pour ses toits et chenaux en tuiles vernissées, Arnaud et Sophie Sandras ont pris les rênes de ce domaine en 2010. Leur vignoble de 7 ha issu de biens de village et conduit en bio est situé majoritairement au cœur du terroir de Montpeyroux.

Issu de trois quarts de syrah, avec le grenache en appoint, ce Montpeyroux sombre et dense offre un bouquet à la fois intense et fin de fruits rouges confits. Ample et charnu en bouche, il fait preuve d'une belle rondeur, épaulé par une structure souple et tapissé de petits fruits à l'eau-de-vie. Un vin à la fois généreux et délicat. 2017-2021 magret aux écorces d'orange

DOM. DES GRÉCAUX, 4, av. du Monument, 34150 Saint-Jean-de-Fos, tél. 04 67 57 38 83, contact@domainedesgrecaux.com
r.-v. Sandras

GRÈS SAINT-PAUL Antonin 2014 ★★

■ | 18500 | | 8 à 11 €

Cette propriété familiale, fondée en 1830, est dirigée depuis 1976 par Jean-Philippe Servière, vigneron lunellois héritier de six générations. Au vignoble (24 ha), planté sur une terrasse villafranchienne de galets roulés, comme à la cave, il allie tradition et modernité, après avoir redonné leur lustre aux bâtiments usés par les ans. Une valeur sûre en AOC languedoc et muscat-de-lunel.

Sur ce terroir situé à moins de 10 km de la mer, les galets roulés restituent la nuit la chaleur accumulée le jour. Aussi cette cuvée, dans la lignée du millésime précédent, affirme un caractère bien méditerranéen. On est séduit par sa robe aux reflets violines, puis emporté dans une farandole d'arômes : fruits noirs écrasés, notes empyreumatiques et chocolatées, tapenade d'olive noire. De la chair, du volume, des tanins fins et soyeux, une finale rehaussée par une pointe de fraîcheur : la bouche affiche une harmonie remarquable. 2018-2022 magret braisé sur sarments

GFA GRÈS SAINT-PAUL, 1909, rte de Restinclières, 34400 Lunel, tél. 04 67 71 27 90, contact@gres-saint-paul.com
t.l.j. sf dim. 9h30-12h30 14h30-19h

DOM. GUINAND
Saint-Christol Grande Cuvée 2013 ★★

■ | 10000 | | 11 à 15 €

C'est au cœur de Saint-Christol, village de culture taurine, que se trouve la cave des frères Guinand (sixième génération), depuis 1993 à la tête de ce domaine familial de 60 ha. Ici, les vignes de syrah et de grenache trouvent leur expression sur un terroir caillouteux qui regarde la mer.

Une cuvée aboutie, pressentie pour un coup de cœur. La robe est d'un pourpre sombre tirant sur le noir, et le bouquet d'une belle intensité, élégant et complexe : notes de cuir, puis fruits noirs confits et nuances fumées à l'aération. La bouche, ample, charnue, généreuse, présente une belle fraîcheur et une structure tannique soyeuse, et s'étire dans une longue finale réglissée qui renforce son côté alerte. ⧗ 2017-2021 ▼ navarin d'agneau

■ **Saint-Christol Cuvée Vieilles Vignes 2014 ★★ (5 à 8 €; 80 000 b.)** : au nez, une belle complémentarité entre le cuir, le thym, la fraise écrasée et le cassis. Très expressive aussi (cédrat, cade, framboise, agrumes confits), la bouche est à la fois suave, délicate et bien structurée, alliant rondeur et fraîcheur. ⧗ 2018-2022 ▼ fricandeau

⊶ EARL DOM. GUINAND, 36, rue de l'Épargne, 34400 Saint-Christol, tél. 04 67 86 85 55, contact@domaineguinand.com
V t.l.j. sf dim. 9h-12h 15h-18h

DOM. HAUT-LIROU Esprit 2013 ★★

■	7 000		20 à 30 €

Cinq générations se sont succédé sur ce domaine fondé en 1848 au pied du pic Saint-Loup et conduit par Jean-Pierre Rambier depuis 1990. Le vignoble s'étend sur 90 ha.

Vous aimerez la couleur profonde de ce vin comme son bouquet intense et varié, évoquant la mûre, la tapenade d'olive noire, la réglisse, le pain grillé et le clou de girofle. La bouche, longue et bien enveloppée, s'appuie sur une belle fraîcheur et sur des tanins solides qui assureront une garde certaine. L'élevage en fût, très fondu ici, est mis au service du terroir. ⧗ 2018-2023 ▼ côte de bœuf aux morilles

⊶ JEAN-PIERRE RAMBIER, Dom. Haut-Lirou, 34270 Saint-Jean-de-Cuculles, tél. 04 67 55 38 50, info@hautlirou.com
V t.l.j. sf sam. dim. 9h-12h30 14h30-18h30

B DOM. HENRY
Grés de Montpellier Paradines 2014

■	10 000		11 à 15 €

Un domaine conduit depuis 1992 par Laurence et François Henry, héritiers d'une dizaine de générations. Le vignoble couvre 11 ha, exploité en agriculture biologique.

Les cinq principaux cépages de l'appellation – syrah, grenache, carignan, cinsault et mourvèdre – président à l'élaboration de ce vin au nez fermé de prime abord, puis délicatement floral (pivoine), épicé et fruité, rond et suave en bouche, stimulé en finale par une fine touche de fraîcheur. ⧗ 2016-2019 ▼ côtelette d'agneau

⊶ LAURENCE ET FRANÇOIS HENRY, 2, av. d'Occitanie, 34680 Saint-Georges-d'Orques, tél. 04 67 45 57 74, contact@domainehenry.fr V r.-v.

L'HORTGRAND Montpeyroux 2014 ★

■	1 600		8 à 11 €

C'est dans une maison vigneronne au cœur du hameau Barry que Cathy et Marc Cros vinifient une petite partie de leurs raisins – longtemps apportés à la coopérative à Montpeyroux.

Assemblage équitable de syrah, grenache, cinsault et carignan, ce 2014 dévoile progressivement des notes gourmandes de petites baies très mûres. Le prélude à une bouche ample, aux tanins soyeux, tout en rondeur et en élégance, où l'on savoure le cassis et les fruits des bois agrémentés d'une touche poivrée. ⧗ 2016-2020 ▼ bavette à l'échalote

⊶ MARC CROS, 1, rue Fontvieille, 34150 Montpeyroux, tél. 04 67 96 68 40, cros.marc34@orange.fr
V r.-v.

BERGERIE DE L'HORTUS Pic Saint-Loup 2014 ★

■	190 000		11 à 15 €

Entre le pic Saint-Loup et le causse de l'Hortus, dans la combe de Fambetou, ce domaine de référence s'étend sur 80 ha de terroirs variés. À partir de 1978, Jean et Marie-Thérèse Orliac ont défriché la garrigue, remis en état des terrasses, construit un chai, bâti une maison puis installé leurs enfants désormais à leurs côtés.

Moins connue de nos lecteurs que la Grande Cuvée (coup de cœur dans le millésime 2009), la Bergerie de l'Hortus mérite qu'on lui prête attention. Elle se présente ici dans une robe grenat plutôt légère et déploie son charme sans tarder avec ses arômes de fruits rouges, d'eucalyptus et de réglisse. Attaque ronde, bouche fondue : un beau classique. ⧗ 2017-2021 ▼ paleron en sauce

⊶ DOM. DE L'HORTUS, rte du Mas-Rigaud, 34270 Valflaunès, tél. 04 67 55 31 20, orliac.hortus@wanadoo.fr
V t.l.j. sf dim. 10h-12h 15h-18h ⊶ Famille Orliac

VIGNOBLES JEANJEAN Grand Devois 2012

■	9 000		11 à 15 €

Devois signifiait « pâture réglementée ». Le domaine trouve son origine dans une bergerie construite par les templiers au XIe s., convertie en chai par la famille Jeanjean en 1980. Entouré de garrigue, le vignoble (15 ha) est implanté sur des sols de cailloutis calcaires.

Sur ces anciens pâturages, la syrah et le grenache ont remplacé les brebis. Ils donnent ici un vin intense, au nez expressif de pruneau, de vanille et de fruits noirs mûrs. Porté par un boisé vanillé et grillé, le palais offre un bon volume, de la souplesse et de la fraîcheur. À attendre un peu pour que le boisé se fonde. ⧗ 2017-2020 ▼ jarret de veau rôti

⊶ SARL MAS DES ÉTANGS, chem. de la Poule-d'Eau, 34110 Vic-la-Gardiole, tél. 04 67 88 80 00, vincent.fabre@vignobles-jeanjean.com
V t.l.j. sf dim. 9h-12h 14h-19h à Saint-Félix-de-Lodez ⊶ Jeanjean

B VIRGILE JOLY Le Joly blanc ! 2015 ★

□	6 000		5 à 8 €

Cet œnologue natif de la vallée du Rhône, petit-fils de vigneron, a fondé son propre domaine en 2000 après avoir été *flying winemaker* dans le sud de la France et au Chili. Il s'est installé sur la place du village de Saint-Saturnin-de-Lucian, entre mairie et église. Les vignes, agrandies petit à petit, couvrent 15 ha conduits en bio.

Le grenache blanc prend ses aises sur ce terroir et dans ce vin, et contribue, avec la roussanne (20 %), au caractère très floral du bouquet. Bien méditerranéenne, marquée par l'onctuosité sans manquer de finesse, la bouche se prolonge langoureusement sur des notes de fruits mûrs. ⧗ 2016-2018 🍴 seiche à la plancha ■ **Saint-Saturnin Saturne 2013 (11 à 15 €; 10600 b.)** Ⓑ : vin cité.

⊶ DOM. VIRGILE JOLY, 22, rue du Portail, 34725 Saint-Saturnin-de-Lucian, tél. 04 67 44 52 21, camille.renault@dvj.fr V t.l.j. sf sam. dim. 9h-12h 14h-18h

CH. DE LANCYRE
Pic Saint-Loup Grande Cuvée 2013 ★

■	18000	◍	15 à 20 €

Régis Valentin, œnologue et maître de chai, a repris en 2001 le domaine familial créé en 1960 par les familles Durand-Valentin. Il produit des vins sur 80 ha occupant un beau terroir de calcaires durs et d'argiles rouges.

La robe profonde de ce 2013 laisse présager une belle intensité aromatique. Et c'est le cas: des notes de Zan et de moka explosent au nez – on les retrouvera, longuement, en finale. La bouche se montre ample et douce à l'attaque, et se poursuit sur une sensation tannique encore un peu austère qui invite à la patience. ⧗ 2018-2023 🍴 gigot d'agneau aux cèpes ■ **Pic Saint-Loup La Rouvière 2015 (8 à 11 €; 20000 b.)** : vin cité.

⊶ SCEA CH. DE LANCYRE, 34270 Valflaunès, tél. 04 67 55 32 74, contact@chateaudelancyre.com V t.l.j. sf dim. 10h-12h30 14h30-18h30 ⊶ Régis Valentin

Ⓑ CH. DE LASCAUX
Pic Saint-loup Les Nobles Pierres 2012 ★★

■	20000	◍	15 à 20 €

Jean-Benoît Cavalier, agronome, a relancé le domaine familial au milieu des années 1980, marchant dans les pas de quatorze générations de vignerons sur ce terroir de cailloutis calcaires. Il conduit son vignoble (45 ha aujourd'hui) en biodynamie. Sur certaines parcelles, des moutons broutent l'herbe entre les ceps, labourent et apportent un engrais tout naturel. Une valeur sûre.

Cette cuvée «très Pic Saint-Loup» a été coup de cœur dans le millésime 2007. Il faut dire que tout est minutieusement choisi et soigné: la parcelle, la vigne, l'élevage. On est charmé par l'élégance de la robe aux légers reflets bruns et par la variété des arômes (touches de fruits rouges mûrs, romarin, cacao, épices). La bouche se distingue par ses tanins bien ciselés et doux à la fois, son côté charnu délicat et sa fraîcheur aux accents mentholés en finale qui laissent augurer un très bel avenir. Un vin de terroir «haute couture». ⧗ 2018-2024 🍴 poitrine d'agneau farcie

⊶ CH. DE LASCAUX, rte de Brestalou, 34270 Vacquières, tél. 04 67 59 00 08, info@chateau-lascaux.com V t.l.j. sf dim. 10h-12h 14h-18h ⊶ Jean-Benoît Cavalier

CH. DE MARMORIÈRES
La Clape Les Amandiers 2014 ★

■	100000	🛢	8 à 11 €

Une chapelle romane datant du XIe s. semble veiller sur ce vaste domaine de 120 ha, le plus grand (et le plus ancien) de La Clape, dans la même famille depuis 1826.

De la syrah et un tiers de grenache dans cette cuvée aux légères nuances brunes, dont les senteurs balsamiques et les parfums de garrigue reflètent bien le terroir de La Clape. Des notes de fruits confiturés s'y ajoutent dans une bouche aux tanins souples, tendue par une fraîcheur agréable. Un vin déjà prêt à boire. ⧗ 2016-2020 🍴 côtelettes d'agneau au thym

⊶ SCEA CH. DE MARMORIÈRES, 11110 Vinassan, tél. 04 68 45 23 64, marmorieres@orange.fr V t.l.j. sf dim. 10h-18h; sam. 9h30-11h30

CH. PAUL MAS
Pézenas Clos du Moulinas 2014 ★★

■	25000	◍	15 à 20 €

Vigneron-négociant, Jean-Claude Mas dispose d'un vaste vignoble de plus de 600 ha en propre constitué par quatre générations, auxquels s'ajoutent les apports des vignerons partenaires (1 300 ha). Le Château Paul Mas se compose de 25 ha à Conas, 27 ha à Moulinas, près de Pézenas, et 80 ha à Nicole, près de Montagnac.

Né de syrah (55%) et de grenache plantés sur une ancienne terrasse argilo-calcaire, ce 2014 a fait forte impression. Robe pourpre flamboyante, nez intense de fruits rouges très mûrs, d'épices et de vanille, bouche ample, dense, puissante, chaleureuse, soutenue par des tanins bien ciselés par l'élevage. Un caractère bien trempé et un solide potentiel de garde. ⧗ 2020-2026 🍴 civet de marcassin ■ **Clos des Mûres Élevé en fût de chêne 2014 ★★ (11 à 15 €; 140000 b.)** : au nez, un fruité mûr sans excès (cassis), légèrement épicé (cannelle), accompagné de violette et de poivre noir dans une bouche ronde, large et longue, épaulée par des tanins fins et une pointe de fraîcheur. ⧗ 2018-2022 🍴 rosbif sauce madère

⊶ JEAN-CLAUDE MAS, rte de Villeveyrac, Dom. de Nicole, 34530 Montagnac, tél. 04 67 90 16 10, info@paulmas.com V t.l.j. sf dim. 10h-12h 13h30-18h Ⓢ Ⓔ

MAS BRUNET Tradition 2015 ★

■	15000	◍	11 à 15 €

Le haut terroir du Causse-de-la-Selle, fait d'argiles rouges et de pierres dolomitiques sculptées par les ans, est l'un des plus septentrionaux de l'appellation. Serge et Marc Coulet œuvrent respectivement depuis 1988 et 1990 sur ce domaine de 29 ha implanté en pleine garrigue.

Voici un terroir propice aux vins blancs, comme l'a souvent prouvé cette cuvée. Le 2015 dévoile des arômes intenses de fleur d'oranger, de miel et de grillé. En bouche, l'ampleur se conjugue avec la fraîcheur et l'on perçoit en finale une discrète petite touche vanillée signant un élevage en fût bien mené. ⧗ 2016-2019 🍴 sole aux écrevisses

⊶ GAEC DU DOM. DE BRUNET, rte de Saint-Jean-de-Buèges, 34380 Causse-de-la-Selle, tél. 04 67 73 10 57, brunet.vins.oc@domainedebrunet.com V t.l.j. 9h-12h 15h-19h; dim. 14h-19h ⊶ Coulet

LANGUEDOC

B MAS CORIS Cabrières Pic de Vissou 2013 ★

■	1250		20 à 30 €

Véronique Attard s'est installée en 2009 au pied du pic de Vissou, site classé, sur 8 ha de vignes et de garrigue. Conduit en bio, son domaine couvre aujourd'hui 5 ha sur des sols de schistes caractéristiques du terroir de Cabrières.

Sur les schistes de Cabrières, la syrah (80%) et le cinsault trouvent un beau terrain d'expression, à l'origine de ce vin qui mêle harmonieusement notes vanillées, grillées, balsamiques et senteurs de garrigue. La bouche, à l'unisson, séduit par son équilibre, sa finesse et sa finale longue et savoureuse. ⧗ 2017-2021 🍷 lapin aux herbes

VÉRONIQUE ATTARD, 3, rue du Dauphiné, 34170 Castelnau-le-Lez, tél. 06 74 14 88 91, veromascoris@gmail.com V r.-v.

MAS DE LA BARBEN Sommières Sabines 2013

■	6000		11 à 15 €

En Languedoc, barben désigne le genévrier des garrigues, qui abonde sur ce plateau calcaire à 200 m d'altitude au nord-ouest de Nîmes. La famille Hermann y a acquis le mas en 1999 et l'a rénové de la cave au vignoble (25 ha) pour en faire une valeur sûre du terroir de Sommières. En 2013, Damien, le fils, a pris les rênes.

Ce 2013 se présente dans une robe grenat aux reflets cuivrés, ouvert sur des notes de caramel, de figue et une touche de cuir. En bouche, il se montre souple, fruité (fruits en confiture) et épicé (poivre noir). À boire dans sa jeunesse. ⧗ 2016-2019 🍷 curry d'agneau

HERMANN, rte de Sauve, 30900 Nîmes, tél. 04 66 81 15 88, masdelabarben@wanadoo.fr V r.-v.

B MAS DE LA RIME
Saint-Georges d'Orques 2014 ★★

■	266		15 à 20 €

Brita et Philippe Sala, après plusieurs vies professionnelles et artistiques, ont créé en 2009 ce domaine de 5 ha sur le terroir de Saint-Georges d'Orques, qu'ils conduisent dès l'origine en bio.

De très petits rendements pour cet assemblage syrah-mourvèdre (60-40) d'une densité remarquable. Si le premier nez est en retrait – on vous conseille un passage en carafe –, l'aération dévoile une formidable intensité autour de la mûre, du cassis et de la cerise noire, mâtinés de douces notes épicées. Centrée sur le moka et le chocolat amer, la bouche offre beaucoup de volume, de longueur et de complexité, bâtie sur des tanins extraits en finesse et polis par huit mois en fût. ⧗ 2018-2022 🍷 gibier à la broche

MAS DE LA RIME, chem. des Proses, 34570 Pignan, tél. 06 08 18 32 73, philippesala@wanadoo.fr V r.-v. *SARL Gael-Bio*

B MAS DE MARTIN
Grés de Montpellier Cuvée Ultréïa 2013 ★

■	6000		15 à 20 €

Le Mas de Martin de Christian Mocci est un îlot secret de vignes (20 ha) caché au milieu des garrigues et des pinèdes. Ancienne dépendance de l'abbaye de Saint-Germain et halte sur le chemin de Saint-Jacques-de-Compostelle, ce domaine mentionné dès le XII[e]s. est aujourd'hui conduit en agriculture biologique.

Dix-huit mois d'élevage en barrique pour un vin intense et d'une belle densité, long et équilibré, aux tanins très enrobés, qui propose au nez comme en bouche un beau mélange de sensations fruitées (cerise, mûre), de réglisse et d'épices (poivre noir, muscade). Ultréïa? «Toujours plus loin» en occitan, le chant de motivation des pèlerins de Compostelle. ⧗ 2017-2022 🍷 filet de bœuf

CHRISTIAN MOCCI, Mas de Martin, rte de Carnas, 34160 Saint-Bauzille-de-Montmel, tél. 04 67 86 98 82, masdemartin@gmail.com V *t.l.j. 8h-12h 14h-17h*

MAS DES CABRES
Sommières La Draille 2014 ★★

■	4600		11 à 15 €

Les Boutin sont présents à Aspères depuis 1724, et Florent à la tête du domaine et de ses 13,4 ha de vignes depuis 2003. Cet ingénieur agronome et œnologue est aussi le nouveau président du terroir Sommières officiellement reconnu en 2011.

Mûri près des vieux sentiers de transhumance menant aux Cévennes, ce trio de syrah, grenache et mourvèdre arbore une belle robe pourpre sombre. Le nez, riche et complexe, mêle la cerise à l'eau-de-vie, le cassis et la flore des garrigues. La bouche se révèle ample et généreuse, adossée à des tanins denses mais fins et veloutés; on y retrouve la garrigue, la mûre et toute une palette d'épices. Un beau vin méditerranéen, aromatique et chaleureux. ⧗ 2019-2023 🍷 magret aux figues ■ **Sommières Libres pensées 2013 ★ (15 à 20 €; 1200 b.)** : nez complexe et tout en finesse de fruits rouges mûrs et d'épices, bouche tout aussi fruitée, charnue, généreuse et fraîche. ⧗ 2018-2022 🍷 poulet aux morilles

FLORENT BOUTIN, 12, Le Plan, 30250 Aspères, tél. 06 23 68 14 24, masdescabres@hotmail.fr V r.-v.

MAS DE VALBRUNE Cabrières Voltiges 2013 ★

■	5000		20 à 30 €

Durant de nombreuses années, Jean-Pierre Vailhé a apporté ses raisins à la cave coopérative. En 2006, il décide de vinifier lui-même à partir de ses 8 ha de vignes conduits de manière «très raisonnée».

Un vin rouge intense, qui doit beaucoup à la syrah (90%) mûrie sur les schistes de Cabrières. Ses notes de petits fruits noirs confiturés s'expriment généreusement à l'olfaction. On les retrouve avec une belle intensité dans une bouche puissante et ronde, aux tanins charnus et denses qui assurent un bon potentiel de garde à cette cuvée. ⧗ 2019-2023 🍷 poulet tandoori

JEAN-PIERRE VAILHÉ, 28, pl. du Jeu-de-Ballon, 34230 Tressan, tél. 06 86 28 99 50, jean-pierre.vailhe@wanadoo.fr V r.-v.

MAS D'ISNARD
Grés de Montpellier Impériale 2014 ★

■ | 5000 | | 15 à 20 €

Aux portes de Montpellier, Ludovic Rouquairol cultive les 40 ha de ce vieux domaine familial (huit générations) situé sur l'un des terroirs historiques de l'appellation. Le climat adouci par la proximité de la mer y autorise la maturation lente et complète de tous les cépages languedociens.

Syrah et grenache à parité dans cette Impériale qui surprend agréablement par l'intensité de son bouquet sauvage et complexe: fruits mûrs, épices, notes balsamiques, herbes fraîches de la garrigue. Expressive elle aussi, sur la rose, la framboise et un bon boisé grillé, la bouche apparaît suave et chaleureuse. Un vrai vin de vigneron. ⧗ 2018-2022 ¥ paleron en sauce

LUDOVIC ROUQUAIROL, 3, rue du Petit-Nice, 34920 Le Crès, tél. 04 67 70 33 02, mas.isnard@orange.fr
V *t.l.j. sf dim. 16h-20h; sam. 9h-20h*

MAS DU FIGUIER
Pic Saint-Loup Joseph 2014 ★★

■ | 8000 | | 15 à 20 €

Le domaine fut créé par le grand-père en 1920. Gilles Pagès, installé en 1984, y conduit aujourd'hui un vignoble de 22 ha converti à l'agriculture biologique.

Coup de cœur dans le millésime précédent, ce vin confirme qu'il joue dans la cour des grands. Très élégant dans sa robe de velours grenat, il se livre progressivement: d'abord sur des notes de fruits rouges frais, puis sur le poivre, le cacao et quelques touches boisées discrètes qui témoignent d'un élevage en fût bien maîtrisé. En bouche, du volume, des tanins fermes et fins, et une pointe de vivacité en finale qui apporte de l'équilibre et un surcroît de droiture. ⧗ 2018-2022 ¥ sanglier à la broche

GILLES PAGÈS, Mas de Figuier, 34270 Vacquières, tél. 06 19 96 34 18, pagesgi@orange.fr V *r.-v.*

MAS DU SOLEILLA
La Clape Les Ammonites 2014 ★★★

■ | 7800 | | 11 à 15 €

Une propriété d'une vingtaine d'hectares conduits en bio, répartis sur les hauteurs du massif rocheux de la presqu'île de La Clape, près d'une colline baignée de soleil qui donne son nom au domaine. Peter Wildbolz est aux commandes depuis 2002.

Dans sa robe très sombre qui le rend mystérieux, ce 2014 déploie une large palette d'arômes allant des fruits rouges à la réglisse, du laurier au bois de cade, sans oublier des notes printanières d'iris et de lilas. Il pourrait paraître austère en bouche avec son attaque un peu fraîche, sa forte structure tannique et sa pointe de cuir, mais il se montre aussi soyeux et doux comme une caresse et s'étire dans une longue finale enveloppante. Un vin de méditation, ciselé comme un bijou. ⧗ 2018-2023 ¥ lièvre à la broche

PETER WILDBOLZ, Mas du Soleilla, rte de Narbonne-Plage, 11100 Narbonne, tél. 04 68 45 24 80, info@mas-du-soleilla.com
V *r.-v.* 5

MAS GABRIEL
Pézenas Clos des Lièvres 2013 ★

■ | 5000 | | 15 à 20 €

Ce petit domaine a été créé en 2006 par Peter et Deborah Core, des Londoniens amoureux de la région et de la nature, qui cultivent en bio un peu plus de 6 ha de vignes plantés sur une terrasse villafranchienne et sur les flancs d'une coulée basaltique.

Dans la lignée des millésimes précédents, ce vin est à la fois rond, gras, d'une belle maturité, tout en conservant une certaine fraîcheur. Au nez, des fruits noirs en confiture, des épices (cannelle, vanille, clou de girofle). En bouche, les tanins, encore assez fermes, sont les garants d'une belle évolution. ⧗ 2017-2022 ¥ civet de lièvre

DEBORAH ET PETER CORE, Mas Gabriel, 9, av. de Mougères, 34720 Caux, tél. 04 67 31 20 95, info@mas-gabriel.com V *r.-v.*

MAS GOURDOU
Pic Saint-Loup Divin Venin 2013 ★

■ | 2000 | | 15 à 20 €

Domaine historique de l'appellation, le Mas Gourdou appartient à la famille de Jocelyne Thérond depuis la Révolution. Benoît, le fils, a pris en 2013 la tête de ce vignoble de 20 ha commandé par une bâtisse datant du XIIIᵉs. En 2015, un nouveau chai a été aménagé.

Syrah (60 %), grenache et une pointe de mourvèdre s'allient ici pour révéler l'identité du terroir. Derrière sa robe profonde, ce vin ne se cache pas et livre un bouquet intense de torréfaction (vingt-quatre mois de fût), de fruits noirs confiturés et de réglisse. Charnu et puissant en bouche, il est soutenu par des tanins encore fermes. Avec la patine du temps, il méritera probablement une autre étoile. ⧗ 2018-2023 ¥ civet de sanglier ■ **Pic Saint-Loup Joseph Onésime 2014 ★ (8 à 11 €; 10000 b.)** : ce vin souple et frais a tout de même un avenir certain. Dominé au nez par les fruits noirs et la réglisse, il se montre droit et équilibré en bouche. ⧗ 2017-2021 ¥ pot-au-feu d'agneau

THÉROND, Mas de Gourdou, 34270 Valflaunès, tél. 06 22 63 34 25, jtherond@masgourdou.com
V *t.l.j. sf dim. 10h-12h 14h-19h*

MAS GRANIER
Sommières Camp de l'Oste 2014 ★

■ | 3000 | | 15 à 20 €

Situé dans le Gard, le mas Montel était autrefois une ferme du prieuré Saint-Pierre-d'Aspères, qui remonte au IXᵉs. pour ses parties les plus anciennes. Acquis par Marcel Granier dans l'après-guerre, il est depuis 1992 la propriété de ses deux fils, Dominique et Jean-Philippe, qui conduisent aujourd'hui 40 ha de vignes.

Une couleur sombre et des reflets bleutés pour ce vin qui associe la syrah (60 %) au grenache et au mourvèdre. D'abord vanillé et torréfié, le nez s'ouvre à l'aération sur les fruits noirs confiturés, le genièvre et la garrigue. La bouche, d'un beau volume, est adossée à une structure robuste qui doit encore se fondre. Une touche boisée et épicée et surtout des arômes de crème de mûre et de cassis agrémentent la longue finale. Un vin savoureux, au bon potentiel de garde. ⧗ 2019-2026 ¥ perdreau rôti aux cèpes ■ **Les Marnes 2014 (8 à 11 €; 25000 b.)** : vin cité.

LANGUEDOC

MAS MONTEL, 2, chem. du Mas-Montel, 30250 Aspères, tél. 04 66 80 01 21, montel@wanadoo.fr V t.l.j. 9h30-12h30 14h30-18h30 2

MAS PEYROLLE
Pic Saint-Loup Chant de l'aire 2014 ★

■	5000		15 à 20 €

Jean-Baptiste Peyrolle, descendant d'une longue lignée de vignerons, a réaménagé la cave de son arrière-grand-père à partir de 2002, après quelques aventures viticoles à l'étranger. Il conduit aujourd'hui un vignoble de 10 ha en agriculture biologique.

Chant de l'aire? Le nom de la parcelle à l'origine de ce vin (97% de syrah, 3% de mourvèdre) intense en couleur et en arômes. La violette, les fruits noirs et des notes minérales prennent le pas sur les senteurs boisées provenant de l'élevage en fût. La bouche, ample et solide, s'appuie sur des tanins encore fermes qu'il faut laisser se patiner. 2018-2022 daube languedocienne

MAS PEYROLLE, 5, rte de Brestalou, 34270 Vacquières, tél. 06 12 29 53 91, jbpeyrolle@yahoo.fr V r.-v. Jean-Baptiste Peyrolle

CH. LES MAZES La Méjanelle Z 2012 ★

■	1500		15 à 20 €

Aux portes de Montpellier, un parc de pins et de micocouliers bicentenaires abrite le château de 1811 et une magnanerie du XIIe s. qui servit autrefois de cave. Depuis 2002, la famille Bouchet fait revivre le domaine (37 ha); elle l'a converti au bio (certifié) et y organise expositions et concerts de jazz autour du vin.

Si cette cuvée doit son nom au «z» de Mazes, elle pourrait tout autant le devoir à l'initiale de «Zénitude», tant ce vin se révèle «d'une force tranquille». Joli bouquet de cerise, de fleurs et de garrigue, bouche équilibrée, à laquelle le grenache apporte la rondeur et le mourvèdre une touche naturellement épicée et des tanins sans accroche, le tout souligné par une pointe de fraîcheur. 2017-2022 lapin aux pruneaux

BOUCHET, Ch. les Mazes, 34130 Saint-Aunès, tél. 06 24 33 26 23, b-bouchet@wanadoo.fr V t.l.j. sf dim. 9h-12h30 15h-19h30

♥ DOM. MIRABEL
Pic Saint-Loup Les Éclats 2014 ★★★

■	14000		15 à 20 €

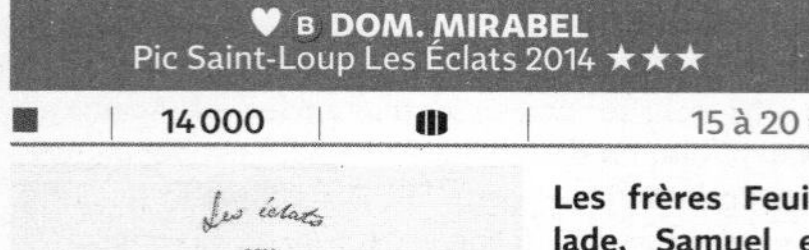

Les frères Feuillade, Samuel et Vincent, travaillent ensemble les quelque 14 ha du domaine. Les meilleures parcelles sont situées à la limite nord de l'aire d'appellation du pic Saint-Loup, sur un terroir d'éboulis d'éclats calcaires s'étalant entre Corconne et Brouzet-les-Quissac.

Dans sa robe pourpre profond, cette cuvée met un certain temps avant de se livrer, juste le temps de se préparer au feu d'artifice qui va suivre. Senteurs balsamiques, cerise noire, épices, garrigue et pointe minérale s'entremêlent dans un bouquet magistral. Derrière la fraîcheur et le gras, la bouche, ample et dense, peut compter sur une solide «épaule tannique», large et droite. Un vin puissant et élégant, persistant et pur. 2018-2024 filet de bœuf aux morilles

SAMUEL ET VINCENT FEUILLADE, 30260 Brouzet-lès-Quissac, tél. 06 22 78 17 47 V r.-v.

♥ CH. MIRE L'ÉTANG
La Clape Cuvée Aimée de Coigny 2015 ★★

■	20000		8 à 11 €

Depuis les hauteurs du domaine, face au soleil levant, on «mire les étangs», l'embouchure de l'Aude, la Méditerranée et le golfe du Lion. Le terroir caillouteux s'étale en terrasses, caressé par la brise marine. Acquis par la famille Chamayrac en 1972, le domaine comptait alors 36 ha de vignes; il s'étend sur 50 ha aujourd'hui. Un pilier de La Clape.

Coup de cœur l'an dernier pour sa Cuvée des Ducs de Fleury rouge 2013, Philippe Chamayrac excelle dans toutes les couleurs. Si l'on veut trouver finesse et typicité combinées, c'est bien vers ce blanc qu'il faut se tourner. Un vin né de roussanne (55%), bourboulenc (40%) et grenache blanc, qui dévoile sans tarder son large répertoire d'arômes: acacia, fruits frais (mangue, pêche), abricot sec. En bouche, il se montre à la fois vif et rond, suave et alerte, flatteur et long. Impossible de résister au charme et à la tendresse de ce Clape. 2016-2019 poêlée de gambas ■ **La Clape Réserve du château 2013 ★★ (20 à 30 €; 6000 b.)** : complexe, suave et de bonne structure, il allie typicité du terroir et élevage minutieux. 2019-2023 osso bucco ■ **La Clape Cuvée des Ducs de Fleury 2014 ★ (11 à 15 €; 28000 b.)** : dans la lignée du précédent millésime avec ses arômes de fruits mûrs, d'épices et de violette et sa bouche charnue et chaleureuse. 2018-2022 daube de bœuf

CH. MIRE L'ÉTANG, rte des Vins, 11560 Fleury-d'Aude, tél. 04 68 33 62 84, mireletang@wanadoo.fr V t.l.j. sf dim. 9h-12h 15h-19h

DOM. MONPLÉZY
Pézenas Emoción 2013 ★★

■	1000		20 à 30 €

Ce domaine familial datant de 1734, situé sur une colline près de Pézenas, fut marqué naguère par la forte personnalité de Georges Sutra, syndicaliste viticole et député européen. Situé en zone Natura 2000, il est désormais dirigé par Anne Sutra de Germa, militante à la Ligue de protection des oiseaux, et par son fils Benoît. L'agriculture biologique et biodynamique est bien sûr de mise sur les 25 ha de vignes.

Beaucoup de sensations dans cette cuvée à forte dominante de syrah (90 %), dont le nez, chaleureux, témoigne d'une belle maturité: fruits très mûrs mais sans lourdeur, en harmonie avec les notes d'élevage et les senteurs de la garrigue. La bouche est généreuse, dense, charpentée par une ossature sérieuse de tanins fins et par un beau boisé aux tonalités grillées et vanillées qui tiennent la finale. ⧗ 2018-2024 🍴 gigot de sanglier au miel

ANNE SUTRA DE GERMA, Dom. Monplézy, chem. Mère-des-Fontaines, 34120 Pézenas, tél. 04 67 98 27 81, info@domainemonplezy.fr
V r.-v.

Ⓑ DOM. DE MORTIÈS
Pic Saint-loup Jamais content 2013 ★

■ | 14 000 | | 20 à 30 €

Ce domaine, créé en 1996 autour d'un mas du XVIIIe s., est situé à 20 km au nord de Montpellier, sur le versant sud du pic Saint-Loup, dans la cuvette de Mortiès. Les familles Guiraudon, Moustiès et Rabasa ont repris en 2008 ce vignoble de 24 ha, entièrement conduit en bio. Une valeur sûre de l'appellation.

Dans la lignée du précédent millésime, ce Jamais content a du caractère. Des reflets violines de jeunesse animent la robe. Le nez, expressif, associe la réglisse, la cerise et le cacao. Bâtie sur des tanins bien ciselés, la bouche dévoile une douce rondeur contrebalancée par une fraîcheur aérienne qui caractérise souvent ce terroir, l'un des plus élevés en Pic Saint-Loup. ⧗ 2018-2022 🍴 sauté d'agneau ■ **Pic Saint-Loup Tradition 2013 ★ (11 à 15 €; 22 000 b.)** Ⓑ : de belles notes de Zan et de moka dans cette cuvée née sous le signe de l'harmonie. ⧗ 2017-2021 🍴 carré de veau

DOM. DE MORTIÈS, rte de Cazevieille, 34270 Saint-Jean-de-Cuculles, tél. 04 67 55 11 12, contact@morties.com
V *mer. ven. 15h-19h; sam. 10h-19h*

DOM. DE NIZAS Le Clos 2013 ★

■ | 30 000 | | 11 à 15 €

Dans les années 1970, John Goelet, descendant d'une famille de négociants bordelais, a fondé les domaines Clos Duval en Californie, Taltarni et Clover Hill en Australie. Puis il a posé son sac dans le Languedoc, reprenant en 1998 cette propriété établie sur le terroir de Pézenas: 40 ha répartis sur une mosaïque de sols argilo-calcaires, de galets roulés et de basalte.

Une robe d'un pourpre profond, un nez intense sur les fruits rouges, les fruits secs et les épices. Belle présence en bouche, dans la même gamme, agrémentée de nuances toastées, avec des tanins soyeux qui renforcent le caractère aimable et rond de ce vin. ⧗ 2017-2020 🍴 tajine de veau ■ **Les Galets dorés 2014 ★ (8 à 11 €; 16 000 b.)** : un bouquet d'épices orientales, de réglisse et de garrigue, une bouche souple, bien équilibrée entre fraîcheur et rondeur. ⧗ 2017-2020 🍴 pastilla ■ **Les Terres noires 2014 (8 à 11 €; 10 200 b.)** : vin cité.

DOM. DE NIZAS, hameau de Sallèles, 34720 Caux, tél. 04 67 90 17 92, marketing@domaine-de-nizas.com
V *t.l.j. sf sam. dim. 9h-12h 13h-16h30* *John Goelet*

Ⓑ CH. NOTRE-DAME DU QUATOURZE
Nautica 2014 ★

■ | 80 000 | 5 à 8 €

Aux portes de Narbonne et surplombant l'étang de Bages, le vignoble du Quatourze est l'un des terroirs historiques de l'AOC languedoc, ancienne propriété de l'archevêché de Narbonne. Sur ces sols maigres, où l'alternance de la tramontane et des brises marines crée un climat unique, la famille Ortola, installée en 1983, cultive aujourd'hui la vigne en bio certifié.

Cette cuvée issue des quatre cépages majeurs de l'appellation – syrah (60 %), mourvèdre, carignan et grenache – propose un nez engageant, qui se dévoile immédiatement dans un registre fruité de cassis et de framboise, agrémenté de notes de romarin et de cuir. La bouche, à l'unisson, est suave, riche, tout en rondeur, épaulée par des tanins soyeux et un bon boisé vanillé. Une bouteille déjà très harmonieuse. ⧗ 2016-2021 🍴 magret de canard aux cerises

GEORGES ORTOLA, Notre-Dame du Quatourze, 11100 Narbonne, tél. 06 74 78 69 07, georges@ortola.fr
V *r.-v.* Ⓔ

DOM. LE NOUVEAU MONDE
Cuvée Gabriel-Émile 2014 ★★

■ | 2700 | | 15 à 20 €

Ce vignoble de 21 ha établi au sud de Béziers, propriété de la famille Borras-Gauch depuis plusieurs générations, est situé entre mer et étang, sur une terrasse villafranchienne de galets roulés mêlés à l'argile rouge, et sous l'influence de la Méditerranée. Anne-Laure, WAœnologue, et Sébastien Borras, restaurateur, ont pris les commandes en 2003.

Une robe de velours noir habille cette cuvée qui célèbre le mourvèdre (85 %) sur ce terroir maritime. Il s'en échappe une farandole d'arômes intenses: fraîcheur de la cerise et du cassis, douceur de la réglisse et chaleur des épices. En bouche, du volume, de la rondeur, du gras, des tanins fondus et une belle puissance aromatique autour des fruits confiturés et d'une jolie pointe exotique de litchi et de fruit de la Passion. Un vin déjà harmonieux et très prometteur. ⧗ 2017-2024 🍴 fondant au chocolat

FAMILLE BORRAS-GAUCH, Dom. le Nouveau Monde, av du Port, 34350 Vendres, tél. 04 67 37 33 68, domaine-lenouveaumonde@wanadoo.fr
V *r.-v.* Ⓔ

Ⓑ CH. PECH REDON La Clape L'Épervier 2014 ★

■ | 3000 | | 11 à 15 €

Une route sinueuse mène au point culminant du massif de La Clape, le Coffre de Pech-Redon, qui donne son nom au domaine, situé au cœur du parc naturel. Christophe Bousquet y conduit, depuis 1988, ses 30 ha de vignes en agriculture biologique.

Bourboulenc (60 %) et grenache blanc, tout à fait à leur place ici, s'allient pour révéler le terroir de La Clape. La robe dorée de ce 2014 est un bon présage. Le nez, déjà mûr, se montre à la hauteur avec ses arômes complexes de fleurs séchées, de coing, de fruits secs et confits. Rondeur, vivacité, longueur, c'est un vin typé qui ne manque pas d'équilibre. ⌛ 2016-2019 🍴 bouillabaisse

🔑 *CHRISTOPHE BOUSQUET, rte de Gruissan, 11100 Narbonne, tél. 04 68 90 41 22, chateaupechredon@orange.fr*
V ⬛ *t.l.j. sf dim. 10h-12h 14h-17h* 🏠 D

DOM. PECH ROME Pézenas Florens 2013 ★

■ | 3000 | 🍾 | 8 à 11 €

La passion pour le vin de deux pharmaciens, Mary, originaire d'Irlande, et Pascal Blondel, natif du Languedoc, est à l'origine de ce domaine né en 2001: 12,5 ha établis sur des terrasses de Pézenas composées d'une trilogie de sols (basalte, calcaires dolomitiques et galets).

Au nez, quelques notes de laurier, qui émanent des parcelles les plus en altitude, du cade et un fruité rouge bien mûr. En bouche, une belle harmonie entre rondeur et fraîcheur, des tanins polis par un long élevage de vingt-huit mois en cuve et une expression aromatique en accord avec l'olfaction. Un vin à dominante de mourvèdre (60%) équilibré, puissant sans excès, déjà agréable mais qui vieillira bien. ⌛ 2017-2023 🍴 pintade farcie

🔑 *SCEA REMPARTS DE NEFFIÈS, 17, Montée-des-Remparts, 34320 Neffiès, tél. 06 08 89 58 11, pechromevin@wanadoo.fr*
V 🚶 ⬛ *r.-v.* 🔑 *Pascal Blondel*

DOM. DE LA PERRIÈRE
Grés de Montpellier Les Silices 2014

■ | 13300 | 🍾 | 5 à 8 €

Au Moyen Âge, les bénédictins de Saint-Chaffre du Monastier construisirent un prieuré, à la fin du XIᵉs., pour leurs pâturages d'hiver et leurs vins, dédiés aux comtes de Toulouse. La cave de Thierry Sauvaire l'occupe aujourd'hui.

Quelques épices et surtout des fruits noirs très mûrs animent l'olfaction. Dans le droit-fil, la bouche apparaît souple, fine et légère. Un joli «vin plaisir» à boire sur le fruit. ⌛ 2016-2019 🍴 assiette de charcuterie

🔑 *THIERRY SAUVAIRE, Dom. de la Perrière, 975, rte de Saint-Vincent, 34820 Assas, tél. 04 67 59 61 75, thierry.sauvaire@free.fr*
V 🚶 ⬛ *mar. ven. sam. 10h-12h 15h-19h* 🏠 B

DOM. DU POUJOL
Grés de Montpellier Podio Alto 2013 ★

■ | 6500 | 🛢 | 11 à 15 €

Robert – muni d'un solide bagage: il est diplômé de la London School of Economics – et Kim Cripps ont trouvé une place au soleil à Poujol, à partir de 1994. Ils avaient tous deux longtemps bourlingué dans les vignobles californiens de la Napa Valley, puis en Bourgogne. Leur vignoble couvre aujourd'hui 10 ha.

Une certaine retenue caractérise cette cuvée issue de grenache, syrah, mourvèdre et cinsault. Pas de clinquant ici, mais de la cohérence et de l'équilibre: jolie robe grenat, nez fin sur les fruits noirs et les senteurs florales de la garrigue, bouche ample et soyeuse, longue et structurée avec sérieux. ⌛ 2018-2023 🍴 carré de veau à la tomate

🔑 *DOM. DU POUJOL, 1067, rte de Grabels, 34570 Vailhauquès, tél. 04 67 84 47 57, poujol.cripps@sfr.fr* V 🚶 ⬛ *r.-v.* 🏠 G 🔑 *Cripps*

CH. PUECH-HAUT
Saint-Drézéry Prestige 2014 ★

■ | 150000 | 🛢🍾 | 15 à 20 €

Dès 1985, Gérard Bru a relancé la notoriété du terroir historique de Saint-Drézéry et fait de Puech-Haut une valeur sûre. Son domaine s'étend aujourd'hui sur près de 180 ha répartis dans plusieurs dénominations de l'AOC languedoc. Dans la cave, des têtes de bélier sculptées dans la pierre soutiennent des cuves en bois tronconiques.

Cette cuvée née de syrah (70%) et de grenache intéresse par ses notes de sous-bois au premier nez, relayées à l'aération par le romarin, la menthe, la truffe et le cade. Une complexité (petits fruits noirs, réglisse, amande grillée, cacao) que l'on perçoit aussi dans un palais de belle tenue, ample et soyeux. ⌛ 2017-2022 🍴 omelette aux truffes

🔑 *PUECH-HAUT, 2250, rte de Teyran, 34160 Saint-Drézéry, tél. 04 99 62 27 27, contact@puech-haut.com*
V 🚶 ⬛ *t.l.j. 10h-12h30 14h-19h* 🔑 *Gérard Bru*

DOM. LES QUATRE AMOURS Louis 2013

■ | 4120 | 🛢 | 15 à 20 €

Quatre générations de vignerons se sont succédé depuis le XIXᵉs. à la tête de ce domaine étendu aujourd'hui sur 18 ha, conduit depuis 2006 par France et Michel Siohan. Les Quatre Amours? Paul, Olga, Louis et Rose, les enfants du couple.

Dans la continuité des millésimes précédents, cette cuvée, discrète au premier nez, dévoile un joli fruité de cerise noire et autres baies compotées (cassis, mûre), puis des notes de cade et d'épices. Souple en attaque, la bouche se montre concentrée, soutenue par un boisé torréfié et par des tanins de belle facture, un peu plus serrés en finale. L'ensemble est déjà harmonieux mais gagnera en finesse avec le temps. ⌛ 2018-2021 🍴 bœuf bourguignon

🔑 *DOM. LES QUATRE AMOURS, 8, rte de Croix-de-Saint-Antoine, 34230 Belarga, tél. 04 67 24 60 89, fmsiohan@wanadoo.fr* V 🚶 ⬛ *r.-v.*

DOM. DE QUERELLE Queyrel 2014 ★

■ | 8000 | 🍾 | 5 à 8 €

Depuis quatre générations, la famille de Michel Abel dirige ce domaine qui tire son nom de l'occitan *cairas*, «lieu pierreux»; un terroir situé sur une terrasse caillouteuse au sud de Béziers, sur lequel est implanté un vignoble de 15 ha.

Mi-syrah mi-grenache, cette cuvée se livre doucement sur les fruits des bois, la compote de cassis et la mûre. C'est en bouche qu'elle se révèle pleinement, à travers des arômes de fruits confiturés et d'une matière ronde, soyeuse et généreuse. Ses tanins bien en place promettent une belle évolution. ⌛ 2018-2021 🍴 épaule d'agneau rôti

MICHEL ABEL, Dom. de Querelle, 34410 Sérignan, tél. 06 14 97 35 21, domainedequerelle@orange.fr V r.-v.

CH. RAISSAC Belmont 2014 ★★

■	14 000		8 à 11 €

Au nord de Béziers, le Ch. Raissac, implanté sur les vestiges d'une villa romaine, s'étend sur 60 ha, dont de belles terrasses villafranchiennes. En 1999, Gustave Viennet a succédé à cinq générations de vignerons sur le domaine familial; il développe l'œnotourisme et cultive la diversité, avec pas moins de douze cépages et cinq terroirs.

Après le 2013 apprécié l'an dernier, ce millésime confirme les atouts du grenache et de la syrah sous le soleil de Béziers. Robe dense aux reflets violines, nez intense et complexe de mûre, de fraise, de violette, de cacao et d'épices, bouche ample, riche et puissante, aux tanins soyeux et fins, finale douce et chaleureuse sur les fruits à l'eau-de-vie. Un vin encore jeune et plein d'avenir. ⧗ 2019-2023 ¥ côte de bœuf

SCEA VIENNET, Ch. de Raissac, rte du Murviel, 34500 Béziers, tél. 04 67 28 15 61, gustave.viennet@raissac.com V *t.l.j. sf sam. dim. 9h-12h 14h-18h* ❺

DOM. REINE JULIETTE
Grange de Fredol 2014 ★★

■	2000		8 à 11 €

Tracée en 118 av. J.-C. pour relier l'Italie à l'Espagne, la Via Domitia est la plus ancienne voie romaine de Gaule. Elle favorisa l'expansion de la viticulture en Narbonnaise. Sous le nom de «chemin de la reine Juliette», elle jouxte ce domaine familial créé en 1986. Couvrant 60 ha, le vignoble propose des cuvées en AOC languedoc, picpoul-de-pinet et en IGP.

Deux tiers de syrah et le grenache en complément pour ce vin plein de charme, qui égrène des notes généreuses de cerise, de fraise, de pivoine, de réglisse, de poivre blanc, sur fond de boisé léger et vanillé. La bouche, sur les fruits noirs, le cachou et les épices, apparaît ronde et généreuse, étayée par des tanins bien présents mais soyeux et par une fine fraîcheur. ⧗ 2018-2022 ¥ osso bucco

EARL ALLIÈS, Dom. Reine Juliette, lieu-dit Montredon, rte de Pinet, 34120 Castelnau-de-Guers, tél. 06 35 25 67 78, marionallies0765@orange.fr V *r.-v.* Ⓓ

CH. RICARDELLE La Clape Blason 2013

■	8000		15 à 20 €

Aux portes de Narbonne, le terroir de La Clape n'a plus de secret pour Bruno Pellegrini, œnologue originaire du Tyrol italien, installé ici depuis 1990. Une longue histoire précède le château de Ricardelle puisque des parchemins font état de ses vignes dès 1696.

Voici un vin mûr à point: à sa robe pourpre sombre répond un nez expressif de fruits noirs, de cuir et de bois de cèdre. Un joli volume en bouche, des tanins fondus et des notes de garrigue, tout cela le rend bien affable. ⧗ 2016-2019 ¥ sauté de veau aux morilles

PELLEGRINI, Ch. Ricardelle, rte de Gruissan, 11100 Narbonne, tél. 04 68 65 21 00, ricardelle@orange.fr V *t.l.j. 9h-12h30 14h-19h* ❸

Ⓑ DOM. DE ROQUEMALE
Grés de Montpellier Lema 2014 ★★★

■	6000		11 à 15 €

Roquemale signifie «mauvaise roche» en langue d'Oc; la vigne y produit peu de raisin, mais un raisin de bonne maturité. Valérie et Dominique Ibanez, enfants de vignerons, ont entièrement créé ce domaine en 2001, séduits par ce terroir constitué de sols argilo-calcaires et de terres rouges: 12 ha aujourd'hui, en bio certifié.

Dans sa robe d'une belle densité, cette cuvée, née de syrah, grenache et mourvèdre, séduit dès le premier nez par son élégante complexité: garrigue, griotte, cacao, épices douces. Des notes de réglisse, de laurier, de menthol et de vanille s'y ajoutent dans une bouche ample, ronde, chaleureuse, gourmande en diable, bâtie sur des tanins très affinés, aimables et veloutés, avec une belle fraîcheur en soutien. Savoureux et d'un équilibre exceptionnel. ⧗ 2018-2023 ¥ osso bucco ■ **Grés de Montpellier Mâle 2013 ★ (20 à 30 €; 3000 b.) Ⓑ** : une cuvée méditerranéenne, sur les épices de marinade, le cuir et des notes boisées, rafraîchie par une touche mentholée et structurée par des tanins denses. ⧗ 2018-2022 ¥ agneau de sept heures

VALÉRIE ET DOMINIQUE IBANEZ, 25, rte de Clermont, 34560 Villeveyrac, tél. 04 67 78 24 10, contact@roquemale.com V *r.-v.* ❷

CH. ROUMANIÈRES
Grés de Montpellier Le Chant des pierres 2014 ★

■	15 000	11 à 15 €

Entre Gard et Hérault, au flanc sud du bois de Paris, le village de Garrigues porte bien son nom. Le Ch. Roumanières y compte 32 ha de vignes sur cailloutis calcaires à flanc de colline. Mathieu Gravegeal a pris le relais à la tête de l'exploitation familiale en 2008.

Chaleureux: le mot-clé qui caractérise cette cuvée de forte intensité, ouverte sur les fruits très mûrs mariés à une note fumée, longue, ample et suave en bouche, étayée par des tanins très souples. Un vin qui fleure bon le soleil de Méditerranée. ⧗ 2017-2021 ¥ chapron aux morilles

EARL CH. ROUMANIÈRES, 2, chem. des Verriers, 34160 Garrigues, tél. 04 67 86 91 71, vins.roumanieres@gmail.com V *t.l.j. sf lun. dim. 9h-12h 15h-19h* ❹

CH. ROUQUETTE SUR MER
La Clape Cuvée Arpège 2015 ★

■	20 000		8 à 11 €

Implantées sur les falaises proches de la mer du massif de La Clape, les vignes, disposées en îlots entourés de garrigues et de bois, regardent la mer, dont elles reçoivent les brises salutaires. Ancienne

propriété de la vicomtesse de Narbonne au XVes., le domaine appartient depuis 1970 à Jacques Boscary, à la tête aujourd'hui d'un vignoble de 59 ha.

Le bourboulenc (60 %), incontournable dans les blancs de La Clape, s'associe à la roussanne pour donner ce vin à robe claire et au joli bouquet floral. Viennent ensuite des notes d'anis et de fruits à chair blanche (poire, pêche) qui dominent en bouche. Vif, droit, équilibré, un vin charmeur et délicat. ⧗ 2016-2019 ⟟ baudroie au four

JACQUES BOSCARY, Ch. Rouquette sur Mer, rte Bleue, 11100 Narbonne-Plage, tél. 04 68 65 68 65, bureau@chateaurouquette.com
V t.l.j. 10h-12h30 14h30-18h30

DOM. SAINT-DAUMARY
Pic Saint-Loup Belladona 2014

■ | 16 000 | | 11 à 15 €

Julien Chapel a été le plus jeune vigneron du Languedoc lors de son installation. Il a repris les vignes de son père en 1999 à l'âge de dix-neuf ans à peine et quitté la cave coopérative. La conversion de son vignoble (20 ha) à la culture biologique est en cours.

« Un Pic Saint-Loup très Pic Saint-Loup », résume un dégustateur. Une robe grenat sombre, des arômes intenses de réglisse, de garrigue, de fruits rouges et de moka, une bonne matière en bouche, de la fraîcheur et suffisamment de moelleux pour enrober le tout. C'est franc et fondu. ⧗ 2016-2019 ⟟ osso bucco

JULIEN CHAPEL, 106, rue des Micocouliers, 34270 Valflaunès, tél. 06 09 23 81 76, julien.chapel@orange.fr V *r.-v.*

DOM. SAINTE-CÉCILE DU PARC
Pézenas Sonatina 2013 ★

■ | 3 200 | | 11 à 15 €

Au XVIIes., ces terres servaient de terrain de chasse au duc de Montmorency lorsqu'il séjournait à Pézenas, alors capitale des États du Languedoc. Repris en 2005 par Christine Mouton Bertoli, les vignes en terrasses (15 ha dont 10 en production) de ce domaine sont conduites en agriculture biologique et cernent une cave récente, achevée en 2011. Toutes les cuvées font ici référence à la musique, dont sainte Cécile est la patronne.

La robe est dense et le nez puissant, varié, sur les fruits mûrs, la réglisse, les épices et la garrigue. La bouche se montre riche, ample, intense, corsée, dominée par les épices et le grillé de la barrique, et soutenue par des tanins bien en place. Du potentiel pour ce vin des plus méditerranéens. ⧗ 2018-2023 ⟟ filet de bœuf

DOM. SAINTE-CÉCILE DU PARC, rte de Caux, 34120 Pézenas, tél. 06 79 18 68 56, cmb@stececileduparc.com V *r.-v.*

CH. SAINT-MARTIN DE LA GARRIGUE
Bronzinelle 2013 ★

■ | 80 000 | | 15 à 20 €

Au milieu des pins centenaires, le château d'inspiration Renaissance a conservé son esthétique en s'enrichissant des apports de ses propriétaires successifs: seigneurs et notables, hommes d'épée ou d'Église, investisseurs. En 2011, Jean-François Farinet devient responsable de ce domaine (70 ha) aux dix-sept cépages répartis sur des terroirs de grès rouges et de calcaires lacustres.

Grenache, syrah, mourvèdre et carignan sont à l'origine de ce vin sombre aux arômes généreux de fruits rouges et noirs confits. Tout aussi expressive, sur le fruit, les notes grillées et le moka, la bouche se révèle ample, suave, chaleureuse et longue. Un vin puissant, qui vieillira bien. ⧗ 2018-2022 ⟟ estouffade de bœuf ■ **Bronzinelle 2013 (15 à 20 €; 80 000 b.)** : vin cité.

SCEA SAINT-MARTIN DE LA GARRIGUE, 34530 Montagnac, tél. 04 67 24 00 40, contact@stmartingarrigue.com V *r.-v.*

LES VIGNERONS DE SAINT-SATURNIN
Saint-Saturnin L'Exception 2013 ★

■ | 40 000 | | - de 5 €

« La Cathédrale », comme l'appellent les vignerons de Saint-Saturnin-de-Lucian, est l'une des rares coopératives présidée par une femme, Bernadette Gazel. Elle a créé le « Sentier du vin des poètes », une balade qui permet de découvrir ce joli terroir. Une tour carrée du XIVes. est aujourd'hui le clocher du village et l'emblème de la cave.

Syrah, grenache et une pointe de mourvèdre façonnent ce vin grenat, au nez généreux de fruits exotiques et de fruits des bois. Une attaque ronde ouvre sur un palais souple et frais, sur la violette et le menthol, adossé à des tanins fondus qui lui confèrent une jolie finale. De l'élégance et de la finesse. ⧗ 2016-2020 ⟟ côtelettes d'agneau

LES VINS DE SAINT-SATURNIN, 5, av. Noël-Calmel, 34725 Saint-Saturnin-de-Lucian, tél. 04 67 96 61 52, contact@vins-saint-saturnin.com
V *t.l.j. 8h30-12h 14h-18h*

CH. DE LA SALADE SAINT-HENRI
Pic Saint-Loup Aguirre 2013 ★★★

■ | 4 500 | | 15 à 20 €

Sur ce domaine familial, qui doit son nom à un casque romain trouvé en ces lieux, les bâtiments datent du Moyen Âge, et la vigne est cultivée depuis le début du XVIIIes. Anne Donnadieu, pharmacienne de formation, est aux commandes depuis 2006, avec à sa disposition un vignoble de 35 ha.

Le nom de cette cuvée est un clin d'œil au film de Werner Herzog *Aguirre, la colère de Dieu.* Et du divin, il y en a dans ce 2013 admirable de bout en bout. Sa robe seyante et profonde invite à entrer dans une bacchanale d'arômes: les notes toastées jouent avec la réglisse, le cuir et la cerise noire. Solide et chaleureux, épaulé par un boisé parfaitement dosé, le vin tapisse longuement le palais comme du velours et finit en beauté sur une savoureuse touche balsamique. Bâti pour la garde. ⧗ 2019-2024 ⟟ cassoulet

VIALLA-DONNADIEU, Dom. de la Salade Saint-Henri, 1050, rte de Saint-Jean-de-Cuculles, 34270 Saint-Mathieu-de-Tréviers, tél. 04 67 55 20 11, annedonnadieu@gmail.com V *t.l.j. 11h-13h 16h-19h*
Scolhat-Vialla

♥ DOM. SARRAT DE GOUNDY
La Clape Cuvée du Planteur 2014 ★★★

■ | 10000 | | 11 à 15 €

Pour la famille Calix, Sarrat de Goundy est une aventure familiale débutée en 2000. Claude, le père, a acquis sa première vigne en 1966 – le vignoble couvre 80 ha aujourd'hui sur le massif de la Clape – et présidé aux destinées de la cave coopérative d'Armissan. Puis il a voulu tirer profit de son terroir rocailleux pour signer ses propres vins, aidé par sa femme Rosy et rejoint par son fils Olivier en 2003.

Ce domaine remporte tous les suffrages cette année avec cette cuvée déjà très réussie dans le précédent millésime, qui gagne encore en puissance et en expression dans sa version 2014. Le nez nous transporte au cœur de la garrigue avec ses senteurs de thym typiques du terroir, auxquelles se mêlent les épices (clou de girofle), la réglisse, les fruits rouges et des notes d'iris sauvage. À la fois bien charpenté, séveux, suave sans manquer de fraîcheur, le palais s'étire dans une longue finale pleine de délicatesse. Du grand art. Un conseil: carafez ce vin avant de le servir. ⧗ 2018-2024 Ÿ tajine d'agneau ■ **La Clape Combe aux louves 2014 ★★ (20 à 30 €; 3000 b.)** : un vin aux arômes intenses de fumé, de groseille et de poivre, ample, charnu et puissant, très marqué par l'élevage. ⧗ 2018-2023 Ÿ curry d'agneau ■ **La Clape Le Marin 2015 (5 à 8 €; 5000 b.)** : vin cité.

DOM. SARRAT DE GOUNDY, 46, av. de Narbonne, 11110 Armissan, tél. 04 68 45 30 68, oliviercalix@hotmail.com
V t.l.j. 9h30-12h30 15h-19h — Olivier Calix

DOM. DES SAUVAIRE 2015

■ | 2000 | | 5 à 8 €

Relais de poste du XVIe s., situé entre Sommières et Alès, le Mas de Reilhe, reconnaissable à sa tour carrée, est entré dans la famille Sauvaire en 1850. Installé en 1980 à la suite d'une lignée vigneronne, Hervé a quitté la coopérative huit ans plus tard et vinifie au domaine depuis 1999. Son vignoble planté sur un terroir de calcaires et d'argiles s'étend aujourd'hui sur 25 ha.

Le rolle est associé à 20 % de grenache blanc. Cela donne un ensemble tout en finesse, bien typé par ses senteurs florales. Une pointe minérale se profile dans une bouche friande, avec en finale une agréable vivacité qui vient prendre le pas sur la rondeur. ⧗ 2016-2018 Ÿ loup grillé

HERVÉ SAUVAIRE, Mas de Reilhe, 165, chem. du Mas-de-Reilhe, 30260 Crespian, tél. 04 66 77 89 71, herve@domaine.sauvaire.fr V r.-v.

LES VIGNERONS DU SOMMIÉROIS
Les Romanes 2015

■ | 14933 | | 5 à 8 €

Située au cœur de la cité médiévale de Sommières, la cave coopérative exploite un vignoble de près de 700 ha sur sept communes avoisinantes, sur des collines d'argiles rouges à silex. L'effigie du pont romain de Sommières orne les étiquettes.

Roussanne et grenache sont présents à parts égales dans ce 2015. L'élégance des arômes a retenu l'attention: notes d'agrumes, de fruits à chair blanche et de fleurs de tilleul. La fraîcheur se marie à la rondeur, ce qui donne une bouche bien équilibrée. ⧗ 2016-2018 Ÿ moules grillées

SCA LES VIGNERONS DU SOMMIÉROIS, 2, rue de l'Arnède, 30250 Sommières, contact@les-vignerons-du-sommierois.com
V t.l.j. sf dim. 9h-12h30 15h-19h

DOM. STELLA NOVA Ariane 2014 ★★

■ | 3500 | | 20 à 30 €

En 2002, Philippe Richy décide de laisser derrière lui son passé d'ingénieur et de chef d'entreprise et crée son domaine viticole à Caux, non loin de Pézenas. Sur une dizaine d'hectares conduits en biodynamie, son vignoble offre une belle diversité de terroirs: coteaux calcaires, terrasses villafranchiennes et sols basaltiques.

Beaucoup d'intensité dans ce 2014 issu de syrah (80 %) et de carignan: à une robe très soutenue, encore légèrement violacée, répond un nez riche et puissant de fruits noirs en confiture, de violette et d'épices. Même présence dans une bouche chaleureuse, suave et toastée, à laquelle de solides tanins confèrent une belle consistance. Un vin bien méditerranéen que le temps affinera encore. ⧗ 2018-2023 Ÿ magret de canard sauce aux cèpes ■ **Pézenas Cuvée Quid Novi 2014 ★★ (15 à 20 €; 3500 b.)** Ⓑ : un vin de forte maturité, marqué au nez comme en bouche par des arômes de fruits compotés, de réglisse et d'épices, très puissant et tannique. ⧗ 2019-2024 Ÿ daube de sanglier

PHILIPPE RICHY, 546, rte d'Usclas, 34230 Paulhan, tél. 06 20 14 53 87, stellanova@wanadoo.fr
V r.-v.

TERRE DE SÉRANNE 2014 ★

■ | 3500 | | 5 à 8 €

En 2011, Benjamin Coulet a créé sa cave particulière à Saint-Jean-de-Buèges, un village médiéval où il a passé toute son enfance. Il y cultive sur les fameux éboulis calcaires une quinzaine d'hectares ayant appartenu à son grand-père et à son père et vinifie dans les locaux de l'ancienne « coop » locale.

Cette cuvée à dominante de grenache (65 %, la syrah en complément) dévoile au nez des notes de cassis, de fruits rouges bien mûrs, d'épices et de noisette. On retrouve les fruits, en compagnie de touches cacaotées dans une bouche riche, aux tanins fins et fondus, rafraîchie par une touche de menthol en finale. ⧗ 2016-2020 Ÿ magret de canard

EARL VIGNOBLES COULET, Le Grimpadou, rue du Château, 34380 Saint-Jean-de-Buèges, tél. 06 62 57 24 22, domaine.coulet@live.fr
V r.-v. 2

DOM. LES THÉRONS
Saint-Saturnin
Cuvée Sélection Vieilles Vignes 2014 ★

■ | 30000 | | 5 à 8 €

Le domaine, créé en 1980 sur 12 ha par Jean-François Vallat, s'étend progressivement sur les terroirs de Montpeyroux avec le château Mandagot et de Saint-Saturnin avec les Thérons. En 2003, le fils aîné, Vincent, prend en charge la partie commerciale, et l'exploitation acquiert en faugères le château Sauvanès. En 2004, c'est Camille, le second fils, qui reprend la partie production de ce vaste ensemble de 70 ha.

Une jolie robe grenat habille ce duo grenache-syrah mûri sur les cailloutis de Saint-Saturnin. Le nez, original, évoque les raisins à l'alcool et les fruits mûrs. La bouche, longue, ample et généreuse, reste sur la même palette aromatique et offre un bon équilibre entre une rondeur suave et des tanins soyeux. ⧗ 2017-2020 ¥ poulet basquaise

JEAN-FRANÇOIS VALLAT, Vignobles Vallat, 34150 Montpeyroux, tél. 04 67 96 64 06, contact@vallat-languedoc.com V *r.-v.*

DOM. LA TOUR PENEDESSES
Pézenas Les Volcans 2014 ★

■ | 25000 | | 11 à 15 €

Alexandre Fouque, œnologue, a sillonné la Bourgogne, les vignobles californiens de la Napa Valley, puis les grands crus et les maisons de la Champagne et la presqu'île de Saint-Tropez, avant de racheter en 2000 ce domaine ancien (la vigne y est attestée depuis le XVIᵉs.) de 40 ha plantés essentiellement en coteaux et conduits en bio.

Cette cuvée, hommage au fameux basalte qui structure le terroir de Pézenas, réunit la syrah (60 %), le grenache, le mourvèdre et le carignan. Un vin complexe, au nez de garrigue, de fruits rouges et d'épices, doux en attaque, puis plus puissant et structuré tout en restant soyeux. ⧗ 2018-2023 ¥ tajine d'agneau

DOM. LA TOUR PENEDESSES, 2, rue Droite, 34600 Faugères, tél. 04 67 95 17 21, domainedelatourpenedesses@yahoo.fr V *t.l.j. 9h-13h 14h-19h* *Fouque*

DOM. DE TRÉPALOUP Les Costes 2014

■ | 5500 | | 8 à 11 €

Situé sur les éboulis de calcaire jurassique du bois de Paris, le domaine a été repris en 2002 par Laurent et Rémi Vandôme. Les deux frères ont converti leurs 14 ha de vignes à l'agriculture biologique en 2013, et replanté figuiers et oliviers.

Un bouquet plaisant de fleurs séchées, de notes balsamiques et de tapenade se dégage du verre, évoquant l'été sur les collines des garrigues gardoises. Une attaque franche ouvre sur une bouche ronde aux tanins souples, qui donne l'impression de croquer dans les petits fruits frais. Un « vin plaisir », simple et friand. ⧗ 2016-2019 ¥ chipolatas au barbecue

DOM. DE TRÉPALOUP, rue du Moulin-d'Huile, 30260 Saint-Clément, tél. 04 66 77 48 39, trepaloup@gmail.com V *mer. ven. sam. 17h-19h30* *Laurent et Rémi Vandôme*

♥ LES TROIS PUECHS
Pézenas Cuvée Excellence 2014 ★★

■ | 1500 | | 20 à 30 €

Le vignoble (25 ha sur argilo-calcaires mêlés de basalte) est implanté sur trois puechs – « monts » en occitan –, correspondant chacun à un lieu-dit. Un patrimoine familial que Jacques Couderc, ancien président de la cave de Gabian, a largement restructuré (nouvelles plantations, remembrements) pour créer le domaine en 2010.

Une cuvée solaire, intense, racée. Née de syrah (80 %) et de grenache, elle s'affiche dans une robe noire, se livrant avec réserve au premier nez, avant de développer de fines notes de fruits et d'épices. Mais c'est en bouche que le vin se révèle pleinement : intensité et complexité aromatiques (confiture de fraises et de mûres, litchi, girofle, torréfaction), tanins denses mais soyeux, rondeur avenante, sans lourdeur, longue finale pleine de fraîcheur pour un équilibre parfait. ⧗ 2018-2023 ¥ osso buco

DOM. LES TROIS PUECHS, 4, rte de Magalas, 34480 Fouzilhon, tél. 09 62 20 98 87, lestroispuechs@gmail.com V *r.-v.*

CH. LA VERNÈDE
Élevé en fût de chêne 2014 ★

■ | 10000 | | 11 à 15 €

En 1872, les héritiers du comte d'Hulst cédèrent leur propriété à Henri Calvet, descendant de Pierre Mignard, premier peintre de Louis XIV. Aujourd'hui, le château appartient à Jean-Marc Ribet, arrière-arrière-petit-fils d'Henri Calvet. Entre Béziers et Narbonne, les 52 ha du domaine, partagés entre vignes (12 ha), céréales et oliviers, sont actuellement conduits en bio.

Ici, les brises marines tempèrent la chaleur du climat et contribuent au bon équilibre des vins. Ce 2014 en est un bon exemple. Au nez, des arômes de noisette grillée, d'épices et de fruits mûrs s'imposent face aux fines notes boisées provenant de douze mois de fût. Une bonne ampleur épouse des tanins fermes mais fondus dans un palais élégant et harmonieux. ⧗ 2017-2021 ¥ salmis de pintade

CH. LA VERNÈDE, rte de Salles-d'Aude, 34440 Nissan-lez-Ensérune, tél. 04 67 37 00 30, chateaulavernede.34@orange.fr V *t.l.j. 8h-12h 14h-18h* 4

VILLA DONDONA
Montpeyroux Oppidum 2013 ★★

■ | 4400 | | 20 à 30 €

André Suquet, médecin devenu vigneron, reçoit les visiteurs dans la chapelle de l'ancien hôpital du XIVᵉs, convertie en caveau de dégustation, en compagnie de l'artiste peintre Jo Lynch, devenue vigneronne. Tous deux conduisent depuis 2001 ce domaine de 8,6 ha situé à la sortie du hameau du Barry.

Deux tiers de mourvèdre complétés de syrah composent ce vin d'un seyant grenat profond, ouvert sur des arômes intenses de cassis et de fruits rouges gorgés de soleil, de garrigue et de vanille. Le palais est puissant mais flatteur par son fruité généreux (confiture de cassis et de mûres) relevé d'épices, par sa rondeur, sa finesse et ses tanins soyeux. Un ensemble dynamisé par une agréable fraîcheur en finale. ⧗ 2018-2023 🍴 civet de lièvre

VILLA DONDONA, Dom. Lynch-Suquet, Le Barry, 34150 Montpeyroux, tél. 04 67 96 68 34, villadondona@wanadoo.fr V r.-v.

DOM. LA VOÛTE DU VERDUS 2014

■	6600	8 à 11 €

Guilhem Bonnet et son épouse Sylvie ont repris en 1983 les 20 ha de vignes familiales, et en 2011, ils décident d'en vinifier une partie (4 ha). Leur fille Mélanie et son mari Pierre Estival, œnologues, les accompagnent dans l'aventure. Au cœur de Saint-Guilhem-le-Désert, leur cave voûtée enjambe le ruisseau du Verdus qui traverse le village.

Le nez, intense et gourmand, évoque la framboise écrasée relevée de poivre et nuancée de violette. En bouche, le vin apparaît souple, rond et suave, fruité et épicé, dynamisé par une fraîcheur mentholée en finale. À boire dans sa jeunesse. ⧗ 2016-2019 🍴 côtelettes d'agneau au thym

DOM. LA VOÛTE DU VERDUS, 15, rue Descente-du-Portal, 34150 Saint-Guilhem-le-Désert, tél. 04 67 57 45 90, larouteduverdus@gmail.com V *r.-v.* *Guilhem Bonnet*

TERRASSES-DU-LARZAC

Superficie : 470 ha / Production : 14 000 hl

Ancienne dénomination de l'AOC languedoc, les terrasses-du-larzac sont devenues en 2015 une appellation à part entière (vins rouges). L'aire est délimitée dans 32 communes au nord-ouest de Montpellier aux terroirs variés (terrasses de galets, argilo-calcaires, grès, schistes, ruffes…), tous pauvres et caillouteux. Éloignée de la mer, elle est limitée au nord du plateau du Larzac, avec pour repère le mont Baudile, qui culmine à 800 m. La bordure abrupte du causse abrite le vignoble des vents du nord, tout en maintenant une atmosphère fraîche. Elle favorise de fortes amplitudes thermiques entre le jour et la nuit (jusqu'à 20 °C en été), avec pour conséquence des maturations lentes et des récoltes plus tardives que près du littoral. Les vins en tirent une grande fraîcheur et une belle expression aromatique.

Les terrasses-du-larzac proviennent de l'assemblage d'au moins trois cépages, choisis parmi neuf variétés. Deux des variétés principales – syrah, grenache, mourvèdre et carignan – doivent entrer dans leur composition. Après un élevage d'au moins douze mois, ils apparaissent colorés, concentrés, structurés, profonds et frais. Complexe, leur palette aromatique mêle les fruits rouges et noirs, la réglisse, la violette, l'olive noire, la garrigue et les épices, auxquels peuvent s'ajouter avec le temps le cuir, le tabac et la truffe.

CH. CAPITELLE DES SALLES Hommage 2013 ★★

■	1800		11 à 15 €

La capitelle est une petite bâtisse de pierre sèche édifiée par les anciens grâce au lent épierrement des parcelles. L'ambition d'Estelle et de Frédéric Salles, outre l'élaboration de vins authentiques, est d'entretenir les paysages, les vignes en terrasses (4 ha), les murets, les capitelles et les mazets.

Une forte majorité de grenache (75 %) mûri sur un sol maigre de grès rouge pour ce vin dense, qui séduit d'emblée par ses notes de cerise mûre, de fruits noirs compotés, de poivre blanc et de cacao. En bouche, il offre beaucoup de volume et de concentration, et ses tanins solides mais fins lui confèrent une belle élégance et du relief; on y retrouve avec plaisir les fruits rouges et noirs, agrémentés de girofle et de baies roses. Du potentiel. ⧗ 2019-2023 🍴 canette rôtie sauce aux morilles

SALLES, 6, rte de Rabieux, 34700 Saint-Jean-de-la-Blaquière, tél. 06 86 98 33 48, estelle@capitelle-des-salles.com V *t.l.j. 9h-20h*

DOM. DU CAUSSE D'ARBORAS La Faïlle 2014 ★

■	12000		11 à 15 €

Ce domaine acquis en 2014 par le groupe Jeanjean dispose d'un vignoble de 16 ha planté à 320 m d'altitude sur le causse d'Arboras, un plateau très calcaire au pied du mont Saint-Baudile.

Sur ce terroir frais aux éclats calcaires du plateau d'Arboras, fendu d'une faille profonde, est né ce vin complexe, ouvert sur des arômes de fruits rouges mûrs, de prune, de moka, de réglisse et d'épices. Concentré, généreux et dense en bouche, bâti sur des tanins fondants, il est équilibré par une fine fraîcheur qui anime une finale élégante. ⧗ 2017-2021 🍴 rôti de veau aux girolles

SCEA DOM. DU CAUSSE D'ARBORAS, L'Enclos, 34725 Saint-Félix-de-Lodez, tél. 04 67 88 80 00, vincent.fabre@vignobles-jeanjean.com V *t.l.j. sf dim. 9h-12h 14h-19h* *Jeanjean*

LES CHEMINS DE CARABOTE Les Pierres qui chantent 2013 ★★★

■	3500		15 à 20 €

Depuis son premier millésime en 2005, Jean-Yves Chaperon s'est imposé comme l'une des valeurs sûres de l'appellation. Ce journaliste de radio, amateur de chasse et de jazz, sait faire vibrer son terroir de galets roulés. Il a construit sa cave en pierre du Gard et conduit son vignoble (7,8 ha) en bio.

Jean-Yves Chaperon fait à nouveau chanter de manière exemplaire ses galets roulés avec cette cuvée sombre et intense, issue de grenache (50 %), de syrah et de carignan. Un chant aux tonalités épicées (poivre et cannelle), truffées et cacaotées, qui se prolonge dans une bouche au volume imposant, puissante, chaleureuse, soutenue par des tanins ciselés, taillés pour la garde. Une symphonie qui s'achève sur une longue et savoureuse note minérale et épicée. ⧗ 2019-2026 🍴 tajine d'agneau aux coings

LANGUEDOC

JEAN-YVES CHAPERON, Mas de Navas, 34150 Gignac, tél. 06 07 16 76 13, contact@carabote.com r.-v.

LE CLOS DU LUCQUIER Les Louloups 2014 ★★

■	5000	20 à 30 €

C'est au cœur du prestigieux glacis de cailloutis calcaires de Jonquières que la famille Panis cultive la vigne depuis cinq générations et qu'elle a repris la vinification à son compte en 2000 en construisant un nouveau chai.

Une composition originale pour ce vin né de mourvèdre (70%), cinsault et grenache. Un peu d'aération est nécessaire pour libérer des arômes frais de cassis et de mûre agrémentés d'une touche de poivre et de pivoine. Le palais, ample et élégant, fruité, mentholé et épicé, s'appuie sur une trame de tanins serrés mais soyeux. Un ensemble complexe et racé. ⧗ 2019-2023 ¥ gigot d'agneau ail et romarin

LE CLOS DU LUCQUIER, 251, rue de la Font-du-Loup, 34725 Jonquières, tél. 04 67 44 63 11, leclosdulucquier@free.fr r.-v.

DOM. LE CLOS RIVIERAL Le Roc des Cistes 2013 ★

■	2000		11 à 15 €

Ce domaine a été créé en 2008 par Olivier Bellet, jeune œnologue: un petit vignoble de 6 ha conduit en bio, éparpillé sur dix-huit parcelles autour du village du Bosc, dans les premiers contreforts du Larzac, sur un terroir de schistes et de grès.

Ce joli vin rubis sombre s'ouvre sans réserve sur un nez intense et gourmand de petits fruits rouges et noirs et d'épices. En bouche, il se révèle à la fois rond, onctueux et frais, bien structuré par des tanins fins et par un boisé discret, délicatement épicé et vanillé. Un beau travail d'élevage pour ce vin typique de l'appellation. ⧗ 2018-2021 ¥ pavé de bœuf grillé aux herbes

OLIVIER BELLET, 6, rue du Rivieral, Loiras, 34700 Le Bosc, tél. 06 72 22 38 68, belletol@wanadoo.fr r.-v.

LE CLOS ROUGE Alerte rouge 2014 ★★

■	1800		11 à 15 €

Né d'une histoire d'amitié entre Krystel Brot-Weissenbach et Joël Peyre, le Clos Rouge a été créé en 2013 sur les terres rouges des ruffes de Saint-Jean-de-la-Blaquière: 5 ha de vignes en conversion bio, entourés de garrigue et d'oliviers.

Une entrée fracassante dans le Guide pour ce nouveau domaine avec cet assemblage de grenache (pour moitié), syrah et carignan. Le nez, intense, conjugue les fruits rouges et noirs à des notes de vanille, de grillé, de violette et d'olive. Une attaque pleine de fraîcheur ouvre sur un palais tout aussi expressif (petites baies mûres, cacao, épices douces), étayé par des tanins souples et doux, affinés par un élevage bien intégré. Un vin complexe et harmonieux, bâti pour durer. ⧗ 2019-2024 ¥ dessert chocolaté

PEYRE-BROT-WEISSENBACH, 34700 Saint-Jean-de-la-Blaquière, tél. 06 14 81 12 27, contact@leclosrouge.fr r.-v.

DOM. COSTON Les Garigoles 2014 ★★

■	5000		15 à 20 €

Les 18 ha de vignes de ce domaine sont nichés au cœur de la garrigue sur les communes d'Aniane et de Puéchabon. Perpétuant la tradition familiale, les frères Coston ont réhabilité en 2002 la cave de leur grand-père. Le vignoble est certifié bio depuis 2010.

Le rubis sombre moiré de vermillon de la robe suggère la richesse de cet assemblage de syrah, grenache et mourvèdre. Le nez déploie des arômes généreux de cassis compoté, de cacao, de grillé et de café torréfié. La bouche séduit par sa fraîcheur et la souplesse de ses tanins, par son fruité mûr et intense, agrémenté de notes de tapenade, de clou de girofle et de cannelle. Un vin très élégant, très équilibré, tout en finesse. ⧗ 2018-2022 ¥ caille rôtie aux figues

DOM. COSTON, 3, rte de Montpellier, 34150 Puéchabon, tél. 04 67 57 48 96, domainecoston@yahoo.fr t.l.j. 9h-19h

CH. DES CRÈS RICARDS Œnothera 2014 ★★★

■	12000		15 à 20 €

Colette et Gérard Foltran ont passé la main à Jean-Claude Mas en 2010. Ce domaine de 39 ha, fondé en 1960, est situé au lieu-dit Les Crès Ricards, au cœur des Terrasses du Larzac, sur un terroir de schistes et de galets roulés.

L'Œnothera est une belle fleur jaune dont le parfum de la racine apprivoisait, dit-on, les bêtes sauvages. Dans sa version «liquide», née de syrah (70%) et de grenache, elle a d'emblée conquis les dégustateurs qui, s'ils n'ont rien de «sauvages», ont le palais très exigeant. Ils ont salué le nez intense de ce vin, ouvert sur le cassis, la fraise et l'orange amère, puis sur le cacao et les épices douces. Ils ont adoré son palais ample, très fruité (mûre, myrtille, framboise), charnu et plein de fraîcheur, aux tanins élégants et fins et d'une longueur admirable. ⧗ 2019-2023 ¥ canard bigarade ■ **Stécia 2014** ★ **(11 à 15 €; 35000 b.)** : il demande un peu d'air et de temps pour libérer ses notes de garrigue et de torréfaction. En bouche, l'expression est immédiate et complexe, sur les fruits rouges et noirs, le grillé, le moka, la réglisse, le menthol, le tout soutenu par une trame tannique dense et fondue. ⧗ 2019-2022 ¥ pigeon rôti et mousserons

DOM. DES CRÈS RICARDS, 34800 Ceyras, tél. 04 67 90 66 51, contact@cresricards.com *Mas*

DOM. LA CROIX CHAPTAL Cuvée Charles 2013

■	13000		15 à 20 €

Créé au Xe s. par les moines bénédictins de l'abbaye de Gellone, ce domaine se partage entre 11 ha de bois et 25 ha de vignes conduits de manière très raisonnée. Il revit depuis son rachat en 1999 par Charles-Walter Pacaud, qui l'avait découvert pendant ses études de viticulture-œnologie à Montpellier. Les clés de voûte sculptées du cellier sont reproduites sur l'étiquette.

Syrah, grenache et carignan sont associés à parts égales dans ce classique du domaine. Le nez, élégant et frais, mêle fruits rouges, cade et tabac blond. La bouche, suave et ronde, aux tanins serrés mais soyeux, y ajoute des notes de garrigue et d'épices douces. Un ensemble harmonieux. ⧗ 2018-2022 ¥ cuisse de canard rôtie

⊶ *DOM. LA CROIX CHAPTAL, hameau de Cambous, 34725 Saint-André-de-Sangonis, tél. 04 67 16 09 36, lacroixchaptal@wanadoo.fr* ⊶ *Charles-Walter Pacaud*

DOM. DE FAMILONGUE 3 naissances 2014 ★

■	2000	◍	15 à 20 €

La trentaine de volières présentes sur le domaine explique l'emblème du perroquet qui orne les étiquettes. Jean-Luc Quinquarlet, ancien dentiste, et son épouse Martine, retraitée de la Poste, revendiquent une culture sans engrais chimiques ni désherbants. Après la coopérative, ils se sont établis en cave particulière en 2002 et conduisent aujourd'hui 25 ha de vignes. Deux étiquettes ici: Familongue et La Bastide aux Oliviers.

Clin d'œil aux trois enfants du domaine, ce vin noir moiré de violet offre un nez intense de mûre et de pruneau légèrement vanillé. En bouche, il se révèle opulent et concentré, sur les fruits mûrs, le cacao et la réglisse, porté par un boisé ajusté et des tanins fins, et s'étire dans une finale longue et suave. ⧗ 2018-2021 ¥ civet de lièvre aux girolles

⊶ *DOM. DE FAMILONGUE, 3, rue Familongue, 34725 Saint-André-de-Sangonis, tél. 06 10 29 52 18, contact@domainedefamilongue.fr* V *r.-v.*

LES GENTILLIÈRES 2014 ★

■	4000	◍	15 à 20 €

Historienne, journaliste, critique de vin, Laure Gasparotto s'est entourée d'une vingtaine d'amis pour créer en 2014 ce petit domaine artisanal sur 5 ha en conversion bio. Installée entre Arboras et Saint-Saturnin sur des cailloutis calcaire, elle travaille de manière traditionnelle au plus près du terroir.

De la plume au tonneau, de la critique à la pratique, le pari n'était pas simple. Laure Gasparotto l'a pleinement réussi et a semble-t-il autant de talent pour commenter les vins que pour les élaborer. Elle signe à partir de vieux ceps de grenache (60 %), de carignan et de syrah une belle cuvée pleine d'élégance (à l'image des étiquettes) et de fraîcheur, au nez délicat de fruits rouges légèrement épicés, franc, souple, alerte et mentholé en bouche, bâtie sur des tanins fins et un boisé bien fondu. Une bouteille déjà très appréciable et bien typée, qui ne craindra pas un séjour en cave. ⧗ 2017-2022 ¥ pot-au-feu

⊶ *LAURE GASPAROTTO, Salente, 34150 Gignac, tél. 06 82 42 44 17, laure.gasparotto@wanadoo.fr* V *r.-v.*

Ⓑ **MAS DE LA SERANNE**
Le Clos des Immortelles 2014 ★★

■	16000	◍	11 à 15 €

À la suite d'une reconversion professionnelle, Isabelle et Jean-Pierre Venture se sont installés en 1998 sur le terroir réputé d'Aniane. Ils conduisent aujourd'hui, en bio certifié, un vignoble de 16 ha qu'ils continuent d'embellir, remontant des murs de pierre sèche et plantant des essences méditerranéennes. Côté cave, des vins d'une grande régularité, souvent en vue dans ces pages.

Ce classique du domaine, régulièrement présent dans le Guide, propose un 2014 intense et généreux, aux arômes complexes de mûre, de pruneau, de cannelle, de piment doux et de réglisse, puis de cuir et d'olive noire. La bouche, pleine d'allant et de vivacité en attaque, offre une palette tout aussi variée de fruits compotés, de notes poivrées, de vanille et de cacao fondues dans une texture dense et soyeuse. Un équilibre abouti entre puissance, gourmandise et fraîcheur. ⧗ 2017-2022 ¥ navarin d'agneau ■ **Antonin et Louis 2013 (15 à 20 €; 7500 b.)** Ⓑ : vin cité.

⊶ *VENTURE, Mas de la Séranne, 34150 Aniane, tél. 04 67 57 37 99, mas.seranne@wanadoo.fr* V *t.l.j. sf dim. 10h-12h 15h-18h*

Ⓑ **MAS DES CHIMÈRES** Caminarem 2013

■	9000	◍	11 à 15 €

Guilhem Dardé, «paysan-vigneron» comme il se présente, produit ses vins en agriculture biologique, en bordure du lac du Salagou. Son épouse Palma travaille avec lui, et leur fille Maguelone les a rejoints en 2008 à la tête d'un vignoble de 23 ha.

Pas moins de cinq cépages plantés sur un terroir de basalte à l'origine de ce vin qui s'ouvre doucement sur les fruits rouges à l'eau-de-vie et les épices douces. L'onctuosité et la rondeur caractérisent le palais, fruité, balsamique, cacaoté et vanillé. Le mariage harmonieux du terroir et de l'élevage. ⧗ 2018-2021 ¥ tripou de l'Aveyron

⊶ *MAS DES CHIMÈRES, 26, rue de la Vialle, 34800 Octon, tél. 04 67 96 22 70, mas.des.chimeres@wanadoo.fr* V *r.-v.* ⊶ *Guilhem Dardé*

Ⓑ **MAS DES QUERNES**
La Villa romaine 2013 ★★

■	4000	◍	20 à 30 €

Peter Riegel, négociant allemand, et Jean Natoli, œnologue, ont créé leur domaine en 2000. Le vignoble de 11 ha, établi sur un glacis de cailloutis calcaires et converti au bio, orne les flancs d'un petit vallon secret sur le versant sud du Larzac.

Assemblage original de mourvèdre, carignan et grenache, ce 2013 s'ouvre peu à peu sur les fruits rouges et noirs, le pruneau, la figue et les épices. C'est en bouche qu'il s'impose: ample, fin, soyeux, fruité (cerise et griotte), épicé (poivre noir) et cacaoté. La finale longue, fraîche et veloutée achève de convaincre. ⧗ 2017-2021 ¥ magret de canard aux cerises

⊶ *MAS DES QUERNES, 1 bis, imp. du pressoir, 34150 Montpeyroux, tél. 06 61 08 22 02, pierre@mas-des-quernes.com* V *r.-v.* ⊶ *Jean Natoli*

♥ B **PLAN DE L'HOMME** Alpha 2013 ★★★

■ | 2500 | | 20 à 30 €

Rémi Duchemin a repris en 2009 le Plan de l'Homme, à l'origine le Plan de l'Om. Après avoir brillé dans le Pic Saint-Loup, au Mas de Mortiès, c'est entre les collines rouges et les galets noirs de basalte des Terrasses du Larzac qu'il a entrepris, avec succès, de produire sur 12 ha très morcelés et certifiés bio des vins hautement expressifs, tant rouges que blancs.

L'Alpha, lettre du commencement, est plutôt ici un aboutissement, celui du savoir-faire de Rémi Duchemin sur le terroir difficile de schiste et grès rouge des Ruffes. Habitué du Guide et des coups de cœur, le vigneron a sculpté avec deux tiers de syrah, du grenache et une larme de carignan un vin noir comme la nuit, d'une intensité exceptionnelle. À l'aération, il s'en échappe un bouquet complexe d'olive noire, de grillé, de truffe et de fruits noirs surmûris. La bouche est puissante, dense, concentrée, riche et très aromatique, sur la réglisse, la violette, les épices et le café torréfié, avant de s'étirer dans une longue, très longue finale veloutée. Majestueux. Un conseil: carafez-le avant le service pour l'apprécier pleinement. ⧗ 2019-2026 ⫪ daube de sanglier

LE PLAN DE L'HOMME, 15, av. Marcellin-Albert, 34725 Saint-Félix-de-Lodez, tél. 04 67 44 02 21, contact@plandelhomme.fr V r.-v. *Duchemin*

ROCQUEFEUIL 2014 ★

■ | 66000 | 8 à 11 €

Implantée au cœur d'un des terroirs réputés du Languedoc, la cave de Montpeyroux, fondée en 1950, a changé de nom, adoptant celui de CastelBarry. Elle regroupe 120 adhérents qui cultivent 510 ha (dont 10 % en bio).

Les reflets violets de sa robe sombre marquent la jeunesse de ce vin au nez intense de griotte, de mûre et de cassis mêlés d'épices et de réglisse. Accompagné de notes de laurier, d'olive noire et de cacao, le fruité prend de l'ampleur dans un palais charnu, tendre et équilibré. ⧗ 2017-2020 ⫪ fricassée de volailles

CAVE COOP. CASTELBARRY, 5, pl. François-Villon, 34150 Montpeyroux, tél. 04 67 96 61 08, contact@caltelbarry.com
V *t.l.j. 9h-12h 14h-18h; dim. sur r.-v.*

SAINT-FÉLIS 2014 ★★

■ | 5000 | | 11 à 15 €

Située à proximité du lac du Salagou, de Saint-Guilhem-le-Désert ou encore des cirques de Mourèze et de Navacelle, la cave des Vignerons de Saint-Félix-de-Lodez, créée en 1942, regroupe après plusieurs fusions 630 ha de vignes et a pris en 2009 le nom de Vignoble des Deux Terres. S'inscrivant dans une démarche de production respectueuse du développement durable, elle dispose de 30 ha cultivés en bio.

Issu d'une sélection parcellaire pour deux tiers de syrah, un de grenache et une larme de carignan, ce vin sombre aux reflets violines livre un bouquet expressif de cerise en compote rehaussé de nuances poivrées. En bouche, il se montre à la fois puissant et délicat, fruité, épicé et réglissé, étayé par des tanins robustes mais fins et par une fraîcheur mentholée caractéristique. Un très beau représentant de ce terroir magnifique. ⧗ 2019-2022 ⫪ gardianne de taureau

VIGNOBLE DES DEUX TERRES, 21 bis, av. Marcelin-Albert, 34725 Saint-Félix-de-Lodez, tél. 04 67 96 60 61, info@vignerons-saintfelix.com
V *t.l.j. sf dim. 9h-12h 14h-18h*

CH.LA SAUVAGEONNE 2014 ★★

■ | n.c. | | 20 à 30 €

Enfant des Corbières, Gérard Bertrand est un important propriétaire et négociant du sud de la France, dont les cuvées apparaissent dans le Guide sous diverses AOC (corbières, fitou, minervois, languedoc, côtes-du-roussillon…) et en IGP.

Le Château La Sauvageonne est la dernière acquisition de Gérard Bertrand (2011), 57 ha de vignes en conversion à la biodynamie près du village de Saint-Jean-de-Blaquière, aux portes du Causse du Larzac. Dans le verre, une cuvée de charme issue de syrah et de grenache, intensément bouquetée sur les fruits des bois mâtinés de romarin, d'épices et de vanille. Une attaque fraîche et franche ouvre sur un palais long, suave et souple, structuré en douceur par un boisé fondu et des tanins délicats. ⧗ 2017-2022 ⫪ agneau rôti au fenouil

GÉRARD BERTRAND, Ch. l'Hospitalet, rte de Narbonne-Plage, 11100 Narbonne, tél. 04 68 45 54 45, vins@gerard-bertrand.com
V *t.l.j. 9h-19h*

B **TROIS TERRES** Le Saut du Diable 2013 ★

■ | 4000 | | 8 à 11 €

Conduit par Graeme Angus, ancien hématologue au CHU de Londres passionné de vins, amateur de la région et de coins sauvages, ce vignoble de 6,5 ha cultivés sur trois types de sols est labellisé en agriculture biologique.

Beaucoup de grenache (70 %) et une mosaïque de sols pour cette cuvée déjà appréciée dans sa version 2012. Et pas d'odeur de soufre dans ce 2013 né sur le lieu-dit du Saut du Diable, mais d'intenses arômes de cassis, de cuir et d'épices. En bouche, le vin est fin, frais et gourmand, sur les fruits et la garrigue, entre thym et romarin, étayé par des tanins enrobés. ⧗ 2018-2021 ⫪ pintade à la pâte d'olive

GRAEME ANGUS, Trois Terres, rue de la Vialle, 34800 Octon, tél. 04 67 44 71 22, graemeangus@hotmail.com V *r.-v.*

PICPOUL-DE-PINET

BEAUVIGNAC Cuvée Anniversaire 2015 ★

□ | 50000 | | 5 à 8 €

La cave de Pomérols, fondée en 1932, a fusionné avec les caves de Castelnau-de-Guers, près de Pézenas, et

celle de Mèze, au bord de l'étang de Thau: la coopérative regroupe aujourd'hui près de 400 viticulteurs en picpoul-de-pinet et en IGP. Les vignes (1 750 ha) couvrent aussi bien le terroir de garrigue de Castelnau-de-Guers que le glacis d'épandage qui constitue le cœur historique de l'appellation.

Cette cuvée présente des senteurs puissantes de fruits exotiques et de citron. Bien dans le ton de l'appellation, la bouche est à l'avenant, fruitée (mangue, citron), ample, dense, avec en soutien cette vivacité si caractéristique. ⌛ 2016-2017 🍷 daurade grillée

⊶ *CAVE LES COSTIÈRES DE POMÉROLS, 68, av. de Florensac, 34810 Pomérols, tél. 04 67 77 01 59, info@cave-pomerols.com* V *t.l.j. sf dim. 8h30-12h30 14h-18h*

CALMEL ET JOSEPH Villa blanche 2015 ★

| 40000 | 🍾 | 5 à 8 €

Laurent Calmel, œnologue, s'est associé avec Jérôme Joseph pour fonder en 1995 une maison de négoce spécialisée dans les vins de terroir du Languedoc-Roussillon. Le duo a lancé son étiquette en 2007. Il sélectionne les parcelles, vinifie et élève les cuvées.

Fruit d'un partenariat entre la maison de négoce Calmel et Joseph et un vigneron en cave particulière, cette cuvée présente au nez une belle intensité florale et fruitée (agrumes). Une touche iodée complète le tableau dans un palais bien équilibré entre la fraîcheur et le gras, dynamisé par une finale sur le pamplemousse. Un beau classique pour les fruits de mer. ⌛ 2016-2017 🍷 langoustine à la plancha

⊶ *DOM. CALMEL ET JOSEPH, chem. de la Madone, 11800 Montirat, tél. 04 68 72 09 88, contact@calmel-joseph.com* V *r.-v.* E

DOM. DU CHÂTEAU Cuvée des Comtesses 2015

| 25000 | 🍾 | 5 à 8 €

Le Château de Pinet se transmet de père en fils depuis plus de deux cent cinquante ans. Depuis 2013, ce sont deux femmes, Simone Arnaud-Gaujal et sa fille Anne-Virginie, qui conduisent le domaine étendu sur 35 ha.

D'un bon classicisme, ce picpoul livre un nez floral et fruité (agrumes), relayé par un palais bien équilibré entre une pointe de douceur renforcée par un petit goût de poire et l'arête acide aux accents citronnés propres à l'appellation. ⌛ 2016-2017 🍷 brasucade de moules

⊶ *SIMONE ET ANNE-VIRGINIE GAUJAL, Ch. de Pinet, 1, rue Ludovic-Gaugal, 34850 Pinet, tél. 04 68 32 16 67, chateaudepinet@orange.fr* V *r.-v.*

LA CROIX GRATIOT Bréchallune 2015 ★

| 10000 | 🍾 | 8 à 11 €

Orienté vers la culture de melon et apporteur en cave coopérative, le domaine a pris un virage important en 2004 avec la création d'un chai de vinification. En 2009, Anaïs Ricôme a rejoint son père Yves à la tête d'un vignoble de 33 ha, créé une nouvelle gamme et développé les ventes. La biodynamie est dans le viseur, essayée pour l'heure sur 4 ha.

Tu m'avais dit: Himocarpé / J't'avais répondu: Bréchallune / On pouvait s'dire n'importe quoi / N'importe quoi... Le titre d'une chanson de Nicolas Jules inspire le nom de cette cuvée. Dans le flacon, un vin au nez frais et subtil, qui marie les petites fleurs d'amandier aux fruits blancs et jaunes (pêche et nectarine). Belle finesse en bouche, dans la tradition du picpoul: une attaque sur la rondeur, puis une fine vivacité aux accents d'agrumes et de fruits exotiques. Un joli vin pimpant et élégant, qui met le cœur en joie: *Quelle jolie journée, m'étais-je dit / De la Terre on voyait le paradis / Sans gravité nos cœurs ce doux jeudi / Ont contracté la même maladie...* ⌛ 2016-2017 🍷 carpaccio de saumon sauvage

⊶ *EARL CROIX GRATIOT, Dom. Sainte-Croix, 34530 Montagnac, tél. 04 67 25 27 88, croixgratiot@gmail.com* V *t.l.j. sf dim. 9h-12h 14h-17h30; sam. sur r.-v.* ⊶ *Ricôme*

DOM. FÉLINES JOURDAN Féline 2014 ★★

| 4000 | 🍾 | 11 à 15 €

Claude Jourdan a intégré le domaine familial en 1995, prenant la suite de sa mère Marie-Hélène au côté de Serge, son oncle, en charge de la culture des vignes. Ce vaste domaine de 95 ha se répartit en trois entités sur la zone de Picpoul-de-Pinet, en bordure de l'étang de Thau, à quelques mètres de la mer. Une situation géographique particulière qui confère aux vins blancs beaucoup de fraîcheur.

Une cuvée issue de la parcelle la plus près de l'étang. Bien que la recherche d'une belle maturité se traduise par une palette aromatique originale, de fruits jaunes (pêche et abricot) et d'agrumes confits, on retrouve en bouche l'arête acide si caractéristique de l'appellation qui fait un beau contrepoint à la rondeur et la richesse de ce picpoul de caractère. Atypique mais très harmonieux et de bonne garde. ⌛ 2017-2020 🍷 rougets grillés

⊶ *CLAUDE JOURDAN, Dom. Félines Jourdan, 34140 Mèze, tél. 04 67 43 69 29, claude@felines-jourdan.com* V *r.-v.*

CH. FONT-MARS 2015

| 38000 | 🍾 | 5 à 8 €

Situé sur le tracé de l'ancienne voie romaine de la reine Juliette, ce domaine fut en des temps immémoriaux un lieu de ponte pour dinosaures. On y cultive aujourd'hui la vigne sur 5 ha.

Un picpoul bien typé où la sensation de vivacité domine le nez comme la bouche, à travers des notes citronnées et iodées, adoucie par un soupçon de fleurs blanches. Finale tenue par juste ce qu'il faut d'amertume. ⌛ 2016-2017 🍷 plateau de fruits de mer

⊶ *GFA FONT-MARS, rte de Marseillan, 34140 Mèze, tél. 04 67 43 81 19, info@font-mars.com* V *r.-v.*

DOM. GAUJAL Cuvée Ludovic Gaujal 2015 ★

| 30000 | 🍾 | 5 à 8 €

La famille Gaujal est à Pinet depuis 1744. La rue dans laquelle se trouve leur cave porte même le nom de «Ludovic Gaujal» qui a largement contribué à la renommée du picpoul-de-pinet. Son fils Laurent a repris le flambeau en 2013 et conduit 20 ha de vignes.

LANGUEDOC

Robe pâle et fraîche, nez d'une belle intensité qui marie la pêche blanche et les fleurs d'arbustes printaniers, l'approche est engageante. Vive comme il se doit, la bouche apparaît dense, volumineuse, et les agrumes ajoutent de la complexité à la palette aromatique perçue à l'olfaction. ⧗ 2016-2017 ▼ sushis

⊶ DOM. GAUJAL, 1, rue Ludovic-Gaujal, 34850 Pinet, tél. 04 67 77 02 12, lg@gaujal.fr V *mar. jeu. 10h-12h 14h-18h*

DOM. DES LAURIERS 2015 ★★

	40000		5 à 8 €

Jouxtant Pézenas, le domaine de Marc Cabrol s'étend sur 45 ha entre garrigue et pinèdes (22 ha pour la vigne), à Castelnau-de-Guers, l'une des cinq communes de l'appellation picpoul-de-pinet. Une valeur sûre.

Un jaune pimpant tirant sur le vert, un bouquet intense et complexe d'agrumes puis plus velouté, sur les notes miellées de la fleur d'acacia, l'approche est emballante. La bouche est au diapason: la même richesse aromatique, beaucoup de volume et de finesse, de la rondeur et la vivacité attendue, une finale sur de beaux amers qui tient longtemps en haleine. ⧗ 2016-2018 ▼ encornets farcis

⊶ EARL DOM. DES LAURIERS, 15, rte de Pézenas, 34120 Castelnau-de-Guers, tél. 04 67 98 18 20, contact@domaine-des-lauriers.com V *t.l.j. sf sam. dim. 9h30-12h 14h-18h ⊶ Marc Cabrol*

MAS SAINT-LAURENT Les Ginestets 2015

	24000		8 à 11 €

Sur ce terroir, qui regarde l'étang de Thau, on a retrouvé des œufs de dinosaures fossilisés datant de 65 millions d'années. Depuis 1989 et succédant à quatre générations vigneronnes, Roland Tarroux y cultive avec grand soin ses parcelles de piquepoul, étendues sur 35 ha.

Cette cuvée née au lieu-dit Les Ginestets dévoile un nez intense et généreux de fleurs blanches, de miel et d'agrumes confits, témoins d'une recherche de maturité. Bien que présentant la traditionnelle touche de fraîcheur du picpoul, sur des saveurs de pêche blanche, ce sont la rondeur et le gras qui dominent en bouche. ⧗ 2016-2017 ▼ chèvre frais au romarin

⊶ ROLAND TARROUX, Mas Saint-Laurent, Montmèze, 34140 Mèze, tél. 04 67 43 92 30, massaintlaurent@wanadoo.fr V *r.-v.*

MONTAGNAC Les Terres rouges 2015 ★★

	15000		- de 5 €

Cette coopérative produit du vin depuis 1937. Aujourd'hui, cinq cents vignerons issus de huit communes cultivent 1 000 ha de vignes bordées au sud par l'étang de Thau et la Méditerranée, au nord par des reliefs calcaires où l'Hérault a creusé des gorges profondes.

Issu d'une sélection de parcelles aux sols rouges argilo-calcaires, cette cuvée dévoile un bouquet d'une belle complexité mariant la rose aux agrumes et à une minéralité bien typique. Arômes que l'on retrouve dans un palais intense, ample, long et très frais sans manquer de rondeur. ⧗ 2016-2017 ▼ homard sauce citronnée

⊶ LES VIGNOBLES MONTAGNAC, 15, av. d'Aumes, CS 30001, 34530 Montagnac, tél. 04 67 24 03 74, cooperative.montagnac@wanadoo.fr V *r.-v.*

MONTMASSOT 2015 ★

	25000		- de 5 €

Née en 1934, cette coopérative installée dans des bâtiments à l'architecture typique du Languedoc regroupe 150 adhérents et quelque 700 ha de vignes. À sa carte, du picpoul-de-pinet et des vins IGP.

Vous trouverez cette cuvée au pôle œnotouristique mis en place par les vignerons de Florensac, qui proposent un caveau de vente avec bornes interactives, un restaurant de cuisine méditerranéenne et un espace de réception. Un soin particulier apporté à la clientèle qui ne masque pas l'essentiel, la qualité des vins. Ici, un picpoul tout en légèreté, sur la citronnelle, franc et aérien en bouche, et d'une vivacité revigorante de bout en bout. Idéal pour les fruits de mer. ⧗ 2016-2017 ▼ plateau de fruits de mer

⊶ LES VIGNERONS DE FLORENSAC, 5, av. des Vendanges, 34510 Florensac, tél. 04 67 77 00 20, cedric.florensac@orange.fr V *t.l.j. 9h-18h; dim. 11h-16h*

DOM. MORIN-LANGARAN Noire 2015

	50000		- de 5 €

Dominant le Bassin de Thau et longeant la Via Domitia, le domaine d'Albert Morin existe depuis 1330 et compte aujourd'hui 60 ha de vignes. En 2016, la nouvelle génération est arrivée avec Caroline, la fille.

Discret de prime abord, le nez, légèrement salin, s'ouvre sur les agrumes à l'aération. D'une belle vivacité, sur le pamplemousse et le citron, la bouche est soutenue par une pointe d'amertume caractéristique. Un bon classique. ⧗ 2016-2017 ▼ huîtres gratinées

⊶ CAROLINE MORIN, Dom. Morin-Langaran, rte de Marseillan, 34140 Mèze, tél. 04 67 43 71 76, domainemorin-langaran@wanadoo.fr V *t.l.j. 10h-18h; f. dim. janv.-fév.*

♥ L'ORMARINE Duc de Morny 2015 ★★★

	180000		5 à 8 €

Coopérative fondée en 1922, L'Ormarine, à l'époque Association des producteurs de vins blancs de Pinet, est un acteur de poids dans la défense de la récente AOC picpoul-de-pinet. Après la fusion avec les caves de Villeveyrac (2009) et de Cournonterral (2014), elle regroupe plus de 500 coopérateurs et dispose de 2 200 ha, dont 520 dédiés au seul cépage piquepoul.

Pas de ballotage pour cette cuvée «élyséenne» – elle fut servie à la garden party de Nicolas Sarkozy en 2008 –, mais un coup de cœur «aux allures africaines» pour paraphraser Francis Blanche dans les *Tontons Flingueurs*: une élection à 100% pour un picpoul royal. Aucune crainte de «se risquer sur l'bizarre», «le brutal» ou «le curieux», et pas de «goût de pomme» ici, mais plutôt une vraie richesse aromatique: aux classiques agrumes (pomelos et citron) s'associent de délicates notes d'amande et de fleurs printanières. Une touche de pêche ajoute du velouté en bouche, au côté de la fraîcheur caractéristique de l'appellation, et renforce la sensation gourmande de ce bel ensemble complexe et harmonieux. ⌛ 2016-2019 🍴 couteaux persillés

CAVE DE L' ORMARINE,
13, av. du Picpoul, 34850 Pinet, tél. 04 67 77 03 10, caveormarine@wanadoo.fr
t.l.j. sf dim. 8h30-12h 14h-18h; t.l.j. de mai à mi-sept.

DOM. REINE JULIETTE 2015 ★★

| 50000 | 5 à 8 € |

Tracée en 118 av. J.-C. pour relier l'Italie à l'Espagne, la Via Domitia est la plus ancienne voie romaine de Gaule. Elle favorisa l'expansion de la viticulture en Narbonnaise. Sous le nom de «chemin de la reine Juliette», elle jouxte ce domaine familial créé en 1986. Couvrant 60 ha, le vignoble propose des cuvées en AOC languedoc, picpoul-de-pinet et en IGP.

Une cuvée étincelante et expressive qui charme d'emblée par son bouquet intense de citron, citronnelle et fruits exotiques. À la rondeur de l'attaque succède une bouche «explosive» qui fait un long écho à l'olfaction, soulignée jusqu'en finale par une arête acide fine et bien fondue. Dans le pur style de l'appellation. ⌛ 2016-2018 🍴 poutargue

EARL ALLIÈS, Dom. Reine Juliette, lieu-dit Montredon, rte de Pinet, 34120 Castelnau-de-Guers, tél. 06 35 25 67 78, marionallies0765@orange.fr
r.-v.

▶ LES APPELLATIONS DE LIMOUX

BLANQUETTE-DE-LIMOUX

Ce sont les moines de l'abbaye Saint-Hilaire, commune proche de Limoux, qui, découvrant que leurs vins repartaient en fermentation, ont été les premiers élaborateurs de blanquette-de-limoux. Trois cépages sont utilisés pour son élaboration: le mauzac (90% minimum), le chenin et le chardonnay; ces deux derniers cépages introduits à la place de la clairette apportent à la blanquette acidité et finesse aromatique. La blanquette-de-limoux est élaborée suivant la méthode de seconde fermentation en bouteille et se présente sous dosages brut, demi-sec ou doux.

♥ ANTECH Tradition 2014 ★★

| 80000 | 5 à 8 € |

Propriétaire de vignes, une maison de négoce familiale depuis six générations, dirigée aujourd'hui par Françoise Antech, à la suite de son père Georges et de son oncle Roger. Une valeur sûre, spécialisée dans l'élaboration des bulles limouxines.

Bel hommage à Roger Antech, disparu fin 2015, cette blanquette qui sort du lot. Jaune pâle agrémentée d'une mousse fine, elle charme par son nez complexe et d'une rare intensité, fait d'aubépine et de fruits à chair blanche. La bouche ample et bien équilibrée confirme l'olfaction avec beaucoup de puissance et de longueur. ⌛ 2016-2017 🍴 feuilletés ● **Élégance 2014 ★★ (5 à 8 €; 80000 b.)** : une blanquette au nez intense, frais et typé, sur l'acacia et la pomme, bien présente aussi au palais, fraîche et longue, aux jolis arômes de fruits blancs bien mûrs et de miel. ⌛ 2016-2017 🍴 petits fours salés ● **Grande Réserve 2014 (8 à 11 €; 80000 b.)** : vin cité.

GEORGES ET ROGER ANTECH, Dom. de Flassian, 11300 Limoux, tél. 04 68 31 15 88, courriers@antech-limoux.com
t.l.j. sf sam. dim. 8h-12h 14h-18h

DOMAINES ASTRUC ★

| 10000 | 11 à 15 € |

Propriétaire et négociant, Jean-Claude Mas est à la tête de neuf domaines en Languedoc-Roussillon. Constitué par quatre générations, son vignoble couvre plus de 600 ha, auxquels s'ajoutent les apports des vignerons partenaires (1 300 ha).

Créé en 1862 par Jean Astruc, cocher du fiacre au château de Bourigeole, ce domaine a été acquis en 2003 par Jean-Claude Mas. Son vignoble s'étend sur 50 ha, dont 25 dédiés à l'appellation limoux. Sa blanquette, 100% mauzac, a séduit d'emblée par sa robe jaune pâle à reflets verts animée de bulles fines et persistantes. La suite ne déçoit pas: le bouquet intense et complexe mêle les fleurs blanches, les fruits à chair blanche et des notes miellées; l'attaque franche et nette ouvre sur un palais élégant, bien équilibré et long. Une blanquette qui pourra accompagner un repas. ⌛ 2016-2017 🍴 pavé de cabillaud

DOMAINES ASTRUC, 20, av. du Chardonnay, 11300 Malras, tél. 04 67 90 85 21, info@paulmas.com
t.l.j. sf sam. dim. 9h-12h30 13h30-17h30
Paul Mas

CH. BEAUSOLEIL Réserve 2015 ★

| 20000 | 11 à 15 € |

Cette maison familiale spécialisée dans l'élaboration des bulles de Limoux (blanquettes et crémants) et propriétaire du Dom. Beausoleil (60 ha dans la haute vallée de l'Aude) a été fondée en 1890 par

LANGUEDOC

Joseph Salasar. Son petit-fils René, qui en avait pris les rênes en 1974, a cédé l'affaire en 2012 à la famille Bonfils, propriétaire de nombreux vignobles en Languedoc-Roussillon.

Une étoile brille au-dessus de cette cuvée jaune pâle, qui s'ouvre sur des parfums de fleurs blanches et de pomme verte. Ces mêmes arômes s'épanouissent dans un palais à la fois doux et bien équilibré, d'une belle persistance. ⧗ 2016-2017 🍴 poule sauce suprême

MAISON SALASAR, 4, rue de l'Égalité, 11260 Campagne-sur-Aude, tél. 04 68 20 04 62, fred.melet@hotmail.fr
t.l.j. sf dim. 8h-12h 14h-18h — M. Bonfils

ROBERT DE FOURN 2013 ★

●	20000	8 à 11 €

Dans les années 1930, Pierre Robert s'installe au domaine de Fourn pour y cultiver quelques arpents de mauzac, cépage traditionnel de la région. Aujourd'hui, ses deux petits-fils Jean-Luc et Bernard sont aux commandes de 40 ha de vignes, rejoints par la quatrième génération. Un haut-lieu de la bulle de Limoux.

Le portrait d'une blanquette bien typée: des bulles fines et régulières dans une robe or pâle aux reflets verts, des arômes printaniers évoquant l'acacia, une bouche bien équilibrée, suave et de bonne longueur. ⧗ 2016-2017 🍴 feuilletés aux pommes

STÉ DES VINS ROBERT, Dom. de Fourn, 11300 Pieusse, tél. 04 68 31 15 03, robert.blanquette@wanadoo.fr
t.l.j. 9h-12h 14h-17h

SIEUR D'ARQUES Diaphane Grande Cuvée 2014 ★

●	79560	🍾	8 à 11 €

La cave coopérative Sieur d'Arques est un acteur incontournable du vignoble limouxin, où elle assure environ 60 % de la production. Fondée en 1946, elle fédère aujourd'hui quelque 290 adhérents et dispose d'un vaste vignoble de 2 200 ha éparpillés dans plus de quarante communes, ce qui lui permet d'opérer une sélection parcellaire rigoureuse sur une très large variété de terroirs.

La robe est diaphane, en effet, limpide, animée d'une bulle fine. Le nez, frais et bien typé, associe la pomme, le coing et la pêche blanche. Gras et vif, très équilibré, le palais laisse une impression de finesse. Parfait pour l'apéritif. ⧗ 2016-2017 🍴 feuilletés de saint-jacques ● **Expert Club Cuvée Prestige ★ (5 à 8 €; 79560 b.)** : destinée à la grande distribution, cette cuvée au nez flatteur, floral puis miellé, à la bouche riche et longue, aux arômes bien typés de pomme fraîche. ⧗ 2016-2017 🍴 tarte aux pommes ● **Aimery (5 à 8 €; 79560 b.)** : vin cité.

SAS SIEUR D'ARQUES, av. de Carcassonne, BP 30, 11303 Limoux Cedex, tél. 04 68 74 63 11, s.echantillon@sieurdarques.com
t.l.j. 9h30-12h30 14h-18h30; dim. 10h-12h 14h30-18h

BLANQUETTE MÉTHODE ANCESTRALE

AOC à part entière, la blanquette méthode ancestrale reste un produit confidentiel. Le principe d'élaboration réside dans une seule fermentation en bouteille. Aujourd'hui, les techniques modernes permettent d'élaborer un vin peu alcoolisé (autour de 6 % vol.), doux, provenant de l'unique cépage mauzac.

DOM. J. LAURENS 2014 ★

●	11100	8 à 11 €

Jacques Calvel, un enfant du pays de Sault, est revenu aux sources après une carrière dans l'informatique aux États-Unis et en Suisse. En 2002, il a repris le domaine Laurens, fondé dans les années 1980 par le Champenois Michel Dervin, l'a agrandi (30 ha aujourd'hui) et modernisé, secondé par son maître de chai Henri Albrus.

Le domaine s'est lancé en 2014 dans l'élaboration de la blanquette méthode ancestrale. Une cuvée qui sort des sentiers battus par ses arômes intenses de fleurs d'amandier (reproduites sur l'étiquette), de miel et de mandarine. La bouche bien équilibrée laisse une belle impression en finale. ⧗ 2016-2017 🍴 melon

DOM. J. LAURENS, Les Graimenous, rte de La Digne-d'Amont, 11300 La Digne-d'Aval, tél. 04 68 31 54 54, domaine.jlaurens@wanadoo.fr
t.l.j. 9h-12h 14h-18h; sam. dim. sur r.-v.
Jacques Calvel

ROBERT Doux

●	10000	8 à 11 €

Dans les années 1930, Pierre Robert s'installe au domaine de Fourn pour y cultiver quelques arpents de mauzac, cépage traditionnel de la région. Aujourd'hui, ses deux petits-fils Jean-Luc et Bernard sont aux commandes de 40 ha de vignes, rejoints par la quatrième génération. Un haut-lieu de la bulle de Limoux.

Une effervescence fine et abondante dans une robe dorée, des arômes bien typés de pomme verte et un palais agréable, bien équilibré. Pour les desserts aux fruits blancs. ⧗ 2016-2017 🍴 tarte aux pommes

STÉ DES VINS ROBERT, Dom. de Fourn, 11300 Pieusse, tél. 04 68 31 15 03, robert.blanquette@wanadoo.fr
t.l.j. 9h-12h 14h-17h

CRÉMANT-DE-LIMOUX

Production : 30 000 hl

Reconnu seulement en 1990, le crémant-de-limoux n'en bénéficie pas moins de la solide expérience et de l'exigence des producteurs de la région en matière de vins effervescents. Les conditions de production de la blanquette étant déjà très strictes, les Limouxins n'ont eu aucune difficulté à adopter la rigueur de l'élaboration propre au crémant. Depuis déjà

quelques années s'affinaient dans leurs chais des cuvées issues de subtils mariages entre la personnalité et la typicité du mauzac, l'élégance et la rondeur du chardonnay, la jeunesse et la fraîcheur du chenin. Depuis 2004, le mauzac, cépage traditionnel de la région, est désormais réservé à la blanquette, et c'est le chardonnay qui règne en maître dans l'appellation crémant-de-limoux. Enfin, le pinot noir peut être utilisé en appoint dans l'élaboration des rosés.

ANTECH Saint-Laurent 2014 ★

● | 40000 | 8 à 11 €

Propriétaire de vignes, une maison de négoce familiale depuis six générations, dirigée aujourd'hui par Françoise Antech, à la suite de son père Georges et de son oncle Roger. Une valeur sûre, spécialisée dans l'élaboration des bulles limouxines.

Fidèle au rendez-vous du Guide, cette maison signe un crémant au nez discrètement floral, plus expressif en bouche. Nerveux à l'attaque, rond en milieu de bouche, il développe de beaux arômes de pêche de vigne et de fruits confits, laissant une impression de générosité et de finesse. ⌛ 2016-2018 🍷 beignets de crevettes ● **Émotion 2014 ★ (8 à 11 €; 40000 b.)** : ce rosé doit sa couleur à 4% de pinot noir vinifié en rouge. On aime sa bulle fine, son nez de fleurs blanches, de poire et d'agrumes et sa bouche ample, élégante et longue, plus marquée par les fruits rouges. ⌛ 2016-2019 🍷 salade d'agrumes ● **Pure Émotion 2014 (8 à 11 €; 20000 b.)** : vin cité.

GEORGES ET ROGER ANTECH,
Dom. de Flassian, 11300 Limoux, tél. 04 68 31 15 88,
courriers@antech-limoux.com
V *t.l.j. sf sam. dim. 8h-12h 14h-18h*

♥ CH. BEAUSOLEIL Réserve 2015 ★★

● | 20000 | | 11 à 15 €

Cette maison familiale spécialisée dans l'élaboration des bulles de Limoux (blanquettes et crémants) et propriétaire du Dom. Beausoleil (60 ha dans la haute vallée de l'Aude) a été fondée en 1890 par Joseph Salasar. Son petit-fils René, qui en avait pris les rênes en 1974, a cédé l'affaire en 2012 à la famille Bonfils, propriétaire de nombreux vignobles en Languedoc-Roussillon.

Composée de 70% de chardonnay, complété par du chenin et un petit appoint de pinot noir et de mauzac – un assemblage classique des quatre cépages de l'appellation –, cette cuvée vieillie deux ans sur lattes fait preuve d'une élégance rare. Le nez, très expressif, met en avant les fruits exotiques et la vanille. La bouche, aussi ample que fraîche, offre une longue finale épicée. Pour l'apéritif ou un dessert fruité peu sucré. ⌛ 2016-2019 🍷 tartare de saint-jacques

MAISON SALASAR, 4, rue de l'Égalité,
11260 Campagne-sur-Aude, tél. 04 68 20 04 62,
fred.melet@hotmail.fr V *t.l.j. sf dim. 8h-12h 14h-18h*
M. Bonfils

Ⓑ DELMAS Haute Vallée Cuvée Passion 2012 ★

● | 40000 | | 8 à 11 €

Domaine implanté sur le versant méridional d'un coteau en amphithéâtre, dans le charmant village d'Antugnac, dans la haute vallée de l'Aude. Bernard Delmas, cuisinier de formation et troisième du nom à conduire l'exploitation familiale, avec son épouse Marlène, est un pionnier de l'agriculture biologique: ses 30 ha de vignes sont convertis depuis 1986. Son fils Baptiste, vingt-quatre ans, l'a rejoint en 2015.

Le chardonnay est complété par le chenin, le pinot noir et le mauzac dans cette cuvée restée vingt-quatre mois sur lattes. Or pâle parcourue par un chapelet de fines bulles, elle libère des parfums de fleurs blanches et d'épices. La bouche onctueuse est tonifiée par une finale citronnée. Parfait à l'apéritif et pour des produits de la mer. ⌛ 2016-2018 🍷 buisson de langoustines ● **Haute Vallée Cuvée des Sacres 2011 ★ (11 à 15 €; 15000 b.)** Ⓑ : trente-six mois d'élevage sur lattes, pour ce crémant aux arômes d'acacia et de fruits mûrs, à l'attaque ample et à la finale persistante. ⌛ 2016-2019 🍷 pavé de cabillaud rôti ● **Haute Vallée Cuvée Séduction (11 à 15 €; 15000 b.)** Ⓑ : vin cité.

DOM. DELMAS, 11, rte de Couiza, 11190 Antugnac,
tél. 04 68 74 21 02, domainedelmas@orange.fr
V *r.-v.*

DOM. J. LAURENS Brut nature La Matte 2012 ★

● | 4900 | 11 à 15 €

Jacques Calvel, un enfant du pays de Sault, est revenu aux sources après une carrière dans l'informatique aux États-Unis et en Suisse. En 2002, il a repris le domaine Laurens, fondé dans les années 1980 par le Champenois Michel Dervin, l'a agrandi (30 ha aujourd'hui) et modernisé, secondé par son maître de chai Henri Albrus.

Pas de sucre ajouté après dégorgement (brut nature) dans ce crémant, qui assemble le chardonnay à un appoint de chenin et de mauzac. D'un jaune pâle à reflets verts animé de fines bulles, il mêle au nez les fleurs blanches miellées à des touches fruitées, briochées et épicées. En bouche, il séduit par son attaque, son ampleur et sa longue finale fraîche. Un ensemble complexe et élégant, qui tiendra sa place de l'apéritif au dessert. ⌛ 2016-2019 🍷 chapon rôti

DOM. J. LAURENS,
Les Graimenous, rte de La Digne-d'Amont,
11300 La Digne-d'Aval, tél. 04 68 31 54 54,
domaine.jlaurens@wanadoo.fr
V *t.l.j. 9h-12h 14h-18h; sam. dim. sur r.-v.*
Jacques Calvel

PAUL MAS Prima Perla ★★

● | 30000 | 11 à 15 €

Vigneron-négociant, Jean-Claude Mas dispose d'un vaste vignoble de plus de 600 ha en propre constitué par quatre générations, auxquels s'ajoutent les apports des vignerons partenaires (1 300 ha). Le Ch. Paul Mas se compose de 25 ha à Cornas, 27 ha

à Moulinas, près de Pézenas, et 80 ha à Nicole, près de Montagnac.

Ce crémant rosé provient du vignoble du château de Martinolles (80 ha en Limouxin) racheté en 2010 à la famille Vergnes. Composé de chardonnay (70%), complété de chenin et de pinot noir, il s'habille d'une robe framboise clair et livre un nez intense d'agrumes, de chèvrefeuille, de pain grillé, de miel, avec une note de fruits rouges qui s'affirme en bouche. Au palais, sa vivacité lui donne du tonus et de la longueur. Parfait à l'apéritif. ⧗ 2016-2018 🍷 brochettes de fruits ● **Prima Perla ★ (8 à 11 €; 20000 b.)** : le chardonnay, en tête comme il se doit, et les trois autres cépages de l'appellation collaborent à cette cuvée florale et épicée au nez, ample et fraîche en bouche. Pour l'apéritif ou le poisson. ⧗ 2016-2019 🍷 sole grillée ● **Côté Mas (11 à 15 €; 70000 b.)** : vin cité.

DOM. PAUL MAS, rte de Villeveyrac, Dom. Nicole, 34530 Montagnac, tél. 04 67 90 85 21, info@paulmas.com
t.l.j. sf dim. 9h30-12h45 13h45-18h30

PRIEUR BARSANNE ★★

● | 160000 | | 5 à 8 €

La cave coopérative Sieur d'Arques est un acteur incontournable du vignoble limouxin, où elle assure environ 60% de la production. Fondée en 1946, elle fédère aujourd'hui quelque 290 adhérents et dispose d'un vaste vignoble de 2 200 ha éparpillés dans plus de quarante communes, ce qui lui permet d'opérer une sélection parcellaire rigoureuse sur une très large variété de terroirs.

Signée par Gilles Trémège, responsable technique, une belle cuvée composée des quatre cépages de l'appellation, chardonnay en tête. La robe limpide est parcourue d'un cordon persistant. Le nez est tout en fleurs blanches. Le palais, qui garde ce caractère floral, séduit par son caractère tonique et par sa persistance. ⧗ 2016-2019 🍷 feuilletés au parmesan ● **Aguila ★★ (5 à 8 €; 79560 b.)** : deux tiers de chardonnay, complété par du chenin et un petit appoint de mauzac, pour ce crémant à la bulle fine et alerte, au nez expressif, entre acacia et agrumes. Une pointe épicée s'ajoute à cette gamme dans un palais d'une belle fraîcheur. ⧗ 2016-2019 🍷 toasts au chèvre frais

SAS SIEUR D'ARQUES, av. de Carcassonne, BP 30, 11303 Limoux Cedex, tél. 04 68 74 63 11, s.echantillon@sieurdarques.com t.l.j. 9h30-12h30 14h-18h30; dim. 10h-12h 14h30-18h

CH. DE VILLELONGUE 2014 ★

● | 28000 | | 5 à 8 €

En 1982, Michel Rosier a quitté sa Champagne natale pour venir s'implanter sur les terres d'altitude (300 à 450 m) de Villelongue-d'Aude, ancien village fortifié construit en circulade, situé dans la partie ouest de l'appellation caractérisée par un climat océanique. Il est épaulé depuis quelques années par son fils Nicolas.

Le chardonnay compose avec le chenin (30%) et le pinot noir (10%) dans cette cuvée à la robe or clair aux reflets verts, parcourue d'une bulle fine et persistante. Le nez bien fruité se partage entre le coing et les fleurs blanches, prélude à un palais ample, généreux et bien équilibré par ce qu'il faut de fraîcheur. ⧗ 2016-2019 🍷 tarte fine aux pommes ● **Dom. Rosier Cuvée L 2012 (5 à 8 €; 28000 b.)** : vin cité.

DOM. ROSIER, rue Farman, BP 23, 11300 Limoux, tél. 04 68 31 48 38, domaine-rosier@wanadoo.fr
r.-v.

LIMOUX

Superficie : 194 ha
Production : 8 097 hl (60% blanc)

L'appellation limoux nature, reconnue en 1938, désignait le vin de base destiné à l'élaboration de l'appellation blanquette-de-limoux et toutes les maisons de négoce en commercialisaient quelque peu. En 1981, cette AOC s'est vu interdire, au grand regret des producteurs, l'utilisation du terme *nature*, et elle est devenue limoux. Resté à 100% mauzac, le limoux a décliné lentement, les vins de base de la blanquette-de-limoux étant alors élaborés avec du chenin, du chardonnay et du mauzac. Cette appellation renaît depuis l'intégration, pour la première fois à la récolte 1992, des cépages chenin et chardonnay, le mauzac restant toutefois obligatoire. La dynamique équipe limouxine voit ainsi ses efforts récompensés. Une particularité: la fermentation et l'élevage jusqu'au 1er mai, à réaliser obligatoirement en fût de chêne. Depuis 2004, l'AOC produit également des vins rouges à partir des cépages atlantiques (merlot surtout, cabernets et côt) et des cépages méditerranéens (syrah, grenache).

♥ LA CAPITELLE DE BARONARQUES 2013 ★★

■ | 36000 | | 15 à 20 €

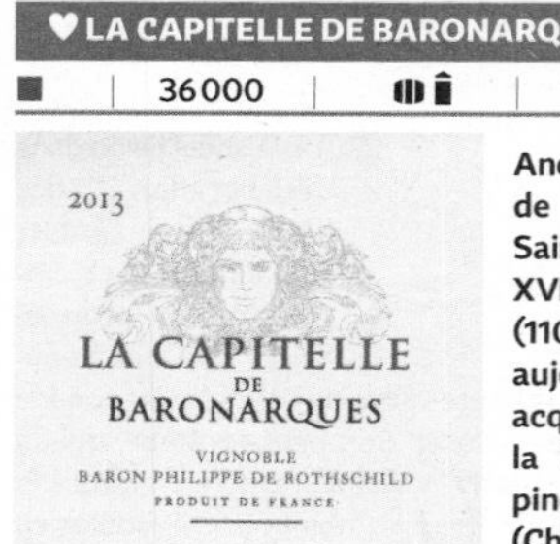

Ancienne propriété de l'abbaye de Saint-Polycarpe au XVIIe s., ce domaine (110 ha, dont 43 ha aujourd'hui) a été acquis en 1998 par la baronne Philippine de Rothschild (Ch. Mouton-Rothschild à Pauillac) et ses deux fils, qui l'ont entièrement rénové, à la vigne et au chai, et en ont fait l'une des valeurs sûres de l'appellation.

En 2015, ce domaine s'est libéré de son apostrophe pour s'appeler Baronarques, tout simplement. Il a présenté cette cuvée, que le producteur considère comme son second vin: l'assemblage ne comprend pas de cabernets (pour ce 2013, 58% de merlot, avec de la syrah et du malbec en complément); l'élevage se partage entre la cuve et le fût. Second vin? Pour les dégustateurs, il sort du lot, comme le 2011, distingué avant lui. D'un rouge intense et profond, ce millésime offre un nez centré sur les fruits rouges, la cerise, relevés d'épices, et se révèle excellent au palais, avec son attaque élégante, son étoffe ample, structurée et ses arômes éclatants de fruits rouges confiturés, teintés par la barrique de touches de moka. Du fruit, de la structure et de la complexité. ⧗ 2017-2021 ¥ tournedos Rossini

⊶ *DOM. DE BARONARQUES, 11300 Saint-Polycarpe, tél. 04 68 31 96 60, cfoucachon@domainedebaronarques.com* V t.l.j. sf sam. dim. 9h-12h 14h-17h ⊶ *GFA Baronne Philippine de Rothschild*

ANNE DE JOYEUSE Coquelicot 2013 ★★

■ | 50000 | | 5 à 8 €

Fondée en 1929, la cave coopérative Anne de Joyeuse s'est fait une spécialité de l'élaboration des vins rouges de Limoux et de la haute vallée de l'Aude issus de sélections parcellaires rigoureuses, sans pour autant négliger la production des vins blancs de l'appellation. À sa carte figurent aussi des vins en IGP.

Le nom de la cuvée rappelle que le limoux est rouge depuis 2005. Merlot, syrah, malbec, cabernet-sauvignon, pas moins de quatre cépages composent cette cuvée vinifiée en cuve de bois. Grenat profond, ce 2013 séduit par son nez concentré et tout en finesse sur les fruits rouges, nuancés de notes de cacao. En bouche, la mûre et le cassis entrent en scène, accompagnés d'un soupçon de violette. Le vin, riche et charnu, s'appuie sur des tanins déjà enrobés, qui lui assureront une belle évolution. ⧗ 2017-2020 ¥ pintade rôtie aux cèpes ■ **Very Limoux 2013 ★ (5 à 8 €; 30000 b.)** : un nez intense de fruits rouges très mûrs, une bouche complexe, mentholée, cacaotée, concentrée et longue. ⧗ 2017-2021 ¥ soupe de fruits rouges ■ **La Butinière Élevé en fût de chêne 2013 ★ (8 à 11 €; 50000 b.)** : un vin épicé, droit et fin, rond et long, au boisé bien dosé, qui laisse parler le fruit. ⧗ 2017-2021 ¥ entrecôte grillée

⊶ *OUSTAL ANNE DE JOYEUSE, 41, av. Charles-de-Gaulle, BP 39, 11303 Limoux Cedex, tél. 04 68 74 79 40, commercial.france@cave-adj.com* *t.l.j. sf dim. 9h-12h 15h-19h*

JULIEN ET JULIA Limoux! Roucarels 2013 ★

■ | 8000 | | 20 à 30 €

Deux jeunes vignerons et un jeune domaine, constitué à partir de 2006. Originaire de Dresde, Julia s'est formée à Montpellier et dans le Bordelais. Quant à Julien, natif du sud de la France, passionné de cuisine et de vin dès l'adolescence, il a fait un détour par le Médoc pour apprendre le métier. Le couple a commencé par «sauver» 2 ha de vieux carignans promis à l'arrachage puis acquis des vignes en AOC limoux. Au total, 8,6 ha.

Formés dans le Languedoc et en Bordelais, ces jeunes vignerons sont certainement à l'aise en Limouxin, région partagée entre influences climatiques et cépages océaniques et méditerranéens. Le merlot, complété de cabernet-sauvignon et de syrah, compose cette cuvée vinifiée sans levurage, restée vingt mois en fût. On apprécie son bouquet, mariage harmonieux d'épices, de réglisse et de vanille héritées de la barrique, ainsi que sa bouche bien structurée, auquel le temps a apporté de la rondeur. Une belle maturité. ⧗ 2017-2021 ¥ gigot d'agneau ■ **Limoux! Roucarels 2014 (15 à 20 €; 3000 b.)** : vin cité.

⊶ *JULIEN ET JULIA GIL, 18, rue F. Mistral, 11250 Couffoulens, tél. 06 61 77 51 35, postmaster@plo-roucarels.com* V r.-v.

CH. MARTINOLLES Vieilles Vignes 2014 ★

■ | 30000 | | 11 à 15 €

Ancienne dépendance de l'abbaye voisine de Saint-Hilaire, où les moines élaboraient des vins effervescents dès 1531, le Ch. Martinolles (80 ha aujourd'hui) a été racheté en 2010 à la famille Vergnes par Jean-Claude Mas, négociant et propriétaire de neuf domaines (plus de 600 ha) en Languedoc-Roussilon.

Un limoux blanc né de pur chardonnay, fermenté puis élevé neuf mois en fût de chêne. L'élevage est bien maîtrisé, peut-être un peu trop présent au palais. Les dégustateurs s'accordent pour saluer la finesse de la palette aromatique, entre aubépine, agrumes, pêche blanche et brioche, et l'harmonie de sa bouche, qui allie ampleur et fraîcheur. ⧗ 2017-2021 ¥ ris de veau à la crème

⊶ *CH. MARTINOLLES, 11250 Saint-Hilaire, tél. 04 68 69 45 49, info@paulmas.com*

♥ CH. RIVES-BLANQUES Odyssée 2014 ★★

■ | 18000 | | 11 à 15 €

Ce domaine de 30 ha (dont 20 de vignes) est établi dans une zone protégée Natura 2000, à la croisée des influences méditerranéennes et océaniques. Un couple anglo-hollandais, les Panman, a pris la suite en 2001 d'Érick Vialade, resté sur l'exploitation pour former le fils des nouveaux propriétaires, Jan Ailbe.

Ce chardonnay jaune paille a enchanté les dégustateurs, qui louent l'intensité de son nez sur le coing frais, la poire williams puis le chèvrefeuille, nuancés de touches beurrées. Franc à l'attaque, le palais est encore plus expressif: l'abricot frais entre en scène, puis, en finale, la noisette grillée et des touches minérales. Sa matière ample et concentrée fait elle aussi l'unanimité. ⧗ 2017-2021 ¥ aile de raie aux câpres ■ **Occitania 2014 ★ (11 à 15 €; 8000 b.)** : cette cuvée doit tout au mauzac. Nez bien typé du cépage, sur la fleur blanche, la pomme et la poire, avec des touches épicées. Bouche perlante, fraîche et consistante, teintée de vanille et de noisette par l'élevage en fût. ⧗ 2016-2020 ¥ seiche à la plancha

⊶ *CH. RIVES-BLANQUES, Dom. Rives-Blanques, 11300 Cépie, tél. 04 68 31 43 20, rives-blanques@wanadoo.fr* V r.-v. ⊶ *Famille Panman*

TOQUES ET CLOCHERS Terroir Haute Vallée 2013 ★

■ | 14000 | | 11 à 15 €

La cave coopérative Sieur d'Arques est un acteur incontournable du vignoble limouxin, où elle assure environ 60 % de la production. Fondée en 1946,

elle fédère aujourd'hui quelque 290 adhérents et dispose d'un vaste vignoble de 2 200 ha éparpillés dans plus de quarante communes, ce qui lui permet d'opérer une sélection parcellaire rigoureuse sur une très large variété de terroirs.

La célèbre cuvée de chardonnay de la cave, qui se décline en quatre versions, correspondant aux quatre terroirs de l'appellation. Trois sélections, avec une petite préférence pour le limoux Haute Vallée, né du terroir le plus proche des Pyrénées, frais et abrité des vents marins. Un vin or pâle aux reflets brillants, aux parfums subtils typiques du cépage, où ressortent les fruits exotiques, agréable en bouche par son boisé bien fondu, ses arômes fruités et floraux et par sa finale de bonne longueur. ⧗ 2016-2021 🍴 escalope à la crème ■ **Terroir méditerranéen 2013 ★ (11 à 15 €; 14 000 b.)** : un pur chardonnay né d'un terroir chaud, au nord-est de l'appellation. Nez de fruits secs et de grillé, bouche ample, puissante, florale et épicée, de bonne longueur. ⧗ 2016-2021 🍴 Coquilles Saint-Jacques ■ **Terroir Autan 2013 (11 à 15 €; 8 000 b.)** : vin cité.

SAS SIEUR D'ARQUES, av. de Carcassonne, BP 30, 11303 Limoux Cedex, tél. 04 68 74 63 11, s.echantillon@sieurdarques.com V t.l.j. 9h30-12h30 14h-18h30; dim. 10h-12h 14h30-18h

DOM. DE TREILLE
Cuvée du renouveau Élevé en fût de chêne 2013 ★

■ | 5300 | | 8 à 11 €

Ce vaste domaine de 250 ha, dont 28 ha de vignes en coteaux, a été racheté en 1997 par Pascal Eyt-Dessus, qui l'a replanté en merlot, syrah, cabernet franc et chardonnay et a aménagé une cave de vinification. À sa carte, des limoux et des vins en IGP Pays d'Oc. Didier Baldo est le régisseur et le maître de chai.

Le merlot et la syrah associés à 20 % de cabernet franc ont donné naissance à cette cuvée à la séduisante robe grenat. Le nez se partage entre les petits fruits (mûre, groseille) et des notes réglissées apportées par un élevage de douze mois en fût. Dans le même registre aromatique, le palais convainc par sa complexité, sa bonne structure et sa longueur. ⧗ 2016-2021 🍴 steak au poivre

SCEA DOM. DE TREILLE, 11250 Gardie, tél. 04 68 31 23 94, didierbaldo@wanadoo.fr V t.l.j. 8h-13h30 14h-19h

MALEPÈRE

Superficie : 384 ha / Production : 18 521 hl

Longtemps AOVDQS côtes-de-la-malepère, ce vignoble a accédé à l'appellation d'origine contrôlée en 2007. Il s'étend sur le territoire de trente-neuf communes de l'Aude. Sa situation au nord-ouest des hauts de Corbières limite les influences méditerranéennes pour le soumettre à des influences océaniques. Aussi les malepère, vins rouges ou rosés, ne privilégient-ils pas les cépages du Sud mais les variétés bordelaises. En rouge, le merlot doit constituer la moitié de l'assemblage, suivi du cabernet franc ou du côt (20 %). En rosé, c'est le cabernet franc qui joue le rôle majeur (50 %). Les cépages méditerranéens comme le grenache et le cinsault n'entrent dans les assemblages qu'à titre accessoire.

CH. BELVÈZE Cuvée tradition ★★

■ | 11 000 | | 5 à 8 €

Le château du XVIII[e]s., plutôt une bastide, est entouré d'un parc dessiné par un élève de Le Nôtre. On y jouit entre les massifs d'une belle vue (Belvèze). Il bénéficie de l'implication et des investissements de Guillaume Malafosse, qui a repris le domaine familial en 1997.

C'est certainement la délicatesse du cabernet franc (45 % du vin) qui s'exprime dans ce vin aux notes confiturées. La bouche offre un très bel équilibre entre l'élégance de ses tanins et sa texture soyeuse et ronde, et déploie une longue finale chaleureuse. ⧗ 2016-2019 🍴 cassoulet

MALAFOSSE, 2, chem. de Ronde, 11240 Belvèze-du-Razès, tél. 04 68 69 13 94, chateaubelveze@gmail.com V r.-v.

CH. LES CÈDRES DE ROBERT 2014 ★

■ | 5000 | | 5 à 8 €

Le nom de Robert remonte à l'épopée cathare du XIII[e]s. lorsque Robert de Mauvoisin, baron du nord de la France, récupéra les terres de Guillaume de Durfort confisquées par l'Inquisition. Bien des siècles plus tard, Delphine Serres de la Roussière reprend en 2013 le Château Robert et ses 16 ha de vignes et le rebaptise.

Une belle entrée dans le Guide avec ce 2014 au nez intense de petits fruits rouges frais. Une attaque franche introduit une bouche de bonne longueur, sur le cassis, épaulée par une structure élégante. ⧗ 2017-2021 🍴 entrecôte marchand de vin

DELPHINE SERRES DE LA ROUSSIÈRE, chem. de Robert, 11150 Villesiscle, tél. 06 83 58 66 50, delphine.sdelaroussiere@gmail.com V r.-v.

COINTES Clémence 2014 ★★

■ | 6000 | | 11 à 15 €

Consuls de Carcassonne au XVII[e]s., les premiers châtelains ont légué leur nom à la propriété. Au siècle dernier, les grands-parents de François Gorostis y exploitaient les vignes (30 ha) pour le négoce. Ce dernier a repris avec Anne, son épouse, ce domaine devenu une valeur sûre du Guide.

Une pointe de grenache accompagne les traditionnels merlot (50 %) et cabernets dans ce vin d'un beau grenat, ouvert sur de généreux arômes de fruits confiturés et d'épices douces (vanille). En bouche, de la rondeur, des tanins bien présents mais fondus et veloutés, et une longue finale toastée. De l'élégance et de l'harmonie. ⧗ 2017-2022 🍴 daube d'agneau

GOROSTIS, Ch. de Cointes, 11290 Roullens, tél. 04 68 26 81 05, chateaudecointes@wanadoo.fr V t.l.j. sf dim. lun. 10h-12h30 17h30-19h

DUAL 2013

■ | 9720 | ◫ | 5 à 8 €

Créée en 1949 à Arzens dans l'Aude, regroupant quatre coopératives voisines et plus de 200 viticulteurs qui travaillent sur 2 000 ha, la Malepère représente l'une des plus importantes coopératives de France. À sa carte, des cabardès et des malepère (AOC), des IGP Pays d'Oc et Cité de Carcassonne, des vins de France.

Quelques reflets tuilés d'évolution animent la robe de ce duo merlot-cabernet franc, au nez vineux de fruits à l'alcool. Le palais se montre souple, assez vif, agrémenté des nuances grillées de l'élevage. ⧗ 2016-2020 ¥ bavette à l'échalote

⊶ CAVE LA MALEPÈRE, av. des Vignerons, 11290 Arzens, tél. 04 68 76 71 76, caveau@cavelamalepere.fr V t.l.j. sf sam. dim. 8h-12h 14h-18h*

♥ **DOM. GIRARD** Tradition 2014 ★★★

■ | 10000 | ▮ | 5 à 8 €

Le village d'Alaigne est une circulade: un village médiéval bâti en rond, les ruelles s'enroulant autour de l'église. Les Girard, vignerons depuis quatre générations, y conduisent un domaine de 28 ha en altitude (350 à 450 m) et produisent leurs propres vins depuis 2000. Une valeur sûre de l'appellation.

Un équilibre exceptionnel pour ce vin né de ceps de merlot et de cabernet franc de trente ans, vinifiés séparément puis élevés dix mois en cuve. Une robe rouge pourpre intense, un nez puissant de cerise et de pruneau mâtiné d'une pointe d'épices, l'approche est engageante. La suite ne déçoit pas: la bouche apparaît ample, dense, très expressive, sur les fruits mûrs, soulignés par des tanins soyeux et une pointe de fraîcheur qui amène beaucoup de longueur. ⧗ 2017-2021 ¥ paleron en sauce

⊶ DOM. GIRARD, 3, chem. de la Garriguette, 11240 Alaigne, tél. 04 68 69 05 27, domaine-girard@wanadoo.fr V *r.-v.*

Ⓑ **CH. GUILHEM** Clos du blason 2014 ★

■ | 3000 | ◫ | 20 à 30 €

Établi à Malviès, près de Carcassonne, ce domaine, commandé par un château construit à la fin du XVIIIes. sur des vestiges gallo-romains, est dans la même famille depuis six générations. Brigitte Gourdou-Guilhem, aux commandes pendant plus de vingt-cinq ans, a passé le relais en 2005 à Bertrand Gourdou qui a engagé la conversion bio du vignoble. Aujourd'hui, ce dernier exploite 35 ha (en bio certifié depuis 2013). Une valeur sûre de l'appellation.

Après un élevage de douze mois en barriques, ce vin dévoile un boisé puissant, au caractère vanillé, accompagné d'arômes chaleureux de fruits à l'alcool. Une vigueur que l'on retrouve dans une bouche tannique, bâtie pour une longue garde. Du caractère. ⧗ 2019-2026 ¥ civet de sanglier

⊶ CH. GUILHEM, 1, bd du Château, 11300 Malviès, tél. 04 68 31 14 41, contact@chateauguilhem.com V *t.l.j. 9h-12h 14h-18h; sam. dim. sur r.-v.*
⊶ B. Gourdou

Ⓑ **DOM. LA LOUVIÈRE** L'Empereur 2014 ★★★

■ | 1200 | ◫ | 30 à 50 €

C'est l'histoire d'un industriel allemand, Klaus Grohe, qui tombe sous le charme de cette région et de ce terroir. Installé en 1992, désormais épaulé par son fils Nicolas, il a patiemment reconstruit ce domaine dont le vignoble couvre aujourd'hui 48 ha conduits en bio.

Une robe grenat profond habille ce vin né de merlot, cabernet franc et côt. L'annonce d'un nez puissant et chaleureux de fruits noirs confiturés. Une même sensation de puissance se dégage de la bouche, bâtie sur des tanins à la fois denses et souples, et prolongée par une longue, très longue note vanillée et réglissée. ⧗ 2017-2023 ¥ tajine d'agneau

⊶ KLAUS GROHE, Dom. la Louvière, 11300 Malviès, tél. 06 74 70 38 58, jharris@domaine-la-louviere.com V *t.l.j. sf dim. 9h-18h*

MINERVOIS

Superficie : 4 000 ha
Production : 120 000 hl (97 % rouge et rosé)

Le minervois est produit sur soixante et une communes, dont quarante-cinq dans l'Aude et seize dans l'Hérault. Cette région plutôt calcaire, aux collines douces et aux revers exposés au sud, protégée des vents froids par la Montagne Noire, produit des vins blancs, rosés et rouges. Le vignoble du Minervois est sillonné de routes séduisantes; un itinéraire fléché constitue la route des Vins, bordée de nombreux caveaux de dégustation. Un site célèbre dans l'histoire du Languedoc, celui de l'antique cité de Minerve, où eut lieu un acte décisif de la tragédie cathare; de nombreuses chapelles romanes et les églises de Rieux et de Caune sont les atouts touristiques de la région.

LES VIGNERONS D'ARGELIERS
Cuvée Marcelin Albert 2014 ★

■ | 20000 | ◫ | 5 à 8 €

C'est d'Argeliers que partit la révolte vigneronne de 1907 contre la fraude. Quatre-vingt-sept vignerons du village emmenés par Marcellin Albert furent les premiers à manifester. Ils étaient 600 000 trois mois plus tard dans les rues de Montpellier. Créée en 1931, la coopérative compte 300 adhérents et son domaine couvre 1 600 ha.

Ce 2014 encore jeune, caractérisé par un élevage en fût poussé, a tendance à laisser à l'arrière-plan les fruits rouges dont l'expression reste timide. Vanille et cacao règnent avec puissance et majesté, pour s'imposer finalement par leur élégance. Dès que les fruits s'exprimeront, ce Marcellin vous laissera bouche bée… ⧗ 2018-2021 🍴 pavé de biche

⊶ *LA LANGUEDOCIENNE ET SES VIGNERONS, 10, av. Pierre-de-Coubertin, 11120 Argeliers, tél. 04 68 46 11 14, lang-vin@wanadoo.fr* V t.l.j. sf dim. 10h-12h 15h-18h

DOM. DE BABIO 2013

■	4000	🍾	5 à 8 €

Repris en 2004 par Cécile Weissenbach, œnologue, le domaine est situé dans le hameau de Babio sur la commune de La Caunette, qui offre un point de vue exceptionnel sur le causse de Minerve. Le vignoble de 12 ha est perché à 200 m d'altitude, sur les contreforts de la Montagne Noire (massif de l'Espinouse).

Durant les quatre semaines de cuvaison de ce vin, on n'ajoute aucun intrant afin de respecter toutes les riches nuances d'un terroir unique. On retrouve ainsi dans ce 2013 de rares arômes de laurier, avec des nuances de fruits confiturés. L'attaque soyeuse sur des notes de cannelle est relayée par des sensations de douceur et par une finale tendre et fondue. ⧗ 2016-2019 🍴 navarin d'agneau

⊶ *CÉCILE WEISSENBACH, hameau de Babio, 34210 La Caunette, tél. 06 86 97 48 42, cecile@domainedebabio.com* V *r.-v.*

DOM. DE BARROUBIO Marie-Thérèse 2014 ★★

■	6000	🛢	8 à 11 €

La famille est établie dans le Minervois depuis la fin du XVᵉs. Installé en 2000, Raymond Miquel exploite 60 ha, dont 31 ha sont dédiés à la vigne. Référence en muscat-de-saint-jean-de-minervois, le domaine propose aussi des rouges intéressants en AOC minervois.

Une fois encore Raymond Miquel prouve son savoir-faire avec cette cuvée dédiée à sa mère. Un vin d'emblée charmeur, grâce à son nez aussi puissant que complexe, qui tourne autour du bourgeon de cassis et de la mûre. Le palais, gracieux et volubile, reste frais; ses arômes intenses de fruits incitent au péché de gourmandise, disposés sur une trame tannique suave, d'une rare élégance en finale. ⧗ 2017-2023 🍴 palombe confite

⊶ *RAYMOND MIQUEL, Barroubio, 34360 Saint-Jean-de-Minervois, tél. 04 67 38 14 06* V *t.l.j. 10h-12h 14h-18h30* 🏠 B

FRANK BENAZETH Aragonite 2014 ★★

■	24000	🛢🍾	11 à 15 €

Frank Benazeth a suivi les traces de ses parents vignerons et repris en 1987 le domaine familial (35 ha), établi sur les contreforts de la Montagne Noire. Plus original, il élève depuis 1998 une cuvée en barrique sous les stalactites du gouffre géant de Cabrespine.

C'est probablement de son élevage en fût dans le gouffre géant de Cabrespine que cette cuvée a tiré sa couleur dense, vraiment noire. Sous des conditions de température et d'hygrométrie naturellement régulées, le nectar s'affine – pour moitié en fût de chêne américain, qui lègue une vanille et un cacao opulents, pour l'autre moitié en fût de chêne français, qui transmet cette épice douce et ce pain grillé, tartiné de confiture de cassis. Une puissance chaleureuse émane de cette entente cordiale. Préservée par une charpente racée, de grande ampleur, cette alliance harmonieuse supportera sans craquer le poids des ans. ⧗ 2017-2021 🍴 gigot d'agneau

⊶ *FRANK BENAZETH, rte du Pont-Vieux, Le Moulin, 11160 Villeneuve-Minervois, tél. 06 30 61 30 01, benazeth.frank@orange.fr* V *r.-v.*

DOM. DE BLAYAC 2014 ★

■	27000	🛢🍾	5 à 8 €

Fondé en 1900, un domaine implanté à La Caunette, joli village au bord de la Cesse à deux pas de Minerve. Sept générations s'y sont succédé. Depuis 2003, Stéphane Blayac est aux commandes du vignoble, qui couvre 40 ha.

Le carignan (50 %), vinifié en grains entiers et assemblé à 25 % de syrah et à autant de grenache, a donné naissance à ce vin expressif, gorgé de fruits mûrs et de confiture de cassis, qui déploie en bouche une vanille délicate, alliée à de douces notes de mûre. Soyeux, suave, l'ensemble s'attarde longuement sur des tanins aboutis et patinés. ⧗ 2016-2021 🍴 fricassée de canard

⊶ *STÉPHANE BLAYAC, Vialanove, 34210 La Caunette, tél. 04 68 91 25 40, earldomaineblayac@wanadoo.fr* V *t.l.j. 8h-20h, dim. sur r.-v.* 🏠 D

DOM. DE LA BORIE BLANCHE 2014

■	12000	🍾	5 à 8 €

Les Lorgeril possèdent six domaines familiaux en Languedoc-Roussillon, parmi lesquels le château de Pennautier, un Versailles en Languedoc construit en 1620 à la gloire des seigneurs locaux, trésoriers des États du Languedoc; une valeur sûre de l'appellation cabardès. Nicolas et Miren de Lorgeril, qui représentent la dixième génération à conduire ce vaste ensemble de 180 ha, sont également à la tête d'une structure de négoce.

Ce vin grenat soutenu développe une palette aromatique d'une belle complexité, entre pruneau et griotte bien mûre. Sa finesse donne de l'élégance à une bouche ample et généreuse, qui dévoile une minéralité caractéristique de la syrah née sur schistes, ainsi qu'une touche épicée suave, apportée par les 20 % de grenache qui entrent aussi dans la composition de cette cuvée. ⧗ 2016-2021 🍴 canard aux épices

⊶ *DOM. DE LA BORIE BLANCHE, BP 4, 11610 Pennautier, tél. 04 68 72 65 29, contact@lorgeril.com* V *r.-v.* 🏠 D ⊶ *de Lorgeril*

CH. CANET 2014 ★★

■	17000	🍾	8 à 11 €

Commandé par une grande demeure du XIXᵉs., ce domaine viticole en Minervois a été racheté en 2007 par les Néerlandais Floris et Victoria Lemstra. Aujourd'hui, 45 ha de vignes, 3 ha d'oliviers et 65 ha de champs et de pinèdes, ainsi que des gîtes aména-

gés dans les anciennes maisons des ouvriers vignerons.

L'œnologue, Nathalie Leclercq, nous montre toute l'étendue de son talent, car son vin est distingué pour la deuxième fois consécutive. La composition de ce 2014 est identique à celle du 2012 apprécié l'an dernier: 70% de syrah et de 30% de grenache. Dans un milieu climatique assez frais, à l'ouest de l'appellation, ces cépages expriment ici leur potentiel; ils ont façonné un vin généreux, aux arômes intenses de fruits rouges relevés d'un grain de poivre. Souplesse et franchise caractérisent cet authentique minervois qui a l'accent de la garrigue. ⌛ 2016-2019 🍴 saucisses grillées

SCEA CH. CANET, 11800 Rustiques, tél. 04 68 79 28 25, nathalie@chateaucanet.com V r.-v. *Floris Lemstra*

DOM. CAVAILLES Cuvée Coralie 2014 ★★

■ | 5600 | | - de 5 €

Le domaine Cavailles se transmet depuis trois générations. Il est situé dans le causse de Minerve, au cœur même de la superbe cité qui a donné son nom à l'appellation, dans la rue qui surplombe les gorges de la Cesse. Le producteur, qui vinifie exclusivement des rouges et des rosés, pratique avec un grand savoir-faire la macération carbonique.

Constituée de carignan (47%), de grenache (40%) et de syrah (13%), cette sublime cuvée offre un type accompli de l'appellation. La dégustation vous plonge d'emblée dans un coulis de cerises et de framboises. Ces arômes se fondent dans une structure solide et chaleureuse dont le grain de tanin espiègle et rocailleux, qui taquine le palais, est typique des minervois. Tout cela s'enrobe voluptueusement dans une chair d'un beau volume lorsque survient un soupçon de fraîcheur pour parachever un équilibre parfait, d'une grande tendreté. ⌛ 2017-2021 🍴 sauté de lapin

DIDIER CAVAILLES, 2, Grand-Rue, 34210 Minerve, tél. 04 68 91 12 60, didier.cavailles0486@orange.fr V *t.l.j. 11h-12h30 14h-18h30; f. 15 nov.-20 mars*

DOM. LE CAZAL Le Pas de Zarat 2013 ★★

■ | 12000 | | 11 à 15 €

Fondé en 1870, ce domaine s'inscrit dans le terroir d'altitude du causse minervois, bordé à l'ouest par le Pas de Zarat, un petit canyon. Il se transmet depuis cinq générations. En 1996, Claude Derroja a pris les rênes de la propriété, riche d'un beau patrimoine de vieilles vignes, qui compte aujourd'hui près de 14 ha.

Toujours alerte, le Pas de Zarat suit les traces de ses devanciers: cette cuvée est très souvent en bonne place dans le Guide. Après les 2012, 2011, 2010..., ce 2013 avance avec majesté, dispensant des arômes de maturité rappelant la truffe et l'olive noire; il tire sa finesse de la fraîcheur de son terroir d'altitude et ses notes suaves de pruneau, avec une touche de vanille, de son élevage dans le bois. ⌛ 2018-2024 🍴 souris d'agneau braisée ■ **Saint-Roch 2014** ★ (5 à 8 €; 11000 b.) : un vin élevé en cuve. Au nez, d'intenses parfums de fruits noirs bien typés. Le palais très équilibré dévoile des arômes de framboise, de fruits compotés, et aussi de jeunes tanins qui demandent à s'assagir. ⌛ 2017-2021 🍴 pavé de bœuf au poivre

CLAUDE DERROJA, EARL Dom. le Cazal, lieu-dit Le Cazal, 34210 La Caunette, tél. 04 68 91 62 53, info@lecazal.com V *r.-v.*

LE CENDROUS 2014 ★★

■ | 3500 | | 15 à 20 €

Proche de Carcassonne, une ancienne terre du seigneur de Badens, émigré en Autriche à la Révolution, devenue bien national et achetée par un ancêtre de Raymond Julien. Ce dernier a pris en 1971 les rênes de la propriété, qui couvre aujourd'hui 20 ha. Viticulteur exigeant, il reste fidèle à la vendange manuelle et pratique la vinification en grains entiers.

Syrah (80%) et grenache (20%) composent cette cuvée qui porte le nom d'un lieu-dit de la propriété. Issu d'une macération carbonique, ce vin d'un rouge intense délivre un fruit opulent et chaleureux. Après une attaque franche, il se montre charmeur et généreux avec ses notes de confiture de framboises et de mûres, pour s'orienter ensuite vers la garrigue, d'une démarche souple et élégante mais aussi vigoureuse, soutenu par des tanins à la foulée ample qui, sur la distance, tiennent une longueur record de huit caudalies. ⌛ 2017-2021 🍴 daube de bœuf

RAYMOND JULIEN, Ch. Mirausse, 11800 Badens, tél. 06 87 77 81 53, julien.mirausse@wanadoo.fr V *r.-v.*

LE CLOS DES SUDS Nocturne 2014 ★

■ | 3000 | | 8 à 11 €

Après dix ans dans l'industrie, Pierre Aliste est revenu à la terre avec enthousiasme en restaurant d'abord une vieille bâtisse dans le Minervois. Le Clos des Suds est né en 2005, avec les premières vignes. En 2008, une ancienne cave de 1905 est restaurée. Le vignoble compte aujourd'hui 8 ha: la surface idéale pour ne rien laisser au hasard.

Mi-syrah mi-carignan, ce Nocturne décroche une étoile, en livrant de belles poignées de cerises et quelques baies de cassis. D'une grande suavité, il abrite ses fruits sous un édifice tannique abouti, souple et tendre. Vivacité, chaleur douce, de l'élégance et du (bon) goût. ⌛ 2016-2019 🍴 côtelettes d'agneau au thym

PIERRE ALISTE, lieu-dit La Roueyre, 11120 Bize-Minervois, tél. 06 58 79 60 56, leclosdessuds@gmail.com V *r.-v.*

LA CROIX DE SAINT-JEAN Lo Paire 2013 ★★

■ | 7000 | | 15 à 20 €

Michel Fabre, vigneron à Cabezac, s'est associé avec Fabrice Leseigneur, photographe et œnophile, pour créer en 2003 sur l'exploitation familiale le domaine Croix de Saint-Jean. Le vignoble couvre 18 ha, dont la majeure partie est implantée sur le plateau de Cazelles, dans la partie est du Minervois. Trois générations le font vivre: Robert, qui installa la vigne sur les coteaux, et Michel, rejoint par ses enfants Alexis et Annabelle.

Dans la gamme du domaine, le «père» (Lo Paire) est une cuvée élevée en fût, qui met en vedette la syrah (65%), complétée par le grenache et le mourvèdre. Le 2013 impose le respect par sa maturité affirmée et par ses tanins vanillés et épicés. Un vin dans la force de l'âge. ⧗ 2018-2023 🍷 rôti de biche aux champignons ■ **Lo Mainatge 2014 ★ (8 à 11 €; 17000 b.)** : dans la gamme familiale, l'«enfant» (Mainatge) privilégie le grenache (avec la syrah en appoint) et ne connaît pas le bois. Vivacité des fruits rouges, vivacité impétueuse de la jeunesse. Du potentiel. ⧗ 2017-2021 🍷 côte de bœuf

FABRE, La Croix-de-Saint-Jean, 11120 Bize-Minervois, tél. 04 68 46 35 32, lacroixdestjean@hotmail.fr V *r.-v.*

PIERRE CROS Les Aspres 2013 ★

■ | 8000 | | 20 à 30 €

Installé sur 21 ha de vignes, et au moins autant d'oliviers, d'amandiers et de chênes truffiers, Pierre Cros est un grand artiste vigneron, référence du Minervois, à en juger par son palmarès dans le Guide. Il se voit comme un «paysan» et dit tenir de ses père et grand-père, boulangers à Badens, son respect du client. Outre les cépages de l'appellation, Pierre Cros préserve de vieux ceps oubliés, voire «mal aimés» (comme l'aramon), et acclimate des variétés venues d'ailleurs.

Même avec un millésime délicat comme 2013, la cuvée phare du domaine continue de briller. Cette syrah choyée et placée dans l'obscurité, en fût, pendant treize mois, est de la même trempe que ses devancières, libérant des senteurs d'épices, de fruits mûrs et de vanille. Mûre et cassis entrent en scène dans une bouche ample et onctueuse, accompagnés de tanins fins et suaves qui s'abandonnent avec grâce dans la chaleur vive d'un soupçon de gingembre. ⧗ 2017-2021 🍷 fricassée de canard

PIERRE CROS, 20, rue du Minervois, 11800 Badens, tél. 04 68 79 21 82, dom-pierre-cros@sfr.fr V *t.l.j. sf dim. 9h-12h 14h-18h*

CH. DU DONJON Grande Tradition 2014

■ | 100000 | 5 à 8 €

Véritable curiosité, le pittoresque donjon du XIIIᵉs. de l'antique château de Bagnoles – ancienne dépendance de l'abbaye de Caunes – jaillit au milieu de la cave du XXIᵉs. de la famille Panis, propriétaire des lieux depuis le XVᵉs. À la tête d'un vignoble de 70 ha implanté à l'ouest du Minervois et en Cabardès, Jean Panis a signé son premier millésime en 1996.

Cette Grande Tradition est l'aboutissement d'une œuvre commencée sur les terrasses graveleuses de la Clamoux et sur des coteaux qui comptent parmi les terroirs les plus frais du Minervois. On ne s'étonnera donc pas que ce vin se signale par sa finesse et son velouté, sans renier pour autant ses origines méridionales. On y croque donc de la cerise charnue et quelques gariguettes acidulées, saupoudrées en finale d'une pincée de vanille subtile et tendre. ⧗ 2017-2021 🍷 entrecôte grillée

JEAN PANIS, Ch. du Donjon, 11600 Bagnoles, tél. 04 68 77 18 33, jean.panis@wanadoo.fr V *t.l.j. 10h-12h 15h-19h; sam. dim. sur r.-v.*

♥ L'ENCLOS DES BÉCASSES 2014 ★★★

■ | 30000 | | 8 à 11 €

Quatre générations se sont succédé sur ce domaine fondé au début du XXᵉs. En 1997, l'exploitation s'équipe d'une cave au hameau de Cailhol. En 2006, Jeanne et Christian Gautran transmettent le domaine à leur fils Nicolas et à son épouse Olivia, qui lancent en 2013 l'étiquette L'Enclos des Bécasses. Le vignoble (55 ha) est implanté à l'est de l'appellation, dans le causse du haut Minervois, terrain de chasse préféré du grand-père de l'actuel propriétaire.

Connu pour abriter la mordorée (bécasse), cet enclos recèle aussi des ceps de syrah, de grenache et de carignan dont le fruit a survolé les débats pour atteindre les trois étoiles. Les dégustateurs ont souligné d'emblée l'ampleur et le velouté de la structure de ce vin, qui dénote une aptitude au vieillissement tout en autorisant un plaisir immédiat grâce à la finesse de ses nuances vanillées et toastées. De la puissance, de la générosité, et un mouvement harmonieux qui fait monter les fruits rouges sur le devant de la scène, puis la réglisse, dont la sucrosité marque la finale – une apothéose. ⧗ 2016-2020 🍷 carré d'agneau

NICOLAS GAUTRAN, hameau de Cailhol, 34210 Aigues-Vives, tél. 04 68 91 26 03, gautran@orange.fr *EURL Vignoble*

DOM. ENTRETAN Tradition 2014 ★★

■ | 3300 | | 5 à 8 €

Vigneron discret, Jean-Claude Plantade s'est installé en 1980 avec Dominique et vinifie en cave particulière depuis 2001. Il cultive 12 ha au sud du Minervois, près du canal du Midi, et exporte 18% de ses vins vers l'Allemagne.

Retour à la tradition au domaine! Pour ce faire, le vigneron s'appuie sur l'expérience d'une syrah de vingt-cinq ans (70% de l'assemblage) et les valeurs sûres mourvèdre et grenache. La recette de la vinification classique (foulage et égrappage, longues cuvaisons), méthodiquement appliquée, apporte des senteurs de garrigue à foison; des épices complètent ce cadre méridional que l'on retrouve dans une bouche fondue, tout en cassis et en sucrosité réglissée, des volutes de fumée marquant une finale intense et séveuse. ⧗ 2016-2019 🍷 pintade rôtie

GAEC PLANTADE, 10, rue des Alizés, 11200 Roubia, tél. 04 68 43 25 16, jean.plantade@wanadoo.fr V *r.-v.*

DOM. PIERRE FIL Doliu,m 2013 ★★

■ | 8000 | | 15 à 20 €

Situé dans la partie orientale du Minervois, ce domaine couvre 26 ha sur des terrasses de graves ou des calcaires lacustres. Dans la famille depuis sept générations, il associe l'expérience du père et

la technicité du fils. Le tandem vinifie la plupart des cépages en macération carbonique.

Le mourvèdre, cépage capricieux et délicat, a trouvé ici, sur les galets roulés de grès, son aire de prédilection. Présent à 70 % dans cette cuvée, il constitue sa charpente et s'associe à merveille avec 20 % de syrah et 10 % de grenache pour engendrer un vin aux arômes « XXL » devenu musculeux après dix-huit mois d'élevage. Ce costaud chaleureux sait se montrer tendre et élégant, un bouquet de violettes à la boutonnière, et généreux, offrant des fruits rouges qui apportent ce soupçon de fraîcheur pour assurer un équilibre parfait. Vous pouvez d'ores et déjà inviter cette bouteille à votre table. ⧗ 2016-2023 ▾ pavé de bœuf sauce chocolat

⊶ *DOM. PIERRE FIL, 12, imp. des Combes, 11120 Mailhac, tél. 09 67 19 40 24, jeoffrey@domaine-pierre-fil.fr* V ⚲ ▪ *r.-v.*

EXCELLENCE DE FLORIS 2014 ★★

■	2000	◍	8 à 11 €

Si l'imposant château à la sortie d'Azille date de la fin du XIXe s., l'exploitation est dans la famille depuis plus de cinq siècles. Damien Remaury, dernier de la lignée, s'est installé en 2005 sur le domaine qui couvre 100 ha au voisinage du canal du Midi.

Un minervois de haute lignée né de syrah (80 %) et de mourvèdre, élevé près d'un an en fût. Pourpre profond, la couleur est classique. Toute la puissance aromatique de l'élevage transparaît dans des senteurs racées, balsamiques et empyreumatiques. Le bois, respectueux du vin, se borne à verser une pincée d'épices sur des fruits noirs moelleux. La belle fraîcheur du millésime apporte cette grâce subtile qui tempère la densité et la matière pour parfaire l'équilibre et assouplir l'ensemble. On pourra ainsi apprécier dès aujourd'hui ce vin, dans l'élan volubile de sa jeunesse. ⧗ 2016-2021 ▾ tournedos aux cèpes

⊶ *SCEA DE FLORIS – Philippe et Damien Remaury, Floris, 11700 Azille, tél. 06 75 02 24 12, scea-de-floris@orange.fr* V ⚲ ▪ *r.-v.*

CH. DE GOURGAZAUD Cuvée Mathilde 2014 ★

■	20 000	▮	5 à 8 €

Adossée aux premiers contreforts de la Montagne Noire, dans le Minervois, cette propriété viticole de 100 ha a été acquise en 1973 par Roger Piquet, fils d'un négociant en vins normand et lui-même fondateur d'une maison de négoce en Languedoc. À sa disparition en 2005, ses filles Chantal Piquet et Annick Tiburce ont pris le relais.

Cette cuvée met en avant la syrah (80 % de l'assemblage, avec le mourvèdre en complément) par ses notes intenses de cassis et de framboise cueillis dans les sous-bois. Ses rondeurs charmeuses dessinent les contours d'un « vin plaisir », raffiné, gourmand, d'une belle prestance et pourtant tendre. ⧗ 2016-2021 ▾ rognons de veau

⊶ *CH. DE GOURGAZAUD, 34210 La Livinière, tél. 04 68 78 10 02, contact@gourgazaud.com* V ⚲ ▪ *t.l.j. sf sam. dim. 9h-11h30 14h-16h30* ⌂ Ⓔ ⊶ *Tiburce-Piquet*

CH. LA GRAVE Privilège 2013 ★★

■	15 000	◍	8 à 11 €

Ancien prieuré de l'abbaye de Lagrasse devenu métairie, ce domaine de 100 ha est installé sur les balcons de l'Aude, vaste amphithéâtre dominant le canal du Midi. Héritiers d'une longue lignée de vignerons, Josiane et Jean-Pierre Orosquette, établis en 1978, ont transmis le flambeau à leur fils Jean-François.

Né du trio syrah-grenache-mourvèdre assemblés par tiers, ce Privilège est riche de fruits rouges et d'épices rehâussés de notes mentholées et autres accents de garrigue. La bouche est tellement gorgée de mûres et de baies de cassis qu'on oublierait presque son côté cannelle et vanille, souvenir d'un séjour de quinze mois en fût. Le vin et le bois sont harmonieusement mariés, l'onctuosité et la fraîcheur signent une union heureuse et durable : un remarquable équilibre. ⧗ 2017-2022 ▾ côte de bœuf ■ **Expression 2015 ★ (5 à 8 €; 20 000 b.)** : un des rares minervois blancs, assemblage de macabeu (60 %), de vermentino et de marsanne. Un vin brillant comme l'or, parfumé de lilas capiteux et de pomelo acidulé, souple et ample. ⧗ 2016-2018 ▾ gambas grillées

⊶ *JEAN-FRANÇOIS OROSQUETTE, Ch. la Grave, 11800 Badens, tél. 04 68 79 16 00, chateaulagrave@wanadoo.fr* V ⚲ ▪ *t.l.j. 8h30-12h 14h-17h30; sam. dim. sur r.-v.*

Ⓑ **DOM. DES MAELS**
Le Clos du Pech Laurié 2013

■	4000	◍	11 à 15 €

Un projet de vie : jeunes œnologues, Morgane et Frédéric Laigre-Schwertz ont quitté l'Alsace pour s'installer en 2002 sur les rives du canal du Midi dans un petit domaine de 15 ha exploité en bio (certification en 2011). Pâtissiers à la retraite, les parents de Morgane s'occupent des chambres et tables d'hôtes.

Grenache noir (80 %) et syrah (20 %) forment toujours un duo gagnant. La macération carbonique apporte ces évocations délicates de fruits rouges et de mûre, et les dix mois de fût lèguent une douce cannelle qui se love sur des tanins puissants et serrés, aux accents encore rocailleux. ⧗ 2016-2021 ▾ aiguillettes de canard

⊶ *DOM. DES MAELS, 32, av. des Platanes, 11200 Argens-Minervois, tél. 04 68 27 52 29, vignoble@domainedesmaels.com* V ⚲ ▪ *r.-v.* ⌂ ③ ⊶ *Schwertz*

MAS PAUMARHEL 2013

■	6500	▮	5 à 8 €

Ingénieur agronome et œnologue originaire du Tarn, Jean-Luc Dressayre s'est installé en Minervois en 2004 et a constitué peu à peu son domaine (10 ha aujourd'hui), dont le nom est un clin d'œil aux prénoms de ses trois filles (Pauline, Marion, Hélène). Il a vinifié ses premiers vins en cave particulière en 2007.

Né de quatre cépage, grenache en tête (50 %), ce 2013 rubis offre un nez tout en finesse, dominé par un cassis rehaussé d'épices et de notes empyreumatiques. Il offre un développement harmonieux et ample, avec des tanins au diapason. Un vin pour maintenant. ⧗ 2016-2019 🍴 laguiole

⊶ *JEAN-LUC DRESSAYRE,*
Mas Paumarhel, 3, chem. de la Métairie,
34210 Azillanet, tél. 04 68 49 22 18,
jl.dressayre@neuf.fr V r.-v.

MAS ROC DE BÔ
Pépite noire Terroir de Cazelles 2014 ★★

■ | 3000 | | 30 à 50 €

Déjà propriétaire de Château Cabezac à Bize-Minervois, Gontran Dondain, industriel dans l'agroalimentaire et passionné de ces terroirs, a acquis en 2003 ce domaine de 35 ha situé sur le plateau de Cazelles, inclus dans celui de Saint-Jean-de-Minervois, aux sols caillouteux de calcaires très blancs. En 2011, il a acheté l'ancienne cave du village d'Agel pour vinifier ses «pépites», estampillées Terroir de Cazelles, issues de vendanges manuelles.

Passée au tamis du grand jury des coups de cœur, cette Pépite – un assemblage privilégiant la syrah, qui a fini sa fermentation puis séjourné en fût de chêne – s'est inclinée devant d'autres finalistes en raison d'un boisé encore très marqué. On retiendra surtout sa fraîcheur soulignée par des arômes de cassis, avec une vanille appuyée, et ses tanins fins et denses, qui lui font une finale... dix-huit carats... Une rare harmonie. ⧗ 2018-2025 🍴 cuissot de chevreuil ■ **Pépite dorée Terroir de Cazelles 2014 ★ (20 à 30 €; 2000 b.)** : né de grenache blanc (70%) et de roussanne, ce vin a connu le bois: de l'or en effet, des accents de fruits exotiques, de tilleul et de cannelle, de l'ampleur et du fondu. ⧗ 2016-2019 🍴 coquilles Saint-Jacques à la crème

⊶ *MAS ROC DE BÔ, 2, rue Carrierasse, 34210 Agel,*
tél. 04 68 46 23 05, stephanie@chateaucabezac.com
V r.-v. ⊶ *Gontran Dondain*

Ⓑ CH. MIGNAN Pech-Quisou 2014 ★★

■ | 30000 | | 5 à 8 €

Domaine créé en 1956 par le grand-père de Christian Mignard sur les hautes terrasses argilo-calcaires de Siran et repris en 2002 par ce dernier. Aujourd'hui, 15 ha partagés entre les AOC minervois et minervois-la-livinière. L'actuel vigneron a construit sa cave et converti son vignoble au bio (certification en 2013).

Né sur la colline (pech) Quinsou et bâti sur le triptyque carignan-grenache-syrah en proportions sensiblement égales, ce vin ténébreux, qui brille d'un bel éclat grenat, libère des arômes exubérants de vanille et de réglisse. Franc à l'attaque, il dévoile des notes de cerise confite ou macérée dans l'eau-de-vie; son élevage parfaitement maîtrisé met en valeur une matière jeune et ample qui laisse transparaître son terroir, pour offrir un vin expressif et concentré. ⧗ 2017-2022 🍴 entrecôte grillée

⊶ *CHRISTIAN MIGNARD,*
Ch. Mignan, 34210 Siran, tél. 06 74 23 33 54,
christian.mignard@wanadoo.fr V r.-v.

♥ CH. MOLIÈRES Sainte-Lune 2014 ★★★

■ | 70000 | | 8 à 11 €

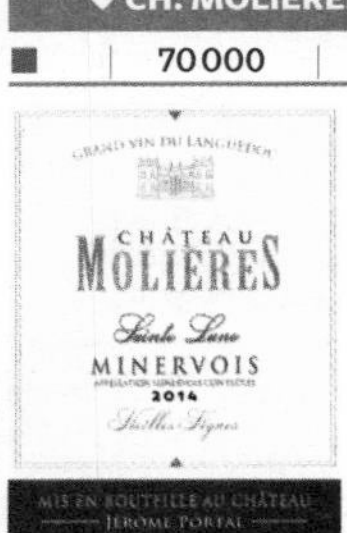

Installé en 1997, Jérôme Portal, qui exploite 20 ha en Minervois, non loin de la serre d'Oupia, a pris ses marques dans le Guide. Il décline bon nombre de cuvées, sous différentes étiquettes.

Cette année, c'est le Ch. Molières, duo de syrah (majoritaire) et de grenache, qui atteint le zénith – à la suite du 2012, lui aussi très acclamé. Au premier acte, devant un décor rouge pourpre scintillant, des fruits rouges entrent en scène et jouent avec présence et prestance: framboise, cassis et mûre donnent la réplique aux épices, et à la truffe, en fond de scène. Le second acte débute par une attaque enlevée et vigoureuse, puis la matière se déploie avec chaleur, élégance et douceur. Les arômes continuent à se répondre et s'attardent en finale sans sembler vouloir jamais tirer leur révérence. Le public est conquis. ⧗ 2017-2021 🍴 sauté d'agneau

⊶ *JÉRÔME PORTAL,*
Dom. d'Artix, 34210 Beaufort, tél. 04 68 91 28 28,
ch-beaufort@wanadoo.fr V r.-v.

DOM. MONASTREL Bizan 2014 ★

■ | 7000 | | 8 à 11 €

Constitué dans les années 1920, ce domaine du Minervois a été repris en 2001 par Vincent Enaud, œnologue, et Brigitte, son épouse, qui ont restructuré le vignoble, arrachant certains ceps et défrichant la garrigue pour constituer un ensemble de 10 ha. Ils ont construit une cave en 2007.

Le Bizan résulte d'un subtil assemblage réalisé au pourcent près. Le mourvèdre (45%) constitue la base de la réussite, assisté de la syrah (33%), du grenache (15%) et du carignan (7%) apportant cette touche traditionnelle qui fait la différence dans les grandes cuvées. L'attaque est franche et intense, sur des notes épicées et des arômes de fruits rouges, de groseille et de cassis bien mûrs qui se fondent avec ampleur dans une structure veloutée, enveloppée par des tanins racés et étirée dans une finale longue et savoureuse. ⧗ 2018-2022 🍴 civet de lièvre

⊶ *VINCENT ENAUD, 24, rte de Mailhac,*
11120 Bize-Minervois, tél. 06 15 63 00 08,
domaine@monastrel.com V r.-v.

MONTCÉLÈBRE 2014 ★

■ | 8000 | | 8 à 11 €

En 2012, Audrey Rouanet a repris la propriété que son père avait achetée en 1987, puis replantée: 22,5 ha de vignes sur les coteaux du Minervois, entre 200 et 300 m d'altitude. Elle a engagé la conversion bio du domaine.

La syrah (71%) s'allie au grenache dans ce vin rubis intense, au nez évocateur de framboise et de cerise burlat charnue. Fondu et souple en bouche, ce 2014 déploie en attaque la plus douce des étoffes, même si la finale tannique doit s'attendrir un peu. Sa fermeté présente se porte garante de l'avenir. ⧗ 2017-2021 🍴 carré d'agneau ■ **2015 ★ (8 à 11 €; 4000 b.)** : du grenache blanc (55%), du rolle (vermentino) et de la roussanne pour ce blanc qui cache sous sa robe très pâle de la pêche et du pomelo charnus. Un vin croquant et fruité, bien équilibré entre sucrosité et vivacité. ⧗ 2016-2019 🍴 poisson à la plancha

GAEC FAMILLE ROUANET, La Courounelle, 34210 Minerve, tél. 04 68 91 37 88, rouanetmontcelebre@gmail.com V r.-v.

DOM. L'OSTAL CAZES Estibals 2014 ★

■	n.c.		11 à 15 €

Jean-Michel Cazes, propriétaire du Ch. Lynch-Bages en pauillac, a acheté en 2002 au pied de la Montagne Noire 150 ha de terres. Le vignoble a été restructuré, et une ancienne tuilerie aménagée en cave. Aujourd'hui, 62 ha, situés en partie sur le prestigieux terroir de La Livinière et formant l'Ostal Cases, terme occitan qui signifie à la fois la famille et la maison.

La syrah (60%), assistée du carignan et du grenache à parité, constitue l'ossature de cette cuvée. Sans surprise, ses parfums évoquent une coupe de cassis et de fraises décorée d'un brin de violette. Après une attaque croquante, la bouche se fait charnue, affichant une matière ample et savoureuse: un édifice aux proportions harmonieuses. ⧗ 2017-2023 🍴 civet de lièvre

DOM. JEAN-MICHEL CAZES, Tuilerie Saint-Joseph, 34210 La Livinière, tél. 04 68 91 47 79, contact@lostalcazes.com V r.-v.

CH. D'OUPIA Les Barons 2014 ★★

■	35000		8 à 11 €

De la forteresse médiévale des seigneurs d'Oupia il ne reste que des pans de mur, vestiges de l'enceinte, et une tour. En 1860, Romain Iché achète le château qui échoit à son petit-fils André en 1970. Ce dernier entreprend de rénover le domaine et la cave, et fait de la propriété une référence de l'appellation minervois. Disparu en 2007, il a laissé l'œuvre de sa vie à sa fille Marie-Pierre.

Depuis 1985, date du lancement de cette cuvée sous bois, les Barons montent la garde et sont les champions du bon goût et d'un élevage de douze mois en barrique. Ce rutilant assemblage de syrah, de carignan et de grenache se pare d'étoffe noire et grenat. Sa cuirasse boisée sans défauts laisse le vin libre comme l'air, vin qui explore la garrigue, parcourt des touffes de menthe poivrée, cueille la mûre fraîche et acidulée, qui viennent adoucir sa puissance tannique. La touche de Marie-Pierre Iché en fait un seigneur de haute lignée. ⧗ 2018-2023 🍴 côte de bœuf

MARIE-PIERRE ICHÉ, Ch. d'Oupia, 4, rue du Château, 34210 Oupia, tél. 04 68 91 20 86, contact@chateauoupia.fr V r.-v.

CH. DE PARAZA Cuvée spéciale 2014 ★

■	110000		8 à 11 €

Au cœur du village de Paraza, ce château datant du XVIIᵉs. accueillit à l'époque Paul Riquet, l'architecte de la construction du canal du Midi. Annick Danglas a repris en 2005 ce domaine de 70 ha qu'elle conduit épaulée par ses deux fils.

Avec cette cuvée spéciale, le trio syrah, grenache, mourvèdre donne sa pleine mesure, surtout le dernier de ces trois cépages, dont la note poivrée caractéristique met en valeur une attaque volumineuse et chaleureuse. Les tanins cacaotés commencent à s'arrondir mais sont encore jeunes, incitant à une petite garde. Pour résumer: en l'état, il est très bien, plus tard, il sera encore mieux! ⧗ 2017-2020 🍴 palombe rôtie

DANGLAS, 1, rue du Viala, 11200 Paraza, tél. 09 64 33 37 43, chateaudeparaza@gmail.com V *t.l.j. 10h-13h 14h-20h* ⑤

CH. DE PEYRIAC 2013 ★

■	24000		5 à 8 €

La tour Saint-Martin, l'un des derniers bastions cathares tombé en même temps que Minerve en 1210, donne son nom à cette coopérative fondée en 1930. La cave regroupe aujourd'hui 50 viticulteurs et quelque 300 ha de vignes.

Le 2013, loin de s'enfermer derrière d'austères remparts, est au contraire un vin exubérant, friand, gourmand et généreux, né de quatre cépages (dont syrah 60%). Après une balade dans la garrigue, il nous invite à goûter des cerises burlats bien mûres, avec du bonbon anglais en prime. Son caractère souple et acidulé, la fraîcheur de sa finale feraient presque oublier sa chaleur et son origine méditerranéenne. ⧗ 2017-2022 🍴 cassoulet

SCAV TOUR SAINT-MARTIN, 33, av. Ernest-Ferroul, 11160 Peyriac, tél. 04 68 78 11 20, contact@tour-saint-martin.com V *t.l.j. sf dim. 9h-12h 14h-19h* *Philippe Coste*

LANGUEDOC

CH. PIQUE-PERLOU Batacla 2013 ★★

■	8500		5 à 8 €

Serge Serris a repris en 1981 le domaine familial implanté dans le Minervois. Il exploite 32 ha sur des terrasses argilo-calcaires dominant le canal du Midi, au sud de l'AOC minervois (Ch. Pique-Perlou) et en corbières (Dom. Fairjal).

Difficile de départager les deux vins de la propriété qui arrivent pratiquement ex-aequo. Ce «pur-sang» Batacla, né de grenache, de carignan et de mourvèdre, dépasse toutefois d'une courte tête la cuvée La Sellerie grâce à la fraîcheur de ses arômes de fruits rouges et à l'élégance de son élevage entre cuve et fût (huit mois). Un vin concentré, épicé, harmonieux et long. ⧗ 2017-2021 🍴 navarin d'agneau ■ **La Sellerie 2013 ★★ (15 à 20 €; 5000 b.)** : du carignan et de la syrah à parts égales, un élevage de dix-huit mois en fût pour cette habituée du Guide, qui tient de nouveau la distance grâce à sa puissance vanillée, sa densité tannique et à son volume. ⧗ 2018-2023 🍴 civet de sanglier

SERGE SERRIS, 12, av. des Écoles, 11200 Roubia, tél. 04 68 43 22 46, chateau.pique-perlou@wanadoo.fr V *t.l.j. 10h-12h 15h30-19h*

DOM. PUJOL Cuvée Saint-Fructueux 2013 ★

■	13000		15 à 20 €

Le domaine résulte de l'association en 2000 de deux vieilles familles vigneronnes de Saint-Frichoux, village proche du canal du Midi: André Izard (aux

vignes), ancien coopérateur, et Yves et Jean-Claude Pujol (le premier aux vignes et à la cave, le second à la gestion). Les deux exploitations réunies couvrent plus de 100 ha. Emmanuel Pujol, fils de Jean-Claude, est le maître de chai.

Saint Fructueux est le saint patron du village. Sous sa protection, cette cuvée issue de syrah majoritaire, toute à la dévotion du fût, exhale des senteurs intenses de vanille et de poivre – jusqu'à l'éternuement! La bouche, puissante et volumineuse, est onctueuse, gorgée de fruits confiturés, et offre une finale expressive et chaleureuse aux nuances de kirsch. ⌛ 2018-2022 🍴 ragoût d'agneau au thym

⊶ DOM. PUJOL-IZARD, 8 bis, av. de l'Europe, 11800 Saint-Frichoux, tél. 04 68 78 15 30, info@pujol-izard.com V 🚶 ▪ *t.l.j. 8h-12h 14h-18h; sam. dim. sur r.-v.*

SAINT-MARCELLIN Élevé en barrique 2013

■ | 15000 | 🛢 | 8 à 11 €

Le Cellier Lauran Cabaret est une coopérative fondée en 1929. Elle fournit 15 % de l'appellation minervois. À côté d'une gamme de vins rouges de tous les styles, elle s'illustre dans la version blanche (et rare) du minervois.

Le Saint-Marcelin est un des fleurons du Cellier. Vinifié en grains entiers et passé un an en fût, il affiche une belle typicité dans ses notes de framboise et de cassis. L'élevage n'a pas atténué la fraîcheur de ce vin souple, qui tire de son séjour dans le bois une pincée de vanille de Madagascar rehaussant sa finale expressive et élégante. Le profil type du «vin plaisir». ⌛ 2016-2021 🍴 pintade rôtie

⊶ CELLIER LAURAN CABARET, 1, av. de la Cave-Coopérative, 11800 Laure-Minervois, tél. 04 68 78 12 12, laurancabaret@hotmail.com V ▪ *t.l.j. sf dim. 8h-12h 14h-18h*

CH. SAINT-MÉRY Cuvée Exige 2013 ★★★

■ | 1500 | 🛢 | 8 à 11 €

Héritier de huit générations de vignerons, Richard Labène exploite 23 ha sur deux terroirs bien distincts, l'un sec et rocailleux, sur les coteaux de Tourouzelle, l'autre de galets roulés à Marseillette, près du canal du Midi, ce qui lui offre une belle richesse d'assemblage. Avec le mont Alaric comme horizon lointain, il s'attache à marier la tradition au souffle neuf d'un jeune vigneron.

Comme son nom l'indique, la cuvée la plus ambitieuse du domaine. À dominante de syrah, elle connaît le bois. Le 2013 a fait grande impression: un regard sombre et profonde, et de multiples senteurs qui se bousculent au nez: une corbeille de fruits noirs, puis des toasts de tapenade et enfin la cerise... sur le gâteau, sans oublier le parfum suave et entêtant de la truffe de garrigue. Tous ces arômes se précipitent avec délice dans une bouche acidulée, puissante, concentrée et onctueuse. La longue finale conjugue minéralité, ampleur et impressions chaleureuses soulignées par des notes de kirsch. ⌛ 2017-2022 🍴 civet de lièvre

⊶ RICHARD LABÈNE, Dom. Saint-Méry, 11800 Marseillette, tél. 09 50 30 06 00, info@saintmery.com V 🚶 ▪ *r.-v.*

ALBERT DE SAINT-PHAR 2014 ★★

■ | 13000 | 🛢 | 5 à 8 €

Réunissant 200 vignerons de deux communes voisines au sud-est de l'appellation minervois, non loin de Narbonne, cette coopérative dispose des 650 ha de ses adhérents.

Il illumine le verre de son rubis brillant de mille feux. Le vieux grenache (60 %) fait feu de tout bois et, après dix mois au contact du merrain, ressort avec sa chaleur coutumière, éblouissant de fruits rouges, de truffe et d'un discret vanillé. La syrah, soumise au même régime, voit sa structure confortée autour d'une gracieuse charpente où sont disposées de belles épices. Le duo parfaitement accordé se déploie jusqu'à la finale puissante et concentrée. ⌛ 2017-2021 🍴 confit de canard

⊶ LES VIGNERONS DE POUZOLS MAILHAC, rte de Carcassonne, RD 5, 11120 Pouzols-Minervois, tél. 04 68 46 13 76, cave.pouzols@yahoo.fr V 🚶 ▪ *t.l.j. 9h-12h 14h-19h*

DOM. SICARD Hommage à Elie 2014

■ | 6500 | 🛢 | 8 à 11 €

À la tête de 40 ha de vignes en Minervois, Philippe Sicard est l'actuel propriétaire de ce domaine familial fondé par son arrière-grand-père Élie en 1920, avec moins de 3 ha de vignes. Les Sicard sont également apiculteurs, d'où l'abeille sur l'étiquette.

Élie serait fier devant le chemin réalisé par le domaine et la réussite de la cuvée qui lui est dédiée. Issue de quatre cépages, elle reste un an en fût. Il en résulte un vin aux notes intenses de pruneau, de mûre, de poivre et de torréfaction. Charpenté, musculeux, chaleureux et corsé, conçu pour affronter les outrages du temps. Ce millésime sera également à son avantage dans sa jeunesse grâce à l'impression d'harmonie laissée par sa finale. ⌛ 2016-2022 🍴 côte à l'os

⊶ DOM. SICARD, 11, rte de Saint-Pons, 34210 Aigues-Vives, tél. 04 68 91 23 94, gaecsicard@wanadoo.fr V 🚶 ▪ *r.-v.*

CH. TOURRIL Livia 2014 ★★

■ | 3500 | 🛢 | 11 à 15 €

Ce domaine ancien de 13 ha sur argilo-calcaires, orienté au levant, s'inscrit dans un amphithéâtre naturel, bordé de pinèdes et de garrigues. Il a été acquis et rénové en 1998 par l'entrepreneur Philippe Espeluque.

Cette cuvée Livia s'impose pour la deuxième année consécutive et reste de la même trempe que sa devancière, grâce à la syrah qui la compose exclusivement. Une syrah concentrée, nullement impressionnée par ses quatorze mois de fût neuf: le boisé toasté et sucré de la barrique s'accommode à merveille du fruit aux nuances de cassis confituré. Douce, pleine et entière, la matière se déploie dans un environnement de garrigue évocateur du terroir, rehaussée de la chaleur des épices, et laisse envisager pour cette bouteille un avenir radieux. ⌛ 2018-2024 🍴 tournedos Rossini

⊶ CH. TOURRIL, chem. des Matelles, 11200 Roubia, tél. 04 68 91 36 89, info@chateautourril.fr V 🚶 ▪ *t.l.j. sf sam. dim. 9h-12h 14h-18h*

LES TROIS BLASONS 2015 ★★

■ | 5000 | 🍾 | - de 5 €

Marque de la coopérative d'Azillanet, qui fait désormais partie du vaste groupement Alliance Minervois après des fusions successives de caves (Homps, La Livinière, Rieux-Minervois, Vilalier...) en 2008 et 2012: 600 adhérents, 3 000 ha, 49 communes.

De la dentelle, ce blanc à la robe scintillante et aux nuances vertes attrayantes. Cette composition de roussanne (65%) et de marsanne s'affiche dans des parfums intenses de fleurs blanches. Elle allie opulence et vivacité dans un équilibre parfait et dévoile avec grâce des arômes citronnés qui étirent longuement la superbe finale. ⧗ 2016-2019 🍷 coquilles Saint-Jacques

⊶ LES TROIS BLASONS, rte d'Olonzac, 34210 Azillanet, tél. 04 68 91 22 61, les3blasons@allianceminervois.com
V ✈ ⓘ *t.l.j. sf dim. 9h-12h 14h-18h ⊶ Alliance Minervois*

CH. VILLERAMBERT JULIEN Incarnat 2014 ★

■ | 45000 | 5 à 8 €

Un site très ancien, non loin de la Via Domitia; un château du XVIe s. et 180 ha de vignes sur argilo-calcaires, schistes et même sur une veine de marbre rose où furent établies en 1700 des carrières royales. La famille Julien, qui détenait la propriété depuis 1858, l'a vendue en 2013 aux Domaines Bonfils, propriétaires de vingt domaines dans la région et de trois crus bordelais.

Dominé par la syrah (70%), ce vin libère des senteurs intenses de violette et de fruits noirs. Après une attaque agréable, relevée d'épices chaleureuses, on retrouve ces arômes enlacés à une structure ferme et opulente. Le grenache marque la finale de sa puissance veloutée et d'une belle minéralité. ⧗ 2017-2021 🍷 salers

⊶ SCEA CH. MILLEGRAND, 11800 Trèbes, tél. 04 67 93 10 10, bonfils@bonfilswines.com
V *t.l.j. sf sam. dim. 8h-12h 14h-17h ⊶ Bonfils*

Ⓑ DOM. VORDY Alice 2013 ★

■ | 3900 | ⏸ | 11 à 15 €

Ingénieur, Didier Vordy a repris en 1994, avec son épouse Hélène, le domaine familial autour de la citadelle cathare de Minerve: 20 ha, en bio certifié depuis 2013; ils sont aujourd'hui épaulés par leur fils Thibaut. S'accrochant aux versants de la Cesse et du Brian, les ceps plongent leurs racines dans des calcaires appelés grésettes.

Trois cépages (syrah, grenache, mourvèdre) en proportions identiques et en totale complémentarité construisent un bel ensemble bien abrité sous une charpente de bois neuf. L'élevage et ses notes intenses de vanille et de réglisse s'y imposent en maître, mais en laissant une place au fruit et à ses nuances suaves de fruits noirs mûrs. Chaleureux, volumineux, ce vin taillé dans le roc massif du pays de Minerve supportera avec avantage la fuite du temps. ⧗ 2018-2023 🍷 salmis de pintade

⊶ DIDIER VORDY, Mayranne, 34210 Minerve, tél. 04 68 91 80 39, vordy.didier@wanadoo.fr
V ✈ ⓘ *t.l.j. sf 9h-12h 14h-17h* 🏠 Ⓔ

MINERVOIS-LA-LIVINIÈRE

Superficie : 200 ha / Production : 7 000 hl

Reconnue en 1999, l'appellation minervois-la-livinière regroupe cinq communes des contreforts de la Montagne Noire. Elle produit des vins rouges issus de petits rendements.

♥ DOM. ANCELY Les Vignes oubliées 2013 ★★★

■ | 4000 | ⏸ | 15 à 20 €

La propriété est née dans les années 1970 sur les coteaux de Siran, au pied de la Montagne Noire, quand les parents de Bernard et Nathalie Ancely firent l'acquisition des premières parcelles et y plantèrent syrah et grenache. Elle compte aujourd'hui 20 ha. La nouvelle génération, arrivée en 2001, a quitté la coopérative et développé l'élevage en barrique.

«Les Vignes oubliées» se rappellent à notre bon souvenir pour votre plus grand plaisir. Avec son regard sombre, sa teinte violine, on sent qu'il s'agit d'une pointure. Ce vin passe en revue avec bonheur tout le registre aromatique du fruit. Il évoque d'abord le fruit charnu d'un cerisier caché dans la garrigue sous une douce chaleur printanière. Puis le clafoutis, à la fois onctueux et acidulé, teinté d'une vanille toute suave, fondante et capiteuse. La finale intense joue les prolongations, avec sa puissance épicée, teintée d'un carré de Zan: un vin complexe et complet. ⧗ 2018-2026 🍷 gigot de sept heures

⊶ ANCELY, 4, pl. du Soleil-d'Oc, 34210 Siran, tél. 04 68 91 55 43, domaineancelybernard@wanadoo.fr V ⓘ *r.-v.*

GÉRARD BERTRAND Le Viala 2014 ★★

■ | n.c. | ⏸ | 30 à 50 €

Enfant des Corbières, Gérard Bertrand est un important propriétaire et négociant du sud de la France, dont les cuvées apparaissent dans le Guide sous diverses AOC (corbières, fitou, minervois, languedoc, côtes-du-roussillon...) et en IGP.

Le Viala est la signature de Gérard Bertrand sur sa propriété de la Livinière depuis 1997. Un terroir unique de vieilles vignes de carignan, de grenache et de syrah entourées de garrigues odorantes. Cet endroit mystique, lumineux et envoûtant ne pouvait donner qu'un vin magique, scintillant, profond et racé, aux fragrances méridionales de thym, de laurier et de menthe poivrée. Ampleur, puissance, le charme opère; sans oublier la sucrosité de la réglisse et la finesse d'une matière enrobée, capiteuse et d'une longueur infinie. ⧗ 2018-2024 🍷 pavé de bœuf au poivre

⊶ GÉRARD BERTRAND, Ch. l'Hospitalet, rte de Narbonne-Plage, 11100 Narbonne, tél. 04 68 45 54 45, vins@gerard-bertrand.com
V ✈ ⓘ *t.l.j. 9h-19h*

LANGUEDOC

♥ Ⓑ DOM. BORIE DE MAUREL La Féline 2014 ★★★

■ | 18 000 | | 11 à 15 €

En 1989, Michel Escande laisse tomber son autre passion, la voile, rentre au pays avec son épouse Sylvie et crée son domaine à partir d'achats et de vignes familiales. Installé au cœur du Minervois, dans la zone du «Petit Causse», celui que l'on surnomme «le sorcier de Félines» bénéficie d'un terroir remarquable, berceau de ce qui deviendra en 1999 l'AOC minervois-la-livinière. Aujourd'hui accompagné de ses fils Maxime et Gabriel, il travaille 37 ha en biodynamie et vinifie en grains entiers. Une valeur sûre du Guide avec des cuvées comme Sylla ou Félines.

Michel Escande navigue avec les cycles lunaires, ce qui ne l'empêche pas de tenir la charrue tirée par deux splendides percherons pour les labours. À l'écoute des palpitations de la nature, cette Féline avance à pas feutrés dans sa robe noire, pour bondir dans la garrigue aux essences capiteuses, au milieu des pins, des arbouses et des fruits des bois. Elle évolue sur une chaleur minérale, en souplesse mais avec fermeté, renforcée par des tanins puissants et musculeux. La finale à l'équilibre parfait «ronronne» sur de jolies notes empyreumatiques, tout en restant vive, toutes griffes dehors. ⧗ 2018-2026 ¥ jarret de veau caramélisé

SME DOM. BORIE DE MAUREL, 2, rue de la Sallele, 34210 Félines-Minervois, tél. 04 68 91 68 58, contact@boriedemaurel.fr V *t.l.j. sf dim. 9h-12h 14h-18h* Ⓐ *Michel Escande*

Ⓑ GILLES CHABBERT Orycte 2014 ★★

■ | 5000 | | 11 à 15 €

C'est à Siran, sur le chemin des Aires, que se cache le clos de Gilles Chabbert. Un incontournable, avec six coups de cœur à son actif, en particulier grâce au Clos de l'Escandil. En 1995, Gilles a pris la suite de son père René, maire du village, avant de s'associer à son frère aîné Éric, pharmacien de profession.

Un vigneron «bio» ne pouvait rester insensible à la vie des petites bêtes, surtout celles qui sont amies des vignes. L'orycte est un coléoptère capable de soulever 850 fois son poids, ce qui en fait un des insectes les plus puissants du règne animal. On le retrouve désormais dans les parcelles où il fait bon vivre, à l'abri des traitements systématiques, systémiques et rémanents. Avec cette démarche culturale, les vins de Gilles Chabbert, sans en «faire des tonnes», développent une belle puissance aromatique, des notes de fruits à l'eau-de-vie et toute une série d'arômes empyreumatiques, allant du pain grillé à la cabosse de cacao délicatement torréfiée. La bouche richement réglissée dévoile une étoffe satinée et une élégante arête acidulée sur laquelle une douce chaleur vient se poser et s'attarder avec délicatesse, langueur, longueur. ⧗ 2018-2026 ¥ côte de bœuf

SASU AIRES HAUTES, 12, rue du Couvent, 34210 Siran, tél. 04 68 91 54 40, gilles.chabbert@wanadoo.fr V *r.-v.* *Chabbert*

DOM. COMBE BLANCHE La Galine 2014 ★

■ | 6600 | | 8 à 11 €

Guy Vanlancker, ancien instituteur originaire de Wallonie, se trouva en 1981 parachuté par les hasards de la vie sur les hauts coteaux de Calamiac où il commença à planter sur des terroirs alors délaissés. D'abord régisseur dans des domaines voisins, il conduit depuis 2000 à plein temps son vignoble qui couvre 10 ha sur les coteaux de La Livinière.

Cette cuvée affiche sans réserve une maturité poussée à l'extrême: tant qu'à extraire, autant le faire avec chaleur et allégresse. On baigne donc dans la prune à l'eau-de-vie où macère un peu de menthe poivrée. Les tanins solides, torréfiés à cœur, contribuent à asseoir la concentration et la force de ce vin qui impose le respect de la tradition. ⧗ 2018-2026 ¥ entrecôte grillée au poivre

GUY VANLANCKER, 3, ancien chem. du Moulin-Rigaud, 34210 La Livinière, tél. 04 68 91 44 82, contact@lacombeblanche.com V *t.l.j. 9h-12h30 14h30-19h*

CH. FAÎTEAU Cuvée Gaston 2014 ★★

■ | 4200 | | 11 à 15 €

L'arrière-grand-père de Jean-Michel Arnaud a planté les premiers ceps vers 1920. Ce dernier a repris l'exploitation en 2000; il est sorti de la coopérative pour proposer ses cuvées: vins de pays, minervois et minervois-la-livinière. Le domaine offre une vue imprenable sur les Pyrénées.

Gaston? La cuvée, elle, répond présent, constituée de trois cépages vinifiés ensemble en totale complémentarité aromatique. Elle est centrée sur les fruits à l'eau-de-vie, agrémentés d'un coulis de chocolat surmonté d'épices chaleureuses. Ce bel ensemble concentré et complexe voit apparaître un boisé fondu sur une structure douce et onctueuse, pour fermer le ban dans la puissance et l'allégresse. ⧗ 2017-2021 ¥ pavé de bœuf sauce chocolat

JEAN-MICHEL ARNAUD, Ch. Faîteau, 17 bis, rte des Mourgues, 34210 La Livinière, tél. 06 15 90 89 48, contact@chateaufaiteau.com V *r.-v.*

CH. DE FAUZAN L'Aldène 2013 ★★

■ | n.c. | | 8 à 11 €

Domaine proche de Minerve. Le grand-père de Jean-Philippe Bourrel, intéressé par les truites de la Cesse, l'achète en 1956 et s'attache à ce terroir caillouteux. Son père, double actif, continue les plantations de cépages nobles. Installé en 2002, l'actuel exploitant construit un chai et restructure un vignoble qui couvre aujourd'hui 60 ha.

Le château de Fauzan est situé sur le causse de Minerve non loin de la cité cathare. Cette cuvée porte le nom d'une grotte où sont secrètement gardées des empreintes de pas datant de neuf mille ans, traces des premiers habitants du lieu. Ici, les ceps vont chercher la terre et leur nourriture sous les calcaires durs et austères. Néanmoins, une fois vaincues par les racines, ces roches donnent une maturité exceptionnelle aux vins, celle acquise lentement, puisée à la source de la minéralité, de la finesse, et qui offre des épices douces et chaudes sans jamais emporter la bouche d'un feu dévorant. Le talent du vigneron fait le reste, livrant un vin aux arômes de tapenade, d'olive noire avec un soupçon de truffe, dont la structure insistante, aux accents de rocaille, vient rappeler son origine méridionale dans une finale ample et harmonieuse. ⧗ 2018-2026 🍴 cuissot de chevreuil

SCEA CH. DE FAUZAN, hameau de Fauzan, 34210 Cesseras, tél. 06 83 82 24 90, chateaudefauzan@orange.fr V r.-v.

CH. PÉPUSQUE Les Petits Cailloux 2014 ★★

■	3000	▮	15 à 20 €

Dans la famille de Renée Laburthe depuis la fin du XVIIIe s., le domaine (36 ha aujourd'hui) couvre les premières pentes de la Montagne Noire, à cheval sur les AOC minervois et la-livinière. Descendant d'une lignée de négociants du Sud-Ouest, Benoît Laburthe, ingénieur agricole formé dans des grands crus classés du Bordelais, a pris en 1986 les rênes de la propriété.

Sur le territoire de Pépieux se trouve le dolmen des Fades (c'est-à-dire des fées), dressé il y a cinq mille ans, le plus imposant du Midi de la France. Benoît Laburthe, formé dans les grands crus Bordelais, n'a pas recours à la magie des lieux mais il recherche les merveilles du terroir. Pas la pierre philosophale, mais les «petits cailloux» qui tracent le chemin à suivre pour trouver ce vin concentré, charpenté, équilibré et aromatique; un vin qui affiche une minéralité taillée comme une pierre à fusil, agrémentée de nuances mentholées et d'un fruité mûr de cerise gorgée de soleil. ⧗ 2018-2026 🍴 pièce de bœuf rôtie

EARL DES VIGNOBLES LABURTHE, 7, rue du 11-Novembre-1918, 11700 Pépieux, tél. 04 68 91 41 38, chateau.pepusque@orange.fr V r.-v.

Ⓑ DOM. LA ROUVIOLE 2013 ★★

■	6300	◍	15 à 20 €

Dans la famille Leonor depuis 1950, la propriété, implantée à Siran dans le Minervois, s'étend sur 40 ha, dont 26 ha de vignes environnées de garrigue et d'oliveraies. Elle est aujourd'hui conduite par Franck Leonor qui en a pris la direction en 2004, succédant à ses oncles.

Après une courte éclipse, ce domaine fait son retour au firmament avec cette cuvée pourpre profond aux parfums des garrigues environnantes, et d'une corbeille de fruits noirs. Elle affiche toujours la marque de fabrique de la famille: ampleur de la matière, chaleur épicée; et surtout, ce coulis de fruits rouges onctueux finement rehaussé d'une gousse de vanille, qui met en évidence des tanins délicatement ciselés par le talent d'un maître vigneron, capable d'apprivoiser la puissance, de la faire s'incliner devant la grâce et l'élégance. ⧗ 2018-2026 🍴 filet de bœuf aux morilles

DOM. LA ROUVIOLE, 34210 Siran, tél. 06 48 67 07 39, contact@larouviole.fr V *t.l.j. sf sam. dim. 9h-12h 15h-19h* *Leonor*

CH. SAINTE-EULALIE Grand Vin 2014 ★

■	4000	20 à 30 €

Créé en 1868 sur les coteaux de La Livinière aux sols calcaires, ce domaine de 38 ha est depuis 1996 la propriété d'Isabelle et de Laurent Coustal – ce dernier, œnologue. Si la maison de maître et le logement des employés sont typiques d'une «campagne» du Languedoc, les bâtiments sont aussi HQE (haute qualité environnementale).

Ce «grand vin» ne peut que l'être, car issu de carignans centenaires et chenus, de grenaches à peine plus jeunes et d'une syrah pubère de trente-cinq ans. Le talent d'Isabelle Coustal réside dans l'art de faire du neuf avec du vieux: on est frappé par la fraîcheur en bouche de ce vin, par ses arômes primesautiers de myrtille vanillée qui explosent dans une structure fondue, dynamisée par des épices poivrées. Ce millésime a du caractère, l'avenir devant lui et l'enthousiasme de la jeunesse, qui invite au plaisir immédiat. ⧗ 2016-2025 🍴 pintade aux cèpes

ISABELLE COUSTAL, Ch. Sainte-Eulalie, 34210 La Livinière, tél. 04 68 91 42 72, info@chateausainteeulalie.com V r.-v.

SAINT-CHINIAN

Superficie : 3 261 ha
Production : 138 218 hl (99 % rouge et rosé)

Mentionnés dès 1300, les saint-chinian, promus en VDQS en 1945 sont en AOC depuis 1982. Implanté dans l'Hérault, au nord-ouest de Béziers, orienté vers la mer, le vignoble couvre vingt communes et s'étend sur des coteaux le plus souvent situés entre 100 et 300 m d'altitude. Il s'enracine dans les schistes, surtout dans la partie nord, et dans les cailloutis calcaires, vers le sud. Nés du grenache, de la syrah, du mourvèdre, du carignan et du cinsault, les saint-chinian ont un potentiel de garde de quatre à cinq ans.

VIGNOBLE BELOT Mouleyres 2014 ★

■	12500	◍	8 à 11 €

Cet ancien rendez-vous des chasses royales au XVIIe s. aurait reçu la visite du roi Louis XIV. Depuis 1997, Lionel Belot est aux commandes. Après avoir entièrement restauré le domaine et renouvelé le vignoble avec l'aide de sa famille, il cultive aujourd'hui 36 ha de vignes.

Cette cuvée déploie un nez élégant de petits fruits noirs et de poivre accompagnés de fines nuances de torréfaction. Si la bouche s'ouvre sur des notes suaves de boisé vanillé, le fruité reprend rapidement le dessus, épaulé par une structure solide qui pousse loin la finale, ample et généreuse. ⧗ 2018-2021 🍴 côte de bœuf

LIONEL BELOT, Dom. du Tendon, 34360 Pierrerue, tél. 04 67 38 08 96, vignoble.belot@wanadoo.fr V *t.l.j. sf dim. 9h-12h 14h-18h*

DOM. BENONI Roquebrun Prestige 2014

■	10000	◍ ▮	5 à 8 €

Domaine de 15 ha situé près de l'entrée méridionale du Parc naturel régional du Haut-Languedoc, sur les

sols schisteux de Roquebrun. Les Gayraud en sont propriétaires depuis 1908.

Syrah (55%), grenache (40%) et mourvèdre composent ce vin au nez complexe qui oscille entre la délicatesse des arômes de rose, de raisin de Corinthe et de garrigue et l'intensité chaleureuse des fruits rouges mûrs et des épices. La bouche évolue en souplesse, sur un fond légèrement boisé et adossée à des tanins bien présents mais sans dureté. Un vin sage. ⧗ 2017-2020 🍷 entrecôte marchand de vin

⊶ DOM. BENONI, av. de Balaussan, 34460 Roquebrun, tél. 04 67 95 01 24 ■ r.-v. ⊶ Gayraud

Ⓑ BORIE LA VITARÈLE Les Crès 2014 ★

■ | 5000 | ıllı | 15 à 20 €

Un domaine de 20 ha conduit depuis 1990 (en bio et biodynamie) par Jean-François Izarn, adepte des vinifications douces avec des levures indigènes, respectueuses de l'environnement et du terroir. Ce vigneron d'une grande valeur, reconnu et apprécié de ses pairs, a «quitté la scène» prématurément, en 2014. Sa femme Cathy poursuit aujourd'hui son œuvre, à laquelle elle a largement contribué. Une valeur sûre.

Coup de cœur sur l'édition précédente avec sa cuvée Les Schistes 2013, le domaine signe avec ces Crès 2014 un beau vin dense et profond, né de syrah (60%), mourvèdre (30%) et grenache plantés sur un terroir villafranchien de galets roulés. Une légère agitation du verre libère des senteurs gourmandes de baies rouges et noires. Sur le même registre mais en plus affirmé, agrémentée d'épices, la bouche se révèle concentrée, charnue et solidement bâtie. Un saint-chinian de caractère, paré pour la garde. ⧗ 2018-2024 🍷 estouffade de bœuf

⊶ CATHY IZARN, Borie-la-Vitarèle, 34490 Causses-et-Veyran, tél. 04 67 89 50 43, contact@borielavitarele.fr V ■ ■ r.-v.

Ⓑ CH. BOUSQUETTE Pruneyrac 2014

■ | 4500 | 🍾 | 8 à 11 €

Dominant la vallée de l'Orb, cette ancienne propriété seigneuriale, dont les terres furent vendues à la Révolution, a été reprise en 1996 par Éric et Isabelle Perret. Les 25 ha de vignes sont conduits depuis 1972 en agriculture biologique – aujourd'hui certifiée.

Les Pruneyrac conduisaient le domaine il y a plus d'un siècle. Les Perret leur rendent hommage à travers cette cuvée née de grenache (70%) et mourvèdre plantés sur argilo-calcaire. Un vin ouvert sur une ribambelle de petits fruits des bois mâtinés de légères notes épicées, à la bouche fraîche, souple et fruitée, tapissée de tanins fins et doux. À apprécier dans sa jeunesse. ⧗ 2016-2020 🍷 assiette de charcuterie

⊶ ÉRIC PERRET, rte de Cazouls, 34460 Cessenon-sur-Orb, tél. 04 67 89 65 38, labousquette@wanadoo.fr V ■ ■ t.l.j. 9h-12h 13h30-18h30; sam. dim. sur r.-v. 🏠 Ⓓ

DOM. DE CAMBIS Berlou Carnet de voyage 2013 ★

■ | 3200 | | 15 à 20 €

En 2002, la famille Perolari a acquis ce domaine et entamé d'importants travaux de restructuration du vignoble. En 2004, elle sort de la coopérative et signe ses premières cuvées. Depuis 2015, le fils Martin se prépare à prendre la relève sur les 15 ha que compte l'exploitation.

Issue des schistes de Berlou plantés de vieux ceps de syrah, grenache et carignan, cette cuvée offre un bouquet fruité et généreux composé de baies noires et rouges mâtinées de notes de poivre et de café. Ample et dense dès la mise en bouche, elle développe une matière douce et souple, aux tanins délicieusement fondus, et s'achève sur une agréable saveur épicée. ⧗ 2017-2022 🍷 tajine d'agneau

⊶ DOM. DE CAMBIS, 2, rue des Mimosas, 34360 Berlou, tél. 06 20 79 78 93, contact@cambis.fr V ■ ■ r.-v.

DOM. CARRIÈRE AUDIER Cuvée Aurélie 2014 ★

■ | 5000 | 🍾 | 5 à 8 €

Ce domaine de 55 ha (25 en IGP, 30 en saint-chinian) se situe dans l'un des lieux les plus touristiques de l'appellation: Vieussan, village à flanc de coteau qui domine les terrasses plantées de vignes surplombant l'Orb. La famille Audier en est propriétaire depuis cinq générations.

Un saint-chinian né de mourvèdre, syrah et grenache à parts quasi égales, plantés sur schistes. Il délivre un bouquet intense, typé et complexe de cassis, de ciste et d'épices souligné par une subtile touche minérale. Dans le même registre aromatique (fruits noirs, garrigue, poivre), la bouche s'appuie sur des tanins soyeux, souples et ronds et, en finale, sur une agréable pointe de fraîcheur aux accents de bourgeon de cassis et de Zan. Une bouteille que l'on pourra apprécier dans sa jeunesse. ⧗ 2017-2021 🍷 suprême de poulet aux champignons

⊶ DOM. CARRIÈRE-AUDIER, Le Village, 34390 Vieussan, tél. 04 67 97 77 71, carriereaudier@free.fr V ■ ■ t.l.j. 9h-12h 15h-19h 🏠 Ⓒ

♥ DOM. CATHALA Cuvée A' 2014 ★★

■ | 7000 | ıllı 🍾 | 8 à 11 €

La famille Cathala cultive la vigne de père en fils depuis sept générations à Cessenon-sur-Orb, à 20 km au nord-ouest de Béziers. Les 15 ha que compte l'exploitation sont aujourd'hui conduits par les frères Bruno et Pascal.

Cet assemblage de syrah (60%) et de grenache provient de la partie argilo-calcaire de l'appellation. La robe pourpre très sombre annonce un vin riche. Le nez, intense, libère des arômes de plantes de la garrigue, de ciste notamment, et de jolies senteurs vanillées et fumées héritées d'un an en fût. Le palais, ample dès l'attaque, s'articule autour de tanins bien présents mais délicats et soyeux et d'élégantes notes grillées, minérales et fruitées (baies noires) qui animent une finale longue et pleine de fraîcheur. Un saint-chinian très typé, à la fois généreux et fin, qui s'appréciera dans sa jeunesse. ⧗ 2017-2020 🍴 côte de veau forestière ■ **Cuvée A Élevé en fût de chêne 2014 ★★ (11 à 15 €; 7000 b.)** : syrah (75%) et grenache pour cette cuvée complexe (mûre, cerise, ciste, épices douces et moka), ample, ronde et charnue, aux tanins veloutés, prolongée par une élégante finale aux accents réglissés. Un vin souple et friand, d'une belle densité. ⧗ 2017-2022 🍴 épaule d'agneau au four

DOM. CATHALA, 19, chem. du Pizou, 34460 Cessenon-sur-Orb, tél. 06 33 59 55 34, domaine. cathala@gmail.com V r.-v.

CH. CAZAL VIEL Vieilles Vignes 2014 ★

■ | 80000 | | 11 à 15 €

Henri Miquel, qui fut président de l'appellation saint-chinian, cultive avec son fils Laurent ce vaste et ancien domaine de 140 ha, le plus grand de l'AOC, propriété de l'abbaye de Fontcaude jusqu'à la Révolution française et entré dans la famille Miquel en 1791.

Une robe profonde, aux lumineux reflets grenat, habille ce vin ouvert sur des notes vanillées et fumées, puis, à l'aération, sur les fruits noirs et les épices (coriandre). Ample, dense et charnue, la bouche livre des arômes de mûre et de cassis et s'adosse à tanins puissants, encore un peu abrupts. Un saint-chinian promis à un bel avenir. ⧗ 2018-2022 🍴 côte de bœuf

SCEA CAZAL VIEL, hameau Cazal-Viel, 34460 Cessenon-sur-Orb, tél. 04 67 89 74 93, laurent@laurent-miquel.com V r.-v.

CLOS BAGATELLE Au fil de soi 2014 ★★

■ | 20000 | | 8 à 11 €

En 1623, un ancêtre, artisan drapier, s'établit à Saint-Chinian, au lieu-dit Bagatelle. Au XXᵉs., le domaine est transmis de mère en fille. Replantation du vignoble dans les années 1960, avec une extension sur un terroir de muscat. Depuis 1993, ce sont Christine Deleuze (au commercial) et son frère Luc Simon (à la vigne) qui sont aux commandes des 58 ha de vignes familiaux, à l'origine de saint-chinian et de muscat-de-saint-jean-de-minervois appréciés. Une valeur sûre.

Ce saint-chinian profond et intense est issu de la partie argilo-calcaire de l'appellation. Au nez, il développe des parfums délicatement boisés qui laissent place à l'aération à des notes de cerise. La bouche reprend ces arômes fruités et les agrémente de cassis, de poivre et de moka. Ample et riche, elle s'appuie sur des tanins serrés de qualité et déploie une longue finale soyeuse. Un beau potentiel de garde. ⧗ 2019-2024 🍴 filet de bœuf ■ **Le Clos de ma mère 2015 ★★ (5 à 8 €; 8600 b.)** : un vin savoureux à dominante de roussanne, aux arômes élégants de poire, d'acacia, d'abricot et de fruits exotiques au nez, fin et minéral en bouche. ⧗ 2016-2019 🍴 daurade à la plancha

CLOS BAGATELLE, 34360 Saint-Chinian, tél. 04 67 93 61 63, closbagatelle@wanadoo.fr V t.l.j. sf sam. dim. 9h-12h 14h-18h Luc Simon

CLOS LA RIVIÈRE 2013 ★

■ | 15918 | | 8 à 11 €

Le grand-père de Jean-Philippe Madalle a planté de la syrah dès 1970. Ce dernier, œnologue, a repris en 2007 avec Carole le domaine familial établi dans un décor magnifique: de vieilles vignes (18 ha) cultivées en terrasses, à 300 m d'altitude.

Syrah (80%) et grenache sont à l'origine de ce vin qui libère au premier nez des arômes de rose et de violette, bientôt relayés par des nuances poivrées. Ample et bâtie sur des tanins doux, la bouche offre un fruité plutôt confit sur un fond de notes grillées et torréfiées. Un «vin plaisir» à déguster dès maintenant, qui peut aussi se conserver quelques années en cave. ⧗ 2016-2022 🍴 gigot d'agneau au thym

JEAN-PHILIPPE MADALLE, 52, av. Jean-Jaurès, 34490 Causses-et-Veyran, tél. 06 76 29 26 34, madallejp@orange.fr V r.-v.

DOM. COMPS Cuvée Le Soleiller 2013

■ | 2700 | | 8 à 11 €

Un domaine dans la même famille depuis 1970, le premier à produire du saint-chinian à Puisserguier. Vigneron et œnologue, Jean-Christophe Martin gère la propriété (20 ha) depuis 1996, avec l'appui de toute sa famille, y compris de ses grands-parents Juliette et Pierre Comps.

Dans la lignée des vins du domaine, cette cuvée séduit par ses arômes soutenus de fruits mûrs, de garrigue, de romarin et d'épices agrémentés de légères nuances grillées. Cette diversité aromatique se prolonge dans une bouche fraîche et équilibrée, souple et aérienne. ⧗ 2017-2021 🍴 côtes d'agneau aux herbes

SCEA DOM. MARTIN COMPS, 23, rue Paul-Riquet, 34620 Puisserguier, tél. 06 08 75 77 38, martin.jean-christophe34@orange.fr V t.l.j. 9h-12h30 16h-18h

CH. COUJAN Cuvée Bois joli 2014 ★

■ | 9000 | | 8 à 11 €

La famille de François Guy et de Solange Peyre est propriétaire depuis 1868 de ce domaine établi sur un îlot de corail fossilisé. Le vignoble couvre 55 ha, convertis à l'agriculture biologique.

Une élaboration maîtrisée – macération pelliculaire, puis fermentation en demi-muid et élevage sur lies – a conduit à cette cuvée d'un beau jaune doré, au style opulent et démonstratif. Des arômes de fruits secs, de poivre blanc et de curry associés à une note grillée précèdent une bouche florale (fleurs jaunes), à la fois onctueuse et vive, très bien équilibrée. ⧗ 2016-2019 🍴 huîtres gratinées ■ **L'Île de Corail 2014 (20 à 30 €; 4000 b.)** : vin cité.

FLORENCE GUY, Ch. Coujan, 34490 Murviel-lès-Béziers, tél. 04 67 37 80 00, chateau-coujan@orange.fr V t.l.j. 9h-12h 14h-18h; dim. sur r.-v.

CH. LA DOURNIE Étienne 2013

■ | 15000 | | 11 à 15 €

Ce domaine de 45 ha d'un seul tenant, implanté sur les sols schisteux de Saint-Chinian, a vu se succéder six générations de femmes de la famille Étienne.

La cuvée «signature» du domaine. Le nez se révèle gourmand, bien ouvert sur les fruits surmûris (griotte et framboise). La bouche penche quant à elle plutôt du côté des épices douces, portée par des tanins élégants et doux, tandis que la finale fruitée rappelle l'olfaction. Un ensemble souple et équilibré. ⧗ 2017-2020 🍷 sauté de veau aux olives

⊶ CH. LA DOURNIE, La Dournie, 34360 Saint-Chinian, tél. 04 67 38 19 43, chateau.ladournie@wanadoo.fr V t.l.j. sf sam. dim. 9h-12h 14h-18h

CH. FONTANCHE Les Vyères 2015 ★

■	16000		8 à 11 €

Propriété de Frédéric Lornet, valeur sûre du vignoble jurassien, ce domaine a changé de mains en 2014, repris par Nathalie et Gilles Cantons. Le vignoble s'étend sur 17 ha à travers bois et vallons, sur un plateau sauvage situé à 200 m d'altitude.

Un assemblage de grenache, syrah, carignan et cinsault. Le nez, riche et intense, associe la cerise et le cassis à de délicats parfums épicés. Une dominante fruitée qui se poursuit dans un palais équilibré, long et frais, porté par des tanins jeunes et fermes : la promesse d'une belle évolution. ⧗ 2018-2022 🍷 magret de canard aux cerises

⊶ SAS CH. FONTANCHE, rte des Fontanches, 34310 Quarante, tél. 06 14 54 15 25, gilles.cantons@wanadoo.fr V *r.-v. ⊶ Cantons*

CH. DE GRAGNOS Cuvée Prestige 2013 ★

■	10000		30 à 50 €

Bâti sur les vestiges d'une ancienne villa romaine, le château de Gragnos remonterait au Moyen Âge. Restructuré dans sa forme actuelle en 1710, il dépend alors du duché de Toulouse. Le château devient propriété familiale en 1864. Le domaine totalise 80 ha, dont 20 ha dédiés à la vigne.

L'expression olfactive de ce 2013 témoigne par ses arômes intenses de baies noires et de fleurs d'une vinification en macération carbonique d'une partie des raisins, tandis que des notes délicatement toastées signent un élevage sous bois bien maîtrisé. La bouche, à l'unisson, se révèle à la fois veloutée, onctueuse, fraîche et élégante. ⧗ 2018-2022 🍷 pintade fermière

⊶ CH. DE GRAGNOS, lieu-dit La Combe-de-Gragnos, rte de Villespassans, 34360 Saint-Chinian, tél. 04 67 25 72 81, contact@chateaudegragnos.com V *r.-v.*

DOM. DU LANDEYRAN Roquebrun 2014 ★★

■	30000		5 à 8 €

Ancienne propriété de Michel et Patricia Soulier, issus du secteur bancaire, qui ont vinifié de très belles cuvées sur ce superbe terroir de schistes. Après des épreuves et des difficultés de santé, ils ont mis en vente leurs vignes, acquises en 2012 par les Domaines Jeanjean.

Ce vin grenat aux intenses reflets noirs se distingue par sa grande complexité aromatique: les fruits noirs (cassis, confiture de mûre) côtoient le Zan et le poivre blanc, ainsi qu'une chaleureuse note de bigarreau à l'eau-de-vie. Ample et longue, bâtie sur une structure à la fois dense et fine, la bouche donne la sensation de croquer dans un grain de cassis frais. Remarquable d'harmonie et d'élégance. ⧗ 2017-2020 🍷 caille aux raisins

⊶ SCEA DOM. DE LANDEYRAN, L'Enclos, 34725 Saint-Félix-de-Lodez, tél. 04 67 88 80 00, damien.guerande@vignobles-jeanjean.com V *t.l.j. sf dim. 9h30-19h ⊶ Jeanjean*

DOM. LA LINQUIÈRE
Le Chant des cigales Élevé en fût de chêne 2014 ★

■	14000		8 à 11 €

Le nom du domaine rappelle que le lin et le textile, avant la vigne, ont fait la prospérité de Saint-Chinian. Robert Salvestre sort de la coopérative en 2001 et reconstitue le vignoble familial, fondé au milieu du XIXᵉs. En 2010, il disparaît et ses fils Luc et Pierre poursuivent son œuvre. Le domaine, qui couvre 25 ha sur les trois terroirs de Saint-Chinian (schistes, calcaires et grès) s'est affirmé comme l'un des porte-drapeaux de l'appellation.

L'une des cuvées phares du domaine, coup de cœur l'an dernier. La version 2014 s'inscrit dans la lignée des millésimes précédents. Robe intense aux reflets noirs, nez puissant et complexe associant notes boisées fondues et élégantes, arômes de baies noires et nuances aériennes et fraîches d'eucalyptus et de menthol. La bouche, dans le droit-fil, se montre concentrée, dense et solide. Un vin encore dans la fougue de sa jeunesse, à attendre et à carafer avant le service. ⧗ 2019-2024 🍷 civet de lièvre ■ **Fleur de Lin Élevé en fût de chêne 2015 ★ (8 à 11 €; 2000 b.)** : un vin charmeur, gourmand et frais, ouvert sur des arômes de genêt, de pêche de vigne, de poire et d'agrumes, légèrement vanillé en finale. ⧗ 2016-2019 🍷 gambas à la plancha

⊶ FAMILLE SALVESTRE, 12, av. de Béziers, 34360 Saint-Chinian, tél. 04 67 38 25 87, linquiere@neuf.fr V *t.l.j. 9h-12h 14h30-19h; dim. 9h-12h*

DOM. LA MADURA Classic 2013

■	35000		11 à 15 €

Cyril Bourgne, passé par le Château de Fieuzal en pessac-léognan, et son épouse Nadia ont repris en 1998 ce vignoble de 12,5 ha certifié Haute Valeur Environnementale. Une mosaïque de parcelles étagées entre 150 à 350 m d'altitude, un terroir à facettes – argilo-calcaires, schistes et grès – et une variété de cépages et de microclimats.

Ce 2013 s'ouvre sur les fruits rouges bien mûrs, le genièvre et une nuance de café torréfié. Le prélude à une bouche à la fois ronde, franche, tendue. À déguster dans sa jeunesse sur un plat en sauce qui gommera la légère sévérité des tanins en finale. ⧗ 2016-2020 🍷 macaronade de bœuf à la sétoise

⊶ CYRIL ET NADIA BOURGNE, rte de Salabert, 34360 Saint-Chinian, tél. 04 67 38 17 85, info@lamadura.com V *t.l.j. 10h-12h 14h-17h*

Ⓑ **MAS DE CYNANQUE** Plein Grès 2014

■	10000		8 à 11 €

Depuis sa création en 2004, ce domaine de 16 ha conduit en bio fait preuve d'une belle constance. Violaine et Xavier de Franssu, tous deux anciens élèves de l'Agro de Montpellier, savent tirer la quintessence de ce terroir atypique de grès rouge.

Cette cuvée déploie une olfaction élégante aux accents de garrigue et de fruits noirs bien mûrs dominés par la cerise noire. Une fraîcheur agréable accompagne les petits fruits rouges dans une bouche ample et ronde. ⧗ 2017-2020 🍷 brochettes bœuf et poivron

MAS DE CYNANQUE, rte d'Assignan, 34310 Cruzy, tél. 04 67 25 01 34, contact@masdecynanque.com r.-v. *de Franssu*

DOM. LA MAURERIE Vieilles Vignes 2013 ★

8000		5 à 8 €

Le domaine des Depaule (28 ha) se trouve dans un petit hameau d'une vingtaine d'âmes cerné de garrigue, et ses vignes sont plantées sur des schistes. En 2016, Nicolas (huitième génération) a pris la suite de son père Michel à la tête du vignoble.

Régulièrement en vue, cette cuvée Vieilles Vignes née de syrah (80%) et de grenache se montre plutôt timide à l'olfaction, dévoilant progressivement des notes animales, rejointes à l'aération par les fruits mûrs et des nuances grillées. Des tanins élégants et fins tapissent le palais, souple et d'une fraîcheur agréable. 2017-2020 cuisse de canard confit **Dom. La Maurerie Le Crestel 2013 ★ (11 à 15 €; 2000 b.)** : cette cuvée confidentielle associe 10% de mourvèdre à la syrah et au grenache. Ses atouts: une large palette aromatique (fruits noirs, réglisse, curry, note fumée), un caractère souple et vif et une jolie finale sur les fruits secs. 2017-2020 côte de bœuf aux sarments

MICHEL DEPAULE, hameau La Maurerie, 34360 Prades-sur-Vernazobre, tél. 04 67 38 22 09, michel.depaule@wanadoo.fr r.-v.

B DOM. DU MÉTÉORE Clos de Bijou 2014

11000		5 à 8 €

Une météorite serait tombée à Cabrerolles il y a plus de dix mille ans. Au fond d'un cratère de 220 m de diamètre (le cirque du Clot) se niche la vigne de Geneviève et Guy Libès (23 ha). Les cuvées portent ici des noms d'étoiles filantes: Orionides, Perséides, Léonides.

Plus souvent en vue pour ses faugères, le domaine se distingue aussi en saint-chinian. Ici, un 2014 apprécié pour son nez intense de bourgeon de cassis et de mûre et pour sa bouche ample et épicée (poivre de Sichuan, cumin), aux tanins jeunes et fermes, qui conjugue fraîcheur et générosité. 2017-2021 gigot d'agneau

GENEVIÈVE ET GUY LIBÈS, Dom. du Météore, 34480 Cabrerolles, tél. 04 67 90 21 12, domainedumeteore@wanadoo.fr r.-v.

♥ CAVE DE ROQUEBRUN Roquebrun Roches noires Macération 2014 ★★

300000		8 à 11 €

Inclus dans l'aire AOC saint-chinian, le village de Roquebrun, à 30 km au nord de Béziers, bénéficie d'un microclimat permettant la culture des orangers et d'un terroir de schistes qui lui valent une dénomination particulière. La Cave de Roquebrun, créée en 1967, dispose de 650 ha de vigne. Exigeante, la coopérative pratique des sélections parcellaires selon les cépages, les vignobles et les maturités.

Coup de cœur avec le millésime 2012, cette cuvée issue de coteaux schisteux plantés de syrah (60%), grenache et mourvèdre fait à nouveau l'unanimité dans sa version 2014. Une robe grenat ourlée de reflets bruns, un bouquet intense et complexe de fruits rouges et noirs, de silex, de muscade et de café: l'approche est séduisante. Puis de douces notes épicées emplissent un palais ample et consistant, aux tanins à la fois fermes et enrobés, qui conduisent à une longue finale mentholée relevée par de beaux amers. Un vin complet et parfaitement équilibré, frais, solide et généreux. 2018-2022 côte de bœuf **Terrasses de Cabrio 2015 ★ (5 à 8 €; 300000 b.)** : le nez s'ouvre sur le cassis, la myrtille, l'olive noire et la réglisse; la bouche, d'un beau volume, est bâtie sur des tanins fondus et une fine minéralité. Un vin en souplesse, déjà appréciable. 2016-2019 sauté de veau à la tomate **Les Fiefs d'Aupenac 2014 ★ (11 à 15 €; 80000 b.)** : robe dorée, arômes d'abricot, de mandarine et de fruits exotiques, palais rond et tendre pour ce blanc des plus gourmands. 2016-2019 filet de rouget grillé

CAVE DE ROQUEBRUN, av. des Orangers, 34460 Roquebrun, tél. 04 67 89 64 35, logistique@cave-roquebrun.fr r.-v.

DOM. DU SACRÉ CŒUR L'Ancêtre 2014 ★

20000		5 à 8 €

La famille Cabaret est installée depuis 1991 à Assignan. Luc a pris la succession de son père Marc en 2007, mais tous deux travaillaient depuis longtemps côte à côte; la vigne certes, saint-chinian et muscat-de-saint-jean-de-minervois, mais pas seulement: ici, on propose aussi de l'huile d'olive et des navets de Pardailhan. Et l'épouse du propriétaire tient l'épicerie fine du village.

Élaboré à partir du trio traditionnel syrah-grenache-carignan, ce 2014 dévoile un bouquet intense et harmonieux de mûre, de myrtille et de cerise noire, accompagné à l'aération des parfums frais et aériens de la garrigue environnante. Le palais déploie un beau volume, adossé à des tanins jeunes mais souples, et de chaleureuses notes d'épices douces apportent une belle touche finale à cet ensemble élégant. 2017-2020 tajine de veau

LUC CABARET, 34360 Assignan, tél. 04 67 38 17 97, gaecsacrecoeur@wanadoo.fr *t.l.j. 9h-12h30 14h-19h*

CH. DE SAINT-CELS 2014 ★

3000		5 à 8 €

Créé en 1974 par Henri Rouanet à partir de deux vignobles familiaux, ce domaine est conduit depuis 1992 par Étienne, le petit-fils, à la tête d'un vaste ensemble de 80 ha.

Ce vin né de grenache blanc (60%), roussanne et vermentino livre un nez complexe et élégant de fruits jaunes, d'agrumes et d'ananas relevé d'une pointe de curry. Précis en bouche, il allie richesse et fraîcheur dans un ensemble harmonieux qui témoigne d'une belle

LANGUEDOC

maîtrise du processus d'élaboration, de la maturité des raisins à l'élevage sur lies fines. 2016-2019 sandre au beurre blanc

DOM. DE SAINT-CELS, lieu-dit Saint-Cels, 34360 Saint-Chinian, tél. 04 67 38 13 32, rouanet.etienne@gmail.com r.-v. Rouanet

L'EXCELLENCE DE SAINT-LAURENT 2015 ★

| 100000 | | - de 5 €

Créée en 1937, la coopérative de Saint-Chinian est installée au cœur du village éponyme de l'appellation. Elle regroupe 175 adhérents cultivant 750 ha et se flatte d'être le premier fournisseur des vins de ce cru. Sa production (3,5 millions de bouteilles) se partage entre les saint-chinian (deux tiers) et les vins en IGP.

Deux tiers de grenache blanc pour un tiers de roussanne dans ce vin pâle et éclatant, ouvert sur de fines touches florales et iodées, bientôt rejointes par des notes gourmandes de pêche de vigne, de figue sèche, de cardamome et de noisette. Tout aussi complexe, ample et persistante, la bouche se montre à la fois fraîche, ronde et légère. Un ensemble élégant et harmonieux, à prix très doux. 2016-2019 brandade de morue

CAVE DES VIGNERONS DE SAINT-CHINIAN, rte de Sorteilho, 34360 Saint-Chinian, tél. 04 67 38 28 48, info@vin-saintchinian.com r.-v.

TERRE DE LOUPS
Berlou Les Terrasses royales 2014 ★

| 20000 | 5 à 8 €

Depuis 1870 et cinq générations, la famille Jeanjean exerce les métiers de vigneron et de négociant à Saint-Félix-de-Lodez, au cœur du Languedoc. Un acteur de poids des vins du sud de la France, rattaché au groupe Advini.

De vieilles vignes de carignan et de syrah plantées sur schistes sont à l'origine de cette cuvée aux arômes intenses de fruits rouges et noirs, agrémentés de notes balsamiques et poivrées. Ample, souple et fruitée, bâtie sur de bons tanins, la bouche présente un bel équilibre et une agréable fraîcheur en finale, renforcée par une légère amertume et des notes réglissées. 2017-2020 tournedos sauce poivre

JEANJEAN, rue de l'Enclos, 34725 Saint-Félix-de-Lodez, tél. 04 67 88 80 00, brigitte.barreiro@jeanjean.fr r.-v.

CH. VIRANEL V 2013 ★

| 7000 | | 11 à 15 €

Histoire familiale et patrimoine se transmettent depuis 1551 sur cette propriété en terrasses dominant la vallée de l'Orb, dans l'aire du saint-chinian. Depuis 2012, la dernière génération, représentée par Arnaud et Nicolas Bergasse, conduit le vignoble qui couvre aujourd'hui 40 ha.

Le vin s'affiche en robe intense et encore vive pour un 2013. Le nez apparaît discret, sur de légères notes toastées, fumées et poivrées. La bouche, moins timide, se révèle concentrée, puissante, équilibrée et chaleureuse en finale, étayée par un boisé de qualité mais encore un peu dominateur. À carafer avant le service. 2018-2022 rôti de canard aux cèpes **Tradition 2015 ★ (8 à 11 €; 10000 b.)** : un vin apprécié pour ses arômes riches et élégants d'abricot, de poire, de miel d'acacia et d'épices douces, et pour sa bouche onctueuse et charnue, stimulée par une finale fraîche et minérale. 2016-2019 friture de calamars

CH. VIRANEL, rte de Causses-et-Veyran, 34460 Cessenon-sur-Orb, tél. 04 67 89 60 59, contact@viranel.fr r.-v. Bergasse

MUSCAT-DE-LUNEL

Superficie : 321 ha / Production : 8 206 hl

Implanté entre Nîmes et Montpellier, le vignoble est principalement installé sur des nappes de cailloutis de plusieurs mètres d'épaisseur à ciment d'argile rouge. Le seul muscat à petits grains est à l'origine de vins doux naturels qui doivent garder au minimum 110 g/l de sucre.

♥ DOM. DES AIRES 2015 ★★★

| 9000 | | 8 à 11 €

En créant le domaine en 1986, Robert Brun a misé d'emblée sur la vente directe. Son fils Christophe, après avoir été professeur d'espagnol pendant six ans, a repris l'exploitation paternelle en 2012: 19 ha, du muscat à petits grains et d'autres cépages pour les IGP.

Trois millésimes après sa formation en viticulture, Christophe Brun se voit déjà auréolé de la palme de l'appellation. Loin d'être académique, ce muscat brille par son exubérance. Nos narines s'accordent une détente récréative et printanière sous des acacias aux fleurs capiteuses. On retrouve ces fragrances dans une bouche à la fois onctueuse et fraîche, accompagnée de la douceur d'un abricot charnu et acidulé et d'une poire sucrée, juteuse et savoureuse, le tout stimulé par la vivacité du zeste de citron vert. Un vin d'un grand équilibre, entre subtilité, volume et puissance. 2016-2020 foie gras poêlé

CHRISTOPHE BRUN, 67, rue des Aires, 34400 Lunel, tél. 04 67 71 12 08, domainedesaires@yahoo.fr t.l.j. 8h-18h; 8h-19h30 (été)

GRÈS SAINT-PAUL Sévillane 2015 ★★

| 4500 | | 11 à 15 €

Cette propriété familiale, fondée en 1830, est dirigée depuis 1976 par Jean-Philippe Servière, vigneron lunellois héritier de six générations. Au vignoble (24 ha), planté sur une terrasse villafranchienne de galets roulés, comme à la cave, il allie tradition et modernité, après avoir redonné leur lustre aux bâtiments usés par les ans. Une valeur sûre en AOC languedoc et muscat-de-lunel.

Le muscat s'épanouit ici sur une terrasse du Villafranchien pour offrir cette cuvée séduisante, au nom prédestiné tant les arômes dansent dans le verre. Le spectacle débute par une touche exotique, suivie de notes de clémentine confite et d'abricot qui font le pas de deux autour d'arômes opulents et langoureux de litchi. L'ensemble monte en volume avec grâce et vivacité dans un palais équilibré, expressif et délicat, où les arômes se fondent dans un moelleux chaleureux rehaussé par une finale « trépidante ». ⧗ 2016-2021 ⚲ tarte au citron

⊶ *GFA GRÈS SAINT-PAUL, 1909, rte de Restinclières, 34400 Lunel, tél. 04 67 71 27 90, contact@gres-saint-paul.com* V *t.l.j. sf dim. 9h30-12h30 14h30-19h*

MUSCAT-DE-FRONTIGNAN

Superficie : 812 ha / Production : 19 666 hl

Reconnu en 1936, le frontignan a été le premier muscat à obtenir l'appellation d'origine contrôlée. Il naît entre Sète et Mireval. Le vignoble, exposé au sud-est, est abrité des vents du nord par le massif de la Gardiole. Il s'enracine dans des terrains secs, caillouteux, pierreux, issus de couches jurassiques, molassiques et d'alluvions anciennes – des sols ingrats pour toute autre culture. Autrefois appelé « muscat doré de Frontignan », le muscat à petits grains est le cépage exclusif de l'appellation. Avec un minimum de 110 g/l de sucre, les frontignan sont des vins doux naturels puissants ; ils ne manquent pourtant jamais d'élégance.

FRONTIGNAN MUSCAT Douze ans d'âge ★

■ | 10000 | | 15 à 20 €

Fondée dès 1904, la cave de Frontignan (devenue Frontignan Muscat) dispose aujourd'hui de plus de 460 ha cultivés par 150 coopérateurs ; elle fournit 80 % de l'AOC muscat-de-frontignan, tout en déclinant de multiples styles de vins à base de muscat à petits grains.

Une très belle expression du muscat que ce douze ans d'âge élevé en petits foudres de chêne de Hongrie. Une curiosité ambrée comme un vieux cognac, ornée de reflets couleur grenat catalan, d'une rare richesse aromatique, avec de douces senteurs de vanille et de caramel qui côtoient des notes d'arabica pur Colombie, chaleureux et torréfié à cœur. La bouche est moelleuse, stimulée par une pointe d'acidité bienvenue aux accents d'orange amère. Un vin qui a le bon goût de la tradition et de l'élégance, à réserver pour des moments privilégiés. ⧗ 2017-2023 ⚲ tarte au chocolat

⊶ *SCA FRONTIGNAN MUSCAT, 14, av. du Muscat, BP 136, 34112 Frontignan Cedex, tél. 04 67 48 12 26, cl@frontignanmuscat.fr* V *t.l.j. 9h30-12h30 14h30-18h30*

MAS DE MADAME 2015 ★★

■ | 15000 | | 8 à 11 €

Conduit par les Sourina père et fils, le premier agronome, le second œnologue, ce vignoble de coteaux (46 ha d'un seul tenant sur le piémont du massif de la Gardiole) est l'un des plus anciens de Frontignan : les archives municipales attestent la présence du muscat dès 1170. Bâti au XVIe s., le mas a été restauré en 2003 et les chais ont été modernisés en 2006.

Fidèle au rendez-vous, le Mas de Madame s'invite dans cette sélection avec un muscat à la pâleur diaphane aux reflets émeraude. Une approche élégante qui prélude à un bouquet délicat, d'abord floral puis très fruité, autour de la pomme verte et de la banane agrémentées d'onctueuses nuances miellées. Cette douceur caractérise aussi le palais, opulent sans aucune lourdeur, à la fois délicat et chaleureux, épaulé par une belle note grillée. ⧗ 2017-2021 ⚲ foie gras

⊶ *DOM. DU MAS DE MADAME, rte de Montpellier, 34110 Frontignan, tél. 06 07 38 77 89, jacques.sourina@mas-de-madame.com* V *t.l.j. 9h-12h30 14h-19h* ⊶ *Sourina*

CH. DE LA PEYRADE Sol Invictus 2015 ★

■ | 8000 | | 8 à 11 €

Le château de la Peyrade a été construit à la fin du XVIIIe s. sur un léger promontoire au bord de l'étang des Eaux blanches, face à l'île de Sète. Son vignoble de 23 ha est entièrement dédié au muscat blanc à petits grains. Une valeur sûre de l'appellation.

Une sélection de 3 ha de vignes est dédiée à cette cuvée éclatante de jeunesse, au teint très pâle, qui affiche une belle vitalité autour de la vivacité des agrumes. Le palais apparaît friand et tendre, élégant et fin, ouvert sur des arômes gourmands de bonbon anglais. Un joli muscat primesautier et enjoué. ⧗ 2016-2020 ⚲ tarte Tatin à la mangue

⊶ *CH. DE LA PEYRADE, rond-point Salvador-Allende, 34110 Frontignan, tél. 04 67 48 61 19, info@chateaulapeyrade.com* V *t.l.j. sf dim. 9h-12h 14h-18h30* ⊶ *Pastourel*

♥ DOM. PEYRONNET Cuvée Belle Étoile 2015 ★★★

■ | 5000 | | 11 à 15 €

Le petit commerce de vins et muscats installé en 1935 dans l'ancienne forge de l'arrière-grand-père est toujours là. L'achat de la première parcelle date de la même époque. Œnologue, Alain Peyronnet a repris en 1990 le vignoble familial – 12 ha dédiés au muscat – et montre une régularité sans faille.

Un grand classique que cette cuvée dont l'étoile continue de briller au-dessus de l'appellation et dans le verre, avec ici d'éclatantes nuances dorées aux reflets nacrés. L'olfaction, intense et complexe, libère de fines senteurs de citron vert et de fruits exotiques accompagnées d'une note surmaturée que l'on retrouve en bouche. Cette dernière, ample, fondante, charnue, corsée, est mise sur orbite par une vivacité parfaitement dosée aux accents de pêche acidulée qui porte loin, très loin, la finale. ⧗ 2017-2022 ⚲ poulet à l'ananas

⊶ DOM. PEYRONNET, 9, av. de la Libération, 34110 Frontignan, tél. 06 08 63 68 63, caves.favier-bel@wanadoo.fr V r.-v.

DOM. DE LA PLAINE Christho 2014 ★

	5000		5 à 8 €

Marie-Noëlle et Francis Sala sont installés depuis 1988 dans la partie orientale de l'aire d'appellation, au pied du massif de la Gardiole. Ils y ont façonné un vignoble de 20 ha exclusivement planté en muscat à petits grains qui leur vaut des mentions régulières dans le Guide.

Cette cuvée Christho adresse un clin d'œil aux deux fils de la famille, Christophe et Thomas, dont l'un a rejoint ses parents sur l'exploitation pour assurer la relève. Ce muscat traditionnel, concentré et bien mûr, prend racine dans la garrigue environnante qui lui confère des senteurs de fenouil. L'orange amère apporte de la finesse et atténue la chaleur d'un palais dense et suave, enveloppé d'arômes de miel et de pâte de coing. À boire sur le fruit. ⧗ 2016-2018 ⍦ toasts de foie gras

⊶ FRANCIS SALA, Dom. de la Plaine, 6, rte de Montpellier, 34110 Vic-la-Gardiole, tél. 04 67 48 10 78, muscat-de-f@wanadoo.fr V r.-v.

MUSCAT-DE-MIREVAL

Superficie : 275 ha / Production : 6 211 hl

Ce vignoble est bordé par Frontignan à l'ouest, le massif de la Gardiole au nord et la mer et les étangs au sud. D'origine jurassique, les sols se présentent sous forme d'alluvions anciennes de cailloutis calcaires. Le cépage exclusif est le muscat à petits grains; le mutage est effectué assez tôt, car les vins doivent avoir un minimum de 110 g/l de sucre; ceux-ci sont fruités et liquoreux, avec onctuosité.

CH. D'EXINDRE Vent d'anges 2014 ★★

	4550		11 à 15 €

Ancienne villa gallo-romaine puis bien épiscopal (des vestiges de la chapelle Sainte-Marie-Madeleine d'Exindre furent trouvés ici), le domaine a été acquis à la Révolution par la famille Sicard, toujours propriétaire aujourd'hui. Une cave du XIXᵉs., 45 ha de vignes. Des IGP, des AOC languedoc, du muscat-de-mireval.

Issue de raisins cueillis à forte surmaturité, cette cuvée récolte toutes les louanges des dégustateurs. Ses arômes intenses de pomelos et citron vert semblent ouvrir en grand les portes d'un verger en été. Point d'aigreur ici, mais que du doux et du suave, à travers une bouche qui associe le fondant et le croquant d'une pâtisserie orientale parfumée de miel mille-fleurs. Un vin à la fois tonique, capiteux et séveux. Ce Vent d'anges semble animé par un souffle divin... ⧗ 2016-2021 ⍦ sabayon au muscat

⊶ CATHERINE SICARD-GÉROUDET, La Magdelaine-d'Exindre, 34750 Villeneuve-lès-Maguelone, tél. 04 67 69 49 77, catherinegeroudet@yahoo.fr V *tlj. sf mer. dim. 15h-19h; sam. 9h-12h*

DOM. DU MAS ROUGE 2015 ★★

	5000		11 à 15 €

Un mas (rouge effectivement) entre Méditerranée et étangs, niché au cœur du bois des Aresquiers. Julien Cheminal, qui l'a acquis en 1997, en a restauré sans relâche le vignoble (35 ha) ainsi que le chai à l'imposante charpente. Il vinifie depuis 2002, montrant une belle régularité dans ses vins doux de muscat, en mireval et frontignan. Il développe aussi une production de vins secs en IGP.

Avec une « robe scintillante et verte comme l'océan aux îles du Pacifique » et ses parfums de litchi et d'agrumes, ce mireval savoureux nous transporte dans un univers envoûtant et exotique. Il s'ouvre ensuite sur des notes légères et élégantes d'ananas acidulé, pour finir sur un soupçon plus chaleureux d'épices qui participe à la douceur de l'ensemble et parfait l'équilibre. ⧗ 2016-2021 ⍦ salade de fruits exotiques

⊶ DOM. DU MAS ROUGE, 30, chem. de la Poule-d'Eau, 34110 Vic-la-Gardiole, tél. 04 67 51 66 85, contact@domainedumasrouge.com V *t.l.j. sf dim. 10h-13h 15h-19h ⊶ Cheminal*

DOM. DE LA RENCONTRE Éclat 2015 ★★

	3380		11 à 15 €

C'est ici, en 1854, que Gustave Courbet a peint son chef-d'œuvre *La Rencontre*, stylisé sur les étiquettes. Rencontre encore, au Mexique, entre Pierre Viudes qui courait le monde et Julie, une Anglaise exilée. Enfin, les jeunes mariés « rencontrent » ces vignes de Vic-la-Gardiole et créent en 2011 un domaine de 12 ha.

La rencontre est aussi dans le verre, celle de deux familles aromatiques alliées ici pour le meilleur et dans l'exubérance. On respire d'abord de douces senteurs de fleur de tilleul, puis en faisant tourner le verre, on découvre les parfums d'une pêche de vigne bien mûre. On se laisse ensuite charmer par une matière ronde et moelleuse, et surprendre par l'acidulé de l'agrume et des fruits exotiques. La densité et le fondu côtoient la fraîcheur dans un vin à l'équilibre parfait, tout en tendresse. ⧗ 2016-2021 ⍦ tarte Tatin

⊶ PIERRE ET JULIE VIUDES, 50, chem. de la Condamine, 34110 Vic-la-Gardiole, tél. 06 24 05 39 46, pierre@domainedelarencontre.com V *r.-v.*

MUSCAT-DE-SAINT-JEAN-DE-MINERVOIS

Superficie : 185 ha / Production : 5 522 hl

Constitué de parcelles imbriquées dans la garrigue, le vignoble est perché à 200 m d'altitude. Il s'ensuit une récolte tardive – près de trois semaines environ après les autres appellations de muscat de l'Hérault. Seul cépage autorisé, le muscat à petits grains plonge ses racines dans des sols calcaires d'un blanc étincelant où apparaît parfois le rouge de l'argile. Les vins doivent avoir un minimum de 125 g/l de sucre. Ils

sont très aromatiques, avec beaucoup de finesse, de fraîcheur et des notes florales caractéristiques.

BAGATELLE 2015 ★★★

■ | 21400 | | 8 à 11 €

En 1623, un ancêtre, artisan drapier, s'établit à Saint-Chinian, au lieu-dit Bagatelle. Au XXᵉs., le domaine est transmis de mère en fille. Replantation du vignoble dans les années 1960, avec une extension sur un terroir de muscat. Depuis 1993, ce sont Christine Deleuze (au commercial) et son frère Luc Simon (à la vigne) qui sont aux commandes des 58 ha de vignes familiaux, à l'origine de saint-chinian et de muscat-de-saint-jean-de-minervois appréciés. Une valeur sûre.

Ce 2015 est surprenant de complexité. Après des parfums de bergamote parsemés d'un soupçon de fleur d'oranger et de sureau, il dévoile des arômes d'abricot mûr et de clémentine bien fraîche, puis de poire et de banane. Cette farandole d'arômes ne cède jamais à la lourdeur, mais évolue au contraire avec finesse et élégance dans une bouche chaleureuse et voluptueuse, qui fait perdre littéralement la raison à nos papilles. Au fait, «bagatelle» signifiait «tour de magie» à la Renaissance... ⧗ 2016-2022 ⚲ caille aux raisins confits

CLOS BAGATELLE, 34360 Saint-Chinian, tél. 04 67 93 61 63, closbagatelle@wanadoo.fr V t.l.j. sf sam. dim. 9h-12h 14h-18h Luc Simon

♥ DOM. DE BARROUBIO Dieuvaille 2014 ★★★

■ | 5000 | | 11 à 15 €

La famille est établie dans le Minervois depuis la fin du XVᵉs. Installé en 2000, Raymond Miquel exploite 60 ha, dont 31 ha sont dédiés à la vigne. Référence en muscat-de-saint-jean-de-minervois, le domaine propose aussi des rouges intéressants en AOC minervois.

On a compté: le domaine affiche onze coups de cœur à son palmarès, tous obtenus entre les éditions 2004 et 2017 donc. Car Raymond Miquel a fait fort cette année encore avec sa cuvée Dieuvaille, sans parler de deux autres très beaux muscats adoubés par les palais experts et exigeants de nos dégustateurs. Le lauréat porte bien la griffe «Barroubio»: équilibre parfait, suavité, élégance. Un vin de haute couture à l'étoffe douce et délicate, à la fois intense et raffiné, qui évoque au nez comme en bouche une orange sanguine pressée, agrémentée de notes de litchi et d'abricot. Un muscat majuscule. ⧗ 2016-2023 ⚲ gâteau à l'orange ■ **Carte noire 2015 ★★** (8 à 11 €; **45000 b.)** : un vin au nez floral ouvert sur des senteurs printanières de fleurs d'acacia, plus fruité en bouche, sur les agrumes et les fruits exotiques. Un grand classique du domaine, très harmonieux, rond, généreux, opulent même, tout en restant très frais. ⧗ 2016-2021 ⚲ foie gras ■ **Cuvée bleue 2014 ★ (8 à 11 €; 6000 b.)** : la cuvée originelle. Au nez, les abricots rouges du Roussillon s'associent à la menthe. La bouche est charnue et enveloppante, dense et capiteuse, vivifiée et équilibrée par des notes de zeste de citron. ⧗ 2016-2021 ⚲ roquefort

RAYMOND MIQUEL, Barroubio, 34360 Saint-Jean-de-Minervois, tél. 04 67 38 14 06 V t.l.j. 10h-12h 14h-18h30

ÉCLAT BLANC 2015 ★★

■ | 10000 | | 11 à 15 €

Fondée en 1955, la coopérative Le Muscat a contribué au renouveau de ce cépage traditionnel, qui n'occupait qu'une dizaine d'hectares au début du siècle dernier. Elle regroupe les 160 ha de ses adhérents et fournit 75% des volumes de l'appellation muscat-de-saint-jean-de-minervois.

Cette cuvée s'appuie sur une sélection des meilleures vignes de la cave, élevées à la dure dans les calcaires, pour engendrer le muscat le plus tendre. On retrouve au nez comme en bouche une solide première ligne d'agrumes bien épaulés par des arômes puissants de litchis et de chaleureuses notes épicées. Cet ensemble harmonieux conjugue onctuosité et vivacité, pour finir tout en finesse et en minéralité. Éclatant en effet. ⧗ 2016-2020 ⚲ foie gras

SCA LE MUSCAT, Le Village, 34360 Saint-Jean-de-Minervois, tél. 04 67 38 03 24, lemuscat@wanadoo.fr V t.l.j. 9h-12h 14h-18h

DOM. MARCON 2015 ★★

■ | 10000 | 8 à 11 €

Fils de viticulteur, Philippe Marcon, installé en 1989, a fait ses premières gammes comme coopérateur et présida aux destinées de la cave pendant trois ans. En 2010, il décide de prendre son envol et de vinifier ses propres vins. Il dispose aujourd'hui de 14 ha de vignes. Si le caveau de dégustation se trouve à Saint-Chinian, le vignoble est implanté au hameau de Barroubio, à Saint-Jean-de-Minervois.

S'appuyant sur le prestigieux terroir de Barroubio, Philippe Marcon tutoie les sommets, et ses muscats sont toujours marqués du sceau de l'élégance, de la complexité et de l'équilibre. Cette année, le registre floral est à l'honneur avec ce vin centré sur de capiteuses senteurs de lilas en fleurs qui annoncent les beaux jours; puis arrivent à l'aération d'intenses notes de fleur d'oranger. Les citrons verts acidulés s'invitent dans une bouche arrondie et bien en chair, d'une harmonie remarquable. ⧗ 2016-2020 ⚲ tarte au citron

PHILIPPE MARCON, 30, rue du Magot, 34360 Saint-Chinian, tél. 06 15 02 18 34, marconp@wanadoo.fr V r.-v.

IGP AUDE

B GÉRARD BERTRAND Hauterive Cigalus 2015 ★★

■ | n.c. | | 20 à 30 €

Enfant des Corbières, Gérard Bertrand est un important propriétaire et négociant du sud de la France,

dont les cuvées apparaissent dans le Guide sous diverses AOC (corbières, fitou, minervois, languedoc, côtes-du-roussillon...) et en IGP.

Acquis en 1995 par Gérard Bertrand, le domaine de Cigalus étend ses 70 ha de vignes cultivés en biodynamie sur un sol limoneux et argileux avec une dalle souterraine de grès. Le chardonnay (70 %), le viognier et le sauvignon y ont trouvé un beau terrain d'expression, à l'origine d'un vin lumineux et d'une belle intensité olfactive sur l'aubépine. Portée sur les fruits secs (abricots et raisins secs) et les fruits blancs, la bouche est très équilibrée entre douceur et acidité, épaulée par un élevage à peine perceptible et par une pointe de salinité en finale. ⧗ 2016-2020 ¥ noix de Saint-Jacques poêlées ■ **Hauterive Cigalus 2014 ★ (20 à 30 €; n.c.)** : un vin intense, puissant et boisé, mais qui ne manque ni de fruit ni d'élégance. Bâti pour la garde. ⧗ 2018-2022 ¥ côte de bœuf

GÉRARD BERTRAND, Ch. l'Hospitalet, rte de Narbonne-Plage, 11100 Narbonne, tél. 04 68 45 54 45, vins@gerard-bertrand.com V t.l.j. 9h-19h

Ⓑ DOM. LA BOUYSSE Viognier 2015 ★

■	8 670		5 à 8 €

En 1996, Martine Pagès et son frère Christophe Molinier, tous deux œnologues, reprennent le domaine familial (aujourd'hui 40 ha près de Fontfroide, sur le terroir de Boutenac) et quittent la coopérative. Ils engagent la conversion bio de l'exploitation (certification en 2013).

Sur des sols de grès et de sables, ce 100 % viognier en robe claire dévoile un nez intense de fleurs blanches, d'agrumes et de poivre. Des arômes prolongés par une bouche ronde, souple et persistante. ⧗ 2016-2019 ¥ gambas sautées au gingembre

MARTINE PAGÈS ET CHRISTOPHE MOLINIER, 3 chem. de Montséret, 11200 Saint-André-de-Roquelongue, tél. 04 68 45 50 34, info@domainelabouysse.com V *t.l.j. sf sam. dim. 8h-12h 14h-17h (16h-20h en juil.-août)*

COINTES Grenache Côtes de Prouilhe 2015

■	10 000	5 à 8 €

Consuls de Carcassonne au XVIIe s., les premiers châtelains ont légué leur nom à la propriété. Au siècle dernier, les grands-parents de François Gorostis y exploitaient les vignes (30 ha) pour le négoce. Ce dernier a repris avec Anne, son épouse, ce domaine devenu une valeur sûre du Guide.

Ce pur grenache blanc à la robe pâle s'exprime avec élégance sur des notes de fleurs blanches et d'anis. Le palais, tout aussi floral, se montre rond et friand, souligné par une jolie acidité qui dynamise la finale. ⧗ 2016-2018 ¥ huîtres

GOROSTIS, Ch. de Cointes, 11290 Roullens, tél. 04 68 26 81 05, chateaudecointes@wanadoo.fr V *t.l.j. sf dim. lun. 10h-12h30 17h30-19h* Ⓔ

DOM. FERRANDIÈRE
Coteaux de Miramont Grand rouge 2014 ★★

■	15 000		11 à 15 €

Constitué par la famille Gau, ce domaine a été racheté en 2013 par Jean-Claude Mas (Dom. Paul Mas). Couvrant 100 ha de vignes (surtout) et de pommiers, il est implanté sur une ancienne lagune, entre les Corbières et le Minervois, à 40 km de la Méditerranée. Les sols salés doivent être périodiquement inondés au printemps, ce qui permet aux vignes d'échapper au phylloxéra: de nombreux ceps sont ici francs de pied (non greffés).

Marselan, cabernet-sauvignon et merlot composent cette cuvée qui met l'accent sur l'élevage en bois à l'olfaction à travers des notes de fèves Tonka, avec en appoint une légère note iodée. La bouche apparaît dense et ronde, soutenue par une bonne charpente et un boisé qui ne la cache pas mais reste élégant et bien équilibré. ⧗ 2017-2021 ¥ foie gras truffé

LA FERRANDIÈRE, Dom. la Ferrandière, 11800 Aigues-Vives, tél. 04 67 90 85 21, info@paulmas.com

DOM. DE FONTENELLES
Coteaux de Miramont Le Poète 2015

■	50 000	8 à 11 €

Domaine familial situé sur le versant nord de l'Alaric. En cinq générations, sa surface est passée de 7 à 40 ha. Aux commandes depuis 1993, Thierry et Nelly Tastu misent sur la qualité.

Merlot, syrah, grenache et carignan sont à l'origine de cette cuvée sombre, au nez chaleureux de fruits rouges mûrs (cerise) et d'épices. Le palais se montre gras, rond, structuré avec légèreté et déploie en finale d'originales notes d'agrumes confits. ⧗ 2016-2020 ¥ tartare de bœuf

THIERRY TASTU, 78, av. des Corbières, 11700 Douzens, tél. 04 68 79 12 89, info@fontenelles.com V *r.-v.*

LAURENT MIQUEL Albarino Lagrasse 2015 ★

■	100 000		11 à 15 €

Ce sont les Romains qui découvrirent, dès l'Antiquité, la grande richesse de ce terroir situé au voisinage de Saint-Chinian. Propriété des moines de l'abbaye de Fontcaude en 1202, le domaine fut acquis par la famille Miquel en 1791. Depuis, des générations se sont succédé jusqu'à Laurent Miquel, installé en 1993.

Tombé sous le charme de l'albarino, cépage blanc espagnol, Laurent Miquel en a planté sur les 20 ha à l'origine de cette belle cuvée claire et scintillante, au nez fin et frais d'agrumes mâtiné d'une touche fumée. ⧗ 2016-2019 ¥ couteaux persillés

LAURENT MIQUEL, hameau Cazal-Viel, 34460 Cessenon-sur-Orb, tél. 04 67 89 74 93, laurent@laurent-miquel.com V *r.-v.*

IGP CÉVENNES

DOM. CAMP GALHAN Les Frigouliers 2015

■	5 000	5 à 8 €

Situé dans la commune de Ribaute-les-Tavernes, au cœur du vignoble du duché d'Uzès, le domaine de Camp-Galhan (32 ha) trouve ses racines sur d'an-

ciennes terrasses du Gardon (rivière emblématique des Cévennes). Aux commandes depuis 2000, Alain et Lionel Pourquier.

Les «frigouliers» désignent un endroit où pousse le thym sauvage. Dans le verre, ce sont plutôt les agrumes qui dominent, le pamplemousse notamment, ainsi que le buis et l'anis. En bouche, des notes amyliques, exotiques et florales et un équilibre bien assuré entre rondeur et fraîcheur. ⧗ 2016-2018 🍴 sushis

⊶ DOM. CAMP-GALHAN - POURQUIER, 305, chem. de Camp-Galhan, 30720 Ribautes-les-Tavernes, tél. 04 66 83 48 47, contact@campgalhan.fr V t.l.j. sf dim. 10h-12h 14h-18h

DOM. DU CHÊNE Mistral 2014 ★

■ | 5000 | | 5 à 8 €

Le domaine, situé aux portes des Cévennes, jouxte une magnanerie datant du XVII[e]s. où trône un chêne millénaire. La famille Ozil y est installée depuis 1953, et Sylvain depuis 1998 (troisième génération), à la tête de 25 ha de vignes.

Le merlot s'épanouit sur les sols calcaires cévenols. Il donne ici un vin joliment bouqueté autour des fruits noirs confits. La bouche, ample et bien structurée, est accompagnée de notes de réglisse et de pruneau. Équilibré et expressif. ⧗ 2017-2020 🍴 tournedos sauce poivre

⊶ DOM. DU CHÊNE, 1, rue Mistral, 30190 Castelnau-Valence, tél. 04 66 83 21 91, sylvain.ozil@free.fr V t.l.j. 9h-12h 13h30-19h *⊶ Ozil*

MAS SEREN Étincelle nomade 2015

□ | 3500 | | 5 à 8 €

Ce domaine, créé en 2009 par Emmanuelle Schoch, ancienne technicienne viticole, étend son vignoble sur 6 ha perchés à 300 m d'altitude et entourés de garrigues et de bois de chênes, sur la commune de Monoblet dans le Gard, à proximité d'Anduze.

Le vermentino (70%) et le viognier composent un vin plaisant, friand et élégant, sur les fleurs blanches et le jus de pomme frais. En bouche, une agréable fraîcheur met en valeur de belles notes de fruits exotiques. ⧗ 2016-2018 🍴 terrine d'asperges

⊶ EMMANUELLE SCHOCH, 1820, rte de St.-Jean-du-Gard, 30140 Anduze, tél. 06 79 41 13 29, mas.seren@orange.fr V r.-v.

♥ CAVE SAINT-MAURICE Poujol Lacoste 2015 ★★

□ | 8000 | | 5 à 8 €

Fondée en 1924 au pied des Cévennes, la Cave Saint-Maurice regroupe aujourd'hui 200 viticulteurs répartis sur 44 communes autour de Saint-Maurice-de-Cazevieille et quelque 1 800 ha de vignes (dont 15% en bio), soit la coopérative la plus importante du Gard septentrional.

Né sur argilo-calcaires, ce pur viognier a fait forte impression. La robe, d'un jaune soutenu, est révélatrice d'un élevage en fût. Le nez, complexe, associe de délicates notes empyreumatiques à de fines nuances florales et fruitées. Portée par un boisé parfaitement fondu, la bouche se montre ample, tendre et riche, encore adoucie par des arômes de caramel au beurre salé et un soupçon de pêche de vigne. De l'équilibre, de la persistance et de l'élégance. ⧗ 2017-2020 🍴 langouste grillée ■ **Marimont 2014 ★ (5 à 8 €; 8000 b.)** Ⓑ : un vin rond, suave sans lourdeur, fruité et boisé avec justesse, étayé par des tanins de qualité et une pointe de vivacité bien sentie. ⧗ 2017-2020 🍴 canard aux olives

⊶ CAVE SAINT-MAURICE, rte d'Uzès, 30360 Saint-Maurice-de-Cazevieille, tél. 04 66 83 26 85, benjamin@cavestmaurice.com V r.-v.

Ⓑ TERRE FIGUIÈRE 2015

□ | 4000 | | 5 à 8 €

Après la fusion des caves de Massillargues et de Lézan, est née cette coopérative qui bénéficie de l'apport de 600 ha de vignes (dont 200 en bio). Les terroirs sont établis en coteaux ou en plaine et les vins reflètent cette diversité.

Née de viognier et de chardonnay, cette cuvée s'annonce par un nez frais, floral et un brin végétal. La bouche, à l'unisson du bouquet, se montre fraîche, pimpante, d'une bonne persistance. Simple et équilibré. ⧗ 2016-2018 🍴 lotte et fondue de poireaux

⊶ VIGNERONS PORTE CÉVENNES, 1, rte de la Plaine, 30140 Massillargues Attuech, tél. 04 66 61 81 64, christian.vigne@vin-sud.com V r.-v.

IGP CITÉ DE CARCASSONNE

DOM. SAINT-MARTIN Le rêve de Jo 2014 ★

■ | 7000 | | 8 à 11 €

Situé en plein cœur du pays Cathare, dans le département de l'Aude, ce domaine familial depuis quatre générations doit son nom au célèbre évêque de Tours qui évangélisa les campagnes au IV[e]s. À sa tête depuis 2000, Henri Cases exploite aujourd'hui un vaste ensemble de 100 ha.

Jo est l'arrière-grand-père du vigneron, qui acquit le domaine en 1919. La syrah et le cabernet franc sont assemblés dans cette cuvée très sombre, dominée au nez par des notes de toasté, de sève de pin et de laurier. En bouche, beaucoup de générosité, du gras, de la rondeur et un boisé très soutenu mais racé et des tanins bien présents. À attendre pour plus de fondu. ⧗ 2018-2022 🍴 perdreau rôti ■ **Merci! 2014 ★ (5 à 8 €; 34 000 b.)** : marselan (85%) et merlot pour ce vin fermé à l'olfaction, puissant, concentré et riche en bouche, bâti sur des tanins costauds, encore très boisé mais prometteur. Patience… ⧗ 2019-2024 🍴 côte de bœuf

⊶ HENRI CASES, Dom. Saint-Martin, 11250 Leuc, tél. 06 85 80 91 03, henri.cases@domaine-saintmartin.fr V r.-v. Ⓒ

DOM. DE SERRES Tallavignes 2015 ★★

■ | 6600 | | 5 à 8 €

Après trente ans passés à Paris, dans le journalisme notamment, Sabine Le Marié a retrouvé en 1996 les terres appartenant à sa famille depuis le XVIes. Établie sur une colline face à la cité de Carcassonne, elle y conduit un vignoble de 25 ha qu'elle a entièrement restructuré, aidée aujourd'hui de son fils et sa belle-fille.

La Méditerranée et l'Atlantique se côtoient dans l'encépagement de cette magnifique cuvée, avec un net penchant pour le second: grenache (18%), cabernet-sauvignon (32%), cabernet franc (30%) et merlot (20%). Dans le verre, un vin d'une grande élégance olfactive, associant notes florales et fruits noirs, souple, frais, «très digeste et printanier», écrivent les dégustateurs, qui en apprécient aussi la délicatesse de ses tanins et sa persistance. ⧗ 2016-2020 🍷 bœuf bourguignon

⊶ DOM. DE SERRES, 11000 Carcassonne, tél. 04 68 25 03 94, info@chateaudeserres.com V *r.-v. (06 80 45 27 78)*
⊶ Sabine Le Marié

IGP COTEAUX DE BÉZIERS

DOM. DE PIERRE BELLE Chardonnay 2015 ★

□ | 20000 | | 5 à 8 €

Un domaine de 60 ha établi sur des coteaux argilo-calcaires au nord de Béziers, propriété de la famille Laguna-Fernandez depuis quatre générations.

Ce chardonnay offre un nez généreux, floral (acacia) et un brin minéral. En bouche, il se révèle bien équilibré, vif sans manquer de gras, d'une belle persistance aromatique, au diapason de l'olfaction, et déploie une longue finale chaleureuse. ⧗ 2016-2019 🍷 seiche à la plancha

⊶ DOM. DE PIERRE BELLE, av. de Béziers, 34290 Lieurant-les-Béziers, tél. 04 67 49 17 96, vins@domainepierrebelle.com V *t.l.j. sf dim. 9h-12 14h30-18h30 ⊶ Laguna-Fernandez*

DOM. MI-CÔTE Viognier 2015 ★

□ | 1300 | | - de 5 €

Ce domaine, dans la famille Recoules depuis trois générations, est établi aux portes de Béziers, face à la cathédrale Saint-Nazaire. À partir de 11 ha plantés sur argilo-calcaire sont produits des IGP Coteaux de Béziers en rouge, blanc, gris et rosé.

Le viognier s'exprime pleinement dans ce vin, à travers un bouquet floral et printanier d'une belle fraîcheur. Fraîcheur qui se confirme dans une bouche expressive, sur la poire et les fruits exotiques. Un vin franc et équilibré. ⧗ 2016-2019 🍷 daurade au fenouil ■ **3J 2015 (5 à 8 €; 2000 b.)** : vin cité.

⊶ JEAN-MARC RECOULES, Dom. Mi-Côte, 510, traverse de Colombiers, VC 9, 34500 Béziers, tél. 04 67 28 85 73, jeanmarc.recoules@free.fr V *t.l.j. 9h-19h; dim. 10h-12h*

DOM. LES TERRES D'ARMELLE Amazone 2015

□ | 6000 | | 8 à 11 €

Armelle Tafoiry a réalisé son rêve: après quinze années passées à vendre du vin aux quatre coins du monde, elle a décidé de devenir vigneronne et acquis en 2013 ce vignoble situé sur les coteaux de Corneilhan, 6 ha en cours de conversion bio.

Une pincée (3%) de muscat à petits grains s'allie à du grenache blanc dans ce «vin de guerrière» (c'est son auteur qui le dit). La dégustation débute par un bouquet peu commun de réglisse, de poire et de notes fumées, et se poursuit par une bouche dense, vive et tonique. Un ensemble original et dynamique. ⧗ 2016-2019 🍷 fromage de chèvre

⊶ DOM. LES TERRES D'ARMELLE, 112, rue de Revel, 34370 Maraussan, tél. 06 08 89 98 49, contact@lesterresdarmelle.fr V *r.-v.*

IGP COTEAUX DE NARBONNE

DOM. LALAURIE Alliance 2015

□ | 50000 | | - de 5 €

Transmis depuis dix générations, ce vaste domaine familial de 50 ha a démarré la mise en bouteille à la propriété en 1974, sous l'impulsion de Jean-Charles et Catherine Lalaurie, épaulés depuis 2007 par leurs filles jumelles, Camille et Audrey.

Une alliance de sauvignon (85%), chardonnay et colombard pour cette cuvée au nez intensément floral (chèvrefeuille, fleur de pommier) et miellé. La bouche est suave, fruitée, sur des notes de pêche blanche, stimulée par une finale tonique. Équilibré. ⧗ 2016-2019 🍷 salade de melon et palourdes

⊶ JEAN-CHARLES LALAURIE, 2, rue Le-Pelletier-de-Saint-Fargeau, 11590 Ouveillan, tél. 04 68 46 84 96, lalaurie@domaine-lalaurie.com V *t.l.j. sf dim. 10h-12h30 15h-18h30*

IGP COTEAUX D'ENSÉRUNE

DOM. PERDIGUIER Cuvée d'En Auger Élevé en fût de chêne 2014

■ | 6766 | | 11 à 15 €

L'histoire de Perdiguier commence en 1375 lorsque Jean Perdiguier, trésorier général de Charles V en Languedoc, reçoit du roi les «fiefs de Maraussan et Villenouvette», dont faisait partie la bastide d'En Auger qui précéda le château sur le site. Les bâtiments s'ordonnent en quadrilatère autour d'une cour centrale et commandent un vignoble de 30 ha conduit depuis 1998 par Jérôme Ferraci.

Cabernet-sauvignon (85%) et merlot sont associés dans cette cuvée qui s'ouvre sur des notes animales bientôt relayées par des nuances de café grillé. La bouche apparaît souple et ronde, bâtie sur des tanins fondus. Jolie finale gourmande sur les pruneaux. ⧗ 2016-2018 🍷 fromage à pâte molle

⊶ FERACCI, Dom. de Perdiguier, 34370 Maraussan, tél. 06 22 42 56 81, perdiguier@terre-net.fr V *r.-v.*

IGP COTEAUX DU PONT DU GARD

MAS DES PLANTADES
Coteaux du Pont du Gard Amitié 2015

| 1500 | | - de 5 € |

Près de quatre-vingts ans après son grand-père, qui planta les premiers pieds de vignes au domaine en 1937, Gilles Rouchon a repris, en 2000, les rênes du domaine familial et ses 45 ha de vignes sur lequel il a grandi.

Le seul muscat est à l'œuvre dans cette cuvée de bonne complexité, où l'on perçoit des arômes de fruit de la Passion, de litchi et de violette. La bouche se révèle ronde et bien fruitée, stimulée en finale par une jolie note saline. ⌛ 2016-2018 🍷 salade mangue-crevettes

o⁻ EARL PLANTFRUIT - GILLES ROUCHON, 110, chem. des Plantades, 30300 Beaucaire, tél. 04 66 59 35 28, contact@masdesplantades.com V r.-v.

B DOM. DE LA PATIENCE
Coteaux du Pont du Gard Chardonnay 2014

| 30 000 | | - de 5 € |

Christophe Aguilar a repris le domaine familial en 1999, alors 12 ha en vins de pays apportés à la coopérative. Après des travaux de réencépagement et l'achat d'un domaine voisin, il conduit aujourd'hui 70 ha en bio certifié, dont une vingtaine en costières-de-nîmes.

Un joli nez floral (lys), exotique (litchi) et miellé ouvre la dégustation de ce pur chardonnay. Le palais, de bonne longueur, apparaît rond et gras, centré sur les fleurs blanches et animé par une légère amertume en finale. ⌛ 2016-2019 🍷 escalope de poulet à la crème

o⁻ EARL DOM. DE LA PATIENCE, RD 6086, 30320 Bezouce, tél. 04 66 75 95 94, domainedelapatience@orange.fr V t.l.j. sf dim. 9h-12h 14h-19h (18h en hiver) o⁻ Aguilar

IGP CÔTES DE THAU

CONCERT'O 2015

| n.c. | - de 5 € |

Coopérative fondée en 1922, L'Ormarine, à l'époque Association des producteurs de vins blancs de Pinet, est un acteur de poids dans la défense de la récente AOC picpoul-de-pinet. Après la fusion avec les caves de Villeveyrac (2009) et de Cournonterral (2014), elle regroupe plus de 500 coopérateurs et dispose de 2 200 ha, dont 520 dédiés au seul cépage piquepoul.

Terret bourret, grenache et carignan blancs sont assemblés dans cette cuvée qui affiche sa jeunesse dans sa robe pâle et scintillante et son nez expressif d'agrumes, de pomelo notamment. Des notes florales et mentholées rejoignent les fruits dans une bouche souple et fraîche qui ne manque pas de gras. Simple et efficace. ⌛ 2016-2018 🍷 filets de rougets grillés

o⁻ CAVE DE L' ORMARINE, 13, av. du Picpoul, 34850 Pinet, tél. 04 67 77 03 10, caveormarine@wanadoo.fr V t.l.j. sf dim. 8h30-12h 14h-18h; t.l.j. de mai à mi-sept.

DOM. IN VINHYS Serment de vigne 2015 ★

| 1800 | | 11 à 15 € |

Sonia Médard, fille et petite-fille de vignerons apporteurs en cave coopérative, et Christophe Guirao ont décidé en 2014 de franchir le cap et de créer leur domaine. Tous deux œnologues, ils exploitent aujourd'hui 4 ha de vignes non loin de Pézenas.

Deuxième millésime seulement pour le domaine et une très belle réussite que ce pur viognier ouvert sans réserve sur les fruits blancs et les agrumes frais. Une fraîcheur que l'on retrouve dans une bouche minérale, souple et légère. Un vin aérien et équilibré. ⌛ 2016-2019 🍷 bar en croûte de sel

o⁻ DOM. IN VINHYS, lieu-dit Pioch-Mary, 34510 Florensac, tél. 06 30 77 42 04, domaine@invinhys.com V r.-v. o⁻ Guirao-Médard

HENRI DE RICHEMER Sauvignon 2015 ★★

| 107 017 | | - de 5 € |

Cette cave située sur le quai du port de Marseillan, au bord de l'étang de Thau, a été longtemps intimement liée au commerce maritime du vin. En effet, son créateur, Henri Richet, fut surnommé Henri de Richemer en raison de la prospérité de son activité de négoce. Aujourd'hui, c'est une coopérative qui regroupe 450 viticulteurs et 1 500 ha de vignes.

Le sauvignon est l'un des cépages favoris de cette structure. Celui-ci a séduit le jury par son nez puissant et « envoûtant » de fruits exotiques, de bourgeon de cassis et de buis. La bouche est ronde et vive à la fois, et l'on y retrouve les arômes de l'olfaction. Un vin intense, très expressif et harmonieux. ⌛ 2016-2019 🍷 tapas de la mer

o⁻ LES CAVES RICHEMER, 1, rue du Progrès, BP 20, 34340 Marseillan, tél. 04 67 77 20 16, contact@richemer.fr V t.l.j. sf dim. 9h-12h30 15h-19h

IGP CÔTES DE THONGUE

B DOM. BOURDIC Clair de lune 2015

| 1100 | | 8 à 11 € |

C'est en tant que musiciens que Christa Vogel et Hans Hürlimann avaient imaginé vivre dans le Midi de la France et c'est comme vignerons qu'ils se sont finalement installés, en 1995, sur ces 12 ha de vignes. La vendange est manuelle et le vin est certifié en agriculture biologique.

Le muscat (75 %) apporte au bouquet élégance et fraîcheur, le quart de grenache (blanc et gris) apporte son lot de finesse. En bouche, ce 2015 apparaît muscaté et fruité (fruits blancs), léger et aérien. Un vin sympathique tout indiqué pour l'apéritif. ⌛ 2016-2018 🍷 croustillant d'asperges

o⁻ CHRISTA VOGEL ET HANS HÜRLIMANN, Dom. Bourdic, 34290 Alignan-du-Vent, tél. 04 67 24 98 08, info@domainebourdic.com V r.-v.

DOM. COSTE ROUSSE 2014 ★

	4000	8 à 11 €

Héritier de quatorze générations de vignerons, Jean-Pascal Taix exploite depuis 1981 50 ha de vignes en conversion vers l'agriculture biologique depuis 2011.

Ce 2014 d'un beau jaune paille, né de chardonnay, viognier et vermentino, offre un nez complexe et gourmand: notes beurrées, noisette, fleurs blanches, nuances empyreumatiques. Dans le droit-fil, le palais est rond, gras, puissant, souligné par une heureuse fraîcheur qui apporte un surcroît de tonus et de longueur. ⌛ 2016-2020 🍴 ris de veau aux morilles

PATRICE TAÏX, 14, av. de la Gare, 34480 Magalas, tél. 09 81 67 37 95, domaine@costerousse.com V K Y *r.-v.*

DOM. LES FILLES DE SEPTEMBRE Delphine de Saint-André 2013 ★

■	8000		8 à 11 €

Roland et Hugues Géraud dirigent ce domaine (40 ha) depuis 1995 et ont été inspirés par les dates de naissance de leurs filles respectives, nées le mois des vendanges, pour en trouver le nom.

La syrah (80 %) et le carignan composent l'assemblage de ce vin expressif, épicé, vanillé et fruité à l'olfaction. Une palette aromatique à laquelle fait écho une bouche fraîche, souple, minérale, agrémentée en finale des saveurs de la garrigue et d'une jolie note mentholée. ⌛ 2016-2019 🍴 tajine d'agneau

ROLAND GÉRAUD, 30, av. Georges-Guynemer, 34290 Abeilhan, tél. 04 67 39 01 65, les-filles-de-septembre@club-internet.fr V K Y *t.l.j. sf dim. 10h-12h 14h-18h; f. fév.*

DOM. ÉRIC GELLY 1850 2014

	10000		5 à 8 €

Dans la même famille depuis 1850 et sept générations, ce domaine conduit depuis 2006 par Éric Gelly dispose de 45 ha de vignes dédiés aux IGP Pays d'Oc et Côtes de Thongue.

Les sols argilo-calcaires sont propices au chardonnay, à l'origine d'une cuvée généreusement bouquetée autour de notes beurrées, florales et fruitées (litchi). L'annonce d'un palais suave, rond, de bonne longueur. ⌛ 2016-2019 🍴 cabillaud au beurre blanc

DOM. ÉRIC GELLY, 35, av. de Magalas, 34480 Pouzolles, tél. 06 28 33 93 94, domaineericgelly@orange.fr V K Y *r.-v.*

DOM. DE MONT D'HORTES Chardonnay 2015 ★

	20000		5 à 8 €

Situé à l'emplacement d'une ancienne villa romaine et construit autour d'une ancienne tour de guet du Moyen Âge, ce domaine conduit depuis 1996 par Jean-Victor et Roch Anglade étend son vignoble de 30 ha sur des sols essentiellement argilo-calcaires.

Ce chardonnay exhale des senteurs intenses et harmonieuses de fleurs blanches et minérales. La bouche se révèle ample, riche et ronde, avec en appoint une fraîcheur qui contraste avec une légère sucrosité. Un vin puissant mais équilibré. ⌛ 2016-2019 🍴 rougets au beurre

JEAN-VICTOR ET ROCH ANGLADE, Dom. de Mont d'Hortes, 34630 Saint-Thibéry, tél. 04 67 77 88 08, mont-dhortes@wanadoo.fr V K Y *t.l.j. 9h-12h 14h-18h*

DOM. DE MONTMARIN Chardonnay 2015

	25000		- de 5 €

La famille Sarret est aux commandes de cette ancienne seigneurie royale depuis treize générations, aujourd'hui un vaste domaine de 450 ha (dont 80 de vignes et autant de céréales) qui s'étend sur une ligne de coteaux dominant plein sud le golfe du Lion.

Ce vin s'ouvre sur un nez sans opulence, discret mais fin de fleurs blanches. Gras en attaque, dominé par des notes d'abricot sec, le palais évolue sur la fraîcheur jusqu'en finale. Simple et de bon aloi. ⌛ 2016-2018 🍴 salade de crevettes

GFA DOM. DE MONTMARIN, D 28, 34290 Montblanc, tél. 04 67 77 47 70, montmarin@terre-net.fr V K Y *r.-v.* *de Bertier*

♥ DOM. SAINT-GEORGES D'IBRY Cuvée 1860 2014 ★★

■	5000		15 à 20 €

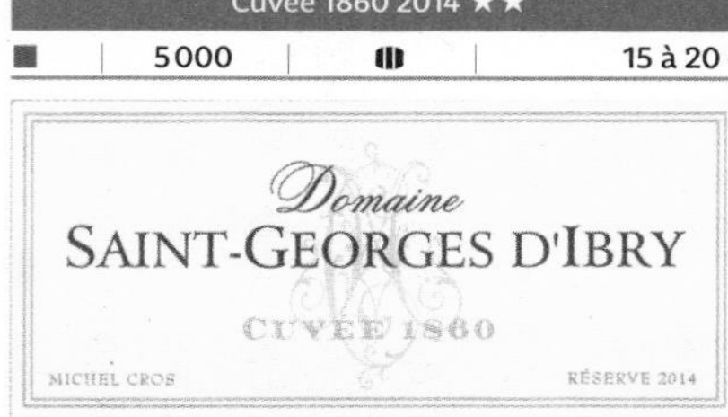

Ce domaine familial développé au XIX[e]s., établi sur la commune d'Abeilhan, entre Agde et Pézenas, étend ses vignes sur 40 ha. Michel Cros est à sa tête depuis 1985.

1860 ou l'année de création du domaine, valeur sûre en Côtes de Thongue. Un bien bel hommage que cette cuvée composée essentiellement de syrah (90 %) née sur des terrasses villafranchiennes. La robe est soutenue, le nez tout aussi intense, boisé avec élégance et bien fruité. On retrouve ce mariage heureux du fruit et du merrain (notes fumées et toastées) dans une bouche soyeuse, fondue, d'une grande finesse et très longue. ⌛ 2017-2022 🍴 mignon de porc sauce aux cèpes **Excellence 2015 ★ (5 à 8 €; 20000 b.)** : chardonnay, sauvignon et muscat pour un cocktail explosif d'agrumes au nez comme en bouche et beaucoup de fraîcheur. ⌛ 2016-2019 🍴 fruits de mer

MICHEL CROS, Dom. Saint-Georges d'Ibry, 34290 Abeilhan, tél. 04 67 39 19 18, info@saintgeorgesdibry.com V K Y *t.l.j. sf dim. 9h-12h 14h-18h*

IGP GARD

DOM. LE VIEUX LAVOIR Les Lavandières 2015 ★

■ | 50000 | | 5 à 8 €

Créé en 1956, ce domaine – dont la cave présente une architecture inspirée de celle du lavoir de Tavel – est dans la même famille depuis six générations. Sébastien Jouffret, aux commandes depuis 2006, vinifie la récolte de 68 ha de vignes.

Pas moins de cinq cépages pour cette cuvée. Si la robe est peu soutenue, le nez se révèle intense, sur les fruits mûrs. La bouche, riche mais équilibrée, déploie la même intensité fruitée, agrémentée de nuances réglissées. ⧗ 2017-2020 ꙩ bœuf bourguignon

o— EARL ROUDIL-JOUFFRET, 775, rte de la Commanderie, Le Palai-Nord, 30126 Tavel, tél. 04 66 82 85 11, roudil-jouffret@wanadoo.fr V t.l.j. 8h-12h 14h-18h

IGP PAYS D'HÉRAULT

DOM. CASTAN Terroir du miocène 2015 ★

■ | 1900 | | 8 à 11 €

André Castan travaille depuis plus de vingt ans en agriculture raisonnée sur ce terroir argilo-calcaire de la période du Lias, à Cazouls-lès-Béziers, en bordure de l'appellation saint-chinian. Une cave centenaire abrite les vinifications et le vignoble couvre 41 ha certifiés haute valeur environnementale.

Un assemblage de chardonnay et de viognier élevé trois mois en fût, au nez complexe qui mêle nuances boisées, agrumes et fleurs blanches. La bouche est puissante et ronde, centrée sur des notes de vanille et de noix de coco qui accompagnent une finale chaleureuse. Un blanc pour la table. ⧗ 2017-2020 ꙩ sole meunière

o— DOM. CASTAN, 26 bis, av. Jean-Jaurès, 34370 Cazouls-lès-Béziers, tél. 04 67 93 54 45, info@domainecastan.com V *t.l.j. sf dim. 10h-12h30 16h-19h30* 1

DOM. DE CAUSSE Muscat sec 2015 ★★

■ | 1600 | | 5 à 8 €

Un domaine de 75 ha situé aux portes de Montpellier, sur un terroir de galets roulés et d'argiles rouges. Son propriétaire est Groupama depuis une vingtaine d'années. Une particularité: non loin, a été retrouvé le plus vieux pressoir de France, datant des Étrusques, une époque où Lattes était un grand port commercial.

Fruit d'une macération pelliculaire, ce 100% muscat à petits grains séduit par son expression aromatique fine et complexe: abricots rouges du Roussillon, fruits exotiques, nuances muscatées. Les mêmes tonalités fruitées s'invitent avec intensité et force persistance dans une bouche à la fois dense, riche et très fraîche. Un modèle d'équilibre. ⧗ 2016-2019 ꙩ wok de crevettes au gingembre ■ **Lattara 2014 ★ (8 à 11 €; 2200 b.)** : un joli nez de fruits rouges et noirs, une bouche solide, aux tanins jeunes qui nécessitent un peu d'attente. ⧗ 2017-2022 ꙩ côte de bœuf

o— DOM. DE CAUSSE, 34970 Lattes, tél. 04 67 65 82 28, domainedecausse@orange.fr V *t.l.j. sf lun. 9h30-12h30 15h-18h45; dim. 10h-12h*
o— SC Bonneterre

DOM. DU CHAPITRE Délice 2014

■ | 7818 | | 8 à 11 €

Legs de la comtesse Sabatier d'Espeyran à l'école d'agronomie de Montpellier en 1968, le domaine du Chapitre (35 ha) a désormais vocation pédagogique et expérimentale, sélectionnant de nouvelles variétés de vignes qu'il diffuse aux viticulteurs, à l'image du marselan né sur ses terres. Il a conservé des bâtiments caractéristiques de l'architecture viticole languedocienne, dont un ancien chai recélant des foudres de 200 hl.

Le marselan (65% de l'assemblage aux côtés de la syrah et du merlot) sur son lieu de naissance, cela donne un vin plaisant et facile d'accès, expressif, sur les fruits rouges et l'orange confite, souple et frais en bouche, aux tanins soyeux et fondus. ⧗ 2016-2020 ꙩ grillade de bœuf

o— DOM. DU CHAPITRE-SUPAGRO, 170, bd du Chapitre, 34750 Villeneuve-lès-Maguelone, tél. 04 67 69 48 04, chapitre@supagro.fr V *r.-v.*

DOM. DE LA CLAPIÈRE Étincelle 2014

■ | 2000 | 20 à 30 €

Situé à Montagnac près de Pézenas, ce domaine bâti à l'emplacement d'une villa romaine fut longtemps un relais sur le chemin de Saint-Jacques-de-Compostelle. Commandé par une magnifique bastide de style toscan, entourée d'oliviers, de vignes (37 ha) et de champs de blé, il a été repris en main en 2006 par Sophie et Xavier Palatsi.

Plantée sur des terrasses alluviales, cette syrah a donné un vin sombre, au nez intense et bien typé de fruits mûrs, de cuir et de violette. On retrouve les fruits dans une bouche ample, puissante, équilibrée et d'une grande persistance. ⧗ 2017-2022 ꙩ côte de bœuf à la moelle

o— DOM. DE LA CLAPIÈRE, 34530 Montagnac, tél. 06 17 74 35 33, domaine@laclapiere.com V *t.l.j. 10h-12h30 14h-18h; sam. dim. sur r.-v.* 4 *o— Sophie et Xavier Palatsi*

DOM. COMBE BLANCHE Calamiac Terroir Tempranillo 2015 ★

■ | 4000 | 5 à 8 €

Guy Vanlancker, ancien instituteur originaire de Wallonie, se trouva en 1981 parachuté par les hasards de la vie sur les hauts coteaux de Calamiac où il commença à planter sur des terroirs alors délaissés. D'abord régisseur dans des domaines voisins, il conduit depuis 2000 à plein temps son vignoble qui couvre 10 ha sur les coteaux de La Livinière.

Le tempranillo, cépage espagnol par excellence, produit de belles choses également dans le sud de la France. Ici, un vin d'un beau grenat profond, ouvert sur un florilège de fruits noirs très mûrs avec un côté grillé. Épicée et réglissée, la bouche est puissante, bâtie sur des tanins solides. À maintenir en cave quelques années. ⧗ 2017-2021 ꙩ civet de lièvre

GUY VANLANCKER, 3, ancien chem. du Moulin-Rigaud, 34210 La Livinière, tél. 04 68 91 44 82, contact@lacombeblanche.com V t.l.j. 9h-12h30 14h-19h

LA CROIX GRATIOT
Roussane Couleur de fruit 2015 ★

	6500		8 à 11 €

Orienté vers la culture de melon et apporteur en cave coopérative, le domaine a pris un virage important en 2004 avec la création d'un chai de vinification. En 2009, Anaïs Ricôme a rejoint son père Yves à la tête d'un vignoble de 33 ha, créé une nouvelle gamme et développé les ventes. La biodynamie est dans le viseur, essayée pour l'heure sur 4 ha.

La roussanne se plaît sur les sols argilo-calcaires. Témoin ce vin en robe soutenue, au nez délicat centré sur la pêche de vigne, gras, chaleureux et rond en bouche, qui fait aussi valoir une belle acidité et des arômes persistants, à l'unisson du bouquet. 2016-2019 terrine de légumes

EARL CROIX GRATIOT, Dom. Sainte-Croix, 34530 Montagnac, tél. 04 67 25 27 88, croixgratiot@gmail.com V *t.l.j. sf dim. 9h-12h 14h-17h30; sam. sur r.-v.* *Ricôme*

CROIX SAINT-JULIEN
Colline de la Moure Le méridional 2014 ★

	n.c.		8 à 11 €

Un domaine de 14 ha où se sont succédé cinq générations de vignerons, situé entre Sète et Montpellier. La mise en bouteille à la propriété et la vente au caveau datent de l'arrivée, en 2011, de Dominique Robert.

Cette cuvée célèbre un vieux cépage que l'on redécouvre aujourd'hui: l'alicante. Quand son rendement est maîtrisé, il engendre des vins de qualité à la robe très soutenue. C'est bien le cas de celui-ci, d'un grenat profond. Au nez, un léger boisé accompagne sans les masquer de jolies senteurs de poivre, de garrigue et de cuir fin. La bouche est équilibrée, très veloutée, fondue, stimulée par une touche minérale en finale. 2017-2020 tajine d'agneau

DOMINIQUE ROBERT, 1, rue du Jeu-de-Tambourin, 34660 Cournonsec, tél. 04 67 47 91 78, croixsaintjulien@orange.fr V *mer. jeu. ven. 17h-19h; sam. 10h-12h*

DOM. CROS Reboul 2014 ★★

	4800	5 à 8 €

La cave familiale de Patricia et Philippe Cros détient en mémoire les secrets de deux cents ans de savoir-faire vigneron. Elle se situe à Capestang, non loin du canal du Midi. Les 15 ha du domaine produisent des vins qu'il fait bon déguster au restaurant familial tenu par Marie, la sœur de Philippe.

Comme il est de coutume dans ces zones où climat méditerranéen et océanique se côtoient, la syrah est associée au merlot et au cabernet-sauvignon. Cela donne un vin très abouti, au nez généreux de fruits rouges très mûrs, franc en attaque, ample, dense, gras, bâti sur des tanins bien en place et extraits avec élégance. 2017-2021 cassoulet

PHILIPPE CROS, 3, rue Paul-Bert, 34310 Capestang, tél. 06 80 99 33 95, domainecros@orange.fr V *r.-v.; f. sept.-avril*

DOM. DES DEUX ROCS Prémices 2015

	n.c.		8 à 11 €

Après vingt ans passés à la tête du Ch. Saint-Martin de la Garrigue, Jean-Claude Zabalia s'est associé avec Edouard Hennebert (co-fondateur de *La Cure gourmande*) pour créer en 2012 une structure regroupant trois domaines installés sur des terroirs différents: le Mas Autanel (picpoul-de-pinet), la Bergerie d'Aniane et, en cabrières, le Ch. des Deux Rocs.

Un assemblage mi-muscat mi-viognier sur des notes de fruits blancs adoucis par une pointe de miel. Douceur à laquelle fait écho un palais souple, léger, muscaté avec mesure. 2016-2017 asperges sauce mousseline

SCEA DE LA TERRE ET DU TEMPS, Dom. des Deux Rocs, Le Mas Rouch, 34800 Cabrières, tél. 06 85 42 92 35, contact@laterreletemps.com V *r.-v.* *J.-C. Zabalia*

LA FORGE ESTATE
Carignan Vieilles Vignes 2015 ★★

	30000		5 à 8 €

Vigneron-négociant, Jean-Claude Mas dispose d'un vaste vignoble de plus de 600 ha en propre constitué par quatre générations, auxquels s'ajoutent les apports des vignerons partenaires (1 300 ha). Le Ch. Paul Mas se compose de 25 ha à Cornas, 27 ha à Moulinas, près de Pézenas, et 80 ha à Nicole, près de Montagnac.

Issue du négoce, cette cuvée montre s'il en était encore besoin les qualités du carignan lorsqu'il est mené avec soin. Ici, il donne naissance à un superbe vin sombre et profond, au nez complexe mêlant réglisse, tabac et olive. Le palais se révèle fondu à souhait, gras et suave sans lourdeur aucune, dompté par un élevage discret. Une vraie gourmandise. 2016-2020 émincé de queue de bœuf

DOM. PAUL MAS, rte de Villeveyrac, Dom. Nicole, 34530 Montagnac, tél. 04 67 90 85 21, info@paulmas.com V *t.l.j. sf dim. 9h30-12h45 13h45-18h30*

DOM. DU MAS DES ARMES L'Âme des pierres 2014

	13000		15 à 20 €

Marc et Régis Puccini, passionnés de vin, ont quitté leur activité maraîchère à Lunel pour démarrer une belle aventure en reprenant ce domaine en 2003. Situé sur les terroirs d'Aniane, les 40 ha du domaine sont répartis en une quarantaine de parcelles.

Grenache blanc, roussanne, vermentino et sauvignon (par ordre d'importance) composent ce vin vanillé au premier nez, puis ouvert sur les fruits secs. On retrouve ces derniers en compagnie des fruits blancs et du boisé dans une bouche équilibrée, à la fois chaleureuse et fraîche. 2017-2020 quenelles de poisson

DOM. DU MAS DES ARMES, rte de Capion, 34150 Aniane, tél. 04 67 29 62 30, masdesarmes@orange.fr V *t.l.j. sf dim. 10h30-12h30 15h-19h*

DOM. PEYRONNET Muscat sec 2015 ★★

| 8000 | | 5 à 8 € |

Le petit commerce de vins et muscats installé en 1935 dans l'ancienne forge de l'arrière-grand-père est toujours là. L'achat de la première parcelle date de la même époque. Œnologue, Alain Peyronnet a repris en 1990 le vignoble familial – 12 ha dédiés au muscat – et montre une régularité sans faille.

Au pays du muscat-de-frontignan, le muscat à petits grains est roi, et sa déclinaison en vin sec révèle de belles qualités, notamment une expression aromatique très pure, avec ici de délicats parfums de fleur d'oranger. Des notes florales qui dominent aussi la bouche, d'une réelle finesse, soulignée par une acidité fondue à la perfection qui apporte du nerf et de l'allonge. ⧗ 2016-2019 🍴 velouté d'asperges

DOM. PEYRONNET, 9, av. de la Libération, 34110 Frontignan, tél. 06 08 63 68 63, caves.favier-bel@wanadoo.fr V r.-v.

LES PIOCHS 2015 ★

| 2000 | | 5 à 8 € |

Situé à Saint-Sériès, entre Lunel et Sommières, en plein cœur du vignoble languedocien, ce jeune domaine a été créé en 2008. Nicolas Berna, qui parcourait les routes, a quitté son poids lourd pour se consacrer à ses 25 ha de vignes, qu'il vinifie depuis 2014.

Les galets roulés plaisent au chardonnay. Voyez ce beau vin scintillant, couleur or, au nez intense et complexe mêlant des touches de houblon à des nuances florales et beurrées. La bouche est ronde, suave, chaleureuse et riche, mais sans lourdeur, tonifiée par d'agréables notes végétales. ⧗ 2016-2019 🍴 blanquette de fruits de mer

DOM. LES PIOCHS, 380, rue des Chênes, 34400 Saint-Sériès, tél. 06 99 44 04 59 V r.-v.

DOM. DE LA RENCONTRE Rencontre 2015 ★★

| 15000 | | 8 à 11 € |

C'est ici, en 1854, que Gustave Courbet a peint son chef-d'œuvre *La Rencontre*, stylisé sur les étiquettes. Rencontre encore, au Mexique, entre Pierre Viudes qui courait le monde et Julie, une Anglaise exilée. Enfin, les jeunes mariés «rencontrent» ces vignes de Vic-la-Gardiole et créent en 2011 un domaine de 12 ha.

Ce muscat à petits grains (et à faibles rendements) s'exprime pleinement au nez avec une expression végétale et muscatée. La bouche est dominée par l'acidité dès l'attaque; une fraîcheur qui dynamise un élégant fruité aux accents citronnés et étire le vin dans une finale très longue, sur la fleur d'oranger. ⧗ 2016-2019 🍴 plateau de fruits de mer

PIERRE ET JULIE VIUDES, 50, chem. de la Condamine, 34110 Vic-la-Gardiole, tél. 06 24 05 39 46, pierre@domainedelarencontre.com V r.-v.

DOM. SAINT-MARTIN DES CHAMPS
Coteaux de Murviel Le P'tit Martin 2015

| 13000 | | - de 5 € |

Michel Birot et son fils Pierre ont acquis en 1997 ce château situé à Murviel-lès-Béziers, une des communes de l'AOC saint-chinian – un terroir déjà cultivé par leurs ancêtres en 1675. Ils l'ont restauré de fond en comble, le vignoble (95 ha) tout comme la cave.

Le chardonnay côtoie le viognier et le colombard dans cette cuvée d'un beau jaune pâle, au nez minéral et floral, agrémenté de quelques notes de buis. En bouche, pas un énorme volume mais une agréable fraîcheur et une légère amertume qui donnent une personnalité intéressante à ce vin. ⧗ 2016-2019 🍴 rougets à la plancha

BIROT, Ch. Saint-Martin des Champs, rte de Puimisson, 34490 Murviel-lès-Béziers, tél. 04 67 32 92 58, pierre.birot@gmail.com V *t.l.j. sf dim. 9h-12h 14h-18h*

DOM. DE VIRANEL Cessenon Viognier 2015

| 22000 | | 8 à 11 € |

Histoire familiale et patrimoine se transmettent depuis 1551 sur cette propriété en terrasses dominant la vallée de l'Orb, dans l'aire du saint-chinian. Depuis 2012, la dernière génération, représentée par Arnaud et Nicolas Bergasse, conduit le vignoble qui couvre aujourd'hui 40 ha.

Ce viognier, très expressif dès le premier nez, mêle d'intenses notes de buis, de citron et de fleur de cassis. La bouche est ronde, fruitée, tendance exotique (litchi) et citronnée, avec une légère amertume en finale qui ne trouble pas l'équilibre de l'ensemble, mais qui apporte au contraire un surcroît de «peps». Un brin fugace mais harmonieux et dynamique. ⧗ 2016-2018 🍴 fromage de chèvre

CH. VIRANEL, rte de Causses-et-Veyran, 34460 Cessenon-sur-Orb, tél. 04 67 89 60 59, contact@viranel.fr V r.-v. *Bergasse*

IGP PAYS D'OC

ALMA CERSIUS Monpays 2015

| 58000 | 5 à 8 € |

Fondée en 1937, la coopérative de Cers, rebaptisée Alma Cersius, regroupe trois communes aux portes de Béziers: outre Cers, Portiragnes et Villeneuve-les-Béziers. Elle dispose des 1 200 ha de ses adhérents et développe vente en bouteilles et gammes de cuvées.

Des ceps de chardonnay (50%), viognier et sauvignon plantés sur les terrasses de galets roulés de l'Orb sont à l'origine de cette cuvée bien bouquetée autour de l'abricot et des fleurs blanches. Arômes complétés de notes d'agrumes dans une bouche d'un bon volume, équilibrée, à la fois vive et charnue. ⧗ 2016-2019 🍴 poêlée de noix de Saint-Jacques

ALMA CERSIUS, 3, rue des Vignerons, 34420 Cers, tél. 04 67 39 31 79, info@almacersius.com V r.-v.

LA BASTIDE AUX OLIVIERS
Puech Cremat 2015 ★★

| 11000 | | 5 à 8 € |

La trentaine de volières présentes sur le domaine explique l'emblème du perroquet qui orne les éti-

LANGUEDOC

quettes. Jean-Luc Quinquarlet, ancien dentiste, et son épouse Martine, retraitée de la Poste, revendiquent une culture sans engrais chimiques ni désherbants. Après la coopérative, ils se sont établis en cave particulière en 2002 et conduisent aujourd'hui 25 ha de vignes. Deux étiquettes ici: Familongue et La Bastide aux Oliviers.

Ce Puech crémat («bois brûlé» en occitan) assemble le merlot, le cabernet-sauvignon et le mourvèdre. Un trio qui donne comme attendu un vin charpenté, corpulent, mais aussi plein de finesse et de rondeur, «doux comme un agneau» précise un dégustateur. Une douceur renforcée par des arômes de fruits confits qui fondent délicatement dans une finale onctueuse et chaleureuse. Un vin gourmand en diable. ⧗ 2017-2021 🍴 tajine de veau

DOM. DE FAMILONGUE, 3, rue Familongue, 34725 Saint-André-de-Sangonis, tél. 06 10 29 52 18, contact@domainedefamilongue.fr V r.-v.

BEAUVIGNAC Viognier 2015 ★

	220000		5 à 8 €

La cave de Pomérols, fondée en 1932, a fusionné avec les caves de Castelnau-de-Guers, près de Pézenas, et celle de Mèze, au bord de l'étang de Thau: la coopérative regroupe aujourd'hui près de 400 viticulteurs en picpoul-de-pinet et en IGP. Les vignes (1 750 ha) couvrent aussi bien le terroir de garrigue de Castelnau-de-Guers que le glacis d'épandage qui constitue le cœur historique de l'appellation.

Ce pur viognier dévoile un nez riche qui mêle les fleurs blanches, l'abricot mûr et le miel. Une attaque suave ouvre sur un palais rond, généreux, soyeux, en accord avec le bouquet et souligné par une agréable fraîcheur en finale. ⧗ 2016-2019 🍴 saumon fumé

CAVE LES COSTIÈRES DE POMÉROLS, 68, av. de Florensac, 34810 Pomérols, tél. 04 67 77 01 59, info@cave-pomerols.com V *t.l.j. sf dim. 8h30-12h30 14h-18h*

BIS BY BISCAYE Marselan 2014 ★★

	20000		5 à 8 €

Installé depuis 1998, à la suite de quatre générations, Emmanuel Biscaye est l'un des derniers vignerons de Castelnau-le-Lez, village mitoyen de la mégapole Montpellier. Il cultive sur des sols limono-sableux 30 ha de vignes.

Ce marselan «Bis» mérite bien le rappel tant il soulève l'enthousiasme des dégustateurs, sous le charme de ses arômes intenses et complexes de menthe poivrée, d'épices douces et de garrigue. Franc dès l'attaque, le palais s'appuie sur des tanins ronds et gourmands enrobés par des notes douces de confiture de figues. «Bis, bis, bis», scandent nos papilles devant ce récital harmonieux et puissant. ⧗ 2016-2020 🍴 daube d'agneau

SCEA BISCAYE, 490, chem. du Clos-de-l'Armet, 34170 Castelnau-le-lez, tél. 04 67 64 51 32, emmanuel.biscaye@wanadoo.fr V *r.-v.*

♥ BOURDIC Le Prestige 2015 ★★★

	1800		5 à 8 €

Créée en 1928 grâce à la volonté d'une poignée de viticulteurs, cette cave coopérative gardoise compte aujourd'hui une centaine d'adhérents qui cultivent 1 500 ha. À sa carte, du duché-d'uzès (AOC) et des vins en IGP.

Six mois de fût ont apporté un délicat grillé à l'olfaction de ce 100% chardonnay, auquel des arômes de sirop de fruits blancs et jaunes et un soupçon de pamplemousse apportent un surcroît de complexité. Un cocktail doux et généreux qui tapisse aussi le palais, élégant, dense, moelleux dès l'attaque, agrémenté de notes acidulées de citron, d'un brin de vanille et de nuances florales. Une classe rare et un volume exceptionnel. ⧗ 2016-2020 🍴 ris de veau à la crème

SCA LES COLLINES DU BOURDIC, chem. de Saint-Chaptes, 30190 Bourdic, tél. 04 66 81 20 82, contact@bourdic.fr V *t.l.j. sf dim. 9h-12h30 14h-18h*

CALMEL ET JOSEPH Chardonnay Villa blanche 2015 ★★

	50000		5 à 8 €

Laurent Calmel, œnologue, s'est associé avec Jérôme Joseph pour fonder en 1995 une maison de négoce spécialisée dans les vins de terroir du Languedoc-Roussillon. Le duo a lancé son étiquette en 2007. Il sélectionne les parcelles, vinifie et élève les cuvées.

Déjà excellente dans sa version 2014, cette cuvée fait aussi bien avec le 2015. Un vin ouvert sur des arômes intenses de vanille, d'épices et de fleurs blanches, d'un équilibre, d'une finesse et d'une longueur remarquables en bouche, combinant une matière riche et ronde et une fraîcheur délicate. ⧗ 2016-2020 🍴 poularde aux morilles

DOM. CALMEL ET JOSEPH, chem. de la Madone, 11800 Montirat, tél. 04 68 72 09 88, contact@calmel-joseph.com V *r.-v.*

DOM. CAMMAOUS Accord 2015 ★

	2200		8 à 11 €

Viticulteur, Olivier Panchau travaillait en famille depuis 1985. Il s'est installé à son compte en 2000, baptisant son domaine du nom d'un lieu-dit de Vacquières, Cammaous. Il a créé sa cave et élaboré ses premiers vins en 2013.

Les raisins de roussanne (60%) et de viognier ont été vendangés de nuit afin de préserver leur fraîcheur, puis vinifiés à basse température avant un élevage mixte cuve-fût. Le résultat est un vin intense et complexe, ouvert à l'olfaction sur l'abricot et les fruits exotiques, à la fois riche, gras et frais en bouche. ⧗ 2016-2019 🍴 saint-jacques à la crème

OLIVIER PANCHAU, 14, chem. des Cammaous, 34270 Vacquières, tél. 06 76 08 97 84, opanchau@domainecammaous.com r.-v.

DOM. DE CIBADIÈS 2015

	n.c.		- de 5 €

Ce domaine constitue l'une des nombreuses propriétés viticoles appartenant à la famille Bonfils: un vignoble de 95 ha entre mer et garrigue, sur la commune de Capestang.

Le pinot noir sous le soleil de l'Hérault, cela donne ici un vin gourmand et généreux, ouvert sur les fruits rouges confits et la cassonade. Un fruité bien mûr que l'on retrouve dans une bouche chaleureuse et souple, aux tanins fondus et soyeux. 2016-2019 coq au vin

SCEA VIGNOBLES JEAN-MICHEL BONFILS, Dom. de Cibadiès, 34310 Capestang, tél. 04 67 93 10 10, bonfils@bonfilswines.com

DOM. CONDAMINE BERTRAND Petit verdot 2013 ★★

	4000		15 à 20 €

Commandé par un château du XVII^e^s. dans la même famille depuis 1792, ce vignoble de 40 ha s'étend sur un terroir de galets roulés aux pentes douces et bien exposées. En 1981, Bernard et Marie Josèphe Jany ont repris l'héritage familial, relayés par leur gendre Bruno Andreu.

Un 100 % petit verdot épanoui par douze mois de fûts qui n'étouffent pas les caractères de cassis et de réglisse du bouquet. Cet élevage harmonieux apporte de la douceur, beaucoup de volume et des notes montantes d'épices à un palais chaleureux et corsé (fruits à l'eau-de-vie), apaisé par une finale fraîche et tonique. 2018-2022 fondant au chocolat **Roussane viognier Elixir 2014 ★★ (11 à 15 €; 5000 b.)** : un assemblage qui invite au voyage tant il regorge de senteurs exotiques (fruit de la Passion, ananas), agrémentées dans une bouche douce, dense et persistante de notes de vanille et d'arabica torréfié léguées par neuf mois de fût. 2017-2020 foie gras

CONDAMINE BERTRAND, 2, av. Wladimir-d'Ormesson, 34120 Lézignan-la-Cèbe, tél. 04 67 25 27 96, contact@condamine-bertrand.com *t.l.j. sf sam. dim. 8h-17h; f. 1er -10 août*

DOM. DAURION Chardonnay Cuvée Héloïse 2015

	4500		5 à 8 €

C'est en 2011 qu'Isabelle Cordoba-Collet a pris la suite de son père et de son grand-père sur ce beau domaine de 60 ha situé au nord de Pézenas sur un terroir de terrasses caillouteuses striées de basalte.

Ce sémillant chardonnay, loin d'être discret derrière la pâleur de son teint, surprend par la complexité de son bouquet floral et fruité (agrumes et mirabelle). Gourmand en bouche, centré sur les fruits mûrs, il privilégie la souplesse, la subtilité et l'élégance. De la douceur et de l'équilibre. 2016-2019 cabillaud sauce agrumes

ISABELLE CORDOBA-COLLET, Dom. Daurion, 34720 Caux, tél. 06 62 31 89 41, info@daurion.fr r.-v.

DOM. DES DEUX RUISSEAUX Merlot 2014 ★

	22000		5 à 8 €

En 1954, Gilbert Valéry achète entre Béziers et la côte un vignoble de 30 ha équipé d'une cave, l'agrandit et le transmet à sa famille, qui commence en 2001 la vente en bouteilles. Aujourd'hui la famille exploite deux domaines qui totalisent 150 ha: le Ch. le Thou (17 ha en AOC languedoc) et le domaine des Deux Ruisseaux, en IGP.

Les vignes à l'origine de cette cuvée bénéficient de la proximité de la mer qui tempère le climat méditerranéen et permet ainsi de bénéficier d'une maturation lente. Le résultat est ici un vin aimable et expressif, sur les fruits rouges et les épices, ample et franc en bouche, porté par des tanins soyeux et fondus. 2016-2019 steak tartare

LES VINS FAMILLE VALÉRY, SARL Valéry, rte de Béziers, 34410 Sauvian, tél. 04 99 41 02 74, laurent@famillevalery.com r.-v.

DOM. DE L'ENGARRAN La Lionne 2014 ★★★

	25000		8 à 11 €

Le château de l'Engarran est une « folie » montpelliéraine du XVIII^e^s., classée à l'Inventaire national des Monuments historiques. Diane Losfelt et Constance Rerolle, sur les traces de leurs parents, y cultivent un vignoble de 55 ha, à Saint-Georges-d'Orques, dans les Grés de Montpellier. Une valeur sûre.

L'étiquette s'inspire d'une statue du parc du château représentant une lionne croquant une grappe de raisin. Ce vin nous fait rugir de plaisir tant il est complexe et intense, un véritable pot-pourri unissant le végétal du poivron mûr mariné à l'huile d'olive avec les senteurs enivrantes de la garrigue. En bouche, une touche vanillée, un soupçon de poivre et de réglisse, des notes chaleureuses de moka. L'ensemble évolue avec souplesse, onctuosité et fondu, et porte la griffe du bon goût, de l'élégance et de l'originalité. 2017-2021 joue de bœuf en sauce **La Lionne 2015 ★ (8 à 11 €; 25000 b.)** : cette Lionne croque ici une grappe de sauvignon, et les dégustateurs dans une pêche charnue, à la fois fraîche et bien mûre. En bouche, un cocktail de fruits exotiques, un bon équilibre entre rondeur et vivacité et une finale souple, à l'élégance toute féline... 2016-2019 pissaladière

SCEA DU CH. DE L' ENGARRAN, 34880 Lavérune, tél. 04 67 47 00 02, lengarran@wanadoo.fr *t.l.j. 10h-13h 15h-19h; f. dim. janv.-fév.* *Grill*

B DOM. FABRE CORDON Grenache blanc 2015 ★

	3500		8 à 11 €

Situé dans la zone côtière des étangs, un domaine implanté à l'emplacement d'une villa gallo-romaine qui bordait la Voie Domitienne. Aujourd'hui, 12 ha (en bio certifié depuis 2013) conduits par Henri et Monique Fabre, longtemps coopérateurs et vignerons indépendants depuis 2001. Leur fille Amandine, œnologue, vient de les rejoindre.

Agrumes, poire, fleurs blanches, l'approche est élégante et complexe. En bouche, le vin apparaît ample, gras, charnu, dynamisé par la fraîcheur des agrumes.

Un ensemble harmonieux. ⧗ 2016-2019 🍴 palourdes en persillade

CH. FABRE CORDON, L'Oustal-Nau, 11440 Peyriac-de-Mer, tél. 04 68 42 00 31, chateaufabrecordon@gmail.com V r.-v.

LES VIGNOBLES FONCALIEU
Syrah & Viognier 2015 ★★

■	36000	🍾	5 à 8 €

Créée en 1967, cette union de caves coopératives du Languedoc propose des vins d'un très grand Sud qui s'étend de la Gascogne à la vallée du Rhône. Elle regroupe plus de 1 000 vignerons et dispose de 4 500 ha.

Assemblage original de 80 % de syrah et de 20 % de viognier, cette cuvée offre un bouquet très fin de violette et de réglisse. Une finesse qui caractérise également la bouche, aussi large que longue, aux tanins fondus et veloutés, étirée dans une belle finale sur les fruits rouges et les épices. ⧗ 2016-2020 🍴 boudin noir aux pommes

LES VIGNOBLES FONCALIEU, Dom. de Corneille, 11290 Arzens, tél. 04 68 76 21 68, contact@foncalieu.com

LES HAUTS DE JANEIL
Grenache Viognier 2015 ★

■	15000	🛢	5 à 8 €

Issu d'une grande famille bordelaise et présent sur plusieurs continents, le propriétaire et négociant François Lurton est aussi implanté dans le Languedoc-Roussillon, depuis les années 1990. Associé à son frère Jacques jusqu'en 2007, il y dirige seul aujourd'hui plusieurs domaines dans les AOC saint-chinian, fitou, corbières, maury, côtes-du-roussillon-villages ou encore en IGP pays d'Oc.

Né sur un terroir de moraine granitique, ce 2015 se distingue par un nez élégant de fruits blancs mâtiné de nuances minérales. La bouche affiche un bel équilibre entre une chair tendre et moelleuse et une belle fraîcheur fruitée (abricot, pêche) et mentholée. La finale, amylique et épicée, apporte un surcroît de dynamisme et de complexité. ⧗ 2016-2019 🍴 poulet à l'ananas

DOM. FRANÇOIS LURTON, Mas Janeil, 66720 Tautavel, tél. 04 68 38 04 64, francoislurton@francoislurton.com t.l.j. sf sam. dim. 9h-12h 14h-17h

DOM. DE L'HERBE SAINTE Chardonnay 2015 ★★

■	28000	🍾	5 à 8 €

Situé dans la partie orientale du Minervois, près de Narbonne, le domaine (85 ha) a été acquis en 2001 par la famille Greuzard, originaire de Bourgogne et installée en Languedoc depuis 1980. Premier achat de vignes en 1987 et premières vinifications à la propriété en 2010.

Ce chardonnay, déjà remarqué l'an passé, est monté en puissance et en intensité aromatique avec sa version 2015, ouverte sans réserve sur un bouquet gourmand de fleurs blanches et de pêche. Dominée par la fraîcheur en attaque, la bouche, ample et soyeuse, évolue vers la douceur, stimulée en finale par d'élégantes notes de bourgeon de cassis et une fine minéralité. ⧗ 2016-2019 🍴 lotte à la crème

DOM. DE L' HERBE SAINTE, rte de Ginestas, 11120 Mirepeisset, tél. 04 68 46 30 37, herbe.sainte@wanadoo.fr V *t.l.j. 10h-12h 16h-19h; dim. sur r.-v.* *Famille Greuzard*

DOM. IZARD Marselan 2015 ★

■	1500	🍾	5 à 8 €

Le domaine (25 ha) est situé à Montady, proche du prestigieux site gallo-romain d'Ensérune, d'où l'on distingue le célèbre étang asséché en 1270, aux formes géométriques délimitées par les canaux qui le font rayonner comme un soleil.

Ce vin aux reflets violines est intense à l'olfaction, ouvert sur une corbeille de cerise burlat et de cassis agrémentée d'élégantes notes de violette et de quelques grains de poivre. Cette complexité nous tient en haleine dans une bouche chaleureuse, corpulente et corsée, aux tanins turbulents qui doivent encore mûrir. Ce Marselan est un placement pour l'avenir, et vu son très jeune âge, on peut lui faire confiance. ⧗ 2018-2021 🍴 tajine d'agneau

MICHEL IZARD, 1, av. de Béziers, 34310 Montady, tél. 04 67 90 73 35 V *r.-v.*

DOM. LALAURIE Première 2014 ★★

■	7000	🛢	11 à 15 €

Transmis depuis dix générations, ce vaste domaine familial de 50 ha a démarré la mise en bouteilles à la propriété en 1974, sous l'impulsion de Jean-Charles et Catherine Lalaurie, épaulés depuis 2007 par leurs filles jumelles, Camille et Audrey.

La syrah est dans son aire de prédilection sur des terroirs argilo-calcaires; le talent d'œnologue de Camille Lalaurie fait le reste. Après l'avoir fait patienter quatorze mois en fût, ce « beau brun ténébreux » apparaît bien élevé, certes encore marqué par le boisé, mais un boisé fin qui n'étouffe pas l'âme du terroir et du cépage et ses accents de cerise, de menthol et de réglisse. La bouche, épicée, vanillée, est chaleureuse et fondue, ample et consistante, étirée dans une finale langoureuse et douce comme de la soie. ⧗ 2018-2022 🍴 magret de canard

JEAN-CHARLES LALAURIE, 2, rue Le-Pelletier-de-Saint-Fargeau, 11590 Ouveillan, tél. 04 68 46 84 96, lalaurie@domaine-lalaurie.com V *t.l.j. sf dim. 10h-12h30 15h-18h30*

DOM. DE LARZAC
Roussanne Chardonnay 2015 ★★

■	13000	5 à 8 €

Ce château d'inspiration toscane, construit au XVII[e]s. par l'intendant des princes de Montmorency et largement rénové au XX[e]s., est surtout connu pour son parc classé Monument historique. C'est en 1999 que la famille Bonafé décide de restructurer le vignoble (75 ha aujourd'hui), le matériel et le chai. La devise du domaine *Sine sole nihil* (Rien sous le soleil) est gravée dans l'un de ses murs.

Ce subtil assemblage de roussanne et de chardonnay est imprégné à l'olfaction de la chaleur épicée de poivre blanc, apaisée par des senteurs printanières de tilleul et d'aubépine. On trouve ensuite de belles notes de pamplemousse dans une bouche ample et élégante, qui finit en beauté sur des arômes doux et onctueux de vanille rafraîchis par une revigorante touche citronnée. ⧗ 2016-2019 🍴 terrine de saint-jacques

DOM. DE LARZAC, rte de Roujan, 34120 Pézenas, tél. 04 67 90 76 29, contact@chateau-larzac.fr
Bonafé

DOM. DE LONGUEROCHE Viognier 2015 ★

■	6000	🍾	5 à 8 €

Diplômé en droit, marchand d'antiquités, Roger Bertrand cède à sa passion du vin en reprenant en 1986 l'exploitation familiale située au pied de la barre rocheuse de Roquelongue (d'où le nom du domaine, Longueroche), dans le massif de Fontfroide. Il cultive sans pesticides ses 30 ha de vignes qu'il vendange à la main.

Au nez, ce pur viognier évoque l'abricot mûr, les épices douces et le beurre frais. Une générosité que l'on retrouve dans une bouche bien enrobée, ronde sans manquer de fraîcheur, étirée dans une longue finale florale et épicée. ⧗ 2016-2019 🍴 terrine d'asperges ■ **Chardonnay Élevé en fût de chêne 2014 ★ (11 à 15 €; 5000 b.)** : à un nez gourmand de mangue et de noix de coco fait écho une bouche riche, ronde et suave, vivifiée par une pointe de fraîcheur en finale. ⧗ 2016-2019 🍴 poulet à la crème

ROGER BERTRAND, 16, rue Ancienne-Poste, 11200 Saint-André-de-Roquelongue, tél. 06 75 22 85 51, contact@rogerbertrand.fr V 🚶 ▮ *r.-v.*

Ⓑ SECRET DE LUNÈS Viognier 2015 ★

■	40000	🍾	5 à 8 €

Un des sept domaines des Jeanjean, le berceau, acquis dès 1936 par la famille. Conquis sur une vaste garrigue (1 000 ha) et planté sur un terroir d'argile à galets, le vignoble se déploie sur des reliefs doucement vallonnés, parallèles à la côte, et bénéficie de l'influence rafraîchissante de la mer. Les 50 ha de vignes sont conduits en bio certifié depuis 2013.

La dégustation débute par un nez flatteur et complexe associant l'abricot, le zeste de clémentine et la pulpe d'orange. Elle se poursuit par une bouche ronde, soyeuse et charnue, relevée par une juste fraîcheur en finale qui lui donne un caractère pimpant et alerte. ⧗ 2016-2019 🍴 poulet au citron

SARL DOM. DE LA TRUFFIÈRE, L'Enclos, 34725 Saint-Félix-de-Lodez, tél. 04 67 88 80 00, vincent.fabre@jeanjean.fr V ▮ *t.l.j. sf dim. 9h-12h 14h-19h* *Jeanjean*

LA MADELEINE SAINT-JEAN
Cuvée La Maison blanche 2015 ★

■	6000	🍾	5 à 8 €

Domaine familial de 30 ha situé sur le territoire de Marseillan, petit port sur l'étang de Thau, à l'est du cap d'Agde. Max et Daniel Banq ont restructuré le vignoble. La cave de vinification, le chai et le caveau ont été aménagés à l'arrivée de la nouvelle génération. Jérémy s'est installé en 2002 après avoir fait ses classes en Languedoc, en Côte-Rôtie et à Saint-Émilion.

Coup de cœur dans sa version 2009, cette cuvée fait aussi une belle impression avec le 2015. Un vin au nez puissant et complexe conjuguant les fruits jaunes mûrs, le coing et le miel, ample, rond et harmonieux en bouche. ⧗ 2016-2019 🍴 tajine de poisson ■ **Viognier 2015 (5 à 8 €; 10000 b.)** : vin cité.

DOM. LA MADELEINE SAINT-JEAN, rue Édouard-Adam, port Rive-Gauche, 34340 Marseillan, tél. 04 67 26 12 42, lamadeleinesaintjean@orange.fr V 🚶 ▮ *t.l.j. 9h30-12h30 14h30-19h*
Banq Frère et Fils

DOM. DE MAIRAN
Chardonnay Classique 2015 ★★

■	16500	🍾	5 à 8 €

Lieu de naissance de Jean-Jacques Dortous de Mairan, physicien du XVIIIᵉs., ce domaine de 27,7 ha fondé à l'emplacement d'une villa romaine est conduit depuis cinq générations par la famille Peitavy et par Jean-Baptiste depuis 2004.

Ce pur chardonnay jouant sur un registre classique est un virtuose qui bat la mesure à la perfection. Au nez, des senteurs harmonieuses de fleurs blanches et d'agrumes qui montent doucement en volume. Accompagnées de notes de poire et de pêche, elles tiennent la cadence dans une bouche ample, franche en attaque, puis plus suave et puissante, équilibrée par un final acidulé qui apporte un tempo plus tonique. ⧗ 2016-2019 🍴 ceviche

JEAN-BAPTISTE PEITAVY, Dom. de Mairan, 34620 Puisserguier, tél. 04 67 11 98 01, mairan@domainedemairan.com V ▮ *t.l.j.sf dim. 9h-12h 14h-18h; sam. sur r.-v.*

JEAN-CLAUDE MAS
Cabernet-sauvignon Astelia 2014 ★

■	25000	🛢	20 à 30 €

Vigneron-négociant, Jean-Claude Mas dispose d'un vaste vignoble de plus de 600 ha en propre constitué par quatre générations, auxquels s'ajoutent les apports des vignerons partenaires (1 300 ha).

Après neuf mois d'élevage en fût, ce pur cabernet-sauvignon livre un bouquet intense, sur le boisé vanillé et les fruits confiturés. Vif en attaque, le palais monte en puissance, porté par des tanins doux et soyeux et s'étire dans une longue finale épicée. À attendre un peu pour que les notes d'élevage se fondent. ⧗ 2018-2022 🍴 baron d'agneau ■ **Domaines Paul Mas Cabernet-sauvignon-syrah Vignes de Nicole Élevé en fût de chêne 2015 (8 à 11 €; 230000 b.)** : vin cité.

JEAN-CLAUDE MAS, rte de Villeveyrac, 34530 Montagnac, tél. 04 67 90 16 10, info@paulmas.com V 🚶 ▮ *t.l.j. sf dim. 10h-12h 13h-18h*

LANGUEDOC

MAS DE MADAME Muscat sec 2015 ★

	15000		5 à 8 €

Conduit par les Sourina père et fils, le premier agronome, le second œnologue, ce vignoble de coteaux (46 ha d'un seul tenant sur le piémont du massif de la Gardiole) est l'un des plus anciens de Frontignan: les archives municipales attestent la présence du muscat dès 1170. Bâti au XVIᵉs., il a été restauré en 2003 et les chais ont été modernisés en 2006.

On connait la maîtrise du domaine pour les vins doux naturels, mais il excelle aussi en vins secs, à l'image de ce muscat très réussi. Au nez, un cocktail de fruits frais et exotiques accompagné d'un brin de menthe. En bouche, de l'élégance et de la délicatesse; on y retrouve la menthe poivrée qui amène une agréable fraîcheur, puis on croque avec délice dans la pêche de vigne charnue, pour finir en douceur sur des notes de fleur de sureau. Un ensemble harmonieux et expressif. ⧗ 2016-2019 🍷 asperges

DOM. DU MAS DE MADAME, rte de Montpellier, 34110 Frontignan, tél. 06 07 38 77 89, jacques.sourina@mas-de-madame.com V 🚶 ▪ *t.l.j. 9h-12h30 14h-19h Sourina*

MAS DU NOVI Lou blanc 2015 ★

	15000	8 à 11 €

Halte sur le chemin de Saint-Jacques-de-Compostelle au XIᵉs. et ancien noviciat de l'abbaye de Valmagne, le Mas du Novi possède un calvaire portant l'inscription *Siste et ora viator*: « Assieds-toi et prie, voyageur. » C'est aujourd'hui un domaine de 100 ha, dont 42 de vignes en conversion vers l'agriculture biologique, situé dans une couronne de garrigue offrant une vue surprenante sur la mer et l'étang de Thau.

Né du seul chardonnay, ce 2015 offre un nez intense de fruits exotiques et de fleurs blanches. En bouche, le vin est gras, charnu, fruité (mangue) et floral, souligné par une pointe bien sentie d'acidité qui assure son équilibre. ⧗ 2016-2019 🍷 dos de cabillaud sauce agrumes

MAS DU NOVI, D 5, rte de Villeveyrac, 34530 Montagnac, tél. 04 67 24 07 32, contact@masdunovi.com V 🚶 ▪ *t.l.j. 10h-18h; été 19h Grangély Ltd*

MAS ROUGE Cuvée Poisson 2015 ★

	12000		5 à 8 €

Un mas (rouge effectivement) entre Méditerranée et étangs, niché au cœur du bois des Aresquiers. Julien Cheminal, qui l'a acquis en 1997, en a restauré sans relâche le vignoble (35 ha) ainsi que le chai à l'imposante charpente. Il vinifie depuis 2002, montrant une belle régularité dans ses vins doux de muscat, en mireval et frontignan. Il développe aussi une production de vins secs en IGP.

Si cette propriété s'illustre souvent avec ses vins doux naturels, elle s'y entend aussi en matière de blancs secs. Témoin cette cuvée qui associe au nez touche florale, notes miellées et citron confit. Un vin bien typé muscat mais pas que, la roussanne et le chardonnay apportant un surcroît de complexité, de croquant et de saveurs à une bouche fine et tendre, soulignée par une belle arête acide et une jolie finale saline et minérale. ⧗ 2016-2019 🍷 risotto aux saint-jacques

DOM. DU MAS ROUGE, 30, chem. de la Poule-d'Eau, 34110 Vic-la-Gardiole, tél. 04 67 51 66 85, contact@domainedumasrouge.com V 🚶 ▪ *t.l.j. sf dim. 10h-13h 15h-19h Cheminal*

DOM. DES MATTEMALES
Muscat à petits grains 2015

	30000	5 à 8 €

Fondée dès 1904, la cave de Frontignan (devenue Frontignan Muscat) dispose aujourd'hui de plus de 460 ha cultivés par 150 coopérateurs; elle fournit 80 % de l'AOC muscat-de-frontignan, tout en déclinant de multiples styles de vins à base de muscat à petits grains.

Un joli moelleux jaune doré, ouvert sur d'intenses parfums muscatés, expressif en bouche également, autour de notes de miel et de pain d'épice, rond et d'un bon volume, avec en soutien une pointe d'acidité bienvenue. Équilibré. ⧗ 2016-2020 🍷 tarte au chocolat

SCA FRONTIGNAN MUSCAT, 14, av. du Muscat, BP 136, 34112 Frontignan Cedex, tél. 04 67 48 12 26, cl@frontignanmuscat.fr V 🚶 ▪ *t.l.j. 9h30-12h30 14h30-18h30*

DOM. LA MIJANE Chardonnay 2015

	6000		5 à 8 €

Un jeune domaine fondé en 2011 par Philippe de la Boisse, à la tête d'un vaste ensemble d'une centaine d'hectares en bordure du canal du Midi, dont 36 dédiés à la vigne et aux cabardès, aux IGP Pays d'Oc et Cité de Carcassonne.

Issu d'un terroir argilo-calcaire en limite des climats méditerranéen et océanique, ce vin a bénéficié d'une alternance de fraîcheur et d'ensoleillement. Au nez, de plaisants arômes floraux (genêt, fleur d'oranger) et briochés, prolongés par un palais rond et gras, stimulé par une jolie finale vivifiante. ⧗ 2016-2019 🍷 poisson à la crème

DOM. LA MIJANE, Carrefour de Bezons, rte de Caunes, 11620 Villemoustaussou, tél. 04 68 10 99 71, vin.lamijane@gmail.com V 🚶 ▪ *t.l.j. sf dim. 9h-17h de la Boisse*

MOULIN GIMIÉ Les Fossiles 2013 ★★★

	8100		8 à 11 €

À l'origine du nom de ce domaine situé en bordure du canal du Midi, un moulin à eau transformé en moulin à soufre lors de la crise de l'oïdium au milieu du XIXᵉs., devenu aujourd'hui le caveau de vente de Christine et de François Gimié. Ces derniers ont redonné vie, à partir de 1998, aux 27 ha de vignes familiales.

Les fossiles déposés par la mer il y a quarante millions d'années côtoient désormais les vignes du domaine et donnent leur nom à cette splendide cuvée pourpre profond, ouverte sans réserve sur le poivre et les fruits rouges au nez. La bouche démarre en puissance, dans la chaleur des épices, puis sur la vanille, le chocolat et les fruits très mûrs. Parfaitement équilibrée et bâtie sur une solide trame tannique, elle monte en volume jusqu'à la finale, fraîche et dense, aux senteurs de la garrigue. De longue garde assurément. ⧗ 2019-2026 ♈ côte de bœuf

FRANÇOIS GIMIÉ, 49, rue Gambetta, 34310 Capestang, tél. 06 12 99 20 18, moulingimie@hotmail.fr V *t.l.j. 10h-20h*

EXTRAIT DE L'ORMARINE 2013 ★★

■ | 10 000 | | 5 à 8 €

Coopérative fondée en 1922, L'Ormarine, à l'époque Association des producteurs de vins blancs de Pinet, est un acteur de poids dans la défense de la récente AOC picpoul-de-pinet. Après la fusion avec les caves de Villeveyrac (2009) et de Cournonterral (2014), elle regroupe plus de 500 coopérateurs et dispose de 2 200 ha, dont 520 dédiés au seul cépage piquepoul.

Une belle association du cabernet-sauvignon (60 %) et du merlot dans ce 2013 éclatant de jeunesse, explosif, dont les arômes de fruits noirs, de vanille, d'eucalyptus et de poivre de Sichuan titillent nos narines avec insistance. La bouche est ronde, suave, souple, gourmande, centrée sur la confiture de mûres et soutenue par des tanins veloutés, avant de s'achever en beauté sur de chaleureuses et onctueuses notes réglissées. ⧗ 2018-2021 ♈ confit de canard ■ **Haut de Sénaux Sauvignon 2015 ★ (- de 5 €; 20 000 b.)** : du verre s'échappent des senteurs intenses et bien typées de menthol et de buis. En bouche, de l'onctuosité, renforcée par des arômes de fruits exotiques bien mûrs, mais aussi du dynamisme et de la fraîcheur. ⧗ 2016-2019 ♈ terrine de poisson

CAVE DE L' ORMARINE, 13, av. du Picpoul, 34850 Pinet, tél. 04 67 77 03 10, caveormarine@wanadoo.fr V *t.l.j. sf dim. 8h30-12h 14h-18h; t.l.j. de mai à mi-sept.*

MARQUIS DE PENNAUTIER Terroirs d'altitude 2014

■ | 100 000 | | 8 à 11 €

Les Lorgeril possèdent six domaines familiaux en Languedoc-Roussillon, parmi lesquels le château de Pennautier, un Versailles en Languedoc construit en 1620 à la gloire des seigneurs locaux, trésoriers des États du Languedoc; une valeur sûre de l'appellation cabardès. Nicolas et Miren de Lorgeril, qui représentent la dixième génération à conduire ce vaste ensemble de 180 ha, sont également à la tête d'une structure de négoce.

Sur ce terroir d'altitude, le chardonnay a donné naissance à un vin élégant, centré à l'olfaction sur la fleur d'acacia et le tilleul. En bouche, on apprécie la maîtrise de l'élevage en fût, qui accompagne le vin sans l'étouffer et renforce son caractère rond et gras, rehaussé d'une pointe d'acidité en finale. ⧗ 2016-2019 ♈ escalope de poulet à la crème

CH. DE PENNAUTIER, BP 4, 11610 Pennautier, tél. 04 68 72 65 29, contact@lorgeril.com V *r.-v.* D *de Lorgeril*

♥ PICARO'S Amano 2013 ★★

■ | n.c. | | 20 à 30 €

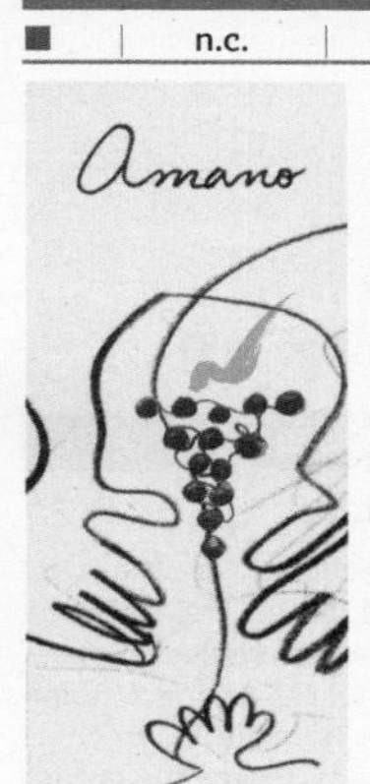

Après trois ans passés en Amérique du Sud, Pierre-Yves Rouille et Caroline Vioche ont créé leur domaine en 2006, 10 ha sur les coteaux de Roujan, vendangés à la main et conduits en culture très raisonnée.

Une très belle entrée dans le Guide pour ce jeune domaine avec un 2013 admirable né à parts égales de grenache et de syrah dont les raisins ont été délicatement séparés de la rafle manuellement (*amano*) pour être vinifiés en grains entiers. Grâce à quoi le vin délivre un bouquet complexe et généreux de fruits noirs mûrs, de truffe et de laurier. Une attaque ample ouvre sur un palais dense, riche, chaleureux, corsé (poivre), soutenu par des tanins veloutés. ⧗ 2017-2022 ♈ tajine d'agneau aux pruneaux

PICARO'S, 5, chem. de Pézenas, 34320 Roujan, tél. 06 81 97 10 44, cvioche@orange.fr V *r.-v.*
Pierre-Yves Rouille et Caroline Vioche

DOM. PREIGNES LE VIEUX Paradis 2015

■ | 22 000 | | 5 à 8 €

Entre Agde et Béziers, un terroir mis en valeur depuis les Romains, un château fortifié et aujourd'hui un vignoble de 190 ha d'un seul tenant, qui s'étend en pente douce sur les coteaux du Libron. Le domaine a été acquis en 1905 par l'arrière-grand-père de la génération actuelle, ouvrier agricole enrichi par la distillation et le négoce du vin. Depuis 1990, il est conduit par Jérôme Vic, rejoint par Aurélie qui vinifie.

Ce 100 % vermentino issu de sols basaltiques séduit par son nez élégant de fleurs blanches et de miel sur fond boisé. La bouche, fruitée et vanillée, apparaît fraîche et équilibrée. ⧗ 2016-2019 ♈ daurade en croûte de sel

SCEA PREIGNES LE VIEUX, Dom. Preignes le Vieux, 34450 Vias, tél. 04 67 21 67 82, jeromevic@preignes.com V *t.l.j. sf sam. dim. 9h-19h; d'oct. à avr. sur r.-v.*

DOM. RAISSAC Chardonnay Le Parc 2015 ★★

■ | 50 000 | | 5 à 8 €

Au nord de Béziers, le Ch. de Raissac, implanté sur les vestiges d'une villa romaine, s'étend sur 60 ha, dont de belles terrasses villafranchiennes. En 1999, Gustave Viennet a succédé à cinq générations de vignerons sur le domaine familial; il développe l'œnotourisme et cultive la diversité, avec pas moins de douze cépages et cinq terroirs.

Ce chardonnay sorti du Parc (le nom de la parcelle) évolue dans un univers de garrigue, de thym et de romarin.

LANGUEDOC

Gourmand et équilibré, il allie en bouche la souplesse et le moelleux à une fine fraîcheur aux accents de menthol et de clémentine, et s'achève sur des notes chaleureuses d'épices méditerranéennes. ⧗ 2016-2019 🍷 encornets farcis

⊸ SCEA VIENNET, Ch. de Raissac, rte du Murviel, 34500 Béziers, tél. 04 67 28 15 61, gustave.viennet@raissac.com V 🚶 ! *t.l.j. sf sam. dim. 9h-12h 14h-18h* 🏠 ⑤

VIGNOBLE DE LA RAMIÈRE 2015

■ | 80 000 | 🍾 | - de 5 €

Inclus dans l'aire AOC saint-chinian, le village de Roquebrun, à 30 km au nord de Béziers, bénéficie d'un microclimat permettant la culture des orangers et d'un terroir de schistes qui lui valent une dénomination particulière. La Cave de Roquebrun, créée en 1967, dispose de 650 ha de vignes. Exigeante, la coopérative pratique des sélections parcellaires selon les cépages, les vignobles et les maturités.

Merlot, cabernet, carignan et grenache plantés sur argilo-calcaire composent ce vin qui a connu une macération carbonique. Cela donne un bouquet expressif de fruits rouges et d'épices, relayé par une bouche harmonieuse, ronde, tendre et fruitée, étayée par des tanins fondus et soyeux. Un joli «vin plaisir». ⧗ 2016-2019 🍷 tomates farcies

⊸ CAVE DE ROQUEBRUN, av. des Orangers, 34460 Roquebrun, tél. 04 67 89 64 35, logistique@cave-roquebrun.fr V 🚶 ! *r.-v.*

Ⓑ DOM. DE STONY Fioretti 2015 ★★

■ | 2 000 | 🍾 | 8 à 11 €

Exploitation acquise en 1860 par un aïeul savoyard, fabricant de vermouth, qui approvisionnait son industrie grâce aux vignes de la propriété. Installé en 1983, son descendant Frédéric Nodet exploite 13 ha de vignes, blanches surtout, en bio certifié depuis 2014, et implantées sur un terroir très caillouteux qui inspire le nom du domaine.

Hormis le muscat-de-frontignan, Frédéric Nodet propose des cuvées d'assemblage en IGP, comme ce brillant Fioretti jaune d'or à reflets verts. Cinq variétés ici, à l'origine d'un vin expressif et intense, ouvert sur les fruits exotiques, les épices et les fruits jaunes. Arômes prolongés avec la même intensité par un palais ample, chaleureux et velouté, fondu et onctueux, qui persiste longuement et s'impose par sa belle griffe méridionale. ⧗ 2016-2019 🍷 risotto aux asperges

⊸ CH. DE STONY, La Peyrade, 34110 Frontignan, tél. 04 67 18 80 30, chateaudestony@orange.fr V 🚶 ! *r.-v. ⊸ Frédéric Nodet*

DOM. TERRES GEORGES Caméléon 2014 ★

■ | 3 000 | 🛢 | 8 à 11 €

Trois semaines après avoir confié son bien, Georges s'est éteint, satisfait de savoir que ses vignes resteraient dans la famille. Anne-Marie, sa fille, et Roland Coustal ont quitté leur métier pour assurer la pérennité du domaine, qu'ils ont rebaptisé Terres Georges en hommage au père. Ce dernier était coopérateur; les héritiers ont créé une cave et limité à 14 ha la surface de leur exploitation pour tout suivre de près.

Merlot (70%) et syrah composent ce Caméléon assez changeant en effet dans le verre, l'aération faisant poindre tour à tour des épices, de la vanille, des notes balsamiques ou encore des touches réglissées. Une attaque surprenante, sur des saveurs résinées qui évoquent une haie de cyprès à un dégustateur, ouvre sur un palais suave et chaleureux, aux tanins fondus et veloutés, mais qui ne manque pas de dynamisme et laisse l'impression d'un vin souple et délié. ⧗ 2017-2021 🍷 couscous

⊸ ANNE-MARIE ET ROLAND COUSTAL, 2, rue des Jardins, 11700 Castelnau-d'Aude, tél. 06 30 49 97 73, info@domaineterresgeorges.com V 🚶 ! *r.-v.* 🏠

DOM. VAISSIÈRE
Sauvignon blanc 2015 ★★

■ | 40 000 | 🍾 | 8 à 11 €

Dans la famille depuis 1776, ce domaine du Minervois a trouvé un nouveau souffle après 1952 avec Paul Mandeville, qui a été le premier en 1961 à planter de la syrah en Languedoc. Depuis 1984, son fils Olivier est aux commandes, rejoint par ses deux enfants. Sur le domaine, une chapelle (IXe-X^e^s.).

Implanté dans les terres les plus fraîches du domaine, le sauvignon a mûri dans des conditions optimales pour donner ce vin épanoui et très expressif, ouvert sur des arômes caractéristiques de buis et d'agrumes. Doté d'une belle persistance sur le bonbon anglais et le pamplemousse, parfaitement équilibré, le palais est à la fois vif et consistant, dynamique et chaleureux. ⧗ 2016-2019 🍷 terrine de langoustines

⊸ OLIVIER MANDEVILLE, Dom. Vaissière, 11700 Azille, tél. 06 18 39 31 22, vmandeville@chateauvaissiere.fr V 🚶 ! *r.-v.*

LES VIGNES DE L'ARQUE Alexia 2015 ★

■ | 15 000 | 🍾 | 5 à 8 €

Le nom du domaine est inspiré du château médiéval du IXe s. qui surplombe la cave créée en 1994 et située au cœur du pays d'Uzège. Le vignoble s'étend sur 80 ha dispersés dans quatre villages voisins et produit du duché-d'uzés et des vins en IGP Cévennes et Pays d'Oc.

Alexia? La fille du propriétaire. Dans le verre, un assemblage muscat-sauvignon qui offre une belle synergie aromatique entre les deux cépages. Le premier règne en maître à l'olfaction avec des notes intenses et typées de buis et de menthe, et le second anime de ses arômes de fleurs blanches un palais ample, frais et élégant, plus suave en finale. ⧗ 2016-2019 🍷 asperges sauce mousseline

⊸ LES VIGNES DE L'ARQUE, rte d'Alès, 30700 Baron, tél. 04 66 22 37 71, vigne-de-larque@wanadoo.fr V 🚶 ! *t.l.j. sf dim. 9h-12h 14h-19h ⊸ Fabre*

IGP SABLE DE CAMARGUE

Ⓑ DOM. DE FIGUEIRASSE Les Saladelles 2014

■ | 6000 | | 5 à 8 €

Les terroirs sablonneux de la Camargue avaient résisté à l'invasion phylloxérique; d'où l'intérêt porté à ce domaine (55 ha aujourd'hui, en bio certifié depuis 2008) par les aïeux de Michel Saumade, qui en firent l'acquisition en 1905.

La roussanne (50%) est accompagnée de marsanne et de grenache blanc dans cette cuvée passée huit mois en demi-muids. Au nez, l'élevage est perceptible mais laisse la part belle aux notes florales. En bouche, un bâtonnage de six mois a apporté du gras et de la rondeur qui, avec des arômes de vanille et de pêche au sirop, rendent ce vin d'ores et déjà aimable et plaisant. ⧗ 2016-2019 🍴 lotte à la crème

SCEA DE LA FIGUEIRASSE, rte des Mas, 30240 Le Grau-du-Roi, tél. 04 67 70 20 48, cavesdemoulines@orange.fr

Saumade

IGP SAINT-GUILHEM-LE-DÉSERT

BERGERIE DU CAPUCIN
Val de Montferrand Dame Jeanne 2015

■ | 8000 | 11 à 15 €

Guilhem Viau, après dix ans passés en cave coopérative, s'est lancé en 2008 et a baptisé son domaine du nom du lieu-dit où se situaient les pâturages et la bergerie de son aïeule Jeanne. Il conduit aujourd'hui un vignoble de 15 ha.

Le nez de cet assemblage chardonnay-viognier (85%-15%) s'ouvre sur des notes de fleurs blanches, de pêche et d'agrumes. L'attaque est ronde et suave, puis apparaît une belle vivacité qui anime le palais jusqu'en finale. Simple mais équilibré. ⧗ 2016-2017 🍴 gambas poêlées

GUILHEM VIAU, lieu-dit Les Cabanelles, 34270 Valflaunès, tél. 04 67 59 01 00, contact@bergerieducapucin.fr V *r.-v.*

CASTELBARRY Le Grenache 2015 ★

■ | 20000 | | - de 5 €

Implantée au cœur d'un des terroirs réputés du Languedoc, la cave de Montpeyroux, fondée en 1950, a changé de nom, adoptant celui de CastelBarry. Elle regroupe 120 adhérents qui cultivent 510 ha (dont 10% en bio).

Ce 100% grenache dévoile au nez une jolie palette de fruits noirs et rouges très mûrs. En bouche, la douceur et la rondeur caractéristiques du cépage sont bien présentes, épaulées par des tanins souples. Harmonieux et facile d'accès. ⧗ 2016-2019 🍴 salade de gésiers

CAVE COOP. CASTELBARRY, 5, pl. François-Villon, 34150 Montpeyroux, tél. 04 67 96 61 08, contact@caltelbarry.com V *t.l.j. 9h-12h 14h-18h; dim. sur r.-v.*

COMTE GUILLAUME Carignan 2015

■ | 200000 | - de 5 €

La cave coopérative de Saint-Mathieu-de-Tréviers, établie au pied du pic Saint-Loup, exploite ses vignes (850 ha) en agriculture raisonnée et la conversion au bio est acquise pour une partie du vignoble.

Le carignan confère une forte intensité à la robe de ce vin bien ouvert sur des notes de fruits rouges et de bonbon anglais. Arômes prolongés par une bouche friande et souple, mais encore un peu stricte en finale. Une petite garde arrondira les angles. ⧗ 2017-2019 🍴 lapin en sauce

LES COTEAUX DU PIC, 140, av. des Coteaux-de-Montferrand, 34270 Saint-Mathieu-de-Tréviers, tél. 04 67 55 20 22, info@coteaux-du-pic.com V *t.l.j. sf dim. lun. 9h30-12h30 14h30-18h*

♥ BERGERIE DE L'HORTUS
Val de Montferrand Classique 2015 ★★

■ | 90000 | | 11 à 15 €

Entre le pic Saint-Loup et le causse de l'Hortus, dans la combe de Fambetou, ce domaine de référence s'étend sur 80 ha de terroirs variés. À partir de 1978, Jean et Marie-Thérèse Orliac ont défriché la garrigue, remis en état des terrasses, construit un chai, bâti une maison puis installé leurs enfants désormais à leurs côtés.

Pas moins de six cépages pour cette cuvée éclatante, qui respire la jeunesse avec ses reflets verts. Le bouquet se révèle très intense, explosif même, avec des notes florales et fruitées se mêlant avec délicatesse. Et quel équilibre en bouche, tout est dosé à la perfection: le gras, présent mais jamais lourd, l'acidité, fine et tonifiante, les arômes, persistants, sur l'aubépine et la pêche blanche. ⧗ 2016-2019 🍴 terrine de fruits de mer

DOM. DE L' HORTUS, rte du Mas-Rigaud, 34270 Valflaunès, tél. 04 67 55 31 20, orliac.hortus@wanadoo.fr V *t.l.j. sf dim. 10h-12h 15h-18h*

Famille Orliac

DOM. DU MAS ALEXANDRE
Les Espérelles 2014 ★

■ | 2600 | 8 à 11 €

Propriété familiale depuis six générations, ce vignoble s'étend sur 10 ha répartis entre des sols argilo-calcaires et des terroirs de galets roulés et de graviers. Stéphane Causse a pris la suite de ses parents en 2007 et a lancé la mise en bouteilles au domaine quatre ans plus tard.

Le rare caladoc est associé à la syrah dans ce vin d'emblée séduisant par sa robe intense, couleur cerise, et son nez floral et fruité. La bouche offre du gras et du volume, le tout sur fond de fruits rouges et avec une belle structure tannique en soutien. Bonne évolution en perspective. ⧗ 2017-2021 🍴 daube de bœuf

SCEA LES ESPÉRELLES, Dom. Mas Alexandre, 28, av. Saint-Guillem, 34150 Aniane, tél. 06 07 81 45 27, domaine.mas.alexandr@gmail.com V t.l.j. sf dim. 10h-12h 16h-19h *Stéphane Causse*

MAS DU PONT L'Orée du bois 2014 ★

	3000		11 à 15 €

Installé en 1997, Nicolas Vellas représente la quatrième génération de vignerons à la tête de ce domaine dont les raisins étaient portés à la coopérative jusqu'à son arrivée.

Belle robe profonde aux reflets violets pour cet assemblage syrah-grenache né sur des sols argilo-calcaires. Le nez associe harmonieusement les fruits rouges et noirs à des notes boisées présentes sans être envahissantes. La bouche apparaît bien structurée par des tanins bien serrés et encore un peu sévères. Du potentiel. ⧗ 2017-2023 gardiane de taureau

GFA MAS DU PONT, Mas du Pont, 34820 Teyran, tél. 04 67 55 42 99, vellas.nicolas@orange.fr V t.l.j. sf dim. lun. 16h-19h *Vellas*

DOM. LA VOÛTE DU VERDUS 2015 ★

	3000		5 à 8 €

Guilhem Bonnet et son épouse Sylvie ont repris en 1983 les 20 ha de vignes familiales, et en 2011, ils décident d'en vinifier une partie (4 ha). Leur fille Mélanie et son mari Pierre Estival, œnologues, les accompagnent dans l'aventure. Au cœur de Saint-Guilhem-le-Désert, leur cave voûtée enjambe le ruisseau du Verdus qui traverse le village.

Un assemblage original mi-colombard mi-grenache blanc compose ce vin pâle et scintillant, au nez très aromatique (pêche de vigne) et au palais rond et gras, amylique et fruité, équilibré par une belle finale pleine d'allant. ⧗ 2016-2019 omelette aux asperges sauvages

DOM. LA VOÛTE DU VERDUS, 15, rue Descente-du-Portal, 34150 Saint-Guilhem-le-Désert, tél. 04 67 57 45 90, larouteduverdus@gmail.com V r.-v. *Guilhem Bonne*

IGP VALLÉE DU PARADIS

DOM. HAUT GLÉON 2015

	9500		5 à 8 €

De vieilles pierres bien restaurées, aujourd'hui destinées à l'hébergement des visiteurs, une piscine au milieu de 260 ha de garrigue: ce domaine, havre de paix à l'entrée de la vallée de Paradis, non loin de Durban-Corbières, a développé l'œnotourisme. On y produit un peu d'huile d'olive et du vin (35 ha de vignes).

Sur des terres de cailloutis calcaires très arides, le vermentino, le chardonnay et la roussanne ont donné ce vin au nez subtil centré sur la rose. Fruitée (fruits exotiques, poire) et épicée, la bouche se montre ample et suave, dynamisée par une finale saline. ⧗ 2016-2019 fromage de chèvre

CH. HAUT GLÉON, lieu-dit Gléon, 11360 Villesèque-des-Corbières, tél. 04 68 48 85 95, contact@hautgleon.com V *t.l.j. 9h-12h 14h-17h; f. 15-31 déc.*

TERRE DES ANGES Vieilles Vignes 2015 ★★

	40000		5 à 8 €

Créée en 1921 dans le massif des Hautes Corbières et le haut Fitou, à 20 km de la Méditerranée, la cave des Vignerons de Cascastel rassemble une centaine d'adhérents qui cultivent 750 ha. À sa carte, des fitou, corbières, vins doux naturels et vins en IGP.

Issus des cépages traditionnels des Hautes Corbières (carignan, grenache et syrah), ce vin sombre livre un bouquet d'une belle intensité, sur les fruits rouges mûrs et les épices. La bouche, sur fond d'arômes de la garrigue (thym, romarin), associe un caractère chaleureux et rond à une élégante tension minérale qui apporte de l'équilibre et de la longueur. ⧗ 2017-2021 agneau de sept heures

LES MAÎTRES VIGNERONS DE CASCASTEL, Grand-Rue, 11360 Cascastel, tél. 04 68 45 91 74, info@cascastel.com V *t.l.j. sf sam. dim. 9h-12h 14h-18h*

LE ROUSSILLON

Le Roussillon viticole, qui correspond au département des Pyrénées-Orientales, est très proche du Languedoc voisin par son climat, son histoire, son encépagement et les styles de vins. Il est d'ailleurs inclus dans la nouvelle appellation régionale languedoc. La différence est surtout culturelle : le Roussillon est en majeure partie catalan. L'offre du plus méridional des vignobles de France se partage entre de superbes vins doux naturels et des vins secs : rouges aux multiples facettes, rosés généreux et même, de plus en plus, blancs vifs.

Aux portes de l'Espagne. Amphithéâtre tourné vers la Méditerranée, le vignoble du Roussillon est bordé par trois massifs: les Corbières au nord, le Canigou à l'ouest, les Albères au sud, qui forment la frontière avec l'Espagne. Trois fleuves, la Têt, le Tech et l'Agly, ont modelé un relief de terrasses dont les sols caillouteux et lessivés sont propices aux vins de qualité, et particulièrement aux vins doux naturels. On rencontre également des schistes noirs et bruns, des arènes granitiques, des argilo-calcaires ainsi que des collines détritiques du pliocène. Le vignoble du Roussillon bénéficie d'un climat très ensoleillé, avec des températures clémentes en hiver, chaudes en été. La pluviométrie (350 à 600 mm/an) est mal répartie, et les pluies d'orage ne profitent guère à la vigne. Il s'ensuit une période estivale très sèche, dont les effets sont souvent accentués par la tramontane, vent qui favorise la maturation des raisins. La vigne, depuis l'invasion phylloxérique, est plantée sur les meilleurs terroirs, en particulier sur les coteaux. Sa culture reste traditionnelle, souvent peu mécanisée. La plante est encore souvent conduite en gobelet: les ceps forment de petits buissons, sans palissage.

Vins doux naturels et vins secs. L'implantation de la vigne en Roussillon, sous l'impulsion des marins grecs attirés par les richesses minières de la côte, date du VII^e^s. avant notre ère. Sans doute produisait-on ici déjà des vins doux. Au Moyen Âge, époque d'essor de la viticulture, fut mise au point, dans la région, la technique du mutage des vins à l'alcool, qui permet la conservation et qui valut aux vins doux roussillonnais une réputation solide. Si la part de ces derniers dans la production a baissé à la fin du XX^e^s., leur qualité s'est améliorée, et la région en offre une diversité sans pareille. La modernisation de l'équipement des caves, la diversification de l'encépagement et des techniques de vinification (avec la macération carbonique, par exemple), et la maîtrise des températures au cours de la fermentation permettent aujourd'hui au Roussillon d'exceller dans les vins secs.

▶ CÔTES-DU-ROUSSILLON ET CÔTES-DU-ROUSSILLON-VILLAGES

Ces deux appellations s'étendent dans les Pyrénées-Orientales – la région historique du Roussillon. L'aire la plus étendue, celle des côtes-du-roussillon, produit des vins dans les trois couleurs, tandis que les côtes-du-roussillon-villages sont toujours rouges.

Les côtes-du-roussillon blancs sont produits principalement à partir des cépages macabeu et grenache blanc, complétés par le grenache gris, la malvoisie du Roussillon, la marsanne, la roussanne et le rolle, et vinifiés par pressurage direct. Bien méditerranéens, finement floraux (fleur de vigne), ils accompagnent les fruits de mer, les poissons et les crustacés. Les vins rosés et les vins rouges sont obtenus à partir d'au moins trois cépages, le carignan (50 % maximum), le grenache noir, la syrah et le mourvèdre constituant les cépages principaux. Tous ces cépages (sauf la syrah) sont conduits en taille courte à deux yeux. Souvent, une partie de la vendange est vinifiée en macération carbonique, notamment le carignan qui donne, avec cette méthode de vinification, d'excellents résultats. Les vins rouges sont fruités, épicés et riches. Les rosés, vinifiés obligatoirement par saignée, sont aromatiques, corsés et nerveux.

Au sud de Perpignan, depuis 2003, on produit des côtes-du-roussillon-Les-Aspres, une dénomination attribuée aux vins rouges après identification parcellaire.

Les côtes-du-roussillon-villages sont localisés dans la partie septentrionale du département des Pyrénées-Orientales; ils s'enrichissent de quatre dénominations reconnues pour leur terroir particulier: Caramany, Lesquerde, Latour-de-France et Tautavel. Gneiss, arènes granitiques et schistes confèrent aux vins une richesse et une diversité qualitatives que les vignerons ont bien su mettre en valeur. Les côtes-du-roussillon-villages varient selon la nature de leur terroir mais affichent toujours de beaux tanins, fins pour les terroirs acides, plus solides sur schistes et argilo-calcaires; certains peuvent se boire jeunes, d'autres gagnent à être gardés quelques années; ils développent alors un bouquet intense et complexe.

CÔTES-DU-ROUSSILLON

Superficie : 5 770 ha
Production : 215 500 hl (98 % rouge et rosé)

ABBOTTS ET DELAUNAY Réserve 2014 ★

■ | 10 000 | ◍ ▮ | 8 à 11 €

Issu d'une famille de producteurs et négociants bourguignons, Laurent Delaunay, œnologue, après avoir créé Badet Clément & Cie, a racheté en 2005

l'affaire fondée en 1996 par l'œnologue australienne Nerida Abbott, créant sous le nom d'Abbotts & Delaunay une société de négoce-vinificateur spécialisée dans les vins du Languedoc-Roussillon.

Un joli vin, qui ne mise pas sur la puissance, restant élégant tout en affirmant son identité méditerranéenne. Au nez, un fruité discret, qui s'affirme au palais sur des notes de fruits noirs; en bouche, un profil tendu, équilibré par la souplesse du grenache, de la profondeur et de la longueur. Dompté par une vinification en grains entiers, le carignan apporte sa structure. L'ensemble est fin, légèrement épicé. ⧗ 2016-2019 🍴 épigramme d'agneau au thym

⊶ ABBOTTS ET DELAUNAY, 32 av. du Languedoc, 11800 Marseillette, tél. 04 68 79 00 00, contact@abbottsetdelaunay.com V r.-v.

Ⓑ DOM. BELLAVISTA Ava 2014

■ | 20000 | | 5 à 8 €

Acquis en 1992 par la famille Bertrand, ce domaine de 50 ha, adossé aux collines de Castelnou, dresse fièrement de superbes bâtisses du XIII^e^s. bien restaurées. Le vignoble est conduit en bio certifié depuis 2013.

Un assemblage de syrah, de grenache et de mourvèdre (dans cet ordre). Le rouge flirte avec le noir, tant la robe est profonde. Une recherche de concentration qui se retrouve au nez, avec une approche d'abord très réservée. À l'aération, ce vin s'ouvre doucement sur les fruits noirs, le bourgeon de cassis et le sous-bois. Puis c'est la cerise que l'on croque avec gourmandise dans une bouche ample, généreuse, concentrée, soutenue par des tanins puissants et serrés. Du potentiel. ⧗ 2018-2021 🍴 bœuf bourguignon

⊶ DOM. BELLAVISTA, 66300 Camélas, tél. 04 68 53 25 18, domaine-bellavista@orange.fr V r.-v. E

Ⓑ DOM. DE BESOMBES Les Fontenilles 2013

■ | 1600 | | 15 à 20 €

Au début du XVIII^e^s., Joseph-Antoine Tiburce, procureur des fermes du roi, crée le domaine familial. Son lointain héritier, Damien de Besombes Singla, après des études de commerce international, a repris en 2002 la propriété. Il exploite en bio 50 ha de vignes sur trois terroirs différents: la vallée de l'Agly, la plaine du Roussillon et les Aspres.

Sur les terres argilo-calcaires du mas Saint-Michel, près du château de Calce, la syrah (70 %) exprime toute sa maturité et sa chaleur méditerranéenne. Elle donne le noir profond de la robe, les senteurs de mûre, cette note réglissée mêlée de thym et de romarin qui ne laisse que peu de place au grenache et à ses arômes de cerise burlat. Un vin structuré, chaleureux, qui gagnera à être servi rafraîchi, en carafe. ⧗ 2017-2021 🍴 lapin chasseur

Le Roussillon

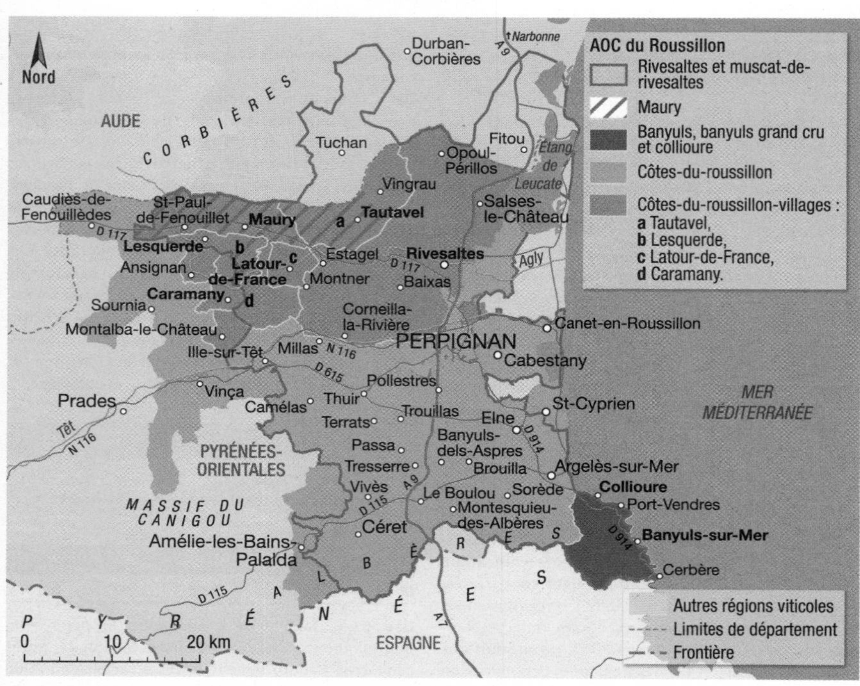

DAMIEN DE BESOMBES SINGLA, Mas Saint-Michel, 66600 Salses-le-Château, tél. 06 12 10 97 68, damien.debesombes@gmail.com V r.-v.

DOM. CARLE-COURTY Camps Bernats 2015 ★★

1200		11 à 15 €

Implanté au pied de l'ermitage de Força Réal, d'où le panorama embrasse tout le Roussillon, le vignoble de Carle-Courty (3,5 ha au départ, 12 ha aujourd'hui) est cultivé en bio depuis 2002. Un choix de vie pour Frédéric Carle, comptable né en Champagne, installé depuis 1995 dans la vallée de la Têt, entre ceps de syrah et schistes bruns, vieilles vignes de carignan et de grenache, et cheminées de fées.

Une cuvée plus d'une fois appréciée, dont la composition varie. Le 2015 met en avant la roussanne. Une vinification soignée et un léger élevage en fût apportent la nuance d'or et une pointe d'évolution qui surprend dès l'approche. Les notes boisées se font complices de la fraîcheur exotique de l'ananas et de la rondeur apportée par un élevage sur lies fines. Surprenante, la bouche prend des airs de Jerez, alliant volume et nervosité, chaleur et vivacité. Un vin particulier qui n'est pas loin d'un *fino.* 2017-2021 zarzuela de poisson **Cuvée Marion 2014 ★ (8 à 11 €; 2000 b.)** : du carignan, de la syrah et du grenache au service d'un rouge solide, au nez tout en fruits rouges et noirs relevés d'épices. 2017-2021 canette aux cerises

DOM. CARLE-COURTY, 6, rte de Corneilla, 66170 Millas, tél. 04 68 57 21 79, domaine.carlecourty@orange.fr V *t.l.j. sf dim. 9h30-12h 14h30-19h*

♥ DOM. CAZES Hommage 2015 ★★★

10000		5 à 8 €

Fondation en 1895, premières mises en bouteilles en 1955 et une croissance continue. Aujourd'hui, un domaine de 220 ha entièrement conduit en biodynamie depuis 2005, complété par une activité de négoce. À sa carte, toutes les AOC du Roussillon, des IGP, tous les styles de vin. Dans le giron du groupe Advini depuis 2004.

Syrah (50 %), grenache et mourvèdre composent un vin plébiscité par nos dégustateurs. Cassis, mûre, sous-bois, malt, minéralité assurent une belle complexité au nez. Quant au palais, dense, profond, charnu, structuré et long, il offre aussi un fruit que l'on se plaît à croquer. Un régal dès aujourd'hui et un plaisir durable. 2017-2023 daube d'agneau **Marie-Gabrielle 2015 ★★ (5 à 8 €; 70000 b.)** : syrah (50 %), grenache et mourvèdre donnent naissance à un vin au nez riche mêlant raisin mûr, épices et réglisse. Structuré, ce 2015 est déjà très fondu tout en possédant un réel potentiel de garde. 2017-2023 fricassée de canard **Hommage 2015 ★ (8 à 11 €; 12000 b.)** : du grenache et de la marsanne pour un vin intense, fruité et vif. 2016-2019 tartare d'espadon

SCEA CAZES, 4, rue Francisco-Ferrer, 66600 Rivesaltes, tél. 04 68 64 08 26, info@cazes.com V r.-v.

CH. DE CORNEILLA DEL VERCOL Héritage 2015 ★★

38000		5 à 8 €

Célèbre pour les exploits olympiques de Pierre en hippisme et de Christian en escrime, la famille Jonquères d'Oriola est installée depuis 1485 au Ch. de Corneilla, bâti par les Templiers au XIIe s., et conduit 60 ha de vignes. William, qui a rejoint en 2010 son père Philippe après un «tour du monde œnologique», représente la vingt-septième génération de vignerons!

Le trio syrah, grenache et carignan est à l'œuvre dans cette cuvée au regard sombre, «andalou»: la robe profonde est pour ainsi dire noire. Un vin qui affiche beaucoup de concentration, de maturité, de force, tout en gardant une étonnante fraîcheur. La palette aromatique met en avant le cassis et la réglisse à la violette, avec à l'arrière-plan du fruit confituré. Un tanin soyeux et du fruit à croquer portent loin la finale. 2017-2021 épaule d'agneau **Cavalcade 2014 ★★ (11 à 15 €; 4000 b.)** : une robe profonde, un nez intense, élégant, chaleureux et complexe sur les fruits rouges très mûrs, une bouche ample et veloutée: une remarquable expression pour cet assemblage de syrah (majoritaire) et de grenache. 2017-2021 côte de bœuf à la moelle

EARL JONQUÈRES D'ORIOLA, Ch. de Corneilla, 3, rue du Château, 66200 Corneilla-del-Vercol, tél. 04 68 22 73 22, chateaudecorneilla@hotmail.com V *t.l.j. sf dim. 11h-12h 17h-18h*

DOM. DEPRADE JORDA Quintessence 2014 ★★

1600		11 à 15 €

Domaine constitué en 1920 dans les Albères. Thomas Deprade est l'œnologue et le commercial, François est au vignoble. Toute la famille, parents compris, est mobilisée pour faire vivre cette vaste propriété (90 ha) dont toute la production s'écoule en vente directe – en bouteilles et en petit vrac.

Dire que le grenache gris a failli disparaître, alors qu'il participe avec bonheur aux collioures blancs et apporte son charme et sa plaisante structure «tannique» à de trop rares côtes-du-roussillon. Il «tient» ici l'élevage sous bois, lègue sa structure et sa matière, que son compère le grenache blanc se charge d'arrondir en apportant une touche de fruits confits. Particularité du domaine, cette note iodée que l'on rencontre dans de grands liquoreux et qui n'est pas sans rappeler les blancs de la vallée de la Loire. 2017-2021 gambas flambées

DOM. DEPRADE JORDA, 98, rte Nationale, 66700 Argelès-sur-Mer, tél. 04 68 81 10 29, domainedepradejorda@free.fr V *t.l.j. 8h30-12h 16h-19h*

DOM. DOMANOVA Signature vigneronne 2015

5000		5 à 8 €

Établie à Vinça, localité bordant un lac de retenue, la coopérative des Vignerons en terres romanes est née de la fusion en 2012 de la cave de cette commune

ROUSSILLON

avec de celle de Tarerach. Deux villages d'altitude de la haute vallée de la Têt, avec le Canigou en toile de fond, où les cépages bénéficient de conditions climatiques fraîches.

Syrah (50 %), grenache et carignan collaborent à cette cuvée qui porte la marque de son terroir d'altitude, de ses sols filtrants d'arènes granitiques. Un vin très frais, fruité, jouant sur les baies noires, le poivre et la minéralité. Le cassis s'allie à la réglisse dans un palais souple et élégant, dévoilant en finale de petits tanins relevés. ⧗ 2016-2019 🍷 côtes d'agneau au romarin

LES VIGNERONS EN TERRES ROMANES, 6, av. de la Gare, 66320 Vinça, tél. 04 68 05 85 86, vignerons.terres.romanes@orange.fr V *t.l.j. sf dim. 9h-12h 14h-18h*

DOM. D'ESPERET Terre 2014

■	4000		5 à 8 €

Six générations se sont succédé sur ce vaste domaine de 85 ha exploité par la famille Balaguer, partiellement conduit en bio. Le vignoble se répartit entre Maury, Saint-Paul-de-Fenouillet et Caudiès, dans les Fenouillèdes.

D'un grenat léger aux reflets fauves, ce vin surprend par ses parfums de ciste, de pivoine et de bourgeon de cassis qui composent un nez jeune, frais, avenant. Au palais, il se montre équilibré, souple, « sans complications », tonifié par une plaisante fraîcheur soulignée d'une pointe de minéralité. « Tout simplement bon », conclut un dégustateur. Parfait comme vin unique d'un repas à la bonne franquette, sur les viandes blanches et sur la charcuterie. ⧗ 2016-2019 🍷 escalope milanaise

DOM. D' ESPERET, rte de Caudies, 66220 Saint-Paul-de-Fenouillet, tél. 04 68 59 18 85, domainedesperet@sfr.fr V *r.-v.* *Balaguer*

DOM. FONTANEL 2014 ★★

■	15000		5 à 8 €

Les origines du domaine remontent à 1864. À sa tête depuis 1989, Pierre et Marie-Claude Fontaneil exploitent 25 ha sur des terroirs variés, d'où ils tirent des cuvées à forte personnalité, aussi bien en vins secs qu'en vins doux naturels. Deux caveaux, l'un à Estagel et l'autre à Tautavel (où se trouve la cave).

Assemblage de grenache et de syrah, ce vin exprime les argilo-calcaires de Tautavel et la belle maîtrise du vigneron pour dompter la force de ce terroir. La robe sombre et profonde dénote déjà sa fougue. Le nez déploie un fruité mûr imposant, aux nuances de fruits noirs confiturés, de tapenade et de cuir. Surprise, l'attaque puissante et vive est relayée par des impressions plus douces, les fruits se fondent, les tanins deviennent veloutés, tandis que la fraîcheur se fait complice de la touche épicée du poivre blanc. Un très joli travail de vinification. ⧗ 2017-2021 🍷 brochettes de bœuf **2014 (8 à 11 €; 6000 b.)** : vin cité.

FONTANEIL, 25, av. Jean-Jaurès, 66720 Tautavel, tél. 04 68 29 04 71, pierre@domainefontanel.fr V *t.l.j. 10h-12h 14h-18h*

DOM. GRIER Galamus 2013 ★

■	10000		8 à 11 €

La famille Grier, propriétaire d'un vignoble en Afrique du Sud réputé pour ses effervescents, a constitué en 2006 ce domaine de 25 ha d'un seul tenant dans les Fenouillèdes. Elle en a confié les rênes à Raphaël Graugnard, qui apporte toute son expérience dans l'élaboration de vins symbolisant l'union réussie de l'Ancien et du Nouveau Mondes.

La vallée de l'Agly, dans sa partie haute, et ses terres noires, schisteuses, apportent finesse et élégance aux vins tout en conservant volume et matière, pour peu qu'ils soient vinifiés avec maîtrise. Cette cuvée fournit un bon exemple de ce travail, offrant la finesse réglissée de la syrah, la rondeur bonhomme du grenache et l'élégance du carignan. Ce dernier cépage, tant décrié, sert ici de support et de faire-valoir à l'attelage. Les arômes? L'élevage contribue à la palette, qui associe la cerise à l'eau-de-vie, le sous-bois et une touche de cacao. ⧗ 2017-2021 🍷 gigot d'agneau

DOM. GRIER, 18 av. Jean-Moulin, 66220 Saint-Paul-de-Fenouillet, tél. 04 68 73 34 39, contact@domainegrier.com V *r.-v.*

CH. DES HOSPICES Maïa 2015 ★

■	5000	5 à 8 €

Depuis cinq générations, la famille Benassis est installée au cœur de Canet-en-Roussillon. La cave est abritée dans une bâtisse traditionnelle catalane datant de 1836. Le vignoble (50 ha) est situé sur les terrasses de galets roulés entre le littoral et la ville de Perpignan. Aujourd'hui, trois générations officient sur le domaine: Louis, le grand-père, Michel, le père, et Marc, le petit-fils ingénieur agronome.

Dédiée à une déesse romaine de la fertilité, une cuvée associant le grenache blanc et le macabeu. La brillance de la robe or pâle attire le regard, puis on s'attarde sur la douceur florale de l'acacia et la senteur fraîche de la poire coupée. La bouche réjouit par son volume et par sa richesse héritée d'un élevage sur lie. Elle retrouve le côté floral et miellé, s'enrichit de notes minérales dans un joli fondu, relevée en finale par une fraîcheur tonique. ⧗ 2016-2019 🍷 blanquette de lotte

CH. DES HOSPICES DE CANET, 6, imp. du Corps-de-Garde, 66140 Canet-en-Roussillon, tél. 06 63 02 46 00, contact@chateau-des-hospices.fr V *t.l.j. sf dim. 9h-12h 15h-18h* *Benassis*

DOM. LAFAGE La Grande Cuvée 2014 ★★

■	6000		15 à 20 €

Éliane et Jean-Marc Lafage ont vinifié pendant dix ans dans l'hémisphère Sud, puis ont repris l'exploitation familiale en 2006, établie sur trois terroirs bien distincts du Roussillon: la vallée de l'Agly, vers Maury, les terrasses de galets roulés proches de la mer, les Aspres et ses terres d'altitude. Aujourd'hui, quelque 150 ha cultivés à petits rendements. Un domaine très régulier en qualité, souvent en vue pour ses côtes-du-roussillon et ses muscats.

Une Grande Cuvée issue de grenache, avec un soupçon de macabeu. La robe or pâle à reflets verts ne laisse rien paraître de la vinification en demi-muids et de l'élevage de douze mois en fût. La finesse des senteurs surprend, entre fraîcheur de la pêche blanche, douceur épicée et soupçon d'anis rappelant le fenouil. À la fois rond et élancé, volumineux et subtil, le palais séduit par son élégance, mêlant dans un parfait équilibre arômes floraux et fin boisé. La longue finale achève de convaincre. ⧗ 2016-2020 🍷 sole meunière ■ **Centenaire 2015 (11 à 15 €; 40000 b.)** : vin cité.

DOM. LAFAGE, Mas Miraflors, rte de Canet, 66000 Perpignan, tél. 04 68 80 35 82, contact@domaine-lafage.com V *t.l.j. sf dim. 10h-12h 14h30-18h*

BERNARD MAGREZ
Si mon père savait… 2013 ★★★

■	26300		8 à 11 €

Bernard Magrez, connu notamment pour son Château Pape Clément, cru classé des Graves, collectionne les vignobles dans l'Ancien et le Nouveau Monde. Il aime investir de nouveaux terroirs à forte personnalité et a créé à partir de 2002 un domaine dans la vallée de l'Agly (25 ha). La propriété est aujourd'hui installée à Montner, dans la cave du village magnifiquement rénovée et s'est développée vers la vallée de la Têt et Collioure.

Malgré ses trois ans, sa couleur n'a pas pris une ride et affiche insolemment une robe grenat sombre. D'emblée, ce 2013 montre richesse, puissance et concentration, libérant des nuances de fruits noirs et des notes de tapenade qui prennent à l'aération des tons de fruits confiturés, de sous-bois et de venaison. La bouche, dans le droit fil, est généreuse, ample, gorgée de fruits mûrs, épicée, étayée par de superbes tanins au grain soyeux. Un vin puissant, savoureux, méditerranéen, prêt à accompagner viande et fromages. ⧗ 2016-2021 🍷 pavé de bœuf aux cèpes

DOM. BERNARD MAGREZ, 2, Grand-Rue, 66720 Montner, tél. 06 88 97 92 21, domaines-magrez-montner@orange.fr V *r.-v.*

Ⓑ MAS BÉCHA Classique Charles 2014 ★★★

■	20000		8 à 11 €

Au sud de Perpignan, Charles Perez exploite son domaine depuis 2008 au hameau de Nyls, dans les Aspres – 25 ha en bio plantés sur trois collines au sein d'un ensemble de 110 ha. En rouge, ses assemblages mettent la syrah en avant. Cette figure du vignoble se fait «croquer» par un artiste différent chaque année pour illustrer ses étiquettes. Il en va de même pour les membres de sa famille. Le Mouton Rothschild catalan, en quelque sorte!

L'adresse est bonne: en voilà un qui connaît ses «classiques»! Une remarquable régularité pour ce domaine qui fait toujours un tir groupé. Une fois de plus, voici le Classique, qui ne connaît pas le bois. Sombre à la vue, il se montre d'emblée jovial avec ses évocations de fleurs, de groseille, de myrtille et de cassis, nuancées d'une légère touche tourbée. Ample, fort bien structuré par un tanin puissant et velouté, le palais est tendu par une belle fraîcheur soulignée par des notes de cassis. Un plaisir immédiat… qui pourra se prolonger plusieurs années. ⧗ 2017-2022 🍷 magret de canard ■ **La Bergerie du Camps de Nyils Les Aspres 2013 ★★★ (75 à 100 €; 1200 b.)** Ⓑ : élevé un an en barrique, un rouge sublime, concentré, solaire, fondu et long, aux arômes de sous-bois, de venaison, de fruits confiturés, fort loué aussi pour son grain de tanins superbe. ⧗ 2016-2022 🍷 côte de bœuf ■ **Barrique Serge 2014 ★ (11 à 15 €; 10000 b.)** Ⓑ : une cuvée passée un an en barrique. Un vin généreux, entre épices, cacao et fruits noirs. ⧗ 2017-2021 🍷 daube de bœuf

MAS BÉCHA, 3, av. de Pollestres, 66300 Nyls-Ponteilla, tél. 04 68 95 42 04 V *t.l.j. 14h-18h; sam. dim. sur r.-v.*

DOM. MAS CRÉMAT L'Envie 2014

■	9000		8 à 11 €

Les terres de schistes noirs ont donné son nom au Mas Crémat («brûlé» en catalan), repris en 2006 par une famille de vignerons bourguignons: Christine et Julien Jeannin, secondés par leur mère Catherine. Un superbe mas du XIXᵉs. et un vignoble de 32 ha labouré et conduit en fonction du cycle de la lune.

Quatre cépages, grenache et syrah en tête, se rencontrent dans cette cuvée à la robe d'une belle profondeur et au nez tout en finesse, alliant les petits fruits noirs épicés à une touche de réglisse à la violette. Un vin qui conjugue un côté chaleureux et une belle vivacité, où la sucrosité du grenache enrobe des tanins bien présents. Il est prêt, mais peut attendre. ⧗ 2016-2020 🍷 magret de canard

DOM. MAS CRÉMAT, 66600 Espira-de-l'Agly, tél. 04 68 38 92 06, mascremat@mascremat.com V *t.l.j. sf dim. 10h-12h 14h-18h* *Jeannin*

MAS D'EN BADIE Saint-Étienne des Vignes 2013

■	4968		8 à 11 €

Cette structure coopérative, qui regroupe désormais également les vignerons de Saint-André, rassemble des viticulteurs des Aspres, au sud de Perpignan et au pied des Albères. Adhérente du groupe audois du Val d'Orbieu, qui fédère onze caves, elle fait partie aujourd'hui du vaste groupe Vinadéis.

Quatre cépages entrent dans la composition de ce 2013 bien élevé six mois en cuve et un an en barrique, qui n'attend plus que de passer à table. D'emblée, il affiche une belle intensité aromatique, libérant des senteurs chaleureuses de gelée de mûre, des notes kirschées, des touches poivrées, toastées et des nuances de venaison. Au palais, il séduit par son fondu, ses tanins enrobés et par sa surprenante fraîcheur. ⧗ 2016-2020 🍷 filet mignon de porc aux fruits rouges

SCA DES VIGNERONS DE PASSA SAINT-ANDRÉ, rte de Villemolaque, 66300 Passa, tél. 04 68 38 80 74, scv.passa@wanadoo.fr V *t.l.j. sf dim. 9h-12h 14h30-18h*

Ⓑ MAS DÉU
Més que un amic un germà
Vieilli en fût de chêne 2014

■	3900		11 à 15 €

Ancienne commanderie des Templiers, le Mas Déu est une impressionnante bâtisse d'où la vue embrasse les Aspres. Un lieu chargé d'histoire où

ROUSSILLON

Arnaud de Villeneuve aurait mis au point le mutage. La famille Oliver s'y est installée au début du siècle dernier. Claudie débuta la vente en bouteille dès les années 1970. Installé en 1991, son fils Claude conduit aujourd'hui les 21 ha de la propriété – en bio certifié depuis 2010.

Une cuvée associant grenache (60 %), syrah et carignan. Affichant une robe très profonde, tirant sur le noir, ce vin demande de l'aération pour exprimer ses arômes de sous-bois et de fruits noirs alliés à la vanille de la barrique. Souple, élégant et frais en attaque, il porte l'empreinte de l'élevage qui apporte de jolies notes réglissées. Ses tanins encore marqués laissent présager une heureuse évolution. ⧗ 2017-2021 🍷 civet de marcassin

⊶ CLAUDE OLIVER, Ch. du Mas Déu, 66300 Trouillas, tél. 04 68 53 11 66, claude.oliver@orange.fr
V ▪ t.l.j. sf dim. 14h-18h; été 15h-19h; f. janv.

DOM. DE LA MEUNERIE Réminiscence 2014 ★★

■ | 2500 | ▮▮ ▮ | 15 à 20 €

Stéphane Battle a créé en 1998 ce domaine qui s'étend sur 15 ha dans les Aspres, au sud de Perpignan. Après avoir confié ses vendanges à la coopérative, il a décidé de vinifier lui-même ses vins et a installé ses chais dans une ancienne meunerie, d'où le nom de la propriété. Premier millésime en 2014.

Assemblage de syrah et de mourvèdre, ce 2014 pourpre aux reflets violines a fait un court séjour en barrique (six mois). Un travail d'élevage qui se devine lorsqu'on hume les senteurs épicées, réglissées et empyreumatiques qui accompagnent les arômes de cerise burlat. Souple en attaque, ce vin s'affirme sur le fruit épicé, impose son volume, déploie des tanins veloutés, ne cache rien de sa riche maturité et dévoile en finale une légère et douce amertume qui donne du relief. ⧗ 2016-2021 🍷 daube de canard

⊶ STÉPHANE BATLLE, 32, av. du Canigou, 66300 Trouillas, tél. 06 15 31 70 19, contact@domaine-meunerie.fr V ▪ ▪ r.-v.

Ⓑ DOM. MONT NOIR Tortue 2014 ★

■ | 5000 | ▮ | 8 à 11 €

Gérée par Jean-Luc Garrigue depuis 1980, cette exploitation familiale de 20 ha doit son nom à la traduction en français du nom de la commune où elle est installée (Montner), située à 25 km au nord-ouest de Perpignan. Conduit en bio certifié depuis 2008, le vignoble est implanté sur un sol de schiste métamorphique.

Cette cuvée assemble trois cépages, syrah en tête. Issue de terres noires schisteuses qui rappellent le nom du domaine, elle arbore la couleur de ses origines et offre un nez accueillant, expansif et friand, où les fruits frais, cassis et cerise jouent avec les épices. Franche, vive et élégante, l'attaque ouvre sur une bouche bien marquée par le cassis, puis par une trame de tanins serrés qui appellent une courte garde. ⧗ 2017-2020 🍷 kefta d'agneau

⊶ GAEC VIGNOBLES JEAN-LUC GARRIGUE, 15, rue des oliviers, 66720 Montner, tél. 04 68 29 15 34, domaine.mont.noir@gmail.com V ▪ r.-v.

Ⓑ CH. DE L'OU 2014

■ | 40000 | ▮ | 8 à 11 €

Philippe Bourrier, agronome, et son épouse Séverine, œnologue, ont acheté en 1999 ce domaine dont le nom vient d'une résurgence dans un bassin en forme d'œuf (*ou* en catalan). Ils ont refait le chai et travaillé d'emblée en bio leur vignoble qui couvre 40 ha entre plaine du Roussillon et Fenouillèdes.

Un vin souple, fin, frais, «joyeux», agréable, à boire autour de charcuteries catalanes ou d'une viande blanche. Sa couleur peu soutenue exprime cette recherche de fraîcheur; fraîcheur que l'on retrouve dans un nez entre bourgeon de cassis et cerise bigarreau. En revanche, la finale est plus chaleureuse, sur le fruit à l'eau-de-vie, et incite à servir cette bouteille un peu rafraîchie. ⧗ 2016-2019 🍷 carré de porc au chorizo

⊶ CH. DE L' OU, rte de Villeneuve, 66200 Montescot, tél. 04 68 54 68 67, chateaudelou66@orange.fr
V ▪ ▪ t.l.j. sf sam. dim. 14h-18h ⊶ Bourrier

DOM. PARCÉ Les Aspres 2010 ★

■ | 3300 | ▮▮ | 8 à 11 €

Depuis leur installation en 1982, André et Armelle Parcé ont accompli un patient travail de restructuration de leur domaine de 20 ha, qu'ils ont parachevé en 2013 en obtenant la certification bio.

Rares sont les vins du Roussillon aussi «âgés» présentés au Guide. Un pari risqué et réussi pour André Parcé, qui montre avec ce 2010 des Aspres son talent de vigneron-éleveur. Une cuvée donnant le premier rôle au mourvèdre (50 %) et à la syrah (40 %), deux cépages donnant en général de la structure. Après six ans, ce vin heureusement évolué offre un réel plaisir olfactif, libérant des senteurs de tabac, d'épices, de pruneau, de sous-bois et de venaison. La bouche, équilibrée, se déploie sans aspérités, soutenue par des tanins soyeux, l'élevage contribuant à ce fondu savoureux. En finale, perce la note finement grillée du mourvèdre. ⧗ 2016-2019 🍷 civet de lièvre

⊶ EARL A. PARCÉ, 21 ter, rue du 14-Juillet, 66670 Bages, tél. 04 68 21 80 45, vinsparce@9business.fr
V ▪ ▪ t.l.j. sf dim. lun. 9h30-12h 16h-18h30

CH. DE PÉNA Les Pierres noires 2014

□ | 3000 | ▮▮ | 11 à 15 €

Le village de Cases-de-Pène tient son nom d'un ermitage du X^e^s. établi sur un roc (*pena* en catalan) calcaire qui ferme la vallée de l'Agly. Les terres noires schisteuses y alternent avec l'ocre des argilo-calcaires, formant deux superbes terroirs de 480 ha sur lesquels travaillent les 60 vignerons de la coopérative locale.

Une étiquette toute noire pour un vin tout blanc, attelage de grenaches blanc (80 %) et gris. Après macération pelliculaire, le vin a été vinifié et élevé en fût avec bâtonnage. Le nez dévoile la minéralité des terres noires dans une note de pierre à fusil, couplée aux senteurs empyreumatiques de l'élevage. La bouche a la richesse des vins élevés sur lie, avec du gras, de la rondeur. Ses arômes, eux, évoqueraient presque l'Alsace tant ils sont fruités, avec des touches de rose et d'agrumes. ⧗ 2016-2019 🍷 filet de turbot au beurre blanc

CH. DE PÉNA, 2, bd Mal-Joffre, 66600 Cases-de-Pène, tél. 04 68 38 93 30, chateau-de-pena@wanadoo.fr V t.l.j. sf dim. 9h-12h 14h-18h

DOM. DE LA PERDRIX Charakter 2013 ★

■	2000		20 à 30 €

Depuis 1820, le vin était élaboré au village dans la vieille cave familiale. Après avoir pris le relais en 1996 et passé treize ans dans ces locaux, ne pouvant «pousser les murs», Virginie et André Gil ont établi en 2009 un nouveau chai au milieu des vignes, regardant le Canigou. Leur domaine couvre 35 ha en plein cœur des Aspres. La perdrix? Un hommage au grand-père d'André, peintre catalan de renom, qui avait fait de l'animal l'un de ses sujets préférés.

Ce domaine pratique volontiers les élevages sous bois. Le passage en barrique donne ici du «charakter» au couple syrah-grenache et vient compléter d'une touche réglissée la palette aromatique associant la cerise kirschée et une pointe de venaison. Des notes de tapenade s'ajoutent à cette gamme dans une bouche franche, ronde, chaleureuse, adossée à des tanins souples. Un vin bien élevé et prêt à boire. ⧗ 2016-2019 ♈ civet de lapin ■ **Cuvée Joseph-Sébastien Pons 2014 (11 à 15 €; 6000 b.)** : vin cité.

DOM. DE LA PERDRIX, Traverse-de-Thuir, 66300 Trouillas, tél. 04 68 53 12 74, contact@domaine-perdrix.com V *t.l.j. sf dim. 10h-12h30 15h-18h30 (19h30 de juil. à sept.)*

CH. LES PINS 2013 ★

■	30000		11 à 15 €

Suivi à la parcelle, maîtrise de la totalité de la chaîne d'élaboration, du raisin à la bouteille, démarche de développement durable... La cave de Baixas, fondée en 1923, compte 380 coopérateurs qui exploitent 2 500 ha répartis dans une trentaine de communes.

Assemblant à parité roussanne et grenache blanc, un blanc haut de gamme de la cave. La vinification en barrique neuve avec bâtonnage apporte à ce vin bien élevé le ton or tendre de sa robe et des senteurs de miel, d'épices et de garrigue. Cette élaboration lui confère aussi de la rondeur et du volume, une onctuosité qui fait bon ménage avec la sucrosité du grenache et les arômes du merrain. ⧗ 2016-2020 ♈ sandre au beurre blanc

VIGNOBLES DOM BRIAL, 14, av. Mal-Joffre, 66390 Baixas, tél. 04 68 64 22 37, contact@dom-brial.com V *r.-v.*

DOM. PIQUEMAL Les Terres grillées 2014 ★

■	12000		8 à 11 €

Sous l'impulsion d'Annie et de Pierre Piquemal, ce domaine familial (48 ha) est devenu une référence du Roussillon. Tout en maintenant les pratiques traditionnelles, il dispose d'un chai très moderne, à l'extérieur du village. Un outil adapté pour exalter l'expression de chaque terroir (schistes feuilletés, argilo-calcaires, galets roulés). Les vinifications sont assurées par Marie-Pierre Piquemal.

Ces Terres grillées font référence aux sols de schistes noirs sur lesquels le grenache – majoritaire ici (50 %) – donne des vins frais et ronds, tendus par une minéralité ciselée. Le macabeu et le petit appoint de vermentino, qui complètent l'assemblage, apportent une touche de verveine citronnée qui accentue la fraîcheur de l'ensemble, et l'élevage sous bois joue discrètement sa partition. Ce 2014 a de l'allure et sans doute du potentiel, même si nos dégustateurs incitent à apprécier dès maintenant ses qualités. ⧗ 2016-2019 ♈ saumon en papillote

DOM. PIQUEMAL, RD 117, km 7, lieu-dit Della-Lo-Rec, 66600 Espira-de-l'Agly, tél. 04 68 64 09 14, contact@domaine-piquemal.com V *t.l.j. sf dim. 9h-12h 14h-18h*

CH. PLANÈRES Les Aspres La Romanie 2014 ★

■	50000		15 à 20 €

Le domaine des frères Jaubert et de Roland Noury, l'un des pionniers des crus du Roussillon, apparaît tel un balcon donnant sur les Albères, la mer et le Canigou. Le vignoble s'étend sur 105 ha, dont une soixantaine d'un seul tenant autour d'une bâtisse catalane du XIXᵉs. sur le plan (plateau) de Planères.

Un travail soigné à la vigne, un tri de la vendange, puis une longue macération avant un séjour de dix-huit mois en fût neuf pour ce vin dont l'assemblage privilégie le mourvèdre (50 %) et la syrah, le grenache faisant l'appoint. Il en résulte une robe profonde, un nez alliant des notes puissantes de fruits noirs confiturés à la suavité d'un boisé finement vanillé et épicé. Gourmande en attaque, sur le fruit mûr, solide et concentrée dans son développement, la bouche dévoile des notes de cuir et de tabac, relayées en finale par un boisé épicé appuyé. Du potentiel. ⧗ 2018-2022 ♈ pavé de biche ■ **Les Aspres La Coume d'Ars 2014 (8 à 11 €; 30000 b.)** : vin cité.

CH. PLANÈRES, Vignobles Jaubert-Noury, 66300 Saint-Jean-Lasseille, tél. 04 68 21 74 50, contact@chateauplaneres.com V *t.l.j. sf dim. 8h30-12h 14h-18h; sam. sur r.-v.*

CH. ROMBEAU 2014 ★★

■	7200		8 à 11 €

Le domaine de Rombeau est dans la famille depuis des siècles. Vigneron médiatique, restaurateur et hôtelier, Pierre-Henri de La Fabrègue lui a donné un bel éclat. Des 114 ha de l'exploitation, dont 26 ha en bio, naissent des muscat-de-rivesaltes, des rivesaltes et des vins secs, en AOC et en IGP. Une production bien connue des lecteurs du Guide.

Dans ce secteur comptant parmi les plus précoces du Roussillon, autour de Rivesaltes, la maturité des raisins n'est pas un souci. L'exercice consiste surtout à récolter à temps! Ces conditions donnent au vin (grenache et syrah) tous ses caractères: au nez, une corbeille de fruits à croquer (cassis, framboise), sans excès de générosité; en bouche, une belle rondeur, sans trop de douceur, des tanins savoureux, sans sécheresse, et une fraîcheur qui porte loin la finale. Le reflet d'une grande expérience. ⧗ 2016-2021 ♈ coq au vin

DOM. DE ROMBEAU, 2, av. de la Salanque, 66600 Rivesaltes, tél. 04 68 64 35 35, domainederombeau@gmail.com V *t.l.j. 8h-22h* 1 *de La Fabrègue*

ROUSSILLON

B DOM. SARDA-MALET 2013 ★

■ | 33000 | | 11 à 15 €

« On devrait construire les villes à la campagne, l'air y est plus pur. » Cette citation d'Alphonse Allais est en passe de se réaliser tant la ville de Perpignan pousse aux portes du domaine. Un havre de paix avec une vue splendide sur le Canigou. Jérôme Sarda hérite des premières vignes, exploitées aujourd'hui par son petit-fils Jérôme Malet. Certification bio en 2013.

La matière du mourvèdre et la qualité de la syrah (à parité, 40 % chacun) s'accompagnent ici fort bien de l'arrondi du grenache et d'un élevages sous bois très bien maîtrisé. Il en résulte une robe profonde, des arômes de fruits noirs confiturés, accompagnés de notes de tapenade, de pruneau, de sous-bois et de douces nuances toastées. Un vin bien présent, mûr, bâti sur des tanins fondus. La finale chaleureuse est relevée de la touché épicée apportée par le mourvèdre, complice de la barrique. ⧗ 2017-2021 ¥ gigot

DOM. SARDA-MALET, Mas Saint-Michel, chem. de Sainte-Barbe, 66000 Perpignan, tél. 04 68 56 72 38, sardamalet@orange.fr V r.-v.

DOM. DES SCHISTES Les Terrasses blanches 2014

■ | 8000 | | 11 à 15 €

La cinquième génération officie dans cette exploitation de la vallée de l'Agly qui vinifie en cave particulière depuis 1989. Comme son nom l'indique, les marnes schisteuses dominent. À la vigne, Jacques et Mickaël Sire sont pointilleux sur le travail du sol et leur domaine de 55 ha est conduit en bio (certification en 2015). Une valeur sûre du Guide.

Sur les sols noirs du terroir de Maury, les blancs sont assez rares, mais très intéressants, notamment par leur minéralité et leur finesse. Les vignerons se sont appuyés sur le grenache blanc (70 %, avec le macabeu et un soupçon de vermentino), sur une fermentation sous bois (en foudre) et sur un élevage sur lies fines qui complètent les arômes de fleurs blanches et de pamplemousse par des sensations de rondeur et par le toucher satiné de légers tanins vanillés. ⧗ 2017-2020 ¥ bar au four

DOM. DES SCHISTES, 1, av. Jean-Lurçat, 66310 Estagel, tél. 04 68 29 11 25, sire-schistes@wanadoo.fr V *r.-v.* *Jacques Sire*

DOM. SOL-PAYRÉ Vertigo 2013

■ | 6000 | | 11 à 15 €

Le grand-père de Jean-Claude Sol, ouvrier agricole émigré d'Espagne en 1913, a reconstruit sa vie à l'abri de la cathédrale d'Elne, fondant un domaine qui s'est agrandi petit à petit pour atteindre 42 ha. Principalement implanté au sud du département, entre Perpignan et Collioure, le vignoble s'est étendu au nord, sur les sols acides des Fenouillèdes. Jean-Claude Sol a déménagé en 2016 le caveau de dégustation, qui se trouvait à Elne, sur les coteaux Saint-Martin, au cœur de la propriété.

Né d'un assemblage de grenache (70 %) et de syrah, ce vin montre des reflets légèrement tuilés dans sa robe grenat et se dévoile timidement autour d'un fruit mûr à dominante de pruneau, enfin libéré de ses trois ans d'élevage en cuve et en bouteille. Une attaque franche et ronde, des tanins souples dessinent les contours d'une bouteille prête à boire. ⧗ 2016-2018 ¥ rôti de porc ■ **Les Aspres Scelerata 2013 (15 à 20 €; 8000 b.)** : vin cité.

DOM. SOL-PAYRÉ, rte de Saint-Martin, 66200 Elne, tél. 04 68 22 17 97, contact@sol-payre.com V *r.-v.*

LES VIGNOBLES DU TERRASSOUS Les Aspres Summum 2013 ★★★

■ | 1200 | | 20 à 30 €

Les vignerons de Constance et Terrassous regroupent depuis 2009 trois caves des Aspres, dans la partie sud du Roussillon: 70 adhérents pour 700 ha de vignes. Un ensemble de collines et de terrasses au pied du Canigou, lequel apporte avec ses schistes une palette supplémentaire de terroirs. La cave commercialise en tirage limité toute une gamme de splendides vins doux naturels, du six ans d'âge aux millésimes anciens.

Né d'un assemblage de quatre cépages, syrah en tête, ce vin achève sa fermentation en fût où il reste dix-huit mois. Un vin sombre, au regard noir, mêlant au nez la mûre, la myrtille, une nuance de sous-bois frais et les notes réglissées et grillées de la barrique. En bouche, il s'impose par sa richesse et son volume surprenants, par le toucher soyeux de ses tanins et par le mariage harmonieux du chêne et du fruit. Il est prêt. ⧗ 2016-2020 ¥ côte de bœuf ■ **La Réserve 2015 ★★ (- de 5 €; 10000 b.)** : mi-grenache blanc mi-vermentino, un blanc à la fois vif et souple, remarquable par sa finesse florale et fruitée. De la présence et de la délicatesse. ⧗ 2016-2019 ¥ carpaccio de saint-jacques

SCV LES VIGNOBLES DE CONSTANCE ET DU TERRASSOUS, 46, av. des Corbières, 66300 Terrats, tél. 04 68 53 02 50, contact@terrassous.com V *t.l.j. sf dim. 9h-12h 14h-18h30*

♥ DOM. LA TOUPIE Fine Fleur 2014 ★★★

■ | 5200 | | 11 à 15 €

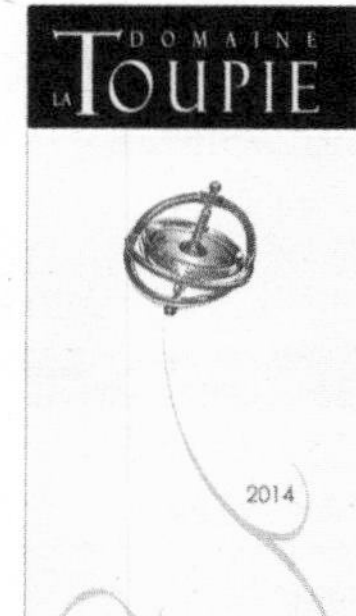

Après vingt ans passés dans l'administration viticole, puis à parcourir le vignoble pour la coopérative du Mont Tauch, dans l'Aude, Jérôme Collas a franchi le pas... et la « frontière » entre Languedoc et Roussillon, pour s'installer en 2012 sur 10 ha dans la vallée de l'Agly.

De vieux ceps de grenache et de macabeu (25 %) – la « fine fleur » du vignoble – sont à l'origine de ce blanc superbe. Malgré sa robe pâle presque timide, il a du mal à cacher ce grenache gris (49 %) qui, en chef d'orchestre, donne le la, après avoir « digéré » l'élevage en fût sur lies fines avec bâtonnage. Au nez, un festival de senteurs: du litchi, de la pêche jaune, des agrumes, la touche sauvage de la flore du maquis alliés à la note beurrée apportée par les lies et la barrique. Le palais? Fin, velouté, rond, ample, avec une minéralité et une fraîcheur mentholée qui emportent la finale. ⧗ 2016-2020 ¥ tartare de bar

⊶ *DOM. LA TOUPIE, 19, rte de Perpignan, 66380 Pia, tél. 07 86 28 99 52, contact@domainelatoupie.fr* V r.-v. ⊶ *Jérôme Collas*

TRELOAR Motus 2013 ★

■	3500		11 à 15 €

Rachel et Jonathan Hesford habitaient non loin du World Trade Center. Après la tragédie du 11 septembre 2001, ils décident de changer de vie et partent en Nouvelle-Zélande où ils restent trois ans pour apprendre le métier de vigneron. Installés en Roussillon depuis 2006, ils conduisent un domaine de 10 ha.

Il est rare de trouver des vins à dominante de mourvèdre, ce superbe – mais difficile – cépage méditerranéen. C'est la base choisie pour ce vin (80 %), marqué également par l'élevage en barrique. Dès l'approche, des notes épicées et fumées voisinent avec des nuances de pruneau et de figue traduisant une heureuse évolution. L'attaque est ronde, le tanin encore bien présent, et l'ensemble, au profil vif et tendu, garde beaucoup de fraîcheur. ⧗ 2017-2021 ¥ gigot d'agneau aux cèpes

⊶ *TRELOAR, 16, traverse de Thuir, 66300 Trouillas, tél. 04 68 95 02 29, info@domainetreloar.com* V r.-v. E ⊶ *Hesford*

DOM. TRILLES Les Aspres Pedra Lluna 2014 ★★

■	1000		11 à 15 €

BTS en poche, Jean-Baptiste Trilles rejoint en 2000 le domaine familial (40 ha) dans les Aspres. Apporteur de raisins à la coopérative à ses débuts, il devient vinificateur en 2007, avant de construire une nouvelle cave à sa mesure en 2010, à Tresserre, aux pays des «bruixes» (fées ou sorcières). Des sorcières qui ont inspiré le nom de ses cuvées.

Les vins portant la dénomination Les Aspres, issus d'une aire regroupant des communes au sud de Perpignan, doivent être élevés un an au minimum. À cet exercice, lorsqu'il est pratiqué sous bois, le mourvèdre montre des capacités remarquables, comme on le voit dans cette cuvée où il entre à hauteur de 70 %. La couleur de la robe est profonde, comme le nez aux nuances de fruits confiturés, de tapenade et de torréfaction. Agrémenté de notes réglissées, ce joli fruité mûr s'épanouit dans une bouche ronde, d'un beau volume, puissante et élégante, qui enchante par la finesse de ses tanins. ⧗ 2018-2022 ¥ tajine d'agneau aux pruneaux ■ **Incantation 2014 ★ (8 à 11 €; 4000 b.)** : un assemblage dominé par la syrah (55 %) et un élevage sous bois pour ce vin onctueux qui adopte le registre des fruits mûrs. ⧗ 2017-2021 ¥ gigot au thym

⊶ *JEAN-BAPTISTE TRILLES, chem. des Coulouminettes, 66300 Tresserre, tél. 06 15 46 64 71, contact@domainetrilles.fr* V r.-v.

DOM. DES TROIS VALLÉES 2015

	6000		8 à 11 €

Depuis 2010, date de la fusion des trois caves de Tautavel et de Vingrau, les vignerons disposent de 850 ha. Ils ont mis en place une nouvelle gamme afin d'affirmer leur identité propre, et proposent, grâce à des sélections parcellaires, des vins à forte personnalité.

Conserver de la fraîcheur tout en affichant du volume, voilà la synthèse réussie par ce vin à dominante de grenache blanc. Le nez dévoile des senteurs de fruits blancs accompagnées par la note plus chaude des fleurs de la garrigue et par des touches grillées. Vivacité et rondeur se disputent la bouche aux nuances vanillées. ⧗ 2016-2019 ¥ turbot en croûte de sel

⊶ *SCV LES VIGNERONS TAUTAVEL-VINGRAU, 24, av. Jean-Badia, 66720 Tautavel, tél. 04 68 29 12 03, m.verges@tautavelvingrau.com* V *t.l.j. 9h30-12h 14h-17h*

CH. VALMY 2015 ★★

■	20000		8 à 11 €

Au pied des Albères, le château Valmy, construit en 1888 par l'architecte danois Viggo Dorph Petersen, est entouré de 24 ha de vignes. En 1998, Bernard Carbonnell et son épouse Martine ont fait renaître le vignoble et ses vins (réguliers en qualité), mais aussi le château en créant des chambres d'hôtes de luxe, complétées en 2014 par le restaurant *La Table de Valmy*, un projet conduit par les filles des propriétaires, Anaïs et Clara. Sous le nom de Terra Nobilis, le domaine a créé en 2015 une structure de négoce-éleveur.

Le terroir des Albères a cette particularité d'offrir des vins d'une grande finesse, empreints de minéralité sur un profil tendu, qui dévoilent aussi des notes mûres autour de tanins au grain savoureux: autant de caractères qui signent des raisins de qualité, cueillis à pleine maturité. Ces belles vendanges de syrah et de grenache apportent aussi des arômes: cassis, cerise kirschée, pruneau et, en finale, la fraîcheur de l'airelle. De la structure et de la délicatesse. ⧗ 2016-2020 ¥ magret de canard

⊶ *SARL LES VINS DE VALMY, chem. de Valmy, 66700 Argelès-sur-Mer, tél. 04 68 81 25 70, contact@chateau-valmy.com* V r.-v. 5 ⊶ *Carbonnell*

DOM. VAQUER Les Aspres Epsilon 2013 ★★

■	1200		20 à 30 €

Domaine acheté en 1912 par la famille Vaquer dans les Aspres. Dans la lignée, le «maréchal», Fernand Vaquer, figure historique du rugby catalan, deux fois champion de France avant guerre puis entraîneur dans les années 1950 de l'USAP. Premières mises en bouteilles en 1968. Aujourd'hui, le domaine couvre 17 ha, conduits par Frédérique.

La robe est sombre, grenat profond, ornée de reflets rubis. Les dix-huit mois d'un élevage en barrique bien mené n'ont pas affecté la couleur, se contentant de léguer au vin des notes d'épices exotiques et un fin vanillé qui accompagnent des senteurs de mûre et de

ROUSSILLON

confiture de myrtilles. Cet élevage soigné se retrouve aussi dans le fondu des tanins, l'arrondi du vin, ses tons de pruneau et sa touche réglissée. Un vin de gibier par excellence. ⧗ 2018-2023 🍷 civet de cerf ■ **Les Aspres L'Exception 2013 ★ (15 à 20 €; 5000 b.)** : élevée sous bois, une cuvée aromatique (notes florales et fruits des bois), fraîche, ronde et élégante. Elle est prête. ⧗ 2016-2019 🍷 entrecôte

o– DOM. VAQUER, 1, rue des Écoles, 66300 Tresserre, tél. 04 68 38 89 53, domainevaquer@gmail.com V 🚶 ▪ *r.-v.*

♥ DOM. DE VÉNUS Ultra Violet 2012 ★★★

■ | 6800 | 🛢 | 11 à 15 €

Un domaine constitué à partir de 2003 par des associés et amis, autour de Jean-Luc Coupet, spécialiste en fusions-acquisitions de domaines, de Jean-François Nègre, qui a quitté le domaine de l'Île Margaux, de Gilles Gavignaud, ancien propriétaire et aujourd'hui régisseur, de Nathalie Abet, au chai, et d'Alice Euvrard, au commercial. Situé dans le haut Agly, le vignoble est passé de 15 ha à 33 ha après l'achat en 2015 de parcelles en bio (les vignes d'origine étant en conversion).

Sorti en tête de son jury qui hésitait à lui donner un coup de cœur en raison de son âge, ce 2012 a été plébiscité par le grand jury. Profitant de l'aération, ce vin du terroir de Maury associe le côté gourmand du grenache et le caractère friand de la syrah. Mêlant les petits fruits bien mûrs et une touche méditerranéenne de ciste et de maquis, ample, épicé, chaleureux, sagement évolué, il surprend par sa fraîcheur et sa vitalité. Sa finale encore un peu tannique appelle la viande rouge et les fromages à pâte cuite. ⧗ 2016-2020 🍷 pavé de bœuf aux cèpes

o– DOM. DE VÉNUS, 13, av. Jean-Moulin, 66220 Saint-Paul-de-Fenouillet, tél. 04 68 59 18 81, domainedevenus66220@gmail.com V 🚶 ▪ *t.l.j. 9h30-18h; sam. dim. sur r.-v. o– Jean-François Nègre*

VIGNERONS CATALANS Marcel 2015 ★★

■ | 30000 | 🛢 | 5 à 8 €

En 1964, une poignée de vignerons s'unissent parce qu'ils sont convaincus que «le groupe est meilleur que le meilleur du groupe». Aujourd'hui, les Vignerons catalans rassemblent neuf caves coopératives, 2 500 adhérents et une quarantaine de caves privées, soit plus de 10 000 ha. Un poids lourd du Roussillon viticole.

Syrah (60 %) et grenache composent un joli vin «de soif», souple, fin, aérien, fruité, aux tanins déliés, sans la moindre prétention à la garde. Cette cuvée vous parle de garrigue, de petits fruits, de minéralité, et se déploie en bouche avec élégance et suavité, relevée d'épices poivrées avant une finale sur les fruits compotés. ⧗ 2016-2019 🍷 sauté de veau ■ **Simone 2015 ★ (5 à 8 €; 5300 b.)** : l'empreinte d'un grenache blanc majoritaire dans ce blanc rond, floral et finement toasté. ⧗ 2016-2019 🍷 saint-jacques à la crème ■ **Dom. des Oliviers 2015 (5 à 8 €; 10600 b.)** : vin cité.

o– VIGNERONS CATALANS, 1870, av. Julien-Panchot, BP 29000, 66962 Perpignan, tél. 04 68 85 04 51, contact@vigneronscatalans.com

CÔTES-DU-ROUSSILLON-VILLAGES

Superficie : 2 270 ha / Production : 67 500 hl

ALMA Schistes 2008 ★

■ | 2000 | 🛢🛢 | 30 à 50 €

Força Réal, ou «château royal», en catalan. Une forteresse bâtie au XIIIes. sur un piton par les rois d'Aragon pour défendre leur frontière. Puis un ermitage. À 400 m d'altitude, la vue embrasse tout le Roussillon. Sur les pentes, un superbe terroir de schistes (80 ha, dont 40 dédiés à la vigne; des oliviers aussi) mis en valeur par la famille Henriques, qui a de longues habitudes dans le Guide.

Né du trio grenache-syrah-mourvèdre, un millésime qui a bien évolué: robe acajou très brillante, nez complexe de confiture de framboises agrémenté de notes de venaison, d'humus et de sous-bois. Quant au palais, où l'on retrouve la framboise confiturée, il déploie des tanins soyeux et a gardé une élégante fraîcheur. «Tout est encore bien en place», conclut un juré. Du caractère, avec un côté gourmand. ⧗ 2016-2018 🍷 pintade aux cèpes ■ **Schistes 2014 ★ (8 à 11 €; 60000 b.)** : cette cuvée n'a pas connu le bois. Joli nez, méli-mélo de fraise, de framboise, de réglisse, avec une touche de paprika. Bouche franche, généreuse, étoffée et longue. ⧗ 2016-2020 🍷 bavette grillée

o– DOM. FORÇA RÉAL, Mas de la Garrigue, 66170 Millas, tél. 04 68 57 37 08, info@forcareal.com V 🚶 ▪ *t.l.j. 8h-12h 13h-16h; sam. dim. sur r.-v. o– Henriques*

ARCADIE Byzance 2014

■ | 6500 | 🛢🛢 🛢 | 8 à 11 €

Originaire de la vallée du Rhône, Agnès Graugnard, œnologue, a créé sa maison de négoce en 2003. Elle vinifie des raisins achetés à trois producteurs partenaires installés dans le Fenouillèdes et dans la vallée de l'Agly. Commercialisés sous la marque Arcadie, ses vins sont issus de vendanges manuelles et fermentent le plus souvent sans levurage.

Un cépage local assez peu courant figure en tête de l'assemblage: le lladoner pelut (40 %), marié au grenache (dont il est proche), à la syrah et au mourvèdre. Le vin? Grenat profond, il s'ouvre sur une note fumée, puis sur des arômes de fruits confiturés, et dévoile une matière souple et ronde. Simple et efficace. ⧗ 2016-2019 🍷 magret de canard au miel

o– ARCADIE, 18, av. Jean-Moulin, 66220 Saint-Paul-de-Fenouillet, tél. 06 76 54 22 49, contact@vinarcadie.com V 🚶 ▪ *r.-v.*

LA BEILLE Les Quatre As 2012

■ | 2000 | | 15 à 20 €

Agathe Larrère a rencontré en Australie le père de ses enfants. Le couple a créé sa cave en 2005 et vinifie au domaine implanté à Corneilla-La-Rivière, sur les pentes du massif de Força Real. Entre galets roulés et terres de schistes, le terroir est exigeant mais il fait naître des vins de grande classe, vins d'appellation ou vins de cépage en IGP. La conversion bio a été engagée en 2010.

Un assemblage de grenache (50 %), de carignan et de syrah, cette dernière élevée en barrique. Il en résulte un vin au nez vineux, sur la figue fraîche et les raisins secs, et à la bouche équilibrée, onctueuse, aux tanins soyeux et élégants, un peu stricts en finale. 2016-2019 saucisse grillée

DOM. LA BEILLE, Agathe Larrère, 18, rue Saint-Jean, 66550 Corneilla-la-Rivière, tél. 06 80 07 25 88, la-beille@neuf.fr V r.-v.

DOM. BOUDAU Padri 2013

■ | 5000 | | 11 à 15 €

Véronique Boudau et son frère Pierre sont à la tête du domaine familial depuis 1993. Ils ont décidé de donner un nouveau souffle à la propriété, qui couvre quelque 50 ha sur d'excellents terroirs, à l'entrée de la vallée de l'Agly. Le pari est réussi: la totalité de la production est mise en bouteilles et commercialisée, notamment dans un réseau de restaurants et de cavistes. Une valeur sûre.

Une cuvée dominée par le mourvèdre (70 %), assemblé à la syrah et au grenache. Le terroir argilo-calcaire marque l'olfaction de sa minéralité. Le fruit perce à l'aération. Suave en attaque, plus expressive que le nez, la bouche joue sur les petits fruits rouges et la violette. Les tanins sont un peu fermes en finale: on pourra les laisser s'arrondir en cave. 2017-2021 rumsteack grillé ■ **Henri Boudau 2013 (8 à 11 €; 20000 b.)** : vin cité.

DOM. BOUDAU, 6, rue Marceau, 66600 Rivesaltes, tél. 04 68 64 45 37, contact@domaineboudau.fr V t.l.j. sf dim. 10h-12h 15h-19h; sam. 10h-12h en hiver

CH. DE CALADROY Éclat de schistes 2014 ★

■ | 30000 | | 8 à 11 €

Une forteresse médiévale qui gardait la frontière entre le royaume de France et celui d'Espagne. De la terrasse du château, on découvre un panorama exceptionnel: au loin, la mer, le Canigou; en contrebas, les vignes (130 ha) et les oliviers (7 ha). Une chapelle du XIIe s. accueille le caveau de dégustation.

Syrah (60 %), grenache et mourvèdre collaborent à cette cuvée. Au nez, des fruits rouges, de la garrigue, des notes grillées et une touche rappelant la terre mouillée. En bouche, des tanins qui commencent à se fondre et de la générosité équilibrée par une ligne de fraîcheur. 2016-2021 épigramme d'agneau au romarin ■ **Pierre droite 2014 ★ (15 à 20 €; 1800 b.)** : du mourvèdre majoritaire (80 %) assemblé à la syrah, un élevage en cuve. Parfums gourmands de fruits confiturés et de violette, bouche élégante, épicée, réglissée et minérale, à l'unisson du nez. 2016-2021 pigeon aux airelles ■ **Cuvée Saint-Michel 2013 (20 à 30 €; 3000 b.)** : vin cité.

SCEA CH. DE CALADROY, 66720 Bélesta, tél. 04 68 57 10 25, chateau.caladroy@wanadoo.fr V t.l.j. sf sam. dim. 8h30-12h 14h-18h Mézerette

CALMEL ET JOSEPH Caramany Les Crus 2013 ★★

■ | 5000 | | 11 à 15 €

Laurent Calmel, œnologue, s'est associé avec Jérôme Joseph pour fonder en 1995 une maison de négoce spécialisée dans les vins de terroir du Languedoc-Roussillon. Le duo a lancé son étiquette en 2007. Il sélectionne les parcelles, vinifie et élève les cuvées.

La syrah (50 %), le grenache et le carignan collaborent à cette cuvée élevée en fût de chêne. Envoûtant, riche et puissant, le nez développe des senteurs de fruits rouges et noirs, d'iris, nuancées de notes balsamiques. Les arômes fruités (mûre, cassis et cerise) se retrouvent dans une attaque délicate, puis un boisé réglissé s'exprime dans une matière ample, veloutée, construite sur des tanins fins. La finale est longue, fraîche et florale. De l'étoffe et de l'avenir. 2017-2023 cuissot de sanglier à la broche

DOM. CALMEL ET JOSEPH, chem. de la Madone, 11800 Montirat, tél. 04 68 72 09 88, contact@calmel-joseph.com V r.-v.

Y DE CARAMANY 2012 ★

■ | 2000 | | 20 à 30 €

Caramany se niche dans la vallée de l'Agly, non loin d'un lac de retenue. Fondée en 1924, sa coopérative est au centre de la vie locale, proposant des journées d'animation au bord du lac. Les vignes en altitude de ses adhérents (280 ha) bénéficient de nuits fraîches et de terroirs de gneiss qui confèrent de la subtilité aux vins.

Du carignan vinifié par macération carbonique, de la syrah et du grenache composent ce vin grenat profond au nez très floral, sur la violette et la pivoine rehaussées d'une touche de boisé réglissé et vanillé. La bouche, dans le même registre, surprend par sa structure et par son volume et offre une finale d'une grande fraîcheur. Deux ans d'élevage en fût lui ont conféré une force que l'on appréciera encore dans quelques années. 2018-2026 sauté de marcassin aux épices

LES VIGNERONS DE CARAMANY, 70, Grand-Rue, 66720 Caramany, tél. 04 68 84 51 80, contact@vigneronsdecaramany.com V t.l.j. 9h-12h 14h-18h

CAZES Le Credo 2012 ★

■ | 3500 | | 30 à 50 €

Fondation en 1895, premières mises en bouteilles en 1955 et une croissance continue. Aujourd'hui, un domaine de 220 ha entièrement conduit en biodynamie depuis 2005, complété par une activité de négoce. À sa carte, toutes les AOC du Roussillon, des IGP, tous les styles de vin. Dans le giron du groupe Advini depuis 2004.

Quatre cépages contribuent à cette cuvée élevée dix-huit mois en barrique. Le nez évoque les fruits des bois

ROUSSILLON

soulignés d'un fin boisé. Suave en attaque, ronde et équilibrée, de bonne longueur, la bouche est construite sur des tanins de qualité, un peu fermes en finale. ⌛ 2017-2021 🍴 côte de bœuf ■ **Ego 2014 ★** (8 à 11 €; **20 000 b.**) Ⓑ : le trio grenache, syrah, mourvèdre et un élevage en cuve. Nez de confiture de framboises, de fleurs, de venaison, de réglisse; bouche structurée, ample, vineuse, fraîche et longue. ⌛ 2016-2020 🍴 fricassée de poulet ■ **L'excellence de Triniac Latour de France Élevé en fût de chêne 2013 (8 à 11 €; 40 000 b.)** : vin cité.

SCEA CAZES, 4, rue Francisco-Ferrer, 66600 Rivesaltes, tél. 04 68 64 08 26, info@cazes.com V ⚲ ■ r.-v. 🏠 ⑤

M. CHAPOUTIER 2014

■ | 100 000 | 5 à 8 €

Cette vénérable (XIXes.) et incontournable maison, mise sur orbite internationale par Michel Chapoutier à partir des années 1990, propose une large gamme issue de ses propres vignes (350 ha, en biodynamie) ou d'achats de raisin dans la plupart des appellations phares de la vallée du Rhône, et aussi en Roussillon et en Alsace.

Assemblage de grenache, de syrah et de carignan, cette cuvée d'un rouge profond mêle au nez la garrigue, le genêt et des notes fumées. L'attaque est franche, la bouche intense, campée sur de jolis petits tanins épicés. Un bon classique de l'appellation. ⌛ 2016-2019 🍴 aiguillettes de canard

MAISON M. CHAPOUTIER, 18, av. du Dr-Paul-Durand, 26600 Tain-l'Hermitage, tél. 04 75 08 28 65, chapoutier@chapoutier.com V ⚲ ■ *t.l.j. 9h-12h30 14h-19h* 🏠 Ⓔ

Ⓑ CLOS DE LA BRESSE 2014 ★

■ | 8 600 | 🍾 | 8 à 11 €

Domaine de 50 ha, créé en 2008, dans la basse vallée de l'Agly, sur la commune de Salses-le-Château. François Pierson, le propriétaire, conduit son vignoble en bio certifié. Les cépages cultivés sont tous traditionnels du bassin méditerranéen.

François Pierson chérit particulièrement les rouges. Mi-grenache mi-syrah, ce vin grenat profond s'ouvre sur des notes chaleureuses d'eau-de-vie de framboise, de réglisse, rafraîchies par des touches de sous-bois. La bouche généreuse est construite sur une trame tannique assez solide qui incite à garder cette bouteille quelque temps en cave. ⌛ 2017-2021 🍴 épaule d'agneau rôtie aux épices

DOM. DE LA BRESSE, Mas de la Bresse, 66600 Salses-le-Château, tél. 06 87 42 45 01, domainedelabresse@gmail.com V *r.-v.* *Pierson*

DOM. CLOS DU PUITS Tautavel 2014 ★

■ | n.c. | 🛢 | - de 5 €

Enfant des Corbières, Gérard Bertrand est un important propriétaire et négociant du sud de la France, dont les cuvées apparaissent dans le Guide sous diverses AOC (corbières, fitou, minervois, languedoc, côtes-du-roussillon…) et en IGP.

Du grenache, escorté de la syrah et du carignan, dans ce vin grenat aux reflets tuilés, au nez complexe de cannelle, de réglisse et de cerise noire. Onctueux en attaque, le palais est tonique et riche à la fois, de belle longueur. Typique du terroir, un vin harmonieux et puissant, dont on apprécie aussi la fraîcheur. ⌛ 2017-2022 🍴 grillade de bœuf

GÉRARD BERTRAND, Ch. l'Hospitalet, rte de Narbonne-Plage, 11100 Narbonne, tél. 04 68 45 54 45, vins@gerard-bertrand.com V ⚲ ■ *t.l.j. 9h-19h*

DOM. DE LA COUME MAJOU Cuvée Majou 2012 ★

■ | 1100 | 🍾 | 15 à 20 €

D'origine belge, Luc Charlier, médecin, chercheur en pharmacie… et aussi amateur éclairé de vins et rédacteur à la revue *In vino veritas*, s'est établi en 2005, à près de cinquante ans, à Corneilla-la-Rivière, où il soigne une douzaine de parcelles – 9 ha environ entre Estagel et Saint-Paul-de-Fenouillet.

Un petit appoint de carignan entre dans la composition de ce vin largement dominé par le grenache noir issu de coteaux schisteux. Un flacon plein de générosité dans ses arômes de fruits cacaotés et dans sa bouche puissante, chaleureuse, veloutée, équilibrée par une belle fraîcheur. ⌛ 2017-2021 🍴 travers de porc grillés

LUC CHARLIER, 11, rue de l'Église, 66550 Corneilla-la-Rivière, tél. 04 68 51 84 83, charlier.luc@wanadoo.fr V ⚲ ■ *r.-v.*

DOM. DEPEYRE Cuvée Sainte-Colombe 2014 ★

■ | 3 000 | 🛢 | 15 à 20 €

Serge Depeyre et Brigitte Bile se rencontrent pendant leurs études, s'installent en 1995 à Cases-de-Pène, à quelques kilomètres de Perpignan, et créent en 2002 leur domaine: 13 ha dans la vallée de l'Agly, sur argilo-calcaires et schistes noirs. Ici, pas d'engrais chimiques, un apport de matière organique, et une mule assurant une partie des labours.

Quatre cépages (grenache, carignan, syrah et mourvèdre) collaborent à ce vin à la robe profonde, qui s'ouvre sur les fruits mûrs et la confiture de cerises. Tout aussi fruité, le palais se déploie avec ampleur et longueur. ⌛ 2017-2021 🍴 magret de canard aux cerises ■ **Tradition 2014 ★** (8 à 11 €; **7 600 b.**) : le trio syrah (50 %), grenache et carignan et un élevage en cuve pour ce vin ample, puissant et suave, au nez entre kirsch et fruits secs. ⌛ 2017-2019 🍴 côtes d'agneau

DOM. DEPEYRE, Brigitte Bile, 2, rue des Oliviers, 66600 Cases-de-Pène, tél. 04 68 28 32 19, brigitte.bile@orange.fr V ⚲ ■ *r.-v.*

DOM. DEVEZA Tautavel 2013 ★

■ | 2 000 | 🍾 | 15 à 20 €

Domaine implanté sur des schistes, gneiss et argilo-calcaires au cœur de la vallée de l'Agly, à Montner, Latour de France, Tautavel et Maury. Fille et petite-fille de coopérateurs, Chantal Deveza a créé en 2008 une cave avec son mari Jean-Michel et leur fils Jordan. La

famille a aussi engagé la conversion bio de son vignoble (25 ha) et propose des visites œnotouristiques.

Le trio carignan-grenache-syrah au service d'un vin au nez superbe, intense et complexe, sur la framboise, la mûre, la garrigue, rehaussé de touches florales. À la fois ronde et longue, la bouche intéresse par son attaque franche où l'on retrouve la framboise et garde cette ligne jusqu'à la finale. Un vin «moderne», mettant en valeur le fruit et la finesse. ⧗ 2016-2019 ¥ filet mignon aux myrtilles

⊶ DEVEZA, 8, rue Pierre-Mendès-France, 66310 Estagel, tél. 04 68 29 15 60, domainedeveza@orange.fr V ⚐ ▪ *t.l.j. 8h-12h 13h-19h* ⌂ E

LA RACINE CARRÉE PAR LA DIFFÉRENCE 2014

■ | 33000 | ⦀ ▮ | 11 à 15 €

En 1986, Charles Faisant hérite de 3 ha de vignes familiales; aujourd'hui le domaine compte plus de 12 ha. Par ailleurs, il a créé en 2007 avec un groupe d'amis deux cuvées à partir de parcelles de très vieilles vignes sur le terroir de Tautavel.

Le vigneron s'est amusé à «mettre son vin en équation»: trois cépages (carignan, syrah et grenache), un terroir (des sols argilo-calcaires) et des hommes. Il en résulte un 2014 à la robe légère, limpide et brillante, au nez boisé (huit mois de fût) laissant percer des notes de fruits rouges, une attaque franche et toastée, prélude à une bouche équilibrée, souple et élégante. ⧗ 2016-2019 ¥ travers de porc à l'aigre douce

⊶ DOM. LA DIFFÉRENCE, 1, av. Jean Badia, 66720 Tautavel, tél. 04 68 66 89 38, ladifference.caroline@orange.fr V ⚐ ▪ *r.-v.*

DOM BRIAL Corpus 2011 ★

■ | 18937 | ⦀ | 20 à 30 €

Suivi à la parcelle, maîtrise de la totalité de la chaîne d'élaboration, du raisin à la bouteille, démarche de développement durable... La cave de Baixas, fondée en 1923, compte 380 coopérateurs qui exploitent 2 500 ha répartis dans une trentaine de communes.

Le jury a fait bon accueil à la cuvée haut de gamme de la cave, très remarquée l'an dernier. Elle est issue cette année de 80 % de syrah et d'un appoint de grenache, cépages vendangés à la main, et a été élevée quinze mois en fût. Très dense, le vin mêle au nez les fruits secs, la noix de cajou et le boisé grillé. Une attaque élégante ouvre sur une bouche onctueuse, aux arômes de framboise et de cerise, construite sur des tanins cacaotés. ⧗ 2017-2021 ¥ daube de joue de bœuf ■ **Les Pins & Co 2014 ★ (8 à 11 €; 30000 b.)** : le «second vin» du Ch. les Pins, issu des même cépages. Le 2014 mêle la mûre, la réglisse et les épices et se montre puissant, minéral, frais et long. ⧗ 2016-2020 ¥ magret de canard ■ **Château les Pins 2012 (11 à 15 €; 110000 b.)** : vin cité.

⊶ VIGNOBLES DOM BRIAL, 14, av. Mal-Joffre, 66390 Baixas, tél. 04 68 64 22 37, contact@dom-brial.com V ⚐ ▪ *r.-v.*

DOM. FONTANEL Tradition 2014 ★★

■ | 13000 | ▮ | 8 à 11 €

Les origines du domaine remontent à 1864. À sa tête depuis 1989, Pierre et Marie-Claude Fontaneil exploitent 25 ha sur des terroirs variés, d'où ils tirent des cuvées à forte personnalité, aussi bien en vins secs qu'en vins doux naturels. Deux caveaux, l'un à Estagel et l'autre à Tautavel (où se trouve la cave).

Issu du trio syrah-grenache-carignan, un millésime aussi apprécié que le précédent. Robe profonde aux reflets rubis, nez vif, bien ouvert sur les fruits mûrs, bouche ample, construite sur des tanins fondus, belle finale réglissée. Pour aujourd'hui ou pour demain. ⧗ 2016-2021 ¥ pavé de bœuf au poivre ■ **Cistes 2014 ★ (11 à 15 €; 13000 b.)** : mariant syrah (60 %) et grenache, élevé sous bois, un vin chaleureux, puissant et complexe, encore dans sa jeunesse, qui obtiendra sa deuxième étoile dans votre cave. ⧗ 2017-2023 ¥ fricassé de canard

⊶ FONTANEIL, 25, av. Jean-Jaurès, 66720 Tautavel, tél. 04 68 29 04 71, pierre@domainefontanel.fr V ⚐ ▪ *t.l.j. 10h-12h 14h-18h* ⌂ E

DOM. MAS CRÉMAT Cuvée Bastien 2014

■ | 3000 | ⦀ | 15 à 20 €

Les terres de schistes noirs ont donné son nom au Mas Crémat («brûlé» en catalan), repris en 2006 par une famille de vignerons bourguignons: Christine et Julien Jeannin, secondés par leur mère Catherine. Un superbe mas du XIXᵉs. et un vignoble de 32 ha labouré et conduit en fonction du cycle de la lune.

Du grenache, de la syrah et du mourvèdre assemblés par tiers. La robe rouge rubis prend des reflets brique. Le nez, un peu «crémat», fumé et grillé, reflète le séjour d'un an sous bois. La bouche souple s'adosse à des tanins frais, plus resserrés en finale. Une petite garde l'arrondira. ⧗ 2017-2021 ¥ tourte à la viande

⊶ DOM. MAS CRÉMAT, 66600 Espira-de-l'Agly, tél. 04 68 38 92 06, mascremat@mascremat.com V ⚐ ▪ *t.l.j. sf dim. 10h-12h 14h-18h ⊶ Jeannin*

MAS DE LAVAIL La Désirade 2013 ★★

■ | 8000 | ⦀ | 11 à 15 €

Jean et Nicolas Batlle, père et fils, ont acquis ce joli mas du XIXᵉs. en 1999, à l'installation du second. À la tête de ce domaine de 80 ha de vieilles vignes, Nicolas poursuit le travail de quatre générations de vignerons sur les terres noires de Maury.

La version 2013 de cette cuvée mariant la syrah (50 %) au carignan et au grenache est remarquable. La robe intense montre des reflets violines. L'élevage sous bois n'étouffe pas le fruit, qui s'épanouit au nez sur des notes flatteuses de cassis, de cerise et de mûre relevées de poivre. Fruitée à l'attaque, la bouche se déploie avec rondeur et puissance, étayée par des tanins fondus. À boire ou à attendre un peu. ⧗ 2016-2020 ¥ entrecôte grillée sauce poivre ■ **Tradition 2013 (8 à 11 €; 12000 b.)** : vin cité.

⊶ DOM. MAS DE LAVAIL, RD 117, 66460 Maury, tél. 04 68 59 15 22, masdelavail@wanadoo.fr V ⚐ ▪ *t.l.j. sf dim. 10h30-12h 15h-18h ⊶ Batlle*

MAS KAROLINA 2014 ★★

■ | 8700 | ⦀ ▮ | 15 à 20 €

Elle est allée vinifier aux États-Unis et en Afrique du Sud; elle connaît le Bordelais où elle a longtemps

ROUSSILLON

vécu et où elle a obtenu son diplôme d'œnologue; pourtant, c'est dans la vallée de l'Agly au charme sauvage que Caroline Bonville a posé ses valises en 2003. Elle conduit aujourd'hui un domaine de 16 ha.

Caroline Bonville signe un 2014 plein de charme, associant grenache, syrah et carignan. Pourpre aux reflets violines, ce millésime séduit par la complexité de sa palette aromatique où le boisé vanillé de l'élevage laisse percer des notes de cerise, de réglisse et de cuir. Souple, ample, soyeux, suave et long, le palais se révèle parfaitement équilibré entre raisin et merrain. ⧗ 2017-2022 ¥ filet de bœuf aux morilles

CAROLINE BONVILLE, 29, bd de l'Agly, 66220 Saint-Paul-de-Fenouillet, tél. 06 20 78 05 77, mas.karolina@wanadoo.fr V *t.l.j. 10h-12h 14h-18h; sam. dim. sur r.-v.*

B MAS PEYRE Fort Rêveur 2013 ★

■ | 2000 | | 20 à 30 €

La famille Bourrel a constitué son domaine en 1988. Elle a quitté la coopérative en 2003 pour créer sa cave. À l'arrivée de Baptiste, le fils aîné, en 2009, elle a engagé la conversion bio du vignoble, 35 ha plantés sur les terroirs de schistes de la vallée des Fenouillèdes. Le jeune frère, César, gère la commercialisation.

Cette cuvée rouge profond aux nuances violines de jeunesse doit presque tout à la syrah, escortée des carignan et grenache. Un très court séjour dans le bois lui a légué quelques notes vanillées et épicées, qui soulignent ses parfums de fruits mûrs. La garrigue entre en scène dans un palais puissant, encore marqué par des tanins austères. À attendre un peu. ⧗ 2017-2022 ¥ daube de marcassin

MAS PEYRE, 39, av. du Gal-de-Gaulle, 66220 Saint-Paul-de-Fenouillet, tél. 06 18 70 62 24, maspeyre@orange.fr V *r.-v.* 2 *Bourrel*

DOM. MODAT
Caramany Sans plus attendre 2013 ★★

■ | 6000 | | 15 à 20 €

D'origine catalane, Philippe Modat, magistrat, est un amateur de vins éclairé – comme son père, devenu lui aussi vigneron. Cette passion s'est concrétisée par la constitution en 2006 d'un domaine dans la vallée de l'Agly: 23 ha de vignes sur un plateau à 200 m d'altitude, en conversion bio depuis 2011 (8 ha en biodynamie) et une cave de conception écologique, dotée de cellules photovoltaïques, inaugurée en 2008.

De la syrah majoritaire, complétée par le grenache et le carignan, dans cette cuvée qui affirme sa concentration dans sa robe profonde et son nez intense et complexe, sur les fruits noirs et la réglisse. Myrtille et mûre s'épanouissent dans une bouche puissante et charpentée, soulignée par un boisé mesuré, agrémentée en finale par une note de violette. Un très joli vin en devenir que l'on pourra apprécier... sans trop attendre. ⧗ 2017-2022 ¥ lièvre à la royale

DOM. MODAT, lieu-dit Les Plas, 66720 Cassagnes, tél. 09 88 18 62 57, contact@domaine-modat.com V *r.-v.*

♥ **DOM. MOUNIÉ** Tautavel Expression 2013 ★★★

■ | 6000 | | 15 à 20 €

Une cave construite en 1925 et cinq générations de vigneronnes: le domaine, très régulier en qualité, se transmet de mère en fille. Depuis 1992, il est dirigé par Claude Rigaill, assistée de l'œnologue Brigitte Soriano. Un travail de restructuration des parcelles a été mené sur les 20 ha de l'exploitation. En janvier 2016, Raymond Hage est devenu propriétaire de l'exploitation.

La syrah (60 %) s'allie au grenache et au mourvèdre dans cette cuvée mi-cuve mi-fût qui mérite bien son nom, à lire les notes des dégustateurs, captivés par son expression aromatique. Flatteur et riche, le nez s'ouvre progressivement sur la truffe, la réglisse, le cuir, la mûre, le cacao et les épices douces. Après une attaque ronde, le palais affiche fraîcheur, puissance et droiture, campé sur des tanins affinés qui soulignent sa longue finale en se portant garants de l'avenir de cette bouteille. Un vin harmonieux pour aujourd'hui ou pour demain. ⧗ 2016-2024 ¥ civet de lièvre

DOM. MOUNIÉ, 1, av. du Verdouble, 66720 Tautavel, tél. 04 68 29 12 31, domainevalderay@gmail.com V *r.-v.* *Raymond Hage*

PIERRE PELOU
Prestige Élevé en fût de chêne 2012 ★

■ | 3000 | | 11 à 15 €

Dans la même famille depuis 1908, ce domaine de 25 ha est connu de nos lecteurs sous le nom de Celler d'al Mouli. Il est implanté sur les argilo-calcaires de Tautavel, terroir particulièrement adapté au grenache noir. Jean-Pierre Pelou, «vigneron-kiné», a transmis ses vignes et son savoir-faire à son fils Pierre, œnologue, installé en 1997.

Grenache (55 %), syrah et carignan composent ce vin auquel un séjour de vingt-quatre mois dans le bois a légué une robe dense moirée de noir et d'intenses arômes de café et d'eucalyptus. Une attaque souple et franche ouvre sur un palais puissant et généreux, au fruité gourmand. ⧗ 2017-2021 ¥ boles de picolat

EARL PIERRE PELOU, 9, rue de la République, 66720 Tautavel, tél. 06 16 96 49 61, pierre@pelou.eu V *r.-v.* C

CH. DE PÉNA Les Pierres noires 2013 ★

■ | 3200 | | 11 à 15 €

Le village de Cases-de-Pène tient son nom d'un ermitage du X[e]s. établi sur un roc (*pena* en catalan) calcaire qui ferme la vallée de l'Agly. Les terres noires schisteuses y alternent avec l'ocre des argilo-calcaires, formant deux superbes terroirs de 480 ha sur lesquels travaillent les 60 vignerons de la coopérative locale.

Né d'un assemblage de grenache noir, de syrah et de carignan, un vin remarqué pour sa rondeur, la souplesse de ses tanins et la complexité de sa palette aromatique alliant la torréfaction (café), la réglisse, les fruits rouges et la garrigue. ⧗ 2016-2020 🍴 coq au vin

⊶ CH. DE PÉNA, 2, bd Mal-Joffre, 66600 Cases-de-Pène, tél. 04 68 38 93 30, chateau-de-pena@wanadoo.fr
V t.l.j. sf dim. 9h-12h 14h-18h

DOM. PIQUEMAL Pygmalion 2013 ★

■ | 4000 | | 11 à 15 €

Sous l'impulsion d'Annie et de Pierre Piquemal, ce domaine familial (48 ha) est devenu une référence du Roussillon. Tout en maintenant les pratiques traditionnelles, il dispose d'un chai très moderne, à l'extérieur du village. Un outil adapté pour exalter l'expression de chaque terroir (schistes feuilletés, argilo-calcaires, galets roulés). Les vinifications sont assurées par Marie-Pierre Piquemal.

Une cuvée déjà connue de nos lecteurs. La syrah y joue les premiers rôles, complétée par le grenache et une goutte de carignan. Au nez, des notes exubérantes de cassis et de myrtille, prélude à un palais rond, fruité et gourmand, aux tanins fins et souples. ⧗ 2016-2020 🍴 canette aux cerises

⊶ DOM. PIQUEMAL,
RD 117, km 7, lieu-dit Della-Lo-Rec, 66600 Espira-de-l'Agly, tél. 04 68 64 09 14, contact@domaine-piquemal.com
V t.l.j. sf dim. 9h-12h 14h-18h

CH. PLANÈZES Latour de France Élevé en fût de chêne 2013 ★

■ | 10000 | | 8 à 11 €

Les Vignerons de Trémoine: une coopérative fondée en 1919, regroupant quelque soixante vignerons qui cultivent 540 ha dans quatre villages situés dans la vallée de l'Agly: Planèzes, Rasiguères, Lansac et Cassagnes. L'histoire de la cave est liée au festival de musique classique créé en 1980 par la pianiste britannique Moura Lympany.

Syrah (50 %), grenache et carignan collaborent à cette cuvée qui tire d'un élevage en fût de douze mois un nez complexe et concentré, aux nuances de mûre, de cassis, de violette et d'épices douces. Des arômes que l'on retrouve dans un palais ample, chaleureux et vif, d'une belle subtilité aromatique, qui finit sur des notes toastées, vanillées et réglissées. Une bouteille de garde. ⧗ 2018-2023 🍴 coq au vin

⊶ LES VIGNERONS DE TRÉMOINE,
5, av. de Caramany, 66720 Rasiguères, tél. 04 68 29 11 82, rasigueres@wanadoo.fr V t.l.j. sf dim. 8h-12h 14h-18h

B DOM. POUDEROUX Terre brune 2013

■ | 3000 | | 15 à 20 €

Une remarquable régularité pour ce domaine de 15 ha niché au cœur du village de Maury. Une petite cave bien agencée et un joli jardin-terrasse où Robert et Cathy Pouderoux accueillent leurs visiteurs. À leur carte, le rouge est en vedette: du maury, bien sûr (doux ou sec), et aussi des côtes-du-roussillon-villages. En bio certifié depuis 2012.

Le grenache (60 %) fait alliance avec la syrah et le mourvèdre dans cette cuvée qui révèle son élevage en barrique dans ses notes de cacao et de vanille rehaussant des senteurs de cassis et de thym. Le bois est également présent en bouche, mais il commence à se fondre. La belle matière autorise la garde. ⧗ 2017-2022 🍴 gigot d'agneau

⊶ DOM. POUDEROUX, 2, rue Émile-Zola, 66460 Maury, tél. 04 68 57 22 02, domainepouderoux@sfr.fr
V t.l.j. 11h-18h; f. nov.-mars

DOM. RETY L'Insolente 2014 ★

■ | 10000 | | 11 à 15 €

Fils de paysans bretons émigrés aux États-Unis, né à Manhattan et Franco-Américain, Patrick Rety a réalisé son rêve: faire du vin, travailler sur l'expression du terroir. Il étudie et commence son parcours en Bretagne, vendant des franchises d'une chaîne de restauration. En 2012, son domaine (3 ha aujourd'hui) voit le jour, près de Rivesaltes.

Sur ses schistes noirs, Patrick Rety a choisi le grenache noir (80 %) et un appoint de syrah et de mourvèdre pour composer cette cuvée élevée intégralement en cuve. Bien joué! La fraîcheur est au rendez-vous. Rose, litchi et fraise se révèlent au nez. Le palais caressant et délicat déploie des tanins souples, épicés et réglissés. ⧗ 2016-2019 🍴 sauté de veau

⊶ DOM. RETY, 6, rue Rigaud, 66600 Espira-de-l'Agly, tél. 06 20 02 29 65, rety.patrick@orange.fr r.-v.

CH. ROMBEAU Élise Vieilles Vignes 2013 ★

■ | 13000 | | 11 à 15 €

Le domaine de Rombeau est dans la famille depuis des siècles. Vigneron médiatique, restaurateur et hôtelier, Pierre-Henri de La Fabrègue lui a donné un bel éclat. Des 114 ha de l'exploitation, dont 26 ha en bio, naissent des muscats-de-rivesaltes, des rivesaltes et des vins secs, en AOC et en IGP. Une production bien connue des lecteurs du Guide.

Mariant syrah (70 %), grenache et mourvèdre, élevée un an en barrique, une cuvée souvent en vue dans le Guide. Après un remarquable 2011, voici un 2013 des plus réussis, à la robe sombre et brillante. Le nez joue sur la vanille, le pruneau et les fruits compotés. La bouche ronde et ample, aux tanins fins, monte en puissance et finit sur une note épicée. De la présence. ⧗ 2017-2021 🍴 filet de bœuf aux morilles

⊶ DOM. DE ROMBEAU,
2, av. de la Salanque, 66600 Rivesaltes, tél. 04 68 64 35 35, domainederombeau@gmail.com
V t.l.j. 8h-22h 1 ⊶ de La Fabrègue

CH. SAINT-ROCH Chimères 2014

■ | 20000 | | 11 à 15 €

Éliane et Jean-Marc Lafage ont vinifié pendant dix ans dans l'hémisphère Sud, puis ont repris l'exploitation familiale en 2006, établie sur trois terroirs bien distincts du Roussillon: la vallée de l'Agly, vers Maury, les terrasses de galets roulés proches de la mer, les Aspres et ses terres d'altitude. Aujourd'hui,

quelque 150 ha cultivés à petits rendements. Un domaine très régulier en qualité, souvent en vue pour ses côtes-du-roussillon et ses muscats.

Un des domaines de Jean-Marc et Éliane Lafage, sur les schistes de Maury. Le grenache (65 %), complété par la syrah et par une goutte de carignan, composent cette cuvée à la robe tirant sur le noir, au nez de fruits rouges confiturés, de truffe et de café. La bouche franche, vive et puissante offre une longue finale sur le cacao, encore stricte. Un vin de garde. ⧗ 2018-2022 🍴 gigot de sept heures

⊶ DOM. LAFAGE,
Mas Miraflors, rte de Canet, 66000 Perpignan,
tél. 04 68 80 35 82, contact@domaine-lafage.com
V t.l.j. sf dim. 10h-12h 14h30-18h

DOM. DES SCHISTES
Le Parcellaire Caune d'En Joffre 2014 ★

■	5000		11 à 15 €

La cinquième génération officie dans cette exploitation de la vallée de l'Agly qui vinifie en cave particulière depuis 1989. Comme son nom l'indique, les marnes schisteuses dominent. À la vigne, Jacques et Mickaël Sire sont pointilleux sur le travail du sol et leur domaine de 55 ha est conduit en bio (certification en 2015). Une valeur sûre du Guide.

Jacques et Mickael Sire déclinent de nouvelles cuvées sur la mosaïque de sols de leur vignoble. Sur les calcaires du lieu-dit Caune d'En Joffre, au pied des Corbières, de vieilles vignes de carignan (50 %), de grenache et de syrah ont donné naissance à un vin au nez frais et croquant, sur la framboise et la cerise. La groseille entre en scène dans une attaque élégante et fraîche, prélude à une bouche pimpante aux tanins fins et à la finale vive et savoureuse. Le type même du « vin plaisir ». ⧗ 2016-2019 🍴 entrecôte grillée ■ **Essencial 2014 (8 à 11 €; 15000 b.)** : vin cité.

⊶ DOM. DES SCHISTES, 1, av. Jean-Lurçat,
66310 Estagel, tél. 04 68 29 11 25, sire-schistes@wanadoo.fr V r.-v.

DOM. SERRELONGUE Extrait de passion 2013 ★★

■	1000		20 à 30 €

Fils de coopérateurs, Julien Fournier s'est lancé en 2002 dans l'aventure de la cave particulière sur le domaine familial. Ses parcelles couvrent près de 7 ha, majoritairement sur les schistes de Maury, certaines se trouvant sur les terres caillouteuses de Tautavel. De vieilles vignes et des vinifications avec les levures indigènes.

De la syrah assemblée au mourvèdre, avec un appoint de grenache, pour ce vin élevé vingt-quatre mois en barrique neuve de 500 l. Le vin en ressort paré d'une robe profonde aux nuances violines et mêle au nez la violette et un boisé vanillé. Dès l'attaque, il s'impose par sa présence, sa rondeur et son onctuosité, tapissant longuement le palais de sa chair gourmande aux nuances de pruneau, de fruits mûrs et de sous-bois. Ses tanins puissants et fins lui donnent du relief et soulignent sa finale persistante. Proche du coup de cœur. ⧗ 2018-2023 🍴 tajine d'agneau aux pruneaux ■ **Carigno 2014 ★★** (5 à 8 €; 5000 b.) : comme son nom le suggère, le carignan est majoritaire (60 %, complété par la syrah et le mourvèdre) dans cette cuvée élevée en cuve. Nez intense de cerise, de cassis et de grillé, bouche dans le même registre, puissante et longue. ⧗ 2016-2021 🍴 boutifarre grillée ■ **Saveur de Vigne 2013 ★ (8 à 11 €; 5000 b.)** : issue de grenache, syrah et mourvèdre assemblés par tiers et élevée en fût, une cuvée au nez expressif, étoffée et chaleureuse, encore stricte en finale. ⧗ 2017-2021 🍴 brochettes de bœuf

⊶ FOURNIER, 149, av. Jean-Jaurès, 66460 Maury,
tél. 06 16 95 15 87, julienf66@aol.com V r.-v.

SERRE ROMANI Le Schiste 2014 ★

■	2500		8 à 11 €

Laurent et Cylia Pratx se sont rencontrés lors de leurs études d'ingénieurs agronomes à Toulouse. Laurent a travaillé successivement pour le Château de Nages à Nîmes et pour la maison Gabriel Meffre à Gigondas. En 2008, le couple fait l'acquisition de ce domaine de 6 ha (15 ha aujourd'hui) répartis sur les communes d'Espira-de-l'Agly et de Maury, planté majoritairement de grenache. La propriété tire son nom (la « montagne aux romarins ») de l'une des parcelles.

Mariant la syrah (60 %) au grenache, un vin grenat intense et brillant, qui mêle au nez la confiture de framboises et des notes grillées. La bouche fruitée, ample et équilibrée déroule des tanins fondus et finit sur des évocations de réglisse et de goudron. Un flacon déjà agréable, qui devrait évoluer dans le bon sens. ⧗ 2016-2020 🍴 filet de bœuf au poivre

⊶ SERRE ROMANI, EARL Pratx, chem. de Montpins,
66600 Espira-de-l'Agly, tél. 04 68 50 12 36,
serre-romani@orange.fr V t.l.j. sf dim. 10h-12h 16h-18h30 ⊶ M. et Mme Pratx

Ⓑ DOM. SINGLA Passe Temps 2013 ★★

■	8000		8 à 11 €

L'ancien domaine de Besombes-Singla, devenu domaine Singla. Au XVIIIes. la famille Singla s'installe en Roussillon pour développer un commerce vinicole entre l'Espagne et l'Afrique. Le commerce étant fructueux, elle s'installe à Rivesaltes pour exploiter dans la vallée de l'Agly un grand vignoble de 250 ha. En 2001, Laurent prend la tête de la propriété et en isole les meilleures parcelles: 50 ha conduits en bio certifié depuis 2006.

Provenant de terroirs argilo-calcaires et de galets, cette cuvée élevée douze mois en cuve et en fût est riche en grenache (90 %). D'un grenat profond, elle séduit par son nez puissant et complexe, corbeille de cassis rehaussée de vanille et de cannelle. L'attaque franche et veloutée ouvre sur une bouche gourmande et concentrée, étayée par une trame de tanins soyeux. Une réelle élégance. ⧗ 2016-2021 🍴 filet mignon farci aux pruneaux ■ **Castell Vell 2013 ★ (15 à 20 €; 4000 b.)** Ⓑ : un assemblage dominé par la syrah, un élevage en cuve et en fût pour ce vin structuré, à la palette intense et complexe (pivoine, framboise, violette, cèdre et notes empyreumatiques), à la finale fraîche et réglissée. ⧗ 2017-2021 ♈ pigeons rôtis ■ **El Moli 2014 (11 à 15 €; 4000 b.)** Ⓑ : vin cité.

⊶ *LAURENT DE BESOMBES-SINGLA, 4, rue de Rivoli, 66250 Saint-Laurent-de-la-Salanque, tél. 09 67 30 77 90, laurent@domainesingla.com* V 🚶 ! *r.-v.*

Ⓑ DOM. DES SOULANES Sarrat Del Mas 2014

■	5000	🛢	11 à 15 €

Avant de se mettre à son compte en 2002, Daniel Laffite a travaillé quinze ans pour une importante propriété, exploitée en agriculture biologique depuis 1972. Il en a racheté une partie et aménagé sa cave. Il exploite aujourd'hui 17 ha avec sa femme Cathy.

Un trio de grenache noir (50 %), de syrah et de carignan pour ce vin intense aux reflets violines. L'élevage en fût, bien maîtrisé, apporte de la complexité au nez, qui se partage entre la cerise burlat, la violette, les épices et le cacao. Cette complexité se retrouve en bouche, avec des tanins élégants et une touche de minéralité. ⧗ 2017-2020 ♈ côte de bœuf à la moelle

⊶ *DANIEL LAFFITE, Mas de Las Fredas, 66720 Tautavel, tél. 06 12 33 63 14, daniel.laffite@nordnet.fr* V 🚶 ! *r.-v.*

Ⓑ LES TERRES DE MALLYCE Les Huit 2011 ★★

■	5600	🍾	8 à 11 €

Avec une solide expérience acquise en cultivant les grenaches de la vallée du Rhône, Yvon Soto est tombé sous le charme de la vallée de l'Agly. Il a remplacé le mistral par la tramontane, les galets roulés de Châteauneuf-du-Pape par le granite et le gneiss de Rasiguères en reprenant en 2007 ce domaine des Fenouillèdes où il a construit une cave. Les 20 ha de vignes sont conduits en bio certifié.

Une longue macération de syrah (60 %) et de grenache pour ce 2011 au nez intense de bois de rose, de pâte de fruits, de pruneau et d'épices douces. Onctueuse et riche en attaque, la bouche d'une belle fraîcheur repose sur une trame tannique enrobée et finit sur un plaisant retour épicé. ⧗ 2016-2019 ♈ gigot d'agneau de sept heures

⊶ *LES TERRES DE MALLYCE, 20 bis, rue des Vignes, 66720 Rasiguères, tél. 04 68 73 86 37, soto.corinne@orange.fr* V ! *r.-v.*

DOM. THUVENIN-CALVET Les Dentelles 2013 ★

■	5000	🛢🍾	15 à 20 €

En 2001, Jean-Roger Calvet, son épouse et Jean-Luc Thunevin, propriétaire bien connu à Saint-Émilion (Ch. Valandraud), se sont associés pour créer ce domaine (60 ha). Depuis dix ans, les désherbants sont proscrits sur l'exploitation.

Cette cuvée longuement élevée en cuve et en barrique assemble à parts égales grenache et carignan nés sur schistes. De couleur profonde, elle s'annonce par un nez intense alliant les fruits rouges aux épices douces. Franche et veloutée en attaque, charpentée et fraîche, construite sur des tanins au grain fin, la bouche dévoile des nuances de fruits rouges surmûris. ⧗ 2016-2021 ♈ épaule d'agneau farcie

⊶ *DOM. THUNEVIN-CALVET, 13, rue Pierre-Curie, 66460 Maury, tél. 04 68 51 05 57*

♥ DOM. LA TOUPIE Quatuor 2014 ★★

■	7400	🍾	8 à 11 €

Après vingt ans passés dans l'administration viticole, puis à parcourir le vignoble pour la coopérative du Mont Tauch, dans l'Aude, Jérôme Collas a franchi le pas... et la «frontière» entre Languedoc et Roussillon, pour s'installer en 2012 sur 10 ha dans la vallée de l'Agly.

Quatre cépages (grenache, syrah, mourvèdre et un soupçon de carignan) et quatre terroirs pour ce vin tout en fraîcheur. Le nez intense et gourmand évoque la cerise puis s'ouvre sur les épices – noix muscade et poivre gris. Souple et suave en attaque, la bouche charnue se déploie avec ampleur et générosité sur de plaisantes notes de fruits rouges, étayée par une fine trame tannique qui donne du relief à une finale réglissée. ⧗ 2017-2021 ♈ épaule d'agneau rôtie aux épices ■ **Volte Face 2014 ★ (15 à 20 €; 1700 b.)** : une cuvée élevée dans le bois. Nez de fruits rouges confits, de violette et de boisé épicé. Bouche ample et ronde, aux tanins fondus. ⧗ 2017-2021 ♈ pavé de bœuf

⊶ *DOM. LA TOUPIE, 19, rte de Perpignan, 66380 Pia, tél. 07 86 28 99 52, contact@domainelatoupie.fr* V 🚶 ! *r.-v.* ⊶ *Jérôme Collas*

DOM. DES TROIS VALLÉES Tautavel 2013 ★★

■	n.c.	🍾	8 à 11 €

Depuis 2010, date de la fusion des trois caves de Tautavel et de Vingrau, les vignerons disposent de 850 ha. Ils ont mis en place une nouvelle gamme afin d'affirmer leur identité propre, et proposent, grâce à des sélections parcellaires, des vins à forte personnalité.

Trois vallées environnent Tautavel – celles de l'Agly, du Verdouble et du Fenouillet – et trois cépages composent cette cuvée: la syrah, le grenache et le carignan (par ordre d'importance). Grenat profond, le vin dévoile un nez intense et complexe mêlant notes minérales, épices, garrigue, réglisse et fruits noirs un peu confiturés. Cette richesse aromatique se prolonge dans une bouche puissante, à la finale encore ferme, marquée par un retour des fruits noirs et de la réglisse. ⧗ 2017-2021 ♈ tournedos Rossini ■ **Vignerons Tautavel-Vingrau Silex 2013 ★ (15 à 20 €; n.c.)** : trois cépages, grenache en tête (60 %), pour cette cuvée qui retire de son élevage une palette complexe (fruits à l'alcool, boisé vanillé et épicé bien fondu) et une bouche élégante. ⧗ 2017-2021 ♈ rôti de veau en croûte

⊶ *SCV LES VIGNERONS TAUTAVEL-VINGRAU, 24, av. Jean-Badia, 66720 Tautavel, tél. 04 68 29 12 03, m.verges@tautavelvingrau.com* V ! *t.l.j. 9h30-12h 14h-17h*

VIGNERONS CATALANS Äctä Sanctorum 2014 ★★

■ | 5300 | 🛢 | 15 à 20 €

En 1964, une poignée de vignerons s'unissent parce qu'ils sont convaincus que «le groupe est meilleur que le meilleur du groupe». Aujourd'hui, les Vignerons Catalans rassemblent neuf caves coopératives, 2 500 adhérents et une quarantaine de caves privées, soit plus de 10 000 ha.

Beaucoup de charme dans cette cuvée assemblant la syrah majoritaire au grenache. D'un rouge sombre aux reflets bruns, elle enchante par la complexité de son nez où les notes toastées et vanillées de l'élevage se mêlent aux fruits rouges macérés et à l'eucalyptus. Équilibre et franchise sont les premières sensations d'une bouche suave et longue aux accents de cacao, de confiture de mûres et de cerises noires. ⏳ 2018-2023 🍴 canard laqué ■ **Red Domus 2014 (8 à 11 €; 30000 b.)** : vin cité.

VIGNERONS CATALANS, 1870, av. Julien Ranchot, BP 29000, 69962 Perpignan Cedex 9, tél. 04 68 85 04 51, contact@vigneronscatalans.com

ARNAUD DE VILLENEUVE RD 900 Réserve 2014 ★

■ | 20000 | 5 à 8 €

Résultant de la fusion de trois caves, cette coopérative porte le nom de l'inventeur des vins doux naturels, Arnaud de Villeneuve. Elle rassemble 350 viticulteurs de Salses, de Rivesaltes et de Pézilla-la-Rivière, qui cultivent quelque 2 500 ha de vignes.

La syrah et le mourvèdre sont presque à parité dans cette cuvée au nez complexe mêlant le cuir, la pivoine, le fruit confituré, le poivron, le poivre et d'autres épices. Ces arômes se retrouvent dans une bouche très tannique mais soyeuse. Agréable jeune, cette cuvée pourra vieillir. ⏳ 2017-2021 🍴 aiguillettes de canard aux cerises

CAVE ARNAUD DE VILLENEUVE, 153, RD 900, 66600 Rivesaltes, tél. 04 68 64 06 63, contact@caveadv.com V 🚶 ■ *t.l.j. 9h-12h 14h-18h*

COLLIOURE

Superficie : 619 ha
Production : 19 930 hl (85 % rouge et rosé)

Portant le nom d'un charmant petit port méditerranéen, cette appellation couvre le même terroir que celui de l'appellation banyuls; il regroupe les quatre communes de Collioure, Port-Vendres, Banyuls-sur-Mer et Cerbère. Les collioures rouges et rosés assemblent principalement grenache noir, mourvèdre et syrah, le cinsault et le carignan entrant comme cépages accessoires. Issus de petits rendements, ce sont des vins colorés, chaleureux, corsés, aux arômes de fruits rouges bien mûrs. Les rosés sont aromatiques, riches et néanmoins nerveux. Les collioures blancs, qui font la part belle aux grenaches blanc et gris, sont produits depuis le millésime 2002.

ABBÉ ROUS In Fine 2014 ★★

■ | 1812 | 🛢 | 20 à 30 €

Coopérative créée en 1950 et nommée en hommage à l'abbé qui vers 1870 devint négociant-éleveur de vins de Banyuls pour financer l'agrandissement de l'église paroissiale sans faire appel à la générosité publique et qui se fit à l'occasion le mécène de Maillol. Installée à Banyuls-sur-Mer, la cave s'appuie sur les 1 200 ha de ses 750 adhérents pour proposer toute une gamme de banyuls et de collioures. Une valeur sûre.

Ce grenache gris a fermenté et poursuivi huit mois son élevage sur lies en demi-muid d'où il ressort revêtu d'or jaune, livrant un fruité mûr, des touches de rose et des notes d'élevage évoquant le beurre et la confiture de lait. En bouche, ce vin séduit par son ampleur, ses arômes de fruits blancs légèrement compotés, rehaussés d'un boisé délicatement épicé, toasté et fumé qui marque la finale teintée de minéralité. ⏳ 2016-2020 🍴 blanquette de poisson ■ **Cornet & Cie 2013 ★ (11 à 15 €; 9788 b.)** : du grenache (50 %), du mourvèdre et de la syrah dans ce rouge au nez complexe (myrtille, garrigue, venaison), ample et gras, étayé par des tanins de qualité. ⏳ 2018-2021 🍴 gardianne de taureau

CAVE DE L' ABBÉ ROUS, rte du Balcon-de-Madeloc, 66650 Banyuls-sur-Mer, tél. 04 68 88 72 72, contact@templers.com

DOM. BERTA-MAILLOL Barral 2014 ★

■ | 2500 | 🛢 | 15 à 20 €

Ce domaine de Banyuls remonte à 1611! Jean-Louis Berta-Maillol en 1996, puis ses frères Michel et Georges, respectivement en 2003 et 2009, ont pris la suite de leur père. Leurs 15 ha de vignes s'accrochent aux pentes schisteuses de la vallée de la Baillauri, aménagées en terrasses.

Barral? Une petite barrique en catalan. Ce vin a séjourné neuf mois dans le bois. Il porte surtout l'empreinte des cépages qui le composent, syrah en tête (70 %, complétée par le grenache noir et par un soupçon de carignan et de mourvèdre). D'un grenat sombre, il livre de puissants parfums de cassis et de framboise, que l'on retrouve avec la réglisse et le tabac dans une bouche ronde et suave, aux tanins soyeux, rafraîchie par une finale vive. ⏳ 2017-2021 🍴 gigot d'agneau en croûte d'épices

DOM. BERTA-MAILLOL, Mas Paroutet, rte des Mas, 66650 Banyuls-sur-Mer, tél. 04 68 88 00 54, domaine@bertamaillol.com V 🚶 ■ *t.l.j. 9h30-12h30 14h30-18h30*

DOM. DE LA CASA BLANCA 2014 ★★

■ | 5500 | 🛢 | 15 à 20 €

L'enfant du pays, le terrien Laurent Escapa, a accueilli le marin Henri Levano, puis Valérie Reig est venue compléter le trio pour œuvrer dans une des plus vieilles caves de Banyuls (1870). Sur ce petit domaine (7 ha), la mule et le treuil ont fait leur apparition pour éviter l'emploi de désherbant sur les terrasses accrochées aux collines banyulencques.

Le grenache noir joue les premiers rôles (80 %), avec la syrah en complément, dans ce vin à la robe encore jeune, d'un grenat profond aux reflets violines. Le nez complexe mêle la cerise et la fraise très mûres à des touches de cuir et d'épices douces. Chaleureuse, gourmande et bien stucturée, la bouche s'appuie sur des tanins élégants, marquée par un boisé subtil, vanillé et torréfié. ⧗ 2017-2021 ▼ filet mignon aux pleurotes

⊶ *DOM. DE LA CASA BLANCA, 16, av. de la Gare, 66650 Banyuls-sur-Mer, tél. 04 68 88 12 85, domainedelacasablanca@orange.fr* V 🚶 ! *r.-v.*

CAZES Notre-Dame des Anges 2015 ★

■ | 60000 | 11 à 15 €

Fondation en 1895, premières mises en bouteilles en 1955 et une croissance continue. Aujourd'hui, un domaine de 220 ha entièrement conduit en biodynamie depuis 2005, complété par une activité de négoce. À sa carte, toutes les AOC du Roussillon, des IGP, tous les styles de vin. Dans le giron du groupe Advini depuis 2004.

Crée en 2009 par la famille Cazes, l'association Notre-Dame des Anges Terroir et Patrimoine a pour but de contribuer à la restauration des *casots* (petits abris de pierre) et des *feixes* (terrasses) du vignoble de Banyuls et de Collioure grâce à la vente de cette cuvée. Le vin ne provient donc pas de la propriété, mais de domaines associés. Issu de quatre cépages, un tout jeune 2015 aux reflets bleutés, offrant au nez une corbeille de fruits: cassis, mûre, cerise, framboise, nuancés de notes animales (fourrure, cuir). Un vin gourmand et équilibré, à la fois rond et friand. ⧗ 2016-2019 ▼ pavé de thon vigneronne

⊶ *SCEA CAZES, 4, rue Francisco-Ferrer, 66600 Rivesaltes, tél. 04 68 64 08 26, info@cazes.com* V 🚶 ! *r.-v.* 🏠 ⑤

CLOS SAINT-SÉBASTIEN Inspiration céleste 2014 ★

■ | 4000 | ◍ ▮ | 20 à 30 €

Jacques Piriou et Romuald Peronne – l'œnologue – se sont associés pour racheter le domaine Saint-Sébastien en 2008, rebaptisé Clos Saint-Sébastien en 2014 après le rachat du Clos Xatard. Ils sont entrés dans le Guide par la grande porte avec leurs cuvées de collioure. Ils gèrent à Banyuls un restaurant en terrasse face au port, *Le Jardin de Saint-Sébastien*, et proposent une promenade en bateau pour découvrir par la mer les 20 ha de leur vignoble en terrasses. À leur carte, du collioure et du banyuls exclusivement.

Le grenache noir, très majoritaire, associé à une pointe de carignan, donne à cette cuvée haut de gamme du domaine toute sa personnalité. Le séjour d'un an dans le bois neuf n'a pas masqué le fruit, qui s'exprime sur des notes de groseille, de cerise et de mûre, avec une touche mentholée. Puissant et frais, étayé par des tanins fondus, ce vin est prêt à passer à table. ⧗ 2016-2020 ▼ côte de bœuf ■ **Empreintes 2015 ★ (15 à 20 €; 8000 b.)** : des grenaches sur le devant de la scène (85 %, grenache gris surtout), avec une touche de vermentino pour la fraîcheur. Nez floral, légèrement amylique, nuancé de pamplemousse; bouche fraîche, où l'on retrouve les fleurs et les agrumes. ⧗ 2016-2019 ▼ salade de poulpe ■ **Inspiration marine 2014 (20 à 30 €; 3000 b.)** : vin cité.

⊶ *CLOS SAINT-SÉBASTIEN, 10, av. du Fontaulé, 66650 Banyuls-sur-Mer, tél. 04 68 88 30 14, contact@clos-saint-sebastien.com* V 🚶 ! *t.l.j. 10h-20h* ⊶ *Piriou-Peronne*

COUME DEL MAS Quadratur 2014 ★★

■ | n.c. | 20 à 30 €

Ingénieur agronome, Philippe Gard a d'abord travaillé à la chambre d'agriculture d'Auxerre, puis à celle de Bordeaux. Mais sa passion, c'est la vigne, et il a fini par se poser avec Nathalie en 1998 à Cosprons, près de l'anse de Paulilles, où il exploite aujourd'hui 15 ha en terrasses. Il lance son étiquette Coume del Mas en 2001. Intenses et raffinés, ses banyuls comme ses collioures ont d'emblée fait sensation.

Une des cuvées phares du domaine, assemblage de grenache, de mourvèdre et de carignan. Ce 2014 affiche une robe encore sombre et révèle un nez complexe et élégant de mûre, de baies roses et d'épices douces. La mise en bouche dévoile un vin corsé, aux tanins bien enrobés et aux arômes de réglisse, de tabac et de poivre. Un vin de caractère qui n'a pas encore dit son dernier mot. ⧗ 2017-2022 ▼ pavé de biche ■ **Folio 2015 ★★ (15 à 20 €; 10000 b.)** : des grenaches (gris surtout) vinifiés et élevés en barrique. Nez frais, intensément floral, avec du fruit exotique et un léger grillé; palais ample et gras, élégamment boisé, marqué en finale par de beaux amers. ⧗ 2016-2020 ▼ poulet aux morilles

⊶ *COUME DEL MAS, 3, rue Alphonse-Daudet, 66650 Banyuls-sur-Mer, tél. 06 86 81 71 32, philippe@coumedelmas.com* V 🚶 ! *r.-v.* ⊶ *Philippe Gard*

L'ÉTOILE Les Toiles fauves 2015

■ | 13300 | ▮ | 8 à 11 €

Au cœur du village, la petite cave garde l'aspect rétro de l'époque de sa création. Fondée en 1921, c'est la plus ancienne coopérative de Banyuls. Connue pour ses vins doux naturels traditionnels hors d'âge, elle a su maintenir les traditions dans un esprit de famille. Les grands foudres, les demi-muids et les dames-jeannes accueillent des produits bien typés.

Le grenache (60 %) et la syrah composent cette cuvée montrant des reflets violines de jeunesse, au nez intense de cerise, de framboise, de confiture de fraises et d'épices douces. On retrouve les fruits et les épices dans une bouche élégante, ronde et chaleureuse en attaque, plus tannique en finale, marquée par une pointe de minéralité. ⧗ 2017-2020 ▼ carré d'agneau rôti

⊶ *SCV L' ÉTOILE, 26, av. du Puig-del-Mas, 66651 Banyuls-sur-Mer, tél. 04 68 88 00 10, info@cave-letoile.com* V 🚶 ! *t.l.j. 9h30-12h30 14h30-18h*

♥ DOM. MADELOC Cuvée Trémadoc 2014 ★★

■ | 14000 | ◍ | 11 à 15 €

Pierre Gaillard aime les côtes et les schistes. Producteur bien connu de la Côte Rôtie, il s'est tourné vers le Languedoc-Roussillon et s'est intéressé à Faugères, avant de racheter en 2002 Madeloc en Côte Vermeille. Sa fille Élise, ingénieur agricole, conduit le domaine (18 ha environ) et vinifie avec brio. Sur certaines pentes, on a recours au treuil, comme dans la vallée du Rhône.

ROUSSILLON

Ce collioure montre tout le savoir-faire d'Élise Gaillard, qui collectionne les étoiles avec ses cuvées et décroche un coup de cœur avec ce blanc, né d'un assemblage de grenache gris (60 %), de vermentino et de roussanne. Chaque cépage joue sa partition. Le vermentino apporte sa fraîcheur et les deux autres variétés leur richesse à ce vin bien doré, au nez intense et complexe: gâteau de miel, genêt, fleur d'oranger, agrumes confits, avec la note toastée de la barrique. La bouche prend bien le relais, tonique et iodée, tout en offrant beaucoup de gras, de rondeur (le legs du grenache), avec de belles notes de miel, de pain d'épice et d'orange confite. Le bois est fondu, bien intégré. Un vin ample, généreux et d'un rare équilibre. ⧗ 2016-2020 🍷 tajine de poulet au citron confit ■ **Cuvée Crestall 2011 ★★ (20 à 30 €; 600 b.)** : de la syrah et du mourvèdre à parité et dix-huit mois de fût neuf pour ce vin sombre, au nez complexe (café, vanille, fruits rouges mûrs, graphite, olive noire) et au palais gras, dense, mentholé, très boisé. ⧗ 2018-2023 🍷 lièvre à la royale ■ **Magenca 2013 ★★ (15 à 20 €; 3500 b.)** : une courte majorité pour le grenache dans ce vin élevé en cuve de bois. Nez intense de fruits rouges mûrs, de violette et de vanille, bouche ronde, riche et étoffée, tendue par une belle fraîcheur. ⧗ 2018-2023 🍷 civet de marcassin ■ **Serral 2013 (11 à 15 €; 16000 b.)** : vin cité.

DOM. MADELOC, 1 bis, av. du Gal-de-Gaulle, 66650 Banyuls-sur-Mer, tél. 04 68 88 38 29, domaine-madeloc@wanadoo.fr V r.-v. *Pierre Gaillard*

BERNARD MAGREZ Une Émotion 2013

■ | 2000 | | 11 à 15 €

Bernard Magrez, connu notamment pour son Château Pape Clément, cru classé des Graves, collectionne les vignobles dans l'Ancien et le Nouveau Monde. Il aime investir de nouveaux terroirs à forte personnalité et a créé à partir de 2002 un domaine dans la vallée de l'Agly (25 ha). La propriété est aujourd'hui installée à Montner, dans la cave du village magnifiquement rénovée et s'est développée vers la vallée de la Têt et Collioure.

Beaucoup de grenache (80 %, avec la syrah en complément) et de bois dans cette cuvée élevée pour l'essentiel en fût. La robe est profonde, le nez puissant et complexe associe fruits confiturés et boisé d'une grande finesse. La bouche est ronde, fluide et veloutée. À apprécier dès maintenant. ⧗ 2016-2019 🍷 couscous d'agneau

DOM. BERNARD MAGREZ, 2, Grand-Rue, 66720 Montner, tél. 06 88 97 92 21, domaines-magrez-montner@orange.fr V r.-v.

DOM. PIC JOAN 2014 ★

■ | 5300 | | 15 à 20 €

Jean Solé et Laura Parcé ont fondé leur domaine en 2009 à partir de vignes familiales et créé leur cave avec seulement 2,3 ha. Aujourd'hui, ils exploitent plus de 7 ha en «artisans vignerons». À leur carte, des collioures fort remarqués et de jeunes banyuls rimage.

Les blancs sont souvent en vue dans ce domaine. C'est encore le cas cette année avec ce 2014 or clair aux reflets verts, qui doit tout aux grenaches (gris à 80 %). Discret au nez, il laisse poindre des fragrances florales, des nuances de fruits exotiques et une touche d'amande grillée léguée par un court séjour en fût, qui apporte aussi au palais des notes de tabac blond et d'épices douces. Les arômes miellés sont en harmonie avec une bouche souple, onctueuse, généreuse, tonifiée par une pointe de fraîcheur. ⧗ 2016-2020 🍷 lotte aux morilles et petits légumes ■ **2014 (15 à 20 €; 6700 b.)** : vin cité.

DOM. PIC JOAN, 20, rue de l'Artisanat, 66650 Banyuls-sur-Mer, tél. 06 21 34 20 96, domainepicjoan@orange.fr V *t.l.j. 9h30-13h 15h-19h; f. dim. en fév.-mars* *Jean Solé*

DOM. PIÉTRI-GÉRAUD L'Écume 2014 ★

■ | 2722 | | 15 à 20 €

Établi au cœur de Collioure, dans une des plus petites rues de la cité, ce domaine est dirigé depuis 2006 par Laetitia Piétri-Clara, qui a pris la suite de sa mère Maguy. Appuyée par l'œnologue Hélène Grau, la vigneronne perpétue la tradition inaugurée à la fin du XIXes. par son arrière-grand-père Étienne Giraud, médecin retourné aux vignes familiales. Le vignoble couvre 17 ha, essentiellement en AOC banyuls et collioure.

Le grenache gris joue les premiers rôles dans ce blanc, complété par un petit appoint de vermentino et de marsanne. On aime son nez, où le boisé vanillé très discret laisse découvrir de fraîches notes de verveine, de mimosa et d'écorce d'agrumes. Le fenouil, le pomelo et une pointe toastée complètent cette palette dans un palais ample, moelleux et fin, réveillé par une finale alerte. ⧗ 2016-2020 🍷 lotte au four ■ **Sine Nomine 2014 (11 à 15 €; 7500 b.)** : vin cité. ■ **Le Moulin de la Cortine 2014 (15 à 20 €; 3233 b.)** : vin cité.

LÆTITIA PIÉTRI-CLARA, Dom. Piétri-Géraud, 22, rue Pasteur, 66190 Collioure, tél. 04 68 82 07 42, domaine.pietri-geraud@wanadoo.fr V r.-v.

♥ **DOM. DE LA RECTORIE**
L'Oriental Anno MMXIV 2014 ★★★

■ | 5000 | | 15 à 20 €

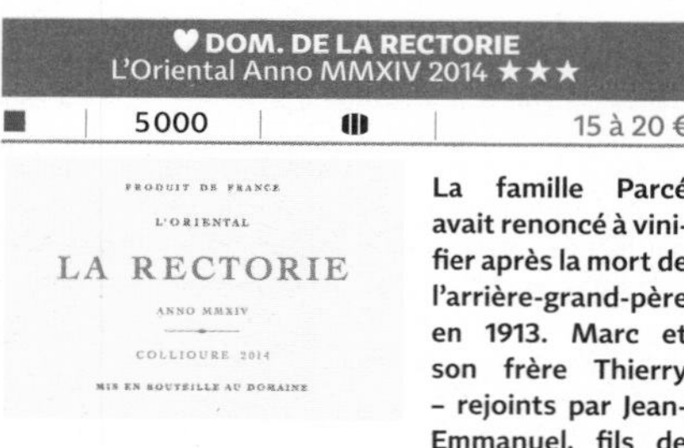

La famille Parcé avait renoncé à vinifier après la mort de l'arrière-grand-père en 1913. Marc et son frère Thierry – rejoints par Jean-Emmanuel, fils de ce dernier – ont agrandi le domaine et sont sortis de la coopérative en 1984. À partir d'une trentaine de parcelles, Thierry, le vinificateur, propose des vins d'une régularité exemplaire en banyuls et en collioure.

Le millésime 2013 n'était pas mal du tout, et son successeur sort du lot. Ce collioure doit presque tout au grenache noir, complété par 10 % de carignan. La robe est profonde et jeune avec ses reflets violines. Le nez tout en fruits – groseille, fraise et mûre – est frais, précis et intense. Après une attaque tonique, le palais se développe avec puissance, ampleur et longueur, sur des notes de fruits noirs, de réglisse, de café et de garrigue, étayé par des tanins bien enrobés. Un superbe vin de schistes qui fera plaisir dès aujourd'hui et pour longtemps. ⌛ 2016-2022 🍴 tajine d'agneau ■ **Côté mer 2014 ★★ (11 à 15 €; 28 000 b.)** : né d'un assemblage de syrah (50 %), de grenache et de carignan, un vin gourmand et équilibré entre fruité et boisé vanillé, conjuguant structure et finesse. ⌛ 2018-2021 🍴 côte de bœuf

DOM. DE LA RECTORIE, 28-65, av. du Puig-del-Mas, 66650 Banyuls-sur-Mer, tél. 04 68 88 13 45, thierryparce@orange.fr V t.l.j. sf dim. 10h-12h 16h-19h Thierry et Jean-Emmanuel Parcé

DOM. RENO
Cuvée François Capdet Vieilli en fût de chêne 2012 ★

■ | 4000 | | 8 à 11 €

Fondée en 1948, cette exploitation est conduite depuis 1998 par la troisième génération: Anne et Frédéric Capdet, respectivement œnologue et viticulteur. Elle a son siège à l'entrée de Collioure, à deux pas de la mer, et son vignoble de 46 ha s'étage en terrasses. Les visiteurs peuvent voir son parc de 400 bonbonnes où le banyuls mûrit au soleil pendant trois ans.

Cette cuvée en hommage au père du vigneron porte la double empreinte de son élevage (deux ans en cuve et neuf mois en barrique) et du grenache, très majoritaire, dans son nez intense et complexe partagé entre les fleurs, les fruits cuits, la pêche de vigne, le cèdre et les épices douces. Cette palette complexe s'enrichit de notes de tapenade et de myrtille dans une bouche puissante, généreuse, équilibrée par une juste acidité, dont les tanins devront s'affiner. De la personnalité. ⌛ 2018-2021 🍴 lièvre à la royale

EARL CAPDET ET FILS, Dom. Reno, D 114, Les Hauts-de-l'Ouille, 66190 Collioure, tél. 04 68 81 12 65, domainereno@orange.fr V t.l.j. 9h30-12h30 14h-18h

DOM. TAMBOUR Victoria 2012 ★★

■ | 8000 | | 11 à 15 €

Fondée en 1920, cette propriété a choisi son nom en mémoire d'un ancêtre qui fut jadis tambour dans l'armée. Depuis 2004, c'est la cinquième génération, représentée par Clémentine Herre, qui est aux commandes. Proposant des visites du vignoble (22 ha) à pied, à cheval, en catamaran ou en hélicoptère, des dégustations à thème, elle mise sur l'œnotourisme.

Du mourvèdre (50 %), du grenache et de la syrah vinifiés en macération carbonique pour ce 2012 grenat intense, au nez pimpant alliant notes florales, groseille, romarin et épices douces. On retrouve les fruits rouges et les épices dans une bouche ronde, élégante et persistante. Un court séjour (six mois) en barrique a apporté de la complexité et de l'harmonie sans écraser le fruit, qui prend en finale des accents de framboise. De la finesse. ⌛ 2016-2021 🍴 filet mignon aux cerises

DOM. TAMBOUR, 2, rue Charles-de-Foucault, 66650 Banyuls-sur-Mer, tél. 04 68 88 12 48, domainetambour@gmail.com V t.l.j. 10h-12h 14h-18h Herre

TERRES DES TEMPLIERS Prestige 2014 ★★

■ | 11066 | | 30 à 50 €

Devenu Terres des Templiers, l'ancien Cellier des Templiers est une coopérative créée en 1921. Elle revendique l'héritage de cet ordre militaire à qui l'on doit la mise en valeur des pentes schisteuses de Banyuls. Aujourd'hui, la cave dispose des 1 200 ha de ses adhérents et, depuis la récolte 2011, du Mas Ventous, un vaste chai de vinification qui s'ajoute à la grande cave de 1964, réservée aux longs élevages. À sa carte, des collioures et des banyuls.

Née du trio syrah, mourvèdre et grenache, cette cuvée Prestige n'a rien de confidentiel. Sa couleur particulièrement profonde, évoquant l'encre, annonce le nez, puissant et concentré, alliant un boisé vanillé très présent aux fruits rouges et noirs. Ce boisé s'épanouit jusqu'en finale sur des notes de café, de réglisse et de tabac dans un palais d'une belle présence, riche et persistant, soutenu par des tanins déjà fondus. La persistance de la finale laisse deviner un très bon potentiel. ⌛ 2018-2022 🍴 entrecôte sauce poivre ■ **Premium 2014 ★ (20 à 30 €; 5982 b.)** : né de pur grenache gris, un blanc au nez floral, anisé et poivré, ample, suave et très marqué en finale par son court séjour dans le bois. ⌛ 2016-2019 🍴 paupiette de sole ■ **Les Abelles 2012 ★ (15 à 20 €; 54 414 b.)** : du grenache bien présent (50 %) et pas mal de syrah dans cet assemblage de quatre cépages. Discret au nez, sur le fruit noir, le poivre et le cacao, ce vin se montre ample et chaleureux en bouche. ⌛ 2016-2019 🍴 bœuf en daube

TERRES DES TEMPLIERS, rte du Mas-Reig, 66650 Banyuls-sur-Mer, tél. 04 68 98 36 70, lreversat@templiers.com V t.l.j. 10h-19h; f. janv.

TERRIMBO 2014 ★

■ | 4000 | | 20 à 30 €

Philippe Gard, propriétaire en vue de Coume del Mas, s'est associé avec Jacky Loos, créateur de l'hôtel *Host et Vinum* et de son restaurant *Le Clos des Pins* à Canet-en-Roussillon, pour fonder en 2011 Terrimbo, un petit domaine (à peine plus de 1 ha) en conversion bio. Le vignoble est implanté sur des terrasses de schistes, en bas du village de Cospron, près de la baie de Paulilles.

Joli duo de grenache et de syrah, cépages assemblés à parité pour donner ce vin rouge profond aux reflets violines, au nez frais, sur la cerise, qui prend à l'aération des tons plus chaleureux de noyau, de kirsch. On retrouve les fruits à l'eau-de-vie dans une bouche franche à l'attaque, ample et ronde, dont la fermeté tannique finale indique un potentiel intéressant. ⌛ 2018-2021 🍴 filet de bœuf aux morilles

TERRIMBO, 3, rue Daudet, 66650 Banyuls-sur-Mer, tél. 06 86 81 71 32

DOM. LA TOUR VIEILLE Puig Oriol 2014

■ | 4500 | | 11 à 15 €

Créé en 1982, ce domaine de 13 ha regroupe les vignes de Vincent Cantié (à Collioure) et celles de Christine Campadieu (à Banyuls), issus l'un comme l'autre de vieilles familles vigneronnes. L'exploitation domine la mer sur les hauteurs de Collioure. Elle montre une belle régularité, aussi bien en vins doux naturels qu'en vins secs.

Une cuvée rouge profond aux reflets sombres, où la syrah prend légèrement le pas sur le grenache. Le nez évoque les fruits des bois mâtinés de touches animales et grillées. Souple à l'attaque, ample, la bouche évolue sur des tanins soyeux. Un vin pour maintenant. ⧗ 2016-2019 🍷 côtelettes d'agneau grillées

DOM. LA TOUR VIEILLE, 12, rte de Madeloc, 66190 Collioure, tél. 04 68 82 44 82, info@latourvieille.com V *r.-v.*
Vincent Cantié et Christine Campadieu

MAURY SEC

Réservée à l'origine aux vins doux naturels, l'appellation maury est accordée à partir du millésime 2011 aux vins secs produits sur le même terroir (communes de Maury, Tautavel, Saint-Paul et Rasiguères). Les vignerons de cette aire d'appellation proposaient auparavant leurs vins secs en AOC côtes-du-roussillon-villages. Le grenache noir, emblématique de l'appellation, entre à hauteur de 60 % minimum (et 80 % maximum) dans les assemblages. Les vins bénéficient d'un élevage de six mois au minimum.

CAZES Castell d'Agly 2015

■ | 40000 | 8 à 11 €

Fondation en 1895, premières mises en bouteilles en 1955 et une croissance continue. Aujourd'hui, un domaine de 220 ha entièrement conduit en biodynamie depuis 2005, complété par une activité de négoce. À sa carte, toutes les AOC du Roussillon, des IGP, tous les styles de vin. Dans le giron du groupe Advini depuis 2004.

Jeune «vin plaisir» grenat aux reflets fuchsia. L'olfaction mêle les fruits noirs frais et les épices. La bouche élégante et mûre associe la souplesse et la fraîcheur. Un vin friand, velouté et épicé. ⧗ 2016-2019 🍷 côtelettes d'agneau au romarin

SCEA CAZES, 4, rue Francisco-Ferrer, 66600 Rivesaltes, tél. 04 68 64 08 26, info@cazes.com V *r.-v.* 5

CLOS DES VINS D'AMOUR 1+1=3 2013 ★★

■ | 20000 | 8 à 11 €

Les frères Nicolas et Christophe Dornier et leurs épouses respectives, Christine et Laurence, se sont associés pour reprendre en 2002 les vignes cultivées par la famille de Christine depuis 1860. Les deux couples ont quitté la coopérative en 2004. Leur domaine (25 ha en bio certifié depuis 2014) s'étend sur les terroirs schisteux de Tautavel, de Maury et de Saint-Paul-de-Fenouillet.

La robe profonde montre des reflets brique. Le schiste au soleil marque le premier nez qui s'épanouit à l'aération sur des notes de sous-bois, de fruits en confiture, avec une pointe de venaison. Ample, élégant et net, le palais est construit sur des tanins fondus à souhait. Une finale tendue et droite, minérale et savoureuse conclut la dégustation. Une réelle harmonie. ⧗ 2017-2020 🍷 terrine de gibier ■ **Un Baiser 2012 (15 à 20 €; 6000 b.)** : vin cité.

SCEA VIGNOBLES DORNIER, 3, rte de Lesquerde, 66460 Maury, tél. 04 68 34 97 06, maury@closdesvinsdamour.fr
V *t.l.j. 10h-12h30 14h-18h*

♥ DOM. FONTANEL 2014 ★★★

■ | 5000 | 11 à 15 €

Les origines du domaine remontent à 1864. À sa tête depuis 1989, Pierre et Marie-Claude Fontaneil exploitent 25 ha sur des terroirs variés, d'où ils tirent des cuvées à forte personnalité, aussi bien en vins secs qu'en vins doux naturels. Deux caveaux, l'un à Estagel et l'autre à Tautavel (où se trouve la cave).

Un coup de cœur qui confirme la régularité de Pierre Fontaneil: après avoir placé le 2013 sur la plus haute marche l'an passé, il renouvelle l'exploit, montrant une parfaite maîtrise de la vinification du grenache, cépage roi de l'appellation (80 % ici, complété par du mourvèdre élevé en barrique). La robe est dense, moirée de reflets violines; le nez déploie une large palette d'arômes: violette, genièvre, réglisse, sous-bois. Une attaque franche ouvre sur une bouche soyeuse et fondue où s'égrènent les épices, du fenouil au poivre en passant par le clou de girofle. Étoffé, élégant, un parfait ambassadeur de l'appellation. ⧗ 2016-2021 🍷 filet de bœuf aux morilles

FONTANEIL, 25, av. Jean-Jaurès, 66720 Tautavel, tél. 04 68 29 04 71, pierre@domainefontanel.fr
V *t.l.j. 10h-12h 14h-18h*

CH. DES JAUME Élevé en fût de chêne 2014 ★

■ | 52800 | 5 à 8 €

Cette étiquette est dans le giron des Grands Chais de France, géant français du négoce de vins créé à la fin des années 1980 par Joseph Helfrich, aujourd'hui présent dans l'ensemble des régions viticoles françaises et dans le monde entier.

Ce vin provient du vignoble de Charlie Faisant, qui, à la fin de sa carrière, a conclu un accord avec les Grands Chais de France. L'élevage laisse parler le fruit mûr, le bouquet dévoilant aussi des notes bien typées de schistes chauds et de ciste. Le fruité est soutenu par un joli grain de tanin dans une bouche gourmande, légèrement acidulée, qui offre une finale fine et minérale aux accents de cassis. ⧗ 2017-2021 🍷 cailles rôties au thym

CH. SEGUALA, av. Verdouble, 66720 Tautavel, tél. 04 68 29 48 15, fdelabre@lgcf.fr
Grands Chais de France

MAS DE LA DEVÈZE 2013 ★

■ | 2500 | 15 à 20 €

Simon Hugues était agriculteur, Nathalie commerciale dans la filière viticole à l'export. Ils ont repris en 2012 au cœur du terroir de Maury une très ancienne propriété qui avait été démantelée dans les années 1980. Ils cultivent 33 ha de vignes, la plupart conduites en gobelet.

D'un rouge sombre, ce 2013 offre un nez puissant, très marqué par la vanille et la cannelle léguées par un séjour dans le bois de vingt-quatre mois, une pointe fruitée perçant à l'arrière-plan. Fraîche et onctueuse à la fois, épicée, la bouche met, elle aussi, l'élevage en relief; les fruits se fraient un passage et prennent des accents d'eau-de-vie en finale. ⧗ 2016-2021 🍴 cuissot de sanglier aux airelles

MAS DE LA DEVÈZE, rte des Mas, 66720 Tautavel, tél. 04 68 61 04 58, contact@masdeladeveze.fr
V r.-v. *Hugues*

MAS DE LAVAIL Initiale 2013 ★

■	2000	ⓞ	20 à 30 €

Jean et Nicolas Batlle, père et fils, ont acquis ce joli mas du XIXes. en 1999, à l'installation du second. À la tête de ce domaine de 80 ha de vieilles vignes, Nicolas poursuit le travail de quatre générations de vignerons sur les terres noires de Maury.

D'un grenat brillant et profond aux reflets cuivrés, ce 2013 a séjourné quatorze mois en fût neuf. L'élevage lui a légué des arômes complexes d'épices douces et de sous-bois, mais il laisse parler le fruit, aux nuances de confiture de fraises. Une attaque ample ouvre sur une bouche aux arômes de pruneau et de fruits secs, qui reflète un élevage en fût bien maîtrisé. ⧗ 2016-2019 🍴 civet de sanglier

DOM. MAS DE LAVAIL, RD 117, 66460 Maury, tél. 04 68 59 15 22, masdelavail@wanadoo.fr
V *t.l.j. sf dim. 10h30-12h 15h-18h* *Batlle*

SEMPER Clos Florent 2013 ★

■	6000	ⓞ	8 à 11 €

Tradition, ce terme est omniprésent dans cette famille vigneronne. Après leurs parents Paul et Geneviève, Florent (à la vigne) et Mathieu (à la cave) perpétuent un travail authentique de la vendange. Sur leur domaine de 30 ha, ils peuvent jouer sur deux terroirs: les schistes noirs de Maury et les arènes granitiques de Lesquerde.

La robe profonde montre des reflets tuilés. Malgré un séjour de dix mois en fût, le nez s'ouvre sur la violette et les fruits mûrs compotés, avec une touche florale. La bouche, elle aussi, se montre très fruitée, chaleureuse et gourmande avec ses arômes de confiture de fruits rouges et noirs, teintés en finale de notes de fruits secs. ⧗ 2016-2019 🍴 filet de bœuf en croûte d'épices

DOM. SEMPER, 2, chem. du Rec, 66460 Maury, tél. 06 21 61 23 09, domaine.semper@wanadoo.fr
V *t.l.j. 10h30-12h 15h30-19h; f. janv.*

TERRA NOBILIS Sélection de Terroirs de Schiste 2015 ★★

■	6000	🍾	15 à 20 €

Au pied des Albères, le château Valmy, construit en 1888 par l'architecte danois Viggo Dorph Petersen, est entouré de 24 ha de vignes. En 1998, Bernard Carbonnell et son épouse Martine ont fait renaître le vignoble et ses vins (réguliers en qualité), mais aussi le château en créant des chambres d'hôtes de luxe, complétées en 2014 par le restaurant La *Table de Valmy*, un projet conduit par les filles des propriétaires, Anaïs et Clara. Sous le nom de Terra Nobilis, le domaine a créé en 2015 une structure de négoce-éleveur.

Au château Valmy, la mer est proche. Les équipes du négoce se sont intéressées au terroir frais de Maury, différent de celui de la propriété. Elles signent un vin discret au premier nez, qui s'ouvre à l'aération sur des notes de tapenade et de sous-bois, avec une touche de venaison. Beaucoup plus fruitée, suave et fraîche à la fois, la bouche dévoile des notes de cerise mûre, voire confite, et de fruits secs, avant d'offrir une finale très épicée, sur le poivre et le clou de girofle. ⧗ 2018-2022 🍴 pavé de biche

SARL LES VINS DE VALMY, chem. de Valmy, 66700 Argelès-sur-Mer, tél. 04 68 81 25 70, contact@chateau-valmy.com V *r.-v.* *Carbonnell*

LES VINS DOUX NATURELS

Dès l'Antiquité, les vignerons de la région ont élaboré des vins liquoreux de haute renommée. Au XIIIes., Arnaud de Villeneuve découvrit le mariage miraculeux de la «liqueur de raisin et de son eau-de-vie»: c'est le principe du mutage qui, appliqué en pleine fermentation sur des vins rouges ou blancs, arrête celle-ci en préservant ainsi une certaine quantité de sucre naturel. Les vins doux naturels d'appellation contrôlée se répartissent dans la France méridionale: Pyrénées-Orientales, Aude, Hérault, Vaucluse et Corse, jamais bien loin de la Méditerranée. Les cépages utilisés sont le grenache (blanc, gris, noir), le macabeu, la malvoisie du Roussillon, dite tourbat, le muscat à petits grains et le muscat d'Alexandrie. La taille courte est obligatoire. Les rendements sont faibles et les raisins doivent, à la récolte, avoir une richesse en sucre de 252 g minimum par litre de moût. L'agrément des vins est obtenu après un contrôle analytique. Ils doivent présenter un taux d'alcool acquis de 15 à 18 % vol., une richesse en sucre de 45 g minimum à plus de 100 g pour certains muscats et un taux d'alcool total (alcool acquis plus alcool en puissance) de 21,5 % vol. minimum. Certains sont commercialisés tôt (muscats), d'autres le sont après trente mois d'élevage. Vieillis sous bois de manière traditionnelle, c'est-à-dire dans des fûts, ils acquièrent parfois après un long élevage des notes très appréciées de rancio.

▶ BANYULS ET BANYULS GRAND CRU

Superficie : 1 160 ha
Production : 28 500 hl (90 % rouge)

Voici un terroir exceptionnel, comme il en existe peu dans le monde viticole: à l'extrémité orientale des Pyrénées, des coteaux en pente abrupte sur la Méditerranée. Seules les quatre communes de Collioure, Port-Vendres, Banyuls-sur-Mer et Cerbère bénéficient de l'appellation. Le vignoble s'accroche à des terrasses installées sur des schistes dont le substrat rocheux est, sinon apparent, tout au plus recouvert d'une mince couche de terre. Le

sol est donc pauvre, souvent acide, n'autorisant que des cépages très rustiques, comme le grenache, au rendement extrêmement faible - souvent moins d'une vingtaine d'hectolitres à l'hectare. En revanche, le lieu bénéficie d'un microclimat particulier avec un ensoleillement optimisé par la culture en terrasses - culture difficile car manuelle, afin de protéger la terre qui ne demande qu'à être ravinée par le moindre orage - et par la proximité de la Méditerranée.

L'encépagement des rouges, majoritaires, est à base de grenache; ce sont surtout de vieilles vignes qui occupent le terroir. La vinification se fait par macération; le mutage intervient parfois sur le raisin, permettant ainsi une longue macération qui peut durer plus d'un mois; c'est la pratique de la macération sous alcool, ou mutage sur grains. Grenaches gris et blanc, macabeu, plus rarement muscat et malvoisie, entrent dans la composition des blancs.

L'élevage joue un rôle essentiel. En général, il tend à favoriser une évolution oxydative du produit, dans le bois (foudres, demi-muids) ou en bonbonnes exposées au soleil sur les toits des caves. Les différentes cuvées ainsi élevées sont assemblées avec le plus grand soin par le maître de chai pour créer les nombreux types que nous connaissons. Dans certains cas, l'élevage cherche à préserver au contraire le fruit du vin jeune en empêchant toute oxydation; on obtient alors des produits différents: ce sont les rimages. Pour l'appellation grand cru, l'élevage sous bois est obligatoire pendant trente mois.

BANYULS

♥ CAVE DE L'ABBÉ ROUS
Rimage Muté sur grains Mise précoce Cornet et Cie 2014 ★★★

■ | 12989 | | 15 à 20 €

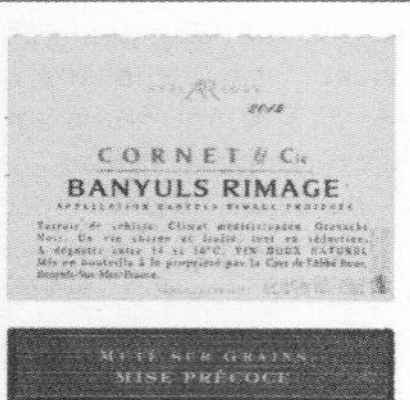

Coopérative créée en 1950 et nommée en hommage à l'abbé qui vers 1870 devint négociant-éleveur de vins de Banyuls pour financer l'agrandissement de l'église paroissiale sans faire appel à la générosité publique et qui se fit à l'occasion le mécène de Maillol. Installée à Banyuls-sur-Mer, la cave s'appuie sur les 1 200 ha de ses 750 adhérents pour proposer toute une gamme de banyuls et de collioures. Une valeur sûre.

Déjà très remarqué l'an dernier, ce rimage obtient un coup de cœur, et ce n'est pas la première fois. La robe profonde hésite entre rouge et noir; le nez expressif, lui aussi, se partage entre mûre, cassis et cerise gourmande. La bouche impressionne par son volume, son intensité, la force de sa maturité. On y retrouve la suavité de la cerise, accompagnée d'un tanin soyeux, dans un remarquable équilibre. La longue finale finement mentholée laisse la bouche fraîche. ⧗ 2016-2021 ¥ fruits rouges nappés de chocolat ■ **Hélyos 2010 ★★ (30 à 50 €; 1334 b.)** : gorgé de fruits, finement épicé par un court élevage en barrique, un vin «immense», aux sublimes tanins, capable de tenir le siècle. ⧗ 2016-2056 ¥ fondant au chocolat

CAVE DE L' ABBÉ ROUS, rte du Balcon-de-Madeloc, 66650 Banyuls-sur-Mer, tél. 04 68 88 72 72, contact@templers.com

♥ DOM. BERTA-MAILLOL Traditionnel 2005 ★★★

■ | 1500 | | 20 à 30 €

Ce domaine de Banyuls remonte à 1611! Jean-Louis Berta-Maillol en 1996, puis ses frères Michel et Georges, respectivement en 2003 et 2009, ont pris la suite de leur père. Leurs 15 ha de vignes s'accrochent aux pentes schisteuses de la vallée de la Baillauri, aménagées en terrasses.

Chut!... La cuvée est confidentielle... Mais quel vin! Sa robe aux reflets enjôleurs tuilé-acajou est encore soutenue, malgré un séjour de dix ans en dame-jeanne. Sa palette, merveille de complexité, fait un tour d'horizon des arômes que l'on peut rencontrer dans les banyuls traditionnels: épices, cacao, tabac miellé, fruits mûrs ou confiturés, fruits secs, torréfaction. Une splendeur. Riche, équilibré, fondu, élégant, le palais, dans la continuité du nez, s'enrichit en finale d'un rancio fin et frais, juste ce qu'il faut pour ne pas oublier ce plaisir pendant des heures. ⧗ 2016-2030 ¥ foie gras poêlé

DOM. BERTA-MAILLOL, Mas Paroutet, rte des Mas, 66650 Banyuls-sur-Mer, tél. 04 68 88 00 54, domaine@bertamaillol.com
V t.l.j. 9h30-12h30 14h30-18h30

DOM. DE LA CASA BLANCA Rimage 2014 ★

■ | 2000 | | 15 à 20 €

L'enfant du pays, le terrien Laurent Escapa, a accueilli le marin Henri Levano, puis Valérie Reig est venue compléter le trio pour œuvrer dans une des plus vieilles caves de Banyuls (1870). Sur ce petit domaine (7 ha), la mule et le treuil ont fait leur apparition pour éviter l'emploi de désherbant sur les terrasses accrochées aux collines banyulencques.

La jeunesse du vin s'affirme dans sa couleur grenat, qui rappelle la cerise burlat, et se confirme au nez, tout en fruits frais: fraise des bois et mûre, avec un soupçon de sous-bois, de violette et d'épices. La mûre domine dans une bouche très concentrée, fraîche et intense; elle s'accompagne de touches d'épices douces et de poivre héritées d'un court séjour en barrique. Cette bouteille ne manque pas d'avenir, mais on peut déjà se laisser tenter... ⧗ 2016-2021 ¥ moelleux au chocolat

DOM. DE LA CASA BLANCA, 16, av. de la Gare, 66650 Banyuls-sur-Mer, tél. 04 68 88 12 85, domainedelacasablanca@orange.fr V r.-v.

LES CLOS DE PAULILLES Traditionnel 2011 ★★

■ | 7900 | 15 à 20 €

Avec 100 ha d'un seul tenant (dont soixante-trois plantés), le plus vaste domaine des AOC collioure et banyuls, situé dans le site protégé de l'anse de Paulilles. Ancienne propriété de la famille Pams, puis pendant trente-cinq ans des Dauré (Jau). Ces derniers l'ont vendue en 2012 à la famille Cazes, laquelle s'est implantée ainsi en Côte Vermeille. La cave a été totalement rénovée. Le restaurant *Les pieds dans l'eau* est un des attraits du lieu.

Un paradoxe, ces vins doux naturels traditionnels où l'on recherche l'oxydation, avec plus ou moins d'intensité. Ici, on a eu le souci d'une oxydation ménagée. Ainsi, le rouge est encore présent dans la robe, envahi de nuances fauves. Au nez, le raisin confituré côtoie la figue et le pruneau nés de l'élevage; la note douce et miellée des vieux foudres apporte sa signature. On retrouve la figue, alliée à l'abricot sec et à la torréfaction, dans un palais fin, soyeux et élégant, parfaitement équilibré. La finale relevée laisse envisager une belle longévité. ⧗ 2016-2026 🍴 foie gras poêlé aux figues ■ **Rimage 2013 ★ (11 à 15 €; 12 000 b.)** : un banyuls vif, tout en fruits (cassis, cerise au kirsch), avec une touche de réglisse et de violette et d'épices. Idéal pour le chocolat... et pour les amateurs impatients. ⧗ 2016-2021 🍴 tarte au chocolat

SCEA CLOS DE PAULILLES, 4, rue Francisco-Ferrer, 66600 Rivesaltes, tél. 04 68 64 08 26, info@cazes.com V r.-v. *Cazes*

CLOS SAINT-SÉBASTIEN Empreintes 2014

■ | 5000 | 🍾 | 15 à 20 €

Jacques Piriou et Romuald Peronne – l'œnologue – se sont associés pour racheter le domaine Saint-Sébastien en 2008, rebaptisé Clos Saint-Sébastien en 2014 après le rachat du Clos Xatard. Ils sont entrés dans le Guide par la grande porte avec leurs cuvées de collioure. Ils gèrent à Banyuls un restaurant en terrasse face au port, *Le Jardin de Saint-Sébastien*, et proposent une promenade en bateau pour découvrir par la mer les 20 ha de leur vignoble en terrasses. À leur carte, du collioure et du banyuls exclusivement.

La robe limpide, très pâle, aux jolis reflets verts donne une impression de fragilité, tout comme les parfums un peu timides, mais délicats, de pêche blanche. Un banyuls fluide en bouche, très frais, fruité, où le fruit à l'eau-de-vie enlève la finale. (bouteilles de 50 cl) ⧗ 2016-2026 🍴 roquefort

CLOS SAINT-SÉBASTIEN, 10, av. du Fontaulé, 66650 Banyuls-sur-Mer, tél. 04 68 88 30 14, contact@clos-saint-sebastien.com V *t.l.j. 10h-20h* *Piriou-Peronne*

L'ÉTOILE 2014 ★

■ | 13 700 | 🍾 | 15 à 20 €

Au cœur du village, la petite cave garde l'aspect rétro de l'époque de sa création. Fondée en 1921, c'est la plus ancienne coopérative de Banyuls. Connue pour ses vins doux naturels traditionnels hors d'âge, elle a su maintenir les traditions dans un esprit de famille. Les grands foudres, les demi-muids et les dames-jeannes accueillent des produits bien typés.

Le grenache gris donne leur typicité aux vins blancs de Collioure. Utilisé pour l'élaboration des banyuls blancs, il confère aux vins du volume et un «brin» de structure sur lesquels le grenache blanc vient poser sucrosité et gras. Il lègue également à la finale un surcroît de longueur et de fraîcheur. Entrant à hauteur de 45 % dans l'assemblage, il offre un parfait soutien aux notes de fleurs et de verveine de ce vin or pâle, idéal pour les desserts ou le foie gras. ⧗ 2016-2021 🍴 sorbet à la pêche

SCV L'ÉTOILE, 26, av. du Puig-del-Mas, 66651 Banyuls-sur-Mer, tél. 04 68 88 00 10, info@cave-letoile.com V *t.l.j. 9h30-12h30 14h30-18h*

DOM. MADELOC Robert Pages ★

■ | 5000 | 15 à 20 €

Pierre Gaillard aime les côtes et les schistes. Producteur bien connu de la Côte Rôtie, il s'est tourné vers le Languedoc-Roussillon et s'est intéressé à Faugères, avant de racheter en 2002 Madeloc en Côte Vermeille. Sa fille Élise, ingénieur agricole, conduit le domaine (18 ha environ) et vinifie avec brio. Sur certaines pentes, on a recours au treuil, comme dans la vallée du Rhône.

Plusieurs années d'élevage ont légué à ce banyuls des nuances tuilées et d'attirants reflets ambrés. Le nez intense, sur les fruits mûrs, s'enrichit de notes de figue et de cacao héritées d'un séjour en foudre et en bonbonnes au soleil. Cette richesse se prolonge dans une bouche ample, généreuse, où le tanin joue sur la note grillée du café, avant une finale relevée par une touche de rancio. Apéritif avec des fruits secs, dessert au chocolat, café, cigare, cette bouteille se prêtera à bien des accords, et pour longtemps. ⧗ 2016-2026 🍴 mousse au chocolat amer

DOM. MADELOC, 1 bis, av. du Gal-de-Gaulle, 66650 Banyuls-sur-Mer, tél. 04 68 88 38 29, domaine-madeloc@wanadoo.fr V *r.-v.* *P. Gaillard*

DOM. PIETRI-GÉRAUD
Cuvée Méditerranée 2010 ★★★

■ | 5537 | 🛢 | 15 à 20 €

Établi au cœur de Collioure, dans une des plus petites rues de la cité, ce domaine est dirigé depuis 2006 par Laetitia Piétri-Clara, qui a pris la suite de sa mère Maguy. Appuyée par l'œnologue Hélène Grau, la vigneronne perpétue la tradition inaugurée à la fin du XIXᵉs. par son arrière-grand-père Étienne Giraud, médecin retourné aux vignes familiales. Le vignoble couvre 17 ha, essentiellement en AOC banyuls et collioure.

L'approche laisse la part belle à l'élevage: une robe tuilée, acajou, d'où montent des senteurs complexes de torréfaction, d'épices et de fruits secs, laissant augurer un début de rancio. En bouche, la palette s'enrichit; le cacao enrobe des notes de fruits confits, puis vient l'abricot sec, au sein d'une matière souple et fondue, construite sur des tanins veloutés. Un superbe équilibre.

ROUSSILLON

⧗ 2016-2026 🍴 tarte aux figues ■ **Cuvée du Soleil 2012 (20 à 30 €; 2300 b.)** : vin cité.

⊶ *LÆTITIA PIÉTRI-CLARA, Dom. Piétri-Géraud, 22, rue Pasteur, 66190 Collioure, tél. 04 68 82 07 42, domaine.pietri-geraud@wanadoo.fr* V 🚶 ! *r.-v.*

DOM. DE LA RECTORIE Cuvée Léon Parcé 2013 ★

■	6000	⏸	15 à 20 €

La famille Parcé avait renoncé à vinifier après la mort de l'arrière-grand-père en 1913. Marc et son frère Thierry – rejoints par Jean-Emmanuel, fils de ce dernier – ont agrandi le domaine et sont sortis de la coopérative en 1984. À partir d'une trentaine de parcelles, Thierry, le vinificateur, propose des vins d'une régularité exemplaire en banyuls et en collioure.

Les banyuls rimages gardent toujours une robe très profonde, fruit du mutage sur grains. Cette pratique vise à obtenir une extraction maximale, tant en couleur qu'en fruit et en tanins. C'est à ce stade, puis lors de la phase d'élevage avant et après la mise en bouteille, que s'exprime la «patte» du vigneron. Ici, la robe est noire, profonde, et le fruit mûr – du cassis allié à la cerise. La barrique et le vin fusionnent avec bonheur. Un tanin bien présent au grain serré sur fond épicé assure l'avenir de cette cuvée. (bouteilles de 50 cl) ⧗ 2016-2026 🍴 forêt noire

⊶ *DOM. DE LA RECTORIE, 28-65, av. du Puig-del-Mas, 66650 Banyuls-sur-Mer, tél. 04 68 88 13 45, thierryparce@orange.fr* V 🚶 ! *t.l.j. sf dim. 10h-12h 16h-19h* ⊶ *Parcé*

RENO Hors d'âge Cuvée Frédéric 2005 ★★

■	2400	⏸ 🍾	15 à 20 €

Fondée en 1948, cette exploitation est conduite depuis 1998 par la troisième génération: Anne et Frédéric Capdet, respectivement œnologue et viticulteur. Elle a son siège à l'entrée de Collioure, à deux pas de la mer, et son vignoble de 46 ha s'étage en terrasses. Les visiteurs peuvent voir son parc de 400 bonbonnes où le banyuls mûrit au soleil pendant trois ans.

Le long élevage en cuve, en fûts et en bonbonnes laissées au soleil a dépouillé le grenache noir de sa couleur très sombre pour lui donner cette douce parure fauve d'ambre roux. Le rancio impose sa présence à travers des senteurs de fruits secs, de figue, de notes de vieux foudres, nuancées d'une touche fraîche de laurier. La bouche tout en finesse ajoute à cette palette des notes miellées, des épices, enrobe de rondeur les fruits secs et finit sur un retour du rancio. Appelant chocolat ou café, ce hors d'âge peut aussi se déguster seul. ⧗ 2016-2026 🍴 fondant au café et aux noix

⊶ *EARL CAPDET ET FILS, Dom. Reno, D 114, Les Hauts-de-l'Ouille, 66190 Collioure, tél. 04 68 81 12 65, domainereno@orange.fr* V 🚶 ! *t.l.j. 9h30-12h30 14h-18h*

CAVE TAMBOUR Hors d'âge ★

■	3000	⏸	20 à 30 €

Fondée en 1920, cette propriété a choisi son nom en mémoire d'un ancêtre qui fut jadis tambour dans l'armée. Depuis 2004, c'est la cinquième génération, représentée par Clémentine Herre, qui est aux commandes. Proposant des visites du vignoble (22 ha) à pied, à cheval, en catamaran ou en hélicoptère, des dégustations à thème, elle mise sur l'œnotourisme.

Au pays du fauvisme, les vins bien élevés s'imprègnent de l'ocre des argiles et du soleil automnal pour nous offrir une robe chatoyante de reflets tuilés et acajou. Ici, un vin de soleil qui sent le schiste chaud, les fruits secs, le tabac miellé et la torréfaction du cacao. Un vin rond, empreint de douceur, marqué par la patine des foudres, qui évoque en finale le pruneau à l'eau-de-vie. Un vin fait pour durer, mais pourquoi attendre qu'il joue sa partition quand l'opéra est là ? ⧗ 2016-2026 🍴 opéra

⊶ *DOM. TAMBOUR, 2, rue Charles-de-Foucault, 66650 Banyuls-sur-Mer, tél. 04 68 88 12 48, domainetambour@gmail.com* V 🚶 ! *t.l.j. 10h-12h 14h-18h* ⊶ *Herre*

TERRES DES TEMPLIERS Rimage Prestige 2014 ★★

■	11166	⏸	30 à 50 €

Devenu Terres des Templiers, l'ancien Cellier des Templiers est une coopérative créée en 1921. Elle revendique l'héritage de cet ordre militaire à qui l'on doit la mise en valeur des pentes schisteuses de Banyuls. Aujourd'hui, la cave dispose des 1 200 ha de ses adhérents et, depuis la récolte 2011, du Mas Ventous, un vaste chai de vinification qui s'ajoute à la grande cave de 1964, réservée aux longs élevages. À sa carte, des collioures et des banyuls.

Dense, profonde, veloutée, la robe flirte avec le noir, frangée de pourpre. Le nez offre une superbe expression de fruits noirs mûrs, rehaussés d'une fine touche vanillée apportée par un séjour de dix mois en barriques neuves. Cette heureuse rencontre du grenache et du bois se poursuit en bouche, où se déploient tour à tour le fruit – les notes suaves du cassis et de la groseille confiturés – l'épice, la vanille, sur fond de tanins soyeux, chacun jouant sa partition. ⧗ 2016-2026 🍴 fromage de brebis

⊶ *TERRES DES TEMPLIERS, rte du Mas-Reig, 66650 Banyuls-sur-Mer, tél. 04 68 98 36 70, lreversat@templiers.com* V 🚶 ! *t.l.j. 10h-19h; f. janv.*

DOM. VIAL MAGNÈRES Rimage 2015 ★

■	2000	🍾	15 à 20 €

Bernard Saperas, œnologue et chimiste de formation, arrivé en 1985 sur le domaine de son beau-père, avait donné un bel élan à la propriété et à l'appellation: c'est à lui que l'on doit le banyuls blanc, l'engouement pour le rancio, la réussite du collioure blanc... et le chemin d'Anicet pour découvrir le cru. Après sa disparition en 2013, Olivier et Chrystel Saperas sont les porteurs de mémoire et les garants de l'avenir.

La couleur rouge sombre trahit la grande jeunesse de ce rimage. Une jeunesse que l'on retrouve dans sa fraîcheur aromatique, même si le vin, un peu timide, envoie en éclaireurs des arômes de sous-bois et de violette avant d'offrir un fruité solaire. La douceur de la cerise, la fraîcheur du cassis, de beaux tanins encore jeunes, de la fougue et de la générosité, ce rimage a tout ce qu'il faut pour donner une bouteille dans sa plénitude d'ici un an ou deux. ⧗ 2017-2024 🍴 magret de canard aux cerises

⊶ DOM. VIAL MAGNÈRES, 14, rue Édouard-Herriot, 66650 Banyuls-sur-Mer, tél. 04 68 88 31 04, al.tragou@orange.fr V ⚐ ▪ *r.-v.* 🏠 5 *⊶ Saperas*

BANYULS GRAND CRU

DOMINICAIN Vieilli en fût de chêne 2008

■ | 12000 | ⦀ | 11 à 15 €

Face au château royal de Collioure, cette coopérative est installée depuis sa fondation (1926) dans l'ancienne église du couvent des Dominicains, sécularisé à la Révolution. Ce monument du XIIIᵉs. abrite de vieux foudres qui créent une atmosphère particulière. La cave vinifie 120 ha situés sur le terroir de la commune.

Ce beau brun aux reflets tuilés charme par une présence aromatique douce, où le poivre blanc équilibre la douceur d'un grenache à maturité et sa note de cerise au kirsch; le café est également de sortie. La bouche s'exprime sur les fruits secs et la torréfaction, qui prend en finale des accents chocolatés. Un grand cru d'une belle présence, campé sur des tanins qui lui permettront d'affronter les années. ⧗ 2016-2026 🍴 foie gras aux figues

⊶ CAVE COOP. DE COLLIOURE, pl. Orfila, 66190 Collioure, tél. 04 68 82 05 63, contact@dominicain.com V ⚐ ▪ *r.-v.*

CELLIER DES TEMPLIERS Président Henri Vidal 2004 ★★

■ | 30000 | ⦀ | 30 à 50 €

Devenu Terres des Templiers, l'ancien Cellier des Templiers est une coopérative créée en 1921. Elle revendique l'héritage de cet ordre militaire à qui l'on doit la mise en valeur des pentes schisteuses de Banyuls. Aujourd'hui, la cave dispose des 1 200 ha de ses adhérents et, depuis la récolte 2011, du Mas Ventous, un vaste chai de vinification qui s'ajoute à la grande cave de 1964, réservée aux longs élevages. À sa carte, des collioures et des banyuls.

Une cuvée de la cave très en vue, qui a décroché plus d'un coup de cœur. Après huit ans d'élevage en foudre et en demi-muid, le grenache noir issu de très vieilles vignes en terrasse est mis au repos en bouteille. Ce millésime attendait de se présenter depuis 2013. Il apparaît dans une superbe robe dépouillée de sa couleur, aux tons cuivrés, et libère des senteurs intenses de laurier, d'agrumes confits, de vanille et de noix. La torréfaction et la note rancio s'épanouissent dans une bouche puissante et souple, qui finit sur une note de pruneau à l'armagnac. ⧗ 2016-2040 🍴 fondant au chocolat cœur d'orange ■ **La Serra 2007** ★ **(15 à 20 €; 86490 b.)** : ce grand cru intéresse par ses notes encore jeunes de cerise et par sa bouche marquée par des arômes de cacao qui appellent le chocolat. ⧗ 2016-2026 🍴 magret de canard sauce chocolat

⊶ TERRES DES TEMPLIERS, rte du Mas-Reig, 66650 Banyuls-sur-Mer, tél. 04 68 98 36 70, lreversat@templiers.com V ⚐ ▪ *t.l.j. 10h-19h; f. janv.*

RIVESALTES

Superficie : 5 180 ha
Production : 107 930 hl (55 % blanc)

Longtemps, rivesaltes fut la plus importante des appellations des vins doux naturels: elle couvrait 14 000 ha et produisait 264 000 hl en 1995. Puis la crise a frappé et après un Plan rivesaltes qui a permis la reconversion d'une partie de ce vignoble, la production de cette appellation se rapproche désormais en volume de celle du muscat-de-rivesaltes. Le terroir du rivesaltes s'étend en Roussillon et dans une toute petite partie des Corbières, sur des sols pauvres, secs, chauds, favorisant une excellente maturation. Quatre cépages sont autorisés: grenache, macabeu, malvoisie et muscat, les deux premiers étant largement dominants. La vinification se fait en blanc et en rouge. Les rivesaltes rouges proviennent principalement du grenache noir ; ce cépage subit alors souvent une macération, afin de donner le maximum de couleur et de tanins.
L'élevage des rivesaltes est fondamental pour la détermination de la qualité. Les blancs donnent les ambrés, et les rouges les tuilés, au terme de deux ans ou plus d'élevage. Selon l'élevage, en cuve ou dans le bois, ils développent des arômes bien différents. Le bouquet rappelle la torréfaction, les fruits secs, avec une note de rancio dans les vins les plus évolués. Certains rivesaltes rouges ne subissent pas d'élevage et sont mis très jeunes en bouteilles. Ce sont les grenats, caractérisés par des arômes de fruits frais: cerise, cassis, mûre. Les derniers cahiers des charges autorisent les rivesaltes rosés.

GÉRARD BERTRAND Legend Vintage 1974 ★

■ | n.c. | ⦀ | + de 100 €

Enfant des Corbières, Gérard Bertrand est un important propriétaire et négociant du sud de la France, dont les cuvées apparaissent dans le Guide sous diverses AOC (corbières, fitou, minervois, languedoc, côtes-du-roussillon...) et en IGP.

Le temps joue avec la couleur et on se pose la question: rouge ou blanc à l'origine? Surprenant, c'était rouge! Mais qu'importe la couleur, pourvu que les sens soient charmés, et le plaisir est bien là, lorsque l'on hume dans le verre ces senteurs de vanille et de poivre, le grillé de l'amande, la fine amertume du pignon, la douceur croquante des fruits confits. Le voyage aromatique se poursuit dans une bouche onctueuse où la torréfaction s'invite et s'impose, avant une finale sur le rancio. Un vin impressionnant par sa longévité... et qui est loin d'avoir terminé sa course. ⧗ 2016-2026 🍴 roquefort

⊶ GÉRARD BERTRAND, Ch. l'Hospitalet, rte de Narbonne-Plage, 11100 Narbonne, tél. 04 68 45 54 45, vins@gerard-bertrand.com V ⚐ ▪ *t.l.j. 9h-19h*

Ⓑ BERTRAND-BERGÉ Tuilé Ma-ga 2013

■ | 800 | ⦀ | 15 à 20 €

À l'instar de son aïeul Jean Sirven, qui vinifiait son vin à la fin du XIXᵉs., Jérôme Bertrand a quitté la coopérative en 1993 pour élaborer ses propres cuvées.

Il a cru très tôt dans la qualité des terroirs rudes de Fitou, élevé et valorisé les vins du cru, puis hissé son domaine (36 ha) parmi les grands. Depuis la récolte 2011, le domaine est conduit en bio certifié.

Valeur sûre en fitou, Jérôme Bertrand s'y entend aussi en douceurs roussillonaises. La robe encore très profonde de ce tuilé, couleur d'encre, reflète un élevage de type «vintage» et la recherche d'une faible oxydation lors du passage sous bois (ici, dix-huit mois), puis une mise rapide en bouteilles. Il en résulte un vin d'une belle longueur, puissant, généreux, structuré, où les petits fruits acidulés perçus au nez fondent et s'épanouissent en bouche, sur des notes de quetsche et de cerise vanillée, avec un soupçon de prune à l'eau-de-vie. ⧗ 2016-2023 🍷 moelleux au chocolat et à la cerise

⊶ DOM. BERTRAND-BERGÉ, 38, av. du Roussillon, 11350 Paziols, tél. 04 68 45 41 73, bertrand-berge@wanadoo.fr V ⚐ ▮ *t.l.j. 9h-12h 14h-18h* 🏠 ⑧

DOM. BOBÉ Ambré Hors d'âge 1997

■ | 2000 | ◍ ▮ | 5 à 8 €

Robert Vila, représentant la troisième génération, est établi depuis 1986 tout près de Perpignan sur les terrasses caillouteuses de la Têt. Il conduit un vignoble de 45 ha.

Le jury a apprécié la complexité aromatique de ce rivesaltes clair aux reflets orangés: épices, amande grillée, touches de noix, écorce d'agrumes, abricot sec. La bouche généreuse prend des airs exotiques avec ses notes de rhum, revient sur la note grillée et la douce amertume des cafés Caturra, puis se fond dans un début de rancio. On pourra servir ce rivesaltes au dessert ou le déguster pour lui-même, comme un digestif. Les amateurs l'accompagneront d'un cigare Montecristo ou Cohibas. (bouteilles de 50 cl.) ⧗ 2016-2023 🍷 tarte à l'orange et aux amandes

⊶ ROBERT VILA, Mas de la Garrigue, 5, chem. de Baixas, 66240 Saint-Estève, tél. 06 11 35 47 94, robert.vila@wanadoo.fr V ▮ *lun. mer. ven. 14h30-18h30*

CH. DE CALADROY Grenat 2007 ★★

■ | 2500 | ▮ | 8 à 11 €

Une forteresse médiévale qui gardait la frontière entre le royaume de France et celui d'Espagne. De la terrasse du château, on découvre un panorama exceptionnel: au loin, la mer, le Canigou; en contrebas, les vignes (130 ha) et les oliviers (7 ha). Une chapelle du XIIes. accueille le caveau de dégustation.

Le Château de Caladroy a présenté cette année, à partir du même grenache noir, deux versions du rivesaltes, qui ont fait jeu égal à un très haut niveau: un tuilé et ce grenat élevé en bouteille à l'abri de l'air (en milieu réducteur) presque neuf ans. La couleur est profonde, les senteurs mêlent le pruneau à la note torréfiée et fruitée des cafés d'altitude. En bouche, ce 2007 apparaît frais et fondu, offrant un excellent équilibre entre ses arômes concentrés, doux et suaves de coulis de fruits et de superbes tanins bien enrobés. ⧗ 2016-2026 🍷 linzetorte (tarte aux framboises) ■ Tuilé Grande Réserve ★★ (8 à 11 €; 10000 b.) : élevé en barrique, ce rivesaltes a pris des tons acajou; la mûre s'est faite confiturée, nappée de cacao et alliée à la figue, aux épices, au sein d'une matière fondue qui tire sa rondeur d'un élevage oxydatif. ⧗ 2016-2026 🍷 melon

⊶ SCEA CH. DE CALADROY, 66720 Bélesta, tél. 04 68 57 10 25, chateau.caladroy@wanadoo.fr V ▮ *t.l.j. sf sam. dim. 8h30-12h 14h-18h ⊶ Mezerette*

Ⓑ DOM. CAZES Grenat 2014 ★

■ | 9000 | | 8 à 11 €

Fondation en 1895, premières mises en bouteilles en 1955 et une croissance continue. Aujourd'hui, un domaine de 220 ha entièrement conduit en biodynamie depuis 2005, complété par une activité de négoce. À sa carte, toutes les AOC du Roussillon, des IGP, tous les styles de vin. Dans le giron du groupe Advini depuis 2004.

Une longue macération permet d'extraire le maximum des composés du raisin. Ici, on lui doit le regard noir andalou de ce grenat, ses senteurs profondes de sous-bois, de violette, de cerise très mûre et cette bouche d'un beau volume, soutenue par des tanins à la fois solides et veloutés, qui se portent garants de la longévité de cette bouteille. Encore jeune, ce vin ample, généreux et tout en fruits pourra accompagner le repas de l'apéritif au dessert (au chocolat ou aux fruits rouges). ⧗ 2016-2026 🍷 canard aux cerises

⊶ SCEA CAZES, 4, rue Francisco-Ferrer, 66600 Rivesaltes, tél. 04 68 64 08 26, info@cazes.com V ⚐ ▮ *r.-v.* 🏠 ⑤

DOM. DEPRADE JORDA Tuilé 2010 ★★

■ | 2000 | ◍ | 8 à 11 €

Domaine constitué en 1920 dans les Albères. Thomas Deprade est l'œnologue et le commercial, François est au vignoble. Toute la famille, parents compris, est mobilisée pour faire vivre cette vaste propriété (90 ha) dont toute la production s'écoule en vente directe – en bouteilles et en petit vrac.

Le brun tuilé de la robe est limpide, brillant, avenant. Six ans d'élevage sous bois en milieu oxydatif ont suffi pour que la cerise croquante, juste cueillie, cède le pas à la torréfaction, aux fruits secs (abricot), alliés à une pointe de noix. De frais arômes de liqueur de verveine, de zeste d'agrumes et de suaves nuances de fleur miellée viennent compléter le tableau dans un palais équilibré, fondu, aux tanins enrobés. Pour trouver un partenaire gastronomique, on pourra miser sur les contraste avec des préparations aux agrumes ou trouver un accord plus ton sur ton en jouant par exemple sur les fruits secs. ⧗ 2016-2026 🍷 tarte au chocolat et aux noix

⊶ DOM. DEPRADE JORDA, 98, Rte Nationale, 66700 Argelès-sur-Mer, tél. 04 68 81 10 29, domainedepradejorda@free.fr V ⚐ ▮ *t.l.j. 8h30-12h 16h-19h*

DOM. DEVEZA Grenat 2013 ★★

■ | 2300 | ▮ | 11 à 15 €

Domaine implanté sur des schistes, gneiss et argilo-calcaires au cœur de la vallée de l'Agly, à Montner, Latour de France, Tautavel et Maury. Fille et petite-fille de coopérateurs, Chantal Deveza a créé en 2008 une cave avec son mari Jean-Michel et leur fils Jordan. La famille a aussi engagé la conversion bio de

son vignoble (25 ha) et propose des visites œnotouristiques.

Le grenache noir muté sur grain (l'alcool est ajouté sur le raisin en pleine fermentation) engendre des vins au profil semblable à celui-ci. Il donne une robe profonde, grenat soutenu, et apporte toute la rondeur croquante de son fruit, rehaussée par la fraîcheur de l'eau-de-vie de prune. La bouche est suave et franche en attaque, puis le vin prend place, porté par des tanins soyeux, offre des arômes mêlant sucrosité et fraîcheur - une corbeille de fruits rouges rehaussée de poivre - et revient en finale rappeler le sous-bois. Construit pour durer, ce grenat n'aura pas peur d'un chocolat à 80 % de cacao. ⧗ 2016-2026 ¥ moelleux au chocolat amer

⊶ DEVEZA, 8, rue Pierre-Mendès-France, 66310 Estagel, tél. 04 68 29 15 60, domainedeveza@orange.fr V *t.l.j. 8h-12h 13h-19h*

DOM BRIAL Ambré 2009 ★

■	30600	◍	8 à 11 €

Suivi à la parcelle, maîtrise de la totalité de la chaîne d'élaboration, du raisin à la bouteille, démarche de développement durable... La cave de Baixas, fondée en 1923, compte aujourd'hui 350 coopérateurs qui exploitent 2 200 ha répartis sur une trentaine de communes. Elle est aussi la première productrice de muscat-de-rivesaltes. Une valeur sûre.

Dans la série des millésimes se terminant par 9, la cave remonte jusqu'en 1959. Elle nous a présenté son petit dernier dans sa plus belle tenue d'ambre et d'or. Un 2009 qui offre, autour des notes empyreumatiques, les nuances de cire et miel des foudres et barriques et un subtil cocktail des fruits secs (abricot, noix de cajou) entraînant dans la ronde la fraîcheur de l'orange amère. De la finesse en bouche, du fondu et un équilibre remarqué. ⧗ 2016-2026 ¥ foie gras aux abricots ■ **Ambré Grande Réserve 1999 ★ (20 à 30 €; 29000 b.)** : au nez, des fruits mûrs, des fruits secs, des épices douces; en bouche, une texture fondue et élégante et toujours des arômes de fruits secs, avec des notes de confiture et de noisette grillée, une finale boisée. De la finesse et de la complexité. ⧗ 2016-2024 ¥ roquefort

⊶ VIGNOBLES DOM BRIAL, 14, av. Mal-Joffre, 66390 Baixas, tél. 04 68 64 22 37, contact@dom-brial.com V *r.-v.*

CH. L'ESPARROU Ambré 2009 ★

■	15000	◍	11 à 15 €

Construit à la fin du XIXe s. par l'architecte danois Petersen, comme ceux de Rey, de Valmy et d'Aubiry, un château noyé dans son parc, à deux pas des plages et de l'étang de Canet. Le vignoble (66 ha) occupe la pointe avancée d'un plateau viticole de galets roulés de haute expression. Longtemps propriété de la famille Rendu, il a été acquis en 2012 par Jean-Michel Bonfils, dont la famille détient de nombreux vignobles en Languedoc et jusqu'en Bordelais.

Dans le verre, l'ambre se nuance d'étonnants reflets roses qui incitent à la découverte. On y respire les senteurs de fleurs jaunes miellées et de fruits surmûris apportées par le grenache doré au soleil sur les terrasses de galets roulés, accompagnées du boisé de l'élevage aux nuances grillées et toastées. Un soupçon d'orange confite et une pointe épicée de cannelle s'invitent dans une bouche ronde, dominée par la douceur tout en étant très structurée et fort élégante. Pour le fromage (bleu) ou le dessert. ⧗ 2016-2026 ¥ sorbet à la pêche

⊶ SCEA CH. L' ESPARROU, 66140 Canet-en-Roussillon, tél. 04 68 73 30 93, esparrou@hotmail.com V *t.l.j. 9h30-12h30 15h-18h ⊶ Bonfils*

♥ HAUTE COUTUME Ambré 1966 ★★★

■	2650	◍	50 à 75 €

En 1964, une poignée de vignerons s'unissent parce qu'ils sont convaincus que «le groupe est meilleur que le meilleur du groupe». Aujourd'hui, les Vignerons catalans rassemblent neuf caves coopératives, 2 500 adhérents et une quarantaine de caves privées, soit plus de 10 000 ha. Un poids lourd du Roussillon viticole.

Dans la gamme Haute Coutume, dédiée par les Vignerons catalans aux millésimes rares, quatre vieux rivesaltes ont été appréciés, le clou étant ce 1966. Après un demi-siècle à l'ombre des caves, ce millésime, qui fut blanc, affiche une robe ambré lumineux moirée de reflets roux. Le nez est une merveille, entre fruits confiturés et fruits secs, noisette toastée en tête. Quant à la bouche, elle s'impose par son ampleur, son élégance, sa finesse et par sa palette aromatique complexe et envoûtante: agrumes, tabac blond, note maltée de vieux whisky. Un grand vin qui force le respect, et qui procure un grand plaisir, tout simplement. ⧗ 2016-2026 ¥ roquefort ■ **Ambré 1996 ★★ (20 à 30 €; 12000 b.)** : un nez intense et complexe (fruits confits, fruits secs, pointe de noix, eau-de-vie, épices, vieux foudres...), une bouche à la fois ronde et fraîche, d'une longueur infinie, aux tons de rancio. ⧗ 2016-2026 ¥ fondant aux noix ■ **Ambré 1987 ★ (20 à 30 €; 3300 b.)** : ambré aux reflets verts, il mêle au nez le miel et un boisé fumé à des notes de rancio (noix). S'y ajoutent des notes de torréfaction très marquées qui se prolongent dans une bouche onctueuse et persistante. ⧗ 2016-2024 ¥ parfait au café ■ **Ambré 1976 (30 à 50 €; 6250 b.)** : vin cité.

⊶ VIGNERONS CATALANS, 1870, av. Julien-Panchot, BP 29000, 66962 Perpignan , tél. 04 68 85 04 51, contact@vigneronscatalans.com

CH. DES HOSPICES
Ambré Hors d'âge Petite Vermeille ★

■	3000	◍	11 à 15 €

Depuis cinq générations, la famille Benassis est installée au cœur de Canet-en-Roussillon. La cave est abritée dans une bâtisse traditionnelle catalane datant de 1836. Le vignoble (50 ha) est situé sur les terrasses de galets roulés entre le littoral et la ville de Perpignan. Aujourd'hui, trois générations offi-

ROUSSILLON

cient sur le domaine: Louis, le grand-père, Michel, le père, et Marc, le petit-fils ingénieur agronome.

Cet ambré montre des reflets cuivrés qui trahissent la présence d'une part de grenache noir (30 %) dans ce vin issu d'une solera. Complexe au nez, il joue sur l'abricot sec, les agrumes confits, rehaussés des notes épicées de la barrique. La palette s'enrichit d'arômes de fruits secs, de café et de tabac miellé dans un palais souple, rond, bien équilibré par une belle fraîcheur. Apéritif, cuisine exotique épicée ou chocolat, vous avez le choix. ⧗ 2016-2026 Ƴ fondant au chocolat ■ **Grenat Grain de velours 2013 (8 à 11 €; 2000 b.)** : vin cité.

⊶ CH. DES HOSPICES DE CANET, 6, imp. du Corps-de-Garde, 66140 Canet-en-Roussillon, tél. 06 63 02 46 00, contact@chateau-des-hospices.fr V ⚑ ▪ t.l.j. sf dim. 9h-12h 15h-18h ⌂ G ⊶ Benassis

Ⓑ MAS PEYRE La Rage du soleil 2014 ★

■ | 2000 | ▮ | 11 à 15 €

La famille Bourrel a constitué son domaine en 1988. Elle a quitté la coopérative en 2003 pour créer sa cave. À l'arrivée de Baptiste, le fils aîné, en 2009, elle a engagé la conversion bio du vignoble, 35 ha plantés sur les terroirs de schistes de la vallée des Fenouillèdes. Le jeune frère, César, gère la commercialisation.

Le rivesaltes existe aujourd'hui en version «rosé» (ici du grenache noir). On servira bien frais, frappé même, ce vin très souple à la robe rose pâle aux reflets gris. Un rosé plein de vie, alerte, aux senteurs de groseille, offrant aussi le côté tendre et la sucrosité du grenache, son fruité et cette finale subtilement réglissée. Apéritif suivi de tapas avant une crème catalane, on vous a fait le menu qui vous rappellera les vacances. ⧗ 2016-2019 Ƴ poivrons rouges marinés

⊶ MAS PEYRE, 39, av. du Gal-de-Gaulle, 66220 Saint-Paul-de-Fenouillet, tél. 06 18 70 62 24, maspeyre@orange.fr V ⚑ ▪ r.-v. ⌂ 2 ⊶ Bourrel

DOM. MOUNIÉ Tuilé Roc de l'amor 2003 ★★★

■ | 3000 | ◍ | 15 à 20 €

Une cave construite en 1925 et cinq générations de vigneronnes: le domaine, très régulier en qualité, se transmet de mère en fille. Depuis 1992, il est dirigé par Claude Rigaill, assistée de l'œnologue Brigitte Soriano. Un travail de restructuration des parcelles a été mené sur les 20 ha de l'exploitation. En janvier 2016, Raymond Hage est devenu propriétaire de l'exploitation.

Sur les terres de Tautavel, le grenache est roi, que ce soit pour les vins secs ou pour les vins doux bien élevés, comme ce 2003 qui, après douze ans de futaille, s'habille d'un tuilé profond. L'évolution est superbe, entre pruneau à l'eau-de-vie, cerise «près du noyau» nappée de chocolat, odeur douce des vieux foudres... Un vin ample, tout en rondeur, aux tanins patinés, étonnant de fraîcheur, marqué par une pointe rancio qui prolonge le plaisir. Fait pour durer. ⧗ 2016-2030 Ƴ roquefort

⊶ DOM. MOUNIÉ, 1, av. du Verdouble, 66720 Tautavel, tél. 04 68 29 12 31, domainevalderay@gmail.com V ⚑ ▪ r.-v. ⊶ Raymond Hage

DOM. DE RANCY Ambré Le temps d'un oubli

■ | 10000 | 11 à 15 €

Brigitte et Jean-Hubert Verdaguer conduisent depuis 1989 le domaine familial (17 ha, aujourd'hui en bio) installé au cœur du village de Latour-de-France. Depuis sa fondation en 1920, cette propriété s'intéresse aux vins doux naturels longuement élevés sous bois, notamment aux rivesaltes, même si au tournant de ce siècle, elle s'est lancée dans l'élaboration de vins secs, en AOC ou en IGP. Autre cheval de bataille des vignerons, le rancio sec, en IGP.

L'ambré soutenu de la robe laisse percevoir quelques reflets olivâtres, qui annoncent un côté rancio. Ce dernier n'est pas perceptible au nez qui s'ouvre sur les fruits secs, le poivre blanc, l'acacia et des notes léguées par la fûtaille, évoquant la vanille et la cire d'abeille. Il apparaît en finale ce rancio qui perdure pour empêcher l'oubli... La bouche est fondue, empyreumatique, sur des notes de fumée et de café; on y retrouve les fruits secs, prélude à la note rancio de la noix. ⧗ 2016-2026 Ƴ poire au roquefort

⊶ DOM. DE RANCY, Brigitte et Jean-Hubert Verdaguer, 8, place du 8-mai-1945, 66720 Latour-de-France, tél. 04 68 29 03 47, info@domaine-rancy.com V ⚑ ▪ r.-v. ⌂ E

RENO Hors d'âge Vieilli en fût de chêne 1997 ★★★

■ | 1500 | ◍ ▮ | 11 à 15 €

Fondée en 1948, cette exploitation est conduite depuis 1998 par la troisième génération: Anne et Frédéric Capdet, respectivement œnologue et viticulteur. Elle a son siège à l'entrée de Collioure, à deux pas de la mer, et son vignoble de 46 ha s'étage en terrasses. Les visiteurs peuvent voir son parc de 400 bonbonnes où le banyuls mûrit au soleil pendant trois ans.

Dans la grande tradition des «cuvées» de vins doux naturels, voici toute la noblesse d'un «assemblage» de cuvées dont la moyenne d'âge doit flirter avec les vingt ans! Le temps a œuvré pour enrichir l'expression aromatique de ce tuilé aux reflets d'or: on hume dans le verre le zeste d'orange, la figue, les fruits cuits, le tabac brun, la senteur chaude des cistes, le pruneau à l'armagnac. La fraîcheur de l'alcool est équilibrée par la sucrosité des grenaches; les tanins soyeux, fondus, jouent avec la note enrobée du boisé. L'ensemble est ample, généreux et, pour continuer le plaisir, délicatement rancio. ⧗ 2016-2026 Ƴ moelleux au chocolat et aux noix

⊶ EARL CAPDET ET FILS, Dom. Reno, D 114, Les Hauts-de-l'Ouille, 66190 Collioure, tél. 04 68 81 12 65, domainereno@orange.fr V ⚑ ▪ t.l.j. 9h30-12h30 14h-18h

CH. DE REY Ambré Amb Rey 2011 ★

■ | 1400 | ◍ | 11 à 15 €

Dominant la Grande Bleue et les étangs, le château de Rey, fondé en 1875, déroule ses 36 ha sur les galets et les sables de la «haute» terrasse de l'Agly culminant à... 15 m. Un château très «fin XIXe s.» à la tour élancée, des gîtes à 5 mn des plages. Aux commandes depuis 1996, Cathy et Philippe Sisqueille, héritiers de quatre générations de vignerons.

Un ambré doré, qui s'exprime d'emblée. La barrique – où le vin est resté trois ans – parle de vanille, le grenache blanc d'agrumes, de fruits secs (amande), de fleurs miellées et d'abricot. La bouche est délicate, bien équilibrée. On y retrouve la douceur miellée et vanillée, contrebalancée par une belle fraîcheur et, en finale, par une noble pointe d'amertume évoquant le zeste d'orange amère. ⧗ 2016-2026 🍷 tarte à l'orange ■ **Tuilé Le Chouchou 2007 (11 à 15 €; 4000 b.)** : vin cité.

CATHY ET PHILIPPE SISQUEILLE, Ch. de Rey, rte de Saint-Nazaire, 66140 Canet-en-Roussillon, tél. 04 68 73 86 27, contact@chateauderey.com V *t.l.j. sf dim. 10h-12h 15h-18h*

CH. ROMBEAU Ambré 2005

■ | 2500 | | 5 à 8 €

Le domaine de Rombeau est dans la famille depuis des siècles. Vigneron médiatique, restaurateur et hôtelier, Pierre-Henri de La Fabrègue lui a donné un bel éclat. Des 114 ha de l'exploitation, dont 26 ha en bio, naissent des muscat-de-rivesaltes, des rivesaltes et des vins secs, en AOC et en IGP. Une production bien connue des lecteurs du Guide.

Un élevage mixte en cuve et en barrique apporte une belle complexité à cet assemblage de grenaches (gris et blanc) et de macabeu. Le bel or ambré de la robe et la richesse de la palette aromatique (fruits secs, agrumes, fruits confits et notes empyreumatiques) appellent la curiosité. En bouche, les fruits secs l'emportent, entre amande grillée et figue sèche; l'équilibre est agréable entre douceur et fraîcheur, la finale savoureuse et persistante. Un ambré qui pourra accompagner tout un repas. ⧗ 2016-2021 🍷 crème brûlée

DOM. DE ROMBEAU, 2, av. de la Salanque, 66600 Rivesaltes, tél. 04 68 64 35 35, domainederombeau@gmail.com V *t.l.j. 8h-22h* *de La Fabrègue*

DOM. SARDA-MALET Grenat La Carbasse 2010 ★★

■ | 2000 | | 20 à 30 €

« On devrait construire les villes à la campagne, l'air y est plus pur. » Cette citation d'Alphonse Allais est en passe de se réaliser tant la ville de Perpignan pousse aux portes du domaine. Un havre de paix avec une vue splendide sur le Canigou. Jérôme Sarda hérite des premières vignes, exploitées aujourd'hui par son petit-fils Jérôme Malet. Certification bio en 2013.

Le rivesaltes grenat élaboré en longue macération rappelle le porto vintage par ses capacités de garde. Déjà sept ans, et ce 2010 affiche toujours ce grenat profond à peine marqué de discrets reflets dorés. Il s'ouvre lentement sur des notes toastées, puis déchaîne une joyeuse mêlée de senteurs: fève de cacao, eau-de-vie de prune, torréfaction, fruits noirs confiturés, un plaisir. Dans une belle continuité avec le nez, la bouche est, elle aussi, explosive: la cerise mûre à souhait se nappe de cacao vanillé; douceur et fraîcheur s'équilibrent et accompagnent un superbe grain de tanins appelant chocolat, café et cigare. ⧗ 2016-2026 🍷 mousse au chocolat amer

DOM. SARDA-MALET, Mas Saint-Michel, chem. de Sainte-Barbe, 66000 Perpignan, tél. 04 68 56 72 38, sardamalet@orange.fr V *r.-v.*

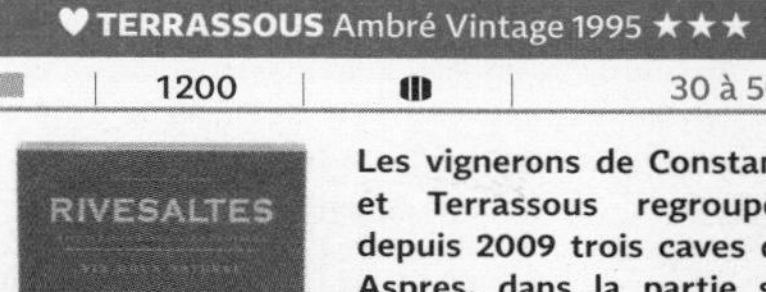

♥ TERRASSOUS Ambré Vintage 1995 ★★★

■ | 1200 | | 30 à 50 €

Les vignerons de Constance et Terrassous regroupent depuis 2009 trois caves des Aspres, dans la partie sud du Roussillon: 70 adhérents pour 700 ha de vignes. Un ensemble de collines et de terrasses au pied du Canigou, lequel apporte avec ses schistes une palette supplémentaire de terroirs. La cave commercialise en tirage limité toute une gamme de splendides vins doux naturels, du six ans d'âge aux millésimes anciens.

Que faisiez-vous il y a vingt ans? Lui, juste cueilli, commençait après la fermentation le long élevage qui lui permet aujourd'hui de s'offrir à vous, limpide et brillant, auréolé d'or. La surprise, c'est cette présence aromatique qui allie à merveille contenant et contenu, vin et barrique, dans une palette complexe, tout en nuances, qui déploie tour à tour des parfums frais de mandarine, des notes gourmandes de pain d'épice et de fruits confits, des arômes de grillé, de café et de figue sèche et de miel. Tout y est, dans un superbe équilibre que vient surprendre en finale une heureuse touche de rancio. Envoûtant. ⧗ 2016-2030 🍷 moelleux au chocolat

SCV LES VIGNOBLES DE CONSTANCE ET DU TERRASSOUS, 46, av. des Corbières, 66300 Terrats, tél. 04 68 53 02 50, contact@terrassous.com V *t.l.j. sf dim. 9h-12h 14h-18h30*

LE TRÉSOR DE VALMY Ambré Hors d'âge ★★

■ | 2000 | | 30 à 50 €

Au pied des Albères, le château Valmy, construit en 1888 par l'architecte danois Viggo Dorph Petersen, est entouré de 24 ha de vignes. En 1998, Bernard Carbonnell et son épouse Martine ont fait renaître le vignoble et ses vins (réguliers en qualité), mais aussi le château en créant des chambres d'hôtes de luxe, complétées en 2014 par le restaurant *La Table de Valmy*, un projet conduit par les filles des propriétaires, Anaïs et Clara. Sous le nom de Terra Nobilis, le domaine a créé en 2015 une structure de négoce-éleveur.

Le maître mot est élégance. Voilà un vin fin, original, où un rien de muscat (5 %) apporte finesse et fraîcheur au travers de notes de zeste de citron et d'une touche mentholée. Pour le reste, on peut se fier au grenache blanc qui apporte sa rondeur, cette force tranquille qui donne l'assise du vin, et laisse le muscat jouer sa partition. Un vin à la fois très présent et souple, riche et suave, solide et frais. Du plaisir pour aujourd'hui et pour demain. (bouteilles de 50 cl) ⧗ 2016-2030 🍷 poire au roquefort

SARL LES VINS DE VALMY, chem. de Valmy, 66700 Argelès-sur-Mer, tél. 04 68 81 25 70, contact@chateau-valmy.com V *r.-v.* *Carbonnell*

ROUSSILLON

ARNAUD DE VILLENEUVE Grenat Tradition 2014

■ | n.c. | 8 à 11 €

Résultant de la fusion de trois caves, cette coopérative porte le nom de l'inventeur des vins doux naturels, Arnaud de Villeneuve. Elle rassemble 350 viticulteurs de Salses, de Rivesaltes et de Pézilla-la-Rivière, qui cultivent quelque 2 500 ha de vignes.

L'objectif ici n'est pas d'élaborer un produit de longue garde, mais de mettre en bouteille au plus tôt toute la fraîcheur et la jeunesse du vin dès la fin de fermentation. Pari réussi avec ce grenat à la robe d'un rubis lumineux, alliant la fraîcheur des petits fruits acides (cassis, airelle, fraise des bois) à la cerise, prélude à un palais à la fois souple et dynamique: un «vin plaisir» dans sa version VDN. ⌛ 2016-2020 ♈ soupe de fruits rouges

⊶ CAVE ARNAUD DE VILLENEUVE, 153, RD 900, 66600 Rivesaltes, tél. 04 68 64 06 63, contact@caveadv.com V ♿ ■ *t.l.j. 9h-12h 14h-18h*

MUSCAT-DE-RIVESALTES

Superficie : 5 221 ha / Production : 106 765 hl

Le muscat-de-rivesaltes peut provenir de l'ensemble du terroir des appellations rivesaltes, maury et banyuls. Les deux cépages autorisés sont le muscat à petits grains et le muscat d'Alexandrie. Le premier, souvent appelé muscat blanc ou muscat de Rivesaltes, est précoce et préfère les terrains relativement frais et calcaires. Le second, appelé aussi muscat romain, est plus tardif et très résistant à la sécheresse. La vinification s'opère soit par pressurage direct, soit avec une macération plus ou moins longue. La conservation se fait obligatoirement en milieu réducteur, pour éviter l'oxydation des arômes primaires. Avec 100 g/l minimum de sucres, les vins sont liquoreux. Ils sont à boire jeunes, à une température de 9 à 10 °C.

DOM. ARGUTI Ugo Muscat d'Ange 2015

■ | 600 | ▮ | 11 à 15 €

En 2004, Marie-Christine et Ugo Arguti ont posé leurs valises dans la vallée de l'Agly. Toscan d'origine, bordelais d'adoption, le second a longtemps dirigé un grand château à Saint-Émilion. Il signe désormais ses propres cuvées à partir de 7 ha de vignes.

Une robe brillante, jaune paille clair. À un premier nez léger succèdent des arômes de mangue, d'abricot mûr et d'agrumes confits. En bouche, l'équilibre dominé par l'onctuosité donne à ce muscat un caractère traditionnel: idéal au dessert. ⌛ 2016-2019 ♈ crème catalane

⊶ DOM. ARGUTI, 14, av. du 16-Août-1944, 66220 Saint-Paul-de-Fenouillet, tél. 06 73 85 17 93, domaine.arguti@orange.fr V ♿ ■ *r.-v.* ⌂ ② ⌂ Ⓑ

Ⓑ **DOM. BERTRAND-BERGÉ** 2015 ★★★

■ | 3700 | ▮ | 11 à 15 €

À l'instar de son aïeul Jean Sirven, qui vinifiait son vin à la fin du XIXᵉs., Jérôme Bertrand a quitté la coopérative en 1993 pour élaborer ses propres cuvées. Il a cru très tôt dans la qualité des terroirs rudes de Fitou, élevé et valorisé les vins du cru, puis hissé son domaine (36 ha) parmi les grands. Depuis la récolte 2011, le domaine est conduit en bio certifié.

D'un or jaune brillant, ce muscat, discret au premier nez, monte en puissance à l'aération, dévoilant d'intenses notes de raisin frais, de fruits exotiques (ananas), d'agrumes (citron vert, zeste de yuzu), alliées à des nuances de verveine et de thé. Un vin d'une réelle élégance, à la fois sobre et sophistiqué, que le jury associerait volontiers à de la cuisine asiatique ou plus classiquement à un dessert aux agrumes. ⌛ 2016-2020 ♈ gambas à la coriandre et au gingembre

⊶ DOM. BERTRAND-BERGÉ, 38, av. du Roussillon, 11350 Paziols, tél. 04 68 45 41 73, bertrand-berge@wanadoo.fr V ♿ ■ *t.l.j. 9h-12h 14h-18h* ⌂ Ⓑ

DOM. BOUDAU 2015 ★

■ | 25000 | 8 à 11 €

Véronique Boudau et son frère Pierre sont à la tête du domaine familial depuis 1993. Ils ont décidé de donner un nouveau souffle à la propriété, qui couvre quelque 50 ha sur d'excellents terroirs, à l'entrée de la vallée de l'Agly. Le pari est réussi: la totalité de la production est mise en bouteilles et commercialisée, notamment dans un réseau de restaurants et de cavistes. Une valeur sûre.

D'un jaune brillant aux reflets verts, ce muscat dévoile un nez intense et élégant de fruits exotiques, d'agrumes frais, de rose et de menthe. La bouche conjugue une belle ampleur et une fraîcheur acidulée soulignée par des arômes de citron et de fruit de la Passion: un très bel équilibre. ⌛ 2016-2019 ♈ sorbet mangue passion

⊶ DOM. BOUDAU, 6, rue Marceau, 66600 Rivesaltes, tél. 04 68 64 45 37, contact@domaineboudau.fr V ■ *t.l.j. sf dim. 10h-12h 15h-19h; sam. 10h-12h en hiver*

CH. DE CALADROY 2015 ★★

■ | 30000 | ▮ | 8 à 11 €

Une forteresse médiévale qui gardait la frontière entre le royaume de France et celui d'Espagne. De la terrasse du château, on découvre un panorama exceptionnel: au loin, la mer, le Canigou; en contrebas, les vignes (130 ha) et les oliviers (7 ha). Une chapelle du XIIᵉs. accueille le caveau de dégustation.

D'un jaune pâle brillant aux reflets verts, ce muscat libère des parfums variés et originaux: outre le citron, la fleur d'oranger, l'abricot et le menthol, des notes gourmandes de meringue et d'amande. Éclatant et frais en bouche, il dévoile également une belle liqueur. Il fera merveille avec les pâtisseries catalanes. ⌛ 2016-2020 ♈ bougnettes à la fleur d'oranger

⊶ SCEA CH. DE CALADROY, 66720 Bélesta, tél. 04 68 57 10 25, chateau.caladroy@wanadoo.fr V ■ *t.l.j. sf sam. dim. 8h30-12h 14h-18h ⊶ Mezerette*

♥ CH. DE CALCE 2015 ★★★

	3000		5 à 8 €

Au nord-ouest de Perpignan, sur la rive gauche de l'Agly, le village vigneron de Calce hésite entre schistes et calcaires, entre plaine et collines. En son sein, une forteresse médiévale. Fondée en 1932, la coopérative est forte des 213 ha de ses 35 adhérents. En mai, elle organise une journée portes ouvertes festive: «Les caves se rebiffent.»

Or clair brillant aux reflets verts, ce muscat sort d'emblée du lot par ses parfums d'une exceptionnelle intensité, alliant fraîcheur et complexité: on respire dans le verre les fruits à chair blanche (pêche, poire), les agrumes frais, les fruits exotiques (ananas, fruit de la Passion) et l'acacia. La bouche est tout aussi éclatante, savoureuse, parfaitement équilibrée avec sa note d'amertume qui ouvre l'appétit. Un vin superbe qui fera merveille avec un dessert fruité pas trop sucré. ⌛ 2016-2022 🍴 tarte à la rhubarbe

SCV LES VIGNERONS DU CH. DE CALCE, 8, rte d'Estagel, 66600 Calce, tél. 04 68 64 47 42, scvcalce@orange.fr V t.l.j. sf dim. 9h-12h 15h-18h; sam. 9h-12h

VIGNOBLES CAP LEUCATE Royal Muscat 2015

	13200		8 à 11 €

Créée en 1920, la coopérative de Leucate a fusionné avec plusieurs coopératives (Quintillan, Roquefort-des-Corbières, La Palme...). Un acteur incontournable du Fitou maritime, avec plus de 170 adhérents, 1 400 ha et un chai sorti de terre en 2010.

Un bon muscat classique, tant par sa robe vieil or que par son nez puissant aux nuances de miel, de cire d'abeille, de citron mûr, de rose et de fruits secs. La bouche, dans le droit fil, tend vers la suavité, équilibrée par une bonne fraîcheur en attaque. ⌛ 2016-2019 🍴 tarte aux poires

VIGNOBLES CAP LEUCATE, chai La Prade, 11370 Leucate, tél. 04 68 33 20 41, contact@cave-leucate.com V t.l.j. sf sam. dim. 9h-12h 14h-17h

Ⓑ CAZES 2013 ★★

	25000	8 à 11 €

Fondation en 1895, premières mises en bouteilles en 1955 et une croissance continue. Aujourd'hui, un domaine de 220 ha entièrement conduit en biodynamie depuis 2005, complété par une activité de négoce. À sa carte, toutes les AOC du Roussillon, des IGP, tous les styles de vin. Dans le giron du groupe Advini depuis 2004.

Selon sa tradition, la maison Cazes propose un muscat élégamment évolué. Un 2013 à la robe scintillante, d'un bel or jaune. La palette aromatique, très complexe, allie notes fraîches (pêche blanche, fruits exotiques...), parfums de fruits surmûris (abricot) et confits (orange), ainsi qu'une touche de vanille. Onctueuse sans lourdeur, la bouche offre une finale puissante et suave. ⌛ 2016-2023 🍴 foie gras et pain d'épice

SCEA CAZES, 4, rue Francisco-Ferrer, 66600 Rivesaltes, tél. 04 68 64 08 26, info@cazes.com V r.-v. 5

CH. CHAMP DES SŒURS 2015

	1000		11 à 15 €

Domaine de 15 ha situé dans la zone maritime de Fitou. Aux commandes, Laurent Maynadier, quatorzième génération de viticulteurs du cru, et Marie Valette, œnologue. Premières bouteilles en 1999.

Or pâle aux reflets verts, ce muscat délivre des parfums intenses d'agrumes frais, de fleurs blanches et de miel, assortis de nuances végétales (menthe, buis). La bouche, elle, offre un caractère liquoreux et soyeux. ⌛ 2016-2019 🍴 tarte bourdaloue

LAURENT MAYNADIER, 19, av. des Corbières, 11510 Fitou, tél. 04 68 45 66 74, laurent.maynadier@orange.fr V r.-v.

DOM. DE LA COUME DU ROY 2014 ★★

	4500		11 à 15 €

Créé en 1850, l'un des plus anciens domaines de Maury, dans la vallée de l'Agly, précurseur de la vente en bouteilles, sous la marque Maury doré (déposée en 1932). Agnès de Volontat-Bachelet exploite avec son époux Jean-François 25 ha et propose des vins secs et des vins doux naturels où le grenache est en vedette. À sa carte, de très vieux maury vinifiés par l'arrière-grand-père. Une valeur sûre.

D'un or pâle brillant aux reflets verts, ce muscat s'annonce par un bouquet tout en finesse aux nuances de mangue, de fleurs blanches, d'iris et de buis. La bouche conserve cette élégance, dévoilant un remarquable équilibre entre fraîcheur et liqueur. Une réelle harmonie. ⌛ 2016-2020 🍴 mousse aux fruits exotiques

LA COUME DU ROY, 13, rte de Cucugnan, 66460 Maury, tél. 04 68 59 67 58, contact@lacoumeduroy.com V r.-v.
de Volontat-Bachelet

DOM BRIAL 2015 ★

	n.c.	8 à 11 €

Suivi à la parcelle, maîtrise de la totalité de la chaîne d'élaboration, du raisin à la bouteille, démarche de développement durable... La cave de Baixas, fondée en 1923, compte 380 coopérateurs qui exploitent 2 500 ha répartis dans une trentaine de communes.

La cuvée classique de la cave fait l'objet d'une courte macération pelliculaire. Elle séduit par sa fraîcheur, soulignée par des arômes de citron, d'écorce de pamplemousse harmonieusement liés à des notes de poire et d'abricot, avec une fine pointe anisée. On verrait bien ce muscat à l'apéritif. ⧗ 2016-2019 🍴 toast au fromage de chèvre frais ■ **Ch. les Pins 2014 ★ (11 à 15 €; 49 627 b.)** : dans ce muscat, les raisins bénéficient d'une longue macération après mutage sur grains. Il en résulte une robe or intense, des arômes concentrés de miel, de caramel et de cédrat confit. Un vin puissant, idéal au dessert. ⧗ 2016-2019 🍴 tarte aux agrumes

VIGNOBLES DOM BRIAL, 14, av. Mal-Joffre, 66390 Baixas, tél. 04 68 64 22 37, contact@dom-brial.com V r.-v.

CH. DE L'ESPARROU 2015 ★★

■	10 000	11 à 15 €

Construit à la fin du XIXᵉs. par l'architecte danois Petersen, comme ceux de Rey, de Valmy et d'Aubiry, un château noyé dans son parc, à deux pas des plages et de l'étang de Canet. Le vignoble (66 ha) occupe la pointe avancée d'un plateau viticole de galets roulés de haute expression. Longtemps propriété de la famille Rendu, il a été acquis en 2012 par Jean-Michel Bonfils, dont la famille détient de nombreux vignobles en Languedoc et jusqu'en Bordelais.

Ce muscat brille déjà par sa robe d'un bel or jaune, puis par son nez très aromatique, entre fleurs blanches, abricot, pêche blanche et lait d'amandes. En bouche, une belle ampleur est soulignée par des notes de mangue et de pain brioché. Un vin puissant et fruité, d'un équilibre parfait, qui s'accordera aussi bien avec le foie gras qu'avec les desserts fruités. ⧗ 2016-2020 🍴 foie gras poêlé à la mangue

SCEA CH. L' ESPARROU, 66140 Canet-en-Roussillon, tél. 04 68 73 30 93, esparrou@hotmail.com V *t.l.j. 9h30-12h30 15h-18h* *Bonfils*

DOM. D'ESPERET 2015 ★

■	6000	🍾	11 à 15 €

Six générations se sont succédé sur ce vaste domaine de 85 ha exploité par la famille Balaguer, partiellement conduit en bio. Le vignoble se répartit entre Maury, Saint-Paul-de-Fenouillet et Caudiès, dans les Fenouillèdes.

La robe est limpide, or clair aux reflets verts. Le nez, d'une belle intensité, décline les agrumes (pomelo, zeste d'orange), les fruits exotiques (litchi), la menthe et la citronnelle. Bien équilibrée entre liqueur et fraîcheur, la bouche finit sur une note d'amertume savoureuse. ⧗ 2012-2019 🍴 soupe de fraises à la menthe

DOM. D' ESPERET, rte de Caudies, 66220 Saint-Paul-de-Fenouillet, tél. 04 68 59 18 85, domainedesperet@sfr.fr V *r.-v.*

DOM. FONTANEL 2015 ★

■	6000	🍾	8 à 11 €

Les origines du domaine remontent à 1864. À sa tête depuis 1989, Pierre et Marie-Claude Fontaneil exploitent 25 ha sur des terroirs variés, d'où ils tirent des cuvées à forte personnalité, aussi bien en vins secs qu'en vins doux naturels. Deux caveaux, l'un à Estagel et l'autre à Tautavel (où se trouve la cave).

D'un jaune d'or brillant, ce muscat exprime des arômes d'une belle intensité aux nuances de fleur d'oranger, d'agrumes mûrs et de menthol. La bouche séduit par sa fraîcheur dynamique et par sa longue finale sur la pêche et l'abricot. ⧗ 2016-2019 🍴 beignets aux pommes

FONTANEIL, 25, av. Jean-Jaurès, 66720 Tautavel, tél. 04 68 29 04 71, pierre@domainefontanel.fr V *t.l.j. 10h-12h 14h-18h*

CH. DES HOSPICES Intuition 2014 ★★

■	4000	🍾	8 à 11 €

Depuis cinq générations, la famille Benassis est installée au cœur de Canet-en-Roussillon. La cave est abritée dans une bâtisse traditionnelle catalane datant de 1836. Le vignoble (50 ha) est situé sur les terrasses de galets roulés entre le littoral et la ville de Perpignan. Aujourd'hui, trois générations officient sur le domaine: Louis, le grand-père, Michel, le père, et Marc, le petit-fils ingénieur agronome.

Or clair brillant, ce muscat enchante par son nez expressif, à dominante de fleur blanche (aubépine, acacia), tandis que la bouche prend des tons de miel et d'agrumes confits. Cette complexité est mise en valeur par un remarquable équilibre entre suavité et fraîcheur et par de nobles amers en finale. ⧗ 2016-2020 🍴 tarte aux poires

CH. DES HOSPICES DE CANET, 6, imp. du Corps-de-Garde, 66140 Canet-en-Roussillon, tél. 06 63 02 46 00, contact@chateau-des-hospices.fr V *t.l.j. sf dim. 9h-12h 15h-18h* *Benassis*

DOM. LAFAGE Grain de vigne 2015 ★★

■	15 000	🍾	11 à 15 €

Éliane et Jean-Marc Lafage ont vinifié pendant dix ans dans l'hémisphère Sud, puis ont repris l'exploitation familiale en 2006, établie sur trois terroirs bien distincts du Roussillon: la vallée de l'Agly, vers Maury, les terrasses de galets roulés proches de la mer, les Aspres et ses terres d'altitude. Aujourd'hui, quelque 150 ha cultivés à petits rendements. Un domaine très régulier en qualité, souvent en vue pour ses côtes-du-roussillon et ses muscats.

Figurant parmi les «musts» de l'offre de ce domaine depuis de nombreuses années, cette cuvée est restée fidèle à elle-même. La robe apparaît très claire, brillante et limpide. Les arômes puissants séduisent par leur fraîcheur: eucalyptus, menthe sauvage, litchi, buis... De la nervosité, de la douceur, le tout parfaitement équilibré. Idéal pour l'apéritif comme pour les desserts fruités. ⧗ 2016-2020 🍴 carpaccio d'ananas

DOM. LAFAGE, Mas Miraflors, rte de Canet, 66000 Perpignan, tél. 04 68 80 35 82, contact@omaine-lafage.com V *t.l.j. sf dim. 10h-12h 14h30-18h*

DOM. MAS CRÉMAT 2015

■	5000	🍾	8 à 11 €

Les terres de schistes noirs ont donné son nom au Mas Crémat («brûlé» en catalan), repris en 2006 par une famille de vignerons bourguignons: Christine et Julien Jeannin, secondés par leur mère Catherine. Un superbe mas du XIXᵉs. et un vignoble de 32 ha labouré et conduit en fonction du cycle de la lune.

D'un beau jaune d'or, ce muscat libère des parfums de fruits exotiques d'une grande finesse. En bouche, l'équilibre est dominé par des sensations d'onctuosité soulignées par des notes de fruits confits, avec ce qu'il faut de fraîcheur pour assurer l'équilibre. ⧗ 2016-2019 🍴 salade de fruits

⊶ DOM. MAS CRÉMAT, 66600 Espira-de-l'Agly, tél. 04 68 38 92 06, mascremat@mascremat.com V t.l.j. sf dim. 10h-12h 14h-18h *⊶ Jeannin*

MAS CRISTINE 2015

■	5500	🍾	11 à 15 €

Superbe mas installé depuis 1810 dans le massif des Albères, à la limite du cru banyuls, isolé au milieu du maquis ponctué de chênes-lièges. Les vignes dominent les pins qui descendent en pente douce vers la mer. Implanté sur des sols de schistes, de quartz et d'argile rouge, le domaine (25 ha aujourd'hui) a été acheté en 2006 à la famille Dauré (Ch. de Jau) par Philippe Gard et Julien Grill. L'équipe est aussi à la tête de la Coume del Mas.

D'un doré lumineux, ce muscat offre des arômes d'une belle intensité évoquant le raisin frais, les fleurs blanches (fleur d'oranger, acacia) et les fruits exotiques. L'attaque suave ouvre sur une bouche très liquoreuse équilibrée par une fraîcheur de bon aloi. ⧗ 2016-2019 🍴 salade de fruits frais aux rousquilles

⊶ MAS CRISTINE, chem. de Saint-André, 66700 Argelès-sur-Mer, tél. 04 68 54 27 60, info@mascristine.com V *t.l.j. sf dim. 10h-17h; 10h-19h en été*

MAS DE LA DEVÈZE 2015 ★★

■	1000	🍾	8 à 11 €

Simon Hugues était agriculteur, Nathalie commerciale dans la filière viticole à l'export. Ils ont repris en 2012 au cœur du terroir de Maury une très ancienne propriété qui avait été démantelée dans les années 1980. Ils cultivent 33 ha de vignes, la plupart conduites en gobelet.

À une robe d'or très pâle aux reflets verts répond un nez frais et élégant sur les fleurs, la garrigue, les agrumes (pomelo, citron) et le fruit de la Passion. On retrouve les agrumes, alliés à la pêche et au litchi, dans une bouche à la fois alerte et généreuse. La longue finale est marquée par une plaisante pointe d'amertume qui donne du relief à l'ensemble. ⧗ 2016-2020 🍴 carpaccio de saint-jacques aux agrumes

⊶ MAS DE LA DEVÈZE, rte des Mas, 66720 Tautavel, tél. 04 68 61 04 58, contact@masdeladeveze.fr V *r.-v. ⊶ Hugues*

MAS DE LAVAIL 2014 ★★

■	8000	🍾	8 à 11 €

Jean et Nicolas Batlle, père et fils, ont acquis ce joli mas du XIXe s. en 1999, à l'installation du second. À la tête de ce domaine de 80 ha de vieilles vignes, Nicolas poursuit le travail de quatre générations de vignerons sur les terres noires de Maury.

La robe or clair brillant laisse augurer une belle fraîcheur. On est en effet surpris par la finesse tonique du nez, entre acacia, pêche blanche et menthe. La bouche charme par son équilibre: à la fois suave et fraîche, elle finit sur une plaisante touche d'amertume aux tonalités de zeste de citron. ⧗ 2016-2020 🍴 tarte au citron

⊶ DOM. MAS DE LAVAIL, RD 117, 66460 Maury, tél. 04 68 59 15 22, masdelavail@wanadoo.fr V *t.l.j. sf dim. 10h30-12h 15h-18h ⊶ Batlle*

Ⓑ MAS PEYRE La Rage du Soleil 2015

■	6000	🍾	8 à 11 €

La famille Bourrel a constitué son domaine en 1988. Elle a quitté la coopérative en 2003 pour créer sa cave. À l'arrivée de Baptiste, le fils aîné, en 2009, elle a engagé la conversion bio du vignoble, 35 ha plantés sur les terroirs de schistes de la vallée des Fenouillèdes. Le jeune frère, César, gère la commercialisation.

Or jaune brillant, ce muscat offre un nez vif et intensément fruité, sur la pêche blanche, avec une touche légèrement briochée. L'attaque agréable ouvre sur une bouche joliment liquoreuse, dont les arômes de fruits exotiques se nuancent d'une touche végétale. ⧗ 2016-2019 🍴 salade de fruits d'été

⊶ MAS PEYRE, 39, av. du Gal-de-Gaulle, 66220 Saint-Paul-de-Fenouillet, tél. 06 18 70 62 24, maspeyre@orange.fr V *r.-v.* 🏠 ❷ *⊶ Bourrel*

Ⓑ MAS ROUS 2015 ★

■	3466	🍾	8 à 11 €

En 1850, Michel Bizern, agriculteur, transforme en maison une bergerie des Albères, au pied des Pyrénées, fondant le Mas del Ros («maison du blond» en catalan), qui devient Mas Rous. Son arrière-petit-fils, José Pujol, qui est brun, reprend l'exploitation en 1976. Une valeur sûre de 32 ha, en bio certifié depuis 2014.

Le dernier millésime de José Pujol, disparu en 2015. Un muscat pâle aux reflets verts, aux parfums intenses et originaux de garrigue, de citron vert, de citronnelle, de menthol et de fruits exotiques. Cette belle puissance aromatique est mise en valeur par une bouche fraîche et minérale, très équilibrée. ⧗ 2016-2019 🍴 tarte aux abricots

⊶ DOM. DU MAS ROUS, 13, rue du Renard, 66740 Montesquieu-des-Albères, tél. 04 68 89 64 91, masrous@mas-rous.com V *t.l.j. sf dim. 9h30-12h 14h-18h ⊶ Pujol*

DOM. PAUL MEUNIER-CENTERNACH Lou Faurat 2014 ★★

■	804	🍾	20 à 30 €

Issu d'une lignée de vignerons de Bourgogne, Paul Meunier, après de multiples expérience dans les vignobles du monde, du Portugal, au Liban, de l'Australie au Japon, s'installe dans la région, découverte lors d'un stage, sur un domaine de la vallée de l'Agly couvrant 10 ha de terroirs variés. Il adopte d'emblée l'agriculture biologique (conversion en cours).

La première cuvée de muscat de ce jeune domaine a été baptisée du nom de la parcelle d'où elle provient. Le muscat à petits grains, cultivé sur arènes granitiques, a produit un vin or clair aux reflets verts, fort apprécié pour ses arômes originaux et d'une belle finesse: citronnelle, pamplemousse et eau-de-vie de fruit. Un coup d'essai qui se révèle un coup de maître... ⧗ 2016-2020 Ÿ tarte aux mirabelles

⊶ DOM. PAUL MEUNIER-CENTERNACH, 1, rte de Lansac, 66220 Saint-Arnac, tél. 04 68 08 40 98, paul.meunier.centernach@gmail.com V r.-v.

DOM. MOUNIÉ 2015

■	5000	▮	8 à 11 €

Une cave construite en 1925 et cinq générations de vigneronnes: le domaine, très régulier en qualité, se transmet de mère en fille. Depuis 1992, il est dirigé par Claude Rigaill, assistée de l'œnologue Brigitte Soriano. Un travail de restructuration des parcelles a été mené sur les 20 ha de l'exploitation. En janvier 2016, Raymond Hage est devenu propriétaire de l'exploitation.

D'un or clair aux reflets verts, ce muscat délivre des parfums de pêche de vigne d'une belle finesse, légèrement briochés. Après une attaque vive et fruitée, la bouche offre un développement équilibré sur des notes de mangue. Un bon classique de l'appellation. ⧗ 2016-2019 Ÿ sorbet à la mangue

⊶ DOM. MOUNIÉ, 1, av. du Verdouble, 66720 Tautavel, tél. 04 68 29 12 31, domainevalderay@gmail.com V *r.-v. ⊶ Raymond Hage*

Ⓑ CH. DE L'OU 2015 ★

■	5000	8 à 11 €

Philippe Bourrier, agronome, et son épouse Séverine, œnologue, ont acheté en 1999 ce domaine dont le nom vient d'une résurgence dans un bassin en forme d'œuf (ou en catalan). Ils ont refait le chai et travaillé d'emblée en agriculture biologique leur vignoble qui couvre 40 ha entre plaine du Roussillon et Fenouillèdes.

Or clair, ce muscat apparaît d'abord discret au nez, puis monte en puissance, libérant des parfums de poire, de pêche, de fleurs blanches et de citron, avec une touche anisée. Une belle fraîcheur qui se confirme dans une bouche qui penche vers la vivacité, équilibrée par une bonne onctuosité. ⧗ 2016-2019 Ÿ tarte au citron meringuée

⊶ CH. DE L' OU, rte de Villeneuve, 66200 Montescot, tél. 04 68 54 68 67, chateaudelou66@orange.fr V *t.l.j. sf sam. dim. 14h-18h ⊶ Bourrier*

♥ DOM. DE LA PERDRIX
Les Aspres Muscat Collection 2009 ★★★

■	900	⦀	20 à 30 €

Depuis 1820, le vin était élaboré au village dans la vieille cave familiale. Après avoir pris le relais en 1996 et passé treize ans dans ces locaux, ne pouvant «pousser les murs», Virginie et André Gil ont établi en 2009 un nouveau chai au milieu des vignes, regardant le Canigou. Leur domaine couvre 35 ha en plein cœur des Aspres. La perdrix? Un hommage au grand-père d'André, peintre catalan de renom, qui avait fait de l'animal l'un de ses sujets préférés.

Un muscat rare, tant par son volume (hélas) que par son long élevage de soixante mois en fût. Le temps a donné à sa robe un ton mordoré. D'une rare intensité, les arômes ont perdu leur fruité primaire pour développer des notes de vanille bourbon, d'orange confite, de cuir neuf et de cacao. En bouche, la douceur s'harmonise avec des arômes puissants aux accents de rancio. L'autre facette du muscat, illustrée de façon magistrale dans cette cuvée. On pourra déguster ce 2009 pour lui-même, pour savourer toutes ses nuances. (bouteilles de 50 cl) ⧗ 2016-2023 Ÿ roquefort

⊶ DOM. DE LA PERDRIX, Traverse-de-Thuir, 66300 Trouillas, tél. 04 68 53 12 74, contact@domaine-perdrix.com V *t.l.j. sf dim. 10h-12h30 15h-18h30 (19h30 de juil. à sept.)*

DOM. PIÉTRI-GÉRAUD 2015 ★

■	3612	▮	8 à 11 €

Établi au cœur de Collioure, dans une des plus petites rues de la cité, ce domaine est dirigé depuis 2006 par Laetitia Piétri-Clara, qui a pris la suite de sa mère Maguy. Appuyée par l'œnologue Hélène Grau, la vigneronne perpétue la tradition inaugurée à la fin du XIXes. par son arrière-grand-père Étienne Giraud, médecin retourné aux vignes familiales. Le vignoble couvre 17 ha, essentiellement en AOC banyuls et collioure.

D'un or clair brillant, ce muscat révèle des arômes variés et bien typés de rose, de genêt, de citron bien mûr, relevés par une fine note poivrée. Une attaque franche ouvre sur un palais croquant, à la finale fraîche et dynamique. ⧗ 2016-2019 Ÿ foie gras mi-cuit

⊶ LÆTITIA PIÉTRI-CLARA, Dom. Piétri-Géraud, 22, rue Pasteur, 66190 Collioure, tél. 04 68 82 07 42, domaine.pietri-geraud@wanadoo.fr V *r.-v.*

DOM. PIQUEMAL Les Larmes d'Hélios 2015 ★

■	25000	⦀	8 à 11 €

Sous l'impulsion d'Annie et de Pierre Piquemal, ce domaine familial (48 ha) est devenu une référence du Roussillon. Tout en maintenant les pratiques traditionnelles, il dispose d'un chai très moderne, à l'extérieur du village. Un outil adapté pour exalter l'expression de chaque terroir (schistes feuilletés, argilo-calcaires, galets roulés). Les vinifications sont assurées par Marie-Pierre Piquemal.

Beaucoup d'harmonie et d'élégance dans cette cuvée, dès l'approche, avec une robe or aux brillants reflets argentés et un nez d'une grande finesse, sur les fleurs et le thé vert. Le prélude à une bouche alerte et vive, aux arômes de citron vert et de fruits exotiques. De la puissance et de la délicatesse. ⧗ 2016-2019 Ÿ tarte au citron meringuée

⊶ DOM. PIQUEMAL, RD 117, km 7, lieu-dit Della-Lo-Rec, 66600 Espira-de-l'Agly, tél. 04 68 64 09 14, contact@domaine-piquemal.com V *t.l.j. sf dim. 9h-12h 14h-18h*

CH. PLANÈRES Excellence 2015 ★

■	45000	8 à 11 €

Le domaine des frères Jaubert et de Roland Noury, l'un des pionniers des crus du Roussillon, apparaît tel un balcon donnant sur les Albères, la mer et le Canigou. Le vignoble s'étend sur 105 ha, dont une soixantaine d'un seul tenant autour d'une bâtisse catalane du XIXes. sur le plateau de Planères.

Or rose brillant, cette cuvée offre tout ce que l'on attend de l'appellation: un nez intense et frais d'agrumes, de fruits exotiques et de menthol, une bouche bien équilibrée entre impressions liquoreuses et nervosité, une longue finale fraîche et mentholée. ⧗ 2016-2019 🍴 tarte aux pêches

⊸ JAUBERT-NOURY, Ch. Planères, 66300 Saint-Jean-Lasseille, tél. 04 68 21 74 50, contact@chateauplaneres.com V ⚑ ■ *t.l.j. sf dim. 8h30-12h 14h-18h; sam. sur r.-v.*

Ⓑ **CH. ROMBEAU** 2014 ★

■	5700	▮	11 à 15 €

Le domaine de Rombeau est dans la famille depuis des siècles. Vigneron médiatique, restaurateur et hôtelier, Pierre-Henri de La Fabrègue lui a donné un bel éclat. Des 114 ha de l'exploitation, dont 26 ha en bio, naissent des muscat-de-rivesaltes, des rivesaltes et des vins secs, en AOC et en IGP. Une production bien connue des lecteurs du Guide.

Le domaine est l'un des premiers à vendanger dans la région. Le muscat à petits grains à l'origine de cette cuvée a été récolté avant le 15 août. Il a engendré un vin très plaisant par sa robe d'un or jaune brillant et par son nez entre miel et d'agrumes confits. Agrumes (orange et citron confits) qui s'allient à la confiture de pastèque dans une bouche tendue par une belle acidité: suavité et fraîcheur, une belle harmonie. ⧗ 2016-2019 🍴 foie gras et pain d'épice

⊸ DOM. DE ROMBEAU, 2, av. de la Salanque, 66600 Rivesaltes, tél. 04 68 64 35 35, domainederombeau@gmail.com V ⚑ ■ *t.l.j. 8h-22h* 🏠 ❶ *⊸ de La Fabrègue*

SERRE ROMANI 2015 ★

■	4000	▮	8 à 11 €

Laurent et Cylia Pratx se sont rencontrés lors de leurs études d'ingénieurs agronomes à Toulouse. Laurent a travaillé successivement pour le Château de Nages à Nîmes et pour la maison Gabriel Meffre à Gigondas. En 2008, le couple fait l'acquisition de ce domaine de 6 ha (15 ha aujourd'hui) répartis sur les communes d'Espira-de-l'Agly et de Maury, planté majoritairement de grenache. La propriété tire son nom (la «montagne aux romarins») de l'une des parcelles.

La robe très pâle, cristalline, annonce une belle fraîcheur. Le nez, d'abord discret, délivre à l'aération des senteurs de fruits exotiques (ananas, mangue) finement mentholées. Léger et frais en bouche, ce muscat montre une réelle maîtrise de la vinification. Il laisse une impression de légèreté tonique qui conviendra à l'apéritif. ⧗ 2016-2019 🍴 toasts au chèvre frais

⊸ SERRE ROMANI, EARL Pratx, chem. de Montpins, 66600 Espira-de-l'Agly, tél. 04 68 50 12 36, serre-romani@orange.fr V ⚑ ■ *t.l.j. sf dim. 10h-12h 16h-18h30 ⊸ M. et Mme Pratx*

DOM. VAQUER 2014 ★

■	2400	▮	11 à 15 €

Domaine acheté en 1912 par la famille Vaquer dans les Aspres. Dans la lignée, le «maréchal», Fernand Vaquer, figure historique du rugby catalan, deux fois champion de France avant guerre puis entraîneur dans les années 1950 de l'USAP. Premières mises en bouteilles en 1968. Aujourd'hui, le domaine couvre 17 ha, conduits par Frédérique.

La jolie robe soutenue, or paille brillant, laisse présager des notes d'évolution. Celles-ci se révèlent au nez par des arômes d'orange confite, d'abricot mûr et de miel de genêt. En bouche, la liqueur domine, harmonieusement tempérée par une fraîcheur de bon aloi. Ce muscat sera agréable dans sa jeunesse tout en sachant vieillir. ⧗ 2016-2023 🍴 tarte aux abricots

⊸ DOM. VAQUER, 1, rue des Écoles, 66300 Tresserre, tél. 04 68 38 89 53, domainevaquer@gmail.com V ⚑ ■ *r.-v.*

ARNAUD DE VILLENEUVE Tradition 2015 ★★

■	n.c.	8 à 11 €

Résultant de la fusion de trois caves, cette coopérative porte le nom de l'inventeur des vins doux naturels, Arnaud de Villeneuve. Elle rassemble 350 viticulteurs de Salses, de Rivesaltes et de Pézilla-la-Rivière, qui cultivent quelque 2 500 ha de vignes.

Cette coopérative de Rivesaltes n'a pas manqué son muscat. Or clair aux reflets nacrés, celui-ci enchante par son nez intense d'agrumes, de fruits exotiques et d'abricot, avec une légère pointe végétale. La bouche, fraîche et gourmande, fait preuve d'une belle vivacité soulignée par des arômes citronnés. ⧗ 2016-2020 🍴 tajine au citron confit

⊸ CAVE ARNAUD DE VILLENEUVE, 153, RD 900, 66600 Rivesaltes, tél. 04 68 64 06 63, contact@caveadv.com V ⚑ ■ *t.l.j. 9h-12h 14h-18h*

MAURY

Superficie : 280 ha
Production : 6 600 hl (85 % rouge)

Le vignoble recouvre la commune de Maury, au nord de l'Agly, et une partie des trois communes limitrophes. Encadré par des montagnes calcaires, les Corbières au nord et les Fenouillèdes au sud, il s'accroche à des collines escarpées aux sols de schistes noirs de l'aptien plus ou moins décomposés. Les maury rouges doivent leur caractère au grenache noir, cépage dominant. La vinification se fait souvent par de longues macérations, suivies d'un long élevage en fût – parfois en bonbonnes de verre – qui permet d'affiner des cuvées remarquables. D'un rouge profond lorsqu'ils sont jeunes, les maury prennent par la suite une teinte acajou. Au bouquet, ils évoquent d'abord les petits fruits rouges, avant

d'évoluer vers le cacao, les fruits cuits et le café. Plus rares sont les blancs, élaborés à partir des grenaches blancs et gris et du macabeu.

DOM. FONTANEL Grenat 2013

■ | 3000 | 🛢 | 11 à 15 €

Les origines du domaine remontent à 1864. À sa tête depuis 1989, Pierre et Marie-Claude Fontaneil exploitent 25 ha sur des terroirs variés, d'où ils tirent des cuvées à forte personnalité, aussi bien en vins secs qu'en vins doux naturels. Deux caveaux, l'un à Estagel et l'autre à Tautavel (où se trouve la cave).

Un an de fût confère à ce grenat des arômes gourmands de cerise vanillée; le fruit y est mûr, à croquer. Une note confiturée apporte sa douceur, équilibrant des tanins marqués et une pointe d'airelle ajoute sa touche de fraîcheur en finale. Un vin qui saura attendre quelques années, mais qui réjouira dès à présent vos hôtes à l'apéritif ou au dessert. ⧗ 2016-2021 🍷 soupe de fruits rouges

FONTANEIL, 25, av. Jean-Jaurès, 66720 Tautavel, tél. 04 68 29 04 71, pierre@domainefontanel.fr
V t.l.j. 10h-12h 14h-18h

MAS DE LA DEVÈZE Grenat 2015

■ | 1000 | 🍾 | 15 à 20 €

Simon Hugues était agriculteur, Nathalie commerciale dans la filière viticole à l'export. Ils ont repris en 2012 au cœur du terroir de Maury une très ancienne propriété qui avait été démantelée dans les années 1980. Ils cultivent 33 ha de vignes, la plupart conduites en gobelet.

Un grenat qui porte bien son nom, au regard profond. Les fruits recherchés dans ce type de vin, cassis et cerise, sont bien présents, avec toute la vivacité de la jeunesse. La bouche surprend par sa fraîcheur et par sa souplesse; une touche gourmande de grenadine y joue avec l'airelle. À déguster dès la sortie du Guide. ⧗ 2016-2020 🍷 coupe de fruits des bois

MAS DE LA DEVÈZE, rte des Mas, 66720 Tautavel, tél. 04 68 61 04 58, contact@masdeladeveze.fr
V r.-v. Hugues

MAS DE LAVAIL 2012 ★

■ | 5000 | 🛢 | 11 à 15 €

Jean et Nicolas Batlle, père et fils, ont acquis ce joli mas du XIX[e]s. en 1999, à l'installation du second. À la tête de ce domaine de 80 ha de vieilles vignes, Nicolas poursuit le travail de quatre générations de vignerons sur les terres noires de Maury.

Le séjour de douze mois en fût n'a pas affecté la robe or pâle très limpide de ce maury blanc. L'approche douce, toastée, s'accompagne d'une fraîcheur minérale remarquée. En bouche, l'empreinte de l'élevage offre une jolie rondeur. Un fruité aux nuances de pêche jaune se lie à une légère touche miellée. Un ensemble élégant, tout en finesse. ⧗ 2016-2020 🍷 sorbet à la pêche

DOM. MAS DE LAVAIL, RD 117, 66460 Maury, tél. 04 68 59 15 22, masdelavail@wanadoo.fr
V t.l.j. sf dim. 10h30-12h 15h-18h Batlle

B MAS PEYRE Grenat La Rage du Soleil 2014 ★★

■ | 5000 | 🛢🍾 | 11 à 15 €

La famille Bourrel a constitué son domaine en 1988. Elle a quitté la coopérative en 2003 pour créer sa cave. À l'arrivée de Baptiste, le fils aîné, en 2009, elle a engagé la conversion bio du vignoble, 35 ha plantés sur les terroirs de schistes de la vallée des Fenouillèdes. Le jeune frère, César, gère la commercialisation.

Sa robe est profonde, pourpre intense; doucement, le vin s'ouvre sur des notes de sous-bois et de fruits noirs mûrs, accompagnés de notes fraîches d'eucalyptus. Charnu, très présent et harmonieux en bouche, il impressionne par son volume, enchante par son expression – du fruit mûr finement vanillé. Encore jeune, campé sur des tanins à la fois solides et veloutés, il est construit pour durer, tout en étant agréable dès aujourd'hui. ⧗ 2016-2026 🍷 fondant au chocolat ■ **Tuilé La Rage du soleil 2010 ★ (15 à 20 €; 2000 b.)** : après quatre ans sous bois, ce tuilé garde des arômes de fruits rouges et noirs confiturés. Les mêmes fruits, accompagnés de nuances de noyau, de pruneau, de boisé chocolaté et de réglisse, s'épanouissent dans une bouche souple et élégante. ⧗ 2016-2021 🍷 foie gras aux figues

MAS PEYRE, 39, av. du Gal-de-Gaulle, 66220 Saint-Paul-de-Fenouillet, tél. 06 18 70 62 24, maspeyre@orange.fr V r.-v. 2 Bourrel

♥ LES VIGNERONS DE MAURY Tuilé Chabert de Barbera 1988 ★★★

■ | 5700 | 🛢 | 30 à 50 €

Fondée en 1910, la cave coopérative de Maury est aujourd'hui la plus ancienne du département encore en activité. Après les révoltes viticoles de 1907, elle regroupa plus de 130 propriétaires. Aujourd'hui, la cave dispose des 780 ha de ses adhérents; elle vit du grenache qui donne les traditionnels vins doux naturels et, depuis 2011, les maury secs.

Joli tir groupé pour les vignerons de Maury avec un vin retenu dans chaque type de vin doux naturel: en blanc, en rouge jeune et en maury d'élevage – avec ce superbe Chabert de Barbera, dont le millésime 1985 avait rencontré un aussi bon accueil. La robe brune aux reflets cuivrés invite à la découverte. Le nez captive par son intensité et sa complexité: des épices, de la torréfaction, des fruits secs, un soupçon de cacao, du vieil armagnac, un léger rancio, il ne manque aucune des notes recherchées dans ce style de vin. La bouche, à l'unisson, brille par son élégance, à la fois mûre, suave et fraîche. Café, figue sèche, noix viennent compléter la palette aromatique. L'ensemble est enrobé par le velours des tanins que la patine de l'élevage en fût a su assagir au fil des ans. ⧗ 2016-2026 🍷 gâteau au chocolat et aux noix

■ **2014 ★★** (5 à 8 €; 35 000 b.) : un air de jeunesse pour ce maury blanc, vif, ample et gras, aux arômes floraux et citronnés. ⧗ 2016-2021 🍷 salade de pêches blanches ■ **Grenat Vendange 2013** (8 à 11 €; 14 000 b.) : vin cité.

SCV LES VIGNERONS DE MAURY, 128, av. Jean-Jaurès, 66460 Maury, tél. 04 68 59 00 95, contact@vigneronsdemaury.com V ■ *t.l.j. 9h-12 14h-18h*

Ⓑ DOM. POUDEROUX Hors d'âge 15 ans ★★

■	2000		20 à 30 €

Une remarquable régularité pour ce domaine de 15 ha niché au cœur du village de Maury. Une petite cave bien agencée et un joli jardin-terrasse où Robert et Cathy Pouderoux accueillent leurs visiteurs. À leur carte, le rouge est en vedette: du maury, bien sûr (doux ou sec), et aussi des côtes-du-roussillon-villages. En bio certifié depuis 2012.

Quinze années en fût, et le noir intense du grenache s'est transformé en rouge brun aux tendres reflets acajou. Cacao, épices, pruneau, abricot sec, figue sèche et torréfaction sont à l'accueil, avec une belle intensité. La bouche, à l'unisson, offre en sus des fruits secs grillés, tout en affichant un reste de jeunesse dans des notes de fruits confiturés. Ajoutons une remarquable présence, de la rondeur, un solide soutien tannique et une fraîcheur préservée. Un plaisir infini et durable. Chocolat, mon ami ! ⧗ 2016-2026 🍷 mendiants au chocolat ■ **Grenat Vendange mise tardive 2009 ★** (15 à 20 €; 16 000 b.) Ⓑ : resté vingt-quatre mois en barrique, ce maury plaît pour sa belle matière, ses arômes concentrés de fruits rouges et pour l'élégance des notes vanillées de son élevage. ⧗ 2016-2026 🍷 foie gras poêlé aux cerises

DOM. POUDEROUX, 2, rue Émile-Zola, 66460 Maury, tél. 04 68 57 22 02, domainepouderoux@sfr.fr V ■ *t.l.j. 11h-18h; f. nov.-mars*

♥ DOM. DES SCHISTES
Grenat La Cerisaie 2013 ★★★

■	7000		11 à 15 €

La cinquième génération officie dans cette exploitation de la vallée de l'Agly qui vinifie en cave particulière depuis 1989. Comme son nom l'indique, les marnes schisteuses dominent. À la vigne, Jacques et Mickaël Sire sont pointilleux sur le travail du sol et leur domaine de 55 ha est conduit en bio (certification en 2015). Une valeur sûre du Guide.

Intense, équilibré, fin et élégant, quatre adjectifs pour résumer ce maury. Des qualificatifs qui s'appliquent dès l'approche, avec une robe haute couture, grenat comme un bijou catalan, et une farandole de parfums: eucalyptus, genièvre, poivre blanc, cerise, mûre et un soupçon de truffe. La bouche est ample, généreuse sans excès: tout y est à sa place. La ronde aromatique continue, un joli boisé enrobe le fruit et on «touche» le terroir: les schistes se font velours au travers de tanins soyeux et fondus. Et comme la danse est belle, elle s'éternise et durera longtemps... ⧗ 2016-2030 🍷 soupe de cerises au poivre

DOM. DES SCHISTES, 1, av. Jean-Lurçat, 66310 Estagel, tél. 04 68 29 11 25, sire-schistes@wanadoo.fr V ■ *r.-v.*

LES VIGNERONS DE TAUTAVEL-VINGRAU
Grenat Éclat 2014

■	n.c.		8 à 11 €

Depuis 2010, date de la fusion des trois caves de Tautavel et de Vingrau, les vignerons disposent de 850 ha. Ils ont mis en place une nouvelle gamme afin d'affirmer leur identité propre, et proposent, grâce à des sélections parcellaires, des vins à forte personnalité.

Des éclats violines, ceux de la jeunesse. Le bouquet surprend par une note d'évolution qui s'approche de la prune et des fruits à noyau sur fond épicé. Une note poivrée s'invite dans une bouche ample et souple et vient relever la touche confiturée de la groseille, avant une finale marquée par des tanins généreux. Pour un dessert au chocolat ou aux fruits rouges. ⧗ 2016-2021 🍷 forêt noire

SCV LES VIGNERONS TAUTAVEL-VINGRAU, 24, av. Jean-Badia, 66720 Tautavel, tél. 04 68 29 12 03, m.verges@tautavelvingrau.com V ■ *t.l.j. 9h30-12h 14h-17h* *Ouguères*

▸ LES IGP DU ROUSSILLON

Les producteurs du Roussillon peuvent proposer des vins de cette catégorie sous l'étiquette de la grande zone commune au Languedoc-Roussillon, l'IGP Pays d'Oc. Ils ont aussi la possibilité de commercialiser leurs vins en IGP Côtes catalanes, une zone qui recoupe le département des Pyrénées-Orientales (3 860 ha). Pour les vignerons des alentours de Banyuls et de Collioure, il existe enfin une toute petite zone, l'IGP Côte Vermeille. Tous ces vins en IGP existent dans les trois couleurs, rouge, blanc et rosé. On signalera aussi une spécialité de la Catalogne, le rancio sec : un vin blanc élevé en fût sans ouillage (exposé à l'air). Cet élevage oxydatif donne des arômes caractéristiques de noix et autres fruits à coque à ces vins qui sont parfaitement secs, à la différence des vieux vins doux naturels élaborés par mutage à l'alcool durant la fermentation.

IGP CÔTES CATALANES

ARCADIE TP3 2014 ★

■	2500		5 à 8 €

Originaire de la vallée du Rhône, Agnès Graugnard, œnologue, a créé sa maison de négoce en 2003. Elle vinifie des raisins achetés à trois producteurs partenaires installés dans le Fenouillèdes et dans la vallée de l'Agly. Commercialisés sous la marque Arcadie, ses vins sont issus de vendanges manuelles et fermentent le plus souvent sans levurage.

TP3? Le vieux camion qui achemine la vendange à la cave. Il a donné son nom à cette cuvée de pur macabeu élaborée avec minutie par Agnès Graugnard. Un nez d'acacia et de tilleul, un palais tout aussi aromatique, gras, consistant et long, servi par une plaisante amertume en finale composent une bouteille expressive et très équilibrée. ⧗ 2016-2019 ¥ gambas à la plancha

ARCADIE, 18, av. Jean-Moulin, 66220 Saint-Paul-de-Fenouillet, tél. 06 76 54 22 49, contact@vinarcadie.com V r.-v.

B LA BEILLE Carignan 2014 ★

■ | 1000 | 11 à 15 €

Agathe Larrère a rencontré en Australie le père de ses enfants. Le couple a créé sa cave en 2005 et vinifie au domaine implanté à Corneilla-La-Rivière, sur les pentes du massif de Força Real. Entre galets roulés et terres de schistes, le terroir est exigeant mais il fait naître des vins de grande classe, vins d'appellation ou vins de cépage en IGP. La conversion bio a été engagée en 2010.

Désormais en bio certifié, le domaine a présenté un carignan de belle tenue. Sur les terrasses de galets roulés s'étendant à mi-pente de Força Real, ce cépage s'exprime pleinement, livrant des senteurs de fruits noirs et d'épices aux accents de la garrigue toute proche. Gras et rond à l'attaque, le palais poursuit sur ce registre épicé, appuyé sur des tanins de qualité, denses, un peu stricts en finale. ⧗ 2017-2021 ¥ gigot de sept heures ■ **Grenache 2013 (8 à 11 €; 2500 b.)** B : vin cité.

DOM. LA BEILLE, Agathe Larrère, 18, rue Saint-Jean, 66550 Corneilla-la-Rivière, tél. 06 80 07 25 88, la-beille@neuf.fr V r.-v.

DOM. DE CALADROY Expression 2015 ★

□ | 9000 | (I) | 8 à 11 €

Une forteresse médiévale qui gardait la frontière entre le royaume de France et celui d'Espagne. De la terrasse du château, on découvre un panorama exceptionnel: au loin, la mer, le Canigou; en contrebas, les vignes (130 ha) et les oliviers (7 ha). Une chapelle du XIIes. accueille le caveau de dégustation.

Deux tiers de chardonnay et un tiers de macabeu pour ce vin or brillant qui a fermenté en barrique où il est resté quatre mois. Le nez porte l'empreinte de l'élevage dans des notes beurrées et toastées qui laissent percer des fragrances florales. Frais à l'attaque, le palais garde cette ligne boisée avec rondeur et équilibre. ⧗ 2017-2020 ¥ saint-jacques poêlées

SCEA CH. DE CALADROY, 66720 Bélesta, tél. 04 68 57 10 25, chateau.caladroy@wanadoo.fr V *t.l.j. sf sam. dim. 8h30-12h 14h-18h* *Mézerette*

B DOM. CARLE-COURTY Cuvée Carignan 2013 ★★

■ | 1200 | (I) | 15 à 20 €

Implanté au pied de l'ermitage de Força Réal, d'où le panorama embrasse tout le Roussillon, le vignoble de Carle-Courty (3,5 ha au départ, 12 ha aujourd'hui) est cultivé en bio depuis 2002. Un choix de vie pour Frédéric Carle, comptable né en Champagne, installé depuis 1995 dans la vallée de la Têt, entre ceps de syrah et schistes bruns, vieilles vignes de carignan et de grenache, et cheminées de fées.

Bien que le soufre soit toléré (à doses réduites) pour les vins bio, le domaine élabore ses vins rouges sans sulfites. Il n'y pas d'avantage d'intrants dans ce carignan vinifié en fûts ouverts de 300 l et resté dix mois dans le bois. Un vin fort loué pour son nez expansif de fruits rouges et d'épices et pour sa bouche portée par une belle fraîcheur qui souligne ses tanins serrés. Acidité, charpente: la signature d'un vin de cépage de grande classe et de bonne garde. ⧗ 2017-2022 ¥ entrecôte

DOM. CARLE-COURTY, 6, rte de Corneilla, 66170 Millas, tél. 04 68 57 21 79, domaine.carlecourty@orange.fr V *t.l.j. sf dim. 9h30-12h 14h30-19h*

B CAZES Muscat-colombard Cap au Sud 2015 ★★

□ | 50000 | (i) | 5 à 8 €

Fondation en 1895, premières mises en bouteilles en 1955 et une croissance continue. Aujourd'hui, un domaine de 220 ha entièrement conduit en biodynamie depuis 2005, complété par une activité de négoce. À sa carte, toutes les AOC du Roussillon, des IGP, tous les styles de vin. Dans le giron du groupe Advini depuis 2004.

Muscat-colombard: une association étonnante et détonante de deux cépages aromatiques. Il en résulte un nez intense et délicat de fleur d'oranger et de fruits exotiques – ananas, litchi, fruit de la Passion – et une bouche élégante et suave, tout en finesse florale, tonifiée par une finale acidulée. ⧗ 2016-2019 ¥ bourride □ **Muscat-viognier Le Canon du maréchal 2015** ★ **(5 à 8 €; 100000 b.)** B : le muscat (70 %) et le viognier sont à l'origine de ce vin ample, bien équilibré, à la fois gras et alerte, aux arômes de fruits blancs et d'amande. ⧗ 2016-2019 ¥ loup à l'aneth ■ **Syrah-mourvèdre Cap au Sud 2015 (5 à 8 €; 100000 b.)** B : vin cité.

SCEA CAZES, 4, rue Francisco-Ferrer, 66600 Rivesaltes, tél. 04 68 64 08 26, info@cazes.com V *r.-v.* 5

B CLOS DES VINS D'AMOUR
Carignan en famille 2014 ★

■ | 7000 | (i) | 8 à 11 €

Les frères Nicolas et Christophe Dornier et leurs épouses respectives, Christine et Laurence, se sont associés pour reprendre en 2002 les vignes cultivées par la famille de Christine depuis 1860. Les deux couples ont quitté la coopérative en 2004. Leur domaine (25 ha en bio certifié depuis 2014) s'étend sur les terroirs schisteux de Tautavel, de Maury et de Saint-Paul-de-Fenouillet.

Si la vallée de l'Agly est considérée comme une terre d'élection pour le grenache noir, le carignan s'y épanouit également, témoin ce 2014 grenat profond, au nez de fruits rouges relevé d'épices, de thym et de romarin. La bouche offre bien le profil des vins de carignan avec ses tanins denses et épicés et sa persistance. ⧗ 2017-2021 ¥ boutifarre ■ **Grenache en famille 2014 (8 à 11 €; 6000 b.)** B : vin cité.

SCEA VIGNOBLES DORNIER, 3, rte de Lesquerde, 66460 Maury, tél. 04 68 34 97 06, maury@closdesvinsdamour.fr V *t.l.j. 10h-12h30 14h-18h*

Ⓑ DOM. LES CONQUES Toine 2015 ★★

■ | 5000 | | 5 à 8 €

Ingénieur en agro-alimentaire et œnologue, François Douville s'est installé vers 2000 en Roussillon, reprenant un domaine à l'abandon dans le paysage accidenté des Aspres, au pied du Canigou. Parti en bio au pas lent et sûr de sa mule, il cultive 9,5 ha de vignes en préservant les haies entre les parcelles.

Composée de carignan (80 %), de syrah et de grenache, la cuvée Toine reflète le travail authentique de François Douville. D'abord réservé, le nez s'ouvre rapidement sur des notes de fruits rouges frais puis de cassis. Après une attaque ample et ronde, des tanins puissants et vifs tapissent longuement la bouche, centrée sur des notes de fruits noirs mariés à une fine amertume. Un vin sincère, frais et persistant. ⧗ 2017-2021 ⟟ sauté de bœuf

FRANÇOIS DOUVILLE, 2, rte de Passa, 66300 Villemolaque, tél. 04 68 52 82 56, francois.douville@lesconques.fr V r.-v.

CONSOLATION Carignan noir Red Socks 2014 ★

■ | 3000 | | 15 à 20 €

Né des efforts conjugués de Philippe Gard et de l'œnologue Andy Cook, Consolation est une gamme de cuvées en IGP, issues des meilleures parcelles des domaines bien connus de la Coume del Mas et du Mas Cristine, exploités par le premier. Quelques barriques chaque année pour mettre en lumière l'association d'un cépage, d'un sol et d'un millésime. Pour découvrir les variétés du Roussillon.

Une cuvée née d'une parcelle de vieux carignans du Mas Cristine. Une robe jeune, aux reflets violines, un nez plein de sève, sur le fruit rouge mûr, la garrigue, le ciste. La fraise entre en scène dans une bouche fraîche à l'attaque, étayée par des tanins de qualité, à la finale tonique. ⧗ 2017-2021 ⟟ tournedos ■ **Syrah The Wild Boar 2014 (15 à 20 €; 3000 b.)** : vin cité.

CONSOLATION, chem. de Saint-André, 66700 Argelès-sur-Mer, tél. 04 68 54 27 60, info@mascristine.com V *t.l.j. sf dim. 10h-17h; été 19h*

DOM. DEPEYRE Symphonie 2014 ★★

■ | 2500 | | 15 à 20 €

Serge Depeyre et Brigitte Bile se rencontrent pendant leurs études, s'installent en 1995 à Cases-de-Pène, à quelques kilomètres de Perpignan, et créent en 2002 leur domaine: 13 ha dans la vallée de l'Agly, sur argilo-calcaires et schistes noirs. Ici, pas d'engrais chimiques, un apport de matière organique, et une mule assurant une partie des labours.

Des grenaches blanc et gris à parité, cépages des terroirs catalans. La vinification en demi-muid confère beaucoup d'élégance à cette cuvée mêlant les notes grillées de l'élevage à la fleur blanche, à la pêche de vigne, au miel, rehaussés de notes minérales. Franche en attaque, à la fois généreuse et vive, la bouche conjugue elle aussi les fruits blancs et l'empreinte grillée du bois, marquée en finale par une belle vivacité et par une noble amertume. Une réelle harmonie. ⧗ 2017-2020 ⟟ truite aux amandes

DOM. DEPEYRE, Brigitte Bile, 2, rue des Oliviers, 66600 Cases-de-Pène, tél. 04 68 28 32 19, brigitte.bile@orange.fr V *r.-v.*

Ⓑ DOM. DE L'ENCANTADE Sirius 2014 ★★

■ | 1730 | | 15 à 20 €

C'est dans un terroir d'altitude (plus de 400 m), non loin de Tarerach, qu'Antonin Moisan est venu en 2008 poser sa tente (ou plutôt sa yourte) pour concrétiser son rêve vigneron. Il dispose désormais d'une cave construite en matériaux naturels et conduit en bio ses 8 ha. La famille produit en outre du miel, de la confiture et des conserves issues des légumes du potager.

Cette cuvée de syrah issue d'arènes granitiques a pris ses marques dans le Guide, à un très haut niveau (rappelons le coup de cœur pour le 2012). Pourpre aux reflets violines, le 2014 enchante de nouveau. Après une courte aération, le nez développe des notes d'eucalyptus, puis après quelques instants, les fruits rouges se manifestent, rehaussés de notes florales et d'une touche de garrigue. Précise, juteuse, tout en fruits, adossée à des tanins de grande qualité, la bouche finit sur une délicate touche saline. Un vin charmeur et prometteur. ⧗ 2017-2022 ⟟ côte d'agneau au thym ■ **Raisin d'être 2013 ★★ (11 à 15 €; 4100 b.)** : un assemblage de vieux carignans et grenaches nés sur arènes granitiques. Nez fruité et frais aux accents de groseille relevée d'épices, bouche à la fois ronde et vive, légèrement amère. ⧗ 2017-2021 ⟟ noisettes de chevreuil

ANTONIN MOISAN, lieu-dit Boynes, 66130 Trevillach, tél. 06 60 88 55 34, encantade@gmail.com V *r.-v.* Ⓑ

♥ Ⓑ DOM. FERRER-RIBIÈRE Mourvèdre Empreinte du temps 2015 ★★★

■ | 11000 | | 11 à 15 €

Denis Ferrer et Bruno Ribière ont créé ce domaine en 1993 avec des vignes situées sur différents terroirs des Aspres. Convaincus par l'agriculture biologique, ils convertissent leurs 30 ha en 2007, s'essaient même à la biodynamie et signent des vins sincères qui reflètent la complexité du terroir.

Le milieu assez rude des Aspres plaît au mourvèdre, à en juger par cette cuvée plébiscitée par nos dégustateurs. Les jurés louent à l'envi la profondeur de sa robe, l'intensité et la complexité de son nez dévoilant des senteurs de fruits noirs très mûrs, d'olive noire en tapenade puis, à l'aération, des touches subtiles d'épices douces. On retrouve les fruits noirs et une même profondeur au palais, avec de l'ampleur, du gras, une trame de tanins soyeux à souhait et une rare persistance. Un vin structuré et gourmand. ⧗ 2017-2021

ROUSSILLON

côte de bœuf ■ **Carignan Empreinte 2014 (11 à 15 €; 4100 b.)** Ⓑ : vin cité.

DOM. FERRER-RIBIÈRE, 20, rue du Colombier, 66300 Terrats, tél. 04 68 53 24 45, domferrerribiere@orange.fr V r.-v.

Ⓑ DOM. GRAIN D'ORIENT
Cabernet-sauvignon merlot Longitude 2012 ★

■ | 7044 | | 11 à 15 €

Après avoir travaillé dans différents vignobles du Sud-Ouest et du Bordelais, Patrick et Aliette Bourg ont racheté en 2014 ce domaine à Jean-Marie Alary à son départ à la retraite: 10 ha déjà convertis à l'agriculture biologique par l'ancien propriétaire. Niché dans un terroir frais de la haute vallée de l'Agly, sur les contreforts des Pyrénées, le vignoble est situé à l'extrémité occidentale des Pyrénées-Orientales. Il propose uniquement des IGP Côtes catalanes.

C'est l'ancien propriétaire qui a vinifié ce 2012, issu d'un assemblage de cabernet et de merlot à parité. On aime son nez élégant où des senteurs d'épices et de fruits cuits se nuancent de notes florales. En bouche, le vin exprime un caractère sudiste par une matière puissante et concentrée, des tanins veloutés et des arômes persistants de fruits noirs compotés. ⧗ 2017-2022 côte de bœuf à la moelle

DOM. GRAIN D'ORIENT, av. de l'Ermitage, 66220 Caudies-de-Fenouillèdes, tél. 06 82 37 46 30, domaine.graindorient@orange.fr V *t.l.j. sf dim. 14h30-18h30; f. janv.-fév.* *Bourg*

DOM. GRIER Grenache noir 2014 ★★

■ | 25000 | | 5 à 8 €

La famille Grier, propriétaire d'un vignoble en Afrique du Sud réputé pour ses effervescents, a constitué en 2006 ce domaine de 25 ha d'un seul tenant dans les Fenouillèdes. Elle en a confié les rênes à Raphaël Graugnard, qui apporte toute son expérience dans l'élaboration de vins symbolisant l'union réussie de l'Ancien et du Nouveau Mondes.

Les marnes schisteuses des Fenouillèdes conviennent au grenache noir. Celui-ci se pare d'une robe rubis moirée de noir. Après un premier nez sur la fraîcheur des petits fruits rouges (cerise), l'aération révèle des notes de fruits noirs relevées de touche poivrées. On retrouve les fruits rouges dans une bouche bien construite, soyeuse, structurée et longue. ⧗ 2017-2022 carré de veau aux morilles

DOM. GRIER, 18 av. Jean-Moulin, 66220 Saint-Paul-de-Fenouillet, tél. 04 68 73 34 39, contact@domainegrier.com V *r.-v.*

DOM. MAS CRÉMAT Les Sentinelles 2014 ★★

□ | 2000 | | 11 à 15 €

Les terres de schistes noirs ont donné son nom au Mas Crémat («brûlé» en catalan), repris en 2006 par une famille de vignerons bourguignons: Christine et Julien Jeannin, secondés par leur mère Catherine. Un superbe mas du XIXe s. et un vignoble de 32 ha labouré et conduit en fonction du cycle de la lune.

Grenache blanc, vermentino et roussanne: la trilogie gagnante à l'origine de cette bouteille. Un séjour de huit mois en fût a contribué aux reflets dorés de sa robe et à la complexité de sa palette aromatique, même si le bois est imperceptible à l'olfaction: le nez est très floral, nuancé de pêche blanche et de buis. Une pointe grillée et une touche de noisette se font jour dans une bouche ronde et veloutée, à laquelle une belle vivacité donne de l'intensité et de l'élégance. ⧗ 2017-2020 carpaccio d'espadon aux agrumes ■ **Les Tamarius 2015 ★ (5 à 8 €; 30000 b.)** : portant le nom de la parcelle, un assemblage de syrah et de grenache, avec du marselan en appoint. Nez floral et épicé, bouche généreuse. Carafage conseillé. ⧗ 2017-2020 rôti de porc aux pruneaux

DOM. MAS CRÉMAT, 66600 Espira-de-l'Agly, tél. 04 68 38 92 06, mascremat@mascremat.com V *t.l.j. sf dim. 10h-12h 14h-18h* *Jeannin*

MAS DE LA DEVÈZE Macabeu 2015 ★★

□ | 2000 | | 8 à 11 €

Simon Hugues était agriculteur, Nathalie commerciale dans la filière viticole à l'export. Ils ont repris en 2012 au cœur du terroir de Maury une très ancienne propriété qui avait été démantelée dans les années 1980. Ils cultivent 33 ha de vignes, la plupart conduites en gobelet.

Nathalie et Simon Hugues voient encore cette année leurs cuvées en très bonne place dans toutes les catégories de vins. En IGP Côtes catalanes, on retrouve ainsi leur macabeu, aussi remarquable que dans le millésime précédent. À la robe très pâle, animée de reflets verts, répond un nez tout en finesse, entre fleurs blanches et notes beurrées. On trouve la même délicatesse dans une bouche conjuguant ampleur, souplesse, étoffe et une belle vivacité. ⧗ 2017-2020 veau au citron □ **Malice 2015 (8 à 11 €; 5300 b.)** : vin cité.

MAS DE LA DEVÈZE, rte des Mas, 66720 Tautavel, tél. 04 68 61 04 58, contact@masdeladeveze.fr V *r.-v.* *Hugues*

Ⓑ DOM. DU MAS DÉU
Muscat sec Cépage Petits Grains Cuvée Chloé 2015 ★

□ | 4000 | | 5 à 8 €

Ancienne commanderie des Templiers, le Mas Déu est une impressionnante bâtisse d'où la vue embrasse les Aspres. Un lieu chargé d'histoire où Arnaud de Villeneuve aurait mis au point le mutage. La famille Oliver s'y est installée au début du siècle dernier. Claudie débuta la vente en bouteille dès les années 1970. Installé en 1991, son fils Claude conduit aujourd'hui les 21 ha de la propriété – en bio certifié depuis 2010.

Ce muscat sec séduit par son nez intense, élégant et complexe où se mêlent les fruits exotiques, la rose et le menthol. Après une attaque franche, le côté floral prend le dessus, et les agrumes entrent en scène, apportant un trait de fraîcheur qui donne à l'ensemble équilibre et persistance. ⧗ 2016-2019 filets de rougets aux asperges

CLAUDE OLIVER, Ch. du Mas Déu, 66300 Trouillas, tél. 04 68 53 11 66, claude.oliver@orange.fr V *t.l.j. sf dim. 14h-18h; été 15h-19h; f. janv.*

♥ MAS KAROLINA 2014 ★★★

■	6500	🍷	11 à 15 €

Elle est allée vinifier aux États-Unis et en Afrique du Sud; elle connaît le Bordelais où elle a longtemps vécu et où elle a obtenu son diplôme d'œnologue; pourtant, c'est dans la vallée de l'Agly au charme sauvage que Caroline Bonville a posé ses valises en 2003. Elle conduit aujourd'hui un domaine de 16 ha.

Cette édition, qui vaut à Caroline Bonville son troisième coup de cœur (le deuxième d'affilée), confirme tout le bien que l'on pense de ce domaine. Ce vin est un assemblage savant de grenaches blanc et gris (75 %), de macabeu et du rare carignan blanc, vinifiés et élevés partiellement en barrique. D'un or pâle lumineux, il offre un nez d'une rare complexité, qui penche vers l'acacia, avec des notes de jacinthe, de poivre blanc et des touches minérales. On retrouve les fleurs blanches dans une attaque fraîche et veloutée ouvrant sur une bouche puissante et longue, où le bois sait rester très discret. Une réelle maîtrise de la vinification. ⧗ 2017-2020 🍴 ris de veau à la crème ■ **2015 ★★ (8 à 11 €; 10000 b.)** : le trio classique carignan, grenache et syrah charme par son nez entre cerise confiturée et cacao comme par sa bouche voluptueuse, ronde et veloutée, généreuse avec finesse. ⧗ 2017-2022 🍴 tajine de poulet aux épices ■ **L'Enverre 2014 ★ (20 à 30 €; 1200 b.)** : un assemblage de carignan (70 %) et de grenache élevé en barrique de 500 l. Le bois laisse toute leur place aux petits fruits noirs, à la cerise et au bourgeon de cassis. Très fruitée, elle aussi, la bouche offre une finale persistante, marquée par une touche de garrigue. ⧗ 2017-2022 🍴 pavé de bœuf

CAROLINE BONVILLE, 29, bd de l'Agly, 66220 Saint-Paul-de-Fenouillet, tél. 06 20 78 05 77, mas.karolina@wanadoo.fr V 🚶 ! *t.l.j. 10h-12h 14h-18h; sam. dim. sur r.-v.*

Ⓑ MAS PEYRE Paradis blanc 2015 ★

■	n.c.	8 à 11 €

La famille Bourrel a constitué son domaine en 1988. Elle a quitté la coopérative en 2003 pour créer sa cave. À l'arrivée de Baptiste, le fils aîné, en 2009, elle a engagé la conversion bio du vignoble, 35 ha plantés sur les terroirs de schistes de la vallée des Fenouillèdes. Le jeune frère, César, gère la commercialisation.

Chardonnay et viognier font jeu égal dans cette cuvée or pâle aux reflets argentés, livrant au nez de délicates senteurs d'amande. Ample et gras en attaque, légèrement beurré, le palais évite toute lourdeur grâce à un trait d'acidité qui donne une belle allonge à la finale finement épicée. ⧗ 2016-2020 🍴 blanquette de lotte

MAS PEYRE, 39, av. du Gal-de-Gaulle, 66220 Saint-Paul-de-Fenouillet, tél. 06 18 70 62 24, maspeyre@orange.fr V 🚶 ! *r.-v.* 🏠 ② *Bourrel*

LES VIGNERONS DE MAURY
Grenache noir Les Maurynates Vieilles Vignes 2015 ★

■	52000	🍷	5 à 8 €

Fondée en 1910, la cave coopérative de Maury est aujourd'hui la plus ancienne du département encore en activité. Après les révoltes viticoles de 1907, elle regroupa plus de 130 propriétaires. Aujourd'hui, la cave dispose des 780 ha de ses adhérents; elle vit du grenache qui donne les traditionnels vins doux naturels et, depuis 2011, les maury secs.

Le cépage roi de la vallée de l'Agly est également mis en avant dans de jolis vins en IGP, comme celui-ci, qui livre au nez les fragrances florales et épicées de la pivoine, bientôt relayées par le cassis et le poivre. Le grenache apporte sa suavité et des tanins fondus dans une bouche bien équilibrée et persistante: un vin gourmand à souhait. ⧗ 2016-2020 🍴 magret de canard aux airelles ■ **Nature de schiste 2015 ★ (8 à 11 €; 18000 b.)** : une robe pâle, un nez subtilement floral, une bouche ample, dans le même registre, à la finale vive et persistante. ⧗ 2016-2019 🍴 filet de poisson mariné aux thym ■ **Carignan Les Maurynates Vieilles Vignes 2015 (5 à 8 €; 32000 b.)** : vin cité.

SCV LES VIGNERONS DE MAURY, 128, av. Jean-Jaurès, 66460 Maury, tél. 04 68 59 00 95, contact@vigneronsdemaury.com V ! *t.l.j. 9h-12 14h-18h*

Ⓑ LE CARIGNAN DE RANCY 2014 ★★

■	2000	🍷	8 à 11 €

Brigitte et Jean-Hubert Verdaguer conduisent depuis 1989 le domaine familial (17 ha, aujourd'hui en bio) installé au cœur du village de Latour-de-France. Depuis sa fondation en 1920, cette propriété s'intéresse aux vins doux naturels longuement élevés sous bois, notamment aux rivesaltes, même si au tournant de ce siècle, elle s'est lancée dans l'élaboration de vins secs, en AOC ou en IGP. Autre cheval de bataille des vignerons, le rancio sec, en IGP.

Le carignan fait aussi partie du patrimoine catalan, et c'est à la fille aînée des propriétaires, Delphine, œnologue, qu'est confié le soin de vinifier les vins tranquilles. Sur les schistes de Latour-de-France, ce cépage engendre un vin à la robe soutenue, au nez classique mais élégant de fruits rouges mûrs et de poivre. En bouche, loin de sortir les griffes, le carignan s'affirme avec délicatesse, s'appuyant sur de superbes tanins bien fondus. Du gras, de la structure, du fruit: un remarquable équilibre. ⧗ 2017-2021 🍴 cuissot de chevreuil ■ **Le Mourvèdre de Rancy 2014 (8 à 11 €; 3700 b.)** Ⓑ : vin cité.

DOM. DE RANCY, Brigitte et Jean-Hubert Verdaguer, 8, place du 8-mai-1945, 66720 Latour-de-France, tél. 04 68 29 03 47, info@domaine-rancy.com V 🚶 ! *r.-v.* 🏠 Ⓔ

RIÈRE CADÈNE
Macabeu J'ai rendez-vous avec vous 2015 ★★

■	5000	🍷	5 à 8 €

Fondé en 1904, un domaine de 26 ha, conduit depuis 1994 par Jean-François Rière qui a renoué avec les vinifications au domaine. La cave est située à

Perpignan même, dans un secteur agricole encore préservé, ce qui a permis l'aménagement de gîtes.

On peut inviter ses amis avec cette cuvée de la nouvelle gamme du domaine. Un vin blanc qui met en avant des cépages catalans (macabeu et grenache). Les dégustateurs ont apprécié son nez discret mais frais, aux nuances d'amande et de pain d'épice, et plus encore son palais gras, étoffé, bien construit et long, aux arômes de fleurs blanches. ⧗ 2016-2020 ¥ daurade à la verveine ■ **Syrah La Tour de Schiste 2014 ★★ (11 à 15 €; 5000 b.)** : un vin loué pour la finesse et la complexité de son nez (cassis, mûre, épices) et pour son palais puissant et plein, soutenu par une trame de tanins enrobés, à la belle finale sur les fruits noirs. ⧗ 2017-2022 ¥ ragoût de queue de bœuf

⊶ *DOM. RIÈRE CADÈNE, chem. de Saint-Génis-de-Tanyères, 66000 Perpignan, tél. 04 68 63 87 29, contact@domainerierecadene.com*
V ✝ ! *t.l.j. sf dim. 10h-12h 16h-19h* 🏠 D

DOM. SAINT-NICOLAS
Carignan Chan Vieilles Vignes 2014 ★

■	n.c.		11 à 15 €

Situé en bord de Méditerranée, entre mer et montagne, ce prieuré construit par les templiers est devenu un domaine viticole en 1781 sous l'impulsion de Pierre Poeydavant, Basque d'origine et sous-intendant de Louis XVI. Les 66 ha de vignes sont conduits par Pierre Schneider, ancien juriste et banquier revenu sur ses terres d'origine.

Le carignan, qui fut si décrié, est l'un des grands cépages catalans. Il livre des vins de haute expression quand il provient de vieilles vignes. Ici, les ceps ont soixante-dix ans. Le vin inspire déjà le respect par la profondeur de sa robe. Le nez, s'il n'a rien d'exubérant, libère de plaisantes senteurs de cerise, de mûre et d'olive noire. On retrouve le fruit noir dans une bouche charnue, soutenue par des tanins puissants et enrobés. ⧗ 2017-2021 ¥ lièvre à la royale

⊶ *CH. SAINT-NICOLAS, rte de Canohès, 66300 Ponteilla, tél. 06 34 47 06 97, chateausaintnicolas@hotmail.com*
V ✝ ! *t.l.j. sf sam. dim. 9h-12h 14h-17h* 🏠 E

B SECRET DE SCHISTES Syrah 2014 ★★

■	5000		20 à 30 €

Philippe Bourrier, agronome, et son épouse Séverine, œnologue, ont acheté en 1999 ce domaine dont le nom vient d'une résurgence dans un bassin en forme d'œuf (ou en catalan). Ils ont refait le chai et travaillé d'emblée en agriculture biologique leur vignoble qui couvre 40 ha entre plaine du Roussillon et Fenouillèdes.

Vinifiée en barrique, cette syrah issue de sols schisteux et d'une vinification intégrale s'annonce par une robe profonde, cerise noire aux reflets violines, à laquelle répond un nez intense mêlant les fruits noirs frais et les nuances vanillées d'un élevage de quatorze mois dans le bois. On retrouve le cassis, allié à la cerise bien mûre, à la réglisse et au toasté de la barrique, dans une bouche ronde et concentrée, aux tanins déjà enrobés. De l'avenir. ⧗ 2018-2022 ¥ magret de canard grillé ■ **Infiniment… de l'Ou 2014 ★ (15 à 20 €; 10000 b.)** B : une syrah issue de marnes alluvionnaires, au nez de fruits noirs, à la bouche puissante, concentrée et réglissée. ⧗ 2017-2022 ¥ gigot d'agneau au thym

⊶ *CH. DE L' OU, rte de Villeneuve, 66200 Montescot, tél. 04 68 54 68 67, chateaudelou66@orange.fr*
V ✝ ! *t.l.j. sf sam. dim. 14h-18h*

SEMPER Regain 2014 ★★

■	6000		8 à 11 €

Tradition, ce terme est omniprésent dans cette famille vigneronne. Après leurs parents Paul et Geneviève, Florent (à la vigne) et Mathieu (à la cave) perpétuent un travail authentique de la vendange. Sur leur domaine de 30 ha, ils peuvent jouer sur deux terroirs: les schistes noirs de Maury et les arènes granitiques de Lesquerde.

Sur ce terroir schisteux, le grenache occupe le devant de la scène (ici, grenache gris 80 %, escorté par le macabeu et le rare carignan blanc). La robe a hérité de l'élevage en fût une nuance vieil or. Le nez élégant décline la fleur de vigne, la pêche mûre, la brioche et des notes grillées. Une belle attaque fraîche et ronde ouvre sur une bouche complexe, qui finit sur des impressions à la fois chaleureuses et acidulées. ⧗ 2017-2020 ¥ sole grillée

⊶ *DOM. SEMPER, 2, chem. du Rec, 66460 Maury, tél. 06 21 61 23 09, domaine.semper@wanadoo.fr*
V ✝ ! *t.l.j. 10h30-12h 15h30-19h; f. janv.*

B DOM. DES SOULANES Carignan Kaya 2015 ★

■	5000		11 à 15 €

Avant de se mettre à son compte en 2002, Daniel Laffite a travaillé quinze ans pour une importante propriété, exploitée en agriculture biologique depuis 1972. Il en a racheté une partie et aménagé sa cave. Il exploite aujourd'hui 17 ha avec sa femme Cathy.

De vieux ceps de carignan (quarante ans) ont engendré ce vin grenat profond, au nez intense, tout en fraîcheur, mêlant les fruits noirs et des notes minérales évoquant le schiste et la mine de crayon. On retrouve les fruits noirs dans une bouche puissante et généreuse, soutenue par des tanins denses. Un trait de vivacité dynamise et étire la finale. ⧗ 2017-2022 ¥ tajine d'agneau

⊶ *DANIEL LAFFITE, Mas de Las Fredas, 66720 Tautavel, tél. 06 12 33 63 14, daniel.laffite@nordnet.fr* V ✝ ! *r.-v.*

TERRA NOBILIS
Carignan Vieilles Vignes 2015 ★

■	6000		8 à 11 €

Au pied des Albères, le château Valmy, construit en 1888 par l'architecte danois Viggo Dorph Petersen, est entouré de 24 ha de vignes. En 1998, Bernard Carbonnell et son épouse Martine ont fait renaître le vignoble et ses vins (réguliers en qualité), mais aussi le château en créant des chambres d'hôtes de luxe, complétées en 2014 par le restaurant *La Table de Valmy*, un projet conduit par les filles des propriétaires, Anaïs et Clara. Sous le nom de Terra Nobilis, le domaine a créé en 2015 une structure de négoce-éleveur.

Le vinificateur a été cherché loin de ses bases, dans les terres d'altitude de Saint-Paul-de-Fenouillet, le carignan à l'origine de cette cuvée. D'un grenat très profond, ce 2015 s'ouvre à l'aération sur des notes de mûre. Les fruits rouges se mêlent aux épices dans une bouche fraîche à l'attaque, généreuse, équilibrée et persistante. On conseille de servir ce vin en carafe. ⧗ 2017-2020 🍷 échine de porc au thym ■ **Vieilles Vignes 2014 ★ (8 à 11 €; 6000 b.)** : quatre cépages (grenache, marsanne, viognier et chardonnay) collaborent à ce blanc au nez floral et amylique, à la bouche franche, vive et longue. ⧗ 2016-2019 🍷 sandre au beurre blanc

SARL LES VINS DE VALMY, chem. de Valmy, 66700 Argelès-sur-Mer, tél. 04 68 81 25 70, contact@chateau-valmy.com V r.-v. ⑤

THUNEVIN-CALVET
L'Amourette Maxima Briza 2014 ★★

■ | 2000 | | 11 à 15 €

En 2001, Jean-Roger Calvet, son épouse et Jean-Luc Thunevin, propriétaire bien connu à Saint-Émilion (Ch. Valandraud), se sont associés pour créer ce domaine (60 ha). Depuis dix ans, les désherbants sont proscrits sur l'exploitation.

Les terroirs de schistes conviennent aux cépages blancs ou gris, témoin cette cuvée or pâle, qui doit tout au grenache gris, élevée sept mois pour moitié en cuve et en fût. Le chèvrefeuille, le cédrat, la pêche et les épices douces composent une partition aromatique complexe et élégante. Dans le même registre, la bouche apparaît acidulée et veloutée, aussi ronde que longue. La finale allie les fleurs et la vanille de l'élevage. ⧗ 2016-2020 🍷 ris de veau à la crème

DOM. THUNEVIN-CALVET, 13, rue Pierre-Curie, 66460 Maury, tél. 04 68 51 05 57

DOM. LA TOUPIE
Grenache-syrah Pirouette 2015 ★★

■ | 6000 | | 8 à 11 €

Après vingt ans passés dans l'administration viticole, puis à parcourir le vignoble pour la coopérative du Mont Tauch, dans l'Aude, Jérôme Collas a franchi le pas... et la «frontière» entre Languedoc et Roussillon, pour s'installer en 2012 sur 10 ha dans la vallée de l'Agly.

Le grenache, roi des terroirs schisteux de la vallée de l'Agly, est accompagné d'un soupçon de syrah dans cette cuvée d'un pourpre très profond, au nez intense, sur la groseille et les épices (cumin) nuancés d'une touche florale. Les épices douces s'accompagnent de réglisse dans une bouche élégante et pleine de fraîcheur. ⧗ 2016-2020 🍷 brochettes de bœuf

DOM. LA TOUPIE, 19, rte de Perpignan, 66380 Pia, tél. 07 86 28 99 52, contact@domainelatoupie.fr V r.-v. *Jérôme Collas*

DOM. TRILLES Initiation 2015 ★★

■ | 2000 | | 5 à 8 €

BTS en poche, Jean-Baptiste Trilles rejoint en 2000 le domaine familial (40 ha) dans les Aspres. Apporteur de raisins à la coopérative à ses débuts, il devient vinificateur en 2007, avant de construire une nouvelle cave à sa mesure en 2010, à Tresserre, aux pays des «bruixes» (fées ou sorcières). Des sorcières qui ont inspiré le nom de ses cuvées.

Cette cuvée fait la part belle au sauvignon (80 %, avec du grenache blanc en appoint), qui a bénéficié d'une macération pelliculaire. Son nez alliant le pamplemousse, la noisette et l'amande séduit par sa finesse. Ces jolis arômes se prolongent dans une bouche vive à l'attaque, ample, qui laisse en finale une impression de puissance. ⧗ 2016-2019 🍷 gambas à la mangue et lait de coco

JEAN-BAPTISTE TRILLES, chem. des Coulouminettes, 66300 Tresserre, tél. 06 15 46 64 71, contact@domainetrilles.fr V r.-v.

DOM. VAQUER Grenache noir Exigence 2014 ★

■ | 2400 | | 11 à 15 €

Domaine acheté en 1912 par la famille Vaquer dans les Aspres. Dans la lignée, le «maréchal», Fernand Vaquer, figure historique du rugby catalan, deux fois champion de France avant guerre puis entraîneur dans les années 1950 de l'USAP. Premières mises en bouteilles en 1968. Aujourd'hui, le domaine couvre 17 ha, conduits par Frédérique.

Le grenache s'épanouit sur les rudes sols des Aspres. Il a engendré ici une cuvée d'un grenat éclatant, au nez intense de fruits noirs et de sous-bois. Le sous-bois se lie aux fruits rouges et noirs dans un palais gras et rond en attaque, tendu par une belle acidité qui permettra au vin de bien évoluer pendant quelques années. ⧗ 2017-2022 🍷 magret de canard ■ **Carignan Expression 2014 (11 à 15 €; 2400 b.)** : vin cité. ■ **Muscat sec Escapade 2015 (5 à 8 €; 2400 b.)** : vin cité.

DOM. VAQUER, 1, rue des Écoles, 66300 Tresserre, tél. 04 68 38 89 53, domainevaquer@gmail.com V r.-v.

ROUSSILLON

IGP RANCIO SEC

Le Roussillon est une province française de culture catalane correspondant à la plus grande partie du département des Pyrénées-Orientales. Bien avant la naissance des vins doux naturels, fierté des Catalans, on y produisait des vins secs à fort degré, élevés sans ouillage dans de vieux fûts de bois (élevage oxydatif). Au bout de longues années, ce vin prenait ce que l'on appelle des notes de rancio, arômes très complexes évoquant notamment la noix fraîche et les fruits secs, tandis que des reflets verts apparaissaient dans leur robe. Ces vins faillirent tomber dans l'oubli. Cependant, de nombreux vignerons en conservaient un tonneau au fond de leur cave, car ces rancios étanchaient la soif des anciens, coupés d'eau et, surtout, servaient à élaborer une cuisine typique. Aujourd'hui, cette saveur authentiquement catalane redevient à la mode et séduit un public de plus en plus nombreux.

Après les vignerons de l'IGP Côte Vermeille, qui ont été les premiers à disposer d'un cahier des charges, ceux de l'autre indication géographique protégée départementale, l'IGP Côtes catalanes, en ont défini

en 2011, avec l'aide de l'INAO, le mode d'élaboration : ce cahier des charges impose cinq ans d'élevage minimum, liste les cépages autorisés, qui sont ceux de la région (grenaches, carignan, tourbat, macabeu...), et prévoit quelques variantes dans l'élaboration, ouvrant la possibilité d'un élevage sous voile ou en solera, système où les vins vieux reçoivent régulièrement un apport de vins plus jeunes. Les rancios secs accompagnent jambons bellota, anchois salés de Collioure, fromages très affinés ou simplement, pour les amateurs, un bon cigare.

DOM. DANJOU-BANESSY Rancio sec 1982 ★★

	n.c.	30 à 50 €

Denis Banessy, secondé par sa fille Denise Danjou, modernise et agrandit le domaine dans la vallée de l'Agly. Ses petit-fils Benoît et Sébastien, aux commandes depuis 2003, développent une gamme de vins secs et amorcent la conversion bio de leurs 16 ha de vignes. Ils disposent de trois terroirs: schistes, galets roulés et argiles.

La cave du domaine renferme parmi les plus vieux rancios secs que les propriétaires sortent de temps à autre de l'obscurité. Comme ce 1982, pour une dégustation à l'aveugle. La robe ambré foncé montre des reflets vert bien prononcés. À la fois intense et délicat, le nez déploie des senteurs de confiture de figues, de goudron, de clafoutis aux cerises, de cire et de vieux foudre. Le palais ample et gras dévoile une note de sucrosité et de jolis tanins. On y retrouve les arômes de l'olfaction, avec une rare persistance, de la présence et une exceptionnelle longueur. ⧗ 2017-2050 🍴 figues cuites au foie gras

DOM. DANJOU-BANESSY, 1 bis, rue Thiers, 66600 Espira-de-l'Agly, tél. 04 68 64 18 04 r.-v.

DOM. FONTANEL Rancio sec 2007 ★★

	1200		20 à 30 €

Les origines du domaine remontent à 1864. À sa tête depuis 1989, Pierre et Marie-Claude Fontaneil exploitent 25 ha sur des terroirs variés, d'où ils tirent des cuvées à forte personnalité, aussi bien en vins secs qu'en vins doux naturels. Deux caveaux, l'un à Estagel et l'autre à Tautavel (où se trouve la cave).

Bien dans le style du domaine, voici un rancio sec issu d'un grenache blanc vendangé en 2007. Le long élevage oxydatif a permis d'obtenir une couleur ambrée soutenue aux reflets cuivrés. Le nez révèle toute la complexité de ces vins étonnants, déployant des notes d'épices douces, de pain d'épice, de miel de sapin, de bois sec et d'agrumes confits. Gras et moelleux, très ample dans son développement, le palais déploie des arômes de cacao, de torréfaction et de caramel. La finale s'étire longuement sur des notes de rancio. ⧗ 2017-2050 🍴 magret de canard sauce au café

FONTANEIL, 25, av. Jean-Jaurès, 66720 Tautavel, tél. 04 68 29 04 71, pierre@domainefontanel.fr t.l.j. 10h-12h 14h-18h

♥ RANCY Macabeu ★★★

	2000		15 à 20 €

Brigitte et Jean- Hubert Verdaguer conduisent depuis 1989 le domaine familial (17 ha, aujourd'hui en bio) installé au cœur du village de Latour-de-France. Depuis sa fondation en 1920, cette propriété s'intéresse aux vins doux naturels longuement élevés sous bois, notamment aux rivesaltes, même si au tournant de ce siècle, elle s'est lancée dans l'élaboration de vins secs, en AOC ou en IGP. Autre cheval de bataille des vignerons, le rancio sec, en IGP.

Cette année, nos dégustateurs experts en rancio sec ont couronné les gardiens du temple, ceux qui ont toujours cru à ce vin d'exception. C'est un rancio dont eux seuls connaissent le secret, qui trouve ses qualités dans la mémoire du domaine et des vieux vins qu'il recèle. La robe acajou montre des reflets vert sombre. Le nez est d'une incroyable complexité: cacao et torréfaction, bâton de réglisse, vieille cave, cacahuète grillée, figue.... En bouche, le vin apparaît bien sec, développant les notes de fruits secs perçues à l'olfaction (toujours la cacahouète, sa peau..), le chocolat brûlé et le caramel salé...; tonique et frais, il montre en finale une noble amertume et une persistance que seuls ces produits peuvent offrir. ⧗ 2017-2050 🍴 café noir avec un cannelé

DOM. DE RANCY, Brigitte et Jean-Hubert Verdaguer, 8, place du 8-mai-1945, 66720 Latour-de-France, tél. 04 68 29 03 47, info@domaine-rancy.com r.-v. Verdaguer

DOM. DES SCHISTES Rancio sec

	800		15 à 20 €

La cinquième génération officie dans cette exploitation de la vallée de l'Agly qui vinifie en cave particulière depuis 1989. Comme son nom l'indique, les marnes schisteuses dominent. À la vigne, Jacques et Mickaël Sire sont pointilleux sur le travail du sol et leur domaine de 55 ha est conduit en bio (certification en 2015). Une valeur sûre du Guide.

Jacques Sire choie ses rancios secs et se plaît à dire que ce type de vin, issu d'une solera, est à la racine et représente le futur de la viticulture catalane. Celui-ci revêt une robe dorée aux reflets cuivrés prononcés. Au nez, il s'impose par sa complexité. On respire dans le verre des notes de fruits secs, de caramel, de noix fraîche, de citron confit et de clou de girofle. On retrouve les agrumes confits dans une bouche ample, puissante et chaleureuse, tendue par une belle acidité. Le côté rancio persiste longuement dans une finale minérale. ⧗ 2017-2050 🍴 filet mignon de porc en croûte

DOM. DES SCHISTES, 1, av. Jean-Lurçat, 66310 Estagel, tél. 04 68 29 11 25, sire-schistes@wanadoo.fr r.-v.

Le Poitou et les Charentes

SUPERFICIE :
Haut-Poitou : 99 ha ;
Cognac : 685 400 ha (80 035 plantés, essentiellement destinés à la production de l'eau-de-vie ; pineau-des-charentes : 1 132 ha).
PRODUCTION :
Haut-Poitou : 3 431 hl ;
Cognac : 895 000 hl (cognac) ; 105 400 hl (pineau-des-charentes).
TYPES DE VINS : Vin de liqueur (le pineau-des-charentes, assemblage de moût et de cognac, eau-de-vie élaborée dans la même aire d'appellation) ; vins tranquilles rouges, rosés et blancs (haut-poitou).
SOUS-RÉGIONS :
Haut-Poitou au nord (rattaché viticolement au Val de Loire).
Vignobles du cognac et ses six terroirs (voir carte).
CÉPAGES PRINCIPAUX
Rouges : cabernet franc, cabernet-sauvignon, merlot, gamay (ce dernier uniquement pour le haut-poitou).
Blancs : ugni blanc (surtout), colombard, folle blanche (pour le cognac) ; sémillon, montils, sauvignon.

LE POITOU ET LES CHARENTES

Les vignobles des anciennes provinces de l'Aunis, de la Saintonge et du Poitou ont prospéré avant celui du Bordelais, grâce au port de La Rochelle. Si le Poitou n'a gardé que quelques ceps, les Charentes ont, depuis le XVIes., fondé leur essor sur la distillation des vins blancs. Le cognac a fait leur réputation – une eau-de-vie qui contribue à un élégant vin de liqueur, le pineau-des-charentes.

Du Bassin parisien au Bassin aquitain. Au nord-ouest, la Vendée; au nord, l'Anjou; au nord-est, la Touraine; à l'est, les plateaux du Limousin; au sud, le Bassin aquitain. Géologiquement, le Poitou, enserré entre les terrains primaires du Massif armoricain et du Massif central, fait communiquer les deux grands bassins sédimentaires du territoire français, le Bassin parisien et le Bassin aquitain: d'où le nom de Seuil du Poitou. Ses terrains sont de nature sédimentaire, tout comme ceux, au sud, des pays charentais, auréoles du Bassin aquitain. Les reliefs plats du Poitou font place à des terrains plus ondulés en Charente, où les sols prennent çà et là la couleur blanchâtre du calcaire. Son climat océanique très doux rapproche la région Poitou-Charentes de l'Aquitaine : il est souvent ensoleillé en été ou à l'arrière-saison, avec de faibles variations de températures, ce qui permet une lente maturation des raisins.

La fortune médiévale. Dès l'époque gallo-romaine, les pays des Pictaves et des Santones ont été rattachés à la même province que Bordeaux et, à partir du Xᵉs., Aquitaine et Poitou ont été réunis sous un même duché, avant de devenir partie intégrante, au milieu du XIIᵉs., du grand royaume Plantagenêt comprenant Aquitaine, Poitou, Anjou et Angleterre. Leur histoire viticole présente ainsi des traits communs, quoique les époques de prospérité n'aient pas toujours coïncidé.

Aux temps gallo-romains, malgré l'éclat de Saintes et de Poitiers, nul indice d'une viticulture prospère dans la région, alors que Bordeaux possède déjà des vignobles réputés. C'est au Moyen Âge que le vignoble poitevin s'épanouit. Sa viticulture a un caractère hautement spéculatif: elle est suscitée par le renouveau de la navigation maritime et par l'essor des villes de l'Europe du Nord. Le nouveau patriciat urbain veut consommer du vin. Des navires, plus gros et plus perfectionnés qu'auparavant, partent en quête de la boisson aristocratique. Les Poitevins répondent à cette demande. On plante en quantité dans les diocèses de Poitiers et de Saintes: vins de La Rochelle, de Ré et d'Oléron, de Niort, de Saint-Jean d'Angély, d'Angoulême... Fondée par Guillaume X et protégée par les ducs d'Aquitaine, La Rochelle est l'un des principaux ports d'expédition. On appelle aussi vins du Poitou les produits nés dans les régions voisines de l'Aunis, de la Saintonge et de l'Angoumois – les provinces historiques situées sur le territoire actuel des deux Charentes.

Des alambics pour les Hollandais. La prise de La Rochelle par le roi de France, en 1224, ferme aux vins du Poitou le marché anglais désormais approvisionné par des clarets bordelais. Les autres régions de l'Europe du Nord deviennent alors leur principal débouché – en particulier la Hollande, surtout après 1579, quand les Provinces-Unies prennent leur indépendance et s'affirment comme une puissance maritime et commerciale. Les Hollandais apprécient les vins blancs doux. Néanmoins, les vins de la région voyagent mal. Les négociants hollandais trouvent la solution : le *brandwijn* («vin brûlé»), ou eau-de-vie. Grâce à la distillation, ils parviennent à valoriser des vins faibles, à diminuer les volumes transportés et à remédier à une surproduction récurrente. Une opération tellement intéressante que l'alambic se répand dans les campagnes de l'Aunis et de la Saintonge.

Cette eau-de-vie est devenue le cognac, dont la notoriété s'est affirmée aux XVIIIᵉs. et XIXᵉs. La crise phylloxérique, si elle a suscité l'essor des alcools de grains, n'a pas ruiné durablement le vignoble charentais, qui bénéficiait d'un grand prestige, consacré par une AOC dès 1909. En revanche, le vignoble poitevin a failli disparaître complètement du paysage viticole.

LE COGNAC, PRINCIPALE PRODUCTION RÉGIONALE

La région administrative comprend quatre départements: la Vienne, les Deux-Sèvres, la Charente et la Charente-Maritime. Son vignoble principal est celui du cognac, le quatrième de l'Hexagone en superficie: il s'étend sur les deux Charentes, avec une incursion en Dordogne. Le vignoble poitevin, dont les vins, au XIIᵉs., dépassaient en notoriété ceux du Bordelais, se réduit à des îlots au nord-est de Poitiers, vers Neuville. Mentionnons enfin des vignobles au nord des Deux-Sèvres, dans la plaine de Thouars, rattachés au vignoble du Saumurois (vallée de la Loire).

HAUT-POITOU

Superficie : 186 ha
Production : 11 000 hl (55 % blanc)

Le docteur Guyot rapporte en 1865 que le vignoble de la Vienne représente 33 560 ha. De nos jours, outre le vignoble du nord du département, rattaché au Saumurois, et une enclave dans les Deux-Sèvres, seuls subsistent deux îlots viticoles autour des cantons de Neuville et de Mirebeau. Marigny-Brizay est la commune la plus riche en viticulteurs indépendants. Les autres se sont regroupés pour former la cave de Neuville-de-Poitou. En 2011, le Haut-Poitou a accédé à l'appellation d'origine contrôlée. Les sols du plateau du Neuvillois, évolués sur calcaires durs et craie de Marigny ainsi que sur marnes, sont propices aux différents cépages de l'appellation ; le plus connu d'entre eux est le sauvignon (blanc ou gris). En rouge, le cépage principal est le cabernet franc, complété par le merlot, le pinot noir et le gamay.

DOM. DE LA RÔTISSERIE 2015 ★

■ | 7000 | | 5 à 8 €

Valeur sûre de l'AOC, ce domaine tire son nom d'un four creusé dans le tuffeau qui servait autrefois aux habitants du hameau. Le vignoble, dirigé par Pierre Baudon et son fils Michaël, couvre 21 ha.

La robe est jaune pâle et limpide. Le nez déjà ouvert et puissant libère des arômes de pêche blanche. Tout aussi fruitée, la bouche est douce à l'attaque, soutenue par une trame acide qui apporte de la fraîcheur. Une jolie pointe d'amertume conclut la dégustation. ⌛ 2016-2018 🍷 bar grillé

DOM. DE LA RÔTISSERIE, 2 bis, rue de la Croix-l'Abbé, 86380 Marigny-Brizay, tél. 05 49 52 09 02, domaine.rotisserie86@orange.fr V t.l.j. *sf dim. 9h-12h 14h-19h*

DOM. LA TOUR BEAUMONT Cœur de Tuffeau 2015

■ | 3000 | | 11 à 15 €

Le donjon d'un ancien château du XII[e]s. a donné son nom au domaine, dont les 26 ha se répartissent sur deux coteaux séparés par la rivière Clain. Une valeur sûre du Haut-Poitou. Après cinq années passées en Bourgogne, Pierre Morgeau a rejoint en 2011 son père, Gilles, sur cette exploitation familiale créée en 1860, qu'il dirige seul depuis 2015.

L'élevage de trois mois en barrique apporte au nez une touche de vanille qui se marie subtilement aux arômes typiques du sauvignon (agrumes, buis). La bouche est tendue, fraîche, minérale, avec des nuances d'agrumes qui se prolongent jusqu'en finale. ⌛ 2016-2018 🍷 moules farcies

PIERRE MORGEAU, 2, av. de Bordeaux, 86490 Beaumont, tél. 05 49 85 50 37, tour.beaumont@terre-net.fr V *t.l.j. sf dim. 9h30-12h 14h30-19h (18h sam. et hiver)*

Le Poitou-Charentes

PINEAU-DES-CHARENTES

Le pineau-des-charentes est produit dans la région de Cognac – vaste plan incliné d'est en ouest avec une altitude maximale de 180 m, qui s'abaisse progressivement vers l'océan Atlantique. Le vignoble, traversé par la Charente, est implanté sur des coteaux au sol essentiellement calcaire. Sa destination principale est la production du cognac. Cette eau-de-vie est «l'esprit» du pineau-des-charentes, vin de liqueur résultant du mélange des moûts des raisins charentais frais ou partiellement fermentés avec du cognac. Selon la légende, c'est par hasard qu'au XVI[e]s. un vigneron un peu distrait commit l'erreur de remplir de moût de raisin une barrique qui contenait encore du cognac. Constatant que ce fût ne fermentait pas, il l'abandonna au fond du chai. Quelques années plus tard, alors qu'il s'apprêtait à vider la barrique, il découvrit un liquide limpide, doux et fruité: ainsi serait né le pineau-des-charentes. Le recours à cet assemblage se poursuit aujourd'hui encore de la même façon artisanale et à chaque vendange, car le pineau-des-charentes ne peut être élaboré que par les viticulteurs.

Les moûts de raisin proviennent essentiellement, pour les blancs, des cépages ugni blanc, colombard, montils, sauvignon et sémillon, auxquels peuvent être adjoints le merlot et les deux cabernets, et, pour les rouges et rosés, des cabernets, du merlot et du malbec. Le moût doit dépasser les 170 g de sucre par litre en puissance. Le pineau-des-charentes vieillit en fût de chêne pendant au moins un an, le plus souvent pendant plusieurs années. Il ne peut sortir de la région que mis en bouteilles.

Comme en matière de cognac, il n'est pas d'usage d'indiquer le millésime. En revanche, un qualificatif d'âge est souvent spécifié. Le terme «vieux pineau» est réservé au pineau de plus de cinq ans, et celui de «très vieux pineau» à celui de plus de dix ans. Dans ces deux cas, le vieillissement s'accomplit exclusivement en barrique. La qualité de ce vieillissement doit être reconnue par une commission de dégustation. Le degré alcoolique est généralement compris entre 17 % vol. et 18 % vol., et la teneur en sucre non fermenté entre 125 et 150 g; le rosé est généralement plus doux et plus fruité que le blanc, lequel est plus nerveux et plus sec. Le pineau-des-charentes peut être consommé jeune (à partir de deux ans); il donne alors tous ses arômes de fruits, encore plus présents dans le rouge et le rosé. Avec l'âge, il prend des parfums de rancio très caractéristiques.

BERTRAND ★★

■ | 10300 | ◖◗ | 8 à 11 €

Un domaine fondé en 1731 au cœur de la Fine Champagne par la famille Bertrand. Un long héritage vigneron transmis de génération en génération jusqu'à Samuel Bertrand, établi en 2006 avec sa sœur Thérèse et son beau-frère Thomas Hall à la tête d'un vignoble de 82 ha.

Cinq ans d'élevage en fût ont permis à ce pineau d'obtenir cette jolie robe tuilée et des arômes marqués par l'évolution qui évoquent la cerise à l'eau-de-vie et la framboise compotée. Rond et charnu en attaque, le palais s'épanouit jusqu'en finale sur un fruité intense et offre un équilibre sucres-alcool parfaitement ajusté. ⧗ 2016-2020 ⲯ soupe de fraises

SARL BERTRAND ET FILS, Dom. des Brissons-de-Laage, 17500 Réaux, tél. 05 16 18 09 03, contact@cognac-bertrand.com V r.-v.

♥ DOM. DE BIRIUS ★★

■ | 3100 | 8 à 11 €

Valeur sûre du pineau-des-charentes, ce domaine – dans la même famille depuis dix générations – est situé en Petite Champagne, tout près de la cité médiévale de Pons. Philippe Bouyer, rejoint en 2014 par sa fille Élodie, pratique depuis longtemps la lutte raisonnée et l'enherbement naturel de son vignoble de 32 ha.

Un pineau mi-merlot mi cabernet franc enthousiasmant. Dès qu'il est versé dans le verre, il se fait enjôleur par son rouge intense et profond, puis par ses parfums complexes et gourmands de fruits rouges et noirs (cerise noire, mûre, myrtille) enrobés de cognac et de boisé fondu. Bien structuré, le palais développe une rondeur suave et un fruité si intense qu'on a l'impression de croquer – longtemps, très longtemps – dans les baies noires. À savourer pour lui-même ou à l'apéritif. ⧗ 2016-2020 ⲯ pruneaux au lard grillé ■ **(8 à 11 €; 4200 b.)** : vin cité.

EARL BOUYER, Dom. de Birius, 4, rue des Peupliers, La Brande, 17800 Biron, tél. 05 46 91 22 71, contact@cognac-birius.com V r.-v.

BOULE ET FILS ★

■ | 35000 | ◖◗ | 5 à 8 €

Cette exploitation, située à la limite de la Charente-Maritime et de la Gironde, a été créée par la famille Boule en 1975. Vincent a repris le flambeau transmis en 2003 par son père Philippe. Le vignoble de 42 ha est réparti entre appellations du Cognaçais et du Blayais.

Une cuvée de pur merlot. Derrière une robe rubis léger aux reflets cuivrés apparaissent des fruits confits et un boisé délicat, puis, à l'agitation, des senteurs de pâtisserie grillée. Arômes que l'on retrouve dans une bouche ample et riche en sucres, qui s'étire dans une longue finale charnue, vivifiée par une pointe fruitée et acidulée. ⧗ 2016-2020 ⲯ tarte au chocolat

VIGNOBLES BOULE ET FILS, 3, La Verrerie, 17150 Boisredon, tél. 05 46 49 64 64, boule.fils@orange.fr V r.-v.

DOMINIQUE CHAINIER ET FILS Vieux ★

■ | n.c. | ◖◗ | 15 à 20 €

Cette propriété familiale située au cœur de la région de Cognac étend son vignoble de 39 ha dans

les crus de la Petite et de la Grande Champagne. Dominique Chainier y produit des cognacs et des pineaux.

De son élevage de plus de dix ans en fût de chêne, ce pineau tire une teinte dorée presque cuivrée et des arômes de fruits secs, de figue, de pruneau confit et de prune qui se mêlent à ceux de l'eau-de-vie et du rancio. Une subtilité aromatique prolongée par un palais équilibré, à la fois gras et acidulé, d'une bonne longueur. ⧗ 2016-2020 🍴 foie gras poêlé

⊶ DOMINIQUE CHAINIER, 15, La Barde-Fagnouse, 17520 Arthénac, tél. 05 46 49 12 85, info@cognacchainier.com V 🚶 ! *r.-v.*

DOM. DU CHÊNE Vieux ★★★

■ | 15000 | ◍ | 20 à 30 €

Si ce domaine situé au cœur de la Saintonge romane a été créé en 1865, la production de pineau-de-charentes ne s'est réellement développée qu'à partir de 1947. Jean Doussoux et Jean-Marie Baillif y conduisent 51 ha de vignes implantées sur sol argilo-calcaire, près de la cité de Pons.

Ce pineau, qui a concouru pour le coup de cœur, exhale des parfums puissants de fruits surmûris (abricot, coing), de miel et de rancio (noix et noisette) agrémentés d'un léger boisé subtilement fondu. Franche et alerte en attaque, offrant la même complexité aromatique que le nez, la bouche est admirable d'équilibre et de puissance. Soyeuse, onctueuse et délicatement torréfiée, la finale conclut la dégustation de manière magistrale. ⧗ 2016-2021 🍴 gâteau basque

⊶ DOM. DU CHÊNE, 20, rue des Chênes, Phiolin, 17800 Saint-Palais-de-Phiolin, baillif.jm@wanadoo.fr V 🚶 ! *t.l.j. 9h-12h 15h-19h; sam. dim. sur r.-v.*

DOM. DE LA CHEVALERIE ★

■ | 7000 | ◍ 🍾 | 8 à 11 €

Ce domaine de 29 ha est situé dans le cru de cognac Fins Bois, à proximité du théâtre gallo-romain des Bouchauds, entre Angoulême et Cognac. Il distille depuis quatre générations.

D'un pineau jeune, il a la robe jaune paille et brillante, mais également le nez, qui développe des arômes de fruits frais (pêche, poire et agrumes). La bouche affiche un bel équilibre entre une vivacité soutenue et les sucres. Pour l'apéritif. ⧗ 2016-2020 🍴 toasts de chèvre ■ ★ **(8 à 11 €; 7000 b.)** : un pineau assez évolué, à la robe tuilée, centré sur des arômes fruités légèrement cuits, au palais ample, marqué par un début de rancio. ⧗ 2016-2019 🍴 moelleux au chocolat

⊶ PELLETANT, La Chevalerie, rte de la Vigerie, 16170 Saint-Amand-de-Nouère, tél. 05 45 96 88 53, contact@cognac-pineau-pelletant.com V 🚶 ! *t.l.j. 8h30-12h30 14h-19h; sam. dim. sur r.-v.* 🏠 G

PASCAL CLAIR ★★

■ | 4500 | ◍ | 8 à 11 €

Dans la même famille depuis 1850, ce domaine étend son vignoble de 24 ha sur les coteaux argilo-calcaires de Grande et Petite Champagne. Pascal Clair est aux commandes depuis 1981 et signe des pineaux d'une belle régularité.

Ce pineau a particulièrement retenu l'attention des dégustateurs, qui l'ont présenté au grand jury des coups de cœur. Ils ont été séduits par sa teinte d'un rouge profond légèrement ambré, par son nez ouvert sur la fraise et la framboise, par son équilibre subtilement dosé entre le fruit, l'alcool, l'acidité et le bois. Un pineau bien sous tous rapports, que l'on pourra servir sur des desserts au chocolat. ⧗ 2016-2021 🍴 forêt noire ■ **(8 à 11 €; 7000 b.)** : vin cité.

⊶ EARL PASCAL CLAIR, 6, La Genebrière, 17520 Neuillac, tél. 05 46 70 22 01, pascal.clair@free.fr V 🚶 ! *r.-v.*

DOM. DES CLAIRES 2013

■ | 6600 | ◍ | 8 à 11 €

Bien que ce domaine soit viticole depuis six générations et orienté vers la production de cognac (le seul bouilleur de cru de la presqu'île d'Arvert), c'est l'activité ostréicole et l'affinage des huîtres en claires qui prédominaient jusque dans les années 1970. Jonathan Guillon, son diplôme d'œnologue en poche, s'est installé en 2010 et a diversifié l'encépagement. Les mises en bouteilles à la propriété de vins de pays, de cognac et de pineau ont alors débuté.

D'une belle teinte jaune doré, ce pineau développe un nez franc aux arômes de pineau jeune: fruits secs et écorces d'agrumes. Bien équilibré, long en bouche et légèrement acidulé en finale, il sera parfait à l'apéritif. ⧗ 2016-2019 🍴 toasts de foie gras

⊶ DOM. DES CLAIRES, 2, rue des Tonnelles, 17530 Arvert, tél. 05 46 47 31 87, contact@domainedesclaires.fr V 🚶 ! *t.l.j. sf dim. 10h-12h30 14h30-19h; hors saisons 16h-19h sf mar. dim. ⊶ Guillon*

MICHEL FRADON Vieux ★★

■ | 3000 | ◍ | 20 à 30 €

Ici, on commercialise le pineau en bouteille depuis 1933. Michel Fradon dirige avec son fils ce domaine de 37 ha situé en Petite Champagne, près de Jonzac. La tradition est ici de ne proposer à la vente que de vieux pineaux (cinq ans minimum d'élevage sous bois) et de très vieilles qualités de cognac.

Ce 100 % ugni blanc s'affiche dans une robe brillante, d'un or ambré soutenu. Le boisé souligne le premier nez, puis l'agitation permet de révéler des senteurs plus légères et délicates comme la pâte de coing, la pêche et l'abricot séché. La bouche se montre douce, ample, ronde, riche sans lourdeur, centrée sur les fruits secs, le pruneau, le miel et des évocations grillées au travers d'un superbe rancio. Assurément un très joli pineau qui mériterait la mention «très vieux». À découvrir. ⧗ 2016-2020 🍴 bleu de Bresse

⊶ MICHEL FRADON, 8, Le Château, 17500 Réaux-sur-Trèfle, tél. 05 46 48 46 02, contact@domaine-fradon.com V 🚶 ! *r.-v.*

♥ DOM. DE FRAICHEFONT ★★

■ | 2000 | ◖◗ | 15 à 20 €

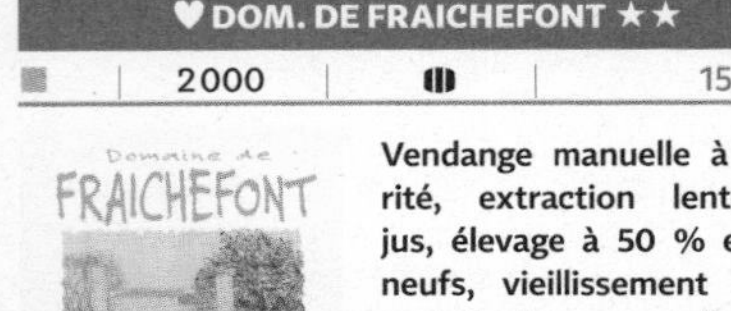

Vendange manuelle à maturité, extraction lente des jus, élevage à 50 % en fûts neufs, vieillissement durant trois à cinq ans, telles sont les méthodes d'élaboration respectueuses du raisin employées par Lionel Ducom, installé en 1990 sur ce domaine familial qui avait créé son activité dix ans plus tôt.

Le terroir calcaire et l'exposition s'expriment pleinement dans ce pineau dont le moût provient exclusivement du colombard. De son élevage pour moitié en fût neuf pendant un an, il a acquis des notes boisées affirmées qui se mêlent aux fruits jaunes et aux fleurs blanches. Sa complexité s'affirme en bouche, où le vin se montre chaleureux, dense et très fruité, et «absorbe» admirablement les tanins toastés légués par la barrique. Ce n'est pas un pineau «typique», mais il a séduit les dégustateurs par son harmonie remarquable. ⧗ 2016-2022 🍷 foie gras

⊶ LIONEL DUCOM, rue du Labeur, Fraichefont, 16170 Auge-Saint-Médard, tél. 06 80 00 87 84, dl.ducom@wanadoo.fr V 🚶 ▮ *r.-v.*

PIERRE GAILLARD ★

■ | 10000 | ◖◗ | 8 à 11 €

Les Gaillard sont établis depuis cinq générations sur leur domaine des Fins Bois, à la limite de la Petite Champagne, dans une région de la haute Saintonge où la culture de la vigne est ancestrale. Soin apporté à la vigne, maîtrise du vieillissement des cognacs et des pineaux, Pierre Gaillard et son fils Pascal exploitent avec talent un vignoble de 22 ha.

La complexité de ce vin tient à un assemblage de quatre cépages (ugni blanc, colombard, montils et sémillon), que Pascal Gaillard a su mettre en valeur. Avec ses arômes puissants d'abricot, de prune et de brioche, sa bouche fruitée, ample et ronde, son gras, il conviendra à toutes les étapes du repas, de l'apéritif au dessert, en passant par le foie gras et les fromages bleus... ⧗ 2016-2020 🍷 foie gras ■ **Très Vieux ★ (15 à 20 €; 860 b.)** : un «honorable» pineau aromatique, harmonieux et très élégant, ouvert sur des notes de fleurs et d'agrumes, et dont le vieillissement transparaît également aux senteurs de cannelle et de rancio. En bouche, le mariage raisin-cognac et l'équilibre sucres-alcool sont impeccables. Belle rétro-olfaction sur le pruneau, la mirabelle et le miel. ⧗ 2016-2022 🍷 saint-jacques au pineau

⊶ EARL PIERRE GAILLARD ET FILS, 5, chez Trébuchet, 17240 Clion-sur-Seugne, tél. 05 46 70 45 15, cognac-gaillard@live.fr V 🚶 ▮ *t.l.j. sf dim. 14h-19h; sam. 9h-13h* 🏠 Ⓐ

DOM. GARDRAT Réserve ★★

■ | 3000 | ◖◗ | 11 à 15 €

Dans la famille Gardrat depuis cinq générations, ce domaine s'est tourné vers les vins de pays charentais à partir de 1986. Lionel Gardrat, qui en a pris les commandes en 2007, exploite un vignoble de 40 ha.

D'emblée, sa robe brillante d'un jaune doré légèrement ambré donne le ton. Le nez n'est pas en reste: les fruits confits, la figue et la pêche arrivent crescendo, soulignés par un bon boisé. Le palais se révèle complexe, gras et rond. La finale s'achève harmonieusement sur la noix de coco, l'amande et le coing. ⧗ 2016-2021 🍷 tarte Tatin

⊶ DOM. GARDRAT, 13, rue La Touche, 17120 Cozes, tél. 05 46 90 86 94, lionelgardrat@hotmail.com V ▮ *r.-v.*

HENRI GEFFARD Extra-Vieux ★

■ | 2000 | ◖◗ | 20 à 30 €

Incontournable, cette propriété viticole (30 ha) de Grande Champagne appartient à la famille Geffard depuis 1840. Henri ayant pris sa retraite, ses enfants Karine et Stéphane (sixième génération) lui ont succédé. Ils élaborent pineaux, cognacs et vins de pays charentais.

Ce pineau jaune doré d'une belle intensité, aux reflets ambrés, dévoile à l'olfaction une palette aromatique très riche mêlant les agrumes, le bois et les épices. C'est surtout en bouche que ces arômes s'épanouissent: amande, noix muscade, gelée de coing, abricot. Le rancio, omniprésent mais fondu, offre au palais gras, volume et longueur. ⧗ 2016-2022 🍷 sabayon d'abricots

⊶ SARL HENRI GEFFARD, La Chambre, 16130 Verrières, tél. 05 45 83 02 74, cognac.geffard@aliceadsl.fr V 🚶 ▮ *t.l.j. 8h30-12h 13h30-18h* 🏠 ❶ 🏠 Ⓑ

GUILLON-PAINTURAUD Très Vieux Exception Or ★★

■ | n.c. | ◖◗ | 50 à 75 €

Il faut remonter jusqu'en 1610 pour retrouver les origines de cette famille dont l'exploitation est ancrée au cœur de la Grande Champagne, sur des coteaux argilo-calcaires et crayeux. Un domaine de 19 ha régulier en qualité, réputé notamment pour ses pineaux extra-vieux. Arrivée en 1994, Line Sauvant a pris la suite de son père Pierre Guillon.

Assurément un remarquable produit, bien typé «très vieux». Tout nous rappelle sa catégorie: sa robe ambré foncé, légèrement orangée, son nez puissant aux accents floraux (jacinthe, iris, narcisse) et épicés (vanille). L'attaque est douce et souple, la bouche ample et marquée par un beau fruité (prune, quetsche, pâte de fruits) et une légère touche acidulée. La finale, élégante, associe la vanille et la cannelle, avec en soutien un fin rancio qui souligne sa longueur. ⧗ 2016-2022 🍷 foie gras

⊶ GUILLON-PAINTURAUD, 7, rue du Coteau, Biard, 16130 Segonzac, tél. 05 45 83 41 95, info@guillon-painturaud.com V 🚶 ▮ *t.l.j. sf dim. 10h-12h 14h-18h; janv.-fév. sur r.-v.*

JOBET Vieux ★

■ | n.c. | ◖◗ | 11 à 15 €

Un domaine familial de 28 ha situé dans l'aire des Fins Bois, conduit depuis 2010 par la dernière géné-

ration de Belin: Delphine et sa sœur Séverine, ingénieurs agronomes et œnologues.

Par sa robe orangé tuilé, ce pineau mi-merlot mi-cabernet-sauvignon laisse entrevoir son long séjour en barrique. Le nez n'est pas en reste avec son fruité aux nuances de cerise à l'eau-de-vie, de cassis, de pâtisserie mâtiné d'un rancio soutenu et persistant. Fruité, le palais l'est également, teinté d'une belle fraîcheur et d'une longueur appréciable. L'expression même d'un vieux pineau. Avec du chocolat dans tous ses états. ⧗ 2016-2020 ¥ moelleux au chocolat

SCEA F. JOBET, 17, rue du Château, Bouchereau, 17490 Macqueville, tél. 05 46 26 64 11, scea-f.jobet@orange.fr V ♿ ▪ *t.l.j. 9h-20h*

THIERRY JULLION ★★

■	10 000	8 à 11 €

Thierry Jullion, représentant la cinquième génération, exploite depuis 1981 un beau vignoble familial de 45 ha. Régulièrement remarqué dans le Guide pour son pineau et ses IGP Charentais, il produit aussi du cognac.

Sa robe intensément ambrée et son nez chaleureux de fruits confiturés, d'agrumes, de caramel et de pain toasté en font un produit remarquable. La bouche est fraîche et fruitée, dominée par le rancio dans sa longue finale. Un pineau très bien construit, alerte et complexe, excellent ambassadeur de l'appellation. ⧗ 2016-2022 ¥ foie gras poêlé

THIERRY JULLION, Montizeau, 17520 Saint-Maigrin, tél. 06 83 54 27 73, jullion@wanadoo.fr V ♿ ▪ *r.-v.* 🏠 3 🏠 B

LÉONARD Vieux

■	1500	◍	15 à 20 €

C'est en 1954 que Marcel Léonard acquiert l'exploitation sur laquelle il travaille. En 1977, son fils Jean-Pierre prend la suite, puis son petit-fils Jacky en 1993. Une histoire familiale qui continue, la nouvelle génération s'étant installée sur le domaine en 2015.

Un vieux pineau blanc tout en finesse et plein de fraîcheur. On apprécie ses parfums de poire, de coing et de miel. Le cognac et le boisé participent agréablement au montant. La bouche est vive, équilibrée par une agréable sucrosité. La pointe de chaleur due à l'eau-de-vie en finale ne contrarie pas l'harmonie générale. ⧗ 2016-2020 ¥ fromage de chèvre mi-sec

EARL DES LEVRIERS PINEAU LÉONARD, 4, rte de Saint-Même, 16200 Gondeville, tél. 06 71 88 10 78, a2cj@sfr.fr V ♿ ▪ *r.-v.*

J.-P. MÉNARD ET FILS Très Vieux ★

■	5000	◍	20 à 30 €

La société Ménard exploite plusieurs propriétés (62 ha), toutes établies en Grande Champagne, terroir très réputé du cognac, et vend pineaux et cognacs en bouteille depuis 1946, à Saint-Même-les-Carrières. Une valeur sûre.

D'un beau jaune orangé, ce pineau très vieux développe un bouquet floral (tilleul) où le bois se fond dans le rancio. Un rancio que l'on retrouve dans un palais puissant, frais et long, aux arômes de coing, de fruits secs et de boisé. Parfait pour le dessert. ⧗ 2016-2022 ¥ tarte aux noix

J.-P. MÉNARD ET FILS, 2, rue de la Cure, 16720 Saint-Même-les-Carrières, tél. 05 45 81 90 26, menard@cognac-menard.com V ♿ ▪ *t.l.j. sf sam. dim. 9h-12h 14h-17h*

DOM. PAUTIER Vieux ★★

■	1000	15 à 20 €

Cette maison de grand maître franc-maçon, construite en 1830 sur les bords de la Charente, commande un vignoble (30 ha) planté sur un terroir de groie. Aujourd'hui propriété de la famille Pautier, elle fut jadis une maison de négoce de cognacs.

La robe est cuivrée et le nez complexe, entre fruits à noyau, confiture de prunes et rancio. La bouche, à l'unisson, se révèle parfaitement équilibrée, bâtie sur un beau fondu des tanins du bois, des sucres et du cognac. Une petite note de torréfaction en finale lui apporte un supplément d'âme. ⧗ 2016-2021 ¥ tiramisu

DOM. PAUTIER, Veillard, 23, rte de la Grande-Champagne, 16200 Bourg-Charente, tél. 05 45 81 24 89, domaine.pautier@cerfrance.fr V ♿ ▪ *t.l.j. 10h-12h 15h30-18h30; oct.-mars sur r.-v.*

ANDRÉ PETIT

■	12 000	◍	8 à 11 €

Un domaine de 18 ha établi sur un coteau calcaire, à Berneuil, dans la «petite Toscane charentaise», repris en 1988 par l'œnologue Jacques Petit, qui l'a ouvert à la vente directe.

Ce pineau provient de terroirs argilo-calcaires et d'un assemblage à parts égales d'ugni blanc et de colombard. Le nez apparaît harmonieux, à dominance de fruits secs; arômes prolongés par un palais vif, plus rond et évolué en finale. ⧗ 2016-2021 ¥ salade de magrets séchés, roquefort et noix

ANDRÉ PETIT ET FILS, Au Bourg, 16480 Berneuil, tél. 05 45 78 55 44, andrepetit3@wanadoo.fr V ♿ ▪ *t.l.j. sf dim. 8h-12h30 13h30-18h; f. 15 août*

LE PETIT COUSINAUD ★

■	2500	◍	8 à 11 €

Denis Maurice, installé depuis 1977 dans le village de Guizengeard au sud de la Charente, a pris sa retraite en 2011 et confié son domaine de 25 ha en fermage à Geoffrey Valentin, étranger au milieu viticole mais formé pendant un an par le futur retraité.

Attention nostalgie garantie! Ce pineau vous fera retomber en enfance avec sa couleur prune et ses parfums de bonbon acidulé. Assez vif en attaque du fait de sa jeunesse, il se montre ensuite souple et rond, pas trop suave et bien équilibré. ⧗ 2016-2020 ¥ melon au jambon

VALENTIN GEOFFREY, Le Petit Cousinaud, 16480 Guizengeard, tél. 06 72 64 65 96, geoffrey.valentin@orange.fr V r.-v.

DOM. LA PRENELLERIE Très Vieux ★

	4000		15 à 20 €

Conduit par la même famille depuis cinq générations, ce domaine est situé sur les coteaux argilo-calcaires de l'estuaire de la Gironde, à 5 km de Talmont, site touristique emblématique de la Charente-Maritime. Frédéric Billonneau est à sa tête depuis 2004.

Ce pineau élevé en fût pendant vingt ans ne manque pas de qualités: une robe couleur vieil or, un beau rancio aux nuances de noisette et de noix, un palais gras et rond, et une jolie finale persistante sur les fruits secs. 2016-2023 foie gras

DOM. LA PRENELLERIE, SCEA Billonneau, 1, Dom. La Prenellerie, 17120 Épargnes, tél. 06 08 33 00 80, fbillonneau@yahoo.com V *t.l.j. sf dim. 9h-12h 14h-19h Frédéric Billonneau*

GÉRARD ET CÉCILE RABY ★★

	1350	11 à 15 €

Nichée sur les coteaux calcaires de Grande Champagne, cette exploitation est installée au logis de la Brée, sur les terres du chevalier de la Croix Marron, inventeur de la double distillation charentaise. La famille Raby y élabore cognacs et pineaux depuis cinq générations. Gérard et sa fille Cécile conduisent aujourd'hui un vignoble de 40 ha. Ils se sont lancés dans la vente directe en 2007.

Complexité et finesse aromatique (fraise, mûre, noisette, noix) caractérisent l'olfaction de ce remarquable pineau. En bouche, de la chair, du volume, de la douceur, une même expression intense et fruitée et une longue finale qui laisse une impression de plénitude. 2016-2022 tarte aux fraises

GÉRARD ET CÉCILE RABY, La Brée, 16130 Segonzac, tél. 05 45 83 35 69, contact@cognac-raby.fr V *t.l.j. 9h-12h 14h-18h*

LES RAISINS DE L'ABBAYE ★★

	3500		8 à 11 €

Cet ancien domaine ecclésiastique, devenu une ferme charentaise avec cour fermée et porche typiques, étend son vignoble de 27 ha près de Saint-Jean-d'Angély, sur des terres de groie peu profondes et séchantes. La vente directe de pineau et de cognac a débuté en 1999 avec Thierry et Olivier Madé, installés depuis 1992.

Brillant à l'œil, ce pineau a une teinte rouge brique peu soutenue. Fin et léger, le nez évoque les fruits et les épices. Souple à l'attaque, le palais affiche de la rondeur et déploie une longue finale tout en finesse. Un rosé équilibré et élégant. 2016-2021 charlotte aux fruits rouges

GAEC DE L' ABBAYE, 17, chem. de l'Abbaye, 17400 Asnières-la-Giraud, tél. 05 46 59 17 36, raisins.abbaye@gmail.com V *t.l.j. sf dim. 9h-12h30 14h-20h Guy Madé*

ROUSSILLE

	6000		8 à 11 €

Gaston Roussille fonde ce domaine en 1928 puis se lance dans la vente en bouteilles dans les années 1950. Son petit-fils Pascal a pris les rênes en 1976 des 30,7 ha de vignes. Les bâtiments d'exploitation sont disposés en enfilade, ce qui permet de suivre les étapes de l'élaboration du cognac (pressoir, distillerie et vieillissement).

Le merlot a la part belle, épaulé par 30 % de cabernet, dans ce pineau foncé. Pas étonnant de voir la framboise et la fraise dominer l'ensemble de la dégustation. C'est frais, soutenu et harmonieux. 2016-2020 tarte aux fraises

PASCAL ROUSSILLE, 21, rue de Libourdeau, 16730 Linars, tél. 05 45 91 05 18, sca.pineau-roussille@terre-net.fr V *t.l.j. 8h-12h 14h-19h; dim. sur r.-v.*

CLAUDE THORIN 2009 ★★

	n.c.	15 à 20 €

Situé au cœur de la Grande Champagne, ce domaine principalement dédié au cognac a développé dans les années 1980 la production de pineau puis de vins de pays en 2000, sous la marque Croix Fadet. Claude Thorin a succédé à son père André en 1988.

Un pineau original: il est peu courant de trouver des millésimés. Un pineau remarquable aussi (et surtout) par sa qualité. De son vieillissement en fût, il a acquis une robe doré ambré et un nez intense aux accents de cognac, de rancio, de coing et d'agrumes. Sa richesse s'exprime pleinement au palais: attaque franche, beaucoup de volume et un fruité soutenu bien marié aux notes vanillées du bois. Un ensemble très équilibré. 2016-2020 salade de chèvre chaud au miel

SCEA DOM. THORIN, Biard, 16130 Segonzac, tél. 05 45 83 33 46, claudethorin@cognac-thorin.com V *r.-v.*

VEUVE BARON ET FILS Vieux ★★

	10000		11 à 15 €

Commandée par un ancien pavillon de chasse datant de François Ier, avec cour fermée par les chais de vinification et de vieillissement, la propriété, située au nord de Cognac, se transmet de père en fils depuis 1837. Antoine Baron, cinquième du nom, dirige depuis 2007 le domaine de 54 ha réputé pour ses pineaux blancs.

Ce 100 % ugni blanc se montre très séduisant dans sa robe d'or. Le charme opère aussi à l'olfaction, où l'abricot sec et le pruneau se marient parfaitement aux notes de vieillissement (noix et vanille). Le rancio s'amplifie en bouche et accompagne des arômes suaves et persistants de miel, de fruits jaunes confits et d'épices comme la cannelle. Un modèle d'équilibre. 2016-2020 kouglof

SCEA VIGNOBLES ANTOINE BARON, Logis du Coudret, BP 7, 16370 Cherves-Richemont, tél. 05 45 83 16 27, veuve.baron@wanadoo.fr V *t.l.j. 9h30-12h 14h-18h30*

IGP CHARENTAIS

DOM. DE GARANCILLE
Coteaux de Traviole Merlot 2015

7200 | 5 à 8 €

Situé au cœur de la Grande Champagne, ce domaine exploite la vigne depuis 1775. Éric Billhouet en a pris la tête en 2007; il cultive 15 ha et propose des vins de pays charentais.

Première apparition dans le Guide pour ce domaine avec un pur merlot floral et épicé au nez, marqué de quelques notes d'évolution. En bouche, il montre une bonne corpulence, un volume des plus respectables et une fine acidité en soutien. Un vin équilibré. 2016-2019 grillades de bœuf au feu de bois

DOM. DE GARANCILLE, 16130 Segonzac, tél. 05 45 83 41 74, e.billhouet@domaine-garancille.com V r.-v. *SAEV Billhouet*

♥ DOM. GARDRAT
Tradition Élevé en fût de chêne 2014 ★★

12000 | - de 5 €

Dans la famille Gardrat depuis cinq générations, ce domaine s'est tourné vers les vins de pays charentais à partir de 1986. Lionel Gardrat, qui en a pris les commandes en 2007, exploite un vignoble de 40 ha.

Régulièrement au rendez-vous avec ses vins de pays, et souvent en bonne place, Lionel Gardrat met ici le merlot à l'honneur avec cette cuvée intense et profonde, tirant sur le noir. Au nez, le cassis et la cerise mûrs s'allient avec le vanillé de la barrique et quelques notes de cuir et d'épices. En bouche, c'est rond, charnu, volumineux, long et structuré en douceur par des tanins veloutés. Un vin gourmand et harmonieux. 2017-2021 confit de canard **Villanova 2015 (8 à 11 €; n.c.)** : vin cité.

DOM. GARDRAT, 13, rue La Touche, 17120 Cozes, tél. 05 46 90 86 94, lionelgardrat@hotmail.com V r.-v.

MAINE AU BOIS 2014

5090 | - de 5 €

Natif de Gironde, ayant grandi au milieu des vignobles de Pessac-Léognan, œnologue depuis 1988 pour des maisons de cognac, Thierry Archereau a créé en 2003, avec son employeur de l'époque, une maison de négoce dans le hameau de Saint-Eugène qui commercialise une gamme de vins de pays charentais, les vins du Maine au Bois. Depuis 2013, il est seul aux commandes.

Le seul sauvignon est à l'œuvre dans ce vin au nez bien typé: buis, pamplemousse, fleurs blanches. La bouche fleure bon le cépage également: de la vivacité, et même de la nervosité en finale, avec en appoint un boisé discret qui renforce son volume sans étouffer les arômes. 2016-2018 terrine de volaille

DONI D., 22, allée des Marronniers, 17520 Archiac, tél. 05 46 48 33 84, t.archereau@orange.fr V r.-v.

Ⓑ JANIS MELROSE 2014

9700 | - de 5 €

L'Anglaise Janis Melrose a repris en 2006, avec son mari vigneron, le domaine de M. Collin, parti à la retraite. Un vignoble de 10 ha conduit en bio depuis 1985. Elle en tire des IGP charentais et du cognac.

Une pointe de cabernet-sauvignon (5 %) accompagne le merlot dans ce vin discret mais plaisant au nez avec ses notes de cerise au kirsch, de cassis et de violette: des arômes bien typés du cépage principal qui imprègnent aussi la bouche, ronde et souple, de structure légère et de bonne longueur. 2016-2019 ribs de porc

JANIS MELROSE, 30, rte de Celles, 16130 Salles d'Angles, tél. 05 45 32 58 46, janis@cognacmery.com V r.-v.

MOINE 2015

1200 | - de 5 €

En 1980, Jean-Yves et François Moine reprennent la petite exploitation familiale de 5 ha, qui s'étend aujourd'hui sur 40 ha. En 1986, ils débutent la vente directe. En 1990, ils créent un Circuit du chêne pour montrer le rôle du bois dans le vieillissement du cognac, puis en 2010, ils ouvrent le Preswar, lieu d'exposition installé au-dessus de la distillerie.

Merlot (70 %) et cabernet-sauvignon sont associés dans un vin au nez discret, sur les fruits rouges. Fraîche et de bonne ampleur, la bouche affiche une structure tannique de qualité, présente sans excès, qui autorise une petite garde. 2017-2020 brochettes de bœuf

SNC MOINE, 1, rue de la Boucle, 16200 Chassors, tél. 05 45 80 98 91, lesfreres.moine@wanadoo.fr V *t.l.j. sf dim. 14h30-19h*

DOM. DE MONTIZEAU Sauvignon 2015

12000 | - de 5 €

Thierry Jullion, représentant la cinquième génération, exploite depuis 1981 un beau vignoble familial de 45 ha. Régulièrement remarqué dans le Guide pour son pineau et ses IGP Charentais, il produit aussi du cognac.

Ce pur sauvignon s'ouvre sur des parfums discrets mais plaisants d'agrumes, d'abricot et de pêche blanche. Un fruité qui s'épanouit dans une bouche fraîche, légère et de bonne longueur. 2016-2017 fromage de chèvre

THIERRY JULLION, Montizeau, 17520 Saint-Maigrin, tél. 05 46 70 00 73, jullion@wanadoo.fr V r.-v. 3 Ⓑ *Thierry Jullion*

DOM. DE PONCEREAU DE HAUT
Cuvée Ophélie Sauvignon 2015

37000 | - de 5 €

Ce domaine familial a longtemps produit volailles, céréales et vins de chaudière pour le cognac. En 1978, Jean-Claude Benassy signe le premier vin blanc

CHARENTES

sec, suivi en 1983 des premiers rouges et rosés. Aujourd'hui, le vigneron, qui ne produit que du vin de pays charentais, travaille avec deux de ses trois enfants (Ophélie et Florian) sur 36 ha.

Sauvignon blanc (85 %) et sauvignon gris composent un vin simple et efficace: nez fin et bien typé de buis, de genêt et d'agrumes, bouche à l'unisson, pas très longue mais souple et tonique. ⧗ 2016-2017 ⫯ bouquet de crevettes

⊸ DOM. DE PONCEREAU DE HAUT, 1, Poncereau-de-Haut, 17120 Épargnes, tél. 05 46 90 73 63, contact@domaine-poncereau-de-haut.fr
V t.l.j. sf dim. 9h-12h 14h30-19h ⊸ Benassy

La Provence et la Corse

• LA PROVENCE

SUPERFICIE : 29 000 ha
PRODUCTION : 1 300 000 hl
TYPES DE VINS : rosés majoritaires, rouges de garde et blancs.
CÉPAGES PRINCIPAUX :
Rouges : grenache, cinsault, syrah, carignan, tibouren, mourvèdre, cabernet-sauvignon.
Blancs : ugni blanc, vermentino (rolle), bourboulenc, clairette, sémillon, sauvignon.

• LA CORSE

SUPERFICIE : 7 000 ha
PRODUCTION : 350 000 hl dont 35,5 % en AOC, 59,2 % en IGP et 5,3 % en VSIG.
TYPES DE VINS : En AOC, rosés majoritaires (55 %), rouges (33 %), blancs (10,5 %), vins doux naturels muscat-du-cap-corse (1,5 %). En IGP, rosés majoritaires (48 %), rouges (35 %) et blancs (17 %).
CÉPAGES PRINCIPAUX :
Rouges : niellucciu, sciaccarellu, grenache, cinsault, syrah, carignan, aleatico.
Blancs : vermentinu (rolle), bourboulenc, clairette, muscat à petits grains.

LA PROVENCE

La Provence, pour tout un chacun, c'est un pays de vacances, où «il fait toujours soleil» et où les gens, à l'accent chantant, prennent le temps de vivre... Pour les vignerons aussi, c'est un pays de soleil, qui brille trois mille heures par an. Les pluies y sont rares mais violentes, les vents fougueux et le relief tourmenté. Les Phocéens, débarqués à Marseille vers 600 av. J.-C., ne se sont pas étonnés d'y voir de la vigne, comme chez eux, et ont participé à sa diffusion. Grâce au tourisme, la viticulture a retrouvé des couleurs, et sa couleur préférée est le rosé. La région fournit aussi des rouges concentrés ou fruités, et de rares blancs.

Des voies romaines aux routes des vacances. Après les Phocéens, les Romains puis les moines et les nobles, jusqu'au roi-vigneron René d'Anjou, comte de Provence au XV^{e}s., se sont fait les propagateurs de la vigne. Éléonore de Provence, épouse d'Henri III, roi d'Angleterre, sut donner aux vins de Provence un grand renom, tout comme Aliénor d'Aquitaine l'avait fait pour les vins d'Aquitaine. Ils furent par la suite un peu oubliés du commerce international, faute de se trouver sur les grands axes de circulation. Ces dernières décennies, le développement du tourisme les a remis à l'honneur, et spécialement les vins rosés, vins joyeux s'il en est, symboles de vacances estivales et dignes accompagnements des plats provençaux.

Un vignoble morcelé et des cépages variés. La structure du vignoble est souvent morcelée, la géopédologie étant très diversifiée par le relief offrant des zones contrastées tant en matière des sols que des microclimats. Comme dans les autres vignobles méridionaux, les cépages sont très variés: l'appellation côtes-de-provence en admet treize. Encore que les muscats, qui firent la gloire de bien des terroirs provençaux avant la crise phylloxérique, aient pratiquement disparu.

Le rosé en tête. Depuis plusieurs années, le rosé s'est imposé auprès des consommateurs. La Provence possède ainsi le premier vignoble au monde de vins rosés et s'impose comme la première région en France des vins de cette couleur avec environ 40% de la production nationale.

« AVÉ L'ASSENT »

Et puisqu'on parle encore provençal dans quelques domaines, sachez qu'un «avis» est un sarment, qu'une «tine» est une cuve et qu'une «crotte» est une cave! Peut-être vous dira-t-on aussi qu'un des cépages porte le nom de «pecoui-touar» (queue tordue) ou encore «ginou d'agasso» (genou de pie), à cause de la forme particulière du pédoncule de sa grappe...

Ces vins, de même que les vins blancs (ceux-ci plus rares mais souvent surprenants), sont généralement bus jeunes. Il en est de même pour beaucoup de vins rouges, lorsqu'ils sont légers. Mais les plus corsés, dans toutes les appellations, vieillissent fort bien.

BANDOL

Superficie : 1 690 ha
Production : 56 466 hl (95 % rouge et rosé)

Noble vin produit sur les terrasses brûlées de soleil des villages de Bandol, Le Beausset, La Cadière-d'Azur, Le Castellet, Évenos, Ollioules, Saint-Cyr-sur-Mer et Sanary, à l'ouest de Toulon, le bandol est blanc, rosé ou rouge. Ce dernier est corsé et tannique grâce au mourvèdre, cépage qui le compose pour plus de la moitié. Généreux, il s'accorde avec les venaisons et les viandes rouges. Sa palette aromatique et subtile est faite de poivre, de cannelle, de vanille et de cerise noire. Le bandol rouge supporte fort bien une longue garde.

CH. D'AZUR Tradition 2014 ★★

■ | 3500 | 🛢 | 11 à 15 €

Dans les années 1990, après une expérience en Bordelais, Hélène et Paul Charavel ont créé un petit domaine de 3 ha. Gaël Cluchier, leur petit-neveu, leur a succédé en 2010, diplôme d'œnologue en poche. Par de nouvelles plantations, le vignoble s'est agrandi, passant à 8 ha.

Une robe violine de jeunesse habille ce vin ouvert dès le premier nez sur un boisé intense, étoffé de fruits mûrs et d'épices. Le palais se montre frais et velouté en attaque, puis plus ferme, associant un beau boisé cacaoté à des tanins fins et serrés. Un bandol bien typé, bâti pour la garde. ⏳ 2019-2026 🍷 pavé de biche sauce grand veneur

⊶ CH. D' AZUR, 1010, chem. de la Peiguière, 83270 Saint-Cyr-sur-Mer, tél. 04 94 26 31 42, contact@chateaudazur.fr V 🚶 ▮ *t.l.j. sf dim. 9h-12h 15h-19h ⊶ M. Charavel*

DOM. DES BAGUIERS 2013 ★

■ | 10 000 | 🛢 | 15 à 20 €

Transmis de génération en génération, le domaine délaisse la polyculture à la fin des années 1970 pour se consacrer à la vigne. Depuis, Franck et Claudine Jourdan travaillent aux côtés de leur père Jean-Louis sur un vignoble de 30 ha étendu entre Bandol, Le Castellet et La Cadière-d'Azur.

D'un intense rouge grenat, ce bandol affiche une belle complexité aromatique autour de notes empyreumatiques, d'amande grillée et de fruits mûrs. Souple en attaque, la bouche évolue vers plus de puissance, portée par un boisé frais aux tonalités d'épices et de cacao amer, et par des tanins qui se resserrent progressivement. ⏳ 2018-2022 🍷 faisan en cocotte

⊶ GAEC JOURDAN, 227, rue des Micocouliers, Le Plan-du-Castellet, 83330 Le Castellet, tél. 04 94 90 41 87, jourdan@domainedesbaguiers.com V 🚶 ▮ *t.l.j. sf dim. 10h-12h 15h-18h30*

♥ CH. BARTHÈS 2015 ★★

■ | 10900 | | 15 à 20 €

La famille Barthès est à la tête de deux domaines: le Dom. de Font-Vive et le Ch. Barthès, implantés dans les restanques du Val d'Arenc. Elle signe des vins régulièrement en vue dans le Guide, des rosés notamment.

Très à l'aise en rosé, les Barthès s'y entendent aussi en blanc. Témoin ce 2015 lumineux dans tous les sens du terme, né de clairette (50 %), d'ugni blanc (40 %) et d'un soupçon de rolle et de sauvignon. Un bandol apprécié pour son expression fruitée intense et élégante, pour son attaque souple et minérale, pour sa vivacité parfaitement dosée et sa longueur remarquable. Accord (très) gourmand en perspective avec les produits de la mer. ⧗ 2016-2020 ♈ saint-jacques à la plancha

⊶ MONIQUE BARTHÈS, chem. Val-d'Aren, 83330 Le Beausset, tél. 04 94 98 60 06, barthesph2@wanadoo.fr V r.-v.

♥ Ⓑ LA BASTIDE BLANCHE Cuvée Fontanéou 2014 ★★

■ | 4600 | | 20 à 30 €

Un domaine de référence, créé en 1972 par Baptistin Bronzo et son fils Michel à partir de 10 ha de vignes. Agrandi et entièrement restructuré, le vignoble couvre aujourd'hui 28 ha, aménagés en terrasses au pied du Castellet et cultivés en biodynamie. La famille Bronzo a également pris en fermage les châteaux des Baumelles (10 ha à Saint-Cyr) et du Castillon (8 ha au Castellet).

Une cuvée souvent en vue, déjà coup de cœur dans sa version 2011. Le 2014 propose une expression aboutie du mourvèdre (92% de l'assemblage). La robe est profonde, le nez riche et intense, évoquant les fruits noirs (cassis, mûre), la réglisse et les sous-bois. Dès l'attaque se déploie une matière dense, soulignée par une belle fraîcheur fruitée et réglissée et par des tanins fins et veloutés. Déjà très bon et pour longtemps. ⧗ 2018-2026 ♈ chapon farci aux truffes ■ **2015 ★★ (15 à 20 €; 13000 b.)** Ⓑ : porté par d'agréables notes florales, un 2015 épatant de générosité et de précision, parfaitement équilibré entre un fruité dynamique et une note beurrée enveloppante. Un blanc de repas. ⧗ 2016-2020

⊶ SCEA BRONZO, 367, rte des Oratoires, 83330 Sainte-Anne-du-Castellet, tél. 04 94 32 63 20, contact@bastide-blanche.fr V r.-v.

Ⓑ DOM. BUNAN Moulin des Costes 2013 ★★

■ | 30000 | | 15 à 20 €

La troisième génération est aujourd'hui à la tête des Domaines Bunan, créés par Paul et Pierre Bunan en 1961. Un ensemble de plusieurs exploitations réputées en côtes-de-provence et en bandol: le Moulin des Costes, le Château et le Mas de la Rouvière, Bélouvé, tous ces vignobles étant conduits en agriculture biologique depuis 2008. Aux commandes des vinifications, Philippe Bunan.

Plus en finesse qu'en puissance, ce très beau bandol développe un bouquet complexe de senteurs florales (iris) et de fruits à maturité (mûre, cassis). Le palais se révèle souple en attaque, fruité et frais, épaulé par des tanins denses et soyeux, étiré dans une longue finale chaleureuse sur le cacao et le cassis. Un bel ensemble gourmand, qui conjugue grande maîtrise technique et respect du terroir. ⧗ 2018-2023 ♈ travers de porc sauce aigre-douce ■ **Ch. la Rouvière 2015 ★ (15 à 20 €; 5000 b.)** Ⓑ : un vin équilibré qui joue sur la fraîcheur du fruit tant au nez qu'en bouche. ⧗ 2016-2019

⊶ DOMAINES BUNAN, 338 bis, chem. de Fontanieu, 83740 La Cadière-d'Azur, tél. 04 94 98 58 98, bunan@bunan.com V t.l.j. 9h-12h30 14h30-19h30

LA CADIÉRENNE Grande Tradition 2013

■ | 30000 | | 8 à 11 €

Quelque trois cents coopérateurs et 635 ha de vignes, des vins en AOC bandol et côtes-de-provence, en IGP Var, Méditerranée et Mont-Caume: la Cadiérenne, créée en 1929, est un acteur qui compte dans le paysage provençal.

Ce joli vin rubis laisse poindre après aération des notes de fruits noirs (cassis, mûre) accompagnées d'une nuance boisée légèrement camphrée. En bouche, le fruité s'affirme avec une élégance à la « bourguignonne » selon un dégustateur, comprenez en finesse, accompagné par des tanins ronds et plutôt légers et par une pointe d'acidité bien fondue. Un bandol que l'on pourra apprécier dans sa jeunesse. ⧗ 2017-2021 ♈ lapin aux pruneaux

⊶ SCV LA CADIÉRENNE, quartier Le Vallon, 83740 La Cadière-d'Azur, tél. 04 94 90 11 06, cadierenne@wanadoo.fr V r.-v.

CH. CANADEL Cuvée Altum 2014 ★★

■ | 4000 | | 30 à 50 €

Lors de la construction de la cave en 2013, des fouilles archéologiques ont mis au jour des traces d'activité agricole (moulin à huile, cuves à vin) datant de l'époque romaine qui témoignent de l'antériorité du domaine. Un domaine qui n'a retrouvé son identité qu'en 2007 avec son rachat par Jacques et Caroline de Chateauvieux. Deux ans plus tard, ils ont confié la direction du vignoble (15 ha en restanques) à leur fille Laure Benoist et son mari Vianney, tous deux ingénieurs agronomes. En 2014, la première bouteille du Ch. Canadel voit le jour. La conversion bio est en cours.

Premier millésime vinifié au domaine, cette cuvée est issue de la parcelle la plus haute du domaine (250 m d'altitude), aux sols très argileux. Le résultat est un vin profond et

PROVENCE

riche en expression: fruits rouges, garrigue, sous-bois, agrémentés à l'agitation de notes salines et mentholées. La bouche se révèle complète : beaucoup de volume dès l'attaque, une matière consistante étayée par des tanins séveux et bien serrés, un fruité savoureux et persistant. Les canons de l'appellation sont parfaitement respectés. ⧗ 2020-2026 🍴 daube provençale ■ **2014 ★ (20 à 30 €; 22000 b.)** : au nez, un boisé fumé et de légères notes de fruits rouges et noirs; en bouche, un fruité plus expressif, sur la cerise confiturée, et de jolis tanins fins et soyeux, un brin plus stricts en finale. ⧗ 2018-2023

CH. CANADEL, 994, chem. du Canadeau, 83330 Le Castellet, tél. 04 94 98 40 10, contact@chateau-canadel.fr
V *t.l.j. 9h-12h30 15h-19h* *de Chateauvieux*

B DOM. DUPUY DE LÔME 2015

	4000		15 à 20 €

Ancienne propriété de Stanislas Dupuy de Lôme, l'inventeur du cuirassé à vapeur, ce domaine (80 ha, dont 15 ha de vignes) conduit en bio certifié (2013) est situé au cœur du site naturel des grès de Sainte-Anne-d'Évenos. Il a été restructuré en 1998 par deux descendants, Benoît Cossé et Geoffroy Perouse, et le chai est sorti de terre en 2006. En 2015, Laurence Minard a succédé à Gérald Damidot à la tête de l'exploitation.

Point d'exubérance dans ce blanc né de clairette (65 %), d'ugni blanc (30 %) et de rolle, mais de la franchise, de

La Provence

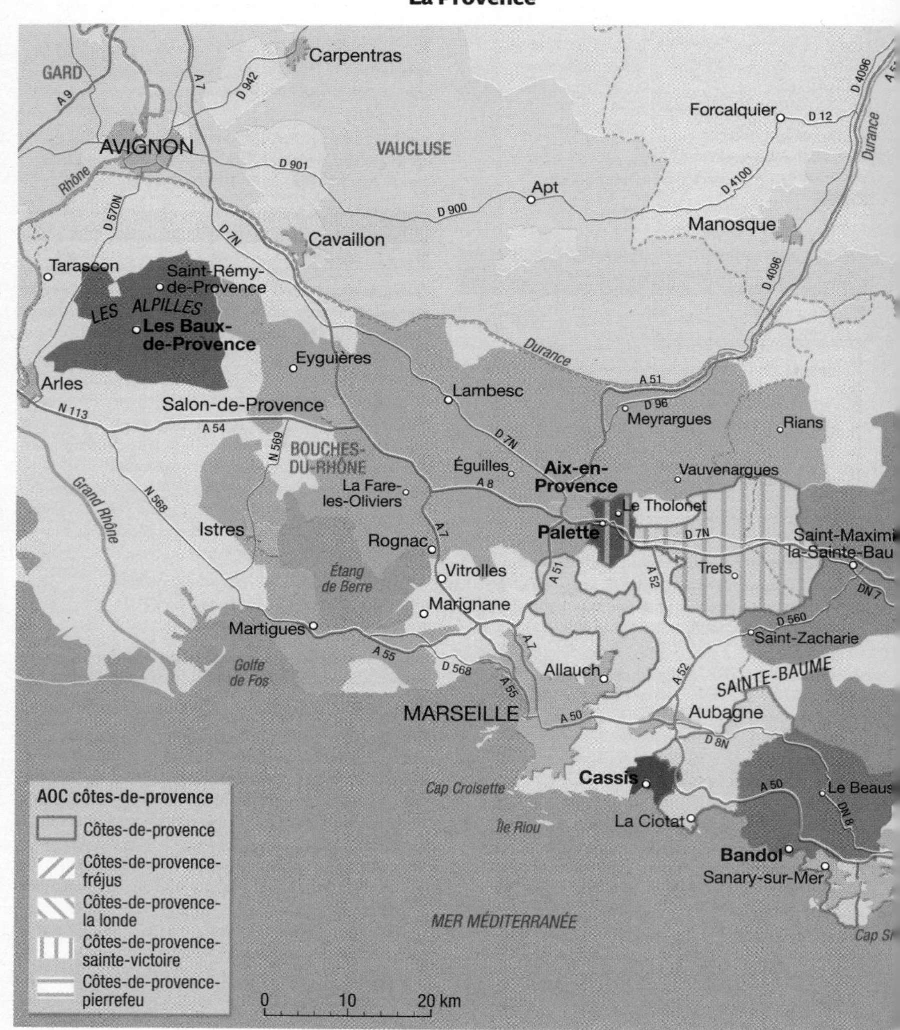

la netteté, de la fraîcheur, autour d'une agréable tension minérale et citronnée. ⌛ 2016-2019 🍴 couteaux ail et persil

o⌐ DOM. DUPUY DE LÔME,
624, rte de Toulon, 83330 Sainte-Anne-d'Évenos,
tél. 04 94 05 22 99, domainedupuydelome@orange.fr
V t.l.j. sf dim. 9h-12h 14h-18h;
sur r.-v. en hiver o⌐ SAS Les Grès

B DOM. DE LA FONT DES PÈRES 2015

■	2700	15 à 20 €

Caroline et Philippe Chauvin ont racheté en 2010 une propriété à Bandol, près du Beausset. Ils ont restructuré le vignoble aménagé en restanques (terrasses) à flanc de coteau et ont adopté d'emblée l'agriculture biologique. Premier millésime en 2014.

Né de bourboulenc, de clairette et d'un soupçon de rolle, ce blanc retient l'attention par sa fraîcheur aux accents d'agrumes et par son juste équilibre en bouche, sur fond de notes florales et grillées. ⌛ 2016-2019 🍴 salade de supions

o⌐ DOM. DE LA FONT DES PÈRES,
chem. de la Font-des-Pères,
83330 Le Beausset, tél. 04 94 15 21 21,
philippe.chauvin@lafontdesperes.com
V r.-v. E o⌐ Chauvin

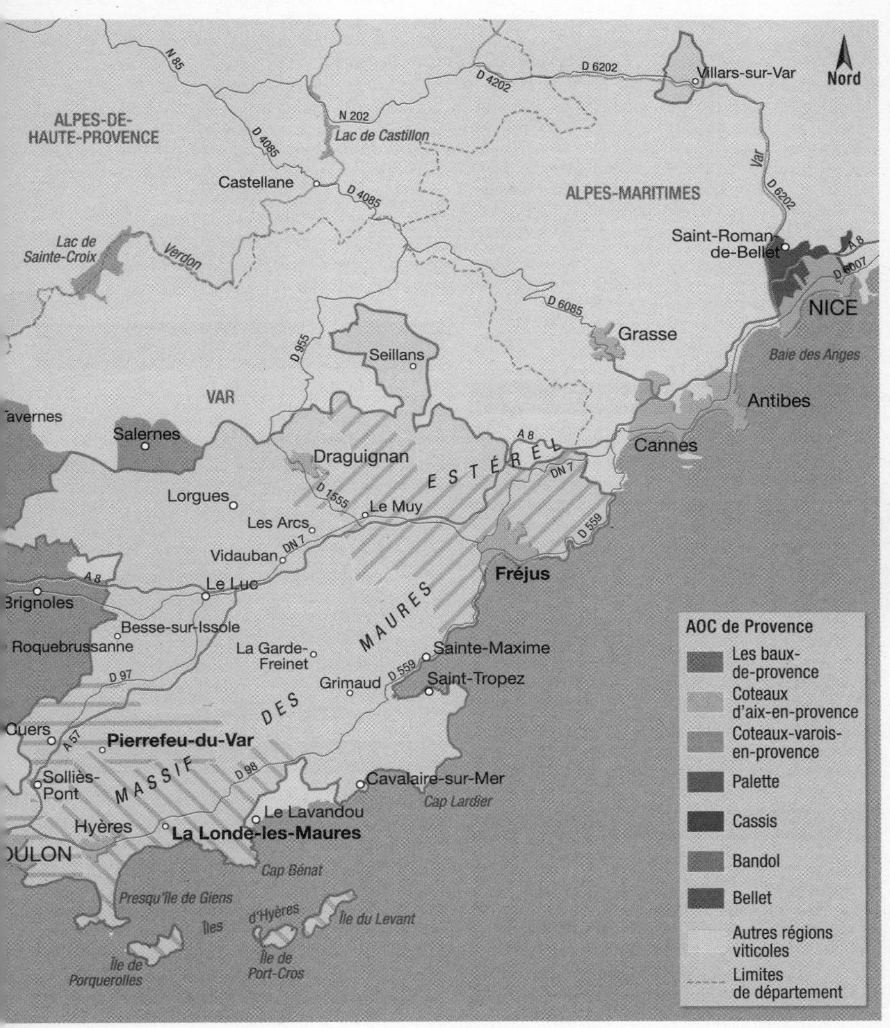

♥ DOM. DE FRÉGATE 2013 ★★

■ | 6000 | ◍ | 15 à 20 €

«Entre mer et pierres»: ainsi s'affiche le domaine, dans la même famille depuis 1882. Son nom vient du vieux provençal *fragato* («casser»), en référence au travail d'épierrage nécessaire pour planter la vigne. La Grande Bleue, ici omniprésente, borde la propriété dont le vignoble couvre 30 ha, à cheval entre Saint-Cyr et Bandol.

Souvent en vue pour ses rosés – et cette année encore avec un coup de cœur pour son 2015 dans la toute première édition du Guide Hachette des rosés –, la Frégate signe un rouge 2013 épatant. Un vin encore dans la fougue de sa jeunesse, engageant dans sa robe cerise comme par son bouquet complexe et fin, associant la groseille fraîche et de subtiles notes florales, avant que l'aération ne révèle des arômes de cassis, de mûre, de vanille et de cacao. Le palais se montre dense, délicatement mentholé et poivré, soutenu par des tanins charnus et fermes, sans aspérité. Des notes d'épices, de fruits mûrs et de moka concluent la dégustation en beauté. Un grand bandol de garde. ⧗ 2020-2030 🍴 tournedos Rossini

⊶ DOM. DE FRÉGATE, rte de Bandol, 83270 Saint-Cyr-sur-Mer, tél. 04 94 32 57 57, commercial@domainedefregate.com V 🚶 ▮ *t.l.j. 8h30-12h30 13h30-18h30*

DOM. LE GALANTIN 2015 ★

■ | 7500 | ▮ | 11 à 15 €

Céline Devictor et son frère Jérôme Pascal ont pris en 2000 la suite de leurs parents Liliane et Achille, qui avaient créé le domaine en 1965 au Plan-du-Castellet face à la montagne du Gros-Cerveau, à quelques encablures de la mer. Le vignoble s'est étendu sur plusieurs parcelles de l'AOC bandol et couvre aujourd'hui 35 ha. L'une des belles références de l'appellation.

Engageant dès le premier nez, ce bandol s'ouvre sur un fruité franc et généreux. La bouche se révèle tout aussi expressive et fruitée, rehaussée par une fine acidité fondue. Tout est en place. ⧗ 2016-2019 🍴 anchoïade

⊶ DOM. LE GALANTIN, 690, chem. du Galantin, 83330 Le Plan-du-Castellet, tél. 04 94 98 75 94, domaine-le-galantin@wanadoo.fr V 🚶 ▮ *r.-v.* 🏠 Ⓔ

DOM. DE LA GARENNE 2014

■ | 12000 | ◍ | 15 à 20 €

La Garenne? Un enclos qui servait de terrain de chasse aux ancêtres de l'actuelle propriétaire. Jean de Balincourt a constitué le domaine à partir de 1960 en achetant des parcelles mitoyennes, sur le territoire de la Cadière-d'Azur. Aujourd'hui, sa fille Béatrix exploite un vignoble de 26 ha environné de pinèdes.

Une robe profonde habille ce vin ouvert à l'aération sur des arômes de fruits rouges agrémentés d'une nuance originale de banane bien mûre. En bouche, il s'appuie sur une fine fraîcheur mentholée, puis le fruit regagne en intensité, porté par une structure souple. ⧗ 2016-2019 🍴 saucisson brioché

⊶ DOM. DE LA GARENNE, chem. de Saint-Côme, 83740 La Cadière-d'Azur, tél. 04 94 90 03 01, domaine-garenne@orange.fr V ▮ *t.l.j. sf sam. dim. 9h-12h 14h-17h ⊶ de Balincourt*

DOM. DU GROS'NORÉ 2013 ★

■ | 32000 | ◍ | 20 à 30 €

Alain Pascal construit sa cave en 1996, créant ainsi un domaine nommé Gros'Noré en mémoire de son père Honoré, à l'embonpoint célèbre, qui lui a transmis son vignoble (17 ha aujourd'hui) et son art. Il a fait de cette étiquette une référence pour les amateurs de bandol.

S'il n'a pas la robe brillante, c'est que ce bandol encore juvénile est mis en bouteille non filtré. Dans le verre, un vin authentique et sobre, au fruité naissant, épicé (poivre, cannelle) et un brin animal, charpenté par des tanins stricts et serrés. Un beau classique de garde. ⧗ 2020-2028 🍴 civet de chevreuil

⊶ ALAIN PASCAL, 675, chem. de l'Argile, 83740 La Cadière-d'Azur, tél. 04 94 90 08 50, alainpascal@gros-nore.com V 🚶 ▮ *t.l.j. sf sam. dim. 9h-12h 13h30-17h30*

Ⓑ CH. GUILHEM TOURNIER
Cuvée La Malissonne 2013 ★

■ | 4000 | ◍ | 15 à 20 €

Fils des propriétaires du Dom. Roche Redonne, Guilhem Tournier exploite depuis 2004 son propre vignoble conduit en bio: 6 ha établis au pied du village médiéval de La Cadière-d'Azur.

Si la robe intense est une belle invitation, l'olfaction se montre timide, tournée vers les notes d'élevage (notes empyreumatiques, pain grillé) et les petits fruits. La bouche, soulignée par une fraîcheur minérale en attaque, est vite rattrapée par des tanins un peu sévères et un alcool assez généreux. À attendre. ⧗ 2019-2023 🍴 gigot de chevreuil

⊶ GUILHEM TOURNIER, chem. des Paluns, 83740 La Cadière-d'Azur, tél. 04 94 90 11 83, roche.redonne@free.fr V 🚶 ▮ *r.-v.*

LAFRAN-VEYROLLES Cuvée spéciale 2013 ★

■ | 5000 | ◍ | 20 à 30 €

Valeur sûre de l'appellation, ce domaine de 12 ha – propriété d'un certain Melchion Lafran au XVIIᵉs. – est entré dans la famille Férec-Jouve au XIXᵉs. Il est dirigé depuis 1975 par Claude Férec-Jouve, qui a délaissé une carrière dans les ressources humaines pour reprendre le flambeau au décès de son père Louis, l'un des pionniers de l'appellation.

Une très belle robe dense et profonde aux reflets moirés habille cette cuvée d'une complexité naissante: sous-bois, tabac, fruits rouges et noirs. À une attaque fraîche et dynamique succède une bouche ample, puissante et ronde, structurée par des tanins fermes mais fins, au grain soyeux. Un bandol bien typé, qui doit s'assagir. ⧗ 2019-2026 ¥ carré d'agneau

⊶ LAFRAN-VEYROLLES, 2115, rte de l'Argile, 83740 La Cadière-d'Azur, tél. 04 94 90 13 37, contact@lafran-veyrolles.com V 🚶 ▮ *r.-v. ⊶ Claude Jouve*

DOM. DE LA LAIDIÈRE 2013

■ | 9000 | ◍ | 15 à 20 €

Ce domaine familial, aujourd'hui conduit par Freddy Estienne et sa fille Anne, a vu le jour en 1941, l'année de la création de l'appellation bandol. Le vignoble en restanques (24 ha) est exposé au sud-sud-est sur un terroir de type marno-sableux à la sortie des gorges d'Ollioules.

Des reflets violines de jeunesse animent la robe de ce bandol ouvert sur les fruits mûrs (cassis) et les épices (poivre, gingembre). Tendue en attaque, la bouche s'appuie sur des tanins serrés encore assez stricts et s'achève sur une fraîcheur fruitée et mentholée. ⧗ 2018-2022 ¥ brochette de rognons ■ **2015 (11 à 15 €; 10 000 b.)** : vin cité.

⊶ DOM. DE LA LAIDIÈRE, 426, chem. de Font-Vive, Sainte-Anne-d'Évenos, 83330 Évenos, tél. 04 98 03 65 75, info@laidiere.com V 🚶 ▮ *t.l.j. sf sam. dim. 10h-12h 14h-17h ⊶ Estienne*

DOM. LOU CAPELAN L'Originel 2014

■ | 4000 | ◍ | 15 à 20 €

À l'origine, un petit domaine familial de 4 ha au lieu-dit Les Capelaniers, repris en 1992 par Maurice Silvestri. La production est alors en vin de table, mais les terrains sont classés en AOC bandol. Arrachage, replantation et premier bandol élaboré en 1996. Aujourd'hui, le vignoble couvre 47 ha, dont 14 ha en production, sur La Cadière et Le Castellet.

Composé de mourvèdre (80 %) et de grenache, ce bandol déploie des parfums bien mariés de fruits noirs et d'épices. La bouche franche et nette s'appuie sur des tanins tendres et onctueux, sans se départir de sa persistance fruitée. Un ensemble aimable et harmonieux que l'on pourra apprécier dans sa jeunesse. ⧗ 2016-2019 ¥ tajine de veau aux pruneaux

⊶ MAURICE SILVESTRI, 140, chem. de Cuges, 83740 La Cadière-d'Azur, tél. 04 98 03 60 09, loucapelan@hotmail.fr V 🚶 ▮ *t.l.j. sf dim. 8h-12h 14h-18h*

DOM. LES LUQUETTES 2013

■ | 2500 | ◍ | 15 à 20 €

L'exploitation de ce domaine de 12 ha était une histoire d'hommes depuis quatre générations, jusqu'à l'arrivée d'Élisabeth Lafourcade en 1996. Celle-ci passe alors de l'élevage d'ovins en Gironde à la culture de la vigne en Provence, suivant une démarche bio sans certification. La pérennité du domaine «au féminin» est assurée avec l'arrivée de sa fille Sophie.

Vingt-deux mois d'élevage pour ce bandol et cela se sent dès le premier nez, tourné vers d'intenses notes toastées et grillées. Un boisé dominant qui marque aussi la bouche, équilibrée toutefois, bien ciselée autour de tanins fins. ⧗ 2018-2022 ¥ faux-filet sauce poivre vert

⊶ SCEA LE LYS, DOM. LES LUQUETTES, Sophie Cachard et Élisabeth Lafourcade, 20, chem. des Luquettes, 83740 La Cadière-d'Azur, tél. 04 94 90 02 59, domaineslesluquettes@gmail.com V 🚶 ▮ *r.-v.*

DOM. MAUBERNARD 2014 ★

■ | 18 000 | ◍ | 11 à 15 €

Installé en 2000 sur la propriété familiale après avoir dirigé les domaines viticoles de Paul Ricard, Michel Vidal conduit ce petit domaine créé vers 1830 par son arrière-grand-père Julien Fabre, qui fut capitaine au long cours. En conversion bio, le vignoble s'étend sur 8 ha aux portes de Saint-Cyr.

Ce bandol s'ouvre sur les fruits rouges confiturés, assortis de nuances vanillées et poivrées. En bouche, il s'adosse à une structure bien en place, bâtie sur des tanins soyeux, et déploie un fruité persistant. ⧗ 2018-2022 ¥ souris d'agneau confite au miel

⊶ DOM. MAUBERNARD, 4949, chem. de Saint-Antoine, 83270 Saint-Cyr-sur-Mer, tél. 04 91 37 03 44, domaine.maubernard@wanadoo.fr V 🚶 ▮ *t.l.j. 9h-12h 14h-18h ⊶ Vidal*

MOULIN DE LA ROQUE Les Adrets 2013

■ | 24 000 | ◍ | 8 à 11 €

Installée depuis 1950 dans un moulin du XVI^e^s., une partie de la structure de la coopérative du Castellet a été transférée dans 3 200 m² semi-enterrés répondant aux normes éco-environnementales; le site de la Cadière-d'Azur abrite désormais les vinifications.

Ce bandol sombre à la corolle bleutée libère à l'aération un bouquet naissant de vanille, d'épices et de petits fruits accompagnés d'une touche animale. Une attaque franche ouvre sur un palais aux tanins serrés, marqué en finale par une petite amertume. Lui laisser un peu de temps pour s'affiner. ⧗ 2017-2021 ¥ tournedos

⊶ MOULIN DE LA ROQUE, 1, rte des Sources, 83330 Le Castellet, tél. 04 94 90 10 39, contact@laroque-bandol.fr V 🚶 ▮ *r.-v.*

CH. DE LA NOBLESSE 2014

■ | 8000 | ◍ | 11 à 15 €

Ce domaine, fondé dans les années 1930 et resté familial depuis lors, étend ses vignes sur 10 ha d'un seul tenant. Aux commandes, Henri Gaussen, épaulé depuis 1990 par sa fille Agnès Cade, œnologue.

La robe est très sombre, tirant vers le noir. Le bouquet, encore sur la réserve, s'ouvre à l'aération sur quelques notes épicées, végétales et mentholées. Souple en attaque, le palais dévoile ensuite une trame de tanins fermes et solides, concentré sur les fruits noirs et la réglisse. Un vin à oublier en cave pour davantage d'harmonie. ⧗ 2019-2026 ¥ cuissot de sanglier à la broche

PROVENCE

EARL CH. DE LA NOBLESSE, 1685, chem. de la Noblesse, 83740 La Cadière-d'Azur, tél. 04 94 98 72 07, chateau.noblesse@gmail.com
t.l.j. sf dim. 10h-12h 14h-18h

DOM. DE L'OLIVETTE 2013 ★★

| 400 000 | | 15 à 20 € |

Depuis deux siècles, la famille Dumoutier, très impliquée dans la création de l'AOC bandol, anime l'un des plus vastes domaines de l'appellation avec ses 55 ha de vignoble implantés entre les villages médiévaux du Castellet et de La Cadière-d'Azur; il est aussi l'un des plus constants.

Ce 2013 avenant s'ouvre sur de jolies notes florales (girofle, iris) et des fruits noirs bien mûrs, avec une touche de bergamote et de grain de café. La bouche, tout aussi goûteuse, montre un équilibre remarquable entre une matière riche et souple et des tanins de bonne constitution. Et quelle longueur! La promesse d'une heureuse évolution. 2019-2024 tournedos Rossini **2015 ★ (15 à 20 €; 15000 b.)** : au nez, d'agréables senteurs fruitées agrémentées d'une nuance suave de guimauve. La bouche va crescendo, offrant beaucoup de volume et de fraîcheur, un fruité persistant et une finale plus douce sur des notes de confiserie. 2016-2019

DUMOUTIER, Dom. de l'Olivette, 519, chem. de l'Olivette, 83330 Le Castellet, tél. 04 94 98 58 85, contact@domaine-olivette.com
t.l.j. sf dim. 8h30-12h 14h-18h

DOM. OTT Ch. Romassan 2013

| 18 000 | | 20 à 30 € |

Alsacienne d'origine, la famille Ott, installée en Provence en 1896, a acquis Romassan en 1956 (70 ha au pied du Castellet en appellation bandol) et possède aussi le Ch. de Selle et le Clos Mireille en côtes-de-provence. Deux AOC et un flacon singulier, inspiré de l'amphore romaine. L'ensemble (dans le giron du champenois Roederer depuis 2004) est dirigé par les cousins Christian et Jean-François Ott.

Au nez, ce bandol développe des arômes fins de fruits noirs, d'épices et de grillé. Tout aussi subtile, aérienne, la bouche s'appuie autant sur un élevage élégant que sur des tanins soyeux et fondus. Du plaisir dans l'année, mais aussi du potentiel de garde. 2016-2021 gigot d'agneau au thym

CH. ROMASSAN, 601, rte des Mourvèdres, 83330 Le Castellet, tél. 04 94 98 71 91, chateauromassan@domaines-ott.com
t.l.j. sf sam. dim. 9h-12h 14h-18h Roederer

CH. PEY-NEUF 2015 ★★

| 8 568 | | 8 à 11 € |

Héritier de trois générations de vignerons établis sur les terres familiales de La Cadière-d'Azur, non loin du port de Bandol, Guy Arnaud a pris en 1982 les rênes du domaine, dont il a porté la superficie à 60 ha (plus de la moitié en AOC bandol), en s'inspirant de la biodynamie. Son fils Anthony s'est installé en 2015 sur la propriété, aujourd'hui en conversion bio.

Aussi à l'aise que son père dans l'élaboration de blancs de qualité, Anthony Arnaud signe un 2015 séduisant en diable, d'une belle complexité autour d'un bouquet à la fois floral et exotique. En bouche, il associe un côté chaleureux et une fine minéralité qui apporte du nerf et de la longueur. Élégant et très équilibré. 2016-2020 ravioles de saint-jacques

CH. PEY-NEUF, 1947, rte de la Cadière, 83270 Saint-Cyr-sur-Mer, tél. 04 94 90 14 55, domaine.peyneuf@wanadoo.fr
t.l.j. sf dim. 9h-12h 15h-18h30
Guy Arnaud

♥ CH. DE PIBARNON 2013 ★★

| 75 000 | | 30 à 50 € |

La famille de Saint-Victor (aujourd'hui Éric) prend pied en 1978 sur ces terres bandolaises qu'elle exploite en bio non certifié. Après de nombreux travaux d'agrandissement, la propriété compte aujourd'hui 50 ha de vignes s'étageant en restanques, à 300 m d'altitude, et formant un cirque exposé au sud-est. Une référence incontournable de l'appellation bandol.

Bis repetita pour Pibarnon qui signe un nouveau bandol de haute expression après le coup de cœur obtenu pour son 2012. Le 2013, admirable d'intensité, se présente dans une robe sombre et profonde. Une profondeur à laquelle fait écho un nez d'une grande complexité: cuir, fruits mûrs (pruneau, cerise noire, cassis), violette, Zan, vanille, cacao. La bouche se révèle ample, suave, corsée, concentrée sans jamais perdre en élégance, mise en valeur par des tanins en dentelle, fins et soyeux, et par une longue finale fraîche et rectiligne. Une main de fer dans un gant de velours. 2020-2030 filet de bœuf sauce foie gras

CH. DE PIBARNON, 410, chem. de la Croix-des-Signaux, 83740 La Cadière-d'Azur, tél. 04 94 90 12 73, contact@pibarnon.fr
t.l.j. sf dim. 9h-12h 14h-18h de Saint-Victor

DOM. RAY-JANE Cuvée Sanary 2014

| 4 500 | | 15 à 20 € |

Perpétuant une tradition vigneronne qui remonte au XIIIes., Alain Constant compte parmi les 26 ha de son domaine un tiers de vignes centenaires; un vignoble cultivé en bio (conversion en cours), dans la plus pure tradition avec labour à la charrue et piochage à la main.

Élaboré à partir d'une parcelle de vignes appartenant à la ville de Sanary, ce bandol est encore dans sa prime jeunesse: robe aux reflets violines, nez discret de fruits mûrs et d'épices. La bouche apparaît fraîche et dense, étayée par des tanins assez sévères. Patience, le potentiel est là... 2019-2026 daube de sanglier **Cuvée Ville de Sanary 2015 (11 à 15 €; 5000 b.)** : vin cité.

DOM. RAY-JANE, 353, av. du Bosquet, 83330 Le Castellet, tél. 04 94 98 64 08, domainerayjane@gmail.com V t.l.j. sf dim. 8h30-12h 14h-19h *Constant*

DOM. ROCHE REDONNE 2015

1600		11 à 15 €

Geneviève et Henri Tournier sont à la tête de ce domaine depuis 1982. Constitué à partir des vignes familiales, il est constitué d'une mosaïque de parcelles de 6 ha située au pied de La Cadière-d'Azur, sur des coteaux exposés au nord. La conversion bio est en cours.

Un blanc franc et direct, dominé par une intense fraîcheur aux accents de zeste de citron et de fruits exotiques. Droit dans ses bottes et tonique. 2016-2019 plateau de fruits de mer

GENEVIÈVE ET HENRI TOURNIER, chem. des Palums, 83740 La Cadière-d'Azur, tél. 04 94 90 11 83, roche.redonne@free.fr V r.-v.

DOM. SOUVIOU Cuvée Marylène 2013 ★

9500		20 à 30 €

Ce domaine très ancien – les cultures de la vigne et des oliviers existaient déjà au XVIes. – est entré dans la famille Pascal en 2001. Celle-ci y a relancé l'oléiculture, sans négliger le vin. Situé sur la route qui monte de Beausset au circuit du Castellet, le vignoble s'étend sur 18,5 ha en restanques, à l'origine de bandol et de côtes-de-provence d'une constance remarquable.

Cette cuvée s'ouvre sur un bouquet riche et varié: cassis, mûre, garrigue, notes de résineux, vanille, iris. Des tanins mûrs associés à un boisé soutenu participent à la densité du palais, souligné par une belle fraîcheur en finale. Un beau classique qui vieillira bien. 2018-2023 côte de bœuf **2013 (15 à 20 €; 20000 b.)** : vin cité.

SCEA OLIVIER PASCAL, Dom. de Souviou, RN 8, 83330 Le Beausset, tél. 04 94 90 57 63, souviou@wanadoo.fr V t.l.j. 9h-12h 15h-19h

DOM. LA SUFFRÈNE Les Lauves 2013 ★

6000		20 à 30 €

C'est au lieu-dit La Suffrène – qui aurait été autrefois la résidence d'une compagne du Bailli de Suffren – que s'étend une partie des vignes de ce domaine incontournable de l'AOC bandol. Un vignoble familial de 55 ha morcelé en une centaine de parcelles, dont les raisins étaient portés à la coopérative jusqu'à l'arrivée de Cédric Gravier, qui a pris en 1996 la suite de ses grands-parents.

Ne pas hésiter à tourner le vin dans le verre pour en apprécier l'éclat de la robe et le bouquet naissant de torréfaction, d'épices et de fruits confiturés. L'harmonie est de mise en bouche, autour d'une trame puissante de tanins soyeux, enrobée par un fruité bien mûr qui vient accentuer la sensation de douceur en finale. De l'allure et du potentiel. 2018-2024 canard à l'orange **2015 (11 à 15 €; 8000 b.)** : vin cité.

DOM. LA SUFFRÈNE, 1066, chem. de Cuges, 83740 La Cadière-d'Azur, tél. 04 94 90 09 23, suffrene@orange.fr V t.l.j. sf dim. 9h-12h 14h-18h *Cédric Gravier*

B DOM. DE TERREBRUNE 2013

50000		20 à 30 €

Dans les années 1960, Georges Delille entreprend d'énormes travaux pour mettre en état la propriété qu'il vient d'acquérir. Les argiles très brunes dans lesquelles s'enracinent les 30 ha de vignes (cultivées en bio depuis les origines) inspirèrent alors le nom du domaine, dirigé aujourd'hui par Reynald, le fils du fondateur arrivé en 1980, date des premières mises en bouteilles.

Ce 2013 se présente dans une robe d'un beau rouge profond. Il libère lentement d'agréables arômes balsamiques, de sous-bois et de fruits noirs. Le palais équilibré, à la fois rond et frais, se montre plus austère en finale. À attendre un peu. 2017-2021 joue de bœuf en gelée

DOM. DE TERREBRUNE, 724, chem. de la Tourelle, 83190 Ollioules, tél. 04 94 74 01 30, domaine@terrebrune.fr V t.l.j. sf dim. 9h30-12h30 14h30-18h *Delille*

DOM. DES TROIS FILLES 2014

8000		15 à 20 €

Une nouvelle vie pour ce tout jeune domaine sorti en 2013 de la coopérative par les trois filles de la famille Arlon – Audrey, Léonie et Justine. Un vignoble porté aujourd'hui à 7,5 ha, accroché à une colline surplombant la mer, à La Cadière-d'Azur.

Point de fioriture ici, mais un vin de bonne intensité, autour de fruits rouges confits et d'un boisé présent sans exagération. La bouche est goûteuse, centrée sur un fruité mûr relevé en finale de notes toastées. 2017-2020 aiguillettes de canard

FAMILLE ARLON, 1616, chem. de la Bégude, 83740 La Cadière-d'Azur, tél. 06 62 89 79 90, contact@domainesdestroisfilles.com V t.l.j. sf dim. 10h-12h30 16h-19h

CH. VANNIÈRES 2013

45000		20 à 30 €

Cette aventure familiale a débuté en 1956 avec Colette Boisseaux, s'est prolongée avec son fils Éric et aujourd'hui son petit-fils Charles-Éric. Le domaine dispose d'un vignoble de 34 ha, commandé par un château du XIXes. dont le chai, plus ancien, témoigne d'une activité viticole dès le XVIes.

Sous l'emprise d'un élevage encore très intense (noix de coco), ce bandol apparaît pour l'heure austère, mais le potentiel est là, avec une matière dense, un fruité qui pointe derrière un boisé frais et une bonne structure tannique. Patience. 2020-2026 daube de taureau

CH. VANNIÈRES, chem. Saint-Antoine, 83740 La Cadière-d'Azur, tél. 04 94 90 08 08, info@vannieres.com V t.l.j. sf dim. 8h-12h 14h-18h *Boisseaux*

CH. LA VIVONNE 2014

■ | 9500 | | 15 à 20 €

Situé sur les hauteurs du village médiéval du Castellet, entre mer et montagne, au cœur du vignoble bandolais, ce domaine de 23 ha a été racheté à Walter Gilpin par Michel Benhaim en 2010.

Très dense en couleur, ce 2014 évolue timidement à l'olfaction sur des notes de sous-bois, d'épices et de cassis. La bouche apparaît plus expressive, sur les fruits noirs, et bien structurée par des tanins encore sévères. À oublier quelques années en cave pour plus de fondu. ⌛ 2019-2026 🍷 coq au vin

CH. LA VIVONNE, 3345, montée-du-Château, 83330 Le Castellet, tél. 04 94 98 70 09, domaine@vivonne.com V r.-v. *M. Benhaim*

LES BAUX-DE-PROVENCE

Superficie : 300 ha / Production : 9 212 hl

Perchée sur un éperon rocheux, la citadelle des Baux garde le souvenir des seigneurs orgueilleux qui l'édifièrent à partir du XIe s. La blancheur de ses murailles est celle du calcaire des Alpilles, dont elle constitue un avant-poste. Ce massif au relief pittoresque taillé en biseau par l'érosion est le paradis de l'olivier, dont les fruits bénéficient de deux AOC. Le vignoble trouve également dans ce secteur un milieu favorable, sur les dépôts caillouteux caractéristiques de cette région, comme les grèzes litées, éboulis d'origine glaciaire. Elles sont ici peu épaisses et la fraction fine, dont dépend la réserve hydrique du sol, est importante. Ce secteur se distingue par une nuance climatique qui en fait une zone précoce, peu gélive, chaude et plus arrosée (650 mm).
Reconnue en 1995 au sein de la zone des coteaux-d'aix-en-provence, cette AOC est réservée aux vins rouges (80 %) et rosés. Les règles de production y sont plus strictes (rendement plus bas, densité plus élevée, taille plus restrictive, élevage d'au moins douze mois pour les vins rouges, minimum de 50 % de saignée pour les vins rosés); l'encépagement, mieux défini, repose sur le couple grenache-syrah, accompagné quelquefois du mourvèdre.

MAS SAINTE-BERTHE Tradition 2014

■ | 45000 | | 5 à 8 €

Ce domaine de 40 ha, situé au pied du village des Baux-de-Provence, est une valeur sûre qui produit sous cette AOC du vin et de l'huile d'olive. Il tire son nom d'une chapelle érigée en 1538 sur ses terres. Le vignoble, planté à partir des années 1950, est conduit par Christian Nief depuis 2000.

Qualifié de «vin sympa», ce 2014 à dominante de grenache apparaît fruité, équilibré et souple, adossé à des tanins fins et mûrs. Pour un plaisir immédiat. ⌛ 2016-2019 🍷 rôti de veau à la tomate

MAS SAINTE-BERTHE, chem. de Sainte-Berthe, 13520 Les Baux-de-Provence, tél. 04 90 54 39 01, info@mas-sainte-berthe.com V *t.l.j. 9h-12h 14h-18h* *Rolland*

Ⓑ CH. ROMANIN 2014 ★

■ | 12000 | | 20 à 30 €

Anciens propriétaires du Ch. Montrose, cru classé de Saint-Estèphe, Anne-Marie et Jean-Louis Charmolüe ont acquis en 2006 ce vaste domaine (250 ha) au passé ancien, situé au cœur de l'AOC baux-de-provence, sur les ruines d'un château de l'ordre des Templiers datant du XIIIe s. Le vignoble couvre 58 ha, conduits en biodynamie depuis 1988, et les vins sont élevés dans une cave monumentale, creusée dans la roche et conçue comme une cathédrale gothique.

Avec une macération de plus de vingt-cinq jours, avec pigeages, cet assemblage de syrah (75 %), de cabernet-sauvignon et d'une goutte de grenache a su profiter de toute la sérénité de ce lieu exceptionnel et d'un séjour de dix-huit mois en foudre pour une respiration optimale. Sombre et intense, la robe aux larmes persistantes annonce un vin de matière. De fait, à un bouquet riche de fruits noirs répond un palais d'une très belle maturité, profond, large et long, porté par des tanins veloutés et de fines notes minérales. ⌛ 2017-2022 🍷 daube de bœuf ■ La Chapelle 2014 ★ (11 à 15 €; 26000 b.) Ⓑ : une puissance maîtrisée dans ce vin déjà prêt, souple et caressant, aux tanins ronds et soyeux. ⌛ 2016-2020

SC CH. ROMANIN, rte de Cavaillon, 13210 Saint-Rémy-de-Provence, tél. 04 90 92 45 87, contact@chateauromanin.fr V *t.l.j. sf dim. 10h-13h 15h-18h* *Charmolüe*

BELLET

Superficie : 48 ha
Production : 1 150 hl (65 % rouge et rosé)

De rares privilégiés connaissent ce minuscule vignoble situé sur les hauteurs de Nice, dont la production est presque introuvable ailleurs que localement. Elle est faite de blancs originaux et aromatiques, grâce au rolle, cépage de grande classe, et au chardonnay (qui se plaît à cette latitude quand il est exposé au nord et suffisamment haut); de rosés soyeux et frais; de rouges somptueux, auxquels deux cépages locaux, la fuella et le braquet, donnent une typicité certaine. Ils seront à leur juste place avec la riche cuisine niçoise si originale, la tourte de blettes, le tian de légumes, l'estocaficada, les tripes, sans oublier la socca, la pissaladière ou la poutine.

♥ Ⓑ COLLET DE BOVIS 2014 ★★

■ | 3500 | | 15 à 20 €

Jean Spizzo, enseignant universitaire, s'est passionné pour la culture de la vigne et la vinification dès 1974. Son vignoble de 4,2 ha, converti à l'agriculture biologique, est situé sur les collines de Bellet qui dominent la ville de Nice.

Mi-folle noire mi-grenache, ce vin a fait l'unanimité. La robe est légère, d'un beau rouge pourpre, et le nez complexe, associant notes grillées, florales et fruitées (cerise mûre). La bouche ravit par sa souplesse, sa finesse, sa grande fraîcheur et sa longueur remarquable, portée par un boisé bien fondu, en harmonie avec les fruits. Un caractère presque plus septentrional que méridional. ⧗ 2018-2022 🍷 faisan en cocotte et légumes ■ **2015 ★ (11 à 15 €; 1000 b.)** Ⓑ : un vin ample, puissant et chaleureux, sur les fruits très mûrs (litchi, poire, ananas), ciselé par une acidité bienvenue en finale. ⧗ 2016-2019

JEAN SPIZZO, Le Fogolar Collet de Bovis, 370, chem. de Crémat, 06200 Nice, tél. 04 93 37 82 52, jeanetmichele.spizzo@sfr.fr
V *t.l.j. 8h-12h 14h-19h* Ⓔ

Ⓑ DOM. DE LA SOURCE 2015 ★★

■	5400	20 à 30 €

Une source qui alimentait autrefois des cultures florales et maraîchères donne son nom à ce domaine de 5 ha conduit en agriculture biologique par Jacques Dalmasso, épaulé de ses enfants Carine et Éric depuis 2003.

Ce 100% rolle couleur diaphane livre une olfaction puissante et complexe autour des zestes d'agrumes, du poivre blanc et du gingembre. La bouche, sur la même ligne aromatique, est à la fois riche, dense, séveuse et d'une formidable fraîcheur, portée par une tension qui ne faiblit pas jusqu'à la finale, longue et citronnée. Un équilibre admirable. ⧗ 2016-2020 🍷 loup au fenouil

DALMASSO, 303, chem. de Saquier, 06200 Nice, tél. 04 93 29 81 60, contact@domainedelasource.fr V *t.l.j. 10h-18h*

Ⓑ DOM. DE TOASC 2015 ★

■	6500	🍾	20 à 30 €

En 1995, Bernard Nicoletti achète 12 ha de terrains laissés à l'abandon au lieu-dit Toasc, sur les collines de Nice. Il conserve les oliviers et replante les cépages typiques du bellet: 7 ha de vignes (convertis au bio) plantés en restanques et dominant la vallée du Var.

De fins reflets verts animent la robe jaune pâle de ce vin qui mêle au nez nuances florales, fruits exotiques, poire et abricot. La bouche se montre ronde et suave, ciselée par une fine salinité qui amène un surcroît de tonus en finale. ⧗ 2016-2019 🍷 pissaladière ■ **2013 ★ (20 à 30 €; 8000 b.)** Ⓑ : un vin expressif (violette, griotte, réglisse, poivre), à la fois souple et élégant, enveloppant et aérien. ⧗ 2018-2021

DOM. DE TOASC, 213, chem. de Crémat, 06200 Nice, tél. 04 92 15 14 14, contact@domainedetoasc.com
V *t.l.j. sf dim. lun. 14h30-17h30* *Nicoletti*

CASSIS

Superficie : 200 ha / Production : 7 687 hl

Un creux de rochers, auquel on n'accède que par des cols relativement hauts de Marseille ou de Toulon, abrite, au pied des plus hautes falaises de France, des calanques et une certaine fontaine qui, selon les Cassidens, rendrait leur ville plus remarquable que Paris... Mais aussi un vignoble que se disputaient déjà au XIe s. les puissantes abbayes, en demandant l'arbitrage du pape, et qui produit aujourd'hui des vins rouges, rosés et surtout blancs. Mistral disait de ces derniers qu'ils sentaient le romarin, la bruyère et le myrte. Capiteux et parfumés, les cassis blancs sont des vins de classe qui s'apprécient particulièrement avec les bouillabaisses, les poissons grillés, les coquillages et les viandes blanches.

Ⓑ DOM. DU BAGNOL 2015 ★

■	40000	🍾	11 à 15 €

Depuis 2003, Sébastien Genovesi dirige ce domaine de 14,5 ha en bio certifié, implanté en plein cœur de Cassis, qui fut créé en 1884 par le marquis de Fesques. Les archives mentionnent la présence de vignes dès 1430 en ce lieu appelé «Lobanhou», au pied du cap Canaille, la plus haute falaise maritime de France.

Une robe pâle et lumineuse habille ce vin ouvert sur des arômes intenses de fruits exotiques et d'agrumes. La bouche est dense, structurée, tout aussi exotique que le nez, stimulée jusqu'en finale par une belle vivacité. ⧗ 2016-2019 🍷 sardines grillées

DOM. DU BAGNOL, 12, av. de Provence, 13260 Cassis, tél. 04 42 01 78 05, jeanlouis.geno@orange.fr
V *r.-v.* *Genovesi*

Ⓑ CH. BARBANAU Clos Val Bruyère 2014

■	25000	🍾	11 à 15 €

La famille Cerciello exploite la vigne en Provence depuis le début du XXe s. et la création par Émile Bodin du Clos Val Bruyère (7,5 ha en AOC cassis). En 1989, elle fait l'acquisition du Ch. Barbanau, 23 ha à l'extrémité ouest des côtes-de-provence, non loin de Cassis. Sophie Cerciello, arrière-petite-fille du fondateur, et Didier Simonini s'attachent à y élaborer des vins proches de la nature, issus de l'agriculture biologique depuis 2008.

Ce vin en robe claire laisse s'échapper à l'aération de jolis parfums de menthe fraîche, de fruits mûrs et d'épices douces, tandis que la bouche, tout en rondeur et d'un bon volume, évoque la noisette grillée agrémentée d'une légère note végétale qui apporte de la fraîcheur. ⧗ 2016-2019 🍷 fromage de chèvre

CH. BARBANAU, Le Hameau, 13830 Roquefort, tél. 04 42 73 14 60, contact@chateau-barbanau.com
V *t.l.j. sf dim. 10h-12h 15h-18h*

Ⓑ CLOS SAINTE-MAGDELEINE 2015

■	35000	🍾	15 à 20 €

Bientôt un siècle (1921) que la famille Sack exploite ce domaine aujourd'hui conduit en bio. La propriété, située dans le parc national des Calanques, dispose d'un vignoble de 12 ha étagé en restanques, face à la mer sur les flancs du cap Canaille, commandé par une demeure au style Art déco.

Cet assemblage marsanne-ugni-clairette-bourboulenc dévoile un joli bouquet de lilas et de buis agrémenté d'une pointe de pain d'épice, qui laisse une agréable sensation de fraîcheur. Sensation prolongée par un palais droit, d'un bon volume, centré sur le fruit. ⧗ 2016-2018 ⫯ daurade en croûte de sel

JONATHAN SACK, Clos Sainte-Magdeleine, av. du Revestel, 13260 Cassis, tél. 04 42 01 70 28, clos.sainte.magdeleine@gmail.com V *t.l.j. sf dim. 10h-12h30 14h30-19h*

DOM. DE LA FERME BLANCHE 2014

■	6000	11 à 15 €

En 1714, le vignoble s'étendait jusqu'aux portes de la cité phocéenne. Démembré à la Révolution, il n'en reste aujourd'hui que 30 ha menés par Jéromine Paret et Philippe Garnier, qui ont engagé la conversion bio.

D'une teinte grenat peu intense, ce joli vin de terroir associe au nez des notes balsamiques et minérales à de la cerise noire. Bâti sur des tanins fins, souples et soyeux, le palais évolue dans le registre du fruit et de la légèreté. ⧗ 2016-2019 ⫯ paupiettes d'agneau à la menthe

DOM. DE LA FERME BLANCHE, RD 559, 13260 Cassis, tél. 04 42 01 00 74, fermeblanche@wanadoo.fr V *t.l.j. 9h-12h 14h-18h* *F. Paret*

CH. DE FONTBLANCHE Blanc de blancs Bodin Pur jus de gouttes 2015 ★

■	40000		11 à 15 €

Émile Bodin, l'un des précurseurs des vins de Cassis, a créé son vignoble au château de Fontblanche en 1890, après la crise phylloxérique. La sixième génération conduit les 35 ha de ce domaine commandé par une demeure édifiée au XVII[e]s. par le marquis de Villepay.

Issu du premier foulage de la vendange, ce blanc de blancs couleur bouton d'or dévoile un bouquet délicat, sur les fleurs blanches, la noisette et le citron. Une attaque ample et fraîche ouvre sur un palais qui évolue sur la rondeur et offre un joli retour sur les fleurs et fruits blancs, avant une finale tonique. ⧗ 2016-2019 ⫯ bavarois

NICOLAS BONTOUX, Cassis Bodin Ch. de Fontblanche, rte de Carnoux, 13260 Cassis, tél. 04 42 01 00 11, chateau.fontblanche@terre-net.fr V *t.l.j. sf dim. 8h30-12h30 14h30-18h*

♥ B CH. DE FONTCREUSE Cuvée F Blanc 2015 ★★

■	103600		11 à 15 €

Une fontaine creusée en 1687 pour alimenter en eau courante le château en cours de construction est à l'origine du nom du domaine, que le vigneron Jean-François Brando a acquis trois siècles plus tard très exactement, en 1987. Ce lieu fut aussi, après la Révolution, la demeure des commissaires de la République. Le vignoble couvre aujourd'hui 25 ha, à l'origine de vins de Cassis très réguliers en qualité. Une valeur sûre.

Marsanne (60 %), ugni et clairette unis pour le meilleur dans cette cuvée aux reflets d'or, qui dévoile un nez tout en délicatesse mêlant la poire et le genêt. La bouche, très dense, très longue, affiche un équilibre remarquable entre un gras enveloppant et une salinité vivifiante, sur fond de garrigue, de notes miellées et de fruité croquant. Un cassis de caractère. ⧗ 2016-2020 ⫯ loup au fenouil

JEAN-FRANÇOIS BRANDO, Ch. de Fontcreuse, 13, rte Pierre-Imbert, 13260 Cassis, tél. 04 42 01 71 09, fontcreuse@wanadoo.fr V *t.l.j. sf sam. dim. 8h30-12h 14h-18h*

B DOM. DU PATERNEL Esprit de famille 2014 ★

■	4000		20 à 30 €

En 1943, Antoine Santini et ses sœurs Catherine et Jeanne deviennent propriétaires de la ferme du Paternel, alors exploitée en polyculture. La première mise en bouteille date de 1951. Un domaine conduit aujourd'hui par Jean-Pierre Santini, son épouse Chantal et leurs trois enfants, l'un des plus grands (50 ha) de l'appellation cassis, certifié en agriculture biologique. L'autre domaine (7 ha) des Santini, Couronne de Charlemagne, situé au pied de la colline éponyme, est également conduit en bio.

Clairette, marsanne, ugni blanc et sauvignon composent ce vin au boisé présent tout au long de la dégustation, mais bien intégré à une matière ample et ronde. Les notes miellées et briochées du nez sont harmonieuses, tout comme le fruit blanc qui pointe en bouche derrière des notes de caramel. Un ensemble complexe qui séduira les amateurs de blancs boisés. ⧗ 2016-2021 ⫯ lotte à la crème

DOM. DU PATERNEL, 11, rte Pierre-Imbert, 13260 Cassis, tél. 04 42 01 77 03, contact@domainedupaternel.com V *t.l.j. sf dim. 9h30-12h30 14h-18h* *Santini*

DOM. DES QUATRE VENTS 2015

■	27000		8 à 11 €

Alain de Montillet est depuis 1973 à la tête du domaine des Quatre Vents, structure familiale de 10 ha en cours de conversion vers l'agriculture biologique, qui produit du cassis depuis la création de l'AOC en 1936.

Une expression florale agréable (glycine, fleurs jaunes) se dégage du verre. En bouche, un volume tout à fait honorable et de l'équilibre autour d'une fraîcheur fruitée, avec suffisamment de gras et de rondeur. ⧗ 2016-2019 ⫯ supions à la plancha

CAMILLE DE MONTILLET, Dom. des Quatre Vents, 7, av. des Albizzi, 13260 Cassis, tél. 04 42 01 88 10, quatrevents-cassis@orange.fr V *r.-v.* *EARL Dom. des Quatre Vents*

COTEAUX-D'AIX-EN-PROVENCE

Superficie : 4 720 ha
Production : 211 012 hl (95 % rouge ou rosé)

Sise entre la Durance au nord et la Méditerranée au sud, entre les plaines rhodaniennes à l'ouest et la Provence

triasique et cristalline à l'est, l'AOC coteaux-d'aix-en-provence appartient à la partie occidentale de la Provence calcaire. Le relief est façonné par une succession de chaînons, parallèles au rivage marin et couverts de taillis, de garrigue ou de résineux: chaînon de la Nerthe près de l'étang de Berre, chaînon des Costes prolongé par les Alpilles, au nord. Entre ces reliefs s'étendent des bassins sédimentaires d'importance inégale (bassin de l'Arc, de la Touloubre, de la basse Durance) où se localise l'activité viticole. Grenache et cinsault forment encore la base de l'encépagement, avec une prédominance du premier; syrah et cabernet-sauvignon sont en progression et remplacent peu à peu le carignan.
Les vins rosés sont légers, fruités et agréables. Les vins rouges bénéficient d'un contexte pédologique et climatique favorable. Ils atteignent leur plénitude après deux ou trois ans de garde. La production de vins blancs est limitée. La partie nord de l'aire de production est plus favorable à l'élaboration de ces cuvées qui mêlent la rondeur du grenache blanc à la finesse de la clairette, du rolle et du bourboulenc.

B CH. BAS Pierres du Sud 2015

■ | 10000 | | 8 à 11 €

Bâti sur les ruines d'un site gallo-romain érigé au Ier s. avant J.-C. et restauré au XVIIe s., ce domaine n'est dédié à la vigne que depuis 1970. Il étend son vignoble de 72 ha à 200 m d'altitude. La conversion bio est certifiée depuis 2010.

Un vin né de syrah (63 %), grenache et cabernet, expressif, sur les fruits rouges et les épices, équilibré en bouche, adossé à des tanins bien présents et à une finale encore un peu serrée. Une petite attente est conseillée, mais cette bouteille pourra être appréciée dans sa jeunesse. ⧗ 2017-2020 ¥ côte de bœuf

CH. BAS, rte de Château-Bas, 13116 Vernègues, tél. 04 90 59 13 16, chateaubas@wanadoo.fr V t.l.j. sf dim. 9h-12h30 13h30-18h ⊶ de Blanquet

B CH. CALAVON Tradition 2014 ★

■ | 13000 | 8 à 11 €

Propriété des Audibert depuis cinq générations, ce domaine produit du vin depuis l'époque des princes d'Orange. Son vignoble, certifié bio avec le millésime 2013, s'étend sur 50 ha.

Au nez, les fruits noirs se marient à des notes animales, épicées et grillées. Le palais, à l'unisson du bouquet, affiche une belle ampleur, mais aussi de la fluidité, bâti sur des tanins souples. La finale, sur le cassis, laisse une bonne impression d'équilibre. ⧗ 2016-2020 ¥ veau marengo

MICHEL AUDIBERT (CH. CALAVON), BP 4, 13410 Lambesc, tél. 04 42 57 15 37, contact@chateaudecalavon.com V t.l.j. sf dim. 9h-13h 14h-18h

CH. CALISSANNE Clos Victoire 2014 ★

■ | 15000 | | 15 à 20 €

Ancienne place forte celto-ligure, La Calissanne fut propriété de l'ordre de Saint-Jean-de-Jérusalem au Moyen Âge, d'un parlementaire aixois au XVIIe s., d'un industriel du savon au XIXe s. et enfin, en 2001, de l'homme d'affaires Philippe Kessler, disparu en 2008. C'est aujourd'hui Sophie Kessler-Matière, l'épouse de ce dernier, qui dirige cette vaste propriété de 1 100 ha, dont 60 ha d'oliviers et une centaine de vignes, répartie sur 25 parcelles de coteaux pierreux en pente légère. Ce pilier de l'AOC coteaux-d'aix, conduit pendant vingt-cinq ans par Jean Bonnet – qui a mené une réflexion poussée sur la politique de plantation et l'entretien du vignoble – a désormais Christophe Barraud pour directeur technique.

Cuvée référence du domaine, le Clos Victoire (60% syrah, 40% cabernet-sauvignon), vinifié et élevé en fût, s'ouvre sur de profondes notes boisées et fumées, relayées à l'aération par les fruits noirs compotés. Le palais apparaît à la fois ample et aérien, gras et frais, épaulé par des tanins ronds et une fine acidité qui lui donne de la longueur. Un vin encore en devenir mais déjà très harmonieux. Servi dans sa jeunesse, il vous faudra l'aérer avant de le déguster. ⧗ 2017-2022 ¥ noisettes d'agneau aux figues

CH. CALISSANNE, RD 10, 13680 Lançon-de-Provence, tél. 04 90 42 63 03, commercial@chateau-calissanne.fr V r.-v. ⊶ Kessler-Matière

CELLIER SAINT-AUGUSTIN Les Lavandes 2014

■ | 10000 | | 5 à 8 €

Située dans la partie la plus septentrionale de l'appellation coteaux-d'aix, aux portes des Alpilles, cette petite cave coopérative a été fondée en 1925.

La cave de Sénas signe un vin simple et harmonieux, au nez racé et élégant de cuir, de gelée de mûre et d'épices, souple, frais et fruité en bouche. À boire dans sa jeunesse. ⧗ 2016-2019 ¥ lasagnes

CELLIER SAINT-AUGUSTIN, quartier de la Gare, 13560 Sénas, tél. 04 90 57 20 25, staugustin3@wanadoo.fr V r.-v.

♥ DOM. DE SURIANE M Prestige 2014 ★★

■ | 5450 | | 8 à 11 €

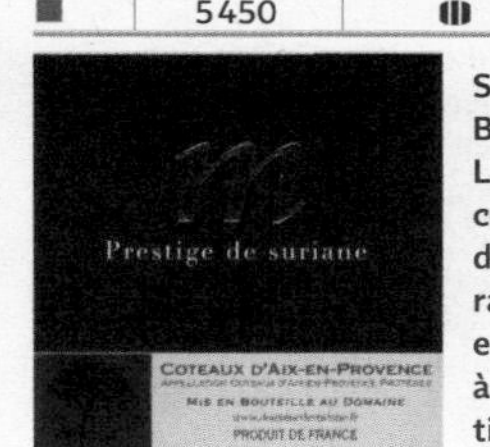

Situé entre l'étang de Berre et les collines de La Crau, ce domaine comprend plus de 35 ha de vignes et une oliveraie. Marie-Laure Merlin est la première femme à gérer cette exploitation qui appartient à sa famille depuis quatre générations; elle en a pris les commandes en 2002.

Marie-Laure Merlin et son œnologue Olivier Nasles signent un magnifique vin noir mi-syrah mi-cabernet-sauvignon, au nez profond et intense de réglisse, de fruits noirs et d'épices. S'ajoute à cette palette une touche de tabac blond dans un palais ouvert, puissant, rond et velouté, étayé par une trame tannique délicate et un boisé fondu. ⧗ 2018-2023 ¥ daube d'agneau provençale

DOM. DE SURIANE, 5600, CD 10, 13250 Saint-Chamas, tél. 04 90 50 91 19, contact@domainedesuriane.fr V t.l.j. sf dim. 9h-12h30 14h30-19h ⊶ Merlin

PROVENCE

Ⓑ DOM. DE VALDITION Vallon des Anges 2015 ★

■ | 10600 | 11 à 15 €

Cet important domaine de 250 ha (dont 90 de vignes) est une ancienne propriété de François Ier, qui l'offrit en dot de mariage à sa fille Caroline du Prévôt. Commandé par une bastide surmontée d'un clocher du XIIes., le vignoble est en bio certifié depuis 2012.

Ce vin, d'abord un peu fermé et animal, s'ouvre à l'agitation sur les fruits rouges et des nuances florales. Arômes également présents dans une bouche bien équilibrée entre alcool, tanins soyeux et fraîcheur. Un ensemble gourmand et prêt à boire, mais qui évoluera bien. ⧗ 2016-2020 Ψ tajine d'agneau aux pruneaux

⊶ *DOM. DE VALDITION, rte d'Eygalières, 13660 Orgon, tél. 04 90 73 08 12, valdition@valdition.com* V *r.-v.*

COTEAUX-VAROIS-EN-PROVENCE

Superficie : 2 285 ha
Production : 123 900 hl (97 % rouge et rosé)

Reconnue en 1993, l'AOC est produite dans le département du Var sur 28 communes. Ceinturé à l'est et à l'ouest par les côtes-de-provence, le vignoble, discontinu, se niche entre les massifs calcaires boisés, au nord de la Sainte-Baume et autour de Brignoles qui fut la résidence d'été des comtes de Provence. Signalons que le syndicat a son siège dans l'ancienne abbaye de La Celle reconvertie en hôtel-restaurant sous la houlette d'Alain Ducasse.

Ⓑ CH. DES ANNIBALS La Jouvencelle 2015

■ | 7000 | ⌂ | 8 à 11 €

Après une première vie dans la finance, Nathalie Coquelle a pris en 2001 la tête de ce vignoble créé en 1762, qui comprend aujourd'hui 28 ha conduits en bio et un caveau voûté du XIIes. L'éléphant figurant sur les étiquettes rappelle la légende selon laquelle le Carthaginois Hannibal marchant sur Rome avec ses pachidermes serait passé à l'emplacement du domaine.

Rolle (90 %) et grenache blanc sont associés dans ce vin expressif et fruité, ouvert sur les agrumes, l'ananas et les fruits blancs. En réponse à l'olfaction, une belle abondance fruitée marque la bouche, souple en attaque, beaucoup plus chaleureuse et opulente dans son développement. Un vin de repas tant par ses généreuses proportions que par sa finesse aromatique. ⧗ 2016-2019 Ψ coquilles Saint-Jacques

⊶ *SCEA DOM. DES ANNIBALS, N. Coquelle et H. de Wulf, hameau des Gaetans, rte de Bras, 83170 Brignoles, tél. 04 94 69 30 36, dom.annibals@orange.fr* V *t.l.j. sf dim. 9h-12h 15h-19h*

BASTIDE DE BLACAILLOUX
Quintessence d'Éclosion 2015 ★

■ | 2900 | ⌂ | 8 à 11 €

Héritier d'une tradition vigneronne depuis quatre générations, Bruno Chamoin a repris en 1995 la destinée de ce domaine, dont le nom rappelle que son vignoble de 40 ha (en conversion bio) s'étend sur des sols caillouteux de nature argilo-calcaire. Si la cave, construite en 2014, respecte son environnement, elle associe les techniques les plus modernes de vinification.

Deuxième millésime sorti de la cave du domaine et une belle réussite que cet assemblage syrah (60 %) et cabernet-sauvignon ouvert sur des notes de cerise noire, de cassis et de chocolat noir. Avec en filigrane une même présence fruitée, le palais, riche et dense, témoigne d'une extraction poussée avec des tanins très présents, très robustes, très vifs. Un vin encore dans la fougue de sa jeunesse. ⧗ 2018-2023 Ψ tajine d'agneau

⊶ *SCEA BASTIDE DE BLACAILLOUX, Dom. de Blacailloux, 83170 Tourves, tél. 04 94 86 83 83, contact@bastide-de-blacailloux.com* V *t.l.j. 10h-12h30 14h30-19h; dim. 10h-13h mai-sept.* ⊶ *Chamoin*

♥ Ⓑ DOM. LA BASTIDE DES OLIVIERS
Le Naturel du Vigneron 2015 ★★

■ | 2000 | ⌂ | 11 à 15 €

Enfant du pays, héritier de générations d'agriculteurs-éleveurs puis de viticulteurs, petit-fils du fondateur de la coopérative locale, Patrick Mourlan, dès son installation en 2000, a créé sa cave et s'est orienté vers l'agriculture biologique. Il est installé dans une bastide entourée d'oliviers centenaires et cultive 10 ha de vignes. Au chai, il limite les interventions, vinifiant sans soufre.

Le regard se perd dans la robe profonde aux reflets violines de ce vin né de syrah et d'un soupçon de carignan (5 %). Le nez s'ouvre sur des notes d'épices, puis développe à l'aération des arômes puissants de mûre confiturée qui laissent présager une belle concentration. En bouche, du volume, du gras, de l'onctuosité, des tanins au toucher fin et une longue finale pleine de fruit. Une expression épanouie du millésime et de l'appellation. ⧗ 2017-2022 Ψ carré d'agneau aux herbes ■ **Cuvée classique 2015 ★ (8 à 11 €; 5500 b.)** Ⓑ : des notes flatteuses de petits fruits noirs et de sous-bois annoncent une bouche généreuse, concentrée, charpentée par des tanins serrés, avec une belle fraîcheur en soutien. ⧗ 2018-2022

⊶ *PATRICK MOURLAN, La Bastide des Oliviers, 1011, chem. Louis-Blériot, 83136 Garéoult, tél. 06 80 30 63 10, patrick.mourlan@wanadoo.fr* V *t.l.j. sf dim. 10h-12h 16h-19h*

DOM. DE LA BERGERIE D'AQUINO
Étoiles d'Aquino 2015 ★

■ | n.c. | ⌂ | 8 à 11 €

Créé en 2002 autour des ruines d'une bergerie du XVIes., ce domaine avait été acquis en 2008 par Jean-Pierre Beert, industriel belge, qui avait aménagé une cave performante. En 2014, Éric Bompart, à la tête d'une maison de prêt-à-porter spécialiste du cache-

mire, a repris la propriété, qui couvre 70 ha dans les coteaux-varois.

Un nez minéral, mentholé et discrètement fruité précède une bouche douce et ronde en attaque, plus vive et tonique dans son évolution, avec une agréable finale sur le fruit. Un 100% vermentino harmonieux et charmeur en diable. ⧗ 2016-2019 🍴 bar en croûte de sel ■ **Étoiles d'Aquino 2011 (8 à 11 €; n.c.)** : vin cité.

⊶ DOM. DE LA BERGERIE D'AQUINO, rte de Mazaugues, 83170 Tourves, tél. 06 29 21 09 52, varaquino@gmail.com V t.l.j. sf sam. dim. 14h30-18h ⊶ Éric Bompard

♥ B CH. LA CALISSE Patricia Ortelli 2015 ★★

	5000		15 à 20 €

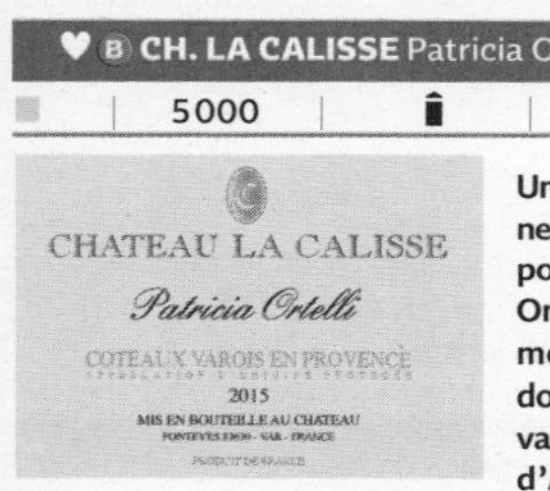

Une ancienne magnanerie, exploitée en polyculture au XIXe s. On y cultivait notamment des amandiers dont les fruits servaient aux confiseurs d'Aix-en-Provence pour la fabrication des calissons. Désormais dédié à la vigne (11,8 ha), le domaine est dirigé par Patricia Ortelli depuis 1991, et conduit en bio depuis 1996.

Valeur sûre de l'appellation, la Calisse décroche son cinquième coup de cœur avec ce vin cristallin, élégant et complexe: jasmin, olivier de Bohème, fruits à chair blanche et touche de bergamote. Une complexité prolongée par un palais ample et d'une grande harmonie, à la fois onctueux et frais, suave et tonique, qui conjugue le croquant des agrumes, la rondeur de l'abricot et la finesse du sureau. ⧗ 2016-2020 🍴 brandade de morue

⊶ CH. LA CALISSE, RD 560, 83670 Pontevès, tél. 04 94 77 24 71, contact@chateau-la-calisse.fr V t.l.j. sf dim. 9h-12h 14h-17h ⊶ Ortelli

CH. DES CHABERTS Cuvée Prestige 2013

■	9700		8 à 11 €

Au pied du massif forestier qu'est la montagne de La Loube, ce vignoble de 30 ha (en conversion bio) perché à 350 m d'altitude entre Garéoult et La Roquebrussanne est constitué de coteaux arides et caillouteux abrités des vents dominants.

Derrière une robe déliée, d'un seyant rubis, se découvre un nez assez réservé qui développe à l'agitation des senteurs de fruits noirs compotés et d'épices douces. La bouche apparaît souple et tendre dès l'attaque, soutenue par des tanins fondus et veloutés qui rendent ce vin d'ores et déjà appréciable. ⧗ 2016-2020 🍴 cassoulet

⊶ CH. DES CHABERTS, 83136 Garéoult, tél. 04 94 04 92 05, chaberts@wanadoo.fr V t.l.j. 9h-12h 14h-18h ⊶ Betty Cundall

B LES POINTES DU DEFFENDS 2014

■	5000		15 à 20 €

Depuis 1998, Xavier Vergès est à la tête du vignoble du Ch. Deffends, une belle unité de 30 ha implantée sur une terrasse de graves argilo-calcaires des Maures et commandée par une bastide du XVIIe s. aux platanes séculaires. Une valeur sûre en côtes-de-provence.

Une dominante syrah pour ce vin au nez riche et intense qui mêle la mûre confiturée, la bergamote, l'aubépine et la violette. La bouche apparaît souple et fraîche, centrée sur le fruit en sirop et quelques notes de Zan, avant une finale plus serrée. ⧗ 2017-2020 🍴 grillades de bœuf

⊶ FAMILLE DE LANVERSIN, Dom. du Deffends, 2020, chem. du Deffends, 83470 Saint-Maximin-la-Sainte-Baume, tél. 04 94 78 03 91, domaine@deffends.com V t.l.j. 10h-12h 15h-18h; f. sam. janv.-fév.

CH. DE L'ESCARELLE Mes Bastides 2013 ★★

■	50000		8 à 11 €

En 1920, François-Joseph Fournier (déjà propriétaire de l'île de Porquerolles) fit cadeau à son épouse de cette propriété adossée aux contreforts de la montagne de La Loube. Dans les années 1960, la famille Gassier a transformé le domaine qui, avec 100 ha de vignes, représente sans doute la plus grande cave particulière de l'AOC coteaux-varois, acquise en 2014 par l'homme d'affaires Yann Pineau.

Ce 2013 a joué dans la cour du grand jury. Ses atouts? Une élégante robe grenat; un bouquet généreux de fruits rouges (cerise, framboise) et de violette sur un léger fond boisé; une bouche particulièrement dense, structurée par des tanins soyeux, à la finale souple, sur le grillé et les épices. Un beau vin de terroir, long et très équilibré. ⧗ 2016-2020 🍴 joues de bœuf ■ **Mes Bastides 2015 ★ (8 à 11 €; 50000 b.)** : un agréable panier fruité (litchi, poire, abricot) donne du relief à ce vin vif et minéral, encore dynamisé par de beaux amers en finale. ⧗ 2016-2018

⊶ YANN PINEAU, rte de la Roquebrussanne, 83170 La Celle, tél. 04 94 69 09 98, accueil@escarelle.fr V r.-v. E

DOM. LA GRAND'VIGNE 2014

■	1400		5 à 8 €

Roland Mistre, œnologue, a repris en 1998 l'exploitation familiale créée à la fin du XIXe s., qui livrait ses raisins à la coopérative. Il a relancé en 2002 la vinification à la propriété et exploite 15 ha de vignes.

La robe est élégante, d'une belle teinte sanguine. La fraîcheur de la groseille, de la griotte et du poivron se fait sentir à l'olfaction. La bouche, franche et alerte, est construite sur une structure souple et plutôt légère, et déploie une jolie finale fruitée et réglissée. À boire sur le fruit. ⧗ 2016-2019 🍴 aiguillettes de canard

⊶ ROLAND MISTRE, Dom. la Grand'Vigne, rte de Cabasse, 83170 Brignoles, tél. 04 94 69 37 16, contact@lagrandvigne.com V t.l.j. 9h-12h 14h-18h

DOM. DE LA JULIENNE Cuvée Louis 2014

■	5000		5 à 8 €

Entre Brignoles et Saint-Maximin, non loin de la RN 7, Marc Sicardi a racheté en 1996 un vignoble

PROVENCE

à l'abandon qu'il a progressivement replanté, pour exploiter aujourd'hui 13,5 ha. En 2000, il a fait construire une cave enterrée qui intègre un processus de gravité totale dès la réception des raisins.

Ce 2014 issu de grenache et de syrah livre un bouquet bien fruité, relevé de menthe poivrée et d'épices. La bouche, légèrement acidulée, s'appuie sur des tanins jeunes manquant encore de souplesse et déploie une finale plus aboutie, sur les fruits rouges et les épices. À attendre. ⧗ 2018-2021 🍴 filet mignon de porc et ratatouille

⊶ DOM. DE LA JULIENNE, chem. des Plaines, 83170 Tourves, tél. 06 20 83 93 90, marc.sicardi@lajulienne.com V t.l.j. sf dim. 9h-19h ⊶ Marc Sicardi

Ⓑ CH. LAFOUX Cuvée Auguste 2015 ★★

	3000		11 à 15 €

Rachetée en 1999 par Claudine et Yvon Boisdron, la propriété doit son nom à la source voisine, La Foux. Il est commandé par une bastide du XVIIIe s. bâtie sur un ancien fortin romain situé le long de la voie aurélienne. Le domaine s'étend sur 174 ha, dont 24 ha de vignes plantées sur un sol argilo-calcaire et entourées de chênes.

Un beau fruité imprime sa marque à l'olfaction de ce vin né de rolle (80 %) et d'ugni blanc: ananas, abricot, fruits exotiques, zeste de citron, auxquels s'ajoute une touche minérale. Une palette riche et variée que prolonge un palais ample, gras, rond et soyeux, sous-tendu par un boisé bien fondu et une subtile pointe de vivacité. Une élégance et un équilibre remarquables. ⧗ 2016-2019 🍴 terrine de homard

⊶ CH. LAFOUX, RN 7, 83170 Tourves, tél. 04 94 78 77 86, contactlafoux@gmail.com V t.l.j. sf dim. 9h-12h 14h-18h ⊶ Boisdron

Ⓑ DOM. DU LOOU
Esprit de blancs 2015 ★

	10000		8 à 11 €

Longtemps propriété de l'abbaye Saint-Victor à Marseille, le domaine du Loou, dont la tradition viticole remonte à l'Antiquité, appartient depuis 1954 à la famille Di Placido. Couvrant 25 ha à l'origine, il compte aujourd'hui 60 ha de vignes d'un seul tenant, conduites en bio.

Rolle (70 %) et sémillon composent ce vin alerte et plein de fraîcheur à l'olfaction, centré sur les agrumes, le menthol et la pêche blanche. Le palais offre un beau volume, avec en soutien une pointe de vivacité bien sentie qui lui apporte de la finesse et de la longueur. ⧗ 2016-2019 🍴 carpaccio de saint-jacques ■ **Cuvée Capucine 2015 ★ (11 à 15 €; 17000 b.)** Ⓑ : des parfums suaves et puissants de fruits noirs mûrs et de cacao animent toute la dégustation de ce vin onctueux, généreux, solaire, à déguster après une petite garde. ⧗ 2017-2020

⊶ SCEA DI PLACIDO, Dom. du Loou, 83136 La Roquebrussanne, tél. 04 94 86 94 97, contact@domaineduloou.fr V r.-v.

Ⓑ CH. MARGILLIÈRE Bastide 2015

	25000		8 à 11 €

À quelques kilomètres de Brignoles, le caveau de dégustation a été aménagé dans une ancienne magnanerie du XVIIe s. restaurée avec les techniques d'autrefois. À partir de 1996 et grâce à Patrick Caternet, le vignoble (22 ha aujourd'hui) retrouve son lustre d'antan. En 2002, Pauline, sa fille, prend en charge la commercialisation des vins du domaine, étiquetés bio depuis 1999.

Une goutte d'ugni blanc (5 %) accompagne le vermentino. Au nez, une belle intensité autour des fruits jaunes (pêche, nectarine) et des nuances minérales et épicées. La bouche est franche, fraîche, friande, ouverte sur un beau fruité d'agrumes et d'abricot. ⧗ 2016-2018 🍴 pavlova aux fruits exotiques

⊶ CH. MARGILLIÈRE, rte de Cabasse, 83170 Brignoles, tél. 04 94 69 05 34, contact@chateau-margilliere.com V t.l.j. 9h30-12h 14h30-18h ⊶ Famille Bunan

Ⓑ CH. MARGÜI Les Pierres sauvages 2015

	4000		15 à 20 €

Marie-Christine et Philippe Guillanton – ce dernier ancien directeur de Yahoo France – s'attachent depuis 2000 à faire renaître cette propriété viticole et oléicole implantée au sud-ouest du massif du Bessillon et commandée par une bastide d'architecture classique. En sommeil depuis les années 1970, l'oliveraie et le vignoble ont été replantés (15 ha aujourd'hui) et sont cultivés en bio et en biodynamie.

Ce blanc lumineux à forte dominante de vermentino (5 % d'ugni blanc) déploie à l'olfaction des notes florales discrètes, bientôt relayées par des arômes de noisette. La bouche, d'un bon volume, se montre plutôt suave, équilibrée par une pointe de vivacité bien dosée. ⧗ 2016-2018 🍴 crème de lait d'amande à la cardamome

⊶ CH. MARGÜI, 83670 Châteauvert, tél. 06 10 26 56 25, philguillanton@yahoo.fr V t.l.j. sf dim. lun. 10h-18h ⊶ Guillanton

CH. D'OLLIÈRES Haut de l'Ermitage 2012 ★★

■	5000		15 à 20 €

Sous la direction de Charles Rouy, qui a fait ses armes dans la célèbre maison beaunoise Bouchard Père et Fils, cette ancienne seigneurie a su retrouver sa tradition viticole à partir de 2003 grâce à une restructuration du vignoble (16 ha replantés sur les 35 ha que compte aujourd'hui le domaine) et à un investissement dans des équipements modernes.

Syrah, grenache et cabernet-sauvignon sont à l'origine de ce vin élevé dix-huit mois en fût. La couleur est intense, grenat aux reflets d'encre, et le nez complexe de fruits mûrs (myrtille, cassis), de groseille, de réglisse et de vanille. La bouche se montre puissante, riche, concentrée, étayée par des tanins soyeux et par une belle fraîcheur. ⧗ 2018-2023 🍴 souris d'agneau confite ■ **Prestige 2012 ★ (11 à 15 €; 7000 b.)** : de la tenue, de la densité, une bonne structure et un caractère solaire autour des fruits confiturés et du cacao. ⧗ 2018-2022

CH. D' OLLIÈRES, Le Château, 83470 Ollières, tél. 04 94 59 85 57, info@chateau-ollieres.com V t.l.j. sf sam. dim. 9h-12h30 14h-17h30 (ouv. sam. mai-sept.) Famille Rouy

CH. LA PRÉGENTIÈRE Cuvée Prestige 2012

4000	11 à 15 €

Au sein de ce vaste vignoble de 57 ha exposé plein sud, au pied des Petit et Gros Bessillon, au cœur de la Provence verte, on distingue encore les traces de la ligne de chemin de fer qui reliait Nice à Meyrargues au XIXᵉs. Reprise en 2001 par l'entrepreneur Jean-Claude Caillou, cette propriété a connu une profonde restructuration.

Ce vin bien construit, né de syrah et de cabernet-sauvignon, aux légers reflets tuilés, propose une palette aromatique intense et complexe: griotte, cassis, garrigue, menthol, boisé vanillé. La bouche est souple, fruitée (fruits à noyaux), épicée et un brin évoluée, soutenue par des tanins souples. C'est un 2012 et il est à son apogée. 2016-2019 brochette de grives

DOM. LA PRÉGENTIÈRE, RD 560, 83670 Pontevès, tél. 04 94 77 10 64 V t.l.j. sf dim. 10h-12h 14h-17h Caillou

DOM. DE RAMATUELLE
Bienfait de Dieu 2015 ★

7000	11 à 15 €

Fanny, sa fille, et Hugues Chaboud, son gendre, sont venus seconder Bruno Latil sur ce domaine familial fondé en 1936 par un tanneur toulonnais au cœur de la Provence verte. Niché au pied du massif de la Sainte-Baume, sur des coteaux et semi-coteaux argilo-calcaires, le vignoble de 60 ha est enherbé et pâturé de l'hiver au printemps par un troupeau de brebis.

Mourvèdre, carignan, syrah et cabernet franc à parts sensiblement égales composent ce vin ouvert sur les fruits noirs mûrs, agrémentés de senteurs chocolatées et réglissées à la mise en bouche. La structure tannique est bien en place mais sans excès, malgré une petite austérité de jeunesse en finale. L'ensemble est harmonieux et s'appréciera dès maintenant ou après une petite garde. 2016-2020 hamburger maison

EARL BRUNO LATIL, Dom. de Ramatuelle, rte de Bras, 83170 Brignoles, tél. 04 94 69 10 61, ramatuelle2@wanadoo.fr V t.l.j. sf dim. 9h-12h 14h-18h

LES RESTANQUES BLEUES 2015

6200	5 à 8 €

Fondée en 1913 dans l'ouest varois sous le nom de la Fraternelle, la coopérative de Rougiers, rebaptisée Vignerons de la Sainte-Baume, est l'une des plus anciennes de la région. Ses bâtiments sont classés à l'Inventaire général du patrimoine culturel de Rougiers. C'est aujourd'hui une petite structure qui regroupe une quarantaine d'adhérents pour un vignoble de quelque 140 ha.

Un 100% rolle engageant avec ses arômes gourmands de fruit de la Passion, de mangue, de fleur de buis. La bouche, un peu fugace mais harmonieuse, est soutenue par une agréable fraîcheur qui prend des accents plus amers de pamplemousse en finale. Un vin croquant et festif. 2016-2018 tapas de la mer

LES VIGNERONS DE LA SAINTE-BAUME, rte de Brignoles, 83170 Rougiers, tél. 04 94 80 42 47, cave.saintebaume@orange.fr V t.l.j. sf dim. 9h-12h 15h-18h

DOM. LA ROSE DES VENTS
Réserve Seigneur de Broussan 2014 ★

6500	8 à 11 €

Fondée au début du XXᵉs., l'exploitation s'est transmise au fil des générations. Depuis 1994, Gilles Baude, œnologue talentueux, conduit le domaine et ses 42 ha de vignes avec son beau-frère Thierry Josselin, chargé de la commercialisation. Une valeur sûre en coteaux-varois.

Une robe claire aux reflets grenat habille ce Seigneur de Broussan réservé à l'olfaction (notes discrètes de fruits cuits, de moka et de romarin). En bouche, il se révèle plutôt carré, charpenté par des tanins fermes et un boisé fondu, empreint d'une pointe végétale qui apporte du nerf. Une belle réussite dans ce millésime difficile. 2018-2022 tajine d'agneau aux fruits secs **Réserve Seigneur de Broussan 2015 ★ (8 à 11 €; 2500 b.)** : agrumes, pêche blanche, boisé vanillé et fumé, notes miellées, une olfaction complexe caractérise ce vin bien équilibré entre rondeur et fraîcheur. 2016-2019 **2015 ★ (5 à 8 €; n.c.)** : un nez fin sur les agrumes, les fruits exotiques et le menthol prélude un palais ample, riche et charnu, qui ne manque pas de fraîcheur. 2016-2019

DOM. LA ROSE DES VENTS, 1404, rte de Toulon, 83136 La Roquebrussanne, tél. 04 94 86 99 28, larosedesvents073@orange.fr V t.l.j. sf dim. 9h-12h 14h-18h Baude et Josselin

CAVE SAINT-ANDRÉ 2014

30000	5 à 8 €

Seillons-Source-d'Argens est un village perché plein de charme d'où la vue embrasse la Sainte-Baume, la Sainte-Victoire et Saint-Maximin. Fondée en 1909, sa cave coopérative, après diverses fusions à partir de 1995, dispose de quelque 380 ha. Elle propose des coteaux-varois et des IGP du Var.

Un vin à la robe légère, associant au nez des arômes de fruits rouges et noirs à des notes de réglisse. La bouche est appréciée pour sa souplesse, sa fraîcheur et sa persistance sur le cassis. Un «vin plaisir» pour les beaux jours. 2016-2019 carpaccio de bœuf

CAVE SAINT-ANDRÉ, Les Plaines de l'Aire, 83470 Seillons-Source-d'Argens, tél. 04 94 72 14 10, cave.st.andre@gmail.com V t.l.j. sf dim. lun. 9h-12h15 14h-18h

DOM. SAINT-JEAN-LE-VIEUX
La Grande Bastide 2015 ★★

6000	5 à 8 €

Pierre et Claude Boyer conduisent depuis 1990 ce domaine familial de 63 ha fondé par leur

PROVENCE

grand-père et sur lequel ils s'emploient à moderniser les techniques culturales et le travail au chai dans le respect de l'environnement (toiture photovoltaïque, phytobac pour la récupération des eaux de lavage...)

Ce vin né de rolle (70 %) et de sémillon s'ouvre sur des parfums raffinés de jasmin et de pêche de vigne agrémentés de nuances minérales et mentholées. Une palette aromatique des plus friandes que reprend à son compte un palais frais et élégant, tout en finesse, qui ne manque pas de densité. Un vin parfaitement proportionné, à réserver pour un mets délicat. ⧗ 2016-2020 ¥ ballotine de volaille à la truffe blanche

⊶ DOM. SAINT-JEAN-LE-VIEUX,
317, av. du 8-Mai-1945, 83470 Saint-Maximin,
tél. 04 94 59 77 59, domaine@saintjeanlevieux.com
t.l.j. sf dim. 8h-12h30 14h-19h
⊶ Pierre Boyer

LES TERRES DE SAINT-HILAIRE
Oppidum 2012 ★

■ | 5000 | | 8 à 11 €

Entre la montagne Sainte-Victoire et les monts Auréliens, un immense domaine de 1 500 ha de forêt et de vignes (143 ha), commandé par des bâtiments abbatiaux du XVIIes. Acquis par la famille Burel en 2002, il comprend aussi un centre équestre et des structures d'hébergement. Des centaines de moutons pâturent l'hiver dans les vignes.

Ce vin né de syrah (60 %) et de cabernet-sauvignon révèle des arômes de fruits rouges, de sous-bois, d'épices et des senteurs boisées. Une attaque vanillée introduit une bouche ample, dense et bien charpentée, qui laisse deviner une bonne évolution. ⧗ 2017-2021 ¥ confit de canard

⊶ LES TERRES DE SAINT-HILAIRE,
rte de Rians, RD 3, 83470 Ollières, tél. 04 98 05 40 10, cave@tdsh.fr t.l.j. sf dim. 10h-12h30 13h30-18h
4 D ⊶ M. Burel

THUERRY Les Abeillons 2015 ★

■ | 8200 | | 11 à 15 €

Au sein du parc régional du Haut-Var Verdon, une bâtisse templière du XIIes., soulignée par un chai longiligne ultramoderne et semi-enterré (2 200 m²), commande une propriété de 340 ha, dont 40 ha de vignes. Une valeur sûre de la Provence viticole, dans les trois couleurs.

Née de rolle (70 %) et de sémillon, cette cuvée bien connue des lecteurs se présente dans une robe pâle, le nez élégant et bien ouvert sur les fleurs blanches et le miel. Arômes que l'on retrouve dans une bouche équilibrée, qui s'articule entre une chair tendre et suave et une fine fraîcheur minérale et fruitée (agrumes). Un vin cohérent et raffiné. ⧗ 2016-2019 ¥ risotto aux saint-jacques ■ **Les Abeillons 2012 (15 à 20 €; 17 000 b.)** : vin cité.

⊶ CH. THUERRY,
83690 Villecroze, tél. 04 94 70 63 02, thuerry@chateauthuerry.com t.l.j. sf dim. 9h-17h30; été t.l.j. 9h-19h ⊶ Jean-Louis Croquet

B CH. TRIANS 2013

■ | 8000 | | 11 à 15 €

Cette ancienne magnanerie, qui a toujours eu une activité viticole, tire son nom d'une villa romaine, la villa Triana. Depuis 1990, Jean-Louis Masurel, jadis directeur du groupe LVMH, lui a redonné son caractère. Implantés en coteau, à 350 m d'altitude, exposés au nord-ouest, les 20 ha de vignes sont certifiés en culture biologique depuis 2012.

Après douze mois d'élevage en foudres, cet assemblage mi-syrah mi-grenache dévoile un nez intense de fruits noirs et rouges, d'épices et de réglisse. En bouche, il se montre concentré et sévère, adossé à des tanins encore un peu anguleux. Patience... ⧗ 2018-2021 ¥ daube de sanglier

⊶ CH. TRIANS, chem. des Rudelles, 83136 Néoules, tél. 04 94 04 08 22, trians@wanadoo.fr t.l.j. sf dim. 9h-12h 14h-18h E ⊶ Jean-Louis Masurel

CÔTES-DE-PROVENCE

Superficie : 23 280 ha
Production : 975 977 hl (96 % rouge et rosé)

Née en 1977, cette vaste appellation occupe un bon tiers du département du Var, avec des prolongements dans les Bouches-du-Rhône, jusqu'aux abords de Marseille, et une enclave dans les Alpes-Maritimes. Trois terroirs la caractérisent: le massif siliceux des Maures, au sud-est, bordé au nord par une bande de grès rouge allant de Toulon à Saint-Raphaël, et, au-delà, l'importante masse de collines et de plateaux calcaires qui annonce les Alpes. Issus de nombreux cépages en proportions variables, sur des sols et des expositions tout aussi divers, les côtes-de-provence présentent, à côté d'une parenté due au soleil, des variantes qui font précisément leur charme... Un charme que le Phocéen Protis goûtait sans doute déjà, six cents ans avant notre ère, lorsque Gyptis, fille du roi, lui offrait une coupe en aveu de son amour... La diversité des côtes-de-provence a conduit à individualiser certains terroirs, comme ceux de Sainte-Victoire et de Fréjus, reconnus en 2005, ou La Londe en 2008.

Sur les blancs tendres mais sans mollesse du littoral, les nourritures maritimes et très fraîches seront tout à fait à leur place, tandis que ceux qui sont un peu plus « pointus », nés un peu plus au nord, appelleront des écrevisses à l'américaine et des fromages piquants. Les rosés, plus ou moins tendres ou nerveux, s'accorderont aux fragrances puissantes de la soupe au pistou, de l'anchoïade, de l'aïoli, de la bouillabaisse, et aussi aux poissons et fruits de mer aux arômes iodés: rougets, oursins, violets. Parmi les rouges, ceux qui sont tendres, à servir frais, conviennent aussi bien aux gigots et aux rôtis qu'au pot-au-feu, surtout si l'on sert ce dernier en salade; les rouges puissants, généreux, qui peuvent parfois vieillir une dizaine d'années, conviendront aux civets, aux daubes, aux bécasses. Et pour les amateurs d'harmonies insolites, rosés frais et champignons, rouges et crustacés

en civet, blancs avec daube d'agneau (au vin blanc) procurent de bonnes surprises.

CH. ANGUEIROUN La Londe Prestige 2014 ★

■ | 6500 | | 20 à 30 €

Créé par un négociant en 1931 sur une ancienne réserve de chasse, le domaine couvre 120 ha face à la mer et la baie du Lavandou, dont 37 ha de vignes entourant un mas et une bastide du XIXᵉs. Une petite anguille (*angueiroun* en provençal), que l'on pêchait autrefois dans les ruisseaux proches du domaine, orne les étiquettes d'Éric Dumon, installé ici depuis 1998 et auteur de vins d'une grande régularité.

Puissant en couleur et en expression aromatique, ce 2014 associe au nez les fruits noirs très mûrs, le tabac et les épices. La bouche est longue et chaleureuse, épaulée par des tanins soyeux et caressants. Un vin savoureux et intense. ⧗ 2017-2021 ▼ poulet aux figues ■ **Prestige 2014 ★ (15 à 20 €; 3000 b.)** : le rolle est majoritaire dans cette cuvée vinifiée puis élevée en barriques. Timide au nez, elle s'exprime avec allant dans un palais volumineux, bien équilibré, légèrement suave, centré sur la noisette grillée et l'amertume des agrumes. ⧗ 2017-2020

⊶ DUMON, 1077, chem. de l'Angueiroun, 83230 Bormes-les-Mimosas, tél. 04 94 71 11 39, contact@angueiroun.fr V 🚶 ▮ *t.l.j. 8h-12h 14h-18h* 🏠 Ⓔ

Ⓑ DOM. DES ASPRAS Les Trois Frères 2014 ★

■ | 9300 | | 15 à 20 €

Avec Michaël Latz à sa tête, ce domaine fut l'un des pionniers de la conversion intégrale en bio du village de Correns, dès 1996. Aujourd'hui, le vigneron est épaulé par ses trois fils Sébastien, Alexandre et Raphaël, sur un vignoble de 20,3 ha entourant une bâtisse de style piémontais.

Les fruits noirs rehaussés d'épices mènent la danse au nez comme en bouche. Ample, concentré, bâti sur une trame tannique soyeuse, ce vin, de bonne longueur, affiche un beau potentiel de garde. ⧗ 2018-2022 ▼ agneau de sept heures

⊶ SARL DOM. DES ASPRAS, 83570 Correns, tél. 04 94 59 59 70, domaine@aspras.com V 🚶 ▮ *t.l.j. 9h-12h 15h-19h* 🏠 Ⓔ *⊶ Michaël Latz*

CH. BARBEIRANNE Cuvée Vallat-Sablou 2015

■ | 8000 | | 11 à 15 €

Au cœur de la Provence verte, ce vignoble de 34 ha, propriété depuis 2006 de Marie-Noëlle Febvre, est établi sur le terroir argilo-calcaire des coteaux du massif des Maures. Les oliviers côtoient les parcelles de vignes en restanques autrefois plantées de lavande, encadrant une bastide du XVIIIᵉs.

Un 2015 aux reflets paille passé dans le merrain et ainsi marqué par des notes boisées au nez comme en bouche. Cette dernière est tonique en attaque, développant une belle rondeur vanillée agrémentée d'agréables parfums floraux. Encore un peu jeune, ce vin demande à se polir avec une petite garde. ⧗ 2017-2020 ▼ blanquette de poisson

⊶ CH. BARBEIRANNE, La Pellegrine, 83790 Pignans, tél. 04 94 48 84 46, barbeiranne@wanadoo.fr V 🚶 ▮ *r.-v. ⊶ Marie-Noëlle Febvre*

♥ DOM. DE LA BASTIDE BLANCHE Two B 2014 ★★

■ Cru clas. | 5000 | | 20 à 30 €

Le groupe Bolloré a acquis en 2001 deux domaines viticoles des côtes-de-provence: la Bastide Blanche, dont les 15 ha de vignes s'étendent entre le cap Taillat et le cap Lardier, sur la partie sauvage de la presqu'île de Saint-Tropez, et le Dom. de la Croix (180 ha dont 90 ha de vignes), cru fondé en 1882 et classé en 1955, situé au pied du village de La Croix-Valmer, face à la mer.

Syrah (90 %) et grenache associés pour le meilleur dans cette cuvée dont la version 2013 a elle aussi obtenu un coup de cœur. Il se dégage la même impression de plénitude du 2014, un vin complexe qui mêle à l'olfaction les fruits rouges confits, le poivre, un beau boisé vanillé et de fines notes minérales. En bouche, il se fait à la fois tendre et puissant, ample et gras, structuré en douceur par des tanins veloutés et un boisé chocolaté et épicé. Et quelle longueur ! ⧗ 2019-2023 ▼ gigot d'agneau

⊶ DOM. DE LA CROIX, 816, bd Tabarin, 83420 La Croix-Valmer, tél. 04 94 95 01 75, contact@domainedelacroix.com V 🚶 ▮ *t.l.j. 10h-13h 14h-19h ⊶ Groupe Bolloré*

BASTIDE DES DEUX LUNES Lune rouge 2014 ★

■ | 4200 | | 11 à 15 €

Bertrand Dubois, œnologue, a repris en 2000 la propriété familiale créée en 1850 et dont les raisins étaient destinés à la coopérative depuis 1940. Le chai a vu le jour pour les vendanges 2012.

Belle densité de couleur pour ce vin aux arômes d'épices et de fruits rouges portés par un bon boisé toasté. Des arômes que l'on retrouve dans une bouche robuste, aux tanins puissants qui ne demandent qu'à s'arrondir. Patience… ⧗ 2019-2023 ▼ côte de bœuf ■ **Tout Près des Étoiles 2015 ★ (8 à 11 €; 4800 b.)** : un fruité dominant (poire, pêche, fruit de la Passion) et des notes florales pour ce vin porté par une fine tension en bouche. ⧗ 2016-2019

⊶ BASTIDE DES DEUX LUNES, chem. des Deux-Lunes, 83390 Puget-Ville, tél. 06 16 31 13 71, bastidedes2lunes@gmail.com V 🚶 ▮ *r.-v. ⊶ Bertrand Dubois*

CH. LE BASTIDON Séduction 2014

■ | 15466 | | 5 à 8 €

Sous le regard des îles de Port-Cros et de Porquerolles, une imposante bastide provençale, ancienne propriété des chartreuses de la Verne au XVIIIᵉs., commande un vignoble de 72 ha et quelque 3 000 oliviers. C'est sur ce terroir de schistes réputé de La Londe-les-Maures que la famille Rose,

PROVENCE

normande d'origine, est venue trouver la chaleur en 1995 et troquer la pomme et le cidre contre le raisin et le vin.

Une robe lumineuse aux reflets rubis habille avec légèreté ce vin au nez discret, qui dévoile à l'aération un fruité pimpant accompagné d'une pointe de violette. Le palais évolue sur la fraîcheur, adossé à une structure souple. À boire sur le fruit. ⧗ 2016-2019 🍴 rôti de bœuf

⊶ LUCIENNE ROSE, Ch. le Bastidon, chem. du Pansard, 83250 La Londe-les-Maures, tél. 06 77 29 87 82, vigneronvar@aol.com V t.l.j. sf dim. 9h-12h 15h-18h30

CH. DE BERNE
Grande Cuvée Hubert de Boüard 2013 ★

■	3000		50 à 75 €

Situé au cœur du Var, ce vaste domaine de 500 ha, dont 120 ha de vignes, est devenu un véritable centre œnotouristique sur le modèle des *wineries* du Nouveau Monde et sous l'impulsion de son nouveau propriétaire depuis 2007, un homme d'affaires britannique : journées à thème, concerts, cours de cuisine, hôtel relais-château, deux restaurants...

Derrière des parfums de petits fruits noirs et d'épices douces, agrémentés d'une pointe florale, on découvre une ossature tannique très présente mais onctueuse, en soutien d'une bouche bien équilibrée entre le boisé de l'élevage et les fruits rouges frais. Un beau potentiel de garde. ⧗ 2019-2023 🍴 daube d'agneau

⊶ CH. DE BERNE, chem. de Berne, 83510 Lorgues, tél. 04 94 60 43 57, vins@chateauberne.com V t.l.j. 10h-18h ⑤ *⊶ Didier Juvin*

CH. DES BORMETTES Cuvée Hélène 2015

□	3400		8 à 11 €

Ce domaine viticole, dont l'existence est avérée depuis le Xe s., devint la propriété des Chartreux de la Verne en 1588. En 1855, il est acquis par Horace Vernet, peintre officiel de Napoléon III, qui le dote d'un château. En 1920, il entre dans la famille Faré, toujours propriétaire des lieux, qui a confié en 2013 la direction de ses 65 ha de vignes à Yannick Burles.

Ce pur rolle délivre à l'aération de discrètes nuances florales. Le palais se montre frais et croquant, d'un bon volume et d'une longueur appréciable. ⧗ 2016-2019 🍴 salade de poulpe

⊶ CH. DES BORMETTES, 903, rte du Pellegrin, 83250 La Londe-les-Maures, tél. 06 02 51 03 58, bormettes@gmail.com V r.-v. *⊶ Faré*

DOM. BOUISSE-MATTERI
Cuvée Jean Joseph Réserve 2014 ★

■	6000		8 à 11 €

Partis de 13 ha de vignes, Bruno Merle et son épouse Mariette n'exploitent pas moins de 55 ha aujourd'hui. Depuis 2009, leur fils Thomas participe pleinement à l'élaboration des vins. Sa sœur Fanny s'occupe de la vigne.

Ce vin rubis de belle intensité fleure bon les petits fruits rouges et noirs et les épices. Un bouquet fin et élégant que reprend à son compte une bouche montante, ronde en attaque puis plus puissante et corsée, mais qui reste avenante, soutenue par une charpente tannique souple et soyeuse. Un beau mariage de la force et de la douceur. ⧗ 2018-2022 🍴 civet de lièvre

⊶ MATHILDE MERLE, Dom. Bouisse-Matteri, 3301, rte des Loubes, 83400 Hyères, tél. 04 94 38 65 05, bruno.merle@wanadoo.fr V *t.l.j. sf dim. 9h-19h; dim. 9h-12h30 en juil.-août*

DOM. DE LA BOUVERIE 2014 ★

■	20000		8 à 11 €

C'est en 1991 que Jean Laponche acquiert ce domaine, ancienne ferme autrefois consacrée à l'élevage de bovins. Il exploite aujourd'hui un vignoble de 30 ha face aux crêtes dentelées du rocher de Roquebrune-sur-Argens. Une valeur sûre des côtes-de-provence.

La robe d'un rouge intense aux reflets pourpres séduit tout autant que le nez, fin, fruité et boisé avec mesure. La bouche s'ouvre sur une matière ronde et avenante, puis s'épanouit en un bel équilibre entre tanins patinés, fraîcheur du fruit et notes vanillées et toastées. La finale longue et tout en finesse confirme l'harmonie et l'élégance de ce 2014 déjà plaisant et promis à une belle évolution. ⧗ 2016-2021 🍴 côte de veau sauce madère □ **2015 ★ (8 à 11 €; 13000 b.)** : un vin floral, exotique (coco) et toasté, ample, gras et généreux en bouche. ⧗ 2016-2019

⊶ DOM. VITICOLE DE LA BOUVERIE, 83520 Roquebrune-sur-Argens, tél. 04 94 44 00 81, domainedelabouverie@wanadoo.fr V *t.l.j. sf dim. 9h30-12h30 14h30-18h30 ⊶ Jean Laponche*

CH. DE CABRAN
Cuvée des Restanques Blanc de blancs 2015 ★

□	5000		11 à 15 €

Un domaine établi sur le site d'une villa gallo-romaine, en bordure de la voie Domitienne. Ses terres vouées autrefois aux troupeaux de chèvres (*cabro* en provençal) sont plantées de vignes depuis 1820 et l'installation des Monzat de Saint-Julien, toujours aux commandes. Le vignoble couvre 18 ha sur un terroir de roches volcaniques de l'Esterel.

Cet assemblage rolle-sémillon vinifié en fût arbore une robe jaune pâle aux légers reflets verts. Au nez, les fleurs blanches et les agrumes se mêlent avec gourmandise à de douces nuances miellées. L'équilibre est de mise dans un palais à la fois gras et frais, ample et long, soutenu par un boisé fin et fondu. ⧗ 2016-2020 🍴 gambas flambées

⊶ CH. DE CABRAN, chem. de Cabran, 83480 Le Puget-sur-Argens, tél. 04 94 40 80 32, cabran@wanadoo.fr V *t.l.j. sf dim. 10h-12h 14h-19h ⊶ de Saint-Seine*

CH. CARPE DIEM Artus 2015 ★

□	6000		15 à 20 €

Albéric Philipon a repris début 2013 ce domaine de 14 ha en cours de conversion bio. Vous pourrez le trouver tous les mardis au marché de Cotignac, où

il propose ses vins, régulièrement au rendez-vous du Guide.

De beaux reflets ambrés animent la robe de ce vin au nez floral rehaussé de parfums de coco qui signent le passage en fût. Une finesse aromatique à laquelle fait écho une bouche ample, onctueuse, suave sans lourdeur, persistante. ⧗ 2016-2020 ⫯ tarte au citron

CH. CARPE DIEM, 4436, rte de Carcès, 83570 Cotignac, tél. 04 94 04 72 88, contact@chateaucarpediem.com V *t.l.j. 10h-13h 15h-19h; f. janv.* *Philipon*

CH. LA CASTILLE 2013

■	16000	5 à 8 €

Ancienne propriété des Comtes de Provence au XVe s., le domaine de la Castille possède un château et des caves construites au XVIIIe s. par les bagnards de Marseille. Il appartient depuis 1922 au diocèse de Fréjus-Toulon. Aujourd'hui, le vignoble compte 160 ha.

Ce vin couleur bordeaux nécessite une bonne aération pour révéler ses arômes de fruits rouges mûrs agrémentés d'une note giboyeuse. La bouche, ronde, souple et légère, garde le goût des fruits confiturés, rehaussés d'une touche poivrée. ⧗ 2016-2019 ⫯ lapin rôti aux herbes de Provence

CH. LA CASTILLE, RD 554, de la Farlède à la Crau, 83210 Solliès-Ville, tél. 06 25 77 74 11, nmenjaud.castille@gmail.com V *t.l.j. 8h-12h 14h-18h* 1 *Fondation*

B CLOS DE L'OURS Nanook 2015 ★

■	8000		11 à 15 €

Fabienne et Michel Brotons, aujourd'hui rejoints par leur fils Fabien, ont réalisé leur rêve en créant ce domaine viticole situé au nord de l'appellation côtes-de-provence. Depuis 2012, ils exploitent 13 ha de vignes en agriculture biologique.

Mi-rolle mi-clairette, cette cuvée est rythmée par des parfums floraux et fruités intenses. En bouche, de la souplesse et de la fraîcheur, des saveurs exotiques d'ananas et un soupçon de minéralité. ⧗ 2016-2019 ⫯ filets de rouget

CLOS DE L'OURS, 4776, chem. du Clos-de-Ruou, 83570 Cotignac, tél. 04 94 04 77 69, closdelours@gmail.com V *t.l.j. sf dim. 10h-12h30 14h30-18h30* 5 *Brotons*

CLOS GAUTIER 2015 ★

■	3000	8 à 11 €

Gilles Pedini a repris les rênes de ce domaine en 2011: 33 ha situés à Carces, au cœur de la Provence verte. Il est épaulé par Ariel Médigue, maître de chai.

Une robe jaune pâle aux reflets verts, une palette aromatique discrète et élégante au nez comme en bouche, florale, fruitée et minérale, un équilibre assuré entre volume et tonicité. Un vin sans excès, construit avec mesure et raffinement. ⧗ 2016-2019 ⫯ cabillaud à la plancha ■ **Clos du Château 2013 (15 à 20 €; 4500 b.)** : vin cité.

DOM. CLOS GAUTIER, EARL Pedini, 800, chem. des Bastides, 83570 Carcès, tél. 04 94 80 05 05, clos.gautier@free.fr V *r.-v.* *Gilles Pedini*

B VIGNERONS DE CORRENS
Croix de Basson 2015 ★★

■	20000		5 à 8 €

Née en 1935 de la fusion de deux coopérative rivales (l'Amicale et la Fraternelle), la cave de Correns, petit village pittoresque niché au cœur du Var, regroupe aujourd'hui 150 ha de vignes et 30 adhérents (dont dix seulement vivent de la viticulture), qui ont tous fait le choix de l'agriculture biologique dès 1998.

Ce 100% rolle a fait belle impression. Un nez élégant et expressif sur des arômes de poire incite à poursuivre. La bouche apparaît ample, très fruitée (fruits blancs bien mûrs), soyeuse et persistante. ⧗ 2016-2020 ⫯ filets de daurade au beurre blanc

LES VIGNERONS DE CORRENS, rue de l'Église, 83570 Correns, tél. 04 94 59 59 46, lesvignerons-correns@wanadoo.fr V *r.-v.*

CH. DE LA COULERETTE La Londe 2014 ★

■	n.c.	8 à 11 €

Le vignoble de 60 ha d'un seul tenant s'étend sur une petite colline, *petit coulet* en provençal, exposée plein sud face aux Îles d'Or. Il est conduit depuis 1962 par la famille Bréchet, installée dans un château du XIXe s. au pied du massif des Maures, également productrice de gigondas et de châteauneuf-du-pape.

Ce vin chaleureux, très mûr, séduit par sa douceur renforcée par des arômes de pâte de coing, de fruits secs et d'épices et par des tanins ronds et fondus. Un La Londe généreux et bien typé. ⧗ 2016-2020 ⫯ bœuf à la ficelle

CH. DE LA COULERETTE, Famille Bréchet, 83250 La Londe-les-Maures, tél. 04 90 83 70 31, contact@famillebrechet.fr V *r.-v.*

B LA COURTADE 2015 ★

■	2500		15 à 20 €

Florent Audibert a repris en 2015 ce domaine créé dans les années 1980. À sa disposition, un vignoble de 35 ha conduit en bio (certification en 1997).

Après un bref passage en barrique, cet assemblage de rolle (95 %) et de sémillon livre une olfaction délicate et florale. Une attaque riche introduit un palais ample et salin, adouci par des notes suaves et persistantes de fruits jaunes confits et par un élevage maîtrisé. ⧗ 2016-2020 ⫯ paëlla

SCEA LA COURTADE, Île de Porquerolles, 83400 Hyères, tél. 04 94 58 31 44, domaine@lacourtade.com V *r.-v.*

CH. DES DEMOISELLES 2014 ★★

■	23500	11 à 15 €

Située sur le plateau de La Motte près des gorges de Pennafort, cette ancienne propriété de la famille Grimaldi (principauté de Monaco) est conduite par Aurélie Bertin depuis 2005. D'importants travaux de

rénovation ont redonné sa splendeur à la bastide de 1830 qui commande un vignoble de près de 70 ha.

La séduction opère dès la robe, dense, pourpre et profonde. À l'agitation se dévoile beaucoup de complexité: fruits noirs compotés, olive noire, notes marquées de torréfaction et senteurs épicées. En bouche, se profile une belle construction: des tanins mûrs et solides, du volume, du gras et une longueur remarquable autour d'un fruité noir et solaire. À laisser vieillir. ⧗ 2018-2022 ψ baron d'agneau aux épices ■ **2015 ★★ (11 à 15 €; 6000 b.)** : fruits exotiques et agrumes composent un nez engageant, relayé par un palais ample, dense et rond, stimulé par une fine acidité qui apporte du nerf et du relief. ⧗ 2016-2019

SCEA CH. DES DEMOISELLES, 2040, rte de Callas, 83920 La Motte, tél. 04 94 99 50 30, contact@sainte-roseline.com V 🚶 🏠 *t.l.j. 9h-12h30 14h-18h30* 🏠 5 🏠 E *Teillaud*

DOM. DU DRAGON Cuvée du Castrum 2014 ★★

■	1330	🛢	8 à 11 €

À la sortie de Draguignan en direction des gorges du Verdon, ce domaine étend ses 65 ha de vignes sur des coteaux argilo-calcaires et abrite des vestiges gaulois, une chapelle du XIIes. et un château qui surplombe le vignoble.

D'un seyant jaune lumineux, ce vin exprime à l'olfaction d'élégantes notes de fleurs blanches. En bouche, il se montre généreux, ample et soyeux, tout en préservant une belle fraîcheur. Beaucoup d'harmonie et d'élégance. ⧗ 2016-2020 ψ langouste grillée

DOM. DU DRAGON, 990, av. Frédéric-Henri-Manhes, 83300 Draguignan, tél. 04 98 10 23 00, contact@domainedudragon.com V 🚶 🏠 *t.l.j. sf dim. 10h-12h 15h-19h; f. 18h et sam. ap.-m. 15 sept.-14 juin* 🏠 E *Nezam Mir*

DOM. DES FÉRAUD Blanc de rolle 2015 ★

■	3700	▮	8 à 11 €

Markus Conrad et les siens ont acquis en 2011 ce domaine ancien, jusqu'alors propriété de la famille Fournier. Établi dans le sanctuaire écologique de la plaine des Maures, le vignoble couvre 15 ha (en conversion bio), plantés sur un terroir sablo-limoneux très qualitatif.

Une robe jaune soutenue et brillante habille ce vin d'une belle intensité olfactive autour des fruits jaunes et blancs. La bouche apparaît fraîche et aromatique, centrée sur la poire jusqu'en finale. Harmonieux et expressif. ⧗ 2016-2019 ψ lasagnes de la mer

DOM. DES FÉRAUD, 2956, chem. de Marafiance, 83550 Vidauban, tél. 04 94 73 03 12, domainedesferaud@orange.fr V 🏠 *r.-v.* *Conrad*

FLEUR DE L'AMAURIGUE 2014 ★

■	4000	🛢	8 à 11 €

Un domaine situé entre Le Luc-en-Provence et Cabasse, cerné de vignes et de collines boisées entourant une longue bâtisse provençale. Il est la propriété depuis 1999 de la famille De Groot (Dick, Eugénie et leurs enfants Fleur et Melvin), qui a entièrement rénové le vignoble et les bâtiments, créé une cave de vinification et sorti la production de la coopérative du village.

D'une couleur dense et profonde, cette cuvée harmonieuse est parfumée par un doux boisé légèrement cacaoté. La bouche est fine et souple, assortie d'une finale pleine de fraîcheur, sur la framboise. Un vrai «vin plaisir» à boire sur le fruit. ⧗ 2016-2018 ψ bœuf en gelée

DOM. DE L' AMAURIGUE, rte de Cabasse, 83340 Le Luc, tél. 04 94 50 17 20, contact@amaurigue.com V 🚶 🏠 *r.-v.* *De Groot*

B DOM. DE LA FOUQUETTE
Cuvée Brin de Mimosa 2015

■	8000	▮	8 à 11 €

Sur les contreforts du massif des Maures, Isabelle Daziano conduit depuis 2005, avec son époux Jean-Pierre, les 20 ha du domaine paternel, et signe en 2013 son premier millésime en bio certifié.

Qualifié de «technologique», tant le nez est explosif, sur les fruits exotiques et les agrumes, ce vin présente moins d'exubérance en bouche et se montre souple et tonique jusqu'à la finale intense et persistante. ⧗ 2016-2018 ψ aumônière au fromage de chèvre

DOM. DE LA FOUQUETTE, rte de Gonfaron, 83340 Les Mayons, tél. 04 94 73 08 45, domaine.fouquette@wanadoo.fr V 🚶 🏠 *t.l.j. 10h-12h 15h-19h* 🏠 3 *Jean-Pierre et Isabelle Daziano*

CH. DES GARCINIÈRES Cuvée traditionnelle 2015

■	3300	▮	8 à 11 €

Un domaine de 18 ha établi sur un ancien prieuré des moines cisterciens de l'abbaye Saint-Victor de Marseille, situé à deux pas du golfe de Saint-Tropez. La famille de Stéphanie Valentin, qui s'est installée en 1987, en est propriétaire depuis 1898.

Des senteurs fraîches de citron et de fruits exotiques s'expriment discrètement à l'aération. On retrouve les agrumes dans un palais d'une belle vitalité, bien proportionné, avenant, fin et léger. ⧗ 2016-2018 ψ tarte fine aux anchois

CH. DES GARCINIÈRES, 1082, rte de la Foux, 83310 Cogolin, tél. 04 94 56 02 85, garcinieres@wanadoo.fr V 🏠 *r.-v.* *Famille Valentin*

B DOM. DE GAVAISSON Inspiration 2014 ★★

■	12000	▮	20 à 30 €

Un domaine ancien, acquis en 1987 par la famille Than, originaire d'Autriche et d'Allemagne. C'est aussi l'un des plus petits de l'appellation côtes-de-provence: 4 ha conduits en bio et entièrement dédiés au blanc avec deux cuvées nées de rolle et sémillon.

De l'inspiration, le vigneron en a eu avec ce 2014 très bien né, ouvert sur des arômes délicats de fleurs blanches. En bouche, un volume imposant, du gras, mais aucune lourdeur, une fine acidité et un fruité acidulé venant équilibrer le tout. Un blanc de gastronomie, à la fois riche et élégant. ⧗ 2016-2020 ψ joues de lotte à la crème

DOM. DE GAVAISSON, 2487, chem. de Ginasservis, 83510 Lorgues, tél. 04 94 59 53 62, info@gavaisson.fr 🚶 🏠 *r.-v.* *Famille Than*

DOM. GAVOTY Cuvée Clarendon 2015

■ | 16000 | | 15 à 20 €

Ce domaine – vaste vignoble de 49 ha d'un seul tenant – est la propriété des Gavoty depuis 1806 et huit générations. Il a bâti sa renommée sur l'élaboration de blancs et de rouges de garde. Un domaine précurseur aussi: c'est Pierre Gavoty qui a introduit le rolle dans le côtes-de-provence blanc. Sa fille Roselyne, en charge des vinifications depuis 1985, a pris la direction de l'exploitation en 2001.

Des parfums de fleurs blanches et des nuances miellées mâtinés d'une pointe zestée composent un bouquet avenant et imprègnent aussi un palais équilibré, à la fois rond et croquant. ⧗ 2016-2018 ▼ turbot aux agrumes

⊶ ROSELYNE GAVOTY, Dom. Gavoty, Le Grand-Campdumy, 83340 Cabasse, tél. 04 94 69 72 39, domaine@gavoty.com V ⚐ ▪ *t.l.j. sf sam. dim. 8h-12h 14h-18h* ⌂ Ⓔ

CH. GIROUD 2015 ★

■ | 5000 | ⦀ | 5 à 8 €

Installés en 2003 en tant que jeunes agriculteurs, Thierry Giroud, œnologue de formation, et son épouse Caroline ont créé de toutes pièces cette propriété – de 15 ha aujourd'hui – où ils assument à deux tous les travaux de la vigne et du chai, avec une approche « ultra-raisonnée ».

Des parfums de fruits noirs accompagnent une charpente tannique bien en place et encore un peu jeune, un volume sérieux et une belle rétro-olfaction sur le poivre noir. Voilà qui laisse présager un bel avenir. ⧗ 2018-2022 ▼ civet de chevreuil

⊶ CH. GIROUD, rte du Luc, 83340 Cabasse, tél. 06 82 86 52 29, chateaugiroud@yahoo.fr V ⚐ ▪ *t.l.j. sf dim. 8h-19h30*

VIGNERONS DE GONFARON Hédonique 2015 ★

■ | 4200 | ▮ | 5 à 8 €

Créée en 1921, la coopérative de Gonfaron réunit aujourd'hui quelque 120 adhérents pour un vignoble de 550 ha implanté sur des terroirs d'une grande diversité – schistes, grès rouge, argilo-calcaires – entre le massif des Maures et l'Aille, qui prend sa source au village.

Une parure jaune pâle habille ce vin ouvert sur de fines notes de fleurs blanches et d'agrumes. Une belle attaque franche et tonique introduit une bouche vive et fruitée, tout en légèreté. ⧗ 2016-2019 ▼ daurade rôtie au pesto

⊶ MAÎTRES VIGNERONS DE GONFARON, 83590 Gonfaron, tél. 04 94 78 30 02, info@vignerons-gonfaron.com V ⚐ ▪ *t.l.j. 9h-12h 14h-18h*

DOM. LE GRAND ROUVIÈRE
Cuvée des Vieilles Vignes 2015 ★

■ | 10000 | | 5 à 8 €

La coopérative de Roquefort-la-Bédoule, petit village provençal proche de la Méditerranée, a été créée en 1963. Elle regroupe 70 adhérents et 125 ha de vignes implantées sur les coteaux argilo-calcaires de la commune.

Faisant la part belle au rolle (90 %), cette cuvée scintillante aux légers reflets verts dévoile un nez élégant et intense à dominante florale (genêt, acacia). En bouche, du volume, de l'équilibre, une expression soutenue autour d'un fruité omniprésent et persistant (fruits à noyaux, pêche blanche juteuse). ⧗ 2016-2019 ▼ tagliatelles aux fruits de mer

⊶ LES VIGNERONS DE ROQUEFORT, 1, bd Frédéric-Mistral, 13830 Roquefort-la-Bédoule, tél. 04 42 73 22 80, lesvigneronsderoquefort@orange.fr V ▪ *t.l.j. sf dim. 8h30-12h 14h-19h*

DOM. HOUCHART 2015

■ | 8700 | ▮ | 8 à 11 €

Ce vaste domaine de 90 ha situé au pied de la montagne Sainte Victoire fut acquis en 1890 par Aurélien Houchart, ami de Cézanne et arrière-grand-père de l'actuelle propriétaire, Geneviève Quiot, également établie à Châteauneuf-du-Pape avec le Ch. Vieux Lazaret.

Un vin de bonne intensité au nez, dans un registre floral et exotique. Des arômes qui s'épanouissent dans une bouche équilibrée, souple et fraîche sans excès de nervosité. ⧗ 2016-2018 ▼ loup au fenouil ■ **2014 (8 à 11 €; 39200 b.)** : vin cité.

⊶ FAMILLE QUIOT, Dom. Houchart, 5, av. Baron-Leroy, 84230 Châteauneuf-du-Pape, tél. 04 90 83 73 55, vignobles@jeromequiot.com V ⚐ ▪ *r.-v.*

Ⓑ **JAS D'ESCLANS**
Cuvée du Loup Élevé en barrique 2013 ★★

■ Cru clas. | 13000 | ⦀ | 15 à 20 €

Pastoralisme, agriculture, magnanerie et viticulture sont autant d'activités qui se sont succédé au fil des siècles sur cette propriété dont les raisins étaient déjà prisés à l'époque romaine. Depuis 2002, la famille de Wulf s'attache à cultiver en bio ce cru classé de Provence (50 ha). La cave de vinification répond aux critères de l'éco-construction.

Le bouquet de ce 2013 est dense et expressif: les fruits rouges et les épices succèdent à un premier nez giboyeux. Suit une bouche ample, fruitée, poivrée et chocolatée, aux tanins bien en place, enrobés par une chair ronde. Un beau vin complet, au boisé parfaitement intégré. ⧗ 2016-2021 ▼ bœuf Stroganov

⊶ EARL DU DOM. DU JAS D'ESCLANS, 3094, rte de Callas, 83920 La Motte, tél. 04 98 10 29 29, domaine@jasdesclans.fr V ⚐ ▪ *t.l.j. sf dim. 8h-12h 14h-18h*
⊶ Matthieu de Wulf

CH. JAUNE 2015

■ | 10000 | ▮ | 5 à 8 €

Créée en 1912, la cave coopérative de La Crau, située à une dizaine de kilomètres de Hyères, a fusionné en 1998 avec celle de Solliès. En 2007, le caveau a été rénové et modernisé pour une diversification des produits.

Paré d'une robe profonde aux reflets rubis, ce vin se présente avec fermeté, charpenté par une structure bien en place, solide, adoucie toutefois par d'agréables notes de fruits compotés et de pruneau. Il gagnera à viellir encore un peu. ⧗ 2018-2021 🍴 civet de lièvre

⊶ *CELLIER DE LA CRAU, 85, av. de Toulon, 83260 La Crau, tél. 04 94 66 73 03, cellier-lacrau@wanadoo.fr* V 🚶 🍷 *t.l.j. sf dim. 8h30-12h 14h-18h*

♥ Ⓑ CH. LA JEANNETTE La Londe Baguier 2013 ★★

■ | 4800 | | 11 à 15 €

Implanté à l'entrée de la vallée des Borrels, ce vignoble s'étend sur 25 ha. Racheté en 2000 à la famille Moutte (propriétaire depuis plus de cent ans), il est aujourd'hui mené, en bio depuis 2011, par Gisèle et Hervé Limon, qui ont réalisé d'importants investissements en cave et engagé une restructuration du vignoble. Une valeur sûre.

Un grand classique du domaine, très souvent en vue dans ces pages. Le 2013 fait mouche, magnifique écho au coup de cœur obtenu pour le 2009. Un vin sombre né de syrah (50 %), grenache (40 %) et cabernet-sauvignon, au bouquet expressif et élégant de fruits rouges et noirs mêlés à des notes grillées et réglissées. Centrée elle aussi sur les fruits, mâtinés de nuances balsamiques, la bouche apparaît opulente, puissante, tout en restant souple et soyeuse, soutenue par des tanins veloutés. Un La Londe des plus harmonieux et prometteur. ⧗ 2017-2022 🍴 rôti de bœuf en croûte

⊶ *CH. LA JEANNETTE, 566, chem. des Borrels, 83400 Hyères, tél. 04 94 65 68 30, chateaulajeannette@yahoo.fr* V 🚶 🍷 *t.l.j. sf sam. dim. 9h30-12h 14h-18h* ⊶ *Hervé Limon*

Ⓑ DOM. LONGUE TUBI 2015 ★

■ | 1400 | | 11 à 15 €

Longue Tubi est un rappel aux origines gallo-romaines d'une conduite en terre cuite qui captait ici l'eau d'une source, trace d'une activité humaine très ancienne sur ces terres calcaires. François et Catarina Buisine, ingénieurs agronomes, y conduisent en bio un vignoble de 21 ha.

Le rolle règne en maître dans cette cuvée jaune aux reflets verts, centrée sur d'intenses arômes floraux. La bouche est franche et fraîche, tonifiée par les agrumes et de fines nuances de fruits blancs. ⧗ 2016-2019 🍴 carpaccio de langoustines

⊶ *DOM. LONGUE TUBI, rte de Gonfaron, 83340 Flassans-sur-Issole, tél. 09 74 76 74 83, longuetubi@gmail.com* V 🍷 *r.-v.*

LOU BASSAQUET Sainte-Victoire 2014 ★

■ | 7200 | | 8 à 11 €

Créée en 1914 dans la vallée de l'Arc, la cave coopérative de Trets tire son nom Lou Bassaquet du surnom donné aux Tretsois par les villages voisins en mémoire du saccage infligé au village par les armées de François Ier en 1537. Le vignoble couvre près de 550 ha implantés face au massif de la Sainte-Victoire.

Un bouquet encore juvénile, au boisé prononcé, des tanins soyeux et une matière dense forment un bel ensemble équilibré, long et ample. La finale persistante se marque de réglisse et de cassis. Une bouteille à oublier quelques temps en cave. ⧗ 2018-2021 🍴 omelette aux cèpes ■ **Rascailles 2015 (5 à 8 €; 5500 b.)** : vin cité.

⊶ *CELLIER LOU BASSAQUET, chem. du Loup, BP 22, 13530 Trets, tél. 04 42 29 20 20, contact@loubassaquet.com* V 🍷 *t.l.j. sf dim. lun. 9h-12h 14h-18h*

DOM. LE LOUP BLEU Sainte-Victoire Croix du Sud 2014 ★★

■ | 3000 | | 11 à 15 €

Ce vignoble de 8 ha situé au pied de la Sainte-Victoire, qui produit exclusivement en AOP côtes-de-provence, a été acquis en 2012 et restructuré par Sylvie et Marc Dubois. Le domaine, certifié bio depuis 2015, doit son nom à la montagne Podium Luperium, la «colline des Loups» et à la passion des vignerons pour l'aviation.

Ce 2014 d'un beau rouge franc libère des senteurs intenses de cerise noire et de garrigue soulignées de notes grillées qui s'épanouissent à l'aération. Le palais se révèle immédiatement, tout en finesse, porté par des tanins très soyeux et un boisé réglissé et vanillé parfaitement maîtrisé, qui structure le vin sans l'écraser. ⧗ 2017-2021 🍴 fondant au cacao amer ■ **Vol de Nuit 2015 ★ (11 à 15 €; 3000 b.)** Ⓑ : une jolie complexité autour des fruits blancs et des fruits exotiques s'associe à une bouche ample et élégante pour composer un vin harmonieux. ⧗ 2016-2020

⊶ *DOM. LE LOUP BLEU, Piconin, 13114 Puyloubier, tél. 06 24 05 64 75, m.dubois@le-loup-bleu.com* V 🚶 🍷 *t.l.j. sf dim. 8h-19h* ⊶ *Marc Dubois*

CH. LA MARTINETTE Caviar blanc 2014 ★

■ | 5000 | | 20 à 30 €

Trois investisseurs d'origine russe ont acquis en 2011 les 300 ha du Château la Martinette, l'une des plus vieilles exploitations agricoles de Lorgues (1620), ainsi que les 100 ha du Prieuré Sainte Marie Vieille, ancienne villa romaine puis dépendance de l'abbaye de Lérins établie sur la commune du Thoronet. Alexei Dmitriev, le gérant des deux domaines, et son directeur technique Guillaume Harant se sont attelés à un vaste programme de restructuration des vignobles.

Une olfaction délicate autour des fleurs blanches et des épices de la garrigue pour ce 100 % rolle ayant séjourné huit mois en fût. En bouche, on apprécie son volume, sa fraîcheur et sa finesse aromatique au diapason du bouquet. Un ensemble élégant et harmonieux. ⧗ 2016-2019 🍴 salade de homard

⊶ *CH. LA MARTINETTE, 4005, chem. de la Martinette, 83510 Lorgues, tél. 04 94 73 84 93, contact@chateaulamartinette.com* V 🍷 *t.l.j. 10h-18h* ⊶ *Dmitriev*

LA MASCARONNE Fazioli 2014 ★

■ | 16800 | 🍾 | 15 à 20 €

C'est sur un terrain argilo-calcaire que sont implantés les 40 ha de vignes disposées en restanques de cette propriété reprise et rénovée par Thomas Bove en 1999. La converison bio est engagée.

D'un beau grenat clair, ce vin déploie un bouquet gourmand mêlant des notes séveuses de maquis et d'épices. Une attaque droite et fine ouvre sur un palais rond et fruité, puis balsamique en finale, étayé par des tanins délicats. Un «rouge plaisir». ⧗ 2016-2019 Ÿ tartare de bœuf

SCEA CH. LA MASCARONNE, RN 7, 83340 Le Luc-en-Provence, tél. 04 94 39 45 40, info@mascaronne.com V ! *r.-v.* *Thomas Bove*

Ⓑ MAS DE CADENET Sainte-Victoire 2014 ★

■ | 12000 | ⏸ | 11 à 15 €

Accompagné de ses enfants Maud et Matthieu, Guy Négrel perpétue une tradition familiale débutée en 1813 sur ces terres des contreforts de la montagne Sainte-Victoire. Le vignoble de 45 ha (certifié bio) est implanté sur un terroir de gravoches.

Notes de tabac blond tirant sur le miel, petits fruits noirs (cassis) et nuances toastées s'entremêlent à l'aération. En bouche, ce Sainte-Victoire s'exprime en finesse, avec une bonne harmonie entre la souplesse de l'attaque, le soyeux des tanins, les senteurs de garrigue et la finale réglissée. ⧗ 2016-2020 Ÿ rôti de veau

MAS DE CADENET, CD 57, 13530 Trets, tél. 04 42 29 21 59, maud.negrel@masdecadenet.fr V 🚶 ! *t.l.j. sf dim. 9h-12h 14h-18h30* *Guy Négrel*

DOM. DE MAUVAN 2015 ★★

■ | 3000 | 8 à 11 €

Une bastide provençale du XVIIIe s. commande ce vaste domaine de 150 ha s'étendant sur les contreforts de la montagne Sainte-Victoire, le long de la N7. Dans la famille depuis 1947 et quatre générations, le vignoble de 26 ha implanté sur un terroir de cailloutis calcaires est conduit depuis 1994 par Gaëlle Maclou.

D'un séduisant jaune d'or, ce 100% rolle déploie une olfaction délicate et subtile autour des fleurs blanches et de la pêche de vigne. La bouche offre beaucoup de fraîcheur dès l'attaque, autour de nuances citronnées et de fruits à chair blanche, sublimée par une longue finale minérale. ⧗ 2016-2019 Ÿ saint-pierre aux asperges

GAËLLE MACLOU, Dom. de Mauvan, RN 7, 13114 Puyloubier, tél. 04 42 29 38 33, mauvan@wanadoo.fr V 🚶 ! *r.-v.*

Ⓑ CH. MENTONE Cuvée Émotion 2015 ★★

■ | 2000 | 🍾 | 8 à 11 €

Établi sur un terroir argilo-calcaire, ce domaine historique où la marquise de Sévigné aimait séjourner comprend 170 ha de forêt aux arbres centenaires, un parc avec bassins d'agrément et fontaines, et une cave voûtée datant du milieu du XIXe s. Le vignoble s'étend sur 30 ha en bio certifié.

Genêt, fleur d'acacia, chèvrefeuille, l'expression de ce vin pâle et lumineux est clairement florale, agrémentée d'une pointe d'agrumes. Souplesse, fraîcheur, ampleur, persistance, la bouche ne manque de rien. Un modèle d'harmonie et d'élégance. ⧗ 2016-2019 Ÿ carpaccio de saint-jacques

CH. MENTONE, 401, chem. de Mentone, 83510 Saint-Antonin, tél. 04 94 04 42 00, info@chateaumentone.com V 🚶 ! *t.l.j. 10h-19h (été); t.l.j. 9h-17h (hiver)* 🏠 ⑤ 🏠 Ⓔ *Caille*

CH. LES MESCLANCES Saint-Honorat 2013 ★★

■ | 3750 | ⏸ | 11 à 15 €

En 2009, aidé de sa fille et de son gendre, Arnaud de Villeneuve a repris le domaine à la retraite de son frère Xavier. D'importants travaux de rénovation des chais, de nouvelles cuvées, il ouvre un nouveau chapitre. Le vignoble s'étend aujourd'hui sur 27 ha.

Une jolie finesse aromatique se dégage de ce vin rouge aux éclats grenat, qui mêle fruits rouges, notes florales et empyreumatiques. Dans la continuité du nez, la bouche se livre pleinement, ample, soyeuse, équilibrée, et ajoute de fines nuances épicées qui amènent un surcroît de complexité. ⧗ 2017-2020 Ÿ pavé de bœuf sauce poivre ■ **Saint-Honorat 2014 ★★ (11 à 15 €; 2200 b.)** : des senteurs explosives d'épices, de fleurs, de vanille et de fruits exotiques et une bouche caressante, empreinte d'exotisme et d'élégance composent un vin remarquable. ⧗ 2017-2020

CH. LES MESCLANCES, 3583, chem. du Moulin-Premier, 83260 La Crau, tél. 04 94 12 10 95, amaury.walch@mesclances.com V 🚶 ! *t.l.j. sf dim. 9h-12h 13h-19h*

♥ MINUTY Prestige 2015 ★★

■ Cru clas. | 30000 | 🍾 | 15 à 20 €

Les vignes du château Minuty, construit à l'époque de Napoléon III, surplombent la presqu'île de Saint-Tropez, en contrebas du village de Gassin. Incarnant la troisième génération à la tête de ce cru fort réputé, classé depuis 1955, Jean-Étienne et François Matton conduisent aujourd'hui un vaste vignoble de 80 ha: 45 ha d'un seul tenant sur des sols de calcaire schisteux, complétés par 20 ha sur un sol calcaire et 15 ha sur les côteaux du Val de Rians à Ramatuelle.

Des éclats argentés et lumineux animent ce vin admirable d'élégance et de complexité, qui s'ouvre au premier nez sur des arômes de poire. L'aération apporte une palette d'une étonnante variété: zeste de citron, sucre cuit, miel, seringa... Le palais se fait léger et tonique en attaque, avant que la rondeur ne prenne le dessus. La finale répond joliment au nez en évoquant le fruit blanc. Un feu d'artifice aromatique dans la finesse. ⧗ 2016-2019 ⚲ terrine de poisson aux légumes verts

SA MINUTY, 2491, rte de la Berle, 83580 Gassin, tél. 04 94 56 12 09 t.l.j. sf sam. dim. 9h-12h 13h30-18h Matton

LES VIGNERONS DU MONT SAINTE-VICTOIRE
Sainte-Victoire 2014 ★

■	12000		5 à 8 €

Établie sur le site classé de la montagne Sainte-Victoire, cette cave coopérative exploite le fruit de 720 ha de vignes implantés sur la face sud de ce mont si cher à Cézanne.

Le nez mêle les fruits rouges frais, les senteurs de la garrigue et des sous-bois. La bouche se montre fruitée, souple, soyeuse et fraîche, étayée par des tanins fondus. De la complexité et de la fluidité. À déguster légèrement frais. ⧗ 2016-2020 ⚲ pot-au-feu ■ **Vignerons du Mont Sainte-Victoire Les Élégantes 2015 (5 à 8 €; 3000 b.)** : vin cité.

LES VIGNERONS DU MONT SAINTE-VICTOIRE, 63, av. d'Aix, 13114 Puyloubier, tél. 04 42 66 32 21, vignerons-msv@wanadoo.fr t.l.j. sf dim. 9h-12h 14h-18h

CH. NESTUBY 2014 ★

■	3200	11 à 15 €

À l'origine du domaine, une source naturelle, la Nestuby, qui a encouragé le grand-père de l'actuel exploitant à acquérir les terres environnantes. Depuis, quatre générations de Roubaud y ont exploité la vigne, 88 ha aujourd'hui.

Une robe légère et brillante, un bouquet concentré mêlant fruits rouges (griotte) et épices. Soutenue par des tanins soyeux, la bouche présente une agréable fraîcheur et un fruité omniprésent rehaussé de notes poivrées. Une gourmandise à déguster légèrement rafraîchie. ⧗ 2016-2020 ⚲ pastilla de veau

CH. NESTUBY, 4540, rte de Montfort, 83570 Cotignac, tél. 04 94 04 60 02, nestuby@wanadoo.fr r.-v. Roubaud

DOM. DES NIBAS 2014

■	3700		8 à 11 €

Au cœur d'une réserve naturelle nichée au pied des Maures, Nicolas Hentz exploite ses 12 ha de vignes depuis 1990. Il a quitté la coopérative en 1997 pour créer sa propre cave et a converti son vignoble au bio et à la biodynamie.

Une jolie robe aux reflets rubis habille ce vin au nez d'abord fermé, qui s'ouvre à l'aération sur des arômes kirschés et chocolatés. La bouche, plus éloquente et bâtie sur des tanins fermes, s'exprime en puissance jusqu'à la finale, corsée, épicée. ⧗ 2017-2020 ⚲ tajine d'agneau

NICOLAS HENTZ, Dom. des Nibas, 9130, RD 48, 83550 Vidauban, tél. 04 94 73 67 46, nic.hentz@wanadoo.fr r.-v.

DOMAINES OTT
Clos Mireille Blanc de blancs 2014 ★★

Cru clas.	78000		20 à 30 €

Alsacienne d'origine, la famille Ott, installée en Provence en 1896, a acquis Romassan en 1956 (70 ha au pied du Castellet en appellation bandol) et possède aussi le château de Selle et le Clos Mireille en côtes-de-provence. Deux AOC et un flacon singulier, inspiré de l'amphore romaine. L'ensemble (dans le giron du champenois Roederer depuis 2004) est dirigé par les cousins Christian et Jean-François Ott.

Ce Blanc de blancs se distingue d'emblée par son expression aromatique élégante et intense: des notes d'agrumes s'accompagnent d'une douceur florale relevée d'épices. La bouche est profonde, très bien équilibrée entre rondeur et fraîcheur, et une longue finale, riche et dense, apporte un surcroît de générosité. ⧗ 2016-2019 ⚲ gambas sauce armoricaine ■ **Cru clas. Ch. de Selle Comtes de Provence 2013 ★ (20 à 30 €; 20200 b.)** : un rouge complexe, aux arômes intenses de fruits noirs et de réglisse, bâti sur des tanins soyeux et ronds. «Classieux» et harmonieux. ⧗ 2017-2021

SAS DOMAINES OTT, Clos Mireille, rte du Fort-de-Brégançon, 83250 La Londe-les-Maures, tél. 04 94 01 53 50, closmireille@domaines-ott.com t.l.j. sf sam. dim. 9h-12h 14h-18h Roederer

DOM. DE LA PERTUADE Arthus 2014

■	3133		20 à 30 €

Situé entre mer et collines, dans le golfe de Saint-Tropez, ce domaine (15 ha) créé en 2012 par la famille Beuque signe son premier millésime en 2014. Il élabore des vins en AOC côtes-de-provence et en IGP Var.

Ce vin demande à être aéré pour libérer ses arômes de fruits cuits et d'épices derrière les senteurs boisées de pain grillé et de vanille. En bouche, un bon volume, de la structure et une longueur tout à fait honorable. À oublier quelques années en cave, il ne pourra qu'y gagner. ⧗ 2018-2021 ⚲ rosbif

BEUQUE, 1150, chem. de Saint-Julien, 83310 La Mole, tél. 06 66 67 49 94, clerque@gmail.com t.l.j. sf dim. lun. 10h-13h 15h-19h

CAVE DE PIERREFEU Pierrefeu Prestige 2014 ★

■	5000		8 à 11 €

Créée en 1922, la cave de Pierrefeu est l'une des plus anciennes coopératives de la région. Elle vinifie aujourd'hui la vendange de plus de 700 ha.

La dégustation débute par un nez gourmand de cerise fraîche agrémenté d'une pointe de cannelle. Des arômes prolongés par une bouche robuste, aux tanins fermes, encore un peu revêches mais prometteurs. À oublier quelques temps en cave. ⧗ 2018-2021 ⚲ daube provençale

LES VIGNERONS DE LA CAVE DE PIERREFEU, RD 12, 83390 Pierrefeu-du-Var, tél. 04 94 28 20 09, vignerons.pierrefeu@wanadoo.fr t.l.j. 8h30-12h30 13h30-18h

Ⓑ DOM. DES PLANES Blanc de blancs 2015 ★

	23000	11 à 15 €

Déjà plus de trois décennies que la famille Rieder, d'origine allemande, exploite ce vaste domaine de 96 ha, dont 28 plantés de vignes et conduits depuis 2009 en agriculture biologique. Ilse Rieder, formée à la viticulture et l'œnologie dans le Rheingau, est aux commandes depuis 2005. Une valeur sûre.

La robe est cristalline, l'olfaction pure et délicate, mêlant senteurs florales et fruits blancs juteux agrémentés de nuances plus solaires de fruits exotiques mûrs. La bouche, persistante sur le fruit, allie fraîcheur et volume dans un bel équilibre. ⧗ 2016-2019 🍴 bouillabaisse

SCEA LES PLANES, Dom. des Planes, 83520 Roquebrune-sur-Argens, tél. 04 98 11 49 00, vin@dom-planes.com V r.-v. *Ilse Rieder*

CH. DE POURCIEUX 2015 ★

	1300		8 à 11 €

Le château de Pourcieux, dont l'ensemble architectural du XVIII[e]s. est inscrit à l'inventaire des Monuments historiques, appartient depuis son origine à la famille du marquis d'Espagnet, dont plusieurs membres furent conseillers du Parlement de Provence. Sa vocation viticole est maintenue depuis 1986 par Michel d'Espagnet, à la tête de 28 ha.

Le bouquet, généreux et intense, mêle les fruits à chair blanche (poire juteuse) à l'ananas mûr. Des arômes auxquels fait écho un palais ample, un rien chaleureux, de belle concentration. Du caractère. ⧗ 2016-2019 🍴 brandade de morue

D' ESPAGNET, Ch. de Pourcieux, 83470 Pourcieux, tél. 04 94 59 78 90, chateau@pourcieux.com V r.-v.

RIMAURESQ R 2013 ★★

Cru clas.	20000		20 à 30 €

Acquis par une famille écossaise en 1988, ce cru classé de Provence s'est agrandi de 18 ha en 2004 sur Cuers. Aujourd'hui étendu sur 70 ha, le vignoble s'étend au pied de Notre-Dame-des-Anges, point culminant des Maures, sur un sol schisteux pauvre, avec une exposition nord-ouest.

Ce vin apparaît dans une robe rouge profond qui annonce une belle concentration. Le nez, complexe, mêle les fruits noirs confiturés, les épices douces, la vanille, la réglisse et des notes de sous-bois. Une richesse aromatique qui guide aussi le palais, à la fois puissant, dense et élégant, articulé autour de tanins soyeux. Du caractère et du potentiel. ⧗ 2019-2022 🍴 bœuf bourguignon

DOM. DE RIMAURESQ, rte Notre-Dame-des-Anges, BP 26, 83790 Pignans, tél. 04 94 48 80 45, rimauresq@wanadoo.fr V r.-v. ④ *Wemyss*

CH. ROSAN Évidence 2015

	6500		5 à 8 €

Acquis en 2012 par Gérard Chauvet, ce domaine de 11 ha, construit autour d'une ancienne plâtrière et cultivé sur des restanques (terrasses), offre une superbe vue sur le massif des Maures et la chapelle de Notre-Dame-des-Anges.

Un blanc diaphane, au nez discret d'agrumes. La bouche, à l'expression plus affirmée, sur le pamplemousse et le citron, apparaît fraîche et légère, titillée en finale par une touche d'amertume aux tonalités résinées. ⧗ 2016-2019 🍴 salade d'été

CH. ROSAN, quartier la Fondaille, RN D97, 83790 Pignans, tél. 06 84 48 19 52, scea.saint.michel@gmail.com V r.-v.

ROUBERTAS Comte de Provence 2015 ★

	16800	- de 5 €

Fondée en 1912, cette cave coopérative dédiée aux côtes-de-provence produit 110 000 hl pour quelque 500 ha de vignes. Aux commandes des vinifications, le talentueux maître de chai François Brun.

Une belle expression aromatique se dégage de ce blanc pâle centré sur les agrumes et des notes fumées. En bouche, il apparaît long et équilibré, relevé en finale par une pointe d'amertume aux accents de pamplemousse. ⧗ 2016-2019 🍴 tartare de saumon

LA VIDAUBANAISE, 89, chem. de Sainte-Anne, 83550 Vidauban, tél. 04 94 73 00 12, commercial@vidaubanaise.com V *t.l.j. sf dim. 8h-12h 14h-18h* Ⓓ

CH. ROUBINE Terre de Croix 2014 ★

Cru clas.	6000		15 à 20 €

Quelque 90 ha de vignes en cours de conversion bio depuis 2014 situés dans un cirque naturel bordé de pins et de chênes constituent ce cru classé de Provence connu depuis le XIV[e]s. pour ses origines templières (ordre de Saint-Jean-de-Jérusalem). Valérie Rousselle, à la tête du domaine depuis 1994, y cultive une belle palette de treize cépages méditerranéens.

Une lumineuse robe jaune profond habille ce vin qui laisse s'échapper des senteurs fraîches et exotiques d'ananas et de citron. La bouche, en parfaite harmonie avec le nez, intensifie la part des agrumes et déploie une belle et longue finale pleine de fraîcheur et d'allant. ⧗ 2016-2019 🍴 crevettes curry et gingembre ■ **Cru clas. Inspire 2013 ★ (20 à 30 €; 13000 b.)** : dans un registre plutôt giboyeux et viril, un rouge à carafer pour qu'il laisse s'exprimer au nez le fruité qui accompagne la bouche, tendue et solide. ⧗ 2017-2022

CH. ROUBINE, 4216, rte de Draguignan, 83510 Lorgues, tél. 04 94 85 94 94, contact@chateauroubine.com V *t.l.j. 10h-18h; f. dim. 15 sept.-15 juin* Ⓔ *Valérie Rousselle*

DOM. LA ROUILLÈRE Grande Réserve 2014 ★

	13000		11 à 15 €

Redynamisé par Bertrand Letartre à partir de 1998, ce domaine situé sur la presqu'île de Saint-Tropez doit son nom au ruisseau qui surgit des collines de Gassin. Le vignoble couvre 45 ha.

Une robe fraîche et scintillante habille cette cuvée soutenue par un boisé harmonieux, à la fois ample, dense et

PROVENCE

fraîche en bouche, florale et fruitée. Un joli vin friand et enjoué. ⧗ 2016-2019 🍴 tarte aux oignons

SARL DOM. LA ROUILLÈRE, rte de Ramatuelle, 83580 Gassin, tél. 04 94 55 72 60, contact@domainedelarouillere.com V r.-v. *Letartre*

DOM. SAINT-ANDRÉ DE FIGUIÈRE
Première de Figuière 2015 ★

	27000		11 à 15 €

Après vingt ans passés à Chablis au domaine Laroche, Alain Combard revient en 1992 dans sa Provence natale pour reprendre ce domaine de 70 ha (dont 45 ha de vignes, en bio certifié). Disparu en 2015, cet ardent défenseur de la dénomination La Londe avait transmis le relais à trois de ses enfants et à son gendre, qui poursuivent aujourd'hui son œuvre, souvent en vue dans ces pages.

Ce vin jaune pâle s'exprime avec élégance autour de notes florales et du fruit de la Passion. En bouche, il se montre frais et tonique, stimulé par une fine amertume en finale. ⧗ 2016-2019 🍴 dos de cabillaud à l'oseille

SAINT-ANDRÉ DE FIGUIÈRE, 605, rte de Saint-Honoré, 83250 La Londe-les-Maures, tél. 04 94 00 44 70, figuiere@figuiere-provence.com V *t.l.j. sf dim. 9h-12h 14h-18h* *Famille Combard*

DOM. SAINT-ANDRIEU 2014 ★★

	7400		11 à 15 €

Acquis en 2003 et restructuré par Jean-Paul et Nancy Bignon, par ailleurs propriétaires du Ch. Talbot, cru classé de saint-julien dans le Médoc, ce vignoble de 26 ha jouit d'un terroir argilo-calcaire privilégié à 380 m d'altitude, au pied du Bessillon. Deux étiquettes ici: le Dom. Saint-Andrieu en côtes-de-provence et l'Oratoire Saint-Andrieu en coteaux-varois, sans oublier la production d'huile d'olive.

Le rouge pourpre et profond de ce vin attire l'œil; le nez s'oriente vers les fruits rouges (fraise), soulignés de notes boisées (coco) assez discrètes. En bouche, du corps, du gras, des tanins fondus qui apportent de la rondeur et un bel équilibre entre fruité et boisé très bien dosé. ⧗ 2017-2021 🍴 pigeon aux fruits rouges

DOM. SAINT-ANDRIEU, chem. Saint-Andrieu, BP 32, 83570 Correns, tél. 04 94 59 52 42, domainesaintandrieu@club-internet.fr V *t.l.j. sf sam. dim. 9h-17h* *M. et Mme Bignon*

CH. SAINTE-BÉATRICE Cuvée Vaussière 2013 ★

	28000		8 à 11 €

Situé à 4 km de la belle ville de Lorgues, ce domaine est en constante évolution depuis sa création en 1978 par Jean Novaretti et son épouse: restructuration complète du vignoble, construction de bâtiments et de caves voûtées, ouverture d'un musée de la vigne et du vin, expositions de vieux tracteurs... Le vignoble couvre 52 ha aujourd'hui.

Au nez, ce joli vin rubis évoque le tabac, le cacao et les petits fruits noirs et rouges. La bouche attaque en souplesse, puis évolue vers une bonne densité avec des tanins mûrs et un boisé fin en soutien. Belle allonge finale sur des connotations vanillées. De l'élégance et de l'harmonie. ⧗ 2017-2021 🍴 selle d'agneau

CH. SAINTE-BÉATRICE, 491, chem. des Peiroux, 83510 Lorgues, tél. 04 94 67 62 36, stebeatrice@wanadoo.fr V *r.-v.* *M. Novaretti*

DOM. SAINTE-CROIX LA MANUELLE
Leï Grès 2014 ★

	6000		5 à 8 €

Situé à quelques pas de l'abbaye du Thoronet, ce domaine de 36 ha a été créé en 1950 par Fernand Pélépol. Implanté sur un terroir argilo-calcaire en restanques, le vignoble est depuis 2005 conduit par Christian Pélépol et sa famille, qui ont inauguré leur nouvelle cave de vinification en 2009.

À un nez gourmand gorgé de fruits rouges et d'épices répond un palais bien équilibré mariant la fraîcheur du fruit à des tanins soyeux et ronds. À apprécier sur sa jeunesse et légèrement frais. ⧗ 2016-2020 🍴 chou farci

DOM. SAINTE-CROIX LA MANUELLE, rte de l'Abbaye, 83340 Le Thoronet, tél. 04 94 67 31 47, saintecroixlamanuelle@orange.fr V *t.l.j. 9h-19h; dim. 10h-12h*

CH. SAINTE-MARGUERITE
La Londe Symphonie 2014 ★

Cru clas.	26500		15 à 20 €

Depuis sa création en 1911, ce vignoble familial s'est bien agrandi, passant de 11 à 98 ha sur les premiers contreforts du massif des Maures qui dominent la Méditerranée, à quelques encablures des Îles d'Or. Brigitte et Jean-Pierre Fayard ont repris ce cru classé en 1977, certifié en bio. Ils sont aujourd'hui aidés de leurs enfants Olivier, Guillaume, Lionel et Christine.

Un vin profond en couleur, aux arômes d'élevage, entre cacao, tabac et nuances grillées. Le palais, harmonieux, d'une bonne longueur, s'appuie sur une matière suave et des tanins fondus et caressants qui le rendent déjà très aimable. ⧗ 2016-2020 🍴 volaille en croûte de sel

CH. SAINTE-MARGUERITE, Le Haut-Pansard, BP 1, 83250 La Londe-les-Maures, tél. 04 94 00 44 44, contact@vinsfayard.com V *t.l.j. sf dim. 9h-12h 14h-17h30* *Fayard*

DOM. SAINTE-MARIE 1884 2013 ★

	1700		11 à 15 €

En 1884, une épidémie de choléra s'arrête miraculeusement aux portes de la propriété. Une statue de la Vierge est alors édifiée, et le domaine baptisé de son nom. Un domaine repris en 2007 par Christopher Duburcq, qui en engage la conversion bio l'année suivante.

Si la robe est soutenue, le nez est encore sur la réserve, évoquant doucement les fruits noirs soulignés par une pointe minérale. La bouche, plus expressive, sur les fruits rouges aux accents poivrés, monte en puissance, portée par des tanins vigoureux qui demandent à s'affiner. Du caractère et de l'avenir. ⧗ 2017-2021 🍴 aiguillettes de canard au poivre **1884 2014 ★ (11 à 15 €;**

3000 b.) Ⓑ : accompagnée de délicates notes florales, cette cuvée se révèle ample et équilibrée, marquée par une légère évolution. ⏳ 2016-2018

DOM. SAINTE-MARIE, RN 98, rte de Saint-Tropez, 83230 Bormes-les-Mimosas, tél. 04 94 49 57 15, contact@domainesaintemarie.fr V 🚶 ▮ *t.l.j. 10h-18h*
Christopher Duburcq

CH. SAINTE-ROSELINE
Cuvée Lampe de Méduse 2014 ★

■ Cru clas. | 68000 | 11 à 15 €

Autour de l'abbaye Sainte-Roseline du XIe s. et de sa chapelle où reposent les reliques de la sainte, cet ancien vignoble des évêques de Fréjus (où séjourna le pape Jean II) côtoie les oliviers et les forêts sur une superficie de 90 ha. En 1994, Bernard Teillaud entreprend de rénover cette propriété, puis en 2007, sa fille Aurélie Bertin Teillaud reprend le domaine. L'un des dix-huit crus classés de Provence et l'un des piliers de l'appellation, souvent en vue pour ses rouges.

Un vin d'un beau rouge dense, articulé autour de parfums de fruits mûrs sans ostentation, rafraîchis par un soupçon de menthol. La bouche, riche et solidement bâtie, offre une belle homogénéité avec le nez. Une expression aboutie de l'appellation, mais un peu d'attente est recommandée pour plus de fondu. ⏳ 2019-2022 🍴 tarte au chocolat

SARL ROSELINE DIFFUSION, Ch. Sainte-Roseline, 83460 Les Arcs-sur-Argens, tél. 04 94 99 50 30, contact@sainte-roseline.com V 🚶 ▮ *r.-v. Teïllaud*

CH. SAINT-ESPRIT Prestige 2014 ★★

■ | 4000 | 🛢 | 11 à 15 €

Sur cette ancienne propriété de la confrérie du Saint-Esprit (XVe s.), lieu de pèlerinage à la croisée des chemins entre Draguignan et Lorgues, s'étendent les 13 ha du vignoble de Richard Crocé-Spinelli, œnologue de formation, aux commandes depuis 2013.

Une robe profonde et une olfaction puissante et complexe, sur les fruits noirs mûrs, l'olive noire, le tabac, les épices et le cacao, donnent envie de poursuivre. Une belle matière se dessine en bouche: ample, riche, elle se développe autour d'une structure tannique solide mais élégante, sur fond de fruits noirs cuits, et s'étire dans une belle finale cacaotée. Une personnalité affirmée. ⏳ 2018-2022 🍴 tajine d'agneau

RICHARD CROCÉ-SPINELLI, 449, rte des Nouradons, 83300 Draguignan, tél. 04 94 68 10 91, chateau@saintesprit-provence.com V ▮ *t.l.j. sf dim. 10h-12h 14h-19h* Ⓢ Ⓒ

DOM. SAINT-HUBERT Sainte-Victoire 2014 ★

■ | 8000 | 8 à 11 €

C'est au cœur de la très belle vallée des Borrels, à quelques kilomètres de la ville d'Hyères, qu'est établi cet important domaine de 100 ha, sur un terroir de schistes métamorphiques (phyllades), créé en 1994 par Alain Tabani.

À dominante de syrah, cette cuvée développe un nez complexe autour de notes grillées et toastées accompagnées de cassis frais. On retrouve le fruit noir associé à la réglisse dans une bouche fraîche, soutenue par des tanins soyeux et un élevage encore un peu marqué qui demande à s'affiner. ⏳ 2017-2021 🍴 épaule d'agneau

ALAIN TABANI, Dom. Saint-Hubert, 83910 Pourrières, tél. 06 21 14 73 82, domaine.sainthubert@orange.fr V ▮ *r.-v.*

DOM. SAINTE-LUCIE
Made in Provence Premium 2015 ★★

■ | 22000 | 🍾 | 11 à 15 €

Créée en 1979 par Michel Fabre à partir de 8 ha sur le piémont de la montagne Sainte-Victoire, cette propriété s'est considérablement agrandie pour atteindre aujourd'hui 39 ha. L'arrivée des enfants – Virginie en 2005, Aurélien en 2009 – a insufflé un souffle nouveau au domaine (importants investissements à la vigne et au chai, au marketing et au commercial), dont le Guide s'est fait le témoin. Une référence incontournable.

Or aux reflets verts, ce blanc complexe livre des parfums intenses de pêche blanche, de citron et des nuances florales, que relaie une bouche très élégante, fine, fraîche, acidulée et longue. Tout indiqué pour les produits de la mer. ⏳ 2016-2019 🍴 huîtres

DOM. SAINTE-LUCIE, av. Paul-Cézanne, 13114 Puyloubier, tél. 06 81 43 94 62, contact@mip-provence.com V 🚶 ▮ *r.-v. Fabre*

CH. SAINT-PIERRE Cuvée du Prieur 2015

■ | n.c. | 🛢 | 8 à 11 €

À la suite de trois générations de vignerons, Jean-Philippe Victor exploite les terres du château Saint-Pierre depuis 1987 (58 ha aujourd'hui). Les vignes sont situées en contrebas du village médiéval des Arcs-sur-Argens, au cœur de l'appellation côtes-de-provence.

Le nez révèle quelques traces de sa fermentation partielle en fût qui ne masquent en rien les parfums d'agrumes et de fleurs blanches. En bouche, le bois apporte une sensation agréable de rondeur. Attendre un peu toutefois, pour un fondu optimal. ⏳ 2017-2020 🍴 paëlla de la mer

CH. SAINT-PIERRE, rte de Taradeau, D 10, 83460 Les Arcs-sur-Argens, tél. 04 94 47 41 47, contact@chateausaintpierre.fr V ▮ *t.l.j. sf dim. 9h-12h 14h-18h (f. 19h juil. -août) Jean-Philippe Victor*

Ⓑ **DOM. SAINT-ROMAN D'ESCLANS** 2015 ★

■ | 6000 | 🍾 | 8 à 11 €

Cette propriété viticole de 14 ha située à La Motte, sur un coteau dominant la vallée des Esclans, a été acquise en 1973 par Philippe Miguet, passée en bio par sa fille Clarisse. Elle est conduite depuis 2011 par ses petits-enfants Fabrice et Stéphanie.

Ce 100 % rolle brillant et cristallin conjugue au nez de subtiles nuances florales et de douces notes exotiques. Franche en attaque, la bouche offre un beau volume, du gras et de la densité. ⏳ 2016-2019 🍴 risotto aux fruits de mer

DOM. SAINT-ROMAN D'ESCLANS, rte de Callas, D 25, 83920 La Motte, tél. 04 94 70 24 92, st-roman@wanadoo.fr V ▮ *t.l.j. 10h-18h; f. dim. sept-juin* Ⓔ *Raymond*

PROVENCE

DOM. DE SAINT-SER
Sainte-Victoire Cuvée Prestige 2013 ★★

■ | 2200 | | 15 à 20 €

Le vignoble (31 ha) s'étend sur un terroir privilégié de cailloutis calcaires adossé au versant sud de la montagne Sainte-Victoire, où les raisins bénéficient d'un ensoleillement maximal. Le domaine tient son nom de la chapelle de Saint-Ser dédiée à un ermite du Ves. qui, ignorant les menaces du souverain wisigoth Enric, fut décapité.

Ce 2013 offre une belle expression aromatique, empreinte de notes savoureuses de fruits noirs relevées d'épices, de poivre notamment. Au palais, il affiche un superbe équilibre entre des tanins très bien fondus, une rondeur chaleureuse, une fraîcheur fruitée et un boisé bien dosé. Un vin gourmand, complexe et long. ⧗ 2016-2021 ▼ magret de canard au poivre

DOM. DE SAINT-SER, RD 17, rte de Cézanne, 13114 Puyloubier, tél. 04 42 66 30 81, domaine@saint-ser.com V t.l.j. 10h-13h 14h-19h J. Guichot

DOM. DE LA SANGLIÈRE
La Londe Prestige 2014 ★★

■ | 11200 | | 11 à 15 €

Ce vignoble de bord de mer de quelque 40 ha est conduit par Rémy et Olivier Devictor avec les mêmes contraintes qu'en bio, mais sans certification. Au cap Bénat, site protégé à quelques kilomètres des îles d'Hyères, ils poursuivent le travail initié par leur père dans les années 1980.

Après une bonne aération, des parfums de cerise noire et des nuances boisées composent un bouquet très engageant. En bouche, le vin se montre volumineux et dense dès l'attaque, rond, réglissé, épicé et fruité (petits fruits noirs) et laisse une impression de plénitude qui devrait durer quelques années. ⧗ 2017-2021 ▼ rôti de chevreuil

EARL LA SANGLIÈRE, 3886, rte de Léoube, 83230 Bormes-les-Mimosas, tél. 04 94 00 48 58, remy@domaine-sangliere.com V t.l.j. sf dim. 9h-12h 15h-18h Devictor

B CH. DES SARRINS Blanc Secret 2014 ★

| n.c. | | 15 à 20 €

Le Champenois Bruno Paillard, plus connu pour ses bulles haut de gamme, a acquis ce domaine en 1995. Aujourd'hui, 24 ha conduits en bio qui entourent une vénérable bastide provençale du XVIIIes. Selon la légende, un chef sarrasin, tué au VIIIes. à l'époque des invasions arabes, serait enterré ici avec son armure d'or…

Un blanc né de rolle, vinifié et élevé en barriques, et cela se sent. D'un beau jaune doré, il est dominé à l'olfaction par d'intenses arômes vanillés. Le palais, ample, gras, chaleureux, gagne progressivement en fraîcheur, aux tonalités exotiques, jusqu'à la finale; l'équilibre est préservé. Un vin de gastronomie. ⧗ 2016-2020 ▼ saint-jacques aux truffes

DOM. DES SARRINS, 897, chem. des Sarrins, 83510 Saint-Antonin-du-Var, tél. 04 94 72 90 23, info@chateaudessarrins.com V t.l.j. sf sam. dim. 8h30-12h30 14h-17h30; mar. et jeu. ap.-m. sur r.-v. Paillard

DOM. SIOUVETTE Le Clos 2013 ★

■ | 1670 | | 11 à 15 €

Ancienne ferme des pères chartreux de la Verne, cette propriété, dans la famille Sauron depuis 1836, produisait autrefois du bois d'œuvre. Elle se convertit à la viticulture au début du XXes.: en cave particulière jusqu'en 1956, puis passage en coopérative jusqu'en 1985 avant un retour à la vinification au domaine. Les 23 ha de vignes, plantés en coteaux sur les sols argilo-schisteux du massif des Maures, surplombent la vallée de la Môle. La conversion bio est l'objectif à moyen terme.

Cet assemblage syrah-cabernet paré d'une robe profonde dévoile un nez encore un peu sur la réserve de fruits à l'alcool, de poivre, de réglisse et de violette. Soutenu par des tanins bien présents, il s'affirme plus nettement en bouche autour de notes de torréfaction, de fruits noirs et d'épices. Un vin riche et structuré qui demande à se patiner. ⧗ 2018-2021 ▼ lapin aux pruneaux

EARL DOMAINES SIOUVETTE, 990, RD 98, 83310 La Môle, tél. 04 94 49 57 13, contact@siouvette.com V t.l.j. 8h-12h 13h30-19h; f. dim. nov.-fév.

LES VIGNERONS DE TARADEAU Le Prestige 2015

| 7200 | 5 à 8 €

Le vignoble de Taradeau s'étend au pied d'un oppidum construit il y a plus de deux mille ans par les tribus celto-ligures. La quasi-totalité des récoltants de la commune, soit une cinquantaine de vignerons, est regroupée à la coopérative, qui a vu le jour en 1925.

Un vin ouvert sur un bouquet expressif de fruits frais (poire, fruits exotiques) et de fines notes florales. La bouche est équilibrée, fraîche, de bonne longueur, sur le fruit. Le plaisir dans la simplicité. ⧗ 2016-2018 ▼ salade de chèvre chaud

SCA LES VIGNERONS DE TARADEAU, 204, av. des Arcs, 83460 Taradeau, tél. 04 94 73 02 03, vignerons-de-taradeau@orange.fr V t.l.j. sf dim. 9h-12h30 14h30-18h30; 19h en été

B DOM. DE LA TOURRAQUE
Cuvée Classic 2015 ★★

| 6600 | | 8 à 11 €

Sur le site classé des Trois Caps (Lardier, Camarat et Taillat) de la presqu'île de Saint-Tropez, les 30 ha de vignes du domaine (en bio certifié) s'étendent jusqu'à la mer aux côtés de quatre cents oliviers. L'œnologue José Craveris laisse aujourd'hui les commandes à la nouvelle génération.

Un bouquet aromatique tout en finesse: ainsi s'annonce ce vin blanc aux connotations marquées de clémentine. En bouche, l'attaque est franche, avec un joli gras, relayée par une complexité et une persistance remarquées. Un vin très harmonieux, suave et qui ne manque pas de rythme. ⧗ 2017-2020 ▼ tartare de saint-jacques **■ Harmonie 2014 ★ (11 à 15 €; 2200 b.)** B : une palette aromatique variée (cuir, épices, petits fruits rouges et noirs, touches minérales) précède une bouche fruitée et torréfiée, portée par une trame tannique soyeuse. Équilibré et élégant. ⧗ 2017-2020

GAEC BRUN CRAVERIS, Dom. la Tourraque, 83350 Ramatuelle, tél. 04 94 79 25 95, latourraque@wanadoo.fr V *t.l.j. sf sam. dim. 8h-12h 14h-18h*

B CH. TOUR SAINT-HONORÉ Sixtine 2014 ★

| 1000 | 20 à 30 € |

L'ancien domaine du Marquis de Lordas. Serge Portal, de souche londaise, y cultive 28 ha de vignes en bio certifié sur les restanques arrachées aux contreforts du massif des Maures, en face des îles d'Or.

Une robe jaune pâle brillante habille ce vin ouvert sur de timides nuances florales et fruitées. Le palais se révèle ample et généreux, étiré dans une élégante et longue finale saline. 2016-2020 daurade à l'estragon

CH. TOUR SAINT-HONORÉ, 1255, rte de Saint-Honoré, 83250 La Londe-les-Maures, tél. 04 94 66 98 22, chateau-tsh@wanadoo.fr V *t.l.j. sf sam. dim. 10h-12h 14h-18h Serge Portal*

CH. TRÉMOURIÈS 2013 ★

| 4600 | 15 à 20 € |

***Trémouriès* évoque les mûriers cultivés sur la propriété pour l'élevage de vers à soie. Aujourd'hui, un petit domaine de 6 ha en coteaux qui produit des côtes-de-provence principalement en rouge et en rosé.**

Une jolie robe grenat habille ce vin ouvert sans réserve sur d'intenses arômes de fruits noirs cuits et d'épices. La bouche, souple et ronde, se développe autour du fruit et d'une structure tannique plutôt légère, encore adoucie par des nuances chocolatées et reglissées en finale. 2016-2019 paupiettes de veau

STÉ INVERSIONES BREN, Ch. Trémouriès, rte de la Mole, 83310 Cogolin

B CH. LA TULIPE NOIRE 2013

| 7000 | 11 à 15 € |

Créé en 2010 par la jeune œnologue Audrey Baccino, ce domaine réunit des parcelles situées entre Carqueiranne et La Crau (10 ha), pour partie certifiées bio. En étroite collaboration avec son père Alain, elle suit aussi le domaine familial de Peirecedes, situé sur le terroir de Pierrefeu-Cuers.

Le mourvèdre est à l'honneur ici. Le nez mêle des notes riches et mûres de fruits noirs compotés (myrtille) et des nuances de cuir. L'attaque est franche, la structure tannique affirmée sur fond de fruits à l'alcool. Encore un peu de patience pour apprécier pleinement ce vin. 2017-2021 côte de bœuf

AUDREY BACCINO, Ch. la Tulipe noire, 1820, av. Jean-Honnet, 83260 La Moutonne-La Crau, tél. 06 77 00 27 75, compta@peirecedes.com V *t.l.j. sf dim. lun. 10h-12h30 15h30-18h30*

B CH. LES VALENTINES 2015

| 11000 | 11 à 15 € |

Situé au bord de la Méditerranée, au sein de la dénomination La Londe, ce domaine de 45 ha est conduit pour une large part en bio certifié. Apparu aux premières heures du XXᵉs., il apportait sa vendange à la coopérative, avant que Gilles Pons ne crée la cave en 1997, qu'il a baptisée en contractant les prénoms de ses enfants Valentin et Clémentine.

Ce vin pâle aux reflets or dévoile un nez fin, minéral, parsemé de notes florales. La bouche affiche une agréable fraîcheur aux accents d'agrumes (citron), agrémentée de notes florales. Un vin énergique et aromatique. 2016-2018 salade mangue-crevettes

LES VALENTINES, 807, rte de Collobrières, 83250 La Londe-les-Maures, tél. 04 94 15 95 50, contact@lesvalentines.com V *t.l.j. sf dim. 9h-19h Pons*

B CH. LA VALETANNE
La Londe Vieilles Vignes 2013 ★

| 65000 | 11 à 15 € |

L'œnologue suisse Jérôme Constantin dirige ce jeune domaine (2007) constitué d'un vignoble de 14 ha entre mer et collines, dont une partie est revendiquée en côtes-de-provence La Londe.

Des senteurs de la garrigue, de cassis et de poivre apparaissent à l'agitation du verre. Une expression délicate prolongée par une bouche enveloppante, boisée en douceur, aux tanins veloutés et caressants. Un beau vin suave et accorte. 2016-2020 risotto aux cèpes

CH. LA VALETANNE, rte de Valcros, 83250 La Londe-les-Maures, tél. 04 94 28 91 78, jc@chateaulavaletanne.com V *t.l.j. sf sam. dim. 10h-12h 15h-17h; sept.-juin sur r.-v. Kenth Runge*

B CH. DE VAUCOULEURS 2015 ★

| 7000 | 5 à 8 € |

Propriété de la famille de Wulf depuis 2010 – qui a pris la suite de la famille Bigot à sa tête depuis 1943 –, ce domaine de 20 ha est conduit en bio certifié depuis 2013. Le château veille sur la vallée de l'Argens, protégé par sa garde de chênes, d'oliviers et de pins parasols.

Au nez, ce blanc élégant développe de subtils arômes d'agrumes et de chèvrefeuille agrémentés d'une touche résinée et prolongés par un palais frais et aérien, légèrement plus tendu en finale. 2016-2019 ceviche

SARL DU JAS D'ESCLANS, Ch. de Vaucouleurs, DN 7, 83480 Puget-sur-Argens, tél. 04 94 45 20 27, contact@jasdesclans.fr V *t.l.j. sf dim. 9h30-12h 14h30-17h30; f. lun. mar. nov.-fév. Matthieu de Wulf*

CH. VÉREZ 2015 ★★

| 6118 | 8 à 11 € |

Propriété de la famille Rosinoer depuis 1994, ce domaine est situé dans la plaine des Maures et s'étend sur 78 ha, dont 32 ha consacrés à la vigne. Il est conduit aujourd'hui par Laurence Rosinoer.

Une palette aromatique distinguée se dégage du verre: fruits exotiques (mangue), fleurs blanches et arômes toniques d'agrumes. La bouche, à la fois suave et fraîche, offre un beau volume et une longueur remarquable, soutenue par un fruité intense ponctué d'épices douces. Un blanc généreux et harmonieux, à apprécier sur une cuisine exotique. 2016-2019 tajine de poisson ■ **Élevé en fût de chêne 2014 ★ (15 à 20 €; 1995 b.)** : nez intense alliant fruits noirs mûrs, touche de vanille et lait de coco. Un palais riche, suave et solaire, bâti sur une structure solide. ⧗ 2018-2022

⊶ ROSINOER, Ch. Vérez, 5192, chem. de la Verrerie-Neuve, 83550 Vidauban, tél. 04 94 73 69 90, verez@chateau-verez.com V *t.l.j. sf sam. dim. 8h-12h 13h-17h*

CAVE DES VIGNERONS LONDAIS
La Londe Amplitude 2014 ★★

■	5000	8 à 11 €

Cette cave dynamique créée en 1921 au lendemain de la guerre n'a cessé d'évoluer. Un nouveau caveau alliant modernité et tradition a été construit en 2011. Forte de 109 adhérents, elle est aujourd'hui sous la direction d'Éric Dusfourd, qui a effectué en 2013 sa première vinification à la cave.

Une robe profonde, un nez puissant alliant le cacao et de fines notes d'épices et de pinède, l'approche est séduisante. La bouche associe concentration, onctuosité et fraîcheur autour des fruits noirs, des épices douces et de nuances fumées, épaulée par une structure bien affirmée. Un beau vin sudiste et solaire. ⧗ 2017-2021 ♈ sauté d'agneau aux épices

⊶ CAVE DES VIGNERONS LONDAIS, quartier Pansard, 83250 La Londe-les-Maures, tél. 04 94 66 80 23, direction@vignerons-londais.com V *r.-v.*

PALETTE

Superficie : 48 ha
Production : 1 843 hl (70 % rouge et rosé)

Tout petit vignoble, aux portes d'Aix, qui englobe l'ancien clos du bon roi René. Rosés, rouges et blancs font appel à de nombreux cépages locaux. Les rouges, de garde, expriment la violette et le bois de pin.

♥ B CH. HENRI BONNAUD Quintessence 2015 ★★

■	7700	⏀	20 à 30 €

En 1996, Henri Bonnaud a transmis à son petit-fils Stéphane Spitzglous un beau vignoble de 28 ha (converti au bio), implanté sur les calcaires de Langesse, face à la montagne Sainte-Victoire, sur lesquels sont produits des vins de palette depuis 2004. Une valeur sûre.

Cinquième coup de cœur pour le domaine, le quatrième pour cette cuvée vinifiée et élevée en barriques. Le 2015 se présente dans une robe vive et offre un nez intense qui marie le boisé vanillé, la finesse du miel d'acacia et la fraîcheur du fruit. La bouche se révèle puissante, charnue et très longue, soutenue par un boisé sensible mais racé. Un équilibre abouti entre la maturité du millésime et la finesse de l'élevage qui laisse augurer une belle évolution en cave. ⧗ 2018-2022 ♈ lotte lardée ■ **Les Terrasses d'Aurélia 2013 (11 à 15 €; n.c.)** B : vin cité.

⊶ CH. HENRI BONNAUD, 585, chem. de la Poudrière, 13100 Le Tholonet, tél. 04 42 66 86 28, contact@chateau-henri-bonnaud.fr V *t.l.j. sf dim. 10h-12h 14h-18h ⊶ M. Spitzglous*

CH. CRÉMADE 2013 ★

■	22000	⏀	15 à 20 €

Un domaine incontournable de l'appellation palette, commandé par une bastide typiquement aixoise du XVIIIe s. qui accueillit en son temps Paul Cézanne et Émile Zola. Au pied de la montagne Sainte-Victoire, le vignoble de 9 ha riche de vingt-cinq cépages s'étend sur le terroir très particulier de cailloutis calcaires de Langesse.

Après dix-huit mois de barriques (dont 25 % neuves), ce 2013 dévoile un nez complexe et chaleureux qui associe les fruits noirs, les senteurs de la garrigue, la réglisse et des notes poivrées et fumées. Souple en attaque, d'une belle cohérence aromatique avec l'olfaction, la bouche évolue vers plus de chaleur et de solidité, portée par des tanins encore jeunes et incisifs que le temps domptera. ⧗ 2019-2026 ♈ filet mignon aux cèpes ■ **2014 (15 à 20 €; 8 000 b.)** : vin cité.

⊶ CH. CRÉMADE, 649, rte de Langesse, 13100 Le Tholonet, tél. 04 42 66 76 80, chateaucremade@yahoo.fr V *r.-v.*

CH. DE MEYREUIL 2015 ★

■	4166	⏀	15 à 20 €

Dominant le village de Meyreuil, sous le regard bienveillant de la montagne Sainte-Victoire, cette propriété est commandée par un château qui fut un ancien couvent de jeunes filles au XVIIe s. Tout autour, un petit vignoble de 4 ha, conduit depuis 2006 par Jacqueline Reynaud et que J.-C. Baldassini, viticulteur en Bourgogne, a repris en fermage en 2015.

Ce 2015 offre de bons atouts: une robe lumineuse, un bouquet élégant et varié où se mêlent l'abricot, les fruits secs et des notes florales et miellées, une bouche tout aussi aromatique, riche, charnue, chaleureuse mais sans manquer de finesse. Un vin solaire, bien dans le ton du millésime. ⧗ 2017-2020 ♈ pain de poisson

⊶ J.-C. BALDASSINI, rte de Bissy, 71260 Cruzille, tél. 03 85 36 97 38, chateaudemeyreuil@yahoo.com V *r.-v. ⊶ Jacqueline Raynaud*

IGP ALPES-DE-HAUTE-PROVENCE

DOM. SAINT-JEAN
Muscat sec Les Platanes 2015 ★

■	12500	5 à 8 €

Henri d'Herbès a créé en 1754 ce domaine implanté sur des terrasses caillouteuses entre Luberon et

Durance. Son descendant Jean-Guillaume s'est installé en 2013 sur la propriété familiale et a engagé d'emblée la conversion bio du domaine (31 ha aujourd'hui), adoptant en 2016 la démarche biodynamique.

Né de jeunes ceps de muscat à petits grains (douze ans), cette cuvée se dévoile avec parcimonie sur les fruits blancs mûrs. Plus expressive, la bouche apparaît fine, légère, fraîche et souple. ⧗ 2016-2019 ♈ flan aux asperges

CH. SAINT-JEAN LEZ DURANCE, Saint-Jean, 04100 Manosque, tél. 04 92 72 50 20, contact@chateau-saint-jean.fr V t.l.j. sf dim. 9h-12h 14h-18h30 d' Herbès

IGP ALPILLES

♥ DAL CANTO Giù 2014 ★★

■	2500		11 à 15 €

Installé en 2002 sur une terre abandonnée, Richard Dal Canto a replanté et restructuré ce vignoble de 5 ha établi sur les hauteurs de Novès. Jusqu'en 2010, il apportait son raisin à la coopérative. Il a signé son premier millésime en 2011 et a entamé la conversion bio en 2015.

Giù ? Le diminutif du fils du vigneron. Dans le verre, une cuvée mi-syrah mi-cabernet-sauvignon d'une belle couleur cerise, vive et brillante. Le nez, intense et généreux, associe des notes boisées, épicées et cacaotées à la confiture de cerise. Le palais est volumineux, puissant, solide et tout aussi aromatique, souligné par une belle fraîcheur. Un vin au caractère bien trempé, « qui en a encore sous les tanins ». ⧗ 2018-2023 ♈ tarte au chocolat noir

DAL CANTO, 437, rte de Chateaurenard, 13550 Noves, tél. 06 72 02 45 99, richard.dalcanto@free.fr V r.-v.

B DOM. D'ÉOLE 2015

■	10000		11 à 15 €

Implanté au nord des Alpilles, non loin des Baux et de Saint-Rémy-de-Provence, le domaine, un habitué du Guide, est placé sous le signe du mistral, ce vent propice au bon état sanitaire des raisins. Acquis en 1996 par un financier, Christian Raimont, il s'étend sur 30 ha en coteaux-d'aix et en IGP et produit aussi de l'huile d'olive. Le vignoble est conduit en agriculture biologique.

Parfait pour l'apéritif, ce vin né de rolle (60 %) et grenache blanc vous séduira par la fraîcheur de son nez aérien, sur le bonbon acidulé et les fleurs blanches, et par sa bouche souple et gourmande. ⧗ 2016-2019 ♈ toasts de saumon fumé

DOM. D' ÉOLE, 13810 Eygalières, tél. 04 90 95 93 70, domaine@domainedeole.com V t.l.j. sf sam. dim. 10h-12h30 14h30-18h Christian Raimont

MAS SAINTE-BERTHE
Blanc de blancs 2015

■	25000	5 à 8 €

Ce domaine de 40 ha, situé au pied du village des Baux-de-Provence, est une valeur sûre qui produit sous cette AOC du vin et de l'huile d'olive. Il tire son nom d'une chapelle érigée en 1538 sur ses terres. Le vignoble, planté à partir des années 1950, est conduit par Christian Nief depuis 2000.

La robe est pâle et brillante, le nez ouvert sur des notes de fruits blancs et d'herbe sèche, la bouche bien équilibrée entre rondeur et vivacité. Le plaisir dans la simplicité. ⧗ 2016-2018 ♈ fromage de chèvre

MAS SAINTE-BERTHE, chem. de Sainte-Berthe, 13520 Les Baux-de-Provence, tél. 04 90 54 39 01, info@mas-sainte-berthe.com V t.l.j. 9h-12h 14h-18h Rolland

B ROMANIN 2015

■	9000		8 à 11 €

Anciens propriétaires du Ch. Montrose, cru classé de Saint-Estèphe, Anne-Marie et Jean-Louis Charmolüe ont acquis en 2006 ce vaste domaine (250 ha) au passé ancien, situé au cœur de l'AOC baux-de-provence, sur les ruines d'un château de l'ordre des Templiers datant du XIIIes. Le vignoble couvre 58 ha, conduits en biodynamie depuis 1988, et les vins sont élevés dans une cave monumentale, creusée dans la roche et conçue comme une cathédrale gothique.

Rolle (85 %) et roussanne sont associés dans ce vin jaune pâle, simple et léger, qui offre à l'olfaction des arômes de fruits secs, de fleurs blanches et de pêche de vigne. La bouche est fraîche et acidulée. ⧗ 2016-2018 ♈ salade de chèvre chaud

SC CH. ROMANIN, rte de Cavaillon, 13210 Saint-Rémy-de-Provence, tél. 04 90 92 45 87, contact@chateauromanin.fr V t.l.j. sf dim. 10h-13h 15h-18h Charmolüe

B DOM. DU VAL DE L'OULE
Blanc Passion Cuvée Victoria 2015 ★

■	5000		8 à 11 €

Établie dans le parc naturel des Alpilles, la famille Benoît dirige un domaine de près de 50 ha, dont 13,5 ha de vignes conduites en bio.

Amateurs de blancs boisés, ce vin est fait pour vous. Composé de viognier (70 %) et de chardonnay, passé trois mois en fût, il offre au nez des arômes intenses de vanille et d'abricot sec. On retrouve le boisé, sensible mais sans excès, dans une bouche ample et ronde, équilibrée par une pointe de fraîcheur bien dosée. ⧗ 2016-2020 ♈ volaille en sauce

SCIEV BENOÎT, Cave Longchamp, quartier de la Gare, BP 17, 13940 Mollégès, tél. 04 90 95 19 06, costebonne@wanadoo.fr V t.l.j. sf dim. 9h-12h 14h-18h

DOM. DE VALDITION Cuvée des Filles 2015 ★

	10 600	11 à 15 €

Cet important domaine de 250 ha (dont 90 de vignes) est une ancienne propriété de François Ier, qui l'offrit en dot de mariage à sa fille Caroline du Prévôt. Commandé par une bastide surmontée d'un clocher du XIIe s., le vignoble est en bio certifié depuis 2012.

Seul maître à bord ici, le chasan, né du croisement entre le listán et le chardonnay, est réputé donner des vins plutôt aromatiques et chaleureux. C'est bien le cas de cette cuvée expressive, sur la poire mûre et le beurre frais, ample, riche et ronde en bouche, stimulée et allongée par une jolie finale acidulée. 2016-2019 ravioles au foie gras

DOM. DE VALDITION, rte d'Eygalières, 13660 Orgon, tél. 04 90 73 08 12, valdition@valdition.com r.-v.

IGP MAURES

L'ÉTINCELLE DU SUD 2015

	68 600		- de 5 €

À deux pas du village médiéval des Arcs-sur-Argens, la coopérative du Cellier des Archers a été créée en 1923. Elle exploite un vignoble de plus de 600 ha.

Cette Étincelle du Sud, née de la seule syrah, brille d'un rouge vif éclatant. Le nez, délicat, évoque les fruits rouges nuancés d'épices. La bouche offre un bon volume, de l'équilibre et un même fruité charmeur que celui perçu à l'olfaction. 2016-2018 assiette de charcuterie

CELLIER DES ARCHERS, quartier des Laurons, 83460 Les Arcs, tél. 04 94 73 30 29, cellierdesarchers@free.fr t.l.j. sf dim. 8h-12h 14h-18h M. Michel

IGP VAR

DOM. DES ASPRAS À Lisa 2015

	11 000		8 à 11 €

Avec Michaël Latz à sa tête, ce domaine fut l'un des pionniers de la conversion intégrale en bio du village de Correns, dès 1996. Aujourd'hui, le vigneron est épaulé par ses trois fils Sébastien, Alexandre et Raphaël, sur un vignoble de 20,3 ha entourant une bâtisse de style piémontais.

Un 100 % merlot au nez de cassis et de mûre, assez puissant mais bien équilibré en bouche, de bonne longueur. À attendre un peu pour plus de fondu. 2017-2020 rôti de bœuf sauce vin

SARL DOM. DES ASPRAS, 83570 Correns, tél. 04 94 59 59 70, domaine@aspras.com t.l.j. 9h-12h 15h-19h Michaël Latz

DOM. DE LA BARATONNE 2015 ★

	7 200		8 à 11 €

Ce domaine, commandé par une bastide construite en 1735, fut cédé en 1790 à Jean-Baptiste Coulome qui partagera quelques années plus tard la propriété entre les trois frères Baraton, d'où le nom de Dom. de la Baratonne. Longtemps en sommeil, l'exploitation et son vignoble de 18 ha revivent depuis 2011 et sa reprise par la famille Bessudo.

Ce vin élégant et harmonieux dévoile un joli nez d'épices douces et de pêche blanche. En bouche, il se montre souple, ample et onctueux. 2016-2019 saumon au beurre blanc

DOM. DE LA BARATONNE, 1640, RN 98, quartier la Marone, 83130 La Garde, domaine@labaratonne.com r.-v. G. Bessudo

BOMONT DE CORMEIL
Coteaux du Verdon Syrah 2014

	6 600		15 à 20 €

Ancien propriétaire du château Miraval, sur lequel il a développé la culture bio, l'homme d'affaires américain Tom Bove a repris en 2008 le château de Cormeil, qu'il a complètement rénové, planté en syrah et en viognier, converti au bio et qu'il entend agrandir rapidement pour atteindre une dizaine d'hectares (7,6 ha actuellement). Premières vendanges en 2012.

Une pure syrah parée d'une robe rubis aux reflets violets de jeunesse. Le nez, expressif, associe notes empyreumatiques, réglisse et fruits noirs. En bouche, le boisé est également dominant pour l'heure, mais le vin a suffisamment de matière pour l'assimiler sereinement. 2017-2020 osso buco

SAS BOMONT DE CORMEIL, chem. de Cormeil, 83670 Fox Amphoux, tél. 04 94 39 45 40, bomontinfo@orange.fr Thomas Bove

DOM. DE LA CÔMBE
Cabernet-sauvignon Cuvée La Cômbe 2014

	14 500		20 à 30 €

Yuriy Lopatynskyy a repris ce domaine en 2009 et l'a entièrement réhabilité en plantant de nouvelles vignes, en rénovant la cave et le chai à barriques (tout en gravité). De nombreux oliviers ont également été plantés pour diversifier la production. Toutes les cultures sont menées en agriculture biologique.

Cet assemblage syrah-cabernet, d'un beau grenat profond, livre un bouquet expressif de groseille, de réglisse et d'épices. Une attaque souple dévoile une bouche suave, aux tanins très doux et fondus. À boire sur le fruit. 2016-2019 sauté de veau à la tomate

CH. DE LA CÔMBE, rte de Fréjus, 83490 Le Muy, lacombe@chateaulacombe.fr Yuriy Lopatynskyy

VIGNERONS DE CORRENS
Argens Cuvée Pesque Lune 2015

	30 000		5 à 8 €

Née en 1935 de la fusion de deux coopérative rivales (l'Amicale et la Fraternelle), la cave de Correns, petit village pittoresque niché au cœur du Var, regroupe aujourd'hui 150 ha de vignes et 30 adhérents (dont dix seulement vivent de la viticulture), qui ont tous fait le choix de l'agriculture biologique dès 1998.

Ce 100% merlot présente un nez délicat de fruits rouges. La bouche est l'avenant, fruitée, souple, franche, équilibrée, de bonne longueur. Simple et de bon aloi. 2016-2019 carpaccio de bœuf

LES VIGNERONS DE CORRENS, rue de l'Église, 83570 Correns, tél. 04 94 59 59 46, lesvignerons-correns@wanadoo.fr V r.-v.

B DOM. DE DEFFENDS Sainte-Baume Champ du Sesterce 2015 ★

	5000		11 à 15 €

Depuis 1998, Xavier Vergès est à la tête du vignoble du Ch. Deffends, une belle unité de 30 ha implantée sur une terrasse de graves argilo-calcaires des Maures et commandée par une bastide du XVIIᵉs. aux platanes séculaires. Une valeur sûre en côtes-de-provence.

Né de rolle (80 %) et de viognier, ce vin s'ouvre sur des arômes intenses et harmonieux de fruits exotiques et de fleurs blanches. La bouche apparaît ample, riche et puissante, stimulée par une belle nervosité en finale. Du caractère et de l'équilibre. 2016-2019 daurade au four

FAMILLE DE LANVERSIN, Dom. du Deffends, 2020, chem. du Deffends, 83470 Saint-Maximin-la-Sainte-Baume, tél. 04 94 78 03 91, domaine@deffends.com V *t.l.j. 10h-12h 15h-18h; f. sam. janv.-fév.*

B DOM. LA LIEUE Chardonnay 2015

	26000	8 à 11 €

Fondé en 1876 par Batilde Philomène, veuve d'un soyeux lyonnais, ce domaine (77 ha aujourd'hui) se transmet depuis cinq générations au sein de la famille Vial. Converti à l'agriculture biologique dès 1997, le vignoble est conduit par Jean-Louis Vial et son fils Julien. Créée en 1906, la cave a été réaménagée pour permettre des vinifications sur de petits volumes.

Le nez de ce pur chardonnay a des accents intensément exotiques, centrés sur le fruit de la Passion bien mûr. La bouche est riche, ronde, de bonne persistance. 2016-2018 cabillaud au lait de coco

JULIEN VIAL, Ch. la Lieue, rte de Cabasse, 83170 Brignoles, tél. 04 94 69 00 12, chateau.la.lieue@orange.fr V *t.l.j. 9h-12h30 14h-19h; dim. 10h-12h 15h-18h*

MISTRAL NOIR 2014 ★

	n.c.		8 à 11 €

Le vignoble a changé de mains en 2013, racheté à la famille Crocé-Spinelli. Les vignes (11,5 ha) sont situées sur les hauteurs du village des Arcs-sur-Argens, réputé pour son passé médiéval.

Ce vin «décoiffe» dès l'olfaction avec ses arômes intenses de raisin sec et de pruneau. La bouche se révèle puissante, onctueuse et riche, bâtie sur des tanins mûrs et enveloppants. Une cuvée de belle maturité, prête à boire. 2016-2019 entrecôte marchand de vin

CH. CLARETTES, 1195, chem. des Nouradon, 83460 Les Arcs-sur-Argens, tél. 06 95 04 69 13, commercialclarettes@gmail.com V *t.l.j. sf dim. lun. 10h-13h 15h-17h*

DOM. DE LA NAVICELLE La Syrah 2014 ★

	n.c.	15 à 20 €

Entre Méditerranée et forêt, au pied de la Colle noire d'origine volcanique, les 20 ha du domaine poussent sur un terroir de grès et d'argiles. Installé depuis 2006, M. Stenberg oriente son domaine vers la biodynamie.

La robe grenat profond est engageante. Le nez charme aussi par ses arômes généreux de fruits mûrs et d'épices bien typés syrah. L'attaque est souple, le développement intense et long, sur le cassis et le cacao, structuré en douceur par des tanins soyeux. 2016-2019 penne all'arrabiata

DOM. DE LA NAVICELLE, 1617, chem. de la Cibonne, 83220 Le Pradet, tél. 04 94 21 79 99, contact@domainelanavicelle.com

CELLIER DE LA SAINTE-BAUME Sainte-Baume Merlot 2015

	26500		- de 5 €

La coopérative de la Sainte-Baume est le fruit de la fusion de trois caves en 1973, suivie d'une autre fusion plus récente avec la cave de Tourves, en 1997. En 2012, elle a fêté son centenaire, abandonné le vieux bâtiment ocre au vaste fronton pour s'installer dans des locaux modernes à la sortie de Saint-Maximin.

Ce pur merlot déploie un joli bouquet, simple et avenant de fruits rouges. En bouche, il se montre tout aussi aimable par sa rondeur et son fruité soutenu. Le «vin plaisir» par excellence. 2016-2018 tomates farcies

CELLIER DE LA SAINTE-BAUME, rte de Barjols, 83470 Saint-Maximin-la-Sainte-Baume, tél. 04 94 78 03 97, amicalecellier@orange.fr V *t.l.j. 8h30-12h 14h30-18h; dim. 8h30-12h*

DOM. DU VAL D'IRIS Merlot 2014 ★

	5000		8 à 11 €

Un parfumeur grassois planta ici les premières vignes. Il y planta aussi des iris, toujours utilisés pour la fabrication de produits cosmétiques et entretenus par Anne Dor, vétérinaire de premier métier, et son mari Jean-Daniel, à la tête du domaine depuis 1999. Le vignoble compte aujourd'hui un peu plus de 8 ha.

Ce vin de caractère séduit d'emblée avec son nez racé d'épices, de fraise des bois et de myrtille agrémentées de légères nuances animales. Une attaque souple ouvre sur un palais dense, ample et rond, étayé par de beaux tanins mûrs et veloutés. 2016-2020 filet mignon de veau

DOR, 341, chem. de la Combe, 83440 Seillans, tél. 04 94 76 97 66, info@valdiris.com V *t.l.j. 11h-18h; sam. 11h-17h*

PROVENCE

LA CORSE

La production viticole corse est avant tout orientée vers l'élaboration de vins identitaires portés par des cépages historiquement installés et adaptés aux sols et climats locaux. Les efforts qualitatifs tant au vignoble (gestion des arrachages et des restructurations) qu'en unités de vinification (efforts sur les cuveries, maîtrise des températures) se ressentent bien évidemment dans les vins. Cette évolution qui apporte une vision d'avenir est aujourd'hui associée à un fort développement de la production en agriculture biologique et à un développement de l'œnotourisme.

Une montagne dans la mer. La définition traditionnelle de la Corse est aussi pertinente en matière de vins que pour mettre en évidence ses attraits touristiques. La topographie est en effet très tourmentée dans toute l'île, et même l'étendue que l'on appelle la côte orientale – et qui, sur le continent, prendrait sans doute le nom de costière – est loin d'être dénuée de relief. Cette multiplication des pentes et des coteaux, inondés le plus souvent de soleil mais maintenus dans une relative humidité par l'influence maritime, les précipitations et le couvert végétal, explique que la vigne soit présente à peu près partout. Seule l'altitude en limite l'implantation.

Le relief et les modulations climatiques qu'il entraîne s'associent à trois grands types de sols pour caractériser la production vinicole, dont la majorité est constituée de vins de pays (surtout) et de vins sans indication géographique. Le plus répandu des sols est d'origine granitique; c'est celui de la quasi-totalité du sud et de l'ouest de l'île. Au nord-est se rencontrent des sols de schistes et, entre ces deux zones, existe un petit secteur de sols calcaires.

Des cépages originaux. Associés à des cépages importés, on trouve en Corse des cépages spécifiques d'une originalité certaine, en particulier le niellucciu, donnant des vins au caractère tannique dominant et qui excelle sur le calcaire. Le sciaccarellu, lui, présente plus de fruité et donne des vins que l'on apprécie davantage dans leur jeunesse. Quant au blanc, vermentinu (ou malvasia), il est, semble-t-il, apte à produire les meilleurs vins des rivages méditerranéens.

En règle générale, on consommera plutôt jeunes les blancs et surtout les rosés; ils iront très bien sur tous les produits de la mer et avec les excellents fromages de chèvre du pays, ainsi qu'avec le brocciu. Les vins rouges, eux, conviendront, selon leur âge et la vigueur de leurs tanins, aux différentes préparations de viande et, bien sûr, à tous les fromages de brebis. À noter que certains grands vins blancs, passés ou non en bois, ont une belle aptitude au vieillissement.

CORSE OU VIN-DE-CORSE

Superficie : 2 150 ha
Production : 90 360 hl (90 % rouge et rosé)

L'AOC corse ou vin-de-corse peut être produite dans les trois couleurs sur l'ensemble des terroirs classés de l'île, à l'exception de l'aire d'appellation patrimonio, au nord. Selon les régions et les domaines, les proportions respectives des différents cépages ainsi que les variétés des sols apportent aux vins des tonalités diverses. Les nuances régionales justifient une dénomination spécifique de microrégions, dont le nom peut être associé à l'appellation (Coteaux-du-Cap-Corse, Calvi, Figari, Porto-Vecchio, Sartène). La majeure partie de la production est issue de la côte orientale.

DOM. D'ALZIPRATU Calvi Pumonte 2015 ★★

■	10000	🍾	15 à 20 €

Créé en 1968 au nord-ouest de l'Île de Beauté par le baron Henry-Louis de La Grange, le domaine aujourd'hui conduit par Pierre Acquaviva et Cécilia, son épouse, couvre 40 ha répartis sur trois terroirs autour du couvent d'Alzipratu. Il bénéficie de la double influence climatique de la mer et de la montagne.

Pas moins de trois coups de cœur récents – dont le 2014, l'an dernier – pour cette cuvée qui fournit régulièrement des blancs de grande personnalité. S'il apparaît discret au nez, le 2015 exprime toutes les qualités du vermentinu: une robe très pâle aux reflets verts, des parfums subtils et complexes, mêlant le genêt et la clémentine à des touches minérales et fumées. L'amande douce se lie aux agrumes dans une bouche élégante, de bonne longueur. Parfait pour l'apéritif. ⧗ 2016-2019 🍴 tartare d'espadon au citron vert ■ **Calvi Pumonte 2014 (15 à 20 €; 10000 b.)** : vin cité.

DOM. D' ALZIPRATU, rte de Zilia, 20214 Zilia, tél. 04 95 62 75 47, alzipratu@orange.fr
V r.-v. *Pierre Acquaviva*

Ⓑ A RONCA Calvi 2015 ★

■	16000	🍾	8 à 11 €

En 2006, Marina Acquaviva a repris une partie du domaine familial Figarella pour créer sa propre marque. Son exploitation, convertie à l'agriculture biologique, compte 19,5 ha.

Un blanc au nez intensément floral et frais, nuancé de touches de menthe. Son attaque fraîche est suivie d'un développement ample, avant une finale marquée par une touche de nobles amers. ⧗ 2016-2019 🍴 salade tomate mozzarella au basilic

MARINA ACQUAVIVA, Dom. A Ronca, rte de l'Aéroport, 20214 Calenzana, tél. 06 87 55 55 45, aronca@orange.fr
V *t.l.j. sf dim. 11h-12h30 16h-19h*

SECRET CASANOVA 2015 ★

■	19600	🍾	5 à 8 €

Créée en 1975, la cave d'Aghione, la troisième structure coopérative de l'île, vinifie la production de quelque 800 ha de vignes et regroupe une trentaine d'exploitations en bordure de la plaine orientale. Le

président actuel, André Casanova, a donné son nom à la marque principale commercialisée par la cave.

Le 2010 de cette cuvée avait été élu coup de cœur. Sans atteindre de tels sommets, le 2015 possède toutes les qualités du cépage vermentinu, en particulier une belle intensité aromatique: les agrumes, très présents, jouent avec les fleurs et, en bouche, avec les fruits exotiques. Ample et tonique, ce blanc sera parfait à l'apéritif. ⧗ 2016-2019 ¥ anchois marinés

CAVE COOPÉRATIVE D'AGHIONE, lieu-dit Aristone, 20240 Ghisonaccia, tél. 04 95 56 60 20, coop.aghione.samuletto@yahoo.fr V *t.l.j. 8h-17h*

B CASTELLU DI BARICCI Sartène 2015 ★

	7000		20 à 30 €

Établie dans la vallée de l'Ortolo au sud de l'Île de Beauté, la famille Quilichini cultive la vigne depuis le début du XIXe s. Elle a redonné vie à partir de 2000 à ce domaine, plantant vignes (14,5 ha aujourd'hui) et oliviers (12 ha) pour produire vins et huiles d'appellation. En 2010, Élisabeth Quilichini a pris les rênes de la propriété dont elle a engagé la conversion bio (certification en 2013).

Typique du cépage vermentinu, ce corse blanc s'annonce par un nez finement fruité et minéral. La bouche fraîche, dans le droit-fil, conserve cette minéralité. Une petite pointe d'amertume vient compléter en finale ce tableau printanier. Pour l'apéritif et les entrées marines. ⧗ 2016-2019 ¥ verrines de crevette au pamplemousse

ÉLISABETH QUILICHINI, Castellu di Baricci, vallée de l'Ortolo, 20100 Sartène, tél. 09 88 99 30 62, info@castelludibaricci.com V *r.-v.* E

CLOS CANERECCIA Cuvée des Pierre 2015

	3000		8 à 11 €

Christian Estève a travaillé quinze ans sur l'exploitation de ses parents avant de créer en 2010 son petit domaine sur 6,5 ha, à Aléria. Amateur des traditions antiques, il vinifie une partie de ses cuvées en amphores.

Pas de jarre en terre cuite mais une cuve en Inox pour ce vermentinu qui a fermenté avec des levures indigènes. Or vert, le nez apparaît encore timide, mais laisse percer de frais parfums d'agrumes. Un vin franc à l'attaque, d'une belle rondeur équilibrée par une fine acidité. ⧗ 2016-2018 ¥ escalope de veau au citron

CHRISTIAN ESTÈVE, 180, Rotani, 20270 Aléria, tél. 04 95 34 17 85, closcanereccia@orange.fr V *r.-v.*

CLOS COLONNA Sartène 2014 ★

	9000		5 à 8 €

Située dans la partie sud-est de la Corse, entre Sartène et la baie de Tizzano, au voisinage des menhirs de Paddaghju, le Clos Colonna compte 7 ha de vignes. Il est conduit par Frédéric Leccia depuis 2009.

Si l'assemblage de ce corse rouge est dominé par le niellucciu (70 %), c'est plutôt l'empreinte du sciaccarellu (30 %) que perçoivent nos dégustateurs, dans son nez de fruits rouges épicés, de groseille et de griotte, nuancés de notes confites. La bouche friande et soyeuse permettra de déboucher cette bouteille prochainement. Pourquoi pas à l'apéritif? ⧗ 2016-2019 ¥ assiette de coppa ■ **Sartène 2015 ★ (8 à 11 €; 70000 b.)** : un corse blanc, gourmand et tendu, dans lequel on retrouve toute la richesse du cépage vermentinu. Le nez complexe évoque les fruits blancs, tandis que la bouche offre la fraîcheur et les arômes des agrumes. Pour l'apéritif ou une entrée légère. ⧗ 2016-2018 ¥ salade marine aux anchois

ANTOINE ET FRÉDÉRIC LECCIA, rte de Granace, 20100 Sartène

B CLOS CULOMBU Calvi 2015 ★

	80000		8 à 11 €

Situé au nord-ouest de l'Île de Beauté près de Calvi, sur un terroir d'arènes granitiques, ce domaine couvrant aujourd'hui 53 ha a été planté à partir de 1973

La Corse

CORSE

par Paul Suzzoni. Son frère Étienne a pris le relais en 1989. Exploité selon une démarche bio dès l'origine, il a obtenu la certification en 2013.

Pas moins de six cépages entrent dans la composition de ce jeune vin rouge; 20 % de syrah et cinq variétés corses: outre le niellucciu (40 %) et le sciaccarellu, bien connus, un soupçon de minustellu et de cargajolo. On aime la robe pourpre sombre de ce 2015, son nez flatteur, d'une bonne complexité, et plus encore sa bouche très onctueuse, aux tanins fondus, qui permet une consommation immédiate tout en autorisant une petite garde. ⧗ 2016-2020 🍴 osso bucco ■ **Calvi 2015 ★ (8 à 11 €; 52000 b.)** Ⓑ : un vermentinu floral, citronné et minéral, au palais aérien, alerte sans rien de mordant, sur les fruits blancs et les agrumes. Parfait à l'apéritif. ⧗ 2016-2018 🍴 tartare de bar

CLOS CULOMBU, chem. San-Petru, 20260 Lumio, tél. 04 95 60 70 68, culombu.suzzoni@wanadoo.fr
r.-v. Suzzoni

♥ CLOS D'ORLÉA Alliance N° 1 2015 ★★

■	5000	🍾	5 à 8 €

Le Clos d'Orléa, exploité par François Orsucci depuis 1990, est une jolie propriété de 36 ha située non loin du fort d'Aléria, en Corse orientale.

Ce vermentinu cristallin aux reflets or a enchanté les dégustateurs. Le bouquet complexe et frais offre une variation sur les agrumes, du pomelo à l'orange douce, nuancée de touches iodées. La bouche, dans le même registre aromatique, est vive, tendue, d'une rare persistance. Ce blanc pourra se déguster seul, à l'apéritif, même si son côté tonique permet de l'accorder avec les produits de la mer crus, grillés ou rôtis, ou encore avec certaines viandes blanches. ⧗ 2016-2020 🍴 vitello tonnato ■ **Alliance N° 1 2014 ★ (5 à 8 €; 10000 b.)** : le sciaccarellu et la syrah font jeu égal dans cette cuvée, avec un complément de niellucciu. La vinification a cherché l'expression du fruit, et l'objectif est atteint: le nez est tout en fruits rouges, rehaussés d'une touche de réglisse et de grillé, et le palais, lui aussi bien fruité, offre une belle matière adossée à des tanins souples. ⧗ 2017-2020 🍴 steak tartare

FRANÇOIS ORSUCCI, Clos d'Orléa, 20270 Aléria, tél. 04 95 57 13 60, contact@closdorlea.com
t.l.j. 9h-13h 15h-19h

DOM. DE LA FIGARELLA
Calvi Tradition 2015 ★

■	13330	🍾	5 à 8 €

Implanté à Calenzana, près de Calvi, dans la partie nord-ouest de l'île, ce domaine de 34,5 ha en cours de conversion bio a été créé par François Acquaviva en 1966. Le fils de ce dernier, Achille, a repris le vignoble dans les années 1980. C'est aujourd'hui Marina, petite-fille du fondateur, qui assure le suivi des vignes et des vinifications.

Un blanc aux arômes délicats de fleurs du verger nuancés d'amande douce. Frais en attaque, ample, le palais développe des notes de citrus et de menthol qui appellent les fruits de mer. ⧗ 2016-2019 🍴 salade de poulpe ■ **Calvi Prestige 2012 ★ (8 à 11 €; 6000 b.)** : ce 2012 rouge doit tout au sciaccarellu. Alliant la puissance et la finesse, il séduit par son nez réglissé et par sa bouche longue, aux tanins fondus et aux jolis arômes de cerise. Il est prêt. ⧗ 2016-2018 🍴 faisan aux champignons

ACHILLE ACQUAVIVA, rte de l'Aéroport, Dom. de la Figarella, 20214 Calenzana, tél. 06 60 29 00 04, domainefigarella@wanadoo.fr
t.l.j. sf dim. 11h-12h30 16h-19h

♥ Ⓑ DOM. FIUMICICOLI
Sartène 2015 ★★

■	34000	🍾	11 à 15 €

Ce vignoble situé à l'extrême sud de la Corse fait partie des incontournables du Sartenois. Une très belle propriété de 73 ha conduite en bio par Félix et Simon Andréani, vignerons rigoureux et vinificateurs de talent.

Belle démonstration du savoir-faire d'un vigneron connaissant parfaitement son terroir et maîtrisant les cépages insulaires, tel ce vermentinu, à l'origine d'un blanc une nouvelle fois plébiscité par le jury (un 2004 avait déjà valu un coup de cœur au domaine). Les dégustateurs sont d'emblée enchantés par ce vin, feu d'artifice aromatique aux parfums exubérants de fruits exotiques et de pêche blanche. On retrouve ce fruité dans un palais gourmand, vif et gras, à la longue finale fraîche aux accents de clémentine. Si bon que l'on peut l'apprécier seul. ⧗ 2016-2019 🍴 fromage de chèvre frais ■ **Sartène Cuvée Vassilia 2013 ★★ (15 à 20 €; 24000 b.)** Ⓑ : le niellucciu, majoritaire, s'allie à la syrah dans ce 2013 auquel un élevage en fût a donné de la complexité, apportant de fines notes vanillées et toastées, sans terrasser le cépage insulaire qui laisse percer des arômes de fruits noirs légèrement compotés. Puissant en bouche, épicé et minéral, ce vin développe des tanins déjà caressants, mais il mérite un séjour en cave pour permettre au bois de se fondre davantage. ⧗ 2018-2022 🍴 côte de bœuf

EARL TERRA CORSA, Dom. Fiumicicoli, rte de Levie, 20100 Sartène, tél. 04 95 77 10 20, domainefiumi-contact@orange.fr
r.-v.

Ⓑ DOM. DE GRANAJOLO
Porto-Vecchio Cuvée Monika 2014

■	17000	🍾	8 à 11 €

Ce domaine, fondé par André et Monika Boucher en 1974, se flatte d'avoir été le premier, en Corse, à avoir obtenu une certification bio, en 1982. À la

disparition de son père, Gwenaële, œnologue, forte d'une première expérience en France et en Australie, a repris la gestion de la propriété avec sa mère en 2002. La propriété (20 ha) a connu en 2003 une évolution importante puisqu'elle s'est dotée d'un outil de vinification.

Ce pur nielluccíu, rubis sombre aux reflets légèrement tuilés, s'ouvre sur de jolis arômes de fruits rouges, de cuir et d'épices (noix muscade et poivre blanc). Rond à l'attaque, de bonne puissance, il dévoile des tanins encore fermes et vifs qui incitent à le laisser vieillir quelques mois en cave. ⧗ 2017-2020 🍴 civet de sanglier ■ **Porto-Vecchio Cuvée Tradition 2015 (5 à 8 €; 11000 b.)** Ⓑ : vin cité.

⊶ BOUCHER,
La Testa, 20144 Sainte-Lucie-de-Porto-Vecchio,
tél. 06 07 63 86 59, info@granajolo.fr V ▪ *r.-v.*

DOM. MAESTRACCI Calvi E Prove 2012 ★★

■	40000	◍	11 à 15 €

Domaine de 30 ha implanté en Balagne, au nord-ouest de l'île, dans une vallée dominée par le Monte Grossu. À l'origine, un vignoble et une oliveraie achetés en 1893 par l'arrière-grand-père de l'actuelle vigneronne. Après 1945, Roger Maestracci agrandit et restructure l'exploitation, qu'il transmet à sa fille et à son gendre, Dominique et Michel Raoust. En 2012, leur fille Camille-Anaïs a pris leur suite.

Assemblage complexe de cinq cépages (du niellucciu et du sciaccarellu complétés par de la syrah, du grenache et un soupçon de carignan), ce 2012 a passé une année en fût. Expressif et complexe, son bouquet évoque les épices et le maquis corse. La réglisse vient compléter cette palette dans une bouche ronde, soyeuse et remarquablement équilibrée. Un «vin plaisir» par excellence. ⧗ 2016-2020 🍴 lapin chasseur

⊶ CAMILLE-ANAÏS RAOUST,
Dom. Maestracci, E Prove, 20225 Feliceto,
tél. 04 95 61 72 11, contact@domaine.maestracci.com
V 🚶 ▪ *r.-v.*

Ⓑ DOM. PETRA BIANCA Figari Cuvée Prestige 2013 ★★

■	50000	▮	8 à 11 €

Joël Rossi et Jean Curallucci ont repris au début des années 1990 et restructuré cette propriété située au sud de l'Île de Beauté. Le vignoble, qui compte aujourd'hui 60 ha, est conduit en bio.

Le sciaccarellu joue les premiers rôles (60 %) dans cette cuvée, complété par le niellucciu et par un soupçon de syrah. Quelques reflets tuilés dans la robe rouge légère suggèrent que ce 2013 est déjà prêt. Le nez offre une belle surprise, dévoilant des notes de sous-bois et ces touches poivrées bien typées du cépage principal. Gourmand, structuré et long, le palais déploie des arômes de fruits rouges confits et finit sur un joli retour épicé. ⧗ 2016-2021 🍴 poêlée de cèpes ■ **Figari Prestige 2015 ★ (8 à 11 €; 12000 b.)** Ⓑ : un vermentinu apprécié pour sa robe cristalline, pour son nez frais, délicat et typé, sur les fleurs blanches et les agrumes, et pour sa bouche alerte et expressive, à l'unisson du nez, aux arômes de citron et de pamplemousse. ⧗ 2016-2019 🍴 buisson de langoustines

⊶ EARL PETRA BIANCA,
Joël Rossi, lieu-dit Petra-Grossa, 20114 Figari,
tél. 06 20 31 28 80, petra.bianca@sfr.fr V 🚶 ▪ *r.-v.*

DOM. DE PIANA 2015

■	18000	▮	5 à 8 €

Implantée dans la partie orientale de l'Île de Beauté, la propriété historique de la famille Poli, par ailleurs propriétaire d'autres domaines tels le Clos Alivu et le Clos Teddi (régulièrement en vue dans ces pages), vinifie depuis les années 1990. À sa tête, Ange Poli, le patriarche.

Un peu court, ce blanc n'en a pas moins intéressé les dégustateurs par son nez de fleurs blanches et d'agrumes, légèrement minéral, et par sa bouche franche à l'attaque, onctueuse et bien équilibrée. ⧗ 2016-2019 🍴 rillettes de thon

⊶ EARL DOM. DE PIANA, Linguizzetta,
20230 San-Nicolao, tél. 04 95 38 86 38,
domaine.de.piana@wanadoo.fr V ▪ *t.l.j. 8h30-19h*

♥ DOM. PIERETTI Coteaux du Cap Corse Marine 2015 ★★

■	5300	20 à 30 €

Lina Pieretti a pris en 1989 la relève de son père Jean qui vinifiait à l'ancienne le produit de ses 3 ha, foulant aux pieds ses raisins. Elle a équipé le domaine en 1994 d'une cave au bord de la mer et bichonne ses vignes balayées par les vents parfois violents du cap Corse – 11 ha répartis dans plusieurs communes du secteur, sur des sols rocailleux, argilo-schisteux.

Un vermentinu de grande expression, né d'une parcelle en coteau dominant la plage de Santa Severa: les raisins ont bénéficié des premiers rayons du jour naissant. La robe en a gardé la brillance, jaune doré aux reflets verts de jeunesse. Le nez, très minéral, allie les fleurs du verger, les agrumes (citron) et la pêche blanche. Remarquablement équilibrée, la bouche conjugue fraîcheur et rondeur, et offre une longue finale teintée de nobles amers. ⧗ 2016-2020 🍴 verrine de crabe

⊶ LINA VENTURI-PIERETTI, Santa-Severa, 20228 Luri,
tél. 06 17 93 92 17, domainepieretti@orange.fr
V 🚶 ▪ *t.l.j. 10h-12h 16h-19h; oct.-avr. sur r.-v.*

PRESTIGE DU PRÉSIDENT 2014 ★★★

■	50000	◍	8 à 11 €

Fondée en 1958, la SCA UVIB est la plus grande coopérative vinicole de Corse. Établie à Aléria, non loin de l'étang de Diana, elle vinifie quelque 1 700 ha de vignes appartenant à une centaine d'adhérents.

La coopérative d'Aléria fait ici la démonstration de son savoir-faire avec ce corse rouge, assemblage de niellucciu (50 %), de syrah (40 %) et de sciaccarellu. La robe profonde aux reflets violines inspire confiance. Chaque variété composant l'assemblage contribue au bouquet puissant et d'une rare complexité: fruits rouges, baies noires, épices, violette, herbes du maquis; un séjour de six mois en fût ajoute à cette palette une pointe de vanille. En bouche, ce vin s'impose par son attaque droite, par sa matière ample et riche adossée à des tanins ronds et par sa persistance. Un millésime solide et gourmand, déjà savoureux tout en possédant assez de potentiel pour bien évoluer. ⧗ 2016-2022 🍴 pièce de bœuf

SCA UVIB, Padulone, 20270 Aléria, tél. 04 95 57 02 48, aleymarie@uvib.fr V r.-v.

DOM. RENUCCI Calvi Cuvée Vignola 2015 ★★

	26000		11 à 15 €

Domaine familial établi en Balagne, au nord-ouest de l'île, dans la vallée du Reginu. Les Renucci ont commencé à travailler la vigne en 1850. Parmi leurs clients, ils comptaient alors des églises et des couvents. En 1960, Joseph Renucci hérite du domaine, qu'il transmet en 1991 à son fils Bernard et son épouse. Complanté essentiellement en cépages locaux, le vignoble s'étend aujourd'hui sur 20 ha.

Un blanc élégant, jaune paille brillant. Le nez mêle des nuances de bonbon anglais, traduisant une vinification moderne, et des senteurs de fruits exotiques (ananas) et d'agrumes typées du cépage vermentinu. Le palais se distingue par sa rondeur suave, soulignée par des accents confits en finale. Ce caractère pourrait permettre de servir cette bouteille sur un dessert fruité, pas trop sucré. ⧗ 2016-2019 🍴 salade de saint-jacques aux agrumes ■ **Calvi Cuvée Vignola 2013 ★ (11 à 15 €; 30000 b.)** : le sciaccarellu est majoritaire dans cette cuvée, complété par la syrah, le niellucciu et le grenache. Au nez, du cuir, du sous-bois et du fruit noir. En bouche, des tanins déjà enrobés qui rendent ce vin déjà agréable tout en autorisant la garde. ⧗ 2017-2020 🍴 civet d'agneau

BERNARD RENUCCI, Dom. Renucci, 20225 Feliceto, tél. 06 13 61 84 61, domaine.renucci@wanadoo.fr V *t.l.j. sf dim. 10h-12h 15h-18h30; f. oct.-mars*

SAN MICHELI Sartène Alfieri Polidori 2014 ★

■	10000		11 à 15 €

Le domaine San Micheli, l'un des plus anciens de l'appellation corse Sartène, est dans la famille des vignerons depuis le XVIIIe s. Jean-Paul et Bénédicte en ont pris les commandes en 1975. Exposé au sud-ouest, leur vignoble couvre 23 ha.

Ce rouge issu en grande majorité de sciaccarellu (70 %, avec le niellucciu en complément) s'habille d'une robe rubis clair aux reflets tuilés et offre un bouquet de fruits rouges épicés typique du cépage, nuancé de touches vanillées apportées par un élevage partiel sous bois. La bouche est fine, expressive, dans le même registre que l'olfaction. Une bouteille pour aujourd'hui, que l'on pourra servir un peu rafraîchie. ⧗ 2016-2018 🍴 côtes d'agneau au romarin

DOM. SAN MICHELI, Capanelli d'Ortolo, 20100 Sartène, tél. 04 95 77 06 38, contact@domainesanmicheli.com V *t.l.j. 9h-12h30 16h-20h*

SANT'ARMETTU Sartène 2015 ★

■	40000	11 à 15 €

Dominant le golfe de Propriano au sud-ouest de l'Île de Beauté, la propriété, fondée en 1964 par Lucien Seroin et son fils Paul, tire son nom d'un ermite guérisseur qui aurait vécu là il y a bien longtemps. Le vignoble, aménagé en terrasses, couvre des coteaux aux sols d'arènes granitiques. Le chai a été créé en 1996. Trois ans plus tard, Gilles Seroin a pris les rênes du domaine, qui s'étend sur 40 ha.

Assemblage de trois cépages, niellucciu, sciaccarellu et syrah, ce 2015, très ouvert, mêle au nez fruits rouges écrasés, réglisse, épices, café, pain grillé et une touche de caramel. Dans le même registre aromatique, la bouche offre une structure puissante, aux tanins encore fermes. ⧗ 2017-2021 🍴 pavé de biche

EARL SANT'ARMETTU, 9, av. Napoléon, 20110 Propriano, tél. 04 95 76 24 47, contact@santarmettu.com V *t.l.j. sf sam. dim. 8h-11h30 14h-16h30* *Seroin*

DOM. SAPARALE Sartène Casteddu 2014 ★★

	12000	11 à 15 €

Cette propriété fondée au XIXe s. par Philippe de Rocca Serra a repris vie en 1998 avec l'arrivée à sa tête de Philippe Farinelli, œnologue de talent et vinificateur averti, descendant du fondateur. Le domaine de 50 ha est conduit en bio.

Le vermentinu peut engendrer des vins de garde, comme le montre ce 2014 fermenté et élevé en fût de 500 l, avec bâtonnage. Le nez n'évoque guère la fleur et le fruit; il met en avant des fragrances de miel et de beurre chaud, rehaussées d'une touche vanillée et, en bouche, d'une note de curry. Au palais, le vin apparaît bien équilibré, à la fois gras, vif et long: un blanc fait pour la table. ⧗ 2016-2020 🍴 blanquette de lotte ■ **Sartène Casteddu 2014 (11 à 15 €; 80000 b.)** : vin cité.

EARL DOM. SAPARALE, vallée de l'Ortolo, 20100 Sartène, tél. 04 95 77 15 52, contact@saparale.com V *t.l.j. sf sam. dim. 10h-18h* *Farinelli*

DOM. DE SOLENZARA
Porto-Vecchio Muvroni 2014 ★

■	5200	8 à 11 €

Ce domaine a pris le nom d'une rivière et d'une petite cité à son embouchure, sur la côte orientale, au nord de Porto-Vecchio. Au milieu du XIXes., un industriel de Saint-Étienne y avait établi une fonderie. Peu de temps après, de nouveaux propriétaires défrichèrent 100 ha de maquis et plantèrent 15 ha de vignes, entre autres cultures. Depuis 1990, Émile Lucchini est aux commandes de ce vignoble qu'il conduit en agriculture raisonnée.

La robe rouge sombre montre quelques reflets tuilés d'évolution; le nez automnal marie les fruits rouges à des notes de sous-bois, de châtaigne grillée. Les fruits rouges très mûrs s'épanouissent dans une bouche aux tanins veloutés, bien équilibrée entre fraîcheur et rondeur. ⧗ 2016-2020 🍴 souris d'agneau au romarin

⊶ ÉMILE LUCCHINI, Dom. de Solenzara, 20145 Solenzara, tél. 04 95 57 49 76, info@domainedesolenzara.com V r.-v.

DOM. DE TANELLA Figari Clos Marc-Aurèle 2015

■	18000		8 à 11 €

Fondé par la famille de Peretti Della Rocca en 1870, ce domaine de 57 ha d'un seul tenant, établi sur des arènes granitiques et transmis de père en fils depuis sa création, est conduit par Jean-Baptiste depuis 1975. Un des fleurons du terroir de Figari, au sud de l'Île de Beauté.

La cuvée Marc-Aurèle 2015, assemblage de niellucciu (60 %) et de sciaccarellu, a fait un court séjour en fût. Avec son nez fruité, épicé, et sa bouche ronde, de bonne longueur, c'est un vin bien typé qui reflète son terroir. ⧗ 2016-2020 ♈ sauté d'agneau ■ **Figari Cuvée Alexandra 2015 (8 à 11 €; 20000 b.)** : vin cité.

⊶ SAS DE PERETTI DELLA ROCCA, rte de Bonifacio, 20137 Porto-Vecchio, tél. 04 95 70 46 23, tanella@wanadoo.fr V *t.l.j. sf dim. 9h-12h 15h30-18h*

TERRA NOSTRA Niellucciu 2014

■	100000		- de 5 €

L'Union des vignerons associés du Levant est la structure commercialisant les vins de la Cave coopérative de la Marana, groupement de producteurs établi à Borgo, commune au sud de Bastia. La cave regroupe environ 900 ha de vignes et une quarantaine de vignerons répartis sur la côte orientale de la Corse. Elle propose des vins de marque et vinifie également pour quelques domaines particuliers.

Issu d'une sélection parcellaire de niellucciu cultivé sur un terroir argilo-schisteux, un rouge vinifié pour allier puissance et souplesse. L'objectif est atteint: le vin a convaincu les dégustateurs, tant par son nez flatteur d'épices et de fruits rouges que par sa bouche ample et harmonieuse, de bonne longueur, aux arômes de mûre. ⧗ 2016-2018 ♈ veau marengo

⊶ CORSICAN - GROUPE UVAL, Rasignani, 20290 Borgo, tél. 04 95 58 44 00, f.malassigne@corsicanwines.com V *t.l.j. sf lun. dim. 9h-12h 14h30-18h30*

DOM. DES TERRES ROUGES
Clos Canta Vieilles Vignes 2015 ★

■	4000		- de 5 €

Ce domaine de 30 ha, situé sur la commune de Tallone, tout près d'Aléria, a été créé par Edgard Gandoin en 1967. Ses fils Pierre et Paul l'ont repris en 1986. Les vignes sont plantées à 100 m d'altitude sur un plateau d'alluvions anciennes et d'argiles rouges.

Cet assemblage à parts égales de syrah et de niellucciu se partage entre fruits rouges, baies noires et épices (noix muscade). En bouche, il a pour atouts son attaque fraîche, sa finale de bonne longueur et ses tanins encore jeunes et fougueux, qui laissent deviner un potentiel intéressant. Mieux vaut l'attendre un peu. ⧗ 2017-2021 ♈ magret de canard

⊶ SCA SAINTE-ANNE, Dom. Sainte-Anne, 20270 Tallone, tél. 04 95 57 04 18, scasteanne@aliceadsl.fr V *r.-v.*

Ⓑ **DOM. DE TORRACCIA** Porto-Vecchio 2012 ★★

■	80000		11 à 15 €

Créé en 1964 par Christian Imbert, ce domaine de 42 ha est dirigé par son fils Marc depuis 2008. Le vignoble, conduit en bio, est situé dans la région du Freto, à l'extrémité méridionale de l'île. La famille cultive aussi des oliviers.

Ce 2012 dévoile une belle évolution dans sa robe légèrement tuilée, et dans son nez complexe de griotte à l'eau-de-vie et d'épices, rehaussé de notes balsamiques et de grillé. On retrouve cette complexité dans une bouche élégante et longue, étayée par des tanins soyeux. Un vin très harmonieux et qui garde des réserves. ⧗ 2016-2020 ♈ foie de veau ■ **Porto-Vecchio Oriu 2015 (8 à 11 €; 30000 b.)** Ⓑ : vin cité.

⊶ CHRISTIAN ET MARC IMBERT, Dom. de Torraccia, 20137 Lecci, tél. 04 95 71 43 50, torracciaoriu@wanadoo.fr V *t.l.j. sf dim. 8h-12h 14h-18h*

DOM. VECCHIO Mélusine 2013 ★

■	1000		30 à 50 €

Implanté non loin de la côte orientale, au pied du monte Sant'Appiano (1 100 m), face à la mer, un domaine progressivement agrandi (28 ha aujourd'hui) et restructuré à partir de 2000 par Florence Giudicelli-Girard et son mari. La conduite du vignoble se fait «a l'antiga» (à l'ancienne), ce que la vigneronne appelle la culture «sur-raisonnée»: limitation des rendements, réduction des désherbants chimiques... Bref, le respect de la vigne et de la terre.

La cuvée Mélusine est issue d'un pur niellucciu, qui fait l'objet d'une longue cuvaison (quatre à cinq semaines) puis reste en fût pendant quinze mois. De sa macération, il a tiré ses arômes d'épices (clou de girofle) et de myrte; de son élevage, un boisé vanillé. Le tanin n'a rien d'austère. Un vin équilibré qui porte bien la marque de son cépage. ⧗ 2017-2022 ♈ bœuf braisé

⊶ FLORENCE GIUDICELLI-GIRARD, Dom. Vecchio, 20230 Chiatra, tél. 06 03 78 09 96, vecchio@sfr.fr V *r.-v.*

DOM. VICO 2014

■	60000		5 à 8 €

Ce domaine de 90 ha est le seul de Corse à ne pas être près de la mer. C'est au cœur de l'île, à Ponte-Leccia, que les vignes s'épanouissent sous le regard bienveillant du Monte Cinto, point culminant de l'île.

Du niellucciu dominant, avec le sciaccarellu en appoint, pour ce rouge très printanier, qui rappelle la cerise tant dans sa couleur que dans ses arômes. La bouche, souple, discrètement tannique, finit sur une fraîche note mentholée. ⧗ 2016-2019 ♈ saucisse grillée

⊶ DOM. VICO, rte de Calvi, 20218 Ponte-Leccia, tél. 04 95 47 32 04, domaine.vico@orange.fr V *r.-v. ⊶ Venturi*

CORSE

DOM. LA VILLA ANGELI
Cuvée Don Pasquale 2015 ★

	30000		15 à 20 €

Ce domaine installé sur les terres d'Antisanti a été créé par Albert Mizael dans les années 1960. Il est depuis 2000 conduit par ses enfants, dont Guy Mizael, par ailleurs président de la Cave coopérative de la Marana. Ensemble, ils ont entièrement restructuré le vignoble.

Un nez discrètement fruité, tout en fraîcheur. Bien équilibrée, alliant rondeur et vivacité, la bouche fait preuve d'une belle droiture et développe de jolis arômes de fruit blanc. De la finesse. ⧗ 2016-2019 ♈ gambas grillées

SCEA BOC'ANGELI, Campo Quercio, 20270 Antisanti, tél. 06 15 08 54 19, guymizael@yahoo.fr V r.-v. Mizael Frères

AJACCIO

Superficie : 243 ha
Production : 8 800 hl (90 % rouge et rosé)

L'appellation ajaccio borde sur quelques dizaines de kilomètres la célèbre cité impériale et son golfe. Ce terroir d'exception, généralement granitique, permet au sciaccarellu, cépage phare pour les rouges et rosés, et au vermentinu, en blanc, d'exprimer tout leur potentiel.

CLOS CAPITORO 2014 ★

	135000	8 à 11 €

Fondé dans la seconde moitié du XIXᵉs., le Clos Capitoro (46 ha aujourd'hui) fut l'un des premiers domaines corses à mettre son vin en bouteilles (1856). Implanté sur des coteaux aux sols argilo-siliceux non loin des plages de Porticcio, il est aujourd'hui conduit par Jacques Bianchetti, secondé par ses filles Éloïse et Mélissa, la première œnologue comme son père.

Le cépage sciaccarellu représente les quatre cinquièmes de cette cuvée, le grenache faisant l'appoint. La palette aromatique est typique du cépage ajaccien, avec ses notes de fruits rouges et de poivre, nuancées de touches balsamiques. Ce fruité épicé se prolonge dans une bouche tout en souplesse, qui permettra de servir cette bouteille dans sa jeunesse, légèrement rafraîchie. ⧗ 2016-2021 ♈ pavé de bœuf au poivre

JACQUES BIANCHETTI, Clos Capitoro, Pisciatella, 20117 Cauro, tél. 04 95 25 19 61, info@clos-capitoro.com V t.l.j. sf dim. 9h-12h30 15h-18h

CLOS D'ALZETO Prestige 2015 ★★

	45000		11 à 15 €

Ce domaine de 50 ha proche du golfe de Sagone possède la parcelle de vignes la plus élevée de Corse: elle culmine à 500 m d'altitude. La famille Albertini est aux commandes depuis 1800, et c'est aujourd'hui Alexis qui est responsable de l'élaboration des vins.

La robe jaune doré aux reflets verts est engageante, tout comme le nez délicat et tout en fraîcheur, entre fleurs blanches, agrumes et notes mentholées. La suite de la dégustation confirme ces promesses: le palais est gras sans lourdeur, alerte et persistant. Aussi aromatique que le nez, il finit sur un joli retour mentholé. Proche du coup de cœur, ce vermentinu typé, harmonieux et subtil devrait montrer une belle tenue dans le temps. ⧗ 2016-2021 ♈ tomme de brebis

PASCAL ALBERTINI, Clos d'Alzeto, 20151 Sari-d'Orcino, tél. 04 95 52 24 67, contact@closdalzeto.com V r.-v.

CLOS ORNASCA Cuvée Stella 2013 ★★

	2700		15 à 20 €

Un petit domaine adossé à la montagne, à quelques kilomètres de la mer – 13 ha d'un seul tenant, sur un sol granitique. Il est conduit depuis 2002 par Jean-Antoine Manenti et Lætitia Tola, fille du fondateur Vincent Tola.

Le sciaccarellu est complété par un petit appoint de niellucciu dans cette cuvée élevée douze mois en fût de chêne. Un 2013 dont on perçoit la maturité dès l'examen de la robe claire aux reflets légèrement tuilés. Ce vin marque sa personnalité au premier nez, livrant des fragrances de fraise et de cerise relevées de touches poivrées. Des notes de réglisse apportent un surcroît de complexité à la bouche soyeuse et fondue. Un vin élégant et prêt à passer à table. ⧗ 2016-2019 ♈ faisan en cocotte **2015 ★ (8 à 11 €; 7700 b.)** : ce blanc 2015 livre des parfums intenses de genêt et de citron, un rien muscatés. Sa bouche élégante et vive, sur les agrumes, en fait un vin idéal à l'apéritif ou pour les entrées marines. ⧗ 2016-2019 ♈ rillettes de saumon

TOLA-MANENTI, Clos Ornasca, Eccica Suarella, 20117 Cauro, tél. 04 95 25 09 07, closornasca@orange.fr V t.l.j. sf dim. 8h-12h 15h-19h; hiver 14h-18h

DOM. COMTE PERALDI 2013 ★

	n.c.	8 à 11 €

Établi à la lisière d'Ajaccio, ce domaine constitué avant la Révolution par de lointains ancêtres des propriétaires actuels a été acquis en 1965 et restauré par Louis de Poix, promoteur de l'appellation. Après la disparition prématurée de Guy de Poix en 2011, c'est son fils qui entretient la grande notoriété de ce vignoble, l'un des plus vastes de l'appellation avec 55 ha.

Les deux millésimes précédents ont décroché un coup de cœur. Comme ses « grands frères », ce 2013 assemble sciaccarellu (60 %), niellucciu et carignan. Encore dans sa jeunesse, il possède tous les caractères d'un ajaccio bien né: une robe rubis brillant, un nez partagé entre épices (poivre noir, cannelle) et fruits rouges, une bouche de belle tenue, aussi ronde que longue, aux arômes de cerise. Un vin élégant que l'on pourra apprécier dès l'apéritif. ⧗ 2016-2021 ♈ assiette de coppa

EARL DOM. PERALDI, chem. du Stiletto, 20167 Mezzavia, tél. 04 95 22 37 30, dom.peraldi@wanadoo.fr V t.l.j. sf dim. 8h-12h 14h-18h Tyrel de Poix

DOM. DE PIETRELLA 2014 ★

■ | 45000 | | 5 à 8 €

Ce beau domaine de 38 ha situé dans la commune de Cauro fut créé par les frères Tirroloni dans les années 1980. Toussaint, fils de l'un des fondateurs, l'a repris à son compte au début des années 2000 et s'emploie à élaborer ses vins dans la grande tradition des ajaccio.

D'un rubis clair lumineux, ce vin libère des parfums de petits fruits rouges mâtinés d'un soupçon de réglisse. On retrouve en bouche les caractères de l'appellation dans une petite touche iodée très agréable. Avec sa texture équilibrée et ses tanins doux, ce vin peut déjà être apprécié, même s'il devrait gagner à attendre un peu. 2017-2021 pièce de bœuf

TOUSSAINT TIRROLONI, Dom. de Pietrella, 20117 Cauro, tél. 06 11 36 41 20, info@domainedepietrella.com V t.l.j. 9h-12h 14h30-18h30

DOM. DE PRATAVONE 2014 ★

■ | 22000 | | 5 à 8 €

Cette propriété de 50 ha située non loin du site préhistorique de Filitosa est dirigée par Isabelle Courrèges. Elle en a modernisé le chai en 2012, le dotant d'un équipement à la pointe de la technologie, et a engagé en 2015 la rénovation des bâtiments.

Un ajaccio rouge typique, où le sciaccarellu exprime toute sa personnalité. Une petite note d'eucalyptus vient ajouter à l'ensemble une touche d'originalité. En bouche, le tanin adolescent et fougueux incite à laisser cette bouteille reposer quelques mois en cave. 2017-2021 côte de veau au romarin

SCEA DOM. DE PRATAVONE, 20123 Cognocoli-Monticchi, tél. 04 95 24 34 11, domainepratavone@wanadoo.fr V t.l.j. sf dim. 8h-12h 14h-18h; ouv. dim. en été Isabelle Courrèges

DOM. DE LA SORBA
Cuvée Sebastinu Costa 2014 ★★

■ | 2000 | | 15 à 20 €

Louis Musso a pris les rênes en 2000 du domaine fondé par son père, qui était coopérateur. À la tête d'un vignoble de 20 ha, il a doté l'exploitation d'un outil moderne de vinification.

Un domaine discret, qui communique peu... Son vin a parlé pour lui. On y retrouve le caractère des vins de l'appellation, dans ses senteurs de poivre gris et de fruits rouges agrémentées de touches finement iodées; quelques arômes vanillés et cacaotés bien fondus, qui dévoilent le séjour d'un an en barrique, apportent douceur et complexité. Les tanins remarquablement affinés autorisent une consommation immédiate, tout en permettant une petite garde. 2016-2019 magret de canard

LOUIS MUSSO, EARL Dom. San Biaggio, Dom. de la Sorba, rte du Finosello, 20090 Ajaccio, tél. 06 10 85 10 98, domainedelasorba@wanadoo.fr V r.-v.

DOM. DE VACCELLI Granit 2013 ★

■ | 3400 | 30 à 50 €

Constitué en 1962 par Roger Courrèges, le domaine est implanté dans la vallée du Taravu aboutissant à Porto Pollo, au sud du golfe d'Ajaccio. Son fils Alain, qui l'a repris en 1974, a replanté des cépages insulaires et construit une cave moderne. Depuis 2000, c'est Gérard, petit-fils du fondateur, qui tient les rênes de l'exploitation, forte de 18 ha, dont une bonne part de très vieilles vignes. Il travaille dans l'esprit bio, sans certification.

Ce blanc vinifié sur lies en barrique de 500 l ne peut cacher son élevage, présent dès le premier nez: les notes vanillées, fumées et toastées du fût laissent le vin à l'arrière-plan. Celui-ci transparaît à travers des senteurs de miel, de cire et de fruits exotiques. Dans le même registre aromatique, le palais est gras, soutenu par une franche acidité – une vivacité qui a permis à ce 2013, millésime pourtant délicat, de montrer une belle tenue dans le temps. Un vin intense et complexe, mais où le bois tend à masquer le caractère du vermentinu. 2016-2020 coquilles Saint-Jacques à la crème

DOM. DE VACCELLI, lieu-dit Aja-Donica, 20123 Cognocoli-Monticchi, tél. 04 95 24 35 54, vaccelli@aol.com V r.-v. A. Courrèges

PATRIMONIO

Superficie : 418 ha
Production : 16 140 hl (85 % rouge et rosé)

Au pied du cap Corse, la petite enclave de terrains calcaires qui, du golfe de Saint-Florent, se développe vers l'est et surtout vers le sud, présente les caractères d'un cru bien homogène. Le nielluccIu, en rouge et en rosé, et le vermentinu en blanc laissent leur empreinte dans des vins typés et d'excellente qualité : des rouges fruités et épicés, qui peuvent être somptueux et de longue garde, des rosés colorés, puissants et fruités, des blancs gras et aromatiques.

CORSE

DOM. DE CATARELLI 2015 ★

■ | 5000 | 11 à 15 €

Ce domaine est situé sur la commune de Farinole, au départ de la sinueuse route du Cap-Corse. Les premières vignes furent plantées en 1880 par l'arrière-grand-père Xavier Massini. Le phylloxéra n'ayant pas épargné l'île, le vignoble fut restructuré en 1920 et reçut son nom actuel. Un vignoble de 9 ha aujourd'hui, conduit par Laurent Le Stunff, régulièrement en vue, pour ses blancs notamment.

Ce patrimonio blanc à la robe claire et limpide montre quelques reflets verts de jeunesse. Le nez, tout en fleurs blanches, libère des parfums d'un verger au printemps. Un vermentino typique par sa bouche fruitée et fraîche, soulignée par des touches mentholées. 2016-2019 espadon mariné ■ **2013 (8 à 11 €; 8000 b.)** : vin cité.

⊶ EARL DOM. DE CATARELLI, Marine de Farinole, rte de Nonza, 20253 Patrimonio, tél. 04 95 37 02 84 ▣▣ t.l.j. sf dim. 9h-12h 15h-19h; f. nov.-mars ⌂ Ⓔ ⊶ Laurent Le Stunff

CLOS ALIVU 2014 ★

■	4000	🍾	8 à 11 €

Alivu? «Olivier», en corse. Un petit domaine de 5 ha planté de vieux ceps de niellucciu et de vermentinu, établi dans la commune de Poggio-d'Oletta. Éric Poli est à sa tête depuis 2005.

Grenat sombre, ce 2014 mêle au nez la framboise, le cassis, le sous-bois et la myrte. Cette dernière note aromatique, typique de l'appellation, s'affirme dans une bouche étoffée et acidulée. Le tanin de velours autorise une consommation immédiate tout en permettant une petite garde. ⧗ 2016-2020 🍷 faisan en cocotte

⊶ ÉRIC POLI, immeuble Palazzo, lieu-dit Puntichiu, 20230 San-Nicolao, tél. 06 19 42 54 91, clos.alivu@orange.fr ▣ t.l.j. 9h-12h30 16h-20h; f. nov.-avr.

Ⓑ CLOS DE BERNARDI Crème de tête 2013

■	15000	🍾	11 à 15 €

Jean-Laurent de Bernardi, dont le père fut à l'origine de l'appellation patrimonio, conduit depuis 1981 ce domaine créé à la fin du XIXᵉs. Ceinte de murs, cette exploitation de 10 ha conduite en agriculture biologique est située à la limite de la commune de Saint-Florent.

Élevé dix-huit mois en cuve, ce pur niellucciu à la robe très sombre libère de fines senteurs de mûre et de myrte typiques du patrimonio. Très riche en bouche, il dévoile des tanins encore sévères qui appellent la garde. Pour du gibier en sauce ou des fromages régionaux. ⧗ 2018-2022 🍷 fromage de brebis à la confiture

⊶ JEAN-LAURENT DE BERNARDI, 20253 Patrimonio, tél. 06 18 49 60 16, jeanlaurent@closdebernardi.fr ▣▣▣ t.l.j. 8h-12h 15h-19h

CLOS TEDDI Grande Cuvée 2013 ★★

■	4000	🛢	11 à 15 €

Marie-Brigitte Poli a repris en 1996 les rênes de la propriété constituée par son père Joseph en 1970. Implanté sur un site archéologique, dans le désert des Agriates, son vignoble n'est accessible que par une piste difficile. Il couvre près de 37 ha sur un terroir d'arènes granitiques. Régulièrement en vue pour ses sélections parcellaires travaillées avec soin.

La Grande Cuvée est un pur niellucciu élevé dix-huit mois en fût. D'une couleur engageante, rouge sombre et intense, il libère au premier nez les parfums vanillés et torréfiés de la barrique, qui laissent toutefois percer le fruit, sur des notes de cassis et de mûre, nuancées de touches de cuir. Ses tanins encore fougueux incitent à laisser douze mois en cave cette bouteille pleine de promesses, ce qui lui permettra d'acquérir rondeur et maturité. ⧗ 2017-2022 🍷 daube de sanglier ■ **Clos Teddi Tradition 2015 ★ (8 à 11 €; 30000 b.)** : une belle couleur ensoleillée pour ce vermentinu sur le fruit, équilibré, gras et gourmand en bouche. ⧗ 2016-2018 🍷 dorade au four

⊶ MARIE-BRIGITTE POLI, Casta, 20217 Saint-Florent, tél. 09 66 82 24 07, clos.teddi@orange.fr ▣ t.l.j. 9h-12h30 16h-20h; f. nov.-avr.

DOM. LAZZARINI 2015

■	16000	🍾	8 à 11 €

Gino Lazzarini, l'un des premiers spécialistes de la greffe de vigne à Patrimonio, fonda le domaine dans les années 1930 et le transmit à ses fils Maxime et Maurice. Aujourd'hui, c'est Christophe, fils de Maxime, qui conduit l'exploitation, forte de 37 ha de vignes.

Une robe animée de reflets dorés, un nez partagé entre le fruit blanc et le jasmin. La bouche, tout en fraîcheur mentholée, appelle le poisson grillé ou les fromages à pâte pressée. ⧗ 2016-2018 🍷 bar grillé

⊶ CHRISTOPHE LAZZARINI, hameau Fracciasca, 20253 Patrimonio, tél. 06 31 26 99 90, cave.lazzarini@orange.fr ▣▣ t.l.j. 8h-20h; f. nov.-avr.

Ⓑ DOM. LECCIA 2015

■	10000	20 à 30 €

Longtemps aidé par son frère Yves, Annette Leccia a repris seule en 2005 les rênes de la propriété familiale, qui couvre 13 ha. Elle avait à cœur de convertir son vignoble en bio; c'est chose faite depuis la récolte 2011. Au chai, elle vinifie ses raisins avec des levures indigènes afin d'exprimer au mieux le potentiel de son vignoble.

Ce patrimonio blanc reflète un raisin vinifié avec respect. Le nez printanier est tout en fleurs blanches. De l'attaque à la finale citronnée, les agrumes viennent souligner en bouche la fraîcheur de cette bouteille. ⧗ 2016-2019 🍷 céteaux grillés

⊶ DOM. LECCIA, Lieu-dit Morta-Piana, 20232 Poggio-d'Oletta, tél. 04 95 37 11 35, domaine.leccia@wanadoo.fr ▣▣▣ t.l.j. sf dim. 9h-12h30 14h30-19h

DOM. YVES LECCIA E Croce 2013 ★

■	20000	🍾	20 à 30 €

Œnologue, Yves Leccia a créé son propre domaine en 2005, après avoir dirigé avec sa sœur l'exploitation familiale pendant une quinzaine d'années. Il conduit aujourd'hui avec son épouse Sandrine un vignoble de 15 ha sur sols argilo-calcaires et schisteux à Poggio-d'Oletta. L'un des piliers de l'appellation patrimonio, souvent en vue aussi pour ses muscats. En conversion bio.

Élevé vingt-quatre mois en cuve, ce 2013 affiche une robe sombre et intense qui inspire confiance. Le nez, intense, mêle des senteurs de maquis évoquant le ciste et des nuances plus animales que l'on retrouve en bouche, sur un tanin puissant qui demande à s'arrondir. ⧗ 2018-2022 🍷 daube de sanglier

⊶ DOM. YVES LECCIA, lieu-dit Morta-Piana, 20232 Poggio-d'Oletta, tél. 04 95 30 72 33, info@yves-leccia.com ▣▣ t.l.j. sf dim. 9h-12h 15h-18h

LOUIS MONTEMAGNI Andria 2012 ★★

■ | 800 | | 15 à 20 €

Le domaine le plus important de l'appellation patrimonio en surface: 15 ha en 1850, date de sa création par l'arrière-grand-père, 92 ha aujourd'hui. Aux commandes, le patriarche respecté Louis Montemagni, qui a confié les vinifications à une jeune œnologue de talent, Aurélie Melleray. Un pilier de la Corse viticole.

Le châtaignier, dont le fruit donne en Corse une farine bénéficiant d'une appellation d'origine, a fourni le bois du fût où ce patrimonio a séjourné dix-huit mois. Malgré son âge, ce 2012 affiche une robe encore très sombre, gage de son potentiel. Au nez comme en bouche, les notes de vanille, de café et de bois de santal rappelant la barrique se mêlent à des nuances de fruits rouges macérés et de noyau. La bouche montre un équilibre remarquable, où le bois joue sa partition, sans dominer le vin. ⧗ 2017-2019 🍴 gigot d'agneau

SCEA MONTEMAGNI, Puccinasca, 20253 Patrimonio, tél. 04 95 35 90 40, domainemontemagni@orange.fr
V r.-v.

♥ ORENGA DE GAFFORY Cuvée Felice 2014 ★★

■ | 8000 | | 11 à 15 €

C'est en 1966, alors que l'AOC patrimonio n'est pas encore reconnue, que Pierre Orenga de Gaffory crée son domaine. Un vaste ensemble de 56 ha aujourd'hui, morcelé sur cinq communes et différents terroirs, tous dans l'aire d'appellation patrimonio, dont il est l'une des valeurs sûres. Aux commandes depuis 1974, Henri, fils de Pierre, dirige aussi un second domaine, le Clos San Quilico, dans la commune de Poggio-d'Oletta.

Remarquable rouge que ce 2014. Sélection de vieilles vignes, il a bénéficié d'une longue cuvaison avant un séjour de dix-huit mois en cuve. La robe profonde annonce la couleur. Le nez puissant libère des parfums généreux de fruits rouges mûrs, de cerise bigarreau et de confiture de mûres. Cette richesse aromatique se retrouve dans une bouche chaleureuse, d'une rare persistance, soutenue par des tanins veloutés et caressants et sous-tendue par une fine acidité. Si les dégustateurs créditent cette bouteille d'un fort potentiel, elle sera à l'aise à table très prochainement. ⧗ 2017-2026 🍴 côte de bœuf ■ **Cuvée Felice 2015 ★ (11 à 15 €; 5000 b.)** : le vermentinu à l'origine de cette cuvée a été vendangé en légère surmaturité. Frais au nez, le vin affiche en bouche une puissance et un volume qui permettront de le servir avec de nombreux mets. ⧗ 2016-2019 🍴 fromage de chèvre affiné

GFA ORENGA DE GAFFORY, Morta Majo, 20253 Patrimonio, tél. 04 95 37 45 00, contact@orengadegaffroy.com V r.-v. *Henri Orenga*

DOM. ALISO ROSSI Réserve du domaine 2015 ★

■ | 125000 | | 8 à 11 €

Non loin de la rivière Aliso, qui finit sa course dans le golfe de Saint-Florent, ce domaine étend ses 26 ha de vignes au cœur du maquis. Dominique Rossi y cultive les cépages corses sur différents terroirs (schistes, argilo-calcaires), des parcelles de vieilles vignes ayant appartenu à son grand-père. Une valeur sûre pour ses patrimonio et ses muscats.

Dominique Rossi nous a fait découvrir son dernier millésime : un vin rubis où le nielluccìu exprime toute sa fougue. Le nez intense et typé se partage entre la cerise, le sous-bois et la myrte. Ronde en attaque, la bouche montre une belle puissance, étayée par des tanins encore jeunes. La finale fruitée mais ferme suggère une petite garde. ⧗ 2018-2020 🍴 souris d'agneau au romarin

DOM. ALISO-ROSSI, Rossi A Dominique, Hameau Corsu, 20246 Santo-Pietro-di-Tenda, tél. 04 95 37 03 03, dominique.rossi024@orange.fr
V r.-v. 06 20 33 83 09 *Dominique A. Rossi*

MUSCAT-DU-CAP-CORSE

Superficie : 89 ha
Production : 1 977 hl

Délimitée dans les territoires de 17 communes de l'extrême nord de l'île, l'appellation a été reconnue en 1993 – aboutissement des longs efforts d'une poignée de vignerons regroupés sur les terroirs calcaires de Patrimonio et sur ceux, schisteux, de l'AOC vin-de-corse Coteaux du Cap corse.
Seul le muscat blanc à petits grains entre dans ce vin, élaboré par mutage à l'eau-de-vie de vin comme tout vin doux naturel. L'eau-de-vie arrête la fermentation et préserve ainsi au moins 95 g/l de sucres résiduels. Les muscats n'en gardent pas moins une belle fraîcheur.

DOM. NAPOLÉON BRIZI 2015 ★★

■ | 6000 | | 8 à 11 €

Le domaine a été créé en 1920 par le grand-père de Napoléon Brizi. Fort de 12 ha situés non loin des portes nord de Saint-Florent, il fait partie des propriétés historiques de l'appellation patrimonio. Depuis 2011, il détient aussi 3 ha de muscat à petits grains au pied de falaises calcaires. Après la disparition de Napoléon Brizi en 2014, la gestion de l'exploitation a été reprise par Orenga de Gaffory.

Jaune pâle, ce muscat développe une agréable palette aromatique associant le jasmin, la rose, l'abricot et les fruits exotiques. La bouche douce et suave est équilibrée par une attaque bien fraîche. Elle charme aussi par ses arômes fruités et floraux prolongeant bien l'olfaction, rose en tête. ⧗ 2016-2019 🍴 Fiadone (flan au citron)

EARL NAPOLÉON BRIZI, Morta-Majo, 20253 Patrimonio, tél. 06 21 74 57 29, a.mazoyer@gmail.com V r.-v.

CORSE

DOM. DE CATARELLI 2015

4000		11 à 15 €

Ce domaine est situé sur la commune de Farinole, au départ de la sinueuse route du Cap-Corse. Les premières vignes furent plantées en 1880 par l'arrière-grand-père Xavier Massini. Le phylloxéra n'ayant pas épargné l'île, le vignoble fut restructuré en 1920 et reçut son nom actuel. Un vignoble de 9 ha aujourd'hui, conduit par Laurent Le Stunff, régulièrement en vue, pour ses blancs notamment.

Or clair, ce muscat offre un nez réservé, sur le tilleul et la frangipane, puis en bouche, sur la fleur d'oranger. Il trouvera sa place aussi bien à l'apéritif qu'au dessert. 2016-2019 brochettes d'abricots

EARL DOM. DE CATARELLI, Marine de Farinole, rte de Nonza, 20253 Patrimonio, tél. 04 95 37 02 84
t.l.j. sf dim. 9h-12h 15h-19h; f. nov.-mars
Laurent Le Stunff

CLOS NICROSI Muscatellu 2015 ★

5000		20 à 30 €

Fondée en 1850 par Dominique Nicrosi, restaurée un siècle plus tard par ses arrière-petits-enfants, la propriété, dont certaines limites sont la Méditerranée, a presque les pieds dans la mer. Jean-Noël Luigi et ses enfants, Marine et Sébastien, sont d'ardents défenseurs des muscats de tradition. À Rogliano, ils conduisent 10 ha de vignes plantées sur un terroir riche en minéraux et constitué de schistes dégradés et d'alluvions.

La couleur de ce muscat, or sombre, nous indique un vin vinifié «à l'ancienne». Les raisins ont été laissés au soleil quelques jours pour concentrer sucres et arômes (passerillage). Le nez, complexe, associe l'orange amère, l'amande douce et le miel. Les fruits exotiques s'ajoutent à cette palette dans une bouche ronde, bien équilibrée entre le sucre et l'alcool. Un vin gourmand, à servir très frais au dessert. 2016-2026 fondant au chocolat cœur d'orange

SCEA CLOS NICROSI, 20247 Rogliano, tél. 04 95 35 41 17, clos.nicrosi@orange.fr
t.l.j. sf dim. 10h-12h 16h-19h; 30 sept.-1er juin sur r.-v.
Jean-Noël Luigi

CLOS SANTINI Haute Vigne 2015 ★

5600		15 à 20 €

Franck Santini a repris en 2006 la propriété familiale, constituée en 1850. Petit-fils du vigneron Louis Montemagni et du négociant Toussaint Mathieu Santini, il a pu profiter d'une expérience familiale de cent cinquante ans pour s'installer. Ses 22 ha de vignes d'un seul tenant sont conduits en bio certifié (conversion engagée en 2009).

Ce muscat provient de vignes en bio, mais l'alcool vinique qui a servi au mutage ne l'est pas, d'où l'absence de logo sur l'étiquette. Le nez, très ouvert, offre la gamme d'arômes traditionnelle du cépage, nuancée de notes de tilleul et de thé. La bouche est douce, équilibrée, puissante et très persistante. 2016-2019 salade d'agrumes à la menthe

FRANCK SANTINI, lieu-dit Morta-Majo, 20253 Patrimonio, tél. 04 95 37 00 92, domaine.francksantini@gmail.com *r.-v.*

DOM. LAZZARINI 2015

18000		11 à 15 €

Gino Lazzarini, l'un des premiers spécialistes de la greffe de vigne à Patrimonio, fonda le domaine dans les années 1930 et le transmit à ses fils Maxime et Maurice. Aujourd'hui, c'est Christophe, fils de Maxime, qui conduit l'exploitation, forte de 37 ha de vignes.

S'il est un peu réservé, ce muscat aux reflets dorés offre tout ce que l'on attend de l'appellation: des fragrances délicates de litchi et de rose, une bouche ample, harmonieuse et suave. Il devrait gagner en expression au cours des mois à venir. 2017-2019 tarte aux pêches

CHRISTOPHE LAZZARINI, hameau Fracciasca, 20253 Patrimonio, tél. 06 31 26 99 90, cave.lazzarini@orange.fr *t.l.j. 8h-20h; f. nov.-avr.*

DOM. MONTEMAGNI Cuvée Prestige 2015 ★

	5000	11 à 15 €

Le domaine le plus important de l'appellation patrimonio en surface: 15 ha en 1850, date de sa création par l'arrière-grand-père, 92 ha aujourd'hui. Aux commandes, le patriarche respecté Louis Montemagni, qui a confié les vinifications à une jeune œnologue de talent, Aurélie Melleray. Un pilier de la Corse viticole.

On lui trouve du caractère à ce muscat au nez parfumé et solaire, tout en fruits d'été, gorgé de pêche et d'abricot, rafraîchi par des touches mentholées. L'abricot se lie aux fruits confits dans une bouche tout en rondeur et bien équilibrée. 2016-2021 tarte aux abricots

SCEA MONTEMAGNI, Puccinasca, 20253 Patrimonio, tél. 04 95 35 90 40, domainemontemagni@orange.fr *r.-v.*

ORENGA DE GAFFORY Impassitu 2014 ★★

8000		15 à 20 €

C'est en 1966, alors que l'AOC patrimonio n'est pas encore reconnue, que Pierre Orenga de Gaffory crée son domaine. Un vaste ensemble de 56 ha aujourd'hui, morcelés sur cinq communes et différents terroirs, tous dans l'aire d'appellation patrimonio, dont il est l'une des valeurs sûres. Aux commandes depuis 1974, Henri, fils de Pierre, dirige aussi un second domaine, le Clos San Quilico, dans la commune de Poggio-d'Oletta.

Impassitu signifie «passerillé»: les raisins ont séché sur pied avant un tri minutieux et une macération pelliculaire. Après un 2013 élu coup de cœur dans l'édition précédente, ce millésime reste l'un des meilleurs de la sélection. La robe paille dorée évoque bien la surmaturation. Le nez, sur l'écorce d'orange séchée, l'abricot et le coing, annonce une friandise. La bouche, à l'unisson, s'impose par sa puissance. Ses arômes, dans la continuité de l'olfaction, prennent des nuances confites, miellées jusqu'à la finale aux nuances de cire d'abeille. Une belle fraîcheur apporte un remarquable équilibre à ce vin gourmand. ⧗ 2016-2020 🍴 foie gras poêlé

GFA ORENGA DE GAFFORY, Morta-Majo, 20253 Patrimonio, tél. 04 95 37 45 00, contact@orengadegaffory.com V r.-v. *Henri Orenga*

IGP ÎLE DE BEAUTÉ

COSTE CASERONE
Duo Chardonnay Chenin 2015 ★

	4000	8 à 11 €

Une reconversion réussie pour Brigitte Bertrant qui, à l'âge de quarante ans, a repris des études puis s'est installée, en 2010, sur ce domaine de 36 ha, à Linguezzetta.

Ce Duo est un assemblage de chardonnay et de chenin. Le nez expressif marie la fleur blanche du chardonnay et les notes de poire Passe Crassane du chenin. Ces arômes se retrouvent dans une bouche très équilibrée, tendue par une franche acidité qui lui donne du tonus. Un blanc d'apéritif. ⧗ 2016-2019 🍴 crevettes au pamplemousse

BRIGITTE BERTRANT, lieu-dit Stazzala-a-L'oliva, 20230 Linguezzetta, tél. 06 74 49 51 55 V r.-v.

DOM. YVES LECCIA YL. 2014 ★★

	20000		15 à 20 €

Œnologue, Yves Leccia a créé son propre domaine en 2005, après avoir dirigé avec sa sœur l'exploitation familiale pendant une quinzaine d'années. Il conduit aujourd'hui avec son épouse Sandrine un vignoble de 15 ha sur sols argilo-calcaires et schisteux à Poggio-d'Oletta. L'un des piliers de l'appellation patrimonio, souvent en vue aussi pour ses muscats. En conversion bio.

Un vigneron de grand talent au service d'une IGP de haute expression. Du cépage grenache (80 %), il extrait tout le potentiel aromatique: fruits noirs confiturés, gelée de cassis. Le niellucciu apporte son côté épicé et ses tanins, remarquablement enrobés. Une belle harmonie entre le nez et la bouche pour ce vin souple et gourmand, qui ne manque pas de réserves. ⧗ 2017-2021 🍴 épaule d'agneau

YL. 2015 ★ (15 à 20 €; 20000 b.): un assemblage de cépages insulaires, vermentinu (majoritaire) et bianco gentile. Le nez puissant et frais évoque le foin coupé et la poire; la bouche intense et longue finit sur une pointe d'amertume typique du cépage. ⧗ 2016-2019 🍴 oursins

DOM. YVES LECCIA, lieu-dit Morta-Piana, 20232 Poggio-d'Oletta, tél. 04 95 30 72 33, info@yves-leccia.com V *t.l.j. sf dim. 9h-12h 15h-18h*

DOM. DE LISCHETTO Chardonnay 2015 ★

	150000		5 à 8 €

L'Union des vignerons associés du Levant est la structure commercialisant les vins de la Cave coopérative de la Marana, groupement de producteurs établi à Borgo, commune au sud de Bastia. La cave regroupe environ 900 ha de vignes et une quarantaine de vignerons répartis sur la côte orientale de la Corse. Elle propose des vins de marque et vinifie également pour quelques domaines particuliers.

La cave coopérative de la Marana vinifie avec talent les raisins du Dom. de Lischetto, dont le chardonnay s'est illustré plus d'une fois dans la section IGP Île de Beauté. Le cépage offre une belle expression dans ce millésime, s'ouvrant sur des notes de miel et de genêt encore timides mais très nettes. Avec sa bouche bien ronde à la finale de bonne longueur teintée d'agrumes, ce vin accompagnera volontiers un plat en sauce. ⧗ 2016-2019 🍴 blanquette de veau

CORSICAN - GROUPE UVAL, Rasignani, 20290 Borgo, tél. 04 95 58 44 00, f.malassigne@corsicanwines.com V *t.l.j. sf lun. dim. 9h-12h 14h30-18h30*

DOM. POLI Vermentinu 2015 ★★

	26000		- de 5 €

Éric Poli, fils d'Ange Poli (Dom. de Piana), a d'abord travaillé à Paris en salle des marchés avant de revenir à ses racines corses et vigneronnes. Également responsable de domaines en patrimonio, il a créé cette exploitation en 2007 non loin de la côte orientale. Il est aujourd'hui à la tête de 43 ha de vignes.

Éric Poli montre ici son savoir-faire en vin de pays, avec le cépage phare de l'Île de Beauté en blanc. Or blanc brillant, ce vermentinu s'annonce par un nez intense, frais et élégant de fleurs blanches et de tilleul, nuancé de notes de fruits exotiques. Au palais, le vin confirme son excellente tenue: gras, légèrement beurré, il est aussi frais, un rien anisé. Du caractère. ⧗ 2016-2019 🍴 escalope au citron

ÉRIC POLI, lieu-dit Punticciu, 20230 San-Nicolao, tél. 09 66 82 24 07, clos.alivu@orange.fr *t.l.j. 9h30-12h30 16h-20h; f. nov-avr*

GILLES SEROIN Minò 2014 ★

	12000	8 à 11 €

Dominant le golfe de Propriano au sud-ouest de l'Île de Beauté, la propriété, fondée en 1964 par Lucien Seroin et son fils Paul, tire son nom d'un ermite guérisseur qui aurait vécu là il y a bien longtemps. Le vignoble, aménagé en terrasses, couvre des coteaux aux sols d'arènes granitiques. Le chai a été créé en 1996. Trois ans plus tard, Gilles Seroin a pris les rênes du domaine, qui s'étend sur 40 ha.

Assemblage de sciaccarellu, de niellucciu et de syrah, ce «petit» (Minò) n'a rien d'un petit vin. Il suffit de humer cette cuvée pour être transporté vers la Corse et ses fragrances de maquis, de menthe et de ciste. Le fruit rouge s'épanouit dans une bouche qui fait tanin de velours. Parfait pour une viande en sauce. ⧗ 2016-2019 🍴 sauté d'agneau

EARL SANT'ARMETTU, 9, av. Napoléon, 20110 Propriano, tél. 04 95 76 24 47, contact@santarmettu.com V *t.l.j. sf sam. dim. 8h-11h30 14h-16h30* *Seroin*

TERRAZZA D'ISULA
Vermentinu Chardonnay 2015 ★★

	80000		- de 5 €

L'Union des vignerons associés du Levant est la structure commercialisant les vins de la Cave coopérative de la Marana, groupement de producteurs établi à Borgo, commune au sud de Bastia. La cave regroupe environ 900 ha de vignes et une quaran-

taine de vignerons répartis sur la côte orientale de la Corse. Elle propose des vins de marque et vinifie également pour quelques domaines particuliers.

Un blanc au nez intensément fruité et élégant, sur les fleurs blanches et la pêche, avec des nuances de poire. Au palais, il brille par son ampleur, sa fraîcheur et sa persistance: de la présence et de la finesse. Parfait pour l'apéritif, il saura aussi se tenir à table. ⧗ 2016-2019 ♈ carpaccio de saint-jacques ■ **Nielluccio Merlot 2015 (- de 5 €; 200 000 b.)** : vin cité.

CORSICAN - GROUPE UVAL, lieu-dit Rasignani, 20290 Borgo, tél. 04 95 58 44 00, f.malassigne@corsicanwines.com V ■ *t.l.j. sf sam. dim. lun. 9h-12h 14h30-18h30*

DOM. DES TERRES ROUGES
Orizonte Vieilles Vignes 2015 ★

■	3500	▮	- de 5 €

Ce domaine de 30 ha, situé sur la commune de Tallone, tout près d'Aléria, a été créé par Edgar Gandoin en 1967. Ses fils Pierre et Paul l'ont repris en 1986. Les vignes sont plantées à 100 m d'altitude sur un plateau d'alluvions anciennes et d'argiles rouges.

Cette cuvée doit presque tout au niellucciu (90 %), complété par la syrah. Elle a bénéficié d'une longue macération et d'un élevage en cuve de sept mois. Le nez intense, d'une belle finesse, est un panier de petits fruits rouges, framboise et cassis en tête, nuancés d'une touche de réglisse et d'herbes du maquis. On retrouve cette présence fruitée dans une bouche bien structurée, dont les tanins encore fermes appellent une garde de quelques mois. ⧗ 2017-2019 ♈ civet de marcassin ■ **Vermentinu Orizonte 2015 ★ (- de 5 €; 3000 b.)** : une belle image du cépage vermentinu; robe cristalline, nez intense et délicat sur les fruits blancs et les agrumes, bouche fruitée, équilibrée, tonique et longue. ⧗ 2017-2019 ♈ tartare de poisson

SCA SAINTE-ANNE, Dom. Sainte-Anne, 20270 Tallone, tél. 04 95 57 04 18, scasteanne@aliceadsl.fr V ■ ■ *r.-v.*

DOM. VECCHIO
Minustellu Uva Antica 2014 ★★

■	2000	▮▮	20 à 30 €

Implanté non loin de la côte orientale, au pied du monte Sant'Appiano (1 100 m), face à la mer, un domaine progressivement agrandi (28 ha aujourd'hui) et restructuré à partir de 2000 par Florence Giudicelli-Girard et son mari. La conduite du vignoble se fait «a l'antiga» (à l'ancienne), ce que la vigneronne appelle la culture «sur-raisonnée»: limitation des rendements, réduction des désherbants chimiques... Bref, le respect de la vigne et de la terre.

Florence et Jérôme Girard jouent la carte de l'originalité avec cette petite cuvée née du minustellu, variété antique (uva antiqua) de Corse, presque oubliée, qui offre des grappes denses. Ce pourrait être le cépage connu ailleurs sous le nom de morrastel. La macération s'est prolongée quatre semaines et le vin a séjourné dix mois en fût. Dans le verre, la robe est intense et profonde; le nez, encore discret, dévoile des senteurs de maquis, d'immortelle et de menthe. On retrouve le maquis corse, le ciste et les notes mentholées dans une bouche souple, aux tanins fondus. «Une réelle surprise», conclut un dégustateur. «Une typicité extraordinaire», renchérit un autre juré. ⧗ 2016-2021 ♈ côte de bœuf

FLORENCE GIUDICELLI-GIRARD, Dom. Vecchio, 20230 Chiatra, tél. 06 03 78 09 96, vecchio@sfr.fr V ■ ■ *r.-v.*

♥ DOM. VICO Spura 2015 ★★★

■	6000	▮	5 à 8 €

Ce domaine de 90 ha est le seul de Corse à ne pas être près de la mer. C'est au cœur de l'île, à Ponte-Leccia, que les vignes s'épanouissent sous le regard bienveillant du Monte Cinto, point culminant de l'île.

Un vermentinu d'exception. Non par sa robe, pour engageante qu'elle soit: cristalline aux reflets or, elle est très classique. C'est la suite qui enchante, la belle montée en puissance des arômes de fruits exotiques – ananas, mangue et fruit de la Passion – qui s'affirment à l'aération et s'épanouissent longuement en bouche, une note d'agrumes apportant un surcroît de fraîcheur. Du gras, de l'intensité, une remarquable persistance et une rare élégance. Une bouteille à déboucher à l'apéritif et à finir sur un beau poisson. ⧗ 2016-2019 ♈ bar au four

DOM. VICO, rte de Calvi, 20218 Ponte-Leccia, tél. 04 95 47 32 04, domaine.vico@orange.fr V ■ ■ *r.-v. Venturi*

Le Sud-Ouest

SUPERFICIE : 51 500 ha (env.)
PRODUCTION : 1 600 000 hl (env.)
TYPES DE VINS : rouges ; rosés ; blancs secs et moelleux ; vins effervescents (gaillac) ; vins de liqueur (floc-de-gascogne).
CÉPAGES PRINCIPAUX :
Rouges : malbec (cot ou auxerrois), tannat, négrette, fer-servadou (braucol ou mansois), duras, merlot, cabernet franc, cabernet-sauvignon, syrah, gamay.
Blancs : sauvignon, sémillon, muscadelle, mauzac, l'en de l'el (loin de l'oeil), gros manseng, petit manseng, courbu, baroque, ugni blanc (ce dernier pour l'armagnac).

LE SUD-OUEST

Groupant sous la même bannière des appellations aussi éloignées qu'irouléguy, bergerac ou gaillac, la région viticole du Sud-Ouest rassemble ce que les Bordelais appelaient le « Haut-Pays » et le vignoble de l'Adour, proche des Pyrénées. Elle comprend des microvignobles très anciens, jusqu'au pied du Massif central. À la diversité des cépages cultivés dans ces régions dispersées répond celle de la production: le Sud-Ouest fournit pratiquement tous les styles de vins. Des vins originaux, longtemps restés dans l'ombre, et qui bénéficient souvent de ce fait d'un bon rapport qualité-prix.

Dans l'ombre de Bordeaux. Jusqu'à l'apparition du rail, les vins du Haut-Pays, en provenance des vignobles de la Garonne et de la Dordogne, sont restés dans l'ombre du grand voisin bordelais. Fort de sa position géographique et de privilèges royaux, Bordeaux dictait sa loi aux producteurs de Duras, Buzet, Fronton, Cahors, Gaillac et Bergerac. Jusqu'à la fin du XVIIIe s., tous leurs vins devaient attendre que la récolte bordelaise soit entièrement vendue aux amateurs outre-Manche et aux négociants hollandais avant d'être embarqués, quand ils n'étaient pas utilisés comme vins « médecins » pour remonter certains clarets. De leur côté, les vins du piémont pyrénéen ne dépendaient pas de Bordeaux mais étaient soumis à une navigation hasardeuse sur l'Adour avant d'atteindre Bayonne. On peut comprendre que, dans ces conditions, leur renommée ait rarement dépassé le voisinage immédiat.

Un conservatoire des cépages. Si les vignobles les plus proches du Bordelais, dans le Bergeracois ou le Lot-et-Garonne, cultivent les mêmes variétés que leur voisin girondin, les autres constituent un véritable musée des cépages d'autrefois. On trouve rarement ailleurs une telle diversité de variétés. Le particularisme et l'enclavement de nombreuses régions du Sud-Ouest expliquent la survivance de cépages locaux. Les Gascons ont ainsi le petit et le gros mansengs, le tannat, le baroque, sans parler de l'arrufiac, du raffiat de Moncade ou du camaralet de Lasseube. Le cahors tire son originalité du malbec (ou auxerrois), le fronton de la négrette, le gaillac des duras, len de l'el (loin de l'œil), mauzac, braucol... Loin de le renier, toutes ces appellations revendiquent avec fierté le qualificatif de vin « paysan » en donnant à ce terme toute sa noblesse. La vigne n'a pas exclu l'élevage et les autres cultures, et les vins côtoient sur le marché les produits fermiers avec lesquels ils se marient tout naturellement, ce qui fait du Sud-Ouest l'une des régions privilégiées de la gastronomie de tradition.

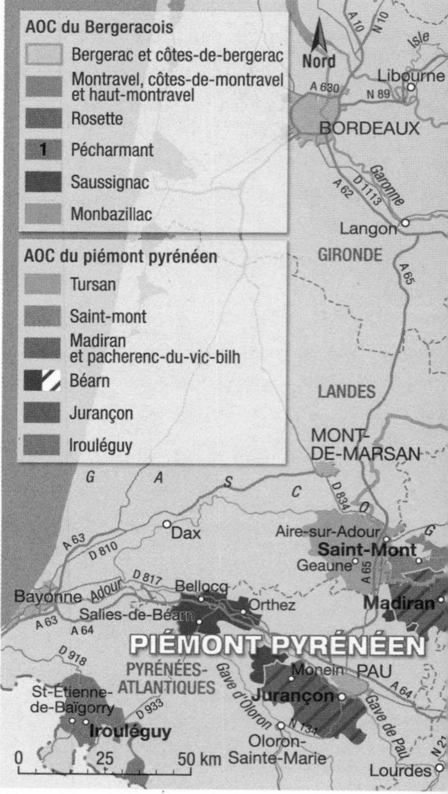

➜ LE PIÉMONT DU MASSIF CENTRAL

CAHORS

Superficie : 4 050 ha / Production : 155 370 hl

D'origine gallo-romaine, le vignoble de Cahors est l'un des plus anciens de France. Jean XXII, pape d'Avignon, fit venir des vignerons quercynois pour produire le châteauneuf-du-pape, et François Ier planta à Fontainebleau un cépage cadurcien; l'Église orthodoxe adopta le cahors comme vin de messe, et la cour des tsars comme vin d'apparat... Pourtant, ce vignoble revient de loin! Totalement anéanti par les gelées de 1956, il était retombé à 1 % de sa superficie antérieure. Reconstitué dans les méandres de la vallée du Lot avec des cépages nobles traditionnels – le principal étant l'auxerrois, également appelé cot ou malbec (70 % de l'encépagement), complété par le merlot (environ 20 %) et le tannat –, le terroir de Cahors a retrouvé la place qu'il mérite, gagnant même les causses comme dans les temps anciens.
Appelé jadis *black wine* par les Anglais, le cahors est puissant, robuste, haut en couleur; il s'agit incontestablement d'un vin de garde, même si cette aptitude au vieillissement varie en fonction du terroir, de

l'encépagement et de la vinification. Il peut toutefois être servi jeune: il est alors charnu, agréablement fruité, et doit être consommé légèrement rafraîchi, sur des grillades, par exemple.

B ALLÉE DE CHAMBERT
Cuvée des Hauts Coteaux 2014

■ | 20000 | 🍾 | 8 à 11 €

Philippe Lejeune a repris le domaine en 2007. Le général Bataille, mort en 1914 sur le front des Vosges, fut un temps l'occupant du château. Les 57 ha du vignoble forment la plus grande surface de l'AOC cahors cultivée en bio (certifié) et en biodynamie.

Malbec (70 %) et merlot sont associés dans ce classique cadurcien au nez plaisant et généreux de griotte confiturée relevée d'une pointe d'épices. La bouche est fraîche, souple, de bonne longueur, étayée par des tanins bien policés. Un cahors sur le fruit et la légèreté. ⧗ 2016-2020 🍴 terrine de volaille aux airelles

🔑 *VIGNOBLES CHAMBERT, Les Hauts-Coteaux, 46700 Floressas, tél. 05 65 31 95 75, info@chambert.com*
V t.l.j. 10h-12h30 14h-17h30 🔑 Lejeune

CH. ARMANDIÈRE Malbec Ancestral 2014 ★★

■ | 25000 | 🍾 | 8 à 11 €

Le nom du domaine, conduit par Bernard Bouyssou depuis 1998, rend hommage à son grand-père Armand, fondateur de la coopérative Côtes d'Olt de Parnac. Quant aux ancêtres du producteur, ils transportaient le vin sur le Lot, de Cahors à Bordeaux, au temps des gabarres. Le vignoble s'étend aujourd'hui sur 25 ha plantés essentiellement de malbec.

Une cuvée originale née de sables. Au nez, les fruits rouges (fraise et bigarreau) sont à la fête. On les retrouve avec intensité dans une bouche aérienne, fraîche et souple, bien prolongée par une finale moelleuse. ⧗ 2017-2022 🍴 lapin en gibelotte

🔑 *BERNARD BOUYSSOU, lieu-dit Port-de-l'Angle, 46140 Parnac, tél. 05 65 36 75 97, chateau@armandiere.com*
V t.l.j. 9h-12h 14h-18h; sam. dim. sur r.-v.

DOM. LA BÉRANGERAIE Cuvée Maurin 2014 ★★

■ | 21500 | 🍾 | 8 à 11 €

Née en 1971, la propriété des Bérenger a le même âge que l'AOC cahors. Le fils (Maurin) et la fille (Julie) de

Le Sud-Ouest

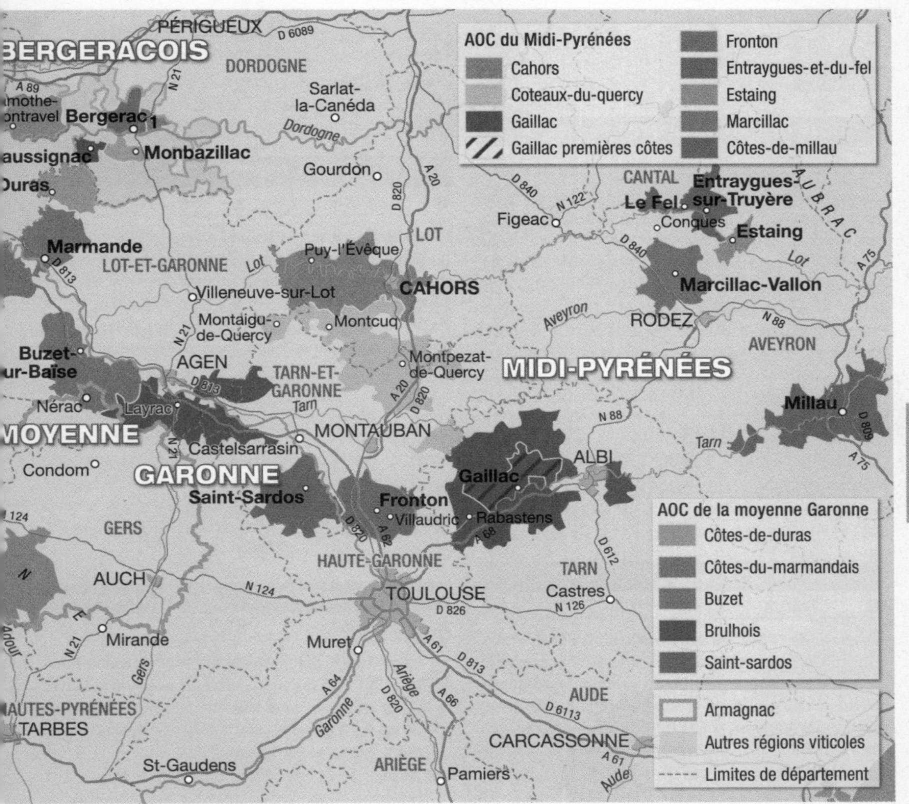

Sylvie et d'André Bérenger, aidés de leurs conjoints, ont repris le vignoble familial (35 ha) en 1997.

Un beau classique de l'appellation que cette cuvée Maurin, souvent en vue dans ces pages. Le 2014 confirme ces bonnes dispositions: bouquet intense et complexe de fruits noirs et rouges relevés d'épices (poivre, cannelle); bouche puissante mais moelleuse et tendre, aux tanins ronds et soyeux; très belle finale sur les fruits. ⧗ 2018-2023 ♈ daube de joues de porc

LA BÉRANGERAIE, Coteaux de Cournou, 46700 Grézels, tél. 05 65 31 94 59, berangeraie@wanadoo.fr V *t.l.j. 9h-12h 14h-18h* *Famille Bérenger*

PAUL BERTRAND Crocus L'Atelier 2014

■ | 33000 | | 15 à 20 €

Pont entre le Nouveau et l'Ancien mondes, entre deux approches du malbec, ce négoce est né en 2014 de l'association entre le *winemaker* international Paul Hobbs, spécialiste du cépage dans sa version argentine, et Bertrand-Gabriel Vigouroux, dont la famille s'investit dans le vignoble cadurcien depuis les années 1960.

Quand Mendoza rencontre Cahors, cela donne un vin généreux et concentré. À un nez intense de gelée de fruits noirs, de vanille et de toasté succède un palais dense et charnu, aux tanins mûrs et soyeux, épaulés par une agréable fraîcheur en finale. Un cahors plutôt solaire, à réserver pour un plat en sauce. ⧗ 2017-2022 ♈ osso bucco

SAS PAUL BERTRAND, rte de Toulouse, 46000 Cahors, tél. 05 65 20 80 80, vigouroux@g-vigouroux.fr

DOM. LE BOUT DU LIEU Empyrée 2014 ★

■ | 4000 | | 20 à 30 €

L'histoire commence en 1925, quand les grands-parents d'Arnaldo Dimani quittent leur Italie natale une valise à la main pour s'installer dans le Lot, où ils acquièrent en 1980 un petit vignoble de 7 ha. Aujourd'hui, le domaine s'étend sur 18 ha.

Empyrée? Un lieu céleste habité par les dieux de la mythologie grecque, symbole de pureté et de feu. La promesse est tenue dans le verre avec un cahors puissant, qui «digère» lentement son élevage de vingt mois en fût. Le nez, complexe, mêle la vanille et la cannelle au pruneau et à la cerise. La bouche est opulente, dense, ample et boisée, étayée par des tanins vigoureux qui promettent une belle évolution en cave. ⧗ 2019-2026 ♈ civet de biche

DIMANI ET FILS, Le Bout-du-Lieu, 46140 Saint-Vincent-Rive-d'Olt, tél. 06 89 29 66 24, leboutdulieu@orange.fr V *r.-v.*

CH. LES BOUYSSES 2014 ★★

■ | 133000 | | 8 à 11 €

Les caves de Técou, de Rabastens, de Fronton et des Côtes d'Olt ont uni leurs forces en 2006 en créant le groupe Vinovalie, dont le nom renvoie aux valeurs collectives du rugby. Un groupe qui fédère 470 vignerons et regroupe quelque 3 800 ha de vignes répartis sur 3 appellations: gaillac, fronton et cahors.

Un peu de merlot (15 %) accompagne le malbec dans ce vin bien ouvert sur les fruits noirs, les épices, le toasté et le moka. Un mariage très harmonieux de la barrique et du raisin, auquel fait écho un palais bien travaillé dans la rondeur et la douceur, avec une fraîcheur bienvenue en soutien qui apporte de l'énergie et une persistance remarquable. ⧗ 2018-2022 ♈ navarin d'agneau ■ **Astrolabe 2014 ★ (8 à 11 €; 45000 b.)** : une cuvée de caractère marquée par l'élevage en barrique au nez comme en bouche (chocolat, vanille, grillé) et solidement structurée. À attendre pour un meilleur fondu. ⧗ 2018-2023 ♈ carré d'agneau ■ **Galets d'Olt 2014 (5 à 8 €; 120000 b.)** : vin cité.

VINOVALIE - CÔTES D'OLT, 46140 Parnac, tél. 05 65 30 71 86 V *r.-v.*

CH. LA CAMINADE
Malbec La Commandery 2014 ★★

■ | 26500 | | 11 à 15 €

Ce domaine familial, dont le nom signifie «presbytère» en occitan, a appartenu au clergé jusqu'à la Révolution. Représentant la quatrième génération, Dominique et Richard Ressès sont aujourd'hui à la tête d'un vignoble de 35 ha. Un pilier de l'appellation cahors.

Incontournable, cette cuvée régulièrement en haut de l'affiche confirme son rang avec le millésime 2014. Élevée vingt-quatre mois en cuve puis douze mois en fût, elle affiche une réelle complexité aromatique (cassis et griotte mûrs, boisé toasté) et une structure souple, enrobée d'une chair dense et douce jusqu'à la finale, longue et voluptueuse. ⧗ 2017-2022 ♈ quasi de veau aux cèpes ■ **2014 (5 à 8 €; 150000 b.)** : vin cité.

CH. LA CAMINADE, 46140 Parnac, tél. 05 65 30 73 05, resses@wanadoo.fr V *t.l.j. sf sam. dim. 8h-12h 14h-18h* *Ressès*

DOM. CAMPOY 2014 ★

■ | 2900 | | 5 à 8 €

En 2001, Christophe Campoy a rejoint l'exploitation familiale située sur le causse du Lot, avec l'idée de replanter de la vigne. Après un déboisement, il plante 1 ha de malbec en 2005 et 0,5 ha de chenin en 2007. En 2008, il reprend une parcelle de vieilles vignes âgées de trente ans, ce qui porte son domaine à 3 ha.

Ce vin se distingue d'emblée par son intensité aromatique: fruits rouges et cassis mûrs, nuances épicées. Intensité que ne renie pas le palais, franc et souple à l'attaque, plus puissant, voire sévère, dans son développement. Une bouteille qui vieillira bien. ⧗ 2018-2022 ♈ magret de canard aux cerises

CHRISTOPHE CAMPOY, Les Pradelles, 46090 Flaujac-Poujols, tél. 06 99 95 15 80, christophe.campoy@wanadoo.fr V *r.-v.*

DOM. DE CAPELANEL Cuvée Titouan 2014 ★

■ | 2000 | | 20 à 30 €

Sébastien Dauliac a pris en main en 2002 ce vignoble familial fondé en 1878 par ses ancêtres. Le vignoble couvre 14 ha implantés sur un terroir sidérolithique (sables siliceux et argiles à graviers) caractéristique des causses.

Cette cuvée offre une expression pure et intense du malbec avec son nez puissant et généreux de gelée de cassis, de réglisse et d'épices. Passé une attaque souple, elle se révèle dense et ronde en milieu de bouche, avant de montrer les muscles en finale. Du potentiel mais aussi du plaisir immédiat. ⧗ 2017-2023 🍴 tajine d'agneau

DAULIAC, 46140 Luzech, tél. 06 81 62 66 48, sebastien.dauliac@orange.fr V r.-v.

B CH. DU CÈDRE Le Cèdre 2013 ★

■	3500		30 à 50 €

Pascal et Jean-Marc Verhaeghe ont obtenu la certification bio au terme d'une longue pratique commencée au début des années 1990. Dédié autrefois à la culture de la lavande, le domaine compte aujourd'hui 27 ha de vignes. Un pilier de l'appellation cahors.

Comme toujours, un long élevage en fût de deux ans est à l'origine de cette cuvée phare du domaine et de l'appellation. Le 2013 est fidèle à ses devanciers: c'est un pur malbec très équilibré, expressif et élégant à l'olfaction (fruits rouges et noirs, épices, menthol et notes boisées), à la fois solide et fin en bouche, étiré dans une longue finale fraîche. ⧗ 2018-2022 🍴 filet de bœuf sauce Périgueux

CH. DU CÈDRE, Bru, 46700 Vire-sur-Lot, tél. 05 65 36 53 87, chateauducedre@wanadoo.fr
V *t.l.j. sf dim. 9h-12h 14h-18h*
Pascal et Jean-Marc Verhaeghe

CLOS D'AUDHUY 2014 ★

■	3200		11 à 15 €

Son grand-père avait planté les vignes en 1988, sur la troisième terrasse du Lot. Benoît Aymard, vigneron et œnologue, s'y est installé en 2014 et préside aujourd'hui aux destinées de ce domaine de poche (2,35 ha).

Benoît Aymard dit rechercher des vins frais et fruités; objectif atteint avec son premier millésime. Un cahors en effet bien ouvert sur les fruits noirs, mûrs et rehaussés d'épices et de menthol, souple et frais à l'attaque, ample et fruité, aux tanins fondus, avec quelques notes de châtaigne grillée qui signent l'élevage en fût. ⧗ 2017-2021 🍴 bœuf bourguignon

BENOÎT AYMARD, Clos d'Audhuy, 46700 Lacapelle-Cabanac, tél. 05 65 22 08 63, benoit.aymard@wanadoo.fr

CLOS LA COUTALE 2014 ★

■	315000		5 à 8 €

Les méandres du Lot s'élargissent, le paysage s'ouvre. Au Clos la Coutale, la vigne occupe 88,5 ha sur les terrasses alluviales du fleuve, un terroir de graves et silices argilo-calcaires. Philippe Bernède, aux commandes du domaine depuis 1980, représente la sixième génération.

Un grand classique cadurcien bien construit et raffiné, né de malbec (80 %) et de merlot. Nez élégant de fruits noirs et de violette mâtiné d'épices (poivre). Bouche souple à l'attaque puis très volumineuse, appuyée par des tanins mûrs et un bon boisé. Finale sur la fraîcheur et la myrtille sauvage. ⧗ 2018-2022 🍴 cuisse de canard confite

EURL PHILIPPE BERNÈDE ET FILS, Clos la Coutale, Le Caillau, 46700 Vire-sur-Lot, tél. 05 65 36 51 47, info@coutale.com V *t.l.j. sf sam. dim. 9h-12h 14h-18h*

♥ CLOS TRIGUEDINA Élégant Malbec 2014 ★★

■	75000		5 à 8 €

En 1830, Étienne Baldès plante ses premières vignes au Clos Triguedina. Après des expériences en Bourgogne et dans le Bordelais, Jean-Luc Baldès (septième génération) prend la suite en 1990. Il agrandit le vignoble – 60 ha aujourd'hui, dont 40 ha de malbec, plantés essentiellement sur les trois plus belles terrasses de l'appellation cahors (à Vire-sur-Lot, Puy-l'Évêque et Floressas) –, fait du domaine l'une des grandes références cadurciennes et s'impose comme un ambassadeur incontournable du malbec. Clos Triguedina? Les pèlerins de Saint-Jacques de Compostelle avaient l'habitude de s'y restaurer: «me trigo de dina» signifie «il me tarde de dîner» en occitan.

Jean-Luc Baldès prouve, si besoin était, qu'il est bien le «maître du malbec» avec cette cuvée qui n'a pas connu le bois. Un cahors majuscule, fruit d'une très belle maîtrise technique et entièrement voué à l'expression du cépage: cassis, groseille, griotte, violette, épices, réglisse, toute la gamme variétale défile. Portée par des tanins de taffetas et un fruité croquant, la bouche associe dans un même élan souplesse et puissance, douceur et volume, gras et finesse, largeur et longueur. Et tout cela à prix très doux. ⧗ 2017-2022 🍴 cassoulet

SARL JEAN-LUC BALDÈS, Les Poujols, 46700 Vire-sur-Lot, tél. 05 65 21 30 81, contact@jlbaldes.com
V *t.l.j. sf dim. 9h-12h 14h-18h*

CH. COMBEL LA SERRE Le Lac aux cochons 2014

■	4000		20 à 30 €

Sortis de la coopérative en 1998, Jean-Pierre Ilbert et son fils Julien, revenu sur le domaine en 2003, ont fait le choix de ne planter que le malbec sur les sols d'argiles rouges de leur propriété. Ils ont engagé la conversion bio de leurs 21 ha de vignes.

Le Lac aux cochons? Le nom de la parcelle qui a vu naître cette cuvée joliment bouquetée autour de la gelée de groseille, de la prune, des épices et de la réglisse. La bouche, plutôt souple et fine, s'appuie sur des tanins déjà bien arrondis et un boisé très discret malgré les vingt-quatre mois de barrique. ⧗ 2018-2022 🍴 aiguillettes de canard

JEAN-PIERRE ET JULIEN ILBERT, Cournou, 46140 Saint-Vincent-Rive-d'Olt, tél. 05 65 30 71 34, contact@combel-la-serre.com
V *t.l.j. sf dim. 9h-12h 14h-19h*

CH. LA COUSTARELLE
Grande Cuvée Prestige 2014 ★★

■	100000		11 à 15 €

Depuis 1870, la famille Cassot conduit ce domaine de 52 ha situé sur la troisième terrasse du Lot, rive droite, exposée plein sud. En 2009, Caroline (septième génération) en a pris les commandes.

SUD-OUEST

Cette cuvée née de malbec et de tannat (10 %) dévoile des arômes intenses et harmonieux de fruits noirs, d'épices, de chocolat et de toasté. En bouche, elle apparaît ample, dense, séveuse, bâtie sur des tanins puissants et s'étire dans une longue et belle finale réglissée. Une vraie bouteille de garde. ⧗ 2019-2026 🍴 daube de canard ■ **L'Élixir d'Aphrodite 2012 ★★ (15 à 20 €; 50000 b.)** : une vinification en foudre et un repos de vingt-quatre mois en demi-muids pour cette cuvée «qui chante les terrasses argilo-calcaires de Cahors». Un vin complexe (épices, menthol, violette), ample, suave et puissant sans dureté, au boisé imperceptible – «cuve?» s'interroge un dégustateur – et aux tanins fondus. ⧗ 2017-2023 🍴 carré d'agneau en cocotte

SCEA CASSOT ET FILLE, Ch. la Coustarelle, Les Caris, 46220 Prayssac, tél. 05 65 22 40 10, chateaulacoustarelle@wanadoo.fr V ⚲ ■ *t.l.j. sf dim. 9h-12h30 14h-18h*

Ⓑ DIVIN CROISILLE 2014 ★

■	8000	◖	8 à 11 €

Cécile et Bernard Croisille se sont installés en 1979 au hameau de Fages, perdu sur le causse au-dessus de Luzech. Ils ont agencé une cave moderne et commencé à élaborer leur vin en 2000, à partir de 25 ha de vignes (30 ha aujourd'hui, en bio certifié). Depuis 2007, ce sont leurs fils Germain et Simon, accompagnés de leur ami d'enfance Nicolas, qui élaborent, avec talent, les cuvées du domaine, sous le regard attentif des parents, en visant la finesse et la fraîcheur (pas de bois neuf mais des foudres et des fûts de 500 l).

Le Divin Croisille 2014 est dans la lignée de ses prédécesseurs: concentré sans excès, fin et savoureux. À un bouquet de fruits rouges et noirs sur un délicat fond toasté répond une bouche franche et fraîche à l'attaque, plus riche et veloutée dans son développement, adossée à des tanins arrondis qui assurent une finale soyeuse et un bon potentiel de garde. ⧗ 2018-2025 🍴 selle d'agneau

CH. LES CROISILLE, Fages, 46140 Luzech, tél. 05 65 30 53 88, chateaulescroisille@wanadoo.fr V ⚲ ■ *r.-v.*

♥ CH. EUGÉNIE Cuvée réservée de l'aïeul 2014 ★★★

■	66000	◖	11 à 15 €

C'est en 1470 que remontent les archives de ce domaine qui connut de prestigieux clients au XVIIIe s., notamment les tsars de Russie. Dans la famille Couture depuis cinq générations, la propriété s'appuie sur un vignoble de 50 ha. Souvent en vue pour ses cahors de caractère, notamment sa Cuvée réservée de l'aïeul.

Née des vignes de malbec (90 %) et de tannat les plus âgées du domaine, plantées par le grand-père de l'actuel propriétaire, cette magnifique cuvée se hisse pour la deuxième année consécutive sur la plus haute marche du podium. La version 2014 a de vrais airs de famille avec sa «grande sœur» de 2013: même élevage de dix-huit mois en fût, même complexité aromatique (notes torréfiées, vanille, chocolat noir, fruits noirs très mûrs, violette), même bouche envoûtante par la «douce puissance» de ses tanins veloutés, par sa concentration et son volume, même finale pleine de fruit et de fraîcheur. Monumental et de grande garde. ⧗ 2019-2026 🍴 pigeon farci au foie gras

CH. EUGÉNIE, Rivière-Haute, 46140 Albas, tél. 05 65 30 73 51, couture@chateaueugenie.com V ⚲ ■ *t.l.j. sf dim. 9h30-12h30 14h-19h* *Couture*

CH. FAMAEY Élevé en fût de chêne 2014

■	20000	◖	8 à 11 €

Un domaine de 27 ha, acquis en 2000 par deux Flamands, Luc Luyckx et Marc Van Atwerpen. Famaey? Le nom de jeune fille de l'épouse de Luc. Aux vinifications, Marteen, fils de ce dernier.

Un élevage en barrique de dix-huit mois pour cette cuvée et un équilibre entre le bois et le vin réussi. Le nez associe harmonieusement fruits noirs cuits et notes toastées. La bouche, solide, offre une bonne mâche et de la fraîcheur. L'ensemble est cohérent et promis à une bonne évolution en cave. ⧗ 2018-2024 🍴 côte de bœuf

CH. FAMAEY, Les Inganels, 46700 Puy-l'Évêque, tél. 05 65 30 59 42, chateau.famaey@wanadoo.fr V ⚲ ■ *r.-v.* ⌂ Ⓔ

CH. DE GAUDOU Tradition 2014

■	292000	▮	5 à 8 €

Au XVIIIe s., Louis Durou s'installa au lieu-dit Gaudou, près de Vire-sur-Lot. Flanqué de pigeonniers, selon la tradition quercynoise, le château domine un vignoble de 45 ha mené depuis 2000 par Fabrice Durou (septième génération) qui a diminué les rendements à la vigne et les interventions au chai.

Malbec (80 %), merlot et tannat composent une cuvée expressive (fruits rouges compotés, fleurs bleues, touche épicée), souple et légère en bouche, qui semble viser le plaisir simple et immédiat, et c'est réussi. ⧗ 2016-2019 🍴 pot-au-feu

SCEA DUROU ET FILS, Gaudou, 46700 Vire-sur-Lot, tél. 05 65 36 52 93, info@chateaugaudou.com V ⚲ ■ *t.l.j. sf dim. 14h-18h*

CH. LES GRAUZILS L'Essentiel 2014

■	10000	◖	8 à 11 €

Le nom de Grauzils provient de «grès» ou de «graves»; il désigne des sols maigres et caillouteux. Une référence au terroir où sont plantés les 22 ha de vignes du domaine occupant les deuxième et troisième terrasses qui s'étagent de la rivière jusqu'au village de Prayssac. Dans la famille Pontié depuis quatre générations, le vignoble est conduit par Philippe Pontié depuis 1982.

Un vin qui va à l'essentiel en effet. Le nez est bien fruité (cerise et cassis) et boisé sans excès (fines notes torréfiées et vanillées), la bouche souple et ronde, consolidée par des tanins fondus, la finale plus fraîche et serrée. Un ensemble cohérent qui gagnera son étoile en cave. ⧗ 2018-2022 🍴 magret de canard

PHILIPPE PONTIÉ, Gamot, 46220 Prayssac, tél. 05 65 30 62 44, pontie.philippe@wanadoo.fr V ⚲ ■ *t.l.j. sf dim. 9h-12h 14h-19h* ⌂ Ⓔ

CH. DE HAUTERIVE
Chemin de Compostelle 2014 ★★

■ | 28000 | | 5 à 8 €

Les frères Gilles et Dominique Filhol ont rejoint leur père sur le domaine implanté au cœur du village de Vire-sur-Lot. Le vignoble couvre 20 ha sur la deuxième terrasse de la vallée du Lot et bénéficie d'une exposition plein sud.

Au côté du malbec, 15 % de merlot dans cette cuvée dont le nom rappelle le rôle prépondérant des pèlerins de Compostelle dans la notoriété des vins de Cahors. Celui-ci a tout bon: nez très complexe de mûre, de prune noire, de violette et de poivre, bouche équilibrée, élégante et fine, portée par des tanins extraits en douceur et par une fraîcheur qui exalte le fruit en finale. ⧗ 2018-2023 🍷 carré d'agneau du Quercy ■ **2014** ★ **(5 à 8 €; 42000 b.)** : la cuvée principale du domaine est un vin expressif et persistant (fruits rouges mûrs, réglisse, épices), aux tanins tendres et élégants. De bonne garde. ⧗ 2018-2022 🍷 entrecôte

GILLES ET DOMINIQUE FILHOL, Le Bourg, 46700 Vire-sur-Lot, tél. 05 65 36 52 84, chateaudehauterive@wanadoo.fr
V t.l.j. 8h30-12h30 14h-19h

CH. DE HAUTE-SERRE 2014 ★

■ | 75000 | | 15 à 20 €

Fondée en 1887 dans le Lot, la maison Georges Vigouroux œuvre depuis quatre générations à la renommée des vins du Sud-Ouest. Ce négoce, pionnier de l'appellation cahors, distribue les vins de ses marques et possède plusieurs domaines (Leret-Monpezat, Mercuès, Tournelle ou encore Haute-Serre).

Le malbec (90 %) et un soupçon de merlot et de tannat sont associés dans ce 2014 complexe et concentré, le fruit d'une belle extraction et d'une année d'élevage en barrique. À un nez soutenu de fruits rouges et noirs et d'épices répond un palais bien équilibré, épaulé par des tanins serrés et fins et par un bon boisé torréfié qui sait rester discret. Jolie finale tout en fraîcheur qui confirme le solide potentiel de garde de ce vin. ⧗ 2018-2024 🍷 confit de canard ■ **Vassal de Mercuès 2014 (8 à 11 €; 28000 b.)** : vin cité.

GFA GEORGES VIGOUROUX, Ch. de Haute-Serre, 46230 Cieurac, tél. 05 65 20 80 20, vigouroux@g-vigouroux.fr V t.l.j. sf mer. 10h-19h, f. mars nov. déc.

B CH. HAUT-MONPLAISIR 2014

■ | 100000 | | 5 à 8 €

Cathy et Daniel Fournié ont repris en 1998 ce domaine de 30 ha, aujourd'hui en bio certifié. Autodidactes, ils ont pris conseil auprès des vignerons voisins. Ils ont vite et bien appris, témoin les sélections régulières dans ces pages. Leur fille les a rejoints en 2015.

Un malbec de trente ans a donné naissance à cette cuvée au nez franc et bien fruité, souple et fondue à l'attaque, plus dense et charpentée dans son développement jusqu'en finale. ⧗ 2017-2021 🍷 brochettes d'agneau

CH. HAUT-MONPLAISIR, Cathy, Mathilde et Daniel Fournié, 46700 Lacapelle-Cabanac, tél. 05 65 24 64 78, chateau.hautmonplaisir@wanadoo.fr V t.l.j. 9h-12h 14h-18h; sam. dim. sur r.-v.

B CH. LES HAUTS D'AGLAN 2014

■ | 6000 | | 15 à 20 €

Isabelle Rey-Auriat, fille, petite-fille et arrière-petite-fille de vignerons, a décidé, après des études de commerce à Toulouse, de reprendre la propriété familiale de Soturac: 14 ha convertis au bio depuis 2008.

Après vingt-quatre mois de cuve, ce malbec livre un bouquet tout en fruits, rehaussé d'épices. La bouche, souple, douce et ronde, suit la même ligne fruitée (cerise au kirsch) et épicée, appuyée par des tanins discrets. Une petite austérité finale appelle un peu de garde. ⧗ 2017-2020 🍷 aiguillettes de canard

ISABELLE REY-AURIAT, Aglan, 46700 Soturac, tél. 05 65 36 52 02, isabelle.auriat@terre-net.fr
V r.-v.

DOM. D'HOMS Les Chevaliers 2014 ★★

■ | 2600 | | 11 à 15 €

Situé dans le Quercy blanc, ce domaine résulte de la fusion en 1993 des vignobles de Roger Thiery (4 ha) et de Daniel Cauzit (5 ha), vignerons du cru. En 2003, Charlène, la fille du second, les a rejoints, puis en 2015 son frère Sébastien. Le vignoble couvre aujourd'hui 25 ha avec la conversion bio comme objectif à moyen terme.

Nous sommes bien à Cahors: une robe vraiment noire, une olfaction puissante de fruits noirs, d'épices et de sous-bois, une bouche tout aussi expressive et intense, riche et ample, aux tanins mûrs et ronds. Beau potentiel d'évolution pour ce cahors à réserver pour une cuisine généreuse. ⧗ 2018-2022 🍷 magret farci au foie gras

DOM. D' HOMS, lieu-dit Maux, 46800 Saux, tél. 05 65 24 93 12, contact@domainedhoms-cahors.fr
V t.l.j. 10h-17h (19h juin-sept.)

CH. LAMARTINE Cuvée particulière 2014 ★

■ | 100000 | | 11 à 15 €

Selon la légende, la ramure d'un chêne centenaire abritait ici les rendez-vous galants d'une belle Martine... Depuis 1975, Alain Gayraud conduit ce domaine aux origines anciennes (1883), situé aux confins du Lot-et-Garonne. Le vignoble couvre 35 ha, exposé plein sud. Un pilier de l'appellation qui a vu arriver la nouvelle génération avec Benjamin, fort de solides expériences à l'étranger. L'histoire continue...

Fidèle au rendez-vous, Lamartine propose avec cette cuvée un vin solide, construit autour du malbec et du tannat (10 %). Le nez complexe associe la framboise et la myrtille au poivre et à la vanille. La bouche se révèle puissante, ample et riche, soutenue par des tanins robustes et par une finale généreuse et élégante. Un vin de garde. ⧗ 2019-2026 🍷 canard rôti aux airelles ■ **Expression 2014 (20 à 30 €; 18000 b.)** : vin cité.

SCEA CH. LAMARTINE, Lamartine, 46700 Soturac, tél. 05 65 36 54 14, cahorslamartine@orange.fr V t.l.j. 9h-12h 13h30-18h30
Alain et Benjamin Gayraud

CH. LAUR Cuvée Prestige 2014 ★

■ | 89000 | 🍾 | 5 à 8 €

Fort de son diplôme de viti-œno, Patrick Laur a repris le vignoble familial en 1979. En 2009, il a été rejoint par son fils Ludovic. Ensemble, ils ont agrandi l'exploitation, qui compte aujourd'hui 46 ha de vignes conduites dans un esprit bio mais sans certification. Une activité de négoce a été développée en 2006 (Les Vignobles Laur) sous la houlette de Ludovic et son frère Cédric.

À l'aération, cette cuvée 100 % malbec dévoile des arômes puissants de fruits cueillis sous l'arbre: cerise et prune noire. Un fruité particulièrement friand auquel fait écho une bouche fine, adossée à des tanins fermes et prolongée par une belle finale fraîche sur la gelée de groseille. ⧗ 2017-2022 🍷 tarte périgourdine ■ **Baron du Tertre Cuvée Terroir 2014 ★ (5 à 8 €; 58000 b.)** : une cuvée issue de la partie négoce; un pur malbec concentré qui convie les épices et la réglisse et déploie une bouche puissante et consistante, tendue par une fine vivacité. De bonne garde assurément. ⧗ 2018-2023 🍷 daube de bœuf aux châtaignes

⊶ PATRICK ET LUDOVIC LAUR, Le Bourg, 46700 Floressas, tél. 05 65 31 95 61, vignobleslaur@orange.fr V r.-v.

DOM. DE MAISON NEUVE 2014 ★

■ | 14000 | 🍾 | 5 à 8 €

Michèle, Bernard Delmouly et leur fils Cyrille sont installés sur la commune du Boulvé, dans le canton de Montcuq, là où le chanteur Nino Ferrer avait élu domicile. L'exploitation s'est transmise de père en fils depuis 1900 et compte aujourd'hui 14 ha.

Une cuvée qui exprime parfaitement et généreusement le malbec. Au nez, un fruité intense sur le cassis et la groseille, avec des notes kirschées, réglissées et épicées. En bouche, du volume, des tanins fins et soyeux, un fruité qui fait écho à l'olfaction; de la fraîcheur aussi, qui vient souligner la finale. À boire ou à attendre. ⧗ 2017-2022 🍷 poularde aux truffes ■ **Amandine 2012 (20 à 30 €; 1300 b.)** : vin cité.

⊶ DELMOULY, Maison Neuve, 46800 Le Boulvé, tél. 05 65 31 95 76, domainemaisonneuve@wanadoo.fr V r.-v.

MAS DES ÉTOILES Petite Étoile 2013 ★★

■ | 20000 | 🍾 | 5 à 8 €

Un domaine né en 2007 grâce à l'association de deux amis vignerons: Arnaud Bladinières, qui exerce également ses talents au château Bladinières au côté de son père, et David Liorit. Situé en plein cœur de l'appellation cahors, le vignoble s'étend sur 10 ha (dont 9 ha de malbec).

Cette Étoile n'a de petit que le nom, car dans le verre elle ne manque pas d'éclat. Elle offre beaucoup de franchise et richesse aromatique: violette, fruits noirs, menthol. Des arômes qui signent le malbec, seul maître à bord ici, et qui imprègnent aussi une bouche ample et charnue, dynamisée par une finale fraîche et longue. ⧗ 2017-2022 🍷 garbure au confit

⊶ ARNAUD BLADINIÈRES, Le Bourg, 46220 Pescadoires, tél. 05 65 22 41 85, contact@mas-des-etoiles.com V r.-v.

DOM. DE MÉRIGUET 2014 ★★

■ | 20000 | 🛢 | 8 à 11 €

Le vignoble des Janicot est scindé en trois îlots de production: le domaine de Mériguet (8 ha), le château de la Madeleine Noire (12 ha) et le domaine de Matèle (4 ha en IGP côtes-du-lot).

Très ouvert dès le premier nez, ce pur malbec associe la cerise mûre et la réglisse au toasté de la barrique. En bouche, il se montre gras, corpulent, solide, bâti sur des tanins serrés et un boisé bien ajusté. ⧗ 2018-2022 🍷 sauté d'agneau ■ **Ch. Lamagdelaine noire 2014 ★ (8 à 11 €; 50000 b.)** : un vin expressif au nez comme en bouche (fruits rouges, épices, réglisse, noisette), séduisant aussi par son palais charnu, corsé et frais, aux tanins aimables et ronds. ⧗ 2017-2021 🍷 cailles farcies

⊶ EARL JANICOT, Chante-Quercy, 46090 Valroufié, tél. 05 65 36 87 17, anthonyjanicot@yahoo.fr V r.-v.

♥ MÉTAIRIE GRANDE DU THÉRON Cuvée Prestige 2014 ★★

■ | 30000 | 🛢 | 8 à 11 €

Ce domaine aux bâtiments en pierre jaune du Quercynois ordonnés autour d'une grande cour carrée dispose de 32 ha de vignes plantés sur les coteaux pentus de la troisième terrasse dominant la vallée du Lot. Régulier en qualité, il est conduit depuis 1973 par Liliane Barat-Sigaud.

Des ceps de malbec de cinquante ans sont à l'origine de cette cuvée admirable qui donne l'impression au premier nez d'entrer dans une brûlerie: grillé, moka, toasté; puis arrive le fruit, généreux (cerise à l'alcool) et rehaussé d'épices. On retrouve ce mariage heureux du bois et du raisin dans une bouche suave et veloutée qui, portée par des tanins denses et soyeux, monte en puissance jusqu'à la finale, longue et intense. Bâti pour durer. ⧗ 2020-2026 🍷 gigot d'agneau ■ **Malbec 2014 ★ (5 à 8 €; 66000 b.)** : une cuvée qui n'a pas connu le bois, saluée pour son bouquet fruité de burlat et crème de cassis et pour sa bouche ronde, souple et longue. Un vrai «vin plaisir» à goûter sur son fruit. ⧗ 2016-2020 🍷 saucisses de Toulouse ■ **Ch. Haute Borie Tradition 2014 (5 à 8 €; 36000 b.)** : vin cité.

⊶ LILIANE BARAT-SIGAUD, Métairie Grande du Théron, 46220 Prayssac, tél. 05 65 22 41 80, barat.sigaud@wanadoo.fr V r.-v.

CH. NOZIÈRES 2014

■ | 50000 | 🍾 | - de 5 €

Pierre et Paulette Maradenne ont acheté en 1956 cette propriété où se côtoyaient la vigne, la lavande, les céréales et les vaches laitières; les premières bouteilles ont été commercialisées dans les années 1970. Aujourd'hui conduit par leur petit-fils Olivier, le domaine compte plus de 52 ha, répartis en une mosaïque d'une quarantaine de parcelles.

Un vin suave et expressif, simple mais plaisant, né du malbec complété par 20 % de merlot. Le nez est dominé par des notes de cerise. Dans le droit fil, la bouche est «potelée», étayée par des tanins souples et lisses et par une finale plus fraîche. Un vin «sourire» à boire dans sa jeunesse. ⧗ 2016-2020 🍷 grillade de bœuf

⊶ EARL DE NOZIÈRES, Maradenne-GuitardBru, 46700 Vire-sur-Lot, tél. 05 65 36 52 73, chateaunozieres@wanadoo.fr V 🚶 🍷 *t.l.j. sf dim. 9h-12h 14h-19h ⊶ Claude Guitard*

CH. PAILLAS 2014

■ | 35000 | 🍾 | | 5 à 8 €

Germain Lescombes a créé de toutes pièces ce domaine en 1978 à Floressas et planté ses vignes à 240 m d'altitude, sur le plateau dominant la vallée du Lot. Dirigé aujourd'hui par la troisième génération, le vignoble s'étend sur 27 ha d'un seul tenant, en demi-cercle autour du chai et des bâtiments, dont certains datent du XIIIᵉs.

Un vin construit sur la douceur à partir du malbec et du merlot (20 %). Le nez, charmeur et chaleureux, mêle la cerise à l'eau-de-vie et les épices douces. La bouche affiche un volume honorable et d'agréables tanins souples et fondus. Une bouteille que l'on pourra ouvrir sans trop attendre. ⧗ 2016-2020 🍷 aligot saucisses

⊶ SCEA DE SAINT-ROBERT, Paillas, 46700 Floressas, tél. 05 65 36 58 28, info@paillas.com V 🚶 🍷 *t.l.j. sf sam. dim. 9h-12h 14h-17h30 ⊶ Lescombes*

DOM. DU PEYRIÉ 2013

■ | 5000 | 🍾 | | 5 à 8 €

Dans la famille depuis 1920, le domaine est aujourd'hui exploité par Christian Gilis, incarnant la quatrième génération de vignerons. Il compte quelque 15 ha de vignes sur la commune de Soturac.

Dominée par un fruité confit de mûre et de burlat rehaussé d'épices qui s'exprime tant au nez qu'en bouche, cette cuvée s'appuie sur une trame tannique déjà bien fondue et souple qui permettra de l'apprécier sans trop attendre. La finale plus serrée autorise néanmoins quelques années de garde. ⧗ 2017-2021 🍷 paleron en sauce

⊶ CHRISTIAN GILIS, Dom. du Peyrié, 46700 Soturac, tél. 05 65 21 18 86, domaine.peyrie@wanadoo.fr V 🍷 *t.l.j. sf dim. 9h-12h 14h-19h*

♥ **CH. PINERAIE** L'Authentique 2014 ★★

■ | n.c. | 🛢 | | 15 à 20 €

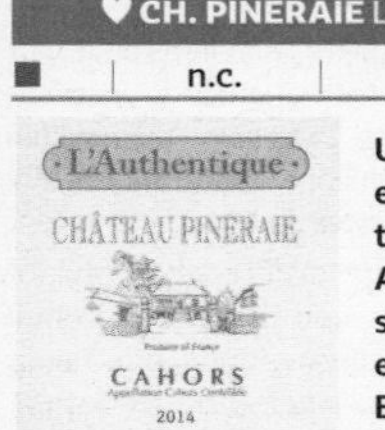

Un domaine de 50 ha fondé en 1862 sur les deuxième et troisième terrasses du Lot. Aujourd'hui, les cinquième et sixième générations travaillent ensemble, Anne et Emmanuelle Burc ayant rejoint leur père Jean-Luc, et signent des cahors très réguliers en qualité.

Cette cuvée n'en est pas à son premier coup de cœur (voir les somptueux 2010 et 2005). Un grand vin «authentique» à plus d'un titre: le seul malbec (de vieux ceps de soixante ans), cépage roi de Cahors, est à l'œuvre; la robe est d'un noir intense qui rappelle l'historique *black wine* cher aux Anglais. Un cahors bien typé aussi par son bouquet de cassis en confiture, de cacao et d'épices, et par sa bouche ample, séveuse, dense, vigoureuse, au fruité savoureux. ⧗ 2019-2026 🍷 civet de sanglier ■ **2014 (8 à 11 €; 150 000 b.)** : vin cité.

⊶ FAMILLE BURC, Leygues, 46700 Puy-l'Évêque, tél. 05 65 30 82 07, chateaupineraie@wanadoo.fr V 🚶 🍷 *t.l.j. sf sam. dim. 9h-12h 14h-18h*

CH. PONZAC Patiemment 2014 ★★

■ | 20000 | 🍾 | | 8 à 11 €

Enracinés à Carnac depuis le XIVᵉs., les Molinié sont très liés à l'histoire du village. Jean-Pierre est ainsi maire de la commune. Au château, Matthieu et Virginie élaborent la trilogie de Ponzac: les cuvées Maintenant, Patiemment et Éternellement. Ils conduisent 29 ha de vignes.

Ce 100 % malbec élevé patiemment en cuve pendant un an dévoile un nez très expressif et typé de cassis, de pruneau, de réglisse, d'épices et de menthol. La bouche est franche et fraîche à l'attaque, puis monte en volume et en puissance, portée par de beaux tanins soyeux, avant une longue finale moelleuse et fruitée. Un cahors comme on l'aime. ⧗ 2017-2022 🍷 magret aux cèpes

⊶ EARL LA CROIX DES VIGNES, Le Causse, 46140 Carnac-Rouffiac, tél. 05 65 31 99 48, chateau.ponzac@wanadoo.fr V 🚶 🍷 *t.l.j. 9h-19h ⊶ Matthieu Molinié*

PRIEURÉ DE CÉNAC 2014 ★

■ | 100000 | 🛢 | | 8 à 11 €

Le château Saint-Didier, jadis propriété des évêques de Cahors, est le berceau de la famille Rigal, présente dans la région depuis le milieu du XVIIIᵉs. Développé par Jean-Marie Rigal à partir des années 1950, cet ensemble, qui ne comptait à l'origine qu'une dizaine d'hectares, s'est agrandi (Ch. Grézels et Prieuré de Cénac) et couvre aujourd'hui 75 ha, conduit par les enfants Rigal (David, œnologue, et Laurent à la vigne).

Un assemblage merlot-malbec aux vertus aromatiques indéniables: fruits rouges et noirs, violette, nuances minérales. En bouche, on aime son côté voluptueux, son toucher velouté fait de tanins soyeux et de boisé bien fondu, malgré une petite sévérité en finale que le temps arrondira. ⧗ 2017-2023 🍷 tournedos Rossini

⊶ SCEA CH. SAINT-DIDIER, Ch. Saint-Didier, 46140 Parnac, tél. 05 65 30 78 13, maite.rigal@orange.fr V 🚶 🍷 *t.l.j. sf sam. dim. 9h-12h 14h-18h ⊶ Rigal*

DOM. DU PRINCE Rossignol 2014 ★

■ | 4000 | 🍾 | | 15 à 20 €

Selon la tradition villageoise, un Jouves ayant vu le roi de France pour lui livrer du vin aurait été surnommé «Lou Prince» à son retour. Ce surnom reste utilisé par les vieux villageois de Cournou. Didier et Bruno Jouves conduisent aujourd'hui un domaine de 27 ha.

Ce vin porte le nom de la parcelle de malbec qui l'a vu naître. Un vin sans fard, très expressif, ouvert sur la griotte au kirsch, les épices et le menthol. La bouche est bien structurée mais sans dureté, soutenue par des tanins tendres et aimables; la finale confirme le fruité généreux de l'olfaction. Un vin gourmand à souhait, que l'on appréciera aussi bien jeune que plus âgé. ⧗ 2016-2022 ♈ faisan en cocotte

DOM. DU PRINCE, GAEC de Pauliac, Cournou, 46140 Saint-Vincent-Rive-d'Olt, tél. 05 65 20 14 09, contact@domaineduprince.fr V *t.l.j. 9h-19h* *Jouves*

LES CARRALS DU CH. QUATTRE 2014 ★

■	10 000		20 à 30 €

Établi en Quercy blanc, ce vignoble de 65 ha est planté sur les plus hautes terrasses du sud de l'appellation. Il est la propriété d'une société rattachée au groupe bordelais Ginestet.

Le domaine présente ici une cuvée exubérante née du seul malbec, au nez explosif et bien typé de fraise des bois, de menthol et de Zan. Une complexité que l'on retrouve dans une bouche souple, fraîche et charnue, aux tanins bien patinés par deux ans d'élevage en fût. À boire ou à attendre. ⧗ 2017-2021 ♈ brochettes d'agneau

SCEA SAINT-SEURIN, Ch. Quattre, 46800 Bagat-en-Quercy, tél. 05 65 36 91 04, chateauquattre@orange.fr V *t.l.j. sf sam. dim. 8h-19h*

CH. LA REYNE Le Prestige 2014 ★

■	75 000		8 à 11 €

Commandée par une grande bâtisse flanquée de deux pigeonniers, cette propriété familiale de Puy-l'Évêque, dans la vallée du Lot, est aux mains de Johan Vidal (cinquième génération), arrivé en 1997. Le vignoble s'étend sur 33 ha.

Un élevage luxueux de vingt-deux mois en barrique pour cette cuvée pourtant dominée par d'intenses notes fruitées (cassis, mûre) qui relèguent le bois à l'arrière-plan. En bouche, c'est velouté et rond, voire moelleux; le fruité est toujours bien présent, enrichi de plaisantes nuances balsamiques. Un cahors gourmand pour aujourd'hui ou pour plus tard. ⧗ 2016-2022 ♈ omelette aux truffes

CH. LA REYNE, Leygues, 46700 Puy-l'Évêque, tél. 05 65 30 82 53, chateaulareyne@orange.fr V *r.-v.* *Johan Vidal*

CH. DE ROUFFIAC La Passion Élevé en fût de chêne 2013

■	16 000		11 à 15 €

Pascal et Olivier Pieron détiennent 72 ha de vignes, dont le Ch. de Rouffiac situé sur les hauteurs de Duravel, dans la vallée du Lot, et le Ch. Bovila. Leurs vins sont aujourd'hui distribués par la maison Rigal.

Coup de cœur dans le millésime 2012, cette cuvée Passion propose un cahors plus modeste dans sa version 2013, mais plaisant par son joli nez fruité, agrémenté d'un léger toasté, et par sa bouche souple, fine et fraîche, où le boisé sait rester discret. Une bouteille facile d'accès et bientôt prête à boire. ⧗ 2017-2020 ♈ lapin rôti

PASCAL ET OLIVIER PIERON, SCEA PO Pieron, Rouffiac, 46700 Duravel, tél. 05 65 36 54 27, vignoblespieron@orange.fr V *t.l.j. sf dim. 9h-12h 14h-18h; f. 15-31 déc.* ④

DOM. SERRE DE BOVILA Conquista 2014 ★

■	10 000		8 à 11 €

Thierry et Philippe Romain sont propriétaires de deux domaines: Château Montels à Albias, fleuron de l'IGP Coteaux et terrasses de Montauban (40 ha), et Serre de Bovila, à Fargues, 8 ha acquis en 2010 sur l'un des sites les mieux exposés de l'appellation cahors.

Partis récemment à la conquête des vins cadurciens, les Romain ont semble-t-il bien apprivoisé ce nouveau terroir. Leur pur malbec est un joli vin de matière et de fruit, centré dès le premier nez sur des arômes intenses de mûre, de fraise écrasée et de kirsch agrémentés de menthol et de violette. La bouche ample, ronde et charnue déploie un fruité tout aussi exubérant, avec en finale une belle ligne minérale qui apporte un supplément d'âme et de fraîcheur. ⧗ 2017-2021 ♈ carré d'agneau

PHILIPPE ET THIERRY ROMAIN, Dom. de Montels, 82350 Albias, tél. 05 63 31 02 82, philippe@vignoblesromain.com V *t.l.j. sf dim. 9h-12h 14h-19h*

VARUA MAOHI Mana 2014 ★★★

■	13 000		8 à 11 €

La famille exploite la vigne à Parnac depuis le début du XVIIe s. Marie et Dominique Cavalié ont développé le domaine et l'ont transmis en 2005 à leur fille Anne, qui a quitté l'enseignement. Avec son mari Jean-Michel Swartvagher, d'origine Maori, elle exploite 50 ha.

«Mana» signifie «puissance» en polynésien; cette cuvée n'en manque pas en effet, mais une puissance maîtrisée. Le nez associe des notes intenses et chaleureuses de pruneau, de mûre et de kirsch sur un fond épicé. Le palais, à l'unisson, se révèle ample, gras et suave, étayé par des tanins veloutés qui renforcent son caractère fondant et moelleux. ⧗ 2018-2022 ♈ épaule d'agneau confite

SCEA CAVALIÉ, Les Landes, 46140 Parnac, tél. 05 65 20 13 26, saint.sernin@sfr.fr V *t.l.j. sf sam. dim. 9h-12h 13h30-17h*

CH. VINCENS Prestige 2014 ★

■	66 000		5 à 8 €

Prosper Vincens acheta sa première parcelle à son retour de la Grande Guerre. En 1982, Michel quitta la coopérative pour élever ses propres vins. La famille – aujourd'hui Isabelle Vincens et son frère Philippe – est toujours aux commandes et conduit un vignoble de 40 ha.

Un vin riche et sérieux, né de malbec et de merlot (20 %). Au nez, très joli mariage du bois (vanille) et du fruit (cassis). En bouche, un cahors fondu, aux tanins policés, et toujours une belle alliance entre le raisin et l'élevage. Un très beau travail de vinification. ⧗ 2018-2022 ♈ pastilla au pigeon

CH. VINCENS, Foussal, 46140 Luzech, tél. 05 65 30 51 55, philippe@chateauvincens.fr V *r.-v.* Ⓔ

DOM. DE VINSSOU 2014

■ | 10 000 | | 8 à 11 €

Petite ferme lotoise en polyculture au XIX[e]s., cette propriété se consacre depuis quatre générations à la production de vins cadurciens. En 2007, après avoir accompagné son mari Louis dans son métier de vigneron pendant vingt ans, Isabelle Rivier-Delfau a repris l'exploitation familiale et ses 13 ha de vignes.

La cuvée principale du domaine est un pur malbec élevé douze mois en cuve. Un vin qui exprime bien le cépage et son terroir argilo-graveleux. Au nez, de plaisants arômes de fruits noirs sauvages, de griotte et de violette. En bouche, un bon volume, une structure bien en place et sans dureté, une jolie finale sur les épices et une pointe d'amertume pas désagréable. ⧗ 2017-2022 ▼ ragoût de joues de bœuf

RIVIER-DELFAU, Dom. de Vinssou, 485, rue du Castagnol, 46090 Mercuès, tél. 06 45 50 55 80, vinssou.cahors@wanadoo.fr V r.-v.

COTEAUX-DU-QUERCY

Superficie : 300 ha / Production : 13 290 hl

Située entre Cahors et Gaillac, la région viticole du Quercy s'est reconstituée assez récemment. Mais, comme dans toute l'Occitanie, la vigne y était cultivée dès l'Antiquité. La viticulture connut cependant plusieurs périodes de reflux. Elle pâtit notamment, au Moyen Âge, de la prépondérance de Bordeaux, puis au début du XX[e]s., du poids du Languedoc-Roussillon. La recherche de la qualité, qui s'est manifestée à partir de 1965 par le remplacement des hybrides, a conduit à la définition d'un vin de pays en 1976. Peu à peu, les producteurs ont isolé les meilleurs cépages et les meilleurs sols. Ces progrès qualitatifs ont débouché sur l'accession à l'AOVDQS en 1999. Le territoire délimité s'étend sur 33 communes des départements du Lot et du Tarn-et-Garonne. En 2011, la catégorie des AOVDQS a disparu et les coteaux-du-quercy ont été reconnus en AOC. Rouges et rosés, les coteaux-du-quercy assemblent le cabernet franc, cépage principal pouvant atteindre 60 %, et les tannat, cot, gamay ou merlot (chacune de ces variétés à hauteur de 20 % maximum).

DOM. DE LA GARDE Tradition 2014 ★

■ | 13 000 | | 5 à 8 €

Installé au sud du Lot, dans la région du Quercy blanc, Jean-Jacques Bousquet conduit un vignoble de 17 ha. Présent dans le Guide dès les premières éditions en coteaux-du-quercy (alors vins de pays), ce domaine très régulier en qualité s'est agrandi et propose aussi du cahors.

Né de cabernet franc (60 %), de malbec et de merlot, ce vin apparaît expressif à l'olfaction: fruits rouges, menthol, épices douces. Bâtie autour de tanins soyeux, la bouche affiche un beau volume, un fruité soutenu et une belle tension en finale. Un ensemble très équilibré. ⧗ 2016-2020 ▼ petit salé aux lentilles

JEAN-JACQUES BOUSQUET, Le Mazut, 46090 Labastide-Marnhac, tél. 05 65 21 06 59, contact@domainedelagarde.com V r.-v.

Ⓑ DOM. DE LAFAGE Fût de chêne 2013 ★

■ | n.c. | | 8 à 11 €

Installé en 1970 à la tête de ce domaine, Bernard Bouyssou – également producteur en cahors (Château Armandière) – est un pionnier du bio: il a converti son vignoble dès 1989 et le conduit depuis lors en biodynamie sur 12 ha. Le reste de la propriété est dédié aux prairies et aux céréales pour un petit troupeau de blondes d'Aquitaine.

Assemblage de cabernet franc (50 %) et de malbec et merlot à parts égales, ce vin intéresse par ses arômes légers mais harmonieux de fruits rouges et noirs, de violette et de sous-bois. Il séduit aussi par sa bouche tout en rondeur et en souplesse, soutenue par des tanins bien intégrés et centrée sur un joli fruit qui laisse les notes toastées de la barrique à l'arrière-plan. ⧗ 2017-2021 ▼ confit de porc

DOM. DE LAFAGE, 82270 Montpezat-de-Quercy, tél. 05 63 02 06 91, domainedelafage@free.fr V r.-v.

♥ LES VIGNERONS DU QUERCY Bessey de Boissy 2014 ★★

■ | n.c. | | 5 à 8 €

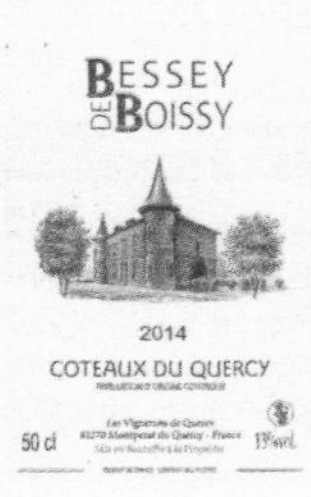

Créée en 1985, cette coopérative est implantée à Montpezat-de-Quercy. C'est une très belle bastide située au nord du Tarn-et-Garonne, au milieu d'un pays vallonné, où la vigne compose avec de multiples cultures. Elle vinifie le produit de 130 ha récoltés par ses 35 adhérents et propose depuis 2014 une cuvée certifiée bio.

Cabernet franc (60 %), malbec et tannat composent une cuvée d'un beau rubis brillant, au nez complexe mêlant fruits rouges, sous-bois, réglisse et épices. La bouche est voluptueuse, tout en douceur et en rondeur, sans manquer de dynamisme, bien épaulée par des tanins soyeux et fort aimables. Un vrai «vin plaisir» qu'une garde de quelques années n'effraiera pas. ⧗ 2017-2021 ▼ saucisse de Toulouse grillée ■ **Peyre-Farinière Élevé en fût de chêne 2014 ★★ (5 à 8 €; n.c.)** : le coup de cœur fut mis aux voix pour ce 2014 ouvert sur des arômes intenses de fruits très mûrs, de tabac blond et d'épices, au palais vineux, puissant et solidement structuré. Un vin de caractère et de garde. ⧗ 2019-2024 ▼ daube de bœuf

LES VIGNERONS DU QUERCY, 4555, rte de Paris, 82270 Montpezat-de-Quercy, tél. 05 63 02 03 50, lesvigneronsduquercy@wanadoo.fr V r.-v.

GAILLAC

Superficie : 3 923 ha
Production : 160 000 hl (65 % rouge et rosé)

Comme l'attestent les vestiges d'amphores fabriquées à Montels, les origines du vignoble gaillacois remontent à l'occupation romaine. Au XIII[e]s.,

Raymond VII, comte de Toulouse, prit à son endroit un des premiers décrets d'appellation contrôlée, et le poète occitan Auger Gaillard célébrait déjà le vin pétillant de Gaillac bien avant l'invention du champagne. Le vignoble se répartit entre les premières côtes, les hauts coteaux de la rive droite du Tarn, la plaine, la zone de Cunac et le pays cordais. Les coteaux calcaires se prêtent admirablement à la culture des cépages blancs traditionnels comme le mauzac, le len de l'el (loin de l'œil), l'ondenc, le sauvignon et la muscadelle. Les zones de graves sont réservées aux cépages rouges, duras, braucol ou fer-servadou, syrah, gamay, négrette, cabernet, merlot. La variété des cépages explique la palette des vins gaillacois. Pour les blancs, on trouvera les secs et perlés, frais et aromatiques, et les moelleux des premières côtes, riches et suaves. Ce sont ces vins, très marqués par le mauzac, qui ont fait la renommée de l'appellation. Le gaillac mousseux peut être élaboré soit par une méthode artisanale à partir du sucre naturel du raisin (méthode gaillacoise), soit par la méthode traditionnelle (la première donne des vins plus fruités, avec du caractère). Les rosés de saignée sont légers; quant aux vins rouges, s'ils sont souvent gouleyants, notamment lorsqu'ils sont issus de gamay, ils peuvent aussi se montrer plus charpentés et offrir un certain potentiel de garde.

L'AUBAREL Duras 2014

■ | 1200 | | 8 à 11 €

Ce petit domaine de 6 ha fondé en 1904 a été repris en 2008 par Lucas Merlo, vigneron natif d'Albi. Après avoir travaillé dans le Médoc et à Cahors, ce dernier s'est installé sur les premières côtes de Gaillac.

D'un abord timide, ce duras dévoile à l'aération des notes boisées qui pour l'heure dominent le fruit. En bouche, on constate plus d'harmonie entre boisé et fruité, on apprécie le velouté des tanins et la finale bien fraîche. ⧗ 2017-2020 ▾ onglet à l'échalote ■ **L'Aubarel Duras Braucol 2014 (8 à 11 €; 3000 b.)** : vin cité.

LUCAS MERLO, Dom. Laubarel, 3000, rte de Cordes, 81600 Gaillac, tél. 05 63 57 41 90, lucas.merlo545@orange.fr t.l.j. sf dim. 9h-12h 14h-19h

♥ **CH. BALSAMINE** L'École buissonnière 2015 ★★

□ | 3666 | | 5 à 8 €

Christelle Demanèche et Christophe Merle ont décidé de voler de leurs propres ailes et ont quitté la coopérative en 2007. Ainsi a vu le jour le Château Balsamine, sur les premières côtes de Gaillac. Depuis, leurs vins fréquentent assidûment ces pages, souvent en très bonne place. Les vignes (20 ha) sont exposées au sud-sud-est, avec pour horizon lointain les Pyrénées.

Un assemblage mi-mauzac mi-sauvignon à l'origine d'un vin admirable par ses arômes fruités subtils et complexes (pêche blanche, abricot, poire, agrumes, fruits secs) et par sa balance parfaite entre rondeur suave et vivacité. Beaucoup de tenue et d'équilibre. ⧗ 2016-2020 ▾ poulet au miel et sauce soja ■ **Un ange passe 2014 ★ (8 à 11 €; 8084 b.)** : syrah et braucol font jeu égal dans ce vin harmonieux, souple à l'attaque, dense, fruité et réglissé, structuré en finesse, qui montre une belle maîtrise de l'élevage en fût, à peine perceptible. ⧗ 2018-2022 ▾ travers de porc sauce barbecue

EARL LES BALSAMINES, Saint-Marc-de-Grèzes, Téoulet, 81600 Gaillac, tél. 06 11 28 12 99, chateaubalsamine@orange.fr t.l.j. 9h30-12h 14h30-19h; dim. sur r.-v. Christelle et Christophe Merle

DOM. BARREAU Tradition 2015 ★

□ | 5300 | | 5 à 8 €

Installé sur la rive droite du Tarn, au niveau des premières côtes de Gaillac, ce domaine familial, régulier en qualité, a été fondé en 1865. Il compte 42 ha de vignes conduits par Jean-Claude Barreau depuis 1976.

Mauzac et sauvignon sont associés à parts égales dans cette cuvée qui mêle subtilement fleurs blanches, fruits à chair blanche, fruits exotiques et agrumes. Une attaque tonique introduit une bouche plus aromatique encore, sur les mêmes tonalités, qui reste fraîche et tendue jusqu'à la finale, intense et longue. ⧗ 2016-2019 ▾ sandre aux agrumes ■ **Les Braisiers 2014 (8 à 11 €; 11200 b.)** : vin cité.

DOM. BARREAU, Boissel, 81600 Gaillac, tél. 05 63 57 57 51, domaine.barreau@wanadoo.fr t.l.j. sf dim. 9h-12h 14h-19h

DOM. DE BROUSSE Terre des sens 2014 ★★

■ | 2000 | | 11 à 15 €

Sur les premières côtes du plateau cordais, à Cahuzac-sur-Vère près d'Albi, Philippe et Suzanne Boissel exploitent un petit vignoble de 8,5 ha exposé plein sud et souvent balayé par le vent d'autan.

Après quinze mois de barrique, cette cuvée braucol-merlot (80-20) livre un bouquet très harmonieux et complexe, qui conjugue notes de cuir, de vanille et de fruits rouges à l'alcool. Une attaque franche, prélude à un palais dense, structuré par des tanins au grain soyeux et un boisé tout en finesse. De l'élégance et du caractère. ⧗ 2018-2023 ▾ bœuf laqué au vinaigre balsamique

BOISSEL ET FILLES, Dom. de Brousse, 81140 Cahuzac-sur-Vère, tél. 06 74 99 52 26, domainedebrousse@wanadoo.fr t.l.j. sf dim. 10h-12h 15h-19h

DOM. CALMET Les Galets 2014 ★★

■ | 4000 | | 5 à 8 €

Lorsqu'en 1997 David Calmet, fils et petit-fils de vigneron, rejoint son père Yves sur le domaine familial, il engage une restructuration et un agrandissement du vignoble. Seul aux commandes depuis 2007, il conduit aujourd'hui 42 ha de vignes.

Né de braucol (70 %) et de syrah, un vin profond et harmonieux qui allie dans un bouquet complexe et frais le fruité (fraise, framboise, cerise) à de subtiles notes d'élevage. La bouche, très élégante, ronde, veloutée, expressive (fruits rouges et noirs), convie de beaux tanins fondus et déploie une longue finale tout en fraîcheur. ⧗ 2017-2021 ⚲ confit de canard

EARL CALMET, 60, ch. de Prat-Castel, 81150 Lagrave, tél. 05 63 41 74 47, gaec.calmet@orange.fr V r.-v.

♥ DOM. DE CANTO PERLIC Prestige Élevé en fût de chêne 2014 ★★

■ | 2600 | | 8 à 11 €

Süne et Ursula Sloge, deux Suédois séduits par le terroir gaillacois, ont restauré à partir de 2010 le vignoble et les chais de ce domaine de quelque 8 ha, qui s'impose millésime après millésime comme une référence solide. À suivre de près...

En progrès constants, dont le Guide s'est fait le témoin depuis l'origine, ce domaine atteint les sommets de l'appellation avec cette cuvée d'un rouge intense et profond, qui fait la part belle au braucol (60 %, avec la syrah et le merlot en complément). Après un premier nez fermé, le vin s'ouvre sur des parfums de fruits confiturés mâtinés d'épices douces et de nuances minérales de graphite. La bouche offre beaucoup de matière, soyeuse et tendre, dans un écrin boisé, épaulée par des tanins fins et veloutés. Un excellent vin de garde, corsé, équilibré et persistant. ⧗ 2019-2026 ⚲ daube de joue de bœuf ■ **Sélection 2014 ★★** (5 à 8 €; **7000 b.**) : beaucoup de présence pour ce vin superbe, tout en fruit au nez comme en bouche, fin et rond à la fois, bien structuré, ample, frais et très long. ⧗ 2017-2021 ⚲ tajine de veau

DOM. CANTO PERLIC, rte de la Ramaye, 81600 Gaillac, tél. 05 63 57 25 56, cantoperlic@telia.com V r.-v. *Sloge*

DOM. CARCENAC Frisson d'automne 2015 ★

■ | 10000 | | 5 à 8 €

Situé au cœur de Montans, petit village aux vestiges gallo-romains, ce domaine, dans la même famille depuis sept générations, est aujourd'hui conduit par Joseph, Nicole et leur fils Cédric Carcenac. Il compte 70 ha de vignes établies sur les trois types de terroirs gaillacois: graveleux, argilo-graveleux et argilo-calcaire.

Le nez, intense et harmonieux, mêle la mangue, la pêche et les agrumes. Une attaque riche en sucres sur les fruits exotiques introduit une bouche dense et volumineuse qui sait rester fraîche, vivifiée par « un frisson » d'agrumes en finale. ⧗ 2017-2023 ⚲ tarte au citron

DOM. CARCENAC, Le Jauret, 81600 Montans, tél. 05 63 57 57 28, domaine.carcenac@orange.fr V *t.l.j. 8h-12h 14h-19h*

CASTEL DE BRAMES 2014 ★

■ | 2700 | | 8 à 11 €

Constitué par un négociant gaillacois en 1791, ce domaine a été laissé à l'abandon après la crise du phylloxéra et la Seconde Guerre mondiale. Il a retrouvé un nouveau souffle après 1969, date de l'arrivée des actuels propriétaires, les Boullenger, à la tête aujourd'hui de 30 ha de vignes.

Né d'un assemblage complexe de syrah, braucol, prunelart et duras, ce gaillac plaît par son nez intense, sur le boisé vanillé et le pruneau. La bouche est ronde, charnue, bien structurée mais encore sous l'emprise de l'élevage. Un potentiel certain qui doit encore se révéler. ⧗ 2018-2022 ⚲ ragoût de bœuf aux pruneaux

CASTEL DE BRAMES, Brames-Aïgues, 81310 Peyrole, tél. 05 63 57 26 80, castel@castel-de-brames.com V *t.l.j. sf dim. 8h-19h* *Boullenger*

CH. CLÉMENT-TERMES 2014 ★★

■ | 37000 | | 8 à 11 €

Le domaine est né en 1860 sous l'impulsion de Clément Termes qui construisit un chai, puis le château. Olivier et Caroline David, ses descendants (septième génération), sont désormais à la tête de 120 ha de vignes.

Assemblage classique de braucol et de syrah, ce 2014 déploie un bouquet intense et frais de fruits rouges et noirs (framboise, cassis, mûre), d'épices et de violette. L'attaque est suave, tout en fruits mûrs, le milieu de bouche ample, puissant, charnu, étayé par des tanins mûrs et veloutés, la finale plus fraîche et serrée. De bonne garde assurément. ⧗ 2018-2024 ⚲ gigot d'agneau

SCEV DAVID, Les Fortis, 81310 Lisle-sur-Tarn, tél. 05 63 40 47 80, juliecoustel@clement-termes.fr V *t.l.j. sf dim. 9h-12h 14h-19h*

CH. LA COMBELLE Paroles de terroir 2014 ★

■ | 7000 | | 8 à 11 €

Petit-fils de vigneron et fils de forestier, Didier Smolinski a vinifié dans différentes régions viticoles avant de s'installer en 2013 dans le Gaillacois. Il est à la tête de 20 ha de vignes plantés dans les années 1950, non loin de la cité médiévale de Cordes-sur-Ciel.

Braucol (50 %), syrah et merlot pour cette cuvée ouverte sur la griotte et la framboise agrémentées d'un léger boisé vanillé et toasté. La bouche est franche, ample et équilibrée, adossée à des tanins ronds et souples et à un boisé bien dosé. ⧗ 2017-2020 ⚲ volaille rôtie

CH. LA COMBELLE, Frausseilles, 81170 Cordes-sur-Ciel, tél. 06 66 66 44 17, contact@chateaulacombelle.com V r.-v.

DOM. DUFFAU Les Songes 2014 ★

■	5000		8 à 11 €

Ingénieur hydraulicien, Bruno Duffau a sillonné l'Afrique et le Brésil durant vingt ans avec sa famille, Anne, sa femme, et ses trois enfants, avant de se poser à Gaillac. En 2007, il a racheté ce vignoble (16 ha) et a signé ses premières vinifications en 2009.

De la syrah, du braucol et une touche de merlot dans cette cuvée au nez puissant et chaleureux de fruits surmûris (fruits à l'eau-de-vie, fraise écrasée) et d'épices. Une maturité qui confère aussi un côté suave et velouté à une bouche ample et charnue, équilibrée par une fine acidité en finale et par de bons tanins qui apportent de la mâche. Un gaillac solaire et intense. ⧗ 2018-2022 ▼ daube de bœuf

DOM. DUFFAU, 915, rte de Barat, 81600 Gaillac, tél. 05 63 58 43 13, bruno.duffau@wanadoo.fr V *r.-v.*

♥ CH. L'ENCLOS DES ROSES
Vendanges tardives 2013 ★★

■	3500		15 à 20 €

Aurélie Balaran, fille de Roselyne et Jean-Marc Balaran (Dom. d'Escausses), a acquis en 2007 des parcelles du Ch. Larroze, propriété de la famille Cros dans les années 1980, et créé le Ch. L'Enclos des roses. Elle conduit aujourd'hui un vignoble de 20 ha.

Aurélie Balaran met le loin de l'œil à l'honneur avec cette cuvée. L'occasion de faire un peu d'étymologie: le nom du cépage s'explique par le pédoncule très long qui place la grappe loin du bourgeon (œil) qui lui a donné naissance. Dans le verre, une «petite bombe liquoreuse», au nez intense, complexe et gourmand à souhait: pomme au four, poire au sirop, gelée de coing, miel, fleurs blanches, litchi, vanille... Étayée par un beau boisé épicé, la bouche apparaît très concentrée, dense et riche (203 g/l), équilibrée par une fine ligne acide qui porte loin, très loin, la finale. (Bouteilles de 50 cl). ⧗ 2018-2026 ▼ tarte à la rhubarbe

AURÉLIE BALARAN, La Salamandrie, 81150 Sainte-Croix, tél. 05 63 56 80 52, aurelie.balaran@wanadoo.fr V *t.l.j. 8h-13h 14h-19h; dim. sur r.-v.*

DOM. D'ESCAUSSES L'Ombre fraîche 2015 ★★

■	26000		5 à 8 €

À mi-chemin entre Albi et le village médiéval de Cordes-sur-Ciel, le vignoble (32 ha) de la famille Balaran s'étend à flanc de coteaux, implanté sur la roche mère de calcaires et de marnes, à 250 m d'altitude, exposé au sud-est et sud-ouest. Domaine constitué en 1979 par Jean-Marc Balaran, rejoint en 2007 par sa fille Amélie. Une valeur sûre.

Une dominante de muscadelle (60 %) associée aū loin de l'œil et au sauvignon pour cette cuvée au nez intense, complexe et frais qui combine les fruits à chair blanche à d'élégantes notes minérales. Des arômes prolongés avec autant d'intensité par une bouche riche, ample et puissante, soulignée de bout en bout par la fraîcheur du terroir. À boire à l'ombre fraîche d'une tonnelle, dès aujourd'hui ou plus tard. ⧗ 2016-2020 ▼ salade de poulpe

ROSELYNE ET JEAN-MARC BALARAN, La Salamandrié, 81150 Sainte-Croix, tél. 05 63 56 80 52, jean-marc.balaran@wanadoo.fr V *t.l.j. 8h-13h 14h-19h; dim. sur r.-v.*

DOM. GRAND CHÊNE
La Parcelle de l'Ortolan 2015 ★

■	3300		5 à 8 €

Dans la famille depuis 1910, le domaine est dirigé par Yannick et Nelly Lacombe. En 2008, leur fils Aristide et son épouse Céline les ont rejoints à la tête de ce vignoble de 25 ha.

Le sauvignon (70 %, avec len de lel en appoint) marque le nez de ses arômes de buis et de pamplemousse. À l'unisson, la bouche conserve cette tension de l'attaque jusqu'à la finale, vive et longue. ⧗ 2016-2019 ▼ crustacés ■ **Douce Envolée 2014 ★ (8 à 11 €; 7000 b.)** : du len de lel (80 %) et mauzac pour cette cuvée au nez intense et complexe (fruits blancs et jaunes, litchi, épices), concentrée et bien équilibrée par une fine fraîcheur. ⧗ 2018-2022 ▼ foie gras mi-cuit ■ **Insolence 2014 (5 à 8 €; 7000 b.)** : vin cité.

DOM. DU GRAND CHÊNE, La Figueyrade, 81600 Senouillac, tél. 05 63 41 78 40, domainedugrandchene@hotmail.fr V *t.l.j. sf dim. 9h-12h 14h-18h*

LES GRÉZELS
Effervescence Méthode ancestrale 2015

●	1400	8 à 11 €

Installé sur le domaine familial depuis 2013, Raphaël Lagasse conduit ce vignoble en AOC gaillac selon les principes de l'agriculture raisonnée: enherbement naturel, apport de matière organique.

Une mousse légère et un cordon persistant de bulles fines animent une robe pâle. Le nez, bien montant et élégant, mêle les senteurs florales et fruitées (pomme, poire) à une touche de miel. La bouche est franche, vive, légère, joliment fruitée, un peu suave en finale mais bien dans sa catégorie «brut». ⧗ 2016-2017 ▼ tarte Tatin

LES GRÉZELS, Ch. de la Camuse, 81600 Gaillac, tél. 05 63 57 40 94, lesgrezels.gaillac@gmail.com V *t.l.j. sf dim. 9h-12h 14h-18h*

HMMM...! Blanc de blancs 2015 ★★

●	26500	8 à 11 €

Les caves de Técou, de Rabastens, de Fronton et des Côtes d'Olt ont uni leurs forces en 2006 en créant le groupe Vinovalie, dont le nom renvoie aux

valeurs collectives du rugby. Un groupe qui fédère 470 vignerons et quelque 3800 ha de vignes répartis sur 3 appellations: gaillac, fronton et cahors.

Cette méthode gaillacoise (donc 100 % mauzac) a concouru pour le coup de cœur. Ses arguments: des bulles fines, un nez très élégant et tout en nuances (fleurs blanches, ananas, fruits secs, touche poivrée), un beau volume, de la consistance et beaucoup de fraîcheur. Une bulle de caractère. ⌛ 2016-2018 🍴 tarte au citron

⊶ VINOVALIE - SITE DE TÉCOU, 100, rte de Técou, 81600 Técou, tél. 05 63 33 00 80, passion@cavedetecou.fr V 🚶 ▪ *r.-v.*

CH. DE LACROUX
Premières Côtes Vigne de Maurival 2014

■	3300		5 à 8 €

Sur les coteaux de l'Albigeois, les frères Philippe-Xavier, Jean-Marie et Bruno Derrieux perpétuent un héritage ancien sur leurs 38 ha de vignes: en 1700, Jeanne et Guillaume Derrieux, laboureurs, cultivaient déjà les coteaux de Lincarque.

Ce pur mauzac dévoile un nez intense qui mêle une note originale d'eucalyptus à des arômes plus classiques de pamplemousse et de zeste de citron. La bouche, à l'unisson, penche clairement vers la fraîcheur, renforcée par une finale nerveuse et acidulée. Énergique. ⌛ 2016-2017 🍴 cabillaud sauce agrumes

⊶ GAEC PIERRE DERRIEUX ET FILS, Ch. de Lacroux, Lincarque, 81150 Cestayrols, tél. 05 63 56 88 88, lacroux@chateaudelacroux.com V 🚶 ▪ *t.l.j. 9h-12h30 14h-19h* 🏠 D

♥ DOM. DE LARROQUE
Les Seigneurines 2014 ★★

■	6000	🛢	8 à 11 €

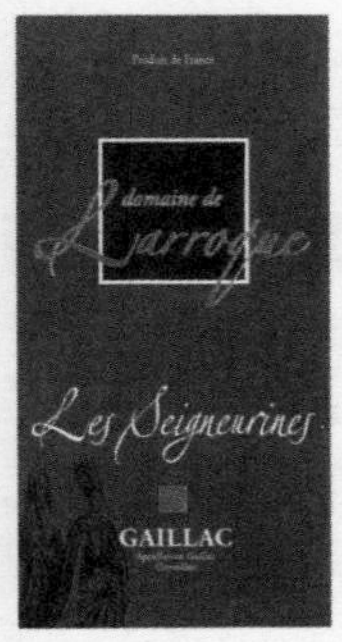

Commandé par une maison de maître du XVIIIe s. en pierre du pays, le domaine viticole existe depuis 1995, année où Valérie et Patrick Nouvel ont entrepris la restauration des bâtiments et du vignoble de 19 ha, actuellement en fin de conversion bio. Une valeur sûre du vignoble gaillacois.

Cette cuvée phare du domaine, qui associe braucol (65 %) et syrah, a décroché plus d'une étoile dans ces pages. La version 2014 rejoint sa devancière de 2002 au rang des gaillac coups de cœur. Elle ne se livre pas tout de suite, il faut une bonne aération pour qu'elle libère ses arômes profonds de fruits noirs mûrs, de poivre, de vanille et de toasté. En bouche, règne une grande harmonie: entre le fruit et le bois, entre une matière dense, suave et charnue et des tanins jeunes au grain fin et serré. Un vrai vin de garde. ⌛ 2019-2026 🍴 macaronade ■ **Privilège d'antan 2014 ★ (8 à 11 €; 12000 b.)** : dix-huit mois de cuve pour ce vin puissant, ample, rond, équilibré, centré sur les fruits et les épices et porté par des tanins soyeux. ⌛ 2017-2021 🍴 cassoulet

⊶ EARL VALÉRIE ET PATRICK NOUVEL, Larroque, 81150 Cestayrols, tél. 05 63 56 87 63, domainedelarroque@wanadoo.fr V 🚶 ▪ *t.l.j. sf dim. 9h-12h 14h-19h* 🏠 E

CH. LASTOURS Les Graviers 2015 ★

■	50000	🍾	5 à 8 €

Au bout d'une longue allée de platanes, un château construit au XVIIe s. et remanié au siècle suivant, entouré d'un jardin à la française. Son propriétaire, Hubert de Faramond, installé en 1981, est aujourd'hui à la tête d'un vignoble de 50 ha et signe des gaillac de belle facture, notamment en blanc.

Un assemblage complexe pour cette cuvée souvent en vue: loin de l'œil (45 %), sauvignon, sémillon et une touche de muscadelle et de mauzac. Le nez, élégant, conjugue le citron et les fruits blancs avec une touche de pierre à fusil. Une attaque souple ouvre sur une bouche équilibrée, à la fois ronde et fraîche, en accord avec le bouquet, dynamisée par une jolie finale minérale. ⌛ 2016-2019 🍴 poêlée de Saint-Jacques

⊶ HUBERT DE FARAMOND, 81310 Lisle-sur-Tarn, tél. 05 63 57 07 09, chateau-lastours@wanadoo.fr V 🚶 ▪ *t.l.j. 9h-12h 14h-19h*

CH. LECUSSE Vieilli en fût de chêne 2014

■	115000	🛢	5 à 8 €

Mogens N. Olesen a créé ce domaine en 1994, sur cette terre viticole mentionnée dès 1640. Sur les 80 ha que compte la propriété, la vigne (52 ha) le dispute aux oliviers, à la truffe et au safran. Le domaine est conduit en lutte raisonnée, privilégiant le travail mécanique au sol, les produits phytosanitaires et les engrais naturels.

Une «dominante bordelaise» dans ce gaillac (merlot et cabernet composent 60 % du vin). Le nez, complexe, associe senteurs de cuir, fruits noirs compotés, épices, tapenade et notes fumées. La bouche, d'abord fraîche, souple et fruitée, évolue vers plus de fermeté, portée par des tanins un peu aigus qui titillent les papilles en finale. Un vin prometteur, qui demande encore à se fondre. ⌛ 2018-2021 🍴 osso bucco

⊶ CH. LECUSSE, lieu-dit Lecusse-Broze, 81600 Gaillac, tél. 05 63 33 90 09, post@chateaulecusse.fr V ▪ *r.-v.*
⊶ Mogens Olesen

DOM. DE LONG-PECH Douceurs des Brumes 2015

■	4800	8 à 11 €

Un domaine familial créé par l'arrière-grand-père dans les années 1930, mais les premières mises en bouteille datent de 1989. Depuis 2000, Sandra Bastide et sa sœur Karine travaillent ensemble sur ce vignoble de 18 ha perché sur les hauteurs de Lisle-sur-Tarn, sur une «longue colline» calcaire («long pech» en occitan), et proposent tous les types de vins gaillacois.

D'une intensité relative mais harmonieux, le nez de cet assemblage mauzac-len de l'el associe les fruits blancs, l'abricot et les agrumes. Des arômes de fruits exotiques et de miel tapissent la bouche, bien équilibrée entre les sucres (407 g/l) et l'acidité. ⧗ 2016-2020 ♈ foie gras de canard

⊶ *DOM. DE LONG-PECH, 81310 Lisle-sur-Tarn, tél. 05 63 33 37 22, contact@domaine-de-long-pech.com* V 🚶 ▮ *t.l.j. 9h-12h 14h-18h30; dim. sur r.-v.* ⊶ *Sandra Bastide*

MANOIR DE L'EMMEILLÉ Cuvée Sarah Élevé en fût de chêne 2012 ★

■ | 8000 | | 8 à 11 €

En occitan, *emmeillé* signifie «amandier». La propriété de Charles et Jeanine Poussou à Campagnac occupe d'anciens bâtiments religieux datant du Moyen Âge, et la cave a été aménagée dans la chapelle voûtée. Le vignoble couvre 35 ha.

Après un long élevage en fût, cette cuvée dévoile un nez intense de fruits noirs mûrs et d'épices. L'attaque est franche, la bouche harmonieuse et longue, avec une matière bien enrobée par la barrique et d'un fruité soutenu aux accents de griotte. ⧗ 2017-2020 ♈ gigot d'agneau au thym

⊶ *MANOIR DE L'EMMEILLÉ, 81140 Campagnac, tél. 05 63 33 12 80, emmeille@wanadoo.fr* V 🚶 ▮ *t.l.j. sf dim. 9h-12h 14h-18h30* ⊶ *Poussou*

Ⓑ CH. DE MAYRAGUES Brut de Mayragues 2015

● | 2625 | | 15 à 20 €

Laurence et Alan Geddes ont acquis ce vignoble en 1980. Ensemble, ils ont restructuré le château (XIIe-XVIes.), le vignoble et aménagé un chai. Ils conduisent 12 ha de vignes, en biodynamie depuis 1999, et privilégient les cépages locaux (duras, braucol, mauzac et len de l'el).

Une bulle persistante et une mousse crémeuse, un nez intense de pomme au four et de poire, un bon équilibre entre fraîcheur et sucrosité, avec tout de même un léger penchant vers la douceur: nous sommes bien en présence d'un pur mauzac, pour un plaisir simple et immédiat. ⧗ 2016-2017 ♈ tarte aux pommes

⊶ *ALAN ET LAURENCE GEDDES, Ch. de Mayragues, 81140 Castelnau-de-Montmiral, tél. 05 63 33 94 08, geddes@chateau-de-mayragues.com* V 🚶 ▮ *t.l.j. sf dim. 9h-12h 14h-18h* 🏠 ⑤

MAS D'AUREL 2015

■ | 5600 | 5 à 8 €

Après avoir cultivé le célèbre vignoble algérien de Mascara, Albert Ribot s'installe en 1963 sur ce domaine, à présent conduit par sa fille Brigitte et son mari Jacques Molinier. Un corps de bâtiment en pierre calcaire blanche, une cour fermée, un pigeonnier: le mas d'Aurel est des plus typiques.

Issu de muscadelle et de loin de l'œil, ce 2015 se montre plutôt timide à l'olfaction, quelques notes délicates de tilleul, de pomme et une touche de miel pointant à l'aération. Plus exotique et expressive, la bouche n'est pas très longue, mais se montre fraîche et équilibrée, rehaussée par une légère touche d'amertume pas désagréable en finale. ⧗ 2016-2020 ♈ tarte au sucre

⊶ *MAS D'AUREL, 81170 Donnazac, tél. 05 63 56 06 39, masdaurel@wanadoo.fr* V 🚶 ▮ *t.l.j. sf dim. 9h-12h 14h-19h* ⊶ *Molinier*

MAS DES COMBES 2015

□ | 71467 | | - de 5 €

Nathalie et Rémi Larroque se sont installés en 1988 sur ce domaine familial (34 ha aujourd'hui), fondé en 1890 dans le hameau d'Oustry, sur une crête dominant le Tarn et Gaillac au sud, le plateau cordais au nord.

Mi-sauvignon mi-muscadelle, ce 2015 dévoile un nez de bonne intensité, sur les agrumes (pamplemousse, citron), nuancé de touches végétales. La bouche est vive et légère, à l'unisson du bouquet, avec des notes exotiques en supplément. Un vin simple et dynamique. ⧗ 2016-2018 ♈ salade mangue-crevettes

⊶ *RÉMI LARROQUE, Mas d'Oustry, 81600 Gaillac, tél. 05 63 57 06 13, masdescombes.rl@orange.fr* V ▮ *t.l.j. sf dim. 9h-12h 14h-19h*

DOM. MAS PIGNOU Cuvée Mélanie 2014 ★

■ | 10000 | | 8 à 11 €

Le domaine de Jacques et Bernard Auque s'étend sur 44 ha, établi à plus de 200 m d'altitude au sommet des premières côtes de Gaillac, offrant une vue exceptionnelle à 360° sur la route des Bastides.

Cette cuvée en hommage à l'aïeule de Jacques Auque revêt une robe très profonde, presque noire, et dévoile un premier nez assez brut, sur le végétal, puis arrivent des senteurs de fruits compotés et d'épices. La bouche est dense, volumineuse, corsée, épicée, adossée à des tanins fermes. Un vin de bonne garde. ⧗ 2018-2022 ♈ rôti de bœuf au pesto □ **2015 (5 à 8 €; 7000 b.)** : vin cité

⊶ *AUQUE MAS PIGNOU, 81600 Gaillac, tél. 05 63 33 18 52, maspignou@gmail.com* V 🚶 ▮ *r.-v.* ⊶ *B. Auque*

CH. LES MÉRITZ Prestige 2015 ★★

■ | 56000 | | 8 à 11 €

Situés à Cahuzac-sur-Vère, les domaines Philippe-Gayrel sont issus du rapprochement entre les familles Gayrel et Philippe, et proposent des vins signés par Françoise Laurent, œnologue-conseil de crus et châteaux du Sud-Ouest. Une valeur sûre du Gaillacois.

Un moelleux jaune paille doré très apprécié pour son nez intense de fruits jaunes et blancs confits, agrémentés de notes de fruits secs. La bouche se révèle ample, dense, suave, persistante et très aromatique, à l'unisson du bouquet. «Rien ne dépasse», conclut un dégustateur. ⧗ 2016-2019 ♈ foie gras ■ **Ch. Les Méritz Prestige 2014 ★ (5 à 8 €; 60000 b.)** : un vin très expressif, tout en fruit, qui offre une belle mâche et beaucoup de fraîcheur. ⧗ 2017-2021 ♈ entrecôte marchand de vin ■ **Ch. Larroze 2015 ★ (5 à 8 €; 24000 b.)** : un moelleux simple et facile d'accès, plaisant par son fruité discret mais harmonieux et par son bon équilibre entre rondeur et fraîcheur. ⧗ 2016-2019 ♈ brochettes d'abricot

SCEA DE RAVAILHE, 81600 Senouillac, tél. 05 63 81 21 05, oenologie@lesvignoblesgayrel.fr
Gayrel

CH. MONTELS L'Esprit Terroir 2014 ★★

■ | 20000 | | 5 à 8 €

Créé par Bruno Montels en 1985, ce domaine de 28 ha est situé à Souel, sur le plateau calcaire de Cordes. Il est bien connu des lecteurs du Guide, notamment pour ses gaillac doux.

Né de fer-servadou (50 %), de syrah et de merlot, ce vin intense et sombre libère à l'olfaction des arômes élégants de fruits rouges et noirs soulignés de délicates notes d'élevage. La bouche se montre dense, riche et fraîche à la fois, portée par des tanins veloutés et un boisé bien fondu dans le fruit qui apporte un supplément de douceur à la finale, souple et longue. Un gaillac bâti pour durer. ⧗ 2018-2026 ▼ pavé de bœuf sauce poivrade

BRUNO MONTELS, Burgal, 81170 Souel, tél. 05 63 56 01 28, montels0887@aol.com V *r.-v.*

DOM. DU MOULIN Cuvée Réserve 2014 ★★

■ | 25000 | | 5 à 8 €

Nicolas et Jean-Paul Hirissou conduisent 40 ha de vignes, 20 ha sur la rive gauche du Tarn, sur des graves, et 20 ha sur la rive droite, sur des terres argilo-calcaires. Très réguliers en qualité, leurs vins fréquentent assidûment le Guide, souvent aux meilleures places.

Une cuvée mi-syrah mi-duras, élevée un an en cuve. Robe profonde et nez intense qui distille des parfums généreux de fruits noirs compotés et d'épices, la première impression invite à poursuivre. On découvre alors une bouche très charnue, ronde, grasse, fruitée et réglissée, bâtie sur des tanins veloutés. Déjà harmonieux, ce vin promet aussi une belle évolution. ⧗ 2017-2022 ▼ côte de bœuf □ **Vieilles Vignes 2014 ★★ (8 à 11 €; 7500 b.)** : de vieux ceps de loin de l'œil et de sauvignon à l'origine d'un vin élevé en fût, rond, riche, gras, complexe (pain d'épice, coing, pomme, miel, café grillé), épaulé par une bonne acidité. ⧗ 2017-2020 ▼ ris de veau à la crème ■ **Florentin 2014 ★ (20 à 30 €; 4500 b.)** : ce pur braucol marie harmonieusement le fruit et le fût au nez comme en bouche et séduit par son côté dense, généreux, rond et velouté, sans marquer de structure. ⧗ 2017-2022 ▼ carré de porc à l'andalouse

DOM. DU MOULIN, chem. des Crêtes, 81600 Gaillac, tél. 05 63 57 20 52, domainedumoulin81@orange.fr V *t.l.j. 8h-12h 14h-19h* *Nicolas Hirissou*

CH. PALVIÉ 2014 ★

■ | 9000 | 8 à 11 €

Montans, près de Gaillac, abritait dans l'Antiquité de multiples ateliers de fabrication d'amphores frappées du sceau du village. C'est là que les Bézios, père et fils, conduisent ce domaine de 30 ha fondé en 1971.

Du braucol et de la syrah plantés sur graves sont à l'origine de ce vin légèrement animal au premier nez, porté à l'aération sur le poivron et les épices. Souple et ronde, réglissée, fruitée et vanillée, adossée à des tanins veloutés et fondus, la bouche est stimulée par une agréable fraîcheur qui apporte finesse et persistance. ⧗ 2016-2020 ▼ brochettes bœuf et poivron ■ **Dom. la Croix des Marchands Vieilles Vignes 2014 ★ (8 à 11 €; 6000 b.)** : un nez sur la réserve qui, dès l'agitation, révèle de fines notes fruitées et épicées. La bouche, beaucoup plus expressive (fruits noirs, épices), s'appuie sur des tanins soyeux, un boisé discret et une pointe d'acidité qui lui donne de l'allonge. ⧗ 2017-2020 ▼ aligot saucisses

JÉRÔME BÉZIOS, Ch. Palvié, 81140 Cahuzac-sur-Vère, tél. 06 80 65 44 69, jeromebezios@orange.fr

LES PETITS JARDINS Murmures 2014 ★

■ | 1000 | 8 à 11 €

Depuis 2012, Alexia Bouyssou, originaire du Lot et œnologue de formation, conduit ce petit domaine de 5,5 ha planté sur des coteaux à dominante argileuse et qui doit son nom au lieu-dit Les Hourtets (« petits jardins » en occitan).

Premier millésime et une entrée remarquée dans le Guide pour la vigneronne avec ce gaillac éclatant, au nez intense et frais de cassis et de groseille, encore rafraîchi par une note mentholée. Une fraîcheur qui vient souligner aussi la bouche, souple, ronde et très fruitée. Une vraie friandise à savourer dans sa jeunesse. ⧗ 2016-2019 ▼ tomates farcies

ALEXIA BOUYSSOU, Les Hourtets, 81600 Gaillac, tél. 06 13 62 02 12, domainelespetitsjardins@orange.fr V *r.-v.*

Ⓑ **CH. DE RHODES** 2014 ★

■ | 46411 | | 5 à 8 €

Dans un paysage de collines rappelant la Toscane, un château aux tourelles aiguisées, deux caves voûtées en brique, et 22 ha de vignes alentour. Éric Lépine a quitté le monde de la finance parisienne en 2002 pour acquérir ce domaine qu'il mène en bio depuis 2008 et sur lequel il a réintroduit le prunelart, vieux cépage local.

Un soupçon de prunelart (2 %) entre dans l'assemblage de cette cuvée dominée par le duras et la syrah (on y trouve aussi du merlot et du cabernet franc). Le résultat est très séduisant: un nez bien ouvert sur les fruits rouges et noirs (framboise, cassis), avec une touche de poivron; un palais ample, gras, épicé et fruité, aux tanins veloutés, qui dévoile une agréable fraîcheur en finale. Un vin déjà harmonieux, mais qui peut encore vieillir. ⧗ 2016-2022 ▼ magret sauce foie gras

CH. DE RHODES, Boissel, 81600 Gaillac, tél. 05 63 57 06 02, info@chateau-de-rhodes.com V *r.-v.* *Lépine*

Ⓑ **DOM. RENÉ RIEUX** Harmonie 2014 ★★

■ | 17760 | | 5 à 8 €

Le domaine est un établissement d'aide par le travail pour adultes handicapés. Il a vu le jour en 1988 lorsque René Rieux donna en fermage à l'association

SUD-OUEST

Les Papillons Blancs du Tarn, une dizaine d'hectares de vignes au hameau de Boissel. Il compte aujourd'hui quelque 22 ha certifiés en bio.

Une dominante de fer-servadou (65 %) dans cette cuvée qui accueille aussi le duras (20 %) et le prunelart. Si le nez est encore sur la réserve avec des arômes discrets de fruits mûrs, la bouche se montre plus loquace (épices, fruits rouges et noirs, touche végétale) et séduit par sa rondeur et son côté charnu, ses tanins aimables et soyeux et sa belle finale veloutée et réglissée. ⧗ 2017-2021 ♈ goulash ■ **Harmonie Vendanges tardives 2014 ★ (8 à 11 €; 11300 b.)** Ⓑ : un liquoreux expressif (coing, pâte de fruits, épices, litchi), rond, concentré sans excès, épaulé par une fine acidité. ⧗ 2017-2023 ♈ foie gras

⊶ TRICAT SERVICE PRODUCTION, 1495, rte de Cordes, 81600 Gaillac, tél. 05 63 57 29 29, domaine@domainerenerieux.com V 🚶 ■ *t.l.j. 10h-13h 14h-18h*

Ⓑ DOM. ROTIER
Renaissance Vendanges tardives 2013 ★

■	8085	⦶ 🏺	15 à 20 €

Alain Rotier et Francis Marre, beaux-frères, se partagent le travail: Francis aux cultures et Alain à l'élaboration des vins. La propriété (35 ha), fondée en 1985, est aujourd'hui l'un des piliers du vignoble gaillacois, notamment pour ses vins doux qui collectionnent étoiles et coups de cœur du Guide. Le vignoble, qui met notamment en valeur le duras (en rouge) et le len de l'el (en blanc), est certifié en bio depuis 2012.

Cette cuvée phare du domaine, élue plus d'une fois coup de cœur, est un pur len de l'el né sur graves et élevé dix mois en barriques de 400 l. La version 2013 se présente dans une très belle robe ambrée aux reflets orangés. Le nez, complexe et intense, mêle la poire, le coing et les fleurs blanches à un doux vanillé. Des épices et des notes d'agrumes confits s'ajoutent à cette palette dans une bouche très concentrée, très liquoreuse (145 g/l) mais jamais sirupeuse ni lourde grâce à une pointe d'acidité bienvenue. (Bouteilles de 50 cl.) ⧗ 2018-2026 ♈ croquants de Cordes ■ **Renaissance 2014 ★ (11 à 15 €; 28000 b.)** Ⓑ : duras, braucol et syrah pour ce vin tout en rondeur, suave, chaleureux et gourmand, aux parfums de fruits mûrs et aux tanins bien fondus, relevé par une touche de vivacité en finale. ⧗ 2017-2022 ♈ cassoulet ■ **Renaissance 2014 ★ (11 à 15 €; 7200 b.)** Ⓑ : issu de len de l'el et de sauvignon, un vin aromatique (épices, fleurs blanches, groseille à maquereau, pamplemousse), frais et friand, sans manquer de gras ni de volume. Jolie finale minérale et saline. ⧗ 2016-2020 ♈ daurade au four

⊶ DOM. ROTIER, Petit Nareye, 81600 Cadalen, tél. 05 63 41 75 14, rotier.marre@domaine-rotier.com V 🚶 ■ *t.l.j. sf dim. 9h-12h 14h-19h* 🏠 Ⓓ *⊶ Alain Rotier et Francis Marre*

CH. DE SALETTES 2014 ★

■	15000	⦶	11 à 15 €

Au cœur des premières côtes, ce vignoble de 30 ha est dominé par un château du XIIIe s. Roger Le Net l'avait acheté en ruine et l'avait restauré pour en faire un hôtel restaurant 4 étoiles. Aujourd'hui, Laurent Le Net est aux commandes du domaine, avec Florent Martin pour œnologue. Aux fourneaux, le chef Ludovic Dziewulski.

Ce vin s'ouvre avec élégance sur les fruits noirs, le poivre et la vanille. Franche à l'attaque, la bouche est bien équilibrée entre une agréable fraîcheur et une rondeur suave, bâtie sur des tanins fins et un boisé discret. Une bouteille que l'on pourra apprécier dans sa jeunesse ou après quelques années de garde. ⧗ 2017-2021 ♈ entrecôte grillée ■ **Aoutouno 2014 (8 à 11 €; 2900 b.)** : vin cité.

⊶ SCEV CH. DE SALETTES, Durantou, 81140 Cahuzac-sur-Vère, tél. 09 64 14 44 61, vins@chateaudesalettes.com V ■ *t.l.j. 8h-12h 14h-20h*

DOM. SALVY Méthode gaillacoise 2015 ★

●	5500	8 à 11 €

La propriété fut créée par un aïeul prénommé Salvy, qui a laissé son nom au domaine. Sur les coteaux pierreux qui surplombent la Vère, Anne Marc et Patrick Durel cultivent sur 21 ha les cépages à l'accent gaillacois, les rouges duras et braucol, et les blancs mauzac et len de l'el.

Une mousse crémeuse et de très fines bulles, un nez délicat et complexe de pomme, de poire, d'ananas et de miel d'acacia qui s'intensifie à l'aération: l'approche est avenante, la suite ne déçoit pas: de la souplesse en bouche, beaucoup de fraîcheur, un beau volume et la même finesse aromatique. ⧗ 2016-2017 ♈ gâteau à l'ananas ■ **Tradition 2014 (8 à 11 €; 2700 b.)** : vin cité. ■ **Tradition 2014 (5 à 8 €; 11000 b.)** : vin cité.

⊶ DOM. SALVY, Arzac, 81140 Cahuzac-sur-Vère, tél. 05 63 33 97 29, salvy@wanadoo.fr V ■ *t.l.j. sf lun. 10h-12h 15h-18h*
⊶ Anne Marc et Patrick Durel

DOM. SARRABELLE Tradition 2015 ★

■	15000	- de 5 €

La légende raconte que la source qui jaillit près du château de Montaigut (détruit lors de la croisade des Albigeois au XIIIe s.) était jadis le lieu des rendez-vous galants de la belle Yolande, que ses prétendants rêvaient de serrer dans leurs bras, sarro-bello en occitan. Telle est l'origine du nom de ce domaine, dans la famille Caussé depuis huit générations. Il est conduit depuis 2000 par Laurent et Fabien, à la tête aujourd'hui d'un vignoble de 42 ha.

Loin de l'œil et muscadelle à parts égales et une touche de mauzac composent ce vin très flatteur, bien ouvert sur les fruits jaunes et les agrumes. La bouche conjugue une fraîcheur acidulée et un léger moelleux aux accents de pâtisserie et de fruits confits. À tenter sur une cuisine sucrée-salée. ⧗ 2016-2019 ♈ croustillant chèvre-miel

⊶ DOM. SARRABELLE, Les Fortis, 81310 Lisle-sur-Tarn, tél. 05 63 40 47 78, contact@sarrabelle.com V 🚶 ■ *t.l.j. sf dim. 9h-12h 14h-19h ⊶ Caussé*

Ⓑ CH. DE SAURS Réserve Eliézer 2014

■	24000	⦶ 🏺	11 à 15 €

Établi dans le village de Saurs, près de Gaillac, le château d'inspiration palladienne a été bâti au milieu

du XIXe s. par Eliézer Ginestre de Saur, l'arrière-grand-père de l'actuel propriétaire. Le vignoble, conduit en bio, couvre 46,5 ha.

Joliment bouquetée autour des fruits rouges mûrs, de la menthe, de la cannelle et du tabac, cette cuvée attaque sur la fraîcheur, puis se fait plus suave et onctueuse, avant une finale des tanins plutôt fermes et sévères qui appellent une petite garde. Elle gagnera son étoile en cave. ⧗ 2018-2022 ⫯ magret de canard

⊶ SCEA CH. DE SAURS, chem. Toulze-Saurs, 81310 Lisle-sur-Tarn, tél. 05 63 57 09 79, info@chateau-de-saurs.com V 🚶 ▮ *t.l.j. sf dim. 10h-12h30 15h-18h ⊶ Burrus*

Ⓑ CH. DE TERRIDE Ta Main sur mon chemin 2014 ★

■ | 2600 | 🛢 | 11 à 15 €

Un château flanqué de deux tours carrées – ancien relais de chasse construit en 1650 par un maître verrier et devenu viticole dans les années 1960 – se dresse devant 37 ha de vignes ceints de bois. Jean-Paul et Solange David ont acquis le domaine en 1996; ils sont aujourd'hui relayés par leur fille Alix, œnologue, et son mari Romain.

Une cuvée «romantique» que ce 100 % braucol, la première élaborée à quatre mains par Alix David et son mari Romain. Dans le verre, un vin sombre, au nez profond et bien typé de fruits rouges et noirs relevés d'épices, au palais ample, généreux, suave et bien corsé. Tout ce que l'on attend d'un bon gaillac. ⧗ 2017-2022 ⫯ confit de porc aux haricots

⊶ GAEC DE TERRIDE, Ch. de Terride, 81140 Puycelsi, tél. 05 63 33 26 63, info@chateau-de-terride.com V 🚶 ▮ *t.l.j. sf dim. 10h-12h 14h-18h ⊶ Alix David*

DOM. DES TERRISSES 2014 ★

■ | 40 000 | 🍾 | 8 à 11 €

Les terrisses sont des briques de terre crue et de paille mélangées qui servaient à l'édification des bâtisses traditionnelles du Gaillacois, comme l'imposante ferme à quatre pentes qui commande ce vignoble. Brigitte et Alain Cazottes gèrent depuis 1984 le domaine familial de 38 ha, faisant suite à sept générations sur ce vignoble.

Nuances végétales (poivron), fruitées (cassis) et épicées, l'approche olfactive est fraîche et harmonieuse. Une attaque souple et ronde ouvre sur une bouche ample, corsée et réglissée, aux tanins fondus. Le vin se resserre quelque peu en finale et présente une légère amertume qu'une petite garde amadouera. ⧗ 2017-2021 ⫯ parmentier de canard

⊶ BRIGITTE ET ALAIN CAZOTTES, Dom. des Terrisses, chem. des Terrisses - D 18, 81600 Gaillac, tél. 05 63 57 16 80, gaillacterrisses@orange.fr V 🚶 ▮ *r.-v.*

DOM. DE VAISSIÈRE 2014

■ | 2500 | 🍾 | 5 à 8 €

L'histoire vigneronne des Vaissière sur les terres de Busque est ancienne; un lieu-dit porte même le nom de la famille. Au XIXe s., mégisseries et vignes parsemaient la campagne. André Vaissière, dernier représentant en date de cette lignée, conduit aujourd'hui un vignoble de 17 ha.

Au nez, des fruits rouges, des épices et des notes de poivron. En bouche, de la souplesse, du fond, de l'équilibre et cette même ligne aromatique fruitée et épicée. Un gaillac simple et facile d'accès. ⧗ 2016-2019 ⫯ steack tartare

⊶ VAISSIÈRE, 81300 Busque, tél. 05 63 34 59 06, andre.vaissiere@orange.fr V 🚶 ▮ *t.l.j. 10h30-12h30 15h30-19h30; dim. sur r.-v.*

DOM. DE LA VALIÈRE Confidences 2014 ★

■ | 1800 | 🛢🍾 | 8 à 11 €

Installés en 2004, Georges et Jacques Bennes cultivent en agriculture raisonnée le vignoble familial de 5,3 ha, établi sur un terroir de graves au sud-ouest de l'appellation gaillac.

Syrah (70 %) et braucol, un assemblage classique pour cette cuvée expressive, au bouquet complexe de fruits rouges, de violette et de toasté, agrémenté d'une touche d'olive noire. La bouche, ample et puissante, offre elle aussi une belle intensité aromatique entre fruits mûrs et notes fumées et s'étire dans une longue finale pleine de fraîcheur. ⧗ 2017-2022 ⫯ parmentier de boudin noir aux pommes

⊶ EARL BENNES, 2530, rte des Rives-de-L'Agout, Saint-Waast, 81800 Coufouleux, tél. 06 80 43 61 76, contact@domaine-valiere.com V 🚶 ▮ *t.l.j. sf dim. 9h-12h 15h-18h30*

DOM. VAYSSETTE Cuvée Maxime Vendanges tardives 2014 ★★

■ | 1800 | 🛢 | 11 à 15 €

Florentin et Andrée Vayssette, les grands-parents, s'installèrent en 1930 sur le chemin des Crêtes de Gaillac. Les suivirent Jacques, leur fils, et Maryse. Puis leur petit-fils Patrice et son épouse Nathalie les ont rejoints pour exploiter les 28 ha de vignes du domaine. Une valeur sûre de l'appellation.

Le coup de cœur fut mis aux voix pour cette cuvée d'un jaune doré seyant et intense. Non moins intense est le nez, complexe aussi, qui évoque l'aubépine, le tilleul, le miel, le coing, les fruits jaunes ou encore la vanille. La bouche est fondue et concentrée, tout en rondeur et en onctuosité, stimulée par une fine acidité et une jolie finale épicée. (Bouteille de 50 cl.) ⧗ 2017-2026 ⫯ tarte au chocolat ■ **Cuvée Léa 2014 ★ (8 à 11 €; 12 600 b.)** : de la syrah et du braucol à parts égales dans ce vin qui concentre au nez comme en bouche un fruit bien mûr relevé d'épices, fondu dans un bel écrin boisé. Ses tanins serrés et un trait acide léger lui permettront de bien évoluer. ⧗ 2018-2022 ⫯ cuisse de canard confite

⊶ VAYSSETTE, 2738, chem. des Crêtes, 81600 Gaillac, tél. 05 63 57 31 95, domaine.vayssette@e-kiwi.fr V 🚶 ▮ *r.-v.* 🏠 Ⓐ

Ⓑ CH. LES VIGNALS Symphonie 2014

■ | 45 000 | 🛢 | 5 à 8 €

Un domaine de 70 ha situé à Cestayrols, au nord-ouest de Gaillac, sur le terroir argilo-calcaire de

SUD-OUEST

la rive droite du Tarn balayé par le vent d'autan. Racheté en 1996 par M. Varoli, il est régi par Olivier Jean, qui a engagé la conversion au bio du vignoble (certification en 2013), avec Éric Brun comme maître de chai et Caroline Boisset comme œnologue.

Le nez franc et intense de ce vin, assemblage braucol-merlot-cabernet-sauvignon, marie les fruits rouges et noirs à un boisé épicé et à des notes de pierre à fusil. Soulignée elle aussi par des nuances minérales et quelques touches fumées, la bouche s'avère souple et soyeuse, avant une finale un peu plus stricte qui appelle une petite garde. ⧗ 2017-2020 ▼ faux-filet grillé

⊶ SCEA CH. LES VIGNALS, Les Vignals, 81150 Cestayrols, tél. 05 63 55 41 53, contact@lesvignals.fr V t.l.j. sf dim. 9h-13h 14h-18h ⊶ Varoli

VIGNÉ-LOURAC Terrae Veritas 2015 ★

■	56000	▮	5 à 8 €

Un domaine régulier en qualité, pour ses gaillac mais aussi pour ses vins de pays, dirigé par Alain Gayrel et son fils Vincent.

Du loin de l'œil et du mauzac à parité dans cette cuvée au nez agréable, fin et frais, sur les fleurs blanches, la poire et la pêche. Centrée sur les fruits confits, la bouche se montre bien équilibrée entre les sucres résiduels (90 g/l) et une fine tension qui apporte longueur et surcroît de finesse. ⧗ 2016-2022 ▼ moelleux au chocolat ■ **Terrae Veritas 2014 (5 à 8 €; 60000 b.)** : vin cité.

⊶ ALAIN ET VINCENT GAYREL, 103, av. Foch, 81600 Gaillac, tél. 05 63 81 21 11, gaillac@cave-gaillac.fr V t.l.j. 9h30-12h30 14h30-19h30

VINS-D'ESTAING

Superficie : 18 ha
Production : 656 hl (95 % rouge et rosé)

Entourées par les causses de l'Aubrac, les monts du Cantal et le plateau du Lévezou, les appellations de l'Aveyron seraient plutôt à classer parmi celles du Massif central. Ces petits vignobles sont très anciens puisque leur fondation par les moines de Conques remonte au IXe s. Les vins-d'estaing se partagent entre rouges et rosés frais et parfumés (cassis, framboise), à base de fer-servadou et de gamay, et blancs originaux, assemblage de chenin, de mauzac et de roussselou, des vins vifs au parfum de terroir.

LES VIGNERONS D'OLT Cuvée Saint-Jacques 2014

■	5100	◫	5 à 8 €

En 1983, une dizaine de vignerons plantèrent en commun 6 ha de vignes sur les anciennes terrasses de «Persillés». Aujourd'hui, la coopérative conduit 18 ha de vignes.

Du fer-servadou (50 %), du cabernet franc (45 %) et une goutte de gamay pour cette cuvée en robe légère, ouverte sur le poivron rouge, puis sur les fruits rouges croquants et le poivre. La bouche se montre fraîche et légère, portée par des tanins discrets, marquée par un joli retour poivré en finale. Un vin équilibré et gouleyant. ⧗ 2016-2018 ▼ poule-au-pot

⊶ LES VIGNERONS D' OLT, L'Escaillou, 12190 Coubisou, tél. 05 65 44 04 42, cave.vigneronsdolt@wanadoo.fr t.l.j. sf lun. jeu. dim. 10h-12h30 15h-18h30

VINS-D'ENTRAYGUES-ET-DU-FEL

Superficie : 21 ha
Production : 718 hl (80 % rouge et rosé)

Ces vins naissent au sud du département du Cantal et au nord de celui de l'Aveyron, sur les premiers contreforts des massifs du Cantal et de l'Aubrac. Produits au confluent du Lot et de la Truyère, les blancs d'Entraygues, cultivés sur d'étroites banquettes aux sols schisteux aménagées à flanc de coteaux abrupts, sont issus de chenin et de mauzac. Frais et fruités, ils font merveille sur les truites sauvages et le cantal doux. Les vins rouges du Fel, solides et terriens, seront bus sur de l'agneau des Causses et sur la potée auvergnate. Comme tous les AOVDQS, ces vins ont été reconnus en AOC en 2011.

JEAN-MARC VIGUIER Cuvée spéciale 2014 ★★

□	4000	▮	5 à 8 €

Sur les coteaux abrupts qui dominent la vallée du Lot s'étirent les 6,36 ha du vignoble en terrasses de Jean-Marc Viguier, héritier d'une longue lignée de vignerons et bien connu des amateurs d'entraygues-et-du-fel pour ses blancs issus essentiellement de chenin.

Connaissez-vous l'apéritif régional, le pélou tonic? Jean-Marc Viguier en propose la recette (1/4 de crème de châtaigne et 3/4 de vin blanc du Fel) sur la fiche descriptive de sa Cuvée spéciale. Sans doute un cocktail intéressant, mais nous vous conseillons pour l'heure de laisser tranquille ce très joli vin issu d'une sélection de vieux ceps de chenin et de le servir plus tard bien frais avec du poisson ou un bon chèvre sec. La robe est jaune pâle et scintillante, le nez intense et franc, sur les fleurs et les fruits blancs, la bouche ample et tout aussi aromatique, très souple et tendue du début à la fin par une fine acidité. Un vin harmonieux et croquant à souhait. ⧗ 2016-2019 ▼ truite aux amandes

⊶ JEAN-MARC VIGUIER, Le Buis, 12140 Entraygues, tél. 05 65 44 50 45, jeanmarc.viguier@yahoo.fr V t.l.j. sf dim. 10h-12h 15h-19h

MARCILLAC

Superficie : 185 ha / Production : 7 904 hl

Reconnu en AOC en 1990, ce vin rouge naît dans l'Aveyron, dans une cuvette naturelle au microclimat favorable: le «vallon». Cultivé sur des argiles riches en oxyde de fer – les rougiers –, le mansois (fer-servadou) lui donne une réelle originalité, faite d'une rusticité tannique et d'arômes de framboise.

B DOM. DES COSTES ROUGES Tandem 2015 ★

■	12800	▮	5 à 8 €

À l'origine exploité en polyculture, ce domaine converti au bio est aujourd'hui presque exclusivement dédié

à la vigne (6 ha), une petite production de légumes, de céréales et de volaille complétant l'activité. Éric et Claudine Vinas y sont installés depuis 1993.

Le nez, assez réservé, mêle classiquement les fruits confits (fraise, cassis) au poivre et au poivron. Tout aussi discrète sur le plan aromatique, la bouche plaît par son côté suave et charnu et par ses tanins fins. Un vin d'une aimable simplicité. ⌛ 2016-2020 🍴 assiette de charcuterie

CLAUDINE ET ÉRIC VINAS, Combret, 12330 Nauviale, tél. 05 65 72 83 85, domaine-des-costes-rouges@wanadoo.fr t.l.j. 9h-12h 14h-19h; hors juil.-août sur r.-v.

♥ DOM. DU CROS Lo Sang Del Païs 2015 ★★

■ | 130 000 | | 5 à 8 €

À sa création en 1984, ce domaine emblématique de l'AOC marcillac ne disposait que d'un hectare de vignes et produisait environ 4 000 bouteilles par an; la superficie atteint à présent 32 ha. La propriété est conduite par Philippe Teulier, secondé depuis 2006 par son fils Julien. Une valeur sûre.

Ardent défenseur du fer-servadou, appelé localement mansois, le domaine du Cros en propose ici une version majuscule. Le nez, montant et intense, associe les fruits rouges et noirs, la baie de sureau, le poivre et une note bien typée de poivron. La bouche est ronde, suave, dense et bien fruitée, soulignée par une belle fraîcheur qui apporte du nerf et de la longueur. Un très joli vin de terroir, gourmand et élégant à la fois. ⌛ 2016-2020 🍴 aligot saucisses ■ **VV 2014 ★ (8 à 11 €; 30 000 b.)** : un grand classique du domaine, né de vieux ceps de fer-servadou et élevé dix-huit mois en vieux foudres. Cela donne un vin compact, trapu, avec une pointe de fraîcheur minérale en soutien et des tanins de qualité bâtis pour la garde. ⌛ 2019-2022 🍴 daube de bœuf

GAEC. DU CROS, Le Cros, 12390 Goutrens, tél. 05 65 72 71 77, pteulier@domaine-du-cros.com t.l.j. sf dim. 9h-12h 14h-18h Philippe et Julien Teulier

DOM. DE LADRECHT 2015 ★★

■ | 24 000 | | 5 à 8 €

Établie dans le fameux vallon de Marcillac, cette coopérative, créée en 1965, regroupe une quarantaine de vignerons et fournit 60 % de la production de l'AOC. Une valeur sûre.

À une robe grenat intense répond un bouquet tout aussi intense de fruits rouges et noirs compotés, agrémentés de notes typiques de poivron rouge et d'épices. Une attaque ronde ouvre sur un palais volumineux et corsé, bâti sur des tanins vigoureux et sur une fine acidité qui lui donne de l'allonge. ⌛ 2019-2023 🍴 carré d'agneau ■ **Les Vignerons du Vallon Cuvée réservée 2014 ★ (5 à 8 €; 106 000 b.)** : une jolie cuvée fruitée et épicée au nez comme en bouche, avec quelques notes classiques de poivron, souple et ronde, aux tanins veloutés, qui pourra s'apprécier dans sa jeunesse. ⌛ 2016-2019 🍴 poulet à la tomate ■ **Les Vignerons du Vallon Les Cayla 2015 ★ (5 à 8 €; 24 000 b.)** : poivron rouge, épices, fruits mûrs, le nez est dans le ton de l'appellation. En bouche, une bonne nervosité et des tanins fins promettent une évolution sereine à ce vin. ⌛ 2017-2021 🍴 civet de biche

LES VIGNERONS DU VALLON, RD 840, 12330 Valady, tél. 05 65 72 70 21, kasper.ibfelt@groupe-unicor.com t.l.j. sf dim. 9h-12h 14h-18h Unicor

LIONEL OSMIN & CIE 2015 ★★

■ | 8 000 | | 8 à 11 €

Fils d'un bijoutier béarnais, Lionel Osmin est devenu ingénieur agricole et a fondé en 2010 une maison de négoce spécialisée dans les vins du grand Sud-Ouest, d'Irouléguy à Bergerac, de Madiran à Marcillac. Aux commandes des vinifications de cette vaste gamme, l'œnologue Damiens Sartori.

La robe d'un beau rouge profond annonce un vin de matière. De fait, à un nez généreux, sur les fruits mûrs, la réglisse, le poivre et le poivron rouge fait écho une bouche ronde, suave, dense et charnue, aux tanins fins. Un marcillac d'un style moderne, élégant et gourmand. ⌛ 2017-2021 🍴 magret de canard aux cerises

LIONEL OSMIN & CIE, 13-14, rue des Bruyères, 64160 Morlaas, tél. 05 59 05 14 66, sudouest@osmin.fr

CÔTES-DE-MILLAU

Superficie : 56 ha
Production : 2 030 hl (97 % rouge et rosé)

Reconnu en AOVDQS en 1994, le plus méridional des vignobles aveyronnais est implanté sur des coteaux de la haute vallée du Tarn, dans un secteur déjà soumis aux influences méditerranéennes. Majoritaires, les rouges et rosés sont composés de syrah et de gamay et, dans une moindre proportion, de cabernet-sauvignon, de fer-servadou et de duras. Les blancs assemblent chenin et mauzac. Les côtes-de-millau ont accédé à l'AOC en 2011.

DOM. DU VIEUX NOYER Louradou 2014

■ | 1500 | | 11 à 15 €

Un grand noyer au tronc sculpté des symboles de la vigne trône à l'entrée de la propriété de Bernard Portalier, vignoble de 15 ha conduit en bio, établi au pied des Grandes Causses. À découvrir, outre les vins, les apéritifs maison, le Calistou (noix, mirabelle et vin rosé) et la Vignola (cerise et vin rouge).

La syrah (60 %) et le cabernet-sauvignon (30 %) ont fait l'objet d'une longue macération, le gamay complétant l'assemblage. Après un séjour d'un an dans le bois, le vin aux chatoyants reflets grenat affiche un premier nez fruité, fait de griotte, de groseille, et de mûre confiturée, évoluant à l'aération vers les épices et la liqueur de cassis. Vif à l'attaque, plus suave dans son développement, le palais déploie des notes de cannelle et de griotte à l'eau-de-vie et s'appuie sur des tanins légèrement boisés. ⌛ 2017-2018 🍴 jambon sec

DOM. DU VIEUX NOYER, rte des Gorges, Boyne, 12640 Rivière-sur-Tarn, tél. 05 65 62 64 57, bernard.portalier@sfr.fr t.l.j. 9h-12h30 15h-19h

SUD-OUEST

➔ LA MOYENNE GARONNE

FRONTON

Superficie : 2 060 ha / Production : 97 242 hl

Vin des Toulousains, le fronton provient d'un très ancien vignoble, autrefois propriété des chevaliers de l'ordre de Saint-Jean-de-Jérusalem. Lors du siège de Montauban, Louis XIII et Richelieu se livrèrent à force dégustations comparatives... Reconstitué grâce à la création des coopératives de Fronton et de Villaudric, le vignoble a conservé un encépagement original avec la négrette, variété locale que l'on retrouve à Gaillac. Elle est vinifiée seule ou assemblée à la syrah, au cot, au cabernet franc et au cabernet-sauvignon, au fer-servadou et, dans une moindre mesure, au gamay. Le terroir occupe les trois terrasses du Tarn, aux sols de boulbènes, de graves ou de rougets. Les vins rouges comprenant des cabernets, du gamay ou de la syrah, sont fruités et aromatiques. Plus riches en négrette, ils sont alors puissants, assez tanniques, dotés d'un fort parfum de terroir aux accents de violette. Les rosés sont francs, vifs et fruités.

CH. BAUDARE
Cuvée Prestige Élevé en fût de chêne 2014 ★

■ | 88000 | | 5 à 8 €

Au temps de Napoléon Ier, Guillaume Vigouroux fut le seul des quatre frères à revenir des champs de bataille. David, son descendant (cinquième génération), installé sur le domaine familial en 1995, s'est marié avec une... Anglaise qui contribue à la renommée de la négrette outre-Manche. Le vignoble, créé en 1882, s'étend aujourd'hui sur 85 ha, complété en 2009 par les 20 ha du Dom. Callory. À la carte des Vigouroux, des fronton très réguliers en qualité.

Négrette (50 %), cabernet-sauvignon et malbec sont mariés, pour le meilleur, dans ce vin passé en cuve et en foudre. La robe est aussi profonde que le nez est intense, centré sur la confiture de cassis, le cacao et l'amande grillée. En bouche, de l'ampleur, de la complexité (fruits noirs, poivre, violette et notes boisées), de la fraîcheur et une bonne trame de tanins serrés. ⧗ 2017-2021 ♈ pavé de bœuf sauce poivre ■ **Perle noire 2014 (5 à 8 €; 45000 b.)** : vin cité.

DAVID ET CLAUDE VIGOUROUX, Cave de vente, 161, rue Basse, 82370 Campsas, tél. 05 63 30 51 33, vigouroux@aol.com V *sam. 9h-12h 14h30-17h; sur r.-v. en sem.*

CH. BELLEVUE LA FORÊT Mavro 2014 ★

■ | 14400 | | 8 à 11 €

Avec 100 ha d'un seul tenant, Bellevue la Forêt est le plus vaste domaine de l'appellation Fronton. Patrick Germain, issu d'une lignée de viticulteurs d'Afrique du Nord, l'avait acquis en 1974, un an avant la création de l'AOC, puis mis en valeur et en avait largement diffusé les vins. En 2008, il l'a vendu à Philip Grant. Formé au vin, l'homme d'affaires irlandais ne manque pas d'ambition pour le vignoble.

Valeur sûre du vignoble frontonnais, Bellevue la Forêt signe un 100 % négrette de belle extraction. Un vin expressif et complexe (fruits mûrs, violette, amande), solidement charpenté, et même assez austère en finale. De quoi voir venir pour les prochaines années. ⧗ 2018-2022 ♈ carré d'agneau

DOM. BELLEVUE LA FORÊT, 5580, rte de Grisolles, 31620 Fronton, tél. 05 34 27 91 91, cblf@chateaubellevuelaforet.com V *t.l.j. sf dim. 9h30-12h30 14h-18h* *Philip Grant*

Ⓑ CH. BOUISSEL À l'origine 2014 ★

■ | 50000 | | 5 à 8 €

Constitué par le grand-père dans les années 1930, ce vignoble de 21 ha est implanté sur la troisième terrasse du Tarn, la plus haute et la plus ancienne. Anne-Marie et Pierre Selle ont spécialisé le domaine et lancé la mise en bouteilles en 1989. Arrivé en 2009, leur fils Nicolas a engagé la conversion bio (certification en 2012). Son cheval de bataille: la négrette. Une valeur sûre du Frontonnais, en AOC comme en IGP.

Négrette, malbec et cabernet-sauvignon sont à l'origine de ce vin sombre, un brin animal au premier nez, bien ouvert sur la mûre et le poivre à l'aération. La bouche offre du volume et de la fraîcheur, adossée à des tanins de qualité qui assureront sa bonne tenue en cave. ⧗ 2017-2021 ♈ fricassée d'agneau ■ **Pinot Saint-Georges 2014 (8 à 11 €; 10000 b.)** Ⓑ : vin cité.

NICOLAS SELLE, Ch. Bouissel, 200, chem. du Vert, 82370 Campsas, tél. 05 63 30 10 49, contact@chateaubouissel.com V *t.l.j. sf dim. 10h-12h 14h-19h; sam. sur r.-v.*

Ⓑ CH. BOUJAC Cuvée Alexanne 2014

■ | 6000 | 8 à 11 €

Un domaine familial tourné, à l'origine, vers la polyculture et l'élevage. Arrivés à sa tête en 1989, Philippe et Michelle Selle l'ont spécialisé et l'ont orienté vers la vente directe. Le vignoble, qui compte aujourd'hui 29 ha, est exploité en bio certifié depuis 2012.

Alexanne? La contraction des prénoms des filles des propriétaires (Alexandra et Marie-Anne). Dans le verre, un assemblage négrette-syrah-cabernet de bonne facture, un brin animal au premier nez, puis fruité et floral (violette). La bouche est légère, souple et déliée, dominée par les fruits compotés. ⧗ 2016-2019 ♈ filet mignon à la tomate

MICHELLE ET PHILIPPE SELLE, 499, chem. de Boujac, 82370 Campsas, tél. 05 63 30 17 79, selle.philippe@wanadoo.fr V *t.l.j. sf dim. 9h-12h 14h-19h*

CH. CARROL DE BELLEL Cuvée Gino 2014 ★

■ | 5000 | | 5 à 8 €

En 2008, Yannick Gasparotto s'est associé à son père Gilbert sur le domaine familial qu'il a repris l'année suivante. Il a porté la superficie de l'exploitation à 32 ha (dont 16 ha de négrette) et pratique la lutte raisonnée.

Cuvée hommage au grand-père du vigneron, cet assemblage de négrette (70 %) et de syrah dévoile un bouquet délicat et frais de bonbon arlequin, de violette et de réglisse. L'attaque est ronde, le développement charnu et velouté, porté par des tanins tendres et un fruité soutenu jusqu'en finale. Un fronton charmeur et gourmand. ⧗ 2016-2020 🍷 sauté d'agneau à la tomate

EARL CARROL DE BELLEL, 103, chem. de Boujac, 82370 Campsas, tél. 06 49 25 05 82, yannick.gasparotto@hotmail.fr V t.l.j. sf dim. 9h-12h 16h30-18h *Gasparotto*

LA COLOMBIÈRE Réserve 2014

■	17500		8 à 11 €

Cette propriété, qui existe depuis la Révolution française, a été rachetée par le baron François de Driesen en 1984, puis reprise en 1998 par sa fille Diane et son gendre Philippe Cauvin, juriste de formation. Le couple a depuis converti les 13 ha de vignes au bio et à la biodynamie.

Le duo négrette (80 %) et syrah a donné ce vin clair et brillant qui mêle discrètement à l'olfaction notes fruitées (mûre, framboise) et épicées. On retrouve les fruits avec plus d'intensité dans une bouche ronde et souple, soulignée en finale par une fraîcheur légèrement acidulée. ⧗ 2016-2019 🍷 poulet rôti

LA COLOMBIÈRE, 190, rte de Vacquiers, 31620 Villaudric, tél. 05 61 82 44 05, vigneron@chateaulacolombiere.com V *t.l.j. sf dim. 9h30-12h30 14h-18h; sam. sur r.-v.* *Cauvin*

CH. DEVÈS Allegro 2014 ★★

■	5000		5 à 8 €

Depuis 1975, Michel Abart exploite son domaine (11 ha) sur la deuxième terrasse du Tarn. Alors que la machine à vendanger s'est généralisée sur les terrasses peu accidentées du Frontonnais, il est resté attaché aux vendanges manuelles. Il a réservé plus d'une fois de bonnes surprises aux amateurs.

Une belle robe brillante et profonde habille cet assemblage de négrette (60 %) et de syrah. Le nez, intense et complexe, mêle fruits noirs, réglisse et épices. Une attaque droite et fraîche ouvre sur un palais ample, dense et bien texturé, aux tanins ronds et veloutés, prolongé par une finale aux notes typiques de violette. ⧗ 2016-2020 🍷 sauté de veau ■ **2014 ★ (5 à 8 €; 20000 b.)** : la cuvée principale du domaine plaît par son nez fruité et épicé, par sa fraîcheur et ses tanins fermes sans dureté. Un bon classique. ⧗ 2017-2020 🍷 grillades ■ **Noir Désir 2014 ★ (8 à 11 €; 3000 b.)** : un 100 % négrette à la forte personnalité, bien fruité (mûre, myrtille), floral, épicé et réglissé, ample et structuré. ⧗ 2017-2021 🍷 côte de bœuf

MICHEL ABART, 2255, rte de Fronton, 31620 Castelnau-d'Estrétefonds, tél. 05 61 35 14 97, chateaudeves@hotmail.fr V *r.-v.*

CH. FERRAN 2014 ★★

■	80000		5 à 8 €

Dirigeant d'une briqueterie, Nicolas Gélis s'est orienté avec succès vers la viticulture dans le Frontonnais; il a racheté successivement trois châteaux: Ferran (1994), Montauriol (1998) et Cahuzac (2008), et développé une structure de négoce. À la tête de plus de 100 ha de vignes sur des terroirs différents, il est devenu une valeur sûre de l'appellation, avec Laurent Fadat aux commandes des vinifications.

Prétendant au coup de cœur, ce fronton né de négrette (60 %), cabernet et gamay séduit par son style très fruité et épicé, au nez comme en bouche, par son volume, par sa souplesse et par la finesse de ses tanins. Un vin élégant et fort harmonieux. ⧗ 2017-2021 🍷 carré d'agneau ■ **Ch. Montauriol Mons Aureolus Élevé en fût 2014 ★★ (11 à 15 €; 12000 b.)** : quatorze mois de fût pour ce beau vin aux arômes généreux de fruits mûrs, de pruneau, d'épices, de cacao et de toasté, au palais ample, dense et solidement campé sur des tanins fins et un bon boisé. ⧗ 2018-2022 🍷 osso bucco ■ **Chemin Saint-Jacques 2014 (5 à 8 €; 150000 b.)** : vin cité.

NICOLAS GÉLIS, Ch. Montauriol, 1925, rte des Châteaux, 31340 Villematier, tél. 05 61 35 30 58, contact@vignobles-nicolasgelis.com

CH. FONT BLANQUE 2014

■	4000		5 à 8 €

Ce domaine familial créé en 2005 est déjà bien connu des habitués du Guide. Implanté sur un sol argilo-limoneux, son vignoble de 16,4 ha a été entièrement restructuré et replanté par Jacqueline et Didier Bonhoure.

Ce vin s'ouvre sur des parfums de fruits à l'eau-de-vie et de poivre. Des arômes chaleureux agrémentés de notes réglissées dans une bouche d'un bon volume, ronde et corsée, un peu plus sévère en finale. ⧗ 2017-2020 🍷 daube de bœuf

GAEC DE FONT BLANQUE, 1055, rte de Fabas, 82370 Campsas, tél. 05 63 64 08 91, chateau.font-blanque@orange.fr V *r.-v.* *Bonhoure*

CH. JOLIET Élevé en fût 2014 ★

■	4200		8 à 11 €

Créateurs du domaine en 1984, François et Marie-Claire Daubert, ardents défenseurs de la négrette, ont pris leur retraite en 2010 et transmis leur propriété à de jeunes vignerons frontonnais, coopérateurs à la cave locale, Marie-Ange et Jérôme Soriano, qui ont agrandi le vignoble, portant sa surface à 24 ha.

La négrette entre à 40 % dans l'assemblage de ce vin, complété de syrah et de cabernet. Un vin sombre, au nez chaleureux de fruits noirs confits, de cacao et de café torréfié, ample, gras et suave en bouche, étayé par des tanins fondus et soyeux et par un bon boisé vanillé et épicé. Une bouteille déjà harmonieuse et qui vieillira bien. ⧗ 2017-2021 🍷 confit d'oie ■ **Tradition 2014 ★ (5 à 8 €; 16000 b.)** : un vin bien typé négrette (violette, épices, réglisse, fruits noirs) au nez comme en bouche, souple et équilibré. Un bon standard de l'appellation. ⧗ 2016-2019 🍷 rôti de bœuf

CH. JOLIET, 1070, chem. des Peyrounets, 31620 Fronton, tél. 06 07 74 36 78, dejoliet@orange.fr V *mer. à sam. 9h-12h 15h-18h* *Soriano*

CH. LAUROU Tradition 2014 ★

■	50 000	5 à 8 €

Informaticien et Parisien dans une vie antérieure, Guy Salmona s'est reconverti dans la viticulture à Fronton en rachetant ce domaine. Il a engagé en 2009 la conversion bio (aujourd'hui achevée) de ses 52 ha de vignes. Une valeur sûre du Frontonnais.

Coup de cœur dans l'édition précédente avec sa cuvée Les Complices 2013, le domaine signe avec ce 2014 issu de négrette, cabernet-sauvignon et syrah un beau vin sombre et profond. Encore sur sa réserve à l'olfaction – l'aération distille des notes de cassis, de violette et de racine d'iris –, il se montre plus loquace en bouche, sur le fruit et les épices, ample et bien structuré. ⧗ 2018-2021 ♈ tajine d'agneau

GUY SALMONA, Ch. Laurou, 2250, rte de Nohic, 31620 Fronton, tél. 05 61 82 40 88, guy.salmona@wanadoo.fr V *r.-v.*

♥ **DOM. DE LESCURE** L'Instant présent 2014 ★★

■	12 000		5 à 8 €

Acquise en 1923 par la famille Cardetti, cette exploitation a débuté la viticulture en 1970, avec Jean-Marie. Installé en 2008, Fabien Cardetti a porté la superficie du vignoble à 24 ha; il cultive aussi 15 ha de céréales et 8,5 ha de noisetiers. Ce jeune vigneron a aussi fait grandir la réputation du domaine avec des fronton bien typés souvent en vue dans ces pages.

Troisième coup de cœur pour Fabien Cardetti, qui s'affirme définitivement comme l'une des valeurs montantes de l'appellation. Cette cuvée issue de négrette (60 %), syrah et cabernet franc rejoint ainsi au palmarès sa «grande sœur» de 2011. Un vin qui vise le plaisir simple et immédiat et qui atteint pleinement son but: jolie robe grenat très attirante; nez épanoui et typé de fruits noirs, de réglisse, de violette et d'épices; bouche tout en souplesse, suave et fraîche à la fois, aromatique et gourmande. *What else?...* ⧗ 2016-2020 ♈ boudin noir aux pommes

FABIEN CARDETTI, 151, chem. de Lescure, 82370 Labastide-Saint-Pierre, tél. 05 63 30 55 45, domainedelescure@orange.fr V *r.-v.*

DOM. DES PRADELLES Légende 2014 ★

■	2364		8 à 11 €

Domaine fondé en 1869. Sa vocation viticole s'affirme en 1990 avec François Prat, qui sort de la coopérative. Sa fille Noëlle prend le relais en 2012, mais son père reste actif à la cave, ainsi que Philippe Sérié, le maître de chai, et Alain Escarguel, l'œnologue. Le domaine s'étend sur 15,8 ha d'un seul tenant au sud de l'appellation, sur la troisième terrasse du Tarn.

Une courte majorité (53 %) pour la négrette au côté de la syrah dans ce vin au nez complexe et élégant, mêlant un tendre fruité à la violette et aux épices douces. La bouche, aux tanins bien policés, se montre très fruitée, fraîche, souple et longue. Un vin élégant. ⧗ 2016-2020 ♈ volaille rôtie

NOËLLE PRAT, 44, chem. de la Bourdette, 31340 Vacquiers, tél. 05 61 84 97 36, noelle.prat@hotmail.fr V *t.l.j. sf dim. 14h-19h; sam. 9h-12h*

ROUMAGNAC Ô grand R 2014 ★

■	25 000		5 à 8 €

À Raygades, hameau de Villematier en Haute-Garonne, le domaine s'étend sur 17 ha, à la limite des troisième et deuxième terrasses. Jean-Paul Roumagnac cultive depuis longtemps les vignes familiales. Son fils Nicolas l'a rejoint en 2011 et a lancé la vente directe.

Petit avantage (55 %) à la négrette au côté du cabernet-sauvignon dans cette cuvée issue de la plus haute terrasse du domaine. Un raisin qui a respiré le grand air donc et qui a donné un vin au nez subtil et harmonieux de fruits noirs, d'épices, de réglisse, de violette et de sous-bois. L'attaque est légère, le développement délicat et soyeux, persistant sur les fruits et la violette. Un ensemble qui joue la carte de l'élégance plutôt que celle de la puissance. ⧗ 2016-2020 ♈ rôti de veau au paprika

DOM. JEAN-PAUL ET NICOLAS ROUMAGNAC, 525, hameau de Raygades, 31340 Villematier, tél. 06 80 95 34 08, contact@domaineroumagnac.fr V *r.-v.*

CHÊNES DE SAINT-LOUIS
Élevé en fût de chêne 2014

■	32 000		5 à 8 €

Racheté en 1991 par Marie-Cécile (née Arbeau) et Ali Mahmoudi, ce domaine de 30 ha a connu de grandes transformations, tant à la vigne qu'au chai – la dernière étant la certification bio. L'esprit persan d'Ali, œnologue iranien formé à Toulouse, y souffle comme un parfum d'Orient (le hammam n'a pas été oublié).

Négrette, cabernet franc et gamay (par ordre d'importance) composent ce vin bien ouvert sur les fruits rouges (cerise, fraise, airelle) et les épices avec une petite note fumée en appoint. Une attaque fraîche précède une bouche au volume modeste, mais agréable par sa souplesse, son fruité relevé de poivre et ses tanins fondus. ⧗ 2016-2019 ♈ aiguillettes de canard

SCEA CH. SAINT-LOUIS, 380, chem. du Bois-Vieux, 82370 Labastide-Saint-Pierre, tél. 05 63 30 13 13, proprietaire@chateausaintlouis.fr V *t.l.j. 9h-12h 14h-18h; sam. dim. sur r.-v.* *Ali Mahmoudi*

♥ **TOT ÇO QUE CAL** 2014 ★★

■	6600		15 à 20 €

Marc Penavayre, ingénieur agronome et œnologue, a donné un nouvel élan au domaine familial qu'il a repris en 1991, restructuré et agrandi. Le vignoble s'étend aujourd'hui sur 30 ha et a achevé sa conversion bio en 2012.

Il n'y a pas tromperie sur la marchandise: cette pure négrette a bien tout ce qu'il faut (*tot ço que cal* en occitan). Un vin sombre et profond, au nez montant et bien typé de violette, de cassis et de myrtille, agrémenté d'une touche de chocolat qui signe l'élevage en barrique. L'attaque est fraîche, le milieu de bouche ample et rond, animé par un fruité explosif et des tanins soyeux qui lui donnent beaucoup de relief. Un fronton gourmand et remarquablement équilibré. ⧗ 2017-2022 🍴 confit de canard ■ **Alabets [et alors ?] 2014 ★ (8 à 11 €; 14 000 b.)** : un 100 % négrette très expressif (réglisse, violette, confiture de myrtilles), à la fois rond, souple, velouté et frais en bouche. Un vrai «vin plaisir». ⧗ 2016-2019 🍴 carpaccio de bœuf

PENAVAYRE, 102, pl. de la Mairie, 31340 Vacquiers, tél. 05 61 84 97 41, chateau-plaisance@wanadoo.fr V *mer. à sam. 9h-12h 15h-19h*

CH. VIGUERIE DE BEULAYGUE L'Enchanteur 2014

■ | 4000 | | 11 à 15 €

Transmise dans la même famille depuis cinq générations, cette exploitation ne s'est spécialisée dans la vigne qu'à la fin des années 1990 et commercialise sa production depuis 1995. Cédric Faure, qui a pris la relève en 2002, cultive 21 ha et élabore des cuvées qui laissent rarement indifférent, en rouge comme en rosé.

Certes moins abouti que dans la version 2011, élue coup de cœur, cet Enchanteur 2014 n'usurpe pas son nom. On aime sa robe rouge rubis éclatant, son nez intense et typé de fruits confiturés, de réglisse et de violette, son attaque franche, sa légèreté, sa souplesse et son équilibre. L'archétype du «vin plaisir». ⧗ 2016-2019 🍴 poulet rôti

CÉDRIC FAURE, 1650, chem. de Bonneval, 82370 Labastide-Saint-Pierre, tél. 05 63 30 54 72, ce.faure@gmail.com V *t.l.j. sf dim. 9h-19h*

BRULHOIS

Superficie : 194 ha / Production : 8 787 hl

Passés de la catégorie des AOVDQS en 1984 à celle de AOC en 2011, ces vins sont produits de part et d'autre de la Garonne, autour de la petite ville de Layrac, dans les départements du Gers, du Lot-et-Garonne et du Tarn-et-Garonne. Essentiellement rouges, ils sont issus des cépages bordelais et des cépages locaux, tannat et cot.

PARVIS DES TEMPLIERS 2014

■ | 9000 | | - de 5 €

Née de l'association, en 2002, des caves de Goulens et Donzac, elles-mêmes créées en 1960, la cave du Brulhois vinifie sous des marques diverses la plus grande partie des vins de l'appellation brulhois.

Le nez, simple mais engageant, associe fruits rouges confiturés et nuances épicées. Florale et fruitée, la bouche se révèle souple, fraîche et légère. L'ensemble est harmonieux. ⧗ 2016-2018 🍴 saucisses grillées

LES VIGNERONS DU BRULHOIS, 3458, av. du Brulhois, 82340 Donzac, tél. 05 63 39 91 92, gbenac@vigneronsdubrulhois.com V *r.-v.*

B DOM. DU POUNTET Éclats de fruits 2014

■ | 11400 | | 5 à 8 €

Guillaume Combes, œnologue, et sa femme Amanda ont acheté en 2003 ce domaine de 13 ha proche d'Auvillar, cité célèbre par sa halle circulaire. Implanté sur des graves ou des argilo-calcaires propices aux cépages rouges, le vignoble est certifié bio depuis 2012.

Une association merlot-tannat pour cette cuvée au nez frais et gourmand de fruits rouges et noirs et de menthol. Dans la même ligne aromatique, la bouche se montre souple et alerte, pas très longue mais équilibrée. ⧗ 2016-2018 🍴 assiette de charcuterie

EARL DOM. DU POUNTET, lieu-dit Saint-Amand, 32800 Eauze, tél. 06 23 84 82 45, contact@pountet.com *r.-v.* *Combes*

BUZET

Superficie : 2 091 ha /
Production : 115 003 hl (95 % rouge et rosé)

Connu depuis le Moyen Âge et autrefois partie intégrante du haut pays bordelais, le vignoble de Buzet s'étendait entre Agen et Marmande. D'origine monastique, il a été développé par les bourgeois d'Agen puis a failli disparaître après la crise phylloxérique. Il est devenu à partir de 1956 le symbole de la renaissance du vignoble du haut pays. Deux hommes, Jean Mermillod et Jean Combabessouse, ont présidé à ce renouveau, qui doit beaucoup à la cave coopérative de Buzet, laquelle élève une grande partie de sa production en barrique. Ce vignoble s'étend aujourd'hui entre Damazan et Sainte-Colombe, sur les premiers coteaux de la Garonne, près des villes touristiques de Nérac et de Barbaste. L'alternance de boulbènes et de sols graveleux et argilo-calcaires permet d'obtenir des vins à la fois variés et typés. Les rouges, puissants, profonds, charnus et soyeux, rivalisent avec certains de leurs voisins girondins.

DOM. CALBO Anthèse 2014 ★

■ | 5700 | | 8 à 11 €

Thierry Calbo s'est installé en 2014 sur le domaine exploité par sa famille depuis quatre générations, qu'il a équipé d'un chai. Sur ses 4 ha de vignes en coteaux, il pratique la lutte raisonnée et privilégie des rendements maîtrisés.

Premier millésime et première sélection dans le Guide pour Thierry Calbo avec un buzet de belle facture, ouvert sur les fruits noirs bien mûrs (cassis, myrtille et mûre). En bouche, l'attaque est souple, les épices viennent se joindre au fruit, la structure tannique est harmonieuse et une bonne fraîcheur souligne l'ensemble. Un domaine à suivre. ⧗ 2018-2021 🍴 rôti de bœuf

THIERRY CALBO, Dom. Calbo, Saint-Julien, 47600 Espiens, tél. 06 24 76 81 53, thierry.calbo@hotmail.fr V *r.-v.*

♥ DOM. DE LA CHAPELLANIE 2014 ★★

■ | 40000 | | - de 5 €

Importante coopérative du Sud-Ouest de la France, la cave de Buzet produit de nombreux vins de l'appellation (en rouge, blanc et rosé). Elle a été créée en 1953 et l'appellation buzet a vu le jour vingt ans plus tard. Elle prône une viticulture durable, conciliant progrès technologiques et pratiques naturelles.

Un vin qui met en valeur le merlot, seul maître à bord ici. Les traits de caractère du cépage se manifestent dès l'olfaction, intense, centrée sur le cassis et la myrtille mûrs, la violette et les épices douces. Passé une pointe de vivacité à l'attaque, le palais conjugue rondeur et puissance maîtrisée: du gras, des tanins soyeux et fondus, un fruité généreux rehaussé de notes mentholées et épicées. Le merlot dans toute sa splendeur et à prix très doux. ⧗ 2017-2020 ▼ entrecôte sur sarments ■ **Dom. du Grand Bourdieu 2014 ★★ (5 à 8 €; 36500 b.)** : une dominante de cabernet franc dans ce vin aux arômes généreux et harmonieux de confiture de fraises et de boisé grillé, ample, dense et charpenté par une structure tannique puissante et élégante, et soutenu par une belle fraîcheur. Du potentiel. ⧗ 2018-2022 ▼ côte de bœuf ■ **Dom. de Lhiot 2014 ★ (5 à 8 €; 47000 b.)** : un vin riche et complexe (poivre blanc, violette, cassis, café), ample, robuste et bien tenu par un apport boisé dosé comme il faut. Un bon vin de garde assurément. ⧗ 2019-2022 ▼ civet de chevreuil ■ **Dom. de Brazalem 2014 (5 à 8 €; 55000 b.)** : vin cité. ■ **Dom. de la Sébastiane 2014 (5 à 8 €; 31000 b.)** : vin cité.

LES VIGNERONS DE BUZET, 56, av. des Côtes-de-Buzet, BP 17, 47160 Buzet-sur-Baïse, tél. 05 53 84 74 30, buzet@vignerons-buzet.fr V r.-v.

DOM. COURÈGE-LONGUE Vitatge vielh 2014

■ | 4000 | | 11 à 15 €

Le nom de Courège-Longue provient des vignes que cultivaient avec minutie le père et le grand-père de David Sazi, sur ce terroir si particulier de graves rubéfiées où est implanté ce petit domaine de 5,5 ha.

Vitatge vielh? Vieilles vignes en occitan. Des ceps de merlot et de cabernet-sauvignon (50-50) âgés de quarante-cinq ans à l'origine d'un vin centré sur les fruits noirs, mâtinés de quelques notes toastées. Une attaque fine et fraîche ouvre sur un palais de bonne densité, à l'unisson du bouquet, fruité et boisé avec mesure, encore un peu sévère en finale. ⧗ 2019-2022 ▼ canard rôti

DOM. COURÈGE-LONGUE, Débat, 47230 Feugarolles, tél. 06 10 80 93 96, courege.longue@gmail.com V r.-v. *David Sazi*

L'INTACT 2015 ★

■ | 17000 | | 5 à 8 €

Importante coopérative du Sud-Ouest de la France, la cave de Buzet produit de nombreux vins de l'appellation (en rouge, blanc et rosé). Elle a été créée en 1953 et l'appellation buzet a vu le jour vingt ans plus tard. Elle prône une viticulture durable, conciliant progrès technologiques et pratiques naturelles.

Le défi de cette cuvée mi-sémillon mi-sauvignon est la non-utilisation de sulfites (la première du genre pour la «coop»), ce qui suppose une vinification très rigoureuse. Le pari est réussi. Dans le verre, un vin complexe, sur le genêt, la pêche et les agrumes, au palais fruité, suave et riche, souligné par une pointe de vivacité. ⧗ 2016-2019 ▼ terrine de poisson ■ **Astris 2014 ★ (- de 5 €; 120000 b.)** : un vin harmonieux, au fruité délicat (mûre et cassis) au nez comme en bouche, franc à l'attaque, puis rond et charpenté sans excès par des tanins souples et fins. À boire ou à garder quelques années. ⧗ 2016-2020 ▼ sauté de veau à la tomate ■ **Baron d'Albret 2014 (5 à 8 €; 200000 b.)** : vin cité.

LES VIGNERONS DE BUZET, 56, av. des Côtes-de-Buzet, BP 17, 47160 Buzet-sur-Baïse, tél. 05 53 84 74 30, buzet@vignerons-buzet.fr V r.-v.

CH. PIERRON Alternative 2014 ★★

■ | 12000 | | 8 à 11 €

Établi sur un plateau dominant Nérac, ce domaine de 26 ha a été repris en 2007 par Guy Beloussoff, acheteur national dans la grande distribution, et par Jean-François Fonteneau, chef d'entreprise et œnologue de formation.

Ce vin sombre et profond dévoile des arômes intenses et harmonieux de boisé grillé, de cacao, de fruits rouges et de myrtille. Une attaque souple et élégante ouvre sur un palais montant, chaleureux (fruits cuits, confiture de pruneaux), dense, très tannique et boisé. Bâti pour durer. ⧗ 2019-2023 ▼ tournedos sauce chocolat ■ **2014 (5 à 8 €; 40000 b.)** : vin cité.

SC DU CH. PIERRON, rte de Mézin, 47600 Nérac, tél. 05 53 65 05 52, chateau.pierron@orange.fr V r.-v.

CÔTES-DU-MARMANDAIS

Superficie : 1 314 ha
Production : 67 387 hl (97 % rouge et rosé)

Les côtes-du-marmandais sont produits sur les deux rives de la Garonne; le vignoble, un peu en aval de Buzet, jouxte à l'ouest l'entre-deux-mers, au nord les côtes-de-duras. Les vins blancs, à base de sémillon, de sauvignon, de muscadelle et d'ugni blanc, sont secs, vifs et fruités. Les vins rouges, issus des cépages bordelais et d'abouriou, de syrah, de cot et de gamay, sont bouquetés et souples. La Cave du Marmandais, qui regroupe les deux sites de Beaupuy et de Cocumont, fournit les volumes les plus importants de l'AOC.

B DOM. DE BEYSSAC L'Initial 2014 ★

■ | 19500 | | 8 à 11 €

Une reconversion réussie pour Frédéric Broutet, ingénieur et entrepreneur devenu «néo-vigneron», qui a créé ce domaine *ex nihilo* en 2009. Avec ses

10,4 ha de vignes à Marmande, il affiche un parcours technologique intéressant: écoconstruction du chai, agriculture biologique au vignoble et vinification la plus naturelle possible.

Merlot (65 %), malbec (20 %) et cabernet franc pour ce vin d'une belle complexité, finement bouqueté autour du cassis, de la mûre et de la violette. L'attaque est ample et ronde, sur le fruit, le milieu de bouche gentiment tannique et soyeux, la finale plus stricte et boisée. ⧗ 2017-2021 🍷 joue de porc en sauce

o– *DOM. DE BEYSSAC, Bellevue, Beyssac, 47200 Marmande, tél. 06 81 26 46 52, info@domainedebeyssac.fr* V r.-v. o– *F. Broutet*

Ⓑ CLOS CAVENAC Grand Cros 2014 ★★

■ | 5000 | | 11 à 15 €

Emmanuelle Piovesan a repris le domaine familial en 2004. Elle a fait le choix de l'agriculture biologique (certifiée depuis le millésime 2012) pour la conduite de ses 11 ha de vignes.

Cet assemblage complexe de merlot, cabernets, malbec et syrah dévoile un nez plutôt floral avec des notes de violette qui composent harmonieusement avec les fruits noirs et la vanille. Le palais s'ouvre sur des arômes généreux de pruneau et de boisé chocolaté (vingt-deux mois de fût) et s'adosse à des tanins soyeux. Un vin structuré en douceur et bien équilibré. ⧗ 2018-2022 🍷 viandes grillées

o– *EMMANUELLE PIOVESAN, Clos Cavenac, 47180 Castelnau-sur-Gupie, tél. 06 45 80 43 23, closcavenac@yahoo.fr* V r.-v.

QUEZACO 2014 ★★

■ | 40000 | | - de 5 €

La coopérative de Marmande représente 95 % de la production de l'appellation, soit environ 800 ha pour six millions de bouteilles répartis dans de nombreux domaines. Elle a remis à l'honneur l'abouriou, vieux cépage rouge du Lot-et-Garonne menacé de disparition, en lui aménageant un conservatoire en 2004.

Une belle présentation pour ce vin grenat, intense et expressif, sur le coing, la groseille et le cassis. À une attaque souple, élégante et très fruitée succède une belle montée en puissance portée par des tanins soyeux et fondus. Un vin harmonieux et croquant, très axé sur le fruit, mais que l'on peut attendre sans crainte. ⧗ 2017-2022 🍷 pintade aux cèpes ■ **Crépuscule de Fruit 2014 ★★** (- de 5 €; 168000 b.) : le bouquet, très fin, évoque une corbeille de fruits (fraise, framboise, cassis, pruneau, note exotique). L'attaque est savoureuse, sur le fruit mûr; les tanins sont bien présents mais enrobés par une chair tendre. La finale, plus sévère, appelle la garde. Une puissance bien maîtrisée. ⧗ 2018-2022 🍷 entrecôte ■ **Essence d'Abouriou 2014 ★ (5 à 8 €; 106666 b.)** : au nez, de délicats arômes de fruits noirs. En bouche, une attaque vive, des notes douces et confiturées, des tanins souples, plus serrés en finale. Un bon classique, équilibré, avec un joli fruit. ⧗ 2017-2020 🍷 rôti de porc ■ **Confidentiel 2014 ★ (8 à 11 €; 40000 b.)** : au nez, des fruits frais (cassis et mûre) et des notes de tabac, de sous-bois et de grillé; en bouche, de la densité, du volume, un boisé marqué, épicé et grillé, et des tanins encore un peu sévères. En devenir. ⧗ 2019-2022 🍷 pièce de bœuf grillée

o– *CAVE DU MARMANDAIS, La Cure, 47250 Cocumont, tél. 05 53 94 50 21, info@cavedumarmandais.fr* V r.-v.

♥ CH. SARRAZIÈRE 2014 ★★

■ | 40000 | | - de 5 €

La coopérative de Marmande représente 95 % de la production de l'appellation, soit environ 800 ha pour six millions de bouteilles répartis dans de nombreux domaines. Elle a remis à l'honneur l'abouriou, vieux cépage rouge du Lot-et-Garonne menacé de disparition, en lui aménageant un conservatoire en 2004.

La robe intense et profonde de cet assemblage merlot-cabernet laisse deviner un vin de matière, de même que le nez, tout aussi intense, porté sur les fruits mûrs, la vanille et la réglisse. Une attaque douce, sur les fruits des bois, introduit un palais dense et aimable, aux tanins soyeux épaulés par un boisé tendre et par une pointe de fraîcheur qui apporte de la longueur. Un vin puissant et remarquablement équilibré. ⧗ 2018-2022 🍷 magret grillé ■ **Ch. Bazin ★ (11 à 15 €; 34130 b.)** : à un nez ouvert sur les fruits rouges, le chocolat et la vanille répond une bouche riche et puissante sans dureté, fruitée, boisée avec mesure, aux tanins enrobés et prometteurs. ⧗ 2018-2022 🍷 côte de bœuf ■ **Excellence de Bazin 2014 (5 à 8 €; 20000 b.)** : vin cité. ■ **Ch. la Bastide 2015 (5 à 8 €; 25000 b.)** : vin cité.

o– *CAVE DU MARMANDAIS, La Cure, 47250 Cocumont, tél. 05 53 94 50 21, info@cavedumarmandais.fr* V r.-v.

SAINT-SARDOS

Superficie : 104 ha / Production : 5 492 hl

Ancien vin de pays, saint-sardos a été reconnu en AOVDQS en 2005 et en AOC en 2011. Ce vignoble fut créé au XIIes. lors de la fondation de l'abbaye de Grand Selve à Bouillac. Il s'étend sur la rive gauche de la Garonne, au sud-ouest du Tarn-et-Garonne et au nord de la Haute-Garonne. Rouges et rosés, les saint-sardos assemblent au moins trois cépages: la syrah (plus de 40 % de l'encépagement) et le tannat (plus de 20 %), complétés par le cabernet franc et le merlot.

LES VIGNERONS DE SAINT-SARDOS Grand S Vieilles Vignes 2014 ★

■ | 2000 | | 5 à 8 €

L'appellation saint-sardos est née autour de la coopérative locale, fondée en 1956, qui a fait renaître

ce vignoble de la Lomagne, déjà mis en valeur au Moyen Âge par les Cisterciens. La cave assure l'essentiel de la production et a créé de multiples marques.

Cette cuvée est née de vignes de syrah (75 %) et de tannat plantées sur un lieu-dit en forme de grand S. Un vin intense, au nez typé de fruits rouges et d'épices, plein, concentré, rond et charnu en bouche, soutenu par des tanins de bonne composition, présents sans dureté. Un saint-sardos déjà séducteur et qui vieillira bien. ⧗ 2017-2021 ¥ axoa de veau

VIGNERONS DE SAINT-SARDOS, 2, chem. de Naudin, 82600 Saint-Sardos, tél. 05 63 02 52 44, contact@cave-saintsardos.com
V t.l.j. sf dim. 9h-12h 14h-18h

➨ LE BERGERACOIS ET DURAS

BERGERAC

Superficie : 10 002 ha
Production : 500 562 hl (70 % rouge et rosé)

Héros de la célèbre pièce d'Edmond Rostand, Cyrano de Bergerac a certainement accru la notoriété de la cité dordognaise qui a donné son nom à l'AOC en 1936. Sa gastronomie comme son vignoble vallonné, mosaïque de terroirs, confèrent à la région un réel intérêt touristique. Les vins peuvent être produits dans 90 communes de l'arrondissement de Bergerac. Rouges, rosés ou blancs secs, les bergerac naissent principalement du merlot, des cabernets et du malbec en rouge et en rosé, du sémillon, du sauvignon et de la muscadelle en blanc. Les rouges sont aromatiques et souples, les rosés, frais et fruités. La diversité des terroirs (calcaires, graves, argiles, boulbènes) donne aux blancs des expressions aromatiques variées. Jeunes, les vins sont fruités, élégants, un rien nerveux. Vinifiés dans le bois, ils devront attendre un an ou deux avant de révéler l'expression du terroir.

CH. BAGATELLE 2015

| 3000 | | 5 à 8 € |

Fondée en 1935, la cave coopérative de Port-Sainte-Foy établie aux confins du Bergeracois et du Bordelais exploite aujourd'hui un vignoble de 450 ha et propose une large gamme de vins des aires de Bergerac et de Montravel.

Le nez de ce pur sauvignon est flatteur, jeune et frais, sur les agrumes et le bonbon anglais. Une nervosité sensible caractérise la bouche, portée par des arômes citronnés et des nuances florales en finale. Un vin agréable, simple et efficace. ⧗ 2016-2018 ¥ asperges

UNION DE VITICULTEURS DE PORT-SAINTE-FOY, 78, rte de Bordeaux, 33220 Port-Sainte-Foy, tél. 05 53 27 40 70, chaicavepsf@orange.fr V *t.l.j. sf dim. 9h-12h 14h-18h*

BÉLINGARD 2015 ★

| 40000 | | 5 à 8 € |

Ce vignoble familial (80 ha) fondé en 1820 domine la vallée de la Dordogne, sur un promontoire célèbre pour son ancien culte druidique – « Belen-gaard » ou « jardin du soleil » –, où se déroulèrent aussi les premiers combats de la guerre de Cent Ans. Laurent de Boisredon et son épouse Sylvie sont aux commandes depuis 1986.

Né de sauvignon (60 %), sémillon et muscadelle (à parts égales), ce vin est dominé par des arômes caractéristiques et complexes de bourgeon de cassis, de genêt, de fleurs blanches et d'agrumes. On apprécie le gras et le volume en bouche, de même que la finale, longue, fraîche et fruitée qui laisse une sensation de droiture et d'harmonie. ⧗ 2016-2020 ¥ terrine de saumon

LAURENT DE BOISREDON, Bélingard, 24240 Pomport, tél. 05 53 58 28 03, contact@belingard.com V *r.-v.*

B CH. DU BLOY 2014

| 5300 | | 5 à 8 € |

Olivier Lambert, informaticien, et Bertrand Lepoittevin-Dubost, ancien avocat en droit des sociétés, se sont associés en 2001 pour relancer ce domaine de 16,5 ha, conduit en bio certifié.

Merlot (85 %) et cabernet franc composent ce vin sombre, ouvert sur les fruits confiturés et les épices douces, au palais bien charpenté par des tanins fermes et encore assez sévères mais prometteurs. À attendre donc. ⧗ 2018-2023 ¥ rôti de bœuf

SCEA LAMBERT LEPOITTEVIN-DUBOST, Le Blois, 24230 Bonneville, tél. 05 53 22 47 87, chateau.du.bloy@wanadoo.fr V *t.l.j. 9h-12h 14h-18h; sam. dim. sur r.-v.*

♥ RÉVÉLATION DU BOIS DE POURQUIÉ
Élevé en fût de chêne 2014 ★★

| 1800 | | 8 à 11 € |

Alain Mayet descend d'une ancienne famille de bâtisseurs de cathédrales venus du centre de la France, dont certains s'installèrent dans la vallée de la Dordogne. Avec son épouse Marlène, il dirige depuis 1981 ce domaine de 30 ha acquis par ses ancêtres il y un siècle et demi et souvent en vue pour ses bergerac et côtes-de-bergerac.

La cuvée haut de gamme du domaine, mi-sauvignon blanc mi-sauvignon gris, déjà élue coup de cœur, mais en côtes-de-bergerac rouge. La version bergerac blanc séduit par sa robe or pâle, par son nez complexe de genêt et d'ananas sur fond miellé, par sa bouche ample, suave, ronde et charnue, aux saveurs croquantes de raisin parfaitement accordées avec les notes boisées et pralinées de l'élevage. De la matière et du potentiel. ⧗ 2017-2021 ¥ poulet aux morilles

MARLÈNE ET ALAIN MAYET, Le Bois-de-Pourquié, 24560 Conne-de-Labarde, tél. 05 53 58 25 58, domaine-du-bois-de-pourquie@wanadoo.fr
V t.l.j. sf dim. 9h-12h 14h-18h

CH. BOUFFEVENT Cuvée Mathilde 2015 ★

| | 20000 | | 5 à 8 € |

Installée en 1992, Françoise Pauty exploite 30 ha de vignes et 20 ha de pommiers dans la vallée de la Dordogne, à Lamonzie-Saint-Martin. Le château appartient à la famille depuis un siècle et demi et le vignoble est conduit depuis plusieurs années en agriculture raisonnée.

La concentration de ce pur merlot est visible au premier coup d'œil porté à la robe dense et sombre. Le nez dévoile de subtils arômes floraux mâtinés d'un fin boisé. La bouche est suave, concentrée, structurée par des tanins aimables et un élevage bien maîtrisé. Mathilde? La fille de la vigneronne. 2018-2022 bœuf bourguignon

VIGNOBLES PAUTY, 19, rte de Bouffevent, 24680 Lamonzie-Saint-Martin, tél. 05 53 24 29 05, chateaubouffevent@wanadoo.fr V r.-v.

CH. LES BRANDEAUX Cuvée Excellence 2014 ★

| | 10000 | | 5 à 8 € |

Jean-Marc Piazzetta est œnologue, son frère Thierry est commercial: des compétences complémentaires pour conduire ce vignoble familial, acquis en 1936 par l'arrière-grand-père et qui s'étend aujourd'hui sur 30 ha.

Merlot (70 %), malbec (20 %) et cabernet-sauvignon sont assemblés dans ce vin expressif et ouvert, vanillé, chocolaté et fruité. Un mariage heureux du bois et du fruit auquel fait écho une bouche ronde, souple et soyeuse, aux tanins tendres et fondus. Un vin harmonieux et gourmand, à boire ou à attendre. 2016-2021 confit de canard

EARL JEAN-MARC ET THIERRY PIAZZETTA, Les Brandeaux, 24240 Thénac, tél. 05 53 58 41 50, les.brandeaux@gmail.com
V t.l.j. sf sam. dim. 9h-12h 14h-18h

DOM. DU CANTONNET 2015 ★

| | 4000 | | - de 5 € |

Situé en Périgord pourpre, entre Bergerac et Sainte-Foy-la-Grande, un domaine acheté en 1975 par Jean-Paul Rigal, qui l'a transmis en 2000 à son fils Thierry. Ce dernier a abandonné la culture des pruneaux d'Agen pour se consacrer à la seule vigne, plantée sur 30 ha.

Les deux sauvignons (blanc et gris) sont à l'œuvre dans ce vin finement bouqueté, sur les fleurs blanches, les agrumes et le miel. La bouche surprend par sa rondeur, sa douceur et son côté charnu, le signe d'une vendange bien mûre; elle s'anime en finale autour de beaux amers qui apportent de la fraîcheur. 2016-2020 salade de poulpe

EARL VIGNOBLES RIGAL, Le Cantonnet, 24240 Razac-de-Saussignac, tél. 05 53 27 88 63, vin@domaine-du-cantonnet.fr V r.-v.

DOM. LE CASTELLAT
Sélection Vieilles Vignes 2015 ★

| | 6000 | | - de 5 € |

Dominant la vallée de la Dordogne, sur la rive gauche, le «petit castel» est une maison de plaisance qui a pris la place d'une tour de garde. Autrefois exploité en polyculture, le domaine (22,3 ha) est désormais consacré aux vins. Jean-Luc Lescure est à sa tête depuis 1983.

De vieux ceps de sauvignon et de sémillon ont donné ce vin très expressif avec ses senteurs très classiques mais si plaisantes de genêt et d'agrumes. Après une attaque vive, ces mêmes arômes s'expriment avec plus de puissance dans un palais long et plein d'énergie. 2016-2020 pennes aux fruits de mer **Sélection Vieilles Vignes 2015 ★ (5 à 8 €; 13000 b.)** : un peu fermé au départ, le nez s'ouvre à l'aération sur le cassis et la groseille. La bouche est suave, riche, concentrée, fruitée, portée par des tanins doux et vivifiée par une touche de fraîcheur mentholée en finale. Un beau vin qui allie finesse aromatique et finesse tannique. 2018-2023 épaule d'agneau confite

JEAN-LUC LESCURE, Le Castellat, 24240 Razac-de-Saussignac, tél. 05 53 27 08 83, domaine.castellat@wanadoo.fr
V t.l.j. sf dim. 9h-20h30

LE CLOS DU BREIL Expression 2015 ★

| | 2400 | | 11 à 15 € |

Aux marges orientales de l'appellation, cette petite propriété familiale de 9 ha est conduite depuis 2009 par Yann Vergniaud, qui a pris la suite de ses parents, Nadine et Jean. Le vignoble bénéficie du terroir des calcaires d'Issigeac, riche en silex.

Issue de sauvignon (90 %) et de sémillon, cette cuvée livre des arômes complexes et fins d'acacia, d'agrumes et de vanille. Un nez expressif prolongé par une bouche alerte et fraîche, encore un peu marquée par le bois en finale. 2017-2020 poulet à la crème

FAMILLE VERGNIAUD, Le Breil, 24560 Saint-Léon-d'Issigeac, tél. 05 53 58 75 55, leclosdubreil@free.fr V t.l.j. sf dim. 9h-12h 15h-18h

CLOS DU MAINE-CHEVALIER 2015 ★★

| | 3000 | | - de 5 € |

Fondée en 1947 et conduite depuis 1988 par Claudine et Claude Caillard, une propriété de 12 ha située aux confins du Lot-et-Garonne, sur le plateau argilo-calcaire d'Issigeac. Un bon terroir viticole, si bien que la famille a arrêté la polyculture-élevage pour se consacrer au seul vin.

Assemblage classique de sauvignon (80 %) et de sémillon, ce vin dévoile des arômes harmonieux de fleurs blanches et de pamplemousse. Après une attaque nerveuse, la bouche prend du volume, se fait plus riche et dense, et s'achève sur une longue finale minérale. Un vin expressif, complet, qui révèle un beau travail sur la matière. 2016-2019 poêlée de Saint-Jacques aux agrumes

EARL CLOS DU MAINE-CHEVALIER, Le Maine-Chevalier, 24560 Plaisance, tél. 05 53 58 55 63, closdudomainechevalier@orange.fr
V t.l.j. 9h-12h30 13h30-19h Caillard

Ⓑ CUVÉE IN EXTREMIS DU CLOS JULIEN 2014

■ | 1000 | | 11 à 15 €

Viviane Sroka, d'origine alsacienne, s'est installée en 2001 sur ce petit vignoble de 2,70 ha situé à l'extrémité ouest du département de la Dordogne, aux confins du Bordelais, qu'elle conduit en bio certifié depuis le départ.

Le pourpre intense de la robe laisse présager un vin de matière. Le nez est très ouvert sur les fruits rouges et la vanille. Une attaque franche et fraîche introduit un palais structuré par des tanins solides et un boisé soutenu qui resserrent quelque peu la finale pour l'heure. Le temps fera son œuvre.... ⧗ 2019-2023 ⲩ canard au poivre

⊶ *VIVIANE SROKA, 127, chem. des Lavandières, 24230 Saint-Antoine-de-Breuilh, tél. 06 16 65 13 67, vitijul@club-internet.fr* V *r.-v.*

CH. COMBET 2014 ★

■ | 2000 | | 5 à 8 €

Co-fondateur de la cave coopérative de Monbazillac, le domaine a créé son propre chai en 1965. Daniel Duperret, à sa tête depuis 1995, a entièrement restructuré les 30 ha du vignoble et applique les principes de l'agriculture raisonnée en bannissant tout désherbant.

Les deux sauvignons (dont 90 % de blanc) ont donné ce vin au nez bien typé de fleurs blanches, de buis et de poire. À l'unisson, la bouche allie volume, rondeur, finesse et fruité croquant. Un vrai «vin plaisir», élégant et sans fard. ⧗ 2016-2019 ⲩ salade de crabe

⊶ *EARL DE COMBET, 24240 Monbazillac, tél. 06 85 33 50 57, earldecombet@orange.fr* V *t.l.j. sf sam. dim. 10h-12h 13h-19h; f. jan.* ⊶ *Daniel Duperret*

♥ CH. COMBRILLAC Le Dôme 2014 ★★

■ | 2500 | | 15 à 20 €

Ingénieur en agriculture et œnologue, Florent Girou a géré un domaine en Toscane avant de reprendre en 2008 l'exploitation familiale, tout en continuant ses activités d'œnologue-conseil pour d'autres propriétés. Situé aux portes de Bergerac sur une haute terrasse de la Dordogne, le vignoble couvre 15 ha d'un seul tenant, cultivé selon les principes de l'agriculture biologique (non certifiée). Très régulier en qualité.

À l'origine de cette cuvée, le seul cabernet-sauvignon, planté sur une parcelle en forme de dôme et vinifié en barriques ouvertes de 500 l. Une belle couleur pourpre intense, un équilibre olfactif subtil entre le fruit (griotte et cassis) et le bois (vanille et chocolat): l'approche ne laisse guère de doute sur la qualité du vin. Riche et concentrée sans lourdeur, d'un volume épatant, adossée à des tanins soyeux, la bouche laisse une sensation de grande harmonie tout en promettant une belle évolution en cave. ⧗ 2019-2025 ⲩ navarin d'agneau

⊶ *FLORENT GIROU, Ch. Combrillac, 24130 Prigonrieux, tél. 06 30 74 44 92, contact@combrillac.fr* V *t.l.j. sf sam. dim. 9h-12h 14h-17h*

CH. COURT-LES-MÛTS 2015 ★

■ | 13500 | | 5 à 8 €

Cinq générations au service du vin. Pierre Sadoux quitte les hauts plateaux algériens en 1961 pour s'établir sur cet ancien domaine (XVII^e^s.) du Bergeracois implanté sur les coteaux de la rive gauche de la Dordogne. Un domaine dédié depuis longtemps à la vigne: «mûts» signifie «moût» en ancien français. En 2007, son fils du même prénom a pris la relève et conduit l'exploitation qui compte aujourd'hui 54 ha.

Au nez, les fruits rouges s'expriment avec netteté et intensité. Le palais séduit par son attaque souple et fruitée, par sa richesse, par ses tanins bien présents mais veloutés et par sa finale chaleureuse et persistante. Un joli travail de vinification pour ce vin au bon potentiel de vieillissement. ⧗ 2018-2022 ⲩ sauté d'agneau

⊶ *PIERRE SADOUX, Ch. Court-les-Mûts, 24240 Razac-de-Saussignac, tél. 05 53 27 92 17, court-les-muts@wanadoo.fr* V *t.l.j. sf dim. 9h-12h 14h-18h; sam. sur r.-v.*

DOMÉA 2015

■ | 6666 | - de 5 €

Fondée en 1939, la coopérative de Sigoulès regroupe aujourd'hui 150 adhérents, qui cultivent 900 ha de vignes au sud de Bergerac.

Au nez, les notes de pamplemousse et de fruits exotiques trahissent le sauvignon, seul maître à bord dans cette cuvée. On retrouve ces arômes dans une bouche vive, nerveuse même. Un vin énergique et typé, pour les inconditionnels du sauvignon. ⧗ 2016-2018 ⲩ fruits de mer ■ **L'Audace de Sigoulès 2014 (15 à 20 €; 8000 b.)** : vin cité.

⊶ *CAVE DE SIGOULÈS, Mescoules, 24240 Sigoulès, tél. 05 53 61 55 00, contact@vigneronsdesigoules.fr* V *t.l.j. sf dim. 9h-12h30 14h-17h30*

CH. LES DONATS L'Évolution 2014 ★

■ | 4000 | | 11 à 15 €

Un domaine acheté en 1994 par Patrick Somers, qui l'a restructuré et rénové. Le vignoble couvre aujourd'hui 14,5 ha. En 2011, Olivier Verhelst, ingénieur œnologue, a rejoint l'équipe. Il a mis en pratique le savoir-faire des maîtres bordelais, avec lesquels il a travaillé après sa formation initiale en Belgique.

Après une vinification intégrale en barrique, cette cuvée a bénéficié d'un élevage luxueux de dix-huit mois en fût. Il en résulte un vin à la couleur prononcée, au nez intense, chocolaté, épicé et vanillé, mais qui ne manque pas de fruit. Arômes que l'on retrouve dans une bouche concentrée, aux tanins serrés qui doivent encore se fondre. Tous les espoirs sont permis sur son... évolution. ⧗ 2019-2023 ⲩ daube de boeuf

CH. LES DONATS, impasse des Donats, 24520 Saint-Nexans, tél. 06 20 54 86 62, info@chateaulesdonats.com r.-v. Olivier Verhelst

DUC DE LA MALONIÈRE 2015

■	70000		- de 5 €

Une maison de négoce créée en 2008 et dirigée par Christope Matenot. Elle distribue des vins de toutes les appellations du Sud-Ouest.

Le nez est agréable, fruité et un brin animal. La bouche est intéressante par son équilibre, sa longueur et ses tanins serrés, encore un peu austères en finale. À attendre un peu. 2017-2021 coq au vin

GRAND TERROIR SUD-OUEST, 208, chem. de Delmas, 82000 Montauban, tél. 05 63 67 12 26, cmatenot@gt-so.fr Christophe Matenot

EPICURUS Élevé en fût de chêne 2014

■	40000		8 à 11 €

Couleurs d'Aquitaine est né en 2008 à l'initiative des quatre caves coopératives de la Dordogne: Cave de Port-Sainte-Foy, Les Vignerons de Sigoulès, Cave de Monbazillac et Alliance Aquitaine. Prolongée par une structure de négoce, elle sélectionne, élève et distribue aussi et surtout des vins de propriétés du Bergeracois et du Bordelais. Un acteur de poids du grand Sud-Ouest viticole.

Amateurs de vins boisés, cette cuvée est pour vous. Au nez, le merrain et ses parfums grillés l'emportent sur le fruit, qui pointe timidement à l'aération. Même dominante boisée dans une bouche ronde et charnue, d'un bon volume, bien structurée. Plutôt à attendre, sauf si vous aimez le bois. 2018-2022 magret de canard

SAS COULEURS D'AQUITAINE, Les Seguinots, bât. Unidor, rte de Marmande, 24100 Saint-Laurent-des-Vignes, tél. 05 53 57 63 61, contact@couleursdaquitaine.fr

CH. LES FONTENELLES
Élevé en fût de chêne 2015 ★★

■	10000		5 à 8 €

Son père et son grand père avant lui officiaient sur ce domaine implanté sur les coteaux sud du Bergeracois et livraient leurs raisins à la coopérative. C'est à vingt ans, en 1999, que Nicolas Bourdil reprend le vignoble. Il l'agrandit (28 ha aujourd'hui), crée un chai et élabore son premier millésime. Il a aussi entrepris d'importants travaux de rénovation des bâtiments, notamment de la cave qui accueille les visiteurs.

La plus ancienne parcelle de sauvignon du domaine est à l'origine de cette cuvée fermentée puis élevée en barrique. La robe est pâle et brillante, le nez intense, fruité (poire, pêche, citron) et brioché. La bouche se révèle ample, équilibrée et complexe; on y retrouve les agrumes mais aussi l'acacia et la vanille. La finale acidulée et encore un peu dominée par le bois appelle la garde. 2018-2022 blanquette de poisson ■ **2015** ★ **(- de 5 €; 41300 b.)** : un vin «noir», expressif (fruits noirs, épices, menthol), riche, dense, concentré, aux tanins fermes et racés qui laissent augurer un bon potentiel de garde. Du caractère. 2019-2023 civet de lièvre

SCEA LES FONTENELLES, Les Fontenelles, 24500 Saint-Julien-d'Eymet, tél. 06 83 89 05 09, chateau.fontenelles@orange.fr r.-v. Bourdil

CH. LE GAC CHAMBARD 2015

■	33000		- de 5 €

Univitis est une coopérative regroupant 230 adhérents et 2 000 ha dans le «grand Sud-Ouest» viticole. Elle propose une large gamme de vins de marque et de propriétés dans une quinzaine d'AOC, auquel s'ajoute le Château les Vergnes acquis en 1986 (130 ha près de Sainte-Foy).

La couleur est franchement noire. Le nez associe le cassis et la réglisse. L'attaque est fraîche et alerte, toujours sur le fruit noir, la structure tannique élégante, ferme sans dureté. Un vin expressif et flatteur. 2017-2020 onglet grillé

SCA UNIVITIS, 1, rue du Gal-de-Gaulle, 33220 Les Lèves-et-Thoumeyragues, tél. 05 57 56 02 02, univitis@univitis.fr t.l.j. sf dim. lun. 9h-12h30 14h30-19h

CH. LA GRANDE BORIE 2015 ★

■	13000		5 à 8 €

Créé en 1925 pour produire des vins blancs liquoreux, ce vignoble familial s'est agrandi et diversifié à partir des années 1960. Proche de Monbazillac, mais hors de l'aire d'appellation, il s'est aussi tourné vers les rouges. Conduit depuis 1989 par Claude Lafaye, il compte aujourd'hui 30 ha.

Au nez, des arômes puissants d'agrumes, de genêt et de buis: voilà qui fleure bon le sauvignon (70 % de l'assemblage en blanc, 20 % en gris). La bouche est ronde, tendre, sur les fruits mûrs, vivifiée par une finale fraîche. Un beau classique, bien typé 2015. 2016-2019 bar aux agrumes ■ **2015 (5 à 8 €; 25000 b.)** : vin cité.

EARL DES VIGNOBLES LAFON-LAFAYE, 577, chem. de la Grande-Borie, 24520 Saint-Nexans, tél. 05 53 24 33 21, cllafaye@wanadoo.fr t.l.j. sf dim. 8h30-12h 14h-18h30

TERROIR GRINOU Tradition 2015 ★

■	10000		8 à 11 €

En 1978, Guy Cuisset s'est installé sur le domaine acquis en 1929 sur la rive gauche de la Dordogne par son grand-père venu de Thiérache, à la frontière belge. Améliorant les techniques de vinification, il a fait une valeur sûre de ce vignoble, exploité en bio certifié depuis 2009. Ses fils Julien et Gabriel travaillent aujourd'hui à ses côtés sur 30 ha de vignes.

Un soupçon de sémillon (5 %) accompagne le sauvignon dans ce vin cristallin, au nez intense et complexe de mandarine et d'épices. L'élevage sur lies a permis de donner du gras et du volume à une bouche au fruité savoureux, équilibrée par une belle fraîcheur en finale. Une bonne évolution en perspective. 2018-2021 asperges à la crème

SUD-OUEST

CATHERINE ET GUY CUISSET, Ch. Grinou, 24240 Monestier, tél. 05 53 58 46 63, chateaugrinou@aol.com V r.-v.

CH. HAUTE-FONROUSSE 2015 ★★

■	13000		- de 5 €

Gaston Géraud acheta en 1962 le domaine à une famille belge. Son petit-fils Stéphane mène aujourd'hui l'exploitation, dont le vignoble couvre 33 ha.

Si vous aimez les vins gorgés de fruit, n'hésitez pas, ce 2015 est fait pour vous. Il s'ouvre sans réserve sur des notes explosives et généreuses de myrtille et de fraise confiturées. La bouche est à l'avenant, aromatique en diable, tout en rondeur et en douceur sans manquer ni de fraîcheur ni de structure – mais une structure souple et bien fondue. Une petite bombe. 2016-2019 tartare de bœuf

EARL CH. HAUTE-FONROUSSE, Haute-Fonrousse, 24240 Monbazillac, tél. 06 14 22 15 04, geraud.vins@wanadoo.fr V *t.l.j. sf sam. dim. 9h-12h 14h-18h30* *Géraud et Fils*

CH. DU HAUT PEZAUD Sélection 2014 ★

■	3000		8 à 11 €

Comptable à Bruxelles, éprise des liquoreux du Sud-Ouest, Christine Borgers a quitté en 1999 sa Belgique natale pour devenir vigneronne à Monbazillac. Elle a construit une cave moderne et renouvelé des parcelles sur les quelque 10 ha du domaine. Un domaine régulier en qualité, notamment pour ses monbazillac.

La cuvée haut de gamme du domaine, issue de sélections parcellaires. Le nez, agréable mais un peu fermé à l'heure de la dégustation, conjugue les fruits mûrs et un boisé délicat aux accents de moka. La bouche plaît par son volume, sa souplesse et sa rondeur, par ses tanins fondus et soyeux, et par ses notes de cassis et de vanille. Harmonieux. 2018-2021 magret de canard aux cèpes

CH. DU HAUT PEZAUD, lieu-dit Les Pezauds, 24240 Monbazillac, tél. 06 70 75 56 72, cborgers@wanadoo.fr V *t.l.j. 10h-13h 15h-19h* *Borgers*

B CH. DE LA JAUBERTIE Mirabelle 2014 ★

■	20000		15 à 20 €

Nick Ryman, homme d'affaires britannique, a acheté la Jaubertie en 1973. Son fils Hugh a quitté les vignobles d'Australie il y a plus de trente ans pour reprendre ce domaine commandé par un château Directoire. Aujourd'hui, 48 ha en bio certifié. Une valeur sûre.

D'une belle couleur dorée, cette cuvée livre un nez intense où le sauvignon (80 %) s'exprime autour des fruits exotiques et du buis sur un fond miellé. Le palais, ample et gras, est plus marqué par le bois avec des saveurs grillées, toastées et une pointe de noisette. Un vin de repas au potentiel certain. 2017-2020 pintade à la crème ■ **Cuvée Tradition 2015 (5 à 8 €; 66000 b.)** B : vin cité.

SA RYMAN, Ch. de la Jaubertie, 24560 Colombier, tél. 05 53 58 32 11, jaubertie@wanadoo.fr V *r.-v.*

JULIEN DE SAVIGNAC 2014 ★★

■	53000		5 à 8 €

Une maison de négoce familiale du Bergeracois, fondée dans les années 1980 par Patrick Montfort et reprise en 2009 par Julien Montfort.

Ce vin s'ouvre sans réserve sur des parfums intenses de petits fruits rouges agrémentés d'une légère touche vanillée. L'attaque est ronde et charnue, très plaisante, le milieu de bouche plus massif et vigoureux, la finale puissante et assez austère. Un bergerac de caractère, dans la fougue de sa jeunesse, qu'il conviendra d'attendre un peu. 2018-2022 carré d'agneau ■ **Lisa 2014 ★ (8 à 11 €; 8000 b.)** : l'étiquette de cette cuvée est l'œuvre chaque année de l'artiste Lisa Clark. Ici un 2014 mi-sauvignon mi-sémillon, simple et plaisant, fruité et végétal au nez, frais, minéral et citronné en bouche. 2016-2019 salade de chèvre chaud

JULIEN DE SAVIGNAC, av. de la Libération, 24260 Le Bugue, tél. 05 53 07 10 31, julien.de.savignac@wanadoo.fr V *t.l.j. sf dim. 9h-19h*

CH. LAMOTHE BELLEVUE 2015 ★

■	20000		- de 5 €

Bien connu des lecteurs du Guide, Stéphane Puyol exploite la vigne dans le Libournais (20 ha en saint-émilion et en saint-émilion grand cru) depuis 1977 avec son Ch. Barberousse et son voisin le Ch. Montremblant. Il vinifie également dans le Bergeracois depuis l'acquisition en 1991 du Ch. Lamothe Belair, situé sur le plateau de Belair, dans le prolongement du coteau de Saint-Émilion.

Cet assemblage merlot (75 %)-cabernet-sauvignon ne cache pas son élevage en barrique: au nez, le boisé est dominant, sur des tonalités de grillé et de moka. Des notes de merrain qui imprègnent aussi la bouche, ample et concentrée, aux tanins stricts et serrés. « Il en a sous le capot », conclut un dégustateur... 2019-2023 pigeon rôti ■ **Ch. Lamothe Belair 2015 ★ (- de 5 €; 50000 b.)** : une pointe de malbec (5 %) aux côtés du merlot (80 %) et du cabernet-sauvignon. Robe noire, arômes toastés et vanillés puissants, au nez comme en bouche, structure dense et vigoureuse: tout indique le vin de garde. 2019-2023 magret de canard aux cèpes

SCEA VIGNOBLES STÉPHANE PUYOL, Ch. Barberousse, 33330 Saint-Émilion, tél. 05 57 24 74 24, chateau-barberousse@wanadoo.fr V *r.-v.*

B CH. MARIE-PLAISANCE Le Bouquet 2015 ★★

■	10000		5 à 8 €

Une demeure du XVIIIes. de style périgourdin, un chai du XIXes. rénové et 70 ha de vignes sur la rive gauche de la Dordogne, aux confins du département de la Gironde. Aussi à l'aise en rouge qu'en blanc et en rosé, en vin sec qu'en vin doux, le domaine a été repris en 2006 par les trois enfants – la cinquième génération – de la famille Merillier. En bio certifié depuis 2013.

Cette gamme définit des vins «riches, complexes et expressifs», explique-t-on au domaine. De fait, ce 2015 offre un peu de tout cela: un bouquet intense de fleurs blanches, de mangue et d'agrumes, un palais tout aussi floral et fruité, gras et tendre, mis en valeur par une fine fraîcheur et par une longue finale. ⧗ 2016-2019 🍴 couteaux gratinés

⊶ EARL DES VIGNOBLES MERILLIER, La Ferrière, 24240 Gageac-Rouillac, tél. 05 53 27 86 23, chateaumarieplaisance@hotmail.fr
V t.l.j. sf dim. 8h-12h 14h-17h

CH. LES MARNIÈRES 2015 ★★

	10000		5 à 8 €

La propriété de Reine et Christophe Geneste est dans la famille depuis six générations. En 2015, le vignoble a été restructuré; il couvre aujourd'hui une surface de 15 ha. Une ancienne marnière exploitée au XIXᵉs. sur le site donne son nom au domaine.

Le trio sauvignon-muscadelle-sémillon (par ordre d'importance) est à l'œuvre dans ce 2015 au nez à la fois puissant et délicat de fleurs blanches et d'agrumes. On apprécie également le travail de vinification qui a dessiné une bouche riche, ample et dense, persistant sur des arômes sauvignonnés. Un vin aussi large que long et aussi généreux que fin. ⧗ 2016-2020 🍴 langoustines à la royale

⊶ VIGNOBLES GENESTE, Les Brandines, 24520 Saint-Nexans, tél. 05 53 58 31 65, chateaulesmarnieres@orange.fr V r.-v.

CH. LES MERLES 2015

	20000		5 à 8 €

Au siècle dernier, trois générations de Lajonie ont constitué un vignoble de 65 ha dans le Bergeracois. La famille exploite trois domaines: les châteaux Pintouquet – le berceau –, Bellevue (monbazillac) et les Merles, gérés depuis 1983 par Joël et Alain.

Sauvignon (80 %) et sémillon sont associés dans ce vin en robe légère. L'attaque est nerveuse puis le palais évolue sur des impressions de souplesse et de gras, avant une finale un peu stricte. L'ensemble reste harmonieux et présente un potentiel intéressant. 🍴 fromage de chèvre

⊶ GAEC DES MERLES, Les Merles, 24520 Mouleydier, tél. 05 53 63 43 70, alain.lajonie@wanadoo.fr
V r.-v. ⊶ Lajonie

CH. MONTDOYEN Un Point, c'est tout! 2014 ★

	5466		5 à 8 €

Originaires du Nord, les Hembise, qui pratiquent la lutte raisonnée à tendance bio, ont installé dans les vignes des nichoirs à oiseaux et à insectes pour favoriser la biodiversité. Ils ont repris en 1996 ce domaine alors presque à l'abandon, qui fait l'objet depuis d'une restructuration exigeante et étend aujourd'hui son vignoble sur 37 ha commandés par une bâtisse élevée sur les ruines d'un petit château périgourdin.

Les fleurs de tilleul, l'herbe fraîchement coupée, la feuille de buis et le bourgeon de cassis composent un bouquet avenant et bien typé sauvignon. La bouche ronde, soyeuse, avec une fraîcheur bien sentie en soutien, offre un bel écho à l'olfaction. Un vin équilibré et élégant. ⧗ 2016-2020 🍴 curry de crevettes

⊶ SARL VIGNOBLES JEAN-PAUL HEMBISE, Ch. Montdoyen, lieu-dit Le Puch, 24240 Monbazillac, tél. 05 53 58 85 85, contact@chateau-montdoyen.com
V t.l.j. sf dim. 9h-13h 14h-19h

CH. MOULIN CARESSE Magie d'Automne 2014 ★

	52000		5 à 8 €

Très ancienne propriété familiale (1749) située sur les hauteurs de Montravel, ce vaste domaine est aujourd'hui l'une des références en Bergeracois, grâce au travail mené depuis 1990 (sortie de la coopérative) par Jean-François Deffarge, «autodidacte en œnologie», qui passe aujourd'hui la main à ses enfants Benjamin et Quentin. Le vignoble (48 ha) s'étend sur deux terroirs bien distincts: des pentes argilo-calcaires et un haut plateau de boulbènes.

La dégustation débute sous de bons auspices avec des notes intenses de fruits noirs et de chocolat. Si l'attaque franche est légère, le milieu de bouche et la finale montrent plus de densité et de structure. Un ensemble équilibré et bâti pour bien vieillir. ⧗ 2018-2022 🍴 pintade aux cèpes

⊶ EARL DEFFARGE DANGER, 1235, rte de Couin, 24230 Saint-Antoine-de-Breuilh, tél. 05 53 27 55 58, contact@moulin.caresse.fr
V t.l.j. 9h-12h 14h-18h

CH. MOULIN GARREAU Ballon rouge 2015

	40000		5 à 8 €

Un moulin à vent dressé autrefois au hameau de Garreau donne son nom à ce domaine situé aux confins du Libournais. Pharmacien parisien reconverti dans la viticulture, Alain Péronnet a fait ses (brillants) débuts dans le Guide avec le millésime 2005. Son ancienne spécialité, l'homéopathie, lui aura peut-être inspiré la conversion bio de ses 10 ha de vignes.

Au nez, des arômes frais de framboise se mâtinent de nuances réglissées et épicées. En bouche, une aimable rondeur renforcée par des tanins enrobés, de la fraîcheur en finale et du fruit de bout en bout. Un bon «vin de soif», assez fugace et léger, qui ne semble avoir d'autre ambition que le plaisir immédiat et le fruit, et c'est réussi. ⧗ 2016-2019 🍴 grillades

⊶ ALAIN PÉRONNET, 10, rte du Coteau, 24230 Lamothe-Montravel, tél. 05 53 61 26 97, aperonnet@wanadoo.fr V r.-v.

DOM. DE MOULIN-POUZY 2015 ★★

	90000		5 à 8 €

Depuis 1896, cinq générations se sont succédé sur ce domaine établi sur la rive gauche de la Dordogne. En 2008, Fabien Castaing en a pris les rênes. Il exploite 60 ha en viticulture raisonnée et protège les espèces recensées dans ses vignes, de la huppe fasciée aux orchidées sauvages.

Merlot (90 %) et cabernet-sauvignon sont associés dans ce vin au nez intense, fruité (mûre), vanillé et torréfié. Dans la continuité de l'olfaction, la bouche affiche une belle trame tannique, dense et serrée, épaulée par un boisé dominateur certes mais racé et fort prometteur, et par une pointe de fraîcheur bien dosée. Un vin riche qui ne demande qu'à s'ouvrir pour révéler tout son potentiel. ⧗ 2019-2023 🍴 cassoulet

⊶ EARL VIGNOBLES CASTAING, Dom. de Moulin-Pouzy, 12, rte des Rivailles, 24240 Cunèges, tél. 05 53 58 41 20, info@moulin-pouzy.com V ! t.l.j. sf sam. dim. 9h-12h 13h-17h

NOS RACINES 2014

■	n.c.	- de 5 €

Établie de longue date à Saint-Laurent-du-Bois, la famille Raymond voit apparaître la première génération de vignerons au château de Lagarde en 1850 avec 15 ha. Sept générations plus tard, Lionel Raymond, installé en 2000 à la suite de son père Jean-Pierre, conduit un vaste ensemble de 200 ha, entièrement converti en bio, soit la plus grande exploitation du genre en Bordelais, complété par une activité de négoce en 2010.

À un nez expressif et bien fruité (griotte) répond une bouche tout aussi aromatique, souple, fraîche, aux tanins légers. Un vin simple et harmonieux, à déguster sur le fruit. ⧗ 2016-2019 🍴 assiette de charcuterie

⊶ SARL RAYMOND VFI, lieu-dit Lagarde, 33540 Saint-Laurent-du-Bois, tél. 05 56 76 43 63, contact@vignobles-raymond.fr V ! t.l.j. sf sam. dim. 8h-12h 13h30-17h30; f. sem. du 15 août

CH. DE PANISSEAU Vieilles Vignes 2015 ★★

■	35000	5 à 8 €

Témoignage de l'architecture périgourdine féodale, construit par les Anglais au XIIe s., puis remanié à la Renaissance, ce château commande aujourd'hui un vignoble de 34 ha à Thénac. Propriété d'un fonds d'investissement européen depuis 2013, le domaine a entrepris d'importants travaux pour moderniser sa chaîne de production et a baissé ses rendements pour privilégier la qualité.

Noir, profond, intense, ce 2015 affiche une belle complexité à l'olfaction: fruits noirs, violette, une touche poivrée. La bouche est dense, corsée et très charnue, étayée par des tanins tendres et soyeux qui lui confèrent une belle élégance et un potentiel de garde certain. ⧗ 2019-2023 🍴 agneau de sept heures ■ **Renaissance 2015 ★★ (5 à 8 €; 35000 b.)** : d'une réelle finesse aromatique (fruits noirs, figue sèche, pointe torréfiée), ce vin présente une bouche à la fois ample, puissante et élégante, portée par des tanins fondus et par une finale pleine de fraîcheur et de fruit. ⧗ 2018-2022 🍴 navarin d'agneau

⊶ CH. DE PANISSEAU, 24240 Thénac, tél. 05 53 58 40 03, contact@panisseau.com V ! r.-v.

DOM. DE PÉCOULA 2015

■	8000		- de 5 €

À la suite de leurs père et grand-père, René Labaye et son frère Jean-Marie exploitent le vignoble familial qui compte aujourd'hui 33 ha, dont 25 sont destinés au monbazillac. Un domaine régulier en qualité, souvent en vue pour ses bergerac et monbazillac.

Sauvignon (60 %) et sémillon donnent ici un vin simple et de bon goût, aux arômes bien typés de buis et d'agrumes, au nez comme en bouche, tonique et assez long. Un bon classique. ⧗ 2016-2018 🍴 bulots mayonnaise

⊶ GAEC DE PÉCOULA, Pécoula, 24240 Pomport, tél. 05 53 58 46 48, pecoula.labaye@wanadoo.fr V ! r.-v. ⊶ Labaye

LE PÉTROCORE 2014 ★

■	3000		8 à 11 €

Véronique et Michel Monbouché ne cessent d'améliorer et d'étendre leur domaine (60 ha aujourd'hui), qui bénéficie d'un panorama imprenable sur Bergerac et la vallée de la Dordogne. La fin des travaux qu'ils ont entrepris est prévue pour 2020. Un domaine régulier en qualité, en rouge comme en blanc.

Un assemblage par tiers de sauvignon, de sémillon et de muscadelle, à l'origine d'un vin au nez généreux de fruits blancs mûrs et de tilleul. La bouche se révèle longue, ample et ronde, épaulée par un boisé bien fondu en harmonie avec le fruit. À réserver pour le repas. ⧗ 2017-2020 🍴 coquilles Saint-Jacques

⊶ CH. LADESVIGNES, Ladesvignes, 24240 Pomport, tél. 05 53 58 30 67, contact@ladesvignes.com V ! r.-v. ⊶ Monbouché

CH. POULVÈRE 2015

■	30000		5 à 8 €

Ancienne dépendance du château de Monbazillac, le Ch. Poulvère date de la même époque. Il est exploité depuis plus de cent ans par les Borderie, qui travaillent toujours en famille sur un vignoble de 90 ha: Francis conduit le vignoble et son neveu Frédéric officie au chai.

Cerise, mûre, framboise, l'olfaction est largement dominée par les fruits, une petite touche épicée venant relever le tout. Souple et vive à l'attaque, la bouche évolue sur des tanins fins et frais et s'achève sur une plaisante note mentholée et une touche d'amertume. Un vin léger en bouche mais flatteur au nez. ⧗ 2016-2019 🍴 assiette de charcuterie

⊶ SARL CH. POULVÈRE, Poulvère, 24240 Monbazillac, tél. 05 53 58 30 25, famille.borderie@poulvere.com V ! t.l.j. sf dim. 9h-12h30 14h-18h30

CH. LE RAULY Sensation 2015 ★

■	5600		8 à 11 €

Dans la famille depuis trois générations, cette propriété est conduite à partir de 2015 par Guillaume Borderie, formé dans le Sauternais, à la Tour Blanche. Son vignoble compte aujourd'hui 39 ha.

Une large majorité de cabernet franc (80 %, le merlot en complément) dans ce vin séduisant de bout en bout. Belle robe grenat, nez discret mais élégant de cerise, de framboise et de fruits noirs mûrs, bouche ronde et persistante, aux tanins fins et soyeux: un bergerac harmonieux et prometteur. ⧗ 2018-2022 🍷 navarin d'agneau

⊶ EARL LE RAULY, Le Rauly, 24240 Monbazillac, contact@vignerons-perigourdins.com V 🚶 ▪ *r.-v.*
⊶ Borderie

CH. LE RAZ Cuvée Grand Chêne 2014 ★

■	16650		5 à 8 €

Le domaine, régulièrement en vue pour ses montravel, est entré dans la famille Barde en 1958. Au fil des ans, des achats et des fermages, il s'est agrandi par l'acquisition de vignes, de bois et de cultures, et embelli après la restauration de sa gentilhommière du XVIIᵉs. Les vignes occupent aujourd'hui 58 ha sur les hauts plateaux.

Le nez, intense, conjugue les fruits rouges et la réglisse. Une attaque veloutée, totalement sur le fruit, introduit un palais ample et rond, aux tanins doux et soyeux, épaulés par une fine fraîcheur. Un vin très équilibré, que l'on pourra apprécier aussi bien jeune que plus âgé. ⧗ 2016-2022 🍷 entrecôte marchand de vin

⊶ GAEC DU MAINE, Le Raz, 24610 Saint-Méard-de-Gurçon, tél. 05 53 82 48 41, vignobles-barde@le-raz.com V 🚶 ▪ *t.l.j. sf dim. 9h-12h30 14h15-18h30; sam. sur r.-v. ⊶ Barde*

Ⓑ **CH. LE TAP** 2015 ★★

■	15000		5 à 8 €

Domaine situé à l'emplacement d'une carrière, inscrite au cadastre napoléonien au lieu-dit Tas-de-Pierre, raccourci au fil du temps en Tap. Olivier Roches, fils de vigneron de Pécharmant, s'y est installé en 2001 avec son épouse Mireille. Ensemble, ils exploitent 12 ha de vignes – en bio certifié depuis 2010.

La robe est brillante, noire, profonde et le nez puissant, complexe, racé, avec des arômes de fruits des bois, d'épices et de violette. Une belle entrée en matière que ne renie pas le palais, tout aussi expressif, riche, suave et charnu, aux tanins tendres et soyeux. Un vin d'une grande harmonie et charmeur en diable. ⧗ 2018-2023 🍷 osso bucco ■ **2015 (5 à 8 €; 16000 b.)** Ⓑ : vin cité.

⊶ OLIVIER ROCHES, Ch. Le Tap, 24240 Saussignac, tél. 05 53 27 53 41, chateauletap@live.fr V 🚶 ▪ *t.l.j. 9h-12h30 14h-19h* Ⓔ

CH. THÉNAC Fleur de Thénac 2014 ★

■	67000		8 à 11 €

Un château construit sur les ruines d'un prieuré bénédictin et une vaste propriété de 200 ha où la vigne côtoie pruniers, cultures, bois et étangs. Racheté en 2001 par Eugen Shvidler, homme d'affaires américain d'origine russe, le domaine est devenu en quelques années une valeur sûre du Bergeracois.

Des raisins mûrs (merlot, malbec et cabernet-sauvignon), une vinification soignée et un élevage en barrique bien maîtrisé ont permis d'élaborer cette cuvée harmonieuse. Jolie robe pourpre profond, nez bien développé entre fruits noirs, épices et grillé, bouche généreuse, souple et grasse, aux tanins fondus et soyeux. Une fleur qui prendra son temps avant de se faner. ⧗ 2017-2021 🍷 tajine d'agneau ■ **2014 (15 à 20 €; 30000 b.)** : vin cité.

⊶ SCEA CH. THÉNAC, Le Bourg, 24240 Thénac, tél. 05 53 61 36 85, wines@chateau-thenac.com V 🚶 ▪ *r.-v.*

CH. THEULET 2015 ★★

■	15000		5 à 8 €

Tout a commencé au Ch.Theulet à Monbazillac, berceau de la famille Alard. Antoine Alard a diversifié sa production avec des pécharmant issus du Dom. de la Métairie et du Ch. de Biran.

Le sauvignon (90 %, avec le sémillon en appoint) imprime sa marque dans ce vin au nez intense de fleurs blanches, de buis et d'agrumes. Puis le fruit, mûr à souhait, se fait explosif dans une bouche offrant beaucoup de volume, de fraîcheur et de longueur. Un vin épatant, qui met parfaitement en valeur la richesse et la maturité du raisin dans ce millésime généreux que fut 2015. Pourquoi attendre pour l'apprécier? ⧗ 2016-2019 🍷 sandre au citron confit

⊶ SCEA ALARD, Le Theulet, 24240 Monbazillac, tél. 05 53 57 30 43, alardetfils@orange.fr V ▪ *t.l.j. sf sam. dim. 9h-12h 14h-18h*

CH. TOUR DE GRANGEMONT 2015 ★

■	44000		5 à 8 €

Le gros du vignoble (50 ha) se trouve au lieu-dit Grangemont; une haute tour se dressait autrefois en haut du coteau, d'où le nom du domaine. Fabien Lavergne, œnologue, a pris en 2011 la direction de la propriété familiale, où il secondait depuis des années son père Christian.

La couleur grenat profond promet un vin concentré. Le nez, intense et généreux, est dominé par le fruit mûr, la framboise notamment. Une générosité confirmée par une bouche solide, aux tanins bien extraits, certes encore un peu jeunes mais prometteurs. ⧗ 2018-2022 🍷 paleron en sauce

⊶ EARL LAVERGNE, A Portugal, 24560 Saint-Aubin-de-Lanquais, tél. 05 53 24 32 89, tour-de-grangemont@sfr.fr V 🚶 ▪ *t.l.j. sf dim. 10h-12h 15h-19h*

♥ Ⓑ **TOUR DES GENDRES** Primo De Conti 2015 ★★

■	20000		5 à 8 €

Una storia italiana. En 1986, les frères De Conti joignent leurs terres, associent leurs familles et fondent l'entreprise De Conti. Jean, Luc, leurs épouses et un cousin suivent ainsi les pas de Vincenzo, arrivé là en 1925. Aujourd'hui, ils exploitent 50 ha de vignes, en bio depuis 2005, complétés par une structure de négoce.

SUD-OUEST

Une cuvée dédiée au fondateur de la propriété, décédé en 2015. Un assemblage merlot-cabernet-malbec qui, dès le premier coup d'œil, affiche une belle concentration avec sa robe sombre et intense. Le nez est encore un peu fermé mais on devine de puissants arômes de fruits noirs finement boisés. Après une attaque fruitée et charnue, la bouche, ample et dense, s'affirme autour de tanins bien extraits, à la fois robustes et élégants, qui ne demandent qu'à s'affiner. Patience... ⧗ 2019-2025 🍷 daube de sanglier

SARL LA JULIENNE, Les Gendres, 24240 Ribagnac, tél. 05 53 57 12 43, lucdeconti@orange.fr Luc De Conti

CH. LES TOURS DES VERDOTS 2015 ★★

	25000		8 à 11 €

Conduite depuis 1992 par le talentueux David Fourtout, issu d'une famille originaire de Saint-Émilion, cette exploitation de 45 ha est une valeur sûre du Bergeracois, avec plusieurs coups de cœur à son actif. Un succès lié à un beau terroir de calcaires veinés de silex, à des installations modernes et à des sélections exigeantes.

L'excellent David Fourtout a frôlé un nouveau coup de cœur avec cette cuvée superbe, puissante et complexe, ouverte sur les fleurs blanches, l'abricot, les agrumes bien mûrs et les fruits secs. Vive et tonique à l'attaque, la bouche évolue vers le gras et la rondeur (notes miellées) tout en préservant le fruit et la fraîcheur. Un vin déjà très harmonieux, qui va encore s'affiner avec l'âge. ⧗ 2018-2022 🍷 poulet yassa ■ **Les Verdots selon David Fourtout 2014 ★★ (20 à 30 €; 9000 b.)** : la cuvée haut de gamme du domaine. Un vin doré qui mêle intimement fruits bien mûrs et notes vanillées. La bouche est ample, riche et ronde, encore dominée par le boisé - un boisé racé et prometteur. Un blanc «stylé» et intense, à redécouvrir dans quelques années. ⧗ 2019-2024 🍷 ris de veau à la crème

EARL DAVID FOURTOUT, Les Verdots, 24560 Conne-de-Labarde, tél. 05 53 58 34 31, verdots@wanadoo.fr V t.l.j. sf dim. 9h-12h30 14h-18h30

CH. VARI Réserve 2015 ★

	3200		11 à 15 €

Yann Jestin, installé depuis 1994 sur ce domaine de 20 ha, est œnologue et courtier en grands crus classés du Bordelais. Il a engagé en 2009 la conversion de son vignoble à l'agriculture biologique, aujourd'hui certifié.

La cuvée haut de gamme du domaine, née de sauvignon blanc (70 %) et de muscadelle, fermentée et élevée en barrique. Au nez, des parfums gourmands d'agrumes, d'abricot mûr, de fleurs blanches et de miel. En bouche, les mêmes sensations aromatiques harmonieuses et une belle fraîcheur renforcée par une légère amertume en finale. ⧗ 2016-2020 🍷 poulet au citron

VIGNOBLES JESTIN, Pataud, 24240 Monbazillac, tél. 05 53 61 84 98, contact@chateau-vari.com V *r.-v.*

CÔTES-DE-BERGERAC

Cette appellation ne définit pas un terroir mais des conditions de récolte plus restrictives qui doivent permettre d'obtenir des vins riches, concentrés, charpentés, au potentiel de garde plus important que les bergerac.

DOM. L'ANCIENNE CURE L'Extase 2014 ★

	8000		15 à 20 €

Représentant la cinquième génération à cultiver la vigne, Christian Roche hérite une partie de la propriété familiale en 1984. Cinq ans plus tard, il aménage son chai de vinification. Établi dans l'ancien presbytère de Colombier, il conduit aujourd'hui un vaste vignoble de près de 50 ha (avec une dominante de vignes blanches) aux sols variés, ce qui lui permet de proposer une large gamme de vins du Bergeracois, complétée grâce à une activité de négociant-éleveur. Incontournable.

Né de merlot (55 %) et de cabernet-sauvignon, ce 2014 mêle sans fausse note fruits rouges et nuances vanillées. La bouche intéresse par sa richesse, sa concentration, ses tanins vigoureux et son boisé respectueux du fruit. Du potentiel. ⧗ 2019-2025 🍷 baron d'agneau

EARL CHRISTIAN ROCHE, L'Ancienne Cure, 24560 Colombier, tél. 05 53 58 27 90, ancienne-cure@orange.fr V *t.l.j. sf dim. 9h-18h*

CH. BAGATELLE 2015 ★

	6000		5 à 8 €

Fondée en 1935, la cave coopérative de Port-Sainte-Foy, établie aux confins du Bergeracois et du Bordelais, exploite aujourd'hui un vignoble de 450 ha et propose une large gamme de vins des aires de Bergerac et de Montravel.

Ce pur sémillon mêle à l'olfaction une kyrielle d'arômes: poire, agrumes, fleurs blanches, poivre gris... En bouche, il se révèle franc et net, centré sur des notes de pêche et d'agrumes soulignées par une pointe d'acidité et par une touche d'amertume en finale. À attendre un peu. ⧗ 2017-2020 🍷 tarte aux poires ■ **Duc de Mézière 2015 (- de 5 €; 24000 b.)** : vin cité.

UNION DE VITICULTEURS DE PORT-SAINTE-FOY, 78, rte de Bordeaux, 33220 Port-Sainte-Foy, tél. 05 53 27 40 70, chaicavepsf@orange.fr V *t.l.j. sf dim. 9h-12h 14h-18h*

CH. LA BESAGE Prestige Élevé en fût de chêne 2014 ★

	14000		5 à 8 €

Fondée en 1939, la coopérative de Sigoulès regroupe aujourd'hui 150 adhérents, qui cultivent 900 ha de vignes au sud de Bergerac.

Merlot (70 %) et cabernets composent un vin au nez plaisant de fruits rouges frais mêlés d'arômes boisés et mentholés. En bouche, du volume, une association bien menée entre les fruits et le merrain, des tanins souples et de la fraîcheur en finale pour rehausser le tout. De bon augure pour l'avenir. ⧗ 2019-2023 🍷 cuisse de canard

CAVE DE SIGOULÈS, Mescoules, 24240 Sigoulès, tél. 05 53 61 55 00, contact@vigneronsdesigoules.fr V t.l.j. sf dim. 9h-12h30 14h-17h30

CH. LES BRANDEAUX 2015 ★★

| 4000 | | - de 5 € |

Jean-Marc Piazzetta est œnologue, son frère Thierry est commercial: des compétences complémentaires pour conduire ce vignoble familial, acquis en 1936 par l'arrière-grand-père et qui s'étend aujourd'hui sur 30 ha.

Cette cuvée fait la part belle au sauvignon gris (95 %, avec le sémillon en appoint). La robe est très pâle avec des reflets gris, et le nez intense, sur l'acacia, la pêche et le citron. Une attaque franche et fraîche introduit une bouche ample et très équilibrée, portée par un fruité croquant mis en valeur jusqu'en finale par une fine acidité. Un vin élégant et délicat. 2016-2020 poulet à la crème

EARL JEAN-MARC ET THIERRY PIAZZETTA, Les Brandeaux, 24240 Thénac, tél. 05 53 58 41 50, les.brandeaux@gmail.com V *t.l.j. sf sam. dim. 9h-12h 14h-18h*

CH. COMBET 2015

| 2000 | | 5 à 8 € |

Co-fondateur de la cave coopérative de Monbazillac, le domaine a créé son propre chai en 1965. Daniel Duperret, à sa tête depuis 1995, a entièrement restructuré les 30 ha du vignoble et applique les principes de l'agriculture raisonnée en bannissant tout désherbant.

Si la couleur n'est pas très intense, jaune pâle aux reflets verts, le nez se révèle puissant avec ses notes de raisins surmûris et de miel. Une générosité que l'on retrouve dans une bouche très riche et vineuse, tonifiée par une pointe de vivacité bienvenue. À mi-chemin entre le moelleux et le liquoreux. 2016-2022 dessert chocolaté

EARL DE COMBET, 24240 Monbazillac, tél. 06 85 33 50 57, earldecombet@orange.fr V *t.l.j. sf sam. dim. 10h-12h 13h-19h; f. jan.* *Daniel Duperret*

♥ CH. COURT-LES-MÛTS 2014 ★★

| 19000 | | 8 à 11 € |

Cinq générations au service du vin. Pierre Sadoux quitte les hauts plateaux algériens en 1961 pour s'établir sur cet ancien domaine (XVIIe s.) du Bergeracois implanté sur les coteaux de la rive gauche de la Dordogne. Un domaine dédié depuis longtemps à la vigne: «mûts» signifie «moût» en ancien français. En 2007, son fils du même prénom a pris la relève et conduit l'exploitation qui compte aujourd'hui 54 ha.

Une dominance peu commune de malbec (40 %) dans ce vin, né aussi du merlot et du cabernet-sauvignon. Le nez est ouvert sur les fruits rouges frais, accompagnés de légères notes toastées. Beaucoup de rondeur, de volume et une sensation de plénitude sont perceptibles dès l'attaque; impressions maintenues jusqu'en finale par une bouche fruitée, aux tanins puissants mais veloutés, avec un boisé très discret en toile de fond. Un vin très élégant, déjà plaisant, qui gagnera aussi à vieillir. 2017-2023 épaule d'agneau ■ **2015 ★★ (5 à 8 €; 28000 b.)** : une majorité de sauvignon dans ce moelleux au nez très flatteur de fruits exotiques compotés, d'agrumes, de pêche blanche et de poivre gris. Un fruité prolongé par un palais harmonieux, aérien et croquant, sous-tendu par une acidité fine et légère. Tout près du coup de cœur. 2016-2020 tarte au chocolat ■ **L'Oracle 2014 ★★ (15 à 20 €; 4000 b.)** : encore plus de malbec (60 %) que dans la cuvée principale. Cela donne un vin de belle concentration, ample et très expressif, sur les fruits noirs et la réglisse, porté par un bon boisé grillé et des tanins presque fondus, encore un peu serrés en finale. 2019-2023 côte de boeuf

PIERRE SADOUX, Ch. Court-les-Mûts, 24240 Razac-de-Saussignac, tél. 05 53 27 92 17, court-les-muts@wanadoo.fr V *t.l.j. sf dim. 9h-12h 14h-18h; sam. sur r.-v.*

CH. LES FONTENELLES 2015 ★

| 29600 | | - de 5 € |

Son père et son grand-père officiaient sur ce domaine implanté sur les coteaux sud du Bergeracois et livraient leurs raisins à la coopérative. C'est à vingt ans, en 1999, que Nicolas Bourdil reprend le vignoble. Il l'agrandit (28 ha aujourd'hui), crée un chai et élabore son premier millésime. Il a aussi entrepris d'importants travaux de rénovation des bâtiments, notamment de la cave qui accueille les visiteurs.

Sémillon (70 %) et sauvignon sont à l'origine de ce vin joliment fruité (pêche blanche) et amylique à l'olfaction. L'attaque est fraîche, le milieu de bouche suave et la finale longue et persistante avec un beau retour sur le miel. Un vin très équilibré. 2016-2021 foie gras

SCEA LES FONTENELLES, Les Fontenelles, 24500 Saint-Julien-d'Eymet, tél. 06 83 89 05 09, chateau.fontenelles@orange.fr V *r.-v.* *Bourdil*

B GENDRE MARSALET Cuvée Prestige 2014 ★

| 11000 | | 8 à 11 € |

Après des études à Monbazillac et à Montpellier, Fanny Monbouché a repris le domaine familial fondé par son arrière-grand-père en 1904: un vignoble de 27,5 ha à flanc de coteaux sur les communes de Monbazillac et de Saint-Laurent-des-Vignes. Ici, le bio est un sacerdoce puisque le grand-père de Fanny avait déjà adopté cette démarche au milieu des années 1960.

Ce pur merlot se révèle très ouvert et friand dès le premier nez, autour de notes de fraise mûre et de cassis. On apprécie de nouveau ces arômes dans une bouche ample et souple à l'attaque, plus tannique dans son développement et très tonique en finale. Un vin qui s'appréciera jeune ou un peu patiné par le temps. 2018-2022 entrecôte

EARL THEULET MARSALET, Le Marsalet, 24240 Monbazillac, tél. 05 53 57 94 36, contact@domaines-monbouche.com r.-v. *Fanny Monbouché*

♥ DOM. DE GRANGE NEUVE 2015 ★★

	53467		- de 5 €

Anthony Castaing préside depuis 1997 aux destinées de ce domaine fondé en 1896 par son aïeul Pierre Pichon. Le vignoble couvre près de 100 ha à Pomport, à 12 km au sud de Bergerac. Côté vins, on recherche ici le fruit et l'expression du terroir, en évitant souvent l'élevage sous bois.

Quatre quarts de sémillon, sauvignon, muscadelle et chenin composent ce superbe moelleux jaune pâle aux reflets dorés. Le nez complexe et intense mêle des arômes de pomme, de citron, de muscat et de miel. Une attaque franche et fraîche ouvre sur un palais plein et fondu, croquant à souhait grâce à une fine acidité qui le tend jusqu'à la finale longue et caressante. Un vin à l'équilibre parfait, à la fois puissant et fin. ⧗ 2016-2022 🍴 canard laqué

SCEA DE GRANGE NEUVE, Castaing et Fils, 24240 Pomport, tél. 05 53 58 42 23, castaing@grangeneuve.fr r.-v.

CH. HAUT LAMOUTHE 2015

	7000		5 à 8 €

Cette propriété familiale, conduite par Michel Durand et ses neveux Nicolas Pouget et Julien Durand, possède aussi des vergers de pruniers et de pommiers. Côté vigne, le domaine s'est développé à partir des années 1980 pour atteindre aujourd'hui 40 ha, implantés au pied du tertre de Montcuq.

Né des sauvignons blanc (80 %) et gris, ce moelleux associe des arômes de fleurs blanches, de buis, de rose et de litchi. Le palais penche plutôt vers la douceur que vers la fraîcheur et offre en finale un joli retour aromatique sur des notes sauvignonnées qui apportent un surcroît de nerf. ⧗ 2016-2020 🍴 foie gras

GAEC DE LAMOUTHE, 56, rte de Lamouthe, 24680 Lamonzie-Saint-Martin, tél. 09 64 45 34 53, chateauhautlamouthe@wanadoo.fr *t.l.j. sf dim. 8h30-18h; sam. 8h30-12h* *Durand-Pouget*

DOM. HAUT-MONTLONG Les Vents d'Anges 2013

	5000		11 à 15 €

En 1925, un métayage de 6 ha. La deuxième génération achète les vignes en 1950 et le domaine s'agrandit peu à peu. Aujourd'hui, 70 ha sur les hauteurs de Pomport, dans la vallée de la Dordogne. Alain Sergenton, installé en 1983, a passé le relais à ses filles Laurence et Audrey, et à ses gendres Philippe et Olivier.

Les douze mois de barrique sont bien perceptibles dès le premier nez à travers un bon boisé. Ce boisé mentholé laisse néanmoins s'exprimer le fruit. Arômes que l'on retrouve dans une bouche fraîche, aux tanins déjà bien arrondis et à la finale tonique. Un vin souple et harmonieux, bien réussi pour ce millésime ingrat. ⧗ 2016-2020 🍴 confit de canard

DOM. HAUT-MONTLONG, Le Malveyrein, 24240 Pomport, tél. 05 53 58 81 60, sergenton-haut-montlong@wanadoo.fr *t.l.j. sf sam. dim. 9h-12h 14h-18h*

CH. LES MARNIÈRES L'Églantier 2015 ★

	2500		8 à 11 €

La propriété de Reine et Christophe Geneste est dans la famille depuis six générations. En 2015, le vignoble a été restructuré; il couvre aujourd'hui une surface de 15 ha. Une ancienne marnière exploitée au XIXᵉs. sur le site donne son nom au domaine.

Cette sélection parcellaire à dominante de sémillon (70 %) livre un bouquet très plaisant de poire, de pêche blanche et de melon agrémenté d'une pointe de fleur d'acacia. La bouche, elle aussi bien fruitée, est homogène et équilibrée, offrant un bon mariage du sucre et de l'acidité. ⧗ 2016-2022 🍴 salade d'oranges

VIGNOBLES GENESTE, Les Brandines, 24520 Saint-Nexans, tél. 05 53 58 31 65, chateaulesmarnieres@orange.fr r.-v.

CH. LES PLAGUETTES Cuvée Prestige 2015 ★★

	13000		5 à 8 €

Après avoir acheté ses premières parcelles et planté ses vignes en solo à partir de 1992, sur le coteau de Saussignac, Serge Gazziola a repris en 1999 l'exploitation familiale du château les Plaguettes. Il s'est constitué ainsi un domaine de 39 ha.

Cette cuvée très pâle et brillante dévoile un nez complexe qui mêle fleurs blanches, citron et notes muscatées. La bouche, à l'unisson du bouquet, donne une sensation de richesse et de gras, mais la vivacité est bien présente pour empêcher toute lourdeur, notamment en finale où le vin prend un style plus léger, plus frais, plus aérien. ⧗ 2016-2022 🍴 salade de fruits frais

EARL VIGNOBLES SERGE GAZZIOLA, Les Plaguettes, 24240 Saussignac, tél. 06 08 61 58 77, contact@vignobles-gazziola.com r.-v.

CH. DE PLANQUES 2014 ★

	3200	- de 5 €

Sous le nom de « Planques Livardie », ce domaine fait partie des trente-deux marques hollandaises dont les protestants, émigrés aux Pays-Bas après la révocation de l'édit de Nantes en 1685, assurèrent le commerce florissant tout au long du XVIIIᵉs. L'une des plus anciennes propriétés du Bergeracois, dans la même famille depuis cette date.

Le trio sauvignon-sémillon-muscadelle est ici à l'origine d'un vin intense et complexe qui mêle les agrumes, les fruits exotiques et l'acacia. La bouche évolue dans le registre de la légèreté et de la fraîcheur, relevée en finale par des notes poivrées. Un vrai moelleux, équilibré, aérien et gourmand. ⧗ 2016-2020 🍴 tarte au citron

⊶ *SCEA CH. DE PLANQUES, Planques, 24100 Bergerac, tél. 05 53 58 30 18, chateau.de.planques@wanadoo.fr*

CH. POULVÈRE 2015 ★

■ | 600000 | | 5 à 8 €

Ancienne dépendance du château de Monbazillac, le château Poulvère date de la même époque. Il est exploité depuis plus de cent ans par les Borderie, qui travaillent toujours en famille sur un vignoble de 90 ha: Francis conduit le vignoble et son neveu Frédéric officie au chai.

Sémillon (80 %) et muscadelle sont assemblés dans ce 2015 ouvert sur des notes de... sauvignon (buis et agrumes). L'attaque est nette et fraîche, le milieu de bouche d'une belle sucrosité, la finale persistante et tout en rondeur. Un vin harmonieux et cohérent. ⧗ 2016-2022 🍴 tarte au citron

⊶ *SARL CH. POULVÈRE, Poulvère, 24240 Monbazillac, tél. 05 53 58 30 25, famille.borderie@poulvere.com* V *t.l.j. sf dim. 9h-12h30 14h-18h30*

LES RAISINS OUBLIÉS 2015

■ | 40000 | | 8 à 11 €

Couleurs d'Aquitaine est né en 2008 à l'initiative des quatre caves coopératives de la Dordogne: Cave de Port-Sainte-Foy, Les Vignerons de Sigoulès, Cave de Monbazillac et Alliance Aquitaine. Prolongée par une structure de négoce, cette cave sélectionne, élève et distribue aussi et surtout des vins de propriétés du Bergeracois et du Bordelais. Un acteur de poids du grand Sud-Ouest viticole.

Un 100 % sémillon au nez puissant, concentré, sur les fruits confits et le miel. Une impression de richesse confirmée par une bouche chaleureuse, très liquoreuse, clairement portée sur les sucres (110 g/l), mais qui garde l'équilibre. Un style qui pourra surprendre l'amateur de côtes-de-bergerac généralement plus légers. ⧗ 2018-2025 🍴 roquefort

⊶ *SAS COULEURS D'AQUITAINE, Les Seguinots, bât. Unidor, rte de Marmande, 24100 Saint-Laurent-des-Vignes, tél. 05 53 57 63 61, contact@couleursdaquitaine.fr*

CH. LES TOURS DES VERDOTS L'Excellence 2014 ★

■ | 10000 | | 20 à 30 €

Conduite depuis 1992 par le talentueux David Fourtout, issu d'une famille originaire de Saint-Émilion, cette exploitation de 45 ha est une valeur sûre du Bergeracois, avec plusieurs coups de cœur à son actif. Un succès lié à un beau terroir de calcaires veinés de silex, à des installations modernes et à des sélections exigeantes.

Une dominante de cabernet franc dans ce vin auquel vingt-deux mois d'élevage en fût ont légué des arômes chocolatés et toastés qui voisinent harmonieusement avec les fruits rouges. La bouche est ample, ronde, chaleureuse, soutenue par des tanins puissants, un boisé intense et une belle acidité en finale. Un vin de longue garde assurément. ⧗ 2020-2025 🍴 canard rôti ■ **Clos des Verdots 2015 (5 à 8 €; 15000 b.)** : vin cité.

⊶ *EARL DAVID FOURTOUT, Les Verdots, 24560 Conne-de-Labarde, tél. 05 53 58 34 31, verdots@wanadoo.fr* V *t.l.j. sf dim. 9h-12h30 14h-18h30* B

B CH. VARI 2014

■ | 16000 | | 5 à 8 €

Yann Jestin, installé depuis 1994 sur ce domaine de 20 ha, est œnologue et courtier en grands crus classés du Bordelais. Il a engagé en 2009 la conversion de son vignoble à l'agriculture biologique, aujourd'hui certifié.

La première cuvée de côtes-de-bergerac rouge produite par Yann Jestin. La robe est sombre; le nez allie fruits rouges confiturés et notes de chocolat. La bouche, ample, boisée et tannique, appelle la garde. Un coup d'essai réussi. ⧗ 2020-2024 🍴 côte de boeuf

⊶ *VIGNOBLES JESTIN, Pataud, 24240 Monbazillac, tél. 05 53 61 84 98, contact@chateau-vari.com* V *r.-v.*

MONBAZILLAC

Superficie : 1 949 ha / Production : 44 152 hl

Ce vignoble est implanté au cœur du Bergeracois, sur des coteaux pentus de la rive gauche de la Dordogne exposés au nord. Les grappes y reçoivent en automne la fraîcheur et les brumes qui favorisent le développement du botrytis, la pourriture noble. Le sol argilo-calcaire apporte des arômes intenses ainsi qu'une structure puissante à ces vins moelleux et liquoreux.

♥ L'HÉRITAGE D'ALBERT CAMUS Sélection de grains nobles 2014 ★★

■ | 2000 | | 20 à 30 €

Camus? Clin d'œil à l'écrivain certes, mais aussi hommage au fondateur puisque Fabrice Camus exploite depuis 1999 ce vignoble créé dans les années 1930 par son grand-père... Albert. Fabrice ne produit en AOC que son monbazillac L'Héritage et propose sous la marque Les Aventuriers des vins de France sortant des sentiers battus, notamment des rouges doux et passerillés.

Le seul sémillon est à l'œuvre dans cette cuvée vinifiée puis élevée en barrique pendant deux ans. La robe est d'un seyant jaune doré et le nez d'une épatante complexité: abricot sec, goyave séchée, melon, agrumes, ananas, puis notes d'acacia, de verveine et de miel. La bouche montre un volume impressionnant et une grande puissance liquoreuse, sur des notes de fruits à l'eau-de-vie et de mandarine confite, tout en restant remarquablement équilibrée, bien épaulée par le bois dont on apprécie la discrétion et le fondu. La finale est d'une longueur infinie, très botrytisée, sur le miel. Un monbazillac majuscule, de très longue garde. ⌛ 2020-2030 🍷 tarte à l'orange

FABRICE CAMUS, Domaine de La Lande, 24240 Monbazillac, tél. 06 08 56 92 36, fabrice.camus@domaine-de-la-lande.com V r.-v.

B CH. CLUZEAU Le Bois blanc 2014 ★

	2800		15 à 20 €

Tonnelier durant quarante ans en Corrèze, Marc Saury a racheté en 2004 à un viticulteur partant à la retraite cette propriété de 12,5 ha conduite en bio au cœur du Périgord pourpre. Le domaine a changé de mains en 2015, acquis par Anita et Benoît Gérard.

Sauvignon blanc et muscadelle sont associés dans ce vin complexe, floral (aubépine, acacia), fruité (orange confite), miellé et un brin grillé. Une attaque puissante et large ouvre sur un palais imposant, gras, ample et long, dont les saveurs rappellent les fruits confits, les fleurs blanches et le miel avec une belle intensité. L'harmonie entre le raisin et le bois est très réussie. ⌛ 2019-2027 🍷 roquefort

SCEA LE PETIT CLUZEAU, Le Petit-Cluzeau, 24240 Flaugeac, tél. 05 53 24 33 71, hobeangrd@gmail.com V *t.l.j. sf dim. 9h-18h*
Anita et Benoît Gérard

CH. LE FAGÉ 2014

	18000		8 à 11 €

Créé en 1757, ce domaine commandé par un petit château aux allures de chartreuse, sur la côte nord de Monbazillac, couvre 48 ha aujourd'hui. Héritier de dix générations, Benoît Gérardin en a pris les rênes en 2012 et cherche à élaborer des vins droits, fruités et frais.

Au nez, des arômes intenses et aériens de citron et de mandarine confits enrobés de miel. La bouche suit la même ligne aromatique, bien équilibrée par une pointe de fraîcheur. Un monbazillac qui joue la carte de la légèreté. ⌛ 2016-2023 🍷 tarte au citron meringuée

GÉRARDIN, Ch. le Fagé, 24240 Pomport, tél. 05 53 58 32 55, info@chateau-le-fage.com
V *t.l.j. 9h-18h; sam. dim. sur r.-v.*

B GRANDE MAISON Cuvée du Château 2014

	4000		20 à 30 €

Grande Maison? Une ancienne demeure fortifiée construite par les Anglais pendant la guerre de Cent Ans. Acquis en 1990 par Thierry Desprès, qui l'a converti au bio et à la biodynamie et lui a donné tout son lustre, notamment grâce à ses monbazillac, le domaine et ses 14 ha de vignes ont été repris en 2012 par la famille Chabrol.

Si le nez n'est pas des plus expressifs – on y reconnaît toutefois les fruits secs et les fruits confits –, la bouche, assez dense, est plus expansive, ouverte sur les fruits jaunes et blancs. Une belle fraîcheur en finale vient équilibrer les sucres et apporte de la longueur et de la finesse. ⌛ 2017-2023 🍷 crêpes Suzette

CHABROL, lieu-dit Grande Maison, 24240 Monbazillac, tél. 05 53 58 26 17, grandemaison.monbazillac@gmail.com
V *t.l.j. sf dim. 8h30-19h* 4

B CH. LES HAUTS DE CAILLEVEL Grains de Folie 2013

	3000		11 à 15 €

Sylvie Chevallier et Marc Ducrocq organisaient des «événements». En 1999, ils ont changé de vie et sont devenus «artisans vignerons» en reprenant ce domaine sur la rive gauche de la Dordogne, dont le nom évoque les cailloux: 18 ha d'un seul tenant, des blancs sur le plateau, des rouges sur le coteau. En bio certifié depuis 2013.

Mi-sauvignon blanc mi-sémillon, cette cuvée dévoile un nez encore sous l'emprise du merrain à l'heure de la dégustation. La bouche se révèle d'une puissance appréciable, équilibrée par une bonne fraîcheur qui étire la finale, et laisse poindre des arômes de fruits. Un vin en devenir. (Bouteille de 50 cl.) ⌛ 2020-2027 🍷 foie gras

CH. LES HAUTS DE CAILLEVEL, 24240 Pomport, tél. 05 53 73 92 72, caillevel@orange.fr
V *t.l.j. sf dim. 9h-12h 14h-17h* *Chevallier*

♥ CH. HAUT-THEULET 2014 ★★

	20000		11 à 15 €

Jean-Jacques Lacoste exploite un ensemble viticole réparti sur deux domaines. Caillavel, établi sur le plateau de Pomport, dispose d'un vignoble de 20 ha commandé par un château incendié pendant la guerre de Cent Ans et reconstruit au XVIes. Haut-Theulet, d'une superficie de 11 ha, est implanté à Monbazillac. Des vins souvent en vue dans ces pages.

Cet assemblage sémillon-sauvignon-muscadelle se présente dans une belle robe jaune vif . Le nez propose des arômes intenses, complexes et élégants d'orange confite, de mirabelle, de datte et de miel. Très riche, très gras, très liquoreux et pourtant très fin, le palais associe un miellé consistant et des notes de fruits secs caractéristiques des grands monbazillac à un vanillé discret qui suggère l'élevage patient (deux ans) en barriques. Un vin d'une grande harmonie, tout en puissance contrôlée. (Bouteille de 50 cl.) ⌛ 2020-2030 🍷 dessert chocolaté

GAEC CH. CAILLAVEL, 24240 Pomport, tél. 05 53 58 43 30, chateaucaillavel@orange.fr
V *t.l.j. sf dim. 9h30-12h 14h-18h30*

B CH. KALIAN 2014

	2065		11 à 15 €

Anne et Alain Griaud ont acquis en 1992 cette propriété (10,4 ha convertis à la bio) qu'ils ont baptisé Ch. Kalian, en référence aux prénoms de leurs enfants: Katell et Kilian. La première est aujourd'hui

***winemaker* en Virginie, et le second a pris la suite de ses parents.**

Le millésime 2014 marque un changement dans l'assemblage de ce monbazillac avec l'arrivée du sauvignon blanc dans le but de rendre plus complexe la gamme aromatique. Le résultat? Un vin au nez intense de fruits confits (coing, abricot, pêche) agrémentés d'une touche épicée et miellée. Les mêmes fruits rehaussés d'épices tapissent la bouche, plutôt centrée sur la fraîcheur que sur la richesse, un peu fugace mais très plaisante par sa légèreté. ⧗ 2017-2023 🍷 Saint-Jacques aux agrumes confits

⊶ EARL KALIAN GRIAUD, Ch. Kalian, lieu-dit Bernasse, 24240 Monbazillac, tél. 05 53 24 98 34, kalian.griaud@wanadoo.fr V t.l.j. 10h-19h

CH. MONBAZILLAC 2014 ★

	45000		15 à 20 €

Le château de Monbazillac, propriété de la cave de Monbazillac depuis 1960, est d'une architecture originale, mélange de systèmes défensifs médiévaux et d'élégances de la Renaissance. Ce monument datant du XVIᵉs. est emblématique du Bergeracois. La cave vinifie près d'un tiers de l'appellation monbazillac.

Une forte majorité de sémillon (90 %, le sauvignon gris et la muscadelle en appoint) dans ce vin à l'olfaction complexe et fine (tilleul, fruits exotiques, abricot sec, miel). Portée sur les fruits jaunes, la bouche est souple, dense et très riche, mais une fraîcheur bienvenue lui donne un coup de fouet en finale. Un vin équilibré qui ne demande qu'à s'ouvrir. ⧗ 2019-2026 🍷 foie gras

⊶ CAVE DE MONBAZILLAC, rte de Mont-de-Marsan, 24240 Monbazillac, tél. 05 53 63 65 00, cavedemonbazillac@chateau-monbazillac.com V t.l.j. sf dim. 10h-12h30 13h30-19h

DOM. DE PÉCOULA 2013 ★

	10000		8 à 11 €

À la suite de leurs père et grand-père, René Labaye et son frère Jean-Marie exploitent le vignoble familial qui compte aujourd'hui 33 ha, dont 25 sont destinés au monbazillac. Un domaine régulier en qualité, souvent en vue pour ses bergerac et monbazillac.

Le nez, agréable et net, évoque les fruits blancs et jaunes mûrs. Un fruité soutenu que prolonge une bouche bien équilibrée, élégante, fine et persistante. Un beau classique. ⧗ 2017-2023 🍷 tarte aux poires

⊶ GAEC DE PÉCOULA, Pécoula, 24240 Pomport, tél. 05 53 58 46 48, pecoula.labaye@wanadoo.fr V r.-v. ⊶ Labaye

CH. THENOUX 2014 ★

	6600		8 à 11 €

Sur les terres du Ch. Thenoux, tout près de Monbazillac, ont été trouvés de nombreux vestiges attestant la présence d'une villa gallo-romaine. Depuis 2010, Joëlle Carrère y exploite un vignoble de 42 ha dominant la vallée de la Dordogne. Elle élabore également des vins sous l'étiquette du Ch. Le Vieux Manoir.

Le trio classique sémillon-sauvignon-muscadelle est à l'origine de ce vin à la palette aromatique d'une belle finesse autour de la fleur d'acacia, de la cire et du miel de bruyère. Finesse que l'on perçoit aussi dans une bouche équilibrée, stimulée par des saveurs citronnées. Un monbazillac au style moderne, qui joue la carte de la légèreté et de l'élégance plutôt que celle de la richesse. ⧗ 2017-2023 🍷 foie gras

⊶ JOËLLE CARRÈRE, Thenoux, 24560 Colombier, tél. 05 53 61 26 42, vignoblesjoellecarrere@orange.fr V t.l.j. 9h-12h 14h-18h; sam. dim. sur r.-v.

GRAINS NOBLES DE LA TRUFFIÈRE 2013 ★★

	10000		11 à 15 €

En 2004, Fabrice Feytout reprend en location le vignoble familial (9,3 ha) situé sur les coteaux de Pécharmant, domaine qu'il acquiert en 2007. Souvent en vue pour ses monbazillac, sous l'étiquette Grains nobles de la Truffière, et pour ses pécharmant (Ch. de Beauportail).

Coup de cœur dans les millésimes 2004 et 2006, cette cuvée s'est placée sur les rangs pour la même distinction dans sa version 2013. Un assemblage sémillon-muscadelle passé vingt-quatre mois en fût, qui dispense de fines notes boisées, miellées et fruitées à l'olfaction. Un mariage harmonieux que l'on retrouve dans une bouche riche, dense et longue, renforcée par une pointe de vivacité. Un joli vin concentré et équilibré, qui va rapidement se bonifier. (Bouteille de 50 cl.) ⧗ 2019-2026 🍷 tarte à l'abricot et aux pommes

⊶ LA TRUFFIÈRE BEAUPORTAIL, rte du Hameau-de-Pécharmant, 24100 Bergerac, tél. 06 08 03 13 16, truffiere-beauportail@wanadoo.fr V r.-v. ⊶ Fabrice Feytout

Ⓑ CH. VARI 2014

	17000		11 à 15 €

Yann Jestin, installé depuis 1994 sur ce domaine de 20 ha, est œnologue et courtier en grands crus classés du Bordelais. Il a engagé en 2009 la conversion de son vignoble à l'agriculture biologique, aujourd'hui certifié.

La robe est très claire pour un liquoreux, tirant sur le vert plutôt que sur l'or. Le nez est intense et chaleureux, sur les agrumes confits. En bouche, ce sont plutôt les fruits jaunes, la pêche notamment, qui s'expriment. L'équilibre est centré sur la fraîcheur et la légèreté, avec en finale des notes torréfiées qui signent les quatorze mois de barrique. ⧗ 2016-2023 🍷 poulet aux citrons confits

⊶ VIGNOBLES JESTIN, Pataud, 24240 Monbazillac, tél. 05 53 61 84 98, contact@chateau-vari.com V r.-v.

MONTRAVEL

Cette région garde le souvenir de Montaigne: c'est dans la maison forte familiale que l'écrivain rédigea ses *Essais* et l'on peut encore visiter sa «librairie» à Saint-Michel-de-Montaigne. La production se divise en montravel blanc sec, typé par le sauvignon, en côtes-de-montravel et haut-montravel,

deux appellations de vins moelleux, et depuis 2001 en montravel rouge. En rouge comme en blanc, les cépages sont ceux du Bordelais voisin.

CH. BELLEVUE 2015 ★

	2500		- de 5 €

Philippe Gachet (représentant la quatrième génération) a pris en charge le domaine familial en 1998. Il conduit un vignoble en coteaux de 15 ha.

C'est de l'or pâle qui coule dans le verre. Le nez mêle harmonieusement fruits blancs et agrumes. Arômes que l'on retrouve dans une bouche longue, vive et dynamique, et qui ne manque pas de gras. Un ensemble cohérent. 2016-2019 cabillaud à la coriandre

PHILIPPE GACHET,
7, Les Eymeries, 24230 Lamothe-Montravel,
tél. 05 53 58 60 88, philippegachet24@sfr.fr V *r.-v.*

CH. LAULERIE Comtesse de Ségur 2014

	14000		8 à 11 €

Installés dans le Périgord en 1977, les frères Dubard, Serge et Olivier, ont créé un vaste ensemble viticole, conduit depuis 2008 par leur sœur Marine et par Grégory, le fils d'Olivier. Leur fleuron bergeracois est le Ch. Laulerie, 83 ha aujourd'hui, complétés en 2000 par les 10 ha en pécharmant des Farcies du Pech'. Valeur sûre du Bergeracois, ils ont étendu leur vignoble jusque dans le Libournais voisin.

Une forte dominante de sauvignon (90 %) dans ce blanc doré, qui associe au nez arômes de fruits frais, de buis et de noix de coco. Encore dominée par un boisé soutenu (six mois de cuve bois), le palais ne manque pas de fraîcheur et laisse poindre un fruité prometteur. 2019-2022 gratin de Saint-Jacques

VIGNOBLES DUBARD,
Le Gouyat, 24610 Saint-Méard-de-Gurçon,
tél. 05 53 82 48 31, contact@vignoblesdubard.com
V *t.l.j. 9h-12h30 13h30-17h30; sam. dim. sur r.-v.*

♥ CH. PIERRESTELLA 2015 ★★

	12000		- de 5 €

Jean-Claude Bernard a acheté une vieille bâtisse et 4 ha de vignes en 1989. Son fils l'a rejoint en 1999 avec 6 ha supplémentaires. Le tandem cultive aujourd'hui un vignoble de 15 ha sur les coteaux de Montcaret dominant la vallée de la Dordogne.

Une entrée en fanfare dans le Guide pour ce domaine! Première apparition et déjà un coup de cœur... Le trio classique sauvignon-sémillon-muscadelle (par ordre d'importance) donne ici un vin d'un bel or très pâle, au nez intense de fruits à chair blanche. Le fruit, bien mûr et accompagné de notes de bonbon anglais, est aussi très présent dans une bouche à la fraîcheur bien ajustée, qui propose en finale cette petite pointe de minéralité qui signe le terroir de Montravel. Un vin loyal, honnête et droit. 2016-2020 terrine saumon-asperges

EARL VIGNOBLE BERNARD,
13, rte de Bouty, 24230 Montcaret, tél. 06 07 48 37 00,
vignoble-bernard24@orange.fr V *r.-v.*

CH. PIQUE-SÈGUE 2015 ★

	56000		5 à 8 €

Cette propriété fut répertoriée dès le XIVes. par l'archevêque de Bordeaux pour la qualité de ses vins. Henri IV y faisait halte, dit-on, pour abreuver son cheval à l'une de ses fontaines. Sept siècles plus tard, la vigne demeure sur cette exploitation qui couvre plus de 220 ha sur les plus hauts coteaux de Montravel.

La robe est très pâle, ornée de reflets verts, le premier nez floral, puis arrivent les fruits blancs et les agrumes à l'agitation. La bouche se montre souple, chaleureuse, très mûre, mais dotée d'une belle acidité qui porte loin la finale et tient l'ensemble. 2016-2020 sole meunière

SNC CH. PIQUE-SÈGUE, Ponchapt,
33220 Port-Sainte-Foy-et-Ponchapt, tél. 05 53 58 52 52,
infos@chateau-pique-segue.fr V *t.l.j. 9h-12h 14h-16h*

CH. PUY-SERVAIN
Marjolaine Élevé en fût de chêne 2015 ★

	4500		8 à 11 €

Puy-Servain est le nom du lieu-dit et signifie «sommet» (*puy*), «venteux ou servi par le vent» (*servain*). Daniel Hecquet fut œnologue au célèbre Ch. d'Yquem, avant de regagner la propriété familiale à Ponchapt, qui compte aujourd'hui 47 ha de vignes. Un pilier du Bergeracois pour ses montravel et haut-montravel.

Marjolaine, la fille de Daniel Hecquet, prête son prénom à cette jolie cuvée en robe brillante, légèrement dorée. Au nez, le genêt, le litchi et les agrumes se mêlent intimement à une élégante touche boisée. En bouche, sa rondeur, sa structure solide et boisée, renforcée par une finale torréfiée sont fort appréciées. Un vin prometteur qui doit encore parfaire son harmonie après un séjour en cave. 2017-2021 blanquette de poisson

SCEA PUY-SERVAIN,
Calabre, 33220 Port-Sainte-Foy, tél. 05 53 24 77 27,
oenovit.puyservain@wanadoo.fr V *t.l.j. sf sam. dim. 8h-12h 14h-18h* *Daniel Hecquet*

CH. LE RAZ
Cuvée Grand Chêne Élevé en fût de chêne 2014

	6660		5 à 8 €

Le domaine, régulièrement en vue pour ses montravel, est entré dans la famille Barde en 1958. Au fil des ans, des achats et des fermages, il s'est agrandi par l'acquisition de vignes, de bois et de cultures, et embelli après la restauration de sa gentilhommière du XVIIes. Les vignes occupent aujourd'hui 58 ha sur les hauts plateaux.

Sauvignon blanc (50 %), sauvignon gris et muscadelle sont assemblés dans ce vin au nez intense de brioche, de pain grillé, de fleurs blanches et d'agrumes. Le palais se montre gras dès l'attaque, chaleureux, épicé et torréfié. Un vin de caractère, qui doit encore fondre son boisé. 2018-2021 blanquette de veau aux morilles

GAEC DU MAINE,
Le Raz, 24610 Saint-Méard-de-Gurçon,
tél. 05 53 82 48 41, vignobles-barde@le-raz.com
t.l.j. sf dim. 9h-12h30 14h15-18h30; sam. sur r.-v.
Barde

STV 2015

	20000		- de 5 €

Alliance Aquitaine est née en 2009 de la fusion de plusieurs caves coopératives. Elle regroupe 140 adhérents pour une surface totale de 1 500 ha de vignes dans le Bergeracois (80 %) et en AOC bordeaux.

Bien typé sauvignon (75 % au côté du sémillon), un nez de buis et de pamplemousse ouvre le bal. La bouche, franche et fraîche, offre un bon retour sur le fruit et une longueur honorable. Un vin simple, bien fait, sur la vivacité, à servir en début de repas. 2016-2018 verrine de saumon

SCA ALLIANCE AQUITAINE,
Le Vignoble, 24130 Le Fleix, tél. 05 53 24 64 32, contact@allianceaquitaine.com t.l.j. sf dim. 9h-12h 14h-18h

CH. TUQUET MONCEAU 2015 ★

	10000		- de 5 €

Cette ferme typique de la région est construite sur une butte qui lui vaut son nom de «Tuquet». Éric Goubault de Brugière et son épouse exploitent ce domaine (26 ha) depuis 1988. En 2000, une nouvelle étape est franchie avec la construction du chai. En 2009, c'est la conversion bio qui est engagée; le vignoble est aujourd'hui certifié.

Mi-sauvignon mi-sémillon, ce vin d'une belle brillance dévoile un nez riche de fleurs blanches et de poire mûre. La bouche plaît par son volume et son gras, équilibrés par une fraîcheur agréable. Un joli travail sur la matière. 2016-2018 pavé de saumon grillé

ÉRIC ET CÉCILE GOUBAULT DE BRUGIÈRE,
Le Tuquet, 24230 Saint-Vivien, tél. 05 53 22 79 49,
cecileric.goubault@gmail.com r.-v.

CÔTES-DE-MONTRAVEL

Superficie : 30 ha / Production : 1 169 hl

CH. ROQUE-PEYRE Douceur 2015

	20000		5 à 8 €

À l'origine, au début du XIXᵉs., cette petite propriété familiale produisait uniquement des vins doux, comme la plupart des exploitations de la région. Aujourd'hui, Jean-Marie Vallette, épaulé par son fils Jean, propose aussi des vins rouges. Après plus d'un siècle d'existence, le domaine s'étend sur 45 ha, associant la viticulture au tourisme vert.

Le nez, expressif, associe notes amyliques et arômes de poire. À une attaque fraîche et élégante succède une belle montée en puissance sur le sucre, mais sans lourdeur et avec le fruit toujours présent. Une aimable douceur. 2017-2022 panna cotta

EARL VIGNOBLES VALLETTE,
lieu-dit Roque, 33220 Fougueyrolles, tél. 05 53 24 77 98,
vignobles.vallette@wanadoo.fr r.-v.

TERRE D'OR 2015 ★★

	3000	5 à 8 €

Fondée en 1935, la cave coopérative de Port-Sainte-Foy, établie aux confins du Bergeracois et du Bordelais, exploite aujourd'hui un vignoble de 450 ha et propose une large gamme de vins des aires de Bergerac et de Montravel.

Finesse et élégance caractérisent le nez de ce 2015 ouvert sur les fruits exotiques et la verveine citronnée. En bouche, on découvre un vin au caractère moelleux bien affirmé, un vin puissant, dense, corpulent, généreux en fruits mûrs, équilibré par une belle fraîcheur. 2018-2023 canard à l'orange

UNION DE VITICULTEURS DE PORT-SAINTE-FOY,
78, rte de Bordeaux, 33220 Port-Sainte-Foy,
tél. 05 53 27 40 70, chaicavepsf@orange.fr
t.l.j. sf dim. 9h-12h 14h-18h

HAUT-MONTRAVEL

CH. MOULIN CARESSE
Grande Cuvée Cent pour 100 2014 ★

	2000		15 à 20 €

Très ancienne propriété familiale (1749) située sur les hauteurs de Montravel, ce vaste domaine est aujourd'hui l'une des références en Bergeracois, grâce au travail mené depuis 1990 (sortie de la coopérative) par Jean-François Deffarge, «autodidacte en œnologie», qui passe aujourd'hui la main à ses enfants Benjamin et Quentin. Le vignoble (48 ha) s'étend sur deux terroirs bien distincts: des pentes argilo-calcaires et un haut plateau de boulbènes.

Une teinte vieil or, brillante, un nez puissant et élégant qui associe notes boisées (dominantes pour l'heure), fumées et miellées: l'approche est intense. La bouche, elle aussi puissante et encore un peu marquée par le bois, laisse toutefois le fruit s'exprimer à travers des arômes soutenus d'abricot et de fruits exotiques. La fraîcheur apporte l'équilibre en finale. À attendre pour permettre au bois de se fondre. 2020-2027 dessert au chocolat noir

EARL DEFFARGE DANGER,
1235, rte de Couin, 24230 Saint-Antoine-de-Breuilh,
tél. 05 53 27 55 58, contact@moulin.caresse.fr
t.l.j. 9h-12h 14h-18h

CH. PUY-SERVAIN Terrement 2014 ★

	10700		11 à 15 €

Puy-Servain est le nom du lieu-dit et signifie «sommet» (*puy*), «venteux ou servi par le vent» (*servain*). Daniel Hecquet fut œnologue au célèbre Ch. d'Yquem, avant de regagner la propriété familiale à Ponchapt, qui compte aujourd'hui 47 ha de vignes. Un pilier du Bergeracois pour ses montravel et haut-montravel.

SUD-OUEST

La robe claire s'anime de jolis reflets dorés et brillants. Le nez est ouvert sur des notes de poire bien mûre. La bouche se révèle très riche et suave, bien épaulée par le fruit et par une fine acidité qui apporte longueur et finesse. ⧗ 2020-2025 ¥ fromage bleu

SCEA PUY-SERVAIN, Calabre, 33220 Port-Sainte-Foy, tél. 05 53 24 77 27, oenovit.puyservain@wanadoo.fr V t.l.j. sf sam. dim. 8h-12h 14h-18h *Daniel Hecquet*

♥ CH. LE RAZ Cuvée Pierres blanches 2014 ★★

■	5500		8 à 11 €

Le domaine, régulièrement en vue pour ses montravel, est entré dans la famille Barde en 1958. Au fil des ans, des achats et des fermages, il s'est agrandi par l'acquisition de vignes, de bois et de cultures, et embelli après la restauration de sa gentilhommière du XVIIe s. Les vignes occupent aujourd'hui 58 ha sur les hauts plateaux.

Brillante, d'une jolie teinte dorée, cette cuvée livre un bouquet d'une grande délicatesse autour des fruits jaunes, du tilleul et de la verveine. Une élégance que l'on retrouve dans une bouche fraîche à l'attaque, plus liquoreuse et boisée dans son développement, mais sans jamais perdre en fruité et en finesse. Un travail d'orfèvre à l'origine d'un vin harmonieux et ciselé. ⧗ 2020-2030 ¥ filet mignon de porc au miel

GAEC DU MAINE, Le Raz, 24610 Saint-Méard-de-Gurçon, tél. 05 53 82 48 41, vignobles-barde@le-raz.com V *t.l.j. sf dim. 9h-12h30 14h15-18h30; sam. sur r.-v.* *Barde*

PÉCHARMANT

Superficie : 418 ha / Production : 14 864 hl

Au nord-est de Bergerac, ce « Pech », colline couverte de vignes, donne un vin rouge aux tanins fins et élégants, apte à la garde.

B L'ANCIENNE CURE L'Abbaye 2014 ★

■	n.c.		15 à 20 €

Cinquième génération à cultiver la vigne, Christian Roche hérite d'une partie de la propriété familiale en 1984. Cinq ans plus tard, il aménage son chai de vinification. Établi dans l'ancien presbytère de Colombier, il conduit aujourd'hui un vaste vignoble de près de 50 ha (avec une dominante de vignes blanches) aux sols variés, ce qui lui permet de proposer une large gamme de vins du Bergeracois, complétée par une activité de négociant-éleveur. Incontournable.

Fidèle au rendez-vous, Christian Roche signe un pécharmant de caractère, bien dans le ton de l'appellation. Robe sombre, nez alliant avec bonheur fruits noirs et pain grillé, bouche dense et suave offrant de la mâche, portée par des tanins soyeux qui s'affermissent en finale. Un vin harmonieux, que le temps bonifiera encore. ⧗ 2020-2027 ¥ carré d'agneau

SARL L' ANCIENNE CURE, 24560 Colombier, ancienne-cure@orange.fr V *t.l.j. sf dim. 9h-18h*

B CH. CHAMPAREL Cuvée Prestige 2014

■	4500		11 à 15 €

Cette propriété viticole centenaire étage ses quelque 9 ha de vignes au sommet d'un coteau bien exposé plein sud. La propriété a le charme des demeures périgourdines et dispose d'un beau panorama sur Bergerac et la vallée de la Dordogne.

La cuvée de prestige du domaine, élevée en fûts de chêne neufs. Dans le verre, un vin grenat, intense et brillant, qui mêle les fruits rouges et noirs à un bon boisé, tendre et vanillé. La bouche surprend agréablement par son attaque large et fraîche, puis dévoile des tanins fermes et sévères qui encadrent des notes de pruneau et de myrtille. À attendre pour plus de rondeur. ⧗ 2020-2024 ¥ caille aux raisins

FRANÇOISE BOUCHÉ, 1637, hameau de Pécharmant, 24100 Pécharmant, tél. 05 53 57 34 76, champarel@wanadoo.fr V *r.-v.*

CH. CORBIAC Numéro Un 2013

■	3666		8 à 11 €

Issu d'une famille apparentée à Cyrano de Bergerac, Antoine de Corbiac, qui a rejoint sa mère Thérèse sur l'exploitation, représente la... dix-septième génération sur le domaine. Très ancien, ce vignoble de 16,5 ha aujourd'hui, idéalement perché sur la crête du coteau de Pécharmant, est une valeur sûre du Bergeracois.

Au premier nez, un boisé soutenu, sur le pain grillé; à l'aération, des notes de fruits noirs, de cassis notamment. La bouche se révèle ferme et dense, portée par des tanins serrés, un peu austères, et par un boisé grillé et vanillé. Solide, un brin rustique, mais bien construit. ⧗ 2019-2023 ¥ civet de lièvre

DURAND DE CORBIAC, Ch. de Corbiac, 24100 Bergerac, tél. 05 53 57 20 75, corbiac@corbiac.com V *t.l.j. 10h-19h*

CH. LES FARCIES DU PECH' Élixir 2014 ★★

■	5000		15 à 20 €

Installés dans le Périgord en 1977, les frères Dubard, Serge et Olivier, ont créé un vaste ensemble viticole. À leur fleuron bergeracois, le Ch. Laulerie, ils ont ajouté en 2000 le vignoble des Farcies du Pech' : 10 ha dans l'aire du pécharmant, commandés par une chartreuse du XVIIe s. s'ouvrant sur un parc de 8 ha et conduits par Serge et son épouse Betty.

Paré d'une robe profonde, rubis foncé, cet Élixir dévoile un bouquet complexe de cassis, de myrtille, de menthol, de vanille et de feuille de cigare. En bouche, volume, générosité et rondeur sont au rendez-vous, les fruits aussi, mâtinés d'épices, et les tanins sont bien en place, veloutés et fins. Un vin épanoui, qui révèle un raisin bien mûr et un élevage bien conduit. ⧗ 2019-2025 ♈ canard aux épices douces

⊶ SARL HAMEAU DE PÉCHARMANT, Ch. les Farcies du Pech', 24100 Bergerac, tél. 06 75 28 01 90, sbdubard@gmail.com V r.-v. ④ *⊶ Dubard*

DOM. DU GRAND JAURE Terroir 2014 ★

■ | 13500 | ◍ | 8 à 11 €

Bernadette Baudry et son frère Bertrand ont pris la relève sur le domaine familial. Longtemps producteurs exclusifs de vins rouges (pécharmant) sur les 17 ha de vignes que compte leur exploitation, ils ont diversifié leur gamme en plantant des cépages blancs pour élaborer du rosette; ils se montrent à l'aise dans les deux couleurs. Une valeur sûre.

Ce beau vin pourpre dévoile un nez complexe mêlant les fruits légèrement compotés aux épices douces. Une attaque ferme ouvre sur un palais frais, net et droit, où le fruit est bien présent et la trame tannique ferme et solide. De quoi envisager une évolution positive en cave. ⧗ 2020-2027 ♈ boudin noir ■ **Mémoire 2014 ★ (11 à 15 €; 6800 b.)** : au premier nez, le toasté de la barrique, puis l'aération libère les fruits, la cerise à l'eau-de-vie notamment. À une attaque ronde et suave succède un palais consistant, encore sous la forte domination des tanins du bois. À servir dans quelques années pour un meilleur fondu. ⧗ 2020-2027 ♈ côte de bœuf

⊶ GAEC BAUDRY, 16, chem. de Jaure, 24100 Lembras, tél. 05 53 57 35 65, domaine.du.grand.jaure@wanadoo.fr V *t.l.j. sf dim. 9h-19h*

DOM. DU HAUT-PÉCHARMANT 2014

■ | 100000 | ▮ | 8 à 11 €

Les 35 ha du vignoble s'étendent au sommet du coteau de Pécharmant, au sol caillouteux et sablonneux parsemé de silex taillés. Didier Roches est installé depuis 1998 dans une demeure du XIXᵉs. entourée d'un parc dominant la vallée.

Ce pécharmant livre un nez puissant de fruits mûrs, de cuir et de réglisse. Si l'attaque est ronde, le milieu de bouche affiche un caractère plus strict à travers des tanins denses et fermes qui durcissent quelque peu la finale pour l'heure. Patience donc... ⧗ 2020-2025 ♈ cassoulet

⊶ DIDIER ROCHES, Dom. du Haut-Pécharmant, Haut-Pécharmant, 24100 Bergerac, tél. 05 53 57 29 50, hautpecharmant@orange.fr V *t.l.j. 8h-12h30 13h30-18h30*

DOM. LE PERRIER 2014 ★

■ | 2133 | ◍ | 11 à 15 €

Cette petite exploitation de 12 ha est dans la même famille depuis trois générations. Alexis Labat s'y est installé en 2010 après avoir fait ses classes dans le Bordelais. Il replante aujourd'hui son vignoble en augmentant la densité des vignes.

Malbec et cabernet franc (20 % chacun) accompagnent le merlot dans ce vin vinifié et élevé en barrique, logiquement dominé par le merrain à l'olfaction, mais un boisé fin, tendance grillé, qui laisse poindre des arômes de fruits rouges prometteurs. Une attaque pleine et ronde, sur un joli fruit, ouvre sur un palais dense, lui aussi marqué par l'élevage, épaulé par des tanins soyeux. ⧗ 2019-2023 ♈ coq au vin

⊶ DOM. LE PERRIER, Les Graves, 24140 Queyssac, tél. 06 24 55 28 67, domaineleperrier@orange.fr V *t.l.j. 8h-18h*
⊶ GAEC des Graves

CH. LA RENAUDIE Vieilles Vignes 2014

■ | 4000 | ◍ | 15 à 20 €

Ce château du XVIIIᵉs. se dresse à Lembras, sur une colline dominant Bergerac. Le vignoble s'étend sur 110 ha d'un seul tenant, une superficie imposante représentant environ 10 % de la surface de l'AOC pécharmant.

Le nez, finement boisé, laisse s'exprimer le fruit (griotte et mûre). Une attaque puissante et fruitée introduit une bouche plus nettement dominée par le bois, aux tanins encore un peu serrés. Solide. ⧗ 2020-2025 ♈ cuissot de chevreuil

⊶ CH. LA RENAUDIE, RN 21, 24100 Lembras, tél. 05 53 27 05 75, contact@chateaurenaudie.com V *t.l.j. sf dim. 10h-18h (été); 10h-17h (hiver) ⊶ Allamagny*

CH. ROC SAINT-ALBERT Cuvée Prestige 2014 ★

■ | 33500 | 5 à 8 €

Couleurs d'Aquitaine est né en 2008 à l'initiative des quatre caves coopératives de la Dordogne: Cave de Port-Sainte-Foy, Les Vignerons de Sigoulès, Cave de Monbazillac et Alliance Aquitaine. Prolongée par une structure de négoce, elle sélectionne, élève et distribue aussi et surtout des vins de propriétés du Bergeracois et du Bordelais. Un acteur de poids du grand Sud-Ouest viticole.

De bonne complexité, frais et élégant, le nez de ce 2014 associe notes fruitées à une pointe épicée et grillée. L'attaque est vive et fruitée, le milieu de bouche porté par des tanins bien fondus et la finale plaisante, sur le cassis. Un vin qui ne joue pas les déménageurs, mais qui offre une agréable sensation de souplesse et d'équilibre. ⧗ 2018-2023 ♈ confit de canard

⊶ SAS COULEURS D'AQUITAINE, Les Seguinots, bât. Unidor, rte de Marmande, 24100 Saint-Laurent-des-Vignes, tél. 05 53 57 63 61, contact@couleursdaquitaine.fr

♥ CH. DU ROOY 2014 ★★

■ | 26000 | ◍ | 8 à 11 €

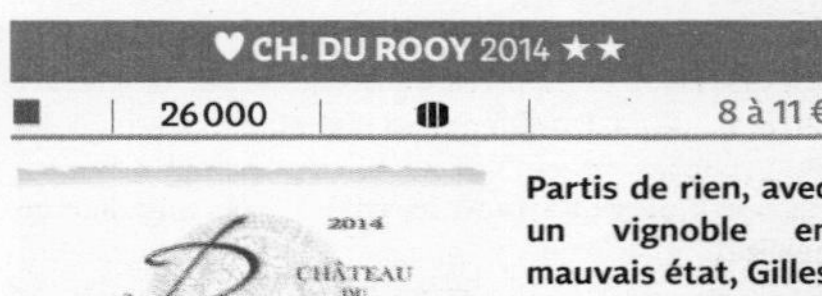

Partis de rien, avec un vignoble en mauvais état, Gilles et Laetitia Gérault améliorent chaque année les vignes, le chai, les équipements de vinification et de stockage, et la qualité des vins, nés d'un vignoble de 19 ha. Souvent en vue pour leurs pécharmant.

SUD-OUEST

La robe est d'un noir intense et profond. Au nez, de fines notes vanillées accompagnent les fruits rouges légèrement confiturés. Mais c'est en bouche que le vin prend son envol, révélant un travail d'élevage intelligemment mené: une attaque souple et ronde, puis une montée en puissance sur des tanins fins et serrés, épaulés par un boisé parfaitement dosé qui respecte le fruit. L'avenir lui appartient. ⧗ 2020-2027 🍴 daube de bœuf

⊶ GILLES ET LAETITIA GÉRAULT, Rosette, 24100 Bergerac, tél. 05 53 24 13 68, contact@chateau-du-rooy.com V 🚶 🍷 *t.l.j. 10h-13h 14h-19h; dim. sur r.-v.*

CH. DE TIREGAND 2014 ★

■	80000	🛢	11 à 15 €

Ce domaine appartient à une branche lointaine de la famille de l'auteur du *Petit Prince*. Son somptueux château est inscrit à l'Inventaire des monuments historiques. Dirigée aujourd'hui par François-Xavier de Saint-Exupéry, la propriété s'étend sur 460 ha comprenant des forêts, un club hippique et 36 ha de vignes.

Un nez gourmand – envoûtant pour certains jurés – de fruits noirs compotés et de pain grillé. À une attaque fraîche et fruitée succède un palais bâti sur des tanins fins et un boisé bien intégré, prolongé par une finale plus vive et tendue. Un pécharmant bien équilibré, qui vieillira bien. ⧗ 2019-2025 🍴 cuisse de canard aux cèpes

⊶ SCEA DU CH. DE TIREGAND, 118, rte de Sainte-Alvère, 24100 Creysse, tél. 05 53 23 21 08, contact@chateau-de-tiregand.com V 🚶 🍷 *t.l.j. sf dim. 9h30-12h 14h-17h30*
⊶ De Saint-Exupéry

ROSETTE

Superficie : 10,6 ha / Production : 402 hl

Dans un amphithéâtre de collines dominant au nord la ville de Bergerac, sur un terroir argilo-graveleux, est installée l'appellation la plus confidentielle de la région, qui produit un vin moelleux.

CH. COMBRILLAC 2014 ★

■	12000	🍾	5 à 8 €

Ingénieur en agriculture et œnologue, Florent Girou a géré un domaine en Toscane avant de reprendre en 2008 l'exploitation familiale, tout en continuant ses activités d'œnologue-conseil pour d'autres propriétés. Situé aux portes de Bergerac sur une haute terrasse de la Dordogne, le vignoble couvre 15 ha d'un seul tenant, cultivé selon les principes de l'agriculture biologique (non certifiée). Très régulier en qualité.

À un nez complexe, sur les fleurs blanches et les fruits blancs bien mûrs, répond une bouche vive et alerte, très fruitée, plus miellée en finale. Un moelleux à dominante de sémillon qui privilégie la fraîcheur et le fruit. ⧗ 2016-2020 🍴 ananas rôti

⊶ FLORENT GIROU, Ch. Combrillac, 24130 Prigonrieux, tél. 06 30 74 44 92, contact@combrillac.fr V 🚶 🍷 *t.l.j. sf sam. dim. 9h-12h 14h-17h*

DOM. DU GRAND JAURE 2015

■	16000	🍾	5 à 8 €

Bernadette Baudry et son frère Bertrand ont pris la relève sur le domaine familial. Longtemps producteurs exclusifs de vins rouges (pécharmant) sur les 17 ha de vignes que compte leur exploitation, ils ont diversifié leur gamme en plantant des cépages blancs pour élaborer du rosette; ils se montrent à l'aise dans les deux couleurs. Une valeur sûre.

La couleur est jaune pâle, agréable à l'œil, et le nez discret, sur des notes florales. La bouche se montre souple et bien équilibrée entre le fruit (pêche, abricot) et les sucres. La finale apporte un surcroît de fraîcheur renforcée par une pointe d'amertume. ⧗ 2016-2020 🍴 parfait glacé

⊶ GAEC BAUDRY, 16, chem. de Jaure, 24100 Lembras, tél. 05 53 57 35 65, domaine.du.grand.jaure@wanadoo.fr V 🚶 🍷 *t.l.j. sf dim. 9h-19h*

♥ LES VIGNOBLES DU LAC 2015 ★★

■	21300	5 à 8 €

À Ginestet, village situé au nord de Bergerac et plutôt dédié à la production de blancs moelleux, Guy Gaudy et Alain Dantin conduisent un domaine de 32 ha.

La robe, jaune clair très lumineux, s'anime de reflets verts légers. Le nez, particulièrement expressif, libère des senteurs de fleurs et de fruits frais. La bouche se montre ample, suave sans lourdeur, parfaitement équilibrée par une finale fraîche à souhait, savoureuse et persistante. Un bel ensemble sobre et efficace, qui conforte l'adage figurant sur l'étiquette: «Le vin égaye la vie.» ⧗ 2016-2023 🍴 foie gras

⊶ SCEA DOM. DU LAC, Le Lac, 24130 Ginestet, tél. 05 53 57 45 27, domainedulac@orange.fr V 🍷 *t.l.j. 8h-12h 14h-19h*

CH. MONTPLAISIR 2015

■	n.c.	8 à 11 €

Les parents de Charles Blanc, originaires de Saint-Émilion et de Cognac et eux-mêmes enfants de vignerons, ont acheté ce vignoble en 1978. Leur fils a repris la propriété en 2001 après s'être formé à Sancerre et en Nouvelle-Zélande. Il a recentré son vignoble en ne conservant que le meilleur, passant de 12 ha à 8 ha aujourd'hui.

La robe est brillante, jaune pâle aux reflets vert soutenu. Le nez, discret, associe fleurs blanches et fruits jaunes. La bouche, fraîche et fruitée à l'attaque, penche ensuite vers la sucrosité avant de déployer une jolie finale vivifiée par de plaisants amers. Un vrai moelleux sans excès de douceur. ⧗ 2016-2020 🍴 tarte au chocolat amer

⊶ CHARLES BLANC, 147, rte de Peymilou, lieu-dit Montplaisir, 24130 Prigonrieux, tél. 06 81 05 69 64, info@chateau-montplaisir.com V 🚶 🍷 *t.l.j. 9h-19h*

CH. DU ROOY 2015

■ | 21000 | ▮ | 5 à 8 €

Partis de rien, avec un vignoble en mauvais état, Gilles et Laetitia Gérault améliorent chaque année les vignes, le chai, les équipements de vinification et de stockage, et la qualité des vins, nés d'un vignoble de 19 ha. Souvent en vue pour leurs pécharmant.

Le nez propose une association discrète mais plaisante de notes de tilleul et de fruits blancs. La bouche est fraîche à l'attaque, puis évolue vers un moelleux velouté, avant de renouer avec la fraîcheur dans une finale nerveuse. Un bon classique. ⧗ 2016-2020 🍷 poulet au curry

⊶ GILLES ET LAETITIA GÉRAULT, Rosette, 24100 Bergerac, tél. 05 53 24 13 68, contact@chateau-du-rooy.com V 🚶 ▪ *t.l.j. 10h-13h 14h-19h; dim. sur r.-v.*

SAUSSIGNAC

Superficie : 49 ha / Production : 771 hl

Un vignoble situé sur la rive gauche de la Dordogne, entre celui du pays foyen (Gironde), à l'ouest, et l'aire du monbazillac, à l'est. Loué au XVIᵉs. par le Pantagruel de François Rabelais, inscrit au cœur d'un superbe paysage de plateaux et de coteaux, ce terroir engendre de grands vins liquoreux.

DOM. DU CANTONNET Cuvée Cécile 2014

■ | 5000 | ▮ | 8 à 11 €

Situé en Périgord pourpre, entre Bergerac et Sainte-Foy-la-Grande, un domaine acheté en 1975 par Jean-Paul Rigal, qui l'a transmis en 2000 à son fils Thierry. Ce dernier a abandonné la culture des pruneaux d'Agen pour se consacrer à la seule vigne, plantée sur 30 ha.

Ce saussignac présente un joli nez sur le fruit. Fruit que l'on retrouve dans une bouche franche penchant plutôt vers la fraîcheur que vers la douceur; fraîcheur renforcée par une pointe d'amertume en finale. Cécile? La sœur du vigneron, installée au Mexique. ⧗ 2019-2023 🍷 fromage à pâte persillée

⊶ EARL VIGNOBLES RIGAL, Le Cantonnet, 24240 Razac-de-Saussignac, tél. 05 53 27 88 63, vin@domaine-du-cantonnet.fr V 🚶 ▪ *r.-v.*

CH. LESTEVÉNIE Élevé en fût de chêne 2014

■ | 1200 | ⬮ | 8 à 11 €

Un vignoble très ancien: il est cité dès 1723. On y trouve beaucoup de fleurs sauvages et de nombreux animaux tel le lièvre qui figure sur l'étiquette. Établie ici en 2000, la famille Temperley pratique un mode de culture proche du sol et de la nature sur un vignoble de 15 ha.

Après seize mois de barrique, le vin offre un nez dominé par le bois, avec des notes d'acacia et de miel à l'arrière-plan. Suivant la même ligne boisée, la bouche se montre riche et corpulente, mais une bonne acidité lui permet de conserver un équilibre plaisant. À attendre pour plus de fondu. ⧗ 2021-2027 🍷 foie gras de canard

⊶ VIGNOBLES TEMPERLEY, Ch. Lestevénie, Le Gadon, 24240 Gageac-et-Rouillac, tél. 06 48 62 23 73, temperley@gmail.com V 🚶 ▪ *r.-v.*

♥ B CH. MARIE-PLAISANCE Cuvée Prestige 2013 ★★

■ | 3700 | ⬮ | 11 à 15 €

Une demeure du XVIIIᵉs. de style périgourdin, un chai du XIXᵉs. rénové et 70 ha de vignes sur la rive gauche de la Dordogne, aux confins du département de la Gironde. Aussi à l'aise en rouge qu'en blanc et en rosé, en vin sec qu'en vin doux, le domaine a été repris en 2006 par les trois enfants – la cinquième génération – de la famille Merillier. En bio certifié depuis 2013.

La couleur est craquante, d'un beau jaune paille doré. Le nez, tout aussi charmeur, est dominé par des notes d'orange amère. La bouche en impose par sa richesse et sa densité, mais derrière sa forte sucrosité (135 g/l de sucres résiduels), une petite pointe de fraîcheur vient titiller le palais. Le fruit est parfaitement préservé, le bois apporte un surcroît de structure et de complexité, ainsi qu'une légère amertume en finale. L'ensemble n'est pas encore totalement fondu, mais le potentiel est intact pour ce grand liquoreux. À oublier au fond de sa cave. ⧗ 2021-2030 🍷 dessert au chocolat

⊶ EARL DES VIGNOBLES MERILLIER, La Ferrière, 24240 Gageac-Rouillac, tél. 05 53 27 86 23, chateaumarieplaisance@hotmail.fr V 🚶 ▪ *t.l.j. sf dim. 8h-12h 14h-17h*

CH. SEIGNORET LES TOURS Coup de cœur 2014

■ | 4000 | ⬮ | 15 à 20 €

Après avoir acheté ses premières parcelles et planté ses vignes en solo à partir de 1992, sur le coteau de Saussignac, Serge Gazziola a repris en 1999 l'exploitation familiale du Château les Plaguettes. Il s'est constitué ainsi un domaine de 39 ha.

La couleur est jaune paille brillant. Le nez, encore un peu sous l'emprise des seize mois de fût, laisse percer des notes gourmandes de fruits mûrs. La bouche est très riche, suave, chaleureuse, portée sur des arômes de cire et de miel. Un vin qui ne demande qu'à intégrer le bois pour dévoiler son équilibre et sa puissance. ⧗ 2021-2027 🍷 canard à la vanille

⊶ EARL VIGNOBLES SERGE GAZZIOLA, Les Plaguettes, 24240 Saussignac, tél. 06 08 61 58 77, contact@vignobles-gazziola.com V 🚶 ▪ *r.-v.*

CÔTES-DE-DURAS

Superficie : 1 943 ha
Production : 111 660 hl (65 % rouge et rosé)

Entre côtes-du-marmandais au sud et vignes du Bergeracois au nord, ce vignoble fait la jonction entre ceux de la Garonne et ceux de la Dordogne. Il est implanté sur des coteaux découpés par la Dourdèze et ses affluents, aux sols d'argilo-calcaires et de boulbènes. Prolongement du plateau de l'Entre-deux-Mers, il a accueilli tout naturellement les cépages bordelais: en blanc, sémillon, sauvignon et muscadelle; en rouge, cabernet franc, cabernet-sauvignon, merlot et malbec. Historiquement, il a été marqué par l'influence des huguenots, très présents dans la région. Après la révocation de l'édit de Nantes, les exilés protestants faisaient venir, dit-on, le vin de Duras jusqu'à leur retraite hollandaise et marquer d'une tulipe les rangs de vigne qu'ils se réservaient. Le vignoble se partage entre les vins blancs, secs ou moelleux, et les vins rouges, souvent vinifiés en cépages séparés. Il produit aussi des rosés. La Maison des Vins de Duras permet de découvrir tous ces vins ainsi que les cépages, dans un Jardin des vignes où l'on peut pique-niquer.

DOM. DES ALLÉGRETS
Cuvée Champ du Bourg 2014 ★★

■ | 4000 | | 8 à 11 €

Quatre générations de Blanchard – l'arrière-grand-père, âgé de quatre-vingt-treize ans, est toujours là ! – se côtoient sur ce domaine familial de 19 ha conduit en bio non certifié depuis 2007. Une valeur sûre des côtes-de-duras, dirigée depuis 2001 par Julien.

Sémillon (70 %), sauvignon (25 %) et muscadelle sont assemblés dans ce grand classique du domaine. Un vin au nez intense et complexe d'acacia, de coing, d'agrumes et de mangue confits mâtinés d'une petite pointe de minéralité. On retrouve ces arômes associés à de douces saveurs miellées dans une bouche riche et suave (100 g/l de sucres résiduels) mais jamais lourde, parfaitement équilibrée par ce qu'il faut de fraîcheur. ⌛ 2017-2023 🍴 foie gras ■ **Les Grandes Règes 2014 (8 à 11 €; 30000 b.)** : vin cité.

⊶ *FAMILLE BLANCHARD, Dom. des Allégrets, 47120 Villeneuve-de-Duras, tél. 06 87 11 50 20, contact@allegrets.com* V r.-v. ❷

DOM. AMBLARD 2014 ★

■ | 86000 | | - de 5 €

Ce vaste domaine de 100 ha appartient à la famille Pauvert depuis 1938. Ses vins sont régulièrement en vue dans ces pages, notamment ses côtes-de-duras blancs.

Une fois n'est pas coutume, le rouge du domaine vole la vedette au blanc. Un vin au nez intense, floral, fruité et épicé, ample, frais et fruité en bouche, plus chaleureux en finale. ⌛ 2017-2020 🍴 coq au vin ■ **2015 ★ (- de 5 €; 33000 b.)** : mi-sauvignon blanc mi-sauvignon gris, un vin floral au premier nez, ouvert sur les fruits à chair blanche, les agrumes et le miel à l'aération, gras et suave en bouche avant une finale plus énergique, minérale et teintée d'une pointe d'amertume. ⌛ 2016-2020 🍴 poisson en sauce

⊶ *GUY PAUVERT, Dom. Amblard, 47120 Saint-Sernin-de-Duras, tél. 05 53 94 77 92, domaine.amblard@wanadoo.fr* V *t.l.j. sf sam. dim. 8h-12h 14h-18h*

♥ BERTICOT
La Cuvée sans nom Pièces nobles 2014 ★★

■ | 7200 | | 11 à 15 €

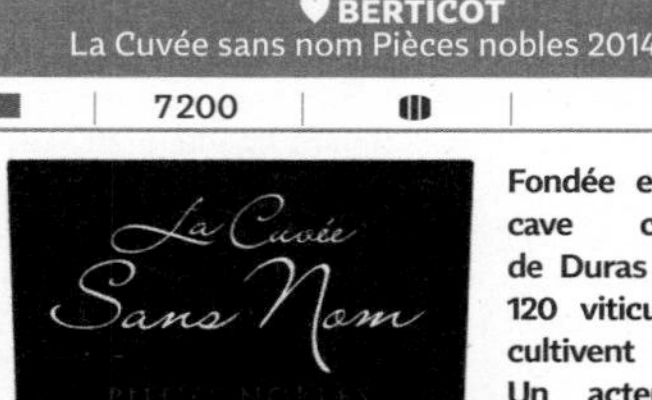

Fondée en 1965, la cave coopérative de Duras rassemble 120 viticulteurs qui cultivent 1 000 ha. Un acteur incontournable des côtes-de-duras qui fournit 55 % de la production de l'appellation, dans les trois couleurs: des vins de propriétés et des vins de la cave, sous la marque Berticot.

Une cuvée sans nom qui se détache pourtant à la dégustation. De bon augure, la robe profonde invite à poursuivre, tout comme le nez, intensément fruité et un brin floral. Une expression fruitée prolongée par une bouche ronde et suave, épaulée par un boisé racé et des tanins veloutés qui montrent un peu plus les muscles dans une finale épicée. Tout en force contenue, une bouteille appelée à bien vieillir. ⌛ 2019-2023 🍴 daube de bœuf ■ **Moelleux Sélection 2014 ★ (5 à 8 €; 17000 b.)** : au nez, des notes d'abricot et de mangue confits traduisant la maturité du raisin, du miel signant la concentration et de la vanille, reflet de l'élevage en barrique. Des arômes complétés de pruneau et de figue sèche dans un palais imposant, riche et plein. Plus un liquoreux qu'un moelleux, qui a su allier la puissance du fruit à l'élégance du bois. ⌛ 2019-2023 🍴 tarte aux abricots ■ **Cuvée première 2015 (- de 5 €; 30000 b.)** : vin cité. ■ **Grande Réserve 2014 (- de 5 €; 80000 b.)** : vin cité.

⊶ *SA CAVE BERTICOT, rte de Sainte-Foy-la-Grande, 47120 Duras, tél. 05 53 83 75 47, contact@berticot.com* V *t.l.j. sf dim. 8h30-12h30 14h-18h* ⊶ *VLDC*

DOM. LES BERTINS 2015 ★★

■ | 9000 | | 5 à 8 €

Ce domaine de 14,7 ha, régulier en qualité, a été acquis en 1968 par Pierrette et Dominique Manfe qui l'ont transmis en 2001 à Jacqueline, leur fille.

Le sauvignon dans ce qu'il a de meilleur. La robe est très pâle. Le nez, complexe et alerte, allie le bourgeon de cassis, les fruits à chair blanche et une pointe de minéralité. On retrouve ce côté minéral en bouche, mais c'est surtout la puissance des agrumes qui impressionne, tout comme la longue finale acidulée. Un vin très expressif, très frais et tout en finesse, qui respecte le fruit et le terroir. À un souffle du coup de cœur. ⌛ 2016-2020 🍴 fruits de mer ■ **Terre blanche 2014 (5 à 8 €; 26670 b.)** : vin cité.

⊶ *DOM. LES BERTINS, Les Bertins, 47120 Saint-Astier, tél. 05 53 94 76 26, contact@lesbertins.fr* V *r.-v.* ❸

CH. CONDOM Cuvée Delph 2014 ★★

■ | 6900 | | 8 à 11 €

Le château fut construit en 1690 par le sieur de Condom-Perceval, grand écuyer du roi. Les vignes

couvrent aujourd'hui 5 ha sur la commune de Loubès-Bernac, au nord de l'appellation côtes-de-duras.

Dès le premier coup d'œil à la robe dense et profonde, on devine un vin de grande concentration. Le nez, tout aussi intense, confirme cette impression à travers des arômes gourmands en diable de fruits rouges et noirs bien mûrs. Une attaque suave et tout en fruit introduit un palais puissant et charnu, dont la finale longue et généreuse laisse une sensation de plénitude et d'harmonie. ⧗ 2019-2023 ▼ côte de bœuf à l'os

⊶ SCEA CONDOM, Ch. Condom, 47120 Loubès-Bernac, tél. 05 53 76 05 04, lutaud@orange.fr

LES COURS Merlot 2014

■	4800	▮	- de 5 €

Fabrice Pauvert a plusieurs cordes à son arc: vigneron avec la reprise en 2007 du petit vignoble de sa belle-famille (10 ha), négociant avec la création de marques (Les Cours et Petit Sauvageon) et coopérateur (il dédie 5 ha de vignes à la cave). Il est aussi président de l'Organisme de défense et de gestion des côtes-de-duras.

Ce 100 % merlot s'ouvre sur des senteurs généreuses de confiture de cassis. En bouche domine une sensation de fraîcheur, avec de nouveau des arômes de cassis bien présents, agrémentés de notes de framboise. Un vin accessible, flatteur et gourmand, à boire sur le fruit. ⧗ 2016-2019 ▼ boudin noir

⊶ SARL FASY, Le Grand Coup, 47120 Saint-Sernin, tél. 05 53 83 62 42, fabrice-pauvert@orange.fr V ⚲ ■ r.-v.

DOM. DE FERRANT 2014 ★★

■	5300	▮	5 à 8 €

Denis Vuillien, ex-ingénieur de travaux publics, et son épouse Marie-Thérèse ont opté pour une retraite active en reprenant ce domaine situé dans la vallée du Dropt: 13 ha de vignes (certifiés bio depuis 2015) et 9 ha de pruniers d'Ente qui donnent des pruneaux d'Agen.

Cette cuvée mi-merlot mi-malbec livre des arômes intenses de fruits rouges et noirs. Un fruité auquel fait écho une bouche souple, ronde, soyeuse et un brin épicée. L'archétype du «vin plaisir», que l'on pourra aussi apprécier après quelques années de garde. ⧗ 2016-2020 ▼ paupiettes de veau ■ **2012 ★ (5 à 8 €; 15000 b.)** : un vin né d'un long élevage (une partie du vin pendant deux ans en cuve, l'autre pendant seize mois en barrique), qui nécessite une bonne aération pour révéler ses arômes de fruits noirs, de fumée et d'épices. La bouche est dense et puissante, bien portée par le bois et des tanins robustes. ⧗ 2018-2023 ▼ canette rôtie ■ **2015 ★ (5 à 8 €; 5300 b.)** : au nez, des arômes typés sauvignon (buis, agrumes), prolongés par une bouche vive à l'attaque, puis douce et charnue. De l'équilibre, de la longueur, de l'expression: un vin bien sous tous les rapports. ⧗ 2016-2019 ▼ salade de crabe

⊶ SCEA VIGNOBLES VUILLIEN, Dom. de Ferrant, 47120 Esclottes, tél. 05 53 84 45 02, contact@domaineferrant.com V ⚲ ■ t.l.j. 9h-17h; sam. dim. sur r.-v. ⌂ E

DOM. DU GRAND MAYNE Réserve 2014 ★★

■	15000	8 à 11 €

Référence de l'appellation, le domaine a été acheté en 1986 et restauré par l'importateur britannique Andrew Gordon qui a entièrement replanté le vignoble (34 ha aujourd'hui) et confié la direction à l'œnologue Mathieu Crosnier.

D'un beau rouge cerise, cet assemblage merlot-cabernets dévoile un bouquet intense de fruits rouges mâtinés de notes épicées. Suave et gras, le palais déploie lui aussi un fruité bien mûr, étayé par des tanins enrobés et fondus et dynamisé par une finale longue et fraîche. Un vin très harmonieux qui témoigne d'une belle extraction. ⧗ 2017-2021 ▼ entrecôte marchand de vin ■ **2014 ★★ (5 à 8 €; 60000 b.)** : à un nez puissant, sur les fruits rouges et la réglisse, succède une bouche ample, ronde, persistante et tout en fruit, aux tanins soyeux et veloutés. Un vin gourmand en diable. ⧗ 2016-2020 ▼ steak tartare

⊶ DOM. DU GRAND MAYNE, Le Grand-Mayne, 47120 Villeneuve-de-Duras, tél. 05 53 94 74 17, domaine@grandmayne.net V ⚲ ■ t.l.j. sf dim. 9h-18h ⌂ E

DOM. DE LAPLACE 2015 ★★

■	3300	▮	- de 5 €

Jean-Luc Carmelli conduit depuis 1984 ce domaine de 33 ha régulier en qualité, créé en 1924 par son grand-père à Saint-Jean-de-Duras, sur les coteaux surplombant la vallée du Dropt. Il élève aussi des blondes d'Aquitaine.

Rien à dire sur la présentation: une robe classique, jaune pâle aux reflets verts. Le nez est tout aussi impeccable, bien ouvert sur les agrumes et les fruits exotiques. Une attaque souple introduit un palais ample, intense et très frais, prolongé par une belle finale saline. Un très joli vin de repas. ⧗ 2016-2020 ▼ tartare de saumon

⊶ EARL DE LAPLACE, Laplace, 47120 Saint-Jean-de-Duras, tél. 05 53 83 00 77, laplace.carmelli@wanadoo.fr V ⚲ ■ t.l.j. 9h-12h 14h-18h ⌂ D

♥ DOM. DE LAULAN 2015 ★★

■	80000	▮	5 à 8 €

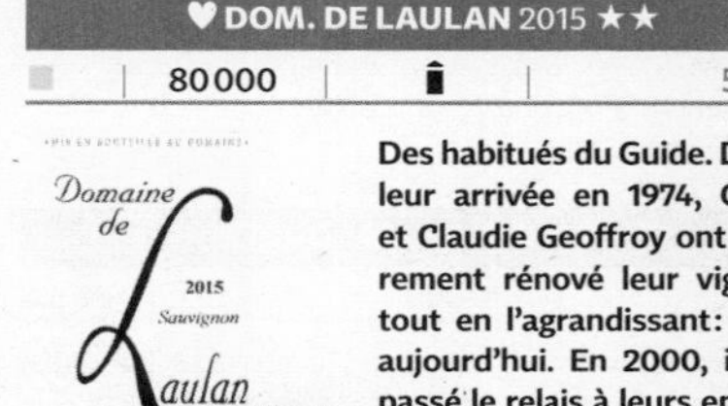

Des habitués du Guide. Depuis leur arrivée en 1974, Gilbert et Claudie Geoffroy ont entièrement rénové leur vignoble tout en l'agrandissant: 35 ha aujourd'hui. En 2000, ils ont passé le relais à leurs enfants, Régis et Angélique.

À l'origine de ce 2015, une vinification bien menée pour extraire le maximum d'expression du sauvignon: cela donne des arômes puissants de fleurs blanches, de fruits exotiques et d'agrumes. La bouche surprend par son volume, sa matière, sa densité, mais aussi par sa fraîcheur et sa finesse. Un vin «classieux», d'une grande

SUD-OUEST

harmonie, à réserver pour la table. ⧗ 2016-2020 🍴 penne aux palourdes

⊶ *EARL GEOFFROY, Dom. de Laulan, 47120 Duras, tél. 05 53 83 73 69, contact@domainelaulan.com* V *t.l.j. sf dim. 8h-12h 13h30-18h30*

CH. MOLHIÈRE Pierrot 2015 ★★

■	3000	🛢	11 à 15 €

Au XVIe**s., un nommé Lamolhière, venu au pays de Duras dévasté par la guerre de Cent Ans, obtint une tenure du baron de Duras et se convertit au protestantisme. Après la révocation de l'édit de Nantes, son domaine fut confisqué. Un domaine acquis dans les années 1950 par le Bordelais Claude Blancheton, relayé à partir de 1993 par ses fils Francis (à la retraite depuis 2014) et Patrick, à la tête aujourd'hui de 30 ha de vignes.**

Pierrot? Le surnom du père des vignerons, disparu en 1999. Dans le verre, un vin à dominante de cabernet-sauvignon (85 %), rouge intense, au nez fruité, toasté et épicé. Un boisé prolongé avec plus d'intensité par une bouche ample, suave et puissante, à la longue finale chocolatée et tannique. Un vin qui demande un peu de patience pour être apprécié à sa juste valeur. ⧗ 2019-2023 🍴 gigot d'agneau de sept heures ■ **Terroir des Ducs 2015 (5 à 8 €; 30 000 b.)** : vin cité.

⊶ *PATRICK BLANCHETON, Le Boucaud, 47120 Duras, tél. 05 53 83 70 19, molhiere@gmail.com* V *r.-v.*

Ⓑ **DOM. MONT RAMÉ** 2012 ★★

■	4000	🛢	8 à 11 €

Agronome de formation et viticulteur par passion, Manuel Baritaud a repris en 2005 la propriété familiale de 7 ha acquise en 1920 par son arrière-grand-père, venu d'Espagne, et convertie au bio en 2009.

Merlot (70 %) et cabernet franc sont assemblés dans ce vin au nez élégant et complexe mêlant les fruits rouges au toasté de la barrique. La bouche, ample, généreuse et corsée (kirsch, épices), dévoile des tanins soyeux et un boisé dosé avec discernement. Un vin racé qui conjugue harmonieusement le fruit et le bois et qui vieillira bien. ⧗ 2018-2023 🍴 confit de canard

⊶ *DOM. MONT RAMÉ, Mont-Ramé, 47120 Duras, tél. 06 66 41 77 00, andre.baritaud@wanadoo.fr* V *r.-v.* ⊶ *Manuel Baritaud*

CH. MOULIN DE MARQUET 2014

■	100 000	- de 5 €

Cette maison de négoce, fondée en 1828 par Jules Lebègue à Cantenac, un petit village situé sur la rive gauche de la Gironde, près de Margaux, s'est installée sur la rive droite, à Saint-Émilion, au milieu du XXe**s. Aujourd'hui dans le giron d'Antoine Moueix (groupe Advini).**

Le nez, expressif, évoque les fruits rouges, la groseille notamment, agrémentés de nuances de violette. On retrouve les fruits dans une bouche ronde et légère. Un vin simple, agréable et gourmand. ⧗ 2016-2019 🍴 carpaccio de bœuf

⊶ *JULES LEBÈGUE, rte du Milieu, lieu-dit Mede, 33330 Saint-Émilion, tél. 05 57 55 58 09, caroline.charbonnier@amoueix.fr* ⊶ *Advini*

DOM. DE LA TUILERIE LA BREILLE 2015 ★

■	6500	- de 5 €

Jean-Marie Ossard a repris en 1993 le domaine de son beau-père, avec qui il a appris le métier. L'esprit de famille est toujours présent dans la conduite de cette exploitation de 35 ha: le vigneron travaille avec son épouse, sa belle-sœur et son beau-frère.

Difficile de ne pas reconnaître le sauvignon avec ces arômes de buis, de fleurs blanches et de pamplemousse légèrement confit. À une attaque souple et grasse succèdent un milieu de bouche porté par une belle fraîcheur, sur des notes acidulées d'agrumes, et une jolie finale saline. ⧗ 2016-2019 🍴 terrine de poisson

⊶ *OSSARD ET PATRIARCA, La Tuilerie, 47120 Loubès-Bernac, tél. 05 53 94 78 32, latuilerie47@lgtel.fr* V *t.l.j. sf dim. 8h-19h* ⊶ *EARL des Monts-d'Or*

➜ LE PIÉMONT PYRÉNÉEN

MADIRAN

Superficie : 1 273 ha / Production : 61 738 hl

D'origine gallo-romaine, le madiran fut pendant longtemps le vin des pèlerins de Saint-Jacques-de-Compostelle, avant de retrouver la notoriété grâce à la gastronomie du Gers. Son aire de production, à quelque 40 km au nord-est de Pau, est à cheval sur trois départements: le Gers, les Hautes-Pyrénées et les Pyrénées-Atlantiques. Le cépage roi à l'origine de ce vin rouge est le tannat, complété par les cabernet franc (ou bouchy), cabernet-sauvignon et fer-servadou (ou pinenc). Les vignes, cultivées en demi-hautain, partagent les coteaux avec cultures et bosquets.

Les madiran traditionnels, à forte proportion de tannat, sont colorés et virils. Fort tanniques, ils supportent très bien le passage sous bois et doivent attendre quelques années. Avec l'âge, ils se montrent à la fois sensuels, charnus et charpentés. Lorsqu'ils sont moins riches en tannat et issus de cuvaisons plus courtes, les madiran sont plus souples et fruités. Ils peuvent alors être servis jeunes.

CH. BARRÉJAT Cuvée des Vieux Ceps 2013 ★

■	40 000	🛢	5 à 8 €

Quatre générations se sont succédé sur ce domaine qui commercialise sa production en bouteilles depuis 1967. Installé en 1992, Denis Capmartin exploite aujourd'hui 40 ha avec une belle régularité. Il a équipé son exploitation d'un chai à barriques en 1997, avant de moderniser sa cuverie en 2008.

Sans être promise au même avenir que la cuvée 2012 élue coup de cœur l'an dernier, ce 2013 est loin de démériter. Associant le tannat (80 %) aux deux cabernets, il a séjourné douze mois en barrique. La robe pourpre montre des reflets bleutés. Le nez exprime les notes toastées, torréfiées et réglissées de l'élevage avant de dévoiler à l'aération des fragrances de fruits noirs, de gelée de groseille mâtinés de sous-bois et d'épices. Franche à l'attaque, longiligne et ferme, la bouche s'appuie sur des tanins encore jeunes qui ne demandent qu'à se fondre. La finale fraîche et mentholée est la signature du millésime. Une concentration mesurée, mais une bouche bien construite et un certain potentiel. ⧗ 2017-2021 🍷 pavé de bœuf aux cèpes

⊶ DENIS CAPMARTIN, Ch. Barréjat,
32400 Maumusson, tél. 05 62 69 74 92,
deniscapmartin@laposte.net
V 🚶 ❗ t.l.j. sf dim. 8h30-12h30 14h-19h

DOM. BASSAIL Cuvée Saint-Vincent 2014 ★

■ | 26666 | 🍾 | 8 à 11 €

Patrick Berdoulet conduit depuis 1980 l'exploitation familiale située dans la commune de Viella, dans le Gers. D'une superficie totale de 11 ha, le domaine est dédié au madiran et au pacherenc-du-vic-bilh.

La cuvée Saint-Vincent est un pur tannat élevé dix-huit mois en cuve. D'un rouge profond aux reflets violets de jeunesse, ce vin séduit par son nez très expressif et frais où se côtoient le cassis, la mûre et les épices. Ample, presque suave, la bouche dévoile une jolie matière aux tanins fondus et offre une finale intense et agréable. Un vin qui fera plaisir dès maintenant. ⧗ 2016-2021 🍷 poule faisane rôtie

⊶ EARL DOM. BASSAIL,
Patrick Berdoulet, 32400 Viella, tél. 05 62 69 76 62,
domaine.bassail@wanadoo.fr V 🚶 ❗ t.l.j. 9h-12h 14h-19h

DOM. BERTHOUMIEU Charles de Batz 2013 ★★

■ | 33000 | 🛢 | 11 à 15 €

Fondée vers 1850, cette propriété familiale a vu se succéder six générations. À la suite de son père Louis, Didier Barré, installé en 1980, a contribué au renouveau du madiran, dont il est l'un des porte-étendards. Il exploite 25 ha aujourd'hui. Sa cuvée haut de gamme, issue de très vieilles vignes, est dédiée à Charles de Batz (madiran), qui n'est autre que d'Artagnan.

Bien connue de nos lecteurs, la cuvée Charles de Batz assemble 90 % de tannat et 10 % de cabernet-sauvignon; elle séjourne dix-huit mois en fût. Le 2013 affiche une robe profonde aux nuances violettes et déploie un nez mûr, corbeille de fruits rouges et noirs accompagnée d'épices, de réglisse et des notes vanillées et toastées d'un boisé de qualité. La bouche ronde offre une mâche fraîche et gourmande et s'appuie sur des tanins soyeux. Puissance et élégance. ⧗ 2018-2021 🍷 civet de chevreuil ■ **Haute Tradition 2014 ★★ (8 à 11 €; 56000 b.)** : un petit cran au-dessous de la cuvée Charles de Batz, cette cuvée, qui n'a pas connu le bois, n'en mérite pas moins deux étoiles pour ses parfums francs et très fruités (cassis, mûre, myrtille et framboise) et pour son palais dans la continuité du nez, bien construit et généreux. ⧗ 2017-2021 🍷 entrecôte grillée

⊶ DIDIER BARRÉ,
Dutour, Dom. Berthoumieu, 32400 Viella,
tél. 05 62 69 74 05, barre.didier@wanadoo.fr
V 🚶 ❗ t.l.j. 8h-12h 14h-19h; dim. sur r.-v.

CAILLOUX DE PYREN 2014 ★

■ | 7000 | 🛢 | 8 à 11 €

Fondé en 1907, le domaine de Maouries compte aujourd'hui 28 ha de vignes, répartis sur trois communes et 25 parcelles. Si Jacqueline et André Dufau s'activent toujours sur l'exploitation, ce sont leurs trois enfants, Philippe, Pascal et Isabelle qui en assurent la gestion. La carte des vins propose trois AOC (pacherenc, madiran et saint-mont) et des IGP Côtes de Gascogne.

Le terroir argilo-calcaire à l'origine de ce vin est riche en galets roulés, d'où le nom de la cuvée. L'assemblage met le tannat en vedette (90 %, avec le cabernet-sauvignon en complément) et l'"élevage se déroule en fût. D'un grenat intense, ce 2014 séduit par son fruit mûr et gourmand mis en valeur par un joli boisé. La bouche est équilibrée, souple et ronde, de bonne longueur, adossée à des tanins déjà fondus: un vin élégant. ⧗ 2016-2021 🍷 bécasse rôtie à la ficelle

⊶ DOM. DE MAOURIES,
Maouries, 32400 Labarthète, tél. 05 62 69 63 84,
domainedemaouries@alsatis.net V 🚶 ❗ t.l.j. sf dim.
9h-12h 14h-18h30 🏠 Ⓖ ⊶ Dufau

Ⓑ DOM. CAPMARTIN Cuvée du Couvent 2013 ★

■ | 8000 | 🛢 | 11 à 15 €

L'histoire du domaine débute en 1986 avec 1,5 ha de vignes en location. La première récolte donnera 60 hl l'année suivante. Depuis lors, le vignoble a grandi et Guy Capmartin, qui s'est installé dans l'ancien couvent de Maumusson, conduit son exploitation en bio (18 ha). Une valeur sûre, tant en madiran qu'en pacherenc-du-vic-bilh.

Cette cuvée de pur tannat, fermentée en cuve et en fût puis élevée en fût neuf de 500 l, a plus d'un coup de cœur à son actif. D'une couleur intense et brillante aux reflets violets, ce 2013 présente un nez puissant, très marqué par un boisé vanillé et torréfié, accompagné de notes de cuir et de tabac. Après une attaque fraîche, presque acidulée, la bouche évolue avec rondeur et générosité, soutenue par une trame de tanins serrés. Le fruit se manifeste dans une finale de bonne longueur. Une belle réussite pour le millésime. ⧗ 2017-2021 🍷 salmis de palombe ■ **L'Instant 2014 ★ (5 à 8 €; 13300 b.)** Ⓑ : un «vin plaisir» à apprécier dans l'instant, d'où le nom de la cuvée. Mi-cabernet-sauvignon, mi-tannat, élevé en cuve, ce 2014 est un vin friand, plaisant par ses arômes de petits fruits rouges que l'on retrouve en bouche sur une trame de tanins savoureux. ⧗ 2016-2020 🍷 tournedos

⊶ DOM. CAPMARTIN, Le Couvent, 32400 Maumusson,
tél. 05 62 69 87 88, capmartinguy@yahoo.fr V ❗ t.l.j.
9h-12h 14h-19h; dim. sur r.-v.

SUD-OUEST

♥ CLOS SAINT-MARTIN 2014 ★★

■ | 18500 | | 5 à 8 €

La coopérative de Crouseilles a été créée en 1950, deux ans après la reconnaissance en AOC du madiran et du pacherenc-du-vic-bilh. Elle a largement contribué au renouveau du grand vin rouge pyrénéen, dont elle fournit plus du tiers des volumes. Regroupant 130 vignerons, elle propose, outre le madiran, du pacherenc et du béarn.

Né de tannat (60 %) et de cabernet franc, ce madiran élevé en cuve a emballé les dégustateurs. Tous louent sa robe bien foncée, son nez intensément fruité, sur le cassis, la mûre et la cerise noire, avec un côté fruits à l'eau-de-vie; puis sa bouche qui, après une attaque franche, un peu serrée, se fait suave et ronde, prend de l'ampleur, et dévoile des tanins à la fois denses et enrobés. La chaleur est contenue et le beau volume met en valeur le fruit. ⧗ 2017-2021 ¥ filet de bœuf en croûte ■ **Seigneurie de Crouseilles 2014 ★★ (5 à 8 €; 20000 b.)** : du tannat et du cabernet-sauvignon, un élevage en fût pour ce vin charnu, plein de mâche et de fruit, d'une belle persistance, construit sur des tanins déjà enrobés. Le chêne ne terrasse pas le fruit. En devenir. ⧗ 2017-2021 ¥ magret de canard

⊶ LES VIGNERONS RÉCOLTANTS DU VIC-BILH, Cave de Crouseilles, 64350 Crouseilles, tél. 05 62 69 66 77, m.darricau@crouseilles.fr

CH. COULANE Tradition 2013

■ | 40000 | | 5 à 8 €

Créé au lendemain de la Grande Guerre, ce domaine est conduit depuis 1979 par Jacques Maumus, représentant la troisième génération. Ce dernier a remodelé le vignoble et porté sa superficie de 7 à 27 ha. Les parcelles sont réparties sur les communes de Saint-Lanne et de Madiran, dans les Hautes-Pyrénées. Plusieurs étiquettes: Cru du Paradis, Ch. Coulane.

Le tannat (60 %) est escorté des deux cabernets dans ce 2013 élevé douze mois en cuve et six mois en barrique. À la robe aux nuances tuilées d'évolution répond un nez bien épanoui et complexe, où se mêlent les fruits à l'eau-de-vie, la figue, le tabac, la réglisse et le chocolat. La bouche, dans le droit fil, montre une certaine ampleur, de la sucrosité et des tanins policés. Les arômes du nez sont soulignés par des notes boisées plus présentes qu'à l'olfaction, sur le café torréfié. Une bouteille pour maintenant. ⧗ 2016-2020 ¥ confit de canard

⊶ JACQUES MAUMUS, Le Paradis, 65700 Saint-Lanne, tél. 05 62 31 98 23, cru.du.paradis@wanadoo.fr V r.-v.

DOM. DU CRAMPILH L'Originel 2013

■ | 30000 | | 5 à 8 €

Une maison béarnaise isolée, dominant un vallon agreste. L'exploitation se transmet depuis quatre générations et Bruno Oulié, ancien rugbyman et amateur sportif, a pris la relève en 1995. Le domaine couvre 24 ha, dédiés au madiran, au pacherenc-du-vic-bilh et aux IGP du Comté tolosan.

Sept mois d'élevage en fût pour ce 2013 qui fait la part belle au tannat (90 %), complété par le cabernet-sauvignon. La robe intense tire sur le noir. Le nez mêle des notes complexes de cuir, d'épices, de fruits frais ou plus mûrs, des touches végétales, grillées et vanillées. La bouche affiche une solide structure, enrobée par des impressions de sucrosité. Le boisé est fondu et laisse en finale une note cacaotée accompagner le fruit. ⧗ 2017-2021 ¥ chorizo de pata negra

⊶ DOM. DU CRAMPILH, 14, chem. Lafitau, 64350 Aurions-Idernes, tél. 05 59 04 00 63, madirancrampilh@orange.fr V t.l.j. sf sam. dim. 9h-12h 14h-18h ⊶ Bruno Oulié

CH. FITÈRE Tradition 2014 ★

■ | 100000 | | 5 à 8 €

Conduit par René Castets depuis 1978, un domaine de 50 ha implanté sur les sols argilo-calcaires de Cannet, tout petit village du Gers.

Un «vin plaisir», qui n'a rien de confidentiel! Mariant le tannat (80 %) au cabernet-sauvignon, il sort de la cuve, habillé de pourpre profond. Réservé au nez, il libère à l'aération des arômes de fruits rouges, de mûre, de cassis et d'épices qui montent en puissance et qui s'épanouissent avec générosité dans une bouche souple et ronde, à la longue finale fruitée et un rien acidulée. Une bouteille que l'on pourra déboucher dès l'apéritif. ⧗ 2016-2019 ¥ magret de canard sauce cassis

⊶ RENÉ CASTETS, Ch. de Fitère, 32400 Cannet, tél. 05 62 69 82 36, rene.castets@gmail.com V t.l.j. 8h30-12h 14h-19h; sam. dim. sur r.-v.

DOM. LABRANCHE LAFFONT Vieilles Vignes 2013

■ | 20000 | | 11 à 15 €

Le domaine familial remonte à la Révolution. Jeune œnologue, Christine Dupuy s'installe en 1992 sur l'exploitation. Elle porte sa superficie de 6 à 21 ha et, surtout, s'impose comme l'une des valeurs sûres des appellations madiran et pacherenc. Son trésor: 50 ares de vignes préphylloxériques. Vignoble en bio certifié depuis 2014.

Un pur tannat âgé de plus d'un demi-siècle, élevé vingt-quatre mois (douze mois en cuve et autant en fût). La robe est profonde et brillante, cerise burlat. D'abord sur sa réserve, le nez libère des touches de cuir et de paprika, avant de s'ouvrir à l'aération sur des notes de fruits noirs, de torréfaction et d'épices. Après une attaque nerveuse, la bouche dévoile une belle charpente tannique et une gamme aromatique dans la continuité de l'olfaction, où s'expriment autant le fruit que la maîtrise de l'élevage en fût. S'il montre la fraîcheur et une concentration mesurée propres à de nombreux 2013, ce vin garde une belle allure. ⧗ 2017-2020 ¥ canard aux cèpes

⊶ CHRISTINE DUPUY, Dom. Labranche Laffont, 32400 Maumusson-Laguian, tél. 05 62 69 74 90, christine.dupuy@labranchelaffont.fr V t.l.j. 9h-12h30 14h-19h; dim. sur r.-v.

CH. LAFFITE-TESTON Vieilles Vignes 2013 ★

■ | 60000 | | 11 à 15 €

Jean-Marc Laffitte a acquis ce domaine de 40 ha il y a plus de vingt-cinq ans. Il possède un chai souterrain de 600 barriques et expérimente le vieillissement de ses madiran en fût, à 800 m de profondeur au fond des grottes de Bétharram. Ses enfants Ericka et Joris l'épaulent désormais.

De très vieux ceps de tannat (soixante-dix ans) donnant de faibles rendements sont à l'origine de ce 2013 issu d'une longue cuvaison et élevé un an en fût. La robe profonde a pris des nuances tuilées. Le nez monte en puissance et libère des arômes complexes, fruités et boisés: gelée de groseille, fruits confits, griotte, réglisse, Zan, fève de cacao, vanille et moka. Sans être très concentrée, la bouche est bien construite, souple et suave, adossée à des tanins fondus. Les arômes dans le droit fil de l'olfaction montrent une bonne persistance. Bien fait et prêt à boire. 2016-2021 bœuf en daube

FAMILLE LAFFITTE, Ch. Laffitte-Teston, A Teston, 32400 Maumusson-Laguian, tél. 05 62 69 74 58, info@laffitte-teston.com t.l.j. sf dim. 9h30-12h30 14h-18h30

VIGNOBLES MARIE MARIA Argilo 2014 ★★

■ | 6700 | | 11 à 15 €

La coopérative de Crouseilles a été créée en 1950, deux ans après la reconnaissance en AOC du madiran et du pacherenc-du-vic-bilh. Elle a largement contribué au renouveau du grand vin rouge pyrénéen, dont elle fournit plus du tiers des volumes. Regroupant 130 vignerons, elle propose, outre le madiran, du pacherenc et du béarn.

Belle année pour la cave de Crouseilles qui a présenté deux madiran remarquables, dont ce 2014 Argilo, qui a frôlé le coup de cœur. Il naît de tannat escorté du cabernet-sauvignon et de sols argilo-calcaires. Une cuvée plébiscitée pour son nez extraverti et complexe, sur les fruits mûrs, et pour son palais à l'unisson, généreux, ample, gras, étoffé et soyeux, gorgé de petits fruits. Un parfait équilibre de saveurs, une rare harmonie. 2017-2021 pièce de bœuf rôtie ■ **Mont Durou 2014 ★★ (20 à 30 €; 5000 b.)** : un mariage accompli du tannat et du cabernet franc, issus d'argiles graveleuses. Après un élevage en fût, le vin est remarquable de puissance et de complexité: fruits noirs, framboise, fraise, épices et vanille défilent au nez. Ample, dense et long, il révèle une excellente extraction et sera magnifique dans trois à cinq ans. 2018-2026 canard rôti

VIGNOBLES MARIE MARIA, rte de Madiran, 64350 Crouseilles, tél. 05 62 69 67 48, s.sautiran@crouseilles.fr r.-v.

CH. MONTUS Prestige 2012 ★

■ | 15000 | | 30 à 50 €

Alain Brumont, infatigable découvreur de terroirs gascons, aime mettre en scène les cépages locaux, et le tannat en premier lieu. Il est le leader du Sud-Ouest viticole, tant en madiran qu'en pacherenc-du-vic-bilh ou dans les côtes-de-gascogne. Il règne sur plusieurs marques et possède quatre domaines (430 ha en tout): les très réputés Ch. Bouscassé (la propriété familiale) et Montus (acquis en 1980), le Ch. Segondine et le Dom. la Roche Brumont. Incontournable.

La cuvée Prestige naît de pur tannat planté sur les parcelles les plus hautes et les plus chaudes du domaine, exposées au sud. Elle est longuement élevée dans le chêne neuf (vingt-quatre mois pour ce 2012). La robe est profonde: un «vin noir». Le nez évolué et généreux mêle harmonieusement les fruits mûrs et un boisé aux nuances de café torréfié. En bouche, une très belle matière confirme la maturité du fruit et la qualité de l'élevage. Le vin est ample, structuré, suave et long, construit sur des tanins enrobés et soyeux. Malgré son âge, ce millésime garde encore un potentiel considérable. 2016-2022 cuissot de chevreuil

SA VIGNOBLES BRUMONT (CH. MONTUS), Ch. Bouscassé, 32400 Maumusson, tél. 05 62 69 74 67, contact@brumont.fr t.l.j. 9h-12h 14h-18h

DOM. DU MOULIÉ 2014 ★

■ | 20000 | | 5 à 8 €

En gascon, *moulié* signifie «moulin» et «meunier». Dans la famille depuis 1920, le domaine borde l'ancien chemin menant au moulin du village situé sur le Bergons, petit affluent de l'Adour. Les deux sœurs Charrier, Lucie (à la cave) et Michèle (à la vigne), y conduisent en bio un vignoble de 16 ha.

Très remarqué dans le millésime précédent, ce madiran associe au tannat (80 %) le cabernet franc et séjourne deux ans en cuve. Le 2014 s'habille d'une robe presque noire, prélude à un nez intense et franc sur les fruits rouges bien mûrs, voire macérés dans l'eau-de-vie, sur le pruneau et les épices. Franc à l'attaque, généreux dans son développement, il s'adosse à des tanins déjà enrobés qui permettront de l'apprécier prochainement tout en permettant la garde. 2017-2023 tajine d'agneau aux pruneaux

LUCIE ET MICHÈLE CHARRIER, Dom. du Moulié, 32400 Cannet, tél. 05 62 69 77 73, domainedumoulie@orange.fr t.l.j. 9h-12h30 14h-18h30; dim. sur r.-v.

CH. PEYROS Tradition 2014 ★

■ | 30000 | | 8 à 11 €

Acquise en 1999, la propriété madiranaise de la famille Lesgourgues, dont le berceau est situé dans le Bas-Armagnac, et qui s'étend jusqu'en Uruguay. Son nom signifie «terrain pierreux» en gascon. Les 20 ha de vignes sont cultivés en lutte raisonnée.

Assemblage de tannat et de cabernet franc (40 %), élevé en cuve et en fût, ce 2014 s'annonce par une robe grenat soutenu tirant sur le noir. D'abord réservé, il développe à l'aération des senteurs exubérantes de cerise confite, de fruits noirs, d'épices, de vanille et de cacao torréfié. Dès l'attaque, il affiche suavité, volume et puissance, construit sur une belle charpente de tanins élégants. Comme au nez, il est gorgé de fruits mûrs. Un travail d'élevage bien maîtrisé. 2017-2021 gigot d'agneau

CH. PEYROS, 9, chem. du Château, 64350 Corbère-Abères, chateau.peyros@leda-sa.com

Lesgourgues

DOM. SERGENT 2014 ★

■ | 24000 | | 5 à 8 €

En 1902, Hubert Dousseau acquiert le domaine. Depuis 1995, Brigitte et Corinne, ses arrière-petites-filles, y conduisent un vignoble de 19,5 ha. Une petite maison gasconne au cœur des vignes a été convertie en gîte.

Du tannat, épaulé par les deux cabernets, dans ce 2014 élevé vingt-quatre mois en cuve. La robe est profonde, le nez chaleureux, sur les fruits macérés dans l'eau-de-vie (cassis, mûre, pruneau), avec une touche chocolatée. L'attaque riche et dense ouvre sur une bouche ample et puissante, aux tanins enrobés par une chair suave. Reflétant une belle maturité du fruit, un madiran typé, déjà agréable tout en montrant un potentiel intéressant. ⧗ 2017-2021 🍷 rillettes de canard

EARL DOUSSEAU, Dom. Sergent, 32400 Maumusson, tél. 05 62 69 74 93, contact@domaine-sergent.com V t.l.j. sf sam. dim. 8h30-12h30 14h-18h30

♥ CH. DE VIELLA Prestige 2013 ★★

■ | 7000 | 11 à 15 €

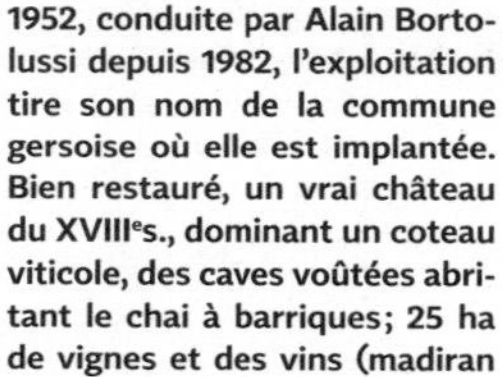

Propriété de la famille depuis 1952, conduite par Alain Bortolussi depuis 1982, l'exploitation tire son nom de la commune gersoise où elle est implantée. Bien restauré, un vrai château du XVIIIe s., dominant un coteau viticole, des caves voûtées abritant le chai à barriques; 25 ha de vignes et des vins (madiran et pacherenc) souvent en vue.

Les deux madiran présentés par le domaine se sont placés parmi les finalistes pour l'élection des coups de cœur. C'est finalement la cuvée Prestige qui a été distinguée – et ce n'est pas la première fois. Ce pur tannat longuement macéré et resté deux ans en barrique neuve en ressort paré d'une robe profonde, aux nuances bleutées de myrtille. Au nez, la mûre, le cassis confituré, la cerise à l'eau-de-vie, la réglisse et le moka composent une palette intense et complexe. La bouche, ample et généreuse, traduit une parfaite extraction. Tout est bien maîtrisé, la structure enrobée, le tanin fondu, l'élevage harmonieux. Un excellent 2013. ⧗ 2017-2021 🍷 gigot d'agneau ■ **L'Originel 2014 ★★** (5 à 8 €; **80000 b.**) : le cabernet franc (40 %) complète le tannat dans cette cuvée élevée partiellement en barrique (30 %). Le fruit rouge et noir ressort, légèrement épicé. La bouche enchante par sa rondeur suave, son ampleur et ses tanins bien enrobés. ⧗ 2017-2021 🍷 couscous de porc noir de Bigorre

ALAIN BORTOLUSSI, Ch. de Viella, 32400 Viella, tél. 05 62 69 75 81, contact@chateauviella.fr V t.l.j. 8h30-12h30 14h-19h; dim. sur r.-v.

PACHERENC-DU-VIC-BILH

Superficie : 260 ha / Production : 10 510 hl

Né sur la même aire que le madiran, ce vin blanc est issu de cépages locaux (courbu, gros et petit mansengs, arrufiac) et bordelais (sauvignon); cet ensemble apporte une palette aromatique d'une extrême richesse. Tous les pacherenc sont gras et vifs. Suivant les conditions climatiques du millésime, ils sont secs ou moelleux. Les premiers, à boire jeunes, expriment les agrumes, les fruits exotiques et le miel. L'amande et la noisette s'ajoutent à cette gamme dans les moelleux, de moyenne garde.

CH. BARRÉJAT 2015

□ | 18400 | | - de 5 €

Quatre générations se sont succédé sur ce domaine qui commercialise sa production en bouteilles depuis 1967. Installé en 1992, Denis Capmartin exploite aujourd'hui 40 ha avec une belle régularité. Il a équipé son exploitation d'un chai à barriques en 1997, avant de moderniser sa cuverie en 2008.

Ce pacherenc sec, simple et efficace, se révèle expressif et bien typé à l'olfaction, autour des fruits exotiques et des agrumes. D'intensité moyenne, la bouche n'en est pas moins agréable, à l'unisson du bouquet, fraîche et équilibrée. ⧗ 2016-2019 🍷 terrine de saumon

DENIS CAPMARTIN, Ch. Barréjat, 32400 Maumusson, tél. 05 62 69 74 92, deniscapmartin@laposte.net V t.l.j. sf dim. 8h30-12h30 14h-19h

DOM. BERNET Cuvée des Demoiselles 2015

□ | 3000 | | 5 à 8 €

Installé en 1980, Yves Doussau conduit le domaine familial de 11 ha répartis entre les AOC madiran et pacherenc-du-vic-bilh.

Au nez, des arômes frais de fruits à chair blanche et d'agrumes. La bouche est dans le droit fil, fraîche et fruitée, souple et arrondie par un gras léger. Simple et de bon aloi. ⧗ 2016-2019 🍷 salade de poulpe

YVES DOUSSAU, Dom. Bernet, 32400 Viella, tél. 05 62 69 71 99, earl.bernet@wanadoo.fr V t.l.j. 9h-12h30 14h-19h; f. août

DOM. CAPMARTIN 2015 ★

□ | 7700 | | 5 à 8 €

L'histoire du domaine débute en 1986 avec 1,5 ha de vignes en location. La première récolte donnera 60 hl l'année suivante. Depuis lors, le vignoble a grandi et Guy Capmartin, qui s'est installé dans l'ancien couvent de Maumusson, conduit son exploitation en bio (18 ha). Une valeur sûre, tant en madiran qu'en pacherenc-du-vic-bilh.

Élevé en cuve, un vin au nez intensément fruité, mêlant au nez la poire, les agrumes et les fleurs blanches. D'une grande fraîcheur en bouche, il est marqué en finale par une touche d'amertume. ⧗ 2016-2020 🍷 gambas sautées

DOM. CAPMARTIN, Le Couvent, 32400 Maumusson, tél. 05 62 69 87 88, capmartinguy@yahoo.fr V t.l.j. 9h-12h 14h-19h; dim. sur r.-v.

CLOS BASTÉ 2014 ★★

□ | 3000 | | 11 à 15 €

En 1998, Philippe Mur, œnologue et maître de chai, achète avec son épouse Chantal une bâtisse en

ruine, la maison Basté, puis quelques parcelles alentour. Le domaine, qui compte aujourd'hui 10 ha, est conduit en agriculture biologique. Très régulier en qualité.

Une goutte (1 %) de petit courbu est associée au petit manseng dans ce pacherenc bien typé, intense et complexe, ouvert à l'olfaction sur les fruits jaunes confits, la figue, le pain d'épice et le miel. Une intensité prolongée par une bouche gorgée de fruits mûrs, très riche, très concentrée, mais sans lourdeur, équilibrée par une fine acidité et stimulée par une longue finale explosive sur le pamplemousse. ⧗ 2016-2024 🍴 foie gras en brioche

PHILIPPE ET CHANTAL MUR, Clos Basté, 64350 Moncaup, tél. 05 59 68 27 37, closbaste@wanadoo.fr V t.l.j. sf dim. 10h-18h

DÉLICE D'AUTOMNE Raisins passerillés 2015

■	50000		8 à 11 €

Le groupe Plaimont Producteurs est le fruit d'une association de trois caves qui, en 1979, unirent leurs initiales (PL pour Plaisance, AI pour Aignan et MONT pour Saint-Mont) pour créer ce leader des vins du Sud-Ouest produisant 40 millions de bouteilles par an. Rejoint en 1999 par les caves de Condom et de Crouseilles, Plaimont représente 98 % de l'appellation saint-mont et près de la moitié des AOC madiran et pacherenc-du-vic-bilh et des IGP Côtes de Gascogne. Un acteur de poids.

Le nez de cette cuvée passée trois mois en fût dévoile des parfums intenses de fruits exotiques et d'agrumes. La bouche est tout aussi aromatique, bien équilibrée entre les sucres (82 g/l de sucres résiduels) et l'acidité, et renforcée en douceur par un boisé fin; pas très longue, mais harmonieuse. ⧗ 2016-2023 🍴 foie gras ■ **Saint-Albert Barriques d'Or 2015 (15 à 20 €; 50000 b.)** : vin cité.

PLAIMONT PRODUCTEURS, rte d'Orthez, 32400 Saint-Mont, tél. 05 62 69 62 87, d.caillard@plaimont.fr V t.l.j. 9h-12h30 14h-19h

♥ GRAINS DE ROY 2015 ★★

■	50000		8 à 11 €

La coopérative de Crouseilles a été créée en 1950, deux ans après la reconnaissance en AOC du madiran et du pacherenc-du-vic-bilh. Elle a largement contribué au renouveau du grand vin rouge pyrénéen, dont elle fournit plus du tiers des volumes. Regroupant 130 vignerons, elle propose, outre le madiran, du pacherenc et du béarn.

Carton plein pour la cave de Crouseilles, qui nous offre un beau panorama de l'appellation avec cinq cuvées retenues dans cette sélection, du sec et du doux. Honneur aux Grains de Roy, un vin sec de grande intensité, expressif et droit, ouvert sur les fruits exotiques (mangue, papaye) et le citron sur fond de vanille et de miel d'acacia. La bouche est franche, vive, tonique et longue, centrée sur les saveurs acidulées des agrumes, avec en soutien un boisé élégant et bien dosé qui vient arrondir les angles et apporter un surcroît de volume. Du potentiel. ⧗ 2017-2022 🍴 tajine de lotte ■ **2015 ★★ (8 à 11 €; 60000 b.)** : le nez, intense et harmonieux, marie les fruits frais à de jolies notes boisées. À l'unisson, la bouche est persistante sur le fruit (coing, citron vert) et la vanille, ample, riche et gourmande, parfaitement équilibrée entre sucre, alcool et acidité. ⧗ 2017-2024 🍴 roquefort ■ **Perle de Givre Barriques d'Or 2015 ★ (11 à 15 €; 30000 b.)** : un moelleux qui offre beaucoup de chair et de fruit (mangue, ananas, agrumes, pêche), dans un style classique, plus suave que frais, mais bien maîtrisé. ⧗ 2016-2023 🍴 toasts au foie gras ■ **Les Ombrages 2015 ★ (- de 5 €; 50000 b.)** : au nez, une belle intensité autour des fruits blancs (pomme, poire) et des fruits exotiques. En bouche, de la fraîcheur, du volume et un léger gras. Équilibré. ⧗ 2016-2020 🍴 poulet au citron ■ **Carte d'Or 2015 (- de 5 €; 18000 b.)** : vin cité.

CAVE DE CROUSEILLES, rte du Château, 64350 Crouseilles, tél. 05 62 69 66 77, m.darricau@crouseilles.fr V r.-v.

DOM. LABRANCHE LAFFONT 2014

■	5500		11 à 15 €

Le domaine familial remonte à la Révolution. Jeune œnologue, Christine Dupuy s'installe en 1992 sur l'exploitation. Elle porte sa superficie de 6 à 21 ha et, surtout, s'impose comme l'une des valeurs sûres des appellations madiran et pacherenc. Son trésor: 50 ares de vignes préphylloxériques. Vignoble en bio certifié depuis 2014.

Après un élevage de neuf mois en barrique (dont un tiers de fût neuf), ce pacherenc présente un bouquet assez complexe qui associe le toasté et la vanille à l'abricot sec et à une touche originale de... whisky. La bouche, centrée sur les fruits exotiques, se montre riche et suave, avec une fine acidité en soutien. Jolie finale sur le pain d'épice. ⧗ 2016-2021 🍴 foie gras

CHRISTINE DUPUY, Dom. Labranche Laffont, 32400 Maumusson-Laguian, tél. 05 62 69 74 90, christine.dupuy@labranchelaffont.fr V t.l.j. 9h-12h30 14h-19h; dim. sur r.-v.

CH. LAFFITTE TESTON Ericka 2014

■	35000		11 à 15 €

Jean-Marc Laffitte a acquis ce domaine de 40 ha il y a plus de vingt-cinq ans. Il possède un chai souterrain de 600 barriques et expérimente le vieillissement de ses madiran en fût, à 800 m de profondeur au fond des grottes de Bétharram. Ses enfants Ericka et Joris l'épaulent désormais.

Une cuvée très souvent au rendez-vous. Dominée par le petit manseng (70 %), elle est élevée huit mois en barrique. Encore fermé et marqué par le bois, ce 2014 se montre toutefois élégant, assez ample et gourmand, avec un côté acidulé et une finale sur le zeste d'agrumes. ⧗ 2016-2021 🍴 poule sauce suprême

FAMILLE LAFFITTE, Ch. Laffitte-Teston, A Teston, 32400 Maumusson-Laguian, tél. 05 62 69 74 58, info@laffitte-teston.com t.l.j. sf dim. 9h30-12h30 14h-18h30

♥ DOM. LAOUGUÉ 2015 ★★

	8000		8 à 11 €

Pierre Dabadie s'est installé en 1980 sur l'exploitation familiale, dont il a fait passer la superficie de 7 à 20 ha, 16 étant dédiés au madiran. Ses vins, rouges comme blancs, secs comme doux, sont régulièrement en vue.

Un soupçon de petit courbu (1 %) accompagne le petit manseng dans ce pacherenc épatant, très élégant dans sa robe d'or clair aux reflets argentés. Le nez, subtil et frais, propose un panier de fruits blancs et jaunes, de fruits exotiques et d'agrumes. La bouche apparaît franche et pure, longue et parfaitement équilibrée, savoureuse à souhait: du fruit, du fruit, encore du fruit... Un moelleux alerte, expressif et fin. ⧗ 2016-2023 🍷 poulet à l'orange **Passion de Charles Clément 2015 ★★ (8 à 11 €; 6000 b.)** : un 100 % petit courbu plein de fraîcheur et de fruits (pomme, ananas, pêche, citron), ample, charnu, soyeux et persistant. ⧗ 2016-2020 🍷 brochet au beurre blanc **Passion de Charles Clément 2014 ★ (11 à 15 €; 3000 b.)** : un beau mariage du fruit et du bois pour ce moelleux expressif et harmonieux, d'un style moderne, porté sur la fraîcheur plutôt que sur la richesse et la concentration. ⧗ 2016-2022 🍷 figue fraîche au miel et au chèvre

PIERRE DABADIE, Dom. Laougué, rte de Madiran, 32400 Viella, tél. 05 62 69 90 05, contact@domaine-laougue.fr t.l.j. 8h-12h 14h-18h

VIGNOBLES MARIE-MARIA
Bonificat l'hivernal 2015 ★★

	2000		20 à 30 €

La coopérative de Crouseilles a été créée en 1950, deux ans après la reconnaissance en AOC du madiran et du pacherenc-du-vic-bilh. Elle a largement contribué au renouveau du grand vin rouge pyrénéen, dont elle fournit plus du tiers des volumes. Regroupant 130 vignerons, elle propose, outre le madiran, du pacherenc et du béarn.

De prime abord fermé, cette cuvée doit être aérée pour libérer de beaux arômes d'abricot confit, de cire, de fleurs blanches et de toasté. La bouche apparaît très concentrée, dense et volumineuse, soutenue par une légère acidité. Un moelleux riche et intense. ⧗ 2017-2024 🍷 fromage de brebis **Novel 2015 ★ (8 à 11 €; 30000 b.)** : un vin intense et persistant, très fruité (pêche, poire, agrumes, abricot) et très frais. ⧗ 2016-2019 🍷 bar sauce agrumes

VIGNOBLES MARIE MARIA, rte de Madiran, 64350 Crouseilles, tél. 05 62 64 67 48, s.sautiran@crouseilles.fr r.-v.

CH. MONTUS 2014 ★★

	32000		20 à 30 €

Alain Brumont, infatigable découvreur de terroirs gascons, aime mettre en scène les cépages locaux, et le tannat en premier lieu. Il est le leader du Sud-Ouest viticole, tant en madiran qu'en pacherenc-du-vic-bilh ou dans les côtes-de-gascogne. Il règne sur plusieurs marques et possède quatre domaines (430 ha en tout): les très réputés Ch. Bouscassé (la propriété familiale) et Montus (acquis en 1980), le Ch. Segondine et le Dom. la Roche Brumont. Incontournable.

Le pacherenc de Montus met en avant le petit courbu (80 % de l'assemblage, avec le petit manseng en appoint), cépage réputé donner des vins onctueux et généreux. C'est bien le cas de ce blanc sec au nez flatteur et complexe (notes beurrées et toastées, pain d'épice, fruits confits.), au palais ample, gras, riche et concentré, porté par un boisé soutenu mais racé et prolongé par une longue finale exotique et florale. Un vin qui ne laisse pas indifférent, bâti pour durer. ⧗ 2018-2024 🍷 turbot au beurre blanc **Ch. Bouscassé Les Jardins 2014 ★ (11 à 15 €; 40000 b.)** : un vin très aromatique et complexe, floral, miellé, beurré et fruité, ample, rond et suave en bouche. ⧗ 2016-2020 🍷 risotto aux asperges

SA VIGNOBLES BRUMONT (CH. MONTUS), Ch. Bouscassé, 32400 Maumusson, tél. 05 62 69 74 67, contact@brumont.fr t.l.j. 9h-12h 14h-18h

DOM. DU MOULIÉ L 2014

	1800	11 à 15 €

En gascon, *moulié* signifie «moulin» et «meunier». Dans la famille depuis 1920, le domaine borde l'ancien chemin menant au moulin du village situé sur le Bergons, petit affluent de l'Adour. Les deux sœurs Charrier, Lucie (à la cave) et Michèle (à la vigne), y conduisent en bio un vignoble de 16 ha.

Petit manseng (60 %) et petit courbu sont associés dans cette cuvée qui affiche la féminité du domaine (L pour «elles»). Au nez, des fruits très mûrs gorgés de sucre, poire et mangue notamment. En bouche, un bon volume et un équilibre assuré, même si la sucrosité l'emporte un peu en finale avec des notes de poire et de coing confiturés. ⧗ 2016-2022 🍷 salade de mangue **2015 (8 à 11 €; 2000 b.)** : vin cité.

LUCIE ET MICHÈLE CHARRIER, Dom. du Moulié, 32400 Cannet, tél. 05 62 69 77 73, domainedumoulie@orange.fr t.l.j. 9h-12h30 14h-18h30; dim. sur r.-v.

CH. DU POUEY 2014

	4000		5 à 8 €

Exploité en famille depuis quatre générations, ce domaine de 20 ha, conduit par Bastien Lannusse depuis 2012, est situé sur les hauteurs de Viella, face à la chaîne des Pyrénées.

De bonne intensité, légèrement beurré et brioché, avec des notes de fleurs blanches et d'agrumes frais, ce pacherenc s'annonce avec élégance. Une attaque nette et fraîche introduit une bouche tendue, vive, voire nerveuse, centrée sur les agrumes (citron vert et zeste d'orange). Tout indiqué pour les produits de la mer. ⌛ 2016-2019 🍴 pamplemousse au crabe

CH. DE POUEY, Pouey, 32400 Viella, tél. 05 62 69 78 25, ch.pouey@orange.fr V 🚶 🍷 *r.-v.*
Bastien Lannusse

DOM. SERGENT 2015 ★

■	3800	🛢🍾	5 à 8 €

En 1902, Hubert Dousseau acquiert le domaine. Depuis 1995, Brigitte et Corinne, ses arrière-petites-filles, y conduisent un vignoble de 19,5 ha. Une petite maison gasconne au cœur des vignes a été convertie en gîte.

Les deux mansengs sont associés à parité dans ce pacherenc sec de belle intensité: fleurs (tilleul, jasmin), pêche, fruits exotiques. Une attaque franche ouvre sur un palais ample, floral, fruité et boisé, bien équilibré entre rondeur et acidité, dynamisé par une jolie finale minérale. ⌛ 2017-2021 🍴 rôti de lotte au lard

EARL DOUSSEAU, Dom. Sergent, 32400 Maumusson, tél. 05 62 69 74 93, contact@domaine-sergent.com
V 🚶 🍷 *t.l.j. sf sam. dim. 8h30-12h30 14h-18h30* 🏠 Ⓑ

CH. DE VIELLA 2015 ★

■	3000	5 à 8 €

Propriété de la famille depuis 1952, conduite par Alain Bortolussi depuis 1982, l'exploitation tire son nom de la commune gersoise où elle est implantée. Bien restauré, un vrai château du XVIIIᵉs., dominant un coteau viticole, des caves voûtées abritant le chai à barriques; 25 ha de vignes et des vins (madiran et pacherenc) souvent en vue.

Petit et gros manseng se partagent équitablement l'assemblage de ce moelleux. Le nez, complexe, associe le coing et les fruits exotiques à de fines notes truffées. On retrouve les fruits dans une bouche qui penche clairement vers la fraîcheur, sensation renforcée par une jolie finale sur le citron vert. Un moelleux énergique. ⌛ 2016-2021 🍴 tarte au citron

ALAIN BORTOLUSSI, Ch. de Viella, 32400 Viella, tél. 05 62 69 75 81, contact@chateauviella.fr
V 🚶 🍷 *t.l.j. 8h30-12h30 14h-19h; dim. sur r.-v.*

SAINT-MONT

Superficie : 1 149 ha
Production : 76 724 hl (80 % rouge et rosé)

Consacré AOVDQS en 1981 sous le nom de côtes-de-saint-mont, le saint-mont a accédé trente ans plus tard à l'AOC. Prolongement vers l'est du vignoble de Madiran, il tire son nom et son origine d'une abbaye fondée au XIᵉs. et a connu une renaissance à partir de 1970. Le cépage rouge principal est encore ici le tannat, les cépages blancs, vinifiés en secs, se partageant entre la clairette, l'arrufiac, le courbu et les mansengs. L'essentiel de la production est assuré par l'union dynamique des caves coopératives Plaimont. Les rouges sont colorés et corsés, rapidement ronds et plaisants, les rosés, fins et fruités, les blancs secs et nerveux.

PLAIMONT
L'Absolu des Trois Terroirs 2015 ★★

■	8000	🍾	11 à 15 €

Le groupe Plaimont Producteurs est le fruit d'une association de trois caves qui, en 1979, unirent leurs initiales (PL pour Plaisance, AI pour Aignan et MONT pour Saint-Mont) pour créer ce leader des vins du Sud-Ouest produisant 40 millions de bouteilles par an. Rejoint en 1999 par les caves de Condom et de Crouseilles, Plaimont représente 98 % de l'appellation saint-mont et près de la moitié des AOC madiran et pacherenc-du-vic-bilh et des IGP Côtes de Gascogne. Un acteur de poids.

Trois terroirs – argiles calcaires, sables fauves et argiles à galets – et trois cépages – gros manseng (75 %), petit manseng et petit courbu. Dans le verre, un saint-mont volubile et complexe (pêche, poire, fruits exotiques, pamplemousse, fleurs blanches), souple, frais et long, avec de beaux amers qui viennent dynamiser la finale. ⌛ 2016-2019 🍴 saumon à l'estragon ■ **L'Empreinte 2015 ★ (11 à 15 €; 10 000 b.)** : une cuvée passée partiellement en fût mais marquée par les fruits blancs et le citron, penchant vers la fraîcheur mais sans manquer de rondeur et de gras. ⌛ 2016-2019 🍴 piccata de veau au citron ■ **Les Hauts de Bergelle Élevé en fût de chêne 2014 ★ (5 à 8 €; 100 000 b.)** : tannat (70 %), cabernet-sauvignon et pinenc pour cette cuvée au nez subtil de cerise et de cassis, agrémenté d'un léger boisé. En bouche, du corps et de la fraîcheur, des tanins fondus et de jolies notes de moka. Pour maintenant et surtout pour demain. ⌛ 2016-2021 🍴 confit de canard

PLAIMONT TERROIRS ET CHÂTEAUX, rte d'Orthez, 32400 Saint-Mont, tél. 05 62 69 62 87, d.caillard@plaimont.fr V 🚶 🍷 *r.-v.* 🏘 ④ 🏠 Ⓓ

CH. SAINT-GO Élevé en fût de chêne 2014 ★★

■	120 000	🛢	8 à 11 €

Ce domaine situé à Bouzon-Gellenave, dont l'histoire remonte à 1421, a été repris en 1996 par six jeunes vignerons. Ils ont replanté le vignoble (aujourd'hui 40 ha) attenant au château et sont entrés dans le groupement de la coopérative Plaimont.

Cette cuvée issue de tannat (70 %), de cabernet-sauvignon et de pinenc déploie des arômes intenses de fraise, de fruits noirs, de réglisse et de boisé grillé. La bouche, ample, généreuse et corpulente, reste souple et soyeuse, malgré une structure plus affirmée en finale. ⌛ 2017-2021 🍴 magret de canard ■ **Ch. du Bascou 2014 ★ (11 à 15 €; 30 000 b.)** : ouvert à l'olfaction sur les fruits rouges à l'alcool, la vanille et le moka, ce vin se montre généreux et suave en bouche, porté par des tanins et un boisé de qualité qui commencent à se fondre. ⌛ 2017-2021 🍴 pavé de bœuf sauce aux cèpes

SARL CH. SAINT-GO, 32400 Saint-Mont, tél. 05 62 69 62 87, d.caillard@plaimont.fr V 🚶 🍷 *r.-v.*
🏘 ④ 🏠 Ⓓ

TURSAN

Superficie : 300 ha
Production : 16 532 hl (82 % rouge et rosé)

Autrefois vignoble d'Aliénor d'Aquitaine, le terroir de Tursan s'étend essentiellement dans les Landes, sur les coteaux de l'est de la Chalosse, autour d'Aire-sur-Adour et de Geaune. Il produit des vins dans les trois couleurs. Les plus intéressants sont les blancs, issus principalement d'un cépage original, le baroque. Des vins secs et nerveux, au parfum inimitable. Longtemps classé en AOVDQS (appellation d'origine vin délimité de qualité supérieure), il a accédé à l'AOC à la disparition des AOVDQS en 2011.

CH. DE BACHEN 2014 ★

14 800	11 à 15 €

Le chef étoilé Michel Guérard (Les Prés d'Eugénie) cultive en tursan son jardin de vignes (20,5 ha) à Duhort-Bachen et aussi les étoiles et les coups de cœur dans le Guide. Maison noble dominant l'Adour, le Ch. de Bachen a été acquis en 1983 et, sous la conduite de l'œnologue Olivier Dupont, fait partie des incontournables du vignoble landais, en rouge comme en blanc.

À assemblage complexe – baroque, sauvignon, petit manseng et gros manseng –, vin complexe: notes de citron confit, d'épices et de toasté caractérisent le nez. La bouche, tout aussi expressive (coing, citron, abricot sec), se montre dynamique et fraîche, épaulée par un boisé encore un peu dominant. ⧗ 2017-2021 🍷 tête de veau sauce gribiche **Baron de Bachen 2014 (15 à 20 €; 17 800 b.)** : vin cité.

MICHEL GUÉRARD, Cie hôtelière et fermière d'Eugénie-les-Bains, 40320 Eugénie-les-Bains, tél. 05 58 71 76 76, direction@michelguerard.com V *r.-v.*

DOM. CAZALET Raisin volé 2015 ★

20 000	8 à 11 €

Cyril Laudet, également aux commandes du domaine de Laballe, dans sa famille depuis huit générations, s'est associé en 2010 à Fabien Desserez pour créer cette exploitation de 7,5 ha, l'un des rares domaines indépendants de l'appellation tursan.

Ce vin élevé en cuve vise le fruit, et c'est très réussi: bien ouvert, il convoque à l'olfaction les petits fruits rouges mâtinés d'une note de poivron, complétés d'épices dans une bouche souple, tendre et fraîche. Un tursan aromatique et sincère. ⧗ 2016-2019 🍷 steak tartare

DOM. CAZALET, 40320 Puyol-Cazalet, tél. 05 58 73 81 57, contact@laballe.fr V *r.-v.* *Cyril Laudet et Fabien Desserez*

LES VIGNERONS LANDAIS Oh Cœur des Vignes 2014 ★

15 000	8 à 11 €

Cette coopérative fondée en 1958 regroupe aujourd'hui quelque 150 vignerons sur les terroirs de Tursan et de Chalosse, dans le sud des Landes.

Une belle robe sombre annonce un nez dense et généreux, qui s'exprime sur les fruits mûrs et les épices. La bouche apparaît ample et bien charpentée par des tanins mûrs et enrobés et par un boisé encore assez présent mais élégant. À attendre un peu pour un meilleur fondu. ⧗ 2018-2021 🍷 confit de canard aux cèpes

SCA LES VIGNERONS LANDAIS, 30, rue Saint-Jean, 40320 Geaune, tél. 05 58 44 51 25, technique@tursan.fr V *t.l.j. sf dim. 9h-12h 14h30-17h30*

BÉARN

Les vins du Béarn peuvent être produits sur trois aires séparées. Les deux premières coïncident avec celles du jurançon et du madiran. La troisième comprend les communes qui entourent Orthez, Salies-de-Béarn et Bellocq. Reconstitué après la crise phylloxérique, le vignoble occupe les collines prépyrénéennes et les graves de la vallée du Gave. Les cépages rouges sont constitués par le tannat, les cabernet-sauvignon et cabernet franc (bouchy), les anciens manseng noir, courbu rouge et fer-servadou. Les vins sont corsés et généreux, les rosés vifs et délicats, avec des arômes fins de cabernet et une bonne structure en bouche.

CAVE DE CROUSEILLES Poule au pot 2015 ★★

18 000	- de 5 €

La coopérative de Crouseilles a été créée en 1950, deux ans après la reconnaissance en AOC du madiran et du pacherenc-du-vic-bilh. Elle a largement contribué au renouveau du grand vin rouge pyrénéen, dont elle fournit plus du tiers des volumes. Regroupant 130 vignerons, elle propose, outre le madiran, du pacherenc et du béarn.

Hommage au plat préféré du plus fameux des Béarnais, Henri IV, cette cuvée est déjà attrayante et montre un beau potentiel. Le nez montant et complexe marie les fruits noirs compotés et l'eucalyptus. La bouche, ample, concentrée, puissante, est consolidée par des tanins affirmés et déploie une longue et belle finale sur la griotte. ⧗ 2017-2021 🍷 garbure

LES VIGNERONS RÉCOLTANTS DU VIC-BILH, Cave de Crouseilles, 64350 Crouseilles, tél. 05 62 69 66 77, m.darricau@crouseilles.fr

DOM. LAPEYRE 2014

13 000	5 à 8 €

Installé à Salies-de-Béarn, une des nombreuses petites villes thermales du piémont pyrénéen, Pascal Lapeyre a repris en 1987 le domaine fondé en 1909 par son arrière-grand-père et aménagé la cuverie et le chai. Exposés plein sud, ses 13 ha de vignes couvrent les coteaux du Guilhemas, face aux Pyrénées. Ses vins, valeurs sûres de l'AOC béarn, sont vendus sous l'étiquette Domaine Lapeyre ou Domaine Guilhemas.

Au nez, des notes de kirsch, de réglisse et des nuances de cuir qui marquent un début d'évolution. La bouche est un peu fugace mais harmonieuse: tanins souples et bien extraits, boisé discret, jolie finale de griotte. Prêt à boire. ⧗ 2016-2019 🍷 magret grillé

⊶ PASCAL LAPEYRE, 52, av. des Pyrénées,
64270 Salies-de-Béarn, tél. 05 59 38 10 02,
contact@domaine-lapeyre-guilhemas.com
V t.l.j. 8h30-12h30 14h30-19h30; dim. sur r.-v.

JURANÇON

«Je fis, adolescente, la rencontre d'un prince enflammé, impérieux, traître comme tous les grands séducteurs: le jurançon», écrit Colette. Célèbre depuis qu'il servit à Pau au baptême d'Henri IV, le jurançon est devenu le vin des cérémonies de la maison de France. On trouve ici les premières notions d'appellation protégée – car il était interdit d'importer des vins étrangers – et même une hiérarchie des crus, puisque toutes les parcelles étaient répertoriées suivant leur valeur par le parlement de Navarre. Comme les autres vins de Béarn, le jurançon, alors rouge ou blanc, était expédié jusqu'à Bayonne, au prix de navigations parfois hasardeuses sur les eaux du Gave. Très prisé des Hollandais et des Américains, le jurançon connut une éclipse avec la crise phylloxérique. La reconstitution du vignoble fut effectuée avec les méthodes et les cépages anciens, sous l'impulsion de la Cave de Gan et de quelques propriétaires.

Ici plus qu'ailleurs, le millésime revêt une importance primordiale, surtout pour les jurançon moelleux qui demandent une surmaturation tardive par passerillage sur pied. Les cépages traditionnels, uniquement blancs, sont le gros et le petit mansengs, et le courbu. Les vignes sont cultivées en hautains pour échapper aux gelées. Il n'est pas rare que les vendanges se prolongent jusqu'aux premières neiges.

Le jurançon sec est un blanc de couleur claire à reflets verts, très aromatique, avec des nuances miellées. Les jurançon moelleux ont une couleur dorée, des arômes complexes de fruits exotiques (ananas et goyave) et d'épices (muscade et cannelle), et offrent un bel équilibre acidité-liqueur. Ils peuvent vieillir très longtemps et donner de grandes bouteilles qui accompagneront un repas.

DOM. BORDENAVE Cuvée Savin 2014 ★★

■ | 9650 | | 15 à 20 €

Implantée à Monein, au cœur de l'appellation jurançon, cette propriété familiale se transmet depuis 1676. Elle élabore ses propres vins depuis que Gisèle Bordenave, œnologue, l'a reprise en 1993.

Une robe élégante d'un doré intense et brillant habille ce jurançon au nez intense et généreux de raisins et d'abricots secs, de pâte de coing et de miel. Suit une très belle bouche offrant beaucoup d'équilibre entre richesse et vivacité, entre fruité soutenu et boisé toasté élégant. ⧗ 2018-2026 ¥ foie gras ■ **Encore et Encore 2014 ★ (15 à 20 €; 9850 b.)** : un moelleux expressif (pêche, abricot, miel) et harmonieux, à la fois rond, frais et gourmand. ⧗ 2016-2021 ¥ fromage de brebis ■ **Souvenirs d'enfance 2015 ★ (8 à 11 €; 12000 b.)** : un sec de belle constitution, ample, frais et fruité. ⧗ 2016-2019 ¥ saumon à l'unilatérale

⊶ SARL GISÈLE BORDENAVE, 245, rte d'Ucha,
64360 Monein, tél. 05 59 21 34 83, gisele.bordenave@orange.fr V t.l.j. 9h-19h; dim. sur r.-v.

B DOM. BRU-BACHÉ Les Casterasses 2013

■ | 12000 | | 11 à 15 €

Claude Loustalot poursuit l'œuvre de son oncle sur ce domaine célèbre, très régulier en qualité. Il cultive les 11 ha en agriculture biologique et en biodynamie, avec pour objectif de préserver l'identité du jurançon.

Robe jaune pâle, nez délicat mais réservé de fruits à chair blanche et d'agrumes, l'approche est discrète. La bouche apparaît svelte, d'une belle fraîcheur et d'une sucrosité peu marquée, avec un joli retour du citron vert et sa touche d'amertume. Un moelleux léger et facile d'accès. ⧗ 2016-2021 ¥ salade de fruits frais

⊶ DOM. BRU-BACHÉ, 39, rue Barada, 64360 Monein,
tél. 05 59 21 36 34, domaine.bru-bache@orange.fr
V r.-v. G ⊶ Claude Loustalot

DOM. DE CABARROUY
Cuvée Passerillage 2012 ★★

■ | 6500 | | 11 à 15 €

Dans les années 1980, Patrice Limousin, alors jeune vigneron dans la région nantaise, rencontre Freya Skoda, une étudiante berlinoise. Le couple achète en 1988 ce domaine à l'abandon. Ils ont replanté les vignes, restauré la demeure du XVIIIᵉs. et aménagé un chai. Le vignoble compte aujourd'hui 21 ha.

Issue des premières tries de petit manseng, cette cuvée passée trois mois en cuve semble viser le fruit et la fraîcheur et c'est parfaitement réussi. Le nez dévoile d'intenses notes de pêche et de fruits exotiques; la bouche apparaît ample et très tonique, bâtie sur une fine vivacité qui lui donne une belle allonge et laisse une sensation d'élégance et de légèreté. ⧗ 2017-2023 ¥ tarte poire et roquefort

⊶ DOM. DE CABARROUY, 448, chem. Cabarrouy,
64290 Lasseube, tél. 05 59 04 23 08, domaine.cabarrouy@orange.fr V t.l.j. 10h-12h 14h-19h;
dim. 10h-12h ⊶ Limousin-Skoda

♥ B CAMIN-LARREDYA Au Capcéu 2014 ★★

■ | 10000 | | 20 à 30 €

Ce domaine acquis en 1900 s'est tourné vers la vigne à partir de 1970. Après ses études de viticulture-œnologie, Jean-Marc Grussaute, installé une vingtaine d'années plus tard, a quitté la coopérative avant de s'orienter vers le bio (certification en 2010). Le vignoble couvre aujourd'hui 10 ha.

Au Capcéu? Le sommet d'une colline. C'est donc un petit manseng des hauteurs pour ce jurançon au zénith. Un vin d'un magnifique jaune paille, au nez puissant de fruits jaunes mûrs et de fruits exotiques mariés à un noble boisé. La bouche est ample, riche, séveuse, sans jamais perdre en élégance, étayée par une fine vivacité qui porte loin, très loin, la finale. ⧗ 2018-2026 ¥ ris de veau caramélisé à l'orange

⊶ JEAN-MARC GRUSSAUTE, Camin-Larredya,
2051, chem. Larredya, Chapelle-de-Rousse,
64110 Jurançon, tél. 05 59 21 74 42,
contact@caminlarredya.fr V r.-v.

SUD-OUEST

DOM. CASTÉRA Caubeigt 2014 ★★

	2000		15 à 20 €

Fondée en 1895, cette ferme béarnaise a longtemps accueilli veaux, vaches, cochons, couvées et un verger de pêches roussanne de Monein. Les blondes d'Aquitaine et les champs de maïs sont restés, mais le vignoble a gagné du terrain (11,5 ha) avec l'arrivée de Christian Lihour. Son fils Franck, qui l'a rejoint en 2014, est aujourd'hui aux commandes.

Premier millésime pour cette nouvelle cuvée, issue d'une parcelle bien exposée, assez solaire, plantée de petit manseng de trente-deux ans. Une très belle réussite pour un coup d'essai: robe limpide et brillante; nez intense de fleurs séchées, de miel, d'abricot et d'ananas confits avec en filigrane un élégant boisé vanillé et toasté; bouche puissante, riche, ample et séveuse, qui ne manque pas de fraîcheur et déploie une finale explosive sur les fruits exotiques et de douces notes boisées. Un vin de repas et de garde. ⧗ 2018-2026 ♆ sauté d'agneau aux fruits secs

FRANCK LIHOUR, quartier Ucha, 64360 Monein, tél. 05 59 21 34 98, christian.lihour@wanadoo.fr V t.l.j. 9h-18h; sam. dim. sur r.-v.

DOM. CAUHAPÉ C de Cauhapé 2014 ★

	5300		30 à 50 €

Dans la première édition du Guide, un coup de cœur avait couronné un moelleux 1982 élaboré par Henri Ramonteu. Onze autres ont suivi. Le domaine s'étend sur 43 ha de vignes escarpées, plantées à flanc de colline.

Un assemblage complexe de petit manseng (60 %), gros manseng (20 %), camaralet, courbu et lauzet. Cela donne un vin très aromatique, sur l'ananas, l'orange et le cédrat, net, frais et tonique en bouche, épaulé par un boisé bien intégré. ⧗ 2017-2021 ♆ terrine de poisson à l'estragon **Noblesse du Temps 2014 (20 à 30 €; 8000 b.)** : vin cité.

DOM. CAUHAPÉ, quartier Castet, 64360 Monein, tél. 05 59 21 33 02, contact@cauhape.com V t.l.j. sf dim. 8h-18h *Ramonteu*

DOM. DU CINQUAU L'Envie 2014 ★

	5300		11 à 15 €

Germain Laborde est le directeur et maître de chai de cette très ancienne maison (on en trouve trace peu après la mort d'Henri IV), propriété de la famille Saubot. Couvrant 10 ha de vignes, l'exploitation a bénéficié à partir de 2008 d'importants travaux de rénovation orientés vers l'œnotourisme.

Dix-huit mois de cuve pour ce 2014 qui vise la maturité du fruit et le plaisir. Objectifs atteints: la robe couleur miel donne envie de poursuivre la dégustation, de même que le nez, montant, d'abord floral puis fruité (coing, fruits exotiques confits) et miellé. Suivant la même ligne aromatique, la bouche attaque en souplesse et en douceur, puis gagne en volume et en fraîcheur pour s'achever sur une belle finale tonique et fruitée. ⧗ 2017-2022 ♆ poisson lait de coco et cardamone

SCEA DOM. DU CINQUAU, chem. du Cinquau, 64230 Artiguelouve, tél. 05 59 83 10 41, info@cinquau.fr V t.l.j. sf dim. 9h-12h30 13h30-18h *Famille Saubot*

CLOS BELLEVUE Cuvée spéciale 2013

	8000		11 à 15 €

Chez les Muchada, on cultive les terres familiales de père en fils depuis longtemps – 40 ha de prairies et de champs, dont 11 ha de vignes. En 2003, Olivier, le fils, est revenu s'installer sur la propriété, aidé de son père et de son frère Romain.

L'approche est plutôt timide: robe jaune pâle et nez discret mais fin sur les fleurs blanches, le citron et une touche de truffe blanche. La bouche, plus expressive, sur le coing confit et les agrumes, se distingue par sa fraîcheur soutenue. Du peps et de la typicité. ⧗ 2016-2021 ♆ tarte au citron meringuée

CLOS BELLEVUE, chem. des Vignes, 64360 Cuqueron, tél. 05 59 21 34 82, closbellevue@club.fr V r.-v.

♥ CLOS DE LA VIERGE Sec 2015 ★★

	18000		5 à 8 €

CLOS de la VIERGE Jurançon sec 2015 APPELLATION JURANÇON CONTRÔLÉE MIS EN BOUTEILLE À LA PROPRIÉTÉ

La maison est sise sur la place de l'église à Lahourcade. Anne-Marie Barrère, épaulée par sa sœur et sa mère, gère un vignoble de 16 ha répartis sur deux terroirs: le Clos Cancaillaü et le Clos de la Vierge. Très régulier en qualité.

Ce 100 % gros manseng porte beau dans sa robe légère aux reflets paillés. Le nez fin et élégant décline les fleurs blanches, la pêche, l'abricot, les agrumes, avec une touche miellée. La bouche est superbe, ample, riche et généreuse sans lourdeur, très aromatique. L'équilibre est parfait et la finale bien enlevée. ⧗ 2016-2020 ♆ filet mignon de veau aux asperges **Cancaillaü Crème de Tête 2014 ★ (8 à 11 €; 18000 b.)** : un vin assez chaleureux et riche, expressif sans exubérance (miel, fruits jaunes et exotiques, zeste de citron vert en finale). Harmonieux. ⧗ 2016-2022 ♆ roquefort

ANNE-MARIE BARRÈRE, 4, rte de Monein, rond-point de l'Église, 64150 Lahourcade, tél. 05 59 60 08 15, earl.barrere@orange.fr V t.l.j. sf dim. 8h-19h; f. 1er oct.-15 nov.

CLOS GUIROUILH Vendanges tardives 2014 ★

	5000		15 à 20 €

La propriété de Jean Guirouilh est implantée au village de Lasseube. L'homme a abandonné polyculture et élevage pour se consacrer au jurançon. Marie-Françoise Guirouilh-Rodrigues conduit l'exploitation depuis 2011.

À la robe jaune doré répond un nez bien ouvert et complexe: abricot et coing mûrs, fruits exotiques confits, miel, senteurs boisées et épicées. Une sensation de grande maturité que l'on retrouve dans une bouche très moelleuse, presque liquoreuse, ample et riche, sous-tendue par suffisamment d'acidité pour rester en équilibre. ⧗ 2018-2026 ♆ foie gras poêlé

SCEA GUIROUILH, 5411, rte de Bélair, 64290 Lasseube, tél. 05 59 04 21 45, guirouilh@gmail.com V r.-v.

B CLOS LAPEYRE Mantoulan 2014

	6000		20 à 30 €

Vouée à l'origine à la polyculture, cette exploitation familiale acquise par Jean Larrieu en 1920 s'est progressivement spécialisée dans la viticulture sous l'impulsion de Jean-Bernard Larrieu, installé en 1985. De 4 ha, le vignoble est passé à une dizaine, complété en 2004 par les 7 ha du domaine de Nays-Labassère: en tout 18 ha aujourd'hui, conduits en bio certifié.

Petit manseng, courbu et camaralet sont à l'origine de ce vin de bonne intensité, ouvert sur les agrumes, les fruits jaunes, la verveine et la vanille. L'attaque est franche, le développement ample et gras, bien tendu par l'acidité et un boisé fondu. Il lui manque juste un peu de longueur pour décrocher l'étoile. ⌛ 2017-2021 🍴 sole aux épices

CLOS LAPEYRE, SARL Larrieu, chem. du Couday, La Chapelle-de-Rousse, 64110 Jurançon, tél. 05 59 21 50 80, contact@jurancon-lapeyre.fr V *r.-v.* *Larrieu*

♥ B CLOS THOU Suprême de Thou 2014 ★★

	n.c.		15 à 20 €

Métayers puis fermiers, les arrière-grands-parents d'Henri Lapouble-Laplace ont acheté le domaine que ce vigneron, installé en 1993, met aujourd'hui en valeur avec une belle constance dans la qualité. Les 8,5 ha de vignes sont conduits en bio.

Équilibre et complexité: deux des principaux traits de caractère qui signent un grand vin. Cette cuvée a les deux, et plus encore. La robe est engageante, intense et limpide. Le nez, subtil et racé, associe l'ananas et le coing confits, la vanille et la truffe blanche. La bouche attaque sur la vivacité, puis évolue vers la rondeur, le gras et les fruits confiturés, avec en soutien une fine tension et un boisé bien fondu. Suprême en effet, et bien typé. ⌛ 2018-2026 🍴 poularde aux fruits secs et au miel **Cuvée Guilhouret 2014 ★ (11 à 15 €; 8000 b.)** B : un blanc sec tendu, très frais et aromatique (pêche, poire, agrumes, vanille). ⌛ 2016-2020 🍴 plancha de calamars

HENRI LAPOUBLE-LAPLACE, 245, chem. Larredya, Clos Thou, 64110 Jurançon, tél. 05 59 06 08 60, clos.thou@wanadoo.fr V *t.l.j. 9h-12h 14h-18h30*

DOM. COUSTARRET Vent d'Ange 2014 ★

	12000		8 à 11 €

Au cœur des coteaux de Lasseube, au sud de Pau, ce petit domaine de 5 ha est installé en altitude, à 380 m, face aux Pyrénées. Fondé en 1842, il est conduit depuis 1995 par Sébastien Bordenave-Coustarret.

Le gros manseng (60 %) et le petit manseng composent un moelleux joliment bouqueté autour de la pêche, de la poire et des fruits exotiques. Une intensité fruitée que l'on retrouve dans une bouche équilibrée, suave, ronde et fraîche, stimulée par une belle finale citronnée. ⌛ 2016-2021 🍴 beignets d'ananas

BORDENAVE-COUSTARRET, chem. Ranque, 64290 Lasseube, tél. 05 59 21 72 66, domainecoustarret@wanadoo.fr V *t.l.j. 9h-12h30 13h30-18h; dim. sur r.-v.*

CRU LAROSE Régal des grives 2014

	3300		11 à 15 €

Dans la famille depuis trois générations, ce domaine d'à peine 3 ha est conduit depuis 2005 par Chantal Peyroutet-Davancens. Situé sur la crête de Saint-Faust, face aux Pyrénées, le vignoble bénéficie d'un ensoleillement maximal.

Une belle présence aromatique se dégage du verre, entre fruits frais et fruits confits, à chair blanche et à chair jaune, complétés de nuances beurrées et toastées. La bouche est équilibrée, suave sans lourdeur, fraîche et fine, marquée par une pointe d'amertume et des notes citronnées en finale. Un bon classique. ⌛ 2017-2021 🍴 bleu des Causses

CHANTAL PEYROUTET-DAVANCENS, 251, chem. des Crêtes, 64110 Saint-Faust, tél. 05 59 83 12 06, contact@crularose.com V *t.l.j. 10h-12h 14h-18h30*

B DOM. GAILLOT Hirunda 2015

	5600		8 à 11 €

Jean-Louis Gaillot a pris en 2007 la tête de l'exploitation familiale qui couvre 7 ha, en bio certifié depuis 2015. L'étiquette affiche sa date de création: 1632. La maison, elle, date du XVIIIe s.

Le nez, plutôt discret, évoque les fruits mûrs à chair blanche et l'herbe fraîche. Une attaque vive et franche prélude à une bouche ferme et tendue, en accord avec l'olfaction. ⌛ 2016-2019 🍴 fromage de chèvre

DOM. GAILLOT, chem. Gaillot, 64360 Monein, tél. 06 29 90 09 96, domaine.gaillot@orange.fr V *t.l.j. 9h-12h 14h-19h*

♥ CAVE DE GAN JURANÇON Prestige d'Automne 2014 ★★

	100000		8 à 11 €

Fondée en 1949, la cave de Gan réunit 850 ha de vignes, soit plus de 250 viticulteurs, et fournit plus de la moitié des volumes de l'appellation jurançon; elle joue aussi un rôle majeur dans l'AOC béarn. Elle propose ses vins de marque et des vins de propriétés élaborés par ses soins. Un acteur incontournable du vignoble du piémont pyrénéen.

On ne compte plus les étoiles et coups de cœur obtenus par l'excellente «coop» de Jurançon. Cette année

SUD-OUEST

encore, elle propose une superbe série de vins dans les deux types. Ce Prestige d'Automne offre tout ce que l'on attend d'un jurançon doux: robe d'or, nez intense et complexe (miel, fruits exotiques, abricot sec, orange confite), bouche ample, riche sans excès, délicate et parfaitement tenue par la fine vivacité qui signe les grands jurançon. À noter également la douceur du prix... ⧗ 2017-2026 🍴 canard à l'orange ■ **Prestige 2014 ★★ (8 à 11 €; 150000 b.)** : un vin très expressif et complexe (fruits exotiques, agrumes, épices, noisette grillée), aussi large que long, tout en rondeur suave, équilibré par une fine trame acide. ⧗ 2017-2026 🍴 foie gras ■ **Grain d'Automne 2014 ★★ (8 à 11 €; 40000 b.)** : un jurançon doux, savoureux et parfaitement maîtrisé, très aromatique (fruits jaunes confits, muscade, coing, miel...), souple et d'une grande fraîcheur. ⧗ 2016-2026 🍴 curry de volaille ■ **Peyre d'Or 2015 ★★ (5 à 8 €; 33000 b.)** : robe très claire et brillante, nez intense de bonbon anglais, de fruits exotiques et d'herbe fraîche, bouche tout en fruits, souple, fine et alerte. ⧗ 2016-2020 🍴 tartare de thon ■ **Le Bon Roy Henry 2015 ★ (5 à 8 €; 33000 b.)** : un jurançon apprécié avant tout pour son caractère très aromatique (fruits exotiques, pomme, acacia, chèvrefeuille) et aussi pour son aimable rondeur. ⧗ 2016-2019 🍴 saumon fumé

CAVE DE GAN JURANÇON, 53, av. Henri-IV, 64290 Gan, tél. 05 59 21 57 03, cave@cavedejurancon.com V r.-v.

CHARLES HOURS Uroulat 2014 ★

■	20000	🛢	20 à 30 €

Charles Hours, œnologue, conduit son vignoble en bio depuis vingt ans, mais sans certification. Il a agrandi le domaine paternel (20 ha aujourd'hui). Sa fille Marie, installée à son côté, met au point des cuvées «trendy» à côté des vins «tradi».

Après dix mois de fût, ce jurançon dévoile un nez assez discret de fleurs blanches et de fruits jaunes agrémenté d'une touche boisée. Les notes d'élevage se font plus prégnantes en bouche et lui confèrent un côté assez austère, mais l'équilibre sucres-acidité est assuré. Le temps harmonisera l'ensemble. ⧗ 2018-2022 🍴 côte de veau à la crème

CHARLES HOURS, chem. Uroulat, 64360 Monein, tél. 05 59 21 46 19, charles.hours@orange.fr V r.-v.

CH. DE JURQUE Fantaisie 2015

■	12000	🍾	8 à 11 €

Les domaines Latrille se composent de deux propriétés en jurançon. Le berceau est le château Jolys (32 ha), créé en 1962 par Pierre-Yves Latrille, ingénieur agronome; le château de Jurque (10 ha) a été planté entre 2003 et 2011. Claire et Camille Bessou-Latrille, petites-filles du fondateur, sont aux commandes depuis 2012.

Cette Fantaisie, assemblage classique des petit et gros manseng (60-40), dévoile des arômes de fruits secs (amande, noisette) et de fruits mûrs agrémentés de nuances animales. L'attaque est franche, la bouche équilibrée et d'un bon volume, le fruit s'y fait plus précis, autour de l'ananas, et une belle fraîcheur anime la finale. ⧗ 2016-2019 🍴 moules au safran ■ **Ch. Jolys Cuvée Jean 2013 (11 à 15 €; 40000 b.)** : vin cité.

SCEA DOM. LATRILLE, 330, rte de la Chapelle-de-Rousse, 64290 Gan, tél. 05 59 21 72 79, contact@domaineslatrille.fr V r.-v.

Ⓑ CH. LAFITTE Réserve 2013 ★

■	1500	🛢	15 à 20 €

Lafitte, avec deux «t». Deux belles tours d'angle et des lettres d'ancienneté: le château remonte au moins au XIVᵉs. La propriété a été acquise en 2000 par Philippe Arraou qui a planté 4 ha. Depuis 2012, après avoir pratiqué la photographie plus de dix ans, c'est son fils Antoine qui conduit le domaine, en bio certifié avec des orientations biodynamistes.

Le nom de cette cuvée fait référence aux vins espagnols élevés vingt-quatre mois en barrique et qui portent la mention «Reserva». Même élevage luxueux donc pour ce jurançon très équilibré, au nez fin et complexe de fleurs blanches, d'abricot, d'ananas, d'agrumes et de cannelle. Une attaque vive, bien nette, introduit une bouche ronde, ample et dense, soutenue par une belle trame acide. ⧗ 2017-2024 🍴 foie gras poêlé

ANTOINE ARRAOU, Ch. Lafitte, 64360 Monein, tél. 05 59 21 49 44, contact@chateau-lafitte.com V r.-v.

Ⓑ CH. LAPUYADE Cuvée Marie-Louise

■	1200	🛢	20 à 30 €

La famille Aurisset conduit son domaine de 8 ha en bio certifié depuis 1999, en biodynamie depuis 2007. L'hiver, le vignoble enherbé offre un pâturage aux moutons.

La robe d'un jaune paille très prononcé annonce un vin de concentration et de maturité. De fait, le nez, riche et complexe, mêle les fruits confits, presque caramélisés, et d'intenses notes empyreumatiques. La bouche est «énorme»: beaucoup de gras et de densité, un côté chaleureux prononcé, un fruité très mûr et un boisé soutenu. Un vin ambitieux, presque hors normes, qui aura ses amateurs et qu'il convient d'attendre un peu. ⧗ 2018-2026 🍴 ris de veau à la crème

AURISSET, chem. Lapuyade, 64360 Cardesse, tél. 05 59 21 32 01, clos.marie-louise@wanadoo.fr V r.-v.

Ⓑ DOM. LARROUDÉ Lou Mansengou 2014

■	5000	🛢	8 à 11 €

Entre gave de Pau et gave d'Oloron, Christiane et Julien Estoueigt conduisent depuis 1986 un petit domaine de 8,20 ha converti au bio, couvrant des coteaux exposés plein sud, face aux Pyrénées.

Le petit manseng («lou mansengou» en béarnais) fermenté et élevé en barrique donne ici un vin au nez montant d'abricot, de coing et d'orange très mûre. On retrouve les agrumes ainsi qu'une forte note de moka dans une bouche fraîche et sans excès de sucrosité. Encore un peu sur le bois, mais équilibré. ⧗ 2017-2021 🍴 terrine de foie gras

DOM. LARROUDÉ, quartier Marquesouquères, 64360 Lucq-de-Béarn, tél. 05 59 34 35 40, domaine.larroude@wanadoo.fr V *t.l.j. 9h-12h30 13h30-19h; dim. sur r.-v.* *Estoueigt*

DOM. DE MALARRODE Quintessence 2014 ★★

■	8000		11 à 15 €

Gaston Mansanné est revenu en 1986 dans son Béarn natal. Il a arraché de vieux ceps en fin de vie et des arbres fruitiers, et replanté les gros et petit mansengs. Son domaine couvre 14 ha.

Ce 2014 s'ouvre sur des arômes puissants de fruits confits (abricot, pêche, poire), d'écorce d'orange, de miel et de pâtisserie. Une sensation de surmaturation à laquelle fait écho une bouche ample et riche, soulignée par une pointe d'acidité qui lui permet de conserver du peps jusqu'au bout. Ce vin a du coffre et une longue route s'ouvre à lui. 2019-2026 foie gras au piment d'Espelette

GASTON MANSANNÉ, quartier Ucha, 64360 Monein, tél. 05 59 21 48 01, mansanne.gaston@wanadoo.fr r.-v.

DOM. MONTAUT Cuvée Prestige 2014 ★

■	9200		8 à 11 €

Cette propriété familiale très ancienne a été reprise par Fernand Montaut en 1988. Son fils Nicolas a pris le relais en 2010. Il exploite près de 6 ha de vignes.

Une belle intensité aromatique se dégage de ce jurançon: fleurs blanches, pêche compotée, litchi, épices, miel. Le palais affiche un équilibre très appréciable: attaque franche et fraîche, milieu de bouche gras et tendre, finale persistante, alerte, sur le fruit exotique. 2017-2023 crème brûlée au foie gras

DOM. MONTAUT, quartier Haut-Ucha, 64360 Monein, tél. 05 59 21 38 17, domaine.montaut@gmail.com r.-v.

DOM. MONTESQUIOU Grappe d'or 2014

■	9000		11 à 15 €

Les racines des vignes plongent dans les galets dont on a fait les bâtiments du domaine. Les frères Fabrice et Sébastien Bordenave-Montesquiou mènent la propriété familiale (12 ha aujourd'hui) depuis 2002, après avoir exercé dans divers vignobles de France (Alsace, Jura et Provence).

Vinifiée et élevée en fûts de chêne de 225 et 500 l, cette cuvée dévoile à l'olfaction un boisé léger aux accents de cèdre qui ne masque pas les arômes de fruits confits. On retrouve le bois avec plus d'intensité dans une bouche ample et vive, et même un peu nerveuse en finale (citron vert). Un moelleux tonique et encore assez réservé, qu'il faudra attendre. 2018-2022 carpaccio d'ananas

GAEC DOM. MONTESQUIOU, quartier Haut-Ucha, 64360 Monein, tél. 05 59 21 43 49, domainedemontesquiou@wanadoo.fr t.l.j. sf dim. 9h-12h 14h-19h

CH. DE NAVAILLES 2015 ★

■	20000		5 à 8 €

Ce domaine peut s'enorgueillir de posséder un château féodal du XII^e^s. reconstruit au XVI^e^s. puis acquis par Jean de Navailles en 1640. Ses vins sont vinifiés par la cave de Gan.

Fruits secs, pêche, pierre à fusil, aubépine, le bouquet de ce jurançon sec est expressif et élégant. La bouche se montre fine, longue et bien équilibrée, offrant du gras sans excès et de la fraîcheur. 2016-2019 saumon en papillote

CH. DE NAVAILLES, 53, av. Henri-IV, 64290 Gan, tél. 05 59 21 57 03, cave@cavedejurancon.com r.-v.

Ⓑ DOM. DE NIGRI Pierre de lune 2014 ★★

■	6000		8 à 11 €

Créé en 1685 et commandé par une bâtisse du XVIII^e^s., ce domaine de 14 ha est dans la famille depuis quatre générations. Il est conduit depuis 1993 par Jean-Louis Lacoste, œnologue. En bio certifié depuis 2013.

Le nez intense et riche associe les fruits mûrs, les épices douces et des notes briochées. Une attaque ample ouvre sur une bouche ronde et persistante, tenue de bout en bout par une acidité bien ajustée et un élégant boisé toasté. 2017-2021 colombo de porc ■. **Toute une histoire 2014 ★★ (11 à 15 €; 8000 b.)** Ⓑ : ce vin a de belles choses à raconter en effet. C'est un moelleux complexe (ananas, goyave), chaleureux, puissant et concentré, qu'il faudra laisser vieillir un peu pour qu'il se montre encore plus prolixe. 2018-2026 poulet au curry

JEAN-LOUIS LACOSTE, Dom. Nigri, Candeloup, 64360 Monein, tél. 05 59 21 42 01, domaine.nigri@wanadoo.fr t.l.j. 9h-12h 13h30-18h; dim. sur r.-v.

VIGNOBLES DE PYRÉNAÏA Cairn 2014 ★★

■	2100		11 à 15 €

«Vigneron sans terre», Simon Forgue, ancien œnologue du château Montus, a créé en 2012 avec une poignée de proches cette petite structure de négoce et de vinification. Il a installé son chai dans une ancienne carrosserie, où il élabore des vins du piémont pyrénéen.

Le nez, intense et complexe, marie les agrumes, le litchi, la pêche, les fruits jaunes et la vanille. Tout aussi riche en arômes, très équilibrée, la bouche présente un beau volume, du gras mais pas trop, soulignée par un boisé fondu et une fine tension acide. 2017-2021 brebis fermier des Pyrénées ■ **Or Pailleur 2014 ★ (15 à 20 €; 1300 b.)** : un moelleux élégant et expressif (abricot, écorce d'orange, noisette, épices), fin et frais en bouche, avec un boisé discret en filigrane. 2016-2024 foie gras

VIGNOBLES DE PYRÉNAÏA, 46, rue Henri-IV, 64110 Mazères-Lezons, tél. 06 86 16 82 63, simon.forgue@pyrenaia.com r.-v. Simon Forgue

CH. DE ROUSSE Séduction 2014 ★★

■	7000		15 à 20 €

Domaine de 12 ha conduit depuis 2000 par les frères Marc et Olivier Labat. Cultivées en étroites terrasses, les vignes exposées au sud sud-est sont disposées en amphithéâtre, avec à l'arrière-plan la chaîne des Pyrénées. Henri IV y venait chasser.

Le nez, d'une complexité naissante, associe notes florales et arômes d'ananas. C'est en bouche que le vin s'impose, avec force, offrant beaucoup de liqueur et de gras, d'intensité aromatique également, autour de l'ananas toujours, agrémenté de nuances toastées. Un moelleux robuste qui devrait encore gagner en superbe avec le temps. 2018-2026 ananas rôti à la vanille ■ **Réserve 2014 (8 à 11 €; 15000 b.)** : vin cité.

CH. DE ROUSSE, La Chapelle-de-Rousse, 64110 Jurançon, tél. 05 59 21 75 08, chateauderousse@wanadoo.fr t.l.j. 9h-12h 14h-19h Marc et Olivier Labat

SUD-OUEST

SÉDUCTION D'AUTOMNE 2014 ★

8000		8 à 11 €

Un vin proposé par une maison de négoce créée en 2001 au cœur du vignoble. Elle s'approvisionne auprès d'une cinquantaine de viticulteurs cultivant 135 ha. Dans le giron du groupe Castel Frères.

La robe, très claire pour un moelleux, annonce un vin sur la légèreté. De fait, passé une olfaction assez discrète, florale et fruitée (citron, pamplemousse), on découvre une bouche alerte, fraîche, abricotée et citronnée, qui ne manque pas de matière et de rondeur. Un jurançon savoureux et équilibré. 2016-2022 poulet à l'ananas

CONFRÉRIE DU JURANÇON, quartier Loupien, 64360 Monein, tél. 05 59 21 34 58, contact@canon-de-montavin.com V t.l.j. sf dim. lun. 9h30-12h 14h-18h30 Castel Frères

DOM. DE SOUCH
Cuvée Marie-Kattalin 2013

4400		30 à 50 €

Jean de Souch, «syndic des éleveurs de treille» au XVIIIe s., a donné son nom à ce domaine et sa vocation viticole. En 1986, Yvonne Hegoburu, figure du bio sur ces terres de Béarn, a replanté le vignoble et l'a converti très tôt à l'agriculture biologique et à la biodynamie. La propriété, à taille humaine, couvre environ 7 ha.

Le nez, réservé, mêle les fruits acidulés, la poire à l'eau-de-vie et les épices. Une attaque franche et tonique ouvre sur un palais d'une douceur mesurée, porté par une intense vivacité qui culmine en finale sur des notes de citron vert. 2016-2024 tarte aux poires

SCEA DOM. DE SOUCH, 805, chem. de Souch, 64110 Laroin, tél. 05 59 06 27 22, domaine.desouch@neuf.fr V t.l.j. 9h-12h30 14h-17h30; dim. sur r.-v. J.R. et Y. Hegoburu

IROULÉGUY

Superficie : 214 ha
Production : 6 380 hl (88 % rouge et rosé)

Dernier vestige d'un grand vignoble basque dont on trouve la trace dès le XIe s., l'irouléguy témoigne de la volonté des vignerons de perpétuer l'antique tradition des moines de Roncevaux. Le vignoble s'étage sur le piémont pyrénéen, dans les communes de Saint-Étienne-de-Baïgorry, d'Irouléguy et d'Anhaux.
Les cépages d'autrefois ont à peu près disparu pour laisser place au cabernet-sauvignon, au cabernet franc et au tannat pour les vins rouges et rosés, au courbu et aux gros et petit mansengs pour les blancs. De couleur cerise, le rosé est vif et léger, le blanc, fruité et frais, le rouge, charnu, volontiers tannique et de bonne garde.

DOM. ABOTIA 2015 ★

6600		11 à 15 €

Une grande ferme dans le pur style bas-navarrais près de Saint-Jean-Pied-de-Port, au pied du pic de l'Arradoy. Jean-Claude et Louisette Errecart ont relancé la viticulture sur l'exploitation, où l'on élève aussi des porcs. Leur fils Peio, qui s'est installé en 2001 et a introduit les cépages blancs, cultive 10 ha de vignes en étroites banquettes. Une valeur sûre.

À l'olfaction, ce vin distille de fines senteurs de pêche, de vanille et de pain toasté. Plus centrée sur le citron et plus boisée, la bouche conjugue gras et fraîcheur, avec un penchant pour cette dernière mais sans déséquilibre. Jolie finale sur le citron. 2017-2021 ossau-iraty

PEIO ERRECART, Dom. Abotia, 64220 Ispoure, tél. 05 59 37 03 99, abotia@wanadoo.fr V r.-v.

DOM. ARRETXEA Cuvée Haitza 2012 ★★

8500		20 à 30 €

Son père élevait des vaches à Irouléguy. Michel Riouspeyrous voulut rester paysan et il choisit la vigne. Avec Thérèse, il revient au pays en 1989, plante parcelle après parcelle un vignoble en terrasses ou sur des coteaux abrupts. Soucieux d'authenticité, il adopte la démarche bio dès l'origine (et la biodynamie en 1998). Aujourd'hui, un domaine de 8,5 ha, phare de l'appellation.

Vingt-huit mois d'élevage en fût pour ce joyau du domaine Arretxea, né de tannat (80 %) et de cabernet-sauvignon. La robe est intense, couleur tulipe noire, et le nez montant et complexe, sur la griotte, le kirsch, le menthol et la torréfaction. Une attaque ronde et souple introduit une bouche longue et harmonieuse, suave et veloutée, bâtie sur des tanins extraits en douceur. Un avenir radieux en perspective. 2019-2026 sauté d'agneau piment d'Espelette **Hegoxuri 2014 (20 à 30 €; 8000 b.)** B : vin cité.

DOM. ARRETXEA, Riouspeyrous, 64220 Irouléguy, tél. 05 59 37 33 67, arretxea@free.fr V r.-v.

♥ BORDAXURIA 2015 ★★

4000		15 à 20 €

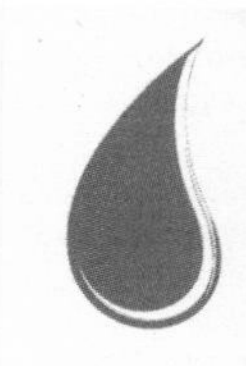

La famille Reca conjugue élevage de brebis laitières et culture viticole à travers deux fermes: Larraldea, à Saint-Just-Ibarre, et Bordaxuria, à Ispoure. Côté vignes, 7 ha en terrasses (et en conversion bio) plantés sur les flancs pentus de l'Arradoy. Deux exploitations conduites depuis 2012 par les sœurs Reca: Oihana, Intza et Elorri. Cette dernière, œuvrant à la vigne avec son compagnon Brice Robelet, a stoppé en 2014 sa collaboration avec la cave de Saint-Étienne-de-Baïgorri pour élaborer ses propres vins.

Une entrée en fanfare dans le Guide pour le domaine avec ce 2015 né à 70 % de gros manseng et à 30 % de petit manseng, éraflés et foulés; pour 70 % du volume la fermentation et l'élevage sont effectués en barrique de 400 l et pour les 30 % restant en cuve Inox. Cela donne un vin intense et pur, aux parfums d'anis, de pêche, d'abricot et de citron un peu confits sur un léger fond toasté. On retrouve le boisé (avec mesure) et les fruits mûrs dans une bouche franche, ample et très équilibrée, offrant beaucoup de densité et de fraîcheur. Un domaine à suivre. 2016-2020 risotto aux gambas et ossau-iraty

ELORRI RECA ET BRICE ROBELET, Bordaxuria, 64220 Ispoure, tél. 06 86 56 66 94, elorrireca@live.fr V r.-v.

DOM. BRANA 2014 ★★

| 22000 | | 15 à 20 € |

Quatre générations au service des vins et des spiritueux. En 1897, Pierre-Étienne Brana fonde une maison de négoce à Ustaritz. Jean installe l'affaire à Saint-Jean-Pied-de-Port. Étienne se lance en 1974 dans la distillation d'eaux-de-vie puis, dix ans plus tard, dans l'élaboration de vins d'Irouléguy. Depuis 1986, c'est Jean (deuxième du nom) qui conduit les 17 ha du domaine établi pour l'essentiel en terrasses.

Les cabernet franc (70 %), tannat (20 %) et cabernet-sauvignon sont assemblés dans ce vin complexe, ouvert sur la griotte, la réglisse et le menthol. La bouche, très équilibrée, surprenante de souplesse et d'aisance, évolue tout en douceur et en fruité, portée par des tanins veloutés et fondus. 2016-2022 poulet basquaise **2014 ★ (15 à 20 €; 14000 b.)** : apprécié pour sa franchise, sa fraîcheur et son intensité aromatique (pêche, abricot, citron et épices). 2016-2020 moules farcies

JEAN BRANA, 3 bis, av. du Jaï-Alaï, 64220 Saint-Jean-Pied-de-Port, tél. 05 59 37 00 44, contact@brana.fr V r.-v.

DOM. GUTIZIA Dotorea 2014

| 3000 | | 11 à 15 € |

Un jeune domaine créé en 2011 à Saint-Étienne-de-Baïgorry par Sébastien Clauzel et Cécile Sabah, à partir de 4 ha de vignes; 5,5 ha aujourd'hui.

Une forte dominante de tannat (90 %, avec les deux cabernets en appoint) dans ce vin couleur d'encre, ouvert sur les fruits noirs et la cerise, avec une note de poivron rouge. L'attaque est souple et fraîche, le milieu de bouche structuré sans excès et la finale portée sur le fruit. Harmonieux. 2016-2020 axoa de veau

SÉBASTIEN CLAUZEL, quartier Leispars, 64430 Saint-Étienne-de-Baigorry, tél. 05 59 37 52 84, domainegutizia@gmail.com V r.-v.

B DOM. ILARRIA 2014

| 6000 | | 15 à 20 € |

Peio Espil reprend en 1987 le domaine familial, où l'on cultive la vigne depuis des siècles. Premier des viticulteurs de l'appellation à vinifier en dehors de la coopérative, il s'engage dans l'agriculture biologique au cours des années 1990. Aujourd'hui, il exploite près de 10 ha.

Le petit manseng et le petit courbu sont associés à parts égales dans ce vin au nez discret mais fin d'abricot sec et de mangue. L'attaque est franche, le milieu de bouche assez volumineux et gras, centré sur le coing confit et les épices douces. 2017-2021 pâtes aux fruits de mer

DOM. ILARRIA, 64220 Irouléguy, tél. 05 59 37 23 38, ilarria@wanadoo.fr V t.l.j. sf sam. dim. 10h-12h 14h-18h; oct.-mai sur r.-v. *Peio Espil*

B DOM. XUBIALDEA Ardan Harri 2015 ★

| 3000 | | 11 à 15 € |

Après des études en «viti-œno» et un passage dans des châteaux bordelais puis au domaine Arretxea, Battit Ybargaray a repris l'exploitation familiale en 2008, alors en polyculture (élevage). Il y plante de la vigne (1,3 ha) et vend son raisin au domaine Arretxea pendant trois ans avant de signer son premier millésime en 2015.

Une première pour ce jeune vigneron et déjà de belles promesses avec cette cuvée Ardan Harri (nom basque de la roche ampélite, sur laquelle ont pris racine ses gros et petit mansengs). À un nez élégant et délicat, floral et fruité (citron, pamplemousse), répond avec intensité une bouche franche, dynamique et légèrement suave, agrémentée de nuances exotiques. 2016-2019 poêlée de gambas

YBARGARAY, Dom. Xubialdea, 64220 Lasse, tél. 06 30 77 96 54, y_battitt@hotmail.fr V r.-v.

FLOC-DE-GASCOGNE

Le floc-de-gascogne est produit dans l'aire géographique de l'appellation armagnac. Il s'agit d'un vin de liqueur muté à l'aide de la célèbre eau-de-vie. La région viticole fait partie du piémont pyrénéen et se répartit sur trois départements: le Gers, les Landes et le Lot-et-Garonne. Afin de donner une force supplémentaire à l'antériorité de leur production, les vignerons du floc-de-gascogne ont mis en place un principe nouveau qui n'est ni une délimitation parcellaire telle qu'on la rencontre pour les vins, ni une simple aire géographique comme pour les eaux-de-vie. C'est le principe des listes parcellaires approuvées annuellement par l'INAO.

Les blancs sont issus des cépages colombard, gros manseng et ugni blanc, qui doivent ensemble représenter au moins 70 % de l'encépagement et ne peuvent dépasser seuls 50 % depuis 1996, avec pour cépages complémentaires le baroque, la folle blanche, le petit manseng, le mauzac, le sauvignon, le sémillon; pour les rosés, les cépages sont le cabernet franc et le cabernet-sauvignon, le cot, le fer-servadou, le merlot et le tannat, ce dernier ne pouvant dépasser 50 % de l'encépagement. Les règles de production mises en place par les producteurs sont contraignantes: 3 300 pieds/ha taillés en guyot ou en cordon, nombre d'yeux à l'hectare toujours inférieur à 60 000, rendement de base des parcelles inférieur ou égal à 60 hl/ha…

Les moûts récoltés ne peuvent avoir moins de 170 g/l de sucres. La vendange, une fois égrappée et débourbée, est mise dans un récipient où le moût peut subir un début de fermentation. Aucune adjonction de produits extérieurs n'est autorisée. Le mutage se fait avec une eau-de-vie d'armagnac d'un compte d'âge minimum 0 et d'un degré minimum de 52 % vol. Tous les lots de vins sont dégustés et analysés. En raison

SUD-OUEST

de l'hétérogénéité toujours à craindre de ce type de produit, l'agrément se fait en bouteilles et ces dernières ne peuvent sortir des chais des récoltants avant le 15 mars de l'année qui suit celle de la récolte.

DOM. DE BILÉ ★★

■ | 10 000 | | 8 à 11 €

Un domaine familial de 20 ha, entre les mains du « clan » Della-Vedove – Didier et Marie-Claude, et leurs fils Romain et Thibault – établi non loin de Bassoues, une bastide fortifiée dominée par son donjon. Plantation du vignoble en 1968, premiers armagnacs en 1973, premiers flocs vers 1990.

Issue du merlot et des deux cabernets stimulés par l'armagnac qui leur donne une vitalité toute gasconne, cette harmonieuse mistelle a rendu éloquents les dégustateurs: « explosion de fruit au nez et en bouche, superbe produit, très bel équilibre… ». Comment rester insensible à l'intense éclat de sa robe rouge sombre traversée d'éclairs violines ou à la richesse de son nez déployant des arômes de miel, de jus de raisin, de confiture de fruits rouges ? Le prélude à une bouche ronde et suave, relevée de touches épicées. ⧗ 2016-2019 ¥ mondain au chocolat

DOM. DE BILÉ, Della-Vedove, 32320 Bassoues, tél. 06 12 86 01 97, contact@domaine-de-bile.com V t.l.j. 9h-19h; dim. 9h-13h

DOM. DU CAPITAINE ★

■ | 1800 | | 8 à 11 €

Christophe Mendousse conduit depuis 1988 la propriété familiale située en Ténarèze. Le domaine compte 71 ha, dont 55 ha de céréales et 16 ha de vignes. Les parents de l'exploitant ont commencé la distillation en 1973.

Sur un demi-hectare complanté en colombard, gros manseng et ugni blanc, Christophe Mendousse a récolté ses raisins à la fraîche. Il en a extrait de jolis jus lesquels, assemblés avec habileté, ont reçu l'appoint de l'armagnac. Il en résulte un floc jaune paille aux reflets vert tendre, intensément fruité et très bien équilibré, marqué en finale par une touche d'amertume. ⧗ 2016-2017 ¥ bleu des Causses

EARL DU CAPITAINE, Capitaine, 32410 Beaucaire, tél. 06 08 85 05 65, earlducapitaine@32.sideral.fr V t.l.j. 9h-19h Christophe Mendousse

DOM. DES CASSAGNOLES ★

■ | 4703 | | 8 à 11 €

Autrefois consacré à la seule production d'armagnac, le domaine de 75 ha campe à Grondin, au cœur de la Ténarèze. Janine et Gilles Baumann s'attachent aujourd'hui à élaborer des « flocs de terroir » et des vins de pays.

Alliant des moûts de cabernets et de merlot, ce floc rosé n'a pas craint d'affronter la barricaille pour une longue durée (douze à dix-huit mois). Il en ressort rouge clair, limpide, traversé d'éclairs orangés. Une brillante tenue, prélude à un nez intense centré sur les fruits rouges. Quant à la bouche, elle se montre ronde, fondue, stimulée par les impressions de nervosité apportées par l'armagnac. ⧗ 2016-2019 ¥ forêt noire ■ **(8 à 11 €; 3845 b.)** : vin cité.

DOM. DES CASSAGNOLES, Famille Baumann, 32330 Gondrin, tél. 05 62 28 40 57, j.baumann@domainedescassagnoles.com V t.l.j. sf dim. 9h-12h30 14h-18h

DE CASTELFORT ★

■ | 50 000 | | 8 à 11 €

Marque de la coopérative de Nogaro, créée en 1963, premier producteur de l'appellation. Les flocs De Castelfort sont élaborés sur Les Hauts-de-Montrouge, au cœur du Bas-Armagnac. Les vignes s'enracinent sur des sables fauves, qui confèrent aux vendanges un fruité délicat.

Fidèle au rendez-vous du Guide, la Cave des Producteurs réunis de Nogaro voit deux de ses flocs sélectionnés. Or pâle brillant, ce blanc assemble à l'armagnac des moûts de colombard, de gros manseng et de sauvignon. Il libère au nez des senteurs de fruits à l'alcool, en harmonie avec une bouche cossue, tonifiée par une belle fraîcheur qui donne relief et longueur à la finale. ⧗ 2016-2019 ¥ tarte aux abricots ■ ★ **(8 à 11 €; 50 000 b.)** : le floc rosé, issu des cépages tannat, merlot et cabernet-sauvignon, présente un joli nez entre groseille, framboise, cerise et cassis. Fort du soutien de l'armagnac, il se montre onctueux, équilibré, de bonne longueur. ⧗ 2016-2018 ¥ tarte aux fraises

CPR – LES CPR – HAUTS-DE-MONTROUGE, 32110 Nogaro, tél. 05 62 09 01 79, info@hdmontrouge.com V t.l.j. sf dim. lun. 9h-12h 14h-18h

DOM. CHIROULET Sensation Fruit ★★

■ | n.c. | | 8 à 11 €

Héritier de quatre générations de vignerons établies ici depuis 1873, Philippe Fezas contemple de son domaine de 38,5 ha la petite église du XIIIe s. érigée au hameau d'Heux, tout proche. Dans les rangs de vignes souffle le *chiroula*, un vent bienfaisant qui sèche les grappes, lesquelles donneront des flocs, des armagnacs et des Côtes de Gascogne de haute expression. Une valeur sûre.

Vent sec et vivifiant, médecin naturel de la vigne, le chiroulet a, une fois encore, rempli son office, donnant des vendanges saines de merlot et de cabernet franc, cépages à l'origine de ce floc. Philippe Fezas a bichonné pendant plus d'un an l'élevage en foudre de bois pour obtenir un rosé magistral, à la robe cerise et au nez d'une rare élégance rappelant les fruits à l'armagnac. La bouche, franche et conquérante, est ample et souple. Une longue finale veloutée achève la dégustation d'une remarquable bouteille. ⧗ 2016-2017 ¥ sachertorte aux amandes ■ ★ **(8 à 11 €; n.c.)** : issu des trois cépages emblématiques de l'appellation, colombard, ugni blanc et gros manseng, ce floc blanc a fait mouche grâce à son fruité et à sa fraîcheur. ⧗ 2016-2019 ¥ quatre-quarts aux pommes

EARL FAMILLE FEZAS, Dom. Chiroulet, 32100 Larroque-sur-l'Osse, tél. 05 62 28 02 21, chiroulet@wanadoo.fr V t.l.j. sf dim. 9h-12h 14h-18h30; f. sam. oct.-mai

CAVE DE CONDOM ★★★

■ | 26000 | 5 à 8 €

Fondée dans les années 1950, la coopérative de Condom a rejoint le groupe Plaimont Producteurs, leader des vins du Sud-Ouest produisant 40 millions de bouteilles par an. La cave représente aujourd'hui plus de 150 producteurs cultivant quelque 1 400 ha, essentiellement en IGP Côtes de Gascogne.

La cave de Condom se montre capable de rivaliser avec les ténors de l'appellation. Pour preuve, ce floc rosé, mêlant des jus de merlot et de cabernets, qui a participé à la finale des prétendants au coup de cœur. Les dégustateurs ne tarissent pas d'éloges sur son compte: robe vive, bouquet complexe débordant d'intenses arômes de fruits frais et de fleurs blanches, bouche savoureuse et gourmande en parfait équilbre avec l'armagnac. ⧗ 2016-2018 ▼ crumble aux fruits rouges ■ ★ (5 à 8 €; 13000 b.) : mêlant des moûts de colombard et de gros manseng, le floc blanc de la Cave obtient une belle étoile, tant pour son nez floral et fruité que pour sa bouche flatteuse, onctueuse et équilibrée. ⧗ 2016-2017 ▼ toasts de foie gras

⊶ VAL DE GASCOGNE, Cave de Condom, 59, av. des Mousquetaires, 32100 Condom, tél. 05 62 28 12 16 V t.l.j. sf dim. 8h30-12h30 14h30-19h

♥ DOM. D'EMBIDOURE ★★

■ | 4000 | 8 à 11 €

Les deux sœurs Menegazzo, Nathalie et Sandrine, ont ajouté les flocs et les vins de pays à la tradition bachique inaugurée par leur père avec l'armagnac. Elles exploitent 33 ha de vignes au village de Réjaumont, dans le Haut-Armagnac, ainsi qu'un verger de pommiers. Une valeur sûre de la Gascogne viticole.

Mariant colombard et gros manseng assemblés à parité à l'armagnac, ce floc en impose d'emblée avec sa robe jonquille aux reflets dorés et ses délicates senteurs de fruits blancs. En bouche, ce sont des arômes de fruits exotiques, ananas en tête, qui s'épanouissent, en harmonie avec une eau-de-vie judicieusement dosée. De l'excellence en flacon. ⧗ 2016-2018 ▼ banana split ■ **(8 à 11 €; 4000 b.)** : vin cité.

⊶ EARL MENEGAZZO FILLES, Dom. d'Embidoure, 32390 Réjaumont, tél. 05 62 65 28 92, menegazzo.embidoure@wanadoo.fr V *t.l.j. 9h-12h 14h-18h30; sam. dim. sur r.-v.*

DOM. ENTRAS ★★

■ | 5000 | | 8 à 11 €

Tout a commencé après guerre dans la Ténarèze: Zoé et Miguel Maestrojuan sont ouvriers agricoles à la ferme de Bordeneuve, qu'ils finissent par acheter. Aujourd'hui, leurs héritiers, qui ont abandonné la production laitière, cultivent 29 ha de coteaux entre l'Auloue et la Baïse.

Un assemblage de style très aquitain (cabernet-sauvignon et merlot) pour ce floc affichant une impressionnante robe rouge foncé. L'armagnac stimule avec délicatesse un bouquet concentré de fruits rouges et noirs confits. La bouche aux arômes gourmands de pâtsserie et de fruits conturés offre une chair veloutée, où les sucres résiduels (157 g/l) sont très présents mais bien intégrés. ⧗ 2016-2017 ▼ fondant au chocolat ■ **(8 à 11 €; 4000 b.)** : vin cité.

⊶ MICHEL MAESTROJUAN, Entras, 32410 Ayguetinte, tél. 05 62 68 11 41, mbrmaestrojuan@wanadoo.fr V *t.l.j. sf dim. 9h-18h*

FERME DE GAGNET ★★

■ | 6000 | | 8 à 11 €

À la ferme de Gagnet, les femmes commandent: Marielle, Marion, Caroline et Éliane Tadieu y conduisent 10 ha de vignes et un élevage de canards, dont les foies gras accompagnent fort bien le floc.

«Sublime!» conclut un juré sur la fiche de dégustation de ce floc rouge, élu coup de cœur dans l'édition précédente et finaliste cette année. Mariant à l'armagnac le merlot et le cabernet franc, il arbore une robe rouge vif frangée de reflets violines, et libère au nez d'intenses arômes de fruits rouges, fraise en tête. On retrouve les fruits frais dans une bouche à l'attaque ronde et tonique. «Il a du peps», écrit un expert. ⧗ 2016-2019 ▼ moelleux au chocolat ■ ★★ **(8 à 11 €; 6000 b.)** : du colombard, de l'ugni blanc et du gros manseng s'allient à l'armagnac dans cette mistelle d'une rare élégance, aux arômes de pêche blanche et de mangue stimulés par des notes citronnées. ⧗ 2016-2018 ▼ foie gras

⊶ FERME DE GAGNET, Gagnet, 47170 Mézin, tél. 06 82 36 19 82, fermedegagnet@gmail.com V *t.l.j. sf dim. 9h-13h 15h-19h*

CH. GARREAU ★

■ | 7730 | | 8 à 11 €

Une vaste propriété (plus de 82 ha) du Bas-Armagnac où les 29 ha de vignes côtoient bois, landes et étangs. Propriété d'un prince russe au XIXes., dans la famille Garreau depuis 1919, elle a été développée par Charles Garreau, ingénieur agricole, qui a mis à profit une recette du XVIes. pour élaborer du floc au côté de l'armagnac. Aujourd'hui, Pierre Garreau et sa fille Carole perpétuent son œuvre.

Belle réussite que ce floc blanc «gavé» des richesses aromatiques du colombard, présent à 65 % dans l'assemblage, avec les gros manseng et ugni blanc. Les jurés ont aimé l'éclat de sa robe jaune clair brillant, puis l'olfaction centrée sur les agrumes frais agrémentés de touches florales. La bouche, équilibrée, dispense longuement des saveurs fruitées, rehaussées d'une vigoureuse présence de la «blanche» (jeune armagnac fruité élevé en cuve). ⧗ 2016-2019 ▼ foie gras poêlé

⊶ SCEA CH. GARREAU, Gayrosse, 40240 Labastide-d'Armagnac, tél. 05 58 44 84 35, chateau.garreau@wanadoo.fr V *t.l.j. 9h-12h 14h-18h*

DOM. DE GUILHON D'AZE

■ | 16000 | | 8 à 11 €

Propriété de la famille Tastet depuis plus d'un siècle, le domaine couvre 60 ha dans le Bas-Armagnac, à Larée dans le Gers. Denis Tastet est l'actuel maître des lieux, à la suite de son père André.

Très marqué par l'armagnac, ce rosé exprime toute la jovialité fruitée que l'on attend d'un floc. Arborant une robe carminée aux reflets cuivrés, il développe des senteurs intenses de petits fruits rouges, arômes qui se prolongent dans une bouche chaleureuse, partagée entre saveurs confites et notes de jus de raisin. ⧗ 2016-2019 🍴 tarte aux fraises

DENIS TASTET, Dom. de Guilhon d'Aze, 32150 Larée, tél. 05 62 09 53 88, contact@denis-tastet.fr V t.l.j. 9h-12h 14h-19h

DOM. DE JOŸ ★

■ | n.c. | | 8 à 11 €

Originaire de Suisse, Paul Gessler s'installe en Bas-Armagnac en 1927. En 1988, Roland et Olivier, ses petits-fils, ont pris les rênes de ce vaste domaine de 160 ha implanté sur des sols argilo-siliceux et limono-siliceux. S'ils cultivent surtout des cépages blancs, ils proposent une large gamme d'armagnacs, de flocs et de côtes-de-gascogne dans les trois couleurs.

Deux années d'élevage en cuve, avec de fréquents bâtonnages, ont donné une belle envergure à ce floc d'un jaune brillant aux reflets émeraude. Il se manifeste au nez par un fruité intense, traduisant une vendange mûre à souhait. La bouche harmonieuse, tout en rondeur, est gorgée de fruits mûrs. ⧗ 2016-2017 🍴 billes de melon au jambon

SARL JOŸ SÉLECTION, A Joÿ, 32110 Panjas, tél. 05 62 09 03 20, joy-selection@domaine-joy.com V t.l.j. sf dim. 9h-12h 14h-18h *Gessler*

DOM. DE LAGAJAN

■ | 6600 | | 8 à 11 €

Dans la famille depuis le XVIIIe s., ce domaine (43 ha) s'est transmis par les femmes jusqu'à Gisèle et Constantin Georgacaracos qui en ont pris les rênes en 1992, rejoints par leurs enfants Katia et Dimitri. La propriété est implantée sur l'ancienne «route de César», route de crête qui marquait la ligne de séparation des eaux entre le bassin de la Garonne, à l'est, et celui de l'Adour, à l'ouest.

Du merlot (70 %) et du cabernet se marient à l'armagnac dans ce floc à la robe flatteuse, carmin aux reflets orangés. Le nez, d'abord un peu végétal, dévoile à l'aération des senteurs de fruits confits, de noyau, nuancées de notes d'amande fraîche. La bouche, alerte et avenante, garde un bel équilibre. ⧗ 2016-2019 🍴 melon du Gers

DIMITRI GEORGACARACOS, Dom. de Lagajan, av. de Sauboires, 32800 Eauze, tél. 05 62 09 81 69, domaine.lagajan@cegetel.net V t.l.j. 9h-13h 14h-19h

DOM. DE LARTIGUE ★

■ | 4000 | | 8 à 11 €

Proche d'Eauze, au cœur du Bas-Armagnac, ce domaine de 40 ha a été fondé en 1952 par le grand-père de Sonia et Jérôme Lacave, horticulteur et pépiniériste. Il a ajouté à sa production de plants de vignes, des armagnacs, des flocs et des Côtes de Gascogne. Le magasin se trouve face à la place du village de Bretagne-d'Armagnac.

Ce rosé (143 g/l de sucres résiduels) affiche une robe limpide, vermillon aux reflets orangés, et offre un nez intense et gourmand, tout en fruits rouges. La bouche, elle aussi pleine d'allant, déploie des arômes de cerise confite bien mariés avec l'armagnac. ⧗ 2016-2017 🍴 fondant au chocolat ■ **(8 à 11 €; 4000 b.)** : vin cité.

EARL FRANCIS LACAVE, Dom. de Lartigue, Au Village, 32800 Bretagne-d'Armagnac, tél. 05 62 09 90 09, francis.lacave@wanadoo.fr V *r.-v.*

DOM. DE LAUBESSE ★

■ | 2650 | 8 à 11 €

Aux confins de la forêt des Landes, le village de Hontanx est un «Castelnau» gascon, célèbre pour sa porte fortifiée, ses trois étangs et le château d'Aon. «Hont» signifie source ou fontaine en gascon. Autour de la maison ombragée par des chênes centenaires s'étendent les 12 ha de vignes de Josette et Corinne Lacoste, aux commandes depuis 2000.

Des cabernet franc et merlot d'où il est issu, ce chatoyant floc de couleur cerise nuancé de violine a su extraire élégance et concentration. Un mutage précis a permis une belle expression de l'armagnac, qui signe l'authenticité gasconne. L'olfaction intense, sur les fruits rouges, est suivie par une bouche riche et équilibrée. ⧗ 2016-2019 🍴 mousse au chocolat ■ ★ **(8 à 11 €; 2650 b.)** : or pâle, ce floc blanc, qui doit beaucoup à la présence de l'ugni blanc (60 %), joue la carte de la fraîcheur. ⧗ 2016-2017 🍴 foie gras

CORINNE LACOSTE, Dom. de Laubesse, 2155, rte de Péjouan, 40190 Hontanx, tél. 06 10 70 90 59, armagnac.lacoste@wanadoo.fr V *t.l.j. sf dim. 14h-19h*

DOM. DE MAGNAUT ★

■ | 2000 | 8 à 11 €

Ce domaine de 44 ha situé en Ténarèze, dans le nord du Gers, s'est fait connaître grâce aux armagnacs de Pierre Terraube. C'est son fils Jean-Marie, arrivé en 2000, qui entretient à présent sa réputation. À sa carte, des armagnacs, des flocs et des côtes-de-gascogne.

Lors d'une «Alambic Party» organisée au domaine de Magnaut, vous pourrez découvrir ce floc à la superbe robe cerise. Intense et chaleureux, le nez délivre des senteurs de fruits frais où la mûre, la framboise et le cassis jouent les premiers rôles. Autant d'arômes que l'on retrouve dans une bouche vive, équilibrée et gourmande en diable. ⧗ 2016-2019 🍷 clafoutis aux cerises ■ ★ **(8 à 11 €; 2000 b.)** : encore un peu fermé et sous l'emprise de l'armagnac, ce floc ample et frais aux arômes de fruits jaunes présente un bon potentiel. ⧗ 2016-2019 🍷 crêpes au foie gras

JEAN-MARIE TERRAUBE, Dom. de Magnaut, 32250 Fourcès, tél. 05 62 29 45 40, domainedemagnaut@wanadoo.fr V *t.l.j. sf dim. 9h-12h 14h-18h*

CH. DE MILLET ★

■ | 6000 | 5 à 8 €

Au château de Millet, on sait recevoir : les touristes œnophiles séjournent dans l'ancien pigeonnier restauré du XV^e^s. Francis et Lydie Dèche et leur fille Laurence dirigent ce domaine de 86 ha établi à Eauze, l'une des plus anciennes cités de Gascogne, au cœur du Bas-Armagnac.

Fort apprécié, ce floc naît des trois cépages emblématiques du pays gascon (colombard, ugni blanc, gros manseng) mutés à l'armagnac. De couleur jaune doré, il s'annonce par un nez captivant, mêlant à un opulent fruité des touches boisées, beurrées, épicées (noix muscade), des nuances de caramel. Gourmande de l'attaque à la finale, bien équilibrée entre le sucre et l'armagnac, la bouche garde cette qualité aromatique. ⧗ 2016-2019 🍷 canard à l'aigre douce ■ **(5 à 8 €; 6000 b.)** : vin cité.

CH. DE MILLET, 3356, rte de Parlebosq, 32800 Eauze, tél. 05 62 09 87 91, info@chateaudemillet.com V *t.l.j. sf dim. 9h-12h 14h-18h* Ⓓ *Dèche*

Ⓑ MONLUC ★

■ | 4000 | | 11 à 15 €

Le château féodal vit naître Blaise de Monluc, homme de lettres et, plus encore, homme de guerre et maréchal de France, qui s'illustra pendant les guerres d'Italie avant d'être envoyé par la Couronne pacifier l'Aquitaine durant les guerres de Religion. Le domaine de Noël Lassus couvre 70 ha et il est conduit depuis 2010 en agriculture biologique.

Tout de jaune vêtu, ce floc blanc naît d'un assemblage par tiers de sauvignon, de colombard et d'ugni blanc mariés à l'armagnac. Fort de 158 g/l de sucres résiduels, il développe des nuances chaleureuses de fruits jaunes secs enveloppés d'armangnac et affirme une présence «virile» en bouche, en particulier dans sa finale intense, généreuse et fruitée. Un floc bien construit. ⧗ 2016-2021 🍷 tarte aux mirabelles

SAS DOM. DE MONLUC, Ch. de Monluc, 32310 Saint-Puy, tél. 05 62 28 94 00, contact@monluc.fr V *t.l.j. sf dim. lun. 10h-12h 15h-19h; f. janv. Lassus*

CH. DE MONS ★★

■ | 4800 | | 11 à 15 €

À la sortie de Caussens, au sommet d'un coteau, s'élève le château de Mons, construit en 1285 pour le roi Edouard Ier d'Angleterre sur un des chemins de Saint-Jacques de Compostelle. Les bâtiments et le domaine de 35 ha appartiennent depuis 1963 à la chambre d'Agriculture du Gers.

Le château de Mons offre un cadre idéal pour le tourisme culturel et les séminaires. Les visiteurs apprécieront ce floc rosé, expression des merlot et cabernet-sauvignon enracinés sur l'argilo-calcaire, assemblés à parité. L'armagnac, bien fondu, se met au service d'une riche olfaction centrée sur les fruits rouges (cerise, fraise), et participe avec bonheur à l'équilibre d'une bouche fraîche, intensément aromatique et longue. ⧗ 2016-2019 🍷 bûche au chocolat ■ ★ **(11 à 15 €; 5000 b.)** : vif et élégant, ce floc blanc tire sa séduction d'une réelle harmonie entre l'armagnac et sa fougue et de plaisants arômes de fleurs blanches, d'agrumes et d'anis. ⧗ 2016-2018 🍷 fromages à pâte persillée

CHAMBRE D'AGRICULTURE DU GERS, Ch. de Mons, 32100 Caussens, tél. 05 62 68 42 90, j.mora@gers.chambagri.fr V *t.l.j. sf sam. dim. 9h-12h 14h-18h* Ⓔ

DOM. DE PEYRIS ★★

■ | 750 | | 8 à 11 €

Les vins (IGP Côtes de Gascogne), flocs et armagnacs du domaine de Peyris sont élaborés au lycée public agri-viticole de Riscle, un bel atelier pédagogique disposant de 19 ha de vignes et, depuis 2006, d'un chai.

Ceux qui considèrent encore avec condescendance les lycées professionnels sont invités à apprécier le travail du lycée de Riscle, en bonne place pour ses flocs dans les deux couleurs. Assemblant à l'armagnac les colombard et gros manseng à parité, le blanc affiche une robe or lumineux aux multiples reflets verts. Intensément floral, le nez prélude à une bouche équilibrée, chaleureuse et longue, à la finale très fruitée. Un floc moderne, qui s'accommodera de nombreuses façons. ⧗ 2016-2018 🍷 salade de fruits exotiques ■ ★★ **(8 à 11 €; 1200 b.)** : très aromatique, le rosé, pimpant dans sa robe rubis, mêle harmonieusement des fragrances de fruits noirs à celles de l'armagnac. ⧗ 2016-2017 🍷 mousse au chocolat

EXPLOITATION DU LYCÉE PROFESSIONNEL AGRICOLE DE RISCLE, voie Edgar-Morin, 32400 Riscle, tél. 05 62 69 72 16, expl.riscle@educagri.fr V *r.-v.*

DOM. POLIGNAC ★★★

■ | 3000 | | 8 à 11 €

Village gascon posé au milieu du vignoble de l'Armagnac, Gondrin est situé sur l'une des routes empruntées jadis par les pèlerins de Saint-Jacques-de-Compostelle. Jacques Gratian, à la tête de l'exploitation familiale depuis 1981, est passé maître dans l'art du floc. Il propose aussi armagnacs et côtes-de-gascogne.

Le domaine est souvent remarqué pour ses flocs rosés, et celui-ci se situe au-dessus du panier. Sa robe lumineuse, évoquant les clairets girondins, est un charmant prélude au nez élégant, tout en fruits rouges. Fraîche et stimulante à l'attaque, la bouche se déploie sans heurt, dévoilant une rondeur voluptueuse. «Un vrai floc!» conclut l'un des jurés. ⧗ 2016-2018 🍷 tarte aux abricots ■ ★ **(8 à 11 €; 12000 b.)** : assemblant par tiers les traditionnels colomard, ugni blanc et gros manseng, un floc blanc équilibré et fruité à souhait. ⧗ 2016-2019 🍷 mousse à l'orange

EARL GRATIAN, Polignac, 32330 Gondrin, tél. 05 62 28 54 74, j.gratian@cerfrance.fr t.l.j. 10h-13h 15h-19h

DOM. DE SAINT-LANNES ★★

| 4000 | 8 à 11 € |

Au hameau de Saint-Lannes, dans les années 1950, les gens vivaient l'autarcie à la gersoise entre céréales, vaches, basse-cour et vignes. Michel Duffour, arrivé en 1973 sur l'exploitation familiale, a élaboré sa première bouteille de vin en 1982. Aujourd'hui appuyé par son fils Nicolas, il exporte 90 % de sa production.

Colombard et gros manseng assemblés à parité constituent la base de ce floc blanc, qui montre tout au long de la dégustation un harmonieux mariage avec l'armagnac. Aussi séduisant que l'élégante robe jaune pur aux reflets verts, le nez libère des senteurs florales et fruitées et le palais se montre équilibré, rond et fondu. 2016-2017 poires caramélisées

VIGNOBLES DUFFOUR, Dom. Saint-Lannes, 32330 Lagraulet-du-Gers, tél. 05 62 29 11 93, marlene.duffour@saint-lannes.fr r.-v.

LES IGP DU SUD-OUEST

Le grand Sud-Ouest embrasse deux zones viticoles, celle de l'Aquitaine et des Charentes et celle des pays de la Garonne. Il comprend deux vastes IGP régionales : l'IGP Atlantique, créée en 2006, qui inclut la Gironde (laquelle n'était pas autorisée à produire des vins de pays avant cette date), les deux Charentes, la Dordogne et quelques cantons à l'ouest du Lot-et-Garonne ; l'IGP Comté tolosan, qui s'étend sur dix départements, des Pyrénées-Atlantiques et des Landes à l'Ariège et au Cantal) embrassant donc les pays de l'Adour. Le Sud-Ouest compte de nombreuses IGP départementales, dont le nom diffère parfois de celui du département : Charentais (les deux Charentes), Périgord, Haute-Vienne, Corrèze, Côtes du Lot, Landes, Gers, Aveyron, Haute-Vienne) ; et enfin d'autres zones, la plupart restreintes, comme Thézac-Perricard (45 ha entre Agen et Cahors), Agenais (250 ha), Lavilledieu (20 ha sur les terrasses au confluent du Tarn et de la Garonne), Côtes du Tarn (au nord-ouest du département), Coteaux de Glanes (40 ha du côté de Rocamadour). Parmi ces zones ni régionales ni départementales, les Côtes de Gascogne occupent une place vraiment à part. Correspondant à l'aire de l'armagnac, centrée sur le Gers, elles couvrent 13000 ha et fournit environ 700000 hl (blancs à 85 %), faisant du Sud-Ouest une des principales régions de production des vins IGP après le Languedoc-Roussillon.

Les principaux cépages utilisés pour les IGP du Sud-Ouest sont ceux du Bordelais (merlot, cabernets, sauvignon, sémillon...) et du Sud-Ouest (le malbec de Cahors, le tannat, le petit et le gros mansengs du Piémont pyrénéen, le fer-servadou, le colombard et l'ugni blanc des Charentes et de l'Armagnac, ou encore l'abouriou, le baroque. La syrah s'est fait une place dans les vignobles les plus orientaux, ainsi que le gamay. Le chardonnay, qui est partout, est aussi cultivé, même s'il est moins visible qu'ailleurs. Ces cépages sont vinifiés seuls ou en assemblage.

IGP AGENAIS

BARON DE LISSE Cabernet-sauvignon 2015

| 2000 | | - de 5 € |

Implanté sur le site d'une demeure médiévale, ce domaine, viticole depuis le XIXᵉs., est conduit depuis 2001 par Cedric Walcker, à la tête aujourd'hui de 12,5 ha de vignes.

Du seul cabernet-sauvignon est née cette cuvée qui marie agréablement la fraise et la framboise sur un fond boisé très discret. La bouche, bien équilibrée, ronde et ample, maintient ce caractère fruité jusqu'en finale. Un vin bien construit, simple et plaisant. 2016-2020 pintade à l'armagnac **Marquis de Bonas Chardonnay 2015 (5 à 8 €; 1400 b.)** : vin cité.

SCEA CH. DE LISSE, 47170 Lisse, tél. 05 53 65 19 87, info@bonaslisse.com t.l.j. sf sam. dim. 14h-17h30

DOM. LOU GAILLOT
Réserve Élevé en fût de chêne 2014 ★

| 5100 | | 5 à 8 € |

Sur ce domaine situé aux confins du Lot et du Périgord, l'œnologue Gilles Pons (sixième génération) conduit un vignoble de 12 ha, en agriculture biologique depuis 2010.

L'association bien maîtrisée du cabernet franc, du cabernet-sauvignon et du merlot aboutit à ce vin ouvert sur les fruits rouges, la réglisse et un boisé fondu, au palais franc et frais, ample et bien épaulé par des tanins doux. Un ensemble déjà charmeur, qui vieillira bien. 2017-2022 cailles farcies **Excellence 2014 (8 à 11 €; 3900 b.)** : vin cité.

GILLES PONS, Les Gaillots, 47440 Casseneuil, tél. 05 53 41 04 66, lougaillot@wanadoo.fr t.l.j. sf mer. dim. 9h-12h 14h-18h30

IGP ARIÈGE

DOMINIK BENZ Tête sage 2014 ★★

| 4500 | | 20 à 30 € |

Une formation dans l'artisanat, puis une conversion dans l'informatique. En 2008, Dominik Benz, natif de Zurich, entreprend un mois de trekking autour de l'Everest qui va changer sa vie: fini l'informatique bancaire, à lui les vignes et le vin. Après s'être formé en «viti-œno» dans son pays natal, il rejoint l'Ariège en 2013, avec sa compagne Martina Fretz, pour reprendre un vignoble de 8 ha certifié bio depuis 2009.

Une entrée dans le Guide qui ne passe pas inaperçue pour ce jeune domaine. Sa Tête sage, un pur merlot élevé douze mois en barrique, charme d'emblée par sa robe très noire et ses arômes bien mariés de fruits noirs et de boisé. En bouche, elle se révèle ample et charnue, adossée à des tanins fermes et serrés qui demandent de la patience. Un domaine à suivre... ⌛ 2019-2024 🍷 gigot d'agneau ■ **Nez creux 2014 ★ (15 à 20 €; 2900 b.)** Ⓑ : un joli bouquet de cerise noire mâtiné de notes chocolatées et une bouche concentrée, ferme et fraîche caractérisent cette cuvée mi-tannat mi-merlot. De bonne garde. ⌛ 2018-2023 🍷 boudin noir

⊶ DOMINIK BENZ, Moulin de Beauregard, 09130 Le Fossat, tél. 06 75 59 36 01, info@dominikbenz.fr V 🚶 🍷 *r.-v.*

DOM. DE LASTRONQUES Syrah 2013

■	8000	🛢	5 à 8 €

Situé sur des coteaux argilo-calcaires de la vallée de la Sèze, face aux Pyrénées, ce domaine de 13 ha, fondé en 1998 sur les terres d'une ancienne seigneurie du XVIII[e]s., est l'un des acteurs de la renaissance du vignoble ariégeois et une valeur sûre de l'IGP locale.

Si le nez se révèle discret, la bouche offre plus d'intensité, autour des fruits rouges et des épices, d'une matière ample et concentrée et de tanins musculeux. À attendre pour plus d'expression et de fondu. ⌛ 2018-2021 🍷 épaule d'agneau aux aubergines

⊶ ANDREA ET CHRISTIAN ZELLER, Dom. de Lastronques, 09210 Lézat-sur-Lèze, tél. 05 61 69 12 13, cydoniaviti@wanadoo.fr V 🚶 🍷 *r.-v.*

DOM. DU SABARTHÈS Dolines 2013 ★★

■	3000	🛢	8 à 11 €

Situé dans le Plantaurel, dans l'enceinte du Parc régional naturel, ce domaine de 28 ha a été créé en 2000. Il est géré par l'APAJH (Association pour adultes et jeunes handicapés) et produit des vins régulièrement appréciés dans toutes les couleurs de l'IGP Ariège. La conversion bio est envisagée à l'horizon 2017.

Merlot (60 %) et syrah sont associés dans cette cuvée particulièrement bien maîtrisée dans un millésime difficile. Le nez complexe associe les épices et les fruits rouges mûrs au grillé de la barrique. Suivant la même ligne aromatique, la bouche est longue, ronde et bien assouplie, bâtie sur des tanins soyeux et fondus. ⌛ 2017-2021 🍷 bœuf bourguignon ■ **Les Vignals 2014 ★ (8 à 11 €; 7500 b.)** : tannat, cabernet franc et merlot collaborent à ce vin apprécié pour sa complexité aromatique (épices, violette, fruits mûrs), sa fraîcheur, ses tanins serrés et son volume. ⌛ 2018-2022 🍷 côte de bœuf

⊶ ENTREPRISE ADAPTÉE LE SABARTHÈS, lieu-dit Bourmaud, 09120 Montégut-Plantaurel, tél. 05 61 05 33 33, terroirs@apajh09.asso.fr V 🚶 🍷 *t.l.j. sf dim. 10h-12h 13h30-18h; lun. 13h30-18h ⊶ APAJH 09*

IGP AVEYRON

DOM. DU MIOULA Terres blanches 2015 ★

□	n.c.	🍾	5 à 8 €

Le mioula («milieu» en patois), c'est le milieu des vignes. Cultivé par les moines de Conques au XI[e]s., puis par les abbés de la cathédrale de Rodez au XII[e]s., ce vignoble mal en point a été restauré à partir de 1994 par Philippe Angles, qui en a fait l'un des piliers de l'appellation marcillac.

Un assemblage original de muscadet, de chardonnay et de chenin est à l'origine de ce 2015 au nez délicat, frais et citronné, marqué par des touches végétales évoquant le houblon. Une attaque franche ouvre sur un palais droit, tendu par une fine trame acidulée qui lui donne une belle allonge. Un vin énergique et frais. ⌛ 2016-2017 🍷 huîtres

⊶ PHILIPPE ANGLES, SCEA du Mioula, Saint-Austremoine, 12330 Salles-la-Source, tél. 05 65 71 83 69, basgroupe@wanadoo.fr V 🚶 🍷 *r.-v.*

IGP COMTÉ TOLOSAN

DOM. BELLEVUE LA FORÊT
Viognier Roussanne Version Or 2015 ★

□	3750	🍾	5 à 8 €

Avec 100 ha d'un seul tenant, Bellevue la Forêt est le plus vaste domaine de l'appellation Fronton. Patrick Germain, issu d'une lignée de viticulteurs d'Afrique du Nord, l'avait acquis en 1974, un an avant la création de l'AOC, puis mis en valeur et en avait largement diffusé les vins. En 2008, il l'a vendu à Philip Grant. Formé au vin, l'homme d'affaires irlandais ne manque pas d'ambition pour le vignoble.

Cette cuvée mi-viognier mi-roussanne s'ouvre sur les fleurs blanches et de discrètes notes végétales. La bouche affiche un bel équilibre: ronde et charnue, elle trouve en finale une fraîcheur bienvenue. ⌛ 2016-2019 🍷 quenelles de brochet

⊶ DOM. BELLEVUE LA FORÊT, 5580, rte de Grisolles, 31620 Fronton, tél. 05 34 27 91 91, cblf@chateaubellevuelaforet.com V 🚶 🍷 *t.l.j. sf dim. 9h30-12h30 14h-18h ⊶ Philip Grant*

CH. DE CABIDOS
Petit manseng Cuvée les Ânesses 2012

□	10000	🛢🍾	8 à 11 €

Agriculteur originaire de l'Aisne, Vivien de Nazelle possédait une gentilhommière dans le nord du Béarn. Découvrant son passé viticole, il entreprit à partir de 1995 de redonner vie à ce vignoble oublié et replanta la vigne: 9 ha aujourd'hui, et des installations dernier cri qui lui permettent d'élaborer d'excellents vins, blancs secs et doux notamment, très souvent en vue dans ces pages. En 2015, le domaine a été repris par la famille Alday.

De jeunes ceps de douze ans sont à l'origine de ce moelleux de bonne intensité, sur les fruits blancs, le miel et l'abricot sec. La bouche se révèle très suave, à la limite du liquoreux, dévoilant en finale des notes d'agrumes qui apportent un supplément de vivacité. ⌛ 2017-2021 🍷 tarte au citron

⊶ DOM. VITICOLE DU CH. DE CABIDOS, SCEA Arnoa, 64410 Cabidos, tél. 05 59 04 43 41, contact@chateau-de-cabidos.com V 🚶 🍷 *t.l.j. 9h-17h30; sam. dim. sur r.-v. ⊶ Famille Alday*

DOM. DE CANDIE
Le Chardonnay de Candie 2014 ★

1100 | 5 à 8 €

Le domaine de Candie appartient à la ville de Toulouse depuis 1976. Avec ses 25 ha de vignes, il constitue le plus vaste vignoble du genre en France. Le chai est établi dans une bastide du XIII^e^s. bordé de douves.

Un vin très «urbain» aux deux sens du terme. Né aux portes de Toulouse, il plaît par son bouquet aimable et engageant de fleurs blanches, d'abricot sec et de brioche, et par sa bouche ronde, tendre et longue, épaulée par un boisé bien fondu. ⌛ 2016-2019 🍷 cabillaud à la crème

DOM. DE CANDIE, 17, chem. de la Saudrune, 31100 Toulouse, tél. 05 61 07 51 65, pierrette.bennhardt@mairie-toulouse.fr V r.-v. *RAVT*

♥ DOM. DU CRAMPILH Cuvée l'Obra 2015 ★★

5200 | 8 à 11 €

Une maison béarnaise isolée, dominant un vallon agreste. L'exploitation se transmet depuis quatre générations et Bruno Oulié, ancien rugbyman et animateur sportif, a pris la relève en 1995. Le domaine couvre 24 ha, dédiés au madiran, au pacherenc-du-vic-bilh et aux IGP du Comté tolosan.

À deux doigts du coup de cœur dans le millésime précédent, cette œuvre («obra» en béarnais) née du gros manseng (55 %) et du petit courbu fait l'unanimité dans sa version 2015. Jolie robe jaune paille aux reflets d'or, nez complexe et original d'agrumes, de menthe blanche et de camphre, l'approche est élégante et engageante. En bouche, on découvre un vin franc, tonique, droit dans ses bottes, étiré dans une longue finale citronnée. Une vitalité qui lui donne des airs de famille avec le 2014. ⌛ 2016-2020 🍷 boulettes de poisson menthe citron

DOM. DU CRAMPILH, 14, chem. Lafitau, 64350 Aurions-Idernes, tél. 05 59 04 00 63, madirancrampilh@orange.fr V *t.l.j. sf sam. dim. 9h-12h 14h-18h* *Bruno Oulié*

DOM. DE CRANSAC Exception 2015 ★

3000 | 5 à 8 €

Un vrai château du XVII^e^s., en brique rose, et un domaine de 150 ha, dont 50 ha de vignes implantées sur les anciennes terrasses du Tarn. La propriété, longtemps exploitée en cave coopérative, a été achetée en 1999 par Laurent Philis qui a produit sa première cuvée en 2003 et se distingue depuis régulièrement, aussi bien en fronton rouge qu'en rosé.

Un pur sauvignon au profil aromatique fin et charmeur, sur la pêche et les agrumes. La bouche est souple, tendre et fraîche. Simple et harmonieux. ⌛ 2016-2017 🍷 papillote de poisson

SCEA DOM. DE CRANSAC, 1020, chem. du Cotité, 31620 Fronton, tél. 05 62 79 34 30, marketing@chateaucransac.com V *t.l.j. sf sam. dim. 9h-12h 14h-18h*

ALAIN GAYREL Isatis Intemporel

40000 | 5 à 8 €

Un domaine régulier en qualité, pour ses gaillac mais aussi pour ses vins de pays, dirigé par Alain Gayrel et son fils Vincent.

Un vin mi-mauzac mi-sauvignon qui associe le citron, le coing et le miel à l'olfaction. Arômes prolongés par une bouche bien équilibrée entre une légère douceur (30 g/l de sucres résiduels) et une acidité maîtrisée. Simple et efficace. ⌛ 2016-2019 🍷 toast de foie gras

ALAIN ET VINCENT GAYREL, 103, av. Foch, 81600 Gaillac, tél. 05 63 81 21 11, gaillac@cave-gaillac.fr V *t.l.j. 9h30-12h30 14h30-19h30*

LE MAS DES ANGES
Coteaux et Terrasses de Montauban 2014 ★

7400 | 8 à 11 €

Le Mas des Anges est un vignoble récent quand Juan Kervyn le reprend en 2007. Les vignes, dans l'âge tendre, couvrent 4,3 ha. Le vigneron privilégie les rendements maîtrisés.

Les douze mois de fût impriment leur marque à l'olfaction, sans toutefois étouffer les fruits, noirs et mûrs. Une attaque franche prélude à une bouche concentrée, fruitée et bien charpentée par des tanins qui se resserrent en finale. ⌛ 2018-2021 🍷 daube de bœuf

JUAN KERVYN, Le Mas des Anges, 1623, rte de Verlhac-Tescou, 82000 Montauban, tél. 05 63 24 27 05, info@lemasdesanges.com V *r.-v.* 3

DOM. DE MONTELS
Coteaux et Terrasses de Montauban Prestige 2015 ★

10000 | 5 à 8 €

Thierry et Philippe Romain sont propriétaires de deux domaines: Château Montels à Albias, fleuron de l'IGP Coteaux et terrasses de Montauban (40 ha), et Serre de Bovila, à Fargues, 8 ha acquis en 2010 sur l'un des sites les mieux exposés de l'appellation cahors.

Ce moelleux né du seul sauvignon livre un bouquet soutenu de pêche, d'agrumes et d'abricot. Un fruité auquel fait écho avec la même intensité une bouche bien équilibrée entre sucres et acidité. ⌛ 2016-2020 🍷 tarte aux pêches

PHILIPPE ET THIERRY ROMAIN, Dom. de Montels, 82350 Albias, tél. 05 6 31 02 82, philippe@vignoblesromain.com V *t.l.j. sf dim. 9h-12h 14h-19h*

OSEZ L'ESCUDÉ Petit manseng 2015 ★★

3000 | 8 à 11 €

En 2004, Laurent et Murielle Caubet décident d'apporter un nouveau souffle à cette ancienne ferme

béarnaise. Ils louent alors des parcelles de vieilles vignes et transforment le poulailler en chai. Depuis, ils produisent avec brio dans toutes les couleurs et sous deux étiquettes: L'Escudé et le Domaine de Moncade.

Joli tir groupé pour les Caubet avec trois cuvées sélectionnées. En tête, ce 100 % petit manseng expressif, sur la brioche, les fleurs blanches, la pêche et les fruits exotiques. Le palais est bien construit: du gras, de la douceur, de la densité et une acidité fondue qui assure l'équilibre. ⧗ 2016-2021 🍴 fromage de brebis ■ **L'Escudé 2014 ★ (8 à 11 €; 2000 b.)** : le fruit et le bois font bon ménage au nez comme en bouche dans ce vin de bonne concentration, aux tanins fondus et soyeux. ⧗ 2017-2021 🍴 entrecôte marchand de vin ■ **Dom. de Moncade Tannat 2014 ★ (8 à 11 €; 2000 b.)** : un pur tannat fruité (mûre) et vanillé, rond et séveux, structuré en douceur par des tanins tendres. ⧗ 2017-2021 🍴 coq au vin

CAUBET, L'Escudé, 64410 Cabidos, tél. 06 07 47 10 27, vin.lescude@orange.fr V *mar. à ven. 9h-12h 14h-18h30* Ⓑ

♥ DOM. DU POUNTET
Parfum d'Automne 2014 ★★

■	6660		8 à 11 €

VIN DU SUD-OUEST
DOMAINE DU POUNTET
parfum d'automne
2014

Guillaume Combes, œnologue, et sa femme Amanda ont acheté en 2003 ce domaine de 13 ha proche d'Auvillar, cité célèbre par sa halle circulaire. Implanté sur des graves ou des argilo-calcaires propices aux cépages rouges, le vignoble est certifié bio pour la majeure partie depuis 2012.

Une pointe de mauzac (15 %) est associée au petit manseng dans cette cuvée née d'une vendange automnale. Fruits secs, poire, ananas, miel, boisé léger, le nez est intense et complexe, prélude à une bouche ample, riche et charnue, soutenue par une acidité fondue qui assure une finale fraîche et longue. ⧗ 2017-2022 🍴 filet de canard aux abricots secs

EARL DOM. DU POUNTET, lieu-dit Saint-Amand, 32800 Eauze, tél. 06 23 84 82 45, contact@pountet.com *r.-v.*

Ⓑ DOM. DE RIBONNET
Merlot Syrah 2014 ★★

■	13000		8 à 11 €

Cette propriété, avec son château du XVᵉs., a appartenu à Clément Ader, pionnier de l'aviation au début du XXᵉs. Son vignoble, 15 ha conduits depuis 1975 par l'œnologue suisse Christian Gerber, est en bio certifié depuis le millésime 2005.

Élevé seize mois en demi-muids, ce vin livre des arômes complexes de fruits noirs, d'épices et de boisé grillé. En bouche, il se révèle concentré, puissant et velouté, étiré dans une longue finale sur la myrtille et les épices. ⧗ 2018-2022 🍴 daube de joues de bœuf ■ **Syrah 2015 ★★ (5 à 8 €; 10000 b.)** Ⓑ : ce 2015 qui n'a pas connu le bois développe au nez comme en bouche un large fruité relevé d'épices qui renforce son caractère avenant. Un modèle de «vin plaisir», souple et gourmand. ⧗ 2016-2019 🍴 axoa de veau

GERBER, 716, chem. de Ribonnet, 31870 Beaumont-sur-Lèze, tél. 05 61 08 71 02, vinribonnet31@aol.com V *t.l.j. sf dim. 8h-12h 14h-18h*

Ⓑ LA TOUR DE SAINT-LOUIS 2014

■	6500	5 à 8 €

Racheté en 1991 par Marie-Cécile (née Arbeau) et Ali Mahmoudi, ce domaine de 30 ha a connu de grandes transformations, tant à la vigne qu'au chai – la dernière étant la certification bio. L'esprit persan d'Ali, œnologue iranien formé à Toulouse, y souffle comme un parfum d'Orient (le hammam n'a pas été oublié).

Une cuvée d'une aimable simplicité, dominée par la négrette (70 %). Au nez, des fruits rouges et des épices. En bouche, du fruit toujours, de la souplesse, de la rondeur et des tanins fondus. Pour un plaisir immédiat. ⧗ 2016-2018 🍴 assiette de charcuterie

SCEA CH. SAINT-LOUIS, 380, chem. du Bois-Vieux, 82370 Labastide-Saint-Pierre, tél. 05 63 30 13 13, proprietaire@chateausaintlouis.fr V *t.l.j. 9h-12h 14h-18h; sam. dim. sur r.-v.* *Ali Mahmoudi*

IGP COTEAUX DE GLANES

QUATRE SAISONS Élevé en fût de chêne 2014 ★

■	13800		8 à 11 €

À la fin des années 1960, sept vignerons ont réuni leurs compétences pour fonder la petite coopérative du Haut-Quercy, faisant ainsi renaître un vignoble qui existait déjà au IXᵉs. et qui s'étend aujourd'hui sur près de 40 ha.

Quatre saisons? Le temps passé en barrique par ce 100 % merlot. Cela donne un vin très généreux, ouvert sur le pruneau, la cerise à l'alcool, avec une touche de paprika, souple, ample et charnu, soutenu par des tanins fondus et un boisé torréfié qui persiste en finale. ⧗ 2017-2020 🍴 côte d'agneau aux épices ■ **Fondateurs Merlot 2014 ★ (5 à 8 €; 21600 b.)** : un vin bien fruité au nez comme en bouche, qui évolue en souplesse avant de montrer un peu plus de fermeté en finale. ⧗ 2016-2020 🍴 omelette aux cèpes

LES VIGNERONS DU HAUT-QUERCY, 84, rte du Pontouillac, 46130 Glanes, tél. 05 65 39 73 42, coteauxdeglanes@wanadoo.fr V *t.l.j. sf dim. 10h-12h 15h-18h*

IGP CÔTES DE GASCOGNE

DOM. DES CASSAGNOLES
Gros manseng Sélection 2015 ★

□	80000		- de 5 €

Autrefois consacré à la seule production d'armagnac, le domaine de 75 ha campe à Grondin, au cœur de la Ténarèze. Janine et Gilles Baumann s'attachent

aujourd'hui à élaborer des «flocs de terroir» et des vins de pays.

Rigoureusement sélectionnés, les raisins de gros manseng, égrappés puis doucement pressés, ont fourni des jus impeccables. L'élevage sur lies exalte un gras pulpeux. Une brillante robe jaune pâle précède un bouquet flatteur de fruits blancs. Vif, persistant, d'un bon volume et bien équilibré, le palais confirme le caractère pimpant de ce vin «authentiquement gascon». ⧗ 2016-2019 🍴 terrine de Saint-Jacques et asperges

DOM. DES CASSAGNOLES, Famille Baumann, 32330 Gondrin, tél. 05 62 28 40 57, j.baumann@domainedescassagnoles.com V *t.l.j. sf dim. 9h-12h30 14h-18h*

CUVÉE DES FILLES D'EMBIDOURE 2015 ★★

| 14 000 | | 8 à 11 € |

Les deux sœurs Menegazzo, Nathalie et Sandrine, ont ajouté les flocs et les vins de pays à la tradition bachique inaugurée par leur père avec l'armagnac. Elles exploitent 33 ha de vignes au village de Réjaumont, dans le Haut-Armagnac, ainsi qu'un verger de pommiers. Une valeur sûre de la Gascogne viticole.

Sauvignon (50 %), chardonnay (35 %) et petit manseng sont associés dans ce vin harmonieux, d'un bel or brillant. Pourvu d'une vaste palette aromatique (abricot, coing, pêche, mandarine, mangue), le bouquet propose une étourdissante valse fruitée. De la rondeur, du volume, un zeste de sucrosité, mais aussi beaucoup d'élan caractérisent la bouche, épaulée par une belle fraîcheur. ⧗ 2016-2019 🍴 salade mangue-crevettes ■ **Dom. d'Embidoure Moelleux 2015 ★ (8 à 11 €; 10 000 b.)** : un vin séduisant aux saveurs complexes de miel et de fruits confits (mangue, ananas, figue, pêche...), persistant et bien équilibré entre rondeur suave et fine acidité. ⧗ 2017-2022 🍴 foie gras

EARL MENEGAZZO FILLES, Dom. d'Embidoure, 32390 Réjaumont, tél. 05 62 65 28 92, menegazzo.embidoure@wanadoo.fr V *t.l.j. 9h-12h 14h-18h30; sam. dim. sur r.-v.*

DOM. ENTRAS Bordeneuve 2014

| 20 000 | | - de 5 € |

Tout a commencé après guerre dans la Ténarèze: Zoé et Miguel Maestrojuan sont ouvriers agricoles à la ferme de Bordeneuve, qu'ils finissent par acheter. Aujourd'hui, leurs héritiers, qui ont abandonné la production laitière, cultivent 29 ha de coteaux entre l'Auloue et la Baïse.

Tannat et cot tiennent compagnie, discrètement (5 % chacun), au merlot (60 %) et aux deux cabernets. Cela donne, après vingt-quatre mois de cuve, un vin gorgé de fruits mûrs rehaussés d'épices, souple et bien fondu en bouche, un peu court mais équilibré. ⧗ 2016-2019 🍴 aiguillettes de canard

MICHEL MAESTROJUAN, Entras, 32410 Ayguetinte, tél. 05 62 68 11 41, mbrmaestrojuan@wanadoo.fr V *t.l.j. sf dim. 9h-18h*

FLEUR DE FORTUNET Colombard 2015 ★

| 100 000 | | - de 5 € |

Jacques Debets a repris en 1996 cette exploitation familiale du Bas-Armagnac. Il est aujourd'hui épaulé par sa femme Viviane et par son fils Vincent qui l'a aidé à restructurer leur vignoble (60 ha aujourd'hui) et à se lancer dans la production de bouteilles.

Un blanc sec très marqué par la présence du colombard, à tel point (90 %) que le sauvignon n'apparaît pas sur l'étiquette. Intense, florale et fruitée, l'olfaction joue les séductrices avec ses arômes d'abricot, d'agrumes et d'acacia. Un charme qui perdure dans une bouche pleine de tonus, portée par une fraîcheur avenante et stimulée par une jolie finale douce-amère. ⧗ 2016-2019 🍴 coquilles Saint-Jacques ■ **Dom. de Fortunet Colombard-Sauvignon 2015 (- de 5 €; 100 000 b.)** : vin cité.

DOM. DE FORTUNET, Fortunet, 32110 Lanne-Soubiran, tél. 06 80 32 74 50, info@domaine-fortunet.com V *r.-v. Debets*

DOM. DE L'HERRÉ Gros manseng 2015 ★★

| 105 000 | | 5 à 8 € |

Créé en 1974, ce domaine couvre 100 ha de vignes sur le versant sud d'une ligne de crête offrant un panorama exceptionnel sur les Pyrénées.

La qualité d'un vin dépend, comme en cuisine, de la qualité du produit utilisé. Le domaine de l'Herré a, semble-t-il, vendangé du beau et du bon raisin, du gros manseng enraciné sur sables fauves, à l'origine d'un moelleux d'allure altière dans sa brillante robe safran, au nez intense, fruité (agrumes mûrs, pêche) et discrètement miellé. La bouche, ample, suave sans lourdeur grâce à une fine acidité, libère par paliers des saveurs gourmandes qui font écho à l'olfaction et s'épanouissent dans une longue finale. ⧗ 2017-2022 🍴 foie gras poêlé ■ **Sauvignon 2015 (5 à 8 €; 225 000 b.)** : vin cité.

LES VINS DE L' HERRÉ, lieu-dit Herré, 32370 Manciet, tél. 05 62 69 03 26, cfaure@lherre.fr V *t.l.j. sf sam. dim. 8h30-12h30 14h-17h30 Pascal Debon*

DOM. HORGELUS Sauvignon & Gros manseng 2015 ★★

| 90 000 | 5 à 8 € |

Œnologue diplômé, Yoan Le Menn a repris en 2007, à l'âge de vingt-sept ans, le domaine fondé par son grand-père entre Ténarèze et Bas-Armagnac, qui couvre aujourd'hui 66 ha. Le vigneron aime à vendanger la nuit pour que la fraîcheur des baies se conserve.

Une union sans nuage entre le gros manseng et le sauvignon (60 %) à l'origine d'un vin lumineux dans sa robe or pâle, au nez intense de buis, d'agrumes et de fruits exotiques. Ce ballet aromatique se poursuit dans une bouche ample et très persistante, tendue par une belle fraîcheur qui porte loin la finale. De l'énergie à revendre et de l'équilibre. ⧗ 2016-2019 🍴 cabillaud sauce aux câpres

YOAN LE MENN, Dom. Horgelus, lieu-dit Cassou, 32250 Montréal-du-Gers, tél. 05 62 09 95 94, contact@horgelus.com V *t.l.j. 9h-12h 14h-17h*

DOM. DE JOŸ Éclat 2015 ★

| 300000 | | 5 à 8 € |

Originaire de Suisse, Paul Gessler s'installe en Bas-Armagnac en 1927. En 1988, Roland et Olivier, ses petits-fils, ont pris les rênes de ce vaste domaine de 160 ha implanté sur des sols argilo-siliceux et limono-siliceux. S'ils cultivent surtout des cépages blancs, ils proposent une large gamme d'armagnacs, de flocs et de côtes-de-gascogne dans les trois couleurs.

Son nom n'est pas usurpé. Cette cuvée associant le colombard, l'ugni blanc, le gros manseng et le sauvignon brille en effet de mille feux dans sa robe limpide. Le nez, intense, est centré sur les fruits mûrs, les agrumes et les fruits exotiques. Explosif sur le fruit, volumineux, le palais se révèle plein d'allant et de vivacité. Un vin long et harmonieux. ⌛ 2016-2019 🍷 tartare de Saint-Jacques

SARL JOŸ SÉLECTION, A Joÿ, 32110 Panjas, tél. 05 62 09 03 20, joy-selection@domaine-joy.com V t.l.j. sf dim. 9h-12h 14h-18h

DOM. LAGUILLE La Rencontre by Laguille 2015 ★

| 30000 | | 5 à 8 € |

Un domaine familial de 65 ha fondé en 1922 au cœur de la Gascogne, à Eauze. Aux commandes depuis 1980, Colette et Guy Vignoli ont une démarche très raisonnée, à tendance bio, visant à améliorer la biodiversité; ils investissent dans les énergies renouvelables.

Né de la rencontre entre le sauvignon et les deux mansengs, ce blanc affiche des sucres résiduels conséquents (12 g/l) pour un sec. Et pourtant, pas de douceur excessive ici, du gras certes, un léger côté suave, mais c'est bien une impression de fraîcheur que laisse ce vin – la preuve que le taux de sucres n'est que très relatif et doit être apprécié en regard de l'acidité. Un vin qui charme aussi par sa palette aromatique variée, sur les fruits exotiques et les fruits blancs juste à maturité. ⌛ 2016-2019 🍷 fromage de brebis **Gros manseng 2015 ★ (5 à 8 €; 50000 b.)** : un moelleux qui regorge de saveurs fruitées (fruits jaunes et blancs bien mûrs), ample, gras et suave, équilibré par une jolie finale acidulée. ⌛ 2016-2020 🍷 bleu d'Auvergne

VIGNOLI, Laguille Saint-Amand, 32800 Eauze, tél. 05 62 09 77 05, contact@laguille.com V t.l.j. sf dim. 9h-12h 14h-18h

LAXÉ 2015 ★★

| 50000 | 5 à 8 € |

Un domaine créé à partir de 1962 par Désiré Estrade, rapatrié d'Algérie, et ses fils. La commercialisation en bouteilles est plus récente: 2003, sous l'impulsion de la troisième génération (Rémy et Eric), aujourd'hui à la tête de 65 ha de vignes plantées sur des plateaux argilo-calcaires.

Vin d'assemblage qui fait la part belle aux cépages locaux (colombard et ugni blanc) associés au sauvignon, ce 2015 très aromatique associe au nez les fleurs blanches (aubépine) et les agrumes. En bouche, il se montre tendre, ample et équilibré, porté jusqu'en finale par une acidité bien fondue et rehaussé par de beaux amers. ⌛ 2016-2019 🍷 poulet au curry

EARL VIGNOBLES ESTRADE ET FILS, Dom. de Laxé, 32250 Fourcès, tél. 05 62 29 42 49, contact@domaine-laxe.com V r.-v.

DOM. DE MAGNAUT Pur colombard 2015

| 100000 | | 5 à 8 € |

Ce domaine de 44 ha situé en Ténarèze, dans le nord du Gers, s'est fait connaître grâce aux armagnacs de Pierre Terraube. C'est son fils Jean-Marie, arrivé en 2000, qui entretient à présent sa réputation. À sa carte, des armagnacs, des flocs et des côtes-de-gascogne.

Ce colombard pur jus s'ouvre sans réserve sur d'intenses arômes d'agrumes et de fruits à chair blanche. Arômes prolongés par une bouche fraîche et équilibrée. Un peu fugace mais alerte. ⌛ 2016-2018 🍷 plateau de fruits de mer

JEAN-MARIE TERRAUBE, Dom. de Magnaut, 32250 Fourcès, tél. 05 62 29 45 40, domainedemagnaut@wanadoo.fr V t.l.j. sf dim. 9h-12h 14h-18h

♥ **DOM. DE MALARTIC** Vintus 2015 ★★

| 50000 | | - de 5 € |

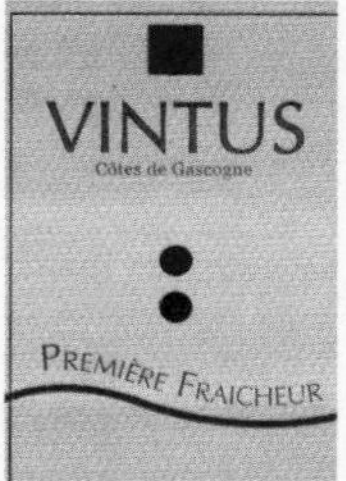

Dans la famille depuis 1901, ce domaine de 40 ha conduit par la cinquième génération de vignerons, également producteurs d'armagnac et de floc-de-gascogne, s'est lancé dans les côtes-de-gascogne en 2001.

Ce coup de cœur pour le Vintus 2015 de Malartic fait écho à celui obtenu par la version 2013. Même assemblage colombard (60 %)-sauvignon, cueillis à belle maturité, pour un vin très aromatique, qui s'annonce dans une magistrale tenue or éclatant, le nez bien ouvert et très élégant, sur les fruits blancs et les fleurs printanières. Bien tendu par une juste acidité, ample et long, le palais déploie un beau fruité croquant (pêche, agrumes) enrobé de douces saveurs miellées qui lui confèrent un côté velouté et caressant. Un vin d'une grande harmonie, à la fois tendre et frais. ⌛ 2016-2019 🍷 risotto aux asperges

GAEC PERISSÉ, Dom. de Malartic, 32400 Sarragachies, tél. 05 62 69 75 72, contact@domainedemalartic.com V r.-v.

DOM. DE MAOURIES Autan 2015 ★

| 10000 | | 5 à 8 € |

Fondé en 1907, le domaine de Maouries compte aujourd'hui 28 ha de vignes, réparties sur trois communes et 25 parcelles. Si Jacqueline et André Dufau s'activent toujours sur l'exploitation, ce sont leurs trois enfants, Philippe, Pascal et Isabelle qui en assurent la gestion. La carte des vins propose trois AOC (pacherenc, madiran et saint-mont) et des IGP Côtes de Gascogne.

Bienfaiteur de la vigne parce qu'il remplit un rôle de «médecin», le vent d'autan a donné son nom à cet assemblage de chardonnay et de sauvignon, peu courant en Gascogne. Ce vin s'ouvre sur des parfums de pêche blanche et d'agrumes. Le prélude à une bouche «décidée» à l'attaque, vive et tonique, plus «câline», suave et ronde dans son développement, sur de belles saveurs fruitées (abricot), mais soutenue jusqu'au bout par une fine trame acide. ⧗ 2016-2019 🍴 filet mignon de porc aux pêches

DOM. DE MAOURIES, Maouries, 32400 Labarthète, tél. 05 62 69 63 84, domainedemaouries@alsatis.net t.l.j. sf dim. 9h-12h 14h-18h30 Dufau

DOM. DE MASTRIC Merlot 2015 ★★

■	6000	5 à 8 €

Héritiers d'une longue lignée agricole, établie sur ces terres depuis 1652, Jérôme Guichanné et sa sœur Laurence conduisent en bio une propriété de 11,5 ha de vignes implantée sur les coteaux du Bas-Armagnac. Ils produisent des vins rouges, des rosés et des blancs (secs ou moelleux), ainsi que de l'armagnac et complètent leur activité viticole par un élevage de volailles en plein air.

Né du seul merlot, ce 2015 est dominé à l'olfaction par les fruits noirs confiturés, relevés de fines notes d'épices douces. Suivant la même ligne généreuse et fruitée, la bouche s'appuie sur des tanins fondus et très veloutés qui lui confèrent un caractère aimable et caressant. ⧗ 2017-2020 🍴 volaille farcie **Gros manseng-sauvignon 2015 ★ (5 à 8 €; 8000 b.)** : au nez, des arômes soutenus de fleurs blanches, de pomme, de citron et de buis. Franche et équilibrée, la bouche conjugue souplesse, fraîcheur et ampleur. ⧗ 2016-2019 🍴 salade de chèvre chaud

GUICHANNÉ, 32460 Le Houga, tél. 06 86 51 04 38, mastric@orange.fr r.-v.

DOM. DE MISELLE
Colombard Gros manseng 2015 ★★

■	144 000		- de 5 €

Ce domaine est depuis longtemps déjà voué à la viticulture, des armagnacs y étant produits dès le XIXes. En 1998, la famille Chevallier, originaire du Nord de la France, fait revivre cette propriété typiquement gasconne avec son pigeonnier traditionnel, dotée d'un vignoble de 28 ha.

Ce vin, qui a participé à la finale du coup de cœur, s'expose dans une étincelante robe pâle aux reflets d'argent. «Style gascon tendu», écrit l'un des jurés. De fait, la vivacité l'emporte ici, mettant en valeur des arômes floraux et exotiques puissants et une bouche très longue, d'une droiture remarquable. ⧗ 2016-2019 🍴 friture de supions **Petit manseng 2015 ★★ (5 à 8 €; 11300 b.)** : un moelleux ample et très élégant, suave et gras sans excès, fruité et miellé. ⧗ 2017-2022 🍴 tarte au citron meringuée

EARL DOM. CHEVALLIER, Dom. de Miselle, 32110 Caupenne-d'Armagnac, tél. 05 62 08 84 56, contact@miselle.com

♥ **DOM. DE PELLEHAUT** Chardonnay 2015 ★★

■	100 000	5 à 8 €

DOMAINE DE PELLEHAUT 2015 GASCOGNE CHARDONNAY Famille Béraut, Propriétaire récoltant MIS EN BOUTEILLE AU DOMAINE

En bordure du Bas-Armagnac, cette exploitation familiale, dont l'origine remonte à 1750, est conduite par les frères Martin et Mathieu Béraut depuis 1960. Le domaine s'étend aujourd'hui sur 550 ha, dont 250 ha en vignes.

C'est un nom qui sonne clair, Pellehaut, dans l'univers viticole gascon, et qui porte haut les couleurs des Côtes de Gascogne avec ce pur chardonnay né de vignes enracinées sur l'argilo-calcaire et fermenté pour partie en fût. La robe jaune pâle et lumineuse attire le regard, et le bouquet, élégant et complexe (melon, agrumes, abricot, pêche, boisé délicat), donne envie de poursuivre. On découvre alors une attaque franche ouvrant sur un palais au fruité intense et persistant, d'une grande fraîcheur et d'une netteté impeccable. ⧗ 2016-2019 🍴 poêlée de langoustines aux asperges ■ **Ampélomeryx 2014 ★★ (5 à 8 €; 38400 b.)** : association du pinot noir, de la syrah et du malbec, un vin sombre aux contours violines, très velouté, «sensuel» selon un dégustateur, bien servi par des tanins fondus et soyeux. ⧗ 2017-2021 🍴 magret de canard **L'Escoubasso 2014 ★ (5 à 8 €; 13300 b.)** : un liquoreux 100 % petit manseng qui penche vers le moelleux avec sa fraîcheur soutenue. On aime aussi ses arômes intenses et complexes de fruits exotiques et jaunes bien mûrs, de truffe et de figue. Disponible en bouteilles de 50 cl. ⧗ 2017-2023 🍴 foie gras

DOM. DE PELLEHAUT, Pellehaut, 32250 Montréal-du-Gers, tél. 05 62 29 48 79, contact@pellehaut.com t.l.j. sf dim. 9h-12h 14h-18h Béraut

DOM. DE PEYRIS Élevé en fût de chêne 2014 ★

■	2000		5 à 8 €

Les vins IGP Côtes de Gascogne, flocs et armagnacs du domaine de Peyris sont élaborés au lycée public agri-viticole de Riscle, un bel atelier pédagogique disposant de 19 ha de vignes et, depuis 2006, d'un chai.

Ce 2014 né du petit manseng s'annonce par une robe limpide et dorée. Que ce soit au nez comme en bouche, il se montre franc, chaleureux, suave et porteur d'un opulent fruité qui ne s'en laisse pas conter par la futaille. ⧗ 2017-2021 🍴 fourme d'Ambert **Esprit de Dom. de Peyris 2015 (- de 5 €; 2660 b.)** : vin cité.

DOM. DE PEYRIS, Lycée professionnel agricole de Riscle, voie Edgar-Morin, 32400 Riscle, tél. 05 62 69 72 16, expl.riscle@educagri.fr r.-v.

PLAIMONT PRODUCTEURS
Merlot-monseng uni Moonseng 2015 ★

■	16800		5 à 8 €

Le groupe Plaimont Producteurs est le fruit d'une association de trois caves qui, en 1979, unirent leurs

initiales (PL pour Plaisance, AI pour Aignan et MONT pour Saint-Mont) pour créer ce leader des vins du Sud-Ouest produisant 40 millions de bouteilles par an. Rejoint en 1999 par les caves de Condom et de Crouseilles, Plaimont représente 98 % de l'appellation saint-mont et près de la moitié des AOC madiran et pacherenc-du-vic-bilh et des IGP Côtes de Gascogne. Un acteur de poids.

«Élargissons notre univers, visons la lune!», indique la contre-étiquette de cet assemblage original, mettant en avant le rare manseng noir; à défaut, les étoiles du Guide... Dans le verre, un vin couleur cerise, aux arômes intenses de cassis et de kirsch, au palais souple, fondu et soyeux, adossé à des tanins délicats. ⧗ 2016-2019 🍷 carpaccio de bœuf ■ **Charmes d'Automne 2015 ★ (5 à 8 €; 12000 b.)** : un moelleux 100 % gros manseng friand, plein de fraîcheur et très aromatique (fleurs blanches, fruits exotiques, pomme). ⧗ 2016-2019 🍷 tarte normande ■ **Fleur de Givre 2015 ★ (5 à 8 €; 120000 b.)** : un vin fruité et un brin salin, bien balancé entre vivacité et onctuosité. ⧗ 2016-2019 🍷 poulet aux pêches ■ **Soleil Gascon 2015 (5 à 8 €; 94000 b.)** : vin cité. ■ **Caprice 2015 (5 à 8 €; 120000 b.)** : vin cité.

PLAIMONT PRODUCTEURS, rte d'Orthez, 32400 Saint-Mont, tél. 05 62 69 62 87, d.caillard@plaimont.fr V t.l.j. 9h-12h30 14h-19h

DOM. DU REY 4 Cépages 2015 ★★

| | 85000 | | - de 5 € |

De la biologie à l'œnologie, l'écart n'est pas si grand. Claude Almayrac a franchi le pas en 2008 pour reprendre les 32 ha de vignes exploités alors par la famille Appouy depuis trois générations.

Sur les quatre cépages à l'origine de ce vin, l'ugni blanc est largement majoritaire (60 %), avec en complément le colombard (30 %), le gros manseng et le sauvignon blanc. Le résultat est épatant: couleur jaune clair avenante, nez complexe et persistant de pamplemousse, d'orange, de carambole, de litchi, de fruit de la Passion, bouche à l'unisson, persistante, élégante, vive et active. ⧗ 2016-2019 🍷 rillettes de saumon

CLAUDE ALMAYRAC, Dom. du Rey, 32330 Gondrin, tél. 05 62 29 11 85, contact@domainedurey.com V *r.-v.*

B DOM. SEAILLES Cubik 2014 ★

| ■ | 18600 | | - de 5 € |

Propriété familiale depuis 1962, ce domaine vinifie sur place dès 2005. À sa disposition, un vignoble de 25 ha conduit en bio par Julien Franclet, arrivé en 2009 sur l'exploitation et seul maître à bord en 2016.

Issu du seul merlot, un vin rouge foncé, riche et concentré, campé sur des arômes de fruits rouges et noirs bien mûrs rehaussés d'épices douces. Dotée de tanins fondus, la bouche livre des saveurs discrètement compotées qui font écho à l'olfaction. Pas de fausse note et une belle harmonie des saveurs. ⧗ 2017-2021 🍷 pavé de bœuf sauce marchand de vin

DOM. SEAILLES, Seailles, 32330 Mouchan, tél. 05 62 28 44 03, domaineseailles@orange.fr V *r.-v.* *SAS La Petite Gascogne*

DOM. DU TARIQUET Premières Grives 2015 ★★

| | 900000 | | 5 à 8 € |

À l'origine de ce domaine, un montreur d'ours ariégeois émigré aux États-Unis qui achète à son retour en France cette propriété gersoise ruinée par le phylloxéra. Sa petite-fille épouse Pierre Grassa; le couple et ses enfants développent la production d'armagnac puis mise, dans les années 1980, sur les vins de pays, essentiellement blancs, qui connaisssent un immense succès.

Annonciatrices de savoureuses rencontres, ces Premières Grives nées du gros manseng déploient un beau bouquet de fruits confits (abricot, coing, agrumes) teintés d'exotisme (papaye). En bouche, elles offrent une matière fruitée, à l'unisson du nez, délicate, suave et onctueuse, sans jamais se départir d'une fine acidité, gardienne d'un parfait équilibre. ⧗ 2016-2020 🍷 soufflé au Grand Marnier ■ **Classic 2015 (- de 5 €; 1400000 b.)** : vin cité.

DOM. DU TARIQUET, Saint-Amand, 32800 Eauze, tél. 05 62 09 87 82, contact@tariquet.com V *t.l.j. sf dim. 10h-12h 14h-18h* *Famille Grassa*

DENIS TASTET Tonnelle 2015 ★

| | 8000 | | - de 5 € |

Propriété de la famille Tastet depuis plus d'un siècle, le domaine couvre 60 ha dans le Bas-Armagnac, à Larée dans le Gers. Denis Tastet est l'actuel maître des lieux, à la suite de son père André.

La famille Tastet assemble classiquement le colombard (60 %), le sauvignon et l'ugni blanc dans cette cuvée de belle intensité. Brillante robe jaune diaphane, nez soutenu d'agrumes et de buis, bouche franche et fraîche, sur des saveurs de fruits blancs actives et gourmandes, finale très tonique. Un vin énergique. ⧗ 2016-2019 🍷 fromage de chèvre

DENIS TASTET, Dom. de Guilhon d'Aze, 32150 Larée, tél. 05 62 09 53 88, contact@denis-tastet.fr V *t.l.j. 9h-12h 14h-19h*

UBY Colombard-ugni blanc 2015 ★★

| | 2000000 | - de 5 € |

La tortue cistude d'Europe, clin d'œil à ceux qui luttent pour la sauvegarde des espèces menacées, est représentée sur les étiquettes de la maison Uby (domaine et négoce) fondée en 1956. À la tête de ce vaste vignoble (200 ha) depuis 1995, François Morel multiplie les démarches orientées vers le respect de l'environnement et sélectionne pour la partie négoce des partenaires apporteurs de raisins bio.

Depuis plus d'un demi-siècle, la maison de négoce Uby n'a cessé de renforcer ses positions sur le marché, montrant par sa réussite commerciale que qualité peut rimer avec quantité. Avec ce blanc sec tout sauf confidentiel (2 000 000 de bouteilles!), né d'un assemblage de colombard (80 %) et d'ugni blanc, elle propose un vin alerte et printanier, joliment vêtu de jaune paille, qui s'ouvre sur des arômes de fruits blancs et d'agrumes. La bouche, à l'unisson, se révèle aromatique, persistante, tonique et remarquablement équilibrée. Tant et si bien que le coup de cœur fut mis aux voix. ⧗ 2016-2019 asperges sauce mousseline ■ **Gros et petit manseng 2015 (5 à 8 €; 1000000 b.)** : vin cité.

DOM. UBY, Uby, 32150 Cazaubon, tél. 06 73 34 91 20, contact@domaine-uby.com V r.-v. *François Morel*

VILLA DRIA Colombard-sauvignon 2015 ★

■ | 100000 | | - de 5 €

Installé en 1993 sur les terres familiales où l'on mène de front élevage, polyculture et activités viticoles, Jean-Pierre Drieux, ingénieur en agriculture, a confié ses raisins à la cave coopérative jusqu'en 2009. Il pratique la géobiologie et l'agriculture raisonnée sur un vignoble de 56 ha planté essentiellement des cépages blancs typiques de la Gascogne.

Ce blanc sec or pâle s'épanouit en de vifs arômes floraux et fruités, avec une dominante pamplemousse. La bouche, un brin perlante, reste fougueuse et gaillarde. Pétulante finale, légèrement iodée. Parfait pour les produits de la mer. 2016-2019 huîtres ■ **Gros manseng moelleux 2015 (5 à 8 €; 70000 b.)** : vin cité.

VILLA DRIA, Vignobles Drieux, 32800 Eauze, tél. 05 62 08 38 19, contact@villadria.com V r.-v. *Drieux*

VINTUS Première Gelée 2014 ★

■ | n.c. | | 5 à 8 €

Olivier Martin, spécialiste des vins doux, conduit un vignoble en lyre, étagé en terrasses et planté sur des sols rouges riches en oxyde de fer.

Gros et petit mansengs vendangés presque passerillés lors des premiers frimas ont abouti, après six mois de cuve, à ce moelleux ouvert sur une harmonieuse palette aromatique, centrée sur les fruits jaunes et les agrumes confits. La bouche, large et franche, garde un côté frais et fringant grâce à une acidité de bon aloi. 2016-2019 crème brûlée au citron

OLIVIER MARTIN, Rubens, 32110 Nogaro, tél. 05 62 69 02 38, martin.olivier7@wanadoo.fr V t.l.j. 10h-21h

IGP CÔTES DU LOT

TOUR DE BELFORT
Chardonnay Sauvignon blanc
Cuvée classique 2015 ★★

■ | 1300 | | 8 à 11 €

Eugène Lismonde a vendu son entreprise à l'âge de soixante ans et acheté vignoble et bastide médiévale à l'abandon à Belfort-du-Quercy, berceau familial. Sa fille Murielle a patiemment restructuré le vignoble (10 ha) et adopté l'agriculture biologique. Elle a signé son premier millésime en 2008.

Le chardonnay (60 %) et le sauvignon composent un 2015 très frais et équilibré, qui offre à l'olfaction des notes intenses et élégantes de fleurs blanches et de pamplemousse. La bouche attaque sur la vivacité des agrumes et maintient ce tempo alerte jusqu'à la finale, longue et pleine de fraîcheur. 2016-2017 tartare de Saint-Jacques ■ **2015 ★★ (8 à 11 €; 6000 b.)** : au nez, des petits fruits noirs et des épices; en bouche, une belle structure, du volume et du gras. De bons atouts pour l'avenir. 2017-2020 tajine de veau

DOM. DE BELFORT, Le Bourg, 46230 Belfort-du-Quercy, tél. 06 37 29 66 71, info@tour-de-belfort.com V *t.l.j. sf sam. dim. 8h-12h 13h30-18h* *Lismonde*

CH. EUGÉNIE
La Treille du Roy Cabernet-Ségalin 2015 ★

■ | n.c. | | - de 5 €

C'est en 1490 que remontent les archives de ce domaine qui connut de prestigieux clients au XVIIIe s., notamment les tsars de Russie. Dans la famille Couture depuis cinq générations, la propriété s'appuie sur un vignoble de 50 ha. Souvent en vue pour ses cahors de caractère, notamment sa Cuvée réservée de l'aïeul.

L'un des intérêts des vins en IGP est la découverte de cépages méconnus. Et avouons-le, nous ne connaissions pas le ségalin, qui est un croisement entre le jurançon noir et le portugais bleu (lui-même très présent en Allemagne et en Autriche). Associé ici à parts égales au cabernet, il est à l'origine d'un vin un brin animal au premier nez, plus fruité à l'aération (cassis), fin, souple et élégant en bouche. 2016-2019 assiette de charcuterie

CH. EUGÉNIE, Rivière-Haute, 46140 Albas, tél. 05 65 30 73 51, couture@chateaueugenie.com V *t.l.j. sf dim. 9h30-12h30 14h-19h* *Couture*

LA GRÉZETTE
Viognier Le Pigeonnier White Vision 2015

■ | 4400 | | 50 à 75 €

Un domaine vedette du vignoble cadurcien, acquis en 1980 par l'homme d'affaires Alain-Dominique Perrin. Il est renommé pour l'architecture caractéristique de son manoir du XVIe s., avec ses tours en poivrière, ses toits pentus et son pigeonnier; pour son patrimoine viticole aussi (88 ha), exploité depuis le XVIe s.; pour ses vins ambitieux, surtout, régulièrement en vue dans ces pages.

Coup de cœur dans le millésime précédent, ce 100 % viognier fermenté et élevé neuf mois en barriques de 500 l propose dans sa version 2015 un vin encore très marqué par le bois, derrière lequel pointent des notes discrètes d'agrumes et de fruits exotiques. En bouche, il se montre très dense, très concentré, très riche et manque un peu de fraîcheur pour décrocher l'étoile. Une cuvée originale que l'on laissera vieillir pour plus de fondu. 2018-2021 poularde à la crème

SCEV LA GRÉZETTE, Dom. de La Grézette, 46140 Caillac, tél. 05 65 20 07 42, cblanc@lagrezette.fr V *t.l.j. 10h-12h 14h-18h; f. janv.* *A.D. Perrin*

NOZIÈRES Clin d'œil 2015 ★

■ | 12000 | | - de 5 €

Pierre et Paulette Maradenne ont acheté en 1956 cette propriété où se côtoyaient la vigne, la lavande, les céréales et les vaches laitières; les premières bouteilles ont été commercialisées dans les années

1970. Aujourd'hui conduit par leur petit-fils Olivier, le domaine compte plus de 52 ha, répartis en une mosaïque d'une quarantaine de parcelles.

Assemblage à parts égales de chardonnay et de sauvignon, ce 2015 dévoile un nez minéral et floral. En bouche, il plaît par sa vivacité aux accents d'agrumes, sans pour autant manquer de rondeur : un vin équilibré. ⌛ 2016-2018 🍴 calamars farcis

EARL DE NOZIÈRES, Maradenne-Guitard Bru, 46700 Vire-sur-Lot, tél. 05 65 36 52 73, chateaunozieres@wanadoo.fr V t.l.j. sf dim. 9h-12h 14h-19h

IGP CÔTES DU TARN

COMTE DE THUN La Parrazal 2011 ★

■ | 15000 | | 15 à 20 €

En 1999, le comte de Thun-Hohenstein, de vieille noblesse tyrolienne, a acheté le château de Frausseilles, dont la vocation viticole remonte au Moyen Âge, et remis en état la cave historique complétée d'équipements modernes. Il propose des vins haut de gamme à partir de cépages internationaux, hors des canons de l'appellation – sur le modèle des supertoscans. Le vignoble couvre aujourd'hui 32 ha.

La Parrazal est une parcelle plantée de merlot et des deux cabernets. Après un élevage luxueux de dix mois en cuve et de vingt mois en barrique, ce 2011 livre un nez expressif et complexe de fruits noirs, de griotte, de pruneau et de torréfaction. Arômes prolongés par une bouche ample, charnue, suave et fondante. À son apogée. ⌛ 2016-2018 🍴 daube de bœuf

DOM. DU COMTE DE THUN, Ch. de Frausseilles, 81170 Frausseilles, tél. 05 63 56 14 02, info@comtedethun.com V *t.l.j. 8h-12h30 14h-16h30; sam. dim. sur r.-v.* *Ferdinand von Thun*

GAYRARD ET CIE Braucol 2014 ★★

■ | 3220 | | 11 à 15 €

Après dix ans passés dans le monde des assurances, Pierre Fabre décide en 2013 de redonner vie à l'exploitation viticole familiale, fondée dans les années 1950 par son arrière-grand-père Maurice Gayrard. À sa disposition, un vignoble de 8 ha qu'il convertit au bio en 2016.

Ce pur braucol (fer-servadou) élevé neuf mois en barrique dévoile un bouquet intense, chaleureux et bien typé de fruits à l'alcool et d'épices. En bouche, il se révèle ample et suave, adossé à des tanins fins et veloutés qui renforcent son élégance et son caractère aimable. À boire sur le fruit. ⌛ 2016-2019 🍴 coq au vin

DOM. GAYRARD, Capendut, 81130 Milhavet, tél. 06 17 97 01 16, contact@maison-gayrard.com V *r.-v.* *Pierre Fabre*

PETITS CLÉMENT Sauvignon Mauzac 2015

■ | 53300 | | - de 5 €

Le domaine est né en 1860 sous l'impulsion de Clément Termes qui construisit un chai, puis le château. Olivier et Caroline David, ses descendants (septième génération), sont désormais à la tête de 120 ha de vignes.

Un 2015 intéressant par son caractère aromatique, autour des fleurs blanches, du citron et du pamplemousse rose. La bouche est souple et fraîche, voire acidulée (notes de bonbon anglais), et déploie une jolie finale sur les fruits exotiques. ⌛ 2016-2017 🍴 pissaladière

SCEV DAVID, Les Fortis, 81310 Lisle-sur-Tarn, tél. 05 63 40 47 80, juliecoustel@clement-termes.com V *t.l.j. sf dim. 9h-12h 14h-19h*

♥ VIGNÉ-LOURAC
Braucol La Cueillette 2015 ★★

■ | 100000 | | - de 5 €

Un domaine régulier en qualité, pour ses gaillac mais aussi pour ses vins de pays, dirigé par Alain Gayrel et son fils Vincent.

Le beau millésime 2015 a souri aux Gayrel. Voyez ce superbe braucol, un vin authentique et gourmand en diable, ouvert sur des arômes «explosifs» de fruits rouges et noirs relevés d'épices. La bouche est ample, ronde et souple, étirée dans une longue finale compotée et réglissée. Le «vin de copains» par excellence, à boire sans chichi et sur le fruit. ⌛ 2016-2019 🍴 hamburger maison ■ **Mauzac-Sauvignon La Cueillette 2015 ★ (- de 5 €; 120000 b.)** : joli vin frais et expressif, sur la pêche et l'abricot sec. ⌛ 2016-2018 🍴 tartare de crevettes ■ **Sauvignon Prestige 2015 (- de 5 €; 100000 b.)** : vin cité.

ALAIN ET VINCENT GAYREL, 103, av. Foch, 81600 Gaillac, tél. 05 63 81 21 11, gaillac@cave-gaillac.fr V *t.l.j. 9h30-12h30 14h30-19h30*

IGP LANDES

BAROCCO 2014 ★

■ | 27300 | | 15 à 20 €

Le chef étoilé Michel Guérard (Les Prés d'Eugénie) cultive en tursan son jardin de vignes (20,5 ha) à Duhort-Bachen et aussi les étoiles et les coups de cœur dans le Guide. Maison noble dominant l'Adour, le château de Bachen a été acquis en 1983 et, sous la conduite de l'œnologue Olivier Dupont, fait partie des incontournables du vignoble landais, en rouge comme en blanc.

Élaboré à partir du merlot (75 %), du tannat et du cabernet franc, et avec les conseils de l'éminent Jean-Claude Berrouet (ancien vinificateur de Petrus), ce vin se présente dans une belle robe profonde tirant sur le noir. Au nez discret de framboise et de cassis mâtinés de nuances vanillées et épicées succède une bouche souple, franche et fruitée, portée par une trame tannique bien intégrée qui lui apporte du volume et laisse deviner une bonne évolution en cave. Un ensemble élégant et harmonieux. ⌛ 2017-2021 🍴 pigeonneau farci ■ **Rouge de Bachen 2014 ★ (11 à 15 €; 17950 b.)** : la cuvée phare du domaine. Un vin plutôt réservé à l'olfaction (notes discrètes de fruits noirs et de cuir à l'aération), souple et rond en bouche, adossé à des tanins fins et soyeux. ⧗ 2017-2021 ▼ cochon de lait à la broche

MICHEL GUÉRARD,
Cie hôtelière et fermière d'Eugénie-les-Bains,
40320 Eugénie-les-Bains, tél. 05 58 71 76 76,
direction@michelguerard.com V r.-v.

DOM. DE LABAIGT
Coteaux de Chalosse 2015

■ | 12 000 | | - de 5 €

Dominique Lanot conduit depuis 1979 ce vignoble de 11,2 ha, implanté en Chalosse, entre les gaves béarnais et l'Adour, tout près des Pyrénées.

Cette cuvée née de merlot (80 %) et de tannat dévoile des parfums harmonieux de violette, de cerise noire et de mûre. La bouche est plaisante: de la chair, de la rondeur, un fruité bien présent, des tanins souples et bien fondus. Un peu fugace mais équilibré. ⧗ 2016-2020 ▼ tourte de bœuf

DOMINIQUE LANOT,
1127, rte du Grand-Arrigan, 40290 Mouscardès,
tél. 06 80 03 18 58, dominique-lanot@wanadoo.fr
V *t.l.j. sf dim. 8h30-12h 13h30-17h30*

IGP PÉRIGORD

DOM. DU BOUT DU MONDE
Méli-Merlot 2015

■ | 6 000 | | 5 à 8 €

Fin 2014, un ami fait découvrir à Olivier et à Véronique Candon-Vialard (cette dernière œnologue) un ancien relais de poste entouré d'un vignoble de 3,5 ha voué à l'arrachage. À la recherche d'un petit domaine depuis plusieurs années, ils se lancent, conservent les vignes (essentiellement du merlot et du cabernet) et engagent d'emblée la conversion bio. Premier millésime en 2015.

Le seul merlot est à l'œuvre dans cette cuvée au nez intense de framboise et de cerise mêlées à des notes d'épices et de cuir. Franche à l'attaque, la bouche se révèle ronde, charnue et fruitée, structurée par des tanins encore un peu fougueux en finale. À attendre un peu. ⧗ 2018-2021 ▼ canard rôti

OLIVIER ET VÉRONIQUE CANDON-VIALARD,
lieu-dit Les Costes, 24240 Ribagnac,
tél. 06 73 76 80 08, olivier.candon@laposte.net
V *t.l.j. 10h-19h*

L'ORIGINAL HAUT PAÏS Sauvignon 2015

■ | n.c. | - de 5 €

Fondée en 1939, la coopérative de Sigoulès regroupe aujourd'hui 150 adhérents, qui cultivent 900 ha de vignes au sud de Bergerac.

Pas de doute, nous sommes bien en présence de sauvignon: après agitation, se déploient d'intenses senteurs de fleurs blanches, d'agrumes et de buis. La bouche, légèrement acidulée et citronnée, s'affirme ronde dès l'attaque, généreuse, d'un bon volume, et laisse une impression de douceur jusqu'en finale. ⧗ 2016-2017 ▼ tagliatelles aux fruits de mer

CAVE DE SIGOULÈS,
Mescoules, 24240 Sigoulès, tél. 05 53 61 55 00,
contact@vigneronsdesigoules.fr
V *t.l.j. sf dim. 9h-12h30 14h-17h30*

La vallée de la Loire et le Centre

SUPERFICIE: 51900 ha
PRODUCTION: 2841395 hl
TYPES DE VINS: blancs (45 %) secs, demi-secs, moelleux et liquoreux, rosés (22 %), rouges (21 %), effervescents (12 %).
SOUS-RÉGIONS: région nantaise, Anjou-Saumur, Touraine, Centre.
CÉPAGES:
Rouges: cabernet franc (breton), cot, gamay, pinot noir, grolleau; accessoirement: pineau d'Aunis, cabernet-sauvignon, pinot meunier.
Blancs: muscadet (ou melon de Bourgogne), chenin (pineau de la Loire), sauvignon; accessoirement: chardonnay, romorantin, pinot gris (malvoisie), tressallier, menu pineau.

LA VALLÉE DE LA LOIRE ET LE CENTRE

Unis par un fleuve majestueux jalonné de châteaux Renaissance, les divers pays de la vallée de la Loire sont baignés par une lumière unique, qui fait éclore ici le « Jardin de la France ». Dans ce jardin, bien sûr, la vigne est présente; des confins du Massif central jusqu'à l'estuaire, elle ponctue le paysage au long du fleuve et d'une dizaine de ses affluents. Les ceps donnent naissance à une des productions les plus variées du pays, qui a pour traits communs des prix doux et une vivacité qui anime jusqu'à ses grands vins liquoreux.

Quatre sous-régions. Les vignobles de la région nantaise, de l'Anjou et de la Touraine forment de véritables entités. On a également inclus dans les vignobles de la Loire ceux, plus dispersés, du Berry, des côtes d'Auvergne et roannaises; ils appartiennent au bassin hydrographique de la Loire et se rapprochent des vignobles ligériens par les types de vins produits, friands et fruités.

De l'Océan à la montagne. De l'embouchure à la source du plus long fleuve de France, les différences climatiques ne sont pas minces: bien qu'identifiés comme septentrionaux, certains vignobles sont situés à une latitude qui, dans la vallée du Rhône, subit l'influence climatique méditerranéenne... Mâcon est à la même latitude que Saint-Pourçain, et Roanne, que Villefranche-sur-Saône. Le relief influe ici sur le climat, ainsi que l'éloignement de l'Océan; le courant d'air atlantique qui s'engouffre d'ouest en est dans le couloir tracé par la Loire s'estompe peu à peu au fur et à mesure qu'il rencontre les collines du Saumurois et de la Touraine. Alors que le climat de la région nantaise est océanique, avec des hivers peu rigoureux, des étés chauds et souvent humides, le climat du Centre et des vignobles du Massif central est semi-continental, avec des hivers froids et des étés chauds.

Massif armoricain et Bassin parisien. Dans la basse vallée de la Loire, l'aire du muscadet et une partie de l'Anjou (dit « Anjou noir ») reposent sur le Massif armoricain, constitué de schistes, de gneiss et d'autres roches de l'ère primaire, sédimentaires ou éruptives. La région nantaise présente un relief peu accentué, les roches dures du Massif armoricain étant entaillées à l'abrupt par de petites rivières. Les vallées escarpées ne permettent pas la formation de coteaux cultivables, et la vigne occupe les mamelons de plateau.

L'Anjou est un pays de transition entre la région nantaise et la Touraine. Il se divise en plusieurs sous-régions: les coteaux de la Loire (prolongement de la région nantaise), en pente douce d'exposition nord, où la vigne occupe la bordure du plateau; les coteaux du Layon, schisteux et pentus, et ceux de l'Aubance; la zone proche de la Touraine, dans laquelle s'est développé le vignoble des rosés.

L'Anjou englobe historiquement le Saumurois; géographiquement ce dernier devrait plutôt être rattaché à la Touraine occidentale avec laquelle il présente des similitudes, tant au point de vue des sols (sédimentaires) que du climat. Les formations sédimentaires du Bassin parisien viennent ici recouvrir des formations primaires du Massif armoricain, de Brissac-Quincé à Doué-la-Fontaine.

Le Saumurois se caractérise essentiellement par la craie tuffeau sur laquelle poussent les vignes; dans le sous-sol, les bouteilles rivalisent avec les champignons de Paris pour occuper galeries et caves facilement creusées. En face du Saumurois, on trouve sur la rive droite de la Loire les vignobles de Saint-Nicolas-de-Bourgueil, sur le coteau turonien. Plus à l'est, après Tours, et sur le même coteau, débute le vignoble de Vouvray; Chinon, sur l'autre rive, est le prolongement du Saumurois sur les coteaux de la Vienne. Azay-le-Rideau, Montlouis, Amboise, Mesland et les coteaux du Cher complètent la Touraine. Les petits vignobles des coteaux du Loir, de l'Orléanais, de Cheverny, de Valençay et des coteaux du Giennois peuvent être rattachés à la Touraine.

Les vignobles du Berry (ou du Centre) se distinguent des trois autres tant par les sols, essentiellement jurassiques – voisins de ceux du Chablisien, pour Sancerre et Pouilly-sur-Loire – que par le climat. Nous rattachons Saint-Pourçain, les côtes roannaises et le Forez à cette quatrième unité, bien que sols (Massif central primaire) et climats (semi-continental à continental) soient différents.

Les cépages blancs. Dans la région nantaise, un cépage domine: le melon, à l'origine d'un vin blanc sec et vif. Le cépage folle blanche engendre un autre vin blanc sec, plus léger, le gros-plant. En Anjou, en Saumurois et en Touraine, le cépage-roi en blanc est le chenin ou pineau de la Loire, à l'origine des grands vins liquoreux ou moelleux, ainsi que d'excellents vins secs, demi-secs et mousseux; on le trouve jusqu'à l'est de Tours, à Vouvray, Montlouis, Amboise et Mesland, ainsi que dans les vignobles sarthois de Jasnières et des coteaux du Loir. Le chardonnay et le sauvignon y ont été plus tardivement associés.

En Touraine orientale, le sauvignon supplante le chenin, donnant des vins blancs très aromatiques. C'est le cépage vedette des vins blancs du Centre, des sancerre, pouilly-fumé, reuilly, quincy, menetou-salon... Citons aussi des cépages beaucoup plus rares, comme le romorantin en cour-cheverny, le chasselas, qui subsiste à Pouilly-sur-Loire, le tressallier en saint-pourçain, ou encore le pinot gris.

Les cépages rouges. On trouve le gamay à l'ouest, en Vendée et sur les coteaux d'Ancenis, en Anjou et surtout en Touraine orientale où il tend cependant à régresser. Il est en revanche majoritaire, voire exclusif, dans les vignobles du Massif central (côtes-d'auvergne, côte-roannaise, côtes-du-forez...). Autrefois très répandu, le grolleau noir produit traditionnellement des rosés demi-secs. Le cabernet franc, anciennement appelé « breton », l'a supplanté, complété par le cabernet-sauvignon. Les cabernets engendrent des vins rouges fins et corsés ayant une bonne aptitude à la garde, et conservant un caractère vif dans la vallée de la Loire. Le cabernet franc est à la base de trois appellations réputées de la Touraine occidentale: chinon, bourgueil et saint-nicolas-de-bourgueil. En amont du fleuve, on se rapproche de la Bourgogne, et le cabernet s'efface derrière le pinot noir. C'est la variété des rouges du Berry, comme le sancerre. Parmi les cépages rouges, on citera aussi le côt (malbec), cultivé en Touraine orientale, qui donne des vins structurés, le pineau d'Aunis des coteaux du Loir à la nuance poivrée, le meunier, cultivé notamment dans l'Orléanais, ou encore la négrette, dans les fiefs-vendéens.

LES APPELLATIONS RÉGIONALES DU VAL DE LOIRE

CRÉMANT-DE-LOIRE

Superficie : 1 512 ha / Production : 100 963 hl

Il s'agit d'une appellation régionale qui peut s'appliquer à des vins effervescents surtout blancs, parfois rosés, produits selon la méthode traditionnelle dans les limites des appellations anjou, saumur, touraine et cheverny. Les cépages, nombreux, sont les variétés plantées dans les différents secteurs du Val de Loire: chenin ou pineau de Loire, cabernet-sauvignon et cabernet franc, pinot noir, chardonnay... Reconnue en 1975, l'AOC a trouvé son public.

ACKERMAN
Cuvée Ambrosa ★★

● | 21433 | 8 à 11 €

Négoce fondé en 1811 par Jean-Baptiste Ackerman, qui fut l'un des premiers à utiliser les anciennes carrières de tuffeau pour élaborer des vins selon la méthode traditionnelle. Régulièrement au rendez-vous du Guide, la maison Ackerman, dirigée par Bernard Jacob, est aujourd'hui le plus important producteur de vins effervescents du Saumurois.

Une cuvée née de chenin (60 %), de chardonnay et de cabernet franc. Elle se présente dans une robe cristalline animée par des bulles persistantes. Le nez, complexe, mêle la poire et la pêche à des notes de brioche toastée héritées de vingt-quatre mois d'élevage sur lattes. Ample dès l'attaque, la bouche offre de douces notes vanillées jusqu'en finale. ⧗ 2016-2019 ¥ crème brûlée

SA ACKERMAN, 19, rue Léopold-Palustre, Saint-Hilaire, Saint-Florent, 49400 Saumur, tél. 02 41 53 03 10, contact@ackerman.fr
t.l.j. 9h30-12h30 14h-18h30

DOM. DE L'ANGELIÈRE 2013 ★

● | 25000 | 5 à 8 €

Depuis six générations, la famille Boret s'attache à cultiver son vignoble situé dans la vallée du Layon: 52 ha conduits aujourd'hui par Arnaud Boret.

Cet effervescent aux reflets argentés, animé d'un chapelet de bulles persistantes, libère de subtils arômes de pêche blanche. On retrouve les fruits blancs agrémentés de notes beurrées dans une bouche souple, qui révèle un dosage bien ajusté et une jolie finale sur l'amertume. ⧗ 2016-2019 ¥ kouign-amann

DOM. DE L' ANGELIÈRE, L'Angelière, Champ-sur-Layon, 49380 Bellevigne-en-Layon, tél. 02 41 78 85 09, boret@orange.fr
t.l.j. sf dim. 9h-12h 14h-18h — Boret

HUBERT BODET

● | n.c. | 5 à 8 €

Dotée de caves situées à 12 m sous terre en plein cœur de Saumur, cette vénérable maison de négoce fondée en 1859 est aujourd'hui la dernière affaire familiale du Saumurois. Quatre millions de bouteilles reposent dans une ancienne carrière de tuffeau creusée au XVᵉs.

Cette cuvée qui porte le nom du fondateur de la maison Louis de Grenelle livre un nez élégant et fruité (pêche blanche et poire), prolongé par une bouche fraîche, fine et de bonne longueur. ⧗ 2016-2018 ¥ crêpe aux poires

LOUIS DE GRENELLE, 839, rue Marceau, 49400 Saumur, tél. 02 41 50 17 63, grenelle@louisdegrenelle.fr
t.l.j. sf dim. 9h30-12h 13h30-18h30 — Flao

BOUVET-LADUBAY Blanc de blancs 2013 ★★

● | 30000 | | 8 à 11 €

Fondée par Étienne Bouvet en 1851, la maison Bouvet-Ladubay est un négoce emblématique du Saumurois. Ancienne propriété des Monmousseau, puis de Taittinger, elle est passée entre 2005 et 2013 dans le giron d'un poids lourd mondial des spiritueux, l'indien UB Group, qui l'a revendue au groupe britannique Diageo. Finalment, la famille fondatrice, qui n'a jamais cessé de gérer l'affaire, a pu la racheter fin 2015.

Ce crémant issu de chenin (80 %) et de chardonnay se révèle expressif et raffiné du début à la fin. Une fine effervescence traverse la robe légèrement dorée. Le nez, délicat, est ouvert sur les fruits blancs. La bouche, à l'unisson, se montre délicate, fraîche et longue. Le coup de cœur fut mis aux voix. ⧗ 2016-2019 ¥ koulibiac de saumon

BOUVET-LADUBAY, 11, rue Jean-Ackerman, CS 94048 Saint-Hilaire-Saint-Florent, 49412 Saumur Cedex, tél. 02 41 83 83 83, contact@bouvet-ladubay.fr
t.l.j. 9h-12h30 14h-18h

CH. DE BROSSAY ★

● | 20000 | 5 à 8 €

Régulier en qualité, et ce dans tous les styles de vins d'Anjou, ce domaine créé en 1919 par Alexis Deffois se situe dans le haut Layon, au sud de l'Anjou et à l'ouest du Saumurois. Les petits-fils du fondateur, Hubert et Raymond Duffois – rejoints en 2010 par les

LOIRE

gendres de ce dernier, Nicolas Tamboise et Benjamin Grandsart – conduisent un vignoble de 48 ha.

Ce 100 % chardonnay libère d'élégants arômes d'anis et de tilleul. La bouche, délicatement caramélisée, ample et soyeuse, offre d'intenses notes de fruits compotés. Un crémant gourmand, à réserver pour la table. ⧗ 2016-2019 🍴 poêlée de saint-jacques

⊶ CH. DE BROSSAY, Brossay, 49560 Cléré-sur-Layon, tél. 02 41 59 59 95, contact@chateaudebrossay.fr
V r.-v.

DOM. DES CHAILLOUX 2014 ★

● | 11500 | 5 à 8 €

Créé en 1983, ce domaine a été racheté en 2014 par Philippe Turc, horticulteur reconverti dans le vin. Son vignoble couvre 17 ha.

Ce 2014 à la robe jaune pâle à reflets verts, traversée de bulles fines et persistantes, affiche d'emblée sa jeunesse. Le nez, très printanier, se partage entre les fleurs blanches et des notes de citron frais. La bouche est onctueuse en attaque, puis évolue jusqu'en finale sur un mode plus frais et acidulé. ⧗ 2016-2019 🍴 tarte au citron

⊶ SARL PHILIPPE TURC, Les Chailloux, Champ-sur-Layon, 49380 Bellevigne-en-Layon, tél. 02 41 74 98 38, chailloux@domainechailloux.fr
V r.-v.

♥ CH. DE CHAMPTELOUP
Tête de cuvée ★★

● | 75000 | 5 à 8 €

Un vaste domaine de 100 ha dans le giron du groupe des Grands chais de France, souvent en vue pour ses rosés.

Déjà coup de cœur l'an dernier pour son rosé-d'anjou, le domaine réitère l'exploit cette année avec cette Tête de cuvée née de chenin (80 %) et de chardonnay. Le nez, complexe et délicat, associe des parfums de pêche blanche et de poire à des notes de vanille et de brioche toastée. Tout aussi élégant, ample, dense et soyeux, le palais dispense une bulle très fine et de gourmands arômes beurrés. ⧗ 2016-2019 🍴 panettone

⊶ SCEA CHAMPTELOUP, 49700 Brigné-sur-Layon, tél. 02 41 59 26 26, mbrieau@lacheteau.fr
⊶ Grands Chais de France

Vallée de la Loire

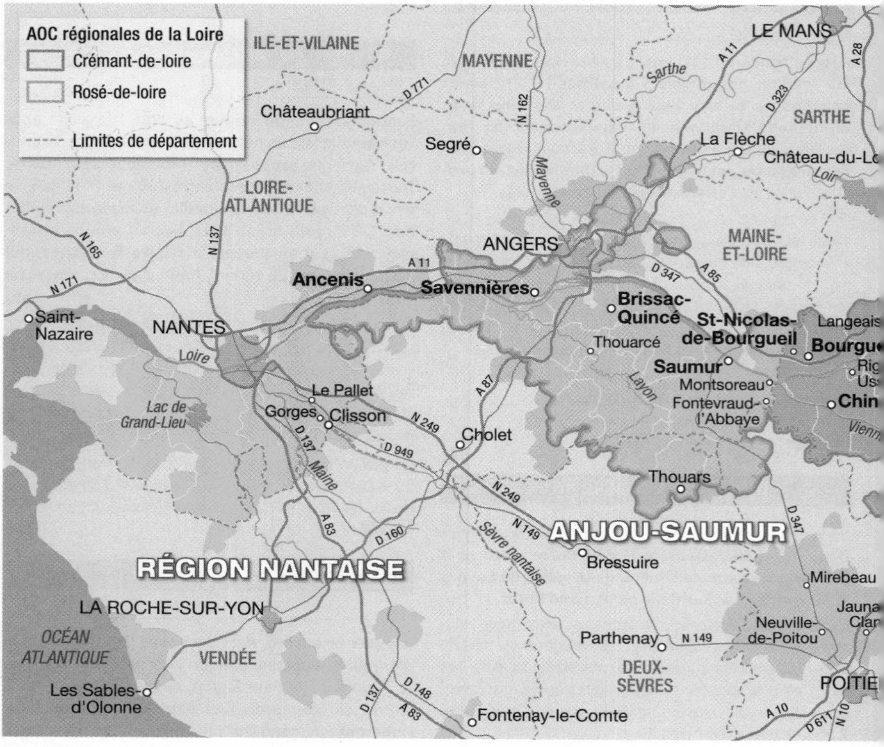

AOC régionales de la Loire
- Crémant-de-loire
- Rosé-de-loire
- Limites de département

LES CLOS MAURICE Extra-brut Volupté des Clos

● | 5000 | | 8 à 11 €

Après avoir travaillé à Châteauneuf-du-Pape, puis dans le Beaujolais et enfin avec son père pendant plusieurs années sur le domaine familial, Mickaël Hardouin a pris en 2007 la direction de ce vignoble saumurois de 21 ha, en bio certifié depuis 2015.

Ce pur chenin élevé sept mois en fût libère des notes de citron assorties de nuances végétales. On retrouve les notes acidulées des agrumes dans un palais franc, vif, persistant et légèrement boisé. ⧗ 2016-2019 ¥ huîtres

HARDOUIN, 18, rue de la Mairie, 49400 Varrains, tél. 02 41 38 80 02, closmaurice@orange.fr V r.-v.

DOM. DE LA DUCQUERIE 2014

● | 6500 | | 5 à 8 €

Installés non loin du musée de la Vigne et du Vin à Saint-Lambert-du-Lattay, dans la vallée du Layon, les Cailleau sont à la tête de 50 ha de vignes. Leur fils a rejoint l'exploitation en 2003 et s'occupe des vinifications.

La robe, rose soutenue, annonce un vin généreux. Ce que confirme le nez, expressif, qui rappelle la confiture de mûres et la gelée de groseille. Ronde, voire onctueuse, la bouche délivre une effervescence douce et agréable. ⧗ 2016-2018 ¥ tarte aux fruits rouges

DOM. DE LA DUCQUERIE, 2, chem. du Grand-Clos, 49750 Saint-Lambert-du-Lattay, tél. 02 41 78 42 00, domaine.ducquerie@wanadoo.fr V r.-v. *Cailleau*

DOM. DE L'ÉTÉ 2013

● | 36900 | | 5 à 8 €

Ce domaine de 35 ha situé à Concourson-sur-Layon est géré depuis vingt ans par Yannick Babin. La propriétaire, Catherine Nolot, a racheté en 2006 le château voisin des Rochettes, réputé pour ses liquoreux.

Composé à majorité de chardonnay (85 %), complété de pinot noir, de grolleau et de chenin, ce crémant offre une gamme aromatique complexe où les fruits blancs et jaunes s'accordent avec de fines notes citronnées. La bulle est abondante en attaque, puis s'affine; on retrouve alors les touches acidulées des agrumes dont la fraîcheur vient équilibrer la douceur des sucres résiduels (18 g/l). ⧗ 2016-2018 ¥ tarte au citron

SCEA CATHERINE NOLOT, 49700 Concourson-sur-Layon, tél. 02 41 59 11 63, domainedelete@wanadoo.fr

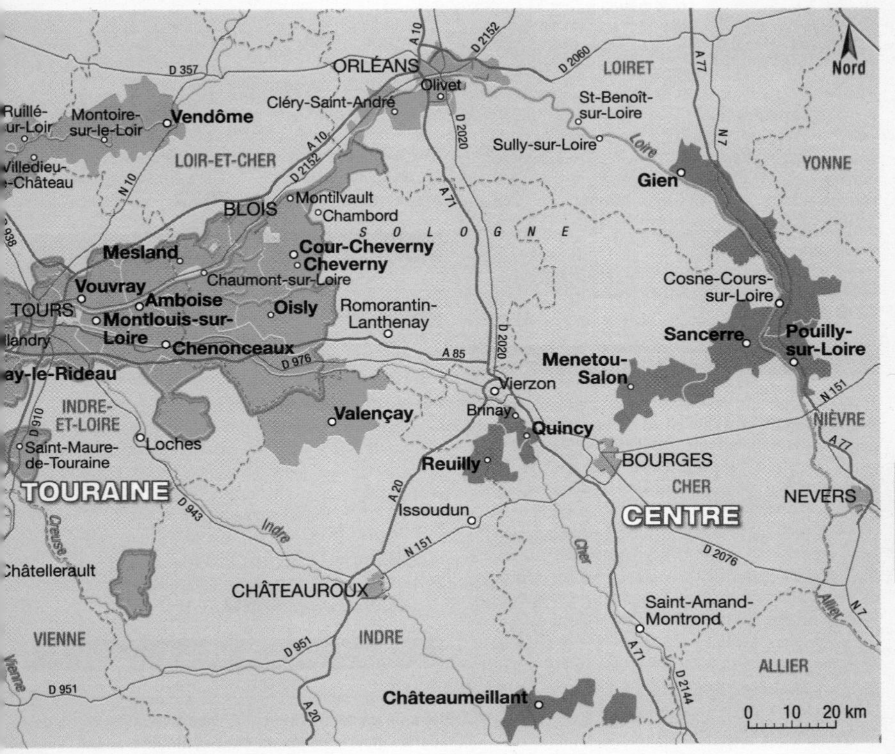

DOM. DE GAGNEBERT Un des Sens 2014 ★

| 20000 | | 5 à 8 € |

C'est sur les schistes ardoisiers de la commune de Juigné-sur-Loire qu'officie depuis cinq générations la famille Moron. Elle cultive aujourd'hui 115 ha et vinifie toutes les appellations d'Anjou.

Le nez, discret mais fin, se partage entre les fleurs du printemps et les fruits d'été (pêche blanche). La bouche, animée par une bulle délicate, offre des notes de pêche et d'abricot soulignées d'une fine acidité. Un crémant élégant et alerte. ⧗ 2016-2019 🍴 crêpe à la gelée d'abricot

DOM. DE GAGNEBERT, 2, chem. de la Naurivet, 49610 Juigné-sur-Loire, tél. 02 41 91 92 86, moron@domaine-de-gagnebert.com V t.l.j. sf dim. 8h-12h30 14h-19h

EARL Moron

♥ DOM. DES GALLOIRES 2015 ★★

| 8000 | | 5 à 8 € |

Située à l'emplacement d'un ancien manoir, cette propriété familiale créée en 1967 est régulièrement en vue pour l'une ou l'autre de ses dix-huit cuvées. L'exploitation, conduite par la famille Toublanc depuis sept générations, couvre aujourd'hui 51 ha surplombant la Loire, côté sud.

Un pur grolleau noir est à l'origine de ce crémant à la robe d'un seyant rose pâle et vif, animée par des bulles fines et persistantes. Au nez, le charme continue d'agir à travers d'intenses arômes de fraise, de framboise et de groseille. Ample, soyeuse, bien fondue, la bouche propose un long, très long écho à l'olfaction. Un vin d'une grande harmonie. ⧗ 2016-2019 🍴 bûche aux fruits rouges

DOM. DES GALLOIRES, 1, la Galloire, 49530 Drain, tél. 02 40 98 20 10, contact@galloires.com V t.l.j. sf dim. 9h-12h 14h-19h (sam. 17h)

DOM. DU HAUT FRESNE 2014 ★★

| 20000 | 5 à 8 € |

Fondé en 1958, ce domaine de 62 ha se transmet de père en fils depuis trois générations. Situé sur des coteaux faisant face à la Loire, près de Liré, il est souvent remarqué pour la qualité de ses vins, de ses coteaux-d'ancenis notamment.

Unanime pour saluer le travail d'orfèvre du vinificateur, le jury a apprécié la complexité aromatique de ce crémant à dominante de chardonnay, ouvert sur des notes de poire, de fleurs blanches et de fraise. La bouche déploie une fraîcheur ciselée, subtilement arrondie par un dosage bien ajusté, et offre un très joli retour sur les fruits rouges en finale. Un vin festif et croquant. ⧗ 2016-2019 🍴 langoustines

SCEA RENOU FRÈRES ET FILS, Dom. du Haut Fresne, 49530 Drain, tél. 02 40 98 26 79, contact@renou-freres.com V r.-v.

LACHETEAU Blanc de noirs

| 50000 | 5 à 8 € |

Créée en 1990, la société de négoce Lacheteau s'est spécialisée dans la production de vins rosés et de vins effervescents. Elle est entrée dans le giron des Grands Chais de France en 2005.

Discret mais fin, le nez de ce pur cabernet franc libère d'agréables notes de fleurs d'aubépine et de chèvrefeuille. L'attaque est vive et tonique, portée par une bulle énergique, le milieu de bouche agréablement fruité et la finale animée par une fine touche d'amertume. ⧗ 2016-2018 🍴 truite

SAS LACHETEAU, 282, rue Lavoisier, 49700 Doué-la-Fontaine, tél. 02 41 59 26 26, mbrieau@lacheteau.fr Grands Chais de France

LANGLOIS ★★

| 80000 | 8 à 11 € |

Spécialisée dans l'élaboration des vins effervescents, cette maison de négoce également propriétaire de vignes (qui dominent la Loire et la ville de Saumur) fait partie depuis 1973 du groupe Bollinger. Ses caves sont aménagées dans d'anciennes carrières creusées dans le tuffeau.

Jean François Liegeois, l'œnologue maison, signe un superbe crémant rosé né du seul cabernet franc. La bulle est dense et persistante. Tout aussi intense, l'olfaction joue la carte printanière avec ses notes de fleur d'acacia, de framboise et de cassis. Une sensation acidulée introduit une bouche centrée sur les fruits rouges, ample et fraîche malgré un dosage sensible (14 g/l). Un vin harmonieux et gourmand de bout en bout. ⧗ 2016-2019 🍴 soupe de fruits rouges

LANGLOIS-CHÂTEAU, 3, rue Léopold-Palustre, 49400 Saint-Hilaire-Saint-Florent, tél. 02 41 40 21 40, contact@langlois-chateau.fr V r.-v. Bollinger

DOM. DES MATINES

| 12000 | 8 à 11 € |

Michèle Mallard-Etchegaray, fille du fondateur, a transmis en 2010 les rênes du domaine (52 ha) à ses fils, Vincent et Hervé. La cave creusée dans le calcaire dur abrite tous les anciens millésimes de l'exploitation produits depuis 1950.

L'originalité de cette cuvée née de chenin, chardonnay et groslot gris tient à ses intenses parfums d'abricot qui témoignent d'une vendange bien mûre. On retrouve le fruit jaune dans une bouche souple, riche et douce, stimulée par une fine amertume en finale. ⧗ 2016-2018 🍴 ris de veau

DOM. DES MATINES, 31, rue de la Mairie, 49700 Brossay, tél. 02 41 52 25 36, contact@domainedesmatines.fr V r.-v.

DOM. MICHAUD ★

| 24000 | 5 à 8 € |

Installé en 1985, Thierry Michaud exploite 25 ha de vignes dans la vallée du Cher et élabore de jolis vins

de terroir. Une valeur sûre en crémant-de-loire et en touraine.

Jolies bulles fines et robe argentée, cette cuvée de chardonnay complétée à parité de chenin, de cabernet franc et de pinot noir s'annonce élégante. Le charme continue d'agir à l'olfaction: il s'en dégage de jolies notes d'abricot et de pêche relayées à l'aération par des nuances acidulées de groseille et de citron. Croquant avec une belle fraîcheur en attaque, le palais se révèle fin et élégant. ⧗ 2016-2018 ¥ tarte au citron

⊶ DOM. MICHAUD, 20, rue les Martinières, 41140 Noyers-sur-Cher, tél. 02 54 32 47 23, thierry@domainemichaud.com V *t.l.j. sf dim. 10h-12h 14h-18h*

CH. DE MONTFORT ★

● | 92036 | 5 à 8 €

La famille Feray collectionne les châteaux et les vignobles en Touraine. Montfort, commandé par un joli manoir fortifié du XVIᵉs., est conduit par Gilles Feray depuis 2011. Le domaine couvre 35 ha à Chançay. Chaque rang de vigne est orné d'un rosier qui, en plus d'être décoratif, permet de déceler l'arrivée de maladies cryptogamiques.

Cette cuvée de chenin (60 %) et de chardonnay présente une robe pâle à reflets verts traversée d'un chapelet de fines bulles. Du verre s'échappent des parfums acidulés de citron légèrement épicés où pointent quelques touches de pêche. On retrouve la vivacité des agrumes dans une bouche franche, fraîche et persistante. ⧗ 2016-2018 ¥ soufflé glacé à la framboise

⊶ SC DOM. DU MONTFORT, rue du Petit-Coteau, 37210 Vouvray, tél. 02 47 52 60 77, infos@moncontour.com V *t.l.j. sf dim. lun. 11h-13h 14h-19h ⊶ Gilles Feray*

DOM. DU MOULIN GIRON Rose Premium ★

● | 2400 | ▮ | 5 à 8 €

Construit dans les années 1450, cet ancien moulin est situé à 500 m des ruines du château où naquit le poète Joachim Du Bellay. Conduit par Nadine Allard et son père Jean-Pierre, le vignoble couvre 50 ha sur un beau terroir de schistes.

Un rosé de cabernet franc (65 %) et de grolleau. La bulle est dense et persistante et le nez bien ouvert sur d'agréables notes de réglisse et de brioche. Ses arguments en bouche? Une effervescence crémeuse, de la souplesse, de la douceur et un caractère vineux, le tout rehaussé par un trait de fraîcheur en finale. ⧗ 2016-2018 ¥ tarte aux framboises

⊶ EARL DOM. DU MOULIN GIRON, 49530 Liré, tél. 06 08 09 56 20, domainemoulingiron@orange.fr V *t.l.j. sf mer. dim. 9h30-12h 14h30-18h30; juil.-août sur r.-v.* A *⊶ Nadine et Jean-Pierre Allard*

LYCÉE VITICOLE EDGARD PISANI DE MONTREUIL-BELLAY 2013

● | 2450 | 5 à 8 €

En 2009, le lycée viticole de Montreuil-Bellay a été rebaptisé du nom d'Edgard Pisani, son fondateur en 1967, à l'époque maire de la commune, célèbre homme d'État qui fut ministre de l'Agriculture sous la présidence du général de Gaulle. Son vignoble de 13,8 ha est exploité en bio par les futurs professionnels de la région.

Ce 100 % cabernet franc libère de fins arômes de fruits rouges assortis de notes de pain au levain. On retrouve les fruits rouges en compagnie du pamplemousse dans un palais franc et léger, soutenu par une fine fraîcheur. ⧗ 2016-2018 ¥ salade d'agrumes

⊶ LYCÉE VITICOLE EDGARD PISANI, rte de Méron, 49260 Montreuil-Bellay, tél. 02 41 40 19 24, expl.montreuil-bellay@educagri.fr V *t.l.j. sf dim. 9h-12h 14h-18h*

Ⓑ L'ARCHE DE LA REBELLERIE 2013 ★

● | 7500 | ▮ | 5 à 8 €

Centre d'aide par le travail créé en 1978, ce domaine appartient à la Fédération des communautés de l'Arche de Jean Vanier. Il accueille trente adultes handicapés qui participent aux travaux de la vigne. L'exploitation de 25 ha est conduite en bio depuis 2000.

Chenin (80 %), chardonnay et un soupçon de groslot gris composent ce crémant à la bulle fine et persistante. L'olfaction se révèle élégante par ses notes d'acacia et d'aubépine. Puissante dès l'attaque, sur les fruits blancs, la bouche se montre ample et intense. ⧗ 2016-2019 ¥ tarte aux pêches

⊶ ESAT DE LA REBELLERIE, 49560 Nueil-sur-Layon, tél. 02 41 59 53 51, accueil@arche-anjou.org V *r.-v.*
⊶ L' Arche en Anjou

DOM. SAINT-ARNOUL L'Innocence 2011 ★

● | 5000 | ◍ | 5 à 8 €

Valeur sûre de l'Anjou, ce domaine est implanté sur un très beau site troglodytique, où des caves ont été aménagées dans le falun pour l'élevage des vins de garde. Le vignoble de 32 ha est dirigé par Alain Poupard depuis 1986.

Si sa robe est pâle, ce crémant révèle une olfaction intense autour des fruits exotiques et des fruits rouges (25 % de cabernet entrent dans l'assemblage). En bouche, l'effervescence est agréable et participe au côté frais de ce vin, dont la finale sur les amers est agrémentée d'une aimable petite touche briochée. ⧗ 2016-2019 ¥ gâche vendéenne

⊶ POUPARD, 5, rue des Caves-Sousigné, 49540 Martigné-Briand, tél. 02 41 59 43 62, domaine@saint-arnoul.com V *r.-v.*

DOM. DE TERREBRUNE

● | 20000 | 5 à 8 €

Situé non loin du château de Brissac, ce domaine de 55 ha (pour onze appellations) est géré par Alain Bouleau et Patrice Laurendeau depuis 1986, rejoints en 2013 par Nicolas, fils d'Alain. Les rosés représentent aujourd'hui la moitié des vins produits par la propriété.

La bulle active et fine met en valeur la robe jaune pâle de cet assemblage de chenin (50 %), chardonnay et grolleau. Au nez, de délicats parfums de fleur blanche et de pêche. Franche et fraîche en attaque, la bouche est expressive (fruits blancs), élégante et rehaussée par une subtile note d'amertume en finale. ⧗ 2016-2018 ▼ bavarois à la pêche

⊶ DOM. DE TERREBRUNE, La Motte, 49380 Notre-Dame-d'Allençon, tél. 02 41 54 01 99, domaine-de-terrebrune@wanadoo.fr
V t.l.j. sf dim. 9h-12h 15h-18h ⊶ Bouleau

DOM. DE LA TUFFIÈRE 2014

●	7000	▮	5 à 8 €

Situé sur la rive droite de la Loire, au nord-est d'Angers, ce domaine de 25 ha, de création monastique, remonte au XVII[e]s. Longtemps propriété du Ch. de la Tuffière, il a été repris en 1989 par les Coignard, exploitants sur ces terres depuis 1972. Leur fille Clarisse et son mari Fabrice Benesteau sont aux commandes depuis 2002. Leurs vins (blancs et rosés notamment) sont régulièrement remarqués dans nos éditions.

Chardonnay (55 %) et chenin sont assemblés dans cette cuvée qui s'ouvre à l'aération sur des parfums légers de fleurs blanches. Vif en attaque, le palais évolue vers plus de rondeur, mais sans perdre de sa fraîcheur jusqu'en finale. Simple et sans chichi. ⧗ 2016-2018 ▼ salade de fruits

⊶ EARL COIGNARD-BENESTEAU, Dom. de la Tuffière, 49140 Lué-en-Baugeois, tél. 02 41 45 11 47, vignoble-tuffiere@wanadoo.fr
V t.l.j. sf dim. 9h-12h30 14h-19h

DOM. DU VIEUX BOURG 2014 ★

●	4000	▮	5 à 8 €

Jean-Marie Girard et son frère Noël ont créé en 1987 ce domaine établi à Varrains, qui a pour enseigne un pressoir à long fût datant du XVIII[e]s. Leurs vignes implantées sur des sols argilo-sableux couvrent 18 ha.

Cet assemblage mi-cabernet franc mi-chenin libère des arômes complexes de fruits jaunes, de beurre frais et de pain brioché. On retrouve ces notes d'élevage dans une bouche dense, riche et onctueuse, au caractère bien affirmé. ⧗ 2016-2019 ▼ tourte au saumon

⊶ EARL GIRARD FRÈRES, 30, Grand-Rue, 49400 Varrains, tél. 02 41 52 91 89, n.girard@vieux-bourg.com
V t.l.j. 10h-12h 14h-18h

➨ LA RÉGION NANTAISE

Ce sont des légions romaines qui apportèrent la vigne il y a deux mille ans en pays nantais, carrefour de la Bretagne, de la Vendée, de la Loire et de l'Océan. Après un hiver terrible en 1709, où la mer gela le long des côtes, le vignoble fut complètement détruit, puis reconstitué principalement par des plants du cépage melon venu de Bourgogne.
L'aire de production des vins de la région nantaise occupe aujourd'hui 16 000 ha et s'étend géographiquement au sud et à l'est de Nantes, débordant légèrement des limites de la Loire-Atlantique vers la Vendée et le Maine-et-Loire. Les vignes sont plantées sur des coteaux ensoleillés exposés aux influences océaniques. Les sols plutôt légers et caillouteux se composent de terrains anciens entremêlés de roches éruptives. Le vignoble produit bon an, mal an, 960 000 hl dans les quatre appellations d'origine contrôlée: muscadet, muscadet-coteaux-de-la-loire, muscadet-sèvre-et-maine et muscadet-côtes-de-grand-lieu, ainsi que les AOVDQS gros-plant du pays nantais, coteaux-d'ancenis et fiefs-vendéens.

▶ LES AOC DU MUSCADET ET LE GROS-PLANT DU PAYS NANTAIS

Le muscadet est un vin blanc sec reconnu en appellation d'origine contrôlée dès 1936. Il est issu d'un cépage unique: le melon. Principalement situé dans la partie sud du département de Loire-Atlantique, avec quelques incursions dans le Maine-et-Loire et en Vendée, le vaste vignoble comprend quatre appellations d'origine contrôlée: l'AOC régionale muscadet ; le muscadet-sèvre-et-maine, qui regroupe 23 communes des vallées de la Sèvre et de la Maine, et qui fournit les plus importants volumes; le muscadet-coteaux-de-la-loire, qui s'étend plus en amont sur 24 communes des deux rives du fleuve, en particulier dans la région d'Ancenis sur la rive droite; le muscadet-côtes-de-grand-lieu, AOC plus récente, qui correspond à 19 communes au sud-ouest de Nantes.
À ces appellations se sont ajoutés en 2011 trois crus communaux délimités dans l'AOC sèvre-et-maine en fonction des critères pédologiques (granites, gneiss, gabbro...): Gorges, Clisson et Le Pallet. Ces crus constituent le sommet de la hiérarchie des muscadets. Leur cahier des charges prévoit un temps d'élevage sur lie très long, entre dix-huit et vingt-quatre mois. Si leur profil varie selon les terroirs (minéraux à Gorges, plus fruités et mûrs à Clisson, floraux et fruités au Pallet) tous se distinguent par leur puissance et leur potentiel. D'autres crus devraient voir le jour (Château-Thébaud, Goulaine, Monnières-Saint-Fiacre...)
La mise en bouteilles sur lie est une technique traditionnelle de la région nantaise, qui fait l'objet d'une réglementation précise, renforcée en 1994. Pour bénéficier de cette mention, les vins doivent n'avoir passé qu'un hiver en cuve ou en fût, et se trouver encore sur leur lie et dans leur chai de vinification au moment de la mise en bouteilles; celle-ci ne peut intervenir qu'à des périodes définies et en aucun cas avant le 1er mars, la commercialisation étant autorisée seulement à partir du premier jeudi de mars. Ce procédé permet d'accentuer la fraîcheur, la finesse et le bouquet des vins. Vif mais sans verdeur, aromatique, le muscadet accompagne parfaitement les poissons et les fruits de mer; il constitue également un excellent apéritif et doit être servi frais mais non glacé (8-9 °C).

MUSCADET-SÈVRE-ET-MAINE

Superficie : 7 822 ha / Production : 421 272 hl

ARCHE DE LA GANOLIÈRE Sur lie 2015 ★

	15000		- de 5 €

Installés depuis 1985, Christophe et Brigitte Boucher conduisent le domaine familial (15 ha) implanté dans la vallée de la Sèvre, à Gorges, là où a été délimité un cru communal.

Un sèvre-et-maine typé par sa robe brillante et perlante aux reflets verts et par la finesse de ses parfums de fleurs blanches et de citron, agrémentés d'une note d'amande. La même finesse caractérise la bouche, à la fois souple et fraîche, où l'on retrouve les agrumes associés aux fruits blancs. Parfait pour l'apéritif et pour les fruits de mer. ⧗ 2016-2019 🍴 huîtres

CHRISTOPHE ET BRIGITTE BOUCHER, 2, La Ganolière, 44190 Gorges, tél. 02 40 06 98 87, earl.boucher@wanadoo.fr V r.-v.

DOM. DE LA BAREILLE Sur lie 2013 ★

	20000		- de 5 €

À proximité du château de la Frémoire, à Vertou, haut lieu du syndicalisme viticole nantais, Philippe Delaunay, installé en 1983 à la suite des deux générations précédentes, exploite un peu plus de 24 ha de vignes, principalement en sèvre-et-maine. Il a aussi créé un conservatoire des cépages nantais. Son fils Antoine l'a rejoint en 2016.

Ce sèvre-et-maine offre un nez attirant, aux nuances intenses de tilleul et d'aubépine. Rond et gras en attaque, il dévoile une bouche fraîche et aromatique, tout en nuances, et devrait s'épanouir au cours des prochaines années. ⧗ 2016-2020 🍴 pâté de poisson en croûte **Sur Lie 2014 (- de 5 €; 20000 b.)** : vin cité.

DOM. DE LA BAREILLE, 28, rue de l'Herbray, 44120 Vertou, tél. 02 40 80 07 07, philippedelaunay@wanadoo.fr V r.-v. *Delaunay*

DOM. MICHEL BERTIN Sur lie 2015 ★

	20000		- de 5 €

Situé dans le hameau La Tour-Gasselin, qui domine le vignoble et le marais de Goulaine, ce domaine familial qui se transmet depuis quatre générations est conduit depuis 1990 par Michel Bertin. À sa carte, du sèvre-et-maine, du gros-plant et des vins de cépage en IGP…

Cette cuvée fait suite à un 2014 élu coup de cœur l'an dernier. Elle offre un nez intense, sur les agrumes, avec des accents mentholés très marqués et des nuances florales. À cette olfaction puissante et complexe répond un palais ample et long, aussi fruité que le nez. ⧗ 2016-2019 🍴 plateau de fruits de mer

La région nantaise

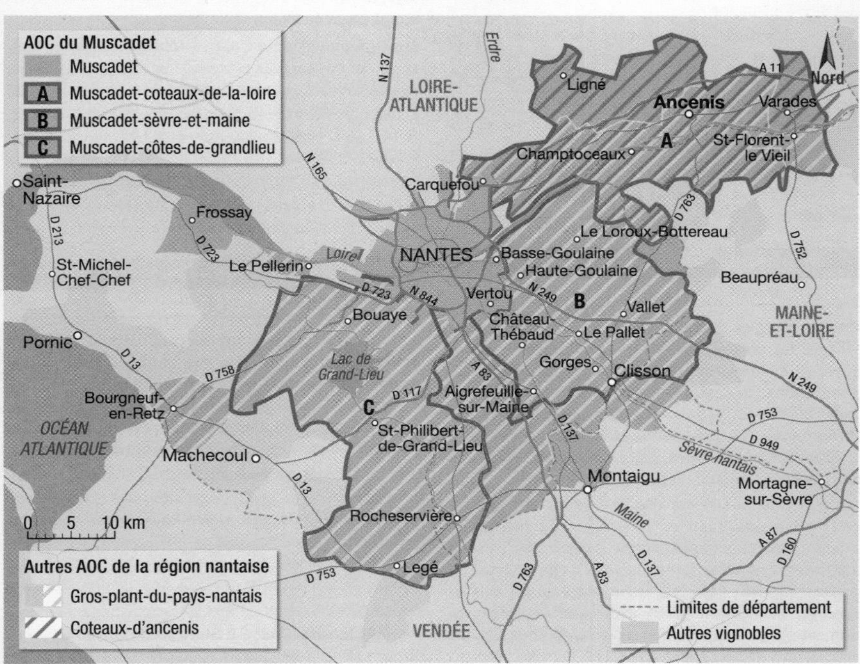

LOIRE

MICHEL BERTIN, La Tour-Gasselin, 44430 Le Landreau, tél. 02 40 06 41 38, earlbertin.michel@wanadoo.fr V r.-v.

CH. LA BIDIÈRE
Sur lie Vieilles Vignes Le Rocher 2015 ★

	65000		5 à 8 €

Établi dans un environnement vallonné et arboré, au confluent de la Sèvre et de la Maine, cet ancien domaine (1492) est fort d'un vignoble d'un seul tenant (15 ha) implanté sur un terroir de schistes assez précoce. Jean-Philippe Thomson, propriétaire depuis 2000, a restructuré les vignes et restauré le chai et le château.

«Vieilles Vignes»: le terme n'est pas usurpé: les ceps sont âgés de soixante-cinq ans. Le vin a beaucoup de présence, livrant des parfums intenses de fruits blancs, d'ananas et de mangue, teintés de minéralité. Des impressions briochées viennent compléter en bouche cette palette complexe et mûre, avec du gras, de l'ampleur, de la puissance et de la persistance. ⧗ 2016-2020 ¥ verrines de crevettes

THOMSON, La Bidière, 44690 Maisdon-sur-Sèvre, tél. 02 40 54 21 06, jphthomson@gmail.com V r.-v.

DOM. DU BOIS-BRÛLÉ Sur lie 2015 ★

	25000	5 à 8 €

Emmanuel Luneau est installé depuis 1997 sur ce domaine (19,5 ha) créé par son père, qui a son siège dans un ancien relais de poste établi au nord-ouest du bourg de Vallet, au cœur de l'appellation muscadet-sèvre-et-maine.

Un muscadet facile, tout orienté vers le fruité et la vivacité, montrant une belle continuité entre le nez et la bouche: parfums discrets d'agrumes (pamplemousse), avec des nuances florales, palais alerte, perlant, de bonne longueur, où l'on retrouve les agrumes et les fruits frais. ⧗ 2016-2019 ¥ fish and chips

EMMANUEL LUNEAU, Le Bois-Brûlé, 44330 Vallet, tél. 02 40 33 91 47, emmanuel-luneau@orange.fr V r.-v.

CH. DU BOIS-HUAUT Vieilles Vignes 1998 ★

	4800		5 à 8 €

Créé en 1897, ce domaine est situé à Gorges, un des villages les plus réputés de l'appellation muscadet-sèvre-et-maine, promu en cru communal. Au fil des générations, il s'est agrandi, restant cependant à taille humaine: 24 ha aujourd'hui. Prenant la suite de Fernanda et Stéphane Duret, Luis Duret s'est installé en 2016 sur le vignoble. La famille reste fidèle aux vendanges manuelles.

Gorges est réputé pour la longévité de ses vins. Et pour prouver leur potentiel, Luis Duret a soumis à nos dégustateurs un 1998: un muscadet de dix-huit ans! La robe a pris des tons paille dorée mais elle garde un reste de perlant. Intense et brioché, le nez est bien sûr évolué, avec ses nuances de coing, mais cette petite oxydation est plaisante. La belle attaque ouvre sur un palais souple, gras et persistant, aux notes de fruits mûrs ou compotés. «Il chardonne», conclut un dégustateur. ⧗ 2016-2018 ¥ poularde à la crème

DURET, Le Bois-Huaut, 44190 Gorges, tél. 02 40 36 10 79, duret.famille@wanadoo.fr V *t.l.j. sf dim. 9h-13h 14h-19h*

DOM. DU BOIS-PERRON Sur lie 2015 ★

	11000		- de 5 €

Situé sur la route touristique des moulins, dans un territoire vallonné du Nantais, le vignoble familial du Bois-Perron a pris de l'ampleur depuis sa création en 1950: couvrant à l'origine 2 ha, il en compte aujourd'hui 34.

Cette cuvée née de ceps de trente ans présente un nez intense et élégant aux nuances de fruits du verger (poire en tête) et d'agrumes. La bouche offre un très bel équilibre entre un côté rond, enveloppé, et une trame minérale qui apporte de la fermeté, du tonus et de la longueur à la dégustation. ⧗ 2016-2018 ¥ sushis

GAEC DU BOIS-PERRON, Le Perron, 44430 Le Loroux-Bottereau, tél. 02 51 71 90 63, du-bois-perron@orange.fr V r.-v.

DOM. BOUFFARD Sur lie 2015 ★★

	20000		- de 5 €

Ce domaine d'une belle régularité est établi à Saint-Crespin, une commune de l'est du vignoble nantais située aux portes de l'Anjou. Gilles et Frédéric Bouffard y produisent tous les types de vins de la région (blanc, rouge, rosé et mousseux) sur une exploitation de 27 ha.

Un sèvre-et-maine typé par sa robe très pâle au léger perlant et par son nez expressif, sur les agrumes et les fruits exotiques, nuancés de touches florales. Rond, souple et long, le palais s'inscrit dans le droit fil de l'olfaction, avec sa fraîcheur aromatique et primesautière. ⧗ 2016-2019 ¥ aspic de poisson

GAEC GILLES ET FRÉDÉRIC BOUFFARD, 8, La Brosse, 49230 Saint-Crespin-sur-Moine, tél. 02 41 70 43 42, gaec.bouffard@orange.fr V r.-v.

CH. DE LA BOURDONNIÈRE Sur lie 2015 ★

	15000		5 à 8 €

Cinq générations se sont succédé depuis 1850 sur ce domaine implanté à Gorges, haut lieu du vignoble nantais, et conduit depuis 1984 par Jean-Michel Barreau. Le vignoble couvre les coteaux de la Sèvre-Nantaise, implanté sur des sols argilo-siliceux reposant sur une roche mère de gabbro.

Une robe engageante, jaune limpide, et un nez complexe, sur les fruits blancs, avec des nuances toastées. L'attaque vive et perlante met en valeur le fruit, ouvrant sur un palais gras, puissant et frais, à la longue finale marquée par des notes d'amande et un retour des fruits blancs. De la finesse et un certain potentiel. ⧗ 2016-2020 ¥ julienne aux agrumes

EARL JEAN-MICHEL ET JEAN-PHILIPPE BARREAU, La Cornulière, 44190 Gorges, tél. 02 40 03 95 06,

jm.barreau@terre-net.fr
V t.l.j. sf dim. 8h30-12h30 14h-19h

DOM. DE LA BRAUDIÈRE Sur lie 2015 ★★

| 3500 | | 5 à 8 €

Constituée en 1966 et installée dans un ancien relais de poste du XVII[e]s., cette petite exploitation familiale de 13 ha, située au sud-est de Vallet, est conduite par Guy Breteaudeau. Elle est réputée pour ses muscadet-sèvre-et-maine.

Ce sèvre-et-maine encore jeune et discret au nez n'en dévoile pas moins de la finesse et une complexité naissante dans ses arômes de pain d'épice, de citron confit, d'ananas et de genêt. Riche et gras, fruité et long, le palais inspire confiance. Un vin de caractère et de garde. ⧗ 2016-2020 ♈ filet de cabillaud aux agrumes

GUY BRETEAUDEAU, 219, La Braudière, 44330 Vallet, tél. 02 40 36 20 62 V *r.-v.*

CH. DE LA BRETONNERIE
Élevé en fût de chêne 2014 ★

| 10000 | | 5 à 8 €

Campé au milieu d'un coteau, la bâtisse Second Empire qui commande l'exploitation, acquise par les ancêtres de la famille en 1858, domine des vignes vénérables, parfois centenaires. Installé en 1992, Frédéric Guilbaud représente la quatrième génération à la tête de ce domaine qui s'étend sur 33 ha.

Élevé dix mois en cuve et en fût, ce 2014 conjugue puissance et finesse au nez, alliant minéralité, fruité délicat et pointe réglissée. La bouche rappelle le séjour du vin dans le chêne par une touche de vanille. À la fois ronde et longue, elle offre une finale boisée et légèrement acidulée. ⧗ 2017-2021 ♈ coquille Saint-Jacques à la crème **Sur lie 2015 (- de 5 €; 11000 b.)** : vin cité.

SARL CH. DE LA BRETONNERIE, La Bretonnerie, 44690 La Haie-Fouassière, tél. 06 30 93 65 49, contact@fredericguilbaud-vigneron.fr V *r.-v. Frédéric Guilbaud*

DOM. DE LA BRETONNIÈRE
Sur lie La Sélection du Domaine 2015 ★

| 50000 | | - de 5 €

Situé au sud du Landreau, le domaine est proche du lycée viticole de Briacé, où les frères Patrice et Pierre-Yves Charpentier ont fait leurs études de viticulture, avant de reprendre l'exploitation familiale en 1989. Leur domaine couvre 35 ha.

Cette cuvée offre au nez comme au palais une palette aromatique bien typée, intense et fine, mariant les fleurs blanches, les fruits acidulés et des notes minérales. Équilibrée, de bonne longueur, elle montre en bouche une vivacité tonique qui appelle des mets aux tonalités marines. ⧗ 2016-2019 ♈ sardines grillées

GAEC CHARPENTIER-FLEURANCE, 56, La Bretonnière, 44430 Le Landreau, tél. 02 40 06 43 39, charpentierlabretonniere@orange.fr V *r.-v.*

DOM. DES CHARMERIES Sur lie 2015 ★

| 20000 | | - de 5 €

Installé en 1976 à la tête de la propriété familiale, Roland Sécher ne manque pas d'expérience. Il conduit un vignoble de quelque 13 ha, à l'est de Vallet, en AOC muscadet-sèvre-et-mène et gros-plant.

Le nez, intense et complexe, est typique de ce millésime, avec ses notes d'agrumes, de noix de coco, de tarte aux pommes assorties d'une pointe de curry. L'ananas et la mangue complètent cette palette dans un palais ample et gras, d'une certaine longueur. ⧗ 2016-2019 ♈ blanquette de lotte

ROLAND SÉCHER, 304, La Chalousière, 44330 Vallet, tél. 02 40 36 26 42, roland.secher@orange.fr V *r.-v.*

DOM. DE LA CHEVRUE Sur lie 2015

| 8000 | | - de 5 €

Cette exploitation fondée en 1926 est installée à Vertou, aux portes de Nantes. Depuis sa création, elle s'est agrandie, passant de 4 à 25 ha tout en abandonnant la polyculture-élevage. Yannick Leblé, qui a pris en 2009 la suite de son père Michel, a réduit un peu la superficie du domaine. À sa carte, gros-plant, muscadet-sèvre-et-maine et vins de cépage en IGP sont en bonne place.

Un sèvre-et-maine au nez très expressif et frais, ouvert sur les fleurs blanches et surtout sur les agrumes, teinté de notes grillées à l'aération. Les fruits exotiques entrent en scène dans une bouche ample et puissante, équilibrée par une fraîcheur soulignée d'un perlant bien typé et par une finale citronnée. ⧗ 2016-2019 ♈ petits chèvres chauds

YANNICK LEBLÉ, 14, rue de la Chevrue, 44120 Vertou, tél. 06 24 38 61 13, yannickleble@yahoo.fr
V *t.l.j. sf dim. 8h-20h*

CLAIR MOREAU Château-Thébaud 2012 ★★★

| 5000 | | 8 à 11 €

En 2013, Clair Moreau, après avoir développé l'exploitation familiale pendant quarante ans, l'a cédée à Édouard Massart, ancien cadre dans l'industrie aux racines vigneronnes. Le domaine dispose de 17 ha répartis sur cinq terroirs différents.

Un sèvre-et-maine né sur le terroir granitique de Château-Thébaud. Après un élevage de trente-six mois, ce vin présente une robe jaune paille, un nez légèrement beurré et délicatement minéral, une bouche ample et ronde, d'une grande finesse, à la finale longue et douce. Un ensemble harmonieux que l'on pourra apprécier dès l'heure de l'apéritif, et aussi à table, avec viandes et poissons en sauce. ⧗ 2016-2020 ♈ verrines de saint-jacques

LE JARDIN D'ÉDOUARD, 7, la Petite-Jaunaie, 44690 Château-Thébaud, tél. 02 40 06 61 42, contact@jardindedouard.com V *t.l.j. sf dim. 9h30-13h 14h-18h30 Massart*

CLOS DU BIEN-AIMÉ Sur lie 2015 ★

| 9000 | | 5 à 8 €

Le marais de Goulaine couvre près de 2 000 ha et permet de découvrir des oiseaux migrateurs.

Conduit par David et Bernard Gratas, ce domaine familial implanté à sa lisière est influencé par un microclimat favorable à la précocité des vignes. La famille y produit du muscadet-sèvre-et-maine, du gros-plant et des vins de cépages en IGP.

Ce clos de 1,35 ha est vendangé à la main, pratique devenue assez rare dans la région. Les Gratas en ont tiré un sèvre-et-maine or vert, au nez délicat de fruits blancs bien mûrs. Ample, souple et gras, le palais garde cette ligne fruitée, équilibré par un trait acidulé qui étire la finale. ⧗ 2016-2020 🍷 dos de cabillaud aux asperges

EARL BERNARD ET DAVID GRATAS, 10, La Houssais, 44430 Le Landreau, tél. 02 40 06 46 27, domainedelahoussais@orange.fr
V t.l.j. sf dim. 9h-12h30 14h-18h30

LE CLOS DU CHAILLOU Sur lie 2015 ★★

	10 000		- de 5 €

Installée en 2007, la quatrième génération officie aujourd'hui sur ce domaine créé en 1930 sur les terrains vallonnés de Vallet, au cœur de l'aire du muscadet-sèvre-et-maine. La nature rocailleuse de ses sols schisteux explique sans doute le nom de «Chaillou». Sur 30 ha, Raphaël et Bertrand Allard produisent principalement des sèvre-et-maine et des vins de cépage en IGP.

Ce sèvre-et-maine a charmé nos dégustateurs par l'intensité florale et fruitée de son nez, avec un petit côté amylique. En bouche, sa matière ronde et onctueuse est équilibrée par une belle fraîcheur qui donne finesse et persistance à la finale. Une remarquable harmonie de bout en bout. ⧗ 2016-2019 🍷 sandre au beurre blanc

ALLARD-BRANGEON, La Guertinière, 44330 Vallet, tél. 02 40 36 27 43, allard-brangeon@orange.fr
V t.l.j. sf dim. 9h-19h

CLOS DU PETIT CHÂTEAU Sur lie Sélection Vieilles Vignes 2015 ★

	50 000		5 à 8 €

Bernard, Michel et François Couillaud ont acquis en 1979 le château de la Ragotière, ancienne maison noble ayant appartenu à un compagnon d'armes de Du Guesclin. Ils pratiquent la lutte raisonnée sur leur vignoble de 70 ha d'un seul tenant, d'où ils tirent des muscadet-sèvre-et-maine et des vins de cépage en IGP Val de Loire vendus sous diverses étiquettes.

Un sèvre-et-maine jaune pâle aux reflets gris. Élégant, le nez mêle le chèvrefeuille, l'amande grillée et une touche minérale. Les fruits frais s'imposent dans une bouche à la fois puissante et fine, vive et longue, dont la finale tonique confirme la ligne fraîche. Du potentiel ⧗ 2016-2020 🍷 huîtres

SCEA DE LA RAGOTIÈRE, Les Frères Couillaud, Ch. de la Ragotière, 44330 La Regrippière, tél. 02 40 33 60 56, freres.couillaud@wanadoo.fr V t.l.j. sf sam. dim. 8h-12h 14h-18h

DOM. BRUNO CORMERAIS Clisson 2011 ★

	9 000		8 à 11 €

Établi non loin de la Maine, sur les coteaux granitiques de Saint-Lumine-de-Clisson, ce domaine familial de 28 ha a été longtemps conduit par Bruno Cormerais qui a transmis en 2009 le flambeau à son fils Maxime. Pour imprimer à leurs vins leur «marque de fabrique», ces vignerons vendangent souvent plus tardivement que leurs collègues.

La durée d'élevage très longue imposée aux crus communaux est dépassée dans ce 2011 assemblant des vins élevés en cuve et en fût jusqu'à quarante-cinq mois. Le vin en tire une robe jaune doré et un nez complexe évoquant les fruits secs (noisette) et les épices, arômes auxquels s'ajoutent en bouche des notes grillées et une touche de noyau. Après une attaque presque moelleuse, la vivacité prend le dessus et le palais se montre droit, nerveux et incisif. La longue finale est marquée par une pointe de noble amertume rappelant le zeste d'orange. Réunissant les quatre saveurs, ce 2011 trouvera l'approbation des amateurs de grands vins blancs secs. ⧗ 2016-2021 🍷 pavé de thon mi-cuit aux agrumes **Sur lie 2014 (5 à 8 €; 27 000 b.)** : vin cité.

EARL BRUNO, MARIE-FRANÇOISE ET MAXIME CORMERAIS, 41, La Chambaudière, 44190 Saint-Lumine-de-Clisson, tél. 02 40 03 85 84, b.mf.cormerais@orange.fr V t.l.j. sf dim. 10h-12h 15h-18h

DOM. DAVID Sur lie Clos du ferré 2015 ★

	65 000	5 à 8 €

Après le départ à la retraite de son père Michel en 2011, Stéphane David a pris les commandes de l'exploitation familiale fondée en 1936, qui s'étend sur 30 ha au cœur de l'appellation muscadet-sèvre-et-maine. Il est épaulé pour la partie commerciale par Sébastien Duvallet.

Issu d'un célèbre terroir schisteux, ce 2015 se montre réservé dans sa présentation: sa robe est limpide et très pâle, son nez demande un peu d'aération pour libérer des notes d'agrumes. Dès l'attaque, la bouche est marquée par une vivacité soulignée par un joli perlant, qui soutient bien l'ensemble jusqu'en finale. ⧗ 2016-2019 🍷 maki de saumon **Goulaine Clos du ferré 2012 (11 à 15 €; 5 000 b.)** : vin cité.

DOM. DAVID, 19, Le Landreau-Village, 44330 Vallet, tél. 02 40 36 42 88, domainedavid@orange.fr
V t.l.j. sf sam. dim. 9h-18h

DOM. DES DUAUX Sur lie 2015 ★

	6 000		- de 5 €

Patrice Aubron a pris en 1989 la suite de ses parents à la tête de ce domaine familial de 14 ha en muscadet-sèvre-et-maine, fondé juste après la dernière guerre, en 1947.

De présentation très traditionnelle, ce sèvre-et-maine issu de gabbro présente au nez comme en bouche un intéressant aspect de terroir et une belle maturité. Le nez encore réservé s'oriente vers les agrumes, le palais bien équilibré, à la fois gras et frais finit sur une légère amertume qui laisse présager une bonne évolution. ⧗ 2016-2021 🍷 plateau de fruits de mer

PATRICE AUBRON, Dom. des Duaux, 49230 Tillières, tél. 02 41 70 46 48, aubron.patrice@orange.fr
V r.-v.

♥ DOM. L'ÉPINAY Clisson 2013 ★★

6000 | 8 à 11 €

Ce domaine, propriété d'un riche négociant nantais au XVII^e^s., est dans la famille Paquereau depuis quatre générations. À sa tête aujourd'hui, les frères Sylvain et Cyrille, installés en 2000 et 2006 respectivement, conduisent un vignoble de 38 ha sur lequel ils cultivent pas moins de quatorze cépages différents. En conversion bio.

Si les frères Paquereau se flattent de réserver la moitié de leur surface à d'autres variétés que le melon de Bourgogne (devenu le grand cépage nantais) et de faire des «vins plaisir» en IGP, ils savent dédier au muscadet les meilleurs terroirs. Et ils ont la chance d'exploiter des vignes sur les granites de Clisson, un des trois crus communaux du muscadet-sèvre-et-maine. Après une récolte manuelle et un long élevage de deux ans, le vin revêt une robe or soutenu. Expansif dès le premier coup de nez, il déploie un joli fruité aux nuances de pêche blanche, de poire, d'orange, de cédrat et de raisin frais. Dans le même registre, le palais conjugue rondeur et fraîcheur tendu par une vivacité citronnée et très minérale. Un muscadet puissant et racé qui donne faim de mets raffinés. Dans la lignée du 2010, au sommet lui aussi. ⧗ 2016-2025 🍷 langouste grillée

EARL CYRILLE ET SYLVAIN PAQUEREAU, L'Épinay, 20, rte de la Sablette, 44190 Clisson, tél. 02 40 36 13 57, domaine-epinay@orange.fr V *t.l.j. sf dim. 8h30-12h30 14h-18h30; f. sept*

CH. DE LA FERTÉ Sur lie Vieilles Vignes 2015 ★

20000 | - de 5 €

Créée en 1947 par le grand-père de Jérôme Sécher, cette exploitation de 28 ha couvre les coteaux de la Sanguèze. Jérôme Sécher a rejoint le domaine en 1997 et s'est associé en 2006 avec Hervé Denis.

Né de vignes âgées de près d'un demi-siècle, ce sèvre-et-maine revêt une robe très pâle, presque transparente, aux reflets gris. Si le nez apparaît réservé, il est élégant et frais, subtilement minéral. Bien équilibrée, alliant vivacité et rondeur, la bouche finit sur une note fruitée. ⧗ 2016-2019 🍷 verrine de crevettes

JÉRÔME SÉCHER ET HERVÉ DENIS, 77, La Ferté, 44330 Vallet, tél. 02 40 86 37 48, gaecdelaferte@orange.fr V *r.-v.*

♥ DOM. DU FIEF-SEIGNEUR Sur lie 2015 ★★

15000 | - de 5 €

Thierry et Jean-Hervé Caillé dirigent depuis 2002 cette exploitation familiale, dont le vignoble couvre 18 ha autour de Monnières. Un village situé au cœur de l'appellation muscadet-sèvre-et-maine, qui pourrait devenir un des prochains crus communaux, comme son voisin le Pallet.

Le millésime précédent de ce sèvre-et-maine avait déjà été jugé remarquable. Ce 2015, par ses arômes de fruits jaunes comme par sa structure, ressemble beaucoup à son aîné, avec un surcroît d'intensité. Son bouquet puissant et complexe enchante: dans le verre, on respire les fleurs blanches, les fruits exotiques et l'abricot frais, vivifiés par des nuances mentholées. Le charme continue d'opérer en bouche où l'on trouve un volume remarquable, une rondeur avenante, un fruité rayonnant et une fraîcheur minérale qui soutient la longue finale sur les fruits secs. ⧗ 2016-2021 🍷 carpaccio de langoustines au citron

EARL THIERRY ET JEAN-HERVÉ CAILLÉ, 12 bis, rue des Moulins, 44690 Monnières, tél. 02 40 54 65 03, thierry.caille343@orange.fr V *r.-v.*

DOM. DE LA FOLIETTE Tradition 2014 ★★

n.c. | 5 à 8 €

Ce domaine tire son nom des petites folies, demeures bourgeoises que faisaient construire au XVIII^e^s. les armateurs nantais à leur retour des «Indes». Il est dirigé depuis 1988 par deux fils de vignerons de la Haye-Fouassière: Denis Brosseau et Éric Vincent, à la tête de 40 ha. L'intégralité des plants a été greffée par leurs soins et élevée dans la pépinière de l'exploitation.

Vinifiée et élevée neuf mois sur lie en fût de chêne, cette cuvée se drape dans une robe or pâle aux brillants reflets verts. Puissante au nez, elle délivre des parfums de fruits mûrs teintés d'une touche minérale et de notes beurrées. D'une grande richesse, le palais s'impose par sa rondeur et sa puissance, équilibrées par une longue finale fraîche et acidulée. Un sèvre-et-maine élégant et plein de promesses. ⧗ 2016-2021 🍷 écrevisses à la crème **La Haye-Fouassière 2012 ★★ (11 à 15 €; 2500 b.)** : ce vin a bénéficié d'un élevage de trente-six mois sur lie. Avec son nez très minéral, fumé et brioché, sa bouche ronde, ample et longue aux nuances de coing et de fruits confits, c'est un vin harmonieux, qui montre un réel potentiel. ⧗ 2016-2022 🍷 coquilles Saint-Jacques

DOM. DE LA FOLIETTE, 35, rue de la Fontaine, 44690 La Haye-Fouassière, tél. 02 40 36 92 28, foliette@orange.fr V *r.-v.*

CH. DE FROMENTEAU Sur lie Sélection 2015 ★

6000 | - de 5 €

Les lointaines origines du domaine remontent au XVI^e^s.; l'exploitation actuelle se transmet dans la famille Braud depuis quatre générations. Installé en 1986, Christian exploite avec Anne 13 ha de vignes et développe l'œnotourisme sur le domaine familial.

Jaune pâle aux reflets argentés, finement perlante, la robe est bien typée. Le nez expressif et délicat mêle des parfums floraux, minéraux et fruités qui prennent à l'aération des nuances exotiques. L'attaque vive et moustillante ouvre sur une bouche bien fruitée et très persistante où le pamplemousse s'allie à la mangue. Intense et élégant. ⧗ 2016-2019 ▼ sashimis

⊶ *EARL ANNE ET CHRISTIAN BRAUD, Fromenteau, 44330 Vallet, tél. 02 40 36 23 75, chateaudefromenteau@orange.fr* V r.-v. ④ Ⓔ

GADAIS PÈRE ET FILS
Les Perrières Monopole 2012 ★

	8000		11 à 15 €

Un domaine familial de 51 ha implanté à Saint-Fiacre, commune réputée de l'AOC muscadet sèvre-et-maine, au confluent des deux rivières qui ont donné leur nom à l'appellation. Pionnier de la vente directe, il vend sa première bouteille aux États-Unis en 1959 et exporte 80 % de sa production. Installé en 1994, Christophe Gadais, a été rejoint en 2013 par son fils Pierre-Henri, qui a fait ses classes dans de nombreux vignobles du monde.

L'élevage de ce 2012 s'est prolongé durant vingt-deux mois, pour 60 % en fût. Le vin associe au nez les fruits mûrs à des touches épicées. D'une grande richesse, le palais offre une rondeur caressante soulignée par des notes gourmandes de fruits à chair jaune et de miel, sans jamais perdre de sa fougue grâce à une belle trame acide. Un ensemble harmonieux, encore plein de promesses. ⧗ 2016-2020 ▼ sandre au beurre blanc

⊶ *GADAIS PÈRE ET FILS, Les Perrières, 44690 Saint-Fiacre, tél. 02 40 54 81 23, musgadais@wanadoo.fr* V r.-v.

CH. DE LA GALISSONNIÈRE
Sur lie Prestige 2015 ★

	60000		- de 5 €

Depuis 1920, la famille Lusseaud élabore des muscadets sur cette ancienne propriété de l'amiral Barrin de la Galissonnière, qui fut gouverneur du Canada et introduisit le magnolia en Europe au XVIII[e]s. Le vignoble de 28 ha entoure les vestiges du château médiéval, en partie détruit à la Révolution.

Bien connue de nos lecteurs, la cuvée haut de gamme du domaine a encore reçu un bon accueil pour son nez intense de fruits mûrs, tonifié par une touche mentholée, et pour son palais équilibré, gras et vif, de bonne longueur, dévoilant une belle harmonie entre les arômes fruités (citron confit) et minéraux. Du potentiel. ⧗ 2016-2020 ▼ saumon fumé

⊶ *EARL VIGNOBLES LUSSEAUD, La Galissonnière, 44330 Le Pallet, tél. 02 40 80 42 03, pylusseaud@gmail.com* V *t.l.j. 8h-12h30 14h-19h* ③

CHRISTIAN GAUTHIER Clisson 2010 ★★

	4500		8 à 11 €

Christian Gauthier est installé depuis 1986 à 3 km de Clisson, cité bien connue grâce à son architecture de style italien, à son festival et à son terroir granitique qui a valu à son vignoble d'être promu en cru communal. Son domaine de 27 ha se partage entre vins en AOC et vins en IGP.

Ce sèvre-et-maine issu du cru communal évoque la longue durée: les vignes qui l'ont engendré ont quarante ans et le vin a été élevé cinquante-cinq mois. La robe reste or clair; le nez, d'abord timide, s'ouvre sur le coing, la poire, la pêche et le zeste d'orange, rehaussé de notes minérales. Ces arômes complexes se retrouvent dans une bouche franche et droite, qui laisse une sensation de fraîcheur fort plaisante. ⧗ 2016-2021 ▼ lotte aux agrumes **Sur lie Roche d'exception Cuvée des Granites 2015 (- de 5 €; 11 000 b.)** : vin cité.

⊶ *EARL CHRISTIAN GAUTHIER, 19, La Mainguionière, 44190 Saint-Hilaire-de-Clisson, tél. 02 40 54 42 91, vins-gauthier@orange.fr* V *t.l.j. sf dim. 15h-19h; sam. 9h-12h*

CH. DES GILLIÈRES Vieilles Vignes 2014 ★★

	4800		5 à 8 €

Fondé vers 1900 et racheté par D. Régnier en 1999, cet important domaine de quelque 88 ha est principalement installé dans l'aire d'appellation du muscadet-sèvre-et-maine, mais il s'est agrandi vers Corcoué-sur-Logne dans l'AOC muscadet-côtes-de-grandlieu.

Ce sèvre-et-maine a bénéficié d'un court passage en fût avec bâtonnage et d'un élevage de dix-huit mois en cuve. Il offre un nez intense, fruité et brioché, légèrement minéral, qui évolue à l'aération vers la pomme cuite. Gras, volumineux, gourmand et long, avec la fraîcheur typique de l'appellation et une longue finale acidulée, il laisse une impression d'harmonie. Du potentiel. ⧗ 2016-2022 ▼ coquilles Saint-Jacques à la crème

⊶ *SAS DES GILLIÈRES, 44690 La Haye-Fouassière, tél. 02 40 54 80 05, info@lesgillieres.com* V *r.-v.*
⊶ *D. Régnier*

DOM. DU GRAND-FIEF Sur lie 2015

	26000		- de 5 €

Installé en 1984, Dominique Guérin exploite 28 ha autour de la commune de Vallet, sur un terroir de gabbro. Outre le melon de Bourgogne, il cultive de la folle blanche pour le gros-plant, du chardonnay et du sauvignon dont il tire des vins en IGP Val de Loire.

Ce 2015 apparaît encore très jeune dans sa robe presque transparente. Le nez reste sur sa réserve, libérant à l'aération des notes de fleurs blanches teintées d'une fine minéralité et d'une touche fumée. La bouche, dans le droit fil, est fermée et dominée par des impressions de vivacité. ⧗ 2016-2019 ▼ huîtres

⊶ *EARL DOMINIQUE GUÉRIN, Les Corbeillères, 44330 Vallet, tél. 02 40 36 27 37, guerindominique5@gmail.com* V *t.l.j. sf dim. 8h-20h*

DOM. DE LA GRANGE Goulaine 2012 ★★

	6000		11 à 15 €

Propriété familiale située au sud-est de Nantes, au cœur de l'aire du muscadet-sèvre-et-maine. Incarnant la huitième génération de vignerons, Raphaël a pris la suite de son père Rémy en 2010. Il vinifie ses clos séparément.

Ce 2012 provient du terroir de Goulaine, aux sols de micaschistes. Après un élevage de trois ans, il apparaît caractéristique de ce millésime, avec sa robe plutôt soutenue, son nez puissant sur le pain grillé, les fruits mûrs, teinté de notes minérales, florales et citronnées. La bouche se montre harmonieuse, soutenue par une très belle vivacité. ⧗ 2016-2021 ¥ saint-jacques poêlées

■ **Le Grand R de la Grange Sur lie 2014 ★ (8 à 11 €; 8 000 b.)** : un nez puissant et minéral et une bouche riche, droite et longue. ⧗ 2016-2020 ¥ sole grillée

RAPHAËL LUNEAU, 1, La Grange, 44430 Le Landreau, tél. 02 40 06 45 65, domaine.r.delagrange@wanadoo.fr V r.-v.

DOM. DE LA GRANGE Sur lie 2015 ★

■	90 000			- de 5 €

Béatrice et Dominique Hardy se sont installés en 1990 sur l'exploitation familiale constituée en 1950. Leur vignoble couvre aujourd'hui 37 ha. Il est principalement dédié au sèvre-et-maine.

Un nez intense et complexe d'agrumes et de fruits blancs, avec des notes originales de coing et de plantes aromatiques. On retrouve cette complexité dans un palais franc à l'attaque, rond, frais et long, un rien réglissé. ⧗ 2016-2021 ¥ bar au four

DOMINIQUE HARDY, La Grange, 44330 Mouzillon, tél. 02 40 33 93 60, contact@dhardy.com V *t.l.j. sf dim. 8h-12h30 14h-18h30*

CH. DE LA GRAVELLE Gorges 2012 ★★

■	7 000			11 à 15 €

Issue d'une lignée au service du vin remontant au XVe s. Véronique Günther-Chéreau, docteur en pharmacie, a quitté l'officine en 1989 pour se consacrer exclusivement aux trois vignobles familiaux (70 ha en tout), implantés dans trois terroirs distincts: le Ch. du Coing Saint-Fiacre, acquis par son père Bernard Chéreau en 1973, le Grand Fief de la Cormeraie, et le Ch. de la Gravelle (ces deux derniers en conversion bio). Elle est épaulée depuis 2010 par sa fille Aurélie.

Le château de la Gravelle est un vignoble de 18 ha installés sur les gabbros de Gorges, cru communal. Pour afficher la mention de ce cru, les vins doivent respecter un cahier des charges contraignant prévoyant une durée d'élevage très longue. Ce 2012 est resté ainsi trente mois sur lie. Reflétant son terroir, il présente un nez très minéral. Souple et gras en bouche, avec des notes beurrées et des arômes d'amande fraîche, équilibré par une belle fraîcheur, ce vieux millésime accompagnera bien des plats en sauce blanche. ⧗ 2016-2022 ¥ blanquette de veau

VÉRONIQUE GÜNTHER-CHÉREAU, Le Coing, 44690 Saint-Fiacre-sur-Maine, tél. 02 40 54 85 24, contact@vgc.fr V *t.l.j. 11h-13h 14h-18h*

DOM. DE GUÉRANDE Sur lie Le Vigneau 2014 ★

■	4 000			- de 5 €

Ce domaine est conduit par la famille Jussiaume depuis trois générations. Planté au sommet de la Butte de la Roche, le vignoble de 20 ha domine les marais de Goulaine et offre une vue panoramique sur Nantes.

Ce 2014, d'abord réservé, s'ouvre à l'aération sur des notes de pêche et de poire mûres. On retrouve ces arômes dans une bouche fine, fraîche et longue dont la touche d'amertume en finale laisse présager une heureuse évolution. ⧗ 2016-2020 ¥ huîtres

JUSSIAUME, Guérande Marguais, 44430 Le Loroux-Bottereau, tél. 06 22 16 74 62, domainedeguerande@wanadoo.fr V r.-v.

CH. GUIPIÈRE Sur lie La Grange Vieilles Vignes 2014 ★

■	10 000			5 à 8 €

Le grand-père a acheté les premières parcelles en 1946. Chaque génération a agrandi le domaine. Installés respectivement en 1994 et en 1997, Anthony et Thierry Lechat exploitent aujourd'hui 42 ha. Établis à Vallet, ils possèdent aussi un caveau de dégustation-vente sur la côte vendéenne, à Saint-Gilles-Croix-de-Vie.

Un bouquet charmeur et tout en finesse d'agrumes, de fleurs blanches et d'épices. La bouche séduit par sa rondeur, sa texture charnue, son fruité croquant, équilibrée par ce qu'il faut de fraîcheur. ⧗ 2016-2021 ¥ gambas

SCEA DOM. DE LA GUIPIÈRE, 44330 Vallet, tél. 02 40 36 23 30, contact@chateauguipiere.com V r.-v. *Philippe Nevoux*

DOM. GUITONNIÈRE Sur lie 2015

■	13 000			- de 5 €

Après avoir fait ses classes dans le vignoble champenois, Thierry Beauquin a repris en 1998 le domaine familial, constitué en 1932. Son vignoble de 18 ha est implanté autour de Vallet, au cœur de l'aire du muscadet-sèvre-et-maine.

Un vin harmonieux, au nez fin, réglissé sur un fond délicatement minéral. Une plaisante fraîcheur soutient un palais assez gras et friand, qui finit sur une légère pointe acidulée. Du caractère. ⧗ 2016-2019 ¥ tourteau mayonnaise

THIERRY BEAUQUIN, La Guitonnière, 44330 Vallet, tél. 06 81 88 76 68, thierry.beauquin@orange.fr V r.-v.

CH. LA HAIE-THESSENTE Sur lie 2015

■	10 000	- de 5 €

Sur la route menant de Vallet à La Regrippière, La Haie-Tessante repose sur un joli terroir de schistes et de micaschistes. Installé en Jean-François Peigné, représentant la quatrième génération sur le domaine, conduit un vignoble de 43 ha.

De bonne intensité, sur les fleurs blanches, le nez se teinte de minéralité à l'aération. La bouche, fraîche et ample, confirme cette bonne impression, malgré une finale un peu nerveuse. Une légère amertume laisse présager une bonne évolution. ⧗ 2016-2020 ¥ filet de poisson au citron

EARL PEIGNÉ ET FILS, La Haie-Tessante, 44330 Vallet, tél. 06 62 74 85 63, earlpeigne@orange.fr V r.-v.

DOM. HAUTE FÉVRIE
Moulin de la Gustais 2015 ★★

| 13000 | | 5 à 8 € |

Fondé en 1915, ce domaine de 26,5 ha se transmet depuis quatre générations. Sébastien Branger, installé en 2008, maîtrise les rendements, pratique les vendanges manuelles et s'est orienté vers des pratiques de plus en plus respectueuses de l'environnement, obtenant à la fin 2015 la certification bio.

Un nez intense et suave, d'une grande finesse, sur la fleur blanche, la brioche sortie du four, avec une légère trame minérale en soutien. La bouche, à l'unisson, se révèle riche, puissante et soyeuse, tout en arômes de fleurs blanches. Sa rondeur est contrebalancée par un trait de vivacité et un petit perlant. La dégustation s'achève par une longue finale «terroitée». Un coup de cœur fut mis aux voix... ⧗ 2016-2020 ⚲ bar au four

DOM. HAUTE FÉVRIE, 109, La Février, 44690 Maisdon-sur-Sèvre, tél. 02 40 36 94 08, haute-fevrie@orange.fr V r.-v. Branger

DOM. DE LA LANDELLE L'Astrée 2009 ★★

| 3000 | | 11 à 15 € |

Quatre générations de vignerons se sont succédé sur ce domaine, dont l'essor viticole remonte à Michel Libeau qui l'a entièrement dédié à la vigne au cours des années 1980. Après une première expérience à l'étranger, son fils François a pris la tête du domaine, qui compte 16,5 ha de vignes.

Un 1999 de cette cuvée, donné à goûter dix ans plus tard, avait décroché un coup de cœur. Voici un de ses successeurs. Issu de vieux ceps vendangés à la main, vinifié avec des levures indigènes et élevé six ans, il a gardé toute sa fraîcheur. Le nez flatteur est caractéristique d'un très bon millésime chaud: abricot confit et zeste d'orange. La bouche confirme une belle maturité, ajoutant à cette palette des nuances de vanille et de caramel. ⧗ 2016-2020 ⚲ poulet à la crème

MICHEL ET FRANÇOIS LIBEAU, Dom. de la Landelle, 89, rte de Nantes, 44430 Le Loroux-Bottereau, tél. 02 40 33 81 15, domainelandelle@hotmail.fr V r.-v.

DOM. DU LANDREAU VILLAGE
Sur lie Grande Réserve 2015 ★

| 17484 | - de 5 € |

Ce domaine appartenant à la famille Drouet est établi au pied du clos Ferré, célèbre terroir de Vallet aux sols de micaschistes, en appellation sèvre-et-maine. Conduit en lutte raisonnée, son vignoble s'étend sur 30 ha.

Cette cuvée d'une grande limpidité associe au nez le bonbon anglais et une belle minéralité. La bouche ajoute à ce registre des notes d'agrumes. Souple dès l'attaque, elle développe un joli gras équilibré par une finale tranchante typique du terroir. ⧗ 2016-2019 ⚲ couteaux

DOM. DU LANDREAU VILLAGE, 114, Le Landreau Village, 44330 Vallet, tél. 02 40 36 65 20, domainelandreauvillage@gmail.com Famille Drouet

JO LANDRON Sur lie La Louvetrie 2015 ★

| 19700 | 5 à 8 € |

En 1979 Joseph Landron rejoint son père qui avait acheté, défriché et planté les premières parcelles avec son oncle après 1945. Il prend la direction de l'exploitation familiale en 1990. Trois ans auparavant, des parcelles avaient été pratiquement empoisonnées par un désherbant. Le vigneron décide de changer ses pratiques. Depuis 2002, ses deux domaines (Dom. de la Louvetrie, 45 ha et le Ch. de la Carizière, 15 ha), sont conduit en bio certifié.

Un joli perlant anime la robe or clair de ce 2015. Un sèvre-et-maine puissant, mariant au nez les fruits mûrs à des notes briochées. Le palais, de belle tenue, rond et gras en attaque, de bonne longueur, est tendu en finale par un trait acidulé. Un vin un peu jeune, au potentiel certain. ⧗ 2017-2021 ⚲ crevettes

JO LANDRON, Les Brandières, 44690 La Haye-Fouassière, tél. 02 40 54 83 27, domaines.landron@wanadoo.fr V r.-v.

DOM. LOIRET Vieilles Vignes Cuvée d'Alice 2014 ★

| 2000 | | - de 5 € |

Vertou, première commune viticole aux portes de Nantes, connaît une forte urbanisation. Quelques producteurs résistent et maintiennent à flot le vignoble local, tels Michel et Brigitte Loiret, dont la famille cultive la vigne depuis 1900. Installés depuis 1977 et associés à leur fils Guillaume, ces derniers conduisent un domaine de 25 ha.

Ce terroir de gneiss est propice aux jolis vins, tel ce 2014 au bouquet complexe évoquant les fruits frais et les épices, sur un fond de minéralité. Vivacité, équilibre et longueur caractérisent le palais taquiné par un agréable perlant. ⧗ 2016-2020 ⚲ sole grillée

BRIGITTE ET GUILLAUME LOIRET, 47, rte de la Haye-Fouassière, 44120 Vertou, tél. 02 40 34 28 13, loiret.earl@wanadoo.fr V r.-v.

FRANÇOISE ET JOËL LUNEAU Gorges 2009 ★★

| 2500 | | 8 à 11 € |

Dans la famille depuis plusieurs générations, cette exploitation est située à 3 km de Clisson, au confluent de la Sèvre et de la Sanguèze, à l'intersection de quatre communes réputées de la région nantaise: Mouzillon, Clisson, Gorges, le Pallet. À sa tête depuis 1991, Françoise et Joël Luneau exploitent 30 ha en coteaux.

Un vin issu du cru communal de Gorges, au sous-sol de gabbro. Les vins issus de cette roche sont souvent considérés comme aptes à la garde, et ce 2009 montre exactement ce profil. On apprécie son bouquet puissant, sur des senteurs fraîches et fruitées, qui font place à l'aération à des nuances plus chaleureuses de miel, de thym et d'amande grillée. La bouche séduit par son ampleur, sa richesse et sa finale persistante sur le fruit, marquée par une note minérale typée et par une légère amertume. Un muscadet au long cours. ⧗ 2016-2021 ⚲ toasts de chèvre chaud

EARL FRANÇOISE ET JOËL LUNEAU, 32, Les Giraudières, 44190 Gorges, tél. 02 40 54 45 23, joel.luneau@orange.fr V r.-v.

♥ GILLES LUNEAU Clisson 2012 ★★

| 4200 | | 8 à 11 € |

Gilles Luneau, qui a pris en 1977 la suite des trois générations précédentes sur le domaine familial, a une solide expérience et dispose de beaux terroirs. Son vignoble de 22 ha est à cheval sur les communes de Gorges et de Clisson, deux villages promus en crus communaux.

Ce 2012 illustre parfaitement le potentiel du terroir granitique de Clisson. Après un long élevage de trente-six mois, il affiche encore une fière jeunesse dans sa robe cristalline, or clair. Sa palette aromatique offre une complexité rare: fleurs blanches, pêche, pomelo, zeste d'agrumes au nez, auxquels s'ajoutent au palais des notes de fruits exotiques (papaye), d'épices douces, de cire d'abeille et de grillé. Ample et riche, généreuse et suave, la bouche est équilibrée par une juste fraîcheur qui étire la finale. Une réelle élégance. ⧗ 2016-2021 🍴 sole meunière ■ **Gorges 2012 ★ (8 à 11 €; 5000 b.)** : un autre des crus communaux, aux sols silico-argileux sur gabbro, élevé trente mois. Au nez, il se montre floral et iodé ; au palais, il apparaît nerveux, assez élégant, ciselé, relevé par une tendre amertume. ⧗ 2016-2024 🍴 tartare de bar

GILLES LUNEAU, Ch. Elget, 20, Les Forges, 44190 Gorges, tél. 02 40 54 05 09, chateau-elget@wanadoo.fr
V *t.l.j. sf dim. 8h-13h 14h-19h30*

Ⓑ LA MAISON VIEILLE Sur lie 2015 ★

| 30000 | - de 5 € |

Héritier d'une lignée de vignerons remontant à 1615, Christophe Maillard est installé au hameau du Pé-de-Sèvre, village doté jadis d'un petit port sur la Sèvre où l'on chargeait le vin à bord de gabares. Il travaille ses 12,5 ha de vignes en agriculture biologique.

Ce sèvre-et-maine or pâle séduit par la complexité de son nez floral et fruité, tonifié par une fraîcheur mentholée. En bouche, il dévoile une rondeur flatteuse, une texture charnue, un fruité croquant et une belle vivacité, avec une légère pointe d'amertume en finale. Une bouteille très équilibrée et bien typée. ⧗ 2016-2018 🍴 salade de crevettes au pamplemousse

CHRISTOPHE MAILLARD, 59, Le Pé-de-Sèvre, 44330 Le Pallet, tél. 02 40 80 44 92, lacave@mailllard-vigneron.com V *r.-v.*

DOM. DE LA MARETIÈRE
Sur lie Cuvée Tradition 2015 ★★

| 10000 | | - de 5 € |

La famille Barreau est installée dans le Maine-et-Loire, aux portes des Mauges, et son vignoble est implantée dans la partie orientale de l'aire du sèvre-et-maine. Conduit en polyculture jusqu'en 1983, ce domaine s'est spécialisé dans la viticulture avec le père de Gaëtan Barreau, qui lui a passé le relais en 2010. Ce dernier exploite 32 ha.

Encore un peu fermé au nez, ce sèvre-et-maine s'ouvre lentement sur des notes citronnées tout en finesse, tandis qu'un fin perlant se forme dans le verre. Ce côté moustillant et des arômes d'agrumes et de menthe soulignent la fraîcheur de ce vin ciselé et bien équilibré. Un caractère qui devrait favoriser la garde. ⧗ 2016-2020 🍴 bouquets mayonnaise

LES CHAIS DE LA MARETIÈRE, Gaëtan et Romain Barreau, 7, La Maretière, 49230 Tillières, tél. 02 41 63 53 02, domainedelamaretiere@orange.fr V *r.-v.*

MARTIN-LUNEAU Gorges 2012 ★★

| 6000 | | 8 à 11 € |

Christophe Martin a repris en 1991 le domaine familial fondé en 1944. Ses 30 ha se répartissent sur les communes de Gorges, de Clisson et de Mouzillon. Le vigneron s'attache à mettre en valeur la diversité de ses terroirs – de grande qualité puisque Gorges et Clisson sont devenus des crus du muscadet-sèvre-et-maine.

Ce sèvre-et-maine de Gorges avait obtenu un coup de cœur pour son millésime 2005, avant la promotion de la commune en cru communal, ce qui prouve la qualité de ce terroir de gabbro. Après près de trois ans sur lie, ce 2012 à la robe jaune pâle dévoile au nez des senteurs de thym et des notes minérales, qui évoluent à l'aération vers la noisette. On retrouve la noisette et une note miellée dans une bouche riche, tendue par une belle arête acide. La finale minérale et légèrement amère laisse présager une bonne garde. Ce vin droit et racé gagnera en onctuosité à la faveur d'un séjour en cave. ⧗ 2020-2025 🍴 noix de Saint-Jacques au beurre ■ **Clisson 2012 ★ (8 à 11 €; 6000 b.)** : élevé près de trois ans, un vin complexe (mangue, coing, note fumée), riche, tendu, encore ferme, à la finale minérale et réglissée. ⧗ 2020-2025 🍴 saumon en papillote ■ **Sur lie Cuvée Tradition 2015 (- de 5 €; 18000 b.)** : vin cité.

MARTIN-LUNEAU, 16, Le Magasin, 44190 Gorges, tél. 02 40 54 38 44, martinluneau@wanadoo.fr
V *r.-v.*

DOM. MÉNARD-GABORIT
Monnières-Saint-Fiacre MéGaNome 2011 ★★

| 5000 | 8 à 11 € |

Située au cœur de l'appellation sèvre-et-maine, cette propriété conserve l'un des rares moulins de la région nantaise, vestige d'un temps où l'on cultivait encore des céréales sur les coteaux; il campe sur une butte au milieu des vignes. Le coquet domaine familial (65 ha) est conduit par les frères Ménard, Philippe et Thierry.

De la même veine que son aîné, un 2010 décrit l'an dernier, ce 2011 est tout aussi remarquable; un coup de cœur a même été mis aux voix. Il a pris des tons jaune intense et offre un nez encore frais, nuancés de notes de fruits confits et de brioche, et un palais riche, structuré, harmonieux et long. ⧗ 2016-2020 🍴 coquille Saint-Jacques à la crème ■ **MéGaLie Sur lie 2015 (- de 5 €; 220000 b.)** : vin cité.

DOM. MÉNARD-GABORIT, 30-34, La Minière, 44690 Monnières, tél. 02 40 54 61 06, info@domaine-menard-gaborit.com
V *t.l.j. sf dim. 10h-12h30 14h-18h30*

DOM. DES MORTIERS-GUIBOURG Sur lie 2015 ★★

| 14000 | | - de 5 € |

Quatre générations de vignerons se sont succédé sur ce domaine implanté à Gorges, village où l'on a délimité un des crus communaux du muscadet-sèvre-et-maine. Installés en 1992, Anita et Damien Cormerais conduisent à présent le vignoble familial, qui couvre 15 ha.

Ce sèvre-et-maine séduit par son nez intense, fruité (pêche, fruits exotiques, citron), finement épicé, avec une touche mentholée. Une attaque ronde et légèrement perlante ouvre sur un palais ample, frais et très persistant. Un beau vin d'apéritif. ⌛ 2016-2020 🍴 verrine crevettes et concombre

DAMIEN CORMERAIS, 2, Les Bas Mortiers, 44190 Gorges, tél. 02 40 06 98 57 V r.-v.

LE MOULIN CARRÉ 2012 ★

| 4000 | | 5 à 8 € |

Aux origines du domaine, Henri Bedouet, né en 1899, était tonnelier et vigneron en métayage. Son fils Henri s'installa en 1957 comme métayer et devint fermier vingt ans plus tard. Michel a pris le relais en 1985, acheté des parcelles et commencé à élaborer du vin. Il a engagé en 2010 la conversion bio de ses 15 ha de vignes.

Après un élevage sur lie de quatorze mois, ce vin offre un nez intense, délicatement floral et printanier, évoquant le seringa. Sa belle attaque ouvre sur un palais particulièrement riche et gras, d'une bonne longueur, soutenu par ce qu'il faut d'acidité. ⌛ 2016-2020 🍴 flétan sauce hollandaise **Clos des Grands Primos Sur lie 2015 ★ (5 à 8 €; 20000 b.)** Ⓑ : un nez floral, fruité et minéral avec finesse, une bouche fraîche à la finale alerte, marquée par une touche de torréfaction. ⌛ 2016-2020 🍴 verrine de saint-jacques

BEDOUET VIGNERON, 28, Le Pé-de-Sèvre, 44330 Le Pallet, tél. 02 40 80 97 30, michel@bedouet-vigneron.com V r.-v.

DOM. DE LA NOË
Château-Thébaud 2009 ★

| 4000 | | 8 à 11 € |

Sur les granites de Château-Thébaud, les vignes sont généralement précoces car les sols sont bien drainants. Ce domaine transmis de père en fils depuis 1878 est aujourd'hui conduit par les quatre frères Drouard, Pascal, Laurent, Denis et Jean-Paul, qui disposent de 78 ha.

Pour mettre en valeur son terroir de Château-Thébaud, Pascal Drouard élabore de belles cuvées longuement élevées sur lie avec bâtonnage. Ce 2009 est resté soixante-six mois sur lie. La robe a gardé sa couleur jaune tirant sur le vert. Le nez assez discret libère des parfums de fleurs blanches et d'agrumes (orange), rehaussés d'une touche minérale presque « pétrolée ». La très belle attaque ouvre sur un palais gras et bien structuré, aux arômes floraux d'une grande persistance. ⌛ 2016-2020 🍴 sole à la crème **Muscadet 2015 (- de 5 €; 180000 b.)** : vin cité.

DOM. DE LA NOË, 44690 Château-Thébaud, tél. 02 40 06 50 57, domainedelanoe@free.fr V *t.l.j. sf dim. 9h-12h30 14h-18h* Ⓑ *Drouard*

DAMIEN ET VINCENT PAPIN Clisson 2013 ★

| 2000 | | 8 à 11 € |

Un domaine de 25 ha conduit par Damien et Vincent Papin depuis 1996, situé au bord de la Moine, petit affluent de la Sèvre à l'extrême est du vignoble nantais et de l'aire du muscadet.

Un 2013 fort aimable, au bouquet plus fruité (agrumes, ananas) que minéral, rehaussé de touches de miel et de crème. Sa matière riche et persistante tapisse longuement le palais. ⌛ 2017-2025 🍴 vacherin

DAMIEN ET VINCENT PAPIN, 3, La Colline, 49230 Saint-Crespin-sur-Moine, tél. 02 41 70 40 47, papin.lacolline49@orange.fr V r.-v.

♥ DOM. DE LA PAPINIÈRE
Sur lie Sélection du Moulin 2015 ★★

| 6000 | | 5 à 8 € |

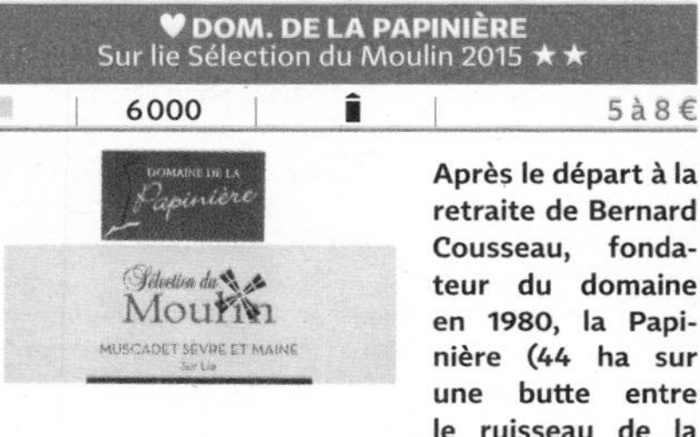

Après le départ à la retraite de Bernard Cousseau, fondateur du domaine en 1980, la Papinière (44 ha sur une butte entre le ruisseau de la Braudière et la Sanguèze) a été reprise en 2014 par Vincent Barré, qui conduit par ailleurs le Dom. de la Chignardière. Deux domaines situés dans la partie orientale du vignoble nantais, aux confins des Mauges.

Un modèle de sèvre-et-maine, issu d'un terroir de gabbro typique de la région nantaise. D'une grande complexité, son bouquet mêle la pêche et l'abricot bien mûrs, les épices et des nuances minérales caractéristiques. Riche, ample et croquante à la fois, d'une longueur remarquable, la bouche achève de convaincre: on a affaire à un grand vin, d'une rare harmonie. ⌛ 2016-2021 🍴 bar de ligne rôti

VINCENT BARRÉ, 2 bis, La Papinière, 49230 Tillières, tél. 02 41 70 46 31, lapapiniere.vb@gmail.com V r.-v.

DOM. DU PÂTIS TONNEAU
Sur lie Cuvée La Roche bleue 2015

| 12000 | | - de 5 € |

Ce domaine est implanté à Haute-Goulaine, une commune située aux portes de Nantes, célèbre pour son château dominant ses non moins célèbres marais. Il est dans la même famille depuis cinq générations. Ludovic Buneau est aux commandes des 17,5 ha de vignes.

Cette cuvée d'abord réservée déploie à l'aération bouquet fort élégant évoquant le pamplemousse, le citron et les fruits exotiques, avec une touche de minéralité. Les dégustateurs relèvent sa belle matière et sa fraîcheur soulignée par des arômes d'agrumes et d'ananas. Un sèvre-et-maine bien typé. ⌛ 2016-2019 🍴 tourteau

EARL DU PÂTIS TONNEAU, 11, imp. du Preneau, 44115 Haute-Goulaine, tél. 06 82 33 47 87, bureau.ludovic@wanadoo.fr V r.-v.

STÉPHANE ET VINCENT PERRAUD
Clisson 2012 ★

	6500		11 à 15 €

Ardents défenseurs du cru communal de Clisson, Stéphane et Vincent Perraud conduisent ce domaine familial de 28 ha en bio certifié depuis 2013 et pratiquent des vendanges manuelles.

Après un élevage sur lie de quatre ans, ce 2012 présente un nez encore timide sur les agrumes et le citron confit. Plus expressif, le palais dévoile une matière élégante, à la fois vive et onctueuse, légèrement perlante. On y retrouve le citron confit et une touche de romarin. Un vin friand et consistant, qui laisse deviner un potentiel intéressant. ⌛ 2016-2022 🍴 poulet à la crème

⊶ STÉPHANE ET VINCENT PERRAUD, 25, rte de Saint-Crespin, Bournigal, 44190 Clisson, tél. 02 40 54 45 62, vincentperraud@wanadoo.fr
V t.l.j. sf dim. 8h30-12h30 14h-18h

♥ CH. LA PERRIÈRE Sur lie Prestige 2015 ★★

	18000		5 à 8 €

Aux commandes depuis 1993 de ce domaine de près de 50 ha, Vincent Loiret, quatrième du nom à diriger l'exploitation, est installé non loin du musée du Vignoble nantais au Pallet, une des communes les plus réputées pour le muscadet-sèvre-et-maine. Il a porté ses efforts sur la modernisation et le développement de la cuverie et des chais.

Issu d'une vieille vigne de quarante ans plantée sur schistes, ce 2015 a fait l'unanimité tant pour ses qualités présentes que pour son potentiel. Sa robe doré intense annonce de riches notes de fruits confits teintés de minéralité. Quant au palais, gras et rond, c'est un monument de concentration, d'élégance et de fraîcheur. ⌛ 2016-2021 🍴 langouste ■ **Gros-plant-du-pays-nantais Sur lie 2015 ★★ (- de 5 €; 20000 b.)** : un gros-plant remarquable par ses puissantes notes citronnées et minérales, et pour son palais charnu et harmonieux. ⌛ 2016-2018 🍴 crevettes bouquets

⊶ VINCENT LOIRET, 120, La Mare-Merlet, 44330 Le Pallet, tél. 02 40 80 43 24, vins.loiret@free.fr
V t.l.j. sf dim. 8h-12h30 14h-18h; f. 15-30 août

PIERRE-YVES PERTHUY
Sur lie Cuvée du Fief de l'Aulnaye 2015 ★

	30000		- de 5 €

Aux portes de Nantes, il reste dans la commune de Vertou quelques exploitations qui ont su résister à l'urbanisation, à l'image du domaine de l'Aulnaye, conduit depuis 1986 par Pierre-Yves Perthuy. Son vignoble couvre aujourd'hui 15 ha.

Des notes fraîches de pamplemousse, de fruits exotiques et d'aubépine annoncent une bouche acidulée, tout en légèreté. L'attaque ronde, tonifiée par un petit perlant bien typé, ouvre sur une bouche équilibrée, fine, de bonne longueur. ⌛ 2016-2019 🍴 plateau de fruits de mer

⊶ PERTHUY, L'Aulnaye, 44120 Vertou, tél. 06 12 31 36 63, domaineaulnaye@orange.fr
V r.-v.

PÉTARD-BAZILE Le Clos de l'Alouette 2013 ★

	4500	8 à 11 €

Saint-Julien-de-Concelles domine la vallée de la Loire et les terres maraîchères où sont cultivés, entre autres, le muguet et la mâche nantaise. La famille Pétard y exploite, elle, la vigne depuis le XIXᵉs. sur des coteaux aux sols de micaschistes. Vincent Pétard a rejoint ses parents en 2004. Dix ans plus tard, après leur départ à la retraite, il s'est associé avec son ami d'enfance Christophe Bazile.

Ce 2013 a bénéficié d'un élevage prolongé de trente mois. D'un jaune très pâle aux reflets verts, sa robe est typée, tout comme le nez de bonne intensité, sur les fleurs blanches. Une attaque plaisante ouvre sur une bouche équilibrée, ronde et fruitée, aux arômes de coing. La finale acidulée, assez longue, est marquée par une petite touche d'amertume agréable. ⌛ 2016-2019 🍴 toasts au fromage de chèvre frais

⊶ VINCENT PÉTARD ET CHRISTOPHE BAZILE, Dom. du Plessis Glain, 44450 Saint-Julien-de-Concelles, tél. 09 52 66 99 44, domaine.plessisglain@free.fr
V r.-v.

DOM. PETITEAU Sur lie L'Authentique 2015 ★

	10000		- de 5 €

À la sortie de Vallet, sur la route de Beaupréau, La Chalousière est un petit village typique du vignoble nantais. Constitué en 1845, ce domaine familial se transmet depuis sept générations. Michel et Viviane Petiteau y ont développé l'œnotourisme. En 2015, ils ont passé le relais à leur fils Vincent qui dispose de 28 ha de vignes.

Très expressif et tonique, intensément fruité, le nez mêle les agrumes (citron, pamplemousse) et les fruits jaunes frais, agrémentés de nuances florales. La bouche franche est tout aussi alerte, avec ses notes de zeste de citron apportant en finale une légère amertume très agréable, signe d'une bonne évolution. ⌛ 2016-2019 🍴 flétan fumé

⊶ DOM. PETITEAU, 451, La Chalousière, 44330 Vallet, tél. 06 03 50 50 89, contact@domainepetiteau.com
V t.l.j. sf dim. 9h-12h30 14h-18h30

CH. DE LA PINGOSSIÈRE Sur lie 2014 ★

	15000		5 à 8 €

Cette maison de négoce a été créée en 1927 par l'arrière-grand-père et le grand-oncle des actuels propriétaires, aux commandes depuis 1983.

Ce sèvre-et-maine s'ouvre sur des notes de fruits mûrs et des touches minérales. Bien fait, mais encore en devenir, il inspire confiance par son attaque franche, légèrement perlante, par sa matière consistante et fraîche et par sa longue finale citronnée. ⌛ 2016-2020 🍴 aile de raie

LOIRE

aux câpres ■ **Guilbaud Frères Sur lie Grand Or 2015 (- de 5 €; 60 000 b.)** : vin cité.

GUILBAUD FRÈRES, BP 49601, 44196 Clisson Cedex, tél. 02 40 06 90 69 V *t.l.j. sf sam. dim. 8h30-12h 14h-17h*

CH. DE LA POËZE Ode 2014 ★★

■	3000	5 à 8 €

Situé au cœur de l'appellation muscadet-sèvre-et-maine, ce domaine s'est constitué au fil des ans, depuis 1930. Conduit par Patrice Boulanger depuis 1999, il couvre 19 ha sur des terroirs granitiques.

Ce 2014 a été vinifié sans levurage, et une petite part des vins a été élevée en barrique d'acacia. Le nez est minéral comme il se doit, puis floral (aubépine) à l'aération. La bouche attaque sur une fraîcheur qu'elle ne lâche plus et dévoile des arômes floraux et citronnés qui font écho à l'olfaction. ⧗ 2016-2021 ♆ huîtres

PATRICE BOULANGER, 25, Bonnefontaine, 44330 Vallet, vigneron@patriceboulanger.fr V *t.l.j. sf dim. 9h-12h 14h-19h*

DOM. POIRON-DABIN Sur lie Vieilles Vignes 2015 ★

■	192 400	- de 5 €

En 1962, Jean Poiron épouse Thérèse Dabin. Déjà propriétaire du Château de l'Enclos, le couple agrandit son vignoble (acquisition du Clos du Château de la Verrie en 1970, puis du Dom. de Chantegrolle en 1990). Leurs fils Laurent et Jean-Michel achètent encore le Clos des Tabardières, ce qui porte la superficie de leur exploitation à 65 ha.

Fin et expressif, le nez libère des parfums de fleurs blanches, puis s'oriente vers les fruits exotiques. Une belle attaque introduit un palais bien équilibré, ample et long, qui offre une agréable rétro-olfaction sur la pêche et l'abricot. De la finesse. ⧗ 2016-2019 ♆ verrine de concombre fromage frais

DOM. POIRON-DABIN, Chantegrolle, 44690 Château-Thébaud, tél. 02 40 06 56 42, contact@poiron-dabin.com V *t.l.j. sf dim. 9h-12h 14h-18h*

DOM. DE LA POTARDIÈRE Sur lie 2015 ★

■	26 000	🍾	- de 5 €

Propriétaire de ce domaine depuis 1879, la famille Couillaud conduit un vignoble de 27 ha au flanc d'un coteau appelé La Butte de la Roche, qui domine le marais de Goulaine. Romain a pris les commandes en 2010.

Cette cuvée issue d'un terroir d'amphibolite donne un sèvre-et-maine au nez léger mais subtil sur les fruits frais et le genêt. Sa belle attaque perlante ouvre sur un palais gras, tendu par une fine acidité minérale. La finale est marquée par une touche d'amertume qui met en appétit. ⧗ 2016-2019 ♆ fish and chips ■ **Gros-plant-du-pays-nantais Sur lie 2015 (- de 5 €; 25 000 b.)** : vin cité.

EARL COUILLAUD ET FILS, La Potardière, 44430 Le Loroux-Bottereau, tél. 02 40 33 82 50, domainepotardiere@orange.fr V *r.-v.*

DOM. DES POUINIÈRES Sur lie 2015 ★

■	5000	- de 5 €

Depuis 2002, Dominique Chupin conduit ce domaine de 15 ha établi à l'est de Vallet, sur un terroir de micaschistes. Il propose du muscadet, du gros-plant, des effervescents et des vins en IGP rouges et rosés.

Ce sèvre-et-maine, d'abord discret, s'ouvre à l'aération sur des parfums flatteurs de fruits bien mûrs (agrumes, fruits exotiques), de fleurs blanches et sur des notes minérales. Au diapason, la bouche se révèle ample, ronde, douce et longue, équilibrée par une belle trame acide. ⧗ 2016-2019 ♆ salade d'avocat aux crevettes

EARL CHUPIN, 1, La Pouinière, 44330 Vallet, tél. 06 19 82 64 58, earlchupin44@orange.fr V *t.l.j. 8h-12h30 14h-19h*

DOM. DE LA PROUTIÈRE Cuvée royale Sur lie 2015 ★

■	10 000	🍾	- de 5 €

Alain et Philippe Blanchard exploitent un domaine de 32 ha répartis dans trois communes très réputées de l'appellation muscadet-sèvre-et-maine: Mouzillon, Gorges, et Vallet. Outre le muscadet, ils proposent aussi des vins en IGP.

Cette cuvée est le cheval de bataille du domaine, souvent sélectionné dans ces pages. Le 2015 séduit par l'intensité de son nez, partagé entre le citron et les fleurs blanches. La bouche développe les mêmes arômes qui s'enrichissent de notes plus mûres de pêche et d'abricot. Sa fraîcheur et sa souplesse font de ce vin un très bon représentant de l'appellation. ⧗ 2016-2019 ♆ praires farcies

GAEC CLAUDE BLANCHARD ET FILS, 4, Le Quarteron, 44190 Gorges, tél. 02 40 54 07 82, gaec.blanchard@wanadoo.fr V *t.l.j. sf dim. 9h-12h30 14h-19h*

DOM. DE LA RENOUÈRE Sur lie 2015 ★

■	20 000	🍾	- de 5 €

Florend Viaud a repris en 1995 l'exploitation achetée en 1923 par son arrière-grand-père. Son vignoble est installé sur les sols de micaschistes du Landreau, réputés propices à la précocité du cépage melon de Bourgogne.

Un sèvre-et-maine bien typé avec sa robe pâle, ses senteurs fraîches de fleurs blanches et de fruits exotiques et sa bouche ample, souple et fruitée à l'attaque, de bonne longueur, équilibrée par une vivacité tonique. ⧗ 2016-2020 ♆ carpaccio de saint-jacques

VINCENT VIAUD, 1, La Renouère, 44430 Le Landreau, tél. 06 20 53 88 04, muscadetviaudv@orange.fr V *r.-v.*

ROCHE BLANCHE Sur lie 2015

■	20 500	🍾	5 à 8 €

Cette propriété familiale, qui se transmet de père en fils depuis 1885, est située aux confins nord-est de Vallet, sur un terroir de granite, en appellation muscadet-sèvre-et-maine. Le vignoble s'étend sur 13 ha.

Un sèvre-et-maine au nez partagé entre minéralité, notes florales et beurrées. Dans le même registre, la bouche penche vers la richesse et la souplesse, avec un trait acidulé qui lui confère un bon équilibre. ⧗ 2016-2019 ¥ saumon sauce hollandaise

GEORGES ET GUY DESFOSSÉS, Les Landes-des-Chaboissières, 44330 Vallet, tél. 02 40 33 99 54, vignoble.desfosses@sfr.fr r.-v.

DOM. DE LA ROCHE BLANCHE Sur lie 2015 ★

| 17000 | | - de 5 €

Le grand-père a acheté les premières parcelles en 1946. Chaque génération a agrandi le domaine. Installée respectivement en 1994 et en 1997, Anthony et Thierry Lechat exploitent aujourd'hui 42 ha. Installés à Vallet, ils possèdent aussi un caveau de dégustation-vente sur la côte vendéenne, à Saint-Gilles-Croix-de-Vie.

Derrière une robe or pâle se dévoile un bouquet charmeur et tout en finesse d'agrumes, de fleurs blanches et d'épices. La bouche séduit par sa rondeur, sa texture charnue, son fruité croquant, équilibrée par ce qu'il faut de fraîcheur. ⧗ 2016-2019 ¥ veau au thon

EARL LECHAT ET FILS, 12, av. des Roses, 44330 Vallet, tél. 02 40 36 68 48, earl-lechat@orange.fr t.l.j. sf sam. dim. 8h-12h 14h-18h30

LES ROCHES GAUDINIÈRES Sur lie Vieilles Vignes 2014 ★

| 15000 | | 8 à 11 €

Alexandre Déramé a vinifié en France, en Hongrie et jusqu'en Australie avant de reprendre en 2002 le domaine familial, ancienne dépendance du château de la Morandière. Son vignoble de 34 ha est établi sur un sous-sol de gabbro à Mouzillon, à la limite de Gorges et du Pallet.

Né sur la rive droite de la Sèvre de vignes âgées de soixante-dix ans, ce sèvre-et-maine fermenté avec des levures indigènes et élevé deux ans sur lie ne manque pas de caractère. Les jurés saluent son nez intense, empreint de minéralité, ainsi que la belle maturité et l'ampleur de sa bouche. ⧗ 2018-2021 ¥ fricassée de poulet à la crème

EARL DÉRAMÉ ET FILS, La Morandière, 44330 Mouzillon, tél. 02 40 80 41 43, derame@wanadoo.fr r.-v.

DOM. DES TILLEULS Sur lie Essentielle 2015 ★

| 40000 | | 5 à 8 €

Créée en 1905, cette propriété familiale proche de Vallet comptait 5 ha à l'origine. Elle a été agrandie en 1989 par Daniel Houssin et par son épouse Évelyne, rejoints par leurs enfants Jérôme et Noémie. Le vignoble couvre aujourd'hui 27 ha.

De frais parfums de pamplemousse, de pomme et de poire s'échappent du verre. Franche à l'attaque, la bouche révèle une belle vivacité soulignée par un fruité citronné et par un léger perlant bien typé. Une finale minérale et une légère amertume concluent la dégustation. ⧗ 2016-2019 ¥ verrine de chèvre frais

DANIEL HOUSSIN, 47, rue du Vignoble, 44330 La Regrippière, tél. 02 40 33 60 04, contact@domainedestilleuls.fr r.-v.

TOPAZE Sur lie 2015

| 5000 | | 5 à 8 €

Jean-Paul et Nathalie Sauvaget ont travaillé dix ans dans le Bordelais avant de reprendre en 2001 à Monnières un petit domaine, qu'ils agrandissent progressivement tout en diversifiant leur gamme. Leur vignoble implanté sur un terroir de gneiss compte aujourd'hui 6,5 ha.

Le nez discret s'ouvre à l'aération sur les fruits jaunes, avec une touche végétale. C'est au palais que ce vin montre ses bonnes dispositions, vif, franc et droit, avec une plaisante pointe acidulée et fruitée. ⧗ 2016-2018 ¥ praires farcies

GAEC TOPAZE, 22, rue de la Poste, 44690 Monnières, tél. 02 40 54 64 91, jpaul@topaze-monnieres.com r.-v. 2 *Sauvaget*

LA TOUR GALLUS Sur lie 2015

| 19000 | | 5 à 8 €

Les Rineau se succèdent de père en fils depuis 1600 à Gorges, village devenu cru communal de l'appellation muscadet-sèvre-et-maine. Héritier de cette longue lignée, Damien Rineau conduit depuis 1983 le domaine familial: 16,5 ha sur les coteaux de la Sèvre-Nantaise aux sols de gabbro altéré.

Ce vin bien typé offre un bouquet franc et fin d'agrumes (orange) et de fleurs blanches, suivi par un palais rond en attaque, minéral et fruité, à la finale vive et longue. ⧗ 2016-2019 ¥ huîtres gratinées

DAMIEN RINEAU, 1, La Maison-Neuve, 44190 Gorges, tél. 07 70 26 53 90, rineau.damien@wanadoo.fr r.-v.

CH. DE LA TURMELIÈRE Sur lie 2015 ★

| 73000 | | 5 à 8 €

La famille Chéreau Carré est établie dans la région depuis 1412. En 1953, Bernard Chéreau acquiert le château de Chasseloir. Son mariage avec Edmonde Carré, qui possède le château de l'Oiselinière de la Ramée, permet d'agrandir le vignoble. La famille a acquis ensuite le Dom. de la Chesnaie et le Dom. du Bois Bruley et enfin, en 2015, le Ch. de la Turmelière. Rejoint par sa fille Louise, Bernard Chéreau fils, médecin de formation, soigne ces vignobles depuis 2003.

La Turmelière est un vignoble de 10 ha d'un seul tenant sur les bord de la Maine à Château-Thébaud. Bernard Chéreau en a tiré un sèvre-et-maine bien typé, avec son bouquet mêlent l'acacia, les fruits jaunes et des notes minérales et son palais alliant un joli gras apporté par l'élevage sur lie à la fraîcheur iodée caractéristique d'un terroir de granite. ⧗ 2016-2018 ¥ terrine de saint-jacques **Ch. de Chasseloir Sur lie 2015 (5 à 8 €; 150000 b.)** : vin cité. **Ch. de la Chesnaie Sur lie 2015 (5 à 8 €; 50000 b.)** : vin cité.

CHÉREAU CARRÉ, Chasseloir, 44690 Saint-Fiacre-sur-Maine, tél. 02 40 54 81 15, contact@chereau-carre.fr t.l.j. sf sam. dim. 9h-13h 14h-17h

LOIRE

MUSCADET-CÔTES-DE-GRAND-LIEU

Superficie : 277 ha / Production : 14 447 hl

DOM. DE LA CHAUSSÉRIE Sur lie 2015 ★★

| 7000 | - de 5 € |

Au cœur de l'appellation muscadet-côtes-de-grand-lieu, ce domaine familial de 28 ha, conduit depuis 2000 par Kristel et Patrick Sobin, est situé sur la petite commune de Saint-Léger-les-Vignes, en bordure de L'Acheneau, sur la route de Pornic.

«Ce vin a du nez», expose un dégustateur sous le charme. En effet, se dégagent du verre de fines senteurs d'agrumes et de fruits à chair blanche. Et on croque aussi le fruit, l'ananas notamment, dans une bouche ample, souple et friande, animée par une acidité bien fondue qui apporte beaucoup d'énergie et de longueur. ⧗ 2016-2019 Ÿ anguille du lac de Grand Lieu

⊶ DOM. DE LA CHAUSSÉRIE, 35, rue de la Chaussérie, 44710 Saint-Léger-les-Vignes, tél. 02 40 32 67 81, earl.gobin@wanadoo.fr V t.l.j. sf dim. 15h-19h; f. 15-22 août ⊶ Patrick Gobin

LA GARNAUDIÈRE 2015 ★

| 12250 | | - de 5 € |

Au sud du lac de Grandlieu, la commune de La Limouzinière a conservé quelques exploitations viticoles. Celle-ci, constituée en 1981, est conduite depuis 2003 par François Denis, à la tête d'un vignoble de 47 ha qu'il envisage de convertir à la bio.

Ce vin jaune pâle aux reflets dorés développe un nez puissant et élégant d'épices et de fruits blancs frais. Un fruité prolongé par une bouche tout aussi intense, souple, fraîche et persistante. ⧗ 2016-2018 Ÿ beignets de crevette

⊶ GAEC DE LA GARNAUDIÈRE, 15, La Garnaudière, 44310 La Limouzinière, tél. 02 40 05 82 28, lagarno@orange.fr V t.l.j. sf dim. 8h-12h 14h-19h ⊶ Denis

DOM. LE GRAND FÉ Sur lie 2015 ★

| 15000 | | - de 5 € |

À la tête de l'exploitation depuis 2003, Jean Boutin dispose de 24 ha. Une partie du vignoble entoure un ancien relais de poste du XVIII[e]s. transformé en chai.

Cette cuvée se signale par un nez intense de bonbon anglais et de poire. La bouche, ample et assez corpulente, évolue quant à elle sur les fruits secs (abricots et raisins), stimulée par une forte vivacité. ⧗ 2016-2020 Ÿ daurade au four

⊶ EARL JEAN BOUTIN, 8, Le Poirier, 44310 La Limouzinière, tél. 06 80 08 69 40, jean.boutin1@bbox.fr V t.l.j. sf dim. 10h-12h30 15h-19h30; sam. 10h-12h30

DOM. DU GRAND POIRIER Sur lie 2015

| 12000 | | - de 5 € |

À la tête de ce domaine depuis 1984, Christian Jaulin conduit un vignoble de 19,5 ha presque d'un seul tenant.

Ce vin se signale par une robe très pâle et limpide. D'abord réservé, il s'ouvre à l'agitation sur des arômes de pêche et de fruits exotiques relevés d'une touche minérale. Bien structuré, le palais est porté par une intense vivacité «terroitée» qui se conjugue à des arômes de fruits blancs. Un vin énergique. ⧗ 2016-2019 Ÿ plateau de fruits de mer

⊶ CHRISTIAN JAULIN, 2, Dom. du Grand Poirier, 44310 La Limouzinière, tél. 02 40 05 94 47, jaulin.christian@wanadoo.fr V t.l.j. sf dim. 8h-12h30 14h-18h; f. 15-31 août

DOM. DU HAUT BOURG
Origine du Haut Bourg 2005 ★★

| 8000 | | 11 à 15 € |

Situé sur la commune de Bouaye, à la sortie de Nantes, ce domaine créé en 1945 est une valeur sûre de la région. Hervé et Nicolas Choblet, le père et le fils, y cultivent 40 ha sur un terroir de micaschistes et de granite.

Les Choblet nous proposent ici une rareté, un vin élevé dix ans sur lies, en cuves souterraines. Complexe et un peu évolué à l'olfaction, mêlant fruits secs (noisette) et notes briochées, ce 2005 a, malgré son âge, conservé une belle fraîcheur en bouche grâce à une acidité bien fondue. On aime aussi sa texture fine et soyeuse, son volume et sa persistance. ⧗ 2016-2019 Ÿ vieux comté

⊶ DOM. DU HAUT BOURG, 11, rue de Nantes, 44830 Bouaye, tél. 02 40 65 47 69, contact@hautbourg.fr V r.-v. ⊶ Choblet

B DOM. LES HAUTES NOËLLES
Les Granges 2015 ★★

| 2600 | | 5 à 8 € |

Propriété familiale créée en 1930 et reprise en 2010 par Jean-Pierre Guedon qui réalise son rêve de devenir vigneron après une carrière de chef d'entreprise. Le domaine de 25 ha est en bio certifié depuis 2012.

Issu d'un terroir de schiste en bordure de l'Achenau et d'une vendange manuelle, ce vin présente un nez intense et fin de fruits à chair blanche et d'abricot. En bouche, il affiche une belle structure, du corps et du volume autour d'une vivacité bien dosée qui lui confère beaucoup d'allonge et de dynamisme. ⧗ 2016-2019 Ÿ carpaccio de saint-jacques

⊶ DOM. LES HAUTES NOËLLES, La Haute-Galerie, rue de Nantes, 44710 Saint-Léger-les-Vignes, tél. 02 40 31 53 49, domaine@les-hautes-noelles.com V t.l.j. sf dim. 9h-12h 14h-18h ⊶ Jean-Pierre Guedon

DOM. DES HERBAUGES
Sur lie La Roche blanche 2015

| 78000 | | 5 à 8 € |

Sur les bords du lac de Grandlieu, Jérôme Choblet conduit depuis 2007 un vaste vignoble de 100 ha, perpétuant ainsi le savoir-faire de trois générations.

Après une vinification à basse température puis un élevage sur lie de huit à quatorze mois avec bâtonnage régulier, ce 2015 se révèle équilibré, frais et rond, parfumé de délicates senteurs de fleurs blanches et de pêche de vigne, avec en soutien une touche de minéralité. ⧗ 2016-2019 🍴 saumon en papillote

SARL JÉRÔME CHOBLET, Les Herbauges, 44830 Bouaye, tél. 02 40 65 44 92, contact@domaine-des-herbauges.com
t.l.j. sf dim. lun. 10h-12h15 14h-16h30

MUSCADET-COTEAUX-DE-LA-LOIRE

Superficie : 244 ha / Production : 12 064 hl

DOM. DE LA CAMBUSE Sur lie 2015 ★

	1800	- de 5 €

Vivant aussi de l'élevage bovin, ce domaine de 12 ha exploite des vignes plantées sur les coteaux escarpés du sud de la Loire. Après avoir longtemps livré sa production au négoce, il a développé une activité de vente directe.

Issu d'un terroir de gneiss dégradé et de schistes, ce vin dévoile un nez fin de citron, de pamplemousse et de fruits exotiques. Tout aussi expressif, le palais associe la vivacité typique des coteaux-de-la-loire à la générosité du millésime, qui apporte du gras et de la rondeur. Un ensemble harmonieux. ⧗ 2016-2019 🍴 moules marinières

DOM. DE LA CAMBUSE, 7, La Cambuse, 49530 Drain, tél. 02 40 83 91 63, domainedelacambuse@orange.fr
t.l.j. sf dim. 9h-12h 14h-19h — Toublanc

DOM. DES GALLOIRES Sur lie Les Chailloux 2015 ★★

	18000		- de 5 €

Située à l'emplacement d'un ancien manoir, cette propriété familiale créée en 1967 est régulièrement en vue pour l'une ou l'autre de ses dix-huit cuvées. L'exploitation, conduite par la famille Toublanc depuis sept générations, couvre aujourd'hui 51 ha surplombant la Loire, côté sud.

Avec ses notes minérales, le nez de ce 2015 laisse s'exprimer le terroir; il y ajoute des notes variétales de citron et de fruits blancs. À la fois charnue, riche, puissante et pleine de vivacité, la bouche affiche un superbe équilibre et laisse deviner un beau potentiel de garde. ⧗ 2017-2020 🍴 brochet au beurre blanc ■ Coteaux-d'ancenis **Malvoisie 2015 (5 à 8 €; 25000 b.)** : vin cité.

DOM. DES GALLOIRES, 1, la Galloire, 49530 Drain, tél. 02 40 98 20 10, contact@galloires.com
t.l.j. sf dim. 9h-12h 14h-19h (sam. 17h)

DOM. DES GÉNAUDIÈRES Sur lie La Coulée d'or 2015 ★★

	12000		- de 5 €

Régulièrement sélectionné dans le Guide pour ses coteaux-d'ancenis, ce domaine familial est campé sur un rocher de la commune du Cellier depuis 1635. Les Athimon exploitent aujourd'hui 35 ha de vignes à flanc de coteaux sur la rive droite de la Loire.

Cette Coulée d'or, née d'une vigne de cinquante ans, se montre timide au premier nez, puis s'affirme à l'aération sur de belles notes d'agrumes. La bouche déploie une intense vivacité aux accents minéraux dès l'attaque et affiche beaucoup de finesse et d'élégance jusqu'en finale. ⧗ 2016-2019 🍴 bar sauce citronnée

ATHIMON ET SES ENFANTS, Dom. des Génaudières, 101, Les Génaudières, 44850 Le Cellier, tél. 02 40 25 40 27, earl.athimon@wanadoo.fr
t.l.j. sf dim. 9h-12h30 14h-19h

DOM. DU HAUT FRESNE Sur lie 2015 ★★★

	30000		- de 5 €

Fondé en 1958, ce domaine de 62 ha se transmet de père en fils depuis trois générations. Situé sur des coteaux faisant face à la Loire, près de Liré, il est souvent remarqué pour la qualité de ses vins, de ses coteaux-d'ancenis notamment.

Cette cuvée épatante de bout en bout se pare d'un beau jaune d'or brillant et dévoile un bouquet intense de miel agrémenté d'un léger grillé et d'une fine minéralité. Dans une heureuse continuité, la bouche associe gras, douceur et fraîcheur dans un équilibre irréprochable. Un vin à la fois généreux et tonique, soyeux et très long, bien dans son millésime et son appellation. ⧗ 2016-2019 🍴 anguilles grillées

SCEA RENOU FRÈRES ET FILS, Dom. du Haut Fresne, 49530 Drain, tél. 02 40 98 26 79, contact@renou-freres.com r.-v.

CH. MESLIÈRE Sur lie 2015 ★★

	20000		- de 5 €

Conduit par Jean-Claude Toublanc depuis 1988 (troisième génération), ce domaine de la rive droite de la Loire est installé sur un site préhistorique où s'élève, en son centre, un mégalithe de 12 m de hauteur. Ses 18 ha de vignes, exposés au midi, reposent sur des sols de micaschistes.

Ce terroir de schistes au faciès feuilleté a donné naissance à cette superbe cuvée, ouverte sur d'intenses parfums d'aubépine et de citron. À la fois ronde et vive, suave et minérale, ample et très aromatique, la bouche est un modèle d'équilibre. ⧗ 2016-2019 🍴 sandre au beurre blanc ■ Coteaux-d'ancenis **Dom. des Pierres Meslières Malvoisie 2015 (5 à 8 €; 10000 b.)** : vin cité.

JEAN-CLAUDE TOUBLANC, Les Pierres-Meslières, 44150 Saint-Géréon, tél. 02 40 83 23 95, jean-claude.toublanc@wanadoo.fr
lun. ven. sam. 9h-13h 15h-19h

DOM. DU MOULIN GIRON Sur lie 2015 ★★

	40000		- de 5 €

Construit dans les années 1450, cet ancien moulin est situé à 500 m des ruines du château où naquit le poète Joachim Du Bellay. Conduit par Nadine Allard et son père Jean-Pierre, le vignoble couvre 50 ha sur un beau terroir de schistes.

Robe légèrement jaune s'orientant vers le vert. Plutôt floral que minéral, le bouquet dévoile aussi des notes de caramel. Ces arômes parfument une matière soyeuse, riche et ronde, qui tapisse longuement le palais. ⧗ 2016-2019 🍴 cassolette de fruits de mer ■ Coteaux-d'ancenis **Malvoisie 2015 ★ (5 à 8 €; 23700 b.)** : une malvoisie bien fruitée (litchi et pêche notamment), aérienne et souple en bouche, épaulée par une belle fraîcheur et une fine amertume en finale. ⧗ 2016-2019 🍴 tarte poire-chocolat

EARL DOM. DU MOULIN GIRON, 49530 Liré, tél. 06 08 09 56 20, domainemoulingiron@orange.fr V t.l.j. sf mer. dim. 9h30-12h 14h30-18h30; juil.-août sur r.-v. Nadine et Jean-Pierre Allard

DOM. DE LA PLÉIADE Sur lie 2015 ★

■ | 6000 | | - de 5 €

Ce domaine doit son nom au poète Joachim Du Bellay, né dans la commune de Liré et auteur du manifeste à l'origine de la Pléiade. Bernard Crespin, installé en 1982, y exploite aujourd'hui un vignoble de 11 ha.

Issue de vignes de vingt ans, cette cuvée très pâle aux reflets verts dévoile d'intenses notes balsamiques. Plus fruitée, la bouche est portée par une belle fraîcheur, renforcée par une agréable pointe d'amertume en finale. ⧗ 2016-2019 🍴 brochet de Loire

BERNARD CRESPIN, 210, rue de la Pléiade, 49530 Liré, tél. 02 40 09 01 39, crespin.pleiade@wanadoo.fr V t.l.j. sf dim. 10h-12h30 15h-19h

DOM. DU ROTY Sur lie 2015 ★

■ | 2500 | | - de 5 €

Joseph Bodineau s'est installé en 1955 à Saint-Herblon, commune peu viticole située au nord du vignoble nantais. Ses petits fils (Vincent et Mathieu) ont pris la relève, respectivement en 2004 et 2013, et cultivent un vignoble de 22 ha.

À l'origine de ce vin, de très vénérables ceps de... quatre-vingt-onze ans. Au nez, ce sont les agrumes qui dominent, sur fond de fine minéralité. Une belle fraîcheur se dégage en bouche autour d'arômes d'abricot et de pêche, avant une finale miellée plus chaleureuse. Mais l'équilibre est intact. ⧗ 2016-2019 🍴 salade de poulpe

GAEC DU ROTY, 44150 Saint-Herblon, tél. 02 40 98 00 88, bodineauvincent@orange.fr V t.l.j. sf dim. 8h30-12h30 14h-19h30 Bodineau

♥ VIGNES DE L'ALMA Sur lie 2015 ★★★

■ | 5000 | | - de 5 €

Saint-Florent-le-Vieil, village charnière entre l'Anjou et le pays nantais. Roland Chevalier y conduit un petit clos de 10 ha, commandé par un bâtiment datant de 1856 baptisé par le propriétaire d'alors – un général des Armées – en souvenir de la bataille de l'Alma. Ses vins rosés et rouges se rattachent à l'Anjou, ses blancs à l'AOC muscadet-coteaux-de-la-loire. Une valeur sûre.

Une vigne de trente ans plantée sur schistes est à l'origine de ce vin admirable, qui respire de bout en bout la minéralité du lieu. Pâle aux reflets dorés, il dévoile un bouquet d'une rare élégance, sur la pierre à fusil, le citron et les fruits blancs. Une gamme aromatique prolongée avec persistance par une bouche offrant beaucoup de volume, de fraîcheur et de finesse. Tout ce que l'on attend d'un coteaux-de-la-loire. ⧗ 2016-2020 🍴 langouste grillée

ROLAND CHEVALIER, L'Alma, 49410 Saint-Florent-le-Vieil, tél. 02 41 72 71 09, chevalier.roland@wanadoo.fr V t.l.j. sf dim. 8h30-12h 14h-19h

GROS-PLANT-DU-PAYS-NANTAIS

Superficie : 1 212 ha /Production : 90 255 hl

Le gros-plant-du-pays-nantais est un vin blanc sec, AOVDQS depuis 1954 et AOC depuis 2011, produit dans trois départements: Loire-Atlantique, Maine-et-Loire et Vendée. Il est issu d'un cépage unique d'origine charentaise, la folle blanche, appelée ici gros-plant. Comme le muscadet, le gros-plant peut être mis en bouteilles sur lie.

CH. DE L'AUJARDIÈRE Sur lie 2015

■ | 4000 | | - de 5 €

La famille Lebrin exploite depuis cinq générations cette propriété fondée en 1850, située aux confins de l'Anjou et du pays nantais, qui a pris la suite d'un domaine seigneurial de l'Ancien Régime. Olivier Lebrin s'est installé en 1999 sur 26 ha. Aujourd'hui, le vignoble couvre 45 ha plantés de quatorze cépages différents.

Ce vin très pâle aux reflets verts développe des arômes plaisants de citron vert et de fleurs blanches bien typés gros plant. Fraîche et tonique en attaque, la bouche évolue sur les fruits exotiques et s'achève sur une note plus ronde. ⧗ 2016-2018 🍴 filet de sole

EARL OLIVIER LEBRIN, L'Aujardière, 44430 La Remaudière, tél. 02 40 33 72 72, contact@vinsfinslebrin.com V t.l.j. sf dim. 9h-12h30 14h-19h; sam. 9h-12h30

DOM. DE BEAUREPAIRE Sur lie Haute Sélection 2015 ★

■ | 21600 | | - de 5 €

Le vignoble, situé sur les communes de Mouzillon et de Clisson, couvre 16,5 ha autour de l'exploitation, dont les bâtiments de brique rouge rappellent le style italien de la cité médiévale. Depuis 2009, Christine Bouin est aux commandes.

Les œnophiles amateurs de rock métal pourront faire un petit détour par le domaine, situé non loin du site du Hellfest. Ils y découvriront entre autres ce gros plant cristallin, bien ouvert sur les fruits à chair blanche, ample et équilibré en bouche, entre rondeur suave et vivacité minérale. ⧗ 2016-2019 🍴 salade mangue-crevettes

⊶ CHRISTINE BOUIN, 5, La Recivière, 44330 Mouzillon, tél. 02 40 36 35 97, domainedebeaurepaire@orange.fr V 🚶 🍷 *r.-v.*

DOM. DE LA CORNULIÈRE Sur lie 2015

	5000	🍾	- de 5 €

Cinq générations se sont succédé depuis 1850 sur ce domaine implanté à Gorges, haut lieu du vignoble nantais, et conduit depuis 1984 par Jean-Michel Barreau. Le vignoble couvre les coteaux de la Sèvre-Nantaise, implanté sur des sols argilo-siliceux reposant sur une roche mère de gabbro.

Cette cuvée livre des arômes acidulés d'orange et de pamplemousse. La bouche apparaît fruitée et bien équilibrée entre rondeur et vivacité. Simple et efficace. ⧗ 2016-2018 🍷 fruits de mer

⊶ EARL JEAN-MICHEL ET JEAN-PHILIPPE BARREAU, La Cornulière, 44190 Gorges, tél. 02 40 03 95 06, jm.barreau@terre-net.fr V 🚶 🍷 *t.l.j. sf dim. 8h30-12h30 14h-19h*

DOM. DE L'ERRIÈRE Sur lie 2015 ★

	30000	🍾	- de 5 €

Ce domaine familial de 30 ha créé en 1982 est bien connu des lecteurs du Guide à travers plusieurs étiquettes: le Domaine Madeleineau en IGP Val de Loire, le Domaine de l'Errière et le Domaine de la Taraudière en muscadet-sèvre-et-maine et gros-plant-du-pays-nantais.

Issue d'un terroir de schiste du Landreau, cette cuvée présente un nez bien ouvert sur des arômes de fleurs et de fruits blancs accompagné d'une gourmande note briochée. Élégante et persistante, très fraîche et même acidulée, la bouche est au diapason du bouquet. ⧗ 2016-2019 🍷 plateau de fruits de mer

⊶ GAEC MADELEINEAU, L'Errière, 44430 Le Landreau, tél. 02 40 06 43 94, domainemadeleineau@orange.fr V 🚶 🍷 *r.-v.*

LA FRUITIÈRE 2015 ★★

	12000	🍾	- de 5 €

Pierre et Chantal Lieubeau dirigent depuis 1980 cette exploitation familiale créée en 1816 et implantée sur les granites de Château-Thébaud. Leur premier fils François les rejoint en 2011. En 2014, c'est au tour de Vincent, aujourd'hui responsable technique, et de Marie. Le vignoble de 70 ha est en conversion bio depuis 2015.

Ce gros-plant, à un souffle du coup de cœur, apparaît dans une très belle robe blanche et limpide. Des senteurs de buis, très présentes au nez, s'accompagnent de nuances florales et fruitées dans une bouche d'une puissance surprenante et d'un équilibre impeccable, à la fois souple, ronde et d'une grande fraîcheur. ⧗ 2016-2019 🍷 aumonières de saint-jacques ■ **Ch. de l'Aulnaye Château-Thébaud 2012 ★ (11 à 15 €; 7000 b.)** : un plaisant bouquet floral et minéral prélude à un palais d'une rondeur avenante, dynamisé par une élégante finale saline. ⧗ 2016-2019 🍷 sushis

⊶ FAMILLE LIEUBEAU, La Croix-de-la-Bourdinière, 44330 Château-Thébaud, tél. 02 40 06 54 81, contact@lieubeau.com V 🚶 🍷 *t.l.j. sf dim. 10h-12h 14h-19h*

HAUTE-COUR DE LA DÉBAUDIÈRE Sur lie 2015

	15000	🍾	- de 5 €

Chantal et Yves Goislot sont installés depuis 1984 au sud de Vallet, au-dessus des boucles de la Sanguèze, petite rivière qui se jette dans la Sèvre. Leur domaine de 35 ha, établi sur des coteaux escarpés, bénéficie de sols de gabbro. En 2003, ils se sont associés avec Jeannick Papin, donnant naissance à l'étiquette Goislot-Papin.

Issue d'un terroir assez tardif de gabbro, cette cuvée développe un nez franc de fruits blancs sur fond de minéralité. Bien équilibré, le palais associe sans fausse note gras et vivacité. ⧗ 2016-2018 🍷 moules de Pénestin

⊶ GAEC GOISLOT-PAPIN, 220, La Débaudière, 44330 Vallet, tél. 06 27 17 10 61, goislot.papin0464@orange.fr V 🚶 🍷 *r.-v.*

DOM. DU MOULIN CAMUS Sur lie 2015 ★

	9000	🍾	- de 5 €

Catherine Boulanger a pris la suite de son père en 1997 sur l'exploitation familiale, rejointe par son mari François en 2003. Ensemble, ils conduisent 45 ha de vignes.

Un gros-plant bien typé et équilibré, ouvert sur des notes d'agrumes, fin, droit et long en bouche. Fait pour les fruits de mer. ⧗ 2016-2019 🍷 huîtres

⊶ HUTEAU-BOULANGER, 41, rue Saint-Vincent, 44330 Vallet, tél. 02 40 33 93 05, domainedumoulincamus@wanadoo.fr V 🚶 🍷 *t.l.j. sf dim. 8h-12h 14h-18h; sam. sur r.-v.; f. 15-j. en août ⊶ Boulanger*

HENRI POIRON ET FILS Sur lie 2015 ★★

	2500		- de 5 €

Représentant la huitième génération, Éric Poiron est aux commandes du domaine familial (35 ha aujourd'hui) depuis 1990. Les Poirons sont également pépiniéristes et producteurs de pommes.

Ce vin aux jolis reflets paille dévoile un nez très expressif, sur les fruits blancs et les agrumes stimulés par un léger perlant caractéristique des vins élevés sur lie. Le palais apparaît très équilibré, ample, rond, souple, soutenu par une acidité parfaitement maîtrisée. ⧗ 2016-2019 🍷 huîtres

⊶ ÉRIC POIRON, Les Quatre-Routes, 44690 Maisdon-sur-Sèvre, tél. 02 40 54 60 58, contact@poironhenri.com V 🚶 🍷 *t.l.j. sf dim. 9h-12h30 14h-18h30* 🏠 ❶ 🏠 Ⓐ

DOM. DE LA VRILLONNIÈRE Sur lie 2015 ★

	8000	🍾	- de 5 €

À mi-chemin entre les villages viticoles réputés du Landreau et de La Chapelle-Heulin, ce domaine de 44 ha est transmis de père en fils depuis quatre générations. Stéphane Fleurance est aux commandes depuis 2008.

Le Landreau est réputé propice à la culture de la folle blanche. Cette cuvée est bien dans la typicité de l'AOC. Bien équilibrée, ronde et longue, avec juste ce qu'il faut de vivacité, elle tient bien en bouche, centrée sur les fruits jaunes, les agrumes et le coing, et déploie une belle finale saline. ⧗ 2016-2019 🍴 poêlée de saint-jacques

EARL DE LA VRILLONNIÈRE, 10, La Vrillonnière, 44430 Le Landreau, tél. 02 40 06 42 00, lavrillonniere44@gmail.com
V *t.l.j. sf dim. 9h-12h 15h-18h* *Fleurance*

FIEFS-VENDÉENS

Superficie : 469 ha
Production : 27 613 hl (85 % rouge et rosé)

Anciens fiefs du Cardinal: cette dénomination évoque le passé de ces vins appréciés par Richelieu après avoir connu un renouveau au Moyen Âge, à l'instigation des moines comme bien souvent. L'AOVDQS fut accordée en 1984, puis l'AOC, en 2011. À partir de gamay, de cabernet et de pinot noir, la région de Mareuil produit des rosés et des rouges fins et fruités; les blancs sont encore confidentiels. Non loin de la mer, le vignoble de Brem, lui, donne des blancs secs à base de chenin et de grolleau gris, ainsi que des rosés et des rouges. Aux environs de Fontenay-le-Comte, blancs secs (chenin, colombard, melon, sauvignon), rosés et rouges (gamay et cabernets) proviennent des régions de Pissotte et de Vix. Plus récemment promu, le terroir de Chantonnay produit dans les trois couleurs.

DOM. DE LA CAMBAUDIÈRE Mareuil 2015

| 6900 | 5 à 8 € |

Dominant la vallée de l'Yon, qui a donné son nom à la préfecture de la Vendée (La Roche-sur-Yon), ce domaine familial est conduit depuis 1986 par Michel Arnaud. À sa disposition, un vignoble de 16,4 ha qui possède encore une vigne de négrette âgée de cent quarante ans, ayant pu résister au phylloxéra.

Mi-chenin mi-chardonnay, ce 2015 livre un bouquet fin de fleurs blanches (aubépine) et de fruits exotiques. Une finesse que l'on retrouve dans une bouche souple, d'un bon volume, épaulée par une acidité contenue. ⧗ 2016-2019 🍴 friture de poisson

MICHEL ARNAUD, La Cambaudière, 85320 Rosnay, tél. 06 22 69 59 02, cavearnaud@orange.fr V *r.-v.*

LE CLOS DES CHAUMES Mareuil 2015

| 32000 | 5 à 8 € |

Fabien Murail est depuis l'année 2000 à la tête du domaine familial. Constitué en 1955 par son grand-père à partir de 1 ha, le vignoble s'est développé pour atteindre aujourd'hui 20 ha.

Au nez, de jolies notes de fruits rouges frais. En bouche, les mêmes sensations fruitées, de la souplesse aussi, de la fraîcheur et de la légèreté malgré une finale un peu plus sévère. ⧗ 2016-2019 🍴 jambon vendéen **Mareuil 2015 (5 à 8 €; 18000 b.)** : vin cité.

FABIEN MURAIL, La Tudelière, 85320 La Couture, tél. 02 51 30 58 56, earl.murailfabien@orange.fr
V *r.-v.*

DOM. COIRIER Pissotte Origine 2015 ★

| n.c. | 5 à 8 € |

Seuls vignerons à produire des fiefs-vendéens sur le terroir de Pissotte, les Coirier portent fièrement ce blason viticole depuis 1895. Le domaine (24 ha) se trouve à la sortie de Fontenay-le-Comte, sur la route de la forêt de Mervent, berceau de la fée Mélusine.

Paré d'une belle robe jaune pâle, ce vin dévoile un bouquet fin et expressif de fleurs blanches et de coing, tandis que des notes de pierre à fusil s'invitent dans une bouche souple, ronde et friande, de bonne longueur. ⧗ 2016-2019 🍴 cotriade

DOM. COIRIER, La Petite-Groie, 15, rue des Gélinières, 85200 Pissotte, tél. 02 51 69 40 98, coirier@pissotte.com
V *t.l.j. sf dim. lun. mer. 9h-12h 14h30-18h*

DOM. DU LUX EN ROC Brem La Brémoise 2015

| 2600 | 8 à 11 € |

Situé à proximité de la mer, ce domaine, dont les origines remontent à 1830, a pour nom «Lumière sur le rocher», en référence au feu autrefois allumé pour prévenir les navires de l'approche du rocher de Brem. Installé en 1992, Jean-Pierre Richard y conduit 7,8 ha de vignes.

Un assemblage dominé par le pinot noir (55 %), accompagné de négrette (20 %), de cabernet (15 %) et de gamay (10 %). Une élégante robe dense, presque noire, prélude à un bouquet frais et avenant de fruits rouges, relayé par une bouche un peu fugace mais plaisante par sa souplesse. ⧗ 2015-2019 🍴 brochette bœuf et poivron

JEAN-PIERRE RICHARD, 5, imp. Richelieu, 85470 Brem-sur-Mer, tél. 02 51 90 56 84, luxenroc-richard@orange.fr
V *t.l.j. sf dim. 10h-13h 16h-20h*

CH. MARIE DU FOU Mareuil 2015 ★

| 45000 | 5 à 8 € |

Dominant les vallées du Lay et de l'Yon, cette ancienne forteresse médiévale est environnée d'un vignoble de 93 ha qui bénéficie d'un microclimat particulier à la jonction de trois écosystèmes: le bocage vendéen, la plaine de Luçon et le Marais poitevin.

Beaucoup de minéralité se dégage de ce vin largement dominé par le chenin (90 %). On y perçoit aussi d'appréciables notes de fleurs blanches et de pamplemousse qui animent une bouche ample et fraîche sans manquer de gras et de rondeur. Harmonieux. ⧗ 2016-2019 🍴 sole

CH. MARIE DU FOU, 5, rue de la Trémoille, 85320 Mareuil-sur-Lay, tél. 02 51 97 20 10, jmourat@mourat.com V *t.l.j. sf dim. 9h-12h30 14h-19h* *Jérémie Mourat*

VIGNOBLES MERCIER Cuvée M 2015 ★★

■ | n.c. | 🍾 | 5 à 8 €

À l'extrême sud de la Vendée, le vignoble de Vix est situé sur une terrasse argilo-calcaire dominant le Marais poitevin. Pépinière viticole depuis 1890, cette exploitation conduite depuis quatre générations par les Mercier s'étend aujourd'hui sur 55 ha.

Cet assemblage de cabernet-franc (50 %), de pinot noir (35 %), de gamay et de négrette présente un nez puissant de fruits rouges, de groseille notamment. Un fruité prolongé par une bouche ample, tendre, ronde et longue. Un vin friand à souhait. ⧗ 2016-2019 🍴 bavette à l'échalote ■ **Cuvée M 2015 (5 à 8 €; 12000 b.)** : vin cité.

LES VIGNOBLES MERCIER, 16, rue de la Chaignée, 85770 Vix, tél. 02 51 00 60 87, vignobles@mercier-groupe.com V ■ t.l.j. sf dim. 8h-12h 14h-18h

COTEAUX-D'ANCENIS

Superficie : 170 ha
Production : 10 131 hl (85 % rouge et rosé)

Produits sur les deux rives de la Loire, à l'est de Nantes, les coteaux-d'ancenis, classés AOVDQS en 1954, ont accédé à l'AOC en 2011. On en produit quatre types, à partir de cépages purs: gamay (80 % de la production), cabernet, chenin et malvoisie (pinot gris).

DOM. DE LA CAMBUSE Malvoisie 2015 ★★

■ | 6700 | 🍾 | 5 à 8 €

Vivant aussi de l'élevage bovin, ce domaine de 12 ha exploite des vignes plantées sur les coteaux escarpés du sud de la Loire. Après avoir longtemps livré sa production au négoce, il a développé une activité de vente directe.

Selon certains historiens, la Cambuse aurait été un haut lieu de convivialité pendant la sinistre guerre de Vendée. Le contexte est moins troublé mais le plaisir toujours au rendez-vous avec cette cuvée au nez charmeur et expressif, centré sur la poire et le litchi compotés. Tout aussi fruitée, à la fois ample, ronde et très fraîche, la bouche affiche un équilibre remarquable et un dynamisme renforcé par de beaux amers en finale. ⧗ 2016-2020 🍴 saint-jacques mangue et lait de coco

DOM. DE LA CAMBUSE, 7, La Cambuse, 49530 Drain, tél. 02 40 83 91 63, domainedelacambuse@orange.fr V 🚶 ■ t.l.j. sf dim. 9h-12h 14h-19h Toublanc

DOM. CHAMP CHAPRON Malvoisie 2015

■ | 1800 | 🍾 | 5 à 8 €

Ce vaste domaine de 73 ha, dont les origines remontent au XVIIe s., est situé à la limite de l'Anjou et du pays nantais, sur la rive sud de la Loire. Carmen Suteau, qui en a pris la direction en 1999, a été rejointe par son fils en 2007.

Au nez, cette malvoisie dévoile une palette intense de fruits frais et de rose. Vive en attaque, la bouche offre un profil plus exotique mais tout aussi aromatique et plaît par son caractère plutôt léger et aérien. Un peu fugace mais harmonieux. ⧗ 2016-2019 🍴 gâteau nantais

EARL SUTEAU-OLLIVIER, Le Champ-Chapron, 44450 Barbechat, tél. 02 40 03 65 27, suteau.ollivier@wanadoo.fr V ■ r.-v.

DOM. DES CLÉRAMBAULTS Malvoisie 2015 ★

■ | 3500 | 🍾 | 5 à 8 €

En 2005, Sébastien Terrien, diplômé d'œnologie, a rejoint son père Pierre sur ce domaine de 21 ha. Les vignes sont situées à l'ouest de l'appellation anjou, sur les sols schisteux de la commune de Bouzillé.

Dernier millésime pour Pierre Terrien, qui part à la retraite sans doute l'esprit tranquille, son fils Sébastien tenant la barre à ses côtés depuis dix ans. Dans le verre, une malvoisie née sur un terroir de schiste ancien dominant le Loire, au nez intense de pêche et de pamplemousse confits, prolongé par une bouche fraîche en attaque, puis ronde et onctueuse. Un vin épanoui, qui laisse une sensation d'équilibre. ⧗ 2016-2019 🍴 toasts de foie gras

GAEC TERRIEN, 30, rue de Verdun, 49530 Bouzillé, tél. 02 40 98 17 51, sebastien.terrien701@orange.fr V 🚶 ■ r.-v.

DOM. MERCERON-MARTIN Malvoisie 2015 ★

■ | 13000 | 🍾 | 5 à 8 €

Ce domaine de 30 ha est né en 2011 de l'association de Georges et Emmanuel Merceron avec Olivier Martin. De la fusion des deux exploitations est né le Domaine Merceron-Martin, implanté sur les coteaux de la Loire.

Au nez, ce moelleux délicat et harmonieux livre des arômes charmeurs de bonbon anglais et de poire. Le palais, centré sur le pamplemousse et l'ananas confits, affiche un bel équilibre entre une attaque fraîche et tonique et un développement suave et rond qui ne cède jamais à la lourdeur. Jolie finale sur le fruit. ⧗ 2016-2019 🍴 poulet au lait de coco

DOM. MERCERON-MARTIN, 41, La Coindassière, 49270 La Varenne, tél. 02 40 83 53 32, contact@domainemerceronmartin.fr V 🚶 ■ ven. sam. 9h30-12h30 14h30-18h30

➜ ANJOU-SAUMUR

À la limite septentrionale des zones de culture de la vigne, sous un climat atlantique, avec un relief peu accentué et de nombreux cours d'eau, les vignobles d'Anjou et de Saumur s'étendent dans le département du Maine-et-Loire, débordant un peu sur le nord de la Vienne et des Deux-Sèvres.

Les vignes ont depuis fort longtemps été cultivées sur les coteaux de la Loire, du Layon, de l'Aubance, du Loir, du Thouet... C'est à la fin du XIXe s. que les surfaces plantées sont les plus vastes. Le Dr Guyot, dans un rapport au ministre de l'Agriculture, cite alors 31 000 ha en Maine-et-Loire. Le phylloxéra anéantira le vignoble, comme partout. Les replantations s'effectueront au début du XXe s. et se développeront un peu dans les années 1950-1960, pour

LOIRE

régresser ensuite. Aujourd'hui, ce vignoble couvre environ 17 380 ha, qui produisent un million d'hectolitres.

Les sols, bien sûr, complètent très largement le climat pour façonner la typicité des vins de la région. C'est ainsi qu'il faut faire une nette différence entre ceux qui sont produits en «Anjou noir», constitué de schistes et autres roches primaires du Massif armoricain, et ceux qui sont produits en «Anjou blanc» ou Saumurois, nés sur les terrains sédimentaires du Bassin parisien dans lesquels domine la craie tuffeau. Les cours d'eau ont également joué un rôle important pour le commerce: ne trouve-t-on pas encore trace aujourd'hui de petits ports d'embarquement sur le Layon? Les plantations sont de 4 500-5 000 pieds par hectare; la taille, qui était plus particulièrement en gobelet et en éventail, est aujourd'hui en guyot.

La réputation de l'Anjou est due aux vins blancs moelleux, dont les coteaux-du-layon sont les plus connus. Cependant, l'évolution conduit désormais aux types demi-sec et sec, à la production de vins rouges et, plus récemment encore, de rosés, qui ont le vent en poupe. Dans le Saumurois, ces derniers sont les plus estimés, avec les vins mousseux qui ont connu une forte croissance, notamment les AOC saumur et crémant-de-loire.

ANJOU

Superficie : 1 890 ha
Production : 98 794 hl (61 % rouge)

Constituée d'un ensemble de près de 200 communes, l'aire géographique de cette appellation régionale englobe toutes les autres. Traditionnellement, le vin d'Anjou était un vin blanc doux ou moelleux, issu de chenin, ou pineau de la Loire. L'évolution de la consommation vers des secs a conduit les producteurs à associer à ce cépage chardonnay ou sauvignon, dans la limite maximale de 20 %. La production de vins rouges s'est accrue depuis les années 1970 (et surtout des rosés, qui disposent d'appellations spécifiques). Ce sont les cépages cabernet franc et cabernet-sauvignon qui sont alors mis en œuvre.

DOM. DES ACACIAS Vieilles Vignes 2015 ★

■ | 3560 | 5 à 8 €

Fils et petit-fils de vigneron, Anthony Percher a repris en 2006, après des expériences variées dans différents vignobles français, ce domaine familial angevin, étendu sur 13 ha.

D'une belle couleur rubis aux reflets violines, ce pur cabernet franc libère de fines notes de fruits rouges. À l'unisson, la bouche se révèle souple, ronde et persistante, épaulée par des tanins soyeux. ⧗ 2016-2019 ¥ jambon cru

ANTHONY PERCHER, EARL Dom. des Acacias, 8, rue du Moulin, Lys-Haut-Layon, 49540 Tigne, tél. 02 41 59 41 66, domainedesacacias@orange.fr
V *t.l.j. sf dim. 9h-19h*

VIGNOBLE DE L'ARCISON 2015 ★

■ | 5000 | | - de 5 €

Cette exploitation de 27 ha est située sur le territoire de la commune de Thouarcé, célèbre pour son cru bonnezeaux. Romain Reulier a pris en 2008 la succession de ses parents sur ce domaine souvent en vue pour ses rosés.

Ce 2015 rouge intense traversé de reflets violines dévoile à l'olfaction un panier garni de fruits rouges frais. La bouche est à l'avenant, fraîche et fruitée, ronde et persistante. À boire sur le fruit ou patiné par une courte garde. ⧗ 2016-2019 ¥ carré de porc

ROMAIN REULIER, Vignoble de l'Arcison, Le Mesnil-Thouarcé, 49380 Bellevigne-en-Layon, vignoble-arcison@orange.fr
V *t.l.j. sf dim. 9h-12h30 14h-18h*

CH. D'AVRILLÉ Sélection 2014 ★★

■ | 20000 | - de 5 €

Eusèbe Biotteau abandonna en 1938 son métier de cordonnier pour créer ce domaine à partir de 40 ha. Aujourd'hui, l'exploitation gérée par l'un de ses petits-fils, Pascal, compte 200 ha et domine la vallée de l'Aubance.

Une robe profonde aux liserés noirs habille cette cuvée au nez concentré de fruits rouges. Arômes complétés de fruits noirs qui impriment leur marque dans une bouche très équilibrée, à la fois fraîche et ronde, structurée en finesse par des tanins fondus. «On ne dit rien, on goûte...», conclut un dégustateur sous le charme. ⧗ 2016-2020 ¥ rôti de veau aux chanterelles

SCEA BIOTTEAU, Ch. d'Avrillé, L'Homois, 49320 Saint-Jean-des-Mauvrets, tél. 02 41 91 22 46, chateau.avrille@wanadoo.fr
V *t.l.j. sf dim. 9h30-12h 14h30-18h30*

DOM. BODINEAU 2015 ★

■ | 4000 | | 5 à 8 €

Établis dans le petit hameau de Savonnières, Frédéric Bodineau et sa sœur Anne-Sophie officient ensemble sur ce domaine familial (38 ha) dont l'origine remonte à 1850. Lui est à la vigne et au chai, elle à l'accueil et au service clientèle.

Ce 2015 rouge sombre évoque les fruits rouges et noirs très mûrs. Tout aussi fruitée, la bouche se montre généreuse, élégante et ronde, étayée par des tanins bien présents mais fins et soyeux. Un ensemble très harmonieux, qui évoluera bien. ⧗ 2017-2021 ¥ tournedos

DOM. BODINEAU, lieu-dit Savonnières, 5, chem. du Château-d'Eau, 49700 Les Verchers-sur-Layon, tél. 02 41 59 22 86, domainebodineau@yahoo.fr
V *t.l.j. sf dim. 9h-12h30 14h-18h*

SOPHIE ET JEAN-CHRISTIAN BONNIN XL 2014

■ | 2500 | | 8 à 11 €

Régulièrement mentionné dans le Guide, ce domaine créé en 1921 couvre aujourd'hui 43 ha autour de Martigné-Briand. En 1998, son diplôme d'œnologue

en poche, Jean-Christian Bonnin reprend ce vignoble familial en compagnie de sa femme Sophie.

Ce vin élevé douze mois en fût libère des parfums de brioche, d'ananas et de pêche jaune. Arômes que l'on retrouve en compagnie d'un boisé vanillé encore assez soutenu dans une bouche ample et ronde, non dénuée d'élégance. À attendre un peu pour plus de fondu. ⌛ 2017-2020 🍴 noix de Saint-Jacques poêlées

⊶ JEAN-CHRISTIAN BONNIN, 4 chem. du Vignoble, 49540 Martigné-Briand, tél. 02 41 59 43 58, bonninlesloges@orange.fr V r.-v.

DOM. DE LA BOURRELIÈRE 2015 ★★

■	10000	🍾	- de 5 €

Cette exploitation familiale de 20 ha est située au cœur des coteaux de l'Aubance. Depuis trois générations, la famille Jolly y cultive la vigne et produit la plupart des appellations angevines.

Complexe, le nez se partage entre les agrumes, l'abricot, la pêche et les fleurs blanches. Des arômes que l'on retrouve avec la même intensité dans un palais rond et empreint de douceur, dynamisé en finale par des nuances de citron vert. Un vin gourmand et très équilibré. ⌛ 2016-2019 🍴 sauté de porc au curry

⊶ GAEC JOLLY FRÈRES, 30, La Bourrelière, 49610 Mûrs-Erigné, tél. 02 41 57 76 76, gaec.jolly@orange.fr V *t.l.j. sf jeu. dim. 9h30-12h 14h30-19h*

CH. DE BROSSAY 2015 ★★

■	50000	🍾	- de 5 €

Régulier en qualité, et ce dans tous les styles de vins d'Anjou, ce domaine créé en 1919 par Alexis Deffois se situe dans le haut Layon, au sud de l'Anjou et à l'ouest du Saumurois. Les petits-fils du fondateur, Hubert et Raymond Duffois – rejoints en 2010 par les gendres de ce dernier, Nicolas Tamboise et Benjamin Grandsart – conduisent un vignoble de 48 ha.

Anjou et Saumur

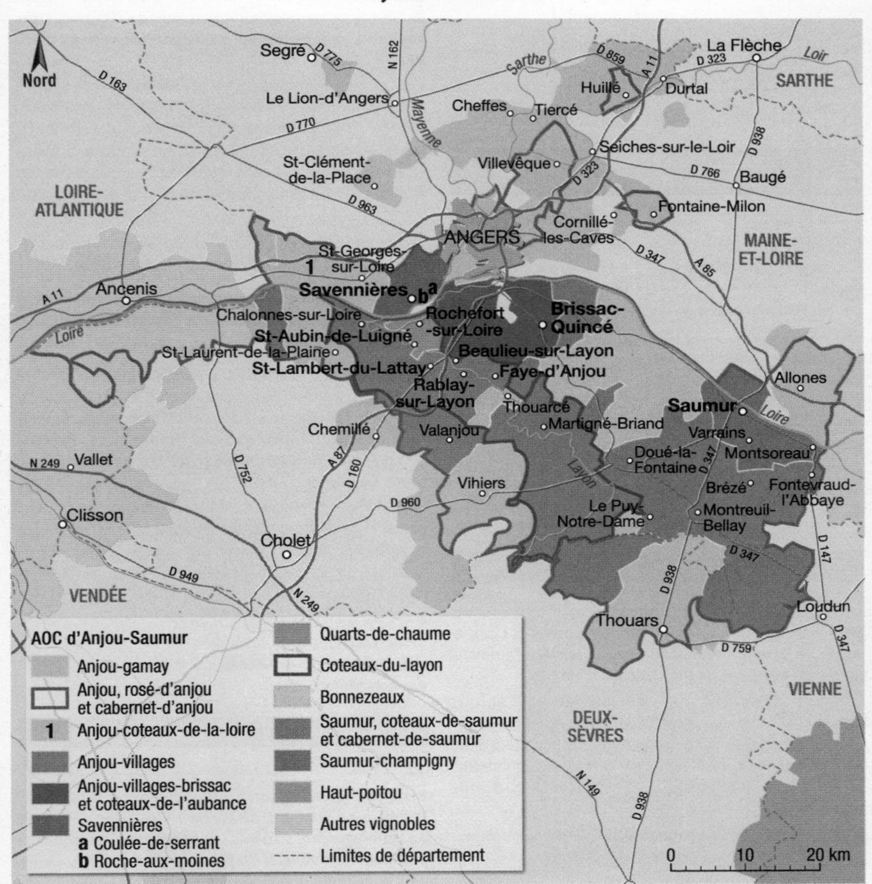

LOIRE

Ce 2015 issu des deux cabernets (80 % de franc) s'ouvre sans réserve sur des parfums de fruits rouges et d'épices douces. À ce nez puissant mais élégant fait écho une bouche tout autant fruitée et épicée, très équilibrée, à la fois fraîche et ronde, souple et soyeuse. ⧗ 2016-2020 🍷 sauté de veau Marengo

CH. DE BROSSAY, Brossay, 49560 Cléré-sur-Layon, tél. 02 41 59 59 95, contact@chateaudebrossay.fr V *r.-v.*

DOM. DE CHANTEMERLE Cuvée Tradition 2015 ★

■ | 30 000 | - de 5 €

Situé au centre de trois petits reliefs, Trémont offre de jolis points de vue sur les vignes en coteaux. C'est ici qu'est installé ce domaine de 30 ha fondé en 1920, conduit aujourd'hui par Caroline et Patrick Laurilleux.

Ce pur cabernet franc d'un beau rubis intense exhale des notes gourmandes de fruits rouges bien mûrs. La bouche, à l'unisson, se révèle généreuse et souple, renforcée par des tanins fermes et rehaussée en finale par une touche acidulée. ⧗ 2016-2020 🍷 côtelettes d'agneau

DOM. DE CHANTEMERLE, 4, rue de l'École, 49310 Trémont, tél. 02 41 59 43 18, chantemerle49@wanadoo.fr V *t.l.j. sf dim. 9h-12h30 14h-18h30*
Patrick et Caroline Laurilleux

DOM. DES CLÉRAMBAULTS
Cuvée Sélection 2014 ★★

■ | 2500 | 🍾 | 5 à 8 €

En 2005, Sébastien Terrien, diplômé d'œnologie, a rejoint son père Pierre sur ce domaine de 20 ha. Les vignes sont situées à l'ouest de l'appellation anjou, sur les sols schisteux de la commune de Bouzillé.

Ce 2014 rubis aux reflets violines offre un nez très fin et bien typé de fruits rouges. Ample, souple et croquante, bâtie sur des tanins veloutés, la bouche prolonge cette sensation fruitée jusque dans sa finale, intense et éclatante. ⧗ 2016-2020 🍷 rosbif au four

DOM. DES CLÉREMBAULTS, 30, rue de Verdun, 49530 Bouzillé, tél. 02 40 98 17 51, sebastien.terrien701@orange.fr V *t.l.j. sf dim. 17h30-19h; sam. 10h-18h*
Terrien

CLOS Premier 2015

■ | 2000 | 🍾 | 5 à 8 €

Représentant la troisième génération, Cyril Leau a repris en 2015 les rênes de cette propriété familiale située au nord-est du Puy-Notre-Dame.

Premier millésime pour le vigneron qui signe un pur cabernet franc rouge profond, au nez intense de fruits noirs. Arômes qui parcourent une bouche souple et ronde, étayée de tanins encore un peu fougueux en finale. Prévoir une courte garde. ⧗ 2017-2020 🍷 grillades

CYRIL LEAU, 479, rue des Ardillais, 49260 Vaudelnay, tél. 06 28 62 57 91, earlardillais.leau@sfr.fr V *t.l.j. sf dim. 11h-13h 17h-19h*

DOM. DU CLOS DES GOHARDS 2014 ★

■ | 10 000 | 🍾 | - de 5 €

Mickaël et Fabienne Joselon, frère et sœur, ont repris l'exploitation familiale en 2009 lors du départ de leur père en retraite. Régulièrement distingué dans le Guide, le domaine compte 42 ha et propose diverses appellations ligériennes.

Issue des deux cabernets, cette cuvée intense et brillante s'exprime sur des senteurs de fruits rouges et noirs bien mûrs. Sur le même tempo fruité, la bouche se révèle ronde et veloutée, sans aspérité. ⧗ 2016-2019 🍷 saucisson brioché

EARL JOSELON, Les Oisonnières, 49380 Chavagnes-les-Eaux, tél. 02 41 54 13 98, earljoselon@orange.fr V *r.-v.*

DOM. DU COLOMBIER 2015 ★

■ | 10 000 | 🍾 | - de 5 €

Ce domaine familial créé en 1974 comprend un vignoble de 43 ha situé non loin de Doué-la-Fontaine, la «cité des roses». À sa tête depuis 2003, Sylvain Bazantay et sa sœur Florence, à l'aise dans les trois couleurs, proposent une vaste gamme de vins d'Anjou.

Vêtu de rouge profond, ce 100 % cabernet franc s'ouvre sans réserve sur des notes de fruits mûrs (framboise) relayées à l'aération par des parfums de pivoine. Le palais, fondu et harmonieux, souligné par une fine acidité, renoue avec les petits fruits rouges jusqu'en finale. ⧗ 2016-2019 🍷 bœuf bourguignon

EARL SYLVAIN ET FLORENCE BAZANTAY, 10, rue du Colombier, Linières, 49700 Brigné-sur-Layon, tél. 02 41 59 31 82, earlbazantay@orange.fr V *r.-v.*

DOM. DES DEUX ARCS Expression 2015

■ | 4000 | 🍾 | 5 à 8 €

Jean-Marie Gazeau, après une expérience en Afrique du Sud, a rejoint son père Michel en 2005 sur le domaine familial (48 ha). Leurs vins sont régulièrement sélectionnés dans le Guide, dans diverses appellations de l'Anjou et dans les trois couleurs. Une valeur sûre.

Ce 2015 rouge intense livre au nez comme en bouche des arômes de fruits rouges et noirs. Sa matière souple et agréable s'appuie sur des tanins encore un peu serrés en finale, qu'une courte garde devrait assouplir. ⧗ 2017-2020 🍷 côte de bœuf

DOM. DES DEUX ARCS, 11, rue du 8-Mai-1945, 49540 Martigné-Briand, tél. 02 41 59 47 37, do2arc@wanadoo.fr V *r.-v.* 🏠 A
Jean-Marie Gazeau

DOM. DES DEUX VALLÉES Clos de la Casse 2014

■ | 13 000 | 🛢 | 5 à 8 €

René Socheleau et son fils Philippe ont repris et restructuré ce domaine de 44 ha en 2001, et construit un nouveau chai situé sur la corniche angevine surplombant les vallées de la Loire et du Layon. Leurs vins sont régulièrement retenus dans le Guide.

Ce 2014 élevé dix mois en fût libère des notes d'abricot et de fleurs blanches délicatement fumées. Ample et souple dès l'attaque, à l'unisson du bouquet, la bouche affiche un bon équilibre, soulignée par une vivacité finement acidulée. ⧗ 2016-2019 🍴 raie au beurre

⊶ SCEA DOM. DES DEUX VALLÉES, Bellevue, 49190 Saint-Aubin-de-Luigné, tél. 02 41 78 33 24, contact@domaine2vallees.com V 🚶 ! *t.l.j. sf dim. 9h-12h 14h-18h ⊶ Socheleau*

CH. DE FESLES La Chapelle 2015

■	66000	🛢	11 à 15 €

En juillet 2008, le groupe Grands Chais de France a acheté à Bernard Germain le Château de Fesles, situé dans l'aire du bonnezeaux. Le domaine a engagé au printemps 2010 la conversion bio de son vignoble de 54 ha.

Ce 2015 élevé dix mois en fût s'ouvre sur des notes de pomme verte, de buis et de bourgeon de cassis soulignées de nuances de pierre à fusil. Dans le même registre, le palais se montre fruité, acidulé et minéral. Un blanc vif et alerte. ⧗ 2016-2019 🍴 terrine de Saint-Jacques

⊶ CH. DE FESLES, Fesles, 49380 Thouarcé, tél. 02 41 68 94 08, gbigot@sauvion.fr V 🚶 ! *t.l.j. sf dim. 8h30-12h30 14h-17h30 ⊶ Grands Chais de France*

DOM. DES FORGES L'Audace 2014

■	5200	🛢	5 à 8 €

La première parcelle a été acquise en 1890. Réputée pour ses vins liquoreux, la propriété, qui compte aujourd'hui 48 ha, a vu en 1996 l'installation de Stéphane et de Séverine Branchereau, incarnant la cinquième génération aux commandes du domaine.

D'abord discret, le nez libère à l'aération de délicates notes mentholées, relayées par des saveurs de pêche jaune finement boisées dans une bouche souple et ronde, stimulée par une fine vivacité. ⧗ 2016-2019 🍴 asperges sauce mousseline

⊶ DOM. DES FORGES, Le Clos des Forges, 6, lieu-dit Les Barres, 49190 Saint-Aubin-de-Luigné, tél. 02 41 78 33 56, cb@domainedesforges.net V 🚶 ! *r.-v.* 🏠 E *⊶ Branchereau*

CH. DU FRESNE Brin de fou 2015 ★

■	8000	- de 5 €

Ce château du XVe s. bâti en pierre de schiste a gardé de son architecture d'origine une tourelle ronde. Constitué en 1927, le vignoble de 90 ha est conduit depuis 2010 par trois associés, Nicolas Richez, David Maugin et Yannis Bretault.

Séduisante dans sa robe jaune pastel, cette cuvée s'exprime sur d'intenses notes de fruits du verger. La bouche confirme l'olfaction: on y retrouve la pêche de vigne et la poire, enrobées par une matière onctueuse, charnue et tendre, adoucie par 22 g/l de sucres résiduels. Un demi-sec croquant et harmonieux. ⧗ 2016-2019 🍴 tarte aux poires

⊶ CH. DU FRESNE, 25 bis, rue des Monts, 49380 Faye-d'Anjou, tél. 02 41 54 30 88, contact@chateaudufresneanjou.com V 🚶 ! *t.l.j. sf dim. 8h-12h 14h-19h; f. 3e sam. de janv.*

DOM. DES GALLOIRES Les Rougeries 2015 ★

■	20000	🍾	5 à 8 €

Située à l'emplacement d'un ancien manoir, cette propriété familiale créée en 1967 est régulièrement en vue pour l'une ou l'autre de ses dix-huit cuvées. L'exploitation, conduite par la famille Toublanc depuis sept générations, couvre aujourd'hui 51 ha surplombant la Loire, côté sud.

Drapée dans une robe rouge intense, cette cuvée libère des parfums puissants et généreux de fruits noirs bien mûrs. Dans le même registre aromatique, la bouche se révèle intense et bien structurée par des tanins soyeux, un peu plus stricts en finale toutefois. ⧗ 2017-2020 🍴 côte de bœuf

⊶ DOM. DES GALLOIRES, 1, la Galloire, 49530 Drain, tél. 02 40 98 20 10, contact@galloires.com V 🚶 ! *t.l.j. sf dim. 9h-12h 14h-19h (sam. 17h)* 🏘 1 🏠 A

DOM. GAUDARD Cuvée Romane 2014 ★★

■	6500	🛢	5 à 8 €

Valeur sûre de l'Anjou, ce domaine familial a été créé en 1969 par Pierre Aguilas et son épouse Janes. Couvrant 45 ha de vignes, l'exploitation est conduite par leur fils Antoine depuis 2012.

La robe d'un rouge profond aux reflets framboise annonce un vin de matière. Le nez déploie des parfums de fruits noirs soulignés de délicates notes boisées. Tout aussi fruitée, la bouche se révèle ample et intense, soulignée par un boisé élégant et bien charpentée par des tanins fermes mais sans dureté. À attendre un peu pour plus de fondu. Prometteur. ⧗ 2017-2021 🍴 bœuf bourguignon ■ **Les Paragères 2015 (5 à 8 €; 3000 b.)** : vin cité.

⊶ ANTOINE AGUILAS, Les Saules, 49290 Chaudefonds-sur-Layon, tél. 02 41 78 10 68, antoine.aguilas@orange.fr V 🚶 ! *t.l.j. 9h-12h 13h30-18h; dim. sur r.-v.*

DOM. DE LA GAUTERIE 2015

■	3000	🍾	- de 5 €

Fils, petit-fils et arrière-petit-fils de vigneron, Étienne Jadeau s'est installé en 1990 dans une longère située à quelques kilomètres des bords de Loire, non loin du château de Brissac. Le vignoble couvre 21 ha entre l'Aubance et le Layon.

Issu d'une vendange bien mûre, perceptible dès l'olfaction et ses notes de fruits rouges compotés, ce pur cabernet franc se fait tendre et rond en bouche, stimulé par une fine touche acidulée en finale. Équilibré. ⧗ 2016-2019 🍴 lapin en cocotte

⊶ EARL ÉTIENNE JADEAU, La Gauterie, 49320 Charcé-Saint-Ellier, tél. 02 41 45 50 04, etienne.jadeau@wanadoo.fr V 🚶 ! *r.-v.*

DOM. DES GIRAUDIÈRES Cuvée Louis 2014 ★

■	1500	🛢	5 à 8 €

Ce domaine familial créé en 1927 étend son vignoble sur 45 ha. Conduit depuis 1983 par Dominique et

LOIRE

Françoise Roullet, il propose toute la gamme des vins de la région de Brissac.

Cette cuvée jaune pâle et limpide s'ouvre sur des notes gourmandes de confiture de coing assorties de touches de citron confit. Acidulé en attaque, le palais se montre long, souple, frais et très fruité, épaulé par un fin boisé. Un anjou équilibré, au caractère affirmé. ⧗ 2016-2020 🍷 comté

⊶ *DOMINIQUE ROULLET, Les Giraudières, 49320 Vauchrétien, tél. 02 41 91 24 00* V r.-v. 2

DOM. DE LA GONORDERIE 2014 ★

■	n.c.	🍾	- de 5 €

Ce domaine situé à Brissac-Quincé a été repris en 2011 par Sheilla et François Plumejeau qui ont décidé de mettre fin à leur carrière dans la finance pour se consacrer à leur passion. Les 30 ha de vignes produisent toute une gamme de vins d'Anjou.

Ce pur cabernet franc arbore une élégante robe grenat. Expressif, le nez est engageant par ses notes de fruits rouges mâtinées d'une légère touche animale. La bouche ne déçoit pas: franche dès l'attaque, elle déroule un joli fruité et s'achève sur une belle vivacité. Un «vin plaisir» très équilibré, bien dans le ton de l'appellation. ⧗ 2016-2019 🍷 plateau de charcuteries

⊶ *DOM. DE LA GONORDERIE, La Gonorderie, 49320 Brissac-Quincé, tél. 02 41 91 22 80, contact@gonorderie.fr* V *t.l.j. sf dim. lun. 10h-12h 14h-18h* ⊶ *Sheilla et François Plumejeau*

DOM. DU HAUT FRESNE 2015 ★

■	13000	🍾	5 à 8 €

Fondé en 1958, ce domaine de 62 ha se transmet de père en fils depuis trois générations. Situé sur des coteaux faisant face à la Loire, près de Liré, il est souvent remarqué pour la qualité de ses vins, de ses coteaux-d'ancenis notamment.

La famille Renou signe un joli 2015 rubis profond, au bouquet intense de fruits rouges et noirs. Un fruité soutenu et persistant qui anime aussi le palais, riche, souple et soyeux, aux tanins bien fondus. ⧗ 2016-2019 🍷 matelote de lamproie

⊶ *RENOU FRÈRES ET FILS, Dom. du Haut Fresne, 49530 Drain, tél. 02 40 98 26 79, contact@renou-freres.com* V *r.-v.*

DOM. DES IRIS 2015 ★

■	18500	5 à 8 €

Implanté sur la rive gauche du Layon, ce domaine de 30 ha a été acquis en 2008 par la maison de négoce Joseph Verdier, qui se chargeait depuis 1998 des vinifications. Les sols, surtout argileux et argilo-calcaires, sont propices aux cépages rouges, d'où la part importante des vins rouges et rosés dans son offre.

Animée de seyants reflets violines, ce pur cabernet franc attire le regard. Le nez, expressif, libère des notes de fruits rouges légèrement mentholées. En bouche, nous ne sommes pas en présence d'un modèle puissant, mais d'un vin plutôt léger, souple et rond, souligné par une fine acidité qui lui apporte du tonus et une bonne longueur. ⧗ 2016-2019 🍷 terrine de lapin

⊶ *SCEA DOM. DES IRIS, La Roche-Coutant, 49540 Tigné, tél. 02 41 40 22 50, r.boileau@joseph-verdier.fr*

DOM. JOLIVET 2015

■	2000	🍾	- de 5 €

Ce domaine familial de 15 ha est implanté sur les terroirs argilo-siliceux de la commune de Saint-Lambert-du-Lattay, gros bourg viticole de la vallée du Layon. Les vinifications sont supervisées par Émilien, le fils de la famille.

D'intenses arômes de pamplemousse exhalent de ce 2015. La bouche se déploie sur un registre plus mûr de fruits exotiques (mangue), rehaussée par une fine acidité et complétée en finale par une touche de melon. Un vin un peu fugace mais expressif, à la fraîcheur bien ajustée. ⧗ 2016-2019 🍷 tarte aux fruits

⊶ *DOM. JOLIVET, 38 bis, rue Rabelais, 49750 Saint-Lambert-du-Lattay, tél. 02 41 78 30 35, bruno.jolivet@dbmail.com* V *r.-v.*

LUC ET FABRICE MARTIN L'Aubépin 2014 ★

■	2000	🛢	8 à 11 €

Les frères Luc et Fabrice Martin, qui incarnent la quatrième génération sur la propriété, se sont associés en GAEC en 1997. Régulièrement en vue, ce domaine de 25 ha est situé à Chaudefonds-sur-Layon, à quelques kilomètres de la confluence du Layon avec la Loire.

Joliment dorée, cette cuvée s'ouvre sur des notes de zestes d'agrumes dans un sillage finement vanillé. On retrouve les notes boisées léguées par douze mois de fût en compagnie de touches poivrées dans une bouche onctueuse, corpulente et riche, équilibrée par une fine trame acide. Du caractère et du potentiel. ⧗ 2017-2021 🍷 blanquette de poisson

⊶ *GAEC LUC ET FABRICE MARTIN, 2 bis, rue du Stade, 49290 Chaudefonds-sur-Layon, tél. 02 41 78 19 91, luc.martin3@wanadoo.fr* V *r.-v.*

DOM. MATIGNON Sur le fruit 2015

■	20000	🍾	5 à 8 €

Ce domaine est situé à 500 m du château de Martigné-Briand, au cœur de l'aire des coteaux-du-layon, mais la commune est aussi la petite capitale des vins rosés de l'Anjou. Depuis 1988, Yves Matignon et sa sœur Hélène y cultivent 38 ha de vignes.

Cette cuvée «ne ment pas sur la marchandise»: du fruit, elle n'en manque pas. Au nez, on rencontre la framboise et d'autres petits fruits rouges, que l'on retrouve dans une bouche souple, fraîche et aérienne. À boire... sur le fruit. ⧗ 2016-2018 🍷 filet de sandre au beurre de framboise

⊶ *EARL YVES ET HÉLÈNE MATIGNON, 21, av. du Château, 49540 Martigné-Briand, tél. 02 41 59 43 71, info@domaine-matignon.fr* V *r.-v.*

DOM. DE MONTGILET 2015 ★★

■ | 30000 | 🍾 | 5 à 8 €

Ce domaine situé aux portes d'Angers est une référence de la région, notamment en matière de « douceurs angevines » avec de superbes coteaux-de-l'aubance à la carte. À la tête de l'exploitation créée par leur grand-père, Victor et Vincent Lebreton, aux commandes depuis 1995, conduisent 60 ha sur un terroir de schistes ardoisiers.

Ce 2015 a fière allure dans sa robe rouge intense. Le nez dévoile de plaisantes notes de fruits rouges et noirs. Franche en attaque, la bouche se montre ample, fruitée à souhait, tendue par ce qu'il faut de fraîcheur et bien structurée par des tanins fins et soyeux. Une jolie finale veloutée parachève cet ensemble déjà harmonieux, qui vieillira bien. ⧗ 2016-2021 🍴 machecoulais

DOM. DE MONTGILET, 10, chem. de Montgilet, 49610 Juigné-sur-Loire, tél. 02 41 91 90 48, montgilet@wanadoo.fr V 🚶 🏠 *t.l.j. sf dim. 9h-12h 14h-17h30* *Victor et Vincent Lebreton*

MOULIN DES BESNERIES 2014

■ | 4000 | 🍾 | - de 5 €

Commandé par un moulin situé sur les hauteurs d'un vaste plateau s'inclinant en pente douce vers la Loire, ce domaine se transmet de père en fils depuis quatre générations. Hervé Papin en est à la tête depuis 1989. L'exploitation couvre 25 ha répartis sur trois appellations: anjou, anjou-villages-brissac et coteaux-de-l'aubance.

Ce 2014 d'un beau rubis limpide livre un nez fin et discret de petits fruits rouges. Des impressions fruitées prolongées par une bouche souple et gouleyante, aux tanins bien fondus. Un vin simple et efficace, bien dans le ton de l'appellation. ⧗ 2016-2018 🍴 soupe de fruits rouges

EARL HERVÉ PAPIN, Les Besneries, 49610 Mozé-sur-Louet, tél. 02 41 45 34 33, papin.herve2@wanadoo.fr V 🚶 🏠 *t.l.j. 9h-12h 14h-18h*

CH. DE LA MULONNIÈRE 2014 ★★

■ | 7600 | 🍾 | 5 à 8 €

Le Ch. de la Mulonnière est situé à Beaulieu-sur-Layon, au pied d'un coteau exposé au sud. Il a été construit en 1876 par Charles Messe, ancien officier d'artillerie de Napoléon III. Le vignoble (38 ha aujourd'hui) est conduit depuis 2002 par Jean-Louis Saget.

Cette cuvée associant les deux cabernets séduit d'emblée par son éclatante robe violine. Intense et expressif, le nez libère des senteurs de fruits rouges bien mûrs. Dans le droit fil, la bouche se révèle ample, ronde et charnue, bâtie sur des tanins soyeux. De la finesse et de l'équilibre. ⧗ 2016-2020 🍴 jambon vendéen

SAS CH. DE LA MULONNIÈRE, La Mulonnière, 49750 Beaulieu-sur-Layon, tél. 02 41 78 47 52, chateau.lamulonniere@orange.fr V 🚶 🏠 *r.-v.* *Jean-Louis Saget*

VIGNOBLE MUSSET-ROULLIER Le Petit Cé 2014

■ | 8000 | 🍾 | 5 à 8 €

Les domaines Roullier et Musset se sont associés en 1994; leur exploitation couvre aujourd'hui 35 ha sur les coteaux de la Loire. Une valeur sûre du vignoble angevin, aussi bien en blanc qu'en rouge.

Cette cuvée se pare d'une belle robe grenat intense. À l'aération pointent d'agréables senteurs de fruits rouges, relayées par une bouche ample et souple, aux tanins encore un peu austères en finale, qui devraient se dérider avec une courte garde. ⧗ 2017-2020 🍴 rôti de bœuf

VIGNOBLE MUSSET-ROULLIER, 36, le Bas-Chaumier, 49620 La Pommeraye, tél. 02 41 39 05 71, musset.roullier@wanadoo.fr V 🚶 🏠 *r.-v.*

♥ DOM. DU PETIT CLOCHER 2015 ★★

□ | 18666 | 🛢 | 5 à 8 €

Conduit par la jeune génération: Stéphane, Julien et Vincent Denis, arrivés respectivement en 2003, 2006 et 2009, une affaire de famille depuis 1920; 5 ha aux origines, 85 ha aujourd'hui. Un domaine phare du haut Layon, réputé notamment pour ses vins rouges, mais aussi très à l'aise sur les blancs et les rosés. Une valeur (très) sûre.

Un coup de cœur de plus à ajouter au palmarès déjà bien étoffé de la famille Denis... Primé dans l'édition précédente, l'anjou blanc a de nouveau séduit le jury. Des parfums gourmands de pêche et de fruits exotiques s'échappent du verre dans un sillage finement boisé. Puissant, riche, onctueux et long, le palais est rehaussé d'une fine acidité aux saveurs d'agrumes. Un vin fondu et complet, qui offre un équilibre excellent entre notes fruitées et notes d'élevage, entre puissance et fraîcheur. ⧗ 2016-2020 🍴 brochet au beurre blanc ■ **2015 ★ (5 à 8 €; 70000 b.)** : ce vin sombre libère de délicates notes de fraise écrasée. Souple et ronde, la bouche évoque elle aussi les fruits rouges, du début à la fin. Une vraie gourmandise. ⧗ 2016-2019 🍴 poularde à l'angevine

DOM. DU PETIT CLOCHER, La Laiterie, 49560 Cléré-sur-Layon, tél. 02 41 59 54 51, petit.clocher@wanadoo.fr V 🚶 🏠 *t.l.j. sf dim. 9h-12h 14h-18h* *M. Denis*

DOM. DE PIED-FLOND Tradition 2015 ★

■ | 6000 | 🍾 | 5 à 8 €

Construite en pierre de falun (pierre coquillière), cette ancienne seigneurie du XVᵉs. est entrée dans la famille Gourdon en 1864 et a vu se succéder sept générations. Franck Gourdon a pris les commandes en 2000 de ce domaine de 25 ha.

Parée d'une robe rubis brillant, cette cuvée offre un nez subtil de petits fruits rouges (fraise et framboise). À l'unisson, la bouche se révèle souple en attaque, ronde et persistante. Épaulé par des tanins encore un peu fougueux en finale, ce 2015 nécessite une courte garde. ⧗ 2017-2020 🍴 mijoté de veau

LOIRE

FRANCK GOURDON, Dom. de Pied-Flond, 49540 Martigné-Briand, tél. 02 41 59 92 36, pied-flond@9business.fr V r.-v.

CH. PIERRE-BISE Les Rouannières 2014 ★

■ | 4900 | | 15 à 20 €

Ce domaine de 50 ha, né de la fusion de deux exploitations familiales, est conduit depuis 1974 par Claude Papin, l'un des plus fins connaisseurs des terroirs angevins et des plus talentueux élaborateurs de vins blancs de la région, en sec comme en liquoreux. Incontournable.

Récoltée manuellement par tries successives, cette cuvée porte beau dans sa robe jaune pâle. Au nez, se dévoilent des arômes très frais d'agrumes, relayés à l'aération par la fleur d'acacia. Acidulée en attaque, la bouche se révèle ample, dense, fraîche et élégante, finement minérale et boisée, soulignée par de beaux amers en finale. Il faudra l'attendre un peu pour profiter pleinement de son potentiel. ⧗ 2017-2021 ¥ moules marinières

CH. PIERRE-BISE, 49750 Beaulieu-sur-Layon, tél. 02 41 78 31 44, chateaupb@hotmail.com V *r.-v.*
Papin

FRANÇOIS PRÉVOST 2015 ★

■ | 1000 | | 5 à 8 €

Vigneron à Faye d'Anjou, et précisément au lieu-dit Ragot, François Prévost a restructuré à partir de 2008 un petit domaine de 7 ha et s'est tourné vers la vente directe.

Vêtu d'une robe foncée, presque noire, ce vin livre un nez complexe où se mêlent les fruits noirs (mûre) et des senteurs de sous-bois. On retrouve les fruits dans une bouche ample et intense, étayée par une fine acidité et des tanins encore un peu sévères, qui sauront se policer avec une courte garde. ⧗ 2017-2020 ¥ terrine de lièvre

FRANÇOIS PRÉVOST, Ragot, 49380 Faye-d'Anjou, tél. 02 41 78 55 56, prevost-f@orange.fr V *t.l.j. 8h-12h30 13h-19h*

DOM. DE LA RAIMBAUDIÈRE 2015 ★

■ | 2500 | | - de 5 €

Ce domaine familial a été créé à la fin des années 1930, à la suite du morcellement d'une exploitation viticole et agricole. Le vignoble, implanté sur de légères buttes schisteuses, s'étend sur 22 ha exploités depuis 2004 par Florian Cesbron, représentant la quatrième génération.

Le cabernet franc a donné naissance à une cuvée pourpre aux reflets bleutés, ouverte sur les petits fruits noirs très mûrs et les épices douces. Ample, ronde et charnue, la bouche révèle une structure tannique encore assez marquée. Un bel ensemble que l'on attendra un peu. ⧗ 2017-2021 ¥ rillauds

EARL MARTIN CESBRON, La Frapillonnière, 49380 Champ-sur-Layon, tél. 02 41 78 86 76, contact@la-raimbaudiere.fr V *t.l.j. sf sam. dim. 9h-12h 14h-17h*

♥ DOM. ROBINEAU CHRISLOU 2015 ★★

■ | 3200 | | - de 5 €

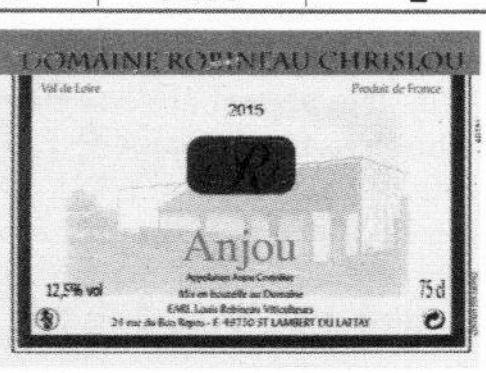

Après avoir repris l'exploitation familiale en septembre 1991, Louis Robineau s'est associé avec son épouse Christine en janvier 1992 pour créer ce domaine qui couvre aujourd'hui 22 ha sur la commune de Saint-Lambert-du-Lattay.

Une touche (7 %) de grolleau accompagne le cabernet franc dans ce vin attirant dans sa sombre aux reflets violines. Tout aussi engageant, le nez offre un généreux panier de fruits rouges et noirs: framboise écrasée, myrtille, cassis. Très aromatique elle aussi, la bouche se distingue par sa rondeur, son opulence, son volume et par sa structure des plus soyeuses qui renforce son caractère aimable et tendre. ⧗ 2016-2020 ¥ pavé de bœuf

LOUIS ROBINEAU, 24, rue du Bon-Repos, 49750 Saint-Lambert-du-Lattay, tél. 02 41 78 36 04, robineauchrislou@gmail.com V *r.-v.*

DOM. DE LA ROCHE LAMBERT 2015 ★

■ | 4100 | | - de 5 €

Le grand-père de Sébastien Prudhomme, actuel gérant de la propriété et par ailleurs directeur d'exploitation au lycée viticole de Montreuil-Bellay, était tonnelier. Il lui a légué 1 ha de vignes. Aujourd'hui, le domaine couvre 27 ha.

D'agréables notes de fruits rouges et noirs bien mûrs s'échappent du verre, relayées à l'aération par des touches d'épices douces. Quant à la bouche, elle se révèle joliment fruitée, ample et veloutée. ⧗ 2016-2019 ¥ tapas au jambon

SÉBASTIEN PRUDHOMME, 16, rue du Calvaire, 79100 Mauzé-Thouarsais, tél. 05 49 96 64 18, domainedelarochelambert@orange.fr V *r.-v.*

DOM. DE LA ROCHE MOREAU 2015

■ | 2000 | | 5 à 8 €

Ce domaine de 27 ha est situé sur la corniche angevine entre les vallées de la Loire et du Layon. Le chai ancien est classé (XVII^e^s.) et la cave est installée dans une mine à charbon désaffectée, dans laquelle mûrissent les vins de garde. Une valeur sûre de l'Anjou viticole, souvent en vue pour ses liquoreux, ses coteaux-du-layon et quarts-de-chaume notamment.

Une robe profonde aux reflets violines habille ce vin né des deux cabernets (90 % de franc). Le nez livre des parfums délicats de fruits rouges et noirs, qui viennent également tapisser un palais ample, souple et frais. Un ensemble prêt à boire, mais qui pourra patienter quelques années en cave. ⧗ 2016-2019 ¥ bavette à l'échalote

ANDRÉ DAVY, Dom. de la Roche Moreau, La Haie-Longue, 49190 Saint-Aubin-de-Luigné, tél. 02 41 78 34 55, davy.larochemoreau@wanadoo.fr r.-v.

CH. DE LA ROULERIE Les Mérances 2015 ★★

■ | 8900 | | 11 à 15 €

Dirigé par Philippe Germain depuis 2004, le Château de la Roulerie tire son prestige de ses vins liquoreux produits dans la commune de Saint-Aubin-de-Luigné. La même rigueur est appliquée à la vinification des vins rouges. La propriété, conduite en bio, couvre 42 ha.

Ce 100 % cabernet franc s'annonce par une robe grenat intense. Le nez livre des parfums complexes et subtils de fruits noirs et de griotte, qui se prolongent dans une bouche ample et longue, à la structure solide mais soyeuse. Une belle évolution en perspective. 2017-2021 bavette d'aloyau aux chanterelles

SCEA CH. DE LA ROULERIE, 49190 Saint-Aubin-de-Luigné, tél. 02 41 68 22 05, chateaudelaroulerie@gmail.com r.-v.

DOM. SAINT-ARNOUL Harmonie 2014 ★★

■ | 8000 | | - de 5 €

Valeur sûre de l'Anjou, ce domaine est implanté sur un très beau site troglodytique, où des caves ont été aménagées dans le falun pour l'élevage des vins de garde. Le vignoble de 32 ha est dirigé par Alain Poupard depuis 1986.

Ce vin revêt une élégante robe violine. Son nez complexe, fin et subtil exhale des notes de fraise, de framboise et de cassis. À l'unisson, la bouche se montre aromatique à souhait, ample et persistante, bâtie sur des tanins solides et racés. Un anjou sérieux et élégant, qui évoluera bien. 2017-2021 rôti de bœuf

POUPARD, 5, rue des Caves-Sousigné, 49540 Martigné-Briand, tél. 02 41 59 43 62, domaine@saint-arnoul.com r.-v.

DOM. DES SAULAIES Clos de la Roche 2015 ★

| 1866 | | 5 à 8 €

La famille Leblanc est installée depuis 1662 sur les terres escarpées de Faye-d'Anjou. Initialement tournée vers les vins blancs, puis vers les vins rosés au début du XXᵉs., l'exploitation a ajouté les rouges à sa gamme au cours des années 1960-1970. Le vignoble couvre 18 ha.

Les raisins de cette cuvée ont été à coup sûr vendangés en légère surmaturité. Il en résulte un nez confituré d'abricot et de coing. On retrouve les arômes confits dans une bouche ample, généreuse et suave (14 g/l de sucres résiduels), contrebalancée par une juste fraîcheur qui lui confère un équilibre bien assuré. 2016-2019 filet de sandre au beurre blanc

PHILIPPE ET PASCAL LEBLANC, Dom. des Saulaies, 49380 Faye-d'Anjou, tél. 02 41 54 30 66, contact@domainedessaulaies.fr t.l.j. sf dim. 8h-13h 14h-19h

DOM. SAUVEROY Clos des Sables 2014 ★★

| 5800 | | 8 à 11 €

Un domaine fondé en 1866 et dans la famille de Pascal et Véronique Cailleau depuis 1947. Ces derniers, aux commandes depuis 1985 et désormais épaulés par leur fils Quentin, conduisent avec talent un vignoble de 28 ha (1 ha aux origines). Une valeur sûre de l'Anjou viticole, à l'aise dans les trois couleurs, en secs comme en doux.

Cette cuvée élevée sur lies fines durant douze mois en fût exhale d'élégants arômes de fruits du verger assortis de délicates notes de fleurs blanches. La bouche, portée par des notes citronnées, se montre fraîche et dynamique, adoucie par des saveurs de coing. Un ensemble complexe et distingué. 2016-2020 anguille de Loire fumée ■ **Cuvée Ose Iris 2015 ★ (5 à 8 €; 14500 b.)** : une robe grenat aux reflets violines habille cette cuvée au nez de petits fruits rouges. En symbiose, le palais se montre chaleureux et rond, soutenu par des tanins bien fondus. 2016-2020 volaille fermière

EARL PASCAL CAILLEAU, Dom. du Sauveroy, 49750 Saint-Lambert-du-Lattay, tél. 02 41 78 30 59, domainesauveroy@sauveroy.com r.-v.

♥ DOM. DE LA TUFFIÈRE
Ledit vin chenin 2015 ★★★

| 3500 | | 8 à 11 €

Situé sur la rive droite de la Loire, au nord-est d'Angers, ce domaine de 25 ha, de création monastique, remonte au XVIIᵉs. Longtemps propriété du Ch. de la Tuffière, il a été repris en 1989 par les Coignard, exploitants sur ces terres depuis 1972. Leur fille Clarisse et son mari Fabrice Benesteau sont aux commandes depuis 2002. Leurs vins (blancs et rosés notamment) sont régulièrement remarqués dans nos éditions.

Divin chenin, magnifique cépage à l'origine ici d'une cuvée emballante. Le charme opère d'emblée à travers une élégante robe jaune pâle. Le nez, séducteur en diable, libère des arômes intenses et harmonieux de fruits jaunes et d'agrumes. On retrouve les fruits, plutôt confits, dans une bouche charnue, ronde et caressante, stimulée par une fine fraîcheur en finale. Un équilibre exceptionnel. 2016-2020 homard grillé

EARL COIGNARD-BENESTEAU, Dom. de la Tuffière, 49140 Lué-en-Baugeois, tél. 02 41 45 11 47, vignoble-tuffiere@wanadoo.fr t.l.j. sf dim. 9h-12h30 14h-19h

ANJOU-GAMAY

Superficie : 125 ha / Production : 6 630 hl

Vin rouge produit à partir du cépage gamay. Né sur les terrains les plus schisteux de la zone, bien vinifié, il peut donner un excellent vin de carafe. Quelques exploitations se sont spécialisées dans ce type, qui

n'a d'autre ambition que de plaire au cours de l'année suivant sa récolte.

DOM. DU BON REPOS 2015

■ | 1000 | 🍾 | - de 5 €

Ce domaine familial créé en 1932 est conduit depuis 1995 par Joël Chauviré. Son fils Valentin, représentant la quatrième génération, l'a rejoint en 2014. Leur vignoble couvre 23 ha.

Ce 2015 offre un nez élégant de fruits rouges frais accompagnés de notes florales. On retrouve les fruits dans une bouche souple, fraîche et gouleyante, un peu plus ferme en finale. Une courte garde arrondira les angles. ⧗ 2017-2019 🍷 salade de gésiers

JOËL ET VALENTIN CHAUVIRÉ, 9, chem. de la Varenne-d'Étiau, 49670 Valanjou, tél. 02 41 45 46 17, domainedubonrepos@wanadoo.fr V r.-v. ①

VIGNOBLE MUSSET-ROULLIER Léjourie 2015

■ | 7300 | 🍾 | - de 5 €

Les domaines Roullier et Musset se sont associés en 1994; leur exploitation couvre aujourd'hui 35 ha sur les coteaux de la Loire. Une valeur sûre du vignoble angevin, aussi bien en blanc qu'en rouge.

Cette cuvée attire le regard par sa robe d'un rouge profond, presque noir. Le nez, encore un peu timide, s'ouvre à l'aération sur les fruits noirs mûrs. Plus loquace et finement poivrée, la bouche se montre équilibrée, à la fois ronde et fraîche, marquée par une petite austérité en finale. ⧗ 2016-2019 🍷 côte de veau au poivre vert

VIGNOBLE MUSSET-ROULLIER, 36, Le Bas-Chaumier, 49620 La Pommeraye, tél. 02 41 39 05 71, musset.roullier@wanadoo.fr V *r.-v.*

DOM. DE SAINTE-ANNE 2015 ★

■ | 5000 | 🍾 | - de 5 €

Domaine familial situé à proximité du château de Brissac, dont le vignoble de 56 ha est implanté sur une croupe argilo-calcaire.

D'un rouge tendre aux reflets violines, ce 2015 exprime des parfums bien typés de petits fruits rouges agrémentés d'élégantes notes florales. La bouche est elle aussi bien dans le ton de l'appellation: légère, souple et fraîche, avec un fruité qui perdure agréablement. ⧗ 2016-2017 🍷 lasagnes

EARL BRAULT, Sainte-Anne, 49320 Brissac-Quincé, marc-brault@wanadoo.fr V *t.l.j. sf dim. 9h-12h 14h-18h*

VIGNES DE L'ALMA 2015 ★

■ | 14000 | - de 5 €

Saint-Florent-le-Vieil, village charnière entre l'Anjou et le pays nantais. Roland Chevalier y conduit un petit clos de 10 ha, commandé par un bâtiment datant de 1856 baptisé par le propriétaire d'alors – un général des Armées – en souvenir de la bataille de l'Alma. Ses vins rosés et rouges se rattachent à l'Anjou, ses blancs à l'AOC muscadet-coteaux-de-la-loire. Une valeur sûre.

Cette cuvée rouge intense s'ouvre sans réserve sur des notes de fruits rouges. La bouche? Du fruit, du fruit, du fruit, mais aussi des nuances poivrées et quelques touches végétales, et une matière fine, élégante et soyeuse. ⧗ 2016-2018 🍷 côte de veau

ROLAND CHEVALIER, L'Alma, 49410 Saint-Florent-le-Vieil, tél. 02 41 72 71 09, chevalier.roland@wanadoo.fr V *t.l.j. sf dim. 8h30-12h 14h-19h*

ANJOU-VILLAGES

Superficie : 190 ha / Production : 8 510 hl

Le terroir de l'AOC anjou-villages correspond à une sélection de terrains dans l'AOC anjou: seuls les sols se ressuyant facilement, précoces et bénéficiant d'une bonne exposition ont été retenus. Ce sont essentiellement des sols développés sur schistes, altérés ou non. Issus du cabernet franc parfois complété par du cabernet-sauvignon, les anjou-villages sont colorés, fruités, charnus et assez charpentés. Vite prêts, ils se gardent en moyenne deux à trois ans.

DOM. DE BOIS MOZÉ Jean-Joseph 2014 ★★

■ | 5300 | 🛢 | 8 à 11 €

Ancien manoir du XVIe s., le domaine est devenu au XVIIe s. une métairie du château de Montsabert. Il s'est développé dans les années 1950-1970 avant de changer de mains en 1996 (famille Lancien). Il couvre aujourd'hui 32 ha en fin de conversion bio.

Ce 2014 affiche une couleur intense tirant vers le noir. À l'aération pointent d'agréables notes de fruits rouges que l'on retrouve plus généreuses encore dans une bouche finement boisée, ample, ronde, dense et persistante. ⧗ 2017-2021 🍷 côte de bœuf ■ **Le Champ noir 2014 ★ (8 à 11 €; 14 600 b.)** : d'abord discret, ce 2014 libère à l'aération des arômes de fruits mûrs dans un sillage boisé et poivré, prolongés par un palais souple et onctueux. ⧗ 2016-2019 🍷 travers de porc

DOM. DE BOIS MOZÉ, Le Bois-Mozé, 49320 Coutures, tél. 02 41 57 91 28, contact@bois-moze.fr V *r.-v. Lancien*

SOPHIE ET JEAN-CHRISTIAN BONNIN Les Grenuces 2014 ★

■ | 5000 | 🍾 | 8 à 11 €

Régulièrement mentionné dans le Guide, ce domaine créé en 1921 couvre aujourd'hui 43 ha autour de Martigné-Briand. En 1998, son diplôme d'œnologue en poche, Jean-Christian Bonnin reprend ce vignoble familial en compagnie de sa femme Sophie.

Ce vin intense, robuste et exaltant porte le nom de la parcelle qui l'a vu naître. Au nez, des arômes de fruits rouges mûrs exhalent de ce 2014, né du seul cabernet-sauvignon vendangé à la main. Intensité aromatique (framboise) à laquelle fait écho une bouche chaleureuse, riche et puissante, aux tanins soyeux. ⧗ 2017-2020 🍷 paupiettes de veau

JEAN-CHRISTIAN BONNIN, 4 chem. du Vignoble, 49540 Martigné-Briand, tél. 02 41 59 43 58, bonninlesloges@orange.fr V *r.-v.*

DOM. DE BRIZÉ Clos Médecin 2014

■ | 14 666 | 🍾 | 5 à 8 €

Cette propriété familiale, dont l'origine remonte au XVIIIᵉ s., est conduite depuis 1989 par Line Delhumeau et son frère Luc. Régulièrement présente dans le Guide, l'exploitation possède des vignes (40 ha) réparties dans plusieurs appellations de l'Anjou et du Saumurois.

Cette cuvée attire d'emblée le regard par sa robe grenat limpide. Le nez, encore un peu discret, laisse percer des notes de fruits rouges qui s'amplifient dans une bouche souple, ronde et gouleyante. ⌛ 2016-2018 🍴 côte de porc

EARL DOM. DE BRIZÉ, Line et Luc Delhumeau, 36, rue des Jonchères – village de Cornu, 49540 Martigné-Briand, tél. 02 41 59 43 35, contact@domainedebrize.fr V *r.-v.*

DOM. LA CROIX DE GALERNE 2014

■ | 2600 | 🛢 | 5 à 8 €

Après une expérience dans le Bordelais, André Roger et son épouse Yvette, œnologue, s'installent en 1988 à Martigné-Briand, village dominant le Layon. Leur domaine est passé de 12 ha à 30 ha. Depuis 2009, leur fils Frédéric se charge des vinifications.

Ce vin à la robe dense couleur rubis s'ouvre sans réserve sur des notes de fruits rouges et noirs (cassis) sur un fond finement boisé. La bouche, à l'unisson, apparaît ronde, souple et persistante. Un volume mesuré mais un vin équilibré. ⌛ 2016-2019 🍴 bavette d'Aloyau

FAMILLE ROGER, 20, rue du Pressoir, 49540 Martigné-Briand, tél. 02 41 59 65 73, earl.roger@orange.fr V *t.l.j. 8h30-12h 14h-18h30*

DOM. DES DEUX ARCS Génération V 2014 ★

■ | 6000 | 🛢 | 8 à 11 €

Jean-Marie Gazeau, après une expérience en Afrique du Sud, a rejoint son père Michel en 2005 sur le domaine familial (48 ha). Leurs vins sont régulièrement sélectionnés dans le Guide, dans diverses appellations de l'Anjou et dans les trois couleurs. Une valeur sûre.

Ce 2014 rouge aux reflets violines s'exprime sur des notes discrètes de fruits rouges. La bouche emprunte cette même voie aromatique et se montre souple et ronde. Un bon classique à boire sur le fruit. ⌛ 2016-2018 🍴 brochettes de bœuf

DOM. DES DEUX ARCS, 11, rue du 8-Mai-1945, 49540 Martigné-Briand, tél. 02 41 59 47 37, do2arc@wanadoo.fr V *r.-v.* A *Jean-Marc Gazeau*

♥ CH. DE FESLES La Chapelle Vieilles Vignes 2014 ★★

■ | 12 000 | 🍾 | 11 à 15 €

En juillet 2008, le groupe Grands Chais de France a acheté à Bernard Germain le Ch. de Fesles, situé dans l'aire du bonnezeaux. Le domaine a engagé en 2010 la conversion bio de son vignoble de 54 ha.

Ce vin séduit d'emblée par sa robe intense animée de jolis reflets bruns. Complexe et engageant, le nez associe les fruits rouges mûrs à des notes de violette et d'iris. La bouche se déploie sur le même registre dans un sillage finement épicé; elle se montre onctueuse et charnue, structurée par des tanins veloutés et rehaussée en finale par une touche saline qui lui donne de l'allonge et du tonus. Un modèle d'équilibre. ⌛ 2016-2022 🍴 côte de bœuf

CH. DE FESLES, Fesles, 49380 Thouarcé, tél. 02 41 68 94 08, gbigot@sauvion.fr V *t.l.j. sf dim. 8h30-12h30 14h-17h30* *Groupe Grands Chais de France*

LES 3 C DU DOM. DES FORGES 2014 ★★

■ | 4130 | 🛢 | 8 à 11 €

La première parcelle a été acquise en 1890. Réputée pour ses vins liquoreux, la propriété, qui compte aujourd'hui 48 ha, a vu en 1996 l'installation de Stéphane et de Séverine Branchereau, incarnant la cinquième génération aux commandes du domaine.

Les Branchereau signent une jolie cuvée rouge intense qui libère des notes de fruits bien mûrs. Fruits que l'on retrouve plus confits encore (cassis notamment) dans une bouche ample et onctueuse, aux tanins veloutés et fondus. ⌛ 2016-2021 🍴 bœuf mariné à la plancha

DOM. DES FORGES, Le Clos des Forges, 6, lieu-dit Les Barres, 49190 Saint-Aubin-de-Luigné, tél. 02 41 78 33 56, cb@domainedesforges.net V *r.-v.* E *Branchereau*

CH. GAILLARD 2014

■ | 6000 | 🍾 | 5 à 8 €

Installés non loin du musée de la Vigne et du Vin à Saint-Lambert-du-Lattay, dans la vallée du Layon, les Cailleau sont à la tête de 50 ha de vignes. Leur fils a rejoint l'exploitation en 2003 et s'occupe des vinifications.

D'une belle couleur rubis intense, ce 2014 dévoile à l'aération des notes de fruits rouges que l'on retrouve en compagnie du poivre dans un palais structuré par des tanins encore un peu austères. Prévoir une courte garde. ⌛ 2017-2019 🍴 steak au poivre

DOM. DE LA DUCQUERIE, 2, chem. du Grand-Clos, 49750 Saint-Lambert-du-Lattay, tél. 02 41 78 42 00, domaine.ducquerie@wanadoo.fr V *r.-v.* *Cailleau*

DOM. DE GATINES 2014

■ | 6000 | 🍾 | 5 à 8 €

Établi entre les terres caillouteuses du Massif armoricain et les terrasses sablo-calcaires du Bassin parisien, le village de Tigné bénéficie d'un terroir de falun propice aux rosés. Les Dessèvre exploitent 50 ha aux environs, dont près de la moitié dédiée au cabernet-d'anjou.

Le domaine sait y faire aussi en rouge, témoin ce vin d'un joli rubis ouvert sur des notes plaisantes de fruits rouges (fraise). La bouche, volumineuse, souple et ronde, est dans le droit fil. ⌛ 2016-2019 🍴 sauté de veau

VIGNOBLE DESSÈVRE, Dom. de Gatines, 12, rue de la Boulaie, 49540 Tigné, tél. 02 41 59 41 48,

contact@domainedegatines.fr
V t.l.j. 8h-12h 14h-18h

LUC ET FABRICE MARTIN La Judition 2014 ★

■ | 6000 | | 5 à 8 €

Les frères Luc et Fabrice Martin, qui incarnent la quatrième génération sur la propriété, se sont associés en GAEC en 1997. Régulièrement en vue, ce domaine de 25 ha est situé à Chaudefonds-sur-Layon, près de la confluence du Layon avec la Loire.

Cueilli à la main et à pleine maturité, le cabernet franc s'exprime d'emblée sur des nuances de fruits rouges assortis de touches de feuilles de cassis froissées et d'un boisé léger. La bouche se révèle tout aussi persistante sur le fruit, joliment texturée et structurée en finesse. 2017-2021 rôti de porc aux pruneaux

GAEC LUC ET FABRICE MARTIN, 2 bis, rue du Stade, 49290 Chaudefonds-sur-Layon, tél. 02 41 78 19 91, luc.martin3@wanadoo.fr V *r.-v.*

CH. DE LA MULONNIÈRE Rouge Baiser 2013 ★

■ | 1900 | | 11 à 15 €

Le Ch. de la Mulonnière est situé à Beaulieu-sur-Layon, au pied d'un coteau exposé au sud. Il a été construit en 1876 par Charles Messe, officier d'artillerie de Napoléon III. Le vignoble (38 ha aujourd'hui) est conduit depuis 2002 par Jean-Louis Saget.

Ce pur cabernet-sauvignon libère des notes intenses de fruits rouges assorties de nuances boisées léguées par quatorze mois d'élevage en fût. En bouche, du fruit toujours, une matière riche et ronde, et des tanins encore un peu austères qui devraient se fondre sans trop attendre. 2017-2020 pot-au-feu

SAS CH. DE LA MULONNIÈRE, La Mulonnière, 49750 Beaulieu-sur-Layon, tél. 02 41 78 47 52, chateau.lamulonniere@orange.fr V *r.-v.*
Jean-Louis Saget

DOM. DE PAIMPARÉ Cuvée Floriane 2014

■ | 4500 | | 5 à 8 €

Domaine situé à proximité du musée de la Vigne et du Vin à Saint-Lambert-du-Lattay, dans la vallée du Layon, la commune la plus viticole de l'Anjou. Installé en 1990, Michel Tessier y exploite 16 ha. Ses vins sont régulièrement distingués dans le Guide.

Ce 2014 élevé neuf mois en fût s'ouvre sur des notes boisées relayées par des nuances de cuir. On retrouve les notes d'élevage dans une bouche souple et suave, aux tanins légers. 2016-2019 Saint-Nectaire

MICHEL TESSIER, 32, rue Rabelais, 49750 Saint-Lambert-du-Lattay, tél. 02 41 78 43 18, domainedepaimpare@gmail.com V *r.-v.*

DOM. DE LA PETITE CROIX
Vieilles Vignes 2014 ★★

■ | 8000 | | 5 à 8 €

Régulièrement mentionné dans le Guide, ce domaine est situé à Thouarcé, au cœur des vignes du Layon. François Geffard, à la tête de l'exploitation familiale (50 ha), propose un beau panel ligérien: bonnezeaux, coteaux-du-layon et anjou dans les trois couleurs.

Très attirante dans sa robe rouge intense aux reflets violines, cette cuvée libère des senteurs de fruits rouges très mûrs. La bouche ample, très aromatique et persistante, étayée par des tanins fondus et soyeux, n'est pas en reste. Une vraie gourmandise à boire sur le fruit ou patinée par un peu de garde. 2016-2021 civet de lapin

FRANÇOIS GEFFARD, La Petite Croix, 49380 Thouarcé, tél. 02 41 54 06 99, scea@lapetitecroix.com V *r.-v.*

CH. DE PLAISANCE Croix Pistolle 2014 ★

■ | 10000 | | 15 à 20 €

Installé depuis 1980, Guy Rochais exploite en bio et biodynamie 26 ha de vignes situés principalement sur la rive gauche de la Loire, avec plusieurs parcelles dans des appellations aussi prestigieuses que coteaux-du-layon, chaume ou quarts-de-chaume. Une valeur sûre.

Ce 2014 très sombre libère des parfums complexes et subtils de fruits rouges et noirs. Souple en attaque, la bouche se montre elle aussi généreusement fruitée, soutenue par des tanins bien en place et par une fine fraîcheur qui lui donne du nerf et de la longueur. Une bouteille qui vieillira bien. 2018-2022 pigeon aux petits pois

GUY ROCHAIS, Ch. de Plaisance, Chaume, 49190 Rochefort-sur-Loire, tél. 02 41 78 33 01, rochais.guy@orange.fr V *r.-v.*

CH. DE PUTILLE Cuvée Prestige 2014 ★

■ | 7000 | | 5 à 8 €

Les premières caves ont été creusées dans les douves du château de Putille, aujourd'hui disparu. Située sur les coteaux de la Loire, l'exploitation, qui couvrait 13 ha lorsque Pascal Delaunay a rejoint son père en 1984, en compte aujourd'hui 60. Sa notoriété a elle aussi grandi, témoin plusieurs coups de cœur du Guide, en rouge, blanc et crémant.

Robe pourpre intense, bouquet expressif de fruits noirs mûrs (cassis), l'approche est engageante. En bouche, du fruit toujours, de l'ampleur et une solide structure tannique qui fait de ce 2014 un beau vin de garde. 2018-2022 côte de bœuf en croûte d'épices

SAS CH. DE PUTILLE, 26, Putille, 49620 La Pommeraye, tél. 02 41 39 02 91, chateaudeputille@orange.fr V *t.l.j. sf dim. 8h-12h30 14h-19h* *Delaunay*

DOM. SAINT-ARNOUL Garance 2014 ★★

■ | 1500 | | 8 à 11 €

Valeur sûre de l'Anjou, ce domaine est implanté sur un très beau site troglodytique, où des caves ont été aménagées dans le falun pour l'élevage des vins de garde. Le vignoble de 32 ha est dirigé par Alain Poupard depuis 1986.

Cette cuvée s'affiche dans une belle robe profonde et brillante. Élevée quinze mois en fût, elle associe de fines notes boisées au cassis mûr. En bouche, beaucoup de fruit, de la rondeur, et de beaux tanins bien fondus. Un *villages* gourmand et très équilibré que l'on pourra boire jeune ou patiné par le temps. ⧗ 2016-2022 🍴 sauté de bœuf aux épices

⊶ POUPARD, 5, rue des Caves-Sousigné, 49540 Martigné-Briand, tél. 02 41 59 43 62, domaine@saint-arnoul.com V r.-v.

DOM. SAUVEROY Cuvée Andécaves 2014 ★

■	7200		8 à 11 €

Un domaine fondé en 1866 et dans la famille de Pascal et Véronique Cailleau depuis 1947. Ces derniers, aux commandes depuis 1985 et désormais épaulés par leur fils Quentin, conduisent avec talent un vignoble de 28 ha (1 ha aux origines). Une valeur sûre de l'Anjou viticole, à l'aise dans les trois couleurs, en secs comme en doux.

Ce pur cabernet franc sombre et intense est né de longues macérations et d'un élevage de quatorze mois en fût de deux à trois vins. Le résultat est un vin harmonieux et riche, concentré en fruits rouges et noirs très mûrs (cassis), suave, gourmand et soyeux en bouche. On pourra l'attendre quelques mois pour en apprécier toute la complexité. ⧗ 2017-2022 🍴 entrecôte

⊶ EARL PASCAL CAILLEAU, Dom. du Sauveroy, 49750 Saint-Lambert-du-Lattay, tél. 02 41 78 30 59, domainesauveroy@sauveroy.com V *r.-v.*

DOM. DE LA TOUCHE BLANCHE
Les Coudrais 2014 ★

■	2600		5 à 8 €

Installés en 2007, Christian et Ronan Rochais, père et fils, ont créé ce domaine d'une trentaine d'hectares en regroupant deux exploitations situées sur les communes de Chavagnes-les-Eaux et de Martigné-Briand.

À l'aération, le nez de ce pur cabernet franc dévoile d'agréables senteurs de fruits rouges et noirs. La bouche se révèle généreuse et tout aussi expressive, tenue par des tanins encore un peu fougueux. ⧗ 2017-2020 🍴 camembert au four

⊶ RONAN ROCHAIS, Dom. de La Touche-Blanche, 49540 Martigné-Briand, earlrochais@orange.fr V *r.-v.*

DOM. DES TROTTIÈRES Expression 2014

■	11000		8 à 11 €

Le domaine, créé en 1906 par M. Brochard, pionnier dans le vignoble angevin de l'introduction des porte-greffes américains résistant au phylloxéra, couvre aujourd'hui 108 ha et propose une large gamme d'appellations de l'Anjou et du Saumurois.

Plutôt réservé de prime abord, ce 2014 issu des deux cabernets s'ouvre doucement à l'aération sur des notes de cerise et de cassis. En bouche, l'équilibre est de mise autour d'un fruité assez soutenu et de tanins soyeux, mais plus austères en finale. Petite garde à prévoir. ⧗ 2017-2020 🍴 civet de lapin

⊶ DOM. DES TROTTIÈRES, lieu-dit les Trottières, 49380 Thouarcé, tél. 02 41 54 14 10, contact@domainedestrottieres.com V *t.l.j. sf dim. 9h-12h30 14h-17h30; sam. sur r.-v. ⊶ René Lamotte*

ANJOU-VILLAGES-BRISSAC

Superficie : 105 ha / Production : 4 517 hl

Au sein de l'AOC anjou-villages, les dix communes situées autour du château de Brissac constituent l'aire géographique de cette AOC reconnue en 1998. Les vignes sont implantées sur un plateau en pente douce vers la Loire, limité au nord par ce fleuve et au sud par les coteaux abrupts du Layon. Les sols sont profonds. La proximité de la Loire, qui limite les températures extrêmes, explique également la particularité du terroir. Complexes, charnus et denses, les anjou-villages-brissac sont aptes à une moyenne garde (deux à cinq ans) et peuvent vivre dix ans les meilleures années.

DOM. DE LA BELLE ÉTOILE
Marne à Ostracée 2014 ★

■	800		11 à 15 €

Après ses études de «viti-œno», Vincent Esnou a travaillé au Ch. de Fesles, dans l'ère du Bonnezeaux, puis dans différents vignobles français et étrangers. En 2008, il reprend ce domaine de 23 ha, créé en 1903 et dans sa famille depuis cinq générations.

Parée d'une robe sombre, presque noire, cette cuvée libère à l'aération des notes de cassis. Si le nez est encore discret, c'est en bouche que le vin s'affirme: ample et puissant, avec ce qu'il faut de fraîcheur et des tanins encore un peu sévères qu'une petite garde saura polir. ⧗ 2018-2021 🍴 steak de bœuf au poivre

⊶ VINCENT ESNOU, La Belle-Étoile, 49320 Brissac-Quincé, tél. 06 62 32 99 40, contact@domaine-belle-etoile.fr V *t.l.j. sf dim. 9h-12h30 14h-18h*

DOM. DITTIÈRE Clos de la Grouas 2014 ★

■	3000		5 à 8 €

Fondée vers 1900 par le grand-père des frères Dittière (Bruno et Joël, installés en 1983), cette exploitation de 40 ha est établie près de Brissac sur des terroirs sablo-graveleux. Souvent en vue pour ses rouges.

Cette cuvée d'un seyant rouge pourpre offre au nez une très belle concentration aromatique: les fruits noirs et la violette se mêlent à une fine touche grillée léguée par dix mois d'élevage en fût. Ample et acidulée en attaque, la bouche révèle un élégant fruité soutenu par des tanins soyeux. ⧗ 2018-2021 🍴 onglet grillé ■ **Clos Guenet 2014 (8 à 11 €; 1300 b.)** : vin cité.

⊶ DOM. DITTIÈRE, 1, chem. de la Grouas, 49320 Vauchrétien, tél. 02 41 91 23 78, domaine.dittiere@sfr.fr V *r.-v.*

DOM. DE GAGNEBERT 2014 ★★

■	6000		5 à 8 €

C'est sur les schistes ardoisiers de la commune de Juigné-sur-Loire qu'officie depuis cinq générations la

LOIRE

famille Moron. Elle cultive aujourd'hui 115 ha et vinifie toutes les appellations d'Anjou.

Ce vin pourpre profond offre un nez franc et intensément fruité (fruits rouges et noirs compotés). Ample, riche et généreux, le palais montre une belle concentration et s'adosse à des tanins fermes et denses qui assureront un vieillissement heureux à ce 2014 bien typé, au caractère affirmé. ⌛ 2019-2026 🍴 bœuf à l'angevine

DOM. DE GAGNEBERT, 2, chem. de la Naurivet, 49610 Juigné-sur-Loire, tél. 02 41 91 92 86, moron@domaine-de-gagnebert.com V *t.l.j. sf dim. 8h-12h30 14h-19h* *EARL Moron*

DOM. DES GIRAUDIÈRES Cuvée Château Gaillard Élevé en fût de chêne 2014 ★

■ | 5330 | | 5 à 8 €

Ce domaine familial créé en 1927 étend son vignoble sur 45 ha. Conduit depuis 1983 par Dominique et Françoise Roullet, il propose toute la gamme des vins de la région de Brissac.

Vêtue d'une robe rouge foncé, cette cuvée s'ouvre sur d'intenses notes de fruits noirs et rouges (fraise) finement boisées (douze mois de fût). Ample, souple et ronde, la bouche se montre intensément fruitée, élégante, soyeuse et persistante. À apprécier dans sa jeunesse. ⌛ 2016-2020 🍴 filet de bœuf Wellington

DOMINIQUE ROULLET, Les Giraudières, 49320 Vauchrétien, tél. 02 41 91 24 00 V *r.-v.* 2

DOM. DE HAUTE PERCHE 2014 ★

■ | 10000 | | 8 à 11 €

Créé en 1966, ce domaine (30 ha) situé aux portes d'Angers était à l'origine dédié aux vins de table. Restructuré, replanté de cépages nobles, il est devenu une valeur sûre en anjou-villages-brissac et coteaux-de-l'aubance. Véronique, la fille d'Agnès et Christian Papin, est à sa tête depuis 2012.

Ce vin sombre s'exprime sur des notes de petits fruits rouges bien mûrs et finement réglissés. On retrouve les fruits, plus expressifs encore, dans un palais souple, frais, bien fondu et persistant. ⌛ 2017-2022 🍴 brie chaud

EARL VÉRONIQUE PAPIN, Dom. de Haute Perche, 7, chem. de la Godelière, 49610 Saint-Melaine-sur-Aubance, tél. 02 41 57 75 65, contact@domainehauteperche.com V *t.l.j. sf dim. 9h-12h30 14h30-18h30*

CH. PRINCÉ 2014 ★

■ | 10000 | | 15 à 20 €

La propriété située aux portes d'Angers est constituée de 15 ha d'un seul tenant. Arrivé en 2002 sur l'exploitation, Mathias Levron a très vite impressionné par son professionnalisme et sa rigueur. En conversion bio.

Ce 2014 exhale des parfums de fruits rouges et noirs assortis de notes vanillées léguées par douze mois d'élevage en fût. La bouche se déploie sur un registre encore plus mûr, mais non dénué de fraîcheur. Une cuvée aromatique, ronde et soyeuse, que l'on pourra apprécier dès aujourd'hui et qui vieillira bien. ⌛ 2016-2021 🍴 filet mignon de porc aux pruneaux

CH. PRINCÉ, Le Petit-Princé, 49610 Saint-Melaine-sur-Aubance, tél. 02 41 57 82 28, bureau@chateaudeparnay.fr V *r.-v.*
Levron et Vincenot

♥ DOM. DES ROCHELLES Les Millerits 2014 ★★

■ | 7135 | | 20 à 30 €

Conduit depuis les années 1970 par Jean-Yves Lebreton, rejoint entre-temps par son fils Jean-Hubert, ce domaine de 50 ha s'était spécialisé en viticulture dès 1920. Avec plusieurs coups de cœur à son actif, il fait partie des références de l'Anjou pour ses rouges.

Nous avons arrêté de compter les coups de cœur obtenus par Jean-Yves Lebreton, sans conteste LA référence de l'appellation. Son vin séduit d'emblée par sa couleur pourpre tirant vers le noir. Du verre, s'échappent des parfums intenses et complexes de fruits noirs compotés et d'épices. La bouche, à l'avenant, aromatique à souhait et finement boisée, est majestueuse: riche, ronde et soyeuse, «une matière énorme», précise un dégustateur. L'expression aboutie d'un cabernet-sauvignon bien mûr. ⌛ 2018-2026 🍴 tournedos Rossini ■ **La Croix de Mission 2014 ★★ (8 à 11 €; 25000 b.)** : une cuvée bien connue des amateurs de «brissac», maintes fois élue coup de cœur du Guide. Le 2014 est au niveau de ses devanciers: robe sombre, notes douces et intenses de fruits noirs dans un sillage finement vanillé, bouche ample et ronde, soutenue par des tanins solides mais fins. ⌛ 2017-2022 🍴 bœuf Teriyaki

EARL LEBRETON, Dom. des Rochelles, 49320 Saint-Jean-des-Mauvrets, tél. 02 41 91 92 07, jy.a.lebreton@wanadoo.fr V *t.l.j. sf dim. 9h-12h 14h-18h30*

♥ CH. LA VARIÈRE 2014 ★★★

■ | 26000 | | 8 à 11 €

Issu d'une grande famille vigneronne installée depuis cinq générations sur les coteaux de l'Aubance, Jacques Beaujeau est à la tête d'un vaste domaine angevin (115 ha) qu'il a complété d'une propriété en saumur-champigny, le Dom. de la Perruche.

Une robe d'un beau pourpre intense habille cette cuvée au nez magnifique, un panier de fruits rouges et noirs frais sur un fond finement boisé. La bouche se déploie dans un registre de fruits bien mûrs; elle se montre suave, charnue, concentrée mais sans jamais perdre en finesse et en élégance, bâtie sur des tanins veloutés. Un ensemble très harmonieux. ⌛ 2018-2026 🍴 pot-au-feu d'agneau ■ **La Chevalerie 2014 (15 à 20 €; 17000 b.)** : vin cité.

CH. LA VARIÈRE, 49320 Brissac, tél. 02 41 91 22 64, beaujeau@wanadoo.fr V r.-v.

COTEAUX-DE-L'AUBANCE

Superficie : 216 ha / Production : 6 722 hl

Petit affluent de la rive gauche de la Loire, comme le Layon qui coule plus à l'ouest, l'Aubance est bordée de coteaux de schistes portant de vieilles vignes de chenin, dont on tire un vin blanc moelleux qui s'améliore en vieillissant. Cette appellation a choisi de limiter strictement ses rendements. Depuis 2002, la mention «Sélection de grains nobles» est autorisée pour les vins de vendanges présentant une richesse naturelle minimale de 234 g/l, soit 17,5 % vol. sans aucun enrichissement. Ceux-ci ne pourront être commercialisés que dix-huit mois après la récolte.

DOM. DES BONNES GAGNES La Butte 2014

■	6000	8 à 11 €

Exploité par les Héry de père en fils depuis 1610, ce domaine fondé par les moines de l'abbaye du Ronceray s'étend sur 37 ha. Il bénéficie d'une terre riche, argilo-calcaire, qui assure le bon développement de la vigne.

Jaune aux reflets dorés, cette cuvée s'ouvre sur des notes de fleurs blanches et de confiture de coing. Dans le même registre, la bouche se révèle souple et fraîche. Simple et de bon aloi. ⌛ 2016-2022 🍴 filet de sandre au beurre blanc

HÉRY VIGNERON, lieu-dit Orgigné, 49320 Saint-Saturnin-sur-Loire, tél. 02 41 91 22 76, hery.vignerons@orange.fr V t.l.j. sf dim. 9h-12h 14h-19h

DOM. DITTIÈRE Les Boujets 2014 ★

■	2500	🛢	11 à 15 €

Fondée vers 1900 par le grand-père des frères Dittière (Bruno et Joël, installés en 1983), cette exploitation de 40 ha est établie près de Brissac sur des terroirs sablo-graveleux. Souvent en vue pour ses rouges.

Le nez délivre sans réserve des notes de fruits bien mûrs et de fruits secs. On retrouve les fruits «tendance confits» dans une bouche équilibrée, à la fois suave et finement minérale. ⌛ 2016-2026 🍴 tarte aux pêches jaunes

DOM. DITTIÈRE, 1, chem. de la Grouas, 49320 Vauchrétien, tél. 02 41 91 23 78, domaine.dittiere@sfr.fr V r.-v.

DOM. DE GAGNEBERT Cuvée d'exception 2014 ★

■	5000	🛢	11 à 15 €

C'est sur les schistes ardoisiers de la commune de Juigné-sur-Loire qu'officie depuis cinq générations la famille Moron. Elle cultive aujourd'hui 115 ha et vinifie toutes les appellations d'Anjou.

La robe jaune dorée, presque orangée, témoigne du développement de la pourriture noble sur le raisin. Le nez libère d'emblée les fruits confits et le miel assortis d'une touche d'agrumes. La bouche est charnue et bien structurée, aiguillonnée par une franche acidité. Un 2014 qualifié d'atypique mais fort plaisant. ⌛ 2016-2026 🍴 carpaccio d'orange

DOM. DE GAGNEBERT, 2, chem. de la Naurivet, 49610 Juigné-sur-Loire, tél. 02 41 91 92 86, moron@domaine-de-gagnebert.com V t.l.j. sf dim. 8h-12h30 14h-19h EARL Moron

DOM. DE MONTGILET Les Trois Schistes 2014

■	15710	🛢	15 à 20 €

Ce domaine situé aux portes d'Angers est une référence de la région, notamment en matière de «douceurs angevines» avec de superbes coteaux-de-l'aubance à la carte. À la tête de l'exploitation créée par leur grand-père, Victor et Vincent Lebreton, aux commandes depuis 1995, conduisent 60 ha sur un terroir de schistes ardoisiers.

Cette cuvée affiche de la constance dans la qualité: il est rarissime qu'elle déserte les pages du Guide. Jaune or soutenue, la version 2014 dévoile des notes florales et quelques nuances légèrement évoluées. On retrouve ces dernières aux côtés d'arômes de surmaturation (fruits confits) dans une bouche ample et ronde. ⌛ 2016-2023 🍴 tarte pomme-abricots

DOM. DE MONTGILET, 10, chem. de Montgilet, 49610 Juigné-sur-Loire, tél. 02 41 91 90 48, montgilet@wanadoo.fr V t.l.j. sf dim. 9h-12h 14h-17h30 Victor et Vincent Lebreton

CH. PRINCÉ 2014 ★

■	13000	🛢 🛢	15 à 20 €

La propriété située aux portes d'Angers est constituée de 15 ha d'un seul tenant. Arrivé en 2002 sur l'exploitation, Mathias Levron a très vite impressionné par son professionnalisme et sa rigueur. En conversion bio.

D'abord discret, le nez libère à l'aération des notes de surmaturation (coing, fruits confits). Malgré ses 110 g/l de sucres résiduels, la bouche, délicatement miellée et onctueuse, est équilibrée par une juste acidité. ⌛ 2017-2026 🍴 pain d'épices au miel

CH. PRINCÉ, Le Petit-Princé, 49610 Saint-Melaine-sur-Aubance, tél. 02 41 57 82 28, bureau@chateaudeparnay.fr V r.-v. Levron et Vincenot

Ⓑ DOM. DE ROCHAMBEAU Harmonie 2014 ★

■	6400	🛢	11 à 15 €

Situé à quelques kilomètres d'Angers, ce domaine campe sur un coteau escarpé d'où l'on découvre la vallée de l'Aubance. Maurice Forest y exploite ses 17 ha de vignes en bio.

Habillé d'or foncé, ce 2014 offre des notes puissantes de caramel que l'on retrouve en bouche, complétées de

LOIRE

fruits confits. Flatteur et concentré, ce vin n'en est pas moins élégant et très plaisant. ⧗ 2016-2026 🍴 tarte Tatin

EARL FOREST, Dom. de Rochambeau, 49610 Soulaines-sur-Aubance, tél. 02 41 57 82 26, rochambeau@wanadoo.fr V r.-v.

♥ DOM. DES ROCHELLES
Ambre de Roche 2014 ★★

	2400		20 à 30 €

Conduit depuis les années 1970 par Jean-Yves Lebreton, rejoint entre-temps par son fils Jean-Hubert, ce domaine de 50 ha s'était spécialisé en viticulture dès 1920. Avec plusieurs coups de cœur à son actif, il fait partie des références de l'Anjou pour ses vins rouges.

Un coup de cœur de plus pour les Lebreton qui n'ont jamais cédé sur le terrain de la qualité. Toujours sérieux et appliqué, leur travail porte une nouvelle fois ses fruits au travers de cette cuvée exemplaire par son équilibre et sa complexité. Le nez mêle subtilement les notes du raisin, de la pourriture noble et de l'élevage en fût; on y trouve l'abricot et la pêche confits, le miel, la vanille et les fruits secs. Dans le même registre, le palais est tendre, gras sans lourdeur, volumineux, épaulée jusqu'en finale par une fine vivacité qui lui donne une superbe allonge. ⧗ 2018-2030 🍴 foie gras

EARL LEBRETON, Dom. des Rochelles, 49320 Saint-Jean-des-Mauvrets, tél. 02 41 91 92 07, jy.a.lebreton@wanadoo.fr V *t.l.j. sf dim. 9h-12h 14h-18h30*

DOM. DE SAINTE-ANNE Clos Basse Bâte 2014 ★

	5000		8 à 11 €

Domaine familial situé à proximité du château de Brissac, dont le vignoble de 56 ha est implanté sur une croupe argilo-calcaire.

Ce 2014 dévoile un nez de fleur d'acacia et de mangue finement citronné. On retrouve les fruits exotiques dans une bouche complexe, soutenue par une acidité présente jusqu'à la finale, longue et intense. ⧗ 2016-2026 🍴 crumble de mangue

EARL BRAULT, Sainte-Anne, 49320 Brissac-Quincé, marc-brault@wanadoo.fr V *t.l.j. sf dim. 9h-12h 14h-18h*

ANJOU-COTEAUX-DE-LA-LOIRE

Superficie : 30 ha / Production : 980 hl

Située en aval d'Angers, l'appellation est réservée aux vins blancs issus du pineau de la Loire. Elle constitue un vestige du vignoble médiéval d'Anjou, qui était planté sur les bords de la Loire, principale voie de transport à cette époque. Cette proximité du fleuve conditionne le climat des coteaux qui se caractérise par des températures douces, avec des écarts atténués. Les vins paraissent presque légers, délicats, ce qui traduit bien les conditions de maturation équilibrées. L'aire de production est située uniquement sur les schistes et les calcaires de Montjean.

B DOM. DU FRESCHE Le Chalet 2014 ★★

	1700		11 à 15 €

Alain Boré conduit depuis 1989 ce domaine familial régulièrement mentionné dans le Guide. L'exploitation (28 ha), cultivée en bio, est implantée dans la partie ouest du vignoble angevin, sur des coteaux schisteux dominant la Loire.

Du verre s'échappent des notes complexes de coing, d'abricot sec et de raisin de Corinthe. On les retrouve en compagnie de la poire dans une bouche onctueuse, riche et longue, affinée par une fine trame minérale. Un vin savoureux et très équilibré. ⧗ 2016-2026 🍴 soufflé au Grand Marnier

EARL ALAIN BORÉ, Dom. du Fresche, 7, rte de Chalonnes, D 151, 49620 La Pommeraye, tél. 02 41 77 74 63, domainedufresche@orange.fr V *t.l.j. sf dim. lun. 10h-12h 14h-18h; f. 15-31 août*

VIGNOBLE MUSSET-ROULLIER
La Royauté 2015 ★

	10000		5 à 8 €

Les domaines Roullier et Musset se sont associés en 1994; leur exploitation couvre aujourd'hui 35 ha sur les coteaux de la Loire. Une valeur sûre du vignoble angevin, aussi bien en blanc qu'en rouge.

Cette cuvée séduit d'emblée par son intensité aromatique autour de la pêche jaune et de la mangue. La bouche emprunte cette même voie aromatique, longuement, et se distingue par sa grande fraîcheur. Un moelleux dynamique. ⧗ 2016-2026 🍴 tarte aux pêches

VIGNOBLE MUSSET-ROULLIER, 36, le Bas-Chaumier, 49620 La Pommeraye, tél. 02 41 39 05 71, musset.roullier@wanadoo.fr V *r.-v.*

CH. DE PUTILLE Cuvée Pierre Carrée 2015 ★★

	4000		8 à 11 €

Les premières caves ont été creusées dans les douves de l'ancien château de Putille, aujourd'hui disparu. Située sur les coteaux de la Loire, l'exploitation, qui couvrait 13 ha lorsque Pascal Delaunay a rejoint son père en 1984, en compte aujourd'hui 60. Sa notoriété a elle aussi grandi, témoin plusieurs coups de cœur du Guide, en rouge, blanc et crémant.

Résolument gourmand, ce liquoreux (180 g/l de sucres résiduels) libère après aération d'enivrantes et élégantes notes de fleurs blanches (jasmin) et de fruits jaunes (pêche). Cette gamme s'enrichit de saveurs exotiques dans un palais riche et concentré, soutenu par une juste acidité qui lui apporte longueur et équilibre. Bâti pour durer. ⧗ 2016-2030 🍴 foie gras

SAS CH. DE PUTILLE, 26, Putille, 49620 La Pommeraye, tél. 02 41 39 02 91, chateaudeputille@orange.fr V *t.l.j. sf dim. 8h-12h30 14h-19h — Delaunay*

SAVENNIÈRES

Superficie : 147 ha
Production : 5 068 hl (crus inclus)

Implanté sur la rive droite de la Loire, à une quinzaine de kilomètres en aval d'Angers, ce vignoble se singularise par sa production : des vins blancs secs, issus du chenin, essentiellement sur la commune de Savennières. Les schistes et grès pourpres leur confèrent un caractère particulier, ce qui les a fait définir longtemps comme crus des coteaux de la Loire ; mais ils méritent une appellation à part entière. Ce sont des vins pleins de sève, un peu nerveux.

DOM. DES BARRES Les Bastes 2014

	4000		5 à 8 €

La commune de Saint-Aubin-de-Luigné, surnommée la « Perle du Layon », se situe dans le Bas-Layon, tout près de la jonction entre la Loire et le Layon. La famille Achard y conduit ce domaine de 31 ha depuis trois générations.

Si ce 2014 se présente dans une robe soutenue qui laisse présager une surmutarité, il est marqué à l'olfaction par des notes fraîches de citron et quelques touches de vanille. On retrouve la vanille, héritée des douze mois de fût, dans une bouche riche et ample, soulignée par une fine minéralité qui lui apporte une juste fraîcheur et de l'allonge. ⧗ 2016-2021 ¥ safrané de crevettes

PATRICE ACHARD, Dom. des Barres, 49190 Saint-Aubin-de-Luigné, tél. 02 41 78 98 24, achardpatrice@wanadoo.fr V r.-v. B

CH. DE BELLEVUE Éclat de schiste 2014 ★

	7000		15 à 20 €

Le château, construit au XIXe s., est situé sur un point culminant de Saint-Aubin-de-Luigné. Il est entouré d'un parc de plus de 4 ha et d'un vignoble de 34 ha dont Hervé Tijou a pris les commandes en 1995.

Encore marquée par son passage de douze mois en fût, cette cuvée libère d'emblée des notes intenses de vanille, puis de confiture de pêche, de coing et de poire bien mûre. On retrouve les accents boisés (vanille, torréfaction) dans un palais rond et généreux, équilibré par une fine trame acide. À conserver quelques années pour que les notes d'élevage se fondent. ⧗ 2018-2024 ¥ ris de veau à la crème

HERVÉ TIJOU, Ch. de Bellevue, 49190 Saint-Aubin-de-Luigné, tél. 02 41 78 33 11, chateaubellevuetijou@orange.fr V r.-v.

B DOM. DU CLOSEL La Jalousie 2014 ★

	3620		20 à 30 €

Un vignoble d'origine monastique. Quatre générations de femmes se sont succédé à sa tête. Aux commandes aujourd'hui, Évelyne de Pontbriand, présidente de l'appellation savennières, produit des vins de caractère et conduit en bio et en biodynamie un vignoble de 15 ha.

Si le nez évoque les fruits bien mûrs (coing, poire), le palais, tout aussi aromatique, reste vif et alerte. Finement boisé, ce 2014 aussi large que long délivre en finale des notes d'agrumes persistantes. Quelques années en cave sauront révéler la promesse d'une belle cuvée. ⧗ 2018-2024 ¥ brochet au beurre blanc

EVELYNE DE PONTBRIAND, EARL Les-vins-du-domaine-de-Closel, 1, pl. du Mail, 49170 Savennières, tél. 02 41 72 81 00, closel@savennieres-closel.com V *t.l.j. 9h30-18h30 ; f. dim. en hiver*

♥ DOM. DES DEUX ARCS 2014 ★★

	5000		8 à 11 €

Jean-Marie Gazeau, après une expérience en Afrique du Sud, a rejoint son père Michel en 2005 sur le domaine familial (48 ha). Leurs vins sont régulièrement sélectionnés dans le Guide, dans diverses appellations de l'Anjou et dans les trois couleurs. Une valeur sûre.

Déjà coup de cœur en 2016 avec son anjou-villages, le domaine récidive cette année avec son savennières. Séduisant par sa robe brillante et jaune soutenue, ce 2014, fermenté en fût de chêne de 400 l pendant huit mois puis élevé un an dans le merrain, offre un nez déjà ouvert et harmonieux, partagé entre les fleurs (acacia) et les fruits (poire, coing mûr). Cette complexité aromatique se retrouve dans une bouche ample, suave, ronde et gourmande, soulignée par une fine minéralité qui signe le terroir de schistes. De jolis accents miellés apportent un regain de douceur en finale. Un vin élégant et très équilibré, à boire aussi bien jeune que patiné par le temps. ⧗ 2017-2024 ¥ poêlée de saint-jacques au curry

DOM. DES DEUX ARCS, 11, rue du 8-Mai-1945, 49540 Martigné-Briand, tél. 02 41 59 47 37, do2arc@wanadoo.fr V r.-v. A
Jean-Marie Gazeau

DOM. DES DEUX VALLÉES Clos du Petit Beaupreau 2014 ★

	6000		11 à 15 €

René Socheleau et son fils Philippe ont repris et restructuré ce domaine de 44 ha en 2001, et construit un nouveau chai situé sur la corniche angevine surplombant les vallées de la Loire et du Layon. Leurs vins sont régulièrement retenus dans le Guide.

Un vin finement boisé – dix mois d'élevage en fût –, floral (tilleul) et un brin anisé au nez. Les nuances boisées s'invitent aussi dans une bouche puissante, ample, riche et onctueuse, soutenue par une fine acidité qui allonge la finale. ⧗ 2017-2024 ¥ sandre au beurre blanc

SCEA DOM. DES DEUX VALLÉES, Bellevue, 49190 Saint-Aubin-de-Luigné, tél. 02 41 78 33 24, contact@domaine2vallees.com V *t.l.j. sf dim. 9h-12h 14h-18h* *Socheleau*

LOIRE

DOM. DE LA DUCQUERIE Clos de Frémine 2014 ★★

| 5000 | | 8 à 11 € |

Installés non loin du musée de la Vigne et du Vin à Saint-Lambert-du-Lattay, dans la vallée du Layon, les Cailleau sont à la tête de 50 ha de vignes. Leur fils a rejoint l'exploitation en 2003 et s'occupe des vinifications.

C'est la complexité aromatique de cette cuvée qui a séduit d'emblée le jury: mangue, abricot, citron et fleur d'acacia. Une gamme riche et variée prolongée par un palais finement boisé, rond, charnu et onctueux, souligné par une fine minéralité. Un vin exubérant et charmeur. ⧗ 2017-2024 🍴 brochet au beurre blanc citronné

DOM. DE LA DUCQUERIE, 2, chem. du Grand-Clos, 49750 Saint-Lambert-du-Lattay, tél. 02 41 78 42 00, domaine.ducquerie@wanadoo.fr V *r.-v.* *Cailleau*

CH. D'EPIRÉ Cuvée spéciale 2014 ★

| 7500 | | 15 à 20 € |

Ce château néoclassique a l'allure imposante des édifices du Second Empire. Construit en 1850, son vignoble (15 ha aujourd'hui) a participé depuis cette époque au rayonnement du savennières. Sa cave se trouve dans l'ancienne église romane du village d'Epiré.

Si la robe est pâle, le nez de ce 2014 est intense (coing, fleurs blanches, subtiles notes boisées). Une éloquence à laquelle fait écho une bouche plutôt ronde à l'attaque, finement vanillée (neuf mois de fût) et soutenue par une fine trame acide qui apporte fraîcheur et équilibre. Une cuvée qui s'achève sur une petite dose d'amertume qui ravira les amateurs de vins énergiques. ⧗ 2017-2024 🍴 truite meunière **La Chapelle 2014 (20 à 30 €; 4500 b.)** : vin cité.

LUC BIZARD, Chais du Ch. d'Epiré, Village d'Epiré, 49170 Savennières, tél. 02 41 77 15 01, luc.bizard@wanadoo.fr V *t.l.j. sf dim. 10h-12h 14h-18h30*

LUC ET FABRICE MARTIN L'Aiglerie 2014 ★

| 5000 | | 8 à 11 € |

Les frères Luc et Fabrice Martin, qui incarnent la quatrième génération sur la propriété, se sont associés en GAEC en 1997. Régulièrement en vue, ce domaine de 25 ha est situé à Chaudefonds-sur-Layon, près de la confluence du Layon avec la Loire.

L'Aiglerie? Le nom de la parcelle qui a vu naître ce vin. Un 2014 jaune paille et limpide qui offre un nez complexe mêlant fleurs blanches (acacia) et notes vanillées. On retrouve la vanille – héritée de son passage de douze mois en fût – dans un palais riche, dense et puissant, qui s'achève sur une légère amertume et une fine minéralité rafraîchissantes. ⧗ 2017-2024 🍴 volaille à la crème

GAEC LUC ET FABRICE MARTIN, 2 bis, rue du Stade, 49290 Chaudefonds-sur-Layon, tél. 02 41 78 19 91, luc.martin3@wanadoo.fr V *r.-v.*

CH. DE LA MULONNIÈRE L'Effet papillon 2013 ★

| 13000 | | 15 à 20 € |

Le Ch. de la Mulonnière est situé à Beaulieu-sur-Layon, au pied d'un coteau exposé au sud. Il a été construit en 1876 par Charles Messe, officier d'artillerie de Napoléon III. Le vignoble (38 ha aujourd'hui) est conduit depuis 2002 par Jean-Louis Saget.

Cette cuvée s'ouvre sur de puissantes notes de miel de fleurs, que prolonge une bouche franche en attaque, ample, souple et généreuse dans son développement, soutenue par une fine trame minérale. Un vin long et bien équilibré. ⧗ 2017-2023 🍴 colombo d'écrevisses **2014 (8 à 11 €; 10000 b.)** : vin cité.

SAS CH. DE LA MULONNIÈRE, La Mulonnière, 49750 Beaulieu-sur-Layon, tél. 02 41 78 47 52, chateau.lamulonniere@orange.fr V *r.-v.*
Jean-Louis Saget

DOM. OGEREAU Clos le Grand Beaupréau 2014 ★

| 7500 | | 15 à 20 € |

Implantée dans la vallée du Layon, cette exploitation créée à la fin du XIXes. collectionne étoiles et coups de cœur dans toutes les couleurs de l'Anjou. Le vignoble de 23,5 ha est conduit par Vincent Ogereau, l'un des vinificateurs ligériens les plus talentueux, épaulé par son fils Emmanuel depuis 2014. Incontournable.

La robe aux nuances vertes de cette cuvée née au sommet de la butte de l'Épiré est très élégante, tout comme le sont ses notes de fleurs blanches et de fruits secs. La bouche, à la fois ample, ronde et fraîche, révèle des arômes de litchi et de réglisse soutenus par une fine minéralité. Un vin très séduisant par son équilibre. ⧗ 2016-2024 🍴 saint-jacques aux agrumes

DOM. OGEREAU, 44, rue de la Belle-Angevine, 49750 Saint-Lambert-du-Lattay, tél. 02 41 78 30 53, contact@domaineogereau.com V *r.-v.*

DOM. DU PETIT MÉTRIS Clos de la Marche 2014 ★

| 6000 | 11 à 15 € |

Régulièrement mentionné dans le Guide, ce domaine s'affirme comme une valeur sûre du vignoble angevin tant pour ses blancs secs que pour ses liquoreux. Créée en 1742, la propriété domine du haut de son coteau le village de Saint-Aubin-de-Luigné traversé par le Layon.

D'un abord discret, ce 2014 s'ouvre à l'aération sur des notes d'agrumes et de fleurs blanches. En bouche, il se révèle rond, chaleureux et soyeux, rehaussé en finale par de fines touches minérales. À boire dès à présent si l'on veut profiter de sa douceur, ou plus tard pour plus de fondu et de complexité. ⧗ 2016-2024 🍴 lotte à l'américaine

DOM. DU PETIT MÉTRIS, 13, chem. de Treize-Vents, Le Grand-Beauvais, 49190 Saint-Aubin-de-Luigné, tél. 02 41 78 33 33, domaine.petit.metris@wanadoo.fr V *r.-v.* *Famille Renou*

B **CH. DE PLAISANCE** Le Clos 2014 ★★

| 5000 | | 15 à 20 € |

Installé depuis 1980, Guy Rochais exploite en bio et biodynamie 26 ha de vignes situés principalement sur la rive gauche de la Loire, avec plusieurs parcelles dans des appellations aussi prestigieuses que coteaux-du-layon, chaume ou quarts-de-chaume. Une valeur sûre.

La robe jaune or annonce une belle maturité des raisins, confirmée par l'olfaction où s'allient le coing, le miel et la confiture d'abricot. Une maturité que l'on retrouve dans une bouche chaleureuse, ample, charnue et finement minérale, étirée dans une longue finale. Un vin généreux, mais équilibré. ⧗ 2018-2026 🍷 fromage à pâte dure

⊶ *GUY ROCHAIS, Ch. de Plaisance, Chaume, 49190 Rochefort-sur-Loire, tél. 02 41 78 33 01, rochais.guy@orange.fr* V *r.-v.*

CH. SOUCHERIE Clos des Perrières 2014 ★

	8200		20 à 30 €

Cette propriété historique ayant appartenue aux Ducs de Brissac offre un magnifique point de vue sur la vallée du Layon. Conduite par la famille Tijou depuis 1952, elle a été rachetée en 2007 par M. Béguinot. Les 28 ha du domaine sont exploités en agriculture raisonnée avec en vue le passage à l'agriculture biologique.

Si le nez offre des notes de surmaturité (fruits secs, miel et coing), la bouche révèle des notes fraîches et fruitées de poire, assorties de touches vanillées qui signent son passage de neuf mois en fût. Un vin élégant, franc et vif, qui s'achève sur de jolis amers. Bâti pour durer. ⧗ 2018-2025 🍷 sandre au four

⊶ *CH. SOUCHERIE, La Soucherie, 49750 Beaulieu-sur-Layon, tél. 02 41 78 31 18, contact@domaine-de-la-soucherie.fr* V *t.l.j. sf dim. 9h-18h* ⑤ ⊶ *Beguinot*

SAVENNIÈRES-ROCHE-AUX-MOINES

Superficie : 19 ha / Production : 336 hl

Il est difficile de séparer les deux crus savennières-roche-aux-moines et savennières-coulée-de-serrant, qui ont pourtant reçu une appellation particulière, tant ils sont proches en caractère et en qualité. La coulée-de-serrant, plus restreinte en surface, est située de part et d'autre de la vallée du Petit Serrant. Elle est propriété en monopole de la famille Joly. La roche-aux-moines appartient à plusieurs propriétaires. Si elle est moins homogène que son homologue, on y trouve cependant des cuvées qui n'ont rien à lui envier.

Ⓑ **CLOS DE LA BERGERIE** 2014 ★★

	7000		30 à 50 €

Les 3,2 ha du savennières-roche-aux-moines exploités par Nicolas Joly : le terroir est schisteux, mais moins pentu que celui de la célèbre coulée-de-serrant du même propriétaire. La démarche biodynamique est identique, et les rendements sont presque aussi faibles, de 25 à 30 hl/ha.

La robe est d'un seyant jaune doré. Passé une première note un peu animale, se dévoile un bouquet complexe : notes fumées, pomme verte, fruits jaunes mûrs, touche minérale, puis curry, orange amère. Une attaque ample et riche introduit un palais dense et charnu, soutenu par un boisé encore assez perceptible et par une trame minérale intense aux tonalités de pierre à fusil, qui anime longuement la finale. Une belle bouteille encore perfectible mais déjà très équilibrée et d'une réelle complexité. ⧗ 2018-2026 🍷 poêlée de saint-jacques wasabi

⊶ *NICOLAS JOLY, Ch. de la Roche aux Moines, 7, chem. de la Roche-aux-Moines, 49170 Savennières, tél. 02 41 72 22 32, info@coulee-de-serrant.com* V *t.l.j. sf dim. 9h-12h 14h-17h30*

SAVENNIÈRES-COULÉE-DE-SERRANT

Ⓑ **CLOS DE LA COULÉE DE SERRANT** 2014 ★★

	17500		50 à 75 €

Ce vénérable clos de 7 ha planté de vieux ceps de chenin accrochés à des coteaux schisteux, création des Cisterciens en 1130, est l'une des rares appellations en monopole du vignoble français. Confortée au fil des siècles par des amateurs illustres et couronnés, son aura a pris une dimension internationale depuis que Nicolas Joly, « pape » français de la biodynamie, préside à sa destinée, accompagné de sa fille Virginie. Le vin tire son caractère unique de raisins récoltés en surmaturité – voire botrytisés – en quatre ou cinq passages. À la cave, surtout pas de bois neuf qui masquerait le terroir, mais des barriques de 500 l. Et aussi peu d'interventions que possible.

D'un beau doré soutenu, la « Coulée » 2014 s'annonce dans sa robe classique, signe de la surmaturité recherchée par les Joly avec des raisins marqués par le botrytis. Au nez, après une longue aération (toujours nécessaire pour ce vin), elle affiche une complexité remarquable et mouvante : prune jaune, beurre, miel, puis verveine, herbe fraîche, touche mentholée, pierre froide... Une attaque douce et tendre ouvre sur un palais très ouvert (bien plus que le 2013 à pareille époque), puissant, dense, chaleureux, soutenu par un léger boisé fumé et par cette incomparable verticalité aux accents du terroir qui semble nous plonger au centre de la terre. Une bouteille qui ne laisse pas indifférent, comme toujours, encore sur la réserve de sa jeunesse et que seule une longue garde révèlera pleinement. ⧗ 2020-2030 🍷 poularde à l'angevine

⊶ *NICOLAS JOLY, Ch. de la Roche aux Moines, 7, chem. de la Roche-aux-Moines, 49170 Savennières, tél. 02 41 72 22 32, info@coulee-de-serrant.com* V *t.l.j. sf dim. 9h-12h 14h-17h30; f. janv.-fév.*

COTEAUX-DU-LAYON

Superficie : 1 486 ha / Production : 46 625 hl

Demi-secs, moelleux ou liquoreux, les coteaux-du-layon naissent du seul chenin, cultivé le long de la rive gauche de la Loire sur les coteaux des communes qui bordent le Layon, de Nueil à Chalonnes. Plusieurs villages sont réputés: le plus connu, devenu une appellation à part entière, est celui de Chaume. Six noms peuvent être ajoutés à l'appellation: Rochefort-sur-Loire, Saint-Aubin-de-Luigné, Saint-Lambert-du-Lattay, Beaulieu-sur-Layon,

Rablay-sur-Layon, Faye-d'Anjou. Depuis 2002, les vins ont droit à la mention « Sélection de grains nobles » lorsque la richesse naturelle minimale de la vendange est de 234 g/l, soit 17,5 % vol. sans aucun enrichissement. Ils ne peuvent être commercialisés avant les dix-huit mois suivant la récolte. Vins subtils, or vert à Concourson, plus jaunes et plus puissants en aval, les coteaux-du-layon présentent des arômes de miel et d'acacia, acquis lors de la surmaturation. Leur capacité de vieillissement est étonnante.

♥ DOM. DES ACACIAS Cuvée Prestige 2015 ★★

■ | 1947 | 8 à 11 €

Fils et petit-fils de vigneron, Anthony Percher a repris en 2006, après des expériences variées dans différents vignobles français, ce domaine familial angevin, étendu sur 13 ha.

Anthony Percher fait une entrée tonitruante dans le Guide: première sélection et déjà un coup de cœur. Le vin séduit d'emblée par son nez complexe où se mêlent les fruits exotiques confits, les agrumes (pamplemousse) et les fleurs d'acacias. Un caractère de surmaturation que l'on retrouve dans une bouche concentrée, généreuse et gourmande, dynamisée par une fine acidité. ⧗ 2016-2026 🍷 foie gras

⊶ ANTHONY PERCHER, EARL Dom. des Acacias, 8, rue du Moulin, Tigne, 49540 Lys-Haut-Layon, tél. 02 41 59 41 66, domainedesacacias@orange.fr V 🚶 ▮ *t.l.j. sf dim. 9h-19h*

DOM. DES BARRES Chaume Les Prêtrises 2014 ★★

■ 1er cru | 7000 | ▮ | 11 à 15 €

La commune de Saint-Aubin-de-Luigné, surnommée la « Perle du Layon », se situe dans le Bas-Layon, tout près de la jonction entre la Loire et le Layon. La famille Achard y conduit ce domaine de 31 ha depuis trois générations.

La couleur est dorée traversée de reflets bruns. Le nez mêle les fruits frais (agrumes et poire) aux fruits caramélisés. Ronde et opulente en attaque, la bouche livre des nuances miellées contrebalancées par des notes minérales qui apportent une fraîcheur bienvenue. De l'équilibre et de la puissance. ⧗ 2016-2026 🍷 fromage à pâte persillée ■ **Saint-Aubin-de-Luigné Les Paradis 2014 ★★ (15 à 20 €; 2500 b.)** : cette cuvée charme par ses reflets ambrés et la puissance de son nez: coing, miel, fruits confits… Le palais est concentré et élégant, équilibré entre sucres (150 g/l) et fraîcheur. Aucune fausse note pour ce vin qui fait rimer « paradis » avec harmonie. ⧗ 2016-2026 🍷 terrine de foie gras

⊶ PATRICE ACHARD, Dom. des Barres, 49190 Saint-Aubin-de-Luigné, tél. 02 41 78 98 24, achardpatrice@wanadoo.fr V 🚶 ▮ *r.-v.* 🏠 B

DOM. DE LA BERGERIE
Rablay-sur-Layon Clos de la Girardière 2015 ★

■ | 9000 | ▮ | 11 à 15 €

Dans la famille Guégniard, le métier de vigneron se transmet de mère en fils ou de père en fille depuis huit générations. Installée en 2010, Anne gère l'exploitation de 36 ha, tandis que David Guitton, son compagnon, est aux fourneaux dans le restaurant du même nom. Le domaine est en cours de conversion bio. Une valeur sûre de l'Anjou viticole, à l'aise dans tous les styles.

Les Guégniard signent ici un vin gourmand qui donne la sensation de croquer dans le fruit. Si le nez est plutôt confit (écorces d'orange), les fruits frais (abricot, coing, pêche) prennent le relais dans une bouche alliant subtilement douceur et fraîcheur. ⧗ 2016-2023 🍷 crème brûlée

⊶ YVES ET ANNE GUÉGNIARD, Dom. de la Bergerie, Champ-sur-Layon, 49380 Bellevigne-en-Layon, tél. 02 41 78 85 43, domainedelabergerie@wanadoo.fr V ▮ *t.l.j. sf dim. 9h-12h30 14h-18h30*

DOM. BODINEAU Pépite 2015 ★

■ | 10000 | ▮ | 8 à 11 €

Établis dans le petit hameau de Savonnières, Frédéric Bodineau et sa sœur Anne-Sophie officient ensemble sur ce domaine familial (38 ha) dont l'origine remonte à 1850. Lui est à la vigne et au chai, elle à l'accueil et au service clientèle.

Ce vin d'une belle couleur dorée dévoile d'intenses parfums de fleurs blanches et d'agrumes. Gourmand dès l'attaque, le palais offre de généreuses saveurs de fruits exotiques, de coing et d'abricot. Une « pépite » onctueuse et puissante. ⧗ 2016-2026 🍷 Tatin de foie gras

⊶ DOM. BODINEAU, lieu-dit Savonnières, 5, chem. du Château-d'Eau, 49700 Les Verchers-sur-Layon, tél. 02 41 59 22 86, domainebodineau@yahoo.fr V 🚶 ▮ *t.l.j. sf dim. 9h-12h30 14h-18h*

DOM. DE LA BOUGRIE 2015

■ | 5000 | ▮ | 5 à 8 €

Cette exploitation familiale installée à Champ-sur-Layon a vu le jour au début des années 1930. Aujourd'hui, Claudine et Vincent Goujon conduisent 66 ha et vinifient les diverses appellations angevines.

Cette cuvée libère à l'aération de fines notes de fleurs blanches et de pomme. La bouche est tendre et fruitée (abricot, fruits exotiques). Un liquoreux qui joue davantage la carte de la fraîcheur et de la légèreté que celle de la douceur. ⧗ 2016-2021 🍷 poire farcie au Roquefort ■ **Cuvée Privilège 2015 (8 à 11 €; 5000 b.)** : vin cité.

⊶ SCEV LA BOUGRIE, Dom. de La Bougrie, 49380 Champ-sur-Layon, tél. 02 41 78 86 21, info@domainedelabougrie.com V 🚶 ▮ *r.-v.*

CH. DE BROSSAY Cuvée Augustine 2014

■ | 5000 | | 8 à 11 €

Régulier en qualité, et ce dans tous les styles de vins d'Anjou, ce domaine créé en 1919 par Alexis Deffois se situe dans le haut Layon, au sud de l'Anjou et à l'ouest du Saumurois. Les petits-fils du fondateur, Hubert et Raymond Duffois – rejoints en 2010 par les gendres de ce dernier, Nicolas Tamboise et Benjamin Grandsart – conduisent un vignoble de 48 ha.

Cette cuvée – baptisée «Augustine» pour célébrer la naissance de la fille de Nicolas Tamboise – laisse s'échapper à l'aération quelques nuances de fruits secs. Sur le coing et le miel, le palais se révèle plus moelleux que liquoreux, rehaussé en finale par une fine fraîcheur. ⧗ 2016-2021 🍷 nougat glacé aux fruits secs

CH. DE BROSSAY, Brossay, 49560 Cléré-sur-Layon, tél. 02 41 59 59 95, contact@chateaudebrossay.fr V r.-v.

DOM. DU CLOS DES GOHARDS
Cuvée Emma 2015 ★

■ | 10000 | | 8 à 11 €

Mickaël et Fabienne Joselon, frère et sœur, ont repris l'exploitation familiale en 2009 lors du départ de leur père en retraite. Régulièrement distingué dans le Guide, le domaine compte 42 ha et propose diverses appellations ligériennes.

Ce moelleux couleur jaune paille dévoile un nez intense de fruits (pêche blanche, poire) et de miel. La bouche est à l'unisson, offrant une belle expression aromatique, de la fraîcheur et une longue finale réglissée. ⧗ 2016-2023 🍷 crème brûlée au foie gras

EARL JOSELON, Les Oisonnières, 49380 Chavagnes-les-Eaux, tél. 02 41 54 13 98, earljoselon@orange.fr V r.-v.

DOM. DES CLOSSERONS
Faye d'Anjou L'Excellence 2014 ★

■ | 1800 | | 20 à 30 €

Jean-Claude Leblanc a repris l'exploitation familiale en 1956. Ses fils Yannick et Dominique lui ont succédé en 1984, rejoints en 2008 par Fabien, fils du premier, et en 2015 par Pierre, fils du second. Un domaine de 45 ha régulièrement en vue pour ses liquoreux, ses coteaux-du-layon notamment.

Cette cuvée libère des senteurs de fruits confits et des nuances minérales (pierre à fusil) assorties de fines notes boisées léguées par ses douze mois en fût. On retrouve les notes d'élevage dans une bouche marquée par la douceur de la poire, que vient rehausser en finale une fine vivacité. ⧗ 2017-2024 🍷 gâteau fondant aux poires
■ **Vieilles Vignes 2015 (8 à 11 €; 6000 b.)** : vin cité

EARL JEAN-CLAUDE LEBLANC ET FILS, Dom. des Closserons, 2, rue des Monts, 49380 Faye-d'Anjou, tél. 02 41 54 30 78, contact@domaine-leblanc.fr V r.-v.

DOM. DU COLOMBIER
Symphonie d'automne 2015 ★

■ | 2000 | | 5 à 8 €

Ce domaine familial créé en 1974 comprend un vignoble de 43 ha situé non loin de Doué-la-Fontaine, la «cité des roses». À sa tête depuis 2003, Sylvain Bazantay et sa sœur Florence, à l'aise dans les trois couleurs, proposent une vaste gamme de vins d'Anjou.

L'intense palette aromatique de cette Symphonie d'automne délivre une corbeille de fruits frais (abricot, prune), prolongée par un palais suave et généreux, étiré dans une longue finale abricotée. Harmonieux et intense. ⧗ 2016-2024 🍷 tarte fine aux abricots

EARL SYLVAIN ET FLORENCE BAZANTAY, 10, rue du Colombier, Linières, 49700 Brigné-sur-Layon, tél. 02 41 59 31 82, earlbazantay@orange.fr V r.-v.

COTEAU SAINT-VINCENT Vieilles Vignes 2015 ★★

■ | 4000 | | 5 à 8 €

Cette exploitation est établie à Chalonnes-sur-Loire, commune située au bord de l'eau, au confluent du Layon et de la Loire. Œnologue de formation, Olivier Voisine y conduit depuis 1999 un vignoble de 23 ha sur des sols schisteux caractéristiques de l'Anjou noir. Une bonne référence de l'Anjou viticole, pour ses liquoreux notamment.

Cette cuvée affiche une parure intensément dorée qui laisse deviner une vendange des plus mûres. À l'aération, elle laisse s'échapper de généreuses notes de coing et d'ananas surmûri. Puissante et suave, la bouche déploie de jolies nuances évoquant la pomme, la poire et l'abricot confits. Un liquoreux équilibré, paré pour une bonne garde. ⧗ 2016-2026 🍷 foie gras poêlé

EARL OLIVIER VOISINE, Coteau Saint-Vincent, 49290 Chalonnes-sur-Loire, tél. 02 41 78 59 00, coteau-saint-vincent@wanadoo.fr V r.-v. 1

DOM. DES DEUX VALLÉES Clos de la Motte 2015 ★

■ | 20000 | | 8 à 11 €

René Socheleau et son fils Philippe ont repris et restructuré ce domaine de 44 ha en 2001, et construit un nouveau chai situé sur la corniche angevine surplombant les vallées de la Loire et du Layon. Leurs vins sont régulièrement retenus dans le Guide.

Parée d'une robe jaune soutenu aux reflets dorés, cette cuvée libère d'intenses notes de coings et de fruits confits témoins d'une belle surmaturité. Ample et onctueuse, la bouche offre des nuances de fruits secs, de miel et de gelée de coing, contrebalancées par une fine minéralité qui apporte de la fraîcheur et de l'allonge. Un 2015 homogène et harmonieux. ⧗ 2016-2024 🍷 curry de poulet

SCEA DOM. DES DEUX VALLÉES, Bellevue, 49190 Saint-Aubin-de-Luigné, tél. 02 41 78 33 24, contact@domaine2vallees.com V *t.l.j. sf dim. 9h-12h 14h-18h* *Socheleau*

B **DOM. DHOMMÉ** Les Beauvais 2014

■ | 4500 | | 8 à 11 €

Réputé pour ses coteaux-du-layon, ce vignoble conduit en bio s'est bien étoffé depuis sa création en 1960 et s'étend aujourd'hui sur 23 ha. Avec Clarisse Dhommé, c'est la quatrième génération qui est aux commandes.

Cette cuvée apparaît dans une jolie robe jaune paille aux reflets ambrés. Elle livre un nez fruité (pomme, coing) agrémenté de subtiles touches florales. On retrouve les fleurs blanches en compagnie de la pomme surmûrie dans une bouche ample, précise et légère. ⧗ 2016-2021 🍷 tarte aux pommes

⊶ *DOM. DHOMMÉ, 46, Les Petits-Fresnaies, 49290 Chalonnes-sur-Loire, tél. 02 41 45 06 53, info@domainedhomme.com*

VIGNOBLE DE L'ÉCASSERIE 2015 ★

■ | 3000 | 5 à 8 €

Trois générations de Reulier se sont succédé sur cette exploitation de 40 ha. Depuis la construction d'un nouveau chai en 2007, les vins du domaine sont régulièrement en vue dans le Guide.

Ce 2015 s'ouvre sans réserve sur des notes fraîches de fleurs blanches et de poire. Sensation que l'on retrouve dans une bouche intense, mûre et fruitée. Un joli vin expressif et harmonieux. ⧗ 2016-2023 🍷 apéritif

⊶ *EARL REULIER, L'Écasserie, Champ-sur-Layon, 49380 Bellevigne-en-Layon, tél. 02 41 78 03 75, vignoble.ecasserie@orange.fr* V *t.l.j. sf dim. 8h30-12h 14h-18h30*

DOM. DES FORGES Saint-Aubin 2015 ★

■ | 10 000 | 5 à 8 €

La première parcelle a été acquise en 1890. Réputée pour ses vins liquoreux, la propriété, qui compte aujourd'hui 48 ha, a vu en 1996 l'installation de Stéphane et de Séverine Branchereau, incarnant la cinquième génération aux commandes du domaine.

D'un jaune légèrement ambré, cette cuvée libère à l'aération de délicates notes de fleurs blanches et de pêche. Mais c'est en bouche que la finesse aromatique s'affirme pleinement, sur des nuances fruitées et miellées. Un vin frais et élégant. ⧗ 2016-2023 🍷 feuilletés au roquefort ■ **1er cru Chaume Les Onnis 2014 ★ (15 à 20 €; 6300 b.)** : cette cuvée offre un joli nez de coing, de noix et de fruits confits. Ronde et généreuse, la bouche dévoile des saveurs de pomme caramélisée et de miel rehaussées en finale par une fine amertume. Un liquoreux opulent et délicat à la fois. ⧗ 2016-2024 🍷 tarte normande

⊶ *DOM. DES FORGES, Le Clos des Forges, 6, lieu-dit Les Barres, 49190 Saint-Aubin-de-Luigné, tél. 02 41 78 33 56, cb@domainedesforges.net* V *r.-v.* ⊶ *Branchereau*

CH. DU FRESNE Faye Grande Sélection 2015 ★

■ | 9000 | 8 à 11 €

Ce château du XVe s. bâti en pierre de schiste a gardé de son architecture d'origine une tourelle ronde. Constitué en 1927, le vignoble de 90 ha est conduit depuis 2010 par trois associés, Nicolas Richez, David Maugin et Yannis Bretault.

D'abord discret, ce 2015 livre à l'aération de fines notes de fleurs blanches et de fruits exotiques. Si le nez est encore légèrement sur la réserve, le palais s'affirme avec puissance et générosité, et offre de douces nuances de pâte d'amande rehaussées en finale par une fine acidité. ⧗ 2016-2024 🍷 massepain

⊶ *CH. DU FRESNE, 25 bis, rue des Monts, 49380 Faye-d'Anjou, tél. 02 41 54 30 88, contact@chateaudufresneanjou.com* V *t.l.j. sf dim. 8h-12h 14h-19h; f. 3e sam. de janv.*

DOM. LES GRANDES VIGNES Le Pont Martin 2014 ★

■ | 7000 | 15 à 20 €

Dans la même famille depuis le début du XVIIe s., cet important domaine de 55 ha est aujourd'hui conduit par une fratrie (Laurence, Dominique et Jean-François) qui cultive ses vignes en biodynamie depuis 2007.

Beaucoup de finesse et d'élégance dans cette cuvée: une jolie robe ambrée; un nez aux senteurs de thé vert et d'abricots secs; une bouche qui attaque avec panache et se poursuit sur un joli fruité, stimulé en finale par une acidité fine et persistante. Du caractère et de l'équilibre. ⧗ 2016-2024 🍷 stilton

⊶ *DOM. LES GRANDES VIGNES, La Roche-Aubry, Thouarce, 49380 Bellevigne-en-Layon, tél. 02 41 54 05 06, vaillant@domainelesgrandesvignes.com* V *t.l.j. 8h30-12h30 14h-19h*

♥ DOM. DES HAUTES BROSSES 2015 ★★★

■ | 25 000 | 5 à 8 €

Situé sur les hauteurs de Rochefort-sur-Loire, ce domaine s'inscrit dans le paysage remarquable de la corniche angevine. Exploitée par son fondateur et ses deux fils, la propriété est passée de 2 ha en 1976 à 55 ha aujourd'hui.

Déjà coup de cœur l'an dernier pour son anjou rouge 2014, la famille Pin récidive cette année avec ce coteaux-du-layon d'un magnifique jaune doré, au nez exubérant évoquant l'abricot, le coing, la poire ou encore la prune. La bouche se distingue par son attaque percutante, sa grande finesse aromatique à l'unisson du bouquet, son équilibre impeccable et sa longueur impressionnante. Déjà très harmonieuse, cette cuvée est bâtie pour durer. ⧗ 2016-2030 🍷 ris de veau à la crème ■ **La Roche Saint-Aens 2015 (5 à 8 €; 25 000 b.)** : vin cité.

⊶ *VIGNOBLE PIN, Les Hautes-Brosses, 49190 Rochefort-sur-Loire, tél. 02 41 78 35 26, pin@webmails.com* V *r.-v.*

LEDUC-FROUIN Grand Clos 2014 ★

■ | 3000 | 8 à 11 €

Installés dans le village troglodytique de Martigné-Briand, Antoine Leduc, œnologue, et sa sœur Nathalie conduisent depuis 1990 le domaine familial (30 ha). Leurs vins séjournent comme il se doit dans la fraîcheur de caves souterraines creusées dans le falun. Une valeur sûre de l'Anjou viticole.

La robe est brillante et l'olfaction s'affirme sur les fruits exotiques très mûrs. Une maturité que l'on retrouve dans une bouche plus fraîche néanmoins, centrée sur les fruits blancs et bien balancée entre douceur et acidité. ⧗ 2016-2023 🍷 cake chèvre, noix et raisins

⊶ ANTOINE ET NATHALIE LEDUC, Dom. Leduc-Frouin, La Seigneurie-Sousigné, 49540 Martigné-Briand, tél. 02 41 59 42 83, info@leduc-frouin.com V r.-v.

MOULIN DE CHAUVIGNÉ
La Croix blanche 2014 ★

■	2712	▮	5 à 8 €

Offrant un plaisant panorama sur la vallée de la Loire, Chauvigné est un moulin cavier construit en 1750 au cœur des vignes. Implanté à Rochefort-sur-Loire, le domaine est constitué de 12 ha ha cultivés par Christian Plessis, la vinification étant assurée par son épouse Sylvie.

Les reflets verts de la robe annoncent un vin encore sur la jeunesse, ce que confirme le nez par ses notes légères de fruits blancs et d'agrumes. Dans le même registre, le palais se montre souple et finement acidulé. Un vin au caractère plus moelleux que liquoreux, plutôt frais et tonique, que l'on pourra attendre un peu. ⌛ 2018-2024 🍴 gâteau aux pommes

⊶ CHRISTIAN ET SYLVIE PLESSIS, Moulin de Chauvigné, 49190 Rochefort-sur-Loire, tél. 02 41 78 86 56, info@moulindechauvigne.com V *r.-v.*

DOM. DES NOËLS
Faye Coteau de Chanzé 2015

■	700	▮	15 à 20 €

En 1996, après une carrière d'œnologue dans une maison saumuroise spécialisée dans l'élaboration de vins effervescents, Jean-Michel Garnier reprend ce domaine familial fondé en 1928. Depuis 2010, il est épaulé par l'ingénieur viticole Éric Bazantay dans la conduite de ce vignoble de 30 ha.

Ce 2015 s'ouvre sans réserve sur des notes de fleurs blanches, de melon et de pamplemousse finement miellées. La bouche, dominée par le miel et les fruits confits, se montre plus généreuse et mûre, soutenue par une fine trame acide qui apporte une fraîcheur bienvenue. ⌛ 2016-2021 🍴 galettes à la frangipane

⊶ DOM. DES NOËLS, lieu-dit les Noëls, Faye-d'Anjou, 49380 Bellevigne-en-Layon, tél. 02 41 54 18 01, domaine-des-noels@terre-net.fr V *t.l.j. sf dim. 9h-12h30 14h-18h; f. nov.-mars ⊶ Jean-Michel Garnier et Éric Bazantay*

CH. DES NOYERS 2015

■	15000	▮	8 à 11 €

Jean-Paul Besnard a repris en 1990 ce domaine commandé par un château du XVIᵉs. situé au bord du Layon. Le maître de chai Frédéric Étienne, ancien responsable de l'institut technique du Vin à Angers, a été recruté en 2008. Le vignoble couvre aujourd'hui 20 ha.

Ce liquoreux est bien dans le ton de l'appellation avec ses notes de coing et sa bouche ample et onctueuse, qui s'achève sur une fine amertume. ⌛ 2016-2021 🍴 foie gras

⊶ SCA CH. DES NOYERS, Les Noyers, 49540 Martigné-Briand, tél. 02 41 54 03 71, chateaudesnoyers@wanadoo.fr V *t.l.j. 9h-12h 14h-19h; sam. dim. sur r.-v. ⊶ Jean-Paul Besnard*

DOM. OGEREAU
Saint-Lambert Harmonie des bonnes blanches 2014

■	2800	▮▮	15 à 20 €

Implantée dans la vallée du Layon, cette exploitation créée à la fin du XIXᵉs. collectionne étoiles et coups de cœur dans toutes les couleurs de l'Anjou. Le vignoble de 23,5 ha est conduit par Vincent Ogereau, l'un des vinificateurs ligériens les plus talentueux, épaulé par son fils Emmanuel depuis 2014. Incontournable.

Ce liquoreux s'affiche en robe jaune paille aux reflets ambrés. Si le nez se montre d'abord discret, il s'ouvre à l'aération sur des notes de coing et de fruits jaunes confits. Une palette aromatique que l'on retrouve dans une bouche finement boisée (douze mois de fût) et mentholée. ⌛ 2016-2021 🍴 tarte aux coings

⊶ DOM. OGEREAU, 44, rue de la Belle-Angevine, 49750 Saint-Lambert-du-Lattay, tél. 02 41 78 30 53, contact@domaineogereau.com V *r.-v.*

DOM. DU PETIT CLOCHER Prestige 2014 ★★

■	4000	▮▮	15 à 20 €

Conduit par la jeune génération: Stéphane, Julien et Vincent Denis, arrivés respectivement en 2003, 2006 et 2009, une affaire de famille depuis 1920; 5 ha aux origines, 85 ha aujourd'hui. Un domaine phare du haut Layon, réputé notamment pour ses vins rouges, mais aussi très à l'aise sur les blancs et les rosés. Une valeur (très) sûre.

Il s'en est fallu de peu pour que la famille Denis ajoute un coup de cœur à son palmarès déjà bien fourni avec cette séduisante cuvée jaune paille aux reflets abricotés. Très suave au premier abord par ses notes de gelée de coing, le nez libère à l'aération des senteurs de pomme assorties de touches de paille humide. On retrouve la douceur du coing dans une bouche gourmande, souple et intense, marquée en finale par des touches d'ananas rôti aux épices. ⌛ 2016-2026 🍴 foie gras mi-cuit

⊶ DOM. DU PETIT CLOCHER, La Laiterie, 49560 Cléré-sur-Layon, tél. 02 41 59 54 51, petit.clocher@wanadoo.fr V *t.l.j. sf dim. 9h-12h 14h-18h ⊶ M. Denis*

DOM. DE LA PETITE CROIX L'Éclipse 2015 ★

■	8000	▮▮	8 à 11 €

Régulièrement mentionné dans le Guide, ce domaine est situé à Thouarcé, au cœur des vignes du Layon. François Geffard, à la tête de l'exploitation familiale (50 ha), propose un beau panel ligérien: bonnezeaux, coteaux-du-layon et anjou dans les trois couleurs.

Ce liquoreux affiche d'emblée sa puissance par ses parfums complexes de fruits exotiques et d'abricot confits. Intensément aromatique (mangue et figue séchée), la bouche se montre généreuse, veloutée et concentrée jusque dans sa longue finale. ⌛ 2016-2026 🍴 crumble de mangue

⊶ FRANÇOIS GEFFARD, La Petite Croix, 49380 Thouarcé, tél. 02 41 54 06 99, scea@lapetitecroix.com V *r.-v.*

LOIRE

DOM. DU PETIT MÉTRIS
Chaume Les Tétuères 2014 ★

■ 1er cru | 2000 | 15 à 20 €

Régulièrement mentionné dans le Guide, ce domaine s'affirme comme une valeur sûre du vignoble angevin tant pour ses blancs secs que pour ses liquoreux. Créée en 1742, la propriété domine du haut de son coteau le village de Saint-Aubin-de-Luigné traversé par le Layon.

Cette cuvée jaune soutenu libère d'emblée des notes de gelée de coing et de miel. On retrouve la douceur du miel en compagnie de l'ananas dans une bouche onctueuse et concentrée, relevée en finale par de beaux amers. Un vin équilibré et expressif. ⧗ 2016-2026 ¥ ananas rôti

⊶ DOM. DU PETIT MÉTRIS, 13, chem. de Treize-Vents, Le Grand-Beauvais, 49190 Saint-Aubin-de-Luigné, tél. 02 41 78 33 33, domaine.petit.metris@wanadoo.fr V r.-v. *⊶ Famille Renou*

CH. PIERRE-BISE
Beaulieu Les Rouannières 2014 ★★

■ | 5500 | | 15 à 20 €

Ce domaine de 50 ha, né de la fusion de deux exploitations familiales, est conduit depuis 1974 par Claude Papin, l'un des plus fins connaisseurs des terroirs angevins et des plus talentueux élaborateurs de vins blancs de la région, en sec comme en liquoreux. Incontournable.

Ce finaliste au grand jury des coups de cœur séduit d'emblée par sa robe jaune intense aux reflets dorés. Expressif et complexe, le nez mêle l'abricot, la mangue et le coing. Un généreux panier de fruits agrémenté de figue dans une bouche à la fois ample, soyeuse, onctueuse et fraîche, étirée dans une longue finale aux accents délicatement miellés. ⧗ 2016-2030 ¥ tarte aux noix de Pécan

⊶ CH. PIERRE-BISE, 49750 Beaulieu-sur-Layon, tél. 02 41 78 31 44, chateaupb@hotmail.com V r.-v. *⊶ Papin*

♥ MICHEL ROBINEAU
Saint-Lambert-du-Lattay
Sélection de grains nobles 2013 ★★★

■ | 1000 | | 15 à 20 €

À la tête de 11 ha de vignes, Michel Robineau a créé son exploitation en 1990 dans l'aire des coteaux-du-layon. Son domaine jouit d'une très bonne réputation, confortée par nombre d'étoiles et de coups de cœur dans le Guide.

Cette cuvée issue de tries grain à grain séduit d'emblée par ses reflets caramel. Le charme continue d'agir à l'olfaction, où les parfums d'abricot sec, de compote de poire et de confiture de coing se mêlent à des nuances vanillées apportées par un élevage de dix-huit mois en fût. Marquée par la douceur du caramel et de la pâte de fruits, la bouche se montre complexe, soyeuse et harmonieuse. Un liquoreux à la fois intense et délicat, bâti pour une longue garde. ⧗ 2016-2030 ¥ foie gras ■ **Beaulieu-sur-Layon 2014 ★ (8 à 11 €; 1000 b.)** : joliment doré, ce 2014 s'exprime sur des nuances d'abricot et de figue assorties de notes toastées léguées par dix mois de barrique. Les fruits jaunes prennent le relais dans une bouche briochée aux accents de noisette. ⧗ 2016-2024 ¥ brioche tressée aux noisettes ■ **Saint-Lambert-du-Lattay 2014 (8 à 11 €; 2000 b.)** : vin cité.

⊶ MICHEL ROBINEAU, 3, chem. du Moulin, Les Grandes-Tailles, 49750 Saint-Lambert-du-Lattay, tél. 02 41 78 34 67, vignoblemichelrobineau@orange.fr V r.-v.

DOM. DE LA ROCHE AIRAULT
Le Bois au Prêtre 2015

■ | 2000 | | 5 à 8 €

Ce domaine de 14 ha s'étend sur la corniche angevine qui domine les vallées de la Loire et du Layon. Pascal Audio est aux commandes depuis 1985 et cultive ses vignes sur la commune de Saint-Aubin-de-Luigné.

Issue d'une parcelle qui était à l'origine cultivée pour élaborer du vin de messe, cette cuvée livre à l'aération des parfums de lilas blanc assortis de nuances de poire et d'agrumes. Souple et tendre à l'attaque, la bouche offre un panier généreux de fruits confits rehaussée en finale par de beaux amers. ⧗ 2016-2021 ¥ tarte aux fruits

⊶ PASCAL AUDIO, Dom. de la Roche Airault, 49190 Saint-Aubin-de-Luigné, tél. 02 41 78 74 30, marie-pascal.audio@wanadoo.fr r.-v.

DOM. DE LA ROCHE MOREAU 2015 ★★★

■ | 10000 | | 5 à 8 €

Ce domaine de 27 ha est situé sur la corniche angevine entre les vallées de la Loire et du Layon. Le chai ancien (XVIIe s.) est classé et la cave est installée dans une mine à charbon désaffectée, dans laquelle mûrissent les vins de garde. Une valeur sûre de l'Anjou viticole, souvent en vue pour ses liquoreux, ses coteaux-du-layon et quarts-de-chaume notamment.

Il s'en est fallu de peu pour que ce superbe vin couleur jaune orangé décroche un coup de cœur. Des arômes intenses de mangue et de coing s'échappent du verre. Souple, suave et concentrée, la bouche emprunte cette même voie aromatique sans jamais perdre l'équilibre, soulignée de bout en bout par la fraîcheur caractéristique des douceurs angevines nées de chenin. ⧗ 2016-2030 ¥ terrine de foie gras ■ **1er cru Chaume 2014 ★ (11 à 15 €; 6900 b.)** : dans un sillage finement miellé pointent des senteurs d'abricot sec et de coing, prolongées par une bouche ample et onctueuse, rehaussée en finale par une touche de vivacité. ⧗ 2016-2026 ¥ vacherin au marron glacé ■ **Saint-Aubin-de-Luigné 2014 (8 à 11 €; 5000 b.)** : vin cité.

⊶ ANDRÉ DAVY, Dom. de la Roche Moreau, La Haie-Longue, 49190 Saint-Aubin-de-Luigné, tél. 02 41 78 34 55, davy.larochemoreau@wanadoo.fr V r.-v.

DOM. SAUVEROY
Saint-Lambert-du-Lattay Vieilles Vignes 2015 ★

■ | 10100 | 🍾 | 8 à 11 €

Un domaine fondé en 1866 et dans la famille de Pascal et Véronique Cailleau depuis 1947. Ces derniers, aux commandes depuis 1985 et désormais épaulés par leur fils Quentin, conduisent avec talent un vignoble de 28 ha (1 ha aux origines). Une valeur sûre de l'Anjou viticole, à l'aise dans les trois couleurs, en secs comme en doux.

À l'aération, pointent d'agréables senteurs de fleurs d'acacia et d'abricot sur un fond miellé. On retrouve l'abricot, plutôt confit, en compagnie du miel dans une bouche souple et soyeuse, étirée en longueur par une fine acidité. Un vin harmonieux et bien typé. ⌛ 2016-2024 🍷 foie gras sur pain d'épices

⊶ EARL PASCAL CAILLEAU, Dom. du Sauveroy, 49750 Saint-Lambert-du-Lattay, tél. 02 41 78 30 59, domainesauveroy@sauveroy.com V r.-v.

CH. SOUCHERIE Vieilles Vignes 2014

■ | 4500 | 🛢 | 20 à 30 €

Cette propriété historique ayant appartenue aux Ducs de Brissac offre un magnifique point de vue sur la vallée du Layon. Conduite par la famille Tijou depuis 1952, elle a été rachetée en 2007 par M. Béguinot. Les 28 ha du domaine sont exploités en agriculture raisonnée avec en vue le passage au bio.

Le nez de cette cuvée s'avère plutôt réservé. C'est en bouche que le vin s'exprime pleinement: l'abricot, la poire et l'amande tapissent un palais équilibré, à la fois onctueux et frais. ⌛ 2016-2021 🍷 crumble aux poires

⊶ CH. SOUCHERIE, La Soucherie, 49750 Beaulieu-sur-Layon, tél. 02 41 78 31 18, contact@domaine-de-la-soucherie.fr V t.l.j. sf dim. 9h-18h ⑤ ⊶ Béguinot

DOM. DES TROIS MONTS Caprice d'automne 2015

■ | 3400 | 🍾 | 8 à 11 €

Ce domaine régulier en qualité, en vue notamment pour ses vins rouges, est situé dans le haut Layon, dans une commune constituée de trois buttes. Le vignoble (47 ha) est conduit depuis 1999 par Sébastien Gueneau, rejoint par son frère Nicolas en 2008.

À un nez discret mais fin d'agrumes répond une bouche généreuse et concentrée, centrée sur les fruits confits. On pourra attendre ce 2015 encore quelques années pour qu'il livre tous ses charmes. ⌛ 2018-2024 🍷 crème brûlée

⊶ DOM. DES TROIS MONTS, 3, rue Saint-Fiacre, 49310 Trémont, tél. 02 41 59 45 21, scea.hubertgueneauetfils@wanadoo.fr V t.l.j. sf dim. 8h-12h 14h-18h Ⓒ

DOM. DES TROTTIÈRES 2014

■ | 12000 | 🍾 | 8 à 11 €

Le domaine a été créé en 1906 par M. Brochard, pionnier dans le vignoble angevin de l'introduction des porte-greffes américains résistant au phylloxéra. Il couvre aujourd'hui 108 ha et propose une large gamme d'appellations de l'Anjou et du Saumurois.

S'il s'affiche dans une robe jaune intense, ce vin livre un nez encore sur la réserve, aux nuances d'abricot et de melon. C'est en bouche qu'il s'affirme, sur des saveurs de fruits bien mûrs rehaussés par de beaux amers en finale. ⌛ 2016-2021 🍷 poire pochée au chocolat

⊶ DOM. DES TROTTIÈRES, lieu-dit les Trottières, 49380 Thouarcé, tél. 02 41 54 14 10, contact@domainedestrottieres.com V t.l.j. sf dim. 9h-12h30 14h-17h30; sam. sur r.-v. ⊶ René Lamotte

QUARTS-DE-CHAUME

Superficie : 28 ha / Production : 579 hl

Le nom de l'appellation dit l'ancienneté de ce vignoble réputé de la vallée du Layon: le seigneur se réservait le quart de la production et gardait le vin né sur le meilleur terroir. Les quarts-de-chaume proviennent d'une colline exposée plein sud autour de Chaume, à Rochefort-sur-Loire. Les vignes souvent vieilles, l'exposition et les aptitudes du chenin conduisent à des productions, souvent faibles, de grande qualité. Récoltés par tries, les vins sont moelleux ou liquoreux. Séveux et nerveux, ils sont de garde (de cinq ans à plusieurs décennies, selon le millésime).

DOM. DE LA BERGERIE 2014 ★★

■ Gd cru | 2500 | 🛢 | 30 à 50 €

Dans la famille Guégniard, le métier de vigneron se transmet de mère en fils ou de père en fille depuis huit générations. Installée en 2010, Anne gère l'exploitation de 36 ha, tandis que David Guitton, son compagnon, est aux fourneaux dans le restaurant du même nom. Le domaine est en cours de conversion bio. Une valeur sûre de l'Anjou viticole, à l'aise dans tous les styles.

Il s'en est fallu de peu pour que cette cuvée intensément dorée décroche un coup de cœur. Du verre s'échappent des notes complexes d'abricot sec, de figue séchée et de cire d'abeille. La bouche se montre veloutée, riche et compotée mais sans lourdeur, très bien équilibrée par une fraîcheur parfaitement dosée. La finale s'étire sur de jolies nuances miellées. Tout ce que l'on attend d'un grand liquoreux. ⌛ 2016-2030 🍷 chapon au miel

⊶ YVES ET ANNE GUÉGNIARD, Dom. de la Bergerie, Champ-sur-Layon, 49380 Bellevigne-en-Layon, tél. 02 41 78 85 43, domainedelabergerie@wanadoo.fr V t.l.j. sf dim. 9h-12h30 14h-18h30

DOM. GAUDARD 2014 ★★

■ Gd cru | 1300 | 🍾 | 30 à 50 €

Valeur sûre de l'Anjou, ce domaine familial a été créé en 1969 par Pierre Aguilas et son épouse Janes. Couvrant 45 ha de vignes, l'exploitation est conduite par leur fils Antoine depuis 2012.

D'un jaune d'or soutenu, ce vin franc et complexe délivre des notes de fleurs blanches, de mangue et de poire. On retrouve les fruits dans un palais intense et persistant, parfaitement équilibré entre douceur et fraîcheur. ⧗ 2016-2030 🍴 tarte Tatin à la mangue

⚷ *ANTOINE AGUILAS, Les Saules, 49290 Chaudefonds-sur-Layon, tél. 02 41 78 10 68, antoine.aguilas@orange.fr* V *t.l.j. 9h-12h 13h30-18h; dim. sur r.-v.*

DOM. DU PETIT MÉTRIS 2014

Gd cru	2000	30 à 50 €

Régulièrement mentionné dans le Guide, ce domaine s'affirme comme une valeur sûre du vignoble angevin tant pour ses blancs secs que pour ses liquoreux. Créée en 1742, la propriété domine du haut de son coteau le village de Saint-Aubin-de-Luigné traversé par le Layon.

Cette cuvée s'ouvre sans réserve sur d'intenses notes d'acacia, de fruits secs et de miel. Dans le même registre, le palais offre de la rondeur et une acidité qui lui donne de l'allonge. Simple mais équilibré. ⧗ 2016-2024 🍴 tarte Tatin

⚷ *DOM. DU PETIT MÉTRIS, 13, chem. de Treize-Vents, Le Grand-Beauvais, 49190 Saint-Aubin-de-Luigné, tél. 02 41 78 33 33, domaine.petit.metris@wanadoo.fr* V *r.-v.* ⚷ *Famille Renou*

CH. PIERRE-BISE 2014 ★★

Gd cru	5000		20 à 30 €

Ce domaine de 50 ha, né de la fusion de deux exploitations familiales, est conduit depuis 1974 par Claude Papin, l'un des plus fins connaisseurs des terroirs angevins et des plus talentueux élaborateurs de vins blancs de la région, en sec comme en liquoreux. Incontournable.

Fidèle au rendez-vous, Claude Papin signe un 2014 épatant. Le nez est marqué par les fruits confits, la pêche notamment, et le miel. Des arômes harmonieux prolongés par une bouche ronde, suave et veloutée, avec l'acidité naturelle du chenin qui vient comme il se doit contrebalancer les sucres résiduels (159 g/l) et étirer la finale, intense et satinée. Un vin de soie, d'un grand équilibre. ⧗ 2016-2030 🍴 pêches flambées

⚷ *CH. PIERRE-BISE, 49750 Beaulieu-sur-Layon, tél. 02 41 78 31 44, chateaupb@hotmail.com* V *r.-v.* ⚷ *Papin*

B CH. DE PLAISANCE 2014 ★

Gd cru	3000		30 à 50 €

Installé depuis 1980, Guy Rochais exploite en bio et biodynamie 26 ha de vignes situés principalement sur la rive gauche de la Loire, avec plusieurs parcelles dans des appellations aussi prestigieuses que coteaux-du-layon, chaume ou quarts-de-chaume. Une valeur sûre.

Jaune soutenu traversé de reflets dorés, cette cuvée libère des notes de fruits confits et de caramel (douze mois en cuve). Des arômes auxquels fait écho un palais rond et riche (160 g/l de sucres résiduels), souligné par une fine acidité qui lui apporte un juste équilibre et une belle longueur. Harmonieux. ⧗ 2016-2030 🍴 foie gras

⚷ *GUY ROCHAIS, Ch. de Plaisance, Chaume, 49190 Rochefort-sur-Loire, tél. 02 41 78 33 01, rochais.guy@orange.fr* V *r.-v.*

BONNEZEAUX

Superficie : 67 ha / Production : 1 830 hl

« L'inimitable vin de dessert », disait le Dr Maisonneuve en 1925. À cette époque, les grands liquoreux étaient surtout consommés à ce moment du repas ou dans l'après-midi, entre amis. De nos jours, on apprécie plutôt ce grand cru à l'apéritif. Très parfumé, plein de sève, de grande garde, le bonnezeaux doit toutes ses qualités au terroir exceptionnel qu'il occupe : surplombant le village de Thouarcé, trois petits coteaux de schiste abrupts exposés au plein sud : La Montagne, Beauregard et Fesles.

B DOM. LES GRANDE VIGNES La Malabé 2014 ★

	7500		20 à 30 €

Dans la même famille depuis le début du XVII[e]s., cet important domaine de 55 ha est aujourd'hui conduit par une fratrie (Laurence, Dominique et Jean-François) qui cultive ses vignes en biodynamie depuis 2007.

En robe dorée presque orangée, ce 2014 délivre un nez flatteur de cacao et de raisins de Corinthe. On retrouve cette touche toastée, rehaussée d'une note de pruneau, dans une bouche riche, puissante et persistante, bien équilibrée par une fine acidité. ⧗ 2016-2028 🍴 tajine de veau au safran

⚷ *DOM. LES GRANDES VIGNES, La Roche-Aubry, Thouarce, 49380 Bellevigne-en-Layon, tél. 02 41 54 05 06, vaillant@domainelesgrandesvignes.com* V *t.l.j. 8h30-12h30 14h-19h*

DOM. DE MIHOUDY 2015 ★★★

	17000		11 à 15 €

Bruno et Jean-Charles Cochard sont associés avec leur père Jean-Paul sur ce vignoble de 60 ha situé dans la vallée du Layon et dans leur famille depuis six générations. Un domaine de référence qui s'illustre souvent en anjou, blanc ou rouge, ainsi qu'en liquoreux, en bonnezeaux notamment. Incontournable.

Cette cuvée racée n'est pas passée loin du coup de cœur. En robe brillante et dorée aux reflets ambrés, elle offre un nez élégant, intense et puissant de miel, de pêches jaunes rôties et de gelée de coing. On retrouve cette complexité aromatique dans une bouche d'un équilibre admirable et d'une longueur exceptionnelle, où les sucres résiduels sont contrebalancés par une fine acidité. ⧗ 2016-2035 🍴 pintade aux raisins secs

⚷ *EARL COCHARD ET FILS, Mihoudy, 49540 Aubigné-sur-Layon, tél. 02 41 59 46 52, domainedemihoudy@orange.fr* V *t.l.j. sf dim. 8h30-12h 14h-18h30*

DOM. LE MONT 2015 ★

	7000		11 à 15 €

Depuis 1995, c'est Claude Robin, fils de Louis, qui conduit l'exploitation fondée par son grand-père en 1930 et implantée au sommet d'un coteau dominant

la vallée du Layon. Il y pratique sur ses 25 ha une culture raisonnée avec enherbement et travail du sol. Une bonne référence de l'Anjou, notamment pour ses liquoreux, bonnezeaux en tête.

Ce 2015 délicat et élégant s'ouvre sans réserve sur d'intenses notes de fruits jaunes confits et de vanille. Tonique et minéral en attaque, le palais se révèle doux, concentré et vanillé sans manquer de fraîcheur. Une cuvée distinguée et équilibrée. ⧗ 2016-2028 🍷 espumas à la vanille

EARL LOUIS ET CLAUDE ROBIN, 64, rue des Monts, 49380 Faye-d'Anjou, tél. 02 41 54 31 41, robinclaudemont@orange.fr V r.-v.

DOM. DE LA PETITE CROIX
Cuvée Prestige 2015 ★★

■	6000		15 à 20 €

Régulièrement mentionné dans le Guide, ce domaine est situé à Thouarcé, au cœur des vignes du Layon. François Geffard, à la tête de l'exploitation familiale (50 ha), propose un beau panel ligérien: bonnezeaux, coteaux-du-layon et anjou dans les trois couleurs.

Concentré, marqué par le botrytis, le nez distille des notes de fruits confits (ananas, abricots) et de vanille. Dans le même registre, la bouche est riche et dense, équilibrée par une acidité délicate qui étire la finale. ⧗ 2016-2030 🍷 tarte Tatin

FRANÇOIS GEFFARD, La Petite Croix, 49380 Thouarcé, tél. 02 41 54 06 99, scea@lapetitecroix.com V r.-v. B

DOM. DES PETITS QUARTS 2015

■	4000		15 à 20 €

Ce vignoble (10 ha aujourd'hui) constitué à la fin du XIXᵉs. est implanté à Faye-d'Anjou, au cœur des coteaux-du-layon. Installé en 1987, Jean-Pascal Godineau a assis la réputation du domaine sur les moelleux et les liquoreux, qui constituent l'essentiel de sa production.

Le nez marqué par la pourriture noble libère des arômes de fruits confits agrémentés de fines touches boisées qui apportent de la complexité. En bouche, ce 2015 est riche et opulent: on y trouve l'abricot, la pêche cuite et le miel, soulignés par des notes grillées héritées de son élevage de quatre mois en fût. ⧗ 2017-2026 🍷 fondant au chocolat noir

JEAN-PASCAL GODINEAU, Dom. des Petits Quarts, 49380 Faye-d'Anjou, tél. 02 41 54 03 00 V *t.l.j. sf dim. 8h-12h 14h-18h*

DOM. DE TROMPE-TONNEAU
La Montagne Vieilles Vignes 2015 ★

■	2000		11 à 15 €

D'abord conduit en polyculture, ce domaine s'est spécialisé dans la viticulture en 1977. Il s'est agrandi au fil des années et s'étend aujourd'hui sur 37 ha à proximité de Faveraye-Machelles.

D'abord discret, ce vin mérite quelques mois de garde pour que les notes de fruits confits perçues à l'aération s'intensifient. Riche et pleine dès l'attaque, la bouche délivre des notes de miel et de compote de fruits jaunes soutenues par une acidité qui porte loin la finale. Un solide potentiel de garde. ⧗ 2017-2030 🍷 crumble d'ananas

DOM. DE TROMPE-TONNEAU, 12, rue de Layon, 49380 Faveraye-Machelles, tél. 02 41 54 14 95, guillet@trompetonneau.com V *t.l.j. sf dim. 8h30-12h30 14h-18h30* *EARL Guillet*

CH. LA VARIÈRE 2014 ★★

■	14000		20 à 30 €

Issu d'une grande famille vigneronne installée depuis cinq générations sur les coteaux de l'Aubance, Jacques Beaujeau est à la tête d'un vaste domaine angevin (115 ha) qu'il a complété d'une propriété en saumur-champigny, le Dom. de la Perruche.

Ce 2014 s'affiche en robe jaune vif et offre un nez marqué par la pourriture noble. Les notes de confiture de figue et de coing sont intenses, agrémentées de fines touches d'agrumes. La dégustation va crescendo: le palais franc et vif à l'attaque s'avère ample et opulent, empreint d'arômes botrytisés (figue, coing, agrumes confits) jusqu'en finale. ⧗ 2016-2030 🍷 foie gras

CH. LA VARIÈRE, 49320 Brissac, tél. 02 41 91 22 64, beaujeau@wanadoo.fr V r.-v.

SAUMUR

Superficie: 2 613 ha
Production: 161 278 hl (61 % mousseux, 24 % rouge)

Le vignoble s'étend sur 36 communes. Il couvre les coteaux de la Loire et du Thouet, implanté sur le blanc tuffeau qui marque aussi l'habitat local. Les vins blancs de Turquant et de Brézé étaient autrefois les plus réputés; depuis le milieu des années 1970, les vins rouges se développent. Ils dominent en volume les blancs secs tranquilles. Ceux du Puy-Notre-Dame, de Montreuil-Bellay et de Tourtenay ont acquis une bonne notoriété. Les premiers bénéficient d'ailleurs d'une dénomination officielle figurant sur l'étiquette. L'appellation est beaucoup plus connue pour les vins effervescents, qui ont progressé en qualité. Les élaborateurs, tous installés à Saumur, possèdent des caves creusées dans le tuffeau, que l'on peut visiter.

ACKERMAN Cuvée privée

●	51231	5 à 8 €

Négoce fondé en 1811 par Jean-Baptiste Ackerman, qui fut l'un des premiers à utiliser les anciennes carrières de tuffeau pour élaborer des vins selon la méthode traditionnelle. Régulièrement au rendez-vous du Guide, la maison Ackerman, dirigée par Bernard Jacob, est aujourd'hui le plus important producteur de vins effervescents du Saumurois.

Discrète à l'olfaction, cette cuvée s'affirme en bouche: de fines bulles portent des arômes de fruits blancs, soutenus par une délicate trame acidulée. Un ensemble souple et frais. ⧗ 2016-2017 🍷 crêpes Suzette

SA ACKERMAN, 19, rue Léopold-Palustre, Saint-Hilaire, Saint-Florent, 49400 Saumur,

LOIRE

tél. 02 41 53 03 10, contact@ackerman.fr
V t.l.j. 9h30-12h30 14h-18h30

DOM. ANNIVY Cuvée Petit Clôs 2015 ★★

	1300		8 à 11 €

Réalisant son rêve d'enfance, Bruno Bersan se lance en 2000 dans l'aventure viticole en partant de zéro. Il exploite aujourd'hui 10,5 ha de vignes enserrées dans un petit clos au milieu des habitations qui surplombe en un site unique la vallée de la Loire. Annivy? La contraction des prénoms de sa femme: Anne et Sylvie.

Du verre s'échappent d'emblée des notes d'abricots secs et de fleurs blanches, relayées à l'aération par des nuances de noix de coco et de vanille. La bouche, onctueuse et généreuse, signe une vendange bien mûre: on y retrouve les fruits secs accompagnés des notes vanillées de l'élevage. Une fine trame acidulée porte loin la finale. ⧗ 2016-2019 🍴 brochettes de crevettes et chorizo **Je m'improvise 2015 ★ (5 à 8 €; 1300 b.)** : l'aération libère de subtiles notes d'aubépine et de pamplemousse. Ample et souple dès l'attaque, la bouche se révèle douce et onctueuse, étayée par une fine acidité. ⧗ 2016-2019 🍴 fromage de chèvre

BRUNO BERSAN, 66, rue des Ducs-d'Anjou, 49400 Souzay-Champigny, tél. 02 41 50 73 49, domaineannivy@orange.fr V *r.-v.* *Annivy*

CH. DE BEAUREGARD
Cuvée élégance Méthode traditionnelle 2013

	6820	8 à 11 €

Après avoir appartenu à la famille Gourdon pendant quatre générations, le domaine a été cédé au printemps 2013 à Bernard Cambier, ingénieur agronome reconverti dans la vigne. Il est épaulé par son fils Alexandre au chai. Le vignoble s'étend sur 23 ha.

Issue de l'assemblage du chenin (60 %) et du chardonnay, cette cuvée aux reflets dorés livre un nez flatteur de fleurs et fruits blancs. En bouche, les bulles sont fines et persistantes, le dosage est bien ajusté et la finale de bonne longueur. ⧗ 2016-2019 🍴 tarte au citron ■ **Cuvée Les Fontenelles 2014 (5 à 8 €; 5330 b.)** : vin cité.

SCEV BERNARD CAMBIER, Ch. de Beauregard, 4, rue Saint-Julien, 49260 Le Puy-Notre-Dame, tél. 02 41 52 25 33, info@saumur-chateaudebeauregard.com V *t.l.j. sf sam. dim. 8h-12h 13h30-17h30*

DOM. DU BOIS MIGNON La Croix verte 2014 ★

	1500		5 à 8 €

Le département de la Vienne, inclus dans la région Poitou-Charentes, pousse une pointe vers le Maine-et-Loire juste au sud de Fontevraud, dans l'appellation saumur. C'est dans ce secteur que Pascal Barillot conduit depuis 1997 ses 24 ha de vignes.

Cette cuvée 100 % chenin libère d'emblée des arômes primaires (coing) accompagnés de notes de fruits secs (amande, noisette). On retrouve le coing compoté dans une bouche ronde et gourmande, dynamisée par une fine minéralité. ⧗ 2016-2020 🍴 daurade à la plancha

SCEA CHARIER-BARILLOT, Dom. du Bois Mignon, 6, rue du Bois-Mignon, 86120 Saix, tél. 06 79 29 25 81, barillot.pascal@gmail.com V *r.-v.*

DOM. LE CLOS DES MOTÈLES
Méthode traditionnelle 2013

	8400	5 à 8 €

Établis au sud de l'appellation anjou dans le département des Deux-Sèvres, Bruno Basset et Vincent Baron exploitent 28 ha de vignes plantés sur des sols graveleux.

Animée d'un fin chapelet de bulles, cette cuvée s'affiche en robe très pâle. Le nez, d'abord discret, s'ouvre à l'aération sur des nuances florales. C'est en bouche que ce 2013 se livre, à travers des arômes de pomme verte mis en valeur par une fraîcheur bien dosée. ⧗ 2016-2019 🍴 panettone

GAEC LE CLOS DES MOTÈLES, 42, rue de la Garde, 79100 Sainte-Verge, tél. 05 49 66 05 37, leclosdesmoteles@orange.fr V *t.l.j. sf dim. 9h-12h 14h-18h30*

CH. DE LA DURANDIÈRE Vieilles Vignes 2014

■	10000		5 à 8 €

Le Ch. de la Durandière, seigneurie au XVIIe s., fait face aux remparts de la cité médiévale de Montreuil-Bellay dont le château surplombe le Thouet. Créé en 1900, ce domaine de 40 ha appartient depuis 1986 à Antoine Bodet.

D'un élégant rouge cerise, ce pur cabernet franc s'exprime sans réserve sur les fruits rouges assortis de délicates notes épicées. On retrouve les fruits dans une bouche souple dès l'attaque, soyeuse et persistante. ⧗ 2016-2019 🍴 grillade de bœuf

SCEA ANTOINE BODET, 51, rue des Fusillés, 49260 Montreuil-Bellay, tél. 02 41 40 35 30, durandiere.chateau@wanadoo.fr V *t.l.j. 9h30-12h 14h-18h; sam. dim. sur r.-v.*

♥ **CH. D'ÉTERNES**
Puy Notre-Dame Clos des Aubreis 2014 ★★

■	5333		11 à 15 €

Située à Saix, dans le secteur nord-ouest de la Vienne inclus dans le vignoble saumurois, une très ancienne propriété mentionnée en 889 dans un diplôme du roi Eudes. La SCEA Beaulieu gère depuis 2013 ces 7 ha de vignes, ceints de murs, qui forment un clos exposé plein sud.

Cette cuvée séduit d'emblée par sa robe profonde et son nez intense et complexe de fruits compotés (cassis, mûre) assortis d'une touche de café fraîchement torréfié. Le charme continue d'agir en bouche: des fruits rouges à profusion, de la rondeur, une structure solide et une matière étoffée. ⧗ 2016-2021 🍴 bœuf au piment

SCEA BEAULIEU, 15, Grand-Rue, 49400 Varrains, tél. 02 41 50 82 56, domaine.viticole@lvdomaine.com *r.-v.*

♥ DOM. FILLIATREAU L'Imago 2014 ★★

	2000		15 à 20 €

En 1967, Paul Filliatreau s'installe sur la propriété familiale, à la suite de son père Maurice. Il l'agrandit et l'oriente vers la production de vins rouges. Aujourd'hui rejoint par son fils Frederik, il conduit un vignoble de 30 ha devenu une référence en saumur-champigny.

Cette cuvée d'un beau jaune doré dévoile un nez intense et complexe qui révèle une vendange bien mûre: abricot sec et confiture de coing mêlés de nuances vanillées. Ample, suave et charnu, le palais offre des arômes gourmands de fruits confits mâtinés de légères notes boisées (neuf mois de fût). Une trame finement acidulée dynamise la finale de ce vin éclatant, d'une grande harmonie. ⧗ 2017-2021 ⫯ foie gras de canard **Linnéa 2015 (5 à 8 €; 7000 b.)** : vin cité.

DOM. FILLIATREAU, Chaintres, 49400 Dampierre-sur-Loire, tél. 02 41 52 90 84, domaine@filliatreau.fr V t.l.j. 10h-18h

DOM. DES GARENNES Empreinte 2014 ★

	3250		8 à 11 €

Une exploitation familiale implantée depuis quatre générations à Montreuil-Bellay, petit village célèbre pour son château et les vestiges de ses remparts. Deux cousins, Stéphane Manguin et Fabrice Baron, sont aujourd'hui à la tête du vignoble, qui couvre 40 ha.

Au nez, d'intenses notes de fruits noirs accompagnés d'un boisé léger. Fruitée à souhait, ronde et persistante, la bouche est étayée par des tanins jeunes qui demandent quelques mois de garde pour s'assagir. ⧗ 2017-2021 ⫯ civet de lièvre

DOM. DES GARENNES, 156, av. Paul-Painlevé, 49260 Montreuil-Bellay, tél. 02 41 52 34 94, vignoblemainguin-baron@orange.fr V t.l.j. sf dim. 9h-12h 14h-19h Mainguin-Baron

LA GIRARDRIE Instinct 2015 ★★

	9000		- de 5 €

Au Puy-Notre-Dame, on cultive la vigne depuis le XIIᵉs. C'est aujourd'hui la plus grande commune viticole du Saumurois. Gilles et Dominique Falloux sont à la tête d'un vaste domaine (45,5 ha) dont la cave a été aménagée dans un ancien site troglodytique.

Ce saumur attire le regard par sa robe profonde aux reflets violines. Le nez mêle les fruits rouges et noirs très mûrs (cerise, cassis) à de délicates nuances épicées. La bouche est généreuse, charnue, fruitée, structurée en douceur. Un vin que l'on peut apprécier dès aujourd'hui, mais qui possède un bon potentiel de vieillissement. ⧗ 2016-2022 ⫯ gibier mariné **2015 (- de 5 €; 6000 b.)** : vin cité.

SCEA FALLOUX ET FILS, 1, rue de la Fontaine-de-Cix, 49260 Le Puy-Notre-Dame, tél. 02 41 52 25 10, domaine@girardrie.com V r.-v.

LA GIRAUDIÈRE L'Ardillon de Brézé 2014

	4600		8 à 11 €

Domaine de 25 ha situé à Brézé, village du Saumurois célèbre pour son château aux vastes souterrains. Créé en 2007, il est conduit par Étienne Matrion, œnologue champenois, et Fabrice Esnault, vigneron du cru.

Une jolie robe jaune soutenu habille ce vin au nez gourmand de fruits confits et de miel. Rond, souple et charnu, le palais déploie la même gamme aromatique, agrémentée d'un boisé léger. Un ensemble homogène et généreux. ⧗ 2016-2019 ⫯ friand au fromage

LA GIRAUDIÈRE, 13, rue Saint-Vincent, 49260 Brézé, tél. 02 41 51 63 84, lagiraudiere.vinsdesaumur@orange.fr V t.l.j. 10h-12h30 15h-20h Esnaut et Matrion

DOM. DE LA GUILLOTERIE Les Perruches 2014 ★

	3000		8 à 11 €

Voisin de la confluence de la Loire avec le Thouet, le Dom. de la Guilloterie bénéficie de conditions climatiques très favorables. Régulièrement sélectionné en saumur-champigny ou en saumur, il est conduit depuis 1987 par la troisième génération avec les frères Patrice et Philippe Duveau.

Cette cuvée tire son nom de la parcelle qui l'a vue naître. D'abord discret, le nez s'ouvre à l'aération sur les agrumes et la fleur d'acacia. Bien dans le ton de l'appellation, le palais délivre une jolie fraîcheur acidulée qui lui donne du tonus et de l'allonge. ⧗ 2016-2019 ⫯ saumon grillé

SCEA DUVEAU FRÈRES, 63, rue Foucault, 49260 Saint-Cyr-en-Bourg, tél. 02 41 51 62 78, contact@domainedelaguilloterie.com V r.-v.

Ⓑ DOM. DU HAUT BELLAY Les Ormeaux 2015 ★★

	8600		- de 5 €

En 2009, le lycée viticole de Montreuil-Bellay a été rebaptisé du nom d'Edgard Pisani, son fondateur en 1967, à l'époque maire de la commune, célèbre homme d'État qui fut ministre de l'Agriculture sous la présidence du général de Gaulle. Son vignoble de 13,8 ha est exploité en bio par les futurs professionnels de la région.

Les élèves de la filière viticole du lycée ont participé à la vinification de cette cuvée qui offre un nez riche et complexe où se mêlent le citron, le coing, le miel et l'ananas. Les quelques sucres résiduels (4 g/l) apportent du gras et de la rondeur à une bouche délicate et persistante. Un vin très harmonieux. ⧗ 2016-2022 ⫯ truite meunière **Les Hauts de Caterne 2014 (5 à 8 €; 14000 b.)** Ⓑ : vin cité.

LYCÉE VITICOLE EDGARD PISANI, rte de Méron, 49260 Montreuil-Bellay, tél. 02 41 40 19 24, expl.montreuil-bellay@educagri.fr V t.l.j. sf dim. 9h-12h 14h-18h

LOIRE

B DOM. DES HAUTES VIGNES
Vieilles Vignes 2014 ★

■ | 6000 | | 8 à 11 €

Créé en 1961 par André Fourrier, ce domaine est conduit depuis 1983 par son fils Alain, à la tête d'un vignoble de 40 ha certifié bio depuis 2005.

Le nez libère d'intenses notes de fruits rouges délicatement épicées. La bouche, sur le fruit, déploie une fraîcheur acidulée bien dosée et des tanins soyeux et fondus. 2016-2020 filet mignon de porc rôti ■ **Tradition des A 2014 (5 à 8 €; 2800 b.)** B : vin cité.

ALAIN FOURRIER, Dom. des Hautes Vignes, 22, rue de la Chapelle, 49400 Distré, tél. 02 41 50 21 96, fourrieralain@wanadoo.fr r.-v.

DOM. DES HAUTS DE SANZIERS 2015 ★

■ | 30000 | | 5 à 8 €

C'est dans une région riche en attraits touristiques (collégiale du Puy-Notre-Dame, musée vivant du Champignon, circuit initiatique dans les vignes) qu'Annie Tessier et son frère Dominique œuvrent depuis 1991 à la tête de leur exploitation de 79 ha.

Le nez est marqué par la cerise, relayée à l'aération par des notes épicées et mentholées. Tout aussi fruité et finement mentholé, le palais se montre ample et élégant, soutenu par des tanins soyeux. Un vin que l'on peut apprécier pleinement dès aujourd'hui et qui évoluera bien. 2016-2020 mont-d'or chaud à l'ail

SCEA TESSIER, 14, rue Saint-Vincent, Sanziers, 49260 Le Puy-Notre-Dame, tél. 02 41 52 26 75, tessieretfils@wanadoo.fr r.-v.

MLLE LADUBAY Éclat 2013 ★

| 50000 | | 5 à 8 €

Fondée par Étienne Bouvet en 1851, la maison Bouvet-Ladubay est un négoce emblématique du Saumurois. Ancienne propriété des Monmousseau, puis de Taittinger, est passée entre 2005 et 2013 dans le giron d'un poids lourd mondial des spiritueux, l'indien UB Group, qui l'a revendu au groupe britanniqu Diageo. Finalment, la famille fondatrice, qui n'a jamais cessé de gérer l'affaire, a pu la racheter fin 2015.

La robe jaune très pâle, presque blanche, est élégante. Le nez, frais et discret, évoque la pomme verte et l'anis. On retrouve la pomme dans une bouche ample et fraîche, stimulée par de fins cordons de bulles. Un Éclat délicat et racé. 2016-2019 tarte aux pommes **Bouvet Trésor 2012 (11 à 15 €; 70000 b.)** : vin cité. **Bouvet-Ladubay Ogmius (30 à 50 €; 3852 b.)** : vin cité.

BOUVET-LADUBAY, 11, rue Jean-Ackerman, CS 94048 Saint-Hilaire-Saint-Florent, 49412 Saumur Cedex, tél. 02 41 83 83 83, contact@bouvet-ladubay.fr t.l.j. 9h-12h30 14h-18h

DOM. LANGLOIS-CHÂTEAU Vieilles Vignes 2014

| 17000 | | 15 à 20 €

Spécialisée dans l'élaboration des vins effervescents, cette maison de négoce également propriétaire de vignes (qui dominent la Loire et la ville de Saumur) fait partie depuis 1973 du groupe Bollinger. Ses caves sont aménagées dans d'anciennes carrières creusées dans le tuffeau.

Le nez, finement boisé, livre des arômes bien typés du chenin (fleurs blanches, coing, pomme). Franche et fraîche en attaque, la bouche se révèle ensuite plus ronde, onctueuse et vineuse. 2016-2020 poulet à la crème

LANGLOIS-CHÂTEAU, 3, rue Léopold-Palustre, 49400 Saint-Hilaire-Saint-Florent, tél. 02 41 40 21 40, contact@langlois-chateau.fr r.-v. Bollinger

JEAN-CHARLES MONCOURT
Cuvée Excellence Brut Méthode traditionnelle 2014

● | 10000 | 8 à 11 €

Cette entreprise familiale a été créée en 1994, sur la commune de Chavagne, dans le prolongement des coteaux de Bonnezeaux.

Issue de cabernet franc (80 %) et de grolleau, cette cuvée d'un seyant rose soutenu présente un joli fruité à l'olfaction. Franc en attaque, le palais se montre ample et tendre, soutenu par une fine trame acide qui lui apporte longueur et fraîcheur. 2016-2018 soupe de fraises

DOM. MONCOURT, rue Antoine-Lavoisier, 49250 Beaufort-en-Vallée, tél. 02 41 79 76 20, samoncourt@wanadoo.fr r.-v.

CH. DE MONTGUÉRET Sec ★★

● | 70000 | 5 à 8 €

Le Ch. de Montguéret est devenu la propriété des Grands Chais de France après le rachat en 2005 de la société Lacheteau qui l'exploitait. Son vaste vignoble couvre 80 ha. Souvent en vue pour ses rosés et ses effervescents.

Né du cabernet franc (63 %) et du grolleau, cet effervescent livre au nez des nuances florales et végétales. En bouche, la bulle est intense, la mousse crémeuse et une bonne fraîcheur souligne l'ensemble. Un vin précis et tonique. 2016-2018 framboises au sucre

CH. DE MONTGUÉRET, 49560 Nueil-sur-Layon, tél. 02 41 59 26 26, mbrieau@lacheteau.fr
Grands Chais de France

DOM. DE NERLEUX Les Loups blancs 2014 ★★

| 5000 | | 11 à 15 €

Valeur sûre du Saumurois, le Dom. de Nerleux (« loups noirs » en ancien français) est ancré sur les terres de Saint-Cyr-en-Bourg depuis neuf générations. Couvrant aujourd'hui 48 ha, son vignoble est conduit par Régis et Élisabeth Neau, rejoints en 2011 par leur fille Amélie.

Cette cuvée n'est pas passée loin du coup de cœur. Issue de raisins légèrement surmûris, elle présente un nez dominé par des notes de fruits exotiques, de fruits secs et de miel agrémentées de nuances torréfiées. On retrouve de fines touches boisées (élevage de douze mois en fût) dans un palais souple et rond qui ne manque ni de fraîcheur ni de finesse. Un saumur complet et très élégant. 2016-2021 volaille à la crème

AMÉLIE NEAU, 4, rue de la Paleine, 49260 Saint-Cyr-en-Bourg, tél. 02 41 51 61 04, contact@nerleux.fr t.l.j. sf dim. 10h-12h30 14h-18h

B DOM. DE LA PALEINE 2014 ★

■ | 10000 | | 5 à 8 €

Établis depuis 2003 au Puy-Notre-Dame, le deuxième point le plus haut du Maine-et-Loire, Laurence et Marc Vincent conduisent un vignoble de 37 ha conduit en bio, situé au pied d'une butte calcaire.

Ce 2014 s'affiche dans une robe rouge intense et profonde. Le nez évoque les fruits rouges et les fruits noirs macérés, accompagnés de délicates nuances mentholées. On retrouve les fruits avec persistance dans un palais souple et frais, étayé par des tanins encore assez fermes en finale. À attendre un peu pour plus de fondu. ⧗ 2017-2021 ♈ tournedos de bœuf grillé

MARC VINCENT, Dom. de la Paleine, 9, rue de la Paleine, 49260 Le Puy-Notre-Dame, tél. 02 41 52 21 24, contact@domaine-paleine.com V *r.-v.*

ROBERT ET MARCEL Héritage 2014 ★★

■ | 13000 | | 8 à 11 €

Créée en 1957 par quinze viticulteurs, la coopérative de Saint-Cyr-en-Bourg compte aujourd'hui 180 adhérents, vinifie la récolte de 1 800 ha et stocke ses vins dans une immense galerie longue de quelque 10 km.

Ce prétendant au coup de cœur libère d'emblée des nuances de fruits exotiques et des notes finement boisées léguées par douze mois de fût. Une complexité que prolonge une bouche ample et puissante soulignée d'une fine trame acide qui lui donne de l'allonge. Un très joli vin au bon potentiel de garde. ⧗ 2017-2021 ♈ gambas au curry ■ **Héritage 2014 (8 à 11 €; 10000 b.)** : vin cité.

CAVE DES VIGNERONS DE SAUMUR, La Perrière, 49260 Saint-Cyr-en-Bourg, tél. 02 41 53 06 18, boutique@robertetmarcel.com V *r.-v.*

DOM. DE LA ROCHE LAMBERT 2015

■ | n.c. | | - de 5 €

Le grand-père de Sébastien Prudhomme, actuel gérant de la propriété et par ailleurs directeur d'exploitation au lycée viticole de Montreuil-Bellay, était tonnelier. Il lui a légué 1 ha de vignes. Aujourd'hui, le domaine couvre 27 ha.

La robe est d'un beau rouge rubis aux reflets violines. Le nez élégant et gourmand libère des notes de fruits rouges frais, confirmées dans un palais léger et friand, aux tanins souples. À boire sur le fruit. ⧗ 2016-2018 ♈ plateau de charcuterie

SÉBASTIEN PRUDHOMME, 16, rue du Calvaire, 79100 Mauzé-Thouarsais, tél. 05 49 96 64 18, domainedelarochelambert@orange.fr V *r.-v.*
Sébastien Prudhomme

DOM. DE ROCHEVILLE La Dame 2014 ★

■ | 8600 | | 15 à 20 €

Racheté en 2004 à un coopérateur, ce domaine s'étend sur 17 ha dans l'aire d'appellation saumur-champigny. Les châteaux de la Loire ont inspiré le nouveau propriétaire, Philippe Porché, qui a nommé ses cuvées «Le Roi», «Le Prince», «Le Fou du roi», «La Dame»...

Neuf mois d'élevage en fût ont donné à cette cuvée de doux arômes de caramel que l'on perçoit d'emblée en compagnie des fruits secs et du miel. Souple dès l'attaque, délicatement boisé, le palais offre du gras et de la rondeur, contrebalancés par une fine acidité. Un vin complet, complexe et corpulent, non dénué de fraîcheur. ⧗ 2016-2021 ♈ sandre au beurre blanc

PHILIPPE PORCHÉ, Dom. de Rocheville, Les Hauts de Valbrun, 49730 Parnay, tél. 02 41 38 10 00, contact@domainederocheville.fr V *t.l.j. sf dim. lun. 10h-18h; f. 1re sem. de janv.*

DOM. DES SABLES VERTS 2014

■ | 1500 | | 5 à 8 €

Le domaine de Dominique et d'Alain Duveau tire son nom de sables riches en glauconie, minéral de couleur verdâtre présent dans le tuffeau. Couvrant 16 ha autour de Varrains, le vignoble est principalement dédié au saumur-champigny.

Quelques reflets verts présagent un vin encore jeune, ce que confirme la fraîcheur du bouquet: fleurs blanches, pamplemousse et pêche, soulignés d'une fine minéralité. Franc et frais en attaque, le palais, finement boisé (six mois d'élevage en fût), évolue en douceur et en souplesse, avant de renouer avec la fraîcheur dans une finale citronnée et acidulée. ⧗ 2016-2020 ♈ salade tiède de raies aux asperges

GAEC DOMINIQUE ET ALAIN DUVEAU, 66, Grand-Rue, 49400 Varrains, tél. 02 41 52 91 52, duveau@domaine-sables-verts.com V *r.-v.*

DOM. DE SAINT-MAUR 2014 ★★

● | n.c. | 5 à 8 €

Implanté sur la rive gauche de la Loire, à proximité de l'abbaye de Saint-Maur, le vignoble aurait été créé par les moines bénédictins. Il est conduit depuis l'année 2000 par Xavier Chouteau et s'étend aujourd'hui sur 39 ha.

La robe est saumonée, animée d'un fin cordon de bulles. Du verre s'échappent de friandes notes de fraise et autres petits fruits rouges, prolongées avec la même intensité par un palais long et équilibré, à la fois rond et finement acidulé. ⧗ 2016-2018 ♈ tiramisu aux fraises

CHOUTEAU, 15, cale de Saint-Maur, 49350 Le Thoureil, tél. 02 41 57 30 24, info@domaine-de-saint-maur.fr V *t.l.j. sf dim. 17h-19h*

DOM. DE LA SEIGNEURIE DES TOURELLES 2015 ★

■ | 20000 | | 5 à 8 €

Sébastien Verdier représente la quatrième génération à la tête de ce domaine créé en 1910 sur les coteaux bordant le Layon. Il a largement contribué à son développement: l'exploitation est passée de 18 ha à son arrivée en 1997 à 50 ha aujourd'hui.

Ce 2015 presque noir s'ouvre sur des parfums intenses de fruits noirs kirschés assortis de notes de poivron rouge. On retrouve les fruits noirs très mûrs en compagnie de notes réglissées dans une bouche ample, charnue et soyeuse. Un vin élégant, généreux et puissant, que l'on pourra attendre un peu. 2017-2021 coq au vin **2015 (5 à 8 €; 20000 b.)** : vin cité.

SA JOSEPH VERDIER, ZI Champagne-Europe, 49260 Montreuil-Bellay, tél. 02 41 40 22 50, r.boileau@joseph-verdier.fr

ISABELLE SUIRE 2015 ★

3500		5 à 8 €

Installée au sud du vignoble saumurois, dans la Vienne, Isabelle Suire conduit depuis 2006 l'exploitation (14 ha) créée par son grand-père quatre-vingts ans plus tôt. Ses vins sont élevés dans la fraîcheur de la cave troglodytique d'un ancien prieuré du XVᵉs.

Très expressif, ce 2015 libère d'emblée des notes de fleurs blanches et de fruits (pêche, poire). Les quelques grammes de sucres résiduels (5 g/l) donnent au palais, joliment fruité, une aimable douceur, contrebalancée par une fine acidité qui apporte de l'énergie. 2016-2019 veau au citron **Sec 2014 (5 à 8 €; 5250 b.)** : vin cité.

ISABELLE SUIRE, 12, rue des Perrières, Pouant, 86120 Berrie, tél. 05 49 22 92 61, isabelle-suire@orange.fr V r.-v.

CH. DE TARGÉ Les Fresnettes 2014 ★

8950		15 à 20 €

Une ancienne résidence de chasse des secrétaires personnels des rois Louis XIV et Louis XV. Certains de leurs descendants, dont Edgard Pisani, furent au service de la République. Depuis 1978, Édouard Pisani-Ferry, ingénieur agronome, exploite les 24 ha du vignoble de manière «très raisonnée», proche du bio.

Finement boisé (élevage de dix mois en fût), le nez livre à l'aération des notes de poire. En bouche, le boisé se confirme, apportant puissance et structure à ce vin que l'on pourra attendre quelques mois pour en apprécier pleinement l'élégance. 2017-2021 saint-jacques à la crème

SCEA ÉDOUARD PISANI-FERRY, Ch. de Targé, chem. de Targé, 49730 Parnay, tél. 02 41 38 11 50, edouard@chateaudetarge.fr V *t.l.j. sf dim. 10h-12h 14h-18h*

DOM. DES VERNES 2015 ★

2000		5 à 8 €

Installé sur le domaine familial en 2002, Sébastien Sanzay représente la sixième génération à la tête de cette exploitation qui s'étend sur 30 ha répartis autour de Chacé. La propriété en pierre de tuffeau, typique du Saumurois, date de 1776.

Pâle aux reflets verts, cette cuvée livre d'emblée des notes florales, relayées à l'aération par de délicates notes vanillées. On retrouve les épices douces dans un palais gras et onctueux, dynamisé en finale par des nuances acidulées. 2016-2021 gouda au cumin

SÉBASTIEN SANZAY, 7, bd de Caulx, 49400 Chacé, tél. 02 41 52 99 13, domainedesvernes@free.fr V *t.l.j. sf dim. 8h-12h 14h-18h*

COTEAUX-DE-SAUMUR

Superficie : 25 ha / Production : 736 ha

Ils ont acquis autrefois leurs lettres de noblesse. Les coteaux-de-saumur, équivalents en Saumurois des coteaux-du-layon en Anjou, sont élaborés à partir du chenin pur, planté sur la craie tuffeau.

DOM. DE LA NEURAYE 2015 ★

2500	- de 5 €

Depuis cinq générations, la famille Gauthier cultive la terre et la vigne sur le site de Vaon. En 2009, Benoît rejoint son père pour développer la vinification et la commercialisation. Sébastien les rejoint en 2013. Leur domaine couvre 16,5 ha.

Le nez séduit d'emblée par ses notes intenses de fruits exotiques et d'acacia. Franc dès l'attaque, ce 2015 délivre sans réserve des arômes de fruits compotés et révèle une sucrosité plaisante soutenue pas une fine fraîcheur qui lui apporte longueur et équilibre. 2016-2022 compote de poires vanillée

DOM. DE LA NEURAYE, 6, rue de la Neuraye, Vaon, 86120 Les Trois-Moutiers, tél. 05 49 22 63 98, laneuraye@orange.fr V *r.-v.*

SAUMUR-CHAMPIGNY

Superficie : 1 376 ha / Production : 74 442 hl

Entre Saumur et Montsoreau, ce vignoble s'insère dans l'aire du saumur, près de la Loire. Si son expansion est récente, les vins rouges de Champigny sont connus depuis plusieurs siècles. Produits dans neuf communes à partir du cabernet franc (ou breton) parfois complété de cabernet-sauvignon, ils sont fruités, charnus et souples. Ils sont à découvrir dans des villages typiques aux rues étroites et aux caves de tuffeau.

DOM. DES AMANDIERS Cuvée Amande 2015 ★

4000		5 à 8 €

Marc Rideau a repris les vignes de son grand-père en 1985, puis une autre exploitation en 1993 et agrandit le vignoble: 12 ha répartis dans quatre communes, Montsoreau, Parnay, Souzay, Champigny et Turquant. Son fils Étienne l'a rejoint en 2015.

D'un beau rouge grenat, cette cuvée délivre des arômes frais de fruits rouges assortis de notes épicées. Dans le même registre, la bouche se montre ronde, onctueuse et élégante. Un vin bien typique de l'appellation à boire sur le fruit. 2016-2019 tartare de bœuf

DOM. DES AMANDIERS, 2, rue du Moulin-Château-Gaillard, 49730 Turquant, tél. 02 41 51 79 81,

domaineamandiers@orange.fr V 🚶 ! *r.-v.*
⊶ *Marc et Étienne Rideau*

DOM. ANNIVY Clin d'œil 2015

■ | 8000 | 🍾 | 5 à 8 €

Réalisant son rêve d'enfance, Bruno Bersan se lance en 2000 dans l'aventure viticole en partant de zéro. Il exploite aujourd'hui 10,5 ha de vignes enserrées dans un petit clos au milieu des habitations qui surplombe en un site unique la vallée de la Loire. Annivy? La contraction des prénoms de sa femme: Anne et Sylvie.

D'un grenat soutenu et profond, ce vin présente un nez encore un peu discret. La bouche, plus loquace, s'affirme autour d'arômes persistants de fruits rouges qui accompagnent agréablement des tanins de bonne facture, ni trop durs ni trop légers. ⏳ 2017-2020 🍴 steak au poivre

⊶ *BRUNO BERSAN, 66, rue des Ducs-d'Anjou, 49400 Souzay-Champigny, tél. 02 41 50 73 49, domaineannivy@orange.fr* V 🚶 ! *r.-v.* ⊶ *Annivy*

ALBERT BESOMBES 2015 ★★

■ | 100000 | 5 à 8 €

Fondée en 1872, la maison de négoce Albert Besombes-Moc-Baril a son berceau et son siège à Saumur, mais elle propose une large gamme de vins de Loire allant du muscadet au sancerre, en passant par les chinon et le rosé-d'anjou. Ce dernier représente son cœur d'activité.

D'un superbe grenat aux reflets violines, ce saumur-champigny offre un nez complexe d'épices, de myrtille et de cassis mâtiné de notes florales. Riche et corpulent, il s'adosse à des tanins solides mais fins et déploie une finale fraîche qui apporte longueur et équilibre. ⏳ 2017-2021 🍴 cailles rôties ■ **Marquis de Sublet 2015 ★ (5 à 8 €; 100000 b.)** : une cuvée sombre, expressive et complexe (fruits noirs et notes boisées), ample, onctueuse et ronde, étirée dans une longue finale fruitée et encore un brin tannique. ⏳ 2017-2021 🍴 grillade de bœuf

⊶ *SAS BESOMBES-MOC-BARIL, 24, rue Jules-Amiot, 49404 Saumur, tél. 02 41 50 23 23, emilien.boulfray@uapl.fr* ⊶ *UAPL*

DOM. DE LA BESSIÈRE Clos de la Croix 2014 ★

■ | 13000 | 🍾 | 5 à 8 €

Thierry Dézé, installé en 1987, exploite un vignoble de 15 ha presque exclusivement en saumur-champigny, duquel on bénéficie d'une vue panoramique sur la vallée de la Loire.

Cette cuvée rouge sombre issue d'une parcelle située à Saumur, non loin du château, délivre des parfums intenses et généreux de fruits rouges et noirs bien mûrs. L'annonce d'une bouche ample et riche, longue et très fruitée, adossée à des tanins bien place. ⏳ 2017-2021 🍴 pavé de biche sauce morille

⊶ *DOM. DE LA BESSIÈRE, rte de Champigny, 49400 Souzay-Champigny, tél. 02 41 52 42 69, thierrydeze@domainedelabessiere.com* V 🚶 ! *r.-v.*
⊶ *Thierry Dézé*

DOM. DU BOIS MIGNON Le Clos Mollet 2014 ★

■ | 8000 | 🍾 | 5 à 8 €

Le département de la Vienne, inclus dans la région Poitou-Charentes, pousse une pointe vers le Maine-et-Loire juste au sud de Fontevraud, dans l'appellation saumur. C'est dans ce secteur que Pascal Barillot conduit depuis 1997 ses 24 ha de vignes.

Cette cuvée d'une élégante couleur mauve limpide livre à l'aération de délicates notes fruitées où se distinguent le cassis et la cerise. Ces arômes se prolongent agréablement dans une bouche harmonieuse, souple et légère. L'archétype du «vin plaisir». ⏳ 2016-2018 🍴 pot-au-feu

⊶ *SCEA CHARIER-BARILLOT, Dom. du Bois Mignon, 6, rue du Bois-Mignon, 86120 Saix, tél. 06 79 29 25 81, barillot.pascal@gmail.com* V 🚶 ! *r.-v.*

DOM. DU BOIS MOZÉ PASQUIER
Clos du Bois Mozé 2014 ★

■ | 8000 | 🍾 | 5 à 8 €

Installé depuis 1994 sur le domaine créé par ses parents à Chacé, village voisin de Champigny, Patrick Pasquier produit sur ses 7 ha des saumur-champigny régulièrement sélectionnés dans le Guide, ainsi que du rosé et du crémant.

Une robe soutenue aux reflets violets pour cette cuvée aux senteurs intenses de fruits rouges assorties de nuances réglissées et mentholées. La framboise du cabernet franc ressort avec persistance dans une bouche charnue et harmonieuse. ⏳ 2016-2021 🍴 pintade en cocotte

⊶ *PATRICK PASQUIER, 7, rue du Bois-Mozé, 49400 Chacé, tél. 02 41 52 59 73, pasquierpatrick@orange.fr* V 🚶 ! *r.-v.*

DOM. LA BONNELIÈRE Tradition 2015 ★

■ | 800000 | 🍾 | 5 à 8 €

Après un parcours diversifié dans des vignobles en France et à l'étranger, Anthony et Cédric Bonneau ont repris les rênes de la propriété familiale en 2000. Implanté sur les terres argilo-calcaires de la butte des Poyeux dominant la jolie vallée du Thouet, affluent de la Loire, le domaine couvre 37 ha.

Une belle robe grenat habille ce vin au nez agréablement fruité où la groseille prédomine. Le prélude à une bouche fraîche et alerte, soutenue par des tanins soyeux. Gourmand et équilibré. ⏳ 2016-2019 🍴 assiette de charcuterie

⊶ *DOM. LA BONNELIÈRE, 45, rue du Bourg-Neuf, 49400 Varrains, tél. 02 41 52 92 38, bonneau@labonneliere.com* V 🚶 ! *t.l.j. sf mer. dim. 10h-12h 14h-17h*
⊶ *Bonneau Anthony et Cédric*

DOM. DES BONNEVEAUX Vieilles Vignes 2015

■ | 10400 | 🍾 | 5 à 8 €

Le gros village de Varrains, limitrophe de Saumur, abrite nombre de vignerons choyant le cabernet franc. Parmi eux, Nicolas Bourdoux, qui a repris les rênes du domaine familial (17 ha) en 2002, après un stage de quelques mois au Québec, dans le domaine de... l'orpaillage.

Au nez, ce vin sombre évoque classiquement les fruits rouges. Au palais, il dévoile une matière ronde et souple imprégnée d'agréables arômes fruités qui font écho à l'olfaction. Un saumur-champigny bien typé. ⧗ 2016-2019 🍴 côte de veau aux champignons

⊶ DOM. DES BONNEVEAUX, 79, Grande-Rue, 49400 Varrains, tél. 02 41 52 94 91, bourdoux@domainedesbonneveaux.com V ⚐ ▪ *t.l.j. sf dim. 8h-12h 13h30-18h ⊶ Nicolas Bourdoux*

DOM. DU BOURG NEUF 2015 ★★

■ | 9000 | ▮ | 5 à 8 €

Domaine de 40 ha fondé en 1955 par Raymond Joseph, conduit depuis 1986 par son fils Christian et dédié aux appellations saumur et saumur-champigny. La troisième génération (Valentin et François-Xavier) a rejoint l'exploitation en 2014.

Paré d'une très élégante robe grenat profond, ce 2015 dévoile un nez intense et généreux de fruits noirs à l'eau-de-vie. Une approche gourmande en diable prolongée par une bouche épanouie, ronde, tendre et voluptueuse, aux tanins soyeux. Un saumur-champigny des plus flatteurs, bien dans le ton du millésime. À un souffle du coup de cœur... ⧗ 2017-2021 🍴 bœuf bourguignon

⊶ DOM. DU BOURG NEUF, Joseph Christian, 35, rue des Menais, 49400 Chacé, tél. 02 41 52 94 43, domaine.bourgneuf@orange.fr V ⚐ ▪ *t.l.j. sf dim. 8h-12h30 14h-19h*

Ⓑ CH. DE CHAINTRES
Clos des Oratoriens 2014 ★★

■ | 4000 | ⦀ | 15 à 20 €

Ce sont les oratoriens de Notre-Dame-des-Ardilliers qui, en 1675, plantèrent ici les premières vignes de ce domaine de 19 ha, entièrement clos de murs et aujourd'hui conduit en bio. Propriété de la famille de Tigny depuis 1938, il est dirigé depuis 2007 par Richard Desouche.

Le nez dévoile une grande complexité aromatique autour d'un vanillé léger qui se mêle aux fruits noirs et aux cerises bien mûres: on sent le raisin récolté à maturité. On le perçoit aussi dans un palais ample et concentré, auquel une fine trame minérale apporte du tonus et de la longueur et assure un potentiel de garde certain à ce vin complet. ⧗ 2019-2023 🍴 carré d'agneau

⊶ DOM. VINICOLE DE CHAINTRES, 54, rue de la Croix-de-Chaintres, 49400 Dampierre-sur-Loire, tél. 02 41 52 90 54, info@chaintres.fr V ⚐ ▪ *t.l.j. sf sam. dim. 9h-12h 14h-18h; 1er mai-31 août ouv. sam. dim.* ⌂ Ⓑ *⊶ de Tigny Mourot*

DOM. DES CHAMPS FLEURIS Les Tufolies 2015

■ | 80000 | 5 à 8 €

Denis Rétiveau, sa sœur Catherine et son beau-frère Patrice Rétif président aux destinées de ce domaine composé de 44 ha. Les vignes sont situées sur les coteaux qui dominent la Loire, sur les communes de Turquant et Montsoreau.

Bien connue de nos fidèles lecteurs, cette cuvée résulte d'une sélection des meilleurs terroirs du domaine. Parée d'une robe sombre aux reflets bleutés, elle exprime la fraîcheur et la jeunesse d'une cuvaison courte privilégiant les arômes de fruits rouges (framboise et fraise). Ces petits fruits se retrouvent dans une bouche ronde, souple et équilibrée, marquée en finale par des tanins un peu sévères. ⧗ 2017-2021 🍴 hamburger maison ■ **Les Roches 2014 (11 à 15 €; 4000 b.)** : vin cité.

⊶ EARL RÉTIVEAU-RÉTIF, 54, rue des Martyrs, 49730 Turquant, tél. 02 41 38 10 92, domaine@champs-fleuris.com V ⚐ ▪ *t.l.j. sf dim. 9h-12h 13h30-18h*

♥ LES CLOS DE LA SEIGNEURIE 2014 ★★

■ | 2500 | ⦀ | 8 à 11 €

Le vignoble (20 ha aujourd'hui), créé en 1969 par Pierre-Louis Foucher, est situé sur les hauteurs de la ville de Saumur et la salle de dégustation offre un panorama à 180 ° sur la vallée de la Loire. Il a été repris en 2005 par Alban Foucher, fils du fondateur.

À l'œil, on devine un vin intense dans sa robe sombre à reflets violets. Le nez ne déçoit pas et offre de généreux parfums de fruits mûrs sur fond vanillé et épicé. Mêmes sensations gourmandes et racées en bouche: de la rondeur, du volume, un fruité épanoui, un boisé fondu, de la longueur, le tout soutenu par des tanins de taffetas. ⧗ 2018-2022 🍴 agneau braisé ■ **Vignoble du Petit Puy 2015 ★★ (8 à 11 €; 25000 b.)** : intense, expressive et concentrée, cette cuvée déploie à l'olfaction une large palette de fruits noirs relevée d'épices douces. Souple en attaque, rond, ample, fondu et très fruité, le palais est au diapason. ⧗ 2017-2020 🍴 thon basquaise

⊶ EARL FOUCHER, 2, rue Dovalle, 49400 Saumur, tél. 06 63 01 45 97, laseigneurie.vins@hotmail.fr V ⚐ ▪ *t.l.j. sf dim. 10h-19h*

DOM. DES CLOSIERS 2015

■ | 5000 | ▮ | 5 à 8 €

Ce domaine est exploité par la même famille depuis quatre générations. Il étend son vignoble sur 14 ha, conduits depuis 1993 par Élie Moirin.

Cette cuvée sombre tirant vers le noir libère après aération des arômes de fruits rouges et noirs bien mûrs. Arômes qui se déclinent dans une bouche harmonieuse, structurée par des tanins fermes mais sans dureté. À attendre un peu. ⧗ 2017-2020 🍴 rôti de porc

⊶ EARL ELIE MOIRIN, 8, rue Valbrun, 49730 Parnay, tél. 02 41 38 12 32, domainedesclosiers@wanadoo.fr V ⚐ ▪ *r.-v.*

Ⓑ LES CLOS MAURICE Voltige des clos 2015 ★

■ | 55000 | ▮ | 5 à 8 €

Après avoir travaillé à Châteauneuf-du-Pape, puis dans le Beaujolais et enfin avec son père pendant

plusieurs années sur le domaine familial, Mickaël Hardouin a pris en 2007 la direction de ce vignoble saumurois de 21 ha, en bio certifié depuis 2015.

Cette cuvée offre tout ce que l'on attend de l'appellation: la robe violine est fraîche, le nez franc, ouvert sur des notes fraîches de fruits noirs, le palais souple, rond, fruité et épicé. Pour un plaisir immédiat. ⧗ 2016-2018 🍴 pâté de lièvre

HARDOUIN, 18, rue de la Mairie, 49400 Varrains, tél. 02 41 38 80 02, closmaurice@orange.fr V *r.-v.*

DOM. DUBOIS Vieilles Vignes 2015 ★

■ | 16000 | | 8 à 11 €

Ce domaine remonte à 1880, époque à laquelle le vignoble produisait quasi exclusivement des vins blancs. Depuis 2008, c'est Christelle Dubois, cinquième génération, qui exploite quelque 20 ha essentiellement plantés en cabernet franc.

Cette cuvée se distingue par sa belle robe rouge profond, son nez intense et complexe de fruits rouges (fraise, framboise) et noirs délicatement épicés. Souple et fraîche en attaque, la bouche dévoile ensuite une belle charpente de tanins serrés et encore un peu sévères, qui demandent à s'assagir. ⧗ 2018-2022 🍴 navarin d'agneau

DOM. CHRISTELLE DUBOIS, 8, rte de Chacé, 49260 Saint-Cyr-en-Bourg, tél. 02 41 51 61 32, ch-dubois@hotmail.com V *r.-v.*

♥ DOM. FILLIATREAU 2015 ★★★

■ | 150000 | | 8 à 11 €

En 1967, Paul Filliatreau s'installe sur la propriété familiale, à la suite de son père Maurice. Il l'agrandit et l'oriente vers la production de vins rouges. Aujourd'hui rejoint par son fils Frederik, il conduit un vignoble de 30 ha devenu une référence en saumur-champigny.

Ce 2015 séduit d'emblée par sa robe sombre et profonde et par ses arômes intenses, complexes et gourmands qui font la part belle au cassis et à la mûre rehaussés d'épices. Quant à la bouche, elle se révèle tendre, onctueuse, fondue, tenue par une fine acidité bien sentie. Et quel fruité, comme un écho démultiplié de l'olfaction! La quintessence du saumur-champigny. ⧗ 2017-2022 🍴 carbonade ■ **Vieilles Vignes 2014 ★★ (11 à 15 €; 75000 b.)** : robe profonde, palette aromatique très généreuse, dominée par les fruits noirs très mûrs, voire compotés, l'approche enchante. La bouche, à l'unisson, est riche, ample, longue, soutenue par des tanins soyeux. Une vraie gourmandise à boire ou à attendre. ⧗ 2017-2022 🍴 pintade aux fruits rouges ■ **Les Bouts de Vincent 2015 (5 à 8 €; 80000 b.)** : vin cité.

DOM. FILLIATREAU, Chaintres, 49400 Dampierre-sur-Loire, tél. 02 41 52 90 84, domaine@filliatreau.fr V *t.l.j. 10h-18h* Ⓑ

DOM. FOUET 2015 ★

■ | 40000 | | 11 à 15 €

Julien Fouet s'est installé dans les années 1990 sur l'exploitation familiale, représentant la sixième génération. Il conduit ses 15 ha en lutte raisonnée et fait la part belle à l'oenotourisme (gîtes, caveau de dégustation ouvert 6j/7...).

La robe rouge grenat, brillante et limpide, est du plus bel effet. Le nez, d'un abord timide, laisse poindre après aération des arômes friands de fruits frais, fraîcheur renforcée par d'agréables notes végétales. Souple et rond, bâti sur des tanins légers et fondus, le palais offre en écho une belle puissance aromatique. ⧗ 2016-2019 🍴 paupiettes de veau

EARL FOUET, 11, rue de la Judée, 49260 Saint-Cyr-en-Bourg, tél. 02 41 51 60 52, j.fouet@domaine-fouet.com V *t.l.j. sf dim. 10h-12h 14h-18h* Ⓒ

Ⓑ DOM. DES FROGÈRES Le Clos Marconnet 2015 ★★

■ | 3500 | | 11 à 15 €

En 1980, Michel Joseph créé le Dom. des Frogères. En 1988, il convertit son vignoble à l'agriculture biologique. En 2015, ses neveux Valentin et François-Xavier reprennent le domaine et élaborent leur premier millésime en conservant la même optique bio.

Ce vin grenat aux reflets sombres laisse poindre à l'aération des notes gourmandes de fruits rouges et noirs légèrement compotés. La bouche se montre ronde, souple et élégante, avant de se faire plus sévère et tannique en finale. Du caractère et du potentiel pour ce vin que l'on carafera avant le service dans sa jeunesse ou que l'on laissera vieillir un peu. ⧗ 2017-2021 🍴 sauté de veau ■ **Les Poyeux 2015 ★ (8 à 11 €; 2800 b.)** Ⓑ : à un nez ouvert dominé par les fruits noirs surmûris répond une bouche souple et équilibrée, à la fois fraîche, soyeuse et ronde. ⧗ 2016-2019 🍴 hamburger

EARL DOM. DES FROGÈRES, 31, rue du Bourg-Neuf, 49400 Varrains, tél. 06 47 96 21 81, domainedesfrogres@gmail.com V *r.-v. Valentin Joseph*

DOM. DES GALMOISES Secret du caveau Les Dards 2015 ★

■ | 10000 | | 5 à 8 €

Didier Pasquier a constitué son domaine à partir de 1984 en regroupant diverses parcelles familiales pour arriver à 10 ha. Depuis 2014, il conduit l'exploitation avec son fils Julien.

Ce 2015 séduit par son nez tout en fruits rouges, frais et friands. Franc au palais, ample et onctueux, il fera plaisir dès maintenant, tout en ayant assez de tanins pour être conservé quelques années. ⧗ 2016-2020 🍴 bœuf braisé aux carottes ■ **Secret du caveau Vieilles Vignes 2014 (5 à 8 €; 10000 b.)** : vin cité.

PASQUIER, 37, rue Émile-Landais, 49400 Chacé, tél. 06 73 58 82 44, dom.galmoises@gmail.com V *r.-v.*

DOM. DE LA GUILLOTERIE Tradition 2015 ★★

■ | 50000 | | 5 à 8 €

Voisin de la confluence de la Loire avec le Thouet, le domaine de la Guilloterie bénéficie de conditions climatiques très favorables. Régulièrement sélectionné en saumur-champigny ou en saumur, il est conduit depuis 1987 par la troisième génération avec les frères Patrice et Philippe Duveau.

Ce 2015 rouge intense livre un nez généreux de fruits noirs et rouges à l'eau-de-vie vivifiés par une touche végétale typique de l'appellation. Longue et tout aussi chaleureuse, la bouche se révèle puissante, dense, bien enrobée, étayée par de beaux tanins serrés. Emballant. ⧗ 2018-2022 ⧫ canette rôtie

O- *SCEA DUFEAU FRÈRES, 63, rue Foucault, 49260 Saint-Cyr-en-Bourg, tél. 02 41 51 62 78, contact@domainedelaguilloterie.com* r.-v.

LES HAUTES TROGLODYTES 2015 ★★

■ | 15000 | | 5 à 8 €

Ce domaine de 15 ha a été repris en 2003 par Laurent et Clarisse Machet. Les vins de la propriété sont élevés dans la fraîcheur des caves creusées dans le calcaire de la côte saumuroise, en bordure de la Loire.

Ce saumur-champigny d'un très beau rouge sombre tirant sur le brun s'impose par ses parfums bien typés et frais de fruits noirs agrémentés de nuances végétales et épicées. Une même intensité aromatique caractérise la bouche, souple, ronde et fondue, aux tanins soyeux et lisses. ⧗ 2016-2021 ⧫ paleron en sauce

O- *SCEV DOM. DES HAUTES TROGLODYTES, 4, rue du Moulin, 49400 Souzay-Champigny, tél. 02 41 51 26 46, domainehautestroglodytes@ozone.net* r.-v. O- *Clarisse et Laurent Machet*

♥ DOM. JOULIN Jeunes Vignes 2015 ★★

■ | 10000 | | 5 à 8 €

Le domaine de Philippe Joulin est installé au cœur de l'appellation saumur-champigny, à Chacé, tout près de Champigny. Il est passé de 4 ha à sa création en 1990 à 20 ha aujourd'hui.

Philippe Joulin signe un saumur-champigny plein de charme, d'un élégant grenat soutenu à reflets violines, ouvert sur les fruits noirs stimulés par de fines notes mentholées et réglissées. Ample dès l'attaque, la bouche se révèle riche, corsée, solidement structurée et s'étire dans une longue finale tout en fruit et en épices. Beaucoup de caractère et du potentiel. ⧗ 2017-2022 ⧫ rôti de bœuf sauce poivre ■ **Vieilles Vignes 2015 (5 à 8 €; 10000 b.)** : vin cité.

O- *PHILIPPE JOULIN, 58, rue Émile-Landais, 49400 Chacé, tél. 02 41 52 41 84, domaine.joulin@orange.fr* r.-v.

DOM. LANGLOIS-CHÂTEAU Vieilles Vignes 2014 ★

■ | 12000 | | 15 à 20 €

Spécialisée dans l'élaboration des vins effervescents, cette maison de négoce également propriétaire de vignes (qui dominent la Loire et la ville de Saumur) fait partie depuis 1973 du groupe Bollinger. Ses caves sont aménagées dans d'anciennes carrières creusées dans le tuffeau.

Derrière la robe rubis profond, on découvre un nez intense et harmonieux où se côtoient les fruits rouges et de fines notes boisées. Suivant la même ligne aromatique, la bouche se révèle ample et robuste, bâtie sur des tanins solides et un boisé racé. De longue garde assurément. ⧗ 2019-2026 ⧫ canard à la broche

O- *LANGLOIS-CHÂTEAU, 3, rue Léopold-Palustre, 49400 Saint-Hilaire-Saint-Florent, tél. 02 41 40 21 40, contact@langlois-chateau.fr* r.-v. O- *Bollinger*

CLOTILDE ET RENÉ-NOËL LEGRAND Les Terrages 2014 ★

■ | 8000 | | 5 à 8 €

Les Legrand sont vignerons depuis cinq générations à Varrains, commune considérée par certains comme la capitale du saumur-champigny. Depuis 2013, ce domaine de 15 ha est conduit par Clotilde Legrand, qui a pris la suite de son père René Noël.

Un bon classique que ce 2014 au bouquet expressif et friand de petits fruits rouges. Après une attaque franche et alerte, on retrouve ce fruité intense dans une bouche ample, souple, équilibrée, aux tanins bien fondus. ⧗ 2016-2019 ⧫ hachis parmentier

O- *RENÉ-NOËL ET CLOTILDE LEGRAND, 13, rue des Rogelins, 49400 Varrains, tél. 02 41 52 94 11, domaine.legrand@orange.fr* r.-v.

DOM. DES MARIGROLLES 2015

■ | 50000 | | 5 à 8 €

Après avoir travaillé sur l'exploitation de leurs parents pendant dix-huit ans, Stéphane Jordi et sa sœur Karina Thierry en ont repris les rênes en 2011. Leur domaine couvre 12 ha.

Après aération, on découvre un joli nez de petits fruits rouges et noirs mûrs où domine la griotte. La bouche se révèle vive, structurée par des tanins encore austère qu'il convient de laisser s'arrondir. Du potentiel. ⧗ 2018-2022 ⧫ aiguillettes de canard

O- *STÉPHANE JORDI ET KARINA THIERRY, rte de Chaintres, 49400 Saumur, tél. 06 17 14 00 55, earl.domainedesmarigrolles@gmail.com* r.-v.

DOM. DE NERLEUX 2015 ★

■ | n.c. | 5 à 8 €

Valeur sûre du Saumurois, le Dom. de Nerleux (« loups noirs » en ancien français) est ancré sur les terres de Saint-Cyr-en-Bourg depuis neuf générations. Couvrant aujourd'hui 48 ha, son vignoble est conduit par Régis et Élisabeth Neau, rejoints en 2011 par leur fille Amélie.

D'un rouge intense, cette cuvée dévoile des parfums délicats de petits fruits rouges qui se retrouvent dans une bouche ample, ronde, soyeuse et fraîche. Un saumur-champigny accessible et très polyvalent. ⧗ 2016-2019 ☨ brie de Meaux ■ **Les Loups noirs 2014 (11 à 15 €; 10 000 b.)** : vin cité.

AMÉLIE NEAU,
4, rue de la Paleine, 49260 Saint-Cyr-en-Bourg,
tél. 02 41 51 61 04, contact@nerleux.fr
t.l.j. sf dim. 10h-12h30 14h-18h

LE CLOS DU CH. DE PARNAY 2014 ★★

■	18 000		11 à 15 €

Ce domaine historique (la première forteresse remonte au X[e]s.) est célèbre pour son Clos d'Entre les Murs créé par Antoine Cristal, un clos constitué de onze murs parallèles troués à la hauteur des drageons pour permettre à ceux-ci de passer au travers et de se trouver face au Midi. Il a été racheté en 2006 par Mathias Levron, vigneron au domaine, et son associé Régis Vincenot, investisseur. Le vignoble couvre 28 ha constitués de quatre îlots de parcelles, tous situés sur un sol argilo-calcaire.

D'un engageant rouge profond aux reflets violacés, ce 2014 livre une palette impressionnante de fruits rouges et noirs surmûris qui viennent tapisser un palais friand, soyeux, expressif, équilibré, d'une rare longueur. Conjuguant puissance et élégance, ce millésime aimable dès maintenant saura aussi se bonifier avec le temps. ⧗ 2016-2021 ☨ côte de bœuf

CH. DE PARNAY,
1, rue Antoine-Cristal, 49730 Parnay, tél. 02 41 38 10 85,
bureau@chateaudeparnay.fr
t.l.j. sf dim. 10h-12h30 14h-18h30
Levron et Vincenot

DOM. DE LA PERRUCHE Le Chaumont 2015 ★

■	65 000		8 à 11 €

Jacques Beaujeau, figure du vignoble de l'Anjou, également propriétaire du vaste domaine du Ch. la Varière à Brissac, a acquis en 2000 cette propriété en saumur-champigny. À la tête de 45 ha de vignes, il s'illustre avec régularité dans ces pages.

Plusieurs fois au sommet dans des millésimes précédents (comme le 2011), cette cuvée affiche une robe grenat aux reflets violets et délivre des parfums complexes, fruités (fraise, framboise) et floraux (violette, iris, pivoine). Le prélude à une bouche très plaisante, souple, ronde et fraîche. ⧗ 2016-2020 ☨ carré de porc au four ■ **2015 ★ (8 à 11 €; 145 000 b.)** : la cuvée principale de la Perruche séduit par son nez intense, complexe et élégant mariant fruits rouges frais, notes florales et épicées, et par son palais ample, souple et rond, aux tanins bien fondus. ⧗ 2016-2020 ☨ poulet rôti

DOM. DE LA PERRUCHE, 29, rue de la Maumenière, 49730 Montsoreau, tél. 02 41 91 22 64, beaujeau@wanadoo.fr t.l.j. 10h-12h 14h-17h; sam. sur r.-v.

DOM. DE LA PETITE CHAPELLE Les Chaneluzes 2014 ★

■	4 350		11 à 15 €

Perpétuant une lignée de vignerons installés en Val de Loire depuis le XVII[e]s., Laurent Dézé (douzième génération) dirige avec son épouse Chantal ce domaine de 35 ha situé à Souzay-Champigny, au cœur de l'appellation saumur-champigny.

Ce 2014 rouge intense livre des parfums bien typés de fruits noirs mâtinés de nuances végétales. Tout aussi fruitée, la bouche se révèle ample, charnue, structurée et longue. Un vin prometteur et bien dans le ton de l'appellation. ⧗ 2017-2021 ☨ hachis parmentier

LAURENT DÉZÉ, 4, rue des Vignerons, Champigny, 49400 Souzay-Champigny, tél. 02 41 52 41 11, deze.laurent@orange.fr r.-v.

LE PETIT SAINT-VINCENT 2015 ★★

■	35 000		8 à 11 €

Dominique Joseph a repris en 1990 l'exploitation familiale de 13 ha située au cœur de l'appellation saumur-champigny, sur un coteau dominant la vallée de la Loire. Le vignoble est conduit en bio.

Ce vin se pare d'une robe rouge foncé et délivre d'intenses arômes fruités et épicés. Arômes qui imprègnent aussi un palais ferme et frais, charpenté par des tanins serrés et encore un peu austères, le gage d'un bel avenir. ⧗ 2018-2022 ☨ canard rôti

DOMINIQUE JOSEPH, Le Petit Saint-Vincent, 10, rue des Rogelins, 49400 Varrains, tél. 02 41 52 99 95, d-joseph@petit-saint-vincent.com t.l.j. sf dim. 9h-12h 14h-18h; sam. sur r.-v.

DOM. DE ROCHEVILLE Le Page 2014 ★★

■	16 000		8 à 11 €

Racheté en 2004 à un coopérateur, ce domaine s'étend sur 17 ha dans l'aire d'appellation saumur-champigny. Les châteaux de la Loire ont inspiré le nouveau propriétaire, Philippe Porché, qui a nommé ses cuvées « Le Roi », « Le Prince », « Le Fou du roi », « La Dame »...

Le Page reste sept mois en cuve. Pourpoint rubis moiré de violet, nez frais et délicatement fruité de framboise et de cassis nuancés de touches de sous-bois et de fumé ; bouche à l'unisson, à la fois ronde et alerte, adossée à des tanins fins et soyeux. La finale tonique laisse le souvenir d'un remarquable équilibre. À déboucher dès l'apéritif. ⧗ 2016-2019 ☨ escalope milanaise ■ **Le Prince 2014 (8 à 11 €; 16 000 b.)** : vin cité.

PHILIPPE PORCHÉ, Dom. de Rocheville, Les Hauts de Valbrun, 49730 Parnay, tél. 02 41 38 10 00, contact@domainederocheville.fr t.l.j. sf dim. lun. 10h-18h; f. 1re sem. de janv.

DOM. SAINT-VINCENT 2015 ★

■	50 000		5 à 8 €

Le domaine Saint-Vincent fait partie du vignoble de la côte de Saumur qui borde la Loire. Patrick Vadé

s'est installé sur l'exploitation familiale (30 ha) en 1984. Très régulier en qualité.

Robe grenat intense, nez de fruits rouges et noirs très mûrs annonçant une bouche ronde, aux tanins fondus. Une étoffe plutôt légère, mais un côté gourmand très plaisant. ⧗ 2016-2019 ▼ boudin noir aux pommes ■ **Les Trézellières 2015 (5 à 8 €; 50000 b.)** : vin cité.

⊶ PATRICK VADÉ, Dom. Saint-Vincent, 49400 Saumur, tél. 02 41 67 43 19, pvade@st-vincent.com V r.-v.

CH. LA SERPE Vieilles Vignes 2015 ★

■	26000	8 à 11 €

Un domaine de 5 ha fondé en 2007 par Mathias Levron et son associé Régis Vincenot, par ailleurs propriétaires du Ch. de Parnay et son célèbre Clos d'Entre les Murs créé par Antoine Cristal.

Ce vin grenat intense libère des senteurs de fruits noirs compotés, prélude à une bouche riche et ronde, aux tanins soyeux. ⧗ 2016-2019 ▼ joues de bœuf confites

⊶ CH. LA SERPE, 1, rue Antoine-Cristal, 49730 Parnay, tél. 02 41 38 10 85, bureau@chateaudeparnay.fr V *t.l.j. sf dim. 10h-12h30 13h30-18h30*
⊶ Levron et Vincenot

CH. DE TARGÉ Quintessence 2014 ★★

■	7400	⦶	20 à 30 €

Une ancienne résidence de chasse des secrétaires personnels des rois Louis XIV et Louis XV. Certains de leurs descendants, dont Edgard Pisani, furent au service de la République. Depuis 1978, Édouard Pisani-Ferry, ingénieur agronome, exploite les 24 ha du vignoble de manière «très raisonnée», proche du bio.

Cette cuvée a achevé sa fermentation puis séjourné un an en fût de chêne neuf de 400 l. Le résultat? Un vin grenat sombre au bouquet complexe dominé par les notes vanillées et toastées de l'élevage, avec quelques touches de cassis à l'arrière-plan. Les petits fruits, mâtinés de nuances réglissées et boisées, ressortent davantage dans une bouche affichant rondeur et puissance. ⧗ 2017-2021 ▼ entrecôte aux cèpes

⊶ SCEA ÉDOUARD PISANI-FERRY, Ch. de Targé, chem. de Targé, 49730 Parnay, tél. 02 41 38 11 50, edouard@chateaudetarge.fr V *t.l.j. sf dim. 10h-12h 14h-18h* Ⓔ

DOM. DU VAL BRUN Les Silices 2014 ★

■	10000	▮	5 à 8 €

Souvent mentionné dans le Guide, ce domaine, situé à 2 km de l'église romane de Parnay, est dans la même famille depuis 1722. Aujourd'hui, Éric Charruau exploite 30 ha sur le coteau calcaire de la rive gauche de la Loire.

Drapé dans une jolie robe rubis limpide, ce vin dévoile un bouquet expressif et plaisant de petits fruits rouges. La bouche est élégante, soyeuse, équilibrée. Un saumur-champigny bien sous tous rapports. ⧗ 2016-2019 ▼ hamburger ■ **Les Folies Vieilles Vignes 2014 (5 à 8 €; 6000 b.)** : vin cité.

⊶ ÉRIC CHARRUAU, 74, rue Val-Brun, 49730 Parnay, tél. 02 41 38 11 85, charruau.eric@valbrun.com V *r.-v.* Ⓒ

Ⓑ DOM. DES VARINELLES 2015 ★

■	60000	▮	5 à 8 €

Implantée dans l'aire du saumur-champigny, cette exploitation est typique du Saumurois avec ses caves creusées dans le tuffeau. Représentant la cinquième génération sur le domaine, Laurent Daheuiller s'est installé en 2011. Le domaine (42 ha) est conduit en bio.

Les jurés ont apprécié la robe rouge bordeaux de ce 2015, son nez intense et complexe de petits fruits rouges surmûris, son palais bien charpenté, à la fois puissant et soyeux, d'une belle longueur sur le fruit. ⧗ 2018-2021 ▼ pintade rôtie ■ **Daheuiller Laurientale 2015 (8 à 11 €; 6000 b.)** Ⓑ : vin cité.

⊶ SCA DAHEUILLER, 28, rue du Ruau, 49400 Varrains, tél. 02 41 52 90 94, daheuiller.vins@wanadoo.fr V *r.-v.*

DOM. DES VERNES Les Poyeux 2014 ★

■	2000	⦶	8 à 11 €

Installé sur le domaine familial en 2002, Sébastien Sanzay représente la sixième génération à la tête de cette exploitation qui s'étend sur 30 ha répartis autour de Chacé. La propriété en pierre de tuffeau, typique du Saumurois, date de 1776.

Cette cuvée fermentée et élevée en fût a séduit tout au long de la dégustation. On aime sa robe pourpre limpide, son bouquet de petits fruits rouges surmûris rehaussés de notes grillées et boisées, sa bouche dans le même registre, à la fois puissante et fraîche, souple, soyeuse et très équilibrée. Elle gagnera sa seconde étoile quand le bois sera bien fondu. ⧗ 2018-2021 ▼ daube de canard

⊶ SÉBASTIEN SANZAY, 7, bd de Caulx, 49400 Chacé, tél. 02 41 52 99 13, domainedesvernes@free.fr V *t.l.j. sf dim. 8h-12h 14h-18h*

DOM. DU VIEUX BOURG Vieilles Vignes 2014

■	9075	⦶▮	8 à 11 €

Jean-Marie Girard et son frère Noël ont créé en 1987 ce domaine établi à Varrains, qui a pour enseigne un pressoir à long fût datant du XVIIIes. Leurs vignes implantées sur des sols argilo-sableux couvrent 18 ha.

Ce vin offre un joli fruité nuancé de grillé. Un bon volume, une matière souple, légère et soyeuse, une finale persistante et un brin tannique, la bouche est équilibrée. ⧗ 2016-2020 ▼ sandre au vin rouge

⊶ EARL GIRARD FRÈRES, 30, Grand-Rue, 49400 Varrains, tél. 02 41 52 91 89, n.girard@vieux-bourg.com V *t.l.j. 10h-12h 14h-18h* Ⓒ

➜ LA TOURAINE

Les intéressantes collections du musée des Vins de Touraine à Tours témoignent du passé de la

civilisation de la vigne et du vin dans la région, et il n'est pas indifférent que les récits légendaires de la vie de saint Martin, évêque de Tours vers 380, émaillent la *Légende dorée* d'allusions viticoles ou vineuses… À Bourgueil, l'abbaye et son célèbre clos abritaient le «breton» ou cabernet franc, dès les environs de l'an mil, et, si l'on voulait poursuivre, la figure de Rabelais arriverait bientôt pour marquer de faconde et de bien-vivre une histoire prestigieuse. Celle-ci revit au long des itinéraires touristiques, de Mesland à Bourgueil sur la rive droite (par Vouvray, Tours, Luynes, Langeais), de Chaumont à Chinon sur la rive gauche (par Amboise et Chenonceaux, la vallée du Cher, Saché, Azay-le-Rideau, la forêt de Chinon).

Célèbre il y a donc fort longtemps, le vignoble tourangeau atteignit sa plus grande extension à la fin du XIXes. Il se répartit essentiellement sur les départements de l'Indre-et-Loire et du Loir-et-Cher, empiétant au nord sur la Sarthe. Des dégustations de vins anciens, des années 1921, 1893, 1874 ou même 1858, par exemple, à Vouvray, Bourgueil ou Chinon, font apparaître des caractères assez proches de ceux des vins actuels. Cela montre que, malgré l'évolution des pratiques culturales et œnologiques, le «style» des vins de la Touraine reste le même; sans doute parce que chacune des appellations n'est élaborée qu'à partir d'un seul cépage. Le climat joue aussi son rôle: les influences atlantique et continentale ressortent dans l'expression des vins, les coteaux formant un écran aux vents du nord. En outre, la succession de vallées orientées est-ouest, vallées du Loir, de la Loire, du Cher, de l'Indre, de la Vienne, multiplie les coteaux de tuffeau favorables à la vigne, sous un climat tout en nuances, en entretenant une saine humidité. Ce tuffeau, pierre tendre, est creusé d'innombrables caves. Dans les sols des vallées, l'argile se mêle au calcaire et au sable, avec parfois des silex; au bord de la Loire et de la Vienne, des graviers s'y ajoutent.

Ces différents caractères se retrouvent donc dans les vins. À chaque vallée correspond une appellation, dont les vins s'individualisent chaque année grâce aux variations climatiques; et l'association du millésime aux données du cru est indispensable.

Le classement des millésimes est à moduler, bien sûr, entre les rouges tanniques de Chinon ou de Bourgueil (plus souples quand ils proviennent des graviers, plus charpentés quand ils sont issus des coteaux) et ceux plus légers, et parfois diffusés en primeur, de l'appellation touraine; entre les rosés plus ou moins secs selon l'ensoleillement, tout comme les blancs d'Azay-le-Rideau ou d'Amboise, et ceux de Vouvray et de Montlouis dont la production va des secs aux moelleux en passant par les vins effervescents. Les techniques d'élaboration des vins ont leur importance. Si les caves de tuffeau permettent un excellent vieillissement à une température constante d'environ 12 °C, les vinifications en blanc se font à température contrôlée; les fermentations durent quelquefois plusieurs semaines, voire plusieurs mois pour les vins moelleux. Les rouges légers, de type touraine, sont issus de cuvaisons au contraire assez courtes; en revanche, à Bourgueil et à Chinon, les cuvaisons sont longues: deux à quatre semaines. Si les rouges font leur fermentation malolactique, les blancs et les rosés, eux, doivent leur fraîcheur à la présence de l'acide malique.

TOURAINE

Superficie : 4 470 ha
Production : 254 353 hl (30 % rouge, 14 % mousseux)

S'étendant des portes de Montsoreau à l'ouest jusqu'à Blois et Selles-sur-Cher à l'est, l'aire d'appellation régionale touraine est principalement localisée de part et d'autre des vallées de la Loire, de l'Indre et du Cher. Le tuffeau affleure rarement; les sols surmontent le plus souvent l'argile à silex. Les vins rouges proviennent de gamay (cépage exclusif des touraines primeurs), ou d'assemblage de cépages plus tanniques, comme le cabernet franc et le côt. À base de deux ou trois cépages, ils ont une bonne tenue en bouteille. Nés du cépage sauvignon qui, depuis quarante ans, a détrôné les autres, les blancs sont secs. Une partie de la production des blancs et des rosés est élaborée en mousseux selon la méthode traditionnelle. Toujours secs, friands et fruités, les rosés sont élaborés à partir des cépages rouges.

GUY ALLION Les Perdriettes Gamay 2015

■ | 15000 | ▮ | - de 5 €

Guy Allion s'est installé en 1999 sur ce vignoble situé sur des coteaux de la rive droite du Cher. Il conduit un vignoble de 30 ha.

Ce pur gamay livre à l'olfaction des notes de fruits noirs, de cerise et de framboise. En bouche, le fruité se montre plus mûr, sur des nuances de cerise à l'eau-de-vie. Un vin très aromatique, simple et de bon aloi, à boire sur le fruit. ⧗ 2016-2019 ▾ filet mignon de porc

SARL DOM. GUY ALLION, 15, rue du Haut-Perron, 41140 Thésée, tél. 02 54 71 48 01, contact@guyallion.com
V r.-v.

DOM. AUGIS Réserve des caillouteux 2014 ★

■ | 15000 | | 5 à 8 €

Propriété familiale créée en 1900 à Meusnes, la commune la plus orientale de l'AOC touraine, réputée pour ses sols riches en silex. Depuis 1988, Philippe Augis, cinquième du nom à la tête de ce domaine régulier en qualité, exploite 18 ha en appellations touraine et valençay.

Si les armées ne prélèvent plus – comme à l'époque napoléonienne – le silex pour ses fusils sur ces terroirs, la vigne, elle, donne des vins marqués par la minéralité de cette charge caillouteuse. Cette cuvée aux notes de violette et de fruits rouges n'y échappe pas. Solidement charpentée en bouche, elle n'en est pas moins déjà aimable. ⧗ 2016-2020 ▾ bœuf bourguignon

LOIRE

DOM. AUGIS, 1465, rue des Vignes, 41130 Meusnes, tél. 02 54 71 01 89, philippe.augis@wanadoo.fr t.l.j. sf dim. 8h-12h 14h-19h

CELLIER DU BEAUJARDIN
Moulin des Aigremonts 2015 ★

	30000		- de 5 €

Cette union de producteurs créée en 1925 vinifie les raisins de nombreuses exploitations situées aux portes des châteaux d'Amboise et de Chenonceau. Elle exploite aussi ses propres vignes, reprenant des vignobles sans succession.

Belle intensité pour ce vin ouvert sur des notes de fruits à chair blanche, de bourgeon de cassis et de fleurs blanches. Très expressif dès l'attaque, le palais se montre souple et ample jusque dans sa longue finale aux accents de poire. 2016-2020 poulet à l'estragon ■ **Fief Saint-Martin 2015 (- de 5 €; 35000 b.)** : vin cité.

SCA CELLIER DU BEAUJARDIN, 32, av. du 11-Novembre-1918, 37150 Bléré, tél. 02 47 57 91 04, cellier.beaujardin@wanadoo.fr r.-v. *Cave des Vignerons de Bléré*

DOM. BELLEVUE Sauvignon 2015 ★★

	180000		- de 5 €

Patrick Vauvy a pris en 1989 la suite des trois générations précédentes sur le domaine familial qui s'étend sur 41 ha à Noyers-sur-Cher. Une commune où l'on trouve une pépinière d'excellents vignerons et des terroirs siliceux au sous-sol argilo-calcaire donnant beaucoup de légèreté aux vins.

D'un brillant or jaune, ce 2015 charme d'emblée par ses notes exotiques de mangue et d'abricot. D'une belle intensité aromatique, la bouche confirme les impressions de surmaturité perçues à l'olfaction. On y trouve de la douceur, ce qu'il faut de fraîcheur pour atteindre l'harmonie et une élégance certaine. 2016-2019 asperges de Sologne à la crème

EARL P. VAUVY - DOM. BELLEVUE, 6, rue du Coteau 41140 Noyers-sur-Cher, tél. 02 54 71 42 73, domainebellevue@orange.fr r.-v.

DOM. DE LA BERGEONNIÈRE Cuvée Olivier 2015

	11200		5 à 8 €

Œnologues-conseils, Delphine et Laurent Benoist ont repris en 2003 ce domaine familial (16,4 ha aujourd'hui) implanté sur la commune de Saint-Romain-sur-Cher, au nord de Saint-Aignan.

Une robe pâle aux reflets gris, un bouquet discrètement floral assorti de touches de fruits blancs, l'approche est plaisante. Dans le même registre fruité, la bouche se montre souple et légère. Le plaisir dans la simplicité. 2016-2018 saint-jacques poêlées

DOM. DE LA BERGEONNIÈRE, 26, rte des Fourneaux, 41140 Saint-Romain-sur-Cher, tél. 02 54 71 70 43, jcbodin@wanadoo.fr t.l.j. sf dim. 9h-12h30 14h-18h30 *Delphine et Laurent Benoist*

DOM. DES BESSONS Arroma 2015 ★

	6800		5 à 8 €

Établi sur la rive droite de la Loire tout près d'Amboise, François Péquin s'est lancé dans la vinification et la vente directe après son installation en 1980. Il exploite 9 ha de vignes en touraine et en touraine-amboise.

Une robe limpide aux reflets verts, du buis et des fleurs blanches à l'olfaction: ce 2015 est engageant. Souple et tendre en attaque, le palais se montre fruité jusqu'en finale, relevé par une touche acidulée qui lui apporte de l'allonge et de l'équilibre. 2016-2020 bouillabaisse

DOM. DES BESSONS, 113, rue de Blois, 37530 Limeray, tél. 02 47 30 09 10, francois.pequin@wanadoo.fr r.-v. *François Péquin*

JEAN-MARC BIET Sauvignon 2015

	20930		- de 5 €

Jean-Marc Biet est établi depuis 1984 sur la rive gauche du Cher, dans un village tout proche de Saint-Aignan. Du domaine familial cultivé en polyculture pendant quatre générations, il n'a gardé que le vignoble, qui couvre aujourd'hui 20 ha.

Après un élevage sur lies, ce sauvignon se présente dans une robe lumineuse, le nez ouvert sur d'élégantes notes florales relayées à l'agitation par des nuances citronnées. Une attaque souple introduit un palais intense et floral, rehaussé en finale par une fraîcheur bienvenue. 2016-2018 bulots mayonnaise

JEAN-MARC BIET, 38, rte de Bel-Air, 41110 Seigy, tél. 02 54 75 34 34, jm.biet@orange.fr t.l.j. sf dim. 9h-12h 14h-19h

DOM. DES CAILLOTS Sauvignon 2015 ★★

	50000		- de 5 €

Des actes notariés attestent l'existence de cette propriété viticole dès le XVIIIes. Dominique Girault, à la tête du domaine depuis 1983, perpétue la mise en valeur des excellents terroirs argilo-siliceux bordant le Cher. Son vignoble couvre aujourd'hui 21 ha.

Proche du coup de cœur, ce 2015 d'abord discret a charmé le jury par l'ampleur de son spectre aromatique: des agrumes, des fruits exotiques et de fines notes végétales. La bouche, marquée par la pâte de fruits, se montre gourmande, suave et ronde, rehaussée en finale par d'élégantes notes acidulées qui lui apportent fraîcheur et équilibre. 2016-2020 poulet au citron ■ **Tradition 2014 ★ (- de 5 €; 10000 b.)** : vin au caractère bien affirmé, centré sur des notes de fruits noirs intenses, très charnu dès l'attaque et concentré jusqu'à la finale des plus soyeuses. 2017-2021 coq au vin

EARL DOMINIQUE GIRAULT, 2, chem. du Vigneron, Le Grand-Mont, 41140 Noyers-sur-Cher, tél. 02 54 32 27 07, domaine.des.caillots@orange.fr t.l.j. 10h-12h 14h-19h; dim. sur r.-v.

DOM. FRANÇOIS CARTIER Sauvignon 2015 ★

| 30000 | 🍾 | 5 à 8 € |

François Cartier, qui gère le domaine familial depuis 1977, a été rejoint en 2011 par son fils Vincent. Ce dernier a complété sa formation en Australie avant de revenir travailler ce vignoble de 25 ha implanté sur les coteaux du Cher.

Cette cuvée or pâle libère à l'olfaction de fines notes de genêt et d'agrumes. Une agréable fraîcheur aux saveurs de pamplemousse sous-tend le palais jusque dans sa longue finale. Énergique et expressif. ⧗ 2016-2019 🍴 saumon mariné

DOM. FRANÇOIS CARTIER, 13, rue de la Bergerie, 41110 Pouillé, tél. 02 54 71 51 54, cartier-francois@wanadoo.fr
V t.l.j. sf dim. 9h-12h 14h-18h; f. 15 août-1er sept.

DOM. DE LA CHAISE Sauvignon 2015

| 70000 | 🍾 | 5 à 8 € |

Héritier d'une tradition qui remonte à 1850, Christophe Davault s'est installé en 2004 sur ce domaine qui couvre aujourd'hui 57 ha. L'exploitation est située sur les anciennes terres du prieuré de La Chaise, déjà plantées en vignes par les moines au Xe s.

Un sauvignon classique au fruité affirmé (agrumes), complété de touches florales (fleurs blanches) et végétales (bourgeon de cassis). Une typicité qui caractérise aussi la bouche, souple, vive et légère, à la longue finale marquée par un retour des élégantes notes florales. ⧗ 2016-2018 🍴 plateau de fruits de mer

CHRISTOPHE DAVAULT, La Chaise, 37, rue de la Liberté, 41400 Saint-Georges-sur-Cher, tél. 06 78 57 12 28, domainedelachaise@orange.fr
V t.l.j. sf dim. 8h-12h 14h-19h

DOM. DE LA CHAPELLE 2015

| 6000 | 🍾 | - de 5 € |

Constitué en 1935 par un cultivateur d'origine beauceronne, le domaine pratiquait la polyculture-élevage. Installé en 1996, Thierry Gosseaume, petit-fils du fondateur, l'a définitivement spécialisé en

La touraine

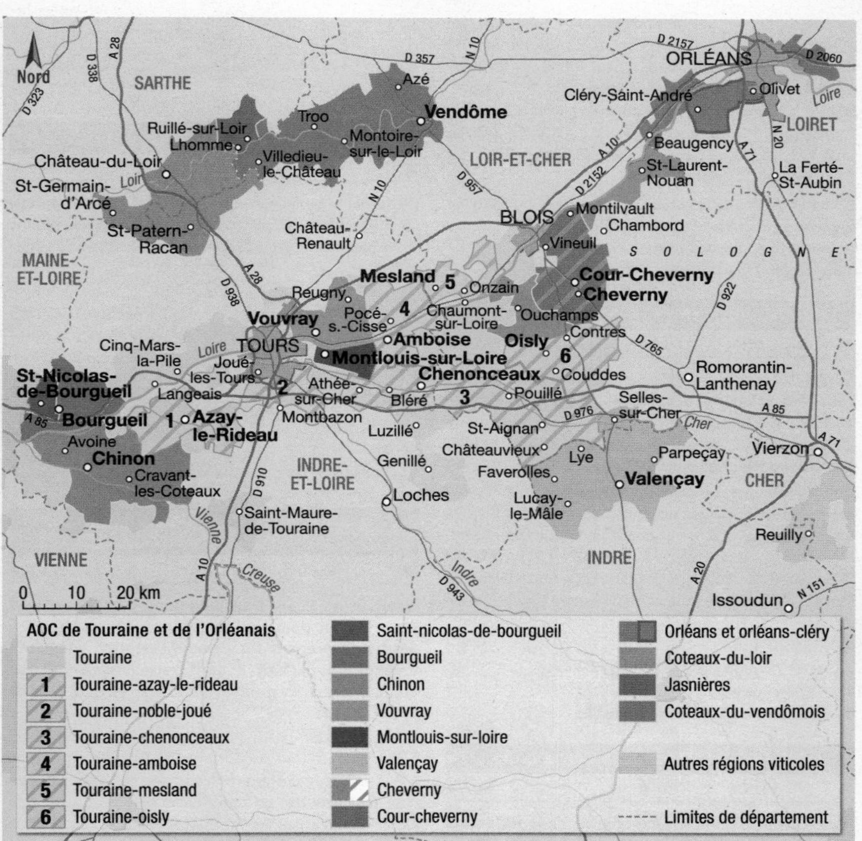

viticulture. Il exploite 25 ha à Choussy, au cœur de l'appellation touraine-oisly.

Ce vin pâle présente un nez expressif et typé, sur le bourgeon de cassis. Le fruit et la souplesse sont au rendez-vous dans une bouche croquante et fraîche jusqu'en finale. ⧗ 2016-2019 🍴 rillettes d'oie

THIERRY GOSSEAUME, La Chapelle, 14, rte de la Gittonière, 41700 Choussy, tél. 02 54 71 32 43, fines-bulles@orange.fr V mer. sam. 9h-12h 14h-19h; autres j. sur r.-v.

LA CHAPINIÈRE Côt Garnon 2014 ★

■	10 000		8 à 11 €

Après une première vie professionnelle de cadre supérieur dans une grande entreprise, Florence Veilex a décidé de retourner sur les bancs de l'école afin de décrocher un BTS de viticulture-œnologie. En 2003, elle a acquis ce domaine de 25 ha situé sur les coteaux sud du Cher, qu'elle gère avec son mari Éric Yung, journaliste. Tourné vers l'œnotourisme, le domaine loue aussi des écuries.

Ce 100 % côt a séduit le jury par ses notes capiteuses de pivoine et de fruits rouges. Marquée par les épices et les fleurs (rose fanée, pivoine) et bâtie sur des tanins soyeux, la bouche révèle une aimable douceur fruitée et s'achève sur des nuances acidulées. Un vin intense et complexe qui sort des sentiers battus. ⧗ 2016-2020 🍴 rôti de bœuf ■ **Sauvignon 2015 ★ (5 à 8 €; 35 000 b.)** : un blanc typé, végétal au nez (bourgeon de cassis, buis), tendre, souple et fruité en bouche. ⧗ 2016-2019 🍴 filet de truite sauce échalote ■ **Gamay 2015 (5 à 8 €; 10 000 b.)** : vin cité.

LA CHAPINIÈRE DE CHÂTEAUVIEUX, 4, chem. de la Chapinière, 41110 Châteauvieux, tél. 02 54 75 43 00, contact@lachapiniere.com V t.l.j. sf mar. mer. 10h-19h; dim. 10h-13h

DOM. CHARBONNIER Cuvée Prestige 2014 ★

■	5 000		5 à 8 €

Daniel Charbonnier a pris sa retraite en 2009, mais son frère Michel et son fils Stéphane, installés en 2001, sont toujours là pour conduire le domaine de 22 ha en culture raisonnée. Leurs vins sont régulièrement mentionnés dans le Guide.

Une jolie parure teintée d'améthyste habille ce vin qui mêle au nez des notes de cuir et de petits fruits noirs écrasés (cassis, mûre). En bouche, souplesse et rondeur sont au rendez-vous. ⧗ 2016-2020 🍴 rôti de bœuf ■ **Gamay 2015 ★ (- de 5 €; 18 000 b.)** : un 2015 charnu et rond dès l'attaque, qui offre une belle concentration de fruits noirs compotés tout au long de la dégustation. ⧗ 2016-2019 🍴 poulet en cocotte

DOM. CHARBONNIER, 4, chem. de la Cossaie, 41110 Châteauvieux, tél. 02 54 75 49 29, dms.charbonnier@wanadoo.fr V r.-v.

DOM. DES CLÉMENDIÈRES Sauvignon 2015

■	10 000		- de 5 €

Après avoir acquis son expérience dans différents vignobles de France (Alsace, Bordelais, Bourgogne...) et en Californie, Arnault Ponlevoy a rejoint en 2006 le domaine familial: 16 ha qu'il cultive avec son frère.

Ce vin sec et fruité s'ouvre sur les fruits à chair blanche bien mûrs, assortis de nuances de bourgeon de cassis et de fleurs blanches. En bouche, il offre de la souplesse, de la fraîcheur et de la légèreté. Simple et de bon aloi. ⧗ 2016-2018 🍴 saumon fumé

EARL PONLEVOY, 402, La Hardionnerie, 37150 Bléré, tél. 06 70 89 59 71, arnaultponlevoy@hotmail.com V t.l.j. sf dim. 8h-12h30 14h-19h

DOM. DES CORBILLIÈRES Angéline 2014

■	4 000		8 à 11 €

Situé à Oisly, en Sologne viticole, ce domaine est une des valeurs sûres de l'appellation touraine. Acquis dans les années 1920 par la famille, le vignoble, qui compte aujourd'hui 27 ha, est conduit par Dominique Barbou.

Ce pur côt à la robe violine dévoile de douces senteurs de pruneau légèrement boisées. Un fruité présent dès l'attaque dans une bouche ample et longue, soutenue par des tanins encore un peu fermes en finale. ⧗ 2017-2021 🍴 rôti de porc aux pruneaux

EARL BARBOU, Dom. des Corbillières, 41700 Oisly, tél. 02 54 79 52 75, contact@domainedescorbillieres.com V r.-v.

DOM. DU COTEAU Côt La Saulas 2014

■	2 000		- de 5 €

Ce domaine familial proche du château de Chaumont-sur-Loire et de la Sologne viticole est conduit depuis 1998 par Bruno Bigot, représentant la sixième génération.

Ce pur côt s'annonce dans une robe sombre aux reflets améthyste. Du verre s'échappent des parfums généreux et complexes de pruneau, de pivoine et quelques notes poivrées. En bouche, de la souplesse et de la fraîcheur. ⧗ 2016-2020 🍴 travers de porc épicés

DOM. DU COTEAU - BRUNO BIGOT, 1, rue du Châtelet, 41120 Monthou-sur-Bièvre, tél. 02 54 44 05 82, b.bigot.coteau@orange.fr V r.-v.

GABRIÈLE ET RÉGIS DANSAULT Arabesque 2014

■	1 500		8 à 11 €

Gabrièle et Régis Dansault sont installés depuis 1984 sur un domaine qu'ils ont constitué petit à petit, en reprenant des vignes en location à de petits viticulteurs partant à la retraite. Ils conduisent aujourd'hui un vignoble de 15 ha, en bio certifié depuis 2010.

Assemblage de cabernet et de côt, un vin vinifié sans sulfites ajoutés. Sa robe framboise est attirante et les notes intensément fruitées qui s'échappent du verre sont engageantes. En bouche, ce 2014 séduit par son caractère tendre et soyeux. ⧗ 2016-2020 🍴 côtelettes de porc à la tomate

EARL GABRIÈLE ET RÉGIS DANSAULT, 1, rue Gaspard-Monge, 37270 Montlouis-sur-Loire, tél. 02 47 44 36 23, regis.dansault@wanadoo.fr r.-v.

DOM. JOËL DELAUNAY Sauvignon 2015 ★

| 100 000 | | 5 à 8 € |

Joël Delaunay s'est lancé dans la vente en bouteilles en 1970. Ce vigneron réputé de l'AOC touraine a cédé en 2003 à son fils Thierry et à son épouse Marie l'exploitation, située sur la première côte de la vallée du Cher, qui couvre 34 ha aujourd'hui. Une valeur sûre.

Une robe or pâle aux reflets argentés, un nez intense sur la pêche et les agrumes, l'approche séduit. En bouche, les fruits exotiques (litchi) prennent le relais. En deux mots: souplesse et élégance. 2016-2019 lasagnes au saumon

DOM. JOËL DELAUNAY, 48, rue de la Tesnière, 41110 Pouillé, tél. 02 54 71 45 69, contact@joeldelaunay.com t.l.j. sf dim. 9h-12h 13h30-17h30; sam. sur r.-v.

DOM. DESLOGES Sauvignon 2015 ★

| 42 000 | | - de 5 € |

Campé sur les hauteurs dominant la vallée du Cher, ce domaine a augmenté sa superficie depuis 1989, passant de 10 à 22 ha. À l'installation de Cyril Desloges en 1997, il s'est équipé d'un chai de vinification.

L'œil est attiré par les reflets argentés de la robe, le nez charmé par d'intenses senteurs de pêche de vigne. Le palais est flatté par une matière ample et gourmande, ronde et puissante, aux notes de citron confit, rehaussée en finale par des nuances plus acidulées. 2016-2020 saumon mariné à l'aneth **Cuvée Prestige 2014 (5 à 8 €; 3000 b.)** : vin cité.

CYRIL DESLOGES, 7, Les Petits-Bois-Bernier, 41400 Monthou-sur-Cher, tél. 06 74 14 86 50, domainedesloges@orange.fr t.l.j. sf dim. 9h-12h 14h-19h

DOM. DESROCHES 2015 ★★

| 6000 | | - de 5 € |

Saint-Georges-sur-Cher est l'une des plus importantes communes viticoles de Touraine. Installé ici depuis 1980, Jean-Michel Desroches représente la quatrième génération à la tête de ce domaine familial de 16,3 ha.

Issu d'un terroir de perruches sableuses, ce blanc très classique a impressionné le jury par sa justesse. Sa robe scintillante donne le ton. Son bouquet intense et généreux d'agrumes bien mûrs séduit. En bouche, ampleur, élégance et fraîcheur finissent de convaincre. Un 2015 distingué à réserver pour des mets raffinés. 2016-2020 filet de sandre au beurre blanc

JEAN-MICHEL DESROCHES, 8, imp. du Vieux-Porche, 41400 Saint-Georges-sur-Cher, tél. 02 54 32 33 13, desroches.jm@wanadoo.fr r.-v.

♥ LA DILECTA Sauvignon 2015 ★★

| 16 400 | | 8 à 11 € |

LA DILECTA TOURAINE SAUVIGNON

Établie sur la rive droite du Cher, cette coopérative, qui regroupe une vingtaine d'adhérents, a été fondée en 1957. Elle dispose de quelque 200 ha de vignes.

La cave de Saint-Romain signe une cuvée très raffinée issue de sélections parcellaires et élevée sur lies durant six mois. Il en résulte un vin aux senteurs d'agrumes et de buis relayées à l'aération par des notes plus mûres de litchi. En bouche, on est accueilli par une petite note saline, puis le développement se fait doux et onctueux, pour finir sur des notes persistantes de zeste d'agrumes qui laissent une sensation de fraîcheur et de plénitude. 2016-2020 volaille crémée **Ch. de Pont Sauvignon Les Cadastres Vieilles Vignes 2015 (5 à 8 €; 3066 b.)** : vin cité.

LES VIGNERONS DES COTEAUX ROMANAIS, 50, rue Principale, 41140 Saint-Romain-sur-Cher, tél. 02 54 71 59 50, vignerons.romanais@wanadoo.fr t.l.j. sf dim. lun. 9h-12h 14h-18h *Denis Bourdin*

CH. DE FONTENAY Sauvignon 2015

| 6500 | 5 à 8 € |

Didier et Carole Corby ont repris en 1996 une exploitation située sur la rive gauche du Cher, à deux pas de Chenonceaux. Nathalie et Philippe Carli les ont rejoints à la tête de ce domaine de 12 ha commandé par un château des XVIIe et XIX[e]s. entièrement restauré.

Beaucoup de classicisme dans ce sauvignon issu de terroirs argileux, dans lequel la douceur des fruits blancs (pêche) et l'acidité des agrumes (citron vert) soulignées par la fraîcheur attendue du cépage s'expriment tout au long de la dégustation. 2016-2019 salade de langoustines

EARL DOM. DE FONTENAY, 3, Fontenay, 37150 Bléré, tél. 02 47 57 93 05, vin@lechateaudefontenay.fr r.-v. 5 E *Carli*

CAVE DE LA GRANDE BROSSE Gamay 2015

| 10 000 | | - de 5 € |

Aux portes de la Sologne, la Cave de la Grande Brosse est une ancienne carrière dont l'origine remonterait au X[e]s. et dont les pierres auraient servi à la construction des châteaux de Chambord et de Cheverny. Philippe Oudin est à la tête de ce domaine depuis 1989.

Une belle robe soutenue habille ce pur gamay aux senteurs de cassis. Souple dès l'attaque, la bouche renoue avec les fruits, complétés de touches poivrées propres au cépage. Un court séjour en cave devrait arrondir les tanins, encore un peu serrés en finale. 2017-2021 paupiettes de veau

CAVE DE LA GRANDE BROSSE, La Grande-Brosse, 41700 Chémery, tél. 02 54 71 81 03, cave.grande-brosse@wanadoo.fr r.-v. *Oudin*

LOIRE

DOM. DE LA GRANDE FOUCAUDIÈRE
Sauvignon 2015

| 2500 | | 5 à 8 € |

Après avoir passé quinze ans en région parisienne, Lionel Truet est revenu en 1992 sur les terres familiales situées dans la région d'Amboise. Il conduit aujourd'hui un petit vignoble niché au cœur d'un parc forestier de 40 ha.

Ce sauvignon arbore une robe jaune brillant. Expressif, il libère des notes bien typées de fruits exotiques et de buis. Tout aussi aromatique, le palais se montre onctueux sans se départir ni de son élégance ni de sa fraîcheur. Un joli mariage d'un millésime solaire et du cépage. ⧗ 2016-2018 ⚲ nage de poissons curry-coriandre

LIONEL TRUET, La Grande-Foucaudière, 37530 Saint-Ouen-les-Vignes, tél. 02 47 30 04 82, lioneltruet@orange.fr V *t.l.j. 9h-12h 14h-19h*

DOM. DE LA GRANGE
Patrimoine Élevé en barrique 2014 ★

| 7000 | | 8 à 11 € |

Bruno Curassier conduit depuis 1992 ce domaine familial de 13 ha situé à deux pas de Chenonceaux et d'Amboise. Après un passage en coopérative, il a débuté la mise en bouteilles en 2006.

Le cabernet franc (80 %) et le côt ont donné naissance à cette cuvée rouge sombre, au nez intense, épicé. Puissant dès l'attaque, le palais révèle de généreuses notes de fruits rouges mûrs agrémentés d'une jolie trame vanillée léguée par douze mois de fût. Du caractère et de l'harmonie. ⧗ 2016-2021 ⚲ gigot d'agneau ■ **Le Clos Mabille 2014 (5 à 8 €; 16000 b.)** : vin cité.

DOM. DE LA GRANGE, 8, rue de la Grange, 37150 Bléré, tél. 02 47 57 68 18, bruno.curassier@bbox.fr V *t.l.j. sf dim. 10h-12h 14h-19h* *Curassier*

JEAN-CHRISTOPHE MANDARD Sauvignon 2015 ★

| 40000 | | 5 à 8 € |

Représentant la quatrième génération de vignerons sur le domaine, Jean-Christophe Mandard, installé en 1993, exploite 27 ha sur les premières côtes de la rive gauche du Cher, un terroir précoce riche en silex.

Pâle et limpide, ce sauvignon révèle des arômes intenses d'agrumes mûrs, de pamplemousse notamment. Ample et onctueux, le palais se voit rehaussé en finale par de vivifiantes et persistantes nuances acidulées. ⧗ 2016-2019 ⚲ acras de morue

JEAN-CHRISTOPHE MANDARD, 14, rue du Bas-Guéret, 41110 Mareuil-sur-Cher, tél. 02 54 75 19 73, mandard.jc@wanadoo.fr V *r.-v.*

DOM. DE MARCÉ Sauvignon 2015 ★★

| 80000 | - de 5 € |

Les vins blancs du domaine de Marcé sont souvent au rendez-vous du Guide. Installé en 1992 sur le domaine familial à Oisly, Christophe Godet poursuit le travail de quatre générations. Il exploite 32 ha de vignes sur des terrains argilo-siliceux.

Des larmes abondantes tapissent le verre: l'annonce d'un vin généreux. De fait, le nez, ouvert sur la fraîcheur du citron vert, dévoile à l'aération des senteurs plus opulentes de pêche mûre. On retrouve ces saveurs gourmandes de fruits du verger dans une bouche ronde et intense, ciselée par une belle finale acidulée. ⧗ 2016-2020 ⚲ volaille de Loué à la crème

CHRISTOPHE GODET, 10, rte de Marcé, 41700 Oisly, tél. 02 54 79 54 04, godet.viticulteur@orange.fr V *t.l.j. sf dim. 9h-12h 14h30-19h*

DENIS MEUNIER Fines Bulles 2014

| 6200 | | 5 à 8 € |

Depuis 1921, Georges, André, puis Daniel et Mauricette se sont succédé sur le domaine. En 2012, Denis a pris la relève. Il a agrandi l'exploitation qui couvre aujourd'hui 12,5 ha sur les communes de Chançay et de Vernou-sur-Brenne.

Œil-de-perdrix aux reflets saumon, cette cuvée s'ouvre sur des notes juteuses et originales de pastèque, de melon et de tomate. On retrouve cette sensation dans un palais acidulé, relevé par de beaux amers en finale. ⧗ 2016-2018 ⚲ dips de légumes

DENIS MEUNIER, 14, rue du Haut-Cousse, 37210 Vernou-sur-Brenne, tél. 02 47 52 07 82, cavemeunier@orange.fr V *t.l.j. sf dim. 9h-12h30 14h-19h*

DOM. MICHAUD Sauvignon 2015 ★

| 65000 | | 5 à 8 € |

Installé en 1985, Thierry Michaud exploite 25 ha de vignes dans la vallée du Cher et élabore de jolis vins de terroir. Une valeur sûre en crémant-de-loire et en touraine.

D'intenses notes de pêche s'exhalent du verre. En bouche, une belle sensation de douceur dès l'attaque, un développement en souplesse et une finale vivifiante sur des notes acidulées. De l'harmonie et de l'élégance. ⧗ 2016-2019 ⚲ friture de poisson

DOM. MICHAUD, 20, rue les Martinières, 41140 Noyers-sur-Cher, tél. 02 54 32 47 23, thierry@domainemichaud.com V *t.l.j. sf dim. 10h-12h 14h-18h*

RAPHAËL MIDOIR Sauvignon 2015 ★

| 50000 | | 5 à 8 € |

Représentant la cinquième génération, Raphaël Midoir a succédé à son père en 1997 sur la propriété familiale située au cœur de la Sologne viticole. Réputé pour ses crémants, ce domaine de 27 ha se distingue également par ses touraines blancs et rosés.

Une robe aux reflets dorés prélude à un joli nez de fruits exotiques (litchi). Au palais, puissance et gras sont au rendez-vous. Un sauvignon solaire, bien dans le ton du millésime. ⧗ 2016-2019 ⚲ tourte au chèvre

SARL RAPHAËL MIDOIR, 380, rue de la Grande-Brosse, 41700 Chemery, tél. 02 54 71 83 58, contact@raphaelmidoir.com V *t.l.j. 9h-12h30 14h-19h*

DOM. MINCHIN Franc du Côt-Lié 2014 ★

■ | 5300 | | 11 à 15 €

Valeur sûre de l'appellation menetou-salon avec son domaine La Tour Saint-Martin, Bertrand Minchin, aussi à l'aise en rouge qu'en blanc, est établi depuis 1987 à la tête de 17 ha de vignes sur les hauteurs de Morogues. En 2004, il s'est étendu sur les appellations touraine et valençay avec les 15 ha du Claux Delorme, à Selles-sur-Cher, et s'y est rapidement imposé comme une belle référence.

Le côt (70 %) et le cabernet franc ont donné naissance à ce joli vin aux notes de fruits noirs et de vanille (neuf mois de fût). On retrouve les fruits, plus confiturés, dans une bouche puissante, tannique, mais sans aspérités. Un ensemble expressif, à la fois solide et enjôleur. ⧗ 2016-2021 ¥ paupiettes de veau ■ **Red de rouge 2015 (5 à 8 €; 3000 b.)** : vin cité.

LE CLAUX DELORME, 8 rue des Landes, 41130 Selles-sur-Cher, tél. 02 48 25 02 95, ab.minchin.vins@orange.fr V r.-v.

MAISON MIRAULT Sec Méthode traditionnelle ★

● | 2000 | 5 à 8 €

Cette maison de négoce familiale est installée depuis 1959 à Vouvray. Elle sélectionne des moûts et des vins à la propriété avec rigueur et fidélité. Elle s'est spécialisée dans l'élaboration de vins effervescents et dispose d'imposantes caves creusées dans le roc.

Élégante dans sa robe pelure d'oignon, cette cuvée s'exprime sur des notes tout aussi raffinées de petits fruits rouges et de pomelo. La framboise et la pastèque prennent le relais dans une bouche aromatique, à la fois fraîche et gourmande. ⧗ 2016-2018 ¥ soupe de fraises ● **Demi-sec Méthode traditionnelle (5 à 8 €; 2000 b.)** : vin cité.

MAISON MIRAULT, 15, av. Brûlé, 37210 Vouvray, tél. 02 47 52 71 62, maisonmirault@wanadoo.fr V *t.l.j. 9h30-12h30 14h30-19h; dim. sur r.-v.*

MONMOUSSEAU Brut Cuvée JM ★

● | 68000 | | 5 à 8 €

Fondées en 1886, les Caves Monmousseau sont spécialisées de longue date dans l'élaboration de vins effervescents. Dans le giron depuis 2010 de la société saumuroise Ackerman.

Élevée sur lies pendant six mois, puis sur lattes pendant deux ans, cette cuvée traversée de reflets dorés présente une mousse légère. Le bouquet est finement floral, le palais frais dès l'attaque, ouvert sur d'intenses notes de fruits blancs et stimulé par une finale aux accents acidulés. ⧗ 2016-2018 ¥ feuilletés au chèvre ● **Brut Zéro L'Essentiel 2012 (8 à 11 €; 40000 b.)** : vin cité.

ACKERMAN, 71, rte de Vierzon, 41400 Montrichard, tél. 02 54 71 66 66, npichard@ackerman.fr V *r.-v.*

CAVE DES PRODUCTEURS DE MONTLOUIS-SUR-LOIRE Brut Cuvée des Anges

● | 60000 | | 5 à 8 €

La coopérative de Montlouis-sur-Loire, créée en 1961, regroupe quinze viticulteurs adhérents pour une surface cultivée de 135 ha.

Cette cuvée associe les quatre cépages rouges de Touraine (cabernet franc, gamay, pinot noir et grolleau). D'un plaisant rose saumon légèrement orangé, elle exhale des senteurs florales et fruitées (pêche de vigne). En bouche, une mousse généreuse et accueillante accompagne des notes fraîches de fruits à chair blanche. ⧗ 2016-2018 ¥ sushis

CAVE DES PRODUCTEURS DE MONTLOUIS-SUR-LOIRE, 2, rte de Saint-Aignan, 37270 Montlouis-sur-Loire, tél. 02 47 50 80 98, espace@cave-montlouis.com V *t.l.j. 9h-12h30 14h-18h30*

DOM. DE MONTORAY Les Folles Bruyères 2015 ★

■ | 3000 | | 5 à 8 €

Jeune exploitation créée en 2007 par Claude Aupetitgendre et Jacques Gozard, le Dom. de Montoray résulte de l'association de cinquante-huit passionnés de vins de Loire. Ils cultivent 3,4 ha de vignes et possèdent une cave dans le roc. Le vignoble est en conversion bio.

Ce gamay (95 %) complété de côt s'affiche dans une robe soutenue et libère des notes élégantes de rose et de pivoine sur fond de fruits rouges et noirs (fraise, mûre) légèrement poivrés. Dans le même registre fruité, la bouche se montre très gourmande, épaulée par une structure tannique bien fondue. ⧗ 2016-2019 ¥ tendrons de veau

MONTORAY, 11, vallée Saint-Martin, 37400 Lussault-sur-Loire, tél. 06 75 38 79 69, contact@domaineaupetitgendre.com V *r.-v.*

Ⓑ **NICOLAS PAGET** Côtcerto 2014

■ | 4000 | | 8 à 11 €

Le domaine est établi près de la confluence de la Loire et de l'Indre, à la lisière de la forêt de Chinon. James Paget lui a donné une bonne notoriété. Son fils Nicolas, qui lui a succédé en 2007, est à la tête d'un vignoble de 15 ha qu'il conduit désormais en bio (certification en 2014). À sa carte, du touraine, du touraine-azay-le-rideau et du chinon.

Une belle robe sombre, un joli nez mêlant la pivoine et les fruits rouges pour ce pur côt élevé douze mois en fût qui offre une bouche ronde et finement boisée, s'étirant en finale sur de fraîches notes fruitées. ⧗ 2016-2020 ¥ spaghettis à la bolognaise

PAGET, 7, rue de la Gadouillère, 37190 Rivarennes, tél. 02 47 95 54 02, domaine.paget@wanadoo.fr V *t.l.j. sf mer. dim. 9h30-12h 14h30-18h*

♥ CH. DU PETIT THOUARS
Sélection 2014 ★★

■ | 20000 | 🍾 | 5 à 8 €

Le château du Petit Thouars, propriété de la famille du Petit Thouars depuis 1634, commande un vignoble de 16,5 ha situé à l'extrême ouest de l'appellation touraine, à la jonction des AOC chinon et saumur. L'encépagement privilégie, pour les rouges et les rosés, le cabernet franc; et pour les blancs, le chenin. Michel Pinard, qui a fait ses armes à Chinon, en est le maître de chai depuis 2007.

Des vignes de cabernet franc, âgées de trente ans, plantées sur un terroir argilo-calcaire ont donné naissance à ce remarquable 2014 paré d'une robe profonde aux reflets violines. Issu des vins de goutte, il offre une structure déjà fondue. Au nez, il libère des notes intenses et généreuses de fruits rouges bien mûrs assorties de parfums de rose et de fines touches anisées. Une attaque franche et tendue introduit un palais rond, fruité, finement épicé et très élégant, bâti sur des tanins soyeux. Un vin précis, persistant et harmonieux. ⧗ 2016-2021 🍴 filet de bœuf en persillade ■ **Réserve 2014 ★ (8 à 11 €; 30000 b.)** : un vin aux arômes de fruits noirs finement réglissés, à la fois tendre et frais, charpenté et subtil. ⧗ 2017-2022 🍴 pièce de bœuf aux échalotes

⊶ YVES DU PETIT THOUARS, Ch. du Petit Thouars, 37500 Saint-Germain-sur-Vienne, tél. 02 47 95 96 40, sadpt@hotmail.com V r.-v.

DOM. DE PIERRE Sauvignon 2015

■ | 42000 | 🍾 | 5 à 8 €

Ingénieur agricole, Lionel Gosseaume, après avoir travaillé quinze ans dans des organisations professionnelles, a sauté le pas en 2007 en reprenant en fermage 9 ha à Choussy, au cœur de la Sologne viticole. Son domaine compte aujourd'hui près de 22 ha.

Une robe or soutenu prélude à un nez qui joue plutôt la carte de la fraîcheur par ses notes de fleur d'acacia et d'agrumes. Dans le droit fil, la bouche se montre souple et acidulée jusque dans la finale, que l'on aurait aimée un peu moins fugace. Un vin alerte. ⧗ 2016-2018 🍴 salade de chèvre chaud

⊶ LIONEL GOSSEAUME, 6, chem. des Étangs, 41700 Choussy, tél. 02 54 71 55 02, info@lionelgosseaume.fr V r.-v.

CH. DE POCÉ Sauvignon 2015

■ | 50025 | - de 5 €

Situé à 4 km en amont d'Amboise, sur la même rive, le château de Pocé est un manoir de style Renaissance construit vers 1470. Il servait de poste de garde pour surveiller un gué sur le fleuve. Aujourd'hui, il commande un vignoble exploité par la famille Chainier, qui détient plusieurs domaines dans la région.

Limpide et brillant, ce sauvignon s'ouvre sans réserves sur des notes de bourgeon de cassis, que l'on retrouve dans une bouche fraîche et pimpante, aux saveurs d'agrumes. Simple et efficace. ⧗ 2016-2019 🍴 tarama

⊶ SCA DOM. CHAINIER, Ch. de Pocé, 37530 Chargé, domaine-chainier@pierrechainier.com

DOM. PRÉ BARON Renaissance 2014

■ | 8000 | 🍾 | 5 à 8 €

Jean-Luc Mardon, héritier de quatre générations de vignerons, est un ardent défenseur des vins du secteur de la Touraine qui borde la Sologne. Aux commandes du domaine familial depuis 1995, il poursuit les efforts de son père en agrandissant le vignoble (38 ha aujourd'hui). Ses vins sont souvent en bonne place dans le Guide.

Mariage du cabernet franc (40 %), du côt (35 %) et du pinot noir, ce vin livre d'intenses notes de fruits noirs bien mûrs que l'on retrouve dans une bouche franche en attaque, expressive, soyeuse et persistante. ⧗ 2016-2020 🍴 gigot d'agneau ■ **Sauvignon 2015 (5 à 8 €; 80000 b.)** : vin cité.

⊶ DOM. PRÉ BARON, 9, rue des Ormeaux, 41700 Oisly, tél. 02 54 79 52 87, jean-luc.mardon@wanadoo.fr V *t.l.j. sf dim. 9h-12h15 14h30-18h30 (sam. 17h30)*

CH. DE QUINÇAY
Ante Vinum Sélection Château 2015 ★★

■ | 12500 | 5 à 8 €

Conduit par les frères Frédéric et Philippe Cadart, le Château de Quinçay, dans la famille depuis 1860, est agrémenté d'un joli parc arboré; ses 28 ha de vignes sont implantés sur un sol riche en silex, apte à la production de vins de qualité, comme en témoignent des sélections régulières dans le Guide.

Ce sauvignon issu de terroirs argilo-calcaires de l'est de l'appellation arbore une robe cristalline au scintillement argenté. Ouvert sur le bourgeon de cassis, les fleurs blanches et le pamplemousse, le nez est élégant et bien typé. Les agrumes réapparaissent en compagnie des fruits blancs (pêche, poire), dans une bouche souple, soyeuse, tout en finesse. Un vin cohérent et fort gourmand. ⧗ 2016-2019 🍴 filet de lieu à la crème ■ **Opus Vinum 2014 (5 à 8 €; 10000 b.)** : vin cité.

⊶ CH. DE QUINÇAY, Quincay, 41130 Meusnes, tél. 02 54 71 00 11, cadart@chateaudequincay.com V *r.-v.* ⊶ *Cadart*

DOM. CHARLY RAVENELLE
Brut Méthode traditionnelle

○ | 4000 | 5 à 8 €

Depuis 1980, Charly Ravenelle est à la tête de ce domaine familial implanté à la limite de la Sologne viticole et de la grande Sologne.

Un joli chapelet de bulles fines traverse une robe couleur jaune d'or. Doux en attaque, le palais dévoile un fruité généreux, soutenu par une trame légèrement acidulée. ⧗ 2016-2018 🍴 feuilletés de saumon

⊶ CHARLY RAVENELLE, 1592, rte de Touchebrault, Champdilly, 41230 Soings-en-Sologne,

tél. 02 54 98 70 44, charly.ravenelle@orange.fr
V t.l.j. 9h-12h 14h-18h30; dim. 9h-12h

DOM. ROC DE CHATEAUVIEUX Sauvignon 2015

	97000		5 à 8 €

Négociant apprécié en Touraine et producteur par ailleurs, Pierre Chainier a racheté en 2001 à la famille Paumier ce vignoble de 60 ha, situé sur la rive gauche du Cher. Les vignes sont implantées dans des sols argilo-calcaires propices au sauvignon.

À l'olfaction, les agrumes ouvrent le bal, relayés à l'aération par de fines notes minérales. Si le nez est frais, la bouche se montre plus gourmande et ronde, centrée sur des notes de pêche juteuse. Un 2015 flatteur et expressif. 2016-2019 filet de sole

SCEA ROC DE CHÂTEAUVIEUX, 1 bis, chem. de la Galerne, 41110 Châteauvieux, tél. 02 47 30 73 07, chainier@pierrechainier.com Chainier

DOM. DE LA ROCHETTE Sauvignon 2015

	90000		5 à 8 €

Établi dans le joli village viticole de Pouillé, sur la rive gauche du Cher, Vincent Leclair a pris la suite de son père François à la tête d'une exploitation qui conjugue la modernité du chai avec la tradition des caves creusées dans le tuffeau. Le vignoble couvre 45 ha.

Un vin délicat aux senteurs de bourgeon de cassis et de fleurs blanches, relayées à l'aération par des notes de pêche. Souple et alerte en attaque, il se montre plus rond et ample dans son développement. Un 2015 simple et «cordial», selon le jury, qui le recommande pour porter un toast à l'apéritif. 2016-2018 guacamole

EARL DOM. DE LA ROCHETTE, 79, rte de Montrichard, 41110 Pouillé, tél. 02 54 71 44 02, info@vin-rochette-leclair.com
V *t.l.j. sf dim. 8h-18h Vincent Leclair*

(B) **DOM. DES ROY** Les Grives 2014

	4000		5 à 8 €

Anne-Cécile Roy, œnologue, a repris en 2005 les rênes du domaine familial situé sur la rive droite du Cher. Épaulée par son époux Yohann, technicien viticole et fils de vigneron, elle conduit son exploitation en agriculture biologique.

Ce pur cabernet franc s'affiche dans une robe intense aux reflets violines. Le nez associe les petits fruits rouges mûrs à des nuances de poivron bien typées du cépage. Vive et souple en attaque, la bouche est étayée de tanins encore un peu stricts qui se patineront à la faveur d'un court séjour en cave. 2018-2021 magret de canard ■ **Les Linottes 2015 (5 à 8 €; 4500 b.)** (B) : vin cité.

ANNE-CÉCILE ROY ET YOHANN BOUTIN, 3, rue Franche, 41400 Pontlevoy, tél. 02 54 32 51 07, domaine-des-roy@wanadoo.fr V *r.-v.* 3 (B)

(B) **DOM. SAUVÈTE** Antea 2014 ★

	2900		8 à 11 €

Georges, l'arrière-grand-père, a planté le premier cep en 1905. Aujourd'hui, le vignoble couvre 17 ha conduits en bio par Jérôme Sauvète, sa femme Dominique et leur fille Mathilde.

Beaucoup d'expression dans ce 100 % côt à la robe presque noire du plus bel effet. La violette et les fruits rouges confiturés se partagent l'olfaction, soulignée d'une touche d'épices. Très souple dès l'attaque, le palais est adossé à des tanins soyeux et fins, et s'achève sur une élégante note réglissée qui apporte de la fraîcheur. 2016-2020 rôti de bœuf mariné aux épices ■ **Les Gravouilles 2015 (5 à 8 €; 18000 b.)** (B) : vin cité.

DOM. JÉRÔME SAUVÈTE, 9, chem. de la Bocagerie, 41400 Monthou-sur-Cher, tél. 02 54 71 48 68, domaine-sauvete@wanadoo.fr V *t.l.j. sf dim. 10h-12h 14h-19h*

ANTOINE SIMONEAU Sauvignon 2015 ★

	20000		- de 5 €

La famille Simoneau exploite la vigne sur ces terres de Saint-Georges-sur-Cher depuis la fin de la Révolution française. Depuis 2013, ce sont Corine Simoneau (marketing et commercial) et Sébastien Paris (vigne et chai) qui sont aux commandes, avec à leur disposition un vignoble de 57 ha entièrement tourné vers la production de vins monocépages.

Beaucoup d'envergure et de puissance pour ce sauvignon scintillant, aux reflets argentés. Notes d'agrumes et nuances végétales de bourgeon de cassis s'unissent à l'olfaction, puis la groseille à maquereau et la pomme se donnent rendez-vous dans un palais stimulé jusqu'en finale par une intense fraîcheur. 2016-2019 pâtes aux scampis

EARL PARIS SIMONEAU, 21, rue des Vignes, 41400 Saint-Georges-sur-Cher, tél. 02 54 71 36 14, corine@antoinesimoneau.com V *t.l.j. sf dim. lun. 9h-12h 14h-18h*

LES SOUTERRAINS 2015 ★

	9333		- de 5 €

Ce domaine fondé en 1820 s'est agrandi au fil des générations, passant de 6 à 23 ha. Après avoir travaillé dans le secteur médical en Chine, Nicolas Mazzesi s'est reconverti dans le secteur du vin. Il a repris cette exploitation en 2011, après avoir suivi une formation au lycée viticole d'Amboise.

Cet élégant sauvignon libère des notes bien typées d'agrumes et de fleurs blanches. Tendre en attaque, le palais révèle une jolie fraîcheur et s'achève sur de beaux amers. 2016-2019 daurade au gingembre ■ **Les 2 Demoiselles 2014 (5 à 8 €; 6000 b.)** : vin cité.

SCEA DOM. DES SOUTERRAINS, 37 bis, rue des Souterrains, 41130 Châtillon-sur-Cher, tél. 02 54 71 02 94, adm@les-souterrains.com V *t.l.j. sf dim. 8h30-12h 13h45-17h30; sam. 10h-12h 13h30-17h30 Mazzesi*

DOM. DES TABOURELLES
Sec Méthode traditionnelle 2014 ★

	6000		5 à 8 €

Anne Josseau conduit depuis 2009 ce domaine familial de 20 ha situé à Bourré, en amont du château de Chenonceau, sur les coteaux dominant le Cher.

LOIRE

Ce vin arbore une seyante robe rose saumoné. Un train très actif de bulles fines forme un beau cordon, tandis que se dégagent du verre des arômes gourmands de confiture de roses, de litchis et de pâte d'amandes. La bouche est croquante, fraîche et complexe, sur des saveurs persistantes de gelée de rose et de pastèque. 2016-2018 fraisier

DOM. DES TABOURELLES, 9, rte des Vallées, 41400 Bourré, tél. 06 16 73 56 28, contact.tabourelles@gmail.com r.-v. Anne Josseau

DOM. DE LA TONNELLERIE
Sec Méthode traditionnelle

| 1000 | | 5 à 8 €

Vincent Péquin a pris en 1994 la suite de quatre générations de vignerons. Situé à mi-chemin des châteaux d'Amboise et de Chaumont-sur-Loire, son petit vignoble de 4 ha est implanté sur des coteaux aux sols argilo-calcaires et argilo-siliceux.

Ce pur cabernet franc revêt une robe brillante animée d'un cordon de bulles dynamiques. La fraise et la groseille se partagent l'olfaction. Fruits rouges que l'on retrouve dans une bouche simple, fraîche et légère. 2016-2018 quiche à la tomate

VINCENT PÉQUIN, 71, rue de Blois, 37530 Limeray, tél. 02 47 30 13 52, vincent.pequin@orange.fr r.-v.

CH. VALLAGON 2014 ★

| 9400 | | - de 5 €

La Confrérie des Vignerons de Oisly et Thésée est une coopérative qui réunit une vingtaine d'adhérents pour 160 ha de vignes en AOC cheverny et touraine. Une «coop» innovante, l'une des premières de Loire à avoir investi dans la thermorégulation, en 1975, et plate-forme d'essais en microbiologie pour l'Institut technique de la vigne et du vin (ITV) de Tours.

Assemblage de cabernet, de côt et de gamay, ce joli 2014 s'ouvre sur des notes gourmandes et généreuses de fruits rouges confiturés. Arômes que l'on retrouve dans un palais souple, tendre et léger. 2016-2019 lapin à la moutarde

CONFRÉRIE DES VIGNERONS DE OISLY ET THÉSÉE, 5, rue du Vivier, 41700 Oisly, tél. 02 54 79 75 20, oisly@uapl.fr t.l.j. sf dim. 9h-12h 14h-18h

DOM. DU VIEUX PRESSOIR
Cuvée des Sourdes 2014 ★

| 10 000 | | 5 à 8 €

Installé à deux pas du château de Chaumont-sur-Loire et de ses célèbres jardins, Joël Lecoffre exploite, depuis son installation en 1979, 26 ha de vignes plantées sur les meilleurs coteaux qui bordent la rive gauche de la Loire.

Née d'un assemblage de cabernet franc (70 %) et de côt, cette cuvée grenat sombre délivre à l'olfaction des notes de fruits rouges compotés, cerise en tête. En bouche, son élevage de douze mois en fût lui a légué des notes vanillées qui enrobent des nuances de pruneau. Encore un peu sévère en finale, il demande un séjour en cave qui saura l'assouplir. 2019-2022 gigot d'agneau

JOËL LECOFFRE, 27, rte de Vallières, 41150 Rilly-sur-Loire, tél. 02 54 20 90 84, joel.lecoffre@wanadoo.fr t.l.j. 8h-19h30; f. janv.

JEAN-MARC VILLEMAINE
Sauvignon Vieilles Vignes 2015 ★

| 5300 | | - de 5 €

Située sur la rive droite du Cher, cette propriété a été acquise en 1825 par l'arrière-grand-père de Jean-Marc Villemaine. Ce dernier y est installé depuis 1995, à la tête aujourd'hui de 31 ha de vignes, principalement du sauvignon.

Issue d'une sélection parcellaire de vignes de plus de cinquante ans, cette cuvée arbore une robe diaphane. Tout aussi délicate, l'olfaction révèle des parfums raffinés de fleurs blanches. Ample, souple et persistant, le palais a convaincu le jury qui salue une «très belle expression du terroir» dans ce sauvignon frais et «bienveillant». 2016-2020 brochet au beurre nantais

JEAN-MARC VILLEMAINE, 62 bis, rue des Charmoises, 41140 Thésée, tél. 02 54 71 52 69, jean-marc.villemaine@wanadoo.fr r.-v.

TOURAINE-AMBOISE

Superficie : 165 ha
Production : 8 767 hl (83 % rouge et rosé)

De part et d'autre de la Loire, sur laquelle veille le château d'Amboise des XVe et XVIe s., non loin du manoir du Clos-Lucé où vécut et mourut Léonard de Vinci, ce vignoble produit des vins rosés et rouges à partir du gamay, du côt et du cabernet franc. Ce sont des vins pleins, aux tanins légers; lorsque côt et cabernet dominent, les rouges ont une certaine aptitude à la garde. Les mêmes cépages donnent des rosés secs et tendres, fruités et bien typés. Secs, demi-secs ou moelleux selon les années, les blancs, issus de chenin, peuvent également être gardés en cave.

♥ DOM. DES BESSONS
Prestige des Bessons 2014 ★★

| 4500 | | 8 à 11 €

Établi sur la rive droite de la Loire tout près d'Amboise, François Péquin s'est lancé dans la vinification et la vente directe après son installation en 1980. Il exploite 9 ha de vignes en touraine et en touraine-amboise.

Cette cuvée née de côt (90 %) et de cabernet franc s'affiche dans une superbe robe violine moirée de noir. Elle captive par ses parfums complexes de fruits noirs écrasés et de violette sur un fond finement boisé et légèrement mentholé. Tout aussi séduisante, la bouche enchante par son volume, sa puissance, ses tanins ronds et soyeux et par sa longue finale sur la noyau de cerise. ⧗ 2017-2022 🍴 côte de bœuf ■ **Les Chaînées d'André 2014 (5 à 8 €; 3900 b.)** : vin cité.

DOM. DES BESSONS, 113, rue de Blois, 37530 Limeray, tél. 02 47 30 09 10, francois.pequin@wanadoo.fr V r.-v. *François Péquin*

DOM. DUTERTRE Cuvée Gabriel 2014 ★★

■	3000		15 à 20 €

Représentant la cinquième génération, Gilles Dutertre, fils de Jacques et petit-fils de Gabriel, a repris les rênes de ce domaine familial en 1996. Créé par son trisaïeul au début du XXᵉs. à partir d'un hectare, le vignoble couvre aujourd'hui 37 ha.

Une cuvée hommage au grand-père du vigneron. Dans le verre, un moelleux abouti et harmonieux qui livre à l'olfaction des notes puissantes et complexes de confiture d'abricots, de pêches et de coings assorties de fines nuances miellées. À l'unisson, la bouche se montre suave et onctueuse, douce et riche, équilibrée par un soupçon de fraîcheur acidulée bienvenue qui étire la finale. ⧗ 2016-2026 🍴 foie gras

EARL DOM. DUTERTRE, 20, rue d'Enfer, 37530 Limeray, tél. 02 47 30 10 69, domainedutertre@9business.fr V *t.l.j. sf dim. 9h-12h30 14h-18h*

XAVIER FRISSANT Les Pierres 2014

■	10000		5 à 8 €

Installé depuis 1990 à Mosnes, en aval d'Amboise, Xavier Frissant cultive 30 ha de vignes. Un vigneron bien connu des lecteurs grâce à ses vins souvent en bonne place dans le Guide.

Ce pur chenin dévoile à l'olfaction des notes de fruits confits délicatement miellés. Une générosité qui tranche avec une bouche acidulée dès l'attaque, fraîche, voire nerveuse jusque dans sa finale mentholée. ⧗ 2016-2018 🍴 pavé de saumon à l'unilatérale

XAVIER FRISSANT, 1, chem. Neuf, 37530 Mosnes, tél. 02 47 57 23 18, xf@xavierfrissant.com V *t.l.j. sf dim. 9h-12h30 14h-18h30* B

DOM. DE LA GABILLIÈRE Authenticôt 2014

■	4100		8 à 11 €

Ce domaine d'application pédagogique du lycée viticole d'Amboise (20 ha) est également une structure de recherche à l'échelle de la région Centre, en lien avec les différents organismes viticoles.

Moins aboutie que la version précédente, coup de cœur du Guide, cette cuvée 100 % côt a tout de même quelques atouts à faire valoir dans sa version 2014: de jolies notes grillées et vanillées léguées par quatorze mois de fût, un palais souple et rond en attaque, aux accents de fruits noirs cuits, plus tannique, voire austère en finale. Une petite garde est recommandée. ⧗ 2018-2021 🍴 filet de bœuf braisé

DOM. DE LA GABILLIÈRE, 46, av. Émile-Gounin, BP 239, 37402 Amboise, tél. 02 47 23 35 51, expl.lpa.amboise@educagri.fr V *r.-v.*
Lycée viticole d'Amboise

B DOM. LA GRANGE TIPHAINE Bécarre 2014 ★★

■	5000		15 à 20 €

Coralie et Damien Delecheneau ont pris en 2002 la succession de trois générations sur un domaine familial créé à la fin du XIXᵉs., qui compte aujourd'hui 15 ha. L'exploitation est conduite en bio et en biodynamie. L'une des belles références en montlouis et en touraine-amboise.

Ce 100 % cabernet franc vendangé manuellement arbore une robe d'un beau grenat brillant. Du verre s'échappent des notes de fruits rouges et noirs finement torréfiés, mêlées à des parfums de violette. Intensément fruitée, très élégante et longue, la bouche déroule une matière souple et soyeuse, épaulée par des tanins veloutés. Une bouteille qui s'appréciera aussi bien jeune que patinée par la garde. ⧗ 2016-2021 🍴 tournedos grillé ■ **Clef de Sol 2014 (15 à 20 €; 6000 b.)** B : vin cité.

DAMIEN ET CORALIE DELECHENEAU, lieu-dit La Grange Tiphaine, 37400 Amboise, tél. 02 47 30 53 80, lagrangetiphaine@wanadoo.fr V *r.-v. Coralie et Damien Delecheneau*

DOM. SANDRA ET STÉPHANE MESLIAND Mon Cot'O 2014

■	2700		11 à 15 €

Domaine créé en 1880 par l'arrière-grand-père, greffeur après la crise du phylloxéra, et agrandi par les deux générations suivantes. Aux commandes depuis 1997, Stéphane Mesliand oriente son vignoble de 12,5 ha vers l'agriculture biologique.

Ce 100 % côt, très sombre, libère d'emblée d'intenses notes de cassis assorties de violette. Franc et puissant, le palais montre un peu les muscles. À faire patienter quelques mois en cave le temps que son toucher se fasse velouté. ⧗ 2017-2021 🍴 magret de canard

DOM. STÉPHANE ET SANDRA MESLIAND, 6, rue de Blois, 37530 Limeray, tél. 02 47 30 11 15, domaine.mesliand@orange.fr V *mer. ven. sam. 10h-19h*

PLOU ET FILS Élixir 2014 ★

■	15000		5 à 8 €

Les Plou cultivent la vigne depuis... 1508 sur les terres de Chargé. La propriété s'est agrandie depuis, pour disposer d'un coquet vignoble de 93 ha, conduit depuis 2003 par la dernière génération.

Ce vin grenat brillant livre une palette aromatique d'un beau classicisme, bien typée du côt: fruits rouges et violette. Empreint de douceur, le palais se montre rond, ample, charnu et fruité, étayé par des tanins veloutés. ⧗ 2017-2022 🍴 bœuf bourguignon

PLOU ET FILS, 26, rue du Général-de-Gaulle, 37530 Chargé, tél. 02 47 30 55 17, contact@plouetfils.com V *t.l.j. 9h-19h30*

DOM. DE LA PRÉVÔTÉ Les Clos de Beauce 2014 ★

■	3500		8 à 11 €

Établi à quelques kilomètres en amont d'Amboise, ce domaine tire son nom de l'ancien palais de justice de

LOIRE

la Prévôté royale (XIVe s.) Serge et Pascal Bonnigal, épaulés de leurs enfants, y exploitent un vignoble de 75 ha constitué et agrandi par les deux générations précédentes.

Le chenin a donné ici un joli «sec tendre» au nez suave et complexe de pêche et d'abricot confits assortis de douces nuances de miel. Mais c'est en bouche que ce vin se révèle pleinement autour des fruits mûrs et d'une fine trame acidulée et minérale qui lui apporte longueur et tonus; de beaux amers ajoutent à sa complexité en finale. ⧗ 2016-2021 ¥ filet de sandre au beurre blanc

⊶ DOM. DE LA PRÉVÔTÉ, 17, rue d'Enfer, 37530 Limeray, tél. 02 47 30 11 02, bonnigalprevote@wanadoo.fr V ⚐ ▮ *t.l.j. 9h-12h30 14h-18h30; dim. sur r.-v. ⊶ Bonnigal et Bodet*

TOURAINE-AZAY-LE-RIDEAU

Superficie : 46 ha
Production : 1 705 hl (44 % blanc)

Nés sur les deux rives de l'Indre, les vins ont ici l'élégance du château qui se reflète dans la rivière et dont ils ont pris le nom. Les blancs, secs à tendres, particulièrement fins et de bonne garde, sont issus du cépage chenin. Les cépages grolleau (60 % minimum de l'assemblage), gamay, côt et cabernets (au maximum 10 %) donnent des rosés secs et très friands. Les vins rouges ont l'appellation touraine.

BADILLER Pain Béni 2014 ★

	2000		8 à 11 €

Héritier d'une lignée de vignerons remontant à 1789, Marc Badiller s'est installé en 1984 sur le domaine familial, établi entre la Loire et la forêt de Chinon. Ses fils Pierre et Vincent ont repris les rênes en 2015. Ils cultivent 11 ha et proposent une large gamme de vins de Touraine.

La jolie robe aux reflets verts éveille la curiosité. Le nez séduit par ses délicates notes de poire. Le palais se montre délicat, souple et tendre, sans manquer de fraîcheur. Un ensemble raffiné et équilibré. ⧗ 2016-2023 ¥ filet de loup en papillote

⊶ DOM. BADILLER, 26, Le Bourg, 37190 Cheillé, tél. 02 47 45 24 37, contact@badiller.fr V ⚐ ▮ *t.l.j. sf dim. 9h30-12h30 14h-18h30*

THIERRY BESARD Les Perrières 2014 ★

	4000		- de 5 €

Installé dans des bâtiments en tuffeau datant du milieu du XIXe s., Thierry Besard représente la troisième génération à la tête de ce domaine de 7,5 ha situé au confluent de l'Indre et de la Loire et à mi-chemin entre Azay-le-Rideau et Villandry.

Le chenin, planté sur un terroir filtrant de sable riche en silex, a donné naissance à ce demi-sec généreux, ouvert sur des notes de poire fraîche. En bouche, ce vin offre une matière souple et fruitée, bien équilibrée entre douceur et acidité. ⧗ 2016-2021 ¥ saumon au beurre blanc

⊶ THIERRY BESARD, 10, Les Priviers, 37130 Lignières-de-Touraine, tél. 02 47 96 85 37, thierry.besard@orange.fr V ⚐ ▮ *r.-v.* ⌂ Ⓑ

DOM. DE LA CROULE 2014 ★

	3800		8 à 11 €

Après une carrière de commercial dans le vin, Christophe Garnier a racheté en 2000 cette petite propriété de 3 ha qu'il cultive selon une démarche bio (sans certification).

Ce 2014 s'affiche dans une robe très limpide traversée de reflets vert d'eau et libère à l'aération de fines notes de fruits à chair blanche. En bouche, on croque d'emblée dans la pêche de vigne et la poire finement vanillées, la finale étant tonifiée par des touches acidulées. Une cuvée finement boisée, harmonieuse et persistante. ⧗ 2017-2024 ¥ filet de sandre de Loire au beurre

⊶ CHRISTOPHE GARNIER, 18, rue Jean-Inglessi, 37230 Fondettes, tél. 02 47 42 18 88, cgselection@wanadoo.fr ⚐ ▮ *r.-v.*

Ⓑ DOM. DES HAUTS BAIGNEUX 2014

	2500		20 à 30 €

Nicolas Grosbois, vigneron à Chinon, a repris en 2012 la gérance de ce domaine: 10 ha plantés des cépages chenin, grolleau, gamay, cabernet franc et cabernet-sauvignon.

Une robe pâle aux reflets verts de jeunesse habille ce vin discrètement fruité au nez. La bouche, dense et charnue, apparaît plus prolixe, autour des fruits blancs et de beaux amers en finale. Encore en devenir mais prometteur. ⧗ 2017-2022 ¥ noix de Saint-jacques aux agrumes

⊶ DOM. DES HAUTS-BAIGNEUX, 37190 Cheillé, tél. 02 47 58 66 87, grosboisnicolas@yahoo.fr V ▮ *r.-v.*

Ⓑ NICOLAS PAGET Opus 2014 ★

	4000		8 à 11 €

Le domaine est établi près de la confluence de la Loire et de l'Indre, à la lisière de la forêt de Chinon. James Paget lui a donné une bonne notoriété. Son fils Nicolas lui a succédé en 2007 à la tête d'un vignoble de 15 ha qu'il conduit désormais en bio (certification en 2014). À sa carte, du touraine, du touraine-azay-le-rideau et du chinon.

Beaucoup d'expression dans cet Opus qui libère d'emblée de fines notes de fruits à chair blanche agrémentées d'un léger fumé légué par douze mois de fût. En bouche, ce vin se montre volumineux, dense, puissant mais souple, de bonne longueur. Déjà prêt, il pourra se bonifier en cave. ⧗ 2016-2024 ¥ filet de turbot poché **Mélodie 2014 (5 à 8 €; 8 000 b.)** : vin cité.

⊶ PAGET, 7, rue de la Gadouillère, 37190 Rivarennes, tél. 02 47 95 54 02, domaine.paget@wanadoo.fr V ⚐ ▮ *t.l.j. sf mer. dim. 9h30-12h 14h30-18h*

Ⓑ CH. DE LA ROCHE EN LOIRE Cuvée Colette 2014 ★

	7000		15 à 20 €

Implanté au centre de son vignoble sur un petit promontoire, aux portes d'Azay-le-Rideau, le château de La Roche – autrefois propriété de la sœur de

Richelieu - est caractéristique de l'architecture du XVIe s. du Val de Loire. Installé en 2002, Louis-Jean Sylvos exploite 6 ha de vignes en biodynamie.

D'un bel or soutenu, ce 2014 s'ouvre sur les fruits blancs et de fines notes boisées (douze mois de fût). Un mariage fruit-merrain auquel fait un écho persistant une bouche souple en attaque, ample et dense, vivifiée par une pointe d'acidité bien dosée en finale. À attendre un peu pour que les notes d'élevage se fondent davantage. ⧗ 2017-2024 ♆ fromage de chèvre affiné

CH. DE LA ROCHE EN LOIRE, La Roche, D 17, 37190 Cheillé, tél. 06 07 66 95 70, ljsylvos@gmail.com V r.-v. L.-J. Sylvos

TOURAINE-CHENONCEAUX

Production : 1 900 hl

Couvrant les premières «côtes» des deux rives du Cher, sur vingt-sept communes de l'Indre-et-Loire et du Loir-et-Cher, le vignoble touraine-chenonceaux est, avec touraine-oisly, le plus récent des sous-ensembles délimités dans la vaste appellation touraine (2011). Conscients du potentiel de leur terroir, les vignerons ont œuvré, des décennies durant, à donner à leur vin une dimension qui les distingue de ceux de l'AOC régionale. Dans cette quête de qualité et d'authenticité, ils ont réservé l'encépagement au seul cépage sauvignon en blanc et ont privilégié le côt et le cabernet franc en rouge. Des parcelles sélectionnées, riches en silex, des rendements plus faibles, des élevages plus longs en rouge contribuent également au caractère de ces vins, des rouges amples et complexes et des blancs expressifs.

B DOM. BARON 2014

	3000		11 à 15 €

Samuel Baron a rejoint en 2002 l'exploitation familiale (16 ha), dont il a pris la tête en 2011. Il est sorti de la coopérative, aménageant un chai en 2003 puis a engagé la conversion bio du domaine (certification en 2014).

Une robe paille brillante, un nez subtil mêlant les agrumes à des notes plus mûres de fruits jaunes. Le palais garde le même registre aromatique, en harmonie avec des sensations d'ampleur et de gras, équilibré par une fraîcheur minérale. La finale apporte une agréable note de fruits exotiques. À déboucher dès l'apéritif. ⧗ 2016-2020 ♆ langoustines sautées aux agrumes

DOM. BARON, 95, rue de Saint-Romain, 41140 Thésée, tél. 06 30 37 14 02, vignoblebaron@aol.com V r.-v. B

DOM. DE BEAUSÉJOUR 2014

	3000		8 à 11 €

Philippe Trotignon a pris en 2002 la suite de trois générations sur le domaine familial. Il exploite 20 ha sur des terrains siliceux (sables, argiles à silex) de la rive droite du Cher. Rouges ou blancs, ses touraine sont souvent mentionnés dans le Guide.

Or pâle brillant, ce blanc laisse de belles jambes sur les parois du verre, annonçant un nez mûr, sur les fruits jaunes et les fruits exotiques. La bouche, à l'unisson, offre une attaque ronde, tout en conservant un fond de fraîcheur qui assure un bel équilibre. ⧗ 2016-2019 ♆ saumon sauce hollandaise

DOM. DE BEAUSÉJOUR, 14, rue des Bruyères, 41140 Noyers-sur-Cher, tél. 02 54 71 34 17, philippe.trotignon@free.fr V r.-v. P. Trotignon

DOM. BELLEVUE Silex des Martinières 2014 ★★★

	8000		5 à 8 €

Patrick Vauvy a pris en 1989 la suite des trois générations précédentes sur le domaine familial qui s'étend sur 41 ha à Noyers-sur-Cher. Une commune où l'on trouve une pépinière d'excellents vignerons et des terroirs siliceux au sous-sol argilo-calcaire donnant beaucoup de légèreté aux vins.

La robe intense, jaune doré, annonce les arômes plaisants du nez, tendant vers la surmaturation: fruits exotiques, coing, notes grillées, raisins secs. Le palais souple, gras, charnu et puissant confirme cette impression: on a affaire à une vendange très mûre. Une fine fraîcheur vient rafraîchir l'ensemble. Un style qui trouvera ses amateurs. ⧗ 2016-2020 ♆ poulet à la citronnelle

EARL P. VAUVY - DOM. BELLEVUE, 6, rue du Coteau 41140 Noyers-sur-Cher, tél. 02 54 71 42 73, domainebellevue@orange.fr V r.-v.

DOM. FRANÇOIS CARTIER 2014

	10000		8 à 11 €

François Cartier, qui gère le domaine familial depuis 1977, a été rejoint en 2011 par son fils Vincent. Ce dernier a complété sa formation en Australie avant de revenir travailler ce vignoble de 25 ha implanté sur les coteaux du Cher.

Beaucoup de finesse dans ce blanc à la robe claire. Le sauvignon tranparaît dans les parfums d'agrumes et de fruits exotiques, nuancés de la touche variétale évoquant le buis. Les agrumes se lient aux fruits blancs dans un palais dense, tonifié par une belle fraîcheur que souligne un léger perlant. ⧗ 2016-2020 ♆ salade de langoustines aux asperges

DOM. FRANÇOIS CARTIER, 13, rue de la Bergerie, 41110 Pouillé, tél. 02 54 71 51 54, cartier-francois@wanadoo.fr V t.l.j. sf dim. 9h-12h 14h-18h; f. 15 août-1er sept.

DOM. DU CHAPITRE 2014 ★

	15000	8 à 11 €

Installé à Saint-Romain-sur-Cher, aux portes de la Sologne viticole, sur les terroirs de la vallée du Cher, François Desloges perpétue une tradition vigneronne qui remonte à deux siècles. Il cultive le gamay, le cabernet, le côt, le sauvignon et... la pêche de vigne.

La robe or pâle aux reflets verts donne le ton, tout comme le nez frais de pamplemousse, nuancé d'une touche végétale léguée par le sauvignon. La poire, les fruits exotiques et des notes amyliques se lient aux agrumes et persistent longuement dans une bouche souple en attaque, équilibrée en finale par une fraîcheur acidulée. ⧗ 2016-2020 ▼ huîtres

⊶ GAEC MARYLINE ET FRANÇOIS DESLOGES, 82, rue Principale, 41140 Saint-Romain-sur-Cher, tél. 02 54 71 71 22, ledomaineduchapitre@wanadoo.fr V ⛹ ▪ *t.l.j. 9h-18h*

DOM. DESROCHES 2014 ★

■	2600	▮	5 à 8 €

Saint-Georges-sur-Cher est l'une des plus importantes communes viticoles de Touraine. Installé ici depuis 1980, Jean-Michel Desroches représente la quatrième génération à la tête de ce domaine familial de 16,3 ha.

Une magnifique robe noire aux reflets rouges pour ce 2014 aux parfums puissants et délicats de fruits noirs, rafraîchis par des touches de menthol. Gourmand à souhait dès l'attaque, ce vin plaît par sa droiture et par sa texture soyeuse jusqu'en finale. ⧗ 2016-2021 ▼ civet de lapin

⊶ JEAN-MICHEL DESROCHES, 8, imp. du Vieux-Porche, 41400 Saint-Georges-sur-Cher, tél. 02 54 32 33 13, desroches.jm@wanadoo.fr V ⛹ ▪ *r.-v.*

DOM. DES ÉCHARDIÈRES La Long Bec 2014 ★

■	9900	▮	8 à 11 €

Ancien ingénieur agricole et commercial, Luc Poullain a repris en 2000 ce domaine (16 ha) situé à Pouillé, sur la rive gauche du Cher, en amont de Chenonceaux. Il s'est engagé dans la défense de l'appellation touraine-chenonceaux, dont il est le président.

La Long Bec? L'étiquette vous renseignera: il s'agit de la bécasse, qui illustre plus d'une étiquette de vin rouge. Ici, la cuvée de touraine-chenonceaux du domaine, mariant côt et cabernet franc à parts égales. Sa robe est profonde et son fruité rayonnant, d'une belle finesse, évoque la cerise et le cassis. La bouche, à l'unisson, offre une belle corbeille de petits fruits frais et croquants. Un vin friand et d'une bonne persistance. À servir avec de la bécasse? Oui, et avec bien d'autres viandes. ⧗ 2016-2021 ▼ pavé de bœuf grillé

⊶ DOM. DES ÉCHARDIÈRES, 16, rte de la Varenne, 41400 Angé, tél. 02 54 71 46 66, info@domaine-echardieres.com V ⛹ ▪ *r.-v.*

♥ DOM. GIBAULT
Parfum d'évidence Le Graal 2014 ★★★

■	9000	▮	8 à 11 €

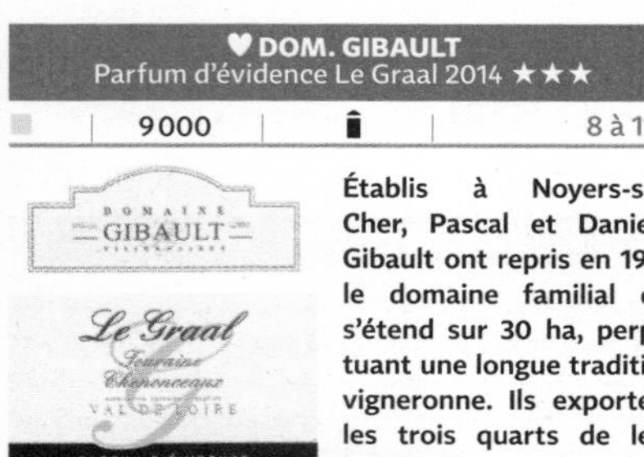

Établis à Noyers-sur-Cher, Pascal et Danielle Gibault ont repris en 1988 le domaine familial qui s'étend sur 30 ha, perpétuant une longue tradition vigneronne. Ils exportent les trois quarts de leur production jusqu'aux États-Unis et au Japon.

Une cuvée bien nommée: ce vin blanc est un modèle de l'appellation. De sa robe dorée et scintillante s'échappent des parfums aussi complexes que délicats, rappelant l'ananas et le pamplemousse, rehaussés d'une minéralité «pierreuse». Dès l'attaque, le vin s'impose par sa puissance, tout en gardant une belle élégance grâce à ses arômes de fleurs blanches finement beurrés et à une fraîcheur qui porte loin la finale. Un grand vin de gastronomie. ⧗ 2016-2020 ▼ pavé de sandre au beurre blanc

⊶ DOM. GIBAULT, Les Martinières, 11, rue des Vignes, 41140 Noyers-sur-Cher, tél. 02 54 75 36 52, danielle-de-lansee@wanadoo.fr V ⛹ ▪ *r.-v.*

DOM. MICHAUD
Éclat de Silex Vieilles Vignes 2014 ★

■	40000	8 à 11 €

Installé en 1985, Thierry Michaud exploite 25 ha de vignes dans la vallée du Cher et élabore de jolis vins de terroir. Une valeur sûre en crémant-de-loire et en touraine.

Éclat de silex? Le sauvignon à l'origine de cette cuvée plonge ses racines dans des sables riches en silex qui fournissaient jadis la «pierre à fusil». Il libère à l'olfaction des senteurs discrètes de fleurs blanches et de pamplemousse. Plus expressive et puissante, la bouche offre un plaisant fruité mariant les agrumes et la poire. Bien ouvert, incisif, de bonne longueur, ce vin sera parfait avec le poisson. ⧗ 2016-2019 ▼ bar en croûte de sel

■ **Ad Vitam 2014 (5 à 8 €; 13000 b.)** : vin cité.

⊶ DOM. MICHAUD, 20, rue les Martinières, 41140 Noyers-sur-Cher, tél. 02 54 32 47 23, thierry@domainemichaud.com V ▪ *t.l.j. sf dim. 10h-12h 14h-18h*

CAVES DU PÈRE AUGUSTE 2014

■	10000	▮	5 à 8 €

Voici maintenant plus d'un siècle que le père Auguste, trisaïeul d'Alain Godeau, l'actuel vigneron, a creusé les caves dans le tuffeau. Ce dernier, installé en 1982 sur le domaine familial, exploite 47 ha aux portes de Chenonceaux. Ses vins sont régulièrement mentionnés dans le Guide.

Paré d'une robe sombre qui traduit une belle présence du côt, ce vin s'ouvre sur des notes de bigarreau, de mûre et de cuir très agréables. Dès l'attaque, il montre son caractère et son potentiel au travers d'une structure tannique bien marquée, tout en dévoilant un côté gourmand. Une petite garde l'arrondira. ⧗ 2017-2021 ▼ coq au vin

⊶ CAVES DU PÈRE AUGUSTE, 14, rue des Caves, 37150 Civray-de-Touraine, tél. 02 47 23 93 04, contact@pereauguste.com V ⛹ ▪ *t.l.j. 8h30-19h30; dim. 10h-12h* ⌂ ❷ ⌂ ⓓ *⊶ Godeau*

DOM DES PIERRINES Armel 2014

■	1800	▮	8 à 11 €

Ce domaine familial de 18 ha, rebaptisé Domaine des Pierrines en 2014, est situé sur la première côte du val de Cher. Il est conduit depuis 2004 par Fabrice Delaunay, qui succède à ses parents Daniel et Pierrette.

Une robe intense, tirant sur le noir, et un nez de fruits rouges et noirs. Dès l'attaque, ce vin montre une belle puissance et déploie un fruité concentré, soutenu par des tanins encore un peu bruts, qui assureront à cette bouteille une bonne tenue dans le temps. ⧗ 2016-2022 ⚲ bœuf bourguignon

⊶ *DOM. DES PIERRINES, 2, rue de la Bergerie, 41110 Pouillé, tél. 02 54 71 46 93, fabricedelaunay@hotmail.com* V ▪ *t.l.j. sf dim. 8h-12h 14h-18h*

DOM. DE LA RENAUDIE 2014 ★★

■	10440	▮	8 à 11 €

Établis à Mareuil-sur-Cher aux confins de la Touraine, du Berry et de la Sologne, Bruno et Patricia Denis – cette dernière œnologue – ont repris le domaine familial fondé en 1928. Ils exploitent 30 ha de vignes.

Ce vin rouge dominé par le côt s'annonce par une robe presque noire aux reflets flamboyants et par des notes de fruits rouges et noirs compotés qui engagent à poursuivre la dégustation. Le palais enchante par son côté gourmand et par ses tanins bien fondus qui lui donnent une texture soyeuse. La finale persistante sur le fruit achève de convaincre. Une bouteille à laquelle certains dégustateurs auraient bien donné un coup de cœur. ⧗ 2016-2020 ⚲ confit de canard

⊶ *DOM. DE LA RENAUDIE, 115, rte de Saint-Aignan, 41110 Mareuil-sur-Cher, tél. 02 54 75 18 72, domaine.renaudie@wanadoo.fr* V ▪ ▪ *t.l.j. sf dim. 9h-12h 14h-19h* ⊶ *Denis Bruno*

LES SOUTERRAINS 2014

■	3600	8 à 11 €

Ce domaine fondé en 1820 s'est agrandi au fil des générations, passant de 6 à 23 ha. Après avoir travaillé dans le secteur médical en Chine, Nicolas Mazzesi s'est reconverti dans le secteur du vin. Il a repris cette exploitation en 2011, après avoir suivi une formation au lycée viticole d'Amboise.

Une robe scintillante, un fruité d'agrumes bien présent à l'olfaction, qui se prolonge en bouche, associé à la discrète note variétale du sauvignon et à une belle minréralité, avant une finale teintée d'épices. ⧗ 2016-2020 ⚲ asperges blanches sauce mousseline

⊶ *SCEA DOM. DES SOUTERRAINS, 37 bis, rue des Souterrains, 41130 Châtillon-sur-Cher, tél. 02 54 71 02 94, adm@les-souterrains.com* V ▪ ▪ *t.l.j. sf dim. 8h30-12h 13h45-17h30; sam. 10h-12h 13h30-17h30* ⊶ *Mazzesi*

JEAN-MARC VILLEMAINE 2014

■	1500	▮	8 à 11 €

Située sur la rive droite du Cher, cette propriété a été acquise en 1825 par l'arrière-grand-père de Jean-Marc Villemaine. Ce dernier y est installé depuis 1995, à la tête aujourd'hui de 31 ha de vignes, principalement du sauvignon.

Or pâle, ce vin s'ouvre en finesse sur un fruit très mûr alliant coing et poire. Rondeur et richesse sont au rendez-vous en bouche, équilibrées jusqu'en finale par une belle tension. À déboucher dès l'apéritif. ⧗ 2016-2020 ⚲ bulots mayonnaise

⊶ *JEAN-MARC VILLEMAINE, 62 bis, rue des Charmoises, 41140 Thésée, tél. 02 54 71 52 69, jean-marc.villemaine@wanadoo.fr* V ▪ ▪ *r.-v.*

TOURAINE-MESLAND

Superficie : 100 ha
Production : 5 105 hl (82 % rouge et rosé)

Sur la rive droite de la Loire, au nord de Chaumont et en aval de Blois, le vignoble est implanté sur des sols perrucheux (argile à silex à couverture localement sableuse du miocène, ou limono-sableuse). Les rouges, très majoritaires, sont issus du gamay, assemblé à du cabernet et à du côt: ils sont bien structurés. Les blancs doivent contenir une majorité de chenin, éventuellement complété de chardonnay et de sauvignon.

DOM. DE LA BESNERIE Réserve 2015

■	5000	▮	5 à 8 €

Frédéric Pironneau a repris en 2008 les rênes du domaine (16 ha) acheté et remis en état à partir de 1976 par ses parents.

Cet assemblage de gamay (40 %), complété de cabernet franc et de côt à parts quasi égales, revêt une robe grenat légèrement ambrée. Frais, le nez évoque les fruits rouges et noirs (groseille, cerise, cassis) assortis de fines touches de poivron léguées par le cabernet. Au caractère acidulé de l'olfaction s'oppose une bouche ronde et soyeuse, centrée sur les fruits mûrs. ⧗ 2016-2019 ⚲ rôti de veau

⊶ *EARL PIRONNEAU, Dom. de la Besnerie, 41, rte de Mesland, 41150 Monteaux, tél. 02 54 70 23 75, pironneau.f@wanadoo.fr* V ▪ ▪ *r.-v.*

DOM. DE RABELAIS 2015 ★

■	5500	- de 5 €

La famille Chollet est installée à Onzain depuis 1720. À la tête d'un vignoble de 20 ha situé face au splendide château de Chaumont-sur-Loire, Cédric Chollet perpétue cette tradition viticole depuis 1999.

Des notes de chèvrefeuille s'échappent du verre, relayées à l'aération par de douces senteurs fruitées (pêche blanche, litchi). Minérale en attaque, la bouche se révèle gourmande et épicée et offre en finale de jolies nuances acidulées de citronnelle. ⧗ 2016-2019 ⚲ toasts au saumon mariné

⊶ *CÉDRIC CHOLLET, 60, rue de Meuves, 41150 Onzain, tél. 02 54 20 88 91, cedric.chollet0980@orange.fr* V ▪ ▪ *jeu. ven. sam. 10h-12h 15h-18h; dim. 10h-12h*

DOM. DES TERRES NOIRES 2015 ★

■	3000	▮	- de 5 €

Régulièrement mentionné dans le Guide pour ses touraine-mesland (dans les trois couleurs), ce domaine conduit par les trois frères Rediguère depuis 1993 s'étend sur 15 ha.

Or pâle strié de reflets verts, ce vin s'ouvre sur des notes complexes de fleurs d'acacia et de tilleul assorties de touches d'abricot et de fruits secs (amande, noisette). Les fruits (poire, agrumes) agrémentent aussi la bouche, fraîche et minérale. Un vin bien typé de son terroir calcaire. ⧗ 2016-2019 ⚲ cocotte du pêcheur

GAEC DES TERRES NOIRES, 81, rue de Meuves, 41150 Onzain, tél. 02 54 20 72 87, gaec.terres.noires@orange.fr V r.-v.

DOM. LES VAUCORNEILLES Cuvée Lucile 2015

| 3500 | | 5 à 8 €

Gilles Chelin, qui a repris ce domaine de 12 ha en 1998, a acquis une solide notoriété aux portes de Blois. Il propose ainsi en été une soirée «Spectacle et Vins», et le week-end de la Pentecôte un pique-nique au domaine où les vins sont offerts. Côté vigne, il intègre des méthodes biologiques à une culture raisonnée.

Le chenin (60 %), complété de sauvignon et d'un soupçon de chardonnay, a donné naissance à cette jolie cuvée aux reflets argentés. Des senteurs d'abricot séché, de miel et de fleur d'oranger s'échappent du verre. La bouche renoue avec les notes surmûries perçues à l'olfaction (notes miellées de fleur d'acacia et nuances confites de fruits secs), tout en gardant de la finesse et de la fraîcheur. 2016-2019 darnes de mulet au safran

DOM. LES VAUCORNEILLES, 10, rue de l'Égalité, 41150 Onzain, tél. 02 54 20 72 91, chelin@loire-touraine-mesland-vaucorneilles.fr V r.-v. *Chelin*

TOURAINE-OISLY

Production : 1 000 hl

Sur la rive gauche de la Loire, entre ce fleuve et le Cher, le terroir viticole d'Oisly s'étend sur dix communes de la partie orientale de l'aire d'appellation touraine. Cheverny est à une quinzaine de kilomètres au nord. La Sologne forestière, avec ses étangs et son gibier, est toute proche, à l'est. Le vignoble est implanté sur le plateau de la Sologne viticole. À l'est de Tours, les influences océaniques apparaissent très atténuées, et le climat est semi-continental. L'encépagement change également: en blanc, le chenin fait place au sauvignon. Les sols, graviers et formations dites «de Sologne» (sables, argiles, faluns) sont propices à ce cépage, le seul autorisé dans l'appellation, créée en 2011.

DOM. DES CORBILLIÈRES Fabel Barbou 2014

| 24000 | | 8 à 11 €

Situé à Oisly, en Sologne viticole, ce domaine est une des valeurs sûres de l'appellation touraine. Acquis dans les années 1920 par la famille, le vignoble, qui compte aujourd'hui 27 ha, est conduit par Dominique Barbou.

Une cuvée en hommage à l'arrière-grand-père qui acheta le domaine. Un sauvignon typique de la Sologne viticole, avec son nez expressif et tonique, entre agrumes et fruits exotiques, son palais ciselé et harmonieux, dont la fraîcheur est soulignée par des arômes de pamplemousse. 2016-2020 asperges tièdes sauce mousseline

EARL BARBOU, Dom. des Corbillières, 41700 Oisly, tél. 02 54 79 52 75, contact@domainedescorbillieres.com V r.-v.

DOM. DE MARCÉ Coulée galante 2014

| 40000 | 5 à 8 €

Les vins blancs de domaine de Marcé sont souvent au rendez-vous du Guide. Installé en 1992 sur le domaine familial à Oisly, Christophe Godet poursuit le travail de quatre générations. Il exploite 32 ha de vignes sur des terrains argilo-siliceux.

Une robe limpide pour ce blanc dont l'expression aromatique citronnée apporte d'emblée une sensation de fraîcheur très agréable. Cette vivacité se confirme en bouche, où l'on retrouve les agrumes. Un côté tonique qui ouvre l'appétit et une belle expression du terroir d'Oisly. 2016-2020 verrines de saint-jacques

CHRISTOPHE GODET, 10, rte de Marcé, 41700 Oisly, tél. 02 54 79 54 04, godet.viticulteur@orange.fr V *t.l.j. sf dim. 9h-12h 14h30-19h*

♥ RAPAHËL MIDOIR
La Plaine des Cailloux 2014 ★★

| 4000 | | 8 à 11 €

Représentant la cinquième génération, Raphaël Midoir a succédé à son père en 1997 sur la propriété familiale située au cœur de la Sologne viticole. Réputé pour ses crémants, ce domaine de 27 ha se distingue également par ses touraines blancs et rosés.

Une excellente bouteille qui traduit un raisin récolté à haute maturité. La robe est intense, tout comme le nez, sur les agrumes et les fruits mûrs, avec une note délicate de noisette. En bouche, ce vin s'impose par sa puissance, son gras, son équilibre et par la persistance de ses frais arômes de fleurs blanches et de pamplemousse. Remarquable expression du sauvignon sur ce terroir d'Oisly, il accompagnera tout un repas. 2016-2020 ris de veau à la crème

SARL RAPHAËL MIDOIR, 380, rue de la Grande-Brosse, 41700 Chemery, tél. 02 54 71 83 58, contact@raphaelmidoir.com V *t.l.j. 9h-12h30 14h-19h*

DOM. DE PIERRE 2014 ★★

| 15000 | | 8 à 11 €

Ingénieur agricole, Lionel Gosseaume, après avoir travaillé quinze ans dans des organisations professionnelles, a sauté le pas en 2007 en reprenant en fermage 9 ha à Choussy, au cœur de la Sologne viticole. Son domaine compte aujourd'hui près de 22 ha.

Du verre s'échappent des senteurs aussi variées qu'attirantes: pamplemousse, fruits exotiques (mangue) et sève de pin. Le prélude à une bouche aussi remarquable par son volume que par sa fraîcheur tonique, laquelle équilibre les impressions de gras et porte loin les arômes d'agrumes et de fruits exotiques. Un vin de gastronomie, à savourer au repas. 2016-2020 coquilles Saint-Jacques

LIONEL GOSSEAUME, 6, chem. des Étangs, 41700 Choussy, tél. 02 54 71 55 02, info@lionelgosseaume.fr V *r.-v.*

BOURGUEIL

Superficie : 1 356 ha
Production : 69 234 hl

Rouges et parfois rosés, les bourgueils sont produits à partir du cépage cabernet franc (breton), à l'ouest de la Touraine et aux frontières de l'Anjou, sur la rive droite de la Loire. Racés, dotés de tanins élégants, ils ont une très bonne aptitude au vieillissement, après une cuvaison longue, s'ils proviennent des sols sur tuffeau jaune des coteaux: au moins dix ans pour les meilleurs millésimes. Ils sont plus gouleyants et fruités s'ils proviennent des terrasses aux sols graveleux à sableux.

B YANNICK AMIRAULT La Petite Cave 2014 ★

■ | 7000 | | 15 à 20 €

Présent en saint-nicolas et en bourgueil, Yannick Amirault, rejoint en 2003 par son fils Benoît, fait partie des valeurs sûres de ces deux appellations. Les 19 ha du domaine sont aujourd'hui conduits en bio.

La parure rouge violine, éclatante, prélude à une olfaction dominée par des arômes de mûre que viennent souligner des nuances vanillées. Ronde, la bouche révèle une chair tendre assortie d'un boisé délicat, legs de son élevage de dix-huit mois en fût. ⧗ 2016-2022 ▼ sauté d'agneau

YANNICK AMIRAULT, 1, rte du Moulin-Bleu, 37140 Bourgueil, tél. 02 47 97 78 07, info@yannickamirault.fr V r.-v.

B DOM. DU BEL AIR Les Vingt Lieux-Dits 2014

■ | 18000 | | 8 à 11 €

À l'origine en polyculture, cette propriété familiale se consacre à la vigne depuis 1979. Pierre Gauthier, épaulé par son fils Rodolphe, conduit un domaine de 17,7 ha – en bio depuis l'an 2000.

Ce 2014 s'affiche dans une chatoyante robe rubis et libère de fins arômes fumés (legs de six mois de fût). La bouche est élégante, douce et soyeuse, sur les fruits noirs. À boire dès aujourd'hui après un passage en carafe. ⧗ 2016-2019 ▼ magret de canard

DOM. DU BEL AIR, GAEC Pierre et Rodolphe Gauthier, 7, rue de la Motte, 37140 Benais, tél. 02 47 97 41 06, gaecgauthier@wanadoo.fr V r.-v.

♥ DOM. DE LA CHANTELEUSERIE Vieilles Vignes 2014 ★★

■ | 8064 | | 8 à 11 €

La fondation de la Chanteleuserie remonte à près de deux siècles (1822). Sept générations de vignerons s'y sont succédé. Aujourd'hui, Thierry Boucard gère le domaine de 22 ha, implanté à Benais sur des terres argilo-calcaires.

Le vigneron, qui n'en est pas à son coup d'essai, réussit là un coup de maître avec cette cuvée issue de vieilles vignes plantées sur 6 ha de sable et d'argilo-calcaires. Ce 2014 séduit d'emblée par ses parfums opulents de fruits rouges et d'épices douces. Fruits rouges qui, assortis de touches végétales typiques du cabernet, agrémentent aussi la bouche, ronde, souple et onctueuse, aux tanins fins et veloutés. Un vin aimable et plein de charme. ⧗ 2016-2020 ▼ pintade au chou ■ **Beauvais 2014 (8 à 11 €; 11883 b.)** : vin cité.

THIERRY BOUCARD, La Chanteleuserie, 37140 Benais, tél. 02 47 97 30 20, t-boucard@wanadoo.fr V *t.l.j. sf dim. 9h-12h 14h-19h*

B DOM. DU CHÊNE ARRAULT Cuvée du Chêne Arrault 2014

■ | 5000 | | 5 à 8 €

Christophe Deschamps a repris en 1990 le vignoble de ses grands-parents réparti sur deux communes de l'appellation: Benais et Restigné. L'exploitation de 3,5 ha est conduite en bio.

Ce 2014 issu de vieilles vignes enracinées dans des graviers s'affiche dans une attrayante robe pourpre frangée de violine. Intense, le nez a la vivacité des fruits rouges. Puissante, la bouche séduit elle aussi par ses notes intensément fruitées, soutenue par des tanins encore un peu fermes qu'une courte garde devrait assouplir. ⧗ 2017-2020 ▼ cou d'oie farci

CHRISTOPHE DESCHAMPS, 4, le Chêne-Arrault, 37140 Benais, tél. 02 47 97 46 71, domaine.du.chene.arrault@wanadoo.fr V r.-v.

B DOM. DE LA CHEVALERIE Galichets 2014 ★

■ | 15000 | 11 à 15 €

Quatorze générations de vignerons se sont succédé depuis 1640 sur l'exploitation. Le domaine (38 ha), désormais conduit en agriculture biologique et biodynamique, est une valeur sûre de l'appellation bourgueil avec de nombreux coups de cœur à son palmarès.

Dans le parler tourangeau, les «galichets» désignent des amas de graviers, particulièrement favorables à l'implantation du cabernet franc. Cette cuvée phare du domaine donne, comme de juste, la parole au terroir. L'olfaction, sur les fruits noirs confiturés, donne envie de poursuivre la dégustation. La bouche, elle, se montre riche et complexe, charnue et soyeuse, soulignée par une pointe de fraîcheur «terroitée». ⧗ 2016-2020 ▼ rôti de veau

DOM. DE LA CHEVALERIE, 7-14, rue du Peu-Muleau, La Chevalerie, 37140 Restigné, tél. 02 47 97 46 32, domaine@delachevalerie.fr V r.-v. *Caslot*

DOM. DE LA CHOPINIÈRE DU ROY Cuvée d'Antan 2014

■ | 5300 | | 5 à 8 €

Installé en 1999, Christophe Ory a été rejoint en 2010 par son frère Nicolas à la tête du domaine développé par Michel Ory, leur père; le vignoble compte désormais 26 ha.

LOIRE

Une cuvée fruitée, svelte, friande et croquante, issue d'un terroir d'à peine 1 ha, vinifiée de manière classique, et qui se veut modeste «hommage aux anciens». Exercice réussi. 2016-2019 blanquette de veau

CHRISTOPHE ET NICOLAS ORY, Dom. de la Chopinière du Roy, 30, La Rodaie, 37140 Saint-Nicolas-de-Bourgueil, tél. 02 47 97 77 74, chopiniereduroy@aol.com V t.l.j. 8h-19h30

DOM. DE LA CLOSERIE Vieilles Vignes 2014

■ | 10000 | | 5 à 8 €

Ses ancêtres sont passés de la brasserie à la viticulture. Régulièrement distingué dans le Guide, Jean-François Mabileau sait mettre en valeur son domaine de Restigné, à l'est de Bourgueil. En conversion bio.

Cette cuvée d'une belle couleur cassis s'ouvre sur des senteurs de fruits rouges et noirs. Elle offre en bouche des nuances d'épices et de vanille, et s'appuie sur des tanins encore un peu sévères en finale. Il faudra l'attendre pour apprécier au mieux sa personnalité. 2017-2020 tournedos

JEAN-FRANÇOIS MABILEAU, Dom. de la Closerie, 28, rte de Bourgueil, 37140 Restigné, tél. 02 47 97 36 29, j-f-mabileau@orange.fr V r.-v.

♥ LYDIE ET MAX COGNARD Cuvée Caudalies 2014 ★★

■ | 5000 | | 11 à 15 €

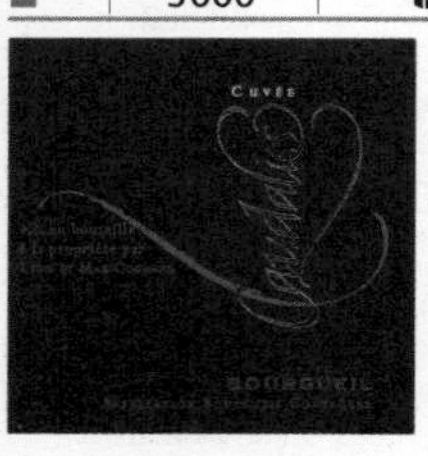

Créée en 1973 à partir de 1 ha par Lydie et Max Cognard, cette exploitation située à Chevrette, un petit hameau de Bourgueil, à la limite de Saint-Nicolas, s'étend désormais sur 13 ha. Depuis 2013, les enfants, Estelle et Rodolphe, ont pris le relais. Une valeur sûre en bourgueil et en saint-nicolas.

Les Caudalies sont issues d'une parcelle argilo-calcaire de 95 ares. Un vin qui se détache dès le premier regard par sa magnifique robe carmin foncé aux lueurs violines. La suite est dans le droit fil: bouquet enchanteur de fruits mûrs à souhait, bouche tout aussi fruitée et un brin pierreuse, corpulente, dense, aux tanins *soft* et délicats, d'où émergent de fines nuances toastées. Un vin promis à une bonne garde. 2018-2026 filet mignon de chevreuil ■ **Estelle et Rodolphe Cognard Les Tuffes 2014 (5 à 8 €; 12000 b.)** : vin cité.

SCEA ESTELLE ET RODOLPHE COGNARD, 3, rte de Chevrette, 37140 Saint-Nicolas-de-Bourgueil, tél. 02 47 97 76 88, vins.cognard@orange.fr V r.-v. E

NATHALIE ET DAVID DRUSSÉ Leroy de Restigné 2014

■ | 9300 | | 5 à 8 €

Issu d'une famille de viticulteurs de Saint-Nicolas, David Drussé a créé son domaine en 1996, rejoint ensuite par son épouse Nathalie. En 2010, le couple a renoncé aux désherbages chimiques, premier pas avant d'engager la conversion à l'agriculture biologique en 2015. L'exploitation compte 21 ha.

Un vin à boire sur le fruit. Joliment drapé de grenat sombre strié de lueurs violines, il développe au nez des arômes frais de fruits rouges et de violette. La bouche, douce et plaisante, déploie elle aussi de tendres notes fruitées, rehaussées en finale par une fine acidité. 2016-2019 lapin rôti aux herbes

NATHALIE ET DAVID DRUSSÉ, 1, imp. de la Villatte, 37140 Saint-Nicolas-de-Bourgueil, tél. 02 47 97 98 24, drusse@wanadoo.fr V t.l.j. 9h-19h

DOM. DUBOIS Prestige 2014

■ | 5000 | | 5 à 8 €

Depuis son installation en 2002 sur le domaine (13 ha aujourd'hui) créé par son père Serge en 1973, Mickaël Dubois fait preuve d'une remarquable constance dans la qualité avec ses bourgueil denses et racés.

Après dix mois de fût, cette cuvée présente un nez finement boisé et délivre en bouche de douces notes vanillées. Rond et généreux en attaque, le palais dévoile ensuite des tanins solides, encore un peu sévères en finale. Un bourgueil «droit dans ses bottes», promis à une bonne garde. 2017-2022 gigue de chevreuil ■ **Vieilles Vignes 2014 (5 à 8 €; 7000 b.)** : vin cité.

DOM. DUBOIS, 49, rue de Lossay, 37140 Restigné, tél. 02 47 97 31 60, domaine.sergedubois@orange.fr V r.-v.

DOM. BRUNO DUFEU Cuvée Clémence 2014

■ | 3500 | | 5 à 8 €

Bruno Dufeu dirige depuis 1995 cette exploitation de 7,5 ha située sur la commune de Benais, au cœur de l'AOC bourgueil, dont il est l'une des valeurs sûres.

Clémence, prénom qui renvoie intuitivement à la douceur et à la générosité, est le joli nom de baptême de cette cuvée à laquelle Bruno Dufeu avoue avoir porté «une attention particulière». Drapé de grenat profond, ce vin délivre des senteurs de fruits rouges frais et de fleurs printanières. En bouche, il se montre chaleureux sans excès, ample et persistant sur le fruit. 2016-2020 bœuf Stroganov ■ **Bruno Dufeu Grand Mont 2014 (5 à 8 €; 6600 b.)** : vin cité.

BRUNO DUFEU, Les Neusaies, 37140 Benais, tél. 02 47 97 76 53, brunodufeu@gmail.com V r.-v. B

LAURENT FAUVY 2014

■ | 4000 | | 5 à 8 €

Laurent Fauvy est un vigneron discret, installé à Benais depuis 1991, dont les bourgueil sont souvent mentionnés dans le Guide.

Un vin sans fard qui plaira aux amateurs de simplicité. Quelques senteurs végétales rapidement dissipées laissent la place à l'aération à des notes de fruits noirs. La bouche est souple et tendre, d'un bon volume et d'une longueur honorable. 2016-2019 rognons de veau

EARL LAURENT FAUVY, 14, rte de Saint-Gilles, 37140 Benais, tél. 02 47 97 46 67, earl.fauvy.laurent@wanadoo.fr V r.-v.

Ⓑ MAISON FOUCHER-LEBRUN
La Chopinière En la Vallée de l'Ormeau de Maure 2014

■ | 7300 | | 5 à 8 €

Tonnelier de son état, Paulin Lebrun s'est pris de passion pour la vigne et le vin aux contacts des vignerons avec lesquels il travaillait. Il a fondé en 1921 cette maison de négoce aujourd'hui dans le giron de Picard Vins et Spiritueux.

Issu de vignes conduites en bio, ce 2014 d'un beau rouge sombre offre un joli nez de fruits rouges, de cerise notamment. La bouche, ronde et avenante, laisse poindre quelques notes variétales (feuille de cassis froissée). Simple et efficace, à boire sur le fruit. 2016-2019 grillade d'aloyau

MAISON FOUCHER-LEBRUN, 29, rte de Bouhy, 58200 Alligny-Cosne, tél. 03 86 26 87 27, contact@maisonfoucher.com V *t.l.j. sf sam. dim. 8h-12h 14h-18h; f. août* *Picard Vins et Spiritueux*

GUILLAUME GALTEAU Rouge Désir 2014

■ | 5000 | 5 à 8 €

Après des études en «viti-œno» et une solide formation sur le terrain, Guillaume Galteau, issu d'une lignée de vignerons, a créé ce domaine en 2006. Il conduit 5 ha de vignes.

Ce vin couleur rubis apparaît souple et fruité, doté d'une finale persistante. Une cuvée harmonieuse que l'on classera volontiers dans la catégorie des «vins plaisir» à boire sur le fruit. 2016-2018 volaille rôtie

GUILLAUME GALTEAU, 42, rue de Touraine, 37140 Ingrandes-de-Touraine, tél. 06 68 58 53 39, domainedesvinscoeur@gmail.com V *t.l.j. sf sam. dim. 17h-19h*

DOM. DES GÉLÉRIES Vieilles Vignes 2014

■ | 15000 | | 5 à 8 €

Appartenant aux familles Meslet, Thouet et Rouzier, ce domaine de 31 ha régulier en qualité se répartit sur 45 parcelles et trois AOC: chinon, bourgueil et saint-nicolas. Il est conduit depuis 2012 par Germain Meslet.

Cette cuvée a été élevée six mois en cuve et autant en fût. Cela explique la présence d'arômes boisés impétueux lors de l'olfaction et la fermeté tannique d'une bouche certes équilibrée, mais encore austère. Une attente de quelques mois s'impose avant de pouvoir apprécier cette bouteille; le potentiel est là. 2017-2021 carbonade de bœuf à la flamande

DOM. DES GÉLÉRIES, 4, rue des Géléries, 37140 Bourgueil, tél. 02 47 97 74 83, domainedesgeleries@orange.fr V *t.l.j. sf dim. 9h-12h30 14h30-19h*

JÉRÔME GODEFROY Réserve Gabin 2014 ★

■ | 6500 | | 8 à 11 €

Après le départ à la retraite de son père en 2005, Jérôme Godefroy a pris les rênes de l'exploitation où se sont succédé cinq générations de vignerons. Il a ensuite entrepris un important travail de restauration de la propriété, qui couvre 11 ha aujourd'hui.

Issue d'un terroir de graviers, cette cuvée affiche une robe rubis, prélude à un nez charmeur ouvert sur des arômes frais de fruits rouges. La bouche, ample et équilibrée, rappelle les accents printaniers de l'olfaction. 2016-2020 entrecôte marchand de vin

DOM. JÉRÔME GODEFROY, 19, le Plessis, 37140 Chouzé-sur-Loire, tél. 02 47 95 16 56, domaine.godefroy@orange.fr V *t.l.j. sf dim. 9h-12h 14h-18h*

DOM. DU GRAND CLOS 2014

■ | 36000 | 8 à 11 €

Installée depuis 1839 en Val de Loire, la famille Audebert exploite aujourd'hui un vignoble de 42 ha répartis en bourgueil, saint-nicolas et chinon, et conduit une activité de négoce. Les parcelles du domaine sont implantées dans tous les terroirs des trois appellations.

Le nez est intensément fruité, et la bouche dévoile un vin plutôt léger, harmonieux et rond, qui honore la tradition bourgueilloise. 2016-2019 côte de veau grillée ■ **Dom. Audebert et Fils Les Marquises 2014 (11 à 15 €; 8000 b.)** : vin cité.

MAISON AUDEBERT ET FILS, 20, av. Jean-Causeret, 37140 Bourgueil, tél. 02 47 97 70 06, maison@audebert.fr V *t.l.j. sf dim. 8h-12h 13h30-19h*

VIGNOBLE DE LA GRIOCHE
Cuvée de Santenay 2014 ★★

■ | 4000 | | 5 à 8 €

Stéphane Breton a pris la suite de son père Jean-Marc en 2012 à la tête d'un domaine de 13,5 ha implanté sur les sols argilo-calcaires et sableux de Restigné, importante commune du Bourgueillois. En conversion bio depuis 2013.

Cette cuvée issue d'un terroir de graviers a frôlé le coup de cœur. Elle possède le ton vif des bourgueil enjoués: une robe intense aux reflets violines, une olfaction riche de fruits rouges qui signe une vendange de belle maturité, une bouche ample, fraîche, longue et savoureuse, sur le fruit. 2016-2020 pavé de bœuf au poivre ■ **Cuvée Prestige 2014 (5 à 8 €; 4000 b.)** : vin cité.

STÉPHANE BRETON, 19, rue les Marais, 37140 Restigné, tél. 06 66 48 51 38, bretonstephane@orange.fr V *r.-v.* Ⓑ

Ⓑ DOM. GUION Cuvée Domaine 2014 ★★

■ | 20000 | | 5 à 8 €

Les Guion ont été des pionniers de la culture biologique en Val de Loire en adoptant cette démarche dès 1965. Stéphane, qui conduit désormais le vignoble, après de solides études viticoles et une expérience en Bordelais, reste fidèle à cette orientation.

Ce vin séduit d'emblée par sa robe incarnat d'une belle brillance, son nez campé sur d'intenses arômes de fruits noirs et sa bouche ronde, soyeuse et équilibrée. Déjà très harmonieux, il gagnera à rester un an ou deux en cave pour révéler toute sa personnalité. 2017-2020 râble de lapin aux raisins ■ **Cuvée Prestige 2014 ★ (8 à 11 €;**

16000 b.) Ⓑ : une palette aromatique très variée qui évoque les fruits noirs (cassis en tête) et le laurier; arômes prolongés dans une bouche ample et intense, bâtie sur des tanins soyeux. ⧗ 2016-2020 ▾ joues de bœuf braisées

⊶ STÉPHANE GUION, 3, rte de Saint-Gilles, 37140 Benais, tél. 02 47 97 30 75, stephaneguion@hotmail.com V r.-v.

ALAIN ET ARNAUD HOUX Le Clos Barbin 2014

■	4000		5 à 8 €

Cette propriété de Restigné régulièrement mentionnée dans le Guide compte 19 ha de vignes implantées sur des sols argilo-calcaires. Arnaud Houx, à la tête du domaine familial depuis 2008, conserve les vins jugés « de garde » dans une cave taillée dans le roc.

Ce 2014 arbore une robe rouge sombre et libère de plaisantes notes de fruits rouges. On les retrouve dans une bouche riche et concentrée, qui offre en finale une touche acidulée. ⧗ 2016-2019 ▾ entrecôte grillée

⊶ ARNAUD HOUX, 21, le Clos-Barbin, 37140 Restigné, tél. 06 32 76 60 19, arnaud.houx@yahoo.com V *r.-v.*

LAMÉ DELISLE BOUCARD
Cuvée Vieilles Vignes 2014 ★★

■	27000		8 à 11 €

En 1947, Lucien Lamé se lance dans la vente en direct puis ajoute sur l'étiquette le nom de sa femme Yvonne Delisle. L'aventure prend un nouvel essor en 1968 avec l'arrivée de son gendre Lucien Boucard. En 1989, les enfants de ce dernier, Philippe et Stéphanie (aujourd'hui aidés de leurs conjoints Patricia et Éric), ont pris le relais à la tête d'un vignoble de 45 ha souvent en vue pour ses bourgueil.

Sur des coteaux exposés plein sud, les vieilles vignes de cabernet franc à l'origine de cette belle cuvée sont profondément enracinées sur des terres graveleuses. Elles ont été vendangées à bonne maturité et le vin a été élevé un an en fût. Il en résulte de fines notes de torréfaction, un discret vanillé, des tanins fins et soyeux et un plaisant fruité. Sans conteste un bon vin de garde. ⧗ 2017-2024 ▾ canard laqué ■ **Cuvée Prestige 2014 (8 à 11 €; 70000 b.)** : vin cité.

⊶ LAMÉ DELISLE BOUCARD, 21, rue de la Galotière, 37140 Ingrandes-de-Touraine, tél. 02 47 96 98 54, lame.delisle.boucard@wanadoo.fr V *t.l.j. sf dim. 9h-12h 13h30-17h30; sam. 9h-12h ⊶ Boucard Degaugue*

Ⓑ **DOM. DE LA LANDE** Prestige 2014 ★★

■	7000		11 à 15 €

Dans la famille depuis quatre générations, ce domaine s'étend sur 17 ha en bordure de la route du Vignoble. François Delaunay, qui a pris les rênes de l'exploitation en 1991, l'a depuis converti au bio.

Vêtue d'une séduisante robe grenat, cette cuvée libère des notes de fruits rouges et noirs frais. Un joli prélude à une bouche vive en attaque, qui développe ensuite d'aimables rondeurs fruitées, soutenue par une structure tannique harmonieuse et sans excès. La longue finale souple et soyeuse achève de convaincre. ⧗ 2016-2020 ▾ rôti de bœuf ■ **Les Graviers 2014 ★ (5 à 8 €; 6000 b.)** Ⓑ : de doux parfums de fruits cuits (mûre, myrtille) précèdent un palais tout aussi mûr, concentré et solide, qui laisse présager une bonne évolution. ⧗ 2017-2021 ▾ coq au vin ■ **Les Pins 2014 (5 à 8 €; 6000 b.)** Ⓑ : vin cité.

⊶ DOM. DE LA LANDE, 20, rte du Vignoble, 37140 Bourgueil, tél. 02 47 97 80 73, earl.delaunay.pfils@wanadoo.fr V *r.-v. ⊶ Delaunay*

Ⓑ **FRÉDÉRIC MABILEAU** Racines 2013 ★

■	7800		11 à 15 €

Frédéric Mabileau est l'une des figures de proue en bourgueil et en saint-nicolas depuis son installation en 1991, en marge de l'exploitation paternelle. En 2005, les deux domaines ont fusionné, si bien que le vignoble couvre 28 ha aujourd'hui. Le producteur a adopté l'agriculture biologique en 2007 et la biodynamie en 2012.

Fidèle au rendez-vous du Guide, Frédéric Mabileau signe avec cette cuvée Racines un bourgueil plein de panache, qui libère dès l'agitation un fruité tentateur accompagné d'un boisé bien fondu (dix mois d'élevage en fût). Des arômes fruités qui accompagnent longuement la bouche, ronde et charnue. ⧗ 2016-2020 ▾ tourte à la viande

⊶ FRÉDÉRIC MABILEAU, 6, rue du Pressoir, 37140 Saint-Nicolas-de-Bourgueil, tél. 02 47 97 79 58, contact@fredericmabileau.com V *t.l.j. 9h-12h 14h-17h*

DOM. LAURENT MABILEAU 2014 ★

■	40000		8 à 11 €

Depuis 1985, Laurent Mabileau conduit un domaine de 28 ha en bourgueil et en saint-nicolas, abrité des vents du nord par la forêt. Le vigneron signe avec une remarquable régularité des vins droits qui lui valent de fréquentes mentions dans le Guide.

Bourgueil ou saint-nicolas, Laurent Mabileau ne manque jamais son rendez-vous avec nos lecteurs. Il s'illustre ici avec un bourgueil abouti, au nez intense et friand de fruits finement épicés et réglissés, auquel fait écho une bouche fraîche, soyeuse, avenante, équilibrée. ⧗ 2016-2020 ▾ brochettes d'agneau

⊶ LAURENT MABILEAU, La Croix-du-Moulin-Neuf, 37140 Saint-Nicolas-de-Bourgueil, tél. 02 47 97 74 75, domaine@mabileau.fr V *t.l.j. sf sam. dim. 8h30-12h 13h30-17h30*

DOM. DES MAILLOCHES Vieilles Vignes 2014 ★

■	24000		5 à 8 €

Propriété familiale depuis huit générations, dont le vignoble uniquement constitué de cabernet franc est implanté sur trois types de sols: sables, graviers et argilo-calcaires. C'est Samuel Demont qui dirige le domaine (17,5 ha) depuis 2002.

Planté sur le tuffeau, le cabernet franc donne ici une cuvée qui affiche d'emblée une personnalité conquérante à travers sa robe sombre aux reflets bleutés et son nez frais qui distille de fins arômes de fruits rouges et d'épices douces. La bouche confirme cette impression: du volume, des tanins fins et des saveurs persistantes de fruits mûrs. ⧗ 2016-2022 ♈ pigeon rôti

⊶ *EARL DOM. DES MAILLOCHES, 40, rue de Lossay, 37140 Restigné, tél. 02 47 97 33 10, demont-j.f@wanadoo.fr* V ♿ ▮ *r.-v.* ⌂ D

BERTRAND ET VINCENT MARCHESSEAU
Roc'Collection 2014

■ | 8000 | ◍ | 11 à 15 €

Bertrand et Vincent Marchesseau ont repris l'exploitation familiale en 2001. Conduit en bio (certification en 2015), leur vignoble (21 ha) couvre trois appellations: bourgueil, saint-nicolas-de-bourgueil et chinon.

Cette cuvée issue d'un terroir calcaire et élevée douze mois en fût de chêne dans une cave creusée dans le roc s'ouvre sans réserves sur de fines notes de fruits rouges. Arômes que l'on retrouve dans un palais souple et soyeux, rehaussé en finale par une touche épicée. ⧗ 2016-2019 ♈ côte de porc à la tomate

⊶ *BERTRAND ET VINCENT MARCHESSEAU, 16, rue de l'Humelaye, 37140 Bourgueil, tél. 02 47 97 47 72, contact@vinmarchesseau.fr* V ♿ ▮ *t.l.j. sf dim. 9h-12h 14h-18h*

DOM. DE MATABRUNE 2014 ★★

■ | 20000 | ▮ | 5 à 8 €

Fondée en 1931, bien avant la reconnaissance de l'appellation, la cave des Vins de Bourgueil dispose aujourd'hui de 320 ha en AOC bourgueil ainsi que de 20 ha en AOC saint-nicolas. Elle regroupe cinquante-cinq exploitants.

D'intenses notes de poivre vert, de coriandre et de clou de girofle s'échappent du verre, relayées à l'aération par des nuances de fruits rouges. La bouche charnue, ronde et soyeuse révèle un fruité plus mûr rehaussé de touches épicées. Un vin gourmand et d'une belle complexité, que l'on pourra boire dès aujourd'hui en le carafant, ou plus tard pour de nouvelles sensations. ⧗ 2016-2022 ♈ carré d'agneau au thym ■ **Dom. de Fontenys Vieilles Vignes 2014 (5 à 8 €; 20000 b.)** : vin cité.

⊶ *CAVE DES VINS DE BOURGUEIL, 16, rue des Chevaliers, 37140 Restigné, tél. 02 47 97 32 01, paulinefouchereau@cavedebourgueil.com* V ♿ ▮ *t.l.j. sf dim. 9h30-12h30 14h-17h30*

Ⓑ **DOM. MÉNARD** Le Jardin des raisins 2014 ★★

■ | 4500 | ▮ | 8 à 11 €

Patricia et Hervé Ménard conduisent de concert ce domaine de quelque 3 ha aujourd'hui converti au bio. Le couple travaille l'ensemble des sols à l'aide de chevaux de trait.

Cette cuvée prétendante au coup de cœur aurait pu être nommée «Jardin des délices» tant elle a séduit les palais exigeants de dégustateurs. Belle robe sombre ourlée de grenat, nez intense et généreux de fruits très mûrs, bouche à la fois ample et droite, généreuse et fine, dotée de tanins souples et fondus. ⧗ 2016-2021 ♈ pintade rôtie ■ **Le Grand Clos 2014 ★ (11 à 15 €; 3300 b.)** Ⓑ : encore dominé par son élevage (huit mois en fût), un 2014 dense et charpenté, à faire patienter en cave pour un meilleur fondu. Du caractère et du potentiel. ⧗ 2018-2022 ♈ civet de sanglier

⊶ *HERVÉ ET PATRICIA MÉNARD, 6, rue de l'Échelle, 37140 Bourgueil, tél. 02 47 97 72 65, hp.menard@sfr.fr* V ♿ ▮ *r.-v.* ⌂ G

DOMINIQUE MESLET 2014 ★

■ | 3000 | ▮ | 5 à 8 €

Trois générations de vignerons sont à l'origine de ce domaine de près de 13 ha. Le vignoble est désormais conduit par Dominique Meslet, installé à Bourgueil, qui possède également des parcelles à Saint-Nicolas.

Ce 2014 né sur des terres sablo-argileuses se montre des plus harmonieux. Par sa couleur rubis intense, son olfaction intense et fruitée, sa bouche souple, ronde et expressive, titillée en finale par une vivacité bienvenue. Pimpant et facile d'accès. ⧗ 2016-2019 ♈ côte de veau

⊶ *DOMINIQUE MESLET, 10, rue la Percherie, 37140 Bourgueil, tél. 02 47 97 42 95, ds.meslet@orange.fr* V ♿ ▮ *r.-v.*

Ⓑ **VIGNES CENTENAIRES DE MINIÈRE** 2014 ★★★

■ | 4200 | ◍ | 15 à 20 €

Remontant au XVIe s., ce domaine transmis par les femmes est passé sous pavillon belge en 2010 avec son rachat par la famille Van den Berghe. Le vignoble de 15 ha est, lui, passé sous pavillon «bio».

Ce 2014, passé à un souffle du coup de cœur, a fait forte impression. Sa splendide robe grenat aux éclats violines est de bon augure. Le nez, riche et racé, associe un boisé parfaitement fondu à un fruité opulent. En bouche, du velours, de l'élégance, du volume autour de superbes tanins de taffetas, mûrs et soyeux. ⧗ 2017-2026 ♈ magret de canard ■ **Ch. de Minière 2014 ★ (15 à 20 €; 7400 b.)** Ⓑ : une cuvée encore marquée par un boisé «athlétique», qui laisse toutefois s'exprimer le fruit (framboise, cassis). Un fruité mûr qui accompagne la vanille dans une bouche ample et charnue. À attendre. ⧗ 2018-2026 ♈ faisan rôti

⊶ *SCEV DU CH. DE MINIÈRE, 25, rue de Minière, 37140 Ingrandes-de-Touraine, tél. 02 47 96 94 30, contact@chateaudeminiere.com* V ♿ ▮ *t.l.j. 11h-17h*
⊶ *Van den Berghe*

NAU FRÈRES Les Blottières 2014

■ | 14000 | ▮ | 5 à 8 €

Les frères Nau conduisent un domaine familial de 20 ha situé sur les premières terrasses de Bourgueil. Leurs cuvées figurent régulièrement dans le Guide.

Né d'une parcelle de 2,5 ha de graviers, un joli classique frais et fruité, léger et convivial, «qui file doucement en bouche», selon un dégustateur. ⧗ 2016-2019 ♈ matelote d'anguilles ■ **Vieilles Vignes 2014 (8 à 11 €; 14000 b.)** : vin cité.

⊶ *PATRICE NAU, 52, rue de Touraine, 37140 Ingrandes-de-Touraine, tél. 02 47 96 98 57, naufreres@wanadoo.fr* V ♿ ▮ *t.l.j. sf dim. 9h-12h 14h-18h*

DOM. OLIVIER Vieilles Vignes 2014

■ | 26000 | | 5 à 8 €

Créée en 1959, cette exploitation familiale, qui n'a cessé de se diversifier et de s'agrandir, couvre désormais 58 ha. Conduite depuis 1983 par Florian Olivier, elle est régulièrement distinguée dans le Guide.

Né de vieilles vignes plantées sur un ensemble de terres sablonneuses et argilo-calcaires, ce « vin de copains », micro-oxygéné au cours de son élaboration, se montre rond, gourmand et fruité. À boire dans sa jeunesse. 2016-2019 coq au vin

EARL DOM. OLIVIER, La Forcine, 37140 Saint-Nicolas-de-Bourgueil, tél. 02 47 97 75 32, patrick.olivier14@wanadoo.fr V *t.l.j. 9h-12h 14h-18h; dim. sur r.-v.*

NATHALIE OMASSON Vieilles Vignes 2014 ★

■ | 6000 | | - de 5 €

Plantées sur les coteaux de Saint-Patrice, les vignes du domaine (8 ha) font face au romantique château d'Ussé. Nathalie Omasson s'y est installée en 2003 et, depuis, elle signe de jolies cuvées fréquemment retenues dans le Guide.

Cette cuvée d'un charme éclatant arbore une belle robe sombre striée de reflets violets. Discret, le nez délivre peu à peu des arômes de petits fruits rouges. La bouche est fraîche, raffinée, fruitée, étayée par des tanins bien fondus. Un vin convivial et courtois. 2016-2019 terrine de chevreuil

NATHALIE OMASSON, 3, rue de la Cueille-Cadot, 37130 Saint-Patrice, tél. 02 47 96 90 26, nathalie.omasson@gmail.com V *r.-v.*

DOM. DES OUCHES Igoranda 2014 ★★

■ | 26000 | | 5 à 8 €

Établis à Ingrandes, village qui marque la limite entre les anciens duchés d'Anjou et de Touraine, les Gambier cultivent la vigne depuis 1980: les parents Odile et Paul tout d'abord, leurs enfants Thomas et Denis aujourd'hui. Leur domaine couvre 17 ha.

C'est à partir d'un terroir de graviers que des cabernets d'âge mûr, vendangés manuellement, ont donné naissance à ce 2014. Un finaliste du coup de cœur que, sans nul doute, pourchasseront les fins gourmets... De présentation soignée dans sa robe couleur cassis, cette cuvée s'ouvre sur des notes de fruits rouges et noirs agrémentées de nuances de violette. Structurée par des tanins puissants mais bien fondus, la bouche délivre de doux arômes de marmelade de fruits rouges. Un flacon déjà harmonieux, et qui vieillira bien. 2016-2022 lapin chasseur ■ **Les Clos Boireaux 2014 ★ (8 à 11 €; 6000 b.)** : élevée douze mois en fût, une cuvée encore réservée qui a tous les atouts pour s'exprimer pleinement dans quelques années: de fines notes de fruits rouges, une belle ampleur et une solide structure tannique. 2018-2022 matelote d'anguilles

DOM. DES OUCHES, 3, rue des Ouches, 37140 Ingrandes-de-Touraine, tél. 02 47 96 98 77, contact@domainedesouches.com V *t.l.j. sf dim. 10h-12h 14h-18h* *Thomas et Denis Gambier*

B **DOM. DU PETIT BONDIEU** Couplets 2014 ★★

■ | 6500 | | 8 à 11 €

Installée à Restigné, la famille Pichet s'évertue depuis quatre générations à produire des vins au plus près de la nature et des terroirs. Le domaine, qui s'étend sur 20 ha aujourd'hui, est géré par Thomas et son père Jean-Marc, conduit en bio certifié depuis le millésime 2013.

Proposée pour un coup de cœur, cette cuvée d'un grenat profond presque noir libère avec générosité un fruité bien mûr. La bouche a de la tenue: du volume, un fruité savoureux, des tanins délicats et soyeux, de la fraîcheur, une belle longueur. 2017-2022 bœuf bourguignon ■ **Petit Mont 2014 ★ (5 à 8 €; 8000 b.)** B : un « vin plaisir » aux notes de fruits rouges, rond et élégant. 2016-2019 grillade de porc ■ **Les Terres brunes 2014 (8 à 11 €; 4600 b.)** B : vin cité.

THOMAS PICHET, 30, rte de Tours, Le Petit Bondieu, 37140 Restigné, tél. 02 47 97 33 18, thomaspichet@orange.fr V *t.l.j. sf dim. 9h-12h 14h-18h30* 2 B

DOM. DE LA PETITE MAIRIE Cuvée Ronsard 2014

■ | 6000 | | 5 à 8 €

Établi à Restigné, James Petit a repris en 1997 le domaine de son oncle Jean Gambier aujourd'hui retiré. Le vignoble couvre 25 ha sur la première terrasse de l'appellation bourgueil.

Cette cuvée Ronsard rappelle que le « prince des poètes » rencontra Marie dans les jardins de Bourgueil. Bel hommage lui est rendu avec ce 2014 finement boisé au nez comme au palais, animé par une jolie nuance acidulée en attaque; le milieu de bouche est plus sobre, encore dominé par l'élevage. On l'attendra donc. 2017-2020 brochettes de bœuf ■ **2014 (5 à 8 €; 10000 b.)** : vin cité.

JAMES PETIT, 9, rue de la Petite-Mairie, 37140 Restigné, tél. 02 47 97 30 13, jacopetit@orange.fr V *t.l.j. 8h-12h 14h-20h*

CH. DE LA PHILBERDIÈRE 2014 ★

■ | 19500 | 5 à 8 €

Le château du XVe s. possédait 2 ha de vignes lors de l'installation de la famille Aubry en 1976; aujourd'hui, le vignoble couvre 6,5 ha. La gestion est assurée par Olivier Aubry, tandis que l'entretien du vignoble et la vinification sont confiés à Michel Delanoue.

Ce 2014 arbore une belle robe rubis sombre traversée d'élégants reflets bleutés. Le nez déploie de tendres arômes de fruits rouges. En bouche, les papilles se délectent d'un fruité aussi intense qu'élégant, avec des tanins sous-jacents d'une exemplaire discrétion. 2016-2019 aiguillettes de canard

SCV AUBRY ET FILS, La Philberdière, 37140 Restigné, tél. 02 47 97 33 21, aubry.olivier94@gmail.com V *r.-v.* *GFA de la Philberdière*

DOM. LES PINS Vieilles Vignes 2014 ★★

■ | 6000 | 🍾 | 8 à 11 €

Depuis cinq générations, la famille Pitault-Landry exploite ce domaine créé en 1890. Aujourd'hui, le vignoble est conduit par le tandem Philippe Pitault et son fils Christophe. Couvrant 30 ha presque d'un seul tenant, les vignes entourent les bâtiments, qui remontent en partie au XVᵉs. Une valeur sûre en bourgueil comme en saint-nicolas.

«Belle typicité du cabernet franc», écrit un dégustateur séduit par le caractère racé de cette cuvée. Très présent dans son resplendissant habit grenat, ce vin libère un fruité généreux dominé par la myrtille. En bouche, une juste fraîcheur vient rehausser une matière riche et fruitée, extraite en douceur. ⧗ 2016-2020 🍴 lapin de garenne en saupiquet ■ **Le Clos les Pins 2014 (8 à 11 €; 6000 b.)** : vin cité.

⊶ DOM. LES PINS, 8, rte du Vignoble, 37140 Bourgueil, tél. 02 47 97 47 91, philippe.pitault@wanadoo.fr V ▪ *r.-v.*

LE PONT DU GUÉ 2014 ★

■ | 8000 | 🍾 | 5 à 8 €

Éric Ploquin dirige depuis 1991 cette exploitation de 14,5 ha. Ses vins vieillissent dans une cave voûtée creusée dans le tuffeau.

Une cuvée harmonieuse sur toute la ligne: belle limpidité d'une robe tirant sur le bordeaux, nez parfumé de notes de fruits rouges, bouche au fruité persistant, étayée de fins tanins. ⧗ 2016-2019 🍴 steak tartare aller-retour

⊶ ÉRIC PLOQUIN, Le Pont du Gué, 19, rue de la Gitonnière, 37140 Bourgueil, tél. 02 47 97 90 82, ploquin.eric@free.fr V 🚶 ▪ *t.l.j. sf dim. 8h30-12h30 14h-18h*

DOM. DES RAGUENIÈRES La Perrinelle 2014 ★★

■ | 5000 | 🛢🍾 | 8 à 11 €

Georges et Perrine Delachaux ont repris le domaine juste avant les vendanges 2012. Leur fille Philippine les seconde et Éric Roi, l'ancien propriétaire, reste en place comme maître de chai. Une maison de maître datant de la fin du XIXᵉs. trône au milieu du vignoble couvrant 22 ha.

Ce vin distingué, drapé de grenat sombre, offre à l'olfaction un agréable bouquet de fruits mûrs. Le palais n'est pas en reste: attaque fraîche, milieu de bouche friand, caressé par des tanins fondus, fine minéralité en finale qui vient souligner les saveurs. ⧗ 2016-2020 🍴 rosbif

⊶ SARL DOM. DES RAGUENIÈRES, 11, rue du Machet, 37140 Benais, tél. 02 47 97 30 16, domaine@bourgueil-france.com V 🚶 ▪ *r.-v. ⊶ Delachaux*

VIGNOBLE DE LA ROSERAIE 2014

■ | 10000 | 🛢🍾 | 5 à 8 €

Ce domaine fondé en 1890 a vu se succéder cinq générations. Son vignoble s'étend sur 33 ha, conduit en agriculture raisonnée. Ses vins sont régulièrement sélectionnés dans le Guide en saint-nicolas ou en bourgueil.

Une avenante fraîcheur marque ce vin qui a hérité de son court séjour en fût (trois mois) une sympathique vivacité tannique, sans excès. Un bourgueil bien typé, à boire dans sa jeunesse. ⧗ 2016-2019 🍴 tendrons de veau

⊶ VIGNOBLE DE LA ROSERAIE, 46, rue Basse, 37140 Restigné, tél. 02 47 97 32 97, vignobledelaroseraie@orange.fr V 🚶 ▪ *r.-v.*
⊶ Éric et Patrick Vallée

DOM. DES VALLETTES Vieilles Vignes 2014

■ | 19000 | 🛢 | 5 à 8 €

Un domaine créé en 1986 par Annick et Francis Jamet: 10 ha au départ, 26 ha aujourd'hui, sur lesquels sont produits du saint-nicolas-de-bourgueil et du bourgueil, et aussi de l'anjou blanc. Aux commandes depuis 2001, François, le fils, qui a exercé en Bourgogne et dans le Bordelais, a été rejoint en 2008 par son frère Antoine de retour d'Australie et d'Espagne. La fratrie a repris aussi le Clos du Vigneau (saint-nicolas), dans la famille de leur cousin Alain Jamet depuis 1820.

Cette cuvée allie au nez fraîcheur et intensité autour des fruits noirs et du menthol. En bouche, elle se révèle encore dominée par un boisé hérité de douze mois de fût, mais sa bonne structure et sa richesse lui permettront de l'intégrer sereinement. ⧗ 2017-2020 🍴 cassolette d'escargots ■ **Un Coup de Breton 2013 (8 à 11 €; 4000 b.)** : vin cité.

⊶ DOM. DES VALLETTES, Les Vallettes, 37140 Saint-Nicolas-de-Bourgueil, tél. 02 47 97 44 44, contact@vallettes.com V 🚶 ▪ *t.l.j. sf dim. 9h-12h 14h-18h*
⊶ Antoine et François Jamet

DOM. DE LA VERNELLERIE 2014 ★

■ | 5000 | 🍾 | 5 à 8 €

Les bâtiments de l'ancienne ferme du château de Benais abritent l'exploitation viticole (12,5 ha) conduite depuis 1976 par Camille et Marie-Thérèse Petit, un tandem efficace qui a souvent connu les honneurs du Guide.

Ce vin s'affiche dans une intense robe rubis, prélude à un bouquet enjoué de fruits rouges. Succédant à une attaque franche, le milieu de bouche, frais et volumineux, gorge le palais de puissantes saveurs fruitées. ⧗ 2016-2020 🍴 coq au vin

⊶ EARL DOM. DE LA VERNELLERIE, La Vernellerie, 7, rue d'Orfeuil, 37140 Benais, tél. 02 47 97 31 18, earl.lavernellerie@orange.fr V 🚶 ▪ *r.-v.* 🏠 Ⓐ
⊶ Camille Petit

DOM. DE LA VIGNELLIÈRE 2014 ★

■ | 6100 | 🛢🍾 | 5 à 8 €

Issu d'une lignée de vignerons, Benoît Pontonnier conduit depuis 1998 ce vignoble de 12 ha, en AOC bourgueil et saint-nicolas-de-bourgueil.

Drapé de rouge intense, ce 2014 libère des notes de cassis assorties de fines touches de rose. Puis les fruits rouges prennent le relais dans un palais puissant, vineux et persistant. Du caractère et un bon potentiel de garde. ⧗ 2017-2022 🍴 côte de bœuf

⊶ PONTONNIER ET FILS, 4, rte de Chevrette, 37140 Bourgueil, tél. 02 47 97 83 39 V r.-v.

SAINT-NICOLAS-DE-BOURGUEIL

Superficie : 1 076 ha / Production : 61 307 hl

Malgré des caractéristiques proches de celles de l'aire contiguë de Bourgueil, la commune de Saint-Nicolas-de-Bourgueil (simple paroisse détachée de Bourgueil au XVIII[e]s.) possède son appellation particulière. Son vignoble croît, pour les deux tiers, sur les sols sablo-graveleux des terrasses de la Loire. Au-dessus, le coteau est protégé des vents du nord par la forêt ; le tuffeau y est surmonté d'une couverture sableuse. Bien que ce ne soit pas le cas des vins provenant exclusivement du coteau, les saint-nicolas-de-bourgueil, souvent issus d'assemblages, ont la réputation d'être plus légers que les bourgueils.

B AGNÈS ET XAVIER AMIRAULT
Le Clos des Quarterons Vieilles Vignes 2014 ★★

■ | 16 000 | | 11 à 15 €

Installé en Touraine occidentale sur une terrasse ancienne de la Loire, ce domaine, dans la même famille depuis six générations, est bien connu des lecteurs du Guide pour ses saint-nicolas-de-bourgueil. Agnès et Xavier Amirault – qui a pris la suite de son frère Thierry en 2011 –, exploitent aujourd'hui 31 ha de vignes en agriculture biologique et biodynamique.

Cette cuvée, issue de cabernets sélectionnés parmi les plus vieilles vignes du domaine (cinquante-cinq ans) arbore une somptueuse robe pourpre. Le nez, élégant et fin, délivre des arômes de fruits rouges et quelques notes boisées, écho délicat d'un élevage en fût de onze mois très maîtrisé. La bouche, longue et parfaitement équilibrée, associe une charpente ferme à une matière ronde, suave et fruitée. ⧗ 2018-2022 🍴 lapin aux pruneaux ■ **Le Fondis 2014 ★ (15 à 20 € ; 6 600 b.)** B : encore marqué par un long élevage en fût (seize mois), ce 2014 possède néanmoins une bouche ronde et équilibrée, soulignée par une agréable fraîcheur. ⧗ 2017-2020 🍴 civet de sanglier

⊶ AMIRAULT, Clos des Quarterons, 46, av. Saint-Vincent, 37140 Saint-Nicolas-de-Bourgueil, tél. 02 47 97 75 25, agnes@clos-des-quarterons.com V *t.l.j. sf dim. 9h-12h 14h-17h30*

B FAMILLE AMIRAULT-GROSBOIS
Les Graipins 2014 ★

■ | 6 500 | | 8 à 11 €

Les vignerons Xavier et Thierry Amirault associés à Nicolas Grosbois ont créé en 2008 une structure de négoce qui propose des chinon, bourgueil et saint-nicolas issus de l'agriculture biologique.

Les Graipins ? Un hectare de graviers sur zone calcaire qui a donné naissance à ce vin équilibré, issu de vendanges mûres travaillées au chai avec beaucoup d'exigence : longues cuvaisons, pigeages, élevage patient en cuve puis en foudre durant onze mois. Le résultat ? Un 2014 démonstratif, très fruité, à la bouche fine, ronde et veloutée. Déjà très plaisant, il évoluera bien. ⧗ 2017-2021 🍴 paupiettes de bœuf épicées

⊶ FAMILLE AMIRAULT-GROSBOIS, allée des Quarterons, 37140 Saint-Nicolas-de-Bourgueil, tél. 02 47 97 75 25, agnes@amirault-grosbois.com

DOM. DU BOIS MAYAUD L'Osmose Tradition 2014

■ | 10 000 | | - de 5 €

Issus de familles vigneronnes, Françoise et Jean Boucher ont créé leur exploitation en 1994. Ludovic, leur fils, a rejoint l'aventure dix ans plus tard. Leur vignoble couvre 11 ha.

Ce vin élevé quatre mois en cuve révèle un nez discret de fruits rouges et une bouche légère, à la fraîcheur soulignée par une finale un brin acidulée. ⧗ 2016-2019 🍴 charcuteries tourangelles

⊶ FRANÇOISE ET LUDOVIC BOUCHER, 1, allée du Bois-Mayaud, 37140 Chouzé-sur-Loire, tél. 02 47 95 17 23, domaineduboismayaud@orange.fr V *r.-v.*

HENRI BOURDIN 2014 ★

■ | 5 600 | | 5 à 8 €

Henri Bourdin, installé en 1991 à la suite de son père, fondateur du domaine en 1948, privilégie l'accueil et la vente directe à la propriété. Les 15 ha de vignes sont morcelés, répartis sur les appellations bourgueil et saint-nicolas, ce qui permet au vigneron de vinifier par terroir : argilo-calcaire, graviers, sables.

Planté sur des sols graveleux, le cabernet franc a produit un vin aromatique, très attirant dans son intense robe rubis. Le nez dispense à l'envi de frais arômes de fruits rouges, prolongé par une bouche tendre et souple qui ne manque pas de structure. À attendre un peu. ⧗ 2017-2021 🍴 rôti de veau aux chanterelles

⊶ EARL HENRI BOURDIN, 7, le Bourg-de-Paille, 37140 Bourgueil, tél. 02 47 97 96 69, bourdin.henri37@orange.fr V *t.l.j. sf dim. 8h-13h 14h-19h*

DOM. DAMIEN BRUNEAU
Cuvée Fût de chêne 2014 ★★

■ | 2 000 | | 8 à 11 €

Ghislaine et Yvan Bruneau, tous deux natifs de Saint-Nicolas et descendants de plusieurs générations de vignerons, perpétuent la tradition familiale depuis 1986. Ils sont aujourd'hui aidés par leur fils Damien pour conduire les 20 ha de la propriété.

Le cabernet franc a prospéré sur l'argilo-calcaire avant sa rencontre de dix mois avec le merrain. Aussi, cette cuvée puissante, ample et élégante est-elle encore marquée par le bois, avec en soutien des tanins veloutés. Elle paraît promise à une évolution gracieuse. ⧗ 2019-2023 🍴 rôti de bœuf aux cèpes

⊶ EARL YVAN ET GHISLAINE BRUNEAU ET FILS, 50, av. Saint-Vincent, 37140 Saint-Nicolas-de-Bourgueil, tél. 02 47 97 90 67, contact@damienbruneau.fr V *r.-v.*

CAVE BRUNEAU-DUPUY L'Éclosion 2014 ★

■ | 1800 | | 11 à 15 €

Représentant la troisième génération de vignerons à travailler sur ce domaine de Saint-Nicolas, Sylvain Bruneau a engagé en 2012 la conversion bio du vignoble d'une vingtaine d'hectares. Un domaine régulier en qualité.

Parée d'une belle robe sombre, cette cuvée déploie au nez comme en bouche de tendres arômes évoquant les fruits sauvages nichés au creux des haies, agrémentés de réglisse. Elle plaît aussi par sa souplesse, sa rondeur et sa douceur. 2016-2021 rosbif ■ **Sylvain Bruneau Cuvée Réserve 2014 (5 à 8 €; 6000 b.)** : élevé dix mois en fût, ce 2014 rouge sombre possède un petit côté «vin de soleil» tant les arômes perçus en bouche évoquent les fruits cuits. Gourmand et chaleureux. 2016-2021 daube de bœuf ■ **Sylvain Bruneau Vieilles Vignes 2014 (5 à 8 €; 27000 b.)** : vin cité.

SYLVAIN BRUNEAU, 14, la Martellière, 37140 Saint-Nicolas-de-Bourgueil, tél. 02 47 97 75 81, info@cave-bruneau-dupuy.com V *t.l.j. sf dim. 9h-12h30 13h30-18h*

DOM. DE LA CHOPINIÈRE DU ROY Ludovic 2014

■ | 35000 | | 5 à 8 €

Installé en 1999, Christophe Ory a été rejoint en 2010 par son frère Nicolas à la tête du domaine développé par Michel Ory, leur père; le vignoble compte désormais 26 ha.

Né de vieilles vignes plantées sur sables et graviers, ce 2014 est un bon représentant de l'appellation, dont l'atout essentiel réside dans son aimable rondeur et son fruité frais. 2016-2020 assiette de charcuterie

CHRISTOPHE ET NICOLAS ORY, Dom. de la Chopinière du Roy, 30, La Rodaie, 37140 Saint-Nicolas-de-Bourgueil, tél. 02 47 97 77 74, chopiniereduroy@aol.com V *t.l.j. 8h-19h30*

LE CLOS DU VIGNEAU Vieilles Vignes 2014 ★

■ | 9000 | | 5 à 8 €

Depuis 1820, six générations de Jamet se sont appliquées à faire prospérer la vigne sur des parcelles de sables et de cailloux, terroirs nommés «graviers». En 2012, la propriété de 25 ha a été cédée aux cousins Antoine et François Jamet du Domaine des Vallettes.

Beaucoup de soins ont été apportés aux raisins issus des vieilles vignes (soixante ans) à l'origine de cette cuvée: longues cuvaisons, élevage d'une année en barrique. Vêtu de rouge limpide, ce vin offre des arômes de fruits (framboise) discrètement confits, avant de proposer une bouche ample et tendre, relevée de notes poivrées et toastées, à la longue finale tout en fraîcheur. 2017-2021 entrecôte à la moelle ■ **Le Clos 2014 ★ (5 à 8 €; 31000 b.)** : des notes complexes de fruits noirs et rouges s'échappent du verre. Tout aussi fruitée, la bouche révèle une jolie fraîcheur de l'attaque à la longue finale. 2017-2021 tourte à la viande ■ **D'Or Ange 2014 (11 à 15 €; 2000 b.)** : vin cité.

LE CLOS DU VIGNEAU, Le Vigneau, 37140 Saint-Nicolas-de-Bourgueil, tél. 02 47 97 44 44, contact@closduvigneau.com V *t.l.j. sf dim. 9h-12h 14h-18h*
Antoine et François Jamet

ESTELLE ET RODOLPHE COGNARD Les Malgagnes 2014 ★

■ | 5200 | | 8 à 11 €

Créée en 1973 à partir de 1 ha par Lydie et Max Cognard, cette exploitation située à Chevrette, un petit hameau de Bourgueil, à la limite de Saint-Nicolas, s'étend désormais sur 13 ha. Depuis 2013, les enfants, Estelle et Rodolphe, ont pris le relais. Une valeur sûre en bourgueil et en saint-nicolas.

Coup de cœur pour le 2012, deux étoiles pour le 2013: une cuvée captivante que ce 2014 en robe grenat auréolée de reflets violines. Le charme continue d'agir à l'olfaction, avec des senteurs intenses et chaleureuses de cerise à l'eau-de-vie. La bouche distille quelques nuances vanillées, léguées par un élevage de treize mois en fût, et conjugue fraîcheur et rondeur, épaulée par de bons tanins. 2017-2021 côte de bœuf

SCEA ESTELLE ET RODOLPHE COGNARD, 3, rte de Chevrette, 37140 Saint-Nicolas-de-Bourgueil, tél. 02 47 97 76 88, vins.cognard@orange.fr V *r.-v.*

JÉRÔME DELANOUE Tradition 2014 ★★

■ | 7500 | | 5 à 8 €

Jérôme Delanoue s'est lancé dans la viticulture en 1998 et s'est attaché depuis à parfaire l'exploitation de ses vignes sur des sols de graviers très qualitatifs. Il conduit aujourd'hui 11 ha en bourgueil et saint-nicolas.

Chatoyante, la robe brille d'un intense grenat aux nuances violines. Le bouquet séduit par sa fraîcheur florale (violette) et ses senteurs de fruits des bois compotés. Ample et ronde, la bouche apparaît généreuse, tendre et veloutée, tout en étant bien structurée par des tanins fermes mais sans dureté. 2018-2022 filet de bœuf sauce au vin

JÉRÔME DELANOUE, 11, rue du Port-Guyet, 37140 Saint-Nicolas-de-Bourgueil, tél. 02 47 97 78 69, vinjdelanoue@wanadoo.fr V *t.l.j. 9h-19h*

JOCELYNE DELANOUE 2014

■ | 1000 | | 5 à 8 €

Repris en 1978 par Bernard Delanoue, ce domaine familial de 1,5 ha s'est agrandi régulièrement. Il compte aujourd'hui 7 ha de vignes, conduits par Jocelyne Delanoue depuis le départ à la retraite de son mari en 2012.

Cette cuvée pleine de fraîcheur libère des notes fruitées et finement boisées. La bouche dévoile un vin plutôt léger, encore un peu marqué par son élevage de quatre mois en fût. Une courte garde lui sera bénéfique. 2017-2020 tournedos

JOCELYNE DELANOUE, 10, rue du port Guyet, 37140 Saint-Nicolas-de-Bourgueil, tél. 02 47 97 97 65, bernard.delanoue@orange.fr V *r.-v.*

DOM. NATHALIE ET DAVID DRUSSÉ L'Intuitive 2014 ★★

■	8000		11 à 15 €

Issu d'une famille de viticulteurs de Saint-Nicolas, David Drussé a créé son domaine en 1996, rejoint ensuite par son épouse Nathalie. En 2010, le couple a renoncé aux désherbages chimiques, premier pas avant d'engager la conversion à l'agriculture biologique en 2015. L'exploitation compte 21 ha.

Née sur un terroir argilo-calcaire, cette cuvée plutôt réservée à l'olfaction se révèle en bouche. On est alors séduit par ses notes intenses de fruits des bois, par sa charpente de tanins mûrs et par sa longue finale. ⧗ 2017-2021 ▼ lapin de garenne à la broche

NATHALIE ET DAVID DRUSSÉ, 1, imp. de la Villatte, 37140 Saint-Nicolas-de-Bourgueil, tél. 02 47 97 98 24, drusse@wanadoo.fr V *t.l.j. 9h-19h*

DOM. DU FONDIS 2014 ★

■	30000		5 à 8 €

À l'origine, le Fondis et les Vallettes ne formaient qu'un seul domaine. En 1986, le premier a pris son indépendance. Il couvre aujourd'hui 23 ha et c'est Laurent Jamet qui en assure la conduite depuis l'an 2000, rejoint par son épouse Géraldine en 2010.

En robe légère, ce 2014 déploie un nez disert de fruits rouges. Tout aussi fruitée, la bouche se montre souple, ronde et élégante. ⧗ 2016-2019 ▼ paupiettes de veau

DOM. DU FONDIS, 14, le Fondis, 37140 Saint-Nicolas-de-Bourgueil, tél. 02 47 97 78 58, domainedufondis@wanadoo.fr V *t.l.j. 9h-12h 13h30-18h*

B *Laurent Jamet*

LE VIGNOBLE DU FRESNE Vieilles Vignes 2014

■	5000	5 à 8 €

Trois générations de vignerons se sont succédé au Fresne pour constituer ce vignoble de 22 ha. Patrick Guenescheau, à la tête du domaine depuis 1980, exerce ses talents viticoles en saint-nicolas-de-bourgueil, en cabernet-d'anjou et en crémant-de-loire.

Sur 0,80 ha de sables et graviers s'étendent de vieilles vignes de « breton » que le vigneron récolte à la machine. Il en a extrait un saint-nicolas couleur vermillon, rond en bouche, porté par des tanins souples. Un vin facile à boire. ⧗ 2016-2019 ▼ tartare de bœuf

PATRICK GUENESCHEAU, 1, le Fresne, 37140 Saint-Nicolas-de-Bourgueil, tél. 02 47 97 86 60, patrick.guenescheau@wanadoo.fr V *r.-v.*

DOM. DES GÉLÉRIES Tradition 2014

■	8000		5 à 8 €

Appartenant aux familles Meslet, Thouet et Rouzier, ce domaine de 31 ha régulier en qualité se répartit sur 45 parcelles et trois AOC: chinon, bourgueil et saint-nicolas. Il est conduit depuis 2012 par Germain Meslet.

Né de cabernet franc enraciné sur des terres sableuses, cette cuvée présente des tanins encore un peu fermes en finale, qui devraient s'arrondir après quelques mois d'attente. On appréciera alors ses arômes fruités et sa souplesse bienveillante. ⧗ 2017-2020 ▼ matelote d'anguilles

DOM. DES GÉLÉRIES, 4, rue des Géléries, 37140 Bourgueil, tél. 02 47 97 74 83, domainedesgeleries@orange.fr V *t.l.j. sf dim. 9h-12h30 14h30-19h*

B **DOM. DES GESLETS** La Contrie 2014

■	15000		5 à 8 €

Valeur sûre du Bourgueillois, ce domaine de 20 ha, dont les origines remontent à 1935, est cultivé en bio certifié. Installé en 1997, Vincent Grégoire perpétue la tradition familiale, tant en saint-nicolas-de-bourgueil qu'en bourgueil.

Cette cuvée libère à l'aération un joli panier de fruits rouges que l'on retrouve dans un palais souple en attaque, gourmand et élégant, un brin plus strict en finale. Un bon représentant de l'AOC. ⧗ 2016-2020 ▼ rognons de veau

EARL VINCENT GRÉGOIRE, 12, Dom. des Geslets, 37140 Bourgueil, tél. 06 82 16 18 11, domainedesgeslets@orange.fr V *t.l.j. 10h-12h 13h30-18h30; dim. sur r.-v.*

DOM. DU GROLLAY Cuvée L'Annonce 2014

■	5000	5 à 8 €

Jean Brecq et son épouse s'étaient lancés en 1976 avec un demi-hectare de vignes, simplement équipés « d'un sécateur, d'un seau et d'un pressoir manuel ». Ils n'ont pas compté leurs efforts pour agrandir et équiper leur domaine qui couvre aujourd'hui 14 ha. La relève est assurée grâce à leur fils Cyril, aux commandes depuis 2014.

Un vin « pour faire la fête », note l'un des jurés, conquis par cette cuvée élaborée par Cyril Brecq pour célébrer la reprise du domaine familial et la venue au monde de son premier enfant. Des arômes de poivre vert s'échappent du verre, relayés en bouche par des arômes acidulés de petits fruits rouges. Un vin ample, souple et persistant. ⧗ 2016-2020 ▼ rôti de veau ■ **Cuvée traditionnelle 2014 (5 à 8 €; 25000 b.)** : vin cité.

CYRIL BRECQ, 1, le Grollay, 37140 Saint-Nicolas-de-Bourgueil, tél. 02 47 97 78 54, jean.brecq@orange.fr V *r.-v.*

VIGNOBLE DE LA JARNOTERIE Cuvée Les Terres noires 2014 ★★

■	27000		8 à 11 €

Cinq générations de vignerons se sont succédé sur ce vignoble de quelque 25 ha à la limite de l'Anjou et de la Touraine. Didier et Carine Rezé, installés depuis 2003, figurent régulièrement dans les pages du Guide.

Issu de cabernet franc enraciné depuis quarante ans sur des sols où cohabitent sables et argilo-calcaires, ce vin a suscité l'enthousiasme. Robe grenat intense, olfaction nette et fraîche (sureau, bourgeon de cassis), bouche très fruitée, à la fois énergique, fine et structurée, offrant un équilibre impeccable. Un vin droit et long, promis à un bel avenir. ⧗ 2018-2022 ▼ filet mignon de chevreuil ■ **Cuvée élégante MR 2014 ★ (5 à 8 €; 60000 b.)** : son étoffe sombre annonce une jolie rencontre. Ce que confirme le nez par ses notes intenses de griotte et la bouche qui, dans le même registre fruité, déroule une matière fine et souple. ⧗ 2016-2020 ♈ rôti de veau

⊶ DIDIER REZÉ, La Jarnoterie, 37140 Saint-Nicolas-de-Bourgueil, tél. 02 47 97 75 49, mabileau.reze@wanadoo.fr V r.-v.

DAMIEN LORIEUX Graviers 2014 ★

■	3850		5 à 8 €

Installé en 2005 à la tête du domaine familial (12 ha), sous l'œil avisé de son père Lucien, toujours actif, Damien Lorieux se nourrit à la fois de la tradition, de ses expériences à l'étranger et des techniques modernes (tris sur vendange, micro-oxygénation...).

À partir d'un demi-hectare de terrasses couvertes de graviers, Damien Lorieux a élaboré une cuvée d'un rouge rutilant, qui libère d'élégantes notes fruitées à l'olfaction. Dans le même registre, la bouche se montre souple en attaque, ronde dans son développement, toujours élégante, soutenue par des tanins soyeux. À boire ou à attendre. ⧗ 2016-2021 ♈ gigot d'agneau aux flageolets

⊶ DAMIEN LORIEUX, 2, rue de la Percherie, 37140 Bourgueil, tél. 02 47 97 88 44, domainelorieux@orange.fr V r.-v.

PASCAL LORIEUX Agnès Sorel 2014 ★

■	7000		8 à 11 €

Alain et Pascal Lorieux ont fusionné leurs exploitations en 1993, l'une de 12 ha à Saint-Nicolas-de-Bourgueil, l'autre de 8 ha à Chinon, tout en gardant deux chais de vinification. Les deux frères exploitent leur vignoble en viticulture raisonnée.

Habitués du Guide, les frères Lorieux ont tiré de vignes de vingt-cinq ans enracinées sur des graviers de plateau une jolie cuvée rouge foncé. Le bouquet propose un agréable fruité dominé par le cassis. La bouche confirme l'impression fruitée et séduit par son caractère plein et gourmand, mis en valeur par des tanins affinés, par son équilibre et sa longueur. ⧗ 2017-2021 ♈ Mont d'Or

⊶ PASCAL ET ALAIN LORIEUX, 64, av. Saint-Vincent, 37140 Saint-Nicolas-de-Bourgueil, tél. 02 47 97 92 93, contact@lorieux.fr V r.-v.

B FRÉDÉRIC MABILEAU Coutures 2013

■	8200		15 à 20 €

Frédéric Mabileau est l'une des figures de proue en bourgueil et en saint-nicolas depuis son installation en 1991, en marge de l'exploitation paternelle. En 2005, les deux domaines ont fusionné, si bien que le vignoble couvre 28 ha aujourd'hui. Le producteur a adopté l'agriculture biologique en 2007 et la biodynamie en 2012.

Séduisant à l'olfaction (épices, notes de pain grillé, fruits secs), ce vin se montre un peu dominé par les arômes boisés dans une bouche d'un bon volume, bien structurée. À attendre pour permettre aux notes d'élevage de se fondre davantage. ⧗ 2018-2022 ♈ sauté d'agneau

⊶ FRÉDÉRIC MABILEAU, 6, rue du Pressoir, 37140 Saint-Nicolas-de-Bourgueil, tél. 02 47 97 79 58, contact@fredericmabileau.com V t.l.j. 9h-12h 14h-17h

JACQUES ET VINCENT MABILEAU
La Gardière Vieilles Vignes 2014 ★

■	13000		5 à 8 €

Jacques Mabileau a créé ce domaine en 1968. Son fils Vincent l'a rejoint en 1998; ensemble, ils ont modernisé et agrandi leur exploitation, qui s'étend sur 19 ha aujourd'hui.

Ce vin grenat aux reflets carminés offre un bouquet séduisant, fruité, dominé par les cerises bigarreau et griotte. Des notes d'épices s'y ajoutent dans une bouche complexe, bien structurée, équilibrée entre rondeur et fraîcheur, à la longue finale aux saveurs de fraise. ⧗ 2017-2021 ♈ rosbif ■ **La Gardière 2014 (5 à 8 €; 70000 b.)** : vin cité.

⊶ JACQUES ET VINCENT MABILEAU, La Gardière, 37140 Saint-Nicolas-de-Bourgueil, tél. 02 47 97 75 85, vincent.mabileau@wanadoo.fr V t.l.j. sf dim. 9h-12h 14h-18h

LAURENT MABILEAU 2014 ★

■	140000		8 à 11 €

Depuis 1985, Laurent Mabileau conduit un domaine de 28 ha en bourgueil et en saint-nicolas, abrité des vents du nord par la forêt. Le vigneron signe avec une remarquable régularité des vins droits qui lui valent de fréquentes mentions dans le Guide.

De ceps plantés sur sols graveleux, Laurent Mabileau a tiré un 2014 d'un beau pourpre, à l'olfaction distinguée (fruits rouges confits, touche animale, doux vanillé). Ample et riche, soutenue par des tanins soyeux, la bouche est stimulée par une jolie pointe épicée en finale. Du caractère et de l'harmonie. ⧗ 2017-2021 ♈ pâté de lièvre

⊶ LAURENT MABILEAU, La Croix-du-Moulin-Neuf, 37140 Saint-Nicolas-de-Bourgueil, tél. 02 47 97 74 75, domaine@mabileau.fr V t.l.j. sf sam. dim. 8h30-12h 13h30-17h30

DOM. LYSIANE, GUY ET WILFRIED MABILEAU
Cuvée Vieilles Vignes 2014 ★★

■	13000	5 à 8 €

Wilfried et Samuel Mabileau, qui incarnent la quatrième génération, ont rejoint en 2013 leur père Guy sur ce vignoble de 19 ha implanté sur les terrasses graveleuses de Saint-Nicolas.

Cette cuvée remarquable d'équilibre et de fraîcheur fleure bon les petits fruits (cassis, framboise). La bouche, souple, épicée et très fruitée, alerte et vive, est marquée du sceau de l'élégance. Un vin énergique et friand à souhait. ⧗ 2016-2020 ♈ caille aux raisins ■ **Cuvée Jules 2014 ★ (5 à 8 €; 2900 b.)** : une micro-cuvée (38 ares de graviers et limons). Tout en fraîcheur et en fruit (raisin mûr, fraise des bois), au nez comme en bouche, elle offre un joli grain de tanins, fin et velouté. ⧗ 2017-2021 ♈ lapin en gibelotte ■ **Cuvée Domaine 2014 (5 à 8 €; 26000 b.)** : vin cité.

LOIRE

GUY ET LYSIANE MABILEAU, 17, rue du Vieux-Chêne, 37140 Saint-Nicolas-de-Bourgueil, tél. 02 47 97 70 43, lysianeetguymabileau@gmail.com V r.-v.

HERVÉ MORIN Coup de foudre 2014 ★★★

■ | 3500 | | 8 à 11 €

C'est à la veille de la Seconde Guerre mondiale que le grand-père d'Hervé Morin a créé le domaine de la Rodaie. Mais ce n'est qu'à partir de 1970 que la propriété, sous l'impulsion du petit-fils, s'est développée, puis ouverte à la clientèle. L'exploitation couvre 22 ha.

Il s'en est fallu de peu pour que ce Coup de foudre ne se transforme en coup de cœur. Tout naturellement élevé... en foudre, paré de grenat foncé, il joue les séducteurs distingués, tant par son olfaction fraîche et friande (mûre, bourgeon de cassis) que par sa bouche aromatique, riche et chaleureuse (cerise à l'eau-de-vie), soulignée par une fine acidité apportant l'équilibre et une longueur exceptionnelle. 2017-2023 canard à l'orange ■ **Levant 2014 ★★ (8 à 11 €; 6000 b.)** : cette cuvée se met habilement en scène : robe incarnat, olfaction complexe, bouche riche et suave qui ne cède jamais à la lourdeur et reste toujours élégante. 2017-2023 tournedos Rossini ■ **Signature 2014 (8 à 11 €; 7800 b.)** : vin cité.

HERVÉ MORIN, 20, la Rodaie, 37140 Saint-Nicolas-de-Bourgueil, tél. 02 47 97 75 34, contact@hervemorin.com V *t.l.j. sf dim. 9h-19h* D

♥ DOM. OLIVIER 2014 ★★

■ | 250000 | | 5 à 8 €

Créée en 1959, cette exploitation familiale, qui n'a cessé de se diversifier et de s'agrandir, couvre désormais 58 ha. Conduite depuis 1983 par Florian Olivier, elle est régulièrement distinguée dans le Guide.

Élevé six mois en cuve, ce vin est issu de vignes installées sur un sol de sables et de graviers, un terroir très filtrant qu'affectionne le cabernet franc. De ce cépage emblématique, ce 2014 tient son intense et brillante robe grenat ainsi qu'un fruité affable, discret à l'olfaction mais très présent dans une bouche tendre et policée. La finale, soutenue par des tanins serrés, signe un saint-nicolas-de-bourgueil de tradition que l'on pourra déguster dès aujourd'hui comme dans quelques années. 2016-2021 rôti de porc ■ **Mont des Oliviers 2014 ★★ (8 à 11 €; 19000 b.)** : cette cuvée plaît pour ses notes délicates de fruits noirs, sa rondeur, ses tanins fondus et soyeux et sa longue finale. 2016-2021 lapin sauce au vin rouge

EARL DOM. OLIVIER, La Forcine, 37140 Saint-Nicolas-de-Bourgueil, tél. 02 47 97 75 32, patrick.olivier14@wanadoo.fr V *t.l.j. 9h-12h 14h-18h; dim. sur r.-v.*

DOM. LES PINS 2014 ★★

■ | 30000 | | 8 à 11 €

Depuis cinq générations, la famille Pitault-Landry exploite ce domaine créé en 1890. Aujourd'hui, le vignoble est conduit par le tandem Philippe Pitault et son fils Christophe. Couvrant 30 ha presque d'un seul tenant, les vignes entourent les bâtiments, qui remontent en partie au XV[e]s. Une valeur sûre en bourgueil comme en saint-nicolas.

Finaliste au grand jury des coups de cœur, cette cuvée drapée d'une robe rouge nuancée de violine livre un nez discret au premier abord qui, à l'aération, se montre plus expressif, libérant de chaleureux parfums de fruits noirs. C'est en bouche qu'elle se révèle: beaucoup de volume et de corps, des tanins fermes qui n'écrasent pas le fruit, une finale d'une longueur infinie. *What else?* 2019-2022 baron d'agneau au four

DOM. LES PINS, 8, rte du Vignoble, 37140 Bourgueil, tél. 02 47 97 47 91, philippe.pitault@wanadoo.fr V *r.-v.*

LES CAVES DU PLESSIS Réserve Stéphane 2014 ★★

■ | 6500 | | 8 à 11 €

Valeur sûre en saint-nicolas-de-bourgueil, ce domaine est depuis janvier 2012 géré par Stéphane, fils de Chantal Renou. Le vignoble est conduit en lutte raisonnée, avec un enherbement de près de 80 % de la superficie globale. La cave creusée dans le tuffeau date du XIII[e]s.

Ce 2014 drapé dans une brillante tenue rubis livre un nez expressif où le fruit voisine en bonne harmonie avec le bois. Un vin souple à l'attaque, puis plus structuré, corsé, épaulé par des tanins vigoureux qui lui confèrent une réelle personnalité. 2018-2023 osso buco ■ **Vieilles Vignes 2014 ★ (5 à 8 €; 15000 b.)** : tout en arômes de fruits noirs, cette cuvée élégante révèle une jolie rondeur, rehaussée en finale par une touche acidulée. 2018-2021 tournedos sauce poivre

STÉPHANE RENOU, 17, la Martellière, 37140 Saint-Nicolas-de-Bourgueil, tél. 02 47 97 85 67, lescavesduplessis@wanadoo.fr V *t.l.j. sf dim. 9h-12h 14h-18h30* D

DOM. PONTONNIER 2014 ★

■ | 3800 | | 5 à 8 €

Issu d'une lignée de vignerons, Benoît Pontonnier conduit depuis 1998 ce vignoble de 12 ha, en AOC bourgueil et saint-nicolas-de-bourgueil.

Ce joli vin incarnat aux reflets zinzolins dévoile un nez d'une belle vigueur aromatique à dominante de fruits frais. On retrouve les fruits rouges, plus mûrs et rehaussés par des notes épicées et réglissées en finale, dans une bouche de belle tenue, fine, fraîche et soyeuse. 2017-2021 filet d'agneau sauce au vin

PONTONNIER ET FILS, 4, rte de Chevrette, 37140 Bourgueil, tél. 02 47 97 83 39 V *r.-v.*

DOM. DU ROCHOUARD
Les Argiles à silex 2014 ★★

■ | 7200 | ▮ | 8 à 11 €

Guy Duveau a créé le domaine en 1976. Ses fils Dominique et Jean-Luc ont pris la relève, respectivement en 1995 et en 2007. Le vignoble couvre 20 ha et sa conversion à l'agriculture biologique a été engagée en 2012.

Ces Argiles à silex proclament leur attachement au terroir. Voilà un vin racé, patiemment élevé en cuve, qui arbore une resplendissante robe garance et déploie au nez un fruité pulpeux et généreux à dominante de baies noires mûres et de pruneau. La bouche, riche, ronde, caressante, adossée à des tanins fondus, confirme l'impression olfactive. ⧗ 2017-2022 Ỵ fricassée de volaille aux épices ■ **La Pierre du Lane 2014** ★ **(**5 à 8 €; **15 000 b.)** : ce vin élégant aux senteurs intenses de fruits noirs se montre ample, dense et gras, porté par des tanins de qualité. ⧗ 2018-2021 Ỵ pintade rôtie

⊶ GAEC DUVEAU-COULON FILS, 1, rue des Géléries, 37140 Bourgueil, tél. 06 68 70 20 75, domainedurochouard@wanadoo.fr V ▮ *t.l.j. 9h-12h30 13h30-19h; dim. 10h-12h30 15h-18h*

VIGNOBLE DE LA ROSERAIE 2014 ★

■ | 5000 | ◍ ▮ | 5 à 8 €

Ce domaine fondé en 1890 a vu se succéder cinq générations. Son vignoble s'étend sur 33 ha, conduit en agriculture raisonnée. Ses vins sont régulièrement sélectionnés dans le Guide en saint-nicolas ou en bourgueil.

Ce 2014 salué pour son équilibre s'affiche dans une seyante robe rouge sombre. Il déploie un nez frais aux senteurs de fruits rouges. Étayée par des tanins soyeux et fondus, fraîche et ample, la bouche offre elle aussi d'intenses saveurs fruitées. Un beau classique. ⧗ 2017-2021 Ỵ coq au vin

⊶ VIGNOBLE DE LA ROSERAIE, 46, rue Basse, 37140 Restigné, tél. 02 47 97 32 97, vignobledelaroseraie@orange.fr V ▮ ▮ *r.-v.*
⊶ Éric et Patrick Vallée

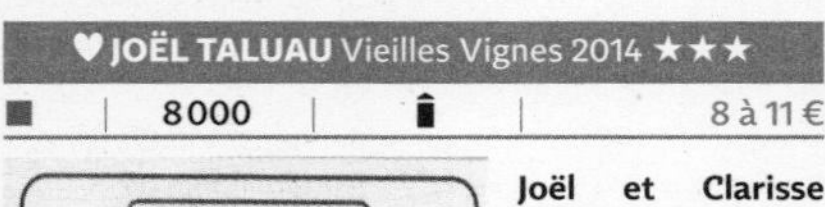

♥ JOËL TALUAU Vieilles Vignes 2014 ★★★

■ | 8000 | ▮ | 8 à 11 €

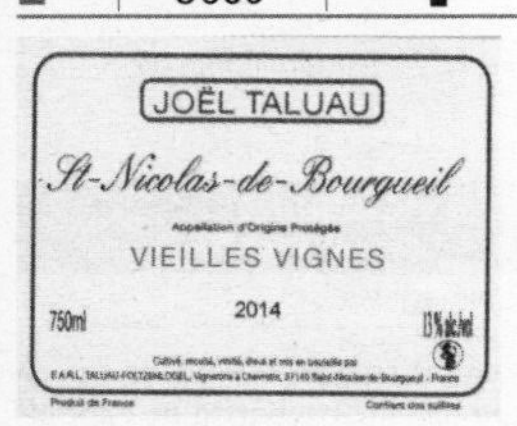

Joël et Clarisse Taluau se sont installés en 1970 sur 2,2 ha; ils ont été rejoints en 1993 par leur fille Véronique et leur gendre Thierry Foltzenlogel. Valeur sûre des AOC bourgueil et saint-nicolas, ce domaine de 30 ha se distingue régulièrement dans le Guide.

La famille Taluau n'en est pas son premier coup de cœur: ses millésimes 2000 et 2002 avaient déjà été distingués; elle renouvelle l'exploit avec ce 2014 à la parure rouge traversée de reflets violines. Le nez libère d'élégantes notes de fruits noirs agrémentées de touches d'épices douces. La bouche, généreuse à souhait, volumineuse, d'une grande longueur, s'appuie sur une structure tannique au grain serré mais bien fondue. Un vin à la fois gourmand et solide, admirable représentant de son terroir argilo-calcaire. ⧗ 2017-2022 Ỵ volaille truffée ■ **Le Vau Jaunier 2014** ★★ **(**5 à 8 €; **16 000 b.)** : cette cuvée n'est pas passée loin du coup de cœur. Elle a d'emblée séduit le jury par sa robe profonde et limpide et par son nez de petits fruits noirs bien mûrs. En bouche, sa matière ample et onctueuse ravira les amateurs de vins pleins et charnus. ⧗ 2016-2021 Ỵ canard aux olives

⊶ EARL TALUAU ET FOLTZENLOGEL, 11, Chevrette, 37140 Saint-Nicolas-de-Bourgueil, tél. 02 47 97 78 79, joel.taluau@wanadoo.fr V ▮ ▮ *t.l.j. sf dim. 8h30-12h 13h30-18h; sam. sur r.-v.*

DOM. DES VALLETTES Événement 2014 ★

■ | 9000 | ◍ | 11 à 15 €

Un domaine créé en 1986 par Annick et Francis Jamet: 10 ha au départ, 26 ha aujourd'hui, sur lesquels sont produits du saint-nicolas-de-bourgueil et du bourgueil, et aussi de l'anjou blanc. Aux commandes depuis 2001, François, le fils, qui a exercé en Bourgogne et dans le Bordelais, a été rejoint en 2008 par son frère Antoine de retour d'Australie et d'Espagne. La fratrie a repris aussi le Clos du Vigneau (saint-nicolas), dans la famille de leur cousin Alain Jamet depuis 1820.

Un long élevage en fût de quinze mois paraît avoir marqué durablement ce vin qui demande de la patience. Ses qualités sont néanmoins évidentes: robe rouge vif, nez mêlant notes boisées intenses et senteurs fruitées, bouche harmonieuse et bien structurée, aux arômes de fruits rouges agrémentés de touches vanillées et poivrées. ⧗ 2019-2022 Ỵ râble de lapin grillé

⊶ DOM. DES VALLETTES, Les Vallettes, 37140 Saint-Nicolas-de-Bourgueil, tél. 02 47 97 44 44, contact@vallettes.com V ▮ ▮ *t.l.j. sf dim. 9h-12h 14h-18h ⊶ Antoine et François Jamet*

CHINON

Superficie : 2 337 ha
Production : 119 239 hl (99 % rouge et rosé)

Autour de la vieille cité médiévale qui lui a donné son nom, au pays de Gargantua et de Pantagruel, l'AOC chinon est produite sur les terrasses anciennes et graveleuses du Véron (triangle formé par le confluent de la Vienne et de la Loire), sur les basses terrasses sableuses du val de Vienne (Cravant), sur les coteaux de part et d'autre de ce val (Sazilly) et sur les terrains calcaires, les «aubuis» (Chinon). Le cabernet franc, dit breton, y donne des vins rouges racés aux tanins élégants. De moyenne garde, les chinon peuvent dépasser une, voire plusieurs décennies dans les meilleurs millésimes. L'appellation produit

LOIRE

aussi quelques rosés secs et de très rares blancs secs tendres – certaines années – issus de chenin.

CAVES ANGELLIAUME
Cuvée Vieilles Vignes 2014 ★★

■ | 55000 | | 5 à 8 €

Ce domaine familial exploité depuis quatre générations dispose de caves remarquables par leur agencement et leurs dimensions, ainsi que d'un vignoble de 39 ha. Une valeur sûre de l'appellation chinon.

Une magnifique robe noire laquée aux reflets rubis habille ce vin né de vieux ceps de cinquante-cinq ans, ouvert sur de généreux arômes de fruits rouges compotés. Ample dès l'attaque, rond, concentré et dense, le palais suit la même ligne fruitée, avec persistance, soutenu par des tanins bien en place mais fins et par un boisé parfaitement fondu. Du potentiel. ⧗ 2018-2023 ▼ tendrons de veau braisés ■ **Cuvée du Père Léonce 2014 ★ (15 à 20 €; 15000 b.)** : au nez, des parfums concentrés de cassis; en bouche, du fruit toujours, assorti de nuances de caramel (quatorze mois de fût), du volume et des tanins solides. ⧗ 2018-2022 ▼ entrecôte

EARL DOM. ANGELLIAUME, La Croix-de-Bois, 37500 Cravant-les-Coteaux, tél. 02 47 93 06 35, caves. angelliaume@wanadoo.fr V ⚲ ■ *t.l.j. sf dim. 8h30-12h 14h-18h; sam. 8h30-12h janv.-mars* *Delavault*

L'ARPENTY Cuvée Prestige 2014 ★★

■ | 20000 | | 5 à 8 €

C'est le grand-père de Francis Desbourdes qui a créé le domaine, dans les années 1960. Ce dernier conduit aujourd'hui une exploitation de 17,5 ha à flanc de coteau, qui conserve une cuve directement creusée dans le tuffeau. Son fils Émilien a rejoint la propriété et lancé la conversion bio du vignoble.

Drapé d'une robe sombre, ce 2014 libère des notes intenses de cassis et de violette. On retrouve les fruits noirs finement épicés dans une bouche élégante, ronde et tendre, étayée par des tanins souples et bien fondus. Un chinon que l'on pourra apprécier dans sa jeunesse. ⧗ 2017-2022 ▼ pavé de bœuf

EARL FRANCIS ET FRANÇOISE DESBOURDES, L'Arpenty, 11, rue de la Forêt, 37220 Panzoult, tél. 02 47 95 22 86, f.f.desbourdes37@gmail.com V ⚲ ■ *t.l.j. sf dim. 9h-12h 14h-18h* D

DOM. DE BEAUSÉJOUR 2014 ★

■ | 21500 | 5 à 8 €

Épris de nature, Gérard Chauveau crée de toutes pièces ce domaine en 1969. Après un stage dans le Bordelais, son fils David reprend les rênes en 1991. Son vignoble de 27 ha d'un seul tenant est situé sur un coteau exposé plein sud et abrité du vent par les bois de la propriété.

Frangée de reflets violines, la robe est soutenue. Le nez est expressif et engageant par ses parfums de fruits rouges que vient enrichir une touche d'épices douces. Le palais se montre dense et puissant sans dureté, porté par des tanins onctueux et soyeux. Un chinon étoffé, qui évoluera bien. ⧗ 2018-2023 ▼ saltimbocca de veau

EARL GÉRARD ET DAVID CHAUVEAU, Dom. de Beauséjour, 37220 Panzoult, tél. 02 47 58 64 64, info@domainedebeausejour.com V ⚲ ■ *r.-v.* 4 E

♥ B **DOM. DES BÉGUINERIES**
Réserve d'Élise 2014 ★★

■ | 10000 | | 11 à 15 €

Ayant effectué ses premières armes dans le domaine familial puis en tant que responsable de cave au Ch. de Saint-Louans, Jean-Christophe Pelletier s'est installé en 1995. Il conduit en bio depuis 2009 ses 13 ha de vignes.

Issue de trois parcelles aux sols différents (argileux, limoneux et calcaires), cette cuvée séduit d'emblée par sa robe intense, ornée de reflets violines de jeunesse. Elle s'ouvre sans réserves sur des parfums de fruits noirs finement torréfiés (élevage de douze mois en fût). Très onctueux dès l'attaque, généreux, dense, d'un volume imposant, le palais est admirable d'équilibre et de puissance maîtrisée. Un chinon bâti pour durer. ⧗ 2019-2026 ▼ palombe aux cèpes

JEAN-CHRISTOPHE ET ÉDOUARD PELLETIER, 52, rue de l'Ancien-Port, 37500 Chinon, tél. 02 47 93 37 16, domainedesbeguineries@wanadoo.fr V ⚲ ■ *t.l.j. 10h-12h30 14h-18h45; dim. sur r.-v.* B

DOM. DE BEL AIR La Fosse aux Loups 2014 ★

■ | 4290 | | 8 à 11 €

Jean-Louis Loup reprend en 1997 les rênes de ce vignoble de 13 ha répartis entre coteaux et graves des bords de Vienne. À la carte du domaine? Six cuvées parcellaires en AOC chinon.

Ce 2014 livre une olfaction intense centrée sur les fruits noirs. Franche dès l'attaque, tout aussi fruitée que le nez, la bouche séduit par sa souplesse, sa fraîcheur et sa longueur. Un chinon idéal pour les plats «canailles». ⧗ 2017-2021 ▼ paupiettes de veau ■ **L'Esprit du Loup 2014 (11 à 15 €; 5750 b.)** : vin cité.

JEAN-LOUIS LOUP, Dom. de Bel Air, 37500 Cravant-les-Coteaux, tél. 02 47 98 42 75, jean-louis.loup@wanadoo.fr V ⚲ ■ *r.-v.*

BELLIVIER VIGNERONS
L'Acacia m'est connu 2013 ★

■ | 6700 | | 5 à 8 €

Matthieu Bellivier a rejoint son père Vincent sur ce domaine de 6 ha situé dans cette partie de l'appellation irriguée par l'Indre, à proximité du confluent avec la Loire. Dans le voisinage, les bois de Chinon protègent le vignoble des vents du nord.

D'une belle couleur vive et soutenue, cette cuvée s'exprime sur le fruit malgré son élevage de quinze mois en fût. En bouche, elle intéresse par sa rondeur, son onctuosité et ses tanins bien fondus. Un chinon gourmand et tendre. ⧗ 2016-2021 ¥ brochettes de bœuf ■ **CB 2014 (5 à 8 €; 4100 b.)** : vin cité. ■ **CB 2014 (8 à 11 €; 1478 b.)** : vin cité.

⊶ VINCENT ET MATTHIEU BELLIVIER, 12, rue de la Tourette, 37420 Huismes, tél. 02 47 95 54 26, vincent.bellivier@wanadoo.fr V ⚲ ▪ *r.-v.* ⌂ ❷

DOM. DE BERTIGNOLLES 2014 ★

■ | 5300 | ⦀ ▮ | 5 à 8 €

Stéphane Prieur a pris la suite en 2011 de son père Pierre, fondateur de ce domaine de 16 ha implanté sur les bords de la Vienne, sur des terroirs de graviers et de sables.

Expressif, le nez est engageant par ses parfums de fruits noirs, cassis en tête, légèrement vanillés. Ample et généreux, épaulé par des tanins encore un peu jeunes et serrés, le palais fait écho à l'olfaction, à peine marqué par l'élevage. Un chinon harmonieux qui offre un bon potentiel. ⧗ 2018-2023 ¥ lamelles de bœuf à la plancha

⊶ STÉPHANE PRIEUR, Bertignolles, 1, rue des Mariniers, 37420 Savigny-en-Véron, tél. 02 47 58 45 08, earl.prieur@orange.fr V ⚲ ▪ *t.l.j. 9h-12h30 14h-18h30; dim. sur r.-v.*

ALBERT BESOMBES Loire Premium 2014 ★

■ | 67000 | ▮ | - de 5 €

Fondée en 1872, la maison de négoce Albert Besombes-Moc-Baril a son berceau et son siège à Saumur, mais elle propose une large gamme de vins de Loire allant du muscadet au sancerre, en passant par les chinon et le rosé-d'anjou. Ce dernier représente son cœur d'activité.

Ce vin à la robe sombre présente un nez soutenu de fruits noirs mâtiné de discrètes nuances animales et de touches d'épices douces. Doux en attaque, le palais se révèle dense, concentré et puissant, et s'achève sur de jolies notes réglissées. De bonne garde. ⧗ 2018-2023 ¥ tajine d'agneau

⊶ SAS BESOMBES-MOC-BARIL, 24, rue Jules-Amiot, 49404 Saumur, tél. 02 41 50 23 23, emilien.boulfray@uapl.fr ⊶ UAPL

DOM. DES BOUQUERRIES Cuvée Confidence 2014 ★★

■ | 4000 | ⦀ ▮ | 11 à 15 €

Le nom du domaine rappelle que l'on abattait jadis les chèvres et les boucs en ces lieux. C'est le grand-père de Guillaume Sourdais, aidé par son frère Jérôme qui, dès 1935, a creusé les caves de cette exploitation de 29 ha située au bord de la Vienne. L'une des bonnes références du Chinonais.

Provenant d'une petite parcelle au sol calcaire (1 ha) plantée de vénérables vignes de quatre-vingts ans, cette cuvée affiche une robe sombre et libère des notes intenses de fruits rouges (framboise) et de cassis. Une attaque fraîche et minérale introduit un palais ouvert sur les fruits mûrs, soutenu par une structure tannique des plus soyeuses et un boisé bien intégré (dix-huit mois de fût). Un chinon équilibré et énergique. ⧗ 2018-2024 ¥ côte de bœuf ■ **Cuvée royale Vieilles Vignes 2014 ★ (5 à 8 €; 36000 b.)** : au nez, de puissants arômes de cassis et de myrtille. Généreux et riche sans se départir de son élégance, le palais est à la fois solide et amène, animé en finale par une touche réglissée qui lui apporte une agréable fraîcheur. ⧗ 2017-2023 ¥ caille aux raisins

⊶ GAEC DES BOUQUERRIES, 4, les Bouquerries, 37500 Cravant-les-Coteaux, tél. 02 47 93 10 50, gaecdesbouquerries@wanadoo.fr V ⚲ ▪ *r.-v.*
⊶ Sourdais

CHRISTIAN CHARBONNIER Vieilles Vignes 2014 ★★

■ | 4600 | ▮ | 5 à 8 €

Christian Charbonnier représente la deuxième génération de viticulteurs à la tête de ce domaine conduit à l'origine en polyculture. L'exploitation dispose aujourd'hui de 13 ha de vignes implantées sur des sols argilo-siliceux.

Ce vin récolté à parfaite maturité exhale des notes de fruits noirs bien mûrs agrémentés d'épices et de notes de feuille de laurier. On retrouve les fruits et les épices, plus expressifs encore, en compagnie de nuances de sous-bois dans une bouche ample, ronde et onctueuse. ⧗ 2017-2022 ¥ suprême de pintade ■ **2014 (5 à 8 €; 6000 b.)** : vin cité.

⊶ CHRISTIAN CHARBONNIER, 2, rue Balzac, 37220 Crouzilles, tél. 02 47 97 02 37, charbonnier.christian0083@orange.fr V ▪ *t.l.j. 9h-12h 14h-18h; dim. sur r.-v.*

CLOS DE LA LYSARDIÈRE 2015 ★★

■ | 800 | ▮ | 11 à 15 €

Constitués à partir de 1989 par l'ESAT Les Chevaux blancs, les Vignobles du Paradis (38 ha aujourd'hui), structure associative, font participer aux travaux des vignes des personnes handicapées pour les insérer progressivement dans un milieu professionnel.

Or pâle aux reflets verts, ce 2015 s'ouvre d'emblée sur de fines notes d'agrumes. Le prélude à un palais ample, gras, onctueux sans lourdeur, toujours très élégant, où l'on retrouve l'acidité du pamplemousse qui apporte de l'allant et de l'allonge. Un vin à la fois riche et frais, parfaitement équilibré. ⧗ 2016-2020 ¥ cabillaud rôti aux agrumes ■ **Clos du Pressoir 2014 (8 à 11 €; 5800 b.)** : vin cité.

⊶ VIGNOBLES DU PARADIS, 37500 La-Roche-Clermault, tél. 02 47 95 81 57, caveau@vignoblesduparadis.com V ⚲ ▪ *t.l.j. sf dim. 10h-13h 13h30-18h30*

DOM. DU COLOMBIER Cuvée de la Roche Bobreau 2014

■ | 5400 | ▮ | 5 à 8 €

Yves Loiseau, représentant la quatrième génération de vignerons au Colombier, a laissé en 1999 les rênes à sa fille Christine et à son gendre Olivier Jouvault, qui conduisent un ensemble de 24 ha.

Ce chinon issu d'une parcelle unique établie sur une veine de tuffeau affiche une couleur sombre et profonde.

LOIRE

Discret de prime abord, le nez livre à l'aération des notes de fruits rouges. Dans un registre plus mûr de fruits noirs, la bouche se montre ronde, séveuse, bien fondue. ⧗ 2017-2022 🍴 entrecôte marchand de vin

EARL LOISEAU-JOUVAULT, Dom. du Colombier, 16, rue du Colombier, 37420 Beaumont-en-Véron, tél. 02 47 58 43 07, contact@chinoncolombier.fr
t.l.j. sf dim. 9h-12h 14h-18h30; f. fév.

LES CORNUELLES Vieilles Vignes 2014 ★

■	10000		8 à 11 €

Installée depuis 1850 au Logis de la Bouchardière, la famille Sourdais a développé un vaste vignoble qui atteint aujourd'hui 55 ha. Représentant la sixième génération, Bruno a pris les rênes du domaine en 1992. Une valeur sûre de l'appellation chinon, en rouge et aussi en rosé.

Ce 2014 arbore une robe rouge cerise et déploie un nez printanier associant les fruits noirs et les fleurs des champs dans un sillage finement boisé, empreinte de son séjour de quatorze mois en fût. Au palais, on est charmé par son fruité et ses notes fumées, sa fraîcheur et sa texture soyeuse. La finale apparaît toutefois plus serrée et appelle un peu de garde. ⧗ 2017-2022 🍴 pavé de bœuf

EARL SERGE ET BRUNO SOURDAIS, La Bouchardière, 37500 Cravant-les-Coteaux, tél. 02 47 93 04 27, info@sergeetbrunosourdais.com
r.-v.

CH. COUDRAY MONTPENSIER 2014 ★★

■	59300		5 à 8 €

Situé à Seuilly où naquit Rabelais, le château Coudray-Montpensier, classé Monument historique, dispose d'un vignoble de 30 ha créé en 2001. Aux commandes, Gilles Feray, également à la tête de plusieurs domaines à Vouvray.

En tenue sombre, ce 2014 est engageant par ses parfums complexes de cassis et d'épices. À l'unisson, la bouche se montre ample, souple et onctueuse, épaulée par des tanins bien fondus. Un chinon facile d'accès, aimable et expressif, que l'on pourra boire dans sa jeunesse. ⧗ 2016-2022 🍴 assiette de charcuterie fine

SARL CH. COUDRAY-MONTPENSIER, 29, rue Pierre-et-Marie-Curie, 37500 Chinon, tél. 02 47 52 60 77, infos@moncontour.com
t.l.j. 10h-12h 15h-18h Gilles Feray

PIERRE ET BERTRAND COULY
La Haute-Olive 2014

■	18000		11 à 15 €

Pierre et Bertrand Couly ont constitué en 2007 un vignoble sur les coteaux et le plateau de Chinon. Ils ont agrandi sa superficie (20 ha aujourd'hui); en 2010, ils ont aménagé, sur la route de Tours, un chai ultramoderne que l'on peut visiter. Domaine certifié Haute valeur environnementale.

À l'aération, de délicates notes de fruits rouges s'échappent du verre. On retrouve ces sensations fruitées dans une bouche ample, fraîche et souple, relevée de saveurs épicées. Un chinon friand. ⧗ 2016-2021 🍴 rillons de Touraine

PIERRE ET BERTRAND COULY, 1, rond-point des Closeaux, 37500 Chinon, tél. 02 47 93 64 19, contact@pb-couly.com t.l.j. 10h-12h30 14h-18h30

COULY-DUTHEIL Clos de l'Écho 2014 ★

■	37000		15 à 20 €

La maison Couly-Dutheil a été créée en 1921 par Baptiste Dutheil; elle est aujourd'hui dirigée par Jacques Couly-Dutheil et son fils Arnaud. Avec un vignoble de près de 87 ha, dont les prestigieux Clos de l'Écho et Clos de l'Olive, un chai moderne aménagé dans le roc et des caves impressionnantes du Xᵉs. situées sous le château de Chinon, elle fait partie intégrante du paysage viticole chinonais. Une référence incontournable.

On ne présente plus ce clos situé sur les hauteurs de Chinon à proximité de la forteresse, qui doit son nom à l'écho renvoyé par les murailles du château. La version 2014 tient son rang. Elle libère à l'aération des notes soutenues de cassis. En bouche, elle offre un bel équilibre autour des fruits mûrs assortis de notes plus fraîches de réglisse et de graphite et d'une matière soyeuse et ronde, encadrée de tanins fins, encore un peu fougueux. De l'élégance et du potentiel. ⧗ 2019-2024 🍴 côte de bœuf ■ **Les Chanteaux 2015 (11 à 15 €; 36000 b.)** : vin cité.

COULY-DUTHEIL, 12, rue Diderot, BP 234, 37502 Chinon Cedex, tél. 02 47 97 20 20, info@coulydutheil-chinon.com
t.l.j. sf sam. dim. 9h-12h30 14h-17h30

DOM. DES GÉLERIES Le Puy blanc 2014

■	7000		5 à 8 €

Appartenant aux familles Meslet, Thouet et Rouzier, ce domaine de 31 ha régulier en qualité se répartit sur 45 parcelles et trois AOC: chinon, bourgueil et saint-nicolas. Il est conduit depuis 2012 par Germain Meslet.

Ce vin bien dans le ton de l'appellation offre un joli bouquet fruité, prolongé par une bouche appréciée pour sa souplesse et sa fraîcheur. Le plaisir dans la simplicité. ⧗ 2016-2020 🍴 jambon persillé

DOM. DES GÉLÉRIES, 4, rue des Géléries, 37140 Bourgueil, tél. 02 47 97 74 83, domainedesgeleries@orange.fr
t.l.j. sf dim. 9h-12h30 14h30-19h

B DOM. GROSBOIS Clos du Noyer 2014 ★

■	1000		20 à 30 €

Une ancienne ferme fortifiée du XVᵉs. située sur les hauteurs du coteau de Chinon. La famille Grosbois y cultive la vigne depuis 1850; une longue tradition perpétuée depuis 2008 par Nicolas, qui a exploré le monde viticole, en France et à l'étranger (Chili, Oregon, Australie...) avant de reprendre ce vignoble de 9 ha.

Une robe sombre tirant sur le noir habille ce vin complexe, qui s'épanouit sur des notes de fruits noirs bien mûrs assorties de touches de café fraîchement torréfié. Étoffé dès l'attaque, le palais se montre intense, puissant, structuré par des tanins élégants, au grain fin. Bâti pour la garde. ⧗ 2019-2026 ♈ côte de bœuf en croûte de sel

⊶ DOM. GROSBOIS, Le Pressoir, 37220 Panzoult, tél. 02 47 58 66 87, grosboisnicolas@yahoo.fr V ▪ *r.-v.*

DOM. ÉRIC HÉRAULT Cuvée Tradition 2014 ★

■	10 600	▮	5 à 8 €

«Jamais homme noble ne hait le bon vin.» C'est par cette devise que les visiteurs sont accueillis dans les caves de dégustation du domaine. En 1964, la famille Hérault s'installe dans une ancienne ferme du XVII[e]s., dépendance du château de Panzoult. De 50 ares de vignes à l'origine, leur vignoble est passé à 24 ha aujourd'hui, conduit depuis 1992 par Éric Hérault, le fils des fondateurs.

Ce 2014 s'affiche dans une robe soutenue aux reflets d'ébène. Au nez, une belle intensité de fruits rouges et noirs. En bouche, du volume, de la rondeur, des tanins soyeux et un côté chaleureux en finale. ⧗ 2017-2023 ♈ rôti de veau aux champignons ■ **Vieilles Vignes 2014 (5 à 8 €; 11 342 b.)** : vin cité.

⊶ DOM. ÉRIC HÉRAULT, Le Château, 37220 Panzoult, tél. 02 47 58 56 11, domaineherault@orange.fr V ▪ ▪ *t.l.j. sf dim. 8h-12h 14h-18h30* ⌂ Ⓔ

PIERRE JAUTROU Vieilles Vignes 2014 ★

■	6000	▮	5 à 8 €

Pierre Jautrou est établi depuis 1990 dans un petit village situé sur la rive gauche de la Vienne. Il a démarré son exploitation en polyculture, dont 50 ares de vignes plantées par son grand-père pour sa consommation personnelle, avant de mettre à profit la vague du chinon pour la spécialiser. Il est aujourd'hui à la tête d'un vignoble de 13 ha.

Une jolie robe rouge brillant prélude à un nez engageant et généreux de fruits noirs confiturés. Ample dès l'attaque, la bouche se montre tout aussi fruitée, dense, riche, onctueuse, bien structurée, relevée en finale par des notes réglissées et par une fraîcheur toute ligérienne. De belles promesses pour l'avenir. ⧗ 2019-2026 ♈ coq au vin

⊶ PIERRE JAUTROU, 12, rte de Chinon, 37500 Anché, tél. 06 80 43 79 25, pierre.jautrou@wanadoo.fr V ▪ *r.-v.* ⌂ ③

CHARLES JOGUET Silènes 2014 ★

■	30 000	▮	8 à 11 €

«Artiste vigneron» réputé, Charles Joguet a créé ce vignoble en 1957. À sa retraite en 1997, il a cédé la propriété à Jacques Genet. Le domaine (40 ha) a mis en place très tôt la vinification par terroir, façonnant ainsi une gamme variée des vins nés sur la rive gauche de la Vienne. L'exploitation est en conversion bio. Incontournable.

Ce 2014 s'affiche en robe rubis brillante et présente un nez de fruits noirs légèrement épicés. En bouche, il se montre tout aussi fruité, souple, svelte et frais, étayé par des tanins bien fondus. Un très bon classique qui privilégie le fruit. ⧗ 2016-2020 ♈ charcuterie tourangelle ■ **Les Charmes 2014 (15 à 20 €; 6 500 b.)** : vin cité.

⊶ SCEA CHARLES JOGUET, La Dioterie, 37220 Sazilly, tél. 02 47 58 55 53, contact@charlesjoguet.com V ▪ *t.l.j. 10h-13h 14h-18h; sam. sur r.-v. ⊶ Jacques Genet*

Ⓑ JOURDAN ET PICHARD L'Arcestrale 2014 ★

■	10 000	⦀ ▮	15 à 20 €

Philippe Pichard, qui avait repris en 1983 le vignoble acheté par ses grands-parents, l'a transmis en 2012 à la famille Jourdan. Il se charge toujours de la conduite des vignes (16,5 ha), exploitées en bio et en biodynamie.

De couleur presque noire aux reflets violines, cette cuvée s'ouvre sur des arômes chaleureux de cerise à l'eau-de-vie. Dans le même registre, agrémenté d'un fin boisé (seize mois de fût), le palais doit sa prestance à une belle structure tannique soyeuse et élégante. Un peu de garde lui sera profitable. ⧗ 2017-2022 ♈ tendrons de veau braisés ■ **Les Gravinières 2014 (8 à 11 €; 20 000 b.)** Ⓑ : vin cité.

⊶ SCEA DOM. JOURDAN, 8, le Puy, 37500 Cravant-les-Coteaux, tél. 02 47 58 66 73, francis@domainejourdan.fr V ▪ ▪ *t.l.j. sf dim. 10h-12h 14h-18h*

DOM. DE LA MARINIÈRE L'Arbre mort 2014 ★★

■	1600	⦀	15 à 20 €

En 1965, les parents de Renaud Desbourdes ont eu un coup de cœur pour une ferme à l'écart de Panzoult. Renaud a pris la relève en 1999 à la tête de ce vignoble de 15 ha, qu'il conduit aujourd'hui avec son fils Boris et qu'il convertit depuis 2016 à l'agriculture biologique.

Des vignes plantées en 1939, une vinification et un élevage (dix-huit mois) en barrique ont forgé le caractère de cette cuvée aux notes vanillées et épicées. On retrouve la vanille dans une bouche longue, douce, ample et ronde, aux tanins fins et veloutés, encore dominée par le bois. Il faudra s'armer de patience pour que ce vin livre tous ses atouts. ⧗ 2019-2026 ♈ rôti de sanglier ■ **Réserve de la Marinière 2014 (8 à 11 €; 6 000 b.)** : vin cité.

⊶ RENAUD DESBOURDES, Dom. de la Marinière, 37220 Panzoult, tél. 02 47 95 24 75, domaine.la.mariniere@orange.fr V ▪ ▪ *r.-v.*

DOM. MARY Cuvée Lucile 2014

■	4 500	⦀ ▮	5 à 8 €

Riche de quatorze ans d'expérience en tant que viticulteur sur différents domaines, Cyril Mary a repris en 2011 le petit vignoble (1,5 ha) exploité par ses parents, dont il a porté la superficie à 11 ha.

Le nez séduit par ses notes de fruits rouges et de violette agrémentées de touches de cacao et d'épices. Souple, rond, onctueux, le palais est équilibré, épaulé par des tanins encore un peu stricts en finale. À attendre quelques mois pour que l'ensemble se fonde. ⧗ 2017-2021 ♈ bœuf braisé

⊶ EARL DOM. MARY, 5, rue de Villégron, 37500 La Roche-Clermault, tél. 02 47 93 05 51, earl.domaine.mary@orange.fr V ▪ *r.-v.*

LOIRE

LA MASSONNIÈRE Cuvée du Père Edmond 2014

■ | 1500 | | 8 à 11 €

En 1980, Frédéric Delalande reprend une petite vigne, perpétuant ainsi la tradition familiale instaurée par son grand-père. Il développe son exploitation, et son fils Cyril le rejoint en 2006. Les deux vignerons disposent aujourd'hui de 20 ha.

D'un élégant rubis limpide et brillant, ce 2014 déploie d'intenses notes de cerise. En bouche, il plaît par son onctuosité et ses notes kirschées finement boisées. La finale, plus sévère, appelle un peu de garde. 2017-2021 rôti de porc au four ■ **Cuvée 13 Or 2014 (8 à 11 €; 1500 b.)** : vin cité.

GAEC FRÉDÉRIC ET CYRIL DELALANDE, 3, rte des Marais, 37420 Huismes, tél. 02 47 95 56 23, delalande.lamassonniere@orange.fr V *r.-v.*

DOM. DU MORILLY 2014 ★★

■ | 3000 | | 5 à 8 €

André-Gabriel Dumont s'est installé sur l'exploitation familiale en 1986. Le domaine, fort de 12 ha de vignes partagés entre la plaine et le coteau, est commandé par une élégante maison tourangelle du XVIIIes.

Or pâle, cette cuvée exprime une généreuse palette fruitée (pomme, poire, fruits exotiques, agrumes) à l'olfaction. Enveloppant dès l'attaque, le palais se révèle tout aussi aromatique, souple, rond, onctueux, traversé de bout en bout par une fraîcheur parfaitement ajustée qui apporte du nerf et de l'allonge. Du caractère et de l'intensité. 2016-2020 koulibiac de saumon

EARL ANDRÉ-GABRIEL DUMONT, Malvault, 37500 Cravant-les-Coteaux, tél. 02 47 93 24 93 V *r.-v.*

B **DOM. DE LA NOBLAIE** Les Chiens Chiens 2014 ★

■ | 10000 | | 8 à 11 €

Un domaine ancien (on y cultivait déjà la vigne au XVIIIes.), acquis et remis en état à partir de 1952 par Jacqueline et Pierre Manzagol. Depuis 2003, leur petit-fils Jérôme Billard, œnologue, et sa compagne Élodie Peyrussie, sont aux commandes de ce vignoble de 24 ha d'un seul tenant, sur la rive gauche de la Vienne. Très régulier en qualité.

Les Chiens Chiens? Le nom de la parcelle (sur un plateau d'argiles à silex) à l'origine de ce vin d'un beau rouge profond, ouvert sur les fruits noirs, puis, à l'aération, sur des notes finement épicées et réglissées. Épaulé par un élevage bien fondu, le palais, centré sur le cassis et les épices, séduit par son ampleur, sa fraîcheur et sa puissance. Un chinon de caractère, dont l'élevage exalte le fruit. 2018-2024 pintade rôtie ■ **Le Temps des cerises 2014 (5 à 8 €; 40000 b.)** B : vin cité.

DOM. DE LA NOBLAIE, 21, rue des Hautes-Cours, Le Vau Breton, 37500 Ligré, tél. 02 47 93 10 96, contact@lanoblaie.fr V *t.l.j. sf dim. 10h-12h 14h-18h* *Billard*

B **DOM. DE NOIRÉ** Élégance 2014

■ | 20000 | | 5 à 8 €

Jean-Max Manceau, fort de vingt-huit ans d'expérience dans l'un des plus beaux châteaux de Chinon, se consacre désormais à la propriété familiale et à ses 15 ha de vignes conduits en bio, dont il a pris la tête avec son épouse Odile en 2002.

Cette cuvée à la robe brillante, discrète de prime abord, livre à l'aération de fines notes de cassis et de mûre. En bouche, elle révèle une suavité fruitée des plus agréables, soutenue par une structure tannique solide. On pourra attendre un peu ce 2014 encore assez pudique pour qu'il s'ouvre davantage. 2017-2022 côtes d'agneau ■ **Caractère 2014 (11 à 15 €; 12000 b.)** B : vin cité.

DOM. DE NOIRÉ, 160, rue de l'Olive, 37500 Chinon, tél. 02 47 93 44 89, domaine.de.noire@orange.fr V *t.l.j. sf dim. 10h-12h 14h-19h* *Jean-Max Manceau*

B **NICOLAS PAGET** Les Quinquenays 2014

■ | 6000 | | 11 à 15 €

Le domaine est établi près de la confluence de la Loire et de l'Indre, à la lisière de la forêt de Chinon. James Paget lui a donné une bonne notoriété. Son fils Nicolas lui a succédé en 2007 à la tête d'un vignoble de 15 ha qu'il conduit désormais en bio (certification en 2014). À sa carte, du touraine, du touraine-azay-le-rideau et du chinon.

L'élevage de douze mois en fût marque ce 2014 au nez vanillé et à la bouche empreinte de nuances de caramel. Puissante, ronde et étoffée, cette cuvée de bonne garde n'en est pas moins appréciable dès aujourd'hui si l'on apprécie les vins boisés. 2017-2023 gigot d'agneau ■ **Les 4 Ferrures 2014 (8 à 11 €; 6000 b.)** B : vin cité.

PAGET, 7, rue de la Gadouillère, 37190 Rivarennes, tél. 02 47 95 54 02, domaine.paget@wanadoo.fr V *t.l.j. sf mer. dim. 9h30-12h 14h30-18h*

CLOTHILDE PAIN Clo' Secrets d'Alcôve 2014 ★

■ | 5872 | | 8 à 11 €

Clothilde Pain s'est installée à Panzoult, à 12 km de Chinon, en 2012. Elle y conduit un vignoble de 5 ha dont elle tire des cuvées qu'elle veut «féminines, osées, décalées».

Robe noire teintée d'améthyste et nez intense de fruits surmûris laissant présager la richesse et la puissance de la bouche. Intense, boisée sans excès (élevage de douze mois en fût), onctueuse, chaleureuse, celle-ci propose un profil solaire que le temps apaisera. 2018-2022 pintade aux cèpes

CLOTHILDE PAIN, 2, rue de Chezelet, 37220 Panzoult, tél. 02 47 93 39 32, clotilde_pain@yahoo.fr V *t.l.j. sf dim. 9h-12h30 14h30-18h*

DOM. CHARLES PAIN Cuvée Prestige 2014 ★

■ | 60000 | | 5 à 8 €

Valeur sûre du Chinonais, ce domaine créé en 1987 par Charles Pain a son siège sur la rive droite de la Vienne; son vignoble, qui s'étend sur 50 ha, est réparti sur cinq communes, des deux côtés de la

rivière. L'exposition sud, majoritaire, permet une production de qualité, dont 25 % dédiée aux rosés de saignée.

Ce vin sombre affirme dès l'olfaction sa générosité et sa puissance par ses senteurs de fruits des bois très mûrs. On retrouve cette richesse aromatique dans un palais ample, étoffé et élégant, bâti sur des tanins fins et soyeux et sur un boisé savamment dosé. 2017-2023 navarin d'agneau

DOM. CHARLES PAIN, Chézelet, 37220 Panzoult, tél. 02 47 93 06 14, charles.pain@wanadoo.fr V t.l.j. 8h30-12h 14h-18h A

LES DEMOISELLES DE PALLUS N° 2 2014

■	10000		5 à 8 €

Hélène et Claire Demars – deux sœurs issues d'une famille de vignerons installée à Aÿ en Champagne dès 1584, ainsi qu'à Chinon à partir de 1952 – se sont établies en 2013 à Cravant-les-Coteaux, sur un domaine de 9,5 ha.

Une robe rubis sombre habille ce 2014 ouvert sur les fruits rouges (fraise, framboise) rehaussés de touches mentholées. Simple, souple, légère, la bouche suit la même ligne aromatique. Un «vin de copains», aromatique et pimpant. 2016-2018 terrine de campagne

LES DEMOISELLES DE PALLUS, Pallus, 37500 Cravant-les-Coteaux, tél. 02 47 97 40 66 V *r.-v.* *Hélène Demars*

DOM. DU PUY Cuvée Baptiste Vieilles Vignes 2014 ★

■	15000		5 à 8 €

Établi à Cravant-les-Coteaux, Patrick Delalande est à la tête du domaine fondé par son aïeul Alexis Delalande en 1820. Il a été rejoint par son fils Baptiste en 2010. Le tandem conduit un vignoble de 28 ha sur les bords de la Vienne, face au Midi.

Une robe intense et brillante habille ce vin au nez expressif de fruits rouges et noirs. On retrouve les fruits, la mûre notamment, dans un palais souple en attaque, gras, fondu sans manquer de structure, souligné par une fine acidité. 2017-2021 abondance ■ **Authentique 2014** (- de 5 €; **10000 b.**) : vin cité.

PATRICK DELALANDE, 11, Le Puy, 37500 Cravant-les-Coteaux, tél. 02 47 98 42 31, domaine.du.puy@wanadoo.fr V *r.-v.* E

DOM. DES QUATRE VENTS L'Excellence 2014 ★

■	3500		11 à 15 €

Ce domaine de 21 ha doit son nom à sa situation, au sommet d'une colline balayée par les vents. Philippe Pion conduit l'exploitation depuis 1984.

Issu d'une vénérable vigne plantée en 1954, ce chinon mêle au nez de discrètes notes de fruits rouges et des nuances grillées. Pour l'heure encore marquée par son élevage de seize mois en fût, la bouche, bien structurée, propose une palette empyreumatique (boisé grillé et toasté) qui laisse poindre quelques touches fruitées. À attendre pour que le fruit ait voix au chapitre. 2018-2023 carré d'agneau

EARL PHILIPPE ET AURÉLIEN PION, La Bâtisse, 37500 Cravant-les-Coteaux, tél. 02 47 93 46 79, pion375@gmail.com V *t.l.j. 9h-12h 14h-18h30*

B DOM. DE L'R Les Cinq Éléments 2014 ★

■	7000		11 à 15 €

Frédéric Sigonneau, après deux ans passés en Espagne (Dominio de Atauta dans la Ribera del Duero), fonde en 2007 son domaine à partir des vignes de l'exploitation familiale de Cravant-lès-Coteaux. Son vignoble couvre aujourd'hui 8 ha, conduit en bio, tendance biodynamie.

Drapé dans une robe sombre aux reflets violines, ce 2014 s'ouvre sans réserves sur des notes de fruits noirs et d'épices douces. Dense, vigoureux, structuré par des tanins fermes, il est bâti pour durer. 2018-2026 carré de veau aux cèpes

DOM. DE L' R, 14, le Coteau-de-Sonnay, 37500 Cravant-les-Coteaux, tél. 02 47 98 03 57, tontonred@free.fr V *r.-v.*

RÉSERVE DE LA RABELAISE 2014 ★

■	10000		5 à 8 €

Regroupant une cinquantaine de viticulteurs répartis sur l'ensemble de l'appellation chinon, cette structure créée en 1989 commercialise sa production sous plusieurs marques dans la grande distribution et à l'export.

Ce joli vin à la robe pourpre exhale des notes de fruits noirs assorties de touches grillées et torréfiées, legs de son élevage en barrique. Ample et puissante, épaulée par un solide boisé, la bouche est dotée de tanins soyeux et déploie une longue finale corsée. Un beau chinon de garde. 2018-2024 veau marengo

SICA CAVES DES VINS DE RABELAIS, Les Aubuis, Saint-Louans, 37500 Chinon, tél. 06 11 10 17 49, emilien.bouffray@uapl.fr *UAPL*

OLGA RAFFAULT Les Barnabes 2014

■	n.c.	5 à 8 €

Olga Raffault, figure de la profession viticole à Chinon, a fondé son vignoble en 1920. Elle a transmis son savoir-faire à son fils et c'est sa petite-fille Sylvie, épaulée par son mari Éric, qui est à présent aux commandes. Ensemble, ils conduisent un domaine de 25 ha.

De couleur rubis soutenu, ce 2014 mêle au nez fruits rouges et feuille de cassis froissée. Dans le même registre, le palais, d'un bon volume, structuré sans excès, distille une élégante fraîcheur. 2017-2021 onglet aux échalotes

DOM. OLGA RAFFAULT, 1, rue des Caillis, 37420 Savigny-en-Véron, tél. 02 47 58 42 16, infos@olga-raffault.com V *t.l.j. 9h-12h 14h-18h; sam. sur r.-v.*

JEAN-MAURICE RAFFAULT Clos d'Isoré 2014 ★★

■	12000		8 à 11 €

Les ancêtres de Rodolphe Raffault cultivaient déjà la vigne sous Louis XIV. Aujourd'hui, le vigneron, qui

LOIRE

a repris l'exploitation en 1997, dispose d'immenses caves et d'un vignoble de 45 ha en conversion bio, répartis sur plusieurs terroirs qu'il vinifie séparément.

De vieilles vignes de quatre-vingts ans vendangées à la main et un élevage de quatorze mois en fût de un à trois vins ont modelé ce beau chinon sombre aux reflets violines. Intensément vanillé à l'olfaction, il révèle une bouche ample, dense, riche et longue, bâtie sur des tanins solides qui laissent deviner une heureuse évolution. ⧗ 2019-2026 ¥ pintade aux cèpes

⊶ EARL JEAN-MAURICE RAFFAULT, 74, rue du Bourg, 37420 Savigny-en-Véron, tél. 02 47 58 42 50, rodolphe.raffault@wanadoo.fr r.-v.

DOM. DU RAIFAULT Les Allets 2014

■ | n.c. | | 5 à 8 €

Situé dans le Véron, entre Loire et Vienne, ce domaine commandé par une gentilhommière de tuffeau est dans la même famille depuis le XIXᵉs. Après la disparition prématurée de son père, Julien Raffault a pris en main cette exploitation de 26 ha au sortir de ses études.

Élégante dans sa tenue rouge sombre, cette cuvée livre un nez généreux de fruits mûrs sur fond de nuances torréfiées. La bouche, complétée d'épices, emprunte cette même voie aromatique; dense, concentrée, structurée par une charpente de tanins fins, cette cuvée encore en devenir gagnera son étoile en cave. ⧗ 2018-2022 ¥ canard à l'orange

⊶ EARL JULIEN RAFFAULT, Dom. du Raifault, 23-25, rte de Candes, 37420 Savigny-en-Véron, tél. 02 47 58 44 01, domaineduraifault@wanadoo.fr t.l.j. 8h30-12h 14h-19h; dim. sur r.-v.

Ⓑ DOM. DE LA ROCHE HONNEUR Diamant Prestige 2014 ★

■ | 8000 | | 8 à 11 €

Stéphane Mureau représente la huitième génération à la tête de ce vignoble du Véron (19,9 ha) créé au début du XIXᵉs. et conduit en bio depuis 2009. Grande fierté du domaine, la vaste cave entièrement sculptée dans le tuffeau, où sont élevés les vins.

Frangée de reflets violines, cette cuvée sombre évoque la cerise griotte et le cacao. On retrouve les fruits rouges dans un palais rond en attaque, puissant dans son développement, étayé par des tanins virils qui doivent encore se tempérer. ⧗ 2018-2022 ¥ côte de bœuf

⊶ DOM. DE LA ROCHE HONNEUR, 1, rue de la Berthelonnière, 37420 Savigny-en-Véron, tél. 02 47 58 42 10, roche.honneur@club-internet.fr r.-v. ⊶ Stéphane Mureau

DOM. DU RONCÉE 2014 ★

■ | 250000 | | 5 à 8 €

Christophe Baudry, représentant la sixième génération de vignerons, et Jean-Martin Dutour, ingénieur agronome et œnologue, gèrent une maison de négoce et quatre domaines à Chinon: le Ch. de Saint-Louans, le Ch. de la Grille, le Dom. du Roncée et le Dom. de la Perrière.

Beaucoup de charme dans ce 2014 de couleur pourpre, au nez de petits fruits rouges et noirs (framboise, cassis). Empreinte de douceur, la bouche se montre souple, soyeuse et suave, avec en soutien une fine fraîcheur qui apporte de l'équilibre et beaucoup d'allant. Un chinon équilibré et pimpant, que l'on pourra apprécier dans sa jeunesse. ⧗ 2016-2020 ¥ poulet basquaise

■ **Ch. de Saint-Louans 2014 (15 à 20 €; 3000 b.)** : vin cité.

⊶ DOM. DU RONCÉE, 12, Coteau de Sonnay, 37500 Cravant-les-Coteaux, tél. 02 47 93 44 99, info@baudry-dutour.fr t.l.j. sf dim. lun. 10h-12h 14h-18h Ⓑ ⊶ Baudry-Dutour

DOM. DE LA SABLIÈRE 2014 ★

■ | 13000 | 5 à 8 €

C'est en 2007 que Nicolas Pointeau s'est lancé dans la viticulture, reprenant le domaine à l'abandon de ses grands-parents: 2 ha de vignes à l'origine, 13,5 ha aujourd'hui, complétés en 2013 par les 10 ha du Dom. Coton, propriété du grand-père de son épouse Marielle.

Une robe soutenue et un joli nez de fruits frais pour ce chinon produit sur un terroir de graviers. En bouche, des fruits mûrs, du volume, une rondeur suave, de petits tanins fins et soyeux et une pointe d'acidité bien fondue qui souligne le tout et apporte de la longueur. De bons atouts pour une évolution sereine. ⧗ 2018-2023 ¥ carré de veau au paprika

⊶ NICOLAS POINTEAU, La Sablière, 37220 Crouzilles, tél. 06 63 84 71 91, pointeau.n@hotmail.fr r.-v.

DOM. DE LA SEMELLERIE Vieilles Vignes Cuvée Déborah Élevé en fût de chêne 2014 ★★

■ | 5000 | | 8 à 11 €

Ce domaine de 40 ha s'étend sur la meilleure partie de la commune de Cravant, dans le plus haut du coteau, là où les rayons du soleil «tombent droit», comme on dit dans le Midi. Le sol argilo-calcaire, chaud et sain, contribue à la maturation du raisin.

Fabrice Delalande dédie cette cuvée à sa fille Déborah. Un chinon profond et sombre, au nez à la fois intense et délicat, sur le cassis et les épices douces. Des arômes que l'on retrouve dans une bouche ample, ronde et soyeuse, aux tanins tendres et fins, soulignée par des notes boisées jusque dans sa longue finale. Un 2014 des plus élégants, qui pourra être carafé avant le service. ⧗ 2018-2024 ¥ filet mignon aux champignons

■ **Vieilles Vignes Cuvée Kévin 2014 ★ (5 à 8 €; 10000 b.)** : Kévin est le fils du vigneron. Dans le verre, des arômes de fruits rouges et noirs finement toastés, du volume, de l'intensité et des tanins serrés. Un vin encore un peu corseté qui se détendra avec le temps. ⧗ 2018-2024 ¥ gigot d'agneau

⊶ FABRICE DELALANDE, Dom. de la Semellerie, La Semellerie, 37500 Cravant-les-Coteaux, tél. 02 47 93 18 70, la-semellerie@wanadoo.fr r.-v. Ⓑ

♥ B PIERRE SOURDAIS Les Boulais 2014 ★★

■ | 7000 | | 15 à 20 €

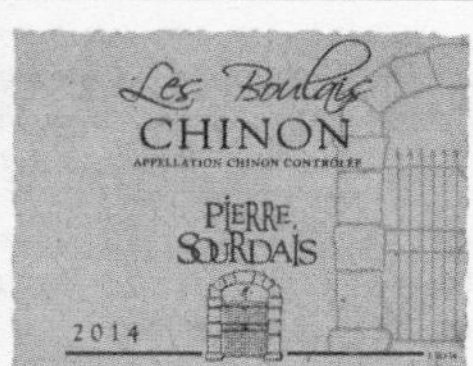

C'est au Moulin-à-Tan qu'était broyée autrefois l'écorce de chêne qui servait au traitement des peaux dans les nombreuses tanneries de la région. Aujourd'hui, le vieux moulin a fait place à un domaine viticole de 2 ha conduit en bio par Pierre Sourdais.

Cette cuvée a d'emblée séduit le jury par sa robe noir laqué aux reflets violines et par ses senteurs de petits fruits noirs (cassis, mûre) finement boisés. Un boisé que l'on retrouve avec intensité et élégance dans une attaque franche et alerte, prélude à un palais suave, généreux, d'une belle densité tannique mais velouté, long et très équilibré. Un très beau chinon de garde. ⧗ 2019-2026 🍴 rôti de bœuf mariné aux épices ■ **Réserve Stanislas 2014 ★★** (8 à 11 €; **25000 b.**) Ⓑ : une cuvée grandement appréciée pour sa complexité (fruits rouges, feuille froissée, humus, touche mentholée), son volume imposant, son côté charnu et onctueux, sa puissance maîtrisée mise en valeur par des tanins fondus et un boisé parfaitement maîtrisé. Bâti pour la garde. ⧗ 2018-2024 🍴 aillade de veau

PIERRE SOURDAIS, 12, le Moulin-à-Tan, 37500 Cravant-les-Coteaux, tél. 02 47 93 31 13, pierre.sourdais@wanadoo.fr V t.l.j.sf dim. 9h-12h 14h-18h

JOHANN SPELTY Graviers 2014

■ | 10000 | | 8 à 11 €

Dans la même famille depuis cinq générations, ce vignoble de 15 ha entoure une jolie maison tourangelle du XVIIIᵉs. Johann Spelty, le maître des lieux depuis 2007, fait dans le traditionnel: labourage des vignes et vendanges manuelles. Une adresse très recommandable. Vignoble en conversion bio.

Après vingt-quatre mois de cuve, cette cuvée livre un nez intense de fruits rouges et noirs agrémenté de notes épicées et de touches florales (violette). La bouche, enveloppante et généreuse, suit la même ligne fruitée et épicée, renforcée par des tanins encore un peu fougueux. Une courte garde lui sera bénéfique. ⧗ 2017-2021 🍴 ragoût d'agneau au thym

SCEV JOHANN SPELTY, 17, rue Principale, Le Carroi-Portier, 37500 Cravant-les-Coteaux, tél. 02 47 93 08 38, spelty@wanadoo.fr V *t.l.j. sf dim. 9h-12h30 14h-18h30*

STÉPHANE ET FRANCIS SUARD
La Poplinière 2014

■ | 6500 | | 5 à 8 €

Francis Suard a créé ce vignoble de toutes pièces en achetant dans les années 1980 des vieilles vignes sur les terroirs du Véron. Stéphane, son fils, a pris les rênes de la propriété (11,3 ha) en 2010, après avoir travaillé plusieurs années sur l'exploitation.

Chose plutôt rare, le domaine utilise encore un pressoir vertical pour presser le marc gorgé de jus après la cuvaison, méthode utilisée par les anciens. Cette technique permet un pressurage doux n'extrayant que le meilleur. Il en résulte un 2014 aux senteurs de fruits rouges au nez comme en bouche, bâti sur des tanins encore un peu fermes. Une courte garde et l'on pourra déboucher ce chinon sans façon. ⧗ 2017-2021 🍴 grillade de bœuf

STÉPHANE ET FRANCIS SUARD, 74, rte de Candes, Roguinet, 37420 Savigny-en-Véron, tél. 02 47 58 91 45, suardsf@orange.fr V *r.-v.*

COTEAUX-DU-LOIR

Superficie : 79 ha
Production : 3 086 hl (55 % rouge et rosé)

Avec le jasnières, voici le seul vignoble de la Sarthe, sur les coteaux de la vallée du Loir. Il renaît après avoir failli disparaître dans les années 1970. Les vignes sont plantées sur l'argile à silex qui recouvre le tuffeau. Le pineau d'Aunis, assemblé aux cabernets, gamay ou côt, donne des rouges légers et fruités tandis que le chenin produit des blancs secs.

DOM. DE CÉZIN 2015

■ | 9000 | 5 à 8 €

Ce domaine créé en 1925 est une valeur sûre de la Sarthe viticole. François Fresneau a fait l'acquisition de sa première parcelle de jasnières en 1975 et, après un parcours sans faute, il vient de passer le flambeau à la quatrième génération: ses enfants Xavier et Amandine, qui exploitent une quinzaine d'hectares en coteaux-du-loir et jasnières.

Ce joli vin blanc plaît par ses parfums élégants de fleurs blanches et d'agrumes. Le charme continue d'agir dans une bouche où les fruits blancs prennent le relais jusqu'en finale. Harmonie et finesse sont au rendez-vous. ⧗ 2016-2019 🍴 papillote de cabillaud aux agrumes

DOM. DE CÉZIN, rue de Cézin, 72340 Marçon, tél. 02 43 44 13 70, earl.francois.fresneau@orange.fr V *r.-v.*

CHRISTOPHE CROISARD Vieilles Vignes 2014 ★★

■ | 6000 | | 5 à 8 €

Depuis 1996, Christophe Croisard conduit cette exploitation de 23 ha installée depuis quatre générations à flanc de coteau, dans la commune de Chahaignes, au nord de La Chartre-sur-le-Loir. Le domaine dispose de magnifiques caves creusées dans le tuffeau.

Des vignes centenaires ont donné naissance à ce vin rouge intense aux notes de fraise des bois délicatement poivrées. Dans le même registre, le palais se montre puissant dès l'attaque, soyeux et persistant. Un beau représentant des coteaux-du-loir. ⧗ 2017-2021 🍴 coq au vin

DOM. RADERIE, 72340 Chahaignes, tél. 02 43 79 14 90, christophe.croisard@wanadoo.fr V *r.-v.*

DOM. DES GAULETTERIES 2014

■	9000	5 à 8 €

Établis dans le charmant village de Ruillé-sur-Loir, Francine et Raynald Lelais, aidés de leur fille Claire, conduisent depuis 1984 ce domaine de 17 ha consacré aux AOC jasnières et coteaux-du-loir, doté de cinq caves anciennes creusées dans le tuffeau.

Ce 2014 est un bon classique: jolie robe rouge, nez intense de fruits rouges et de violette, palais tout aussi aromatique, finement poivré, souple et soyeux. ⧗ 2016-2019 ▼ penne all'arrabiata

DOM. DES GAULETTERIES, 41, rte de Poncé, 72340 Ruillé-sur-Loir, tél. 02 43 79 09 59, vins@domainelelais.com V ⚐ ▮ *t.l.j. sf dim. 9h-12h 14h-18h* *Francine et Raynald Lelais*

DOM. GIGOU Pineau d'Aunis 2014 ★★

■	6000	▮	8 à 11 €

Joël Gigou, artiste en métallerie, abandonne le métal pour le terroir en 1974. Il se lance dans la vigne, la travaille le plus naturellement possible, à petits rendements et sans insecticides pour produire des «vins très nature». Il est rejoint en 1998 par son fils Ludovic, puis quelques années plus tard, par sa fille Dorothée.

Ce 2014 s'affiche dans une robe rouge soutenu et libère des notes éloquentes de fruits rouges, griotte en tête, finement poivrées. Une palette bien typée pineau d'Aunis que prolonge une bouche généreuse, riche, charpentée et persistante. Un vin intense, à la personnalité bien affirmée. ⧗ 2016-2021 ▼ bœuf tikka masala

VINS LUDOVIC ET DOROTHÉE GIGOU, 4, rue des Caves, 72340 La Chartre-sur-le-Loir, tél. 02 43 44 48 72, vins.gigou@wanadoo.fr V ⚐ ▮ *r.-v.* ❷

JASNIÈRES

Superficie : 66 ha / Production : 2 912 hl

C'est le cru des coteaux du Loir, bien délimité sur un unique versant plein sud de 4 km de long sur environ 65 ha. Seul cépage de l'appellation, le chenin ou pineau de la Loire peut donner des produits sublimes les grandes années. Curnonsky n'a-t-il pas écrit: «Trois fois par siècle, le jasnières est le meilleur vin blanc du monde»?

DOM. DE CÉZIN Origine 2015 ★

□	9000	▮	8 à 11 €

Ce domaine créé en 1925 est une valeur sûre de la Sarthe viticole. François Fresneau a fait l'acquisition de sa première parcelle de jasnières en 1975 et, après un parcours sans faute, il vient de passer le flambeau à la quatrième génération: ses enfants Xavier et Amandine, qui exploitent une quinzaine d'hectares en coteaux-du-loir et jasnières.

Ce 2015 or pâle aux reflets argentés s'exprime sur des notes de fleurs blanches soulignées d'une fine trame minérale. Les fruits (pêche, mangue) prennent le relais dans une bouche ronde et généreuse. ⧗ 2017-2022 ▼ blanquette de lotte

DOM. DE CÉZIN, rue de Cézin, 72340 Marçon, tél. 02 43 44 13 70, earl.francois.fresneau@orange.fr V ⚐ ▮ *r.-v.* *Fresneau*

OLIVIER CHAMPION Les Clos 2015 ★

□	11500	▮	5 à 8 €

Olivier Champion, sommelier et maître d'hôtel, a repris en 2014 le vignoble de Philippe Sevault, étendu sur 10 ha en AOC jasnières et coteaux-du-loir.

Le deuxième millésime du vigneron s'affiche dans une robe or pâle brillant. Si le nez s'exprime sur des notes florales et minérales, le palais de ce «sec tendre» se révèle plus suave et onctueux; il est vrai que l'été 2015 a été très ensoleillé sur le coteau de Jasnières. ⧗ 2017-2023 ▼ risotto à la crème de langoustine

CHAMPION, rue Élie Savatier, 72340 Ponce-sur-le-Loir, tél. 06 68 60 72 43, vins.champion@orange.fr V ⚐ ▮ *r.-v.*

DOM. DE LA GAUDINIÈRE 2015 ★

□	1600	▮	8 à 11 €

Installés en 1981, Danielle et Claude Cartereau ont peu à peu agrandi la propriété familiale, qui reste toutefois un vignoble à taille humaine (6 ha). La majorité des vignes est dédiée au jasnières.

Discret de prime abord, ce demi-sec s'entrouvre à l'aération sur des notes de fleurs blanches soulignées de fines nuances minérales et citronnées. Si le nez annonçait la fraîcheur, en bouche on découvre un fruité plutôt mûr qui apporte de la douceur et de la rondeur. Plus acidulée, la finale renoue avec la vivacité. Un 2015 un peu timide, qui se dévoile à qui sait attendre. ⧗ 2017-2023 ▼ rocamadour □ **Sec 2015 (5 à 8 €; 6500 b.)** : vin cité.

DOM. DE LA GAUDINIÈRE, La Gaudinière, 72340 Lhomme, tél. 02 43 44 55 38, cartereaucetd@orange.fr V ⚐ ▮ *r.-v.* *Claude et Danielle Cartereau*

DOM. DES GAULETTERIES
Cuvée Saint-Vincent 2015 ★

□	16000	8 à 11 €

Établis dans le charmant village de Ruillé-sur-Loir, Francine et Raynald Lelais, aidés de leur fille Claire, conduisent depuis 1984 ce domaine de 17 ha consacré aux AOC jasnières et coteaux-du-loir, doté de cinq caves anciennes creusées dans le tuffeau.

Cette cuvée libère d'emblée des notes fruitées (pêche, nectarine) mêlées à des arômes opulents de miel et de fleurs blanches. Doux dès l'attaque, le palais déroule une jolie rondeur aux saveurs d'abricot. Un «sec tendre» que l'on pourra associer à des plats carnés. ⧗ 2016-2022 ▼ pintade au lait de coco

DOM. DES GAULETTERIES, 41, rte de Poncé, 72340 Ruillé-sur-Loir, tél. 02 43 79 09 59, vins@domainelelais.com V ⚐ ▮ *t.l.j. sf dim. 9h-12h 14h-18h* *Francine et Raynald Lelais*

♥ DOM. J. MARTELLIÈRE
Cuvée des Perrés 2015 ★★

	3700		5 à 8 €

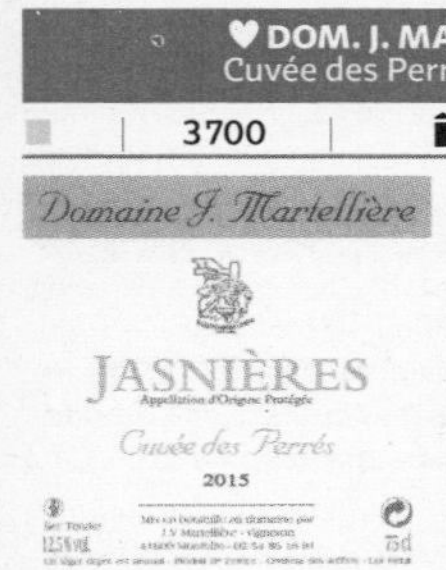

Jean-Vivien Martellière a repris en 2004 cette exploitation familiale de 12 ha fondée en 1967 par son grand-père Jean. Il vinifie exclusivement les trois AOC de la vallée du Loir: jasnières, coteaux-du-loir et coteaux-du-vendômois, et produit aussi des IGP Val de Loire. Très régulier en qualité.

La robe or brillant de cette cuvée invite au voyage dans cette vallée du Loir où le coteau pentu plein sud de Jasnières accueille les vignes de chenin blanc. Des vignes qui ont donné naissance à un vin d'une grande fraîcheur aromatique, ouvert sur des arômes printaniers de fleurs blanches soulignés d'une fine minéralité. Plus douce et tendre, la bouche révèle des notes exotiques qui se prolongent jusqu'à la finale, suave et intense. Un superbe vin de terroir. ⧗ 2016-2022 🍴 huîtres chaudes ■ **Cuvée du Poète 2015 ★★ (8 à 11 €; 1400 b.)** : une cuvée phare du domaine, ouverte ici sans réserves sur les fleurs blanches et le pamplemousse, relayés à l'aération par des arômes exotiques puissants (litchi en tête). Tout aussi fruitée et complexe, la bouche est tendre et riche, ample et intense, soulignée jusqu'en finale par une fraîcheur aux tonalités d'agrumes. Un vin de gastronomie qui conjugue douceur et délicatesse. ⧗ 2016-2024 🍴 canard à l'orange ■ **Cuvée du Vert galant 2015 (5 à 8 €; 2100 b.)** : vin cité.

⊶ MARTELLIÈRE, 46, rue de Fosse, Fosse, 41800 Montoire-sur-le-Loir, tél. 06 08 99 94 15, contact@domainemartelliere.fr V 🚶 ! *r.-v.*

MONTLOUIS-SUR-LOIRE

Superficie : 447 ha / Production : 17 415 hl

La Loire au nord, la forêt d'Amboise à l'est, le Cher au sud sont les limites naturelles de l'aire d'appellation. Les sols « perrucheux » (argile à silex), localement recouverts de sable, sont plantés de chenin blanc (ou pineau de la Loire) et produisent des vins blancs vifs et pleins de finesse, tranquilles (secs ou doux), ou effervescents. Les premiers gagnent à évoluer longuement en bouteilles (une dizaine d'années).

PATRICE BENOIT ★

	30000		5 à 8 €

Patrice Benoit est issu d'une famille au service du vin depuis quatre générations. Pour s'installer, il a dû acheter des parcelles laissées par des vignerons âgés partant à la retraite. Il est maintenant à la tête d'une propriété de 12 ha.

La bulle exubérante témoigne de la jeunesse de ce vin. Le coing et le miel qui s'expriment au nez traduisent une vendange bien mûre. Une vinification traditionnelle a su préserver cette belle matière. L'attaque est souple, puis le palais s'exprime avec vivacité, voire nervosité. ⧗ 2016-2017 🍴 gougères ■ **Sec 2014 (5 à 8 €; 1500 b.)** : vin cité.

⊶ PATRICE BENOIT, 3, rue des Jardins, Nouy, 37270 Saint-Martin-le-Beau, tél. 02 47 50 63 93, patrice.benoit.vins@orange.fr V 🚶 ! r.-v.

FRANCK BRETON Coulée des muids 2014 ★

	2800		8 à 11 €

Franck Breton a pris la succession de son beau-père Claude Boureau en 2008. Il conduit un vignoble de 8 ha situé au sud de la Loire et propose des montlouis et des AOC touraine. Il fait partie aujourd'hui des noms qui comptent dans cette appellation.

Ce vin attire l'œil par sa couleur jaune pâle brillant. Il développe un registre printanier de fleurs blanches et laisse apparaître quelques notes boisées qui lui viennent de son séjour dans des muids de 400 l en chêne. En bouche, c'est un sec sans concessions – il ne reste plus trace de la douceur des sucres résiduels – ample, vif et net. ⧗ 2017-2020 🍴 poisson grillé au beurre citronné

⊶ FRANCK BRETON, 1 bis, rue de la Résistance, 37270 Saint-Martin-le-Beau, tél. 02 47 50 23 24, franckbretonvigneron@orange.fr V 🚶 ! r.-v.

COMPLICES DE LOIRE Clair de lune 2014 ★

	8000		11 à 15 €

L'association en 2010 de François-Xavier Barc et de Gérald Vallée, originaires de Saint-Nicolas-de-Bourgueil a donné naissance à un négoce vinificateur qui produit des vins de différentes appellations du Val de Loire.

Qui se rappelle que le chenin, cépage emblématique du Val de Loire, a pour autre nom « clair de lune » ? Il donne ici un vin à la robe jaune pâle brillant qui évoque bien celle de l'astre. Le nez est bien typé avec ses notes d'agrumes, de fruits exotiques et d'amande. Le palais est bâti sur une dominante acide qui lui confère beaucoup de fraîcheur, trait renforcé par un côté « agrumes ». Un vin pour le début du repas. ⧗ 2017-2020 🍴 huîtres

⊶ SAS GV & FXB, 4, rue de la Cotelleraie, 37140 Saint-Nicolas-de-Bourgueil, tél. 06 84 35 22 07, fxbarc@complicesdeloire.com V 🚶 ! *r.-v.* ⊶ *Barc Vallée*

DOM. DE LA CROIX MÉLIER Sec 2014 ★★

	6000		5 à 8 €

Issu d'une lignée de vignerons établis à Husseau depuis cinq générations, Pascal Berthelot cultive depuis 1976 les 35 ha de vignes de la propriété familiale.

Ce sont les levures du terroir qui ont conduit les fermentations au sein de barriques de huit ans d'âge. Le vin est net et fin de bout en bout. Au nez, des arômes de fleurs blanches, d'aubépine notamment. En bouche, le fruit est bien présent, en harmonie avec une trame vive et acidulée qui allonge la finale. ⧗ 2017-2021 🍴 tartare de poisson ■ **Demi-sec 2014 ★★ (5 à 8 €; 4000 b.)** : un demi-sec en parfait équilibre entre rondeur et vivacité. La palette aromatique va des agrumes aux herbes sèches en passant par les fruits secs, la noisette en particulier. Le palais se révèle harmonieux, puissant et généreux, stimulé par une finale mentholée. ⧗ 2017-2025 🍴 poularde à la crème

EARL DOM. DE LA CROIX MÉLIER, 2, chem. de Sainte-Catherine, Husseau, 37270 Montlouis-sur-Loire, tél. 02 47 45 12 14, pascal.berthelot.lacroixmelier@neuf.fr
t.l.j. 10h-12h 14h-19h; dim. 10h-12h
Pascal Berthelot

GABRIÈLE ET RÉGIS DANSAULT
Demi-sec Jade 2014 ★

	1000		11 à 15 €

Gabrièle et Régis Dansault sont installés depuis 1984 sur un domaine qu'ils ont constitué petit à petit, en reprenant des vignes en location à de petits viticulteurs partant à la retraite. Ils conduisent aujourd'hui un vignoble de 15 ha, en bio certifié depuis 2010.

Une belle maturité des raisins et le minimum d'intrants exogènes font de ce vin une image fidèle de la belle arrière-saison de 2014. Le nez «explose» sur des notes de miel, de cire d'abeille et de fruits exotiques. En bouche, l'acidité équilibre à merveille les sucres résiduels, tandis qu'une légère amertume prolonge le vin et souligne un léger boisé en finale. ⧗ 2017-2025 🍴 foie gras

EARL GABRIÈLE ET RÉGIS DANSAULT, 1, rue Gaspard-Monge, 37270 Montlouis-sur-Loire, tél. 02 47 44 36 23, regis.dansault@wanadoo.fr
r.-v.

DOM. DE L'ENTRE-CŒURS
Demi-sec Cuvée Octave 2014 ★

	6600		5 à 8 €

Héritier d'une lignée établie de longue date à Saint-Martin-le-Beau, Alain Lelarge, vigneron et œnologue, exploite depuis 1991 avec son épouse Patricia les 15 ha de vignes familiales plantées sur les coteaux du val de Cher, où les sols caillouteux appelés ici «perruches» restituent la nuit aux raisins la chaleur emmagasinée le jour. Une valeur sûre de l'AOC montlouis.

Octave est né le 24 janvier 2014 et son grand-père Alain lui a dédié cette cuvée. La robe est très claire et brillante, le nez délicat, évoquant la fleur d'acacia, la poire, la pêche et l'abricot. Aucune lourdeur dans une bouche, tout en fraîcheur et d'un réel équilibre. Un bel hommage. ⧗ 2016-2022 🍴 sandre en sauce crémée **Brut (5 à 8 €; 13500 b.)** : vin cité.

ALAIN LELARGE, 10, rue d'Amboise, 37270 Saint-Martin-le-Beau, tél. 02 47 50 61 70, domaine@entre-coeurs.fr *r.-v.*

DOM. FLAMAND-DELÉTANG
Moelleux Les Vallées 2014 ★

	2000		11 à 15 €

Après avoir travaillé dans la vallée du Rhône, Olivier Flamand a rejoint le domaine familial situé à Saint-Martin-le-Beau. En 2003, avec son épouse Corinne, il a pris la tête des 8 ha de la propriété, constituée au fil des années par Gérard et Guy Delétang et devenue une belle référence en montlouis-sur-loire.

Ce moelleux (50 g/l de sucres résiduels) tient son nom de la parcelle où les raisins surmûris ont été récoltés. Les levures du cru ont conduit la fermentation et il a été procédé à un long élevage sur lies avec bâtonnage. Il en résulte une belle robe dorée, des arômes de coing, de cacao et d'épices, et une bouche harmonieuse, ronde et longue, aux tonalités exotiques. ⧗ 2018-2027 🍴 tarte aux abricots **Sec Les Pierres écrites 2014 (11 à 15 €; 2500 b.)** : vin cité. **Sec Quatre Saisons 2014 (11 à 15 €; 2500 b.)** : vin cité.

DOM. FLAMAND-DELÉTANG, Olivier Flamand, 19, rte d'Amboise, 37270 Saint-Martin-le-Beau, tél. 02 47 35 65 71, flamandolivier@aol.com
t.l.j. 8h-18h

LA GRANGE TIPHAINE Nouveau Nez 2014 ★★

	12000	15 à 20 €

Coralie et Damien Delecheneau ont pris en 2002 la succession de trois générations sur un domaine familial créé à la fin du XIXᵉs., qui compte aujourd'hui 15 ha. L'exploitation est conduite en bio et en biodynamie. L'une des belles références en montlouis et en touraine-amboise.

Ce vin scelle l'union de la jeune et de la vieille génération de vignes; vendange en «plein» de la jeune vigne, première trie de la plus âgée. La robe est d'or et la bulle se montre fine et légère. Le nez rappelle le tilleul et la menthe. En bouche, un superbe équilibre, de la franchise, de la souplesse et beaucoup de finesse. ⧗ 2016-2019 🍴 beignets de crevette **Sec Clef de sol 2014 ★★ (15 à 20 €; 10000 b.)** (B) : la robe est brillante, le nez précis et franc, dans un registre floral et miellé. Le palais se révèle souple, riche et gras; une acidité bien dosée lui donne sa structure de grand vin sec. ⧗ 2017-2020 🍴 blanquette de lotte **Demi-sec Les Grenouillères 2014 (15 à 20 €; 3000 b.)** (B) : vin cité.

DAMIEN ET CORALIE DELECHENEAU, lieu-dit La Grange Tiphaine, 37400 Amboise, tél. 02 47 30 53 80, lagrangetiphaine@wanadoo.fr
r.-v.

ALAIN JOULIN ET FILS Brut

	15000	5 à 8 €

Saint-Martin-le-Beau est une commune du sud de l'appellation montlouis-sur-loire, tournée vers les rives du Cher. Les coteaux en pente douce sont baignés de soleil. Alain Joulin et ses deux fils y exploitent 12,5 ha de vignes qu'ils travaillent le plus naturellement possible.

Ce vin se montre discret dans ses manifestations gazeuses, qui le font ressembler davantage à un pétillant qu'à un mousseux. La robe d'un beau jaune doré s'accorde avec les arômes gourmands de miel et de coing qui se révèlent à l'olfaction, prolongés par une bouche équilibrée. ⧗ 2016-2019 🍴 feuilletés au fromage

EARL ALAIN JOULIN ET FILS, 58, rue de Chenonceaux, 37270 Saint-Martin-le-Beau, tél. 02 47 50 28 49, alain.joulin@wanadoo.fr *r.-v.*

DOM. DES LIARDS Demi-sec La Montée des Liards Vieilles Vignes 2014 ★

	5000	8 à 11 €

C'est Laurent Berger qui dirige aujourd'hui cette ancienne et honorable maison, tandis que la génération précédente veille. Le domaine couvre 17 ha plantés du noble cépage pineau de la Loire.

Des raisins bien mûrs ont donné cette belle robe dorée qui brille dans le verre. À l'olfaction, des arômes harmonieux et gourmands rappellent le miel et les épices. La bouche se montre opulente et ronde, évoquant la pêche, l'acacia ou encore la pomme d'amour. Un vin chaleureux. 2017-2022 volaille à la crème

BERGER FRÈRES, 33, rue de Chenonceaux, 37270 Saint-Martin-le-Beau, tél. 02 47 50 67 36, bergerfreres@aol.com r.-v.

BENOÎT MÉRIAS Sec Les Maisonnettes 2014

	2000		11 à 15 €

Établis à Saint-Martin-le-Beau, Benoît et Julie Mérias ont repris en 2011 les vignes de Laurent Chatenay (6 ha). Celles-ci sont cultivées en agriculture biologique.

L'olfaction de ce vin jaune pâle révèle une palette aromatique tournée vers l'exotisme (fruit de la Passion et vanille). Le boisé lui confère de la structure et de la longueur en bouche et renforce les saveurs. 2017-2020 mignon de veau à la crème

EARL BENOÎT ET JULIE MÉRIAS, Nouy, 41, rte de Montlouis, 37270 Saint-Martin-le-Beau, tél. 06 42 36 19 41, benoit.merias@orange.fr r.-v.

DOM. DE MONTORAY Bulles de chenin 2012

	2000		8 à 11 €

Jeune exploitation créée en 2007 par Claude Aupetitgendre et Jacques Gozard, le Dom. de Montoray résulte de l'association de cinquante-huit passionnés de vins de Loire. Ils cultivent 3,4 ha de vignes et possèdent une cave dans le roc. Le vignoble est en conversion bio.

Le style de la maison est bien là. Ce brut est un vin à la fois bien sec et en même temps évolué, autant par sa couleur soutenue que par ses arômes de miel. Une même maturité se dégage du palais, souple, suave et rond. 2016-2018 soufflé au fromage

MONTORAY, 11, vallée Saint-Martin, 37400 Lussault-sur-Loire, tél. 06 75 38 79 69, contact@domaineaupetitgendre.com r.-v.

DOM. MOSNY Sec Les Graviers 2014 ★

	4800		5 à 8 €

Au cœur du vignoble de Saint-Martin-le-Beau, Thierry Mosny, formé au lycée viticole d'Amboise, a repris en 2005 l'exploitation familiale (14 ha) fondée par son bisaïeul dans les années 1920.

La robe jaune pâle s'accorde avec la légèreté florale du nez, à dominante de fleur d'acacia. Une acidité tempérée par quelques grammes de sucres résiduels souligne une bouche ample, ronde et longue. Harmonieux. 2017-2022 sole au beurre blanc **Demi-sec Le Chesneau 2014 (5 à 8 €; 4600 b.)** : vin cité. **Brut (5 à 8 €; 16000 b.)** : vin cité.

EARL DANIEL ET THIERRY MOSNY, 8, rue des Vignes, 37270 Saint-Martin-le-Beau, tél. 02 47 50 61 84, thierry.mosny@orange.fr *t.l.j. sf dim. 8h-18h*

LE ROCHER DES VIOLETTES La Négrette 2014 ★

	6000		15 à 20 €

Xavier Weisskopf a créé son exploitation (14 ha) en 2005. Rien ne le destinait à ce métier, mais ses études à Chablis lui ont fait découvrir l'univers du vin, ce qui l'a conduit à la «Viti» de Beaune, puis à Gigondas et enfin sur les rives de la Loire.

Cette cuvée ne déroge pas au style des précédentes années. C'est un vin parfaitement sec présentant même une attaque vive et franche, presque tranchante. Ses arômes sont bien développés, nets, rappelant le pamplemousse pelé à vif et la pomme verte sur fond boisé. Un vin qui semble fait pour donner la réplique aux fruits de mer. 2017-2022 saint-jacques poêlées **Touche mitaine 2014 (11 à 15 €; 14000 b.)** : vin cité.

XAVIER WEISSKOPF, 34, rue de la Roche, 37150 Dierre, tél. 02 47 23 52 08, xavier.weisskopf@hotmail.com r.-v.

VALLÉE MORAY Brut nature Bulles Palladium 2014 ★

	2500		11 à 15 €

Hervé Grenier et Vincent Bergeron, tous deux néo-vignerons, ont rejoint Jean-Daniel Kloecklé (l'ancien vigneron du Dom. des Loges de la Folie) pour cette aventure débutée en 2014: 6 ha de chenin et 4 ha de divers cépages rouges cultivés en bio constituent leur nouveau domaine.

Nouveau domaine, nouvelles ambitions, nouveaux vins. Les Bulles Palladium sont fines et persistantes. Des notes gourmandes de poire apparaissent au nez, auxquelles fait écho un palais rond, riche et vif à la fois. 2016-2020 gougères **Sec Aubépine 2014 (15 à 20 €; 2000 b.)** : vin cité.

DOM. VALLÉE MORAY, 21, rue des Rocheroux, 37270 Montlouis-sur-Loire, tél. 06 23 25 08 68, domainevalleemoray@yahoo.fr r.-v.

LES CAVES DU VIEUX CANGÉ 2013 ★★

	5500		5 à 8 €

En 2009, après une carrière dans la fonction publique, Françoise Habert-Gaultier, vouvrillonne d'origine, a repris les vignes de son époux, poursuivant ainsi la tradition vigneronne de sa belle-famille inaugurée il y a sept générations. Le vignoble, implanté sur les coteaux du Cher exposés plein sud, couvre à peine 3 ha et les vins sont élevés dans des caves séculaires, propriété autrefois des héritiers de la célèbre Gabrielle d'Estrées, favorite d'Henri IV.

Des raisins bien mûrs, nés de ceps de trente-cinq ans, ont permis de réaliser la prise de mousse avec les sucres du raisin. Le soin particulier pour obtenir un moût d'une grande pureté se retrouve dans la délicatesse et l'harmonie de ce vin admirable. La bulle est fine et la robe

LOIRE

scintillante. Le registre aromatique est subtil et riche: tilleul, foin, fleurs blanches, framboise. La bouche se déploie sans à-coups, longue, ronde et fraîche à la fois. Du grand art. ⧗ 2016-2019 🍷 salade d'oranges

⊶ FRANÇOISE HABERT-GAULTIER, 3, imp. des Noyers, Le Gros-Buisson, 37270 Saint-Martin-le-Beau, tél. 02 47 50 26 47, caveduvieuxcange@aol.com V 🚶 ! *r.-v.*

VOUVRAY

Superficie : 2 151 ha
Production : 126 272 hl (70 % mousseux)

Un long vieillissement en cave et en bouteilles révèle toutes les qualités des vouvray, blancs nés au nord de la Loire, presque en face de Tours, sur un vignoble qu'écorne l'autoroute A10 au nord (le TGV passe en tunnel) et que traverse la large vallée de la Brenne. Le cépage blanc de Touraine, le chenin, donne ici des vins tranquilles, colorés et très racés, secs ou moelleux selon les années, et des vins pétillants et effervescents, vineux, élaborés selon la méthode traditionnelle. Si ces derniers sont bus assez jeunes, les vins tranquilles sont aptes à une longue garde qui leur donne de la complexité.

JEAN-CLAUDE ET DIDIER AUBERT
Harmonie 2014 ★

■ | 3200 | 🍾 | 8 à 11 €

Jean-Claude Aubert, installé en 1980, et son fils Didier, arrivé en 1997, représentent respectivement les sixième et septième générations de vignerons à la tête de ce domaine familial fondé en 1823. Avec leurs épouses, ils exploitent 41 ha de vignes plantées en majorité sur les coteaux dominant la vallée Coquette.

Fruit de raisins récoltés en surmaturité après une semaine de vent d'est par temps ensoleillé, ce vin présente une teneur en sucres résiduels de 65 g/l. La robe est d'un beau jaune pâle à reflets dorés et le nez dominé par le fruit. Le passerillage des raisins a produit une bouche très ronde et chaleureuse où règne encore le fruit, évoquant la poire. À déguster dès maintenant et pendant de nombreuses années. ⧗ 2016-2026 🍷 tarte aux poires

⊶ JEAN-CLAUDE ET DIDIER AUBERT, 10, rue de la Vallée-Coquette, 37210 Vouvray, tél. 02 47 52 71 03, aubert.jc.d@orange.fr V 🚶 ! *t.l.j. 9h-12h30 14h-19h, dim. 9h-12h30*

DOM. DE BEAUCLAIR Brut 2013

● | 15000 | 🍾 | 5 à 8 €

Christian Blot a succédé à son père en 1983 sur la propriété que celui-ci avait créée en 1955 et qui couvre 25 ha. Après des expériences en Alsace, en Bourgogne et dans le Sauternais, son fils Freddy l'a rejoint en 2006. Dominant le coteau de Noizay, la cave a été creusée dans le tuffeau.

À l'œil, la couleur est belle, d'une nuance jaune paille intense. Si le nez reste plutôt sur la réserve, les saveurs en bouche sont plus soutenues: des notes de fruits se déploient avec persistance et une légère pointe d'amertume apporte un surcroît de complexité et de nerf. Un vin tout indiqué pour l'apéritif. ⧗ 2016-2019 🍷 gougères

⊶ CHRISTIAN ET FREDDY BLOT, Dom. de Beauclair, 306, coteau de Venise, 37210 Noizay, tél. 02 47 52 11 32, domainedebeauclair@sfr.fr V 🚶 ! *t.l.j. 9h-12h 14h-19h; dim. 9h-12h*

PASCAL BERTEAU ET VINCENT MABILLE
Moelleux 2014

■ | 1300 | 🍾 | 5 à 8 €

Les beaux-frères Pascal Berteau et Vincent Mabille se sont associés en 1990 à la tête d'un domaine de 25 ha établi dans la vallée de Vaugondy, sous la protection du château de Jallanges.

La robe est typique d'un vin jeune, pâle avec des reflets argent. Le nez s'exprime librement dans des nuances elles aussi caractéristiques: fleurs blanches, coing, miel, abricot. La bouche sait rester légère, sans excès de sucrosité et d'une belle complexité aromatique à l'unisson du bouquet. ⧗ 2016-2024 🍷 tarte au chocolat

⊶ PASCAL BERTEAU ET VINCENT MABILLE, 46, rte de Vaugondy, 37210 Vernou-sur-Brenne, tél. 02 47 52 03 43, vincent.mabille1@libertysurf.fr V 🚶 ! *r.-v.* 🏠 Ⓐ

BOURILLON DORLÉANS La Levrière 2014 ★★

■ | 13000 | 🍾 | 15 à 20 €

Installé depuis 1984, Frédéric Bourillon a pris la suite de son père sur ce domaine fondé en 1921 par son grand-père Gaston Dorléans. Le vignoble couvre 26 ha sur les meilleurs coteaux de Rochecorbon et les vins reposent dans des caves troglodytiques du XVes.

Au début d'octobre, les vendangeurs sont passés dans la parcelle La Levrière pour cueillir les plus beaux raisins, des raisins surmûris, très riches. Le vin qui en est issu est remarquable par sa couleur or et par son bouquet admirable de complexité: brioche, compote de pommes et de coings, abricots secs, pâte d'amande, miel... Il en va de même en bouche, où de fines notes acidulées interdisent toute lourdeur et apportent longueur, fraîcheur et équilibre. ⧗ 2017-2030 🍷 saint-jacques au miel

⊶ FRÉDÉRIC BOURILLON, 30 bis, rue de Vaufoynard, 37210 Rochecorbon, tél. 06 07 08 06 06, info@bourillon.com V 🚶 ! *r.-v.*

DOM. BOUTET SAULNIER
Demi-sec Harmonie 2014 ★★

■ | 6000 | 🍾 | 5 à 8 €

Blotti au cœur de la vallée Chartier, le domaine couvre 12 ha, ce qui est relativement modeste dans le Vouvrillon d'aujourd'hui. Les sols argileux peu épais peuvent souffrir de tassement par les roues d'un tracteur et Christophe Boutet, installé en 1997, n'hésite pas à revenir au travail du sol avec un cheval de trait.

La robe pâle a des reflets argentés. Le nez s'exprime avec délicatesse, sur les fruits exotiques, le nougat, le miel et les fruits secs. Le palais se déploie tranquillement, rond et soyeux, sur des arômes de fruits secs, de guimauve et de miel. La finale longue et équilibrée laisse la bouche fraîche. ⧗ 2018-2023 🍴 canard aux pêches ■ **Moelleux 2014 (8 à 11 €; 3000 b.)** : vin cité.

EARL BOUTET SAULNIER, 17, la Vallée-Chartier, 37210 Vouvray, tél. 02 47 52 73 61, christophe-boutet@wanadoo.fr V r.-v.

DENIS BREUSSIN Sec 2014 ★

■	5000		5 à 8 €

Depuis cinq générations, la famille Breussin cultive la vigne sur les hauteurs de Vernou-sur-Brenne, dans la vallée de Vaugondy. Denis, installé en 1995, s'efforce de conduire son domaine de 16 ha entre culture conventionnelle et culture biologique (respect du végétal et de la faune auxiliaire, levures indigènes, élevages longs sur lies fines).

D'un jaune-vert pâle, le vin attire l'œil. Il se déclare sans fard avec des senteurs de fleurs, de fruits et de miel. La bouche, fraîche et équilibrée, met l'accent sur le fruit. ⧗ 2016-2021 🍴 sandre en papillote

YVES ET DENIS BREUSSIN, 45, Vallée-de-Vaugondy, 37210 Vernou-sur-Brenne, tél. 02 47 52 18 75, denis.breussin@orange.fr V *r.-v.*

VIGNOBLE BRISEBARRE Sec 2014 ★★

■	15000		5 à 8 €

Philippe Brisebarre, ancien président du Syndicat des vins de Vouvray, conduit depuis 1983 le domaine familial (24 ha) d'une belle régularité dans la qualité, installé sur les pentes de la vallée Chartier.

La robe est jaune pâle à reflets verts. Des notes florales délicates apparaissent au nez sur un fond minéral. La bouche ample et souple révèle une belle matière, fruit d'une vendange arrivée à maturité optimale, où la fraîcheur et le fruit sont préservés. Déjà fort agréable, ce vin saura se livrer davantage avec les années. ⧗ 2016-2022 🍴 cassolette de fruits de mer

PHILIPPE BRISEBARRE, 34, rue de la Vallée-Chartier, 37210 Vouvray, tél. 02 47 52 63 07, brisebarre.ph@wanadoo.fr V *t.l.j. 10h-12h30 13h30-17h30; mer. dim. sur r.-v.* Ⓔ

DOM. NICOLAS BRUNET
Moelleux Cuvée Nina 2014 ★

■	8000		11 à 15 €

De père en fils depuis neuf générations, on cultive ici la vigne (près de 16 ha aujourd'hui) sur les sols d'aubuis des coteaux de Vouvray. Nicolas Brunet a pris la suite de son père Georges en 2009 et a conservé les méthodes ancestrales, labourant la terre et vendangeant à la main.

Nina est la fille de Nicolas Brunet et pour célébrer sa naissance en 2014, le vigneron se devait de trier les plus beaux raisins pour élaborer une cuvée de moelleux qui saura mûrir longuement au cœur des caves de tuffeau et accompagner la jeune fille puis la femme dans les moments joyeux de la vie. La robe d'un jaune d'or, le nez riche de brioche, d'amande et de coing sont les prémices d'une très belle bouche, longue et équilibrée, où le miel vient s'ajouter aux senteurs perçues à l'olfaction. ⧗ 2017-2026 🍴 tarte Tatin

DOM. NICOLAS BRUNET, 9-12, rue de la Croix-Mariotte, 37210 Vouvray, tél. 06 83 22 47 14, vouvraybrunet@hotmail.fr V *t.l.j. sf dim. 9h-12h 14h-18h*

♥ B **DOM. VINCENT CARÊME**
Brut 2013 ★★

●	32000		11 à 15 €

Vincent Carême a créé son exploitation en 1999 avec quelques hectares repris de-ci, de-là. Le domaine, régulier en qualité, couvre aujourd'hui 16 ha cultivés en agriculture biologique.

Avec le réchauffement climatique, il est devenu possible d'élaborer des vins effervescents avec les seuls sucres du raisin. C'est le cas pour ce brut qui, après douze mois de repos en cave, a juste été dégorgé. Le résultat est magnifique. La bulle est très fine. Au nez, le chenin mûr resplendit à travers des notes beurrées, exotiques et citronnées. Le palais se déploie avec beaucoup de finesse et d'élégance, soulignées par une vivacité parfaitement ajustée qui donne du tonus et de la longueur à l'ensemble. ⧗ 2016-2020 🍴 saumon fumé ■ **Sec Le Clos 2014 (20 à 30 €; 3500 b.)** Ⓑ : vin cité.

VINCENT CARÊME, 1, rue du Haut-Clos, 37210 Vernou-sur-Brenne, tél. 02 47 52 71 28, vin@vincentcareme.fr V *t.l.j. sf mer. dim. 8h30-12h30 14h-17h; sam. sur r.-v.*

CHAMPALOU Sec 2014 ★

■	40000		8 à 11 €

Tous deux issus de familles vigneronnes, Catherine et Didier Champalou ont créé leur domaine en 1985 avec seulement un demi-hectare de chenin. Leur vignoble, conduit depuis l'origine en culture très raisonnée et dans le respect des cycles lunaires, couvre aujourd'hui 21 ha. Leur fille Céline les a rejoints en 2006 à l'issue de ses études en viticulture et œnologie.

La robe d'un jaune pâle brillant donne envie de poursuivre. Le nez, encore sur la réserve, délivre à l'agitation des parfums de fruits blancs frais. Une attaque souple et ronde introduit un palais qui se déploie harmonieusement, dynamisé par une finale très expressive, sur les agrumes. Parfait pour une entrée fraîche. ⧗ 2016-2020 🍴 terrine de saumon ■ **Demi-sec Les Fondraux 2014 ★ (11 à 15 €; 8000 b.)** : une jolie robe jaune aux reflets argentés, un nez riche de fleurs d'acacia, d'abricot, de pêche et de vanille, une bouche équilibrée, à la fois fraîche, ample et ronde, où s'invitent le miel et le caramel au beurre salé. ⧗ 2018-2022 🍴 porc au caramel

CHAMPALOU, 7, rue du Grand-Ormeau, 37210 Vouvray, tél. 02 47 52 64 49, champalou@orange.fr r.-v.

DE CHANCENY
Brut Excellence Tête de cuvée 2013 ★★

	250 000	8 à 11 €

Au cœur de la vallée Coquette, un haut lieu de production du vouvray, cette cave créée en 1953 regroupe 40 vignerons et 530 ha de vignes. Réputée pour ses fines bulles, elle s'y entend aussi dans les autres styles vouvrillons: secs, « secs tendres » et moelleux.

Les fines bulles forment une mousse légère et entraînent avec elles des notes élégantes et délicates de fleurs blanches et de miel. En bouche, le vin offre un beau volume, se montre riche, gras et long, équilibré par une juste acidité. Une jolie touche florale conclut la dégustation. ⧗ 2016-2019 Ψ brie de Meaux

CAVE DES PRODUCTEURS DE VOUVRAY, 38, rue de la Vallée-Coquette, 37210 Vouvray, tél. 02 47 52 75 03, cavedesproducteurs@cavedevouvray.com t.l.j. 9h-12h 14h-17h

DOM. DE LA CHÂTAIGNERAIE
Brut Bubble's Kiss ★★

	9 000	⧗	8 à 11 €

On trouve des Gautier sur le domaine depuis sept générations. Les caves datent du XIVᵉs. et le chai est du XIXᵉs. Installé en 1981, Benoît Gautier travaille 18 ha, dont le fameux Clos la Lanterne dominant la Loire.

Ce « baiser des bulles » est bien doux, des bulles très fines qui animent une robe de couleur jaune. Le nez se montre à la fois vineux, fringant et frais. Avec un juste équilibre des saveurs, le palais apparaît friand et gourmand avec ses notes d'abricot et de pêche blanche. Parfait pour l'apéritif. ⧗ 2016-2020 Ψ verrine de saumon **Benoît Gautier Demi-sec Vouvray de Gautier 2014 ★ (8 à 11 €; 12 000 b.)** : la robe a des nuances variées, jaune, gris, argent, paille, or. Le nez est tout aussi riche avec ses évocations de miel, d'abricot, de pêche et de prune. S'il montre une douceur sucrée à l'attaque, le palais offre ensuite une belle fraîcheur qui contrebalance des saveurs riches de fruits mûrs et confits. ⧗ 2017-2022 Ψ canard aux pêches

BENOÎT GAUTIER, Dom. de la Châtaigneraie, 37210 Rochecorbon, tél. 02 47 52 84 63, info@vouvraygautier.com t.l.j. sf dim. 8h30-12h 13h30-18h

DOM. DU CLOS DE L'ÉPINAY
Demi-sec Cuvée Marcus 2014

	4 300	⧗	8 à 11 €

Le Clos de l'Épinay, conduit par Luc Dumange depuis 1985, jouit d'une situation privilégiée, dominant le plateau de Vouvray. Outre la maison bâtie en 1702 et les arbres centenaires qui l'entourent, le clos renferme une vigne également centenaire. Le domaine couvre 20 ha.

Marcus est le surnom du fils du vigneron. Dans le verre, un vin jeune et léger, de couleur pâle, au nez discret. En bouche, le terroir particulier d'où il est issu lui confère une certaine minéralité qui accompagne le fruit. Une bonne initiation au cépage chenin dans sa version demi-sec. ⧗ 2016-2020 Ψ fromage de chèvre

DOM. DU CLOS DE L'ÉPINAY, Luc Dumange, 37210 Vouvray, tél. 02 47 52 61 90, domaine.clos.epinay@cegetel.net t.l.j. sf dim. 10h30-12h 14h-18h30; f. vac. fév. 3

DOM. DU CLOS DES AUMÔNES Brut ★

	60 000	⧗	5 à 8 €

Philippe Gaultier est le quatrième du nom à conduire ce domaine familial couvrant 18 ha sur les premières côtes de la commune de Rochecorbon qui dominent la Loire, réputées pour donner des vins de caractère. Son chai se situe au cœur d'une petite zone artisanale.

Le nez se révèle expressif avec ses notes briochées et fruitées. Une mousse crémeuse et fine enrobe la bouche, tapissée par des arômes de fruits mûrs et soulignée de bout en bout par une fine fraîcheur qui lui apporte longueur et droiture. ⧗ 2016-2019 Ψ feuilleté au fromage **Sec 2014 ★ (5 à 8 €; 5 000 b.)** : au nez, dominent les fruits mûrs, la pêche blanche notamment; ces fruits explosent littéralement en bouche dès l'attaque; une bouche tenue jusqu'en finale par une belle vivacité. ⧗ 2017-2021 Ψ fruits de mer

PHILIPPE GAULTIER, 18, rue Vaufoynard, 37210 Rochecorbon, tél. 02 47 54 69 82, dcagaultier@orange.fr r.-v.

DOM. DES CORMIERS ROUX Brut VIP 2013

	4 000	8 à 11 €

Jean-Pierre et Éric Gaucher, incarnant respectivement la quatrième et la cinquième générations à la tête de l'exploitation, conduisent un vignoble de 20 ha planté sur des terres argilo-calcaires.

VIP? Une cuvée réservée à une élite? Non, une « Véritable Invitation au Plaisir ». La robe est pâle et la bulle fine. Le nez, intense, est dominé par les fleurs blanches et le miel; arômes que l'on retrouve dans une bouche bien équilibrée entre douceur et vivacité. ⧗ 2016-2019 Ψ gougères

EARL JEAN-PIERRE ET ÉRIC GAUCHER, La Baderie, 37210 Chançay, tél. 02 47 52 22 89, jeanpierre.gaucher@orange.fr t.l.j. sf dim. 8h-12h30 14h-19h B

DOM. THIERRY COSME Brut 2005 ★★

	3 000	⧗	8 à 11 €

Thierry Cosme, formé en Champagne, est un homme discret qui travaille en agriculture raisonnée ses 20 ha de vignes sur les communes de Noizay et de Chançay. Il accueille les œnophiles dans les caves troglodytiques qu'il tient de ses grands-parents, et signe des cuvées sélectionnées avec une belle régularité dans ces pages.

De son apprentissage en Champagne dans les années 1980, Thierry Cosme a gardé un réel savoir-faire en matière de fines bulles comme le montre cette très belle cuvée mûrie pendant dix ans en cave. Toute la vivacité originelle du chenin a disparu et des arômes chaleureux de miel, de fleurs, de pêche blanche et de litchi bien mûrs sont magnifiés à l'olfaction. En bouche, la même sensation de générosité et de rondeur est renforcée par des notes beurrées et une texture souple et soyeuse. ⧗ 2016-2019 🍴 tarte aux pêches ■ **Sec 2014 (5 à 8 €; 3000 b.)** : vin cité.

DOM. THIERRY COSME, 1127, rte de Nazelles, 37210 Noizay, tél. 02 47 52 05 87, thierry.cosme@wanadoo.fr r.-v.

MAISON DARRAGON Sec 2014 ★

■	20000	🍾	5 à 8 €

Christelle Darragon et son époux David Charbonnier ont repris le domaine familial en 2008. Ils exploitent en viticulture raisonnée leurs 40 ha et ont construit un chai moderne pour la vinification. L'élevage continu de se faire traditionnellement dans les caves troglodytiques.

Très pâle, ce blanc présente de beaux reflets vert brillant. Il s'exprime franchement au nez à travers des notes de fruits frais, de pêche blanche notamment. Vif et acidulé à l'attaque, il dévoile une bouche longue et tonique, dans un registre aromatique pouvant évoquer le... sauvignon. Tout indiqué pour l'apéritif et les fruits de mer. ⧗ 2016-2019 🍴 langoustines ● **Brut (5 à 8 €; 70000 b.)** : vin cité.

MAISON DARRAGON, 34, rue de Sanzelle, 37210 Vouvray, tél. 02 47 52 74 49, scea.darragon@orange.fr t.l.j. sf dim. 9h-12h 13h-18h30

ALAIN DELALEU Brut

●	10000	5 à 8 €

Depuis 1888, quatre générations de viticulteurs se sont succédé sur ce domaine de 18 ha. Conduit par Alain Delaleu depuis 1995, le vignoble s'étend dans plusieurs communes de l'appellation vouvray, ce qui permet de jouer sur une belle palette de terroirs.

Belle montée de fines bulles et robe d'un jaune brillant tiennent le dégustateur dans d'agréables dispositions. La bouche à la fois franche et riche, évoquant le raisin mûr, confirme cette agréable impression; la fraîcheur est au rendez-vous, associée à une certaine minéralité. ⧗ 2016-2019 🍴 rillons de Touraine

ALAIN DELALEU, 44, rte de Château-Renault, 37210 Vernou-sur-Brenne, tél. 02 47 52 13 70, alain.delaleu@wanadoo.fr r.-v.

DOM. DE LA FONTAINERIE Extra-brut 2013

●	4200	11 à 15 €

Catherine Dhoye-Déruet, ingénieur dans l'agroalimentaire, a pris la suite de ses parents en 1990. Ici, on travaille en symbiose avec la nature: ni levurage ni chaptalisation durant la fermentation. Le domaine de 6 ha est installé dans une ancienne propriété viticole du XVes. située dans la vallée Coquette, et les caves sont creusées dans le tuffeau sous les vignes du domaine.

La première fermentation s'est déroulée en fûts de chêne de 350 l de façon naturelle. L'effervescence est discrète et fine, la robe d'un jaune étincelant, le nez puissant et généreux, sur la vanille et les fruits très mûrs rappelant le coing, la bouche ronde et boisée. À attendre un peu. ⧗ 2017-2021 🍴 beaufort

CATHERINE DHOYE-DÉRUET, Dom. de la Fontainerie, 64, rue de la Vallée-Coquette, 37210 Vouvray, tél. 02 47 52 67 92, lafontainerie@orange.fr r.-v.

RÉGIS FORTINEAU Sec 2014

■	3300	🍾	5 à 8 €

Régis Fortineau représente la troisième génération établie à la Croix Mariotte, au cœur de Vouvray. Son domaine s'étend sur 11,5 ha et ses vins figurent régulièrement dans le Guide – aussi bien ses fines bulles que ses vins secs ou demi-secs.

D'un beau jaune brillant, la robe attire l'œil. Le nez se montre tout aussi expressif, évoquant le silex et les fruits frais. Ronde et souple en attaque, la bouche évolue ensuite dans le registre de la fraîcheur acidulée. ⧗ 2016-2019 🍴 saumon en papillote ■ **Moelleux Vieilles Vignes 2014 (8 à 11 €; 3500 b.)** : vin cité.

EARL RÉGIS FORTINEAU, 4, rue de la Croix-Mariotte, 37210 Vouvray, tél. 02 47 52 63 62, regis.fortineau@orange.fr t.l.j. sf dim. 9h-19h; f. mi-août

CH. GAILLARD Moelleux 2014 ★

■	5000	🛢	11 à 15 €

Un domaine familial créé en 1875 au cœur de l'appellation vouvray. Outre ses 33 ha cultivés en biodynamie depuis 1995 sur les coteaux de la vallée de la Brenne et de la vallée de Vaux à Chançay, Christophe Vigneau a la charge d'exploiter le Clos de Rougemont: la vigne historique (1,3 ha) de l'abbaye de Marmoutier, plantée au IVes. par saint Martin.

Une fermentation spontanée d'une durée de six mois en barrique a laissé quelque 70 g/l de sucres résiduels. Il en résulte un vouvray riche, dont les seyants reflets dorés animent une robe pâle. Des notes florales, fruitées et toastées sont bien présentes au nez. Encore peu démonstratif en bouche, le vin montre une belle longueur et livre des notes de pêche bien mûre. Garde conseillée pour révéler toutes les subtilités de cette cuvée. ⧗ 2020-2028 🍴 tarte au chocolat

VIGNEAU-CHEVREAU, 4, rue du Clos-Baglin, 37210 Chançay, tél. 02 47 52 93 22, contact@vigneau-chevreau.com r.-v.

CH. GAUDRELLE Brut tendre

●	25000	🍾	8 à 11 €

Ce domaine de 22 ha, régulier en qualité, a été fondé au XVIIes. par un riche soyeux de Tours, ville réputée alors pour ses soieries. Depuis 1931, la famille Monmousseau est propriétaire de ses vignes.

Une robe chatoyante, jaune pâle et brillante, habille ce vin qui s'exprime avec élégance sur des notes d'agrumes. En bouche, ce brut tendre ne manque pas de vivacité et finit sur d'agréables amers qui renforcent son côté tonique. ⧗ 2016-2019 🍴 beignets de crevette

CH. GAUDRELLE, 12, quai de la Loire, 37210 Rochecorbon, tél. 02 47 25 93 50, contact@chateaugaudrelle.com r.-v. Monmousseau

LOIRE

DOM. SYLVAIN GAUDRON
Brut La Symphonie 2009 ★★

n.c.	8 à 11 €

Sylvain Gaudron a débuté en 1958 sur 7 ha. Il a agrandi sensiblement son vignoble en acquérant le domaine actuel, avec maison bourgeoise et caves creusées dans le roc. Depuis 1993, son fils Gilles gère cet ensemble de 26 ha.

L'étiquette indique «dégorgement tardif». Ce vin est en effet un 2009 longtemps resté sur les lies fines de la prise de mousse. Il porte bien son nom, offrant une explosion d'arômes rappelant la brioche, le miel, les fleurs et le pruneau – rappelons que ce dernier est une spécialité de Tours. En bouche, il se révèle fin, rond, souple et tout aussi aromatique. 2016-2019 soufflé au fromage

EARL DOM. SYLVAIN GAUDRON, 59, rue Neuve, 37210 Vernou-sur-Brenne, tél. 02 47 52 12 27, sylvain.gaudron@wanadoo.fr V r.-v.

DOM. GENDRON
Moelleux Cuvée Guillaume 2014 ★★

2970	11 à 15 €

Philippe Gendron s'est installé en 1982 et entretient une tradition familiale remontant à 1782, perpétuée par cinq générations. Les vignes sont souvent anciennes; l'une d'elle, plantée par l'arrière grand-père, date de 1912. Toute la propriété (23 ha) est en enherbement naturel, ce qui est propice à la biodiversité.

Le jury ne tarit pas d'éloges à toutes les phases de la dégustation: robe d'or précieuse, nez riche évoquant l'abricot, le coing, la vanille et le miel, bouche ronde, grasse sans lourdeur, longue et équilibrée, soutenue par un beau boisé. Du caractère et du potentiel de garde. 2018-2026 foie gras poêlé **Sec Cuvée Clos Cartaud 2014 (8 à 11 €; 3330 b.)** : vin cité.

EARL DOM. PHILIPPE GENDRON, 10, rue de la Fuye, 37210 Vouvray, tél. 02 47 52 63 98, gendronvinsvouvray@orange.fr V r.-v.

LA GRAND TAILLE Demi-sec 2014 ★

7500	5 à 8 €

Deux ouvriers viticoles, Jean-François Boitelle et Sébastien Bonzon, se sont associés en 2001 pour reprendre le domaine de leur ancien patron. Ils sont aujourd'hui à la tête de 42 ha au cœur de la vallée de la Brenne; ils vinifient et accueillent leurs clients dans une ancienne ferme du manoir de Pouvray.

Jaune pâle à reflets verts, ce demi-sec a la couleur des vouvray jeunes. Le nez évoque les fleurs du verger et la pêche blanche. L'équilibre des saveurs est assuré, l'acidité naturelle du cépage compensant les sucres. Les arômes de fruits s'harmonisent parfaitement à ce style de vin. En finale, un léger perlant de jeunesse apporte un «kick» agréable. 2018-2022 bouchée à la reine

GAEC DE LA GRAND TAILLE, 6, rue de Pouvray, 37210 Vernou-sur-Brenne, tél. 02 47 52 06 98, lagrandtaille@orange.fr V r.-v.

DOM. GUERTIN Brut

7000	5 à 8 €

Thierry Guertin a repris en 1978 les vignes de son beau-père. Sur les 17 ha de son domaine, il recherche les petits rendements pour obtenir plus de concentration et pratique dans ce but l'enherbement.

La robe d'un jaune clair à reflets verts est traversée d'une effervescence fine. Le nez, expressif, est légèrement citronné, adouci par une note de miel. Rond et d'une bonne longueur, le palais se montre plaisant. Un bon classique qui pourra aisément accompagner l'apéritif ou le dessert. 2016-2019 tarte au citron

GÉRARD GUERTIN, 3, RD 952, 37210 Vouvray, tél. 02 47 52 77 77, cellierverrine@aol.com V *t.l.j. 10h-19h*

HALLAY ET FILS Extra-brut Prestige 2014 ★

6000	8 à 11 €

Chez les Hallay, la culture de la vigne est une affaire de famille. Arrivé en 1982 sur l'exploitation, Éric est rejoint par Christophe en 1992. Les deux frères ont pris les rênes du domaine (35 ha) en 1998 lors du départ à la retraite de leurs parents. En 2015, c'est Yannick, fils d'Éric, qui arrive sur l'exploitation.

Une maturité avancée et une sélection stricte des jus constituent un préalable indispensable à l'élaboration d'un extra-brut. La réussite est au rendez-vous avec cette cuvée à la mousse abondante et fine, à la robe brillante et argentée. Le nez, minéral de prime abord, évoque ensuite la brioche et l'amande. Des arômes prolongés par un palais vif par nature, léger et alerte. 2016-2020 tempuras **Brut 2014 (5 à 8 €; 20000 b.)** : vin cité.

GAEC HALLAY ET FILS, 58, rte de Château-Renault, 37210 Vernou-sur-Brenne, tél. 02 47 52 03 75, gaec.hallay@orange.fr V r.-v.

LAURENT KRAFT Demi-sec 2014 ★★

16000	8 à 11 €

Laurent Kraft a repris les vignes de son grand-père en 1992 à l'issue de ses études à Bordeaux, perpétuant ainsi le travail de sept générations de vignerons. La conduite du domaine de 23 ha se fait en lutte raisonnée «et raisonnable», dixit le vigneron. Une valeur sûre de Vouvray.

Les levures indigènes sont à l'origine d'une fermentation lente de plusieurs mois. L'échange s'est poursuivi au cours d'un élevage sur lies fines. Le vin a ainsi mûri paisiblement et il présente une couleur dorée aux reflets verts, une belle matière soyeuse, un fruité très présent, au nez comme en bouche, et une persistance remarquable. De bonne garde assurément. 2018-2026 filet mignon

LAURENT KRAFT, 29, rue du Petit-Coteau, 37210 Vouvray, tél. 02 47 52 61 82, lkraft@wanadoo.fr V r.-v.

ALAIN ET CHRISTOPHE LE CAPITAINE
Moelleux Saint-Georges 2014

| 8000 | | 8 à 11 € |

Alain et Christophe Le Capitaine ont beaucoup progressé depuis leurs débuts en 1989 sur leur parcelle de 0,25 ha. Ils cultivent aujourd'hui 27 ha de terroirs différents vinifiés séparément et leurs vins bénéficient d'un élevage sur lies. Les assemblages se font peu de temps avant la mise en bouteilles. La conversion bio a été engagée sur une partie du vignoble.

La robe est d'un jaune pâle brillant. Le nez s'exprime avec élégance sur des notes d'agrumes, de pêche blanche et de fruits compotés. Plus discret, le palais se montre léger pour un moelleux et cela peut surprendre. Les arômes de miel apparaissent en finale et laissent une impression agréable de douceur. ⧗ 2016-2021 🍴 salade de fruits

DOM. LE CAPITAINE, 11, rue Saint-Georges, 37210 Rochecorbon, tél. 02 47 52 51 84, contact@domainelecapitaine.com V *t.l.j. sf dim. 8h-12h 13h30-18h30*

FRANCIS MABILLE Brut 2014

| 31500 | | 5 à 8 € |

Vaugondy est l'un de ces noms qui sonnent agréablement à l'oreille de l'amateur de vouvray: tant de belles cuvées ont vu le jour sur les pentes chargées de graviers de ce terroir de Vernou-sur-Brenne! La quatrième génération de Mabille, en la personne de Francis, a développé petit à petit le vignoble familial qui couvre aujourd'hui 13 ha.

La couleur d'une belle nuance de jaune flatte l'œil. Le nez, fin et frais, rappelle la groseille blanche. On retrouve en bouche cette impression de petits fruits acidulés. Le plaisir dans la simplicité. ⧗ 2016-2019 🍴 gougères

FRANCIS MABILLE, 17, Vallée-de-Vaugondy, 37210 Vernou-sur-Brenne, tél. 02 47 52 01 87, earl.francis.mabille@wanadoo.fr V *r.-v.*

MAILLET Brut Cuvée Prestige ★★

| 6800 | | 5 à 8 € |

Les deux frères Maillet ont succédé à leur père en 1991 sur un vignoble de 34 ha situé sur les hauts de la vallée Coquette. Leurs cuvées de méthode traditionnelle contribuent à la réputation du domaine, souvent en vue dans ces pages.

Cette cuvée Prestige fut élue coup de cœur dans l'édition 2016. La recette est toujours la même et une telle régularité ne peut qu'inspirer une légitime confiance dans cette maison. La robe est d'une teinte soutenue, le nez puissant et typé, rappelant le coing mâtiné de nuances grillées. Une puissance que l'on retrouve dans une bouche ample, riche et charnue, aux arômes gourmands de fruits mûrs et de pomme, équilibrée par une fine fraîcheur. ⧗ 2017-2021 🍴 chaource **Brut ★ (5 à 8 €; 30000 b.)** : un vin à l'effervescence discrète mais au nez vineux rappelant les fruits mûrs, le levain et la brioche, au palais doux, rond, riche et chaleureux, stimulé par une pointe saline en finale. ⧗ 2016-2020 🍴 gougères au chèvre

EARL LAURENT ET FABRICE MAILLET, 101, rue de la Vallée-Coquette, 37210 Vouvray, tél. 02 47 52 76 46, vouvray.maillet@orange.fr V *r.-v.*

DENIS MEUNIER Sec Les Sablons 2014

| 2300 | | 5 à 8 € |

Depuis 1921, Georges, André, puis Daniel et Mauricette se sont succédé sur le domaine. En 2012, Denis a pris la relève. Il a agrandi l'exploitation qui couvre aujourd'hui 12,5 ha sur les communes de Chançay et de Vernou-sur-Brenne.

Voilà un vin qui a réjoui le jury par son authenticité. Son nom, il le tient de la parcelle d'où proviennent les raisins. Ses atouts: une jolie robe pâle, un intense nez floral, un palais gras, soyeux et suave, qui a gardé quelques sucres résiduels. Plus «sec tendre» que sec. ⧗ 2016-2020 🍴 quenelles de brochet

DENIS MEUNIER, 14, rue du Haut-Cousse, 37210 Vernou-sur-Brenne, tél. 02 47 52 07 82, cavemeunier@orange.fr V *t.l.j. sf dim. 9h-12h30 14h-19h*

MAISON MIRAULT Brut ★★

| 30827 | 5 à 8 € |

Cette maison de négoce familiale est installée depuis 1959 à Vouvray. Elle sélectionne des moûts et des vins à la propriété avec rigueur et fidélité. Elle s'est spécialisée dans l'élaboration de vins effervescents et dispose d'imposantes caves creusées dans le roc.

Le nez dévoile des notes délicates et fines de fleurs blanches et de bonbon acidulé. On les retrouve avec des nuances citronnées dans une bouche droite, longiligne, d'un équilibre irréprochable. Parfait pour les produits de la mer. ⧗ 2016-2020 🍴 huîtres

MAISON MIRAULT, 15, av. Brûlé, 37210 Vouvray, tél. 02 47 52 71 62, maisonmirault@wanadoo.fr V *t.l.j. 9h30-12h30 14h30-19h; dim. sur r.-v.*

CH. MONCONTOUR Sec 2014

| 35000 | 5 à 8 € |

Le château bâti au XVe s. trône sur la falaise de tuffeau du village. Balzac avait convoité le domaine, propriété de l'évêque de Tours au temps de saint Martin (IVe s.). Propriétaire de plusieurs domaines en Touraine, Gilles Feray a acquis Moncontour en 1994 et dispose ici de 120 ha de vignes répartis dans différentes communes de l'AOC vouvray, ce qui permet aux vins de refléter toute la richesse du terroir.

Jaune pâle et brillant, ce sec étincelle dans le verre. Encore sur la réserve, le nez laisse s'échapper à l'aération des notes de pêche blanche. En bouche, la première impression est tonique et vive, puis le vin se fait plus rond avant de s'achever sur une légère note d'amertume évoquant les agrumes. ⧗ 2016-2019 🍴 tartare de poisson

SA VIGNOBLE CH. MONCONTOUR, Les Patis, rue de Moncontour, 37210 Vouvray, tél. 02 47 52 60 77,

LOIRE

infos@moncontour.com V ■ *t.l.j. 10h-12h 15h-18h* ⊶ *Gilles Feray*

CH. DE MONTFORT Brut ★

●	84 000	5 à 8 €

La famille Feray collectionne les châteaux et les vignobles en Touraine. Montfort, commandé par un joli manoir fortifié du XVI[e]s., est conduit par Gilles Feray depuis 2011. Le domaine couvre 35 ha à Chançay. Chaque rang de vigne est orné d'un rosier qui, en plus d'être décoratif, permet de déceler l'arrivée de maladies cryptogamiques.

La mousse est fine, légère, peu abondante et la robe très pâle, presque blanche. De fines notes de pomme apparaissent au nez. Le palais se montre charnu et dense, ouvert sur les fruits mûrs et des arômes grillés. Un beau vin typique de son terroir. ⧗ 2016-2020 🍴 koulibiac de saumon

⊶ *SC DOM. DU Ch de MONTFORT, rue du Petit-Coteau, 37210 Vouvray, tél. 02 47 52 60 77, infos@moncontour.com* ⊶ *Gilles Feray*

Ⓑ DOM. D'ORFEUILLES Moelleux 2014 ★★

■	5000		11 à 15 €

Un domaine fondé en 1947 sur les dépendances du château médiéval d'Orfeuilles par Paul Hérivault. Son fils Bernard et depuis 2000 son petit-fils Arnaud ont pris la suite, à la tête d'un vignoble de 21 ha certifié bio (en conversion vers la biodynamie) et planté sur un terroir riche en silex. Du château d'origine, il ne reste que les douves et un puits.

La robe d'un jaune d'or intense étincelle de reflets verts. Déjà ouvert au nez, ce moelleux dévoile des senteurs bien typées de miel et de coing. Il se montre également très expressif en bouche: miel et fleurs blanches s'y marient en douceur avec des notes boisées; c'est suave sans lourdeur, intense et soyeux. De longue garde. ⧗ 2019-2028 🍴 poularde aux morilles ● **Hérivault Brut ★★ (5 à 8 €; 7000 b.)** : à une bulle fine et un nez discret, répond un palais très expressif, sur le citron et le pamplemousse, au caractère très tonique. ⧗ 2016-2019 🍴 toasts de saumon fumé ■ **Hérivault Lippizzan 2014 ★ (8 à 11 €; 6000 b.)** : un vin riche, gras, harmonieux et long, qui offre de la matière et des arômes gourmands de fruits mûrs. Bien typé vouvray et de bonne garde. ⧗ 2017-2021 🍴 crevettes sel et poivre ■ **Sec Silex d'Orfeuilles 2014 (11 à 15 €; 13 500 b.)** Ⓑ : vin cité.

⊶ *EARL BERNARD HÉRIVAULT, La Croix-Blanche, 37380 Reugny, tél. 02 47 52 91 85, earl.herivault@france-vin.com* V ■ ■ *r.-v.*

Ⓑ DOM. DU PETIT COTEAU Brut ★

●	58 000	5 à 8 €

Ce domaine de 15 ha appartenant à Gilles Feray, propriétaire de plusieurs domaines en vouvray et en chinon, a été créé en 2005 et il est conduit en agriculture biologique certifiée. Les vignes sont implantées sur les sols argilo-siliceux des premières côtes de Vernou-sur-Brenne.

La robe est d'un jaune paille qui flatte l'œil. Très droit, le vin délivre des notes florales et citronnées. L'acidité soutenue en bouche donne une impression de précision et étire longuement la finale. Parfait pour les coquillages et les crustacés. ⧗ 2016-2019 🍴 plateau de fruits de mer ■ **Sec 2014 (5 à 8 €; 5000 b.)** Ⓑ : vin cité.

⊶ *SARL DOM. DU PETIT COTEAU, 71, rue du Petit-Coteau, 37210 Vouvray, tél. 02 47 52 60 77, info@moncontour.com* V ■ *t.l.j. 10h-12h 15h-18h* ⊶ *Gilles Feray*

DOM. DU PETIT NOYER Demi-sec 2014

■	600		5 à 8 €

Michel Grenier, ancien éleveur de vaches laitières, cultive depuis 1983 une petite exploitation de 4 ha répartie sur dix-huit parcelles. La vinification est traditionnelle, en fût et en cuve, au creux des caves de tuffeau.

D'un jaune pâle aux reflets dorés, ce vouvray confidentiel s'exprime sans exubérance sur des notes florales et minérales. S'ajoutent des arômes de poire dans une bouche tendre et peu acide, de bonne longueur. ⧗ 2016-2021 🍴 filet mignon

⊶ *GRENIER, 37, rue des Violettes, 37210 Chançay, tél. 02 47 52 20 52, michgren@hotmail.fr* V ■ ■ *r.-v.*

BRUNO ET JEAN-MICHEL PIEAUX Sec 2014 ★

■	25 000		5 à 8 €

Chançay possède des coteaux bien exposés dans la vallée de la Brenne, un peu à l'écart du lit de la Loire. Les frères Pieaux (Bruno et Jean-Michel) y ont établi leur outil de travail à la suite de leurs parents et conduisent aujourd'hui un vignoble de 30 ha.

Ce vin est resté de longs mois endormi sur ses lies à l'ombre fraîche des caves. Il se réveille doucement. Sa robe prend une teinte dorée; le nez s'ouvre lentement sur des senteurs de fruits mûrs. Le palais se révèle souple et équilibré, vivifié par une saveur acidulée. ⧗ 2016-2019 🍴 sandre aux petits légumes ● **Dom. du Margalleau Brut Cuvée Privilège 2009 (8 à 11 €; 8000 b.)** : vin cité.

⊶ *EARL BRUNO ET JEAN-MICHEL PIEAUX, 10 bis, rue du Clos-Baglin, 37210 Chançay, tél. 02 47 52 25 51, earl.pieaux@orange.fr* V ■ ■ *t.l.j. 8h-12h30 14h-19h*

♥ DAMIEN PINON Tuffo 2014 ★★★

■	27 000		5 à 8 €

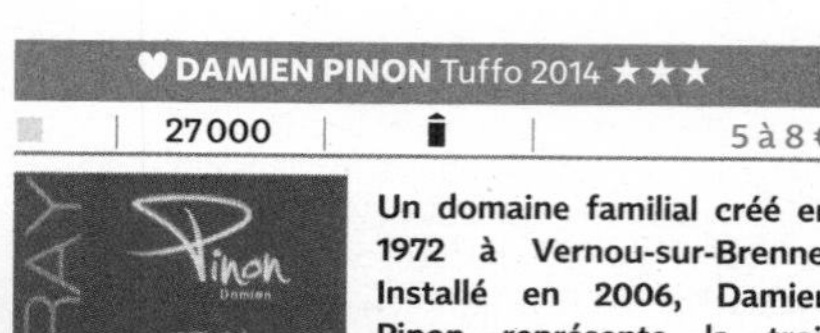

Un domaine familial créé en 1972 à Vernou-sur-Brenne. Installé en 2006, Damien Pinon représente la troisième génération et s'affirme comme l'un des plus talentueux vignerons en vouvray. Ici, la protection du vignoble est des plus raisonnées, le travail des vignes se fait de façon

traditionnelle. Damien laisse le soin aux levures de son terroir de transformer le moût en vin et intervient le moins possible au chai.

Troisième coup de cœur depuis l'édition 2012 pour Damien Pinon, et second pour cette cuvée Tuffo, pour laquelle un bâtonnage hebdomadaire des lies a encore enrichi le vin en cours d'élevage. Le jury ne tarit pas d'éloges: belle robe jaune aux reflets d'or, nez délicat et complexe de fleurs et de fruits blancs, palais à l'équilibre irréprochable, à la fois ample, puissant, généreux, rond, tout en restant souple, élégant et frais. Difficile de résister à cette cuvée, mais les plus patients pourront l'attendre quelques années pour de nouvelles sensations. ⧗ 2017-2022 🍴 saint-jacques sauce crémée ● **Brut (5 à 8 €; 82000 b.)** : vin cité.

⊸ *DAMIEN PINON, 29, rte de Château-Renault, 37210 Vernou-sur-Brenne, tél. 02 47 52 15 16, gaec.pinon@wanadoo.fr* V 🚶 ▪ *r.-v.*

Ⓑ FRANÇOIS PINON Demi-sec Silex noir 2014

■	11300	🛢	11 à 15 €

Le domaine remonte à 1786. Huit générations l'ont cultivé et c'est aujourd'hui François Pinon, installé en 1987 à la suite de son père, qui veille sur les 15 ha de vignes. Cet ancien psychologue pour enfants a converti le vignoble au bio en 2003 et vinifie de façon parcellaire depuis 2006.

Cette cuvée évoque les gros rognons de silex sombres que l'on trouve dans les sols au nord de l'appellation. Vinifiée avec des levures indigènes, sans aucune correction, elle est restée six mois en tonneaux de 400 l. Elle en ressort parée d'un beau jaune doré, se montre assez discrète au nez, livrant quelques notes de fruits à l'agitation, puis s'affirme dans une bouche puissante, sur la pêche mûre, stimulée et allongée par une pointe d'amertume. Elle gagnera son étoile en cave. ⧗ 2018-2023 🍴 poisson en sauce

⊸ *FRANÇOIS PINON, 55, rue Jean-Jaurès, Vallée-de-Cousse, 37210 Vernou-sur-Brenne, tél. 02 47 52 16 59, francois.pinon@wanadoo.fr* V 🚶 ▪ *r.-v.*

DOM. DE LA PINSONNIÈRE Demi-sec

●	10000	🍾	5 à 8 €

Héritiers du domaine familial créé en 1850, Philippe et Vincent Gasnier cultivent 20 ha de vignes implantées dans les communes de Parçay-Meslay et de Rochecorbon sur un sol argilo-calcaire et argilo-siliceux.

Des bulles fines animent la robe jaune paille de ce demi-sec ouvert et plein de fraîcheur. Les notes de fruits et de levain font bon ménage; la bouche, de bonne tenue, équilibrée et persistante, fait ressortir les fruits frais. ⧗ 2016-2019 🍴 gougères ● **Brut (5 à 8 €; 20000 b.)** : vin cité.

⊸ *GAEC DE LA PINSONNIÈRE, 13, rue de la Pinsonnière, 37210 Parçay-Meslay, tél. 02 47 29 14 43, lapinsonniere@aliceadsl.fr* V 🚶 ▪ *r.-v.*

DOM. DES RAISINS DORÉS Brut 2013 ★

●	20000	🍾	5 à 8 €

Si le nom du domaine date de 1974, la tradition viticole familiale remonte à 1675. Nathalie Berton a repris la propriété en 2005 et cultive 13 ha de vignes sur les premières côtes de Vernou-sur-Brenne qui regardent la Loire.

C'est un vrai mousseux à la bulle fine et abondante. En revanche, il est plutôt pâle et discret au nez, laissant apparaître de délicates senteurs de tilleul à l'aération. Élégant, il le reste en bouche, avec une effervescence fine, un caractère minéral et un équilibre bien assuré. ⧗ 2016-2019 🍴 feuilleté aux fruits de mer

⊸ *NATHALIE BERTON, 40, rue du Professeur-Debré, 37210 Vernou-sur-Brenne, tél. 06 30 56 02 90, nathalie_berton@orange.fr* V 🚶 ▪ *r.-v.*

DOM. DE LA ROBINIÈRE Sec Bel-Air 2014 ★

■	20630	🍾	5 à 8 €

Après ses études aux lycées viticoles d'Amboise et de Montreuil-Bellay et son apprentissage dans le Bordelais, Julien Raimbault a rejoint son père Vincent en 2009 sur le domaine. Ils cultivent 16,2 ha au cœur du vignoble de Vouvray et perpétuent une tradition familiale qui dure depuis cinq générations.

Ce vin d'un jaune lumineux et intense s'ouvre sur des parfums qui évoquent un jardin oriental: fleurs d'acacia et d'oranger, pollen et miel, rose. Son palais légèrement suave le place dans le registre des «secs tendres» et lui assure un bel avenir. ⧗ 2018-2023 🍴 volaille à la crème

⊸ *VINCENT RAIMBAULT, 9, rue des Violettes, 37210 Chançay, tél. 02 47 52 92 13, vincentraimbault@wanadoo.fr* V 🚶 ▪ *t.l.j. sf dim. 9h30-12h 14h-18h30*

DOM. DE ROCHE BLONDE Brut 2012

●	15400	🍾	5 à 8 €

L'exploitation a été créée en 1963 par les parents de Christophe Gaudron qui exploitaient alors 10,5 ha. En 1996, après sa formation au lycée viticole d'Amboise, Christophe a repris et agrandi le vignoble qui compte 12 ha aujourd'hui. La salle de dégustation et la cave ont été creusées dans le tuffeau.

L'effervescence est discrète et délicate. La robe brille dans une nuance jaune pâle. Le nez est fin, fermentaire et fruité. À une attaque franche et fraîche succède un milieu de bouche plus vineux et une finale plus «dosée», comprenez plus suave. ⧗ 2016-2019 🍴 boudin blanc

⊸ *EARL CHRISTOPHE GAUDRON, Dom. de Roche blonde, 90, rue Neuve, 37210 Vernou-sur-Brenne, tél. 02 47 52 12 17, christophegaudron@wanadoo.fr* V 🚶 ▪ *t.l.j. sf dim. 9h-12h30 14h-19h; f. 10-31 août*

ROMARIC ROCHETTE Brut 2012 ★★

●	13000	5 à 8 €

En 1997, après ses études de viticulture-œnologie, Romaric Rochette s'est établi sur 7 ha à Nazelles, en bordure est de l'appellation vouvray. Il a repris l'exploitation familiale en 2006 et cultive aujourd'hui 40 ha.

Le jaune d'or brillant de la robe est magnifié par de fines bulles et par une mousse délicate. Le nez s'ouvre sans réserve sur les fruits bien mûrs. Après une attaque fraîche et citronnée, la bouche se révèle ample et généreuse, offrant beaucoup de gras et de longueur. ⧗ 2016-2019 🍴 tarte aux pommes

⊶ *ROMARIC ROCHETTE, Les Gatinières, 37530 Nazelles-Négron, tél. 06 85 11 12 65, romaric.rochette@wanadoo.fr* *t.l.j. sf dim. 9h-18h*

CHRISTOPHE THORIGNY Brut ★

	18000		5 à 8 €

Christophe Thorigny s'est installé en 1989 sur le domaine familial de 10,3 ha, qu'il a repris en 1997 à la retraite de ses parents. Il vinifie parcelle par parcelle en laissant le plus souvent faire les levures du cru. Il procède ensuite à ses assemblages en vins finis. Les sols sont constitués d'argilo-calcaires ou de perruches riches en silex.

L'effervescence est légère et la couleur pâle. Le nez, discrètement fruité, prolonge cette impression de légèreté. Un caractère plus affirmé apparaît en bouche avec des notes de fruits mûrs soulignées par une bulle fine et prolongées par une finale persistante. ⧗ 2016-2019 🍴 tarte au fromage **Doux Cuvée Prestige 2014 ★ (11 à 15 €; 4400 b.)** : la couleur dorée et le nez fruité et légèrement toasté sont caractéristiques d'un doux. Un vin encore en devenir, qui commence à se révéler autour d'arômes de fruits du verger (abricot et coing); il faudra attendre cinq à dix ans pour qu'il soit à son apogée. ⧗ 2020-2028 🍴 foie gras

⊶ *CHRISTOPHE THORIGNY, 30, rue des Auvannes, 37210 Parçay-Meslay, tél. 06 12 27 95 60, cthorigny@sfr.fr* *r.-v.*

CAVES DU VAL DE FRANCE Brut Cuvée Pauline

	200000	5 à 8 €

Cette maison de négoce créée en l'an 2000 appartient à Gilles Feray, par ailleurs propriétaire de plusieurs châteaux en Touraine. Jérôme Noisy est l'œnologue.

Un vin d'une facture classique dont on apprécie la belle couleur dorée et le nez léger et agréable de fruits frais. La bouche se montre puissante et riche sans lourdeur, malgré la présence de 12 g/l de sucres résiduels, ne provoquant aucune lassitude. ⧗ 2016-2019 🍴 tarte aux pommes

⊶ *CAVES DU VAL DE FRANCE, rue du Petit-Coteau, 37210 Vouvray, tél. 02 47 52 60 77, infos@moncontour.com* ⊶ *Gilles Feray*

CH. DE VALMER Demi-sec 2014

	13000		8 à 11 €

Remarquable pour ses jardins à l'italienne datant du XVe au XVIIes., le domaine a été créé en 1461 par le maître d'hôtel du roi de Navarre et a toujours eu une vocation viticole. Acquis et replanté dans les années 1970 par le Comte Aymar de Saint-Venant, il est dirigé depuis 2009 par Jean, le fils de ce dernier, à la tête aujourd'hui de 28 ha en pente douce, bien exposés le long de la vallée de la Brenne.

Après que les levures indigènes ont fait leur travail, le vin est resté six mois sur lies fines. Dans le verre, un demi-sec jaune pâle, au nez typé de pomme verte, prolongé par un palais au caractère minéral apporté par les sols argilo-siliceux du lieu. ⧗ 2017-2023 🍴 poulet

⊶ *SCEA CH. DE VALMER, 37210 Chançay, tél. 02 47 52 93 12, vins@chateaudevalmer.com* *r.-v.* ⊶ *De Saint-Venant*

DOM. DE VAUGONDY Brut ★

	33000	5 à 8 €

Ce domaine est situé au cœur de l'appellation vouvray dans la commune de Vernou-sur-Brenne, au Val de Vaugondy. Les coteaux qui le bordent au nord bénéficient d'une exposition exceptionnelle. Gilles Feray, propriétaire de plusieurs châteaux en Touraine, possède depuis 2002 ce vignoble de 7 ha qui fournit des vins réguliers en qualité.

L'élégance caractérise ce vin issu d'un terroir argilo-siliceux remarquable. La bulle très fine et les reflets verts de la robe flattent l'œil. Le nez, intense, s'exprime dans un registre floral. La bouche acidulée reflète le cépage dans sa jeunesse, avec des notes florales encore bien présentes, en parfaite harmonie avec la finesse de l'effervescence. ⧗ 2016-2020 🍴 salade de fruits frais

⊶ *SARL PERDRIAUX, 73, rue du Petit-Coteau, 37210 Vouvray, tél. 02 47 52 60 77, infos@moncontour.com* *r.-v.*

DOM. DU VIKING Tendre 2014 ★★

	10100		11 à 15 €

Lionel Gauthier, avec sa carrure de Viking, a accosté en 1989 sur les rives de la Loire, remontant la Brenne jusqu'à Reugny pour prendre la suite de son beau-père Marcel Lhomme. Il cultive aujourd'hui 17,5 ha de vignes qui croissent sur les molles ondulations du relief.

Vinifié dans la plus pure tradition, en demi-muids de 600 l et élevé sur lies fines pendant neuf mois, ce demi-sec illustre parfaitement la devise vouvrillonne: «Je réjouis les cœurs.» Le jury est tombé sous le charme d'un nez expressif, riche et complexe, évoquant les fruits mûrs, le miel, la cire, la fleur d'acacia, le caramel et les fruits confits. La bouche, d'un équilibre remarquable, se révèle à la fois généreuse, ample, suave, dense et très fraîche. De longue garde assurément. ⧗ 2020-2030 🍴 rôti de veau aux morilles

⊶ *DOM. DU VIKING, 1300, rte de Monnaie, 37380 Reugny, tél. 02 47 52 96 41, contact@domaineduviking.fr* *t.l.j. sf dim. 9h-12h30; a.-m. sur r.-v.*

CHEVERNY

Superficie : 579 ha
Production : 26 961 hl (49 % rouge et rosé)

VDQS en 1973, Cheverny a bénéficié d'une AOC vingt ans plus tard. À dominante sableuse (des sables sur argile de la Sologne aux terrasses de la Loire), le terroir s'étend le long de la rive gauche du fleuve, de la Sologne blésoise jusqu'aux portes de l'Orléanais. Les cépages, nombreux, sont assemblés dans des proportions variant légèrement selon les terroirs. Les vins rouges, à base de gamay et de pinot noir, avec parfois un appoint de cabernet franc et de côt, sont fruités dans leur jeunesse et acquièrent, en évoluant, des arômes animaux... en harmonie avec l'image cy-

négétique de cette région. Les rosés, dominés par le gamay, sont secs et parfumés. Les blancs, où le sauvignon est associé à un ou plusieurs autres cépages, le chardonnay en général, sont floraux et fins.

DOM. DE L'AUMONIÈRE 2015 ★

■ | 4000 | | - de 5 €

Domaine créé en 1836 qui se transmet de génération en génération. Gérard Givierge, à la tête du vignoble depuis 1996, est installé à Cour-Cheverny sur la route des châteaux; il exploite 18 ha.

Ce 2015 flatte l'œil par ses reflets dorés vifs et séduit par ses senteurs fraîches et citronnées. En bouche, il se montre rond et long, stimulé jusqu'en finale par la vivacité des agrumes. Un vin équilibré. ⌛ 2016-2019 🍴 terrine de langoustines

GÉRARD GIVIERGE, Dom. de l'Aumonière, 41700 Cour-Cheverny, tél. 02 54 79 25 49, gerard.givierge@akeonet.com V *t.l.j. 8h-12h 14h-20h*

PASCAL BELLIER Sélection 2015 ★

■ | n.c. | | 5 à 8 €

Établis à Vineuil, Pascal et Véronique Bellier ont repris en 1995 l'exploitation familiale (47 ha) dont le chai entouré de hauts murs domine la Loire. Un domaine d'une régularité remarquable pour ses cheverny et cour-cheverny.

Cette sélection parcellaire est née sur un sol siliceux et rocailleux. Parée d'une robe cristalline, elle offre un nez joliment sauvignonné. La bouche allie rondeur, souplesse et fraîcheur minérale dans un bel équilibre. ⌛ 2016-2019 🍴 sandre aux agrumes ■ Cour-cheverny **Dom. de Léry Le Clos 2014 ★ (15 à 20 €; n.c.)** : vendangé à la main, cette parcelle de romorantin entourée de murs donne naissance à un vin expressif (tilleul, miel et fleur d'acacia), riche, tendre et souple en bouche, agrémenté de notes réglissées. Un beau vin de garde. ⌛ 2017-2022 🍴 asperges sauce mousseline

PASCAL BELLIER, 3, rue Reculée, 41350 Vineuil, tél. 02 54 20 64 31, vinsbellier@wanadoo.fr V *r.-v.*

♥ LA CHARMOISE 2015 ★★

■ | 15000 | | 5 à 8 €

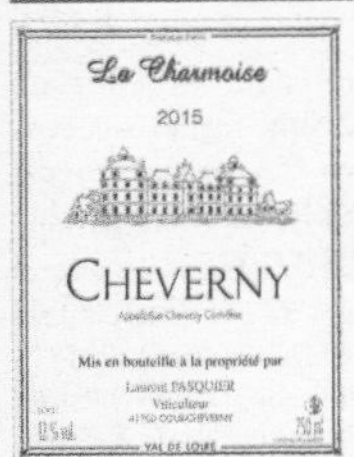

Établis à Cour-Cheverny, aux portes de la Sologne, Jacky et Laurent Pasquier, père et fils, travaillent en duo sur leurs 24 ha de vignes. Un domaine régulier en qualité, en rouge comme en blanc.

Né d'un assemblage classique de 70 % de sauvignon et de 30 % de chardonnay récoltés précocement début septembre 2015, ce cheverny revêt une seyante robe pâle et cristalline. Au nez, il dévoile des arômes frais et intenses de fleurs blanches et de bourgeon de cassis. Un caractère sauvignonné à souhait que prolonge avec la même élégance et la même intensité un palais ample, souple, soyeux et très énergique à la fois, étiré dans une longue finale fruitée. ⌛ 2016-2020 🍴 carpaccio de saint-jacques ■ Cour-cheverny **2014 (5 à 8 €; 3500 b.)** : vin cité.

LAURENT PASQUIER, La Charmoise, 41700 Cour-Cheverny, tél. 06 87 11 15 19, gaec.pasquier@terre-net.fr V *r.-v.*

DOM. CHESNEAU 2015 ★

■ | 17000 | | 5 à 8 €

Établi à Sambin, à une quinzaine de kilomètres au sud-ouest de Cheverny, ce domaine familial, spécialisé dans la viticulture depuis deux générations, s'étend sur près de 15 ha sur des sols argilo-siliceux.

Une robe rubis de belle intensité et un bouquet soutenu et élégant de fruits rouges, de groseille notamment, rehaussé d'épices: l'approche est engageante. Bien équilibré, plein et doux, le palais s'appuie sur des tanins bien présents mais soyeux. ⌛ 2017-2020 🍴 thon à l'unilatérale

EARL CHESNEAU ET FILS, 26, rue Sainte-Néomoise, 41120 Sambin, tél. 02 54 20 20 15, contact@chesneauetfils.fr V *r.-v.*

JEAN-MICHEL COURTIOUX 2014 ★

■ | 20000 | | 5 à 8 €

Fondée en 1931, cette coopérative rassemble une vingtaine d'apporteurs de raisins pour un vignoble de 150 ha. La cave est située sur la rive sud de la Loire, aux portes de la Sologne, des étangs et de la forêt, en plein cœur du pays des châteaux.

Cette cuvée couleur rouge brique dévoile un nez complexe, animal, fruité et épicé. En bouche, elle renoue avec les épices et les fruits rouges et plaît par sa structure souple et tendre. ⌛ 2016-2019 🍴 tartare de veau ■ Cour-cheverny **Les Gabares 2015 (5 à 8 €; 10000 b.)** : vin cité.

LES VIGNERONS DE MONT-PRÈS-CHAMBORD, 816, la Petite-Rue, 41250 Mont-près-Chambord, tél. 02 54 70 71 15, cavemont@orange.fr V *t.l.j. sf dim. lun. 9h-12h 14h-18h*

DOM. DU CROC DU MERLE 2015

■ | 10000 | | 5 à 8 €

Transmise de père en fils depuis 1794, cette exploitation des bords de Loire se partage entre l'élevage de vaches laitières et la culture de la vigne (10 ha). Elle produit vins, fromages, gelée et crème de cassis. En 2006, Damien Hahusseau a succédé à son père Patrice à la tête du vignoble.

Un 2015 plaisant dès le premier nez, ouvert sur des arômes floraux nuancés de notes muscatées. La bouche est franche, dynamique et persistante sur les fruits blancs. ⌛ 2016-2019 🍴 salade exotique

DAMIEN HAHUSSEAU, 38, rue de la Chaumette, 41500 Muides-sur-Loire, tél. 02 54 87 58 65, contact@domaineducrocdumerle.fr V *t.l.j. 9h-12h30 14h-19h*

LOIRE

BENOÎT DARIDAN 2014

■ | 40 000 | | 8 à 11 €

Situé aux portes de la Sologne, entre les châteaux de Cheverny et de Chambord, ce domaine familial de 21 ha est conduit depuis 2001 par Benoît Daridan, qui s'est imposé comme une valeur sûre de l'appellation.

Le nez, discret, associe les fruits rouges à quelques notes végétales et boisées. Arômes prolongés par un palais souple et léger, aux tanins soyeux et ronds. Un cheverny gouleyant pour un plaisir immédiat. ⧗ 2016-2018 ♈ petit-salé aux lentilles

BENOÎT DARIDAN, 16, voie de la Marigonnerie, 41700 Cour-Cheverny, tél. 02 54 79 94 53, benoit.daridan@gmail.com t.l.j. sf dim. 9h (sam. 9h30)-12h30 14h (sam. 14h30)-18h

EMMANUEL DELAILLE 2015 ★

| 10 000 | 5 à 8 €

Le domaine du Salvard est une propriété de 45 ha construite sur les ruines d'un ancien château de la seigneurie de Fougères qui remonterait à l'an 1000. Achetée en 1910 par Maurice Delaille, elle est aujourd'hui conduite par ses petits-fils, les frères Thierry et Emmanuel Delaille, ce dernier signant aussi une cuvée de cheverny à son nom.

Emmanuel Delaille propose un cheverny très élégant, au nez subtil de fleurs et fruits blancs. La bouche, sur les mêmes tonalités mais plus expressive encore, se révèle très fraîche, alerte et longue. ⧗ 2016-2019 ♈ risotto aux fruits de mer **Dom. du Salvard 2015 ★ (5 à 8 €; 90 000 b.)** : un vin bien ouvert sur les fleurs blanches, franc et plein de fraîcheur en boucheur, auquel une finale minérale ajoute du charme. ⧗ 2016-2019 ♈ asperges **Dom. du Salvard Vieilles Vignes 2015 (5 à 8 €; 50 000 b.)** : vin cité.

SPIRIT OF FRENCH BROTHERS, Le Salvard, 41120 Fougères-sur-Bièvre, tél. 02 54 20 28 21, delaille@wanadoo.fr r.-v.

ENCLOS DU PETIT CHIEN 2015 ★

| 48 000 | | 5 à 8 €

Alpha Loire est une maison de négoce, également propriétaire de vignes, créée en 2009 par Fabienne et Philippe Angier, qui propose une large gamme de vins ligériens (touraine, cheverny, crémant).

Ce cheverny s'exprime sans réserve sur des arômes floraux et fruités (agrumes, litchi). Le palais se montre franc, frais, léger et harmonieux, égayé par une finale sur la bergamote mentholée. ⧗ 2016-2019 ♈ fromage de chèvre ■ **2015 (5 à 8 €; 32 000 b.)** : vin cité.

ALPHA LOIRE DOMAINES, 230, rue des Grosses-Pierres, 37400 Amboise, tél. 09 64 19 93 50, alphaloire@free.fr r.-v.

DOM. DE LA GAUDRONNIÈRE Élégance 2014 ★

■ | 8 000 | | 5 à 8 €

Christian Dorléans, disparu au printemps 2015, était depuis 1985 à la tête de cette propriété de 23 ha acquise par sa grand-mère paternelle en 1921. Son expérience et la qualité de ses cuvées lui ont permis d'être très souvent en vue dans ces pages.

Cette cuvée s'exprime sur des senteurs harmonieuses de fruits rouges confiturés mâtinées d'épices (muscade) et de nuances fumées. Suivant la même ligne aromatique, la bouche se montre plutôt légère, souple et soyeuse. ⧗ 2016-2019 ♈ sandre au vin rouge **Cuvée Laetitia 2015 (5 à 8 €; 12 000 b.)** : vin cité. Cour-cheverny **Le Mûr mûr de la Gaudronnière Demi-sec 2014 (8 à 11 €; 8 900 b.)** : vin cité.

EARL DORLÉANS, 34, rue de la Gaudronnière, 41120 Cellettes, tél. 02 54 70 40 41, earldorleans@orange.fr r.-v.

DOM. DE LA GRANGE 2015

| 28 000 | 5 à 8 €

Implantée aux portes de Chambord, cette exploitation familiale tient son nom d'une ancienne grange dîmière, entièrement restaurée. Guy Genty et son fils Stéphane exploitent aujourd'hui quelque 20 ha et produisent en cheverny, cour-cheverny et crémant-de-loire.

Au nez, des senteurs bien mariées de zeste de citron, d'orange et fleurs blanches. Mêmes sensations aromatiques dans une bouche énergique et franche, encore vivifiée par une finale acidulée. ⧗ 2016-2019 ♈ fromage de chèvre Cour-cheverny **Vieilles Vignes 2014 (8 à 11 €; 2770 b.)** : vin cité.

DOM. DE LA GRANGE, La Grange, 41350 Huisseau-sur-Cosson, tél. 02 54 20 31 17, domainedelagrange@orange.fr r.-v. Genty

DOM. HUGUET 2014

■ | 11 000 | | 5 à 8 €

Situé dans le joli village de Saint-Claude-de-Diray, entre Blois et Chambord, ce domaine de 10 ha conduit par Patrick Huguet est implanté sur des terrasses de sables et de graviers sur la rive gauche de la Loire. Il est transmis de père en fils depuis 1875.

Le nez associe les fruits rouges à de subtiles nuances florales et épicées. La bouche suit la même ligne aromatique, portée par une structure souple, quoiqu'un peu plus stricte en finale. ⧗ 2017-2020 ♈ paleron grillé

EARL HUGUET, 12, rue de la Franchetière, 41350 Saint-Claude-de-Diray, tél. 02 54 20 57 36, vin.p.huguet@orange.fr r.-v.

DOM. MAISON PÈRE ET FILS 2015

| 100 000 | | 5 à 8 €

Les premières vignes ont été plantées en 1906 par Alphonse Pinon sur des sols argilo-siliceux. Aujourd'hui, son arrière-petit-fils Jean-François Maison exploite 75 ha, soit le plus grand vignoble indépendant de l'appellation cheverny.

Sauvignon (70 %) et chardonnay pour cette cuvée au nez fin et discret d'agrumes. La bouche évolue dans le registre de la rondeur et de la souplesse, tout en gardant la fraîcheur attendue du cheverny. Équilibré. ⧗ 2016-2019 ♈ saumon fumé

DOM. MAISON PÈRE ET FILS, 22, rue de la Roche, 41120 Sambin, tél. 02 54 20 22 87, contact@domainemaison.com t.l.j. sf sam. dim. 8h-12h 13h30-17h

JÉRÔME MARCADET
Cuvée de l'Orme 2015

| 22000 | | 5 à 8 € |

Dans les années 1900-1910, les arrière-grands-parents de Jérôme Marcadet travaillaient à la tâche dans les vignes de Chitenay. Ses grands-parents ont acquis les premières vignes et créé la propriété, située sur la route des vins qui relie les châteaux de Cheverny et de Chenonceaux.

Cet assemblage classique de sauvignon (70 %) et de chardonnay s'ouvre doucement sur des arômes de goyave et de bourgeon de cassis. La bouche est bien fruitée, équilibrée et de bonne ampleur. ⧗ 2016-2019 🍴 fromage de chèvre

JÉRÔME MARCADET, 5, rte de l'Orme-Favras, 41120 Feings, tél. 02 54 20 28 42, info@marcadet-cheverny.fr V t.l.j. 9h-12h30 14h-19h; dim. sur r.-v.

CONFRÉRIE DES VIGNERONS DE OISLY ET THÉSÉE
Vallée des Rois 2014 ★

| 6600 | | - de 5 € |

La Confrérie des Vignerons de Oisly et Thésée est une coopérative qui réunit une vingtaine d'adhérents pour 160 ha de vignes en AOC cheverny et touraine. Une «coop» innovante, l'une des premières de Loire à avoir investi dans la thermorégulation, en 1975, et plate-forme d'essais en microbiologie pour l'Institut technique de la vigne et du vin (ITV) de Tours.

Cette cuvée «royale» mi-pinot noir mi-gamay séduit d'emblée par son bouquet intense de fruits rouges frais. Arômes que l'on retrouve avec la même intensité dans une bouche très équilibrée, fraîche, ample, longue, portée par des tanins fins et soyeux. ⧗ 2016-2020 🍴 onglet

CONFRÉRIE DES VIGNERONS DE OISLY ET THÉSÉE, 5, rue du Vivier, 41700 Oisly, tél. 02 54 79 75 20, oisly@uapl.fr V t.l.j. sf dim. 9h-12h 14h-18h

DOM. SAUGER Vieilles Vignes 2015

| 12000 | | 8 à 11 € |

Valeur sûre de l'appellation, ce domaine familial situé aux portes de la Sologne, sur la route des châteaux de la Loire, se transmet de père en fils depuis 1870 et cinq générations. Installé en 1988, Philippe Sauger y cultive 30 ha de vignes sur des sols sablo-argileux.

Des vieilles vignes de trente ans sont à l'origine de cette cuvée aux nuances discrètes de miel d'acacia, ronde, suave et charnue en bouche. À attendre un peu pour plus d'expression aromatique. ⧗ 2017-2020 🍴 poisson

DOM. SAUGER, 4, rue des Touches, Les Touches, 41700 Fresnes, tél. 02 54 79 58 45, domaine.sauger@orange.fr V r.-v.

VIGNOBLE TÉVENOT 2015 ★★

| 16800 | | 5 à 8 € |

Acquis par la famille Tévenot en 1909, ce domaine régulier en qualité – 20 ha implantés sur le premier coteau de la Loire, à l'emplacement d'un ancien moulin à vent – est aujourd'hui conduit par Daniel Tévenot et son fils Vincent.

Issu d'un assemblage à majorité de pinot noir (60 %), associé au gamay (35 %) et à une pointe de côt, ce 2015 présente un nez puissant de fruits rouges et d'épices. Une attaque souple et fraîche ouvre sur un palais intense et bien structuré par des tanins enveloppants. Un vin complet, à boire ou à attendre. ⧗ 2016-2022 🍴 rôti de veau aux chanterelles

VIGNOBLE TÉVENOT, 4, rue du Moulin-à-Vent, Madon, 41120 Candé-sur-Beuvron, tél. 02 54 79 44 24, daniel.tevenot@wanadoo.fr V r.-v.

(B) DOM. DE VEILLOUX 2015 ★

| 35000 | | 5 à 8 € |

Ce domaine, dans la même famille depuis six générations, est situé non loin du magnifique château féodal de Fougères-sur-Bièvre. Les vignes sont conduites en culture biologique et la vinification est gérée depuis 2007 par Arnaud Quenioux. Souvent en vue pour ses cheverny rouges.

Une fois n'est pas coutume, c'est avec un blanc que le domaine s'illustre. Dans le verre, des senteurs élégantes et intenses de fleurs blanches et de citron vert, une attaque vive, avant une bouche ronde, généreuse et suave, dynamisée en finale par un retour des agrumes. ⧗ 2016-2019 🍴 tajine de poisson ■ **Les Veilleurs 2014 ★ (8 à 11 €; 6000 b.)** (B) : élevé un an en fût, un vin marqué à l'olfaction par une petite pointe animale qui s'associe à l'arôme de cerise typique du pinot. La bouche est riche et dense, épaulée par des tanins soyeux, un boisé juste et une touche de fraîcheur bien sentie. ⧗ 2017-2021 🍴 bœuf en sauce ■ **2014 ★ (5 à 8 €; 6000 b.)** (B) : né de pinot, gamay et côt, un vin élevé en cuve ouvert sur les fruits rouges et les épices, généreux et puissant en bouche, aux tanins veloutés. ⧗ 2017-2022 🍴 pavé de bœuf au poivre

DOM. DE VEILLOUX, Veilloux, 41120 Fougères-sur-Bièvre, tél. 02 54 20 22 74, contact@domainedeveilloux.fr V r.-v. Quenioux

COUR-CHEVERNY

Superficie : 55 ha / Production : 2 433 hl

Reconnue en 1993, l'appellation est réservée aux vins blancs issus du seul cépage romorantin, produits dans quelques communes situées au sud-est de Blois. Le terroir est typique de la Sologne (sable sur argile). Élégants, les cour-cheverny méritent souvent de vieillir quelques années.

CHRISTELLE ET CHRISTOPHE BADIN 2015 ★

| 8200 | | - de 5 € |

En 1955, année de l'achat par le grand-père, l'exploitation comptait 4,5 ha; elle s'étend aujourd'hui sur 16 ha. Représentant la troisième génération, Christophe Badin, épaulé par son épouse, maintient la tradition familiale.

Le vigneron a pratiqué un court élevage sur lie pour garder la rondeur et le fruit. Dans le verre, un joli vin aux reflets argentés, au nez intense et gourmand de fruits blancs mûrs, de fleurs et de miel. La bouche affiche sa jeunesse à travers un fruité frais et une finale acidulée, le tout arrondi par quelques notes briochées. À attendre un peu ⌛ 2017-2021 ♈ poisson en sauce

CHRISTELLE ET CHRISTOPHE BADIN, L'Aubras, 41120 Cormeray, tél. 02 54 44 23 43, cavebadin@gmail.com V **t.l.j. sf dim. 8h-12h 14h-19h*

DOM. DE LA DÉSOUCHERIE Soléa 2014 ★

	13 500	8 à 11 €

Transmise de père en fils depuis le XVIII[e]s., cette propriété est gérée depuis 2009 par Fabien Tessier. Situé sur le plus haut plateau de Cour-Cheverny, son vignoble de 31 ha bénéficie d'un beau terroir silico-argileux et d'une exposition ensoleillée.

Une seyante robe paille et un nez complexe de fleur d'acacia, de noisette et de miel composent une entrée en matière engageante. Des arômes prolongés par une bouche ample, soyeuse et souple. Un moelleux qui s'appréciera aussi bien jeune que pâtiné par la garde. ⌛ 2016-2024 ♈ blanquette de veau ■ Cheverny **Quartet de la Désoucherie 2014 ★ (5 à 8 €; 14 000 b.)** : le nez mêle le pruneau et les fruits rouges confits. La bouche est épicée, puissante, structurée par des tanins serrés et un boisé bien fondu. ⌛ 2018-2022 ♈ pavé de bœuf

DOM. DE LA DÉSOUCHERIE, Christian et Fabien Tessier, 47, voie de la Charmoise, 41700 Cour-Cheverny, tél. 02 54 79 90 08, infos@christiantessier.fr V *t.l.j. 8h-12h 14h-18h; f. 20 août-4 sept.* B *Tessier*

B DOM. DES HUARDS Romo 2014

	16 000		8 à 11 €

Très souvent distingué dans le Guide, ce domaine de 36 ha s'est transmis de père en fils depuis 1846. Il est conduit en bio et en biodynamie depuis 1990 par Jocelyne et Michel Gendrier.

Cette cuvée couleur paille aux reflets argentés dévoile un nez bien typé de tilleul et de noisette. L'attaque surprend par sa vivacité, puis le vin se fait plus tendre et rond en milieu de bouche. Un ensemble équilibré. ⌛ 2017-2022 ♈ flan d'asperges

JOCELYNE ET MICHEL GENDRIER, Les Huards, 41700 Cour-Cheverny, tél. 02 54 79 97 90, infos@domainedeshuards.com V *t.l.j. 9h-12h 14h-19h*

♥ LE PETIT CHAMBORD 2014 ★★

	23 000		5 à 8 €

François Cazin exploite (en culture « très raisonnée ») une propriété familiale de 23 ha située à la lisière de la forêt de Cheverny, aux portes de la Sologne. Transmise de père en fils depuis quatre générations, elle est régulièrement sélectionnée dans ces pages.

Le romorantin à son meilleur. Vendangé à la main avec grand soin, vinifié traditionnellement, en douceur, sans levurage et élevé sur lies fines, il donne ici un vin superbe dans sa robe jaune paille aux reflets argentés, au nez à la fois puissant et élégant de fruits mûrs, de tilleul et de miel. Ample, longue et très souple, la bouche évolue en finesse, sur des saveurs de poire et de noisette. Pour un plaisir immédiat ou pour plus tard. ⌛ 2016-2023 ♈ blanquette de veau ■ **Moelleux Cuvée Renaissance 2014 ★ (8 à 11 €; 9 800 b.)** : au nez, des notes de poire, de coing, de noisette et de miel; en bouche, un mariage très réussi de la douceur et de l'acidité. À garder pour plus de complexité. ⌛ 2018-2024 ♈ foie gras ■ Cheverny **2014 (5 à 8 €; 20 000 b.)** : vin cité.

FRANÇOIS CAZIN, Le Petit Chambord, 41700 Cheverny, tél. 02 54 79 93 75, f.cazin@lepetitchambord.com V *r.-v.*

DOM. LE PORTAIL 2014 ★

	10 000		5 à 8 €

Ce domaine régulier en qualité, bâti à l'emplacement d'un ancien monastère et situé à 600 m du château de Cheverny, a été acquis en 1979 par Nicole et Michel Cadoux. En 2009, leur fils Damien a rejoint l'exploitation et ses 32 ha de vignes.

Cette cuvée jaune pâle aux reflets verts libère des arômes typés de tilleul et de miel. En bouche, elle se montre fraîche en attaque, avant un développement souple et rond. Déjà harmonieuse, on pourra la faire patienter en cave pour plus de complexité. ⌛ 2017-2022 ♈ cassolette fruits de mer ■ Cheverny **2015 (5 à 8 €; 40 000 b.)** : vin cité. ■ Cheverny **2014 (5 à 8 €; 30 000 b.)** : vin cité.

MICHEL, DAMIEN ET NICOLE CADOUX, Le Portail, 41700 Cheverny, tél. 02 54 79 91 25, leportailcadoux@wanadoo.fr V *r.-v.*

B CYRILLE SEVIN 2014 ★

	1 500		15 à 20 €

Installé à Mont-près-Chambord, Cyrille Sevin, ancien professeur de mathématiques, a repris ce domaine en 2007, à la suite de Pierre Parent. Il conduit ses 10,8 ha de vignes en bio certifié depuis 2010 et en biodynamie depuis 2013.

Fermenté lentement (environ un an) en demi-muids, ce 2014 d'un élégant jaune paille associe à l'olfaction d'intenses nuances de tilleul à une touche vanillée. On retrouve ce mariage bois-cépage dans une bouche équilibrée, d'un bon volume. ⌛ 2016-2020 ♈ poularde

SEVIN, 201, rue de Chancelée, 41250 Mont-près-Chambord, tél. 06 88 33 43 44, cyr.sevin@wanadoo.fr V *r.-v.*

ORLÉANS

Superficie : 80 ha
Production : 2 986 hl (69 % rouge et rosé)

Autrefois AOVDQS, ce vignoble a été reconnu en AOC en 2006. Parmi les « vins françois », ceux

d'Orléans eurent leur heure de gloire à l'époque médiévale. À côté des jardins, des pépinières et des vergers, la vigne a encore sa place aujourd'hui. Les vignerons tirent parti des cépages mentionnés depuis le Xes. – des plants que l'on disait venir d'Auvergne mais qui sont identiques à ceux de Bourgogne: auvernat rouge (pinot noir), auvernat blanc (chardonnay) et gris meunier. L'appellation s'étend des deux côtés de la Loire et s'applique aux trois couleurs: les rouges et rosés assemblent une majorité de pinot meunier au pinot noir et les blancs sont dominés par le chardonnay.

♥ CLOS SAINT-FIACRE 2015 ★★

■ | 19200 | 🍾 | 5 à 8 €

Clos Saint Fiacre ORLÉANS 2015

Créée en 1635, cette propriété familiale apparaît régulièrement dans le Guide, souvent aux meilleures places. Ceint de murs, le vignoble couvre 17,3 ha, conduit depuis 2001 par Hubert et Bénédicte Montigny-Piel.

Le pinot meunier (70 %) et le pinot noir amenés à pleine maturité et vinifiés en douceur, dans le respect de la matière, ont donné un 2015 admirable de bout en bout. Une robe rubis chatoyant et un nez explosif de fruits rouges nuancé d'épices douces composent une approche des plus avenantes. On retrouve ces arômes dans une bouche parfaitement équilibrée, longue, suave et d'une grande souplesse. Une vraie gourmandise. ⧗ 2016-2020 🍴 saucisson brioché ■ Orléans-cléry **2014 ★ (5 à 8 €; 18800 b.)** : ce vin ravira les amateurs de cabernet franc, aussi nommé «noir dur» dans la région. Ses atouts: une couleur profonde, un nez franc de cassis et de cerise, une bouche ronde, aux tanins fondus. ⧗ 2016-2019 🍴 onglet à l'échalotte

⊶ EARL CLOS SAINT-FIACRE, 560, rue de Saint-Fiacre, 45370 Mareau-aux-Prés, tél. 02 38 45 61 55, contact@clossaintfiacre.fr V 🚶 ■ t.l.j. sf dim. 9h-12h30 14h-19h ⊶ Montigny-Piel

VALÉRIE DENEUFBOURG Rencontres 2015

□ | 3410 | 🍾 | 5 à 8 €

Installée en 2005, Valérie Deneufbourg exploite un domaine de 12 ha à Cléry-Saint-André, près de la basilique qui renferme le tombeau de Louis XI. Avec ses «Rencontres» (nom de ses cuvées), elle est rapidement devenue l'une des valeurs sûres des appellations orléans et orléans-cléry.

Des ceps de chardonnay vendangés à la main sont à l'origine de ce vin jaune doré, qui s'ouvre avec discrétion sur les fleurs blanches. La bouche, souple et équilibrée, y ajoute des notes beurrées et briochées bien typées du cépage. ⧗ 2016-2019 🍴 poulet à l'estragon ■ **Rencontres 2014 (5 à 8 €; 4100 b.)** : vin cité.

⊶ VALÉRIE DENEUFBOURG, 28, rue du Village, 45370 Cléry-Saint-André, tél. 02 38 45 97 53, valerie@deneufbourg.fr V 🚶 ■ r.-v.

VIGNERONS DE LA GRAND'MAISON Sans Complexe 2015 ★

■ | 3000 | 🍾 | 5 à 8 €

Créée en 1931, cette cave coopérative est un acteur important de l'appellation orléans. Située au cœur du vignoble, elle vinifie 70 ha de vignes.

Issu d'un terroir à gravier siliceux sur sable, ce 2015 dévoile un joli nez de petits fruits rouges frais. Le palais suit la même ligne fruitée et séduit par son volume, sa souplesse, le soyeux de ses tanins et sa finale chaleureuse et longue. ⧗ 2016-2019 🍴 bœuf bourguignon

⊶ SCA LES VIGNERONS DE LA GRAND'MAISON, 550, rue des Muids, 45370 Mareau-aux-Prés, tél. 02 38 45 61 08, vignerons.orleans@free.fr V 🚶 ■ t.l.j. sf dim. lun. 10h-12h 14h-18h

DOM. SAINT-AVIT 2015 ★★

■ | n.c. | 5 à 8 €

Héritier d'une longue histoire vigneronne (le domaine a été fondé en 1820), Pascal Javoy a repris les vignes familiales en 1987: 14 ha en orléans et orléans-cléry.

Ce 2015 se présente dans une jolie robe rubis foncé et délivre un bouquet très expressif de petits fruits rouges. En bouche, il dévoile une chair ronde et souple, qui enrobe des tanins policés. ⧗ 2016-2020 🍴 volaille au curry ■ Orléans-cléry **2014 ★ (5 à 8 €; n.c.)** : ce vin s'exprime avec intensité sur les fruits rouges bien mûrs, la cerise notamment. La bouche est légère, fine et bien équilibrée, étayée par des tanins soyeux. ⧗ 2016-2019 🍴 rôti de veau □ **2015 (5 à 8 €; n.c.)** : vin cité.

⊶ PASCAL JAVOY, 450, rue du Buisson, 45370 Mézières-lez-Cléry, tél. 02 38 45 66 95, javoy-et-fils@orange.fr V 🚶 ■ r.-v.

ORLÉANS-CLÉRY

Superficie : 34 ha / Production : 1 223 hl

Reconnue en 2006, l'appellation porte le nom de la commune de Cléry dont la basilique renferme le tombeau de Louis XI. Elle s'étend sur les terrasses sablo-graveleuses de la rive sud de la Loire et produit exclusivement des vins rouges issus de cabernet franc.

VIGNOBLE DU CHANT D'OISEAUX 2014 ★

■ | 6000 | 🛢🍾 | 5 à 8 €

Édouard Montigny, qui a pris la succession de Jacky Legroux, est à la tête de cette exploitation familiale depuis 2006. Valeur sûre de l'Orléanais, ce domaine de 13 ha est souvent en vue dans ces pages.

Ce vin aux reflets tuilés reflète bien la typicité du cabernet franc avec ses parfums de cassis et de fruits rouges, agrémentés d'une pointe vanillée qui signe les douze mois de fût. La bouche, à l'unisson, se révèle intense et bien charpentée, soulignée par une pointe de fraîcheur en finale. ⧗ 2016-2020 🍴 pot-au-feu d'agneau

⊶ ÉDOUARD MONTIGNY, 321, rue des Muids, 45370 Mareau-aux-Prés, tél. 06 82 30 38 88, montignye@yahoo.fr V 🚶 ■ t.l.j. sf dim. 14h-19h

COTEAUX-DU-VENDÔMOIS

Superficie : 125 ha
Production : 6 417 hl (82 % rouge et rosé)

Sur le cours du Loir, les coteaux sont truffés d'habitations troglodytiques et de caves taillées dans le tuffeau. Reconnue en 2001, l'AOC jouxte en amont de la vallée les aires des jasnières et coteaux-du-loir, sur un terroir similaire, entre Vendôme et Montoire. Elle produit des vins gris originaux aux arômes poivrés, issus de pineau d'Aunis, des blancs nés de chenin, et des rouges, devenus majoritaires. Vins d'assemblage, ces derniers allient la nervosité légèrement épicée du pineau d'Aunis, la finesse du pinot noir, les tanins du cabernet franc et le fruité du gamay.

Ⓑ PATRICE COLIN Pierre François 2014 ★

■ | 6100 | 5 à 8 €

Thoré-la-Rochette, dans la vallée du Loir, abrite plusieurs vignerons de l'appellation coteaux-du-vendômois. Patrice Colin, héritier de sept générations de vignerons, y exploite 25 ha de vieilles vignes conduites en bio. Un domaine régulier en qualité.

Pineau d'Aunis (60 %), pinot noir et cabernet franc sont assemblés dans ce vin qui s'ouvre sur des senteurs discrètes mais gourmandes et bien typées de fruits rouges et de poivre. On retrouve ces arômes dans une bouche de belle tenue, étayée par des tanins élégants et souples. ⧗ 2016-2019 🍷 poulet rôti ■ **Vieilles Vignes 2014 ★ (8 à 11 €; 5400 b.)** Ⓑ : né de vieux ceps de chenin (cinquante à quatre-vingts ans), un vin au nez intense, sur le grillé (six mois de barrique), les fruits secs et les fleurs blanches, au palais rond et soyeux, porté par un bon boisé. ⧗ 2016-2020 🍷 sandre sauce crémée

⊶ *PATRICE COLIN, 5, rue de la Gaudetterie, 41100 Thoré-la-Rochette, colinpatrice41@orange.fr* V *r.-v.*

DOM. DU FOUR À CHAUX Cuvée Tradition 2014 ★

■ | 7000 | | - de 5 €

Ce domaine de 30 ha, géré par la même famille depuis six générations, est conduit depuis l'année 2000 par Dominique Norguet. Il tire son nom du magnifique four à chaux situé sur la propriété.

Une majorité de cabernet franc pour cette cuvée gourmande et expressive, ouverte sur les fruits rouges et les épices douces. À l'unisson, bien fruitée et épicée, la bouche plaît par sa rondeur, sa souplesse et ses tanins fondus et soyeux, rafraîchie par une légère vivacité. ⧗ 2016-2019 🍷 tartare de bœuf ■ **2015 (- de 5 €; 5000 b.)** : vin cité.

⊶ *EARL DOMINIQUE NORGUET, lieu-dit Berger, 41100 Thoré-la-Rochette, tél. 02 54 77 12 52, dominique.norguet@orange.fr* V *t.l.j. sf dim. 9h-12h 14h-19h*

CHARLES JUMERT Tradition 2014 ★

■ | 5000 | | 5 à 8 €

Créé en 1800, ce vignoble et sa cave en tuffeau sont gérés de père en fils depuis sept générations. Ce sont aujourd'hui Charles Jumert, installé en 1984, et son fils Florent qui conduisent – «le plus naturellement possible sans pour autant revendiquer le bio» – cette exploitation étendue sur 13 ha.

Né de pineau d'Aunis (50 %), de cabernet franc (35 %) et de pinot noir, ce vin dévoile un nez généreux et flatteur de fruits rouges confiturés relevé de poivre. Suivant la même trame aromatique, la bouche se montre chaleureuse, ample, consistante et longue. ⧗ 2016-2020 🍷 daube de bœuf

⊶ *CHARLES JUMERT, 4, rue de la Berthelotière, 41100 Villiers-sur-Loir, tél. 02 54 72 94 09, francoisejumert@live.fr* V *r.-v.*

DOM. J. MARTELLIÈRE Pineau d'Aunis 2015

■ | 1300 | | - de 5 €

Jean-Vivien Martellière a repris en 2004 cette exploitation familiale de 12 ha fondée en 1967 par son grand-père Jean. Il vinifie exclusivement les trois AOC de la vallée du Loir: jasnières, coteaux-du-loir et coteaux-du-vendômois, et produit aussi des IGP Val de Loire. Très régulier en qualité.

Le seul pineau d'Aunis est à l'œuvre dans ce vin bien typé, au nez poivré et fruité, agrémenté d'une pointe animale. Arômes prolongés par une bouche encore un peu sévère, portée par des tanins jeunes qu'il faudra laisser mûrir quelques mois. ⧗ 2017-2020 🍷 tajine d'agneau

⊶ *MARTELLIÈRE, 46, rue de Fosse, Fosse, 41800 Montoire-sur-le-Loir, tél. 06 08 99 94 15, contact@domainemartelliere.fr* V *r.-v.*

MONTAGNE BLANCHE 2014

■ | 28000 | | - de 5 €

Créée en 1929, cette cave coopérative couvre 160 ha de vignes. Elle propose une gamme intéressante de cuvées mettant en valeur des «cépages rares et oubliés». Ses vins sont souvent distingués dans le Guide.

Le nez fruité se mâtine d'une pointe animale qui lui donne du caractère. La bouche est équilibrée, mais ses tanins encore jeunes demandent quelques mois de garde pour s'arrondir. ⧗ 2017-2020 🍷 gigot

⊶ *CAVE COOPÉRATIVE DU VENDÔMOIS, 60, av. du Petit-Thouars, 41100 Villiers-sur-Loir, tél. 02 54 72 90 69, caveduvendomois@orange.fr* V *r.-v.*

VALENÇAY

Superficie : 143 ha
Production : 7 129 hl (63 % rouge et rosé)

Dans cette région marquée par le souvenir de Talleyrand, aux confins du Berry, de la Sologne et de la Touraine, la vigne alterne avec les forêts, la grande culture et l'élevage de chèvres. Sur des sols à dominante argilo-siliceuse ou argilo-limoneuse, un encépagement classique de la moyenne vallée de la

Loire donne des vins le plus souvent à boire jeunes. En blanc, le sauvignon, complété par le chardonnay, fournit des vins aromatiques aux touches de cassis ou de genêt. Les vins rouges assemblent gamay, cabernets, cot et pinot noir. La même appellation désigne un fromage de chèvre en AOP. Ces fromages en forme de pyramide s'accordent, selon leur degré d'affinage, avec les vins rouges ou les vins blancs.

DENIS BARDON Paradis 2015 ★★

■ | 10 000 | | 5 à 8 €

Valeur sûre de l'appellation valençay, ce domaine (40 ha) conduit par Denis Bardon depuis 1992 est situé à Meusnes, commune où l'on extrayait autrefois la pierre à fusil; son petit musée permet de découvrir cette activité importante du XVIIIe s. jusqu'au début du XIXe s.

Assemblage de trois cépages – 60 % de côt, 30 % de pinot noir et 10 % de gamay –, cette cuvée d'un seyant grenat foncé s'ouvre sans réserve sur un panier de fruits rouges. La bouche, ronde et souple, portée par des tanins fins, déploie une longue finale pleine de fruit qui fait écho à l'olfaction. Très harmonieux. 2016-2019 chou farci **Les Hauts Taillons 2015 ★ (5 à 8 €; 10 000 b.)** : un bouquet alerte d'agrumes et de fruits exotiques signe le sauvignon (70 %), tandis que le chardonnay apporte du gras, de la chair et du volume en bouche. 2016-2020 poulet à la crème **2015 (5 à 8 €; 20 000 b.)** : vin cité.

DENIS BARDON, 243, rue Jean-Jaurès, 41130 Meusnes, denisbardon@vinsbardon.com r.-v.

DOM. DU BOIS GAULTIER 2015 ★

| 10 000 | | 5 à 8 €

Tout près du magnifique château de Valençay, sur un terroir dit «de pierre à fusil», Marylène et Serge Leclair ont créé de toutes pièces en 1985 un vignoble qui compte aujourd'hui 20 ha. Ils vendent la majorité de leur production à la propriété ou sur les foires et marchés.

La robe est plaisante, jaune citron aux reflets dorés. Si le nez se fait plutôt discret, sur les fruits exotiques, la maturité exceptionnelle de 2015 se retrouve à travers des saveurs de fruits très mûrs, comme le coing, dans une bouche suave et riche. À servir bien frais. 2016-2020 tourte au chèvre

MARYLÈNE ET SERGE LECLAIR, Le Bois-Gaultier, 36600 Fontguenand, tél. 02 54 00 18 46, serge.leclair@orange.fr t.l.j. 8h-19h; dim. sur r.-v.

LE CLAUX DELORME 2015

| 25 400 | | 8 à 11 €

Valeur sûre de l'appellation menetou-salon avec son domaine La Tour Saint-Martin, Bertrand Minchin, aussi à l'aise en rouge qu'en blanc, est établi depuis 1987 à la tête de 17 ha de vignes sur les hauteurs de Morogues. En 2004, il s'est étendu sur l'appellation valençay avec les 15 ha du Claux Delorme, à Selles-sur-Cher, et s'y est rapidement imposé comme une belle référence.

Issu d'un terroir de sable et de gravier sur argile, ce valençay d'une jolie couleur paille mêle à l'olfaction notes fruitées, minérales et florales. La bouche est souple, fraîche et équilibrée. 2016-2018 fruits de mer ■ **2015 (8 à 11 €; 23 400 b.)** : vin cité.

BERTRAND MINCHIN, Le Claux Delorme, Saint-Martin, 18340 Crosses, tél. 02 48 25 02 95, ab.minchin.vins@orange.fr t.l.j. 8h30-17h30; sam. dim. sur r.-v.

DOM. GARNIER Montbail 2015

| 20 000 | | - de 5 €

La famille Garnier cultive la vigne depuis 1822. Ce sont aujourd'hui les deux frères Éric et Olivier qui gèrent ce domaine de 25 ha, le premier à la vigne et le second à la cave. À leur carte, du touraine et du valençay.

Ce 2015 arbore une jolie robe jaune clair étincelant. Il exhale des arômes typiques du sauvignon comme le buis et les fruits exotiques. Des nuances que l'on retrouve dans une bouche dynamique, minérale et harmonieuse. Un vin alerte. 2016-2018 fruits de mer

DOM. GARNIER, 81, rue Delacroix-Chamberlin, 41130 Meusnes, tél. 02 54 00 10 06, olivier@oliviergarnier.com r.-v.

FRANCIS JOURDAIN Chèvrefeuille 2015 ★

| 20 000 | | 5 à 8 €

Fondé en 1960, ce domaine familial (28 ha) a été repris en 1990 par Francis Jourdain qui avait auparavant exercé durant une dizaine d'années une activité de conseil en arboriculture. Son chai est situé près d'une très belle «loge» de vigne, dans la commune de Lye.

Fermentée en levures indigènes, cette cuvée se révèle sous de beaux reflets jaunes dorés. Notes de tilleul, miel et nuances beurrées se mêlent à l'olfaction. La bouche allie la minéralité typique des argiles à silex, la fraîcheur du sauvignon et la rondeur du chardonnay. 2016-2020 aumônière de saumon **Les Terrajots 2015 (5 à 8 €; 10 000 b.)** : vin cité. ■ **Les Terrajots 2014 (5 à 8 €; 5 000 b.)** : vin cité.

DOM. FRANCIS JOURDAIN, Les Moreaux, 36600 Lye, tél. 02 54 41 01 45, contact@domainejourdain.com t.l.j. sf dim. 9h30-12h30 15h-19h

♥ DOM. MALET Prestige 2015 ★★

■ | 5 300 | | - de 5 €

Située à Lye dans l'Indre, cette exploitation de 40 ha a désormais pris ses habitudes dans le Guide. Elle est conduite depuis 2001 par les frères Alain et Bruno Malet.

De beaux reflets violets animent la robe de ce valençay qui associe 50 % de gamay, 25 % de pinot noir et autant de côt. Le nez, explosif et complexe, mêle les fruits rouges confiturés, la mûre sauvage et des notes épicées.

Une intensité aromatique prolongée par un palais plein de charme, rond et soyeux, qui ne manque ni de structure ni de fraîcheur. Un modèle d'équilibre et de puissance contrôlée, à boire jeune ou patiné par le temps. ⧗ 2016-2023 ¥ bœuf bourguignon ■ **2015 ★★ (- de 5 €; 28000 b.)** : à deux doigts du coup de cœur, le blanc des Malet dévoile un nez intense et complexe de fruits blancs mûrs, de fruit de la Passion, d'agrumes et de fleurs blanches. Fondue, tendre, généreuse et ronde, la bouche prolonge le plaisir et s'étire dans une belle finale minérale. ⧗ 2016-2020 ¥ Tatin au chèvre

GAEC MALET FRÈRES, 3, rue Pointeau, 36600 Lye, tél. 06 19 02 65 82, alain-malet@orange.fr V ♿ ■ *r.-v.*

DOM. PREYS Cuvée Prestige 2015

■	n.c.	■	- de 5 €

Ce domaine situé sur les hauts de Meusnes est conduit depuis 1966 par Jacky Preys, aujourd'hui rejoint par son fils Pascal. Le tandem gère la plus grande propriété de l'appellation valençay: 78 ha.

Une robe grenat profond et un nez expressif de fruits mûrs et d'épices composent une sympathique entrée en matière. La bouche offre un bel équilibre et un bon fruité à dominante de cerise, mais les tanins, encore jeunes, demandent à s'arrondir. ⧗ 2017-2019 ¥ canard à l'orange

SCEA DOM. PREYS, 536, rue Debussy, Bois-Pontois, 41130 Meusnes, tél. 02 54 71 00 34, domainepreys@wanadoo.fr V ♿ ■ *r.-v.*

CH. DE QUINÇAY Le Chêne rond 2015 ★

■	10000	■	5 à 8 €

Conduit par les frères Frédéric et Philippe Cadart, le Château de Quinçay, dans la famille depuis 1860, est agrémenté d'un joli parc arboré; ses 28 ha de vignes sont implantés sur un sol riche en silex, apte à la production de vins de qualité, comme en témoignent des sélections régulières dans le Guide.

Cet assemblage de sauvignon (80 %) et de chardonnay se présente dans une belle robe jaune pâle aux reflets légèrement dorés. Le nez «sauvignonne» sur des nuances de buis et d'agrumes. Une typicité qui se retrouve dans une bouche tonique, à laquelle le chardonnay apporte un surcroît de gras et de rondeur. ⧗ 2016-2019 ¥ asperges ■ **La Millasse 2015 (5 à 8 €; 6000 b.)** : vin cité.

CH. DE QUINÇAY, Quincay, 41130 Meusnes, tél. 02 54 71 00 11, cadart@chateaudequincay.com V ♿ ■ *r.-v.* ⌂ Ⓑ *Cadart*

JEAN-FRANÇOIS ROY Batfers 2015 ★

■	4000	■	5 à 8 €

Établi dans la commune de Lye, dans l'Indre, Jean-François Roy gère depuis 1989 un domaine de 30 ha régulièrement sélectionné dans le Guide pour ses valençay, dans les trois couleurs.

Le sauvignon blanc (90 %) est complété par une touche de sauvignon rose et de chardonnay dans ce vin au nez flatteur de pamplemousse et de bourgeon de cassis. La bouche est bien équilibrée, offrant du gras et la vivacité typique de l'appellation. ⧗ 2016-2019 ¥ fromage de chèvre ■ **Symphonie 2015 (5 à 8 €; 40000 b.)** : vin cité.

JEAN-FRANÇOIS ROY, 3, rue des Acacias, 36600 Lye, tél. 02 54 41 00 39, jfr@jeanfrancoisroy.fr V ♿ ■ *t.l.j. sf dim. 9h-12h 15h-19h*

SÉBASTIEN VAILLANT Le Poirentin 2015 ★

■	28400	■	5 à 8 €

La microscopique coopérative de Valençay, créée en 1964, regroupe trois adhérents pour un vignoble de 42 ha. La production de chacun est récoltée et vinifiée séparément pour mettre en valeur l'expression des différents terroirs.

Ce vin est une sélection parcellaire vinifiée après plusieurs jours de soins pré-fermentaires. Au nez, il libère des parfums traduisant la présence du sauvignon (80 %) et du chardonnay: acacia, agrumes, pêche. En bouche, il offre un bon compromis entre fraîcheur et rondeur, et déploie jusqu'en finale un agréable fruité. ⧗ 2016-2019 ¥ terrine de poisson ■ **Dom. de Patagon 2014 (5 à 8 €; 20000 b.)** : vin cité. ■ **Dom. de Patagon 2015 (5 à 8 €; 22600 b.)** : vin cité.

SCA LA CAVE DE VALENÇAY, La Lie, 36600 Fontguenand, tél. 02 54 00 16 11, lacavedevalencay@orange.fr V ♿ ■ *t.l.j. sf dim. 9h-12h 14h-18h*

➔ LES VIGNOBLES DU CENTRE

Les secteurs viticoles du Centre occupent les endroits les mieux exposés des coteaux ou plateaux modelés au cours des âges géologiques par la Loire et ses affluents, l'Allier et le Cher. Ceux qui, sur les côtes d'Auvergne, à Saint-Pourçain (en partie) ou à Châteaumeillant, sont implantés sur les flancs est et nord du Massif central, restent cependant ouverts sur le bassin de la Loire. Siliceux ou calcaires, les sols viticoles de ces régions portent un nombre restreint de cépages, parmi lesquels ressortent surtout le gamay pour les vins rouges et rosés, et le sauvignon pour les vins blancs. Quelques spécialités: tressallier à Saint-Pourçain et chasselas à Pouilly-sur-Loire pour les blancs; pinot noir à Sancerre, Menetou-Salon et Reuilly pour les rouges et rosés, avec encore le délicat pinot gris dans ce dernier vignoble. Tous les vins du Centre ont en commun légèreté, fraîcheur et fruité, ce qui les rend particulièrement agréables et en harmonie avec la cuisine régionale.

CHÂTEAUMEILLANT

Superficie : 82 ha / Production : 4 000 hl

Le gamay retrouve ici les terroirs qu'il affectionne, dans un site très anciennement viticole. La réputation de Châteaumeillant s'est établie grâce à son «gris», un rosé issu du pressurage immédiat des raisins de gamay présentant un grain, une fraîcheur et un fruité remarquables. L'appellation produit aussi des rouges, nés de sols

d'origine éruptive, des vins gouleyants à boire jeunes et frais.

OLIVIER BELOUET 2015

■ | 2066 | 8 à 11 €

Un domaine de création récente, fondé en 2014 par Olivier Belouet, issu d'une longue lignée vigneronne remontant à 1536. À sa disposition, un vignoble de poche de 0,66 ha.

Avec son second millésime, Olivier Belouet signe un vin aux arômes typés de fruits noirs mâtinés de notes fumées. Souple, dense, d'un beau volume, fruitée et épicée, la bouche est soulignée par une fine fraîcheur qui l'équilibre. Une entrée prometteuse dans le Guide. ⧗ 2017-2021 🍷 sauté de veau aux épices

⊶ OLIVIER BELOUET, 11, pl. du Martroi, 28310 Janville, tél. 06 25 80 38 83, olivier.belouet@orange.fr V ▪ *r.-v.*

DOM. DU CHAILLOT 2015 ★★

■ | 2000 | 8 à 11 €

Vigneron depuis 1993, Pierre Picot dirige une exploitation de 6 ha. Les vignes se répartissent sur trois sites: deux reposent sur des micaschistes à 320 m d'altitude et un sur des terrasses sédimentaires à 280 m d'altitude. Une valeur sûre de l'appellation châteaumeillant.

Avec cette cuvée passée tout près du coup de cœur, Pierre Picot nous prouve, s'il en était besoin, la classe du gamay lorsqu'il est planté sur ses terroirs de prédilection. Ici, un vin complexe et fondu, à l'olfaction riche et gourmande: fruits confiturés (myrtille, cerise), notes chocolatées et épicées. Ample et gras, sans manquer de droiture, le palais offre une belle mâche autour de tanins d'abord veloutés, puis plus serrés en finale, qui promettent un bon potentiel de garde. ⧗ 2017-2021 🍷 bœuf bouguignon ■ **Rêvésens 2015 ★ (8 à 11 €; 2500 b.)** : un bouquet élégant d'épices et de fruits rouges et noirs, des tanins frais et soyeux, en soutien d'un palais souple et rond, cette cuvée a tout pour plaire dès aujourd'hui. ⧗ 2017-2019

⊶ SCEA DOM. DU CHAILLOT, 1, pl. de la Tournoise, 18130 Dun-sur-Auron, tél. 02 48 59 57 69, pierre.picot@wanadoo.fr V ▪ ▪ *r.-v. ⊶ Pierre Picot*

♥ CLOS LA GOUTTE NOIRE 2015 ★★

■ | 20000 | ▪ | 8 à 11 €

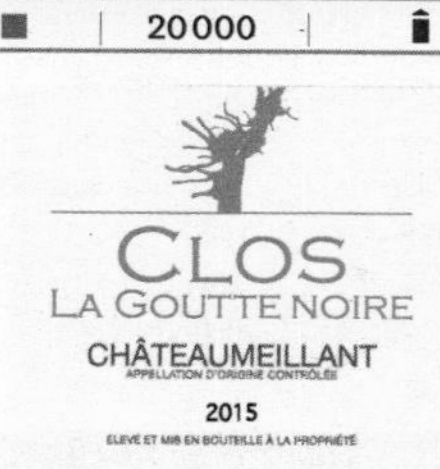

Après plusieurs années passées à l'INAO, Daniel Nairaud jette son dévolu sur les terres argilo-sableuses de Châteaumeillant et acquiert en 2011 un vignoble de près de 8 ha. Il s'est très rapidement imposé comme une valeur sûre de l'appellation. Il dirige aussi la maison de négoce Bituriges Vins créée en 2013.

Troisième coup de cœur sur les cinq dernières éditions du Guide, voilà qui pose son vigneron... Grenat soutenu à reflets violines, la robe de ce 2015 affiche une épaisseur pleine de promesses. Intense et riche, le nez exhale des senteurs gourmandes de fruits confiturés (mûre, fraise, cerise). La bouche est ample, dense, fruitée et corsée, charpentée par des tanins vigoureux qui augurent un bon vieillissement en cave. ⧗ 2017-2021 🍷 lapin en sauce ■ **Le Beau Merle Vieille Vigne Élevé en fût de chêne 2014 ★★ (15 à 20 €; n.c.)** : le nez s'ouvre progressivement sur de fins arômes de fleurs puis de fruits rouges mêlés de notes boisées (fumé, pain grillé). La bouche, aussi large que longue, marie harmonieusement les composantes du vin et du bois. Un beau retour aromatique sur les fruits et les épices conclut avec bonheur la dégustation. À attendre. ⧗ 2017-2022

⊶ SCEA NAIRAUD-SUBERVILLE, rte de Culan, 18370 Châteaumeillant, tél. 06 26 46 23 50 V ▪ ▪ *t.l.j. sf dim. 9h30-12h 13h30-18h*

Le Centre

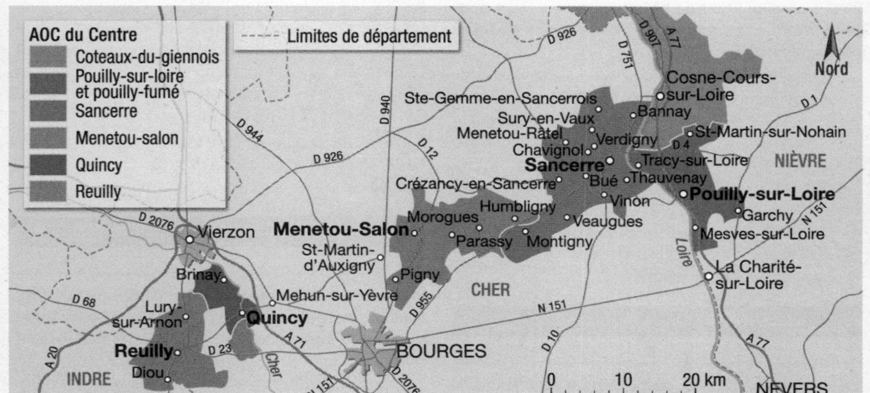

LOIRE

DOM. DUTHEIL Coccinelle 2015 ★

■ | 1600 | 🍾 | 11 à 15 €

Fils d'agriculteurs, Benoît Dutheil a accompli son rêve de toujours en créant son exploitation viticole en 2012, avec une parcelle de 50 ares de micaschistes et de sédiments plantée en gamay. Un domaine à suivre.

Ce 100 % gamay dévoile un nez intense, bien représentatif de ce que le cépage peut donner de meilleur: cassis et cerise compotés, notes fumées et épicées. Mêmes sensations aromatiques dans une bouche ample et fraîche, aux tanins fondus. Un vin déjà harmonieux, mais qui vieillira bien. ⧗ 2016-2020 🍴 rôti de veau

BENOÎT DUTHEIL, Le Pas, 36370 Bélabre, tél. 06 80 65 16 66, benoit.dutheilportable@orange.fr V 🍷 *r.-v.*

DOM. GOYER 2015 ★

■ | 5000 | 🍾 | 8 à 11 €

Samuel Goyer s'est installé en 2013. Il dirige avec Claire, son épouse, ingénieur agronome comme lui, une exploitation de 1,3 ha située sur la colline d'Acre, dans un hameau qui offre une jolie vue sur Châteaumeillant.

Benoît Dutheil, Daniel Nairaud, Olivier Belouet, Thierry Perreau, Jean-Luc Joffre..., une nouvelle génération de vignerons talentueux prend place dans l'appellation et apporte un nouveau souffle très prometteur. Une dynamique à laquelle participe aussi le couple Goyer, qui signe ici un joli vin ouvert sur les fruits compotés, voire confiturés, relevé de touches épicées qui apportent un surcroît de nerf et de complexité. En bouche, le vin est fondu, soyeux, long, soutenu par des tanins fins et légers qui renforcent son élégance. ⧗ 2016-2019 🍴 grenadins de veau

DOM. GOYER, Acre, 36400 Neret, tél. 06 63 78 01 80, cave@domainegoyer.com V 🚶 🍷 *r.-v.*

LE GRAND METIFEU Première 2015

■ | 1400 | 🍾 | 8 à 11 €

Issu d'une famille d'agriculteurs établie non loin de l'appellation reuilly, Thierry Perreau s'est associé en 2012 à un exploitant de l'AOC châteaumeillant pour produire du vin en misant sur une faible quantité pour une meilleure qualité.

D'un rouge impénétrable, la robe est presque noire. Des arômes de framboise, de fraise et de poivre composent un bouquet élégant. Ronde, onctueuse et légère, marquée en finale par une petite sévérité, la bouche elle aussi fait ressortir les nuances fruitées et épicées. Un bon classique, harmonieux et facile d'accès. ⧗ 2016-2019 🍴 blanquette de veau

THIERRY PERREAU, Le Grand-Metifeu, 36100 Chouday, tél. 02 54 21 70 78, thierry.perreau@free.fr V 🚶 🍷 *r.-v.*

DOM. JOFFRE Cuvée Aventure 2015 ★

■ | 3500 | 🍾 | 5 à 8 €

La jeune histoire du domaine débute avec Jean-Luc Joffre, agriculteur, qui se lance dans l'aventure viticole en 2013, à l'aube de ses cinquante-six ans. Une aventure qu'il entreprend en famille, investie ensemble dans les travaux à la vigne (1,07 ha en châteaumeillant) et au chai comme dans la commercialisation.

Troisième millésime et troisième sélection dans le Guide pour les Joffre. La couleur intense de cette cuvée, d'un beau rouge profond, annonce un vin de belle extraction. De fait, le nez se révèle intense et fort plaisant, autour de la cerise burlat, de la myrtille, du cassis et des épices. Fruitée, ample et ronde dès l'attaque, bâtie sur des tanins souples et tendres, la bouche offre beaucoup de matière et de mâche avant de déployer une finale chaleureuse et poivrée. ⧗ 2017-2020 🍴 faisan aux cerises

JEAN-LUC JOFFRE, Montvril, 36130 Diors, tél. 06 21 57 26 60, contact@domaine-joffre.com V 🚶 🍷 *r.-v.*

DOM. LECOMTE 2015 ★★

■ | 15000 | 🍾 | 8 à 11 €

Bruno Lecomte s'est lancé dans la viticulture en 1995, en achetant 1,5 ha de vignes en AOC quincy. Entretemps, son fils Nicolas l'a rejoint en 2006 sur un vignoble couvrant désormais 12,5 ha, dont 3 ha en châteaumeillant.

À un souffle du coup de cœur, cette cuvée associe classiquement 60 % de gamay et 40 % de pinot noir. Elle se dévoile doucement mais sûrement à l'olfaction autour de notes de cerise, de groseille et de fraise des bois. Le même crescendo de sensations gourmandes (griotte et poivre) caractérise la bouche, ronde, élégante et longue, aux tanins souples et soyeux. Un grand châteaumeillant tout en maîtrise. ⧗ 2016-2020 🍴 cailles rôties

DOM. LECOMTE, 105, rue Saint-Exupéry, 18520 Avord, tél. 02 48 69 27 14, quincy.lecomte@wanadoo.fr V 🚶 🍷 *r.-v.*

DOM. ROUX Héritage 2014

■ | 13466 | 🍾 | 8 à 11 €

Producteur à Quincy depuis 1994 et issu d'une famille de céréaliers, Jean-Claude Roux a débuté avec seulement 1,5 ha de vignes, puis s'est étendu progressivement pour conduire aujourd'hui 8 ha de quincy et 3 ha à Châteaumeillant.

Le nez est dominé par des notes de cassis et de fraise mêlées d'épices douces. Ronde en attaque, légère et souple dans son développement, la bouche dévoile en finale des tanins un peu intempestifs qu'une courte garde assagira. ⧗ 2017-2019 🍴 coq au vin

DOM. ROUX, Puy-Ferrand, 18340 Arcay, tél. 02 48 64 76 10, jean.claude.roux@orange.fr V 🚶 🍷 *r.-v.*

DOM. DES SOULERONS Instinct premier 2015 ★

■ | 2400 | 8 à 11 €

Implantée à Augy-sur-Aubois, cette exploitation spécialisée dans la culture de céréales dispose aussi de 1 ha de vignes exploité depuis 2013 par Arnaud Bodolec.

Très ouvert, le nez de ce 100 % gamay associe fruits macérés (framboise, cassis), noisette, épices et chocolat.

Ronde et suave en attaque, plus fraîche dans son développement, très souple de bout en bout, la bouche est sous-tendue par une structure légère. Un vin bien typé. ⧗ 2016-2019 🍴 pâté en croûte

GAEC DU BRAY, Bray, 18600 Augy-sur-Aubois, tél. 06 21 20 15 08, arnaud.bodolec@orange.fr
V r.-v. Arnaud Bodolec

COTEAUX-DU-GIENNOIS

Superficie : 194 ha / Production : 5 928 hl (48 % rouge et rosé)

Sur les coteaux de Loire réputés depuis longtemps, la viticulture a progressé, tant dans la Nièvre que dans le Loiret, attestant la bonne santé du vignoble. Les coteaux-du-giennois ont accédé à l'AOC en 1998. Plantés sur des sols siliceux ou calcaires, les cépages traditionnels, gamay, pinot noir et sauvignon, donnent des vins dans les trois couleurs. Les blancs, issus de sauvignon, sont légers et fruités. Tout aussi fruités, les rouges et les rosés assemblent le gamay et le pinot noir. Souples et peu tanniques, les premiers peuvent être servis jusqu'à cinq ans d'âge.

JOSEPH BALLAND-CHAPUIS Terres des Loups 2015

	32000		8 à 11 €

Établi en Sancerrois depuis le XVIIe s., le Dom. Balland-Chapuis (une trentaine d'hectares aujourd'hui), exploité depuis 1998 par la famille Saget et situé dans le charmant village-vigneron de Bué, est aujourd'hui propriétaire dans les aires d'appellation sancerre, pouilly-fumé et coteaux-du-giennois.

Au nez, ce 2015 bien typé joue dans un registre variétal (buis, bourgeon de cassis) nuancé d'agrumes et de fruits blancs. Dans le même ton aromatique, la bouche se montre franche et fraîche, prolongée par une finale à la vivacité relevée. ⧗ 2016-2018 🍴 fruits de mer

BALLAND-CHAPUIS, BP 26, 58150 Pouilly-sur-Loire, tél. 03 86 39 57 75, accueil@sagetlaperriere.com
V t.l.j. sf sam. dim. 8h-12h 13h45-17h30 J.-L. Saget

EMMANUEL CHARRIER Le Taureau 2015 ★★

	3500	5 à 8 €

Emmanuel Charrier, installé en 2004 avec quelques parcelles de vieilles vignes, étend progressivement son vignoble (6,25 ha aujourd'hui) et sa renommée. Priorité pour lui à la vigne par le travail du sol, par l'utilisation d'engrais naturels et organiques, et par des subterfuges naturels pour lutter contre les prédateurs de la plante.

Le Taureau est un lieu-dit d'argiles à silex. Il a vu naître ce vin au nez complexe, qui égrène avec finesse et par petites touches successives des notes de fruits mûrs (pêche, poire), de fleurs blanches, de fougère, de verveine. Ample, souligné par une acidité constante et bien dosée, le palais s'épanouit en finale sur des sensations fruitées et épicées persistantes. ⧗ 2016-2019 🍴 brochet au beurre blanc

EMMANUEL CHARRIER, 7, allée des Sources, Paillot, 58150 Saint-Martin-sur-Nohain, tél. 03 86 22 57 15, contact@domaine-charrier.com
V t.l.j. 8h30-12h 13h30-18h30; dim. sur r.-v.

BENOÎT CHAUVEAU 2015

	1000		5 à 8 €

Benoît Chauveau reprend en 1995 une partie du vignoble de ses parents. Deux ans plus tard, il construit sa première cave (une nouvelle est sortie de terre en 2012), complète son exploitation avec des vignes de ses grands-parents pour disposer aujourd'hui d'un domaine de 15 ha en coteaux-du-giennois et en pouilly-fumé, très régulier en qualité.

Première récolte en coteaux-du-giennois blanc pour Benoît Chauveau avec ce 2015 ouvert sur des arômes intenses et frais de buis, de genêt, de bourgeon de cassis et de fruits exotiques. Mêmes sensations fruitées dans une bouche souple, alerte et nerveuse. Simple et de bon aloi. ⧗ 2016-2018 🍴 bulots mayonnaise

EARL DOM. CHAUVEAU, 11, rue du Coin-Chardon, Les Cassiers, 58150 Saint-Andelain, tél. 03 86 39 15 42, domainechauveau@gmail.com
V t.l.j. 9h-18h; sam. dim. sur r.-v.

DOM. COUET 2015

	30000		5 à 8 €

Issu d'une famille de vignerons, Emmanuel Couet représente la cinquième génération. La partie la plus importante de l'exploitation (étendue sur 9 ha), ainsi que la cave, se situent dans l'aire des coteaux-du-giennois, complétée par des vignes en pouilly-fumé. Claire, l'épouse d'Emmanuel, officie par ailleurs au domaine de Fontaine (pouilly-fumé).

Net et flatteur, le nez exprime un fruité subtil (pêche, pamplemousse) auquel des touches de mousse et d'iode apportent du relief. Tout aussi aromatique, équilibrée, la bouche est d'une bonne vivacité pour le millésime et finit sur une jolie note saline. ⧗ 2016-2018 🍴 risotto aux crustacés

EMMANUEL COUET, 23, Croquant, 58200 Saint-Père, tél. 03 86 28 14 80, domainecouet@gmail.com
V t.l.j. sf dim. 8h-12h 14h-18h

DOM. DE FONTAINE 2015 ★

	1500		5 à 8 €

Un plan datant de 1868 mentionne 4 ha de vignes sur le domaine; vignes quasiment disparues avec l'épidémie du phylloxéra et replantées à partir de 1989 par Michel et Daniel Nérot. Ce dernier s'est associé en 2015 avec Claire Couet (qui a fait ses armes avec son mari Emmanuel sur le Dom. Couet). Ensemble, ils conduisent un vignoble de 9 ha en coteaux-du-giennois et pouilly-fumé.

Première apparition dans le Guide pour ce domaine et une belle entrée en matière avec ce vin gourmand, ouvert sur la cerise à l'alcool et le coulis de framboises et de fraises. Ample, ronde et fruitée, la bouche est soutenue par des tanins serrés et une pointe de fraîcheur bien sentie, avant de s'achever sur une note plus vineuse. ⧗ 2017-2020 🍴 rôti de veau

LOIRE

DANIEL NÉROT ET CLAIRE COUET, Fontaine, 58200 Saint-Père, tél. 03 86 28 52 51, domainedefontaine@gmail.com V r.-v.

JÉRÔME GUENEAU
Mademoiselle Clothilde 2015

	15000		5 à 8 €

Jérôme Gueneau a créé ce domaine en 1993 à partir d'un peu plus d'1 ha de vignes, et l'a étendu progressivement aux 173,5 ha actuels, dans les secteurs de Sury-en-Vaux, puis de Sainte-Gemme, de Chavignol et enfin dans l'aire des coteaux-du-giennois.

Mademoiselle Clothilde (la fille du vigneron) donne son nom à une cuvée solaire de bout en bout: arômes de pêche bien mûre et d'agrumes confits, bouche ronde, riche et suave, rehaussée par une jolie petite amertume en finale. Pas très typé mais harmonieux. 2016-2018 poisson en sauce

JÉRÔME GUENEAU, Les Grandes Perrières, 18300 Sury-en-Vaux, tél. 02 48 79 39 31, gueneau.jerome@orange.fr V r.-v.

CATHERINE ET MICHEL LANGLOIS
Les Charmes 2015 ★

	21000		5 à 8 €

Installé en 1996 sur le domaine familial, Michel Langlois figure parmi les fervents promoteurs de l'AOC coteaux-du-giennois, reconnue en 1998, tout en proposant des produits d'une grande diversité. Sur près de 17 ha, il élabore aussi bien du pouilly-fumé et du coteaux-du-giennois que des vins de pays, des effervescents et des crèmes de fruit.

Une agréable fraîcheur, pure et végétale, anime l'olfaction: notes de menthe, de verveine et d'agrumes apportent de la finesse dès le premier nez. Bien ciselée, fraîche, minérale, plus nerveuse en finale, la bouche signe un vin énergique et très bien construit. 2016-2019 rillettes de crabe

CATHERINE ET MICHEL LANGLOIS, 17, rue de Cosne, 58200 Pougny, tél. 03 86 28 06 52, catmi-langlois@orange.fr V *t.l.j. sf dim. 9h-12h30 14h30-19h (t.l.j. juil.-août)*

CAVE NÉROT 2015

	8000		5 à 8 €

Un domaine dans la même famille depuis cinq générations, conduit depuis 2011 par Julie Nérot, à la tête aujourd'hui de 7,6 ha de vignes dédiées aux seuls coteaux-du-giennois.

Au nez, des nuances de pamplemousse et de fruit de la Passion qui donnent un ton variétal à ce 2015. Droit en attaque, le palais se montre souple, frais et facile, déployant en finale une touche plaisante de minéralité qui signe le terroir argilo-calcaire à silex. 2016-2018 fruits de mer

EURL CAVE NÉROT, 9, rue de Mocques, Menetereau, 58200 Saint-Père, tél. 03 86 28 07 42, cave.jeanpaul.nerot@orange.fr V *t.l.j. sf lun. dim. 8h-12h 14h-19h; f. en janv.*

♥ FLORIAN ROBLIN
Champ Gibault 2014 ★★

	4000		8 à 11 €

L'une des étoiles montantes de l'appellation coteaux-du-giennois. Florian Roblin, fils d'éleveur de Beaulieu-sur-Loire, s'est lancé dans la vigne en 2008 à partir d'une petite vigne d'un seul tenant, le Champ Gibault, cultivée autrefois par son grand-père. Quelques plantations plus tard, il exploite aujourd'hui une petite surface de 3 ha, qu'il conduit en culture raisonnée proche du bio.

La parcelle « historique » du domaine permet au jeune vigneron de décrocher son second coup de cœur, et on parie que ce ne sera pas le dernier... D'un grenat intense à reflets rubis, à la fois expressive, complexe et délicate, cette cuvée parcellaire fleure bon la concentration. Le bouquet associe la violette, le cassis, les pruneaux et quelques touches animales (gibier, cuir). La bouche, en parfaite harmonie, se révèle charnue et corsée, tout en gardant équilibre et élégance grâce au soutien d'une ligne fraîche et d'une trame déjà bien fondue de tanins fins et veloutés. 2017-2021 civet de lièvre

FLORIAN ROBLIN, 11, rue des Saint-Martin, Maimbray, 45630 Beaulieu-sur-Loire, tél. 06 61 35 96 69, domaine.roblin.florian@orange.fr V r.-v.

DOM. DE VILLARGEAU Sans Complexe 2014 ★

	6000	8 à 11 €

Depuis qu'ils ont commencé à défricher un plateau aux sols d'argile à silex en 1991 pour y planter de la vigne, les frères Jean-Fernand et François Thibault – auxquels sont venus se joindre les fils Marc et Yves – ont fait la renommée du Dom. de Villargeau (22 ha), valeur sûre de l'appellation coteaux-du-giennois.

Entre notes variétales et minérales mêlées de nuances de fruits mûrs, l'olfaction est imprégnée de finesse. Longue, délicatement citronnée, très équilibrée, la bouche associe fraîcheur, gras et concentration. Une bouteille que l'on appréciera tout au long d'un repas. 2016-2019 vol-au-vent de la mer **2015 (5 à 8 €; 130 000 b.)** : vin cité.

GAEC THIBAULT, 1, allée des Noyers, Villargeau, 58200 Pougny, tél. 03 86 28 23 24, info@domaine-villargeau.fr V r.-v.

CÔTES-D'AUVERGNE

Superficie : 258 ha
Production : 10 549 hl (90 % rouge et rosé)

Très vaste jusqu'à la crise phylloxérique, le vignoble des côtes-d'auvergne a accédé à l'AOVDQS en 1977, puis à l'AOC en 2011. Qu'ils soient issus de vignobles des puys, en Limagne, ou de vignobles des monts (dômes), en bordure orientale du Massif central,

les vins d'Auvergne rouges et rosés proviennent du gamay, cultivé ici de longue date, ainsi que du pinot noir. Le chardonnay produit quelques blancs. Dans les crus Boudes, Chanturgue, Châteaugay, Corent et Madargues, les vins peuvent prendre une ampleur et un caractère surprenants.

JACQUES ET XAVIER ABONNAT Boudes Les Rivaux 2015 ★

■ | 2500 | | 5 à 8 €

Jacques Abonnat s'est installé en 1992 à Chalus, village pittoresque où mourut Richard Cœur de Lion en 1199 d'une flèche tirée depuis le château. Le vignoble couvre 6,5 ha et est conduit depuis 2007 par Xavier, fils de Jacques, qui souhaite l'orienter vers un mode de culture plus écologique.

Ce 100 % gamay s'annonce avec intensité par des arômes de pivoine, de griotte à l'eau-de-vie et d'épices douces. Centré sur la cerise et la fraise des bois, le palais se révèle volumineux, consistant, rond et suave, étayé par des tanins souples et stimulé en finale par une pointe acidulée. ⧗ 2016-2020 🍴 truffade ■ **Boudes La Gardonne 2015 (5 à 8 €; 17000 b.)** : vin cité.

CAVE ABONNAT, pl. de la Fontaine, 63340 Chalus, tél. 06 60 21 57 72, cave.abonnat@orange.fr V *r.-v.*

YVAN BERNARD Oppidum 2015

■ | 4000 | | 5 à 8 €

Montpeyroux, commune classée parmi les «plus beaux villages de France», a été bâtie sur une butte d'arkose qui surplombe la vallée de l'Allier. C'est ici qu'Yvan Bernard, installé en 2002, conduit en bio son domaine de 8,5 ha.

Issue d'un terroir de basalte et de calcaire, cette cuvée d'une belle brillance s'annonce par des arômes de miel, de fruits blancs mûrs et de fleurs blanches. Arômes prolongés par une bouche alerte, fraîche et souple. ⧗ 2016-2019 🍴 fromage de chèvre

YVAN BERNARD, rue de la Quye, 63114 Montpeyroux, tél. 06 84 11 49 88, bernard_corent@hotmail.com V *r.-v.*

A. CHARMENSAT Boudes Horts Série 2014 ★

■ | 2000 | | 11 à 15 €

Installée dans la vallée des Saints, appelée aussi le «Colorado auvergnat», cette exploitation a vu se succéder cinq générations depuis sa création en 1850. Les vignes couvrent 9 ha et sont exposées plein sud; certaines, centenaires, sont cultivées en terrasses. Un domaine très régulier en qualité, dans les trois couleurs des côtes-d'auvergne.

Première récolte pour ces très jeunes ceps de gamay (trois ans) vendangés à la main. Cela donne un vin très plaisant, qui mêle fruits rouges et notes friandes de bonbon anglais, au palais rond et gouleyant, étayé par des tanins fins et soyeux. ⧗ 2016-2019 🍴 volaille ■ **2015 (5 à 8 €; 2000 b.)** : vin cité.

EARL CHARMENSAT, rue du Coufin, 63340 Boudes, tél. 04 73 96 44 75, cavecharmensat@orange.fr V *t.l.j. sf dim. 9h-12h 14h-18h*

DOM. DE LA CROIX ARPIN 2015 ★

■ | 60000 | | 5 à 8 €

Domaine situé à quelque 500 m du château de Châteaugay construit au XIVᵉs. et coiffé d'une tour crénelée. L'exploitation créée en 1989 par Pierre Goigoux, sur 2,9 ha, compte aujourd'hui 20 ha de vignes.

Cet assemblage de gamay (80 %) et de pinot noir, discret au premier nez, s'ouvre à l'aération sur la myrtille, la groseille et le cassis mâtinés de nuances épicées. La bouche, généreuse et expressive (pruneau, notes florales, épices), s'adosse à des tannis fermes. Un vin de belle maturité, à boire ou à attendre. ⧗ 2016-2020 🍴 bœuf bourguignon

EARL PIERRE GOIGOUX, Dom. de la Croix Arpin, Pompignat, 63119 Châteaugay, tél. 04 73 25 00 08, gaec.pierre.goigoux@63.sideral.fr V *r.-v.*

DOM. DE LACHAUX 2015

■ | 4000 | | 5 à 8 €

Thierry Sciortino est à la tête de ce domaine de 6 ha depuis 1998. C'est dans une belle bâtisse en pierre d'arkose avec une jolie vue sur le massif du Sancy que le vigneron accueille les amateurs de vins auvergnats, dont il constitue l'une des bonnes références.

Au nez, des arômes de fruits blancs, de poire notamment, et quelques nuances florales. En bouche, mêmes sensations aromatiques, un côté rond et soyeux, et une petite touche saline en finale. ⧗ 2016-2019 🍴 poêlée de saint-jacques

GAEC DU DOM. DE LACHAUX, 1, chem. du Domaine, Lachaux, 63270 Vic-le-Comte, tél. 06 64 18 48 84, domainedelachaux63@gmail.com V *r.-v.* *Thierry et Yolande Sciortino*

LA LÉGENDAIRE 2014 ★

■ | 7560 | | 11 à 15 €

Pierre Desprat représente la quatrième génération de négociants à la tête de cette maison auvergnate fondée en 1885. Jean, son grand-père, découvrit qu'enfouir le vin dans les hêtraies d'altitude contribuait à sa bonification. Le domaine couvre 180 ha.

À l'origine de cette Légendaire, du chardonnay vinifié en fût de chêne puis élevé en douceur pendant un an dans les caves d'un buron cantalien. Il en résulte une belle robe dorée très brillante, un nez puissant d'abricot sec agrémenté de notes grillées et vanillées, une bouche ample, intense et boisée, stimulée en finale par une touche mentholée ⧗ 2016-2019 🍴 sole grillée ■ **Osez 2015 (5 à 8 €; 10000 b.)** : vin cité.

DESPRAT VINS, ZA de Bargues, 15130 Sansac-de-Marmiesse, tél. 04 71 48 25 16, desprat.vins@wanadoo.fr *t.l.j. sf dim. 9h-12h 14h-19h*

BENOÎT MONTEL Bourrassol 2015 ★

■ | 4000 | | 5 à 8 €

Après des études au lycée viticole de Beaune suivies de quatre ans de vinification à Puligny-Montrachet,

LOIRE

Benoît Montel a créé son propre domaine en 1999. Un vignoble de 12 ha dispersé sur quatre crus, de Riom à Clermont-Ferrand, qu'il cultive dans un «esprit de plus en plus bio et naturel», à l'origine de côtes-d'auvergne qui laissent rarement indifférent. Une valeur sûre.

Né sur le lieu-dit Bourrassol, ce chardonnay jaune pâle livre un bouquet gourmand de fruits jaunes mûrs, de fruits exotiques et de fleurs blanches. Une approche généreuse que ne renie pas le palais, long, souple, rond et gras, vivifié par de plaisantes saveurs citronnées. ⧗ 2016-2020 🍴 sole meunière

EARL BENOÎT MONTEL, 6, rue Henri-et-Gilberte-Goudier, ZI La Varenne, 63200 Riom, tél. 06 32 00 81 05, benoit-montel@orange.fr V r.-v.

GILLES PERSILIER Gergovia 2015 ★★

■	6500		5 à 8 €

Depuis 1995, Gérard Persilier, ancien technicien agricole, est installé à Gergovie, haut lieu de l'histoire de la Gaule. Il exploite en bio (certifié en 2009) un vignoble de 10 ha et s'est imposé comme une valeur sûre avec ses cuvées de côtes-d'auvergne dont les noms (Vercingétorix, Gergovia, Celtil...) renvoient au passé lointain de la région.

Ce pur gamay dévoile un nez très expressif, complexe et généreux de fraise cuite, de figue et d'épices. Complexité à laquelle fait écho une bouche fraîche en attaque, puis tendre et enveloppante, bien bâtie sur de jolis tanins veloutés et fondus. ⧗ 2016-2020 🍴 navarin d'agneau

GILLES PERSILIER, 27, rue Jean-Jaurès, 63670 Gergovie, tél. 06 77 74 43 53, gilles-persilier@wanadoo.fr V r.-v.

MARC PRADIER 2015 ★

■	1600		5 à 8 €

Après avoir travaillé quinze ans avec son frère, Marc Pradier reprend en 2005 l'exploitation créée en 1945 par son père Jean. Aujourd'hui, il conduit seul ce domaine de 4,5 ha, de la vigne à la commercialisation.

Des jeunes ceps de chardonnay de dix ans sont à l'origine d'un vin ouvert sur des senteurs mentholées, exotiques et amyliques. La bouche, au diapason du bouquet, plaît par sa souplesse et sa fraîcheur renforcée par une finale acidulée. ⧗ 2016-2019 🍴 darne de saumon

MARC PRADIER, 9, rue Saint-Jean-Baptiste, 63730 Martres-de-Veyre, tél. 04 73 39 86 41, pradiermarc@orange.fr V *sam. 8h30-12h*

JEAN-PIERRE PRADIER Annolium 2015

■	4000		5 à 8 €

Après avoir travaillé avec son père, puis avec son frère, Jean-Pierre Pradier s'est installé à son compte en 2005. Établi à Martres-de-Veyre, il conduit en bio un vignoble de 5,6 ha implanté sur les flancs de l'ancien volcan de Corent.

Annolium? L'ancien nom gallo-romain des Martres-de-Veyre. Dans le flacon, un pur gamay au nez discret mais plaisant, sur le noyau de cerise, au palais souple et gouleyant. Simple et efficace. ⧗ 2016-2018 🍴 assiette de charcuterie

JEAN-PIERRE PRADIER, Dom. des Trouillères, 63730 Martres-de-Veyre, tél. 06 72 40 75 26, pradierjp@wanadoo.fr V r.-v.

DOM. ROUGEYRON Châteaugay Cuvée Bousset d'or 2015 ★★

■	33000		5 à 8 €

Propriété installée sur le site de la Crouzette, nom donné à une petite croix en pierre de Volvic érigée au début du XVIIIe s. par les ancêtres, sur laquelle est gravée: «Rougeyron 1723». En 2012, David Rougeyron s'est associé à son père Roland pour poursuivre la tradition viticole sur ces terres de cendres volcaniques. Le domaine, régulier en qualité, couvre 14,3 ha.

Le Bousset d'or est le nom du tonnelet qu'emportaient les vignerons pour se désaltérer à la vigne. C'est dans une cuve, pendant douze mois, que ce 2015 a mûri, et bien mûri. Un vin au nez «explosif» de fruits noirs, d'épices et de cuir, au caractère également bien affirmé en bouche avec une matière dense, ferme et serrée, relevée par une finale épicée. Du potentiel. ⧗ 2017-2022 🍴 canard aux épices ■ **Châteaugay Vieilles Vignes 2015 ★ (5 à 8 €; 20000 b.)** : issu de vignes de quatre-vingts ans, un pur gamay généreux, aux nuances d'épices et de fruits caramélisés, à la bouche soyeuse et mûre. Bien dans le ton du millésime. ⧗ 2016-2019 🍴 bœuf en daube

DOM. ROUGEYRON, 27, rue de la Crouzette, 63119 Châteaugay, tél. 04 73 87 24 45, domaine.rougeyron@terre-net.fr V r.-v.

SAINT-VERNY VIGNOBLES 809 2015 ★

■	19000		5 à 8 €

Le vignoble de cette cave coopérative se situe intégralement dans le département du Puy-de-Dôme. Grâce à ses 180 ha, elle fournit une grande partie des côtes-d'auvergne et figure régulièrement en bonne place dans le Guide.

809? Le nom – on vous l'accorde peu romantique – du clone de chardonnay réputé pour ses saveurs muscatées, à l'origine de ce vin. Dans le verre, plutôt des notes, intenses, de tilleul, de pêche jaune et de miel. Frais et élégant dès l'attaque, le palais développe ensuite une belle rondeur et un agréable côté soyeux, avant de dévoiler en finale ces fameux arômes muscatés. ⧗ 2016-2019 🍴 asperges ■ **Petites grappes sur Basalte 2013 ★ (15 à 20 €; 9900 b.)** : un pur gamay élevé en fût, au nez complexe (fruits rouges confiturés, girofle, poivre, muscade), aux tanins fondus et vanillés, un brin plus stricts en finale. ⧗ 2016-2020 🍴 grillade de bœuf ■ **Boudes 2015 (8 à 11 €; 23000 b.)** : vin cité.

CAVE SELIA SAINT-VERNY, 2, rte d'Issoire, 63960 Veyre-Monton, tél. 04 73 69 60 11, saint.verny@saint-verny.com V r.-v.

♥ ANNIE SAUVAT Anthéus Prestige 2014 ★★

4400 | 5 à 8 €

Claude Sauvat a créé ce domaine petit à petit, à partir de 1977, dans la vallée des Saints. Sa fille Annie a repris le flambeau en 1987, accompagnée à la vinification de Michel, son mari. Le couple est aujourd'hui à la tête d'un vignoble de 10 ha et signe des côtes-d'auvergne souvent en vue dans ces pages.

Cette cuvée se veut un hommage au difficile métier de marin: Anthéus est le nom d'un chalutier de Saint-Vaast-la-Hague qui a coulé en 2011. Avec ce chardonnay élevé douze mois en fût, on touche le ciel plutôt que le fond. Dans le verre, une belle couleur jaune citron aux reflets or, un nez gourmand de brioche, de pain grillé, de miel et de cire, relayé par un palais ample, rond et charnu, stimulé par une longue finale acidulée et épicée. Une bouteille que l'on pourra ouvrir dès aujourd'hui ou remiser dans sa cave pour encore plus de complexité. ⧗ 2016-2021 🍴 brochet au beurre blanc

ANNIE SAUVAT-BLOT, rte de Dauzat, 63340 Boudes, tél. 04 73 96 41 42, sauvat@terre-net.fr r.-v.

CÔTE-ROANNAISE

Superficie : 220 ha
Production : 10 000 hl

Des sols d'origine éruptive; des vignes faisant face à l'est, au sud et au sud-ouest, sur les pentes d'une vallée creusée par une Loire encore adolescente: voilà un milieu naturel qui appelle le gamay. Quatorze communes situées sur la rive gauche du fleuve produisent d'excellents rouges et de frais rosés, plus rares. Des vins originaux et de caractère qui intéressent les chefs les plus prestigieux de la région.

ALAIN BAILLON Montplaisir 2015 ★★

4000 | 5 à 8 €

Autodidacte et ouvrier agricole pendant dix ans dans le Beaujolais, Alain Baillon a loué ses premières vignes en 1989, sur le coteau de Montplaisir, à Ambierle, cité historique dont l'abbaye bénédictine fut dédiée à saint Martin. Aujourd'hui, il possède 7 ha de vignes et s'est affirmé comme l'une des valeurs sûres des côtes-roannaises.

Né sur le coteau renommé et ensoleillé de Montplaisir, ce 2015 intense livre un bouquet généreux de fruits rouges et noirs cuits mâtinés d'épices. Ample, puissante, dense et structurée, la bouche signe un vin de caractère, paré pour la garde. ⧗ 2018-2021 🍴 pavé de bœuf

ALAIN BAILLON, Montplaisir, 42820 Ambierle, tél. 04 77 65 65 51, alain.baillon.42@free.fr r.-v.

BOUTHÉRAN Réserve 2014 ★

4000 | 8 à 11 €

Issus de familles de viticulteurs, Philippe et Jean-Marie Vial président aux destinées du domaine depuis 1993. Le vignoble couvre aujourd'hui 10 ha en côte-roannaise, sur le coteau de Bouthéran.

Les fruits rouges se mêlent sans fausse note aux arômes vanillés légués par six mois de fût. Un mariage heureux que l'on perçoit aussi dans une bouche ronde, gourmande, équilibrée, portée par des tanins fins et un boisé fondu. ⧗ 2017-2020 🍴 rôti de veau aux girolles ■ **Vieille Vigne 2014 (8 à 11 €; 8000 b.)** : vin cité.

GAEC VIAL, 300, rte Bel-Air, 42370 Saint-André-d'Apchon, tél. 04 77 65 81 04, contact@domaine-vial.fr *t.l.j. sf dim. 9h-12h 14h-18h*

♥ DOM. DÉSORMIÈRE Les Têtes 2015 ★★

9000 | 5 à 8 €

Ce domaine familial a été créé en 1974 par Michel Désormière. Ses fils Éric et Thierry, aux commandes depuis 1996, ont développé la production et disposent aujourd'hui de 16,1 ha de vignes.

Puissant et profond, ce 2015 a fait forte impression. À la robe dense et sombre répond un nez intense et bien typé de fruits rouges mûrs et d'épices. Suivant la même ligne aromatique généreuse et corsée, la bouche se révèle ample et tannique, aussi large que longue, épaulée par une fraîcheur bien dosée. Du caractère et du potentiel. ⧗ 2018-2022 🍴 paleron en sauce ■ **Tradition 2015 (5 à 8 €; 24000 b.)** : vin cité.

DOM. DÉSORMIÈRE, Le Perron, 42370 Renaison, tél. 04 77 64 48 55, domaine.desormiere@orange.fr *t.l.j. 8h-12h 14-19h; dim. sur r.-v.*

VINCENT GIRAUDON Quercus 2014

800 | 8 à 11 €

Après des études de viticulture, d'œnologie et de commerce du vin, Vincent Giraudon s'installe en 2004 sur 0,5 ha de vignes en location. Aujourd'hui, son vignoble, dont une partie est plantée en aligoté depuis 2009, couvre 4 ha.

Cette cuvée confidentielle qui a séjourné douze mois en barrique ne cache pas son élevage. Au nez, d'intenses notes de grillé sur fond de cerise mûre. En bouche, mêmes sensations aromatiques et un caractère riche, vineux et structuré. L'attente est de mise. Pour amateurs de vins boisés. ⧗ 2018-2021 ⫯ gigot d'agneau

VINCENT GIRAUDON, 15, rue Robert-Barathon, 42370 Renaison, tél. 04 77 64 25 34, vincentgiraudon@free.fr V r.-v.

DOM. DES POTHIERS La Chapelle 2015 ★★

■ | 6500 | | 11 à 15 €

Cette propriété familiale exploitée en polyculture-élevage réunit depuis 2005 Romain Paire, le fils, et ses parents Georges et Denise. Le domaine, qui compte plus de 17 ha de vignes, est conduit en bio et en biodynamie depuis 2011.

Après un an de séjour en cuve bois, cette cuvée livre un bouquet intense d'épices douces et de fruits mûrs agrémenté de nuances florales. La bouche se montre ample, onctueuse et ronde, portée par des tanins soyeux et bien affinés. Un ensemble cohérent, généreux et long, bien typé 2015. ⧗ 2018-2021 ⫯ filet de bœuf

DOM. DES POTHIERS, Les Pothiers, 42155 Villemontais, tél. 04 77 63 15 84, domainedespothiers@yahoo.fr V *r.-v.* *Romain Paire*

LE RETOUR AUX SOURCES Louis Robin 2015 ★

■ | 3000 | | 5 à 8 €

Edgar Pluchot travaille avec son frère Marc sur le domaine hérité de leurs grands-parents, Louis et Suzanne Robin, d'où le nom donné à leur exploitation: le Retour aux sources. Un retour mais aussi un nouveau virage puisque les aïeux n'étaient pas vignerons et que les deux frères ont tout créé pour vinifier le fruit de leurs 7,6 ha, cultivés en bio mais sans certification.

Des notes florales accompagnent les épices et les fruits rouges mûrs dans cette cuvée hommage au grand-père. Arômes que l'on retrouve sans réserve dans une bouche ample, généreuse et persistante, bâtie sur de bons tanins soyeux. ⧗ 2017-2020 ⫯ bœuf bourguignon

EARL LE RETOUR AUX SOURCES, Les Échaux, 42370 Saint-Alban-les-Eaux, tél. 06 82 42 61 53, leretourauxsources.pluchot@orange.fr V *t.l.j. 8h-12h 14h-18h* *Pluchot*

DOM. DE LA ROCHETTE
Les Vieilles Vignes du Château 2015 ★★

■ | 6000 | | 5 à 8 €

Dans cette famille, on est viticulteur de père en fils depuis 1630. Le domaine (14 ha), acquis en 1939, est conduit depuis 1984 par Pascal Néron, rejoint en 1991 par son frère Olivier et en 2013 par son neveu Antoine. Ce dernier a désormais pris les rênes et conduit le vignoble vers l'agriculture biologique (troisième année de conversion).

De vieux ceps de gamay de quatre-vingt-cinq ans sont à l'origine de ce vin d'abord discret, qui s'ouvre à l'aération sur les fruits rouges, les épices et un bon boisé vanillé. En bouche, de la rondeur, du soyeux, de la longueur et une fine fraîcheur: un ensemble complet et très aimable. ⧗ 2017-2020 ⫯ saucisson brioché

DOM. DE LA ROCHETTE, La Rochette, 42155 Villemontais, tél. 04 77 63 10 62, antoine.neron@orange.fr V *t.l.j. sf dim. 8h-19h*

DOM. SÉROL Les Millerands 2014 ★★

■ | 6500 | | 8 à 11 €

Incarnant avec talent la renaissance du vignoble local, Stéphane Sérol a pris en 1996 la tête de ce domaine de 28 ha, dont les origines remontent à 1700 et que son père Robert a fait connaître dès 1971 en pratiquant la vente directe en bouteilles. La conversion bio est engagée. Une valeur sûre des côtes-roannaises.

Après onze mois de cuve, ce 2014 né d'une sélection de raisins millerandés livre des arômes élégants et racés de fruits rouges mûrs rehaussés de poivre. À l'unisson, corsée et fruitée, la bouche offre une belle matière, étayée par des tanins soyeux et très fins. Déjà fort goûteux, ce vin peut aussi être attendu. ⧗ 2017-2021 ⫯ rôti de porc aux épices douces ■ **Oudan 2015 ★ (11 à 15 €; 7500 b.)** : onze mois de fût pour cette cuvée très épicée au nez comme en bouche, ample, fraîche et bien structurée. ⧗ 2018-2022

DOM. SÉROL, Les Estinaudes, 42370 Renaison, tél. 04 77 64 44 04, contact@domaine-serol.com V *t.l.j. sf dim. 9h-12h 14h-19h*

CÔTES-DU-FOREZ

Superficie : 168 ha / Production : 7 433 hl

C'est à une somme d'efforts intelligents et tenaces que l'on doit le maintien de ce vignoble abrité par les monts du Forez, qui s'étend sur dix-sept communes autour de Boën-sur-Lignon (Loire). Le climat y est semi-continental, les terrains sont tertiaires au nord et primaires au sud. Rosés et rouges, secs et vifs, les vins proviennent exclusivement du gamay et sont à consommer jeunes. Ils ont été reconnus en AOC en 2000.

CLOS DE CHOZIEUX Cuvée de Chabert 2015

■ | 9500 | | - de 5 €

Héritiers de trois générations de vignerons, Jean-Luc et Yves Gaumon ont pris la suite de leurs parents en 2001, sur 3 ha de vignes. Les deux frères ont replanté jusqu'à atteindre 10 ha, en diversifiant les cépages. Un domaine régulier en qualité.

Les fruits ne se cachent pas ici, et dès le premier nez les fruits rouges se manifestent sans réserve, accompagnés d'une touche épicée. La bouche suit la même voie et plaît par sa souplesse, sa rondeur et son onctuosité. ⧗ 2016-2019 ⫯ bœuf bourguignon

LE CLOS DE CHOZIEUX, Chozieux, 42130 Leigneux, tél. 04 77 24 38 54, clos.chozieux@wanadoo.fr V *t.l.j. 9h-12h 14h-18h30; dim. 9h-12h* *Gaumon*

DOM. DE LA PIERRE NOIRE Vieilles Vignes 2014

■ | 3000 | 🍾 | - de 5 €

Maxime Gachet a repris en 2011 les rênes du domaine que son père avait créé en 1993. Il conduit aujourd'hui un vignoble de 4 ha au pied du pic de Montsupt, commandé par une ferme forézienne du XIXe s.

Au nez, les fruits rouges et noirs se mâtinent d'une agréable touche épicée et fumée. Arômes que l'on retrouve agrémentés d'une note de pierre à fusil dans une bouche ronde et souple. ⧗ 2016-2019 ¥ grillades

GACHET, 890, rte de Margerie, 42610 Saint-Georges-Haute-Ville, tél. 06 33 41 18 86, gachet.maxime@neuf.fr V t.l.j. sf dim. 9h-12h30 15h-19h

DOM. DU POYET Les Senelles 2015 ★

■ | 5000 | 🍾 | 5 à 8 €

Jean-François Arnaud a repris l'exploitation familiale de 8 ha en 1995, après une formation en viticulture-œnologie. Il pratique un égrappage partiel de ses cuvées rouges afin d'allier le fruit aux tanins. Une valeur sûre du vignoble forézien.

Ces Senelles – nom des baies millerandées par la coulure au mois de mai, lors de la floraison, à l'origine de vins généralement plus concentrés – furent coup de cœur dans l'édition précédente. La version 2015, sans atteindre le même sommet, séduit par ses arômes bien typés de fruits rouges mûrs et d'épices, prolongés par une bouche ronde et longue, un brin plus austère en finale. ⧗ 2016-2019 ¥ rôti de porc aux épices

DOM. DU POYET, 255, rte de Sainte-Anne, 42130 Marcilly-le-Châtel, tél. 06 71 41 36 46, domainedupoyet@sfr.fr V t.l.j. sf dim. 8h-12h 13h30-19h Jean-François Arnaud

♥ B CAVE VERDIER-LOGEL La Volcanique 2015 ★★

■ | 15000 | 🍾 | 5 à 8 €

Ancien menuisier, Jacky Logel, alsacien de naissance, s'est converti à la viticulture par amour du Forez, découvert en vacances dans la famille de son épouse Odile Verdier, diététicienne de métier. En 1992, ils reprennent le vignoble familial, situé au pied de l'ancienne forteresse Sainte-Anne, le convertisse d'emblée au bio et introduisent de nouveaux cépages (pinot gris, viognier, puis riesling, gewuztraminer et côt !). Les vignes couvrent aujourd'hui 16 ha, conduites depuis 2015 avec leur neveu Maxime.

Une belle robe rouge intense habille cette Volcanique un peu fermée au premier nez. L'agitation apporte l'air nécessaire à l'expression d'une belle ligne aromatique, fraîche, fruitée, minérale et épicée. La bouche offre une matière riche et soyeuse, soulignée par des tanins souples et par une fine trame acide aux accents du terroir. Le gamay à son meilleur. ⧗ 2016-2019 ¥ pot-au-feu ■ **Cuvée des Gourmets 2015 ★★** (5 à 8 €; 15000 b.) B : un fruité intense, à dominante de griotte, ouvre la dégustation, prolongé par un palais équilibré, rond, souple, un brin épicé et marqué par une petite pointe tannique en finale. ⧗ 2016-2019 ¥ paupiettes de veau

CAVE VERDIER-LOGEL, 434, rue de la Côte, 42130 Marcilly-le-Châtel, tél. 04 77 97 41 95, cave.verdierlogel@wanadoo.fr V r.-v.

MENETOU-SALON

Superficie : 473 ha
Production : 10 761 hl (60 % blanc)

Menetou-Salon doit son caractère viticole à la proximité de la métropole médiévale qu'était Bourges; Jacques Cœur y eut des vignes. À la différence de nombreuses régions jadis célèbres pour leurs crus, aujourd'hui disparus, ce secteur du Berry a gardé son vignoble, planté en coteaux. Menetou-Salon partage avec son prestigieux voisin Sancerre sols favorables et cépages nobles: sauvignon blanc et pinot noir sur kimméridgien. D'où ces blancs frais et épicés, ces rosés délicats et fruités, ces rouges harmonieux et bouquetés, à boire jeunes.

DOM. DE BEAUREPAIRE 2015 ★

□ | 50000 | 🍾 | 5 à 8 €

Créée en 1989 par le père de Jean-François Gilbon, cette exploitation s'étend aujourd'hui sur 13 ha de vignes. Les clients sont accueillis dans une salle aménagée dans un ancien bâtiment de ferme, joliment restauré. Une bonne référence en menetou-salon.

Floral et fruité (mandarine), complété d'une touche fumée, le nez s'exprime avec élégance. Le palais, ample, suave et gras, relevé d'un trait de fraîcheur aux accents d'agrumes, est sculpté par le soleil. Un menetou gourmand, bien dans le ton du millésime. ⧗ 2016-2019 ¥ poisson en sauce ■ **2014 ★ (5 à 8 €; 15000 b.)** : au nez, des arômes typés de cerise et des notes mentholées. La bouche est souple, soyeuse et bien fondue, une pointe tannique venant resserrer la finale. ⧗ 2016-2019 ¥ grenadins de veau □ **Clos des Petites Croix 2014 (8 à 11 €; 3000 b.)** : vin cité.

DOM. DE BEAUREPAIRE-GILBON, Beaurepaire, 18220 Soulangis, tél. 02 48 64 41 09, cave-gilbon@wanadoo.fr V t.l.j. sf dim. 9h-12h 14h-18h; sam. sur r.-v.; f. mi-août

DOM. DE CHAMPARLAN 2015 ★★

□ | 15000 | 🍾 | 5 à 8 €

Établis à Humbligny, les jeunes vignerons David Girard (installé en 2003) et son frère Luc (2011) conduisent un vignoble de 5 ha en phase de développement: nouvelles plantations, nouveau chai de vinification et d'élevage, création d'un caveau de réception.

Discret mais très fin, le nez est comme de la dentelle, brodé de notes de noyau de pêche et de melon. Le gras très prononcé de la bouche et sa texture onctueuse sont bien compensés par la fraîcheur, la salinité et une finale ferme, qui apportent beaucoup d'élégance et de longueur. Le coup de cœur fut mis aux voix. ⧗ 2016-2019 ♈ poularde à la crème

⊶ DOM. DE CHAMPARLAN, Champarlan, 18250 Humbligny, tél. 02 46 59 00 56, david.girard.champarlan@orange.fr V ⚐ ▮ r.-v. ⊶ Girard Frères

DOM. LA CLEF DU RÉCIT 2015

■ | 6000 | ▮ | 11 à 15 €

Après avoir acquis une solide expérience sur l'exploitation familiale du Sancerrois et dans plusieurs pays viticoles, Anthony Girard, natif de Récy, a repris en 2012 les clés de cette propriété de 9 ha. Un domaine à suivre.

Franc et intense, le nez propose de jolies senteurs fruitées et sucrées (abricot, pêche), mêlées de notes de feuilles fraîches et d'épices. Droite et d'un bon volume, la bouche penche vers la fraîcheur, sans manquer d'un agréable trait de générosité typique du millésime. ⧗ 2016-2018 ♈ poêlée de gambas au miel

⊶ ANTHONY GIRARD, Recy, 18300 Vinon, tél. 06 07 66 93 29, laclefdurecit@gmail.com V ⚐ ▮ r.-v.

ISABELLE ET PIERRE CLÉMENT
Dame de Châtenoy 2014 ★

■ | 12000 | ▮ | 11 à 15 €

Depuis plus de quatre siècles, les Clément cultivent la vigne à Menetou-Salon. Sébastien fut le premier vigneron de la lignée. En digne successeur, Pierre travaille ses cuvées sur un domaine de 60 ha. Il est aidé de son épouse Isabelle, et sa fille Anne a rejoint l'aventure familiale en 2014. Une valeur sûre de Menetou-Salon.

Le nez exhale d'intenses notes mentholées agrémentées de nuances florales (acacia) et fruitées (mandarine). Souplesse, volume et plénitude définissent le palais, duquel se dégage tout au long de la dégustation une belle sensation de fraîcheur et de jeunesse. Un vin complet et de bonne garde. ⧗ 2017-2022 ♈ émincé de crabe citronné

⊶ ISABELLE ET PIERRE CLÉMENT, Dom. de Châtenoy, 18510 Menetou-Salon, tél. 02 48 66 68 70, info@clement-chatenoy.com V ⚐ ▮ t.l.j. sf dim. 8h30-12h 13h30-17h30; sam. sur r.-v.

DOM. DE COQUIN Mathilde 2014 ★★

■ | 3200 | ⦀ | 11 à 15 €

Jean-Baptiste Audiot, l'aïeul de Francis, a fondé au début des années 1920 ce domaine rattaché au Moyen Âge au château éponyme, aujourd'hui disparu. Les visiteurs sont accueillis dans un ancien chai datant du XVIIIe s. Le vignoble couvre 14 ha et donne naissance à des menetou-salon très souvent en vue dans ces pages

Cette cuvée est issue des plus vieilles vignes du domaine. L'olfaction dévoile une belle gamme aromatique provenant du vin (fruits rouges, pêche, laurier sauce) et du bois (muscade, vanille). Un boisé que l'on retrouve en bonne adéquation avec le fruité dans une bouche à la fois ample, dense, puissante et élégante, étoffée par des tanins soyeux. Déjà harmonieux, ce vin vieillira bien. ⧗ 2017-2023 ♈ gigot d'agneau ■ **2015 ★ (5 à 8 €; 68000 b.)** : un vin né de l'ensemble des parcelles de sauvignon du domaine. À un nez intense et très frais (agrumes, abricot) répond un palais ample et équilibré, porté par une fine minéralité. À boire ou à garder. ⧗ 2016-2021 ♈ huîtres gratinées ■ **Héloïse 2015 (8 à 11 €; 8500 b.)** : vin cité.

⊶ FRANCIS AUDIOT, Dom. de Coquin, 18510 Menetou-Salon, tél. 02 48 64 80 46, domainedecoquin@orange.fr V ⚐ ▮ t.l.j. sf dim. 9h-12h 14h-18h; f. 15-31 août

DOM. DE L'ERMITAGE 2015 ★

■ | 61000 | ▮ | 8 à 11 €

Fille de Bernard Clément, vigneron qui participa à la création de l'AOC menetou-salon, Laurence de la Farge a décidé en 2003 de laisser la propriété familiale aux mains de son frère pour créer de toutes pièces, avec son mari Géraud, ce domaine de 10 ha. Leur fils Antoine les a récemment rejoints.

Sur une trame variétale (buis) se greffent de fines notes de fruits exotiques et d'agrumes. Arômes prolongés par un palais franc, souple et frais. Un joli vin tout en légèreté. ⧗ 2016-2018 ♈ fromages à pâte dure

⊶ DOM. DE L' ERMITAGE, L'Ermitage, 18500 Berry-Bouy, tél. 02 48 26 87 46, info@domaine-ermitage.com V ⚐ ▮ r.-v. ⌂ ❹ ⌂ Ⓔ ⊶ Laurence et Gérard de la Farge

DOM. OLIVIER FOUCHER 2015

■ | 30000 | ▮ | 5 à 8 €

Olivier Foucher crée son domaine en 1992 avec 50 ares de vignes. Il dispose aujourd'hui d'une exploitation de 10 ha implantée principalement sur les coteaux de la commune de Morogues.

Sur la réserve, le nez dévoile à l'aération des notes de pêche, de poire et d'abricot. Bâtie sur un équilibre acide, la bouche montre une belle fraîcheur, renforcée par une agréable sensation saline en finale. Assez fugace mais harmonieux. ⧗ 2016-2018 ♈ andouille

⊶ DOM. OLIVIER FOUCHER, Les Gaultiers, 18220 Aubinges, tél. 02 48 64 26 23, domaine.olivierfoucher@orange.fr V ⚐ ▮ t.l.j. 8h30-12h 13h30-18h30; dim. sur r.-v.

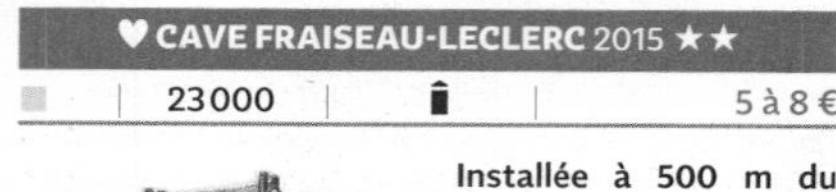

♥ CAVE FRAISEAU-LECLERC 2015 ★★

■ | 23000 | ▮ | 5 à 8 €

Installée à 500 m du Ch. de Menetou-Salon, Viviane Fraiseau sait ce qu'est l'œnotourisme. Sa propriété abrite des chambres d'hôtes et un gîte installé dans une ancienne maison du XIXe s. Elle conduit un vignoble de 8 ha, un tiers en pinot noir, deux tiers en sauvignon.

Un coup de cœur qui fait écho à celui obtenu par le blanc 2011. Puissante et complexe, l'olfaction du 2015 associe senteurs florales (lilas, orchidée) et fruitées (pêche, citron vert, mangue). Sculptée avec finesse et d'un grand équilibre, la bouche est à la fois ample, dotée de beaucoup de gras et très fraîche. La finale, longue et intense, offre un beau retour aromatique où se fondent les fruits exotiques, la tubéreuse et l'acacia. De la classe et du potentiel. ⧗ 2016-2022 Ψ brochet au beurre blanc

VIVIANE FRAISEAU, 3, rue du Chat, 18510 Menetou-Salon, tél. 02 48 64 88 27, cave.fraiseau.leclerc@orange.fr V *sam. dim. 9h-12h 13h30-19h; lun.-ven. sur r.-v.* 2 B

Ⓑ DOM. PHILIPPE GILBERT
Les Renardières 2014 ★

■ | 10 000 | | 20 à 30 €

Philippe Gilbert perpétue une tradition familiale qui remonte à 1763. Il est aujourd'hui à la tête d'un vignoble de 29 ha conduit en agriculture biologique et en biodynamie.

Animal à l'ouverture, le nez a besoin d'air; il évolue alors vers les fruits confits à cuits (confiture de fraise) et quelques notes de torréfaction. Ample, corsée, puissante, charpentée par des tanins vigoureux et par un bon boisé grillé, la bouche signe un vin de caractère et de garde. ⧗ 2018-2022 Ψ gibier ■ **2014 (11 à 15 €; 72 000 b.)** Ⓑ : vin cité.

PHILIPPE GILBERT, Dom. Gilbert, rte des Aix, Les Faucards, 18510 Menetou-Salon, tél. 02 48 66 65 90, info@domainegilbert.fr V *r.-v.*

DOM. DE LOYE 2015

■ | 21 000 | | 8 à 11 €

Établi à Loye depuis 1970, Jean-Bernard Moindrot a transmis le flambeau à son fils Valentin en 1999, aux commandes d'un vignoble de 15 ha créé par le grand-père, vigneron et… meunier.

Ce 2015 délivre des parfums de fraise et de framboise, ainsi que quelques notes de noyau de cerise. Fraîche, légère et tout aussi fruitée, la bouche s'adosse à des tanins souples et discrets. Friand. ⧗ 2016-2018 Ψ assiette de charcuterie

JEAN-BERNARD ET VALENTIN MOINDROT, Dom. de Loye, 18220 Morogues, tél. 02 48 64 35 17, scev.domaine.loye@terre-net.fr V *t.l.j. 8h30-12h 14h-18h30*

JOSEPH MELLOT Clos du Pressoir 2014 ★★

■ | 11 000 | | 8 à 11 €

L'histoire de la maison Joseph Mellot débute en 1513 à Sancerre avec Pierre-Étienne Mellot, qui pose les fondations d'un petit vignoble. Catherine Corbeau-Mellot préside aujourd'hui aux destinées de cet important négoce, qui rayonne sur l'ensemble des vignobles du Centre et de la vallée de la Loire, et possède aussi plusieurs domaines pour une surface de 100 ha. Incontournable.

La densité de cette cuvée parcellaire s'affiche au premier coup d'œil: la robe rubis grenat est profonde et soutenue. Les arômes sont intenses dès le premier nez: fruits rouges (cerise, fraise), nuances fumées et épicées. Puissante dès l'attaque, solidement structurée par des tanins jeunes, au grain fin, la bouche est d'une grande harmonie, prolongée par un beau retour sur le fruit en finale. Un vin robuste et de bonne garde, qui frôle le coup de cœur. ⧗ 2017-2022 Ψ gigot d'agneau

SARL VIGNOBLES JOSEPH MELLOT, rte de Ménétréol, 18300 Sancerre, tél. 02 48 78 54 54, josephmellot@josephmellot.com V *t.l.j. 8h15-12h 13h30-17h30; sam. dim. sur r.-v.* D *Corbeau-Mellot*

DOM. JEAN-PAUL PICARD ET FILS 2015 ★★

■ | 11 000 | | 8 à 11 €

Domaine transmis de père en fils depuis 1750. À la tête de l'exploitation depuis 1976, Jean-Paul Picard, épaulé par son fils Mickaël, conduit 14 ha de vignes essentiellement plantées sur les coteaux de la commune de Bué.

Intensité et complexité donnent le ton de l'olfaction à travers des notes puissantes de fruits à chair blanche (poire), d'agrumes et une fine minéralité. La bouche est dans la lignée. Ample, généreuse, charnue et fraîche à la fois, d'une belle vivacité finale, persistante sur le fruit, elle offre le juste équilibre. Un vin qui s'inscrit dans la durée. ⧗ 2017-2021 Ψ gratin de fruits de mer

JEAN-PAUL PICARD ET FILS, 11, chem. de Marloup, 18300 Bué, tél. 02 48 54 16 13, jean-paul.picard18@wanadoo.fr V *t.l.j. sf dim. 8h-12h 13h30-18h30*

♥ DOM. JEAN TEILLER 2015 ★★

■ | 30 000 | | 8 à 11 €

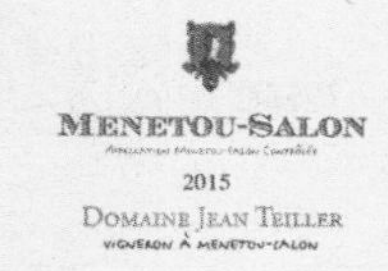

Deux générations contribuent au succès de ce domaine familial de 17 ha en cours de conversion bio, chaque année en bonne place dans le Guide: Jean-Jacques et Monique Teiller, les parents, Patricia et Olivier Luneau, la fille et le gendre. Une valeur sûre.

La robe grenat à reflets violines est profonde et brillante. Le nez, des plus élégant, mêle senteurs fruitées (cerise noire, framboise), boisé fin et touche amylique. Ronde en attaque, la bouche est très fruitée, volumineuse et charnue, dotée de tanins affirmés mais bien intégrés qui composent une charpente solide et offrent de belles perspectives pour l'avenir. ⧗ 2018-2023 Ψ rôti de veau aux morilles ■ **2015** ★ **(8 à 11 €; 50 000 b.)** : un nez intense et chaleureux, très floral, fruité (abricot frais) et légèrement épicé ; une bouche ample et bien équilibrée à la finale savoureuse et persistante. ⧗ 2016-2019

DOM. JEAN TEILLER, 13, rue de la Gare, 18510 Menetou-Salon, tél. 02 48 64 80 71, domaine-teiller@wanadoo.fr V *r.-v.*

LOIRE

LA TOUR SAINT-MARTIN Célestin 2014

■ | 3000 | 🛢 | 15 à 20 €

Valeur sûre de l'appellation menetou-salon avec son domaine La Tour Saint-Martin, Bertrand Minchin, aussi à l'aise en rouge qu'en blanc, est établi depuis 1987 à la tête de 17 ha de vignes sur les hauteurs de Morogues. En 2004, il s'est étendu sur l'appellation valençay avec les 15 ha du Claux Delorme, à Selles-sur-Cher, et s'y est rapidement imposé comme une belle référence.

Un beau fondu de senteurs fruitées (cerise, fraise) et boisées (vanille, pain grillé) forme un bouquet harmonieux. Souple et légère en attaque, à l'unisson du nez, la bouche dévoile ensuite des tanins encore un peu sévères mais prometteurs. La finale, sur des notes de griotte, de clou de girofle et de moka, est de bonne longueur. ⌛ 2017-2020 🍴 carré d'agneau

LA TOUR SAINT-MARTIN, Saint-Martin, 18340 Crosses, tél. 02 48 25 02 95, ab.minchin.vins@wanadoo.fr V 🚶 ▪ *t.l.j. 8h30-12h30 13h30-17h30; sam. dim. sur r.-v.*

CHRISTOPHE TURPIN 2014 ★

■ | 20000 | | 5 à 8 €

Christophe Turpin s'est installé en 1991 sur le domaine familial, 15 ha à Morogues, vieux village resserré autour de son église, aux constructions typiques de grès noir. Sa cave jouxte sa belle demeure du XVe s.

Le nez offre un beau fruité à dominante de cerise mâtiné de cuir et de fumé. Légers et soyeux de prime abord, les tanins se raffermissent ensuite pour laisser sur une impression finale plus austère. À attendre un peu pour plus de fondu. ⌛ 2017-2019 🍴 volaille rôtie

CHRISTOPHE TURPIN, 11, pl. de l'Église, 18220 Morogues, tél. 02 48 64 32 24, christopheturpin@wanadoo.fr V 🚶 ▪ *t.l.j. 8h-12h 14h-19h*

▶ POUILLY-FUMÉ ET POUILLY-SUR-LOIRE

Œuvre de moines bénédictins, voilà l'heureux vignoble des vins blancs secs de Pouilly-sur-Loire. La Loire s'y heurte à un promontoire calcaire qui la rejette vers le nord-ouest et qui porte le vignoble exposé sud-sud-est, planté sur des sols moins calcaires qu'à Sancerre. Le sauvignon, ou « blanc fumé », y a presque entièrement supplanté le chasselas, pourtant historiquement lié à Pouilly. Ce dernier cépage produit, sous l'appellation pouilly-sur-loire, un vin léger non dénué de charme lorsqu'il est cultivé sur sols siliceux. Le sauvignon, à l'origine de l'AOC pouilly-fumé, traduit bien les qualités enfouies en terre calcaire: une fraîcheur parfois assortie d'une certaine fermeté, une gamme d'arômes spécifiques du cépage, affinés par le terroir et les conditions de fermentation du moût. Ici, la vigne s'intègre harmonieusement aux paysages de Loire. Aux charmes des lieux-dits (les Cornets, les Loges, le calvaire de Saint-Andelain...) répond la qualité des vins.

POUILLY-FUMÉ

Superficie : 1 237 ha / Production : 60 263 hl

JEAN-PIERRE BAILLY 2015 ★★

□ | 40000 | 🍾 | 8 à 11 €

Installé en plein cœur du vignoble de Pouilly-sur-Loire, Jean-Pierre Bailly exploite cette propriété située en bordure de Loire depuis 1963 et dans sa famille depuis six générations. Il conduit ses 16 ha avec son fils Patrice, œnologue.

Généreuse et complexe, l'olfaction mêle le floral (lilas, rose), le fruité (poire, prune) et de subtiles senteurs variétales (melon, genêt). Ample et charnue, la bouche offre aussi de la fermeté, renforcée par de belles sensations minérales et salines et une pointe d'amertume en finale (zeste de pamplemousse). Un pouilly-fumé croquant. ⌛ 2016-2020 🍴 brochet de Loire □ **Rabatelleries Vieilles Vignes 2014 ★★** (8 à 11 €; **2500 b.**) : fraîcheur florale et citronnée animent l'olfaction, nuancée de touches d'aromates. La bouche est ferme et tranchante, à la fois structurée et élégante, longue et fruitée. Une harmonie remarquable. ⌛ 2016-2020 🍴 tajine de lotte

JEAN-PIERRE BAILLY, Les Girarmes, 58150 Tracy-sur-Loire, tél. 03 86 26 14 32, domaine.jean-pierre.bailly@wanadoo.fr V 🚶 ▪ *r.-v.*

BALLAND-CHAPUIS Tradition 2015 ★

□ | 35000 | 🍾 | 11 à 15 €

Établi en Sancerrois depuis le XVIIe s., le Dom. Balland-Chapuis (une trentaine d'hectares aujourd'hui), exploité depuis 1998 par la famille Saget et situé dans le charmant village-vigneron de Bué, est aujourd'hui propriétaire dans les aires d'appellation sancerre, pouilly-fumé et coteaux-du-giennois.

Douceur et fraîcheur caractérisent le nez de ce 2015, où se succèdent des arômes de pêche, d'agrumes et de noisette. Incisif en attaque, le palais se montre ensuite plus tendre et même chaleureux, et déploie une jolie finale longue et « juteuse ». ⌛ 2016-2019 🍴 poisson en sauce

BALLAND-CHAPUIS, BP 26, 58150 Pouilly-sur-Loire, tél. 03 86 39 57 75, accueil@sagetlaperriere.com V ▪ *t.l.j. sf sam. dim. 8h-12h 13h45-17h30*

CÉDRICK BARDIN Les Bernadats 2015 ★★

□ | 12000 | 🍾 | 8 à 11 €

Fils et petit-fils de vignerons, Cédrick Bardin a acheté ses premières vignes (15 ares) en 1989 à l'âge de dix-huit ans. L'exploitation, qui s'étend aujourd'hui sur 12,5 ha répartis sur les deux rives de la Loire, apparaît régulièrement dans le Guide.

Des senteurs variées composent une olfaction complexe: mie de pain, puis arômes soutenus de fruits frais, de fleurs blanches et une intense minéralité (pierre à fusil). Rond, plein, riche et vineux, le palais est construit sur la puissance et offre en finale un très long retour aromatique. Du style et de la force. ⧗ 2016-2020 🍴 lotte au safran ■ **2015 (8 à 11 €; 55 000 b.)** : vin cité.

⊶ CÉDRICK BARDIN, 12, rue Waldeck-Rousseau, 58150 Pouilly-sur-Loire, tél. 03 86 39 11 24, cedrick.bardin@wanadoo.fr V r.-v.

DOM. BARILLOT PÈRE ET FILS Camillium 2014 ★

■ | 2000 | | 5 à 8 €

Ce domaine familial, dont les origines remontent à 1770, est situé au cœur du vignoble de Pouilly. Installé en 1984 aux côtés de son père, Frédéric Barillot cultive aujourd'hui avec son épouse 11 ha de vignes.

Cette cuvée s'ouvre sur une olfaction pleine de vivacité: minéralité prononcée (pierre à fusil), agrumes (citron), fruits frais. Ample et ferme, la bouche revient sur les fruits blancs (poire) et les agrumes mûrs, et s'étire dans une finale longue et structurée. ⧗ 2016-2019 🍴 noix de saint-jacques

⊶ BARILLOT PÈRE ET FILS, 36, rue Louis-Joseph-Gousse, Le Bouchot, 58150 Pouilly-sur-Loire, tél. 03 86 39 15 29, barillotpouilly@wanadoo.fr V t.l.j. 9h-12h 14h-18h; dim. sur r.-v.

DOM. DE BEL AIR Cuvée Riquette 2015 ★

■ | n.c. | | 8 à 11 €

Un domaine familial transmis de père en fils ou de père en fille depuis... 1635 et treize générations. En 1994, Katia Mauroy, œnologue, épaulée par son mari Cédric a repris le flambeau et conduit aujourd'hui 15 ha de vignes.

Des senteurs fumées, puis une fine minéralité et quelques notes florales composent un bouquet discret mais très délicat. Ample et élégante, la bouche est bâtie sur la tension autour d'une vivacité affirmée et d'une minéralité confirmée. Jolie finale poivrée. ⧗ 2016-2019 🍴 lotte à la crème

⊶ DOM. DE BEL AIR, 6, rue Waldeck-Rousseau, Mauroy Gauliez Le Bouchot, 58150 Pouilly-sur-Loire, tél. 03 86 39 02 73, mauroygauliez@aol.com V r.-v. ⊶ Mauroy

DOM. DES BERTHIERS
Hommage à Jean-Claude Dagueneau 2014 ★★

■ | 2500 | | 20 à 30 €

Située au cœur du vignoble de Saint-Andelain, à 5 km du Ch. de Tracy, cette propriété ancienne a été reprise en 1996 par la maison Fournier Père et Fils. Le domaine s'appuie sur 15 ha de vignes répartis sur les coteaux de la Loire.

Des arômes de pêche jaune et de poire mûres mêlées de nuances de bourgeon de cassis et de citron vert donnent à l'olfaction une impression harmonieuse de douceur et de fraîcheur, soulignée par un boisé délicat et parfaitement assimilé. À la fois puissante et gourmande, la bouche confirme la complexité du bouquet et l'harmonie des sensations. Un équilibre impeccable et un solide potentiel. ⧗ 2017-2022 🍴 foie gras poêlé

⊶ SCEA DOM. DES BERTHIERS, Les Berthiers, 58150 Saint-Andelain, tél. 03 86 39 12 85, claude@fournier-pere-fils.fr V t.l.j. 8h-12h 13h30-18h; sam. dim. sur r.-v. ⊶ Fournier Père et Fils

HENRI BOURGEOIS La Demoiselle 2014 ★

■ | 42000 | | 20 à 30 €

À sa création par Henri Bourgeois en 1950, la propriété comptait 1,5 ha de vignes sur Chavignol. Aujourd'hui, la dernière génération (Arnaud, Jean-Christophe et Lionel) est à la tête de 72 ha répartis sur 120 parcelles, sans compter les 30 ha du Clos Henri Vineyard acquis en Nouvelle-Zélande. Une valeur sûre du Sancerrois.

Le bouquet, puissant, mêle les fruits mûrs (pêche, poire) à des touches florales et végétales (genêt, bourgeon de cassis). Une attaque pure ouvre sur un palais à la fois ferme et fin, long et équilibré, qui laisse présager un bon potentiel d'évolution. ⧗ 2017-2021 🍴 raie aux câpres

⊶ SAS HENRI BOURGEOIS, Chavignol, 18300 Sancerre, tél. 02 48 78 53 20, domaine@henribourgeois.com V t.l.j. 9h30-18h30; f. 22 janv.

JÉRÔME BRUNEAU Le Mam' 2015

■ | 3600 | | 8 à 11 €

Caviste dans un domaine de Sancerre pendant huit ans, Jérôme Bruneau s'est installé en 2008 sur l'exploitation viticole d'un voisin dans son village natal de Soumard. Il conduit aujourd'hui un vignoble de 8,5 ha.

D'un abord fermé, le nez délivre de subtiles notes minérales à l'aération. La bouche, souple en attaque, prend progressivement de l'assurance et sa douceur est équilibrée par une bonne fraîcheur finale sur les agrumes. ⧗ 2016-2018 🍴 escalope de veau au citron

⊶ JÉRÔME BRUNEAU, 7, rue des Ouches, Soumard, 58150 Saint-Andelain, tél. 06 15 11 93 85, j-bruneau@orange.fr V r.-v.

A. CAÏLBOURDIN Triptyque 2014 ★

■ | 4600 | | 20 à 30 €

À la tête de ce vignoble créé en 1980, Alain Caïlbourdin exploite 20,5 ha de vignes répartis sur plusieurs terroirs. Son fils Loïc l'a rejoint en 2010, après des études de viticulture et d'œnologie. Un domaine régulier en qualité.

Issue de très vieilles vignes plantées sur un terroir à silex, cette cuvée s'ouvre sur des senteurs douces de poire mûre et de vanille. Une douceur prolongée par un palais rond, ample, très gras, qui s'achève sur des arômes généreux de crème de marrons. ⧗ 2016-2019 🍴 volaille sauce crème et marron

⊶ DOM. A. CAÏLBOURDIN, 35, rte Nationale, Maltaverne, 58150 Tracy-sur-Loire, tél. 03 86 26 17 73, domaine-cailbourdin@wanadoo.fr V r.-v.

JACQUES CARROY ET FILS
Cuvée L'Ephémère 2014 ★

■ | 2400 | | 11 à 15 €

Christophe et Sébastien Carroy ont pris en 2006 la suite de leur père Jacques sur ce domaine de 8 ha

répartis sur différents terroirs du pouilly-fumé, dans la famille depuis six générations. Un duo complémentaire, l'un œuvrant à la vigne, l'autre au chai.

Si le premier nez est marqué par le bois, le fruité du vin perce après quelques tours de verre et finit par s'imposer. La bouche se révèle ample, soyeuse et longue, stimulée par une finale poivrée. Un pouilly-fumé déjà plaisant, mais qui n'a pas dit son dernier mot et mérite d'être attendu. ⧗ 2017-2021 ¥ gratin d'écrevisses

JACQUES CARROY ET FILS, 9, rue Joseph-Renaud, 58150 Pouilly-sur-Loire, tél. 03 86 39 17 01, carroy-jacquesetfils@sfr.fr V r.-v.

DOM. CHAMPEAU Vieilles Vignes 2014 ★

| 7300 | | 11 à 15 €

Deux cousins, Franck et Guy Champeau, se sont associés pour diriger ce domaine de 19 ha qui appartient à leur famille depuis 1942. Ils sont installés au cœur du village de Saint-Andelain, près de l'église.

Au milieu d'arômes puissants de fruits mûrs (pêche), on perçoit une petite touche vanillée. Une olfaction généreuse qui trouve un bon prolongement dans une bouche ronde et grasse, renforcée par un boisé plus présent et par l'acidité caractéristique du millésime. À attendre. ⧗ 2017-2020 ¥ filet de sole bonne-femme **Silex 2014 (11 à 15 €; 21700 b.)** : vin cité.

DOM. CHAMPEAU, 20, rue Saint-Edmond, 58150 Saint-Andelain, tél. 03 86 39 15 61, domaine.champeau@wanadoo.fr V *t.l.j. sf dim. 8h30-12h 14h-18h; mer. 14h-18h*

DOM. DE CONGY Cuvée Les Galfins 2015 ★

| 14000 | | 5 à 8 €

Le Dom. de Congy est situé à proximité de Saint-Andelain, célèbre village vigneron. Christophe Bonnard a pris en 2002 la tête d'un vignoble de près de 9 ha acquis en 1951 par le grand-père maternel et développé dans les années 1990 par son père Jack.

Les Galfins est la parcelle d'origine de cette cuvée ouverte sur un fruité intense (agrumes, abricot, pêche, notes exotiques). De la rondeur et un petit côté chaleureux en attaque puis une évolution fraîche composent un palais harmonieux. ⧗ 2016-2019 ¥ saumon à l'oseille **2015 (5 à 8 €; 13600 b.)** : vin cité.

SCEA BONNARD, 1, rue du Domaine, Congy, 58150 Saint-Andelain, tél. 03 86 39 14 20, c.bonnard@cerb.cernet.fr V *r.-v.*

DOM. PAUL CORNEAU 2015 ★

| 90000 | | 8 à 11 €

Ce domaine créé par Paul Corneau en 1976 dans le hameau du Bouchot, à Pouilly-sur-Loire, a été repris en 2014 par la maison Fournier Père et Fils, qui associe négoce et domaines dans le Sancerrois.

S'il reste réservé, le nez montre beaucoup de fraîcheur par ses notes citronnées mêlées de nuances végétales et florales (buis, genêt). Soutenue par une franche vivacité, la bouche est énergique et persistante. ⧗ 2016-2018 ¥ avocat aux crevettes

SCEV PAUL CORNEAU, Le Bouchot, 58150 Pouilly-sur-Loire, tél. 02 48 79 35 24, claude@fournier-pere-fils.fr V *t.l.j. 8h-12h 13h30-18h; sam. dim. sur r.-v.*
Fournier Père et Fils

DOM. COUET 2015 ★

| 4000 | | 5 à 8 €

Issu d'une famille de vignerons, Emmanuel Couet représente la cinquième génération. La partie la plus importante de l'exploitation (étendue sur 9 ha), ainsi que la cave, se situent dans l'aire des coteaux-du-giennois, complétée par des vignes en pouilly-fumé. Claire, l'épouse d'Emmanuel, officie par ailleurs au domaine de Fontaine (pouilly-fumé).

La dégustation débute par des arômes très élégants d'agrumes, de cassis et de mangue. Souple en attaque, la bouche offre beaucoup de fraîcheur, de la longueur et une jolie finale épicée. ⧗ 2016-2019 ¥ brochet aux citrons confits

EMMANUEL COUET, 23, Croquant, 58200 Saint-Père, tél. 03 86 28 14 80, domainecouet@gmail.com V *t.l.j. sf dim. 8h-12h 14h-18h*

DOM. SERGE DAGUENEAU ET FILLES Tradition 2015 ★

| 90000 | | 11 à 15 €

Ce domaine régulier en qualité, créé par l'arrière-grand-mère Léontine au début du XXᵉs., a été repris en 2006 par Florence et Valérie Dagueneau, les filles de Serge. Florence étant disparue prématurément, Valérie conduit seule aujourd'hui les 20 ha de vignes familiales.

Dès le premier nez, s'expriment des arômes exotiques (fruit de la Passion, litchi, pamplemousse) et de légères touches minérales et végétales. Une belle olfaction fraîche et énergique à laquelle fait écho un palais structuré, ample et frais. ⧗ 2016-2019 ¥ tourte aux pommes de terre **Clos des Chaudoux 2014 ★ (15 à 20 €; 6500 b.)** : au nez, des notes variétales, fumées et grillées sur un fond de fleurs et de fruits blancs. En bouche, de l'onctuosité et une jolie finale épicée. ⧗ 2016-2019 ¥ blanquette de lotte **La Léontine 2014 (20 à 30 €; 2000 b.)** : vin cité.

SERGE DAGUENEAU ET FILLES, Les Berthiers, 22, rue du Mont-Beauvois, 58150 Saint-Andelain, tél. 03 86 39 11 18, sergedagueneaufilles@wanadoo.fr V *r.-v.*

♥ MARC DESCHAMPS Tradition des Loges 2015 ★★

| 20000 | | 8 à 11 €

Marc Deschamps a repris en 1992 l'ancien domaine de Paul Figeat, qui fut président des vignerons de Pouilly. Chaque année présent dans le Guide, son savoir-faire et sa connais-

sance du terroir ne sont plus à prouver. Le vignoble couvre 10,3 ha.

Marc Deschamps se hisse au sommet de l'appellation avec cette cuvée d'une grande finesse, à l'olfaction tout en dentelle associant un très beau fruité (mirabelle, mangue, pêche) à de délicates touches florales (jasmin). La bouche est dense, ronde, riche et charnue, parfaitement équilibrée par une fine tension qui traduit un beau terroir. ⧗ 2016-2021 🍴 ris de veau à la crème ■ **Les Champs de Cri 2015 ★★ (11 à 15 €; 13600 b.)** : en compétition pour le coup de cœur, une cuvée d'une complexité remarquable (poire, pêche, mangue, touche anisée). En bouche, la forte sucrosité est bien compensée par une vivacité fondue. Un vin à la fois élégant, riche et chaleureux. ⧗ 2016-2020 🍴

MARC DESCHAMPS, Les Loges, 3, rue des Pressoirs, 58150 Pouilly-sur-Loire, tél. 03 86 69 16 43, marc@deschamps-pouilly.com V 🚶 ■ *r.-v.* *Colette Figeat*

JEAN DUMONT Le Grand Plateau 2015 ★

■	50000	🍾	11 à 15 €

La maison de négoce Jean Dumont appartient au groupe Saget-La Perrière, créé par une famille originaire de Pouilly-sur-Loire et aujourd'hui présente dans toute la vallée de la Loire.

Plutôt sur la réserve de prime abord, l'olfaction s'ouvre à l'agitation sur un beau fruité (pêche, fruit de la Passion) égayé par de délicates notes minérales. La bouche séduit par son charnu, sa complexité (pêche, litchi, fleurs blanches), sa fraîcheur et sa longueur. Déjà très harmonieux, ce vin présente aussi un beau potentiel. ⧗ 2016-2020 🍴 colombo de poulet

JEAN DUMONT, RN 7, La Castille, 58150 Pouilly-sur-Loire, tél. 03 86 39 57 75, accueil@sagetlaperriere.com V 🚶 ■ *t.l.j. sf sam. dim. 8h-12h 13h45-17h30*
J.-L. Saget

DOM. MICHEL DUTARTE Fossiles 2015 ★★

■	30000	🍾	8 à 11 €

Ce domaine de 10 ha situé au cœur du village des Loges a été créé en 1968. Gilles Forestier en a pris la tête en 2003.

La discrétion ne nuit pas à l'élégance semble nous dire cette cuvée. D'abord fermé, le nez s'ouvre sur la fraîcheur de la bergamote, de la pêche, des agrumes et de la verveine. Tout en sobriété, souple, avec un trait de nervosité bien senti, la bouche s'étire dans une longue rétro-olfaction fruitée. Harmonieux et de grande finesse. ⧗ 2016-2020 🍴 risotto aux fruits de mer

MICHEL DUTARTE, 31, rue Saint-Vincent, Les Loges, 58150 Pouilly-sur-Loire, tél. 03 86 39 13 55, patrice.moreux@wanadoo.fr V ■ *r.-v.*

DOM. ANDRÉ ET EDMOND FIGEAT Les Chaumiennes 2015 ★★

■	46000	🍾	8 à 11 €

À l'entrée de Pouilly-sur-Loire, au milieu de la côte du Nozet, se trouve la cave d'Edmond Figeat et de son fils André. Représentant la neuvième génération sur le domaine, ce dernier propose des pouilly-fumé et des pouilly-sur-loire nés de 15 ha de vignes.

La richesse de l'olfaction annonce d'entrée la puissance de cette cuvée. Les parfums complexes et intenses de l'olfaction – fruits mûrs (poire, pêche, coing) et fleurs (acacia, rose) – sont en parfaite harmonie avec les saveurs d'un palais ample, rond et gras, souligné par une fraîcheur iodée. Un pouilly-fumé de gastronomie. ⧗ 2016-2019 🍴 homard thermidor ■ **XXL 2015 (8 à 11 €; 7000 b.)** : vin cité.

DOM. ANDRÉ ET EDMOND FIGEAT, Côte du Nozet, 58150 Pouilly-sur-Loire, tél. 03 86 39 19 39, domaine.andre.figeat@wanadoo.fr V 🚶 ■ *t.l.j. 8h30-19h*

PRESTIGE DES FINES CAILLOTTES 2014 ★★

■	11200	🍾	11 à 15 €

Installé dans une belle demeure au pied du village des Loges, à quelques pas de la Loire, Alain Pabiot et son fils Jérôme conduisent un domaine constitué de plus de vingt parcelles, qui tire son nom des pierres blanches calcaires appelées localement «caillottes». Leurs pouilly-fumé, réguliers en qualité, mûrissent dans des caves souterraines plusieurs fois centenaires.

Expressive et d'une belle jeunesse, l'olfaction joue la variété: florale (rose, aubépine), fruitée (agrumes, pêche jaune), végétale et minérale (tubéreuse, argile). Soyeux en attaque, gras dans son développement, frais et nerveux en finale, le palais est très harmonieux, long et aussi complexe que le bouquet. ⧗ 2017-2022 🍴 sole grillée ■ **Dom. des Fines Caillottes 2015 (8 à 11 €; 150000 b.)** : vin cité.

JEAN PABIOT ET FILS, 9, rue de la Treille, Les Loges, 58150 Pouilly-sur-Loire, tél. 03 86 39 10 25, info@jean-pabiot.com V ■ *t.l.j. 8h-12h 14h-18h; sam. dim. sur r.-v.*

DOM. DE FONTAINE 2015

■	40000	🍾	5 à 8 €

Un plan datant de 1868 mentionne 4 ha de vignes sur le domaine; vignes quasiment disparues avec l'épidémie du phylloxéra et replantées à partir de 1989 par Michel et Daniel Nérot. Ce dernier s'est associé en 2015 avec Claire Couet (qui a fait ses armes avec son mari Emmanuel sur le Dom. Couet). Ensemble, ils conduisent un vignoble de 9 ha en coteaux-du-giennois et pouilly-fumé.

Ouvert et élégant, le nez respire les fruits bien mûrs (agrumes, pêche) mêlés de jolies notes florales. En bouche, la fraîcheur (zeste de pamplemousse) tend à être recouverte par une vinosité marquée, renforcée par une finale chaleureuse. Mais l'ensemble reste équilibré et cohérent. ⧗ 2016-2020 🍴 poisson en sauce

DANIEL NÉROT ET CLAIRE COUET, Fontaine, 58200 Saint-Père, tél. 03 86 28 52 51, domainedefontaine@gmail.com V ■ *r.-v.*

FOUCHER-LEBRUN Au Bois d'Ardennes 2015 ★

■	80000	🍾	8 à 11 €

Tonnelier de son état, Paulin Lebrun s'est pris de passion pour la vigne et le vin aux contacts des vignerons avec lesquels il travaillait. Il a fondé en

1921 cette maison de négoce aujourd'hui dans le giron de Picard Vins et Spiritueux.

L'olfaction respire la fraîcheur fruitée (pamplemousse, mandarine, ananas) mâtinée d'une jolie nuance minérale après aération. Des sensations confirmées dans un palais volumineux, riche et charnu, dynamisé par une légère amertume et de fines notes acidulées en finale. ⧗ 2016-2019 🍷 terrine de saumon

MAISON FOUCHER-LEBRUN, 29, rte de Bouhy, 58200 Alligny-Cosne, tél. 03 86 26 87 27, contact@maisonfoucher.com V *t.l.j. sf sam. dim. 8h-12h 14h-18h; f. août* *Picard Vins et Spiritueux*

FOURNIER PÈRE ET FILS Les Deux Cailloux 2015

	100000		8 à 11 €

Exploitation familiale créée au XIXᵉs. sur 2 ha de vignes. Claude Fournier, à la fois viticulteur et négociant, conduit aujourd'hui un vaste domaine de quelques 100 ha répartis sur trois appellations: pouilly-fumé, menetou-salon et sancerre.

Plaisant au nez, cette cuvée issue de deux terroirs (calcaire et silex) associe nuances épicées et minérales et fraîcheur fruitée (pamplemousse, mandarine, ananas, litchi). Légèrement fumée et bien sauvignonnée, la bouche est équilibrée. ⧗ 2016-2019 🍷 fromage de chèvre

SAS FOURNIER PÈRE ET FILS, rte de la Garenne, Chaudoux, 18300 Verdigny, tél. 02 48 79 35 24, claude@fournier-pere-fils.fr V *t.l.j. 8h-12h 13h30-18h; sam. dim. sur r.-v.*

NICOLAS GAUDRY 2015

	42000		5 à 8 €

Fils de vigneron à Tracy-sur-Loire (sixième génération), Nicolas Gaudry, installé en 2003 après une formation à Beaune et une expérience en Afrique du Sud, exploite avec son épouse Sandy un vignoble de 7 ha très morcelés entre les villages du Boisgibault et des Loges.

Des arômes de melon complétés de notes de pamplemousse et de quelques nuances florales composent un bouquet plaisant. Souple, léger et frais, le palais confirme l'olfaction. Un joli vin simple et croquant. ⧗ 2016-2018 🍷 apéritif

GAUDRY, 13, rue de l'Etang-Boisgibault, 58150 Tracy-sur-Loire, tél. 06 08 98 95 78, contact@nicolas-gaudry.com V *t.l.j. sf sam. dim. 8h-12h 13h30-17h*

DOM. LANDRAT-GUYOLLOT La Rambarde 2014 ★

	n.c.		11 à 15 €

Depuis 1992, Sophie Guyollot est établie à Saint-Andelain sur un vignoble de 16,5 ha constitué de parcelles réunies par dix générations de vignerons.

La rambarde désigne l'embarcation à fond plat utilisée autrefois pour acheminer les vins de Pouilly jusqu'à Paris, par la Loire, le canal de Briare et la Seine. Un hommage à l'histoire locale que l'on retrouve dans le verre avec ce vin bien typé, au nez frais et fruité (agrumes) qui s'ouvre sur des nuances minérales (pierre à fusil) et florales à l'aération. La bouche est ferme, introduite par une attaque vive et portée jusqu'en finale par une belle nervosité qui flatte les arômes vivifiants de mangue et de pamplemousse. Beaucoup de fraîcheur et du potentiel. ⧗ 2017-2021 🍷 langoustines

DOM. LANDRAT-GUYOLLOT, Les Berthiers, 16, rue du Mont-Beauvois, 58150 Saint-Andelain, tél. 03 86 39 11 83, contact@landrat-guyollot.com V *t.l.j. sf sam. dim. 10h-12h 14h-18h*

DOM. DE LA LOGE Les Aveillons 2015

	8000		8 à 11 €

Domaine conduit par la même famille de vignerons depuis cinq générations. À la tête d'une exploitation de 20 ha, Hervé Millet et son fils David accueillent les œnophiles dans une cave aménagée au sein d'une grande bâtisse du XIXᵉs. Une valeur sûre de l'appellation pouilly-fumé.

Au milieu des arômes de pêche et d'abricot, pointent des notes agréables et fraîches de bonbon anglais. En bouche, c'est plutôt le côté vineux et chaleureux caractéristique du millésime qui domine, contrebalancé par une finale plus énergique, saline et fruitée. ⧗ 2016-2019 🍷 sole meunière

SARL DU DOM. DE LA LOGE, Soumard, 58150 Saint-Andelain, tél. 03 86 39 05 49, david.millet0842@orange.fr V *t.l.j. sf dim. 9h30-12h 13h-17h30* *Hervé et David Millet*

ÉRIC LOUIS Les Affaubertis 2015 ★

	33000		8 à 11 €

C'est l'arrière-grand-mère Pauline qui planta les premières vignes sur les terres de Thauvenay et débuta le commerce du vin; c'était autour de 1860. Depuis 1996, Éric Louis suit les pas de son aïeule à la tête d'un vignoble de 20 ha sur les coteaux sud-est de l'aire d'appellation sancerre constitués de silex et d'argilo-calcaires. Les œnophiles sont accueillis dans une belle cave voûtée en pierre du Morvan.

Au nez, de bonne intensité, les arômes fruités (pêche blanche) et floraux complètent harmonieusement un fond variétal (bourgeon de cassis, genêt). Stricte en attaque, la bouche associe à la rondeur du millésime une fraîcheur bien affirmée qui lui donne de la tenue, renforcée par une finale vive. ⧗ 2016-2019 🍷 turbot grillé

SARL ÉRIC LOUIS, 26, rue de la Mairie, 18300 Thauvenay, tél. 02 48 79 91 46, contact@sancerre-ericlouis.com V *t.l.j. 10h-12h 13h30-19h*

♥ DOM. MASSON-BLONDELET Clos du Château Paladi 2014 ★★

	5500		15 à 20 €

En 1972, Michelle Blondelet reprend les vignes familiales, bientôt rejointe par son mari Jean-Michel Masson. Depuis 2000, ils ont laissé la place à leurs enfants Pierre (à la vinification) et Mélanie (à la commercialisation), qui

cultivent leur 21 ha de vignes «comme leur potager», sans désherbant, insecticide ou traitement anti-pourriture. Pierre bénéficie en outre de l'appui de «bénévoles»: des abeilles qu'il a réintroduites sur le vignoble.

La famille Masson-Blondelet fait partie des habitués du Guide. Elle signe un superbe pouilly-fumé né sur une parcelle de vieilles vignes située au cœur du village, sur laquelle se dresse une bâtisse appelée château Paladi. Dans le verre, un vin qui propose une belle composition florale (rose, pivoine), agrémentée de touches végétales et de notes de pêche de vigne. Très harmonieux, le palais associe à la perfection intensité et élégance. ⌛ 2016-2021 🍷 saint-jacques rôties ■ **Villa Paulus 2014 ★ (15 à 20 €; 37000 b.)** : une cuvée qui porte le nom romain de Pouilly-sur-Loire et rend hommage à l'arrière-grand-père Paul. Un vin très fruité et un brin confit (poire, orange, fruit de la Passion), dense et rond sur une trame acide qui apporte de la fermeté. ⌛ 2016-2020 🍷 tagliatelles au chèvre

⊶ DOM. MASSON-BLONDELET, 1, rue de Paris, 58150 Pouilly-sur-Loire, tél. 03 86 39 00 34, info@masson-blondelet.com V ▮ *t.l.j. 9h-12h30 14h-18h*

FRÉDÉRIC MICHOT
Cuvée Sainte-Clara Vieilles Vignes 2015

■ | 8000 | ▮ | 5 à 8 €

Établi à Saint-Andelain, Frédéric Michot a agrandi son exploitation en 2004 par la reprise de la propriété de ses parents. Il possède aujourd'hui 12 ha de vignes. Ses pouilly-fumé sont régulièrement retenus dans le Guide.

En plus d'être le prénom de la fille du vigneron, Clara est la sainte patronne du village. Elle donne son nom à cette cuvée au nez flatteur et subtil, fruité (citron, pêche) et légèrement floral (genêt), au palais d'une bonne nervosité pour le millésime. Un vin droit et longiligne. ⌛ 2016-2019 🍷 bar de ligne grillé

⊶ FRÉDÉRIC MICHOT, 11, rue de la Citadelle, Soumard, 58150 Saint-Andelain, tél. 06 13 44 07 28, michot.frederic@wanadoo.fr V ▮ *r.-v.*

♥ JEAN-PAUL MOLLET L'Antique 2015 ★★

■ | 12000 | ▮ | 11 à 15 €

Établi dans le village vigneron de Boisgibault (commune de Tracy-sur-Loire), Jean-Paul Mollet cultive les 7 ha d'un domaine familial ancien (dix générations de vignerons) qu'il a repris en 2000. Ses cuvées sont régulièrement retenues par le Guide.

Complexe et d'une grande finesse, l'olfaction déroule de superbes senteurs de fleurs blanches, de pêche, d'orange, de feuille de tomate et de tubéreuse. Ronde et charnue, la bouche se laisse progressivement imprégner d'une vivacité parfaitement ajustée qui trouve son point d'orgue dans une longue finale minérale et mentholée. Un vin qui associe générosité du millésime et fraîcheur du terroir. ⌛ 2016-2021 🍷 daurade royale au four

⊶ JEAN-PAUL MOLLET, 11, rue des Écoles, Boisgibault, 58150 Tracy-sur-Loire, tél. 02 48 54 13 88, jpmollet@orange.fr V 🚶 ▮ *t.l.j. 8h-12h 13h30-17h30*

DOM. PATRICE MOREUX
La Loge aux Moines 2014 ★★

■ | 26000 | ▮ | 11 à 15 €

Issu d'une très ancienne famille de vignerons établie sur les terres de Pouilly-sur-Loire depuis 1677 et treize générations, Patrice Moreux dirige un domaine de 35 ha, secondé par ses deux fils Arnaud et Julien.

Monopole de la famille Moreux, la Loge aux Moines est un terroir de marnes kimméridgiennes exposé plein sud, sur une belle pente dominant la Loire. L'olfaction débute par d'intenses parfums de truffe blanche et de minéralité, suivies de nuances florales et épicées. Délicate en attaque, la bouche associe gras et nervosité dans un beau crescendo; il s'en dégage une sensation de densité et de puissance, qui culmine dans une finale minérale et épicée (poivre, piment), d'une longueur admirable. À un souffle du coup de cœur… ⌛ 2018-2022 🍷 écrevisses au gratin

⊶ PATRICE MOREUX, 1, chem. des Vallées, Les Loges, 58150 Pouilly-sur-Loire, tél. 03 86 39 13 55, patrice.moreux@wanadoo.fr V 🚶 ▮ *r.-v.*

PATRICK NOËL 2015

■ | 10000 | ▮ | 11 à 15 €

Patrick Noël, originaire de Chavignol, a créé ce domaine en 1988 en reprenant les vignes familiales. Ses caves, enterrées à flanc de coteaux, sont situées à Saint-Satur, là même où les moines de l'abbaye éponyme exploitaient la vigne dès le XIVes. Depuis 2009, sa fille Julie est à ses côtés pour exploiter une quinzaine d'hectares répartis entre les appellations sancerre, pouilly-fumé et menetou-salon.

De jolies notes fruitées (orange, litchi, abricot) mâtinées de touches florales et d'une pointe végétale animent l'olfaction. Franc en attaque, le palais séduit par sa rondeur et sa douceur, renforcées par une finale sur les fruits bien mûrs. ⌛ 2016-2019 🍷 sandre au beurre blanc

⊶ EARL PATRICK NOËL, av. de Verdun, rte de Bannay, 18300 Saint-Satur, tél. 02 48 78 03 25, patricknoel-vigneron@orange.fr V 🚶 ▮ *t.l.j. sf dim. 8h-12h 14h-19h*

DOMINIQUE PABIOT Cuvée Plaisir 2015

■ | 4200 | ▮ | 11 à 15 €

Le village des Loges, avec la Loire à proximité et ses caves anciennes, est au cœur de la tradition vigneronne ligérienne. C'est ici que s'est installé Dominique Pabiot en 1997, à la suite de son père Jean et à la tête de 11,2 ha de vignes.

Sobre et élégante, l'olfaction alterne entre l'exotique (ananas) et le variétal (buis). La bouche est équilibrée, toutes les sensations sont bien réparties: sucrosité mesurée, vivacité citronnée sans excès.

D'une belle persistance sur le floral et le fruité, cette cuvée porte bien son nom. ⌛ 2016-2020 🍴 cabillaud sauce hollandaise

DOMINIQUE PABIOT, pl. des Mariniers, Les Loges, 58150 Pouilly-sur-Loire, tél. 03 86 39 19 09, dominique-pabiot@orange.fr V *t.l.j. sf sam. dim. 8h-12h 14h-18h*

MICHEL REDDE ET FILS La Moynerie 2014

	100 000		11 à 15 €

Domaine créé au XVII[e]s. par un certain François Redde, vigneron à Pouilly-sur-Loire. Son lointain héritier, Michel Redde, a relancé l'activité viticole dans les années 1950. Thierry, son fils, et ses petits-enfants Sébastien et Romain sont aujourd'hui aux commandes d'un domaine de 40 ha.

Assemblage de trois terroirs (marnes, silex, calcaires), cette cuvée montre une belle gamme de parfums: minéralité prononcée, fruits frais (agrumes, pêche), touche variétale (buis), notes grillées. La bouche est tranchante, avec la montée régulière d'une fine acidité et un retour aromatique intense en finale. ⌛ 2016-2019 🍴 sole meunière

MICHEL REDDE ET FILS, La Moynerie, RN 7, la Route-Bleue, 58150 Saint-Andelain, tél. 03 86 39 14 72, commercial@michel-redde.com V *t.l.j. sf dim. 8h-12h 13h30-18h*

DOM. DE RIAUX 2015

	95 000		8 à 11 €

Les Jeannot, vignerons à Saint-Andelain depuis plus de deux cents ans, se sont établis sur le domaine de Riaux en 1923. Alexis et son père Bertrand, incarnent les huitième et septième générations à la tête d'un vignoble de 14 ha: les générations passent, mais les silex restent… et le talent aussi à en juger par l'impressionnante régularité du domaine et ses nombreux coups de cœur en pouilly-fumé et pouilly-sur-loire. Incontournable.

Un nez délicat et floral agrémenté d'une touche de confit précède une bouche charnue et fruitée (pêche, agrumes), avec un côté plus structuré et chaleureux en finale. ⌛ 2016-2019 🍴 poulet au citron

SCEA JEANNOT PÈRE ET FILS, Dom. de Riaux, 58150 Saint-Andelain, tél. 03 86 39 11 37, alexis.jeannot@wanadoo.fr V *t.l.j. 8h-13h 14h-19h; dim. sur r.-v.*

GUY SAGET 2015 ★★★

	70 000		11 à 15 €

Établie à Pouilly-sur-Loire, la maison de négoce Saget-La Perrière, fondée en 1976, possède en propre 250 ha de vignes et rayonne sur toute la vallée de la Loire, notamment dans son fief de Pouilly-sur-Loire.

Cette cuvée de la partie négoce, bien connue des lecteurs, fut coup de cœur dans sa version 2012 et 2014. Le 2015 a concouru pour le même titre. Le nez, d'une grande finesse, s'ouvre sur les agrumes puis sur de délicates notes de fleurs blanches, de fruits secs et d'anis. La bouche impressionne par sa densité, son volume, sa fraîcheur intense et croquante, minérale et fruitée. Une grande bouteille qui gagnera à être attendue. ⌛ 2017-2022 🍴 choucroute de la mer **Le Dom. Saget 2015 (11 à 15 €; 38 000 b.)** : vin cité.

SA SAGET-LA PERRIÈRE, RNT, la Castille, 58150 Pouilly-sur-Loire, tél. 03 86 39 57 75, accueil@sagetlaperriere.com V *t.l.j. sf sam. dim. 8h-12h 13h45-17h30*

DOM. OLIVIER SCHLATTER 2015 ★

	6 500		5 à 8 €

L'autodidacte Olivier Schlatter est passé d'un cabinet d'expertise comptable à la viticulture (en tant que chef de culture dans une propriété pouillysoise, où il exerce toujours), avant de créer son propre vignoble (1,2 ha) en 1994.

Des parfums de fleurs blanches teintées de notes citronnées et fumées donnent beaucoup de finesse à l'olfaction. Franche en attaque, la bouche se révèle dense et très fraîche, construite sur une tension vibrante, minérale et fruitée (agrumes). ⌛ 2016-2019 🍴 makis

OLIVIER SCHLATTER, 41, rue des Mardrelles, Boisgibault, 58150 Tracy-sur-Loire, tél. 03 86 26 19 31, olivier.schlatter@orange.fr V *r.-v.*

DOM. SEGUIN Cuvée Prestige 2015 ★

	20 000		11 à 15 €

Ce vignoble étend ses 17,5 ha sur les principaux terroirs de l'appellation pouilly-fumé: calcaires, marnes kimméridgiennes et silex. Créé en 1860 et transmis de père en fils depuis six générations, il est conduit depuis 2000 par Philippe Seguin, œnologue.

Une cuvée née de vieilles vignes de quarante ans. À de premières senteurs florales succède un joli fruité de poire et de pêche blanche. Souple en attaque, la bouche est ample, dense, élégante et persistante, soulignée par une agréable fraîcheur aux tonalités d'orange et de pamplemousse. ⌛ 2016-2019 🍴 matelote de poisson **Cuvée 3 2014 (15 à 20 €; 2 000 b.)** : vin cité.

DOM. SEGUIN, 48 ter, rue Louis-Joseph-Gousse, Le Bouchot, 58150 Pouilly-sur-Loire, tél. 03 86 39 10 75, herve.seguin@orange.fr V *t.l.j. sf dim. 9h-12h 13h-18h*

TABORDET Cuvée L'Autre Rive 2014 ★

	3 000		11 à 15 €

Les frères Yvon et Pascal Tabordet ont repris l'exploitation familiale en 1980. La relève est assurée par leurs fils Gaël et Marius, installés à partir de 2008 sur une partie du domaine et sur la totalité depuis 2012 et le départ à la retraite d'Yvon. Leur vignoble couvre 16,5 ha en pouilly-fumé et en sancerre.

La cave du domaine se situant sur la rive droite de la Loire, côté Sancerre, c'est tout naturellement que cette cuvée de pouilly-fumé a pris le nom de L'Autre Rive. Le nez est séducteur par sa complexité, sa fraîcheur et sa finesse: pêche de vigne, agrumes, fleurs blanches, buis. Vive en attaque, la bouche poursuit sur une belle fraîcheur citronnée qui aiguise les papilles et s'achève sur une jolie note saline. 2016-2020 huîtres

PASCAL, GAËL ET MARIUS TABORDET, rue du Carroir-Perrin, 18300 Verdigny, tél. 02 48 79 34 01, domaine.tabordet@wanadoo.fr V *t.l.j. sf dim. 9h-12h 14h-18h*

DOM. THIBAULT 2015 ★★

	110000		8 à 11 €

La famille Dezat est l'une des plus anciennes familles vigneronnes du Sancerrois. Succédant en 1978 à leur père André, les frères Simon et Louis, épaulés par leurs enfants Firmin et Arnaud, ont étendu le vignoble familial sur l'aire du pouilly-fumé et conduisent aujourd'hui quelque 40 ha de vignes.

Voici un bel exemple d'assemblage de terroirs: calcaires à 50 %, argilo-siliceux à 30 %, marnes kimméridgiennes à 20 %. Après quelques notes de buis, le nez, intense, est dominé par des senteurs fraîches d'ananas, de menthe et une touche minérale. Riche et tout en rondeur, la bouche prend du relief grâce à une belle ligne minérale et un soupçon d'amertume en finale. Du potentiel. 2016-2020 filet de haddock sauce hollandaise

SCEV ANDRÉ DEZAT ET FILS, rue des Tonneliers, Chaudoux, 18300 Verdigny, tél. 02 48 79 38 82, dezat.andre@terre-net.fr V *t.l.j. sf dim. 9h-12h 14h-18h*

DOM. SÉBASTIEN TREUILLET 2015 ★

	30000		5 à 8 €

Sébastien Treuillet, installé depuis 1995 sur les terres de Tracy-sur-Loire, produit du vin dans trois appellations: pouilly-fumé, pouilly-sur-loire et coteaux-du-giennois. Son domaine couvre 6 ha.

Des arômes anisés et floraux dominent le nez, mêlés à des nuances d'abricot. Vif en attaque, le palais penche vers une fraîcheur aux tonalités d'agrumes et de minéralité jusqu'en finale. 2016-2019 saumon fumé

SÉBASTIEN TREUILLET, Fontenille, 58150 Tracy-sur-Loire, tél. 06 78 11 00 96, domainetreuillet@orange.fr V *t.l.j. sf dim. 8h-12h 14h-18h*

POUILLY-SUR-LOIRE

Superficie : 31 ha / Production : 1 331 hl

BARILLOT PÈRE ET FILS 2015 ★

	1000		5 à 8 €

Ce domaine familial, dont les origines remontent à 1770, est situé au cœur du vignoble de Pouilly. Installé en 1984 aux côtés de son père, Frédéric Barillot cultive aujourd'hui avec son épouse 11 ha de vignes.

Au nez, de jolis arômes bien typés « pouilly-sur-loire » : noisette, amande grillée, abricot, fleurs blanches. Moins caractéristique du cépage, la bouche se révèle ample et ronde, sans toutefois manquer de fraîcheur et donc d'équilibre. 2016-2019 quenelles de brochet

BARILLOT PÈRE ET FILS, 36, rue Louis-Joseph-Gousse, Le Bouchot, 58150 Pouilly-sur-Loire, tél. 03 86 39 15 29, barillotpouilly@wanadoo.fr V *t.l.j. 9h-12h 14h-18h; dim. sur r.-v.*

GILLES BLANCHET 2015 ★★

	5000		5 à 8 €

Ce domaine régulier en qualité est implanté à l'entrée des Berthiers, village vigneron de la commune de Saint-Andelain. Gilles Blanchet, installé en 1991, y cultive un vignoble de 11 ha.

De bonne intensité, le nez est très typique du chasselas: des senteurs d'amande, de noisette et de fleurs blanches rehaussées d'une pointe citronnée lui confèrent beaucoup de finesse. Souple et fraîche, avec un soupçon de gras bien dosé, la bouche est longue et équilibrée. Un pouilly-sur-loire de grande harmonie. 2016-2019 truite aux petits légumes

GILLES BLANCHET, 16, rue Saint-Edmond, 58150 Saint-Andelain, tél. 03 86 39 14 03, gilles.blanchet@wanadoo.fr V *r.-v.*

GILLES LANGLOIS 2015 ★

	1500		5 à 8 €

Ce domaine situé à Boisfleury, une commune de Tracy-sur-Loire, a été créé en 1908 par Charles Mignot. Depuis les générations se suivent à la tête du vignoble familial réparti sur les appellations pouilly-fumé et pouilly-sur-loire et conduit depuis 1988 par Gilles Langlois, l'arrière-petit-fils du fondateur.

Discret, le nez est typé par ses arômes de noisette et d'amande laiteuse, complétés de nuances de fruits acidulés. La bouche montre de la souplesse, avec une pointe de gras qui l'enrichit et une finale florale et fraîche. 2016-2018 friture de poisson

GILLES LANGLOIS, 6, rue de Breugnon, Boisfleury, 58150 Tracy-sur-Loire, tél. 03 86 26 17 18, langlois.pouilly@orange.fr V *t.l.j. 9h-12h 14h-19h*

♥ DOM. DE RIAUX Vieilles Vignes 2015 ★★

	3300		5 à 8 €

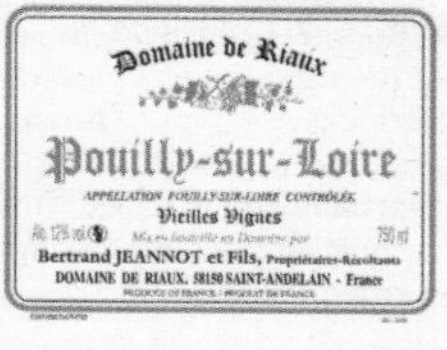

Les Jeannot, vignerons à Saint-Andelain depuis plus de deux cents ans, se sont établis sur le domaine de Riaux en 1923. Alexis et son père Bertrand, incarnent les huitième et septième générations à la tête d'un vignoble de 14 ha: les générations passent, mais les silex restent... et le talent aussi à en juger par l'impressionnante régularité du domaine et ses nombreux coups de cœur en pouilly-fumé et pouilly-sur-loire. Incontournable.

Les Jeannot signent une fois de plus un pouilly-sur-loire des plus racés. Intenses, les sensations olfactives sont aussi très fines: noisette, amande grillée, brioche,

LOIRE

abricot sec et jasmin. La bouche, au diapason, est un modèle d'équilibre: ronde, riche et fine à la fois, avec la juste vivacité en appoint. Une expression aboutie du chasselas sur son terroir de prédilection, pour un vin sans exubérance, excellent dans la simplicité. ⧗ 2016-2019 🍴 tartare de poisson

⊶ SCEA JEANNOT PÈRE ET FILS, Dom. de Riaux, 58150 Saint-Andelain, tél. 03 86 39 11 37, alexis.jeannot@wanadoo.fr V 🚶 ▪ *t.l.j. 8h-13h 14h-19h; dim. sur r.-v.*

QUINCY

Superficie : 249 ha / Production : 11 542 hl

C'est sur les bords du Cher, non loin de Bourges et près de Mehun-sur-Yèvre, lieux riches en souvenirs historiques du XVes., que s'étendent les vignobles de Quincy et de Brinay, couvrant des plateaux de graves sablo-argileuses sur calcaires lacustres. Le seul cépage sauvignon fournit des vins légers et distingués, parmi les plus élégants de Loire dans le type frais et fruité, qui peuvent toutefois s'exprimer différemment selon la nature des sols.

DOM. BIGONNEAU 2015 ★

▪	48000	◍ ▮	5 à 8 €

En s'installant en 1990, Gérard Bigonneau a transformé cette exploitation céréalière, par ailleurs tournée vers le tourisme à la ferme, en domaine viticole. Aujourd'hui, c'est sa fille Virginie, œnologue, qui conduit les 16 ha de vignes.

De petites touches de fleurs et de fruits blancs, des notes de mandarine et une pointe végétale (buis) dessinent un joli nez. Souple et fraîche, fine et légère, la bouche «sauvignonne» intensément; un soupçon d'amertume (pamplemousse) accroît sa longueur. ⧗ 2016-2019 🍴 fruits de mer

⊶ DOM. BIGONNEAU, La Chagnat, 18120 Brinay, tél. 02 48 52 80 22, earl-bigonneau@orange.fr V 🚶 ▪ *r.-v.* 🏠 B

HENRI BOURGEOIS Haute Victoire 2015 ★★

▪	50000	▮	11 à 15 €

À sa création par Henri Bourgeois en 1950, la propriété comptait 1,5 ha de vignes sur Chavignol. Aujourd'hui, la dernière génération (Arnaud, Jean-Christophe et Lionel) est à la tête de 72 ha répartis sur 120 parcelles, sans compter les 30 ha du Clos Henri Vineyard acquis en Nouvelle-Zélande. Une valeur sûre du Sancerrois.

À un souffle du coup de cœur, cette cuvée propose à l'olfaction un fruité superbe de fraîcheur (ananas, orange, pêche, abricot...), rehaussé de la minéralité du lieu. Ample, généreux, gras, charnu, le palais possède aussi ce qu'il faut de vivacité pour atteindre le juste équilibre et déploie en finale une belle tension qui lui donne un côté aérien. ⧗ 2016-2020 🍴 bar en croûte de sel

⊶ SAS HENRI BOURGEOIS, Chavignol, 18300 Sancerre, tél. 02 48 78 53 20, domaine@henribourgeois.com V 🚶 ▪ *t.l.j. 9h30-18h30; f. 22 janv.*

DOM. DE CHEVILLY Cuvée Tradition 2015 ★

▪	65000	▮	8 à 11 €

Yves Lestourgie et son frère Antoine ont créé en 1994 ce domaine sur 1,5 ha et planté eux-mêmes l'essentiel du vignoble, qui couvre aujourd'hui 11,2 ha en quincy et 15 ares en reuilly rosé. La cave est aménagée dans des bâtiments agricoles datant du XVIIIes.

Passées quelques notes fermentaires fugaces, ce 2015 dévoile des senteurs généreuses de fruits blancs compotés (pomme, poire) et d'agrumes. Gras et chaleureux, lui-aussi porté sur les fruits mûrs, le palais offre un beau volume et se voit stimulé en finale par une plaisante amertume aux accents d'orange amère qui apporte un surcroît de longueur. ⧗ 2016-2019 🍴 saumon en sauce ▪ **Cuvée Zoé 2014 (8 à 11 €; 4000 b.)** : vin cité.

⊶ DOM. DE CHEVILLY, 52, rue de Chevilly, 18120 Méreau, tél. 02 48 52 80 45, domaine.de.chevilly@orange.fr V 🚶 ▪ *t.l.j. 9h-12h 14h-17h; sam. dim. sur r.-v.*

DOM. PIERRE DURET 2015 ★

▪	95000	▮	5 à 8 €

Pierre Duret fut le dernier vigneron de sa lignée. N'ayant pas de successeur, il a cédé son vignoble en 1994 à la famille Joseph Mellot. Le domaine est situé à quelques kilomètres du château royal de Mehun-sur-Yèvre.

Au nez, des arômes complexes et bien mariés de mie de pain, d'orange, de feuille de tomate, de buis et de fleurs blanches. Ronde sur un arrière-plan de fraîcheur typique de l'appellation, la bouche offre une bonne nervosité en finale (zeste de citron). Un beau représentant des quincy secs et aromatiques. ⧗ 2016-2019 🍴 plateau de fruits de mer

⊶ DOM. PIERRE DURET, Le Buisson-Long, rte de Quincy, 18120 Brinay, tél. 02 48 51 30 17, lesentierduvin@lesentierduvin.com V 🚶 ▪ *r.-v.*

DOM. DU GRAND ROSIÈRES 2015

▪	35000	▮	8 à 11 €

Producteur de céréales jusqu'en 1995, Jacques Siret a diversifié son activité en achetant 1,5 ha de vignes. À sa retraite, ses enfants Vincent et Clément ont pris la relève, à la tête aujourd'hui de 7 ha entièrement consacrés au quincy.

Au nez, les arômes variétaux dominent (buis, bourgeon de cassis, pamplemousse). Chaleureuse, vineuse, dotée d'une agréable sucrosité, la bouche est équilibrée par sa finale citronnée et végétale qui apporte un regain de tension. Plaisant. ⧗ 2016-2018 🍴 tomme de chèvre

⊶ DOM. DU GRAND ROSIÈRES, Le Grand-Rosières, 18400 Lunery, tél. 02 48 68 90 34, contact@domaines-siret.fr V 🚶 ▪ *r.-v. ⊶ Vincent Siret*

DOM. LECOMTE Vieilles Vignes 2014 ★

▪	6000	▮	8 à 11 €

Bruno Lecomte s'est lancé dans la viticulture en 1995, en achetant 1,5 ha de vignes en AOC quincy. Entretemps, son fils Nicolas l'a rejoint en 2006 sur un vignoble couvrant désormais 12,5 ha, dont 3 ha en châteaumeillant.

Tout en fraîcheur à l'olfaction, cette cuvée a encore son caractère de jeunesse: notes de tubéreuse, de menthe et de genêt sur fond de minéralité. Ronde, grasse, offrant de la mâche, la bouche ne manque pas pour autant de la vivacité attendue d'un quincy et de la tension caractéristique de 2014. Un vin plein et bien équilibré, au beau potentiel de garde. ⧗ 2016-2021 ¥ gravlax de saumon ■ **2015 (8 à 11 €; 40000 b.)** : vin cité.

⊶ DOM. LECOMTE, 105, rue Saint-Exupéry, 18520 Avord, tél. 02 48 69 27 14, quincy.lecomte@wanadoo.fr V ♿ ! *r.-v.*

DOM. MARDON Cuvée Tradition 2015

■ | 70000 | 8 à 11 €

Hélène Mardon, qui a repris les rênes de l'exploitation en 2002, est le dernier maillon d'une des plus anciennes familles de vignerons de Quincy. Elle dirige aujourd'hui une exploitation de 16 ha.

Le sauvignon transparaît dès le premier nez, ouvert sur le buis et le pamplemousse, relayés à l'agitation par des notes fraîches de poire, de pêche et de fruit de la Passion. Souple, vive et énergique, la bouche associe une nuance citron mûr et une pointe d'amertume qui lui donnent un côté salivant. ⧗ 2016-2017 ¥ bouquet de crevettes

⊶ DOM. MARDON, 40, rte de Reuilly, 18120 Quincy, tél. 02 48 51 31 60, contact@domaine-mardon.com V ♿ ! *r.-v.*

♥ ANDRÉ PIGEAT 2015 ★★

■ | 40000 | 🍾 | 5 à 8 €

Un domaine situé dans une ancienne propriété de Charles VII. En 2001, Philippe Pigeat, après des études en chimie, s'est converti à la vigne et au vin pour reprendre les commandes de l'exploitation (8 ha) créée par son père en 1967.

La subtilité, la complexité et la pureté du bouquet saisissent d'emblée: sur un fond d'agrumes (citron, pamplemousse), ce sont les fruits mûrs qui dominent (poire, pêche), de fines touches végétales (feuille de tomate, sous-bois) ajoutant de l'éclat et du «peps». La bouche en impose par sa rondeur, son gras, sa densité, sa concentration, sans jamais tomber dans la lourdeur grâce à une fine vivacité en soutien. Elle s'achève tout en finesse sur des arômes de jasmin et de fruits frais. Un quincy riche et intense, au solide potentiel. ⧗ 2016-2021 ¥ vol-au-vent de poisson

⊶ DOM. ANDRÉ PIGEAT, 18, rte de Cerbois, 18120 Quincy, tél. 02 48 51 31 90, philippe-pigeat@orange.fr V ♿ ! *t.l.j. sf dim. 9h-12h 14h-18h*

DOM. PHILIPPE PORTIER La Quincyte 2015 ★★

■ | 9000 | 🍾 | 8 à 11 €

En 1991, Philippe Portier a relancé la culture de la vigne sur cette exploitation familiale de 20 ha dédiée essentiellement au quincy (1 ha de reuilly) et commandée par une ancienne berrichonne entièrement restautrée.

La quincyte est une roche calcaire rencontrée dans la seule région de Quincy. Elle donne son nom à cette cuvée d'une grande finesse. L'olfaction est composée de notes exotiques puis d'arômes intenses de tilleul et de poire. Ample, charnue, généreuse, bien dans le ton du millésime, la bouche est soutenue par une belle fraîcheur végétale et s'étire dans une longue finale fruitée (pêche, mirabelle). Un beau potentiel de garde. ⧗ 2016-2021 ¥ poêlée de saint-jacques ■ **2015 ★ (5 à 8 €; 120000 b.)** : des arômes intenses et gourmands d'essence d'orange, de pêche, de menthe et de sous-bois préludent à une bouche chaleureuse et riche, équilibrée par une fine trame acide. ⧗ 2016-2019 ¥

⊶ PHILIPPE PORTIER, Dom. de la Brosse, 18120 Brinay, tél. 02 48 51 04 47, philippe.portier@wanadoo.fr V ♿ ! *t.l.j. 8h-12h 14h-18h; sam. dim. sur r.-v.; f. 8-21 août*

DIDIER RASSAT Cuvée Tradition 2015

■ | 30260 | 8 à 11 €

Conduisant depuis 1984 une exploitation spécialisée en culture céréalière et en élevage laitier, Didier Rassat s'est diversifié en 1995 en rejoignant un groupement de jeunes viticulteurs (la Cave romane de Brinay) qui mutualisent l'exploitation d'un même chai.

Au nez, des notes de pamplemousse et de fruits jaunes (mirabelle, pêche) complétées de buis et de bourgeon de cassis. La bouche est fluide, souple et fraîche, avec en finale une agréable touche minérale et du zeste d'agrumes. ⧗ 2016-2018 ¥ carpaccio de Saint-jacques

⊶ DIDIER RASSAT, Champ-Martin, 18120 Cerbois, tél. 02 48 51 70 19, didier.rassat@wanadoo.fr V ♿ ! *r.-v.*

JEAN-CLAUDE ROUX 2015 ★

■ | 38066 | 🍾 | 5 à 8 €

Producteur à Quincy depuis 1994 et issu d'une famille de céréaliers, Jean-Claude Roux a débuté avec seulement 1,5 ha de vignes, puis s'est étendu progressivement pour conduire aujourd'hui 8 ha de quincy et 3 ha à Châteaumeillant.

Intense, le nez respire la fraîcheur et l'élégance: fruits exotiques compotés (mangue, papaye), pointe de minéralité, soupçon de citron vert. Une attaque tonique ouvre sur une bouche ample, fine et fraîche par ses sensations de pamplemousse. Un beau classique. ⧗ 2016-2019 ¥ crustacés

⊶ DOM. ROUX, Puy-Ferrand, 18340 Arcay, tél. 02 48 64 76 10, jean.claude.roux@orange.fr V ♿ ! *r.-v.*

JACQUES ROUZÉ Cuvée Tradition 2015 ★★

■ | 66000 | 🍾 | 5 à 8 €

Figurant parmi les plus anciens vignerons de l'appellation quincy, et aussi parmi les plus réguliers, Jacques Rouzé a étendu son exploitation (19 ha) sur Reuilly et Châteaumeillant. Depuis 2009, il est épaulé par son fils Côme.

L'olfaction associe dans une éclatante complexité des arômes de citron, de mangue et d'aubépine. L'élégance prend encore plus de distinction après aération: apparition de notes de tubéreuse et d'une pointe de minéralité. Au palais, gras et nervosité sont parfaitement fondus. La finale, fraîche et relevée, persiste longuement dans un beau retour floral. Un quincy de caractère, qui offre une belle diversité de sensations. ⧗ 2016-2020 🍴 cassolette de homard

⊶ DOM. JACQUES ROUZÉ, 2 ter, chem. des Vignes, 18120 Quincy, tél. 02 48 51 35 61, rouze@terre-net.fr V t.l.j. 10h-12h 14h-18h

DOM. ADÈLE ROUZÉ 2015

	25000		5 à 8 €

Fille de Jacques Rouzé, Adèle exploite un domaine de 5 ha, épaulée par son frère Côme, œnologue et exploitant sur le domaine de son père. Les cuvées qu'elle vinifie depuis 2003 s'invitent avec régularité dans ces pages.

Le premier nez, variétal (bourgeon de cassis), est relayé à l'agitation par des notes fraîches d'orange amère et de mandarine. Rond et gras, le palais est réveillé en finale par des notes d'agrumes qui rappellent l'olfaction. ⧗ 2016-2018 🍴 flan d'asperge

⊶ DOM. ADÈLE ROUZÉ, 2 ter, chem. des Vignes, 18120 Quincy, tél. 02 48 58 93 08, rouze@terre-net.fr V t.l.j. 10h-12h 14h-18h

DOM. SIRET-COURTAUD 2015

	60000		8 à 11 €

Vincent Siret, ingénieur agronome et œnologue, fait ses classes à Gaillac avant de s'installer en 2006 sur 10 ha en quincy, complétés par 3 ha de châteaumeillant en 2010. En 2015, après le départ à la retraite de son père, il reprend avec son frère Clément le Dom. du Grand Rosières (6 ha en quincy).

Sur un fond variétal et une touche de musc, les arômes floraux et mentholés apportent de la fraîcheur à l'olfaction de ce 2015. Vineux, gras, chaleureux, le palais trouve l'équilibre grâce une fine acidité qui s'installe progressivement et porte la finale vers un côté plus nerveux. ⧗ 2016-2018 🍴 volaille sauce crémée

⊶ DOM. SIRET-COURTAUD, Le Grand-Rosières, 18400 Lunery, tél. 06 63 51 71 18, contact@domaines-siret.fr V r.-v.

REUILLY

Superficie : 202 ha
Production : 10 739 hl (53 % blanc)

Par ses coteaux accentués et bien ensoleillés, par ses sols remarquables, Reuilly semble prédestiné à la viticulture. L'appellation recouvre 7 communes situées dans l'Indre et le Cher, dans une région charmante traversée par les vertes vallées du Cher, de l'Arnon et du Théols. Le sauvignon produit des blancs secs et fruités, qui prennent ici une ampleur remarquable. Le pinot gris fournit localement un rosé de pressoir tendre et délicat, qui risque de disparaître, supplanté par le pinot noir dont on tire également d'excellents rosés, plus colorés, mais surtout des rouges pleins, toujours légers, au fruité affirmé.

♥ DOM. AUJARD 2015 ★★

	19500		5 à 8 €

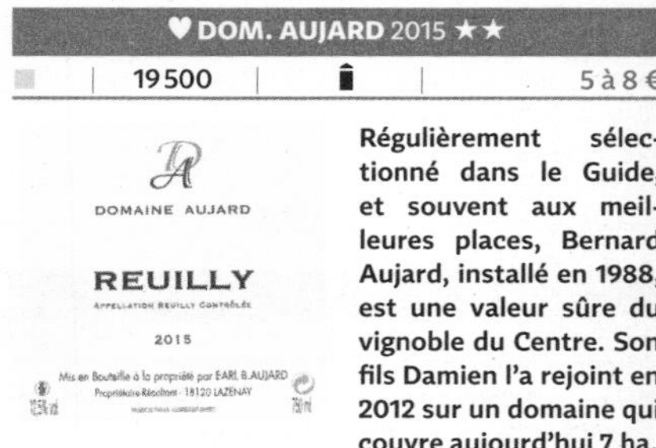

Régulièrement sélectionné dans le Guide, et souvent aux meilleures places, Bernard Aujard, installé en 1988, est une valeur sûre du vignoble du Centre. Son fils Damien l'a rejoint en 2012 sur un domaine qui couvre aujourd'hui 7 ha.

Des arômes de pêche, d'ananas, d'agrumes et de groseille à maquereau, le tout sur fond de minéralité, créent une ambiance olfactive des plus séduisantes. Une harmonie des saveurs que l'on retrouve dans une bouche longue, dense, droite et très précise, d'une tension admirable pour ce millésime plutôt généreux. La quintessence du sauvignon. ⧗ 2016-2019 🍴 plateau de fruits de mer **Les Varennes 2015 ★ (5 à 8 €; 2600 b.)** : coup de cœur pour son 2014, cette cuvée propose au nez un joli cocktail de fleurs et de fruits blancs. Souple et franche, la bouche s'achève sur d'agréables notes de pamplemousse. ⧗ 2016-2018 🍴 crottin de Chavignol **2015 (5 à 8 €; 9000 b.)** : vin cité.

⊶ EARL BERNARD AUJARD, 2, rue du Bas-Bourg, 18120 Lazenay, tél. 02 48 51 73 69, domaineaujard@wanadoo.fr V t.l.j. 8h30-12h 13h30-19h; dim. sur r.-v.

DOM. BIGONNEAU 2015

	16000		5 à 8 €

En s'installant en 1990, Gérard Bigonneau a transformé cette exploitation céréalière, par ailleurs tournée vers le tourisme à la ferme, en domaine viticole. Aujourd'hui, c'est sa fille Virginie, œnologue, qui conduit les 16 ha de vignes.

Des parfums d'agrumes et de fleurs blanches agrémentés d'une pointe végétale et d'une touche fumée composent une olfaction discrète mais plaisante. Suave et chaleureuse en attaque, la bouche finit bien, sur la fraîcheur et le fruit. ⧗ 2016-2018 🍴 saint-jacques

⊶ DOM. BIGONNEAU, La Chagnat, 18120 Brinay, tél. 02 48 52 80 22, earl-bigonneau@orange.fr V r.-v.

DOM. DU CHÊNE VERT 2015

	36000		8 à 11 €

Installé en 1999 sur 2,5 ha à cheval entre Reuilly et Quincy, Valéry Renaudat exploite désormais 12 ha de vignes sous deux étiquettes (Valéry Renaudat et Dom. du Chêne vert). Il s'impose comme l'une des valeurs sûres de ces appellations.

Avant de devenir en 2007 le siège des vignobles de Valéry Renaudat, le Chêne vert fut un relais de poste au XVIIIe s. puis un hôtel. Dans le verre, un reuilly qui penche clairement vers la générosité. Au nez, on perçoit la maturité du raisin à travers des parfums de tarte pêche-pomme, de fruits confits et de pâtisserie. Ronde, souple, chaleureuse, la bouche confirme et s'achève sur des notes d'amande. ⧗ 2016-2018 ¥ quenelles de brochet

⊶ SARL VALÉRY RENAUDAT, 3, pl. des Écoles, 36260 Reuilly, tél. 02 54 49 38 12, domaine@valeryrenaudat.fr V t.l.j. sf dim. 9h30-12h30 13h30-19h

DOM. CORDAILLAT 2015 ★

■	15000	▮	8 à 11 €

Créé en 1995 à partir d'à peine plus de 1 ha par Michel Cordaillat, le domaine s'est agrandi régulièrement; il compte aujourd'hui 10 ha de vignes bien exposées au sud-est et disséminées sur cinq des six communes constituant l'appellation reuilly.

Mélange de minéralité et de fruité, le nez est vif, fin et élégant, autour des agrumes (mandarine), des fruits blancs (mirabelle, pêche) et des fruits exotiques. On retrouve cette élégance dans un palais sans exubérance, tout en finesse et en puissance maîtrisée, prolongée par une finale soyeuse. ⧗ 2016-2019 ¥ papillote de saumon ■ **2015 ★ (8 à 11 €; 10 000 b.)** : à un nez de fruits mûrs succède une bouche homogène, concentrée et bien charpentée, dont la finale vineuse renforce le caractère puissant. À attendre un peu. ⧗ 2018-2021 ¥

⊶ DOM. CORDAILLAT, Le Montet, 18120 Méreau, tél. 02 48 52 83 48, domainecordaillat@orange.fr V t.l.j. 14h-18h; mer. dim. sur r.-v.

MARC ET PHILIPPE DANIEL 2015 ★★

■	8500	▮	5 à 8 €

Née en 2001, la société de la fratrie Daniel a débuté avec 2,5 ha de vignes et une récolte vendue sur pied. Associé à Marc, son frère, et à sa sœur Anne-Sophie, Philippe Daniel a vinifié son premier millésime en 2011. Il conduit aujourd'hui un vignoble de 5,5 ha.

D'une grande finesse, le nez s'ouvre sur un magnifique cortège de fruits (poire, banane, abricot, pêche, mangue), rafraîchi de nuances de feuille de tomate et de buis. La bouche, tout aussi expressive et fruitée, se révèle ample, généreuse, charnue, tout en restant d'une réelle élégance, affinée par une longue finale pleine de fraîcheur. Un vin «classieux». ⧗ 2016-2019 ¥ sandre grillé ■ **Anne Sophie 2015 (8 à 11 €; 1000 b.)** : vin cité.

⊶ DOM. MARC ET PHILIPPE DANIEL, av. Wilson, 36260 Reuilly, tél. 06 61 83 90 36, scev.daniel.reuilly@orange.fr V r.-v.

LES DEMOISELLES TATIN Les Lignis 2015

■	7600	▮	5 à 8 €

Tous deux ingénieurs agronomes, Jean Tatin et Chantal Wilk ont créé leurs domaines au début des années 1990. La famille exploite 5,8 ha, partagés en trois entités: en quincy, les Ballandors et le Tremblay; en reuilly, les Demoiselles Tatin. Maroussia, la plus jeune des trois filles, ingénieur agricole, a pris la direction de cette dernière exploitation en 2013, son père gardant la gestion des vignes de Quincy.

Un domaine créé en 2000, clin d'œil aux fameuses sœurs Tatin, originaires d'Issoudin, comme la famille de Maroussia Wilk-Tatin. Dans le verre, un reuilly sous tension, né sur le terroir de graves sablonneuses et de haut de coteau des Lignis. Par ses arômes d'agrumes et ses notes végétales (buis, poivre vert), le nez est tonique. La bouche va dans le même sens, droite comme un i jusqu'en finale. ⧗ 2016-2018 ¥ huîtres

⊶ LES DEMOISELLES TATIN, Le Tremblay, 18120 Brinay, tél. 02 48 75 20 09, contact@domaines-tatin.com V t.l.j. 8h-12h30 13h30-18h; sam. dim. sur r.-v. ⊶ Maroussia Wilk-Tatin

Ⓑ DENIS JAMAIN Les Fossiles 2014 ★

■	22000	▮	11 à 15 €

Petit-fils de viticulteurs, Denis Jamain a constitué son domaine en 1988. La quasi-totalité de son vignoble est implantée sur des terrains de formation kimméridgienne, adaptés au sauvignon comme au pinot noir. Après plusieurs années en lutte raisonnée, le domaine (19 ha) est aujourd'hui en bio certifié.

Réservé de prime abord, le nez s'ouvre progressivement sur un fruité frais et une petite note végétale. Soyeux en attaque, le palais dévoile des tanins de qualité, qui se resserrent par la suite sans nuire à l'équilibre de ce vin expressif et long. ⧗ 2017-2021 ¥ rôti de veau en cocotte ■ **Les Fossiles 2015 ★ (11 à 15 €; 13 000 b.)** Ⓑ : au nez, des arômes gourmands de brioche, de pêche et d'ananas. En bouche, un vin chaleureux et gras, dans le ton du millésime. Jolie finale exotique. ⧗ 2016-2019 ¥

⊶ DENIS JAMAIN, Villa Camille, 20, rte d'Issoudun, 36260 Reuilly, tél. 06 08 25 11 18, denis-jamain@wanadoo.fr V t.l.j. 8h-17h

♥ DOM. MABILLOT 2015 ★★

■	13000	▮	8 à 11 €

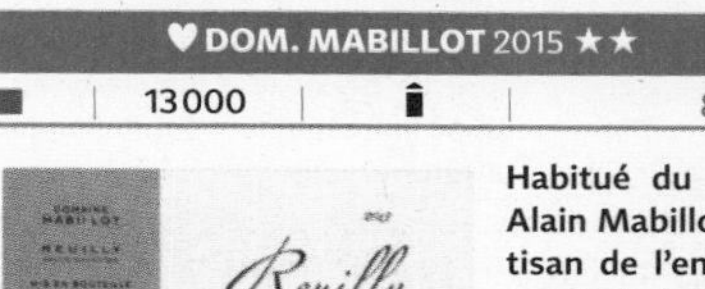

Habitué du Guide, Alain Mabillot, partisan de l'enherbement et de la lutte raisonnée, conduisait ce domaine depuis 1990. En 2012, il vinifie son dernier millésime avec ses deux fils, Matthieu et Renaud, avant de les laisser officier seuls. Ces derniers ont depuis renforcé leur démarche écologique, en empruntant à la culture bio et biodynamique.

Une superbe robe sombre et profonde habille ce vin. Riche, s'ouvrant sur les fruits rouges et noirs (mûre, cassis), continuant sur des notes animales, l'olfaction allie élégance et intensité. Tout aussi complexe, la bouche est portée par des tanins serrés dans lesquels perce le soyeux. Ample en finale, épicé, ce reuilly très harmonieux sera encore plus apprécié dans quelques années. ⧗ 2018-2022 ¥ suprême de pintade sauce Périgueux ■ **2015 ★★ (8 à 11 €; 25000 b.)** : ce 2015 associe complexité et tension tout au long de la dégustation. Les arômes de fruits à coque et d'agrumes dominent le nez. Gras et chaleureux, long et ferme, minéral et tonique en finale, le palais signe un vin de caractère, au potentiel certain. ⧗ 2016-2021 ■ **Le Haut de la Pente 2014 ★ (8 à 11 €; 1800 b.)** : au nez, des notes fruitées et des nuances boisées (vanille); en bouche, du volume, une bonne nervosité et un boisé soutenu mais racé. Un reuilly de garde. ⧗ 2018-2022

MATTHIEU ET RENAUD MABILLOT, 3, chem. de l'Orme, Villiers-les-Roses, 36260 Sainte-Lizaigne, tél. 02 54 04 02 09, contact@vins-mabillot.fr V r.-v.

ROMAIN ET JEAN-PIERRE PONROY
Les Beaumonts 2015 ★

■ | 7100 | | 5 à 8 €

L'un des derniers domaines créés à Reuilly. C'est en 2004 que Jean-Pierre Ponroy, céréalier, convaincu par son fils Romain, commence l'aventure en louant des vignes. Depuis, le père et le fils, qui ont étendu leur domaine par leurs propres plantations (3,2 ha sur des coteaux de marne calcaire et des hautes terrasses de sables et de graves), commercialisent eux-mêmes leurs vins.

Bien qu'encore juvénile par ses notes fermentaires, ce reuilly laisse transparaître de jolis arômes bien typés de griotte. Ronde en attaque, d'un bon volume, la bouche montre une trame tannique solide sans dureté, favorable à une bonne évolution. Prometteur. ⧗ 2017-2021 ¥ bœuf en sauce

SCEA DOM. PONROY, 80, rue des Combattants-AFN, 36260 Reuilly, tél. 02 54 49 20 14, ponroy.jean-pierre@orange.fr V r.-v.

JEAN-MICHEL SORBE 2015 ★

■ | 15000 | | 5 à 8 €

Cette maison regroupe un domaine viticole (14 ha) et une activité de négoce qui connaissent le même succès. Un ensemble repris en 1999 par la famille Joseph Mellot, qui a développé un espace œnotouristique au siège de l'exploitation.

Intense et généreuse, l'olfaction associe fruits rouges un peu confiturés et touches animales et épicées. La bouche est bâtie sur des tanins assez virils qui apportent du corps sans masquer le charnu, mais que le temps se chargera d'arrondir. ⧗ 2017-2020 ¥ bœuf miroton ■ **2015 (5 à 8 €; 30000 b.)** : vin cité. ■ **Dom. des Rouesses 2015 (5 à 8 €; 23500 b.)** : vin cité.

SARL JEAN-MICHEL SORBE, Le Buisson-Long, rte de Quincy, 18120 Brinay, tél. 02 48 51 30 17, jeanmichelsorbe@jeanmichelsorbe.com V r.-v.

VINCENT 2015 ★

■ | 11000 | | 5 à 8 €

Le village de Lazenay se situe à la limite de la Champagne berrichonne. Installé depuis 1976, Jacques Vincent est régulièrement sélectionné dans le Guide, notamment pour ses rosés, produits sur un terroir sablo-gravillonneux. Pierre, son fils, l'a récemment rejoint.

Au nez, dominent des nuances de fruits rouges mûrs, voire cuits. La bouche se montre ample et équilibrée: attaque franche, milieu bien charpenté, finale fruitée. Le tanin a le grain fin mais demande à s'assouplir un peu. ⧗ 2017-2020 ¥ râbles de lapin

SCEV VINCENT, 11, chem. des Caves, 18120 Lazenay, tél. 02 48 51 73 55 V *t.l.j. 9h-12h 14h-18h; dim. sur r.-v.*

SAINT-POURÇAIN

Superficie : 695 ha
Production : 21 297 hl (71 % rouge et rosé)

Le paisible et plantureux Bourbonnais (département de l'Allier) possède aussi un vignoble, sur 19 communes, au sud-ouest de Moulins. Les vignes croissent sur les coteaux de la vallée de la Sioule ou sur des plateaux calcaires, à proximité. Les blancs ont fait autrefois la réputation de Saint-Pourçain; un cépage local, le tressallier, est assemblé au chardonnay et au sauvignon, donnant une grande originalité aromatique à ces vins. Aujourd'hui, les rouges sont les plus nombreux. Fruités et charmeurs, ils proviennent de l'assemblage de gamay et de pinot noir.

♥ DOM. DE BELLEVUE
Grande Réserve 2015 ★★

■ | 20000 | | 5 à 8 €

Un domaine de référence en saint-pourçain, créé en 1922. Incarnant la quatrième génération, Jean-Louis Pétillat est aux commandes depuis 1977. Il exploite aujourd'hui 22 ha de vignes au cœur du vignoble bourbonnais, commandé par des bâtiments du XIXᵉs.

Un savant assemblage de 70 % de chardonnay, 20 % de tressallier et 10 % de sauvignon à l'origine d'un vin limpide et brillant, au nez complexe de fleurs blanches, de poire, de pêche, de noisette et d'amande. Une complexité que l'on retrouve dans un palais ample, gras, riche et long, équilibré par une fine acidité bien dosée. Un 2015 solaire, bien dans le ton du millésime, que l'on pourra attendre quelques années. ⧗ 2016-2021 ¥ brochet au beurre blanc ■ **Grande Réserve 2015 (5 à 8 €; 33000 b.)** : vin cité.

DOM. PÉTILLAT, Bellevue, 03500 Meillard, tél. 04 70 42 05 56, ledomaine@saintpourcain-bellevue.fr V *t.l.j. sf dim. 9h30-12h 14h-18h30 Gautier*

DOM. DES BÉRIOLES
Les Grandes Brières 2014 ★

■ | 10000 | 8 à 11 €

Cette propriété familiale de 9 ha, installée au pied d'une petite chapelle et traversée par le chemin de Saint-Jacques-de-Compostelle, a été créée en 1989 par Odile et Olivier Teissèdre, qui livraient leurs raisins à la cave coopérative. Depuis 2011 et la création du chai, c'est leur fils Jean qui est aux commandes.

Vendangé en petites caisses, le raisin (le seul gamay pour cette cuvée) est traité avec beaucoup de soins et de précautions, d'où cette jolie robe rubis franc très intense. On découvre ensuite un bouquet de fruits rouges mâtinés de nuances animales. À l'unisson, la bouche est ronde et équilibrée, portée par des tanins soyeux. ⧗ 2016-2019 🍴 tapas au jambon

⊶ *DOM. DES BÉRIOLES, pl. de l'Église, 03500 Cesset, tél. 04 70 47 09 15, domainedesberioles@gmail.com*
V *t.l.j. 9h-12h 14h-18h30; dim. sur r.-v.*
⊶ *Teissedre-Roux*

DOM. DES BOURRATS 2015 ★

■ | 7000 | | 5 à 8 €

Après avoir travaillé dix ans auprès de Robert Prélot, Laetitia Lachérade a repris le domaine (5 ha) début 2011. Elle souhaite conserver l'authenticité des vins de son prédécesseur.

Une vendange manuelle et une vinification sans intrants pour cet assemblage gamay-pinot noir au nez frais et expressif de cassis et d'épices. Suivant la même ligne aromatique, la bouche déploie une belle matière soyeuse étayée par des tanins fondus et une très jolie finale sur les fruits rouges mûrs. Gourmand. ⧗ 2016-2019 🍴 poulet bourbonnais

⊶ *DOM. DES BOURRATS, rue des Acacias, 03500 Saint-Pourçain-sur-Sioule, tél. 06 25 29 01 01, domainedesbourrats@gmail.com*
V *t.l.j. sf dim. 9h-12h 14h-19h* ⊶ *Lachérade*

CH. COURTINAT 2015 ★

■ | 8000 | | 5 à 8 €

Typiquement bourbonnais avec sa petite tour ronde et son pigeonnier, ce domaine créé à l'emplacement d'un ancien couvent du XVIe s. a abandonné l'élevage et les céréales. Habitué du Guide, Christophe Courtinat exploite aujourd'hui 12 ha de vignes.

Née sur un terroir argilo-calcaire, cette cuvée argentée dévoile un nez intense et généreux de fruits blancs bien mûrs. Volumineux à l'attaque, souple et frais sans manquer de gras, le palais finit sur un agréable retour fruité. Un vin expressif et harmonieux. ⧗ 2016-2019 🍴 fruits de mer ■ **Cuvée des Pérelles 2014 (5 à 8 €; 7200 b.)** : vin cité.

⊶ *CHRISTOPHE COURTINAT, 11, rue de Venteuil, 03500 Saulcet, tél. 04 70 45 44 84, cavecourtinat@wanadoo.fr* V *r.-v.*

DOM. GARDIEN FRÈRES Nectar des Fées 2015

■ | 25000 | | 5 à 8 €

Un domaine dans la même famille depuis 1924. Installés respectivement en 1991 et 1996, les frères Olivier et Christophe Gardien (quatrième génération), formés tous les deux en Bourgogne, ont arrêté la culture des céréales pour se consacrer entièrement à la vigne, qui couvre 21 ha sur un terroir argilo-siliceux.

Une couleur jaune argenté habille ce 2015 au nez de pêche et d'abricot. Frais avec du gras, élégant et fruité en bouche, ce vin s'appréciera sur le fruit. ⧗ 2016-2018 🍴 coquillages

⊶ *DOM. GARDIEN FRÈRES, Chassignolles, 03210 Besson, tél. 04 70 42 80 11, c.gardien@03.sideral.fr*
V *t.l.j. 8h-12h 14h-19h*

DOM. JALLET Les Ceps centenaires 2015 ★★

■ | 6500 | | 5 à 8 €

Ce domaine de 7 ha créé en 1913 par Jean-Marie Jallet est situé à deux pas du pittoresque village de Verneuil-en-Bourbonnais. Il est conduit depuis 1990 par Philippe Jallet, qui incarne la quatrième génération à la tête de la propriété.

De très vieilles vignes de cent dix ans ont donné naissance à ce vin enthousiasmant. Discret de prime abord, le nez s'ouvre à l'aération sur la groseille et des nuances épicées. Des arômes auxquels fait écho une bouche ample, dense, structurée par des tanins soyeux. ⧗ 2016-2021 🍴 gâteau au chocolat

⊶ *PHILIPPE JALLET, 30, pl. des Cailles, 03500 Saulcet, tél. 06 18 79 55 23* V *t.l.j. 8h-12h 14h-19h*

FAMILLE LAURENT Puy Réal 2015 ★

■ | 12000 | | 8 à 11 €

La famille Laurent est établie à Saulcet depuis plusieurs siècles. En 2015, Damien – qui représente la... douzième génération de vigneron sur ces terres – a pris la suite de ses parents Jean-Pierre et Corinne à la tête d'un domaine de 30 ha habitué du Guide.

Le nez, puissant, complexe et gourmand, associe nuances de vanille, de café, de pâtisserie, d'abricot confit et de fruits secs. Un beau mariage du vin et du bois prolongé par une bouche ronde et riche sans lourdeur, stimulée par de beaux amers en finale. ⧗ 2017-2020 🍴 poisson en sauce ■ **Puy Réal 2015 ★ (8 à 11 €; 20000 b.)** : passé en fûts de chêne de l'Allier, un vin ouvert sur les fruits rouges, les épices douces et le toasté, charpenté en bouche par un boisé dominateur mais prometteur. Beau potentiel. ⧗ 2018-2022 🍴 côte de bœuf ■ **Calnite 2015 (5 à 8 €; 9300 b.)** : vin cité.

⊶ *FAMILLE LAURENT, Montifaud, 03500 Saulcet, tél. 04 70 45 90 41, cave.laurent@wanadoo.fr*
V *t.l.j. sf dim. 9h-12h 14h-18h*

NEBOUT VIGNERONS Insolite 2014

■ | 6000 | | 8 à 11 €

Succédant à quatre générations de vignerons, Julien Nebout, après des expériences en Touraine, dans

LOIRE

le Sancerrois et en Nouvelle-Zélande, a pris la tête en 2006 de cette propriété de 30 ha régulièrement mentionnée dans ces pages.

Vieilli neuf mois en fût de chêne, ce vin mi-chardonnay mi-tressallier dévoile des arômes de noix de coco et de miel. Le boisé domine une bouche suffisamment dense et riche pour bien le digérer. Jolie finale acidulée. ⧗ 2018-2021 ▼ viandes blanches ■ **Séduction 2014 (8 à 11 €; 8000 b.)** : vin cité.

⊸ NEBOUT, rte de Montmarault, 03500 Saint-Pourçain-sur-Sioule, tél. 04 70 45 31 70, domainenebout@orange.fr V ⛹ ▪ *t.l.j. sf dim. 9h-12h 14h-18h30*

DOM. RAY Cuvée des Gaumes 2014 ★

■ | 8000 | ▮ | 5 à 8 €

Cette exploitation, acquise par la famille Ray en 1929, s'est agrandie au fil des générations pour couvrir aujourd'hui une vingtaine d'hectares. En 2011, Fanny et Alexandre Pinet, la fille et le gendre de François Ray, ont rejoint le domaine, très régulier en qualité. Outre le saint-pourçain, on produit ici des vins d'oranges, de noix, du vinaigre balsamique et même du... limoncello!

Gamay (75 %) et pinot noir ont donné naissance à ce joli vin qui s'exprime avec intensité à l'olfaction, sur des senteurs de fruits rouges et d'épices. La bouche est franche, d'un beau volume, bien soutenue par des tanins fondus et veloutés. La finale sur le cassis lui confère un aimable caractère gourmand. ⧗ 2016-2020 ▼ poulet aux chanterelles

⊸ DOM. RAY, 8, rue Louis-Neillot, 03500 Saulcet, tél. 04 70 45 35 46, ray.francois@akeonet.com V ⛹ ▪ *t.l.j. sf dim. 9h-12h30 14h30-19h*

SANCERRE

Superficie : 2 830 ha
Production : 135 393 hl (79 % blanc)

Perché sur un piton rocheux, Sancerre domine la Loire et son vignoble, réputé dès le Moyen Âge. Sur 14 communes s'étend un magnifique réseau de collines parfaitement adaptées à la viticulture, bien exposées et protégées. Les sols portent des noms locaux: «terres blanches» (marnes argilo-calcaires du kimméridgien); «caillottes» et «griottes» (calcaires); «cailloux» ou «silex» (sols siliceux du Tertiaire). Deux cépages règnent à Sancerre: le sauvignon en blanc et le pinot noir en rouge. Le premier s'épanouit dans des blancs frais, jeunes et fruités, qui prennent des nuances différentes selon les types de sols; le second s'exprime dans des rosés tendres et subtils, et dans des rouges légers, parfumés et amples. Sancerre, c'est aussi un milieu humain particulièrement attachant. Il n'est pas facile, en effet, de produire un grand vin avec le sauvignon, cépage de deuxième époque de maturité, non loin de la limite nord de la culture de la vigne, à des altitudes de 200 à 300 m et sur des sols qui comptent parmi les plus pentus du pays, d'autant que les fermentations se déroulent en fin de saison dans des conditions délicates.

DOM. BAILLY-REVERDY La Mercy-Dieu 2015 ★★

□ | 80000 | ▮ | 8 à 11 €

Un domaine réputé créé en 1952 dans le village vigneron de Bué par Bernard Bailly et son épouse Marie-Thérèse Reverdy. Après Jean-François, leur fils, disparu en 2006, c'est leur cadet Franck, installé en 1991, qui conduit les 23 ha de vignes, épaulé depuis 2010 par son neveu Aurélien. Une valeur sûre du Sancerrois, en rouge comme en blanc.

Cette cuvée, la plus importante du domaine, réunit les trois principaux terroirs du sancerrois (calcaires, marnes kimméridgiennes, silex). Elle s'épanouit au fur et à mesure de l'aération sur des senteurs complexes, exotiques, végétales et minérales. Franche et directe en attaque, ample et expressive, la bouche est soutenue par une vivacité bien dosée qui fait ressortir longuement en finale des notes acidulées et fruitées. Un sancerre « pêchu » et très harmonieux. ⧗ 2017-2020 ▼ crottin de Chavignol □ **Les Monts Damnés 2014 ★★ (15 à 20 €; 5000 b.)** : issu de l'un des lieux-dits les plus réputés de Sancerre, un vin aux arômes boisés (vanille, pain grillé) bien présents mais sans dominer les fruits. En bouche, beaucoup de richesse, de volume et de puissance renforcées par le merrain, avec une belle fraîcheur et une pointe d'amertume pour donner du nerf à l'ensemble. Un sancerre de garde. ⧗ 2017-2022 ▼ volaille en sauce

⊸ DOM. BAILLY-REVERDY, 43, rue de Venoize, 18300 Bué, tél. 02 48 54 18 38, contact@bailly-reverdy.fr V ⛹ ▪ *t.l.j. 9h-12h 14h-18h; sam. dim. sur r.-v.*

PASCAL BALLAND Cuvée Saveurs 2014 ★

■ | 1800 | ▮ | 11 à 15 €

Pascal Balland est l'un des derniers maillons d'une longue chaîne de vignerons aux nombreuses ramifications, enracinée à Bué depuis le milieu du XVII[e]s. Il exploite ce vignoble de 9,5 ha depuis 1984.

Grenat à reflets noirs, la couleur est soutenue. Un fruité chaleureux (pruneau, griotte à l'eau-de-vie) domine le premier nez, puis apparaissent de jolies notes de menthe, d'épices et de garrigue. La bouche, dans la continuité, tout aussi généreuse, plaît par son volume, ses tanins fondus et son bon retour aromatique fruité et épicé. Un sancerre intense et solaire. ⧗ 2017-2021 ▼ forêt noire □ **Cuvée Saveurs 2015 (11 à 15 €; 18000 b.)** : vin cité.

⊸ EARL PASCAL BALLAND, rue Saint-Vincent, 18300 Bué, tél. 02 48 54 22 19, pascalballand@wanadoo.fr V ⛹ ▪ *r.-v.*

DOM. JEAN-PAUL BALLAND 2014 ★★

■ | 12000 | ⦀ | 8 à 11 €

Issu d'une lignée de vignerons remontant au XVII[e]s., Jean-Paul Balland, établi à Bué, est aujourd'hui accompagné de ses filles Isabelle, œnologue, qui vinifie, et Élise, au commercial. Le domaine couvre 24 ha. Un habitué du Guide, souvent aux meilleures places.

L'élevage de quinze mois en fût de cette cuvée née sur argilo-calcaire réussit presque à se faire oublier: à l'olfaction, les notes de cassis et de griotte laissent tout juste transparaître une nuance boisée. Les tanins, bien en place, sont soyeux et en train de se fondre, enrobés par un beau gras. La longue finale sur les fruits et la fraîcheur est le gage d'un bon potentiel. ⧗ 2017-2022 🍴 entrecôte maître d'hôtel ■ **Grande Cuvée 2014 ★ (11 à 15 €; 20 000 b.)** : au nez, un boisé fondu, vanillé et grillé voisine avec la pêche et les agrumes; des notes d'élevage que l'on retrouve dans un palais rond et gras, stimulé par une jolie finale vive et exotique. ⧗ 2017-2022 🍴

DOM. JEAN-PAUL BALLAND, 10, chem. de Marloup, 18300 Bué, tél. 02 48 54 07 29, balland@balland.com V *t.l.j. sf dim. 8h-12h 14h-18h*

DOM. CÉDRICK BARDIN 2015 ★

■	8 500		8 à 11 €

Fils et petit-fils de vigneron, Cédrick Bardin a acheté ses premières vignes (15 ares) en 1989 à l'âge de dix-huit ans. L'exploitation, qui s'étend aujourd'hui sur 12,5 ha répartis sur les deux rives de la Loire, apparaît régulièrement dans le Guide.

Ciselée autour des agrumes (bergamote, pamplemousse) et des notes variétales (rhubarbe, feuille d'ortie), l'olfaction est intense. Ronde en attaque, ample tout en restant fluide, la bouche montre un très bel équilibre entre les saveurs suaves et acides, avant de terminer sur de beaux arômes de pêche et de fumé. ⧗ 2016-2019 🍴 saumon fumé

CÉDRICK BARDIN, 12, rue Waldeck-Rousseau, 58150 Pouilly-sur-Loire, tél. 03 86 39 11 24, cedrick.bardin@wanadoo.fr V *r.-v.*

JEAN-JACQUES BARDIN Les Chaumes 2015

■	70 000	8 à 11 €

Fils de viticulteurs, Jean-Jacques Bardin s'est installé en 1969 à Pouilly-sur-Loire sur 1 ha de vignes achetées à son grand-père. Il conduit aujourd'hui une quarantaine d'hectares avec trois de ses enfants.

De bonne intensité, l'olfaction est presque exclusivement centrée sur des arômes de fruits bien mûrs (pêche, fruits exotiques). Vineuse, riche, très ronde, la bouche est marquée par une forte impression de sucrosité et mériterait un peu plus de fraîcheur. Mais l'ensemble reste harmonieux et plaira aux amateurs de blancs généreux. ⧗ 2016-2019 🍴 rôti de veau aux morilles

SCEV JEAN-JACQUES BARDIN, lieu-dit Les Chaumes, 58150 Pouilly-sur-Loire, tél. 03 86 39 15 87, jean-jacquesbardin@wanadoo.fr V *t.l.j. 8h30-19h; dim. sur r.-v.*

DOM. BIZET Dolium 2015 ★★★

■	2 500		8 à 11 €

Célestin Bizet plante les premiers pieds de vigne en 1900. Incarnant la quatrième génération, le jeune Thibault Bizet s'est installé en 2005 et s'est rapidement fait remarquer dans ces pages pour ses sancerre de caractère. Il conduit aujourd'hui un vignoble de 8,5 ha.

Élevée dix mois en fûts – *dolium* signifie tonneau en latin –, cette cuvée a fait forte impression. D'un abord citronné au premier nez, elle s'ouvre progressivement sur les fruits blancs (pêche, poire) mêlés de touches florales, vanillées et d'une pointe végétale. À la fois incisive et riche, ferme et tendue, la bouche offre un panel varié de sensations, avec en soutien un boisé parfaitement intégré qui se rappelle à nous par quelques notes gourmandes de crème de marrons. Un grand sancerre puissant et élégant, au solide potentiel de garde. ⧗ 2018-2022 🍴 homard au beurre blanc ■ **Thibault Bizet 2015 ★ (8 à 11 €; 20 000 b.)** : à un nez frais, exotique et minéral fait écho une bouche tranchante et persistante. Une tension pour le millésime. ⧗ 2016-2019

DOM. THIBAULT BIZET, Chambre, 18300 Sury-en-Vaux, tél. 02 48 79 34 43, domaine.bizet@orange.fr V *t.l.j. sf dim. 9h-12h 14h-18h*

HUBERT BROCHARD Classique 2015

■	200 000		11 à 15 €

Un domaine qui se transmet de génération en génération depuis le XVIIIe s. Ce sont aujourd'hui cinq membres de la famille Brochard qui œuvrent de concert sur les 60 ha que compte le vignoble, répartis sur plus de deux cent parcelles et sept communes, dans les aires d'appellation sancerre et pouilly-fumé.

Née de trois sols (argile, silex et calcaire), cette cuvée dévoile des arômes de fruits exotiques mûrs mêlés d'écorce d'orange. Un peu fugace mais équilibrée, fraîche et alerte, la bouche s'achève sur de jolies notes de zeste d'agrumes. Un bon classique. ⧗ 2016-2018 🍴 poissons grillés ■ **Classique 2014 (11 à 15 €; 24 000 b.)** : vin cité.

HUBERT BROCHARD, Chavignol, 18300 Sancerre, tél. 02 48 78 20 10, domaine@hubert-brochard.fr t.l.j. 9h-12h 14h-17h30

DOM. DES BUISSONNES 2015 ★

■	13 000		8 à 11 €

«Viti-œno, puis un excellent stage au domaine Cornu à Ladoix-Sérigny, mon père m'a ensuite appris le reste »: Dominique Naudet avoue «un parcours très simple» avant la reprise des vignes paternelles en 2010, 15 ha en sancerre et 2 ha en coteaux-du-giennois.

Quelques notes épicées et minérales, le nez se fait discret en première approche, avant de s'ouvrir sur un joli fruité de pêche et d'agrumes. Souple en attaque, ample, ronde et onctueuse, la bouche se révèle plus complexe (note minérale toujours, fleur de sureau, fruits secs), bien épaulée par une fine acidité de bout en bout. ⧗ 2016-2019 🍴 tourte au chèvre

DOMINIQUE NAUDET, Maison Sallé, 18300 Sury-en-Vaux, tél. 02 48 79 35 41, naudet.buissonnes@orange.fr V *t.l.j. 9h-17h; sam. dim. sur r.-v.*

DOM. DU CARROU 2015 ★

■	40 000		8 à 11 €

Chez les Roger, on est vigneron de père en fils depuis le XVIIe s. Installé en 1985, Dominique Roger conduit, en viticulture raisonnée, un vignoble de près de

LOIRE

11 ha. Sa cave est installée au cœur du village de Bué, dans une ancienne « vigneronnerie » du XIXes.

Un fruité mûr (poire, abricot) domine l'olfaction. La bouche est dans la continuité et séduit par sa rondeur, son charnu, son gras et son joli retour aromatique. Une fine vivacité apporte en finale longueur et dynamisme. ⧗ 2016-2019 ¥ lapin à l'abricot

⊶ DOMINIQUE ROGER, 7, pl. du Carrou, 18300 Bué, tél. 02 48 54 10 65, contact@dominique-roger.fr V t.l.j. 9h-12h 14h-18h30, sf dim. r.-v.

DOM. DES CAVES DU PRIEURÉ
Les Panseillots 2015 ★★

	100 000		8 à 11 €

En 1971, Geneviève et Jacques Guillerault créent le domaine dans une ancienne vigneronnerie du XVIIIes. Depuis 1995, c'est leur fils Gilles qui préside aux destinées de ce vignoble de 21 ha, épaulé à partir de 2001 par son beau-frère Sébastien Fargette.

Les Panseillots désignent les coquelicots en patois, reproduits sur l'étiquette de ce sancerre au nez intense et très gourmand de confiserie et de tarte aux fruits (poire, abricot, mirabelle). Souple, rond et d'une tendre douceur, tout en développant une fraîcheur qui allège les sensations de maturité et pousse loin la finale, le palais affiche un équilibre remarquable. ⧗ 2016-2020 ¥ sandre au beurre blanc

⊶ DOM. DES CAVES DU PRIEURÉ, 2, rue du Lavoir, Reigny, 18300 Crezancy-en-Sancerre, tél. 02 48 79 02 84, caves.prieure@wanadoo.fr V t.l.j. sf dim. 9h-12h 14h-18h

DOM. DE CHAMPARLAN 2015

	7000		8 à 11 €

Établis à Humbligny, les jeunes vignerons David Girard (installé en 2003) et son frère Luc (2011) conduisent un vignoble de 5 ha en phase de développement: nouvelles plantations, nouveau chai de vinification et d'élevage, création d'un caveau de réception.

Intense, le nez présente d'abord des arômes fermentaires, puis les fruits du sauvignon prennent le dessus (poire, citron). Souple et fluide, la bouche est tenue jusqu'en finale par une tension qui apporte du relief et prend à contrepied un millésime 2015 plutôt chaleureux. ⧗ 2016-2018 ¥ sushis

⊶ DOM. DE CHAMPARLAN, 18250 Humbligny, tél. 02 46 59 00 56, david.girard.champarlan@orange.fr V r.-v. ⊶ Girard Frères

DOM. DES CHASSEIGNES 2015 ★

	3000	5 à 8 €

Aurore Dezat conduit depuis 2011, en viticulture très raisonnée (aucun herbicide ni insecticide), ce domaine familial de 9,5 ha créé par son grand-père et développé par son père Denis et son oncle Claude.

Une robe soutenue habille ce vin au nez fin et typé de fruits rouges et noirs (cerise, mûre). La bouche, solide, est charpentée par des tanins affirmés et de bonne facture, encore un peu intempestifs en finale mais sans nuire au long retour aromatique. À attendre. ⧗ 2018-2021 ¥ onglet grillé aux herbes **2015 (5 à 8 €; 30 000 b.)** : vin cité.

⊶ AURORE DEZAT, Dom. des Chasseignes, Chappe, 18300 Sury-en-Vaux, tél. 02 48 79 36 84, contact@domainedeschasseignes.com V t.l.j. 8h-12h 14h-19h; dim. sur r.-v.

CHERRIER PÈRE ET FILS 2015 ★

	16 000		8 à 11 €

Le nom de la famille Cherrier est attaché au vignoble de Sancerre depuis 1848. Le domaine actuel a été créé en 1927 par le grand-père Maurice, développé par son fils Pierre et depuis 1984 par la troisième génération, François et Jean-Marie, à la tête aujourd'hui de 15 ha de vignes.

Très agréable, très frais, très fin, le nez délivre de jolies notes fruitées à dominante d'orange sanguine appuyées par une touche de minéralité. On retrouve ces sensations dans une bouche ample et énergique, portée par une belle vivacité jusqu'en finale. Un sancerre net et vivant. ⧗ 2016-2019 ¥ moules farcies **Dom. de la Rossignole 2015 (8 à 11 €; 64 000 b.)** : vin cité.

⊶ PIERRE CHERRIER ET FILS, rue de la Croix-Michaud, Chaudoux, 18300 Verdigny, tél. 02 48 79 34 93, cherrier@easynet.fr V r.-v.

DANIEL CHOTARD 2015

	100 000		8 à 11 €

La famille Chotard cultive la vigne sur les coteaux de Reigny depuis 1625. Daniel, vigneron et musicien, a œuvré à la naissance d'un festival local, *Jazz aux caves*, tout en conduisant son domaine (20 ha). Il a passé le relais à son fils Simon, œnologue. Ce dernier, sans engager de conversion, emprunte au bio et à la biodynamie.

Au nez, les nuances fruitées (abricot), florales et minérales s'expriment avec force. Franc, et frais en attaque, le palais prend ensuite un ton onctueux et chaleureux, pour finir sur une vivacité relevée. Un sancerre « très 2015 ». ⧗ 2016-2018 ¥ blanquette de veau

⊶ SIMON CHOTARD, 5, rue des Fontaines, hameau de Reigny, 18300 Crézancy-en-Sancerre, tél. 02 48 79 08 12, sancerre@danielchotard.fr V t.l.j. sf dim. 10h-12h 14h-18h30; f. 15-31 août

DOM. LA CLEF DU RÉCIT 2015

	48 000		11 à 15 €

Après avoir acquis une solide expérience sur l'exploitation familiale du Sancerrois et dans plusieurs pays viticoles, Anthony Girard, natif de Récy, a repris en 2012 les clés de cette propriété de 9 ha. Un domaine à suivre.

Le vigneron continue d'écrire sa jeune histoire vigneronne avec un 2015 plaisant, discrètement bouqueté autour des agrumes et des confiseries acidulées, puis de la fleur d'acacia et des fruits exotiques. Ronde, douce, charnue, accompagnée par un fruité croquant, la bouche affiche un côté solaire bien dans le ton du millésime. ⌛ 2016-2020 🍴 brochet au beurre blanc

⊶ *ANTHONY GIRARD, Recy, 18300 Vinon, tél. 06 07 66 93 29, laclefdurecit@gmail.com* V 🚶 ▮ *r.-v.*

DOM. DES COLTABARDS 2015

■	53 000	🍾	11 à 15 €

Situé sur les terroirs très argileux du plateau de Ménétréol-sous-Sancerre, ce domaine de 7 ha appartient à la maison Jospeh Mellot depuis 2007.

Fruits à chair blanche (pêche, poire) et notes florales tissent une trame olfactive homogène et élégante. Franc et souple en attaque, bien fruité, le palais dévoile ensuite la douceur caractéristique du millésime jusqu'en finale. ⌛ 2016-2019 🍴 crevettes à l'aigre-doux

⊶ *SCEA DES COLTABARDS, 26, rte nationale, Maltaverne, 58150 Tracy-sur-Loire, tél. 02 48 78 54 54, contact@domainedescoltabards.com* V 🚶 ▮ *r.-v.*
⊶ *Corbeau-Mellot*

ÉRIC COTTAT La Vallée des Vignes 2014

■	2 900	🛢🍾	8 à 11 €

Éric Cottat conduit depuis 1990 cette exploitation située au hameau de Thou dans la commune de Sury-en-Vaux. Le domaine dispose depuis 2004 d'un nouveau chai climatisé, avec cuverie Inox thermorégulée.

Au nez, les petits fruits rouges répondent au grillé de la barrique. Fraîche en attaque, d'un bon volume, soutenue par des tanins soyeux, la bouche retrouve les notes boisées, encore assez dominantes, associées aux fruits rouges confits. ⌛ 2017-2020 🍴 canard rôti à l'orange

⊶ *ÉRIC COTTAT, Le Thou, 18300 Sury-en-Vaux, tél. 02 48 79 02 78, eric.cottat@free.fr* V 🚶 ▮ *t.l.j. 9h-19h*

CH. DE CRÉZANCY 2014 ★

■	25 000	8 à 11 €

Le Ch. de Crézancy est propriété de la famille Chevreau depuis 1985, à la tête aujourd'hui d'un vignoble de 14 ha, dont 4 ha de pinot noir.

La cuvée rouge du domaine: l'ensemble des 4 ha de pinot sont vinifiés dans ce sancerre d'un beau rubis, ouvert sur le cassis, la mûre et la griotte. Un bouquet typé qui «pinote» à souhait, prolongé par un palais aux tanins affirmés sans excès, bien tenu par un fond de fraîcheur très ligérien. ⌛ 2017-2020 🍴 filet mignon de veau

⊶ *SCEA CHEVREAU, 4, chem. de la Noue, 18300 Crézancy-en-Sancerre, tél. 02 48 79 04 77, chateaudecrezancy@orange.fr* V 🚶 ▮ *t.l.j. 8h-12h 14h-18h30; dim. sur r.-v.*

DOMINIQUE ET JANINE CROCHET 2014 ★

■	10 000	🛢🍾	8 à 11 €

En 1982, à sa création, ce domaine couvrait 2 ha; il compte aujourd'hui 11,6 ha. Depuis le décès de son époux, Janine Crochet dirige l'exploitation avec son fils Teddy, arrivé en 2009, et pratique une viticulture raisonnée à tendance bio.

La robe est très foncée et le nez généreusement fruité autour de la cerise noire et du cassis compotés, agrémentés de notes de caramel. On retrouve ce *melting pot* de fruits surmûris dans une bouche ample et grasse, épaulée par une charpente robuste qui demande à se polir et dynamisée par une finale tout en vivacité. ⌛ 2018-2022 🍴 côte de bœuf ■ **La Côte 2014 (15 à 20 €; 1500 b.)** : vin cité.

⊶ *EARL DOMINIQUE ET JANINE CROCHET, 64, rue de Venoize, 18300 Bué, tél. 02 48 54 19 56, earlcrochetdominiqueetjanine@wanadoo.fr* V 🚶 ▮ *t.l.j. sf dim. 9h-12h 13h30-19h*

DANIEL CROCHET 2015 ★

■	30 000	🍾	8 à 11 €

Issu d'une lignée de vignerons dont il représente la quatrième génération, Daniel Crochet est régulièrement cité dans le Guide. À la tête du domaine familial depuis 1996, il conduit aujourd'hui un vignoble de 10 ha répartis entre Sancerre et Bué.

Frais au nez avec ses notes florales (aubépine, acacia), fruitées (bergamote, ananas) et végétales (buis, anis), ce vin l'est aussi en bouche. L'acidité se réveille doucement et se répand sans agressivité pour équilibrer le gras. Belle finale sur le zeste de pamplemousse. Appétant et gai. ⌛ 2016-2019 🍴 sole meunière ■ **2014 ★ (11 à 15 €; 12 000 b.)** : douze mois d'élevage sous bois bien intégrés pour ce vin souple en attaque, à la structure tannique mesurée et d'une belle persistance fruitée. ⌛ 2017-2020 🍴

⊶ *DANIEL CROCHET, 61, rue de Venoize, 18300 Bué, tél. 02 48 54 07 83, daniel.crochet@wanadoo.fr* V 🚶 ▮ *t.l.j. sf dim. 9h-18h*

FRANÇOIS CROCHET 2015

■	40 000	🍾	11 à 15 €

Robert Crochet a pris sa retraite en 2006. C'est son fils François qui conduit désormais l'exploitation transmise de père en fils depuis le début du siècle dernier. À la tête de 11 ha, il a inauguré sa nouvelle cave en 2009 et engagé la conversion bio du domaine en 2014.

Le nez est gourmand (mangue, pêche, fruits secs, pomme cuite). Souple, riche et chaleureuse, la bouche dévoile une acidité marquée en finale et un joli retour des fruits à chair blanche. Un sancerre bien typé 2015. ⌛ 2016-2019 🍴 volaille en sauce

⊶ *SCEV FRANÇOIS CROCHET, Marcigoue, 18300 Bué, tél. 02 48 54 21 77, francoiscrochet@wanadoo.fr* V 🚶 ▮ *r.-v.*

JEAN-MARC ET MATHIEU CROCHET 2014 ★★

■	10 000	🍾	8 à 11 €

La famille Crochet cultive la vigne à Bué depuis cinq générations. Jean-Marc s'est associé à son père Bernard en 1980. Son fils Mathieu l'a rejoint en 2006 à la tête d'un vignoble de 12 ha: 10 ha de sauvignon sur des sols argilo-calcaires et 2 ha de pinot noir sur un terroir argileux, le tout conduit de manière très raisonnée et avec un minimum d'intervention au chai.

La robe est d'un beau rouge grenat intense et l'olfaction complexe: fruits mûrs (groseille, mûre, cassis), nuances mentholées et épicées. À la fois solide et soyeuse, la charpente tannique donne beaucoup d'ampleur à un palais long et expressif, sur les fruits rouges et les épices. ⧗ 2018-2023 🍴 baron d'agneau

JEAN-MARC ET MATHIEU CROCHET, 40, rue Saint-Vincent, 18300 Bué, tél. 02 48 54 11 30, jmcrochet@terre-net.fr V r.-v.

DOM. LA CROIX SAINT-LAURENT 2015 ★

	45000		8 à 11 €

La Croix Saint-Laurent est le quartier du village de Bué où vous trouverez la cave de Sylvie et Joël Cirotte, épaulés par leur fils Fabien depuis 2012. Leur domaine couvre 10 ha, conduit en culture toujours plus raisonnée.

Le nez, ouvert, fin et persistant, associe le buis, le citron vert et une note minérale. Celle-ci se retrouve dès l'attaque et constitue avec la petite amertume finale la colonne vertébrale d'un palais frais et bien structuré. ⧗ 2016-2019 🍴 poisson au beurre blanc

JOËL ET SYLVIE CIROTTE, 1, imp. de la Grandvigne, 18300 Bué, tél. 02 48 54 30 95, scea.cirotte@wanadoo.fr V r.-v.

DOM. DAULNY Le Clos de Chaudenay 2014 ★★

	7000		8 à 11 €

Étienne Daulny a pris en 1972 la tête de ce domaine régulier en qualité qui se transmet de père en fils depuis plusieurs générations et qui exporte aujourd'hui 85 % de sa production.

Fine, fraîche, expressive, l'olfaction associe senteurs exotiques (mangue, litchi, ananas, citron) et touches végétales (groseille à maquereau), florales et vanillées. Tout aussi complexe et sur les mêmes tons aromatiques, la bouche évolue avec une grande souplesse en attaque, se fait ample, dense et riche, avec en soutien une nervosité qui apporte équilibre et longueur. Un potentiel certain. ⧗ 2017-2021 🍴 risotto de Saint-Jacques **Étienne Daulny 2015 ★ (8 à 11 €; 85000 b.)** : les arômes intenses, floraux (jasmin, acacia, pivoine) et fruités (pêche, litchi, ananas) de l'olfaction sont prolongés par un palais gras, chaleureux, qu'une finale vive vient émoustiller. ⧗ 2016-2019 🍴 blanquette de lotte

ÉTIENNE DAULNY, Chaudenay, 18300 Verdigny, tél. 02 48 79 33 96, domaine-daulny@wanadoo.fr V r.-v.

♥ **DOM. DELAPORTE** Silex 2014 ★★

	6500		11 à 15 €

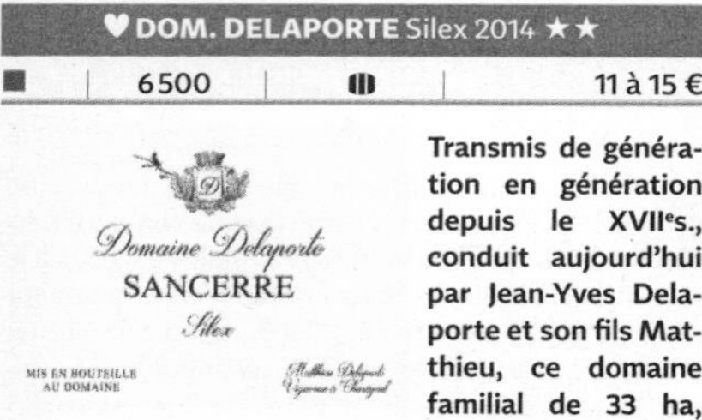

Transmis de génération en génération depuis le XVIIe s., conduit aujourd'hui par Jean-Yves Delaporte et son fils Matthieu, ce domaine familial de 33 ha, régulier en qualité et peu interventionniste à la vigne, est installé à Chavignol, charmant village au cœur du Sancerrois réputé pour son fromage de chèvre.

Issue d'un terroir à silex et d'une macération très longue d'un mois, cette cuvée se présente dans une robe pourpre intense égayée d'éclats violines. Le boisé discret et vanillé enrichit avec justesse un bouquet généreux de fruits rouges mûrs. Une harmonie qui se retrouve dans un palais à la fois puissant et très élégant, auquel des tanins enrobés et bien intégrés donnent du volume et du corps. ⧗ 2018-2023 🍴 canettes rôties **Silex 2015 ★★ (11 à 15 €; 80000 b.)** : très frais, le nez s'ouvre sur des nuances subtiles d'agrumes mûrs, de fruits exotiques (litchi) et de réglisse agrémentées d'une agréable petite pointe végétale. Riche, concentrée, ample et ferme, la bouche est tenue par une superbe tension. Un solide potentiel de garde. ⧗ 2017-2023

DOM. DELAPORTE, Chavignol, 18300 Sancerre, tél. 02 48 78 03 32, delaportevincent.sancerre@wanadoo.fr V t.l.j. 9h-19h

PAUL DOUCET ET FILS 2015 ★

	15000		5 à 8 €

Converti à la viticulture en 1978 après avoir longtemps été en polyculture-élevage, ce domaine de 10,5 ha conduit par Patrick Doucet est situé à Sury-en-Vaux, village cerné par de magnifiques coteaux viticoles.

De bonne intensité, sur un fond de fraîcheur citronnée, le nez est dominé par la minéralité (pierre à fusil) dans laquelle se fondent des nuances de feuille de cassis et de lierre. Ample en attaque, la bouche dévoile une légère amertume qui participe à l'équilibre et au dynamisme de ce sancerre bien texturé. ⧗ 2016-2019 🍴 fruits de mer

EARL PAUL DOUCET, Les Plessis, 18300 Sury-en-Vaux, tél. 02 48 79 33 40, earl.doucet@wanadoo.fr V r.-v.

Ⓑ **DOM. DES EMOIS** 2015 ★★★

	41000		15 à 20 €

Situé sur l'un des trois grands terroirs de Sancerre composé d'argilo-calcaires et de pierres (caillottes), ce domaine est dans le giron de la maison Joseph Mellot. En bio certifié depuis 2015, son vignoble couvre 6 ha à flanc de coteaux, sur le hameau d'Amigny.

Très intense, le nez offre une impression de grande maturité: le fruité très mûr (coing, fruits exotiques) est complété par de fines nuances florales de lys et d'acacia. Ample, très rond et très gras, le palais prolonge ces sensations fruitées avec un soupçon de confit en plus. Un sancerre des plus gourmands, très représentatif de ce millésime solaire. ⧗ 2016-2020 🍴 yassa poulet

SCEA DES EMOIS, Le Bourg, Amigny, 18300 Sancerre, tél. 02 48 78 54 54, contact@domainedesemois.com V r.-v. *Christophe Berneau*

DOM. BERNARD FLEURIET ET FILS
Tradition 2015 ★

	80000		11 à 15 €

En 1991, cette exploitation tournée vers l'agriculture et l'élevage a décidé de se consacrer également à la viticulture. Bernard Fleuriet et ses fils Benoît

et Mathieu conduisent aujourd'hui un vignoble de 25 ha en sancerre et en menetou-salon, en conversion bio depuis 2013.

Bien ouvert, le nez est dominé par les arômes de mangue mûre. La sucrosité de l'attaque donne de la rondeur et de l'ampleur au palais ; puis s'installe avec mesure une fine vivacité aux tonalités exotiques conférant une agréable sensation acidulée. ⧗ 2016-2019 Ψ wok de crevettes à la mangue

⊶ *BERNARD FLEURIET ET FILS, La Vauvise, 18300 Menetou-Ratel, tél. 02 48 79 34 09, fleuriet.vauvise@wanadoo.fr* V *r.-v.*

DOM. OLIVIER FOUCHER 2014 ★

■	8000		5 à 8 €

Olivier Foucher a suivi un parcours professionnel classique: études de viticulture et d'œnologie, quelques années de collaboration avec ses parents et reprise en main du domaine familial à la retraite de son père en 2011. Il exploite aujourd'hui avec sa mère 8 ha de vignes.

Le nez, bien typé, est tout en fruits: myrtille, cassis, griotte. En bouche, le tanin se montre souple, fondu et discret. Un sancerre élégant, de bonne longueur, au style très sobre ⧗ 2016-2019 Ψ lapin rôti

⊶ *DOM. OLIVIER FOUCHER, Les Guenoux, 18240 Sainte-Gemme-en-Sancerrois, tél. 06 76 12 24 35, domainefoucher@orange.fr* V *t.l.j. 9h-12h30 14h-18h30; dim. sur r.-v.*

MAISON FOUCHER Le Mont 2015

■	120000		11 à 15 €

Tonnelier de son état, Paulin Lebrun s'est pris de passion pour la vigne et le vin aux contacts des vignerons avec lesquels il travaillait. Il fonda en 1921 cette maison de négoce aujourd'hui dans le giron de Picard Vins et Spiritueux.

Après de discrètes notes minérales, l'aération dévoile des parfums de salade de fruits (pêche, mangue). Douce et souple en attaque, la bouche évolue vers plus de vivacité, portée par une fine minéralité et des arômes frais de citron. ⧗ 2016-2018 Ψ fruits de mer

⊶ *MAISON FOUCHER-LEBRUN, 29, rte de Bouhy, 58200 Alligny-Cosne, tél. 03 86 26 87 27, contact@maisonfoucher.com* V *t.l.j. sf sam. dim. 8h-12h 14h-18h; f. août* ⊶ *Picard Vins & Spiritueux*

FOURNIER PÈRE ET FILS Les Belles Vignes 2015 ★

■	120000		11 à 15 €

Exploitation familiale créée au XIXe s. sur 2 ha de vignes. Claude Fournier, à la fois viticulteur et négociant, conduit aujourd'hui un vaste domaine de quelques 100 ha répartis sur trois appellations : pouilly-fumé, menetou-salon et sancerre.

Intense, l'olfaction ajoute aux premiers arômes perçus (buis, pamplemousse, groseille à maquereau) des notes de fruits à chair blanche et d'ananas qui apportent de la finesse. Tendre, ronde et généreuse, avec un aspect crémeux, la bouche présente aussi de la fraîcheur, renforcée par une pointe d'amertume en finale. ⧗ 2016-2019 Ψ cabillaud aux citrons confits

⊶ *SAS FOURNIER PÈRE ET FILS, rte de la Garenne, Chaudoux, 18300 Verdigny, tél. 02 48 79 35 24, claude@fournier-pere-fils.fr* V *t.l.j. 8h-12h 13h30-18h; sam. dim. sur r.-v.*

DOM. DE LA GARENNE 2015

■	55000		8 à 11 €

Bernard-Noël Reverdy et son épouse ont transmis en 2008 le flambeau à leur fille Fabienne et à leur gendre Benoît Godon (chargé des vinifications), qui exploitent aujourd'hui un domaine de 12 ha.

Notes d'agrumes, de fleurs blanches et de fruits surmûris composent un nez élégant. La bouche se révèle ample et consistante, soutenue par une bonne vivacité. Un vin équilibré et facile d'accès. ⧗ 2016-2018 Ψ feuilleté au chèvre ■ **Infidèle 2015 (15 à 20 €; 3000 b.)** : vin cité.

⊶ *DOM. DE LA GARENNE, rue Saint-Vincent, 18300 Verdigny, tél. 02 48 79 35 79, contact@sancerrelagarenne.com* V *t.l.j. sf dim. 9h-12h 14h-18h30; f. mi-août*

DOM. LA GEMIÈRE Prestige Vieilles Vignes 2014 ★

■	3400		11 à 15 €

Ce domaine tire son nom d'un lopin de terre où la cave fut construite (sur deux étages, ce qui permet de travailler par gravité). Depuis 1973, Daniel et Josette Millet conduisent cette exploitation d'une vingtaine d'hectares répartis sur trois terroirs (caillotis, terre rouge et terre blanche). Leurs deux fils Sébastien et Nicolas les ont rejoints en 2000.

À l'olfaction, les arômes fruités et boisés sont en harmonie. Souple et doux en attaque, ce sancerre bénéficie de tanins fondus qui habillent élégamment une bouche équilibrée entre fruits rouges et le grillé de la barrique. ⧗ 2017-2021 Ψ volaille aux champignons ■ **Prestige Vieilles Vignes 2014 (11 à 15 €; 4800 b.)** : vin cité.

⊶ *DANIEL MILLET ET FILS, Dom. la Gemière, 1, La Gemière-Champtin, 18300 Crézancy-en-Sancerre, tél. 02 48 79 07 96, contact@domainelagemiere.fr* V *t.l.j. 8h-12h 13h30-18h30*

FERNAND GIRARD ET FILS 2015 ★

■	26000		8 à 11 €

Ce domaine regardant la colline de Sancerre est transmis de père en fils depuis six générations. La dernière, représentée par Alain Girard, a pris les commandes à la fin des années 1990.

Une impression de douceur se dégage de l'olfaction à travers des arômes discrets de fruits (pêche, agrumes) et de fleur d'oranger. Une même sensation de délicatesse et de sucrosité, renforcée par des notes de mousse de fruits, caractérise la bouche, onctueuse et chaleureuse. ⧗ 2016-2019 Ψ poulet à la pêche ■ **2014 (8 à 11 €; 10000 b.)** : vin cité.

⊶ *SCEV FERNAND GIRARD ET FILS, Chaudoux, rte de la Perrière, 18300 Verdigny-en-Sancerre, tél. 02 48 79 37 33, girardfernandetfils@orange.fr* V *r.-v.*

LOIRE

DOM. MICHEL GIRAULT La Silicieuse 2015 ★

	6000		8 à 11 €

Olivier et Anthony Girault ont repris en 2007 la suite de leur père Michel sur ce domaine de 16 ha producteur de sancerre et de pouilly-fumé.

Le nez est frais et d'une complexité intéressante: orange bien mûre, fleurs jaunes, nuance végétale (mousse), pointe minérale (argile). Rond et gras en attaque, le palais est stimulé en finale par une fine acidité (citron mûr) et une touche variétale. Un bon classique, franc, sans artifice. ⧗ 2016-2019 🍴 crottin de Chavignol **Les Beaux Regards 2015 (8 à 11 €; 90 000 b.)** : vin cité.

DOM. MICHEL GIRAULT, 1, chem. du Moulin, 18300 Bué, tél. 02 48 54 25 73, michel.girault5@wanadoo.fr V t.l.j. 8h-12h 13h30-19h

BERNARD ET JÉRÔME GODON Les Fines Bouches 2015 ★

	15 000		8 à 11 €

Transmise de père en fils depuis dix générations, cette exploitation familiale couvre 13 ha, conduite depuis 2006 par Jérôme Godon.

Le nez se complexifie à l'aération, mêlant senteurs fruitées (poire, pêche, agrumes) et florales. La bouche suit la même progression vers de gourmandes sensations fruitées et une finale fraîche et de bonne longueur. Un sancerre aussi élégant que flatteur. ⧗ 2016-2019 🍴 bar sauce hollandaise

EARL BERNARD ET JÉRÔME GODON, Les Fouchards, 18240 Sainte-Gemme-en-Sancerrois, tél. 02 48 79 33 30, contact@vin-de-sancerre.com V t.l.j. 8h-12h 14h-19h

VINCENT GRALL Le Manoir 2015

	32 000		11 à 15 €

Après diverses expériences dans de grands domaines de Sancerre, Vincent Grall a créé en 1988 son vignoble, qu'il conduit en bio sans certification. La mise en bouteille date de 2000. Avec ses 4 ha de vignes, il fait partie des plus petits producteurs du Sancerrois.

Cette cuvée, née d'un terroir à silex, dévoile à l'olfaction des notes boisées bien présentes. Elles sont plus en retrait au palais: l'élevage partiel en fût apporte un surcroît de structure sans étouffer le vin, tendu par une bonne acidité. À attendre un peu. ⧗ 2017-2021 🍴 poulet à la crème

VINCENT GRALL, 149, av. nationale, 18300 Sancerre, tél. 02 48 78 00 42, vincent.grall@wanadoo.fr V r.-v.

ALAIN GUENEAU La Guiberte 2015 ★

	60 000		8 à 11 €

Alain Gueneau, qui a pris la suite de ses parents en 1970, est aux commandes d'un domaine qui étend ses 16 ha de vignes sur des coteaux pentus autour de Sury-en-Vaux, Sancerre et Chavignol. Sa fille Élisa l'a rejoint depuis quelques années.

Le nez, suave et de belle intensité, associe nuances fruitées (pêche, abricot) et fleurs mellifères. Construite sur la rondeur et le gras, la bouche offre une heureuse remontée d'acidité en finale. Équilibré, de bonne tenue, long, un sancerre très agréable. ⧗ 2016-2019 🍴 poisson en sauce **Les Griottes 2015 (11 à 15 €; 6000 b.)** : vin cité. **2014 (8 à 11 €; 15 000 b.)** : vin cité.

ALAIN GUENEAU, Maison-Sallé, 18300 Sury-en-Vaux, tél. 02 48 79 30 51, contact@sancerre-gueneau.com V r.-v.

RÉGIS JOUAN 2015 ★

	17 000		8 à 11 €

Après avoir travaillé vingt ans sur le domaine familial, Régis Jouan a créé en 2010, avec son épouse, sa propre exploitation: un petit vignoble de 3,6 ha à Surry-en-Vaux.

Printanière par ses premières notes florales, l'olfaction dévoile surtout des arômes d'agrumes et d'abricot. En bouche, on croque dans le fruit frais (pêche, mandarine), qui équilibre le caractère onctueux et chaleureux du vin et apporte un dynamisme conforté par une jolie finale mentholée. ⧗ 2016-2019 🍴 aumônière de Saint-Jacques

SCEA RÉGIS JOUAN, Maison-Sallé, 18300 Sury-en-Vaux, tél. 02 48 79 34 68, regis.jouan@wanadoo.fr V r.-v.

DOM. SERGE LALOUE 2014 ★

	21 000		11 à 15 €

Christine et Franck, qui ont repris le domaine (22 ha) en 2000, poursuivent l'œuvre de leur père Serge Laloue en travaillant selon le même état d'esprit, à dominante bio (enherbement, confusion sexuelle, traitements raisonnés...), sans pour autant opter pour la certification.

Le nez est puissant et complexe: nuances boisées fondues, fruits noirs, tapenade, épices, sous-bois. Soutenu par des tanins serrés mais sans dureté, le palais confirme ces belles qualités aromatiques: fruits rouges compotés, réglisse, notes toastées. Un sancerre expressif et gourmand. ⧗ 2017-2021 🍴 lapin aux puneaux **2015 (8 à 11 €; 70 000 b.)** : vin cité.

SERGE LALOUE, 6, rue de la Mairie, 18300 Thauvenay, tél. 02 48 79 94 10 , contact@serge-laloue.fr V *t.l.j. sf dim. 8h-12h 13h30-17h30; sam. sur r.-v.*

♥ **DOM. SERGE LAPORTE** Millésia 2015 ★★

	60 000		8 à 11 €

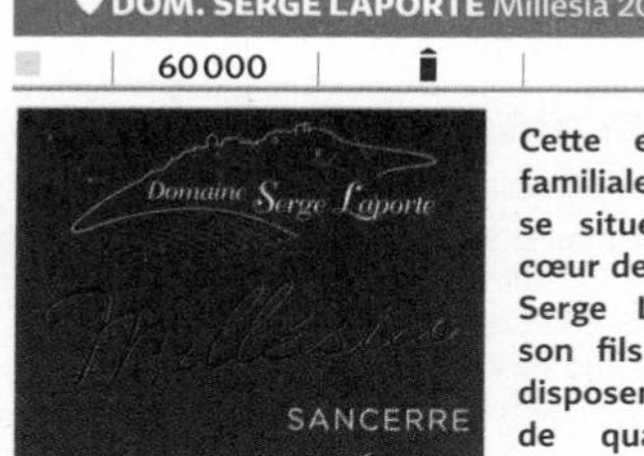

Cette exploitation familiale de 12 ha se situe en plein cœur de Chavignol. Serge Laporte et son fils Guillaume disposent de plus de quarante-cinq parcelles reposant sur presque autant de terroirs et de nuances géologiques.

Complexe, l'olfaction de cette cuvée née d'un sol calcaire déploie une vaste gamme d'arômes: les fruits mûrs (pêche, litchi, groseille) forment la trame sur laquelle se greffent de subtiles touches minérales et végétales. Frais en attaque, le palais développe une puissance remarquée, tout en conservant de la délicatesse et une acidité bien ajustée qui culmine dans une longue finale sous tension. Un sancerre de terroir au caractère affirmé. ⧗ 2016-2021 ¥ koulibiac ■ **Cuvée des Mages 2014 ★ (11 à 15 €; 6000 b.)** : sélection des parcelles les plus âgées plantées sur marnes kimméridgiennes, une cuvée aux senteurs intenses et complexes de fleurs, de fruits mûrs et de pierre à fusil, fine et vive, ample et harmonieuse en bouche. ⧗ 2017-2021

DOM. SERGE LAPORTE, Chavignol, 18300 Sancerre, tél. 02 48 54 30 10, domaine.serge.laporte@wanadoo.fr V t.l.j. sf dim. 9h-12h 14h-18h

KÉVIN ET CHRISTIAN LAUVERJAT
Moulin des Vrillères 2015

■ | 6000 | | 8 à 11 €

Les Lauverjat cultivent la vigne depuis plusieurs générations à Sury-en-Vaux. Installé dans un ancien moulin à grains (le Moulin des Vrillères), Christian, épaulé par son fils Kévin, est aujourd'hui à la tête d'un vignoble de 13 ha.

Assemblage de plusieurs parcelles de pinot noir, cette cuvée dévoile d'agréables arômes de mûre, de cerise noire et de thym. Souple en attaque, le palais se montre charnu, étayé par des tanins fondus et par une pointe de vivacité bien sentie. Un sancerre «au naturel», plaisant et alerte. ⧗ 2017-2020 ¥ tournedos au poivre

KÉVIN ET CHRISTIAN LAUVERJAT, Moulin des Vrillères, 18300 Sury-en-Vaux, tél. 02 48 79 38 28, lauverjat.christian@wanadoo.fr V t.l.j. sf dim. 9h-12h 14h-17h 2

ÉRIC LOUIS 2015 ★

■ | 112000 | | 8 à 11 €

C'est l'arrière-grand-mère Pauline qui planta les premières vignes sur les terres de Thauvenay et débuta le commerce du vin; c'était autour de 1860. Depuis 1996, Éric Louis suit les pas de son aïeule à la tête d'un vignoble de 20 ha sur les coteaux sud-est de l'aire d'appellation sancerre, constitués de silex et d'argilo-calcaire. Les œnophiles sont accueillis dans une belle cave voûtée en pierre du Morvan.

Ouvert sur des notes de fruits jaunes (pêche) et exotiques (ananas), des nuances d'agrumes (mandarine) et une touche d'amande, le nez est délicat et avenant. Généreuse, ample, riche et généreuse, la bouche s'étire dans une longue finale pleine de fraîcheur qui apporte une belle énergie. Bien dans la gourmandise «solaire» des 2015, sans jamais perdre l'équilibre. ⧗ 2016-2019 ¥ filets de sole à la crème

SARL ÉRIC LOUIS, 26, rue de la Mairie, 18300 Thauvenay, tél. 02 48 79 91 46, contact@sancerre-ericlouis.com V r.-v.

DOM. FRANCK MILLET 2015

■ | 80000 | | 8 à 11 €

Établi à Bué, Franck Millet a repris l'exploitation familiale en 1991 (24 ha aujourd'hui) et reçoit dans une vaste cave voûtée flambant neuve.

L'olfaction, éloquente, fine et variée, mêle les agrumes au fruit de la Passion, des notes de vieille rose à des nuances minérales. Équilibrée, la bouche fait dans le classicisme: ronde en attaque, elle est ensuite soulignée d'un trait de fraîcheur jusqu'en finale. ⧗ 2016-2019 ¥ terrine de poisson

MILLET, 68, rue Saint-Vincent, 18300 Bué, tél. 02 48 54 25 26, franck.millet@wanadoo.fr V r.-v.

DOM. GÉRARD MILLET Sur le Clou 2014 ★

■ | 2930 | | 15 à 20 €

Gérard Millet s'est lancé dans la viticulture en 1979, à partir de quelques vignes cédées par ses grands-parents. Aujourd'hui secondé par son fils Steve, il a agrandi le domaine (23 ha en sancerre et menetou-salon) et a construit une cave moderne à quelques centaines de mètres du village de Bué.

La teinte pourpre est jeune et dense. Le bouquet, intense, est dominé par des arômes très fins de mûre, de framboise et quelques notes toastées et vanillées. Un mariage heureux du bois et du fruit que l'on retrouve dans une bouche riche et robuste, aux tanins solides mais élégants. ⧗ 2018-2021 ¥ magret de canard ■ **Le Désert du Petit Banon 2014 (15 à 20 €; 1060 b.)** : vin cité. ■ **Chêne marchand 2014 (15 à 20 €; 2400 b.)** : vin cité.

GÉRARD MILLET, rte de Bourges, 18300 Bué, tél. 02 48 54 38 62, gmillet@terre-net.fr V r.-v.

FRANÇOIS MILLET 2015 ★★

■ | 110000 | | 11 à 15 €

Établis dans le village vigneron de Bué, François et Monique Millet sont depuis 1976 à la tête du domaine familial (21 ha), désormais épaulés par leur fils Nicolas, formé dans le vignoble bourguignon.

Après quelques notes variétales fugaces (buis), l'olfaction s'ouvre sur d'intenses senteurs fruitées (fruits exotiques, orange mûre, pêche) et sur les fleurs mellifères. Complète et cohérente, la bouche se révèle ample, ronde et riche, allégée par une subtile fraîcheur qui termine en point d'orgue dans une longue finale vive et tendue. Le coup de cœur fut mis aux voix. ⧗ 2016-2019 ¥ tagliatelles aux coques

DOM. FRANÇOIS MILLET, Le Carroir-Picard, 18300 Bué, tél. 02 48 54 39 09, nicolas-millet@wanadoo.fr V t.l.j. sf dim. 9h-12h 13h30-18h; f. 15-30 août

FLORIAN MOLLET Tradition 2015 ★

■ | 30000 | | 8 à 11 €

Cette ancienne propriété de l'abbaye de Saint-Satur, fondée en 1450, est dans la même famille depuis dix générations. Florian Mollet en conduit les 15 ha de vignes depuis l'année 2000.

À un premier nez puissant sur les fruits exotiques succèdent des arômes de fleurs blanches et de bonbon anglais. Le palais se montre rond et chaleureux, bien aiguillonné en finale par une pointe de vivacité aux tonalités acidulées citronnées. ⧗ 2016-2019 ¥ daurade aux citrons confits ■ **Antique 2015 (11 à 15 €; 20000 b.)** : vin cité.

FLORIAN MOLLET, 84, av. de Fontenay, 18300 Saint-Satur, tél. 02 48 54 13 88, florianmollet@wanadoo.fr V t.l.j. 8h-12h 13h30-17h30

PIERRE MORIN 2014

■	6000		8 à 11 €

Pierre Morin a repris l'exploitation familiale en 2013 suite au départ à la retraite de son père Gérard, avec qui il œuvrait depuis 2004 sur les 9 ha de vignes du domaine.

Une robe dense, épaisse, habille ce vin ouvert sur les fruits rouges et noirs (cassis, griotte). D'un bon volume et solidement structurée, la bouche est adossée à des tanins plutôt austères qui enserrent quelque peu la finale. Du potentiel. 2018-2021 canette aux cerises

PIERRE MORIN, 4, rue de l'abbaye, 18300 Bué, tél. 02 78 54 36 75, morin.perefils@orange.fr V *r.-v.*

CAVE DE LA PETITE FONTAINE 2015

■	50000		8 à 11 €

Le nom de ce domaine vient de la présence d'une source qui jaillit dans la cave. Un domaine de près de 13 ha aujourd'hui, conduit depuis 1999 par Emmanuel Fleuriet, héritier d'une lignée de vignerons débutée en 1735.

Le nez de ce 2015 développe, sur un fond variétal persistant, de jolies notes fruitées où dominent les agrumes. La bouche est à l'avenant, variétale et fruitée (citron, pamplemousse rose), portée de bout en bout par une fraîcheur tonique. Tendu et typé. 2016-2019 bourriche d'huîtres

CAVE DE LA PETITE FONTAINE, rue de la Petite-Fontaine, 18300 Verdigny, tél. 02 48 79 40 49, cavelapetitefontaine@wanadoo.fr V *t.l.j. sf dim. 8h-12h 14h-19h*

DOM. DU PRÉ SEMELÉ Camille 2014 ★★

■	3200		15 à 20 €

Situé dans la commune de Sury-en-Vaux, le hameau de Maimbray possède le charme des vieux villages vignerons. C'est ici que les frères Julien et Clément Raimbault ont succédé à leur père et leur oncle à la tête d'un domaine de 19,8 ha, en apportant de nouvelles méthodes de travail (enherbement, travail des sols, bannissement des insecticides et autres produits chimiques). Ils signent des sancerre, notamment en rouge, régulièrement en vue. Une valeur sûre.

Cette cuvée Camille a beaucoup de constance et fleurte ici avec le coup de cœur (qu'elle a déjà obtenu dans ses versions 2009 et 2010). Tout en finesse et d'une belle complexité, le nez associe la myrtille, les fruits rouges très mûrs, la muscade, la vanille et des notes florales. Une générosité aromatique que prolonge un palais long, dense, suave et gras, aux tanins veloutés, avec en appoint une fine fraîcheur qui contraste avec les notes dominantes de fruits compotés. 2018-2022 tournedos Rossini ■ **2015 (8 à 11 €; 102 000 b.)** : vin cité.

JULIEN ET CLÉMENT RAIMBAULT, Maimbray, 18300 Sury-en-Vaux, tél. 02 48 79 33 50, rjc.raimbault@orange.fr V *r.-v.*

♥ **PIERRE PRIEUR ET FILS**
Les Monts Damnés 2014 ★★

■	3000	11 à 15 €

Établis en plein cœur de Verdigny, tout près de la petite église, Thierry et Bruno Prieur conduisent un vignoble de 17 ha répartis sur différents terroirs sancerrois, majoritairement plantés en sauvignon. Une valeur sûre.

L'un des terroirs les plus réputés du Sancerrois, à l'origine d'un vin admirable de finesse dès le premier nez, ouvert sur les fruits blancs (pêche, poire), les fruits exotiques (ananas, Passion) et les fleurs blanches. La bouche offre beaucoup de matière, de densité et de gras, avec en soutien une vivacité bien dosée aux tonalités minérales qui apporte de la droiture, de la netteté et étire la finale. Un sancerre de terroir, jeune et racé, qui saura patienter quelques années en cave. 2017-2022 carpaccio de Saint-Jacques ■ **Dom. de Saint-Pierre 2015** ★★ **(8 à 11 €; 62 500 b.)** : au nez, de beaux arômes floraux. Ronde, puissante, charnue, complexe, d'une vivacité mesurée et régulière, la bouche s'achève sur un long fruité exotique et frais. 2016-2020 tagliatelles aux fruits de mer ■ **Les Silex 2015 (11 à 15 €; 3 600 b.)** : vin cité.

PIERRE PRIEUR ET FILS, rue Saint-Vincent, 18300 Verdigny, tél. 02 48 79 31 70, prieur-pierre@netcourrier.com V *t.l.j. sf dim. 8h-12h 14h-18h*

PAUL PRIEUR ET FILS Les Pichons 2014 ★★

■	4900		20 à 30 €

Héritier d'une longue lignée de vignerons établie sur les terres de Verdigny, Paul Prieur fut l'un des premiers vignerons de Sancerre à vendre sa production en bouteille, en France et à l'étranger. Ces héritiers, aujourd'hui Philippe et son neveu Luc, exploitent un domaine d'une grande régularité: 18,7 ha au pied de la célèbre colline des Monts Damnés. Des vignerons peu interventionnistes à la vigne comme au chai.

Cette cuvée fut coup de cœur dans sa version 2013; le 2014 n'a pas à rougir de la comparaison. Un vin d'un pourpre profond, au nez intense, fruité (cassis, cerise), épicé (laurier, thym) et boisé (torréfaction, vanille). Ample, gras et corsé, il déploie en bouche des tanins denses, serrés, au grain fin. La finale, encore un peu austère, appelle un peu de patience. 2018-2022 côte de bœuf

PAUL PRIEUR ET FILS, rte des Monts-Damnés, 18300 Verdigny, tél. 02 48 79 35 86, domaine@paulprieur.com V *r.-v.*

DOM. DE P'TIT ROY 2015 ★★

■	40000		8 à 11 €

Créé en 1905, le domaine est installé dans le village typiquement vigneron de Maimbray, sur des sols

argilo-calcaires. Il s'est développé dans les années 1960. Alain Dezat, qui a pris la relève de son père Pierre, y cultive un peu moins de 10 ha.

Coup de cœur sur le 2014, le blanc du domaine reste au plus haut niveau dans sa version 2015. L'aération dissipe les notes variétales et amyliques de jeunesse pour révéler de superbes senteurs florales et fruitées (ananas, citron) et une intense minéralité. Ample dès l'attaque, la bouche est portée de bout en bout par la fraîcheur et atteint son point d'orgue dans une longue finale acidulée et fruitée. Un sancerre de terroir d'un beau classicisme. ⧗ 2016-2019 🍴 carpaccio de saumon aux baies roses

⊶ *PIERRE ET ALAIN DEZAT, Maimbray, 18300 Sury-en-Vaux, tél. 02 48 79 34 16, dezat.pierre@orange.fr* V 🚶 ▣ *r.-v.*

ROGER ET DIDIER RAIMBAULT Vieilles Vignes 2014 ★

■	16000	🍾	11 à 15 €

Un domaine de 17,5 ha répartis sur une cinquantaine de parcelles, sur les communes de Verdingy et Sury-en-Vaux, transmis de père en fils depuis dix générations et depuis 1996 par Didier Raimbault. La cave adossée à une colline est élevée sur trois étages, ce qui permet l'utilisation de la gravité pour un travail en douceur des raisins et des moûts.

Très printanier, le nez mêle fleurs blanches, notes miellées, pointe anisée et amande fraîche. Franc en attaque, le palais est bien équilibré entre le gras et la vivacité et déploie une longue finale saline. ⧗ 2017-2020 🍴 tartare de saumon ■ **2014 (8 à 11 €; 16000 b.)** : vin cité.

⊶ *ROGER ET DIDIER RAIMBAULT, Chaudenay, 18300 Verdigny, tél. 02 48 79 32 87, didier@raimbault-sancerre.com* V 🚶 ▣ *t.l.j 9h-12h 13h30-18h30; dim. sur r.-v.*

JEAN-MARIE REVERDY Héritage 2014 ★

■	3648	🛢	11 à 15 €

Perché au-dessus du village de Verdigny, ce domaine offre une belle vue sur la colline de Sancerre. Couvrant 15 ha, il est conduit par Jean-Marie Reverdy et ses fils Guillaume et Baptiste.

Passé une première touche animale, le nez met en avant les fruits rouges confits, l'anis et un bon boisé. En bouche, le vin affiche beaucoup de présence: rondeur, tanins fondus, arômes de cerise à l'alcool, de fruits cuits (pruneau), de vanille et d'épices, finale ample. Un sancerre généreux. ⧗ 2017-2022 🍴 canard confit aux pruneaux

⊶ *JEAN-MARIE REVERDY, rte de Chaudenay, 18300 Verdigny, tél. 02 48 79 30 84, domaine@lavillandiere.com* V 🚶 ▣ *t.l.j. sf dim. 9h-12h 14h-19h*

DOM. HIPPOLYTE REVERDY 2015 ★

■	70000	🍾	5 à 8 €

Valeur sûre de l'appellation, ce domaine conduit par Michel Reverdy est un habitué du Guide. L'exploitation couvre aujourd'hui 14 ha: 11 ha plantés en sauvignon blanc, 3 ha en pinot noir.

Des arômes gourmands de mangue ouvrent la dégustation et s'enrichissent à l'aération de notes de pêche très mûre, presque confiturée. La bouche, ample et longue, associe dans un bel équilibre rondeur, onctuosité, sucrosité et fraîcheur citronnée. ⧗ 2016-2019 🍴 carpaccio de thon aux baies

⊶ *DOM. HIPPOLYTE REVERDY, rue de la Croix-Michaud, Chaudoux, 18300 Verdigny, tél. 02 48 79 36 16, domaine.hreverdy@wanadoo.fr* V 🚶 ▣ *r.-v.*

BERNARD REVERDY ET FILS 2015 ★

■	75000	🍾	8 à 11 €

L'arbre généalogique des Reverdy remontant au XVIe s. trône dans la cave. Aucun doute: ici, le sancerre est une spécialité familiale. Le domaine couvre 12 ha.

Après les notes juvéniles de mie de pain et de bonbon anglais, se devoilent des senteurs de fruits blancs bien mûrs, d'angélique et de fleur de sureau. Ronde en attaque, bien équilibrée, la bouche présente une vivacité de bon aloi renforcée par une finale sur le pamplemousse. ⧗ 2016-2019 🍴 brochet au beurre blanc

⊶ *SCEV BERNARD REVERDY ET FILS, rte des Petites-Perrières, Chaudoux, 18300 Verdigny, tél. 02 48 79 33 08, reverdybernard@orange.fr* V 🚶 ▣ *r.-v.*

DANIEL REVERDY ET FILS P'tit Luce 2014

■	1400	🛢🍾	11 à 15 €

Propriété familiale implantée à Verdigny sur des marnes argilo-calcaires du kimméridgien. Depuis 2001, après s'être formé en Bourgogne, Cyrille a rejoint son père Daniel et lancé la vente en bouteilles. Leur vignoble couvre 9,3 ha.

Hommage au grand-père Lucien, surnommé P'tit Luce, cette cuvée dévoile des arômes typés de griotte et de cassis sur un discret fond boisé. En bouche, une légère sucrosité vient enrober la structure tannique, bien épaulée par le bois. ⧗ 2017-2021 🍴 gigot d'agneau aux pruneaux

⊶ *DOM. DANIEL REVERDY ET FILS, Chaudenay, 18300 Verdigny, tél. 02 48 79 33 29, daniel-et-fils.reverdy@wanadoo.fr* V 🚶 ▣ *r.-v.*

ALBAN ROBLIN 2014 ★★

■	5066	🛢🍾	11 à 15 €

Alban Roblin est un jeune vigneron installé depuis 2009 après la division du domaine familial, le château de Maimbray. Il conduit une exploitation de 12 ha plantés principalement sur les terres blanches de Sury-en-Vaux et de Maimbray.

Ce sancerre exhale des arômes intenses et harmonieux de fruits rouges bien valorisés par quelques notes de torréfaction. Le boisé habille aussi avec justesse une bouche ample et fruitée, ajoute de la complexité l'éclat et sert de support à une longue finale légèrement mentholée. ⧗ 2017-2021 🍴 rôti de veau

⊶ *ALBAN ROBLIN, La Rabotine, rte de Maimbray, 18300 Sury-en-Vaux, tél. 02 48 79 31 15, roblin.larabotine@orangefr* V 🚶 ▣ *t.l.j. 8h-12h 14h-19h; dim. sur r.-v.*

SALMON L'Empreinte d'un Terroir 2014 ★★

■ | 15000 | | 15 à 20 €

Constitué par Irénée Salmon, arrière-grand-père d'Armand, aux commandes depuis 1995, ce vignoble d'une vingtaine d'hectares s'étend sur les meilleurs coteaux de la commune de Bué ainsi que sur l'aire du pouilly-fumé. Un domaine très régulier en qualité.

Le pinot noir à son meilleur dans cette cuvée pourpre intense, ouverte sans réserve sur de belles senteurs vanillées, florales et fruitées (cerise). Bâtie sur des tanins soyeux, la bouche se révèle ample, riche et généreuse, tapissée d'arômes de fruits cuits. Un sancerre corsé et gourmand. ⧗ 2017-2021 ▼ bœuf en daube

DOM. SALMON, rue Saint-Vincent, 18300 Bué, tél. 02 48 54 20 54, domainechristiansalmon@wanadoo.fr V r.-v.

CH. DE SANCERRE 2014 ★

■ | 45000 | 11 à 15 €

En 1920, Alexandre Marnier-Lapostolle, fondateur de la liqueur Grand-Marnier, a acquis le château de Sancerre, ainsi que la tour des Fiefs qui domine la ville. Ces deux édifices demeurent le symbole du domaine et illustrent les étiquettes des vins de ce domaine qui couvre 56 ha.

Une robe cerise noire habille ce vin puissamment bouqueté autour des fruits rouges et noirs nuancés d'épices (girofle, curry, coriandre). Ample et corsée, la bouche dévoile des tanins robustes sur un fond de fruits frais et d'épices douces qui rappellent l'olfaction. Du potentiel. ⧗ 2017-2022 ▼ bœuf bourguignon

MARNIER-LAPOSTOLLE, 8, rue Porte-César, 18300 Sancerre, tél. 02 48 78 51 52, montmarche.e@grandmarnier.tm.fr V r.-v.

DAVID SAUTEREAU 2014

■ | 4000 | | 8 à 11 €

David Sautereau s'est installé en 1997 avec quelques vignes en location. Depuis, il a planté ses propres ceps et conduit un domaine de 7,5 ha, dans les communes de Crézancy, de Bué et de Sancerre.

D'élégantes senteurs fruitées (cerise, fraise, cassis, myrtille) dominent l'olfaction. La bouche, elle aussi bien fruitée, est fraîche et plutôt légère, soutenue par des tanins souples. Une bouteille que l'on pourra apprécier dans sa jeunesse. ⧗ 2016-2018 ▼ volaille ■ **2015 (8 à 11 €; 29000 b.)** : vin cité.

DAVID SAUTEREAU, Les Epsailles, 18300 Crézancy-en-Sancerre, david.sautereau@orange.fr V *t.l.j. 8h-12h 13h30-18h; dim. sur r.-v.*

DOM. TABORDET 2015

■ | 20000 | | 8 à 11 €

Les frères Yvon et Pascal Tabordet ont repris l'exploitation familiale en 1980. La relève est assurée par leurs fils Gaël et Marius, installés à partir de 2008 sur une partie du domaine et sur la totalité depuis 2012 et le départ à la retraite d'Yvon. Leur vignoble couvre 16,5 ha en pouilly-fumé et en sancerre.

Le nez dévoile une fraîcheur stimulante autour du melon et des agrumes, puis apparaissent des notes d'épices, de fleurs blanches, de pêche et d'ananas. Souple en attaque, onctueuse et vineuse, la bouche est soutenue par une trame acide bienvenue. Jolie finale sur les fruits exotiques. ⧗ 2016-2019 ▼ carpaccio de thon

PASCAL, GAËL ET MARIUS TABORDET, rue du Carroir-Perrin, 18300 Verdigny, tél. 02 48 79 34 01, domaine.tabordet@wanadoo.fr V *t.l.j. sf dim. 9h-12h 14h-18h*

DOM. MICHEL THOMAS ET FILS 2014 ★

■ | 20000 | | 8 à 11 €

Régulièrement mentionné dans le Guide, Laurent Thomas, qui a pris la suite de son père Michel, conduit une exploitation de 17 ha. La cave est implantée à l'entrée des Égrots, petit village vigneron entre Sury-en-Vaux et Verdigny.

Si la robe est intense et profonde, le premier nez s'avère discret; l'aération libère des arômes de cerise, de pruneau et d'épices qui accompagnent toute la dégustation. La bouche se révèle ronde et concentrée, le tanin soyeux et fondu, mais la finale plus stricte. Bien que déjà agréable, ce vin gagnera à être attendu. ⧗ 2018-2021 ▼ coq au vin

DOM. MICHEL THOMAS ET FILS, Les Égrots, 18300 Sury-en-Vaux, tél. 02 48 79 35 46, thomas.mld@wanadoo.fr V *t.l.j. 9h-18h30; sam. dim. sur r.-v.*

CLAUDE ET FLORENCE THOMAS-LABAILLE
Les Aristides 2015

■ | 10000 | | 11 à 15 €

Claude et Florence Thomas-Labaille ont pris les rênes du domaine en 1994, suite au départ en retraite du père, Claude Thomas. Les vignes, enherbées à 80 %, couvrent 10 ha sur les coteaux pentus de Chavignol.

D'abord fermée et variétale (buis, pamplemousse), cette cuvée délivre à l'agitation, toujours avec parcimonie, des senteurs de fleurs blanches, de pêche et une nuance poivrée. En bouche, une acidité bien dosée vient souligner des arômes citronnés et laisse sur une belle impression de fraîcheur et de légèreté. ⧗ 2016-2019 ▼ nouilles chinoises aux crevettes

THOMAS-LABAILLE, Chavignol, 18300 Sancerre, tél. 02 48 54 06 95, thomas.labaille@wanadoo.fr V *r.-v.*

DOM. DE LA TONNELLERIE 2015

■ | 75000 | | 8 à 11 €

Les Thirot sont vignerons à Bué depuis trois siècles. Hubert a pris la suite de son père Gérard à la tête de ce domaine qui couvre aujourd'hui 14 ha et pratique l'enherbement sur la quasi-totalité du vignoble.

Au nez, des notes de confiserie et une touche minérale se dégagent au milieu des agrumes (clémentine, pamplemousse). Ronde et riche avec de la fraîcheur, la bouche est équilibrée et de bonne longueur. ⧗ 2016-2018 ▼ fromage de chèvre

GÉRARD ET HUBERT THIROT, allée du Chatiller, 18300 Bué, tél. 02 48 54 16 14, gerard.thirot@wanadoo.fr V t.l.j. sf dim. 8h30-12h 14h-18h

DOM. DES TROIS NOYERS 2014 ★★

	13000		8 à 11 €

Conduite depuis trois générations par la même famille (Georges, puis Roger et depuis 2004 Claude Reverdy-Cadet), cette propriété de 10 ha, située à Verdigny, produit du sancerre dans les trois couleurs.

Ce vin rubis profond dévoile des parfums intenses et fins de cassis, de menthe et de violette. La bouche est dense, volumineuse, massive, structurée par des tanins veloutés et déploie une longue finale sur les fruits noirs mâtinés de nuances pâtissières et anisées. Du potentiel. 2018-2022 daube de bœuf **Reverdy Cadet et Fils Cuvée des Cadet 2014 ★★ (8 à 11 €; 3000 b.)** : au nez, un savoureux mélange de fruits jaunes (coing, mirabelle, abricot, pêche) vivifié par une petite fraîcheur végétale. Très équilibrée, la bouche iodée, vive, tonique et fine sans manquer de gras et de rondeur. 2016-2020

REVERDY CADET, rte de la Perrière, 18300 Verdigny, tél. 02 48 79 38 54, reverdy-cadet@orange.fr V r.-v.

DOM. JEAN-PIERRE VACHER ET FILS 2015

	40000		5 à 8 €

Jean-Pierre Vacher s'est installé en 1990 sur ce domaine du Sancerrois. Son fils Jérôme l'a rejoint en 2004. Ensemble, ils exploitent un vignoble d'une dizaine d'hectares répartis dans les communes de Verdigny et de Menetou-Ratel.

Ce 2015 s'exprime avec réserve à l'olfaction: des notes classiques d'agrumes puis de fruits mûrs (poire, pomme). Ronde en attaque, la bouche est soulignée par une acidité mesurée. En finale, elle s'ouvre sur une belle rétro-olfaction de fleurs blanches et de fruits exotiques (ananas). 2016-2019 crottin de Chavignol

DOM. JEAN-PIERRE VACHER ET FILS, 21, rte de Sancerre, 18300 Menetou-Ratel, tél. 06 89 15 31 14, earlvacher@aol.com V r.-v.

B DOM. VACHERON Les Romains 2014 ★

	15000		20 à 30 €

Héritiers d'une lignée d'hommes de la terre implantée depuis toujours sur le «pithon» de Sancerre, les frères Vacheron – Jean-Louis et Denis – et leurs deux enfants respectifs Jean-Dominique et Jean-Laurent exploitent aujourd'hui un vignoble de 49 ha créé dans les années 1900. Certifié depuis 2005 en bio et biodynamie, le domaine pratique la sélection parcellaire.

Le terroir à silex du lieu-dit des Romains confère à ce vin des arômes puissants et flatteurs de fleurs (lilas, acacia) mêlés de nuances exotiques, mentholées et miellées. Ronde, grasse et ample, la bouche est en harmonie, ajoutant une touche de minéralité en finale. Du potentiel. 2017-2021 tartare de saumon à l'aneth

SAS DOM. VACHERON VIGNERONS, BP 49, 1, rue du Puits-Poulton, 18300 Sancerre, tél. 02 48 54 09 93, vacheron.sa@wanadoo.fr V r.-v.

DOM. ANDRÉ VATAN Les Charmes 2015 ★

	70000		8 à 11 €

Situé à Verdigny, ce domaine habitué des sélections du Guide étend son vignoble sur les différents terroirs du Sancerrois. André et Arielle Vatan ont été rejoints en 2012 par leur fils Adrien sur l'exploitation. Une valeur sûre.

Une cuvée souvent en vue dans ces pages; un vin «pédagogique», issu des différents terroirs du Sancerrois: argilo-silex (20 %), argilo-calcaire (40 %) et terres blanches (40 %). La version 2015 charme par son bouquet intense et frais de pamplemousse et de mangue. À la fois précise, ample et fondue, la bouche associe la plénitude d'un raisin à maturité et une belle minéralité qui signe le terroir et souligne les arômes d'agrumes et de fruits exotiques, échos parfait à l'olfaction. Un sancerre de caractère qui pourra tenir dans le temps. 2017-2021 brochet au beurre blanc

EARL ANDRÉ VATAN, rte des Petites-Perrières, 18300 Verdigny, tél. 02 48 79 33 07, avatan@terre-net.fr V r.-v.

DOM. DU VIEUX PRÊCHE 2014 ★

	4400		8 à 11 €

La culture de la vigne irrigue le sang des Planchon depuis 1715. Robert perpétue la tradition depuis 1986, avec son fils Christophe à ses côtés. Ensemble, ils cultivent une dizaine d'hectares de vignes.

De couleur soutenue, ce sancerre respire la fraîcheur et le fruit à l'olfaction: coulis de fruits noirs, cassis (et feuille de cassis), griotte, le tout relevé d'une touche de poivre noir. Un fruité et une fraîcheur qui imprègnent aussi la bouche, ample et longue, soutenue par des tanins doux de prime abord, plus fougueux en finale. 2017-2021 rôti de veau aux pruneaux

SCEV ROBERT PLANCHON ET FILS, Dom. du Vieux Prêche, 3, rue Porte-Serrure, 18300 Sancerre, tél. 02 48 54 22 22, robert.planchon@terre-net.fr V r.-v.

DOM. DES VIEUX PRUNIERS 2015 ★★

	55000		8 à 11 €

Christian Thirot-Fournier a repris l'exploitation de ses parents en 1984 et exploite avec son épouse 10 ha de vignes. Le domaine, établi au pied du coteau viticole de Bué, offre aux visiteurs une belle vue sur le vignoble de Sancerre.

Plus souvent en vue pour ses rouges, le domaine s'illustre ici avec un blanc superbe, ouvert sur des notes de musc qui disparaissent à l'aération, relayées par de jolis parfums de fruits frais (poire, pêche), de fleurs d'acacia, d'anis et de pierre à fusil. Rond, plein, ferme et dense tout en maintenant de la nervosité jusqu'en finale, le palais fait sensation par son équilibre. Un sancerre à la fois puissant, frais et fin, au potentiel certain. 2017-2021

LOIRE

sole aux amandes ■ La P'tite Coûte 2014 (8 à 11 €; 2400 b.) : vin cité.

CHRISTIAN THIROT-FOURNIER, 1, ch. de Rargigoi, 18300 Bué, tél. 02 48 54 09 40, thirot.fournier-christian@wanadoo.fr t.l.j. sf dim. 8h-12h 14h-19h; f. 15-31 août

LES IGP DE LA VALLÉE DE LOIRE

IGP CALVADOS

ARPENTS DU SOLEIL Grisy Auxerrois 2015

■	16100		8 à 11 €

Gérard Samson est «le» vigneron du Calvados, installé depuis 1995 sur les terres argilo-calcaires de Saint-Pierre-sur-Dives, à la tête d'un petit vignoble de 6,6 ha.

De jeunes ceps d'auxerrois de treize ans sont à l'origine de cette cuvée nettement florale à l'olfaction. Souple et fraîche en attaque, la bouche évolue ensuite vers plus de rondeur et de gras, avec une touche épicée en appoint, tandis que de jolis amers redonnent du tonus en finale. 2016-2019 curry de crevettes

GÉRARD SAMSON, Arpents du Soleil, Grisy, 14170 Saint-Pierre-sur-Dives, gerard.samson979@orange.fr lun. ven. 14h-18h30; 1er sam. du mois 10h-17h

IGP CÔTES DE LA CHARITÉ

DOM. LA PETITE FORGE Pinot noir 2014 ★★

■	2800		5 à 8 €

C'est à l'emplacement d'une ancienne forge qui dépendait du prieuré clunisien de La Charité-sur-Loire que le vignoble des Côtes de la Charité a connu sa renaissance sous l'impulsion de la famille Pabion. Daniel et Katrin Pabion sont aux commandes depuis 1980.

Des ceps de pinot noir de vingt six ans sont à l'origine d'un vin ouvert sans réserve à l'olfaction sur des arômes gourmands de fruits rouges confits. Arômes prolongés avec la même intensité dans une bouche corpulente, ronde et soyeuse, structurée avec élégance par des tanins fins et veloutés. De l'harmonie et du potentiel. 2017-2021 bœuf bourguignon

DANIEL ET KATRIN PABION, 136, chem. de la Petite-Forge, 58400 Raveau, tél. 03 86 70 30 80, petiteforge@yahoo.fr r.-v.

IGP PUY-DE-DÔME

BENOÎT MONTEL À l'Endroit À l'Envers Les Varennes 2015 ★

■	4000		5 à 8 €

Après des études au lycée viticole de Beaune suivies de quatre ans de vinification à Puligny-Montrachet, Benoît Montel a créé son propre domaine en 1999. Un vignoble de 12 ha dispersé sur quatre crus, de Riom à Clermont-Ferrand, qu'il cultive dans un «esprit de plus en plus bio et naturel», à l'origine de côtes-d'auvergne qui laissent rarement indifférent. Une valeur sûre.

Assemblage de chardonnay (70 %) et de sauvignon, cette cuvée dévoile un nez intense de fleurs blanches, d'agrumes et de poire. On retrouve ces arômes bien mariés dans une bouche ronde et généreuse, équilibrée par une pointe bienvenue d'acidité. 2016-2019 volaille à la crème ■ **Les Groslières Pinot noir 2015 (8 à 11 €; 3000 b.)** : vin cité.

EARL BENOÎT MONTEL, 6, rue Henri-et-Gilberte-Goudier, ZI La Varenne, 63200 Riom, tél. 06 32 00 81 05, benoit-montel@orange.fr r.-v.

SAINT-ROCH Chardonnay 2015 ★

■	25000		5 à 8 €

Le vignoble de cette cave coopérative se situe intégralement dans le département du Puy-de-Dôme. Grâce à ses 180 ha, elle fournit une grande partie des côtes-d'auvergne et figure régulièrement en bonne place dans le Guide.

Ce 2015 s'ouvre sur des arômes harmonieux de fleurs blanches, d'agrumes et de pierre à fusil. La bouche est équilibrée, ronde, suave et fraîche à la fois, soulignée par une minéralité bien sentie. 2016-2019 sole meunière

CAVE SELIA SAINT-VERNY, 2, rte d'Issoire, 63960 Veyre-Monton, tél. 04 73 69 60 11, saint.verny@saint-verny.com r.-v.

IGP VAL DE LOIRE

ACKERMAN Sauvignon 2015 ★

■	20000		- de 5 €

Négoce fondé en 1811 par Jean-Baptiste Ackerman, qui fut l'un des premiers à utiliser les anciennes carrières de tuffeau pour élaborer des vins selon la méthode traditionnelle. Régulièrement au rendez-vous du Guide, la maison Ackerman, dirigée par Bernard Jacob, est aujourd'hui le plus important producteur de vins effervescents du Saumurois.

Intense et fin, le bouquet de ce sauvignon associe le genêt, le citron et les fruits exotiques. Des arômes bien typés auquel fait un long écho une bouche alerte et vive, plus ronde et chaleureuse en finale. 2016-2019 rillettes d'oie

SA ACKERMAN, 19, rue Léopold-Palustre, Saint-Hilaire, Saint-Florent, 49400 Saumur, tél. 02 41 53 03 10, contact@ackerman.fr t.l.j. 9h30-12h30 14h-18h30

DOM. BOUFFARD Sauvignon 2015 ★

■	15000		- de 5 €

Ce domaine d'une belle régularité est établi à Saint-Crespin, une commune de l'est du vignoble nantais située aux portes de l'Anjou. Gilles et Frédéric Bouffard y produisent tous les types de vins de la région (blanc, rouge, rosé et mousseux) sur une exploitation de 27 ha.

D'un abord réservé, ce vin a besoin d'un peu d'air pour libérer ses arômes d'agrumes et de fleurs blanches. Plus loquace, conjuguant une aimable rondeur et une pointe d'acidité bien dosée, le palais plaît par son équilibre. ⧗ 2016-2019 ¥ nouilles chinoises aux crevettes

⊶ GAEC GILLES ET FRÉDÉRIC BOUFFARD, 8, La Brosse, 49230 Saint-Crespin-sur-Moine, tél. 02 41 70 43 42, gaec.bouffard@orange.fr V ▪ *r.-v.*

HENRI BOURGEOIS
L'Élégance de Petit Bourgeois 2015 ★

■	20500	▮	5 à 8 €

À sa création par Henri Bourgeois en 1950, la propriété comptait 1,5 ha de vignes sur Chavignol. Aujourd'hui, la dernière génération (Arnaud, Jean-Christophe et Lionel) est à la tête de 72 ha répartis sur 120 parcelles, sans compter les 30 ha du Clos Henri Vineyard acquis en Nouvelle-Zélande. Une valeur sûre du Sancerrois.

Ce Petit Bourgeois plein de bonhomie porte beau dans sa robe jaune pâle et se parfume d'agrumes et de genêt, avec une note briochée bien gourmande en appoint. En bouche, il apparaît plutôt «rondouillard», gras et bien en chair, mais sans manquer de finesse et de fraîcheur. Aimable et harmonieux. ⧗ 2016-2019 ¥ petits choux au saumon

⊶ SAS HENRI BOURGEOIS, Chavignol, 18300 Sancerre, tél. 02 48 78 53 20, domaine@henribourgeois.com V ▪ ▪ *t.l.j. 9h30-18h30; f. 22 janv.*

HENRY BROCHARD Pinot noir Les Carisannes 2015

■	6200	▮	5 à 8 €

Henry Brochard plante les premières vignes en 1959. À la tête de 5,5 ha aujourd'hui, ses petites-filles Caroline, Isabelle et Anne-Sophie ont uni leurs compétences et leurs prénoms (Carisannes) pour signer les cuvées du domaine.

Fermé de prime abord, ce 2015 s'ouvre progressivement sur les fruits rouges et les épices. Une approche flatteuse que prolonge un palais souple en attaque, puis assez corpulent, rond et persistant dans son évolution. Petite garde conseillée. ⧗ 2017-2020 ¥ pavé de bœuf sauce poivre

⊶ HENRY BROCHARD, Chavignol, 18300 Sancerre, tél. 02 48 78 20 10, domaine@hubert-brochard.fr V ▪ *t.l.j. 9h-12h 14h-17h30*

DOM. DES CLOSSERONS Sauvignon 2015 ★★

■	10000	▮	- de 5 €

Jean-Claude Leblanc a repris l'exploitation familiale en 1956. Ses fils Yannick et Dominique lui ont succédé en 1984, rejoints en 2008 par Fabien, fils du premier, et en 2015 par Pierre, fils du second. Un domaine de 45 ha régulièrement en vue pour ses liquoreux, ses coteaux-du-layon notamment.

Bourgeon de cassis et fleurs blanches, pas de doute, nous sommes bien en présence du sauvignon. En bouche, l'équilibre est de mise: de la souplesse, de la rondeur, la vivacité typique du cépage et une longue finale tout en fruit. Le coup de cœur fut mis aux voix. ⧗ 2016-2019 ¥ salade de chèvre chaud ■ **Le Dénigré by Leblanc 2014 (8 à 11 €; 6000 b.)** : vin cité.

⊶ EARL JEAN-CLAUDE LEBLANC ET FILS, Dom. des Closserons, 2, rue des Monts, 49380 Faye-d'Anjou, tél. 02 41 54 30 78, contact@domaine-leblanc.fr V ▪ ▪ *r.-v.*

DOM. DE LA COCHE
Grolleau gris Pays de Retz 2015 ★

■	11000	▮	5 à 8 €

Située à l'extrême ouest du vignoble nantais, Sainte-Pazanne est une commune principalement tournée vers l'agriculture. Un îlot viticole demeure: celui des cousins Emmanuel et Laurent Guitteny, à la tête depuis 2000 d'un vignoble de 30 ha.

Des ceps de grolleau gris de vingt et un ans plantés sur schistes ont donné ce vin très fruité à l'olfaction, autour de l'abricot, des fruits exotiques et des fruits blancs. La bouche, à l'unisson, est ronde, riche et volumineuse, soulignée par une fine fraîcheur. Un ensemble harmonieux et élégant. ⧗ 2016-2019 ¥ écrevisses en gelée d'agrumes

⊶ DOM. DE LA COCHE, La Coche, 44680 Sainte-Pazanne, tél. 02 40 02 44 43, contact@domainedelacoche.com V ▪ ▪ *t.l.j. sf lun. dim. 10h-12h 14h-19h*

DOM. DU COING DE SAINT-FIACRE
Chardonnay Cuvée Aurore 2015

■	25000	▮	5 à 8 €

Issue d'une lignée au service du vin remontant au XVᵉs. Véronique Günther-Chéreau, docteur en pharmacie, a quitté l'officine en 1989 pour se consacrer exclusivement aux trois vignobles familiaux (70 ha en tout), implantés dans trois terroirs distincts: le Ch. du Coing Saint-Fiacre, acquis par son père Bernard Chéreau en 1973, le Grand Fief de la Cormeraie, et le Ch. de la Gravelle (ces deux derniers en conversion bio). Elle est épaulée depuis 2010 par sa fille Aurélie.

Le nez, discret, associe fleurs et fruits blancs. La bouche n'est pas très longue mais plaît par son équilibre gras-acidité et par son expression aromatique élégante, à l'unisson du bouquet. ⧗ 2016-2019 ¥ saumon à l'unilatérale

⊶ VÉRONIQUE GÜNTHER-CHÉREAU, Le Coing, 44690 Saint-Fiacre-sur-Maine, tél. 02 40 54 85 24, contact@vgc.fr V ▪ ▪ *t.l.j. 11h-13h 14h-18h*

DOM. DU COLOMBIER Sauvignon gris 2015 ★

■	8000	- de 5 €

Domaine situé à la limite est du vignoble nantais, aux portes des Mauges et de l'aire du muscadet. Représentant la quatrième génération, Jean-Yves Brétaudeau conduit depuis 1996 le vignoble de 32 ha.

Le sauvignon gris s'exprime sans réserve dans ce vin ouvert sur les agrumes, les fleurs blanches et des notes mentholées. Une fraîcheur que l'on retrouve dans une bouche longue, alerte, fine et souple, dominée par des saveurs exotiques. ⧗ 2016-2019 ¥ courgettes farcies au saumon ■ **Sauvignon blanc 2015 (- de 5 €; 10000 b.)** : vin cité.

⊶ JEAN-YVES BRÉTAUDEAU, 3, le Colombier, 49230 Tillières, tél. 02 41 70 45 96, contact@lecolombier.com V r.-v.

Ⓑ VIGNOBLE DAVID-DUVALLET
Cabernet franc Insolence N°4 2014 ★

■ | 10000 | - de 5 €

Après le départ à la retraite de son père Michel en 2011, Stéphane David a pris les commandes de l'exploitation familiale fondée en 1936, qui s'étend sur 30 ha au cœur de l'appellation muscadet-sèvre-et-maine. Il est épaulé pour la partie commerciale par Sébastien Duvallet.

Le cabernet franc planté sur un sol de gabbro est à l'origine d'un vin surprenant par ses arômes d'agrumes, de groseille, de feuille de figuier et de poivron. La bouche apparaît très fruitée, souple et fraîche, soutenue par des tanins légers et fondus. Une bouteille originale et bien construite. ⧗ 2016-2020 🍴 côtelettes d'agneau aux herbes ■ **Chardonnay Insolence N°2 2015 (- de 5 €; 10000 b.)** Ⓑ : vin cité.

⊶ DOM. DAVID, 19, Le Landreau-Village, 44330 Vallet, tél. 02 40 36 42 88, domainedavid@orange.fr V *t.l.j. sf sam. dim. 9h-18h*

DOM. DE L'ESPÉRANCE Merlot 2015

■ | 2000 | - de 5 €

Patrice Chesné (rejoint en 2004 par son épouse Anne-Sophie) a repris en 1992 le vignoble familial, 31 ha à Tillières, l'une des deux communes du Maine-et-Loire en AOC muscadet-sèvre-et-maine, aux portes de l'Anjou.

De très jeunes vignes de merlot (trois ans) plantées sur un sol argilo-limoneux ont donné naissance à ce vin fruité et épicé après aération, un brin végétal aussi. La bouche offre du volume, de la fraîcheur, de la souplesse; on y retrouve avec persistance les fruits et les épices. Un ensemble cohérent et équilibré. ⧗ 2016-2019 🍴 bavette à l'échalote

⊶ PATRICE ET ANNE-SOPHIE CHESNÉ, 4, L'Espérance, 49230 Sevremoine, tél. 02 41 70 46 09, gaecchesne@orange.fr V *r.-v.*

DOM. DE LA FOLIETTE Sauvignon 2015 ★

■ | 16000 | 🍾 | - de 5 €

Ce domaine tire son nom des petites folies, demeures bourgeoises que faisaient construire au XVIIIe s. les armateurs nantais à leur retour des «Indes». Il est dirigé depuis 1988 par deux fils de vignerons de la Haye-Fouassière: Denis Brosseau et Éric Vincent, à la tête de 40 ha. L'intégralité des plants a été greffée par leurs soins et élevée dans la pépinière de l'exploitation.

Fleurs blanches, agrumes et fruits blancs mûrs, touche épicée, le bouquet de ce pur sauvignon apparaît complexe et harmonieux. La bouche? Fraîche, fine, expressive elle aussi, persistante et équilibrée. Bien sous tous rapports. ⧗ 2016-2019 🍴 raie au beurre citronné

⊶ DOM. DE LA FOLIETTE, 35, rue de la Fontaine, 44690 La Haye-Fouassière, tél. 02 40 36 92 28, foliette@orange.fr V *r.-v.*

DOM. DU FRESNE Sauvignon 2015

■ | 20000 | - de 5 €

Ce château du XVe s. bâti en pierre de schiste a gardé de son architecture d'origine une tourelle ronde. Constitué en 1927, le vignoble de 90 ha est conduit depuis 2010 par trois associés, Nicolas Richez, David Maugin et Yannis Bretault.

Le nez, fin et élégant, conjugue les agrumes et les fleurs blanches. Dans le droit fil, la bouche apparaît douce et ronde, avec une petite pointe d'amertume pas désagréable en finale qui apporte du peps. ⧗ 2016-2019 🍴 quiche au saumon

⊶ CH. DU FRESNE, 25 bis, rue des Monts, 49380 Faye-d'Anjou, tél. 02 41 54 30 88, contact@chateaudufresneanjou.com V *t.l.j. sf dim. 8h-12h 14h-19h; f. 3e sam. de janv.*

DOM. DE LA GACHÈRE Grolleau gris 2015 ★★

■ | 5000 | - de 5 €

Ce domaine familial de 30 ha est situé dans les Deux-Sèvres, aux confins méridionaux du vignoble angevin. Les frères jumeaux Alain et Gilles Lemoine ont pris la succession de leur père Claude en 1998.

Ce 2015 offre une remarquable expression du grolleau gris. L'olfaction mêle d'intenses notes de fruits exotiques, d'agrumes, de fleurs blanches et de miel. Le prélude à un palais gras, riche, généreux, stimulé par une pointe de vivacité. Un vin gourmand, sphérique et solaire. ⧗ 2016-2019 🍴 risotto de saint-jacques

⊶ GAEC LEMOINE, Dom. de la Gachère, 79290 Saint-Pierre-à-Champ, tél. 05 49 96 81 03, gachere@orange.fr V *r.-v.*

DOM. DES GRANGES Les Petites Violières 2014

■ | 4200 | 🛢 | 8 à 11 €

Christian et Delphine Nobiron se sont installés en 2011 sur ce vignoble de 12 ha bercé par les embruns de l'Océan. La conversion bio est au programme.

Une sélection parcellaire de chenin est à l'origine de ce vin encore sous l'emprise de ses douze mois de barrique à l'olfaction: notes grillées et toastées intenses, avec le beurre frais et les fruits à l'arrière-plan. Le palais est gras, rond, suave, le boisé, sensible, tandis qu'une pointe de minéralité apporte une fraîcheur bienvenue en finale. À attendre un peu pour plus de fondu. ⧗ 2017-2021 🍴 blanquette de veau

⊶ DOM. DES GRANGES, 15, rue des Granges, 85340 Olonne-sur-Mer, tél. 02 51 33 45 01, cavenobiron@hotmail.fr V *r.-v. ⊶ Nobiron*

GUILBAUD FRÈRES Chardonnay Excelsus 2015 ★

■ | 12000 | 🍾 | - de 5 €

Cette maison de négoce a été créée en 1927 par l'arrière-grand-père et le grand-oncle des actuels propriétaires, aux commandes depuis 1983.

Des ceps de chardonnay âgés de trente ans ont donné naissance à cette cuvée expressive, ouverte sur le pamplemousse, le citron, la poire et les fleurs blanches. On retrouve les agrumes dans un palais gras, souple et long, sous-tendu par une belle vivacité citronnée. ⌛ 2016-2019 🍴 huîtres gratinées

⊶ *GUILBAUD FRÈRES, BP 49601, 44196 Clisson Cedex, tél. 02 40 06 90 69* V *t.l.j. sf sam. dim. 8h30-12h 14h-17h*

DOM. DES ÎLES Chardonnay Prestige 2015 ★

	20000		- de 5 €

Ce domaine vendéen a été créé en 1985 par Pierre Penisson à partir de 50 ares de vignes. Accompagné depuis 2001 par ses fils Pierrick et Landry, le vigneron agrandit progressivement son vignoble, étendu aujourd'hui sur 69 ha.

Nuances minérales, arômes de pomme, d'agrumes et de fleurs blanches, le nez de ce 2015 donne envie d'aller plus loin. En bouche, on découvre un vin équilibré, souple, rond et suave, souligné par une fine salinité qui apporte longueur et dynamisme. ⌛ 2016-2019 🍴 curry de crevettes

⊶ *PIERRICK ET LANDRY PENISSON, Le Marché Nouveau, 85670 Saint-Etienne-du-Bois, tél. 02 51 34 54 38, domaine.iles@carfrance.fr* V *t.l.j. sf dim. 16h-19h; sam. 9h-12h*

JEAN-LOUIS LHUMEAU Chardonnay 2014 ★

	2000		8 à 11 €

Depuis la reprise de ce domaine par Jean-Louis Lhumeau en 1991, l'exploitation est passée de 3 ha de vignes à 60 ha. Cette expansion n'a pas été menée au détriment de la qualité, comme en témoignent de nombreuses sélections, aussi bien en AOC qu'en IGP, et plusieurs coups de cœur.

Vinifié et élevé en fût de chêne, ce pur chardonnay livre un bouquet intense de vanille, de notes fumées, de fruits secs et de miel. La bouche apparaît dense, riche et tout aussi boisée, le gage d'une bonne évolution en cave. ⌛ 2018-2021 🍴 blanquette de lotte **Sauvignon 2014 (8 à 11 €; 1500 b.)** : vin cité.

⊶ *EARL JOËL ET JEAN-LOUIS LHUMEAU, 7, rue Saint-Vincent, 49700 Brigné, tél. 02 41 59 30 51, dnehauteshouches@wanadoo.fr* V *r.-v.*

♥ DOM. MADELEINEAU Cabernet franc Élevé en fût de chêne 2014 ★★

	2000		- de 5 €

Ce domaine familial de 30 ha créé en 1982 est bien connu des lecteurs du Guide à travers plusieurs étiquettes: le Domaine Madeleineau en IGP Val de Loire, le Domaine de l'Errière et le Domaine de la Taraudière en muscadet-sèvre-et-maine et gros-plant-du-pays-nantais.

Groseille, fruits à noyau, touche d'eucalyptus, boisé vanillé, le bouquet de ce pur cabernet franc apparaît complexe et élégant. En bouche, l'équilibre est admirable: une attaque souple et tendre, une structure soyeuse et bien fondue, un boisé précis et une longue finale pleine de fruit et de fraîcheur. Une vinification et un élevage parfaitement maîtrisés pour un vin d'une grande finesse, qui s'appréciera aussi bien sur le fruit qu'après quelques années de garde. ⌛ 2016-2021 🍴 magret de canard aux cerises ■ **Gamay 2015 ★ (- de 5 €; 2000 b.)** : 75 % de gamay beaujolais et 25 % de gamay chaudenay pour cette cuvée bien typée avec ses arômes de fruits rouges, d'épices et de bonbon anglais, et sa bouche fraîche, légère et friande. ⌛ 2016-2018 🍴

⊶ *GAEC MADELEINEAU, L'Errière, 44430 Le Landreau, tél. 02 40 06 43 94, domainemadeleineau@orange.fr* V *r.-v.*

Ⓑ MARIGNY-NEUF Sauvignon 2015 ★★

	100000		8 à 11 €

Frédéric Brochet crée à vingt-trois ans, alors qu'il rédige sa thèse de doctorat en œnologie, son petit domaine à partir des 49 ares de vignes paternelles. C'est l'origine d'Ampelidae, né dans la cave familiale de La Mailleterie. Aujourd'hui, son vignoble couvre 90 ha morcelés sur une trentaine de kilomètres autour de Marigny-Brizay et répartis sur plusieurs propriétés, complétés par une activité de négoce.

Un sauvignon élégamment bouqueté autour de notes beurrées, d'aubépine et de fruits exotiques bien mûrs. La bouche se révèle ample, ronde et soyeuse, soulignée par une discrète vivacité qui ajoute à sa finesse. ⌛ 2016-2019 🍴 saumon au beurre blanc ■ **P.N. 1328 2014 (20 à 30 €; 27000 b.)** Ⓑ : vin cité.

⊶ *AMPELIDAE, Manoir de Lavauguyot, 86380 Marigny-Brizay, tél. 05 49 88 18 18, ampelidae@ampelidae.com* V *r.-v.*

⊶ *Frédéric Brochet*

DOM. DE MONTGILET Sauvignon 2015 ★

	20365		5 à 8 €

Ce domaine situé aux portes d'Angers est une référence de la région, notamment en matière de « douceurs angevines » avec de superbes coteaux-de-l'aubance à la carte. À la tête de l'exploitation créée par leur grand-père, Victor et Vincent Lebreton, aux commandes depuis 1995, conduisent 60 ha sur un terroir de schistes ardoisiers.

Discret au premier nez, ce 2015 s'ouvre doucement mais sûrement après aération: fleurs blanches, nuances pâtissières, agrumes. La bouche est ronde, souple et caressante, assistée par une fine acidité qui étire la finale et donne un joli tonus à l'ensemble. ⌛ 2016-2019 🍴 couteaux gratinés

⊶ *DOM. DE MONTGILET, 10, chem. de Montgilet, 49610 Juigné-sur-Loire, tél. 02 41 91 90 48, montgilet@wanadoo.fr* V *t.l.j. sf dim. 9h-12h 14h-17h30*

⊶ *Victor et Vincent Lebreton*

LE MOULIN DE LA TOUCHE Chardonnay Pays de Retz 2015 ★

	26500		- de 5 €

Ce domaine a été créé en 1970 sur les coteaux sud qui dominent le marais breton et la baie de Bourgneuf-en-Retz; 16 ha de vignes entourent aujourd'hui un ancien moulin érigé en 1745 et transformé en caveau par la famille Hérissé. Vincent est arrivé en 2009 pour s'occuper des vinifications.

D'une belle intensité, cette cuvée dévoile des arômes harmonieux de fleurs blanches et de pêche. Suivant la même ligne, le palais séduit par son équilibre, sa fraîcheur et sa persistance. ⧗ 2016-2019 ▼ lotte à la crème

⊶ VINCENT HÉRISSÉ, Le Moulin de la Touche, 44580 Bourgneuf-en-Retz, tél. 02 40 21 47 89, contact@lemoulindelatouche.com V 🚶 ■ *r.-v.*

DOM. DE LA NOË Chardonnay 2015 ★

■ | 15000 | 🍾 | | - de 5 €

Sur les granites de Château-Thébaud, les vignes sont généralement précoces car les sols sont bien drainants. Ce domaine transmis de père en fils depuis 1878 est aujourd'hui conduit par les quatre frères Drouard, Pascal, Laurent, Denis et Jean-Paul, qui disposent de 78 ha.

Au nez, les agrumes et les fleurs blanches font bon ménage. La bouche suit la même ligne aromatique et offre un équilibre plaisant entre rondeur et vivacité. Simple et de bon aloi. ⧗ 2016-2018 ▼ friture de poisson

⊶ DOM. DE LA NOË, 44690 Château-Thébaud, tél. 02 40 06 50 57, domainedelanoe@free.fr V 🚶 ■ *t.l.j. sf dim. 9h-12h30 14h-18h* 🏠 Ⓔ *⊶ Drouard*

DOM. DE LA PAPINIÈRE Sauvignon 2015

■ | 4000 | 🍾 | | 5 à 8 €

Après le départ à la retraite de Bernard Cousseau, fondateur du domaine en 1980, la Papinière (44 ha sur une butte entre le ruisseau de la Braudière et la Sanguèze) a été reprise en 2014 par Vincent Barré, qui conduit par ailleurs le Dom. de la Chignardière. Deux domaines situés dans la partie orientale du vignoble nantais, aux confins des Mauges.

Un nez typé d'agrumes, de buis et de fleurs blanches ouvre la dégustation de ce sauvignon né sur micaschistes. La bouche est fraîche, fruitée, équilibrée. Simple et efficace. ⧗ 2016-2018 ▼ bouquet de crevettes

⊶ VINCENT BARRÉ, 2 bis, La Papinière, 49230 Tillières, tél. 02 41 70 46 31, lapapiniere.vb@gmail.com V 🚶 ■ *r.-v.*

DOM. DU PETIT CLOCHER Sauvignon 2015 ★

■ | 22000 | 🍾 | | - de 5 €

Conduit par la jeune génération: Stéphane, Julien et Vincent Denis, arrivés respectivement en 2003, 2006 et 2009, une affaire de famille depuis 1920; 5 ha aux origines, 85 ha aujourd'hui. Un domaine phare du haut Layon, réputé notamment pour ses vins rouges, mais aussi très à l'aise sur les blancs et les rosés. Une valeur (très) sûre.

Si le premier nez se montre plutôt réservé, l'aération libère des arômes intenses et délicats de genêt et d'agrumes. Plus expressive, sur les mêmes tonalités, la bouche associe une tendre rondeur à une fine fraîcheur. L'équilibre est bien assuré, la longueur très honorable et le plaisir garanti. ⧗ 2016-2019 ▼ lotte au safran ■ **Chardonnay 2015 ★ (- de 5 €; 18000 b.)** : noisette, beurre, citron, fleurs blanches, le bouquet est élégant. En bouche, de la douceur, de la rondeur, du fruit (pêche, abricot) et une bonne persistance. ⧗ 2016-2019 ▼ quenelles de brochet

⊶ DOM. DU PETIT CLOCHER, La Laiterie, 49560 Cléré-sur-Layon, tél. 02 41 59 54 51, petit.clocher@wanadoo.fr V 🚶 ■ *t.l.j. sf dim. 9h-12h 14h-18h ⊶ M. Denis*

LE PETIT'Ô BLANC Chardonnay 2015 ★

■ | 1000 | 🍾 | | - de 5 €

À la sortie de Vallet, sur la route de Beaupréau, La Chalousière est un petit village typique du vignoble nantais. Constitué en 1845, ce domaine familial se transmet depuis sept générations. Michel et Viviane Petiteau y ont développé l'œnotourisme. En 2015, ils ont passé le relais à leur fils Vincent qui dispose de 28 ha de vignes.

Une touche minérale qui signe un terroir de schiste accompagne les fleurs blanches et les agrumes dans ce vin bien équilibré. La bouche attaque sur la fraîcheur, évolue sur la rondeur, puis retrouve la vivacité dans une jolie finale aux accents citronnés. ⧗ 2016-2019 ▼ dos de cabillaud sauce agrumes

⊶ DOM. PETITEAU, 451, La Chalousière, 44330 Vallet, tél. 06 03 50 50 89, contact@domainepetiteau.com V 🚶 ■ *t.l.j. sf dim. 9h-12h30 14h-18h30*

CLAUDE-MICHEL PICHON Sauvignon 2015 ★

■ | 26000 | 🍾 | | - de 5 €

Succédant à son père, Claude-Michel Pichon a pris les commandes en 2009 du Château la Chevillardière et de ses 92 ha de vignes, après avoir débuté sa carrière comme maître de chai d'une maison de négoce. Il a engagé un programme de plantation de nouveaux cépages.

Les amateurs de sauvignon seront comblés. Robe pâle, nez intense d'agrumes, de buis et de fleurs blanches, bouche vive, énergique et fruitée: ce 2015 offre tout ce que l'on attend du cépage. ⧗ 2016-2019 ▼ bar de ligne en papillotte

⊶ SCEA CLAUDE-MICHEL PICHON, 60, la Chevillardière, 44330 Vallet, tél. 02 53 55 73 39, cmpichon@orange.fr V 🚶 ■ *t.l.j. sf dim. 9h-12h30 14h-18h30*

♥ DOM. POIRON-DABIN Pinot noir 2014 ★★

■ | 17800 | | 5 à 8 €

En 1962, Jean Poiron épouse Thérèse Dabin. Déjà propriétaire du Château de l'Enclos, le couple agrandit son vignoble (acquisition du Clos du Château de la Verrie en 1970, puis du Dom. de Chantegrolle en 1990). Leurs fils Laurent et Jean-Michel achètent encore le Clos des Tabardières, ce qui porte la superficie de leur exploitation à 65 ha.

Une élégante robe rouge vif habille ce pinot noir au nez soutenu et bien typé de fruits rouges mâtiné d'épices. Une attaque tout en souplesse et en fraîcheur introduit une bouche ronde et soyeuse, qui propose un long écho aux arômes perçus à l'olfaction. Un vin très équilibré, aimable et expressif. ⧗ 2016-2020 🍴 coq au vin

⊶ *DOM. POIRON-DABIN, Chantegrolle, 44690 Château-Thébaud, tél. 02 40 06 56 42, contact@poiron-dabin.com* **V** *t.l.j. sf dim. 9h-12h 14h-18h*

DOM. DE LA POTARDIÈRE Sauvignon 2015 ★

| 6000 | | - de 5 €

Propriétaire de ce domaine depuis 1879, la famille Couillaud conduit un vignoble de 27 ha au flanc d'un coteau appelé La Butte de la Roche, qui domine le marais de Goulaine. Romain a pris les commandes en 2010.

Une vigne de sauvignon plantée sur schiste est à l'origine de ce 2015 bien typé. Le nez se révèle intense, floral et fruité (genêt, citron). Il trouve un écho persistant et élégant dans une bouche fraîche et fine qui ne manque pas de rondeur. ⧗ 2016-2019 🍴 penne aux crevettes

⊶ *EARL COUILLAUD ET FILS, La Potardière, 44430 Le Loroux-Bottereau, tél. 02 40 33 82 50, domainepotardiere@orange.fr* **V** *r.-v.*

♥ DOM. DE LA RABLAIS Sauvignon blanc Cuvée Saint-Georges 2015 ★★

| 10000 | | - de 5 €

La famille Simoneau exploite la vigne sur ces terres de Saint-Georges-sur-Cher depuis la fin de la Révolution française. Depuis 2013, ce sont Corine Simoneau (marketing et commercial) et Sébastien Paris (vigne et chai) qui sont aux commandes, avec à leur disposition un vignoble de 57 ha entièrement tourné vers la production de vins de cépages.

Cette cuvée à la robe claire et limpide met le sauvignon ligérien à l'honneur. Le nez «sauvignonne» à souhait avec ses notes d'agrumes, de genêt et de buis. Arômes que l'on retrouve avec la même intensité dans une bouche aussi large que longue, très fraîche sans manquer de rondeur et de gras, étirée dans une longue finale pleine de douceur. Une grande élégance. ⧗ 2016-2019 🍴 tagliatelles aux fruits de mer

⊶ *PARIS-SIMONEAU, 21, rue des Vignes, 41400 Saint-Georges-sur-Cher, tél. 02 54 71 36 14, contact@antoinesimoneau.com* **V** *t.l.j. sf lun. dim. 9h-12h 14h-18h*

DOM. DE LA RAGOTIÈRE Chardonnay 2015 ★

| 100000 | | 5 à 8 €

Bernard, Michel et François Couillaud ont acquis en 1979 le château de la Ragotière, ancienne maison noble ayant appartenu à un compagnon d'armes de Du Guesclin. Ils pratiquent la lutte raisonnée sur leur vignoble de 70 ha d'un seul tenant, d'où ils tirent des muscadet-sèvre-et-maine et des vins de cépage en IGP Val de Loire vendus sous diverses étiquettes.

Expressif et harmonieux, ce 2015 livre un bouquet engageant de fruits secs, d'abricot et de fleurs blanches. La bouche est équilibrée, à la fois ronde et tonique, portée par une fine vivacité jusqu'en finale. ⧗ 2016-2019 🍴 terrine de poisson

⊶ *SCEA DE LA RAGOTIÈRE, Les Frères Couillaud, Ch. de la Ragotière, 44330 La Regrippière, tél. 02 40 33 60 56, freres.couillaud@wanadoo.fr* **V** *t.l.j. sf sam. dim. 8h-12h 14h-18h*

DOM. DES RENARDIÈRES Sauvignon gris 2015 ★

| 1519 | | 5 à 8 €

Isabelle Bureau, œnologue de formation, a acquis quelques hectares de vignes et a créé ce domaine en 2015 et vendangé la même année. Elle conduit un peu plus de 2 ha de vignes.

Née de 35 ares de sauvignon gris, cette cuvée nécessairement confidentielle, déploie de jolis parfums d'agrumes, de fruits blancs et de bonbon acidulé. Tranchante dès l'attaque, à l'unisson du bouquet, la bouche maintient le cap de la vivacité de bout en bout. Un vin énergique à réserver pour les produits de la mer. ⧗ 2016-2019 🍴 plateau de fruits de mer

⊶ *ISABELLE BUREAU, 13, les Vallées, 86380 Ouzilly, tél. 06 47 04 71 38, isabelle.bureau86gmail.com* **V** *r.-v.*

MICHEL ROBINEAU Sauvignon 2015

| 1400 | | - de 5 €

À la tête de 11 ha de vignes, Michel Robineau a créé son exploitation en 1990 dans l'aire des coteaux-du-layon. Son domaine jouit d'une très bonne réputation, confortée par nombre d'étoiles et de coups de cœur dans le Guide.

Au nez, des notes florales élégantes accompagnent les fruits blancs mûrs. On retrouve un fruité agréable en bouche, à dominante d'ananas, souligné en finale par une pointe d'amertume qui apporte un surcroît de persistance. ⧗ 2016-2019 🍴 salade de poulpes ■ **Grolleau 2015 (- de 5 €; 1200 b.)** : vin cité.

⊶ *MICHEL ROBINEAU, 3, chem. du Moulin, Les Grandes-Tailles, 49750 Saint-Lambert-du-Lattay, tél. 02 41 78 34 67, vignoblemichelrobineau@orange.fr* **V** *r.-v.*

♥ DOM. ROBINEAU CHRISLOU Sauvignon 2015 ★★

| 10000 | - de 5 €

Après avoir repris l'exploitation familiale en septembre 1991, Louis Robineau s'est associé avec son épouse Christine en janvier 1992 pour créer ce domaine qui couvre aujourd'hui 22 ha sur la commune de Saint-Lambert-du-Lattay.

Le sauvignon à son meilleur dans cette cuvée limpide et brillante à tous les sens du terme. Les fruits exotiques,

LOIRE

l'ananas notamment, se mêlent aux fleurs blanches pour composer un bouquet très élégant. Longuement parcourue d'arômes fruités, la bouche associe douceur, rondeur, puissance et grande fraîcheur. Un modèle d'équilibre. ⧗ 2016-2019 ⫪ terrine de saint-jacques

⊶ *LOUIS ROBINEAU, 24, rue du Bon-Repos, 49750 Saint-Lambert-du-Lattay, tél. 02 41 78 36 04, robineauchrislou@gmail.com* V ⚑ ■ *r.-v.*

ROCHE NOIRE Sauvignon 2015 ★

■	25000	5 à 8 €

Cette entreprise familiale a été créée en 1994, sur la commune de Chavagne, dans le prolongement des coteaux de Bonnezeaux.

Un sauvignon équilibré et gourmand. Après quelques tours de verre, le nez libère des parfums flatteurs de fleurs blanches et de fruits exotiques. La bouche offre plus d'intensité encore, sur le fruit, se révèle ronde et suave sans jamais céder à la lourdeur grâce au soutien d'une pointe d'acidité. ⧗ 2016-2019 ⫪ gratin de saint-jacques

⊶ *DOM. MONCOURT, rue Antoine-Lavoisier, 49250 Beaufort-en-Vallée, tél. 02 41 79 76 20, samoncourt@wanadoo.fr* V ⚑ ■ *r.-v.*

DOM. LA TOUR BEAUMONT Chardonnay 2015 ★

■	8000	5 à 8 €

Le donjon d'un ancien château du XIIᵉs. a donné son nom au domaine, dont les 26 ha se répartissent sur deux coteaux séparés par la rivière Clain. Une valeur sûre du Haut-Poitou. Après cinq années passées en Bourgogne, Pierre Morgeau a rejoint en 2011 son père, Gilles, sur cette exploitation familiale créée en 1860, qu'il dirige seul depuis 2015.

Au nez, des arômes agréables de fleurs blanches et de fruits jaunes voisinent avec quelques notes végétales. On retrouve le fruit dans une bouche qui penche vers la rondeur sans manquer toutefois de vivacité. Équilibré. ⧗ 2016-2019 ⫪ truite aux amandes

⊶ *PIERRE MORGEAU, 2, av. de Bordeaux, 86490 Beaumont, tél. 05 49 85 50 37, tour.beaumont@terre-net.fr* V ■ *t.l.j. sf dim. 9h30-12h 14h30-19h (18h sam. et hiver)*

DOM. DE LA TOURNERIE
Cabernet-sauvignon 2014

■	3300	- de 5 €

Le vignoble et le caveau du domaine sont situés sur le site du château de Goulaine, forteresse du haut Moyen Âge reconstruite en pierre de tuffeau dans le style des grandes demeures du Val de Loire. Jean-Paul Lebrun est aux commandes des 6 ha de vignes.

De jeunes ceps de dix ans sont à l'origine de ce vin ouvert sur des notes de framboise mûre, de cendre et de grillé. La bouche évolue en souplesse, soutenue par des tanins fondus et lisses. Un vin simple et léger, à boire sur le fruit. ⧗ 2016-2018 ⫪ assiette de charcuterie

⊶ *GAEC DE LA TOURNERIE, La Tournerie, L'Islaie, 44115 Haute-Goulaine, tél. 06 78 81 37 47, jean-paul.lebrun6@wanadoo.fr* V ⚑ ■ *r.-v.* ⊶ *Lebrun*

DOM. DE LA TUFFIÈRE
Chardonnay Chardo & Tuffo 2015

■	3200	◍	5 à 8 €

Situé sur la rive droite de la Loire, au nord-est d'Angers, ce domaine de 25 ha, de création monastique, remonte au XVIIᵉs. Longtemps propriété du Ch. de la Tuffière, il a été repris en 1989 par les Coignard, exploitants sur ces terres depuis 1972. Leur fille Clarisse et son mari Fabrice Benesteau sont aux commandes depuis 2002. Leurs vins (blancs et rosés notamment) sont régulièrement remarqués dans nos éditions.

Le «chardo» sur le «tuffo», cela donne un vin harmonieux, ouvert à l'olfaction sur des notes de miel, d'agrumes et de fleurs blanches. La bouche est vive en attaque, plus ronde et tendre dans son développement, de bonne persistance. ⧗ 2016-2019 ⫪ escalope à la crème

⊶ *EARL COIGNARD-BENESTEAU, Dom. de la Tuffière, 49140 Lué-en-Baugeois, tél. 02 41 45 11 47, vignoble-tuffiere@wanadoo.fr* V ⚑ ■ *t.l.j. sf dim. 9h-12h30 14h-19h*

VENESMES Cuvée P'tit Louis 2015 ★

■	11500	▮	5 à 8 €

À une trentaine de kilomètres au sud de Bourges, quatre-vingts passionnés se sont réunis en 1996 pour redonner vie au vignoble de Venesmes, disparu dans les années 1970 au profit des céréales. Ils conduisent en location 6 ha de vignes: 4 ha, propriété de quelque 120 détenteurs et 2 ha, loués à la commune.

P'tit Louis? Le surnom donné à Louis Bouzique, longtemps le seul vigneron de Venesmes, décédé en 1975, qui eut l'idée de replanter la vigne sur la commune. Dans le verre, un pur sauvignon expressif et floral au nez, fin, tendre et équilibré en bouche, étiré dans une belle finale citronnée. ⧗ 2016-2019 ⫪ quiche au chèvre

⊶ *SCEV DE VENESMES, 15, Scay, 18190 Venesmes, tél. 06 08 23 59 04, dominiqueleduc1@gmail.com* V ⚑ ■ *r.-v.*

J. DE VILLEBOIS Sauvignon blanc 2015

■	50000	▮	5 à 8 €

En 2004, Joost de Willebois acquiert ce domaine et se spécialise alors dans le sauvignon blanc. Il est aujourd'hui aidé de son épouse Miguela et du vigneron Thierry Merlet.

Au nez, des fleurs blanches et du citron. En bouche, des agrumes toujours, une petite note herbacée pas désagréable, de la vivacité et une bonne longueur. Un bon classique. ⧗ 2016-2018 ⫪ fromage de chèvre

⊶ *J. DE VILLEBOIS, 43, rue de la Quezardière, 41110 Seigy, tél. 06 71 90 95 70, vin@villebois.eu*

La vallée du Rhône

SUPERFICIE : 73 468 ha
PRODUCTION : 2 830 000 hl
TYPES DE VINS : rouges très majoritairement, rosés et quelques rares blancs ; vins doux naturels ; quelques effervescents (clairette-de-die).
SOUS-RÉGIONS :
vallée du Rhône septentrionale (entre Vienne et la rivière Drôme au sud de Valence) et vallée du Rhône méridionale (du sud de Montélimar à Avignon et à la Durance).
CÉPAGES PRINCIPAUX
Rouges : syrah, grenache, mourvèdre, cinsault, carignan et de nombreux autres cépages devenus très rares (counoise, vaccarèse, muscardin...).
Blancs : viognier, roussanne, marsanne, grenache blanc, clairette blanche, bourboulenc...

LA VALLÉE DU RHÔNE

La vallée du Rhône porte des vignobles parmi les plus anciens de France. En matière de vins d'appellation, c'est la deuxième région viticole après le Bordelais. Les vins rouges, majoritaires, sont souvent chaleureux, souples ou de garde. Avec Tavel, le vignoble possède la plus ancienne appellation de rosés ; il produit aussi des blancs de haute lignée comme les hermitage ou les condrieu. Enfin, les vins doux naturels montrent son appartenance à l'orbite méditerranéenne.

Le legs des Romains et des papes. C'est aux abords de Vienne que se trouve l'un des plus anciens vignobles du pays, développé par les Romains, après avoir été sans doute créé par des Phocéens de Marseille. Vers le IVᵉs. avant notre ère, la viticulture est attestée aux environs des actuels hermitage et côte-rôtie ; dans la région de Die, elle apparaît dès le début de l'ère chrétienne. À la suite des Templiers (au XIIᵉs.), le pape Jean XXII et ses successeurs d'Avignon ont développé le vignoble de Châteauneuf-du-Pape. Quant aux vins de la Côte du Rhône gardoise, ils connurent une grande vogue aux XVIIᵉ et XVIIIᵉs.; les cités de Tavel et des environs édictèrent des règles de production tout en apposant sur leurs tonneaux les lettres «CdR» (pour «Côtes-du-Rhône») – une anticipation de l'AOC.

XXᵉs.: le renouveau. Produits loin de Paris et des grands axes commerciaux, les vins du Rhône furent longtemps mésestimés, malgré la réputation des hermitage ou des côte-rôtie. La vigne était d'ailleurs concurrencée par les oliveraies et les vergers. Le côtes-du-rhône était souvent un gentil vin de comptoir, en général issu de brèves cuvaisons. Son image s'est redressée tandis que son profil s'est diversifié, du primeur au vin de garde rappelant les crus. Le vignoble, qui s'était rétracté au XIXᵉs., a regagné du terrain. La coopération, très présente dans la région avec 95 caves et cinq groupements de producteurs, participe largement à l'économie viticole de la vallée, produisant presque les deux tiers des volumes, aux côtés de quelque 1 560 caves particulières. Le négoce-éleveur, malgré le prestige de certaines maisons, est moins présent que dans d'autres vignobles (3 % des volumes).

DE L'APPELLATION RÉGIONALE AUX CRUS

Comme dans d'autres régions viticoles, il existe une hiérarchie des vins. Au sommet, les appellations communales. Côte-rôtie, condrieu, hermitage, saint-joseph, cornas... celles-ci constituent la quasi-totalité des vignobles de la partie septentrionale, beaucoup moins étendue. Au sud, le plus illustre de ces crus est châteauneuf-du-pape, mais huit villages occupent le même rang, comme Gigondas ou Tavel. À la base de la pyramide, l'appellation régionale côtes-du-rhône s'étend sur 171 communes, presque toutes situées au sud. Entre appellations communales et régionales, les côtes-du-rhônes-villages, également situés dans la partie méridionale, proviennent de 95 communes plus réputées.

Le nord et le sud. Certains experts différencient les vins de la rive gauche de la vallée, qui seraient plus capiteux, de ceux de la rive droite, plus légers. Mais on distingue surtout la vallée du Rhône septentrionale, au nord de Valence, et la vallée du Rhône méridionale, au sud de Montélimar, séparées l'une de l'autre par une zone d'environ cinquante kilomètres où la vigne est absente. Topographie, paysages, climat, sols, encépagement, culture: le nord et le sud de la vallée diffèrent nettement. Au nord de Valence, la vallée s'encaisse entre Alpes et Massif central; le climat est tempéré, avec une influence continentale; les coteaux sont souvent très pentus et les sols le plus souvent granitiques ou schisteux; les vins sont issus du seul cépage syrah pour les rouges, des cépages marsanne et roussanne pour les blancs, ou encore du viognier (condrieu, château-grillet). Au sud de Montélimar, la vallée s'élargit, on arrive en Provence ; le climat est méditerranéen, les sols sur substrat calcaire sont très variés: terrasses à galets roulés, sols rouges argilo-sableux, molasses et sables; le cépage principal est ici le grenache, mais les excès climatiques obligent les viticulteurs à utiliser plusieurs cépages pour obtenir des vins parfaitement équilibrés: en rouge, la syrah, le mourvèdre, le cinsault, le carignan... en blanc, la clairette, le bourboulenc, la roussanne.

Dans l'orbite de la vallée du Rhône. D'autres vignobles sont rattachés à la vallée du Rhône. Ce sont, sur la rive droite, les AOC grignan-les-adhémar, entre Montélimar et Bollène; ventoux, entre Vaison-la-Romaine et Apt ; luberon, plus au sud, sur la rive droite de la Durance; pierrevert, dans le département des Alpes-de-Haute-Provence ; de la rive droite proviennent les côtes-du-vivarais, de part et d'autre des gorges de l'Ardèche ; les costières-de-nîmes, aux confins du Languedoc. Il faut encore citer la région de Die, dans la vallée de la Drôme, en bordure du Vercors. Plus montagneux, plus frais, le Diois, aux sols d'éboulis calcaires, est propice aux cépages blancs, comme la clairette et le muscat.

➾ LES APPELLATIONS RÉGIONALES DE LA VALLÉE DU RHÔNE

CÔTES-DU-RHÔNE

Superficie : 37 465 ha
Production : 1 205 000 hl (97 % rouge et rosé)

Définie dès 1937, l'appellation régionale côtes-du-rhône figure au nombre des plus anciennes. C'est aussi l'une des plus vastes, la seconde en superficie après Bordeaux. Elle s'étend en effet sur six départements: Rhône, Loire, Ardèche, Gard, Drôme et Vaucluse. L'essentiel de la production provient des quatre derniers, situés dans la vallée du Rhône méridionale, au sud de Montélimar, les vignobles de la partie nord fournissant presque exclusivement des vins d'AOC locales. Sur la rive droite du Rhône, les vignes couvrent les pentes de collines; sur la rive gauche, elles affectionnent des bassins à fond plat aux sols de galets mêlés d'argiles sableuses rouges.
Dans cette partie sud du vignoble, l'encépagement est bien méridional, le dernier décret (1996) renforçant l'importance du grenache (40 % minimum), de la syrah et du mourvèdre dans les rouges et rosés. Les cépages secondaires, qui sont ici légion, ne peuvent pas totaliser plus de 30 % de l'encépagement. Ce sont notamment le cinsault, le carignan et encore la counoise, le muscardin, le vaccarèse, le terret. Des cépages blancs peuvent même entrer dans la composition des rosés. Les côtes-du-rhône blancs font intervenir principalement les grenache blanc, clairette, marsanne, roussanne, bourboulenc et viognier.
À la diversité des sols, des microclimats et des cépages répond celle des vins: vins rouges de semi-garde, tanniques et généreux, à servir sur de la viande rouge, produits dans les zones les plus chaudes et sur des sols de diluvium alpin (Domazan, Estézargues, Courthézon, Orange...); vins rouges plus légers, fruités et plus nerveux, nés sur des sols eux-mêmes plus légers (Nyons, Sabran, Bourg-Saint-Andéol...); vins primeurs disponibles à partir du troisième jeudi de novembre. La chaleur estivale contribue à la rondeur des blancs et des rosés. Producteurs et œnologues cherchent aujourd'hui à extraire le maximum d'arômes et à obtenir des vins frais et délicats. On servira les blancs sur des poissons de mer, les rosés sur des salades composées ou de la charcuterie.

DOM. L'ABBÉ DÎNE 2015 ★

■ | 4000 | 🍾 | 5 à 8 €

Nathalie Reynaud a repris en 2010 le domaine familial (18 ha) qui portait jusqu'alors ses raisins à la coopérative. En 2012, elle acquiert une petite cave et élabore ses premiers vins. Le nom de son domaine évoque une histoire locale selon laquelle, à l'époque des papes d'Avignon, un bon abbé aimait faire ripaille dans le quartier des Bédines, lieu-dit historique où la vigneronne a ses vignes de châteauneuf-du-pape.

Étonnante et détonante, cette petite production 100 % clairette née sur un terroir sableux proche des galets roulés de Châteauneuf-du-Pape. Le cépage s'exprime à l'olfaction avec une belle finesse florale et fruitée, et affiche une aimable douceur dans une bouche ample et généreuse. Un vin solaire déjà bien en place: inutile de trop attendre. ⧗ 2016-2019 🍷 lotte à la crème

⊶ EARL MIREILLE ET JEAN REYNAUD, 1480, chem. des Mulets, 84350 Courthézon, tél. 04 90 70 20 21, domainelabbedine@wanadoo.fr V 🚶 ▮ *r.-v.*

CH. LES AMOUREUSES La Barbare 2015 ★

■ | 30000 | 🍾 | 8 à 11 €

Racheté en 2011 par Jean-Pierre Bedel, ce domaine (58 ha) établi à Bourg-Saint-Andéol, sur les bords du Rhône, est régulièrement distingué dans le Guide; il a déjà décroché plusieurs coups de cœur.

Une cuvée d'une belle pureté, constituée à 80 % de syrah. La robe est éclatante, le nez bien fruité et gourmand. On retrouve longuement les fruits, légèrement compotés, dans une bouche plus gracieuse que puissante, déjà bien fondue. ⧗ 2016-2019 🍷 tajine de veau

⊶ SCEA CH. LES AMOUREUSES, chem. de Vinsas, 07700 Bourg-Saint-Andéol, tél. 04 75 54 51 85, contact@terresdesamoureuses.fr V 🚶 ▮ *t.l.j. sf dim. 8h-13h 14h30-19h ⊶ Bedel*

LES ASSEYRAS Cuvée Saveur 2015 ★

■ | 12000 | 🍾 | 5 à 8 €

Un vignoble de 35 ha établi sur les hauteurs de Tulette, déjà planté de vignes au Moyen Âge et dans la famille Blanc depuis 1975 et quatre générations. La cinquième (Étienne) est arrivée en 2014.

Grenache (60 %) et syrah sont associés dans cette cuvée ample et généreuse, aux puissants accents de fruits rouges mûrs, au nez comme en bouche, aux tanins élégants et bien en place, à laquelle une cuvaison sans démesure de quatorze jours permet de rester fraîche et friande. ⧗ 2017-2020 🍷 carré de porc laqué miel et épices

⊶ DOM. LES ASSEYRAS, 425, rte de Valréas, 26790 Tulette, tél. 04 75 98 30 81, asseyras@sfr.fr V 🚶 ▮ *r.-v. ⊶ Daniel Blanc*

DOM. DES BANQUETTES 2014 ★

■ | 18876 | 🍾 | 5 à 8 €

Mécanicien dans les travaux publics, Patrice André rejoint son père en 1993 sur les 30 ha de l'exploitation familiale, implantée sur les coteaux de Rasteau, face aux Dentelles de Montmirail et au mont Ventoux. En 2002, il choisit de sortir de la coopérative et de vinifier ses propres vins : côtes-du-rhône et *villages* Plan de Dieu, rasteau sec et vin doux naturel.

Patrice André présente un vin festif et de belle tenue, issu d'un assemblage de grenache, carignan et mourvèdre à parts quasi égales. Robe carminée, nez franc de fruits rouges, palais au diapason, au fruité croquant et persistant, à la fois puissant et harmonieux. Paré pour une petite garde. ⧗ 2018-2021 🍷 médaillons de veau aux chanterelles

⊶ PATRICE ANDRÉ, 1360, rte d'Orange, 84110 Rasteau, tél. 04 90 46 10 22, lesbanquettes@orange.fr V 🚶 ▮ *r.-v.*

DOM. DE LA BASTIDE Les Figues 2015 ★

■ | 40000 | | 5 à 8 €

Disparu en 2008, Bernard Boyer a laissé en héritage à son fils Vincent, à ses côtés depuis 1998, un domaine de 65 ha, ancienne ferme templière puis couvent, établi sur un site gallo-romain.

Le nom de cette cuvée évoque le beau figuier planté devant la ferme. Mais pas de notes de figue à l'olfaction, plutôt des arômes de cassis, gourmands et confiturés. La réglisse fait son apparition dans une bouche chaleureuse, ample et dense, solidement arrimée à ses tanins. À attendre un peu. ⌛ 2018-2021 ¥ estouffade de lapin aux oignons

DOM. DE LA BASTIDE, 1250, chem. de la Bastide, 84820 Visan, tél. 04 90 41 98 61, vinboyer@wanadoo.fr r.-v.

B LA BASTIDE SAINT-DOMINIQUE 2015 ★

| 15000 | | 5 à 8 €

Créé en 1979 par Gérard et Marie-Claude Bonnet, ce domaine établi à Courthézon, sur les vestiges d'une ancienne chapelle du XVIes., s'étend sur 50 ha. Il est aujourd'hui géré par Éric, qui a converti le vignoble à l'agriculture biologique (certifié depuis 2014).

Dominé par le viognier, cet assemblage complété de grenache blanc et de clairette s'affiche dans une belle robe aux multiples nuances de jaune. Le bouquet est net, puissant et plutôt chaleureux. La première impression en bouche est pourtant la fraîcheur et elle se maintient jusqu'en finale, garantissant à ce vin harmonieux un heureux développement. ⌛ 2017-2020 ¥ carpaccio de thon à l'huile pimentée

ÉRIC BONNET, 1358, chem. Saint-Dominique, 84350 Courthézon, tél. 04 90 70 85 32, contact@bastidesaintdominique.com t.l.j. 8h30-17h (ven. 16h); sam. dim. sur r.-v.

LA BASTIDE SAINT-VINCENT 2015

■ | 20000 | | 5 à 8 €

Installé dans une ancienne ferme rénovée aux airs de bastide, dont certains éléments datent du XVIIes., Laurent Daniel, ancien responsable commercial export dans un négoce de vin, a repris en 2001 ce vignoble familial de 23 ha très morcelé, réparti dans six communes. Un habitué du Guide, d'une régularité sans faille.

Un 2015 à la teinte sombre, profonde, et au bouquet sobre et floral. Un vin de matière? La bouche dément cette impression: c'est un côtes-du-rhône plutôt souple et léger, pas très long mais d'une agréable onctuosité. Une bouteille à découvrir dès aujourd'hui sur des plats canaille. ⌛ 2016-2019 ¥ paupiettes de veau

LAURENT DANIEL, 1047, La Bastide Saint-Vincent, 84150 Violès, tél. 04 90 70 94 13, bastide.vincent@free.fr t.l.j. sf dim. 9h-12h 14h-19h

CH. BEAULIEU La Châtelaine 2015 ★

■ | 160000 | | - de 5 €

La famille Skalli s'initia à la vigne et aux cépages méridionaux en Algérie, dans les années 1920. Francis et surtout son fils Robert ont œuvré pour que cette maison de négoce soit aujourd'hui très implantée dans tout le Sud de la France. Dans le giron du groupe bourguignon Boisset depuis 2011.

D'une belle couleur rouge sombre, ce vin équilibré est apprécié pour ses arômes bien typés de fruits rouges et de cacao et pour ses tanins de qualité, en soutien d'une matière douce et élégante. ⌛ 2016-2020 ¥ entrecôte grillée ■ **Ch. Saint-Roman 2015 (- de 5 €; 180000 b.)** : vin cité.

LES VINS SKALLI, av. Pierre-de-Luxembourg, 84230 Châteauneuf-du-Pape, tél. 04 90 83 58 35, info@skalli.com t.l.j. 10h-12h 15h-18h *Boisset*

CH. DU BOIS DE LA GARDE 2014 ★

■ | 300000 | | 5 à 8 €

L'histoire vigneronne des Mousset-Barrot débute dans les années 1930 avec l'achat par Louis Mousset des Ch. des Fines Roches, Jas de Bressy (AOC châteauneuf) et du Bois de la Garde (côtes-du-rhône et côtes-du-rhône-villages). L'ensemble (125 ha) est aujourd'hui conduit par la troisième génération, Gaëlle et Amélie Mousset-Barrot.

Pas moins de six cépages composent cette cuvée, avec l'incontournable grenache aux commandes (65 %). Résolument moderne, elle nous accueille par un nez simple et très agréable sur les fruits rouges très légèrement épicés. Souple, ronde, très douce et sans concentration extrême, soulignée par une fine fraîcheur, la bouche offre la même intensité fruitée – «du jus de fruit», résume un dégustateur. ⌛ 2016-2019 ¥ jambon braisé

ROBERT BARROT, 1, av. du Baron-Leroy, 84230 Châteauneuf-du-Pape, tél. 04 90 83 51 73, chateaux@vmb.fr t.l.j. 13h30-19h30; f. janv.-fév.

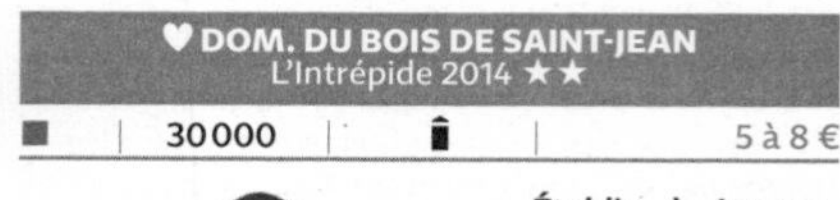

♥ DOM. DU BOIS DE SAINT-JEAN L'Intrépide 2014 ★★

■ | 30000 | | 5 à 8 €

Établie à Jonquerettes depuis 1650, la famille Anglès se consacre à la viticulture à partir de 1910. Une tradition perpétuée avec grand talent par Vincent et son frère Xavier qui, à la tête de 48 ha de vignes, proposent des vins d'une constance remarquable.

L'Intrépide: le nom de cette cuvée évoque la dynamique – excellente – du domaine, et aussi la passion de Xavier Anglès pour les sports de vitesse, notamment le KL (kilomètre lancé). Dans le verre, une belle ligne droite fruitée, fine et intense, agrémentée d'une touche de réglisse. En bouche, le vin, ample et généreux, puissant et velouté, glisse sur les papilles sans à-coups ni temps mort, pour finir sur une longue note fruitée. Les jurés sont conquis: coup de cœur. ⌛ 2017-2021 ¥ poularde farcie ■ **Cuvée de Voulongue 2014 ★ (8 à 11 €; 6500 b.)** : un 100 % grenache souvent en vue dans ces pages, né de vieux ceps de soixante ans. Un vin intense, fruité, vigoureux, riche et long. De bonne garde. ⌛ 2019-2024 🍴 gâteau au chocolat

EARL XAVIER ET VINCENT ANGLÈS, 126, av. de la République, 84450 Jonquerettes, tél. 04 90 22 53 22, xavier.angles@wanadoo.fr
V t.l.j. 8h-12h 14h-20h; dim. 8h-12h

LE BOIS DES DENTELLES 2014

■	3500		5 à 8 €

David Gaugué, par ailleurs caviste au domaine de Boissan, s'est installé en 2006 sur ce domaine de poche de 1,6 ha conduit en bio certifié, sans doute le plus petit de l'aire du Plan de Dieu.

Grenache (80 %) et syrah composent cette cuvée ouverte à l'olfaction sur les fruits noirs et la réglisse. Le palais, de bonne concentration, suit la même ligne aromatique, bâti sur une structure bien en place. ⌛ 2017-2021 🍴 sauté de bœuf aux poivrons rouges

DAVID GAUGUÉ, 595, chem. des Ormeaux, 84290 Cairanne, tél. 06 72 57 49 60, david.gaugue@laposte.net V *r.-v.*

DOM. DU BOIS DES MÈGES Partage 2014 ★

■	8000		5 à 8 €

Ghislain Guigue a quitté en 1990 son métier de caviste au Ch. Mont-Redon à Châteauneuf pour s'installer avec son épouse Magali sur un plateau de cailloutis et de galets roulés de 5 ha. Il a porté la superficie de son domaine à 12 ha aujourd'hui, répartis sur cinq communes.

Cette cuvée, séduisante dans sa robe violine qui indique un vin encore jeune, propose au nez une belle alliance classique des fruits rouges et des épices. En bouche, elle se montre puissante et grasse sans lourdeur, charnue et onctueuse, bâtie sur des tanins fins. Du potentiel. ⌛ 2018-2021 🍴 daube de bœuf provençale

GHISLAIN GUIGUE, Les Tappys, 607, rte d'Orange, 84150 Violès, tél. 04 90 70 92 95, gguigue@boisdesmeges.fr V *r.-v.*

CH. DE BOUSSARGUES 2014 ★★

■	30000		5 à 8 €

Un domaine régulier en qualité, où vignes et oliviers sont cultivés depuis l'Antiquité. Aujourd'hui, un vignoble de 32 ha d'un seul tenant commandé par un château du XII^e^s. et sa chapelle romane parfaitement restaurés par la famille Malabre installée ici en 1964.

Un assemblage à parts égales de grenache et de syrah pour ce vin bien typé, ouvert sur des arômes puissants de fruits rouges. Un fruité qui imprime un tempo tout aussi soutenu dans une bouche friande en diable, rehaussée d'épices, souple, onctueuse et soyeuse, étirée dans une longue finale pleine de douceur. ⌛ 2017-2021 🍴 filet de bœuf sauce poivre

CHANTAL MALABRE, Ch. de Boussargues, 30200 Colombier Sabran, tél. 04 66 89 32 20, malabre@wanadoo.fr V *r.-v.*

♥ DOM. DES BOUZONS La Friandise 2015 ★★

■	30000		5 à 8 €

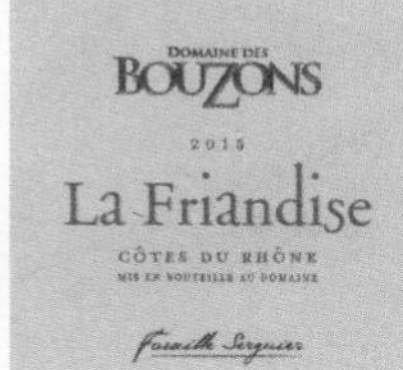

Ce domaine appartient aux Serguier depuis... 1632. Les premières vignes ont été plantées en 1956. Installés en 1982, Marc Serguier et son épouse Claudine, rejoints par leur fils Nicolas, conduisent aujourd'hui un vignoble de 35 ha.

Dans l'attente de nouvelles cuvées élaborées par le fils, qui verront le jour prochainement, Marc Serguier soigne ses classiques et nous offre ici une cuvée née de grenache, de syrah et de counoise qui ne trompe pas sur la marchandise. Friand en effet est le nez, ouvert sur les fruits rouges et des notes de pivoine agrémentés d'une très agréable fraîcheur végétale. Une fraîcheur que l'on retrouve dans une bouche à croquer, fruitée en diable, souple et ronde, tendre et gouleyante. Simple, sincère, convivial. ⌛ 2016-2019 🍴 entrecôte à l'échalote ■ **La Félicité 2014 ★ (8 à 11 €; 14000 b.)** : encore un petit peu d'attente pour que cette cuvée se dévoile pleinement. Mais ses qualités sont déjà bien perceptibles: joli nez de fruits rouges, d'épices et de Zan, bouche bien étoffée, à la fois fraîche et veloutée. ⌛ 2017-2021 🍴 sauté de veau aux champignons

MARC SERGUIER, 194, chem. des Manjo-Rassado, 30150 Sauveterre, tél. 04 66 90 04 41, domaine.des.bouzons@wanadoo.fr
V *t.l.j. sf dim. lun. 9h-12h 14h30-18h*

DOM. LA CABOTTE Colline 2015

■	60000		5 à 8 €

Ce domaine doit son nom à un abri en pierres sèches qui résiste aux intempéries de l'été et aux rigueurs de l'hiver. Il a été acquis en 1981 par Gabriel d'Ardhuy, qui l'a confié à l'une de ses sept filles, Marie-Pierre Plumet. Cette dernière a patiemment restructuré le vignoble, refaçonné les anciennes terrasses, et conduit aujourd'hui, en biodynamie, avec son mari Éric, 30 ha de vignes d'un seul tenant au cœur du massif d'Uchaux.

La dégustation débute par un séduisant bouquet de fruits surmûris (cerise, mûre). Elle se poursuit sur les mêmes sensations fruitées dans une bouche de bonne intensité, renforcée par des tanins serrés encore un peu sévères. À attendre. ⌛ 2018-2021 🍴 baron d'agneau

DOM. LA CABOTTE, SARL Marie-Pierre Plumet d'Ardhuy, 84430 Mondragon, tél. 04 90 40 60 29, domaine@cabotte.com V *t.l.j. 9h-17h; f. fin août*

DOM. DES CARABINIERS 2015

■	80000		8 à 11 €

Occupé au XIV^e^s. par les gardes italiens à cheval des papes d'Avignon, ce domaine, dans la même famille depuis quatre générations, est conduit depuis 1974 par Christian Leperchois, à la tête de 35 ha convertis à l'agriculture biologique dès 1997 et à la biodynamie en 2010.

RHÔNE

Issus d'un vignoble parfaitement tenu, les raisins s'expriment avec intensité dans ce vin expressif, ouvert sur les fruits rouges frais agrémentés de senteurs de sous-bois. Un peu fugace mais équilibré, le palais est structuré sans excès par des tanins fondus. Pour un plaisir simple et immédiat. ⧗ 2016-2018 🍴 cannelloni

SARL BIODYNAMIC WINE, Dom. des Carabiniers, 4976, RN 580, 30150 Roquemaure, tél. 04 66 82 62 94, carabinier@wanadoo.fr V *t.l.j. 9h-12h 14h-17h*
Leperchois

LES VIGNERONS DU CASTELAS
Cuvée d'antan Vieilles Vignes 2014 ★

■ | 30000 | | - de 5 €

Créée en 1956, cette coopérative, qui tire son nom d'une chapelle romane du XIe s. surplombant Rochefort-du-Gard, réunit aujourd'hui 46 viticulteurs pour 500 ha de vignes, dont 100 ha dédiés au seul côtes-du-rhône-villages Signargues.

La part belle est donnée au grenache (95 %, avec la syrah en appoint) dans ce vin expressif, sur les fruits rouges légèrement compotés. Des arômes très flatteurs que l'on retrouve relevés d'épices douces dans une bouche équilibrée, ronde, soyeuse et longue. ⧗ 2017-2020 🍴 sauté de veau aux aubergines ■ **2014 (- de 5 €; 26000 b.)** : vin cité. □ **Les Mésanges 2015 (5 à 8 €; 15000 b.)** : vin cité.

LES VIGNERONS DU CASTELAS, av. de Signargues, 30650 Rochefort-du-Gard, tél. 04 90 26 62 66, vcastelas@orange.fr V *t.l.j. sf dim. 8h30-12h30 14h30-18h30*

CAMILLE CAYRAN Le Pas de la Beaume 2015 ★

■ | 150000 | | - de 5 €

Créée en 1929, la coopérative de Cairanne est un acteur de poids dans la région: 60 adhérents pour 350 ha de vignes et deux marques: Camille Cayran pour le réseau traditionnel et Victor Delauze pour la grande distribution.

La cave produira de l'AOP cairanne dès l'an prochain, nouveau cru de la vallée du Rhône méridionale reconnu en février 2016. Gageons qu'elle continue de bichonner ses «simples» côtes-du-rhône, souvent attrayants par leur rapport qualité-prix. À l'image de cette cuvée bien typée, centrée sur la mûre, les fruits rouges compotés et les épices, ronde, souple et bien équilibrée en bouche. ⧗ 2016-2019 🍴 brochettes de bœuf

CAVE DE CAIRANNE, 330, av. de la Libération, 84290 Cairanne, tél. 04 90 30 82 05, d.crespo@cave-cairanne.fr V *r.-v.*

DOM. DES CHANSSAUD 2015

■ | 60000 | | 5 à 8 €

Dans la même famille depuis 1826, ce domaine de 46 ha, commandé par une bâtisse du XIVe s., est dirigé par Patrick Jaume depuis 1981. Il est cultivé en bio dès 2012 (certification en 2015).

Un vin encore un peu timide, qui s'ouvre discrètement sur les fruits rouges à l'agitation. Après une attaque souple et légère, il déploie une bouche équilibrée, à la fois ronde et fraîche, épaulée par des tanins assez fermes en finale, qui s'affineront avec une petite garde. ⧗ 2017-2020 🍴 veau marengo

SAS LES VIGNOBLES PATRICK JAUME, chem. Jaume-de-Cabrières, 84100 Orange, tél. 04 90 34 23 51, chanssaud@wanadoo.fr V *t.l.j. sf dim. 9h-12h 13h30-18h*

CELLIER DES CHARTREUX
Chevalier d'Anthelme 2015 ★★

■ | 200000 | | - de 5 €

Née en 1929, la coopérative de Pujaut, bourgade des environs d'Avignon, vinifie 720 ha de vignes dans les crus lirac et tavel, en AOC régionales et en IGP. Ses cuvées sont régulièrement en vue dans ces pages, notamment ses vins blancs.

Coup de cœur pour le millésime précédent, cette cuvée fait aussi forte impression dans sa version 2015. Elle se présente dans une robe intense et brillante, ouverte sur les fruits rouges (la groseille notamment), agrémentés de subtiles notes de cacao. La bouche est harmonieuse, ample, ronde et soyeuse, soutenue par des tanins au grain fin. Un ensemble aussi plaisant qu'homogène. ⧗ 2017-2021 🍴 paleron en sauce

SCA CELLIER DES CHARTREUX, D 6580, 30131 Pujaut, tél. 04 90 26 39 40, contact@cellierdeschartreux.fr V *r.-v.*

LE CLOS DU CAILLOU Les Quartz 2014 ★

■ | 15000 | | 15 à 20 €

La cave du domaine – des galeries creusées dans le safre – fut créée en 1867 par Élie Dussaud, collaborateur de Ferdinand de Lesseps. Depuis 1956, la famille Vacheron y élève ses vins. Installée en 1996, Sylvie Vacheron conduit 53 ha de vignes (44 ha en côtes-du-rhône et 9 ha en châteauneuf-du-pape) en bio certifié.

Sur cette propriété, une partie interdite aux experts lors du classement de l'AOC châteauneuf-du-pape en 1936 permet aujourd'hui à Sylvie Vacheron d'élaborer des côtes-du-rhône sur le terroir de ce cru prestigieux. Celui-ci se distingue par sa robe intense et profonde, par son nez puissant qui évoque une salade de fruits rouges et par son palais chaleureux, dense et long, au boisé bien fondu (élevage en foudre et demi-muids), doté d'une belle rétro-olfaction sur le fruit. ⧗ 2017-2022 🍴 rosbif sauce madère

CLOS DU CAILLOU, 1600, chem. Saint-Dominique, 84350 Courthézon, tél. 04 90 70 73 05, closducaillou@wanadoo.fr V *t.l.j. sf dim. 9h-12h 13h30-17h30* *Sylvie Vacheron*

JEAN-LUC COLOMBO La Redonne 2015 ★★

□ | 40000 | | 11 à 15 €

Fils d'une cuisinière marseillaise qui lui a transmis son goût pour les plaisirs de la table, Jean-Luc Colombo devient œnologue-conseil (création du laboratoire en 1982), producteur (premier cornas en 1987) et négociant (en 1995). Cette figure du vignoble rhodanien conduit 20 ha avec son épouse Anne et sa

fille Laure. Il a ajouté en 1996 à ses propriétés 40 ha dans sa Provence natale.

Un blanc méridional à la mode septentrionale, assemblage de viognier (70 %) et de roussanne. D'un jaune pâle aux reflets verts, il séduit sans détour par sa palette de fleurs blanches et d'épices douces. La bouche apparaît très fruitée, volumineuse, onctueuse et chaleureuse sans jamais céder à la lourdeur. Un vin flatteur et intense. ⧗ 2016-2020 ⍡ tajine de poulet ■ **Les Forots 2014 (11 à 15 €; 30000 b.)** : vin cité.

⊶ VINS JEAN-LUC COLOMBO, 10-12, rue des Violettes, 07130 Cornas, tél. 04 75 84 17 10, colombo@vinscolombo.com V t.l.j. sf dim. *10h-12h30 14h-18h30*

CH. CORRENSON 2015 ★

■	13000		5 à 8 €

Le blason du château représente un casque et une épée étrusques trouvés dans les vignes par le grand-père de Vincent Peyre. Installé depuis 2000 sur un vignoble de 70 ha, ce dernier représente la troisième génération à la tête du domaine familial, souvent en vue pour ses lirac.

Après quatre mois de fût, ce 2015 dévoile un premier nez toasté et empyreumatique, bientôt relayé par les fruits rouges, framboise en tête. Le palais attaque sur une belle fraîcheur, puis se fait rond, souple et tendre, persistant sur le fruit, les épices et le menthol. ⧗ 2016-2020 ⍡ salade de bœuf

⊶ VINCENT PEYRE, rte de Roquemaure, 30150 Saint-Geniès-de-Comolas, tél. 04 66 50 05 28, contact@chateau-correnson.fr V *t.l.j. sf dim. 10h-12h 15h30-18h30*

Ⓑ DOM. DES COTEAUX DES TRAVERS Cuvée Char à Vin 2015 ★

■	5000		8 à 11 €

Son grand-père cultivait la vigne en 1920. Robert Charavin conduit aujourd'hui, en bio certifié depuis 2010 (biodynamie en cours), un domaine de 14 ha régulier en qualité, qui tire son nom de ses coteaux exposés au soleil levant («travers»).

Un jeu de mot rigolo pour cette cuvée gironde et généreuse, ouverte sur les fruits noirs écrasés et les épices. Des arômes prolongés par une bouche chaleureuse et concentrée, aux tanins souples et harmonieux. ⧗ 2016-2019 ⍡ souris d'agneau au paprika

⊶ ROBERT CHARAVIN, Dom. des Coteaux des Travers, 15, rte de la Cave, 84110 Rasteau, tél. 04 90 46 13 69, coteaux-des-travers@rasteau.fr V *t.l.j. sf dim. 10h-18h*

CÔTÉ MILLÉSIME Maître de Chaise 2014

■	95000	5 à 8 €

Une jeune maison de négoce spécialisée dans les vins rhodaniens, créée en 2012 par Frédéric Chaulan, vigneron au domaine de la Légende à Sabran, et par Serge Cosialls, négociant.

Ce tout jeune négoce affirme viser les «vins plaisir»; objectif atteint avec ce côtes-du-rhône gourmand qui associe les fruits noirs, le cassis notamment, à un palais chaleureux, souple et soyeux. À boire dans sa jeunesse. ⧗ 2016-2019 ⍡ grillade de bœuf

⊶ CÔTÉ MILLÉSIME, rue des Négades, 84420 Piolenc, tél. 04 90 30 80 28, secretariat@cotemillesime.fr

DOM. COULANGE 2015

■	6000		5 à 8 €

Situé à la pointe sud de l'Ardèche, sur les coteaux dominant la rive droite du Rhône, ce vignoble de 35 ha est conduit par Christelle Coulange. Celle-ci a rejoint son père en 1996, instaurant alors avec lui les premières vinifications au domaine.

Au nez, des arômes frais et exotiques d'ananas agrémentés d'un soupçon d'anis légèrement fumé et de fleurs blanches. D'un bon volume, à peine suave, ronde sans manquer de fraîcheur, la bouche est équilibrée. ⧗ 2016-2019 ⍡ feuilleté au picodon et au miel

⊶ DOM. COULANGE, quartier Saint-Ferréol, 07700 Bourg-Saint-Andéol, tél. 04 75 54 56 26, christelle@domaine-coulange.com V *r.-v.*

CH. COURAC 2015 ★★★

■	100000	5 à 8 €

Ce château perché sur les hauteurs de Tresques est un habitué du Guide et le plus souvent aux meilleures places. Conduit par Joséphine et Frédéric Arnaud, il se distingue tant par ses côtes-du-rhône que par ses *villages* (Laudun).

Millésime attendu avec impatience par tous les œnophiles, le 2015 a produit en effet de bien jolis vins, à l'image de celui-ci, jugé exceptionnel. Et pourtant il faudra faire preuve de patience avant de le découvrir à son optimum tant il apparaît riche et puissant aujourd'hui, ce que laisse d'emblée deviner la robe, rouge sombre et dense, prélude à un bouquet intense et méridional à souhait, de réglisse, de romarin et de thym. Un grand vin en devenir, ample, solide, complexe. ⧗ 2019-2024 ⍡ tournedos Rossini ■ **Empreinte 2015 ★ (5 à 8 €; 70000 b.)** : un côté terroir très affirmé dans ce vin aux arômes fruités et chocolatés, ciselé et franc en bouche, qui laisse une impression de fraîcheur en finale. ⧗ 2017-2021 ⍡ rôti de veau aux chanterelles ■ **Quart du Roi 2015 ★ (5 à 8 €; 70000 b.)** : il s'ouvre sur les fruits noirs, la myrtille notamment, et des notes d'humus. En bouche, il se montre plein, dense et bien structuré. Du potentiel. ⧗ 2018-2022 ⍡ carré d'agneau

⊶ SCEA FRÉDÉRIC ARNAUD, Ch. Courac, 1520, chem. de Courac, 30330 Tresques, tél. 04 66 82 90 51, chateaucourac@orange.fr V *r.-v.*

DOM. NICOLAS CROZE Les Petits Coins 2014 ★

■	10000		5 à 8 €

Nicolas Croze s'est installé en 1994 sur la propriété familiale située aux portes des gorges de l'Ardèche. Il spécialise alors l'exploitation, opte pour la vente directe en bouteilles et agrandit le vignoble, qui s'étend aujourd'hui sur 30 ha. Un domaine de belle réputation grâce à la qualité constante de ses côtes-du-rhône.

Une fois de plus, dans un millésime délicat, Nicolas Croze réussit une belle cuvée, issue de plusieurs petites parcelles de grenache, syrah et cinsault, situées à l'entrée du village et vendangées manuellement. Cela donne un vin très expressif, fruité et réglissé, ample, dense et généreux, soutenu par des tanins fermes. Une bonne évolution en perspective. ⧗ 2018-2021 🍷 carré d'agneau ■ **2015 ★ (5 à 8 €; 8000 b.)** : un vin qualifié de «souriant et pimpant», très ouvert, aux parfums de fleurs blanches, de bois de rose et de miel de lavande, frais et fin en bouche. ⧗ 2016-2019 🍷 filet de bar en papillote

NICOLAS CROZE, 1, rue Max-Ernst, 07700 Saint-Martin-d'Ardèche, tél. 04 75 04 62 28, contact@domaine-nicolas-croze.com V t.l.j. 9h30-12h30 16h-19h

CELLIER DES DAUPHINS
Signature Vieilles Vignes 2015

■ | 533000 | | - de 5 €

Énorme structure rhodanienne née en 1965 de l'union de six coopératives de la Drôme, rejointes par sept autres, dotée d'une cuverie de plus de 33 000 m² à Tulette. Elle a lancé en 1967 sa marque phare et populaire, le Cellier des Dauphins, qui revendique le 1er rang pour les volumes de vente en France de vin en AOC.

C'est aujourd'hui encore la «marque d'appellation» la plus vendue en France. Cette cuvée 2015 est appréciée pour sa teinte vive et soutenue, son nez discret mais fin (fruits rouges, pointe épicée) et pour sa bouche souple et équilibrée. Un «vin plaisir» à boire sur le fruit. ⧗ 2016-2019 🍷 côte de veau à la tomate

UVCDR CELLIER DES DAUPHINS, rte de Nyons, 26790 Tulette, tél. 04 75 96 20 00, info@cellier-des-dauphins.com V t.l.j. 9h45-12h30 14h-18h30

DAUVERGNE RANVIER Vade Retro 2015

■ | 30000 | | 8 à 11 €

Créée en 2004 par François Dauvergne et Jean-François Ranvier, professionnels du vin qui ont décidé d'élaborer leurs propres cuvées après avoir œuvré chez les autres, cette maison de négoce s'affirme d'année en année à travers une gamme de qualité issue de sélections parcellaires. En 2013, les deux compères ont repris l'exploitation du Dom. des Muretins (tavel et lirac).

Aujourd'hui trop jeune pour s'exprimer pleinement – l'aération lui apporte une bouffée d'air frais qui permet de percevoir un joli fruité –, cette cuvée mi-grenache mi-syrah affiche néanmoins un beau volume et une structure de qualité qui lui permettront de bien évoluer. Pour amateurs patients. ⧗ 2018-2021 🍷 rôti de veau ■ **Vin gourmand 2015 (5 à 8 €; 100000 b.)** : vin cité.

DAUVERGNE RANVIER, Ch. Saint-Maurice, RN 580, 30290 Laudun-l'Ardoise, tél. 04 66 82 96 57, francois.dauvergne@dauvergne-ranvier.com

FRANÇOIS DOLLINGER 2014 ★

■ | 7000 | | 5 à 8 €

Avineo est une jeune maison de négoce créée en 2011 par Jean-François Bescond à Châteauneuf-du-Pape. En 2014, elle s'est implantée à Nice et a lancé sa propre marque, François Dollinger, en référence au grand-père alsacien du fondateur, amateur éclairé et grand collectionneur de vins rhodaniens.

À l'image du négoce de qualité qui se développe dans la vallée du Rhône, cette maison propose une cuvée d'une bien belle nature, appréciée pour sa franchise et son caractère jovial. Des arômes généreux de cerise à l'alcool, un palais rond et soyeux, aux tanins fins et veloutés, une bonne longueur, que demander de plus? ⧗ 2017-2021 🍷 bavette à l'échalote

AVINEO, 140, av. des Arènes-de-Cimiez, 06000 Nice, tél. 07 86 20 99 86, contact@avineo.fr V r.-v.

ROMAIN DUVERNAY 2015 ★

■ | 150000 | | - de 5 €

Issu d'une lignée de négociants en vins – son arrière-grand-père Louis fonda en 1904 un commerce de vin en Haute-Savoie –, Romain Duvernay a créé en 1998, avec son père Roland, une maison de négoce basée à Châteauneuf-du-Pape, qui propose des vins de toute la vallée.

Romain Duvernay sillonne chaque année les routes de la vallée du Rhône pour y sélectionner le meilleur de chaque millésime. Il propose ici un vin plein de fraîcheur de bout en bout, d'abord un peu fermé au nez, ouvert à l'agitation sur des parfums de violette, de cacao et de pruneau confit; arômes relayés par une bouche alerte, aux tanins encore un peu serrés qui garantissent un potentiel de garde intéressant. ⧗ 2018-2021 🍷 palette de porc à la diable

RHÔNE MÉDITERRANÉE SOURCING, chem. Les Taillades, 84830 Sérignan-du-Comtat, tél. 07 85 38 72 37, romainduvernay@orange.fr V r.-v. Duvernay

ÉCLAT DU RHÔNE 2015 ★

■ | 600000 | - de 5 €

Moncigale est une marque ombrelle du groupe alcoolier Marie Brizard, destinée à la grande distribution.

Une cuvée fort sympathique à prix très doux. Au nez, les aromates et les fruits à noyau fleurent bon le Sud. Les mêmes saveurs méridionales imprègnent la bouche, ronde, souple, aux tanins bien affinés, qui s'achève sur une jolie note cacaotée. Le «vin de soif» par excellence. ⧗ 2016-2018 🍷 côte d'agneau aux herbes

MONCIGALE, 6, quai de la Paix, 30300 Beaucaire, tél. 04 66 59 74 39, pierre.martin@mbws.com Marie Brizard

DOM. JULIEN DE L'EMBISQUE
Cuvée Plaisir 2015 ★

■ | 11000 | 5 à 8 €

L'histoire vigneronne des Gaïde a débuté en 1838 à Pauillac. Elle se poursuit dans le Haut-Var en 1972, date de l'achat d'un domaine de 4 ha. La commercialisation en bouteilles, en revanche, ne débute qu'en 2011, sous la conduite de Thierry Gaïde et son fils Fabien.

Syrah, grenache, carignan et mourvèdre composent un 2015 séducteur dans sa jolie robe violet sombre, au bouquet à la fois fin et printanier de fraise écrasée, de cerise et de menthol. Un caractère expressif et flatteur que l'on retrouve dans une bouche épicée, ample et bien structurée. ⌛ 2017-2021 🍴 lasagnes à l'agneau ■ **Délice de viognier 2015 ★ (8 à 11 €; 25000 b.)** Ⓑ : un vin très aromatique, exotique, floral et miellé, ample et généreux en bouche, sous-tendu par une fine acidité qui lui apporte une belle allonge. Harmonieux et expressif. ⌛ 2016-2019 🍴 asperges sauce mousseline

⊶ THIERRY ET FABIEN GAÏDE, 1791, rte de l'Embisque, 84500 Bollène, tél. 06 77 50 68 56, julien.lembisque@orange.fr
V t.l.j. 10h-12h 14h-19h

DOM. DE L'ESPIGOUETTE 2014 ★

■	30000	🍾	5 à 8 €

Le nom de cette vaste exploitation de 47 ha est hérité du terme provençal *spigo* (petit épi de blé). Bernard Latour, aux commandes depuis 1979, privilégie les petits rendements et les vieilles vignes. Avec l'arrivée en 2009 de ses fils Émilien et Julien, il a engagé la conversion bio du vignoble et créé une nouvelle cave de stockage.

Près de la moitié de la surface du vignoble est dédiée à cette cuvée aux parfums soutenus de cassis et de griotte mêlés à de fines notes de cuir. Arômes que dispense aussi une bouche équilibrée, ample, ronde et suave, aux tanins fondus. Une bouteille déjà bien agréable, qui évoluera favorablement. ⌛ 2016-2020 🍴 filet mignon aux pruneaux

⊶ EARL DOM. DE L' ESPIGOUETTE, 1008, rte d'Orange, 84150 Violès, tél. 04 90 70 95 48, espigouette@aol.com
V r.-v. ⊶ Latour

Ⓑ DOM. FERME DES ARNAUD Entre Nous 2014 ★

■	7000		5 à 8 €

Un domaine familial établi à Villedieu, dans le nord du Vaucluse, depuis trois générations. Un vignoble planté en très grande partie par le «papé», Yves Arnaud, qui s'est toujours interdit l'utilisation des produits chimiques. C'est donc tout naturellement que le bio a été adopté dès 1978 par son fils Pierre. La troisième génération – Martial et Samuel – poursuit dans le même sens.

Pensé par les frères Arnaud comme un vin de copains et de partage, ce vin exalte le fruit au nez comme en bouche. On aime aussi sa densité, son volume et ses tanins fermes mais jamais durs. Ce vin a du mordant et de l'avenir, tout en étant déjà très plaisant. ⌛ 2016-2021 🍴 côte d'agneau

⊶ DOM. FERME DES ARNAUD, Les Pigières, 84110 Villedieu, tél. 06 82 33 27 48, famillearnaud@fermedesarnaud.com V r.-v.

LA FERME DU MONT Première Côte 2014 ★

■	20000	🍾	5 à 8 €

Un domaine créé en 2007 par Stéphane Vedeau. Autour de la ferme, 50 ha de vieilles vignes plantées sur des sols de cailloutis calcaires très minéraux.

Grâce à un éraflage intégral, Stéphane Vedeau privilégie le fruit à la charge tannique. Grâce à quoi ce 2014 s'exprime sans réserve sur des parfums intenses de fruits noirs frais (mûre, myrtille). En bouche, il affiche les mêmes qualités aromatiques et se montre agréable aussi par sa souplesse et la finesse de ses tanins. Un vin très harmonieux et prêt à boire. ⌛ 2016-2019 🍴 bavette à l'échalote

⊶ LA FERME DU MONT, rte de Vinsobres, chem. Sainte-Croix, BP 80, 84602 Valréas, tél. 04 90 35 22 64, contact@lafermedumont.com
V t.l.j. sf sam. dim. 9h-12h 14h-18h; ven. 17h
⊶ M. Vedeau

Ⓑ DOM. FOND CROZE Cuvée Confidence 2014 ★

■	80000	🍾	5 à 8 €

Un domaine fondé après la Seconde Guerre mondiale par Charles Long. Ses petits-fils Bruno et Daniel, qui ont créé la cave en 1997, conduisent aujourd'hui un vignoble de 80 ha certifié bio. Leurs vins sont souvent en bonne place dans le Guide.

Sur ce terroir argilo-calcaire qui fait la réputation des côtes-du-rhône, les vignes de grenache et syrah s'expriment avec intensité à travers une robe pourpre profond dans ce vin, des parfums soutenus de fruits rouges agrémentés de notes animales et une bouche longue, ample, dense, fraîche, bien structurée et généreuse en fruit. ⌛ 2017-2021 🍴 goulasch

⊶ DOM. FOND CROZE, 155, rte de Cairanne, 84290 Saint-Roman-de-Malegarde, tél. 06 08 30 82 80, fondcroze@hotmail.com V r.-v.
⊶ Daniel et Bruno Long

FONT DU MIRAIL 2015

■	133000	🍾	- de 5 €

Établie à Castillon, près du pont du Gard, la Compagnie rhodanienne est une maison de négoce créée en 1963, dans le giron du groupe Taillan. Elle propose des vins (marques ou cuvées de domaines) dans de nombreuses AOC de la vallée du Rhône, de la Provence et du Languedoc.

Ce négoce aujourd'hui incontournable de la vallée du Rhône, constant dans la qualité, signe cette année encore de belles cuvées dans plusieurs appellations. Celle-ci est jugée réussie par son équilibre et sa simplicité. Un vin homogène, généreusement fruité au nez comme en bouche, souple et rond, d'une longueur honorable. ⌛ 2016-2019 🍴 tartare de bœuf

⊶ LA COMPAGNIE RHODANIENNE, SPECR 19, chem. Neuf, CS 80002, 30210 Castillon-du-Gard, tél. 04 66 37 49 50, nicolas.rager@rhodanienne.com

DOM. LA GARRIGUE Cuvée romaine 2014

■	10000	🍾	8 à 11 €

La famille Bernard est installée à Vacqueyras depuis 1850 et six générations, sur un domaine de 80 ha plantés de vieilles vignes, souvent en vue dans ces pages pour ses gigondas et ses vacqueyras.

Ce 2014 rubis intense intéresse par ses arômes fruités, réglissés et épicés bien typés et par son côté charnu en bouche, malgré une finale encore assez sévère. Prévoir une petite garde. ⌛ 2017-2020 🍴 faux-filet grillé

⊶ SCEA A. BERNARD ET FILS, Dom. la Garrigue, chem. Nouveau-de-la-Garrigue, 84190 Vacqueyras, tél. 04 90 65 84 60, info@domaine-la-garrigue.fr V t.l.j. sf dim. 8h-12h 14h-18h30

B CH. GIGOGNAN Vignes du Prieuré 2014

■ | 54 500 | | 5 à 8 €

Un ancien temple romain devenu prieuré, actif en termes de production de vins (et de fruits), puis un domaine exclusivement viticole à partir de son acquisition en 1996 par Anne et Jacques Callet. Le vignoble, certifié bio depuis 2010, s'étend sur 42 ha en côtes-du-rhône et sur 30 ha en châteauneuf-du-pape.

D'un rouge rubis limpide, la robe laisse présager le caractère fruité, franc et souple de cet assemblage à dominante de grenache. Un vin décrit comme « simple et jovial », parfait pour un repas sans chichi. ⌛ 2016-2019 🍴 lasagnes

⊶ CH. GIGOGNAN, 1180, chem. du Castillon, 84700 Sorgues, tél. 04 90 39 57 46, info@gigognan.fr V t.l.j. sf sam. dim. 9h-12h30 13h30-17h30 5 ⊶ M. Callet

DOM. DE GIVAUDAN La Bête 2015 ★

■ | 40 000 | | 5 à 8 €

David Givaudan conduit l'unique cave particulière de la commune de Cavillargues, un domaine de 20 ha créé de toutes pièces en 2001.

La Bête montre toute sa puissance dès l'olfaction, où les fruits noirs côtoient les épices douces. Encore jeune, elle s'appuie sur une charpente solide de tanins serrés qui montrent un peu les crocs en finale. À attendre, le temps la domptera. ⌛ 2018-2022 🍴 côte de bœuf ■ **Léa 2015 ★ (5 à 8 €; 40 000 b.)** : une cuvée en hommage à la fille du vigneron, qui a fêté ses vingt ans en 2015. Un joli flacon qui séduit par ses arômes de fruits des bois et d'épices et par son palais charnu, souple et rond. ⌛ 2016-2019 🍴 côtelettes d'agneau

⊶ DOM. DE GIVAUDAN, lieu-dit Les Périgouses, 30330 Cavillargues, tél. 04 66 82 44 58, communication@davidgivaudan.com V t.l.j. 9h-12h 13h30-17h; sam. dim. sur r.-v. 5 E

LES GRANDES SERRES
Hommage du Rhône 2015 ★★

■ | 25 000 | | 5 à 8 €

Les Grandes Serres: une maison de négoce castelpapale fondée en 1977 par Camille Serres et reprise en 2001 par Michel Picard, investisseur dans de nombreuses régions viticoles – jusqu'en Ontario. Elle propose une large gamme de vins de la vallée du Rhône méridionale (et aussi de Provence) souvent en vue dans ces pages.

Cette cuvée née de grenache et de syrah est assez disponible (25 000 bouteilles) et c'est tant mieux car le vin est bon. Au nez, elle offre d'intenses parfums de fruits rouges et noirs légèrement fumés et épicés. En bouche, elle apparaît ample, dense, riche, concentrée, bâtie sur des tanins soyeux et fins. La finale, imposante et longue, laisse le souvenir d'un vin puissant et complexe. ⌛ 2018-2021 🍴 oie farcie aux châtaignes

⊶ SA LES GRANDES SERRES, 430, chem. de l'Islon-Saint-Luc, 84230 Châteauneuf-du-Pape, tél. 04 90 83 72 22, contact@grandesserres.com V r.-v. ⊶ Picard Vins

B LES GRAPPES D'ANTAN 2015 ★

■ | 400 000 | | 5 à 8 €

Au nord de Vaison-la-Romaine, cette coopérative fondée en 1939 regroupe 710 ha (dont 30 % en bio certifié depuis 2013) cultivés par les vignerons de Villedieu et de Buisson.

Né sur les coteaux argilo-calcaires du nord du Vaucluse, ce 2015 présente un bouquet original et harmonieux de fruits exotiques et de fraise des bois. Une attaque douce ouvre sur un palais ample et fruité, structuré en finesse par des tanins serrés mais sans dureté. Une bouteille promise à un bel avenir. ⌛ 2018-2021 🍴 axoa de veau

⊶ LES VIGNERONS DE VILLEDIEU-BUISSON, Terre-des-Frères, 84110 Villedieu, tél. 04 90 28 92 37, cavevilledieu@wanadoo.fr V t.l.j. sf dim. 8h-12h 14h-18h

B DOM. DES GRAVENNES Tradition 2015 ★

□ | 9 000 | | 5 à 8 €

Bernadette et Jean Bayon de Noyer ont repris en 1996 une partie de l'exploitation familiale, créant ainsi le domaine des Gravennes. En 2014, leurs fils Luc et Rémi ont pris la relève et converti leurs 20 ha à l'agriculture biologique.

Les cépages blancs du domaine sont plantés sur des sols sableux qui garantissent une belle finesse aux vins. Cette cuvée née de grenache blanc, marsanne et viognier surprend agréablement par ses senteurs intenses de pierre à fusil et d'âtre de cheminée qui dominent d'emblée l'olfaction et que l'on retrouve dans une bouche fraîche, enrobée par une pointe de gras et de sucrosité. Un vin de découverte, original mais très harmonieux. ⌛ 2016-2019 🍴 pissaladière

⊶ DOM. DES GRAVENNES, 2933, rte de Baume, 26790 Suze-la-Rousse, tél. 04 75 04 84 41, domaine.des.gravennes@wanadoo.fr V t.l.j. sf dim. 10h-12h30 14h30-19h 2 ⊶ Bayon de Noyer

DOM. DE LA JANASSE 2015 ★★

□ | 70 000 | | 8 à 11 €

Un habitué du Guide, souvent en bonne place pour ses châteauneuf-du-pape, ses côtes-du-rhône et ses vins de pays. Un vignoble de 90 ha éparpillés en de multiples parcelles, que conduisent Christophe Sabon et sa sœur Isabelle, enfants d'Aimé Sabon, fondateur du domaine en 1973.

Produite sur un terroir sableux, cette cuvée est élevée, après fermentation en cuve, sur lies fines avec bâtonnages durant six mois. Le résultat est emballant: nez intense et subtil de pamplemousse et de chèvrefeuille, palais très équilibré, gras, fondu, soyeux, tout en restant frais et alerte, stimulé par de fines notes d'épices douces. ⌛ 2016-2019 🍴 plancha de fruits de mer

⊶ SABON, 27, chem. du Moulin, 84350 Courthézon, tél. 04 90 70 86 29, lajanasse@gmail.com V 🚶 ■ t.l.j. sf sam. dim. 9h-17h30

Ⓑ DOM. DU JAS Cuvée Prestige 2015 ★★

■ | 50000 | 🛢 🍾 | 5 à 8 €

Autrefois propriété des seigneurs du château de Suze-la-Rousse, ce domaine est entré dans la famille Pradelle en 1874. À la tête de l'exploitation depuis 1996, Hubert Pradelle conduit aujourd'hui 35 ha de vignes en agriculture biologique certifiée.

Intense et de belle brillance, porté sur les fruits rouges confits, cet assemblage syrah-grenache (60-40) offre un équilibre remarquable. Les tanins sont de bonne nature, ronds et souples, le boisé est fondu et une très belle harmonie se dégage entre une matière moelleuse et une fine vivacité. ⌛ 2016-2020 🍴 tajine de veau

⊶ DOM. DU JAS, 2935, rte de Baume, 26790 Suze-la-Rousse, tél. 04 75 98 23 20, domainedujas@club-internet.fr V 🚶 ■ t.l.j. 10h-12h 14h-18h30; dim. sur r.-v. ⊶ Pradelle

DOM. JAUME 2015 ★★

■ | 96000 | 🍾 | 5 à 8 €

L'arrière-grand-père fut l'un des pionniers de l'appellation côtes-du-rhône, créée en 1937. Depuis, les générations se succèdent sur ce vaste domaine de 95 ha, les sélections dans le Guide aussi, en AOC régionale ou en vinsobres.

Grenache (85 %) et syrah composent un vin éclatant de couleur et d'expression aromatique, ouvert sans réserve sur les fruits rouges et les épices douces. Le palais, à l'unisson, concentré et bien charpenté, long et très équilibré, exprime parfaitement l'intensité de ce millésime solaire et laisse présager un bon potentiel de garde. ⌛ 2018-2021 🍴 faisan rôti ■ **2015 ★★ (5 à 8 €; 10 000 b.)** : clairette, grenache blanc, marsanne et roussanne sont mariés pour le meilleur dans ce vin aux parfums généreux de pêche et de fleurs blanches, ample, long et droit en bouche. ⌛ 2016-2019 🍴 saint-jacques safranées

⊶ EARL DOM. JAUME, 24, rue Reynarde, 26110 Vinsobres, tél. 04 75 27 61 01, vignoble@domainejaume.com V 🚶 ■ t.l.j. sf dim. 9h-12h 13h30-18h30

Ⓑ L'O DE JONCIER 2014

■ | 30000 | 🍾 | 8 à 11 €

Marine Roussel, après un parcours dans la filière artistique, reprend en 1996 le domaine créé par son père Pierre dans les années 1960. Elle conduit 32 ha en bio et en biodynamie, à petits rendements, et privilégie les extractions en douceur et les cuvaisons longues.

« Un vin bien typé grenache », assurent les dégustateurs. De fait, le cépage est, sans surprise, majoritaire ici et confère au nez ses notes caractéristiques de fruits rouges confiturés. On les retrouve dans une bouche équilibrée, plutôt fine, souple et d'un bon volume. Du charme dans la simplicité. ⌛ 2016-2019 🍴 poulet basquaise

⊶ DOM. DU JONCIER, 5, rue de la Combe, 30126 Tavel, tél. 04 66 50 27 70, contact@domainedujoncier.com V 🚶 ■ t.l.j. sf sam. dim. 9h-12h 14h-17h ⊶ Marine Roussel

VIGNOBLES LARGUIER 2015 ★

■ | 5000 | 🍾 | 5 à 8 €

Fondé en 1962 par Joseph Larguier, ce domaine, aujourd'hui conduit par son fils Francis, s'est peu à peu agrandi pour couvrir désormais une coquette surface de 85 ha. La cave est installée à flanc de coteaux, au pied du camp romain de Laudun.

Ce blanc issu de grenache blanc et de 30 % de viognier se révèle très aromatique, évoquant les fleurs blanches au nez et les fruits jaunes dans une bouche ample, longue et bien équilibrée entre gras et acidité. ⌛ 2016-2019 🍴 raie au beurre blanc ■ **2015 (5 à 8 €; 6000 b.)** : vin cité.

⊶ VIGNOBLES LARGUIER, rue des Esquirades, 30330 Tresques, tél. 04 66 82 40 77, lilicot@hotmail.fr V 🚶 ■ r.-v.

LAUDUN CHUSCLAN VIGNERONS Esprit du Rhône 2015 ★★

■ | 110000 | 🍾 | - de 5 €

Coopérative créée en 1925, l'un des acteurs importants de la vallée du Rhône méridionale, elle regroupe près de 250 vignerons et quelque 3 000 ha. Depuis 2012, elle propose des vins bio.

Très proche du coup de cœur, cette cuvée qui fait la part belle au grenache (60 %) s'ouvre sur des parfums gourmands de bonbon arlequin, puis de fruits rouges et, plus original, d'agrumes. Onctueux, soyeux, fondu, le palais est soutenu par de très beaux tanins dont la jeunesse et la vigueur apparaissent en finale. Un vin harmonieux et structuré, qui a l'avenir devant lui. ⌛ 2018-2022 🍴 magret de canard

⊶ LAUDUN CHUSCLAN VIGNERONS, rte d'Orsan, 30200 Chusclan, tél. 04 66 90 11 03, contact@lc-v.com V 🚶 ■ t.l.j. 9h-12h 14h-18h30

DOM. DES LAURIBERT Tradition 2015 ★★

■ | 50000 | 🍾 | 5 à 8 €

Un domaine régulier en qualité, dont le vignoble de 54 ha est réparti en une trentaine de parcelles sur les terroirs de Valréas et de Visan. Créé en 1973 par Robert et Marie Sourdon, il a été sorti de la coopérative en 1997 par leur fils Laurent, qui raconte avoir pressé ses premiers raisins à cinq ans... dans un presse-légumes: une vocation précoce.

Une sélection issue de vignes de grenache et de syrah exploitées comme un jardin par Laurent Sourdon. Une seyante robe grenat, des parfums de coulis de fruits rouges, un volume imposant en bouche, de la fraîcheur, un caractère épicé et des tanins serrés: un vin complet et intense. ⌛ 2018-2022 🍴 gigot d'agneau

⊶ DOM. DES LAURIBERT, 2249, chem. du Roussillac, 84820 Visan, tél. 04 90 35 26 82, lauribert@wanadoo.fr V 🚶 ■ t.l.j. 8h30-12h 14h-18h30 🏠 Ⓔ ⊶ Sourdon

RHÔNE

LAURIERS DU TERROIR 2015 ★

■ | 500000 | - de 5 €

Un négoce créé en 2003 par Frédéric Chaulan – rejoint en 2009 par Serge Cosialls –, qui propose une gamme complète de vins de la vallée du Rhône, du nord au sud.

Ce duo grenache-syrah (80-20) à la robe intense ourlée de violet propose un bouquet puissant de fruits des bois, d'épices et de cacao. Arômes qui s'épanouissent dans une bouche généreuse et suave, aux tanins fondus et soyeux. Un bon classique. ⌛ 2016-2020 🍷 tomates farcies

o⁻ TERRANEA, Le Crépon, rue des Négades, 84420 Piolenc, tél. 04 90 34 18 47, terranea.sarl@wanadoo.fr

LAVAU 2015 ★

□ | 15000 | 🍾 | 5 à 8 €

Une maison de négoce fondée en 1964 par Jean-Guy Lavau, d'origine saint-émilionnaise. Ses héritiers Benoît et Frédéric proposent aujourd'hui une large gamme de vins à partir de la production de 350 vignerons de la vallée du Rhône méridionale, complétée par 180 ha de vignes en propriété.

Issue de grenache blanc et de viognier, cette cuvée s'ouvre sur des parfums francs et élégants de fleurs jaunes, d'acacia et d'abricot. Une richesse aromatique, entre mandarine confite et épices douces, qui caractérise aussi le palais, onctueux et gras, équilibré par une vivacité bien dosée. ⌛ 2016-2019 🍷 wok de crevettes au gingembre

o⁻ SAS LAVAU, 585, rte de Cairanne, 84150 Violès, tél. 04 90 70 98 70, info@lavau.fr
V t.l.j. sf sam. dim. 10h-12h 14h-18h

CAVE DES VINS DE CRU DE LIRAC Tradition 2015 ★

■ | 13000 | 🍾 | - de 5 €

Coopérative créée en 1931. Elle regroupe 55 viticulteurs pour une superficie totale de 300 ha, dont 100 ha consacrés à l'AOC lirac.

Issue d'une vinification rigoureuse associée à un élevage bien maîtrisé, cette cuvée bien dans le ton de l'appellation s'affiche dans une belle robe carminée et révèle l'empreinte du grenache à travers des arômes de fruits rouges et noirs mûrs et une bouche équilibrée, dense, ronde et suave sans lourdeur. ⌛ 2016-2019 🍷 aubergine farcie

o⁻ CAVE DES VINS DE CRU DE LIRAC, 685, av. Baron-Leroy, 30126 Saint-Laurent-des-Arbres, tél. 04 66 50 01 02, contact@cavelirac.fr
V t.l.j. 9h-12h 14h-18h

DOM. LA LÔYANE Cuvée Tradition 2015 ★★

■ | 20000 | 🍾 | 5 à 8 €

Établi au pied du sanctuaire Notre-Dame-de-Grâce, à Rochefort-du-Gard, non loin des anciens marais asséchés par les moines au Moyen Âge, ce domaine, né en 1994 de la fusion de trois petites exploitations, fait preuve d'une grande constance dans la qualité. Il est dirigé avec talent par Jean-Pierre Dubois, son épouse Dominique et leur fils Romain.

Un assemblage traditionnel de grenache (60 %), syrah (30 %) et mourvèdre pour un très beau classique des côtes-du-rhône et un digne représentant d'un grand millésime. Au premier nez apparaissent d'intenses nuances chocolatées, bientôt relayées par des notes réglissées. En bouche, c'est du velours: le vin se montre à la fois ample, soyeux, structuré et long. ⌛ 2018-2022 🍷 osso bucco

o⁻ DOM. LA LÔYANE, chem. Font-des-Cavens, 30650 Rochefort-du-Gard, tél. 06 11 60 86 36, la-loyane-jean-pierre.dubois@orange.fr V t.l.j. sf lun. mar. dim. 9h-12h 15h-19h o⁻ Dubois

♥ Ⓑ **DOM. DE LUMIAN** 2014 ★★

■ | 33000 | 5 à 8 €

«Vignerons bio», Gilles Phétisson et Caroline Bonnefoy, unis dans la vie, vinifient leurs domaines séparément (Lumian pour lui, Bonnefoy pour elle). En 2012, ils se sont associés à travers une activité de négoce.

Issu des sols argilo-calcaires du nord du Vaucluse, ce vin d'une harmonie irréprochable se présente dans une robe profonde, couleur fuchsia. Bien typé, le nez révèle des arômes de fruits rouges mûrs et de tabac blond. Le palais persiste longuement et intensément sur le fruit ; il offre beaucoup de matière et de volume, soutenu par des tanins veloutés et par une fine fraîcheur qui laissent deviner une heureuse évolution. ⌛ 2018-2022 🍷 magret de canard sauce aux cèpes

o⁻ GILLES PHÉTISSON, Dom. de Lumian, 84600 Valréas, tél. 06 08 09 96 86, domainedelumian@wanadoo.fr
V t.l.j. sf dim. 9h-12h 14h-19h

DOM. MABY Variations 2015 ★

□ | 11000 | 🍾 | 5 à 8 €

Ce domaine très régulier en qualité, notamment pour ses lirac, dans les trois couleurs, et ses tavel, a été créé en 1950 par Armand Maby. En 2005, son petit-fils Richard a pris les rênes du vignoble, 64 ha situés pour l'essentiel sur les galets roulés du plateau de Vallongue; des vignes cultivées «au naturel», mais sans certification bio. Depuis 2011, l'éminent œnologue rhodanien Philippe Cambie conseille le domaine.

Cette cuvée propose un assemblage original de picpoul (60 %), clairette (25 %) et grenache blanc. Au nez, elle évoque l'abricot, la pêche et les fleurs blanches. La bouche, très soignée, ample et équilibrée, est à la fois fraîche et charnue, stimulée en finale par de beaux amers. ⌛ 2016-2019 🍷 saumon à l'oseille

o⁻ DOM. MABY, 249, rue Saint-Vincent, 30126 Tavel, tél. 04 66 50 03 40, domaine-maby@wanadoo.fr
V t.l.j. 8h-12h 13h30-17h30; sam. dim. sur r.-v.

DOM. DE MAGALANNE 2015

■ | 25000 | | - de 5 €

Situé sur la rive droite du Rhône, à l'ouest d'Avignon, ce domaine est conduit par deux frères, Jean-Baptiste et Julien Crouzet, établis depuis 2006 à la tête des 30 ha de vignes familiales. À la carte, des côtes-du-rhône, des villages Signargues et des IGP.

Issu à parts égales de grenache, syrah, carignan et cinsault, ce 2015 s'ouvre sur un côté animal, relayé après aération par les fruits rouges. En bouche, il se montre riche et chaleureux, à l'image de ce millésime solaire. Il lui manque un peu de fraîcheur pour décrocher l'étoile, mais l'ensemble reste harmonieux et gourmand. ⌛ 2016-2019 🍴 tomates farcies

DOM. DE MAGALANNE, 431, rte de Signargues, 30390 Domazan, tél. 06 67 41 65 21, domainedemagalanne@gmail.com V r.-v. Crouzet

CH. MARJOLET 2015 ★

■ | 105000 | | - de 5 €

Cette propriété de 78 ha, régulière en qualité, se répartit sur les deux villages gardois de Gaujac et de Laudun. Fondateur du domaine en 1978, Bernard Pontaud a laissé les rênes de l'exploitation à son fils Laurent en 2009.

Laurent Pontaud n'a pas tardé à s'affirmer dans le monde du vin avec ce beau vignoble gardois et il fait montre depuis son installation d'une belle régularité dans la qualité. Il signe ici un vin sombre, au nez puissant de fruits rouges et noirs à l'alcool, solidement charpenté et plus frais en bouche, mais tout de même bien chaleureux. À attendre un peu. ⌛ 2018-2021 🍴 gardianne de taureau

LAURENT PONTAUD, Dom. de Marjolet, allée des Platanes, 30330 Gaujac, tél. 04 66 82 00 93, chateau.marjolet@wanadoo.fr V t.l.j. sf sam. dim. 9h-12h 14h-18h

CH. DE MONTMIRAIL
Cuvée Jeune Vigne 2015 ★★

■ | 9000 | | 5 à 8 €

Situé à l'emplacement d'une ancienne station thermale connue pour ses eaux sulfureuses et magnésiennes, ce domaine de 48 ha est conduit par la famille Archimbaud depuis quatre générations. Une valeur sûre en vacqueyras et en gigondas.

Des larmes épaisses tapissent le verre et laissent imaginer un vin de matière, riche et gras. Passé un bouquet très expressif sur le cassis mûr et le poivre, c'est bien ce que l'on découvre une fois le vin en bouche: un côtes-du-rhône corpulent, généreux, onctueux et suave, auquel des tanins soyeux apportent une mâche veloutée. ⌛ 2017-2021 🍴 filet mignon aux pruneaux

SCEV ARCHIMBAUD-BOUTEILLER, 204, cours Stassart, 84190 Vacqueyras, tél. 04 90 65 86 72, archimbaud@chateau-de-montmirail.com V t.l.j. sf dim. 9h-12h 14h-18h

DOM. DE LA MORDORÉE
La Dame rousse 2015 ★

■ | n.c. | | 5 à 8 €

Un domaine créé en 1986 par Francis Delorme et son fils Christophe (disparu prématurément en 2015), entrepreneurs issus d'une famille vigneronne, rejoints par Fabrice en 1999. Le vignoble couvre 54 ha (en bio certifié depuis 2013), répartis sur 38 parcelles et huit communes. Partisans des petits rendements, les Delorme déclinent les millésimes avec une aisance déconcertante, aussi bien en tavel, leur fief d'origine, et en lirac, qu'en châteauneuf-du-pape ou en «simple» côtes-du-rhône. Incontournable.

Grenache, syrah, cinsault, carignan, counoise, cette cuvée propose un bel assemblage des cépages traditionnels de la vallée du Rhône. Une typicité que l'on retrouve à la dégustation avec un fruité gourmand souligné de notes épicées et une bouche franche en attaque, ronde et souple, portée par des tanins mûrs et soyeux. ⌛ 2016-2020 🍴 gigot d'agneau aux herbes de Provence

DOM. DE LA MORDORÉE, 250, chem. des Oliviers, 30126 Tavel, tél. 04 66 50 00 75, info@domaine-mordoree.com V t.l.j. 8h-12h 13h30-17h30 Delorme

DOM. VINCENT MOREAU 2015 ★★

■ | 100000 | 5 à 8 €

Vincent Moreau s'est établi en 2004 à la tête du domaine de Galuval, fort de 24 ha de terroirs variés entre Cairanne et Rasteau. Il l'a agrandi en 2010 en acquérant les vastes terres du château de Ruth, sur le terroir renommé de Sainte-Cécile-des-Vignes, où il a engagé le renouvellement des 110 ha de vignes et la rénovation des chais, et s'est entouré d'un œnologue de talent, Philippe Cambie.

Dominé par le grenache (90 %, la syrah en appoint), ce 2015 séduit par ses arômes gourmands de fruits rouges et d'épices. Il se révèle généreux, rond et gras en bouche, adossé à des tanins très bien intégrés, soyeux et fins, enrobés par des notes chaleureuses de fruits à l'alcool. ⌛ 2018-2021 🍴 osso bucco ■ **Ch. de Ruth Cuvée Grande Sélection 2015 ★ (5 à 8 €; 50000 b.)**: au nez, des notes de fruits rouges et de violette, relayées par un palais aux tanins fins et légers. À boire sur le fruit. ⌛ 2016-2019 🍴 sauté d'agneau

VINCENT MOREAU, Dom. de Galuval, 1720, rte de Vaison, 84290 Cairanne, tél. 04 90 30 80 02, contact@domainesvincentmoreau.com V t.l.j. sf sam. dim. 8h30-12h 14h-17h

DOM. GUY MOUSSET
Enfants de Vignerons 2015 ★★

■ | 50000 | | 5 à 8 €

L'histoire vigneronne de la famille Mousset est vieille de cinq siècles; l'installation à Châteauneuf-du-Pape date des années 1930, et sur le Clos Saint-Michel de 1957. Avec l'arrivée en 1996 de Franck et Olivier, le domaine (35 ha aujourd'hui) s'est enrichi de parcelles en côtes-du-rhône et en *villages*, sur la commune de Sérignan-du-Comtat.

Un vin issu d'un assemblage complexe de grenache, syrah, cinsault, carignan et mourvèdre, qui se distingue par sa cohérence. La robe est profonde et le nez exhale des senteurs de cassis cuit, de violette et de cuir. Arômes que l'on retrouve dans un palais ample, dense et long, où le gras, la fraîcheur et la sucrosité jouent une partition harmonieuse. Un vin déjà mature, mais qui devrait bien vieillir. ⧗ 2016-2020 🍴 souris d'agneau au thym

⊶ *VIGNOBLES GUY MOUSSET ET FILS, Le Clos Saint-Michel, rte de Châteauneuf-du-Pape, 84700 Sorgues, tél. 04 90 83 56 05, mousset@clos-saint-michel.com* V ■ *t.l.j. 9h-17h30*

NICOLAS PÈRE ET FILS Essentielle 2015 ★★

■	100000	▮	5 à 8 €

Une jeune maison de négoce créée en 2011 par François-Xavier Nicolas et dédiée aux «vins de terroir» de la vallée du Rhône méridionale.

Sélection des meilleures cuvées des producteurs partenaires de la maison Nicolas, cette Essentielle a été, après macération pelliculaire, élevée sur lies fines. Grâce à quoi, relayant un bouquet intense et élégant qui décline des arômes de fruits exotiques, d'abricot et une belle minéralité, la bouche se montre généreuse et ronde, ample et charnue, avec une pointe de fraîcheur qui signe le terroir et fait écho à l'olfaction. Un vin complet et complexe. ⧗ 2016-2020 🍴 bouillabaisse

⊶ *NICOLAS PÈRE ET FILS, 400, rue du Portugal, ZI des Crémades, 84100 Orange, tél. 06 47 33 19 21, fxnicolasvins@orange.fr* V ■ *r.-v.*

OGIER Héritages Élevé en foudre de chêne 2015 ★

■	150000	5 à 8 €

Cette vénérable maison castelpapale de négoce-éleveur (1859), dans le giron du groupe Advini, propose une large gamme de vins rhodaniens, du nord et du sud. Elle possède aussi le Clos de l'Oratoire des papes (châteauneuf) et le domaine Notre-Dame de Cousignac (vivarais).

Un assemblage dominé par le grenache. D'un abord fermé, le nez s'ouvre à l'aération sur les fruits rouges, le cassis et la violette. La bouche est très longue, puissante, dense, charpentée par des tanins jeunes et vigoureux qui garantissent un bel avenir à ce vin de garde, à réserver pour des plats de caractère. ⧗ 2019-2022 🍴 civet de lièvre

⊶ *OGIER, 10, av. Louis-Pasteur, BP 75, 84230 Châteauneuf-du-Pape, tél. 04 90 39 32 41, ogier@ogier.fr* V 🚶 ■ *t.l.j. sf dim. 9h-12h 14h-18h30* 🏠 Ⓔ

DOM. DE L'OLIVIER 2015

■	7000	▮	5 à 8 €

Situé tout près du pont du Gard, ce domaine autrefois complanté d'oliviers a été créé par la famille Bastide en 1943. Depuis 1980, c'est Éric qui conduit le vignoble (48 ha aujourd'hui), rejoint en 2013 par son fils Robin.

Constitué de grenache blanc, de viognier, de roussanne et de clairette à parts égales, ce vin un peu fugace est apprécié pour sa jolie robe pâle, ses arômes plaisants de fruits exotiques et de fleurs blanches et pour sa fraîcheur. ⧗ 2016-2019 🍴 moules marinières

⊶ *ÉRIC ET ROBIN BASTIDE, 1, rue de la Clastre, 30210 Saint-Hilaire-d'Ozilhan, tél. 04 66 37 08 04, robin.bastide@yahoo.fr* V 🚶 ■ *t.l.j. sf dim. 9h-12h 14h-19h*

FLEUR DU PALAY Vieilles Vignes 2015

■	19500	▮	5 à 8 €

Domaine de 20 ha créé en 2015 au pied de la colline de Séguret, acquis par deux investisseurs chinois passionnés de vin et géré par Clovis Wines, négoce spécialisé dans la vente de vins français en Chine.

Une entrée réussie dans le Guide pour ce nouveau domaine, avec un 2015 aux parfums intenses de fruits rouges et noirs confits, au palais souple et rond en attaque, plus ferme dans son évolution, tenu par des tanins puissants qui doivent encore s'affiner. ⧗ 2018-2021 🍴 civet de lièvre

⊶ *DOM. CLOS DU PALAY, rte de Roaix, quartier Les Crozes, 84110 Séguret, tél. 07 81 54 73 43, cedric.closdupalay@gmail.com* 🚶 *r.-v.*

DOM. PALON Cuvée Esparza 2014 ★

■	10000	▮	5 à 8 €

Issu d'une famille vigneronne depuis un siècle et fils de l'ancien président de la «coop» de Gigondas, Sébastien Palon a décidé en 2003 de créer sa propre cave. Il conduit aujourd'hui un vignoble de 15 ha.

Ce 2014 expressif (épices, fruits noirs) flatte les papilles dès la mise en bouche, offrant un bon équilibre entre fraîcheur du millésime et générosité du grenache (70 % de l'assemblage). Son côté charnu évite toute agressivité et sa physionomie est plutôt bonhomme. Un côtes-du-rhône jovial. ⧗ 2016-2020 🍴 bœuf bourguignon

⊶ *DOM. PALON, 373, rte de Carpentras, 84190 Gigondas, tél. 04 90 62 24 84, contact@domainepalon.com* V 🚶 ■ *r.-v.*

Ⓑ DOM. DES PASQUIERS Bee Famous Organic 2014 ★

■	10000	▮	5 à 8 €

Jean-Claude et Philippe Lambert ont repris ce vignoble de 85 ha en 1998 et se sont lancés dans la vente en bouteilles quatre ans plus tard. La nouvelle génération est arrivée en 2013, et la conversion bio a été engagée la même année.

La marque Bee Famous, dédiée aux vins bio et destinée essentiellement à l'export (80 %), réunit trois producteurs et deux régions, la vallée du Rhône et le Languedoc. Ici, un duo grenache-syrah sombre aux reflets bruns, au bouquet expressif de fruits mûrs et d'épices. Une belle présentation qui trouve un prolongement harmonieux dans une bouche ample, ronde, aux tanins fondus, un peu sauvage avec ses notes animales. ⧗ 2017-2020 🍴 gardianne de taureau

⊶ *DOM. DES PASQUIERS, 10, rte d'Orange, 84110 Sablet, tél. 04 90 46 83 97, domainedespasquiers@terre-net.fr* V 🚶 ■ *t.l.j. 8h-12h 13h30-18h; sam. dim. sur r.-v.* 🏠 ④ ⊶ *Lambert*

DOM. PÉLAQUIÉ 2015

■ | 110000 | | 5 à 8 €

Saint-Victor-la-Coste s'étend sous les ruines du Castellas, le château fort médiéval des seigneurs de Sabran. Depuis 1976, Luc Pélaquié y conduit ce domaine familial vaste (90 ha) et ancien (XVIes.), dont les vins (côtes-du-rhône, *villages*, lirac et tavel) sont régulièrement en vue dans le Guide.

Un vin de grenache (60 %) et de syrah, d'une belle intensité lumineuse à l'œil, sur la mûre fraîche et les épices au nez, tendre, charnu et souple en bouche. Peu de longueur, mais de la légèreté et du fruit. ⌛ 2016-2019 🍴 hamburger maison

DOM. PÉLAQUIÉ, 7, rue du Vernet, 30290 Saint-Victor-la-Coste, tél. 04 66 50 06 04, contact@domaine-pelaquie.com V *t.l.j. sf dim. 9h-12h 14h-18h*

DOM. DU PRIEURÉ SAINT-FRANÇOIS 2015 ★

■ | 70000 | | 5 à 8 €

Affaire de négoce-éleveur créée en 1936 par Gabriel Meffre, cette maison est devenue un acteur incontournable, propriétaire de 800 ha de vignes dans toute la vallée du Rhône, ainsi qu'en Provence. Reprise en 2009 par Éric Brousse, associé du groupe bourguignon Boisset.

Une cuvée gardoise provenant de la propriété de la famille Esperandieu, qui cultive ses vignes sur le terroir de Domazan. Le nez de belle intensité, sur la griotte et le clou de girofle, est mis en valeur par une jolie robe aux franges bleutées. La bouche se montre harmonieuse, longue et chaleureuse, bien bâtie sur des tanins serrés qui laissent deviner un bon potentiel. ⌛ 2017-2021 🍴 gigot d'agneau

GABRIEL MEFFRE, rte des Princes d'Orange, 84190 Gigondas, tél. 04 90 12 32 47, gabriel-meffre@meffre.com V *t.l.j. sf dim. lun. 10h-12h30 14h30-18h*
Éric Brousset

CELLIER DES PRINCES Réserve 2015 ★★

■ | 200000 | | - de 5 €

Le Cellier des Princes est l'unique coopérative à produire du châteauneuf-du-pape. Fondée en 1925, la cave regroupe aujourd'hui 190 adhérents et vinifie les vendanges de 600 ha, du châteauneuf donc, et aussi une large gamme de côtes-du-rhône, *villages*, ventoux et IGP de la principauté d'Orange.

Ce côtes-du-rhône à la robe profonde dévoile, aux côtés des classiques fruits rouges mûrs, d'étonnantes notes d'ananas et de fruits blancs. En bouche, il se montre rond, généreux et onctueux, adossé à des tanins fondus et veloutés. Un excellent compagnon pour des plats en sauce. ⌛ 2016-2020 🍴 bœuf bourguignon ■ **La Couronne du Prince 2015 ★ (5 à 8 €; 30000 b.)** : un bel élevage sous bois pour cette cuvée centrée sur les fruits rouges caramélisés et sur un doux grillé, longue et suave, avec des tanins encore assez fermes en soutien. ⌛ 2018-2021 🍴 sauté d'agneau

CELLIER DES PRINCES, 758, rte d'Orange, 84350 Courthézon, tél. 04 90 70 21 44, lesvignerons@cellierdesprinces.com V *t.l.j. 8h30-12h30 13h30-18h30*

DOM. DE RABUSAS 2015

■ | 75000 | | 5 à 8 €

À la tête d'un vaste vignoble de 150 ha (Dom. de Rabusas et Dom. Antonins), Bernard Perret s'est lancé en 2011 dans la mise en bouteilles.

Sur ce domaine de 60 ha, Bernard Perret a réservé 10 ha à la conception de ce côtes-du-rhône issu de grenache (80 %) et de syrah. Un vin tendre et friand, sur les fruits frais, aux tanins fondus. ⌛ 2016-2019 🍴 gnocchis à la bolognaise

EARL BERNARD PERRET, 432, av. de Fontresquières, 30200 Bagnols-sur-Cèze, tél. 04 66 82 44 58, communication@davidgivaudan.com V *r.-v.*

B DOM. LA REMEJEANNE Les Arbousiers 2015

■ | 12000 | | 8 à 11 €

Originaire d'Alsace-Lorraine et émigrée au Maghreb, la famille Klein s'est établie en 1960 à Sabran, à la tête de 5 ha de vignes. Aujourd'hui, Rémy Klein, installé en 1988 et rejoint par son fils Olivier en 2009, cultive 35 ha en bio. Une valeur sûre en côtes-du-rhône et en *villages*.

D'intenses et subtils parfums de pamplemousse et de cédrat se dégagent du verre. Un côté citronné marque aussi le palais, bien équilibré entre une fraîcheur tonique et un caractère chaleureux et moelleux qui signe le solaire millésime. ⌛ 2016-2019 🍴 sole meunière

OLIVIER ET RÉMY KLEIN, Cadignac, 30200 Sabran, tél. 04 66 89 44 51, contact@remejeanne.com V *t.l.j. sf dim. 9h-12h 14h-18h* E

DOM. RIGOT Jean-Baptiste Rigot 2014 ★★

■ | 180000 | | 5 à 8 €

Une plaine maraîchère s'étend autour du village de Jonquières également réputé pour son vignoble. Les premières vignes de ce domaine furent plantées par Jean-Baptiste Rigot en 1899. Aujourd'hui, Joëlle et Camille Rigot exploitent 50 ha.

Mi-grenache mi-syrah, ce 2014 se distingue par des parfums intenses de fruits noirs, de mûre confiturée notamment. Ample, rond, bien structuré, le palais est au diapason, très fruité, avec en finale d'élégantes notes de violette et de réglisse. ⌛ 2017-2020 🍴 daube de joue de bœuf

DOM. RIGOT, 520, chem. des Routes-de-Malijay, 84150 Jonquières, joelle@domaine-rigot.fr V *r.-v.* G

B DOM. ROCHE-AUDRAN 2014

■ | 50000 | | 8 à 11 €

Dirigé par Vincent Rochette depuis 1998, ce domaine familial (cinq générations) étend ses vignes, conduites en biodynamie, sur 35 ha à flanc de collines, sur trois terroirs (Visan, Buisson et Châteauneuf).

Le «vin plaisir» par excellence, un peu fugace mais terriblement charmeur par son bouquet soutenu de fruits rouges mûrs et par sa bouche ronde et souple, aux tanins fins et fondus, avec en appoint une touche de fraîcheur bien sentie. ⧗ 2016-2019 ♈ moussaka

⊶ *VINCENT ROCHETTE, Dom. Roche-Audran, rte de Saint-Roman, 84110 Buisson, tél. 04 90 28 96 49, contact@roche-audran.com* V ♿ ■ *t.l.j. sf sam. dim. 9h-12h 13h-18h*

♥ DOM. DE ROCHEMOND 2015 ★★

■	200 000	5 à 8 €

Éric Philip, installé en 1995, et son fils Sylvain exploitent, essentiellement à Sabran, un vaste vignoble de 130 ha répartis entre les domaines de Rochemond et du Grand Bécassier. Ils signent des côtes-du-rhône et des *villages* souvent en vue dans ces pages, et aux meilleures places.

Nouveau coup de cœur pour les Philip après leur Grand Bécassier Vieilles Vignes 2014 blanc l'an dernier. Cette année, le domaine «voit rouge» avec cette cuvée ouverte sans réserve sur des parfums de jeunesse, prune, figue et épices. Des arômes gourmands prolongés par une bouche d'une grande concentration, chaleureuse, bien en chair, plutôt gironde, avant que ne se déploient en finale de beaux tanins fermes et fins. Du caractère et du potentiel. ⧗ 2019-2023 ♈ tajine d'agneau ■ **Dom. du Grand Bécassier 2015 ★★ (5 à 8 €; 200 000 b.)** : un beau vin fondu, généreux, puissant, fruité, épicé et persistant. Méridional en diable. ⧗ 2018-2023 ♈ sauté d'agneau au thym ■ **2015 ★ (8 à 11 €; n.c.)** : un pur viognier minéral et fruité (abricot) au nez, ample et gras en bouche, avec une bonne acidité pour assurer l'équilibre. ⧗ 2016-2019 ♈ tielle sétoise

⊶ *ÉRIC PHILIP, Cadignac Sud, 30200 Sabran, tél. 04 66 79 04 42, domaine-de-rochemond@wanadoo.fr* V ♿ ■ *t.l.j. sf sam. dim. 8h-12h 14h-17h*

Ⓑ DOM. ROUGE GARANCE Feuille de Garance 2015 ★

■	25 000	🍾	8 à 11 €

Claudie et Bertrand Cortellini, anciens coopérateurs, ont acquis en 1997, en association avec l'acteur Jean-Louis Trintignant, ce domaine de 28 ha – en bio certifié depuis 2010. Une valeur sûre.

Les cuvées du domaine sont toujours mises en valeur par les étiquettes élégantes d'Enki Bilal, génial dessinateur et vrai amateur de vin. Dans le flacon ici, un 2015 apprécié pour son bouquet fin de cassis frais et de poivre blanc. Une fraîcheur et un caractère épicé qui anime aussi le palais, ample, séveux et bien structuré. ⧗ 2018-2021 ♈ chevreuil aux châtaignes

⊶ *SCEA DOM. ROUGE GARANCE, 6, chem. de Massacan, 30210 Saint-Hilaire-d'Ozilhan, tél. 04 66 01 66 45, contact@rougegarance.com* V ■ *t.l.j. sf dim. 9h-12h 14h30-17h30*

CH. DE SAINT-COSME Les Deux Albion 2014 ★★

■	50 000	🍾	8 à 11 €

Aménagé sur un site de vinification gallo-romain, parvenu jusqu'à nous avec ses cuves de fermentation taillées dans le rocher, ce domaine est dans la famille Barruol depuis... 1490. Dès lors, quinze générations de vignerons se sont succédé sur cette exploitation de 38 ha conduite depuis longtemps selon les préceptes bio. Fort de ce long passé vigneron, Louis Barruol, l'actuel propriétaire, a développé en 1997 une activité de négoce.

Assemblage classique de grenache, syrah, mourvèdre et carignan, cette cuvée conjugue à l'olfaction des arômes intenses et complexes de fruits rouges mûrs, de sous-bois et de violette. Passé une attaque souple et fraîche, le palais, lui aussi persistant sur les fruits mûrs, apparaît solidement structuré par des tanins fermes mais fins, jamais agressifs. Un potentiel certain. ⧗ 2019-2024 ♈ daube d'agneau

⊶ *SAINT-COSME, rte des Dentelles, 84190 Gigondas, tél. 04 90 65 80 80, barruol@chateau-st-cosme.com* V ■ *t.l.j. sf sam. dim. 9h-12h 14h-18h* ⊶ *Barruol*

Ⓑ CH. SAINT-ESTÈVE Tradition 2015 ★★

■	40 000	🍾	5 à 8 €

Propriété de la famille depuis 1809, ce domaine s'étend sur 230 ha, dont 48 de vignes en bio certifié le reste étant couvert des bois et de la garrigue du massif d'Uchaux. Marc Français est aux commandes à partir de 1993.

Ce vin sombre, tirant sur le noir, est issu du duo classique grenache-syrah. Il s'ouvre sur des arômes intenses de framboise, de cassis et d'épices douces agrémentés de quelques nuances animales. Centrée sur les fruits noirs, la bouche est puissante, chaleureuse, et reste d'une grande souplesse grâce à la finesse et au soyeux de ses tanins. Une longue et belle finale réglissée conclut la dégustation. ⧗ 2017-2021 ♈ tomates farcies à l'agneau confit

⊶ *CH. SAINT-ESTÈVE D'UCHAUX, 1100, rte de Sérignan, 84100 Uchaux, tél. 04 90 40 62 38, chateau.st.esteve@wanadoo.fr* V ♿ ■ *t.l.j. sf dim. 10h-12h 15h-18h; f. sam. en nov. janv. fév.* ⊶ *Français*

Ⓑ DOM. SAINT-ÉTIENNE Les Albizzias 2015 ★

■	50 000	🍾	5 à 8 €

À Montfrin, village gardois situé entre Nîmes et Orange, Michel Coullomb a créé ce domaine en 1988. Souvent en vue pour ses *villages* et ses côtes-du-rhône, il conduit aujourd'hui avec sa fille un vignoble de 36 ha en bio certifié.

Il y a très longtemps que les albizzias (ou acacias de Constantinople) sont plantés sur le domaine des Coullomb. Ce vin a d'ailleurs un côté oriental avec son palais chaleureux et épicé, qui fait écho au bouquet de fruits rouges et d'épices douces. Mais cette cuvée n'a pas encore tout donné, il faut lui laisser un peu de temps; prévoyez une bonne aération avant de la déguster. ⧗ 2018-2022 ♈ daube de bœuf

DOM. SAINT-ÉTIENNE, chem. des Agaches, 30490 Montfrin, tél. 04 66 57 50 20, domaine.st.etienne@orange.fr t.l.j. sf dim. 9h-12h 14h-18h Michel Coullomb

CAVE DES GRANDS VINS SAINT-MAURICE 2015 ★★

	39000	- de 5 €

Fondée en 1929, cette coopérative drômoise dispose d'un vignoble de coteaux qui s'étagent entre 250 et 350 m, à l'abri du mistral, en AOC côtes-du-rhône, côtes-du-rhône-villages Saint-Maurice et vinsobres. Elle propose aussi des vins en IGP.

Cet assemblage de grenache blanc, viognier et marsanne se livre sans attendre, dès le premier nez, sur des arômes subtils et élégants de fruits exotiques et de fleurs blanches. Une attaque franche et directe introduit un palais ample, caressant et délicat, imprégné de douces et persistantes notes de pêche blanche. 2016-2020 sole meunière

CAVE DES COTEAUX SAINT-MAURICE, rte de Nyons, 26110 Saint-Maurice-sur-Eygues, tél. 04 75 27 63 44, cavesaintmaurice@orange.fr r.-v.

CH. SAINT-NABOR Tradition 2015 ★

	300000		- de 5 €

Ce domaine, dans la même famille depuis six générations, s'est développé à partir de 1970, sous l'impulsion de Gérard Castor: 7 ha à son installation, 140 ha en production aujourd'hui, sur des terroirs variés. En 2011, ses deux fils Jérémie et Raphaël ont pris le relais.

«Un vin de copains», résume un dégustateur à propos de cet assemblage grenache-syrah-carignan. Au nez, une belle intensité fruitée; en bouche, du fruit toujours, et une matière souple, gouleyante. Un côtes-du-rhône friand, «pas prise de tête» et à prix doux. 2016-2019 poulet boucané

JÉRÉMIE ET RAPHAËL CASTOR, rte de Barjac, Saint-Nabor, 30630 Cornillon, tél. 04 66 82 24 26, vignoblesaintnabor@yahoo.fr t.l.j. 8h-19h

♥ CH. SAINT-ROCH 2015 ★★

	15000		5 à 8 €

Sur les coteaux silico-calcaires de Roquemaure, le vignoble de Saint-Roch couvre 40 ha. Réputé pour ses lirac, il appartient depuis 1998 aux frères Brunel, également propriétaires du château la Gardine à Châteauneuf-du-Pape, autre valeur sûre de la vallée du Rhône Sud.

D'un jaune pâle aux reflets brillants, cet assemblage complexe – grenache blanc (50 %), clairette, roussanne, viognier et bourboulenc – dévoile un bouquet intense et élégant de genêt et d'acacia agrémenté d'orange sanguine. Une élégance qui caractérise aussi le palais, ample et parfaitement en place, à la fois dense, onctueux et très frais. Un grand vin tout en nuances et d'un beau potentiel. 2016-2020 nage de poissons épicée **2015 ★ (5 à 8 €; 30000 b.)** : un rouge expressif et généreux, sur les fruits rouges confiturés, les épices et le cacao, riche et velouté en bouche, structuré par des tanins bien présents mais déjà souples et fondus. 2017-2021 goulasch

CH. SAINT-ROCH BRUNEL FRÈRES, chem. de Lirac, 30150 Roquemaure, tél. 04 66 82 82 59, brunel@chateau-saint-roch.com t.l.j. sf sam. dim. 8h-12h 14h-17h; f. 1er-15 août Maxime et Patrick Brunel

DOM. TALÈS Adret 2015 ★

	8000		5 à 8 €

Un domaine créé par Gaël Blanc en 2001 à partir de 14 ha de vignes. En 2011, une nouvelle cave de vinification y a été construite et en 2013 la certification bio obtenue.

Ce vin à majorité de grenache (80 %) s'exprime avec générosité sur les fruits mûrs et la menthe. Comme l'annonce l'intensité de sa robe, il s'appuie sur une belle matière dense et volumineuse, soulignée par une fine fraîcheur dont les accents mentholés font écho à l'olfaction. Cohérent et abouti. 2017-2021 épaule d'agneau à la menthe

GAËL BLANC, 380, chem. de Champ-Long, 84340 Entrechaux, tél. 04 90 46 02 79, contact@domainetales.com r.-v.

LES VIGNERONS DE TAVEL Acantalys 2015

	100000	5 à 8 €

Créée en 1937, cette cave historique fut la première coopérative agricole à être inaugurée par un président de la République (Albert Lebrun). Actrice importante de la production taveloise (environ la moitié), elle regroupe 85 adhérents et plus de 600 ha de vignes. Le bâtiment, construit dans la lauze locale, est classé Monument historique.

Très chaleureuse à l'olfaction, aux accents épicés, cette cuvée dévoile un palais auquel le mourvèdre et le carignan, aux côtés du grenache et de la syrah, majoritaires, apportent une bonne solidité. L'ensemble reste cependant assez charmeur, malgré une finale encore tannique qui suggère la garde. 2018-2021 moussaka

LES VIGNERONS DE TAVEL, rte de la Commanderie, 30126 Tavel, tél. 04 66 50 03 57, contact@cavedetavel.com r.-v.

TERRES POURPRES Vieilles Vignes 2015 ★

	200000		5 à 8 €

Une petite structure de négoce créée en 2004, spécialisée dans les vins de la vallée du Rhône, du Languedoc et de la Provence.

Cette cuvée à forte dominante de grenache (75 %) libère une palette généreuse et bien typée de fruits à noyau macérés et d'aromates. Un caractère sudiste qui fleure bon le soleil, prolongé par un palais puissant mais équilibré, bâti sur une charpente solide. 2018-2021 civet de lièvre

RHÔNE

LES VIGNERONS DU GRAND SUD, Roquebrune, 30130 Saint-Alexandre, tél. 04 66 39 02 00, contact@vigneronsdugrandsud.fr

DOM. TOURBILLON
Cuvée du Grand-Père 2014 ★

■	7500		8 à 11 €

Si le domaine créé par les grands-parents au milieu du XXᵉs. est ancien, Benjamin Tourbillon n'a signé la première vinification à la propriété qu'en 2012.

Une halte au caveau de Lagnes, sur la route de Fontaine-de-Vaucluse, vous permettra de découvrir une belle gamme de produits dans un caveau des plus modernes. Entre autres ce vin très réussi, sombre d'apparence, qui s'exprime sur des senteurs généreuses de fruits confiturés, de griotte notamment. La bouche séduit par sa rondeur, son volume et son harmonie entre des notes chaudes de réglisse et des nuances plus fraîches de fruits rouges. ⧗ 2016-2019 ⚲ entrecôte à la bordelaise

BENJAMIN TOURBILLON, 101, rte de Fontaine-du-Vaucluse, D 24, 84800 Lagnes, tél. 04 90 38 01 62, contact@domaine-tourbillon.com V *t.l.j. sf dim. 10h-12h30 14h-18h*

DOM. RAYMOND USSEGLIO ET FILS
Les Claux 2014 ★★

■	20000		8 à 11 €

Des achats successifs ont permis à Raymond Usseglio de porter à 33 ha la surface de ce domaine castelpapal constitué par son père Francis, venu d'Italie en 1931 pour travailler la terre. La relève est assurée depuis 1999 par son fils unique, Stéphane. La conversion à la biodynamie est en cours.

Stéphane Usseglio explique ne pas avoir de règle, être à l'écoute et s'adapter à chaque millésime. Il signe un 2014 somptueux, complexe et tout en subtilité, qui s'exprime tout au long de la dégustation sur un beau fruité mâtiné d'épices et de cacao. L'équilibre en bouche est impeccable: de la rondeur, une fraîcheur savamment dosée, des tanins soyeux et fondus. Un vin extrêmement flatteur et déjà au sommet, et qui y restera encore quelques années. ⧗ 2016-2020 ⚲ veau marengo

DOM. RAYMOND USSEGLIO ET FILS, 84, chem. Monseigneur Jules - Avril, 84230 Châteauneuf-du-Pape, tél. 04 90 83 71 85, info@domaine-usseglio.fr V *r.-v.*

Ⓑ DOM. DU VAL DES ROIS Les Allards 2014 ★

■	5000		5 à 8 €

Héritier d'une longue lignée de vignerons, Romain Bouchard quitte sa Bourgogne natale en 1964 pour s'installer à Valréas sur une ancienne propriété des papes d'Avignon. Après des études de biologie médicale, son fils Emmanuel lui a succédé en 1997, à la tête de 10 ha conduits en bio.

Il est malheureusement probable que cette petite production soit vendue à la sortie du Guide… La chose est heureuse pour le vigneron, plus regrettable pour les œnophiles. Les plus chanceux apprécieront sans nul doute ce vin onctueux, tendre et souple, aux arômes nets et gourmands de fruits rouges, au nez comme en bouche. Un fruité recherché par Romain Bouchard qui a pratiqué une cuvaison courte. ⧗ 2016-2019 ⚲ steak tartare

EMMANUEL BOUCHARD, Dom. du Val des Rois, 201, rte de Vinsobres, 84600 Valréas, tél. 04 90 35 04 35, info@valdesrois.com V *t.l.j. sf dim. 9h30-12h30 15h30-19h; f. nov.*

VALRHODANIA Les Granitiques 2015 ★★

■	50000		5 à 8 €

Après dix ans dans la grande distribution et presque autant dans le négoce de vins (partie technique), Philippe Vigne, petit-fils de coopérateur, a décidé en 2011 de fonder sa propre structure, spécialisée comme son nom l'indique dans les vins de la vallée du Rhône.

Cet assemblage classique grenache-syrah (80-20) libère des arômes de fruits noirs très mûrs, presque caramélisés, accompagnés de notes de cannelle. D'une grande souplesse en attaque, le palais se montre très chaleureux, charnu et riche, étayé par des tanins doux. Un vin à la fois solaire et élégant, auquel un léger manque de fraîcheur a coûté le coup de cœur… D'ores et déjà plaisant, il affiche une belle capacité de garde. ⧗ 2017-2022 ⚲ osso bucco

VALRHODANIA, 400, rue du Portugal, ZI des Crémades, 84100 Orange, tél. 09 81 86 30 20, vigne@valrhodania.fr V *r.-v. Vigne*

CELLIER VÉNÉJAN LA PORTE D'OR
Fleurs de Garrigue 2015

■	100000		- de 5 €

Cave coopérative de Vénéjan – village médiéval à découvrir pour son moulin et sa chapelle Saint-Pierre, millénaire. Fondée en 1929, elle regroupe une quarantaine de coopérateurs pour quelque 200 ha de vignes.

Épices, aromates, cerise macérée, cette cuvée fleure bon le Sud et le soleil. En bouche, elle suit la même ligne aromatique et affiche de jolies rondeurs et un volume intéressant. ⧗ 2016-2019 ⚲ lapin rôti au thym

CELLIER VÉNÉJAN LA PORTE D'OR, 473, rte de Bagnols-sur-Cèze, 30200 Vénéjan, tél. 04 66 79 25 04, sca.venejan@wanadoo.fr V *t.l.j. sf dim. 9h-12h 14h-18h*

PIERRE VIDAL Cuvée spéciale 2015 ★

■	100000		- de 5 €

Pierre Vidal, installé à Châteauneuf-du-Pape avec son épouse vigneronne, a créé son négoce en 2010. Une maison déjà bien implantée grâce aux sélections parcellaires vinifiées par ce jeune œnologue formé en Bourgogne.

Ce négoce désormais incontournable, d'une épatante régularité, propose ici un joli vin à prix doux, qui n'a rien de confidentiel. On aime sa robe intense, son bouquet de fruits rouges relevé de fines notes boisées qui signe un élevage en douceur, son palais onctueux, ample et doux, qui ne manque ni de structure ni de fraîcheur. ⧗ 2017-2020 ⚲ lapin aux olives

EURL PIERRE VIDAL, 631, rte de Sorgues, 84230 Châteauneuf-du-Pape, tél. 06 88 88 07 58, contact@pierrevidal.com

♥ LA VINSOBRAISE
Sélection Vieilles Vignes 2015 ★★

■ | 50000 | 🍾 | | - de 5 €

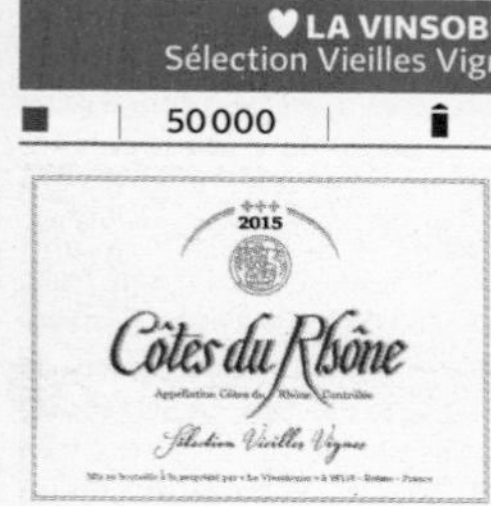

Fondée en 1949, la très qualitative cave de Vinsobres vinifie aujourd'hui plus de 95 000 hl produits sur près de 2 000 ha de vignes. Une valeur sûre de la vallée du Rhône méridionale.

L'excellente cave de Vinsobres montre une nouvelle fois tout son savoir-faire technique avec cette cuvée parfaitement élaborée. «Que du beau et du bon dans ce vin», souligne un juré: robe d'une grande intensité, rouge dense; nez complexe de poivre, de cannelle, de fruits rouges, de thym; bouche chaleureuse, ample, onctueuse et puissante. Tout le soleil de la vendange 2015 semble s'être concentré dans ce vin «qui convertirait un ascète». ⧗ 2017-2022 🍷 côte d'agneau de Sisteron grillée

CAVE LA VINSOBRAISE, 26110 Vinsobres, tél. 04 75 27 64 22, infos@la-vinsobraise.com V 🚶 ■ *t.l.j. 8h-12h 14h-18h*

CÔTES-DU-RHÔNE-VILLAGES

Superficie : 10 240 ha
Production : 298 000 hl (98 % rouge et rosé)

À l'intérieur de l'aire des côtes-du-rhône, quelques communes ont acquis une notoriété certaine grâce à des terroirs qui produisent des vins de semi-garde dont les qualités sont unanimement reconnues. Les conditions de production de ces vins sont soumises à des critères plus restrictifs en matière notamment de délimitation, de rendement et de degré alcoolique par rapport à ceux des côtes-du-rhône. Au sein de l'aire d'appellation, 13 noms de communes historiquement reconnus peuvent figurer sur l'étiquette: Chusclan, Laudun et Saint-Gervais dans le Gard; Sablet, Séguret, Roaix, Valréas et Visan dans le Vaucluse; Rochegude, Rousset-les-Vignes, Saint-Maurice, Saint-Pantaléon-les-Vignes dans la Drôme. Ont été plus récemment reconnus Signargues, dans le Gard, Massif d'Uchaux, Plan de Dieu et Puyméras dans le Vaucluse. Gadagne (Vaucluse) s'est ajouté à la liste et Cairanne a été promue en appellation communale (à partir du millésime 2016). Sur le territoire de 70 autres communes du Gard, du Vaucluse et de la Drôme, dans l'aire côtes-du-rhône, une délimitation plus stricte permet de produire des côtes-du-rhône-villages sans nom de commune.

Ⓑ DOM. ALARY Cairanne L'Estévenas 2015 ★

■ | 6000 | 🍾 | | 8 à 11 €

La famille Alary cultive la vigne à Cairanne depuis... 1692 et dix générations! Installé en 1981, Denis Alary conduit aujourd'hui 30 ha, en bio certifié à partir de 2012, et signe des vins constants en qualité.

Un *villages* blanc? Une rareté dans cette sélection. Une cuvée née de clairette et de roussanne, pâle et cristalline, florale (genêt) et fruitée (pêche blanche, abricot) au nez, équilibrée en bouche entre une fine fraîcheur et une rondeur gourmande, avec un beau retour fruité (fruits blancs et agrumes) en finale. ⧗ 2016-2019 🍷 carpaccio de thon

DOM. ALARY, 1345, rte de Vaison, 84290 Cairanne, tél. 04 90 30 82 32, alary.denis@wanadoo.fr V ■ *t.l.j. 9h-12h 14h-18h30; déc.-mars sur r.-v.*

PIERRE AMADIEU Cairanne Les Hautes Rives 2015

■ | 4000 | 🛢 | | 8 à 11 €

Maison fondée en 1929 et restée familiale (Pierre Amadieu, installé en 1989, son oncle et ses cousins). Elle opère des sélections parcellaires pour son négoce et conduit deux propriétés: Grand Romane et La Machotte en AOC gigondas, dont elle est le plus grand producteur avec 137 ha de vignes.

L'un des rares *villages* blancs de cette sélection. Un assemblage de clairette (70 %), roussanne et grenache blanc qui offre au nez une jolie promenade automnale entre noisetiers, amandiers et châtaigniers, et déploie un palais gras, rond et beurré. ⧗ 2016-2019 🍷 volaille sauce crémée et champignons

PIERRE AMADIEU, 201, rte des Princes d'Orange, 84190 Gigondas, tél. 04 90 65 84 08, pierre.amadieu@pierre-amadieu.com V 🚶 ■ *t.l.j. 10h-12h 14h-17h30; f. sam. dim. en janv.-fév.*

DOM. D'ANDÉZON Signargues 2014

■ | 25000 | 🛢 | | 8 à 11 €

Située non loin du pont du Gard, cette très qualitative coopérative fondée en 1965 vinifie le fruit de 536 ha de vignes. Elle s'est constituée une solide réputation grâce à la haute qualité des domaines adhérents.

Syrah (80 %) et mourvèdre composent ce vin prêt à boire, souple, léger et friand, ouvert au nez comme en bouche sur les fruits rouges mûrs relevés d'épices. Simple et efficace. ⧗ 2016-2018 🍷 grillade de bœuf

LES VIGNERONS D' ESTÉZARGUES, 478, rte des Grès, 30390 Estézargues, tél. 04 66 57 03 64, caveau@vins-estezargues.com V ■ *t.l.j. sf dim. 8h-12h 14h-18h*

DOM. DES ANDRINES Signargues 2015 ★

■ | 7000 | 🍾 | | 8 à 11 €

Nicolas Issartier a pris la suite de ses parents en 2004 à la tête d'un vignoble de 34 ha dédié aux côtes-du-rhône et aux *villages* Signargues.

Le grenache, la syrah et le mourvèdre composent une belle cuvée intense, fruitée et fumée à l'olfaction. Tout aussi expressive, fruitée et réglissée, la bouche se révèle souple et croquante, bâtie en douceur sur des tanins fins et délicats. De l'équilibre, de la longueur et un joli potentiel pour ce vin que vous pourrez aussi apprécier dans sa jeunesse. ⧗ 2017-2021 🍷 daube de bœuf et tagliatelles

EARL DOM. DES ANDRINES, 38, rue des Écoles, 30390 Domazan, tél. 04 66 57 01 89, andre.issartier@yahoo.fr V 🚶 ■ *r.-v.* *Issartier*

B ART MAS Visan Il était une fois 2014

■ | 13000 | 8 à 11 €

Un domaine créé en 2009 par Xavier Combe à partir des vignes familiales. Un «jardin sauvage» (*harmas* en provençal) de 7 ha en coteaux, plantés de vieux ceps sur l'aire de Visan, et conduit en bio certifié.

«Il était une fois»... une vendange manuelle, une courte cuvaison pour garder le fruit et la naissance d'un vin bien typé syrah (70 %, le grenache en appoint), ouvert sur les petits fruits rouges et la violette. La bouche est agréable, friande, fraîche, souple, elle aussi bien fruitée (cassis, cerise) et marquée par une finale plus chaleureuse aux accents chocolatés. ⧗ 2016-2019 🍷 tikka massala

⚷ XAVIER COMBE, 1099, chem. du Rastelet, 84820 Visan, tél. 06 71 02 42 86, artmas.lieudevie@gmail.com V r.-v.

BARON DE ROUSSILLAC Visan 2015 ★

■ | 50000 | 🛢 | 5 à 8 €

Après dix ans dans la grande distribution et presque autant dans le négoce de vins (partie technique), Philippe Vigne, petit-fils de coopérateur, a décidé en 2011 de fonder sa propre structure, spécialisée comme son nom l'indique dans les vins de la vallée du Rhône.

Ce Visan séduit par ses notes généreuses et bien typées de moka, d'épices et de cerise mûre. En bouche, il se montre rond, gras et suave, soutenu par des tanins assez fermes, et déploie une belle finale sur les fruits rouges confiturés. ⧗ 2017-2021 🍷 gardianne de taureau ■ **Le Roure Saint-Jean Plan de Dieu 2015 ★ (5 à 8 €; 30000 b.)** : un vin complet issu de grenache, syrah et mourvèdre, fruité et épicé, à la fois ample, riche, frais et bien structuré. Un joli potentiel de garde. ⧗ 2018-2022 🍷 navarin d'agneau

⚷ VALRHODANIA, 400, rue du Portugal, ZI des Crémades, 84100 Orange, tél. 09 81 86 30 20, vigne@valrhodania.fr V r.-v. ⚷ Vigne

DOM. DE LA BASTIDE Visan 2014

■ | 30000 | 🛢 | 5 à 8 €

Disparu en 2008, Bernard Boyer a laissé en héritage à son fils Vincent, à ses côtés depuis 1998, un domaine de 65 ha, ancienne ferme templière puis couvent, établi sur un site gallo-romain.

Ce vin allie à l'olfaction les fruits noirs et les épices douces. Les mêmes sensations caractérisent la bouche, souple et fraîche, structurée en finesse. Pas très long mais harmonieux. ⧗ 2016-2019 🍷 côte de veau aux olives

⚷ DOM. DE LA BASTIDE, 1250, chem. de la Bastide, 84820 Visan, tél. 04 90 41 98 61, vinboyer@wanadoo.fr V r.-v.

LA BASTIDE SAINT-VINCENT
Plan de Dieu Florentin 2014 ★

■ | 8000 | 🛢 | 5 à 8 €

Installé dans une ancienne ferme rénovée aux airs de bastide, dont certains éléments datent du XVIIe s., Laurent Daniel, ancien responsable commercial export dans un négoce de vin, a repris en 2001 ce vignoble familial de 23 ha très morcelé, réparti dans six communes. Un habitué du Guide, d'une régularité sans faille.

Florentin est le fils du vigneron dont l'année de naissance correspond à la première cuvée de Plan de Dieu. Ici, un 2014 né de grenache (65 %) et de syrah, qui développe des parfums harmonieux et fins de fruits frais, de violette et d'épices. La bouche est très équilibrée: du volume, du fruit, des tanins souples et un alcool bien compensé par l'acidité. ⧗ 2016-2020 🍷 poulet au chorizo

⚷ LAURENT DANIEL, 1047, La Bastide Saint-Vincent, 84150 Violès, tél. 04 90 70 94 13, bastide.vincent@free.fr V t.l.j. sf dim. 9h-12h 14h-19h

DOM. BEAU MISTRAL
Cairanne Les Garrigues 2015

■ | 4500 | 🛢 | 8 à 11 €

Côtes-du-rhône, *villages*, rasteau ou IGP de la principauté d'Orange, ce domaine familial très régulier en qualité étend son vignoble sur 28 ha plantés de vieux ceps, dont certains centenaires. Jean-Marc Brun est aux commandes depuis 1988.

Cette cuvée née de grenache (65 %), de syrah (30 %) et d'un soupçon de cinsault a passé dix-huit mois dans le bois. Elle en ressort avec un nez généreux de fruits rouges et noirs à l'alcool et d'épices, et un palais gras, riche et fondu. Il lui manque simplement un peu de fraîcheur pour décrocher l'étoile. ⧗ 2017-2020 🍷 civet de lapin

⚷ DOM. BEAU MISTRAL, 91, rte d'Orange, 84110 Rasteau, tél. 04 90 46 16 90, domaine.beaumistral@rasteau.fr V t.l.j. 9h-12h 14h-18h; sam. dim. sur r.-v. ⚷ Jean-Marc Brun

♥ DOM. DU BOIS DE SAINT-JEAN
Gadagne 2014 ★★★

■ | 13000 | 🛢 | 8 à 11 €

Établie à Jonquerettes depuis 1650, la famille Anglès se consacre à la viticulture à partir de 1910. Une tradition perpétuée avec grand talent par Vincent et son frère Xavier qui, à la tête de 48 ha de vignes, proposent des vins d'une constance remarquable.

Une belle base de syrah (85 %) est à l'origine de cette cuvée d'une complexité rare: pierre à fusil, épices, fruits rouges confits, réglisse, olive noire... La bouche, magistrale, d'une longueur exceptionnelle, monte progressivement en puissance, offrant beaucoup de gras et de volume, portée par des tanins denses et serrés, au grain très fin. On serait tenté de ne pas attendre, mais la sagesse impose un peu de patience: dans deux ou trois ans l'apogée débutera, pour longtemps... ⧗ 2018-2026 🍷 pigeon aux truffes et foie gras

⚷ EARL XAVIER ET VINCENT ANGLÈS, 126, av. de la République, 84450 Jonquerettes, tél. 04 90 22 53 22, xavier.angles@wanadoo.fr V t.l.j. 8h-12h 14h-20h; dim. 8h-12h

DOM. DU BOIS DES DAMES 2015 ★

■ | 320000 | | 5 à 8 €

Cet ancien bois fut propriété des chartreusines de Prébayon. Vendu comme bien national à la Révolution, il fut transformé en vignoble en 1946. Le domaine (200 ha) est entré en 1956 dans la famille Meffre.

Grenache (65 %), syrah et un soupçon de mourvèdre sont assemblés dans cette cuvée entièrement centrée sur les fruits noirs à l'olfaction. On retrouve le fruit mâtiné de notes épicées dans une bouche dense, fraîche et persistante. Un vin à boire dans sa jeunesse. ⧗ 2016-2019 ¥ carbonade

DOM. DU BOIS DES DAMES, 2600, rte de Cairanne, 84150 Violès, tél. 04 90 70 94 90, hmeffre@outlook.com V r.-v.

CH. LA BORIE 2015 ★

■ | 20000 | | 8 à 11 €

Commandée par un château du XVIIIᵉs., cette ancienne propriété des princes d'Orange appartient aux familles cousines Bories et Margnat depuis 1963. Dirigé aujourd'hui par Éric et Jérôme Margnat, le vignoble s'étend sur 75 ha. Pas de certification bio ici, mais une conduite qui s'apparente à cette démarche. Pas de fût de chêne non plus, uniquement des cuves béton pour privilégier le fruit.

Assemblage de grenache, de syrah et d'un brin (5 %) de mourvèdre, cette cuvée dévoile un nez généreux de fruits rouges et noirs confiturés. Harmonieuse et croquante, la bouche est tout en fruit également, adossée à des tanins souples et élégants. ⧗ 2016-2020 ¥ carré d'agneau grillé aux herbes

CH. LA BORIE, 2888, rte de Saint-Paul, 26790 Suze-la-Rousse, tél. 04 75 04 81 92, jerome.margnat@chateau-la-borie.fr V t.l.j. sf dim. 9h-12h30 14h-19h Margnat

DOM. LA BOUVAUDE
Rousset-les-Vignes Barriqua 2014

■ | 11000 | | 8 à 11 €

Ancien prieuré clunisien, le village de Rousset-les-Vignes, perché à 400 m d'altitude, domine la vallée du Rhône et offre une belle vue sur le mont Ventoux. Stéphane Barnaud et son épouse Fabienne y ont créé leur cave en 1992.

Issue des plus vieilles vignes de grenache (50 %), syrah (30 %) et mourvèdre du domaine, et élevée douze mois dans des fûts d'âges et d'origines différents, cette cuvée se distingue par son bouquet soutenu d'épices, de cuir et de fruits écrasés. Si elle n'est pas très longue, la bouche offre une aimable rondeur, du gras et une structure tannique souple et fondue qui rend cette bouteille d'ores et déjà agréable. ⧗ 2016-2019 ¥ paupiettes à la tomate

BARNAUD, La Bouvaude, 26770 Rousset-les-Vignes, tél. 04 75 27 90 32, contact@labouvaude.com V t.l.j. 9h-19h

B DOM. LA CABOTTE
Massif d'Uchaux Garance 2014

■ | 30000 | | 11 à 15 €

Ce domaine doit son nom à un abri en pierres sèches qui résiste aux intempéries de l'été et aux rigueurs de l'hiver. Il a été acquis en 1981 par Gabriel d'Ardhuy, qui l'a confié à l'une de ses sept filles, Marie-Pierre Plumet. Cette dernière a patiemment restructuré le vignoble, refaçonné les anciennes terrasses, et conduit aujourd'hui, en biodynamie, avec son mari Éric, 30 ha de vignes d'un seul tenant au cœur du massif d'Uchaux.

Assemblage de grenache, de syrah et de mourvèdre, cette cuvée dévoile un nez harmonieux et plaisant de fruits noirs, de violette et d'épices. La bouche est bien construite, souple en attaque, plus ferme et serrée dans son développement, de bonne longueur. Du potentiel. ⧗ 2018-2022 ¥ tajine d'agneau

DOM. LA CABOTTE, SARL Marie-Pierre Plumet d'Ardhuy, 84430 Mondragon, tél. 04 90 40 60 29, domaine@cabotte.com V t.l.j. 9h-17h; f. fin août

CALENDAL Plan de Dieu 2014 ★

■ | 16000 | | 15 à 20 €

Un petit domaine de 4,3 ha créé en 2006, au Plan-de-Dieu, par deux éminents spécialistes des vins rhodaniens, Philippe Cambie et Gilles Ferran, amis depuis leurs études d'œnologie à Montpellier. Les deux compères signent des vins qui laissent rarement indifférents.

Coup de cœur dans ses versions 2007 et 2012, ce Plan de Dieu n'a pas grand-chose à envier à ses aînés dans le millésime 2014. Un vin complexe (fruits rouges bien mûrs, violette, épices), ample, généreux, rond et charnu, aux tanins veloutés et fondus, avec une belle fraîcheur qui lui confère une longueur remarquable. ⧗ 2018-2024 ¥ osso bucco

DOM. CALENDAL, 111, Combe-de-l'Eoune, 84110 Rasteau, tél. 04 90 46 14 20, domaine.escaravailles@rasteau.fr V r.-v. Philippe Cambie et Gilles Ferran

CAMILLE CAYRAN Cairanne Antique 2013 ★★

■ | 33000 | | 11 à 15 €

Créée en 1929, la coopérative de Cairanne est un acteur de poids dans la région: 60 adhérents pour 350 ha de vignes et deux marques: Camille Cayran pour le réseau traditionnel et Victor Delauze pour la grande distribution.

Valeur sûre de l'appellation, cette cuvée fut coup de cœur dans le millésime 2012 et séduit encore dans sa version 2013. Un assemblage de grenache (40 %), de mourvèdre, de syrah et de carignan intense et complexe à l'olfaction (fruits rouges et noirs confits, violette, poivre et autres épices), onctueux, riche et dense en bouche, bien charpenté par des tanins ronds et veloutés. ⧗ 2019-2026 ¥ omelette aux truffes noires ■ **Cairanne La Réserve 2015 ★★ (5 à 8 €; 130000 b.)** : le trio grenache-syrah-mourvèdre compose ce vin remarqué

RHÔNE

pour sa complexité (violette, réglisse, poivre, fruits noirs), pour son équilibre entre une matière suave et une grande fraîcheur, pour ses tanins doux et pour sa longueur. ⧗ 2018-2022 ▼ poivrons farcis

CAVE DE CAIRANNE, 330, av. de la Libération, 84290 Cairanne, tél. 04 90 30 82 05, d.crespo@cave-cairanne.fr V r.-v.

DOM. CHAMFORT Sablet 2014 ★★

■	n.c.		8 à 11 €

Situé au pied des Dentelles de Montmirail, ce domaine de 27 ha créé en 1992 par Denis Chamfort a été repris en 2010 par Vasco Perdigao, œnologue formé dans la vallée du Rhône septentrionale. L'approche bio est privilégiée mais le pas de la conversion officielle n'a pas encore été franchi.

Issu de grenache (70 %) et de syrah, ce Sablet dévoile un bouquet élégant, intense et complexe de fruits rouges à l'eau-de-vie, de violette, de garrigue et d'épices. À une attaque souple et fraîche succède un palais gras et chaleureux, aux tanins bien présents mais délicats. Une bouteille de caractère, que l'on laissera s'épanouir en cave quelques années. ⧗ 2018-2023 ▼ poularde de Bresse sauce truffée ■ **Séguret 2014 ★ (8 à 11 €; n.c.)** : un vin harmonieux, complet et élégant, fruité et épicé, ample, soyeux, persistant et frais en bouche. ⧗ 2018-2023 ▼ osso bucco

VASCO PERDIGAO, 280, rte du Parandou, 84110 Sablet, tél. 04 90 46 94 75, domaine-chamfort@orange.fr V t.l.j. 9h-12h 13h30-18h; sam. dim. sur r.-v.

M. CHAPOUTIER Roc de la Folassière 2015 ★

■	28000	8 à 11 €

Cette vénérable (XIXe s.) et incontournable maison, mise sur orbite internationale par Michel Chapoutier à partir des années 1990, propose une large gamme issue de ses propres vignes (350 ha, en biodynamie) ou d'achats de raisin dans la plupart des appellations phares de la vallée du Rhône, et aussi en Roussillon et en Alsace.

Grenache et syrah sont associés dans cette cuvée au nez fin et délicat de fruits rouges et d'épices. Une finesse et un fruité que l'on retrouve en bouche autour de tanins doux et légers. ⧗ 2016-2020 ▼ agneau de lait rôti

MAISON M. CHAPOUTIER, 18, av. du Dr-Paul-Durand, 26600 Tain-l'Hermitage, tél. 04 75 08 28 65, chapoutier@chapoutier.com V t.l.j. 9h-12h30 14h-19h E

CELLIER DES CHARTREUX
Saint-Vérédème 2014 ★

■	13500	5 à 8 €

Née en 1929, la coopérative de Pujaut, bourgade des environs d'Avignon, vinifie 720 ha de vignes dans les crus lirac et tavel, en AOC régionales et en IGP. Ses cuvées sont régulièrement en vue dans ces pages, notamment ses vins blancs.

Cette cuvée doit son nom à une chapelle située sur une petite colline de Pujaut, choisie comme lieu de méditation par l'ermite Saint Vérédème, venu de Grèce en l'an 660. La cave locale y a vendangé 6 ha de grenache et de syrah, à l'origine d'un vin fruité et épicé, suave et chaleureux, adossé à des tanins fondus et caressants. ⧗ 2017-2021 ▼ pavé d'autruche aux cèpes

SCA CELLIER DES CHARTREUX, D 6580, 30131 Pujaut, tél. 04 90 26 39 40, contact@cellierdeschartreux.fr V r.-v.

CLOS DU PÈRE CLÉMENT
Visan Cuvée Père Clément 2014 ★

■	30000		8 à 11 €

Situé à proximité de la chapelle Notre-Dame-des-Vignes (XVIe s.), ce domaine créé en 1978 doit son nom au grand-père de Jean-Paul Depeyre, aux commandes depuis 2000. Le vignoble (35 ha) est en bio depuis la vendange 2015.

Une majorité de grenache, complété de syrah et de carignan, pour cette cuvée élevée huit mois en fût. Le nez associe notes vanillées et fruits macérés. La bouche est ronde et suave, bien charpentée par des tanins fins et un boisé savamment dosé. ⧗ 2018-2022 ▼ rognons sauce madère

SCEA CLOS DU PÈRE CLÉMENT, 911, rte de Vaison-la-Romaine, 84820 Visan, tél. 04 90 41 93 68, info@clos-pere-clement.com V t.l.j. 9h-12h 14h-18h E Depeyre

B CH. DES COCCINELLES Signargues 2014

■	20000	11 à 15 €

Un domaine situé à l'ouest d'Avignon, conduit par la famille Fabre depuis 1918 et trois générations. Son essor date des années 1970, sous l'impulsion de René Fabre, pionnier de l'agriculture biologique, qui a engagé la conversion dès 1978. C'est son fils Paul Henri qui est aux commandes depuis 2006, à la tête d'une vaste exploitation de 100 ha.

Une dominante de syrah (60 %, le grenache en appoint) pour ce vin généreusement bouqueté sur les fruits confiturés et la garrigue. La bouche est suave, veloutée et chaleureuse, épicée et fruitée, un peu fugace mais harmonieuse. ⧗ 2017-2020 ▼ lapin braisé

CH. DES COCCINELLES, 6, rue des Écoles, 30390 Domazan, tél. 04 66 57 03 07, sybille.coccinelles@gmail.com V t.l.j. 9h-19h Fabre

LA COMPAGNIE RHODANIENNE 2015

■	133000		- de 5 €

Établie à Castillon, près du pont du Gard, la Compagnie rhodanienne est une maison de négoce créée en 1963, dans le giron du groupe Taillan. Elle propose des vins (marques ou cuvées de domaine) dans de nombreuses AOC de la vallée du Rhône, de la Provence et du Languedoc.

Cette marque prestige de la maison propose un 2015 chaleureux porté sur les fruits à l'alcool et les épices. Même sensation de générosité dans une bouche ronde et riche, épicée et réglissée, épaulée par des tanins fins et légers et par une avantageuse pointe de fraîcheur. ⧗ 2016-2019 ▼ pastilla

LA COMPAGNIE RHODANIENNE, SPECR 19, chem. Neuf, CS 80002, 30210 Castillon-du-Gard, tél. 04 66 37 49 50, nicolas.roger@rhodanienne.com

DOM. DE LA CÔTE Valréas 2015

■ | 78000 | | 5 à 8 €

Le Cellier des Princes est l'unique coopérative à produire du châteauneuf-du-pape. Fondée en 1925, la cave regroupe aujourd'hui 190 adhérents et vinifie les vendanges de 600 ha, du châteauneuf donc, et aussi une large gamme de côtes-du-rhône, *villages*, ventoux et IGP de la principauté d'Orange.

Mi-grenache mi-syrah, ce valréas livre après aération un bouquet subtil de cassis, de réglisse et de tapenade. Une attaque douce ouvre sur une bouche ronde et suave, un peu plus tannique en finale. Pas très long mais généreux. 2017-2021 bœuf en daube

CELLIER DES PRINCES, 758, rte d'Orange, 84350 Courthézon, tél. 04 90 70 21 44, lesvignerons@cellierdesprinces.com V t.l.j. 8h30-12h30 13h30-18h30

CÔTÉ MILLÉSIME Maître de Chaise Visan 2014

■ | n.c. | 8 à 11 €

Une jeune maison de négoce spécialisée dans les vins rhodaniens, créée en 2012 par Frédéric Chaulan, vigneron au domaine de la Légende à Sabran, et par Serge Cosialls, négociant.

Cette cuvée née de grenache (80 %), syrah et cinsault dévoile un nez généreux de fruits très mûrs et de réglisse. Arômes prolongés par une bouche ronde, souple et veloutée. Simple et gourmande. 2016-2019 ribs de porc

CÔTÉ MILLÉSIME, rue des Négades, 84420 Piolenc, tél. 04 90 30 80 28, secretariat@cotemillesime.fr

DOM. COULANGE 2015 ★

■ | 32500 | | 8 à 11 €

Situé à la pointe sud de l'Ardèche, sur les coteaux dominant la rive droite du Rhône, ce vignoble de 35 ha est conduit par Christelle Coulange. Celle-ci a rejoint son père en 1996, instaurant alors avec lui les premières vinifications au domaine.

Grenache (60 %) et syrah composent ce 2015 volubile et typé: fruits noirs, épices, violette. La bouche affiche une structure tannique fine et soyeuse, offre beaucoup de fraîcheur et de fruit, et déploie une longue finale sur les épices et les fruits confits. 2017-2021 filet de bœuf aux cèpes

DOM. COULANGE, quartier Saint-Ferréol, 07700 Bourg-Saint-Andéol, tél. 04 75 54 56 26, christelle@domaine-coulange.com V r.-v.

CH. COURAC Laudun 2015 ★★

■ | 140000 | 5 à 8 €

Ce château perché sur les hauteurs de Tresques est un habitué du Guide et le plus souvent aux meilleures places. Conduit par Joséphine et Frédéric Arnaud, il se distingue tant par ses côtes-du-rhône que par ses *villages* (Laudun).

Frédéric et Joséphine Arnaud, toujours à la recherche du meilleur et présents sans discontinuité dans le Guide depuis vingt ans, signent un Laudun admirable. Une belle base de syrah et de 30 % de grenache pour ce vin jeune et prometteur, frais, alerte et long, ouvert sur les fruits rouges et noirs au nez comme en bouche, doté d'une élégante structure tannique. Un vin de caractère qui s'affirmera avec le temps. 2018-2023 rôti de taureau aux chanterelles ■ **Dom. Quart du Roi Laudun 2015 ★★ (5 à 8 €; 40000 b.)** : plébiscité pour ses arômes de fruits rouges mûrs et de cassis, ses tanins fins et soyeux et sa finale longue et élégante. 2017-2021 côte de bœuf ■ **Laudun Le Haut Plateau 2015 ★★ (5 à 8 €; 20000 b.)** : de la couleur, de la puissance, de la générosité, des tanins élégants, du fruit et des épices, un beau cocktail pour ce vin de garde. 2018-2023 civet de sanglier □ **Laudun 2015 ★★ (5 à 8 €; 30000 b.)** : un assemblage de clairette (80 %) et de grenache blanc pour cette cuvée qui fleure bon le Midi avec son nez de fleurs blanches, de garrigue et de genêt, et qui plaît aussi par son ampleur, son gras et sa belle persistance aromatique. 2016-2019 loup grillé au fenouil

SCEA FRÉDÉRIC ARNAUD, Ch. Courac, 1520, chem. de Courac, 30330 Tresques, tél. 04 66 82 90 51, chateaucourac@orange.fr V r.-v.

DOM. DE CRÈVE CŒUR Séguret 2014 ★

■ | 3800 | | 11 à 15 €

Un tout jeune et petit domaine créé en 2010 par Pablo Höcht, ingénieur chimiste converti à la vigne: 5,5 ha de vieux ceps conduits en bio sur Séguret.

À l'origine de ce Séguret, de vieilles vignes de grenache et de mourvèdre âgées de soixante ans et un élevage de douze mois en fût. Cela donne un vin bien concentré en fruits noirs bien mûrs, boisé sans excès, réglissé et épicé, ample et puissant en bouche, épaulé par des tanins denses et serrés. 2018-2022 civet de lièvre

DOM. DE CRÈVE CŒUR, Derrière le Château, 84110 Séguret, tél. 04 90 28 86 01, contact@domainedecrevecoeur.com V r.-v. Pablo Höcht

DAUVERGNE RANVIER
Cairanne Grand Vin 2014 ★★

■ | 50000 | | 8 à 11 €

Créée en 2004 par François Dauvergne et Jean-François Ranvier, professionnels du vin qui ont décidé d'élaborer leurs propres cuvées après avoir œuvré chez les autres, cette maison de négoce s'affirme d'année en année à travers une gamme de qualité issue de sélections parcellaires. En 2013, les deux compères ont repris l'exploitation du Dom. des Muretins (tavel et lirac).

Le mourvèdre (10 %) est associé au grenache et à la syrah dans ce Cairanne sombre et profond, qui séduit d'emblée par l'intensité de ses arômes de pruneau confit, d'épices et de boisé léger. La bouche se révèle ample, dense et puissante, adossée à une structure tannique ferme et à un boisé élégant, aux accents de café. 2018-2022 civet de lapin

DAUVERGNE RANVIER, Ch. Saint-Maurice, RN 580, 30290 Laudun-l'Ardoise, tél. 04 66 82 96 57, francois.dauvergne@dauvergne-ranvier.com

LAURENS DEBLAERE 2014 ★

■ | 13300 | | 11 à 15 €

Une jeune maison de négoce créée en 2014 par Laurens Deblaere, formé à la vinification dans des domaines prestigieux de Bourgogne et de Châteauneuf-du-Pape.

Première cuvée pour ce jeune négociant et déjà une belle réussite avec ce vin au nez intense et généreux de fruits confiturés et de réglisse. Ample et puissant, le palais s'appuie sur des tanins denses et fins et déploie une longue finale réglissée qui fait écho à l'olfaction. De bons atouts pour la garde. 2018-2022 filet de bœuf aux morilles

LAURENS DEBLAERE, imp. Di Caneu 99, 84110 Roaix, tél. 06 37 21 66 10, laurens.deblaere@hotmail.com V r.-v.

ROMAIN DUVERNAY Plan de Dieu 2015

■ | 100000 | | 5 à 8 €

Issu d'une lignée de négociants en vins – son arrière-grand-père Louis fonda en 1904 un commerce de vin en Haute-Savoie –, Romain Duvernay a créé en 1998, avec son père Roland, une maison de négoce basée à Châteauneuf-du-Pape, qui propose des vins de toute la vallée.

Une touche de mourvèdre accompagne le grenache et la syrah dans ce vin à la fois fin et puissant à l'olfaction, centré sur les fruits noirs (cassis, mûre). Une palette complétée de Zan et d'épices dans une bouche franche, fraîche et friande, aux tanins fins et légers, un brin plus stricts en finale. 2017-2021 poulet rôti à la tomate

RHÔNE MÉDITERRANÉE SOURCING, chem. Les Taillades, 84830 Sérignan-du-Comtat, tél. 07 85 38 72 37, romainduvernay@orange.fr V r.-v. *Duvernay*

ÉCLAT DU RHÔNE 2015 ★

■ | 200000 | - de 5 €

Moncigale est une marque ombrelle du groupe alcoolier Marie Brizard, destinée à la grande distribution.

Cette jolie cuvée à prix doux se présente avec gourmandise, centrée sur des arômes de confiture de fraises. Arômes prolongés avec la même intensité par un palais crémeux et rond sans manquer de fraîcheur et d'équilibre, étayé par des tanins fins et souples. L'archétype du « vin plaisir ». 2016-2020 navarin de veau

MONCIGALE, 6, quai de la Paix, 30300 Beaucaire, tél. 04 66 59 74 39, pierre.martin@mbws.com
Marie Brizard

DOM. JULIEN DE L'EMBISQUE Cuvée Prestige 2014

■ | 24000 | 5 à 8 €

L'histoire vigneronne des Gaïde a débuté en 1838 à Pauillac. Elle se poursuit dans le Haut-Var en 1972, date de l'achat d'un domaine de 4 ha. La commercialisation en bouteilles, en revanche, ne débute qu'en 2011, sous la conduite de Thierry Gaïde et son fils Fabien.

Grenache, syrah et une touche de carignan composent cette cuvée ouverte à l'olfaction sur un joli fruit (cerise et cassis confits), souple, ronde et poivrée en bouche. À boire sur le fruit. 2016-2019 onglet grillé

THIERRY ET FABIEN GAÏDE, 1791, rte de l'Embisque, 84500 Bollène, tél. 06 77 50 68 56, julien.lembisque@orange.fr V t.l.j. 10h-12h 14h-19h

DOM. DE L'ESPIGOUETTE Plan de Dieu 2014

■ | 20000 | | 8 à 11 €

Le nom de cette vaste exploitation de 47 ha est hérité du terme provençal *spigo* (petit épi de blé). Bernard Latour, aux commandes depuis 1979, privilégie les petits rendements et les vieilles vignes. Avec l'arrivée en 2009 de ses fils Émilien et Julien, il a engagé la conversion bio du vignoble et créé une nouvelle cave de stockage.

Ce Plan de Dieu né de grenache (75 %), syrah et mourvèdre laisse poindre un fruité léger à l'olfaction, associé à des épices et à des notes de foin d'été. La bouche, plus expressive, est souple et ronde, soutenue par des tanins agréables et fondus. 2016-2020 osso bucco

EARL DOM. DE L' ESPIGOUETTE, 1008, rte d'Orange, 84150 Violès, tél. 04 90 70 95 48, espigouette@aol.com V r.-v. *Latour*

B DOM. LA FLORANE Visan Terre Pourpre 2014 ★

■ | 13000 | | 11 à 15 €

Installés en 2001 sur les terres familiales, Adrien et Françoise Fabre ont sorti le domaine de la cave coopérative pour vinifier leurs propres vins. Ils conduisent un vignoble (en bio certifié, tendance biodynamie) réparti entre les 24 ha du domaine la Florane à Visan et les 14,5 ha du domaine de l'Échevin à Saint-Maurice.

Née sur un vignoble en coteaux, étagé entre 250 et 390 m d'altitude, au terroir frais et tardif, cette cuvée assemble le grenache (80 %) et le mourvèdre. Après dix-huit mois d'élevage en cuve tronconique de bois, elle offre un nez intense de fruits rouges, de bourgeon de cassis et de violette. En bouche, du volume, du corps, une charpente puissante et soyeuse, une belle persistance aromatique. Un excellent vin de garde pour un mets de caractère qui décrochera sa seconde étoile en cave. 2019-2026 civet de sanglier

DOM. LA FLORANE, 199, chem. des Bourdeaux, 84820 Visan, tél. 04 90 41 90 72, contact@domainelaflorane.com V t.l.j. sf sam. dim. 8h-12h30 13h30-17h *Fabre*

B DOM. FOND CROZE Cuvée romanaise 2014 ★★

■ | 6600 | | 8 à 11 €

Un domaine fondé après la Seconde Guerre mondiale par Charles Long. Ses petits-fils Bruno et Daniel, qui ont créé la cave en 1997, conduisent aujourd'hui un vignoble de 80 ha certifié bio. Leurs vins sont souvent en bonne place dans le Guide.

Largement dominée par le grenache, cette Cuvée romanaise s'ouvre sans réserve sur un fruité gorgé de soleil (cerise, framboise, cassis), sur la violette et les épices. Un caractère solaire que l'on retrouve dans une bouche ample, dense et suave, épaulée par une solide structure tannique qui destine ce vin à une longue garde. Patience... ⧗ 2019-2026 🍷 canard à la broche

⊶ *DOM. FOND CROZE, 155, rte de Cairanne, 84290 Saint-Roman-de-Malegarde, tél. 06 08 30 82 80, fondcroze@hotmail.com* [V] [🚶] [▮] *r.-v.*
⊶ *Bruno et Daniel Long*

DOM. DE GALUVAL
Cairanne Grande Sélection 2015 ★★

■	60 000	8 à 11 €

Vincent Moreau s'est établi en 2004 à la tête du domaine de Galuval, fort de 24 ha de terroirs variés entre Cairanne et Rasteau. Il l'a agrandi en 2010 en acquérant les vastes terres du château de Ruth, sur le terroir renommé de Sainte-Cécile-des-Vignes, où il a engagé le renouvellement des 110 ha de vignes et la rénovation des chais, et s'est entouré d'un œnologue de talent, Philippe Cambie.

Cette Grande Sélection née de grenache (60 %), de syrah, de carignan et de cinsault évoque les fruits frais (cerise, fraise, framboise) à l'olfaction. Le palais apparaît tout aussi frais, épicé, sans manquer de la rondeur apportée par le grenache, avec en soutien des tanins soyeux et élégants. Une bouteille déjà très harmonieuse, à boire jeune ou patinée par un peu de garde. ⧗ 2016-2021 🍷 civet de lapin ■ **Ch. de Ruth Grande Sélection 2015 ★ (5 à 8 €; 50 000 b.)** : coup de cœur l'an dernier dans sa version 2014, cette cuvée séduit pour ses beaux arômes de fruits croquants et de garrigue et pour ses tanins nobles et veloutés. Un vin gourmand. ⧗ 2016-2021 🍷 travers de porc laqués

⊶ *VINCENT MOREAU, Dom. de Galuval, 1720, rte de Vaison, 84290 Cairanne, tél. 04 90 30 80 02, contact@domainesvincentmoreau.com* [V] [🚶] [▮] *t.l.j. sf sam. dim. 8h30-12h 14h-17h*

LES GENÊTS Chusclan 2015 ★

■	50 000	▮	8 à 11 €

Coopérative créée en 1925, l'un des acteurs importants de la vallée du Rhône méridionale; elle regroupe près de 250 vignerons et quelque 3 000 ha. Depuis 2012, elle propose des vins bio.

La dégustation débute par des arômes subtils de cassis, de mûre et d'épices douces. Elle se poursuit avec la même élégance autour d'un palais frais, corsé et charnu, doté de tanins soyeux et savoureux, étiré dans une finale fruitée. ⧗ 2017-2021 🍷 faisan à la broche

⊶ *LAUDUN CHUSCLAN VIGNERONS, rte d'Orsan, 30200 Chusclan, tél. 04 66 90 11 03, contact@lc-v.com* [V] [🚶] [▮] *t.l.j. 9h-12h 14h-18h30*

GRANDES SERRES Cairanne Carius 2015 ★★

■	30 000	▮	8 à 11 €

Les Grandes Serres: une maison de négoce castelpapale fondée en 1977 par Camille Serres et reprise en 2001 par Michel Picard, investisseur dans de nombreuses régions viticoles – jusqu'en Ontario. Elle propose une large gamme de vins de la vallée du Rhône méridionale (et aussi de Provence) souvent en vue dans ces pages.

Le trio classique grenache-syrah-mourvèdre est à l'œuvre dans ce Cairanne profond de robe et de goût, qui séduira les amateurs de vins ensoleillés. Le bouquet associe les fruits rouges et noirs compotés, la violette et les épices chaudes. La bouche est fraîche en attaque, suave et ronde dans son développement, épaulée par des tanins veloutés et caressants. ⧗ 2017-2022 🍷 médaillons de bœuf aux girolles

⊶ *SA LES GRANDES SERRES, 430, chem. de l'Islon-Saint-Luc, 84230 Châteauneuf-du-Pape, tél. 04 90 83 72 22, contact@grandesserres.com* [V] [🚶] [▮] *r.-v.* ⊶ *Picard vins*

DOM. LE GRAND RETOUR 2014 ★

■	300 000	▮	5 à 8 €

Les fils d'André Aubert – Claude, Yves et Alain – sont installés depuis 1981 à la tête de l'un des plus vastes ensembles viticoles rhodaniens (490 ha répartis sur plusieurs domaines), grâce auquel ils proposent une large gamme de vins de la vallée du Rhône méridionale.

Le nom de ce vaste domaine (160 ha), acquis en 1999, fait référence au retour en métropole de ses anciens propriétaires, rapatriés d'Algérie en 1962. Après douze mois d'élevage, cette cuvée qui n'a rien de confidentiel s'ouvre sur le cassis et les épices. Dans le droit fil, la bouche apparaît ample et structurée en douceur par des tanins souples et veloutés, avec en soutien une fine fraîcheur. ⧗ 2018-2021 🍷 osso bucco ■ **Dom. André Aubert Visan 2014 ★ (- de 5 €; 30 000 b.)** : un vin apprécié pour sa complexité (fruits mûrs, chocolat, épices) et pour son équilibre entre une rondeur suave et tendre et une fraîcheur bien dosée. ⧗ 2017-2021 🍷 sauté de porc aux épices

⊶ *DOM. LE GRAND RETOUR, RD 23, Plan-de-Dieu, 84850 Travaillan, tél. 04 90 70 90 16, legrandretour@wanadoo.fr* [V] [🚶] [▮] *t.l.j. sf dim. 10h-12h30 14h-18h30* ⊶ *Frères Aubert*

♥ B DOM. LES GRANDS BOIS
Cairanne Maximilien 2014 ★★

■	16 000	▮	8 à 11 €

Fondé en 1929 par Albert Farjon, ce domaine de 47 ha est aujourd'hui conduit par sa petite-fille Mireille et son mari Marc Besnardeau. Leur vignoble est certifié bio depuis le millésime 2011. Leurs côtes-du-rhône et leurs Cairanne sont régulièrement en vue dans ces pages.

Bis repetita pour les Grands Bois: coup de cœur l'an dernier pour la cuvée Les Trois Sœurs 2014, coup de cœur cette année pour ce Cairanne du même millésime. Un vin né de grenache (50 %), de mourvèdre (35 %) et de syrah qui apparaît dans une belle robe grenat intense et brillante, bien ouvert sur les fruits rouges confits et les épices. Ample, suave, concentré, opulent et frais à la fois, le palais conjugue puissance et élégance, bâti sur des tanins fins et veloutés. « Digne d'un cru », concluent les dégustateurs: cela tombe bien, ce *villages* passera en appellation communale à partir du millésime 2015... ⧗ 2018-2023 🍴 civet de cerf

⊶ DOM. LES GRANDS BOIS, 55, av. Jean-Jaurès, 84290 Sainte-Cécile-les-Vignes, tél. 04 90 30 81 86, mbesnardeau@grands-bois.com V t.l.j. sf dim. 9h-12h 14h-18h ⊶ Besnardeau

B LES GRAPPES D'ANTAN 2015 ★

■	100000	5 à 8 €

Au nord de Vaison-la-Romaine, cette coopérative fondée en 1939 regroupe 710 ha (dont 30 % en bio certifié depuis 2013) cultivés par les vignerons de Villedieu et de Buisson.

Cette belle cuvée présentée par Jean-Pierre Andrillat et son équipe dévoile un nez intensément fruité (cassis, mûre) et épicé. Croquante et persistante, la bouche, à l'unisson du bouquet, s'appuie sur des tanins aimables et fondus qui permettront d'apprécier ce vin dans sa prime jeunesse. ⧗ 2016-2019 🍴 bœuf bourguignon

⊶ LES VIGNERONS DE VILLEDIEU-BUISSON, Terre-des-Frères, 84110 Villedieu, tél. 04 90 28 92 37, cavevilledieu@wanadoo.fr V t.l.j. sf dim. 8h-12h 14h-18h

B DOM. DES GRAVENNES
Terre d'Histoire 2014 ★

■	20000	🍾	5 à 8 €

Bernadette et Jean Bayon de Noyer ont repris en 1996 une partie de l'exploitation familiale, créant ainsi le domaine des Gravennes. En 2014, leurs fils Luc et Rémi ont pris la relève et converti leurs 20 ha à l'agriculture biologique.

Cette Terre d'Histoire est argilo-calcaire et plantée de grenache et de syrah. Y est né ce vin joliment bouqueté sur les fruits rouges, les épices et la garrigue, ample et d'une aimable rondeur en bouche – impression renforcée par des tanins bien fondus. Une finale élégante et fruitée conclut agréablement la dégustation. ⧗ 2016-2020 🍴 bœuf aux olives

⊶ DOM. DES GRAVENNES, 2933, rte de Baume, 26790 Suze-la-Rousse, tél. 04 75 04 84 41, domaine.des.gravennes@wanadoo.fr V t.l.j. sf dim. 10h-12h30 14h30-19h 2 ⊶ Bayon de Noyer

DOM. LES HAUTES CANCES
Cairanne Cuvée Vieilles Vignes 2014 ★

■	8900	🛢🍾	11 à 15 €

En 1981, Anne-Marie Achiary-Astart a repris, avec son époux Jean-Marie, le domaine créé en 1902 par son arrière-grand-père. Ce couple de médecins à la retraite conduit, dans un esprit bio mais sans certification, un vignoble de 17 ha. Régulièrement en vue pour ses côtes-du-rhône et ses *villages*.

Ces vieilles vignes ont soixante-six ans, du grenache (70 % de l'assemblage), de la syrah et du mourvèdre. Le nez évoque la cerise cueillie sur l'arbre, mûre à point, les épices et la garrigue. Un caractère méridional à souhait que l'on retrouve dans une bouche ample, ronde et suave, à la fois bien charpentée et gourmande en diable. De bonne garde assurément. ⧗ 2018-2023 🍴 rôti de bœuf aux herbes de Provence

⊶ SCEA ACHIARY-ASTART, 85, allée des Travers, 84290 Cairanne, tél. 04 90 30 76 14, contact@hautescances.com V r.-v.

PAUL JABOULET AÎNÉ
Plan de Dieu De Père en Filles 2013 ★

■	51000	🍾	11 à 15 €

Fondée en 1834, la vénérable maison Paul Jaboulet Aîné propose une large gamme issue de son négoce et de sa centaine d'hectares (en conversion bio) répartis dans plusieurs domaines septentrionaux, dont le mythique La Chapelle en hermitage. Rachetée en 2006 par la famille Frey, propriétaire en Champagne et dans le Bordelais (La Lagune), elle est dirigée par Caroline Frey.

Clin d'œil familial, cette cuvée séduit d'emblée par son nez intense et complexe de laurier, de sous-bois et de fruits kirschés. Tout aussi expressive (cerise, griotte, réglisse), la bouche apparaît suave et ronde, sans manquer de fraîcheur, épaulée par des tanins fins et soyeux. Un vin charmeur et élégant. ⧗ 2018-2021 🍴 magret de canard

⊶ DOM. PAUL JABOULET AÎNÉ, RN 7, Les Jalets, BP 46, 26600 Tain-l'Hermitage, tél. 04 75 84 68 93, info@jaboulet.com V t.l.j. sf lun. 10h-19h ⊶ Caroline Frey

DOM. DE LA JANASSE Terre d'Argile 2014

■	40000	🛢	15 à 20 €

Un habitué du Guide, souvent en bonne place pour ses châteauneuf-du-pape, ses côtes-du-rhône et ses vins de pays. Un vignoble de 90 ha éparpillés en de multiples parcelles, que conduisent Christophe Sabon et sa sœur Isabelle, enfants d'Aimé Sabon, fondateur du domaine en 1973.

Quatre quarts de grenache, syrah, mourvèdre et carignan pour cette cuvée Terre d'Argile généreusement bouquetée autour des fruits confiturés et des épices agrémentés de notes de cacahuète. Fruitée et torréfiée, la bouche apparaît ronde, tendre et charnue, bâtie sur des tanins soyeux. ⧗ 2017-2022 🍴 goulasch

⊶ SABON, 27, chem. du Moulin, 84350 Courthézon, tél. 04 90 70 86 29, lajanasse@gmail.com V t.l.j. sf sam. dim. 9h-17h30

ALAIN JAUME Cairanne Les Travées 2014 ★★

■	8200	🍾	8 à 11 €

D'origine castelpapale, Alain Jaume et ses fils Sébastien et Christophe perpétuent une tradition viticole qui remonte à 1826. Ils conduisent en bio certifié un vignoble de 65 ha réparti sur trois domaines – Grand Veneur à Châteauneuf-du-Pape, Clos de Sixte à Lirac et Ch. Mazane à Vacqueyras –, complété par une activité de négoce. Une valeur sûre.

La maison Jaume signe ici un magnifique Cairanne né de grenache (65 %), de syrah et (d'un peu) de mourvèdre.

Le nez, intense et complexe, associe le cassis, la réglisse, la violette et le cacao. À l'unisson, la bouche est parfaitement tenue, élégante et très longue, fraîche et concentrée, portée par des tanins fins et veloutés. Une bouteille déjà harmonieuse, mais qui vieillira bien. ⧗ 2018-2024 🍴 canette farcie

VIGNOBLES ALAIN JAUME, 1358, rte de Châteauneuf-du-Pape, 84100 Orange, tél. 04 90 34 68 70, contact@alainjaume.com V t.l.j. sf dim. 8h-12h 14h-18h E

DOM. DE LA JÉRÔME 2014 ★★

■ | 8000 | | 11 à 15 €

Eugène Raspail, durant la seconde moitié du XIXᵉs., puis Gabriel Meffre un siècle plus tard, en 1962, contribuèrent au développement du Dom. des Bosquets où la culture de la vigne est attestée dès le XIVᵉs. En 1987, à la disparition de ce dernier, sa fille Sylvette Bréchet, épaulée par ses fils Laurent et Julien, reprit le domaine. Depuis 2010, Julien est seul maître à bord, aux commandes de 26 ha de vignes. Autre étiquette: le Dom. de la Jérôme, petite exploitation de 2,5 ha sur Séguret, vinifiée dans le chai des Bosquets.

Après neuf mois d'élevage en cuve de béton, cet assemblage mi-grenache mi-syrah parfaitement vinifié s'ouvre sur un nez puissant de fruits rouges mûrs, de cacao et d'épices. En bouche, du fruit toujours, à foison, un gros volume et une belle trame de tanins soyeux. Julien Bréchet, l'élaborateur, explique vouloir «viser le fruit et le vin de copains pour plats canaille», l'objectif est parfaitement atteint. ⧗ 2016-2020 🍴 bœuf carottes

DOM. DES BOSQUETS, 2, chem. des Bosquets, 84190 Gigondas, tél. 04 90 65 80 45, julien.brechet@famillebrechet.fr V r.-v. Julien Bréchet

DOM. DES LAURIBERT Visan Les Truffières 2015 ★

■ | 30000 | | 5 à 8 €

Un domaine régulier en qualité, dont le vignoble de 54 ha est réparti en une trentaine de parcelles sur les terroirs de Valréas et de Visan. Créé en 1973 par Robert et Marie Sourdon, il a été sorti de la coopérative en 1997 par leur fils Laurent, qui raconte avoir pressé ses premiers raisins à cinq ans... dans un presse-légumes: une vocation précoce.

Composée de syrah (80 %) et de grenache, cette cuvée est née sur un terroir autrefois planté de chênes truffiers. Au nez, nul arôme de «diamant noir», mais des notes de petits fruits rouges et d'épices. En bouche, du volume, des tanins bien présents, un brin sévères, et une jolie finale réglissée. ⧗ 2018-2021 🍴 osso bucco

DOM. DES LAURIBERT, 2249, chem. du Roussillac, 84820 Visan, tél. 04 90 35 26 82, lauribert@wanadoo.fr V t.l.j. 8h30-12h 14h-18h30 E Sourdon

LAVAU Valréas La Decelle 2014 ★

■ | 50000 | | 5 à 8 €

Une maison de négoce fondée en 1964 par Jean-Guy Lavau, d'origine saint-émilionnaise. Ses héritiers Benoît et Frédéric proposent aujourd'hui une large gamme de vins à partir de la production de 350 vignerons de la vallée du Rhône méridionale, complétée par 180 ha de vignes en propriété.

Le grenache et la syrah font jeu égal dans ce Valréas généreux, ouvert sur des arômes de fruits compotés, de réglisse et des notes fumées, le signe d'une vendange bien mûre et d'un élevage maîtrisé. Dans le droit fil, la bouche se montre chaleureuse et riche, renforcée en douceur par des tanins souples et fondus. ⧗ 2017-2020 🍴 rôti de veau aux champignons

SAS LAVAU, 585, rte de Cairanne, 84150 Violès, tél. 04 90 70 98 70, info@lavau.fr V t.l.j. sf sam. dim. 10h-12h 14h-18h

B DOM. DE LUMIAN Cuvée Jean XXII 2014 ★

■ | 20000 | | 8 à 11 €

«Vignerons bio», Gilles Phétisson et Caroline Bonnefoy, unis dans la vie, vinifient leurs domaines séparément (Lumian pour lui, Bonnefoy pour elle). En 2012, ils se sont associés à travers une activité de négoce.

Assemblage de syrah (60 %) et de grenache, cette cuvée sombre se distingue par un nez généreux de Zan, de cuir, de cacao et de fruits très mûrs. Arômes prolongés avec intensité par une bouche ample et ronde, aux tanins veloutés. ⧗ 2017-2022 🍴 carré d'agneau en croûtes d'herbes ■ **Dom. Caroline Bonnefoy Valréas 2014 ★ (8 à 11 €; 60000 b.)** B : un nez complexe de fruits noirs et d'épices douces agrémentés de légères notes viandées; une bouche large, ronde et équilibrée, aux tanins soyeux, marquée par un beau retour fruité en finale. ⧗ 2017-2020 🍴 bavette à l'échalote

GILLES PHÉTISSON, Dom. de Lumian, 84600 Valréas, tél. 06 08 09 96 86, domainedelumian@wanadoo.fr V t.l.j. sf dim. 9h-12h 14h-19h

DOM. DE MAGALANNE Signargues Lou Biou 2013

■ | 4000 | | 8 à 11 €

Situé sur la rive droite du Rhône, à l'ouest d'Avignon, ce domaine est conduit par deux frères, Jean-Baptiste et Julien Crouzet, établis depuis 2006 à la tête des 30 ha de vignes familiales. À la carte, des côtes-du-rhône, des *villages* Signargues et des IGP.

Le nom de cette cuvée évoque les courses à la cocarde des taureaux camarguais – «Le Biou d'Or» récompense le meilleur taureau de la saison. Dans le verre, un vin expressif au nez (garrigue, fruits rouges, réglisse, violette), qui évolue en bouche dans le registre de la légèreté et du fruit plutôt que dans celui de la puissance, malgré une pointe d'austérité en finale. ⧗ 2016-2019 🍴 bœuf à la Saint-Gilloise

DOM. DE MAGALANNE, 431, rte de Signargues, 30390 Domazan, tél. 06 67 41 65 21, domainedemagalanne@gmail.com V r.-v. Crouzet

MALMONT Séguret 2014 ★★

■ | 4000 | | 15 à 20 €

Un tout jeune domaine créé par Nicolas Haeni: 4 ha de vignes en terrasses arrachés à partir de 2005 aux

flancs de colline très pentus et très caillouteux du lieu-dit Malmont, le bien nommé. Premières plantations en 2006 et premier millésime vinifié en 2013. À suivre…

De très jeunes vignes (huit ans) de grenache et de syrah sont à l'origine de ce Séguret remarquable d'intensité et d'équilibre. Robe sombre et profonde, nez complexe de fruits noirs, d'anis et réglisse, bouche puissante, dense, corsée et fraîche, solidement structurée par des tanins fins et veloutés, longue finale vanillée: tout concourt à l'harmonie de ce vin bâti pour la garde. ⧗ 2019-2026 ¥ souris d'agneau confite

⊶ *DOM. VITICOLE MALMONT, SCEA Nicolas Haeni, 585, rte de Vaison, 84110 Sablet, tél. 06 22 82 55 04, info@malmont.fr* V 🚶 ▪ *r.-v.* 🏠 5

CH. DE MARJOLET
Laudun Cuvée Tradition 2015 ★

■	36000	▮	5 à 8 €

Cette propriété de 78 ha, régulière en qualité, se répartit sur les deux villages gardois de Gaujac et de Laudun. Fondateur du domaine en 1978, Bernard Pontaud a laissé les rênes de l'exploitation à son fils Laurent en 2009.

Issu de grenache (70 %) et de syrah, ce Laudun dévoile des arômes intenses et bien typés de mûre, d'olive noire et de réglisse. La bouche, suave, florale, épicée et fruitée, s'appuie sur des tanins encore jeunes mais soyeux qui annoncent un bon potentiel de garde. ⧗ 2018-2022 ¥ filet mignon sucré-salé aux pruneaux ■ **Cuvée de Samnaga 2015 ★ (5 à 8 €; 10000 b.)** : un vin mi-grenache mi-syrah, fruité et épicé, souple, long et finement tannique. ⧗ 2017-2021 ¥ tartare de bœuf

⊶ *LAURENT PONTAUD, Dom. de Marjolet, allée des Platanes, 30330 Gaujac, tél. 04 66 82 00 93, chateau.marjolet@wanadoo.fr* V 🚶 ▪ *t.l.j. sf sam. dim. 9h-12h 14h-18h*

DOM. MAS DE SAINTE-CROIX
Tendresse d'un climat 2015 ★

■	36800	▮	5 à 8 €

Un domaine de 25 ha établi à 400 m d'altitude, ancienne propriété d'un chapelain acquise en 2002 par Jacques Coipel. Après avoir parcouru le monde, Julien, le fils, a pris la conduite des vinifications en 2011.

Ballottage favorable pour le grenache (55 %, avec 45 % de syrah) dans cette cuvée couleur cerise noire, ouverte sur d'agréables notes de menthol, de cassis et de mûre. Une palette aromatique complétée de réglisse dans un palais rond et soyeux, bien charpenté par des tanins fins et élégants. Une bonne évolution en perspective. ⧗ 2018-2022 ¥ côte de bœuf

⊶ *MAS DE SAINTE-CROIX, SCEA Jacques Coipel, 234, chem. de Sainte-Croix, 84600 Valréas, tél. 04 90 35 54 53, contact@masdesaintecroix.com* V 🚶 ▪ *t.l.j. sf dim. 14h-19h; f. 1er-8 nov.* 🏠 E

LE MAS DES FLAUZIÈRES
Séguret Cuvée Julien 2014 ★

■	17000	◍	11 à 15 €

Jérôme Benoît a pris les rênes en 1996 de ce domaine, dans sa famille depuis 1919 et commandé par un vieux mas autrefois propriété du château d'Entrechaux. Le vignoble de 35 ha s'étend sur plusieurs communes, du mont Ventoux aux Dentelles de Montmirail. Des vins réguliers en qualité.

Julien est le fils du vigneron. Après onze mois d'élevage, ce 2014 dévoile un bouquet expressif de fruits rouges compotés, de cassis mûr et de violette. La bouche est fruitée (cerise à l'eau-de-vie) et boisée sans excès (léger vanillé), soyeuse et ronde. ⧗ 2017-2021 ¥ tomates farcies

⊶ *LE MAS DES FLAUZIÈRES, 1131, rte de Vaison, 84340 Entrechaux, tél. 04 90 46 00 08, lemasdesflauzieres@yahoo.fr* V 🚶 ▪ *t.l.j. 10h-12h 14h-18h* 🏠 E ⊶ *Jérôme Benoît*

B CH. MAUCOIL 2014 ★★

■	47000	▮	8 à 11 €

Un domaine aux origines anciennes – les Romains y installèrent une légion, les princes d'Orange leur archiviste –, acquis par Guy Arnaud en 1995. Sa fille Bénédicte et son mari Charles Bonnet, installés en 2009, ont converti au bio leurs 45 ha de vignes.

Le grenache (50 %), la syrah et le carignan sont à l'origine de ce vin épatant de bout en bout. On aime sa robe intense, son nez complexe qui conjugue notes minérales, épices douces, réglisse et fruits mûrs, sa bouche pleine de fraîcheur et de fruit, ample et voluptueuse, bâtie autour de tanins fermes et fins. De l'équilibre, de l'élégance et un solide potentiel de garde. ⧗ 2018-2024 ¥ poularde aux cèpes

⊶ *CH. MAUCOIL, chem. de Maucoil, 84100 Orange, tél. 04 90 34 14 86, bbonnet@maucoil.com* V 🚶 ▪ *t.l.j. sf dim. 14h-18h; f. sam. oct.-avr.* ⊶ *Bénédicte et Charles Bonnet*

DOM. LA MEREUILLE
Les Peyrières blanches 2013 ★★

■	9000	◍	8 à 11 €

C'est avec Michel Bouyer que ce domaine familial se lance dans la vente en bouteilles, en 1955. Installé à ses côtés en 1995, son gendre Philippe Granger est aux commandes depuis 2005; il est à la tête aujourd'hui de 14 ha de vignes en châteauneuf-du-pape et en côtes-du-rhône.

Du grenache à 80 % et de la syrah pour cette très belle cuvée qui a connu un élevage luxueux de vingt-quatre mois en vieux foudres et tonneaux plus récents de 500 l. Le nez libère des arômes intenses de fruits à noyau, d'épices, de réglisse et de kirsch. La bouche apparaît ample, dense, généreuse et charnue, bâtie sur des tanins ciselés et un boisé qui laisse parler le fruit. De la finesse et de l'intensité. ⧗ 2018-2023 ¥ rôti de biche

⊶ *DOM. LA MEREUILLE, quartier du Grès, impasse 2580, 84100 Orange, tél. 04 90 34 10 68, micbouyer@wanadoo.fr* V 🚶 ▪ *t.l.j. 8h-12h 14h-18h; dim. sur r.-v.* ⊶ *Philippe Granger*

DOM. DE LA MEYNARDE Plan de Dieu 2015 ★

■	53000	▮	8 à 11 €

Affaire de négoce-éleveur créée en 1936 par Gabriel Meffre, cette maison est devenue un acteur

incontournable, propriétaire de 800 ha de vignes dans toute la vallée du Rhône, ainsi qu'en Provence. Reprise en 2009 par Éric Brousse, associé du groupe bourguignon Boisset.

Après huit mois d'élevage en cuve, ce Plan de Dieu dévoile un bouquet harmonieux et complexe de fruits frais, mâtinés à l'aération de notes fumées et d'arômes de confiserie. Fraîche et alerte en attaque, la bouche offre un beau retour sur le fruit agrémenté de nuances réglissées; les tanins sont fondus et confèrent une agréable souplesse à l'ensemble. ⧗ 2016-2020 ¥ chapon farci

GABRIEL MEFFRE, rte des Princes d'Orange, 84190 Gigondas, tél. 04 90 12 32 47, gabriel-meffre@meffre.com V t.l.j. sf dim. lun. 10h-12h30 14h30-18h *Éric Brousse*

NICOLAS PÈRE ET FILS
Cairanne Entre restanques et garrigues 2015

■	100000		5 à 8 €

Une jeune maison de négoce créée en 2011 par François-Xavier Nicolas et dédiée aux «vins de terroir» de la vallée du Rhône méridionale.

Entre restanques et garrigues, c'est un joli programme que propose cette cuvée appréciée pour son nez solaire et gourmand de fruits rouges mûrs et d'épices douces, et pour sa bouche ronde et suave, aux tanins souples et élégants. Un vin un peu fugace mais équilibré. ⧗ 2017-2021 ¥ ballotine de volaille aux épices

NICOLAS PÈRE ET FILS, 400, rue du Portugal, ZI des Crémades, 84100 Orange, tél. 06 47 33 19 21, fxnicolasvins@orange.fr V *r.-v.* *SARL NVS*

DOM. DE L'OBRIEU Visan Les Antonins 2014 ★★

■	12000		8 à 11 €

Jean-Yves Perez a signé en 2005 le premier millésime en propre sur ce domaine créé par ses grands-parents et développé par son père: 28 ha dont le fruit avait jusqu'alors été porté à la coopérative.

Cette cuvée doit son nom à un lieu-dit planté de grenache et de syrah. Au nez, des fruits noirs macérés, des épices et des notes de sous-bois. En bouche, de la fraîcheur, de l'ampleur, beaucoup de densité et de fruit, des tanins fins et serrés et une longueur remarquable. Un Visan bâti pour la garde. ⧗ 2018-2023 ¥ parmentier de canard à la truffe

JEAN-YVES PEREZ, 850, chem. des Gleyze, 84820 Visan, tél. 04 90 41 92 82, domaine@lobrieu.fr V *r.-v.*

ORTAS Les Peyrières 2015 ★★

■	80000		5 à 8 €

Fondée en 1925, cette coopérative qui regroupe plus de 700 ha de vignes et 80 adhérents est l'une des plus anciennes caves rhodaniennes et le principal producteur de l'AOC rasteau. Ortas est sa marque ombrelle.

Assemblage de grenache (75 %), syrah et cinsault, cette cuvée des vignerons de Rasteau dévoile un nez intense et gourmand de fruits rouges très mûrs et de réglisse. La bouche se révèle ample, ronde et onctueuse, la trame tannique soyeuse et élégante, la finale longue et croquante, savoureuse et fruitée. ⧗ 2017-2021 ¥ cailles farcies

ORTAS - CAVE DE RASTEAU, rte des Princes-d'Orange, 84110 Rasteau, tél. 04 90 10 90 10, vignoble@rasteau.com V t.l.j. 9h-12h30 14h-18h

DOM. RENÉ OURS Valréas 2015 ★★

■	100000		5 à 8 €

Installé sur le domaine familial depuis 1994, René Ours est sorti de la cave coopérative en 2008 pour vinifier ses propres vins. Il exploite son vignoble selon «l'esprit bio», mais sans certification.

Ce Valréas issu de grenache (80 %) et de syrah a connu la cuve pendant huit mois. Il séduit par son bouquet intense de fruits rouges et noirs, et plus encore par sa bouche tout aussi fruitée, corpulente, puissante, généreuse et longue, bâtie sur des tanins soyeux. De bonne garde assurément. ⧗ 2018-2023 ¥ gigue de chevreuil

DOM. RENÉ OURS, 263, rte de Saint-Pierre, 84600 Valréas, tél. 04 90 35 20 96, domainereneours@orange.fr V *r.-v.*

DOM. DES PASQUIERS Plan de Dieu 2014 ★

■	50000		8 à 11 €

Jean-Claude et Philippe Lambert ont repris ce vignoble de 85 ha en 1998 et se sont lancés dans la vente en bouteilles quatre ans plus tard. La nouvelle génération est arrivée en 2013, et la conversion bio a été engagée la même année.

Assemblage de grenache, de syrah et de cinsault, ce 2014 déploie une olfaction chaleureuse centrée sur les fruits à l'alcool et les épices. Il intéresse aussi par le soyeux et la souplesse de ses tanins, par sa fraîcheur et par sa finale élégante. ⧗ 2016-2020 ¥ filet mignon à la tomate

DOM. DES PASQUIERS, 10, rte d'Orange, 84110 Sablet, tél. 04 90 46 83 97, domainedespasquiers@terre-net.fr V *t.l.j. 8h-12h 13h30-18h; sam. dim. sur r.-v.* 4 *Lambert*

DOM. DU PÈRE HUGUES Séguret 2015 ★

■	25000		5 à 8 €

L'œnologue Sylvain Jean élabore les cuvées de la maison de négoce Louis Bernard créée en 1976 à Gigondas, qui accompagne à la vigne et au chai une quarantaine de vignerons partenaires. Dans le giron du groupe Gabriel Meffre.

Grenache, syrah et carignan composent un joli vin dominé à l'olfaction par les fruits noirs et les épices douces. Des arômes que l'on retrouve avec force et intensité dans une bouche à la fois riche et fraîche, aux tanins solides et fins, gage d'une bonne garde. ⧗ 2018-2022 ¥ côte de bœuf et ratatouille

LOUIS BERNARD, 2, rte des Princes-d'Orange, 84190 Gigondas, tél. 04 90 12 32 42, louis-bernard@gmdf.com *Éric Brousset*

CH. LE PLAISIR Cairanne 2015

■	11000		11 à 15 €

Cette exploitation est l'une des plus anciennes de la commune de Cairanne. Elle a été reprise en 2009

par Lydie, issue d'une longue lignée vigneronne, et Pascal Franczak. À la tête d'un vignoble de 32 ha, le couple produit des côtes-du-rhône, des *villages* (Cairanne et Plan de Dieu) et des IGP de la principauté d'Orange.

Cinq petits mois de cuve en béton pour ce Cairanne gourmand et bien fruité (fruits rouges, cassis). La bouche est de bonne tenue, onctueuse et souple, étayée par des tanins aimables et ronds. ⧗ 2016-2020 🍷 lapin en gibelote

SCEA DOM. LE PLAISIR, 440, rte d'Orange, 84290 Cairanne, tél. 06 46 56 23 26, domaine-le-plaisir@orange.fr V *r.-v.*

♥ B MAISON PLANTEVIN Séguret 2015 ★★

■ | 6500 | | 8 à 11 €

BTS de «viti-œno» en poche et fort d'un stage de vinification en Nouvelle-Zélande, Laurent Plantevin a repris en 2009 le domaine familial et ses 17 ha de vignes. En conversion bio depuis 2011.

Mi-grenache mi-syrah, cette grande et belle cuvée développe de délicieux arômes de myrtille, de cassis, de violette et de réglisse. En bouche, tout est en place pour une longue garde et pourtant ce Séguret est déjà harmonieux et charmeur: beaucoup d'intensité aromatique (fruits rouges, poivre, réglisse) et de fraîcheur, une matière dense et consistante, des tanins vigoureux et soyeux à la fois, une longueur remarquable. Pour un mets de choix. ⧗ 2018-2026 🍷 épaule d'agneau farcie aux truffes

LAURENT PLANTEVIN, quartier Les Granges-Neuves, 84110 Séguret, tél. 06 30 53 17 30, laurentplantevin@hotmail.fr V *t.l.j. 9h-12h 14h-18h* 2 B

B DOM. PHILIPPE PLANTEVIN 2014 ★★

■ | 4700 | | 5 à 8 €

Plantevin, un nom prédestiné pour ce vigneron à la tête depuis 1988 de ce domaine familial (35 ha). Le vignoble se répartit sur quatre communes, ce qui offre une jolie diversité de terroirs et de cépages.

Fruits noirs, garrigue, épices, notes grillées, c'est par un nez puissant et complexe que s'annonce cette cuvée associant grenache (50 %), syrah, carignan et mourvèdre. Le palais, somptueux, allie ampleur, fraîcheur, onctuosité, fruité mûr et tanins denses et soyeux. Un vin d'une grande richesse, paré pour la garde et pour un mets de caractère. ⧗ 2018-2026 🍷 civet de marcassin ■ **Visan L'Aglanie 2014 ★ (8 à 11 €; 4400 b.)** B : un vin empyreumatique, fruité et épicé, ample et solidement charpenté, que le temps doit encore apprivoiser. ⧗ 2018-2026 🍷 côte de bœuf

DOM. PHILIPPE PLANTEVIN, La Daurelle, 995, chem. des Partides, 84290 Cairanne, tél. 04 90 30 71 05, philippe-plantevin@wanadoo.fr V *r.-v.*

B DOM. DE LA PRÉVOSSE Valréas 2015 ★

■ | 10000 | | 5 à 8 €

Abritée du mistral par une colline couverte de pins à laquelle est adossée la ferme provençale, cette propriété d'un âge vénérable (1584) est conduite depuis cinq générations par la famille Davin (par Henry depuis 1980, qui a converti le vignoble à l'agriculture biologique).

Association de grenache (60 %), de syrah et de mourvèdre, ce Valréas livre un bouquet intense et avenant de réglisse et de fruits rouges. Une belle attaque ronde et souple ouvre sur un palais épicé et tendre, aux tanins fins et élégants. ⧗ 2017-2022 🍷 boulettes d'agneau

EARL DAVIN PÈRE ET FILS, Dom. de la Prévosse, 84600 Valréas, tél. 06 85 84 85 37, laprevosse@sfr.fr V *r.-v.*

DOM. PRIEURÉ SAINT-FRANÇOIS Cuvée Jean Espérandieu 2015 ★★

■ | 10000 | | 8 à 11 €

Installé dans le sud de l'appellation, ce domaine est conduit par la famille Espérandieu depuis cinq générations. À sa disposition, un vignoble de 41 ha en côtes-du-rhône et en *villages* Signargues.

Née de grenache (60 %), de syrah (30 %) et de carignan, cette cuvée porte beau dans sa robe sombre et dévoile un bouquet riche de fruits confits et de violette. On aime aussi son palais à la fois rond, gras et très frais, fruité et réglissé, solidement bâti sur des tanins fermes et fins. Un vin élégant et de garde, à réserver pour un mets de caractère. ⧗ 2019-2026 🍷 civet de marcassin

EARL PRIEURÉ SAINT-FRANÇOIS, 36, rte de Signargues, 30390 Domazan, tél. 04 66 57 15 83, prieuresaintfrancois@wanadoo.fr V *t.l.j. 8h-19h Espérandieu*

CH. QUILEX Gadagne 2015 ★

■ | 51000 | | 8 à 11 €

Une coopérative fondée en 1928 à Mazan, village où l'on peut visiter le château du marquis de Sade. Elle dispose d'un vignoble de 750 ha au pied du versant sud du mont Ventoux. Ses adhérents cultivent aussi le raisin de table muscat du Ventoux.

La «coop» de Morières a vinifié les raisins de cette propriété de 8 ha qui tire son nom des chênes verts (quercus ilex en latin) qui l'entourent. Des raisins de grenache et de syrah (50-50) à l'origine d'un vin expressif (framboise et poivre au nez, réglisse en bouche), frais, persistant et finement tannique. ⧗ 2018-2022 🍷 pigeon rôti aux cèpes

SCA TERRES D'AVIGNON, 457, av. Aristide-Briand, 84310 Morières-lès-Avignon, tél. 04 90 22 65 64 V *t.l.j. sf dim. 9h-12h30 14h-19h*

DOM. RABASSE CHARAVIN Cairanne 2014 ★

■ | 20000 | | 8 à 11 €

Vers 1890, Edmond Charavin, vigneron et chapelier, acquiert 3 ha de terres à Cairanne. Quatre générations plus tard, en 1984, Corinne Couturier prend les commandes, relayée depuis 2013 par sa fille Laure, à la tête aujourd'hui d'un vignoble de 40 ha.

Une pointe de cinsault et de counoise accompagnent le grenache (70 %) et la syrah dans cette cuvée expressive (sous-bois, cassis, Zan au nez, chocolat et confiture de cerises en bouche), ample, ronde, souple et finement tannique. ⧗ 2016-2020 ⍡ grillade de bœuf

⊶ DOM. RABASSE-CHARAVIN, 1030, chem. des Girard, 84290 Cairanne, tél. 04 90 30 70 05, rabasse-charavin@orange.fr V r.-v. *⊶ Couturier*

DOM. DE RABUSAS Laudun 2015

■	160 000		5 à 8 €

À la tête d'un vaste vignoble de 150 ha (domaines de Rabusas et Antonins), Bernard Perret s'est lancé en 2011 dans la mise en bouteilles.

Le domaine de Rabusas étend ses 60 ha de vignes sur les contreforts du plateau gardois du Camp de César. La moitié de cette surface a été vendangée pour l'élaboration de ce Laudun qui n'a donc rien de confidentiel. Un assemblage traditionnel de grenache, syrah et mourvèdre bien fruité au nez comme en bouche, rond, souple et harmonieux. Simple et efficace. ⧗ 2016-2019 ⍡ filet mignon en sauce

⊶ EARL BERNARD PERRET, 432, av. de Fontresquières, 30200 Bagnols-sur-Cèze, tél. 04 66 82 44 58, communication@davidgivaudan.com V r.-v.

DOM. RAMAYROLE Visan 2015

■	41 000		5 à 8 €

Fondée en 1929, cette coopérative drômoise dispose d'un vignoble de coteaux qui s'étagent entre 250 et 350 m, à l'abri du mistral, en AOC côtes-du-rhône, côtes-du-rhône-villages Saint-Maurice et vinsobres. Elle propose aussi des vins en IGP.

Cette propriété de la famille Charmasson a confié ses raisins à la «coop» de Saint-Maurice. Celle-ci en a extrait ce Visan au nez frais et friand, fruité et légèrement fumé, souple, réglissé et épicé en bouche, doté d'un bon volume et de tanins fondus. ⧗ 2016-2019 ⍡ brochette d'agneau

⊶ CAVE DES COTEAUX SAINT-MAURICE, rte de Nyons, 26110 Saint-Maurice-sur-Eygues, tél. 04 75 27 63 44, cavesaintmaurice@orange.fr V r.-v.

RIVIER VIGNOBLES Chusclan Cuvée Joseph 2015 ★

■	6 000	11 à 15 €

Les Rivier sont vignerons à Chusclan depuis six générations. Claude, ancien président de la coopérative locale, conduit le domaine familial depuis plus de trois décennies, qu'il a complété par une structure de négoce en 2015.

Première cuvée issue du jeune négoce de l'expérimenté Claude Rivier. Un vin né de grenache (50 %), syrah (38 %), mourvèdre et carignan, qui rend hommage au grand-père. Robe d'un noir intense, nez ouvert et plaisant sur le fruit et la violette, bouche séveuse et chaleureuse, dotée de tanins frais et soyeux, finale persistante sur les fruits mûrs: un côtes-du-rhône-villages bien typé. ⧗ 2017-2021 ⍡ paleron en sauce

⊶ MAISON RIVIER, 896, chem. de la Force-Male, Le Sablas, 30200 Chusclan, tél. 06 62 78 86 15, contact@maisonrivier.com V r.-v.

LES VIGNERONS DE ROAIX-SÉGURET
Séguret Le Rouge 2015 ★★

■	35 000		5 à 8 €

Cette cave coopérative, née en 1960 de l'union entre les vignerons de Séguret et ceux de Roaix, fédère 160 adhérents.

Né de grenache (70 %) et de syrah, ce Séguret se présente dans une robe sombre et dense qui annonce l'intensité du bouquet de fruits noirs, de cerise, de violette et d'épices douces. Intensité à laquelle fait un long écho une bouche ample, riche et solidement arrimée à des tanins à la fois fermes et fins. Une bouteille promise à un bel avenir. ⧗ 2018-2023 ⍡ souris d'agneau confite au thym

⊶ LES VIGNERONS DE ROAIX-SÉGURET, rte de Vaison, D 977, 84110 Séguret, tél. 04 90 46 91 13, vignerons.roaix-seguret@wanadoo.fr V *t.l.j. 8h-12h 14h-18h*

ROCHEGUDE 2015

■	50 000		5 à 8 €

Située tout près du château de Suze-la-Rousse qui abrite l'Université du Vin, cette cave coopérative, créée en 1926, s'est lancée dans une démarche de conversion bio sur ses trois AOC: côtes-du-rhône, *villages* et grignan-les-adhémar.

Introduit par un joli nez de fruits rouges et d'épices douces, cet assemblage grenache-syrah (55-45) déploie une bouche plaisante, souple, légère et fruitée (cassis). Un vin à boire dans sa jeunesse. ⧗ 2016-2018 ⍡ brochette d'agneau

⊶ CAVEAU LA SUZIENNE, av. des Côtes-du-Rhône, 26790 Suze-la-Rousse, tél. 04 75 04 48 38, contactcaveau@lasuzienne.com V *t.l.j. 9h-12h 14h-18h ⊶ Labaume*

DOM. DES ROMARINS Signargues 2013 ★

■	5 000	8 à 11 €

Xavier Fabre, quatrième du nom à la tête de ce domaine familial, conduit 27 ha de vignes, épaulé depuis 2013 par son frère Benoît. À la carte des vins, des côtes-du-rhône et des *villages* Signargues.

Ce Signargues à dominante de syrah (55 %) est un vin généreux, ouvert sur les épices douces, la réglisse, la garrigue et les fruits rouges à l'alcool. Tout aussi chaleureuse, la bouche est ronde, riche et suave, portée par des tanins souples et fondus, un brin plus sévères en finale. À boire ou à attendre un peu. ⧗ 2017-2021 ⍡ rôti de bœuf sauce poivre

⊶ DOM. DES ROMARINS, 113, rte d'Estézargues, 30390 Domazan, tél. 04 66 57 43 80, domromarin@aol.com V r.-v. *⊶ Xavier Fabre*

DOM. DE LA ROUETTE
Signargues Sélection 2014

■	6 500		5 à 8 €

Un domaine de 20 ha créé en 1924 aux portes d'Avignon, qui se transmet depuis quatre générations. Aujourd'hui, Sébastien Guigue, installé en 1998, et son frère Mathieu, arrivé en 2010.

Cette cuvée mi-grenache mi-syrah a connu le bois (fûts de trois vins) pendant dix-huit mois. Elle en retire un nez boisé certes, mais surtout dominé par les petits fruits rouges bien mûrs. La bouche, à l'unisson, conjugue une fraîcheur intense et une structure tannique plutôt vigoureuse, et même sévère en finale. À attendre un peu. ⧗ 2017-2021 🍴 bœuf bourguignon

⊶ DOM. DE LA ROUETTE, 2, Sous-le-Barri, 30650 Rochefort-du-Gard, tél. 04 90 31 79 39, infodomainedelarouette@orange.fr V ♿ ▪ *t.l.j. 9h30-12h 15h-19h; dim. 9h30-12h ⊶ Guigue*

♥ DOM. SAINT-ANDÉOL
Cairanne L'Excellence 2015 ★★★

■ | 13000 | ▮ | 8 à 11 €

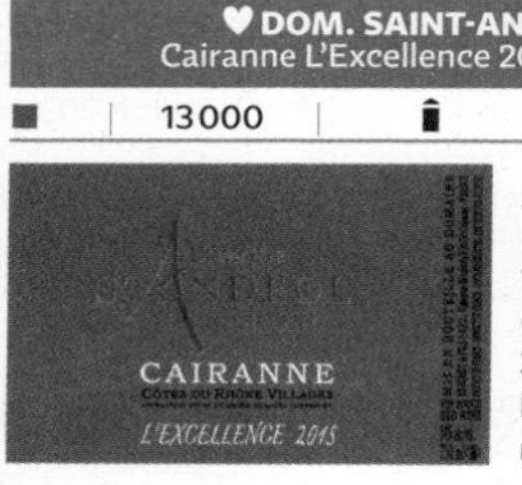

Jean-Jacques Beaumet est depuis 1988 à la tête de ce domaine familial de 37 ha situé sur les hauteurs de Cairanne.

Après dix-huit mois d'élevage en cuve, ce Cairanne né de grenache (60 %) et de syrah offre une palette admirable d'intensité et d'élégance: fruits rouges et noirs, violette, épices douces, garrigue. La bouche est un modèle d'harmonie: une matière dense et crémeuse, des tanins fermes mais très fins, un fruité mûr rehaussé de notes poivrées, une longueur impressionnante. Une cuvée qui n'usurpe pas son nom. ⧗ 2018-2026 🍴 aiguillettes de canard au foie gras ■ **Cairanne Prestige 2015** ★ **(8 à 11 €; 53000 b.)** : un vin apprécié pour sa fraîcheur, son équilibre, la finesse de ses tanins et pour son fruité intense. ⧗ 2017-2022 🍴 ragoût de bœuf aux épices

⊶ SARL BEAUMET ET FILS, Dom. Saint-Andéol, 800, chem. des Hautes-Rives, 84290 Cairanne, tél. 04 90 30 81 53, cave.beaumet@orange.fr V ▪ *r.-v.* 🏠 E

B CH. SAINT-ESTÈVE D'UCHAUX
Massif d'Uchaux Grande Réserve 2014 ★★

■ | 24000 | ▮ | 8 à 11 €

Propriété de la famille depuis 1809, ce domaine s'étend sur 230 ha, dont 48 de vignes en bio certifié le reste étant couvert des bois et de la garrigue du massif d'Uchaux. Marc Français est aux commandes depuis 1993.

Cette Grande Réserve née de grenache (60 %) et de syrah est un vin bien typé. On apprécie son nez intense et caractéristique de fruits rouges mûrs, de violette, de sous-bois et de truffe, de même que sa bouche fruitée et réglissée, ample et très fraîche, aux tanins enrobés et caressants. ⧗ 2017-2021 🍴 gigot d'agneau en croûte

⊶ CH. SAINT-ESTÈVE D'UCHAUX, 1100, rte de Sérignan, 84100 Uchaux, tél. 04 90 40 62 38, chateau.st.esteve@wanadoo.fr V ♿ ▪ *t.l.j. sf dim. 10h-12h 15h-18h; f. sam. en nov. janv. fév. ⊶ Marc Français*

CH. SAINT-JEAN Plan de Dieu 2014

■ | 100000 | ▮ | 8 à 11 €

Ce domaine établi sur le terroir du Plan de Dieu fut la propriété des seigneurs de Sérignan jusqu'à la Révolution. Il est entré en 1946 dans le giron de l'incontournable famille Meffre, négociante et propriétaire de nombreux vignobles rhodaniens. Depuis 1988, c'est Christian Meffre qui est aux commandes.

Du grenache (70 %), de la syrah et une pincée de mourvèdre, dix-huit mois d'élevage et une cuvée prête à boire. Le nez évoque la cerise mûre dégustée sur l'arbre et le cassis. Un fruité qui évolue vers la griotte kirschée dans une bouche souple et légère. ⧗ 2016-2018 🍴 grillades

⊶ SCEA CH. SAINT-JEAN, Le Plan de Dieu, 240, rte de Vaison, 84850 Travaillan, tél. 04 90 65 88 93, chateau.raspail@wanadoo.fr V ▪ *r.-v.* 🏠 E

CH. SAINT-MAURICE
Laudun Les Coteaux 2015 ★

■ | 35000 | ▮ | 8 à 11 €

En 1963, André Valat quitte ses vignobles du Maghreb et acquiert ce domaine commandé par une jolie bâtisse du XIXᵉs. Ses enfants Christophe et Sophie exploitent aujourd'hui 80 ha de vignes, complétés en 1988 par les 12 ha du Château Boucarut.

Ce Laudun mi-grenache mi-syrah séduit d'emblée par son joli nez mentholé, réglissé, épicé et fruité. En bouche, il évolue en souplesse et en finesse autour d'un fruité soutenu et de tanins bien fondus. ⧗ 2016-2020 🍴 filet mignon à la tomate

⊶ CH. SAINT-MAURICE, RN 580, 30290 Laudun-L'Ardoise, tél. 04 66 50 29 31, chateau.saint.maurice@wanadoo.fr V ♿ ▪ *t.l.j. sf dim. 9h-12h 14h-18h* 🏠 4 *⊶ Valat*

DOM. SAINT-MICHEL
Massif d'Uchaux 2013 ★

■ | 7000 | ▮ | 5 à 8 €

Un domaine familial fondé en 1960 dans les collines du massif d'Uchaux. Premières mises en bouteilles en 1978 et un vignoble de 20 ha conduit aujourd'hui par les quatre frères et sœurs Nicolas.

Après trois ans d'élevage en cuve, cette cuvée mi-grenache mi-syrah s'annonce par un bouquet intense de fruits rouges confiturés mâtinés d'une touche de cuir. Suivant la même ligne aromatique, la bouche est équilibrée, ronde et soyeuse, portée par des tanins élégants et fins. ⧗ 2017-2021 🍴 daube à la provençale

⊶ DOM. SAINT-MICHEL, hameau de la Galle, 1, rue de l'Église, 84100 Uchaux, tél. 04 90 40 62 20, nicolas.gaec@wanadoo.fr V ▪ *t.l.j. 9h-12h 14h-19h; dim. sur r.-v. ⊶ GAEC Nicolas*

DOM. SAINT-VINCENT 2015 ★

■ | 22700 | ▮ | 5 à 8 €

Un domaine de 40 ha (dont 10 de vinsobres), ancienne possession du couvent de Saint-Césaire de Nyons, repris en 2012 par la famille Lescoche.

Une cuvée mi-grenache mi-syrah, bien ouverte et typée, sur les fruits rouges et noirs mûrs, la violette et les épices douces. Des arômes repris avec intensité par un palais tendre et suave, aux tanins souples et policés. Un vin expressif et charmeur. ⧗ 2017-2021 🍴 daube de bœuf

SCEA DOM. SAINT-VINCENT, RD 94, rte de Nyons, 26110 Vinsobres, tél. 06 40 30 40 01, info@dsv-vinsobres.com V t.l.j. 9h-12h 14h-18h *Lescoche*

CH. SIMIAN
Massif d'Uchaux Jocundaz 2014

■	13 000		8 à 11 €

Dans la même famille depuis cinq générations, cette propriété sise au pied du massif d'Uchaux est dirigée depuis 1980 par Jean-Pierre Serguier, qui a lancé la vente directe en bouteilles; son fils Florian l'a rejoint en 2016. Conduit en bio et biodynamie, le vignoble couvre 26 ha dispersés sur quatre terroirs.

«Jocundaz» dérive d'un mot latin signifiant «joie» ou «allégresse»; c'est aussi le nom carolingien de la parcelle à l'origine de ce vin – la vigne et l'olivier sont mentionnés dès le IXes. sur ce site. Après quatorze mois d'élevage en cuve béton, cet assemblage grenache-syrah-cinsault dévoile un nez animal, épicé et réglissé, relayé par des arômes de fruits à l'eau-de-vie dans une bouche solaire, très chaleureuse, puissante et corpulente. À attendre un peu pour plus de fondu. 2017-2021 gigot d'agneau aux herbes

CH. SIMIAN, 690, chem. Yves-Serguier, 84420 Piolenc, tél. 04 90 29 50 67, chateau.simian@wanadoo.fr V t.l.j. sf dim. 8h-12h 14h-19h
Serguier

TERRANEA Sablet Touradières 2015 ★

■	199 500	5 à 8 €

Un négoce créé en 2003 par Frédéric Chaulan – rejoint en 2009 par Serge Cosialls –, qui propose une gamme complète de vins de la vallée du Rhône, du nord au sud.

Grenache (80 %) et syrah composent cette cuvée dominée à l'olfaction par les fruits rouges et noirs (cerise, cassis, myrtille) et les épices. La maturité du grenache donne à ce vin de la chaleur et de la rondeur, des arômes de fruits noirs bien mûrs et des tanins soyeux. 2017-2020 gigot d'agneau

TERRANEA, Le Crépon, rue des Négades, 84420 Piolenc, tél. 04 90 34 18 47, terranea.sarl@wanadoo.fr

LES TERRASSES DU BELVÉDÈRE
Cairanne Vieilles Vignes 2015 ★

■	62 500		8 à 11 €

Cairanne est le belvédère des Côtes du Rhône; ainsi s'explique le nom du domaine: ses vignes (18 ha) occupent pour la plupart des coteaux argilo-calcaires d'où la vue est magnifique. À sa tête, Nicole Julien, «qui a passé toute sa vie sur ces terres, avec le chant des oiseaux pour transistor». Petite-fille de l'un des fondateurs de la «coop» locale, elle ne s'est convertie que tardivement à la mise en bouteilles au domaine.

Ces vieilles vignes ont un demi-siècle. Elles ont donné un vin intensément fruité (cerise, framboise, mûre) et réglissé, agrémenté de notes bien méridionales de tapenade. À l'unisson du bouquet, la bouche offre un bel équilibre entre une attaque fraîche, une rondeur aimable et suave et des tanins fondus. 2017-2020 tournedos grillé

SCEA GÉRARD ET NICOLE JULIEN, Les Terrasses du Belvédère, 705, rte de Carpentras, 84290 Cairanne, tél. 04 90 30 88 24, lesterrassesdubelvedere@gmail.com V r.-v. E

B DOM. DU VAL DES ROIS
Valréas Signature 2014 ★

■	15 000		8 à 11 €

Héritier d'une longue lignée de vignerons, Romain Bouchard quitte sa Bourgogne natale en 1964 pour s'installer à Valréas sur une ancienne propriété des papes d'Avignon. Après des études de biologie médicale, son fils Emmanuel lui a succédé en 1997, à la tête de 10 ha conduits en bio.

Grenache (75 %) et syrah composent cette cuvée sombre et profonde, au nez généreux de fruits noirs et de cacao. La bouche est ronde, fruitée, épaulée par des tanins soyeux et par une pointe de fraîcheur bien dosée. Un vin très équilibré. 2017-2021 magret de canard

EMMANUEL BOUCHARD, Dom. du Val des Rois, 201, rte de Vinsobres, 84600 Valréas, tél. 04 90 35 04 35, info@valdesrois.com V t.l.j. sf dim. 9h30-12h30 15h30-19h; f. nov.

PIERRE VIDAL
Saint-Maurice Font des Garrigues 2015 ★

■	50 000		5 à 8 €

Pierre Vidal, installé à Châteauneuf-du-Pape avec son épouse vigneronne, a créé son négoce en 2010. Une maison déjà bien implantée grâce aux sélections parcellaires vinifiées par ce jeune œnologue formé en Bourgogne.

Cette cuvée s'annonce par un bouquet puissant de fruits frais et d'épices. Une intensité que l'on retrouve dans une bouche chaleureuse et ample, renforcée par des tanins fermes qui commencent à se fondre et par une pointe de fraîcheur bienvenue. 2018-2022 lapin aux olives

EURL PIERRE VIDAL, 631, rte de Sorgues, 84230 Châteauneuf-du-Pape, tél. 06 88 88 07 58, contact@pierrevidal.com

LA VALLÉE DU RHÔNE SEPTENTRIONALE

CÔTE-RÔTIE

Superficie : 255 ha / Production : 10 603 hl

Situé à Vienne, sur la rive droite du fleuve, c'est le plus ancien vignoble de la vallée du Rhône. Il est réparti entre les communes d'Ampuis, de Saint-Cyr-sur-Rhône et de Tupin-et-Semons. La vigne y est cultivée sur des coteaux très abrupts, presque vertigineux. On distingue la Côte blonde et la Côte brune en souvenir d'un certain seigneur de Maugiron qui aurait, par testament, partagé ses terres entre ses deux filles, l'une blonde, l'autre brune. Les vins de la Côte brune sont les plus corsés, ceux de la Côte blonde les plus fins.
Le sol est le plus schisteux de la région. Les vins sont uniquement des rouges, obtenus à partir du cépage syrah, mais aussi du viognier, dans une pro-

RHÔNE

portion maximale de 20 %. La côte-rôtie est d'un rouge profond, et offre un bouquet délicat à dominante de framboise et d'épices, avec une touche de violette. Vin de garde d'une bonne structure tannique et très long en bouche, il a indéniablement sa place au sommet de la gamme des vins du Rhône et s'allie parfaitement aux mets convenant aux grands vins rouges.

CH. D'AMPUIS 2012

■ | 30000 | ◍ | + de 100 €

Le château d'Ampuis est une ancienne maison forte du XIIᵉs. transformée en château d'agrément Renaissance au XVIᵉs. Entré dans la famille Guigal en 1995, qui a procédé à un monumental chantier de rénovation lui valant d'être inscrit à l'Inventaire supplémentaire des monuments historiques, il est aujourd'hui le siège social de la maison. Le vignoble est établi sur sept terroirs différents, et le vin, élevé trente-huit mois en fûts neufs, associe 7 % de viognier à la syrah.

Une robe plutôt légère et brillante habille ce vin ouvert sur des notes d'humus, d'épices et de fruits noirs. Une agréable fraîcheur minérale vient soutenir le palais d'un bon volume, bien structuré et concentré sans excès. ⧗ 2019-2026 🍷 côte de bœuf

⊶ É. GUIGAL (CH. D'AMPUIS), 69420 Ampuis, tél. 04 74 56 10 22, contact@guigal.com V 🚶 ■ *r.-v.*

GILLES BARGE Combard 2014

■ | 4500 | ◍ | 30 à 50 €

Transmis de père en fils depuis 1860, ce domaine s'est progressivement agrandi pour atteindre aujourd'hui 9 ha. Gilles Barge, installé en 1979, en a pris complètement les rênes en 1994. Son fils, Julien, assure désormais les vinifications.

Ce vin a séduit le jury par son nez complexe alliant notes de graphite, de cerise, de prune macérée et de torréfaction. L'attaque est fraîche, le milieu de bouche et la finale solides, portés par des tanins très fermes, voire sévères. Du potentiel pour cette côte-rôtie bien dans la lignée des vins du domaine. ⧗ 2019-2026 🍷 côte de bœuf

⊶ EARL DOM. BARGE, 8, bd des Allées, 69420 Ampuis, tél. 04 74 56 13 90, contact@domainebarge.com V 🚶 ■ *r.-v.* 🏠 3

PATRICK ET CHRISTOPHE BONNEFOND Colline de Couzou 2014 ★★

■ | 20000 | ◍ | 30 à 50 €

Installés à Ampuis, les frères Patrick et Christophe Bonnefond ont repris en 1990 cette exploitation familiale qui compte 10 ha de vignes en côte-rôtie et en condrieu.

La robe sombre annonce un vin de matière. Le nez, d'une complexité naissante, évoque le tabac blond, les fruits noirs confiturés et la cannelle. Une attaque franche et fraîche introduit un palais montant, fermement arrimé à ses tanins, fins et racés, et à un bon boisé qui offrent une solide colonne vertébrale pour le vieillissement. ⧗ 2019-2026 🍷 cuissot de sanglier

⊶ DOM. PATRICK ET CHRISTOPHE BONNEFOND, Mornas, rte de Rozier, 69420 Ampuis, tél. 04 74 56 12 30, gaec.bonnefond@orange.fr V 🚶 ■ *r.-v.*

DOM. DE BONSERINE La Garde 2013 ★★

■ | 2100 | ◍ | 50 à 75 €

En acquérant en 2006 ce domaine fondé en 1961, agrandi et modernisé dans les années 1990, Marcel Guigal a ajouté un joyau à sa couronne déjà richement décorée : un vignoble de 12 ha planté majoritairement de « serine », variété ancienne de la syrah (9 ha en côte-rôtie et 1 ha en condrieu).

Le lieu-dit La Garde tire son nom d'une ancienne tour de guet (Château de la Garde). Stéphane Carrel, l'œnologue maison, signe une côte-rôtie ambitieuse à partir d'une sélection des meilleures syrahs du domaine et d'un élevage luxueux de trente-six mois dans le bois neuf. Le nez associe fruits noirs très mûrs et notes de sous-bois. Alerte et fraîche en attaque, la bouche se révèle d'une grande puissance, très généreuse, solidement bâtie sur des tanins serrés et un boisé élégant et fondu. À attendre impérativement. ⧗ 2020-2030 🍷 civet de sanglier ■ **La Sarrasine 2013 ★ (30 à 50 €; n.c.)** : un élevage de vingt-quatre mois en fût pour cette cuvée qui inclut une goutte de viognier (3 %). Au nez, un côté réglissé et balsamique accompagne les fruits noirs. En bouche, une belle structure, de la chair, de la finesse tannique et un boisé bien dosé. ⧗ 2019-2026 🍷 médaillon de biche

⊶ DOM. DE BONSERINE, 2, chem. de la Viallière, Verenay, 69420 Ampuis, tél. 04 74 56 14 27, bonserine@wanadoo.fr V 🚶 ■ *t.l.j. sf dim. 9h-17h ⊶ Guigal*

DAUVERGNE RANVIER Grand Vin 2014

■ | 20000 | ◍ | 20 à 30 €

Créée en 2004 par François Dauvergne et Jean-François Ranvier, professionnels du vin qui ont décidé d'élaborer leurs propres cuvées après avoir œuvré chez les autres, cette maison de négoce s'affirme d'année en année à travers une gamme de qualité issue de sélections parcellaires. En 2013, les deux compères ont repris l'exploitation du Dom. des Muretins (tavel et lirac).

Du cassis et de la groseille avec une pointe d'iris et d'épices: le bouquet de cette côte-rôtie se révèle assez subtil. Une attaque fraîche prélude à un palais riche et imposant, aux tanins encore très – trop pour l'heure – acérés (l'effet millésime). ⧗ 2019-2026 🍷 côte de bœuf

⊶ DAUVERGNE RANVIER, Ch. Saint-Maurice, RN 580, 30290 Laudun-l'Ardoise, tél. 04 66 82 96 57, francois.dauvergne@dauvergne-ranvier.com

BENJAMIN ET DAVID DUCLAUX Maison rouge 2014 ★★

■ | 4000 | ◍ | 50 à 75 €

Sur leur domaine de 6 ha, fondé par leur arrière-grand-père en 1928, les frères Duclaux ne se consacrent qu'à l'appellation côte-rôtie (deux cuvées, La Germine et Maison rouge) et ils ne souhaitent pas vinifier d'autres AOC. Leur vignoble,

Vallée du Rhône (partie septentrionale)

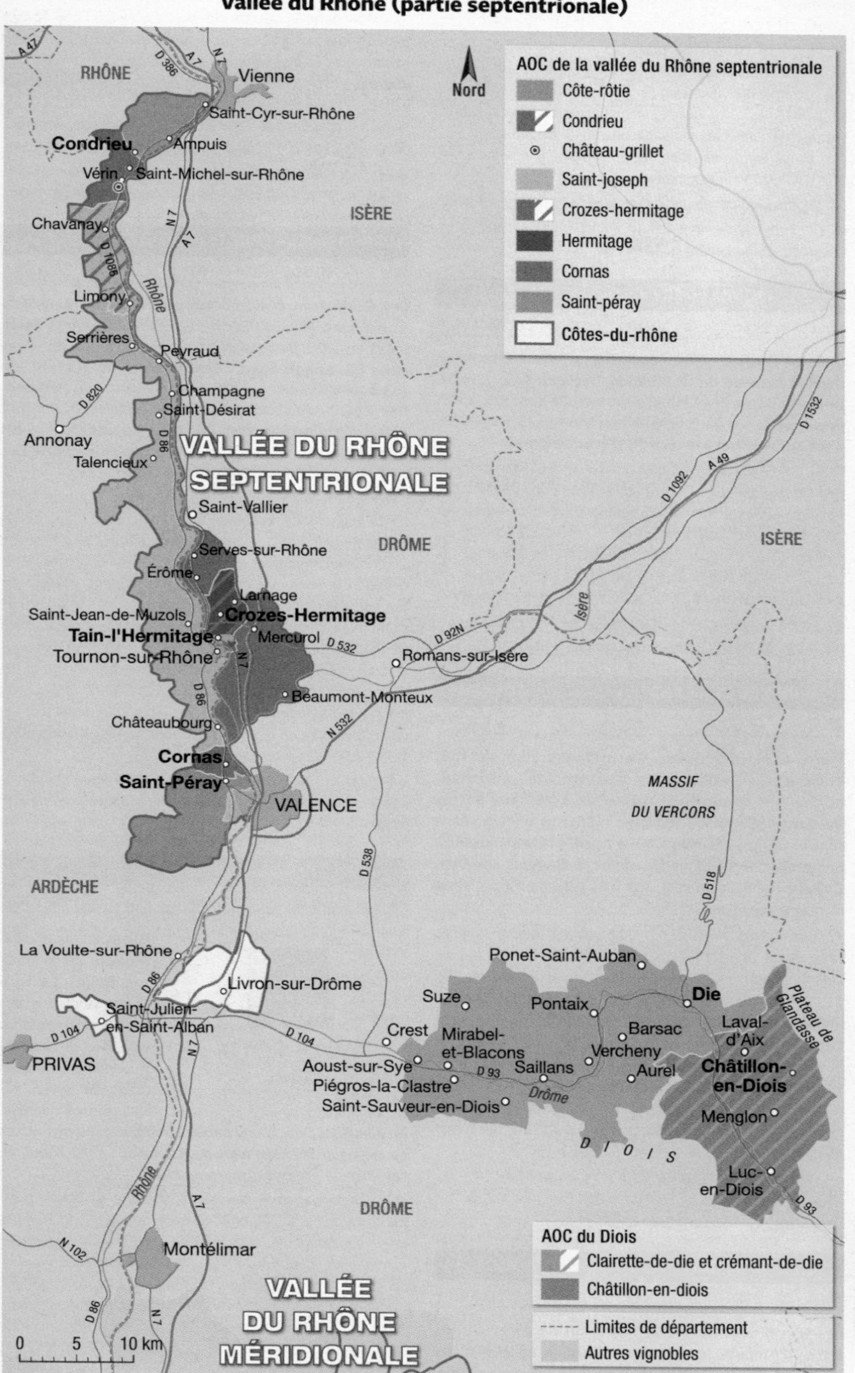

implanté au sud de l'appellation, sur un sol de gneiss, couvre les coteaux pentus de Tupin-et-Semons.

Cette cuvée parcellaire propose une très belle expression de l'appellation, dont tous les codes sont respectés: complexité aromatique (pain d'épice, fruits rouges et noirs, réglisse, vanille), fraîcheur et concentration, tanins massifs mais sans aucune rusticité, au grain très fin, boisé soutenu mais racé. Longue garde assurée. ⧗ 2019-2026 ♈ filet de biche aux cèpes

⊶ BENJAMIN ET DAVID DUCLAUX, 34, rte de Lyon, 69420 Tupin-et-Semons, tél. 04 74 59 56 30, contact@coterotie-duclaux.com V 🚶 ▪ *r.-v.*

LIONEL FAURY Emporium 2013 ★

■	n.c.	◍	30 à 50 €

Philippe Faury a créé ce domaine en 1979 à Chavanay, dans le hameau de La Ribaudy, berceau de la famille. Son plus jeune fils, Lionel, s'est installé en 2005, après une expérience dans le Nouveau Monde, en Australie. Il est aujourd'hui à la tête de 17 ha de vignes.

Cette cuvée est née de ceps de syrah et de viognier (5 %) plantés sur le lieu-dit Fournier, au nord de l'appellation. Pas moins de trente mois d'élevage en demi-muids pour ce vin au nez complexe (iris, fruits rouges macérés, épices, boisé fondu), ample et équilibré en bouche, à la fois très rond, très suave et pourtant aérien, structuré par des tanins fins. ⧗ 2019-2026 ♈ filet mignon de biche

⊶ LIONEL FAURY, 19 bis, La Ribaudy, 42410 Chavanay, tél. 04 74 87 26 00, contact@domaine-faury.fr

PIERRE GAILLARD Rose pourpre 2014 ★

■	4400	◍	75 à 100 €

Pierre Gaillard acquiert ses premiers ceps en 1981 et constitue petit à petit son vignoble, défrichant et plantant de nouvelles parcelles. Établi aux portes du parc régional du Pilat, ce vigneron et négociant réputé de la vallée du Rhône nord, présent aussi en Languedoc-Roussillon (Madeloc à Banyuls-sur-Mer, Cottebrune à Faugères), est à la tête de 77 ha, tous domaines confondus.

«Pourpre très foncé», un dégustateur décrit ainsi la robe de ce vin, dont il n'a pas l'étiquette sous les yeux. Un nom bien choisi donc, et un nom souvent en vue dans ces pages. Le nez, élégant et expressif, convoque une palette variée: mûre écrasée, note fumée, sous-bois, crème de cassis, pâte d'olives, bois de santal... En bouche, l'attaque est franche, l'évolution ample, dense et structurée par des tanins veloutés, et la finale s'étire longuement, portée par une belle fraîcheur. Cette cuvée gagnera sa seconde étoile en cave. ⧗ 2019-2026 ♈ filet de canard aux cerises

⊶ DOMAINES PIERRE GAILLARD, lieu-dit Chez-Favier, 42520 Malleval, tél. 04 74 87 13 10, contact@domainespierregaillard.com V 🚶 ▪ *r.-v.*

DOM. GARON Les Rochins 2014 ★

■	2300	◍	50 à 75 €

Les Garon sont établis depuis la fin du XVᵉs. sur les terres d'Ampuis. Jean-François, Carmen et leurs deux fils y exploitent un petit vignoble de 6,3 ha en côte-rôtie.

Encore un peu fermé, ce vin élevé dix-huit mois en barrique évoque surtout le bon merrain et les épices, les fruits restant pour l'heure en retrait. En bouche, il attaque sur la fraîcheur, puis monte en puissance et en volume, porté par de solides et élégants tanins de garde et par un boisé soutenu qui fait écho à l'olfaction. Un potentiel certain. ⧗ 2019-2026 ♈ cuissot de chevreuil

■ **Les Triotes 2014 (30 à 50 €; 16000 b.)** : vin cité.

⊶ DOM. GARON, 58, rte de la Taquière, 69420 Ampuis, tél. 04 74 56 14 11, vins@domainegaron.fr V 🚶 ▪ *r.-v.*

JEAN-MICHEL GERIN Champin Le Seigneur 2013 ★

■	30000	◍	30 à 50 €

Les Gerin sont établis à Ampuis depuis six générations. Jean-Michel Gerin reprend les vignes familiales en 1987. Il étend progressivement son domaine dans les appellations prestigieuses du secteur, en saint-joseph, en condrieu et surtout en côte-rôtie, l'AOC «historique» de la famille. Il conduit aujourd'hui un vignoble de 15 ha, épaulé par ses fils Michaël et Alexis, et s'est imposé comme l'une des références de la vallée du Rhône nord.

Cette cuvée bien connue est un assemblage de différents terroirs de la Côte-Rôtie, avec une majorité de parcelles venant du nord de l'appellation. La version 2013 s'annonce avec intensité: robe très profonde et notes soutenues de cassis et d'airelle très mûres, sur un bon support de bois neuf qui est la signature du domaine – vingt mois en barrique, dont la moitié en fût neuf. On retrouve le bois mais surtout les fruits, rouges et frais, dans une bouche persistante, ample et ronde, aux tanins souples et soyeux. Les plus impatients pourront l'apprécier sans trop attendre, mais ce vin peut faire encore un bon bout de chemin. ⧗ 2017-2023 ♈ épaule d'agneau farcie

⊶ JEAN-MICHEL GERIN, 19, rue de Montmain, 69420 Ampuis, tél. 04 74 56 16 56, info@domaine-gerin.fr V ▪ *r.-v.*

♥ LA LANDONNE 2012 ★★

■	n.c.	◍	+ de 100 €

Parmi les crus d'exception de la maison Guigal, La Landonne se distingue à double titre: c'est un vrai lieu-dit cadastré, planté uniquement de syrah sur les pentes vertigineuses de la Côte blonde aux sols argilo-calcaires riches en oxyde de fer. Comme pour La Turque et La Mouline, l'élevage se prolonge quarante mois.

Une présentation impeccable, sombre et noire, pour La Landonne 2012, née comme ses devancières de la seule syrah. Au nez, d'intenses et délicates notes fumées et chocolatées se mêlent aux fruits noirs. La bouche envoûte par sa texture à la fois corsée, onctueuse et souple, ses tanins d'une grande finesse, son fruité riche et persistant et sa longue finale mentholée. D'une beauté ravageuse... ⧗ 2020-2035 ♈ tournedos Rossini

⊶ É. GUIGAL (LA LANDONNE), Ch. d'Ampuis, 69420 Ampuis, tél. 04 74 56 10 22, contact@guigal.com V r.-v.

STÉPHANE MONTEZ Fortis 2014 ★★

■ | 12 500 | | 30 à 50 €

Si les origines du domaine remontent au XVIᵉs., les Montez y cultivent la vigne depuis 1741. Installé en 1999 à la suite de son père Antoine, Stéphane Montez représente la neuvième génération vigneronne. Il conduit aujourd'hui un vignoble de 30 ha (cornas, côte-rôtie, condrieu, saint-joseph et IGP), établi sur les hauteurs de Chavanay à 320 m d'altitude. Une valeur sûre de la vallée du Rhône septentrionale.

Avec une récolte en caissettes de 22 kg et un tri impitoyable, Stéphane Montez a pu tirer la quintessence de ce millésime et signer une côte-rôtie parfaitement dans les canons de l'appellation. Les arômes sont complexes et d'une grande finesse: cassis, groseille, pointe de violette et d'écorce d'orange, poivre et girofle. La bouche se révèle d'un équilibre subtil, offrant du gras, de la douceur, des tanins à la fois fermes et délicats, une finale longue et fraîche sur les fruits acidulés. ⧗ 2019-2026 ♈ filet de bœuf sauce foie gras

⊶ STÉPHANE MONTEZ, Dom. du Monteillet, 6, Le Montelier, 42410 Chavanay, tél. 04 74 87 24 57, stephanemontez@aol.com V r.-v.

LA MOULINE 2012 ★

■ | n.c. | | + de 100 €

S'accrochant aux pentes escarpées de la Côte Blonde, qui rappellent les gradins d'un amphithéâtre, La Mouline naît d'un terroir de gneiss. Parmi les «trésors» de la famille Guigal, cette côte-rôtie est celle qui possède la part la plus importante de viognier dans l'assemblage: 11 %. L'élevage y est aussi luxueux (quarante mois) que pour les autres fleurons de la maison.

Les quarante mois de barrique marquent encore de ses parfums empyreumatiques l'olfaction de la Mouline 2012, agrémentée de notes de goudron, d'épices douces et de cassis. En bouche, elle se montre puissante sans dureté, soyeuse, étayée par des tanins ronds et policés et par une belle fraîcheur qui apporte longueur et équilibre. Sans doute la plus «abordable» aujourd'hui des trois pépites de la maison Guigal, mais qu'une décennie de garde n'effraiera pas. ⧗ 2019-2026 ♈ filet de sanglier sauce cassis

⊶ É. GUIGAL (LA MOULINE), Ch. d'Ampuis, 69420 Ampuis, tél. 04 74 56 10 22, contact@guigal.com V r.-v.

♥ DOM. PICHAT Champon's 2014 ★★★

■ | 10 000 | | 20 à 30 €

Après des études à Beaune, puis une expérience aux États-Unis et dans le Bordelais, sur le domaine de son épouse (Ch. Filliol), Stéphane Pichat est revenu sur ses terres donner du souffle à cette propriété ancienne, fondée par ses arrière-grands-parents. Installé en 2000, il lance la mise en bouteilles (1 000 au commencement, 15 à 20 000 aujourd'hui) et signe à partir de 5 ha en côte-rôtie et en condrieu des vins d'une qualité toujours irréprochable.

Après Les Grandes Places 2013, coup de cœur dans l'édition précédente, Stéphane Pichat fait mouche à nouveau avec cette cuvée qui brille d'emblée par sa complexité aromatique: fruits rouges et noirs frais, petite note végétale bien sentie qui apporte du nerf, boisé grillé et torréfié marqué mais parfaitement intégré (vingt-quatre mois d'élevage en barrique de 400 l, dont 30 % de fût neuf). Le palais est tout aussi remarquable: une attaque intense et fraîche, une matière ronde et dense, étoffée par des tanins élégants et soyeux, une finale interminable. Et tout cela à prix très doux pour l'appellation. ⧗ 2020-2030 ♈ tournedos Rossini

⊶ DOM. PICHAT, 6, chem. de la Viallière, 69420 Ampuis, tél. 04 74 48 37 23, info@domainepichat.com V r.-v.

DOM. CHRISTOPHE PICHON Comtesse en Côte blonde 2013 ★★

■ | 2 500 | | 75 à 100 €

Christophe Pichon a travaillé aux côtés de son père avant de reprendre seul, en 1991, l'exploitation établie dans le parc du Pilat: 16 ha aujourd'hui, répartis dans les appellations condrieu – dont il est l'actuel président –, côte-rôtie et saint-joseph. Corentin, son fils, revenu sur l'exploitation après un séjour en Australie, est désormais en charge de la vinification et de l'élevage des vins.

Cette cuvée de noble extraction est née de vénérables ceps de quatre-vingts ans plantés sur la Côte blonde – qui portait le nom de «comtesse» sur l'ancien cadastre. Élevée en barrique bordelaise pendant dix-huit mois, elle s'annonce par un bouquet puissant et chaleureux de cerise à l'eau-de-vie. Une générosité qui trouve un heureux contrepoint dans une bouche très fraîche en attaque, ample, longue et d'une belle finesse tannique. Bâti pour une grande garde. ⧗ 2020-2030 ♈ lièvre à la royale

⊶ CHRISTOPHE PICHON, 36, Le Grand-Val, Verlieu, 42410 Chavanay, tél. 04 74 87 06 78, chrpichon@wanadoo.fr V *t.l.j. sf dim. 9h-12h 14h-18h*

DOM. DES PIERRELLES 2013 ★★

■ | 2 900 | | 50 à 75 €

Fondée en 1834, la vénérable maison Paul Jaboulet Aîné propose une large gamme issue de son négoce et de sa centaine d'hectares (en conversion bio) répartis dans plusieurs domaines septentrionaux, dont le mythique La Chapelle en hermitage. Rachetée en 2006 par la famille Frey, propriétaire en Champagne et dans le Bordelais (La Lagune), elle est dirigée par Caroline Frey.

C'est un vin tout en finesse et d'une rare intensité que nous propose Caroline Frey avec cette cuvée née sur des terrasses de granit appelées localement «pierrelles» (ou «chaillées»). Des fruits des bois confiturés (myrtille, mûre sauvage), une note mentholée, un boisé délicat, l'olfaction charme par sa complexité. La bouche est fidèle à ce que l'on attend de l'appellation: de la générosité et de la fraîcheur, de la puissance et de la finesse – voyez le soyeux admirable des tanins. Une grande côte rôtie à réserver pour un mets de choix. ⧗ 2019-2026 🍷 filet de bœuf limousin piqué aux cèpes

⊶ *DOM. PAUL JABOULET AÎNÉ, RN 7, Les Jalets, BP 46, 26600 Tain-l'Hermitage, tél. 04 75 84 68 93, info@jaboulet.com* V *t.l.j. sf lun. 10h-19h* ⊶ *Caroline Frey*

DOM. DE ROSIERS Besset 2013 ★★

■	1500		30 à 50 €

Maxime Gourdain a pris en 2013 la suite de son oncle Louis Drevon sur ce domaine de 8 ha dédié aux AOC côte-rôtie et condrieu, créé en 1976 par son grand-père André Drevon (avant cette date la récolte était vendue au négoce).

Premières vinifications pour le jeune Maxime Gourdain, qui débute par un millésime pas facile à négocier. Eh bien, il s'en sort avec la mention très bien et trois cuvées sélectionnées. En tête, ce vin qui joue dans la cour des grands: robe dense et profonde, belle complexité aromatique (fruits rouges compotés, boisé vanillé, touches mentholées), bouche à la fois riche, généreuse en alcool et pourtant très fraîche, bâtie sur des tanins fins et serrés. Une côte-rôtie de grande garde. ⧗ 2020-2030 🍷 filet de biche sauce Grand Veneur ■ **Drevon 2013 ★ (30 à 50 €; 15000 b.)** : un vin harmonieux, toasté et fruité, ample, riche, charnu, bien charpenté, qui offre un solide potentiel de garde. ⧗ 2019-2026 🍷 gigot d'agneau ■ **Cœur de Rose 2013 (30 à 50 €; 1500 b.)** : vin cité.

⊶ *MAXIME GOURDAIN, 3, rue des Moutonnes, 69420 Ampuis, tél. 04 74 56 11 38, domainederosiers@gmail.com* V *r.-v.*

LA TURQUE 2012 ★★

■	n.c.		+ de 100 €

Le fleuron des vignobles Guigal. Une parcelle impressionnante implantée dans la Côte brune, sur des sols de schistes riches en oxyde de fer. Négligée pendant des décennies, puis replantée en 1985 par Étienne Guigal, fondateur du domaine en 1946, suppléé par son fils Marcel en 1961. Des ceps de syrah associés à 7 % de viognier et un élevage luxueux de quarante mois donnent naissance à l'un des plus grands vins de la vallée du Rhône nord.

Éternelle la Turque, rarement prise en défaut de faiblesse. La version 2012 ne se laisse pas apprivoiser facilement et a besoin de temps pour se livrer. Après une bonne aération, elle déploie un bouquet complexe et un peu farouche d'humus et de mousse des bois, puis de cerise à l'eau-de-vie et de poivre doux. En bouche, elle fait preuve d'une étonnante amabilité et d'une profondeur inimitable, bâtie sur des tanins doux d'une grande finesse qui roulent sous la langue. À la fois puissant et délicat. ⧗ 2020-2035 🍷 ris de veau sauce madère

⊶ *É. GUIGAL (LA TURQUE), Ch. d'Ampuis, 69420 Ampuis, tél. 04 74 56 10 22, contact@guigal.com* V *r.-v.*

PIERRE VIDAL 2014 ★

■	25000		20 à 30 €

Pierre Vidal, installé à Châteauneuf-du-Pape avec son épouse vigneronne, a créé son négoce en 2010. Une maison déjà bien implantée grâce aux sélections parcellaires vinifiées par ce jeune œnologue formé en Bourgogne.

Pierre Vidal s'attache à travailler avec des vignerons qui privilégient le travail du sol et la maîtrise des rendements. Cela donne ici un vin qui, après dix-huit mois de fût, délivre des notes fumées, cacaotées, fruitées (mûre) et minérales, et qui déploie en bouche des tanins élégants enrobés par une chair fine et soulignés par une belle fraîcheur. L'association très réussie d'un vigneron consciencieux et d'un vinificateur respectant la matière première. ⧗ 2018-2022 🍷 tournedos Rossini ■ **Réserve 2014 ★ (20 à 30 €; 25000 b.)** : un vin expressif (fruits à l'eau-de-vie, tabac, toasté), généreux, très riche et bien structuré. ⧗ 2019-2023 🍷 daube de bœuf

⊶ *EURL PIERRE VIDAL, 631, rte de Sorgues, 84230 Châteauneuf-du-Pape, tél. 06 88 88 07 58, contact@pierrevidal.com*

FRANÇOIS VILLARD Le Gallet blanc 2013 ★★

■	21000		30 à 50 €

Vigneron réputé de la vallée du Rhône nord, François Villard, ancien cuisinier, s'est installé en 1989 à Saint-Michel-sur-Rhône pour créer son vignoble: 33 ha aujourd'hui dans cinq crus, complétés par une petite activité d'achat de raisin. Dans son chai cathédrale naissent de beaux vins dans les deux couleurs.

Dix-neuf mois de bois et pourtant seul le fruit apparaît à la dégustation: «quelle belle maîtrise de la vinif' et de l'élevage!», apprécie un dégustateur. Au nez, d'intenses senteurs de cerise compotée prolongées par une bouche d'une grande fraîcheur et d'une finesse remarquable, adossée à des tanins de taffetas. Tout paraît simple ici – mais pas simpliste pour un sou – élégant et délié. ⧗ 2019-2026 🍷 filet de bœuf sauce aux cèpes

⊶ *FRANÇOIS VILLARD, 330, rte du Réseau-Ange, 42410 Saint-Michel-sur-Rhône, tél. 04 74 56 83 60, vinsvillard@wanadoo.fr* V *r.-v.*

CONDRIEU

Superficie : 145 ha / Production : 5 265 hl

Le vignoble est situé à 11 km au sud de Vienne. Bien que l'aire d'appellation soit répartie sur sept communes et trois départements, sa superficie est restreinte, ce qui fait du condrieu un vin rare. D'autant plus qu'il naît exclusivement d'un cépage assez peu répandu, le viognier, qui s'exprime parfaitement sur les sols granitiques de son terroir. Le condrieu est un vin blanc riche en alcool, gras, souple, mais avec de la fraîcheur. Très parfumé, il exhale des arômes floraux – où domine la violette – et des notes d'abricot. On le servira jeune, sur toutes les préparations à base de poisson, même s'il peut vieillir cinq ans. Il existe aussi une production de vendanges tardives obtenues par tries successives (jusqu'à huit passages par récolte).

CAVE CHRISTOPHE BLANC Les Vallins 2014 ★

□	4500		20 à 30 €

Ancien ingénieur en génie civil, Christophe Blanc a retrouvé les bancs de l'école en 2006 pour une

reconversion dans la viticulture, avant de créer son domaine ex nihilo en 2009, en AOC saint-joseph et condrieu.

Une entrée dans le Guide très réussie pour Christophe Blanc avec cette cuvée vinifiée en barrique à basse température. Une belle couleur jaune d'or, qui évoque un coteaux-du-layon à un dégustateur, un nez d'amande et de noix fraîche, de rose et d'abricot sec: l'approche est engageante. En bouche, pas d'exubérance mais de la finesse et de la fraîcheur. Un condrieu en dentelle. ⧗ 2016-2020 ⫯ saint-jacques à la plancha et asperges

⊶ CHRISTOPHE BLANC, 40, imp. de la Taraze, 42410 Saint-Michel-sur-Rhône, tél. 06 61 75 94 37, domaine.blanc@gmail.com V r.-v.

M. CHAPOUTIER Schistes d'agrumes 2014

	8800		30 à 50 €

Cette vénérable (XIXe s.) et incontournable maison, mise sur orbite internationale par Michel Chapoutier à partir des années 1990, propose une large gamme issue de ses propres vignes (350 ha, en biodynamie) ou d'achats de raisin dans la plupart des appellations phares de la vallée du Rhône, et aussi en Roussillon et en Alsace.

La maison Chapoutier propose ici un digne représentant de l'appellation. Son condrieu, d'un seyant jaune léger aux reflets paille, dispense une belle intensité olfactive autour de la pêche, de la mangue et du litchi, et déploie un palais suave et gras, souligné par une juste fraîcheur. Équilibré et expressif. ⧗ 2017-2020 ⫯ risotto aux asperges

⊶ MAISON M. CHAPOUTIER, 18, av. du Dr-Paul-Durand, 26600 Tain-l'Hermitage, tél. 04 75 08 28 65, chapoutier@chapoutier.com V *t.l.j. 9h-12h30 14h-19h* E

LOUIS CHEZE Brèze 2014 ★

	7000		30 à 50 €

Un domaine familial établi sur les hauteurs de Limony, repris en 1978 par Louis Cheze: 1 ha en saint-joseph à l'origine, 36 ha aujourd'hui, dans plusieurs appellations septentrionales.

Brèze est le nom de la parcelle où poussent les vignes à l'origine de ce condrieu généreusement bouqueté autour des fruits compotés et d'un boisé soutenu (cèdre, beurre). La bouche se montre très riche, ronde et longue; on y retrouve les fruits mûrs et les notes d'élevage, ainsi qu'une fine acidité qui apporte finesse et équilibre. ⧗ 2017-2022 ⫯ raie au beurre noisette

⊶ LOUIS CHEZE, Pangon, 07340 Limony, tél. 04 75 34 02 88, contact@domainecheze.com V *r.-v.*

YVES CUILLERON Les Chaillets 2014 ★

	13500		30 à 50 €

Une référence de la vallée du Rhône nord, notamment pour ses condrieu. Établi à Chavanay, Yves Cuilleron a repris en 1987 la propriété créée en 1920 par son grand-père paternel, puis gérée par son oncle Antoine. Il a progressivement agrandi le domaine (60 ha aujourd'hui), planté à haute densité et conduit de manière très raisonnée sur la rive droite du Rhône (condrieu, côte-rôtie, saint-joseph, saint-péray et cornas) et, depuis 2012, sur la rive gauche (crozes-hermitage).

L'une des cuvées phares du domaine, née des meilleures et plus vieilles vignes du domaine, plantées sur des terrasses – appelées «chaillets» localement – situées au-dessus de la commune de Chavanay. Le 2014 est un vin jaune pâle aux reflets verts, complexe et expressif, qui fleure bon la rose, la pêche, l'abricot et le pain grillé. Le palais est gras, brioché, dense mais pas massif, souligné par une fine acidité qui lui confère un côté droit et élancé. Il évoque à un dégustateur «un tableau pointilliste, avec des touches de couleur qui au final composent une œuvre d'art»... ⧗ 2018-2024 ⫯ terrine de foie gras et langoustine

⊶ YVES CUILLERON, 58, RD 1086, Verlieu, 42410 Chavanay, tél. 04 74 87 02 37, cave@cuilleron.com V *r.-v.*

DELAS Clos Boucher 2014

	6000		50 à 75 €

Maison fondée en 1835, propriété depuis 1977 du Champagne Deutz (groupe Roederer). Sous la direction de Fabrice Rosset et de son directeur technique Jacques Grange, elle dispose de 30 ha en propre dans les AOC septentrionales, complétés par des achats de raisin, la gamme méridionale provenant de la partie négociant-éleveur.

Une sélection parcellaire issue du Clos Boucher à Veyrins. La robe est brillante, dans des tons or. Le nez associe un boisé dominant mais bien maîtrisé à des nuances florales et fruitées (abricot). Des notes d'élevage qui donnent le ton aussi en bouche, apportant du gras et une bonne structure. ⧗ 2018-2022 ⫯ soufflé aux écrevisses

⊶ DELAS FRÈRES, 2A de l'Olivet, 07300 Saint-Jean-de-Muzols, tél. 04 75 08 60 30, contact@delas.com V *t.l.j. 9h30-12h 14h30-18h30; f. dim. sept.-juin ⊶ Champagne Deutz*

MAISON DENUZIÈRE Aphrodite 2015 ★

	5000		30 à 50 €

La maison de négoce Denuzière, implantée à Condrieu depuis 1876, est aussi propriétaire de vignes en AOC cornas et condrieu. Elle propose des vins rhodaniens destinés en grande partie à la restauration lyonnaise.

Comment ne pas aimer la cuvée Aphrodite? C'est un amour de condrieu aux parfums de vanille (réunionnaise bien sûr), de pêche et d'abricot, qui respire la fraîcheur en bouche, enrobé par une pointe de douceur et prolongé par une fine amertume. Un vrai «vin plaisir». ⧗ 2016-2019 ⫯ rigotte de Condrieu

⊶ MAISON DENUZIÈRE, 73, rue Nationale, 69420 Condrieu, tél. 04 74 59 50 33, caroline.moro@maisondenuziere.com V *r.-v. ⊶ V. et S. Picard*

DOM. XAVIER GÉRARD Côte Châtillon 2014 ★

	4900		20 à 30 €

Xavier Gérard a pris en 2013 la direction du domaine familial, créé en 1981 par son père. Il y exploite un

vignoble de 7,5 ha en côte-rôtie, condrieu, saint-joseph et en IGP.

Sur ce lieu-dit emblématique, aux sols maigres et filtrants, Xavier Gérard a semble-t-il réalisé une vendange d'une excellente maturité. Son vin est intense, sur des arômes de pêche blanche et d'abricot bien juteux épaulés par un bon boisé vanillé. Frais en attaque, puis suave et très rond, le palais affiche un équilibre impeccable et s'étire dans une longue finale pleine de fruit. ⌛ 2017-2022 🍷 fricassée de homard

XAVIER GÉRARD, 9, Côte Châtillon, 69420 Condrieu, tél. 04 74 87 88 64, domainegerard@yahoo.fr *t.l.j. 9h-19h*

JEAN-MICHEL GERIN Les Eguets 2014 ★★

■ | 1800 | ▮▮ | 30 à 50 €

Les Gerin sont établis à Ampuis depuis six générations. Jean-Michel Gerin reprend les vignes familiales en 1987. Il étend progressivement son domaine dans les appellations prestigieuses du secteur, en saint-joseph, en condrieu et surtout en côte-rôtie, l'AOC «historique» de la famille. Il conduit aujourd'hui un vignoble de 15 ha, épaulé par ses fils Michaël et Alexis, et s'est imposé comme l'une des références de la vallée du Rhône nord.

Une cuvée élevée en demi-muids neufs pendant dix mois. Cela donne un vin très typé, d'un bel or intense, beurré, floral et fruité (pêche) au nez, à la fois puissant, riche, fin et frais en bouche. Un modèle d'équilibre et d'élégance. ⌛ 2018-2023 🍷 terrine de homard ■ **La Loye 2014 ★ (30 à 50 €; 10 000 b.)** : une fermentation alcoolique pour 40 % en barrique et 60 % en cuve Inox, puis un élevage d'un an en demi-muids pour cette cuvée ouverte sur d'intenses notes de viennoiserie, relayées par l'abricot dans un palais puissant et gras sans manquer de fraîcheur. ⌛ 2018-2022 🍷 poularde à la crème

JEAN-MICHEL GERIN, 19, rue de Montmain, 69420 Ampuis, tél. 04 74 56 16 56, info@domaine-gerin.fr *r.-v.*

ANTOINE MARIN La Granitée 2015

■ | 5000 | ▮▮ | 20 à 30 €

Les Vins du Concours est une maison de négoce spécialisée dans les rosés du Sud-Est et les vins rhodaniens, fondée par Gérard Sauzon, autrefois vigneron dans le Beaujolais.

Plutôt réservée au premier nez, cette cuvée livre à l'agitation des notes gourmandes de brioche et de vanille. Passé une attaque fraîche, «on rentre à nouveau dans un magasin de viennoiserie», expose un dégustateur. Un condrieu rond et suave, auquel il manque juste un peu de fraîcheur pour décrocher l'étoile. ⌛ 2017-2021 🍷 rigotte de Condrieu

SARL LES VINS DU CONCOURS, 518, Chavanne, 69420 Arnas, tél. 04 74 06 87 01, gsauzon@wanadoo.fr *r.-v.* *Gérard Sauzon*

STÉPHANE MONTEZ Les Grands Chaillées 2014 ★

■ | 20000 | ▮▮ | 20 à 30 €

Si les origines du domaine remontent au XVIe s., les Montez y cultivent la vigne depuis 1741. Installé en 1999 à la suite de son père Antoine, Stéphane Montez représente la neuvième génération vigneronne. Il conduit aujourd'hui un vignoble de 30 ha (cornas, côte-rôtie, condrieu, saint-joseph et IGP), établi sur les hauteurs de Chavanay à 320 m d'altitude. Une valeur sûre de la vallée du Rhône septentrionale.

Un classique du domaine, qui doit son nom aux murs en pierre sèche qui retiennent la terre autour des parcelles de vigne. Ce vin ne manque pas de personnalité. Derrière sa robe jaune pâle aux reflets verts, il dévoile des notes d'orange sèche, de pêche et de réglisse sur un léger fond boisé. En bouche, il a le sens de l'équilibre: on y retrouve les agrumes et le Zan, le gras et la fraîcheur font la balance, le boisé est harmonieux. «Lumineux comme un morceau de saxophone de Manu Dibango», conclut un dégustateur mélomane. ⌛ 2018-2023 🍷 lotte au curry

STÉPHANE MONTEZ, Dom. du Monteillet, 6, Le Montelier, 42410 Chavanay, tél. 04 74 87 24 57, stephanemontez@aol.com *r.-v.*

DOM. MOUTON PÈRE ET FILS Côte Châtillon 2014 ★

■ | 2600 | ▮▮ | 20 à 30 €

Issu d'une ancienne famille de vignerons, Jean-Claude Mouton a rejoint son père André en 1989 sur l'exploitation familiale. Aujourd'hui, c'est lui qui dirige ce petit domaine de 7 ha, dont les terrasses exposées plein sud sont au cœur du village de Condrieu.

Dans un écrin jaune tournesol, cette cuvée distille des notes complexes d'infusion (camomille), de poivre et de mangue. Le palais apparaît plein et gras, sur de douces notes de frésia, avec en filigrane une fine fraîcheur qui apporte l'équilibre. ⌛ 2016-2020 🍷 curry de poulet

JEAN-CLAUDE MOUTON, 23, montée du Rozay, 69420 Condrieu *t.l.j. sf dim. 9h-12h 13h30-19h; f. fin août*

ANDRÉ PERRET Clos Chanson 2014 ★★

■ | 2000 | ▮▮ | 30 à 50 €

André Perret, alors biologiste, succède à son père en 1985 à la tête d'une petite vigne de 1,5 ha au lieu-dit Verlieu, à l'époque où Georges Vernay et quelques autres font renaître le condrieu. Il l'agrandit au fil des ans par achats, locations et plantations – 13 ha de coteaux abrupts en terrasses aujourd'hui – et s'impose comme l'un des grands élaborateurs de vins blancs rhodaniens.

André Perret a pris en location, à partir de 1986, ce clos de 50 ares planté de vieux ceps de viognier, commandé par une imposante bâtisse construite sur les ruines d'un château féodal. Dans le verre, un superbe condrieu jaune pâle aux reflets verts, ouvert sur de fines nuances florales (acacia, glaïeul) associées aux agrumes (pomelo, cédrat) et à la pêche. De petites touches épicées, une texture souple, tendre et soyeuse, de la fraîcheur, une longue finale, la bouche est si élégante qu'elle inspire nos jurés: une robe dessinée par Christian Lacroix pour l'un, une toile de Klimt pour un autre, une symphonie de Malher – non pas Titan mais Résurrection – pour un troisième... ⌛ 2018-2024 🍷 filet de bar au fenouil *o→ ANDRÉ PERRET, 17 RD, 1086, Verlieu, 42410 Chavanay, tél. 04 74 87 24 74, andre.perret@terre-net.fr* V r.-v.

DOM. CHRISTOPHE PICHON 2014 ★

20 000		30 à 50 €

Christophe Pichon a travaillé aux côtés de son père avant de reprendre seul, en 1991, l'exploitation établie dans le parc du Pilat: 16 ha aujourd'hui, répartis dans les appellations condrieu – dont il est l'actuel président –, côte-rôtie et saint-joseph. Corentin, son fils, revenu sur l'exploitation après un séjour en Australie, est désormais en charge de la vinification et de l'élevage des vins.

Corentin Pichon a bien respecté les fondamentaux de l'appellation. Jolie robe pâle et limpide; heureux mariage au nez entre les arômes typiques de pêche et d'abricot et les notes beurrées et toastées de la barrique; belle tension qui met en valeur un palais ample, gras et rond, où la vanille voisine harmonieusement avec les fruits jaunes et le pamplemousse. Tout est en place pour une bonne évolution. ⧗ 2017-2022 ▼ colombo de porc
Caresse 2014 (50 à 75 €; 3 000 b.) : vin cité.

o→ CHRISTOPHE PICHON, 36, Le Grand-Val, Verlieu, 42410 Chavanay, tél. 04 74 87 06 78, chrpichon@wanadoo.fr V *t.l.j. sf dim. 9h-12h 14h-18h*

DOM. RICHARD L'Amaraze 2014

6 500		20 à 30 €

Installé en 1989 sur le domaine familial et succédant à deux générations de vignerons-arboriculteurs, Hervé Richard décide de se spécialiser dans la vigne. Avec sa femme Marité, il travaille aujourd'hui 10 ha en condrieu et en saint-joseph.

Passé en cuve pour 60 % du volume, en fût pour le reste, pendant onze mois, ce condrieu développe à l'olfaction des arômes classiques d'abricot et de mangue, et se distingue par sa fraîcheur soutenue en bouche. Il lui manque un peu de complexité pour décrocher l'étoile. Une bouteille que l'on pourra apprécier dès aujourd'hui. ⧗ 2016-2020 ▼ brochette de Saint-Jacques

o→ DOM. HERVÉ ET MARITÉ RICHARD, 3, RD 1086, Verlieu, 42410 Chavanay, tél. 04 74 87 07 75, h.richard@42.sideral.fr V *t.l.j. sf dim. 12h-18h; f. fin août*

SAINT-COSME 2014

4 000		30 à 50 €

Aménagé sur un site de vinification gallo-romain, parvenu jusqu'à nous avec ses cuves de fermentation taillées dans le rocher, ce domaine est dans la famille Barruol depuis... 1490. Dès lors, quinze générations de vignerons se sont succédé sur cette exploitation de 38 ha conduite depuis longtemps selon les préceptes bio. Fort de ce long passé vigneron, Louis Barruol, l'actuel propriétaire, a développé en 1997 une activité de négoce.

Vinifié et élevé en fût, ce vin s'annonce avec intensité par un côté floral (acacia) et fruité (pêche, abricot). En bouche, il associe en toute simplicité et sans fausse note rondeur et fraîcheur. ⧗ 2017-2021 ▼ daurade au citron

o→ SAINT-COSME, rte des Dentelles, 84190 Gigondas, tél. 04 90 65 80 80, barruol@chateau-st-cosme.com V *t.l.j. sf sam. dim. 9h-12h 14h-18h o→ Barruol*

LES VINS DE VIENNE La Chambée 2014

5 000		30 à 50 €

Pour faire renaître le vignoble de Seyssuel situé en amont de Vienne, trois vignerons de renom, Yves Cuilleron, Pierre Gaillard et François Villard, ont créé cette affaire en 1996, à l'origine de beaux vins de propriété – IGP à Seyssuel, sélections parcellaires en AOC septentrionales – et de vins de négoce de toute la vallée.

Un viognier de trente ans est à l'origine de cette cuvée qui plaira aux amateurs de vins boisés. L'ensemble est bien travaillé, mais pour l'heure c'est surtout la qualité de l'élevage qui ressort, à travers d'intenses notes toastées, vanillées et beurrées. Arômes qui imprègnent aussi le palais, de bonne tenue, franc et frais. «Un joli travail d'ébéniste», conclut un dégustateur. ⧗ 2018-2022 ▼ foie gras poêlé

o→ LES VINS DE VIENNE, 1, ZA de Jassoux, 42410 Chavanay, tél. 04 74 85 04 52, contact@lesvinsdevienne.fr V *r.-v.*

FRANÇOIS VILLARD DePoncins 2014 ★

10 400		30 à 50 €

Vigneron réputé de la vallée du Rhône nord, François Villard, ancien cuisinier, s'est installé en 1989 à Saint-Michel-sur-Rhône pour créer son vignoble: 33 ha aujourd'hui dans cinq crus, complétés par une petite activité d'achat de raisin. Dans son chai cathédrale naissent de beaux vins dans les deux couleurs.

Comme à son habitude, François Villard apporte beaucoup de soin à l'élaboration de son condrieu. Fermentation en fût à basse température avec des levures indigènes, bâtonnage une fois par semaine pendant six mois, élevage de onze mois sur lies sans soutirage, 35 % du vin en fût neuf, le reste en barrique de trois à cinq ans. Le résultat: une élégante couleur jaune or, un joli nez sur les fruits exotiques, un palais très gras, souligné par une juste fraîcheur en finale. Une belle expression du viognier. ⧗ 2018-2022 ▼ tournedos de homard rôti au lard

o→ FRANÇOIS VILLARD, 330, rte du Réseau-Ange, 42410 Saint-Michel-sur-Rhône, tél. 04 74 56 83 60, vinsvillard@wanadoo.fr V *r.-v.*

SAINT-JOSEPH

Superficie : 1 160 ha
Production : 42 110 hl (92 % rouge)

Sur la rive droite du Rhône, l'appellation saint-joseph s'étend sur 26 communes de l'Ardèche et de la Loire. Ses coteaux en pente escarpée offrent de belles vues sur les Alpes, le mont Pilat et les gorges du Doux. Les vignes croissent sur des sols granitiques. La syrah engendre des vins rouges élégants, relativement légers et tendres, aux arômes subtils de framboise, de poivre et de cassis, qui se révéleront sur les volailles

RHÔNE

grillées ou sur certains fromages. Les cépages roussanne et marsanne donnent des vins blancs gras, aux parfums délicats de fleurs, de fruits et de miel. Ils rappellent les hermitage mais sont à servir assez jeunes.

DOM. BOISSONNET Bélive 2014 ★

■ | n.c. | | 20 à 30 €

Frédéric Boissonnet conduit depuis 1990 les 10 ha du domaine familial (saint-joseph et condrieu). Une deuxième cave voûtée a été découverte en 1992 sous la demeure bâtie en 1600. Les barriques y prennent place, accueillant les vins pour leur élevage.

Finesse et complexité caractérisent ce vin ouvert sur des notes subtiles de groseille, de cassis et de réglisse. Le palais est souple et élégant, appuyé par des tanins fondus, d'une bonne persistance aromatique. Une bouteille déjà fort agréable. ⧗ 2016-2020 ¥ rôti de veau ■ **Extrem 2013 ★ (30 à 50 €; n.c.)** : vingt mois de fût pour cette cuvée boisée sans excès, ronde, chaleureuse et très épicée. ⧗ 2018-2022 ¥ agneau de sept heures

⊶ DOM. BOISSONNET, 51, rue de la Voûte, 07340 Serrières, tél. 04 75 34 07 99, domaine.boissonnet@gmail.com V ⚐ ⚐ *t.l.j. 8h-12h 13h30-18h; dim. sur r.-v.*

MAISON BOUACHON Roquebrussane 2014

■ | 7000 | | 11 à 15 €

La famille Skalli s'initia à la vigne et aux cépages méridionaux en Algérie, dans les années 1920. Francis et surtout son fils Robert ont œuvré pour que cette maison de négoce soit aujourd'hui très implantée dans tout le Sud de la France. Dans le giron du groupe bourguignon Boisset depuis 2011.

Le bois est présent tout au long de la dégustation, avec notamment une finale beurrée, mais le fruit transparaît et le temps lui donnera plus de place. Il faut aussi noter une belle attaque fraîche, qui contrebalance un côté chaleureux et suave. Bien construit, mais en devenir. ⧗ 2019-2022 ¥ agneau au curry

⊶ LES VINS SKALLI, av. Pierre-de-Luxembourg, 84230 Châteauneuf-du-Pape, tél. 04 90 83 58 35, info@skalli.com V ⚐ *t.l.j. 10h-12h 15h-18h ⊶ Boisset*

AURÉLIEN CHATAGNIER 2014 ★

□ | 4300 | | 15 à 20 €

Aurélien Chatagnier s'installe en 2002 avec 1,2 ha en location. Il conserve une activité complémentaire jusqu'en 2005, ce qui lui permet de se développer progressivement, avec l'aide d'amis vignerons. Aujourd'hui, l'exploitation s'étend sur environ 7,5 ha, en côte-rôtie, condrieu, cornas, saint-joseph et en IGP.

Même si l'AOC saint-joseph constitue la part la plus importante de son vignoble, la surface reste modeste: 1 ha en blanc, 3,6 ha en rouge. Mais *small is beautiful*, témoin ce 2014 apprécié pour ses arômes généreux de fruits compotés (pêche, abricot) et de miel, relayés par les raisins secs et les fleurs blanches dans une bouche ample, riche et ronde. ⧗ 2016-2020 ¥ poulet à la crème ■ **2014 (15 à 20 €; 11400 b.)** : vin cité.

⊶ AURÉLIEN CHATAGNIER, rte de Limony, 42520 Saint-Pierre-de-Bœuf, tél. 04 74 31 75 53, aurelien.chatagnier@free.fr V ⚐ ⚐ *r.-v.*

LOUIS CHEZE Ro-Rée 2014

□ | 25000 | | 15 à 20 €

Un domaine familial établi sur les hauteurs de Limony, repris en 1978 par Louis Cheze: 1 ha en saint-joseph à l'origine, 36 ha aujourd'hui, dans plusieurs appellations septentrionales.

Ro-rée signifie «rouvre» en patois ardéchois: ce blanc a été vinifié et élevé en barrique, et cela se sent. Au nez, les notes boisées dominent, avec quelques nuances miellées en appoint. En bouche, le vin apparaît rond et gras, centré sur les fruits blancs très mûrs (pêche, poire). ⧗ 2017-2020 ¥ risotto aux asperges

⊶ LOUIS CHEZE, Pangon, 07340 Limony, tél. 04 75 34 02 88, contact@domainecheze.com V ⚐ *r.-v.*

VIGNOBLES CHIRAT Les Côtes 2014

□ | 4000 | | 11 à 15 €

Les origines de ce vignoble datent de 1925, alors que l'exploitation était en polyculture. C'est en 1984 que Gilbert Chirat décide de se consacrer à la seule viticulture. Rejoint par son fils Aurélien en 2012, il gère un ensemble de 8,5 ha.

Bien ouvert sur des notes d'acacia et d'aubépine, ce 2014 plaît par son bon volume, son boisé fondu et son équilibre entre une fine fraîcheur et une rondeur miellée. ⧗ 2017-2020 ¥ côte de veau à la crème

⊶ VIGNOBLES CHIRAT, 125, rue du Piaton, 42410 Saint-Michel-sur-Rhône, tél. 04 74 56 68 92, chirat.g@free.fr V ⚐ ⚐ *r.-v.*

VINCENT CLUZEL Cuvée du Vignon 2014 ★

■ | 2300 | | 15 à 20 €

Vincent Cluzel a créé son domaine en louant et en plantant des vignes (8,5 ha aujourd'hui en condrieu, saint-joseph et crozes-hermitage). Après la construction de la cave, il a vinifié son premier millésime en 2013.

Première sélection dans le Guide pour ce vigneron qui signe là son second millésime. Une entrée réussie avec une cuvée certes assez confidentielle mais pleine de promesses. Le bouquet, élégant, conjugue des notes de violette, de cassis, de réglisse et un boisé grillé et vanillé. Le palais est frais et persistant sur le fruit, bâti sur des tanins soyeux qui permettront d'apprécier cette bouteille dans sa jeunesse. ⧗ 2017-2021 ¥ fricassée de lapin

⊶ VINCENT CLUZEL, 16 bis, chem. Neuf, Verlieu, 42410 Chavanay, tél. 04 74 15 09 94, domainecluzel@hotmail.fr V ⚐ ⚐ *r.-v.*

DOM. COURBIS Les Royes 2014

■ | 10000 | | 20 à 30 €

Une valeur sûre de la vallée du Rhône septentrionale, notamment dans les AOC cornas et saint-joseph. Dominique et Laurent Courbis conduisent depuis la fin des années 1980, à la suite de leur père, un domaine de 33 ha dont les origines remontent

au XVIe s. L'essentiel des vignes est perché sur des coteaux très abrupts à plus de 250 m d'altitude.

Après un élevage en barrique bien maîtrisé (20 % en fût neuf et 80 % en fût de deux et trois vins), ce saint-joseph dévoile un nez harmonieux de myrtille, de cassis et de cuir, relayé par un palais rond et souple, aux tanins fondus, quoiqu'un peu plus stricts en finale. ⧗ 2018-2022 🍴 bœuf bourguignon

⊶ DOM. COURBIS, rte de Saint-Romain, 07130 Châteaubourg, tél. 04 75 81 81 60, contact@domaine-courbis.fr V t.l.j. sf dim. 9h-12h 14h-18h; sam. sur r.-v.

PIERRE ET JÉRÔME COURSODON
Le Paradis Saint-Pierre 2014 ★★

■	2500		30 à 50 €

Établis depuis quatre générations à Mauves, berceau de l'appellation saint-joseph, Pierre Coursodon, le père, et Jérôme, le fils, installé en 2000, sont à la tête de 16 ha de vignes dédiés au seul saint-joseph, essentiellement dans sa version rouge. Depuis longtemps, les vins de ce domaine entrent dans les sélections du Guide: d'une constance rare, ils sont abonnés aux étoiles et aux coups de cœur.

L'une des cuvées «star» de l'appellation, de multiples fois distinguée ici. Pour la version 2014, intensité est le maître mot: robe noire, boisé très présent, épicé et chocolaté, bouche puissante, riche et dense, aux tanins robustes. Un vin athlétique auquel il faut laisser du temps pour que tout s'harmonise. ⧗ 2019-2026 🍴 lièvre à la royale ■ **Le Paradis Saint-Pierre 2014 (20 à 30 €; 4000 b.)** : vin cité. ■ **Silice 2014 (20 à 30 €; 45000 b.)** : vin cité.

⊶ DOM. COURSODON, 3, pl. du Marché, 07300 Mauves, tél. 04 75 08 18 29, pierre.coursodon@wanadoo.fr V r.-v.

YVES CUILLERON Les Serines 2013 ★★

■	10700		20 à 30 €

Une référence de la vallée du Rhône nord, notamment pour ses condrieu. Établi à Chavanay, Yves Cuilleron a repris en 1987 la propriété créée en 1920 par son grand-père paternel, puis gérée par son oncle Antoine. Il a progressivement agrandi le domaine (60 ha aujourd'hui), planté à haute densité et conduit de manière très raisonnée sur la rive droite du Rhône (condrieu, côte-rôtie, saint-joseph, saint-péray et cornas) et, depuis 2012, sur la rive gauche (crozes-hermitage).

L'une des cuvées phares du domaine, souvent en vue dans ces pages. Le 2013 peut se résumer en deux mots: intensité et concentration. Autant en matière aromatique (fruits rouges mûrs, épices) qu'en bouche, avec un vin plein, riche et suave, bâti sur de beaux tanins de garde. ⧗ 2019-2026 🍴 gigot d'agneau

⊶ YVES CUILLERON, 58, RD 1086, Verlieu, 42410 Chavanay, tél. 04 74 87 02 37, cave@cuilleron.com V r.-v.

EMMANUEL DARNAUD 2014 ★

■	4500		20 à 30 €

L'histoire vigneronne d'Emmanuel Darnaud débute en 2001 avec 1,5 ha de vignes en fermage sur l'appellation crozes-hermitage. Agrandi progressivement, le domaine couvre aujourd'hui 15 ha, avec des parcelles en saint-joseph, et fait preuve d'une belle constance dans la qualité avec ses sélections parcellaires.

Un 2014 confidentiel certes, mais très équilibré. Le fruité est bien présent, le boisé fondu, le palais rond et structuré par des tanins fins et serrés. Un dégustateur mélomane pense au final du Concerto n° 2 de Rachmaninov dirigé par Arthur Rubinstein... ⧗ 2019-2024 🍴 caille rôtie

⊶ EARL EMMANUEL DARNAUD, 21, rue du Stade, Lot. Rémy-Sottet, 26600 La Roche-de-Glun, tél. 04 75 84 81 64, emmanuel.darnaud26@orange.fr V r.-v.

DAUVERGNE RANVIER Vin rare 2014

■	7000		15 à 20 €

Créée en 2004 par François Dauvergne et Jean-François Ranvier, professionnels du vin qui ont décidé d'élaborer leurs propres cuvées après avoir œuvré chez les autres, cette maison de négoce s'affirme d'année en année à travers une gamme de qualité issue de sélections parcellaires. En 2013, les deux compères ont repris l'exploitation du Dom. des Muretins (tavel et lirac).

Les dégustateurs ont décrit ce vin – pas si rare: 7 000 bouteilles tout de même – comme juvénile, un gage de bonne santé pour vieillir convenablement. De fait, passé une olfaction intense, sur les fruits noirs, les épices et la réglisse, ce 2014 se montre encore un peu sévère en bouche. Il s'assouplira avec le temps. ⧗ 2019-2024 🍴 pavé de bœuf sauce poivre

⊶ DAUVERGNE RANVIER, Ch. Saint-Maurice, RN 580, 30290 Laudun-l'Ardoise, tél. 04 66 82 96 57, francois.dauvergne@dauvergne-ranvier.com

DELAS François de Tournon 2013

■	35000		20 à 30 €

Maison fondée en 1835, propriété depuis 1977 du Champagne Deutz (groupe Roederer). Sous la direction de Fabrice Rosset et de son directeur technique Jacques Grange, elle dispose de 30 ha en propre dans les AOC septentrionales, complétés par des achats de raisin, la gamme méridionale provenant de la partie négociant-éleveur.

Issu d'achat de raisin, ce saint-joseph vigoureux présente un côté austère, avec des tanins encore bien présents, ce qui nuit pour l'heure à son élégance et à sa souplesse mais promet un bon vieillissement. Un vin en devenir. ⧗ 2019-2024 🍴 civet de marcassin

⊶ DELAS FRÈRES, 2A de l'Olivet, 07300 Saint-Jean-de-Muzols, tél. 04 75 08 60 30, contact@delas.com V t.l.j. 9h30-12h 14h30-18h30; f. dim. sept.-juin ⊶ Champagne Deutz

DOM. DURAND Les Coteaux 2014

■	25000		15 à 20 €

Un domaine familial de 20 ha constant en qualité, établi au sud de l'appellation saint-joseph et aux

portes de celle de cornas, conduit par les frères Éric et Joël Durand.

Il y a un côté «rétro» dans ce vin d'un abord discret, qui s'ouvre à l'aération sur des arômes chaleureux de cerise à l'eau-de-vie mâtinés d'épices et de réglisse, et qui déploie en bouche des tanins marqués. Un brin rustique mais bien construit. ⧗ 2018-2021 🍷 côte d'agneau ■ **2015 (15 à 20 €; 5000 b.)** : vin cité.

ÉRIC ET JOËL DURAND, imp. de la Fontaine, 07130 Châteaubourg, tél. 04 75 40 46 78, ej.durand@wanadoo.fr V r.-v.

GUY FARGE Vania 2014 ★

■ | 7300 | | 15 à 20 €

En 2007, Guy Farge a sorti de la cave coopérative de Tain l'Hermitage – dont il fut l'administrateur – ce domaine de 20 ha acheté par son arrière-grand-père à un général normand.

Assemblage classique de marsanne (80 %) et de roussanne, ce saint-joseph se révèle puissant et très aromatique à l'olfaction, sur la violette et la pêche blanche. En bouche, il se montre rond et gras mais sans lourdeur, traversé de bout en bout par une jolie pointe de fraîcheur. ⧗ 2016-2019 🍷 suprême de volaille au miel

GUY FARGE, 18, chem. de la Roue, 07300 Saint-Jean-de-Muzols, tél. 06 08 21 31 72, guyfarge@orange.fr V *t.l.j. sf dim. 9h-12h 14h-18h; sam. 9h-13h; f. août*

GILLES FLACHER Les Reines 2014 ★

■ | 12000 | | 15 à 20 €

Un domaine fondé en 1806, repris en 1991 par Gilles Flacher qui a depuis porté sa superficie de 1,5 ha à 8 ha de vignes plantées en coteau, en saint-joseph et en condrieu.

Dans un millésime difficile, il a fallu trier la vendange avec rigueur et procéder à un élevage en barrique bien ajusté. C'est le cas ici avec un vin bien fruité (cassis, fruits rouges) et boisé avec justesse, ample, soyeux et fin en bouche. De la personnalité et de l'élégance. ⧗ 2018-2023 🍷 rouelle de porc confite

EARL GILLES FLACHER, 971, rue Principale, 07340 Charnas, tél. 06 07 64 06 00, secretariat-flacher@orange.fr V r.-v.

PIERRE GAILLARD 2014

■ | 30000 | | 15 à 20 €

Pierre Gaillard acquiert ses premiers ceps en 1981 et constitue petit à petit son vignoble, défrichant et plantant de nouvelles parcelles. Établi aux portes du parc régional du Pilat, ce vigneron et négociant réputé de la vallée du Rhône nord, présent aussi en Languedoc-Roussillon (Madeloc à Banyuls-sur-Mer, Cottebrune à Faugères), est à la tête de 77 ha, tous domaines confondus.

Après seize mois de passage en fût, ce 2014 livre des parfums boisés très soutenus qui pour l'heure masquent le fruit. En bouche, l'élevage reste très présent et se conjugue à une structure tannique assez ferme mais sans rigidité. À attendre pour plus de fondu. ⧗ 2018-2022 🍷 rôti de veau Orloff

DOMAINES PIERRE GAILLARD, lieu-dit Chez-Favier, 42520 Malleval, tél. 04 74 87 13 10, contact@domainespierregaillard.com V r.-v.

ROLAND GRANGIER Cler de Lune 2015 ★★

■ | 4600 | | 11 à 15 €

Issu d'une famille d'agriculteurs, Roland Grangier a fondé ce domaine en 2002. Il exploite aujourd'hui un vignoble de 9 ha sur deux appellations, saint-joseph et condrieu.

Le nom de cette cuvée nous échappe un peu, mais pas sa qualité, unanimement saluée par nos dégustateurs. Après une ouverture sur des notes boisées, le nez mêle de fines notes d'acacia, d'agrumes et d'ananas. La bouche se révèle ample, dense, longue et pleine de fraîcheur, avec une belle finale sur la rose et le pamplemousse. ⧗ 2017-2020 🍷 saumon à l'aneth ■ **Dom. Grangier La Côte 2014 (11 à 15 €; 10000 b.)** : vin cité.

ROLAND GRANGIER, 13, Chantelouve, 42410 Chavanay, tél. 04 74 56 20 14, roland.grangier@orange.fr V r.-v.

DOM. BERNARD GRIPA 2014 ★

■ | 12000 | | 15 à 20 €

La famille Gripa arrive à Saint-Péray au XVII[e]s., puis s'établit à Mauves vers 1850. Valeur sûre de la vallée du Rhône septentrionale, tant pour ses saint-péray que pour ses saint-joseph (témoin les nombreux coups de cœur obtenus dans les deux appellations), le domaine est conduit depuis 2001 par Fabrice Gripa, fils de Bernard, aujourd'hui à la tête de 17 ha de vignes.

La cuvée principale du domaine dévoile un nez typique de l'appellation: fine minéralité, boisé léger, fleurs blanches, pamplemousse et pêche jaune. Dans le droit fil, la bouche se montre fraîche en attaque, puis ronde et veloutée dans son évolution, avant un retour «terroité» en finale. Un ensemble équilibré. ⧗ 2017-2020 🍷 poulet au citron ■ **Le Berceau 2014 ★ (20 à 30 €; 2000 b.)** : un 100 % marsanne rond et suave, centré sur le chèvrefeuille et agrémenté de notes miellées et cacaotées. ⧗ 2017-2020 🍷 homard grillé ■ **Le Berceau 2014 ★ (30 à 50 €; 3500 b.)** : une cuvée souvent en vue dans ces pages. Le 2014 plaît par ses arômes de violette, de cassis et de réglisse, par sa bouche suave épaulée par de beaux tanins fermes et crayeux. Prometteur. ⧗ 2019-2024 🍷 côte de bœuf

DOM. BERNARD GRIPA, 5, av. Ozier, 07300 Mauves, tél. 04 75 08 14 96, gripa@wanadoo.fr V r.-v.

JEAN-FRANÇOIS JACOUTON 2014

■ | 1170 | | 15 à 20 €

Initié à la vigne par son grand-père, le jeune Jean-François Jacouton s'est installé en 2010 et cultive aujourd'hui 3,5 ha de vignes en IGP Collines rhodaniennes et Ardèche et en AOC saint-joseph.

Ce petit domaine fait son entrée dans le Guide avec une cuvée confidentielle, fruitée (cassis) et toastée à l'olfaction, franche et fraîche en attaque, soyeuse dans son développement, plus tannique en finale. L'attente est de mise. ⧗ 2019-2023 🍷 baron d'agneau à la boulangère

JEAN-FRANÇOIS JACOUTON, 16, imp. Banc, 07610 Vion, jean-francois.jacouton@orange.fr V r.-v.

♥ STÉPHANE MONTEZ 2014 ★★

	20000		15 à 20 €

Si les origines du domaine remontent au XVI[e]s., les Montez y cultivent la vigne depuis 1741. Installé en 1999 à la suite de son père Antoine, Stéphane Montez représente la neuvième génération vigneronne. Il conduit aujourd'hui un vignoble de 30 ha (cornas, côte-rôtie, condrieu, saint-joseph et IGP), établi sur les hauteurs de Chavanay à 320 m d'altitude. Une valeur sûre de la vallée du Rhône septentrionale.

Plus souvent en vue pour ses saint-joseph rouges que pour ses blancs, Stéphane Montez signe un assemblage roussanne-marsanne (65-35) admirable, ouvert et complexe à l'olfaction, très fruité (abricot, agrumes) et très floral (acacia). Un enchantement des sens qui se prolonge en compagnie de notes d'amande et de pain grillé dans un palais parfaitement équilibré, à la fois rond, charnu et d'une grande fraîcheur. ⧗ 2019-2024 ♈ quenelles de brochet safranées ■ **Cuvée du Papy 2014 (20 à 30 €; 29000 b.)** : vin cité.

STÉPHANE MONTEZ, Dom. du Monteillet, 6, Le Montelier, 42410 Chavanay, tél. 04 74 87 24 57, stephanemontez@aol.com V r.-v.

DIDIER MORION Les Echets 2013 ★★

■	3000		11 à 15 €

En 1993, lorsque Didier Morion s'installa sur l'exploitation familiale, alors en polyculture, la vigne ne représentait que 2 ha. Aujourd'hui, ce sont 10 ha dédiés à la seule vigne qu'il conduit au cœur du Parc naturel régional du Pilat.

Après dix-huit mois de fût, ce saint-joseph sombre et intense s'ouvre sur des notes soutenues et harmonieuses de fruits rouges mûrs et d'épices. La bouche, ample, concentrée et dense, déploie des tanins bien fondus. Un vin bien dans le ton du millésime et de l'appellation, qui offre un solide potentiel de garde. ⧗ 2019-2026 ♈ navarin de biche

DIDIER MORION, 2, Épitaillon, 42410 Chavanay, tél. 04 74 87 26 33, contact@domainemorion.com V r.-v.

DOM. MUCYN Les Carats 2015

	4500		11 à 15 €

Après deux ans de formation en «viti-œno» à Beaune, les Champenois Hélène et Jean-Pierre Mucyn ont créé ce domaine en 2001, dans un ancien relais batelier du Rhône fondé au XVIII[e]s., établi au pied de l'Hermitage. Leur vignoble couvre aujourd'hui 9 ha en saint-joseph, crozes-hermitage et IGP Collines rhodaniennes.

Avec la collaboration de l'œnologue Olivier Roustang, Jean-Pierre Mucyn a élaboré un blanc à la fois fin, élégant, suave et riche, très expressif également, au nez comme en bouche (pêche, abricot, ananas, fleurs blanches, grillé léger, menthol), souligné par une belle fraîcheur en finale. ⧗ 2017-2020 ♈ cuisses de grenouille ■ **Les Salamandres 2014 (11 à 15 €; 14000 b.)** : vin cité.

DOM. MUCYN, 27, quartier des Îles, 26600 Gervans, tél. 04 75 03 34 52, mucyn@club-internet.fr V r.-v.

ANDRÉ PERRET 2014 ★★

	3200		15 à 20 €

André Perret, alors biologiste, succède à son père en 1985 à la tête d'une petite vigne de 1,5 ha au lieu-dit Verlieu, à l'époque où Georges Vernay et quelques autres font renaître le condrieu. Il l'agrandit au fil des ans par achats, locations et plantations – 13 ha de coteaux abrupts en terrasses aujourd'hui – et s'impose comme l'un des grands élaborateurs de vins blancs rhodaniens.

Après un début de fermentation en cuve, André Perret a procédé à un entonnage pour finir les fermentations et mener un élevage d'un an en barrique. Il obtient ainsi un blanc mi-roussanne mi-marsanne remarquable, d'un beau jaune doré, floral au premier nez (le legs de la marsanne), puis porté sur l'ananas et les agrumes (roussanne). Épaulé par un bon boisé fondu, le palais apparaît gras, dense, généreux, équilibré par une finale pleine de fraîcheur. ⧗ 2017-2021 ♈ volaille de Bresse aux agrumes ■ **Les Grisières 2013 (15 à 20 €; 4000 b.)** : vin cité.

ANDRÉ PERRET, 17 RD, 1086, Verlieu, 42410 Chavanay, tél. 04 74 87 24 74, andre.perret@terre-net.fr V r.-v.

CHRISTOPHE PICHON 2014

■	17000		15 à 20 €

Christophe Pichon a travaillé aux côtés de son père avant de reprendre seul, en 1991, l'exploitation établie dans le parc du Pilat: 16 ha aujourd'hui, répartis dans les appellations condrieu – dont il est l'actuel président –, côte-rôtie et saint-joseph. Corentin, son fils, revenu sur l'exploitation après un séjour en Australie, est désormais en charge de la vinification et de l'élevage des vins.

Ce 2014 dévoile des arômes harmonieux de vanille, de mûre et de Zan. En bouche, il se montre souple et frais, bâti sur des tanins fondus. Un saint-joseph équilibré et facile d'accès. ⧗ 2017-2021 ♈ lapin aux olives **2014 (20 à 30 €; 6000 b.)** : vin cité.

CHRISTOPHE PICHON, 36, Le Grand-Val, Verlieu, 42410 Chavanay, tél. 04 74 87 06 78, chrpichon@wanadoo.fr V t.l.j. sf dim. 9h-12h 14h-18h

DOM. DES PIERRES SÈCHES 2014

■	5600		15 à 20 €

Sylvain Gauthier, originaire de Lorraine et fils de vigneron mosellan, a créé son domaine en 2007 après s'être formé en Bourgogne. Il conduit un vignoble de 5,25 ha dédiés au saint-joseph et aux IGP.

Un saint-joseph à l'ancienne, selon certains dégustateurs. Un vin plutôt réservé au premier nez, plus ouvert sur les fruits noirs confiturés à l'agitation, et encore très austère et vigoureux en bouche. À attendre donc. ⧗ 2019-2024 ♈ civet de lièvre

RHÔNE

o-- SYLVAIN GAUTHIER, 15, rte de Secheras, Le Village, 07300 Cheminas, tél. 06 89 42 37 09, domainedespierresseches@orange.fr V r.-v.

DOM. DES REMIZIÈRES 2014 ★★

■ | 20 000 | | 11 à 15 €

Jusqu'en 1973, Alphonse Desmeure apportait sa vendange à la coopérative. Son fils Philippe développe la propriété à partir de 1977, généralise la production en bouteilles et accroît le vignoble: 34 ha aujourd'hui, disséminés sur plusieurs communes et conduits en bio non certifié avec ses enfants, Émilie et Christophe. Une référence incontournable, avec des vins d'une rare constance. Une activité de négoce a été créée en 2010 afin de diversifier la production dans d'autres appellations.

Après quinze mois d'élevage en barrique (dont 40 % de fût neuf), ce 2014 très élégant s'ouvre sur des notes torréfiées, puis sur d'intenses arômes de cerise mûre, de cassis et de menthol. Le palais apparaît ample, charnu, gras et long, soutenu par des tanins fins et fondus. ⧗ 2019-2024 🍴 pigeon aux cèpes

o-- CAVE DESMEURE, Dom. des Remizières, 1459, av. du Vercors, 26600 Mercurol, tél. 04 75 07 44 28, contact@domaineremizieres.com V r.-v.

DOM. RICHARD 2014 ★

■ | 4 440 | | 15 à 20 €

Installé en 1989 sur le domaine familial et succédant à deux générations de vignerons-arboriculteurs, Hervé Richard décide de se spécialiser dans la vigne. Avec sa femme Marité, il travaille aujourd'hui 10 ha en condrieu et en saint-joseph.

Cet assemblage marsanne-roussanne (70-30) s'ouvre sur une explosion florale (aubépine) agrémentée d'une touche minérale. Des arômes rehaussés de notes d'amandes grillées léguées par onze mois de fût dans une bouche fraîche, équilibrée et persistante. ⧗ 2018-2021 🍴 daurade au gingembre ■ **Les Nuelles 2014** ★ **(15 à 20 €; 3 200 b.)** : un vin «athlétique», sombre et intense, sur la mûre et la griotte, dense et puissant en bouche, porté par des tanins musculeux. Du potentiel. ⧗ 2019-2026 🍴 côte de bœuf

o-- DOM. HERVÉ ET MARITÉ RICHARD, 3, RD 1086, Verlieu, 42410 Chavanay, tél. 04 74 87 07 75, h.richard@42.sideral.fr V *t.l.j. sf dim. 12h-18h; f. fin août*

♥ CAVE SAINT-DÉSIRAT Les Mariniers du Fleuve 2014 ★★

■ | 88 000 | | 11 à 15 €

Coopérative fondée en 1960, la cave Saint-Désirat représente à elle seule environ 40 % de la production en saint-joseph. Un acteur important de l'appellation donc, qui fait rimer quantité avec qualité.

Dans cette cave renommée, il y en a pour tous les palais: ceux qui apprécient le bois et les autres. Les Mariniers du Fleuve est une cuvée emblématique de la «coop» qui n'a pas connu la barrique. Sur le flacon, une reproduction d'un tableau d'Alexandre Dubuisson datant de 1843 illustre un attelage remontant le Rhône. Dans le verre, un vin complexe, un peu animal, puis ouvert sur les fruits compotés, la violette, les épices douces et la réglisse. La bouche offre beaucoup de matière, de volume et de fraîcheur, étayée par des tanins ronds et veloutés. ⧗ 2018-2022 🍴 daube de bœuf ■ **Septentrio 2014** ★ **(15 à 20 €; 72 000 b.)** : un vin encore sur le bois actuellement (notes de vanille et de cèdre), ample et suave en bouche, aux tanins fins et fondus. ⧗ 2019-2023 🍴 fondant au chocolat

o-- CAVE SAINT-DÉSIRAT, 07340 Saint-Désirat, tél. 04 75 34 22 05, maisondesvins@cave-saint-desirat.fr V *t.l.j. 9h-12h 14h-18h30*

Ⓑ CAVE DE TAIN Vin biologique 2014 ★★

■ | 9 300 | | 11 à 15 €

Créée en 1933 par Louis Gambert de Loche, la très qualitative cave coopérative de Tain-l'Hermitage rassemble 310 adhérents et vinifie à elle seule, avec plus de 1000 ha de vignes, environ 50 % des appellations de la vallée du Rhône septentrionale. Elle possède aussi 26 ha en propre, dont 21 ha en AOC hermitage. Une valeur sûre de la région, qui s'est dotée en 2014 de structures de production flambant neuves permettant de multiplier les sélections parcellaires.

La cave de Tain propose ici un très beau vin complet et équilibré, intensément bouqueté autour d'un fruité pur et net. Une sensation de pureté que l'on ressent également dans une bouche ronde, caressante et très longue, soutenue par des tanins de taffetas. ⧗ 2018-2022 🍴 rôti de veau aux aubergines ■ **Empreinte du Rhône 2015** ★ **(11 à 15 €; 6 000 b.)** : un 100 % marsanne énergique, intense, complexe (pomme, anis, fleurs blanches, agrumes), finement texturé et d'une grande fraîcheur. ⧗ 2017-2020 🍴 sole meunière

o-- CAVE DE TAIN, 22, rte de Larnage, CS 89721, 26602 Tain-l'Hermitage, tél. 04 75 08 20 87, contact@cavedetain.com V *r.-v.*

DOM. DU TUNNEL 2014

■ | 13 300 | | 15 à 20 €

Depuis son installation en 1994, Stéphane Robert, qui n'est pas issu du monde viticole, s'est imposé comme une référence dans le paysage des crus septentrionaux. Il a créé son vignoble de toutes pièces, aujourd'hui 11 ha très morcelés, avec des vignes en cornas, saint-joseph, saint-péray et condrieu. Des vignes qui longent une ancienne voie ferrée et un tunnel de 160 m, toujours visible, qui donne son nom au domaine et dans lequel ont été aménagés en 2013 une nouvelle cuverie et le chai d'élevage.

N'hésitez pas à laisser respirer un peu cette bouteille avant le service, une bonne aération gommera le côté animal et fermé qui se révèle à l'ouverture. On découvre ensuite un vin fruité et réglissé, long et bien structuré. Un vin qui gagnera aussi à vieillir. ⧗ 2018-2022 🍴 souris d'agneau confite

STÉPHANE ROBERT, Dom. du Tunnel, 20, rue de la République, 07130 Saint-Péray, tél. 04 75 80 04 66, domaine-du-tunnel@wanadoo.fr V r.-v.

DOM. VALLET Méribets 2014 ★

	22000		11 à 15 €

Ce domaine familial établi dans le village médiéval de Serrières a quitté la cave coopérative en 1990 pour vendre son vin en bouteille. Installé en 1998, Anthony Vallet a fait passer sa superficie de 2,9 ha à 12,7 ha aujourd'hui, en AOC saint-joseph et en condrieu.

C'est un vin surprenant pour le millésime avec sa robe sombre. Au nez, il déploie d'intenses notes poivrées. En bouche, il se montre puissant, plein et tannique et donne toute assurance pour un bon vieillissement. 2019-2026 civet de marcassin **Éphémère 2014 ★ (15 à 20 €; 1500 b.)** : un 100 % marsanne expressif (noisette, poire mûre, fleurs blanches), plein de fraîcheur en attaque, rond et gras dans son développement. Harmonieux. 2017-2020 poêlée de Saint-Jacques

DOM. ANTHONY VALLET, 694, La Croisette, RD 86, 07340 Serrières, tél. 06 09 26 45 91, domaine.vallet@orange.fr V r.-v.

FRANÇOIS VILLARD Mairlant 2013 ★★

	12500		20 à 30 €

Vigneron réputé de la vallée du Rhône nord, François Villard, ancien cuisinier, s'est installé en 1989 à Saint-Michel-sur-Rhône pour créer son vignoble: 33 ha aujourd'hui dans cinq crus, complétés par une petite activité d'achat de raisin. Dans son chai cathédrale naissent de beaux vins dans les deux couleurs.

Une vendange entière à 40 % et un élevage luxueux de vingt mois dans des fûts de deux à quatre vins président à l'élaboration de ce vin pourtant très concentré sur le fruit, avec une note de cuir en appoint. La bouche est puissante et dense, bâtie sur des tanins ciselés en finesse, et quelle longueur! 2019-2024 canette aux cèpes **Mairlant 2014 (20 à 30 €; 11000 b.)** : vin cité.

FRANÇOIS VILLARD, 330, rte du Réseau-Ange, 42410 Saint-Michel-sur-Rhône, tél. 04 74 56 83 60, vinsvillard@wanadoo.fr V r.-v.

CROZES-HERMITAGE

Superficie : 1 495 ha
Production : 67 000 hl (92 % rouge)

Cette appellation, couvrant des terrains moins difficiles à cultiver que ceux de l'hermitage, s'étend sur 11 communes environnant Tain-l'Hermitage. C'est le plus vaste vignoble des appellations septentrionales. Les sols, plus riches que ceux de l'hermitage, donnent à partir des mêmes cépages (syrah en rouge, marsanne et roussanne en blanc) des vins moins puissants, fruités et à servir jeunes. Rouges, ils sont assez souples et aromatiques; blancs, ils sont secs, frais et floraux, légers en couleur et, comme les hermitage blancs, ils iront parfaitement sur les poissons d'eau douce.

B ALÉOFANE 2014 ★

	3000		15 à 20 €

Depuis son installation en 2004 sur les terres de Mercurol, Natacha Chave s'affirme comme une valeur montante dans les appellations crozes-hermitage et saint-joseph. Elle dispose aujourd'hui d'un vignoble de 12 ha, conduit en bio certifié.

Mi-marsanne mi-roussanne, ce vin a été élevé pour 50 % de son volume dans des demi-muids et en cuve pour le reste afin de préserver la fraîcheur. Ce n'est pas pour autant un vin qui fait les choses à moitié, et à la fin, le compte y est. Le bouquet est très riche, avec notamment des arômes de raisins de Corinthe qui lui donnent un caractère confit. Une sensation de maturité que l'on retrouve autour de la pêche, du coing et de l'abricot dans un palais ample, généreux, gras et onctueux. 2016-2020 acras de morue

NATACHA CHAVE, Dom. Aléofane, 745, av. du Vercors, 26600 Mercurol, tél. 04 75 07 00 82, chavenatacha@yahoo.fr V r.-v.

DOM. BERNARD ANGE 2014

	10000		8 à 11 €

Vigneron en cave particulière depuis 1979, Bernard Ange a créé ce domaine en 1998, dont le vignoble couvre aujourd'hui 8 ha. Quelques curiosités ici: la cave est aménagée dans une ancienne carrière de pierres du XVIes. d'où l'on extrayait la molasse, propice au vieillissement des vins en fût de chêne; les chais sont établis dans un ancien hôtel-restaurant et un kiosque orné d'une fresque des années 1920 fait office de salle de dégustation aux beaux jours.

Bernard Ange a suffisamment de métier pour se déjouer d'un millésime difficile. Il le prouve avec ce 2014, qui respire le terroir à l'olfaction avec ses notes mentholées et terreuses. Le palais est fin et agréable, un brin chaleureux, avec en finale une pointe d'amertume qui apporte un surcroît de dynamisme. 2017-2020 coq au vin

BERNARD ANGE, Pont-de-l'Herbasse, 2590, rte du Merley, 26260 Clérieux, tél. 04 75 71 62 42, domaine_bernardange@orange.fr V *t.l.j. sf dim. 9h-12h15 13h30-19h*

J. BOUTIN Les Hauts Granites 2014

	8000		11 à 15 €

Une maison de création récente, fondée en 2007 par Stéphane Vedeau et sa mère Jeannine Boutin, qui proposent des vins des appellations crozes-hermitage, saint-joseph et côte-rôtie.

Pourquoi faire compliqué quand on peut faire simple? Ce crozes-hermitage sans chichi joue la carte du fruit (mûre, cassis) et des épices (muscade, poivre blanc), ainsi que celle de la souplesse et de la rondeur. Un vin qui recherche le plaisir immédiat. 2016-2019 paupiettes de veau à la tomate

⊶ JEANNINE BOUTIN, rte de Vinsobres, chem. Sainte-Croix, BP 80, 84602 Valréas, tél. 04 90 35 22 64, info@pointdecollection.com V ⚑ ▪ *t.l.j. sf sam. dim. 9h-12h 14h-18h; ven. 17h ⊶ M. Vedeau*

DOM. DE CHASSELVIN 2014 ★

■	9800	🍾	11 à 15 €

Dorothée et Étienne Chomarat ont créé le domaine en 2005, en reprenant les vignes d'un coopérateur. S'ensuivent la rénovation des vignes, des plantations et la construction d'une cave en 2006. Aujourd'hui, le vignoble s'étend sur 10 ha d'un seul tenant.

Les Chomarat présentent ici un vin léger certes – c'est l'effet millésime –, mais très frais et d'une belle intensité aromatique. On y perçoit des notes de cassis, de mûre, une touche de poivre et une petite note végétale pas désagréable. Souple et alerte, le palais s'appuie sur des tanins lisses et bien policés, qui se resserrent en finale et permettent d'envisager un bon vieillissement. ⧗ 2017-2021 🍷 sot-l'y-laisse de dinde au poivre ■ **2014 ★ (8 à 11 €; n.c.)** : un vin apprécié pour ses arômes bien mariés d'abricot et de cire d'abeille, pour son équilibre entre rondeur et fraîcheur et pour sa jolie finale minérale et épicée. ⧗ 2016-2019 🍷 lotte au safran

⊶ DOROTHÉE ET ÉTIENNE CHOMARAT, 10, chem. des Bosquets, 26600 Beaumont-Monteux, tél. 06 88 03 01 37, sceachomarat@wanadoo.fr V ⚑ ▪ *r.-v.*

CAVE DE CLAIRMONT Classique de Clairmont 2014

■	97000	🍾	8 à 11 €

Cette petite structure coopérative née en 1972 de l'union de trois familles rassemble aujourd'hui onze associés représentant sept familles, dont elle vinifie les 110 ha de vignes – exclusivement en crozes-hermitage.

Le nez, expressif, conjugue des arômes de cassis, d'épices et une touche végétale. Une attaque souple et fraîche ouvre sur un palais équilibré, qui conserve ce caractère fruité et s'appuie sur des tanins patinés, plus serrés en finale. ⧗ 2017-2021 🍷 magret de canard

⊶ CAVE DE CLAIRMONT, 755, rte des Vignes, 26600 Beaumont-Monteux, tél. 04 75 84 61 91, contact@cavedeclairmont.com V ⚑ ▪ *t.l.j. sf dim. 9h-12h 14h-18h*

♥ **DOM. DU COLOMBIER** Cuvée Gaby 2014 ★★

■	15000	🛢	20 à 30 €

Fort de 17 ha de vignes, Florent Viale élabore son propre vin depuis 1991, alors que son père vendait ses vendanges à la maison Guigal. Partisan d'une viticulture naturelle, il adopte une démarche proche du bio, mais sans certification. Il signe des hermitage et des crozes très réguliers en qualité.

Dans sa version 2014, la cuvée Gaby récolte les honneurs aussi bien en blanc qu'en rouge. À la pureté des arômes de fruits rouges viennent s'ajouter des notes d'épices douces et une pointe de minéralité. Une palette complexe prolongée par une bouche persistante, fraîche et charnue, structurée par des tanins élégants, affinés par un an de demi-muids. Bâtie pour durer. ⧗ 2019-2026 🍷 épaule d'agneau farcie ■ **Cuvée Gaby 2014 ★★ (20 à 30 €; 1500 b.)** : un 100 % marsanne confidentiel, et c'est bien là son seul défaut. Car le vin est bon, très bon même, ample, soyeux, complexe (fleurs blanches, fruits jaunes et fruits secs, poivre, boisé fin) et très minéral. ⧗ 2017-2020 🍷 risotto aux asperges et saint-jacques

⊶ DOM. DU COLOMBIER, SCEA Viale, 175, rte des Alpes, 26600 Mercurol, tél. 04 75 07 44 07, dom.ducolombier@gmail.com V ⚑ ▪ *r.-v.*

LE COTEAU DE LA BAUME 2014

■	25000	🛢🍾	11 à 15 €

Bourguignon d'origine et producteur en Côte de Nuits, Yves Cheron s'est installé en 2004 dans la vallée du Rhône. Propriétaire du Grand Montmirail à Gigondas, il possède deux domaines en crozes-hermitage: Les Hauts de Mercurol et le Dom. Michel Poinard, sur la commune de La Roche-de-Glun, complétés par une activité de négoce.

Un vin né sur un lieu-dit de Mercurol qui a divisé les dégustateurs, sur le mode « bataille des anciens contre les modernes ». Les amateurs de vins boisés louent le beau travail d'élevage, perceptible à travers d'intenses notes grillées et vanillées; d'autres regrettent l'absence de fruit. Tous s'accordent en revanche sur le joli volume de ce crozes, sur le sérieux de ses tanins et sur son potentiel. ⧗ 2019-2023 🍷 entrecôte grillée

⊶ SCEA DE LA TOUR, quartier de la Baume, 26600 Mercurol, tél. 04 90 65 85 91 V ▪ *r.-v. ⊶ Famille Cheron*

YVES CUILLERON Les Deux Terrasses 2013 ★

■	5300	🛢	20 à 30 €

Une référence de la vallée du Rhône nord, notamment pour ses condrieu. Établi à Chavanay, Yves Cuilleron a repris en 1987 la propriété créée en 1920 par son grand-père paternel, puis gérée par son oncle Antoine. Il a progressivement agrandi le domaine (60 ha aujourd'hui), planté à haute densité et conduit de manière très raisonnée sur la rive droite du Rhône (condrieu, côte-rôtie, saint-joseph, saint-péray et cornas) et, depuis 2012, sur la rive gauche (crozes-hermitage).

Yves Cuilleron élabore toujours ses vins dans l'optique de la garde. Celui-ci ne fait pas exception. L'élevage, long (dix-huit mois) et bien maîtrisé, masque certes encore le raisin, mais on devine une recherche de maturité optimale, perceptible à travers des notes intenses de fruits noirs mûrs à souhait et relevés d'épices. Mêmes sensations en bouche: du fruit confituré, des épices, des tanins veloutés, ainsi qu'une belle minéralité qui apporte de la fraîcheur et de l'allonge. ⧗ 2019-2024 🍷 canard à l'orange

YVES CUILLERON, 58, RD 1086, Verlieu, 42410 Chavanay, tél. 04 74 87 02 37, cave@cuilleron.com V r.-v.

♥ EMMANUEL DARNAUD
Les Trois Chênes 2013 ★★

■ | 30 000 | | 15 à 20 €

L'histoire vigneronne d'Emmanuel Darnaud débute en 2001 avec 1,5 ha de vignes en fermage sur l'appellation crozes-hermitage. Agrandi progressivement, le domaine couvre aujourd'hui 15 ha, avec des parcelles en saint-joseph, et fait preuve d'une belle constance dans la qualité avec ses sélections parcellaires.

Cette cuvée souvent en vue dans ces pages décroche son premier coup de cœur, faisant écho à la Mise en bouche 2009. Emmanuel Darnaud signe ici un vin intense, sur les fruits rouges confiturés relevés de fines notes épicées, ample, rond et puissant en bouche, construit sur une belle matière première qui reflète une parfaite maîtrise de la vendange et de l'élevage. ⌛ 2019-2026 🍴 agneau de lait rôti aux herbes

EARL EMMANUEL DARNAUD, 21, rue du Stade, Lot. Rémy-Sottet, 26600 La Roche-de-Glun, tél. 04 75 84 81 64, emmanuel.darnaud26@orange.fr V r.-v.

DAUVERGNE RANVIER Grand Vin 2014 ★

■ | 50 000 | | 8 à 11 €

Créée en 2004 par François Dauvergne et Jean-François Ranvier, professionnels du vin qui ont décidé d'élaborer leurs propres cuvées après avoir œuvré chez les autres, cette maison de négoce s'affirme d'année en année à travers une gamme de qualité issue de sélections parcellaires. En 2013, les deux compères ont repris l'exploitation du Dom. des Muretins (tavel et lirac).

Louis Jouvet critiquait l'obsession de la boursouflure dans le jeu des acteurs; les compères Dauvergne et Ranvier évitent cet écueil en matière de vin: ils ne «surjouent» pas avec cette cuvée et respectent le profil du millésime avec ce crozes harmonieux qui s'exprime sur le fruit, la souplesse et la légèreté. Une valse de Strauss, pour prolonger la métaphore artistique... ⌛ 2016-2019 🍴 sauté de lapin aux olives

DAUVERGNE RANVIER, Ch. Saint-Maurice, RN 580, 30290 Laudun-l'Ardoise, tél. 04 66 82 96 57, francois.dauvergne@dauvergne-ranvier.com

Ⓑ DOM. DES ENTREFAUX Les Pends 2014

■ | 10 000 | | 15 à 20 €

Sous l'étiquette Entrefaux ou Charles et Françoise Tardy, ce domaine de 26 ha, fondé en 1960 et dont les Tardy ont créé la marque en 1979, s'est imposé comme un spécialiste des crozes-hermitage, très réguliers en qualité. La conversion bio est achevée.

De jeunes vignes de onze ans plantées sur le coteau des Pends sont à l'origine de ce vin fruité et légèrement boisé (passage en foudre et fût de quinze mois) au nez comme en bouche, équilibré et de bonne longueur. On pourra l'attendre un peu. ⌛ 2018-2021 🍴 tajine de veau

DOM. DES ENTREFAUX, 1050, chem. de Veaunes, 26600 Chanos-Curson, tél. 04 75 07 33 38, entrefaux@wanadoo.fr V r.-v. *Tardy*

FAYOLLE FILS ET FILLE
Clos Les Cornirets Vieilles Vignes 2013 ★★

■ | 4 000 | | 15 à 20 €

En 2002, Laurent Fayolle et sa sœur Céline ont repris le domaine familial créé en 1870, l'un des premiers à avoir vendu son vin en bouteilles (1959). Le vignoble s'étend aujourd'hui sur près de 10 ha planté essentiellement de vieilles vignes, en hermitage, crozes et saint-péray, exploité dans l'esprit bio mais sans certification.

C'est dans le chai entièrement rénové, avec une réception gravitaire et un nouveau système de froid, que les Fayolle ont vinifié ce 2013. Le résultat est impeccable; tout est maîtrisé, de la vendange à l'élevage. Au nez, de délicates notes de fruits rouges, d'eucalyptus et de boisé fin. En bouche, une même complexité aromatique, de la chair et de la fraîcheur, de la puissance aussi, mais sans dureté. Un beau vin de garde, complet et très équilibré. ⌛ 2019-2026 🍴 épaule d'agneau aux herbes

DOM. FAYOLLE FILS ET FILLE, 9, rue du Ruisseau, 26600 Gervans, tél. 04 75 03 33 74, contact@fayolle-filsetfille.fr V *t.l.j. sf dim. 9h-12h 13h30-17h30*

Ⓑ LAURENT HABRARD 2014 ★

■ | 60 000 | | 11 à 15 €

Laurent Habrard, installé en 1998, représente la cinquième génération à conduire le vignoble familial, étendu aujourd'hui sur 15 ha et converti à l'agriculture biologique depuis 2008.

Dans ce millésime, le vigneron a pris le parti d'élaborer un «vin plaisir» (vinifié sans soufre), que l'on pourra boire dans sa jeunesse, même s'il supportera la garde. Au nez comme en bouche, on aime son côté frais, bien fruité (fraise, cassis) et épicé (cannelle), ses tanins souples et ronds, son volume. ⌛ 2017-2021 🍴 boudin noir

DOM. HABRARD, 10, rte des Blancs, 26600 Gervans, tél. 06 60 61 60 26, laurent@domainehabrard.com V r.-v.

PHILIPPE ET VINCENT JABOULET 2013

■ | 30 000 | | 11 à 15 €

Philippe Jaboulet et son fils Vincent ont décidé de poursuivre l'aventure viticole après la vente de la maison familiale Paul Jaboulet Aîné à la famille Frey. Ainsi se sont-ils installés en 2005 sur une partie du domaine de Collonge, à la tête de 30 ha en crozes-hermitage, hermitage et cornas.

Les Jaboulet ont adapté leur élevage au millésime avec seulement douze mois de foudres et de barriques de plusieurs vins pour 20 % de la cuvée. Cela donne un crozes bien typé, sur le fruit, souple et frais, accessible rapidement, sans exubérance et sans recherche d'extraction. N'est-ce pas là le respect de la vendange? ⧗ 2016-2020 ⍡ poulet basquaise

⊶ PHILIPPE ET VINCENT JABOULET, 920, rte de la Négociale, 26600 Mercurol, tél. 04 75 07 44 32, jabouletphilippeetvincent@wanadoo.fr V ⊠ ⊠ *r.-v.*

DOM. GAYLORD MACHON Cuvée Ghany 2014 ★

■ | 11300 | ⊕ ⊠ | 11 à 15 €

Marcel, le grand-père, a fait son vin jusqu'en 1956. Ses fils ont ensuite porté les vendanges du domaine familial à la coopérative de Tain. En 2002, Gaylord Machon reprend le vignoble (5 ha à l'époque, en crozes-hermitage, 8,5 aujourd'hui), sort de la cave en 2008 et signe sa première cuvée en 2011. À suivre…

Gaylord Machon confirme les bonnes impressions laissées l'an dernier par ses cuvées: La fille dont j'ai rêvé (blanc 2013) et Ghany (rouge 2013 qui porte le prénom de son fils aîné). Il signe ici un vin complexe avec ses senteurs de burlat mûre, de poivre noir et de toasté. L'attaque est souple, le développement équilibré entre une fine fraîcheur et une rondeur aimable renforcée par des tanins lisses et soyeux. Une bouteille que l'on pourra ouvrir sans trop attendre. ⧗ 2017-2021 ⍡ volaille truffée ■ **Cuvée Lhony 2014 (15 à 20 €; 4000 b.)** : vin cité.

⊶ GAYLORD MACHON, 4 rte des Vignes, 26600 Beaumont-Monteux, tél. 06 11 16 41 35, gaylord.machon@free.fr V *r.-v.*

DOM. DES MARTINELLES 2014 ★

■ | 22000 | ⊕ | 8 à 11 €

Les Fayolle sont établis depuis le XVe s. à Gervans. Une longue histoire vigneronne poursuivie depuis 1998 par Pascal Fayolle, rejoint par son épouse Nadia en 2002, aujourd'hui à la tête d'un vignoble de 22 ha en AOC hermitage, crozes et saint-joseph.

D'un beau rouge framboise brillant et limpide, ce 2014 joue la discrétion sur le plan aromatique: mûre, épices, boisé délicat. Dans le droit fil de l'olfaction mais avec plus d'intensité, la bouche se révèle ample et bien équilibrée entre fraîcheur, alcool et tanins soyeux. Tout est au diapason. ⧗ 2017-2022 ⍡ bœuf bourguignon ■ **2015 ★ (8 à 11 €; 8000 b.)** : un vin «très acacia» au nez, riche et tout en rondeur en bouche, agrémenté d'une touche beurrée due au passage en fût. ⧗ 2016-2019 ⍡ tajine de poisson

⊶ SCEA DOM. DES MARTINELLES, 2, rte des Vignes, 26600 Gervans, tél. 04 75 07 70 60, contact@domaine-des-martinelles.fr V ⊠ *r.-v. ⊶ Pascal Fayolle*

DOM. MELODY Étoile noire 2014 ★★

■ | 5500 | ⊕ | 15 à 20 €

Ce jeune domaine de 17 ha (avec le bio dans le viseur), implanté sur trois terroirs plantés de vignes âgées de cinq à soixante ans, est né en 2010 de la rencontre entre trois vignerons, Marlène Durand, Marc Romak et Denis Larivière, qui semblent maîtriser leur sujet au vu de leurs premières cuvées très convaincantes. À suivre de près.

Cette Étoile noire brille cette année encore de mille feux (coup de cœur dans les versions 2011 et 2012), d'autant plus que le millésime ne fut pas des plus joyeux. Dans le verre, un vin très expressif, sur le cassis très mûr et le poivre noir agrémentés d'un boisé savamment dosé. En bouche, un fruité large, beaucoup de fraîcheur et de netteté, des tanins soyeux qui se resserrent un peu en finale. Un crozes riche, puissant et racé. ⧗ 2018-2023 ⍡ daube de bœuf ■ **Premier Regard 2014 ★ (11 à 15 €; 13000 b.)** : la première cuvée produite sur le domaine, en 2010. Le 2014 est un vin plus léger que l'Étoile noire, mais tout de même bien charpenté par des tanins fins et un boisé ajusté. ⧗ 2017-2021 ⍡ brochette d'agneau

⊶ DOM. MELODY, 570, chem. des Limites, 26600 Mercurol, tél. 04 75 08 16 51, lariviere.mm@hotmail.fr V ⊠ ⊠ *r.-v.*

DOM. MICHELAS-SAINT-JEMMS Terres d'Arce 2014

■ | 1400 | ⊕ | 20 à 30 €

Fondée en 1972 par Robert et Yvette Michelas, cette exploitation ne compte pas moins de 53 ha répartis dans quatre appellations. Les enfants – Sylvie, Corinne, Florence et Sébastien – sont désormais aux commandes. Régulièrement en vue pour ses crozes et ses cornas.

Créée en 2003 et tirant son nom du marquis d'Arce, qui fut propriétaire de certaines parcelles du domaine, cette cuvée confidentielle déploie des arômes intenses et bien typés de fruits rouges mûrs, de poivre noir et de vanille. La bouche est riche, puissante, «tactile», étayée par des tanins patinés et par un boisé élégant. De bonne garde. ⧗ 2019-2023 ⍡ gigot de sept heures ■ **La Chasselière 2014 (15 à 20 €; 15000 b.)** : vin cité.

⊶ DOM. MICHELAS-SAINT-JEMMS, 557, rte de Bellevue, 26600 Mercurol, tél. 04 75 07 86 70, michelas.st.jemms@orange.fr V ⊠ *t.l.j. sf dim. 9h-12h 14h-18h*

DOM. DU MURINAIS Les Amandiers 2014 ★★

■ | 44000 | ⊠ | 11 à 15 €

Cette exploitation viticole, dans la même famille depuis 1774, livrait ses raisins à la coopérative ou au négoce jusqu'en 1998 et l'installation de Luc Tardy. Ce dernier a progressivement développé la vente en bouteilles et conduit aujourd'hui un vignoble de 17 ha.

De jeunes ceps de seize ans et pas une once de bois pour ce vin, seulement une belle vendange bien mûre. Cela donne un crozes intense et franc à l'olfaction, sur les fruits rouges et noirs et les épices, ample, riche, dense et frais en bouche, souligné par une fine pointe minérale. Du potentiel. ⧗ 2018-2024 ⍡ tarte au boudin noir

⊶ DOM. DU MURINAIS, 1890, rte du Laboureur, 26600 Beaumont-Monteux, tél. 09 67 63 49 93, domaineluctardy@gmail.com V ⊠ ⊠ *t.l.j. sf dim. 9h-19h ⊶ Luc Tardy*

OGIER Oratorio 2014 ★

■ | 14000 | ⊠ | 15 à 20 €

Cette vénérable maison castelpapale de négoce-éleveur (1859), dans le giron du groupe Advini, propose une large gamme de vins rhodaniens, du nord et du sud. Elle possède aussi le Clos de l'Oratoire des

papes (châteauneuf) et le domaine Notre-Dame de Cousignac (vivarais).

Le vin ne se livre pas aisément, et il faut savoir lire entre les lignes. Peu expressif pour l'heure (quelques notes de fruits à l'aération), il plaît avant tout par son équilibre en bouche, ses tanins serrés, sa fine minéralité et par ses arômes délicatement épicés. Attendre un peu avant qu'il ne s'ouvre. ⧗ 2019-2022 ♈ curry d'agneau

⊶ OGIER, 10, av. Louis-Pasteur, BP 75, 84230 Châteauneuf-du-Pape, tél. 04 90 39 32 41, ogier@ogier.fr V t.l.j. sf dim. 9h-12h 14h-18h30

DOM. PRADELLE 2015 ★

■	10 000		8 à 11 €

Les Pradelle cultivent la vigne à Chanos depuis le milieu du XIXᵉs. et sept générations. Ce sont aujourd'hui Jean-Louis et son fils Antoine qui sont aux commandes du domaine, dont le vignoble couvre 38 ha en appellations crozes-hermitage et saint-joseph.

Pas de fermentation malolactique dans ce vin pour garder de la fraîcheur. De fait, bien qu'encore un peu sur la réserve, il associe au nez des notes vives de pomme verte à de plus douces senteurs florales (aubépine) et déploie un palais alerte et fin, centré sur le fruit et rehaussé par de beaux amers en finale. ⧗ 2016-2019 ♈ crabe farci

⊶ DOM. PRADELLE, 5, rue du Riou, 26600 Chanos-Curson, tél. 04 75 07 31 00, domainepradelle@yahoo.fr V t.l.j. 8h-12h 13h30-18h

♥ DOM. DES REMIZIÈRES Cuvée Christophe 2014 ★★

■	22 000		11 à 15 €

Jusqu'en 1973, Alphonse Desmeure apportait sa vendange à la coopérative. Son fils Philippe développe la propriété à partir de 1977, généralise la production en bouteilles et accroît le vignoble: 34 ha aujourd'hui, disséminés sur plusieurs communes et conduits en bio non certifié avec ses enfants, Émilie et Christophe. Une référence incontournable, avec des vins d'une rare constance. Une activité de négoce a été créée en 2010 afin de diversifier la production dans d'autres appellations.

Après un double coup de cœur l'an dernier avec cette même cuvée Christophe en blanc 2013 et, dans le même millésime, avec sa cuvée Particulière en rouge, le domaine maintient le même niveau d'excellence avec ce 2014 né de vénérables ceps de soixante ans. La robe est profonde, aux reflets violines, et le nez très complexe, légèrement animal de prime abord, puis ouvert sur le cassis, le moka, le cacao et une pincée de poivre. Une approche olfactive irréprochable qui trouve un écho intense dans une bouche fraîche en attaque, volumineuse, structurée par des tanins fermes et fins et par un élevage présent mais pas dominant. ⧗ 2019-2026 ♈ pluma de porc ibérique au thym ■ **Cuvée Christophe 2014 ★★ (11 à 15 €; 9 000 b.)** : un blanc très gourmand né de marsanne (85 %) et de roussanne, ample, riche, gras et expressif, sur des notes beurrées et briochées, florales et épicées. ⧗ 2017-2021 ♈ ris de veau à la crème

⊶ CAVE DESMEURE, Dom. des Remizières, 1459, av. du Vercors, 26600 Mercurol, tél. 04 75 07 44 28, contact@domaineremizieres.com V r.-v.

Ⓑ DAVID REYNAUD Georges 2014 ★★

■	45 000		15 à 20 €

Ce domaine familial livrait sa vendange à la coopérative de Tain jusqu'en 2003. David Reynaud, installé en 2000 avec sa mère, conduit aujourd'hui, en solo, en bio et en biodynamie, un vignoble de 38 ha. Régulièrement en vue pour ses crozes-hermitage.

Pour ce crozes, 50 % du vin ont été passés en fût pendant un an, l'autre moitié restant en cuve. Grâce à quoi, ce 2014 manifeste un boisé léger mais surtout une agréable complexité aromatique autour de la mûre, de la framboise et des épices, et offre un joli toucher en bouche, avec des tanins fins et veloutés et un aimable côté charnu. Une touche minérale soutient l'ensemble et renforce son déjà solide potentiel de garde. ⧗ 2019-2026 ♈ canard laqué

⊶ DAVID REYNAUD, 12, chem. du Stade, 26600 Beaumont-Monteux, tél. 04 75 84 74 14, contact@domainelesbruyeres.fr V t.l.j. sf dim. 9h-12h 14h-18h; sam. 9h-12h

DOM. DES SEPT CHEMINS Tradition 2014 ★

■	50 000		11 à 15 €

Ravagé par le phylloxéra au début du XXᵉs., ce domaine a été acquis dans les années 1930 par les Buffière qui ont replanté une partie du vignoble (21 ha aujourd'hui) et se sont diversifiés vers la production fruitière. Il est conduit depuis 2010 par la quatrième génération, les frères Jérôme et Rémy Buffière.

Ce domaine tire son épingle du jeu avec ce crozes gourmand et très expressif (vanillé léger, fruits rouges frais et d'autres plus mûrs), suave, souple et élégant en bouche, bâti sur des tanins fondus et soyeux. ⧗ 2016-2019 ♈ noisette de veau au romarin ■ **2014 ★ (11 à 15 €; 6 000 b.)** : un assemblage marsanne-roussanne (80-20) généreux et suave, centré sur des notes de cire d'abeille, de fruits secs et de toasté. ⧗ 2016-2019 ♈ colombo de poisson

⊶ GAEC JÉRÔME ET RÉMY BUFFIÈRE, 200, rte des Sept-Chemins, 26600 Pont-de-l'Isère, tél. 04 75 84 75 55, domainebuffiere@hotmail.fr V r.-v.

CAVE DE TAIN Les Hauts du Fief 2014 ★★

■	42 000		15 à 20 €

Créée en 1933 par Louis Gambert de Loche, la très qualitative cave coopérative de Tain-l'Hermitage rassemble 310 adhérents et vinifie à elle seule, avec plus de 1000 ha de vignes, environ 50 % des appellations de la vallée du Rhône septentrionale. Elle possède aussi 26 ha en propre, dont 21 ha en AOC hermitage. Une valeur sûre de la région, qui s'est dotée en

2014 de structures de production flambant neuves permettant de multiplier les sélections parcellaires.

Comme à son habitude, l'excellente cave de Tain signe une belle série de crozes. En tête, ce Hauts du Fief ouvert sur des notes de cassis, de mûre et de boîte à cigares, volumineux, concentré et bien bâti autour de tanins élégants et d'un boisé soutenu mais racé. Paré pour la garde. ⧗ 2019-2026 🍴 rôti de canard aux cèpes ■ **Esprit du Fief 2014 ★ (15 à 20 €; 42000 b.)** : un bouquet un brin animal, puis des arômes de cassis, de framboise, de noix muscade et de tabac blond à l'aération; une bouche ample et riche, encore un peu marquée par l'élevage en fût. ⧗ 2018-2022 🍴 curry d'agneau □ **Les Hauts d'Eole 2015 ★ (11 à 15 €; 15000 b.)** : un vin finement bouqueté autour de la pêche blanche et du toasté de la barrique, rond et gras en bouche, avec en soutien une fine fraîcheur minérale. ⧗ 2016-2019 🍴 terrine de Saint-Jacques ■ **Vin biologique 2014 (11 à 15 €; 10400 b.)** Ⓑ : vin cité.

CAVE DE TAIN, 22, rte de Larnage, CS 89721, 26602 Tain-l'Hermitage, tél. 04 75 08 20 87, contact@cavedetain.com V r.-v.

♥ DOM. DE THALABERT 2013 ★★

■	80000		20 à 30 €

Fondée en 1834, la vénérable maison Paul Jaboulet Aîné propose une large gamme issue de son négoce et de sa centaine d'hectares (en conversion bio) répartis dans plusieurs domaines septentrionaux, dont le mythique La Chapelle en hermitage. Rachetée en 2006 par la famille Frey, propriétaire en Champagne et dans le Bordelais (La Lagune), elle est dirigée par Caroline Frey.

L'une des plus anciennes propriétés de la maison de négoce Jaboulet Aîné. Caroline Frey signe un 2013 né de vénérables ceps de cinquante ans unanimement salué pour son équilibre. D'un seyant rubis profond, ce crozes s'ouvre sur les fruits noirs et rouges mûrs, les épices et un boisé vanillé discret. Il règne la même harmonie dans une bouche ample, longue et très fraîche, aux tanins tendres et veloutés. Un vin de garde qui reflète une belle maturité du raisin, pas poussée à l'extrême mais juste comme il faut, et un élevage parfaitement maîtrisé. ⧗ 2019-2026 🍴 pressé de pintade aux petits légumes

DOM. PAUL JABOULET AÎNÉ, RN 7, Les Jalets, BP 46, 26600 Tain-l'Hermitage, tél. 04 75 84 68 93, info@jaboulet.com V *t.l.j. sf lun. 10h-19h* *Caroline Frey*

LES VINS DE VIENNE Les Palignons 2013 ★★

■	n.c.		20 à 30 €

Pour faire renaître le vignoble de Seyssuel situé en amont de Vienne, trois vignerons de renom, Yves Cuilleron, Pierre Gaillard et François Villard, ont créé cette affaire en 1996, à l'origine de beaux vins de propriété – IGP à Seyssuel, sélections parcellaires en AOC septentrionales – et de vins de négoce de toute la vallée.

Certes, il faut aérer ce vin, longuement, mais la patience est récompensée: quelle intensité autour des fruits mûrs et des épices, au nez comme en bouche! On sent également une parfaite maîtrise de l'élevage à travers un boisé fin qui vient sublimer la matière première, volumineuse, dense et soyeuse. Du velours dans le verre et du potentiel à revendre. ⧗ 2019-2026 🍴 daube de bœuf

LES VINS DE VIENNE, 1, ZA de Jassoux, 42410 Chavanay, tél. 04 74 85 04 52, contact@lesvinsdevienne.fr V *r.-v.*

HERMITAGE

Superficie : 135 ha
Production : 4 365 hl (75 % rouge)

Le coteau de l'Hermitage, très bien exposé au sud, est situé au nord-est de Tain-l'Hermitage. La culture de la vigne y remonte au IVᵉs. av. J.-C., mais on attribue l'origine du nom de l'appellation au chevalier Gaspard de Sterimberg qui, revenant de la croisade contre les Albigeois en 1224, décida de se retirer du monde. Il édifia un ermitage, défricha et planta de la vigne.

Le massif de Tain est constitué à l'ouest d'arènes granitiques, terrain propice à la syrah (les Bessards). Plantées de roussanne et surtout de marsanne, les parties est et sud-est de l'appellation, formées de cailloutis et de lœss, ont vocation à produire des vins blancs (les Rocoules, les Murets).

L'hermitage rouge est un très grand vin de garde, tannique, extrêmement aromatique, qui demande un vieillissement de cinq à dix ans, voire de vingt ans, avant de développer un bouquet d'une richesse et d'une qualité rares. On le servira entre 16 °C et 18 °C, sur du gibier ou des viandes rouges. L'hermitage blanc est un vin très fin, peu acide, souple, gras et parfumé. Il peut être apprécié dès la première année mais atteindra son plein épanouissement après un vieillissement de cinq à dix ans. Cependant, les grandes années, en blanc comme en rouge, peuvent supporter une garde de trente ou quarante ans.

DOM. BELLE 2014

□	2000		30 à 50 €

Un domaine familial établi sur les anciennes terres seigneuriales de Larnage, sorti du système coopératif en 1990 et dirigé depuis 2003 par Philippe Belle, à la tête de 25 ha de vignes répartis dans six communes et trois appellations (hermitage, crozes et saint-joseph). La conversion bio est engagée depuis 2014.

Fleurs blanches, ananas et mangue très mûrs, miel, le nez de cet hermitage est généreux et suave. Le prélude à un palais dense, très rond, très gras, auquel manque une pointe de vivacité supplémentaire pour décrocher l'étoile. Mais l'ensemble reste agréable et prometteur. ⧗ 2018-2023 🍴 blanquette de lotte

DOM. BELLE, 510, rue de la Croix, 26600 Larnage, tél. 04 75 08 24 58, contact@domainebelle.com V *r.-v.*

♥ JEAN-LOUIS CHAVE 2013 ★★

	n.c.		+ de 100 €

Au XVe s. déjà, les Chave cultivaient la vigne à Mauves. Aujourd'hui, Jean-Louis, fils de Gérard Chave, dirige un domaine de 12 ha dédié à l'hermitage. La réputation de ses vins dépasse depuis longtemps les frontières de l'Europe grâce à son travail méticuleux à la vigne comme au chai. Les vendanges sont toujours tardives pour récolter le raisin à parfaite maturité, et le travail à la cave privilégie une vinification et un élevage séparés pour chaque terroir.

Paré d'une élégante robe jaune doré, le 2013 de Jean-Louis Chave est sans nul doute issu d'une vendange bien mûre à en juger par son bouquet intense et complexe de cire d'abeille et de boisé délicat, puis de raisin sec, d'amande grillée, de violette et de freesia. À la fois puissante et harmonieuse, la bouche offre beaucoup de gras et de densité tout en déployant une fine acidité qui étire la finale, centrée sur des notes élégantes de bois de santal. ⧗ 2020-2030 🍴 ris de veau à la crème ■ **2013 ★★ (+ de 100 €; n.c.)** : plus fermé qu'à l'accoutumée, le rouge de la maison s'ouvre très doucement à l'aération sur les fruits noirs, les épices et les notes toastées et fumées de la barrique. En bouche, on découvre un vin au volume imposant, très robuste, de grande concentration, avec en soutien la fraîcheur du millésime. Bâti pour une très longue garde. ⧗ 2020-2035 🍴 filet de chevreuil à la truffe

⊶ JEAN-LOUIS CHAVE, 37, av. du Saint-Joseph, 07300 Mauves, tél. 04 75 08 24 63

DELAS Les Bessards 2013

■	4000		+ de 100 €

Maison fondée en 1835, propriété depuis 1977 du Champagne Deutz (groupe Roederer). Sous la direction de Fabrice Rosset et de son directeur technique Jacques Grange, elle dispose de 30 ha en propre dans les AOC septentrionales, complétés par des achats de raisin, la gamme méridionale provenant de la partie négociant-éleveur.

L'une des cuvées phares de la maison, née de raisins plantés sur le lieu-dit les Bessards, un coteau granitique situé au sud-ouest de la colline de l'Hermitage. Le boisé de dix-huit mois marque encore pleinement le vin et masque pour l'heure sa finesse. Mais le potentiel est là, autour d'un bon volume et de tanins fermes. Le temps doit faire son œuvre… ⧗ 2019-2026 🍴 civet de lièvre

⊶ DELAS FRÈRES, 2A de l'Olivet, 07300 Saint-Jean-de-Muzols, tél. 04 75 08 60 30, contact@delas.com V t.l.j. 9h30-12h 14h30-18h30; f. dim. sept.-juin
⊶ Champagne Deutz

DOM. PHILIPPE ET VINCENT JABOULET Ermitage 2013 ★

■	3000		30 à 50 €

Philippe Jaboulet et son fils Vincent ont décidé de poursuivre l'aventure viticole après la vente de la maison familiale Paul Jaboulet Aîné à la famille Frey. Ainsi se sont-ils installés en 2005 sur une partie du domaine de Collonge, à la tête de 30 ha en crozes-hermitage, hermitage et cornas.

C'est un vin élégant et franc qui nous est proposé ici, bien dans le ton de ce que l'on attend d'un hermitage. Au nez, la finesse des arômes de cassis est rehaussée par un côté minéral que l'on retrouve dans une bouche harmonieuse, ample, délicate et longue, bâtie sur des tanins fins et serrés. ⧗ 2019-2026 🍴 poularde aux truffes noires

⊶ PHILIPPE ET VINCENT JABOULET, 920, rte de la Négociale, 26600 Mercurol, tél. 04 75 07 44 32, jabouletphilippeetvincent@wanadoo.fr V r.-v.

DOM. DES REMIZIÈRES Cuvée Émilie 2014

■	8200		30 à 50 €

Jusqu'en 1973, Alphonse Desmeure apportait sa vendange à la coopérative. Son fils Philippe développe la propriété à partir de 1977, généralise la production en bouteilles et accroît le vignoble: 34 ha aujourd'hui, disséminés sur plusieurs communes et conduits en bio non certifié avec ses enfants, Émilie et Christophe. Une référence incontournable, avec des vins d'une rare constance. Une activité de négoce a été créée en 2010 afin de diversifier la production dans d'autres appellations.

Passé une petite note animale au premier nez, cette cuvée s'ouvre plus franchement sur les fruits rouges écrasés, les épices et la réglisse. En bouche, elle offre de la fraîcheur et de la souplesse autour de tanins fins et fondus. Un hermitage pas très concentré mais plaisant, bien dans le ton du millésime. ⧗ 2018-2022 🍴 rôti de veau aux cèpes ■ **Cuvée Émilie 2014 (30 à 50 €; 1800 b.)** : vin cité.

⊶ CAVE DESMEURE, Dom. des Remizières, 1459, av. du Vercors, 26600 Mercurol, tél. 04 75 07 44 28, contact@domaineremizieres.com V r.-v.

♥ CAVE DE TAIN Gambert de Loche 2013 ★★

■	9600		50 à 75 €

Créée en 1933 par Louis Gambert de Loche, la très qualitative cave coopérative de Tain-l'Hermitage rassemble 310 adhérents et vinifie à elle seule, avec plus de 1000 ha de vignes, environ 50 % des appellations de la vallée du Rhône septentrionale. Elle possède aussi 26 ha en propre, dont 21 ha en AOC hermitage. Une valeur sûre de la région, qui s'est dotée en 2014 de structures de production flambant neuves permettant de multiplier les sélections parcellaires.

Le haut de gamme de cette cave et l'un des sommets de cette sélection. Possédant un potentiel de garde assez exceptionnel, cet hermitage impressionne d'emblée par sa complexité aromatique autour de senteurs de garrigue, de cardamone, de sous-bois, d'épices, de fruits noirs... La bouche conjugue une maturité optimale des raisins, une grande fraîcheur, un volume imposant et des tanins d'une finesse remarquable. Force et élégance. ⌛ 2019-2030 🍴 ris de veau aux cèpes ■ **Grand Classique 2014 ★ (20 à 30 €; 14000 b.)** : un vin bien construit, ample et charpenté pour la garde, mais sans une matière trop imposante, boisé avec mesure. ⌛ 2019-2026 🍴 magret de canard ■ **Les Petites Cabanes 2014 ★ (20 à 30 €; 15000 b.)** : un vin de matière, boisé, volumineux et solide, qui demande à se fondre. ⌛ 2019-2026 🍴 côte de bœuf ■ **Vin biologique 2014 (30 à 50 €; 15000 b.)** Ⓑ : vin cité.

⊶ CAVE DE TAIN, 22, rte de Larnage, CS 89721, 26602 Tain-l'Hermitage, tél. 04 75 08 20 87, contact@cavedetain.com V r.-v.

CORNAS

Superficie : 115 ha / Production : 4 210 hl

En face de Valence, l'appellation s'étend sur la seule commune de Cornas. Les sols, en pente assez forte, sont composés d'arènes granitiques, maintenues en place par des murets. Issu de syrah récoltée à faibles rendements (30 hl/ha), le cornas est un vin rouge viril, charpenté, qu'il faut faire vieillir au moins trois années – mais il peut attendre parfois beaucoup plus – afin qu'il puisse exprimer ses arômes fruités et épicés sur des viandes rouges et du gibier.

DOM. A. CLAPE 2014 ★

■	n.c.		+ de 100 €

Sous des noms divers, ce domaine phare de l'appellation cornas a plus de deux cent cinquante ans d'existence. Pierre Clape, installé en 1990 à la suite de son père Auguste, perpétue avec talent la tradition familiale, accompagné par son fils Olivier. Vigneron discret et peu interventionniste, il pratique l'élevage long en foudre ancien pour une expression aboutie de la syrah. Sur un vignoble de 8,5 ha, il en consacre 3,5 à son «grand vin».

Les fondamentaux du domaine sont bien présents dans le 2014: robe dense et profonde, minéralité apportant beaucoup de fraîcheur et de tenue. On y perçoit aussi une maturité du raisin poussée à son optimum dans ce millésime pourtant difficile, à travers des arômes puissants de fruits noirs confits agrémentés de menthe poivrée et d'un bon vanillé. En définitive, ce vin laisse une impression rassurante de plénitude, de force contrôlée. ⌛ 2019-2026 🍴 gigot d'agneau aux cèpes

⊶ DOM. A. CLAPE, 146, av. Colonel-Rousset, 07130 Cornas, tél. 04 75 40 33 64 r.-v.

DOM. COURBIS Les Eygats 2014 ★

■	5000		30 à 50 €

Une valeur sûre de la vallée du Rhône septentrionale, notamment dans les AOC cornas et saint-joseph. Dominique et Laurent Courbis conduisent depuis la fin des années 1980, à la suite de leur père, un domaine de 33 ha dont les origines remontent au XVIe s. L'essentiel des vignes est perché sur des coteaux très abrupts à plus de 250 m d'altitude.

Un beau classique de l'appellation, souvent en vue dans ces pages, bien dans le style maison. Comme toujours, un élevage luxueux de dix-huit mois en barrique (dont 80 % en fût neuf) et dans le verre un cornas intense, cacaoté, épicé (cannelle, poivre) et fruité (groseille), dense, puissant sans rugosité, bâti sur des tanins veloutés et dynamisé par une pointe saline. ⌛ 2019-2026 🍴 canard aux olives

⊶ DOM. COURBIS, rte de Saint-Romain, 07130 Châteaubourg, tél. 04 75 81 81 60, contact@domaine-courbis.fr V *t.l.j. sf dim. 9h-12h 14h-18h; sam. sur r.-v.*

DOM. DURAND Confidence 2014

■	1500		30 à 50 €

Un domaine familial de 20 ha constant en qualité, établi au sud de l'appellation saint-joseph et aux portes de celle de cornas, conduit par les frères Éric et Joël Durand.

Si la robe est intense, noire aux reflets violines de jeunesse, le bouquet se montre plutôt réservé, encore sous l'emprise du merrain. Plus prolixe et fruitée, la bouche apparaît souple et suave, impression renforcée par le soyeux de ses tanins. Un cornas qui pourra s'apprécier dans sa jeunesse. ⌛ 2017-2022 🍴 tournedos sauce poivre

⊶ ÉRIC ET JOËL DURAND, imp. de la Fontaine, 07130 Châteaubourg, tél. 04 75 40 46 78, ej.durand@wanadoo.fr V *r.-v.*

DOM. PHILIPPE ET VINCENT JABOULET 2013 ★★

■	3200		30 à 50 €

Philippe Jaboulet et son fils Vincent ont décidé de poursuivre l'aventure viticole après la vente de la maison familiale Paul Jaboulet Aîné à la famille Frey. Ainsi se sont-ils installés en 2005 sur une partie du domaine de Collonge, à la tête de 30 ha en crozes-hermitage, hermitage et cornas.

La vinification se fait dans des cuves en bois ouvertes avec pigeage manuel pendant trois semaines. Après vingt-quatre mois de fût, on se trouve face à un vin puissant, qui allie tension et finesse; encore un peu sur la réserve certes, mais c'est bien normal à ce stade. Et l'on devine derrière sa complexité naissante (violette, cassis, réglisse) un vin de grande garde. ⌛ 2019-2026 🍴 canard à l'orange

⊶ PHILIPPE ET VINCENT JABOULET, 920, rte de la Négociale, 26600 Mercurol, tél. 04 75 07 44 32, jabouletphilippeetvincent@wanadoo.fr V *r.-v.*

JACQUES LEMENICIER 2014

■	12000		20 à 30 €

Alors employé chez Alain Voge, Jacques Lemenicier se met à son compte en 1983 avec quelques vignes

en fermage, puis achète ses premiers ceps en 1994. Parcelle par parcelle, il constitue son domaine, qui s'étend aujourd'hui sur 7 ha (dont 50 % en propriété) en cornas et en saint-péray.

L'élevage de ce cornas a été effectué dans des barriques de deux à huit vins pendant un an. Cela aboutit logiquement à un vin peu marqué par le bois et dominé par le fruit – le cassis ici, agrémenté de nuances d'iris et d'un côté salin. Des arômes que l'on perçoit aussi dans une bouche souple et fraîche, aux tanins soyeux. Une cuvée facile d'accès, à boire dans sa jeunesse. ⧗ 2017-2021 ⫯ rôti de veau aux cèpes

⊶ *JACQUES LEMENICIER, chem. des Peyrouses, 07130 Cornas, tél. 04 75 81 00 57, lemenicier@wanadoo.fr* V *r.-v.*

♥ MICHELAS SAINT-JEMMS
Les Murettes 2014 ★★

■	5300	◍	20 à 30 €

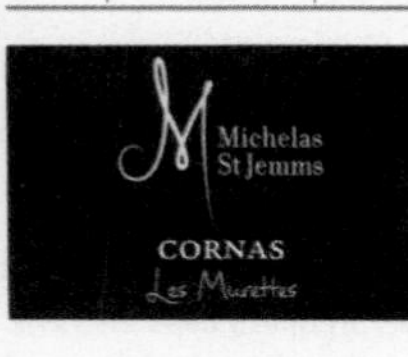

Fondée en 1972 par Robert et Yvette Michelas, cette exploitation ne compte pas moins de 53 ha répartis dans quatre appellations. Les enfants – Sylvie, Corinne, Florence et Sébastien – sont désormais aux commandes. Régulièrement en vue pour ses crozes et ses cornas.

Le cheval ne passant pas dans les rangs sur ces terrasses retenues par des murets, le travail du sol se fait à la pioche. Un travail harassant qui porte ses fruits. Voyez ce vin noir et profond au nez chocolaté, fruité et très poivré, qui conjugue en bouche force, élégance et minéralité. Un «vrai» cornas, bâti pour une longue garde. ⧗ 2019-2026 ⫯ gigot de sanglier

⊶ *DOM. MICHELAS-SAINT-JEMMS, 557, rte de Bellevue, 26600 Mercurol, tél. 04 75 07 86 70, michelas.st.jemms@orange.fr* V *t.l.j. sf dim. 9h-12h 14h-18h*

LES REMIZIÈRES 2014

■	1100	◍	20 à 30 €

Jusqu'en 1973, Alphonse Desmeure apportait sa vendange à la coopérative. Son fils Philippe développe la propriété à partir de 1977, généralise la production en bouteilles et accroît le vignoble: 34 ha aujourd'hui, disséminés sur plusieurs communes et conduits en bio non certifié avec ses enfants, Émilie et Christophe. Une référence incontournable, avec des vins d'une rare constance. Une activité de négoce a été créée en 2010 afin de diversifier la production dans d'autres appellations.

Vinifié en demi-muids neufs ouverts et élevé quinze mois en fût, ce 2014 issu d'achats de raisins dévoile un nez généreux de fruits noirs très mûrs rehaussés d'épices et d'une touche animale. En bouche, il se révèle rond, fondu, assez frais, structuré en douceur. Un cornas plus orienté vers la souplesse que la puissance et que l'on pourra servir dans sa jeunesse. ⧗ 2017-2022 ⫯ tajine de veau aux pruneaux

⊶ *CAVE DESMEURE, Dom. des Remizières, 1459, av. du Vercors, 26600 Mercurol, tél. 04 75 07 44 28, contact@domaineremizieres.com* V *r.-v.*

♥ CAVE DE TAIN
Grand Classique 2014 ★★

■	34000	◍	15 à 20 €

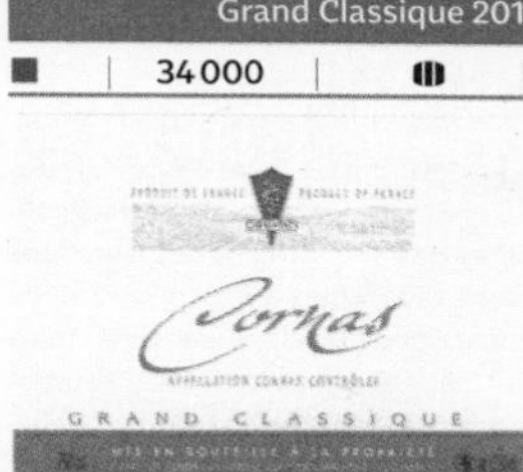

Créée en 1933 par Louis Gambert de Loche, la très qualitative cave coopérative de Tain-l'Hermitage rassemble 310 adhérents et vinifie à elle seule, avec plus de 1000 ha de vignes, environ 50 % des appellations de la vallée du Rhône septentrionale. Elle possède aussi 26 ha en propre, dont 21 ha en AOC hermitage. Une valeur sûre de la région, qui s'est dotée en 2014 de structures de production flambant neuves permettant de multiplier les sélections parcellaires.

Encore une belle vendange pour la Cave de Tain, de raisins et d'étoiles. Coup de cœur l'an dernier pour son Grand Classique 2014 en crozes-hermitage blanc, elle fait aussi bien avec ce cornas qui, cerise sur le gâteau, n'a rien de confidentiel. Un vin très élégant, au boisé parfaitement intégré au nez comme en bouche, long, ample, riche, puissant et frais. L'avenir lui appartient. ⧗ 2019-2026 ⫯ civet de sanglier ■ **Arènes sauvages 2013 ★★ (20 à 30 €; 15000 b.)** : réglisse, violette, fruits noirs, chocolat, ce 2013 fleure bon la syrah et l'élevage bien maîtrisé. La bouche est suave, dense, concentrée, soyeuse et encore très boisée, tout en restant sous tension grâce à l'apport d'une fine vivacité. ⧗ 2019-2026 ⫯ tarte au chocolat ■ **Les Hauts de Pavières 2014 ★★ (15 à 20 €; 15000 b.)** : un cornas solaire, sur les épices, les fruits très mûrs et la violette, corsé, ample et riche en bouche, épaulé par des tanins vigoureux et un boisé soutenu. ⧗ 2019-2026 ⫯ daube de joues de bœuf

⊶ *CAVE DE TAIN, 22, rte de Larnage, CS 89721, 26602 Tain-l'Hermitage, tél. 04 75 08 20 87, contact@cavedetain.com* V *r.-v.*

LES VINS DE VIENNE Les Barcillants 2013

■	5000	◍	30 à 50 €

Pour faire renaître le vignoble de Seyssuel situé en amont de Vienne, trois vignerons de renom, Yves Cuilleron, Pierre Gaillard et François Villard, ont créé cette affaire en 1996, à l'origine de beaux vins de propriété – IGP à Seyssuel, sélections parcellaires en AOC septentrionales – et de vins de négoce de toute la vallée.

On est loin des cornas traditionnels qu'il faut attendre dix ans ou plus avant de les boire. Ici, une version plutôt gourmande, fraîche, souple et aromatique (groseille, cuir, réglisse, violette) de l'appellation, soutenue par des tanins policés et un boisé léger. ⧗ 2017-2022 ⫯ boudin noir

LES VINS DE VIENNE, 1, ZA de Jassoux, 42410 Chavanay, tél. 04 74 85 04 52, contact@lesvinsdevienne.fr V r.-v.

SAINT-PÉRAY

Superficie : 75 ha
Production : 2 170 hl (10 % effervescents)

Situé face à Valence, le vignoble de Saint-Péray est dominé par les ruines du château de Crussol. Un microclimat un peu plus froid et des sols plus riches que dans le reste de la région sont favorables à la production de vins plus acides et moins riches en alcool, issus de marsanne et de roussanne, cépages bien adaptés à l'élaboration de blanc de blancs par la méthode traditionnelle.

GUY FARGE Grain de Silex 2014

4 000 | 15 à 20 €

En 2007, Guy Farge a sorti de la cave coopérative de Tain l'Hermitage – dont il fut l'administrateur – ce domaine de 20 ha acheté par son arrière-grand-père à un général normand.

Une forte orientation sur la roussanne (90 %) pour ce vin de bonne intensité, très floral (freesia, acacia) au nez, plus centré sur les fruits confits dans une bouche riche et chaleureuse. Il lui manque un peu de fraîcheur pour décrocher l'étoile. ⌛ 2016-2019 🍷 cassolette de poisson

GUY FARGE, 18, chem. de la Roue, 07300 Saint-Jean-de-Muzols, tél. 06 08 21 31 72, guyfarge@orange.fr V *t.l.j. sf dim. 9h-12h 14h-18h; sam. 9h-13h; f. août*

LAURENT ET CÉLINE FAYOLLE Montis 2014 ★

2 800 | 20 à 30 €

En 2002, Laurent Fayolle et sa sœur Céline ont repris le domaine familial créé en 1870, l'un des premiers à avoir vendu son vin en bouteilles (1959). Le vignoble s'étend aujourd'hui sur près de 10 ha planté essentiellement de vieilles vignes, en hermitage, crozes et saint-péray, exploité dans l'esprit bio mais sans certification.

Ce 100 % marsanne s'ouvre après quelques tours de verre sur les fleurs blanches, le citron et de fines notes minérales. Minéralité qui apporte aussi de la vivacité à un palais rond, dense et persistant. ⌛ 2016-2021 🍷 filet de lavaret grillé

DOM. FAYOLLE FILS ET FILLE, 9, rue du Ruisseau, 26600 Gervans, tél. 04 75 03 33 74, contact@fayolle-filsetfille.fr V *t.l.j. sf dim. 9h-12h 13h30-17h30*

♥ DOM. BERNARD GRIPA Les Figuiers 2014 ★★

10 000 | 20 à 30 €

La famille Gripa arrive à Saint-Péray au XVIIe s., puis s'établit à Mauves vers 1850. Valeur sûre de la vallée du Rhône septentrionale, tant pour ses saint-péray que pour ses saint-joseph (témoin les nombreux coups de cœur obtenus dans les deux appellations), le domaine est conduit depuis 2001 par Fabrice Gripa, fils de Bernard, aujourd'hui à la tête de 17 ha de vignes.

Ces Figuiers ont brillé plus d'une fois dans le Guide: la version 2014 rejoint au palmarès des coups de cœur les millésimes 2004, 2007, 2009 et 2010. Comme toujours, un assemblage à dominante de roussanne (60 %, avec la marsanne en complément), une vinification et un élevage en fût de un à six vins. Le résultat est imparable: robe d'un or intense, bouquet très élégant de citron, de fleurs blanches et de noisette, bouche dense, suave et veloutée soutenue par un boisé bien proportionné, longue finale saline. Et un beau potentiel de vieillissement. ⌛ 2018-2022 🍷 filet de bar aux épices **Les Pins 2014 ★ (15 à 20 €; 12000 b.)** : un joli «vin de soif» à dominante de marsanne (70 %), souple, frais et léger, remarqué pour ses intenses notes florales et sa belle minéralité. ⌛ 2016-2020 🍷 asperges vertes

DOM. BERNARD GRIPA, 5, av. Ozier, 07300 Mauves, tél. 04 75 08 14 96, gripa@wanadoo.fr V *r.-v.*

JACQUES LEMENICIER Cuvée de l'Élégance 2014 ★

6 000 | 15 à 20 €

Alors employé chez Alain Voge, Jacques Lemenicier se met à son compte en 1983 avec quelques vignes en fermage, puis achète ses premiers ceps en 1994. Parcelle par parcelle, il constitue son domaine, qui s'étend aujourd'hui sur 7 ha (dont 50 % en propriété) en cornas et en saint-péray.

La vinification et l'élevage de ce vin mi-roussanne mi-marsanne ont été effectués en barriques: un quart neuves, un quart d'un an, un quart de deux ans, un quart de trois ans. Grâce à quoi le boisé est très présent au nez comme en bouche, mais un boisé de qualité qui vient en renfort d'une matière dense et riche. Le temps doit faire son œuvre… ⌛ 2018-2022 🍷 blanquette de veau

JACQUES LEMENICIER, chem. des Peyrouses, 07130 Cornas, tél. 04 75 81 00 57, lemenicier@wanadoo.fr V *r.-v.*

CAVE DE TAIN Fleur de Roc 2015

13 000 | 11 à 15 €

Créée en 1933 par Louis Gambert de Loche, la très qualitative cave coopérative de Tain-l'Hermitage rassemble 310 adhérents et vinifie à elle seule, avec plus de 1000 ha de vignes, environ 50 % des appellations de la vallée du Rhône septentrionale. Elle possède aussi 26 ha en propre, dont 21 ha en AOC hermitage. Une valeur sûre de la région, qui s'est dotée en 2014 de structures de production flambant neuves permettant de multiplier les sélections parcellaires.

L'élevage de 80 % de ce pur marsanne a été réalisé en fût de 400 l. Au nez, des notes toastées et grillées s'associent ainsi à la pomme verte et aux fleurs blanches (aubépine). On retrouve les sensations boisées dans un palais équilibré, gras avec mesure, souligné par une pointe d'acidité. ⌛ 2017-2021 🍷 mijoté de poulet soja citron

CAVE DE TAIN, 22, rte de Larnage, CS 89721, 26602 Tain-l'Hermitage, tél. 04 75 08 20 87, contact@cavedetain.com V *r.-v.*

DOM. DU TUNNEL Roussanne 2014 ★★

	12000		15 à 20 €

Depuis son installation en 1994, Stéphane Robert, qui n'est pas issu du monde viticole, s'est imposé comme une référence dans le paysage des crus septentrionaux. Il a créé son vignoble de toutes pièces, aujourd'hui 11 ha très morcelés, avec des vignes en cornas, saint-joseph, saint-péray et condrieu. Des vignes qui longent une ancienne voie ferrée et un tunnel de 160 m, toujours visible, qui donne son nom au domaine et dans lequel ont été aménagés en 2013 une nouvelle cuverie et le chai d'élevage.

Cette pure roussanne, devenue l'un des fleurons du domaine, s'invite très régulièrement dans le Guide et souvent en très bonne place, à l'image du 2012 qui décrocha un coup de cœur. Le 2014 a été proposé pour la même distinction. Ses atouts: une seyante robe dorée; un bouquet élégant et intense ouvert sur la vanille, puis sur le citron et le fruit de la Passion; un palais puissant, dense, ample et tendre tout en restant très fin, dynamisé – «dynamité» selon un dégustateur – par une longue finale pleine de fraîcheur. ⧗ 2017-2022 ♈ risotto aux truffes blanches

STÉPHANE ROBERT, Dom. du Tunnel, 20, rue de la République, 07130 Saint-Péray, tél. 04 75 80 04 66, domaine-du-tunnel@wanadoo.fr V r.-v.

FRANÇOIS VILLARD Version 2014 ★

	14000		15 à 20 €

Vigneron réputé de la vallée du Rhône nord, François Villard, ancien cuisinier, s'est installé en 1989 à Saint-Michel-sur-Rhône pour créer son vignoble: 33 ha aujourd'hui dans cinq crus, complétés par une petite activité d'achat de raisin. Dans son chai cathédrale naissent de beaux vins dans les deux couleurs.

François Villard a privilégié la marsanne pour cette cuvée (80 %). Au nez, les fruits exotiques très mûrs (fruit de la Passion, mangue) s'allient à de douces notes florales. La bouche offre un beau volume, beaucoup de gras et de rondeur (la marque du cépage), mais aussi de la fraîcheur. Un ensemble harmonieux. ⧗ 2016-2020 ♈ poulet à la crème

FRANÇOIS VILLARD, 330, rte du Réseau-Ange, 42410 Saint-Michel-sur-Rhône, tél. 04 74 56 83 60, vinsvillard@wanadoo.fr V r.-v.

B DOM. ALAIN VOGE Terres boisées 2014

	6000		20 à 30 €

Alain Voge a rejoint son père sur le domaine familial en 1958. Abandon de la polyculture, replantation de coteaux abandonnés, vente directe en bouteilles, il met le vignoble sur les rails, 12 ha aujourd'hui cultivés en bio et biodynamie. Régulièrement en vue pour ses cornas et ses saint-péray.

Vinifié en fût, ce 100 % marsanne a ensuite connu un élevage de treize mois en barrique, et cela se remarque. Le boisé imprime en effet sa marque au nez comme en bouche, mais derrière pointent de jolies notes florales. De ce vin, on apprécie aussi l'équilibre entre gras et acidité. ⧗ 2017-2020 ♈ terrine de langoustines

DOM. ALAIN VOGE, 4, imp. de l'Équerre, 07130 Cornas, tél. 04 75 40 32 04, contact@alain-voge.com

CLAIRETTE-DE-DIE

Superficie : 1 401 ha / Production : 84 272 hl

Le vignoble du Diois occupe les versants de la moyenne vallée de la Drôme, entre Luc-en-Diois et Aouste-sur-Sye. Sans doute héritière du vin doux pétillant des Voconces mentionné par Pline l'Ancien, la clairette-de-die méthode dioise ou ancestrale est un vin mousseux doux et à faible teneur en alcool, dominé par le cépage muscat (75 % minimum) et qui termine naturellement sa fermentation en bouteille, sans adjonction de liqueur de tirage. L'appellation autorise aussi l'élaboration d'effervescents à base de clairette selon la méthode traditionnelle, avec seconde fermentation en bouteille.

B ACHARD-VINCENT Méthode ancestrale

	50000		8 à 11 €

Ce domaine, producteur de clairette-de-die depuis six générations, est une valeur sûre de l'appellation et un précurseur en termes d'agriculture bio, qu'il pratique depuis 1968. Installé en 2005 à la tête du vignoble (11 ha), Thomas Achard a développé la biodynamie.

Cet effervescent est fidèle à son appellation avec sa jolie robe d'un jaune pâle limpide traversée de bulles fines. Peu expressif à l'olfaction, c'est en bouche qu'il fait la différence avec un bel équilibre, une longueur honorable et une finale délicatement muscatée. ⧗ 2016-2017 ♈ crêpes Suzette

THOMAS ACHARD, Le Village, 26150 Sainte-Croix, tél. 04 75 21 20 73, contact@domaine-achard-vincent.com V r.-v.

DIE VINIS Méthode ancestrale

	120000		5 à 8 €

Cette structure est née en 1994 de l'association de deux vignerons, à la tête aujourd'hui de 40 ha de vignes.

Une clairette méthode ancestrale (75 % de muscat, la clairette en appoint) bien dans l'esprit de l'appellation: nez discret mais élégant aux tonalités citronnées, palais à la fois rond et droit, d'une jolie précision. ⧗ 2016-2017 ♈ tarte au citron

SARL DIE VINIS, 26150 Pontaix, tél. 04 75 21 22 59, dievinis@yahoo.fr

♥ DOM. GUIGOURET
Méthode ancestrale Tradition ★★

	81034	5 à 8 €

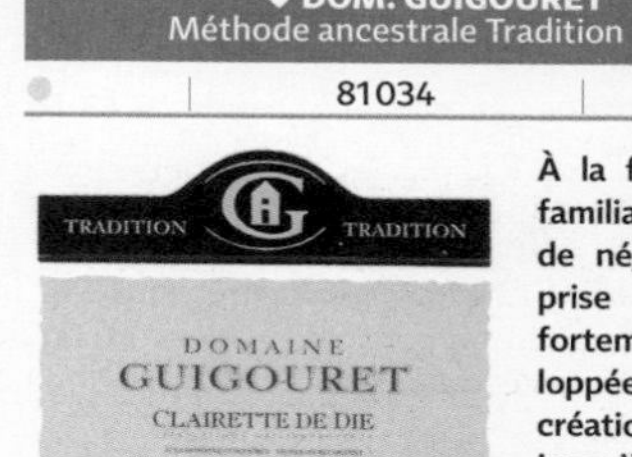

À la fois propriété familiale et société de négoce, l'entreprise Carod s'est fortement développée depuis sa création en 1965, jusqu'à produire aujourd'hui 2 millions de cols par an.

RHÔNE

Un acteur de poids dans le Diois, acquis en 2008 par les Grands Chais de France, avec pour fleuron le domaine Guigouret.

Mousse fine et onctueuse, robe claire et limpide, cette cuvée s'annonce avec élégance. Au nez, elle dévoile des parfums intenses et bien typés de raisin frais, de fleurs blanches et d'abricot. Des arômes que l'on retrouve plus exubérants encore, en compagnie de notes d'ananas très mûr, dans une bouche parfaitement équilibrée entre sucres et acidité, étirée dans une longue finale citronnée. ⧗ 2016-2017 🍷 crumble à l'ananas

⊶ *SCEA DOM. GUIGOURET, quartier du Gap, RD 93, 26340 Vercheny, tél. 04 75 21 73 77, cweber@caves-carod.fr* V r.-v. ⊶ *Grands Chais de France*

Ⓑ JAILLANCE
Tradition Vin biologique Méthode ancestrale ★

●	132 000		5 à 8 €

Cette coopérative fondée en 1950 est l'acteur principal du Diois viticole: 224 adhérents pour quelque 1 100 ha de vignes (dont 14 % cultivés en bio), soit plus de 70 % de la production locale. La cave s'est aussi développée dans le Bordelais, où elle produit du crémant-de-bordeaux.

Cette cuvée bio née de muscat (90 %) et de clairette se pare d'une robe claire et limpide animée de bulles fines et légères. Elle s'ouvre sur un bouquet tout en délicatesse de rose et de fleurs blanches; arômes prolongés dans une bouche aérienne, douce et élégante. ⧗ 2016-2017 🍷 nougat glacé ● **Brut ★ (5 à 8 €; 168 000 b.)** : une belle expression de la clairette, seule à bord dans ce vin issu d'une méthode mixte, ouvert sur des notes de réglisse, de menthol et de noix fraîche, rond et souple. ⧗ 2016-2017 🍷 tarte aux noix ● **Méthode ancestrale (5 à 8 €; 132 000 b.)** : vin cité.

⊶ *LA CAVE DE DIE JAILLANCE, 355 av. de la Clairette, 26150 Die, tél. 04 75 22 30 00, info@jaillance.com* V *t.l.j. 9h-12h30 14h30-19h*

UNION DES JEUNES VITICULTEURS RÉCOLTANTS
Cuvée Chambéran Méthode ancestrale

●	105 000	5 à 8 €

Fondée en 1961, l'Union des Jeunes viticulteurs-récoltants est une société coopérative (SCAEC) originale, regroupant huit vignerons du Diois qui ont mis en commun leurs vignes et leur matériel pour constituer un coquet vignoble de 63 ha aujourd'hui.

Cette cuvée Chambéran livre un bouquet discret mais fin de muscat et de litchi. Mêmes sensations de finesse dans une bouche fraîche, souple et équilibrée. ⧗ 2016-2017 🍷 tarte aux pommes ● **Rives et Terrasses Méthode ancestrale (5 à 8 €; 75 000 b.)** : vin cité.

⊶ *UNION DES JEUNES VITICULTEURS-RÉCOLTANTS, 263, rte de Die, 26340 Vercheny, tél. 04 75 21 70 88, contact@ujvr.fr* V *t.l.j. 9h30-12h 14h30-18h30*

CRÉMANT-DE-DIE

Production : 1 993 hl

L'AOC a été reconnue en 1993. Le crémant-de-die est produit à partir du cépage clairette, selon la méthode traditionnelle qui consiste en une seconde fermentation en bouteille.

CAROD ★

●	21 198	5 à 8 €

À la fois propriété familiale et société de négoce, l'entreprise Carod s'est fortement développée depuis sa création en 1965, jusqu'à produire aujourd'hui 2 millions de cols par an. Un acteur de poids dans le Diois, acquis en 2008 par les Grands Chais de France, avec pour fleuron le domaine Guigouret.

On se plaît à regarder la robe jaune pâle de ce crémant, animée de fines bulles qui montent rapidement dans le verre et viennent éclater en surface. On aime aussi ses senteurs gourmandes de pain chaud, son équilibre, sa finesse et sa fraîcheur en bouche. ⧗ 2016-2017 🍷 truite en papillote

⊶ *SAS CAVES CAROD, quartier du Gap, RD 93, 26340 Vercheny, tél. 04 75 21 73 77, cweber@caves-carod.fr* V *r.-v.* ⊶ *Grands Chais de France*

DOM. COMBEMARE

●	20 200		5 à 8 €

Cette coopérative fondée en 1950 est l'acteur principal du Diois viticole: 224 adhérents pour quelque 1 100 ha de vignes (dont 14 % cultivés en bio), soit plus de 70 % de la production locale. La cave s'est aussi développée dans le Bordelais, où elle produit du crémant-de-bordeaux.

On apprécie la bulle fine de ce crémant jaune paille et brillant. Au nez, on sent les fleurs blanches, les fruits secs et l'ananas frais. En bouche, la fraîcheur est de mise et inspire un dégustateur mélomane qui s'imagine écoutant une reprise de *Girl from Ipamena* d'Antonio Carlos Jobim par Ella Fitzgerald, à Hambourg, en 1965... ⧗ 2016-2017 🍷 carpaccio d'ananas

⊶ *LA CAVE DE DIE JAILLANCE, 355 av. de la Clairette, 26150 Die, tél. 04 75 22 30 00, info@jaillance.com* V *t.l.j. 9h-12h30 14h30-19h*

GRANON-PONTAIX

●	4 000	5 à 8 €

Un domaine familial depuis quatre générations, 20 ha au cœur du Diois conduits par les frères Patrice, Éric et Laurent Granon.

La couleur jaune soutenu de ce crémant laisse deviner sa rondeur, qui se manifeste dans une bouche ample et équilibrée, impression renforcée par des notes originales et persistantes de pâte d'amande. ⧗ 2016-2017 🍷 gâteau basque

⊶ *GAEC GRANON-PONTAIX, Le Village, 26150 Pontaix, tél. 04 75 21 21 21, laurentgranon26@gmail.com* V *r.-v.*

➨ LA VALLÉE DU RHÔNE MÉRIDIONALE

VINSOBRES

Superficie : 450 ha / Production : 15 625 hl

Appartenant autrefois à l'appellation côtes-du-rhône-villages, Vinsobres a été promu en appellation locale en 2006. Celle-ci concerne uniquement les vins rouges nés sur la commune de Vinsobres, dans la Drôme.
Les vins doivent provenir d'un assemblage d'au moins deux cépages principaux, dont le grenache, qui doit représenter 50 % minimum, la syrah et/ou le mourvèdre devant atteindre 25 % minimum.

Ⓑ DOM. ALOÈS Cuvée JL 2014 ★

■ | 6000 | ◖◗ | 8 à 11 €

Un domaine conduit en bio certifié, repris en 2013 par Nadia et Pascal Fayolle. À la carte, des côtes-du-rhône-villages, des vinsobres, des saint-joseph, des crozes-hermitage et des hermitage.

Encore peu d'expérience pour ce domaine, mais des convictions (le bio) et du talent à en juger par le deuxième millésime des Fayolle. Un vinsobres élevé quatorze mois en fût qui laisse transparaître de subtiles notes épicées et des nuances animales qui lui confèrent un début de complexité. La bouche est ronde, soyeuse, bâtie autour de tanins fins et élégants et d'un boisé ajusté, prolongée par une belle finale fruitée. ⧗ 2017-2022 🍴 bœuf en daube

⊶ EARL DOM. D' ALOÈS, ZA Les Paluds, rte de Saint-Maurice, 26110 Vinsobres, tél. 04 75 07 70 60, contact@domaine-des-martinelles.fr V 🍷 *r.-v.*

DOM. AUTRAND 2014

■ | 75000 | ▮ | 5 à 8 €

Christine Aubert a repris en 2002 le domaine familial couvrant aujourd'hui 82 ha, dont la quasi-totalité est classée en vinsobres. Après l'arrivée de son fils Aurélien (quatrième génération) qui travaille depuis 2008 à ses côtés, l'exploitation s'est dotée d'une nouvelle cave.

Grenache et syrah font jeu égal dans ce vinsobres ouvert sur les fruits mûrs, les fruits à noyau et quelques notes de garrigue. Le palais se montre gras, rond, léger en tanins et bien fruité. À boire dans sa jeunesse. ⧗ 2016-2019 🍴 côtelettes d'agneau

⊶ GAEC AUTRAND, quartier Les Ratiers, RD 94, rte de Nyons, 26110 Vinsobres, tél. 04 75 26 57 05, contact@domaineautrand.fr V 🚶 🍷 *t.l.j. 10h-19h; f. dim. nov.-mars ⊶ Christine et Aurélien Aubert*

CELLIER DES DAUPHINS Signature 2014

■ | 80000 | ◖◗ ▮ | 5 à 8 €

Énorme structure rhodanienne née en 1965 de l'union de six coopératives de la Drôme, rejointes par sept autres, dotée d'une cuverie de plus de 33 000 m² à Tulette. Elle a lancé en 1967 sa marque phare et populaire, le Cellier des Dauphins, qui revendique le 1er rang pour les volumes de vente en France de vin en AOC.

Les notes fruitées très présentes dès l'olfaction confèrent une belle impression de fraîcheur. En bouche, les mêmes sensations fruitée accompagnent des tanins ronds et fondus. Un vinsobres simple et sympathique, à boire sur le fruit. ⧗ 2016-2019 🍴 brochette d'agneau

⊶ UVCDR CELLIER DES DAUPHINS, rte de Nyons, 26790 Tulette, tél. 04 75 96 20 00, info@cellier-des-dauphins.com V 🍷 *t.l.j. 9h45-12h30 14h-18h30*

DOM. CONSTANT-DUQUESNOY Confidence 2014

■ | 5000 | ◖◗ | 15 à 20 €

Un vignoble de 12 ha (ancien domaine des Aussellons) acquis en 2004 par Gérard Constant, converti à la vigne après une carrière dans la finance internationale. La conversion à l'agriculture biologique est engagée.

La syrah (50 % de l'assemblage aux côtés du grenache) transparaît nettement à l'olfaction, à travers de fines notes de violette agrémentées d'épices douces et de fruits des bois, tandis qu'un élevage pas encore complètement fondu marque le palais, encore sur la réserve. Le potentiel est là, un peu de patience… ⧗ 2018-2021 🍴 carré d'agneau

⊶ DOM. CONSTANT-DUQUESNOY, rte de Nyons, 26110 Mirabel-aux-Baronnies, tél. 06 77 38 23 34, gerard@constant-duquesnoy.com V 🚶 🍷 *r.-v.*

DOM. CROZE BRUNET 2014

■ | 42600 | ▮ | 5 à 8 €

Fondée en 1929, cette coopérative drômoise dispose d'un vignoble de coteaux qui s'étagent entre 250 et 350 m, à l'abri du mistral, en AOC côtes-du-rhône, côtes-du-rhône-villages Saint-Maurice et vinsobres. Elle propose aussi des vins en IGP.

Ce domaine est propriété de Vincent Aurel, vigneron à Saint-Maurice et à Vinsobres. De ses raisins, la « coop » a tiré un vin expressif, très orienté vers les fruits, la griotte et le cassis notamment, souple et plutôt léger en bouche. À boire dans sa jeunesse. ⧗ 2016-2019 🍴 bœuf à la thaïlandaise

⊶ CAVE DES COTEAUX SAINT-MAURICE, rte de Nyons, 26110 Saint-Maurice-sur-Eygues, tél. 04 75 27 63 44, cavesaintmaurice@orange.fr V 🚶 🍷 *r.-v.*

FAMILLE PERRIN Les Cornuds 2014 ★

■ | n.c. | ▮ | 8 à 11 €

La maison Perrin, fondée en 1909 par l'aïeul Gabriel Tramier, conjugue depuis cinq générations activité de négoce et exploitation de vignobles, dont le réputé Ch. de Beaucastel (châteauneuf-du-pape) et La Vieille Ferme, vaste domaine du Luberon.

Entre fruits des bois et épices douces, cette cuvée élevée vingt mois en cuve dévoile un bouquet fin et intense. Des arômes que l'on retrouve dans une bouche puissante, concentrée, épaulée par des tanins ronds qui lui confèrent une belle assise. ⧗ 2017-2020 🍴 navarin d'agneau

⊶ FAMILLE PERRIN, rte de Jonquières, 84100 Orange, tél. 04 90 11 12 00, perrin@familleperrin.com V 🚶 🍷 *r.-v.*

Ⓑ DOM. LE PUY DU MAUPAS 2014 ★

■ | 2000 | | 8 à 11 €

Agriculteur jusqu'en 1987, Christian Sauvayre s'installe en cave particulière et débute avec 12 ha de vignes à Puyméras; il conduit aujourd'hui un vaste ensemble de 46 ha en bio certifié.

Grenache, syrah et mourvèdre sont associés dans ce vinsobres dont la robe intense et sombre annonce un bouquet puissant de cassis, de cerise, d'épices et d'eucalyptus. Cette richesse aromatique n'est pas démentie par la bouche, ample et vigoureuse sans excès, adossée à des tanins fins. Jolie et longue finale sur les senteurs de la garrigue. ⧗ 2017-2022 🍴 civet de lapin au romarin

CHRISTIAN SAUVAYRE, Dom. le Puy du Maupas, 1678, rte de Nyons, 84110 Puyméras, tél. 04 90 46 47 43, domaine@puy-du-maupas.com V t.l.j. sf dim. 8h-12h 14h-18h ③ Ⓔ

PIERRE VIDAL Grande Réserve 2014 ★★

■ | 60000 | | 8 à 11 €

Pierre Vidal, installé à Châteauneuf-du-Pape avec son épouse vigneronne, a créé son négoce en 2010. Une maison déjà bien implantée grâce aux sélections parcellaires vinifiées par ce jeune œnologue formé en Bourgogne.

Cette Grande Réserve associe le grenache, la syrah et le mouvèdre. Au nez, elle dévoile une palette aromatique complexe de pâte d'olive, de fruits sauvages, de vanille, de biscuit grillé et de cuir. Après une attaque franche, elle se révèle volumineuse, dense et bien structurée par des tanins fermes et un boisé doux. Un vinsobres élégant qui met en valeur une vinification et un élevage très maîtrisés. ⧗ 2018-2023 🍴 canard aux olives

EURL PIERRE VIDAL, 631, rte de Sorgues, 84230 Châteauneuf-du-Pape, tél. 06 88 88 07 58, contact@pierrevidal.com

♥ CAVE LA VINSOBRAISE Cuvée Excellius 2014 ★★★

■ | 6000 | | 11 à 15 €

Fondée en 1949, la très qualitative cave de Vinsobres vinifie aujourd'hui plus de 95 000 hl produits sur près de 2 000 ha de vignes. Une valeur sûre de la vallée du Rhône méridionale.

Carton plein pour la Vinsobraise, qui place trois excellents vins dans cette sélection, dont l'unique coup de cœur de l'appellation. Assemblage de grenache (60 %) et de syrah élevé en fût de chêne pendant un an, cette cuvée Excellius conjugue d'intenses notes vanillées, chocolatées et toastées et des nuances plus « nature » de fruits mûrs et d'épices douces. La bouche est majestueuse, impressionnante de volume, de concentration et de douceur, avec en soutien des tanins de soie, un boisé parfaitement dosé et une touche de fraîcheur qui apporte un petit coup de nerf bien senti en finale. Bâtie pour durer. ⧗ 2018-2023 🍴 sauté d'agneau à la provençale ■ **Origine 2014** ★★ (5 à 8 €; 15000 b.) Ⓑ : mi-grenache mi-syrah, un vin bio qui n'a pas connu le bois, très fruité au nez comme en bouche (cassis, cerise), ample, rond, corpulent et long, subtilement équilibré par une touche de vivacité. ⧗ 2017-2021 🍴 chapon aux figues ■ **Émeraude 2014** ★ (5 à 8 €; 30000 b.) : fruit et bois sont bien mariés, les tanins sont aimables et ronds, la longueur très honorable et l'ensemble fort harmonieux. ⧗ 2017-2021 🍴 bœuf bourguignon

CAVE LA VINSOBRAISE, 26110 Vinsobres, tél. 04 75 27 64 22, infos@la-vinsobraise.com V t.l.j. 8h-12h 14h-18h

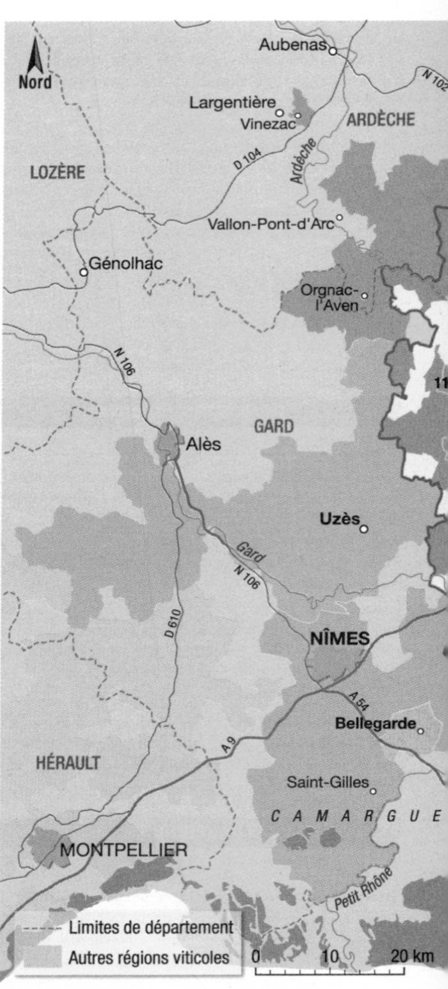

DENIS VINSON ET FILS
Cuvée Charles Joseph 2013 ★★

■ | 5000 | 🛢 | 15 à 20 €

Rejoint en 2010 par son fils Charles, Denis Vinson conduit depuis 1984 un vignoble de 20 ha. Habitué du Guide (plusieurs coups de cœur à son actif), le domaine présente régulièrement de belles cuvées, en appellations régionales comme en vinsobres.

« Vinsobres sobre vin, prenez-le sobrement », disait en 1633 le sage évêque de Vaison. « De la modération en toutes choses, y compris dans la modération », serait-on tenté de lui répondre en citant Pétrone après avoir goûté ce vin… Une cuvée bien connue des lecteurs, mi-grenache mi-syrah, sombre et intense, ouverte sans réserve sur la griotte compotée et la vanille, suave et savoureuse en bouche, consistante et très puissante. Un vin de grande tenue qui en a encore sous les tanins… ⧗ 2019-2026 🍴 civet de chevreuil

⊶ *DENIS ET CHARLES VINSON, Dom. du Moulin, 26110 Vinsobres, tél. 04 75 27 65 59, denis.vinson@wanadoo.fr*

RASTEAU SEC

Superficie : 1 300 ha / Production : 29 000 ha

L'appellation d'origine contrôlée rasteau se décline désormais en VDN (*voir section Les vins doux naturels du Rhône*) et en vin rouge sec grâce à l'accession en 2009 des côtes-du-rhône-villages Rasteau (village reconnu

Vallée du Rhône (partie méridionale)

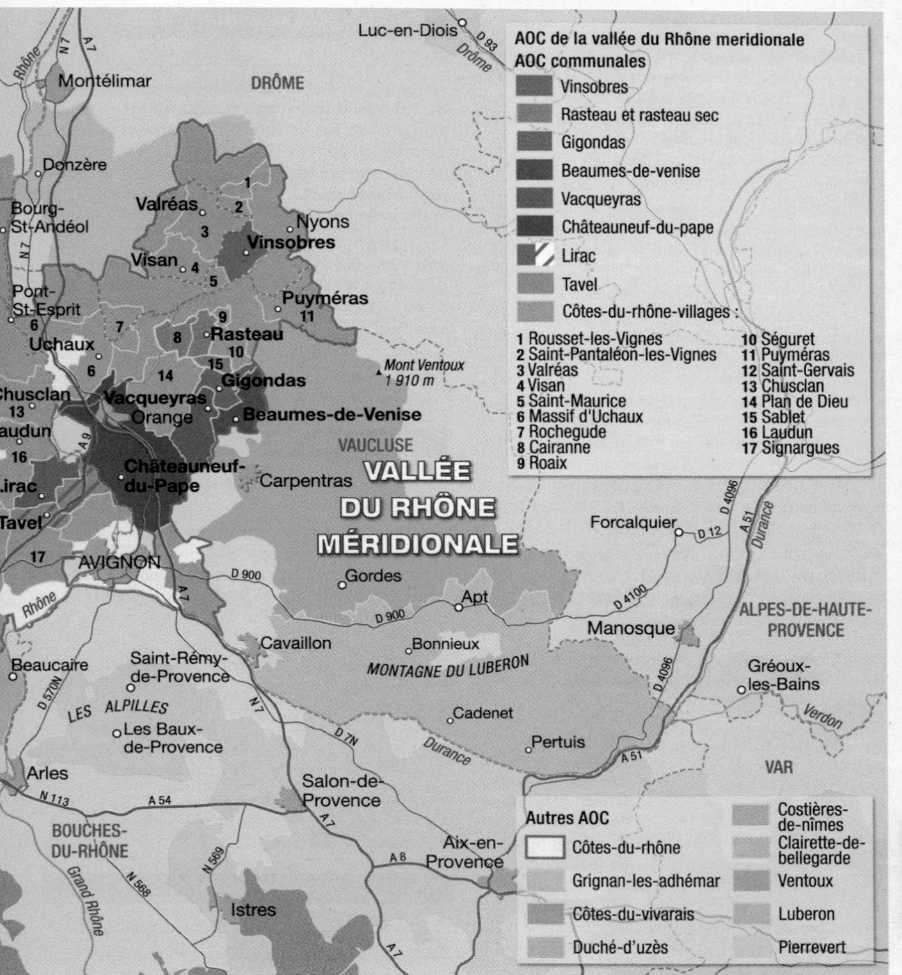

RHÔNE

depuis 1966) en cru des Côtes du Rhône, le seizième du secteur, qui s'étend sur la seule commune de Rasteau. Les conditions bioclimatiques de cette zone géographique sont particulièrement favorables au cépage grenache, qui atteint ici naturellement la complète maturité nécessaire à l'élaboration de grands vins, plus particulièrement dans les situations où prédominent les sols sableux et caillouteux. Ces mêmes conditions sont également favorables à la syrah et au mourvèdre (cépage à maturité tardive), notamment lorsqu'ils sont plantés sur des marnes sableuses ou sablo-argileuses.
Les vins, exclusivement rouges, sont riches en alcool, gras, puissants et très aromatiques. Leur structure tannique est le gage d'un excellent potentiel de garde.

DOM. BEAU MISTRAL
Cuvée Saint-Martin 2014 ★★

■ | 12000 | | 8 à 11 €

Côtes-du-rhône, *villages*, rasteau ou IGP de la principauté d'Orange, ce domaine familial très régulier en qualité étend son vignoble sur 28 ha plantés de vieux ceps, dont certains centenaires. Jean-Marc Brun est aux commandes depuis 1988.

Le millésime 2014 a souri à Jean-Marc Brun, qui signe ici trois cuvées de haute volée. En tête, ce trio grenache-syrah-mourvèdre qui attire l'œil par sa robe jeune et vive aux reflets violines. La suite est admirable: nez intense et complexe de fruits noirs, de marc et de myrte; bouche majestueuse, d'un volume impressionnant, dense et concentrée, tout en conservant beaucoup de finesse et de fraîcheur grâce à une pointe minérale qui crée la surprise en finale. ⏳ 2019-2026 🍴 épaule d'agneau ■ **Florianaëlle 2014 ★★ (15 à 20 €; 5000 b.)** : né de très vieux ceps de grenache, de syrah et de mourvèdre, un rasteau puissant, riche et intense de bout en bout, souligné par une belle fraîcheur ⏳ 2019-2026 🍴 civet de sanglier ■ **Sélection Vieilles Vignes 2014 ★ (8 à 11 €; 40000 b.)** : un nez discret mais subtil, fruité et épicé, et une bouche franche et fraîche, finement tannique, bien représentative du millésime. ⏳ 2018-2023 🍴 filets de canette

DOM. BEAU MISTRAL, 91, rte d'Orange, 84110 Rasteau, tél. 04 90 46 16 90, domaine.beaumistral@rasteau.fr t.l.j. 9h-12h 14h-18h; sam. dim. sur r.-v. Jean-Marc Brun

♥ B DOM. DE BEAURENARD 2014 ★★

■ | 40000 | | 11 à 15 €

Depuis 1929, sept générations se sont succédé jusqu'à Daniel et Frédéric Coulon, à la tête d'un vignoble de 60 ha conduit en bio et biodynamie certifiés. Une valeur sûre de la vallée méridionale, en châteauneuf comme en rasteau (sec et doux) et en côtes-du-rhône.

Coup de cœur l'an dernier pour leur châteauneuf 2013, les frères Coulon signent un rasteau admirable dans un autre millésime délicat. Au nez, le duo fruits-épices est des plus harmonieux. On le retrouve avec intensité dans une bouche à la fois riche, ronde et pleine de fraîcheur, d'une grande souplesse et très onctueuse, bâtie sur des tanins de soie. ⏳ 2018-2022 🍴 côte de veau et crème de poivron ■ **Les Argiles bleues 2014 ★ (15 à 20 €; 4000 b.)** B : à un nez intense de cassis et de cacao répond un palais puissant, suave et chaleureux, aux tanins robustes. Encore un peu de patience avant de l'associer avec un plat relevé. ⏳ 2019-2024 🍴 tajine d'agneau

SCEA PAUL COULON ET FILS, Dom. de Beaurenard, 10, av. Pierre-de-Luxembourg, 84230 Châteauneuf-du-Pape, tél. 04 90 83 71 79, paul.coulon@beaurenard.fr t.l.j. sf dim. 9h-12h 13h30-17h30

B DOM. M. BOUTIN M.B 2014

■ | 9000 | | 8 à 11 €

Après des études de mécanique industrielle, Mikaël Boutin rejoint le domaine familial, se prend de passion pour le vin, se forme à ce nouveau métier et s'installe en 2001 avec son oncle. En 2009, il décide de créer son propre domaine à partir de 2 ha morcelés sur huit parcelles de Rasteau et convertis au bio. Première cuvée en 2011.

Grenache (60 %), syrah, mourvèdre, carignan et cinsault sont associés dans ce rasteau plaisant par son bouquet de fruits noirs mûrs et de marc frais, complété de notes de réglisse dans un palais souple et rond, aux tanins aimables. ⏳ 2017-2020 🍴 fajitas de poulet

MIKAËL BOUTIN, 12, rue de la République, 84110 Rasteau, tél. 06 64 66 04 46, mikael.boutin@orange.fr r.-v.

DOM. BRUSSET La Bastide 2014 ★★

■ | 7000 | | 11 à 15 €

Soixante-huit terrasses exposées plein sud composent ce vignoble de 69 ha situé sous les Dentelles de Montmirail. Créé en 1947 par André Brusset, disparu en 1999, il est aujourd'hui conduit par son petit-fils Laurent. Une valeur sûre en gigondas et en cairanne.

Né d'une petite parcelle de 2 ha acquise en 2012, ce rasteau bien typé s'ouvre généreusement sur les fruits confiturés, le cuir, la violette, la vanille et la réglisse. Une sensation de maturité à laquelle fait écho une bouche profonde, concentrée, charnue, épaulée par un bon boisé fondu et des tanins fermes sans dureté. Une bouteille de garde. ⏳ 2018-2026 🍴 rôti de canard aux épices

DOM. BRUSSET, 70, chem. de la Barque, 84290 Cairanne, tél. 04 90 30 82 16, domaine-brusset@wanadoo.fr t.l.j. 10h-12h 14h-18h

DOM. CHAMFORT 2014

■ | n.c. | | 11 à 15 €

Situé au pied des Dentelles de Montmirail, ce domaine de 27 ha créé en 1992 par Denis Chamfort

a été repris en 2010 par Vasco Perdigao, œnologue formé dans la vallée du Rhône septentrionale. L'approche bio est privilégiée mais le pas de la conversion officielle n'a pas encore été franchi.

Né de grenache (70 %) et de syrah, ce rasteau élevé en foudre dévoile un nez discret mais harmonieux de violette et de fruits des bois. La bouche est souple et ronde, d'une concentration très mesurée et de bonne longueur, avec en appoint d'originales notes de mangue. ⧗ 2017-2021 🍷 poulet basquaise

⊶ VASCO PERDIGAO, 280, rte du Parandou, 84110 Sablet, tél. 04 90 46 94 75, domaine-chamfort@orange.fr V *t.l.j. 9h-12h 13h30-18h; sam. dim. sur r.-v.*

DOM. DIDIER CHARAVIN Cuvée Prestige 2013 ★

■ | 14 000 | | 8 à 11 €

Un domaine créé en 1985 par Didier Charavin, habitué du Guide pour ses côtes-du-rhône, ses *villages* et ses rasteau.

Grenache, syrah et mourvèdre composent une jolie cuvée généreuse en fruits, rouges et mûrs. À ce premier caractère chaleureux, la bouche, ample, charnue, bâtie sur des tanins fins et élégants, oppose une belle fraîcheur qui lui donne de l'énergie et de l'allonge. ⧗ 2018-2022 🍷 chili con carne

⊶ DIDIER CHARAVIN, 267, rte de Vaison, 84110 Rasteau, tél. 04 90 46 15 63, didier.charavin@orange.fr V *t.l.j. sf dim. 9h-12h 14h-18h*

CH. CLÉMATIS 2014

■ | 11 000 | | 11 à 15 €

Un domaine créé en 2004, hors du cadre familial, par Xavier Tronc à partir d'une parcelle riche en clématites dont on retrouve les corolles brillamment colorées sur les étiquettes. À sa disposition, un vignoble de 30 ha.

Premier millésime en rasteau pour le vigneron et une belle entrée en matière avec ce 2014 discrètement épicé et fruité au nez, souple et alerte en bouche. Un « vin plaisir », simple et sans complexe, à boire dans sa jeunesse. ⧗ 2016-2019 🍷 ballotine volailles-champignons

⊶ EARL CH. CLÉMATIS, 177, rue Blaise-Granier, 84290 Sainte-Cécile-les-Vignes, tél. 06 16 72 10 74, chateau.climatis@gmail.com V *r.-v. ⊶ Xavier Tronc*

B DOM. DES COTEAUX DES TRAVERS La Mondona 2014 ★

■ | 15 000 | | 11 à 15 €

Son grand-père cultivait la vigne en 1920. Robert Charavin conduit aujourd'hui, en bio certifié depuis 2010 (biodynamie en cours), un domaine de 14 ha régulier en qualité, qui tire son nom de ses coteaux exposés au soleil levant (« travers »).

Fruits rouges cuits, abricot sec, litchi, sous-bois, truffe… C'est par une olfaction complexe que se présente cette cuvée qui doit son nom à un quartier de Rasteau. En bouche, elle offre une puissance certaine mais mesurée, bâtie autour de tanins fins et élégants, un peu sévères en finale. ⧗ 2018-2023 🍷 perdreau aux olives

⊶ ROBERT CHARAVIN, Dom. des Coteaux des Travers, 15, rte de la Cave, 84110 Rasteau, tél. 04 90 46 13 69, coteaux-des-travers@rasteau.fr V *t.l.j. sf dim. 10h-18h*

CH. DE LA GARDINE 2014 ★

■ | 100 000 | | 11 à 15 €

Le négociant Gaston Brunel, héritier d'une longue tradition vigneronne (XVII[e]s.), acquit La Gardine en 1945. Ses fils, Patrick et Maxime, et ses petits-enfants, Marie-Odile et Philippe, continuent de mettre en valeur ce domaine réputé, fort de 50 ha.

Le grenache (75 %) et la syrah composent un vin charmeur en diable, ouvert sans réserve sur les fruits rouges frais. Une fraîcheur et un fruité prolongés par une bouche souple et veloutée, dont les tanins fondus et soyeux laissent une impression d'équilibre et de plénitude. Une bouteille d'ores et déjà agréable, qui vieillira bien. ⧗ 2016-2021 🍷 travers de porc sauce piquante

⊶ CH. DE LA GARDINE, BP 35, rte de Roquemaure, 84231 Châteauneuf-du-Pape Cedex, tél. 04 90 83 73 20, chateau@gardine.com V *t.l.j. sf dim. 10h-18h ⊶ Brunel*

DOM. DE LA GIRARDIÈRE 2014

■ | 7300 | | 8 à 11 €

Un domaine fondé en 1979 par Louis Girard, aujourd'hui à la retraite, relayé par ses enfants Bernard et Édith. Le vignoble couvre 30 ha sur les collines de Rasteau et sur la commune de Séguret.

Cet assemblage grenache-syrah (70-30) dévoile d'intenses senteurs de chocolat et de fruits mûrs. Un nez bien typé relayé par une bouche souple et onctueuse en attaque, plus puissante et chaleureuse dans son développement. Un ensemble harmonieux. ⧗ 2018-2021 🍷 couscous royal

⊶ BERNARD GIRARD, Dom. de la Girardière, 593, chem. du Plan, 84110 Rasteau, tél. 09 64 09 16 75, lagirardiere@rasteau.fr V *r.-v.*

DOM. GRAND NICOLET Les Esqueyrons 2014 ★★

■ | 10 000 | | 15 à 20 €

Créé en 1926, le plus vieux chai rastellain élabore des vins à partir d'un vignoble planté en 1875. Jean-Pierre Bertrand, marié à une Nicolet, est depuis 1999 à la tête de ce domaine de 30 ha, et signe des vins généreux souvent en vue dans ces pages.

À l'origine de cette cuvée, dont la version 2012 obtint un coup de cœur, un assemblage à parts égales de ceps de grenache de quatre-vingts ans et de syrah de cinquante ans plantés au quartier des Esqueyrons. Dans le verre, un rasteau noir et intense, ouvert sur les fruits rouges cuits, le cacao et quelques nuances animales. En bouche, des arômes gourmands et généreux de pruneau et de réglisse, une densité et une richesse imposantes, des tanins de garde mais sans dureté et un boisé bien ajusté. De quoi voir venir pour les prochaines années. ⧗ 2019-2026 🍷 côte de bœuf ■ **Vieilles Vignes 2013 ★★ (8 à 11 €; 20 000 b.)** : une cuvée bien armée pour le vieillissement, centrée sur les fruits cuits et d'autres plus frais comme le cassis et la fraise, au palais ample, épicé et charnu. ⧗ 2018-2022 🍷 porc au caramel

RHÔNE

JEAN-PIERRE BERTRAND, Dom. Grand Nicolet, 1174, rte de Violès, 84110 Rasteau, tél. 04 90 28 91 54, domainegrandnicolet@rasteau.fr V r.-v.

♥ B DOM. LES GRANDS BOIS Marc 2014 ★★

■ | 9000 | | 15 à 20 €

Fondé en 1929 par Albert Farjon, ce domaine de 47 ha est aujourd'hui conduit par sa petite-fille Mireille et son mari Marc Besnardeau. Leur vignoble est certifié bio depuis le millésime 2011. Leurs côtes-du-rhône et leurs Cairanne sont régulièrement en vue dans ces pages.

Comme toujours ici, les cuvées portent le prénom d'un membre de la famille, et comme souvent elles font l'unanimité. Celle-ci – la cuvée « du patron », née de grenache (50 %), de syrah et de mourvèdre, élevée onze mois en demi-muid – atteint des sommets. Encore un peu retranchée derrière l'élevage à l'olfaction, c'est en bouche qu'elle se révèle: beaucoup de volume, beaucoup de richesse, beaucoup de corps, des tanins vigoureux qui commencent à se fondre et une longueur remarquable. La prochaine décennie, et plus encore, lui appartient. 2020-2028 dessert au chocolat

DOM. LES GRANDS BOIS, 55, av. Jean-Jaurès, 84290 Sainte-Cécile-les-Vignes, tél. 04 90 30 81 86, mbesnardeau@grands-bois.com V t.l.j. sf dim. 9h-12h 14h-18h Besnardeau

DOM. GRANGE BLANCHE Héritage 2014 ★

■ | 20000 | | 8 à 11 €

Un ancien relais de poste planté au milieu de 30 ha de vignes en coteaux, face aux Dentelles de Montmirail et au mont Ventoux, conduit par la famille Biscarrat, vigneronne depuis 1850. La cinquième génération a pris les rênes en 2003.

Cette cuvée sombre, tirant sur le noir, brille par son intensité. Intensité olfactive, centrée sur les épices; intensité gustative bâtie autour d'une matière riche et dense et d'une structure tannique vigoureuse. Un solide potentiel de vieillissement. 2019-2026 civet de sanglier ■ **L'Archange 2014 ★ (15 à 20 €; 3500 b.)** : un élevage en douceur en foudre pour cette cuvée généreusement bouquetée sur le pruneau, les fruits rouges confiturés et la réglisse, riche, concentrée, puissante et chaleureuse en bouche. 2019-2026 tarte au chocolat

JULIAN BISCARRAT, 73, hameau de Blovac, 84110 Rasteau, tél. 04 90 46 41 30, grangeblanche@orange.fr V r.-v.

DOM. MARTIN
Cuvée Les Sommets de Rasteau 2014

■ | 6000 | | 11 à 15 €

Les frères David et Éric Martin sont installés depuis 2005 sur le domaine familial, créé en 1905 à partir de 5 ha sur le Plan de Dieu. Ils exploitent aujourd'hui 70 ha de vignes, essentiellement en gigondas et en châteauneuf-du-pape.

Des ceps de grenache (55 %) et de syrah de cinquante ans, plantés sur les hauteurs de Rasteau, sont à l'origine de ce vin qui nécessite une petite rotation du verre pour libérer ses arômes poivrés et fruités. En bouche, une aimable rondeur lui confère un style gourmand et affable, avec en finale un grain de tanin plus serré qui confirme son identité Rasteau. Élevé en foudre. 2017-2021 pastilla de pigeon

DOM. MARTIN, 439, rte de Vaison, 84850 Travaillan, tél. 04 90 37 23 20, martin@domaine-martin.com V t.l.j. sf dim. 9h-12h 14h-18h

DOM. NOTRE-DAME-DES-PALLIÈRES
Les Ribes 2013 ★★

■ | 15000 | | 8 à 11 €

Au Moyen Âge, la source de Notre-Dame-des-Pallières, réputée prévenir les fièvres, attirait les pèlerins du Midi. Depuis 1991, Jean-Pierre et Claude Roux y cultivent un vignoble de 60 ha en lutte « ultraraisonnée ».

Née de grenache (75 %), de mourvèdre et de cinsault, cette cuvée d'une grande harmonie dévoile un bouquet complexe qui mêle les épices et les aromates (poivre, laurier) à une touche de sous-bois. La bouche offre beaucoup de volume et de rondeur, les tanins sont bien fondus et veloutés, les notes de fruits mûrs persistent en finale. 2017-2023 baron d'agneau

DOM. NOTRE-DAME-DES-PALLIÈRES, chem. de Lencieu, 84190 Gigondas, tél. 04 90 65 83 03, contact@pallieres.com V t.l.j. 9h-12h 14h-19h; sam. dim. sur r.-v. Roux

ORTAS Icone 2013 ★★

■ | 4000 | | 30 à 50 €

Fondée en 1925, cette coopérative qui regroupe plus de 700 ha de vignes et 80 adhérents est l'une des plus anciennes caves rhodaniennes et le principal producteur de l'AOC rasteau. Ortas est sa marque ombrelle.

Née des vignes les plus vieilles et les plus qualitatives de la cave, cette cuvée haut de gamme a fait forte impression. Elle délivre un bouquet intense et racé qui mêle un superbe vanillé aux fruits rouges, et déploie une bouche d'un volume imposant, puissante, charnue, soyeuse et très longue. Le coup de cœur fut mis aux voix. 2019-2024 daube de bœuf ■ **Hauts du Village 2013 ★★ (11 à 15 €; 26000 b.)** : à un nez fruité et épicé, intense et généreux, répond un palais tout aussi expressif, poivré, ample, robuste et corsé, bâti sur des tanins et un boisé fondus. 2018-2022 tajine d'agneau ■ **Les Veynes 2014 ★★ (5 à 8 €; 30000 b.)** : seize mois de cuve pour ce vin au nez subtil de fruits rouges, dense, rond et gourmand en bouche, aux tanins policés. 2018-2022 faisan rôti

ORTAS - CAVE DE RASTEAU, rte des Princes-d'Orange, 84110 Rasteau, tél. 04 90 10 90 10, vignoble@rasteau.com V t.l.j. 9h-12h30 14h-18h

MAISON PLANTEVIN Les Premiers Pas de Nao 2014

■ | 2500 | | 11 à 15 €

BTS de «viti-œno» en poche et fort d'un stage de vinification en Nouvelle-Zélande, Laurent Plantevin a repris en 2009 le domaine familial et ses 17 ha de vignes en conversion bio depuis 2011.

Pas d'hésitation au nez, contrairement sans doute aux premiers pas du jeune Nao, le fils des Plantevin, mais au contraire une belle intensité fruitée et épicée. En bouche, cette cuvée mi-grenache mi-syrah se montre sous un jour aimable: des arômes harmonieux de réglisse, d'épices et de fruits à l'alcool, de la souplesse, de la rondeur et une bonne concentration. Un rasteau que l'on pourra boire sur le fruit. ⧗ 2016-2020 ⟟ navarin d'agneau

⊶ *LAURENT PLANTEVIN, quartier Les Granges-Neuves, 84110 Séguret, tél. 06 30 53 17 30, laurentplantevin@hotmail.fr* [V] *t.l.j. 9h-12h 14h-18h* ② [B]

DOM. RABASSE-CHARAVIN 2014 ★

■ | 16000 | ▮ | 11 à 15 €

Vers 1890, Edmond Charavin, vigneron et chapelier, acquiert 3 ha de terres à Cairanne. Installée en 1984, Corinne Couturier conduit avec sa fille Laure, de façon très raisonnée, dans un esprit proche du bio, un vignoble de 40 ha.

Issu de grenache (60 %), de carignan (35 %) et d'un soupçon de mourvèdre, ce rasteau séduit d'emblée par sa complexité et sa générosité olfactives: pruneau, abricot sec, épices. Un trait de caractère que l'on retrouve dans une bouche vineuse, dense et onctueuse, étirée dans une belle finale tout en fruit. ⧗ 2018-2023 ⟟ tajine d'agneau aux pruneaux

⊶ *DOM. RABASSE-CHARAVIN, 1030, chem. des Girard, 84290 Cairanne, tél. 04 90 30 70 05, rabasse-charavin@orange.fr* [V] *r.-v.* ⊶ *Couturier*

[B] DOM. DU TRAPADIS Les Adrès 2014

■ | 8000 | ◍▮ | 15 à 20 €

Né en 1950 de l'union des familles Brun et Charavin et de leurs vignes respectives, ce vignoble s'étend aujourd'hui sur 35 ha, en bio certifié, conduit par Helen Durand depuis 1996.

Cette cuvée issue d'une forte proportion de grenache (80 %, avec le carignan et le mourvèdre en appoint) développe des arômes discrets mais harmonieux de fruits rouges et de cuir agrémentés d'une pointe minérale. La bouche est agréable, soyeuse, fruitée, boisée avec mesure et de bonne longueur. ⧗ 2018-2022 ⟟ souris d'agneau

⊶ *DOM. DU TRAPADIS, 2302, rte d'Orange, 84110 Rasteau, tél. 04 90 46 11 20, hd@domainedutrapadis.com* [V] *r.-v.* ⊶ *Helen Durand*

PIERRE VIDAL Grande Réserve 2014 ★★

■ | 60000 | ◍▮ | 8 à 11 €

Pierre Vidal, installé à Châteauneuf-du-Pape avec son épouse vigneronne, a créé son négoce en 2010. Une maison déjà bien implantée grâce aux sélections parcellaires vinifiées par ce jeune œnologue formé en Bourgogne.

Cette Grande Réserve a séduit nos dégustateurs par sa finesse et son élégance. Au nez, où elle développe d'intenses notes fruitées. En bouche, où elle affiche un équilibre admirable entre le fruit, une chair tendre et ronde et des tanins veloutés. Sa longue finale achève de convaincre. ⧗ 2017-2021 ⟟ lapin aux olives

⊶ *EURL PIERRE VIDAL, 631, rte de Sorgues, 84230 Châteauneuf-du-Pape, tél. 06 88 88 07 58, contact@pierrevidal.com*

GIGONDAS

Superficie : 1 225 ha / Production : 32 180 hl

Au pied des étonnantes Dentelles de Montmirail, le vignoble de Gigondas ne couvre que la commune du même nom. Il est constitué d'une série de coteaux et de vallonnements. La vocation viticole de l'endroit est très ancienne, mais son réel développement ne date que du XIX[e]s., sous l'impulsion d'Eugène Raspail. D'abord côtes-du-rhône, puis, en 1966, côtes-du-rhône-villages, Gigondas obtient ses lettres de noblesse en tant qu'appellation spécifique en 1971. Les caractéristiques du sol et le climat donnent leur caractère aux vins, le plus souvent rouges à forte teneur en alcool, puissants et charpentés, tout en présentant une palette aromatique d'une grande finesse où se mêlent épices et fruits à noyau. Bien adaptés au gibier, les gigondas mûrissent lentement et peuvent garder leurs qualités pendant de nombreuses années. Il existe également quelques vins rosés, eux aussi chaleureux.

PIERRE AMADIEU Le Pas de l'Aigle 2013 ★

■ | 23000 | ◍ | 15 à 20 €

Maison fondée en 1929 et restée familiale (Pierre Amadieu, installé en 1989, son oncle et ses cousins). Elle opère des sélections parcellaires pour son négoce et conduit deux propriétés: Grand Romane et La Machotte en AOC gigondas, dont elle est le plus grand producteur avec 137 ha de vignes.

Le Pas de l'Aigle, site grandiose qu'il faut parcourir à pied, permet de goûter la fraîcheur des sommets. Fraîcheur que l'on retrouve aussi dans ce vin ouvert sur des notes intenses de réglisse et de fruits rouges, renforcé par un bon boisé (vingt-quatre mois de foudres), à la bouche puissante et tannique, dont l'envergure rappelle celle du rapace volant au-dessus des falaises qui surplombent les vignes. ⧗ 2019-2026 ⟟ civet de biche

⊶ *PIERRE AMADIEU, 201, rte des Princes-d'Orange, 84190 Gigondas, tél. 04 90 65 84 08, pierre.amadieu@pierre-amadieu.com* [V] *t.l.j. 10h-12h 14h-17h30; f. sam. dim. en janv.-fév.*

LA BASTIDE SAINT-VINCENT Coste vieille 2013 ★

■ | 2600 | ◍▮ | 15 à 20 €

Installé dans une ancienne ferme rénovée aux airs de bastide, dont certains éléments datent du XVII[e]s., Laurent Daniel, ancien responsable commercial

export dans un négoce de vin, a repris en 2001 ce vignoble familial de 23 ha très morcelé, réparti dans six communes. Un habitué du Guide, d'une régularité sans faille.

De vieux ceps de grenache, syrah et mourvèdre plantés en coteaux sont à l'origine de cette cuvée au bouquet intense et complexe qui mêle nuances florales (violette), fruitées (pruneau) et empyreumatiques. Rond et charnu en attaque, le palais est adossé à des tanins fins et serrés qui lui confèrent de la puissance sans nuire à son élégance. Un très beau vin de garde. ⧗ 2019-2026 ▼ gardianne de taureau ■ **2014 (11 à 15 €; 20000 b.)** : vin cité.

⊶ LAURENT DANIEL, 1047, La Bastide Saint-Vincent, 84150 Violès, tél. 04 90 70 94 13, bastide.vincent@free.fr V ▮ *t.l.j. sf dim. 9h-12h 14h-19h*

DOM. DU BOIS DES MÈGES Pierre céleste 2014

■	2400	⦀ ▮	11 à 15 €

Ghislain Guigue a quitté en 1990 son métier de caviste au Ch. Mont-Redon à Châteauneuf pour s'installer avec son épouse Magali sur un plateau de cailloutis et de galets roulés de 5 ha. Il a porté la superficie de son domaine à 12 ha aujourd'hui, répartis sur cinq communes.

C'est avant tout pour sa complexité aromatique que cette Pierre Céleste a retenu l'attention. Fruits confits, notes poivrées, soupçon de moka, pincée de vanille, nuances de torréfaction, la palette est riche et variée. En bouche, en revanche, le vin apparaît encore fermé, sévère et sous l'emprise du bois. Le potentiel est là, soyez patient. ⧗ 2019-2023 ▼ civet de sanglier

⊶ GHISLAIN GUIGUE, Les Tappys, 607, rte d'Orange, 84150 Violès, tél. 04 90 70 92 95, gguigue@boisdesmeges.fr V 🚶 ▮ *r.-v.*

DOM. DES BOSQUETS 2014 ★★

■	43200	⦀ ▮	15 à 20 €

Eugène Raspail, durant la seconde moitié du XIXᵉs., puis Gabriel Meffre un siècle plus tard, en 1962, contribuèrent au développement du Dom. des Bosquets où la culture de la vigne est attestée dès le XIVᵉs. En 1987, à la disparition de ce dernier, sa fille Sylvette Bréchet, épaulée par ses fils Laurent et Julien, reprit le domaine. Depuis 2010, Julien est seul maître à bord, aux commandes de 26 ha de vignes. Autre étiquette: le Dom. de la Jérôme, petite exploitation de 2,5 ha sur Séguret, vinifiée dans le chai des Bosquets.

L'autodidacte Julien Bréchet, «sans aucun bagage technique», précise-t-il, a fait ses classes à Pibarnon (bandol) et au Ch. de Vaudieu, l'autre domaine familial, à Châteauneuf. Une bonne école et les résultats ne se font pas attendre. Coup de cœur l'an dernier pour sa Colline 2013, il signe ici un gigondas remarquable, ouvert sur les épices et les fruits rouges et noirs, parfaitement équilibré en bouche, entre fine fraîcheur, fruité intense et mûr, tanins soyeux et boisé fondu. Déjà très harmonieux, ce vin est paré pour une longue garde. ⧗ 2018-2026 ▼ côte de bœuf ■ **Le Lieu Dit... 2014 ★ (30 à 50 €; 4000 b.)** : les inconditionnels du grenache trouveront ici une belle expression du cépage: arômes délicats de fruits rouges et d'épices, bouche tout en rondeur, ample et gourmande, opulente même, tenue par une fine acidité qui assure son équilibre et son avenir. ⧗ 2018-2026 ▼ cochon de lait à la broche

⊶ DOM. DES BOSQUETS, 2, chem. des Bosquets, 84190 Gigondas, tél. 04 90 65 80 45, julien.brechet@famillebrechet.fr V 🚶 ▮ *r.-v. ⊶ Julien Bréchet*

BROTTE La Marasque 2014

■	17000	11 à 15 €

Cette maison réputée, fondée en 1931 par Charles Brotte, pionnier de la mise en bouteilles dans la vallée du Rhône, est aujourd'hui dirigée par Laurent, petit-fils du fondateur. Elle vinifie ses propres vignes et opère des sélections parcellaires pour le compte de son négoce, dont La Fiole du pape, en châteauneuf, est la marque phare depuis sa création en 1952.

La marasque est une variété de cerise poussant à Gigondas. Dans le verre, des fruits rouges en effet, mais aussi des nuances poivrées et surtout des notes de toast grillé et de tabac léguées par les foudres (85 % du vin) et les fûts. Un nez expressif auquel fait écho une bouche fraîche en attaque, plus suave et ronde dans son développement. Un ensemble harmonieux. ⧗ 2018-2021 ▼ bœuf carottes

⊶ BROTTE, Le Clos, rte d'Avignon, BP 1, 84231 Châteauneuf-du-Pape, tél. 04 90 83 70 07, brotte@brotte.com V 🚶 ▮ *t.l.j. 9h-12h 14h-18h*

DOM. FLORENT ET DAMIEN BURLE Les Pallieroudas 2014 ★

■	6000	▮	11 à 15 €

Un domaine fondé en 1960, dans la même famille depuis trois générations. Florent et Damien Burle, installés en 1997, conduisent un vignoble de 21 ha.

Une cuvée souvent en vue dans ces pages, issue de grenache et de mourvèdre. Le 2014 livre un bouquet fin et bien typé de violette, d'épices et de fruits rouges confiturés. La bouche riche et puissante offre une belle mâche de tanins soyeux et déploie une jolie finale épicée. ⧗ 2018-2023 ▼ moussaka

⊶ DOM. FLORENT ET DAMIEN BURLE, 306, chem. Saint-Damien, La Beaumette, 84190 Gigondas, tél. 04 90 70 94 85, caroleetdamien.burle@sfr.fr V 🚶 ▮ *t.l.j. 8h-18h*

DOM. DE CABASSE Jucunditas 2014

■	12000	15 à 20 €

***Casa bassa* («maison basse» en italien), c'est ainsi que cette propriété de 15 ha était appelée au temps des papes d'Avignon. Située sous le village de Séguret, elle a changé de mains en 2012: Alfred et Nicolas Haeni ont cédé la place à la famille Baudry, qui a pour objectif de développer l'œnotourisme.**

Grenache, syrah et mourvèdre sont associés dans ce gigondas ouvert sur les fruits noirs et les épices. La bouche est un peu fugace mais complète: du fruit, un bon volume, une structure en place pour la garde, de la fraîcheur. Paré pour un séjour en cave. ⧗ 2019-2022 ▼ couscous royal

DOM. DE CABASSE, rte de Sablet, 84110 Séguret, tél. 04 90 46 91 12, info@cabasse.fr V t.l.j. 9h-12h 14h-18h *Benoît Baudry*

DOM. LES CHÊNES BLANCS 2014

■	4300		11 à 15 €

Si le vignoble est ancien (premières plantations début XXᵉs.), les premières mises en bouteilles au domaine datent de l'installation de Jean Roux, en 1980, à la tête aujourd'hui de 12 ha de vignes.

Une touche de mourvèdre et de clairette aux côtés du grenache (60 %) et de la syrah font l'originalité de ce vin un peu fugace mais très aromatique (violette, fruits noirs et rouges bien mûrs), rond et chaleureux. 2017-2021 omelette aux truffes

JEAN ROUX, Dom. les Chênes blancs, 621, chem. des Jardinières, 84190 Gigondas, tél. 04 90 65 85 04, clement.roux84@gmail.com V r.-v.

CH. LA CROIX DES PINS Dessous des Dentelles 2013 ★

■	8600		15 à 20 €

La chapelle intérieure et la pergola de cette bastide de style toscan rappellent qu'au XVIᵉs. le domaine appartenait à un prélat italien. En 2009, Jean-Pierre Valade, consultant international en œnologie, et Éric Petitjean ont repris l'exploitation et ses 33 ha de vignes en bio (beaumes-de-venise, ventoux et gigondas).

Aux notes classiques de fraise et de cassis s'ajoutent des senteurs plus originales de menthe sauvage pour composer le nez intense et aérien de cet assemblage grenache-syrah-mourvèdre. Le palais fait rimer sans fausse note fraîcheur et rondeur, avec un côté soyeux et patiné qui commence doucement à prendre le dessus. Un vin harmonieux, que l'on pourra servir aussi bien sur le fruit qu'après quelques années de garde. 2017-2022 gigot d'agneau

CH. LA CROIX DES PINS, 902, chem. de la Combe, 84380 Mazan, tél. 04 90 66 37 48, chateaulacroixdespins@orange.fr V r.-v. E *Valade*

DAUVERGNE RANVIER Grand Vin 2014 ★★

■	40000		15 à 20 €

Créée en 2004 par François Dauvergne et Jean-François Ranvier, professionnels du vin qui ont décidé d'élaborer leurs propres cuvées après avoir œuvré chez les autres, cette maison de négoce s'affirme d'année en année à travers une gamme de qualité issue de sélections parcellaires. En 2013, les deux compères ont repris l'exploitation du Dom. des Muretins (tavel et lirac).

Ce Grand Vin n'usurpe pas son nom. S'il demande un peu d'aération pour se révéler pleinement, l'attente est récompensée par une finesse et une complexité aromatiques remarquables: fruits cuits, romarin, moka, vanille. La bouche, à la fois généreuse, charnue, dense et fraîche, conjugue élégance et puissance et s'achève sur une longue note épicée qui laisse le souvenir d'un vin au caractère bien trempé. Le plaisir se prolonge dans une belle sucrosité enrobant une bouche puissante, charnue et équilibrée. 2019-2026 filet de bœuf aux cèpes ■ **Face nord 2014 ★ (20 à 30 €; 6000 b.)** : un gigondas complexe – fruits rouges, épices, garrigue, notes torréfiées, pointe de fenouil –, corsé, rond et gras en bouche, encore un peu strict en finale. Du potentiel. 2019-2023 souris d'agneau au paprika

DAUVERGNE RANVIER, Ch. Saint-Maurice, RN 580, 30290 Laudun-l'Ardoise, tél. 04 66 82 96 57, francois.dauvergne@dauvergne-ranvier.com

DOM. DE LA DAYSSE 2014 ★

■	70000		11 à 15 €

L'un des nombreux domaines de la famille Meffre. Un vignoble de 15 ha acquis en 1934, situé sur la terrasse argilo-calcaire très caillouteuse qui domine la vallée du Trignon.

Cet assemblage de grenache (50 %), de syrah (40 %) et de mourvèdre brille par son expression aromatique à la fois subtile et gourmande, entre fruits rouges mûrs et réglisse. Arômes qui s'épanouissent dans une bouche charnue, dense et très fraîche. Un gigondas charmeur en diable et d'ores et déjà très agréable. 2016-2021 épaule d'agneau grillée

DOM. JACK MEFFRE ET FILS (DOM. DE LA DAYSSE), rte des Princes-d'Orange, 84190 Gigondas, tél. 04 90 70 94 90, hmeffre@outlook.com V r.-v.

LA FERME DU MONT Jugunda 2014

■	5000		15 à 20 €

Un domaine créé en 2007 par Stéphane Vedeau. Autour de la ferme, 50 ha de vieilles vignes plantées sur des sols de cailloutis calcaires très minéraux.

Stéphane Vedeau avoue « une passion sans limite pour le grenache » ; il en a mis 80 % dans l'assemblage de cette cuvée au nez flatteur de fruits noirs, légèrement vanillé et cacaoté. Des notes boisées bien mises en œuvre également dans un palais souple et rond. Un peu fugace mais équilibré. 2017-2021 veau aux olives

LA FERME DU MONT, rte de Vinsobres, chem. Sainte-Croix, BP 80, 84602 Valréas, tél. 04 90 35 22 64, contact@lafermedumont.com V t.l.j. sf sam. dim. 9h-12h 14h-18h; ven. 17h *M. Vedeau*

DOM. DES FLORETS Suprême 2014

■	1200		20 à 30 €

Un domaine acquis en 2007 par Jérôme et Myriam Boudier, à la tête de 8,3 ha de vignes implantés sur les contreforts des Dentelles de Montmirail, avec une partie du vignoble établi à quelque 500 m d'altitude.

Grenache (80 %) et mourvèdre pour cette cuvée qui associe fruits cuits, épices et notes de boisé à l'olfaction. On retrouve les fruits et surtout le bois dans un palais aux tanins encore marqués. L'attente est de mise. 2018-2024 tarte au chocolat

DOM. DES FLORETS, 1467, rte des Florets, 84190 Gigondas, tél. 04 90 40 47 51, scea-domainedesflorets@orange.fr t.l.j. sf dim. 9h-12h 14h-18h Boudier

DOM. LA FOURMONE Le Fauquet 2014 ★

	20000		11 à 15 €

Un domaine fondé en 1885, valeur sûre en gigondas et vacqueyras (avec plusieurs coups de cœur à son actif), dans la famille Combe depuis cinq générations. Aux commandes des 42 ha de vignes, Marie-Thérèse Combe et ses enfants Albin et Florentine.

Vendange égrappée et non foulée, vinification et élevage en cuve Inox pour cette cuvée née de grenache, syrah et mourvèdre. Le nez développe d'intenses arômes de fruits rouges et noirs (cassis) et d'épices, prolongés par une bouche ronde et riche, adossée à des tanins bien présents mais fondus, un brin plus sévères en finale. 2017-2021 canette au miel

FAMILLE COMBE, Dom. la Fourmone, 526, rte de Violès, 84190 Vacqueyras, tél. 04 90 65 86 05, contact@fourmone.com t.l.j. sf dim. 9h30-18h

GIGONDAS LA CAVE Référence 2014 ★

	309866		11 à 15 €

Créée en 1956 au pied des Dentelles de Montmirail, la coopérative de Gigondas vinifie aujourd'hui la production de quelque 260 ha de vignes, dont une partie en agriculture biologique.

Animal au premier nez, ce trio grenache-syrah-mourvèdre s'ouvre à l'agitation sur les fruits bien mûrs. Les épices viennent en renfort d'un fruité intense dans une bouche puissante et ronde, dont les tanins commencent à se fondre. Un vin expressif, équilibré et déjà très agréable. 2017-2021 jambon braisé

GIGONDAS LA CAVE, Les Blaches, 84190 Gigondas, tél. 04 90 65 86 27, infos@cave-gigondas.fr t.l.j. 9h30-12h30 14h-18h30

DOM. DU GRAND MONTMIRAIL
Vieilles Vignes 2014 ★

	25000		15 à 20 €

Productrice dans la vallée du Rhône (Roucas de Saint-Pierre, Hauts de Mercurol, Michel Poinard) et en Côte de Nuits, la famille Chéron, originaire de Bourgogne, conduit depuis 1981 cette vaste propriété de 72 ha (dont 48 de vignes) en forme d'amphithéâtre, établie au pied des Dentelles de Montmirail, sur son versant sud. Un domaine très régulier en qualité, que ce soit pour ses gigondas, ses vacqueyras ou ses beaume-de-venise.

Coup de cœur avec son Roucas de Saint-Pierre 2014, Yves Chéron signe avec son autre propriété de Gigondas un vin intense, bien ouvert sur les petits fruits rouges frais et sans boisé apparent – la syrah et le mourvèdre ont été passés en fût, le grenache élevé en cuve. Le palais est rond, ample, onctueux, épaulé par des tanins fins et soyeux. Déjà harmonieux, ce vin évoluera favorablement. 2018-2022 agneau de sept heures

DOM. DU GRAND MONTMIRAIL, Le Grand-Montmirail, 84190 Gigondas, tél. 04 90 65 85 91, contact@vignoblescheron.fr t.l.j. sf sam. dim. 8h-12h 14h-18h ; f. 1-20 août Famille Chéron

LAVAU 2013 ★★

	40000		11 à 15 €

Une maison de négoce fondée en 1964 par Jean-Guy Lavau, d'origine saint-émilionnaise. Ses héritiers Benoît et Frédéric proposent aujourd'hui une large gamme de vins à partir de la production de 350 vignerons de la vallée du Rhône méridionale, complétée par 180 ha de vignes en propriété.

Le nez, intense et complexe, développe des parfums de cerise, de myrtille, de réglisse et de cannelle. La bouche, ample, puissante, concentrée, bâtie sur des tanins fins et soyeux, donne un style structuré et viril à ce vin, qui n'en est pas moins élégant. Un trio grenache-syrah-mourvèdre des plus harmonieux et déjà appréciable, mais qui vieillira très bien. 2017-2024 sauté d'agneau au curry

SAS LAVAU, 585, rte de Cairanne, 84150 Violès, tél. 04 90 70 98 70, info@lavau.fr t.l.j. sf sam. dim. 10h-12h 14h-18h

DOM. DE LA MAVETTE 2014

	10000		11 à 15 €

Un domaine conduit par la même famille depuis trois générations. La dernière en date est représentée par Jean-François Lambert, arrivé en 1987 et gérant depuis 1992, à la tête aujourd'hui d'un vignoble de 30 ha.

Le trio classique grenache-syrah-mourvèdre pour ce gigondas de bonne intensité, ouvert sur les fruits noirs et des notes de sous-bois. La bouche, un peu fugace mais équilibrée, y ajoute de plaisantes touches poivrées. 2017-2021 paupiette à la tomate

JEAN-FRANÇOIS LAMBERT, Dom. de la Mavette, 677, chem. de Lencieu, 84190 Gigondas, tél. 04 90 65 85 29, lambert.jfs@orange.fr t.l.j. 9h-12h 14h-18h

CH. DE MONTMIRAIL La Combe sauvage 2014 ★

	9000		11 à 15 €

Situé à l'emplacement d'une ancienne station thermale connue pour ses eaux sulfureuses et magnésiennes, ce domaine de 48 ha est conduit par la famille Archimbaud depuis quatre générations. Une valeur sûre en vacqueyras et en gigondas.

De jolies notes de petits fruits rouges, de réglisse, de cuir et de sous-bois s'échappent du verre. Cet assemblage grenache-mourvèdre (60-40) dévoile aussi une palette aromatique d'une belle richesse, à dominante fruitée et épicée, dans une bouche ronde, ample et généreuse, soutenue par des tanins bien présents mais soyeux. De bonne garde. 2018-2023 joues de bœuf en daube

SCEV ARCHIMBAUD-BOUTEILLER, 204, cours Stassart, 84190 Vacqueyras, tél. 04 90 65 86 72, archimbaud@chateau-de-montmirail.com t.l.j. sf dim. 9h-12h 14h-18h

XAVIER MOURIER Les Fétoules 2014 ★

■ | 3500 | | 15 à 20 €

Ce domaine a été créé de toutes pièces en 1989 par Michel et Xavier Mourier, qui ont défriché les terres et aménagé des terrasses avant de planter. De 1,5 ha à l'origine, le vignoble est passé à plus de 15 ha aujourd'hui, sur des coteaux exposés sud-sud-est, avec des pentes de 40 à 60 %.

Une cuvée mi-syrah mi-grenache, appréciée avant tout pour ses qualités aromatiques. Le nez conjugue fruits rouges et noirs mûrs et nuances poivrées. La dégustation se poursuit sur le même registre et avec la même intensité, agrémentée de notes de caramel, dans une bouche puissante, ronde et suave. Un gigondas expansif et généreux, que l'on pourra laisser mûrir sans crainte. 2018-2022 tajine d'agneau

XAVIER MOURIER, 53, RN 86, 42410 Chavanay, tél. 04 74 87 04 07, contact@domainemourier.fr V r.-v.

DOM. NOTRE-DAME-DES-PALLIÈRES Bois des Mourres 2014 ★

■ | 5000 | | 15 à 20 €

Au Moyen Âge, la source de Notre-Dame-des-Pallières, réputée prévenir les fièvres, attirait les pèlerins du Midi. Depuis 1991, Jean-Pierre et Claude Roux y cultivent un vignoble de 60 ha en lutte «ultraraisonnée».

Le nez subtil et délicat de cet assemblage grenache-mourvèdre-cinsault est engageant: de fines nuances florales s'allient à un boisé discret. Boisé qui confère un joli relief à un palais équilibré, à la fois riche et frais. Une vinification et un élevage soignés pour un vin harmonieux et déjà prêt, qui vieillira aussi très bien. 2017-2022 sauté d'agneau

DOM. NOTRE-DAME-DES-PALLIÈRES, chem. de Lencieu, 84190 Gigondas, tél. 04 90 65 83 03, contact@pallieres.com V t.l.j. 9h-12h 14h-19h; sam. dim. sur r.-v. Roux

DOM. PAILLÈRE ET PIED-GÛ 2014 ★

■ | 16000 | | 11 à 15 €

La famille de Bertrand Stehelin exploite la vigne depuis cinq générations. Sa mère perpétue une lignée établie à Gigondas et son père descend d'un industriel suisse installé à Châteauneuf-du-Pape au XIXe s. Le vigneron exploite le domaine familial Paillère et Pied-Gû (gigondas); il a aussi créé en 2004 un domaine à son nom.

Garrigue, fenouil, notes animales, épices, fruits rouges, l'olfaction de ce gigondas surprend par sa complexité. Un vin aromatique certes, mais ce n'est pas son seul atout: voyez aussi son palais à la fois fin et puissant, gras et frais, doté de tanins fermes et même encore un peu sévères. Autant d'arguments pour une longue garde. 2019-2026 daube de sanglier

FRÉDÉRIC STEHELIN, 312, chem. de Pied-Gû, 84190 Gigondas, tél. 04 90 65 84 14, frederic@vinstehelin.fr

DOM. PALON 2014

■ | 20000 | | 11 à 15 €

Issu d'une famille vigneronne depuis un siècle et fils de l'ancien président de la «coop» de Gigondas, Sébastien Palon a décidé en 2003 de créer sa propre cave. Il conduit aujourd'hui un vignoble de 15 ha.

Ce gigondas conjugue à l'olfaction nuances animales et notes de violette. Généreux dès l'attaque, mais avec de la fraîcheur en soutien, le palais affiche un bel équilibre et déploie de jolies notes de fruits rouges. Simple et efficace. 2017-2021 magret de canard

DOM. PALON, 373, rte de Carpentras, 84190 Gigondas, tél. 04 90 62 24 84, contact@domainepalon.com V r.-v.

DOM. DES PASQUIERS 2014

■ | 5000 | | 15 à 20 €

Jean-Claude et Philippe Lambert ont repris ce vignoble de 85 ha en 1998 et se sont lancés dans la vente en bouteilles quatre ans plus tard. La nouvelle génération est arrivée en 2013, et la conversion bio a été engagée la même année.

Mi-grenache mi-syrah, ce gigondas dévoile à l'olfaction des arômes de fruits rouges mûrs accompagnés de nuances chocolatées et d'un léger fumé. En bouche, il apparaît dense, charnu, vineux, soutenu par des tanins fermes qui montrent les muscles en finale. Il gagnera son étoile en cave. 2019-2024 civet de marcassin

DOM. DES PASQUIERS, 10, rte d'Orange, 84110 Sablet, tél. 04 90 46 83 97, domainedespasquiers@terre-net.fr V t.l.j. 8h-12h 13h30-18h; sam. dim. sur r.-v. 4 Lambert

DOM. DU PESQUIER 2014 ★

■ | 30000 | | 15 à 20 €

Implanté au cœur de l'AOC gigondas, ce vignoble appartenait aux princes d'Orange au XVIe s. L'exploitation actuelle est née dans les années 1950. Aujourd'hui, Guy et Mathieu Boutière exploitent un domaine de 24 ha (dédié aux seuls vins rouges), souvent en vue pour ses vacqueyras et ses gigondas.

Grenache, syrah et mourvèdre composent un vin très aromatique, sur les fruits frais (mûre, framboise) et les fruits compotés. La bouche attaque avec franchise et force vivacité, puis s'arrondit, mais en conservant ce caractère frais et direct jusqu'en finale. Bon potentiel d'évolution. 2018-2022 rôti de biche aux cerises

M. BOUTIÈRE, 806, chem. du Pesquier, 84190 Gigondas, tél. 04 90 65 86 16, contact@domainedupesquier.com V t.l.j. sf dim. 9h-12h30 14h-18h30

DOM. DU PRADAS 2014

■ | 12600 | | 11 à 15 €

Un petit domaine de 4,6 ha situé à 400 m d'altitude au cœur des Dentelles de Montmirail, dédié à la seule appellation gigondas et conduit par Sylvie Cottet depuis 1981.

RHÔNE

Prenez le temps de sentir les parfums qui composent la palette complexe de ce duo grenache-syrah (75-25): épices, notes cacaotées, fruits rouges. En bouche, le vin affiche un profil bien sudiste autour d'une matière riche et onctueuse et d'une belle expression fruitée, à peine perturbé par une petite rugosité en finale que le temps fera disparaître. ⧗ 2018-2022 ▼ magret de canard à l'orange

DOM. DU PRADAS,
Le Grand-Montmirail, 84190 Gigondas,
tél. 04 90 62 94 28 V r.-v. *Cottet*

B DOM. LA ROUBINE 2014

■	15000		15 à 20 €

Éric Ughetto, installé en 1990 sur la propriété familiale, et son épouse Sophie ont quitté la coopérative en 2000 pour vinifier le fruit de leurs 6 ha de vignes conduits en bio certifié. Un domaine régulier en qualité.

Grenache, mourvèdre et quelques ares de syrah et de cinsault sont associés dans ce gigondas plutôt secret à l'olfaction (des notes animales à l'ouverture, quelques touches fruitées). La bouche reste peu prolixe en arômes mais plaît par son côté suave et sa bonne structure tannique. Ce vin n'a pas encore atteint son point d'équilibre, mais les promesses sont là. ⧗ 2018-2021 ▼ pastilla de bœuf

ÉRIC UGHETTO,
Dom. la Roubine Qu Santa Duc, 613, chem. du Goujar,
84190 Gigondas, tél. 06 07 91 60 21,
domaine.laroubine@laposte.net
V *t.l.j. sf dim. 10h-13h 15h-19h*

♥ DOM. DU ROUCAS DE SAINT-PIERRE 2014 ★★

■	16000		11 à 15 €

Productrice dans la vallée du Rhône (Grand Montmirail, Hauts de Mercurol, Michel Poinard) et en Côte de Nuits, la famille Chéron, originaire de Bourgogne, conduit depuis 1981 cette propriété de 5,5 ha dédiée au seul gigondas. Un domaine qui doit son nom à un énorme rocher (roucas en provençal) décroché de la falaise des Dentelles de Montmirail et venu s'échouer au milieu du vignoble, poussé par saint Pierre, selon la légende.

Pas de bois pour ce gigondas né de grenache (65 %) et de syrah. Grâce à quoi les fruits, bien mûrs, sont à la fête: groseille, fraise et mûre, associés à un poivré soutenu, composent un bouquet des plus gourmands. Un même fruité intense persiste longuement dans une bouche ample, généreuse, caressante. Un modèle de «vin plaisir». ⧗ 2017-2021 ▼ tajine d'agneau

DOM. DU ROUCAS DE SAINT-PIERRE,
Le Grand-Montmirail, 84190 Gigondas,
tél. 04 90 65 00 22, contact@vignoblescheron.fr
V *r.-v. Chéron*

B CH. DE SAINT-COSME 2014 ★

■	45000		20 à 30 €

Aménagé sur un site de vinification gallo-romain, parvenu jusqu'à nous avec ses cuves de fermentation taillées dans le rocher, ce domaine est dans la famille Barruol depuis... 1490. Depuis, quinze générations de vignerons se sont succédé sur cette exploitation de 38 ha conduite depuis longtemps selon les préceptes bio. Fort de ce long passé vigneron, Louis Barruol, l'actuel propriétaire, a développé en 1997 une activité de négoce.

Grenache, mourvèdre, syrah et cinsault (par ordre d'importance) composent un vin expressif, fruité et épicé. Intense en matière aromatique, il l'est aussi par sa structure solide et tannique, enrobée par une matière ronde et dense. Du caractère et du potentiel. ⧗ 2019-2026 ▼ mijoté de paleron au vin rouge

SAINT-COSME,
rte des Dentelles, 84190 Gigondas,
tél. 04 90 65 80 80, barruol@chateau-st-cosme.com
V *t.l.j. sf sam. dim. 9h-12h 14h-18h*
Louis Barruol

♥ B DOM. SAINT-DAMIEN
Classique Vieilles Vignes 2014 ★★

■	12000		11 à 15 €

Quatre générations ont œuvré depuis 1821 sur ce domaine familial, dont le nom évoque une ancienne chapelle aujourd'hui disparue. Joël Saurel, rejoint en 2013 par son fils Romain, conduit 40 ha de vignes, en bio certifié depuis 2012.

Une petite bombe de fruit. Ce duo grenache-mourvèdre (80-20), élevé en foudre, s'ouvre sans réserve et avec intensité sur les fruits rouges frais rehaussés d'une touche poivrée bien sentie. La bouche est au diapason: du fruit, encore du fruit, et aussi beaucoup de volume, de densité et une onctuosité savoureuse qui laisse une sensation de grande harmonie. Un gigondas auquel il est d'ores et déjà bien difficile de résister, mais que le temps n'effraiera pas. ⧗ 2017-2023 ▼ daube de joues de bœuf

DOM. SAINT-DAMIEN,
50, chem. de Saint-Damien, La Beaumette,
84190 Gigondas, tél. 04 90 70 96 42,
contact@domainesaintdamien.com
V *r.-v. Saurel*

DOM. LA SOUMADE 2013 ★★

■	63227	15 à 20 €

Valeur sûre de la vallée du Rhône Sud (pour ses rasteau et ses *villages* notamment), ce domaine de 26 ha a été créé en 1979 par André Romero, épaulé depuis 1996 par son fils Frédéric et conseillé depuis 2002 par l'œnologue bordelais Stéphane Derenoncourt.

Il faut suspendre un instant le temps pour découvrir les multiples facettes aromatiques de ce vin de grenache (80 %) et de syrah: frais par son fruité (myrtille, cassis), plus chaleureux par ses nuances épicées (cannelle, girofle). La bouche est ample, puissante, dense, concentrée, adossée à des tanins bien présents mais veloutés, et laisse le dernier mot aux fruits noirs et aux notes de torréfaction. Du potentiel. ⧗ 2019-2026 ♈ tajine d'agneau aux pruneaux

⊶ EARL FRÉDÉRIC ROMÉRO, Dom. la Soumade, 1655, rte d'Orange, 84110 Rasteau, tél. 04 90 46 13 63, dom-lasoumade@hotmail.fr V t.l.j. sf dim. 8h-12h 14h-18h

DOM. TOURBILLON Vieilles Vignes 2014 ★

■	5500		15 à 20 €

Si le domaine créé par les grands-parents au milieu du XXᵉs. est ancien, Benjamin Tourbillon n'a signé la première vinification à la propriété qu'en 2012.

Benjamin Tourbillon poursuit son petit bonhomme de chemin et s'invite depuis trois ans dans ces pages avec des cuvées toujours intéressantes. Ici, un beau gigondas de garde né de vieilles vignes de grenache (77 %), syrah, mourvèdre et cinsault. Au nez, des notes d'amandes s'allient aux épices et aux fruits à l'alcool. Le fruité se fait plus intense encore dans une bouche équilibrée, dense et riche, bien bâtie sur des tanins soyeux qui confèrent un beau potentiel de garde à ce vin. ⧗ 2018-2024 ♈ civet de lièvre

⊶ BENJAMIN TOURBILLON, 101, rte de Fontaine-du-Vaucluse, D 24, 84800 Lagnes, tél. 04 90 38 01 62, contact@domaine-tourbillon.com V t.l.j. sf dim. 10h-12h30 14h-18h

♥ CH. DU TRIGNON 2013 ★★

■	19378		15 à 20 €

Antoine Quiot acquiert la première vigne à Châteauneuf-du-Pape en 1748. Ses descendants, Geneviève, Jérôme et leurs enfants Florence et Jean-Baptiste exploitent trois domaines dans la vallée du Rhône (Dom. du Vieux Lazaret, Ch. Duclaux, Ch. du Trignon) et deux propriétés en côtes-de-provence (Dom. Houchart, Les Combes d'Arnevel). Les Quiot sont aussi négociants.

Grenache, syrah, mourvèdre et cinsault, un quatuor classique et gagnant pour les Quiot, qui signent un superbe gigondas dans un millésime pourtant bien compliqué. Un vin complet et complexe, qui délivre de puissants arômes de fraise des bois, de cassis, de réglisse, de romarin et d'épices. La bouche, longue, dense, suave et concentrée, est mise en valeur par des tanins fins et veloutés. De l'ampleur et du style. ⧗ 2017-2023 ♈ noisettes d'agneau aux truffes

⊶ FAMILLE QUIOT, Ch. du Trignon, 5, av. Baron-Leroy, 84230 Châteauneuf-du-Pape, tél. 04 90 83 73 55, vignobles@jeromequiot.com V r.-v.

PIERRE VIDAL 2014

■	15000		11 à 15 €

Pierre Vidal, installé à Châteauneuf-du-Pape avec son épouse vigneronne, a créé son négoce en 2010. Une maison déjà bien implantée grâce aux sélections parcellaires vinifiées par ce jeune œnologue formé en Bourgogne.

Après dix-huit mois d'élevage en barrique pour 80 % du vin, ce gigondas dévoile d'intenses notes boisées, grillées et torréfiées, qui masquent encore un peu le fruit. Tout aussi dominé par le merrain, le palais apparaît ample, rond, bien structuré. À attendre pour plus de fondu. ⧗ 2018-2021 ♈ souris d'agneau

⊶ EURL PIERRE VIDAL, 631, rte de Sorgues, 84230 Châteauneuf-du-Pape, tél. 06 88 88 07 58, contact@pierrevidal.com

VIDAL-FLEURY 2014

■	6500		20 à 30 €

Le plus ancien négoce rhodanien en activité, fondé en 1781 à partir de son vignoble en côte-rôtie et très tôt réputé – Thomas Jefferson y fit un banquet mémorable en 1787. Propriété des Guigal depuis 1986, il dispose d'une cave monumentale, dont l'architecture est inspirée du site égyptien de Saqqarah.

Après neuf mois de fût, cet assemblage classique grenache-syrah-mourvèdre affiche une couleur rouge sombre et dévoile un bouquet expressif de fruits rouges, d'épices et de torréfaction. Franc et frais, fruité et épicé, sans boisé dominant, le palais présente un beau relief et un équilibre tanins-alcool qui rendent d'ores et déjà ce millésime avenant. ⧗ 2017-2021 ♈ côte d'agneau

⊶ VIDAL-FLEURY, 48, rte de Lyon, 69420 Tupin-et-Semons, tél. 04 74 56 10 18, contact@vidal-fleury.com V r.-v. ⊶ Famille Guigal

VACQUEYRAS

Superficie : 1 455 ha
Production : 42 325 hl (97 % rouge et rosé)

Consacré en AOC communale en 1990, le vignoble de Vacqueyras est situé dans le Vaucluse, entre Gigondas au nord et Beaumes-de-Venise au sud-est. Son territoire s'étend sur les deux communes de Vacqueyras et de Sarrians. Les vins rouges, largement majoritaires, sont élaborés à base de grenache, de syrah, de mourvèdre et de cinsault; ils sont aptes à la garde (trois à dix ans). Les quelques rosés sont issus d'un encépagement similaire. Les blancs, confidentiels, naissent des cépages clairette, grenache blanc, bourboulenc et roussanne.

LA BASTIDE SAINT-VINCENT Pavane 2014 ★

■	20000		8 à 11 €

Installé dans une ancienne ferme rénovée aux airs de bastide, dont certains éléments datent du XVIIᵉs., Laurent Daniel, ancien responsable commercial export dans un négoce de vin, a repris en 2001 ce

RHÔNE

vignoble familial de 23 ha très morcelé, réparti dans six communes. Un habitué du Guide, d'une régularité sans faille.

Une cuvée souvent en vue dans ces pages (coup de cœur pour le millésime 2012) qui tire son nom d'un lieu-dit de Sarrans. Elle s'ouvre sur des arômes intenses et gourmands de fruits rouges macérés, d'épices et de garrigue. Gourmande aussi est la bouche, par sa rondeur et son côté tendre, fruité et épicé qui fait un long écho à l'olfaction. ⧗ 2018-2022 🍷 coq au vin

⊶ *LAURENT DANIEL, 1047, La Bastide Saint-Vincent, 84150 Violès, tél. 04 90 70 94 13, bastide.vincent@free.fr* V 🏠 *t.l.j. sf dim. 9h-12h 14h-19h*

DOM. DU BOIS DE SAINT-JEAN La Ballade des Anglès 2014 ★

■ | 13000 | 11 à 15 €

Établie à Jonquerettes depuis 1650, la famille Anglès se consacre à la viticulture depuis 1910. Une tradition perpétuée avec grand talent par Vincent et son frère Xavier qui, à la tête de 48 ha de vignes, proposent des vins d'une constance remarquable.

De vieux ceps de cinquante ans sont à l'origine d'un vacqueyras bien typé. Au nez, des parfums de fruits rouges légèrement confits et de chocolat signent un grenache bien mûr (60 % de l'assemblage). Des arômes prolongés par un palais souple, dense et soyeux. ⧗ 2018-2022 🍷 aubergines farcies

⊶ *EARL XAVIER ET VINCENT ANGLÈS, 126, av. de la République, 84450 Jonquerettes, tél. 04 90 22 53 22, xavier.angles@wanadoo.fr* V 🚶 🏠 *t.l.j. 8h-12h 14h-20h; dim. 8h-12h*

DOM. DE BOISSAN 2014 ★★

■ | 8000 | 11 à 15 €

Établi à Sablet depuis 1981, Christian Bonfils conduit un domaine de 50 ha commandé par une bâtisse du XVIIe s. Les vignes blanches sont en bio certifié, les rouges en lutte raisonnée.

De vieilles vignes de grenache et de syrah âgées de soixante ans sont à l'origine de ce vin très aromatique, ouvert sur les fruits rouges, les épices et la violette. On retrouve avec la même intensité les fruits frais mêlés aux épices dans un palais puissant, ample et harmonieux, bâti sur des tanins fondus et délicats. De longue garde. ⧗ 2019-2026 🍷 tournedos Rossini

⊶ *CHRISTIAN BONFILS, 3, rue de Saint-André, 84110 Sablet, tél. 04 90 46 93 30, c.bonfils@wanadoo.fr* V 🚶 🏠 *t.l.j. sf sam. dim. 8h-12h 14h-17h* 🏠 Ⓔ

BROTTE Bouvencourt 2014 ★

■ | 16000 | 🛢 ⚱ | 11 à 15 €

Cette maison réputée, fondée en 1931 par Charles Brotte, pionnier de la mise en bouteilles dans la vallée du Rhône, est aujourd'hui dirigée par Laurent, petit-fils du fondateur. Elle vinifie ses propres vignes et opère des sélections parcellaires pour le compte de son négoce, dont La Fiole du pape, en châteauneuf, est la marque phare depuis sa création en 1952.

Née de vieux ceps (soixante-dix ans) de grenache et de syrah, cette cuvée s'ouvre sur un boisé intense (vanille, coco), derrière lequel pointent à l'agitation des notes encore assez discrètes de garrigue et de fruits rouges mûrs. La bouche, corpulente, dense, étoffée, suit la même ligne boisée, adossée à des tanins puissants qui promettent une bonne évolution en cave. ⧗ 2019-2026 🍷 joue de bœuf au vin rouge

⊶ *BROTTE, Le Clos, rte d'Avignon, BP 1, 84231 Châteauneuf-du-Pape, tél. 04 90 83 70 07, brotte@brotte.com* V 🚶 🏠 *t.l.j. 9h-12h 14h-18h*

DOM. BRUNELY Tradition 2014

■ | 13000 | ⚱ | 8 à 11 €

Offertes au XVe s. à Pellegrin de Brunelis par le pape Martin V, ces terres ont été acquises en 1976 par Rémi Carichon. Installé en 1986, son fils Charles conduit aujourd'hui 49 ha morcelés en une mosaïque de terroirs. Une valeur sûre de la vallée du Rhône sud.

Cette cuvée née de grenache (70 %) et de syrah et passée dix-huit mois en cuve de béton mêle à l'olfaction notes de graphite et d'épices. La bouche, bien équilibrée, à la fois riche et fraîche, dévoile en finale des tanins encore un peu sévères qu'il faudra laisser se patiner quelques années. ⧗ 2018-2023 🍷 magret de canard aux épices

⊶ *CHARLES CARICHON, 1272, rte de la Brunely, 84260 Sarrians, tél. 04 90 65 41 24, contact@domainebrunely.com* V 🚶 🏠 *r.-v.*

FLORENT ET DAMIEN BURLE La Muse 2014 ★

■ | 7500 | 8 à 11 €

Un domaine fondé en 1960, dans la même famille depuis trois générations. Florent et Damien Burle, installés en 1997, conduisent un vignoble de 21 ha.

Cette Muse a d'emblée inspiré les dégustateurs par sa belle expression aromatique, intense et complexe: fruits noirs, réglisse, poivre, olive. Le charme agit aussi en bouche au travers d'une matière douce et ronde qui enrobe des tanins soyeux et fondus, un brin plus sévères en finale. ⧗ 2018-2023 🍷 punta de lomo au poivre vert

⊶ *DOM. FLORENT ET DAMIEN BURLE, 306, chem. Saint-Damien, La Beaumette, 84190 Gigondas, tél. 04 90 70 94 85, caroleetdamien.burle@sfr.fr* V 🚶 🏠 *t.l.j. 8h-18h*

DOM. DE CABRIDON 2014

■ | 25000 | 11 à 15 €

L'œnologue Sylvain Jean élabore les cuvées de la maison de négoce Louis Bernard créée en 1976 à Gigondas, qui accompagne à la vigne et au chai une quarantaine de vignerons partenaires. Dans le giron du groupe Gabriel Meffre.

Le domaine de Cabridon est une petite exploitation familiale située à Sarrians, dans le Vaucluse. Vinifiés par la maison Louis Bernard, ses raisins ont donné un vin fruité, frais et équilibré, bien campé sur des tanins fermes qui doivent encore se fondre. ⧗ 2019-2023 🍷 gigot d'agneau

⊶ *LOUIS BERNARD, 2, rte des Princes-d'Orange, 84190 Gigondas, tél. 04 90 12 32 42, louis-bernard@gmdf.com* ⊶ *Éric Brousse*

♥ DOM. DE LA CHARBONNIÈRE 2013 ★★

■	14 000		15 à 20 €

En 1912, Eugène Maret achète ce domaine pour l'offrir à sa femme, châteauneuvoise et fille de vigneron. En 2013, son petit-fils Michel, aux commandes à partir de 1973, a transmis la gestion de ses 27,5 ha de vignes (en conversion bio depuis 2012) à ses filles Caroline et Véronique, qui poursuivent avec le même talent le travail de sélections parcellaires pratiqué par leur père. Une valeur sûre en vacqueyras et en châteauneuf.

Fidèle à ses principes, le vacqueyras du domaine est issu d'un assemblage de grenache (60 %) et de syrah vinifié en cuves Inox et en cuves en bois tronconiques. Cela donne un grand vin, complexe et profond, qui ne se livre pas immédiatement; prenez le temps de le laisser respirer pour qu'il dévoile ses arômes savoureux et bien mariés de cuir, de sous-bois, de fruits rouges et d'épices douces. Le palais se montre dense et voluptueux, riche et soyeux, étayé par des tanins veloutés et fins. ⏳ 2019-2026 🍷 noisettes d'agneau à la truffe

DOM. DE LA CHARBONNIÈRE, EARL Michel Maret et Filles, 26, rte de Courthézon, BP 83, 84232 Châteauneuf-du-Pape Cedex, tél. 04 90 83 74 59, contact@domainedelacharbonniere.com V t.l.j. sf dim. 9h-12h 14h-18h; sam. sur r.-v. Famille Maret

DOM. DE L'ESPIGOUETTE 2013 ★

■	10 000		11 à 15 €

Le nom de cette vaste exploitation de 47 ha est hérité du terme provençal *spigo* (petit épi de blé). Bernard Latour, aux commandes depuis 1979, privilégie les petits rendements et les vieilles vignes. Avec l'arrivée en 2009 de ses fils Émilien et Julien, il a engagé la conversion bio du vignoble et créé une nouvelle cave de stockage.

Après un an de cuve, ce vacqueyras libère des arômes soutenus de fruits mûrs à souhait. Un fruité généreux que prolonge avec la même intensité une bouche dense, ample et solidement charpentée, signant un vin bâti pour la garde. ⏳ 2019-2026 🍷 gigue de chevreuil

EARL DOM. DE L' ESPIGOUETTE, 1008, rte d'Orange, 84150 Violès, tél. 04 90 70 95 48, espigouette@aol.com V r.-v.

DOM. FONT SARADE
Les Hauts de la Ponche 2014 ★

■	40 000		8 à 11 €

Un domaine souvent en vue, né en 1936 au nord de Vacqueyras de l'association de deux familles vigneronnes, les Devine et les Burle. Le vignoble, conduit depuis 2002 par Bernard Burle, associé à sa fille Claire en 2015, couvre aujourd'hui 35 ha.

Dix mois de cuve pour cet assemblage grenache-syrah-mourvèdre au nez complexe et bien méridional: épices, fruits noirs (cassis, mûre), tapenade, thym. Après une attaque franche, le palais dévoile un caractère puissant, porté par une fine fraîcheur et une belle trame de tanins serrés. Longue finale sur les fruits noirs et les épices. ⏳ 2019-2026 🍷 daube de bœuf aux olives ■ **Le Penchant 2015 ★ (8 à 11 €; 2500 b.)** : roussanne (70 %) et viognier composent une cuvée expressive et fine, sur les fruits à chair blanche, d'une belle fraîcheur pour ce millésime solaire. ⏳ 2016-2019 🍷 bouillabaisse

DOM. FONT SARADE, 801, rte de Violès, 84190 Vacqueyras, tél. 04 90 65 82 97, infos@fontsarade.fr V r.-v. Bernard Burle

DOM. LA FOURMONE Le Poète 2014 ★★

■	40 000		11 à 15 €

Un domaine fondé en 1885, valeur sûre en gigondas et vacqueyras (avec plusieurs coups de cœur à son actif), dans la famille Combe depuis cinq générations. Aux commandes des 42 ha de vignes, Marie-Thérèse Combe et ses enfants Albin et Florentine.

Roger Combe, troisième du nom à conduire le domaine, lui donna ses lettres de noblesse en rédigeant des poèmes en provençal. Cette cuvée née de grenache (60 %) et de syrah lui rend hommage et fait rimer les notes de fruits rouges, de pivoine et d'épices mâtinées de nuances animales. Cette complexité trouve un prolongement intense dans une bouche dense et concentrée, bâtie sur une charpente massive, mais qui ne manque ni de fraîcheur ni de finesse. La longue finale est marquée de touches d'aromates qui fleurent bon la Provence. ⏳ 2018-2023 🍷 navarin d'agneau

FAMILLE COMBE, Dom. la Fourmone, 526, rte de Violès, 84190 Vacqueyras, tél. 04 90 65 86 05, contact@fourmone.com V t.l.j. sf dim. 9h30-18h

DOM. LA GARRIGUE Osez le Détour 2014 ★

■	3500		15 à 20 €

La famille Bernard est installée à Vacqueyras depuis 1850 et six générations, sur un domaine de 80 ha plantés de vieilles vignes, souvent en vue dans ces pages pour ses gigondas et ses vacqueyras.

De vieux ceps de grenache et de syrah de soixante ans ont donné cette cuvée qu'il faut un peu aérer pour qu'elle dévoile ses arômes bien typés de cassis mûr, de réglisse, de violette et de chocolat. Une palette qui s'épanouit dans une bouche ample, ronde, profonde et généreuse. ⏳ 2019-2024 🍷 pavé de biche

SCEA A. BERNARD ET FILS, Dom. la Garrigue, chem. Nouveau-de-la-Garrigue, 84190 Vacqueyras, tél. 04 90 65 84 60, info@domaine-la-garrigue.fr V t.l.j. sf dim. 8h-12h 14h-18h30

B VIGNOBLE ALAIN IGNACE Sous la robe 2014 ★

■	3000		15 à 20 €

Après son grand-père Justin, fondateur du domaine en 1898, et son père Antonin, Alain Ignace conduit avec son épouse Nelly les 13 ha de vignes familiales

RHÔNE

(vacqueyras et beaumes-de-venise), en agriculture biologique certifiée.

Sous la robe, un vin méridional à souhait, ouvert sur des arômes prononcés et complexes de fruits rouges, d'olive, de poivre vert et de thym agrémentés de jolies nuances torréfiées. En bouche, un équilibre bien dosé entre gras, acidité et structure fondue lui assure une bonne assise et garantit une évolution sereine. ⧗ 2018-2023 ▼ bœuf bourguignon

VIGNOBLE ALAIN IGNACE, 1727, rte de Vacqueyras, 84190 Beaumes-de-Venise, tél. 06 80 45 81 74, alain.ignace@wanadoo.fr V r.-v.

LAVAU 2013 ★★

■	15000		11 à 15 €

Une maison de négoce fondée en 1964 par Jean-Guy Lavau, d'origine saint-émilionnaise. Ses héritiers Benoît et Frédéric proposent aujourd'hui une large gamme de vins à partir de la production de 350 vignerons de la vallée du Rhône méridionale, complétée par 180 ha de vignes en propriété.

Pour moitié grenache et pour moitié syrah et mourvèdre, ce vacqueyras a fait forte impression – le coup de cœur fut mis aux voix. Au nez, des parfums intenses et généreux de fruits rouges confiturés, agrémentés de discrètes notes animales. En bouche, beaucoup de volume, une rondeur gourmande et des tanins souples et soyeux qui ajoutent à son amabilité. Déjà très charmeur, ce vin vieillira bien. ⧗ 2018-2024 ▼ sauté de veau aux olives

SAS LAVAU, 585, rte de Cairanne, 84150 Violès, tél. 04 90 70 98 70, info@lavau.fr V *t.l.j. sf sam. dim. 10h-12h 14h-18h*

LE MAS DES FLAUZIÈRES Le Pilon 2014

■	2400		11 à 15 €

Jérôme Benoît a pris les rênes en 1996 de ce domaine, dans sa famille depuis 1919 et commandé par un vieux mas autrefois propriété du château d'Entrechaux. Le vignoble de 35 ha s'étend sur plusieurs communes, du mont Ventoux aux Dentelles de Montmirail. Des vins réguliers en qualité.

Mi-grenache mi-syrah, cette cuvée mêle à l'olfaction fruits rouges et notes d'élevage. Une belle attaque sur les fruits mûrs ouvre sur un palais d'un bon volume, chaleureux et rond, épaulé par des tanins qui demandent encore à se fondre. La finale, fruitée et épicée, laisse une agréable sensation d'équilibre. ⧗ 2018-2023 ▼ pintade aux raisins

LE MAS DES FLAUZIÈRES, 1131, rte de Vaison, 84340 Entrechaux, tél. 04 90 46 00 08, lemasdesflauzieres@yahoo.fr V *t.l.j. 10h-12h 14h-18h* *Jérôme Benoît*

CH. MAZANE 2014 ★★

■	30000		11 à 15 €

D'origine castelpapale, Alain Jaume et ses fils Sébastien et Christophe perpétuent une tradition viticole qui remonte à 1826. Ils conduisent en bio certifié un vignoble de 65 ha réparti sur trois domaines – Grand Veneur à Châteauneuf-du-Pape, Clos de Sixte à Lirac et Ch. Mazane à Vacqueyras –, complété par une activité de négoce. Une valeur sûre.

Grenache, syrah et mourvèdre, un trio classique pour un superbe représentant de l'appellation. Tout y est: robe profonde, bouquet intense et complexe d'épices, de Zan, de fruits noirs et de chocolat, palais ample, riche et rond, aux tanins denses et veloutés, finale persistante sur le poivre. Longue garde garantie. ⧗ 2019-2026 ▼ croustillant de biche ■ **Alain Jaume Grande Garrigue 2014 (11 à 15 €; 15000 b.)** : vin cité.

VIGNOBLES ALAIN JAUME, 1358, rte de Châteauneuf-du-Pape, 84100 Orange, tél. 04 90 34 68 70, contact@alainjaume.com V *t.l.j. sf dim. 8h-12h 14h-18h*

DOM. MONTIRIUS Le Clos 2014 ★

■	12000		30 à 50 €

Dans la même famille depuis six générations, ce domaine de 63 ha conduit par Christine et Éric Saurel est en biodynamie depuis 1996. Des vacqueyras et des gigondas vinifiés et élevés sans bois, régulièrement en vue.

D'originales notes balsamiques apparaissent à l'olfaction de cette cuvée mi-grenache mi-syrah, à laquelle des nuances d'épices, d'aromates et de menthol ajoutent de la complexité. La bouche, tout aussi aromatique, se révèle chaleureuse et concentrée, soutenue par des tanins bien affinés. ⧗ 2018-2022 ▼ magret aux baies rouges

MONTIRIUS, 1536, rte de Sainte-Edwige, 84260 Sarrians, tél. 04 90 65 38 28, christine@montirius.com V *r.-v.*

DOM. LES ONDINES 2014 ★★

■	70000		11 à 15 €

De formation scientifique, Jérémy Onde a repris les vignes paternelles, créé sa cave; il produit son propre vin depuis 2002. Il a converti son vignoble de 50 ha à l'agriculture biologique en 2012, et élabore des côtes-du-rhône, des *villages* et des vacqueyras.

Déjà très expressif, ce trio grenache-syrah-cinsault convoque à l'olfaction d'intenses parfums de griotte et de fraise. La bouche conjugue finesse, rondeur et grande fraîcheur, soutenue par des tanins biens présents mais souples et veloutés. Déjà très harmonieux, ce vin est bâti pour durer. ⧗ 2019-2026 ▼ gigot d'agneau **Passion 2015 ★ (15 à 20 €; 2500 b.)** : clairette et roussanne se taillent la part du lion dans cet assemblage complété de grenache blanc, de bourboulenc et de viognier. Au nez, des nuances très délicates de fleurs blanches; en bouche, de légères notes boisées, du gras et aussi beaucoup de fraîcheur et de finesse. ⧗ 2017-2020 ▼ brandade de morue

DOM. LES ONDINES, 413, rte de la Garrigue-Sud, 84260 Sarrians, tél. 04 90 65 86 45, jeremy.ondines@wanadoo.fr V *r.-v.* *Jérémy Onde*

DOM. PALON 2014 ★

■	20000		8 à 11 €

Issu d'une famille vigneronne depuis un siècle et fils de l'ancien président de la «coop» de Gigondas, Sébastien Palon a décidé en 2003 de créer sa propre cave. Il conduit aujourd'hui un vignoble de 15 ha.

Après aération, les épices et les aromates se révèlent à l'olfaction autour d'une base fruitée. Souple en attaque, le palais apparaît ensuite bien charpenté par des tanins puissants et déploie une longue finale chaleureuse et suave. Un vacqueyras aromatique et généreux. ⧗ 2018-2023 🍴 lapin rôti aux herbes ■ **Blanc du Bary 2014 (11 à 15 €; 2300 b.)** : vin cité.

DOM. PALON, 373, rte de Carpentras, 84190 Gigondas, tél. 04 90 62 24 84, contact@domainepalon.com r.-v.

Ⓑ **DOM. LA ROUBINE** 2014 ★★

■	10000		11 à 15 €

Éric Ughetto, installé en 1990 sur la propriété familiale, et son épouse Sophie ont quitté la coopérative en 2000 pour vinifier le fruit de leurs 6 ha de vignes conduits en bio certifié. Un domaine régulier en qualité.

D'intenses notes fruitées (cerise, groseille) et épicées ouvrent la dégustation. Le palais se révèle volumineux et très généreux, puissant et long, renforcé par des tanins à la fois fermes et fins. Un vacqueyras de caractère, qu'il sera préférable de carafer avant le service. ⧗ 2019-2026 🍴 civet de lièvre

ÉRIC UGHETTO, Dom. la Roubine Qu Santa Duc, 613, chem. du Goujar, 84190 Gigondas, tél. 06 07 91 60 21, domaine.laroubine@laposte.net t.l.j. sf dim. 10h-13h 15h-19h

Ⓑ **ROUCAS TOMBA** Les Restanques de Cabassole 2013 ★

■	5000		15 à 20 €

Éric Bouletin a repris en 1991 la propriété familiale – 15 ha de vignes très morcelés et dédiés au seul vacqueyras –, qu'il a convertie à l'agriculture biologique.

Né d'une parcelle plantée de grenache, de syrah et de mourvèdre, dans la famille depuis deux cent cinquante ans, cette cuvée déploie des arômes complexes de fruits rouges confiturés associés à des nuances animales et à des senteurs de sous-bois. En bouche, elle affiche une structure solide qui laisse deviner un beau potentiel de vieillissement. ⧗ 2019-2026 🍴 civet de marcassin

ÉRIC BOULETIN, chem. des Aires, 84190 Vacqueyras, tél. 06 77 49 74 37, roucas.toumba@gmail.com r.-v. Ⓑ

TERRANEA Terres rouges 2014 ★

■	199500	8 à 11 €

Un négoce créé en 2003 par Frédéric Chaulan – rejoint en 2009 par Serge Cosialls –, qui propose une gamme complète de vins de la vallée du Rhône, du nord au sud.

Intensité rime ici avec complexité. Les nuances olfactives vont du fruité (fruits rouges mûrs) aux épices et aux aromates (laurier), en passant par une pointe de Zan. La bouche apparaît ample, fine et très fraîche, adossée à des tanins soyeux et délicats. Autant de qualités qui permettront à ce vacqueyras de bien évoluer. ⧗ 2018-2024 🍴 épaule d'agneau confite à la sarriette

TERRANEA, Le Crépon, rue des Négades, 84420 Piolenc, tél. 04 90 34 18 47, terranea.sarl@wanadoo.fr

DOM. DE LA TOURADE Cuvée Eva 2015 ★

■	3800		11 à 15 €

Un domaine fondé en 1876, dans la famille Richard depuis plusieurs générations – Virginie et son époux Frédéric Haut depuis 2016. Le vignoble couvre 16 ha, et les élevages en fût ou en foudre sont ici privilégiés.

Une dominante de clairette (75 %, avec le grenache blanc en appoint) dans cette cuvée harmonieuse et élégante, centrée au nez comme en bouche sur des arômes de fleurs et fruits blancs, vive et alerte sans manquer de volume et de gras. ⧗ 2016-2019 🍴 pissaladière

FRÉDÉRIC ET VIRGINIE HAUT, Dom. de la Tourade, 1215, rte de Violès, 84190 Gigondas, tél. 04 90 70 91 09, latourade@hotmail.fr t.l.j. 9h-18h Ⓔ

PIERRE VIDAL Grande Réserve 2014 ★★

■	50000		8 à 11 €

Pierre Vidal, installé à Châteauneuf-du-Pape avec son épouse vigneronne, a créé son négoce en 2010. Une maison déjà bien implantée grâce aux sélections parcellaires vinifiées par ce jeune œnologue formé en Bourgogne.

Cette Grande Réserve, née de grenache (70 %) et de syrah, délivre de puissantes senteurs de Zan, d'épices et de fruits mûrs. Adossée à des tanins soyeux et à un élevage bien fondu, la bouche se distingue par son ampleur, sa rondeur suave et son équilibre. Les fruits mûrs ressurgissent en finale avec une pointe d'épice douce, laissant une impression de plénitude. ⧗ 2019-2026 🍴 côte de bœuf

EURL PIERRE VIDAL, 631, rte de Sorgues, 84230 Châteauneuf-du-Pape, tél. 06 88 88 07 58, contact@pierrevidal.com

VIEUX CLOCHER 2015 ★★

■	4500		11 à 15 €

La famille Arnoux reçut en 1717 du seigneur de Lauris une parcelle de vignes. Aujourd'hui, elle exploite 40 ha en vacqueyras, tout en menant une activité de négociant dans plusieurs autres AOC rhodaniennes.

Grenache blanc (60 %), clairette (30 %) et bourboulenc sont à l'origine d'un blanc savoureux, qui évolue sur le registre des fruits blancs (poire, pêche) au nez comme en bouche. Cette dernière affiche en outre un superbe équilibre et beaucoup de relief: du gras, de la rondeur, de la fraîcheur, de la longueur. ⧗ 2016-2019 🍴 lotte au beurre

ARNOUX ET FILS, Cave du Vieux Clocher, 84190 Vacqueyras, tél. 04 90 65 84 18, info@arnoux-vins.com t.l.j. 9h30-12h30 14h-19h Ⓔ

BEAUMES-DE-VENISE

Superficie : 580 ha / Production : 19 880 hl

Reconnue en 2005, cette appellation concerne uniquement les vins rouges issus de quatre communes du Vaucluse limitrophes des AOC gigondas et vacqueyras: Beaumes-de-Venise, Lafare, La Roque-Alric,

RHÔNE

Suzette, sur une surface délimitée de 1 456 ha. Les vins doivent provenir d'un assemblage de cépages principaux (au moins 50 % de grenache noir et 25 % de syrah en 2015).

DOM. LA BOUISSIÈRE 2014

■ | 9000 | | 11 à 15 €

Établis au pied des Dentelles de Montmirail depuis 1990, les frères Gilles et Thierry Faravel conduisent à la suite de leur père un domaine de 18 ha en terrasses, à 300 m d'altitude, fort régulier en qualité en gigondas comme en vacqueyras.

Grenache, syrah, mourvèdre, un trio classique pour ce beaumes plaisant par son expression aromatique qui combine fruits mûrs, cuir et notes kirschées, comme par son palais chaleureux, aux tanins souples et veloutés. ⌛ 2017-2022 🍴 joue de bœuf en cocotte

GILLES ET THIERRY FARAVEL, 15, rue du Portail, 84190 Gigondas, tél. 04 90 65 87 91, domaine@labouissiere.com V t.l.j. 9h-12h 14h-18h

Ⓑ CH. LA CROIX DES PINS
Les Contreforts de Montmirail 2013 ★

■ | 3000 | | 8 à 11 €

La chapelle intérieure et la pergola de cette bastide de style toscan rappellent qu'au XVI[e]s. le domaine appartenait à un prélat italien. En 2009, Jean-Pierre Valade, consultant international en œnologie, et Éric Petitjean ont repris l'exploitation et ses 33 ha de vignes en bio (beaumes-de-venise, ventoux et gigondas).

Issu de grenache (70 %) et de syrah, ce beaumes élevé dix-huit mois en cuve dévoile une belle palette d'arômes entre fruits noirs, truffe, épices douces et nuances animales. La bouche, très équilibrée, associe fraîcheur fruitée, rondeur suave et tanins soyeux. ⌛ 2017-2022 🍴 rôti de porc aux pruneaux

CH. LA CROIX DES PINS, 902, chem. de la Combe, 84380 Mazan, tél. 04 90 66 37 48, chateaulacroixdespins@orange.fr V r.-v. Ⓔ Valade

DOM. DE DURBAN Cuvée Prestige 2014 ★★

■ | 12000 | | 8 à 11 €

Cette ferme fortifiée datant de 1150, adossée à un bois de pins, offre une vue panoramique sur son vaste (119 ha) et vieux (1414) vignoble. La famille Leydier perpétue depuis 1967 cette tradition viticole ancienne.

Cette cuvée Prestige associe le grenache (70 %), la syrah (25 %) et le mourvèdre. Les fruits noirs, le cuir et les épices composent un bouquet complexe et engageant. La bouche est à la fois ronde, riche, puissante, très fraîche et minérale, campée sur une solide structure tannique. Un vin de garde sans aucun doute, que l'on pourra aussi apprécier dans sa jeunesse. ⌛ 2017-2026 🍴 daube de sanglier

DOM. DE DURBAN, SCEA Leydier et Fils, 2523, chem. de Durban, 84190 Beaumes-de-Venise, tél. 04 90 62 94 26, domaine.de.durban@wanadoo.fr V t.l.j. sf dim. 9h-12h 14h-18h

Ⓑ DOM. DE LA FERME SAINT-MARTIN
Saint-Martin 2014 ★

■ | 12000 | | 11 à 15 €

Un domaine familial et régulier en qualité fondé en 1964 sur les ruines d'un ancien prieuré du XII[e]s. Installés en 1980, Guy Jullien et son fils Thomas exploitent 25 ha de vignes conduits en bio depuis 1998.

La première cuvée créée par André Jullien en 1964. Le 2014 est un duo classique grenache-syrah (85-15), élevé pour partie en cuve pour partie en foudre. Le bouquet se révèle kirsché, épicé, légèrement animal, beurré et floral. La bouche est suave, ronde et corsée, soutenue par des tanins soyeux et par une fine acidité, avant de montrer un peu plus les muscles en finale. Bâti pour une bonne garde. ⌛ 2019-2026 🍴 paleron de bœuf en daube ■ **Costancia 2014 (11 à 15 €; 7000 b.)** Ⓑ : vin cité.

FAMILLE JULLIEN, Dom. de la Ferme Saint-Martin, 84190 Suzette, tél. 04 90 62 96 40, contact@fermesaintmartin.com V t.l.j. sf dim. 10h-12h 14h-18h; f. janv.-fév. Ⓒ

Ⓑ DOM. LA LIGIÈRE Les Garennes 2014

■ | 9500 | 8 à 11 €

Le domaine, fondé au XIX[e]s., est dans la famille Bernard depuis cinq générations. Philippe Bernard et son épouse Élisabeth sont sortis de la coopérative en 2008 et ont créé leur propre cave. Ils exploitent 60 ha de vignes, conduites en bio certifié depuis 2013.

Née de grenache (60 %) et de syrah, cette cuvée se livre sans réserve sur des notes de fruits rouges légèrement surmûris associés à de subtiles senteurs de réglisse et menthol. Expressive (violette et girofle), ample et ronde sans manquer de fraîcheur, la bouche s'appuie sur une structure souple et équilibrée. ⌛ 2016-2020 🍴 noisettes de veau aux épices

DOM. LA LIGIÈRE, 1385, chem. des Seyrels, 84190 Beaumes-de-Venise, tél. 04 90 62 98 00, laligiere@orange.fr V t.l.j. sf dim. 9h-12h 14h-18h Ⓔ Bernard

CH. REDORTIER Monsieur le Comte 2014

■ | 6333 | | 8 à 11 €

Ancien fief de la principauté d'Orange, ce domaine a été créé en 1956 par Étienne et Chantal de Menthon: 30 ha de vignes sur les terrasses de Suzette, face aux Dentelles de Montmirail. Un vignoble d'un seul tenant, mais composé de deux entités distinctes: les marnes calcaires, sur un terroir perché à 500 m d'altitude, et les terres jaunes du Trias, arides et envahies par la garrigue. Depuis 2007, c'est la deuxième génération, représentée par Isabelle et Sabine, qui vinifie.

Une cuvée en hommage au grand-père François de Menthon, ministre de la Justice du gouvernement provisoire de la République après la Libération. Elle apparaît sur la réserve de prime abord, puis livre à l'aération des notes plaisantes de fruits rouges. Un fruité que l'on retrouve mâtiné d'épices et de nuances minérales dans une bouche souple et fraîche en attaque, plus généreuse dans son développement et encore un peu sévère en finale. Une bonne évolution en perspective. ⧗ 2018-2022 🍴 rôti de bœuf

⊶ *CH. REDORTIER, hameau de Châteauneuf-Redortier, 84190 Suzette, tél. 04 90 62 96 43, chateau-redortier@wanadoo.fr* V *t.l.j. 10h-12h 14h-18h* ⊶ *de Menthon*

DOM. SAINT-AMANT Grangeneuve 2014 ★

■ | 21000 | | 11 à 15 €

L'un des plus hauts domaines de la vallée du Rhône. Créé en 1992 par Nathalie et Jacques Wallut, chef d'entreprise à la retraite, il étage ses 13 ha de vignes en terrasses, entre 400 et 600 m d'altitude, sur le flanc du mont Saint-Amant.

Grenache (50 %), syrah, carignan et viognier sont assemblés dans cette cuvée née sur les hauteurs de l'appellation. Le nez, riche et intense, mêle les fruits rouges, la violette, les épices et la réglisse. Tout aussi généreux en arômes, le palais se révèle rond, suave et chaleureux. Un beaumes des plus expressifs. ⧗ 2017-2021 🍴 croustillant d'agneau

⊶ *DOM. SAINT-AMANT, 84190 Suzette, tél. 04 90 62 99 25, contact@saint-amant.com* V *t.l.j. 9h-18h; sam. dim. sur r.-v.* ⊶ *Famille Wallut*

♥ **DOM. SAINT-ROCH** Cuvée des Taus 2014 ★★

■ | 12000 | | 8 à 11 €

Les Meissonnier sont enracinés depuis... seize générations à Beaumes-de-Venise, d'abord comme arboriculteurs et maraîchers, puis comme viticulteurs, un parcours suivi par un grand nombre après le grand gel de 1956. La production au domaine est en revanche récente: Stéphane Meissonnier et son épouse Stéphanie ont décidé de créer leur cave en 2012 pour vinifier le fruit de leurs 45 ha de vignes.

Les Taus sont les armoiries de Beaumes-de-Venise, dont le T représente les trois chapelles du village. T comme trias également, la nature du terroir à l'origine de cette délicieuse cuvée née de grenache (60 %) et de syrah. Un vin complet et complexe qui mêle la cerise noire, la réglisse et le menthol à des notes de cuir et de sous-bois, au palais ample, généreux et charnu, bâti sur des tanins fins et soyeux, vivifié par une longue finale pleine de fraîcheur. ⧗ 2017-2024 🍴 pigeon aux lentilles

⊶ *DOM. SAINT-ROCH, 167, rte d'Aubignan, 84190 Beaumes-de-Venise, tél. 06 27 13 38 76, domaine.saintroch@orange.fr* V *t.l.j. 9h-12h30 14h-19h* ⊶ *Meissonnier*

CHÂTEAUNEUF-DU-PAPE

Superficie : 3 155 ha
Production : 83 865 hl (95 % rouge)

Le vignoble, qui garde le souvenir des papes d'Avignon, est situé sur la rive gauche du Rhône, à une quinzaine de kilomètres au nord de l'ancienne cité pontificale. L'appellation fut la première à avoir défini légalement ses conditions de production, dès 1931. Son territoire s'étend sur la quasi-totalité de la commune qui lui a donné son nom et sur certains terrains de même nature des communes limitrophes d'Orange, de Courthézon, de Bédarrides et de Sorgues. Son originalité provient de son sol, formé notamment de vastes terrasses de hauteurs différentes, recouvertes d'argile rouge mêlée à de nombreux cailloux roulés. Parmi les cépages autorisés, très divers, prédominent grenache, syrah, mourvèdre et cinsault.
Les châteauneuf-du-pape s'apprécient mieux après une garde qui varie en fonction des millésimes. Amples, corsés et charpentés, ce sont des vins au bouquet puissant et complexe, qui accompagnent avec succès les viandes rouges, le gibier et les fromages. Les rares blancs savent cacher leur puissance par la finesse de leurs arômes.

DOM. PAUL AUTARD Juline 2013

■ | 3600 | | 50 à 75 €

Une statue de la Vierge à l'entrée du domaine rappelle qu'il fut une résidence du diocèse d'Avignon. Sous la colline de pins, la cave en safre abrite les barriques de vin pendant de longs mois. Paul est le prénom du fondateur, Jean-Paul celui de l'actuel propriétaire, à la tête de l'exploitation depuis ses dix-sept ans. Le vignoble couvre 27 ha, morcelés au nord de Châteauneuf, du côté de Courthézon.

Un assemblage mi-grenache mi-syrah, fermenté, macéré puis élevé dans les mêmes barriques. Au nez, un boisé soutenu (vanille, tabac blond) qui pour l'heure masque un peu le fruit, plus franc à l'aération toutefois. En bouche, une attaque franche, des tanins fins et ronds, un fruité mûr en harmonie avec le merrain. Un vin un peu fugace, mais de bonne tenue et qui vieillira bien. ⧗ 2018-2023 🍴 paleron en sauce

⊶ *DOM. PAUL AUTARD, rte de Châteauneuf-du-Pape, 84350 Courthézon, tél. 04 90 70 73 15, jean-paul.autard@wanadoo.fr* V *t.l.j. sf sam. dim. 10h-12h 14h-18h30*

DOM. JULIETTE AVRIL Cuvée Maxence 2014 ★

■ | 2400 | | 30 à 50 €

Une famille implantée de longue date à Châteauneuf-du-Pape: un ancêtre fut premier consul de Châteauneuf-du-Pape au temps de la papauté d'Avignon; plus tard, Jean Avril participera à la création de l'appellation. L'histoire actuelle s'écrit avec Marie-Lucile Brun, qui a succédé à sa mère Juliette Avril en 1988, épaulée par son fils Stephan depuis 2000 à la tête d'un vignoble de 21 ha, avec la biodynamie en ligne de mire.

Né de grenache (60 %) et de syrah, ce châteauneuf fleure bon le Sud: épices douces, garrigue, noyau de cerise, fruits noirs confiturés. La bouche est ample, dense, riche, délicatement boisée (pain grillé, coco), portée longuement par des tanins fins et soyeux. ⧗ 2018-2023 🍴 osso bucco

⊶ *DOM. JULIETTE AVRIL, 8, av. Pasteur, 84230 Châteauneuf-du-Pape, tél. 04 90 83 72 69, info@julietteavril.com* V t.l.j. sf sam. dim. 8h-12h 14h-18h; f. sam. dim. déc.-mars ⊶ GFA du Majoral

♥ B DOM. DE BEAURENARD
Boisrenard 2014 ★★

■	10000		30 à 50 €

Depuis 1929, sept générations se sont succédé jusqu'à Daniel et Frédéric Coulon, à la tête d'un vignoble de 60 ha conduit en bio et biodynamie certifiés. Une valeur sûre de la vallée méridionale, en châteauneuf comme en rasteau (sec et doux) et en côtes-du-rhône.

Un nouveau coup de cœur pour les frères Coulon après celui obtenu l'an dernier pour leur cuvée principale 2013. Honneur cette année à la cuvée phare du domaine, qui perpétue la tradition castelpapale (de moins en moins pratiquée) de l'assemblage de treize cépages. Cela donne un châteauneuf d'un parfait classicisme: robe sombre et dense, nez complexe et généreux de fruits noirs mûrs, de poivre, de cacao et de vanille, bouche à l'unisson, ample, riche et très longue, solidement bâtie autour de tanins élégants et veloutés. Bâti pour durer. ⧗ 2019-2026 🍷 lièvre à la royale

⊶ *SCEA PAUL COULON ET FILS, Dom. de Beaurenard, 10, av. Pierre-de-Luxembourg, 84230 Châteauneuf-du-Pape, tél. 04 90 83 71 79, paul.coulon@beaurenard.fr* V t.l.j. sf dim. 9h-12h 13h30-17h30

DOM. BOSQUET DES PAPES Tradition 2014 ★

■	37000		20 à 30 €

Le nom de ce domaine familial fondé en 1860 provient des Bosquets, un quartier de Châteauneuf-du-Pape où sont établis les chais. Aujourd'hui, Maurice et Nicolas Boiron exploitent 32 ha, essentiellement dans la prestigieuse appellation.

Vieilli un an en vieux foudres, ce châteauneuf présente un nez harmonieux de fruits noirs, d'épices et de grillé. En bouche, il s'appuie sur des tanins élégants et solides et sur un boisé encore sensible mais racé. Une bouteille de garde. ⧗ 2019-2024 🍷 rôti de canard aux cèpes

⊶ *EARL MAURICE ET NICOLAS BOIRON, 18, rte d'Orange, BP 50, 84232 Châteauneuf-du-Pape Cedex, tél. 04 90 83 72 33, bosquet.des.papes@orange.fr* V t.l.j. sf sam. dim. 9h-12h 14h-18h

BROTTE Château de Bord 2013

■	1500		30 à 50 €

Cette maison réputée, fondée en 1931 par Charles Brotte, pionnier de la mise en bouteilles dans la vallée du Rhône, est aujourd'hui dirigée par Laurent, petit-fils du fondateur. Elle vinifie ses propres vignes et opère des sélections parcellaires pour le compte de son négoce, dont La Fiole du pape, en châteauneuf, est la marque phare depuis sa création en 1952.

Le grenache est roi dans ce châteauneuf (95 %), la syrah et le mourvèdre faisant de la figuration. Le nez est plaisant et généreux: fruits noirs confiturés, épices douces, touche animale. La bouche se révèle ronde et suave, boisée et bien charpentée, de bonne longueur. ⧗ 2018-2023 🍷 ragoût d'agneau

⊶ *BROTTE, Le Clos, rte d'Avignon, BP 1, 84231 Châteauneuf-du-Pape, tél. 04 90 83 70 07, brotte@brotte.com* V t.l.j. 9h-12h 14h-18h

B LA CABOTTE Vieilles Vignes 2014 ★

■	2500		30 à 50 €

Ce domaine doit son nom à un abri en pierres sèches qui résiste aux intempéries de l'été et aux rigueurs de l'hiver. Il a été acquis en 1981 par Gabriel d'Ardhuy, qui l'a confié à l'une de ses sept filles, Marie-Pierre Plumet. Cette dernière a patiemment restructuré le vignoble, refaçonné les anciennes terrasses, et conduit aujourd'hui, en biodynamie, avec son mari Éric, 30 ha de vignes d'un seul tenant au cœur du massif d'Uchaux.

Grenache, mourvèdre, syrah, counoise, vaccarèse, cinsault, ce châteauneuf est issu d'un assemblage complexe et varié. Au nez, du fruit (cerise, cassis) et un boisé élégant aux accents vanillés. La bouche apparaît ample, chaleureuse et suave, épaulée par des tanins fins et ronds. Du potentiel. ⧗ 2018-2024 🍷 tajine de bœuf

⊶ *DOM. LA CABOTTE, SARL Marie-Pierre Plumet d'Ardhuy, 84430 Mondragon, tél. 04 90 40 60 29, domaine@cabotte.com* V t.l.j. 9h-17h; f. fin août
⊶ *Marie-Pierre Plumet*

DOM. CHANTE CIGALE 2015

□	20000		20 à 30 €

Alexandre Favier a pris en 2000 les rênes du domaine familial fondé en 1870. Son vignoble couvre aujourd'hui 42 ha disséminés sur 35 parcelles, offrant ainsi une vaste palette de terroirs.

Quatre quarts de roussanne, grenache blanc, clairette et bourboulenc composent ce châteauneuf floral, fruité et légèrement toasté au nez. La bouche est aimable, ronde, chaleureuse et suave; impressions renforcées par des nuances miellées, de fines notes d'agrumes apportant une heureuse fraîcheur. ⧗ 2016-2020 🍷 poisson sauce crémée

⊶ *CHANTE CIGALE, 7, av. Pasteur, 84230 Châteauneuf-du-Pape, tél. 04 90 83 70 57, info@chantecigale.com* V t.l.j. sf dim. 9h-18h
⊶ *Alexandre Favier*

♥ DOM. DE LA CHARBONNIÈRE
Cuvée Mourre des Perdrix 2013 ★★

■	5200		30 à 50 €

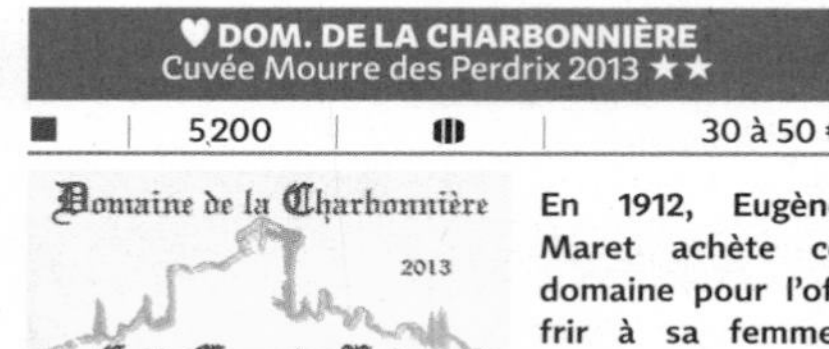

En 1912, Eugène Maret achète ce domaine pour l'offrir à sa femme, châteauneuvoise et fille de vigneron. En 2013, son petit-fils Michel, aux com-

mandes à partir de 1973, a transmis la gestion de ses 27,5 ha de vignes (en conversion bio depuis 2012) à ses filles Caroline et Véronique, qui poursuivent avec le même talent le travail de sélections parcellaires pratiqué par leur père. Une valeur sûre en vacqueyras et en châteauneuf.

Impressionnant de régularité, ce domaine propose un 2013 admirable, dans un millésime qui rappelle ceux des années 1980, explique Véronique Maret, avec des maturités tardives, des rendements faibles et des équilibres atypiques où fruit et puissance sont concentrés. Dans le verre, un châteauneuf intense et complexe (fruits noirs très mûrs, épices, romarin, léger cuir, vanille douce), d'un volume impressionnant, très gras et vigoureux, avec des tanins fins et serrés en soutien, et une longue finale sur la réglisse et le cacao. De grande garde. ⧗ 2018-2026 🍷 chapon farci aux cèpes ■ **2014 ★★ (20 à 30 €; 4600 b.)** : roussanne et grenache blanc à parts égales et un appoint de clairette pour ce vin très aromatique (pomme granny, agrumes, fleurs blanches), à la fois puissant et frais, gras et fin. Tout ce que l'on attend d'un châteauneuf blanc. ⧗ 2017-2023 🍷 homard grillé

⊶ DOM. DE LA CHARBONNIÈRE,
EARL Michel Maret et Filles,
26, rte de Courthézon, BP 83,
84232 Châteauneuf-du-Pape Cedex, tél. 04 90 83 74 59,
contact@domainedelacharbonniere.com
V t.l.j. sf dim. 9h-12h 14h-18h; sam. sur r.-v.
⊶ Famille Maret

CLEF DE SAINT-THOMAS 2014 ★

■	1300		30 à 50 €

Philippe Kessler, fort de son expérience à la Calissanne, une référence en coteaux-d'aix, a acquis en 2006 ce domaine alors propriété de la famille Boiron depuis le début du XVIII[e]s. À sa disparition, c'est son épouse Sophie Kessler et son directeur Christophe Barraud qui sont aux commandes de ce vignoble d'une dizaine d'hectares.

Ce châteauneuf fait référence à l'apôtre «qui a cru quand il a vu»: «un homme de sensation», explique Christophe Barraud. Dans le verre, un vin qui ne laisse pas indifférent. Au nez, des arômes complexes de noix de coco, de vanille et de fruits sur fond de minéralité. En bouche, une belle fraîcheur aux accents de silex et de menthol qui donne beaucoup d'allonge et traverse le vin de l'attaque à la finale, enrobé par un gras et un boisé bien dosés. Harmonieux et paré pour la garde. ⧗ 2018-2023 🍷 chapon aux agrumes et à la truffe blanche

⊶ DOM. CLEF DE SAINT-THOMAS,
9, rte de Bédarrides,
84230 Châteauneuf-du-Pape, tél. 04 90 42 63 03,
commercial@chateau-calissanne.fr ⊶ Kessler

CLOS DE L'ORATOIRE DES PAPES 2015 ★

■	20000		30 à 50 €

Cette vénérable maison castelpapale de négoce-éleveur (1859), dans le giron du groupe Advini, propose une large gamme de vins rhodaniens, du nord et du sud. Elle possède aussi le Clos de l'Oratoire des papes (châteauneuf) et le domaine Notre-Dame de Cousignac (vivarais).

Un peu de bourboulenc (10 %) accompagne le grenache blanc, la clairette et la roussanne dans ce châteauneuf élégant et fin à l'olfaction: fleurs blanches, fruits secs, fruits jaunes. La bouche affiche un bel équilibre entre un alcool modéré, une rondeur suave et une acidité savamment dosée. Déjà fort agréable, cette bouteille vieillira bien. ⧗ 2017-2021 🍷 quenelles de brochet

⊶ OGIER,
10, av. Louis-Pasteur, BP 75,
84230 Châteauneuf-du-Pape, tél. 04 90 39 32 41,
ogier@ogier.fr V t.l.j. sf dim. 9h-12h 14h-18h30

DOM. DE LA CÔTE DE L'ANGE 2013

■	25000		20 à 30 €

Lieu-dit de Châteauneuf-du-Pape, la Côte de l'Ange a donné son nom à ce domaine très régulier en qualité, fondé en 1920 par Célestine Mestre, arrière-grand-mère de Corinne, l'épouse de Yannick Gasparri. Ce dernier a appris le métier avec son beau-père et repris en 2000 les 17 ha de vignes familiales.

Né de grenache, syrah et mourvèdre, ce châteauneuf dévoile un nez à la complexité naissante, entre notes animales, épices et fruits noirs mûrs. En bouche, il se révèle bien équilibré entre fraîcheur, rondeur suave et tanins souples. Une bouteille que l'on pourra apprécier sans trop attendre. ⧗ 2017-2022 🍷 colombo de porc

⊶ YANNICK GASPARRI,
Dom. de la Côte de l'Ange, 9, chem. La-Font-du-Pape,
84230 Châteauneuf-du-Pape, tél. 04 90 83 72 24,
contact@cotedelange.fr
V t.l.j. sf dim. 9h-12h 14h-18h

Ⓑ DOM. DE CRISTIA 2015 ★

■	3000		20 à 30 €

Un domaine fondé en 1942 par le grand-père, agrandi et amélioré par le père, Alain Grangeon. Nouveau saut qualitatif à partir de 1999 avec la troisième génération (Baptiste, Dominique et Florent): vente en bouteilles, abaissement des rendements, sélections parcellaires, conversion progressive au bio des 56 ha. Une référence en châteauneuf, également présent en côtes-de-provence.

Né de clairette (80 %) et de roussanne, ce 2015 déploie un joli bouquet d'agrumes, d'ananas et de fleurs blanches sur un fond boisé. En bouche, il attaque sur une fraîcheur saline et maintient ce ton dynamique jusqu'à la finale, longue et élégante. Un châteauneuf plein d'allant, fin et croquant. ⧗ 2017-2022 🍷 tartare de saint-jacques

⊶ DOM. DE CRISTIA, 48, fg Saint-Georges,
84350 Courthézon, tél. 04 90 70 24 09,
contact@cristia.com V r.-v.

CH. DES FINES ROCHES 2015

■	21500		20 à 30 €

L'histoire vigneronne des Mousset-Barrot débute dans les années 1930 avec l'achat par Louis Mousset des Ch. des Fines Roches, Jas de Bressy (AOC châ-

teauneuf) et du Bois de la Garde (côtes-du-rhône et côtes-du-rhône-villages). L'ensemble (125 ha) est aujourd'hui conduit par la troisième génération, Gaëlle et Amélie Mousset-Barrot.

Construit à la fin du XIXᵉs. par Auguste Constantin, cet imposant château crénelé fut un haut lieu de la culture provençale dans les années 1915: alors propriété du marquis Folco de Baroncelli, on pouvait y croiser Frédéric Mistral, Joseph Roumanille ou encore Alphonse Daudet. Les Mousset-Barrot y sont installées depuis 1930. Dans le verre, un châteauneuf alerte, très floral au nez, vif, mentholé et fruité en bouche. Simple et harmonieux. ⧗ 2016-2020 ¥ koulibiac de saumon

ROBERT BARROT, 1, av. du Baron-Leroy, 84230 Châteauneuf-du-Pape, tél. 04 90 83 51 73, chateaux@vmb.fr V t.l.j. 13h30-19h30; f. janv.-fév.

DOM. DE FONTAVIN 2014

	1500		20 à 30 €

Situé au nord de Courthézon, ce domaine familial de 45 ha répartis dans huit communes et cinq appellations est dirigé depuis 1998 par Hélène Chouvet, œnologue, qui a converti le vignoble à l'agriculture biologique.

Ce châteauneuf mi-grenache mi-roussanne a été vinifié dans un demi-muid de 600 l... dénommé Ève par les Chouvet. Un rapport intime avec le contenant pour un contenu frais, floral et fruité (fruits exotiques confits, melon) à l'olfaction, frais, floral et fruité en bouche: un vin cohérent en somme, dynamisé par une pointe d'amertume en finale. ⧗ 2017-2020 ¥ poêlée de saint-jacques aux épices

DOM. DE FONTAVIN, 1468, rte de la Plaine, 84350 Courthézon, tél. 04 90 70 72 14, helene-chouvet@fontavin.com V t.l.j sf dim. 9h-12h15 14h-18h15 Hélène Chouvet

CH. DE LA GARDINE Tradition 2014 ★

	15000		30 à 50 €

Le négociant Gaston Brunel, héritier d'une longue tradition vigneronne (XVIIᵉs.), acquit La Gardine en 1945. Ses fils, Patrick et Maxime, et ses petits-enfants, Marie-Odile et Philippe, continuent de mettre en valeur ce domaine réputé, fort de 50 ha.

Pomelo, citron vert, discrètes notes briochées et miellées, fleurs jaunes, l'olfaction de cette cuvée est engageante et complexe. En bouche, on découvre un vin aimable et sincère, très frais et très fruité (mangue, goyave, agrumes), avec un peu de rondeur pour enrober le tout. Un blanc de partage, bien vinifié et bien élevé. ⧗ 2017-2021 ¥ risotto aux fruits de mer

CH. DE LA GARDINE, BP 35, rte de Roquemaure, 84231 Châteauneuf-du-Pape Cedex, tél. 04 90 83 73 20, chateau@gardine.com V t.l.j. sf dim. 10h-18h Brunel

CH. GIGOGNAN Clos du Roi 2014 ★

	4600		20 à 30 €

Un ancien temple romain devenu prieuré, actif en termes de production de vins (et de fruits), puis un domaine exclusivement viticole à partir de son acquisition en 1996 par Anne et Jacques Callet. Le vignoble, certifié bio depuis 2010, s'étend sur 42 ha en côtes-du-rhône et sur 30 ha en châteauneuf-du-pape.

Vendange entière, fermentation alcoolique en fût d'un vin, pas de fermentation malolactique et un élevage de neuf mois en barriques pour ce 2014 élégant et fin à l'olfaction: boisé léger et vanillé, fleurs blanches, poivre, fruits jaunes. En bouche, de la franchise, de la fraîcheur, de la droiture et un gras discret pour arrondir les angles. ⧗ 2016-2020 ¥ tartare de bar

CH. GIGOGNAN, 1180, chem. du Castillon, 84700 Sorgues, tél. 04 90 39 57 46, info@gigognan.fr V t.l.j. sf sam. dim. 9h-12h30 13h30-17h30 5 Jacques Callet

LES GRANDES SERRES Hommage du Rhône 2014 ★

	15000		20 à 30 €

Les Grandes Serres: une maison de négoce castelpapale fondée en 1977 par Camille Serres et reprise en 2001 par Michel Picard, investisseur dans de nombreuses régions viticoles - jusqu'en Ontario. Elle propose une large gamme de vins de la vallée du Rhône méridionale (et aussi de Provence) souvent en vue dans ces pages.

Un assemblage classique grenache-syrah-mourvèdre est à l'origine de ce vin ouvert sur un boisé élégant, les fruits noirs et mûrs et quelques notes animales. La bouche évoque quant à elle un bel été provençal avec ses arômes de pin, de pruneau, d'olives et de bois chauffé. Elle séduit aussi par sa puissance et sa rondeur bien combinées, sa longueur et son élégance. À mettre en cave pour quelques années. ⧗ 2019-2026 ¥ croustade avignonnaise à la viande

SA LES GRANDES SERRES, 430, chem. de l'Islon-Saint-Luc, 84230 Châteauneuf-du-Pape, tél. 04 90 83 72 22, contact@grandesserres.com V r.-v. Picard Vins

DOM. DU GRAND TINEL 2014 ★

	47300		20 à 30 €

À l'origine du domaine, l'union de deux anciennes familles castelpapales, les Establet et les Jeune. On y a construit une vaste «tina» (cave ou tonneau) sur trois niveaux, en rapport avec les 70 ha de vignes de la propriété actuelle, créée en 1972.

Une large part de la surface totale du vignoble entre dans ce vin: 46,9 ha précisément, plantés de vieux (soixante-dix ans) grenaches et mourvèdres, les premiers élevés en foudres, les seconds en demi-muids. Dans le verre, un châteauneuf bien typé, ouvert sur des notes de garrigue, de bois grillé et de fruits confiturés, fin et souple en attaque, frais en milieu de bouche, plus strict et tannique en finale. Un bon classique. ⧗ 2018-2024 ¥ pavé de bœuf sauce café

DOM. DU GRAND TINEL, SAS Les Vignobles Élie Jeune, 3, rte de Bédarrides, BP 58, 84232 Châteauneuf-du-Pape Cedex, tél. 04 90 83 70 28, contact@domainegrandtinel.com V t.l.j. 9h-12h 14h-18h; sam. dim. sur r.-v.

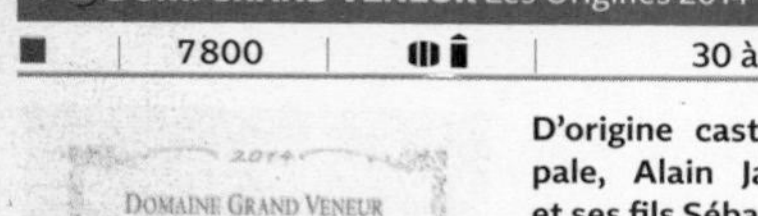

♥ B DOM. GRAND VENEUR Les Origines 2014 ★★

■ | 7800 | | 30 à 50 €

D'origine castelpapale, Alain Jaume et ses fils Sébastien et Christophe perpétuent une tradition viticole qui remonte à 1826. Ils conduisent en bio certifié un vignoble de 65 ha réparti sur trois domaines – Grand Veneur à Châteauneuf-du-Pape, Clos de Sixte à Lirac et Ch. Mazane à Vacqueyras –, complété par une activité de négoce. Une valeur sûre.

Le grenache (50 %), le mourvèdre et la syrah sont assemblés pour le meilleur dans ce vin encore très jeune mais déjà très costaud, ce que laisse deviner la robe, sombre et profonde. Et ce que confirment tant le nez, puissant, riche en fruits et en épices douces, que la bouche, ample, dense, concentrée et très fraîche, aux épaules larges et carrées. Laissez le temps agir... ⧗ 2019-2026 🍴 civet de biche

⊶ VIGNOBLES ALAIN JAUME, 1358, rte de Châteauneuf-du-Pape, 84100 Orange, tél. 04 90 34 68 70, contact@alainjaume.com
V t.l.j. sf dim. 8h-12h 14h-18h

DOM. DE LA JANASSE 2014

■ | 4000 | | 30 à 50 €

Un habitué du Guide, souvent en bonne place pour ses châteauneuf-du-pape, ses côtes-du-rhône et ses vins de pays. Un vignoble de 90 ha éparpillés en de multiples parcelles, que conduisent Christophe Sabon et sa sœur Isabelle, enfants d'Aimé Sabon, fondateur du domaine en 1973.

Un vin né de grenache et de clairette à parts égales (vinifiés en cuve), avec en appoint 20 % de roussanne (passés en barrique). Le nez associe fleurs blanches, pêche et notes toastées. La bouche est fraîche et franche en attaque, plus riche et vineuse dans son développement. Au final, un ensemble équilibré. ⧗ 2018-2022 🍴 volaille à la crème

⊶ SABON, 27, chem. du Moulin, 84350 Courthézon, tél. 04 90 70 86 29, lajanasse@gmail.com
V t.l.j. sf sam. dim. 9h-17h30

♥ B DOM. LAFOND ROC-ÉPINE 2014 ★★

■ | 16000 | | 20 à 30 €

Porte-drapeau des appellations tavel et lirac, mais aussi très en vue pour ses châteauneuf et ses côtes-du-rhône, ce domaine, dont les lointaines origines remontent à la fin du XVIII[e]s., est conduit par Pascal Lafond depuis 1990. Son vaste vignoble en bio certifié à partir de 2012 couvre aujourd'hui 85 ha répartis dans quatre AOC.

Une solide base de grenache (80 %), complétée par la syrah et le mourvèdre, pour ce vin intense à tous les stades de la dégustation. La robe est sombre et profonde, le nez bien ouvert et harmonieux, sur les fruits mûrs, les épices et le chocolat. La bouche apparaît puissante, fraîche et soyeuse, aussi large que longue, bâtie sur des tanins au grain très fin. ⧗ 2019-2026 🍴 carré d'agneau aux cèpes

⊶ DOM. LAFOND, 336, rte des Vignobles, 30126 Tavel, tél. 04 66 50 24 59, lafond@roc-epine.com
V t.l.j. sf sam. dim. 8h-12h 13h30-17h

LAVAU 2013 ★

■ | 15000 | | 15 à 20 €

Une maison de négoce fondée en 1964 par Jean-Guy Lavau, d'origine saint-émilionnaise. Ses héritiers Benoît et Frédéric proposent aujourd'hui une large gamme de vins à partir de la production de 350 vignerons de la vallée du Rhône méridionale, complétée par 180 ha de vignes en propriété.

Grenache (50 %), syrah (40 %) et mourvèdre sont associés dans ce châteauneuf robuste et bien typé. Le nez, puissant et complexe, sur les fruits noirs, les épices, le cacao et le Zan, trouve un écho tout aussi intense dans une bouche vigoureuse, fraîche, corsée et persistante. De longue garde assurément. ⧗ 2019-2026 🍴 tournedos aux cèpes

⊶ SAS LAVAU, 585, rte de Cairanne, 84150 Violès, tél. 04 90 70 98 70, info@lavau.fr
V t.l.j. sf sam. dim. 10h-12h 14h-18h

DOM. LOU DÉVET 2013 ★

■ | 1330 | | 20 à 30 €

Vinifié en coopérative pendant quatre générations, ce domaine de 22 ha situé sur le versant sud-est de l'AOC châteauneuf-du-pape a créé sa cave particulière en 2006 sous la conduite de Jean-Marc Tort.

Bien ouvert sur les fruits noirs (confiture de mûres) et les épices, ce 2013 se montre rond, dense et suave en bouche, épaulé par des tanins puissants mais soyeux et un boisé de qualité qui laisse s'exprimer le fruit. Une belle réussite dans un millésime difficile et un solide potentiel de garde. ⧗ 2019-2026 🍴 filet de bœuf sauce chocolat-vin rouge

⊶ DOM. LOU DÉVET, 7, chem. du Grand-Plantier, 84370 Bédarrides, tél. 04 90 33 18 61, jms.tort@wanadoo.fr V t.l.j. 9h-12h30 14h-19h
⊶ Jean-Marc Tort

DOM. PATRICE MAGNI 2015 ★★

■ | 3000 | | 15 à 20 €

Un domaine familial de 12 ha créé dans les années 1940 par Henri Pichot qui livrait ses raisins au négoce. Son arrière-petit-fils Patrice Magni a lancé en 1993 la mise en bouteilles à la propriété.

Vinification en cuve Inox pour le grenache blanc et la clairette, passage de six mois en barrique neuve pour la roussanne, assemblage de l'ensemble six mois avant la mise en bouteille. Le résultat est un vin élégant et fin, sur les agrumes et les fleurs blanches, parfaitement équilibré entre gras et vivacité. Un châteauneuf pimpant et charmeur en diable. ⧗ 2017-2021 🍷 gratin de queues de langoustine

DOM. PATRICE MAGNI, 13, rte de Bédarrides, 84230 Châteauneuf-du-Pape, tél. 06 89 35 67 22, domainepatrice.magni@wanadoo.fr V 🚶 ■ *r.-v.*

DOM. ANDRÉ MATHIEU 2014

■	13000	🛢	15 à 20 €

Cette famille est enracinée depuis quatre siècles à Châteauneuf où elle conduit 25 ha de vignes. À la fin du XIXe s., Anselme Mathieu, félibre et ami de Mistral, fut l'un des premiers de la ville à vendre son vin en bouteille.

Une forte dominante de grenache (80 %) et douze autres variétés composent ce châteauneuf qui s'inscrit donc dans la tradition castelpapale – tombée en désuétude – des treize cépages. Le nez associe des arômes de framboise, de cassis, de rose et de vanille. La bouche est équilibrée: une matière douce, un bon mariage bois-fruit, des tanins assez souples et une longueur honorable. ⧗ 2018-2022 🍷 daube de bœuf

SCEA ANDRÉ MATHIEU, 3 bis, rte de Courthézon, 84230 Châteauneuf-du-Pape, tél. 04 90 83 72 09, contact@domaine-andre-mathieu.com V 🚶 ■ *r.-v.*

CH. MAUCOIL Esprit 2013 ★

■	2000	🛢	50 à 75 €

Un domaine aux origines anciennes – les Romains y installèrent une légion, les princes d'Orange leur archiviste –, acquis par Guy Arnaud en 1995. Sa fille Bénédicte et son mari Charles Bonnet, installés en 2009, ont converti au bio leurs 45 ha de vignes.

Fidèle à la tradition, cette cuvée assemble les treize cépages de l'appellation. Le résultat est très convaincant: nez intense et complexe de fruits rouges et noirs confiturés, d'épices et de réglisse; bouche ample, dense, riche et longue, étayée par de beaux tanins de garde et un boisé bien dosé, qui laisse respirer le fruit. Bâti pour la cave. ⧗ 2019-2026 🍷 pintade truffée

CH. MAUCOIL, chem. de Maucoil, 84100 Orange, tél. 04 90 34 14 86, bbonnet@maucoil.com V 🚶 ■ *t.l.j. sf dim. 14h-18h; f. sam. oct.-avr.* *Bénédicte et Charles Bonnet*

DOM. LA MEREUILLE 2015 ★

■	n.c.	🛢	15 à 20 €

C'est avec Michel Bouyer que ce domaine familial se lance dans la vente en bouteilles, en 1955. Installé à ses côtés en 1995, son gendre Philippe Granger est aux commandes depuis 2005; il est à la tête aujourd'hui de 14 ha de vignes en châteauneuf-du-pape et en côtes-du-rhône.

Une forte dominante (80 %) de roussanne dans ce vin d'un abord plutôt discret à l'olfaction, mais fin et élégant (fleurs blanches, touches minérales, fruits jaunes). C'est en bouche qu'il se révèle: un fruité intense, des jolies notes d'amande, de la rondeur et du gras juste ce qu'il faut, avec une pointe de fraîcheur «terroitée» bien dosée qui apporte du nerf et de l'allonge. Une bouteille que l'on appréciera aussi bien jeune que patinée par la garde. ⧗ 2016-2022 🍷 quasi de veau à l'orange

DOM. LA MEREUILLE, quartier du Grès, impasse 2580, 84100 Orange, tél. 04 90 34 10 68, micbouyer@wanadoo.fr V 🚶 ■ *t.l.j. 8h-12h 14h-18h; dim. sur r.-v.* *Philippe Granger*

CH. MONT-REDON 2013

■	230000	🛢	20 à 30 €

On cultivait déjà la vigne à l'époque romaine sur le *muntem retundum* (montagne ronde). La famille Abeille-Fabre y est installée depuis 1923. Elle conduit aujourd'hui un vaste vignoble de 100 ha, réputé tant pour ses châteauneuf que pour ses lirac et ses côtes-du-rhône.

Pour moitié élevé en barriques bourguignonnes, ce 2013 est issu d'un assemblage varié de sept cépages – dont le grenache à 60 % et la syrah à 30 %. Au nez, un boisé discret côtoie harmonieusement les fruits cuits et les épices. En bouche, une longueur moyenne mais de la souplesse, de la fraîcheur et des tanins veloutés et fins qui composent un vin aimable et plaisant. ⧗ 2018-2022 🍷 coq au vin

CH. MONT-REDON, BP 10, 84231 Châteauneuf-du-Pape, tél. 04 90 83 72 75, contact@chateaumontredon.fr V 🚶 ■ *r.-v.* *Abeille-Fabre*

Ⓑ DOM. DE LA MORDORÉE La Belle Voyageuse 2014 ★

■	9700	🛢	30 à 50 €

Un domaine créé en 1986 par Francis Delorme et son fils Christophe (disparu prématurément en 2015), entrepreneurs issus d'une famille vigneronne, rejoints par Fabrice en 1999. Le vignoble couvre 54 ha (en bio certifié depuis 2013), répartis sur 38 parcelles et huit communes. Partisans des petits rendements, les Delorme déclinent les millésimes avec une aisance déconcertante, aussi bien en tavel, leur fief d'origine, et en lirac, qu'en châteauneuf-du-pape ou en «simple» côtes-du-rhône. Incontournable.

Cette Belle Voyageuse déploie de beaux arômes de fruits rouges mûrs et d'épices sur un fond boisé encore un peu dominant. En bouche, elle se montre dense, riche et concentrée, bâtie sur des tanins au grain fin mais encore sévères. Un vin puissant que le temps amadouera. ⧗ 2019-2026 🍷 civet de lièvre

DOM. DE LA MORDORÉE, 250, chem. des Oliviers, 30126 Tavel, tél. 04 66 50 00 75, info@domaine-mordoree.com V 🚶 ■ *t.l.j. 8h-12h 13h30-17h30* 🏠 Ⓔ *Delorme*

DOM. MOULIN-TACUSSEL 2014

■	7000	🛢	20 à 30 €

Fondé en 1976 par Annette Tacussel et son époux Robert Moulin, ce domaine est la suite de la propriété familiale créée à la fin du XIXe s. par Henry Tacussel (grand-père d'Annette), qui fut aux

côtés du Baron Leroy l'un des fondateurs de l'AOC châteauneuf-du-pape. La famille en a confié la gestion à Didier Latour, à la tête d'un vignoble composé de onze parcelles dispersées sur l'aire d'appellation.

Au nez, les petits fruits rouges voisinent sans fausse note avec les accents vanillés de la barrique. Arômes que l'on retrouve dans une bouche plutôt légère et fraîche (l'effet sans doute d'une vinification en grappes entières), épaulée par des tanins soyeux et un bon boisé. Un ensemble un peu atypique mais harmonieux. ⧗ 2018-2022 🍴 entrecôte grillée

⊶ DOM. MOULIN-TACUSSEL, 10, av. des Bosquets, 84230 Châteauneuf-du-Pape, tél. 04 90 83 70 09, info@domainemoulintacussel.fr t.l.j. 10h-18h

MOURIESSE VINUM Pierre d'Ambre 2013

■	2000		20 à 30 €

Complété par une structure de négoce, un domaine de poche créé en 2008 à partir de 2,5 ha de vignes sur Châteauneuf et Saint-Geniès-de-Comolas par l'œnologue-conseil Serge Mouriesse et son épouse Brigitte.

Une solide base (90 %) de grenache et un appoint de syrah pour cette cuvée élevée pour un tiers en cuve et pour deux tiers en fût. Un peu sur la réserve, le nez livre à l'agitation des notes camphrées, florales, fruitées et grillées. Centrée sur les fruits confits et d'un bon volume, la bouche se révèle ronde et chaleureuse. ⧗ 2018-2022 🍴 daube de joue de bœuf

⊶ MOURIESSE VINUM, 18 bis, chem. du Clos, 84230 Châteauneuf-du-Pape, tél. 06 14 94 69 15, contact@mouriesse-vinum.com r.-v.

DOM. DE NALYS Cuvée classique 2014

■	n.c.		15 à 20 €

L'un des plus anciens domaines de Châteauneuf-du-Pape, répertorié dès le XVIIᵉs., alors propriété de la famille Nalys. Son vénérable vignoble (52 ha) a connu une renaissance à partir des années 1950. Il est aujourd'hui dans le giron de l'assureur Groupama. Une valeur sûre de l'appellation.

Des notes de fût neuf s'exhalent du verre, accompagnées à l'aération de fruits rouges et de poivre. On retrouve cette dominante boisée dans une bouche bien charpentée et de bonne longueur. À attendre pour plus de fondu. ⧗ 2018-2023 🍴 civet de marcassin

⊶ DOM. DE NALYS, rte de Courthézon, 84230 Châteauneuf-du-Pape, tél. 04 90 83 72 52, contact@domainedenalys.com t.l.j. sf dim. 9h-13h 13h30-18h (19h l'été)

CH. LA NERTHE Cuvée des Cadettes 2013 ★

■	6800		50 à 75 €

Un vaste domaine historique (92 ha en bio). Les Tulle de Villefranche, ses premiers propriétaires, mettaient déjà en bouteilles à la propriété en 1784 cet «excellent vin de La Nerthe», comme on le qualifiait à la cour de Louis XVI. Dévasté par le phylloxéra, le domaine est cédé en 1870 à Joseph Ducos, qui le remet sur pied. Depuis 1985, les Richard sont aux commandes et ont confié la direction à Alain Dugas, remplacé à son départ à la retraite en 2008 par Christian Vœux, auquel a succédé en 2015 l'œnologue Ralph Garcin. Un pilier de l'AOC châteauneuf.

À l'origine de cette cuvée, des grenaches centenaires plantés sur les safres et des ceps de mourvèdre (31 %) et de syrah (42 %) enracinés dans des sols recouverts de galets roulés aux réserves hydriques plus favorables. Dans le verre, un vin profond, qui délivre de chaleureuses senteurs de fruits rouges à l'eau-de-vie associées à la mûre écrasée. La bouche s'appuie sur une trame tannique encore assez austère (la marque du mourvèdre), enveloppée de belles nuances cacaotées. Un solide potentiel de garde en perspective. ⧗ 2019-2028 🍴 carré d'agneau

⊶ SCA CH. LA NERTHE, rte de Sorgues, 84230 Châteauneuf-du-Pape, tél. 04 90 83 70 11, contact@chateaulanerthe.fr r.-v. ⊶ M. Richard

DOM. DU PÈRE CABOCHE 2015

□	10000		15 à 20 €

Autrefois, on était maréchal-ferrant et vigneron de père en fils dans la famille Boisson, surnommée «caboche», terme qui désigne les clous servant à fixer les fers des chevaux et qui a donné son nom au domaine (76 ha), aujourd'hui dirigé par Émilie Boisson.

Un court élevage de cinq mois en cuve Inox pour ce châteauneuf d'une bonne intensité aromatique, entre fleurs blanches et fruits jaunes. La bouche est équilibrée, ronde sans manquer de fraîcheur ni de persistance. Simple et de bon aloi. ⧗ 2016-2020 🍴 fricassée de gambas

⊶ DOM. DU PÈRE CABOCHE, 5, imp. Martial-Imbart, rte de Courthézon, 84230 Châteauneuf-du-Pape, tél. 04 90 83 71 44, boisson@jpboisson.com t.l.j. sf sam. dim. 8h30-12h30 13h30-17h30 ⊶ Émilie Boisson

DOM. ROGER PERRIN 2014

□	4200		15 à 20 €

Véronique Perrin-Rollin, après vingt années comme œnologue-conseil, a repris en 2010 les rênes du domaine familial, fondé par son père Roger en 1968. Elle est depuis les vendanges 2012 épaulée par son fils Xavier à la tête d'un vignoble de 40,5 ha. Ses vins, châteauneuf-du-pape comme côtes-du-rhône, rouges comme blancs, sont souvent en bonne place dans le Guide.

Grenache blanc, roussanne, clairette, picardan et bourboulenc (par ordre d'importance) sont unis dans ce blanc ouvert sur un boisé dominateur au premier nez, plus en retrait derrière les fruits à l'aération. La bouche, un brin fugace, est équilibrée, riche sans lourdeur, d'un bon volume. ⧗ 2016-2020 🍴 poêlée de saint-jacques aux épices

⊶ DOM. ROGER PERRIN, 2316, rte de Châteauneuf-du-Pape, 84100 Orange, tél. 04 90 34 25 64, dne.rogerperrin@wanadoo.fr t.l.j. 8h-12h 13h30-17h30; sam. dim. sur r.-v.

DOM. PONTIFICAL 2015 ★★

□	2500		15 à 20 €

Ce domaine a été fondé en 1885 par Albert Royer, et dès les années 1920, il vendait sa production en

bouteilles aux restaurants et aux particuliers, une pratique rare à l'époque. Depuis 1978, c'est François Laget-Royer qui est aux commandes du vignoble, étendu sur 17 ha.

Roussanne, bourboulenc, clairette et grenache blanc sont associés dans ce vin expressif et élégant, dominé par les fruits exotiques, le fruit de la Passion notamment. Une attaque vive et tonique introduit un palais gras, chaleureux et dense, qui renoue avec la vivacité en finale. Encore un peu fermé, ce châteauneuf a besoin d'un peu de temps. ⧗ 2018-2022 ▼ poulet aux écrevisses

⊶ SCEA VIGNOBLES FRANÇOIS LAGET-ROYER, 19, av. Saint-Joseph, BP 67, 84232 Châteauneuf-du-Pape Cedex, tél. 04 90 83 70 91, francois.laget@wanadoo.fr V r.-v.

DOM. DE LA PRÉSIDENTE 2015

■	14 000		20 à 30 €

Un domaine fondé en 1701 par « Madame la Présidente », épouse du président du parlement de Provence, acquis en 1968 par Max Aubert, dont la fille Céline conduit aujourd'hui les 110 ha de vignes. Une belle référence en AOC régionales et en châteauneuf.

Si le nez de ce 2015 se montre plutôt discret – quelques nuances florales (jasmin) et boisées et de fines touches d'agrumes –, la bouche impose un rythme plus soutenu, sur les fruits mûrs. On y découvre aussi un vin très riche, très gras, très chaleureux, contrebalancé par une heureuse vivacité. Un blanc solaire. ⧗ 2017-2021 ▼ blanquette de poisson

⊶ DOM. DE LA PRÉSIDENTE, rte de Cairanne, 84290 Sainte-Cécile-les-Vignes, tél. 04 90 30 80 34, aubert@presidente.fr V t.l.j. sf dim. 9h-12h 14h-18h; sam. sur r.-v. ⊶ Céline Aubert

Ⓑ DOM. ROCHE-AUDRAN 2014 ★★

■	1500		20 à 30 €

Dirigé par Vincent Rochette depuis 1998, ce domaine familial (cinq générations) étend ses vignes, conduites en biodynamie, sur 35 ha à flanc de collines, sur trois terroirs (Visan, Buisson et Châteauneuf).

Un 100 % grenache élevé quinze mois en fût. Au nez, des arômes complexes de fruits rouges, d'herbe fraîche, de rose fanée, de poivre et de réglisse. En bouche, une belle attaque fraîche et tonique, beaucoup de fruit, une touche de cuir et d'épices, une évolution élégante sur des tanins fermes et fins, et une allonge remarquable. Un vin d'une grande harmonie. ⧗ 2018-2026 ▼ joues de bœuf aux légumes

⊶ VINCENT ROCHETTE, Dom. Roche-Audran, rte de Saint-Roman, 84110 Buisson, tél. 04 90 28 96 49, contact@roche-audran.com V t.l.j. sf sam. dim. 9h-12h 13h-18h

Ⓑ DOM. SAINT-PRÉFERT
Réserve Auguste Favier 2014 ★

■	12 000		30 à 50 €

Issue du milieu bancaire, Isabel Ferrando a racheté en 2002 un vignoble en châteauneuf-du-pape planté au début du XXᵉ s. par un pharmacien d'Avignon. Elle exploite aujourd'hui 24 ha certifiés bio.

Une cuvée hommage au grand-père de la vigneronne. Au nez, des arômes plaisants de cerise, de fraise et d'épices. En bouche, une rondeur avenante, une puissance alcoolique bien dosée, des tanins et un boisé fondus, et une pointe de fraîcheur qui apporte du dynamisme. Un ensemble équilibré. ⧗ 2018-2023 ▼ épaule d'agneau au four

⊶ SAS DOM. SAINT-PRÉFERT, 425, chem. Saint-Préfert, 84230 Châteauneuf-du-Pape, tél. 04 90 83 75 03, contact@st-prefert.com V r.-v. Ⓔ ⊶ Ferrando

SAJE 2013

■	14 000		15 à 20 €

Les Mathieu cultivent la vigne de père en fils à Châteauneuf-du-Pape depuis 1600. Après avoir travaillé avec son frère pendant quinze ans sur l'exploitation familiale, Jérôme a décidé de créer sa propre structure en 2015.

Après quatorze mois d'élevage en vieux foudres, ce 2013 livre un bouquet assez discret d'épices et de fruits noirs à l'alcool. En bouche, il se montre souple et frais en attaque, épicé, suave et rond dans son développement. Pas très long mais harmonieux. ⧗ 2017-2021 ▼ daube d'agneau

⊶ JÉRÔME MATHIEU, 21, rue du Commandant-Lemaître, 84230 Châteauneuf-du-Pape, tél. 06 80 95 82 53, jerome@domaine-de-saje.fr V r.-v.

DOM. SANTA DUC La Crau Ouest 2014

■	n.c.	50 à 75 €

Dans la même famille depuis 1874, ce domaine est conduit à partir de 1985 par Yves Gras. Ce dernier a d'emblée adopté l'agriculture biologique pour ses vignes de Gigondas (certifiées depuis 2012) et plus récemment pour celles de Châteaneuf-du-Pape (certifiées en 2015): 30 ha en tout. Côté chai, plus de barriques, mais des foudres et des jarres en terre cuite pour privilégier l'expression du terroir.

Le nez de ce 2014, réservé de prime abord, s'ouvre doucement sur la framboise, la groseille et les épices à l'aération. Le palais se montre équilibré, offrant un bon volume, de la fraîcheur et du velouté, avec en soutien des tanins fermes et de qualité. ⧗ 2018-2022 ▼ cailles rôties

⊶ DOM. SANTA DUC, 157, chem. des Hautes-Garrigues, 84190 Gigondas, tél. 04 90 65 84 49, yvesgras@santaduc.fr V r.-v. Ⓔ ⊶ Yves Gras

Ⓑ CH. SIMIAN Le Traversier 2014

■	20 000		20 à 30 €

Dans la même famille depuis cinq générations, cette propriété sise au pied du massif d'Uchaux est dirigée depuis 1980 par Jean-Pierre Serguier, qui a lancé la vente directe en bouteilles; son fils Florian l'a rejoint en 2016. Conduit en bio et biodynamie, le vignoble couvre 26 ha dispersés sur quatre terroirs.

Cette cuvée doit son nom au chemin traversier qui relie les différentes parcelles du domaine. Le nez, discret, s'ouvre doucement à l'aération sur des notes de fruits noirs et d'épices. Arômes prolongés par un palais rond, équilibré et de bonne longueur, encore un peu austère en finale. ⧗ 2018-2022 🍴 pintade rôtie

⊶ CH. SIMIAN, 690, chem. Yves-Serguier, 84420 Piolenc, tél. 04 90 29 50 67, chateau.simian@wanadoo.fr V ✦ ■ *t.l.j. sf dim. 8h-12h 14h-19h*
⊶ Jean-Pierre Serguier

CH. SIXTINE 2014

■	11000	◍ ▮	20 à 30 €

La famille Diffonty est présente depuis le XVII[e]s. sur les terres de Châteauneuf-du-Pape et très impliquée dans la vie locale. Elle y pratique la viticulture depuis 1800 et exploite un domaine de 22 ha, conduit aujourd'hui par Jean-Marc Diffonty.

Assemblage classique de grenache, syrah et mourvèdre, cette cuvée s'ouvre sur un joli bouquet de cassis relevé d'épices. La bouche, à l'unisson de l'olfaction, apparaît ronde et tendre, les tanins sont extraits avec mesure, malgré une légère austérité en finale. ⧗ 2018-2022 🍴 tajine d'agneau aux pruneaux

⊶ CH. SIXTINE, 10, rte de Courthézon, 84230 Châteauneuf-du-Pape, tél. 04 90 83 70 51, contact@chateau-sixtine.com V ■ *t.l.j. sf sam. dim. 9h-12h 13h30-16h*

Ⓑ DOM. DE LA SOLITUDE Cuvée Barberini 2013 ★

■	3000	◍ ▮	30 à 50 €

Ce domaine appartient à l'une des plus anciennes familles de Châteauneuf-du-Pape, dont l'un des membres, le toscan Maffeo Barberini, fut élu pape sous le nom d'Urbain VIII au XVII[e]s. Après s'être formé à la vinification en Nouvelle-Zélande et en Australie, son lointain héritier, Florent Lançon, a rejoint son père et son oncle à la tête d'un vignoble de 38 ha, planté essentiellement sur les lieux-dits La Solitude et La Crau.

Assemblage classique de grenache (60 %), syrah (30 %) et mourvèdre, ce châteauneuf livre un bouquet complexe de griotte, d'épices et de chocolat, accompagné de discrètes notes animales. Des arômes qui s'agrémentent de réglisse dans une bouche ample et riche, épaulée par des tanins bien en place pour la garde. Un beau classique. ⧗ 2018-2024 🍴 magret aux cerises

⊶ SA FAMILLE LANÇON, 1, Dom. de la Solitude, 84230 Châteauneuf-du-Pape, tél. 04 90 83 71 45, domaine.solitude@orange.fr V ✦ ■ *t.l.j. sf sam. dim. 8h-17h*

DOM. DE TERRE FERME 2014

□	2200	◍ ▮	30 à 50 €

Fondée en 1834, la vénérable maison Paul Jaboulet Aîné propose une large gamme issue de son négoce et de sa centaine d'hectares (en conversion bio) répartis dans plusieurs domaines septentrionaux, dont le mythique La Chapelle en hermitage. Rachetée en 2006 par la famille Frey, propriétaire en Champagne et dans le Bordelais (La Lagune), elle est dirigée par Caroline Frey.

Né de grenache blanc (80 %) et de clairette, ce blanc s'ouvre sur un joli bouquet exotique, miellé et grillé. On retrouve les fruits exotiques dans une bouche dense et riche, équilibrée par une pointe de fraîcheur bienvenue. ⧗ 2017-2021 🍴 tagliatelles aux fruits de mer

⊶ DOM. PAUL JABOULET AÎNÉ, RN 7, Les Jalets, BP 46, 26600 Tain-l'Hermitage, tél. 04 75 84 68 93, info@jaboulet.com V ■ *t.l.j. sf lun. 10h-19h ⊶ Caroline Frey*

DOM. RAYMOND USSEGLIO ET FILS 2014

■	20000	▮	20 à 30 €

Des achats successifs ont permis à Raymond Usseglio d'agrandir à 33 ha ce domaine castelpapal constitué par son père Francis venu d'Italie en 1931 pour travailler la terre. La relève par son fils unique, Stéphane, est assurée depuis 1999. La conversion à la biodynamie est en cours.

Après dix-huit mois de cuve, ce châteauneuf se présente avec discrétion autour de légères notes de violette et de cassis. On retrouve le fruit, plus mûr, plus intense et mâtiné d'épices, dans une bouche friande, souple et ronde, soulignée par une agréable fraîcheur. Une bouteille que l'on pourra déboucher sans trop attendre. ⧗ 2017-2021 🍴 tajine de veau

⊶ DOM. RAYMOND USSEGLIO ET FILS, 84, chem. Monseigneur-Jules-Avril, 84230 Châteauneuf-du-Pape, tél. 04 90 83 71 85, info@domaine-usseglio.fr V ✦ ■ *r.-v.*

VIDAL FLEURY 2014

□	4000	◍	20 à 30 €

Le plus ancien négoce rhodanien en activité, fondé en 1781 à partir de son vignoble en côte-rôtie et très tôt réputé – Thomas Jefferson y fit un banquet mémorable en 1787. Propriété des Guigal depuis 1986, il dispose d'une cave monumentale, dont l'architecture est inspirée du site égyptien de Saqqarah.

Un assemblage classique de grenache blanc et de clairette (40 % chacun), avec la roussanne en complément. Au nez, des notes de fruits jaunes et blancs mûrs, presque confits, s'allient à un boisé très léger. Des sensations gourmandes (pêche au sirop) que l'on retrouve dans une bouche bien équilibrée entre douceur, gras et acidité. Simple et de bon goût. ⧗ 2016-2020 🍴 fromage de brebis

⊶ VIDAL-FLEURY, 48, rte de Lyon, 69420 Tupin-et-Semons, tél. 04 74 56 10 18, contact@vidal-fleury.com V ✦ ■ *r.-v. ⊶ Famille Guigal*

LIRAC

Superficie : 745 ha
Production : 19 440 hl (91 % rouge et rosé)

Située en face de Châteauneuf-du-Pape, sur la rive droite du Rhône, l'appellation regroupe les vignobles de Lirac, de Saint-Laurent-des-Arbres, de Saint-Geniès-de-Comolas et de Roquemaure, au nord de Tavel. Les vignerons de ces côtes du Rhône gardoises ont été pionniers, se regroupant dès le XVIII[e]s. pour défendre et valoriser leur production, déjà réputée au XVI[e]s. Les magistrats locaux l'authentifiaient

en apposant sur les fûts, au fer rouge, les lettres «C d R». Terrasses de cailloux roulés et terrains calcaires produisent des vins dans les trois couleurs: les rosés et les blancs, tout de grâce et de parfums, se boivent jeunes avec des fruits de mer; les rouges puissants et généreux accompagnent les viandes rouges.

♥ DOM. AMIDO 2014 ★★

■	10000	🍾	8 à 11 €

À partir de vignes familiales, Christian Amido crée son domaine en 1987 sur la rive droite du Rhône, vinifie ses premières cuvées en 2000. À son décès en 2003, l'exploitation est reprise par ses filles Nathalie Patinet et Dominique Le Dantec, cette dernière assurant depuis 2012 la gérance du vignoble de 27 ha. Avec Amandine Patinet, la troisième génération arrive sur la propriété.

Mourvèdre (50 %), syrah (30 %), grenache et carignan sont associés pour le meilleur dans ce lirac magnifique d'intensité aromatique: violette, fruits mûrs, fines notes épicées. La bouche apparaît ample, ronde et d'une grande souplesse, bâtie sur des tanins veloutés. Très joli retour de la violette et des épices en finale qui apporte un surcroît d'élégance et de fraîcheur. ⧗ 2016-2022 🍴 agneau de sept heures

⊶ DOM. AMIDO, Le Palai-Nord, 30126 Tavel, tél. 04 66 50 04 41, domaineamido@cegetel.net **V** 🚶 **!** *r.-v.*

CH. D'AQUERIA 2014 ★

■	60000	🛢🍾	11 à 15 €

Jean Olivier acquiert en 1919 l'ancien domaine des comtes d'Aqueria, commandé par un château du XVIIIes. et orné d'un parc à la française. Son gendre Paul de Bez restructure entièrement le vignoble: aujourd'hui, 61 ha d'un seul tenant, conduits depuis 1984 par ses petits-fils Vincent et Bruno. Une valeur sûre en lirac et en tavel.

Grenache, syrah, mourvèdre, un trio classique pour cette cuvée solaire, dominée à l'olfaction par les fruits noirs biens mûrs et les senteurs de la garrigue. Dans le droit fil, la bouche, ample et ronde, s'appuie sur une trame tannique soyeuse et un bon boisé fondu. Une bouteille que l'on appréciera autant dans sa jeunesse qu'après quelques années de garde. ⧗ 2017-2022 🍴 pigeon rôti ■ **L'Héritage d'Aqueria 2014 ★ (20 à 30 €; 3000 b.)** : une cuvée mi-grenache mi-syrah dense, généreuse et chaleureuse, sur les fruits à l'eau-de-vie et la vanille (quatorze mois de fût). ⧗ 2018-2023 🍴 daube de sanglier □ **2015 ★ (11 à 15 €; 21000 b.)** : un vin expressif (fleurs blanches, amande, agrumes), rond et soyeux, étiré dans une belle finale pleine de fraîcheur. ⧗ 2016-2019 🍴 saumon à l'oseille

⊶ FAMILLE OLIVIER, Ch. d'Aqueria, rte de Pujaut, 30126 Tavel, tél. 04 66 50 04 56, contact@aqueria.com **V** 🚶 **!** *t.l.j. sf sam. dim. 8h-12h 13h30-17h30*

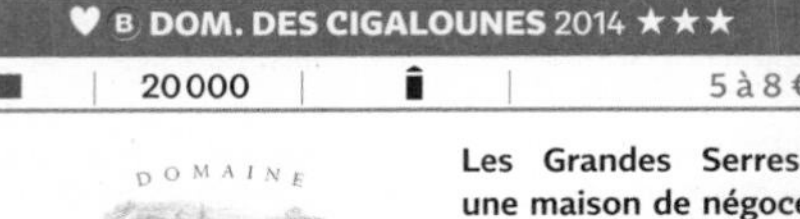

♥ Ⓑ DOM. DES CIGALOUNES 2014 ★★★

■	20000	🍾	5 à 8 €

Les Grandes Serres: une maison de négoce castelpapale fondée en 1977 par Camille Serres et reprise en 2001 par Michel Picard, investisseur dans de nombreuses régions viticoles – jusqu'en Ontario. Elle propose une large gamme de vins de la vallée du Rhône méridionale (et aussi de Provence) souvent en vue dans ces pages.

Après dix-huit mois d'élevage en cuve, ce lirac se présente dans une robe sombre et profonde. Le nez complexe, intense et chaleureux marie les fruits noirs très mûrs aux épices douces. La bouche se révèle ample, concentrée, dense et très fruitée, avec en soutien une trame de tanins fins. Un vin qui conjugue puissance et élégance avec un rare équilibre, laissant entrevoir un solide potentiel de garde. ⧗ 2019-2026 🍴 perdreau farci au foie gras

⊶ SA LES GRANDES SERRES, 430, chem. de l'Islon-Saint-Luc, 84230 Châteauneuf-du-Pape, tél. 04 90 83 72 22, contact@grandesserres.com **V** 🚶 **!** *r.-v. ⊶ Picard Vins*

DOM. COUDOULIS Hommage 2013

■	7000	🛢🍾	15 à 20 €

Établi sur une terrasse alluvionnaire dominant le village de Saint-Laurent-des-Arbres, ce domaine créé en 1960 – 28 ha d'un seul tenant implantés sur un sol de galets roulés– a été racheté en 1996 par Bernard Callet, issu du monde du BTP. L'une des bonnes références liracoises.

De vieilles vignes (cinquante ans) de grenache et de syrah ont donné naissance à cette cuvée fruitée (cassis, framboise, fraise écrasée) à l'olfaction, chaleureuse et mûre en bouche, entre épices et fruits compotés, un brin plus sévère en finale. ⧗ 2017-2021 🍴 osso bucco

⊶ DOM. COUDOULIS, 314, rue Nostradamus, 30126 Saint-Laurent-des-Arbres, tél. 04 66 03 29 13, guillaumeperraud@orange.fr **V** 🚶 **!** *r.-v.*
⊶ Bernard Callet

DOM. DES GARRIGUES 2015 ★★

□	6000	8 à 11 €

Après des études en œnologie à Bordeaux, Jean-François Assémat a repris le domaine familial créé en 1964 par ses grands-parents, de retour d'Algérie, sur un ancien vignoble dévasté par le phylloxéra. Réparties entre Roquemaure et Saint-Laurent-des-Arbres, les vignes s'étendent sur 90 ha et trois domaines: Castel Oualou, Causses et Saint-Eynes, Garrigues.

Pas moins de cinq cépages, avec une dominante grenache blanc, sont à l'origine de cette cuvée savoureuse, unanimement appréciée pour son élégance. Le nez, intense et complexe, dévoile des arômes de fleurs blanches, de miel, d'abricot et d'agrumes qui s'épanouissent dans une bouche douce, fine et délicate, épaulée par une acidité parfaitement dosée. ⧗ 2016-2019 ¥ poularde de Bresse à la crème

⊶ SCEA VIGNOBLES ASSÉMAT, BP 15, chem. de Lirac, 30150 Roquemaure, tél. 04 66 82 65 52, vignobles.assemat@wanadoo.fr ▣ t.l.j. 8h-18h; sam. dim. sur r.-v.

Ⓑ DOM. DU JONCIER Le Gourmand 2014

■	11 000	🍾	11 à 15 €

Marine Roussel, après un parcours dans la filière artistique, reprend en 1996 le domaine créé par son père Pierre dans les années 1960. Elle conduit 32 ha en bio et en biodynamie, à petits rendements, et privilégie les extractions en douceur et les cuvaisons longues.

Plantés sur le magnifique terroir de galets roulés du plateau de Vallongues, à la limite de l'AOC tavel, des ceps de grenache, syrah, cinsault et carignan ont donné ce vin chaleureux et charnu, aux tanins souples et policés, porté sur les fruits rouges à l'eau-de-vie et le poivre. Moins puissant que gourmand en effet. ⧗ 2016-2020 ¥ cuisse de canard confite

⊶ DOM. DU JONCIER, 5, rue de la Combe, 30126 Tavel, tél. 04 66 50 27 70, contact@domainedujoncier.com ▣ t.l.j. sf sam. dim. 9h-12h 14h-17h
⊶ Marine Roussel

♥ Ⓑ DOM. LAFOND ROC-ÉPINE 2014 ★★★

■	80 000	🍾	8 à 11 €

Porte-drapeau des appellations tavel et lirac, mais aussi très en vue pour ses châteauneuf et ses côtes-du-rhône, ce domaine, dont les lointaines origines remontent à la fin du XVIIIe s., est conduit par Pascal Lafond depuis 1990. Son vaste vignoble en bio certifié à partir de 2012 couvre aujourd'hui 85 ha répartis dans quatre AOC.

Un assemblage classique grenache (70 %) et syrah est à l'origine de ce lirac qui sort du lot. La robe est dense, profonde, noire, le nez complexe, élégant et intense, tourné vers les fruits noirs mûrs, les épices et le tabac. Le palais, d'une puissance exceptionnelle, concentré et très long, s'adosse à des tanins fins et veloutés. À réserver pour un mets de choix. ⧗ 2019-2026 ¥ tournedos Rossini ■ **La Ferme romaine 2013 ★★ (15 à 20 €; 12 000 b.)** Ⓑ : grenache, syrah et mourvèdre pour cette cuvée intense et complexe (vanille, notes empyreumatiques, fruits mûrs), ample, tannique et longue en bouche. Une vraie bouteille de garde. ⧗ 2018-2026 ¥ carré d'agneau

⊶ DOM. LAFOND, 336, rte des Vignobles, 30126 Tavel, tél. 04 66 50 24 59, lafond@roc-epine.com ▣ t.l.j. sf sam. dim. 8h-12h 13h30-17h

CAVE DES VINS DE CRU DU LIRAC Tradition 2015 ★

□	8 000		5 à 8 €

Coopérative créée en 1931. Elle regroupe 55 viticulteurs pour une superficie totale de 300 ha, dont 100 ha consacrés à l'AOC lirac.

Cette cuvée née de grenache blanc (70 %), clairette et bourboulenc développe un nez fin et expressif où domine la fleur blanche. Elle offre un bel équilibre en bouche entre une matière onctueuse, ronde et tendre et une longue finale fraîche et alerte. Un vin élégant et complet. ⧗ 2016-2020 ¥ saumon au beurre blanc ■ **Arcane 2013 ★ (8 à 11 €; 5 500 b.)** : syrah (55 %) et grenache composent cette cuvée appréciée pour son fruité intense et relevé d'épices, et pour son palais souple et gourmand, charpenté en douceur par des tanins soyeux. ⧗ 2017-2021 ¥ osso bucco

⊶ CAVE DES VINS DE CRU DE LIRAC, 685, av. Baron-Leroy, 30126 Saint-Laurent-des-Arbres, tél. 04 66 50 01 02, contact@cavelirac.fr ▣ t.l.j. 9h-12h 14h-18h

DOM. LA LÔYANE Cuvée Élie 2014 ★★

■	2 500	🛢🍾	11 à 15 €

Établi au pied du sanctuaire Notre-Dame-de-Grâce, à Rochefort-du-Gard, non loin des anciens marais asséchés par les moines au Moyen Âge, ce domaine, né en 1994 de la fusion de trois petites exploitations, fait preuve d'une grande constance dans la qualité. Il est dirigé avec talent par Jean-Pierre Dubois, son épouse Dominique et leur fils Romain.

Une cuvée créée pour la naissance du fils de Romain, qui emboîtera sans doute un jour le pas du père et du grand-père. Un vin issu du duo syrah-grenache qui ravira les amateurs de vins méridionaux: un nez solaire de fruits rouges et noirs mûrs sur fond de garrigue, une bouche ample, riche, dense et veloutée, dotée de tanins bien présents mais fins et fondus. ⧗ 2018-2022 ¥ gigot d'agneau ■ **2014 ★ (8 à 11 €; 8 000 b.)** : grenache, syrah et carignan pour la cuvée principale du domaine, qui n'a pas connu le bois. Un vin au caractère affirmé, gourmand et rond, centré sur les fruits rouges et les épices et soutenu par une belle trame tannique. ⧗ 2017-2021 ¥ poitrine de veau farcie aux blettes

⊶ DOM. LA LÔYANE, chem. Font-des-Cavens, 30650 Rochefort-du-Gard, tél. 06 11 60 86 36, la-loyane-jean-pierre.dubois@orange.fr ▣ t.l.j. sf lun. mar. dim. 9h-12h 15h-19h ⊶ Dubois

DOM. MABY La Fermade 2015 ★

□	20 000	🍾	8 à 11 €

Ce domaine très régulier en qualité, notamment pour ses lirac, dans les trois couleurs, et ses tavel, a été créé en 1950 par Armand Maby. En 2005, son petit-fils Richard a pris les rênes du vignoble, 64 ha situés pour l'essentiel sur les galets roulés du plateau de Vallongue; des vignes cultivées «au naturel», mais sans certification bio. Depuis 2011, l'éminent œnologue rhodanien Philippe Cambie conseille le domaine.

Une cuvée composée de grenache, clairette et picpoul. Un blanc très méridional qui se distingue par ses notes d'agrumes, de fruits blancs et genêt, par un palais soyeux en attaque, puis frais et minéral, où l'on retrouve les agrumes accompagnés de nuances d'abricot et de pêche blanche. De beaux amers animent la finale. ⧗ 2016-2019 🍷 volaille à la crème

⊶ *DOM. MABY, 249, rue Saint-Vincent, 30126 Tavel, tél. 04 66 50 03 40, domaine-maby@wanadoo.fr* V 🚶 🚪 *t.l.j. 8h-12h 13h30-17h30; sam. dim. sur r.-v.*

GABRIEL MEFFRE Les Mascarines 2014 ★

■ | 10000 | 🍾 | 8 à 11 €

Affaire de négoce-éleveur créée en 1936 par Gabriel Meffre, cette maison est devenue un acteur incontournable, propriétaire de 800 ha de vignes dans toute la vallée du Rhône, ainsi qu'en Provence. Reprise en 2009 par Éric Brousse, associé du groupe bourguignon Boisset.

Robe rubis intense, des fruits mûrs gorgés de soleil et des épices douces, l'approche est gourmande. La bouche, ample, fruitée et poivrée, évolue sur des tanins fondus qui renforcent le caractère rond, tendre et soyeux de cet assemblage grenache-syrah-mourvèdre. ⧗ 2016-2019 🍷 côte de bœuf

⊶ *GABRIEL MEFFRE, rte des Princes-d'Orange, 84190 Gigondas, tél. 04 90 12 32 47, gabriel-meffre@meffre.com* V 🚶 🚪 *t.l.j. sf lun. dim. 10h-12h30 14h30-18h* ⊶ *Éric Brousse*

CH. DE MONTFAUCON 2014 ★★

■ | 16000 | 🛢🍾 | 11 à 15 €

Valeur sûre des côtes-du-rhône, ce domaine (60 ha) est une ancienne forteresse du XIᵉs. campée sur un promontoire rocheux, vigie sur le Rhône, fleuve qui marquait la frontière entre le royaume de France et le Saint-Empire romain germanique. Au XVIIIᵉs., les aïeux de Rodolphe de Pins (installé en 1995 après diverses expériences en France et à l'étranger) ont pris possession des lieux. Le vignoble se caractérise par des sols et un encépagement très diversifiés.

80 % de ce 2014 a été élevé en cuve, 20 % en barrique de un à huit vins. Dans le verre, un lirac au nez intense de framboise mûre, de cuir et d'épices, au palais suave, chaleureux et réglissé, bâti sur des tanins mûrs. ⧗ 2018-2023 🍷 pintade farcie

⊶ *CH. DE MONTFAUCON, 22, rue du Château, 30150 Montfaucon, tél. 04 66 50 37 19, contact@chateaumontfaucon.com* V 🚶 🚪 *t.l.j. sf sam. dim. 14h-18h* ⊶ *Rodolphe de Pins*

CH. MONT-REDON 2014 ★

□ | 11300 | 🛢 | 11 à 15 €

On cultivait déjà la vigne à l'époque romaine sur le *muntem retundum* (montagne ronde). La famille Abeille-Fabre y est installée depuis 1923. Elle conduit aujourd'hui un vaste vignoble de 100 ha, réputé tant pour ses châteauneuf que pour ses lirac et ses côtes-du-rhône.

Clairette, grenache blanc, roussanne et viognier (par ordre d'importance) sont associés dans ce lirac élevé sept mois en barriques bourguignonnes. Au nez, des fleurs blanches (acacia), des notes citronnées et de la poire. Des arômes accompagnés de nuances miellées dans une bouche ronde et onctueuse, stimulée en finale par une belle fraîcheur minérale. ⧗ 2017-2020 🍷 bar rôti aux herbes

⊶ *CH. MONT-REDON, BP 10, 84231 Châteauneuf-du-Pape, tél. 04 90 83 72 75, contact@chateaumontredon.fr* V 🚶 🚪 *r.-v.*
⊶ *Abeille-Fabre*

Ⓑ **DOM. DE LA MORDORÉE**
La Dame rousse 2014 ★

■ | 31000 | 🍾 | 11 à 15 €

Un domaine créé en 1986 par Francis Delorme et son fils Christophe (disparu prématurément en 2015), entrepreneurs issus d'une famille vigneronne, rejoints par Fabrice en 1999. Le vignoble couvre 54 ha (en bio certifié depuis 2013), répartis sur 38 parcelles et huit communes. Partisans des petits rendements, les Delorme déclinent les millésimes avec une aisance déconcertante, aussi bien en tavel, leur fief d'origine, et en lirac, qu'en châteauneuf-du-pape ou en « simple » côtes-du-rhône. Incontournable.

Après un millésime 2013 de haut vol, la Dame rousse fait bonne figure dans sa version 2014. Syrah (60 %) et grenache sont à l'origine d'un vin au nez intense et profond de mûre et cassis, au palais très puissant et d'une belle finesse tannique, persistant sur les fruits rouges et les épices. ⧗ 2018-2022 🍷 osso bucco ■ **La Reine des Bois 2014 (15 à 20 €; 29000 b.)** Ⓑ : vin cité.

⊶ *DOM. DE LA MORDORÉE, 250, chem. des Oliviers, 30126 Tavel, tél. 04 66 50 00 75, info@domaine-mordoree.com* V 🚶 🚪 *t.l.j. 8h-12h 13h30-17h30* 🏠 Ⓔ ⊶ *Delorme*

DOM. PÉLAQUIÉ 2014

■ | 24000 | 🍾 | 8 à 11 €

Saint-Victor-la-Coste s'étend sous les ruines du Castellas, le château fort médiéval des seigneurs de Sabran. Depuis 1976, Luc Pélaquié y conduit ce domaine familial vaste (90 ha) et ancien (XVIᵉs.), dont les vins (côtes-du-rhône, *villages*, lirac et tavel) sont régulièrement en vue dans le Guide.

Né de grenache et de mourvèdre, un joli « vin plaisir », au nez floral et fruité (violette, pêche, cerise), au palais rond et fin, soutenu par des tanins bien fondus. ⧗ 2017-2021 🍷 rôti de bœuf

⊶ *DOM. PÉLAQUIÉ, 7, rue du Vernet, 30290 Saint-Victor-la-Coste, tél. 04 66 50 06 04, contact@domaine-pelaquie.com* V 🚶 🚪 *t.l.j. sf dim. 9h-12h 14h-18h*

DOM. LA ROCALIÈRE Le Classique 2013 ★★

■ | 20000 | 🍾 | 8 à 11 €

Très régulier en qualité dans les appellations lirac et tavel, ce domaine familial a été fondé par Armand et Bernard Maby et par Jacques Borrelly. À la retraite de ce dernier, il a été repris par ses filles Séverine Lemoine (vigne et cave) et Mélanie Borrelly (administratif et commercial). Les deux sœurs conduisent aujourd'hui, en bio certifié, un vignoble de 42 ha.

Après douze mois d'élevage, ce vin dévoile un nez complexe, sur les épices, les fruits rouges confits et des notes de sous-bois et de garrigue. En bouche, il se montre à la fois suave, dense et frais, étayé par de fins tanins. Une bouteille qui pourra être appréciée dès maintenant ou après quelques années de garde. ⧗ 2016-2021 ▼ civet de marcassin ■ **Dom. La Rocalière Ikebana 2013 ★ (8 à 11 €; 4000 b.)** : un vin retenu pour sa belle persistance aromatique, sur la violette (l'ikebana est un art floral japonais) et le kirsch, et pour sa puissance «sous contrôle», bâtie autour de tanins fins et racés. ⧗ 2017-2023 ▼ carré d'agneau aux herbes

DOM. LA ROCALIÈRE, Le Palai-Nord, 30126 Tavel, tél. 04 66 50 12 60, rocaliere@wanadoo.fr V ✗ ■ *t.l.j. 9h-12h 14h-18h; sam. dim. sur r.-v.* *Borrelly et Lemoine*

ROCCA MAURA Cuvée Saint-Valentin 2014 ★

■ | 25000 | ◍ | 8 à 11 €

C'est à Roquemaure, berceau historique des côtes-du-rhône grâce à son port fluvial, que les vignerons purent en 1737 marquer leurs tonneaux des lettres «CdR». Fondée en 1922, la petite coopérative locale – longtemps nommée Cellier Saint-Valentin – fédère aujourd'hui 60 adhérents pour 350 ha de vignes.

Saint Valentin, dont les reliques furent amenées à Roquemaure pour protéger les vignes du phylloxéra, est le saint patron du village. Il donne son nom à cette cuvée qui, après neuf mois de fût, délivre un bouquet intense de fruits gorgés de soleil, de réglisse et d'épices. Arômes auxquels fait écho une bouche ample, ronde, riche et chaleureuse. Une bouteille que l'on pourra apprécier aussi bien jeune que patinée par le temps. ⧗ 2016-2022 ▼ gardianne de taureau

SCA ROCCA MAURA, 1, rue des Vignerons, 30150 Roquemaure, tél. 04 66 82 82 01, contact@vignerons-de-roquemaure.com V ✗ ■ *t.l.j. sf dim. 9h-12h 14h-18h*

CH. DE SÉGRIÈS 2014 ★★

■ | 110000 | 11 à 15 €

Henri de Lanzac conduit un domaine de près de 60 ha, dont 30 ha de vignes d'un seul tenant commandés par le château de Ségriès (XVIIes.), acquis en 1994. Il assure aussi la gestion du Clos de l'Hermitage (3,5 ha), propriété depuis 1995 de l'ancien coureur automobile Jean Alesi. Deux étiquettes souvent en bonne place dans le Guide.

La robe sombre et profonde annonce un bouquet chaleureux et charmeur de griotte à l'eau-de-vie. Arômes prolongés par une bouche puissante, dense, charnue et longue, aux tanins fins et soyeux. Un lirac bien typé, riche et solaire. ⧗ 2018-2023 ▼ côte de bœuf grillée

SCEA HENRI DE LANZAC, Ch. de Ségriès, chem. de la Grange, 30126 Lirac, tél. 04 66 39 11 98, chateaudesegries@wanadoo.fr V ✗ ■ *t.l.j. 10h-12h 14h-18h; dim. sur r.-v.*

LES VIGNERONS DE TAVEL
Les Hauts d'Acantalys 2015 ★★

■ | 9300 | 5 à 8 €

Créée en 1937, cette cave historique fut la première coopérative agricole à être inaugurée par un président de la République (Albert Lebrun). Actrice importante de la production taveloise (environ la moitié), elle regroupe 85 adhérents et plus de 600 ha de vignes. Le bâtiment, construit dans la lauze locale, est classé Monument historique.

Pas moins de cinq cépages (dont près de 50 % de grenache blanc) sont assemblés dans cette belle cuvée jaune paille brillant, au nez gourmand et intense de fruits cuits et de miel. La bouche se révèle onctueuse et suave, traversée jusqu'en finale par une fine fraîcheur aux accents d'agrumes. ⧗ 2017-2020 ▼ lotte à l'armoricaine

LES VIGNERONS DE TAVEL, rte de la Commanderie, 30126 Tavel, tél. 04 66 50 03 57, contact@cavedetavel.com V ✗ ■ *r.-v.*

DOM. PIERRE USSEGLIO ET FILS 2014

■ | 5300 | 11 à 15 €

Dans les années 1930, Francis Usseglio, salarié viticole d'origine italienne, devient métayer et vinifie sa première récolte en 1949. Son fils Pierre agrandit le domaine et le transmet en 1990 à ses fils Jean-Pierre et Thierry, aujourd'hui à la tête de 38 ha de vignes.

Cette cuvée composée de grenache (80 %), syrah, mourvèdre et cinsault se distingue par ses arômes de fruits rouges mûrs bien mariés à des senteurs de sous-bois. On apprécie aussi la finesse de ses tanins et son agréable fraîcheur. ⧗ 2017-2021 ▼ bœuf en daube

DOM. PIERRE USSEGLIO ET FILS, 10, rte d'Orange, 84230 Châteauneuf-du-Pape, tél. 04 90 83 72 98, info@domainepierreusseglio.fr V ✗ ■ *r.-v.*

PIERRE VIDAL Cuvée spéciale 2014 ★★

■ | 20000 | ◍ ▮ | 8 à 11 €

Pierre Vidal, installé à Châteauneuf-du-Pape avec son épouse vigneronne, a créé son négoce en 2010. Une maison déjà bien implantée grâce aux sélections parcellaires vinifiées par ce jeune œnologue formé en Bourgogne.

Après un élevage luxueux de dix-huit mois en barrique (pour 20 % du vin) et en cuve, cette cuvée se présente dans une robe d'encre, le nez bien ouvert sur des notes de fruits rouges mûrs, de sous-bois, de truffe et d'épices. Une intensité aromatique prolongée par une bouche d'une grande richesse, chaleureuse et corsée, portée par des tanins denses et un boisé discret. Une bouteille qui se révèlera particulièrement sur les plats épicés. ⧗ 2018-2022 ▼ tajine d'agneau

EURL PIERRE VIDAL, 631, rte de Sorgues, 84230 Châteauneuf-du-Pape, tél. 06 88 88 07 58, contact@pierrevidal.com

DOM. LE VIEUX MOULIN 2014

■ | 3300 | 8 à 11 €

Créé en 1956, ce domaine – dont la cave présente une architecture inspirée de celle du lavoir de Tavel – est dans la même famille depuis six générations. Sébastien Jouffret, aux commandes à partir de 2006, vinifie la récolte de 68 ha de vignes.

Un assemblage de grenache et cinsault pour ce 2014 bien ouvert sur des notes d'épices et de cerise à l'olfaction. La bouche est équilibrée: elle offre du gras, un bon fruité et des tanins fins et fondus. ⌛ 2017-2021 🍷 poule faisane

⊶ *EARL ROUDIL-JOUFFRET, 775, rte de la Commanderie, Le Palai-Nord, 30126 Tavel, tél. 04 66 82 85 11, roudil-jouffret@wanadoo.fr* V 🚶 ▪ *t.l.j. 8h-12h 14h-18h*

COSTIÈRES-DE-NÎMES

Superficie : 3 950 ha
Production : 207 365 hl (92 % rouge et rosé)

Rouges, rosés ou blancs, les costières-de-nîmes naissent dans un vignoble établi sur les pentes ensoleillées de coteaux constitués de cailloux roulés – les cailloutis du Villafranchien –, dans un quadrilatère délimité par Meynes, Vauvert, Saint-Gilles et Beaucaire, au sud-est de Nîmes, et au nord de la Camargue. L'appellation s'étend sur le territoire de vingt-quatre communes. Les cépages autorisés en rouge sont le carignan, le cinsault, le grenache noir, le mourvèdre et la syrah; en blanc, ce sont la clairette, le grenache blanc, la marsanne, la roussanne et le rolle. Les rosés s'associent aux charcuteries de l'Ardèche, les blancs se marient fort bien aux coquillages et aux poissons de la Méditerranée, et les rouges, chaleureux et corsés, préfèrent les viandes grillées. Une route des vins parcourt cette région au départ de Nîmes.

Ⓑ CH. BEAUBOIS Expression 2015 ★★

■ | 60 000 | 🍾 | 5 à 8 €

Un domaine fondé au XIIIᵉs. par les moines cisterciens de l'abbaye de Franquevaux, sur le versant sud des Costières, et propriété des Boyer depuis quatre générations. Installés en 2000, Fanny et son frère François conduisent avec talent, et en bio, un vignoble de 50 ha.

Ce costières de caractère associe classiquement la syrah (70 %) et le grenache. Il lui faudra quelques années pour s'épanouir, mais il dévoile déjà de beaux atouts: une robe intense aux reflets violines de jeunesse; un nez riche et puissant où domine le fruit noir sur fond d'épices; une bouche ample, chaleureuse, corsée et solidement charpentée par des tanins très serrés. Superbe finale sur les épices, la mûre et la réglisse. ⌛ 2019-2026 🍷 civet de lièvre

⊶ *FANNY ET FRANÇOIS BOYER, Ch. Beaubois, RD 6572, 30640 Franquevaux, tél. 04 66 73 30 59, chateau-beaubois@wanadoo.fr* V 🚶 ▪ *t.l.j. 9h-12h 14h-18h* 🏠 Ⓔ

LA BELLE RÉSERVE Grande Cuvée 2014 ★★

■ | 5000 | 🍾 | - de 5 €

Avineo est une jeune maison de négoce créée en 2011 par Jean-François Bescond à Châteauneuf-du-Pape. En 2014, elle s'est implantée à Nice et a lancé sa propre marque, François Dollinger, en référence au grand-père alsacien du fondateur, amateur éclairé et grand collectionneur de vins rhodaniens.

Grenache (60 %), syrah et mourvèdre composent cette cuvée remarquable d'intensité, entre notes de griotte, d'épices, de violette et nuances mentholées. Adossée à des tanins fins et fondus, la bouche prolonge cette richesse aromatique (poivre, cassis, chocolat) et affiche un équilibre admirable entre rondeur suave et fraîcheur. ⌛ 2017-2021 🍷 chapon farci

⊶ *AVINEO, 140, av. des Arènes-de-Cimiez, 06000 Nice, tél. 07 86 20 99 86, contact@avineo.fr* V ▪ *r.-v.* 🏘 ④

CH. PAUL BLANC 2014 ★★

■ | 10 000 | 8 à 11 €

Ancienne propriété de l'amiral de Grasset, qui fut au service de Ferdinand II de Bourbon, ce joli domaine de 65 ha, commandé par un vieux mas du XVIIIᵉs., a été acquis et rénové par Paul Blanc en 1986. Sa fille, Nathalie Blanc-Marès, œnologue, en a pris la direction en 1998. Une valeur sûre des costières-de-nîmes.

Carton plein pour Nathalie Blanc-Marès avec quatre cuvées sélectionnées. Le préféré (d'un cheveu) est ce 2014 qui fait quasiment aussi bien que son devancier, élu coup de cœur l'an dernier. Ses arguments: un nez intense et complexe (cerise, cassis, épices, garrigue) et une bouche à la fois dense, concentrée, douce, expressive (pruneaux et réglisse) et solidement charpentée. Un costières de garde. ⌛ 2019-2026 🍷 civet de marcassin ■ **Mas Carlot C 2015 ★★ (5 à 8 €; 35 000 b.)** : un vin d'une belle finesse olfactive (fleurs blanches, abricot, pêche), ample, gras et très long en bouche, dynamisé par une finale fraîche et persistante. ⌛ 2016-2020 🍷 daurade royale ■ **Mas Carlot C 2015 ★ (5 à 8 €; 60 000 b.)** : un vin tannique, puissant, concentré, encore sur la réserve d'un point de vue aromatique mais prometteur. ⌛ 2019-2024 🍷 daube provençale ■ **2015 (8 à 11 €; 12 000 b.)** : vin cité.

⊶ *NATHALIE BLANC-MARÈS, Mas Carlot, rte de Redessan, 30127 Bellegarde, tél. 04 66 01 11 83, mascarlot@aol.com* V 🚶 ▪ *r.-v.* 🏠 Ⓔ

DOM. BOLCHET 2015

■ | 40 000 | - de 5 €

Établi aux portes du Luberon, ce négoce familial créé en 1987 par Roger Ravoire, fils de vigneron, propose une gamme de vins (marque et domaine) provençaux et rhodaniens.

Cette maison de négoce présente avec ce domaine du Bolchet un costières aux saveurs fruitées et épicées, à la bouche ronde et chaleureuse, adossée à des tanins soyeux. ⌛ 2017-2021 🍷 côte d'agneau grillée

⊶ *RAVOIRE ET FILS, 225, av. de la Gare, CS 60201, 84360 Lauris, tél. 04 90 08 76 31, contact@ravoire-fils.com* V ▪ *r.-v.*

Ⓑ DOM. DE LA CADENETTE Siracanta 2014

■ | 10 000 | 🍾 | 5 à 8 €

Installé depuis 1990 sur la propriété familiale, Pierre Dideron a entrepris en 2009 la conversion bio de

son vignoble de 60 ha qui tourne le dos au mistral et fait face aux limites des plaines de Camargue. Aujourd'hui, l'ensemble du domaine est certifié.

La version 2012 de cette Siracanta obtint le coup de cœur; le 2014 s'avère plus modeste, mais avec de bons arguments à faire valoir toutefois. À commencer par une agréable intensité aromatique autour des myrtilles confiturées et légèrement épicées. Fraîche en attaque, la bouche offre du volume et des tanins encore assez stricts mais prometteurs. Une petite note végétale en finale signale une vendange non éraflée. À attendre un peu. ⧗ 2018-2021 ▼ brochette de bœuf au poivron

PIERRE DIDERON, Dom. de la Cadenette, 30600 Vestric-et-Candiac, tél. 04 66 88 21 76, lacadenette@orange.fr V *t.l.j. 9h-12h 14h-18h*

DAUVERGNE RANVIER Le Pitchoun 2015 ★★

■ | 30 000 | | - de 5 €

Créée en 2004 par François Dauvergne et Jean-François Ranvier, professionnels du vin qui ont décidé d'élaborer leurs propres cuvées après avoir œuvré chez les autres, cette maison de négoce s'affirme d'année en année à travers une gamme de qualité issue de sélections parcellaires. En 2013, les deux compères ont repris l'exploitation du Dom. des Muretins (tavel et lirac).

Ce Pitchoun, le dernier-né des costières de la maison, est doté d'un beau bouquet de fruits rouges et d'épices. Une entrée en matière engageante complétée de notes de réglisse par une bouche élégante, ample, onctueuse et suave, étayée par des tanins fermes et de bonne garde. Du corps et du fruit. ⧗ 2018-2023 ▼ travers de porc au paprika ■ **Vin gourmand 2015 ★ (- de 5 €; 150 000 b.)** : un classique de la maison, tout en fruit au nez comme en bouche, bien structuré par des tanins serrés et stimulé par une belle fraîcheur. Un beau représentant des Costières. ⧗ 2018-2022 ▼ tajine d'agneau

DAUVERGNE RANVIER, Ch. Saint-Maurice, RN 580, 30290 Laudun-l'Ardoise, tél. 04 66 82 96 57, francois.dauvergne@dauvergne-ranvier.com

CH. L'ERMITAGE Tradition 2015 ★★

■ | 74 000 | | 5 à 8 €

Située sur les hauteurs du versant sud des Costières, cette propriété a été créée par des moines ermites au XIIᵉs. Devenue domaine viticole sous l'action d'un notable nîmois après la Révolution, elle est conduite depuis trois générations par la famille Castillon (aujourd'hui Jérôme), à la tête d'un vaste vignoble de 80 ha.

Née de roussanne (60 %), viognier et grenache blanc, cette cuvée dévoile un bouquet intense de pêche blanche et d'abricot agrémenté d'une pointe citronnée. Un fruité qui se prolonge dans un palais très souple, très fin, très frais, très long. Idéal pour les produits de la mer. ⧗ 2016-2019 ▼ tellines persillées

JÉRÔME CASTILLON, Ch. l'Ermitage, 1301, chem. dit de La Saou, 30800 Saint-Gilles, tél. 04 66 87 04 49, contact@chateau-ermitage.com V *t.l.j. sf dim. 9h-12h 13h30-17h30*

CH. ESPERITE 2015 ★

■ | 50 000 | | 5 à 8 €

Costières et Garrigues est le nouveau nom de la coopérative de Vauvert (fondée en 1939), qui vinifie la production de quelque 650 ha de vignes.

Une pointe de marselan accompagne le duo syrah-grenache dans ce vin gourmand, ouvert sur les fruits rouges et les épices, ample, souple et frais, adossé à des tanins fins et soyeux. Jolie finale sur les fruits mûrs et les senteurs de la garrigue. ⧗ 2017-2020 ▼ sauté de veau aux olives ■ **Noble Gress Élevé en fût de chêne 2014 ★ (5 à 8 €; 12 000 b.)** : une cuvée appréciée pour sa douceur et sa maturité, ses arômes de fruits cuits et de truffe et pour son joli boisé. ⧗ 2017-2021 ▼ gigot d'agneau

LES MAÎTRES VIGNERONS DE COSTIÈRES ET GARRIGUES, 152, rue de l'Ausselon, 30600 Vauvert, tél. 04 66 88 20 31, contact@lesmaitresvignerons.com V *r.-v.*

CH. GRAND ESCALION Haut Turcas 2015 ★

■ | 100 000 | | 8 à 11 €

Propriété de la maison de négoce Gabriel Meffre, ce domaine bâti en 1884 étend son vignoble d'un seul tenant sur 44 ha en pente douce (« escalion » signifiant « montée » en provençal), sur des croupes argilo-calcaires riches en galets roulés.

Syrah, grenache et mourvèdre composent cette cuvée expressive, ouverte après aération sur les épices et les fruits rouges mûrs. La bouche se révèle ample, ronde et riche, bâtie sur des tanins fondus, et déploie une finale séduisante sur la réglisse et le fruit confit. ⧗ 2017-2020 ▼ tournedos de taureau

GABRIEL MEFFRE (CH. GRAND ESCALION), rte des Princes-d'Orange, 84190 Gigondas, tél. 04 90 12 32 47, gabriel-meffre@meffre.com V *t.l.j. sf dim. lun. 10h-12h30 14h30-18h*
Éric Brousset

MAS DES BRESSADES Cuvée Excellence 2014 ★

■ | 13 000 | | 8 à 11 €

Du Languedoc à l'Afrique du Nord, de l'Afrique du Nord au Médoc et à la vallée du Rhône, la famille Marès cultive la vigne sans frontières depuis six générations. Xavier s'est installé en 1996 à la tête de ce vignoble de 42 ha, dont les costières-de-nîmes sont régulièrement en bonne place dans le Guide.

Une goutte de grenache (2 %) accompagne la syrah dans cette cuvée élevée douze mois en barrique. Une robe très sombre annonce un vin généreux, ouvert sur des arômes de cassis mûr, de violette, de cacao et de garrigue qui fleurent bon le Sud. Dense, riche et charnue, la bouche s'appuie sur une trame tannique ferme et serrée et sur une belle fraîcheur qui pousse loin la finale. De bons atouts pour la garde. ⧗ 2018-2024 ▼ pintade aux pruneaux ■ **Cuvée Tradition 2015 (5 à 8 €; 45 000 b.)** : vin cité.

CYRIL MARÈS, Mas des Bressades, Le Grand-Plagnol, RD 3 de Bellegarde, 30129 Manduel, tél. 04 66 01 66 00, masdesbressades@aol.com V *t.l.j. sf sam. dim. 8h-12h 13h-17h; f. 1ᵉʳ -15 août*

RHÔNE

CH. D'OR ET DE GUEULES Trassegum 2014

■	15 000		11 à 15 €

Le nom de ce domaine créé en 1998 par Diane de Puymorin évoque les couleurs du blason familial rayé d'or et de rouge (gueules). Le vignoble couvre 50 ha; sa conversion bio a été engagée en 2012, le domaine est classé HVE (Haute Valeur Environnementale). L'une des bonnes références en costières-de-nîmes.

Un élevage luxueux de vingt-quatre mois en barriques pour ce Trassegum («philtre d'amour» en occitan). Cela donne un vin à la robe profonde, au nez généreux de fruits noirs et d'épices orientales, ample, riche et chaleureux en bouche, sur la tapenade et la cerise confiturée, mais encore sévère en finale. 2019-2023 gardianne de taureau **Les Cimels 2015 (8 à 11 €; 7000 b.)** : vin cité.

CH. D' OR ET DE GUEULES, chem. des Cassagnes, 30800 Saint-Gilles, tél. 04 66 87 32 86, chateaudoretdegueules@wanadoo.fr V *t.l.j. sf dim. 10h-18h (19h l'été)*

DOM. PASTOURET Cuvée de Michel 2015 ★

■	150 000		5 à 8 €

La famille Pastouret a créé son domaine au début du XXᵉs. Jeanne et Michel Pastouret s'y sont établis en 1981 et ont engagé en 1993 la conversion bio de leur vignoble (30 ha aujourd'hui). Leur fille Virginie a élaboré son premier millésime en 2015.

Comme toujours ici, une cuvée pour chaque membre de la famille. Honneur à Michel avec ce costières issu de syrah (60 %), de grenache et de carignan. Le nez, élégant, mêle des parfums de violette et de cassis. Portée par des tanins veloutés, la bouche s'avère très agréable et distille de beaux arômes de cerise fraîche et de cassis avant une finale relevée par les épices. 2016-2020 tourte au bœuf ■ **Cuvée de Mathieu 2015 ★ (5 à 8 €; 20000 b.)** : la cuvée du fils associe à parts égales le grenache et la syrah. Cela donne un vin généreux, sur les fruits confits, et bien structuré. 2018-2021 canard à l'orange **Cuvée de Jeanne 2015 ★ (5 à 8 €; 8600 b.)** : clairette, grenache blanc et marsanne pour le vin de la vigneronne. Un costières séduisant par sa fraîcheur et son expression élégante autour des fleurs blanches et des fruits exotiques. 2016-2019 brandade de morue

EARL DOM. PASTOURET, rte de Jonquières, 30127 Bellegarde, tél. 04 66 01 62 29, contact@domaine-pastouret.com V *r.-v.*

DOM. DE POULVAREL 2014 ★

■	16 000		5 à 8 €

Pascal Glas et son épouse Élisabeth ont repris le domaine familial en 2004 après la fermeture de la coopérative de Sernhac. Ils exploitent aujourd'hui un vignoble de 42 ha et signent des costières-de-nîmes de belle facture, régulièrement en vue dans ces pages.

La dégustation débute par des arômes d'épices et de cacao, puis l'aération libère des notes intenses de fruits rouges. Une attaque fraîche et souple introduit un palais ample, charnu, épicé, dont les tanins, élégants, commencent à s'arrondir. 2018-2021 épaule d'agneau au four

PASCAL ET ÉLISABETH GLAS, 110, chem. de la Soubeyranne, 30210 Sernhac, tél. 04 66 01 67 46, domaine.poulvarel@wanadoo.fr V *t.l.j. 10h-12h 17h-19h; dim. sur r.-v.*

CH. LA TOUR DE BÉRAUD 2014

■	50 000		5 à 8 €

François Collard est un habitué du Guide, avec des vins souvent en très bonne place. Installé en 1994, il réalise les premières mises en bouteilles à partir des vignes familiales (65 ha en bio certifié depuis 2014) à travers deux étiquettes: Mourgues du Grès, propriété du couvent des Ursulines de Beaucaire jusqu'à la Révolution, et La Tour de Béraud, qui tire son nom d'une tour à feu du XIVᵉs. dominant la vaste plaine de Beaucaire.

Une dominante de grenache (50 %), de la syrah (35 %), du mourvèdre et du marselan pour ce vin. Au premier nez, des notes animales intenses et un boisé torréfié, puis l'aération libère les fruits rouges et des senteurs de garrigue. En bouche, une attaque vive et alerte, du fruit, un bon boisé et des tanins encore assez austères mais prometteurs. À attendre un peu. 2018-2021 ragoût d'agneau

FRANÇOIS COLLARD, 1055, chem. Mourgues-du-Grès, 30300 Beaucaire, tél. 04 66 59 46 10, chateau@latourdeberaud.com V *r.-v.*

CH. DE VALCOMBE Prestige 2014 ★★★

■	50 000		11 à 15 €

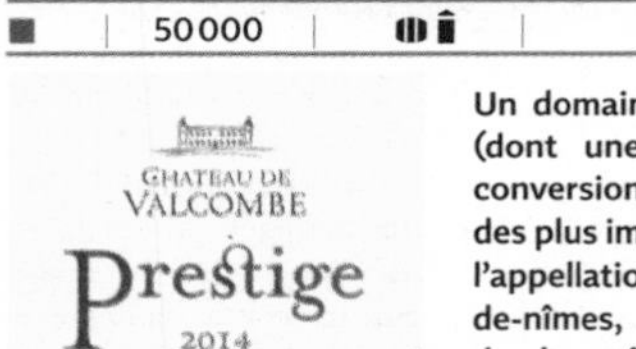

Un domaine de 65 ha (dont une partie en conversion bio), l'un des plus importants de l'appellation costières-de-nîmes, propriété de la même famille depuis 1740. Basile et Nicolas Ricome, fils de Dominique, sont arrivés en 2009 à la tête de ce cru régulier en qualité.

Cette cuvée se présente dans une somptueuse robe grenat sombre aux reflets violines de jeunesse. Elle déploie un bouquet intense, complexe et très typé de fruits noirs (mûre, cassis), de garrigue, d'épices et de menthol. Une attaque fraîche et friande ouvre sur un palais magistral, ample et onctueux, fruité, torréfié et épicé, aux tanins suaves et fins. Déjà d'une exceptionnelle harmonie, ce vin pourra patienter sans encombre quelques années en cave. 2018-2023 gardiane de taureau ■ **Ch. de Surville Cuvée Intense 2015 (8 à 11 €; 90000 b.)** : vin cité.

EARL LES VIGNOBLES DOMINIQUE RICOME, Ch. de Valcombe, 4890, rte de Saint-Gilles, 30510 Générac, tél. 04 66 01 32 20, info@chateauvalcombe.com V *t.l.j. sf dim. 9h-12h 14h-18h; sam. sur r.-v.*

CH. VESSIÈRE Philippe de Vessière 2014 ★

■	25 000	8 à 11 €

Situé au cœur des Costières, ce domaine de 65 ha est dans la famille Teulon depuis sept générations.

Vincent Teulon, installé en 2007, a engagé la conversion bio du vignoble, certifié depuis 2013.

Un assemblage de syrah (60 %), grenache et mourvèdre a donné ce vin sudiste en diable, qui fleure bon les épices et la garrigue. Dotée de tanins veloutés, généreuse et ronde, la bouche associe les fruits rouges mûrs et les senteurs des sous-bois. Un costières gourmand et équilibré. ⧗ 2018-2021 ▼ travers de porc à l'aigre-douce

⊶ VINCENT TEULON, Ch. Vessière, rte de Montpellier, 30800 Saint-Gilles, tél. 04 66 73 30 66, chateauvessiere@aol.com V t.l.j. sf sam. dim. 9h-12h 14h-18h

LES VIGNERONS BEAUCAIROIS
Les Éparpillées 2015 ★

■	10 000		5 à 8 €

Cette cave coopérative gardoise, fondée en 1914, regroupe 85 vignerons et 500 ha de vignes sur les communes de Beaucaire et Tarascon, dans le triangle Avignon, Nîmes et Arles.

Syrah (80 %) et grenache pour cette cuvée qui fleure bon les fruits noirs, les épices, la réglisse et la garrigue. La bouche est harmonieuse, fraîche et ronde à la fois, structurée en douceur par des tanins soyeux. ⧗ 2018-2021 ▼ lapin aux épices

⊶ LES VIGNERONS BEAUCAIROIS, 615, rte de Pourques, 30300 Beaucaire, tél. 04 66 59 82 75, contact@la-belle-pierre.com V t.l.j. sf dim. 9h-12h 14h-18h

DOM. DU VISTRE Passions 2014 ★

■	6366		8 à 11 €

La famille Dupret, vigneronne depuis six générations, exploite le domaine du Vistre depuis 1994. Le vignoble couvre aujourd'hui 50 ha et trois zones distinctes permettant d'élaborer une large variété de vins.

Née de syrah (70 %), grenache et mourvèdre, cette cuvée très foncée dévoile un premier nez plein de fraîcheur, puis s'ouvre progressivement sur des notes de thym, de fruits confits et de kirsch. La bouche se révèle ample, onctueuse, ronde et persistante, sur des senteurs de cacao, de vanille et de grillé, structurée par des tanins soyeux. Un joli vin de garde. ⧗ 2018-2022 ▼ civet de lapin ■ **Cuvée Gladiateur 2015 ★ (5 à 8 €; 2600 b.)** : un fruité très agréable au nez comme en bouche (agrumes et fruits exotiques), de la concentration, de la fraîcheur et une longueur appréciable pour ce vin harmonieux. ⧗ 2016-2019 ▼ tourte au chèvre

⊶ DOM. DU VISTRE, Mas du Vistre, 30600 Vauvert, tél. 04 66 88 80 58, domaineduvistre@orange.fr V r.-v. ⊶ EARL Dupret

DUCHÉ D'UZÈS

Située au nord de Nîmes, la dernière-née des AOC (2013) a fourni d'abord des vins de pays. Depuis 1989, les viticulteurs de l'Uzège œuvraient pour obtenir l'accession de leurs vins à l'appellation d'origine. Ils se sont fixé de nombreuses contraintes et n'ont pas ménagé les investissements sur leurs exploitations. L'appellation, fondée sur un cahier des charges strict, ne vise pas les volumes, mais un vin haut de gamme. La région viticole est située au carrefour des Cévennes, du Languedoc et de la Provence, sur la rive droite du Rhône, et elle livre des vins rouges généreux, épicés et réglissés, surtout marqués par la syrah et le grenache, des rosés puissants et aromatiques, marqués par le grenache, ainsi que des blancs intenses, aux arômes de pêche et d'abricot, issus de grenache blanc et de viognier.

VIGNOBLE CHABRIER 2014

■	19 700		- de 5 €

Fondé en 1925 par Louis Chabrier, ce domaine a été repris en 1988 par les héritiers du fondateur, Louis, Christophe et Patrick. Cette même année, ils ont créé leur cave particulière pour élaborer leurs propres vins (45 % de la production sont embouteillés à la propriété). Le vignoble compte aujourd'hui 60 ha éparpillés en une mosaïque de terroirs.

Ce 2014 expressif (griotte, épices douces, touche de cuir) porte assez bien le charme de son terroir, alliant la chaleur, la fraîcheur et la souplesse. Un «vin plaisir» à boire sur le fruit de sa jeunesse. ⧗ 2016-2019 ▼ hachis parmentier

⊶ SCEA DOM. CHABRIER FILS, chem. du Grès, 30190 Bourdic, tél. 04 66 81 24 24, domaine.chabrier@wanadoo.fr V t.l.j. sf dim. 9h-12h 14h30-18h30

DOM. CLOS GALANT 2015

■	2000		5 à 8 €

On retrouve la trace des Galants vignerons dès le XVII[e]s. sur la commune d'Aubussargues. Olivier Galant y conduit depuis 1998 les 40 ha de vignes familiales et a entrepris ses premières vinifications au domaine en 2014 après être sorti de la cave coopérative.

Cette cuvée à dominante de grenache (60 %) n'a qu'un défaut: sa confidentialité. Les heureux amateurs qui pourront la goûter apprécieront sans doute son expression florale (violette), fruitée et chocolatée, son caractère souple, tendre et léger en bouche. Un vin convivial, à boire sur le fruit et sans chichi. ⧗ 2016-2019 ▼ assiette de charcuterie

⊶ DOM. CLOS GALANT, Les Boudouses, 30190 Aubussargues, tél. 06 81 12 16 50, clos-galant@bbox.fr V t.l.j. sf dim. 15h-19h

LES COLLINES DU BOURDIC
La Rabassière 2015 ★

□	17 000		5 à 8 €

Créée en 1928 grâce à la volonté d'une poignée de viticulteurs, cette cave coopérative compte aujourd'hui une centaine d'adhérents pour une production de 140 000 hl par an.

La cave de Bourdic propose un blanc dominé par le viognier (40 %, les grenache blanc et roussanne en appoint) et dont une partie de l'assemblage a été fermentée en fûts. Cela donne un vin d'une belle complexité (aubépine, fleur d'amandier, puis notes suaves de fruits mûrs), souple, fin et avenant en bouche. ⧗ 2016-2019 🍷 parmentier de saumon

⊶ *SCA LES COLLINES DU BOURDIC, chem. de Saint-Chaptes, 30190 Bourdic, tél. 04 66 81 20 82, contact@bourdic.fr* V 🚶 ▮ *t.l.j. sf dim. 9h-12h30 14h-18h*

LE DUCHÉ 2014 ★

■ | 45000 | ▮ | | 5 à 8 €

Meilleur sommelier de France en 1986, Philippe Nusswitz travaille depuis plusieurs années à l'élaboration de cuvées en collaboration avec la cave de Durfort. Déjà plusieurs fois sélectionnés en rouge dans le Guide, les vins de cette cave sont une valeur sûre.

L'an dernier, ce Duché s'illustrait en blanc; cette année, place au rouge, dans le même millésime 2014. Le bouquet, élégant, conjugue notes de garrigue, fruits noirs et réglisse. La bouche est fruitée et épicée, dense, soyeuse et riche, bâtie sur des tanins fondus et ronds qui permettront à cette bouteille de bien vieillir. ⧗ 2017-2021 🍷 côte de bœuf

⊶ *SCA LES COTEAUX CÉVENOLS, rte de Canaules, 30170 Durfort, tél. 04 66 77 50 55, coteaux.cevenols@wanadoo.fr* V 🚶 ▮ *r.-v.*

MAS CABANEL 2015 ★★

■ | 4000 | ◍ ▮ | | 8 à 11 €

Fondée en 1924 au pied des Cévennes, la Cave Saint-Maurice regroupe aujourd'hui 200 viticulteurs répartis sur 44 communes autour de Saint-Maurice-de-Cazevieille et quelque 1 800 ha de vignes (dont 15 % en bio), soit la coopérative la plus importante du Gard septentrional.

L'arrivée d'une quinzaine de jeunes viticulteurs sensibles au respect de la qualité et de l'environnement a apporté un véritable renouveau dans la gestion de cette coopérative. Et dans le verre, la qualité est bien au rendez-vous avec cette cuvée qui, bien qu'encore austère aujourd'hui, laisse entrevoir un grand vin en devenir. La robe est noire; le nez évoque la tapenade et, après aération, les fruits noirs mûrs; la bouche est puissante, dense, concentrée, serrée. Patience... ⧗ 2018-2024 🍷 civet de sanglier

⊶ *CAVE SAINT-MAURICE, rte d'Uzès, 30360 Saint-Maurice-de-Cazevieille, tél. 04 66 83 26 85, benjamin@cavestmaurice.com* V 🚶 ▮ *r.-v.*

DOM. DE L'ORVIEL 2015 ★

■ | 5000 | ▮ | | 5 à 8 €

Le domaine est implanté sur la commune de Saint-Jean-de-Serres, dans le Gard. À proximité des premiers contreforts des Cévennes, les sols et l'exposition des coteaux y favorisent la culture qualitative de la vigne. Jean-Pierre Cabane y conduit depuis 1976 un vignoble de 27 ha. Premières vinifications en 2002 après avoir quitté la cave coopérative.

Régulièrement présent dans le Guide, ce domaine propose ici un joli vin qui a bénéficié d'une longue cuvaison avec macération de cinq semaines à température constante. Dans le verre, un vin expressif et complexe (notes animales, garrigue, crème de myrtilles), dense, gras et solidement charpenté. ⧗ 2018-2023 🍷 civet de lièvre ■ **2015 ★ (5 à 8 €; 4000 b.)** : un blanc séduisant par ses senteurs de fleurs blanches, sa finesse, sa souplesse et sa fraîcheur. ⧗ 2016-2019 🍷 terrine de Saint-Jacques

⊶ *JEAN-PIERRE CABANE, 22, Mas Flavard, 30350 Saint-Jean-de-Serres, tél. 04 66 92 08 68, jean-pierre.cabane@orviel.com* V 🚶 ▮ *t.l.j. sf dim. 10h-12h 14h-19h*

DOM. LA TOUR DE GÂTIGNE 2014

■ | 8500 | ▮ | | 5 à 8 €

En 1212, les Templiers décident d'élever une commanderie à Saint-Chaptes, sur les terres alluviales de la rive nord du Gardon. Huit cents ans après, le donjon des Templiers domine toujours les bâtiments de ce domaine de 70 ha conduit par Jean-Michel Guibal depuis 1980.

Ce 2014 se distingue par la fraîcheur de ses arômes de garrigue, de fruits rouges et de sous-bois. En bouche, elle s'adosse à une structure encore un peu ferme mais sans excès de sévérité. Une petite attente est de mise. ⧗ 2017-2020 🍷 brochettes d'agneau

⊶ *DOM. LA TOUR DE GÂTIGNE, Dom. de la Tour, D 18, 30190 Saint-Chaptes, tél. 04 66 81 26 80, domainedelatour@sfr.fr* V 🚶 ▮ *t.l.j. sf dim. 9h-12h 14h-18h; sam. 9h-12h* ⊶ *Guibal*

LES VIGNES DE L'ARQUE
Chant des Baumes 2014 ★

■ | 10000 | ◍ | | 8 à 11 €

Le nom du domaine est inspiré du château médiéval du IXᵉs. qui surplombe la cave créée en 1994, au cœur du pays d'Uzège, par messieurs Fabre et Rouveyrolles – le fils du premier est en charge des vinifications. Le vignoble (pour partie en conversion bio) s'étend sur 80 ha dispersés dans quatre villages voisins et produit du duché-d'uzès et des vins en IGP Cévennes et Pays d'Oc.

Discrète de prime abord, cette cuvée issue de la meilleure parcelle du domaine révèle sa vraie nature après aération: un caractère bien affirmé autour des fruits rouges et de la vanille. En bouche, les tanins sont encore un peu serrés et demandent à se fondre. Du potentiel. ⧗ 2018-2021 🍷 daube de joue de bœuf

⊶ *LES VIGNES DE L'ARQUE, rte d'Alès, 30700 Baron, tél. 04 66 22 37 71, vigne-de-larque@wanadoo.fr* V 🚶 ▮ *t.l.j. sf dim. 9h-12h 14h-19h* ⊶ *Fabre*

♥ DOM. VILLESSÈCHE 2015 ★★

■ | 28000 | ▮ | | - de 5 €

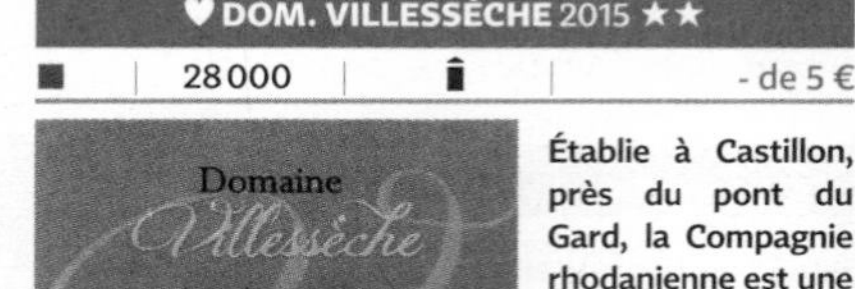

Établie à Castillon, près du pont du Gard, la Compagnie rhodanienne est une maison de négoce créée en 1963, dans le giron du groupe Taillan. Elle propose des vins (marques

ou cuvées de domaines) dans de nombreuses AOC de la vallée du Rhône, de la Provence et du Languedoc.

Coup de cœur pour un tavel dans la toute nouvelle édition du Guide Hachette des rosés, la Compagnie rhodanienne confirme avec ce duché-d'uzès le grand sérieux apporté à la sélection de ses partenaires. Un assemblage grenache-syrah (70-30) qui déploie un joli bouquet d'épices douces et de fruits noirs bien mûrs. Arômes complétés de notes de laurier et de tapenade méridionales en diables dans un palais ample, gras, rond et voluptueux, aux tanins souples et très fins. Le «vin plaisir» par excellence, à prix très doux. ⧗ 2016-2019 ¥ carré d'agneau en croûte d'olives noires

⊶ LA COMPAGNIE RHODANIENNE, SPECR 19, chem. Neuf, CS 80002, 30210 Castillon-du-Gard, tél. 04 66 37 49 50, nicolas.rager@rhodanienne.com

GRIGNAN-LES-ADHÉMAR

Superficie : 1 900 ha
Production : 36 500 hl (93 % rouge et rosé)

Longtemps appelée coteaux-du-tricastin, cette appellation est située au sud de Montélimar, dans la partie nord de la vallée du Rhône méridionale, à la limite du climat méditerranéen. Les vignes sont implantées sur des terrains caillouteux d'alluvions anciennes et sur des coteaux sableux, dans 22 communes de la rive gauche du fleuve, de La Baume-de-Transit au sud, en passant par Saint-Paul-Trois-Châteaux, jusqu'aux Granges-Gontardes, au nord. Assemblant les cépages grenache et syrah, complétés par le cinsault, le mourvèdre et le carignan, les vins rouges, largement majoritaires, sont pour la plupart à consommer jeunes.

DOM. ANDRÉ AUBERT Le Devoy 2015

■ | 60000 | 🍾 | - de 5 €

Les fils d'André Aubert – Claude, Yves et Alain – sont installés depuis 1981 à la tête de l'un des plus vastes ensembles viticoles rhodaniens (490 ha répartis sur plusieurs domaines), grâce auquel ils proposent une large gamme de vins de la vallée du Rhône méridionale.

Cet assemblage grenache-syrah-carignan s'annonce sans réserve par des arômes fruités soutenus. Un fruité que l'on retrouve avec la même intensité dans une touche fraîche et friande. Pour un plaisir immédiat et sans chichi. ⧗ 2016-2019 ¥ ribs de porc

⊶ DOM. ANDRÉ AUBERT, RN 7, Les Gresses, 26290 Donzère, tél. 04 75 51 78 53, vins-aubert-freres@wanadoo.fr V 🚶 ■ *t.l.j. 10h-19h*

♥ CH. BIZARD Serre de Courrent 2014 ★★

■ | 13000 | 11 à 15 €

CHÂTEAU-BIZARD
SERRE DE COURRENT 2014

Une propriété viticole née en 1862 sur les coteaux élevés du village d'Allan, conduite depuis 1980 par Marc et Marie Lépine, descendants directs des fondateurs. Bizard? Le domaine porte le nom des tout premiers propriétaires des lieux, au XVIe s.

Une forte proportion de syrah (80 %) donne tout son caractère à cette cuvée remarquable en tous points. Du fruit, des épices, une touche de violette et quelques notes animales composent un bouquet expressif et typé. Quant au palais, dans le droit fil, il se révèle volumineux, dense, puissant et très frais, bâti pour une longue garde. ⧗ 2019-2026 ¥ tournedos Rossini ■ **Le Fornas 2014 ★ (5 à 8 €; 13000 b.)** : un vin expressif dès le premier nez: animal, épicé et fumé; plus fruité en bouche, rond et gourmand. ⧗ 2018-2021 ¥ bœuf carottes ■ **Blanc d'Amour 2015 ★ (5 à 8 €; 14000 b.)** : une cuvée d'une belle finesse aromatique, très fruitée (citron, pamplemousse, pêche), florale et légèrement minérale, ronde et intense en bouche, équilibrée par une acidité fondue. ⧗ 2016-2019 ¥ crabe farci

⊶ CH. BIZARD, 460, chem. de Bizard, 26780 Allan, tél. 04 75 46 64 69, contact@chateaubizard.fr V 🚶 ■ *t.l.j. 10h-13h 15h-19h; f. dim. nov.-mars ⊶ Marc Lépine*

Ⓑ DOM. BONETTO FABROL Le Colombier 2014 ★

■ | 10000 | 🍾 | 5 à 8 €

Un domaine de 12 ha régulier en qualité, né de la réunion de deux vignobles familiaux – Bonetto (en AOC grignan) et Fabrol (en côtes-du-rhône) – et conduit en bio et biodynamie par Philippe Fabrol, adepte des vinifications parcellaires.

Né de syrah et de grenache à parts égales, ce vin livre un bouquet à la fois frais, riche et complexe évoquant le cuir et le fumé, puis les fruits rouges et noirs et les épices. En bouche, il se révèle alerte et soyeux, fruité et épicé, persistant et harmonieux. ⧗ 2018-2021 ¥ jambon braisé au porto ■ **Le Colombier 2015 ★ (5 à 8 €; 8000 b.)** Ⓑ : au nez, d'élégantes notes de fleurs blanches et de pêche; en bouche, du fruit toujours, tendance agrumes, et un bon équilibre gras-acidité. ⧗ 2016-2019 ¥ pissaladière

⊶ DOM. BONETTO FABROL, quartier Les Jaffagnards, 26700 La Garde-Adhémar, tél. 04 75 52 14 38, domainebonettofabrol@orange.fr V 🚶 ■ *ven. sam. 10h30-19h* 🏠 Ⓔ

CELLIER DES DAUPHINS Balades en... 2015

■ | 53300 | 🍾 | - de 5 €

Énorme structure rhodanienne née en 1965 de l'union de six coopératives de la Drôme, rejointes par sept autres, dotée d'une cuverie de plus de 33 000 m² à Tulette. Elle a lancé en 1967 sa marque phare et populaire, le Cellier des Dauphins, qui revendique le 1er rang pour les volumes de vente en France de vin en AOC.

Le Cellier des Dauphins propose avec cet assemblage syrah-grenache (90-10) une plaisante balade fruitée et épicée, qui se fait d'un pas souple et alerte. Un grignan gouleyant et «pas prise de tête», à boire sur le fruit. ⧗ 2016-2019 ¥ grillades

⊶ UVCDR CELLIER DES DAUPHINS, rte de Nyons, 26790 Tulette, tél. 04 75 96 20 00, info@cellier-des-dauphins.com V ■ *t.l.j. 9h45-12h30 14h-18h30*

DOM. DE GRANGENEUVE
Terre d'Épices 2014 ★★

■	27000		11 à 15 €

Un vaste domaine de 85 ha, souvent en vue dans ces pages, créé de toutes pièces à partir de 1964 par les Alsaciens Odette et Henri Bour sur les vestiges d'une villa romaine. Depuis 1998, leur fils Henri et leur petite-fille Nathalie sont aux commandes.

Une cuvée souvent en bonne place dans ce chapitre, à l'image de la version antérieure, coup de cœur du Guide 2016. Le 2014 a lui aussi de beaux atouts à faire valoir: une robe intense et profonde; un bouquet tout aussi soutenu, sur les fruits rouges légèrement kirschés, le cassis, le cuir et la garrigue; une attaque très fraîche, relayée par une bouche ample, ronde et dense, bien campée sur des tanins soyeux. ⧗ 2018-2023 🍴 tajine d'agneau ■ **Les Dames blanches du Sud 2015 ★★ (8 à 11 €; 45000 b.)** : un blanc cristallin et très élégant, ouvert sur un fruité large (agrumes, pêche, litchi), les fleurs blanches et une pointe de menthol, rond, gras et généreux en bouche, sans jamais céder à la lourdeur grâce au soutien d'une fine acidité. ⧗ 2017-2020 🍴 raviole de langoustines

SARL DOM. BOUR, Grangeneuve, 1200, rte des Esplanes, 26230 Roussas, tél. 04 75 98 50 22, domaines.bour@wanadoo.fr V t.l.j. 9h-12h30 14h30-19h

DOM. DE MONTINE Émotion 2014 ★

■	20000		8 à 11 €

Installés dans une ancienne ferme du château de Grignan, les frères Jean-Luc et Claude Monteillet, également trufficulteurs, exploitent depuis 1987 ce domaine familial de 70 ha, très en vue pour ses grignan-les-adhémar, qui produit aussi du vinsobres et des IGP.

Le duo grenache-syrah (à parts égales) et un élevage en fût de douze mois président à cette cuvée d'une complexité naissante, ouverte sur les fruits noirs et de discrètes notes animales. La bouche se montre fraîche, fine et soyeuse, bien épaulée par le bois, fondu, et des tanins veloutés. ⧗ 2017-2021 🍴 magret de canard ■ **Gourmandise 2015 ★ (5 à 8 €; 40000 b.)** : au nez, des fruits frais (pêche et poire) et des fleurs blanches; en bouche, du fruit toujours, de la finesse et un équilibre bien assuré entre fraîcheur et rondeur. ⧗ 2016-2019 🍴 daurade au fenouil

DOM. DE MONTINE, hameau de la Grande-Tuilière, BP 5, 26230 Grignan, tél. 04 75 46 54 21, domainedemontine@gmail.com V t.l.j. 9h-12h 14h-19h E Monteillet

CH. DE LA ROBINE 2015 ★

■	50000		5 à 8 €

Située tout près du château de Suze-la-Rousse qui abrite l'Université du Vin, cette cave coopérative, créée en 1926, s'est lancée dans une démarche de conversion bio sur ses trois AOC: côtes-du-rhône, *villages* et grignan-les-adhémar.

Une dominante de syrah dans ce vin qui laisse transparaître son caractère fruité et gourmand dès les premières senteurs, agrémenté de quelques notes animales et épicées. Mêmes sensations dans une bouche suave et veloutée qui laisse une impression de plénitude. ⧗ 2016-2020 🍴 hachis parmentier de canard ■ **Dom. des Sablons 2015 (5 à 8 €; 50000 b.)** : vin cité. ■ **La Suzienne Le Lutin 2015 (- de 5 €; 70000 b.)** : vin cité.

CAVEAU LA SUZIENNE, av. des Côtes-du-Rhône, 26790 Suze-la-Rousse, tél. 04 75 04 48 38, contactcaveau@lasuzienne.com V t.l.j. 9h-12h 14h-18h Labaume

DOM. DES ROSIER Plaisir 2015 ★

■	15000		5 à 8 €

Bruno Rosier est établi depuis 1991 dans ce mas de pierres blanches entouré de vignes, de lavandin et de chênes truffiers. Le domaine implanté au pied du petit village perché de Chantemerle-lès-Grignan couvre 30 ha.

Un vin de belle expression, qui mêle à l'olfaction les fleurs blanches, les agrumes et les fruits exotiques à un léger vanillé. La bouche, tout aussi aromatique, conjugue gras et fine acidité sans déséquilibre. ⧗ 2016-2019 🍴 salade de chèvre chaud

DOM. DES ROSIER, 335, rte des Vignes, 26230 Chantemerle-lès-Grignan, tél. 04 75 98 53 84, marc.domaine.des.rosier@gmail.com V t.l.j. sf dim. 9h30-12h 14h-18h B

DOM. SAINT-LUC Tradition 2014

■	25000		5 à 8 €

Stéphane Hémard, œnologue, a repris en 2006 ce domaine créé en 1971 autour d'un mas du XVIIIe s. par un couple originaire de la Drôme provençale. Le vignoble couvre aujourd'hui 25 ha en côtes-du-rhône-villages et en grignan-les-adhémar.

D'un rouge très soutenu presque noir, ce grignan dévoile un nez intense de fruits rouges et d'épices. Arômes auquel fait un bel écho une bouche souple, alerte et fraîche. Simple et de bon aloi. ⧗ 2016-2019 🍴 paupiettes de veau

STÉPHANE HÉMARD, 132, chem. des Étangs, 26790 La Baume-de-Transit, tél. 04 75 98 11 51, info@domainesaintluc.com V t.l.j. 9h-18h D

B DOM. DU SERRE DES VIGNES
Secret de Syrah 2014 ★

■	25000		8 à 11 €

Un domaine dans la même famille depuis cinq générations, patiemment planté de vignes à partir des années 1970 par les frères Jean-Louis et Daniel Roux, rejoints en 1994 par Jérôme et Vincent, les fils respectifs, qui sortent les raisins de la coopérative en 2003 et convertissent le vignoble au bio, certifié depuis 2008.

Cette cuvée 100 % syrah a déjà brillé dans le Guide (coup de cœur dans le millésime 2012). Richesse et complexité aromatiques – nuances animales et fumées, puis épices et fruits rouges –, palais net, frais et structuré par des tanins fins constituent cette version 2014, harmonieuse, déjà plaisante et pleine de promesses. ⧗ 2017-2022 🍴 rôti de bœuf aux champignons ■ **Loulys 2015 ★ (8 à 11 €; 7000 b.)** B : un pur viognier épanoui et très aromatique, entre fruits jaunes compotés, miel, orange confite et notes florales, franc et frais en attaque, plus suave, généreux et rond dans son évolution. ⌛ 2016-2019 🍴 tagliatelles à la truffe blanche

DOM. DU SERRE DES VIGNES, 505, traverse du Serre-des-Vignes, 26770 La Roche-Saint-Secret, tél. 09 65 27 30 87, info@serredesvignes.com V 🚶 ■ *t.l.j. 10h-12h 15h-18h30* *Jérôme et Vincent Roux*

DOM. TERRES D'ÉMOTIONS
Les Brunes 2015 ★★

■ | 4500 | 5 à 8 €

Un petit vignoble de 5 ha en AOC grignan-les-adhémar, créé de toutes pièces en 2009 par la famille Escoffier: aux côtés du père, Dominique, en charge de l'exploitation agricole (57 ha en polyculture et élevage) et de Franck, le fils cuisinier (aux commandes du restaurant), c'est la fille Sylvia qui s'occupe des vignes. Un leitmotiv ici: «du champs à l'assiette».

Cette cuvée mi-grenache mi-syrah interpelle d'emblée avec son bouquet intense et complexe associant la truffe et les notes de sous-bois. Le charme continue d'agir dans une bouche très harmonieuse, à la fois ample, étoffée, ronde et fraîche, centrée quant à elle sur les fruits rouges (mûres) et les épices. ⌛ 2017-2021 🍴 rôti de veau aux champignons

DOM. TERRES D'ÉMOTIONS, 100, chem. de la Grangeonne, 26790 La Baume-de-Transit, tél. 06 76 70 82 87, terresdemotions26@orange.fr V 🚶 ■ *r.-v.*

VENTOUX

Superficie : 6 235 ha
Production : 226 300 hl (96 % rouge et rosé)

À la base du massif calcaire du Ventoux – le Géant du Vaucluse (1 912 m) –, des sédiments tertiaires portent ce vignoble qui s'étend sur 51 communes entre Vaison-la-Romaine au nord et Apt au sud. Le climat, plus froid que celui des côtes-du-rhône, entraîne une maturité plus tardive. Les vins rouges sont frais et élégants dans leur jeunesse; ils sont davantage charpentés dans les communes situées le plus à l'ouest (Caromb, Bédoin, Mormoiron). L'AOC produit de plus en plus des rosés à boire jeunes ainsi que des blancs.

Ⓑ DOM. ALLOÏS Infiniment rouge 2015 ★★

■ | 19200 | 8 à 11 €

Après plusieurs expériences dans diverses régions viticoles de France et plus particulièrement en Bourgogne, François Busi a repris en 2008 le domaine familial: 6 ha à son arrivée, 25 ha aujourd'hui, conduits en agriculture biologique.

Infiniment rouge certes (la robe est d'un beau grenat), mais surtout infiniment bon. Si le nez est encore un peu timide (de discrètes notes fruitées et épices pointent à l'aération), le palais s'impose par son intensité fruitée, sa richesse, sa concentration et ses tanins soyeux qui ajoutent à son caractère tendre et gourmand. ⌛ 2018-2021 🍴 axoa de veau ■ **Otentic 2015 ★ (8 à 11 €; 8000 b.)** Ⓑ : une belle intensité aromatique, sur les fruits rouges agrémentés d'une note végétale, pour ce vin équilibré alliant rondeur, douceur et fraîcheur. Jolie finale sur le cassis très mûr. ⌛ 2018-2021 🍴 sauté de veau aux épices

FRANÇOIS BUSI, Dom. Alloïs, Le Boisset, 84750 Caseneuve, tél. 04 90 74 41 16, domaineallois@hotmail.fr V 🚶 ■ *r.-v.*

♥ AURETO Autan 2014 ★★

■ | 13462 | 🍾 | 8 à 11 €

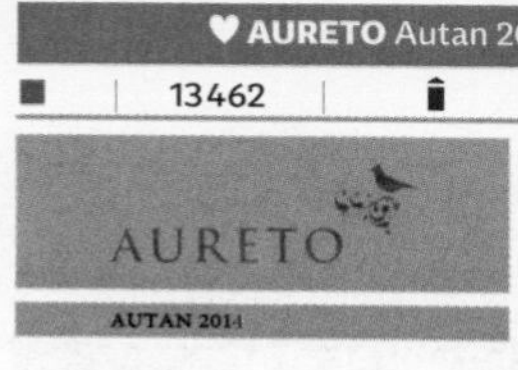

Ce domaine de 36 ha acquis en 2007 et entièrement restructuré est rattaché au complexe hôtelier de luxe de La Coquillade, établi au cœur du parc du Luberon et propriété des Wunderli. La vinification est confiée à l'œnologue Aurélie Julien.

Un coup de cœur qui confirme les bonnes dispositions de ce domaine, entrevues dans ces pages depuis plusieurs années. Une belle teinte pourpre annonce la couleur. Le nez, complexe et intense, mêle les fruits mûrs et les épices à des notes minérales et balsamiques. Longuement fruitée et corsée par des nuances de piment d'Espelette, la bouche se révèle ample, suave et généreuse, charpentée par des tanins à la fois fermes et fins. Un vin très harmonieux, qui conjugue puissance et élégance. ⌛ 2019-2024 🍴 filet de bœuf sauce poivre ■ **Maestrale 2014 ★★ (15 à 20 €; 12260 b.)** : au nez de cette cuvée élevée quatorze mois en barrique, des fruits noirs confiturés (cassis) et des épices; en bouche, une solide structure de tanins denses qui laissent deviner un potentiel certain. ⌛ 2019-2026 🍴 civet de lièvre

AURETO, hameau de la Coquillade, 84400 Gargas, tél. 04 90 74 54 67, info@aureto.fr V 🚶 ■ *t.l.j. 10h-19h* *Andy Rihs*

DOM. DE LA BASTIDONNE Les Coustilles 2014 ★

■ | 2500 | 🛢 | 11 à 15 €

Installé en 1990, Gérard Marreau, œnologue, représente la quatrième génération à conduire ce domaine familial de 30 ha fondé en 1903, souvent en vue pour ses ventoux et ses IGP.

Une robe sombre et un nez boisé, fruité et épicé composent une entrée en matière accueillante. En bouche, cet assemblage suave et rond de syrah, grenache et marselan (par ordre d'importance) prolonge les notes boisées et fruitées, en y ajoutant une pointe de réglisse en finale. Un ventoux harmonieux, bien structuré et peu avare en expression aromatique. ⌛ 2017-2021 🍴 civet de lapin aux épices

SCEA DOM. DE LA BASTIDONNE, 206, chem. de la Bastidonne, 84220 Cabrières-d'Avignon, tél. 04 90 76 70 00, domaine.bastidonne@orange.fr V 🚶 ■ *t.l.j. sf dim. 9h-12h 14h-19h* *Gérard Marreau*

CH. BLANC Un Autre Regard 2015 ★

■	10 000	🛢	5 à 8 €

Créé en 1990 par Jean-Claude Chasson et racheté en 2002 par M. Lelièvre, ce vignoble couvre 75 ha répartis entre le Ch. Blanc, face aux Ocres de Roussillon (AOC ventoux), et le Dom. Chasson (luberon), que complète une petite production en IGP.

Grenache blanc et roussanne à parts égales dans ce vin qui s'exprime sur des notes intenses et printanières de fleurs blanches et de poire. Des arômes auxquels fait écho un palais ample, souple et rond, allongé par une pointe de fraîcheur en finale. Équilibré. ⧗ 2016-2019 🍷 poêlée de gambas

CHASSON, Ch. Blanc, quartier Grimaud, 84220 Roussillon, tél. 04 90 05 64 56, chateaublanc-chasson@wanadoo.fr
t.l.j. 8h-12h 13h30-18h30

DOM. DU BON REMÈDE Secret de Vincent 2014 ★

■	10 600	🛢	5 à 8 €

Situé à 25 km d'Avignon, ce domaine, propriété familiale depuis trois générations, ménage une vue exceptionnelle sur le mont Ventoux. Créé en 1991, il a commencé à vinifier en 1997 et a largement étendu sa superficie (30 ha aujourd'hui).

Une forte dominante de syrah (90 %) dans cette cuvée qui, à l'olfaction, livre ses secrets – de discrètes notes fruitées et vanillées – avec retenue. Bien que ronde et souple en attaque, elle se montre également assez fermée en bouche, mais laisse devenir un bon potentiel à travers ses tanins fermes et serrés. ⧗ 2018-2021 🍷 pintade aux cèpes ■ **La Grande Delay 2014 ★ (5 à 8 €; 40 000 b.)** : une cuvée intensément fruitée, ronde, chaleureuse et longue en bouche, équilibrée par une fine acidité. ⧗ 2017-2020 🍷 sauté de veau aux olives

EARL FRÉDÉRIC DELAY, 1248, rte de Malemort, 84380 Mazan, tél. 04 90 69 69 76, domainedubonremede@orange.fr
t.l.j. 9h-13h 14h-18h

Ⓑ DOM. DE LA CAMARETTE Terroir 2014

■	13 300	🛢	8 à 11 €

La troisième génération des Gontier est désormais aux commandes de cette exploitation familiale née en 1960 à partir d'une pépinière viticole: Nancy depuis 2004 et sa sœur Alexandra depuis 2011. Après l'œnotourisme (gîte, chambres d'hôtes, restaurant), elles se sont attelées à la conversion bio de leurs 42 ha de vignes (certification pour le millésime 2014).

Syrah (80 %), grenache et mourvèdre composent cette cuvée ouverte sur les fruits rouges compotés et des notes de pain d'épice. Riche, charnue, bâtie sur des tanins soyeux, la bouche ajoute une touche giboyeuse à cette palette. Un ensemble aimable et harmonieux. ⧗ 2017-2020 🍷 bœuf bourguignon

DOM. DE LA CAMARETTE, 439, chem. des Brunettes, 84210 Pernes-les-Fontaines, tél. 04 90 61 60 78, contact@domaine-camarette.com *t.l.j. sf dim. 9h-12h 14h-18h* ④ Ⓔ *Gontier*

CANTEPERDRIX 2015 ★

■	150 000	🛢	- de 5 €

Une coopérative fondée en 1928 à Mazan, village où l'on peut visiter le château du marquis de Sade. Elle dispose d'un vignoble de 750 ha au pied du versant sud du mont Ventoux. Ses adhérents cultivent aussi le raisin de table muscat du Ventoux. En 2015, Canteperdrix a fusionné avec une autre cave du Vaucluse, Terres d'Avignon, la nouvelle entité et sa production prenant le nom de Demazet Vignobles.

Née de grenache (60 %), syrah et carignan, ce 2015 présente à l'olfaction des arômes francs de fruits rouges frais. Une franchise que l'on retrouve dans une attaque directe, prélude à une bouche ample, riche et longue, épaulée par une structure ferme et encore un peu austère en finale. Prometteur. ⧗ 2018-2021 🍷 côte de bœuf ■ **2015 ★ (- de 5 €; 20 000 b.)** : un vin mi-grenache blanc mi-clairette, au nez explosif de fruits jaunes et de fruits exotiques, prolongé par un palais bien tendu. ⧗ 2016-2018 🍷 terrine de saumon

LES VIGNERONS DE CANTEPERDRIX, 890, La Venue-de-Caromb, BP 15, 84380 Mazan, tél. 04 90 69 70 31, oenologue@cavecanteperdrix.com
r.-v.

DOM. CHAMP-LONG Cuvée spéciale 2014 ★★

■	10 000	🛢	5 à 8 €

Une propriété dans la même famille depuis le début du XIXe s. En 1964, Maurice Gély crée la cave de vinification; en 1994, son fils Christian la rénove; en 2004, son petit-fils Jean-Christophe rejoint le domaine, étendu sur 30 ha au pied du mont Ventoux.

Cette cuvée a quelque chose de spécial en effet, un supplément d'âme qui a conquis les dégustateurs, dont certains l'auraient bien vu coup de cœur. Le bouquet, d'une grande complexité, associe la violette aux senteurs de la garrigue et à d'intenses parfums de confiture de fraise. «Spéciale» aussi est la bouche, épaulée par des tanins doux, parfaitement équilibrés, à la fois étoffée, généreuse, suave et très fraîche (belle finale mentholée). Déjà beaucoup d'harmonie et un potentiel certain. ⧗ 2017-2022 🍷 moussaka

JEAN-CHRISTOPHE GÉLY, Dom. Champ-Long, 1900, chem. de Champ-Long, 84340 Entrechaux, tél. 04 90 46 01 58, domaine@champlong.fr
t.l.j. sf dim. 9h-12h 14h-18h

Ⓑ CAVE LA COMTADINE Les 3 Rivières 2015

■	13 000	- de 5 €

Cette coopérative fondée en 1930 à Puyméras, village situé à quelques kilomètres de Vaison-la-Romaine, regroupe près de 280 vignerons pour un vignoble de plus de 1 300 ha répartis sur vingt communes du Haut Vaucluse et de la Drôme provençale.

Une jolie bouteille à emporter pour un pique-nique au bord de l'une des trois rivières qui jouxtent le vignoble de la cave. Un vin d'abord un peu animal, plus fruité après une courte aération, d'une concentration et d'un volume relatifs, mais plaisant par sa souplesse, le soyeux de ses tanins et sa finale épicée. ⧗ 2016-2019 🍷 terrine de campagne

CAVE LA COMTADINE, 1, rte de Nyons, 84110 Puyméras, tél. 04 90 46 40 78, i.fain@cavelacomtadine.com V t.l.j. 8h-12h 14h-18h

DAUVERGNE RANVIER Vin gourmand 2015

200 000		- de 5 €

Créée en 2004 par François Dauvergne et Jean-François Ranvier, professionnels du vin qui ont décidé d'élaborer leurs propres cuvées après avoir œuvré chez les autres, cette maison de négoce s'affirme d'année en année à travers une gamme de qualité issue de sélections parcellaires. En 2013, les deux compères ont repris l'exploitation du Dom. des Muretins (tavel et lirac).

Une expression bien typée du ventoux que ce vin ouvert sur les fruits rouges complétés par des notes originales de pêche et d'abricot, souple et frais en bouche, de bonne longueur, équilibré. Gourmand en effet. ⧗ 2016-2019 assiette de charcuterie

DAUVERGNE RANVIER, Ch. Saint-Maurice, RN 580, 30290 Laudun-l'Ardoise, tél. 04 66 82 96 57, francois.dauvergne@dauvergne-ranvier.com

Ⓑ DOM. LA FERME SAINT-MARTIN Les Estaillades 2014

7 000		5 à 8 €

Un domaine familial et régulier en qualité construit en 1964 sur les ruines d'un ancien prieuré du XIIᵉs. Installés en 1980, Guy Jullien et son fils Thomas exploitent 25 ha de vignes conduits en bio depuis 1998.

Une macération assez longue pour ces vignes de trente ans, dont une partie de counoise (10 %,) associées au grenache. Le résultat est un vin qui livre après aération un joli fruité (framboise, cassis) mâtiné de gourmandes notes de confiserie, et qui se montre aimable et onctueux en bouche, étayée par des tanins fondus et soyeux. ⧗ 2017-2021 travers de porc

FAMILLE JULLIEN, Dom. de la Ferme Saint-Martin, 84190 Suzette, tél. 04 90 62 96 40, contact@fermesaintmartin.com V t.l.j. sf dim. 10h-12h 14h-18h; f. janv.-fév.

Ⓑ DOM. DE FONDRÈCHE Persia 2014 ★★

10 000		15 à 20 €

Nanou Barthélemy et son fils Sébastien Vincenti ont acquis cette propriété en 1995, ont construit puis régulièrement perfectionné la cave, et recomposé le vignoble – 40 ha conduits en bio et biodynamie (sans certification) – faisant ainsi de Fondrèche l'une des références de l'AOC ventoux.

Après un coup de cœur l'an dernier pour un rouge 2013, le domaine propose un 2014 qui n'a pas grand-chose à lui envier. Élevé en foudres et en barriques, ce ventoux offre à l'olfaction un concentré de cassis mâtiné de violette et d'une pointe de minéralité. Une expression aboutie et intense de la syrah (90 % de l'assemblage, avec le mourvèdre en complément) qui s'agrémente de notes de réglisse et de sous-bois dans une bouche ample, puissante, aux tanins fins et soyeux, d'une longueur phénoménale. Grande garde en perspective. ⧗ 2019-2026 tajine d'agneau ■ **2014 ★ (8 à 11 €; 80 000 b.)** : la cuvée principale du domaine. À des premières notes animales succèdent de jolies nuances toastées et fruitées (cassis frais), agrémentées de réglisse et de touches minérales dans un palais structuré par des tanins denses et serrés. ⧗ 2018-2022 carré d'agneau **Persia 2015 ★ (15 à 20 €; 4 000 b.)** : la roussanne et une touche de clairette composent un vin expressif (fruits blancs, fruits exotiques et fleurs blanches), franc, frais et fin en bouche. ⧗ 2016-2019 tartare de Saint-Jacques

DOM. DE FONDRÈCHE, 2589, La Venue de Saint-Pierre-de-Vassols, 84380 Mazan, tél. 04 90 69 61 42, contact@fondreche.com V t.l.j. sf sam. dim. 14h-18h *M. Vincenti*

DOM. DE FONT ALBA Stella Nostra blanc 2015 ★

4 800		8 à 11 €

Après une première vie dans l'industrie lourde, Pascal Burlet a pris le chemin de la vigne en 2013 avec son épouse Anne-Sophie. Ils ont acquis cette propriété située au cœur du parc naturel du Luberon, 25 ha de bois, de garrigue, d'oliviers et de vignes. Ces dernières s'étendent sur 10 ha entre 300 et 400 m d'altitude, exclusivement en appellation ventoux. Font Alba? Une fontaine du XVIIIᵉs. donne son nom au domaine.

Né de roussanne, grenache blanc et clairette, ce ventoux présente une belle intensité aromatique autour des fleurs jaunes, de la poire, du coing et de l'amande amère. Cette complexité se prolonge dans une bouche franche en attaque, puis suave, chaleureuse et ronde, presque moelleuse, dynamisée par une touche d'amertume en finale. ⧗ 2016-2019 tourte au chèvre

SNC CH. FONT ALBA, Campagne du Puy, 84400 Apt, tél. 04 90 06 12 83, chateaufontalba@orange.fr V t.l.j. sf dim. 10h-12h 14h-19h Ⓢ *Pascal Burlet*

Ⓑ DOM. LE GRAND VALLAT Le Domaine 2015 ★

7 000		8 à 11 €

Le Grand Vallat étend ses 9 ha de vignes sur des coteaux en altitude (autour de 380 m) aux orientations diverses. La propriété a été acquise en 2001 par Marc Valentini, qui a opté pour l'agriculture biologique.

Une sensation douce et chaleureuse s'échappe du verre à travers des notes de fruits mûrs et de caramel au lait. Impressions qui se prolongent jusqu'en finale dans une bouche tendre, ronde et suave. ⧗ 2017-2020 tournedos ■ **Gaïa 2015 ★ (11 à 15 €; 3 000 b.)** Ⓑ : une cuvée bien fruitée et épicée, aux tanins soyeux qui renforcent son caractère à la fois tendre et fin. ⧗ 2018-2021 tajine de veau

DOM. LE GRAND VALLAT, 60, chem. de Saint-Estève, 84570 Blauvac, tél. 06 87 60 33 05, valentini@infonie.fr V r.-v. *Marc Valentini*

RHÔNE

DOM. DE GRAND VERGER 2014 ★

■ | 40000 | | 5 à 8 €

Un domaine créé en 2013 sur les communes de Saint-Pierre-de-Vassols et Bédoin, à 350 m d'altitude sur les contreforts du Ventoux.

Première sélection dans le Guide pour ce jeune domaine avec un 2014 bien fruité (fruits noirs confiturés) et épicé. Après une attaque gourmande, se découvrent une matière ronde et des tanins serrés qui ne demandent qu'à se marier; la fête est annoncée pour bientôt. ⧗ 2017-2021 ↑ entrecôte

⊶ EARL LES HAUTS DE VALCOMBE, 480, chem. de Valcombe, 84330 Saint-Pierre-de-Vassols, tél. 06 76 76 57 35, guenard.thierry@yahoo.fr V t.l.j. 8h-12h 14h-18h ⊶ Guénard

DOM. LES HAUTES BRIGUIÈRES Prestige 2014

■ | 5580 | | 5 à 8 €

Sa famille cultive la vigne depuis 150 ans; François-Xavier Rimbert s'est installé en 1998 sur le domaine familial, 15 ha de vignes en terrasses et en conversion bio, au pied du Ventoux.

Dès le premier nez, le passage en fût de six mois est sensible et s'associe avec des notes minérales. Même sensation boisée dans une bouche solide, aux tanins stricts, mais où le fruit apparaît un peu plus nettement. À attendre. ⧗ 2018-2021 ↑ tajine d'agneau

⊶ EARL LES HAUTES BRIGUIÈRES, 89, chem. de Canebier, 84570 Mormoiron, tél. 06 13 24 27 18, fxrimbert@orange.fr V t.l.j. 9h-19h; hiver 9h-17h ⊶ François-Xavier Rimbert

LUMIÈRES Aubépine 2015 ★

■ | 35000 | | 5 à 8 €

Connu pour ses verreries au XIVe s. et pour ses faïenceries au XVIIIe s., le village de Goult abrite la Cave de Lumières, fondée en 1925. Étant située à la limite du Luberon et du Ventoux, la coopérative produit des vins dans les deux appellations, sur une surface totale de 487 ha.

Cette cuvée Aubépine donne un air de jeunesse à cet assemblage traditionnel grenache blanc-clairette (50-50). Ainsi, la robe est pâle et juvénile, le nez floral et aérien et la bouche vive et tonique. Un ventoux joyeux et frais, tout indiqué pour l'apéritif. ⧗ 2016-2018 ↑ verrine de saumon ■ **Dom. Fontaube 2014 (5 à 8 €; 8000 b.)** : vin cité.

⊶ CAVE DE LUMIÈRES, 84220 Goult, tél. 04 90 72 20 04, info@cavedelumieres.com

MARRENON Terre du Levant 2015

■ | 15000 | 5 à 8 €

Le Cellier Marrenon a été fondé en 1966 par Amédée Giniès, l'un des principaux artisans de la reconnaissance en AOC des vins du Luberon. Il regroupe neuf coopératives dans les AOC luberon et ventoux: pas moins de 1 200 adhérents et de 7 200 ha. Deux étiquettes: Marrenon et Amédée.

Clairette (60 %), grenache et roussanne sont associés dans ce blanc délicatement bouqueté autour des fruits jaunes, souple et frais en bouche. Un joli vin d'apéritif. ⧗ 2016-2018 ↑ salade de poulpe ■ **Terre du Levant 2014 (5 à 8 €; 26000 b.)** : vin cité.

⊶ MARRENON, rue Amédée-Giniès, 84240 La Tour-d'Aigues, tél. 04 90 07 40 65, marrenon@marrenon.com V r.-v. ⊶ M. Piton

MARTINELLE 2014 ★★

■ | 34000 | | 8 à 11 €

Après des études en hôtellerie, Corinna Faravel se tourne vers le vin et s'installe en 2002 sur ce domaine étendu aujourd'hui sur 12,5 ha et en cours de conversion bio. En 2004, elle signe son premier millésime en ventoux et quatre ans plus tard son premier beaumes-de-venise.

Une goutte (2 %) de counoise accompagne le grenache (65 %), la syrah et le mourvèdre dans ce vin remarquable par son intensité fruitée, au nez comme en bouche, agrémentée de fines nuances épicées. On aime aussi son ampleur et son côté généreux et soyeux, renforcé par des tanins à la fois doux et serrés. Un vin vibrant et complet, qui « respire le grenache d'altitude », conclut un dégustateur. ⧗ 2018-2021 ↑ canard au thym

⊶ MARTINELLE, La Font-Valet, 84190 Lafare, tél. 04 90 65 05 56, info@martinelle.com V r.-v. ⊶ Corinna Faravel

Ⓑ MAS ONCLE ERNEST Instant présent 2015

■ | 13000 | | 5 à 8 €

Une exploitation familiale créée par l'arrière-grand-père Camille d'Alexandre Roux et son arrière-grand-oncle Ernest, « un personnage au fort caractère et célibataire endurci, qui consacra sa vie à son travail ». Le jeune vigneron, associé à son père Pierre depuis 2003, a sorti le domaine de la cave coopérative en 2007 pour produire ses propres vins et converti le vignoble à l'agriculture biologique.

L'Instant présent, le nom de cette cuvée indique bien l'intention du vigneron: proposer un vin facile d'accès, à boire sur le fruit. Ce 2015, bien représentatif du millésime, pourra en effet s'apprécier sans trop attendre. Au nez, des arômes généreux de fruits noirs à l'alcool et des nuances de pâtisserie. En bouche, une attaque franche et souple, des tanins présents mais fins, et de jolies notes réglissées en finale. ⧗ 2016-2019 ↑ lasagnes

⊶ MAS ONCLE ERNEST, 325, chem. du Rat-Collet-Blanc, 84340 Entrechaux, tél. 06 64 85 02 18, mas-oncle-ernest@hotmail.fr V r.-v. ⊶ Alexandre Roux

VIGNERONS DU MONT VENTOUX Vieilles Vignes 2015 ★

■ | 25000 | | 5 à 8 €

Cette coopérative fondée en 1924 regroupe une centaine de vignerons, pour plus de 1 000 ha en AOC ventoux, IGP et vins de France. Le vignoble est essentiellement planté sur le versant sud-ouest du mont Ventoux, entre 200 et 500 m d'altitude, bien à l'abri du mistral.

Ces «vieilles» (vingt-cinq ans) vignes de grenache (90 %), de syrah et de carignan ont donné un vin ouvert à l'olfaction sur les fruits frais et le marc de raisin agrémentés de nuances pâtissières. Frais, croquant, doté de tanins ronds, le palais associe quant à lui la réglisse à une pointe de violette. Un ventoux expressif et harmonieux, à boire dans sa jeunesse. ⌛ 2016-2019 🍷 bavette grillée ■ **Grange des Dames 2015 ★ (- de 5 €; 80000 b.)** : à un nez frais, fruité et un brin iodé fait écho un palais vif qui émoustille les papilles et s'étire dans une jolie finale sur les fruits à chair blanche (poire, pêche). ⌛ 2016-2019 🍷 penne aux fruits de mer

⊶ VMV-VIGNERONS DU MONT VENTOUX, 620, rte de Carpentras, 84410 Bédoin, tél. 04 90 12 88 00, caveau@bedoin.com V ■ t.l.j. 9h-12h 14h-18h

♥ CH. PESQUIÉ Quintessence 2014 ★★

■	61000	⦀	15 à 20 €

L'un des domaines phares de l'appellation ventoux, acquis en 1970 par Odette et René Bastide, rejoints au milieu des années 1980 par leur fille et leur gendre Édith et Paul Chaudière. Le quatuor quitte la «coop» locale en 1989 pour produire ses propres vins. Depuis 2003, la troisième génération (Frédéric et Alexandre) est aux commandes, à la tête d'un vignoble pour moitié certifié bio, l'autre partie étant en conversion.

La cuvée «historique» du domaine, la première sortie du tout nouveau chai en 1990, grand millésime s'il en est, et un vin «toujours d'une étonnante fraîcheur», précisent les vignerons. Vingt-quatre ans plus tard, dans un millésime bien plus compliqué, cet assemblage à dominante de syrah (80 %) affiche cette même qualité tout au long de la dégustation. Une grande fraîcheur qui contrebalance avec la richesse et la concentration de ce vin à la fois puissant et élégant, d'une complexité et d'une longueur admirables autour d'un boisé bien intégré, des épices et des fruits mûrs. Un ventoux majuscule, complet et racé. ⌛ 2019-2024 🍷 thon basquaise

⊶ CH. PESQUIÉ, SARL Famille Chaudière, 1365 bis, rte de Flassan, 84570 Mormoiron, tél. 04 90 61 94 08, contact@chateaupesquie.com V 🚶 ■ t.l.j. sf dim. 9h-12h 14h-18h

Ⓑ DOM. DE LA RÊVERIE 2015 ★

■	37200	🍾	5 à 8 €

Un domaine de 25 ha créé en 2006 au pied du mont Ventoux par Claude Roux, qui a converti l'intégralité de son domaine à l'agriculture biologique en 2013.

Élaborée dans les chais d'Yves Chéron à la Grand Comtadine, cette cuvée associant grenache, syrah et carignan affiche une belle richesse aromatique: cassis, mûre, fraise, cacao, senteurs de la garrigue, épices. La bouche est fraîche en attaque, puis plus chaleureuse, bien étoffée par des tanins encore assez stricts. En devenir. ⌛ 2018-2021 🍷 sauté d'agneau

⊶ DOM. DE LA RÊVERIE, rte de Gigondas, 84190 Vacqueyras, tél. 04 90 65 85 91, contact@vignoblescheron.fr V 🚶 ■ t.l.j. sf sam. dim. 8h-12h 14h-18h; f. 1-20 août ⊶ Claude Roux

LA ROMAINE Volupté 2014 ★

■	5300	🍾	5 à 8 €

Fondée en 1924, une des premières coopératives du Vaucluse, qui regroupe aujourd'hui 280 vignerons et plus de 1 400 ha de vignes. Elle propose des côtes-du-rhône, côtes-du-rhône-villages, ventoux, ainsi que des IGP Méditerranée et Coteaux des Baronnies.

Le jury a conclu sans ambiguïté: «vin plaisir». Cette volupté dévoile au nez des arômes intenses et généreux de fruits mûrs, voire confiturés, relayés par une bouche ample, suave et sphérique. Tout concorde ici pour composer un vin harmonieux et gourmand à souhait. ⌛ 2016-2019 🍷 lapin au thym ■ **Tradition 2014 ★ (- de 5 €; 6000 b.)** : entre notes de cuir, de fruits noirs confiturés et d'épices, le nez est complexe et attirant. En bouche, on découvre un vin ample, souple et friand, aux tanins fins. ⌛ 2016-2020 🍷 caillette ■ **Tradition 2015 ★ (- de 5 €; 7700 b.)** : grenache blanc, clairette et bourboulenc pour cette cuvée centrée sur les agrumes, souple et très fraîche, prolongée par une jolie finale acidulée. ⌛ 2016-2019 🍷 filet de rouget

⊶ CAVE LA ROMAINE, 95, chem. de Saumelongue, 84110 Vaison-la-Romaine, tél. 04 90 36 00 43, caveau@cave-la-romaine.com V ■ t.l.j. 9h-12h30 14h-18h30; dim. 9h-12h; f. dim. janv.-mars

SAINT-MARC 2015

■	75000	🍾	5 à 8 €

Cette cave coopérative doit son nom à la proximité d'un oratoire dédié à saint Marc, patron des vignerons de Provence. Fondée en 1928, elle vinifie 1 200 ha de vignes et fédère aujourd'hui quelque trois cents familles de vignerons.

Cassis, framboise et fraise écrasés, olive noire, épices, le bouquet de ce ventoux est intense et varié. Une belle entrée en matière qui prélude un palais frais et souple en attaque, bien structuré par des tanins intégrés, un peu plus stricts en finale toutefois. Petite garde conseillée. ⌛ 2017-2020 🍷 bavette à l'échalote

⊶ CAVE SAINT-MARC, 667, av. de l'Europe, 84330 Caromb, tél. 04 90 62 40 24, julien.d@cave-saint-marc.fr V r.-v.

SYLLA Saint-Auspice 2015

■	24800	🍾	5 à 8 €

Apt est considérée comme la capitale du fruit confit et la production des maîtres confiseurs des lieux était déjà très appréciée au XIVᵉs. par les papes d'Avignon. La vigne y a aussi ses droits, mise en valeur notamment par cette cave coopérative fondée en 1925, qui vinifie la production de 110 vignerons et quelque 800 ha répartis sur douze communes alentour.

La robe très foncée, presque opaque, confirme la part prépondérante de la syrah (1 % de grenache) dans ce vin expressif, ouvert sur les épices douces et les fruits mûrs. Des arômes prolongés avec une bonne persistance par une bouche souple et ronde. Un ventoux gourmand et facile d'accès. ⧗ 2016-2019 🍴 poulet basquaise

⊶ *SCA SYLLA, 135, av. du Viaduc, 84405 Apt, tél. 04 90 74 05 39, sylla@sylla.fr* V 🚶 ▪ *t.l.j. sf dim. 9h-18h30*

TERRANEA Terrasse du Mont 2015 ★

■	200000	- de 5 €

Un négoce créé en 2003 par Frédéric Chaulan – rejoint en 2009 par Serge Cosialls –, qui propose une gamme complète de vins de la vallée du Rhône, du nord au sud.

Ce ventoux bien constitué, issu de 80 % de grenache et de 20 % de syrah, dévoile des arômes intenses de fruits noirs et rouges confiturés relevés de nuances poivrées. Passé une attaque fraîche, le palais offre un profil suave et chaleureux, solidifié par une charpente ferme mais fine qui assure un beau potentiel de garde à ce vin. ⧗ 2018-2021 🍴 gigot d'agneau

⊶ *TERRANEA, Le Crépon, rue des Négades, 84420 Piolenc, tél. 04 90 34 18 47, terranea.sarl@wanadoo.fr*

TERRAVENTOUX 2014 ★

■	50000	🍾	5 à 8 €

Née en 2003 de la fusion des caves Les Roches Blanches, à Mormoiron, et La montagne Rouge, à Villes-sur-Auzon, toutes deux fondées en 1929, cette coopérative regroupe plus d'une centaine d'adhérents et propose une jolie gamme de ventoux. Elle organise aussi des circuits touristiques pour partir à la découverte de la région et de ses vins.

Grenache (80 %) et syrah composent une jolie cuvée qui s'exprime sans réserve et avec élégance autour des fruits noirs, des épices et de la réglisse. La bouche se montre riche, ample et généreuse, stimulée par une touche mentholée en finale et bâtie sur des tanins doux qui renforcent son caractère policé. ⧗ 2017-2020 🍴 tomates farcies

⊶ *CAVE TERRAVENTOUX, 253, rte de Carpentras, 84570 Villes-sur-Auzon, tél. 04 90 61 80 07, sommelier@terraventoux.com* V 🚶 ▪ *t.l.j. 9h-12h 14h-18h*

DOM. LE VAN Alizarine 2014 ★

■	3000	🍾	11 à 15 €

Un petit domaine créé en 1993 au pied du mont Ventoux: 9,5 ha de vignes entourant une chapelle du XIIes., conduit depuis 2003 par Jean-Pierre Froissard.

Les amateurs de carignan apprécieront cette cuvée qui associe 65 % de ce cépage au grenache et à la syrah. Cela donne un vin ouvert sur d'intenses senteurs de cassis mâtinées de cuir neuf et de quelques nuances minérales. Marquée par de notes balsamiques et mentholées, la bouche en impose par son volume, sa tension, sa solidité et sa concentration. Un style massif et de garde. ⧗ 2019-2024 🍴 civet de marcassin

⊶ *DOM. LE VAN, 1710, rte de Carpentras, 84410 Bedoin, tél. 04 90 12 82 56, domaine.le.van@gmail.com* V 🚶 ▪ *t.l.j. sf dim. 10h-13h 15h-19h* 🏠 ⑤ ⊶ *Froissard*

♥ DOM. DE LA VERRIÈRE Le Haut de la Jacotte 2014 ★★

■	11000	🛢	8 à 11 €

Le roi René de Provence, alors propriétaire des lieux, fit venir ici des verriers italiens en 1470. Le domaine appartient aux Maubert depuis 1969 (Jacques depuis 1985) et étend ses 26 ha de vignes en coteaux sur les contreforts du Ventoux.

Dans le difficile millésime 2014, cette cuvée, qui tire son nom de la parcelle qui l'a vue naître, offre une expression des plus abouties de la syrah (10 % de grenache font l'appoint). Au nez, les fruits noirs, les épices et la réglisse s'associent à d'élégantes notes torréfiées. Des arômes qui s'épanouissent dans une bouche ample, dense et suave, aux tanins fins et veloutés. Un ventoux à la fois tendre et structuré, bâti pour la garde. ⧗ 2019-2026 🍴 agneau de sept heures ■ **2014 ★★ (5 à 8 €; 22000 b.)** : la cuvée principale du domaine fait forte impression avec son bouquet généreux de fruits mûrs, d'olives et d'épices douces, prolongé par un palais ample, puissant et long. ⧗ 2018-2023 🍴 navarin d'agneau ■ **2015 ★ (5 à 8 €; 12600 b.)** : une belle expression aromatique autour des agrumes et des fruits exotiques pour ce vin équilibré, très frais et persistant en bouche. ⧗ 2016-2019 🍴 terrine d'asperges

⊶ *JACQUES MAUBERT, Dom. de la Verrière, 2673, chem. de la Verrière, 84220 Goult, tél. 04 90 72 20 88, laverriere2@wanadoo.fr* V ▪ *t.l.j. sf dim. 9h-12h 14h-18h*

LUBERON

Superficie : 3 200 ha
Production : 140 000 hl (80 % rouge et rosé)

Le vignoble, AOC depuis 1988, est implanté sur 36 communes des versants nord et sud du massif calcaire du Luberon, entre les vallées de la Durance au sud et du Calavon au nord. Les vins rouges et rosés portent l'empreinte du grenache et de la syrah, cépages obligatoires, éventuellement complétés par des variétés secondaires comme le cinsault et le carignan. Le climat plus frais qu'en vallée du Rhône et les vendanges plus tardives expliquent la part relativement importante des vins blancs, qui naissent principalement des cépages grenache blanc, clairette, vermentino et roussanne.

AMÉDÉE L'Aiguebrun 2015 ★★

■	200000	- de 5 €

Le Cellier Marrenon a été fondé en 1966 par Amédée Giniès, l'un des principaux artisans de la reconnaissance en AOC des vins du Luberon. Il regroupe neuf coopératives dans les AOC luberon et ventoux: pas moins de 1 200 adhérents et de 7 200 ha. Deux étiquettes: Marrenon et Amédée.

Au nez, ce vin né de grenache blanc, de vermentino et d'ugni blanc propose un agréable côté printanier avec ses parfums de lilas et d'angélique. En bouche, il se montre rond, gourmand et fruité, souligné par une fine fraîcheur bien dosée. ⧗ 2016-2019 ¥ bar à l'oseille ■ **Marrenon Doria 2015 ★★ (8 à 11 €; 35000 b.)** : un vin remarquable par son expression aromatique élégante (amande douce, poire mûre), son côté méridional et solaire, rond et gras sans lourdeur, souligné par un boisé très discret (20 % du vin a fermenté en fût). ⧗ 2016-2019 ¥ volaille à la crème ■ **Marrenon Classique 2015 ★ (- de 5 €; 150000 b.)** : un luberon cohérent, citronné et salin au nez comme en bouche, frais et alerte. ⧗ 2016-2019 ¥ toasts de chèvre frais ■ **À l'Ombre des platanes 2015 ★ (5 à 8 €; 40000 b.)** : un vin très expressif (mûre, épices, réglisse, violette), riche et intense, bâti sur des tanins bien présents mais enrobés. ⧗ 2017-2020 ¥ poulet fermier aux morilles

LES CAVES AMÉDÉE, rue Amédée-Giniès, 84240 La Tour-d'Aigues, tél. 04 90 07 40 65, contact@caves-amedee.fr V ▪ *r.-v.* *M. Piton*

AURETO Petit Miracle 2014

■	14080	▮	11 à 15 €

Ce domaine de 36 ha acquis en 2007 et entièrement restructuré est rattaché au complexe hôtelier de luxe de La Coquillade, établi au cœur du parc du Luberon et propriété des Wunderli. La vinification est confiée à l'œnologue Aurélie Julien.

Ce n'est pas du vin, c'est de l'encre tant la couleur de cet assemblage syrah-grenache (65-35) est sombre et profonde. Au nez, des fruits rouges et noirs très mûrs, des épices et des notes de sous-bois. En bouche, un vin corsé, aux tanins serrés qui doivent encore se fondre. ⧗ 2018-2021 ¥ entrecôte à la bordelaise

AURETO, hameau de la Coquillade, 84400 Gargas, tél. 04 90 74 54 67, info@aureto.fr V ▪ ▪ *t.l.j. 10h-19h* *Andy Rihs*

♥ B CH. LA CANORGUE Coin perdu 2014 ★★

■	6000	▮ ▮	15 à 20 €

Ce domaine familial depuis cinq générations, l'une des références de l'appellation luberon, est d'une régularité sans faille. Jean-Pierre Margan, pionnier de l'agriculture biologique dans la région, exploite avec sa fille Nathalie un vignoble de 40 ha converti dès 1980. Incontournable.

Rendue célèbre par le film *Une grande année* de Ridley Scott, tourné sur ce domaine avec *La Môme* (Marion Cotillard) et *Gladiator* (Russel Crowe), cette cuvée mythique est une fois encore en haut de l'affiche – la version 2013 fut également coup de cœur. Ce vin né de vieux ceps de grenache, syrah, mourvèdre et carignan ne fait pas pour autant du cinéma: c'est un luberon authentique, puissant, net et droit, «ristretto» selon un dégustateur, aux tanins fins et serrés, complexe aussi (poivre noir, Zan, romarin, muscade, violette, vieil armagnac...) et très frais. Un vrai vin de terroir. ⧗ 2018-2024 ¥ côte de bœuf limousine ■ **2014 ★★ (8 à 11 €; 85000 b.)** B : la cuvée principale du domaine. Un vin qui propose une très belle expression de la syrah (50 % de l'assemblage) née sous un climat frais: de la fraîcheur donc, de la complexité (épices, violette, poivron rouge, cuir), du volume, de la profondeur et une charpente solide. Autant de promesses pour l'avenir. ⧗ 2018-2026 ¥ carré d'agneau au romarin ■ **2015 ★ (8 à 11 €; 34000 b.)** B : élaboré à partir de cinq cépages à parts égales, un vin expressif (poire mûre, touche miellée, agrumes) et équilibré, à la fois rond, frais et fin. ⧗ 2016-2019 ¥ filet de bar et asperges vertes

EARL JEAN-PIERRE ET NATHALIE MARGAN, Ch. la Canorgue, 84480 Bonnieux, tél. 04 90 75 81 01, chateaucanorgue.margan@wanadoo.fr V ▪ *t.l.j. sf dim. 9h-12h 14h-18h*

DOM. DE LA CITADELLE Le Châtaignier 2014

■	30000	▮	8 à 11 €

Yves Rousset-Rouard était producteur de cinéma dans une ancienne vie. C'était avant d'acquérir en 1989 un vieux mas entouré de 8 ha de vignes au pied de Ménerbes. Le vignoble couvre près de 40 ha aujourd'hui (pour 66 parcelles et 14 cépages différents), conduits avec son fils Alexis et en cours de conversion bio.

La réussite de cette cuvée réside dans son expression aromatique harmonieuse (fruits, épices, réglisse, violette) et dans sa fraîcheur soutenue et sa souplesse. Un luberon aimable et facile d'accès, à boire sur le fruit. ⧗ 2016-2019 ¥ assiette de charcuterie

DOM. DE LA CITADELLE, 601, rte de Cavaillon, D 3, 84560 Ménerbes, tél. 04 90 72 41 58, contact@domaine-citadelle.com V ▪ ▪ *t.l.j. 9h-12h 14h-19h* *Rousset-Rouard*

CH. CONSTANTIN 2014 ★

■	4000	▮	8 à 11 €

Un château établi à l'entrée du village de Lourmarin, sur un ancien vignoble vieux de 2500 ans. En 2013, William Chase, agriculteur et propriétaire de Chase Distillery en Angleterre, tombe sous le charme et prend la suite d'Allen Chevalier à la tête de ce domaine de 20 ha complété par une activité de négoce.

Une dominante de syrah dans cette cuvée ouverte sur des arômes intenses de fruits noirs mêlés à la violette et au curry. La bouche, persistante et veloutée, adossée à des tanins fins et enrobés, allie harmonieusement puissance et finesse. Une bonne évolution en perspective. ⧗ 2017-2021 ¥ pigeons farcis ■ **Maison Williams Chase Cuvée Amphorae 2014 (11 à 15 €; 15000 b.)** : vin cité.

CH. CONSTANTIN, rte du Jas-du-Puyvert, D 139, 84160 Lourmarin, tél. 04 90 68 38 99, constantin@williamschase.co.uk V ▪ ▪ *t.l.j. sf dim. 10h-18h* *William Chase*

CAVE DU LUBERON Les Promises 2015 ★

■	12000	▮	5 à 8 €

Fondée en 1923, lorsque les paysans locaux commençaient à sortir de l'autosubsistance, la cave du

Luberon dispose des 480 ha de ses adhérents, répartis sur le versant sud des monts de Vaucluse sud et le versant nord du Luberon, à cheval sur les deux appellations ventoux et luberon.

Cette cuvée porte le nom d'un papillon provençal que l'on trouve dans le Luberon. Très expressive à l'olfaction, ouverte sur le cassis et la violette, elle offre en bouche une bonne fraîcheur et un volume certain, s'exprime sur le poivre et les fruits noirs, et s'adosse à des tanins ronds et soyeux. De l'harmonie et du potentiel. 2017-2022 caille rôtie ■ **La Cuvée 2015 ★ (8 à 11 €; 3500 b.)** : une forte dominante de syrah (80 %) dans ce vin souple et rond, qui évoque un panier de fruits frais (cassis et framboise) au nez comme en bouche. Jolie finale sur la vivacité. 2017-2020 magret de canard

SCA CAVE DU LUBERON, hameau de Coustellet, 229, rte de Cavaillon, 84660 Maubec, tél. 04 90 76 90 01, contact@caveduluberon.com V *t.l.j. 8h30-12h 14h-18h (juil.-août 19h)*

DOM. LE NOVI Terre de Safres 2015

■	12000		5 à 8 €

La construction d'une cave particulière en 2013 a permis l'élaboration du premier millésime pour Romain Dol, revenu sur le domaine familial pour conduire un vignoble de 13 ha convertis au bio.

Ce vin, qui tire son nom de la nature du sol, joue de bout en bout sur les agrumes (pamplemousse, citron, kumquat), «les huiles essentielles d'agrumes», ajoute un dégustateur, c'est dire l'intensité de ces arômes. En bouche, c'est vif, tonique, simple et sincère. À boire sous la tonnelle. 2016-2019 anchois frais

ROMAIN DOL, rte de Cabrières-d'Aigues, 84240 La Tour-d'Aigues, tél. 06 22 07 90 60, romain_dol@yahoo.fr V *r.-v.*

FAMILLE PERRIN Ours blanc 2015 ★★

■	n.c.	5 à 8 €

La maison Perrin, fondée en 1909 par l'aïeul Gabriel Tramier, conjugue depuis cinq générations activité de négoce et exploitation de vignobles, dont le réputé Ch. de Beaucastel (châteauneuf-du-pape) et La Vieille Ferme, vaste domaine du Luberon.

Pas moins de cinq cépages dans cette cuvée: bourboulenc, grenache blanc, roussanne, ugni blanc et vermentino. Le résultat: un vin très pâle et brillant qui développe de complexes et délicats arômes floraux (acacia, aubépine), miellés et fruités (pêche, abricot), au palais rond, suave et très fruité, souligné par une légère acidité aux accents minéraux. 2016-2019 brandade de morue

FAMILLE PERRIN, rte de Jonquières, 84100 Orange, tél. 04 90 11 12 00, perrin@familleperrin.com V *r.-v.*

DOM. DES PEYRE Le Scoop 2015 ★★

■	2000		11 à 15 €

Patricia Alexandre, ancienne directrice du Gault et Millau, a repris deux domaines du Luberon en 2013: le Dom. Faverot, un mas provençal, dont une partie date du XVIe s., transformé en magnanerie au XVIIIe s., puis en domaine viticole dans les années 1920; le Dom. des Peyre, une ancienne ferme fortifiée du XVIIIe s., commandant 21 ha de vignes. Elle a restructuré le vignoble, construit un chai et développé l'œnotourisme.

Une cuvée confidentielle née de 31 ares de rolle et de roussanne, mais bien réparable par ses étiquettes originales, format XXL, façon article de presse. Dans le flacon, un vin très bien vinifié et très bien élevé – l'éminent Philippe Cambie conseille le domaine. La palette aromatique est riche: abricot, miel, ananas confit, fleur d'acacia, boisé très discret (33 % du volume passé en fût). En bouche, c'est franc, direct et frais tout en offrant beaucoup de matière, de gras et d'onctuosité. Bref, un luberon parfaitement équilibré. 2016-2020 risotto aux fruits de mer

DOM. DES PEYRE, 1620, rte d'Avignon, 84440 Robion, palexandre@domainedespeyre.com V *t.l.j. 10h30-12h30 14h30-19h* *Patricia Alexandre*

CH. SAINT-PIERRE DE MEJANS Vieilles Vignes 2014 ★

■	7800		8 à 11 €

Prieuré bénédictin du XIIe s., Saint-Pierre de Mejans possède une très ancienne tradition viticole. Depuis 2004, il est conduit par Brice Doan de Champassak, à la tête d'un vignoble de 12 ha.

Né de grenache (70 %) et syrah, ce vin s'ouvre sur des notes de fruits noirs (cassis, mûre) bien mûrs, puis apparaissent le poivre et des notes de cuir. Une belle attaque introduit une bouche ample, suave et ronde, qui s'achève sur un joli fruité mâtiné de réglisse. 2017-2020 onglet aux échalotes

BRICE DOAN DE CHAMPASSAK, Ch. Saint-Pierre de Mejans, 84160 Puyvert, tél. 09 65 12 28 86, bricedoan@yahoo.fr V *t.l.j. sf dim. 9h30-12h 14h30-19h*

SYLLA Mourre Nègre 2015 ★

■	11000		5 à 8 €

Apt est considérée comme la capitale du fruit confit et la production des maîtres confiseurs des lieux était déjà très appréciée au XIVe s. par les papes d'Avignon. La vigne y a aussi ses droits, mise en valeur notamment par cette cave coopérative fondée en 1925, qui vinifie la production de 110 vignerons et quelque 800 ha répartis sur douze communes alentour.

Une goutte de grenache (1 %) entre dans l'assemblage de cette cuvée très typée syrah avec ses arômes intenses de violette, de cassis et de réglisse. On aime aussi sa bouche longue et équilibrée, à la fois ronde et fraîche, aux tanins souples et fins. Un vin élégant et délié. 2016-2020 carré d'agneau

SCA SYLLA, 135, av. du Viaduc, 84405 Apt, tél. 04 90 74 05 39, sylla@sylla.fr V *t.l.j. sf dim. 9h-18h30*

LE TEMPS DES SAGES Féliciane 2015 ★

■	20000	8 à 11 €

Le Temps des Sages est le nom pris par une petite coopérative née en 1929 sous l'impulsion des vigne-

rons de Cabrières-d'Aigues, un terroir situé sur le versant sud du Luberon à une soixantaine de kilomètres de Marseille. Elle produit en AOC luberon et en IGP Méditerranée.

Syrah et grenache composent un vin réglissé, fruité et mentholé au nez comme en bouche, ample, suave et dense, aux tanins ronds et mûrs, qui présente un bon potentiel et demande à s'affiner. ⧗ 2017-2021 ⚲ selle d'agneau en croûte de réglisse ■ **Le Temps des valeurs 2015 ★ (5 à 8 €; 7000 b.)** : un 100 % grenache blanc apprécié pour son expression aromatique (fleurs blanches, pomme, buis), sa fraîcheur et sa longueur. ⧗ 2016-2019 ⚲ beignets de crevettes ■ **Le Temps des valeurs 2015 (5 à 8 €; 16000 b.)** : vin cité.

⊸ LE TEMPS DES SAGES, 4, rue du Bout-de-Viere, 84240 Cabrières d'Aigues, tél. 04 90 77 76 29, contact@letempsdessages.com V ⚐ ■ *t.l.j. 9h-12h 14h-18h*

DOM. DES VAUDOIS 2015 ★

■	25000	⚱		- de 5 €

L'œnologue Sylvain Jean élabore les cuvées de la maison de négoce Louis Bernard créée en 1976 à Gigondas, qui accompagne à la vigne et au chai une quarantaine de vignerons partenaires. Dans le giron du groupe Gabriel Meffre.

Grenache, syrah et cinsault sont assemblés dans ce vin ouvert sur un premier nez animal, plus floral (violette) et fruité (confiture de cassis) à l'aération. La bouche est corsée, poivrée et réglissée, très vigoureuse, étayée par des tanins robustes. C'est encore jeune et il y a du potentiel. ⧗ 2018-2022 ⚲ carré d'agneau

⊸ LOUIS BERNARD, 2, rte des Princes-d'Orange, 84190 Gigondas, tél. 04 90 12 32 42, louis-bernard@gmdf.com ⊸ Éric Brousset

Ⓑ CH. LA VERRERIE Esprit Bastide 2014

■	90000	8 à 11 €

Établi dans une ancienne verrerie acquise en 1981, l'entrepreneur Jean-Louis Descours a étendu son vignoble de 30 ha vinifiés par la coopérative de Lauris à l'origine à 54 ha aujourd'hui (en bio certifié), et s'est doté d'une cave construite à flanc de colline.

Bien dans son millésime, ce vin expressif (griotte, sous-bois, poivre) s'avère souple, frais et soyeux en bouche. Un luberon simple et sans prétention, à boire dans sa jeunesse. ⧗ 2017-2020 ⚲ rôti de porc à la tomate

⊸ CH. LA VERRERIE, 1810, rte de Luberon, 84360 Puget, tél. 04 90 08 32 98, contact@chateau-la-verrerie.fr V ⚐ ■ *t.l.j. 9h30-18h30 ⊸ Descours*

PIERREVERT

Superficie : 360 ha
Production : 15 541 hl (90 % rouge et rosé)

Dans le département des Alpes-de-Haute-Provence, la majeure partie des vignes se trouve sur les versants de la rive droite de la Durance (Corbières, Sainte-Tulle, Pierrevert, Manosque...). Les conditions climatiques, déjà rigoureuses, cantonnent la culture de la vigne dans une dizaine de communes sur les quarante-deux que compte légalement l'aire d'appellation. Les vins rouges, rosés et blancs, d'un assez faible degré alcoolique et d'une bonne nervosité, sont appréciés par ceux qui traversent cette région touristique. Les coteaux-de-pierrevert ont été reconnus en appellation d'origine contrôlée en 1998.

♥ Ⓑ DOM. LA BLAQUE 2014 ★★

■	45000	⦀	5 à 8 €

DOMAINE LA BLAQUE 2014 PIERREVERT ALPES DE HAUTE PROVENCE

Valeur sûre de l'AOC pierrevert, ce domaine a été créé en 1987 par Gilles et Laurence Delsuc, œnologues formés à Dijon. Ces derniers conduisent aujourd'hui en bio certifié un vignoble de 51 ha implanté jusqu'à 600 m d'altitude sur les contreforts du Luberon.

Le domaine renoue avec le coup de cœur – le dernier n'étant pas si vieux: la Réserve 2010. Ici, un vin né de syrah et d'un soupçon de grenache, ouvert sur d'intenses notes de fruits rouges et noirs bien mûrs. Une voie fruitée aucunement gênée par le bois (douze mois de barrique) qu'il emprunte aussi dans une bouche souple en attaque, dense et solide dans son évolution, portée par des tanins fins qui commencent à se fondre. Enthousiasmant et prometteur. ⧗ 2018-2024 ⚲ navarin d'agneau ■ **Réserve 2014 ★★ (11 à 15 €; 23000 b.)** Ⓑ : une cuvée qui évolue dans le registre de la puissance au nez (fruits mûrs, réglisse, épices) comme en bouche, étayée par des tanins fermes. De garde assurément. ⧗ 2019-2026 ⚲ civet de lièvre ■ **2015 ★ (5 à 8 €; 22000 b.)** Ⓑ : grenache blanc, roussanne, vermentino à parts égales, complétés par le viognier, pour ce vin très aromatique (fleurs blanches, agrumes) et équilibré. ⧗ 2016-2019 ⚲ terrine asperges et saumon

⊸ DOM. LA BLAQUE, Dom. Châteauneuf, 04860 Pierrevert, tél. 04 92 72 39 71, domaine.lablaque@wanadoo.fr V ⚐ ■ *t.l.j. sf dim. 9h-12h 14h-18h*

PETRA VIRIDIS Jean Giono Village d'Or 2015 ★

■	12000	⚱		5 à 8 €

La cave coopérative de Pierrevert (rebaptisée en latin Petra Viridis) a été créée en 1925 par un riche bourgeois marseillais, Auguste Bastide. Elle fédère aujourd'hui 120 vignerons cultivant quelque 335 ha de vignes (dont une partie en bio certifié depuis 2013) sur le territoire d'une dizaine de communes autour de Pierrevert.

«Un village d'or semblable à une barque portée par une vague de rochers», c'est ainsi que Jean Giono a décrit le village de Pierrevert dans *Le Hussard sur le toit*. Une citation mise en exergue sur l'étiquette de ce trio grenache blanc-vermentino-ugni blanc, qui développe sous le soleil de Haute Provence un nez distingué d'agrumes et de fleurs blanches, prolongé par un palais souple, fin et frais, voire nerveux en finale. Parfait pour l'apéritif ou les produits de la mer. ⧗ 2016-2018 🍴 anchoïade

CAVE PETRA VIRIDIS, 1, av. Auguste-Bastide, 04860 Pierrevert, tél. 04 92 72 19 06, technique@cave-pierrevert.com V t.l.j. sf dim. 9h-12h 14h-18h

CH. DE ROUSSET Classique 2015

	15000		8 à 11 €

Perché sur le versant sud du plateau de Valensole, ce domaine (28 ha de vignes, en conversion bio, et 10 ha d'oliviers) est dans la même famille depuis 1825. Il a été repris en 1986 par Hubert et Roseline Émery, relayés depuis 2010 par leur fils Thomas.

Élevé sur lies fines, ce blanc cristallin né de grenache blanc, vermentino, roussanne et viognier s'ouvre sur des notes soutenues de mangue et d'agrumes. La bouche est à l'avenant, fraîche et fruitée, un peu brève mais harmonieuse. ⧗ 2016-2017 🍴 salade mangue-crevettes

ÉMERY, RD 4, 04800 Gréoux-les-Bains, tél. 04 92 72 62 49, chateaurousset@gmail.com V t.l.j. sf dim. 9h-12h30 14h-18h

CÔTES-DU-VIVARAIS

Superficie : 439 ha
Production : 12 000 hl (95 % rouge et rosé)

À la limite nord-ouest des côtes-du-rhône méridionales, les côtes-du-vivarais chevauchent les départements de l'Ardèche et du Gard. Les vins, produits sur des terrains calcaires, sont essentiellement des rouges à base de grenache (30 % minimum), de syrah (30 % minimum), et des rosés, caractérisés par leur fraîcheur et à boire jeunes. Ce VDQS a été reconnu en AOC en 1999.

CLOS DE L'ABBÉ DUBOIS 2014 ★

■	12700		5 à 8 €

L'abbé Dubois fut missionnaire en Inde au XVIIIe s. avant de revenir dans son village natal de Saint-Remèze. Il y fit construire une maison provençale qui commande aujourd'hui un domaine de 25 ha, propriété de Claude Dumarcher depuis 1986.

Mi-syrah mi-grenache, ce vin se révèle un brin sauvage au premier nez avec des notes animales et de sous-bois, bientôt complétées de nuances florales et fruitées (cassis). Ample et douce en attaque, la bouche apparaît concentrée et bien structurée, bâtie sur des tanins fins et serrés et tendue par une belle fraîcheur. ⧗ 2018-2021 🍴 lapin au thym

CLAUDE DUMARCHER, Clos de l'Abbé Dubois, Le Village, 07700 Saint-Remèze, tél. 04 75 98 98 44, claudedumarcher@orange.fr V t.l.j. sf dim. 10h-12h 15h-19h ① ⓒ

GRAND AVEN 2014

■	5000		5 à 8 €

Une structure née en 2010 de la fusion de quatre coopératives: Orgnac l'Aven, Bourg-Saint-Andéol, Saint-Remèze et Saint-Montan. Elle regroupe quelque 1 000 ha de vignes et plus de 200 coopérateurs qui œuvrent à la production de côtes-du-rhône, côtes-du-rhône-villages, côtes-du-vivarais et IGP Ardèche.

Une délicate expression de fruits frais et d'épices (poivre) confère à cette cuvée un caractère «facile» et plaisant. Persistante sur le fruit, la bouche associe une aimable rondeur à la fraîcheur du millésime. Un vin léger et équilibré, à boire sur le fruit. ⧗ 2016-2019 🍴 brochette bœuf et poivron ■ **Réserve 2014 (5 à 8 €; 6700 b.)** : vin cité.

SCA DES VIGNERONS DES GORGES DE L'ARDÈCHE, quartier Les Auches, 07700 Bourg-Saint-Andéol, tél. 04 75 54 51 34, vpcvga07@orange.fr V t.l.j. sf dim. 8h-12h 14h-18h

Ⓑ DOM. NOTRE-DAME DE COUSIGNAC 2015

■	60000		5 à 8 €

Ce domaine, qui doit son nom à la présence de la chapelle éponyme sur ses terres, est dans la famille Pommier depuis 1780 et sept générations. La culture de la vigne y est ancienne et le vignoble (60 ha répartis sur plus de 80 parcelles) est conduit en bio. Raphaël et Rachel Pommier se sont associés en 2004 avec la maison de négoce Ogier pour la diffusion de leurs vins.

Aux côtés des incontournables grenache et syrah, une touche de carignan (10 %). Cela donne un vin bien fruité à l'olfaction, rond et tendre en attaque, plus tannique et austère dans son développement. Une bouteille qui demande à s'affiner. ⧗ 2018-2021 🍴 côtelette d'agneau

DOM. NOTRE-DAME DE COUSIGNAC, quartier de Cousignac, 07700 Bourg-Saint-Andéol, tél. 04 90 39 32 41, ogier@ogier.fr V r.-v. ③
Ogier

➡ **LES VINS DOUX NATURELS DE LA VALLÉE DU RHÔNE**

RASTEAU

Superficie : 38 ha / Production : 1 045 hl

Tout au nord du département du Vaucluse, ce vignoble s'étale sur deux formations distinctes: des sables, marnes et galets au nord; des terrasses d'alluvions anciennes du Rhône (quaternaire), avec des galets roulés, au sud. Le grenache (90 % minimum) y fournit un vin doux naturel rouge ou doré.

CAVE DE RASTEAU Signature 2011 ★

■	23000		11 à 15 €

Fondée en 1925, cette coopérative qui regroupe plus de 650 ha de vignes et 80 adhérents est l'une des plus anciennes caves rhodaniennes et le principal producteur de l'AOC rasteau. Ortas est sa marque ombrelle.

Le seul grenache est à l'œuvre dans ce rasteau expressif, sur la cerise et le cacao, bien équilibré en bouche, à la fois frais, rond et soyeux. On pourra l'apprécier dès aujourd'hui, à l'apéritif ou au dessert. ⧗ 2016-2024 🍴 forêt noire

ORTAS, Cave de Rasteau, rte des Princes-d'Orange, 84110 Rasteau, tél. 04 90 10 90 10, vignoble@rasteau.com V *t.l.j. 9h-12h30 14h-18h*

B DOM. DU TRAPADIS Grenat 2014

■	5000		11 à 15 €

Né en 1950 de l'union des familles Brun et Charavin et de leurs vignes respectives, ce vignoble s'étend aujourd'hui sur 35 ha, en bio certifié, conduit par Helen Durand depuis 1996.

Élevé pour partie onze mois en fût, ce rasteau né de grenache (90 %) et de carignan s'ouvre sur de généreuses notes de fruits rouges confiturées. Arômes prolongés avec persistance par un palais apprécié pour sa finesse et sa fraîcheur. 2017-2024 fondant au chocolat

DOM. DU TRAPADIS, 2302, rte d'Orange, 84110 Rasteau, tél. 04 90 46 11 20, hd@domainedutrapadis.com V *r.-v.*

MUSCAT-DE-BEAUMES-DE-VENISE

Superficie : 490 ha / Production : 9 265 hl

Au nord de Carpentras se découpent les impressionnantes Dentelles de Montmirail. Le vignoble est implanté sur leur versant sud, dans un paysage qui doit ses couleurs à des calcaires grisâtres et à des marnes rouges. Une partie des sols est formée de sables, de marnes et de grès, une autre de terrains tourmentés datant du trias et du jurassique. Le seul cépage est le muscat à petits grains; mais dans certaines parcelles, une mutation donne des raisins roses. Mutés à l'eau-de-vie comme les autres vins doux naturels, ces vins doivent avoir au moins 110 g/l de sucre. Aromatiques, fruités et fins, ils trouvent toute leur place à l'apéritif et sur certains fromages ou desserts.

DOM. DE DURBAN 2014

■	47000		11 à 15 €

Cette ferme fortifiée datant de 1150, adossée à un bois de pins, offre une vue panoramique sur son vaste (119 ha) et vieux (1414) vignoble. La famille Leydier y perpétue depuis 1967 une tradition viticole ancienne.

Ce muscat élevé douze mois en cuve s'ouvre sur des notes de camomille et de miel. Un côté «tisane» que l'on retrouve dans un palais généreux et gras, équilibré par une pointe de fraîcheur bienvenue. 2016-2022 foie gras poêlé

DOM. DE DURBAN, SCEA Leydier et Fils, 2523, chem. de Durban, 84190 Beaumes-de-Venise, tél. 04 90 62 94 26, domaine.de.durban@wanadoo.fr V *t.l.j. sf dim. 9h-12h 14h-18h*

B DOM. DES ENCHANTEURS
Ambre céleste 2014 ★

■	1700		11 à 15 €

Un domaine de poche de 3 ha, certifié bio en 2014 (AOC ventoux, muscat-de-beaumes-de-venise et IGP), établi entre les Dentelles de Montmirail et le mont Ventoux, créé en 2009 par deux passionnés, Catherine Desbois-Mouchel et Bertrand Seube, œnologue.

Ce muscat se distingue par son nez intense de raisin de Corinthe et d'abricot sec. En bouche, il séduit par son volume, sa finesse et son élégance. 2016-2022 fromage de chèvre

DOM. DES ENCHANTEURS, 52, chem. d'Aubignan, 84330 Saint-Hippolyte-le-Graveyron, tél. 04 90 11 69 82, bertrand@domainedesenchanteurs.fr V *r.-v.*

B DOM. DE FONTAVIN 2014

■	8000		11 à 15 €

Situé au nord de Courthézon, ce domaine familial de 45 ha répartis dans huit communes et cinq appellations est dirigé depuis 1998 par Hélène Chouvet, œnologue, qui a converti le vignoble à l'agriculture biologique.

Après douze mois de cuve, ce muscat livre un nez typique, expressif et très floral, sur la rose et le mimosa. La bouche apparaît ample et puissante et fait un bel écho à l'olfaction. Harmonieux. 2016-2022 tarte aux pêches de vigne

DOM. DE FONTAVIN, 1468, rte de la Plaine, 84350 Courthézon, tél. 04 90 70 72 14, helene-chouvet@fontavin.com V *t.l.j sf dim. 9h-12h15 14h-18h15 Hélène Chouvet*

CH. SAINT-SAUVEUR Cuvée des Moines 2014 ★

■	18260		11 à 15 €

Un domaine de 58 ha (en conversion au bio), ancien fief d'une famille de la noblesse du Comtat venaissin et propriété des Rey depuis 1936 (Guy depuis 1973). Le caveau est installé dans une chapelle du XIes. et la cave de vinification dans un ancien monastère.

Le nez offre beaucoup de fraîcheur avec ses notes de citron et de zestes d'orange. La bouche, d'une belle persistance aromatique, à l'unisson du bouquet, est fine et équilibrée. 2016-2022 tarte aux mirabelles

CH. SAINT-SAUVEUR, EARL Les Héritiers de Marcel Rey, 1451, av. Joseph-Vernet, 84810 Aubignan, tél. 04 90 62 60 39, vins@domaine-st-sauveur.fr V *t.l.j. 9h15-12h15 14h15-19h; dim. sur r.-v. Guy Rey*

VIDAL-FLEURY Réserve 2013

■	10000		20 à 30 €

Le plus ancien négoce rhodanien en activité, fondé en 1781 à partir de son vignoble en côte-rôtie et très tôt réputé – Thomas Jefferson y fit un banquet mémorable en 1787. Propriété des Guigal depuis 1986, il dispose d'une cave monumentale, dont l'architecture est inspirée du site égyptien de Saqqarah.

Le nez, expressif, associe des notes d'acacia et de confiture d'orange amère. La bouche est ample, riche sans lourdeur, bien équilibrée par une fraîcheur savamment dosée. 2016-2022 fromage à pâte persillé

VIDAL-FLEURY, 48, rte de Lyon, 69420 Tupin-et-Semons, tél. 04 74 56 10 18, contact@vidal-fleury.com V *r.-v. Famille Guigal*

➜ LES IGP DE LA VALLÉE DU RHÔNE

IGP ARDÈCHE

L'ABBÉ DUBOIS
Coteaux de l'Ardèche Cuvée Vitalys 2014

■ | 2640 | | 5 à 8 €

L'abbé Dubois fut missionnaire en Inde au XVIIIes. avant de revenir dans son village natal de Saint-Remèze. Il y fit construire une maison provençale qui commande aujourd'hui un domaine de 25 ha, propriété de Claude Dumarcher depuis 1986.

Mi-syrah mi-merlot, ce vin expressif associe au nez des notes animales aux fruits noirs. Le palais se montre souple et gras, étayé par des tanins ronds et fondus. Aimable et équilibré. ⧗ 2016-2019 🍷 magret aux myrtilles

CLAUDE DUMARCHER, Clos de l'Abbé Dubois, Le Village, 07700 Saint-Remèze, tél. 04 75 98 98 44, claudedumarcher@orange.fr V t.l.j. sf dim. 10h-12h 15h-19h

B DOM. ARSAC
Coteaux de l'Ardèche
Les Galets de la Condamine 2015 ★★

■ | 6000 | | 8 à 11 €

Situé entre le piémont volcanique du Coiron et les gorges de l'Ardèche, ce domaine, propriété de la famille Arsac depuis 1945, est aujourd'hui conduit par Joël et ses fils Dimitri et Sébastien. Ensemble, ils exploitent 15 ha de vignes en bio.

Syrah et grenache sont associés dans ce vin d'une belle limpidité, discrètement fruité et épicé au nez. C'est en bouche qu'il se révèle pleinement: dense, rond, charnu, bien structuré par des tanins fins et veloutés et d'une grande persistance aromatique, sur la réglisse et les fruits noirs. ⧗ 2017-2021 🍷 confit de canard

ARSAC, La Chaumette, 07580 Saint-Jean-le-Centenier, tél. 06 31 82 33 68, domainearsac@gmail.com V t.l.j. sf dim. 9h-19h

DOM. ALAIN DUMARCHER
Chardonnay La Fleur des Buis 2015 ★

■ | 2000 | | 5 à 8 €

Sylvie et Alain Dumarcher se sont installés en 1986 à la tête de ce domaine ardéchois qu'ils ont restructuré. Les vignes (21 ha aujourd'hui) sont perchées sur un plateau caillouteux de Gras, entre les champs de lavande et la garrigue. Adrien, le fils, a rejoint ses parents sur l'exploitation en 2016.

De mars à fin mai, on peut apercevoir la fleur de buis et sa couleur blanc pâle dans la garrigue environnante. Elle donne son nom à ce pur chardonnay complexe et intense (acacia, poire, amande grillée), frais en attaque, ample, rond et gras dans son développement, soutenu par un bon boisé. Un vin riche et puissant. ⧗ 2017-2020 🍷 volaille en sauce

ALAIN DUMARCHER, Le Clos de Prime, 07700 Gras, tél. 04 75 04 31 82, a.dumarcher@orange.fr V t.l.j. sf mer. 10h-20h; f. janv.

DOM. JÉRÔME MAZEL
Coteaux de l'Ardèche Magie noire 2014 ★

■ | 4500 | | 8 à 11 €

Formé dans la vallée du Rhône septentrionale, Jérôme Mazel a repris en 2007 le petit domaine familial, 5,5 ha de parcelles établis sur des coteaux arides et caillouteux dominant l'entrée des gorges de l'Ardèche.

Une robe aux reflets violines de jeunesse habille cette pure syrah au nez puissant, qui mêle notes animales et fruits noirs à l'alcool. La bouche, riche et ronde, est aussi large que longue. Du caractère et un beau potentiel de garde. ⧗ 2018-2022 🍷 osso bucco

MAZEL, 70, chem. de la Coustace, 07120 Pradons, tél. 06 73 78 70 60, jerome.mazel@live.fr V r.-v.

DOM. DE MERMÈS
Coteaux de l'Ardèche Merlot 2014 ★

■ | 3000 | | 5 à 8 €

Situé au cœur de la basse Ardèche, à Gras, à une demi-heure de Vallon-Pont-d'Arc et des célèbres gorges de l'Ardèche, ce vignoble familial créé en 1931 s'étend sur 25 ha, à 365 m d'altitude, sous la protection de la Dent de Rez. Patrice Dumarcher et Séverine Comte sont aux commandes depuis 1995.

Ce 100 % merlot dévoile un nez complexe qui mêle des notes de pruneau, de sous-bois et de truffe. La bouche apparaît très réglissée, ronde et charnue, épaulée par une bonne structure tannique qui se resserre quelque peu en finale. Encore un peu de patience pour apprécier ce vin à son optimum. ⧗ 2018-2022 🍷 tajine d'agneau

GAEC DOM. DE MERMÈS, Patrice Dumarcher et Séverine Comte, 07700 Gras, tél. 04 75 04 37 79, domainedemermes@wanadoo.fr V t.l.j. 9h-20h Dumarcher

LES CHAIS DU PONT D'ARC
Marselan 2015 ★

■ | 10000 | - de 5 €

Fondée en 1928, cette coopérative regroupe les viticulteurs d'une douzaine de communes autour de Ruoms et Vallon-Pont-d'Arc, sur un vignoble de 500 ha. Elle fait partie des quinze caves de vinification qui composent l'Union des vignerons des coteaux de l'Ardèche.

Un soupçon (5 %) de merlot accompagne le marselan dans ce vin rouge foncé, au nez intense et généreux de fruits noirs confiturés. Un fruité soutenu auquel fait un long écho une bouche ronde et riche, aux tanins fondus et soyeux. De la chair, du fruit, de la persistance, un vin complet et savoureux. ⧗ 2017-2021 🍷 rosbif sauce madère

VIGNERONS SUD ARDÈCHE, rte de Pradons, 07120 Ruoms, tél. 04 75 39 61 27, vignerons.sudardeche@gmail.com V t.l.j. 9h-12h 15h-19h

IGP BOUCHES-DU-RHÔNE

B DOM. DE BEAUJEU Terre de Camargue 2015 ★

■ | 5000 | 🍾 | 5 à 8 €

Ce domaine en polyculture est dans la famille Cartier depuis cinq générations Pierre depuis 1996. Le vignoble s'étend sur 208 ha, conduit en bio depuis 1974.

Cette cuvée 100 % marselan a été vinifiée sans SO_2. Elle se distingue par sa finesse aromatique, autour d'élégantes notes de fruits rouges, de rose et de menthol. Arômes que l'on retrouve en compagnie du Zan dans une bouche ronde, tendre et gourmande, aux tanins souples et fondus. ⧗ 2016-2019 🍷 hamburger

⊶ DOM. DE BEAUJEU, rte du Sambuc, 13200 Arles, tél. 09 64 18 90 33, domainedebeaujeu@yahoo.fr V t.l.j. sf dim. lun. 8h30-12h30 14h30-17h30 ⊶ Cartier

LE CELLIER D'ÉGUILLES Marselan 2015

■ | 5000 | - de 5 €

Petite cave coopérative fondée en 1923 à 8 km d'Aix-en-Provence, le Cellier d'Éguilles regroupe une quarantaine de producteurs et quelque 230 ha de vignes. Elle fournit majoritairement des coteaux-d'aix, ainsi que des vins en IGP.

Ce pur marselan couleur sombre, d'abord un peu réservé, dévoile à l'agitation un nez généreux de fruits noirs confiturés. La bouche est agréable, d'un bon volume, ronde et tendre, adossée à des tanins souples et fondus. ⧗ 2016-2019 🍷 souris d'agneau

⊶ LE CELLIER D'ÉGUILLES, 1, pl. Lucien-Fauchier, 13510 Éguilles, tél. 04 42 92 51 12, celliereguilles@orange.fr V t.l.j. 9h-12h30 14h-19h

B DOM. LA MICHELLE À l'ombre de la treille 2015 ★

□ | 10 000 | 5 à 8 €

Jean-François et Nelly Margier ont repris le domaine familial fondé en 1870 entre la Sainte-Beaume et la Sainte-Victoire. Ils ont remis en culture des terrasses ancestrales, cultivent 20 ha de vignes, des oliviers et des capriers, et sont passés de l'agriculture raisonnée à la bio.

Ce 2015 né du seul rolle se révèle très expressif et frais au nez comme en bouche, autour d'arômes harmonieux et très persistants d'abricot et d'ananas, et plaît aussi par son équilibre gras-acidité. ⧗ 2016-2019 🍷 tomme de chèvre frais

⊶ JEAN-FRANÇOIS MARGIER, Dom. la Michelle, 13390 Auriol, tél. 04 42 04 74 09, margier@domainelamichelle.com V t.l.j. sf dim. 9h-12h 14h-19h

IGP COLLINES RHODANIENNES

DOM. PICHAT Côtes de Vercheny 2015 ★

■ | 4000 | 🛢 | 11 à 15 €

Après des études à Beaune, puis une expérience aux États-Unis et dans le Bordelais, sur le domaine de son épouse (Ch. Filliol), Stéphane Pichat est revenu sur ses terres donner du souffle à cette propriété ancienne, fondée par ses arrière-grands-parents. Installé en 2000, il lance la mise en bouteilles (1 000 au commencement, 15 à 20 000 aujourd'hui) et signe à partir de 5 ha en côte-rôtie et en condrieu des vins d'une qualité toujours irréprochable.

Un 100 % syrah de caractère, qui vieillira bien. Au nez, les fruits rouges voisinent sans déséquilibre avec un grillé fondu. On retrouve le fruit et le boisé, tendance vanillée, dans un palais ample et gras, aux tanins fermes. ⧗ 2017-2022 🍷 sauté d'agneau aux olives

⊶ DOM. PICHAT, 6, chem. de la Viallière, 69420 Ampuis, tél. 04 74 48 37 23, info@domainepichat.com V r.-v.

IGP COTEAUX DES BARONNIES

B DOM. DU RIEU FRAIS 2015 ★

■ | 2000 | 🍾 | 8 à 11 €

Ce domaine de 30 ha (aujourd'hui certifié bio) a été façonné à partir de 1983 par Jean-Yves Liotaud qui a débuté sur une ancienne propriété familiale: création du vignoble, construction des chais, aménagement de la cave de vieillissement, tout était à faire. Depuis, le domaine est devenu l'une des références des Coteaux des Baronnies.

La seule syrah est à l'œuvre dans cette cuvée au nez explosif de cassis et de framboise. Tout aussi fruitée, la bouche se distingue par une belle fraîcheur et une structure tannique ferme, garantes d'une bonne évolution. ⧗ 2018-2021 🍷 entrecôte grillée

⊶ DOM. DU RIEU FRAIS, 120, chem. du Rieu-Frais, 26110 Sainte-Jalle, tél. 04 75 27 31 54, jean-yves.liotaud@orange.fr V t.l.j. 9h-12h 14h-18h; f. dim. nov.-fév.

IGP DRÔME

LES VIGNERONS DE VALLÉON Chardonnay-Viognier 2015

□ | 12 000 | 🍾 | - de 5 €

Cette cave, issue de regroupements successifs de petites unités coopératives, rassemble 200 adhérents pour 930 ha de vignes et une production annuelle de 45 000 hl.

La dégustation s'ouvre sur un bouquet intense de fruits jaunes mûrs et d'agrumes confits relevés d'épices douces. La bouche se montre ample, riche et puissante, soulignée par une belle tension qui apporte de la longueur et de l'équilibre. ⧗ 2016-2019 🍷 tourte au chèvre

⊶ CAVE DE SAINT-PANTALÉON-LES-VIGNES, 1, rte de Nyons, 26770 Saint-Pantaléon-les-Vignes, tél. 04 75 27 90 44, jeanalain.lavie@valleon.fr V t.l.j. 9h-12h 14h-18h

IGP MÉDITERRANÉE

♥ B DOM. ATTILON
Chardonnay Ambition 2015 ★★

	13000		8 à 11 €

Renaud de Roux, à la tête depuis 1968 de ce vignoble très ancien de 95 ha – on en trouve trace dès le XVIIe s. –, conduit ses vignes en agriculture biologique depuis 1983. Il a été un précurseur de ce mode de culture dans la région.

Après une petite dizaine de mois de cuve, ce pur chardonnay se pare d'une seyante robe limpide et brillante et déploie un nez expressif de fleurs blanches, de citron et de beurre, mâtiné de nuances iodées. La bouche, ample et soyeuse, se révèle d'une grande finesse et d'une persistance remarquable, sur les agrumes et la minéralité. ⧗ 2016-2019 🍴 daurade à la provençale

⊶ DE ROUX-CAVARD, Dom. de l'Attilon, rte de Port-Saint-Louis-du-Rhône, 13104 Mas-Thibert, tél. 04 90 98 70 04, contact@attilon.fr V r.-v.

DOM. ANDRÉ AUBERT Chardonnay 2015 ★

	20000		- de 5 €

Les fils d'André Aubert – Claude, Yves et Alain – sont installés depuis 1981 à la tête de l'un des plus vastes ensembles viticoles rhodaniens (490 ha répartis sur plusieurs domaines), grâce auquel ils proposent une large gamme de vins de la vallée du Rhône méridionale.

Agréable et élégant, ce chardonnay révèle un nez expressif et charmeur en diable d'agrumes, d'épices et de miel. À l'unisson, la bouche affiche un beau volume, du gras et une fine fraîcheur qui fleure bon le terroir. Harmonieux. ⧗ 2016-2019 🍴 ravioles de langoustines

⊶ DOM. ANDRÉ AUBERT, RN 7, Les Gresses, 26290 Donzère, tél. 04 75 51 78 53, vins-aubert-freres@wanadoo.fr V t.l.j. 10h-19h

B BY LA CANORGUE Béret 2015 ★★

	16000		5 à 8 €

Ce domaine familial depuis cinq générations, l'une des références de l'appellation luberon, est d'une régularité sans faille. Jean-Pierre Margan, pionnier de l'agriculture biologique dans la région, exploite avec sa fille Nathalie un vignoble de 40 ha converti dès 1980. Incontournable.

Cette cuvée «franchouillarde» – ce sont les Margan qui le disent – réunit en quelque sorte l'Atlantique et la Méditerranée avec son assemblage de syrah (70 %), grenache, merlot et cabernet. Mais rien de rustique dans ce vin. Au contraire, de la finesse et de l'équilibre avec son nez harmonieux et intense de fruits confits et de vanille, et sa bouche ample, soyeuse et longue, étayée par des tanins bien présents mais veloutés. ⧗ 2017-2021 🍴 bœuf bourguignon

⊶ EARL JEAN-PIERRE ET NATHALIE MARGAN, Ch. la Canorgue, 84480 Bonnieux, tél. 04 90 75 81 01, chateaucanorgue.margan@wanadoo.fr V t.l.j. sf dim. 9h-12h 14h-18h

B FONTAINEBLEAU Ma Cuvée 2014

	n.c.		8 à 11 €

L'eau est omniprésente au château Fontainebleau: fontaines moussues et canaux de pierre de l'époque romaine forment un véritable réseau d'irrigation. Racheté en 2009 par Jean-Louis Bouchard, président d'une société de services numériques, ce domaine de 25 ha, enclavé dans la forêt, a retrouvé tout son dynamisme après avoir bénéficié d'importants travaux de rénovation. Sous l'impulsion de l'œnologue Valérie Courrèges, il a engagé sa conversion bio (biodynamie) en 2013.

Bien méridional par son encépagement à dominante de grenache (60 %, le cinsault et une pointe de syrah en complément), ce vin l'est aussi par ses impressions en dégustation. Au nez, des notes de fruits rouges mûrs, d'épices douces et de truffe au chocolat; en bouche, des tanins soyeux et de la souplesse. ⧗ 2016-2019 🍴 côtelettes d'agneau

⊶ FONTAINEBLEAU INTERNATIONAL, rte de Montfort-sur-Argens, 83143 Le Val, tél. 04 94 59 59 09, info@chateaufontainebleau.fr V t.l.j. 10h-19h
⊶ Bouchard

LE TEMPS DES PLAISIRS Chardonnay 2015 ★

		16600	5 à 8 €

Le Temps des Sages est le nom pris par une petite coopérative née en 1929 sous l'impulsion des vignerons de Cabrières-d'Aigues, un terroir situé sur le versant sud du Luberon à une soixantaine de kilomètres de Marseille. Elle produit en AOC luberon et en IGP Méditerranée.

Épices douces et fleurs blanches composent le bouquet fin et charmeur de ce pur chardonnay. La bouche, élégante et volumineuse, est tendue de bout en bout par une fine acidité qui apporte du tonus et de l'allonge. ⧗ 2016-2019 🍴 fromage de chèvre

⊶ LE TEMPS DES SAGES, 4, rue du Bout-de-Viere, 84240 Cabrières-d'Aigues, tél. 04 90 77 76 29, contact@letempsdessages.com V t.l.j. 9h-12h 14h-18h

IGP VAUCLUSE

B DOM. ALARY
Principauté d'Orange Roussanne La Grange Daniel 2015 ★

	5000		5 à 8 €

La famille Alary cultive la vigne à Cairanne depuis... 1692 et dix générations! Installé en 1981, Denis Alary conduit aujourd'hui 30 ha en bio certifié depuis 2012 et signe des vins constants en qualité.

Une jeune roussanne de quinze ans est à l'origine de cette cuvée jaune vif aux reflets d'or, dont le nez, élégant, associe notes florales et briochées. La bouche se révèle ample, généreuse et longue, équilibrée par une fine vivacité. Du potentiel. ⧗ 2016-2020 🍷 poularde à la crème

⊶ *DOM. ALARY, 1345, rte de Vaison, 84290 Cairanne, tél. 04 90 30 82 32, alary.denis@wanadoo.fr* V *t.l.j. 9h-12h 14h-18h30; déc.-mars sur r.-v.*

Ⓑ DOM. ALLOÏS Viognier L'Éveil 2015 ★

■	1200	11 à 15 €

Après plusieurs expériences dans diverses régions viticoles de France et plus particulièrement en Bourgogne, François Busi a repris en 2008 le domaine familial: 6 ha à son arrivée, 25 ha aujourd'hui, conduits en agriculture biologique.

Ce pur viognier se montre d'emblée séduisant par sa robe limpide et son nez intense et complexe de lavande, de fleurs séchées et de raisin mûr. Le charme opère aussi en bouche, où le vin affiche un bel équilibre entre gras et acidité. Jolie finale sur le Zan. ⧗ 2016-2019 🍷 quiche au saumon

⊶ *FRANÇOIS BUSI, Dom. Alloïs, Le Boisset, 84750 Caseneuve, tél. 04 90 74 41 16, domaineallois@hotmail.fr* V *r.-v.*

DOM. DES ANGES Cabernet-sauvignon 2014 ★

■	2400		8 à 11 €

Gabriel MacGuinness, Irlandais de Kilkenny, a acquis en 1986 ce vignoble aux sols variés, situé en haut d'une colline sous la protection d'une chapelle qui donne son nom à ce domaine étendu sur 20 ha aujourd'hui.

La robe rouge sombre et dense de ce cabernet-sauvignon annonce un bouquet généreux et concentré d'épices et de fruits cuits. La bouche est ronde, chaleureuse et longue, épaulée par des tanins fondus et soyeux. ⧗ 2017-2020 🍷 bœuf bourguignon

⊶ *DOM. DES ANGES, 2342, chem. Notre-Dame-des-Anges, 84570 Mormoiron, tél. 04 90 61 88 78, contact@domainedesanges.com* V *r.-v.* Ⓔ

♥ AURETO Tramontane 2014 ★★

■	13060		15 à 20 €

Ce domaine de 36 ha acquis en 2007 et entièrement restructuré est rattaché au complexe hôtelier de luxe de *La Coquillade*, établi au cœur du parc du Luberon et propriété des Wunderli. La vinification est confiée à l'œnologue Aurélie Julien.

Assemblage de caladoc (60 %), cabernet-sauvignon et marselan – les deux premiers passés quatorze mois en barrique –, ce vin sombre et profond libère des senteurs de fruits rouges très concentrées. S'il est engageant au nez, c'est en bouche qu'il s'impose, par son caractère onctueux et caressant, par ses beaux tanins veloutés et fondus, et par sa longueur remarquable. Déjà très appréciable, cette bouteille pourra séjourner sans crainte quelques années en cave. ⧗ 2017-2021 🍷 bœuf braisé aux poivrons

⊶ *AURETO, hameau de la Coquillade, 84400 Gargas, tél. 04 90 74 54 67, info@aureto.fr* V *t.l.j. 10h-19h* ⊶ *Andy Rihs*

DOM. DE LA BASTIDONNE Viognier 2015

■	4000		5 à 8 €

Installé en 1990, Gérard Marreau, œnologue, représente la quatrième génération à conduire ce domaine familial de 30 ha fondé en 1903, souvent en vue pour ses ventoux et ses IGP.

Ce 100 % viognier présente à l'olfaction un caractère exotique très affirmé (litchi, mangue), agrémenté de fleur de sureau. Ample et gras en bouche, il manque seulement d'un soupçon de fraîcheur pour décrocher l'étoile. Mais l'ensemble est harmonieux et très plaisant. ⧗ 2016-2018 🍷 salade mangue-crevettes

⊶ *SCEA DOM. DE LA BASTIDONNE, 206, chem. de la Bastidonne, 84220 Cabrières-d'Avignon, tél. 04 90 76 70 00, domaine.bastidonne@orange.fr* V *t.l.j. sf dim. 9h-12h 14h-19h* ⊶ *Gérard Marreau*

DOM. DES CAMBADES Ivoire 2015

■	13000		8 à 11 €

Au départ, en 2005, 2 ha en AOC ventoux. Aujourd'hui, Fabrice Charasse et Hervé Vincent conduisent un coquet domaine de 18 ha. En 2010, la voie du bio est engagée : 10 ha sont désormais certifiés, 8 ha étant en conversion.

Élevé quatre mois en fût, ce 100 % viognier possède un nez discret d'abricot, de pêche et de vanille. La bouche, d'un bon volume et bien fruitée, apparaît riche et suave. ⧗ 2016-2018 🍷 tarte au chèvre

⊶ *DOM. DES CAMBADES, 1298, chem. de Carpentras-à-Malemort, 84200 Carpentras, tél. 06 89 07 13 03, cambades@orange.fr* V *r.-v.*

Ⓑ LA CÉLESTIÈRE 2014 ★

■	13800		8 à 11 €

Un domaine repris en 2008 – et rebaptisé: il s'appelait la Glacière – par Béatrice et Neil Joyce. Après d'importants travaux et notamment la création d'un chai de vinification et d'un autre de vieillissement, la Célestière propose des vins en IGP et en AOC châteauneuf-du-pape; elle bénéficie de la certification bio depuis 2013.

Grenache (42 %), syrah (35 %), alicante et cinsault sont assemblés dans ce vin rouge intense, au nez expressif de sous-bois et de truffe. Soutenue par une bonne structure tannique, la bouche se révèle ample, ronde et riche, et s'étire dans une belle finale sur les fruits mûrs. ⧗ 2016-2019 🍷 aubergine farcie

⊶ LA CÉLESTIÈRE, 1956, rte de Roquemaure, D17 quartier La Glacière, 84230 Châteauneuf-du-Pape, tél. 04 90 25 28 92, info@lacelestiere.fr V t.l.j. sf sam. dim. 9h-12h 13h-18h ⊶ Béatrice Joyce

DOM. CHAMP-LONG Viognier 2015

	3300		8 à 11 €

Une propriété dans la même famille depuis le début du XIXe s. En 1964, Maurice Gély crée la cave de vinification; en 1994, son fils Christian la rénove; en 2004, son petit-fils Jean-Christophe rejoint le domaine, étendu sur 30 ha au pied du mont Ventoux.

De jeunes ceps (sept ans) de viognier ont donné ce vin au nez complexe d'eucalyptus et de fleurs blanches. Plus exotique, le palais se montre gras, suave sans lourdeur et de bonne longueur. Un ensemble harmonieux. ⧗ 2016-2019 ¥ poêlée de saint-jacques

⊶ JEAN-CHRISTOPHE GÉLY, Dom. Champ-Long, 1900, chem. de Champ-Long, 84340 Entrechaux, tél. 04 90 46 01 58, domaine@champlong.fr V t.l.j. sf dim. 9h-12h 14h-18h

JEAN-CLAUDE ET SERGE CHASSON
Querelle de famille 2015

	8600		11 à 15 €

Créé en 1990 par Jean-Claude Chasson et racheté en 2002 par M. Lelièvre, ce vignoble couvre 75 ha répartis entre le Ch. Blanc, face aux Ocres de Roussillon (AOC ventoux), et le Dom. Chasson (luberon), que complète une petite production en IGP.

Malgré son nom, ce pur chardonnay va réconcilier les amateurs de vins boisés avec leurs détracteurs. En effet, l'élevage de huit mois en fût de grande contenance apporte des arômes plaisants de vanille et de bois de cade et une belle ampleur à ce vin riche et chaleureux. À attendre un peu. ⧗ 2017-2020 ¥ blanquette de veau

⊶ CHASSON, Ch. Blanc, quartier Grimaud, 84220 Roussillon, tél. 04 90 05 64 56, chateaublanc-chasson@wanadoo.fr V t.l.j. 8h-12h 13h30-18h30

FLEUR DU PALAY Principauté d'Orange Merlot 2015

	24 265		- de 5 €

Domaine de 20 ha créé en 2015 au pied de la colline de Séguret, acquis par deux investisseurs chinois passionnés de vin et géré par Clovis Wines, négoce spécialisé dans la vente de vins français en Chine.

La robe rouge foncé a l'épaisseur du velours. Le nez offre des notes épicées et fruitées bien mariées. La bouche, au diapason, se révèle ronde et enveloppante. Simple et efficace. ⧗ 2016-2019 ¥ bavette à l'échalote

⊶ DOM. CLOS DU PALAY, rte de Roaix, quartier Les Crozes, 84110 Séguret, tél. 07 81 54 73 43, cedric.closdupalay@gmail.com r.-v.

DOM. FONTAINE DU CLOS Certitude 2015 ★

	27 200		5 à 8 €

La famille Barnier (aujourd'hui Jean-François), également pépiniériste, est enracinée depuis toujours sur ses terres de Sarrians, dans un lieu chargé d'histoire: s'y déroula le 17 avril 1791 une bataille entre Avignonnais et Carpentrassiens. Au cœur de l'exploitation, une fontaine donne son nom à ce vaste vignoble de 90 ha planté de quelque quarante cépages.

Assemblage original de sauvignon (85 %) et de gewurztraminer, cette cuvée dévoile un bouquet complexe de buis, de fruits exotiques, d'agrumes et de fleurs blanches. En bouche, elle se montre longue, fraîche et tonique sans manquer de gras et de rondeur: équilibrée en somme. «Un sancerre en moins mordant», conclut un dégustateur. ⧗ 2016-2019 ¥ brochettes de saint-jacques

⊶ JEAN-FRANÇOIS BARNIER, 735, bd du Comté-d'Orange, Dom. Fontaine du Clos, 84260 Sarrians, tél. 04 90 65 59 39, cave@fontaineduclos.com V t.l.j. sf dim. 9h30-12h 15h-19h

DOM. MARTIN
Syrah Cuvée Yves Martin 2015 ★

	1500		15 à 20 €

Les frères David et Éric Martin sont installés depuis 2005 sur le domaine familial, créé en 1905 à partir de 5 ha sur le Plan de Dieu. Ils exploitent aujourd'hui 70 ha de vignes, essentiellement en gigondas et en châteauneuf-du-Pape.

La seule syrah est à l'origine de cette cuvée richement bouquetée autour des fruits noirs, de la réglisse et de notes animales. Dans le droit fil, la bouche affiche une structure tannique bien en place, fine et soyeuse, le gage d'un bon vieillissement. ⧗ 2017-2021 ¥ côte de bœuf

⊶ DOM. MARTIN, 439, rte de Vaison, 84850 Travaillan, tél. 04 90 37 23 20, martin@domaine-martin.com V t.l.j. sf dim. 9h-12h 14h-18h

DOM. DES PASQUIERS 2014

	35 000		5 à 8 €

Jean-Claude et Philippe Lambert ont repris ce vignoble de 85 ha en 1998 et se sont lancés dans la vente en bouteilles quatre ans plus tard. La nouvelle génération est arrivée en 2013, et la conversion bio a été engagée la même année.

Au nez, ce vin issu de merlot, de syrah et de marselan offre des notes d'épices et de confiture de fruits rouges. La bouche est charnue et très chaleureuse, bâtie sur des tanins fins. ⧗ 2017-2020 ¥ daube de bœuf

⊶ DOM. DES PASQUIERS, 10, rte d'Orange, 84110 Sablet, tél. 04 90 46 83 97, domainedespasquiers@terre-net.fr V t.l.j. 8h-12h 13h30-18h; sam. dim. sur r.-v. 4 ⊶ Lambert

DOM. DE LA PIGEADE
Petits Grains de Folie 2015 ★

	7000		8 à 11 €

En 1996, après leurs études de viticulture et des stages en France et aux États-Unis, Thierry et Marina Vaute ont sorti le domaine familial de la coopérative et l'ont entièrement rénové (30 ha aujourd'hui).

Ces petits grains de folie sont ceux du muscat, à l'origine d'un vin expressif et intense, sur l'acacia, la rose et le litchi. Arômes que l'on perçoit aussi dans une bouche très équilibrée entre une rondeur suave et une fine acidité. ⧗ 2016-2019 🍷 asperges sauce mousseline

⊶ THIERRY ET MARINA VAUTE, Dom. de la Pigeade, 2439, rte de Caromb, 84190 Beaumes-de-Venise, tél. 04 90 62 90 00, contact@lapigeade.fr V t.l.j. sf dim. 9h-12h 14h-18h; f. 1-15 janv.

DOM. DU PUY MARQUIS Merlot 2014 ★

■	2500	⏺	8 à 11 €

Claude Leclercq, ancien cycliste professionnel, a posé son vélo en 1980 sur ce domaine de 10 ha planté à 450 m d'altitude, face au Luberon. En conversion bio.

Légèrement boisé, ce pur merlot offre également quelques notes minérales à l'aération. En bouche, dominent des arômes de réglisse et de fruits rouges un peu confits; la structure tannique est fine et douce, le boisé fondu et la finale longue et fruitée. ⧗ 2017-2021 🍷 pavé de bœuf sauce poivre

⊶ CLAUDE LECLERCQ, Dom. du Puy Marquis, 84400 Apt, tél. 04 90 74 51 87, domainedupuymarquis@yahoo.fr

DOM. DE LA ROYÈRE Syrah 2015

■	10000	🍾	5 à 8 €

Les vins de cette ancienne propriété familiale (30 ha) sont élaborés en cave particulière depuis 1988. Habituée du Guide, Anne Hugues a fondé l'association «Femmes Vignes Rhône» dont l'objectif est de promouvoir le travail des femmes dans le domaine du vin.

Le nez, discret, s'ouvre doucement à l'aération sur des notes animales et épicées. On les retrouve en compagnie des fruits rouges à l'alcool dans une bouche d'un bon volume, aux tanins encore jeunes et serrés. À attendre un peu. ⧗ 2017-2020 🍷 côte d'agneau et ratatouille

⊶ SCEA ANNE HUGUES, 375, rte de la Senancole, Dom. de la Royère, 84580 Oppède, tél. 04 90 76 87 76, info@royere.com V t.l.j. sf sam. dim. 9h-12h 13h-17h

CAVE SAINT-MARC-RRG Merlot 2015

■	35000	🍾	- de 5 €

Cette cave coopérative doit son nom à la proximité d'un oratoire dédié à saint Marc, patron des vignerons de Provence. Fondée en 1928, elle vinifie 1 200 ha de vignes et fédère aujourd'hui quelque trois cents familles de vignerons.

Ce 100 % merlot séduit par son nez frais et expressif de cassis et de mûre agrémenté d'une petite note de cuir. En bouche, il se montre souple et gouleyant, épaulé par des tanins fondus. À boire sur le fruit. ⧗ 2016-2019 🍷 brochettes saucisses et poivron

⊶ CAVE SAINT-MARC, 667, av. de l'Europe, 84330 Caromb, tél. 04 90 62 40 24, julien.d@cave-saint-marc.fr V r.-v.

Le Luxembourg

SUPERFICIE : 1296 ha
PRODUCTION : 125 000 hl
TYPES DE VINS : blancs secs et moelleux ultramajoritaires (vendanges tardives, vins de glace, vin de paille) ; vins effervescents (crémant-de-luxembourg) ; rouges et rosés.
CÉPAGES PRINCIPAUX :
Rouges : pinot noir (parfois vinifié en blanc).
Blancs : auxerrois, riesling, pinot blanc, rivaner, elbling, pinot gris, gewurztraminer, chardonnay.

LES VINS DU LUXEMBOURG

Petit État prospère au cœur de l'Union européenne, situé à la charnière des mondes germanique et latin, le Grand-Duché de Luxembourg est un pays viticole à part entière. La consommation de vin par habitant y est proche de celle que l'on observe en France et en Italie. Le vignoble s'inscrit le long du cours sinueux de la Moselle, dont les coteaux portent des ceps depuis l'Antiquité. Longtemps pourvoyeur de vins ordinaires, le Grand-Duché s'est orienté depuis les années 1930 vers une politique de qualité. La production vinicole du Grand-Duché est confidentielle, à la mesure de sa modeste superficie. Essentiellement des vins blancs, vifs et aromatiques.

Dès l'Antiquité. On sait l'importance que prit le vignoble mosellan au IVᵉs., lorsque Trèves – très proche de la frontière actuelle du Grand-Duché de Luxembourg – devint résidence impériale et l'une des quatre capitales de l'Empire romain. Aujourd'hui, sur 42 km, de Schengen à Wasserbillig, les coteaux de la rive gauche de la Moselle forment un cordon continu de vignobles, autour des cantons de Remich et de Grevenmacher. Orientés au sud et au sud-est, ceux-ci bénéficient de l'effet bienfaisant des eaux du fleuve, qui estompent les courants d'air froid venant du nord et de l'est, et modèrent l'ardeur du soleil de l'été. En raison de leur latitude septentrionale (49 degrés de latitude N), ils produisent presque exclusivement des vins blancs. Près de 25 % d'entre eux proviennent du cépage rivaner (ou müller-thurgau). L'elbling, cépage typique du Luxembourg (7 % de la surface viticole), donne un vin léger et rafraîchissant. Les vins les plus recherchés proviennent des cépages auxerrois, riesling, pinot blanc, chardonnay, pinot gris, pinot noir et gewurztraminer.

Une stricte politique de qualité. Avec le millésime 2014, un nouveau système de qualité pour les vins de l'Appellation d'origine protégée-Moselle luxembourgeoise a été introduit. Seuls des vins qui respectent le rendement maximal de 100 hl/ha (115 hl/ha pour l'elbling et le rivaner) ont le droit d'utiliser l'indication «Appellation d'origine protégée-Moselle luxembourgeoise». Jusqu'à présent la qualité des vins était jugée dans le verre, par une dégustgaton donnant des points aux vins indépendamment de leur rendement. La notion de «qualité dans le verre» est désormais remplacée par le principe d'origine. Un principe qui s'énonce ainsi: «Plus l'unité géographique est peitite, plus elle fait ressortir la notion de terroir.» Et plus l'aire géographique est restreinte, plus les critères de qualité à remplir – en parculier le rendement – sont stricts.

Les vins sont produits par des viticulteurs coopérateurs (55 % de la production), par des vignerons indépendants (30 %) et par des négociants (15 %). Remich est le siège d'un centre de recherches et de l'organisation officielle de la viticulture.

MOSELLE LUXEMBOURGEOISE

MATHIS BASTIAN
Pinot gris Wellenstein Foulschette 2015

Gd 1ᵉʳ cru | 4100 | 8 à 11 €

Mathis Bastian et sa fille Anouk cultivent les vignes d'un domaine familial de 14,5 ha implanté sur les hauteurs de Remich. La famille Bastian est aussi propriétaire du domaine Clos des Églantiers.

Ce pinot gris revêt une robe jaune pâle brillant. À un nez agréablement fruité répond une bouche généreuse, centrée sur des arômes de fruits blancs bien typés du cépage, assortis de fines touches poivrées. ⧗ 2016-2019 🍴 escalope de veau à la crème

MATHIS BASTIAN, 29, rte de Luxembourg, 5551 Remich, tél. 23 69 82 95, domaine.mathisbastian@pt.lu r.-v.

BERNA Riesling Palmberg 2015

Gd 1ᵉʳ cru | 4000 | 11 à 15 €

Les caves Berna sont établies au cœur du village d'Ahn, sous la maison des vignerons. Aujourd'hui épaulé par son fils Marc, Raymond Berna exploite un vignoble d'environ 7 ha.

Ce riesling aux plaisantes notes d'abricot se montre frais en attaque, puis onctueux et puissant, tendu en finale par une fine trame minérale. ⧗ 2016-2021 🍴 brochettes de gambas

CAVES BERNA, 7, rue de la Résistance, 5401 Ahn, tél. 76 02 08, info@cavesberna.lu r.-v.

BERNARD-MASSARD Pinot gris 2015 ★★★

25000 | 8 à 11 €

Créée en 1921 par Jean Bernard-Massard, un œnologue luxembourgeois formé en Champagne, cette maison de négoce appartient aujourd'hui à la famille Clasen. Elle possède notamment le domaine de Grevenmacher (1 200 ha), le domaine Thill – Château de Schengen (12,5 ha) et le Clos des Rochers (18 ha).

Avec sa robe cristalline ourlée de reflets verts, ce pinot gris a fière allure. Il s'ouvre sans réserves sur des nuances minérales (pierre à fusil) agrémentées de touches fumées, complétées à l'aération par des notes délicatement fruitées. Dans le même registre, la bouche se montre souple et offre un superbe équilibre entre douceur (7,9 g/l de sucres résiduels) et fraîcheur. ⧗ 2016-2020 🍴 poularde à la crème ■ **Riesling 2015 ★★★** (8 à 11 €; **12000 b.**) : un riesling ouvert sur des arômes puissants de fruits (abricot, mangue, ananas) et de fleurs blanches. Opulent et gras en attaque, il révèle une acidité croquante en milieu de bouche, avant de renouer en finale avec le fruité concentré perçu au nez. ⧗ 2016-2020

SA CAVES BERNARD-MASSARD, 8, rue du Pont, 6773 Grevenmacher, tél. 75 05 451, info@bernard-massard.lu V *t.l.j. 9h-18h; f. nov.-mars*

DOM. CEP D'OR
Riesling Stadtbredimus Fels 2014 ★★★

Gd 1er cru	n.c.	8 à 11 €

Les origines de ce domaine remontent au XVIIIe s. quand les Vesque s'installèrent à Stadtbredimus comme métayers du château. Depuis 2005, Jean-Marie Vesque est à la tête de la propriété.

Cette cuvée jaune pâle scintille de jolis reflets dorés. Le nez se montre frais et engageant par ses parfums fruités assortis d'une touche minérale. La dégustation se poursuit sans fausse note sur une même impression de vivacité et de grande harmonie avec un palais alerte, très élégant et fin, dynamisé par une longue finale acidulée. 2016-2020 plateau de fruits de mer

DOM. CEP D'OR, 15, rte du Vin, 5451 Hettermillen, tél. 76 83 83, info@cepdor.lu V *r.-v.*
Jean-Marie Vesque

♥ CLOS DES ROCHERS
Pinot gris Grevenmacher Fels 2015 ★★

Gd 1er cru	20 000		8 à 11 €

Dans la famille Clasen depuis le XIXe s., ce domaine a été progressivement étendu pour couvrir aujourd'hui 18 ha de vignes réparties en quelque 35 parcelles sur les communes de Grevenmacher, Ahn et Wormeldange.

Vendangé manuellement par tries sélectives, ce pinot gris a été élevé sur lies fines pendant plusieurs mois. Il en résulte un vin au nez intense et raffiné de fruits blancs, assorti de touches légèrement poivrées. Net et vif en attaque, le palais se montre plus onctueux dans son développement, centré sur de jolies notes de poire mûre, et s'étire dans une longue finale acidulée. Un beau vin de gastronomie. 2016-2021 rôti de veau Orloff

Gd 1er cru Riesling Grevenmacher Fels 2015 ★ **(8 à 11 €; 12 000 b.)** : une jolie cuvée fraîche et savoureuse, aux arômes gourmands de poire juteuse. 2016-2019

SARL DOM. CLOS DES ROCHERS, 8, rue du Pont, 6773 Grevenmacher, info@clos-des-rochers.lu V *t.l.j. 9h-18h; f. nov.-mars*

DESOM Riesling Remich Primerberg 2015

Gd 1er cru	n.c.		8 à 11 €

Installées dans une ancienne tisserie ayant appartenu au poète luxembourgeois Dicks, ces caves sont situées à Remich, face à la Moselle.

Ce riesling pâle et limpide libère un nez fin de miel d'acacia, de mangue et de citron. Ronde, la bouche déploie des arômes d'abricot et de fruits exotiques, rehaussée en finale par des nuances d'agrumes (pamplemousse, citron) et une touche poivrée. 2016-2019 colombo de poisson

CAVES SAINT-REMY-DESOM, 9, rue Dicks, 5521 Remich, tél. 23 60 40, desom@pt.lu V *t.l.j. sf sam. dim. 8h-12h 13h30-17h30*

DOM. DESOM
Riesling Wormeldange Koeppchen 2015 ★★★

Gd 1er cru	n.c.		8 à 11 €

En 1922, la famille Desom a fondé sa maison de négoce à Remich. Peu de temps après, elle a créé son propre vignoble qui couvre aujourd'hui 13 ha. Un ensemble dirigé aujourd'hui par Albert, Georges et Marc Desom.

D'un seyant jaune pâle aux reflets d'argent, ce riesling livre à l'olfaction des arômes puissants d'abricot sec et de pamplemousse finement poivrés. Charnu, concentré et opulent dès l'attaque, sans pour autant manquer de fraîcheur, le palais offre de voluptueuses saveurs

Le Luxembourg

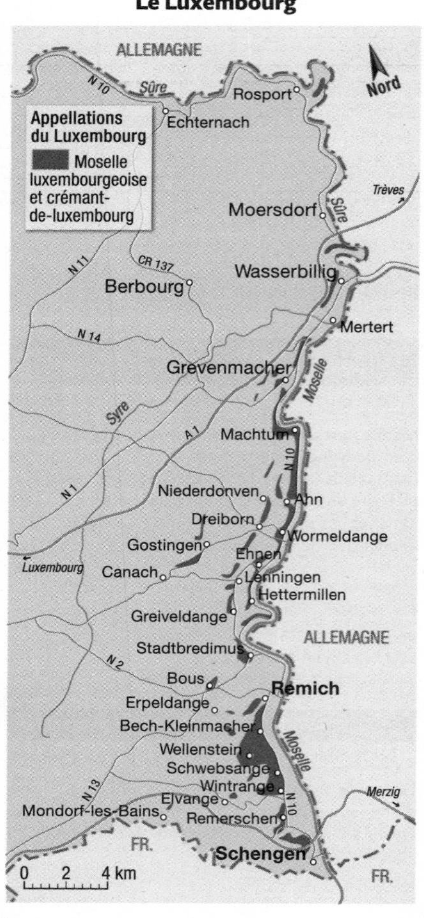

fruitées. Un vin à la belle maturité. ⌛ 2016-2021 🍴 croustade de langouste

⊶ *DOM. DESOM, 9, rue Dicks, 5521 Remich, tél. 23 60 40, desom@pt.lu* V *t.l.j. sf sam. dim. 8h-12h 13h30-17h30*

MME ALY DUHR
Riesling Wormeldange Nussbaum 2014 ★★

Gd 1er cru	n.c.		11 à 15 €

En 2011, les frères Ben et Max Duhr ont repris les rênes de ce domaine familial de 11 ha créé en 1872.

La parcelle Nussbaum, l'une des plus escarpées de la Moselle luxembourgeoise, a donné naissance à ce riesling jaune doré, au joli nez de fruits blancs compotés. Frais en attaque, le palais évolue vers une rondeur plus suave (12,9 g/l de sucres résiduels) et renoue avec les sensations olfactives par de douces et longues saveurs de fruits du verger. ⌛ 2016-2019 🍴 chapon farci

⊶ *DOM. MME ALY DUHR, 9, rue Aly-Duhr, 5401 Ahn, tél. 76 00 43, info@alyduhr.lu* V *r.-v.*

CAVES GALES
Pinot Gris Domaine et Tradition 2015 ★★

	5400		11 à 15 €

Fondée en 1916, cette maison familiale a cent ans d'existence. Marc Gales, qui représente la troisième génération, est à sa tête, rejoint par sa fille Isabelle. Elle dispose d'un vignoble de 13 ha, d'un centre de vinification récent à Ellange-Gare et a racheté le domaine Saint-Martin à Remich en 1984.

Au nez, des arômes mûrs de banane, de mangue et de poire, témoins d'une vendange de belle maturité. La bouche confirme ce caractère: elle dévoile une jolie rondeur et des saveurs fruitées très concentrées, sans manquer pour autant de la fraîcheur nécessaire à son harmonie. ⌛ 2015-2019 **Caves Gales Riesling Domaine et tradition 2015 ★★ (11 à 15 €; 1350 b.)** : d'un abord discret, ce riesling livre à l'aération des notes fines d'agrumes. Vif et tonique à l'attaque, sur le citron vert et l'ananas, le palais évolue sur des saveurs plus douces de fruits jaunes. Jolie finale minérale. ⌛ 2016-2019

⊶ *SA CAVES GALES, 6, rue de la Gare 5690 Ellange-Gare, tél. 23 69 90 93, info@gales.lu* V *t.l.j. sf lun. 10h-12h 13h-17h30; f. nov.-mars*

♥ DOM. VITICOLE KOHLL-LEUCK
Riesling Wousselt 2015 ★★

	4000		8 à 11 €

Marie-Cécile et Raymond Kohll-Leuck ont transmis en 2011 leur vignoble de 12 ha à leur fils Luc et à son beau-frère Claude Scheuren.

Jaune pâle cristallin, ce riesling fait la part belle à la minéralité. On la retrouve au nez comme en bouche en soutien à de frais arômes d'agrumes confits, citron vert en tête. ⌛ 2016-2021 🍴 plateau de fruits de mer

⊶ *DOM. VITICOLE KOHLL-LEUCK, 4, An der Borreg, 5419 Ehnen, tél. 76 02 42, domaine@kohll.lu* V *r.-v.*

DOM. VITICOLE KOHLL-REULAND
Riesling Ehnen Wousselt Vieilles Vignes 2015

	1333		8 à 11 €

Depuis le XVIIes., la famille Kohll cultive la vigne à Ehnen. Le vignoble couvre à présent quelque 7 ha complantés d'auxerrois, de pinots blanc, gris et noir, de chardonnay et de riesling.

Ce riesling s'affiche dans une robe jaune clair brillant. Des parfums de fleurs blanches s'échappent du verre, complétés de notes de pêche de vigne. On retrouve les fruits (pêche, mirabelle) dans un palais franc et persistant, soutenu par une fine acidité et une petite touche végétale. ⌛ 2016-2020 🍴 carpaccio de saint-jacques

⊶ *DOM. VITICOLE KOHLL-REULAND, 12, Hohlgaass, 5418 Ehnen, tél. 26 74 77 72, mkohll@pt.lu* V *r.-v.*

♥ CAVES PAUL LEGILL
Pinot blanc Schengen Markusberg 2015 ★★★

Gd 1er cru	1300	8 à 11 €

Transmis de père en fils depuis six générations, ce domaine est conduit depuis 1990 par Paul Legill, œnologue. Le vignoble, situé à Schengen Markusberg et sur les coteaux de Schengen, s'étend sur près de 6 ha. Si l'exploitation a forgé sa réputation grâce à ses pinots blanc et gris, elle destine aujourd'hui 10 % de sa récolte annuelle à la production de crémant.

Ce vin attire d'emblée le regard par son intense couleur dorée frangée de reflets verts. Le nez séduit par ses notes complexes de coing et de mirabelle dans un sillage finement miellé. Suave et généreuse sans manquer de fraîcheur, la bouche emprunte cette même voie aromatique et s'étire sur de longues caudalies. Une rare harmonie. ⌛ 2016-2020 🍴 écrevisses à la luxembourgeoise **Gd 1er cru Auxerrois Vieilles Vignes Coteaux de Schengen 2015 ★ (8 à 11 €; 1300 b.)** : à l'aération, des notes d'agrumes et de fruits blancs. En bouche, un vin puissant et opulent par ses saveurs de fruits bien mûrs (mandarine, citron confit) et de pâte d'amandes, tendu par un trait de fraîcheur qui lui apporte équilibre et longueur. ⌛ 2016-2019

⊶ *CAVES PAUL LEGILL, 27, rte du Vin, 5445 Schengen, tél. 23 66 40 38, plegill@pt.lu* V *t.l.j. sf dim. 11h-12h 14h-18h*

DOM. MATHES
Pinot noir Wormeldange
Sélection du domaine Barrique 2014 ★

	1500		11 à 15 €

Fondées en 1907 par Jean-Pierre Mathes, le domaine dispose de 8 ha exclusivement plantés en cépages

nobles dans la commune de Wormeldange aux lieux-dits Wousselt, Mohrberg, Heiligenhäuschen, Elterberg et la prestigieuse Koeppchen.

Des arômes de fruits des bois, finement vanillés, s'exhalent de ce pinot noir à la robe soutenue. La bouche se déploie sur le même registre fruité (fruits rouges compotés) et boisé, adossée à une structure tannique ronde et bien fondue. ⧗ 2016-2019 🍷 filet mignon de porc aux marrons

⊶ DOM. MATHES, 73, rue Principale, L-5480 Wormeldange, tél. 76 93 93, info@mathes.lu V 🚶 🍷 *r.-v.*

CAVES SAINT MARTIN
Riesling Charta Schengen 2015 ★★★

■	700	🍾	15 à 20 €

Maison fondée en 1919 à Remich par sept associés qui ont fait creuser près d'un kilomètres de galeries dans la falaise calcaire dominant la vallée de la Moselle en vue d'élaborer des crémants. Elle a été reprise par la famille Gales en 1984, qui dispose d'un vignoble de 13 ha. Un restaurant rattaché aux caves offre une vue sur la Moselle.

S'il s'affiche dans une robe pâle, ce riesling se montre exubérant à l'olfaction. Complexe et intense, le bouquet exprime les fruits exotiques et les fleurs blanches dans un sillage poivré et iodé. Ample et fraîche, la bouche n'est pas en reste, livrant une fine acidité qui étire la finale sur de longues caudalies. Un 2015 que l'on pourra apprécier dans sa jeunesse ou que l'on conservera patiemment en cave jusqu'au jour J. ⧗ 2016-2021 🍷 homard grillé

⊶ CAVES SAINT-MARTIN, 53, rte de Stadtbredimus, 5570 Remich, tél. 23 61 991, info@cavessaintmartin.lu V 🚶 🍷 *t.l.j. sf lun. 10h-12h 13h-17h30; f. nov.-mars*

SCHLINK
Riesling Machtum Ongkaf Arômes et couleurs 2015 ★

■ Gd 1er cru	2900	8 à 11 €

René Schlink a pris en 1993 la succession de ses parents Jean et Anne Schlink-Hoffeld sur ce domaine familial créé en 1911. Depuis 2008, son fils Jean-Marc est à ses côtés.

Ce riesling pâle de couleur mais au caractère bien affirmé s'ouvre d'emblée sur d'élégantes notes minérales relayées à l'aération par de puissants arômes d'agrumes et de pêche blanche. Ample et franche dès l'attaque, la bouche se montre croquante et s'achève sur une finale citronnée des plus friandes. Un vin complet et prêt à boire, que l'on pourra aussi conserver en cave quelques années. ⧗ 2016-2021 🍷 huîtres gratinées

⊶ SCHLINK DOMAINE VITICOLE , 1, rue de l'Église, 6841 Machtum, tél. 75 84 68, info@caves-schlink.lu V 🚶 🍷 *t.l.j. sf sam. dim. 8h-12h 13h-18h*

DOM. VITICOLE SCHUMACHER-KNEPPER
Riesling Wintrange Felsberg Areo Vendanges tardives 2015 ★

■ Gd 1er cru	750	🍾	20 à 30 €

Ce domaine se transmet de père en fils depuis 1714. En 1965, il s'agrandit grâce au rachat du vignoble du notaire Constant Knepper. En 2003, Frank et Martine Schumacher, représentant la septième génération, prennent la direction de cette exploitation de 8,5 ha.

Sur la réserve au premier nez, ce riesling dévoile à l'aération une grande fraîcheur aux tonalités exotiques (ananas en tête), prolongée par une bouche dynamique. Un 2015 prometteur, à faire patienter en cave avant de le servir sur des plats sucrés-salés ou des desserts. ⧗ 2017-2019 🍷 salade de fruits exotiques ■ **Gd 1er cru Pinot blanc Wintrange Felsberg 2015 (5 à 8 €; 4900 b.)** : vin cité.

⊶ DOM. VITICOLE SCHUMACHER-KNEPPER, 28, rte du Vin, 5495 Wintrange, tél. 23 60 451, contact@schumacher-knepper.lu V 🚶 🍷 *t.l.j. sf dim. 9h-12h 14h-17h30*

Ⓑ DOM. SUNNEN-HOFFMANN
Auxerrois Wintrange Hommelsbierg 2015 ★

■	1330	🍾	11 à 15 €

Fondé en 1872 par Anton Sunnen, ce domaine compte 8,2 ha de vignes conduites en bio (depuis 2001) et en biodynamie. Cinq générations se sont succédé à la tête du vignoble: aujourd'hui Corinne Kox-Sunnen, son frère Yves Sunnen et leurs conjoints Henri Kox et Chantal Sunnen.

Ce 2015 affiche une robe jaune brillant, prélude à un nez frais, minéral et fruité (fruits blancs, fruits exotiques). Charmeur en diable, le palais apparaît très équilibré entre rondeur et fraîcheur et déploie de jolies saveurs de cassis. ⧗ 2016-2019 🍷 tarte au cassis

⊶ DOM. SUNNEN-HOFFMAN, 6, rue des Prés, 5441 Remerschen, tél. 23 66 40 07 V 🚶 🍷 *t.l.j. sf sam. dim. 8h-12h 13h30-17h*

DOMAINES VINSMOSELLE
Auxerrois Vin de paille 2014 ★★★

■	n.c.	30 à 50 €

Fondée en 1930, cette coopérative représente aujourd'hui le plus grand site des Domaines Vinsmoselle, un groupement de six caves qui rassemblent 130 collaborateurs et 300 familles de vignerons cultivant plus de 800 ha de vignes. C'est dans cette cave de Wellenstein qu'a lieu le pressurage des vins de paille.

Ce vin charme d'emblée par sa robe d'or intense et brillante. Le nez séduit par ses notes très concentrées d'ananas confit et de coing. Complexe, puissante, d'un volume impressionnant, la bouche «explose» sur les fruits mûrs enrobés de miel. Et quelle longueur! ⧗ 2016-2026 🍷 glace plombières

⊶ DOMAINES VINSMOSELLE, Caves de Wellenstein, 37, rue des Caves, 5471 Wellenstein, tél. 26 66 141, info@vinsmoselle.lu V 🚶 🍷 *r.-v.*

DOMAINES VINSMOSELLE
Riesling Wormeldange Wousselt 2015

■ Gd 1er cru	40000	8 à 11 €

Créée en 1930, la cave de Wormeldange est devenue en 1991 le «Centre d'élaboration des crémants Poll-Fabaire». Elle fait partie des Domaines Vinsmoselle qui rassemblent six caves coopératives,

130 collaborateurs et 300 familles de vignerons cultivant plus de 800 ha de vignes.

Ce riesling est fringuant par ses notes végétales et citronnées. Tout aussi alerte, le palais délivre de croquantes saveurs de pomme verte alliées à de puissantes notes d'agrumes (citron vert) qui s'étirent jusqu'en finale. ⧗ 2016-2019 ▼ salade de noix de Saint-Jacques

DOMAINES VINSMOSELLE, Cave de Wormeldange, 115, rte du Vin, 5481 Wormeldange, tél. 76 82 11, info@vinsmoselle.lu V ⚲ ▪ *t.l.j. 8h-19h*

DOMAINES VINSMOSELLE
Pinot gris Mertert Rosenberg 2015 ★

Gd 1er cru | 5600 | ▪ | 5 à 8 €

Fondée en 1921, cette cave est la plus ancienne de la Moselle luxembourgeoise. Elle fait partie des Domaines Vinsmoselle qui rassemblent six caves coopératives, 130 collaborateurs et 300 familles de vignerons cultivant plus de 800 ha de vignes.

Ce pinot gris cristallin livre un nez intense de fruits jaunes surmûris. On les retrouve avec autant de générosité – le coing notamment –, dans une bouche onctueuse, rehaussée par une fine amertume en finale. ⧗ 2016-2019 ▼ pavé de saumon rôti

DOMAINES VINSMOSELLE, Caves de Grevenmacher, 12, rue des Caves, 6718 Grevenmacher, tél. 75 01 75, info@vinsmoselle.lu V ⚲ ▪ *t.l.j. sf dim. 9h-12h 13h-17h*

DOMAINES VINSMOSELLE
Auxerrois Stadtbredimus Primerberg 2015 ★★★

Gd 1er cru | 90000 | 5 à 8 €

Cette cave fait partie du Centre d'élaboration des crémants Poll-Fabaire. Elle compte parmi les six caves des Domaines Vinsmoselle qui rassemblent 130 collaborateurs et 300 familles de vignerons cultivant plus de 800 ha de vignes au total.

Or pâle aux reflets verts, ce vin s'ouvre sur des arômes complexes de fruits (abricot, poire) légèrement vanillés. Le charme continue d'agir en bouche: on y retrouve avec plaisir les fruits bien mûrs dans un palais rond, fin et tendre, soutenu par une fine acidité qui lui donne une superbe allonge. ⧗ 2016-2020 ▼ rôti de veau à l'ancienne

DOMAINES VINSMOSELLE, Caves de Stadtbredimus, Kellereiswee, 5450 Stadtbredimus, tél. 23 69 66, info@vinsmoselle.lu

CRÉMANT-DE-LUXEMBOURG

BERNA Cuvée mystique

● | 2800 | 11 à 15 €

Les caves Berna sont établies au cœur du village d'Ahn, sous la maison des vignerons. Aujourd'hui épaulé par son fils Marc, Raymond Berna exploite un vignoble d'environ 7 ha.

Cuvée mystique... et cuvée mystère, car nous ne connaissons pas les secrets de son assemblage... Mais elle est bonne pour le service, avec sa robe or pâle traversée de bulles alertes, avec son petit nez séduisant et sa vivacité qui ouvre l'appétit. ⧗ 2016-2019 ▼ feuilleté au parmesan

CAVES BERNA, 7, rue de la Résistance, 5401 Ahn, tél. 76 02 08, info@cavesberna.lu V ▪ *r.-v.*

CAVES GALES Héritage

● | 16600 | ▪ | 8 à 11 €

Fondée en 1916, cette maison familiale a cent ans d'existence. Marc Gales, qui représente la troisième génération, est à sa tête, rejoint par sa fille Isabelle. Elle dispose d'un vignoble de 13 ha, d'un centre de vinfication récent à Ellange-Gare et a racheté le domaine Saint-Martin à Remich en 1984.

Ce crémant a intéressé les dégustateurs par sa mousse intense, par son nez pâtissier, aux arômes de brioche, de viennoiserie et de levain, et par sa bouche équilibrée, rafraîchie par un trait acidulé. ⧗ 2016-2019 ▼ petits cakes salés

SA CAVES GALES, 6, rue de la Gare, 5690 Ellange-Gare, tél. 23 69 90 93, info@gales.lu V ⚲ ▪ *t.l.j. sf lun. 10h-12h 13h-17h30; f. nov.-mars*

A. GLODEN ET FILS ★★

● | n.c. | 8 à 11 €

Conduit depuis 1998 par Claude Gloden, ce domaine viticole couvrant les coteaux de Wellenstein et de Schengen se transmet de père en fils depuis 1751. L'élaboration du crémant à la propriété est plus récente: elle remonte à 1994.

Assemblant pinot noir, riesling et auxerrois, ce crémant a enchanté les jurés par sa robe dorée animée d'une mousse fine et élégante, par son nez associant la brioche et des notes fruitées mettant en évidence la présence du pinot noir (38 %) et par son harmonie générale. Un crémant raffiné qui démontre la haute qualité des meilleures bulles luxembourgeoises. ⧗ 2016-2019 ▼ pavé de turbot rôti

A. GLODEN ET FILS, 12, Albaach, 5471 Wellenstein, tél. 23 69 83 24, info@gloden.net V ⚲ ▪ *r.-v.*

CAVES KRIER FRÈRES REMICH Cunibert ★

● | 14300 | ▪ | 8 à 11 €

Fondée par Jean Krier, négociant, vigneron et tonnelier, en 1914, cette maison de négoce dispose d'un domaine en propre de 13 ha. Elle est dirigée depuis 1989 par Marc Krier, arrière-petit-fils du fondateur.

Une jolie cuvée à la robe jeune, jaune pâle aux reflets verts, parcourue de trains de fines bulles. Le prélude à une attaque fraîche et à une bouche alerte, aux arômes de fruits blancs et d'agrumes. ⧗ 2016-2019 ▼ tartare de saumon

SA CAVES KRIER FRÈRES REMICH, 1, montée Saint-Urbain, 5501 Remich, tél. 23 69 601, caves@krierfreres.lu V ⚲ ▪ *r.-v.*

LÉA LINSTER LMEAAX

● | 35700 | 11 à 15 €

Acquis en 1996, le domaine viticole de la célèbre chef étoilée Léa Linster, à la tête d'un restaurant gastronomique à Frisange. Le vignoble est implanté sur les coteaux de Remich.

Ce crémant offre tout ce que l'on attend de l'appellation: une robe jaune pâle aux légers reflets verts parcourue d'un cordon de bulles fines formant une mousse élégante, de frais arômes de fruits blancs, que l'on retrouve dans une bouche parfaitement équilibrée et fraîche. ⧗ 2016-2019 ▼ gougères

⊶ CAVE LÉA LINSTER, 17, Letzebuergerstrooss, 5752 Frisange, tél. 23 66 84 111 V 🚶 ■ *r.-v.*

POLL-FABAIRE ★★

●	80000	8 à 11 €

Cette cave fait partie du Centre d'élaboration des crémants Poll-Fabaire. Elle compte parmi les six caves des Domaines Vinsmoselle qui rassemblent 130 collaborateurs et 300 familles de vignerons cultivant plus de 800 ha de vignes au total.

Si le nez de ce crémant reste sur sa réserve, ce n'est pas le cas de sa bulle qui est alerte et vivace et de son palais, qui enchante par son harmonie et sa persistance. ⧗ 2016-2019 ▼ coquilles Saint-Jacques

⊶ DOMAINES VINSMOSELLE, Caves de Greiveldange, Hamesgaass, 5427 Greiveldange, tél. 23 69 66, info@pollfabaire.lu

POLL-FABAIRE Spirit of Schengen ★

●	40000	8 à 11 €

Créée en 1948, la cave de Remerschen est la plus méridionale de la Moselle luxembourgeoise. Sur son territoire se trouve la localité de Schengen, devenue célèbre par les Accord de Schengen signés en 1985-1990. Elle fait partie des Domaines Vinsmoselle qui rassemblent six caves coopératives, 130 collaborateurs et 300 familles de vignerons qui travaillent sur plus de 800 ha de vignes. La cave apporte aussi son concours au Centre d'élaboration des crémants Poll-Fabaire.

La robe jaune pâle animée de bulles très fines et régulières laisse une bonne impression. Le nez aux nuances de fruits très mûrs séduit par son intensité. L'annonce d'une bouche étoffée et persistante, en harmonie avec l'olfaction: un crémant intense et harmonieux. ⧗ 2016-2019 ▼ pavé de sandre au beurre blanc

⊶ LES DOMAINES DE VINSMOSELLE, Caves du Sud Remerchen, 32, rte du Vin, 5440 Remerchen, tél. 23 66 41 65, info@pollfabaire.lu V ■ *t.l.j. 8h-19h*

♥ POLL-FABAIRE Cuvée brut ★★

●	n.c.	8 à 11 €

Cette cave fait partie du Centre d'élaboration des crémants Poll-Fabaire. Elle compte parmi les six caves des Domaines Vinsmoselle qui rassemblent 130 collaborateurs et 300 familles de vignerons cultivant plus de 800 ha de vignes au total.

Jaune pâle à la bulle fine, ce crémant a été plébiscité pour son bouquet intense dominé par les fruits mûrs, auquel fait écho une bouche parfaitement équilibrée et d'une rondeur avenante. ⧗ 2016-2019 ▼ bouchée à la reine

⊶ DOMAINES VINSMOSELLE, Caves de Stadtbredimus, Kellereiswee, 5450 Stadtbredimus, tél. 23 69 66, info@vinsmoselle.lu

POLL-FABAIRE Cuvée Pinot blanc ★★★

●	18500	8 à 11 €

Fondée en 1930, cette coopérative représente aujourd'hui le plus grand site des Domaines Vinsmoselle, un groupement de six caves qui rassemblent 130 collaborateurs et 300 familles de vignerons cultivant plus de 800 ha de vignes au total. C'est dans cette cave de Wellenstein qu'a lieu le pressurage des vins de paille.

Le pinot blanc fournit d'excellents crémants, comme le montre cette cuvée qui a charmé les dégustateurs par la finesse de sa bulle, par l'expression de son nez floral et fruité et par sa bouche concentrée, étoffée et persistante, aux beaux arômes de fruits mûrs. ⧗ 2016-2019 ▼ turbot rôti sauce hollandaise

⊶ DOMAINES VINSMOSELLE, Caves de Wellenstein, 5471 Wellenstein, tél. 26 66 141, info@pollfabaire.lu V 🚶 ■ *r.-v.*

POLL-FABAIRE Blanc de noirs Cult

●	40666	11 à 15 €

Créée en 1930, la cave de Wormeldange est devenue en 1991 le «Centre d'élaboration des crémants Poll-Fabaire». Elle fait partie des Domaines Vinsmoselle qui rassemblent six caves coopératives, 130 collaborateurs et 300 familles de vignerons cultivant plus de 800 ha de vignes.

Un blanc de noirs jeune, à la robe paille, encore sur sa réserve au nez comme en bouche. Il ne montre pas encore l'ampleur que l'on prête aux crémants de ce style, mais il inspire confiance par sa bonne constitution. ⧗ 2016-2019 ▼ feuilleté au parmesan

⊶ POLL-FABAIRE, Caves des Crémants, 115, rte du Vin, 5481 Wormeldange, tél. 76 82 11, info@pollfabaire.lu V 🚶 ■ *t.l.j. 8h-19h*

POLL-FABAIRE ★

●	83000	8 à 11 €

Fondée en 1921, cette cave est la plus ancienne de la Moselle luxembourgeoise. Elle fait partie des Domaines Vinsmoselle qui rassemblent six caves coopératives, 130 collaborateurs et 300 familles de vignerons cultivant plus de 800 ha de vignes.

La robe or clair est parcourue de bulles dynamiques formant une belle mousse. Le nez est éloquent et la bouche se distingue par sa longueur. ⧗ 2016-2019 ▼ feuilleté au saumon

⊶ DOMAINES VINSMOSELLE, Caves de Grevenmacher, 12, rue des Caves, 6718 Grevenmacher, tél. 75 01 75, info@vinsmoselle.lu V 🚶 ■ *t.l.j. sf dim. 9h-12h 13h-17h*

CAVES SAINT MARTIN

●	26000	🍾	8 à 11 €

Maison fondée en 1919 à Remich par sept associés qui ont fait creuser près d'un kilomètres de galeries dans la falaise calcaire dominant la vallée de la

Moselle en vue d'élaborer des crémants. Elle a été reprise par la famille Gales en 1984, qui dispose d'un vignoble de 13 ha. Un restaurant rattaché aux caves offre une vue sur la Moselle.

Cette cuvée offre toutes les qualités d'un crémant d'apéritif: un joli cordon de bulles fines et régulières pour animer sa robe jaune pâle aux reflets verts, un nez frais et fruité, une bouche à l'unisson, tonique et longue, aux arômes de fruits blancs. ⧗ 2016-2019 ▼ mini-quiches

⊶ CAVES SAINT-MARTIN, 53, rte de Stadtbredimus, 5570 Remich, tél. 23 61 991, info@cavessaintmartin.lu V 🚶 ▪ *t.l.j. sf lun. 10h-12h 13h-17h30; f. nov.-mars*

SCHUMACHER-KNEPPER Alexandre de Musset ★

●	16600	▮	8 à 11 €

Ce domaine se transmet de père en fils depuis 1714. En 1965, il s'agrandit grâce au rachat du vignoble du notaire Constant Knepper. En 2003, Frank et Martine Schumacher, représentant la septième génération, prennent la direction de cette exploitation de 8,5 ha.

Né d'un assemblage de pinot blanc (60 %) et de riesling, ce crémant à la robe pâle séduit par son nez vineux et par sa bouche bien équilibrée, qui bénéficie d'une attaque acidulée et fraîche. ⧗ 2016-2019 ▼ petits fours salés

⊶ DOM. VITICOLE SCHUMACHER-KNEPPER, 28, rte du Vin, 5495 Wintrange, tél. 23 60 451, contact@schumacher-knepper.lu V 🚶 ▪ *t.l.j. sf dim. 9h-12h 14h-17h30 ⊶ Martine Herrmann et Franck Schumacher*

DOM. THILL Riesling Cuvée Victor Hugo 2013 ★

●	4000	▮	11 à 15 €

Acquis en 1986 par le groupe Bernard-Massard, ce domaine est l'une des plus grosses exploitations du Luxembourg avec ses 14 ha de vignes implantés à Wintrange et à Schwebsange.

Une cuvée millésimée bien connue, plus d'une fois distinguée. Elle est issue du riesling, cépage mosellan par excellence, qui peut servir de base au crémant-du-luxembourg. Le 2013 revêt une robe classique, jaune clair aux reflets verts. Réservée au nez, elle offre en bouche toute la fraîcheur tonique du cépage. ⧗ 2016-2019 ▼ sole grillée

⊶ DOM. THILL, 8, rue du Pont, 6773 Grevenmacher, tél. 75 05 45 400, info@chateau-de-schengen.com V 🚶 ▪ *t.l.j. 9h-18h; f. nov.-mars*

Index des appellations

INDEX DES APPELLATIONS

L'indexation ne tient pas compte de l'article défini

A

Ajaccio 884
Aloxe-corton 468
Alsace chasselas ou gutedel 48
Alsace edelzwicker 48
Alsace gewurztraminer 49
Alsace grand cru 84
Alsace klevener-de-heiligenstein 56
Alsace muscat 57
Alsace pinot blanc ou klevner 59
Alsace pinot gris 61
Alsace pinot noir 67
Alsace riesling 73
Alsace sylvaner 82
Anjou 998
Anjou-coteaux-de-la-loire 1012
Anjou-gamay 1005
Anjou-villages 1006
Anjou-villages-brissac 1009
Arbois 670
Auxey-duresses 498

B

Bandol 844
Banyuls 810
Banyuls grand cru 813
Bâtard-montrachet 514
Béarn 948
Beaujolais 116
Beaujolais-villages 121
Beaumes-de-venise 1211
Beaune 485
Bellet 852
Bergerac 918
Blanquette méthode ancestrale 746
Blanquette-de-limoux 745
Blaye 203
Blaye-côtes-de-bordeaux 204
Bonnes-mares 446
Bonnezeaux 1022
Bordeaux 164
Bordeaux blanc 176
Bordeaux supérieur 186
Bourgogne 372
Bourgogne-aligoté 383
Bourgogne-côte-chalonnaise 531
Bourgogne-hautes-côtes-de-beaune 462
Bourgogne-hautes-côtes-de-nuits 419
Bourgueil 1051
Bouzeron 533
Brouilly 125
Brulhois 915
Bugey 693
Buzet 915

C

Cabardès 699
Cadillac 354
Cadillac-côtes-de-bordeaux 288
Cahors 892
Canon-fronsac 222
Cassis 853
Castillon-côtes-de-bordeaux 273
Cérons 358
Chablis 393
Chablis grand cru 412
Chablis premier cru 401
Chambertin 435
Chambertin-clos-de-bèze 435
Chambolle-musigny 443
Champagne 575
Chapelle-chambertin 436
Charmes-chambertin 436
Chassagne-montrachet 515
Château-chalon 673
Châteaumeillant 1092
Châteauneuf-du-pape 1213
Chénas 133
Chevalier-montrachet 514
Cheverny 1084
Chinon 1063
Chiroubles 134
Chorey-lès-beaune 483
Clairette-de-die 1193
Clairette-du-languedoc 702
Clos-de-la-roche 441
Clos-de-vougeot 447
Clos-saint-denis 442
Collioure 804
Condrieu 1174
Corbières 702
Corbières-boutenac 711
Cornas 1190
Corse ou vin-de-corse 878
Corton 474
Corton-charlemagne 477
Costières-de-nîmes 1226
Coteaux bourguignons 370
Coteaux-champenois 665
Coteaux-d'aix-en-provence 854
Coteaux-d'ancenis 997
Coteaux-de-l'aubance 1011
Coteaux-de-saumur 1028
Coteaux-du-giennois 1095
Coteaux-du-layon 1015
Coteaux-du-loir 1071
Coteaux-du-lyonnais 159
Coteaux-du-quercy 901
Coteaux-du-vendômois 1090
Coteaux-varois-en-provence 856
Côte-de-beaune 488
Côte-de-brouilly 130
Côte-de-nuits-villages 460
Côte-roannaise 1099
Côte-rôtie 1169
Côtes-d'auvergne 1096
Côtes-de-bergerac 926
Côtes-de-Bordeaux 291
Côtes-de-bordeaux-saint-macaire 290
Côtes-de-bourg 212
Côtes-de-duras 938
Côtes-de-millau 911
Côtes-de-montravel 933
Côtes-de-provence 860
Côtes-de-toul 109
Côtes-du-forez 1100
Côtes-du-jura 675
Côtes-du-marmandais 916
Côtes-du-rhône 1139
Côtes-du-rhône-villages 1155
Côtes-du-roussillon 787
Côtes-du-roussillon-villages 796
Côtes-du-vivarais 1242
Cour-cheverny 1087
Crémant-d'alsace 103
Crémant-de-bordeaux 200
Crémant-de-bourgogne 386
Crémant-de-die 1194
Crémant-de-limoux 746
Crémant-de-loire 973
Crémant-de-luxembourg 1255
Crémant-du-jura 679
Criots-bâtard-montrachet 515
Crozes-hermitage 1183

D

Duché d'Uzès 1229

E

Échézeaux 449
Entre-deux-mers 278
Entre-deux-mers haut-benauge 283

F

Faugères 712
Fiefs-vendéens 996
Fitou 716
Fixin 426
Fleurie 136
Floc-de-gascogne 955
Francs-côtes-de-bordeaux 276
Fronsac 224
Fronton 912

G

Gaillac 901
Gevrey-chambertin 428
Gigondas 1201
Givry 543
Grands-échézeaux 450
Graves 293
Graves supérieures 304
Graves-de-vayres 284
Grignan-les-adhémar 1231
Griotte-chambertin 438
Gros-plant-du-pays-nantais 994

H

Haut-médoc 321
Haut-montravel 933
Haut-poitou 835
Hermitage 1188

I

IGP Agenais 960
IGP Alpes-de-Haute-Provence 874
IGP Alpilles 875
IGP Ardèche 1244
IGP Ariège 960
IGP Aude 769
IGP Aveyron 961
IGP Bouches-du-Rhône 1245
IGP Calvados 1130
IGP Cévennes 770
IGP Charentais 841
IGP Cité de Carcassonne 771
IGP Collines rhodaniennes 1245
IGP Comté tolosan 961
IGP Coteaux d'Ensérune 772
IGP Coteaux de Béziers 772
IGP Coteaux de Glanes 963
IGP Coteaux de l'Auxois 570
IGP Coteaux de Narbonne 772
IGP Coteaux des Baronnies 1245
IGP Coteaux du Pont du Gard 773
IGP Côtes catalanes 825
IGP Côtes de Gascogne 963
IGP Côtes de la Charité 1130

IGP Côtes de la Meuse 111
IGP Côtes de Thau 773
IGP Côtes de Thongue 773
IGP Côtes du Lot 968
IGP Côtes du Tarn 969
IGP Drôme 1245
IGP Franche-Comté 683
IGP Gard 775
IGP Haute-Marne 667
IGP Île de Beauté 889
IGP Landes 969
IGP Maures 876
IGP Méditerranée 1246
IGP Pays d'Hérault 775
IGP Pays d'Oc 777
IGP Périgord 970
IGP Puy-de-Dôme 1130
IGP Rancio sec 831
IGP Sable de Camargue 785
IGP Saint-Guilhem-le-Désert 785
IGP Val de Loire 1130
IGP Vallée du Paradis 786
IGP Var 876
IGP Vaucluse 1246
Irancy 416
Irouléguy 954

J

Jasnières 1072
Juliénas 140
Jurançon 949

L

L'étoile 680
La tâche 454
Ladoix 466
Lalande-de-pomerol 236
Languedoc 720
Latricières-chambertin 436
Les baux-de-provence 852
Limoux 748
Lirac 1221
Listrac-médoc 329
Loupiac 355
Luberon 1238
Lussac-saint-émilion 264

M

Mâcon et mâcon-villages 549
Macvin-du-jura 681
Madiran 940
Malepère 750
Maranges 528
Marcillac 910
Margaux 332
Marsannay 423
Maury 823
Maury sec 808
Mazis-chambertin 438
Mazoyères-chambertin 438
Médoc 314
Menetou-salon 1101
Mercurey 538
Meursault 505
Minervois 751
Minervois-la-livinière 759
Monbazillac 929
Montagne-saint-émilion 267
Montagny 546
Monthélie 496
Montlouis-sur-loire 1073
Montrachet 513
Montravel 931
Morey-saint-denis 439
Morgon 144
Moselle 110
Moselle luxembourgeoise 1251
Moulin-à-vent 150
Moulis-en-médoc 338
Muscadet-coteaux-de-la-loire 993
Muscadet-côtes-de-grand-lieu 992
Muscadet-sèvre-et-maine 979
Muscat-de-beaumes-de-venise 1243
Muscat-de-frontignan 767
Muscat-de-lunel 766
Muscat-de-mireval 768
Muscat-de-rivesaltes 818
Muscat-de-saint-jean-de-minervois 768
Muscat-du-cap-corse 887

N

Nuits-saint-georges 455

O

Orléans 1088
Orléans-cléry 1089

P

Pacherenc-du-vic-bilh 944
Palette 874
Patrimonio 885
Pauillac 341
Pécharmant 934
Pernand-vergelesses 471
Pessac-léognan 304
Petit-chablis 391
Picpoul-de-pinet 742
Pierrevert 1241
Pineau-des-charentes 836
Pomerol 226
Pommard 489
Pouilly-fuissé 559
Pouilly-fumé 1104
Pouilly-loché 564
Pouilly-sur-loire 1111
Pouilly-vinzelles 565
Premières-côtes-de-bordeaux 356
Puisseguin-saint-émilion 270
Puligny-montrachet 510

Q

Quarts-de-chaume 1021
Quincy 1112

R

Rasteau 1242
Rasteau sec 1197
Régnié 154
Reuilly 1114
Richebourg 453
Rivesaltes 813
Romanée-conti 453
Romanée-saint-vivant 454
Rosé-des-riceys 666
Rosette 936
Roussette-de-bugey 695
Roussette-de-savoie 691
Rully 534

S

Saint-amour 157
Saint-aubin 520
Saint-bris 418
Saint-chinian 761
Sainte-croix-du-mont 356
Sainte-foy-bordeaux 286
Saint-émilion 241
Saint-émilion grand cru 243
Saint-estèphe 345
Saint-georges-saint-émilion 272
Saint-joseph 1177
Saint-julien 350
Saint-mont 947
Saint-nicolas-de-bourgueil 1058
Saint-péray 1192
Saint-pourçain 1116
Saint-romain 502
Saint-sardos 917
Saint-véran 565
Sancerre 1118
Santenay 523
Saumur 1023
Saumur-champigny 1028
Saussignac 937
Sauternes 358
Savennières 1013
Savennières-coulée-de-serrant 1015
Savennières-roche-aux-moines 1015
Savigny-lès-beaune 478
Seyssel 692

T

Terrasses-du-larzac 739
Touraine 1035
Touraine-amboise 1044
Touraine-azay-le-rideau 1046
Touraine-chenonceaux 1047
Touraine-mesland 1049
Touraine-oisly 1050
Tursan 948

V

Vacqueyras 1207
Valençay 1090
Ventoux 1233
Vin-de-savoie 683
Vins-d'entraygues-et-du-fel 910
Vins-d'estaing 910
Vinsobres 1195
Viré-clessé 557
Volnay 493
Vosne-romanée 451
Vougeot 446
Vouvray 1076

Index des producteurs

INDEX DES PRODUCTEURS

L'indexation ne tient pas compte de l'article défini

3 Châteaux GFA Les 173, 181, 194

A

Abart Michel 913
Abbaye de Santenay 523
Abbaye GAEC de l' 840
Abbé Rous Cave de l' 804, 810
Abbotts et Delaunay 703, 713, 788
Abel Michel 735
Abelanet Marie-Françoise 717
Abonnat Cave 1097
Achard Patrice 1013, 1016
Achard Thomas 1193
Achiary-Astart SCEA 1162
Ackerman 1041
Ackerman SA 973, 1023, 1130
Acquaviva Achille 880
Acquaviva Marina 878
Ad Francos SCEA 278
Adam Dom. Pierre 61
Adam Jean-Baptiste 49, 61, 84
Adam-Garnotel 575
Adissan La Clairette d' 702
Adoir Daniel et Fabien 157
Aegerter Jean-Luc et Paul 455
Agassac Ch. d' 321
Aghione Cave coopérative d' 879
Aguilas Antoine 1001, 1022
Aiguelière Dom. l' 721
Aigues Belles Dom. d' 721
Aires Hautes SASU 760
Alard SCEA 925
Alary Dom. 1155, 1247
Albertini Pascal 884
Albucher GAEC des Vignobles 355
Aleman 724
Alexandre Dom. 391, 393, 401
Alexandre Xavier 576
Alias Bernard 709
Aliso-Rossi Dom. 887
Aliste Pierre 753
Allard Famille P. et J. 707
Allard-Brangeon 982
Allexant et Fils Dom. Charles 483
Alliance Aquitaine SCA 933
Alliance Bourg SCV 206, 219
Alliès EARL 735, 745
Allimant-Laugner 49, 73
Allion SARL Dom. Guy 1035
Allouchery Émilien 576
Alma Cersius 777
Almayrac Claude 967
Aloès EARL Dom. d' 1195
Alpha Loire Domaines 1086
Alzipratu Dom. d' 878
Amadieu Pierre 1155, 1201
Amandiers Dom. des 1028
Amants de la Vigneronne Les 713
Amaurigue Dom. de l' 864
Ambroise Maison 449, 474
Amédée Les Caves 1239
Amido Dom. 1222
Amillet Pierre 636
Amiot et Fils Dom. Pierre 429, 439, 441
Amirault 1058
Amirault Yannick 1051
Amirault-Grosbois Famille 1058
Amoureuses SCEA Ch. les 1139
Ampelidae 1133
Ancely 759
Ancienne Cure SARL L' 934
André Dom. Françoise 477
André Patrice 1139
Andrines EARL Dom. des 1155
Ange Bernard 1183
Angelière Dom. de l' 973
Angelliaume EARL Dom. 1064
Anges Dom. des 1247
Anglade Jean-Victor et Roch 774
Anglès EARL Xavier et Vincent 1141, 1156, 1208
Angles Philippe 961
Angst Vignoble 394
Angus Graeme 742
Anney SCEA Vignobles Jean 350
Annibals SCEA Dom. des 856
Anstotz et Fils EARL 73
Antech Georges et Roger 745, 747
Anthony Dom. d' 394
Antoine Philippe et Evelyne 111
Arbo EARL 277
Arbogast Dom. Frédéric 67
Arbois Fruitière vinicole d' 673
Arcadie 796, 826
Archers Cellier des 876
Archimbaud-Bouteiller SCEV 1149, 1204
Ardhuy Dom. d' 467
Argilus du Roi SCEA l' 345
Arguti Dom. 818
Ariston Bruno 576
Ariston Paul-Vincent 576
Arlaud Dom. 451
Arlay Ch. d' 682
Arlon Famille 851
Arlot Dom. de l' 455
Armand Guillaume 721
Armens Ch. 170, 180, 243
Arnaud Jean-Michel 760
Arnaud Michel 996
Arnaud SCEA Frédéric 1143, 1159
Arnaud SCEA Vignobles Jean-Yves 354, 356-357
Arnaud Vignobles 221
Arnauton Ch. 224
Arnold Pierre 67
Arnoux et Fils 1211
Arnoux Père et Fils 468, 474, 479, 485
Arpin SCEA Vignobles G. 232, 241, 268
Arraou Antoine 952
Arretxea Dom. 954
Arsac 1244
Aspras SARL Dom. des 861, 876
Assémat SCEA Vignobles 1223
Asseyras Dom. les 1139
Astruc Domaines 745
Athimon et ses enfants 993
Attard Véronique 730
Aubert Alain 256, 275
Aubert Amélie 243
Aubert Dom. André 1231, 1246
Aubert Jean-Claude et Didier 1076
Aubert Vignobles 191, 239, 249, 269
Aubrion Virginie 198
Aubron Patrice 982
Aubry et Fils SCV 1056
Aucœur Dom. 150
Audebert et Fils Maison 1053
Audibert Michel 855
Audio Pascal 1020
Audiot Francis 1102
Audoin Dom. Charles 423
Audoy SCE Domaines 347
Aufranc Pascal 141
Augis Dom. 1036
Augustin Paul 577
Aujard EARL Bernard 1114
Aujogues Muriel et Gilles 131
Aureto 1233, 1239, 1247
Aurisset 952
Aussières Domaine d' 703
Autard Dom. Paul 1213
Autrand GAEC 1195
Autréau-Lasnot 577
Auvigue Vins 559, 566
Avineo 1144, 1226
Avril Dom. Juliette 1213
Ayala 577
Aymard Benoît 895
Azé Cave coopérative d' 549
Azur Ch. d' 844

B

Bacchus EARL Caveau de 670
Baccino Audrey 873
Bachelet Vincent 489, 528
Bachelet-Ramonet Dom. 515
Bachelier Dom. 402
Bachey-Legros Dom. 505, 510, 515, 523
Bader-Mimeur 517
Badette SCEA du Ch. 243
Badiller Dom. 1046
Badin Christelle et Christophe 1088
Bagnol Dom. du 853
Baillon Alain 1099
Bailly Jean-Pierre 1104
Bailly-Lapierre Caves 373, 383, 386, 416
Bailly-Reverdy Dom. 1118
Bakx Josephus 189
Balaran Aurélie 904
Balaran Roselyne et Jean-Marc 904
Baldassini J.-C. 874
Baldès SARL Jean-Luc 895
Balland Dom. Jean-Paul 1119
Balland EARL Pascal 1118
Balland-Chapuis 1095, 1104
Ballarin SCEA Vignobles 173, 199
Ballet GFA Vignoble 285
Balliccioni Dom. 713
Bally Jérémy 141
Balsamines EARL Les 902
Bannwarth Laurent 61, 82
Bara Paul 577

Barat Dom. 402
Baratonne Dom. de la 876
Barat-Sigaud Liliane 898
Barbanau Ch. 853
Barbe Xavier 695
Barbeiranne Ch. 861
Barbier-Louvet 577
Barbou EARL 1038, 1050
Barde-Haut Ch. 243
Bardet et Fils 416
Bardet Olivier 693
Bardin Cédrick 1105, 1119
Bardin SCEV Jean-Jacques 1119
Bardon Denis 1091
Bardoux 577
Bareille Dom. de la 979
Barfontarc De 580
Barge EARL Dom. 1170
Barillot Père et Fils 1105, 1111
Barlet et Fils Raymond 688
Barnaud 1157
Barnaut 580
Barnier Jean-François 1248
Barolet Arthur 443, 496
Baron Albert 580
Baron de Hoen SICA 87
Baron de Montfort SCEA 275
Baron Dom. 1047
Baron SCEA Vignobles Antoine 840
Baronarques Dom. de 749
Baronnat Jean 150, 566
Barraud SCEA des Vignobles Denis 190, 255
Barrault 175
Barré Didier 941
Barré Guilhem 699
Barré Vincent 988, 1134
Barreau Dom. 902
Barreau EARL Jean-Michel et Jean-Philippe 980, 995
Barreau-Badar Mme 228
Barrère Anne-Marie 950
Barrière Béatrice 288
Barrières GFA des 206
Barrot Robert 1140, 1216
Bart Dom. 373, 424
Barthès Monique 845
Barton & Guestier 327
Barton Famille 352
Barvy Dom. du 125
Bas Ch. 855
Bassail EARL Dom. 941
Bassereau SC Philippe 216
Bastard SCEA de 359
Bastian Mathis 1251
Bastide de Blacailloux SCEA 856
Bastide des Deux Lunes 861
Bastide et Fils SCEA 354
Bastide Dom. de la 1140, 1156
Bastide Éric et Robin 1150
Bastide SCEA Ch. la 699
Bastidonne SCEA Dom. de la 1233, 1247
Bastor et Saint-Robert SCEA de 303, 359
Bâtie SCEA Dom. de la 566
Batlle Stéphane 792
Battiston Armand 187
Baud Père et Fils Dom. 675, 679
Baudet Bruno 284
Baudet Vignobles Michel 203, 208
Baudry GAEC 935-936
Bauer et Fils Jacques 73
Baumann Riquewihr 62
Baumann-Zirgel 87
Baur A. L. 58-59
Baur EARL Jean-Louis 87
Bauser 580, 665, 667
Bavard Jacques 496, 498, 502
Baylet Vignobles 281
Bayon Chloé 554, 563
Bazantay EARL Sylvain et Florence 1000, 1017
Bazin Père et Fille EARL Dom. Yves 421
Beau Mistral Dom. 1156, 1198
Beaujardin SCA Cellier du 1036
Beaujeu Dom. de 1245
Beaulieu SCEA 1024
Beaumet et Fils SARL 1168
Beaumont des Crayères 581
Beaumont Dom. des 429, 436, 438-439
Beauquin Thierry 985
Beauregard Mirouze Ch. 703
Beauregard Ch. 227
Beauregard Dom. du 528
Beauregard SCEV 609
Beaurepaire-Gilbon Dom. de 1101
Beauséjour Dom. de 1047
Béchet Jean-Yves 215
Becht Pierre et Frédéric 73, 104
Beck et Fils Francis 74
Beck Hubert 87
Becker GAEC Jean-Philippe et François 62
Becker SAS Jean 74
Bécot Gérard et Dominique 245
Bedel Françoise 581
Bedenc Stéphane 264
Bedouet vigneron 988
Behaghel 284
Beille Dom. la 797, 826
Bel Air Dom. de 1105
Bel Air Dom. du 1051
Bel Air Vignerons de 145
Bel-Air 137
Bel-Air EARL Ch. 265
Belfort Dom. de 968
Béliers Dom. les 110
Belin Dom. Ludovic 469, 471
Belin Jules 429, 455
Belland Dom. Roger 515, 524
Bellavista Dom. 788
Bellavoine Caroline 373, 384, 462
Belle Dom. 1188
Belle Dom. de Pierre 772
Bellefont-Belcier Ch. 245
Bellet Olivier 740
Belleville Dom. 535
Bellevue la Forêt Dom. 912, 961
Bellevue Peycharneau SCEA 188, 286
Bellier Pascal 1085
Bellivier Vincent et Matthieu 1065
Belloc Vignobles 305
Belloc Jean-Noël 294, 360
Belot Lionel 761
Belouet Olivier 1093
Belvue Ch. 165
Bénard-Louis EARL 581
Benazeth Frank 752
Bennes EARL 909
Benoit et Fils Paul 670
Benoit Patrice 1073
Benoît SCIEV 875
Benoni Dom. 762
Benz Dominik 961
Bérangeraie La 894
Bérard-Meuret Bénédicte 643
Béréziat SCEA Jean-Jacques 128
Bergeonnière Dom. de la 1036
Berger Frères 1075
Bergeret et Fille Christian 462, 516
Bergerie d'Aquino Dom. de la 857
Bergeron Jean-Michel 207
Berger-Rive Dom. 537, 541
Bergey Denis 320
Bérioles Dom. des 1117
Berlinger Catherine et Thomas 220
Berna Caves 1251, 1255
Bernadotte Ch. 322
Bernard et Fils SCEA A. 1146, 1209
Bernard Dom. 370, 567
Bernard EARL Vignoble 932
Bernard Louis 1165, 1208, 1241
Bernard Michel 298, 360
Bernard Vincent 197
Bernard Yvan 1097
Bernardi Jean-Laurent de 886
Bernard-Massard SA Caves 1252
Bernat SARL Ch. le 270
Berne Ch. de 862
Berne Frédéric 134
Bernède et Fils EURL Philippe 895
Bernhard Dom. Jean-Marc 87
Bersan Bruno 1024, 1029
Bersan Dom. Jean-François et Pierre-Louis 384, 416
Bersan Jean-Louis et Jean-Christophe 373, 416, 418
Bertagna Dom. 446
Berta-Maillol Dom. 804, 810
Berteau et Vincent Mabille Pascal 1076
Berthaut Dom. Denis 426
Berthelemot Dom. Brigitte 485
Berthelot Michel 581
Berthenet Dom. 546
Berthet-Bondet Jean 673
Berthiers SCEA Dom. des 1105
Berticot SA Cave 938
Bertin Michel 980
Bertins Dom. les 938
Berton Nathalie 1083
Bertrand et Fils SARL 836
Bertrand Gérard 712, 742, 759, 770, 798, 813
Bertrand Jean-Pierre 1200
Bertrand Pierre 581
Bertrand Roger 707, 781
Bertrand SAS Paul 894
Bertrand-Bergé Dom. 717, 814, 818
Bertrant Brigitte 889
Besard Thierry 1046
Besombes Singla Damien de 789
Besombes-Moc-Baril SAS 1029, 1065
Besombes-Singla Laurent de 803
Besserat de Bellefon 582
Bessette EARL André 186, 200
Bessette EARL Mathieu et Jean-Paul 288
Bessière Dom. de la 1029
Bessineau SAS des Vignobles 178
Besson 148
Besson Alain 394, 402, 412

Besson Dom. Xavier et Guillemette 543
Bessone Jean-Marc 139
Bessons Dom. des 1036, 1045
Bestheim Cave de Westhalten 104
Beuque 868
Beychevelle SC Ch. 351
Beyer Émile 88
Beynat SCEA Ch. 177, 273
Beyssac Dom. de 917
Bézios Jérôme 907
Bianchetti Jacques 884
Biard-Loyaux 582
Bibey GFA Jérôme 317
Bicheron Dom. du 549
Bidault Anne et Sébastien 439
Bideau Père et Fils Vignobles 209
Biecher & Schaal 88
Bienfait David 559
Biet Jean-Marc 1036
Bigonneau Dom. 1112, 1114
Bigorre SCEA de 175
Bigot Sandrine 694
Bijotat Bernard 582
Bilé Dom. de 956
Billard Père et Fils Dom. 520
Billard Arnaud 600
Billard-Gonnet Dom. 489
Billaud Samuel 394, 402
Billaud-Simon Dom. 402, 412
Billès Thierry 718
Biodynamic Wine SARL 1142
Biotteau SCEA 998
Bio-Vins 1964 SCEA 168
Birot 777
Biscarrat Julian 1200
Biscaye SCEA 778
Bissey Cave de 535, 546
Bitouzet-Prieur 494
Bizard Ch. 1231
Bizard Luc 1014
Bizet Dom. Thibault 1119
Bladinières Arnaud 898
Blanc Charles 936
Blanc Christophe 1175
Blanc Gaël 1153
Blanchard et Fils GAEC Claude 990
Blanchard Famille 938
Blanchet Gilles 1111
Blanchet Yannick 694
Blancheton Patrick 940
Blanck et Fils EARL André 88
Blanc-Marès Nathalie 1226
Blanco Raphaël 121
Blanquefort Lycée Viticole de 324
Blaque Dom. la 1241
Blayac Stéphane 752
Bléger François 49, 67, 74
Blés d'Or GAEC des 586
Bliard-Moriset SCEV 582
Blin H. 582
Blin Maxime 582
Blondel 583
Blot Christian et Freddy 1076
Bobin SARL Jean 583
Boc'Angeli SCEA 884
Bochet-Lemoine 583
Bocquet SCEA Daniel 394
Bodet SCEA Antoine 1024
Bodineau Dom. 998, 1016
Boeckel Dom. 68
Boesch et Petit-Fils EARL Jean 50, 62
Boever-Denancy SCEV 583
Bohn Fils René 58
Bohn Dom. 74
Bohn François 88
Bohrmann Dom. 505, 521
Boigelot Éric 490
Boilley Joël 675
Boillot Dom. Albert 490
Boire Dom. Philippe 373, 498
Boireau-Persan SCEA 294
Boiron EARL Maurice et Nicolas 1214
Bois des Dames Dom. du 1157
Bois Mozé Dom. de 1006
Bois Sylvain 696
Bois-Perron GAEC du 980
Boisredon Laurent de 918
Boissel et Filles 902
Boisset Famille des Grands Vins 386
Boisset Jean-Claude 429
Boissonneau EARL Vignobles David 280
Boissonnet Dom. 1178
Boivert Hélène 318
Boizel 583
Bollinger 584
Bomont de Cormeil SAS 876
Bon Pasteur SAS Le 228, 237, 242
Bon SCEA Vignobles 365
Bonetto Fabrol Dom. 1231
Bonfils Christian 1208
Bonfils SCEA Vignobles Jean-Michel 779
Bonhomme Dom. André 557
Bonhomme Dom. Pascal 557
Bonnac Jean-Bernard 294
Bonnard SCEA 1106
Bonnardot Dom. 421, 460, 524
Bonnaud Ch. Henri 874
Bonneau EARL Joël 207
Bonnefond Dom. Patrick et Christophe 1170
Bonnelière Dom. la 1029
Bonnet et Fils EARL 213
Bonnet Ch. 133
Bonnet Éric 1140
Bonnet SAS Maison Alexandre 584
Bonnet SCEA Vignobles 302
Bonnet-Launois 584
Bonnet-Ponson 584
Bonneveaux Dom. des 1030
Bonnin Jean-Christian 999, 1006
Bonserine Dom. de 1170
Bontoux Nicolas 854
Bonvalot Jonathan 471
Bonville Caroline 800, 829
Bonville SAS Olivier 584
Boomsma Jodocus 212
Borda SCEA Alain et Philippe 716
Bordenave et Fils EARL 203, 207
Bordenave SARL Gisèle 949
Bordenave-Coustarret 951
Borderie EARL Vignobles 178
Bordet SARL J.-F. 415
Boré EARL Alain 1012
Borel-Lucas 585
Borès Marie-Claire et Pierre 83
Borgeot Dom. 524, 533
Borgeot SARL 510
Borie blanche Dom. de la 752
Borie de Maurel SME Dom. 760
Borie Ch. la 1157
Bormettes Ch. des 862
Borras-Gauch Famille 733
Bort Dom. 723
Bortoli Patrice de 337
Bortolussi Alain 944, 947
Bos Thierry 165, 290
Boscary Jacques 736
Boscq Ch. le 346
Bosquets Dom. des 1163, 1202
Bothereau 140
Bott Frères 104
Boüard et Dominique Hébrard Hubert de 277
Bouard-Bonnefoy 516, 521
Boucard Thierry 1051
Bouchacourd Daniel 121
Bouchard Aîné et Fils 479
Bouchard Père et Fils 370, 374, 533
Bouchard Emmanuel 1154, 1169
Bouchard Maison Jean 429
Bouché Françoise 934
Boucher 881
Boucher Christophe et Brigitte 979
Boucher Françoise et Ludovic 1058
Bouchet 732
Bouchon 285
Boudal Marie-Geneviève 716
Boudat-Cigana SARL Vignobles 298
Boudau Dom. 797, 818
Boudeau Nicolas 127
Bouey Vignobles et Châteaux Famille 317
Bouffard GAEC Gilles et Frédéric 980, 1131
Bougrie SCEV La 1016
Bouillac Jean-Pierre 211
Bouillot Louis 387
Bouin Christine 995
Bouïs Ch. le 703
Bouladou EARL Vignobles Bernard 242
Bouland Patrick 135
Boulanger Patrice 990
Boulard-Bauquaire 585
Bouldy Jean-Marie 227
Boule et Fils Vignobles 836
Bouletin Éric 1211
Bouley Pascal 494
Boulin EARL 168
Boulonnais Jean-Paul 585
Bouquerries GAEC des 1065
Bouquet EARL 585
Bouquier François 308
Bour SARL Dom. 1232
Bourbon Dom. 116
Bourcier 207
Bourdelat EARL Albert 585
Bourdin EARL Henri 1058
Bourdon EARL François et Sylvie 549, 559
Bourg Neuf Dom. du 1030
Bourgeois Christophe et Virginie 218
Bourgeois SAS Henri 1105, 1112, 1131
Bourgeois-Boulonnais 585
Bourgne Cyril et Nadia 764
Bourgogne de Vigne en Verre 379
Bourgogne Moniot EARL 468, 470
Bourgogne-Devaux Dom. 464, 490
Bourgueil Cave des Vins de 1055
Bourillon Frédéric 1076

Bourlay EARL 141
Bourotte SAS Pierre 228, 239
Bourrats Dom. des 1117
Boursault Ch. de 585
Bouscaut SAS Ch. 305
Bousquet Christophe 734
Bousquet Frédéric 706
Bousquet Jean-Jacques 901
Boussey Dom. Éric 496, 505
Boussey Laurent 485, 497
Bouteille Frères 118
Boutemy Francis 310
Boutet Saulnier EARL 1077
Bouthenet EARL Marc 528
Bouthenet Jean-François 464, 528
Boutière M. 1205
Boutillez-Vignon EARL 586
Boutin Arnaud Ch. 165
Boutin EARL Jean 992
Boutin Florent 730
Boutin Jeannine 1184
Boutin Mikaël 1198
Boutisse SARL Ch. 245
Bouton et Fils EARL Dom. Gilles 510, 521
Bouverie Dom. viticole de la 862
Bouvet SCEA Dom. G. et G. 685, 691
Bouvet-Ladubay 973, 1026
Bouvier Régis 424
Bouy Laurent 586
Bouyer EARL 836
Bouyer SCEA des Domaines 229
Bouyssou Alexia 907
Bouyssou Bernard 893
Bouzereau Jean-Marie 505
Bouzereau Philippe 498, 505
Bouzereau Vincent 506
Bouzereau-Gruère et Filles Hubert 506, 510, 516
Bouzon-Petit Frédérike 172
Boyd-Cantenac SCE Ch. 332, 338
Boyer Fanny et François 1226
Boyer Vignobles 298, 355
Boyreau EARL Famille 300
Brana Jean 955
Branaire-Ducru Ch. 351
Branas Grand Poujeaux Ch. 339
Brando Jean-François 854
Brateau Dominique 586
Braud EARL Anne et Christian 984
Brault EARL 1006, 1012
Braulterie Morisset SARL La 205
Braun et Fils François 50
Braun Camille 62
Bray GAEC du 1095
Braymand Christophe 119
Brecq Cyril 1060
Brégand SCV Dom. 670
Brèque Rémy 201
Bressande Dom. de la 538
Bresse Dom. de la 798
Bression Sébastien 586
Brétaudeau Jean-Yves 1132
Breteaudeau Guy 981
Breton Fils 586
Breton Franck 1073
Breton Stéphane 1053
Bretonnerie SARL Ch. de la 981
Breussin Yves et Denis 1077
Briday Dom. Michel 535
Brintet Dom. 538
Briolais et Fille Dominique 319
Brisebarre Philippe 1077
Brizé EARL Dom. de 1007
Brizi EARL Napoléon 887
Brobecker Dom. 58
Brochard Henry 1131
Brochard Hubert 1119
Brochet Jacques 597
Brochet Vincent 587
Brochet-Hervieux 587
Brochot Francis 587
Brocot Marc 471
Bronzo SCEA 845
Brossay Ch. de 974, 1000, 1017
Brotte 1202, 1208, 1214
Brouillat Marie-Alyette 708
Brousteras SCF Ch. des 315
Broyers Vins des 151
Bru-Baché Dom. 949
Brucker EARL Dom. viticole 89
Brulhois Les Vignerons du 915
Brumont (Ch. Montus) SA Vignobles 943, 946
Brun Craveris GAEC 873
Brun Christophe 766
Bruneau et Fils EARL Yvan et Ghislaine 1058
Bruneau Jérôme 1105
Bruneau Sylvain 1059
Brunel-Méziat 136
Brunet Dom. Nicolas 1077
Brunet GAEC du Dom. de 729
Brusset Dom. 1198
Bryczek Christophe 429, 440
Buecher Paul 74
Buffeteau Vignobles 193, 280
Buffière GAEC Jérôme et Rémy 1187
Buis Hervé 158
Buisson Christophe 502
Bulabois Philippe 671
Bulliat Vignobles 145
Bunan Domaines 845
Burc Famille 899
Bureau Isabelle 1135
Burghart-Spettel 50
Burle Dom. Florent et Damien 1202, 1208
Burliga Vignobles 171
Burn Dom. Ernest 89
Burnichon Marie-Claude 122
Bursin Agathe 59, 89
Busi François 1233, 1247
Busin Christian 587
Busin SCEV Jacques 587
Butin Philippe 675
Butler SARL Les Vignobles de 296
Buxy Vignerons de 546
Buzet Les Vignerons de 916
Byards Caveau des 673, 676, 679

C

Cabane Jean-Pierre 1230
Cabaret Luc 765
Cabarrouy Dom. de 949
Cabasse Dom. de 1203
Cabidos Dom. viticole du Ch. de 961
Cablanc SCEA Ch. 173
Cabotte Dom. la 1141, 1157, 1214
Cabran Ch. de 862
Cabrol Dom. de 699
Cachat-Ocquidant Dom. 467, 469, 474, 485
Cacheux et Fils Dom. René 443
Cadel Guy 588
Cadiérenne SCV la 845
Cadoux Michel, Damien et Nicole 1088
Caïlbourdin Dom. A. 1105
Caillavel GAEC Ch. 930
Caillé EARL Thierry et Jean-Hervé 983
Cailleau EARL Pascal 1005, 1009, 1021
Cailleteau Bergeron Ch. 205
Caillot Dom. Michel 506
Cailloze GAEC la 722
Cairanne Cave de 1142, 1158
Caladroy SCEA Ch. de 797, 814, 818, 826
Calbo Thierry 915
Calce SCV Les Vignerons du Ch. de 819
Calendal Dom. 1157
Calissanne Ch. 855
Calisse Ch. la 857
Callot et Fils Pierre 588
Calmel et Joseph Dom. 713, 743, 778, 797
Calmet EARL 903
Calon Ségur Ch. 346
Calon Emmanuel 637
Calsac Étienne 588
Calvel Pascale 711
Camarette Dom. de la 1234
Cambades Dom. des 1247
Cambier SCEV Bernard 1024
Cambis Dom. de 762
Cambon la Pelouse SCEA 323, 333
Cambriel GAEC Les Vignobles 704
Cambuse Dom. de la 993, 997
Camensac Ch. de 323
Cameron 374
Camiat et Fils SCEV 588
Caminade Ch. la 894
Camp-Galhan – Pourquier Dom. 771
Campet Famille 288
Campoy Christophe 894
Camu Frères 374
Camu SCEA Dom. Christophe 394
Camus Fabrice 930
Canadel Ch. 846
Candie Dom. de 962
Candon-Vialard Olivier et Véronique 970
Canelli Olivier et Xavier 690
Canet SCEA Ch. 753
Canon Ch. 246
Cantemerle SC Ch. 323
Cantenac Brown Ch. 333
Canteperdrix Les Vignerons de 1234
Cantin Benoît 416
Canto Perlic Dom. 903
Cap Leucate Vignobles 719, 819
Capdet et Fils EARL 807, 812, 816
Capdevielle Bernard et Sandrine 220
Capet-Guillier Ch. 262
Capitaine EARL du 956
Capitain-Gagnerot Maison 447, 449, 477
Capmartin Denis 941, 944
Capmartin Dom. 941, 944
Capuano-Ferreri EARL Dom. 485, 490, 516, 524

Caraguilhes Ch. de 711
Caramany Les Vignerons de 797
Carcanieux SCF Ch. 317
Carcenac Dom. 903
Cardarelli SCEA 192
Cardetti Fabien 914
Cardinal EARL du 277
Carême Vincent 1077
Carichon Charles 1208
Carle-Courty Dom. 789, 826
Carles SCEV Ch. de 224
Carlini Jean-Yves de 588
Carmes Haut-Brion Ch. les 306
Carod SAS Caves 1194
Carpe Diem Ch. 863
Carpentey 290
Carré Denis 464, 490, 499, 502
Carreau Sélection Vignobles 206
Carrel et Fils François 685, 691
Carrère Joëlle 931
Carrette Dom. 566
Carrière-Audier Dom. 762
Carrille Jean-François 249, 265
Carrol de Bellel EARL 913
Carron Denis 118
Carroy et Fils Jacques 1106
Cartaux-Bougaud Dom. 676
Carteau Côtes Daugay Ch. 246
Carteyron Patrick 184, 197
Cartier Dom. François 1037, 1047
Casa blanca Dom. de la 805, 810
Cascastel Les Vignerons de 704, 718, 786
Cases Henri 771
Cassagnoles Dom. des 956, 964
Cassot et Fille SCEA 896
Castagnier Dom. 436, 442-443, 447
Castagnier Jérôme 435
Castaing EARL Vignobles 924
Castan Dom. 775
Castan Marc 719
Castéja Héritiers 341
Castéja-Preben-Hansen Indivision 231
Castel de Brames 903
Castel et Fils GAEC Rémy 214
Castel Frères 321
Castelas Les Vignerons du 1142
CastelBarry Cave coop. 723, 742, 785
Castellane De 588
Castelmaure SCV 704
Castelnau De 589
Castenet EARL Vignoble de 279
Castets René 942
Castille Ch. la 863
Castillon Jérôme 1227
Castor Jérémie et Raphaël 1153
Catalans Vignerons 804
Catarelli EARL Dom. de 886, 888
Cathala Dom. 763
Cattier 589
Cattin Frères 108
Caubet 963
Cauhapé Dom. 950
Caumont SCEA Famille 299
Caussan EARL Bruno 317
Causse d'Arboras SCEA Dom. du 739
Causse Noir Dom.du 713
Causse Dom. de 775
Causse Michel et Marcelle 726
Cauvard Dom. 489
Cavaillé Jean 685
Cavailles Didier 753
Cavalié SCEA 900
Caveau bugiste Le 695
Caves du Prieuré Dom. des 1120
Cazaillan Secret Frères et Fils GAEC de 315
Cazal Viel SCEA 763
Cazalet Dom. 948
Cazals Claude 589
Cazanove Charles de 589
Cazeau et Perey SCI Domaines 170
Cazes Sélection Jean-Michel 317
Cazes Domaines Jean-Michel 181, 246, 304, 342, 344, 349, 757
Cazes SCEA 789, 798, 805, 808, 814, 819, 826
Cazin François 1088
Cazottes Brigitte et Alain 909
CBC SCV 627
Cèdre Ch. du 895
Célestière La 1248
Cellier des Dauphins UVCDR 1144, 1195, 1231
Cellier des Demoiselles 705
Cellier aux Moines Dom. du 511, 516, 538, 543
Cellier d'Éguilles Le 1245
Cénac-Magdeleine 215
Cep d'or Dom. 1252
Cesbron EARL Martin 1004
Cézin Dom. de 1071-1072
CGR (Ch. Grivière) Domaines 316
Ch. des Loges Cave du 137
Chabanon Dom. Alain 723
Chaberts Ch. des 857
Chablisienne La 395, 402, 412
Chabrier Fils SCEA Dom. 1229
Chabrol 930
Chadronnier Famille 277
Chaigne et Fils Vignobles 198, 283
Chaillot SCEA Dom. du 1093
Chainier Dominique 837
Chainier SCA Dom. 1042
Chaintres Dom. vinicole de 1030
Chais de Rions SARL Les 171
Chaland Jean-Marie 374, 550, 557
Chalmeau et Fils Edmond 384
Chalmeau Christine, Élodie et Patrick 384
Chambard Alain 137
Chambert Vignobles 893
Chambre d'Agriculture du Gers 959
Chamilly EARL Ch. de 539, 547
Chamirey Ch. de 539
Champalou 1078
Champarlan Dom. de 1102, 1120
Champeau Dom. 1106
Champion 1072
Champs de Themis Les 531, 534, 539
Champseix SA 241
Champteloup SCEA 974
Chanay 128
Chancelière Dom. la 685
Changarnier SCEA Dom. 497
Chanoir-Fresne 589
Chanson Père et Fils SA Dom. 430, 486, 517
Chante Cigale 1214
Chantelune Ch. 327
Chantemerle Dom. de 403, 1000
Chanut Joannès 126, 148
Chanzy Maison 524, 535, 539
Chanzy Olivier 460, 517
Chapel Julien 736
Chapelains SCEA Ch. des 287
Chapelle d'Aliénor Ch. 189
Chapelle SARL Jean-François 469, 524
Chaperon Jean-Yves 740
Chapinière de Châteauvieux La 1038
Chapitre-Supagro Dom. du 775
Chapoutier Maison M. 798, 1158, 1175
Chapuis 455, 460
Chapuis Maurice 477
Charavin Didier 1199
Charavin Robert 1143, 1199
Charbonnier Christian 1065
Charbonnier Dom. 1038
Charbonnière Dom. de la 1209, 1215
Chardigny Catherine 566
Chardin Père et Fils SCEA 590
Chardonnay Dom. du 403
Charier-Barillot SCEA 1024, 1029
Charlemagne Guy 590
Charlier Luc 798
Charlopin Dom. Philippe 374, 424, 430, 437, 447, 449
Charlopin Hervé 424
Charlot Vincent 590
Charmail Ch. 324
Charmensat EARL 1097
Charmes-Godard Ch. Les 276
Charnay-lès-Mâcon Cave de 555, 560, 570
Charpentier J. 590
Charpentier-Fleurance GAEC 981
Charrier Emmanuel 1095
Charrier Lucie et Michèle 943, 946
Charruau Éric 1034
Chartreux SCA Cellier des 1142, 1158
Chartron SCEA Jean 464, 511, 514, 517, 535
Charvet Monique 134
Charvet Steeve 135
Chassagnoux GFA 264
Chassagnoux Xavier 226
Chasselas Ch. de 387, 567
Chassenay d'Arce 590
Chasseuil Jérémy 231
Chassey Guy de 590
Chasson 1234, 1248
Chatagnier Aurélien 1178
Chatelier Jean-Michel 285
Chatet SARL 663
Chatonnet SCEV Vignobles 239
Chaudron 591, 622
Chaumes Dom. des 395
Chaumes SCEA Les 205
Chaumont François 591
Chaussérie Dom. de la 992
Chaussin Jocelyne 531, 534
Chauveau EARL Dom. 1095
Chauveau EARL Gérard et David 1064
Chauvenet Dom. Jean 456

PRODUCTEURS

Chauvenet-Chopin 443, 456
Chauvet 591
Chauvet SCEV Marc 591
Chauviré Joël et Valentin 1006
Chave Jean-Louis 1189
Chave Natacha 1183
Chavin Domaines Pierre 176
Chavy Cyrille 145
Chavy Franck 145
Chavy Jean-Louis 511
Chefdebien Paul de 721
Chemilly SCEA Ch. de 395
Chemin des Rêves Le 723
Cheminon et Fils SCEV Pascal 591
Chénas Cave du Ch. de 137
Chêne Dom. 550
Chêne Dom. du 771, 837
Chenevières Dom. des 374, 550
Chéreau Carré 991
Chermette Dominique 116
Chermette Pierre-Marie 137
Cherrier et Fils Pierre 1120
Chesné Patrice et Anne-Sophie 1132
Chesneau et Fils EARL 1085
Chetaille Gilbert 126
Chéty et Fils EARL Vignobles Jean 207
Chéty SCEA Famille 218
Cheurlin EARL Thomas 594
Cheval Blanc SC du 247
Cheval Quancard 168, 346
Chevalerie Dom. de la 1051
Chevalier Père et Fils 460, 467, 469, 474, 477
Chevalier Geoffrey 550, 564
Chevalier Roland 994, 1006
Chevalier SC Dom. de 306
Chevallier Dom. 395
Chevallier EARL Dom. 966
Chevallier-Bernard Dom. 685
Chevassu-Fassenet 674, 679, 682
Cheveau Dom. 550, 560
Chevillon-Chezeaux Dom. 451, 456
Chevilly Dom. de 1112
Chevreau SCEA 1121
Chevrier Bertrand 691
Chevrier Patrice 129
Chevrier-Loriaud 203
Chevrot et Fils Dom. 529
Cheze Louis 1175, 1178
Chignard Cédric 138
Chirat Vignobles 1178
Choblet SARL Jérôme 993
Chofflet Valdenaire Dom. 543
Cholet Christian 499
Chollet Cédric 1049
Chollet Jean-Jacques 237
Chollet Maison Paul 387
Chomarat Dorothée et Étienne 1184
Chopin et Fils A. 443, 456, 460
Chopin EARL Julien 591
Chotard Simon 1120
Chouteau 1027
Chouvac Hervé 300, 358, 362
Chupin EARL 990
Cibeins Jean de 703
Ciffre Ch. de 714
Cinquau SCEA Dom. du 950
Cinquin SCEA Franck 155
Cirotte Joël et Sylvie 1122
Citadelle Dom. de la 1239
Citran Ch. 324
Clair Dom. Bruno 424, 430, 451
Clair EARL Pascal 837
Clair Françoise et Denis 521, 525
Claires Dom. des 837
Clairmont Cave de 1184
Clape Dom. A. 1190
Clapière Dom. de la 775
Clarettes Ch. 877
Clauzel Consorts 233
Clauzel Sébastien 955
Clavel Pierre 724
Clavelier et Fils 421
Cléebourg Cave vinicole de 74
Clef de Saint-Thomas Dom. 1215
Clémancey Dom. 427
Clématis EARL Ch. 1199
Clément Isabelle et Pierre 1102
Clément J. 592
Clément Julien et Rémi 138
Clément Pascal 374, 479, 502, 547
Clérembaults Dom. des 1000
Clissey-Fermis Vignobles 284
Clos Bagatelle 763, 769
Clos Bellevue 950
Clos Culombu 880
Clos d'Arvières EARL Dom. du 693
Clos Dalmasso SCEA 248
Clos de Chozieux Le 1100
Clos de l'Épinay Dom. du 1078
Clos de l'Ours 863
Clos de la Vicairie SCEA du 365
Clos de Paulilles SCEA 811
Clos des Garands Dom. du 138
Clos des Jacobins 247
Clos des Motèles GAEC le 1024
Clos des Nines 724
Clos des Rochers SARL Dom. 1252
Clos des Rocs 550, 564
Clos des Terres brunes 55
Clos du Caillou 1142
Clos du Lucquier Le 740
Clos du Maine-Chevalier EARL 919
Clos du Notaire Ch. le 214
Clos du Palay Dom. 1150, 1248
Clos du Pavillon Saint-Georges SCEA 272
Clos du Père Clément SCEA 1158
Clos du Roi Dom. du 375
Clos du Vigneau Le 1059
Clos Fourtet SCEA 248
Clos Galant Dom. 1229
Clos Gautier Dom. 863
Clos la Madeleine SA du 248
Clos Lapeyre 951
Clos Marsalette Le 307
Clos Nicrosi SCEA 888
Clos Sainte-Apolline 50, 62
Clos Saint-Fiacre EARL 1089
Clos Saint-Landelin Dom. du 71, 97
Clos Saint-Marc Dom. du 160
Clos Saint-Martin SCEA 249
Clos Saint-Sébastien 805, 811
Closerie des Alisiers 391
Closerie Marjo Dom. 151
Cluzel Vincent 1178
Coccinelles Ch. des 1158
Cochard et Fils EARL 1022
Coche Dom. de la 1131
Coche Dom. Fabien 506
Cocteaux Benoît 592
Codomié David 725
Coffinet-Duvernay 514, 517
Cognard SCEA Estelle et Rodolphe 1052, 1059
Coignard-Benesteau EARL 978, 1005, 1136
Coirier Dom. 996
Colbert Pierre de 726
Colbert SCA Ch. 213
Colbois EARL Dom. 375, 395
Colin et Fils Dom. Marc 514-515, 518, 521
Colin 592
Colin Dom. Bruno 517, 521, 525
Colin Patrice 1090
Colin Philippe 518
Colinot Dom. 417
Collard François 1228
Collard Lucien 592
Collard-Picard 592
Collet et Fils Dom. Jean 403, 412
Collet 592
Collet Dom. 576
Collin Charles 593
Collin-Bourisset 126
Collines du Bourdic SCA Les 778, 1230
Collioure Cave coop. de 813
Collonge Fabien 136
Collotte Dom. 424, 427
Collotte Pascal 179, 194
Colmar Dom. viticole de la ville de 52, 75, 89
Colombe Doyère Claudel SCEA 276
Colombier Dom. du 395, 403, 413, 1184
Colombière La 913
Colombo Vins Jean-Luc 1143
Colonat Dom. de 126
Colonge et Fils Dom. André 122
Coltabards SCEA des 1121
Combe des ducs GAEC 724
Combe Grande Dom. la 704
Cômbe Ch. de la 876
Combe Famille 1204, 1209
Combe Xavier 1156
Combelle Ch. la 904
Combet EARL de 920, 927
Comin 175, 279
Commanderie Diffusion La 580
Commanderie Ch. la 249
Compagnet SCEA Pierre et Olivier 318
Compagnie des vins d'autrefois La 464, 555
Compagnie médocaine des Grands Crus 165
Compagnie Rhodanienne La 1145, 1159, 1231
Compagnie Vinicole de Bourgogne (Louis Soufflot) 496
Compagnie viticole de Bourgogne 378, 531
Comps SCEA Dom. Martin 763
Comtadine Cave la 1235
Comte de Thun Dom. du 969
Concours SARL Les Vins du 1176
Condamine Bertrand 724, 779
Condemine EARL Florence et Didier 127, 155
Condemine Thierry 143
Condom SCEA 939
Confrérie du Jurançon 954
Consolation 827

Constance et du Terrassous SCV Les Vignobles de 794, 817
Constant-Duquesnoy Dom. 1195
Constantin Ch. 1239
Copin Jacques 593
Copin-Cautel 593
Copinet EARL 593
Coquard et Fils EARL Pierre 387
Coquard Jean-Michel 120
Coquard Maison 116
Coquillette Christian 652
Coquillette Stéphane 594
Corbiac Durand de 934
Corbin Ch. 268
Cordaillat Dom. 1115
Cordier 177, 362
Cordier Dom. 551
Cordoba-Collet Isabelle 779
Core Deborah et Peter 731
Cormerais Damien 988
Cormerais EARL Bruno, Marie-Françoise et Maxime 982
Cornasse Dom. de la 395, 403
Corneau SCEV Paul 1106
Cornin Dom. Dominique 551, 560
Cornu et Fils Edmond 469
Correns Les Vignerons de 863, 877
Corsican – Groupe Uval 883, 889, 890
Corsin et Sylvain Roussot Jerôme 143
Corsin Dom. 551, 560, 567
Cosme Dom. Thierry 1079
Coste Damien 722
Coste Françoise et Vincent 725
Coste-Caumartin Dom. 503
Coste-Lapalus Régine et Didier 155
Costières de Pomérols Cave les 743, 778
Costières et Garrigues Les Maîtres Vignerons de 1227
Coston Dom. 740
Cosyns SCEA 216
Côté Millésime 1143, 1159
Coteau Dom. du 1038
Coteaux Cévenols SCA Les 1230
Coteaux des Margots Dom. 551
Coteaux du Lyonnais Cave des 160
Coteaux du Pic Les 725, 785
Coteaux romanais Les Vignerons des 1039
Coteaux Saint-Maurice Cave des 1153, 1167, 1195
Cottat Éric 1121
Cottavoz Bernadette 216
Cottebrune EARL 714
Coudoulis Dom. 1222
Coudray-Montpensier SARL Ch. 1066
Couet Emmanuel 1095, 1106
Couhins Ch. 307
Couillaud et Fils EARL 990, 1135
Coulange Dom. 1143, 1159
Coulerette Ch. de la 863
Coulet EARL Vignobles 737
Couleurs d'Aquitaine SAS 921, 929, 935
Coulon et Fils SCEA Paul 1198, 1214
Couly Pierre et Bertrand 1066
Couly-Dutheil 1066
Coume Del Mas 805
Coume du Roy La 819
Cour céleste Dom. de la 375, 396
Courbet Dom. 676
Courbis Dom. 1179, 1190
Courcel Nicolas et Françoise de 328
Coureau EARL Vignobles 259
Courège-Longue Dom. 916
Courlet Vincent 691
Cournuaud EARL de 223
Courrèges Wines 316
Courrian Philippe 704
Courrian Véronique et Fabien 320
Courselle Vignobles 174
Coursodon Dom. 1179
Courtade SCEA La 863
Courtault Dom. Jean-Claude 391, 396, 403
Courteillac SCEA Dom. de 190
Courtillier Fabrice 594
Courtinat Christophe 1117
Cousiney Didier 291
Coustal Anne-Marie et Roland 784
Coustal Isabelle 761
Coustheur 594
Coustille SCEA de 111
Coutelas et Fils SARL 594
Coutelas David 595
Coutet Ch. 360
Couturier Marcel 560, 565
Couvreur EARL Alain 595
CPR – Hauts-de-Montrouge 956
Crampes 179, 191
Crampilh Dom. du 942, 962
Cransac SCEA Dom. de 962
Crau Cellier de La 866
Craveia Vincent 364
Cravignac SCEA 252
Crée Ch. de la 525
Crémade Ch. 874
Crès Ricards Dom. des 740
Crespin Bernard 994
Crêt d'Œillat EARL du 155
Crété Dominique 595
Cretol et Fils SARL 595
Crêts SCEA Dom. des 551
Crève Cœur Dom. de 1159
Cricket SAS 257
Cristia Dom. de 1215
Crocé-Spinelli Richard 871
Crochet Daniel 1121
Crochet EARL Dominique et Janine 1121
Crochet Jean-Marc et Mathieu 1122
Crochet SCEV François 1121
Croisille Ch. les 896
Croix Chaptal Dom. la 702, 741
Croix de Gay SCEV Ch. la 230
Croix de Roche EARL la 178
Croix des Pins Ch. la 1203, 1212
Croix des Vignes EARL la 899
Croix Gratiot EARL 743, 776
Croix Mélier EARL Dom. de la 1074
Croix Montjoie Dom. la 375, 417
Croix Senaillet Dom. de la 551, 561
Croix Dom. de la 861
Croix SC Ch. la 230
Croix-Mouton Ch. 190
Cros Gaec du 911
Cros Marc 728
Cros Michel 774
Cros Philippe 776
Cros Pierre 754
Crouseilles Cave de 945
Croze Nicolas 1144
Crozet EARL Gérard 122
Cruchandeau Julien 421, 467
Crus Faugères Les 714
Cruse Thibault 258
Cuilleron Yves 1175, 1179, 1185
Cuisset Catherine et Guy 922
Curveux Joël 561
Cuvelier Domaines 347
Cuvelier Philippe 341

D

Dabadie Pierre 946
Dagueneau et Filles Serge 1106
Daheuiller SCA 1034
Dal Canto 875
Dalmasso 853
Damoy Pierre 425, 430
Dampierre SAS Comtes de 595
Dampt et Fils Dom. Daniel 396, 403
Dampt Frères EARL 396
Dampt Frères Vignoble 404, 413
Dampt Dom. Sébastien 404
Dampt Dom. Vincent 391, 404
Dampt EARL Emmanuel 376, 404, 413
Dampt EARL Éric 375
Dampt EARL Hervé 375, 391, 404
Dampt SARL Maison 413
Dampt-Dupas EARL 404
Dangin Matthieu 387
Danglas 757
Daniel Dom. Marc et Philippe 1115
Daniel Laurent 1140, 1156, 1202, 1208
Danjean-Berthoux 539, 544
Danjou-Banessy Dom. 832
Dansault EARL Gabriéle et Régis 1039, 1074
Dardanelli Alain et Cécile 121
Daridan Benoît 1086
Darnaud EARL Emmanuel 1179, 1185
Darragon Maison 1079
Darriet SC J. 174
Dartiguenave et Fils SCEA 320
Darviot Bertrand 510
Dassault Sté d'exploitation vignobles 251
Daubas 303
Dauby Mère et Fille 596
Dauliac 895
Daulny Étienne 1122
Daurat-Fort SCEA R. 720
Dauriac Christian 229
Dauvergne Ranvier 1144, 1159, 1170, 1179, 1185, 1203, 1227, 1235
Dauvissat Père et Fils Jean 405
Dauvissat Caves Jean et Sébastien 405
Daux EARL Vincent 534, 536
Dauzac Ch. 333
Davanture Dom. 532, 544
Davault Christophe 1037
Davenne Clotilde 417
David Dom. 982, 1132
David Pierre 123
David SCEA J. et E. 362
David SCEV 903, 969
Davin Père et Fils EARL 1166

Davy André 1005, 1020
DCOC EARL 170, 280
Debavelaere Félix 534, 536
Deblaere Laurens 1160
Dechannes Élise 596
Dechelle Philippe 596
Decrenisse Famille 160
Defaix Dom. Bernard 396, 405, 413
Deffarge Danger EARL 923, 933
Defrance Olivier 427
Defrance Philippe 376
Delabaye et Fils SCE Maurice 596
Delacour Vignobles 238
Delafont S. 725
Delagarde Valérie et Vincent 596
Delagrange Didier 490, 494, 503, 518
Delalande Fabrice 1070
Delalande GAEC Frédéric et Cyril 1068
Delalande Patrick 1069
Delaleu Alain 1079
Delalex Dom. 686
Delamotte 597
Delanoue Jérôme 1059
Delanoue Jocelyne 1059
Delaporte Dom. 1122
Delas Frères 1175, 1179, 1189
Delaunay Dom. Joël 1039
Delaunois André 597
Delavenne Père et Fils SCEV 597
Delay EARL Frédéric 1234
Delecheneau Damien et Coralie 1045, 1074
Delhaye Jean-Marc 214
Dell'Ova Frères GAEC 719
Delmas Dom. 747
Delmas SCEA Claude 277
Delmouly 898
Delong Famille 196, 291
Delong Marlène 598
Delor Maison 169
Delorme Le Claux 1041
Delot 598
Demessey Manoir Murisaltien 456
Demets Arielle 714
Demière 598
Demière Serge 598
Demilly Gérard 598
Demilly SAS A. 635
Demoiselles Tatin Les 1115
Demoiselles SCEA Ch. des 864
Demougeot Dom. Rodolphe 490
Deneufbourg Valérie 1089
Denis Père et Fils Dom. 464, 472
Denuzière Maison 1175
Depardon Olivier 144
Depaule Michel 765
Depeyre Dom. 798, 827
Depiesse Sylvain 529
Deprade Jorda Dom. 789, 814
Déramé et Fils EARL 991
Deregard-Massing SAS 633
Derenoncourt SCEA Stéphane 273
Derey Pierre 425, 427
Dérot François 598
Derrieux et Fils GAEC Pierre 905
Derroja Claude 753
Dervin SAS Michel 598
Desbourdes EARL Francis et Françoise 1064
Desbourdes Renaud 1067
Deschamps Christophe 1051
Deschamps Marc 1107
Descombe Vins 146
Descombes Michèle et François 123
Descombes Sylvain 157
Descotes Régis 160
Desfossés Georges et Guy 991
Desloges Cyril 1039
Desloges GAEC Maryline et François 1048
Desmarty Jean-Claude 230
Desmeure Cave 1182, 1187, 1189, 1191
Desmoulins A. 599
Desom Dom. 1253
Désormière Dom. 1099
Désoucherie Dom. de la 1088
Despagne SCEA Vignobles 278
Despagne François 229, 254
Desperrier EARL Dom. 151
Desplace Paul 155
Desprat Vins 1097
Desroches Jean-Michel 1039, 1048
Dessendre Marie-Anne et Jean-Claude 382
Dessèvre Vignoble 1007
Déthune EARL Paul 599
Deutz 599
Deux Arcs Dom. des 1000, 1007, 1013
Deux Lunes Vignoble des 104
Deux Roches Dom. des 552, 567
Deux Terres Vignoble des 742
Deux Vallées SCEA Dom. des 1001, 1013, 1017
Devaux 663
Devay Florence et Jean-Gabriel 120
Deveza 799, 815
Devillard SAS Amaury & Aurore 561
Devilliers Pascal 599
Dezat et Fils SCEV André 1111
Dezat Aurore 1120
Dezat Pierre et Alain 1127
Dézé Laurent 1033
Dhommé Dom. 1018
Dhoye-Déruet Catherine 1079
Di Placido SCEA 858
Diconne Christophe 499
Dideron Pierre 1227
Didier-Ducos 599
Die Jaillance La Cave de 201, 1194
Die Vinis SARL 1193
Dietrich EARL Michel 180, 280
Dietrich Michel 75
Différence Dom. la 799
Digioia-Royer 444
Diligent 599
Dimani et Fils 894
Dittière Dom. 1009, 1011
Doan de Champassak Brice 1240
Dock et Fils Paul 57, 75
Dock Christian 57
Doermann Nicole 292
Doisy-Védrines Ch. 360
Dol Romain 1240
Dom Brial Vignobles 793, 799, 815, 820
Dom Caudron 600
Domi 600
Dominique Ch. la 251
Donats Ch. les 921
Doni D. 841
Dopff au Moulin 89
Dopff et Irion 54, 90
Dor 877
Dorléans EARL 1086
Dornier SCEA Vignobles 808, 826
Doublet Bernard et Dominique 283
Doublet SCEA Bernard et Dominique 303
Doucet EARL Paul 1122
Doudet-Naudin 472, 477, 479, 529
Doué Didier 601
Douence Dany 183
Dourdon-Vieillard SCEV 601
Dournie Ch. la 764
Dourthe 169, 302, 322, 328
Doussau Yves 944
Dousseau EARL 944, 947
Douville François 827
Doyard-Mahé 601
Dragon Dom. du 864
Drappier 601
Dressayre Jean-Luc 756
Dreyer et Fils Dom. Robert 75
Driant Jacques et David 601
Drode Vignobles 220
Droin Jean-Paul et Benoît 405, 413
Drouhin Maison Joseph 437, 486, 518
Drouhin-Laroze Dom. 428, 430, 435-436, 446-447
Drussé Nathalie et David 1052, 1060
Du Villard Henri 138
Dubard EARL Vignobles 292
Dubard Vignobles 932
Dubœuf Les Vins Georges 123, 550, 559
Dubois et Fils Dom. R. 464
Dubois Dom. 1052
Dubois Dom. Christelle 1031
Dubois Hervé 601
Dubois Michel 232
Dubois SARL Raphael 372
Duboscq et Fils 347
Duboscq et Fils Henri 346
Dubost SARL Laurent 233
Dubourdieu EARL Denis et Florence 290, 296
Dubourdieu EARL Pierre et Denis 178
Dubourdieu Jean-Philippe 293
Dubourg Vignobles 169, 280
Dubourg Vincent 303
Dubraud Ch. 206
Dubreuil 694
Dubreuil Philippe et Arnaud 480
Dubreuil Vignobles Jean-Pierre 266
Dubreuil-Fontaine Dom. P. 472, 475
Dubuet-Monthelie 497
Ducau SCEA Marc 355
Duchemin Éric 527, 531
Duclaux Benjamin et David 1172
Ducom Lionel 838
Ducourt Vignobles 168, 185, 195
DucquerieDom. de la 975, 1007, 1014
Ducroux Gérard et Mireille 123
Ducroux Jean-Pierre 156
Ducruix Jean-Luc 136
Ducs d'Aquitaine SCEA les 193
Dufaitre-Genin Sylvie 131
Dufeau Frères SCEA 1032

Dufeu Bruno 1052
Duffau Dom. 904
Duffau Joël 197
Duffau SC Vignobles Éric 177, 188
Duffour Vignobles 960
Dufouleur Dom. Guy et Yvan 421, 427, 457, 480
Dufour Père et Fils Dom. 126
Dufour EARL 364
Dufour EARL Caveau 694
Dufour Jean-Charles 127
Dugois Dom. Daniel 671
Dugoua Vignobles 297
Duhart-Milon Ch. 342
Duhr Dom. Mme Aly 1253
Dujardin Ulrich 497, 499
Dulac Jean-Jacques 122
Dulugat Caroline et Pascal 295
Dumangin Fils J. 602
Dumarcher Alain 1244
Dumarcher Claude 1242, 1244
Duménil 602
Dumon 861
Dumont et Fils R. 602
Dumont EARL André-Gabriel 1068
Dumont Jean 1107
Dumont Maison Lou 431
Dumontet Guillaume 131
Dumontet Pierre 178
Dumoutier 850
Dupasquier et Fils Dom. 457
Dupeuble Père et Fils 120
Dupond Philippe 127
Dupond Pierre 146
Dupont-Fahn Michel 499, 511
Dupont-Tisserandot Dom. 431
Dupraz EARL Marc 686
Dupré Jean-Michel 146
Dupuch Stéphane 283
Dupuy de Lôme Dom. 847
Dupuy Christine 942, 945
Dupuy Gérard 271
Durand Dom. Loïc 483, 486, 491
Durand Éric et Joël 1180, 1190
Durand Hélène et Amélie 296
Durand Nicolas et Sandrine 141
Durand Yves 128
Durban Dom. de 1212, 1243
Durdilly Guillaume 118
Durdilly Pierre 152
Duret 980
Duret Dom. Pierre 1112
Durette SCEA Ch. de 133
Durou et Fils SCEA 896
Durup Père et Fils SA Jean 396, 405
Dussourt Dom. 68, 83
Dutarte Michel 1107
Dutertre EARL Dom. 1045
Dutheil Benoît 1094
Duval-Leroy 602
Duvat et Fils SAS Xavier 602
Duveau Frères SCEA 1025
Duveau GAEC Dominique et Alain 1027
Duveau-Coulon Fils GAEC 1063
Duvernay Père et Fils GFA 536
Duvernay Dom. P. et F. 540
Duvernay Marc et Fabienne 132
DVA 131
Dzieciuck Didier 663

E

Eblin-Fuchs Dom. 68, 75
Écard Dom. Michel et Joanna 480
Échardières Dom. des 1048
Échelette Dom. de l' 552
Ecklé et Fils Jean-Paul 76, 104
Éclair Ch. de l' 117
Écluse SCI de l' 131
Edel et Fils François 88
Édouard Le Dom. d' 376
Ehrhart et Fils Dom. André 76, 90
Ehrhart EARL François et Philippe 54, 71
Ehrhart Henri 62, 76
Ellevin Dom. 397, 405
Ellia Maison Eugène 431, 472, 483, 529
Ellner 603
Ellul-Ferrières SCEA Ch. 725
Eloy Didier 556
Eloy Jean-Yves 552, 567
Émery 1242
Enaud Vincent 756
Enchanteurs Dom. des 1243
Enclos SCEA Ch. l' 287
Engarran SCEA du Ch. de l' 726, 779
Engel Dom. Fernand 71, 79, 90
Entrefaux Dom. des 1185
Éole Dom. d' 875
Érable Dom. de l' 392, 397
Ermitage Dom. de l' 1102
Errecart Peio 954
Escart Ch. l' 190
Escattes Dom. de l' 726
Esnou Vincent 1009
Espagnet d' 869
Espagnet Vignobles 296
Esparrou SCEA Ch. l' 815, 820
Espérelles SCEA Les 786
Esperet Dom. d' 790, 820
Espigouette EARL Dom. de l' 1145, 1160, 1209
Estabel Caves de l' 702, 723
Estager Charles 233
Estager Vignobles Jean-Pierre 228, 238
Estanilles Ch. des 714
Esterlin 603
Estève Christian 879
Estézargues Les Vignerons d' 1155
Estrade et Fils EARL Vignobles 965
Étienne Daniel 603, 665
Étienne Pascal 603
Étoile SCV L' 805, 811
Eugénie Ch. 896, 968
Évangile Ch. l' 231
Excellence Dom. de l' 534
Eymas et Fils EARL Vignobles 210
Eymas Rémy et Jacques 217
Eynard Sudre EARL 215
Eypert Dom. 376
Eyran (Ch. Bastian) SCEA Ch. d' 165

F

Fabre Cordon Ch. 705, 780
Fabre et GFV Saint-Vincent Domaines 332
Fabre 754
Fabre Famille 326, 707
Fabre Jean-Marie 720
Fadat Sylvain 722
Fagard Vignobles 266
Fage Ch. 285
Fagot Jean-Charles 499, 511
Fahrer Charles 50
Fahrer Paul 104
Fahrer-Ackermann Dom. 76
Faîtières Les 90
Faiveley Dom. 457, 478, 540
Falloux et Fils SCEA 1025
Falmet Michel 603
Falxa Vignobles 281
Famaey Ch. 896
Familongue Dom. de 741, 778
Faniel Jean-louis 603
Faniest Philippe 260
Faramond Hubert de 905
Faravel Gilles et Thierry 1212
Farge Guy 1180, 1192
Fasy SARL 939
Faugères SARL Ch. 251
Faure Cédric 915
Faure Vignobles 291
Faure Vignobles A. 212
Faury Lionel 1172
Fauvy EARL Laurent 1052
Fauzan SCEA Ch. de 761
Favière Ch. la 191
Fayat Vignobles Clément 324
Faÿe SCEV Serge 604
Fayolle Fils et Fille Dom. 1185, 1192
Faytout EARL Vignobles 274
Félix Dom. 376, 417
Fellot Emmanuel 117
Feneuil-Coppée GAEC 604
Feneuil-Pointillart 604
Feracci 772
Férat Jérôme 604
Féraud Dom. des 864
Ferme blanche Dom. de la 854
Ferme des Arnaud Dom. 1145
Ferme du Mont La 1145, 1203
Ferran 284
Ferrand Nadine 561
Ferrand Nicolas 685
Ferrandière La 770
Ferrari Christophe 400
Ferraud et Fils P. 129
Ferrer-Ribière Dom. 828
Ferté Dom. de la 544
Fesles Ch. de 1001, 1007
Fessy Les Vins Henry 151
Feuillade Samuel et Vincent 732
Feuillat-Juillot Françoise 547
Feuillatte Nicolas 604
Fèvre Dom. Nathalie et Gilles 406, 414
Fèvre Dom. William 406
Fèvre Nicolas 503
Fezas EARL Famille 956
Fichet Dom. 376, 552
Fieuzal Ch. de 308
Figeat Dom. André et Edmond 1107
Figueirasse SCEA de la 785
Fil Dom. Pierre 755
Filhol Gilles et Dominique 897
Filhot SCEA du Ch. 360
Filliatreau Dom. 1025, 1031
Fillon Dom. 384, 392, 418
Filolie Arnaud de la 256
Flache Sornay 146
Flacher EARL Gilles 1180

Flamand-Delétang Dom. 1074
Flavigny-Alésia Dom. de 571
Fleck et Fille Dom. René 51, 91
Flesch et Fils EARL François 68
Fleur Cardinale SCEA Ch. 252
Fleur Saint-Georges SC Ch. la 238
Fleurie Cave des Producteurs de 138
Fleuriet et Fils Bernard 1123
Fleurot-Larose Dom. 384
Fleury et Fils EARL 605
Fleury 604
Fleys Dom. du Ch. de 397, 406
Florane Dom. la 1160
Florence et Fils Dom. Henri 51, 59
Florensac Les Vignerons de 744
Florets Dom. des 1204
Florimond SAS Dom. 206, 219
Floris SCEA de 755
Florisoone 253
Fluteau EARL Thierry 605
Foissy-Joly 605
Folie Dom. de la 536
Foliette Dom. de la 983, 1132
Follet-Ramillon SCEV 605
Fompérier Vignobles 241, 256
Foncalieu Les Vignobles 780
Fond Croze Dom. 1145, 1161
Fondis Dom. du 1060
Fondrèche Dom. de 1235
Fonplégade SAS Ch. 253
Fonréaud SC Ch. 330, 339
Fons-Vincent Lise 727
Font Alba SNC Ch. 1235
Font Blanque GAEC de 913
Font des Ormes SCEA Dom. de la 726
Font des Pères Dom. de la 847
Font Sarade Dom. 1209
Fonta Éric 299
Fontainebleau International 1246
Fontanche SAS Ch. 764
Fontaneil 790, 799, 808, 820, 824, 832
Fontanel Moyer Marion et Mickaël 718
Fontanille SCEA Thierry 709
Fontavin Dom. de 1216, 1243
Fontenay EARL Dom. de 1039
Fontenelles SCEA les 921, 927
Font-Mars GFA 743
Força Réal Dom. 796
Forcato et Fils GAEC 171
Forest EARL 1012
Forest-Marié SCEV 605
Forey Père et Fils Dom. 376
Forges Dom. des 1001, 1007, 1018
Forget Christian 605
Forget-Chemin 606
Fortineau EARL Régis 1079
Fortunet Dom. de 964
Foucard et Fils SCE Y. 240, 271
Foucher Dom. Olivier 1102, 1123
Foucher EARL 1030
Foucher-Lebrun Maison 1053, 1108, 1123
Fouet EARL 1031
Fouin Dominique 325
Fouquette Dom. de la 864
Fourcas Hosten Ch. 330
Fourcas-Borie SCA 330
Fourcaud-Laussac SCEA 256
Fouré-Roumier-de Fossey Maison 444
Fournier Père et Fils SAS 1108, 1123
Fournier 802
Fournier Denis 431
Fournier Dom. Jean 377, 425
Fournier Famille 177, 189
Fournillon Dom. 377, 397
Fourrey Dom. 397, 406
Fourrier Alain 1026
Fourtout EARL David 926, 929
Frachet Florian 676
Fradon Michel 837
Fraiseau Viviane 1103
Franc Couplet EARL Ch. 189
Franc de Ferrière 286
France Ch. de 308
François-Brossolette 606
Frégate Dom. de 848
Fresne Ch. du 1001, 1018, 1132
Fresnet-Juillet 606
Freudenreich et Fils Joseph 105
Frey Dom. Charles 68, 76
Freyburger Marcel 91
Frey-Sohler 68
Frézier Denis 606
Frissant Xavier 1045
Fritsch EARL Joseph 63, 91, 105
Fritz Dom. 91
Fritz-Schmitt 59
Frogères EARL Dom. des 1031
Fromenté Gaël 151
Fromont Pauline et Géraud 677, 682
Frontignan Muscat SCA 767, 782
Fuissé Ch. de 561
Fumey et Adeline Chatelain Raphaël 671

G

Gabard EARL Vignobles 198
Gabillière Dom. de la 1045
Gabin Isabelle et Grégoire 298
Gabriel-Pagin Fils 606
Gachet 1101
Gachet Philippe 932
Gadais Père et Fils 984
Gaffelière Ch. la 253
Gaget Dom. 146
Gagnebert Dom. de 976, 1010-1011
Gagnet Ferme de 957
Gaïde Thierry et Fabien 1145, 1160
Gaillard et Fils EARL Pierre 838
Gaillard Domaines Pierre 1172, 1180
Gaillot Dom. 951
Galantin Dom. le 848
Gales SA Caves 1255
Gallice 693
Gallimard Père et Fils EARL 607
Galloires Dom. des 976, 993, 1001
Galopière EARL Dom. de la 377, 480, 506, 518
Galteau Guillaume 1053
Gan Jurançon Cave de 952
Garancille Dom. de 841
Garaudet Florent 497, 512
Garcinières Ch. des 864
Garde Ch. la 308
Garde SCEA Vignobles Jean-Paul 238
Garde-Lasserre SCEA 234
Gardet 607
Gardien Frères Dom. 1117
Gardine Ch. de la 1199, 1216
Gardrat Dom. 838, 841
Garenne Dom. de la 848, 1123
Garennes Dom. des 1025
Garnaudière GAEC de la 992
Garnier et Fils SARL 406
Garnier Christophe 1046
Garnier Dom. 1091
Garon Dom. 1172
Garreau SCEA Ch. 206, 957
Garri du Gai SC 327
Garrigue GAEC Vignobles Jean-Luc 792
Garzaro Vignobles 164
Gaschy Paul 91
Gasparotto Laure 741
Gasparri Yannick 1215
Gassmann Rolly 63, 76
Gaucher EARL Jean-Pierre et Éric 1078
Gaudet Jean-Michel 156
Gaudinat-Boivin EARL 607
Gaudinière Dom. de la 1072
Gaudrelle Ch. 1079
Gaudrie et Fils SCEV 226
Gaudron EARL Christophe 1083
Gaudron EARL Dom. Sylvain 1080
Gaudry 1108
Gaugué David 1141
Gaujal Dom. 744
Gaujal Simone et Anne-Virginie 743
Gauletteries Dom. des 1072
Gaultier Philippe 1078
Gaussorgues 721
Gautherin et Fils Dom. Raoul 397
Gautheron SCEV Dom. Alain et Cyril 392, 397, 407
Gauthier 184, 198
Gauthier EARL Christian 984
Gauthier EARL Laurent 135
Gauthier Jacky 145
Gauthier Rémi 110
Gauthier SCEV 607
Gauthier Sylvain 1182
Gautier Benoît 1078
Gautran Nicolas 754
Gautreau SCEA Jean 329
Gavaisson Dom. de 864
Gavignet Dom. Philippe 457
Gavignet Maurice 421, 431, 440, 457
Gavoty Roselyne 865
Gay et Fils Dom. Michel 469, 484, 486
Gay et Fils EARL François 469, 472, 483
Gayrard Dom. 969
Gayrel Alain et Vincent 910, 962, 969
Gazin GFA Ch. 232
Gazziola EARL Vignobles Serge 928, 937
Geddes Alan et Laurence 906
Geffard François 1008, 1019, 1023
Geffard SARL Henri 838
Geiler Cave Jean 51, 92
Géléries Dom. des 1053, 1060, 1066
Gelin Dom. Pierre 427
Gelin SAS Gilles 139
Gélis Nicolas 913
Gelly Dom. Éric 774
Gély Jean-Christophe 1234, 1248
Gendraud-Patrice SARL Caves 407

Gendrier Jocelyne et Michel 1088
Gendron EARL Dom. Philippe 1080
Geneletti Père et Fils Dom. 676, 681
Geneste Vignobles 923, 928
Genet Michel 607
Genetier Philippe 567
Genèves SCEA Dom. des 407
Genoux EARL Dom. 688
Geoffray Claude 133
Geoffrey Valentin 840
Geoffroy 607, 666
Geoffroy Dom. Alain 393
Geoffroy EARL 940
Georgacaracos Dimitri 958
Georges et Fils Jean 134, 139
Georges David 152
Georgeton-Rafflin 608
Gérard Xavier 1176
Gérardin 930
Géraud Roland 774
Gérault Gilles et Laetitia 936-937
Gerbeaux SCEV Dom. des 561
Gerber 963
Gerber EARL Jean-Paul et Dany 51
Gerbet Dom. François 447
Gerin Jean-Michel 1172, 1176
Germain Père et Fils Dom. 491, 503
Germain Alain et Danièle 119
Germain Gilbert et Philippe 491, 497
Germain Maison Arnaud 512
Gervoson 310
Gheeraert Claude 387
Gibault Dom. 1048
Giboulot Dom. Emmanuel 486, 489
Giboulot Jean-Michel 465, 480, 486
Gibourg Robert 431, 440, 470
Gigognan Ch. 1146, 1216
Gigondas la Cave 1204
Gigou Vins Ludovic et Dorothée 1072
Gil Julien et Julia 749
Gilbert Philippe 1103
Gilg Dom. Armand 92
Gilis Christian 899
Gillières SAS des 984
Gimié François 783
Gimonnet et Fils Pierre 608
Gimonnet-Gonet 608
Ginestet Maison 193, 204, 315
Ginglinger Dom. Pierre-Henri 92
Ginglinger Paul 92
Ginglinger-Fix 105
Girard et Fils SCEV Fernand 1123
Girard Frères EARL 978, 1034
Girard Anthony 1102, 1121
Girard Bernard 1199
Girard Dom. 751
Girard Dom. Jean-Jacques 472, 480
Girard Dom. Philippe 480
Girard Lionel 608
Girardi-Dupoyet EARL 694
Girardin Dom. Yves 525
Girardin Justin 525
Girard-Madoux Jean-Charles 686
Girard-Madoux Samuel et Fabien 686
Girard-Madoux Yves 687
Giraud Robert 186
Giraud SARL André 262
Giraudière La 1025
Giraudon Vincent 1100
Girault Dom. Michel 1124
Girault EARL Dominique 1036
Giresse EARL Vignobles 216
Girin Dom. 117
Gironville SC de la 188, 322
Girou Florent 920, 936
Giroud Ch. 865
Giroud Dom. Éric et Catherine 552
Giroud Maison Camille 432, 435, 448, 457, 494, 499, 518
Giroux et Fils EARL Dom. Yves 553, 562, 565
Giroux Pierre 567
Giudicelli-Girard Florence 883, 890
Givaudan Dom. de 1146
Givaudin Franck 417
Givierge Gérard 1085
Glana Ch. du 351
Glantenay SCE Dom. Georges 444, 491
Glas Pascal et Élisabeth 1228
Gleizé Cave coopérative de 118
Glémet Vignobles 209, 214
Gloden et Fils A. 1255
Gobancé Joël 608
Gobillard et Fils J.-M. 609
Gobillard Pierre 608
Godefroy Dom. Jérôme 1053
Godet Christophe 1040, 1050
Godineau Jean-Pascal 1023
Godmé Sabine 609
Godon EARL Bernard et Jérôme 1124
Goerg Paul 609
Goettelmann Michel 83
Goguet EARL Marc 127
Goichot Maison André 525, 540
Goigoux EARL Pierre 1097
Goislot-Papin GAEC 995
Goisot Dom. Anne et Arnaud 377, 385
Goisot Guilhem et Jean-Hugues 377, 418
Gondard Laurent 559
Gonet et Fils SCEV Michel 286, 307
Gonet SAS Philippe 609
Gonet SCEV Michel 609
Gonet-Médeville SCEA Julie 302
Gonfaron Maîtres Vignerons de 865
Gonfrier Frères SCEA 197
Gonin Bernard 145
Gonnet Dom. Charles 687
Gonon Dom. 553, 562
Gonorderie Dom. de la 1002
Gorges de l'Ardèche SCA des Vignerons des 1242
Gorostis 750, 770
Gosseaume Lionel 1042, 1050
Gosseaume Thierry 1038
Gosset 610
Goubault de Brugière Éric et Cécile 933
Gouffier 385, 388, 534, 536
Gouillon Dominique 146
Goulard EARL 610
Goulard-Gérard J.-L. 610
Goulin-Roualet 610
Goulley et Fils Dom. Jean 407
Goulley Dom. Philippe 398
Gourdain Maxime 1174
Gourdon Franck 1004
Gourgazaud Ch. de 755
Gourraud EARL 275
Goussard Didier 610
Goutorbe et Fils André 611
Goutorbe 611
Goutte d'Or EARL La 686
Goyer Dom. 1094
Grâce Fonrazade Ch. la 191, 254
Gracia Alain et Martine 212
Gragnos Ch. de 764
Grain d'Orient Dom. 828
Grall Vincent 1124
Grand Barrail Lamarzelle Figeac Ch. 254
Grand Bertin de Saint-Clair SCEA Ch. 316
Grand Bos SCEA du Ch. du 297
Grand Chêne Dom. du 904
Grand Corbin Manuel SAS Ch. 254
Grand Enclos de Cérons SCEA du 298, 358
Grand Foudre Dom. du 127
Grand Guilhem Dom. 718
Grand Listrac Cave 331
Grand Mayne Dom. du 939
Grand Montmirail Dom. du 1204
Grand Renom Ch. 192
Grand Retour Dom. le 1161
Grand Rosières Dom. du 1112
Grand Sud Les Vignerons du 1154
Grand Taille GAEC de la 1080
Grand Terroir Sud-Ouest 921
Grand Tinel Dom. du 1216
Grand Vallat Dom. le 1235
Grand'Maison SCA Les Vignerons de la 1089
Grand Dom. 674
Grande Barde SCEA de la 272
Grande Brosse Cave de la 1039
Grandeau Vignobles 195
Grandes Murailles SCEA les 255
Grandes Serres SA Les 1146, 1161, 1216, 1222
Grandes Vignes Dom. des 152
Grandes Vignes Dom. les 1018, 1022
Grandjean Lucien & Lydie 155
Grand-Maison Ch. 216
Grandmont Ch. de 127
Grand-Pontet Ch. 255
Grands Bois Dom. les 1162, 1200
Grands Crus (André Delorme) Maison des 539
Grands Crus blancs Cave des 152, 553, 565
Grands Crus de France Sté fermière des 165, 210, 219, 240, 268, 324, 326, 354
Grands Crus Maison des 448, 492
Grands Crus SARL des 327, 331
Grands Vignobles de Bordeaux SAS Les 224
Grands Vins Sélection 150
Grange neuve SCEA de 928
Grange Dom. de la 1040, 1086
Grange Dom. la 727
Granges Dom. des 1132
Grangier Roland 1180
Granier Jean-Christophe 727
Granins Grand Poujeaux SCEA 339
Granon-Pontaix Gaec 1194
Granzamy SAS 611
Gras Dom. Alain 503

PRODUCTEURS

Gras Dom. Alain 503
Gratas EARL Bernard et David 982
Gratian EARL 960
Gratien Alfred 611
Gratiot 611
Gratiot-Pillière SCEV 611
Grave Dom. la 299
Gravennes Dom. des 1146, 1162
Grécaux Dom. des 727
Greffet Ludovic 553, 562, 568
Greffier SCEA 280
Greffière EARL de la 549, 568
Grégoire EARL Vincent 1060
Greiner Dom. Laurence et Philippe 69
Gremillet 593
Grenelle Louis de 973
Grenier 1082
Grès Saint-Paul GFA 727, 767
Grézan SCEA Ch. de 714
Grézette SCEV La 968
Grier Dom. 790, 828
Grillet EARL Dom. de 208, 217
Gripa Dom. Bernard 1180, 1192
Grisard Dom. 687
Griss Dom. Maurice 58
Grivault Albert 507
GRM 192
Grohe Klaus 751
Gromand d'Evry SC 326
Gros Frère et Sœur Dom. 452
Gros Christian 470
Gros Dom. Michel 422, 452, 458
Gros SA Dom. A.-F. 444, 450-451, 453, 487, 491
Grosbois Dom. 1067
Gross Dom. 63, 92
Grossot Corinne et Jean-Pierre 407
Gruaud Larose Ch. 352
Gruet SAS 612
Gruhier Dominique 373
Grumier Fabien 612
Grussaute Jean-Marc 949
Gruy Dom. de 112
Gsell Joseph 69
Gualco Christophe 705
Guay Patrice 612
Guégniard Yves et Anne 1016, 1021
Gueguen Dom. Céline et Frédéric 398, 419
Gueneau Alain 1124
Gueneau Jérôme 1096
Guenescheau Patrick 1060
Guérard Michel 948, 970
Guérin EARL Dominique 984
Guérin Thierry 562
Guerrin et Fils Dom. 562, 568
Guertin Gérard 1080
Gueth Dom. Jean-Claude 51
Gueusquin Nicolas 612
Gufflet 295
Guichanné 966
Guigal É. 1170, 1173, 1174
Guignard Frères GAEC 302
Guignard GAEC Philippe et Jacques 361
Guignier Michel 147
Guigouret SCEA Dom. 1194
Guigue Ghislain 1141, 1202
Guilbaud Frères 990, 1133
Guilhem Ch. 751
Guillard Dominique 117
Guillard SCEA 432
Guillaume Vignoble 683
Guillemot Dom. Pierre 481
Guillet Laurent 135
Guillo Christophe 487, 502
Guillon Jean-Michel 444
Guillon-Painturaud 838
Guillot Amélie 671
Guillot Dom. Patrick 540
Guinand EARL Dom. 728
Guion Stéphane 1054
Guipière SCEA Dom. de la 985
Guiraudon 707
Guirouilh SCEA 951
Guiteronde SCEA du Ch. 180
Guiton Dom. Jean 481
Günther-Chéreau Véronique 985, 1131
Guy Florence 763
Guyard Alain 425, 432, 452
Guyenne Union de 172, 201, 279
Guyon Dom. Antonin 432, 444, 478, 494
Guyon EARL Dom. 450, 481
Guyot Cédric 612
Guyot Dominique 612
GV & FXB SAS 1073
Gyéjacquot SARL 613

H

Haag Jean-Marie 63, 93
Habert-Gaultier Françoise 1076
Habrard Dom. 1185
Habsiger Alain 57
Haeffelin Vignoble Daniel 93
Haegelin SAS Materne 51, 60
Haegelin SCEA Bernard 63
Haegi Dom. 105
Hahusseau Damien 1085
Halbeisen 64, 77
Hallay et Fils GAEC 1080
Hameau de Pécharmant SARL 935
Hamelin Dom. 398, 407
Hamet-Spay SCEV Dom. 152
Hamm et Fils 613
Hansmann Frédéric 105
Hardouin 975, 1031
Hardy Dominique 985
Harlin Père et Fils 613
Harmand-Geoffroy 432, 438
Hartmann André 93
Hartweg Jean-Paul et Frank 64
Hâtes Dom. des 393
Haton et Fils 613
Haton Jean-Noël 613
Hauller et Fils Jean 106
Haut Bonneau SCEA Ch. 268
Haut Bourg Dom. du 992
Haut Coteau SCEA Ch. 347
Haut de Croignon EARL 190
Haut Gléon Ch. 706, 786
Haut Guillebot SCEA Ch. 183, 193
Haut Meyreau SCEA Ch. 180
Haut Peyrous Ch. 298
Haut Pezaud Ch. du 922
Haut Pougnan SCEA Ch. 194, 282
Haut Frédéric et Virginie 1211
Haut-Bailly SAS Ch. 308
Haut-Bergeron SCE Ch. 304, 361
Haut-Bergey Ch. 309
Haut-Breton Larigaudière SCEA Ch. 176, 195, 334
Haut-Brion (Clarence de Haut-Brion) Ch. 309
Haut-Brion Ch. 309
Haut-Cazevert SA Ch. 280
Haute Févrie Dom. 986
Haute-Fonrousse EARL Ch. 922
Haute-Fontaine SCEA 706
Hautes Briguières EARL Les 1236
Hautes Noëlles Dom. les 992
Hautes Roches EARL Les 649
Hautes Troglodytes SCEV Dom. des 1032
Haut-Gaussens SCEA Ch. 193
Haut-Monplaisir Ch. 897
Haut-Montlong Dom. 928
Haut-Nouchet SCEA Dom. 310
Haut-Quercy Les Vignerons du 963
Hauts de Caillevel Ch. les 930
Hauts de Valcombe EARL Les 1236
Haut-Sarpe SE du Ch. 264
Hauts-Baigneux Dom. des 1046
Haut-Surget Ch. 239
Hautvillers Coop. des Vignerons d' 597
Haverlan Dominique 304
Haverlan EARL Patrice 294
Haye Ch. la 347
Hebinger EARL Christian et Véronique 93
Hébrard Gilles 169
Hedon Bernard 706
Heidsieck Charles 614
Heimbourger Dom. 377, 398
Heitzmann Dom. Léon 69
Hémard Stéphane 1232
Hembise SARL Vignobles Jean-Paul 923
Hénin Pascal 614
Hénin-Delouvin 614
Henri Le Dom. d' 398
Henriot 614
Henry Laurence et François 728
Hentz Nicolas 868
Hérault Dom. Éric 1067
Herbe sainte Dom. de l' 780
Heresztyn-Mazzini Dom. 432
Hering Dom. 93
Hérissé Vincent 1134
Héritiers Saint-Genys 525, 530
Hérivault EARL Bernard 1082
Hermann 730
Hermouet 184, 224
Herré Les Vins de l' 964
Hertz Albert 94
Hertz Bruno 52, 83
Hertzog EARL Sylvain 64
Hertzog Sylvain 52
Hervé Jean-Noël 225
Héry Vigneron 1011
Heucq André 614
Heurlier Stéphane 205, 221
Heyberger EARL Michel 52
Heywang Dom. 57
Hirtz Edy 94
Hoclet Xavier 217
Hoerter Michel 615
Homs Dom. d' 897
Horcher Lise 94
Hordé Yves 676, 682
Hortus Dom. de l' 728, 785
Hospices de Canet Ch. des 790, 816, 820
Hospital Patrick 176, 200
Hostens-Picant SCEA Ch. 287
Houblin Dom. Jean-Luc 377

Hours Charles 952
Houssin Daniel 991
Houx Arnaud 1054
Hubau Bénédicte et Grégoire 223
Hubschwerlin EARL Bernard 615
Hueber et Fils Jean-Paul 64
Huet L.B. 558
Hugg Marcel 94
Hugot EARL Romuald 393
Huguenot Père et Fils SCEA 425, 432
Huguenot-Tassin 615
Hugues SCEA Anne 1249
Huguet EARL 1086
Huiban Auguste 615
Humbrecht et Fils EARL Jean-Bernard 94
Hunawihr Cave vinicole de 94, 106
Hunold EARL Bruno 52, 64, 69
Hutasse Rudy et Nathalie 615
Huteau-Boulanger 995

I

Ibanez Valérie et Dominique 735
Icard SCEA Vignobles 174, 183, 187
Iché Marie-Pierre 757
Ignace Vignoble Alain 1210
Ilarria Dom. 955
Ilbert Jean-Pierre et Julien 895
Iltis et Fils Dom. Jacques 69
Imbert Christian et Marc 883
Impulsion Vin SCEA 269
In Vinhys Dom. 773
Inversiones Bren Sté 873
Iris SCEA Dom. des 1002
Issan Ch. d' 334
Isselée Éric 615
Izard Michel 780
Izarn Cathy 762

J

Jaboulet Aîné Dom. Paul 1162, 1174, 1188, 1221
Jaboulet Philippe et Vincent 1186, 1189-1190
Jacob SCE Dom. 475, 478
Jacouton Jean-François 1180
Jacquart 616
Jacqueline Xavier 687
Jacques Ch. des 153
Jacques Rémi 616
Jacquesson Jean-Baptiste 616
Jacquesson Loïc 616
Jacquin et Fils EARL Edmond 687, 692
Jacquinet-Dumez 616
Jadeau EARL Étienne 1001
Jadot Louis 536
Jaeger-Defaix Dom. 537
Jaffelin Maison 500, 537
Jallet Philippe 1117
Jamain Denis 1115
Jamain EARL 616
Jamart et Cie E. 617
Jambon et Fils Dom. Marc 553
Jambon Carine et Laurent 125
Jambon Dominique 147
Jambon Guénaël 147
Jambon Richard 124
Janicot EARL 898
Janisson-Baradon 617
Janoueix SCEA Vignobles François 268
Jardin d'Édouard Le 981
Jas d'Esclans EARL du Dom. du 865
Jas d'Esclans SARL du 873
Jas Dom. du 1147
Jaubert-Noury 823
Jaulin Christian 992
Jaume EARL Dom. 1147
Jaume SAS Les Vignobles Patrick 1142
Jaume Vignobles Alain 1163, 1210, 1217
Jautrou Pierre 1067
Javillier Dom. Patrick 481, 507
Javoy Pascal 1089
Jeanjean Père et Fils GAEC 282
Jeanjean 766
Jeannette Ch. la 866
Jeanniard Dom. Alain 461
Jeanniard Dom. Françoise 473
Jeanniard Rémi 440
Jeannot Père et Fils SCEA 1110, 1112
Jeaunaux Cyril 617
Jeeper Les Domaines 617
Jessiaume Dom. 378, 487, 500, 526
Jestin Vignobles 926, 929, 931
Joannet Dom. Michel 452, 473
Jobard Dom. Claudie 537
Jobeline Dom. de la 553
Jobet SCEA F. 839
Joffre Jean-Luc 1094
Joguet SCEA Charles 1067
Joillot Dom. Jean-Luc 491
Joinaud-Borde SCEV 250
Joliet Père et Fils 427
Joliet Ch. 913
Jolivet Dom. 1002
Jolly Frères GAEC 999
Jolly René 617
Joly Dom. Virgile 729
Joly Nicolas 1015
Joly-Champagne 618
Joncier Dom. du 1147, 1223
Joncy Dom. 136
Jonquères d'Oriola EARL 789
Jordi et Karina Thierry Stéphane 1032
Joselon EARL 1000, 1017
Joseph Dominique 1033
Joséphins Dom. des 118
Josselin Jean-Pierre 618
Jouan SCEA Régis 1124
Jouard EARL Vincent et François 519
Jouclary Ch. 699
Joulin et Fils EARL Alain 1074
Joulin Philippe 1032
Jourdain Dom. Francis 1091
Jourdan Claude 743
Jourdan GAEC 844
Jourdan Gilles 461
Jourdan SCEA Dom. 1067
Joussier EARL Vincent 533, 540
Joÿ Sélection SARL 958, 965
Juillard Franck 142
Juillot Dom. Michel 540
Julien de Savignac 922
Julien EARL René 687
Julien Raymond 753
Julien SCEA Gérard et Nicole 1169
Juliénas-Chaintré Cave Grands Vins 133
Julienne Dom. de la 858
Julienne SARL La 926
Jullien Famille 1212, 1235
Jullion Thierry 839, 841
Jumert Charles 1090
Juncarret SCEA du Ch. 285
Junet Patrick 248
Jussiaume 985
Justin EARL Guy 692

K

Kalian Griaud EARL 931
Kamm Jean-Louis et Éric 77
Karcher et Fils Dom. Robert 70
Kerlann Hervé 378, 422
Kervyn Juan 962
Kientz Fils René 70, 95
Kjellberg-Cuzange EARL Vignobles 246
Klée Albert 95
Klée EARL Henri 95
Klein EARL Georges 53
Klein EARL Joseph et Jacky 66, 82
Klein Olivier et Rémy 1151
Klein Raymond et Martin 95
Klipfel 77, 84, 95
Klur Albert 53, 64, 96
Klur Clément 53
Koch EARL René et Michel 58
Koehler et Fils EARL Jean-Claude 48, 83
Koehly EARL 53
Kohll-Leuck Dom. Viticole 1253
Kohll-Reuland Dom. viticole 1253
Kraft Laurent 1080
Kress-Bléger et Fils EARL 49
Kressmann 170, 335
Krick Hubert 106
Krier Frères Remich SA Caves 1255
Krug 618
Kuhnel Thomas 154

L

L'Hoste Père et Fils 626
Labat-Lapouge EARL des Vignobles 356
Labatut SCEA Vignobles 278
Labbe et Fils 618
Labbé Dom. 688
Labégorce SC Ch. 335-336
Labène Richard 758
Laborde Juillot SCEA 544
Laboucarié – Fontsainte EARL 705
Laboureau 478, 494
Labrousse SCEA Ch. 208
Labruyère Dom. 153
Labry EARL Gilles 500
Laburthe EARL des Vignobles 761
Labuzan EARL Vignobles 301
Lac SCEA Dom. du 936
Lacave EARL Francis 958
Lachassagne SARL Ch. de 378
Lachaux GAEC du Dom. de 1097
Lacheteau SAS 976
Lacombe Georges 619
Lacondemine Vincent 124
Lacoque Hervé 148
Lacoste Corinne 958
Lacoste Jean-Louis 953
Lacourte-Godbillon 619
Lacroix 619
Laculle Vignoble 619
Ladesvignes Ch. 924
Ladimex SARL 189
Laet Derache de 236
Lafage Dom. 791, 802, 820

PRODUCTEURS

Lafage Dom. de 901
Laffite Daniel 803, 830
Laffitte Famille 943, 946
Laffort Jean-Louis 350
Lafitte SCEA Ch. 292
Lafond Dom. 1217, 1223
Lafon-Lafaye EARL des Vignobles 921
Lafont Jean-Marc et Annick 125
Laforest Jean-Marc 156
Lafosse EARL Dominique 296, 358
Lafoux Ch. 858
Lafran-Veyrolles 849
Lagardère SCEV 235, 270
Laget-Royer SCEA Vignobles François 1220
Lagille et Fils 619
Lagneau Didier 132
Lagrange Ch. 352
Lagrange Patrick 422, 428, 440
Lagune Ch. la 326
Lahaye Dom. Michel 491
Laidière Dom. de la 849
Lainé Père et Fils 195
Lalande et Fils EARL 363
Lalanne Fabien 299
Lalaudey et Pomeys SCEA Vignobles 340
Lalaurie Jean-Charles 772, 780
Laleure Piot Dom. 473, 481, 484
Laloue Serge 1124
Lamarlière SARL Philippe 620
Lamartine SCEA Ch. 897
Lambert Lepoittevin-Dubost SCEA 918
Lambert Frédéric 677
Lambert Jean-François 1204
Lamblin et Fils 398
Lamblot 620
Lamé Delisle Boucard 1054
Lamiable 620
Lamont-Financière SAS 257
Lamoureux Guy 667
Lamoureux Jean-Jacques 667
Lamouthe GAEC de 928
Lamy-Pillot Dom. 519, 522
Lancelot-Goussard 620
Lancelot-Pienne 620
Lancelot-Royer EARL P. 620
Lancelot-Wanner Y. 621
Lançon SA Famille 1221
Lancyre SCEA Ch. de 729
Lande Dom. de la 1054
Landeau Vignobles 289
Landerrouat-Duras-Cazaugitat-Langoiran SCA Les Vignerons de 192
Landes EARL des Vignobles du Ch. des 266
Landeyran SCEA Dom. de 764
Landmann EARL Armand 83
Landmann Seppi 84
Landrat-Guyollot Dom. 1108
Landreau Village Dom. du 986
Landron Jo 986
Langalerie SCEA Ch. de 188
Langlois Catherine et Michel 1096
Langlois Gilles 1111
Langlois-Château 976, 1026, 1032
Langoureau Dom. Sylvain 507, 522
Languedocienne et ses Vignerons La 752
Lannoye SCEV 275
Lanot Dominique 970
Lanson 621
Lanson Christophe 139
Lanversin Famille de 857, 877
Lanzac SCEA Henri de 1225
Lapeyre Pascal 949
Lapierre Christophe 151
Lapinesse Ch. 361
Laplace EARL de 939
Laplace Jean-Luc et Éliane 130
Laporte Dom. Serge 1125
Laporte Marie-Véronique 330
Lapouble-Laplace Henri 951
Lardet Famille 153
Large Franck 122
Largeot Dom. Daniel 385
Larguier Vignobles 1147
Larmandier Guy 621
Larnaudie-Hirault 621
Laroche Dom. 408
Laronde Desormes SC Ch. 195
Laroppe Vincent 109
Larose Trintaudon SA 326
Laroze SCE Ch. 257
Larriaut SCEA Joris 172
Larroque Rémi 906
Larroudé Dom. 952
Lartigue Bernard 331
Larzac Dom. de 781
Lascaux Ch. de 729
Lascombes Ch. 335
Lassarat Roger 562, 568
Lateyron 201
Latil EARL Bruno 859
Laton SCEA 321
Latour et Fils Henri 500, 503, 507
Latour Dom. Vincent 495, 507, 519, 522
Latour Maison Louis 507
Latour SCV du Ch. 343, 344
Latrille SCEA Dom. 952
Laudun Chusclan Vignerons 1147, 1161
Laur Patrick et Ludovic 898
Lauran Cabaret Cellier 758
Laurence SCEA Vignobles de la 196
Laurencin Jacqueline 696
Laurens Dom. J. 746-747
Laurent Famille 1117
Laurent Paul 622
Laurent-Gabriel 622
Laurent-Perrier 622
Lauribert Dom. des 1147, 1163
Lauriers EARL Dom. des 744
Lauverjat Kévin et Christian 1125
Lavantureux Roland 393, 414
Lavau et Fils SCEA Régis 245
Lavau SAS 1148, 1163, 1204, 1210, 1217
Lavaure-Huber 622
Lavergne EARL 925
Lavernette Ch. de 119, 378, 388
Laverrière Hubert et Vincent 117
Laville Ch. 361
Laweiss Anne de 65
Lazzarini Christophe 886, 888
Le Bouc et la Treille 159
Le Brun de Neuville 623
Le Brun Servenay SCEV 623
Le Calvez Olivia et Didier 271
Le Capitaine Dom. 1081
Le Colloëc Régis 142
Le Menn Yoan 964
Leau Cyril 1000
Lebeau-Batiste 622
Lebègue Jules 168, 191, 215, 316, 940
Leblanc et Fils EARL Jean-Claude 1017, 1131
Leblanc Philippe et Pascal 1005
Leblé Yannick 981
Leboeuf SCEV Alain 623
Lebreton EARL 1010, 1012
Lebreuil Pierre et Jean-Baptiste 465, 481
Lebrin EARL Olivier 994
Leccia Antoine et Frédéric 879
Leccia Dom. 886
Leccia Dom. Yves 886, 889
Lechat et Fils EARL 991
Leclair Marylène et Serge 1091
Leclerc 623
Leclerc Philippe 433
Leclerc-Briant 623
Leclerc-Mondet 624
Leclercq Claude 1249
Leclère Guillaume 624
Lecoffre Joël 1044
Lecompte François 624
Lecomte Dom. 1094, 1113
Leconte Xavier 624
Leconte-Agnus 624
Lecusse Ch. 905
Leduc Antoine et Nathalie 1019
Leenhardt Quentin et André 723
Lefévère 261
Lefèvre Christophe 661
Lefèvre Didier 624
Leflaive Frères Olivier 478, 508, 514, 522, 526
Legill Caves Paul 1253
Legouge-Copin 625
Legrand Éric 625
Legrand René-Noël et Clotilde 1032
Legrandjacques 110
Legras et Haas 625
Legret Alain 625
Leipp-Leininger 77
Lejeune Dom. 378, 489, 519, 522
Lelarge Alain 1074
Lelarge Dominique 625
Lemaire Claude 625
Lemaire Frédéric 625
Lemarié François 703
Lemenicier Jacques 1191-1192
Lemoine GAEC 1132
Lenique Michel 626
Léon Famille Patrick 226
Léonard EARL des Levriers Pineau 839
Léoville Las Cases Ch. 351, 353
Léoville Poyferré Société Fermière du Ch. 353
Lepage-Macé SCEA 203
Lepaumier Dom. Christophe 719
Lequeux-Mercier 626
Lequien et Fils 626
Lequin et Fils EARL Dom. Louis 519
Leredde Paul 626
Lerys Dom. 717
Les Grézels 904
Lescoutras et Fils EARL J.-C. 279
Lescure Fabien de 137
Lescure Jean-Luc 919
Lespinasse Jean-François 294

Lespine et Successeurs SCEA J. 229
Létourneau Les Chais 388, 553
Lévêque SAS Vignobles 295
Leydet EARL Vignobles 230
Leymarie-Ceci 446
Lheureux Plékhoff 626
Lhumeau EARL Joël et Jean-Louis 1133
Libeau Michel et François 986
Libès Geneviève et Guy 715, 765
Libourne-Montagne Lycée viticole 268
Lichtlé Fils Marcel 60
Liébart-Régnier 627
Liessi Michel 168
Lieubeau Famille 995
Ligier EARL 677
Ligière Dom. la 1212
Lihour Franck 950
Lilian Ladouys SAS Ch. 348
Limouzin 279
Linard François 189, 265
Lingot-Martin Cellier 695
Linster Cave Léa 1256
Lionne GFA du Dom. de 299
Liquière Ch. de la 715
Lirac Cave des Vins de Cru de 1148, 1223
Lisse SCEA Ch. de 960
Littière EARL Gérard 627
Littière EARL Michel 627
Loberger Dom. 53
Lobre EARL Vignobles J.-C. 174, 187
Loge SARL du Dom. de la 1108
Loiret Brigitte et Guillaume 986
Loiret Vincent 989
Loiseau-Jouvault EARL 1066
Lombard & Cie 627
Lonclas Bernard 627
Long-Depaquit Dom. 408, 414
Long-Pech Dom. de 906
Longue Tubi Dom. 866
Lorentz Gustave 96
Lorieux Damien 1061
Lorieux Pascal et Alain 1061
Loriot Gérard 628
Loriot Michel 628
Loriot-Pagel Joseph 628
Lornet Frédéric 671
Loron et Fils SAS Louis 388
Loron Maison Jean 158, 562
Lou Bassaquet Cellier 866
Lou Dévet Dom. 1217
Loubrie Grands Vignobles 365
Louis SARL Éric 1108, 1125
Loup Bleu Dom. le 866
Loup Jean-Louis 1064
Louvet Frédéric 628
Lôyane Dom. la 1148, 1223
Lozey De 628
Luberon SCA Cave du 1240
Lucchini Émile 883
Luchey-Halde Ch. 311
Lucin-Douteau Pascal et Sophie 274
Lugagnac SCEA du Ch. de 181, 196
Lugny Cave de 383, 554
Lumières Cave de 1236
Luneau EARL Françoise et Joël 986
Luneau Emmanuel 980
Luneau Gilles 987
Luneau Raphaël 985
Lupin Bruno 692
Luquet Dom. Roger 388
Luquettes Dom. les 849
Luquot GFA Vignobles 250
Lurton André 267, 283, 307, 311, 312
Lurton Dom. François 718, 780
Lurton Marie-Laure 329
Lurton Sté viticole Henri 333
Lussac SCEA Ch. de 266
Lusseaud EARL Vignobles 984
Lutun 629
Lutun Antoine 595
Lutz Dom. Rémy 106
Luze Frédéric de 337
Lycée professionnel agricole de Riscle Exploitation du 959
Lycée viticole de Beaune Dom. du 487
Lycée viticole Edgard Pisani 977, 1025
Lynch Moussas SCE du Ch. 327

M

Mabileau Frédéric 1054, 1061
Mabileau Guy et Lysiane 1062
Mabileau Jacques et Vincent 1061
Mabileau Jean-François 1052
Mabileau Laurent 1054, 1061
Mabille Francis 1081
Mabillot Matthieu et Renaud 1116
Maby Dom. 1148, 1224
Macay SCEA ch. 217
Machard de Gramont Bertrand 458
Machet Landry 629
Machon Gaylord 1186
Macle Dom. 674, 682
Maclou Gaëlle 867
Macquart-Lorette EARL 629
Madalle Jean-Philippe 763
Madeleine Saint-Jean Dom. la 781
Madeleineau GAEC 995, 1133
Madelin-Petit Dom. 378
Madeloc Dom. 806, 811
Mado SCEA Chantal et Jean-Marie 197, 209
Maels Dom. des 755
Maës 293
Maestrojuan Michel 957, 964
Magalanne Dom. de 1149, 1163
Magni Dom. Patrice 1218
Magnien Dom. Henri 433
Magnien Dom. Michel 437, 440, 442-443
Magnien EARL Dom. Sébastien 465, 487, 492
Magnien EURL Frédéric 428, 436, 445, 458, 461
Magnien Stéphane 440, 442
Magondeau Ch. 181
Magrez Bernard 316
Magrez Dom. Bernard 791, 806
Magrez SC Bernard 359
Mahuet Stéphane 142
Maillard Père et Fils Dom. 475, 482, 484, 487
Maillard Christophe 987
Maillet EARL Laurent et Fabrice 1081
Mailliard Michel 629
Mailloches EARL Dom. des 1055
Mailly Grand Cru 629
Maine Guyon SARL Vignobles Ch. 208
Maine GAEC du 925, 933-934
Maire SCV des Domaines Henri 673, 680
Maire Henri 671
Maison Noble Saint-Martin SARL Ch. 196
Maison noble SCEA Ch. 181
Maison Père et Fils Dom. 1086
Maître Éric 629
Malabre Chantal 1141
Malafosse 750
Malagar Ch. 182
Malandes Dom. des 399, 408, 414
Malard 629
Malartic-Lagravière SC Ch. 308, 311
Malaterre-Rolland SCEA 179
Maldant Jean-Pierre 475
Malepère Cave la 751
Malescot Saint-Exupéry SCEA Ch. 335
Malet Frères GAEC 1092
Malet Roquefort Maison 196, 242
Malétrez SAS Frédéric 630
Mallard Laurent 282
Malle SCEA des Vignobles du Ch. de 295, 362
Malleret SCEA 327
Mallol Grégory 630
Malmont Dom. viticole 1164
Maltroye SCE Ch. de la 519
Mancey Cave des Vignerons de 379, 554
Manciat-Poncet Dom. 554, 568
Mandard Jean-Christophe 1040
Mandeville Olivier 784
Mandourelle Dom. 707
Mann Dom. Albert 96
Mann EARL Jean-Louis 70, 77
Manoir de l'Emmeillé 906
Manoir SCEA Dom. du 65, 70
Manoncourt Famille 252
Mansanné Gaston 953
Mansard SCEV Gilles 630, 647
Mansard-Baillet 597, 630
Manufacture La 399, 419
Maouries Dom. de 941, 966
Maqueline SARL La 169
Maratray-Dubreuil Dom. 467, 475
Marc et traditions EARL 630
Marc 630, 666
Marcadet Jérôme 1087
Marchand Frères EARL Dom. 422, 438, 441-442, 445
Marchand Jean-Philippe 379, 433, 458
Marchand-Tawse 448, 508
Marchesseau Bertrand et Vincent 1055
Marcon Philippe 769
Marcoult SCEV 631
Mardon Dom. 1113
Maréchal EARL Catherine et Claude 482, 484, 492
Marès Cyril 1227
Maretière Les Chais de la 987
Marey et Fils EARL Pierre 473, 478
Margan EARL Jean-Pierre et Nathalie 1239, 1246
Margaux Ch. 182, 336
Margier Jean-François 1245

Margillière Ch. 858
Margüi Ch. 858
Marie du Fou Ch. 996
Marie Maria Vignobles 943, 946
Marinot-Verdun 526, 529, 544
Marion Loïc 139
Marmandais Cave du 917
Marmorières SCEA Ch. de 729
Marnier-Lapostolle 1128
Marniquet EARL Brice 631
Marniquet Jean-Pierre 631
Marquis de Terme Ch. 336
Marrans Dom. des 148
Marrenon 1236
Marsannay Ch. de 425, 448
Marsaux-Donze SCEV 218
Martel & Cie G.H. 631, 648
Martellière 1073, 1090
Martenot Mallard 503
Martet Ch. 288
Martin Domaines 321, 351, 352
Martin Bruno 209
Martin Dom. 1200, 1248
Martin Domaines 353
Martin Dominique et Christine 142, 568
Martin Fabrice 452
Martin GAEC Luc et Fabrice 1002, 1008, 1014
Martin Gaël 158, 569
Martin Geoffrey 158, 569
Martin Olivier 968
Martin Paul-Louis 632
Martin Philippe 631
Martin SCEV Cédric et Patrice 124, 563, 569
Martin-Dufour Dom. 468
Martinelle 1236
Martinelles SCEA Dom. des 1186
Martinette Ch. la 866
Martin-Luneau 987
Martinolles Ch. 749
Martinot Albin 632
Martischang et Fils EARL Henri 54
Marx et Fils SCEV Denis 632
Mary EARL Dom. 1067
Mary-Sessile 632
Marzelle SCEA Ch. la 257
Marzolf EARL 53
Mas Bécha 791
Mas Crémat Dom. 791, 799, 821, 828
Mas Cristine 821
Mas d'Aurel 906
Mas de Cadenet 867
Mas de Cynanque 765
Mas de la Devèze 809, 821, 824, 828
Mas de la Rime 730
Mas de Lavail Dom. 799, 809, 821, 824
Mas de Madame Dom. du 767, 782
Mas de Sainte-Croix 1164
Mas des Armes Dom. du 776
Mas des Caprices 719
Mas des Chimères 741
Mas des Étangs SARL 728
Mas des Flauzières Le 1164, 1210
Mas des Quernes 741
Mas du Novi 782
Mas du Pont GFA 786
Mas et Fils SCEA 291
Mas Montel 732
Mas Oncle Ernest 1236
Mas Peyre 800, 816, 821, 824, 829
Mas Peyrolle 732
Mas Pignou Auque 906
Mas Roc de Bô 756
Mas Rouge Dom. du 768, 782
Mas Rous Dom. du 821
Mas Sainte-Berthe 852
Mas Dom. Paul 748, 776
Mas Jean-Claude 729, 781
Mascaronne SCEA Ch. la 867
Massin et Fils Rémy 633
Massin SAS Dominique 632
Massin Thierry 632
Masson Famille 261
Masson Franck 688
Masson-Blondelet Dom. 1109
Mathelin SCEV 633
Mathes Dom. 1254
Mathieu Jérôme 1220
Mathieu SCEA André 1218
Mathieu-Princet SARL 633
Mathon Julien 124
Matignon EARL Yves et Hélène 1002
Matines Dom. des 976
Matray EARL Lilian et Sandrine 143
Mau Jean-Christophe 305
Mau SA Yvon 172, 184, 187
Maubernard Dom. 849
Maubert Jacques 1238
Maucaillou Ch. 340
Maucoil Ch. 1164, 1218
Maumus Jacques 942
Maumy-Chapier SCEV 633
Maupa EARL du 399, 408
Mauperthuis EARL de 417
Maurer Albert 96
Maury SCV Les Vignerons de 825, 829
Max Louis 379
Mayet Marlène et Alain 919
Mayle Denise 172
Maynadier Laurent 717, 819
Mayne-Vieil SCEA du 225
Mazel 1244
Mazeris-Bellevue SCEA Ch. 223
Mazille Descotes Dom. 160
Mazilly Père et Fils Dom. 465, 492, 508
Méa Guy 633
Médeville et Fils Jean 179, 289, 301, 356
Médio SCEA Vignobles 220
Médot 634
Meffre et Fils Dom. Jack 1203
Meffre Gabriel 1151, 1165, 1224, 1227
Mège Frères SCEA 204
Méjane Dom. de 688, 692
Melin SCEA Ch. de 465, 504, 529
Méline Joseph-Eugène 422
Mellenote Pascal 544
Mellot SARL Vignobles Joseph 1103
Melody Dom. 1186
Melrose Janis 841
Ménard et Fils J.-P. 839
Ménard Hervé et Patricia 1055
Ménard-Gaborit Dom. 987
Menaut EARL 465
Menegazzo Filles EARL 957, 964
Meneuvrier Louis 214
Mentone Ch. 867
Merceron-Martin Dom. 997
Mercey Ch. de 541
Mercier et Fils Alain 634
Mercier 221
Mercier Les Vignobles 997
Mereuille Dom. la 1164, 1218
Mergey Évelyne et Dominique 379, 554
Mérias EARL Benoît et Julie 1075
Merillier EARL des Vignobles 923, 937
Merle Alain 156
Merle Mathilde 862
Merles GAEC des 923
Merlet et Fils SCEA Vignobles Francis 238
Merlet-Brunet Annie 282
Merlo Lucas 902
Mermès GAEC Dom. de 1244
Mersiol 106
Mesclances Ch. les 867
Meslet Dominique 1055
Mesliand Dom. Stéphane et Sandra 1045
Mesnil Le 634
Mestre Père et Fils 468
Mestreguilhem Brigitte 170
Mestreguilhem EARL 259
Métrat Sylvain 126
Mette SARL Les Domaines de la 300
Metz-Geiger EARL 54, 84
Meulière Dom. de la 408
Meuneveaux 476
Meunier Denis 1040, 1081
Meunier Dom. Gaëlle et Jérôme 541
Meunier-Centernach Dom. Paul 822
Meurgey Pierre 554
Meursault Dom. du Ch. de 476, 495, 508
Meyer Hubert 70, 96
Meyer Pierre-Yves 78
Meyer-Fonné Dom. 78, 97
Meylan Nicolas 318
Meynard EARL 188
Meynard SCEA Vignobles 273
Meyney Ch. 348
Meyre Vignobles Alain 322, 329
Méziat Gilles 140
Méziat-Belouze EARL 136
Michaud Dom. 977, 1040, 1048
Micheau-Maillou Famille 237
Michel et Fils Louis 408, 414
Michel Bruno 634
Michel Christophe 634
Michel Dom. 554, 558
Michel Jean-Pierre 555, 558
Michel Joël 635
Michel Paul 635
Michel SCEV Sandrine 635
Michelas-Saint-Jemms Dom. 1186, 1191
Michelon Céline 722
Michez EARL Claude 635
Michot Frédéric 1109
Midoir SARL Raphaël 1040, 1050
Miéry Ch. de 677
Mignard Christian 756
Mignon Charles 621
Miguel Martinho Afonso 331
Milan et Fils Philippe 530
Milaur SCEV JA 606
Millaire Jean-Yves 223

Mille Vignes Dom. les 719
Millegrand SCEA Ch. 759
Millet et Fils Daniel 1123
Millet 1125
Millet Ch. de 959
Millet Dom. François 1125
Millet Gérard 1125
Millet SCEA Dom. 393, 399
Minchin Bertrand 1091
Mingot Vignoble 240
Minière F. & R. 636
Minière SCEV du Ch. de 1055
Minuty SA 868
Mio Franck 255
Miquel Laurent 770
Miquel Raymond 752, 769
Mirande Yannick 341
Mirault Maison 1041, 1081
Mire l'Étang Ch. 732
Mission Haut-Brion Ch. la 312
Mistre Roland 857
Mitjavile 274
Mittnacht Frères Dom. 97
Mocci Christian 730
Mochel Dom. Frédéric 70, 97
Modat Dom. 800
Moellinger et Fils Joseph 78, 97
Moët & Chandon 600, 634, 636
Moindrot Jean-Bernard et Valentin 1103
Moine SNC 841
Moingeon et Fils Dom. André 512, 522
Moirin EARL Elie 1030
Moisan Antonin 827
Moissenet-Bonnard Jean-Louis 492, 512
Molin EARL Armelle et Jean-Michel 426, 428
Molinari et Fils SCEA 301
Mollet Florian 1126
Mollet Jean-Paul 1109
Mollex Maison 693
Moltès Dom. 71, 78
Monbazillac Cave de 931
Monbousquet Exploitation SAS 258
Monbrison Ch. 337
Moncets SAS 237
Moncigale 1144, 1160
Moncontour SA Vignoble Ch. 1081
Moncourt Dom. 1026, 1136
Moncuit Pierre 636
Mondet SARL Francis 636
Mondot SAS Ch. 263
Monette Dom. de la 541
Mongeard-Mugneret Dom. 379, 422
Mongravey SARL 322, 337, 339
Monluc SAS Dom. de 959
Monmarthe Jean-Guy 637
Monneret Père et Fils 533, 544
Monnet Jean-Marc 142
Monnier et Fils Dom. Jean 508, 512
Monnier Dom. René 508
Monnin-Couvent SCEV 595
Monségur SCA Les Vignerons réunis de 172
Mont Ramé Dom. 940
Mont Sainte-Victoire Les Vignerons du 868
Mont Tauch SCA 720
Mont Ventoux VMV-Vignerons du 1237
Montagnac Les Vignobles 744
Montaudon Ch. 637
Montaut Dom. 953
Montbourgeau Dom. de 681
Montchovet Alain et Gilles 465
Montchovet Éric 385
Monteberiot Ch. de 218
Montel EARL Benoît 1098, 1130
Montels Bruno 907
Montemagni SCEA 887-888
Monterrain Dom. de 555
Montesquiou GAEC Dom. 953
Montez Stéphane 1173, 1176, 1181
Montfaucon Ch. de 1224
Montfin Ch. 708
Montfort SC Dom. du Ch. de 977, 1082
Montgilet Dom. de 1003, 1011, 1133
Montgrignon Dom. de 112
Montguéret Ch. de 1026
Montigny Édouard 1089
Montillet Camille de 854
Montine Dom. de 1232
Montirius 1210
Montlabert Ch. 258
Montlouis-sur-Loire Cave des Producteurs de 1041
Montmarin GFA Dom. de 774
Montoray 1041, 1075
Montorge Dom. de 547
Mont-Pérat SCEA 183
Mont-Près-Chambord Les Vignerons de 1085
Mont-Redon Ch. 1218, 1224
Montrose SCEA du Ch. 348
Morat Gilles 563
Mordorée Dom. de la 1149, 1218, 1224
Moreau et Fils J. 408, 415
Moreau Arnaud 637
Moreau Daniel 637
Moreau Dom. David 526, 530
Moreau SARL Louis 399, 414
Moreau Vincent 1149, 1161
Moreau-Naudet 399
Morel SAS Vins Dominique 148
Moret SARL David 504, 509, 520
Moreux Patrice 1109
Morgeau Pierre 835, 1136
Morin Père et Fils 461
Morin Caroline 744
Morin EARL Guy et Olivier 135
Morin Hervé 1062
Morin Olivier 380
Morin Pierre 1126
Morion Didier 1181
Morize Père et Fils 637, 666
Morot SARL Dom. Albert 482, 488
Mortet Dom. Thierry 433, 445
Mortier et Cie J.J. 188, 349
Mortiès Dom. de 733
Mosnier EARL Sylvain 409
Mosny EARL Daniel et Thierry 1075
Motte Dom. de la 399, 409
Moueix Éts Jean-Pierre 232, 233, 236, 245
Moueix SC Bernard 261
Mouillard Jean-Luc 680, 682
Moulin à Vent SCA 340
Moulin Berger Dom. du 143, 158
Moulin de la Roque 849
Moulin de Pomerol SCEA le 234
Moulin Giron EARL Dom. du 977, 994
Moulin Dom. du 907
Moulin-à-Vent Ch. du 153
Moulin-Tacussel Dom. 1219
Mounié Dom. 800, 816, 822
Mourey-Dumangin SCEV 638
Mourier Xavier 1205
Mouriesse Vinum 1219
Mourlan Patrick 856
Mousset et Fils Vignobles Guy 1150
Moutard 638
Moutard Corinne 638
Moutard-Diligent Dom. 388
Moutaux EARL 638
Mouton Jean-Claude 1176
Mouton SCEA Dom. 545
Mouty SCEA Vignobles Daniel 173, 233
Mouzon-Leroux SARL 638
Mucyn Dom. 1181
Mugneret Dominique 452, 458
Muid Montsaugeonnais Le 667
Muller et Fils Charles 48, 97
Mulonnière SAS Ch. de la 1003, 1008, 1014
Mumm G.H. 638
Mur Philippe et Chantal 945
Murail Fabien 996
Murinais Dom. du 1186
Muscat SCA le 769
Musset SCEA Ch. de 269
Musset-Roullier Vignoble 1003, 1006, 1012
Musso Louis 885
Mutin SARL Henri 388
Muzy Dom. de 112

N

Nadalié EARL Vignobles Christine 324
Nairaud-Suberville SCEA 1093
Nalys Dom. de 1219
Napoléon 639
Nau Patrice 1055
Naudet Dominique 1119
Naudin-Ferrand Dom. Henri 423
Naulet Vignobles 270
Navailles Ch. de 953
Navicelle Dom. de la 877
Neau Amélie 1026, 1033
Nebout 1118
Nénin Ch. 234
Néret Alain 639
Nérot et Claire Couet Daniel 1096, 1107
Nérot EURL Cave 1096
Nerthe SCA Ch. la 1219
Nesme Julien 118
Nestuby Ch. 868
Neuraye Dom. de la 1028
Nicolas Père et Fils 1150, 1165
Nicolas Père et Fils EARL 504, 526
Nicolas SC des Héritiers 230
Nicolle Dom. Charly 409
Nicollet Dom. 98
Nigay Pascal 156
Nizas Dom. de 733
Noblaie Dom. de la 1068
Noblesse EARL Ch. de la 850

Noë Dom. de la 988, 1134
Noël (Ch. Tour Saint-Germain) EARL 211
Noël EARL Patrick 1109
Noël SCEV 222
Noëllat Dom. Michel 445, 448, 450, 453, 458
Noëls Dom. des 1019
Noiré Dom. de 1068
Noirot-Carrière 433
Noizet Carole 639
Noizet Philippe 639
Nolot SCEA Catherine 975
Nony SCEV Jean-Pierre 255
Nony-Borie Vignobles 323
Norguet EARL Dominique 1090
Normand Sylvaine et Alain 555
Notre-Dame de Cousignac Dom. 1242
Notre-Dame-des-Pallières Dom. 1200, 1205
Nouveau Dom. Claude 526
Nouvel SCEA Vignobles J.-J. 249, 259
Nouvel EARL Valérie et Patrick 905
Noyers SCA Ch. des 1019
Nozières EARL de 899, 969
Nudant Dom. 468, 470, 476, 495, 509, 512
Nunes Philippe 267

O

Oedoria 119
Œdoria 389
Ogereau Dom. 1014, 1019
Ogier 1150, 1187, 1215
Oisly et Thésée Confrérie des Vignerons de 1044, 1087
Oliver Claude 792, 828
Olivier Père et Fils EARL 639
Olivier Ch. 312
Olivier Dom. 380, 482, 527
Olivier EARL Dom. 1056, 1062
Olivier Famille 1222
Olivier SARL Manuel 389, 423, 441, 492
Ollières Ch. d' 859
Ollier-Taillefer Dom. 715
Ollieux Romanis Ch. 708, 712
Olt Les Vignerons d' 910
Omasson Nathalie 1056
Omerta SCEA Vignoble de l' 300
Ondines Dom. les 1210
Onffroy Baron Roland de 208, 213
Or et de Gueules Ch. d' 1228
Orban Charles 639
Orban Francis 640
Orban SCEV Hervé 639
Orenga de Gaffory GFA 887, 889
Orfée Celliers d' 708
Orlandi Frères SCEA 219
Ormarine Cave de l' 745, 773, 783
Orosquette Jean-François 755
Orsucci François 880
Ortas – Cave de Rasteau 1165, 1200
Ortas 1243
Ortola Georges 733
Ory Christophe et Nicolas 1052, 1059
Osmin & Cie Lionel 911
Ossard et Patriarca 940
Ott SAS Domaines 868
Ou Ch. de l' 792, 822, 830
Ouches Dom. des 1056
Oudin Dom. 409
Ouilly SCEA du Dom. d' 119
Ours Dom. René 1165
Oustal Anne de Joyeuse 749
Ovide et Fils EARL 210

P

P'tit Verger Dom. du 154
Pabion Daniel et Katrin 1130
Pabiot et Fils Jean 1107
Pabiot Dominique 1110
Pagès et Christophe Molinier Martine 770
Pagès Damien 318
Pagès Gilles 731
Paget 1041, 1046, 1068
Paillard Bruno 640
Paillette SARL 640
Pain Clothilde 1068
Pain Dom. Charles 1069
Paire Dom. 119
Palais Cardinal Ch. 258
Palatin 276
Pallaruelo Pascal 171
Pallus Les Demoiselles de 1069
Palmer 640
Palmer SC Ch. 337
Palon Dom. 1150, 1205, 1211
Paloumey (Ch. la Garricq) Ch. 339
Paloumey Ch. 332
Panchau Olivier 779
Panis Guillaume 711
Panis Jean 754
Panisseau Ch. de 924
Pape Clément Ch. 312
Papin Damien et Vincent 988
Papin EARL Hervé 1003
Papin EARL Véronique 1010
Papon-Nouvel Catherine 275
Paquereau EARL Cyrille et Sylvain 983
Paques et Fils 640
Paquet Agnès 500
Paradis Vignobles du 1065
Parcé EARL A. 792
Pardieu de 218
Pardon et Fils 140
Parenchère Ch. de 197
Parent François 380, 520
Parent SAS Dom. 493
Parigot Dom. 466, 493
Paris-Simoneau 1135
Parize Père et Fils Dom. 546
Parnay Ch. de 1033
Pascal Alain 848
Pascal SCEA Olivier 851
Pascal Sébastien 641
Pasquier 1031
Pasquier Laurent 1085
Pasquier Patrick 1029
Pasquiers Dom. des 1150, 1165, 1205, 1248
Passa Saint-André SCA des Vignerons de 791
Passot Alain 136
Passot Dom. 136
Passot Jacky 135
Passot Jean-Guillaume 132
Pastouret EARL Dom. 1228
Patache d'Aux SC Ch. 317
Paternel Dom. du 854
Patience EARL Dom. de la 773
Pâtis Tonneau EARL du 988
Patis EARL Christophe 641
Patissier Jean-François 147
Patoux Denis 641
Paulands Les 470
Paul-Sadi 641
Pauquet EARL Vignobles 173
Pautier Dom. 839
Pautrizel Jacques 217
Pauty Vignobles 253, 919
Pauvert Guy 938
Pavelot EARL Dom. 473
Pavie SCA Ch. 258, 259
Péchard Patrick et Ghislaine 156
Pech-Latt Ch. 708
Pécoula GAEC de 924, 931
Pédesclaux Ch. 344
Pedro De 231
Pegaz Agnès 128
Pegaz Jean-François 130
Peigné et Fils EARL 985
Peillot Famille 695
Peitavy Jean-Baptiste 781
Pélaquié Dom. 1151, 1224
Péligri 641
Pellegrini 735
Pellehaut Dom. de 966
Pellerin Domaines et Châteaux 144
Pelletant 837
Pelletier EARL Jean-Michel 641
Pelletier Jean-Christophe et Édouard 1064
Pelletier-Hibon Dom. 545
Pelou EARL Pierre 800
Péna Ch. de 793, 801
Penaud Patrick 205
Penavayre 915
Penet-Chardonnet 642
Penin EARL 252
Penisson Pierrick et Landry 1133
Pennautier Ch. de 701, 783
Péquin Vincent 1044
Peraldi EARL Dom. 884
Percher Anthony 998, 1016
Perchoir EARL du 119
Perdigao Vasco 1158, 1199
Perdriaux SARL 1084
Perdrix Dom. de la 793, 822
Perdrix Dom. des 380, 450, 459
Père Auguste Caves du 1048
Père Caboche Dom. du 1219
Père La Grolle 120
Peretti della Rocca SAS de 883
Péré-Vergé SCEA Vignobles 232, 239
Perez Jean-Yves 1165
Perinet Marcel 694
Perissé GAEC 965
Pernet Jean 642
Péronnet Alain 923
Perrachon Laurent 149
Perraton Frères Dom. 563
Perraud Dom. 569
Perraud Jean-François 159
Perraud Jean-Yves 152
Perraud Stéphane et Vincent 989
Perrault Nicolas 530
Perreau Thierry 1094
Perret André 1177, 1181
Perret EARL Bernard 1151, 1167
Perret Éric 762
Perrier Dom. Jean 688

Perrier Dom. le 935
Perrier Joseph 642
Perrier-Jouët 642
Perrin et Fils SCEA A. 305-306
Perrin Dom. Christophe 555
Perrin Dom. Roger 1219
Perrin EARL Daniel 642
Perrin Famille 1195, 1240
Perrin SCEA Philibert 310
Perromat EARL Vignobles Jacques 294
Perromat Xavier et Caroline 295
Perrot-Batteux & Filles 643
Perroud Robert 128
Perruche Dom. de la 1033
Persenot SARL Gérard 380
Perseval Benoist 643
Perseval Bruno 643
Persilier Gilles 1098
Perthuy 989
Pertuzot Christophe 484
Pesquié Ch. 1237
Pessenet-Legendre 643
Pétard et Christophe Bazile Vincent 989
Pétillat Dom. 1116
Petit Clocher Dom. du 1003, 1019, 1134
Petit Cluzeau SCEA le 930
Petit Coteau SARL Dom. du 1082
Petit et Bajan EARL 643
Petit et Fils André 839
Petit Métris Dom. du 1014, 1020, 1022
Petit Thouars Yves du 1042
Petit Dom. Désiré 672, 674, 680
Petit James 1056
Petit Romuald 380, 569
Petit SCEA Jean-Dominique 178, 194
Petit Sébastien 170, 180
Petite Fontaine Cave de la 1126
Petite Marne Noir Frères Dom. de la 680
Petiteau Dom. 989, 1134
Petitjean Dom. 385, 419
Petitot Dom. 461, 468, 470
Petit-Village Ch. 234
Petra Bianca EARL 881
Petra Viridis Cave 1242
Petrus SC du Ch. 235
Pettermann Maison 78
Pey-Neuf Ch. 850
Peyrabon Ch. 342
Peyrade Ch. de la 767
Peyrat-Fourthon Ch. 328
Peyre Dom. des 1240
Peyre Vincent 1143
Peyre-Brot-Weissenbach 740
Peyris Dom. de 966
Peyronnet Dom. 768, 777
Peyros Ch. 943
Peyroutet-Davancens Chantal 951
Peytavy Philippe 724
Pézenneau Olivier 132
Pfaffenheim Cave des vignerons de 98
Phélan Ségur Ch. 349
Phétisson Gilles 1148, 1163
Philip Éric 1152
Philippart SARL Maurice 644
Philippe 558
Philipponnat 644
Philizot Stéphane et Virginie 644
Piana EARL Dom. de 881
Piazzetta EARL Jean-Marc et Thierry 919, 927
Pibarnon Ch. de 850
Pibran Ch. 345
Pic Joan Dom. 806
Pic Les Vignerons du 722
Picamelot Maison Louis 389
Picard Dom. Famille 543, 547
Picard et Fils Jean-Paul 1103
Picard Dom. Famille 520
Picard Jacques 581, 644
Picaro's 783
Pichat Dom. 1173, 1245
Pichet Thomas 1056
Pichon Bellevue Ch. 286
Pichon Christophe 1173, 1177, 1181
Pichon SCEA Claude-Michel 1134
Pichon-Baron Ch. 345
Pichon-Longueville Comtesse de Lalande Ch. 345
Picq et ses Enfants EARL Jacques 399, 409
Pieaux EARL Bruno et Jean-Michel 1082
Pieron Pascal et Olivier 900
Pierrail EARL Ch. 184, 198
Pierre-Bise Ch. 1004, 1020, 1022
Pierrefeu Les Vignerons de la Cave de 868
Pierres dorées Vignerons des 121
Pierreux SCEV Ch. de 128
Pierrière EARL Ch. La 276
Pierrines Dom. des 1049
Pierron SC du Ch. 916
Piétrement Emmanuel 644
Piétri-Clara Lætitia 806, 812, 822
Pigeat Dom. André 1113
Pignard Évelyne et Guy 123
Pigneret Fils 381, 385, 537, 541, 545, 547
Pignier Dom. 677
Piguet Stéphane 504, 513
Piguet-Chouet Max et Anne-Marye 500, 509
Pillot Dom. Jean-Michel et Laurent 541
Pillot-Henry EARL 461, 493
Pilotte Audier Vignobles 254
Pin Beausoleil Ch. le 198
Pin Bruno 153
Pin Vignoble 1018
Pineau Yann 857
Pinon Damien 1083
Pinon François 1083
Pinquier Thierry 381, 466, 488
Pins Dom. les 1057, 1062
Pinson Frères Dom. 409
Pinson SARL Charlène et Laurent 400
Pinsonnière GAEC de la 1083
Pinte Dom. de la 672
Piochs Dom. Les 777
Pion EARL Philippe et Aurélien 1069
Piot-Sévillano 645
Piovesan Emmanuelle 917
Piper-Heidsieck 645
Piquemal Dom. 793, 801, 822
Pique-Sègue SNC Ch. 932
Pirolette GFA Dom. de la 158
Pironneau EARL 1049
Pirou Auguste 678
Pisani-Ferry SCEA Édouard 1028, 1034
Piton 237
Piva SCEA 174, 283
Pivoines Dom. des 134
Pizay Ch. de 149
Plaimont Producteurs 945, 967
Plaimont Terroirs et Châteaux 947
Plaisir SCEA Dom. le 1166
Plan de l'Homme Le 742
Planchon et Fils SCEV Robert 1129
Planères Ch. 793
Planes SCEA Les 869
Planques SCEA Ch. de 929
Plantade GAEC 754
Plantevin Dom. Philippe 1166
Plantevin Laurent 1166, 1201
Plantfruit – Gilles Rouchon EARL 773
Plessis Christian et Sylvie 1019
Plomby Famille 285
Ploquin Éric 1057
Plou et Fils 1045
Pointe Ch. la 235
Pointeau Nicolas 1070
Poiron Éric 995
Poiron-Dabin Dom. 990, 1135
Poisot Rémi 454, 476
Poissinet 645
Poitevin EARL André 141
Poitout L. & C. 400, 410
Poittevin EARL Gaston 645
Pol Roger 645
Poli Éric 886, 889
Poli Marie-Brigitte 886
Poll-Fabaire 1256
Pommelet Christophe 646
Pommeraud SCEV Vignobles 203, 210
Pommier Isabelle et Denis 400, 410
Pommiers GFA des 250
Poncereau de Haut Dom. de 842
Poncetys Dom. des 569
Ponlevoy EARL 1038
Ponroy SCEA Dom. 1116
Pons Gilles 960
Ponsard-Chevalier EARL Dom. 527
Ponson Pascal 646
Ponsot Jean-Baptiste 537
Pontac Famille de 362
Pontaud Laurent 1149, 1164
Pontbriand Evelyne de 1013
Pontié Philippe 896
Pontonnier et Fils 1058, 1062
Ponz GFA Henri 204
Porché Philippe 1027, 1033
Portal Jérôme 756
Portaz 686
Portaz EARL Dom. Marc 688
Porte Cévennes Vignerons 771
Portier Philippe 1113
Portier SCV Ch. 153
Port-Sainte-Foy Union de Viticulteurs de 918, 926, 933
Potensac Ch. 320
Pothiers Dom. des 1100
Pouderoux Dom. 801, 825
Pouey International SA 293
Pouey Ch. de 947
Pougelon Ch. 124
Pouillon et Fils R. 646
Poujol Dom. du 734

Poulette Dom. de la 459, 461
Poulleau Père et Fils Dom. Michel 484
Poulvère SARL Ch. 924, 929
Pountet EARL Dom. du 915, 963
Poupard 977, 1005, 1009
Pouzols Mailhac Les Vignerons de 758
Poyet Dom. du 1101
Pradas Dom. du 1206
Pradelle Dom. 1187
Pradier Jean-Pierre 1098
Pradier Marc 1098
Prat Noëlle 914
Prat Yveline 646
Pratavone SCEA Dom. de 885
Pré Baron Dom. 1042
Prégentière Dom. la 859
Preignes le Vieux SCEA 783
Prélat Julien 646
Prenellerie Dom. la 840
Présidente Dom. de la 1220
Pressac GFA Ch. de 260
Prévost François 1004
Prévôté Dom. de la 1046
Prévoteau Père et Fils EARL 646
Prévoteau-Perrier 647
Preys SCEA Dom. 1092
Prié SARL 647
Prieur et Fils Paul 1126
Prieur et Fils Pierre 1126
Prieur Claude 647
Prieur Dom. Jacques 488
Prieur Maison G. 495, 541
Prieur Stéphane 1065
Prieur-Brunet Dom. 509, 527
Prieuré Saint-François EARL 1166
Prieuré Saint-Jean de Bébian 722
Prieuré Les Vignerons du 143
Prin Dom. 470, 476
Princé Ch. 1010-1011
Prince Dom. du 900
Princes Cellier des 1151, 1159
Proy-Goulard 647
Prudhomme Sébastien 1004, 1027
Prudhon et Fils Henri 523
Prudhon Bernard 523
Prunier et Fille Dom. Michel 501
Prunier Dom. Jean-Pierre et Laurent 498, 501, 504
Prunier EARL Dom. Vincent 513, 523
Prunier SARL Vincent 498, 501
Puech-Haut 734
Puffeney Frédéric 672
Puillat Christine et Didier 124
Puisseguin-Lussac-Saint-Émilion Vignerons de 192, 266, 271
Pujol-Izard Dom. 758
Pulido Emma et Jean-Marie 274
Putille SAS Ch. de 1008, 1012
Puy Bardens SCEA Ch. 289
Puy Castéra SCE Ch. 328
Puygueraud SCEA Ch. 278
Puyol SCEA Vignobles Stéphane 242, 922
Puy-Servain SCEA 932, 934
Pyrénaïa Vignobles de 953

Q

Quatre Amours Dom. les 734
Quatre Vents SCEA Vignobles des 333
Quatresols-Gauthier 648
Quellien Bérengère 300
Quénard André et Michel 689
Quenard Bertrand 692
Quénard Dom. Pascal et Annick 689
Quenardel et Fils 648
Quercy Les Vignerons du 901
Queyrens et Fils SC Vignobles Jean 172, 293
Quilichini Élisabeth 879
Quillot Dom. 678
Quinard Julien 695
Quinçay Ch. de 1042, 1092
Quintus SAS 260
Quiot Famille 865, 1207
Quivy Dom. 433

R

R Dom. de l' 1069
Rabasse-Charavin Dom. 1167, 1201
Rabaud-Promis GFA du Ch. 363
Rabelais SICA Caves des Vins de 1069
Rabiller Dany et René 349
Raboutet Didier 205, 217
Raby Gérard et Cécile 840
Race Denis 410
Raderie Dom. 1071
Raffault Dom. Olga 1069
Raffault EARL Jean-Maurice 1070
Raffault EARL Julien 1070
Rafflin EARL Serge 648
Ragot et Fils EARL 210
Ragot Dom. 545
Ragotière SCEA de la 982, 1135
Raguenières SARL Dom. des 1057
Raguenot-Lallez-Miller EARL 186, 201, 204, 211
Raimbault Julien et Clément 1126
Raimbault Roger et Didier 1127
Raimbault Vincent 1083
Raimond Didier 648
Ramage la Batisse SCI Ch. 328
Rambauds EARL des 199
Rambier Jean-Pierre 728
Rame GFA Ch. la 173, 290, 355, 358
Rampon et Fils EARL Michel 147
Rancy Dom. de 816, 829, 832
Raousset Ch. de 140
Raoust Camille-Anaïs 881
Rapet et Fils Dom. François 509
Rapet Père et Fils Dom. 471, 476, 488
Rapin Vincent et Béatrice 250
Rapp Jean et Guillaume 48, 60, 107
Raquillet François 542
Rassat Didier 1113
Rat-Patron Hervé et Patrice 689
Rauly EARL le 925
Rauzan Les Caves de 279
Rauzan-Gassies Ch. 338
Rauzan-Ségla Ch. 338
Ravailhe SCEA de 907
Ravat Éric 223
Ravaud Simon 557
Ravenelle Charly 1042
Ravier EARL Sylvain et Philippe 692
Ravier Pascal et Benjamin 689
Ravoire et Fils 1226
Ray Dom. 1118
Ray-Jane Dom. 851
Raymond VFI SARL 924
Raymond SCEA 291
Raynaud Michel 710
Rayne-Vigneau SC du Ch. de 363
Réaut Ch. 293
Rebellerie ESAT de la 977
Rebourgeon Dom. Michel 493
Rebourseau Dom. Henri 435, 438, 448
Reca et Brice Robelet Elorri 955
Recougne EARL 199
Recoules Jean-Marc 772
Rectorie Dom. de la 807, 812
Redde et Fils Michel 1110
Rédempteur Dubois P & F EARL du 648
Redortier Ch. 1213
Regin EARL Dom. André 98
Régina Dom. 110
Réglat EARL Vignobles Laurent 303, 355, 357
Régnard 410, 415
Régnard Dom. Christian 466, 520, 530
Regnaudot et Fils Jean-Claude 527, 530
Regnaudot Bernard et Florian 527
Reich et Fils SCEA Henri 318
Reitz Maison Paul 434, 482
Remoriquet Dom. 459
Remparts de Neffiès SCEA 734
Remparts EARL Dom. des 419
Remy Bernard 649
Rémy Dom. Chantal 442
Remy Dom. Joël 466, 482, 484, 493
Remy Ernest 649
Remy-Collard EARL 649
Renaissance EARL Dame de la 649
Renard Christophe 125
Renardat-Fache Alain 695
Renaudat SARL Valéry 1115
Renaudie Ch. la 935
Renaudie Dom. de la 1049
Renck EARL Raymond 78
Renoir Vincent 649
Renou Frères et Fils 976, 993, 1002
Renou Stéphane 1062
Renoud-Grappin EARL Pascal 570
Renouil David 315
Rentz et Fils 54
Rentz EARL Edmond 98
Renucci Bernard 882
Rétiveau-Rétif EARL 1030
Retour aux sources EARL Le 1100
Rety Dom. 801
Reulier EARL 1018
Reulier Romain 998
Reverchon Xavier 678, 683
Reverdy Cadet 1129
Reverdy et Fils Dom. Daniel 1127
Reverdy et Fils SCEV Bernard 1127
Reverdy Dom. Hippolyte 1127
Reverdy Jean-Marie 1127
Rêverie Dom. de la 1237
Revollat Patricia et Cyril 145
Rey et Fils EARL Simon 180, 207
Rey-Auriat Isabelle 897
Reynardière Dom. de la 716
Reynaud David 1187
Reynaud EARL Mireille et Jean 1139
Reynaud EARL Vignobles 301
Reyne Ch. la 900
Rezé Didier 1061
Rhodes Ch. de 907

Rhône Méditerranée Sourcing 1144, 1160
Ribeauvillé Cave de 79
Ricard SCEA des Vignobles 182
Richard et Fils EARL Vignobles 270-271
Richard Dom. Henri 426, 437
Richard Dom. Hervé et Marité 1177, 1182
Richard Jean-Pierre 996
Richard Pierre 680
Richemer Les Caves 773
Richez Nathalie 501
Richoux Gabin et Félix 418
Richy Philippe 737
Ricome EARL Les Vignobles Dominique 1228
Rieffel André 99
Rieflé Christophe 65, 79, 107
Rière Cadène Dom. 830
Rieu Frais Dom. du 1245
Rieussec Ch. 184, 363
Riffaud Jean 326
Rigal EARL Vignobles 919, 937
Rigal SARL FLB 706
Rigot Dom. 1151
Rijckaert 556, 563, 570, 672
Rimauresq Dom. de 869
Rineau Damien 991
Rion et Fils Dom. Daniel 459
Rion 650
Rion Dom. Armelle et Bernard 381, 445, 449
Rive droite SCEA de la 175
Rives-Blanques Ch. 749
Rivier Maison 1167
Rivier-Delfau 901
Rivière SCA Ch. de la 226
Roaix-Séguret Les Vignerons de 1167
Robert Bernard 650
Robert Dominique 776
Robert EARL Vignobles 200
Robert Régis 650
Robert SCEV 650
Robert Sté des Vins 746
Robert Stéphane 1183, 1193
Robin Dominique 265
Robin EARL Dom. Guy 415
Robin EARL Louis et Claude 1023
Robin SAS 193, 211, 219
Robin SCEA Jacques 650
Robineau Louis 1004, 1136
Robineau Michel 1020, 1135
Roblin Alban 1127
Roblin Florian 1096
Roc de Châteauvieux SCEA 1043
Rocalière Dom. la 1225
Rocbère Les Caves 708
Rocca Maura SCA 1225
Rochais Guy 1008, 1015, 1022
Rochais Ronan 1009
Roche Aiguë EARL la 466, 501
Roche de Bellene Maison 381, 495, 548
Roche en Loire Ch. de la 1047
Roche Honneur Dom. de la 1070
Roche EARL Christian 926
Rochegrès Dom. de 154
Rocher Corbin SCE Ch. 270
Rocher Jean-Claude 270
Roches Didier 935
Roches Olivier 925
Rochet EARL 171, 182
Rochette Dom. de la 1100
Rochette Dom. Matthieu 149
Rochette EARL Dom. de la 1043
Rochette Romaric 1084
Rochette Vincent 1152, 1220
Rodet-Récapet GFA 213
Rodrigues-Lalande EARL 303, 310
Rodriguez Thierry 715
Roger Dominique 1120
Roger Famille 1007
Rogge-Cereser 650
Roi Dagobert Cave du 79
Rol Valentin SAS Vignobles 261
Rolet Père et Fils SCEA du Dom. 672, 674, 678
Rollan de By Domaines 315
Rolland Michel et Dany 225
Rollet EARL Pascal 560, 566
Rollin Père et Fils 473
Rollin EARL Vignoble 651
Romain Philippe et Thierry 900, 962
Romaine Cave la 1237
Romanée-Conti SC du Dom. de la 450, 451, 453, 454, 455, 476
Romanin SC Ch. 852, 875
Romarins Dom. des 1167
Romassan Ch. 850
Rombeau Dom. de 793, 801, 817, 823
Roméro EARL Frédéric 1207
Rominger Dom. Éric 99
Roncée Dom. du 1070
Rondillon GFA Ch. de 356
Roquebrun Cave de 765, 784
Roquefeuil EARL Vicomte Loïc de 278
Roquefeuil Geoffroy de 176, 187
Roquefort Ch. 185
Roquefort Les Vignerons de 865
Rosan Ch. 869
Rose des Vents Dom. la 859
Rose Lucienne 862
Roseline Diffusion SARL 871
Roseraie Vignoble de la 1057, 1063
Roses Alain 334, 339
Rosier Dom. 748
Rosier Dom. des 1232
Rosinoer 874
Rospars 242
Rossignol Dom. Philippe 428
Rossignol Dom. Régis 495
Rossignol-Boinard SCEA Vignobles 204
Rossignol-Cornu et Fils SCE 474
Rossignol-Trapet Dom. 434, 436
Roth Dom. Robert 107
Rothschild Baron Philippe de 300, 341, 342, 344
Rothschild Compagnie vinicole Baron Edmond de 271, 330, 340
Rothschild Dom. Barons de 342, 343
Rotier Dom. 908
Rôtisserie Dom. de la 835
Rotisson SCEA Dom. de 120, 372
Rottiers Dom. Richard 154
Roty GAEC du 994
Rouanet GAEC Famille 757
Roubine Ch. 869
Roubineau 183
Roucas de Saint-Pierre Dom. du 1206
Roudil-Jouffret EARL 775, 1226
Rouette Dom. de la 1168
Rouge Garance SCEA Dom. 1152
Rouget Ch. 235
Rougeyron Dom. 1098
Rouillère SARL Dom. la 870
Rouïre-Ségur Dom. 709
Roulerie SCEA Ch. de la 1005
Roullet Dominique 1002, 1010
Roulot Bruno 651
Roumagnac Dom. Jean-Paul et Nicolas 914
Roumanières EARL Ch. 735
Roumazeilles EARL 361
Rouquairol Ludovic 731
Rousse Ch. de 953
Rousseau de Sipian Ch. 320
Rousseaux-Batteux EARL 651
Rousseaux-Fresnet Jean-Brice 651
Roussel Marie-France et Didier 287
Roussille Pascal 840
Rouviole Dom. la 761
Roux Père et Fils Dom. 381, 445, 509, 520, 523
Roux Dom. 1094, 1113
Roux Jean 1203
Roux SCEA Vignobles 174, 194
Roux-Cavard de 1246
Rouzé Dom. Adèle 1114
Rouzé Dom. Jacques 1114
Roy et Fils Dom. Georges 471, 485
Roy et Yohann Boutin Anne-Cécile 1043
Roy Favin Vignobles 219
Roy Jean-François 1092
Roy Marc 434
Roy SCEA Dom. 410, 415
Royer et Cie 652
Royer Richard 651
Royet SCEV Jean-Claude 381, 385
Rude Florent 132
Ruet Dom. 149
Ruff Dom. Daniel 57
Ruffin et Fils 652
Ruhlmann Fils Gilbert 79
Ruinart 652
Rullier-Loussert Brigitte 225
Rully Saint-Michel Dom. de 538
Runner et Fils Dom. François 79
Rustmann Thierry 227
Rutat Michel 652, 666
Ryman SA 922

S

Sabarthès Entreprise adaptée Le 961
Sabon 1147, 1162, 1217
Saby Vignobles 225, 273
Sack Jonathan 854
Sacy Louis de 652
Sadoux Pierre 920, 927
Saget-La Perrière SA 1110
Saint Martin Caves 1254, 1257
Saint-Amant Dom. 1213
Saint-André de Figuière 870
Saint-André Cave 859
Saint-Andrieu Dom. 870
Saint-Antoine des Échards Dom. 466
Saint-Augustin Cellier 855
Saint-Cels Dom. de 766

Saint-Chinian Cave des Vignerons de 766
Saint-Cosme 1152, 1177, 1206
Saint-Cyprien Dom. 131
Saint-Damien Dom. 1206
Saint-Denis Dom. 556
Saint-Désirat Cave 1182
Saint-Didier SCEA Ch. 899
Sainte-Anne SCA 883, 890
Sainte-Baume Cellier de la 877
Sainte-Baume Les Vignerons de la 859
Sainte-Béatrice Ch. 870
Sainte-Berthe Mas 875
Sainte-Cécile du Parc Dom. 736
Sainte-Croix La Manuelle Dom. 870
Sainte-Lucie d'Aussou SCEA Ch. 709, 712
Sainte-Lucie Dom. 871
Sainte-Marguerite Ch. 870
Sainte-Marie Dom. 871
Saint-Émilion Union de producteurs de 242, 252, 269, 273
Saint-Estève d'Uchaux Ch. 1152, 1168
Saint-Estève Ch. 709
Saint-Étienne Cellier des 129
Saint-Étienne Dom. 1153
Saint-Germain Dom. 690
Saint-Go SARL Ch. 947
Saint-Jean lez Durance Ch. 875
Saint-Jean SCEA Ch. 1168
Saint-Jean-Le-Vieux Dom. 860
Saint-Julien Cave coopérative de 125
Saint-Lager Ch. de 129
Saint-Louis SCEA Ch. 914, 963
Saint-Louis SCEA Ch. de 712
Saint-Marc Cave 1237, 1249
Saint-Marc Dom. 466, 527
Saint-Martin de la Garrigue SCEA 736
Saint-Martin Serge 329
Saint-Maurice Cave 771, 1230
Saint-Maurice Ch. 1168
Saint-Michel Dom. 1168
Saint-Nicolas Ch. 830
Saint-Pancrace Dom. 381, 389
Saint-Pantaléon-les-Vignes Cave de 1245
Saint-Pierre Ch. 871
Saint-Préfert SAS Dom. 1220
Saint-Remy-Desom Caves 1252
Saint-Robert SCEA de 899
Saint-Roch Brunel Frères Ch. 1153
Saint-Roch Dom. 1213
Saint-Roman d'Esclans Dom. 871
Saint-Sardos Vignerons de 918
Saint-Saturnin Les Vins de 736
Saint-Sauveur Ch. 1243
Saint-Ser Dom. de 872
Saint-Seurin SCEA 900
Saint-Verny Cave Selia 1098, 1130
Saint-Vincent SCEA Dom. 1169
Sala Francis 768
Salasar Maison 746-747
Salettes SCEV Ch. de 908
Salima et Alain EARL 594
Salle Saint-Estèphe SC la 349
Salles 739
Sallette Romain 318
Salmon Dom. 1128
Salmon EARL 653
Salmona Guy 914
Salomon Christelle 653
Salomon Nicolas 653
Salon 653
Salvestre Famille 764
Salvy Dom. 908
Sambardier Damien 139
Samson Gérard 1130
San Micheli Dom. 882
Sanchez-Le Guédard 654
Sanctus SCEA Ch. 261
Sanger 654
Sanglière EARL La 872
Sangouard Pierre-Emmanuel 556
Sant'Armettu EARL 882, 889
Santa Duc Dom. 1220
Santé Bernard 143
Santenay SAS Ch. de 449, 542
Santini Franck 888
Sanzay Sébastien 1028, 1034
Saparale EARL Dom. 882
Sarabande Dom. de la 716
Saransot-Dupré SC Ch. 331
Sarda-Malet Dom. 794, 817
Sarrabelle Dom. 908
Sarrat de Goundy Dom. 737
Sarrazin et Fils SARL Michel 542, 545
Sarrins Dom. des 872
Sartre Ch. le 313
Sassangy Ch. de 389, 533
Sauger Dom. 1087
Saumaize Annie 568
Saumur Cave des Vignerons de 1027
Saurs SCEA Ch. de 909
Saurue Vignobles François 269
Sautereau David 1128
Sauvaire Hervé 737
Sauvaire Thierry 734
Sauvat-Blot Annie 1099
Sauvayre Christian 1196
Sauvegarde SCF La 199
Sauvète Dom. Jérôme 1043
Sauveterre Blasimon Cave de 281
Savagny Dom. de 678
Savas 169, 177
Savès Camille 654
Savoye Christophe 149
Savoye Dom. Christian et Michèle 150
Savoye Laurent 138
Schaetzel Martin 99
Schaffhauser SARL Jean-Paul 55
Schaller et Fils EARL Edgard 99
Schaller Dom. Camille et Laurent 400
Schaller EARL Denis 382
Scharsch Dom. Joseph 80
Scheidecker et Fils EARL 65, 80
Schenck Bruno 705
Scherb et Fils Louis 99
Scherb et Fils SCEA Bernard 65
Scherb EARL Annick et Michel 58, 107
Scherrer Thierry 99
Schistes Dom. des 794, 802, 825, 832
Schlatter Olivier 1110
Schlegel-Boeglin Dom. 71, 100
Schlink Domaine viticole 1254
Schlumberger Domaines 55, 100
Schmitt François 100
Schneider EARL 80
Schoch Emmanuelle 771
Schoech Dom. Maurice 100
Schoenheitz Henri 71
Schoepfer Dom. Michel 65, 72
Schoffit Dom. 101
Schueller EARL Maurice 80
Schueller Vins Edmond 60, 66, 72
Schumacher-Knepper Dom. viticole 1254, 1257
Schuster de Ballwil Armand 183
Schwartz Dom. J.-L. 101
Schweitzer SCEA Vignobles Luc 208
Seailles Dom. 967
Sécher et Hervé Denis Jérôme 983
Sécher Roland 981
Secondé François 654
Secondé-Simon SCEV J.-L. 654
Seguala Ch. 808
Seguin Dom. 1110
Seguin Gérard 434
Seguin SC Dom. de 313
Seguin SC du Ch. de 185, 200
Seguin-Manuel Dom. 453, 482, 513, 538
Séguinot et Filles Dom. Daniel 401, 411
Séguinot-Bordet Dom. 400
Seilly Dom. 55
Seize 267
Seize Robert 265
Selection SARL A et C 213
Sélèque SCEV R. et J.-M. 655
Selle Michelle et Philippe 912
Selle Nicolas 912
Seltz et Fils EARL Fernand 101
Semper Dom. 809, 830
Senez 655
Serguier Marc 1141
Sérol Dom. 1100
Serpe Ch. la 1034
Serre des Vignes Dom. du 1233
Serre Romani 802, 823
Serres de la Roussière Delphine 750
Serres Dom. de 772
Serrigny Francine et Marie-Laure 483
Serris Serge 757
Serveaux Fils 655
Servin Dom. 411
Sève Laurent 120
Sevin 1088
Siaurac and Co Ch. 236, 240, 260
Sicard et Filles EARL Vignoble René 287
Sicard Dom. 758
Sicard-Géroudet Catherine 768
Sichel Maison 176
Sieur d'Arques SAS 746, 748, 750
Sigalas-Rabaud Ch. 364
Sigaut Dom. Anne et Hervé 441, 446
Signé Vignerons 129
Sigoulès Cave de 920, 927, 970
Silvestri Maurice 849
Simart-Moreau 655
Simian Ch. 1169, 1221
Simon Alain 655
Simon Dom. Aline et Rémy 80
Simoneau EARL Paris 1043

Simonis et Fils Jean-Paul 72, 101
Simonis Étienne 101
Simonnet-Febvre 382, 385, 411, 571
Siouvette EARL Domaines 872
Sipp Jean 72, 81, 102
Sipp-Mack 81
Siret-Courtaud Dom. 1114
Sirot-Soizeau Françoise 359
Sisqueille Cathy et Philippe 817
Sixtine Ch. 1221
Skalli Les Vins 726, 1140, 1178
Smith Haut Lafitte Ch. 313
Sohler Dom. Philippe 48
Sohler Jean-Marie et Hervé 84, 102
Solane et Fils GFA Bernard 357
Solidaires Ch. 209, 211, 219
Sol-Payré Dom. 794
Sommiérois SCA Les Vignerons du 737
Sonnette SAS Jacques 655
Sontag Claude 111
Sorbe SARL Jean-Michel 1116
Sorg EARL Bruno 102
Sorge SCEA des Vignobles Jean 334
Sornay EARL Christophe 148
Souch SCEA Dom. de 954
Soucherie Ch. 1015, 1021
Soufrandise Dom. la 563
Sounit Maison Albert 389, 531, 538, 542, 546
Sourdais EARL Serge et Bruno 1066
Sourdais Pierre 1071
Sourdet Patrick 656
Sours SCEA Ch. de 200
Soutard SCEA du Ch. 261
Souterrains SCEA Dom. des 1043, 1049
Soutiran 656
Soutiran EARL Patrick 656
Sovex Grands Châteaux 187
Spannagel Dom. Paul 102
Spannagel Vincent 59, 102
Sparr SAS Charles 103
Spay Bernadette 142
Specht Dom. Jean-Paul et Denis 60, 103
Spelty SCEV Johann 1071
Spirit of French Brothers 1086
Spitz et Fils 81
Spizzo Jean 853
Sroka Viviane 920
Stehelin Frédéric 1205
Stentz Aimé 55
Stintzi Gérard 107
Stirn Dom. 59, 103
Stoffel Antoine 56
Stony Ch. de 784
Straub Jean-Marie 81
Stromberg Dom. du 111
Suard Stéphane et Francis 1071
Suau SCEA du Ch. 185, 290
Sudrat-Melet SCEA Vignobles 224
Suduiraut Ch. 364
Suffrène Dom. la 851
Suire Isabelle 1028
Sulzer-Féret SCEA 191
Sunnen-Hoffman Dom. 1254
Suremain Dom. de 542
Suriane Dom. de 855
Suteau-Ollivier EARL 997
Sutra de Germa Anne 733
Suzienne Caveau la 1167, 1232
Sylla SCA 1238, 1240
Sylvain Vignobles Jean-Luc 248, 267

T

Tabani Alain 871
Tabordet Pascal, Gaël et Marius 1111, 1128
Tabourelles Dom. des 1044
Tach Frédéric 296
Tachon Marie-Claire et René 132
Tain Cave de 1182, 1188, 1190-1192
Taittinger 656
Taïx Patrice 774
Taïx Pierre 271
Talancé GFA Dom. de 120
Talbot Ch. 185, 353
Talmard EARL Gérald 390
Taluau et Foltzenlogel EARL 1063
Tambour Dom. 807, 812
Tanneux Christophe 656
Tante Alice Dom. de 130
Tapray 657
Taradeau SCA Les Vignerons de 872
Tardy et Fils René 493
Tariquet Dom. du 967
Tarlant 657
Tarroux Roland 744
Tassin Emmanuel 657, 666
Tastet Denis 958, 967
Tastu Thierry 770
Taupenot Pierre 501
Taupenot SAS Romain 459
Taupenot-Merme Dom. 439, 441, 501, 504
Tautavel-Vingrau SCV Les Vignerons 795, 803, 825
Tavel Les Vignerons de 1153, 1225
Tayac SC Ch. 338
Tayac SC du Ch. 221
Teiller Dom. Jean 1103
Teissèdre Jean-Pierre 123
Telmont J. de 657
Temperley Vignobles 937
Temps des Sages Le 1241, 1246
Terra Corsa EARL 880
Terranea 1148, 1169, 1211, 1238
Terraube Jean-Marie 959, 965
TerraVentoux Cave 1238
Terre de Vignerons 164, 199
Terre et du Temps SCEA de la 725, 776
Terrebrune Dom. de 851, 978
Terres d'Armelle Dom. les 772
Terres d'Avignon SCA 1166
Terres d'Émotions Dom. 1233
Terres de Chatenay Dom. des 556
Terres de Mallyce Les 803
Terres de Saint-Hilaire Les 860
Terres de Velle Dom. des 498, 502
Terres des Templiers 807, 812-813
Terres noires GAEC des 1050
Terres romanes Les Vignerons en 790
Terres secrètes Vignerons des 556
Terride GAEC de 909
Terrien GAEC 997
Terrimbo 807
Terroirs du Vertige SCAV Les 710
Terroirs et Châteaux de Bourgogne SAS 488
Terroirs et Talents 140
Tertre – Dom. de Bourron SCEA du 276
Tesseron Famille 348
Tessier Michel 1008
Tessier SCEA 1026
Testulat SA V. 657
Tête Michel et Sylvain 157
Teulon Vincent 1229
Tévenot Vignoble 1087
Teynac Ch. 353
Thénac SCEA Ch. 925
Thérèse EARL Vignobles 282
Thérond 731
Théron-Portets SCEA 301
Therrey Éric 658
Theulet Marsalet EARL 928
Theulot Nathalie et Jean-Claude 542
Thévenet Isabelle et Xavier 658
Thévenot-Le Brun Dom. 423
They EARL Alexandre 710
Thibault GAEC 1096
Thibaut Dom. Michel 678
Thibert Père et Fils Dom. 564, 570
Thibert Pierre 459, 461
Thiénot 658
Thill Dom. 1257
Thill Éric et Bérengère 678
Thirot Gérard et Hubert 1129
Thirot-Fournier Christian 1130
Thoilliez 260
Thomas et Fils Dom. Michel 1128
Thomas Dom. Gérard 513
Thomas Lucien 552
Thomas Vignobles 331
Thomas-Labaille 1128
Thomson 980
Thorigny Christophe 1084
Thorin Maison 143
Thorin SCEA Dom. 840
Thuerry Ch. 860
Thunevin 229, 263
Thunevin-Calvet Dom. 803, 831
Tijou Hervé 1013
Tinon EARL Vignoble 357
Tiregand SCEA du Ch. de 936
Tirroloni Toussaint 885
Tissier et Fils Diogène 658
Tissier SAS J.-M. 658
Tissot Michel 680
Tixier et Fils André 659
Tixier Michel 659
Tixier Olivier 659
Toasc Dom. de 853
Todeschini Famille 257
Tola-Manenti 884
Topaze GAEC 991
Tordeur Sophie et Didier 289
Tortochot Dom. 438, 441
Toublanc Jean-Claude 993
Toumalin SCEV Ch. 223
Toupie Dom. la 795, 803, 831
Tour Baladoz SCEA Ch. 250
Tour blanche Ch. la 365
Tour de Gâtigne Dom. la 1230
Tour du Bief Dom. de la 154
Tour Figeac SC la 262
Tour Penedesses Dom. la 716, 738
Tour Saint-Christophe Ch. 262
Tour Saint-Honoré Ch. 873
Tour Saint-Martin La 1104
Tour Saint-Martin SCAV 757

PRODUCTEURS

Tour Vieille Dom. la 808
Tour Dom. de la 66, 81
Tour SCEA de la 1184
Touraize Dom. de la 673
Tourbillon Benjamin 1154, 1207
Tournefeuille SCEA Ch. 240
Tournerie GAEC de la 1136
Tournier Geneviève et Henri 851
Tournier Guilhem 848
Tournoud Guy et Chantal 690
Tourril Ch. 758
Tour-Rouge EARL la 175
Tours Seguy SCEA Ch. les 221
Tourteau Chollet SC du Ch. 304
Tourteyron EARL Le Temple de 320
Tramier et Fils 372
Tranchand SCEA Patrick 157
Trapadis Dom. du 1201, 1243
Treille SCEA Dom. de 750
Treloar 795
Tremblay Dom. Gérard 411
Trémoine Les Vignerons de 801
Trénel 159
Trénel Maison 570
Trépaloup Dom. de 738
Treuillet Sébastien 1111
Trianon Ch. 262
Trians Ch. 860
Tribaut G. 659
Tribaut-Schloesser 659
Tricat Service Production 908
Trichard Dom. Benoît 130
Trichard GAEC Bernard, Laurent et Didier 156
Trichard Jean-François 134
Trichet Pierre 659
Tricon Maison Olivier 401
Trilles Jean-Baptiste 795, 831
Trillol SCA du 710
Trinque SARL Vignobles 210
Tripoz EARL Catherine et Didier 557
Tritant Alfred 660
Trocard Benoît 247
Trocard Vignobles Jean-Louis 229, 238, 265
Trois Blasons Les 759
Trois Collines SCA Les 179, 289, 292
Trois Monts Dom. des 1021
Trois Plaisirs EARL Les 159
Trois Puechs Dom. les 738
Trolliet Martinon EARL 282
Trompe-Tonneau Dom. de 1023
Tronquoy-Lalande Ch. 350
Trosset Dom. Fabien 690
Trottevieille SCEA du Ch. 263
Trottières Dom. des 1009, 1021
Trouillard 660
Trouillet Dom. 564-565
Truchetet Jean-Pierre 372, 462
Trudon 660
Truet Lionel 1040
Truffière Beauportail La 931
Truffière SARL Dom. de la 781
Tsarine 660
Tupinier-Bautista 542
Turc SARL Philippe 974
Turckheim Cave de 60, 81
Turpin Christophe 1104
Turtaut EARL 302
Tutiac Les Vignerons de 211, 215

U

Uby Dom. 968
Ughetto Éric 1206, 1211
Uijttewaal EARL A. et F. 316
Uni-Médoc Les Vignerons d' 315
Union Champagne 653
Union des Jeunes viticulteurs-récoltants 1194
Univitis SCA 171, 190, 200, 286, 921
Usseglio et Fils Dom. Pierre 1225
Usseglio et Fils Dom. Raymond 1154, 1221
UVIB SCA 882

V

Vaccelli Dom. de 885
Vacher et Fils Dom. Jean-Pierre 1129
Vacher Maison Adrien 690
Vacheron Vignerons SAS Dom. 1129
Vadé Patrick 1034
Vailhé Jean-Pierre 730
Vaisinerie SCEA la 272
Vaissière 909
Val de France Caves du 1084
Val de Gascogne 957
Val de Mercy Grands Vins 382, 505
Val de Mercy Ch. du 401
Val des Haïs EARL 602
Valade Cédric 263
Valade EARL P.-L. 273
Valdition Dom. de 856, 876
Valençay SCA La Cave de 1092
Valentines Les 873
Valéry Les Vins Famille 779
Valetanne Ch. la 873
Valette Dom. du Ch. de la 121
Valinière GAEC Dom. de 716
Vallat Jean-François 738
Vallée Moray Dom. 1075
Vallet Dom. Anthony 1183
Vallette EARL Vignobles 933
Vallette Martine et Jean-Marie 340
Vallette Robert 130
Vallettes Dom. des 1057, 1063
Vallon Les Vignerons du 911
Valmer SCEA Ch. de 1084
Valmy SARL Les Vins de 795, 809, 817, 831
Valrhodania 1154, 1156
Van Ekris Heather 182
Van Gysel-Liébart 660
Van Hecke Roland 390
Van Dom. le 1238
Vandelle Dom. Philippe 681
Vanlancker Guy 760, 776
Vannières Ch. 851
Vanzella SCEV 660
Vaquer Dom. 796, 823, 831
Varière Ch. la 1011, 1023
Varnier-Fannière 660
Varoilles Dom. des 435, 437
Vatan EARL André 1129
Vaucher Père et Fils 382
Vaucorneilles Dom. Les 1050
Vaudoisey Christophe 496, 509
Vaudoisey-Creusefond 382
Vaugelas SCEA Ch. de 710
Vaure Chais de 170
Vauroux Dom. de 411
Vaute Thierry et Marina 1249
Vauversin 661
Vauvy – Dom. Bellevue EARL P. 1036, 1047
Vaux Ch. de 111
Vayssette 909
Védélago Jean-Paul 274
Veilloux Dom. de 1087
Velut Jean 661
Vély-Prodhomme 661
Vendômois Cave coopérative du 1090
Vénéjan la Porte d'Or Cellier 1154
Venesmes SCEV de 1136
Venoge De 661
Venot GAEC 386
Ventenac Maison 702
Venture 741
Venturi-Pieretti Lina 881
Vénus Dom. de 796
Verdier SA Joseph 1028
Verdier-Logel Cave 1101
Vergisson Dom. du Ch. de 564, 570
Vergniaud Famille 919
Vergnon J.-L. 662
Vermont EARL Ch. 200, 284
Vernède Ch. la 738
Vernellerie EARL Dom. de la 1057
Verrerie Ch. la 1241
Verret Dom. 382, 386, 418
Verret SARL Bruno 411, 419
Verrier et Fils 662
Vertus d'Élise SCEV Les 612
Vesselle Alain 662
Vesselle Georges 662
Vesselle Jean 662, 666
Vesselle Maurice 662
Vessigaud Dom. Pierre 564
Veuve Ambal 390
Veuve Maitre-Geoffroy 663
Veuve Olivier et Fils 663
Vézien et Fils Marcel 663
Vial Magnères Dom. 813
Vial GAEC 1099
Vial Julien 877
Vialard Marie 323
Vialla-Donnadieu 736
Viana 684
Viard Florent 664
Viau Guilhem 785
Viaud Vincent 990
Vicard Jean-Louis 246
Vic-Bilh Les Vignerons récoltants du 942, 948
Vico Dom. 883, 890
Vidal EURL Pierre 1154, 1169, 1174, 1196, 1201, 1207, 1211, 1225
Vidal-Fleury 1207, 1221, 1243
Vidaubanaise La 869
Vieille Cure SNC Ch. la 226
Vieille Église Cellier de la 144
Vieille Église GFA de la 144
Vieille Fontaine Dom. de la 383, 543
Vieille Forge Dom. de la 49, 56
Vienne Les Vins de 1177, 1188, 1192
Viennet SCEA 735, 784
Viénot Maison Charles 426
Vieux Collège Dom. du 383, 426
Vieux Maillet SCEA Ch. 236, 240, 268
Vieux Maurins SCEA Ch. les 243
Vieux Noyer Dom. du 911
Vieux Robin Ch. 314

Vignals SCEA Ch. les 910
Vigne blanche Cave de la 558
Vigne romaine Dom. de la 154
Vigneau-Chevreau 1079
Vigneron savoyard Le 689
Vigneron Maison du 676, 679
Vignerons beaucairois Les 1229
Vignerons catalans 796, 815
Vignerons de Cœur SAS des 422
Vignerons landais SCA les 948
Vignerons londais Cave des 874
Vignerons Sud Ardèche 1244
Vignes de l'Arque Les 784, 1230
Vignoli 965
Vignon Père et Fils 664
Vignot Dom. Alain et Julien 383
Vigot Dom. Fabrice 450, 453
Vigouroux David et Claude 912
Vigouroux GFA Georges 897
Viguier Jean-Marc 910
Viking Dom. du 1084
Vila Robert 814
Viland Antoine 116
Villa Dondona 739
Villa Dria 968
Villaine de 533-534
Villamont Henri de 451, 483
Villaneuva Olivier 715
Villard François 1174, 1177, 1183, 1193
Villars-Lurton Claire 334
Villebois J. de 1136
Villedieu-Buisson Les Vignerons de 1146, 1162
Villemaine Jean-Marc 1044, 1049
Villeneuve Cave Arnaud de 804, 818, 823
Villeneuvoise SC 212
Villiers Élise 383
Vilmart et Cie 664
Vinas Claudine et Éric 911
Vincens Ch. 900
Vincent Anne-Marie et Jean-Marc 528
Vincent Guillemette 131
Vincent Marc 1027
Vincent SCEA Vignobles 181, 195
Vincent SCEV 1116
Vinovalie – Côtes d'Olt 894
Vinovalie – Site de Técou 905
Vinsmoselle Domaines 1254-1256
Vinsmoselle Les Domaines de 1256
Vinsobraise Cave la 1155, 1196
Vinson Denis et Charles 1197
Vinzelles – Françoise de Lasteude Ch. de 565
Violeau-Brasseur Delphine 194
Violette Dom. du Ch. de la 690
Viot et Fils A. 664
Viranel Ch. 766, 777
Viré Cave de 558
Virou SC Ch. le 212
Visage SCEA des Vignobles 256
Vistre Dom. du 1229
Vitteaut-Alberti 390
Viudes Pierre et Julie 768, 777
Viviers SCEV Ch. de 401, 411, 415
Vivonne Ch. la 852
Vocoret et Fils Dom. 416
Vocoret Dom. Yvon et Laurent 401
Voge Dom. Alain 1193
Vogel et Hans Hürlimann Christa 773
Vogt Dom. Laurent 66
Voirin-Jumel 664
Voisine EARL Olivier 1017
Voiteur Fruitière vinicole de 675, 679
Vonville 72
Vorburger et Fils EARL Jean-Pierre 82
Vordy Didier 759
Vougeraie Dom. de la 446
Voulte-Gasparets Ch. la 711
Voûte du Verdus Dom. la 739, 786
Vouvray Cave des Producteurs de 1078
Vrignaud Guillaume 412
Vrignaud Joël 177
Vrillonnière EARL de la 996
Vuillien SCEA Vignobles 939
Vullien et Fils EARL Dom. Jean 691

W

Wach et Fils Jean 107
Wantz Dom. Alfred 73
Waris et Filles 664
Waris-Hubert 665
Waris-Larmandier 665
Wassler Fils EARL Jean-Paul 61, 66
Weinzorn et Fils Gérard 98
Weissenbach Cécile 752
Weisskopf Xavier 1075
Welty Jean-Michel 56
Wildbolz Peter 731
Willm Alsace 103
Winevest Saint-Émilion SCEA 266, 272
Wolfberger 56
Wunsch et Mann 108
Wurtz et Fils EARL Willy 103
Wymann Xavier 66

X

Xans Vignobles Florence et Alain 253

Y

Ybargaray 955
Ybert SCEA Vignobles Daniel 236, 264
Yemeniz de Romefort 157
Yon-Figeac Ch. 264
Yquem Ch. d' 186, 366
Yung et Fils SCEA Charles 292
Yung et Fils SCEA P. 289

Z

Zalieux SCEV les 650
Zeller Andrea et Christian 961
Zeyssolff G. 108
Ziegler et Fils EARL Fernand 61, 82
Ziegler EARL Albert 56
Ziegler-Mauler Fils Dom. 103
Zinck Dom. Philippe 67
Zoeller EARL Maison 67

Index des vins

INDEX DES VINS

L'indexation ne tient pas compte de l'article défini

A

À LA GLOIRE DU CHAT Bordeaux supérieur 186
A RONCA Corse ou vin-de-corse 878
A Dom. de l' Castillon-côtes-de-bordeaux 273
ABBAYE DE SANTENAY Santenay 523
ABBAYE DES MONGES Languedoc 721
ABBAYE DU PETIT QUINCY Dom. de l' Bourgogne 372
ABBAYE Ch. l' Blaye-côtes-de-bordeaux 204
ABBÉ DÎNE Dom. l' Côtes-du-rhône 1139
ABBÉ DUBOIS L' IGP Ardèche 1244
ABBÉ ROUS Collioure 804
ABBÉ ROUS Cave de l' Banyuls 810
ABBOTTS ET DELAUNAY Corbières 702 • Côtes-du-roussillon 787 • Faugères 712
ABELANET Ch. Fitou 717
ABELYCE Ch. Saint-émilion grand cru 243
ABONNAT Jacques et Xavier Côtes-d'auvergne 1097
ABOTIA Dom. Irouléguy 954
ACACIAS Dom. des Anjou 998 • Coteaux-du-layon 1016
ACCORDS MAJEURS Beaujolais 119
ACHARD-VINCENT Clairette-de-die 1193
ACKERMAN Crémant-de-loire 973 • IGP Val de Loire 1130 • Saumur 1023
ADAM Dom. Pierre Alsace pinot gris 61
ADAM Jean-Baptiste Alsace gewurztraminer 49 • Alsace grand cru 84 • Alsace pinot gris 61
ADAM-GARNOTEL Champagne 575
ADISSAN Clairette-du-languedoc 702
AEGERTER Jean-Luc et Paul Nuits-saint-georges 455
AGASSAC Ch. d' Haut-médoc 321
AGUILA Crémant-de-limoux 748
AIGUELIÈRE Dom. l' Languedoc 721
AIGUES BELLES Dom. d' Languedoc 721
AIGUILLOUX Ch. Corbières 703
AIMERY Blanquette-de-limoux 746
AIRES Dom. des Muscat-de-lunel 766
ALABETS [ET ALORS ?] Fronton 915
ALARY Dom. Côtes-du-rhône-villages 1155 • IGP Vaucluse 1246
ALÉOFANE Crozes-hermitage 1183
ALEXANDRE Dom. Guy et Olivier Chablis 393 • Chablis premier cru 401 • Petit-chablis 391
ALEXANDRE Xavier Champagne 575
ALIX Ch. d' Pessac-léognan 305
ALLÉE DE CHAMBERT Cahors 893
ALLÉGRETS Dom. des Côtes-de-duras 938
ALLEXANT ET FILS Dom. Charles Chorey-lès-beaune 483
ALLIMANT-LAUGNER Alsace riesling 73
ALLIMANT-LAUGNER Dom. Alsace gewurztraminer 49
ALLION Guy Touraine 1035
ALLOÏS Dom. IGP Vaucluse 1247 • Ventoux 1233
ALLOUCHERY-PERSEVAL Champagne 576
ALMA CERSIUS IGP Pays d'Oc 777
ALMA Côtes-du-roussillon-villages 796
ALOÈS Dom. Vinsobres 1195
ALTER EGO Margaux 337
ALZIPRATU Dom. d' Corse ou vin-de-corse 878
AMADIEU Pierre Côtes-du-rhône-villages 1155 • Gigondas 1201
AMANDIERS Dom. des Saumur-champigny 1028
AMANTS DE LA VIGNERONNE Les Faugères 713
AMBLARD Dom. Côtes-de-duras 938
AMBROISE Bernard Échézeaux 449
AMBROISE Maison Corton 474
AMÉDÉE Luberon 1238
AMIDO Dom. Lirac 1222
AMIOT ET FILS Dom. Pierre Clos-de-la-roche 441 • Gevrey-chambertin 429 • Morey-saint-denis 439
AMIRAULT Agnès et Xavier Saint-nicolas-de-bourgueil 1058
AMIRAULT Yannick Bourgueil 1051
AMIRAULT-GROSBOIS Famille Saint-nicolas-de-bourgueil 1058
AMOUREUSES Ch. les Côtes-du-rhône 1139
AMPUIS Ch. d' Côte-rôtie 1170
ANCELY Dom. Minervois-la-livinière 759
ANCIEN RELAIS Dom. de l' Juliénas 140
ANCIENNE CURE L' Côtes-de-bergerac 926 • Pécharmant 934
ANDÉZON Dom. d' Côtes-du-rhône-villages 1155
ANDRÉ Dom. Françoise Corton-charlemagne 477
ANDRÉA Ch. Graves 294
ANDRINES Dom. des Côtes-du-rhône-villages 1155
ANGE Dom. Bernard Crozes-hermitage 1183
ANGELIÈRE Dom. de l' Crémant-de-loire 973
ANGELLIAUME Caves Chinon 1064
ANGES Dom. des IGP Vaucluse 1247
ANGLADE-BELLEVUE Ch. Blaye-côtes-de-bordeaux 204
ANGLAS Dom. d' Languedoc 721
ANGST Vignoble Chablis 393
ANGUEIROUN Ch. Côtes-de-provence 861
ANGUILLEYS Ch. les Médoc 314
ANNIBALS Ch. des Coteaux-varois-en-provence 856
ANNIVY Dom. Saumur 1024 • Saumur-champigny 1029
ANSTOTZ ET FILS Alsace riesling 73
ANTECH Blanquette-de-limoux 745 • Crémant-de-limoux 747
ANTHIME Champagne 576
ANTHONY Dom. d' Chablis 394
ANTONINS Ch. des Bordeaux blanc 176 • Bordeaux supérieur 187
AQUERIA Ch. d' Lirac 1222
AQUERIA L'Héritage d' Lirac 1222
ARBOGAST ET FILS Frédéric Alsace pinot noir 67
ARCADIE Côtes-du-roussillon-villages 796 • IGP Côtes catalanes 825
ARCHAMBEAU Ch. d' Graves 293
ARCHE DE LA GANOLIÈRE Muscadet-sèvre-et-maine 979
ARCISON Vignoble de l' Anjou 998
ARDHUY Dom. d' Ladoix 467
ARDOISIÈRE Dom. de l' Fitou 717
ARGADENS Ch. Bordeaux blanc 176
ARGELIERS Les Vignerons d' Minervois 751
ARGENTAINE De l' Champagne 576
ARGILUS DU ROI Ch. l' Saint-estèphe 345
ARGUIN Ch. d' Graves 293
ARGUTI Dom. Muscat-de-rivesaltes 818
ARISTON Jean-Antoine Champagne 576
ARLAUD Dom. Vosne-romanée 451
ARLAY Ch. d' Macvin-du-jura 681
ARLOT Dom. de l' Nuits-saint-georges 455
ARMAILHAC Ch. d' Pauillac 341
ARMAND Dom. Guillaume Languedoc 721
ARMANDIÈRE Ch. Cahors 893
ARMENS Ch. Saint-émilion grand cru 243
ARNAULD Ch. Haut-médoc 326
ARNAUTON Ch. Fronsac 224
ARNOLD Pierre Alsace pinot noir 67
ARNOUX PÈRE ET FILS Corton 474
ARNOUX PÈRE ET FILS Dom. Aloxe-corton 468 • Beaune 485 • Savigny-lès-beaune 479
ARPENTS DU SOLEIL IGP Calvados 1130

ARPENTY L' Chinon 1064
ARRETXEA Dom. Irouléguy 954
ARROUCATS Ch. des Sainte-croix-du-mont 356
ARSAC Dom. IGP Ardèche 1244
ART MAS Côtes-du-rhône-villages 1156
ARTIGAUX Ch. les Graves-de-vayres 284
ASPASIE Champagne 576
ASPRAS Dom. des Côtes-de-provence 861 • IGP Var 876
ASSAS Ch. d' Languedoc 721
ASSEYRAS Les Côtes-du-rhône 1139
ASTER Dom. de l' Languedoc 722
ASTRIS Buzet 916
ASTRUC Domaines Blanquette-de-limoux 745
ATTILON Dom. IGP Méditerranée 1246
AU PIED DU MONT CHAUVE Saint-aubin 520
AU VIGNOBLE Ch. Bordeaux supérieur 187
AUBAREL DURAS L' Gaillac 902
AUBAREL L' Gaillac 902
AUBERT Dom. André Côtes-du-rhône-villages 1161 • Grignan-les-adhémar 1231 • IGP Méditerranée 1246
AUBERT Jean-Claude et Didier Vouvray 1076
AUBRADE Ch. de l' Bordeaux supérieur 187
AUCŒUR Dom. Moulin-à-vent 150
AUDACE DE SIGOULÈS L' Bergerac 920
AUDEBERT ET FILS Dom. Bourgueil 1053
AUDOIN Dom. Charles Marsannay 423
AUFRANC Pascal Juliénas 141
AUGIS Dom. Touraine 1035
AUGUSTIN Paul Champagne 576
AUJARD Dom. Reuilly 1114
AUJARDIÈRE Ch. de l' Gros-plant-du-pays-nantais 994
AULNAYE Ch. de l' Gros-plant-du-pays-nantais 995
AUMONIÈRE Dom. de l' Cheverny 1085
AUPILHAC Dom. d' Languedoc 722
AURAGE Castillon-côtes-de-bordeaux 274
AURELIUS Saint-émilion grand cru 252
AURETO IGP Vaucluse 1247 • Luberon 1239 • Ventoux 1233
AUSSIÈRES Ch. d' Corbières 703
AUTARD Dom. Paul Châteauneuf-du-pape 1213
AUTRAND Dom. Vinsobres 1195
AUTRÉAU-LASNOT Champagne 577
AUVIGUE Jean-Pierre et Michel Pouilly-fuissé 559 • Saint-véran 566
AVRIL Dom. Juliette Châteauneuf-du-pape 1213
AVRILLÉ Ch. d' Anjou 998
AYALA Champagne 577
AZÉ Cave d' Mâcon et mâcon-villages 549
AZUR Ch. d' Bandol 844

B

BABIO Dom. de Minervois 752
BACCHUS Caveau de Arbois 670
BACHELET Dom. Vincent Maranges 528
BACHELET Vincent Pommard 489
BACHELET-RAMONET Dom. Chassagne-montrachet 515
BACHELIER Dom. Chablis premier cru 402
BACHEN Baron de Tursan 948
BACHEN Ch. de Tursan 948
BACHEN Rouge de IGP Landes 969
BACHEY-LEGROS Dom. Chassagne-montrachet 515 • Meursault 505 • Puligny-montrachet 510 • Santenay 523
BADETTE Ch. Saint-émilion grand cru 243
BADIE LA FORÊT Ch. Bordeaux 164
BADILLER Touraine-azay-le-rideau 1046
BADIN Christelle et Christophe Cour-cheverny 1087
BAGATELLE Muscat-de-saint-jean-de-minervois 769
BAGATELLE Ch. Bergerac 918 • Côtes-de-bergerac 926
BAGNOL Dom. du Cassis 853
BAGUIERS Dom. des Bandol 844
BAILLON Alain Côte-roannaise 1099
BAILLY Jean-Pierre Pouilly-fumé 1104
BAILLY-LAPIERRE Bourgogne 373 • Bourgogne-aligoté 383 • Crémant-de-bourgogne 386 • Irancy 416
BAILLY-REVERDY Dom. Sancerre 1118
BALLAND Dom. Jean-Paul Sancerre 1118
BALLAND Pascal Sancerre 1118
BALLAND-CHAPUIS Coteaux-du-giennois 1095 • Pouilly-fumé 1104
BALLICCIONI Dom. Faugères 713
BALSAMINE Ch. Gaillac 902
BANNWARTH Laurent Alsace pinot gris 61 • Alsace sylvaner 82
BANQUETTES Dom. des Côtes-du-rhône 1139
BARA Paul Champagne 577
BARADON Geroges Champagne 617
BARAT Dom. Chablis premier cru 402
BARATERIE Cellier de la Vin-de-savoie 684
BARATONNE Dom. de la IGP Var 876
BARBANAU Ch. Cassis 853
BARBE Ch. de Côtes-de-bourg 212
BARBEIRANNE Ch. Côtes-de-provence 861
BARBEROUSSE Ch. Saint-émilion 242
BARBIER-LOUVET Champagne 577
BARDE-HAUT Ch. Saint-émilion grand cru 243
BARDET ET FILS Irancy 416
BARDET Dom. Bugey 693
BARDIN Cédrick Pouilly-fumé 1104 • Sancerre 1119
BARDIN Jean-Jacques Sancerre 1119
BARDON Denis Valençay 1091
BARDOS Ch. Bordeaux supérieur 187
BARDOUX PÈRE ET FILS Champagne 577
BAREILLE Dom. de la Muscadet-sèvre-et-maine 979
BARFONTARC De Champagne 577
BARGE Gilles Côte-rôtie 1170
BARILLOT PÈRE ET FILS Pouilly-sur-loire 1111
BARILLOT PÈRE ET FILS Dom. Pouilly-fumé 1105
BARNAUT Champagne 580
BAROCCO IGP Landes 969
BAROLET ET FILS Arthur Chambolle-musigny 443 • Monthélie 496
BARON ALBERT Champagne 580
BARON BERTIN Ch. Bordeaux 164
BARON D'ALBRET Buzet 916
BARON DE L'ÉCLUSE Dom. Côte-de-brouilly 130
BARON DE ROUSSILLAC Côtes-du-rhône-villages 1156
BARON DES TOURS Médoc 314
BARON DU TERTRE Cahors 898
BARON Claude Champagne 580
BARON Dom. Touraine-chenonceaux 1047
BARONARQUES La Capitelle de Limoux 748
BARONNAT Jean Moulin-à-vent 150 • Saint-véran 566
BARRABAQUE Ch. Canon-fronsac 222
BARRAILH Ch. du Graves 301
BARRÉ Guilhem Cabardès 699
BARREAU Dom. Gaillac 902
BARRÉJAT Ch. Madiran 940 • Pacherenc-du-vic-bilh 944
BARRES Dom. des Coteaux-du-layon 1016 • Savennières 1013
BARREYRES Ch. Haut-médoc 321
BARROUBIO Dom. de Minervois 752 • Muscat-de-saint-jean-de-minervois 769
BART Dom. Bourgogne 373 • Marsannay 423
BARTHÈS Ch. Bandol 845
BARVY Dom. du Brouilly 125
BAS Ch. Coteaux-d'aix-en-provence 855
BASCOU Ch. du Saint-mont 947
BASQUE Ch. du Saint-émilion grand cru 252
BASSAIL Dom. Madiran 941
BASTIAN Ch. Bordeaux 164
BASTIAN Mathis Moselle luxembourgeoise 1251
BASTIDE AUX OLIVIERS La IGP Pays d'Oc 777
BASTIDE BLANCHE Dom. de la Côtes-de-provence 861
BASTIDE BLANCHE La Bandol 845
BASTIDE DE BLACAILLOUX Coteaux-varois-en-provence 856

BASTIDE DES DEUX LUNES Côtes-de-provence 861
BASTIDE DES OLIVIERS Dom. la Coteaux-varois-en-provence 856
BASTIDE ROUGEPEYRE Ch. la Cabardès 699
BASTIDE SAINT-DOMINIQUE La Côtes-du-rhône 1140
BASTIDE SAINT-VINCENT La Côtes-du-rhône 1140 • Côtes-du-rhône-villages 1156 • Gigondas 1201 • Vacqueyras 1207
BASTIDE Ch. la Côtes-du-marmandais 917
BASTIDE Dom. de la Côtes-du-rhône 1140 • Côtes-du-rhône-villages 1156
BASTIDON Ch. le Côtes-de-provence 861
BASTIDONNE Dom. de la IGP Vaucluse 1247 • Ventoux 1233
BASTOR-LAMONTAGNE Ch. Sauternes 359
BATAILLEY Ch. Pauillac 341
BÂTIE Dom. de la Saint-véran 566
BAUD PÈRE ET FILS Côtes-du-jura 675
BAUD PÈRE ET FILS Dom. Crémant-du-jura 679
BAUDARE Ch. Fronton 912
BAUER ET FILS Jacky Alsace riesling 73
BAUMANN Alsace pinot gris 61
BAUMANN-ZIRGEL Alsace grand cru 84
BAUR A. L. Alsace muscat 57 • Alsace pinot blanc ou klevner 59
BAUR Léon Alsace grand cru 87
BAUSER Champagne 580 • Coteaux-champenois 665 • Rosé-des-riceys 667
BAVARD Jacques Auxey-duresses 498 • Monthélie 496 • Saint-romain 502
BAYLE L'As de Languedoc 722
BAZILLES Ch. les Bordeaux supérieur 187
BAZIN Ch. Côtes-du-marmandais 917
BAZIN Excellence de Côtes-du-marmandais 917
BAZIN Yves Bourgogne-hautes-côtes-de-nuits 421
BEAU MERLE Le Châteaumeillant 1093
BEAU MISTRAL Dom. Côtes-du-rhône-villages 1156 • Rasteau sec 1198
BEAU SOLEIL Ch. Pomerol 227
BEAUBOIS Ch. Costières-de-nîmes 1226
BEAUCLAIR Dom. de Vouvray 1076
BEAUFORT Herbert Champagne 580
BEAUFORT Marcellin Champagne 580
BEAUJARDIN Cellier du Touraine 1036
BEAUJEU Dom. de IGP Bouches-du-Rhône 1245
BEAULIEU Ch. Côtes-de-bourg 212 • Côtes-du-rhône 1140
BEAUMONT DES CRAYÈRES Champagne 581
BEAUMONT Dom. des Charmes-chambertin 436 • Gevrey-chambertin 429 • Mazoyères-chambertin 438 • Morey-saint-denis 439
BEAUREGARD DUCASSE Ch. Graves 293
BEAUREGARD MIROUZE Ch. Corbières 703
BEAUREGARD Ch. Pomerol 227
BEAUREGARD Ch. de Saumur 1024
BEAUREGARD Dom. du Maranges 528
BEAURENARD Dom. de Châteauneuf-du-pape 1214 • Rasteau sec 1198
BEAUREPAIRE Dom. de Gros-plant-du-pays-nantais 994 • Menetou-salon 1101
BEAU-SÉJOUR BÉCOT Ch. Saint-émilion grand cru 243
BEAUSÉJOUR Ch. Fronsac 224
BEAUSÉJOUR Dom. de Chinon 1064 • Touraine-chenonceaux 1047
BEAU-SITE Ch. de Graves 303
BEAUSOLEIL Ch. Blanquette-de-limoux 745 • Crémant-de-limoux 747
BEAUVIGNAC IGP Pays d'Oc 778 • Picpoul-de-pinet 742
BÉBIAN La Chapelle de Languedoc 722
BEBLENHEIM Cave de Alsace grand cru 87
BÊCHE Dom. de la Morgon 144
BECHT Pierre et Frédéric Alsace riesling 73 • Crémant-d'alsace 104
BECK ET FILS Francis Alsace riesling 74
BECK Hubert Alsace grand cru 87
BECKER Alsace riesling 73
BECKER Jean-Philippe et François Alsace pinot gris 62
BEDEL Françoise Champagne 581
BÉGOT Ch. Côtes-de-bourg 212
BÉGUINERIES Dom. des Chinon 1064
BEILLE La Côtes-du-roussillon-villages 797 • IGP Côtes catalanes 826
BEL AIR L'ESCUDIER Ch. Côtes-de-bourg 218
BEL AIR PERPONCHER Ch. Bordeaux 175 • Entre-deux-mers 278
BEL AIR Ch. Haut-médoc 321
BEL AIR Dom. de Chinon 1064 • Pouilly-fumé 1105
BEL AIR Dom. du Bourgueil 1051
BEL AVENIR Dom. Beaujolais-villages 121
BEL-AIR LA ROYÈRE Ch. Blaye 203
BEL-AIR ORTET Ch. Saint-estèphe 346
BEL-AIR Ch. Lussac-saint-émilion 265
BEL-AIR Ch. de Lalande-de-pomerol 236
BEL-AIR Dom. de Brouilly 125 • Fleurie 137
BEL-AIR Les Hauts de Bordeaux blanc 176
BEL-AIR Vignerons de Morgon 144
BELAIR-COUBET Ch. Côtes-de-bourg 212
BELAIR-MONANGE Ch. Saint-émilion grand cru 245
BELFORT Tour de IGP Côtes du Lot 968
BELGRAVE Ch. Haut-médoc 322
BÉLIERS Dom. les Moselle 110
BELIN Jules Gevrey-chambertin 429 • Nuits-saint-georges 455
BELIN Ludovic Aloxe-corton 469 • Pernand-vergelesses 471
BÉLINGARD Bergerac 918
BELLAND Dom. Roger Chassagne-montrachet 515 • Criots-bâtard-montrachet 515 • Santenay 523
BELLAVISTA Dom. Côtes-du-roussillon 788
BELLAVOINE Dom. Caroline Bourgogne 373 • Bourgogne-aligoté 384 • Bourgogne-hautes-côtes-de-beaune 462
BELLE ÉTOILE Dom. de la Anjou-villages-brissac 1009
BELLE GRÂCE Brouilly 126
BELLE RÉSERVE La Costières-de-nîmes 1226
BELLE Dom. Hermitage 1188
BELLE Dom. de Pierre IGP Coteaux de Béziers 772
BELLEFONT-BELCIER Ch. Saint-émilion grand cru 245
BELLE-GARDE Ch. Bordeaux blanc 177 • Bordeaux supérieur 187
BELLEGRAVE Ch. Pomerol 227
BELLES PIERRES Dom. Languedoc 722
BELLES-GRAVES Ch. Lalande-de-pomerol 237
BELLEVILLE Dom. Rully 535
BELLEVUE CLARIBÈS Ch. Bordeaux supérieur 188
BELLEVUE DE TAYAC Ch. Margaux 332
BELLEVUE LA FORÊT Ch. Fronton 912
BELLEVUE LA FORÊT Dom. IGP Comté tolosan 961
BELLEVUE PEYCHARNEAU Ch. Bordeaux supérieur 188
BELLEVUE Ch. Bordeaux supérieur 190 • Montravel 932
BELLE-VUE Ch. Haut-médoc 322
BELLEVUE Ch. de Savennières 1013
BELLEVUE Dom. Touraine 1036 • Touraine-chenonceaux 1047
BELLEVUE Dom. de Saint-pourçain 1116
BELLEVUE-PEYCHARNEAU Ch. Sainte-foy-bordeaux 286
BELLIER Pascal Cheverny 1085
BELLIVIER VIGNERONS Chinon 1064
BELOT Vignoble Saint-chinian 761
BELOUET Olivier Châteaumeillant 1093
BELVÈZE Ch. Malepère 750
BELVUE Ch. Bordeaux 165

VINS

BÉNARD-PITOIS L. Champagne 581
BENAZETH Frank Minervois 752
BENEYT Ch. Bordeaux blanc 177
BÉNITEY Ch. Saint-émilion grand cru 252
BENOIT ET FILS Paul Arbois 670
BENOIT Patrice Montlouis-sur-loire 1073
BENONI Dom. Saint-chinian 761
BENZ Dominik IGP Ariège 960
BÉRANGERAIE Dom. la Cahors 893
BERGEONNIÈRE Dom. de la Touraine 1036
BERGERET ET FILLE Christian Bourgogne-hautes-côtes-de-beaune 462 • Chassagne-montrachet 516
BERGERIE D'AQUINO Dom. de la Coteaux-varois-en-provence 856
BERGERIE DU CAMPS DE NYILS La Côtes-du-roussillon 791
BERGERIE DU CAPUCIN IGP Saint-Guilhem-le-Désert 785
BERGERIE Dom. de la Coteaux-du-layon 1016 • Quarts-de-chaume 1021
BERGIRON Dom. de Côte-de-brouilly 130
BÉRIOLES Dom. des Saint-pourçain 1117
BERNA Crémant-de-luxembourg 1255 • Moselle luxembourgeoise 1251
BERNADOTTE Ch. Haut-médoc 322
BERNARD Yvan Côtes-d'auvergne 1097
BERNARD-MASSARD Moselle luxembourgeoise 1251
BERNARDO Enrico Blaye-côtes-de-bordeaux 204
BERNAT Ch. le Puisseguin-saint-émilion 270
BERNATEAU Ch. Saint-émilion grand cru 245
BERNE Ch. de Côtes-de-provence 862
BERNE Frédéric Chiroubles 134
BERNET Dom. Pacherenc-du-vic-bilh 944
BERNHARD Dom. Jean-Marc Alsace grand cru 87
BERNOLLIN Dom. Bourgogne-côte-chalonnaise 531 • Montagny 546
BERR Henri de Champagne 581
BERSAN Dom. Jean-Louis et Jean-Christ Bourgogne 373
BERSAN Jean-Louis et Jean-Christophe Irancy 416 • Saint-bris 418
BERSAN P.-L. et J.-F. Bourgogne-aligoté 384 • Irancy 416
BERTAGNA Dom. Vougeot 446
BERTA-MAILLOL Dom. Banyuls 810 • Collioure 804
BERTEAU ET VINCENT MABILLE Pascal Vouvray 1076
BERTHAUT Dom. Denis Fixin 426
BERTHELEMOT Dom. Brigitte Beaune 485
BERTHELOT ET FILS Michel Champagne 581
BERTHENET Dom. Montagny 546
BERTHENON Ch. Blaye-côtes-de-bordeaux 204
BERTHET-BONDET Dom. Château-chalon 673
BERTHIERS Dom. des Pouilly-fumé 1105
BERTHOUMIEU Dom. Madiran 941
BERTICOT Côtes-de-duras 938
BERTIGNOLLES Dom. de Chinon 1065
BERTIN Dom. Michel Muscadet-sèvre-et-maine 979
BERTINE Ch. la Côtes-de-bourg 213
BERTINEAU SAINT-VINCENT Ch. Lalande-de-pomerol 237
BERTINS Dom. les Côtes-de-duras 938
BERTRAND Pineau-des-charentes 836
BERTRAND Gérard IGP Aude 769 • Minervois-la-livinière 759 • Rivesaltes 813
BERTRAND Paul Cahors 894
BERTRAND Pierre Champagne 581
BERTRAND-BERGÉ Dom. Fitou 717 • Muscat-de-rivesaltes 818 • Rivesaltes 813
BESAGE Ch. la Côtes-de-bergerac 926
BESARD Thierry Touraine-azay-le-rideau 1046
BESNERIE Dom. de la Touraine-mesland 1049
BESOMBES Albert Chinon 1065 • Saumur-champigny 1029
BESOMBES Dom. de Côtes-du-roussillon 788
BESSANE Ch. la Margaux 332
BESSERAT DE BELLEFON Champagne 582
BESSIÈRE Dom. de la Saumur-champigny 1029
BESSON Alain Chablis 394 • Chablis grand cru 412 • Givry 543 • Chablis premier cru 402
BESSONS Dom. des Touraine 1036 • Touraine-amboise 1044
BESTHEIM Crémant-d'alsace 104
BEYCHEVELLE Ch. Saint-julien 350
BEYER Émile Alsace grand cru 87
BEYNAT Ch. Castillon-côtes-de-bordeaux 273
BEYNAT Sauvignon by Bordeaux blanc 177
BEYSSAC Dom. de Côtes-du-marmandais 916
BIARD-LOYAUX Champagne 582
BIBIAN Ch. Haut-médoc 322
BICHERON Dom. Mâcon et mâcon-villages 549
BICHON CASSIGNOLS Ch. Graves 294
BIDAULT Anne et Sébastien Morey-saint-denis 439
BIDIÈRE Ch. la Muscadet-sèvre-et-maine 980
BIDOU Ch. Côtes-de-bourg 213
BIECHER & SCHAAL Alsace grand cru 88
BIENFAIT David Pouilly-fuissé 559
BIET Jean-Marc Touraine 1036
BIGONNEAU Dom. Quincy 1112 • Reuilly 1114
BIGOT Sandrine Bugey 693
BIJOTAT Bernard Champagne 582
BILÉ Dom. de Floc-de-gascogne 956
BILLARD PÈRE ET FILS Dom. Saint-aubin 520
BILLARD-GONNET Dom. Pommard 489
BILLAUD Samuel Chablis 394 • Chablis premier cru 402
BILLAUD-SIMON Dom. Chablis grand cru 412 • Chablis premier cru 402
BIRIUS Dom. de Pineau-des-charentes 836
BISCAYE Bis by IGP Pays d'Oc 778
BISSEY Cave de Montagny 546 • Rully 535
BITOUZET-PRIEUR Dom. Volnay 493
BIZARD Ch. Grignan-les-adhémar 1231
BIZET Dom. Sancerre 1119
BIZET Thibault Sancerre 1119
BLANC Cave Christophe Condrieu 1174
BLANC Ch. Ventoux 1234
BLANC Ch. Paul Costières-de-nîmes 1226
BLANCHERIE Ch. la Graves 294
BLANCHET Dom. Yannick Bugey 694
BLANCHET Gilles Pouilly-sur-loire 1111
BLANCK ET SES FILS André Alsace grand cru 88
BLAQUE Dom. la Pierrevert 1241
BLAYAC Dom. de Minervois 752
BLÉGER François Alsace gewurztraminer 49 • Alsace pinot noir 67 • Alsace riesling 74
BLEYZAC Ch. de Bordeaux supérieur 188
BLIARD-MORISET Champagne 582
BLIN ET FILS R. Champagne 582
BLIN H. Champagne 582
BLIN Maxime Champagne 582
BLONDEL Champagne 583
BLOY Ch. du Bergerac 918
BOBÉ Dom. Rivesaltes 814
BOBIN Jean Champagne 583
BOCHET-LEMOINE Champagne 583
BOCQUET Daniel Chablis 394
BODET Hubert Crémant-de-loire 973
BODINEAU Dom. Anjou 998 • Coteaux-du-layon 1016
BOECKEL Alsace pinot noir 67
BOESCH ET PETIT-FILS Jean Alsace gewurztraminer 50 • Alsace pinot gris 62
BOEVER ET FILS Pierre Champagne 583
BOHN FILS René Alsace muscat 58
BOHN Dom. Alsace riesling 74
BOHN François Alsace grand cru 88
BOHRMANN Dom. Meursault 505 • Saint-aubin 521
BOIGELOT Éric Pommard 489
BOILLEY Joël Côtes-du-jura 675
BOILLOT Dom. Albert Pommard 490

BOIRE Philippe Auxey-duresses 498 • Bourgogne 373
BOIS CARRÉ Ch. Médoc 315
BOIS DE CHAT Dom. de Juliénas 141
BOIS DE FAVEREAU Ch. Bordeaux supérieur 188
BOIS DE LA GARDE Ch. du Côtes-du-rhône 1140
BOIS DE LA SALLE Ch. du Chénas 133
BOIS DE POURQUIÉ Révélation du Bergerac 918
BOIS DE SAINT-JEAN Dom. du Côtes-du-rhône 1140 • Côtes-du-rhône-villages 1156 • Vacqueyras 1208
BOIS DE TAU Ch. du Côtes-de-bourg 212
BOIS DES DAMES Dom. du Côtes-du-rhône-villages 1157
BOIS DES DENTELLES Le Côtes-du-rhône 1141
BOIS DES MÈGES Dom. du Côtes-du-rhône 1141 • Gigondas 1202
BOIS GAULTIER Dom. du Valençay 1091
BOIS MAYAUD Dom. du Saint-nicolas-de-bourgueil 1058
BOIS MIGNON Dom. du Saumur 1024 • Saumur-champigny 1029
BOIS MOZÉ PASQUIER Dom. du Saumur-champigny 1029
BOIS MOZÉ Dom. de Anjou-villages 1006
BOIS PERTUIS Ch. Bordeaux 165
BOIS ROBIN Ch. Castillon-côtes-de-bordeaux 274
BOIS ROSIER Dom. du Pouilly-fuissé 559
BOIS TIFFRAY Ch. Lussac-saint-émilion 266
BOIS Cave Sylvain Roussette-de-bugey 695
BOIS Ch. des Mâcon et mâcon-villages 549
BOIS-BRÛLÉ Dom. du Muscadet-sèvre-et-maine 980
BOIS-HUAUT Ch. du Muscadet-sèvre-et-maine 980
BOIS-MALOT Ch. Bordeaux supérieur 188
BOIS-PERRON Dom. du Muscadet-sèvre-et-maine 980
BOISSAN Dom. de Vacqueyras 1208
BOISSET Jean-Charles Crémant-de-bourgogne 386
BOISSET Jean-Claude Gevrey-chambertin 429
BOISSON Dom. Bourgogne-hautes-côtes-de-beaune 462
BOISSONNET Dom. Saint-joseph 1178
BOIS-VERT Ch. Blaye-côtes-de-bordeaux 204
BOIZEL Champagne 583
BOLAIRE Ch. Bordeaux supérieur 188
BOLCHET Dom. Costières-de-nîmes 1226
BOLLINGER Champagne 583
BOMONT DE CORMEIL IGP Var 876
BON PASTEUR Ch. le Pomerol 228
BON REMÈDE Dom. du Ventoux 1234
BON REPOS Dom. du Anjou-gamay 1006
BONALGUE Ch. Pomerol 227
BONAS Marquis de IGP Agenais 960
BONETTO FABROL Dom. Grignan-les-adhémar 1231
BONHOMME Dom. André Viré-clessé 557
BONHOMME Nathalie et Pascal Viré-clessé 557
BONHOSTE Ch. de Bordeaux blanc 177 • Bordeaux supérieur 188
BONNARDOT Dom. Bourgogne-hautes-côtes-de-nuits 421 • Côte-de-nuits-villages 460 • Santenay 524
BONNAUD Ch. Henri Palette 874
BONNEFOND Patrick et Christophe Côte-rôtie 1170
BONNEFOY Dom. Caroline Côtes-du-rhône-villages 1163
BONNELIÈRE Dom. la Saumur-champigny 1029
BONNES GAGNES Dom. des Coteaux-de-l'aubance 1011
BONNET Alexandre Champagne 584
BONNET Ch. Chénas 133
BONNET Jules Champagne 584
BONNET-LAUNOIS Champagne 584
BONNET-PONSON Champagne 584
BONNEVEAUX Dom. des Saumur-champigny 1029
BONNIN Sophie et Jean-Christian Anjou 998 • Anjou-villages 1006
BONSERINE Dom. de Côte-rôtie 1170
BONVALOT Jonathan Pernand-vergelesses 471
BONVILLE Franck Champagne 584
BONVILLE Olivier Champagne 584
BORDAXURIA Irouléguy 954
BORDENAVE Dom. Jurançon 949
BORDES Prestige de Bordeaux 168
BOREL-LUCAS Champagne 584
BORÈS Marie-Claire et Pierre Alsace sylvaner 82
BORGEOT Puligny-montrachet 510
BORGEOT Dom. Bouzeron 533 • Santenay 524
BORIE BLANCHE Dom. de la Minervois 752
BORIE DE MAUREL Dom. Minervois-la-livinière 760
BORIE LA VITARÈLE Saint-chinian 762
BORIE Ch. la Côtes-du-rhône-villages 1157
BORMETTES Ch. des Côtes-de-provence 862
BORT Dom. Languedoc 722
BOSCQ Ch. le Saint-estèphe 346
BOSQUET DES PAPES Dom. Châteauneuf-du-pape 1214
BOSQUETS Dom. des Gigondas 1202
BOTT FRÈRES Crémant-d'alsace 104
BOTTIÈRE La Bordeaux blanc 177
BOUACHON Maison Saint-joseph 1178
BOUARD-BONNEFOY Chassagne-montrachet 516
BOUARD-BONNEFOY Dom. Saint-aubin 521
BOUC ET LA TREILLE Le Coteaux-du-Lyonnais 159
BOUCHACOURD Daniel Beaujolais-villages 121
BOUCHARD AÎNÉ ET FILS Savigny-lès-beaune 479
BOUCHARD PÈRE ET FILS Bourgogne 373 • Bouzeron 533 • Coteaux bourguignons 370
BOUCHARD Jean Gevrey-chambertin 429
BOUDAU Dom. Côtes-du-roussillon-villages 797 • Muscat-de-rivesaltes 818
BOUFFARD Dom. IGP Val de Loire 1130 • Muscadet-sèvre-et-maine 980
BOUFFEVENT Ch. Bergerac 919
BOUGRIE Dom. de la Coteaux-du-layon 1016
BOUILLEROT Ch. de Bordeaux 165 • Côtes-de-bordeaux-saint-macaire 290
BOUILLOT Louis Crémant-de-bourgogne 387
BOUÏS Ch. le Corbières 703
BOUISSEL Ch. Fronton 912
BOUISSE-MATTERI Dom. Côtes-de-provence 862
BOUISSIÈRE Dom. la Beaumes-de-venise 1212
BOUJAC Ch. Fronton 912
BOULAND Patrick Chiroubles 134
BOULARD-BAUQUAIRE Champagne 585
BOULE ET FILS Pineau-des-charentes 836
BOULEY Dom. Réyane et Pascal Volnay 494
BOULONNAIS Jean-Paul Champagne 585
BOUQUERRIES Dom. des Chinon 1065
BOUQUET DE VIOLETTE Ch. Lalande-de-pomerol 237
BOUQUET Champagne 585
BOURBON Dom. Beaujolais 116
BOURDELAT Edmond Champagne 585
BOURDIC IGP Pays d'Oc 778
BOURDIC Dom. IGP Côtes de Thongue 773
BOURDIEU-LAGRANGE Ch. Cadillac 354
BOURDILLOT Ch. le Graves 294
BOURDIN Henri Saint-nicolas-de-bourgueil 1058
BOURDON LA TOUR Ch. Côtes-de-Bordeaux 292
BOURDON Dom. Mâcon et mâcon-villages 549 • Pouilly-fuissé 559
BOURDONNIÈRE Ch. de la Muscadet-sèvre-et-maine 980
BOURG DES EYQUEMS Ch. Côtes-de-bourg 213

BOURG NEUF Dom. du Saumur-champigny 1030
BOURGELAT Caprice de Graves 296
BOURGEOIS Henri IGP Val de Loire 1131 • Pouilly-fumé 1105 • Quincy 1112
BOURGEOIS-BOULONNAIS Champagne 585
BOURGOGNE-DEVAUX Dom. Bourgogne-hautes-côtes-de-beaune 464 • Pommard 490
BOURILLON DORLÉANS Vouvray 1076
BOURLAY EARL Juliénas 141
BOURLAY Odile et Patrick Le Juliénas 141
BOURNAC Ch. Médoc 315
BOURONIÈRE Dom. de la Fleurie 137
BOURRATS Dom. des Saint-pourçain 1117
BOURRÉE Ch. la Castillon-côtes-de-bordeaux 273
BOURRELIÈRE Dom. de la Anjou 999
BOURSAULT Ch. de Champagne 585
BOUSCASSÉ Ch. Pacherenc-du-vic-bilh 946
BOUSCAUT Ch. Pessac-léognan 305
BOUSQUETTE Ch. Saint-chinian 762
BOUSSARGUES Ch. de Côtes-du-rhône 1141
BOUSSEY Dom. Éric Meursault 505 • Monthélie 496
BOUSSEY Dom. Laurent Beaune 485
BOUSSEY Dom. Laurent et Karen Monthélie 496
BOUT DU LIEU Dom. Le Cahors 894
BOUT DU MONDE Dom. du IGP Périgord 970
BOUT DU MONDE Dom. le Saint-romain 502
BOUTET SAULNIER Dom. Vouvray 1076
BOUTHENET Dom. Jean-François Bourgogne-hautes-côtes-de-beaune 464 • Maranges 528
BOUTHENET Marc Maranges 528
BOUTHÉRAN Côte-roannaise 1099
BOUTILLEZ-VIGNON G. Champagne 586
BOUTIN ARNAUD Ch. Bordeaux 165
BOUTIN Dom. M. Rasteau sec 1198
BOUTIN J. Crozes-hermitage 1183
BOUTISSE Ch. Saint-émilion grand cru 245
BOUTON ET FILS Gilles Puligny-montrachet 510 • Saint-aubin 521
BOUVAUDE Dom. la Côtes-du-rhône-villages 1157
BOUVERIE Dom. de la Côtes-de-provence 862
BOUVET Saumur 1026
BOUVET Dom. G. et G. Roussette-de-savoie 691 • Vin-de-savoie 684
BOUVET-LADUBAY Crémant-de-loire 973 • Saumur 1026
BOUVIER Régis Marsannay 424
BOUVRET Olivier et Bertrand Champagne 586
BOUXHOF Dom. du Alsace grand cru 88
BOUY Laurent Champagne 586
BOUYÈRE Ch. de la Bordeaux 165
BOUYSSE Dom. la IGP Aude 770
BOUYSSES Ch. les Cahors 894
BOUZEREAU Dom. Jean-Marie Meursault 505
BOUZEREAU Dom. Vincent Meursault 506
BOUZEREAU Philippe Auxey-duresses 498 • Meursault 505
BOUZEREAU-GRUÈRE ET FILLES Dom. Hubert Chassagne-montrachet 516 • Meursault 506 • Puligny-montrachet 510
BOUZONS Dom. des Côtes-du-rhône 1141
BOYD-CANTENAC Ch. Margaux 332
BRANA Dom. Irouléguy 955
BRANAIRE-DUCRU Ch. Saint-julien 351
BRANAS GRAND POUJEAUX Ch. Moulis-en-médoc 338
BRANDEAUX Ch. les Bergerac 919 • Côtes-de-bergerac 927
BRANE-CANTENAC Ch. Margaux 332
BRATEAU-MOREAUX Champagne 586
BRAUDE Ch. de Haut-médoc 322
BRAUDIÈRE Dom. de la Muscadet-sèvre-et-maine 981
BRAULTERIE DE PEYRAUD Ch. la Blaye-côtes-de-bordeaux 205
BRAUN ET FILS François Alsace gewurztraminer 50
BRAUN Camille Alsace pinot gris 62
BRAVES Dom. de Régnié 155
BRAVES Dom. des Régnié 155
BRAZALEM Dom. de Buzet 916
BRÈDE Ch. de la Graves 304
BRÉGAND Dom. Arbois 670
BRÈQUE Rémy Crémant-de-bordeaux 201
BRESSION Sébastien Champagne 586
BRETON FILS Champagne 586
BRETON Franck Montlouis-sur-loire 1073
BRETONNERIE Ch. de la Muscadet-sèvre-et-maine 981
BRETONNIÈRE Ch. la Blaye-côtes-de-bordeaux 205
BRETONNIÈRE Dom. de la Muscadet-sèvre-et-maine 981
BREUIL Ch. du Haut-médoc 322
BREUIL Dom. du Beaujolais-villages 122
BREUSSIN Denis Vouvray 1077
BRIANTE Ch. de Brouilly 128
BRIDAY Dom. Michel Rully 535
BRINTET Dom. Mercurey 538
BRIOT Ch. Bordeaux 165
BRISEBARRE Vignoble Vouvray 1077
BRISSON Ch. Castillon-côtes-de-bordeaux 273
BRIZÉ Dom. de Anjou-villages 1007
BRIZI Dom. Napoléon Muscat-du-cap-corse 887
BROBECKER Dom. Alsace muscat 58
BROCHARD Henry IGP Val de Loire 1131
BROCHARD Hubert Sancerre 1119
BROCHET Louis Champagne 586
BROCHET Vincent Champagne 587
BROCHOT André Champagne 587
BROCOT Marc Pernand-vergelesses 471
BRONDELLE Ch. Graves 294
BROSSAY Ch. de Anjou 999 • Coteaux-du-layon 1017 • Crémant-de-loire 973
BROTTE Châteauneuf-du-pape 1214 • Gigondas 1202 • Vacqueyras 1208
BROUSSE Dom. de Gaillac 902
BROUSTERAS Ch. des Médoc 315
BROWN Ch. Pessac-léognan 305
BROYERS Vins des Moulin-à-vent 150
BRU-BACHÉ Dom. Jurançon 949
BRUCKER Dom. Alsace grand cru 89
BRUIGNAC PREMIUM Bordeaux supérieur 189
BRÛLESÉCAILLE Ch. Côtes-de-bourg 213
BRUNEAU Dom. Damien Saint-nicolas-de-bourgueil 1058
BRUNEAU Jérôme Pouilly-fumé 1105
BRUNEAU Sylvain Saint-nicolas-de-bourgueil 1059
BRUNEAU-DUPUY Cave Saint-nicolas-de-bourgueil 1059
BRUNELY Dom. Vacqueyras 1208
BRUNET Dom. Nicolas Vouvray 1077
BRUSSET Dom. Rasteau sec 1198
BRUYÈRES Dom. des Juliénas 141
BRYCZEK Christophe Gevrey-chambertin 429 • Morey-saint-denis 439
BUDOS Ch. de Graves 294
BUECHER Paul Alsace riesling 74
BUISSON Christophe Saint-romain 502
BUISSONNES Dom. des Sancerre 1119
BULABOIS Philippe Arbois 670
BULLIAT Vignobles Morgon 145
BUNAN Dom. Bandol 845
BURGHART-SPETTEL Alsace gewurztraminer 50
BURLE Dom. Florent et Damien Gigondas 1202 • Vacqueyras 1208
BURN Dom. Ernest Alsace grand cru 89
BURNICHON Dom. Beaujolais-villages 122
BURSIN Agathe Alsace grand cru 89 • Alsace pinot blanc ou klevner 59
BUSIN Christian Champagne 587
BUSIN Jacques Champagne 587
BUSQUET Ch. Lussac-saint-émilion 265
BUTIN Philippe Côtes-du-jura 675
BUXY Vignerons de Montagny 546

BYARDS Caveau des Château-chalon 673 • Côtes-du-jura 675 • Crémant-du-jura 679

C

CABANNE Ch. la Pomerol 228
CABANNES Ch. les Saint-émilion grand cru 245
CABARROUY Dom. de Jurançon 949
CABASSE Dom. de Gigondas 1202
CABELIER Marcel Côtes-du-jura 676 • Crémant-du-jura 679
CABIDOS Ch. de IGP Comté tolosan 961
CABOTTE Dom. la Châteauneuf-du-pape 1214 • Côtes-du-rhône 1141 • Côtes-du-rhône-villages 1157
CABRAN Ch. de Côtes-de-provence 862
CABRIAC Ch. de Corbières 703
CABRIDON Dom. de Vacqueyras 1208
CABRIÈRES Ch. de Languedoc 723
CABROL Dom. de Cabardès 699
CACHAT-OCQUIDANT Dom. Aloxe-corton 469 • Beaune 485 • Corton 474 • Ladoix 467
CACHEUX ET FILS Dom. René Chambolle-musigny 443
CADEL Guy Champagne 587
CADENETTE Dom. de la Costières-de-nîmes 1226
CADET Ch. Castillon-côtes-de-bordeaux 274
CADIÉRENNE La Bandol 845
CADIOT Bordeaux 176
CAFOL Ch. Castillon-côtes-de-bordeaux 274
CAÏLBOURDIN A. Pouilly-fumé 1105
CAILLETEAU BERGERON Ch. Blaye-côtes-de-bordeaux 205
CAILLOT Dom. Michel Meursault 506
CAILLOTS Dom. des Touraine 1036
CAILLOU LES MARTINS Ch. Lussac-saint-émilion 265
CAILLOUX DE PYREN Madiran 941
CALADROY Ch. de Côtes-du-roussillon-villages 797 • IGP Côtes catalanes 826 • Muscat-de-rivesaltes 818 • Rivesaltes 814
CALAVON Ch. Coteaux-d'aix-en-provence 855
CALBO Dom. Buzet 915
CALCE Ch. de Muscat-de-rivesaltes 819
CALENDAL Côtes-du-rhône-villages 1157
CALISSANNE Ch. Coteaux-d'aix-en-provence 855
CALISSE Ch. la Coteaux-varois-en-provence 857
CALLAC Ch. de Graves 295
CALLOT Pierre Champagne 588
CALMEL ET JOSEPH Côtes-du-roussillon-villages 797 • Faugères 713 • IGP Pays d'Oc 778 • Picpoul-de-pinet 743
CALMET Dom. Gaillac 903
CALON SÉGUR Ch. Saint-estèphe 346
CALSAC Étienne Champagne 588
CALVEL Dom. Corbières-boutenac 711
CALVIMONT Ch. Graves 295
CAMARETTE Dom. de la Ventoux 1234
CAMBADES Dom. des IGP Vaucluse 1247
CAMBAUDIÈRE Dom. de la Fiefs-vendéens 996
CAMBIS Dom. de Saint-chinian 762
CAMBON LA PELOUSE Ch. Haut-médoc 323 • Margaux 333
CAMBRIEL Ch. Corbières 703
CAMBUSE Dom. de la Coteaux-d'ancenis 997 • Muscadet-coteaux-de-la-loire 993
CAMENSAC Ch. de Haut-médoc 323
CAMERON Bourgogne 374
CAMIAT ET FILS Champagne 588
CAMINADE Ch. la Cahors 894
CAMIN-LARREDYA Jurançon 949
CAMMAOUS Dom. IGP Pays d'Oc 778
CAMP GALHAN Dom. IGP Cévennes 770
CAMPET Ch. Cadillac-côtes-de-bordeaux 288
CAMPOY Dom. Cahors 894
CAMU FRÈRES Bourgogne 374
CAMU Dom. Christophe Chablis 394
CAMUS L'Héritage d'Albert Monbazillac 929
CANADEL Ch. Bandol 845
CANCAILLAÜ Jurançon 950
CANDALE Ch. de Saint-émilion grand cru 246
CANDIE Dom. de IGP Comté tolosan 962
CANET Ch. Minervois 752
CANON SAINT-MICHEL Ch. Canon-fronsac 222
CANON Ch. Saint-émilion grand cru 246
CANORGUE Ch. la IGP Méditerranée 1246 • Luberon 1239
CANTELAUDETTE Ch. Graves-de-vayres 284
CANTEMERLE Ch. Haut-médoc 323
CANTENAC BROWN Ch. Margaux 333
CANTEPERDRIX Ventoux 1234
CANTIN Benoit Irancy 416
CANTO PERLIC Dom. de Gaillac 903
CANTONNET Dom. du Bergerac 919 • Saussignac 937
CAP L'OUSTEAU Ch. Haut-médoc 324
CAP LÉON VEYRIN Ch. Listrac-médoc 329
CAP LEUCATE Vignobles Muscat-de-rivesaltes 819
CAPBERN Ch. Saint-estèphe 346
CAPELANEL Dom. de Cahors 894
CAPELLE Ch. Sainte-foy-bordeaux 286
CAPITAINE Dom. du Floc-de-gascogne 956
CAPITAIN-GAGNEROT Clos-de-vougeot 447 • Corton-charlemagne 477 • Échézeaux 449
CAPITANS Ch. des Beaujolais-villages 123
CAPITELLE DES SALLES Ch. Terrasses-du-larzac 739
CAPMARTIN Dom. Madiran 941 • Pacherenc-du-vic-bilh 944
CAPPES Ch. de Bordeaux 168
CAPUANO-FERRERI Dom. Beaune 485 • Chassagne-montrachet 516 • Pommard 490 • Santenay 524
CARABINIERS Dom. des Côtes-du-rhône 1141
CARAGUILHES Ch. des Corbières-boutenac 711
CARAMANY Y de Côtes-du-roussillon-villages 797
CARBONNEAU Ch. Sainte-foy-bordeaux 286
CARBONNIEUX Ch. Pessac-léognan 305, 306
CARCENAC Dom. Gaillac 903
CARDAILLAN Ch. de Graves 295
CARÊME Dom. Vincent Vouvray 1077
CARLE-COURTY Dom. Côtes-du-roussillon 789 • IGP Côtes catalanes 826
CARLES Ch. de Fronsac 224
CARLINI Jean-Yves de Champagne 588
CARMES HAUT-BRION Ch. les Pessac-léognan 306
CAROD Crémant-de-die 1194
CARONNE SAINTE-GEMME Ch. Haut-médoc 323
CARPE DIEM Ch. Côtes-de-provence 862
CARRÉ Dom. Denis Auxey-duresses 498 • Bourgogne-hautes-côtes-de-beaune 464 • Pommard 490 • Saint-romain 502
CARREL ET FILS François Roussette-de-savoie 691 • Vin-de-savoie 685
CARRETTE Dom. Saint-véran 566
CARRIÈRE AUDIER Dom. Saint-chinian 762
CARROL DE BELLEL Ch. Fronton 912
CARROU Dom. du Sancerre 1119
CARROY ET FILS Jacques Pouilly-fumé 1105
CARTAUX-BOUGAUD Dom. Côtes-du-jura 676
CARTE D'OR Pacherenc-du-vic-bilh 945
CARTEAU CÔTES DAUGAY Ch. Saint-émilion grand cru 246
CARTIER Dom. François Touraine 1037 • Touraine-chenonceaux 1047
CARTILLON Ch. du Haut-médoc 323
CASA BLANCA Dom. de la Banyuls 810 • Collioure 804
CASANOVA Secret Corse ou vin-de-corse 878
CASCADAIS Ch. Corbières 704
CASCASTEL Les Maîtres Vignerons de Corbières 704
CASSAGNOLES Dom. des Floc-de-gascogne 956 • IGP Côtes de Gascogne 963

CASTAGNIER Dom. Chambolle-musigny 443 • Charmes-chambertin 436 • Clos-de-la-roche 441 • Clos-de-vougeot 447 • Clos-saint-denis 442 • Chambertin 435
CASTAING Ch. Côtes-de-bourg 213
CASTAN Dom. IGP Pays d'Hérault 775
CASTEL DE BRAMES Gaillac 903
CASTEL DU COTOYANT Juliénas 141
CASTEL LA ROSE Ch. Côtes-de-bourg 213
CASTELAS Les Vignerons du Côtes-du-rhône 1142
CASTELBARRY IGP Saint-Guilhem-le-Désert 785 • Languedoc 723
CASTELBRUCK Ch. Margaux 334
CASTELFORT De Floc-de-gascogne 956
CASTELLANE De Champagne 588
CASTELLAT Dom. le Bergerac 919
CASTELLU DI BARICCI Corse ou vin-de-corse 879
CASTELMAURE Corbières 704
CASTELNAU De Champagne 588
CASTELNEAU Ch. de Entre-deux-mers 278
CASTENET Ch. Entre-deux-mers 279
CASTÉRA Dom. Jurançon 950
CASTILLE Ch. la Côtes-de-provence 863
CATARELLI Dom. de Muscat-du-cap-corse 888 • Patrimonio 885
CATHALA Dom. Saint-chinian 762
CATTIER Champagne 589
CAUHAPÉ Dom. Jurançon 950
CAUSSADE Ch. la Graves-de-vayres 285 • Sainte-croix-du-mont 358
CAUSSE D'ARBORAS Dom. du Terrasses-du-larzac 739
CAUSSE NOIR Dom. du Faugères 713
CAUSSE Dom. de IGP Pays d'Hérault 775
CAUVARD Dom. Côte-de-beaune 488
CAVAILLÉ Jean Vin-de-savoie 685
CAVAILLES Dom. Minervois 753
CAVE LAMARTINE Dom. de Juliénas 142
CAVES DU PRIEURÉ Dom. des Sancerre 1120
CAYRAN Camille Côtes-du-rhône 1142 • Côtes-du-rhône-villages 1157
CAZAL VIEL Ch. Saint-chinian 763
CAZAL Dom. le Minervois 753
CAZALET Dom. Tursan 948
CAZALS Claude Champagne 589
CAZANOVE Charles de Champagne 589
CAZEAU L'Excellence de Ch. Bordeaux 170
CAZEBONNE Ch. Graves 299
CAZENEUVE Ch. de Languedoc 723
CAZES Collioure 805 • Côtes-du-roussillon 789 • Côtes-du-roussillon-villages 797 • IGP Côtes catalanes 826 • Maury sec 808 • Muscat-de-rivesaltes 819 • Rivesaltes 814
CÈDRE Ch. du Cahors 895
CÈDRES DE ROBERT Ch. les Malepère 750
CÉLESTIÈRE La IGP Vaucluse 1247
CELLIER AUX MOINES Dom. du Chassagne-montrachet 516 • Givry 543 • Mercurey 538 • Puligny-montrachet 510
CELLIER, de la. Vieille Église Juliénas 144
CELLIER D'ÉGUILLES Le IGP Bouches-du-Rhône 1245
CELLIER DES DAUPHINS Grignan-les-adhémar 1231 • Vinsobres 1195
CENDROUS Le Minervois 753
CEP D'OR Dom. Moselle luxembourgeoise 1252
CÉRONS Ch. de Graves 295
CERTAN DE MAY DE CERTAN Ch. Pomerol 228
CÉZIN Dom. de Coteaux-du-loir 1071 • Jasnières 1072
CHABANON Alain Languedoc 723
CHABBERT Gilles Minervois-la-livinière 760
CHABERTS Ch. des Coteaux-varois-en-provence 857
CHABLISIENNE La Chablis 394 • Chablis grand cru 412 • Chablis premier cru 402
CHABRIER Vignoble Duché d'Uzès 1229
CHAILLOT Dom. du Châteaumeillant 1093
CHAILLOUX Dom. des Crémant-de-loire 974
CHAINIER ET FILS Dominique Pineau-des-charentes 836
CHAINTRES Ch. de Saumur-champigny 1030
CHAISE Dom. de la Touraine 1037
CHALAND Jean-Marie Bourgogne 374 • Mâcon et mâcon-villages 549 • Viré-clessé 557
CHALMEAU & FILS Edmond Bourgogne-aligoté 384
CHALMEAU Christine, Élodie, Patrick Bourgogne-aligoté 384
CHAMAILLE Ch. Côtes-de-bourg 214
CHAMBARD Fleurie 137
CHAMBARD Alain Fleurie 137
CHAMBERT-MARBUZET Ch. Saint-estèphe 346
CHAMBRUN Ch. de Lalande-de-pomerol 237
CHAMFORT Dom. Côtes-du-rhône-villages 1158 • Rasteau sec 1198
CHAMILLY Ch. de Mercurey 538 • Montagny 547
CHAMIREY Ch. de Mercurey 539
CHAMP CHAPRON Dom. Coteaux-d'ancenis 997
CHAMP DE NAYAT Ch. Puisseguin-saint-émilion 271
CHAMP DES SŒURS Ch. Fitou 717 • Muscat-de-rivesaltes 819
CHAMP DU MOULIN Ch. du Bordeaux 168
CHAMPALOU Vouvray 1077
CHAMPAREL Ch. Pécharmant 934
CHAMPARLAN Dom. de Menetou-salon 1101 • Sancerre 1120
CHAMPEAU Dom. Pouilly-fumé 1106
CHAMP-FLEURY Dom. de Crémant-de-bourgogne 387
CHAMPION Olivier Jasnières 1072
CHAMP-LONG Dom. IGP Vaucluse 1248 • Ventoux 1234
CHAMPS DE THEMIS Les Bourgogne-côte-chalonnaise 531 • Bouzeron 533 • Mercurey 539
CHAMPS FLEURIS Dom. des Saumur-champigny 1030
CHAMPS PERDRIX Dom. Bourgogne-côte-chalonnaise 531
CHAMPTELOUP Ch. de Crémant-de-loire 974
CHANCELIÈRE Dom. la Vin-de-savoie 685
CHANCENY De Vouvray 1078
CHANEL Ch. Viré-clessé 558
CHANGARNIER Dom. Monthélie 497
CHANOIR-FRESNE Champagne 589
CHANSON PÈRE ET FILS Dom. Beaune 486 • Chassagne-montrachet 516 • Gevrey-chambertin 430
CHANSSAUD Dom. des Côtes-du-rhône 1142
CHANT D'OISEAUX Vignoble du Orléans-cléry 1089
CHANTE CIGALE Dom. Châteauneuf-du-pape 1214
CHANTECLER Ch. Pauillac 341
CHANTEGRIVE Ch. de Graves 295
CHANTELEUSERIE Dom. de la Bourgueil 1051
CHANTELOUVE Ch. Entre-deux-mers 279
CHANTEMERLE Dom. de Anjou 1000 • Chablis premier cru 402
CHANZY Maison Mercurey 539 • Rully 535 • Santenay 524
CHANZY Olivier Chassagne-montrachet 517 • Côte-de-nuits-villages 460
CHAPELAINS Ch. des Sainte-foy-bordeaux 287
CHAPELLANIE Dom. de la Buzet 916
CHAPELLE D'ALIÉNOR Ch. Bordeaux supérieur 189
CHAPELLE ET FILS Dom. Aloxe-corton 469 • Santenay 524
CHAPELLE LA ROSE Ch. Lussac-saint-émilion 266
CHAPELLE Dom. de la Pouilly-fuissé 559 • Saint-véran 566 • Touraine 1037
CHAPINIÈRE La Touraine 1038
CHAPITRE Dom. du IGP Pays d'Hérault 775 • Touraine-chenonceaux 1047
CHAPONNE Dom. de la Chiroubles 135
CHAPOUTIER M. Condrieu 1175 • Côtes-du-rhône-villages 1158 • Côtes-du-roussillon-villages 798
CHAPUIS ET CHAPUIS Côte-de-nuits-villages 460 • Nuits-saint-georges 455
CHAPUIS Corton-charlemagne 477

CHARAVIN Dom. Didier Rasteau sec 1199
CHARBONNIER Christian Chinon 1065
CHARBONNIER Dom. Touraine 1038
CHARBONNIÈRE Dom. de la Châteauneuf-du-pape 1214 • Vacqueyras 1209
CHARDIGNY Dom. Saint-véran 566
CHARDIN Roland Champagne 589
CHARDONNAY Dom. du Chablis premier cru 403
CHARLEMAGNE Guy Champagne 590
CHARLOPIN Dom. Philippe Bourgogne 374 • Charmes-chambertin 437 • Clos-de-vougeot 447 • Échézeaux 449 • Gevrey-chambertin 430 • Marsannay 424
CHARLOPIN Hervé Marsannay 424
CHARLOT Vincent Champagne 590
CHARMAIL Ch. Haut-médoc 324
CHARME D'ALIÉNOR Crémant-de-bordeaux 201
CHARMENSAT A. Côtes-d'auvergne 1097
CHARMERIES Dom. des Muscadet-sèvre-et-maine 981
CHARMES-GODARD Ch. Les Francs-côtes-de-bordeaux 276
CHARMOISE La Cheverny 1085
CHARNAY-LÈS-MÂCON Cave de Pouilly-fuissé 560
CHARPENTIER J. Champagne 590
CHARRIER Emmanuel Coteaux-du-giennois 1095
CHARRIÈRE Ch. de la Santenay 524
CHARTREUX Cellier des Côtes-du-rhône 1142 • Côtes-du-rhône-villages 1158
CHARTRON Jean Bâtard-montrachet 514 • Bourgogne-hautes-côtes-de-beaune 464 • Chassagne-montrachet 517 • Chevalier-montrachet 514 • Puligny-montrachet 511 • Rully 535
CHARVET Steeve Chiroubles 135
CHASE Maison Williams Luberon 1239
CHASSAGNE-MONTRACHET Ch. de Chassagne-montrachet 517
CHASSEIGNES Dom. des Sancerre 1120
CHASSELAS Ch. Saint-véran 566
CHASSELAS Ch. de Crémant-de-bourgogne 387
CHASSELOIR Ch. de Muscadet-sèvre-et-maine 991
CHASSELVIN Dom. de Crozes-hermitage 1184
CHASSENAY D'ARCE Champagne 590
CHASSEY Guy de Champagne 590
CHASSON Jean-Claude et Serge IGP Vaucluse 1248
CHATAGNAU Ch. Entre-deux-mers 279
CHATAGNIER Aurélien Saint-joseph 1178
CHÂTAIGNERAIE Dom. de la Vouvray 1078
CHÂTAIGNIER DURAND Dom. Juliénas 142
CHATAIN PINEAU Ch. Lalande-de-pomerol 237
CHÂTEAU DES LOGES Cave Fleurie 137
CHÂTEAU Dom. du Picpoul-de-pinet 743
CHAUDRON Champagne 590
CHAUMES Ch. les Blaye-côtes-de-bordeaux 205
CHAUMES Dom. des Chablis 395
CHAUMONT François Champagne 591
CHAUSSÉRIE Dom. de la Muscadet-côtes-de-grand-lieu 992
CHAUSSIN Jocelyne Bourgogne-côte-chalonnaise 531 • Bouzeron 534
CHAUVEAU Benoît Coteaux-du-giennois 1095
CHAUVELET Ch. Entre-deux-mers 279
CHAUVENET Dom. Jean Nuits-saint-georges 455
CHAUVENET-CHOPIN Dom. Chambolle-musigny 443 • Nuits-saint-georges 456
CHAUVET Henri Champagne 591
CHAUVET Marc Champagne 591
CHAUVIN Ch. Saint-émilion grand cru 246
CHAVE Jean-Louis Hermitage 1189
CHAVRIGNAC Ch. Bordeaux 168
CHAVY Cyrille Morgon 145
CHAVY Franck Morgon 145
CHAVY Jean-Louis Puligny-montrachet 511
CHAY Ch. le Blaye-côtes-de-bordeaux 205
CHEMILLY Ch. de Chablis 395
CHEMIN DES RÊVES Le Languedoc 723
CHEMIN ROYAL Ch. Moulis-en-médoc 339
CHEMIN SAINT-JACQUES Fronton 913
CHEMIN Ch. le Pomerol 228
CHEMINON Pascal Champagne 591
CHEMINS DE CARABOTE Les Terrasses-du-larzac 739
CHÉNAS Cave du Ch. du Fleurie 137
CHÊNE ARRAULT Dom. du Bourgueil 1051
CHÊNE VERT Dom. du Reuilly 1114
CHÊNE Dom. Mâcon et mâcon-villages 550
CHÊNE Dom. du IGP Cévennes 771 • Pineau-des-charentes 837
CHÊNEPIERRE Dom. de Moulin-à-vent 151
CHÊNES BLANCS Dom. les Gigondas 1203
CHENEVIÈRES Dom. des Bourgogne 374 • Mâcon et mâcon-villages 550
CHENEVIÈRES Dom. les Mâcon et mâcon-villages 550
CHÊNE-VIEUX Ch. Puisseguin-saint-émilion 270
CHERET-PITRES Ch. Graves 295
CHERMETTE Beaujolais 116
CHERMETTE Dominique Beaujolais 116
CHERMETTE Pierre-Marie Fleurie 137
CHERRIER PÈRE ET FILS Sancerre 1120
CHESNAIE Ch. de la Muscadet-sèvre-et-maine 991
CHESNEAU Dom. Cheverny 1085
CHETAILLE Gilbert Brouilly 125
CHEVAL BLANC Ch. Saint-émilion grand cru 246
CHEVAL QUANCARD Bordeaux 168
CHEVALERIE Dom. de la Bourgueil 1051 • Pineau-des-charentes 837
CHEVALIER PÈRE ET FILS Dom. Aloxe-corton 469 • Corton 474 • Corton-charlemagne 477 • Côte-de-nuits-villages 460 • Ladoix 467
CHEVALIER Dom. de Pessac-léognan 306
CHEVALIER Geoffray Pouilly-loché 564
CHEVALIER Geoffrey Mâcon et mâcon-villages 550
CHEVALIER L'Esprit de Pessac-léognan 306
CHEVALIER-MÉTRAT Dom. Brouilly 126
CHEVALIERS DE SAINT-MARTIN Les Bordeaux 168
CHEVALIERS Dom. des Brouilly 126
CHEVALLIER Dom. Chablis 395
CHEVALLIER-BERNARD Vin-de-savoie 685
CHEVASSU Marie et Denis Macvin-du-jura 682
CHEVASSU-FASSENET Marie-Pierre Château-chalon 673 • Crémant-du-jura 679
CHEVEAU Dom. Mâcon et mâcon-villages 550 • Pouilly-fuissé 560
CHEVILLON-CHEZEAUX Dom. Nuits-saint-georges 456 • Vosne-romanée 451
CHEVILLY Dom. de Quincy 1112
CHEVRIER Bertrand Roussette-de-savoie 691
CHEVROT Dom. Maranges 528
CHEVRUE Dom. de la Muscadet-sèvre-et-maine 981
CHEZE Louis Condrieu 1175 • Saint-joseph 1178
CHIGNARD Dom. Fleurie 138
CHIRAT Vignobles Saint-joseph 1178
CHIROULET Dom. Floc-de-gascogne 956
CHOFFLET VALDENAIRE Dom. Givry 543
CHOLET-PELLETIER Christian Auxey-duresses 499
CHOLLET Paul Crémant-de-bourgogne 387
CHOPIN ET FILS Dom. A. Chambolle-musigny 443 • Côte-de-nuits-villages 460 • Nuits-saint-georges 456
CHOPIN Julien Champagne 591
CHOPINIÈRE DU ROY Dom. de la Bourgueil 1051 • Saint-nicolas-de-bourgueil 1059

CHOTARD Daniel Sancerre 1120
CIBADIÈS Dom. de IGP Pays d'Oc 779
CIFFRE Ch. de Faugères 713
CIGALOUNES Dom. des Lirac 1222
CILORN Ch. Bordeaux supérieur 189
CINQUAU Dom. du Jurançon 950
CISSAC Ch. Haut-médoc 323
CITADELLE Dom. de la Luberon 1239
CÎTEAUX Ch. de Auxey-duresses 498
CITRAN Ch. Haut-médoc 324
CLAIR MOREAU Muscadet-sèvre-et-maine 981
CLAIR Dom. Bruno Gevrey-chambertin 430 • Marsannay 424 • Vosne-romanée 451
CLAIR Françoise et Denis Saint-aubin 521 • Santenay 525
CLAIR Pascal Pineau-des-charentes 837
CLAIRES Dom. des Pineau-des-charentes 837
CLAIRMONT Cave de Crozes-hermitage 1184
CLAPE Dom. A. Cornas 1190
CLAPIÈRE Dom. de la IGP Pays d'Hérault 775
CLARE Ch. la Médoc 315
CLARISSE Ch. Puisseguin-saint-émilion 271
CLARKE Ch. Listrac-médoc 329
CLAUX DELORME Le Valençay 1091
CLAUZOTS Ch. les Graves 295
CLAVEL Dom. Languedoc 723
CLAVELIER ET FILS Bourgogne-hautes-côtes-de-nuits 421
CLAYMORE Ch. la Lussac-saint-émilion 265
CLÉEBOURG Cave de Alsace riesling 74
CLEF DE SAINT-THOMAS Châteauneuf-du-pape 1215
CLEF DU RÉCIT Dom. la Menetou-salon 1102 • Sancerre 1120
CLÉMANCEY Dom. Fixin 426
CLÉMATIS Ch. Rasteau sec 1199
CLÉMENCE Ch. la Pomerol 229
CLÉMENDIÈRES Dom. des Touraine 1038
CLÉMENT SAINT-JEAN Médoc 315
CLÉMENT Isabelle et Pierre Menetou-salon 1102
CLÉMENT J. Champagne 591
CLÉMENT Julien et Rémi Fleurie 138
CLÉMENT Maison Pascal Bourgogne 374
CLÉMENT Pascal Montagny 547 • Saint-romain 502 • Savigny-lès-beaune 479
CLÉMENT-PICHON Ch. Haut-médoc 324
CLÉMENT-TERMES Ch. Gaillac 903
CLÉRAMBAULTS Dom. des Anjou 1000 • Coteaux-d'ancenis 997
CLERC MILON Ch. Pauillac 341
CLOCHEMERLE Beaujolais 116
CLOS 56 Pomerol 229
CLOS ALIVU Patrimonio 886
CLOS BADON-THUNEVIN Saint-émilion grand cru 263
CLOS BAGATELLE Saint-chinian 763
CLOS BASTÉ Pacherenc-du-vic-bilh 944
CLOS BEL AIR Ch. Pomerol 229
CLOS BELLEVUE Jurançon 950
CLOS BERTINEAU Montagne-saint-émilion 267
CLOS BOURGELAT Cérons 358 • Graves 296
CLOS CANERECCIA Corse ou vin-de-corse 879
CLOS CAPITORO Ajaccio 884
CLOS CARMELET Bordeaux 168
CLOS CASTELOT Saint-émilion 241
CLOS CAVENAC Côtes-du-marmandais 917
CLOS COLONNA Corse ou vin-de-corse 879
CLOS CULOMBU Corse ou vin-de-corse 879
CLOS D'ALZETO Ajaccio 884
CLOS D'AUDHUY Cahors 895
CLOS D'ORLÉA Corse ou vin-de-corse 880
CLOS DADY Sauternes 359
CLOS DE BERNARDI Patrimonio 886
CLOS DE CHOZIEUX Côtes-du-forez 1100
CLOS DE L'ABBÉ DUBOIS Côtes-du-vivarais 1242
CLOS DE L'AMANDAIE Languedoc 724
CLOS DE L'ÉPINAY Dom. du Vouvray 1078
CLOS DE L'ORATOIRE DES PAPES Châteauneuf-du-pape 1215
CLOS DE L'OURS Côtes-de-provence 863
CLOS DE LA BERGERIE Savennières-roche-aux-moines 1015
CLOS DE LA BRESSE Côtes-du-roussillon-villages 798
CLOS DE LA COULÉE DE SERRANT Savennières-coulée-de-serrant 1015
CLOS DE LA LYSARDIÈRE Chinon 1065
CLOS DE LA SEIGNEURIE Les Saumur-champigny 1030
CLOS DE LA VIEILLE ÉGLISE Pomerol 229
CLOS DE LA VIERGE Jurançon 950
CLOS DE PAULILLES Les Banyuls 811
CLOS DE PONCHON Brouilly 126
CLOS DES AUMÔNES Dom. du Vouvray 1078
CLOS DES CHAUMES Le Fiefs-vendéens 996
CLOS DES GARANDS Dom. du Fleurie 138
CLOS DES GOHARDS Dom. du Anjou 1000 • Coteaux-du-layon 1017
CLOS DES GRANDS PRIMOS Muscadet-sèvre-et-maine 988
CLOS DES JACOBINS Saint-émilion grand cru 247
CLOS DES LUNES Pessac-léognan 306
CLOS DES MOTÈLES Dom. le Saumur 1024
CLOS DES NINES Languedoc 724
CLOS DES QUATRE VENTS Margaux 333
CLOS DES ROCHERS Moselle luxembourgeoise 1252
CLOS DES ROCS Mâcon et mâcon-villages 550 • Pouilly-loché 564
CLOS DES SUDS Le Minervois 753
CLOS DES TEMPLIERS Lalande-de-pomerol 237
CLOS DES TUILERIES Lalande-de-pomerol 238
CLOS DES VERDOTS Côtes-de-bergerac 929
CLOS DES VINS D'AMOUR IGP Côtes catalanes 826 • Maury sec 808
CLOS DU BEAU-PÈRE Le Pomerol 229
CLOS DU BIEN-AIMÉ Muscadet-sèvre-et-maine 981
CLOS DU BREIL Le Bergerac 919
CLOS DU CAILLOU Le Côtes-du-rhône 1142
CLOS DU CHAILLOU Le Muscadet-sèvre-et-maine 982
CLOS DU CLOCHER Pomerol 227
CLOS DU FIEF Dom. du Saint-amour 157
CLOS DU LOUP Ch. Blaye-côtes-de-bordeaux 211
CLOS DU LUCQUIER Le Terrasses-du-larzac 740
CLOS DU MAINE-CHEVALIER Bergerac 919
CLOS DU MARQUIS Saint-julien 351
CLOS DU NOTAIRE Ch. le Côtes-de-bourg 214
CLOS DU PÈRE CLÉMENT Côtes-du-rhône-villages 1158
CLOS DU PETIT CHÂTEAU Muscadet-sèvre-et-maine 982
CLOS DU PRESSOIR Chinon 1065
CLOS DU PUITS Dom. Côtes-du-roussillon-villages 798
CLOS DU ROI Dom. du Bourgogne 374
CLOS DU ROY Fronsac 224
CLOS DU VIGNEAU Le Saint-nicolas-de-bourgueil 1059
CLOS DUBREUIL Saint-émilion grand cru 247
CLOS FLORIDÈNE Graves 296
CLOS FOURTET Saint-émilion grand cru 247
CLOS GALANT Dom. Duché d'Uzès 1229
CLOS GAUTIER Côtes-de-provence 863
CLOS GUIROUILH Jurançon 950
CLOS HAUT-PEYRAGUEY Sauternes 359
CLOS JULIEN Cuvée In Extremis du Bergerac 920

CLOS JUNET Saint-émilion grand cru 248
CLOS L'ÉGLISE Puisseguin-saint-émilion 271
CLOS LA BOHÈME Haut-médoc 324
CLOS LA COUTALE Cahors 895
CLOS LA GOUTTE NOIRE Châteaumeillant 1093
CLOS LA MADELEINE Saint-émilion grand cru 248
CLOS LA RIVIÈRE Saint-chinian 763
CLOS LAPEYRE Jurançon 951
CLOS LES GRANDES VERSANNES Saint-émilion grand cru 248
CLOS LES PINS Le Bourgueil 1057
CLOS LOUIE Castillon-côtes-de-bordeaux 274
CLOS MARGUERITE Côtes-de-bourg 214
CLOS MARSALETTE Pessac-léognan 306
CLOS MAURICE Les Crémant-de-loire 975 • Saumur-champigny 1030
CLOS MONICORD Bordeaux supérieur 189
CLOS MOULIN PONTET Ch. Bordeaux supérieur 189
CLOS NICROSI Muscat-du-cap-corse 888
CLOS ORNASCA Ajaccio 884
CLOS PADULIS Fitou 717
CLOS PAVILLON SAINT-GEORGES Saint-georges-saint-émilion 272
CLOS RIVIERAL Dom. le Terrasses-du-larzac 740
CLOS ROCA Languedoc 724
CLOS ROMANILE Saint-émilion grand cru 248
CLOS ROUGE Le Terrasses-du-larzac 740
CLOS SAINT-ANDRÉ Pomerol 229
CLOS SAINTE-APOLLINE Alsace gewurztraminer 50 • Alsace pinot gris 62
CLOS SAINTE-MAGDELEINE Cassis 853
CLOS SAINT-FIACRE Orléans 1089
CLOS SAINT-JULIEN Saint-émilion grand cru 248
CLOS SAINT-MARC Dom. du Coteaux-du-Lyonnais 159
CLOS SAINT-MARTIN Madiran 942 • Saint-émilion grand cru 249
CLOS SAINT-PIERRE Dom. Mâcon et mâcon-villages 555
CLOS SAINT-SÉBASTIEN Banyuls 811 • Collioure 805
CLOS SANTINI Muscat-du-cap-corse 888
CLOS TEDDI Patrimonio 886
CLOS THOU Jurançon 951
CLOS TRIGUEDINA Cahors 895
CLOS VÉDÉLAGO Castillon-côtes-de-bordeaux 274
CLOS VILLEMAURINE Saint-émilion grand cru 249
CLOS Anjou 1000
CLOSEL Dom. du Savennières 1013
CLOSERIE DE FOURTET La Saint-émilion grand cru 247
CLOSERIE DES ALISIERS Petit-chablis 391
CLOSERIE MARJO La Moulin-à-vent 151
CLOSERIE Dom. de la Bourgueil 1052
CLOSIERS Dom. des Saumur-champigny 1030
CLOSIOT Premières Brumes de Sauternes 359
CLOSSERONS Dom. des Coteaux-du-layon 1017 • IGP Val de Loire 1131
CLUB DES SOMMELIERS Bordeaux blanc 177
CLUZEAU Ch. Monbazillac 930
CLUZEL Vincent Saint-joseph 1178
COCCINELLES Ch. des Côtes-du-rhône-villages 1158
COCHE Dom. de la IGP Val de Loire 1131
COCHE Dom. Fabien Meursault 506
COCTEAUX Benoît Champagne 592
COFFINET-DUVERNAY Dom. Bâtard-montrachet 514 • Chassagne-montrachet 517
COGNARD Estelle et Rodolphe Bourgueil 1052 • Saint-nicolas-de-bourgueil 1059
COGNARD Lydie et Max Bourgueil 1052
COING DE SAINT-FIACRE Dom. du IGP Val de Loire 1131
COINTES IGP Aude 770 • Malepère 750
COIRIER Dom. Fiefs-vendéens 996
COLBERT Ch. Côtes-de-bourg 213
COLBOIS Dom. Bourgogne 375 • Chablis 395
COLETTE Dom. de Morgon 145
COLIN ET FILS Marc Bâtard-montrachet 514 • Chassagne-montrachet 518 • Montrachet 513 • Saint-aubin 521
COLIN Champagne 592
COLIN Bruno Chassagne-montrachet 517 • Saint-aubin 521 • Santenay 525
COLIN Patrice Coteaux-du-vendômois 1090
COLIN Philippe Chassagne-montrachet 517
COLINOT Irancy 417
COLLARD Lucien Champagne 592
COLLARD-PICARD Champagne 592
COLLET DE BOVIS Bellet 852
COLLET ET FILS Dom. Jean Chablis grand cru 412 • Chablis premier cru 403
COLLET Champagne 592
COLLIN Charles Champagne 592
COLLIN-BOURISSET Brouilly 126
COLLINES DU BOURDIC Les Duché d'Uzès 1229
COLLOTTE Dom. Fixin 427 • Marsannay 424
COLMAR D de Alsace grand cru 89
COLMAR Dom. de la ville de Alsace riesling 75
COLOMBIER Dom. du Anjou 1000 • Chablis 395 • Chablis grand cru 412 • Chablis premier cru 403 • Chinon 1065 • Coteaux-du-layon 1017 • Crozes-hermitage 1184 • IGP Val de Loire 1131 • Régnié 155
COLOMBIÈRE La Fronton 913
COLOMBO Jean-Luc Côtes-du-rhône 1142
COLONAT Dom. de Brouilly 126
COLONGE ET FILS Dom. André Beaujolais-villages 122
COLTABARDS Dom. des Sancerre 1121
COMBE BLANCHE Dom. IGP Pays d'Hérault 775 • Minervois-la-livinière 760
COMBE DES DUCS Ch. Languedoc 724
COMBE GRANDE Dom. de la Corbières 704
CÔMBE Dom. de la IGP Var 876
COMBEL LA SERRE Ch. Cahors 895
COMBELLE Ch. la Gaillac 903
COMBEMARE Dom. Crémant-de-die 1194
COMBES Ch. les Bordeaux blanc 178
COMBET Ch. Bergerac 920 • Côtes-de-bergerac 927
COMBIERS Dom. des Fleurie 138
COMBRILLAC Ch. Bergerac 920 • Rosette 936
COMMANDERIE DE QUEYRET Ch. la Entre-deux-mers 279
COMMANDERIE DU BARDELET Ch. la Bordeaux blanc 178
COMMANDERIE Ch. la Saint-émilion grand cru 249
COMPAGNIE RHODANIENNE La Côtes-du-rhône-villages 1158
COMPLICES DE LOIRE Montlouis-sur-loire 1073
COMPOSTELLE Dom. de Pomerol 228
COMPS Dom. Saint-chinian 763
COMTADINE Cave la Ventoux 1234
COMTE DE THUN IGP Côtes du Tarn 969
COMTE GUILLAUME IGP Saint-Guilhem-le-Désert 785
COMTE PERALDI Dom. Ajaccio 884
COMTE STANISLAS Champagne 627
COMTESSE DE GENLIS Champagne 593
COMTESSE Réserve de la Pauillac 345
CONCERT'O IGP Côtes de Thau 773
CONDAMINE BERTRAND Ch. IGP Pays d'Oc 779 • Languedoc 724
CONDEMINE Florence et Didier Brouilly 127 • Régnié 155
CONDOM Cave de Floc-de-gascogne 957
CONDOM Ch. Côtes-de-duras 938
CÔNE Ch. le Blaye 203
CONFIDENTIEL Côtes-du-marmandais 917
CONGY Dom. de Pouilly-fumé 1106
CONQUES Dom. les IGP Côtes catalanes 827
CONSEILLANTE Ch. la Pomerol 230

VINS

CONSEILLER Ch. le Bordeaux supérieur 189
CONSOLATION IGP Côtes catalanes 827
CONSTANT-DUQUESNOY Dom. Vinsobres 1195
CONSTANTIN Ch. Luberon 1239
COPIN Jacques Champagne 593
COPIN-CAUTEL Champagne 593
COPINET Marie Champagne 593
COQUILLETTE Stéphane Champagne 593
COQUIN Dom. de Menetou-salon 1102
CORAZON BY STÉPHANE COURRÈGES Médoc 315
CORBIAC Ch. Pécharmant 934
CORBILLIÈRES Dom. des Touraine 1038 • Touraine-oisly 1050
CORBIN Ch. Montagne-saint-émilion 267
CORDAILLAT Dom. Reuilly 1115
CORDEILLAN-BAGES Ch. Pauillac 342
CORDEUIL Champagne 594
CORDIER PÈRE ET FILS Dom. Mâcon et mâcon-villages 551
CORINDONS Dom. des Côte-de-brouilly 130
CORMERAIS Dom. Bruno Muscadet-sèvre-et-maine 982
CORMIERS ROUX Dom. des Vouvray 1078
CORNASSE Dom. de la Chablis 395 • Chablis premier cru 403
CORNEAU Dom. Paul Pouilly-fumé 1106
CORNEILLA DEL VERCOL Ch. de Côtes-du-roussillon 789
CORNIN Dom. Dominique Mâcon et mâcon-villages 551 • Pouilly-fuissé 560
CORNU ET FILS Edmond Aloxe-corton 469
CORNUELLES Les Chinon 1066
CORNULIÈRE Dom. de la Gros-plant-du-pays-nantais 995
CORREAUX Ch. des Coteaux bourguignons 370 • Saint-véran 567
CORRENS Vignerons de Côtes-de-provence 863 • IGP Var 876
CORRENSON Ch. Côtes-du-rhône 1143
CORSAIRE Dom. du Juliénas 142
CORSIN Dom. Mâcon et mâcon-villages 551 • Pouilly-fuissé 560 • Saint-véran 567
COS LABORY Ch. Saint-estèphe 346
COSME Dom. Thierry Vouvray 1078
COSSIEU-COUTELIN Ch. Saint-estèphe 346
COSTE CASERONE IGP Île de Beauté 889
COSTE ROUSSE Dom. IGP Côtes de Thongue 774
COSTE Edmé Champagne 594
COSTE-CAUMARTIN Dom. Saint-romain 503
COSTE-LAPALUS Régine et Didier Régnié 155
COSTEPLANE Dom. Languedoc 724
COSTES ROUGES Dom. des Marcillac 910
COSTON Dom. Terrasses-du-larzac 740
CÔTE DE L'ANGE Dom. de la Châteauneuf-du-pape 1215
CÔTE DES CHANORIERS Dom. de la Moulin-à-vent 151
CÔTE DES GARANTS Dom. de la Fleurie 138
CÔTÉ MAS Crémant-de-limoux 748
CÔTÉ MILLÉSIME Côtes-du-rhône 1143 • Côtes-du-rhône-villages 1159
CÔTE MONTPEZAT Ch. Bordeaux blanc 178
CÔTE Dom. de la Côtes-du-rhône-villages 1159
COTEAU DE LA BAUME Le Crozes-hermitage 1184
COTEAU DE VALLIÈRES Dom. du Régnié 155
COTEAU SAINT-VINCENT Coteaux-du-layon 1017
COTEAU VERMONT Dom. du Morgon 145
COTEAU Dom. du Touraine 1038
COTEAUX DE LA ROCHE Beaujolais 116
COTEAUX DES MARGOTS Dom. Mâcon et mâcon-villages 551
COTEAUX DES TRAVERS Dom. des Côtes-du-rhône 1143 • Rasteau sec 1199
COTEAUX DU LYONNAIS Cave des Coteaux-du-Lyonnais 160
COTEAUX DU PIC Les Languedoc 725
CÔTES DE LA ROCHE Dom. les Saint-amour 157
CÔTES ROUSSES Dom. des Vin-de-savoie 685
COTTAT Éric Sancerre 1121
COTTEBRUNE Dom. Faugères 714
COUAT Ch. Bordeaux 164
COUDOULIS Dom. Lirac 1222
COUDRAY MONTPENSIER Ch. Chinon 1066
COUET Dom. Coteaux-du-giennois 1095 • Pouilly-fumé 1106
COUHINS Ch. Pessac-léognan 307
COUHINS-LURTON Ch. Pessac-léognan 307
COUJAN Ch. Saint-chinian 763
COULANE Ch. Madiran 942
COULANGE Dom. Côtes-du-rhône 1143 • Côtes-du-rhône-villages 1159
COULÉE DE BAYON La Côtes-de-bourg 214
COULERETTE Ch. de la Côtes-de-provence 863
COULY Pierre et Bertrand Chinon 1066
COULY-DUTHEIL Chinon 1066
COUME DEL MAS Collioure 805
COUME DU ROY Dom. de la Muscat-de-rivesaltes 819
COUME MAJOU Dom. de la Côtes-du-roussillon-villages 798
COUP DE BRETON Un Bourgueil 1057
COUR CÉLESTE Dom. de la Bourgogne 375 • Chablis 396
COUR D'ARGENT Ch. de la Bordeaux supérieur 190
COUR PROFONDE Dom. de la Morgon 145
COURAC Ch. Côtes-du-rhône 1143 • Côtes-du-rhône-villages 1159
COURBET Dom. Côtes-du-jura 676
COURBIS Dom. Cornas 1190 • Saint-joseph 1178
COURÈGE-LONGUE Dom. Buzet 916
COURLET Vincent Roussette-de-savoie 691
COURNEAU Ch. du Médoc 315
COURRÈGES Ch. Cadillac-côtes-de-bordeaux 288
COURS Les Côtes-de-duras 939
COURSAC Dom. de Languedoc 725
COURSODON Pierre et Jérôme Saint-joseph 1179
COURTADE La Côtes-de-provence 863
COURTAULT Dom. Jean-Claude Chablis 396 • Petit-chablis 391
COURTAULT Jean-Claude Chablis premier cru 403
COURTEILLAC Dom. de Bordeaux supérieur 190
COURTIADE Ch. la Bordeaux supérieur 190
COURTILLIER Fabrice Champagne 594
COURTINAT Ch. Saint-pourçain 1117
COURTIOUX Jean-Michel Cheverny 1085
COURT-LES-MÛTS Ch. Bergerac 920 • Côtes-de-bergerac 927
COUSPAUDE Ch. la Saint-émilion grand cru 249
COUSTARELLE Ch. la Cahors 895
COUSTARRET Dom. Jurançon 951
COUSTHEUR-BONNARD Champagne 594
COUSTILLE Dom. de IGP Côtes de la Meuse 111
COUTELAS A.D. Champagne 594
COUTELAS David Champagne 594
COUTELOR LA ROMARINE Ch. Sainte-foy-bordeaux 287
COUTET La Chartreuse de Sauternes 359
COUTURIER Marcel Pouilly-fuissé 560 • Pouilly-loché 565
COUVENT DES JACOBINS Saint-émilion grand cru 249
COUVENT FILS Champagne 595
COUVREUR Alain Champagne 595
COUZINS Ch. les Lussac-saint-émilion 265
CRABITAN BELLEVUE Ch. Sainte-croix-du-mont 356
CRABITEY Ch. Graves 296
CRAMPILH Dom. du IGP Comté tolosan 962 • Madiran 942
CRANSAC Dom. de IGP Comté tolosan 962
CRÉE Ch. de la Santenay 525
CRÉMADE Ch. Palette 874
CRÉPUSCULE DE FRUIT Côtes-du-marmandais 917

CRÉPY Grande Cave de Vin-de-savoie 685
CRÈS RICARDS Ch. des Terrasses-du-larzac 740
CRÊT D'ŒILLAT Dom. du Régnié 155
CRÊT DES GARANCHES Dom. Côte-de-brouilly 131
CRÉTÉ ET FILS Dominique Champagne 595
CRETOL ET FILS Champagne 595
CRÊTS Dom. des Mâcon et mâcon-villages 551
CREUZE NOIRE Dom. de la Juliénas 142
CRÈVE CŒUR Dom. de Côtes-du-rhône-villages 1159
CRÉZANCY Ch. de Sancerre 1121
CRISTIA Dom. de Châteauneuf-du-pape 1215
CROC DU MERLE Dom. du Cheverny 1085
CROCHET Daniel Sancerre 1121
CROCHET Dominique et Janine Sancerre 1121
CROCHET François Sancerre 1121
CROCHET Jean-Marc et Mathieu Sancerre 1121
CROCK Ch. le Saint-estèphe 347
CROIGNON Ch. de Bordeaux supérieur 190
CROISARD Christophe Coteaux-du-loir 1071
CROIX ARPIN Dom. de la Côtes-d'auvergne 1097
CROIX BASTIENNE La Montagne-saint-émilion 268
CROIX BLANCHE Ch. La Bordeaux 169
CROIX BLANCHE Ch. la Francs-côtes-de-bordeaux 276
CROIX CANON Saint-émilion grand cru 246
CROIX CARRON Dom. de la Saint-amour 157
CROIX CHAPTAL Dom. la Clairette-du-languedoc 702 • Terrasses-du-larzac 740
CROIX DAVIDS Ch. la Côtes-de-bourg 214
CROIX DE BEL AIR Ch. la Côtes-de-bourg 216
CROIX DE GALERNE Dom. La Anjou-villages 1007
CROIX DE GAY Ch. la Pomerol 230
CROIX DE RAMBEAU Ch. Lussac-saint-émilion 265
CROIX DE ROCHE Ch. la Bordeaux blanc 178
CROIX DE SAINT-CYPRIEN Dom. de la Côte-de-brouilly 131
CROIX DE SAINT-JEAN La Minervois 753
CROIX DES MARCHANDS Dom. la Gaillac 907
CROIX DES MOINES Ch. la Lalande-de-pomerol 238
CROIX DES PINS Ch. la Beaumes-de-venise 1212 • Gigondas 1203
CROIX DU RIVAL Ch. Lussac-saint-émilion 265
CROIX GRATIOT La IGP Pays d'Hérault 776 • Picpoul-de-pinet 743
CROIX MÉLIER Dom. de la Montlouis-sur-loire 1073
CROIX MONTJOIE Dom. la Bourgogne 375 • Irancy 417
CROIX SAINT-JULIEN IGP Pays d'Hérault 776
CROIX SAINT-LAURENT Dom. la Sancerre 1122
CROIX SAINT-PIERRE Ch. la Blaye-côtes-de-bordeaux 205
CROIX SAINT-VINCENT Ch. la Pomerol 230
CROIX SAUNIER Dom. de la Beaujolais-villages 122
CROIX SENAILLET Dom. de la Mâcon et mâcon-villages 551 • Pouilly-fuissé 560
CROIX Ch. la Graves 296 • Pomerol 230
CROIZILLE Ch. la Saint-émilion grand cru 250
CROS Ch. du Loupiac 355
CROS Dom. IGP Pays d'Hérault 776
CROS Dom. du Marcillac 911
CROS Pierre Minervois 754
CROULE Dom. de la Touraine-azay-le-rideau 1046
CROUSEILLES Cave de Béarn 948
CROZE BRUNET Dom. Vinsobres 1195
CROZE Dom. Nicolas Côtes-du-rhône 1143
CROZET Gérard Beaujolais-villages 122
CRU DE GRAVÈRE Sainte-croix-du-mont 357
CRU DE LA MAQUELINE Bordeaux 169
CRU LAROSE Jurançon 951
CRUCHANDEAU Julien Bourgogne-hautes-côtes-de-nuits 421 • Ladoix 467
CRUISILLE Dom. la Beaujolais 117
CRUS FAUGÈRES Les Faugères 714
CRUZEAU Ch. Saint-émilion grand cru 250
CUILLERON Yves Condrieu 1175 • Crozes-hermitage 1184 • Saint-joseph 1179
CURVEUX ET FILS Dom. Joël Pouilly-fuissé 561

D

DAGUENEAU ET FILLES Dom. Serge Pouilly-fumé 1106
DAHEUILLER Saumur-champigny 1034
DAL CANTO IGP Alpilles 875
DALEM Ch. Fronsac 224
DALLANCOURT Champagne 595
DAME DE ONZE HEURES La Saint-émilion grand cru 250
DAMOY Dom. Pierre Gevrey-chambertin 430
DAMOY Pierre Marsannay 424
DAMPIERRE Comte Audoin de Champagne 595
DAMPT ET FILS Dom. Daniel Chablis 396 • Chablis premier cru 403
DAMPT Dom. Emmanuel Chablis grand cru 413 • Chablis premier cru 404
DAMPT Dom. Vincent Chablis premier cru 404 • Petit-chablis 391
DAMPT Éric et Emmanuel Bourgogne 375
DAMPT Hervé Bourgogne 375 • Chablis 396 • Chablis grand cru 413 • Petit-chablis 391
DAMPT-DUPAS Chablis premier cru 404
DAMPT Maison Chablis grand cru 413
DAMPT Sébastien Chablis premier cru 404
DANGIN Dom. Bruno Crémant-de-bourgogne 387
DANIEL Marc et Philippe Reuilly 1115
DANJEAN-BERTHOUX Givry 543 • Mercurey 539
DANJOU-BANESSY Dom. IGP Rancio sec 832
DANSAULT Gabriële et Régis Montlouis-sur-loire 1074 • Touraine 1038
DARIDAN Benoît Cheverny 1086
DARIUS Ch. Saint-émilion grand cru 250
DARNAUD Emmanuel Crozes-hermitage 1185 • Saint-joseph 1179
DARRAGON Maison Vouvray 1079
DASSAULT Ch. Saint-émilion grand cru 250
DAUBY MÈRE & FILLE Champagne 596
DAULNY Dom. Sancerre 1122
DAULNY Étienne Sancerre 1122
DAUPHINS Cellier des Côtes-du-rhône 1144
DAURION Dom. IGP Pays d'Oc 779
DAUVERGNE RANVIER Costières-de-nîmes 1227 • Côte-rôtie 1170 • Côtes-du-rhône 1144 • Côtes-du-rhône-villages 1159 • Crozes-hermitage 1185 • Gigondas 1203 • Saint-joseph 1179 • Ventoux 1235
DAUVISSAT PÈRE ET FILS Dom. Jean Chablis premier cru 405
DAUVISSAT Caves Jean et Sébastien Chablis premier cru 404
DAUZAC Ch. Margaux 333
DAVANTURE Dom. Bourgogne-côte-chalonnaise 531 • Givry 544
DAVENAY Ch. de Montagny 547
DAVENNE Clotilde Irancy 417
DAVID Dom. Muscadet-sèvre-et-maine 982
DAVID-DUVALLET Vignoble IGP Val de Loire 1132
DAYSSE Dom. de la Gigondas 1203
DEBAVELAERE Félix Bouzeron 534 • Rully 535
DEBLAERE Laurens Côtes-du-rhône-villages 1160
DECHANNES Élise Champagne 596
DECHELLE Philippe Champagne 596
DÉDICACE Fitou 718
DEFAIX Bernard Chablis grand cru 413
DEFAIX Dom. Bernard Chablis 396 • Chablis premier cru 405

VINS

DEFFENDS Dom. de IGP Var 877
DEFFENDS Les Pointes du Coteaux-varois-en-provence 857
DEFRANCE Olivier Fixin 427
DEFRANCE Phillippe Bourgogne 376
DELABAYE ET FILS Maurice Champagne 596
DELAFONT S. Languedoc 725
DELAGARDE V. Champagne 596
DELAGNE ET FILS Champagne 596
DELAGRANGE Didier Chassagne-montrachet 518 • Saint-romain 503
DELAGRANGE Dom. Henri Pommard 490 • Volnay 494
DELAHAIE Champagne 597
DELAILLE Emmanuel Cheverny 1086
DELALEU Alain Vouvray 1079
DELALEX Dom. Vin-de-savoie 686
DELAMOTTE Champagne 597
DELANOUE Jérôme Saint-nicolas-de-bourgueil 1059
DELANOUE Jocelyne Saint-nicolas-de-bourgueil 1059
DELAPORTE Dom. Sancerre 1122
DELAS Condrieu 1175 • Hermitage 1189 • Saint-joseph 1179
DELAUNAY Dom. Joël Touraine 1039
DELAUNOIS André Champagne 597
DELAVENNE PÈRE & FILS Champagne 597
DELHÉRY Hélène Champagne 597
DÉLICE D'AUTOMNE Pacherenc-du-vic-bilh 945
DELMAS Crémant-de-limoux 747
DELMOND Ch. Sauternes 361
DELONG Marlène Champagne 597
DELOR Bordeaux 169
DELORME André Mercurey 539
DELOT Champagne 598
DEMARJORY Alexandre Champagne 650
DEMESSEY Nuits-saint-georges 456
DEMIÈRE A. & J. Champagne 598
DEMIÈRE Serge Champagne 598
DEMILLY DE BAERE Champagne 598
DEMOISELLES TATIN Les Reuilly 1115
DEMOISELLES Ch. des Côtes-de-provence 863
DEMOUGEOT Rodolphe Pommard 490
DENEUFBOURG Valérie Orléans 1089
DÉNIGRÉ BY LEBLANC Le IGP Val de Loire 1131
DENIS PÈRE ET FILS Dom. Bourgogne-hautes-côtes-de-beaune 464 • Pernand-vergelesses 471
DENTELLE Dom. de la Bugey 694
DENUZIÈRE Maison Condrieu 1175
DEPEYRE Dom. Côtes-du-roussillon-villages 798 • IGP Côtes catalanes 827
DEPIESSE Dom. Sylvain Maranges 529
DEPRADE JORDA Dom. Côtes-du-roussillon 789 • Rivesaltes 814
DEREY FRÈRES Fixin 427 • Marsannay 425
DÉROT-DELUGNY Champagne 598
DERVIN Michel Champagne 598
DESCAZEAU Ch. Côtes-de-bourg 220
DESCHAMPS Marc Pouilly-fumé 1106
DESCOMBE Florent Morgon 146
DESCOMBES Michèle et François Beaujolais-villages 122
DESCOTES Régis Coteaux-du-Lyonnais 160
DESLOGES Dom. Touraine 1039
DESMOULINS ET CIE A. Champagne 599
DESOM Moselle luxembourgeoise 1252
DESOM Dom. Moselle luxembourgeoise 1252
DÉSORMIÈRE Dom. Côte-roannaise 1099
DÉSOUCHERIE Dom. de la Cour-cheverny 1088
DESPERRIER Dom. Moulin-à-vent 151
DESROCHES Dom. Touraine 1039 • Touraine-chenonceaux 1048
DÉTHUNE Paul Champagne 599
DEUTZ Champagne 599
DEUX ARCS Dom. des Anjou 1000 • Anjou-villages 1007 • Savennières 1013
DEUX LUNES Vignoble des Crémant-d'alsace 104
DEUX ROCHES Dom. des Mâcon et mâcon-villages 551 • Saint-véran 567
DEUX ROCS Ch. des IGP Pays d'Hérault 776 • Languedoc 725
DEUX RUISSEAUX Dom. des IGP Pays d'Oc 779
DEUX VALLÉES Dom. des Anjou 1000 • Coteaux-du-layon 1017 • Savennières 1013
DEVÈS Ch. Fronton 913
DEVEZA Dom. Côtes-du-roussillon-villages 798 • Rivesaltes 814
DEVILLARD A. & A. Pouilly-fuissé 561
DEVILLIERS Pascal Champagne 599
DEYREM VALENTIN Ch. Margaux 333
DHOMMÉ Dom. Coteaux-du-layon 1017
DICONNE Dom. Auxey-duresses 499
DIDIER-DUCOS Champagne 599
DIE VINIS Clairette-de-die 1193
DIETRICH Alsace riesling 75
DIFFÉRENCE La Racine carrée par La Côtes-du-roussillon-villages 799
DIGIOIA-ROYER Chambolle-musigny 443
DILECTA La Touraine 1039
DILIGENT François Champagne 599
DILLON Ch. Haut-médoc 324
DIT BARRON Dom. Côte-de-brouilly 131
DITTIÈRE Dom. Anjou-villages-brissac 1009 • Coteaux-de-l'aubance 1011
DIVIN CROISILLE Cahors 896
DOCK ET FILS Paul Alsace riesling 75
DOCK Dom. Alsace klevener-de-heiligenstein 57
DOCK Paul Alsace klevener-de-heiligenstein 56
DOISY-DAËNE Ch. Bordeaux blanc 178
DOISY-VÉDRINES Ch. Sauternes 360
DOLLINGER François Côtes-du-rhône 1144
DOM BACCHUS Champagne 600
DOM BRIAL Côtes-du-roussillon-villages 799 • Muscat-de-rivesaltes 819 • Rivesaltes 815
DOM CAUDRON Champagne 600
DOM PÉRIGNON Champagne 600
DOMAINE DE L'ÉGLISE Ch. du Pomerol 230
DOMANOVA Dom. Côtes-du-roussillon 789
DOMÉA Bergerac 920
DOMI Pierre Champagne 600
DOMINICAIN Banyuls grand cru 813
DOMINIQUE Ch. la Saint-émilion grand cru 251
DOMS Ch. Graves 296
DONATS Ch. les Bergerac 920
DONISSAN Ch. Listrac-médoc 330
DONJON Ch. du Minervois 754
DOPFF AU MOULIN Alsace grand cru 89
DOPFF ET IRION Alsace grand cru 90
DOUCET ET FILS Paul Sancerre 1122
DOUDET-NAUDIN Corton-charlemagne 477 • Maranges 529 • Pernand-vergelesses 472 • Savigny-lès-beaune 479
DOUÉ Didier Champagne 600
DOURDON-VIEILLARD Champagne 601
DOURNIE Ch. la Saint-chinian 763
DOURTHE Bordeaux 169 • Graves 302
DOYARD-MAHÉ Champagne 601
DRAGON Dom. du Côtes-de-provence 864
DRAPPIER Champagne 601
DREYER Dom. Alsace riesling 75
DRIANT-VALENTIN Champagne 601
DROIN Jean-Paul et Benoît Chablis grand cru 413 • Chablis premier cru 405
DROUHIN Joseph Beaune 486 • Charmes-chambertin 437 • Chassagne-montrachet 518
DROUHIN-LAROZE Dom. Bonnes-mares 446 • Chambertin-clos-de-bèze 435 • Chapelle-chambertin 436 • Clos-de-vougeot 447 • Gevrey-chambertin 430
DRUSSÉ Dom. Nathalie et David Bourgueil 1052 • Saint-nicolas-de-bourgueil 1060
DUAL Malepère 751
DUAUX Dom. des Muscadet-sèvre-et-maine 982
DUBŒUF Georges Beaujolais-villages 123

DUBOIS ET FILS R. Bourgogne-hautes-côtes-de-beaune 464
DUBOIS Dom. Bourgueil 1052 • Saumur-champigny 1031
DUBOIS François Champagne 617
DUBOIS Hervé Champagne 601
DUBOIS Raphael Coteaux bourguignons 372
DUBRAUD Ch. Blaye-côtes-de-bordeaux 206
DUBREUIL ET FILS Bugey 694
DUBREUIL Philippe et Arnaud Savigny-lès-beaune 479
DUBREUIL-FONTAINE Corton 475 • Pernand-vergelesses 472
DUBUET-MONTHELIE Dom. Monthélie 497
DUC DE LA MALONIÈRE Bergerac 921
DUC DE MÉZIÈRE Côtes-de-bergerac 926
DUCHÉ Le Duché d'Uzès 1230
DUCLAUX Benjamin et David Côte-rôtie 1170
DUCQUERIE Dom. de la Crémant-de-loire 975 • Savennières 1014
DUCROUX Gérard Beaujolais-villages 123
DUCROUX Jean-Pierre Régnié 155
DUFEU Bruno Bourgueil 1052
DUFEU Dom. Bruno Bourgueil 1052
DUFFAU Dom. Gaillac 904
DUFOULEUR Dom. Guy et Yvan Bourgogne-hautes-côtes-de-nuits 421 • Fixin 427 • Nuits-saint-georges 456 • Savigny-lès-beaune 480
DUFOUR Caveau Bugey 694
DUFOUR Jean-Charles Brouilly 127
DUFOUX Dom. Chiroubles 135
DUGAY Ch. Jean Graves-de-vayres 285
DUGOIS Dom. Daniel Arbois 671
DUHART Moulin de Pauillac 342
DUHART-MILON Ch. Pauillac 342
DUHR Mme Aly Moselle luxembourgeoise 1253
DUJARDIN Dom. Auxey-duresses 499 • Monthélie 497
DUMANGIN FILS J. Champagne 601
DUMARCHER Dom. Alain IGP Ardèche 1244
DUMÉNIL Champagne 602
DUMONT ET FILS R. Champagne 602
DUMONT Jean Pouilly-fumé 1107
DUMONT Lou Gevrey-chambertin 430
DUPASQUIER ET FILS Dom. Nuits-saint-georges 457
DUPOND Philippe Brouilly 127
DUPOND Pierre Morgon 146
DUPONT-FAHN Dom. Auxey-duresses 499 • Puligny-montrachet 511
DUPONT-TISSERANDOT Gevrey-chambertin 431
DUPRAZ Dom. Vin-de-savoie 686
DUPRÉ Jean-Michel Morgon 146
DUPUY DE LÔME Dom. Bandol 846
DURAND Dom. Cornas 1190 • Saint-joseph 1179
DURAND Dom. Loïc Beaune 486 • Chorey-lès-beaune 483
DURAND Loïc Pommard 490
DURANDIÈRE Ch. de la Saumur 1024
DURBAN Dom. de Beaumes-de-venise 1212 • Muscat-de-beaumes-de-venise 1243
DURET Dom. Pierre Quincy 1112
DURETTE Ch. de Chénas 133
DURFORT Ch. de Corbières 704
DURUP Chablis premier cru 405
DURUP Jean Chablis 396
DUSSOURT Dom. Alsace pinot noir 68 • Alsace sylvaner 83
DUTARTE Dom. Michel Pouilly-fumé 1107
DUTERTRE Dom. Touraine-amboise 1045
DUTHEIL Dom. Châteaumeillant 1094
DUVAL-LEROY Champagne 602
DUVAT Albéric Champagne 602
DUVERNAY PÈRE ET FILS Rully 536
DUVERNAY Dom. P. et F. Mercurey 539
DUVERNAY Romain Côtes-du-rhône 1144 • Côtes-du-rhône-villages 1160

E

EBLIN-FUCHS Alsace pinot noir 68 • Alsace riesling 75
ÉCARD Dom. Michel et Joanna Savigny-lès-beaune 480
ÉCASSERIE Vignoble de l' Coteaux-du-layon 1018
ECETTE Dom. de l' Bouzeron 534 • Rully 536
ÉCHARDIÈRES Dom. des Touraine-chenonceaux 1048
ÉCHELETTE Dom. de l' Mâcon et mâcon-villages 552
ECK Ch. d' Pessac-léognan 307
ECKLÉ Jean-Paul Alsace riesling 75 • Crémant-d'alsace 104
ÉCLAIR Ch. de l' Beaujolais 117
ÉCLAT BLANC Muscat-de-saint-jean-de-minervois 769
ÉCLAT DU RHÔNE Côtes-du-rhône 1144 • Côtes-du-rhône-villages 1160
ÉDOUARD Le Dom. d' Bourgogne 376
EDWIGE-FRANÇOIS Champagne 602
EHRHART ET FILS Dom. André Alsace grand cru 90
EHRHART André Alsace riesling 76
EHRHART Henri Alsace pinot gris 62 • Alsace riesling 76
ELLEVIN Jean-Pierre et Alexandre Chablis 396 • Chablis premier cru 405
ELLIA Eugène Chorey-lès-beaune 483 • Gevrey-chambertin 431 • Maranges 529 • Pernand-vergelesses 472
ELLNER Charles Champagne 602
ELLUL-FERRIÈRES Ch. Languedoc 725
ELOY Dom. Mâcon et mâcon-villages 552 • Saint-véran 567
EMBIDOURE Dom. d' Floc-de-gascogne 957 • IGP Côtes de Gascogne 964
EMBISQUE Dom. Julien de l' Côtes-du-rhône 1144 • Côtes-du-rhône-villages 1160
ÉMERINGES Ch. d' Beaujolais-villages 123
EMOIS Dom. des Sancerre 1122
ENCANTADE Dom. de l' IGP Côtes catalanes 827
ENCHANTEURS Dom. des Muscat-de-beaumes-de-venise 1243
ENCLOS DES BÉCASSES L' Minervois 754
ENCLOS DES ROSES Ch. L' Gaillac 904
ENCLOS DU PETIT CHIEN Cheverny 1086
ENCLOS HAUT MAZEYRES Ch. Pomerol 231
ENCLOS Ch. l' Sainte-foy-bordeaux 287
ENGARRAN Ch. de l' IGP Pays d'Oc 779 • Languedoc 725
ENGEL Dom. Fernand Alsace grand cru 90
ENTRAS Dom. Floc-de-gascogne 957 • IGP Côtes de Gascogne 964
ENTRE-CŒURS Dom. de l' Montlouis-sur-loire 1074
ENTREFAUX Dom. des Crozes-hermitage 1185
ENTRETAN Dom. Minervois 754
ENVERRE L' IGP Côtes catalanes 829
ÉOLE Dom. d' IGP Alpilles 875
ÉPERVIÈRE Dom. de l' Vin-de-savoie 686
EPICURUS Bergerac 921
ÉPINAY Dom. l' Muscadet-sèvre-et-maine 983
EPIRÉ Ch. d' Savennières 1014
ÉRABLE Dom. de l' Chablis 397 • Petit-chablis 391
ERLES Ch. des Fitou 718
ERMITAGE Ch. l' Costières-de-nîmes 1227 • Listrac-médoc 331
ERMITAGE Dom. de l' Menetou-salon 1102
ERRIÈRE Dom. de l' Gros-plant-du-pays-nantais 995
ESCARELLE Ch. de l' Coteaux-varois-en-provence 857
ESCART Ch. l' Bordeaux supérieur 190
ESCATTES Languedoc 726
ESCAUSSES Dom. d' Gaillac 904
ESPARROU Ch. de l' Muscat-de-rivesaltes 820 • Rivesaltes 815
ESPÉRANCE Dom. de l' IGP Val de Loire 1132
ESPERET Dom. d' Côtes-du-roussillon 790 • Muscat-de-rivesaltes 820
ESPERITE Ch. Costières-de-nîmes 1227
ESPIGOUETTE Dom. de l' Côtes-du-rhône 1145 • Côtes-du-rhône-villages 1160 • Vacqueyras 1209
ESPRIT DU BOURGEAIS L' Côtes-de-bourg 214

ESSENCE D'ABOURIOU Côtes-du-marmandais 917
ESTANILLES Ch. des Faugères 714
ESTERLIN Champagne 603
ÉTANG DES COLOMBES Ch. Corbières 705
ÉTÉ Dom. de l' Crémant-de-loire 975
ÉTERNES Ch. d' Saumur 1024
ÉTIENNE Daniel Champagne 603 • Coteaux-champenois 665
ÉTIENNE Pascal Champagne 603
ÉTINCELLE DU SUD L' IGP Maures 876
ÉTOILE L' Banyuls 811 • Collioure 805
EUGÉNIE Ch. Cahors 896 • IGP Côtes du Lot 968
EUZIÈRE Ch. l' Languedoc 726
ÉVANGILE Ch. l' Pomerol 231
ÉVÊCHÉ Dom. de l' Bourgogne-côte-chalonnaise 532 • Mercurey 540
EXCELLENCE Dom. de l' Bouzeron 534
EXINDRE Ch. d' Muscat-de-mireval 768
EXPERT CLUB Blanquette-de-limoux 746 • Bordeaux supérieur 190
EXPRESSION DE SCHISTES Fitou 718
EYPERT Dom. Bourgogne 376

F

FAŸE Serge Champagne 603
FABRE CORDON Ch. Corbières 705 • IGP Pays d'Oc 779
FAGE Ch. Graves-de-vayres 285
FAGÉ Ch. le Monbazillac 930
FAGOT Jean-Charles Auxey-duresses 499 • Puligny-montrachet 511
FAHRER Charles Alsace gewurztraminer 50
FAHRER Paul Crémant-d'alsace 104
FAHRER-ACKERMANN Alsace riesling 76
FAÎTEAU Ch. Minervois-la-livinière 760
FAÎTIÈRES Cave les Alsace grand cru 90
FAIVELEY Dom. Corton-charlemagne 477 • Nuits-saint-georges 457
FAIZEAU Ch. Montagne-saint-émilion 268
FALMET Michel Champagne 603
FAMAEY Ch. Cahors 896
FAMILONGUE Dom. de Terrasses-du-larzac 741
FANIEL-FILAINE Champagne 603
FARCIES DU PECH' Ch. les Pécharmant 934
FARGE Guy Saint-joseph 1180 • Saint-péray 1192
FAUGÈRES Ch. Saint-émilion grand cru 251
FAURES Ch. des Côtes-de-Bordeaux 291
FAURIE DE SOUCHARD Ch. Saint-émilion grand cru 251
FAURY Lionel Côte-rôtie 1172
FAUVY Laurent Bourgueil 1052
FAUX Ch. Jean Bordeaux blanc 178
FAUZAN Ch. de Minervois-la-livinière 760
FAVIÈRE Ch. la Bordeaux supérieur 191
FAYAU Ch. Bordeaux blanc 179 • Cadillac-côtes-de-bordeaux 289 • Premières-côtes-de-bordeaux 356
FAYOLLE FILS ET FILLE Crozes-hermitage 1185
FAYOLLE Laurent et Céline Saint-péray 1192
FAYTOUT Vignobles Castillon-côtes-de-bordeaux 274
FÉLINES JOURDAN Dom. Picpoul-de-pinet 743
FÉLIX Dom. Bourgogne 376 • Irancy 417
FELLOT Emmanuel Beaujolais 117
FENALS Ch. les Fitou 718
FENEUIL-COPPÉE Champagne 604
FENEUIL-POINTILLART Champagne 604
FÉRAT-CROCHET Champagne 604
FÉRAUD Dom. des Côtes-de-provence 864
FÉRET-LAMBERT Ch. Bordeaux supérieur 191
FERME BLANCHE Dom. de la Cassis 854
FERME DES ARNAUD Dom. Côtes-du-rhône 1145
FERME DU MONT La Côtes-du-rhône 1145 • Gigondas 1203
FERME SAINT-MARTIN Dom. de la Beaumes-de-venise 1212 • Ventoux 1235
FERRAN SAINT-PIERRE Ch. Entre-deux-mers haut-benauge 283
FERRAN Ch. Fronton 913
FERRAND Nadine Pouilly-fuissé 561
FERRANDIÈRE Dom. IGP Aude 770
FERRANT Dom. de Côtes-de-duras 939
FERRER-RIBIÈRE Dom. IGP Côtes catalanes 827
FERTÉ Ch. de la Muscadet-sèvre-et-maine 983
FERTÉ Dom. de la Givry 544
FESLES Ch. de Anjou 1001 • Anjou-villages 1007
FESSY Henry Moulin-à-vent 151
FEUILLARDE Dom. de la Mâcon et mâcon-villages 552
FEUILLAT-JUILLOT Montagny 547
FEUILLATTE Nicolas Champagne 604
FÈVRE Dom. Nathalie et Gilles Chablis grand cru 413 • Chablis premier cru 406
FÈVRE Nicolas Saint-romain 503
FÈVRE William Chablis premier cru 406
FEYTIT-CLINET Ch. Pomerol 231
FICHET Dom. Bourgogne 376 • Mâcon et mâcon-villages 552
FIEF-SEIGNEUR Dom. du Muscadet-sèvre-et-maine 983
FIEUZAL Ch. de Pessac-léognan 307
FIGARELLA Dom. de la Corse ou vin-de-corse 880
FIGEAC Ch. Saint-émilion grand cru 251
FIGEAT Dom. André et Edmond Pouilly-fumé 1107
FIGUEIRASSE Dom. de IGP Sable de Camargue 785
FIL Dom. Pierre Minervois 754
FILHOT Ch. Sauternes 360
FILLES DE SEPTEMBRE Dom. les IGP Côtes de Thongue 774
FILLIATREAU Dom. Saumur 1025 • Saumur-champigny 1031
FILLON ET FILS Dom. Bourgogne-aligoté 384 • Petit-chablis 392 • Saint-bris 418
FINES CAILLOTTES Dom. des Pouilly-fumé 1107
FINES ROCHES Ch. des Châteauneuf-du-pape 1215
FITÈRE Ch. Madiran 942
FIUMICICOLI Dom. Corse ou vin-de-corse 880
FLACHE SORNAY Morgon 146
FLACHER Gilles Saint-joseph 1180
FLAMAND-DELÉTANG Dom. Montlouis-sur-loire 1074
FLAUGERGUES Ch. de Languedoc 726
FLAVIGNY-ALÉSIA Dom. de IGP Coteaux de l'Auxois 570
FLECK ET FILLE Dom. René Alsace grand cru 90
FLECK René Alsace gewurztraminer 50
FLESCH Alsace pinot noir 68
FLEUR CARDINALE Ch. Saint-émilion grand cru 252
FLEUR CRAVIGNAC Ch. la Saint-émilion grand cru 252
FLEUR DE BOÜARD Ch. la Lalande-de-pomerol 238
FLEUR DE FONPLÉGADE Saint-émilion grand cru 253
FLEUR DE L'AMAURIGUE Côtes-de-provence 864
FLEUR DE VERDET Entre-deux-mers 279
FLEUR DES GRAVES Ch. la Graves-de-vayres 285
FLEUR DES PINS Ch. la Graves supérieures 304
FLEUR DU PALAY IGP Vaucluse 1248
FLEUR LARTIGUE Ch. Saint-émilion grand cru 252
FLEUR PENIN Ch. la Saint-émilion grand cru 252
FLEUR PEREY Ch. la Saint-émilion grand cru 252
FLEUR PETRUS Ch. la Pomerol 231
FLEUR PEYRABON Ch. la Pauillac 342
FLEUR SAINT-ANTOINE Bordeaux supérieur 191
FLEURIE Cave des Grands Vins de Fleurie 138
FLEURIET ET FILS Dom. Bernard Sancerre 1122
FLEUROT-LAROSE Dom. Bourgogne-aligoté 384
FLEURY Champagne 604
FLEURY Robert Champagne 604
FLEURY-GILLE Champagne 604
FLEYS Ch. de Chablis 397 • Chablis premier cru 406

FLORANE Dom. la Côtes-du-rhône-villages 1160
FLORÉAL LAGUENS Ch. Côtes-de-Bordeaux 291
FLORENCE ET FILS Dom. Henri Alsace gewurztraminer 51 • Alsace pinot blanc ou klevner 59
FLORETS Dom. des Gigondas 1203
FLORIMON Ch. Blaye-côtes-de-bordeaux 206
FLORIS Excellence de Minervois 755
FLUTEAU Champagne 605
FOISSY-JOLY Champagne 605
FOLIE Dom. de la Rully 536
FOLIETTE Dom. de la IGP Val de Loire 1132 • Muscadet-sèvre-et-maine 983
FOLLET-RAMILLON Champagne 605
FONBADET B de Bordeaux 169
FONCALIEU Les Vignobles IGP Pays d'Oc 780
FOND CROZE Dom. Côtes-du-rhône 1145 • Côtes-du-rhône-villages 1160
FONDATEURS IGP Coteaux de Glanes 963
FONDIS Dom. du Saint-nicolas-de-bourgueil 1060
FONDRÈCHE Dom. de Ventoux 1235
FOND-VIEILLE Dom. de Beaujolais 117
FONPLÉGADE Ch. Saint-émilion grand cru 253
FONRÉAUD Ch. Listrac-médoc 330
FONT ALBA Dom. de Ventoux 1235
FONT BLANQUE Ch. Fronton 913
FONT DES ORMES La Languedoc 726
FONT DES PÈRES Dom. de la Bandol 847
FONT DU MIRAIL Côtes-du-rhône 1145
FONT SARADE Dom. Vacqueyras 1209
FONTABAN Dom. de Fleurie 138
FONTAINE DU CLOS Dom. IGP Vaucluse 1248
FONTAINE Ch. Sauternes 360
FONTAINE Dom. de Coteaux-du-giennois 1095 • Pouilly-fumé 1107
FONTAINE Jean de La Champagne 580
FONTAINEBLEAU IGP Méditerranée 1246
FONTAINERIE Dom. de la Vouvray 1079
FONTANCHE Ch. Saint-chinian 764
FONTANEL Dom. Côtes-du-roussillon 790 • Côtes-du-roussillon-villages 799 • IGP Rancio sec 832 • Maury 824 • Maury sec 808 • Muscat-de-rivesaltes 820
FONTAUBE Dom. Ventoux 1236
FONTAVIN Dom. de Châteauneuf-du-pape 1216 • Muscat-de-beaumes-de-venise 1243
FONTBLANCHE Ch. de Cassis 854
FONTCREUSE Ch. de Cassis 854
FONTEBRIDE Ch. Sauternes 361
FONTENAY Ch. de Touraine 1039
FONTENELLES Ch. les Bergerac 921 • Côtes-de-bergerac 927
FONTENELLES Dom. de IGP Aude 770
FONTENIL Ch. Fronsac 225
FONTENYS Dom. de Bourgueil 1055
FONTESTEAU Ch. Haut-médoc 325
FONT-MARS Ch. Picpoul-de-pinet 743
FONTRIANTE Dom. de Chiroubles 135
FONTSAINTE Dom. de Corbières 705
FOREST-MARIÉ Champagne 605
FORÉTAL Dom. de Moulin-à-vent 151
FOREY PÈRE ET FILS Dom. Bourgogne 376
FORGE ESTATE La IGP Pays d'Hérault 776
FORGES Dom. des Anjou 1001 • Anjou-villages 1007 • Coteaux-du-layon 1018
FORGET Jean Champagne 605
FORGET Paul Champagne 605
FORGET-CHEMIN Champagne 606
FORLOUIS Ch. Montagne-saint-émilion 268
FORTANT Languedoc 726
FORTINEAU Régis Vouvray 1079
FORTUNET Dom. de IGP Côtes de Gascogne 964
FORTUNET Fleur de IGP Côtes de Gascogne 964
FOUCHER Dom. Olivier Menetou-salon 1102 • Sancerre 1123
FOUCHER Maison Sancerre 1123
FOUCHER-LEBRUN Bourgueil 1053 • Pouilly-fumé 1107
FOUET Dom. Saumur-champigny 1031
FOUGAS Ch. Côtes-de-bourg 215
FOUGÈRES Ch. Les Saint-émilion 242
FOUQUETTE Dom. de la Côtes-de-provence 864
FOUR À CHAUX Dom. du Coteaux-du-vendômois 1090
FOUR À PAIN Dom. du Côte-de-brouilly 131
FOURCAS HOSTEN Ch. Listrac-médoc 330
FOURCAS-BORIE Ch. Listrac-médoc 330
FOURÉ-ROUMIER-DE FOSSEY Dom. Chambolle-musigny 444
FOURMONE Dom. la Gigondas 1204 • Vacqueyras 1209
FOURN Robert de Blanquette-de-limoux 746
FOURNELLES Dom. des Côte-de-brouilly 131
FOURNIER PÈRE ET FILS Pouilly-fumé 1108 • Sancerre 1123
FOURNIER Denis Gevrey-chambertin 431
FOURNIER Dom. Jean Bourgogne 376 • Marsannay 425
FOURNILLON Dom. Bourgogne 377 • Chablis 397
FOURQUES Ch. de Languedoc 727
FOURREY Dom. Chablis 397 • Chablis premier cru 406
FRACHET Florian Côtes-du-jura 676
FRADON Michel Pineau-des-charentes 837
FRAICHEFONT Dom. de Pineau-des-charentes 838
FRAISEAU-LECLERC Cave Menetou-salon 1102
FRAMBOISIÈRE Dom. de la Mercurey 540
FRANC-CARDINAL Ch. Francs-côtes-de-bordeaux 277
FRANCE Ch. de Pessac-léognan 308
FRANCICOT Ch. Côtes-de-bourg 214
FRANC-MAILLET Ch. Pomerol 232
FRANÇOIS-BROSSOLETTE Champagne 606
FRANCS Ch. de Francs-côtes-de-bordeaux 277
FRAPPE-PEYROT Ch. Cadillac 354
FRÉGATE Dom. de Bandol 848
FRESCHE Dom. du Anjou-coteaux-de-la-loire 1012
FRESNE DUCRET Champagne 606
FRESNE Ch. du Anjou 1001 • Coteaux-du-layon 1018 • IGP Val de Loire 1132
FRESNE Le Vignoble du Saint-nicolas-de-bourgueil 1060
FRESNET-JUILLET Champagne 606
FREUDENREICH ET FILS Joseph Crémant-d'alsace 104
FREY Charles Alsace pinot noir 68 • Alsace riesling 76
FREYBURGER Maison Marcel Alsace grand cru 91
FREY-SOHLER Alsace pinot noir 68
FRÉZIER Denis Champagne 606
FRISSANT Xavier Touraine-amboise 1045
FRITSCH J. Alsace grand cru 91 • Alsace pinot gris 62 • Crémant-d'alsace 105
FRITZ Dom. Alsace grand cru 91
FRITZ-SCHMITT Alsace pinot blanc ou klevner 59
FROGÈRES Dom. des Saumur-champigny 1031
FROMENTEAU Ch. de Muscadet-sèvre-et-maine 983
FRONTIGNAN MUSCAT Muscat-de-frontignan 767
FRUITIÈRE La Gros-plant-du-pays-nantais 995
FUISSÉ Ch. Pouilly-fuissé 561
FUMEY ET ADELINE CHATELAIN Raphaël Arbois 671
FUSIONELS Vignobles les Faugères 714

G

GABARES Les Cheverny 1085
GABILLIÈRE Dom. de la Touraine-amboise 1045
GABRIEL-PAGIN FILS Champagne 606
GAC CHAMBARD Ch. le Bergerac 921
GACHÈRE Dom. de la IGP Val de Loire 1132
GACHET Dom. de Lalande-de-pomerol 238
GACHON Ch. Montagne-saint-émilion 268

VINS

GADAIS PÈRE ET FILS Muscadet-sèvre-et-maine 984
GAFFELIÈRE Ch. la Saint-émilion grand cru 253
GAFFELIÈRE Léo de la Bordeaux 169
GAGET Dom. Morgon 146
GAGNEBERT Dom. de Anjou-villages-brissac 1009 • Coteaux-de-l'aubance 1011 • Crémant-de-loire 976
GAGNET Ferme de Floc-de-gascogne 957
GAILLARD Ch. Anjou-villages 1007 • Vouvray 1079
GAILLARD Pierre Côte-rôtie 1172 • Pineau-des-charentes 838 • Saint-joseph 1180
GAILLOT Dom. Jurançon 951
GALANTIN Dom. le Bandol 848
GALAU Ch. Côtes-de-bourg 215
GALES Caves Crémant-de-luxembourg 1255 • Moselle luxembourgeoise 1253
GALISSONNIÈRE Ch. de la Muscadet-sèvre-et-maine 984
GALIUS Saint-émilion grand cru 252
GALLAND Ch. Moulis-en-médoc 339
GALLICE Maison Seyssel 693
GALLIMARD PÈRE ET FILS Champagne 606
GALLOIRES Dom. des Anjou 1001 • Crémant-de-loire 976 • Muscadet-coteaux-de-la-loire 993
GALMOISES Dom. des Saumur-champigny 1031
GALOPIÈRE Dom. de la Bourgogne 377 • Chassagne-montrachet 518 • Meursault 506 • Savigny-lès-beaune 480
GALTEAU Guillaume Bourgueil 1053
GALUVAL Dom. de Côtes-du-rhône-villages 1161
GAN JURANÇON Cave de Jurançon 951
GANNE Ch. la Pomerol 232
GANTOIS Bernard Champagne 630
GARANCILLE Dom. de IGP Charentais 841
GARAUDET Dom. Florent Monthélie 497 • Puligny-montrachet 511
GARCINIÈRES Ch. des Côtes-de-provence 864
GARDE Ch. la Pessac-léognan 308
GARDE Dom. de la Coteaux-du-quercy 901
GARDEGAN Ch. de Bordeaux supérieur 191
GARDERE Pol Champagne 607
GARDET Champagne 607
GARDIEN FRÈRES Dom. Saint-pourçain 1117
GARDINE Ch. de la Châteauneuf-du-pape 1216 • Rasteau sec 1199
GARDRAT Dom. IGP Charentais 841 • Pineau-des-charentes 838
GARENNE Dom. de la Bandol 848 • Brouilly 127
GARENNES Dom. des Saumur 1025
GARNAUDIÈRE La Muscadet-côtes-de-grand-lieu 992
GARNIER ET FILS Chablis premier cru 406
GARNIER Dom. Valençay 1091
GARON Dom. Côte-rôtie 1172
GARREAU Ch. Blaye-côtes-de-bordeaux 206 • Floc-de-gascogne 957
GARRICQ Ch. la Moulis-en-médoc 339
GARRIGUE Dom. la Côtes-du-rhône 1145 • Vacqueyras 1209
GARRIGUES Dom. des Lirac 1222
GASCHY Paul Alsace grand cru 91
GASSMANN Rolly Alsace pinot gris 63 • Alsace riesling 76
GATINES Ch. les Blaye-côtes-de-bordeaux 206
GATINES Dom. de Anjou-villages 1007
GAUCHERAUD Ch. Camille Blaye-côtes-de-bordeaux 206
GAUDARD Dom. Anjou 1001 • Quarts-de-chaume 1021
GAUDET Dom. Régnié 156
GAUDINAT-BOIVIN Champagne 607
GAUDINIÈRE Dom. de la Jasnières 1072
GAUDOU Ch. de Cahors 896
GAUDRELLE Ch. Vouvray 1079
GAUDRON Dom. Sylvain Vouvray 1080
GAUDRONNIÈRE Dom. de la Cheverny 1086
GAUDRY Nicolas Pouilly-fumé 1108
GAUJAL Dom. Picpoul-de-pinet 743
GAULETTERIES Dom. des Coteaux-du-loir 1072 • Jasnières 1072
GAUTERIE Dom. de la Anjou 1001
GAUTHERIN ET FILS Raoul Chablis 397
GAUTHERON Chablis 397 • Chablis premier cru 406 • Petit-chablis 392
GAUTHIER Christian Muscadet-sèvre-et-maine 984
GAUTHIER Laurent Chiroubles 135
GAUTHIER-CHRISTOPHE Champagne 607
GAUTIER Benoît Vouvray 1078
GAVAISSON Dom. de Côtes-de-provence 864
GAVIGNET Maurice Bourgogne-hautes-côtes-de-nuits 421 • Gevrey-chambertin 431 • Morey-saint-denis 440 • Nuits-saint-georges 457
GAVIGNET Philippe Nuits-saint-georges 457
GAVOTY Dom. Côtes-de-provence 865
GAY ET FILS François Aloxe-corton 469 • Chorey-lès-beaune 483 • Pernand-vergelesses 472
GAY ET FILS Michel Aloxe-corton 469 • Beaune 486 • Chorey-lès-beaune 483
GAY Ch. le Pomerol 232
GAYON Ch. Bordeaux blanc 179 • Bordeaux supérieur 191
GAYRARD ET CIE IGP Côtes du Tarn 969
GAYREL Alain IGP Comté tolosan 962
GAZIN ROQUENCOURT Ch. Pessac-léognan 308
GAZIN Ch. Pomerol 232
GEFFARD Henri Pineau-des-charentes 838
GEILER Jean Alsace gewurztraminer 51 • Alsace grand cru 91
GÉLÉRIES Dom. des Bourgueil 1053 • Chinon 1066 • Saint-nicolas-de-bourgueil 1060
GELIN Dom. Pierre Fixin 427
GELINEAU Ch. Côtes-de-bourg 215
GELLY Dom. Éric IGP Côtes de Thongue 774
GÉMEILLAN Ch. Médoc 316
GÉNAUDIÈRES Dom. des Muscadet-coteaux-de-la-loire 993
GENDRAUD-PATRICE Caves Chablis premier cru 407
GENDRE MARSALET Côtes-de-bergerac 927
GENDRON Dom. Vouvray 1080
GENELETTI PÈRE ET FILS Dom. L'étoile 681
GENELETTI Dom. Côtes-du-jura 676
GÉNÉRATIONS Dom. des Chiroubles 135
GENESTRAS Ch. le Médoc 315
GENET Michel Champagne 607
GENETIER Philippe Saint-véran 567
GENÊTS Les Côtes-du-rhône-villages 1161
GENÈVES Dom. des Chablis premier cru 407
GENIBON-BLANCHEREAU Ch. Côtes-de-bourg 215
GENTILLIÈRES Les Terrasses-du-larzac 741
GEOFFROY Champagne 607 • Coteaux-champenois 665
GEOFFROY Dom. Alain Petit-chablis 393
GEORGES DE LA CHAPELLE Champagne 646
GEORGES ET FILS Jean Chénas 133 • Fleurie 139
GEORGES Dom. David Moulin-à-vent 152
GEORGETON-RAFFLIN Champagne 607
GÉRARD Dom. Xavier Condrieu 1175
GERBEAUX Dom. des Pouilly-fuissé 561
GERBER Jean-Paul Alsace gewurztraminer 51
GERBET Dom. François Clos-de-vougeot 447
GERIN Jean-Michel Condrieu 1176 • Côte-rôtie 1172
GERMAIN PÈRE ET FILS Dom. Pommard 491 • Saint-romain 503
GERMAIN Arnaud Puligny-montrachet 512
GERMAIN Isabelle et Philippe Monthélie 497 • Pommard 491
GERMAN Ch. Castillon-côtes-de-bordeaux 274

GESLETS Dom. des Saint-nicolas-de-bourgueil 1060
GHEERAERT Claude Crémant-de-bourgogne 387
GIBAULT Dom. Touraine-chenonceaux 1048
GIBOULOT Dom. Emmanuel Beaune 486 • Côte-de-beaune 489
GIBOULOT Jean-Michel Beaune 486 • Bourgogne-hautes-côtes-de-beaune 464 • Savigny-lès-beaune 480
GIBOURG Dom. Robert Aloxe-corton 470 • Gevrey-chambertin 431 • Morey-saint-denis 440
GIGOGNAN Ch. Châteauneuf-du-pape 1216 • Côtes-du-rhône 1146
GIGONDAS LA CAVE Gigondas 1204
GIGOU Dom. Coteaux-du-loir 1072
GILBERT Dom. Philippe Menetou-salon 1103
GILG Dom. Armand Alsace grand cru 92
GILLIÈRES Ch. des Muscadet-sèvre-et-maine 984
GIMONNET ET FILS Pierre Champagne 608
GIMONNET-GONET Champagne 608
GINGLINGER Paul Alsace grand cru 92
GINGLINGER Pierre-Henri Alsace grand cru 92
GINGLINGER-FIX Crémant-d'alsace 105
GIRARD ET FILS Fernand Sancerre 1123
GIRARD ET FILS Lionel Champagne 608
GIRARD Dom. Malepère 751
GIRARD Dom. Philippe Savigny-lès-beaune 480
GIRARD Jean-Jacques Pernand-vergelesses 472 • Savigny-lès-beaune 480
GIRARDI-DUPOYET Cave Bugey 694
GIRARDIÈRE Dom. de la Rasteau sec 1199
GIRARDIN Justin Santenay 525
GIRARD-MADOUX Jean-Charles Vin-de-savoie 686
GIRARD-MADOUX Samuel et Fabien Vin-de-savoie 686
GIRARD-MADOUX Yves Vin-de-savoie 686
GIRARDRIE La Saumur 1025
GIRAUDIÈRE La Saumur 1025
GIRAUDIÈRES Dom. des Anjou 1001 • Anjou-villages-brissac 1010
GIRAUDON Vincent Côte-roannaise 1099
GIRAUDOT Ch. Bordeaux 170
GIRAULT Dom. Michel Sancerre 1124
GIRIN Dom. Beaujolais 117
GIRONVILLE Ch. de Haut-médoc 322
GIROUD Camille Auxey-duresses 499 • Chambertin 435 • Chassagne-montrachet 518 • Clos-de-vougeot 447 • Gevrey-chambertin 431 • Nuits-saint-georges 457 • Volnay 494
GIROUD Ch. Côtes-de-provence 865
GIROUD Éric et Catherine Mâcon et mâcon-villages 552
GIROUX Dom. Mâcon et mâcon-villages 552 • Pouilly-fuissé 561 • Pouilly-loché 565
GIROUX Pierre Saint-véran 567
GIVAUDAN Dom. de Côtes-du-rhône 1146
GIVAUDIN Franck Irancy 417
GLANA Ch. du Saint-julien 351
GLANTENAY Dom. Chambolle-musigny 444 • Pommard 491
GLEIZÉ Cave de Beaujolais 117
GLODEN ET FILS A. Crémant-de-luxembourg 1255
GLOIRE DE MONTENAC Médoc 316
GLORIA Ch. Saint-julien 351
GOBANCÉ J. Champagne 608
GOBILLARD ET FILS J.-M. Champagne 608
GOBILLARD Pierre Champagne 608
GODARD BELLEVUE Ch. Francs-côtes-de-bordeaux 277
GODEAU Ch. Saint-émilion grand cru 253
GODEAU Escapades de Saint-émilion grand cru 253
GODEFROY Jérôme Bourgueil 1053
GODMÉ Sabine Champagne 609
GODON Bernard et Jérôme Sancerre 1124
GOERG Paul Champagne 609
GOETTELMANN Alsace sylvaner 83
GOICHOT André Mercurey 540 • Santenay 525
GOISOT Dom. Anne et Arnaud Bourgogne 377 • Bourgogne-aligoté 384
GOISOT Guilhem et Jean-Hugues Saint-bris 418
GOISOT Jean-Hugues et Guihem Bourgogne 377
GONET SULCOVA Champagne 609
GONET Michel Champagne 609
GONET Philippe Champagne 609
GONFARON Vignerons de Côtes-de-provence 865
GONNET Charles Vin-de-savoie 687
GONON Dom. Mâcon et mâcon-villages 553 • Pouilly-fuissé 562
GONORDERIE Dom. de la Anjou 1002
GOSSET Champagne 609
GOUDICHAUD Ch. Graves-de-vayres 285
GOUFFIER Bourgogne-aligoté 385 • Bouzeron 534 • Crémant-de-bourgogne 387 • Rully 536
GOUILLON Dom. Dominique Morgon 146
GOULARD J.-M. Champagne 610
GOULARD-GÉRARD J.-L. Champagne 610
GOULIN-ROUALET Champagne 610
GOULLEY ET FILS Dom. Jean Chablis premier cru 407
GOULLEY Dom. Philippe Chablis 397
GOULOTTE Dom. de la IGP Côtes de la Meuse 111
GOURGAZAUD Ch. de Minervois 755
GOUSSARD Gustave Champagne 610
GOUTORBE ET FILS André Champagne 611
GOUTORBE H. Champagne 610
GOYER Dom. Châteaumeillant 1094
GRÂCE DIEU LES MENUTS Ch. la Saint-émilion grand cru 254
GRÂCE DIEU Ch. la Saint-émilion grand cru 253
GRÂCE FONRAZADE Ch. la Saint-émilion grand cru 254
GRAGNOS Ch. de Saint-chinian 764
GRAIN D'ORIENT Dom. IGP Côtes catalanes 828
GRAINS DE ROY Pacherenc-du-vic-bilh 945
GRALL Vincent Sancerre 1124
GRAMAN Bordeaux supérieur 191
GRANAJOLO Dom. de Corse ou vin-de-corse 880
GRAND ABORD Ch. Graves 296
GRAND ARC Dom. du Corbières 705
GRAND AVEN Côtes-du-vivarais 1242
GRAND BARIL Ch. Montagne-saint-émilion 268
GRAND BARRAIL LAMARZELLE FIGEAC Ch. Saint-émilion grand cru 254
GRAND BEAUSÉJOUR Ch. Pomerol 232
GRAND BÉCASSIER Dom. du Côtes-du-rhône 1152
GRAND BERTIN DE SAINT-CLAIR Ch. Médoc 316
GRAND BOS Ch. du Graves 297
GRAND BOURDIEU Dom. du Buzet 916
GRAND CAUMONT Ch. du Corbières 706
GRAND CHÊNE Dom. Gaillac 904
GRAND CLOS Dom. du Bourgueil 1053
GRAND CORBIN MANUEL Ch. Saint-émilion grand cru 254
GRAND CORBIN-DESPAGNE Ch. Saint-émilion grand cru 254
GRAND ENCLOS DU CH. DE CÉRONS Cérons 358 • Graves 297
GRAND ESCALION Ch. Costières-de-nîmes 1227
GRAND FÉ Dom. le Muscadet-côtes-de-grand-lieu 992
GRAND FOUDRE Dom. du Brouilly 127
GRAND GUILHEM Dom. Fitou 718
GRAND JAURE Dom. du Pécharmant 935 • Rosette 936
GRAND LAUNAY Ch. Côtes-de-bourg 215
GRAND LIÈVRE Dom. du Beaujolais 118

GRAND LISTRAC Listrac-médoc 330
GRAND MAYNE Ch. Saint-émilion grand cru 255
GRAND MAYNE Dom. du Côtes-de-duras 939
GRAND MÉDOC Ch. Haut-médoc 325
GRAND METIFEU Le Châteaumeillant 1094
GRAND MONTET Ch. Sainte-foy-bordeaux 287
GRAND MONTMIRAIL Dom. du Gigondas 1204
GRAND MOUËYS Ch. du Bordeaux blanc 179 • Cadillac-côtes-de-bordeaux 289 • Côtes-de-Bordeaux 292
GRAND MOULIN Ch. Corbières 706
GRAND NICOLET Dom. Rasteau sec 1199
GRAND ORMEAU Dom. du Lalande-de-pomerol 238
GRAND PEYROT Ch. Sainte-croix-du-mont 357
GRAND PLANTIER Ch. du Loupiac 355
GRAND POIRIER Dom. du Muscadet-côtes-de-grand-lieu 992
GRAND PORTAIL Ch. Entre-deux-mers 280
GRAND RENOM Ch. Bordeaux supérieur 192
GRAND RETOUR Dom. le Côtes-du-rhône-villages 1161
GRAND ROSIÈRES Dom. du Quincy 1112
GRAND ROUVIÈRE Dom. le Côtes-de-provence 865
GRAND TAILLE La Vouvray 1080
GRAND TAYAC Ch. Margaux 334
GRAND TINEL Dom. du Châteauneuf-du-pape 1216
GRAND VALLAT Dom. le Ventoux 1235
GRAND VENEUR Dom. Châteauneuf-du-pape 1217
GRAND VERGER Dom. de Ventoux 1236
GRAND'MAISON Vignerons de la Orléans 1089
GRAND'VIGNE Dom. la Coteaux-varois-en-provence 857
GRAND Dom. Château-chalon 674
GRANDE BORIE Ch. la Bergerac 921
GRANDE BROSSE Cave de la Touraine 1039
GRANDE CLOTTE Ch. la Bordeaux blanc 179
GRANDE FERRIÈRE Dom. de Beaujolais 118
GRANDE FOUCAUDIÈRE Dom. de la Touraine 1040
GRANDE MAISON Monbazillac 930
GRANDE MÉTAIRIE Ch. la Entre-deux-mers 279
GRANDE VIGNES Dom. les Bonnezeaux 1022
GRANDES BRUYÈRES Dom. des Beaujolais-villages 123
GRANDES COSTES Dom. les Languedoc 727
GRANDES MURAILLES Ch. les Saint-émilion grand cru 254
GRANDES ROUVRES Les Beaujolais 118
GRANDES SERRES Châteauneuf-du-pape 1216 • Côtes-du-rhône 1146 • Côtes-du-rhône-villages 1161
GRANDES VIGNES Dom. des Moulin-à-vent 152
GRANDES VIGNES Dom. les Coteaux-du-layon 1018
GRAND-FIEF Dom. du Muscadet-sèvre-et-maine 984
GRAND-MAISON Ch. Côtes-de-bourg 216
GRANDMAISON Dom. de Pessac-léognan 308
GRANDMONT Ch. de Brouilly 127
GRAND-PONTET Ch. Saint-émilion grand cru 255
GRAND-PORTAIL Ch. Bordeaux 170
GRANDS BOIS Dom. les Côtes-du-rhône-villages 1161 • Rasteau sec 1200
GRANDS CHÊNES Ch. les Médoc 316
GRANDS CRUS BLANCS Les Mâcon et mâcon-villages 553 • Moulin-à-vent 152 • Pouilly-vinzelles 565
GRANGE BLANCHE Dom. Rasteau sec 1200
GRANGE D'ORLÉAN Ch. la Blaye-côtes-de-bordeaux 210
GRANGE MÉNARD Dom. de la Beaujolais-villages 123
GRANGE NEUVE Dom. de Côtes-de-bergerac 928
GRANGE TIPHAINE Dom. La Touraine-amboise 1045
GRANGE TIPHAINE La Montlouis-sur-loire 1074
GRANGE Ch. de la Fitou 718
GRANGE Dom. de la Cheverny 1086 • Touraine 1040
GRANGE La Languedoc 727
GRANGE Dom. de la Muscadet-sèvre-et-maine 984
GRANGENEUVE Dom. de Grignan-les-adhémar 1232
GRANGE-NEUVE Vignoble Beaujolais 118
GRANGES Dom. des IGP Val de Loire 1132
GRANGEY Ch. Saint-émilion grand cru 255
GRANGIER Dom. Saint-joseph 1180
GRANINS GRAND POUJEAUX Ch. Moulis-en-médoc 339
GRANON-PONTAIX Crémant-de-die 1194
GRANZAMY Champagne 611
GRAPPES D'ANTAN Les Côtes-du-rhône 1146 • Côtes-du-rhône-villages 1162
GRAS Dom. Alain Saint-romain 503
GRATIEN Alfred Champagne 611
GRATIOT Gérard Champagne 611
GRATIOT-PILLIÈRE Champagne 611
GRAUZILS Ch. les Cahors 896
GRAVAS Ch. Graves 298 • Sauternes 360
GRAVE Ch. de la Côtes-de-bourg 216
GRAVE Ch. la Minervois 755 • Sainte-croix-du-mont 357
GRAVE Dom. la Graves 299
GRAVELLE Ch. de la Muscadet-sèvre-et-maine 985
GRAVENNES Dom. des Côtes-du-rhône 1146 • Côtes-du-rhône-villages 1162
GRAVES D'ARDONNEAU Dom. des Blaye-côtes-de-bordeaux 206 • Bordeaux blanc 179
GRAVES DU BARRY Bordeaux supérieur 192
GRAVETTES-SAMONAC Ch. Côtes-de-bourg 216
GRAVIÈRE Ch. la Lalande-de-pomerol 238
GRAVIÈRES Ch. des Graves 301
GRAVIÈRES Ch. les Saint-émilion grand cru 255
GRÉCAUX Dom. des Languedoc 727
GREFFET Ludovic Mâcon et mâcon-villages 553 • Pouilly-fuissé 562 • Saint-véran 567
GREFFIER Le 5 des Vignobles Entre-deux-mers 280
GREFFIÈRE Ch. de la Mâcon et mâcon-villages 549 • Saint-véran 568
GREINER Dom. Laurence et Philippe Alsace pinot noir 68
GREMILLET Champagne 593
GRENIÈRE Ch. de la Lussac-saint-émilion 266
GRÈS SAINT-PAUL Languedoc 727 • Muscat-de-lunel 766
GRÉZAN Ch. Faugères 714
GRÉZELS Les Gaillac 904
GRÉZETTE La IGP Côtes du Lot 968
GRIER Dom. Côtes-du-roussillon 790 • IGP Côtes catalanes 828
GRIFFON Dom. du Côte-de-brouilly 131
GRIMONT Ch. Cadillac-côtes-de-bordeaux 289
GRINOU Terroir Bergerac 921
GRIOCHE Vignoble de la Bourgueil 1053
GRIPA Dom. Bernard Saint-joseph 1180 • Saint-péray 1192
GRISARD Dom. Vin-de-savoie 687
GRISS Dom. Maurice Alsace muscat 58
GRISSAC Ch. de Côtes-de-bourg 216
GRIVAULT Albert Meursault 506
GRIVIÈRE Ch. Médoc 316
GROLEAU Ch. Côtes-de-bourg 216
GROLLAY Dom. du Saint-nicolas-de-bourgueil 1060
GROS FRÈRE ET SŒUR Dom. Vosne-romanée 452
GROS MOULIN Ch. Côtes-de-bourg 217
GROS'NORÉ Dom. du Bandol 848
GROS Christian Aloxe-corton 470
GROS Dom. A.-F. Beaune 487 • Chambolle-musigny 444 • Échézeaux 449 • Pommard 491 • Richebourg 453 • Vosne-romanée 451

GROS Dom. Michel Bourgogne-hautes-côtes-de-nuits 422 • Nuits-saint-georges 458 • Vosne-romanée 452
GROSBOIS Dom. Chinon 1066
GROSS Dom. Alsace pinot gris 63
GROSS Henri Alsace grand cru 92
GROSSE PIERRE Dom. de la Chiroubles 136
GROSSOT Corinne et Jean-Pierre Chablis premier cru 407
GRUAUD LAROSE Ch. Saint-julien 351, 352
GRUET Champagne 611
GRUME Dom. de la Brouilly 127
GRUMIER Maurice Champagne 612
GRUY Dom. de IGP Côtes de la Meuse 111
GRYPHÉES Dom. les Moulin-à-vent 152
GSELL Alsace pinot noir 69
GUAY Patrice Champagne 612
GUÉ Ch. Jean de Lalande-de-pomerol 239
GUEGUEN Dom. Céline et Frédéric Chablis 398 • Saint-bris 418
GUELET Dom. du Beaujolais-villages 123
GUENEAU Alain Sancerre 1124
GUENEAU Jérôme Coteaux-du-giennois 1096
GUÉRANDE Dom. de Muscadet-sèvre-et-maine 985
GUÉRIN Thierry Pouilly-fuissé 562
GUERRIN ET FILS Dom. Pouilly-fuissé 562 • Saint-véran 568
GUERTIN Dom. Vouvray 1080
GUETH Jean-Claude Alsace gewurztraminer 51
GUEUSQUIN Nicolas Champagne 612
GUICHOT Ch. Bordeaux 170 • Bordeaux blanc 180
GUIGNIER Michel Morgon 146
GUIGOURET Dom. Clairette-de-die 1193
GUILBAUD FRÈRES IGP Val de Loire 1132 • Muscadet-sèvre-et-maine 990
GUILHEM TOURNIER Ch. Bandol 848
GUILHEM Ch. Malepère 751
GUILHON D'AZE Dom. de Floc-de-gascogne 958
GUILLARD S.C. Gevrey-chambertin 432
GUILLAUME BLANC Ch. Bordeaux supérieur 192
GUILLAUME Vignoble IGP Franche-Comté 683
GUILLEMIN LA GAFFELIÈRE Ch. Saint-émilion grand cru 256
GUILLEMOT Dom. Pierre Savigny-lès-beaune 481
GUILLO Christophe Beaune 487
GUILLON ET FILS Jean-Michel Chambolle-musigny 444
GUILLON-PAINTURAUD Pineau-des-charentes 838
GUILLOT CLAUZEL Ch. Pomerol 233
GUILLOT Dom. Amélie Arbois 671
GUILLOT Dom. Patrick Mercurey 540
GUILLOTERIE Dom. de la Saumur 1025 • Saumur-champigny 1032
GUINAND Dom. Languedoc 727
GUION Dom. Bourgueil 1053
GUIPIÈRE Ch. Muscadet-sèvre-et-maine 985
GUITERONDE Ch. Bordeaux blanc 180
GUITON Dom. Jean Savigny-lès-beaune 481
GUITONNIÈRE Dom. Muscadet-sèvre-et-maine 985
GURGUE Ch. la Margaux 334
GUTIZIA Dom. Irouléguy 955
GUYARD Alain Gevrey-chambertin 432 • Marsannay 425 • Vosne-romanée 452
GUYON Dom. Échézeaux 450 • Savigny-lès-beaune 481
GUYON Dom. Antonin Chambolle-musigny 444 • Corton-charlemagne 478 • Gevrey-chambertin 432 • Volnay 494
GUYONNETS Ch. les Cadillac-côtes-de-bordeaux 289
GUYOT Cédric Champagne 612
GUYOT-GUILLAUME Champagne 612
GUYOT-POUTRIEUX Champagne 612
GYÉJACQUOT FRÈRES Champagne 613

H

HAAG Dom. Jean-Marie Alsace grand cru 93 • Alsace pinot gris 63
HABRARD Laurent Crozes-hermitage 1185
HABSIGER Alsace klevener-de-heiligenstein 57
HAEFFELIN Vignoble Alsace grand cru 93
HAEGELIN ET FILLES Materne Alsace gewurztraminer 51 • Alsace pinot blanc ou klevner 60
HAEGELIN Bernard Alsace pinot gris 63
HAEGI Dom. Crémant-d'alsace 105
HAIE-THESSENTE Ch. la Muscadet-sèvre-et-maine 985
HALBEISEN Alsace pinot gris 63 • Alsace riesling 76
HALLAY ET FILS Vouvray 1080
HAMELIN Dom. Chablis 398 • Chablis premier cru 407
HAMET-SPAY Dom. Moulin-à-vent 152
HAMM Champagne 613
HANSMANN Crémant-d'alsace 105
HARLIN PÈRE & FILS Champagne 613
HARMAND-GEOFFROY Gevrey-chambertin 432 • Mazis-chambertin 438
HARTMANN André Alsace grand cru 93
HARTWEG Alsace pinot gris 64
HÂTES Dom. des Petit-chablis 393
HATON ET FILS Champagne 613
HATON Jean-Noël Champagne 613
HAUCHAT Ch. Fronsac 225
HAULLER Crémant-d'alsace 105
HAUSSMANN Bordeaux supérieur 192
HAUT-BAILLY Ch. Pessac-léognan 308
HAUT-BAJAC Ch. Côtes-de-bourg 217
HAUT-BEAUSÉJOUR Ch. Saint-estèphe 349
HAUT BELLAY Dom. du Saumur 1025
HAUT-BELLEVUE Ch. Moulis-en-médoc 339
HAUT-BERGERON Ch. Sauternes 360
HAUT-BERGEY Ch. Pessac-léognan 309
HAUT-BEYCHEVELLE GLORIA Ch. Saint-julien 352
HAUT BONNEAU Ch. Montagne-saint-émilion 268
HAUT BOURCIER Ch. Blaye-côtes-de-bordeaux 207
HAUT BOURG Dom. du Muscadet-côtes-de-grand-lieu 992
HAUT-BRETON LARIGAUDIÈRE Ch. Margaux 334
HAUT-BRION Ch. Pessac-léognan 309, 311
HAUT-BRISSON LA GRAVE Ch. Saint-émilion grand cru 262
HAUT-CANTELOUP Ch. Blaye-côtes-de-bordeaux 207
HAUT-CAZEVERT Ch. Entre-deux-mers 280
HAUT-CHAIGNEAU Ch. Lalande-de-pomerol 239
HAUT-COLOMBIER Ch. Blaye-côtes-de-bordeaux 207
HAUT-D'ARZAC Ch. Entre-deux-mers 280
HAUT DAMBERT Ch. Bordeaux supérieur 192
HAUT DE SÉNAUX IGP Pays d'Oc 783
HAUT FRESNE Dom. du Anjou 1002 • Crémant-de-loire 976 • Muscadet-coteaux-de-la-loire 993
HAUT-GAUSSENS Ch. Bordeaux supérieur 193
HAUT GÉLINEAU Ch. Côtes-de-bourg 219
HAUT GLÉON Ch. Corbières 706 • IGP Vallée du Paradis 786
HAUT-GRAMONS Ch. Graves 298
HAUT-GRAVET Ch. Saint-émilion grand cru 256
HAUT-GRELOT Ch. Blaye-côtes-de-bordeaux 207
HAUT GUILLEBOT Ch. Bordeaux supérieur 193
HAUT JEAN REDON Ch. Côtes-de-bordeaux-saint-macaire 290
HAUT L'ÉVÊQUE Ch. Pessac-léognan 307
HAUT-LA-VALETTE Ch. Blaye-côtes-de-bordeaux 207
HAUT LAGRANGE Ch. Pessac-léognan 309
HAUT LAMOUTHE Ch. Côtes-de-bergerac 928

VINS

HAUT-LANDON Ch. Bordeaux supérieur 193
HAUT-LIROU Dom. Languedoc 728
HAUT-MADRAC Ch. Haut-médoc 327
HAUT-MAILLET Ch. Pomerol 228
HAUT-MARBUZET Ch. Saint-estèphe 347
HAUT-MAYNE Ch. Graves 298 • Sauternes 361
HAUT MEYREAU Ch. Bordeaux blanc 180
HAUT-MONGEAT Ch. Graves-de-vayres 285
HAUT-MONPLAISIR Ch. Cahors 897
HAUT-MONTLONG Dom. Côtes-de-bergerac 928
HAUT MOULEYRE Ch. Bordeaux 165
HAUT-MOULEYRE Ch. Cadillac 354
HAUT NADEAU Ch. Bordeaux supérieur 193
HAUT NIVELLE Ch. Bordeaux supérieur 193
HAUT-NOUCHET Arpège by Pessac-léognan 310
HAUT-NOUCHET Ch. Pessac-léognan 310
HAUT-NOUCHET Florilège by Pessac-léognan 310
HAUT PASQUET Ch. Bordeaux 169 • Entre-deux-mers 280
HAUT-PÉCHARMANT Dom. du Pécharmant 935
HAUT PEYRAT La Demoiselle d' Haut-médoc 328
HAUT PEYROUS Ch. Graves 298
HAUT PEZAUD Ch. du Bergerac 922
HAUT PHILIPPON Ch. Bordeaux supérieur 193
HAUT-POMMARÈDE Ch. Graves 304
HAUT-PONCIÉ Dom. du Saint-amour 157
HAUT POUGNAN Ch. Bordeaux supérieur 194
HAUT-POURJAC Ch. Bordeaux 170
HAUT-REYS Ch. Graves 298
HAUT RIAN Ch. Bordeaux blanc 180 • Entre-deux-mers 280
HAUT-RIEUFLAGET Grand Juan du Ch. Bordeaux supérieur 194
HAUT-SAINT-GEORGES Ch. Saint-georges-saint-émilion 272
HAUT-SURGET Ch. Lalande-de-pomerol 239
HAUT-TERRE-FORT Ch. Entre-deux-mers haut-benauge 284
HAUT-THEULET Ch. Monbazillac 930
HAUTE BORIE Ch. Cahors 898
HAUTE-COUR DE LA DÉBAUDIÈRE Gros-plant-du-pays-nantais 995
HAUTE COUTUME Rivesaltes 815
HAUTE FÉVRIE Dom. Muscadet-sèvre-et-maine 986
HAUTE-FONROUSSE Ch. Bergerac 922
HAUTE-FONTAINE Ch. Corbières 706
HAUTE MOLIÈRE Dom. de Morgon 147
HAUTE PERCHE Dom. de Anjou-villages-brissac 1010
HAUTE-SERRE Ch. de Cahors 897
HAUTERIVE Ch. de Cahors 897
HAUTES BASSIÈRES Moselle 111
HAUTES BRIGUIÈRES Dom. les Ventoux 1236
HAUTES BROSSES Dom. des Coteaux-du-layon 1018
HAUTES CANCES Dom. Les Côtes-du-rhône-villages 1162
HAUTES GRAVES DU ROUY Ch. Saint-émilion 242
HAUTES NOËLLES Dom. les Muscadet-côtes-de-grand-lieu 992
HAUTES TROGLODYTES Les Saumur-champigny 1032
HAUTES VIGNES Dom. des Saumur 1026
HAUTEVILLE Ch. Saint-estèphe 347
HAUTS BAIGNEUX Dom. des Touraine-azay-le-rideau 1046
HAUTS D'AGLAN Ch. les Cahors 897
HAUTS DE CAILLEVEL Ch. les Monbazillac 930
HAUTS DE FONCAUDE Ch. les Entre-deux-mers 281
HAUTS DE JANEIL Les IGP Pays d'Oc 780
HAUTS DE LA GAFFELIÈRE Les Saint-émilion 242
HAUTS DE LESTAC Les Haut-médoc 321
HAUTS DE MARTILLAC Les Pessac-léognan 310
HAUTS DE PALETTE Ch. Les Côtes-de-Bordeaux 292
HAUTS DE SAINT-ROME Les Clairette-du-languedoc 702
HAUTS DE SANZIERS Dom. des Saumur 1026
HAUTS DE SMITH Les Pessac-léognan 313
HAUTS-CONSEILLANTS Ch. les Lalande-de-pomerol 239
HAYE Ch. la Saint-estèphe 347
HEBINGER Christian et Véronique Alsace grand cru 93
HEIDSIECK Charles Champagne 613
HEIM Crémant-d'alsace 104
HEIMBOURGER Dom. Bourgogne 377 • Chablis 398
HEITZMANN Dom. Léon Alsace pinot noir 69
HÉNIN Pascal Champagne 614
HÉNIN-DELOUVIN Champagne 614
HENRI Le Dom. d' Chablis 398
HENRIOT Champagne 614
HENRY Dom. Languedoc 728
HÉRAULT Dom. Éric Chinon 1067
HERBAUGES Dom. des Muscadet-côtes-de-grand-lieu 992
HERBE SAINTE Dom. de l' IGP Pays d'Oc 780
HERESZTYN-MAZZINI Dom. Gevrey-chambertin 432
HERING Dom. Alsace grand cru 93
HÉRITIERS SAINT-GENYS Les Santenay 525
HÉRIVAULT Vouvray 1082
HERRÉ Dom. de l' IGP Côtes de Gascogne 964
HERTZ Albert Alsace grand cru 93
HERTZ Bruno Alsace gewurztraminer 51 • Alsace sylvaner 83
HERTZOG Alsace gewurztraminer 52 • Alsace pinot gris 64
HERVELYNE Dom. d' Morgon 147
HEUCQ PÈRE ET FILS Champagne 614
HEYBERGER Michel Alsace gewurztraminer 52
HEYWANG Jean et Hubert Alsace klevener-de-heiligenstein 57
HIRTZ Alsace grand cru 94
HMMM...! Gaillac 904
HOCLET Ch. Côtes-de-bourg 217
HOERTER Michel Champagne 614
HOMS Dom. d' Cahors 897
HORCHER Alsace grand cru 94
HORDÉ Dom. Côtes-du-jura 676 • Macvin-du-jura 682
HORGELUS Dom. IGP Côtes de Gascogne 964
HORTALA Ch. Corbières 706
HORTGRAND L' Languedoc 728
HORTUS Bergerie de l' IGP Saint-Guilhem-le-Désert 785 • Languedoc 728
HOSPICES CIVILS DE LYON Dom. des Brouilly 126
HOSPICES DE COLMAR Alsace gewurztraminer 52
HOSPICES Ch. des Côtes-du-roussillon 790 • Muscat-de-rivesaltes 820 • Rivesaltes 815
HOSTENS-PICANT Ch. Sainte-foy-bordeaux 287
HOUBLIN Dom. Jean-Luc Bourgogne 377
HOUCHART Dom. Côtes-de-provence 865
HOURS Charles Jurançon 952
HOUX Alain et Arnaud Bourgueil 1054
HUARDS Dom. des Cour-cheverny 1088
HUBSCHWERLIN Champagne 615
HUEBER Alsace pinot gris 64
HUGG Marcel Alsace grand cru 94
HUGUENOT Gevrey-chambertin 432 • Marsannay 425
HUGUENOT-TASSIN Champagne 615
HUGUET Dom. Cheverny 1086
HUIBAN Auguste Champagne 615
HUMBRECHT Bernard Alsace grand cru 94
HUNAWIHR Cave de Alsace grand cru 94 • Crémant-d'alsace 106
HUNOLD Alsace gewurztraminer 52
HUNOLD Bruno Alsace pinot gris 64 • Alsace pinot noir 69
HURADIN Ch. Graves 298
HUSTE Ch. de la Fronsac 225
HUTASSE ET FILS Fernand Champagne 615

I

IGNACE Vignoble Alain Vacqueyras 1209

ILARRIA Dom. Irouléguy 955
ÎLES Dom. des IGP Val de Loire 1133
ILTIS Jacques Alsace pinot noir 69
IN VINHYS Dom. IGP Côtes de Thau 773
INSTANT BORDEAUX L' Bordeaux blanc 180
INTACT L' Buzet 916
IRIS Dom. des Anjou 1002
ISSAN Blason d' Margaux 334
ISSAN Ch. d' Margaux 334
ISSELÉE Éric Champagne 615
IZARD Dom. IGP Pays d'Oc 780

J

JABOULET AÎNÉ Paul Côtes-du-rhône-villages 1162
JABOULET Dom. Philippe et Vincent Cornas 1190 • Crozes-hermitage 1185 • Hermitage 1189
JACOB Dom. Corton 475 • Corton-charlemagne 478
JACOUTON Jean-François Saint-joseph 1180
JACQUART Champagne 615
JACQUELINE Xavier Vin-de-savoie 687
JACQUES Ch. des Moulin-à-vent 153
JACQUES Yves Champagne 616
JACQUESSON Gilbert Champagne 616
JACQUESSON-BERJOT Champagne 616
JACQUIN ET FILS Dom. Edmond Roussette-de-savoie 691 • Vin-de-savoie 687
JACQUINET-DUMEZ Champagne 616
JADOT Louis Rully 536
JAEGER-DEFAIX Dom. Rully 536
JAFFELIN Auxey-duresses 500 • Rully 537
JAILLANCE Clairette-de-die 1194 • Crémant-de-bordeaux 201
JALLET Dom. Saint-pourçain 1117
JAMAIN Champagne 616
JAMAIN Denis Reuilly 1115
JAMART ET CIE E. Champagne 616
JAMBON ET FILS Dom. Marc Mâcon et mâcon-villages 553
JAMBON Dominique Morgon 147
JAMBON Guénaël Morgon 147
JAMBON Richard Beaujolais-villages 124
JANASSE Dom. de la Châteauneuf-du-pape 1217 • Côtes-du-rhône 1146 • Côtes-du-rhône-villages 1162
JANISSON-BARADON ET FILS Champagne 617
JARNOTERIE Vignoble de la Saint-nicolas-de-bourgueil 1060
JAS D'ESCLANS Côtes-de-provence 865
JAS Dom. du Côtes-du-rhône 1147
JAUBERTIE Ch. de la Bergerac 922
JAUME Alain Côtes-du-rhône-villages 1162 • Vacqueyras 1210
JAUME Ch. des Maury sec 808
JAUME Dom. Côtes-du-rhône 1147
JAUNE Ch. Côtes-de-provence 865
JAUTROU Pierre Chinon 1067
JAVERNIÈRE Dom. De Morgon 147
JAVILLIER Dom. Patrick Meursault 507 • Savigny-lès-beaune 481
JEAN FAUX Ch. Bordeaux supérieur 194
JEANJEAN Vignobles Languedoc 728
JEAN-MATHIEU Ch. Bordeaux supérieur 194
JEANNETTE Ch. la Côtes-de-provence 866
JEANNIARD Dom. Alain Côte-de-nuits-villages 460
JEANNIARD Dom. Françoise Pernand-vergelesses 472
JEANNIARD Rémi Morey-saint-denis 440
JEAUNAUX-ROBIN Champagne 617
JEEPER Champagne 617
JENNY Dom. Charles Morgon 148
JÉRÔME Dom. de la Côtes-du-rhône-villages 1163
JESSIAUME Dom. Auxey-duresses 500 • Beaune 487 • Bourgogne 377 • Santenay 526

JOŸ Dom. de Floc-de-gascogne 958 • IGP Côtes de Gascogne 965
JOANNET Dom. Pernand-vergelesses 473 • Vosne-romanée 452
JOBARD Claudie Rully 537
JOBELINE Dom. de la Mâcon et mâcon-villages 553
JOBET Pineau-des-charentes 838
JOFFRE Dom. Châteaumeillant 1094
JOGUET Charles Chinon 1067
JOILLOT Jean-Luc Pommard 491
JOININ Ch. Bordeaux 170
JOLIET PÈRE ET FILS Fixin 427
JOLIET Ch. Fronton 913
JOLIVET Dom. Anjou 1002
JOLLY René Champagne 617
JOLY Virgile Languedoc 728
JOLY-CHAMPAGNE Champagne 617
JOLYS Ch. Jurançon 952
JONCIER Dom. du Côtes-du-rhône 1147 • Lirac 1223
JONCY Dom. Chiroubles 136
JORINE Ch. la Lussac-saint-émilion 266
JOSÉPHINS Dom. des Beaujolais 118
JOSSELIN Jean Champagne 618
JOUAN Régis Sancerre 1124
JOUARD Dom. Vincent et François Chassagne-montrachet 518
JOUCLARY Ch. Cabardès 699
JOULIN ET FILS Alain Montlouis-sur-loire 1074
JOULIN Dom. Saumur-champigny 1032
JOURDAIN Francis Valençay 1091
JOURDAN ET PICHARD Chinon 1067
JOURDAN Gilles Côte-de-nuits-villages 461
JOYEUSE Anne de Limoux 749
JUCALIS Ch. Saint-émilion grand cru 256
JUILLARD Franck Juliénas 142
JUILLOT Dom. Michel Mercurey 540
JULIEN DE SAVIGNAC Bergerac 922
JULIEN ET JULIA Limoux 749
JULIEN René Vin-de-savoie 687
JULIÉNAS Ch. de Juliénas 142
JULIENNE Dom. de la Coteaux-varois-en-provence 857
JULLION Thierry Pineau-des-charentes 839
JUMERT Charles Coteaux-du-vendômois 1090
JUNCARRET Ch. Graves-de-vayres 285
JURQUE Ch. de Jurançon 952
JUSTIN Guy Roussette-de-savoie 692

K

KALIAN Ch. Monbazillac 930
KAMM Alsace riesling 77
KARCHER Alsace pinot noir 69
KERLANN Hervé Bourgogne 378 • Bourgogne-hautes-côtes-de-nuits 422
KIENTZ FILS René Alsace pinot noir 70
KIENTZ Alsace grand cru 95
KLÉE Albert Alsace grand cru 95
KLÉE Dom. Henri Alsace grand cru 95
KLEIN Georges Alsace gewurztraminer 52
KLEIN Raymond et Martin Alsace grand cru 95
KLIPFEL Alsace grand cru 95
KLUR Albert Alsace gewurztraminer 53 • Alsace grand cru 95 • Alsace pinot gris 64
KLUR Clément Alsace gewurztraminer 53
KOCH Dom. René et Michel Alsace muscat 58
KOEHLER ET FILS Dom. Jean-Claude Alsace sylvaner 83
KOEHLER ET FILS Jean-Claude Alsace edelzwicker 48
KOEHLY Alsace gewurztraminer 53
KOHLL-LEUCK Dom. viticole Moselle luxembourgeoise 1253
KOHLL-REULAND Dom. viticole Moselle luxembourgeoise 1253
KRAFT Laurent Vouvray 1080
KRESS-BLÉGER ET FILS Alsace chasselas ou gutedel 49
KRESSMANN Bordeaux 170 • Margaux 334
KRICK Hubert Crémant-d'alsace 106
KRIER FRÈRES REMICH Caves Crémant-de-luxembourg 1255
KRUG Champagne 618
KUHLMANN-PLATZ Crémant-d'alsace 106

L

L'ESCUDÉ IGP Comté tolosan 963
L'HOSTE PÈRE ET FILS Champagne 626
L'ORIGINAL HAUT PAÏS IGP Périgord 970
LABADIE Ch. Médoc 316
LABAIGT Dom. de IGP Landes 970
LABAT Ch. Haut-médoc 323

LABATTUT Ch. Montagne-saint-émilion 269 • Saint-georges-saint-émilion 272
LABATUT Ch. Bordeaux blanc 180 • Bordeaux supérieur 194
LABBE ET FILS Champagne 618
LABBÉ Dom. Vin-de-savoie 687
LABÉGORCE Ch. Margaux 335
LABÉGORCE Zédé de Margaux 335
LABORDE JUILLOT Dom. Givry 544
LABOUREAU Dom. Corton-charlemagne 478 • Volnay 494
LABRANCHE LAFFONT Dom. Madiran 942 • Pacherenc-du-vic-bilh 945
LABRUYÈRE Dom. Moulin-à-vent 153
LABRY Gilles Auxey-duresses 500
LAC Les Vignobles du Rosette 936
LACAUSSADE SAINT-MARTIN Ch. Blaye-côtes-de-bordeaux 208
LACHASSAGNE Clos du Ch. de Bourgogne 378
LACHAUX Dom. de Côtes-d'auvergne 1097
LACHETEAU Crémant-de-loire 976
LACOMBE CADIOT Ch. Bordeaux supérieur 194
LACOMBE NOAILLAC Ch. Médoc 317
LACOMBE Georges Champagne 619
LACONDEMINE Vincent Beaujolais-villages 124
LACOURTE-GODBILLON Champagne 619
LACROIX Champagne 619
LACROUX Ch. de Gaillac 905
LACULLE Champagne 619
LACULLE Vignoble Champagne 619
LADIGNAC Ch. Médoc 315
LADRECHT Dom. de Marcillac 911
LADUBAY Mlle Saumur 1026
LADY DE MOUR Margaux 334
LAFAGE Dom. Côtes-du-roussillon 790 • Muscat-de-rivesaltes 820
LAFAGE Dom. de Coteaux-du-quercy 901
LAFFITTE TESTON Ch. Madiran 943 • Pacherenc-du-vic-bilh 945
LAFITE ROTHSCHILD Ch. Pauillac 343
LAFITE Carruades de Pauillac 342
LAFITTE Ch. Jurançon 952
LAFLEUR DU ROY Ch. Pomerol 233
LAFLEUR GAZIN Ch. Pomerol 233
LAFLEUR GRANGENEUVE Ch. Pomerol 233
LAFOND ROC-ÉPINE Dom. Châteauneuf-du-pape 1217 • Lirac 1223
LAFON-ROCHET Ch. Saint-estèphe 347
LAFONT MENAUT Ch. Pessac-léognan 310
LAFOREST Jean-Marc Régnié 156
LAFORÊT Ch. Bordeaux 174
LAFOUX Ch. Coteaux-varois-en-provence 858
LAFRAN-VEYROLLES Bandol 848
LAGAJAN Dom. de Floc-de-gascogne 958
LAGARDE Ch. de Côtes-de-bordeaux-saint-macaire 291
LAGILLE ET FILS Champagne 619
LAGNEAU Dom. Côte-de-brouilly 131
LAGORCE BERNADAS Ch. Moulis-en-médoc 339
LAGRANGE MONBADON Ch. Castillon-côtes-de-bordeaux 275
LAGRANGE Ch. Graves 301 • Saint-julien 352
LAGRANGE Patrick Bourgogne-hautes-côtes-de-nuits 422 • Fixin 427 • Morey-saint-denis 440
LAGUILLE Dom. IGP Côtes de Gascogne 965
LAGUNE Ch. la Haut-médoc 326
LAHAYE Dom. Michel Pommard 491
LAIDIÈRE Dom. de la Bandol 849
LALANDE Ch. Saint-julien 351
LALANDE-LABATUT Ch. Entre-deux-mers 281
LALAUDEY Ch. Moulis-en-médoc 340
LALAURIE Dom. IGP Coteaux de Narbonne 772 • IGP Pays d'Oc 780
LALEURE-PIOT Dom. Chorey-lès-beaune 484 • Pernand-vergelesses 473 • Savigny-lès-beaune 481
LAMAGDELAINE NOIRE Ch. Cahors 898
LAMARLIÈRE Philippe Champagne 619
LAMARQUE Ch. de Haut-médoc 326
LAMARTINE Ch. Cahors 897 • Castillon-côtes-de-bordeaux 275
LAMBERT Marie-Anne et Frédéric Côtes-du-jura 677
LAMBLIN Chablis 398
LAMBLOT Champagne 620
LAMÉ DELISLE BOUCARD Bourgueil 1054
LAMIABLE Champagne 620
LAMOLIÈRE Ch. Fronsac 226
LAMOTHE BELAIR Ch. Bergerac 922
LAMOTHE BELLEVUE Ch. Bergerac 922
LAMOTHE-GUIGNARD Ch. Sauternes 361
LAMOTHE-VINCENT Ch. Bordeaux blanc 181 • Bordeaux supérieur 195
LAMOUREUX Guy Rosé-des-riceys 667
LAMOUREUX Jean-Jacques Rosé-des-riceys 667
LAMOUROUX Ch. Graves 298
LAMY-PILLOT Dom. Chassagne-montrachet 519 • Saint-aubin 521
LANCELOT Claude Champagne 620
LANCELOT-PIENNE Champagne 620
LANCELOT-ROYER P. Champagne 620
LANCELOT-WANNER Y. Champagne 620
LANCYRE Ch. de Languedoc 729
LANDAT Ch. Haut-médoc 326
LANDE Dom. de la Bourgueil 1054
LANDELLE Dom. de la Muscadet-sèvre-et-maine 986
LANDEREAU Ch. Entre-deux-mers 281
LANDES Ch. des Lussac-saint-émilion 266
LANDEYRAN Dom. du Saint-chinian 764
LANDIRAS Ch. de Graves 299
LANDMANN Dom. Alsace sylvaner 83
LANDMANN Seppi Alsace sylvaner 83
LANDONNE La Côte-rôtie 1172
LANDRAT-GUYOLLOT Dom. Pouilly-fumé 1108
LANDREAU VILLAGE Dom. du Muscadet-sèvre-et-maine 986
LANDRIEU Ch. Bordeaux 171
LANDRON Jo Muscadet-sèvre-et-maine 986
LANGLAIS Ch. Puisseguin-saint-émilion 271
LANGLOIS Crémant-de-loire 976
LANGLOIS Catherine et Michel Coteaux-du-giennois 1096
LANGLOIS Gilles Pouilly-sur-loire 1111
LANGLOIS-CHÂTEAU Dom. Saumur 1026 • Saumur-champigny 1032
LANGOUREAU Dom. Sylvain Meursault 507 • Saint-aubin 522
LANIOTE Ch. Saint-émilion grand cru 256
LANSON Champagne 621
LAOUGUÉ Dom. Pacherenc-du-vic-bilh 946
LAPEYRE Dom. Béarn 948
LAPINESSE Ch. Sauternes 361
LAPLACE Dom. de Côtes-de-duras 939
LAPLAGNOTTE-BELLEVUE Ch. Saint-émilion grand cru 256
LAPORTE Dom. Serge Sancerre 1124
LAPUYADE Ch. Jurançon 952
LARGEOT Daniel Bourgogne-aligoté 385
LARGUIER Vignobles Côtes-du-rhône 1147
LARMANDIER Guy Champagne 621
LARNAUDIE-HIRAULT Champagne 621
LAROCHE Chablis premier cru 407
LAROPPE Vincent Côtes-de-toul 109
LAROSE PERGANSON Ch. Haut-médoc 326
LAROZE DE DROUHIN Fixin 428
LAROZE Ch. Saint-émilion grand cru 256
LARRAT Ch. Blaye-côtes-de-bordeaux 208 • Côtes-de-bourg 217
LARRIVET HAUT-BRION Ch. Pessac-léognan 310
LARRONDE DESORMES Ch. Bordeaux supérieur 195
LARROQUE Ch. Bordeaux blanc 185 • Bordeaux supérieur 195

LARROQUE Dom. de Gaillac 905
LARROUDÉ Dom. Jurançon 952
LARROZE Ch. Gaillac 906
LARTIGUE Dom. de Floc-de-gascogne 958
LARY Ch. Bordeaux 171
LARZAC Dom. de IGP Pays d'Oc 780
LASCAUX Ch. de Languedoc 729
LASCOMBES Ch. Margaux 335
LASSALLE L'Esprit de Graves 299
LASSARAT Roger Pouilly-fuissé 562 • Saint-véran 568
LASSÈGUE Saint-émilion grand cru 257
LASSIME Ch. Bordeaux supérieur 195
LASTOURS Ch. Gaillac 905
LASTOURS Ch. de Corbières 707
LASTRONQUES Dom. de IGP Ariège 961
LATEYRON Crémant-de-bordeaux 201
LATHIBAUDE Ch. Graves-de-vayres 286
LATOUR À POMEROL Ch. Pomerol 233
LATOUR CAMBLANES Ch. Cadillac-côtes-de-bordeaux 288
LATOUR ET FILS Henri Auxey-duresses 500 • Meursault 507 • Saint-romain 503
LATOUR Ch. Pauillac 343
LATOUR Dom. Vincent Chassagne-montrachet 519 • Meursault 507 • Saint-aubin 522 • Volnay 495
LATOUR Louis Meursault 507
LATREZOTTE Ch. Sauternes 359
LATTES Ch. les Médoc 317
LAU Ch. le Graves-de-vayres 285
LAUBESSE Dom. de Floc-de-gascogne 958
LAUDUC Ch. Bordeaux supérieur 195
LAUDUN CHUSCLAN VIGNERONS Côtes-du-rhône 1147
LAULAN Dom. de Côtes-de-duras 939
LAULERIE Ch. Montravel 932
LAUNOIS Léon Champagne 621
LAUR Ch. Cahors 898
LAURENCE Ch. Bordeaux supérieur 195
LAURENCIN Cave Roussette-de-bugey 696
LAURENS Dom. J. Blanquette méthode ancestrale 746 • Crémant-de-limoux 747
LAURENT Famille Saint-pourçain 1117
LAURENT Louis Champagne 622
LAURENT Paul Champagne 621
LAURENT-GABRIEL Champagne 622
LAURENT-PERRIER Champagne 622
LAURETS Ch. des Puisseguin-saint-émilion 271
LAURIBERT Dom. des Côtes-du-rhône 1147 • Côtes-du-rhône-villages 1163
LAURIERS DU TERROIR Côtes-du-rhône 1148
LAURIERS Dom. des Picpoul-de-pinet 744
LAUROU Ch. Fronton 914
LAUVERJAT Kévin et Christian Sancerre 1125
LAUZANET Ch. Bordeaux 171
LAVANTUREUX Roland Chablis grand cru 414 • Petit-chablis 393
LAVAU Châteauneuf-du-pape 1217 • Côtes-du-rhône 1148 • Côtes-du-rhône-villages 1163 • Gigondas 1204 • Vacqueyras 1210
LAVAURE-HUBER Champagne 622
LAVERNETTE Ch. de Beaujolais 118 • Bourgogne 378 • Crémant-de-bourgogne 388
LAVILLE Ch. Sauternes 361
LAWEISS Anne de Alsace pinot gris 64
LAXÉ IGP Côtes de Gascogne 965
LAZZARINI Dom. Muscat-du-cap-corse 888 • Patrimonio 886
LE BRUN DE NEUVILLE Champagne 623
LE BRUN SERVENAY Champagne 623
LE CAPITAINE Alain et Christophe Vouvray 1081
LEBEAU-BATISTE Champagne 622
LEBOEUF Alain Champagne 622
LEBOSCQ Ch. Médoc 317
LEBREUIL Dom. Pierre et Jean-Baptiste Bourgogne-hautes-côtes-de-beaune 465 • Savigny-lès-beaune 481
LECCIA Dom. Yves IGP Île de Beauté 889 • Patrimonio 886
LECLERC ET FILS Daniel Champagne 623
LECLERC Dom. Philippe Gevrey-chambertin 433
LECLERC-BRIANT Champagne 623
LECLERC-MONDET Champagne 623
LECLÈRE-POINTILLART Champagne 624
LECOMPTE François Champagne 624
LECOMTE Dom. Châteaumeillant 1094 • Quincy 1112
LECONTE Xavier Champagne 624
LECONTE-AGNUS Champagne 624
LECUSSE Ch. Gaillac 905
LEDUC-FROUIN Coteaux-du-layon 1018
LEFÈVRE Didier Champagne 624
LEFLAIVE Olivier Chevalier-montrachet 514 • Corton-charlemagne 478 • Meursault 508 • Saint-aubin 522 • Santenay 526
LÉGENDAIRE La Côtes-d'auvergne 1097
LEGILL Caves Paul Moselle luxembourgeoise 1253
LEGOUGE-COPIN Champagne 624
LEGRAND FRÈRES Champagne 625
LEGRAND Clotilde et René-Noël Saumur-champigny 1032
LEGRANDJACQUES Moselle 110
LEGRAS ET HAAS Champagne 625
LEGRET ET FILS Champagne 625
LÉHOUL Ch. Graves 299
LEIPP-LEININGER Ch. Alsace riesling 77
LEJEUNE Dom. Bourgogne 378 • Côte-de-beaune 489 • Chassagne-montrachet 519 • Saint-aubin 522
LELARGE-PUGEOT Champagne 625
LEMAIRE Claude Champagne 625
LEMAIRE Fernand Champagne 625
LEMENICIER Jacques Cornas 1190 • Saint-péray 1192
LENIQUE Alexandre Champagne 626
LENIQUE Michel Champagne 626
LÉO BY LÉO Bordeaux supérieur 196
LÉONARD Pineau-des-charentes 839
LÉOVILLE BARTON Ch. Saint-julien 352
LÉOVILLE LAS CASES Ch. de Saint-julien 352
LÉOVILLE POYFERRÉ Ch. Saint-julien 353
LEPAUMIER Dom. Fitou 719
LEQUEUX-MERCIER Champagne 626
LEQUIEN ET FILS Champagne 626
LEQUIN Louis Chassagne-montrachet 519
LEREDDE Paul Champagne 626
LÉRY Dom. de Cheverny 1085
LES OMBRAGES Pacherenc-du-vic-bilh 945
LESCURE Dom. de Fronton 914
LESPARRE Ch. Graves-de-vayres 286
LESPAULT-MARTILLAC Ch. Pessac-léognan 306
LESTAGE SIMON Ch. Haut-médoc 326
LESTAGE Ch. Listrac-médoc 330
LESTAGE Ch. Montagne-saint-émilion 269
LESTEVÉNIE Ch. Saussignac 937
LESTRILLE Ch. Côtes-de-bourg 218
LESTRUELLE Ch. Médoc 317
LÉTOURNEAU Les Chais Crémant-de-bourgogne 388
LÉTOURNEAU Vignobles Mâcon et mâcon-villages 553
LEUCATEL-CEZELLY Ch. Fitou 719
LEVERT FRÈRES Bourgogne 378
LEYMARIE-CECI Dom. Vougeot 446
LEYRE-LOUP Dom. de Fleurie 139
LHEUREUX PLÉKHOFF Champagne 626
LHIOT Dom. de Buzet 916
LHUMEAU Jean-Louis IGP Val de Loire 1133
LIARDS Dom. des Montlouis-sur-loire 1075
LICHTLÉ FILS Marcel Alsace pinot blanc ou klevner 60
LIÉBART-RÉGNIER Champagne 626
LIEUE Dom. la IGP Var 877
LIGIER PÈRE ET FILS Dom. Côtes-du-jura 677
LIGIÈRE Dom. la Beaumes-de-venise 1212
LILIAN LADOUYS Ch. Saint-estèphe 348

LILIAN La Devise de Saint-estèphe 348
LINGOT-MARTIN Cellier Bugey 694
LINQUIÈRE Dom. La Saint-chinian 764
LINSTER Léa Crémant-de-luxembourg 1255
LION BEAULIEU Ch. Bordeaux 175 • Entre-deux-mers 278
LIONNE Ch. de Graves 299
LIOT Ch. Sauternes 361
LIQUIÈRE Ch. de la Faugères 714
LIRAC Cave des Vins de Cru de Côtes-du-rhône 1148 • Lirac 1223
LIRET Ch. de Bordeaux 171
LISA Bergerac 922
LISCHETTO Dom. de IGP Île de Beauté 889
LISSE Baron de IGP Agenais 960
LITTIÈRE Gérard Champagne 627
LITTIÈRE Michel Champagne 627
LIVERSAN Ch. Haut-médoc 327
LOBERGER Alsace gewurztraminer 53
LOGE Dom. de la Pouilly-fumé 1108
LOGES Cave du Ch. des Fleurie 137
LOIRET Dom. Muscadet-sèvre-et-maine 986
LOLO DE L'ANHEL Le Corbières 707
LOMBARD ET CIE Champagne 627
LONCLAS Bernard Champagne 627
LONG COURS Dom. de Morgon 148
LONG-DEPAQUIT Dom. Chablis grand cru 414 • Chablis premier cru 408
LONG-PECH Dom. de Gaillac 905
LONGUE TUBI Dom. Côtes-de-provence 866
LONGUEROCHE Dom. de Corbières 707 • IGP Pays d'Oc 781
LOOU Dom. du Coteaux-varois-en-provence 858
LORENT Jacques Champagne 627
LORENTZ André Alsace riesling 77
LORENTZ Gustave Alsace grand cru 96
LORIEUX Damien Saint-nicolas-de-bourgueil 1061
LORIEUX Pascal Saint-nicolas-de-bourgueil 1061
LORIOT Gérard Champagne 628
LORIOT Michel Champagne 628
LORIOT-PAGEL Joseph Champagne 628
LORNET Frédéric Arbois 671
LORON LOUIS ET FILS Crémant-de-bourgogne 388
LORON Jean Pouilly-fuissé 562 • Saint-amour 158
LOU BASSAQUET Côtes-de-provence 866
LOU CAPELAN Dom. Bandol 849
LOU DÉVET Dom. Châteauneuf-du-pape 1217
LOU GAILLOT Dom. IGP Agenais 960
LOUIS Éric Pouilly-fumé 1108 • Sancerre 1125
LOUP BLEU Dom. le Côtes-de-provence 866
LOUPIAC-GAUDIET Ch. Loupiac 355
LOUVET Yves Champagne 628
LOUVIÈRE Ch. la Pessac-léognan 310-311
LOUVIÈRE Dom. la Malepère 751
LÔYANE Dom. la Côtes-du-rhône 1148 • Lirac 1223
LOYE Dom. de Menetou-salon 1103
LOZEY De Champagne 628
LUBERON Cave du Luberon 1239
LUC DE BEAUMONT Ch. Blaye-côtes-de-bordeaux 208
LUC Ch. de Corbières 707
LUCHEY-HALDE Ch. Pessac-léognan 311
LUDEMAN LES CÈDRES Ch. Graves 301
LUGAGNAC Eos du Ch. de Bordeaux blanc 181 • Bordeaux supérieur 196
LUGNY Cave de Mâcon et mâcon-villages 554
LUMIAN Dom. de Côtes-du-rhône 1148 • Côtes-du-rhône-villages 1163
LUMIÈRES Ventoux 1236
LUNEAU Françoise et Joël Muscadet-sèvre-et-maine 986
LUNEAU Gilles Muscadet-sèvre-et-maine 987
LUNÈS Secret de IGP Pays d'Oc 781
LUPIN Dom. Roussette-de-savoie 692
LUQUET Dom. Roger Crémant-de-bourgogne 388
LUQUETTES Dom. les Bandol 849
LUSSAC Ch. de Lussac-saint-émilion 266
LUSSAN Ch. de Médoc 317
LUSSEAU Ch. Graves 299
LUTUN Champagne 628
LUTZ Crémant-d'alsace 106
LUX EN ROC Dom. du Fiefs-vendéens 996
LYCÉE VITICOLE DE BEAUNE Dom. du Beaune 487
LYNCH MOUSSAS Les Hauts de Haut-médoc 327
LYNCH Michel Médoc 317
LYNCH-BAGES Ch. Bordeaux blanc 181 • Pauillac 344
LYNSOLENCE Saint-émilion grand cru 255

M

MABILEAU Dom. Laurent Bourgueil 1054
MABILEAU Dom. Lysiane, Guy et Wilfried Saint-nicolas-de-bourgueil 1061
MABILEAU Frédéric Bourgueil 1054 • Saint-nicolas-de-bourgueil 1061
MABILEAU Jacques et Vincent Saint-nicolas-de-bourgueil 1061
MABILEAU Laurent Saint-nicolas-de-bourgueil 1061
MABILLE Francis Vouvray 1081
MABILLOT Dom. Reuilly 1115
MABY Dom. Côtes-du-rhône 1148 • Lirac 1223
MACAY Ch. Côtes-de-bourg 217
MACHARD DE GRAMONT Bertrand Nuits-saint-georges 458
MACHET Pascal Champagne 629
MACHON Dom. Gaylord Crozes-hermitage 1186
MACHURAZ Bugey 695
MACLE Dom. Château-chalon 674 • Macvin-du-jura 682
MACQUART-LORETTE Champagne 629
MADELEINE SAINT-JEAN La IGP Pays d'Oc 781
MADELEINEAU Dom. IGP Val de Loire 1133
MADELIN-PETIT Dom. Bourgogne 378
MADELOC Dom. Banyuls 811 • Collioure 805
MADURA Dom. La Saint-chinian 764
MAELS Dom. des Minervois 755
MAESTRACCI Dom. Corse ou vin-de-corse 881
MAGALANNE Dom. de Côtes-du-rhône 1149 • Côtes-du-rhône-villages 1163
MAGNAUT Dom. de Floc-de-gascogne 958 • IGP Côtes de Gascogne 965
MAGNI Dom. Patrice Châteauneuf-du-pape 1217
MAGNIEN Dom. Henri Gevrey-chambertin 433
MAGNIEN Dom. Michel Charmes-chambertin 437 • Clos-de-la-roche 442 • Clos-saint-denis 442 • Morey-saint-denis 440
MAGNIEN Dom. Sébastien Beaune 487 • Bourgogne-hautes-côtes-de-beaune 465 • Pommard 491
MAGNIEN Dom. Stéphane Clos-saint-denis 442 • Morey-saint-denis 440
MAGNIEN Frédéric Chambertin-clos-de-bèze 436 • Chambolle-musigny 444 • Côte-de-nuits-villages 461 • Fixin 428 • Nuits-saint-georges 458
MAGNOL Ch. Haut-médoc 327
MAGONDEAU Ch. Bordeaux blanc 181
MAGREZ Bernard Collioure 806 • Côtes-du-roussillon 791
MAILLARD PÈRE ET FILS Dom. Beaune 487 • Chorey-lès-beaune 484 • Corton 475 • Savigny-lès-beaune 481
MAILLARD Benoît Coteaux-du-Lyonnais 160
MAILLET Vouvray 1081
MAILLETTES Dom. des Saint-véran 568
MAILLIARD Michel Champagne 629
MAILLOCHES Dom. des Bourgueil 1054
MAILLY Champagne 629
MAINE AU BOIS IGP Charentais 841
MAIRAN Dom. de IGP Pays d'Oc 781
MAIRE Henri Arbois 671
MAISON BLANCHE Ch. Médoc 317
MAISON NEUVE Dom. de Cahors 898
MAISON NOBLE SAINT-MARTIN Ch. Bordeaux supérieur 196

MAISON NOBLE Ch. Bordeaux blanc 181
MAISON PÈRE ET FILS Dom. Cheverny 1086
MAISON VIEILLE La Muscadet-sèvre-et-maine 987
MAÎTRE Éric Champagne 629
MAJOUREAU Ch. Bordeaux supérieur 196 • Côtes-de-bordeaux-saint-macaire 290
MALAGAR Ch. Bordeaux blanc 181
MALANDES Dom. des Chablis 398 • Chablis grand cru 414 • Chablis premier cru 408
MALARD Champagne 629
MALARRODE Dom. de Jurançon 953
MALARTIC Dom. de IGP Côtes de Gascogne 965
MALARTIC-LAGRAVIÈRE Ch. Pessac-léognan 311
MALBAT Ch. Bordeaux 171 • Bordeaux blanc 182
MALDANT Dom. Jean-Pierre Corton 475
MALESCOT SAINT-EXUPÉRY Ch. Margaux 335
MALET Dom. Valençay 1091
MALÉTREZ Frédéric Champagne 630
MALLE Ch. de Sauternes 362
MALLERET Ch. de Haut-médoc 327
MALLOL-GANTOIS Champagne 630
MALMAISON Ch. Moulis-en-médoc 340
MALMONT Côtes-du-rhône-villages 1163
MALTROYE Ch. de la Chassagne-montrachet 519
MAMARUTA Dom. Fitou 719
MANCEY Les Essentielles de Bourgogne 379
MANCEY Vignerons de Mâcon et mâcon-villages 554
MANCIAT-PONCET Mâcon et mâcon-villages 554 • Saint-véran 568
MANDARD Jean-Christophe Touraine 1040
MANDOURELLE Corbières 707
MANGOT-TODESCHINI Ch. Saint-émilion grand cru 257
MANN Dom. Albert Alsace grand cru 96
MANN Jean-Louis et Fabienne Alsace pinot noir 70 • Alsace riesling 77
MANOIR DE L'EMMEILLÉ Gaillac 906
MANOIR DE MERCEY Mercurey 540 • Rully 537
MANOIR DU CAPUCIN Mâcon et mâcon-villages 554 • Pouilly-fuissé 563
MANOIR DU CARRA Dom. Fleurie 139
MANOIR Dom. du Alsace pinot gris 65 • Alsace pinot noir 70
MANSARD Gilles Champagne 630
MANSARD Tradition de Champagne 630
MANTELLIÈRE Dom. de la Beaujolais 119
MANUFACTURE La Chablis 399 • Saint-bris 419
MAOURIES Dom. de IGP Côtes de Gascogne 965
MARATRAY-DUBREUIL Dom. Corton 475 • Ladoix 467
MARC Arthur Champagne 630
MARC D. Champagne 630
MARC Patrice Coteaux-champenois 666
MARCADET Jérôme Cheverny 1087
MARCÉ Dom. de Touraine 1040 • Touraine-oisly 1050
MARCHAND FRÈRES Dom. Bourgogne-hautes-côtes-de-nuits 422 • Chambolle-musigny 445 • Clos-de-la-roche 442 • Griotte-chambertin 438 • Morey-saint-denis 441
MARCHAND Jean-Philippe Bourgogne 379 • Gevrey-chambertin 433 • Nuits-saint-georges 458
MARCHAND Pascal Meursault 508
MARCHAND-TAWSE Clos-de-vougeot 448
MARCHESSEAU Bertrand et Vincent Bourgueil 1055
MARCHESSEAU Ch. de Lalande-de-pomerol 238
MARCON Dom. Muscat-de-saint-jean-de-minervois 769
MARCOULT Michel Champagne 631
MARDON Dom. Quincy 1113
MARÉCHAL Catherine et Claude Chorey-lès-beaune 484 • Pommard 492 • Savigny-lès-beaune 482
MARETIÈRE Dom. de la Muscadet-sèvre-et-maine 987
MAREY ET FILS Pierre Corton-charlemagne 478 • Pernand-vergelesses 473
MARGALAINE Benjamin de Haut-médoc 327
MARGALLEAU Dom. du Vouvray 1082
MARGAUX Ch. Margaux 182, 335, 336
MARGILLIÈRE Ch. Coteaux-varois-en-provence 858
MARGÜI Ch. Coteaux-varois-en-provence 858
MARGUILLIER Dom. du Morgon 148
MARIE DU FOU Ch. Fiefs-vendéens 996
MARIE MARIA Vignobles Madiran 943 • Pacherenc-du-vic-bilh 946
MARIE-PLAISANCE Ch. Bergerac 922 • Saussignac 937
MARIGNY-NEUF IGP Val de Loire 1133
MARIGROLLES Dom. des Saumur-champigny 1032
MARIN Antoine Condrieu 1176
MARINIÈRE Dom. de la Chinon 1067
MARINOT-VERDUN Givry 544 • Maranges 529 • Santenay 526
MARION Dom. Fleurie 139
MARION Dom. Loïc Fleurie 139
MARJOLET Ch. Côtes-du-rhône 1149 • Côtes-du-rhône-villages 1164
MARMORIÈRES Ch. de Languedoc 729
MARNES BLANCHES Dom. des Côtes-du-jura 677 • Macvin-du-jura 682
MARNIÈRES Ch. les Bergerac 923 • Côtes-de-bergerac 928
MARNIQUET Jean Champagne 631
MARNIQUET Jean-Pierre Champagne 631
MARO DE SAINT-AMANT Ch. Saint-émilion grand cru 264
MARQUIS D'ALESME Ch. Margaux 336
MARQUIS DE BERN Bordeaux 171
MARQUIS DE LAS CASES Le Petit Lion du Saint-julien 353
MARQUIS DE SUBLET Saumur-champigny 1029
MARQUIS DE TERME Ch. Margaux 336
MARRANS Dom. des Morgon 148
MARRENON Luberon 1239 • Ventoux 1236
MARSAN Ch. de Bordeaux supérieur 196
MARSANNAY Ch. de Clos-de-vougeot 448 • Marsannay 425
MARSAU Ch. Francs-côtes-de-bordeaux 277
MARTEL G.H. Champagne 631
MARTELLIÈRE Dom. J. Coteaux-du-vendômois 1090 • Jasnières 1073
MARTENOT MALLARD Dom. Saint-romain 503
MARTET Ch. Sainte-foy-bordeaux 287
MARTIN Cédric et Patrice Beaujolais-villages 124 • Pouilly-fuissé 563 • Saint-véran 569
MARTIN Ch. Graves 300
MARTIN Dom. IGP Vaucluse 1248 • Rasteau sec 1200
MARTIN Dom. Fabrice Vosne-romanée 452
MARTIN Dom. Geoffrey Saint-amour 158 • Saint-véran 568
MARTIN Gaël Saint-amour 158 • Saint-véran 569
MARTIN Georges Bugey 695
MARTIN Loïc Saint-véran 568
MARTIN Luc et Fabrice Anjou 1002 • Anjou-villages 1008 • Savennières 1014
MARTIN P. Louis Champagne 631
MARTIN Philippe Champagne 631
MARTINAT Ch. Côtes-de-bourg 217
MARTIN-DUFOUR Dom. Ladoix 468
MARTINELLE Ventoux 1236
MARTINELLES Dom. des Crozes-hermitage 1186
MARTINETTE Ch. la Côtes-de-provence 866
MARTINHO Ch. Listrac-médoc 331

MARTIN-LUNEAU Muscadet-sèvre-et-maine 987
MARTINOLLES Ch. Limoux 749
MARTINON Ch. Entre-deux-mers 281
MARTINOT Albin Champagne 632
MARX Denis Champagne 632
MARY Dom. Chinon 1067
MARY-SESSILE Champagne 632
MARZELLE Ch. la Saint-émilion grand cru 257
MARZOLF Alsace gewurztraminer 53
MAS ALEXANDRE Dom. du IGP Saint-Guilhem-le-Désert 785
MAS BÉCHA Côtes-du-roussillon 791
MAS BRUNET Languedoc 729
MAS CABANEL Duché d'Uzès 1230
MAS CARLOT Costières-de-nîmes 1226
MAS CORIS Languedoc 730
MAS CRÉMAT Dom. Côtes-du-roussillon 791 • Côtes-du-roussillon-villages 799 • IGP Côtes catalanes 828 • Muscat-de-rivesaltes 820
MAS CRISTINE Muscat-de-rivesaltes 821
MAS D'AUREL Gaillac 906
MAS D'EN BADIE Côtes-du-roussillon 791
MAS D'ISNARD Languedoc 731
MAS DE CADENET Côtes-de-provence 867
MAS DE CYNANQUE Saint-chinian 764
MAS DE LA BARBEN Languedoc 730
MAS DE LA DEVÈZE IGP Côtes catalanes 828 • Maury 824 • Maury sec 808 • Muscat-de-rivesaltes 821
MAS DE LA RIME Languedoc 730
MAS DE LA SERANNE Terrasses-du-larzac 741
MAS DE LAVAIL Côtes-du-roussillon-villages 799 • Maury 824 • Maury sec 809 • Muscat-de-rivesaltes 821
MAS DE MADAME IGP Pays d'Oc 782 • Muscat-de-frontignan 767
MAS DE MARTIN Languedoc 730
MAS DE SAINTE-CROIX Dom. Côtes-du-rhône-villages 1164
MAS DE VALBRUNE Languedoc 730
MAS DES ANGES Le IGP Comté tolosan 962
MAS DES ARMES Dom. du IGP Pays d'Hérault 776
MAS DES BRESSADES Costières-de-nîmes 1227
MAS DES CABRES Languedoc 730
MAS DES CAPRICES Fitou 719
MAS DES CHIMÈRES Terrasses-du-larzac 741
MAS DES COMBES Gaillac 906
MAS DES ÉTOILES Cahors 898
MAS DES FLAUZIÈRES Le Côtes-du-rhône-villages 1164 • Vacqueyras 1210
MAS DES PLANTADES IGP Coteaux du Pont du Gard 773
MAS DES QUERNES Terrasses-du-larzac 741
MAS DÉU Côtes-du-roussillon 791
MAS DÉU Dom. du IGP Côtes catalanes 828
MAS DU FIGUIER Languedoc 731
MAS DU NOVI IGP Pays d'Oc 782
MAS DU PONT IGP Saint-Guilhem-le-Désert 786
MAS DU SOLEILLA Languedoc 731
MAS GABINÈLE Faugères 715
MAS GABRIEL Languedoc 731
MAS GOURDOU Languedoc 731
MAS GRANIER Languedoc 731
MAS KAROLINA Côtes-du-roussillon-villages 799 • IGP Côtes catalanes 829
MAS ONCLE ERNEST Ventoux 1236
MAS ONÉSIME Faugères 715
MAS PAUMARHEL Minervois 755
MAS PEYRE Côtes-du-roussillon-villages 800 • IGP Côtes catalanes 829 • Maury 824 • Muscat-de-rivesaltes 821 • Rivesaltes 816
MAS PEYROLLE Languedoc 732
MAS PIGNOU Dom. Gaillac 906
MAS ROC DE BÔ Minervois 756
MAS ROUGE Dom. du IGP Pays d'Oc 782 • Muscat-de-mireval 768
MAS ROUS Muscat-de-rivesaltes 821
MAS SAINTE-BERTHE IGP Alpilles 875 • Les baux-de-provence 852
MAS SAINT-LAURENT Picpoul-de-pinet 744
MAS SEREN IGP Cévennes 771
MAS Jean-Claude IGP Pays d'Oc 781
MAS Paul Crémant-de-limoux 747 • IGP Pays d'Oc 781 • Languedoc 729
MASCARONNE La Côtes-de-provence 867
MASSAC Ch. Sainte-croix-du-mont 357
MASSIN ET FILS Rémy Champagne 632
MASSIN D. Champagne 632
MASSIN Thierry Champagne 632
MASSING Louis Champagne 633
MASSON Nathalie et Franck Vin-de-savoie 688
MASSON-BLONDELET Dom. Pouilly-fumé 1108
MASSONNIÈRE La Chinon 1068
MASTRIC Dom. de IGP Côtes de Gascogne 966
MATABRUNE Dom. de Bourgueil 1055
MATHELIN Champagne 633
MATHES Dom. Moselle luxembourgeoise 1253
MATHIEU Dom. André Châteauneuf-du-pape 1218
MATHIEU-PRINCET Champagne 633
MATHON-GOBIRA Julien et Chloé Beaujolais-villages 124
MATIGNON Dom. Anjou 1002
MATINES Dom. des Crémant-de-loire 976
MATRAY Dom. Juliénas 143
MATTEMALES Dom. des IGP Pays d'Oc 782
MATTES-SABRAN Ch. de Corbières 707
MAUBERNARD Dom. Bandol 849
MAUCAILLOU Ch. Moulis-en-médoc 340
MAUCOIL Ch. Châteauneuf-du-pape 1218 • Côtes-du-rhône-villages 1164
MAUFOUX Prosper Clos-de-vougeot 448 • Pommard 492
MAUMY-CHAPIER Champagne 633
MAUPA Dom. Chablis 399 • Chablis premier cru 408
MAUPERTHUIS Dom. de Irancy 417
MAURER Albert Alsace grand cru 96
MAURERIE Dom. La Saint-chinian 765
MAURY Les Vignerons de IGP Côtes catalanes 829 • Maury 824
MAUVAN Dom. de Côtes-de-provence 867
MAVETTE Dom. de la Gigondas 1204
MAX Louis Bourgogne 379
MAYNE GUYON Ch. Blaye-côtes-de-bordeaux 208
MAYNE LALANDE Ch. Listrac-médoc 331
MAYNE-VIEIL Ch. Fronsac 225
MAYRAGUES Ch. de Gaillac 906
MAZANE Ch. Vacqueyras 1210
MAZARIN Ch. Loupiac 355
MAZEL Dom. Jérôme IGP Ardèche 1244
MAZERIS Ch. Canon-fronsac 223
MAZERIS-BELLEVUE Ch. Canon-fronsac 223
MAZES Ch. les Languedoc 732
MAZETIER Ch. Bordeaux 171
MAZILLE DESCOTES Dom. Coteaux-du-Lyonnais 160
MAZILLY PÈRE ET FILS Dom. Bourgogne-hautes-côtes-de-beaune 465 • Meursault 508 • Pommard 492
MAZILLY Aymeric Bourgogne-hautes-côtes-de-beaune 465
MBM COLLECTION Côtes-de-bourg 218
MÉA Guy Champagne 633
MÉDOT Champagne 634
MEFFRE Gabriel Lirac 1224
MÉJANE Dom. de Roussette-de-savoie 692 • Vin-de-savoie 688
MELIN Ch. de Bourgogne-hautes-côtes-de-beaune 465 • Maranges 529 • Saint-romain 504
MÉLINE Joseph-Eugène Bourgogne-hautes-côtes-de-nuits 422
MELLENOTTE Pascal Givry 544
MELLOT Joseph Menetou-salon 1103
MELODY Dom. Crozes-hermitage 1186
MELROSE Janis IGP Charentais 841
MÉNARD ET FILS J.-P. Pineau-des-charentes 839
MÉNARD Dom. Bourgueil 1055

MÉNARD-GABORIT Dom. Muscadet-sèvre-et-maine 987
MENAUT Christian et Pascal Bourgogne-hautes-côtes-de-beaune 465
MENTONE Ch. Côtes-de-provence 867
MENUT DES JACOBINS Le Saint-émilion grand cru 250
MÉRANDE Ch. de Vin-de-savoie 688
MERCERON-MARTIN Dom. Coteaux-d'ancenis 997
MERCEY Ch. de Mercurey 541
MERCIER ET FILS Alain Champagne 634
MERCIER Champagne 634
MERCIER Ch. Côtes-de-bourg 218
MERCIER Vignobles Fiefs-vendéens 997
MERCUÈS Vassal de Cahors 897
MEREUILLE Dom. la Châteauneuf-du-pape 1218 • Côtes-du-rhône-villages 1164
MERGEY Évelyne et Dominique Bourgogne 379 • Mâcon et mâcon-villages 554
MÉRIAS Benoît Montlouis-sur-loire 1075
MÉRIGUET Dom. de Cahors 898
MÉRITZ Ch. Les Gaillac 906
MERLE Dom. Alain Régnié 156
MERLES Ch. les Bergerac 923
MERLETTE Dom. de la Côte-de-brouilly 132
MERMÈS Dom. de IGP Ardèche 1244
MERRAIN ROUGE Médoc 315
MERSIOL Dom. Crémant-d'alsace 106
MESCLANCES Ch. les Côtes-de-provence 867
MESLET Dominique Bourgueil 1055
MESLIAND Dom. Sandra et Stéphane Touraine-amboise 1045
MESLIÈRE Ch. Muscadet-coteaux-de-la-loire 993
MESNIL Le Champagne 634
MESSILE-AUBERT Ch. Montagne-saint-émilion 269
MESTRE PÈRE ET FILS Ladoix 468
MÉTAIRIE GRANDE DU THÉRON Cahors 898
MÉTÉORE Dom. du Faugères 715 • Saint-chinian 765
METZ-GEIGER Alsace gewurztraminer 53 • Alsace sylvaner 84
MEULIÈRE La Chablis premier cru 408
MEUNERIE Dom. de la Côtes-du-roussillon 792
MEUNEVEAUX Dom. Corton 475
MEUNIER Denis Touraine 1040 • Vouvray 1081
MEUNIER Dom. Gaëlle et Jérôme Mercurey 541
MEUNIER-CENTERNACH Dom. Paul Muscat-de-rivesaltes 821
MEURGEY-CROSES Mâcon et mâcon-villages 554
MEURSAULT Ch. de Corton 476 • Meursault 508 • Volnay 495
MEYER Dom. François Alsace riesling 77
MEYER Hubert Alsace grand cru 96 • Alsace pinot noir 70
MEYER-FONNÉ Alsace grand cru 96 • Alsace riesling 78
MEYLAN Ch. Médoc 318
MEYNARDE Dom. de la Côtes-du-rhône-villages 1164
MEYNEY Ch. Saint-estèphe 348
MEYREUIL Ch. de Palette 874
MÉZIAT-BELOUZE Elena et Gérard Chiroubles 136
MICHAUD Dom. Crémant-de-loire 976 • Touraine 1040 • Touraine-chenonceaux 1048
MICHEL ET FILS Guy Champagne 635
MICHEL ET FILS Louis Chablis grand cru 414 • Chablis premier cru 408
MICHEL Bruno Champagne 634
MICHEL Christophe Champagne 634
MICHEL Dom. Mâcon et mâcon-villages 554 • Viré-clessé 558
MICHEL Jean-Pierre Mâcon et mâcon-villages 555 • Viré-clessé 558
MICHEL Joël Champagne 634
MICHEL Paul Champagne 635
MICHELAS SAINT-JEMMS Cornas 1191 • Crozes-hermitage 1186
MICHELLE Dom. la IGP Bouches-du-Rhône 1245
MICHEZ Claude Champagne 635
MICHOT Frédéric Pouilly-fumé 1109
MI-CÔTE Dom. IGP Coteaux de Béziers 772
MIDOIR Rapahël Touraine-oisly 1050
MIDOIR Raphaël Touraine 1040
MIÉRY Ch. de Côtes-du-jura 677
MIGNAN Ch. Minervois 756
MIHOUDY Dom. de Bonnezeaux 1022
MIJANE Dom. la Cabardès 700 • IGP Pays d'Oc 782
MILAN ET FILS Philippe Maranges 529
MILLAUD-MONTLABERT Ch. Saint-émilion grand cru 257
MILLE ANGES Ch. des Bordeaux blanc 182
MILLE VIGNES Dom. les Fitou 719
MILLERANCHE Dom. de la Juliénas 143
MILLERY Ch. de Saint-émilion grand cru 252
MILLET Ch. Graves 300
MILLET Ch. de Floc-de-gascogne 959
MILLET Dom. Chablis 399 • Petit-chablis 393
MILLET Dom. Franck Sancerre 1125
MILLET François Sancerre 1125
MILLY Albert de Champagne 635
MINCHIN Dom. Touraine 1041
MINGERIE Ch. de la Entre-deux-mers 282
MINIÈRE Ch. de Bourgueil 1055
MINIÈRE F & R Champagne 635
MINIOT-NIE Dom. Aloxe-corton 470
MINUTY Côtes-de-provence 867
MIOULA Dom. du IGP Aveyron 961
MIQUEL Laurent IGP Aude 770
MIRABEL Dom. Languedoc 732
MIRAULT Maison Touraine 1041 • Vouvray 1081
MIRE L'ÉTANG Ch. Languedoc 732
MISELLE Dom. de IGP Côtes de Gascogne 966
MISSION HAUT-BRION Ch. la Pessac-léognan 311
MISTRAL NOIR IGP Var 877
MITTELBURG Dom. du Alsace gewurztraminer 54
MITTNACHT FRÈRES Dom. Alsace grand cru 97
MOCHEL Dom. Frédéric Alsace grand cru 97 • Alsace pinot noir 70
MODAT Dom. Côtes-du-roussillon-villages 800
MOELLINGER Alsace grand cru 97 • Alsace riesling 78
MOËT ET CHANDON Champagne 636
MOINE IGP Charentais 841
MOINGEON ET FILS Dom. André Puligny-montrachet 512 • Saint-aubin 522
MOISSENET-BONNARD Jean-Louis Pommard 492 • Puligny-montrachet 512
MOLÉON M de Graves 303
MOLHIÈRE Ch. Côtes-de-duras 940
MOLIÈRES Ch. Minervois 756
MOLIN Armelle et Jean-Michel Fixin 428 • Marsannay 425
MOLLET Florian Sancerre 1125
MOLLET Jean-Paul Pouilly-fumé 1109
MOLLEX Maison Seyssel 693
MOLTÈS Alsace pinot noir 70 • Alsace riesling 78
MONASTREL Dom. Minervois 756
MONBADON Ch. de Castillon-côtes-de-bordeaux 275
MONBAZILLAC Ch. Monbazillac 931
MONBOUSQUET Ch. Saint-émilion grand cru 257
MONBRISON Ch. Margaux 336
MONCADE Dom. de IGP Comté tolosan 963
MONCONSEIL GAZIN Ch. Blaye 203 • Blaye-côtes-de-bordeaux 208
MONCONTOUR Ch. Vouvray 1081
MONCOURT Jean-Charles Saumur 1026
MONCUIT Pierre Champagne 636
MONCUIT Robert Champagne 636
MONDET Champagne 636
MONDORION Ch. Saint-émilion grand cru 258
MONDOT Saint-émilion grand cru 263
MONETTE Dom. de la Mercurey 541
MONGEARD-MUGNERET Dom. Bourgogne 379 • Bourgogne-hautes-côtes-de-nuits 422
MONGRAVEY Ch. Margaux 337

VINS

MONIAL Champagne 636
MONIOT-NIE Dom. Ladoix 468
MONLUC Floc-de-gascogne 959
MONMARTHE Champagne 637
MONMOUSSEAU Touraine 1041
MONNERET PÈRE ET FILS Bourgogne-côte-chalonnaise 533 • Givry 544
MONNIER ET FILS Dom. Jean Meursault 508 • Puligny-montrachet 512
MONNIER Dom. René Meursault 508
MONPLÉZY Dom. Languedoc 732
MONS Ch. de Bordeaux 165 • Floc-de-gascogne 959
MONSÉGUR M de Bordeaux 171
MONSEIGNEUR Ch. Blaye-côtes-de-bordeaux 208
MONT D'HORTES Dom. de IGP Côtes de Thongue 774
MONT NOIR Dom. Côtes-du-roussillon 792
MONT RAMÉ Dom. Côtes-de-duras 940
MONT SAINTE-VICTOIRE Les Vignerons du Côtes-de-provence 868
MONT TAUCH Fitou 720
MONT VENTOUX Vignerons du Ventoux 1236
MONT Ch. du Graves 300 • Sainte-croix-du-mont 357 • Sauternes 362
MONT Dom. le Bonnezeaux 1022
MONTAGNAC Picpoul-de-pinet 744
MONTAGNE BLANCHE Coteaux-du-vendômois 1090
MONTAIGUT Ch. Côtes-de-bourg 218
MONTAUDON Ch. Champagne 637
MONTAUNOIR Ch. Bordeaux blanc 182
MONTAURIOL Ch. Fronton 913
MONTAUT Dom. Jurançon 953
MONTBOURGEAU Dom. de L'étoile 681
MONTCABRIER Ch. Bordeaux supérieur 199
MONTCÉLÈBRE Minervois 756
MONTCHOVET Dom. Alain et Gilles Bourgogne-hautes-côtes-de-beaune 465
MONTCHOVET Dom. Éric Bourgogne-aligoté 385
MONTDOYEN Ch. Bergerac 923
MONTEBERIOT Ch. Côtes-de-bourg 218
MONTEL Benoît Côtes-d'auvergne 1097 • IGP Puy-de-Dôme 1130
MONTELS Ch. Gaillac 907 • IGP Comté tolosan 962
MONTEMAGNI Dom. Muscat-du-cap-corse 888 • Patrimonio 887
MONTERRAIN Dom. de Mâcon et mâcon-villages 555
MONTESQUIOU Dom. Jurançon 953
MONTET Ch. Bordeaux blanc 182
MONTEZ Stéphane Condrieu 1176 • Côte-rôtie 1173 • Saint-joseph 1181
MONTFAUCON Ch. de Lirac 1224
MONTFIN Ch. Corbières 708
MONTFOLLET Blaye-côtes-de-bordeaux 209 • Côtes-de-bourg 218
MONTFORT Ch. de Crémant-de-loire 977 • Vouvray 1082
MONTGILET Dom. de Anjou 1003 • Coteaux-de-l'aubance 1011 • IGP Val de Loire 1133
MONTGRIGNON Dom. de IGP Côtes de la Meuse 112
MONTGUÉRET Ch. de Saumur 1026
MONTINE Dom. de Grignan-les-adhémar 1232
MONTIRIUS Dom. Vacqueyras 1210
MONTIZEAU Dom. de IGP Charentais 841
MONTLABERT Ch. Saint-émilion grand cru 258
MONTLAU Ch. Bordeaux blanc 183
MONTLOUIS-SUR-LOIRE Cave des Producteurs de Touraine 1041
MONTMAIN Dom. de Bourgogne-hautes-côtes-de-nuits 422
MONTMAL Ch. de Fitou 720
MONTMARIN Dom. de IGP Côtes de Thongue 774
MONTMASSOT Picpoul-de-pinet 744
MONTMIRAIL Ch. de Côtes-du-rhône 1149 • Gigondas 1204
MONTORAY Dom. de Montlouis-sur-loire 1075 • Touraine 1041
MONTORGE Dom. de Montagny 547
MONT-PÉRAT Ch. Bordeaux 175 • Bordeaux blanc 183
MONTPLAISIR Ch. Rosette 936
MONT-REDON Ch. Châteauneuf-du-pape 1218 • Lirac 1224
MONTREMBLANT Ch. Saint-émilion 242
MONTROSE Ch. Saint-estèphe 348
MONTUS Ch. Madiran 943 • Pacherenc-du-vic-bilh 946
MONTVIEL Ch. Pomerol 232
MORAT Gilles Pouilly-fuissé 563
MORDORÉE Dom. de la Châteauneuf-du-pape 1218 • Côtes-du-rhône 1149 • Lirac 1224
MOREAU ET FILS J. Chablis grand cru 415 • Chablis premier cru 408
MOREAU Arnaud Champagne 637
MOREAU Daniel Champagne 637
MOREAU David Maranges 530 • Santenay 526
MOREAU Dom. Bernard Bourgogne 379
MOREAU Dom. Louis Chablis 399 • Chablis grand cru 414
MOREAU Dom. Vincent Côtes-du-rhône 1149
MOREAU-NAUDET Chablis 399
MOREL Dominique Morgon 148
MORET David Chassagne-montrachet 519 • Meursault 508 • Saint-romain 504
MOREUX Dom. Patrice Pouilly-fumé 1109
MORILLON Ch. Blaye-côtes-de-bordeaux 209 • Bordeaux supérieur 197
MORILLY Dom. du Chinon 1068
MORIN PÈRE ET FILS Côte-de-nuits-villages 461
MORIN Ch. Saint-estèphe 348
MORIN Dom. Chiroubles 135
MORIN Hervé Saint-nicolas-de-bourgueil 1062
MORIN Olivier Bourgogne 379
MORIN Pierre Sancerre 1126
MORIN-LANGARAN Dom. Picpoul-de-pinet 744
MORION Didier Saint-joseph 1181
MORIZE PÈRE ET FILS Champagne 637 • Coteaux-champenois 666
MOROT Albert Beaune 487 • Savigny-lès-beaune 482
MORTET Dom. Thierry Chambolle-musigny 445 • Gevrey-chambertin 433
MORTIERS-GUIBOURG Dom. des Muscadet-sèvre-et-maine 988
MORTIÈS Dom. de Languedoc 733
MOSNIER Sylvain Chablis premier cru 409
MOSNY Dom. Montlouis-sur-loire 1075
MOTHE DU BARRY Ch. la Bordeaux supérieur 197
MOTTE Dom. de la Chablis 399 • Chablis premier cru 409
MOUILLARD Jean-Luc Crémant-du-jura 680 • Macvin-du-jura 682
MOULIÉ Dom. du Madiran 943 • Pacherenc-du-vic-bilh 946
MOULIN À VENT Ch. Moulis-en-médoc 340
MOULIN BERGER Dom. du Juliénas 143 • Saint-amour 158
MOULIN BLANC Dom. du Beaujolais 119
MOULIN CAMUS Dom. du Gros-plant-du-pays-nantais 995
MOULIN CARESSE Ch. Bergerac 923 • Haut-montravel 933
MOULIN CARRÉ Le Muscadet-sèvre-et-maine 988
MOULIN DE BERNAT Ch. Bordeaux 172
MOULIN DE CASSY Ch. Médoc 318
MOULIN DE CHAUVIGNÉ Coteaux-du-layon 1019
MOULIN DE CLOTTE Ch. Castillon-côtes-de-bordeaux 275
MOULIN DE LA ROQUE Bandol 849
MOULIN DE LA TOUCHE Le IGP Val de Loire 1133
MOULIN DE LABORDE Ch. Saint-émilion 242
MOULIN DE MARQUET Ch. Côtes-de-duras 940
MOULIN DES BESNERIES Anjou 1003
MOULIN DES RICHARDS Ch. Côtes-de-bourg 219
MOULIN DES VERNY Beaujolais 119
MOULIN GARREAU Ch. Bergerac 923
MOULIN GIMIÉ IGP Pays d'Oc 782
MOULIN GIRON Dom. du Crémant-de-loire 977 • Muscadet-coteaux-de-la-loire 993

MOULIN HAUT-LAROQUE Ch. Fronsac 225
MOULIN NEUF Ch. Blaye-côtes-de-bordeaux 209
MOULIN PEY-LABRIE Ch. Canon-fronsac 223
MOULIN Ch. du Haut-médoc 327
MOULIN Ch. le Pomerol 234
MOULIN Dom. du Gaillac 907
MOULIN-À-VENT Ch. du Moulin-à-vent 153
MOULINE La Côte-rôtie 1173
MOULINET-LASSERRE Ch. Pomerol 234
MOULIN-POUZY Dom. de Bergerac 923
MOULIN-TACUSSEL Dom. Châteauneuf-du-pape 1218
MOUNIÉ Dom. Côtes-du-roussillon-villages 800 • Muscat-de-rivesaltes 822 • Rivesaltes 816
MOUREY-DUMANGIN Champagne 637
MOURIER Xavier Gigondas 1205
MOURIESSE VINUM Châteauneuf-du-pape 1219
MOUSSET Dom. Guy Côtes-du-rhône 1149
MOUSSEYRON Ch. Bordeaux 172
MOUTARD PÈRE ET FILS Champagne 638
MOUTARD Corinne Champagne 638
MOUTARD-DILIGENT Crémant-de-bourgogne 388
MOUTAUX Champagne 638
MOUTINS Ch. les Entre-deux-mers 282
MOUTON CADET Graves 300
MOUTON PÈRE ET FILS Dom. Condrieu 1176
MOUTON ROTHSCHILD Ch. Pauillac 344
MOUTON Dom. Givry 545
MOUTTE BLANC Ch. Margaux 337
MOUZON-LEROUX ET FILS Champagne 638
MUCYN Dom. Saint-joseph 1181
MUGNERET Dominique Nuits-saint-georges 458 • Vosne-romanée 452
MUID MONTSAUGEONNAIS Le IGP Haute-Marne 667
MULLER ET FILS Charles Alsace edelzwicker 48 • Alsace grand cru 97
MULONNIÈRE Ch. de la Anjou 1003 • Anjou-villages 1008 • Savennières 1014
MUMM G.H. Champagne 638
MURÉ Alsace grand cru 97 • Alsace pinot noir 71
MURINAIS Dom. du Crozes-hermitage 1186
MUSSET Ch. de Lalande-de-pomerol 239 • Montagne-saint-émilion 269
MUSSET-ROULLIER Vignoble Anjou 1003 • Anjou-coteaux-de-la-loire 1012 • Anjou-gamay 1006
MUTIN Henri Crémant-de-bourgogne 388
MUZY Dom. de IGP Côtes de la Meuse 112
MYRAT Ch. de Sauternes 362

N

NALYS Dom. de Châteauneuf-du-pape 1219
NAPOLÉON Champagne 638
NARDIQUE LA GRAVIÈRE Ch. Entre-deux-mers 282
NARDOU Bois Meney de Ch. Côtes-de-Bordeaux 292
NAU FRÈRES Bourgueil 1055
NAUDIN-FERRAND Henri Bourgogne-hautes-côtes-de-nuits 423
NAUDONNET PLAISANCE Ch. Entre-deux-mers 282
NAUDY Ch. Bordeaux supérieur 197
NAVAILLES Ch. de Jurançon 953
NAVICELLE Dom. de la IGP Var 877
NEBOUT VIGNERONS Saint-pourçain 1117
NÉNIN Ch. Pomerol 234
NERBESSON Ch. Bordeaux 171
NÉRET-VÉLY Champagne 639
NERLEUX Dom. de Saumur 1026 • Saumur-champigny 1032
NÉROT Cave Coteaux-du-giennois 1096
NERTHE Ch. la Châteauneuf-du-pape 1219
NESTUBY Ch. Côtes-de-provence 868
NEURAYE Dom. de la Coteaux-de-saumur 1028
NIBAS Dom. des Côtes-de-provence 868
NICOLAS PÈRE ET FILS Côtes-du-rhône 1150 • Côtes-du-rhône-villages 1165
NICOLAS Dom. Saint-romain 504 • Santenay 526
NICOLLE Charly Chablis premier cru 409
NICOLLET ET FILS Gérard Alsace grand cru 98
NID Le Moulin-à-vent 153
NIGRI Dom. Jurançon 953
NIGRI Dom. de Jurançon 953
NINON Ch. Bordeaux blanc 183
NIZAS Dom. de Languedoc 733
NOAILLAC Ch. Médoc 318
NOBLAIE Dom. de la Chinon 1068
NOBLESSE Ch. de la Bandol 849
NODOZ Ch. Côtes-de-bourg 215
NOË Dom. de la IGP Val de Loire 1134 • Muscadet-sèvre-et-maine 988
NOËL Patrick Pouilly-fumé 1109
NOËLLAT Dom. Michel Chambolle-musigny 445 • Clos-de-vougeot 448 • Échézeaux 450 • Nuits-saint-georges 458 • Vosne-romanée 452
NOËLS Dom. des Coteaux-du-layon 1019
NOIRÉ Dom. de Chinon 1068
NOIROT-CARRIÈRE Gevrey-chambertin 433
NOIZET Carole Champagne 639
NOIZET Philippe Champagne 639
NORMAND Sylvaine et Alain Mâcon et mâcon-villages 555
NOS RACINES Bergerac 924
NOTRE-DAME DE COUSIGNAC Dom. Côtes-du-vivarais 1242
NOTRE-DAME DU QUATOURZE Ch. Languedoc 733
NOTRE-DAME-DES-PALLIÈRES Dom. Gigondas 1205 • Rasteau sec 1200
NOUVEAU MONDE Dom. le Languedoc 733
NOUVEAU Dom. Claude Santenay 526
NOUVELLES Ch. de Fitou 720
NOVI Dom. le Luberon 1240
NOYERS Ch. des Coteaux-du-layon 1019
NOZIÈRES Ch. Cahors 898 • IGP Côtes du Lot 968
NUDANT Jean-René • Aloxe-corton 470 • Corton 476 • Ladoix 468 • Meursault 509 • Puligny-montrachet 512 • Volnay 495
NUGUES Dom. des Fleurie 139

O

OBRIEU Dom. de l' Côtes-du-rhône-villages 1165
ŒDORIA Crémant-de-bourgogne 389
OGEREAU Dom. Coteaux-du-layon 1019 • Savennières 1014
OGIER Côtes-du-rhône 1150 • Crozes-hermitage 1186
OISEAU Ch. l' Bordeaux 171
OISLY ET THÉSÉE Confrérie des Vignerons de Cheverny 1087
OLIVETTE Dom. de l' Bandol 850
OLIVIER PÈRE ET FILS Champagne 639
OLIVIER Ch. Pessac-léognan 312
OLIVIER Dom. Bourgogne 380 • Bourgueil 1056 • Saint-nicolas-de-bourgueil 1062 • Santenay 526 • Savigny-lès-beaune 482
OLIVIER Dom. de l' Côtes-du-rhône 1150
OLIVIER Manuel Bourgogne-hautes-côtes-de-nuits 423 • Crémant-de-bourgogne 389 • Morey-saint-denis 441 • Pommard 492
OLIVIERS Dom. des Côtes-du-roussillon 796
OLLIÈRES Ch. d' Coteaux-varois-en-provence 858
OLLIER-TAILLEFER Dom. Faugères 715
OLLIEUX ROMANIS Ch. Corbières 708 • Corbières-boutenac 711
OLLIEUX Le Hameau des Corbières 708
OLT Les Vignerons d' Vins-d'estaing 910
OMASSON Nathalie Bourgueil 1056
OMERTA Ch. de l' Graves 300
ONDINES Dom. les Vacqueyras 1210
OR ET DE GUEULES Ch. d' Costières-de-nîmes 1228

VINS

ORANGERIE Ch. de l' Bordeaux 174 • Bordeaux blanc 183 • Bordeaux supérieur 187
ORBAN Charles Champagne 639
ORBAN Francis Champagne 639
ORBAN Lucien Champagne 639
ORENGA DE GAFFORY Muscat-du-cap-corse 888 • Patrimonio 887
ORFÉE Celliers d' Corbières 708
ORFEUILLES Dom. d' Vouvray 1082
ORIEL Dom. de l' Alsace grand cru 98
ORMARINE Extrait de l' IGP Pays d'Oc 783
ORMARINE L' Picpoul-de-pinet 744
ORMES DE PEZ Ch. Saint-estèphe 349
ORMES SORBET Ch. les Médoc 318
ORTAS Côtes-du-rhône-villages 1165 • Rasteau sec 1200
ORVIEL Dom. de l' Duché d'Uzès 1230
OSEZ L'ESCUDÉ IGP Comté tolosan 962
OSEZ Côtes-d'auvergne 1097
OSMIN & CIE Lionel Marcillac 911
OSTAL CAZES Dom. l' Minervois 757
OTT Dom. Bandol 850 • Côtes-de-provence 868
OU Ch. de l' Côtes-du-roussillon 792 • IGP Côtes catalanes 830 • Muscat-de-rivesaltes 822
OUCHES Dom. des Bourgueil 1056
OUDIN Dom. Chablis premier cru 409
OUILLY Dom. d' Beaujolais 119
OUPIA Ch. d' Minervois 757
OURS Dom. René Côtes-du-rhône-villages 1165

P

P'TIT ROY Dom. de Sancerre 1126
P'TIT VERGER Dom. du Moulin-à-vent 154
PABIOT Dominique Pouilly-fumé 1109
PAGAUTE Ch. la Graves 294
PAGET Nicolas Chinon 1068 • Touraine 1041 • Touraine-azay-le-rideau 1046
PAILLARD Bruno Champagne 640
PAILLAS Ch. Cahors 899
PAILLÈRE ET PIED-GÛ Dom. Gigondas 1205
PAILLETTE Champagne 640
PAIMPARÉ Dom. de Anjou-villages 1008
PAIN Clothilde Chinon 1068
PAIN Dom. Charles Chinon 1068
PAIRE Dom. Beaujolais 119 • Mâcon et mâcon-villages 555
PALAIS CARDINAL Ch. Saint-émilion grand cru 258
PALAY Fleur du Côtes-du-rhône 1150
PALEINE Dom. de la Saumur 1027
PALLUS Les Demoiselles de Chinon 1069
PALMER & CO Champagne 640
PALMER Ch. Margaux 337
PALON Dom. Côtes-du-rhône 1150 • Gigondas 1205 • Vacqueyras 1210
PALVIÉ Ch. Gaillac 907
PANISSEAU Ch. de Bergerac 924
PAPE CLÉMENT Ch. Pessac-léognan 312
PAPIN Damien et Vincent Muscadet-sèvre-et-maine 988
PAPINIÈRE Dom. de la IGP Val de Loire 1134 • Muscadet-sèvre-et-maine 988
PAQUES ET FILS Champagne 640
PÂQUES Ch. les Blaye-côtes-de-bordeaux 209
PAQUET Agnès Auxey-duresses 500
PARAZA Ch. de Minervois 757
PARCÉ Dom. Côtes-du-roussillon 792
PARDON Dom. Fleurie 139
PARENCHÈRE Ch. de Bordeaux supérieur 197
PARENT Dom. Pommard 492
PARENT François Bourgogne 380 • Chassagne-montrachet 520
PARIGOT Dom. Bourgogne-hautes-côtes-de-beaune 465 • Pommard 493
PARNAY Le Clos du Ch. de Saumur-champigny 1033
PARTARRIEU Ch. Sauternes 362
PARVIS DES TEMPLIERS Brulhois 915
PASCAL Sébastien Champagne 640
PASCOT Ch. Côtes-de-Bordeaux 292
PASQUIERS Dom. des Côtes-du-rhône 1150 • Côtes-du-rhône-villages 1165 • Gigondas 1205 • IGP Vaucluse 1248
PASSOT Dom. Chiroubles 136
PASSOT Jean-Guillaume Côte-de-brouilly 132
PASTOURET Dom. Costières-de-nîmes 1228
PATACHE D'AUX Ch. Médoc 317
PATAGON Dom. de Valençay 1092
PATERNEL Dom. du Cassis 854
PATIENCE Dom. de la IGP Coteaux du Pont du Gard 773
PÂTIS TONNEAU Dom. du Muscadet-sèvre-et-maine 988
PATIS-PAILLE Champagne 641
PATOUX Denis Champagne 641
PAULANDS La Maison Aloxe-corton 470
PAUL-SADI Champagne 641
PAUTIER Dom. Pineau-des-charentes 839
PAVEIL DE LUZE Ch. Margaux 337
PAVELOT Dom. Pernand-vergelesses 473
PAVIE DECESSE Ch. Saint-émilion grand cru 258
PAVIE Ch. Saint-émilion grand cru 258
PAVILLON DE BELLEVUE Médoc 315
PAVILLON FERRAND Ch. Montagne-saint-émilion 269
PECH REDON Ch. Languedoc 733
PECH ROME Dom. Languedoc 734
PÉCHARD Dom. Tano Régnié 156
PECH-LATT Ch. Corbières 708
PÉCOULA Dom. de Bergerac 924 • Monbazillac 931
PÉDESCLAUX Ch. Pauillac 344
PEGAZ Agnès et Pierre-Anthelme Brouilly 128
PEILLOT Famille Bugey 695
PÉLAQUIÉ Dom. Côtes-du-rhône 1151 • Lirac 1224
PÉLIGRI Christian Champagne 641
PELLEHAUT Dom. de IGP Côtes de Gascogne 966
PELLETIER Jean-Michel Champagne 641
PELLETIER-HIBON Dom. Givry 545
PELOU Pierre Côtes-du-roussillon-villages 800
PÉNA Ch. de Côtes-du-roussillon 792 • Côtes-du-roussillon-villages 800
PENEAU Ch. Bordeaux blanc 183
PENET Alexandre Champagne 642
PENET-CHARDONNET Champagne 641
PENIN Ch. Bordeaux blanc 183 • Bordeaux supérieur 197
PENLOIS Dom. du Morgon 148
PENNAUTIER Cabardès 700 • IGP Pays d'Oc 783
PENSÉE Ch. la Lalande-de-pomerol 240
PÉPUSQUE Ch. Minervois-la-livinière 761
PERCHOIR Dom. du Beaujolais 119
PERDIGUIER Dom. IGP Coteaux d'Ensérune 772
PERDRIX ROUGE Dom. de la Brouilly 128
PERDRIX Dom. de la Côtes-du-roussillon 793 • Muscat-de-rivesaltes 822
PERDRIX Dom. des Bourgogne 380 • Échézeaux 450 • Nuits-saint-georges 458
PÈRE AUGUSTE Caves du Touraine-chenonceaux 1048
PÈRE CABOCHE Dom. du Châteauneuf-du-pape 1219
PÈRE HUGUES Dom. du Côtes-du-rhône-villages 1165
PÈRE LA GROLLE Le Beaujolais 119
PERELLES Dom. des Morgon 149
PERLE DE GIVRE Pacherenc-du-vic-bilh 945
PERLE DU BRÉGNET La Saint-émilion grand cru 259
PERNET Jean Champagne 642
PERRACHON Laurent Morgon 148
PERRATON FRÈRES Dom. Pouilly-fuissé 563
PERRAUD Dom. Saint-véran 569
PERRAUD Stéphane et Vincent Muscadet-sèvre-et-maine 989
PERRAULT Nicolas Maranges 530
PERRE Ch. de Bordeaux 172
PERRET André Condrieu 1176 • Saint-joseph 1181
PERRIER ET FILS Jean Vin-de-savoie 688
PERRIER Dom. le Pécharmant 935
PERRIER Joseph Champagne 642

PERRIÈRE Ch. la Lussac-saint-émilion 267 • Muscadet-sèvre-et-maine 989
PERRIÈRE Dom. de la Languedoc 734
PERRIER-JOUËT Champagne 642
PERRIN Christophe Mâcon et mâcon-villages 555
PERRIN Daniel Champagne 642
PERRIN Dom. Roger Châteauneuf-du-pape 1219
PERRIN Famille Luberon 1240 • Vinsobres 1195
PERROT-BATTEUX & FILLES Champagne 643
PERROUD Robert Brouilly 128
PERRUCHE Dom. de la Saumur-champigny 1033
PERRUCHOT Ch. Meursault 509 • Santenay 527
PERSENOT Gérard Bourgogne 380
PERSERONS Dom. les Mâcon et mâcon-villages 555
PERSEVAL Bruno Champagne 643
PERSEVAL-FARGE Champagne 643
PERSILIER Gilles Côtes-d'auvergne 1098
PERTHUS Ch. Côtes-de-bourg 219
PERTHUY Pierre-Yves Muscadet-sèvre-et-maine 989
PERTIGNAS Ch. Bordeaux blanc 184 • Bordeaux supérieur 198
PERTONNIÈRES Ch. des Beaujolais 120
PERTUADE Dom. de la Côtes-de-provence 868
PERTUZOT Christophe Chorey-lès-beaune 484
PESQUIÉ Ch. Ventoux 1237
PESQUIER Dom. du Gigondas 1205
PESSENET-LEGENDRE Champagne 643
PÉTARD-BAZILE Muscadet-sèvre-et-maine 989
PETIT BONDIEU Dom. du Bourgueil 1056
PETIT BOYER Ch. Blaye-côtes-de-bordeaux 209
PETIT CHAMBORD Le Cour-cheverny 1088
PETIT CLOCHER Dom. du Anjou 1003 • Coteaux-du-layon 1019 • IGP Val de Loire 1134
PETIT CORBIN-DESPAGNE Saint-émilion grand cru 254
PETIT COTEAU Dom. du Vouvray 1082
PETIT COUSINAUD Le Pineau-des-charentes 839
PETIT ET BAJAN Champagne 643
PETIT FROMENTIN Dom. de Coteaux-du-Lyonnais 160
PETIT GRAVET AINÉ Ch. Saint-émilion grand cru 259
PETIT MÉTRIS Dom. du Coteaux-du-layon 1020 • Quarts-de-chaume 1022 • Savennières 1014
PETIT MONTIBEAU Ch. du Sainte-foy-bordeaux 288
PETIT NOYER Dom. du Vouvray 1082
PETIT PUITS Dom. du Fleurie 140
PETIT PUY Vignoble du Saumur-champigny 1030
PETIT SAINT-VINCENT Le Saumur-champigny 1033
PETIT SOLEIL Bordeaux supérieur 198
PETIT THOUARS Ch. du Touraine 1042
PETIT'Ô BLANC Le IGP Val de Loire 1134
PETIT André Pineau-des-charentes 839
PETIT Dom. Désiré Arbois 672 • Château-chalon 674 • Crémant-du-jura 680
PETIT Romuald Bourgogne 380 • Saint-véran 569
PETIT Th. Champagne 643
PETITE CHAPELLE Dom. de la Saumur-champigny 1033
PETITE CHARDONNE La Côtes-de-bourg 219
PETITE CROIX Dom. de la Anjou-villages 1008 • Bonnezeaux 1023 • Coteaux-du-layon 1019
PETITE FONTAINE Cave de la Sancerre 1126
PETITE FORGE Dom. la IGP Côtes de la Charité 1130
PETITE MAIRIE Dom. de la Bourgueil 1056
PETITE MARNE Dom. de la Crémant-du-jura 680
PETITEAU Dom. Muscadet-sèvre-et-maine 989
PETIT-FIGEAC Saint-émilion grand cru 252
PETITJEAN Dom. Bourgogne-aligoté 385 • Saint-bris 419
PETITOT Dom. Aloxe-corton 470 • Côte-de-nuits-villages 461 • Ladoix 468
PETITS CLÉMENT IGP Côtes du Tarn 969
PETITS JARDINS Les Gaillac 907
PETITS QUARTS Dom. des Bonnezeaux 1023
PETIT-VILLAGE Ch. Pomerol 234
PETRA BIANCA Dom. Corse ou vin-de-corse 881
PETRA VIRIDIS Pierrevert 1241
PÉTROCORE Le Bergerac 924
PETRUS Pomerol 234
PETTERMANN Maison Alsace riesling 78
PEY DE PONT Ch. Médoc 318
PEY Ch. Jean de Entre-deux-mers 282
PEY Ch. le Médoc 318
PEY-CHAUD BOURDIEU Ch. Côtes-de-bourg 219
PEYCHAUD Ch. Côtes-de-bourg 219
PEYMARTIN Ch. Saint-julien 351
PEYNAUD Ch. Bordeaux supérieur 198
PEY-NEUF Ch. Bandol 850
PEYRADE Ch. de la Muscat-de-frontignan 767
PEYRAT-FOURTHON Ch. Haut-médoc 328
PEYRE Ch. la Saint-estèphe 349
PEYRE Dom. des Luberon 1240
PEYREBLANQUE Ch. Graves 301
PEYREDOULLE Ch. Blaye-côtes-de-bordeaux 209
PEYREGRANDES Ch. des Faugères 715
PEYREYRE Ch. Blaye-côtes-de-bordeaux 210
PEYRIAC Ch. de Minervois 757
PEYRIÉ Dom. du Cahors 899
PEYRINES Ch. Entre-deux-mers haut-benauge 284
PEYRIS Dom. de Floc-de-gascogne 959 • IGP Côtes de Gascogne 966
PEYRIS Esprit de Dom. de IGP Côtes de Gascogne 966
PEYRONNET Dom. IGP Pays d'Hérault 777 • Muscat-de-frontignan 767
PEYROS Ch. Madiran 943
PEYROU Ch. Castillon-côtes-de-bordeaux 275
PEZ Ch. de Saint-estèphe 349
PÉZENNEAU Olivier Côte-de-brouilly 132
PFAFF Alsace grand cru 98
PHÉLAN SÉGUR Ch. Saint-estèphe 349
PHÉLAN Frank Saint-estèphe 349
PHILBERDIÈRE Ch. de la Bourgueil 1056
PHILIPPART Maurice Champagne 644
PHILIPPONNAT Champagne 644
PHILIZOT ET FILS Champagne 644
PIADA Ch. Sauternes 362
PIANA Dom. de Corse ou vin-de-corse 881
PIAT Ch. le Côtes-de-bourg 219
PIBARNON Ch. de Bandol 850
PIBRAN Ch. Pauillac 344
PIC JOAN Dom. Collioure 806
PICAMELOT Louis Crémant-de-bourgogne 389
PICARD ET FILS Dom. Jean-Paul Menetou-salon 1103
PICARD Jacques Champagne 644
PICARO'S IGP Pays d'Oc 783
PICHAT Dom. Côte-rôtie 1173 • IGP Collines rhodaniennes 1245
PICHON BARON Les Griffons de Pauillac 345
PICHON BELLEVUE Ch. Graves-de-vayres 286
PICHON Christophe Saint-joseph 1181
PICHON Claude-Michel IGP Val de Loire 1134
PICHON Dom. Christophe Condrieu 1177 • Côte-rôtie 1173
PICHON-LONGUEVILLE BARON Ch. Pauillac 345
PICHON-LONGUEVILLE COMTESSE DE LALANDE Ch. Pauillac 345
PICQ ET SES ENFANTS Jacques Chablis 399 • Chablis premier cru 409
PIEAUX Bruno et Jean-Michel Vouvray 1082
PIED-FLOND Dom. de Anjou 1003
PIERETTI Dom. Corse ou vin-de-corse 881

VINS

PIERRAIL Ch. Bordeaux blanc 184 • Bordeaux supérieur 198
PIERRE DE MONTIGNAC Ch. Médoc 318
PIERRE NOIRE Dom. de la Côtes-du-forez 1101
PIERRE Dom. de Touraine 1042 • Touraine-oisly 1050
PIERRE-BISE Ch. Anjou 1004 • Coteaux-du-layon 1020 • Quarts-de-chaume 1022
PIERREFEU Cave de Côtes-de-provence 868
PIERRELLES Dom. des Côte-rôtie 1173
PIERRÈRES Ch. les Blaye 203
PIERRES MESLIÈRES Dom. des Muscadet-coteaux-de-la-loire 993
PIERRES SÈCHES Dom. des Saint-joseph 1181
PIERRES Dom. des Chénas 134
PIERRESTELLA Ch. Montravel 932
PIERREUX Ch. de Brouilly 128
PIERRIÈRE Ch. La Castillon-côtes-de-bordeaux 275
PIERRINES Dom des Touraine-chenonceaux 1048
PIERRON Ch. Buzet 916
PIETRELLA Dom. de Ajaccio 885
PIÉTREMENT-RENARD Champagne 644
PIÉTRI-GÉRAUD Dom. Banyuls 811 • Collioure 806 • Muscat-de-rivesaltes 822
PIGEADE Dom. de la IGP Vaucluse 1248
PIGEAT André Quincy 1113
PIGNERET FILS Dom. Bourgogne 380 • Bourgogne-aligoté 385 • Mercurey 541 • Givry 545 • Montagny 547 • Rully 537
PIGNIER Dom. Côtes-du-jura 677
PIGUET Stéphane Puligny-montrachet 512 • Saint-romain 504
PIGUET-CHOUET Max et Anne-Marye Auxey-duresses 500 • Meursault 509
PILET Ch. Bordeaux 172 • Côtes-de-Bordeaux 292
PILLOT Dom. Jean-Michel et Laurent Mercurey 541
PILLOT-HENRY Dom. Côte-de-nuits-villages 461 • Pommard 493
PINERAIE Ch. Cahors 899
PINGOSSIÈRE Ch. de la Muscadet-sèvre-et-maine 989
PINON Damien Vouvray 1082
PINON François Vouvray 1083
PINQUIER Dom. Thierry Beaune 488 • Bourgogne 381 • Bourgogne-hautes-côtes-de-beaune 466
PINS Ch. les Côtes-du-roussillon 793 • Muscat-de-rivesaltes 820
PINS Dom. les Bourgueil 1057 • Saint-nicolas-de-bourgueil 1062
PINSON FRÈRES Dom. Chablis premier cru 409
PINSON Charlène et Laurent Chablis 400
PINSONNIÈRE Dom. de la Vouvray 1083
PINTE Dom. de la Arbois 672
PIOCHS Les IGP Pays d'Hérault 777
PIOTE Ch. de Bordeaux supérieur 198
PIOT-SÉVILLANO Champagne 644
PIPEAU Ch. Saint-émilion grand cru 259
PIPER-HEIDSIECK Champagne 645
PIQUEMAL Dom. Côtes-du-roussillon 793 • Côtes-du-roussillon-villages 801 • Muscat-de-rivesaltes 822
PIQUE-PERLOU Ch. Minervois 757
PIQUE-SÈGUE Ch. Montravel 932
PIROLETTE Dom. de la Saint-amour 158
PIRON Ch. Graves 300
PIROU Auguste Côtes-du-jura 677
PISANI DE MONTREUIL-BELLAY Lycée viticole Edgard Crémant-de-loire 977
PISSE-LOUP Dom. de Petit-chablis 393
PITOT Ch. Bordeaux 172
PIVOINES Dom. des Chénas 134
PIZAY Ch. De Morgon 149
PLACES Ch. des Graves 300
PLAGUETTES Ch. les Côtes-de-bergerac 928
PLAIMONT Saint-mont 947 • IGP Côtes de Gascogne 966
PLAINE Dom. de la Muscat-de-frontignan 768
PLAISANCE Ch. de Anjou-villages 1008 • Quarts-de-chaume 1022 • Savennières 1014
PLAISIR Ch. le Côtes-du-rhône-villages 1165
PLAN DE L'HOMME Terrasses-du-larzac 742
PLANÈRES Ch. Côtes-du-roussillon 793 • Muscat-de-rivesaltes 823
PLANES Dom. des Côtes-de-provence 869
PLANÈZES Ch. Côtes-du-roussillon-villages 801
PLANQUES Ch. de Côtes-de-bergerac 928
PLANTEVIN Dom. Philippe Côtes-du-rhône-villages 1166
PLANTEVIN Maison Côtes-du-rhône-villages 1166 • Rasteau sec 1201
PLANTON-BELLEVUE Ch. Côtes-de-bordeaux-saint-macaire 291
PLÉIADE Dom. de la Muscadet-coteaux-de-la-loire 994
PLESSIS Les Caves du Saint-nicolas-de-bourgueil 1062
PLOU ET FILS Touraine-amboise 1045
POCÉ Ch. de Touraine 1042
POËZE Ch. de la Muscadet-sèvre-et-maine 990
POINTE Ch. la Pomerol 235
POIRON ET FILS Henri Gros-plant-du-pays-nantais 995
POIRON-DABIN Dom. IGP Val de Loire 1134 • Muscadet-sèvre-et-maine 990
POISOT PÈRE ET FILS Dom. Corton 476 • Romanée-saint-vivant 454
POISSINET Champagne 645
POITOUT L. et C. Chablis 400 • Chablis premier cru 409
POITTEVIN Gaston Champagne 645
POL ROGER Champagne 645
POLI Dom. IGP Île de Beauté 889
POLIGNAC Dom. Floc-de-gascogne 959
POLL-FABAIRE Crémant-de-luxembourg 1256
POMIES-AGASSAC Ch. Haut-médoc 321
POMMELET Christophe Champagne 646
POMMIER Isabelle et Denis Chablis 400 • Chablis premier cru 410
PONCEREAU DE HAUT Dom. de IGP Charentais 841
PONCETYS Dom. des Saint-véran 569
PONCHON Dom. de Brouilly 128
PONROY Romain et Jean-Pierre Reuilly 1116
PONSARD-CHEVALIER Dom. Santenay 527
PONSON Pascal Champagne 646
PONSOT Dom. Jean-Baptiste Rully 537
PONT D'ARC Les Chais du IGP Ardèche 1244
PONT DE BRION Ch. Graves 301
PONT DU GUÉ Le Bourgueil 1057
PONT SAINT-MARTIN Ch. Pessac-léognan 310
PONT Ch. de Touraine 1039
PONTAC GADET Ch. Médoc 318
PONTET BAYARD Ch. Montagne-saint-émilion 269 • Puisseguin-saint-émilion 271
PONTET BEL AIR Semmacari de Côtes-de-bordeaux-saint-macaire 291
PONTET LA GRAVIÈRE Ch. Graves 301
PONTIFICAL Dom. Châteauneuf-du-pape 1219
PONTONNIER Dom. Saint-nicolas-de-bourgueil 1062
PONZAC Ch. Cahors 899
PORTAIL Dom. le Cour-cheverny 1088
PORTAZ Dom. Marc Vin-de-savoie 688
PORTE CHIC Ch. Pomerol 229
PORTETS Ch. de Graves 301
PORTIER Ch. Moulin-à-vent 153
PORTIER Dom. Philippe Quincy 1113
POTARDIÈRE Dom. de la IGP Val de Loire 1135 • Muscadet-sèvre-et-maine 990
POTENSAC Ch. Médoc 320
POTHIERS Dom. des Côte-roannaise 1100
POUCHAUD-LARQUEY Ch. Entre-deux-mers 283
POUDEROUX Dom. Côtes-du-roussillon-villages 801 • Maury 825
POUEY Ch. du Pacherenc-du-vic-bilh 946

POUGELON Ch. de Beaujolais-villages 124
POUGET Ch. Margaux 337
POUILLON ET FILS R. Champagne 646
POUINIÈRES Dom. des Muscadet-sèvre-et-maine 990
POUJEAUX Ch. Moulis-en-médoc 340
POUJOL Dom. du Languedoc 734
POULETTE Dom. de la Côte-de-nuits-villages 461 • Nuits-saint-georges 459
POULLEAU PÈRE ET FILS Dom. Chorey-lès-beaune 484
POULVAREL Dom. de Costières-de-nîmes 1228
POULVÈRE Ch. Bergerac 924 • Côtes-de-bergerac 929
POUNTET Dom. du Brulhois 915 • IGP Comté tolosan 963
POURCIEUX Ch. de Côtes-de-provence 869
POYEBADE Dom. de la Côte-de-brouilly 132
POYET Dom. du Côtes-du-forez 1101
PRADAS Dom. du Gigondas 1205
PRADELLE Dom. Crozes-hermitage 1187
PRADELLES Dom. des Fronton 914
PRADIER Jean-Pierre Côtes-d'auvergne 1098
PRADIER Marc Côtes-d'auvergne 1098
PRAT Yveline Champagne 646
PRATAVONE Dom. de Ajaccio 885
PRÉ BARON Dom. Touraine 1042
PRÉAUX Dom. des Saint-amour 158
PRÉGENTIÈRE Ch. la Coteaux-varois-en-provence 859
PREIGNES LE VIEUX Dom. IGP Pays d'Oc 783
PRÉLAT Julien Champagne 646
PREMIUS Bordeaux 172 • Bordeaux blanc 184
PRENELLERIE Dom. la Pineau-des-charentes 840
PRÉSIDENTE Dom. de la Châteauneuf-du-pape 1220
PRESSAC Ch. de Saint-émilion grand cru 259
PRESSOIR FLEURI Dom. du Chiroubles 136
PRESTIGE DU PRÉSIDENT Corse ou vin-de-corse 881
PRÉVOSSE Dom. de la Côtes-du-rhône-villages 1166
PRÉVOST François Anjou 1004
PRÉVÔTÉ Dom. de la Touraine-amboise 1045
PRÉVOTEAU Yannick Champagne 646
PRÉVOTEAU-PERRIER Champagne 647
PREYS Dom. Valençay 1092
PRIÉ Fabienne Champagne 647
PRIÉ Philippe Champagne 647
PRIEUR BARSANNE Crémant-de-limoux 748
PRIEUR ET FILS Paul Sancerre 1126
PRIEUR ET FILS Pierre Sancerre 1126
PRIEUR Claude Champagne 647
PRIEUR Dom. Jacques Beaune 488
PRIEUR G. Mercurey 541 • Volnay 495
PRIEUR-BRUNET Dom. Santenay 527
PRIEURÉ DE CÉNAC Cahors 899
PRIEURÉ SAINT-FRANÇOIS Dom. Côtes-du-rhône-villages 1166
PRIEURÉ SAINT-FRANÇOIS Dom. du Côtes-du-rhône 1151
PRIEURÉ SAINT-ROMAIN Dom. du Moulin-à-vent 153
PRIEURÉ Ch. le Saint-émilion grand cru 260
PRIEURÉ La Cave du Vin-de-savoie 688
PRIEURÉ Les Vignerons du Juliénas 143
PRIEURÉ-LES-TOURS Ch. Graves 300
PRIN Dom. Aloxe-corton 470 • Corton 476
PRINCÉ Ch. Anjou-villages-brissac 1010 • Coteaux-de-l'aubance 1011
PRINCE Dom. du Cahors 899
PRINCES Cellier des Côtes-du-rhône 1151
PRINCIER Achille Champagne 647
PRIOLAT Ch. Le Francs-côtes-de-bordeaux 277
PROUTIÈRE Dom. de la Muscadet-sèvre-et-maine 990
PROY-GOULARD Champagne 647
PRUDHON ET FILS Henri Saint-aubin 523
PRUDHON Dom. Bernard Saint-aubin 522
PRUNIER ET FILLE Dom. Michel Auxey-duresses 501
PRUNIER Dom. Jean-Pierre et Laurent Auxey-duresses 500 • Monthélie 497 • Saint-romain 504
PRUNIER Dom. Vincent Auxey-duresses 501 • Monthélie 498 • Puligny-montrachet 513 • Saint-aubin 523
PUECH-HAUT Ch. Languedoc 734
PUFFENEY Frédéric Arbois 672
PUJOL Dom. Minervois 757
PUTILLE Ch. de Anjou-coteaux-de-la-loire 1012 • Anjou-villages 1008
PUY BARDENS Ch. Cadillac-côtes-de-bordeaux 289
PUY BOYREIN Ch. Graves 301
PUY CASTÉRA Ch. Haut-médoc 328
PUY DESCAZEAU Ch. Côtes-de-bourg 220
PUY DU MAUPAS Dom. le Vinsobres 1196
PUY FAVEREAU Ch. Bordeaux supérieur 193
PUY MARQUIS Dom. du IGP Vaucluse 1249
PUY Dom. du Chinon 1069
PUYANCHÉ Ch. Francs-côtes-de-bordeaux 277
PUYBARBE Ch. Côtes-de-bourg 219
PUY-GALLAND Ch. Francs-côtes-de-bordeaux 278
PUYGUERAUD Ch. Francs-côtes-de-bordeaux 278
PUY-RAZAC Saint-émilion grand cru 260
PUY-SERVAIN Ch. Haut-montravel 933 • Montravel 932
PYRÉNAÏA Vignobles de Jurançon 953

Q

QUART DU ROI Côtes-du-rhône 1143 • Côtes-du-rhône-villages 1159
QUATRE AMOURS Dom. les Languedoc 734
QUATRE SAISONS IGP Coteaux de Glanes 963
QUATRE VENTS Dom. des Cassis 854 • Chinon 1069
QUATRESOLS-GAUTHIER Champagne 647
QUATTRE Les Carrals du Ch. Cahors 900
QUÉNARD André et Michel Vin-de-savoie 689
QUENARD Bertrand Roussette-de-savoie 692
QUÉNARD Dom. Pascal et Annick Vin-de-savoie 689
QUÉNARD Jean-Pierre et Jean-François Vin-de-savoie 689
QUENARDEL ET FILS Champagne 648
QUERCY Les Vignerons du Coteaux-du-quercy 901
QUERELLE Dom. de Languedoc 734
QUEYNAC Bordeaux supérieur 198
QUEZACO Côtes-du-marmandais 917
QUILEX Ch. Côtes-du-rhône-villages 1166
QUILLOT Dom. G. Côtes-du-jura 678
QUINARD Caveau Bugey 695
QUINÇAY Ch. de Touraine 1042 • Valençay 1092
QUINTUS Ch. Saint-émilion grand cru 260
QUIVY Dom. Gevrey-chambertin 433

R

R Dom. de l' Chinon 1069
RABASSE CHARAVIN Dom. Côtes-du-rhône-villages 1166 • Rasteau sec 1201
RABAUD-PROMIS Ch. Sauternes 363
RABELAIS Dom. de Touraine-mesland 1049
RABELAISE Réserve de la Chinon 1069
RABLAIS Dom. de la IGP Val de Loire 1135
RABUSAS Dom. de Côtes-du-rhône 1151 • Côtes-du-rhône-villages 1167
RABY Gérard et Cécile Pineau-des-charentes 840

RACE Dom. Denis Chablis premier cru 410
RAFFAULT Jean-Maurice Chinon 1069
RAFFAULT Olga Chinon 1069
RAFFLIN Serge Champagne 648
RAGOT Dom. Givry 545
RAGOTIÈRE Dom. de la IGP Val de Loire 1135
RAGUENIÈRES Dom. des Bourgueil 1057
RAGUENOT Philippe Crémant-de-bordeaux 201
RAHOUL Ch. Graves 301
RAIFAULT Dom. du Chinon 1070
RAIMBAUDIÈRE Dom. de la Anjou 1004
RAIMBAULT Roger et Didier Sancerre 1127
RAIMOND Didier Champagne 648
RAISINS DE L'ABBAYE Les Pineau-des-charentes 840
RAISINS DORÉS Dom. des Vouvray 1083
RAISINS OUBLIÉS Les Côtes-de-bergerac 929
RAISSAC Ch. Languedoc 735
RAISSAC Dom. IGP Pays d'Oc 783
RAMAGE LA BATISSE Ch. Haut-médoc 328
RAMATUELLE Dom. de Coteaux-varois-en-provence 859
RAMAYROLE Dom. Côtes-du-rhône-villages 1167
RAMBAUD Ch. Bordeaux 172
RAMBAUDS Ch. les Bordeaux supérieur 198
RAME Ch. la Bordeaux 173 • Cadillac 354 • Cadillac-côtes-de-bordeaux 289 • Sainte-croix-du-mont 358
RAMIÈRE Vignoble de la IGP Pays d'Oc 784
RANCY IGP Côtes catalanes 829 • IGP Rancio sec 832 • Rivesaltes 816
RAOUSSET Ch. de Fleurie 140
RAPENEAU Ernest Champagne 648
RAPET PÈRE ET FILS Dom. Aloxe-corton 471 • Beaune 488 • Corton 476
RAPET Dom. Meursault 509
RAPP Jean Alsace edelzwicker 48 • Alsace pinot blanc ou klevner 60 • Crémant-d'alsace 106
RAQUILLET François Mercurey 541
RASSAT Didier Quincy 1113
RASTEAU Cave de Rasteau 1242
RAT-PATRON Hervé et Patrice Vin-de-savoie 689
RAULY Ch. le Bergerac 924
RAUZAN DESPAGNE Bordeaux 175 • Bordeaux blanc 183 • Entre-deux-mers 278
RAUZAN-GASSIES Ch. Margaux 338
RAUZAN-SÉGLA Ch. Margaux 338
RAVENELLE Dom. Charly Touraine 1042
RAVIER Pascal et Benjamin Vin-de-savoie 689
RAVIER Philippe et Sylvain Roussette-de-savoie 692
RAY Dom. Saint-pourçain 1118
RAY-JANE Dom. Bandol 850
RAYNE-VIGNEAU Ch. de Sauternes 363
RAZ CAMAN Ch. la Blaye 203 • Blaye-côtes-de-bordeaux 210
RAZ Ch. le Bergerac 925 • Haut-montravel 934 • Montravel 932
RÉAUT Ch. Côtes-de-Bordeaux 293
REBELLERIE L'Arche de la Crémant-de-loire 977
REBOURGEON Dom. Michel Pommard 493
REBOURSEAU Dom. Henri Chambertin 435 • Clos-de-vougeot 448 • Mazis-chambertin 438
RECOUGNE Ch. Bordeaux supérieur 199
RECTORIE Dom. de la Banyuls 812 • Collioure 806
REDDE ET FILS Michel Pouilly-fumé 1110
RÉDEMPTEUR Champagne du Champagne 648
REDORTIER Ch. Beaumes-de-venise 1212
REGIN André Alsace grand cru 98
RÉGINA Dom. Côtes-de-toul 110
RÉGNARD Chablis grand cru 415 • Chablis premier cru 410
REGNARD Dom. Christian Bourgogne-hautes-côtes-de-beaune 466 • Maranges 530
RÉGNARD Dom. Christian Chassagne-montrachet 520
REGNAUDOT ET FILS Jean-Claude Maranges 530 • Santenay 527
REGNAUDOT Bernard et Florian Santenay 527
REINE JULIETTE Dom. Languedoc 735 • Picpoul-de-pinet 745
REITZ Paul Gevrey-chambertin 434 • Savigny-lès-beaune 482
REKENEIRE-PETIT De Champagne 648
RELAIS DE LA POSTE Ch. Côtes-de-bourg 220
REMEJEANNE Dom. la Côtes-du-rhône 1151
REMIZIÈRES Dom. des Cornas 1191 • Crozes-hermitage 1187 • Hermitage 1189 • Saint-joseph 1182
REMORIQUET Henri et Gilles Nuits-saint-georges 459
REMPARTS Dom. des Saint-bris 419
REMY Bernard Champagne 649
RÉMY Dom. Chantal Clos-de-la-roche 442
REMY Dom. Joël Bourgogne-hautes-côtes-de-beaune 466 • Chorey-lès-beaune 484 • Pommard 493 • Savigny-lès-beaune 482
REMY Ernest Champagne 649
REMY-COLLARD F. Champagne 649
RENAISSANCE Champagne de la Champagne 649
RENARD Ch. Fronsac 225
RENARD Dom. Christophe Beaujolais-villages 124
RENARDAT-FACHE Alain Bugey 695
RENARDIÈRES Dom. des IGP Val de Loire 1135
RENAUDIE Ch. la Pécharmant 935
RENAUDIE Dom. de la Touraine-chenonceaux 1049
RENCK Raymond Alsace riesling 78
RENCONTRE Dom. de la IGP Pays d'Hérault 777 • Muscat-de-mireval 768
RENO Banyuls 812 • Collioure 807 • Rivesaltes 816
RENOIR Vincent Champagne 649
RENOUD-GRAPPIN Pascal Saint-véran 569
RENOUÈRE Dom. de la Muscadet-sèvre-et-maine 990
RENTZ ET FILS Alsace gewurztraminer 54
RENTZ Edmond Alsace grand cru 98
RENUCCI Dom. Corse ou vin-de-corse 882
RÉSERVE DE FONSALIS Fitou 718
RÉSERVE Côtes-du-vivarais 1242
RESPIDE Ch. de Graves 302
RESPIDE-MÉDEVILLE Ch. Graves 302
RESTANQUES BLEUES Les Coteaux-varois-en-provence 859
RETOUR AUX SOURCES Le Côte-roannaise 1100
RETY Dom. Côtes-du-roussillon-villages 801
REVERCHON Xavier Côtes-du-jura 678 • Macvin-du-jura 682
REVERDI Ch. Listrac-médoc 331
REVERDY CADET ET FILS Sancerre 1129
REVERDY ET FILS Bernard Sancerre 1127
REVERDY ET FILS Daniel Sancerre 1127
REVERDY Dom. Hippolyte Sancerre 1127
REVERDY Jean-Marie Sancerre 1127
RÊVERIE Dom. de la Ventoux 1237
REY Ch. de Rivesaltes 816
REY Dom. du IGP Côtes de Gascogne 967
REYNARDIÈRE Dom. de la Faugères 716
REYNAUD Ch. de Côtes-de-bourg 220
REYNAUD David Crozes-hermitage 1187
REYNE Ch. la Cahors 900
REYNON Ch. Cadillac-côtes-de-bordeaux 290
REYSSON Ch. Haut-médoc 328
RHODES Ch. de Gaillac 907
RIAUX Dom. de Pouilly-fumé 1110 • Pouilly-sur-loire 1111
RIBEAUVILLÉ Cave de Alsace riesling 78

RIBONNET Dom. de IGP Comté tolosan 963
RICARDELLE Ch. Languedoc 735
RICAUD Ch. Blaye-côtes-de-bordeaux 208
RICAUD Dom. de Entre-deux-mers 282
RICHARD Dom. Condrieu 1177 • Saint-joseph 1182
RICHARD Dom. Henri Charmes-chambertin 437 • Marsannay 426
RICHARD Pierre Crémant-du-jura 680
RICHEMER Henri de IGP Côtes de Thau 773
RICHEZ Nathalie Auxey-duresses 501
RICHOUX Gabin et Félix Irancy 418
RIEFFEL Alsace grand cru 98
RIEFLÉ Christophe Alsace pinot gris 65 • Alsace riesling 79 • Crémant-d'alsace 107
RIÈRE CADÈNE IGP Côtes catalanes 829
RIEU DE L'ORMEAU Ch. Lussac-saint-émilion 266
RIEU FRAIS Dom. du IGP Coteaux des Baronnies 1245
RIEUSSEC R de Bordeaux blanc 184 • Sauternes 363
RIEUX Dom. René Gaillac 907
RIGAUD Ch. Puisseguin-saint-émilion 271
RIGOT Dom. Côtes-du-rhône 1151
RIJCKAERT Arbois 672 • Mâcon et mâcon-villages 556 • Pouilly-fuissé 563 • Saint-véran 570
RIMAURESQ Côtes-de-provence 869
RION Dom. Armelle et Bernard Bourgogne 381 • Chambolle-musigny 445 • Clos-de-vougeot 449
RION Dom. Daniel Nuits-saint-georges 459
RION Simon Champagne 649
RIQUEWIHR Dom. du Ch. de Alsace gewurztraminer 54
RIVES-BLANQUES Ch. Limoux 749
RIVET Dom. Saint-véran 570
RIVIER VIGNOBLES Côtes-du-rhône-villages 1167
RIVIÈRE Ch. de la Fronsac 226
ROAIX-SÉGURET Les Vignerons de Côtes-du-rhône-villages 1167
ROBERPEROTS Ch. Bordeaux supérieur 199
ROBERT ET MARCEL Saumur 1027
ROBERT Blanquette méthode ancestrale 746
ROBERT Bernard Champagne 650
ROBERT Valéry Champagne 650
ROBERT-ALLAIT Champagne 650
ROBIN ET FILS Dom. Guy Chablis grand cru 415
ROBIN Jacques Champagne 650
ROBINE Ch. de la Grignan-les-adhémar 1232
ROBINEAU CHRISLOU Dom. Anjou 1004 • IGP Val de Loire 1135
ROBINEAU Michel Coteaux-du-layon 1020 • IGP Val de Loire 1135
ROBINIÈRE Dom. de la Vouvray 1083
ROBLIN Alban Sancerre 1127
ROBLIN Florian Coteaux-du-giennois 1096
ROC DE CHATEAUVIEUX Dom. Touraine 1043
ROC DE LEVRAULT Ch. Bordeaux supérieur 199
ROC DE LEVRAUT Ch. Bordeaux 173
ROC DE MAUGRAS Ch. Castillon-côtes-de-bordeaux 276
ROC FLAMBOYANT Fitou 720
ROC MEYNARD Ch. Bordeaux blanc 184
ROC SAINT-ALBERT Ch. Pécharmant 935
ROCALIÈRE Dom. la Lirac 1224
ROCBÈRE Corbières 708
ROCCA MAURA Lirac 1225
ROCHAMBEAU Dom. de Coteaux-de-l'aubance 1011
ROCHE AIGUË Dom. de la Auxey-duresses 501 • Bourgogne-hautes-côtes-de-beaune 466
ROCHE AIRAULT Dom. de la Coteaux-du-layon 1020
ROCHE BLANCHE Muscadet-sèvre-et-maine 990
ROCHE BLANCHE Dom. de la Muscadet-sèvre-et-maine 991
ROCHE BLONDE Dom. de Vouvray 1083
ROCHE CATTIN Dom. de Beaujolais 120
ROCHE DE BELLENE Maison Bourgogne 381 • Volnay 495
ROCHE DE BELLÈNE Maison Montagny 547
ROCHE DE BROUE Ch. la Bordeaux 173
ROCHE EN LOIRE Ch. de la Touraine-azay-le-rideau 1046
ROCHE HONNEUR Dom. de la Chinon 1070
ROCHE LAMBERT Dom. de la Anjou 1004 • Saumur 1027
ROCHE MOREAU Dom. de la Anjou 1004 • Coteaux-du-layon 1020
ROCHE NOIRE IGP Val de Loire 1136
ROCHE REDONNE Dom. Bandol 851
ROCHE SAINT-AENS La Coteaux-du-layon 1018
ROCHE SAINT-JEAN Ch. la Bordeaux 173
ROCHE SAINT-MARTIN Dom. de la Brouilly 128
ROCHE THULON Dom. de la Régnié 156
ROCHE Dom. la Pessac-léognan 310
ROCHE-AUDRAN Dom. Châteauneuf-du-pape 1220 • Côtes-du-rhône 1151
ROCHEBELLE Ch. Saint-émilion grand cru 260
ROCHEGRÈS Dom. de Moulin-à-vent 154
ROCHEGUDE Côtes-du-rhône-villages 1167
ROCHELIERRE Dom. de la Fitou 720
ROCHELLES Dom. des Anjou-villages-brissac 1010 • Coteaux-de-l'aubance 1012
ROCHEMOND Dom. de Côtes-du-rhône 1152
ROCHEMORIN Ch. de Pessac-léognan 312
ROCHER CORBIN Les Promesses de Montagne-saint-émilion 270
ROCHER DES VIOLETTES Le Montlouis-sur-loire 1075
ROCHER-CALON Ch. Montagne-saint-émilion 270
ROCHES GAUDINIÈRES Les Muscadet-sèvre-et-maine 991
ROCHETTE Dom. Morgon 149
ROCHETTE Dom. de la Côte-roannaise 1100 • Touraine 1043
ROCHETTE Romaric Vouvray 1083
ROCHEVILLE Dom. de Saumur 1027 • Saumur-champigny 1033
ROCHOUARD Dom. du Saint-nicolas-de-bourgueil 1063
ROCOURT Michel Champagne 650
ROCQUEFEUIL Terrasses-du-larzac 742
ROGGE-CERESER Champagne 650
ROIS MAGES Dom. Rully 536
ROL VALENTIN Ch. Saint-émilion grand cru 260
ROLET PÈRE ET FILS Dom. Arbois 672 • Château-chalon 674
ROLET Dom. Côtes-du-jura 678
ROLLAND Dom. Brouilly 129
ROLLAND-MAILLET Ch. Saint-émilion 242
ROLLIN PÈRE ET FILS Dom. Pernand-vergelesses 473
ROLLIN Champagne 651
ROMAINE La Ventoux 1237
ROMANÉE-CONTI Dom. de la Corton 476 • Échézeaux 450 • Grands-échézeaux 450 • La tâche 454 • Richebourg 453 • Romanée-conti 453 • Romanée-saint-vivant 454
ROMANILE Galaxies 2 Saint-émilion grand cru 248
ROMANIN Ch. Les baux-de-provence 852 • IGP Alpilles 875
ROMARINS Dom. des Côtes-du-rhône-villages 1167
ROMBEAU Ch. Côtes-du-roussillon 793 • Côtes-du-roussillon-villages 801 • Muscat-de-rivesaltes 823 • Rivesaltes 817
ROMINGER Éric Alsace grand cru 99
RONCÉE Dom. du Chinon 1070
RONDILLON Ch. de Loupiac 356
ROOY Ch. du Pécharmant 935 • Rosette 937
ROQUE SESTIÈRE Dom. Corbières 709
ROQUEBRUN Cave de Saint-chinian 765
ROQUEFORT Ch. Bordeaux blanc 184
ROQUEMALE Dom. de Languedoc 735
ROQUE-PEYRE Ch. Côtes-de-montravel 933

ROQUES MAURIAC Ch. Bordeaux 173
ROQUETAILLADE LA GRANGE Ch. Graves 302
ROQUEVIEILLE Ch. Castillon-côtes-de-bordeaux 276
ROSAN Ch. Côtes-de-provence 869
ROSE BELLEVUE Ch. la Blaye-côtes-de-bordeaux 210
ROSE DES VENTS Dom. la Coteaux-varois-en-provence 859
ROSE PERRIÈRE Ch. la Lussac-saint-émilion 267
ROSE POURPRE La Beaujolais 121
ROSE SAINT-CROIX Ch. Listrac-médoc 331
ROSE SAINT-GERMAIN Ch. la Bordeaux blanc 185
ROSERAIE Vignoble de la Bourgueil 1057 • Saint-nicolas-de-bourgueil 1063
ROSIER Dom. Crémant-de-limoux 748
ROSIER Dom. des Grignan-les-adhémar 1232
ROSIERS Dom. de Côte-rôtie 1174
ROSIERS Dom. des Chénas 134
ROSSI Dom. Aliso Patrimonio 887
ROSSIGNOL Dom. Régis Volnay 495
ROSSIGNOL Philippe Fixin 428
ROSSIGNOL-CORNU ET FILS Pernand-vergelesses 474
ROSSIGNOLE Dom. de la Sancerre 1120
ROSSIGNOL-TRAPET Dom. Gevrey-chambertin 434 • Latricières-chambertin 436
ROTH Robert Crémant-d'alsace 107
ROTIER Dom. Gaillac 908
RÔTISSERIE Dom. de la Haut-poitou 835
ROTISSON Dom. de Beaujolais 120 • Coteaux bourguignons 372
ROTTIERS Dom. Richard Moulin-à-vent 154
ROTY Dom. du Muscadet-coteaux-de-la-loire 994
ROUBERTAS Côtes-de-provence 869
ROUBINE Ch. Côtes-de-provence 869
ROUBINE Dom. la Gigondas 1206 • Vacqueyras 1211
ROUCAS DE SAINT-PIERRE Dom. du Gigondas 1206
ROUCAS TOMBA Vacqueyras 1211
ROUESSES Dom. des Reuilly 1116
ROUETTE Dom. de la Côtes-du-rhône-villages 1167
ROUFFIAC Ch. de Cahors 900
ROUGE GARANCE Dom. Côtes-du-rhône 1152
ROUGE GORGE Dom. du Faugères 716
ROUGEMONT Ch. Graves 302
ROUGES TERRES Les Moselle 110
ROUGET Ch. Pomerol 235
ROUGEYRON Dom. Côtes-d'auvergne 1098
ROUGIER Ch. Bordeaux 173
ROUILLÈRE Dom. la Côtes-de-provence 869
ROUÏRE-SÉGUR Dom. Corbières 709
ROULERIE Ch. de la Anjou 1005
ROULOT Bruno Champagne 651
ROUMAGNAC Fronton 914
ROUMANIÈRES Ch. Languedoc 735
ROUMIEU Ch. Sauternes 363
ROUQUETTE SUR MER Ch. Languedoc 735
ROUQUETTE Ch. de Bordeaux 174
ROURE SAINT-JEAN Le Côtes-du-rhône-villages 1156
ROUSSE Ch. de Jurançon 953
ROUSSEAU DE SIPIAN Ch. Médoc 320
ROUSSEAUX-BATTEUX Champagne 651
ROUSSEAUX-FRESNET Champagne 651
ROUSSET Ch. de Pierrevert 1242
ROUSSILLE Pineau-des-charentes 840
ROUVIOLE Dom. la Minervois-la-livinière 761
ROUX DE BEAUCES Ch. Bordeaux 174
ROUX PÈRE ET FILS Dom. Bourgogne 381 • Chambolle-musigny 445 • Chassagne-montrachet 520 • Meursault 509 • Saint-aubin 523
ROUX Dom. Châteaumeillant 1094
ROUX Jean-Claude Quincy 1113
ROUZÉ Dom. Adèle Quincy 1114
ROUZÉ Jacques Quincy 1113
ROY ET FILS Dom. Georges Aloxe-corton 471 • Chorey-lès-beaune 485
ROY Dom. Chablis grand cru 415 • Chablis premier cru 410
ROY Dom. des Touraine 1043
ROY Dom. Marc Gevrey-chambertin 434
ROY Jean-François Valençay 1092
ROYER PÈRE ET FILS Champagne 651
ROYER Richard Champagne 651
ROYÈRE Dom. de la IGP Vaucluse 1249
ROYET Dom. Bourgogne 381 • Bourgogne-aligoté 385
RUDE Florent Côte-de-brouilly 132
RUDLOFF Joseph Alsace pinot noir 71 • Alsace riesling 79
RUÈRE Dom. de Mâcon et mâcon-villages 556
RUET Dom. Morgon 149
RUFF Dom. Daniel Alsace klevener-de-heiligenstein 57
RUFFIN ET FILS Champagne 652
RUHLMANN FILS Gilbert Alsace riesling 79
RUINART Champagne 652
RULLY SAINT-MICHEL Dom. de Rully 538
RULLY Ch. de Rully 537
RUNNER Dom. Alsace riesling 79
RUTAT René Champagne 652 • Coteaux-champenois 666
RUTH Ch. de Côtes-du-rhône 1149 • Côtes-du-rhône-villages 1161

S

SABARTHÈS Dom. du IGP Ariège 961
SABLARD Ch. Le Côtes-de-bourg 220
SABLES VERTS Dom. des Saumur 1027
SABLIÈRE FONGRAVE Ch. la Bordeaux 174
SABLIÈRE Dom. de la Chinon 1070
SABLONS Dom. des Grignan-les-adhémar 1232
SABOTS DE VÉNUS Dom. des Vin-de-savoie 689
SACRÉ CŒUR Dom. du Alsace riesling 79 • Saint-chinian 765
SACY Louis de Champagne 652
SAGET Guy Pouilly-fumé 1110
SAINT GALL De Champagne 652
SAINT MARTIN Caves Crémant-de-luxembourg 1256 • Moselle luxembourgeoise 1254
SAINT-AHON Ch. Haut-médoc 328
SAINT-ALBERT Pacherenc-du-vic-bilh 945
SAINT-AMANT Dom. Beaumes-de-venise 1213
SAINT-ANDÉOL Dom. Côtes-du-rhône-villages 1168
SAINT-ANDRÉ CORBIN Ch. Saint-georges-saint-émilion 273
SAINT-ANDRÉ DE FIGUIÈRE Dom. Côtes-de-provence 870
SAINT-ANDRÉ Cave Coteaux-varois-en-provence 859
SAINT-ANDRIEU Dom. Côtes-de-provence 870
SAINT-ANTOINE DES ÉCHARDS Dom. Bourgogne-hautes-côtes-de-beaune 466
SAINT-ANTOINE Ch. Bordeaux supérieur 191
SAINT-ARNOUL Dom. Anjou 1005 • Anjou-villages 1008 • Crémant-de-loire 977
SAINT-AUGUSTIN Cellier Coteaux-d'aix-en-provence 855
SAINT-AVIT Dom. Orléans 1089
SAINT-CELS Ch. de Saint-chinian 765
SAINT-CHAMANT Champagne 652
SAINT-CHRISTOPHE Les Terrasses de Saint-émilion grand cru 262
SAINT-COSME Condrieu 1177
SAINT-COSME Ch. de Côtes-du-rhône 1152 • Gigondas 1206
SAINT-DAMIEN Dom. Gigondas 1206
SAINT-DAUMARY Dom. Languedoc 736
SAINT-DENIS Dom. Mâcon et mâcon-villages 556
SAINT-DÉSIRAT Cave Saint-joseph 1182
SAINTE-ANNE Dom. de Anjou-gamay 1006 • Coteaux-de-l'aubance 1012
SAINTE-BAUME Cellier de la IGP Var 877
SAINTE-BÉATRICE Ch. Côtes-de-provence 870
SAINTE-CÉCILE DU PARC Dom. Languedoc 736

SAINTE-CROIX LA MANUELLE Dom. Côtes-de-provence 870
SAINTE-EULALIE Ch. Minervois-la-livinière 761
SAINTE-LUCIE D'AUSSOU Corbières 709 • Corbières-boutenac 712
SAINTE-MARGUERITE Ch. Côtes-de-provence 870
SAINTE-MARIE DES CROZES Dom. Corbières 709
SAINTE-MARIE Ch. Entre-deux-mers 283
SAINTE-MARIE Dom. Côtes-de-provence 870
SAINTE-ROSELINE Ch. Côtes-de-provence 871
SAINT-ESPRIT Ch. Côtes-de-provence 871
SAINT-ESTÈVE D'UCHAUX Ch. Côtes-du-rhône-villages 1168
SAINT-ESTÈVE Ch. Corbières 709 • Côtes-du-rhône 1152
SAINT-ÉTIENNE Cellier des Brouilly 129
SAINT-ÉTIENNE Dom. Côtes-du-rhône 1152
SAINT-EUGÈNE Ch. Pessac-léognan 307
SAINT-FÉLIS Terrasses-du-larzac 742
SAINT-GENYS Les Héritiers Maranges 530
SAINT-GEORGES CÔTE PAVIE Ch. Saint-émilion grand cru 261
SAINT-GEORGES D'IBRY Dom. IGP Côtes de Thongue 774
SAINT-GEORGES Georges de Saint-georges-saint-émilion 272
SAINT-GERMAIN Dom. Chablis 400 • Vin-de-savoie 689
SAINT-GO Ch. Saint-mont 947
SAINT-HILAIRE Ch. Médoc 316
SAINT-HUBERT Ch. Saint-émilion grand cru 249
SAINT-HUBERT Dom. Côtes-de-provence 871
SAINT-JEAN DE LAVAUD Ch. Lalande-de-pomerol 240
SAINT-JEAN Ch. Côtes-du-rhône-villages 1168
SAINT-JEAN Dom. IGP Alpes-de-Haute-Provence 874
SAINT-JEAN-LE-VIEUX Dom. Coteaux-varois-en-provence 859
SAINT-JULIEN Cave de Beaujolais-villages 125
SAINT-LAGER Ch. de Brouilly 129
SAINT-LANNES Dom. de Floc-de-gascogne 960
SAINT-LAURENT L'Excellence de Saint-chinian 766
SAINT-LOUANS Ch. de Chinon 1070
SAINT-LOUIS Ch. de Corbières-boutenac 712
SAINT-LOUIS Chênes de Fronton 914
SAINT-LOUIS La Tour de IGP Comté tolosan 963
SAINT-LUC Dom. Grignan-les-adhémar 1232
SAINTE-LUCIE Dom. Côtes-de-provence 871
SAINT-MARC Ventoux 1237
SAINT-MARC Dom. Bourgogne-hautes-côtes-de-beaune 466 • Santenay 527
SAINT-MARCELLIN Minervois 758
SAINT-MARC-RRG Cave IGP Vaucluse 1249
SAINT-MARTIN DE LA GARRIGUE Ch. Languedoc 736
SAINT-MARTIN DES CHAMPS Dom. IGP Pays d'Hérault 777
SAINT-MARTIN Dom. IGP Cité de Carcassonne 771
SAINT-MAUR Dom. de Saumur 1027
SAINT-MAURICE Cave IGP Cévennes 771
SAINT-MAURICE Cave des Grands Vins Côtes-du-rhône 1153
SAINT-MAURICE Ch. Côtes-du-rhône-villages 1168
SAINT-MÉRY Ch. Minervois 758
SAINT-MICHEL LES CLAUSES Dom. Corbières 709
SAINT-MICHEL Dom. Côtes-du-rhône-villages 1168
SAINT-NABOR Ch. Côtes-du-rhône 1153
SAINT-NICOLAS Dom. IGP Côtes catalanes 830
SAINT-OURENS Ch. Côtes-de-Bordeaux 293
SAINT-PANCRACE Dom. Bourgogne 381 • Crémant-de-bourgogne 389
SAINT-PHAR Albert de Minervois 758
SAINT-PHILIPPE Ch. Vin-de-savoie 691
SAINT-PIERRE DE MEJANS Ch. Luberon 1240
SAINT-PIERRE Ch. Côtes-de-provence 871
SAINT-PIERRE Ch. Saint-julien 353
SAINT-PIERRE Dom. de Sancerre 1126
SAINT-PRÉ Beaujolais 120
SAINT-PRÉFERT Dom. Châteauneuf-du-pape 1220
SAINT-RÉMY Dom. Alsace gewurztraminer 54 • Alsace pinot noir 71
SAINT-ROBERT Ch. Graves 302
SAINT-ROCH IGP Puy-de-Dôme 1130
SAINT-ROCH Ch. Côtes-du-rhône 1153 • Côtes-du-roussillon-villages 801
SAINT-ROCH Dom. Beaumes-de-venise 1213
SAINT-ROMAN D'ESCLANS Dom. Côtes-de-provence 871
SAINT-ROMAN Ch. Côtes-du-rhône 1140
SAINT-SARDOS Les Vignerons de Saint-sardos 917
SAINT-SATURNIN Les Vignerons de Languedoc 736
SAINT-SAUVEUR Ch. Muscat-de-beaumes-de-venise 1243
SAINT-SER Dom. de Côtes-de-provence 872
SAINT-VERNY VIGNOBLES Côtes-d'auvergne 1098
SAINT-VINCENT Dom. Côtes-du-rhône-villages 1168 • Saumur-champigny 1033
SAJE Châteauneuf-du-pape 1220
SALADE SAINT-HENRI Ch. de la Languedoc 736
SALETTES Ch. de Gaillac 908
SALMON Champagne 653 • Sancerre 1128
SALOMON Christelle Champagne 653
SALOMON Denis Champagne 653
SALON Champagne 653
SALVARD Dom. du Cheverny 1086
SALVY Dom. Gaillac 908
SAN MICHELI Corse ou vin-de-corse 882
SANCERRE Ch. de Sancerre 1128
SANCHEZ-LE GUÉDARD Champagne 653
SANCTUS La Bienfaisance de Ch. Saint-émilion grand cru 261
SANGER Champagne 654
SANGLIÈRE Dom. de la Côtes-de-provence 872
SANGOUARD-GUYOT Dom. Mâcon et mâcon-villages 556
SANSONNET Ch. Saint-émilion grand cru 261
SANT'ARMETTU Corse ou vin-de-corse 882
SANTA DUC Dom. Châteauneuf-du-pape 1220
SANTÉ Bernard Juliénas 143
SANTENAY Ch. de Beaune 488 • Clos-de-vougeot 449 • Mercurey 542
SAPARALE Dom. Corse ou vin-de-corse 882
SARABANDE Dom. de la Faugères 716
SARANSOT-DUPRÉ Ch. Listrac-médoc 331
SARDA-MALET Dom. Côtes-du-roussillon 794 • Rivesaltes 817
SARRABELLE Dom. Gaillac 908
SARRAT DE GOUNDY Dom. Languedoc 737
SARRAZIÈRE Ch. Côtes-du-marmandais 917
SARRAZIN ET FILS Michel Givry 545 • Mercurey 542
SARRINS Ch. des Côtes-de-provence 872
SARTRE Ch. le Pessac-léognan 312
SASSANGY Ch. de Bourgogne-côte-chalonnaise 533 • Crémant-de-bourgogne 389
SAUGER Dom. Cheverny 1087
SAULAIES Dom. des Anjou 1005
SAULERAIE La Givry 546

VINS

SAURS Ch. de Gaillac 908
SAUTEREAU David Sancerre 1128
SAUVAGE Ch. de Graves 303
SAUVAGEONNE Ch.la Terrasses-du-larzac 742
SAUVAIRE Dom. des Languedoc 737
SAUVAT Annie Côtes-d'auvergne 1099
SAUVEGARDE Ch. la Bordeaux 170 • Bordeaux supérieur 199
SAUVEROY Dom. Anjou 1005 • Anjou-villages 1009 • Coteaux-du-layon 1021
SAUVÈTE Dom. Touraine 1043
SAVAGNY Dom. de Côtes-du-jura 678
SAVÈS Camille Champagne 654
SAVOYE Dom. Christian et Michèle Morgon 149
SAVOYE Dom. Christophe Morgon 149
SCHAETZEL Martin Alsace grand cru 99
SCHAFFHAUSER Jean-Paul Alsace gewurztraminer 54
SCHALLER Camille et Laurent Chablis 400
SCHALLER Dom. Denis Bourgogne 381
SCHALLER Edgard Alsace grand cru 99
SCHARSCH Dom. Joseph Alsace riesling 79
SCHEIDECKER ET FILS Alsace pinot gris 65 • Alsace riesling 80
SCHERB ET FILS Louis Alsace grand cru 99
SCHERB Alsace muscat 58 • Alsace pinot gris 65
SCHERB M. Crémant-d'alsace 107
SCHERRER Thierry Alsace grand cru 99
SCHISTES Dom. des Côtes-du-roussillon 794 • Côtes-du-roussillon-villages 802 • IGP Rancio sec 832 • Maury 825
SCHLATTER Dom. Olivier Pouilly-fumé 1110
SCHLEGEL-BOEGLIN Alsace grand cru 100 • Alsace pinot noir 71
SCHLINK Moselle luxembourgeoise 1254
SCHLUMBERGER Domaines Alsace gewurztraminer 55 • Alsace grand cru 100
SCHMITT François Alsace grand cru 100
SCHNEIDER Dom. Paul Alsace riesling 80
SCHOECH Dom. Maurice Alsace grand cru 100
SCHOENHEITZ Alsace pinot noir 71
SCHOEPFER Dom. Alsace pinot gris 65 • Alsace pinot noir 72
SCHOFFIT Dom. Alsace grand cru 100
SCHUELLER Edmond Alsace pinot blanc ou klevner 60 • Alsace pinot gris 65 • Alsace pinot noir 72
SCHUELLER Maurice Alsace riesling 80
SCHUMACHER-KNEPPER Crémant-de-luxembourg 1257 • Moselle luxembourgeoise 1254
SCHWARTZ Dom. J.-L. Alsace grand cru 101
SEAILLES Dom. IGP Côtes de Gascogne 967
SÉBASTIANE Dom. de la Buzet 916
SECONDÉ François Champagne 654
SECONDÉ-SIMON Champagne 654
SECRET DE SCHISTES IGP Côtes catalanes 830
SÉDUCTION D'AUTOMNE Jurançon 954
SÉGLA Ch. Margaux 338
SÉGRIÈS Ch. de Lirac 1225
SEGUIN MANUEL Rully 538
SEGUIN Ch. Blaye-côtes-de-bordeaux 206 • Pessac-léognan 313
SEGUIN Ch. de Bordeaux blanc 185 • Bordeaux supérieur 199
SEGUIN Dom. Pouilly-fumé 1110
SEGUIN Gérard Gevrey-chambertin 434
SEGUIN Sauvignon de Bordeaux blanc 185
SEGUIN-MANUEL Dom. Puligny-montrachet 513 • Savigny-lès-beaune 482 • Vosne-romanée 453
SÉGUINOT ET FILLES Dom. Daniel Chablis 401
SÉGUINOT D. Chablis premier cru 410
SÉGUINOT-BORDET Chablis 400 • Chablis grand cru 415
SÉGUR DU CROS Ch. Loupiac 355
SEIGNEURIE DE CROUSEILLES Madiran 942
SEIGNEURIE DES TOURELLES Dom. de la Saumur 1027
SEIGNEURS DE POMMYERS Ch. des Bordeaux 174 • Entre-deux-mers 283
SEIGNORET LES TOURS Ch. Saussignac 937
SEILLY Dom. Alsace gewurztraminer 55
SÉLECTION VIEILLES VIGNES Fitou 718
SÉLÈQUE J.-M. Champagne 654
SELLE Ch. de Côtes-de-provence 868
SELTZ Dom. Fernand Alsace grand cru 101
SEMELLERIE Dom. de la Chinon 1070
SEMPER IGP Côtes catalanes 830 • Maury sec 809
SENEZ Cristian Champagne 655
SEPT CHEMINS Dom. des Crozes-hermitage 1187
SERGANT Ch. Lalande-de-pomerol 240
SERGENT Dom. Madiran 944 • Pacherenc-du-vic-bilh 947
SERMEZY Dom. de Brouilly 129
SEROIN Gilles IGP Île de Beauté 889
SÉROL Dom. Côte-roannaise 1100
SERPE Ch. la Saumur-champigny 1034
SERRE DE BOVILA Dom. Cahors 900
SERRE DES VIGNES Dom. du Grignan-les-adhémar 1232
SERRE ROMANI Côtes-du-roussillon-villages 802 • Muscat-de-rivesaltes 823
SERRELONGUE Dom. Côtes-du-roussillon-villages 802
SERRES Dom. de IGP Cité de Carcassonne 772
SERRIGNY Dom. Francine et Marie-Laure Savigny-lès-beaune 482
SERVEAUX FILS Champagne 655
SERVIN Dom. Chablis premier cru 411
SÈVE Dom. Beaujolais 120
SEVIN Cyrille Cour-cheverny 1088
SIAURAC Ch. Lalande-de-pomerol 240
SICARD Dom. Minervois 758
SIEGLER PÈRE ET FILS Jean Alsace gewurztraminer 55
SIEUR D'ARQUES Blanquette-de-limoux 746
SIGALAS-RABAUD Ch. Sauternes 364
SIGAUT Dom. Anne et Hervé Chambolle-musigny 445 • Morey-saint-denis 441
SIGNÉ VIGNERONS Brouilly 129
SIMART-MOREAU Champagne 655
SIMIAN Ch. Châteauneuf-du-pape 1220 • Côtes-du-rhône-villages 1169
SIMON Aline et Rémy Alsace riesling 80
SIMON Ch. Sauternes 364
SIMON-DEVAUX Champagne 655
SIMONEAU Antoine Touraine 1043
SIMONIS ET FILS Jean-Paul Alsace grand cru 101
SIMONIS Étienne Alsace grand cru 101
SIMONIS Jean-Marc Alsace pinot noir 72
SIMONNET-FEBVRE Bourgogne 382 • Bourgogne-aligoté 385 • Chablis premier cru 411 • IGP Coteaux de l'Auxois 571
SINGLA Dom. Côtes-du-roussillon-villages 802
SIOUVETTE Dom. Côtes-de-provence 872
SIPP Dom. Jean Alsace grand cru 101 • Alsace pinot noir 72
SIPP Jean Alsace riesling 80
SIPP-MACK Alsace riesling 81
SIRET-COURTAUD Dom. Quincy 1114
SIRIUS Bordeaux blanc 176
SIXTINE Ch. Châteauneuf-du-pape 1221
SMITH HAUT LAFITTE Ch. Pessac-léognan 313
SOCIANDO-MALLET Ch. Haut-médoc 328
SOHLER Dom. Philippe Alsace edelzwicker 48
SOHLER Jean-Marie Alsace grand cru 102 • Alsace sylvaner 84
SOLEIL Ch. Puisseguin-saint-émilion 272
SOLENZARA Dom. de Corse ou vin-de-corse 882

SOLITUDE Dom. de la Châteauneuf-du-pape 1221
SOL-PAYRÉ Dom. Côtes-du-roussillon 794
SOMMIÉROIS Les Vignerons du Languedoc 737
SONNETTE Jacques Champagne 655
SONTAG Claude Moselle 110
SORBA Dom. de la Ajaccio 885
SORBE Jean-Michel Reuilly 1116
SORBIEF Arbois 672 • Crémant-du-jura 680
SORG Dom. Bruno Alsace grand cru 102
SOUCH Dom. de Jurançon 954
SOUCHERIE Ch. Coteaux-du-layon 1021 • Savennières 1015
SOUCHONS Dom. des Morgon 150
SOUFFLOT Louis Volnay 496
SOUFRANDISE Dom. la Pouilly-fuissé 563
SOULANES Dom. des Côtes-du-roussillon-villages 803 • IGP Côtes catalanes 830
SOULERONS Dom. des Châteaumeillant 1094
SOUMADE Dom. la Gigondas 1206
SOUNIT Albert Crémant-de-bourgogne 389 • Mercurey 542 • Rully 538
SOURCE Dom. de la Bellet 853
SOURDAIS Pierre Chinon 1071
SOURDET-DIOT Champagne 655
SOURS La Source du Ch. de Bordeaux supérieur 200
SOUTARD Ch. Saint-émilion grand cru 261
SOUTERRAINS Les Touraine 1043 • Touraine-chenonceaux 1049
SOUTIRAN Champagne 656
SOUTIRAN Patrick Champagne 656
SOUVIOU Dom. Bandol 851
SPANNAGEL Paul Alsace grand cru 102
SPANNAGEL Vincent Alsace grand cru 102 • Alsace muscat 58
SPARR Charles Alsace grand cru 102
SPECHT Dom. Alsace pinot blanc ou klevner 60
SPECHT Dom. Jean-Paul et Denis Alsace grand cru 103
SPELTY Johann Chinon 1071
SPITZ ET FILS Alsace riesling 81
STELLA NOVA Dom. Languedoc 737
STENTZ Dom. Aimé Alsace gewurztraminer 55
STINTZI Crémant-d'alsace 107
STIRN Dom. Alsace grand cru 103 • Alsace muscat 59
STOFFEL Antoine Alsace gewurztraminer 55
STONY Dom. de IGP Pays d'Oc 784
STRAUB Alsace riesling 81
STROMBERG Dom. du Moselle 111
STV Montravel 933
SUARD Stéphane et Francis Chinon 1071
SUAU Ch. Bordeaux blanc 185 • Cadillac-côtes-de-bordeaux 290
SUDUIRAUT Ch. Sauternes 364
SUFFRÈNE Dom. la Bandol 851
SUIRE Isabelle Saumur 1028
SUNNEN-HOFFMANN Dom. Moselle luxembourgeoise 1254
SUREMAIN Dom. de Mercurey 542
SURIANE Dom. de Coteaux-d'aix-en-provence 855
SURVILLE Ch. de Costières-de-nîmes 1228
SUZIENNE La Grignan-les-adhémar 1232
SYLLA Luberon 1240 • Ventoux 1237

T

TABORDET Pouilly-fumé 1110
TABORDET Dom. Sancerre 1128
TABOURELLES Dom. des Touraine 1043
TAIN Cave de Cornas 1191 • Crozes-hermitage 1187 • Hermitage 1189 • Saint-joseph 1182 • Saint-péray 1192
TAITTINGER Champagne 656
TALANCÉ Ch. Beaujolais 120
TALBOT Ch. Bordeaux blanc 185 • Saint-julien 353
TALÈS Dom. Côtes-du-rhône 1153
TALMARD Gérald Crémant-de-bourgogne 390
TALUAU Joël Saint-nicolas-de-bourgueil 1063
TAMBOUR Cave Banyuls 812
TAMBOUR Dom. Collioure 807
TANELLA Dom. de Corse ou vin-de-corse 883
TANNEUX-MAHY Champagne 656
TANTE ALICE Dom. de Brouilly 130
TAP Ch. le Bergerac 925
TAPRAY Sébastien Champagne 657
TARADEAU Les Vignerons de Côtes-de-provence 872
TARDY ET FILS René Pommard 493
TARGÉ Ch. de Saumur 1028 • Saumur-champigny 1034
TARIQUET Dom. du IGP Côtes de Gascogne 967
TARLANT Champagne 657
TASSIN Emmanuel Champagne 657 • Coteaux-champenois 666
TASTET Denis IGP Côtes de Gascogne 967
TAUPENOT Pierre Auxey-duresses 501
TAUPENOT Romain Nuits-saint-georges 459
TAUPENOT-MERME Dom. Auxey-duresses 501 • Mazoyères-chambertin 439 • Morey-saint-denis 441 • Nuits-saint-georges 459 • Saint-romain 504
TAUTAVEL-VINGRAU Vignerons Côtes-du-roussillon-villages 803 • Maury 825
TAUZINAT L'HERMITAGE Ch. Saint-émilion grand cru 261
TAVEL Les Vignerons de Côtes-du-rhône 1153 • Lirac 1225
TAYAC Ch. Côtes-de-bourg 220 • Margaux 338
TAYET Ch. Bordeaux supérieur 194
TEILLER Dom. Jean Menetou-salon 1103
TELMONT J. de Champagne 657
TEMPÉRÉ Dom. de Beaujolais-villages 123
TEMPLE Le Médoc 320
TEMPLIERS Cellier des Banyuls grand cru 813
TEMPS DES PLAISIRS Le IGP Méditerranée 1246
TEMPS DES SAGES Le Luberon 1240
TERRA ICONIA Beaujolais 120
TERRA NOBILIS IGP Côtes catalanes 830 • Maury sec 809
TERRA NOSTRA Corse ou vin-de-corse 883
TERRANEA Côtes-du-rhône-villages 1169 • Vacqueyras 1211 • Ventoux 1238
TERRASSES DU BELVÉDÈRE Les Côtes-du-rhône-villages 1169
TERRASSOUS Les Vignobles du Côtes-du-roussillon 794 • Rivesaltes 817
TERRAVENTOUX Ventoux 1238
TERRAZZA D'ISULA IGP Île de Beauté 889
TERRE D'OR Côtes-de-montravel 933
TERRE DE LOUPS Saint-chinian 766
TERRE DE SÉRANNE Languedoc 737
TERRE DES ANGES IGP Vallée du Paradis 786
TERRE DES MORIERS Fleurie 140
TERRE FERME Dom. de Châteauneuf-du-pape 1221
TERRE FIGUIÈRE IGP Cévennes 771
TERRE TAILLYSE Ch. de Blaye-côtes-de-bordeaux 210
TERREBRUNE Dom. de Bandol 851 • Crémant-de-loire 977
TERRES D'ARMELLE Dom. les IGP Coteaux de Béziers 772
TERRES D'ÉMOTIONS Dom. Grignan-les-adhémar 1233
TERRES DE CHATENAY Dom. des Mâcon et mâcon-villages 556
TERRES DE MALLYCE Les Côtes-du-roussillon-villages 803
TERRES DE MARNES Arbois 673
TERRES DE SAINT-HILAIRE Les Coteaux-varois-en-provence 860
TERRES DE VELLE Dom. des Auxey-duresses 501 • Monthélie 498
TERRES DES TEMPLIERS Banyuls 812 • Collioure 807
TERRES GEORGES Dom. IGP Pays d'Oc 784
TERRES NOIRES Dom. des Touraine-mesland 1049
TERRES POURPRES Côtes-du-rhône 1153
TERRES ROUGES Dom. des Corse ou vin-de-corse 883 • IGP Île de Beauté 890
TERRES SECRÈTES Vignerons des Mâcon et mâcon-villages 556
TERRIDE Ch. de Gaillac 909
TERRIÈRE Ch. de la Fleurie 140
TERRIMBO Collioure 807
TERRISSES Dom. des Gaillac 909

VINS

TERROIRS DU VERTIGE Les Corbières 710
TERTRE DE BELVÈS Ch. le Castillon-côtes-de-bordeaux 276
TERTRE DU BOILON Ch. Blaye-côtes-de-bordeaux 210
TERTRE-SAMONAC Ch. Côtes-de-bourg 221
TESTE Ch. de Cadillac 355 • Graves 303
TESTULAT V. Champagne 657
TÊTE Louis Brouilly 129
TÉVENOT Vignoble Cheverny 1087
TEYNAC Ch. Saint-julien 353
THALABERT Dom. de Crozes-hermitage 1188
THÉNAC Ch. Bergerac 925
THENOUX Ch. Monbazillac 931
THÉRONS Dom. les Languedoc 738
THERREY Éric Champagne 658
THEULET Ch. Bergerac 925
THEULOT Nathalie et Jean-Claude Mercurey 542
THÉVENET-DELOUVIN Champagne 658
THEVENOT LE BRUN ET FILS Dom. Bourgogne-hautes-côtes-de-nuits 423
THIBAULT Dom. Pouilly-fumé 1111
THIBAUT Dom. Michel Côtes-du-jura 678
THIBERT PÈRE ET FILS Dom. Pouilly-fuissé 563 • Saint-véran 570
THIBERT Pierre Côte-de-nuits-villages 461 • Nuits-saint-georges 459
THIÉNOT Champagne 658
THIEULEY Ch. Bordeaux 174
THIL Ch. le Pessac-léognan 313
THILL Dom. Crémant-de-luxembourg 1257
THILL Vins Éric et Bérengère Côtes-du-jura 678
THIVIN Ch. Côte-de-brouilly 132
THOMAS ET FILS Dom. Michel Sancerre 1128
THOMAS Dom. Gérard Puligny-montrachet 513
THOMAS-LABAILLE Claude et Florence Sancerre 1128
THORIGNY Christophe Vouvray 1084
THORIN Juliénas 143
THORIN Claude Pineau-des-charentes 840
THUERRY Coteaux-varois-en-provence 860
THULON Dom. de Beaujolais-villages 125
THUNEVIN-CALVET Côtes-du-roussillon-villages 803 • IGP Côtes catalanes 831
TILLEULS Dom. des Muscadet-sèvre-et-maine 991
TIMBERLAY Ch. Bordeaux blanc 185
TIRE PÉ Ch. Bordeaux 175
TIREGAND Ch. de Pécharmant 936
TISSIER ET FILS Diogène Champagne 658
TISSIER J.-M. Champagne 658
TISSOT ET FILS Michel Crémant-du-jura 680
TIXIER ET FILS André Champagne 659
TIXIER Guy Champagne 659
TIXIER Michel Champagne 658
TOASC Dom. de Bellet 853
TONNELLE DE GRILLET Ch. Blaye-côtes-de-bordeaux 210
TONNELLERIE Dom. de la Sancerre 1128 • Touraine 1044
TOPAZE Muscadet-sèvre-et-maine 991
TOQUES ET CLOCHERS Limoux 749
TORRACCIA Dom. de Corse ou vin-de-corse 883
TORTOCHOT Dom. Mazis-chambertin 438 • Morey-saint-denis 441
TOT ÇO QUE CAL Fronton 914
TOUCHE BLANCHE Dom. de la Anjou-villages 1009
TOUMALIN Ch. Canon-fronsac 223
TOUPIE Dom. la Côtes-du-roussillon 794 • Côtes-du-roussillon-villages 803 • IGP Côtes catalanes 831
TOUR BAJOLE Dom. de la Bourgogne 382
TOUR BAYARD Ch. Montagne-saint-émilion 270
TOUR BEAUMONT Dom. la Haut-poitou 835 • IGP Val de Loire 1136
TOUR BICHEAU Ch. Graves 303
TOUR BLANCHE Ch. la Sauternes 364
TOUR CHAPOUX Ch. Bordeaux 175
TOUR DE BÉRAUD Ch. la Costières-de-nîmes 1228
TOUR DE BIGORRE Ch. Bordeaux 175
TOUR DE BIOT Ch. Bordeaux 175
TOUR DE BONNET Ch. Entre-deux-mers 283
TOUR DE CALENS Ch. Graves 303
TOUR DE CAPET Ch. Saint-émilion grand cru 262
TOUR DE CASTRES Ch. Graves 303
TOUR DE GÂTIGNE Dom. la Duché d'Uzès 1230
TOUR DE GRANGEMONT Ch. Bergerac 925
TOUR DE GUIET Ch. Côtes-de-bourg 221
TOUR DE MARIGNAN Ch. la Vin-de-savoie 690
TOUR DE MIRAMBEAU Ch. Bordeaux 175 • Bordeaux blanc 183 • Entre-deux-mers 278
TOUR DE PRESSAC Ch. Saint-émilion grand cru 259
TOUR DE SÉGUR Ch. Lussac-saint-émilion 267
TOUR DES BANS Dom. de la Beaujolais 121
TOUR DES GENDRES Bergerac 925
TOUR DES GRAVES Ch. Côtes-de-bourg 221
TOUR DES TERMES Ch. Saint-estèphe 350
TOUR DU BIEF Dom. de la Moulin-à-vent 154
TOUR DU MOULIN DU BRIC Ch. Côtes-de-bordeaux-saint-macaire 291
TOUR DU PIN FIGEAC Ch. la Saint-émilion grand cru 262
TOUR FIGEAC Ch. la Saint-émilion grand cru 262
TOUR GALLUS La Muscadet-sèvre-et-maine 991
TOUR HAUT-CAUSSAN Ch. Médoc 320
TOUR LÉOGNAN Ch. Pessac-léognan 306
TOUR MAILLET Ch. Pomerol 235
TOUR PENEDESSES Dom. La Faugères 716 • Languedoc 738
TOUR SAINT-CHRISTOPHE Ch. Saint-émilion grand cru 262
TOUR SAINT-FORT Ch. Saint-estèphe 350
TOUR SAINT-GERMAIN Ch. Blaye-côtes-de-bordeaux 211
TOUR SAINT-HONORÉ Ch. Côtes-de-provence 873
TOUR SAINT-MARTIN La Menetou-salon 1104
TOUR VIEILLE Dom. la Collioure 807
TOUR Dom. de la Alsace pinot gris 66 • Alsace riesling 81
TOURADE Dom. de la Vacqueyras 1211
TOURAIZE Dom. de la Arbois 673
TOURBILLON Dom. Côtes-du-rhône 1154 • Gigondas 1207
TOURNEFEUILLE Ch. Lalande-de-pomerol 240
TOURNERIE Dom. de la IGP Val de Loire 1136
TOURNOUD Charles et Guy Vin-de-savoie 690
TOURRAQUE Dom. de la Côtes-de-provence 872
TOURRIL Ch. Minervois 758
TOURS DE PEYRAT Ch. les Blaye-côtes-de-bordeaux 211
TOURS DES VERDOTS Ch. les Bergerac 926 • Côtes-de-bergerac 929
TOURS SEGUY Ch. les Côtes-de-bourg 221
TOURTEAU CHOLLET Ch. Graves 303
TOURTES Ch. des Blaye-côtes-de-bordeaux 211 • Bordeaux blanc 186
TOURTES L'Attribut des Blaye 204
TOURTEYRON Ch. de Médoc 320
TRAMIER ET FILS L. Coteaux bourguignons 372
TRAPADIS Dom. du Rasteau 1243 • Rasteau sec 1201
TREILLE Dom. de Limoux 750
TRELOAR Côtes-du-roussillon 795
TREMBLAY Dom. Gérard Chablis premier cru 411
TRÉMOURIÈS Ch. Côtes-de-provence 873
TRÉNEL Saint-amour 159 • Saint-véran 570
TRÉPALOUP Dom. de Languedoc 738
TREUILLET Dom. Sébastien Pouilly-fumé 1111
TRIANON Ch. Saint-émilion grand cru 262

TRIANS Ch. Coteaux-varois-en-provence 860
TRIBAUT G. Champagne 659
TRIBAUT-SCHLOESSER Champagne 659
TRICHARD Dom. Benoît Brouilly 130
TRICHET Pierre Champagne 659
TRICON Maison Olivier Chablis 401
TRIGNON Ch. du Gigondas 1207
TRILLES Dom. Côtes-du-roussillon 795 • IGP Côtes catalanes 831
TRILLOL Ch. Corbières 710
TRINIAC L'excellence de Côtes-du-roussillon-villages 798
TRIPOZ Dom. Catherine et Didier Mâcon et mâcon-villages 557
TRITANT Alfred Champagne 659
TROIS BLASONS Les Minervois 759
TROIS CROIX Ch. les Fronsac 226
TROIS DAMES Dom. des Mâcon et mâcon-villages 557
TROIS FILLES Dom. des Bandol 851
TROIS MONTS Dom. des Coteaux-du-layon 1021
TROIS NOYERS Dom. des Sancerre 1129
TROIS PLAISIRS Dom. des Saint-amour 159
TROIS PUECHS Les Languedoc 738
TROIS TERRES Terrasses-du-larzac 742
TROIS VALLÉES Dom. des Côtes-du-roussillon 795 • Côtes-du-roussillon-villages 803
TROIZELLE Dom. de Saint-amour 159
TROMPE-TONNEAU Dom. de Bonnezeaux 1023
TRONQUOY-LALANDE Ch. Saint-estèphe 350
TROPLONG MONDOT Ch. Saint-émilion grand cru 262
TROSSET Fabien Vin-de-savoie 690
TROTANOY Ch. Pomerol 235
TROTTE VIEILLE Ch. Saint-émilion grand cru 263
TROTTE VIEILLE La Vieille Dame de Saint-émilion grand cru 263
TROTTIÈRES Dom. des Anjou-villages 1009 • Coteaux-du-layon 1021
TROUILLARD Champagne 660
TROUILLET Dom. Pouilly-fuissé 564 • Pouilly-loché 565
TRUCHETET Dom. Coteaux bourguignons 372 • Côte-de-nuits-villages 462
TRUDON Champagne 660
TRUFFIÈRE Grains nobles de la Monbazillac 931
TSARINE Champagne 660
TUFFIÈRE Dom. de la Anjou 1005 • Crémant-de-loire 978 • IGP Val de Loire 1136
TUILERIE LA BREILLE Dom. de la Côtes-de-duras 940
TUILERIES Ch. les Bordeaux 174 • Médoc 320
TULIPE NOIRE Ch. la Côtes-de-provence 873
TUNNEL Dom. du Saint-joseph 1182 • Saint-péray 1193
TUPINIER-BAUTISTA Mercurey 542
TUQUET MONCEAU Ch. Montravel 933
TURCAUD Ch. Bordeaux supérieur 200
TURCKHEIM Cave de Alsace pinot blanc ou klevner 60 • Alsace riesling 81
TURMELIÈRE Ch. de la Muscadet-sèvre-et-maine 991
TURPIN Christophe Menetou-salon 1104
TURQUE La Côte-rôtie 1174
TUTIAC SÉLECTION Côtes-de-bourg 215
TUTIAC Les Vignerons de Blaye-côtes-de-bordeaux 211 • Côtes-de-bourg 215
TUYTTENS Ch. Sauternes 365

U

UBY IGP Côtes de Gascogne 967
UNION DES JEUNES VITICULTEURS RÉCOLTANTS Clairette-de-die 1194
USSEGLIO ET FILS Dom. Pierre Lirac 1225
USSEGLIO ET FILS Dom. Raymond Châteauneuf-du-pape 1221 • Côtes-du-rhône 1154

V

VACCELLI Dom. de Ajaccio 885
VACHER ET FILS Dom. Jean-Pierre Sancerre 1129
VACHER Adrien Vin-de-savoie 690
VACHERON Dom. Sancerre 1129
VAILLANT Sébastien Valençay 1092
VAISINERIE Quercus du Ch. la Puisseguin-saint-émilion 272
VAISSIÈRE Dom. IGP Pays d'Oc 784
VAISSIÈRE Dom. de Gaillac 909
VAL BRUN Dom. du Saumur-champigny 1034
VAL D'IRIS Dom. du IGP Var 877
VAL DE FRANCE Caves du Vouvray 1084
VAL DE L'OULE Dom. du IGP Alpilles 875
VAL DE MERCY GRANDS VINS Bourgogne 382 • Saint-romain 504
VAL DE MERCY Ch. du Chablis 401
VAL DES ROIS Dom. du Côtes-du-rhône 1154 • Côtes-du-rhône-villages 1169
VALADE Ch. Saint-émilion grand cru 263
VALADE L'Étendard de Ch. Saint-émilion grand cru 263
VALAMBELLE Dom. Faugères 716
VALANDRAUD Virginie de Saint-émilion grand cru 263
VALCOMBE Ch. de Costières-de-nîmes 1228
VALDITION Dom. de Coteaux-d'aix-en-provence 856 • IGP Alpilles 876
VALENTINES Ch. les Côtes-de-provence 873
VALETANNE Ch. la Côtes-de-provence 873
VALETTE Dom. du Ch. de la Beaujolais 121
VALGUY Ch. Sauternes 365
VALIÈRE Dom. de la Gaillac 909
VALLAGON Ch. Touraine 1044
VALLÉE MORAY Montlouis-sur-loire 1075
VALLÉON Les Vignerons de IGP Drôme 1245
VALLET Dom. Saint-joseph 1183
VALLETTE Dom. Brouilly 130
VALLETTES Dom. des Bourgueil 1057 • Saint-nicolas-de-bourgueil 1063
VALLIÈRES Dom. de Régnié 156
VALLON Les Vignerons du Marcillac 911
VALMER Ch. de Vouvray 1084
VALMY Ch. Côtes-du-roussillon 795
VALMY Le Trésor de Rivesaltes 817
VALRHODANIA Côtes-du-rhône 1154
VAN GYSEL-LIÉBART Champagne 660
VAN HECKE Roland Crémant-de-bourgogne 390
VAN Dom. le Ventoux 1238
VANDELLE Dom. Philippe L'étoile 681
VANNIÈRES Ch. Bandol 851
VANZELLA M. Champagne 660
VAQUER Dom. Côtes-du-roussillon 795 • IGP Côtes catalanes 831 • Muscat-de-rivesaltes 823
VARI Ch. Bergerac 926 • Côtes-de-bergerac 929 • Monbazillac 931
VARIÈRE Ch. la Anjou-villages-brissac 1010 • Bonnezeaux 1023
VARINELLES Dom. des Saumur-champigny 1034
VARNIER-FANNIÈRE Champagne 660
VAROILLES Dom. des Charmes-chambertin 437 • Gevrey-chambertin 434
VARRY-LEFÈVRE Champagne 661
VARUA MAOHI Cahors 900
VATAN Dom. André Sancerre 1129
VAUCHER PÈRE ET FILS Bourgogne 382
VAUCORNEILLES Dom. Les Touraine-mesland 1050
VAUCOULEURS Ch. de Côtes-de-provence 873
VAUDOIS Dom. des Luberon 1241
VAUDOISEY Christophe Meursault 509 • Volnay 496
VAUDOISEY-CREUSEFOND Bourgogne 382
VAUGELAS Ch. de Corbières 710
VAUGONDY Dom. de Vouvray 1084
VAUROUX Dom. de Chablis premier cru 411
VAUVERSIN Champagne 661
VAUX Ch. de Moselle 111
VAVRIL Dom. de Chiroubles 136
VAYSSETTE Dom. Gaillac 909
VECCHIO Dom. Corse ou vin-de-corse 883 • IGP Île de Beauté 890
VEILLOUX Dom. de Cheverny 1087
VELLE Ch. de la Meursault 510
VELUT Jean Champagne 661
VÉLY-PRODHOMME Champagne 661
VÉNÉJAN LA PORTE D'OR Cellier Côtes-du-rhône 1154

VINS

VENESMES IGP Val de Loire 1136
VENOGE De Champagne 661
VENOT Dom. Bourgogne-aligoté 386
VENTENAC Ch. Cabardès 701
VÉNUS Dom. de Côtes-du-roussillon 796
VERDIER-LOGEL Cave Côtes-du-forez 1101
VERDOTS SELON DAVID FOURTOUT Les Bergerac 926
VÉREZ Ch. Côtes-de-provence 873
VERGERS Ch. des Régnié 157
VERGISSON Dom. du Ch. de Pouilly-fuissé 564 • Saint-véran 570
VERGNES-BEAULIEU Ch. Bordeaux supérieur 200
VERGNON J. -L. Champagne 661
VERMONT Ch. Bordeaux supérieur 200 • Entre-deux-mers haut-benauge 284
VERNÈDE Ch. la Languedoc 738
VERNELLERIE Dom. de la Bourgueil 1057
VERNES Dom. des Saumur 1028 • Saumur-champigny 1034
VERPAILLE Dom. de la Viré-clessé 558
VERRERIE Ch. la Luberon 1241
VERRET Dom. Bourgogne 382 • Bourgogne-aligoté 386 • Chablis premier cru 411 • Irancy 418 • Saint-bris 419
VERRIER ET FILS Champagne 662
VERRIÈRE BELLEVUE Ch. Sainte-foy-bordeaux 288
VERRIÈRE Ch. la Bordeaux blanc 186 • Bordeaux supérieur 200
VERRIÈRE Dom. de la Ventoux 1238
VERTUS D'ÉLISE Les Champagne 612
VESSELLE Alain Champagne 662
VESSELLE Georges Champagne 662
VESSELLE Jean Champagne 662 • Coteaux-champenois 666
VESSELLE Maurice Champagne 662
VESSIÈRE Ch. Costières-de-nîmes 1228
VESSIGAUD Pierre Pouilly-fuissé 564
VEUVE A. DEVAUX Champagne 663
VEUVE AMBAL Crémant-de-bourgogne 390
VEUVE BARON ET FILS Pineau-des-charentes 840
VEUVE DOUSSOT Champagne 663
VEUVE ELÉONORE Champagne 663
VEUVE MAITRE-GEOFFROY Champagne 663
VEUVE OLIVIER ET FILS Champagne 663
VEYRES Ch. de Sauternes 365
VÉZIEN Marcel Champagne 663
VIAL MAGNÈRES Dom. Banyuls 812
VIARD Florent Champagne 663
VICO Dom. Corse ou vin-de-corse 883 • IGP Île de Beauté 890
VIDAL Pierre Côte-rôtie 1174 • Côtes-du-rhône 1154 • Côtes-du-rhône-villages 1169 • Gigondas 1207 • Lirac 1225 • Rasteau sec 1201 • Vacqueyras 1211 • Vinsobres 1196
VIDAL-FLEURY Châteauneuf-du-pape 1221 • Gigondas 1207 • Muscat-de-beaumes-de-venise 1243
VIEILLE CURE Ch. la Fronsac 226
VIEILLE FONTAINE Dom. de la Bourgogne 383 • Mercurey 543
VIEILLE FORGE Dom. de la Alsace chasselas ou gutedel 49 • Alsace gewurztraminer 56
VIEILLE TOUR LA ROSE Ch. Saint-émilion grand cru 263
VIELLA Ch. de Madiran 944 • Pacherenc-du-vic-bilh 947
VIENNE Les Vins de Condrieu 1177 • Cornas 1191 • Crozes-hermitage 1188
VIÉNOT Maison Charles Marsannay 426
VIEUX BOURG Dom. du Crémant-de-loire 978 • Saumur-champigny 1034
VIEUX CANGÉ Les Caves du Montlouis-sur-loire 1075
VIEUX CERISIER Dom. du Juliénas 144
VIEUX CH. GACHET Lalande-de-pomerol 241
VIEUX CHÂTEAU DES ROCHERS Montagne-saint-émilion 270
VIEUX CHÂTEAU DES ROCS Lussac-saint-émilion 267
VIEUX CHÂTEAU GAUBERT Graves 304
VIEUX CHÂTEAU LANDON Médoc 321
VIEUX CHÂTEAU PALON Montagne-saint-émilion 270
VIEUX CHÊNES Ch. les Lussac-saint-émilion 266
VIEUX CHEVROL Ch. Lalande-de-pomerol 241
VIEUX CLOCHER Vacqueyras 1211
VIEUX COLLÈGE Dom. du Bourgogne 383 • Marsannay 426
VIEUX DOMAINE Le Moulin-à-vent 154
VIEUX GABAREY Ch. Haut-médoc 329
VIEUX LAVOIR Dom. le IGP Gard 775
VIEUX MAILLET Ch. Pomerol 236
VIEUX MAURINS Ch. les Saint-émilion 242
VIEUX MOULIN Ch. Corbières 710 • Listrac-médoc 330
VIEUX MOULIN Dom. le Lirac 1225
VIEUX NOYER Dom. du Côtes-de-millau 911
VIEUX PARC Ch. du Corbières 710
VIEUX PLANTY Ch. Blaye-côtes-de-bordeaux 210
VIEUX PRÊCHE Dom. du Sancerre 1129
VIEUX PRESSOIR Dom. du Maranges 530 • Santenay 527 • Touraine 1044
VIEUX PRUNIERS Dom. des Sancerre 1129
VIEUX PUIT Ch. du Blaye-côtes-de-bordeaux 211
VIEUX ROBIN Ch. Médoc 314
VIEUX SARPE Ch. Saint-émilion grand cru 264
VIEUX TAILLEFER Dom. Pomerol 236
VIGNAC Bordeaux 175
VIGNALS Ch. les Gaillac 909
VIGNE BLANCHE Cave de la Viré-clessé 558
VIGNE DU CLOÎTRE La Bourgogne 383
VIGNE ROMAINE Dom. de la Moulin-à-vent 154
VIGNELLIÈRE Dom. de la Bourgueil 1057
VIGNÉ-LOURAC Gaillac 910 • IGP Côtes du Tarn 969
VIGNERONS BEAUCAIROIS Les Costières-de-nîmes 1229
VIGNERONS CATALANS Côtes-du-roussillon 796 • Côtes-du-roussillon-villages 804
VIGNERONS LANDAIS Les Tursan 948
VIGNERONS LONDAIS Cave des Côtes-de-provence 874
VIGNES DE L'ALMA Anjou-gamay 1006 • Muscadet-coteaux-de-la-loire 994
VIGNES DE L'ARQUE Les Duché d'Uzès 1230 • IGP Pays d'Oc 784
VIGNOL Ch. Entre-deux-mers 283
VIGNON PÈRE ET FILS Champagne 664
VIGNOT Alain et Julien Bourgogne 383
VIGNOT Ch. Saint-émilion grand cru 257
VIGOT Dom. Fabrice Échézeaux 450 • Vosne-romanée 453
VIGUERIE DE BEULAYGUE Ch. Fronton 915
VIGUIER Jean-Marc Vins-d'entraygues-et-du-fel 910
VIKING Dom. du Vouvray 1084
VILLA ANGELI Dom. la Corse ou vin-de-corse 884
VILLA BEL-AIR Ch. Graves 304
VILLA DONDONA Languedoc 738
VILLA DRIA IGP Côtes de Gascogne 968
VILLA LE LUCAT Bordeaux blanc 183
VILLAINE Dom. A. et P. de Bourgogne-côte-chalonnaise 533
VILLAINE Dom. A. et P. De Bouzeron 534
VILLAMONT Henri de Grands-échézeaux 451 • Savigny-lès-beaune 483
VILLARD François Condrieu 1177 • Côte-rôtie 1174 • Saint-joseph 1183 • Saint-péray 1193
VILLARGEAU Dom. de Coteaux-du-giennois 1096

VILLARS Ch. Fronsac 226
VILLEBOIS J. de IGP Val de Loire 1136
VILLEGEORGE Ch. de Haut-médoc 329
VILLELONGUE Ch. de Crémant-de-limoux 748
VILLEMAINE Jean-Marc Touraine 1044 • Touraine-chenonceaux 1049
VILLEMAJOU Ch. de Corbières-boutenac 712
VILLENEUVE Arnaud de Côtes-du-roussillon-villages 804 • Muscat-de-rivesaltes 823 • Rivesaltes 818
VILLERAMBERT JULIEN Ch. Minervois 759
VILLESSÈCHE Dom. Duché d'Uzès 1230
VILLHARDY Ch. Saint-émilion grand cru 264
VILLIERS Dom. Élise Bourgogne 383
VILMART & CIE Champagne 664
VINCENS Ch. Cahors 900
VINCENT Reuilly 1116
VINCENT Jean-Marc Santenay 528
VINÉA DE CANON-FRONSAC Canon-fronsac 223
VINSMOSELLE Domaines Moselle luxembourgeoise 1254-1255
VINSOBRAISE Cave La Côtes-du-rhône 1155 • Vinsobres 1196
VINSON ET FILS Denis Vinsobres 1197
VINSSOU Dom. de Cahors 901
VINTUS IGP Côtes de Gascogne 968
VINZELLES Ch. de Pouilly-vinzelles 565
VIOLETTE Ch. de la Vin-de-savoie 690
VIOLETTE Ch. la Pomerol 232
VIOT ET FILS A. Champagne 664
VIRANEL Ch. Saint-chinian 766
VIRANEL Dom. de IGP Pays d'Hérault 777
VIRCOULON Ch. Bordeaux 176 • Bordeaux supérieur 200
VIRÉ Cave de Viré-clessé 558
VIROLYS Dom. de Viré-clessé 558
VIROU Les Vieilles Vignes du Ch. le Blaye-côtes-de-bordeaux 212
VISTRE Dom. du Costières-de-nîmes 1229
VITTEAUT-ALBERTI Crémant-de-bourgogne 390
VIVIERS Ch. de Chablis 401 • Chablis grand cru 415 • Chablis premier cru 411
VIVONNE Ch. la Bandol 852
VOARICK Dom. Mercurey 543
VOCORET ET FILS Dom. Chablis grand cru 415
VOCORET Dom. Yvon et Laurent Chablis 401
VOGE Dom. Alain Saint-péray 1193
VOGT Dom. Laurent Alsace pinot gris 66
VOIGNY Grain d'or du Ch. Sauternes 365
VOILÀ Bordeaux 176
VOIRIN-JUMEL Champagne 664
VOISIN Ch. Jean Saint-émilion grand cru 264
VOITEUR Fruitière vinicole de Château-chalon 675 • Côtes-du-jura 679
VONVILLE Alsace pinot noir 72
VORBURGER Alsace riesling 81
VORDY Dom. Minervois 759
VOUGERAIE Dom. de la Vougeot 446
VOULTE-GASPARETS Ch. la Corbières 711
VOÛTE DU VERDUS Dom. la IGP Saint-Guilhem-le-Désert 786 • Languedoc 739
VRAI CANON BOUCHÉ Ch. Canon-fronsac 223
VRAY CROIX DE GAY Ch. Pomerol 236
VRAY CROIX DE GAY L'Enchanteur de Pomerol 236
VRIGNAUD Guillaume Chablis premier cru 412
VRILLONNIÈRE Dom. de la Gros-plant-du-pays-nantais 995
VULLIEN ET FILS Dom. Jean Vin-de-savoie 691

W

WACH Jean Crémant-d'alsace 107
WAGENBOURG Ch. Alsace pinot gris 66 • Alsace riesling 82
WANTZ Stéphane Alsace pinot noir 72
WARIS ET FILLES Champagne 664
WARIS-HUBERT Champagne 665
WARIS-LARMANDIER Champagne 665
WASSLER Jean-Paul Alsace pinot blanc ou klevner 60 • Alsace pinot gris 66
WEBER Peter Crémant-d'alsace 106
WEINGAND Jean Crémant-d'alsace 107
WELTY Jean-Michel Alsace gewurztraminer 56
WILLM Alsace grand cru 103
WOHLEBER Ferdinand Alsace sylvaner 84
WOLFBERGER Alsace gewurztraminer 56
WUNSCH ET MANN Crémant-d'alsace 108
WURTZ W. Alsace grand cru 103
WYMANN Xavier Alsace pinot gris 66

X

XUBIALDEA Dom. Irouléguy 955

Y

YON-FIGEAC Ch. Saint-émilion grand cru 264
YQUEM Ch. d' Bordeaux blanc 186 • Sauternes 365

Z

ZEYSSOLFF Crémant-d'alsace 108
ZIEGLER Albert Alsace gewurztraminer 56
ZIEGLER Fernand Alsace pinot blanc ou klevner 61 • Alsace riesling 82
ZIEGLER-MAULER Alsace grand cru 103
ZINCK Dom. Alsace pinot gris 66
ZOELLER Maison Alsace pinot gris 67

■ Des caves compactes parfaitement intégrées dans la cuisine
■ Des lignes épurées avec ouverture tactile motorisée
■ Un respect total des critères de conservation pour obtenir le meilleur de vos vins
■ Une expérience de plus de 40 ans dans la conservation du vin

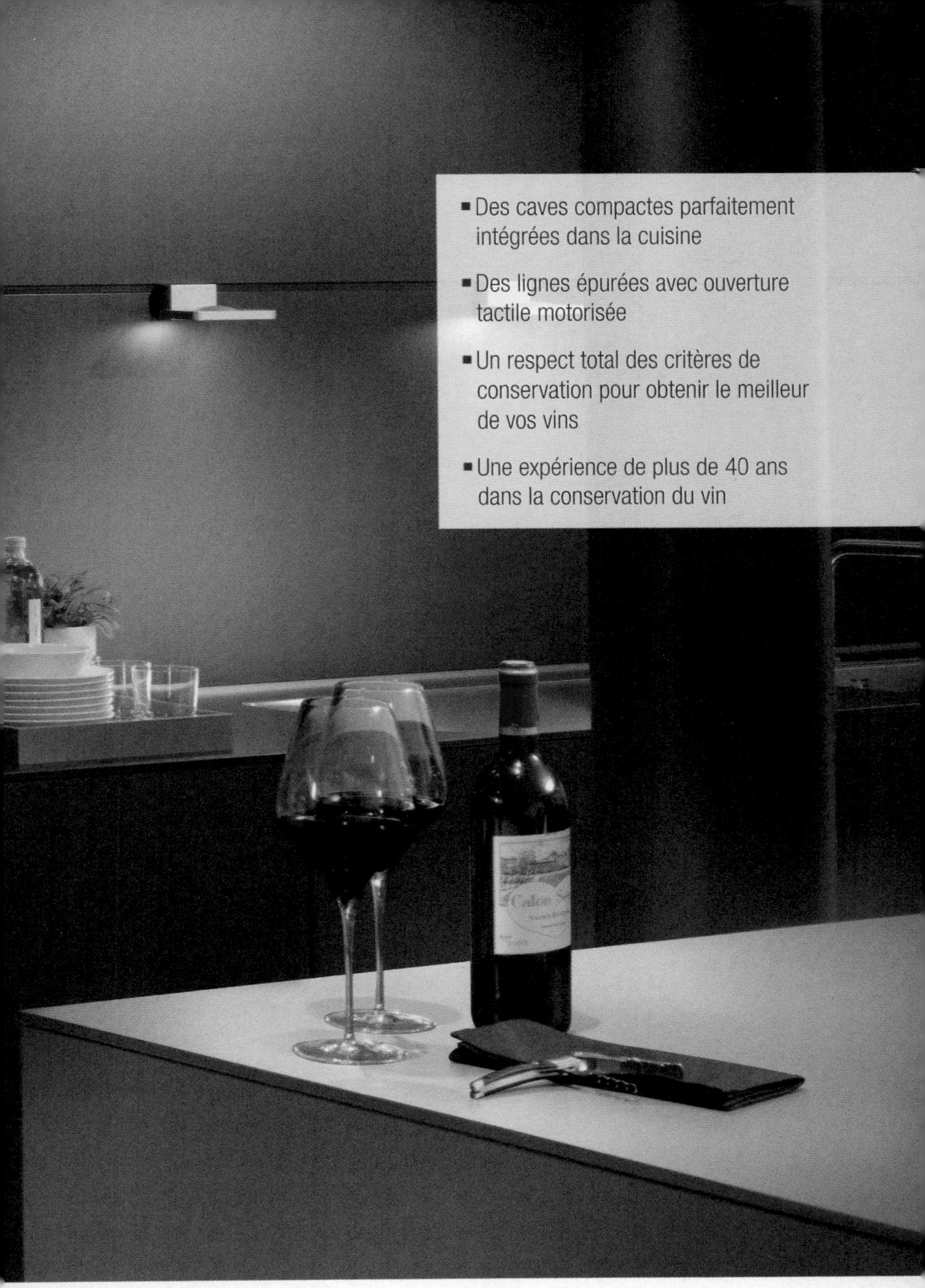

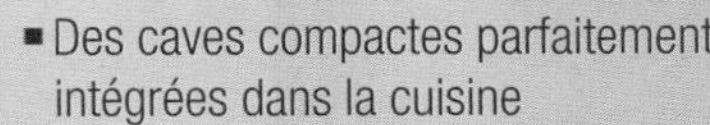